Dictionnaire historique de la langue française

tome 1

Sous la direction de
ALAIN REY

DICTIONNAIRE HISTORIQUE DE LA LANGUE FRANÇAISE

contenant

les MOTS français EN USAGE et quelques autres DÉLAISSÉS,
avec leur ORIGINE proche et lointaine;
leur APPARITION datée dans l'usage, depuis l'an 842 jusqu'à nos jours;
leur HISTOIRE convenablement détaillée, comprenant les SIGNIFICATIONS variées,
les EMPLOIS successifs, les EXPRESSIONS et LOCUTIONS les plus notables,
ainsi que
des considérations sur les IDÉES et les CHOSES désignées;
les ÉVOLUTIONS et les RÉVOLUTIONS des formes et des contenus;
les ÉCHANGES et PARENTÉS entre langues, européennes surtout;
et en outre
des ARTICLES ENCYCLOPÉDIQUES concernant les idiomes liés au français
et le français lui-même,
ainsi que les notions de linguistique utiles à la compréhension de l'ouvrage,
un GLOSSAIRE de même intention,
une CHRONOLOGIE des principaux textes en français
et enfin quelques FIGURES illustrant le voyage et les errances des signes et des idées.
Le tout recueilli et disposé pour l'utilité et l'agrément du lecteur

par
Alain REY,
Marianne TOMI, Tristan HORDÉ, Chantal TANET,

édition enrichie par
Alain REY et Tristan HORDÉ

DICTIONNAIRES LE ROBERT - PARIS

27, rue de la Glacière, 75013 PARIS.

ISBN 2-85036-532-7
ISBN 2-85036-563-7 *(tome 1)*

PRINCIPAUX COLLABORATEURS

Direction

Alain REY

Rédaction du texte du dictionnaire

Marianne TOMI
Chantal TANET
Tristan HORDÉ
Alain REY

Révision étymologique (grec et latin)
Corinne COULET

avec l'aide, pour les langues sémitiques,
du professeur André CAQUOT

Articles encyclopédiques

M.-J. BROCHARD, C. COULET, M. HADAS-LEBEL,
T. HORDÉ, M. NOURI, G. PINAULT, A. REY,
W. SCHWEICKARD, Ch. TANET, A. THIBAULT

REMERCIEMENTS

pour son aide à la conception éditoriale à
Danièle Morvan

pour ses conseils étymologiques à
Marie-José Brochard

Maquette et Typographie
Gonzague Raynaud

Couverture Patrice Caumon

Correction
sous la responsabilité de
Gonzague Raynaud

Michel Heron, Anne-Marie Lentaigne
Nadine Noël-Lefort, Brigitte Orcel
Édith Zha

Pierre Bancel, Françoise Buisson
Christine Ehm, Françoise Maréchal
Marie-Odile Martin

Informatique éditoriale

Annie Bonde, Chantal Combes, Karol Goskrzynski, Élisabeth Huault
Hellen Ranson, Sylvette Robson, Éric Saint-Alary, Lydia Vigné

SIGNES CONVENTIONNELS

✳ Mot dont la dérivation ménage des surprises, la famille historique qui en découle ayant pris des valeurs et assumé des fonctions et des significations imprévisibles. Exemple : ✳ BAN, ✳ ② BILLE.

◊L Mot d'origine « populaire » latine, c'est-à-dire mot français issu par une lente évolution phonétique et par voie orale, du latin parlé en Gaule à partir des IVe-Ve siècles. Ces mots « hérités » constituent le véritable fonds historique du français, son terroir propre. Ils étaient plus nombreux en ancien français ; beaucoup ont disparu, souvent remplacés par des emprunts, mais ceux qui subsistent sont en général très fréquents dans l'usage et désignent des réalités essentielles (ex. ◊L EAU, qui vient, de manière aujourd'hui méconnaissable, du latin *aqua*).

◊G Mot du fonds germanique, le plus souvent francique. Ils représentent l'apport des Francs qui, ayant envahi la Gaule et fondé la « France », ont adopté la langue romane non sans y apporter leur contribution (ex. ◊G BLEU).

◆› Mot dont l'origine gauloise est établie.

◊? Mot d'origine obscure ou tout au moins controversée. Ce symbole concerne tous les mots français dont l'« étymon » n'est pas assuré, mais non pas tous ceux dont l'étymon est lui-même obscur. En effet, les mots latins, plus souvent encore grecs, dont nos vocables sont issus ou empruntés, sont eux-mêmes inégalement expliqués. Il en va de même pour les sources d'emprunt à des langues variées, comme l'arabe, dont l'étymologie est loin d'être toujours claire. Le symbole ◊? concerne donc l'étymologie du français et seulement elle, et signale une catégorie passionnante de mots, souvent propres à l'espace national et isolés dans la *Romania*. Ces mots font l'objet d'hypothèses combattues ; ils se réduisent peu à peu, mais beaucoup résistent aux efforts des étymologistes.

♦ Début du paragraphe concernant l'histoire du mot en français (le premier paragraphe, qui suit l'entrée, traite l'étymologie).

► Début du traitement des mots de même famille que l'entrée (dérivés français, emprunts à des dérivés latins, etc.).

◆ Division du texte, le plus souvent annonçant une sous-entrée à l'intérieur de la famille de l'entrée ou encore une subdivision importante dans le traitement d'un mot complexe.

◇ Division inférieure à la précédente séparant des nuances de sens, etc., et, dans le traitement de la famille du mot, certaines sous-entrées secondaires (par exemple dérivées d'une autre sous-entrée).

◈ Précède, en fin d'article, les mots en relation étymologique avec ceux qui viennent d'être traités.

PRÉFACE
par Alain Rey

> *« Et les mots y laissent voir dans une profondeur assez claire toute la population de leur histoire. »*
> Paul Valéry, *Tabulae meae tentationum* (*Les Cahiers*, t. II, p. 47).

Entreprendre de présenter en un ouvrage maniable l'histoire des mots d'une langue parlée depuis un millénaire est à coup sûr un acte de folie. Mais c'est un acte nécessaire, rendu d'ailleurs un peu plus raisonnable par de précédents délires, ceux de ces admirables chroniqueurs de la culture que furent les poètes-chanteurs du moyen âge, ceux des savants exaltés de la Renaissance, des bénédictins patients de toutes époques, ceux des promoteurs du savoir philologique, jusqu'aux étymologistes et aux historiens d'aujourd'hui.

UNE TRADITION DE RECHERCHE

Ce livre n'échappe à une prétention qui serait en effet démente que par la modestie d'un hommage collectif rendu aux rassembleurs et aux conservateurs d'un inépuisable musée, patrimoine et trésor des mots.

Les auteurs de ce dictionnaire tiennent tout d'abord à affirmer que sans plusieurs siècles de «recherches» (Pasquier) sur les origines du français, sans les grands travaux étymologiques (de Ménage, puis de Friedrich Diez, de Wartburg et de leurs continuateurs), sans les dictionnaires de la langue française à contenu historique (tels le *Littré,* le *Dictionnaire général,* le *Grand Larousse de la langue française,* le *Grand Robert,* le *Trésor de la langue française*), sans d'admirables synthèses portant sur le latin (Ernout et Meillet), sur le grec (Chantraine), sur les langues romanes (Meyer-Lübke), sans l'irremplaçable *Histoire de la langue française* de Ferdinand Brunot, sans les travaux de maints chercheurs, ce livre, tout simplement, n'aurait pu voir le jour.

Mais l'abondance des références suffit à poser le problème de la communication et du libre accès à cet immense savoir. À la fin du XXe siècle, ce lexique si bien exploré dans ses sources et dans son développement ne faisait pas l'objet de synthèses accessibles — c'est-à-dire de taille, de prix, de lisibilité convenables — autres que de petits dictionnaires étymologiques, qui, favorisant l'histoire des formes, sont contraints à un traitement élémentaire de l'évolution des sens, des valeurs, des rôles désignatifs. Or, ce baptême du monde par les mots est ici un objet majeur.

Il était paradoxal qu'une langue aussi bien mémorisée par des centaines de milliers de textes, par des milliers d'œuvres majeures, aussi bien étudiée et décrite parmi les grands idiomes de civilisation, qu'une langue aussi poétiquement célébrée ne dispose pas d'une description simple, mais assez compréhensive, faisant état des résultats les plus récents de toutes ces recherches.

À côté des dictionnaires décrivant l'usage d'aujourd'hui — même s'ils tiennent compte de la dimension du passé —, le français manquait d'une description essentiellement historique de la langue, incluant dans cet adjectif la recherche des origines et le compte rendu des usages dans le temps social.

OBJET DU ROBERT HISTORIQUE

Cependant, l'objet du *Robert historique* est le vocabulaire du français moderne. On n'y a envisagé les mots disparus que lorsqu'ils éclairaient la suite vivante de l'évolution. L'ancien français est en partie pour nous une langue étrangère : on l'évoque ici en tant que passage obligé vers notre usage d'aujourd'hui, en tant que garant de continuité, en tant que médiateur. De même, la description des mots latins, grecs et, pour les emprunts modernes, des autres sources (italien, espagnol, arabe, anglais, etc.) est, elle aussi, orientée vers leurs effets sur le français moderne. Cependant, dans une telle perspective, l'analyse est ici détaillée suffisamment et la «remontée dans le temps» peut affecter des origines très lointaines, indoeuropéennes, sémitiques, voire exotiques, depuis les emprunts amérindiens qui atteignent l'Europe à la Renaissance.

La perspective adoptée est illustrée non seulement par tous les articles de ce dictionnaire, mais aussi par des textes de synthèse consacrés au français en France et hors de France, aux principales langues et aux familles de langues en rapport avec le français, aux grandes notions qui éclairent cette biographie des mots.

Après avoir perdu leur langue celtique, le gaulois, qui s'était répandue à l'aube de l'histoire, les habitants de cette extrémité occidentale du continent européen, à partir du Iᵉʳ siècle avant l'ère chrétienne et grâce à un envahisseur militaire de génie, Jules César, se mettent à parler latin, mais un latin de plus en plus altéré. En six siècles, ce latin parlé, populaire, donne naissance à une sorte de créole : le roman. Cette langue est un moment concurrencée par les idiomes germaniques des Alamans, des Burgondes et surtout des Francs, fondateurs du pouvoir politique qui va l'emporter et qui donne son nom à la France.

Après quelques témoignages isolés, politiques *(Serments de Strasbourg)* et religieux (la modeste et archaïque *Cantilène* de sainte Eulalie), c'est à la fin du Xᵉ siècle, il y a donc mille ans, que l'«ancien français» surgit, capable déjà de beauté littéraire, pour célébrer le Dieu humain du christianisme et ses saints *(Passion du Christ, Vie de saint Léger)*.

Un siècle plus tard, ce «vulgaire» qui tend à devenir «illustre» — tels sont les termes de Dante pour l'italien — s'affirme face au latin. Le français précède de peu ses proches cousins, l'occitan, le catalan, l'italien toscan que va célébrer Dante, ou encore l'espagnol de Castille. En France, les envahisseurs mêmes vont parler français. Ainsi les Scandinaves qui ont envahi la Normandie au milieu du Xᵉ siècle ayant perdu leur parler natal, adoptent un dialecte proche du français. Plus encore, ils s'implantent après 1066 en Angleterre, où la noblesse et le pouvoir emploieront le même langage que sur le continent, un «anglo-normand» quasi français, jusqu'au XIVᵉ siècle. C'est le premier chapitre d'une expansion contrariée qui mènera le parler des Parisii jusqu'à la moderne francophonie.

À la fin du XIe siècle, dans l'évocation d'un passé légendaire et tumultueux, dans la célébration d'un présent plein de violence et de noblesse, surgit un premier chef-d'œuvre, la *Chanson de Roland,* signal d'une vaste série d'épopées féodales.

Alors s'expriment deux admirables littératures, celle du Nord, qui s'édifie au-dessus des dialectes, célébrant et illustrant la langue où l'on dit «oui» (langue d'oïl) et celle d'«oc», dans le Midi. Ce frère occitan est une source vive pour des siècles de lyrisme européen, à côté de l'héritage celte qui inspire à la fois langues romanes et germaniques, dans la légende amoureuse et mystique du roi Arthur, de Perceval, de Tristan et d'Iseult.

Secoué par les tumultes de l'histoire, le français, à la croisée des inspirations du génie européen, va se transformer, s'éloignant encore du latin et de ses descendants plus fidèles, l'italien et l'espagnol. Mais le «moyen français», du XIVe au XVIe siècle, usage instable, évolutif, est lui aussi une période de créativité admirable, de Rutebeuf à Villon, de Joinville à Froissart, de Marot à Rabelais. Alors la société change profondément avec les mentalités que les mots reflètent; de nouvelles techniques de communication apparaissent sur une terre germanique toute proche de la France. L'avenir des sociétés modernes se prépare : c'est l'aurore de la «galaxie Gutenberg».

Dans ces temps, le français prend force et fierté; il s'enrichit par des emprunts repris et de plus en plus maîtrisés, d'abord au latin religieux, puis au latin classique et au grec, concurrents et tuteurs admirés mais dont il va falloir s'affranchir.

Ce mouvement correspond à l'enrichissement humaniste de la Renaissance, qui s'effectue dans une période agitée, sanglante, inspirée. La langue moderne et la culture qu'elle exprime — la nôtre — en sont issues.

Après la foisonnante période baroque, l'apogée classique correspond à un réglage précis et subtil, mais aussi à un appauvrissement. Cependant, le siècle de Louis XIV est plus contradictoire qu'il ne semble. Il faut alors que le français s'adapte à un monde et non plus à des cultures régionales, non plus même à une seule nation. En outre, tout évolue très vite : société, politique, sciences et techniques. À partir du XVIIIe siècle, qui voit le règne triomphant du français en Europe, la force idéologique et culturelle du monde anglo-saxon est déjà sensible. Dans ce temps des «philosophes» qui renouvelle la pensée sociale et prépare un bouleversement, la langue classique s'enrichit et se compromet.

L'originalité française construite par l'Ancien Régime se confirme après 1789, mais en éclatant. Avec cette révolution commencent les deux siècles d'enrichissements expressifs incessants qui forgent l'usage de France et celui des pays francophones d'aujourd'hui.

C'est ce trajet millénaire, patiemment repéré dans les aventures de notre vocabulaire, que prétend évoquer et retracer ce livre.

MÉTHODE

La méthode en est simple. Chaque article du dictionnaire, à l'exception des «encadrés» encyclopédiques, décrit un élément du français actuel ou récent et se divise en deux ou trois parties. Si le mot n'a aucun dérivé, il est traité en deux paragraphes, le premier concernant ses origines, avant le français, le second (signalé par ♦) son histoire. Si l'entrée est signalée en marge par les symboles ◈ ou ◈, il s'agit d'une forme «héritée», venue par voie orale du latin populaire des Gaules (◊L) ou du germanique, en général celui des Francs (◊G). S'il n'est pas marqué de ces symboles, c'est un emprunt, au latin, au grec ou à une langue vivante. Enfin le signe ◊? montre au curieux que l'étymologie du mot français est inconnue ou très controversée.

Ce paragraphe informe déjà le lecteur sur la date d'entrée en français, en fait, la première attestation connue dans un texte; il renseigne sur la forme-source (l'«étymon») et sur les voies de passage (1). Il explore cette origine, s'il se peut jusqu'à la racine, qui est souvent indoeuropéenne, et décrit les voies d'accès vers le français, lorsqu'elles sont connues. Les étymologies établies sûrement l'ont été par une longue tradition, dont les premiers témoins, après les grands humanistes de la Renaissance, sont Gilles Ménage au XVIIe siècle, puis les philologues du XVIIe et du XVIIIe siècle. Au XIXe siècle l'Allemand Friedrich Diez (que suit fidèlement Littré) fonde l'étymologie scientifique des langues romanes. Au XXe siècle, Walther von Wartburg, dans son *Französisches etymologisches Wörterbuch,* élabore une synthèse magistrale pour tous les parlers gallo-romans, notamment celui qui est devenu la langue nationale française. Ces sources auxquelles il faut joindre le remarquable abrégé qu'est le *Dictionnaire étymologique de la langue française* d'Oscar Bloch et Walther von Wartburg, alimentent tous les ouvrages de référence modernes.

D'autres étymologistes ont pu critiquer certaines hypothèses préalables, y compris celles de Wartburg. L'un d'eux, imaginatif et souvent contesté, a tenté d'éclairer les zones d'ombre des mots propres à la Gaule : c'est Pierre Guiraud. S'il est ici souvent cité, c'est parce que ses propositions s'écartent de la tradition et qu'elles relèvent d'une théorie cohérente, structurale, de l'histoire du français. Cependant, le lecteur doit savoir que les auteurs de cette tradition, Ménage, Diez, Schuchardt, Wartburg, accompagnés et continués par beaucoup d'autres, tel Kurt Baldinger, sont les inventeurs incontestés de la grande majorité de nos étymologies. Dès lors, on ne s'étonnera pas de la convergence entre le présent ouvrage et les grands dictionnaires généraux du français les plus récents : le *Grand Robert,* le *Grand Larousse de la langue française* et le *Trésor de la langue française.* Les notices historiques de ce dernier, si riches en développements sémantiques et phraséologiques — ce qui constitue une importante nouveauté —, ont été consultées et utilisées en complément au «grand Wartburg» : il nous est agréable d'en saluer les auteurs avec reconnaissance. Les mêmes sources se retrouvent pour le second paragraphe de nos articles, consacré à l'histoire du mot en français. Celui-ci décrit, selon un ordre en général chronologique, les aventures du sens et de la désignation, la formation des principales locutions et l'évolution des valeurs sociales du mot. Ce paragraphe comporte de nombreux repères chronologiques (dates) dont la valeur variable mérite un commentaire (voir plus loin).

---

(1) Les formes anciennes sont évidemment données avec la graphie originelle. Cependant, on a parfois jugé utile de mentionner la syllabation à l'aide du tréma. Ce dernier, pour l'ancien français, n'est qu'un signe diacritique ajouté, et ne correspond pas à un usage graphique réel avant le XVIe siècle.

D'une manière générale, les signes diacritiques, surtout lorsqu'ils sont étrangers aux habitudes graphiques du français moderne, sont assez peu nombreux. Ainsi les brèves (ŏ) et les longues (ō) du latin ne sont notées que si leur contraste a joué un rôle dans l'étymologie du français. Les signes spéciaux sont peu nombreux et traditionnels: ils reprennent, pour les langues indoeuropéennes, les habitudes de notation de Ernout et Meillet.

Enfin, par souci de simplicité, on a translittéré le grec, les langues slaves, l'hébreu, l'arabe et on a généralement renoncé à l'alphabet phonétique.

Quant à l'étymologie, on a souvent précisé, pour les mots «hérités» de source latine, les parentés entre le français et les autres langues romanes, surtout italien, espagnol, occitan (provençal), catalan et portugais. En remontant du latin ou du grec vers les origines, sont alors souvent évoquées les relations entre le mot français et ses cousins plus éloignés, cousins germains et germaniques (allemand, néerlandais, anglais, langues nordiques), celtiques, baltes, slaves...

Sur ce chapitre de la remontée étymologique au-delà du latin ou du grec, et dans la mesure où l'on fait allusion au vaste groupe génétique indoeuropéen, il convient de rappeler quelques données. Les dictionnaires étymologiques français s'arrêtent en général à l'étymon premier, c'est-à-dire au mot, latin par exemple, d'où est issue la forme française. Il existe des exceptions comme le *Dictionnaire des racines indoeuropéennes* de Grandsaigne d'Hauterives (écrit pour le public français, mais non centré sur le français) et, beaucoup plus proche par l'objet, le *Dictionnaire étymologique* de Jacqueline Picoche, qui regroupe hardiment et de manière très suggestive les formes indoeuropéennes apparentées, qu'elles soient latines ou grecques.

Le présent dictionnaire procède, dans ce domaine, avec prudence. C'est seulement lorsque les grandes sources disponibles étaient en accord sur la constitution d'une famille que nous en avons fait état. En effet, si Pokorny, auteur d'un important dictionnaire des formes indoeuropéennes, Ernout et Meillet, étymologistes du latin, Chantraine, étymologiste du grec, considèrent tous qu'une série est vraisemblable ou certaine, on peut raisonnablement la considérer comme établie. D'autres, d'ailleurs moins informés, veulent aller beaucoup plus loin et risquent — comme les étymologistes allemands du début du XIXe siècle — de n'évoquer que des fantômes. La sagesse consiste à écouter Antoine Meillet, qui rappelait que des ressemblances de formes et de sens pouvaient toujours avoir d'autres causes qu'une origine commune. Les influences, emprunts réciproques, interactions sémantiques et formelles sont toujours possibles lorsque les langues en cause ont été en rapport concret. L'hypothétique et le vraisemblable, quel que soit leur pouvoir de stimulation ou d'explication, ne doivent pas être présentés comme des certitudes.

Dans ce domaine du comparatisme indoeuropéen, nos sources, outre Meillet, Ernout et Chantraine, déjà cités, ont surtout été É. Benveniste et G. Dumézil, qui figurent parmi les plus grands et ont toujours tenu compte des recherches de leurs prédécesseurs, ne serait-ce que pour les critiquer. L'étymologie, elle aussi, est une longue et patiente tradition.

⁂

LES FAMILLES DE MOTS

Pour de nombreux articles du dictionnaire, un troisième chapitre, signalé par le signe ▸, est consacré à la famille du mot-entrée. Il peut comprendre de nombreuses sous-entrées, dérivés et composés français ou encore mots empruntés à des dérivés ou à des composés de l'étymon (le plus souvent latin). Lorsque ces dérivés, dans leur usage, réservent des surprises, manifestant des relations aujourd'hui effacées, l'entrée principale est marquée par le signe ✱, qui signifie «mot à grand développement, à l'origine d'une famille historique devenue hétérogène, imprévisible et souvent surprenante». Ainsi l'article ② BILLE («balle»), qui contient 28 mots apparentés et imprévus (*habiller* et ses dérivés, par exemple) est-il orné de ce signe ✱. Il en va de même pour ✱ BLÉ qui a donné, parmi d'autres, REMBLAYER et DÉBLAYER.

Pour de nombreux mots apparentés et dérivés, l'étymologie va de soi ou presque ; si elle n'est plus ressentie clairement, elle est expliquée, sinon, elle reste implicite (*border,* de *bord; billetterie,* de *billet;* etc.).

Les sous-entrées détaillent l'histoire du mot, qui est traitée comme celle des entrées principales. En outre, ces mots seconds peuvent à leur tour être à l'origine de dérivés, eux-mêmes commentés.

Les articles complexes peuvent donc se lire comme des «arbres généalogiques» — et d'ailleurs, quelques schémas matérialisent cette structure dans l'ouvrage.

Par exemple, pour l'article ② BILLE, déjà mentionné, on pourrait ainsi représenter les informations comme dans le tableau ci-contre :

② BILLE

- dérivés
  - BILLETTE
  - ① BILLON → BILLONNER { -EMENT, -AGE }
  - BILLOT
  - BILLARD { -IER, -ER }
  - BILLER
  - ② BILLON → ② BILLONNER → -AGE
- composés
  - HABILLER (*à* + *bille* + *er*)
    - HABILLEMENT { -AGE, -EUR }
    - RHABILLER { -EMENT, -AGE, -EUR }
    - DÉSHABILLER { → DÉSHABILLÉ, → -AGE, → -EUR }

Les dérivés ou composés premiers sont signalés par un paragraphe ou par le symbole ◆, les dérivés seconds (en général) par ◇.

Cette hiérarchie : paragraphe, ponctuation forte ◆, puis faible ◇, sert à articuler le texte et à aider la consultation, tant dans l'histoire d'un mot complexe que dans l'ensemble d'une famille étymologique. Elle reste souple et on a préféré cette solution à la rigidité hiérarchique d'une numérotation, laquelle est requise par la complexité des plans des dictionnaires généraux. Ce n'est pas l'ordre logique qui prévaut ici, mais l'ordre ou le désordre historique, inscrit dans le temps et dont la logique des sens, si elle se manifeste, se dégage parfois avec peine.

Le mot, signe de la pensée et du réel, voit triompher l'irrégularité et l'arbitraire, par rapport à la logique de la grammaire.

DATATION

Tout ce matériel historique est, si possible, repéré par des dates très nombreuses, à propos desquelles il faut donner des éclaircissements. On trouvera, sous la rubrique DATATION, le point de vue de l'étymologiste sur ce sujet. Il convient ici de préciser quel peut être celui du lecteur. Ces repères chronologiques, millésimes ou portions de siècle, qui sont associés aux formes, aux sens et aux expressions ne sont rien d'autre que ceux de textes, manuscrits, puis imprimés, littéraires ou non, où un signe du langage est repéré pour la première fois. Leur valeur est aussi variable que sont variées ces sources textuelles.

Les plus anciennes remontent aux IXe et Xe siècles (842, v. 980, 1080...). Elles correspondent aux repérages chronologiques des textes qui nous sont parvenus sous forme de manuscrits postérieurs. Ainsi, «842» est une date historique, celle des *Serments de Strasbourg*; «vers 980» est une supputation, pour la composition d'une *Passion*, «1080» pour celle de la fameuse *Chanson de Roland* que d'autres placent vers 1100. Sans commenter la difficulté de dater ces textes — et même les manuscrits qui les ont transmis — on soulignera le grand arbitraire de ces références, jusqu'au XIe siècle, s'agissant d'un vocabulaire riche et vivant qui n'est représenté que par de trop rares témoignages écrits, le latin occupant alors la majeure partie du terrain. Le hasard de ces attestations s'atténue avec leur abondance : le lexique des XIIe et XIIIe siècles est déjà mieux repéré et mieux connu.

Ces dates d'ancien français correspondent donc à des textes situés avec une précision souvent illusoire. Ainsi, 1080 est une convention commode et vraisemblable pour «attesté dans la *Chanson de Roland*», et rien de plus. On ne s'étonnera donc pas des données moins rigoureuses : v. (vers) telle date, ou encore mil. (milieu) XIIe s., 2de moitié XIe s., fin XIIe s., etc. Parfois, le repérage est plus vague encore (XIe s., XIIe s. ...). Certains millésimes doubles correspondent à la même incertitude : 1300-1350 (au mot *bouchon*) pourrait être exprimé par 1re moitié XIVe s., mais correspond plus précisément à une «fourchette» vraisemblable pour un texte. À l'entrée *boucle,* un sens est repéré pour 1160-1190; une valeur de *bouclette* par v. 1160-1170; une autre par 1268-1271; pour chaque exemple, il s'agit là encore d'un texte, rédigé (ou recopié) entre ces dates extrêmes, et non pas d'une durée d'usage. De la même manière, av. (avant) doit être lu : dans les années qui précèdent (telle date).

Expliciter les références, comme le font les dictionnaires très spécialisés, aurait donné un ouvrage peu lisible et des informations ésotériques pour l'utilisateur non spécialiste. On a préféré fournir en annexe une liste de correspondances entre les dates données dans cet ouvrage et les principaux textes repères. On constatera qu'avant l'imprimerie et parfois même après, ce balisage chronologique est imprécis et contesté, situation normale dans une science historique. Néanmoins, à partir du moyen français et de la diffusion de l'imprimerie (XVe-XVIe s.) la datation est plus aisée, et les millésimes deviennent la règle. Cependant, lorsqu'un livre est paru longtemps après sa rédaction, celle-ci, beaucoup plus pertinente pour l'histoire des mots, redevient difficile à déterminer. On trouvera ainsi, pour des ouvrages posthumes, «av. telle date», c'est-à-dire avant l'année de la mort de l'auteur, et non pas la date bibliographique, plus tardive. Grâce aux correspondances, aux journaux intimes, souvent datés avec précision lors de la rédaction, on retrouve un repérage supposé exact pour des textes écrits longtemps avant leur publication. Dans ce cas, la liste en fin d'ouvrage mentionne la première année et la durée de la correspondance, du journal, des mémoires en question. Il en va de même pour la presse, où l'on peut même — si la chose a un sens — dater l'attestation au mois, à la semaine, au jour près (Littré ne s'en prive pas, utilisant le jeune *Journal officiel* dans son supplément de 1877).

À côté de ces repères textuels précis ou aléatoires, d'autres concernent les recueils, listes, glossaires, vocabulaires et dictionnaires. Ces derniers sont évidemment postérieurs à l'entrée réelle du signe dans l'usage (1) : ils ne sont fréquents dans les repérages chronologiques que faute de dépouillements suffisants des textes spontanés.

Il faut tenir compte de ce fait lorsqu'on a affaire aux recueils les plus riches, comme le dictionnaire français-anglais de Cotgrave (1611), le dictionnaire de Richelet (1680), celui de Furetière (1690), l'Encyclopédie (1751-1780), la série de Trévoux (1732-1771), les dictionnaires de Bescherelle (1845), Littré (1863-1872), le grand recueil de Pierre Larousse (1866-1878), toutes dates très (trop) fréquentes dans nos références. Lorsque le repérage était particulièrement tardif par rapport à un usage antérieur vraisemblable, on a précisé qu'il s'agissait de l'entrée dans un dictionnaire, et non d'une attestation spontanée.

Si beaucoup de dates sont trop tardives par rapport à la vérité en partie inconnue de l'usage, d'autres, que donnent les dictionnaires historiques déjà publiés, sont aujourd'hui critiquées et doivent parfois être annulées : il s'agit souvent de passages interprétés ou modifiés, de textes évolutifs, dont les premières versions sont pauvres et ne contiennent pas toutes les formes enregistrées par une édition ultérieure ou par un manuscrit enrichi et postérieur. D'autres encore ne reposent que sur le crédit d'un étymologiste qui n'a pas donné ses sources (certaines dates des dictionnaires de Dauzat, de Bloch et Wartburg sont de cette nature). On a tenu ici le plus grand compte de ces critiques et de ces ajustements, quand on en a eu connaissance. Mais les recherches et les critiques philologiques continuent sans trêve (2).

À côté de ces repérages insuffisants, sujets à révision, d'autres datations sont précises, notamment en français moderne et s'agissant des terminologies scientifiques et techniques. Mais le cas de l'adjectif *roman* en art, datable à une semaine près (3), ou bien celui du vocabulaire de la chimie moderne, dû à Guyton de Morveau et à Lavoisier et dont l'apparition est précisément connue, celui des mots d'électricité empruntés à l'anglais et créés dans cette langue par Faraday, etc. restent caractéristiques des termes créés pour répondre à des besoins conceptuels, et ne peuvent s'appliquer à l'évolution spontanée du vocabulaire dans son ensemble.

Reste que le tableau chronologique du lexique français obtenu par la recherche philologique et présenté ici est très pertinent, au moins en ce qui concerne les formes (les mots). À preuve la difficulté d'«avancer» une date, sauf dans certains secteurs mal explorés, comme la langue populaire ancienne (4). En revanche, les attestations de sens et de valeurs, celles des locutions restent souvent provisoires et donneront lieu à des améliorations futures, en fonction des recherches.

Toutes les sources publiées et raisonnablement diffusées ont été utilisées ici ; même des travaux non publiés nous ont été communiqués et je remercie vivement les chercheurs qui nous en ont facilité l'accès (5). Bien entendu, les auteurs de l'ouvrage ont apporté leur

---

(1) Il existe des exceptions : les listes de néologismes proposés, comme celle de J.B. Richard de Radonvilliers au milieu du XIXe siècle.
(2) On signalera les travaux de Manfred Höfler, ceux de l'équipe étymologique du T. L. F.
(3) Voir *Le lexique, images et modèles* (Armand Colin).
(4) Les travaux récents de Pierre Enckell améliorent grandement cette situation.
(5) Je citerai en désordre les contributeurs des précieux *Datations et Documents Lexicographiques* (D.D.L.), les travaux actuels du *F.e.w.* de von Wartburg pour la lettre A, sous la direction de Jean-Pierre Chambon, sans oublier thèses et recueils.

contribution à cette chasse à la première attestation, si importante lorsqu'il s'agit de représenter l'histoire du mot et surtout celle de ses usages.

ARTICLES ENCYCLOPÉDIQUES ET SCHÉMAS

Ces deux programmes, origine et histoire, relient le présent au passé, rétablissent l'unité du socle culturel français, au sens langagier, non plus national, de cet adjectif. Pour que ce livre puisse faire accéder le lecteur à l'impression générale d'une évolution de la langue dans ses mots, nous avons joint aux articles qui détaillent la matière des exposés plus synthétiques. Ils sont nettement distingués (encadrés) et concernent des langues (catalan, occitan, italien, allemand, latin, grec, anglais, basque...), les familles de langues (indoeuropéennes, germaniques, et bien sûr romanes) qui ont une relation importante avec le français (le français et son expansion sont eux-mêmes décrits historiquement). Ils s'appliquent aussi à des notions linguistiques : emprunt, figure (de rhétorique), argot. Ces exposés sont signés : certains sont rédigés par les rédacteurs du dictionnaire, d'autres par des contributeurs extérieurs, que je remercie pour leur apport.

En annexe, un glossaire assez ample renseignera le lecteur sur le sens précis des termes employés dans l'ouvrage. La correspondance entre dates et textes sources donnera une idée de l'énorme quantité de textes utilisés et encore utilisables, car la plupart d'entre eux n'ont pas été exploités comme ils pourraient l'être.

Les schémas proposés çà et là ne sont pas seulement décoratifs : ils matérialisent graphiquement les relations de forme et de sens dans le temps. Le lecteur pourra à loisir en créer d'autres à partir des informations du dictionnaire.

LANGAGE ET CULTURE

Voilà les objectifs et les procédés essentiels de ce livre qui cherche à restituer les étapes d'une double aventure. Celle de la constitution d'un code social partagé, fait de mots puisés à la complexe histoire des langues de l'Europe et à celle de l'Europe elle-même. Passages, invasions, influences, réactions, désirs et rejets, morts et renaissances du sens pendant deux ou trois millénaires laissent leur trace sur ces pages. L'autre aventure est celle du français lui-même. Après l'extinction mystérieuse du gaulois, les balbutiements perdus des premiers dialectes romans des Gaules, ce sont mille ans d'ancien et de moyen français (de la fin du Xe s. à celle du XVIe s.), puis de français classique et moderne, en Europe et à partir du XVIe siècle hors d'Europe. Alors, l'histoire du langage est jalonnée par de grands témoins : ceux de la littérature, de la pensée, de la science, de toute la communication sociale.

L'ouverture du langage sur la culture, les idées et les sentiments collectifs conduit à voir dans les signes du langage des outils pour s'exprimer et pour communiquer, pour révéler la vérité et pour mentir, pour séduire et pour insulter, pour convaincre et pour égarer. Toutes les rhétoriques sociales, langues de bois du pouvoir et de l'argent, langues de fer des institutions, langues de miel et d'acide, langues d'or et d'ordure, sont convoquées pour témoigner des intarissables pouvoirs du mot. Ce mot, nous croyons nous en servir, alors que bien souvent c'est lui qui nous entraîne — par la charge que l'histoire a mise dans les sons et les lettres. Les mots sont des accumulateurs d'énergie.

Au-delà des savoirs et des informations ici réunis et mis en perspective, ce sont les idées et les passions de successives communautés humaines, un immense patrimoine émotionnel et spirituel que nous avons tenté d'évoquer. Merci aux mots les plus modestes, les plus usés, les plus humbles de la langue française, d'amener jusqu'à nous, les francophones d'aujourd'hui, les richesses d'un passé commun.

La présente édition de cet ouvrage, outre une présentation compacte et plus économique, correspond à une révision et à un enrichissement du texte, qui tient compte des évolutions les plus récentes du vocabulaire français, reflet des mutations de la société.

Alain Rey, 1992 et 1998

Tome 1

A-E

A

À prép. Les emplois très variés de cette préposition viennent en partie de ce qu'elle est issue de trois prépositions latines : *ad* (→ ① a-) exprimant à l'origine le mouvement vers, la direction, de loin la plus importante (*a* et *ad*, mil. XIe s.), mais aussi *ab* correspondant au grec *apo-* (→ apocalypse) et recouvrant plusieurs notions, notamment la séparation, et enfin *apud*, par une forme populaire °*abu* (*ab* dans *Les Serments de Strasbourg*, 842). *À* est d'abord en concurrence avec des formes empruntées, *ad* jusqu'au XIIIe s., *ab* jusqu'au XVe siècle. ◇ La forme contractée ***au*** vient de *a le* (*al*, mil. XIe s.) et *aus* de *a les (als)*, devenu ***aux*** par confusion (*us* se notant arbitrairement *x*) ; *au* et *aux* l'emportent sur *a le* et *a les* au XIIIe siècle. Enfin, sur le plan formel (graphique), *a* pouvait s'agglutiner avec le substantif, *a forfait* étant écrit *afforfait*, *a savoir assaveir* (d'où *assavoir*, encore dans Littré), etc. ; cet usage existe encore au XVIe siècle.

En latin, *ad* exprimait le mouvement, la direction vers un lieu, vers une personne, puis la proximité, la situation sans mouvement, le rapport, la comparaison ; en latin parlé (observable dans le théâtre, par exemple chez Plaute, et à époque tardive) *ad* remplace parfois le datif et le génitif. Quant à *ab*, il exprimait la séparation, l'origine (ce qu'exprimera *de* en français), d'où l'agent. Enfin, *apud* est employé tardivement (VIe s.) pour les notions de relation, d'accompagnement, en concurrence avec *cum* «avec». C'est la confusion, aux VIe-VIIe s. (Mérovingiens), entre *ab* et *ad* et par ailleurs entre *apud* et *ad*, qui rend compte de celle qui a mêlé les mots romans et ancien français *ad*, *ab*, et *ab* (de *apud*) en une seule forme *a*, devenue *à*. — L'accent grave sur le *a* est une initiative du XVIe s. (Montfleury, 1533) qui triomphe dans la seconde moitié du siècle (1606, dans les dictionnaires).

♦ Cette préposition joue en ancien français un rôle essentiel dans l'évolution de la syntaxe. Les emplois de *ad*, *ab* puis *a*, avant le XVIe s., sont plus variés qu'en français moderne : de nombreux verbes qui se construisaient alors avec *a* sont aujourd'hui transitifs directs *(aider, rencontrer, éclairer... a qqn)*. *Ad* et *a* exprimaient l'instrument, la manière (881, «avec» ; 1080, «de»), la comparaison (1080 «avec»). Avec les verbes *avoir, prendre, a* a cédé devant *pour* ; avec de nombreux verbes *(avoir a estime..., devenir a rien...)*, il a été remplacé par *comme*, par *en*. ◇ De très nombreux compléments de circonstance construits jusqu'au XVIIe s. avec *à* s'emploient ensuite avec *vers, chez, sur (se tourner à...), avec, contre, à côté de (s'asseoir à qqn)*. ◇ Le *a* provenant de *ab* était en usage là où le français moderne emploie *de* (*prendre congé a qqn*, mil. XIe s.). ◇ Par ailleurs, *à* introduisait le complément d'appartenance, aujourd'hui construit avec *de* : cette construction ancienne, encore normale au début du XVIIe s., survit en langue rurale ou populaire (le fils *à* son père) et dans des locutions comme ***fils à papa***. ◇ Mais de très nombreux emplois encore vivants sont attestés dès les origines. Pour *ad*, *a* exprime le mouvement vers un lieu (mil. XIe s.), vers une personne (1080), *doner a* étant aussi attesté dans *La Chanson de Roland*. Avec de tels verbes *(doner, parler)*, *ad*, puis *a* (mil. XIe s.) a la valeur du datif latin. La situation temporelle est marquée par *a* dès le IXe s. (881, sainte Eulalie), comme la valeur instrumentale (*ad* pour *avec*).

Continuant *ab*, *a* marque, on l'a vu, la séparation, le détachement (mil. XIe s.), l'origine (*prendre conseil a qqn*, 1172), l'agent. Le *ab* venant de *apud* correspond plutôt aux prépositions modernes *de* et *avec* exprimant une relation juridique (842), puis l'accompagnement (Xe s.). Ces emplois ont tous disparu.

① **A-** Premier élément de nombreux mots, issu du latin *ad-*, exprimant la direction, le but à atteindre, le passage d'un état à l'autre. En latin, *ad-*, devant un verbe, y ajoute une notion de direction (*adire* par rapport à *ire*), d'augmentation (*adgravare* par rapport à *gravare*), de progressivité (verbes inchoatifs : *addormire* «s'endormir» par rapport à *dormire*).

♦ En ancien français, *a-* se combine à de nombreux verbes, y compris à initiale vocalique (*aaidier* par rapport à *aidier* «aider») et sert à former des verbes avec des adjectifs (*ajolier* «rendre joli»), des noms (*acoster* «placer à côté»), avec des effets syntaxiques, le préfixé en *a-* rendant parfois transitif un verbe intransitif. ◇ Pour former des verbes à base nominale, *a-* est souvent remplacé par *en-*, *em-* (*accourager* par *encourager*; mais *appauvrir* s'est maintenu face à *empauvrir*). L'élément *a-* possède des variantes graphiques selon la première lettre du radical, *ac* dans *accourir*, *ad* dans *adjoindre*, etc. Souvent séparé de son radical, le préfixe étant inanalysable *(accomplir, accueillir, ajouter)*, concurrencé par *ra-* (*accourcir, alentir, apetisser* sont archaïques), cet élément n'est plus productif, sinon par analogie (*alunir*, d'après *atterrir*). Certains préfixés en *a-*, homogènes avec la base, garantissent cependant l'existence de cet élément (*abaisser-baisser*, etc.).

② **A-** privatif. Élément d'origine grecque, passé en latin, et servant à former trois types de mots : des emprunts au latin, eux-mêmes pris à des préfixés grecs *(acolyte, anonyme...)*; des emprunts plus récents au grec *(achromatique)*; des mots formés en français, assez nombreux à partir du XVIIIe s., le deuxième élément étant en principe d'origine grecque *(amoral, apolitique)*, puis quelconque *(apesanteur, agravitation)*. Le grec *a-* devient en général *an-* devant une voyelle *(anodin, anomalie)*; il a des correspondants dans la plupart des langues indoeuropéennes, dont le latin *in-* (→ ① in-).

ABACA n. m. est un emprunt probable (1664) à l'espagnol *abaca*, lui-même emprunté au tagalog *abaka*.

♦ Le mot désigne la fibre d'un bananier des Philippines, autrement nommée *chanvre de Manille*. Le mot a d'abord été du féminin (jusqu'en 1752).

ABAISSER → BAISSER

ABAJOUE → JOUE

ABANDON n. m., repéré au XIIe s. (mais probablement antérieur), provient de l'ancienne expression *mettre a bandon* «mettre au pouvoir de...», d'origine germanique. En francique, °*bannjan* signifie «bannir» (→ bannir) et °*bandjan* «faire signe» (→ bande).

♦ Le mot français *abandon* désigne d'abord l'action de renoncer à une chose en la mettant au pouvoir de quelqu'un; mais c'est l'idée de «laisser» qui a prévalu. Il a dès l'ancien français des emplois actifs («action d'abandonner») et passifs («fait d'être abandonné»), les premiers correspondant à «disposition d'une chose» (*faire abandon de*, XIIe s.). L'emploi en parlant des personnes est plus tardif (2e moitié XVIIe s.). ◇ On parle en psychologie de *névrose d'abandon* (d'où *abondonnique*, ci-dessous).

▸ *Abandon* a été précédé par **ABANDONNER** v. tr. (*La Chanson de Roland*, 1080), probablement issu de °*a ban donner* (donner à ban). Le verbe apparaît au sens de «lâcher, laisser (le lien qui attache un animal)», d'où (déb. XIIe s.) «laisser en liberté», avec des spécialisations en fauconnerie (*in* Furetière, 1690), en conduite des chevaux attelés (XVIIe s.), et des expressions comme ***abandonner les étriers***, aussi au figuré (1701). Au XIIe s., le verbe s'est employé pour «mettre en activité» (c'est-à-dire «laisser agir») et *s'abandonner* pour «s'exposer au danger» (jusqu'au XVe s.). ◇ C'est à la même époque qu'apparaît la valeur dominante «ne plus s'occuper de, laisser». ➝ **ABANDONNEMENT** n. m. (1275) a vieilli comme nom d'action et d'état. ➝ Le dérivé **ABANDONNATAIRE** n. (1845) désigne en droit la personne qui fait abandon de biens. Il s'oppose à **ABANDONNATEUR, TRICE** n. (1866), plus rare. ➝ **ABANDONNIQUE** adj. et n. (1950) est un terme de psychologie qualifiant un sujet, un enfant qui souffre de la crainte d'être abandonné.

ABAQUE n. m. est un emprunt (v. 1165) au latin *abacus*, lui-même emprunté au grec *abax, abakos*, terme technique emprunté, que l'on a cru pouvoir expliquer par l'hébreu *'ābāq* «poussière soulevée par des chevaux ou des piétons».

♦ Le mot a signifié en général «machine à calculer», puis «tableau jouant ce rôle» (1611) et «carré de bois évidé muni de fils parallèles et de boules mobiles pour compter» (1751), en concurrence avec le mot plus usuel *boulier*. Au XVIe s., on trouve *abaco* (1596) pour «tableau de sable fin, pour compter», sens référant à l'antiquité et repris pour *abaque* dans l'*Encyclopédie* (1752). ➝ Un second sens apparaît par l'emprunt à la Renaissance (attesté 1611) avec la variante *abaco* (1636) «partie supérieure du chapiteau, sur laquelle repose l'architrave».

ABASOURDIR v. tr. est d'origine argotique; il signifie d'abord (1632) «tuer» et est formé de *a-* et de *basourdir* (1628), verbe issu, probablement d'après *assourdir*, de l'ancien argot *bazir* «tuer» (1455, dans le procès des Coquillards), déjà *basi* au XIVe s. («mort, tué»). Cette forme est liée à l'argot espagnol *vasir, vasido*, à des argots du nord de l'Italie, et n'est pas claire. On a proposé au XIXe s. une origine gauloise (cf. gaélique *bâs* «mort»), mais le mot semble alors trop tardif, puis un gotique °*bazjan* «affaiblir» (d'un radical indoeuropéen °*bhoso-s* «dénudé») qui convient assez mal sémantiquement. P. Guiraud voit dans *abasourdir* un composé de °*basir* (supposé dérivé du latin *basis* «base*») et de *ourdir* qui a signifié «assener des coups», donc «battre et abattre».

♦ Quoi qu'il en soit, le verbe s'est plus ou moins croisé avec *assourdir* en entrant dans l'usage courant (1713), avec le sens de «abrutir, assourdir par des cris, des paroles» puis en général «ahurir».

▸ Les dérivés **ABASOURDISSANT, ANTE** adj. (1833) et **ABASOURDISSEMENT** n. m. (1823) correspondent à cette dernière valeur.

ABÂTARDIR → BÂTARD

✱ **ABATTRE** v. tr., qui figure dans *La Chanson de Roland* (*abatre*, 1080), est issu du latin populaire *abattuere* (VIe s.), puis *abattere*, composé de *ad-* «action menée à son terme» (→ à, ① a-) et de *battuere* (→ battre).

♦ Ce verbe signifie à l'origine «frapper, heurter de manière à faire tomber» et concerne un édifice, puis (XIIIe s.) un arbre, des fruits; le sens est alors «faire tomber pour recueillir» (1270). Le latin classique disait *affligere* pour «battre», mais son dérivé français n'a pris que son sens figuré (→ affliger). *Abattre* lui-même a de nombreux sens métaphoriques (***abattre de la besogne,*** 1718) et figurés («abaisser [l'orgueil]», v. 1200). ◇ Si le complément désigne un être vivant, «faire tomber» peut correspondre à «blesser ou tuer» (dès le XIe s.). Tant au propre qu'au figuré, le verbe a de nombreux emplois et entre dans des locutions. Une valeur spéciale (XIIe s.) est «diminuer la valeur de».

► Les principaux dérivés, à part le participe adjectivé **ABATTUE, UE** qui se dit des personnes, au physique et au moral («triste et découragé»), sont des noms. ➛ **ABATTAGE** n. m. (1265, *abaitage*) concerne les animaux, puis les arbres (1313); le mot a pris de nombreuses valeurs spéciales et un sens figuré argotique, aujourd'hui vieilli, (1889) «vive réprimande». ➛ **ABATTEMENT** n. m., d'abord concret (v. 1190), s'applique à la réduction d'un impôt dès le XIIIe s. (1259); le sens dominant aujourd'hui est moral: il semble apparaître au XVIe siècle. ➛ Le déverbal **ABAT** n. m. a perdu la plupart de ses emplois: «abattage des animaux (1400) et des arbres (XVIe s.); amas de choses abattues (1858)»; ***pluie d'abat*** «violente» est régional. ◇ Le seul sens moderne correspond au pluriel *abats* «parties comestibles secondaires des animaux de boucherie» (1836) et spécialement «des volailles» (1877). ➛ **ABATTEUR** n. m., qui signifie d'abord (1388) «bûcheron», s'est surtout employé dans des locutions, notamment dans *(grand) abatteur de bois* «grand travailleur» (1547) puis «auteur de prouesses amoureuses» (1552, Rabelais). ➛ **ABATTIS** n. m. a lui aussi disparu en emploi général; il a signifié «massacre» (*abateis,* v. 1180), «abattoir» (1690); *faire grand abatis* (1549) signifiait «tuer beaucoup de gibier». ◇ Le mot a pris, par métonymie (1680), la valeur de *abats,* puis de «parties coupées ou enlevées d'une bête, d'une volaille tuée» (1690), d'où le sens argotique de «bras et jambes» (chez Balzac) et l'expression encore usuelle ***numéroter ses abattis*** (1839). ➛ **ABATTOIR** (attesté en 1806, au début de la modernisation des villes) désigne l'endroit où l'on abat des bêtes pour la boucherie; le mot a remplacé *abat* et *abattis.* ➛ Le participe présent a fourni **ABATTANT** n. m. (1680) «partie plane d'un meuble, d'un siège, que l'on peut abaisser ou relever». ➛ **ABATTÉE** n. f., terme de marine (1687), désigne la marche d'un navire dont l'axe s'éloigne du lit du vent.

Le verbe a plusieurs composés, dont le plus courant est **ABAT-JOUR** n. m. (1670) «système qui abat, c'est-à-dire qui diminue, la clarté», qui prend son sens moderne vers 1800: noter que l'on n'emploie pas normalement *abattre* dans ce sens. ➛ On peut aussi signaler **ABAT-VENT** n. m. (1344), **ABAT-FOIN** n. m. (1803), **ABAT-SON** n. m. (1833).

Un préfixé très usuel est **RABATTRE** v. tr., d'abord écrit *rabatre* (1200-1230) et qui signifie «abattre de nouveau», ou qui sert d'intensif au verbe simple («renverser»). Cette valeur reste vivante aux XVIIIe-XIXe s. dans des emplois techniques et agricoles, mais la valeur dominante en français moderne est figurée et correspond, depuis le XVe s., à «abaisser (l'orgueil, les prétentions, etc.)»; ***rabattre le caquet*** (1578) est lui aussi courant. ➛ Du sens financier d'*abattre* vient la valeur de *rabattre* «réduire, déduire (une somme)» (1260) et au figuré ***en rabattre*** (1680) «réduire ses prétentions, son opinion». ◇ Le XVIe s. voit apparaître une autre valeur, «pousser le gibier vers les chasseurs ou vers les pièges», et le XVIIe s. l'emploi pronominal *se rabattre* (1671), «se détourner de son chemin», qui s'est spécialisé au XXe s. en automobile pour «reprendre sa trajectoire initiale après un dépassement». ◇ Les deux participes sont adjectivés et substantivés, *col rabattu* correspondant à *rabat* (ci-dessous).

Le principal dérivé est **RABAT** n. m. «diminution de prix» (1260), sens disparu au bénéfice de *rabais,* avec d'autres valeurs archaïques «action d'abattre, de renverser, etc.». C'est dans l'acception de «partie rabattue, pliée et abaissée» que le mot s'est imposé en modes (XVe s.). ➛ D'autres sens ont disparu, ainsi que la plupart des dérivés, seulement techniques: **RABATTAGE** n. m. (1730) «rabais»; **RABATTEMENT** n. m. (*rabatement,* 1284); **RABATTOIR** n. m., nom d'outil (1804). ➛ Seul **RABATTEUR** n. m., terme de chasse (1869), précédé par l'argot *rabateux* «voleur nocturne» (1628), est usuel, avec des sens figurés. ➛ Parmi les composés, **RABAT-JOIE** n. m., «sujet de chagrin» (v. 1430) puis «personne qui attriste» (déb. XVIIe s.), est le seul usuel.

ABBÉ n. m., attesté dès 1080 *(abet),* vient de l'accusatif du latin *abbas, abbatis,* emprunt au grec ecclésiastique *abba* «père», lui-même pris à l'araméen.

♦ Le mot désigne en français le chef d'un monastère d'hommes ou *abbaye* (ci-dessous). Cette valeur hiérarchique est conservée dans le figuré ancien et laïque (1587) pour «chef d'une organisation de jeunes responsables des fêtes d'un village», sens connu encore des folkloristes. ◇ *Abbé,* surtout du XVe au XVIIIe s., donne lieu à de nombreuses locutions, qui reflètent l'image sociale de personnage imposant (*un pas d'abbé* 1564, Rabelais) et bon vivant, comme *moine* (*une table d'abbé* 1556, Rabelais; *une face d'abbé* «rubiconde», 1596). Dans la relation *abbé-moine,* c'est l'opposition hiérarchique qui est évoquée. ◇ Le sens du mot a évolué quand on a pris l'habitude, au XVIIe s., de donner les revenus d'une abbaye *(bénéfice)* non plus à un régulier résident, mais à un séculier, à un prêtre (sens attesté en 1666). L'abbé bénéficiaire n'exerçant pas sa fonction de direction devient alors un ecclésiastique aisé, et on passe à des expressions comme ***abbé de cour*** (1701) puis, au XIXe s., au sens général et neutre d'«ecclésiastique», que l'on appelle toujours *monsieur l'abbé* (l'*abbé* au XVIIIe et au déb. du XIXe s.).

► **ABBESSE** n. f. (1474), d'abord *abeesse* (XIIIe s.), issu du dérivé latin tardif (VIe s.) *abbatissa,* a gardé son premier sens, «religieuse dirigeant un monastère de femmes», l'évolution de sens de *abbé* ne pouvant pas intervenir. ◇ Un sens figuré irrévérencieux, «tenancière de bordel» (1812), a disparu. ➛ **ABBAYE** n. f. est issu (v. 1090, *abbeie*) d'un dérivé du latin *abbas, abbatia.* Le mot s'applique à un monastère d'hommes ou de femmes, *abbaye de commende* (1461), *en commende* (XVIIe s.) désignant celle où un ecclésiastique séculier peut être nommé (voir ci-dessus *abbé*). Le mot est fécond en locutions, comme *abbé*, et a eu des emplois argotiques, dont le plus connu est ***l'abbaye de monte-à-regret*** «la potence» (1528), puis «la guillotine» (1790).

ABBATIAL, ALE, AUX adj. est un emprunt (1404) à l'adjectif latin *abbatialis*, dérivé de *abbatia*. ➛ Le mot signifie «d'une abbaye», spécialement dans *église abbatiale*, d'où *une abbatiale* «église principale d'une abbaye (parfois grande comme une cathédrale)».

A B C n. m. (XIIe s.), énumération des trois premières lettres de l'alphabet français, s'est écrit aussi *abécé* (XIIe s.).

♦ Le mot signifie «alphabet» et aussi (déb. XVIIe s., d'Aubigné) «premiers éléments d'une science» (cf. *b a ba*).

▶ Outre quelques locutions, le mot, avec l'adjonction d'une quatrième lettre, a servi à former **ABÉCÉDÉ** n. m. «livre d'initiation à l'alphabet» (1660); c'est une adaptation de l'adjectif latin *abecedarius* «selon l'alphabet», qui a donné en français **ABÉCÉDAIRE** adj. (1529, *lettre abécédaire*), substantivé comme nom masculin et remplaçant plus tard *abécédé*.

ABCÈS n. m. date du XVIe s. (1537), comme beaucoup de mots français de médecine, et est emprunté au latin *abscessus*, du verbe *abscedere*, composé de *ab-* (→ à) et de *cedere*, qui a donné *céder**. *Abscessus* signifiait d'abord «départ, éloignement» : c'est une traduction du grec *apostêma* pour désigner un amas de pus, parce que l'on était passé du sens locatif, «éloignement», à celui de «désagrégation, pourriture». Le mot grec a donné d'ailleurs un mot français ancien *apostume* ou *apostème**, de même sens que *abcès*.

♦ Le mot désigne un amas de pus et, d'après la locution ***crever l'abcès*** au figuré «extirper un mal» (XVIIe s.), une situation critique qui demande une solution brutale et rapide (mil. XXe s.). ***Abcès de fixation*** (XXe s.) s'emploie aussi avec cette même métaphore.

▶ **ABCÉDER** v. intr., d'abord écrit *abscéder* (1537), est un emprunt au latin *abscedere*.

ABDIQUER v. tr. est emprunté (1375) au latin *abdicare*, de *ab-* (→ à) et *dicere* (→ dire), qui signifie «ne pas accorder», «refuser d'adjuger», d'après la valeur juridique de *dicere*, verbe de caractère «solennel et technique» (Ernout et Meillet).

♦ Le mot a en français une valeur politique, «renoncer à (un pouvoir)», et une valeur étendue, «renoncer à (une possession) [1402], à des droits, etc.». D'abord transitif (et pronominal), *abdiquer* est aujourd'hui le plus souvent intransitif, cet emploi apparaissant au XVIIe s. (1694).

▶ **ABDICATION** n. f. est emprunté (1403) au dérivé latin *abdicatio*, dans *abdication de* «renoncement», puis au sens actuel, politique (1671). La valeur figurée, «renoncement à une action, à un projet», est assez récente (1866). ➛ **ABDICATAIRE** adj., «qui a abdiqué», n'est relevé en littérature que chez Chateaubriand (1848).

ABDOMEN n. m. est un emprunt médical (1537) au latin *abdomen* «ventre» et «utérus», mot d'abord familier et d'origine obscure : un rapport avec le verbe *abdere* «éloigner» et «cacher», de *ab-* (→ à) et *dare* «donner», est possible mais n'est pas établi.

♦ Le mot français désigne le ventre et s'emploie aussi en entomologie (1810).

▶ Le dérivé savant **ABDOMINAL, ALE, AUX** adj. (1611) est substantivé au pluriel en anatomie et en gymnastique, pour *muscles abdominaux*. ➛ Il a pour composé **SOUS-ABDOMINAL, ALE, AUX** adj. qualifiant (v. 1965) une ceinture qui s'applique à la partie postérieure de l'abdomen.

ABDUCTEUR adj. et n. m. est soit emprunté (1565) au latin savant *abductor* (1507), soit dérivé savant du latin *abductum*, de *abducere* «enlever», composé de *ab-* (→ à) et de *ducere* «conduire» (→ conduire, déduire, réduire).

♦ Le mot qualifie un muscle qui permet d'écarter un membre du plan médian; il s'oppose à *adducteur;* dans ce sens, il est aussi substantivé. L'adjectif s'emploie aussi en technique.

▶ **ABDUCTION** n. f. est emprunté (1541) au dérivé latin *abductio* «action d'enlever, d'écarter», comme *abducteur* en anatomie. ◇ Le mot sert aussi (1771) à désigner un type de syllogisme.

ABEILLE n. f., d'abord sous la forme *abueille* (1273), a remplacé à partir du XVIe s. l'expression *mouche à miel*, employée au moyen âge pour désigner cet insecte; cette forme est empruntée à l'ancien provençal *abelha* qui vient lui-même du latin *apicula*, diminutif de *apis* «abeille» (→ apiculture). *Apes* avait donné en ancien français, par évolution phonétique normale, les mots *ef* et *é*, pluriel *eis* (v. 1150), *es*, mots trop courts et confondus avec des formes analogues, et qui ont disparu pour cela.

♦ Le mot, dans son emploi le plus fréquent, n'a pas varié de sens. Il a longtemps coexisté, outre *avette* (ci-dessous), avec des formes dialectales en *b* et en *v (avelle, aveille)* ou *beille* par aphérèse et s'est employé au pluriel pour «ruche» (*abeles*, 1352). ◇ *Abeille*, désignant un insecte à la fois utile, objet d'un élevage et producteur de miel et de cire, et dangereux par ses piqûres, a suscité de nombreux syntagmes et locutions. L'image de l'abeille, motif décoratif, est typique du premier Empire.

▶ Plusieurs dérivés ont vieilli, tels **ABEILLON** n. m. (XVe s.) «essaim d'abeilles», **ABEILLER** n. m. (v. 1260) «ruche», **ABEILLAGE** n. m. (1319, *aboilage*) «droit sur les ruches des vassaux».
Le synonyme ancien **AVETTE** n. f. (v. 1170, *evete*) est un diminutif de l'ancien français *ef*, reformé au XIVe s. (1385, *avette*), d'après un diminutif latin de *apis*, °*apitta*, forme du Nord correspondant à l'*apicula* méridional.

◈ voir **ACHE**.

ABER n. m. est un emprunt passé dans la langue générale au début du XIXe s. (1834 dans le dictionnaire de Landais) du breton *aber* (signalé par l'*Encyclopédie*, 1751, dans un autre sens).

♦ Le mot s'applique à un estuaire profond et étroit, en Bretagne, analogue au fjord scandinave.

ABERRATION n. f. est un emprunt savant (1624) au latin scientifique *aberratio*, dérivé de *aberrare*, composé de *ab-* (→ à) et du verbe *errare* (→ errer).

♦ Il signifie «action de s'écarter», en parlant d'une image optique (1624); le mot ne se répand qu'au XVIIIe s. (Voltaire, par exemple) sous l'influence de l'anglais, qui l'emploie en sciences. Au figuré (1775), il signifie aussi «déviation du bon sens, de la raison».

▸ *Aberrare* avait fourni par emprunt **ABERRER** v. intr. (1532), sorti d'usage et dont l'absence par rapport à *aberration* et *aberrant* est notée au XIXe s. (1845). *Aberrer* semble avoir été repris au figuré (1866); il demeure rare. ➛ À la différence du verbe *aberrer*, le participe présent devenu adjectif, **ABERRANT, ANTE** (1811, en sciences), est courant au sens d'«absurde» (mil. XXe s.). En outre, le mot est repris en sciences pour «qui s'écarte du type normal» ou «qui présente des variations anormales». ◇ De là **ABERRANCE** n. f. (attesté 1936).

ABÊTIR → **BÊTE**

ABHORRER → **HORREUR**

ABÎME n. m. représente, d'abord sous les formes *abisme, abysme* (v. 1120), le latin chrétien *abyssus*, modifié en °*abismus* d'après d'autres mots en *-ismus;* c'est, par rapport au latin classique, un barbarisme. *Abyssus* (→ abyssal) vient du grec *abussos* «sans fond», de *a-* (→ ② a-) et *bussos* «le fond de la mer», forme parallèle et rare pour *buthos*. Ce dernier serait apparenté à *bathos* «profondeur» (→ bathyscaphe) et, avec un autre vocalisme, à *benthos*, mots sans étymologie connue. Déjà en grec classique, *abussos* s'emploie au sens de «très profond» (comme la mer), et «dont on ne peut toucher le fond». On peut donc dire, sans plus d'absurdité qu'en grec : *un abîme sans fond*, ce qui, étymologiquement, est un pléonasme.

♦ Le mot s'est appliqué en ancien français à l'enfer, ainsi qu'aux profondeurs de l'océan (XIIIe s.). ◇ Il s'emploie au figuré (XVe s.) pour évoquer le degré extrême *(un abîme de...)*, emploi littéraire. Sa spécialisation en héraldique pour désigner le centre de l'écu (1671) a fourni à Gide l'expression ***mise en abyme*** (1893), qui rétablit le *y* étymologique. Cette expression renvoie à un procédé artistique ou littéraire de répétition en miroir, réduite, du sujet ou de l'action.

▸ Le verbe **ABÎMER**, dérivé de *abîme* (XIVe s.), signifie d'abord «jeter, précipiter dans un abîme, dans un gouffre»; il s'affaiblit au XVIe s. en «ruiner (une fortune)». ◇ Il ne signifie plus vers la fin du XVIIIe s. qu'«endommager». C'est dans ce sens qu'il est devenu très courant, comme *casser* ou *briser*.

◈ voir **ABYSSAL**.

ABJECT, ECTE adj. vient par emprunt (1420) du latin *abjectus*, participe passé du verbe *abjicere*, composé de la préposition *ab-* (idée d'abaissement) [→ à] et de *jacere* «jeter» (→ gésir). *Abjectus* signifie donc d'abord «re-jeté», puis en latin chrétien «rejeté moralement, méprisé» et enfin «complètement méprisable».

♦ Ce sens est passé en français, où le mot a aux XVe-XVIe s. une valeur sociale, «roturier», encore enregistrée au XVIIIe siècle. ◇ L'adjectif a pris une valeur morale négative très forte, voisine de celle de mots comme *ignoble*.

▸ Il a pour dérivé **ABJECTEMENT** adv. (1616). ➛ **ABJECTION** n. f. est emprunté (1372) au dérivé latin *abjectio* «état de l'âme abaissée, abattue» et en latin religieux «humilité». Il a suivi l'évolution de *abject*, passant d'«avilissement» à «ignominie», et s'emploie aussi pour désigner une action abjecte *(une abjection)*.

ABJURER v. tr. est emprunté (1327) au latin *abjurare*, formé de *ab-* (→ à) et de *jurare* (→ jurer), «nier (qqch.) par un serment solennel», employé en latin chrétien avec un nom de personne comme complément.

♦ Le verbe s'est d'abord employé dans un contexte féodal, en concurrence avec *reneier (renier), forjurer* et *parjurer*, pour «rejeter par serment l'autorité de (qqn)»; ce sens est encore mentionné aux XVIIIe et XIXe s., mais à propos de l'histoire de l'Angleterre. Le sens latin de «nier avec serment» (1611) semble assez virtuel; en revanche, l'emploi pour «renoncer, abandonner avec serment» (1611), spécialisé en religion puis à propos de croyances en général, est demeuré usuel en concurrence avec *renier* (mais *abjurer la patrie*, 1690, est sorti d'usage).

▸ **ABJURATION** n. f. (fin XIVe s., *abjuracion*) est emprunté au dérivé bas latin *abjuratio*. Un emploi du latin médiéval a fourni un terme juridique anglonormand (1557) «serment d'abandon du pays où un criminel jouit d'un droit d'asile». ◇ Le mot a eu plusieurs valeurs en droit, mais s'est fixé comme substantif d'*abjurer* au sens religieux, aussi pour «hérésie» (déb. XVIIe s., d'Aubigné), et au sens général. ➛ **ABJURATOIRE** adj. (1842), «qui exprime une abjuration», est rare.

ABLATION n. f. est un emprunt savant (XIIIe s.) au latin *ablatio* «enlèvement», de *ablatum* supin de *auferre*, de *ab* (→ à) et *ferre* «porter» (→ -fère). Les formes en *latus, latum*, empruntées au verbe *ferre*, ont donné de nombreux mots en français. *Ablatio*, chez les grammairiens et en latin d'Église, a servi à traduire le grec *aphairesis* (→ aphérèse).

♦ Le mot français est médical puis didactique (1495); il s'est spécialisé au XIXe s. en géologie à propos de la perte de substance d'un relief, d'un glacier (1885), peut-être par emprunt à l'anglais *ablation* (1860).

▸ **ABLATIF** n. m., en grammaire, est emprunté au latin grammatical *ablativus*, de *ablatus*. Au XVIe s., *ablatif* adj. a eu la valeur générale de «qui enlève». Il désigne le sixième cas de la déclinaison latine. Par emprunt à l'anglais *ablative*, il sert en sciences d'adjectif pour *ablation* (v. 1970). ◆ **ABLATER** v. tr. est emprunté en géologie (1923) à l'anglais *to ablate*.

ABLE n. m., désignant un poisson, est issu (1393) du latin *albula,* substantivation au féminin de l'adjectif *albulus,* diminutif de *albus* «blanc» (→ albe), dissimilé en latin populaire en °*abula* et °*abla*.

♦ Dans l'usage courant, il a été écarté par son dérivé et utilisé par Cuvier pour désigner un genre de Cyprinidés.

▸ Le dérivé **ABLETTE** n. f. (1525) est précédé par la forme populaire *auvette* (1386); il est devenu plus courant que *able*. ◆ **ABLERET** n. m. (1317, *ableré*) désigne un filet de pêche carré.

ABLUTION n. f. est un emprunt (XIIIe s.) au latin chrétien *ablutio,* du supin du verbe *abluere* «laver», lui-même emprunté plus tard (ci-dessous *abluer*) et formé de *ab* (→ à) et de *-luere,* représentant *lavare* «laver, baigner» (→ laver) en composition. *Ablutio* a pris en latin médiéval un sens médical.

♦ Le mot français, d'abord employé dans le contexte du baptême, prend par extension (1551, Calvin) la valeur de «purification religieuse». Depuis Paré (XVIe s.) et jusqu'au XIXe s., le mot s'emploie en chirurgie et en médecine, puis en chimie (1751). ◇ Le sens courant aujourd'hui, non technique, est attesté en 1825 (Brillat-Savarin), d'abord au singulier, puis surtout au pluriel *(faire ses ablutions).* ◇ De ce dernier sens vient le dérivé **S'ABLUTIONNER** (1912, Gide), assez rare.

▸ **ABLUER** v. tr., emprunt au latin *abluere* (une fois au XIVe s., repris v. 1500), a vieilli et est demeuré rare avec les emplois correspondant à ceux d'*ablution.* **S'ABLUER** «faire ses ablutions» est attesté aux XIXe (1866, Villiers) et XXe siècles.

ABNÉGATION n. f. est emprunté (1377, Oresme) au latin chrétien *abnegatio* (saint Jérôme) «renoncement»; c'est un composé de *ab-* (→ à) et *negatio* (→ négation à négatif), de *negare* (→ nier), utilisé aussi en philosophie pour «négation».

♦ Ce sens passe le premier en français, puis le mot signifie (fin XIVe s.) «reniement». Le passage à la valeur moderne se fait par *abnégation de foi, de soi-même* (XVIe s.) et la valeur négative (1491, *abnégation de la part de la créature*); le sens absolu et moderne, *l'abnégation* «renoncement par dévouement», semble se développer au début du XIXe s. (1804, B. Constant).

ABOI, ABOIEMENT → ABOYER

ABOLIR v. tr. est emprunté (fin XIVe s.) au latin *abolere* «détruire, anéantir», «faire perdre le souvenir de», avec changement de conjugaison, probablement dû à l'évolution du latin populaire et au dérivé *abolitio. Abolere* est composé de *ab,* privatif (→ à) et d'une forme dérivée de *alere* «nourrir» (→ haut, aliment).

♦ Le mot français est juridique; il a des valeurs religieuses (XVe-XVIIe s.), mais s'applique surtout aux lois et aux décisions de justice, et, du XVe s. au français classique (XVIIe [1636]-XVIIIe s.), aux crimes (*abolir un crime* «gracier le coupable»). ◇ Un sens figuré, «supprimer», apparaît au XVIe s. (Rabelais); selon le *F. e. w., le verbe signifie «détruire»* dès 1417.

▸ Les dérivés **ABOLISSABLE** adj. (Voltaire), **ABOLISSEUR** n. m. (1636), **ABOLISSEMENT** n. m. (1445) sont rares. ◆ **ABOLITION** n. f. est un emprunt (1316, *-icion*) au dérivé latin *abolitio,* terme juridique. Le mot (depuis 1405) correspond en moyen français à *amnistie* (grec *amnêstia*); le sens s'étend d'après *abolir* en droit (av. 1606), en religion (*abolition des péchés,* 1690) et en emploi général (mil. XIXe s.).

ABOLITIONNISME n. m. (1836) et **ABOLITIONNISTE** adj. et n. (1835) sont des emprunts à l'anglais des États-Unis (*abolitionism,* 1790; *abolitionist,* 1788), dérivés de *abolition* (1529), emprunt au français, employé au sens de «suppression (de l'esclavage)».

ABOMINABLE adj. apparaît avec *abominer* et *abomination;* les trois mots sont empruntés à peu près en même temps (déb. XIIe s.) à une série de mots latins, *abominare* et ses dérivés. *Abominare* signifie «repousser (*ab-;* → à) comme un mauvais présage *(omen)*». Ce mauvais présage étant souvent proféré par la bouche *(os, oris)* de l'*oracle* (voir ce mot), les Latins rapprochaient ce mot de *omen.* Il semble qu'ils se trompaient : *omen* est d'origine obscure, sans rapport avec *os, oris. Abominable* est emprunté (déb. XIIe s.) au latin chrétien *abominabilis* (IVe s.), dérivé de *abominare.*

♦ L'adjectif a aujourd'hui une valeur abstraite, mais il s'appliquait aussi (XIIIe [1256, Arveiller]-XVIe s.) aux sensations physiques («répugnant»). Il a pris une valeur affaiblie, «très mauvais», dans le dernier quart du XVIIe s. (1694). ◇ ***L'abominable homme des neiges*** est un calque de l'anglais *the abominable snowman,* désignant un être légendaire, le yéti.

▸ **ABOMINER** v. tr. «détester» (déb. XIIe s.) est aujourd'hui archaïque ou plaisant. ◆ **ABOMINATION** n. f., emprunt aussi ancien au dérivé latin chrétien *abominatio,* reste usité dans des emplois littéraires ou plaisants et dans le calque biblique *l'abomination de la désolation, abominatio desolationis,* adaptation du grec *bdelugma tês erêmôseôs* où *bdelugma* correspond étymologiquement à «puanteur du pet, de l'excrément», d'après les termes d'injure utilisés par les Hébreux pour désigner les dieux romains (en l'espèce, Jupiter Olympien), ainsi que les idoles. Hormis cette allusion, *abomination* est maintenu en vie par les valeurs affaiblies de l'adjectif *abominable,* qui est usuel. ◆ Ce dernier a pour dérivé **ABOMINABLEMENT** adv. (XIVe s.), souvent employé avec le sens faible de l'adjectif.

ABONDER v. intr. est issu (1120) du latin *abundare,* de *ab-* et *unda* «eau» (→ onde); ce verbe signifiait à l'origine «affluer (comme le courant)» et a pris la valeur figurée de «se produire en grande quantité», «être nombreux». Il était d'ailleurs senti comme une forme renforcée de *habere* (→ avoir) et souvent écrit *habundare.*

♦ *Abonder* signifie en ancien français, époque où l'on écrit aussi *habunder* (XIIe s.), *avunder* (XIIe-

XIIIe s.), *avonder* «donner en abondance», sens disparu, «avoir en quantité» et «être en grande quantité», valeur toujours vivante. L'emploi figuré, *abonder dans son sens* «être attaché à son opinion» (1690), a vieilli au profit de ***abonder dans le sens de qqn*** (1817, chez Maine de Biran) «soutenir expressément (une opinion)».

▸ **ABONDANT, ANTE** adj. correspond d'abord (déb. XIIe s.) à «riche en qqch.», puis (fin XIIe s.) à «qui exprime la pensée par de nombreux mots», «qui s'exprime richement». On écrit aussi *habondant, habundant* aux XIIe et XIIIe siècles. Le sens dominant est très général et la principale construction est *abondant en qqch.* (depuis Oresme, XIVe s.). ◆ Vieilli au sens de «générosité» (XIVe s.), **ABONDANCE** n. f. (déb. XIIe s., *abundance*) a les mêmes valeurs que *abonder* et *abondant; **en abondance*** se dit depuis les premiers emplois. ◇ Le mot a été repris en économie dans des expressions comme ***société d'abondance.*** ◆ **ABONDAMMENT** adv., dérivé de l'adjectif, apparaît très tôt (déb. XIIe s.).
Ces dérivés ont donné naissance à des préfixés en *sur-*. **SURABONDANT, ANTE** adj. apparaît dès le XIIe s. sous la forme *sorhavundant* (pour *sorhabondant*), est repris au XIIIe s. (*seurabondant*, v. 1265). ◇ La variante *superabondant, ante* est empruntée (av. 1486) au préfixé bas latin *superabondans.* L'adjectif marque l'abondance inutile ou excessive ; il a signifié dans l'usage classique «superflu» (1549). ◇ Il a lui-même pour dérivé **SURABONDAMMENT** adv. (*sourhabondamment,* v. 1350). ◆ **SURABONDER** v. intr., d'abord *sorhabonder* (v. 1190) puis *seurhabonder* (v. 1265), a pris sa forme actuelle au XVIe s. (1549), construit avec *en* et *de.* ◇ **SUPERABONDER** (v. 1370) est emprunté au latin *superabundare.* ◆ **SURABONDANCE** n. f., réfection (v. 1350) de *sorhabondance* (v. 1265), marque l'abondance excessive ou inutile. Le moyen français connaît aussi l'emprunt *superhabondance* (v. 1370), pris au composé latin *superabundantia.*

ABONNER → BORNE

ABORD, ABORDER → BORD

ABORIGÈNE adj. et n. est emprunté (1488) au latin *aborigines,* formation issue d'un mot ethnique ancien déformé d'après *ab* (→ à) et *origine* (→ origine) «depuis l'origine» et désignant les habitants prélatins de l'Italie.

♦ C'est la valeur du mot en français, avant qu'il ne s'étende (1582) à toute population indigène et, comme adjectif, aux animaux et aux plantes (1756, Voltaire). Aujourd'hui, le mot, didactique dans ses emplois généraux, s'applique surtout aux populations autochtones de l'Australie (Dumont d'Urville emploie le mot en 1832, à propos de la Nouvelle-Zélande).

ABORTIF → AVORTER

ABOUCHER → BOUCHE

ABOULER → BOULE

ABOULIE n. f. est un emprunt médical (1883, Th. Ribot) au grec *aboulia* «irréflexion», de *a-* privatif (→ ② a-) et *boulê* «volonté, décision», nom d'action correspondant à *boulesthai* «vouloir». Ce verbe repose sur la même racine que *ballein* «atteindre par un trait» (→ bal).

♦ Terme de psychiatrie, le mot est devenu relativement courant pour «absence pathologique d'esprit de décision».

ABOUTER, ABOUTIR → BOUT

ABOYER v. intr. est une forme modifiée (au XVIIe s.) de *abayer* (mil. XIIe s.), qui vient d'une syllabe expressive, onomatopéique, évoquant le cri du chien. Cette forme est *baï* ou *baou,* que l'on retrouve dans le latin *baubari* et le grec *bauzein* «aboyer».

♦ *Aboyer* se dit du cri du chien et, par comparaison, de cris humains (dès le XIIe s.). ◇ Il faut signaler un second verbe *abaier, abayer,* du latin *batare* qui a donné *béer* (les deux verbes sont distingués par Furetière). Ce verbe a pu interférer par son sens («avoir la bouche ouverte») ; ainsi dans des emplois figurés comme *abboyer aux nues* (nuages) «aspirer à l'impossible», qui correspond à *abaier;* ce verbe a pu être compris comme «aspirer intensément à (qqch.)», d'où «crier pour l'obtenir». ◇ Quant au verbe ici commenté, il s'est employé au figuré pour «protester bruyamment» (avec confusion entre les deux verbes), puis (XVIe s.) «crier très fort» et «annoncer à voix très haute», par métaphore du chien. Le sens propre a eu un emploi transitif (v. 1180), «poursuivre de ses aboiements», remplacé par *aboyer contre* (XVIe s., Montaigne), *après* (XVIIe s.), *à qqn* (1606, sorti d'usage). ◆ D'autres emplois figurés concernent des choses bruyantes (XVIe s.), des armes, etc. Ils sont archaïques.

▸ Les dérivés *abayement* (fin XIIIe s.) et *abayeur* (XIIIe s.) ont été aussi modifiés en **ABOIEMENT** n. m. (XVIe s.) et **ABOYEUR** n. m. (*abboyeur,* XVIe s.), forme qui l'emporte définitivement au XVIIe siècle. *Abayeur* désigne d'abord une personne qui proteste avec force, puis (1387) un chien qui aboie. ◇ *Abaiere,* «celui qui convoite» (1250-1270), correspond à l'autre verbe *abaier* (ci-dessus). ◇ Les valeurs anciennes sont passées de «personne qui désire et réclame qqch.» (*abayeurs de succession,* XVIe s.) à «personne qui réclame bruyamment», par métaphore du chien qui aboie (XVIIIe s.). Des spécialisations pour «crieur de journaux» (1828 ; les emplois antérieurs, XVIIe-XVIIIe s., concernent des journalistes ou critiques hargneux), «crieur de théâtre» (1814), «huissier de prison» (1862), ont eu leur heure de vogue, puis sont sortis d'usage. ◆ **ABOI** n. m., d'abord *abai,* est le déverbal (mil. XIIe s.) de *abbayer,* refait en *aboi* au XIVe s. (1354-1376) ; depuis la fin du XIIe s., le mot s'emploie au figuré et ***aux abois*** (1394, *rendre aux abois*) a quitté la vénerie pour signifier «à la dernière extrémité» (1594). Remplacé par *aboiement* au sens propre, il est aujourd'hui démotivé.

ABRACADABRANT, ANTE, adjectif expressif qui date de l'époque romantique (1834, Gautier), est formé, avec le suffixe *-ant* des adjectifs participiaux, sur **ABRACADABRA**, mot cabalistique célébré au XVIe s. par Ambroise Paré («ce beau mot *abracadabra*»). Cette formule de magie, attestée en latin tardif (déb. IIIe s.), est empruntée au grec, où elle semble provenir de *abraxas*, nom d'un dieu intermédiaire dans le système gnostique de Basilide (mort en 130). Ces mots grecs ont été expliqués par E. Katz comme des lectures en boustrophédon (écriture continue, de gauche à droite puis de droite à gauche) d'une formule hébraïque *'arba'* (quatre) *dāk* (du verbe «casser») *'arba'*, c'est-à-dire «le Quatre (cryptogramme pour le Tout-Puissant) anéantit les quatre (éléments)». La formule a été connue par ses usages thérapeutiques; puis le mot s'est employé comme nom masculin *(un abracadabra)*.

♦ Le dérivé plaisant *abracadabrant* signifie «étrangement compliqué, très bizarre».

▸ La variante **ABRACADABRESQUE** adj. (Gautier) n'a pas vécu, alors que **ABRACADABRANTESQUE** adj., dérivé de *abracadabrant*, a été immortalisé par Rimbaud.

ABRASION n. f. est un emprunt (1611) au latin *abrasio*, du supin de *abradere* «enlever en grattant», préfixé en *ab-* (→ à) de *radere* (→ raser).

♦ Le mot désigne l'action d'enlever en grattant, en frottant; employé en 1611 dans un contexte liturgique, il est repris dans la langue médicale au XVIIIe s. (1751, *Encyclopédie*); c'est alors un réemprunt au latin médiéval des chirurgiens *abrasio* (v. 1270) «fait d'enlever en rasant», distingué de *fricatio*. ◇ Après un réemprunt au XIXe s., en chirurgie dentaire, l'usage moderne correspond à celui de l'adjectif *abrasif* (déb. XXe s.).

▸ **ABRASER** v. tr. est formé savamment sur le participe passé de *abradere* au sens figuré de «raser, démolir (un édifice)» (1364), sauf dans les dialectes. Cet emploi du moyen français reste isolé. Le verbe moderne vient plutôt du radical de *abrasion, abrasif;* il est didactique, spécialisé en médecine (1867), chirurgie dentaire, puis en technique. ◆ **ABRASIF, IVE** adj., formé sur le radical d'*abrasion*, qualifie les matières destinées à user, à polir une surface. Attesté au début du XXe s., il est aussi substantivé (1905). ◆ Du sens général ancien de *abraser*, conservé littérairement, provient le dérivé **ABRASEMENT** n. m. (*abracement*, XVe s.), peut-être conservé dialectalement et repris par quelques écrivains, notamment Péguy, au XXe siècle.

ABRÉGER → BREF

ABREUVER v. tr. est issu par métathèse (*abriever*, puis *abruver*) de *abevrer* (XIIe s., Wace), *aboivrer*, qui provient du latin populaire °*abbiberare* (*i* et *e* brefs), composé de *bibere* (→ boire) qui a produit plusieurs verbes romans, tels l'italien *abbeverare*, l'espagnol *abrevar*, l'ancien provençal *abeurare*.

♦ Le verbe français signifie dès l'origine «donner à boire à (qqn, un animal)» et s'emploie (XIIe s.) au pronominal, ce dernier au figuré (*s'abreuver d'idées*, etc.) au début du XVIIe s. (d'Aubigné). Il se dit pour «arroser (la terre, les plantes)» (1260) et dans de nombreux contextes techniques. ◇ Au figuré, *abreuver qqn de qqch.* «lui faire croire» (1538) a vieilli, mais la valeur «accabler» *(abreuver qqn d'injures, de douleur)*, attestée chez d'Aubigné, est encore d'usage littéraire.

▸ Le principal dérivé est **ABREUVOIR** n. m., d'abord *abreveor* (XIIIe s.) «lieu où l'on fait boire les bestiaux», qui entre dans la locution archaïque ***abreuvoir à mouches*** (1584) «large blessure», et a signifié plaisamment «cabaret» (1673; encore vivant fin XIXe s.). ◆ **ABREUVAGE** n. m., d'abord (1262) «droit sur la vente des boissons», aussi «boisson, breuvage empoisonné» (1268-1291), correspond surtout à «action d'abreuver» (v. 1290). Il ne s'est conservé qu'en terme militaire *(halte d'abreuvage)* et, régionalement, pour «point d'eau où les animaux s'abreuvent». ◆ **ABREUVEMENT** n. m. apparaît comme terme de droit criminel, à propos de la question par l'eau (1250). Le sens général d'«action d'abreuver» (1341, *abruvement*) est seul resté en usage.

◈ voir BREUVAGE.

ABRÉVIATION → BREF

ABRI n. m. est dérivé (v. 1170) de l'ancien verbe *abrier* (repéré au XIe s. en judéo-français, puis au XIIIe s.), issu du bas latin *apricare*, modification du latin classique *apricari* (2e conjugaison), de *apricus* qui signifie «exposé au soleil». Ce mot latin est d'origine obscure, mais les Latins le rapprochaient de *aperire* «ouvrir» (→ apéritif), en lui donnant le sens de «lieu ouvert au soleil».

♦ Dans ses premiers emplois, *abri* désigne un lieu couvert, qui protège de la pluie, idée qui remplace celle de l'origine latine «lieu où l'on se réchauffe et se repose au soleil». ◇ Le mot prend au XIIIe s. la valeur abstraite de «refuge, protection morale» et se spécialise au sens concret en marine (attesté 1678). *En l'abri de* (XIIe s.) a disparu, remplacé par ***à l'abri (de)*** [1564].

▸ Le verbe **ABRITER** a été formé vers la fin du XVe s. sur *abri*, pour remplacer *abrier* qui avait disparu. *S'abriter* est attesté au XVe s. (1489). Le mot a été repris au XVIIIe s. en horticulture, au participe *abrité, ée* (1740); l'emploi général du verbe et du participe semble dater de la fin du XVIIIe siècle. ◆ Les dérivés et composés de *abri* n'ont pas vécu, à l'exception de **ABRIVENT** n. m. (1771), employé en culture et en technique, du terme didactique **ABRI-SOUS-ROCHE** n. m. (1868), terme désignant un enfoncement dans une paroi rocheuse ayant servi d'habitat dans la préhistoire, et de **ABRIBUS** n. m. (1965), nom déposé, de *abri* et de *autobus*, désignant un arrêt d'autobus aménagé en abri, mot critiqué que l'on a proposé de remplacer par le régionalisme *aubette*. ◆ **SANS-ABRI** n. (1928, Malraux) désigne une personne sans domicile, et tend à remplacer *sans-logis*.

ABRICOT n. m. est un emprunt indirect (XVIe s.) à l'arabe *'al barqūq*, lui-même emprunté au grec. Une série de mots apparentés dans les langues romanes (catalan, espagnol, portugais, italien, français) atteste l'histoire compliquée de ce terme, reflet de celle du fruit qu'il désigne. Originaire de Chine, l'*abricot* a commencé sa carrière méditerranéenne en Syrie. Les Grecs l'avaient appelé *armeniakon* «fruit d'Arménie», parce que l'Arménie était sa provenance immédiate. Pour les Latins, la *pruna armeniaca* («prune d'Arménie») se nommait aussi *praecoquum* «le fruit précoce» (→ précoce), mot passé en grec tardif sous la forme *praikokion*. C'est ce dernier mot grec qui a été adopté par les Arabes, qui cultivèrent mieux que d'autres le fruit, et c'est le mot arabe *'al barqūq*, où *al* est l'article et *barqūq* représente le grec *praikokon*, qui a été adapté dans la péninsule Ibérique (le mot espagnol *albaricoque* est attesté en 1330), puis plus au Nord, et notamment en France.

♦ En français donc, on emploie depuis le XVIe s. *abricot* et *aubercot* ; ce dernier vient du catalan *albercoc*, de même origine : c'est le premier qui s'est imposé. ◇ En fonction de nom (1740) et d'adjectif, *abricot* s'applique à une couleur jaune orangé.

▸ Le dérivé **ABRICOTIER** n. m., désignant l'arbre, est attesté dès 1526. ➛ **ABRICOTÉ, ÉE** adj. s'est dit (1628) d'une prune, puis d'une pêche, appelée aussi *pêche-abricot*. Il s'emploie couramment pour «parfumé à l'abricot». ➛ **ABRICOTINE** n. f. a désigné (depuis 1654) un abricot précoce, puis (1843) une roche, un marbre présentant des parties de couleur abricot. Il se dit aujourd'hui d'un alcool d'abricot.

ABROGER v. tr. est emprunté (1354, Bersuire) au latin *abrogare*, «enlever son crédit à qqn» et «supprimer par une loi» d'où «supprimer», de *ab-* (→ à) et *rogare*, verbe dont les préfixés sont nombreux (→ interroger).

♦ En français, le verbe appartient à l'usage juridique, laïque ou (1541, Calvin) religieux. L'emploi juridique pour «supprimer, rendre caduc (un texte ayant force légale)» est resté usuel. ◇ Ses emplois extensifs, «supprimer, annuler», sont littéraires.

▸ Les dérivés du verbe, **ABROGEMENT** n. m. (1616), **ABROGEUR** n. m. (1660) et **ABROGEABLE** adj. (proposé en 1845 par Richard de Radonvilliers), sont plus rares. ➛ Les préfixés **INABROGÉ, ÉE** adj. (1840) et **INABROGEABLE** adj. (1791) sont des mots didactiques de droit public. ➛ **ABROGATION** n. f. est emprunté (1354) au dérivé latin *abrogatio*, terme juridique cicéronien ; il a les mêmes valeurs que le verbe. ➛ **ABROGATIF, IVE** adj. (1845) et **ABROGATOIRE** adj. (1853) qualifient les mesures, les textes destinés à abroger une mesure légale.

ABRUPT, ABRUPTE adj. vient par emprunt (1512) du latin *abruptus*, qui signifie «escarpé», et est composé de *ab-* (→ à) et de *ruptus* «rompu» (→ route ; rompre).

♦ D'abord employé au figuré en parlant de la voix («rauque»), l'adjectif doit être antérieur pour «brusque, hâtif» (voir ci-dessous *abruptement*). Le mot est rare avant le XVIIIe s. où il s'emploie surtout à propos du discours. ◇ À partir du XIXe s. on rencontre l'emploi abstrait, *un caractère abrupt*, ainsi que le sens concret «en pente raide» (1834). ◇ De là *un abrupt* (1869, Goncourt).

▸ Le dérivé **ABRUPTEMENT** adv. est attesté en 1531 dans le *Miroir historial*, traditionnellement daté de 1327. ➛ La locution **EX ABRUPTO** «brusquement» est prise au latin (1607).

ABRUTIR et dérivés → **BRUTE**

ABSCISSE n. f., mot de mathématiques, est emprunté (1693, *Mémoires de l'Académie*) au latin moderne *abscissa (linea)*, proprement «ligne coupée» (1686, Newton), du latin *abscissus*, participe passé de *abscidere* «couper», de *ab* (→ à) et de *caedere* (→ ciseau).

♦ Le mot, désignant la coordonnée horizontale dans un système à deux axes, fonctionne en relation avec *ordonnée*.

ABSCONS, ONSE adj. est le participe passé d'un ancien verbe *absconder*, puis *abscondre* (1180 au pronominal, mais antérieur au p. p. féminin ; 1308, comme transitif), signifiant «cacher», emprunt au latin *abscondere* (qui a donné aussi l'ancien français *escondre*) «cacher» et «perdre de vue», en marine. Ce verbe est formé de *abs-*, variante de *ab-* (→ à), et de *condere* «mettre ensemble, unir», lui-même de *cum* (→ co-) et de *dare* «donner» (→ dation), auquel est venue se mêler la racine °*dhē-* «placer» (→ faire).

♦ Le verbe français *abscondre* n'est plus qu'un archaïsme au XVIIe s. (on emploie encore *absconser* au XVIe s.), mais le participe passé *abscons*, adjectivé en médecine ou en alchimie (1478), entre dans la langue didactique avec la valeur figurée de «difficile à comprendre» (1509).

ABSENT, ENTE adj. est un emprunt (fin XIIIe s.) au latin *absens, absentis*, pour remplacer la forme plus ancienne *ausent* (prononcé *awsent*), qui provient de l'évolution phonétique normale du latin. *Absens* est le participe présent de *abesse* «être éloigné de», de *ab-* (→ à) et de *esse* (→ être).

♦ *Absent* au sens de «qui est éloigné d'un lieu de référence, notamment de son domicile», est substantivé au XVIe s. (1531). ◇ Au figuré, il signifie «distrait, inattentif» (1798).

▸ Le dérivé **ABSENTER** *quelqu'un* v. tr. (1322) «éloigner», emprunt au dérivé bas latin *absentare*, a disparu en français central, alors que **S'ABSENTER** (1383) reste vivant et s'est employé aussi en parlant des choses et du temps (XVIe s., Ronsard).
Quant à **ABSENCE** n. f. (v. 1370), emprunté au dérivé latin *absentia*, qui remplace les formes anciennes *apsence* (1308), *aucence* (1318), il a pris divers sens extensifs et figurés, dont *une absence* (1680) «suspension momentanée de l'attention, de la conscience» qui vient probablement de *absence d'esprit* (1671). ◇ La locution ***en l'absence de*** (1393 ; *en absence de*, 1378) signifie d'abord «à défaut de» puis «pendant l'absence de...».
ABSENTÉISME n. m. (1834, *absentisme*) adapte le mot anglais *absenteeism*, de même origine latine,

qui s'est d'abord employé pour désigner l'absence chronique des grands propriétaires terriens d'Irlande, des Anglais qui possédaient les terres, mais ne s'en occupaient guère, se contentant d'en toucher les revenus. Le mot est passé plus tard, avec la révolution industrielle, à un autre sens et a été rattaché au français *s'absenter,* être *absent* (alors qu'on devrait être présent), en parlant des travailleurs. ◆ **ABSENTÉISTE** adj. (1853) qualifie d'abord les partisans de l'absentéisme des propriétaires fonciers, puis (1866) une personne qui pratique l'absentéisme, sens où le mot est substantivé. ◆ **IN ABSENTIA** loc. adv. reprend (déb. XXe s.) une locution latine signifiant «en l'absence (de)», formée de ② *in-* et de *absentia.* La locution s'emploie en français pour «en l'absence de (la personne intéressée, ce qui est concerné)», par opposition à *in praesentia.*

ABSIDE n. f. est emprunté au XVIe s. au latin *absis,* hellénisme, du grec *hapsis, -idos,* proprement «nœud» et «arc, voûte», du verbe *haptein* «attacher, nouer», d'étymologie obscure. Le latin *absis, apsis* est employé en astronomie *(apsidae)* et la forme *absida,* empruntée à l'accusatif grec, désigne une construction voûtée (Pline) puis, en latin chrétien, le chœur d'une église.

♦ Les deux valeurs sont passées en français, *abside* désignant (1562) les points extrêmes de l'orbite d'une planète (éloignement maximal et minimal par rapport au Soleil) et aussi (1690, Furetière) la partie en hémicycle qui termine le chœur d'une église. Seul ce dernier sens est vivant, avec une valeur technique précisée au début du XIXe siècle.

▶ Le mot a pour dérivé **ABSIDIOLE** n. f. (1866, Larousse) et l'adjectif **ABSIDAL, ALE, AUX** (1866, Viollet-le-Duc, *chapelles absidales*), ou **ABSIDIAL, IALE, IAUX,** forme aujourd'hui préférée.

ABSINTHE n. f. est emprunté (fin XIIe s.) au latin *absinthium,* hellénisme (du grec *apsinthion,* mot préhellénique), désignant à la fois la plante dite *artemisia* et la boisson qu'on en tire (depuis Pline).

♦ La terminaison du mot a suscité l'étymologie «populaire» *herbe sainte,* due aux propriétés de la plante, qui servait à des préparations thérapeutiques, notamment par macération. C'est d'ailleurs au sens de «vin d'absinthe» que le mot apparaît en français sous la forme *absince* (v. 1190), usité jusqu'au XVIe s., avant que *absinthe* (1448) ne désigne la plante (l'ancien provençal et les dialectes d'oc ont une forme populaire évoluée, *aussen* [XIIIe s.], *auchen,* etc., qui correspond au latin populaire *ausentium* [VIe s.]). ◇ *Absinthe* désigne par extension d'autres espèces d'artemisia et évoque par métaphore l'amertume (de Maurice Scève, sous la forme *absynce,* à La Bruyère). ◆ Au début du XIXe s., apparaît l'alcool obtenu par distillation des feuilles de la plante (1811) ; ce sens devient important après 1860, quand cette boisson, dénoncée comme une plaie sociale, symbolise les dangers de l'alcoolisme ; la «fée verte» sera interdite en 1915.

▶ La plupart des dérivés viennent de ce dernier sens et sont employés dans le dernier tiers du XIXe et au début du XXe siècle : **ABSINTHIER** n. m. «débitant d'absinthe» (1866), dit aussi **ABSINTHEUR, EUSE** (1866) ; **S'ABSINTHER** v. pron. «s'enivrer à l'absinthe» (1866). ◆ **ABSINTHISME** n. m. (1871) «effets pathologiques de l'alcoolisme à l'absinthe» et **ABSINTHIQUE** adj. (1872, dans ce sens ; 1845, en chimie) ont vécu plus longtemps et peuvent être encore employés en médecine.

ABSOLU, UE adj. et n. m. est emprunté (1080) au latin *absolutius,* qui signifie «achevé, terminé», et est dérivé du verbe *absolvere* «détacher» et au figuré «détacher du péché» (→ absoudre), et aussi «se débarrasser de...», d'où «achever». C'est un composé de *ab-* (→ à) et de *solvere* (→ résoudre, solution).

♦ Les formes *asolu* (1080), *ausolu* cèdent la place à *absolu* (XIIIe s.), réfection d'après le latin, en même temps que le sens passe de «sanctifié par l'absolution» à «parfait» puis à «complet, intégral» et à «catégorique», sans valeur morale. L'adjectif s'emploie depuis le XVe s. en logique, en politique (*pouvoir absolu,* puis *roi absolu,* 1636), en mathématiques (*équation absolue,* 1691), en physique (*zéro absolu,* av. 1845), en grammaire dans *emploi absolu d'un verbe,* «sans complément». ◇ L'adjectif est substantivé au XVIIIe s. (1758, Buffon), emploi devenu courant en philosophie.

▶ Les principaux dérivés sont **ABSOLUMENT** adv. (1225), qui prend les principales valeurs de l'adjectif et, au XIXe s., le sens affaibli de «certainement» (1866), ainsi que **ABSOLUTISME** n. m. (1797, Chateaubriand) et **ABSOLUTISTE** n. et adj. (1823, n.), dérivés du sens politique de l'adjectif, devenu particulièrement important sur le plan des idées avec et après la Révolution française, par opposition aux régimes parlementaires, constitutionnels (monarchie «selon la charte»). ◆ **ABSOLUITÉ** n. f. est un dérivé philosophique (1866) demeuré rare.

ABSOLUTION → **ABSOUDRE**

ABSORBER v. tr., d'abord sous la forme *assorber* (v. 1050), est emprunté au latin *absorbere,* de *ab-* (→ à) et de *sorbere* «avaler», d'une racine indoeuropéenne °*srebh-* présente notamment dans des formes slaves et baltes (→ résorber). Le verbe latin, devenu °*absorbire,* a donné, outre l'italien *assorbire,* les formes de l'ancien et du moyen français *assorbir* (XIe s.), *absorbir* (XIIIe s.), avec les sens dominants : «engloutir» et «anéantir».

♦ Le verbe français, refait en *absorber* (XIVe s.), signifie d'abord «dévorer» puis «détruire» (1472) et (1611) «faire pénétrer (un fluide) en soi». Le sens initial réapparaît en langue familière pour «manger» et «boire» (1863). Dès le moyen français, on rencontre des emplois abstraits, psychologiques (*asorber* un sentiment, 1370), puis le verbe s'emploie pour «attirer (les sentiments de qqn)» (XVIIIe s., Rousseau). Le réfléchi *s'absorber* «se plonger (dans une occupation, etc.)» est attesté à partir de 1797, en relation avec le passif et le participe adjectivé **ABSORBÉ, ÉE** (1718).

▶ Le participe présent **ABSORBANT, ANTE,** adjectivé et répandu au milieu du XVIIIe s. en physique, en

physiologie, est substantivé pour «substance absorbante» (1701). ◆ Les autres dérivés sont rares (**ABSORBEMENT** n. m., 1389 puis 1685) ou techniques (**ABSORBEUR** n. m., 1929). ◆ Par préfixation ont été formés **RÉABSORBER** v. tr. (XVIIIe s.), d'où **RÉABSORPTION** n. f., d'après *absorption* (1795).
◆ **ABSORPTION** n. f., d'abord terme religieux (1586, chez le mystique Suso, pour «extase, ravissement»), est un emprunt au latin chrétien *absorptio* (saint Augustin), du supin de *absorbere.* ◇ Le mot sert de substantif à *absorber* (XVIIe s.?) et se diffuse à partir du milieu du XVIIIe s., comme *absorbant,* en physiologie, avant de s'employer en physique (av. 1863). ◆ Le latin *absortus* est à l'origine des termes de physique et de chimie **ABSORPTIF, IVE** adj. (1834) et **ABSORPTIVITÉ** n. f. (1832).
L'étymon latin *sorbere,* préfixé en *ad-,* a servi à former **ADSORBER** v. tr. (av. 1907) «fixer par concentration de molécules», d'où **ADSORBANT** n. m. (1931), **ADSORPTION** n. f. (1904, *Revue générale des sciences*), **ADSORBAT** n. m. (mil. XXe s.) et le composé **ADSORBOLUMINESCENCE** n. f. (1966-1967).

◈ **ABSOUDRE** v. tr. est issu (Xe s., saint Léger) du latin *absolvere* «libérer d'une obligation» et spécialement «dégager d'une accusation» (Cicéron), d'où en latin chrétien «remettre les péchés» (Tertullien). Le verbe est formé de *ab-* (→ à) et de *solvere* (→ résoudre, solution).

♦ D'abord employé dans un contexte religieux : *il los absols et perdonet* (saint Léger), *absoudre* est fréquent en ancien français dans un usage juridique pour «délivrer, libérer d'un serment, d'une dette...» (v. 1160), valeur aujourd'hui disparue. Le sens religieux donne lieu à des emplois figurés, «pardonner, excuser», à partir du XVIe siècle.

▸ Le participe passé **ABSOUS**, en ancien français *absolz, absolte* (1291), a eu comme le verbe aux XVIIe-XVIIIe s. la valeur d'«acquitté, déclaré innocent». ◇ Sa forme féminine a donné **ABSOUTE** n. f. (1319, *absolte*), d'abord «absolution des péchés» (jusqu'au XVIe s.) puis (1606) «cérémonie d'absolution collective». ◆ Quant à **ABSOLUTION** n. f., c'est un emprunt (1172) au latin *absolutio,* dérivé du supin de *absolvere. Absolutio* signifiant «acquittement» et en latin chrétien «action de remettre les péchés», c'est ce dernier sens qui est passé en français, où il reste vivant. ◇ En revanche, l'acception «solution» (XIVe s.) n'appartient qu'au moyen français et la valeur juridique (1266; *ausolucion* une fois au XIIIe s.) est archaïque, les emplois figurés «déclaration d'innocence» étant sentis comme figurés du sens religieux. ◆ **ABSOLUTOIRE** adj., dérivé savant (1321) du radical du latin *absolutus,* signifie «qui accorde le pardon, la rémission», par exemple dans ***sentence absolutoire*** (1377), puis *jugement, excuse absolutoire* et, en droit ecclésiastique, ***bref absolutoire*** (1762). ◆ **ABSOLUTEUR, TRICE**, tiré (1788) du radical de *absolution,* signifie «qui absout».

◈ voir ABSOLU.

ABSTÈME adj. est emprunté (1596) au latin *abstemius,* mot rare dans la langue classique, de la famille de *temetum,* qui semble lui-même dérivé d'un substantif °*tēmus,* °*tēmum* (*e* long), probablement nom de plante fournissant une liqueur fermentée, *temetum,* pouvant s'être appliqué au lieu planté de «temus». Selon Ernout et Meillet, ce mot n'a pas de rapport avec le sanskrit *tāmyati* «il est abasourdi».

♦ Le mot s'est introduit en droit canon, s'appliquant à une personne qui s'abstient de boire du vin. Il entre dans l'usage général au XVIIIe s., mais reste littéraire; sémantiquement et formellement proche, il est normalement rapproché de *abstenir, abstention.*

ABSTENIR (S') v. pron. est emprunté (mil. XIe s., *sei astenir*) au latin *abstinere,* composé de *ab-, abs-* (→ à) et de *tenere* (→ tenir), d'abord sous une forme adaptée puis (déb. XIVe s.) par réfection étymologique sous la forme *abs-,* la finale ayant subi l'influence de *tenir.*

♦ Ancien au pronominal, au sens de «ne pas faire, se retenir (de)», le verbe, depuis le XVIe s., s'est employé transitivement (*abstenir son courage,* «retenir») et absolument. La construction avec *de* et l'infinitif est la première attestée et celle avec *de* et nom *(s'abstenir de vin)* apparaît tôt (XIIe s.).

▸ **ABSTENTION** n. f., emprunt au dérivé latin *abstentio,* est d'abord attesté sous la forme *astension* (1160) signifiant «abstinence», refait en *abstention* (1630; XVIe s., selon Wartburg). Mot juridique, il concerne depuis le milieu du XIXe s. (1863) le fait de ne pas s'exprimer dans un vote. ◇ Dans ce sens, il a pour dérivés **ABSTENTIONNISME** n. m. (1853) et **ABSTENTIONNISTE** adj. et n. (1853).
Le participe présent de *abstinere, abstinens,* a donné par emprunt direct (sans influence de *tenir*) **ABSTINENT, ENTE** adj. (XIIIe s.), spécialisé au sens du latin chrétien *abstinens* «qui s'abstient de certains plaisirs, de certains biens». ◆ Un dérivé du latin *abstinens, abstinentia,* a été emprunté sous la forme **ABSTINENCE** n. f. (XIIe s.) avec la valeur correspondant à celle d'*abstinent;* le mot avait eu une valeur plus générale : «fait de s'interdire qqch., une action»; il s'est laïcisé dans le domaine de la privation de nourriture et s'emploie dans un contexte médical (1595, Montaigne) et général.

ABSTERGER v. tr. est emprunté au XIVe s. au latin *abstergere,* de *abs-, ab-* (→ à) et de *tergere* «essuyer», d'origine inconnue, à rapprocher peut-être, selon Ernout et Meillet, du grec *stergis,* variante tardive de *stlengis* «étrille».

♦ Le verbe français, pour «laver, nettoyer (une plaie)», est didactique et rare.

▸ Il a donné **ABSTERGENT, ENTE** adj. (1575, Paré), lui aussi didactique.
ABSTERSION n. f. «action d'absterger» est un emprunt (XIVe s.) au bas latin *abstersio,* dérivé de *abstergere,* fréquent en latin médiéval dans la langue médicale. ◇ Il a vieilli, comme **ABSTERSIF, IVE** adj. (1314), autre emprunt au latin médical (*abstersivus,* attesté au XIIIe s.).

◈ voir DÉTERGER.

ABSTRAIRE v. tr. vient (XIVe s.), par adaptation d'après *extraire,* du latin *abstrahere* de *ab-, abs-*

(→ à) et *trahere* «tirer» (→ traire). On est passé de l'idée d'«enlever en tirant, arracher» à «enlever d'un ensemble par la pensée», dès le latin, dans un usage savant et tardif.

♦ Le premier emploi du verbe en français est *s'abstraire,* usité en philosophie (1361, Oresme), le sens concret, étymologique, n'étant d'usage qu'au XVIe s., sauf en alchimie où le verbe a d'ailleurs aussi une valeur symbolique. ◇ L'acception moderne «considérer isolément ou d'une manière générale (un objet de pensée)» se dégage à la fin du XVIe s., avec un emploi absolu au XVIIIe s. (1751); elle procède du substantif *abstraction* (ci-dessous).

► Le participe passé **ABSTRAIT, AITE** adj. n'est attesté au sens moderne qu'en 1674; il prend la place de l'ancien adjectif *abstract, acte* (1372), emprunt au latin *abstractus,* participe passé de *abstrahere,* qui s'employait notamment en mathématiques. ◇ L'adjectif correspond à «qui exprime une qualité; qui correspond à un certain degré de généralité»; il s'oppose à *concret* et s'emploie en philosophie, en sciences, surtout depuis le XVIIe s. (*sciences abstraites,* 1674; *nombre abstrait,* 1721), le mot étant aussi substantivé (*l'abstrait,* 1690). En parlant des personnes, *abstraict* (1545, Rabelais) signifiait «absent, distrait». ◇ Enfin, on parle d'***art abstrait*** depuis 1930 environ, avec la valeur de «non représentatif, non figuratif», mais l'adjectif s'est dit d'un peintre à tendance intellectuelle depuis le début du XXe siècle. ◇ Aujourd'hui *abstrait* et *abstraction* (ci-dessous) en art ont une valeur assez précise et typologique; *abstrait,* substantivé, désigne aussi le genre et un artiste qui le pratique; enfin, l'adjectif entre dans des expressions comme ***expressionnisme abstrait*** (*abstract expressionism,* en anglais, 1952 aux États-Unis), ***impressionnisme abstrait*** (*abstract impressionism,* 1957, D. Cooper). ➜ Le dérivé **ABSTRAITEMENT** adv. (XVIIe s., Pascal; puis fin XVIIIe s.), précédé par *abstractement* (1579), possède les principales valeurs de l'adjectif.

ABSTRACTION n. f. est un emprunt (XIIIe s.) au bas latin *abstractio* (IVe s.) «enlèvement (d'une femme)», du sens concret de *abstrahere,* devenu terme de philosophie depuis Boèce. Si le sens originel, concret du latin est repris en français au XVIe s., il s'agit d'un emploi savant et peu vivant. *Abstraction* signifie d'abord *extraction,* valeur disparue sauf en alchimie et liée à *abstracteur de quintessence* (1532, Rabelais). ◇ Le sens moderne d'*abstraction* est introduit par Oresme (1370); le mot prend par métonymie la valeur d'«idée générale» (1564, Rabelais) et de «théorie générale», souvent avec une connotation péjorative (*des abstractions,* 1694). L'expression ***faire abstraction de...*** «ne pas prendre en considération» apparaît au XVIIe s. (1658, Pascal). ➜ Enfin, comme *abstrait,* le mot entre dans le domaine de l'art, d'abord pour exprimer une tendance vague au refus de l'expression et du détail, puis (v. 1930) l'absence de toute référence au concret par imitation. Cet emploi technique semble précédé par l'allemand *Abstraktion* (1908, chez le critique d'art Wörringer) et l'anglais *abstraction* (1921, chez Huxley); il correspond à différents concepts, désignés par des expressions telles que *abstraction géométrique, lyrique,* etc. ➜ Les dérivés **ABSTRACTIONNISME** n. m. et **ABSTRACTIONNISTE** adj. et n. sont d'abord des termes de philosophie (attestés au XXe s.; mais l'anglais a *abstractionist,* dès 1844, et *abstractionism* chez W. James, en 1909), puis d'art (1926 et 1925 pour les deux mots anglais correspondants).

L'adjectif **ABSTRACTIF, IVE** est emprunté (1510) au latin médiéval *abstractivus,* dérivé de *abstractus* ou dérivé du radical de *abstraction;* on parle d'abord de *science abstractive* «abstraite», puis (1547) de *substance abstractive* «extraite d'une matière». Le mot est vieux, sauf dans *méthode abstractive* en sciences; il a eu le sens de «qui pratique l'abstraction», substantivé au XIXe s. : «*L'abstractif pense. L'instructif agit*», écrit Balzac (*Louis Lambert,* 1832), qui emploie aussi **ABSTRACTIVITÉ** n. f.

➜ **ABSTRACTEUR** n. m. et adj. est un emprunt (1532, Rabelais) au latin médiéval *abstractor,* de *abstractus,* et ne s'emploie guère que dans ***abstracteur de quintessence,*** désignant un alchimiste et, figurément, une personne qui se plaît aux abstractions subtiles (image analogue pour *alambiqué*).

➜ **IN ABSTRACTO** loc. adv. et adj. reprend (1864, Renouvier) une locution latine signifiant «dans l'abstrait, sans tenir compte de la réalité», formée de *in-* (→ ② in-) et de *abstractus.*

ABSTRUS, USE adj. est un emprunt ancien (1149) au latin *abstrusus,* participe passé de *abstrudere* «cacher» et initialement «pousser, mettre à l'écart», ce verbe étant formé de *abs-* et de *trudere* «pousser» (→ intrus), qui s'oppose à *trahere* «tirer» (cf. *extruder,* etc. ; → traire).

♦ L'adjectif signifie «difficile à comprendre». La paronymie avec *abstrait** a donné à *abstrus* sa valeur intellectuelle.

ABSURDE adj. est emprunté, d'abord sous la forme *absorde* (déb. XIIe s.), au latin *absurdus,* qui signifie «dissonant», et est formé de *ab-* (→ à) et de *surdus* «inaudible» (→ sourd). *Absurdus,* comme *absonus* (de *ab-* et de *sonus* «son»), signifie «discordant; qui n'est pas dans le ton» et au figuré, comme *alienus,* «hors de propos». Le sens du français apparaît déjà en latin, des propos «discordants» ne s'accordant pas avec la logique.

♦ *Absurde* correspond dès l'ancien français à «fou, qui est contraire à la raison»; la substantivation (*l'absurde*), utilisée au XVIe s. (Montaigne), a disparu devant *absurdité,* mais ***par l'absurde*** (déb. XVIIe s.) remplace durablement le latinisme *ab absurdo.* ◇ Mot devenu courant, *absurde* est repris au XXe s. en philosophie, notamment sous l'influence de Camus (1942), qui lui donne une valeur originale («privé de sens logique», toute réalité phénoménale étant absurde), notamment comme nom masculin (*la philosophie de l'absurde*).

► **ABSURDITÉ** n. f. (XIVe s.) vient du dérivé latin chrétien *absurditas* (Priscien); le mot correspond au sens usuel de l'adjectif, *une absurdité* «acte, parole, etc. absurde» étant attesté dès l'apparition du mot (1371-1375). ➜ Le dérivé **ABSURDEMENT** adv. (1549) n'a pas, sauf exception, les valeurs philosophiques de l'adjectif.

ABUS n. m. est emprunté (1370) au latin *abusus*, terme juridique, formé de *ab-* (→ à) avec l'idée d'excès et de *usus* «usage» (→ us).

♦ Comme en latin, le mot correspond étymologiquement à «usage excessif» puis (1451) à «résultat d'un tel usage», c'est-à-dire «attitude ou habitude mauvaise» et spécialement (1532, Rabelais) à «tromperie» (sens provenant du verbe *abuser*, ci-dessous, et qui a disparu). ◇ Dans l'usage courant, le mot donne lieu à plusieurs syntagmes figés ***(abus de pouvoir, de langage)*** mais s'applique à tous domaines; l'emploi absolu concerne le plus souvent la vie sociale et politique *(les abus)*, sauf dans l'expression familière ***y a de l'abus*** (XXe s.) «c'est exagéré».

► Le verbe **ABUSER** semble dérivé de *abus* mais est attesté antérieurement (1312); on peut supposer un latin populaire °*abusare*. ◇ *Abuser* signifie d'abord «user mal (de qqch.)» puis (1370) «tromper»; l'influence d'*amuser*, longtemps employé avec une valeur voisine, est alors sensible. ◇ *Abuser d'une femme* (1370, Oresme) est un euphémisme pour *violer*. ◆ Les dérivés **ABUSEMENT** n. m. (XVe s.) et **ABUSEUR** n. m. (1709) sont devenus rares. ◆ **ABUSIF, IVE** adj., emprunt (v. 1290) au dérivé latin *abusivus*, terme de grammaire, concerne d'abord l'usage du pouvoir, les lois. ◇ Il signifie ensuite (1556) «trompeur», mais son sens dominant est resté «qui constitue un abus». ◆ Il a pour dérivé **ABUSIVEMENT** adv. (1380) «en commettant des abus», sens disparu au profit de la valeur passive «en constituant un abus» (1524).
Le préfixé **DÉSABUSER** v. tr. (1610), «tirer d'une erreur», s'emploie au pronominal (1671); il est moins courant que **DÉSABUSÉ, ÉE** adj., participe substantivé (1829), qui semble n'avoir été employé qu'assez tard (v. 1910) comme adjectif, avec un sens nouveau, non plus «détrompé, revenu d'une erreur», mais «qui a perdu ses illusions». ◆ Le dérivé **DÉSABUSEMENT** n. m. (1647), «action de (se) désabuser», est littéraire.

ABYSSAL, ALE, AUX adj., dérivé savant de *abyssus*, apparaît en théologie (1597) pour qualifier ce qui est insondable, d'après les emplois d'*abîme** au figuré.

♦ L'adjectif, rare, sera repris (1886) en même temps que **ABYSSE** n. m. (1890) «région sous-marine très profonde, fosse». ◇ Un emploi psychologique récent (mil. XXe s.), *psychologie abyssale*, est une métaphore de ce sens, l'adjectif fonctionnant comme intensif de *profond*, et succède à de nombreux emplois littéraires du même type (depuis 1929, in *T. L. F.*).

ACABIT n. m. pourrait être emprunté à l'ancien provençal *acabit* (*t* prononcé) du verbe °*acabir* «achever», composé de *cabir* ou *caber*, qui signifie «employer» : ce serait donc «employer complètement, finir». Ce mot provençal vient ou bien du latin *capere* «prendre, saisir», dont les dérivés ont donné *capable, captif*, ou encore, comme le verbe *achever*, de *caput* «la tête» (→ chef).

♦ *Acabit* désignait depuis le XIVe s. le bon ou le mauvais état (d'un fruit, par exemple), puis depuis le XVe s. un accident et ses résultats malheureux. Au XVIIe s., le mot s'applique à la qualité bonne ou mauvaise d'une marchandise, dans le tour ***de bon acabit*** (1650), et par extension s'emploie dans des jugements de valeur : *un auteur de cet acabit* (1697), expression condamnée par les puristes. Depuis le XIXe s., ***de... (tel) acabit*** s'applique aussi aux inanimés.

ACACIA n. m. est un emprunt, sous la forme *acacie* (XIVe s., apr. 1350), au latin *acacia*, lui-même repris au grec *akakia*, désignant une plante de la famille des Mimosacées et sans étymologie connue.

♦ Les formes francisées *acace, acache* et la graphie *acassia* (XVIe s.) ont disparu. Dans ce sens, *acacia* (1542) tend à se cantonner à l'usage des botanistes. ◇ En effet, l'appellation *mimosa* (qui n'a pas la même extension) le concurrence et une ambiguïté est créée par l'apparition du ***faux acacia***, du nom d'un arbre d'Amérique du Nord acclimaté en France par Jean Robin en 1601 et dénommé par Linné *acacia Robini* (1680, en français). C'est cet arbre, appelé aussi *robinier*, qui depuis le début du XIXe s. (1824) monopolise dans l'usage courant la plupart des emplois d'*acacia*.

ACADÉMIE n. f., dans son sens actuel, est emprunté (déb. XVIe s., av. 1517) à l'italien *accademia*, qui vient du latin, lequel l'a repris au grec *Akademeia*. C'était un nom propre, désignant les jardins d'un riche citoyen grec, *Akademos*, où Platon donna son enseignement, près d'Athènes. Par suite, le mot a désigné l'école de philosophie platonicienne. Les institutions italiennes, imitées par la France et l'Europe, sont l'*Accademia fiorentina* (1540), *del disegno* (1563), *della Crusca* (apr. 1550), *dei Lincei* (des lynx) [1603], *del Cimento* (1657).

♦ Depuis 1570, il y a eu en France de nombreuses sociétés savantes ou littéraires appelées *académies*, sur le modèle italien, et dès 1535 Marot appliquait le mot au jeune Collège de France. François de Sales créa à Annecy en 1607 l'*Académie florimontane*. C'est en 1635 que Richelieu fonda l'***Académie française***, la plus célèbre (voir l'encadré pages suivantes). Ont suivi l'*Académie royale de danse* (1661), l'*Académie des sciences* (1666), l'*Académie de musique* (1669; cf. *opéra*), l'*Académie d'architecture* (1671), l'*Académie des inscriptions et belles-lettres* (1663). L'*Académie royale de sculpture et de peinture*, fondée en 1648 et réunie à la littérature lors de la fondation de l'Institut* (1795), date où apparaît l'*Académie des sciences morales et politiques*, est devenue en 1816 l'*Académie des beaux-arts*. En Belgique, l'*Académie royale de Belgique* (1772) et l'*Académie royale de langue et de littérature françaises* (1920) concernent directement la francophonie. ◇ Au XVIIe s., le mot est à la mode pour désigner le manuel exposant les règles d'un jeu (1630, *académie des jeux*) et une maison de jeu (1666) ou un manège d'équitation (1671). Seul le sens artistique, «exercice de dessin d'après un modèle» (1653), est resté vivant. ◇ Par décret du 17 mars 1801, *académie* désigne en France la circonscription d'une université.

► Il y a plusieurs dérivés, dont **ACADÉMICIEN** n. m., d'abord (1550) pour désigner un philosophe

de l'«Académie» grecque de Platon, puis (1635) un membre de l'Académie française (on a dit aussi *académiste* [1613] et *académique* n. m.). ◆ Si l'Académie française a attendu 1980 pour élire une femme, le mot **ACADÉMICIENNE** n. f. est attesté dès 1701, année où l'académie d'Arles envoie à Mme Deshoulières ses *«lettres d'académicienne»*.
ACADÉMIQUE n. et adj., emprunt au dérivé latin *academicus,* lui-même nom et adjectif (Cicéron), apparaît (1371) pour désigner les livres de Cicéron sur l'Académie platonicienne. ◇ L'adjectif (av. 1517) et le nom (1548, Rabelais) concernent cette académie antique puis, au XVIIe s., les académies modernes. ◇ Dès l'époque classique, l'adjectif évoque un style compassé et traditionnel, en littérature (1669, La Fontaine), puis en peinture (1751) où il est franchement péjoratif. Cette valeur, aujourd'hui dominante, rend parfois difficile l'emploi de l'adjectif au sens neutre «relatif à une académie», sauf en l'absence d'ambiguïté *(élection, séance académique...).* ◇ Le dérivé **ACADÉMIQUEMENT** adv. (1570) correspond aux divers sens de l'adjectif. ◆ **ACADÉMISME** n. m., dérivé d'*académie,* proposé par Richard de Radonvilliers (1845), est réservé au sens péjoratif d'*académique.*

ACADIEN, IENNE adj., attesté en 1838-1842 dans les dictionnaires français, est dérivé de *Acadie,* nom donné à une province maritime du Canada. Cette colonie française établie en 1603 par Champlain, prise par les Anglais, qui l'appelèrent *Nova Scotia* «Nouvelle Écosse», rendue à la France par le traité de Breda (1667), reprise par les Anglais (1690), recédée à la France, fut reconquise et devint colonie anglaise en 1713, sous son nom de Nouvelle-Écosse. On ramène son nom à celui d'*Arcadie,* donné par Verrazano en 1524 à la région ou à une région voisine, à cause de «la beauté de ses arbres».

♦ L'adjectif qualifie et, substantivé, désigne les habitants de langue et de culture françaises de l'Acadie, expulsés et déportés en 1755-1757 (le «Grand

L'ACADÉMIE FRANÇAISE

L'Académie française, créée en 1635 sous l'égide de Richelieu, réunit des gens de lettres et continue une tradition du XVIe siècle. Ce n'est pas en cela qu'elle apparaît comme une innovation, mais en ce que ce qui était auparavant assemblée privée devient alors un corps officiel avec des statuts qui définissent des objectifs; elle est, selon le vœu de son fondateur, un moyen d'intervention de l'État dans le domaine de la langue; «personnifiant l'idée de la règle, elle la consacrait et devait par conséquent l'imposer tôt ou tard aux esprits comme une loi d'État» (F. Brunot, *Histoire de la langue française,* tome III).
L'article 26 des statuts du 22 février 1635 prévoyait que l'Académie fournirait au public un dictionnaire, une grammaire, une rhétorique et une poétique. Les deux derniers ouvrages ne connurent pas même un commencement. Pour la grammaire, la Compagnie n'en publia une sous son nom qu'en 1932, rédigée pour l'essentiel par un de ses membres, Abel Hermant, auteur de chroniques conservatrices sur la langue. Bien qu'elle ait été à l'époque un succès de librairie, cette *Grammaire* ne s'est pas imposée; sans reprendre le ton polémique de Ferdinand Brunot qui résumait ainsi son point de vue : «Le papier en est beau, l'impression nette», on ne peut que constater le caractère sommaire et périmé des descriptions et la volonté d'imposer une norme qui tient peu compte du français vivant («On dit, mais on ne devrait pas dire : *j'ai très soif*»). Les différentes éditions du *Dictionnaire* de l'Académie — huit à ce jour, la neuvième étant en cours de publication — reposent elles aussi sur des principes conservateurs vis-à-vis de la langue, d'ailleurs très atténués aujourd'hui.
Le plan du premier *Dictionnaire* fut proposé par Chapelain en 1638 et sa rédaction entreprise d'abord par Vaugelas; l'ouvrage, qui ne fut achevé que cinquante ans plus tard, fut mis en vente en 1694. Outre que les définitions sont parfois peu exactes et que bien des acceptions sont négligées, il présente alors un état de langue déjà périmé. Il refuse aussi bien les néologismes que les mots considérés comme «bas», même s'ils sont enregistrés par le dictionnaire de Richelet (1680), comme *boudeur, casse-noisette, dada, dégringoler,* etc. Il n'accueille que les termes spécialisés relatifs à l'art militaire, à la chasse, à l'équitation et à l'escrime, etc., parce que ces techniques anciennes sont propres au public de la Cour. L'usage ainsi décrit répond à la définition donnée auparavant par Vaugelas dans son recueil de *Remarques sur la langue française* (1647) : «C'est la façon de parler de la plus saine partie de la Cour, conformément à la façon d'écrire de la plus saine partie des auteurs.» Cette manière restrictive de distinguer une «langue commune» et d'écarter les vocabulaires spécialisés a conduit l'Académie à commander à l'un des siens, Thomas Corneille, un *Dictionnaire des Arts et des Sciences,* qui paraît également en 1694. Le point de vue ne correspond plus aux besoins sociaux non plus qu'à la réflexion lexicographique de l'époque. Furetière, concurrent de l'Académie en son sein même, et qui en fut pour cela exclu, écrit que «les termes des Arts et des Sciences sont telle-

Dérangement»), notamment en Louisiane où leur nom a donné phonétiquement le mot *cajun*. Les Acadiens sont les francophones les plus nombreux d'Amérique du Nord après les Québécois (350 000 au Nouveau-Brunswick, et aussi en Nouvelle-Écosse et dans l'île du Prince-Édouard).

ACAJOU n. m. est un emprunt, d'abord sous la forme *acaïou* (1557), au portugais *acaju* ou *caju* (→ cajou), mot pris à une langue indienne du Brésil, le tupi, et qui désigne l'arbre appelé depuis la fin du XVIIIe s. *anacardier* en français.

♦ Depuis 1640, *acajou*, par une confusion, désigne un arbre tout différent produisant un bois rougeâtre et très dur; les Indiens du Brésil connaissaient cet arbre, qui a été importé en Europe comme l'autre, mais ils l'appelaient *agapu*.

ACANTHE n. f. est un emprunt (1450, *achante*) au latin *acanthus*, emprunt au grec *akantha* «épine» et «épine dorsale», peut-être formé de *akanos* «épine» et de *anthos* «fleur» (→ anth[o]-) et certainement rapporté à la racine *ak-* «pointu», que l'on retrouve en grec (→ acmé, acné) et en latin (→ âcre, aigu).

♦ Le mot désigne une plante herbacée, et l'expression ***feuille d'acanthe*** (1549) sa feuille, utilisée comme motif décoratif dans l'art antique. ◇ Le mot est attesté en anatomie (1721) pour «épine dorsale», sens emprunté au latin moderne, repris au sens étymologique grec et qui semble avoir été très peu usité.

▶ Le dérivé **ACANTHACÉ, ÉE**, d'abord adjectif (1751) puis nom féminin pluriel (1817, Gérardin), concerne la famille de plantes dont l'*acanthe* est le type.
De nombreux composés savants en **ACANTHO-** et en **-ACANTHE**, au sens du grec «épine», sont en usage en sciences naturelles. Parmi eux, **ACANTHOCÉPHALES** n. m. pl. désigne (1839) un embranchement de vers parasites; **ACANTHODES** (Agassiz *in* Bescherelle, 1846), d'où **ACANTHODIENS** n. m. pl. (1927, Haug) des poissons fossiles;

ment engagés avec les mots communs de la langue, qu'il n'est pas plus aisé de les séparer que les eaux de deux rivières à quelque distance de leur confluent». Par ailleurs, la première édition du *Dictionnaire* de l'Académie classait les mots par familles, ce qui gênait des habitudes de consultation, et ne tenait pas compte de modifications graphiques entrées dans l'usage. Les qualités linguistiques de l'ouvrage, par ailleurs très réelles, ne l'ont pas sauvé d'un échec relatif.
Pour simplifier, on résumerait l'histoire des éditions successives en disant que l'Académie a toujours suivi avec retard les évolutions du lexique et les changements orthographiques. Ainsi la quatrième édition (1762) intègre-t-elle sous l'impulsion de Duclos un fort contingent de termes techniques; la sixième (1835), par réaction contre la cinquième, «révolutionnaire» (1798), désavouée par la Compagnie, conserve beaucoup de termes vieillis ou sortis d'usage, mais elle est augmentée d'un important et moderne Complément (1838-1842) de 100 000 mots et termes.
Le changement le plus intéressant est ailleurs; l'Académie avait entrepris au XVIIIe s. d'éditer des œuvres du XVIIe s., augmentées de commentaires critiques sur la langue et le style. Par là, rejoignant l'esprit du temps, elle affirmait l'existence d'auteurs classiques français à côté des modèles de l'Antiquité et considérait la langue des écrivains comme une norme en matière de lexique. Cette norme demeure à peu près inchangée au XXe siècle. Ainsi, dans la préface de la huitième édition (1932), l'Académie «constate et enregistre le bon usage, celui des personnes instruites et des écrivains qui ont le souci d'écrire purement le français. En consacrant cet usage, elle le défend contre toutes les causes de corruption, telles que l'envahissement des mots étrangers, des termes techniques, de l'argot, ou de ces locutions barbares qu'on voit surgir au jour le jour, au gré des besoins plus ou moins réels du commerce, de l'industrie, des sports, de la publicité». La neuvième édition, dont la publication en fascicules a commencé en 1985, est beaucoup plus attentive à l'évolution du lexique, mais on peut estimer que le lecteur visé reste toujours «étranger à toute technicité, [...] réprouve la grossièreté et les mauvaises mœurs, [...] ne lit ni Marot ni Mallarmé, ni la page économique du *Monde*», selon la description plaisante de Georges Matoré, qui concerne l'édition précédente *(Histoire des dictionnaires français)*.
L'optique normative, condamnant tout ce qui s'écarte d'un modèle très sélectif de la langue, se retrouve dans les *Mises en garde* publiées par l'Académie depuis 1954. Elles portent majoritairement sur trois points sensibles du lexique, néologismes, anglicismes et problèmes de sens, avec des commentaires sur le «bon usage»; le rejet d'emplois devenus courants *(se rappeler de, commémorer un anniversaire)* marque un refus de la réalité de l'usage, plus largement de l'évolution sociale. En revanche, certains aspects de la neuvième édition du dictionnaire et, après diverses hésitations, le soutien accordé par l'Académie aux tentatives gouvernementales d'un aménagement orthographique marquent chez les Académiciens, en matière de norme et d'usage, un abandon des positions puristes les plus extrêmes, qui laisse augurer une évolution. Mais celle-ci peut se bloquer pour des raisons plus sociopolitiques que philologiques («l'affaire» du féminin, pour *la ministre*, en 1998).

T. Hordé

ACANTHOPTÉRYGIENS n. m. pl. (1808, Cuvier, adj.), du latin moderne *acanthopterygiae* (1686), de *pterux* «aile» et «nageoire», un ordre de poissons téléostéens.

A CAPPELLA → CHAPELLE

ACARIÂTRE adj. vient probablement (fin XIVe s.) du nom de l'évêque *Acharius* qui, depuis le VIe s., passe pour avoir guéri les fous; on l'appelait en français *saint Acaire* et la ressemblance avec le mot *acer* «aigu» (→ âcre, aigre) explique en partie l'évolution du sens.

♦ Le sens actuel «désagréable, hargneux (d'un caractère, d'une personne)» (1523) a été précédé (fin XIVe s.) par *mal aquariastre* «mal qui rend fou». La personne *acariâtre* (fin XVe s.) est donc à l'origine un malade mental : il y a eu affaiblissement de sens et, par influence du latin *acer,* fixation sur la valeur de «désagréable, aigre», en parlant d'une personne (1526, juxtaposé à *hargneux*) et de son humeur.

ACARIEN adj. et n. m. est le dérivé savant (1842, comme adj. et n. m.) du latin moderne *acarus* «insecte parasite qui transmet la gale» (1517), emprunt au grec *akari,* de *akarês* «minuscule», proprement «que l'on ne peut tondre» (avec *a-* privatif; → ② a-), à rapprocher, selon l'étymologie ancienne, de *keiran* «tondre, couper», lequel repose sur une racine °*sker-* très bien représentée dans les langues indoeuropéennes (→ chair, cuir).

♦ L'adjectif signifie «relatif à l'acarus» et le nom, qui a éliminé *acarides* (1832), désigne un ordre d'arachnides dont l'*acarus* est le type.

▸ *Acare,* désignant cet aranéide (1752), a été éliminé au XIXe s. par la forme latine **ACARUS** n. m. ou *acarus sarcopte, acarus de la gale.*

ACCABLER v. tr. est la forme normande (XIVe s.) du verbe °*achabler* (*achaabler* au XVe s.), composé de l'ancien verbe *chabler* (1386) d'où vient le nom propre *Chablis* et l'adjectif *chablis,* dans *bois chablis* «bois abattu, arraché». *Chabler* vient lui-même de *chable* ou *caable* (mot différent de *câble*) du grec *katabolê,* «machine de guerre pour lancer des pierres», formé de *kata-* (→ catastrophe) et de *bolê,* de *ballein* «atteindre» (→ bal) [*catapulte* est formé de la même façon], par l'intermédiaire d'un mot latin populaire.

♦ *Accabler* signifie d'abord «abattre (un arbre)» et, au figuré (1583), «faire tomber, précipiter». ◇ Le verbe prend, dès le premier tiers du XIVe s., le sens moderne de «faire succomber (qqn) sous un poids», aussi au figuré *(acaabler).* ◇ La forme et le sens de «faire plier sous la peine», avec un sujet nom de chose, sont bien établis au XVIe s. (1580, Montaigne).

▸ Les deux participes, **ACCABLÉ, ÉE** et **ACCABLANT, ANTE,** sont adjectivés (le second attesté XVIIe s.). ◆ Le dérivé **ACCABLEMENT** n. m. s'emploie d'abord au sens concret (1556) puis, d'après le verbe, au figuré (1656, chez Scarron; encore en contexte concret). Par métonymie, il prend la valeur passive d'«état d'une personne accablée» (1662, Corneille).

ACCALMIE → CALME

ACCAPARER v. tr. est un emprunt (1625) à l'italien *accaparrare,* mot de Lombardie attesté tard en toscan (mais *caparrare* et *incaparrare* le sont au XVIe s.), de *caparra* «arrhes», probablement dérivé de *capo* «tête», du latin *caput* (→ chef). Le second élément est *arra,* du latin *arra* (→ arrhes), au sens d'«acompte principal» (cf. *capital*).

♦ Le verbe n'est attesté qu'au XVIIe s. (1625), au sens étymologique «retenir en payant un acompte», mais signifie, dès le XVIe s. (1562), «retenir en grande quantité (une marchandise) pour faire monter les prix». ◇ Ce terme de commerce prend au XVIIIe s. une valeur métaphorique (1768, Turgot) puis figurée pour «retenir, absorber (l'esprit)» (1788). La Révolution donne au verbe et à ses principaux dérivés une grande fréquence.

▸ **ACCAPAREMENT** n. m. (1751), terme de commerce, prend sous la Révolution, par suite de son emploi constant dans le contexte de la disette, sa valeur figurée (1793). ◆ **ACCAPAREUR, EUSE** n., attesté (probablement par hasard) d'abord au figuré (*une accapareuse de cœurs,* av. 1724), se répand sous la Révolution (1794) au propre, puis au figuré. ◆ **ACCAPARANT, ANTE** adj. ne s'emploie qu'au sens figuré, pour «qui absorbe l'esprit, le temps» (1893, in *T. L. F.*).

ACCASTILLER v. tr. est un emprunt (1678) à l'espagnol *accastillar* (déb. XVIIe s.), dérivé de *castillo* qui, comme *château**, remonte au latin *castellum.* Le mot a été précédé par *enchastiller* (1515-1522), d'où *encasteler* (av. 1704), qui correspondent à l'espagnol *encastillar,* croisés avec *enchasteler* (1165), dérivé français de *chastel* «château» au sens de «fortifier», mot passé en marine vers 1300.

♦ Le verbe signifie en marine «garnir des gaillards ou 'châteaux' d'avant et d'arrière»; il s'emploie surtout au participe passé, aussi adjectivé.

▸ **ACCASTILLAGE** n. m. (1690) désigne l'ensemble des «châteaux» d'avant et d'arrière d'un navire, puis (1842) l'ensemble des parties émergées.

ACCÉDER → ACCÈS

ACCÉLÉRER v. tr. et intr. est emprunté (XIVe s.) au latin *accelerare,* de l'adjectif *celer* «vite» (→ célérité), et suffixe verbal.

♦ Ce verbe, attesté chez Jean de Vignay (XIVe-XVe s.), signifie «rendre plus rapide» et entre au XVIIe s. dans le vocabulaire de la physique. ◇ En emploi absolu, en relation avec *accélérateur* (ci-dessous), il signifie «faire aller plus vite (un véhicule)» ou «faire tourner (un moteur) plus rapidement» (1937).

▸ Le participe **ACCÉLÉRÉ, ÉE** est adjectivé, au moins depuis le XVe s. (1458, in *T. L. F.*) et entre au XVIIIe s. dans le vocabulaire scientifique, en astronomie (1751), en physique (*mouvement accéléré,* 1771; puis *uniformément accéléré*). *Pas accéléré* s'emploie dans le vocabulaire militaire (1812), peu avant *voiture accélérée* (1836), sorti d'usage. Le mot est substantivé en cinéma (1921), en opposition à *ralenti.*

ACCÉLÉRATEUR, TRICE est d'abord adjectif (1611) et substantif (1611) ; en anatomie, cet emploi se diffuse avec le développement des techniques, désignant (1891) le dispositif qui accélère le développement en photo, puis (1898) l'*accélérateur* qui nous est le plus familier, celui des moteurs à explosion. ◇ Les emplois en chimie (1928) et en physique nucléaire (*accélérateur de particules,* 1953 dans les dictionnaires, mais antérieur : le dispositif date de 1931), en astronautique (pour traduire l'anglais *booster*) sont moins usuels.

ACCÉLÉRATION n. f. est emprunté au dérivé latin *acceleratio,* rare en latin classique (rhétorique), repris en latin chrétien. D'abord écrit *acceleracion* (1495, éd. de Jean de Vignay; peut-être 1327), il signifie «action d'effectuer qqch. plus rapidement». Il prend une valeur concrète au début du XVIe s., puis s'emploie en physique (1701) et en astronomie (1776). ◇ D'autres emplois spéciaux, en médecine (1845), en automobile et enfin en économie (1964), se développent plus tard.

ACCELERANDO adv. est emprunté (1840, in *T. L. F.*) à l'italien, forme du verbe *accelerare,* de même origine que *accélérer.* ➛ Les composés **ACCÉLÉROMÈTRE** n. m. (1873, Dupraz) et **ACCÉLÉROGRAPHE** n. m. (1873) sont didactiques.

Le radical *céler-* d'*accélérer* a servi à former, au XXe s., **DÉCÉLÉRER** v. intr. (1910), qui a donné **DÉCÉLÉRATION** n. f. (1910) «accélération négative», surtout en parlant d'un engin aérien (1940). ◇ Le participe passé **DÉCÉLÉRÉ, ÉE** est employé adjectivement en cinématique où il qualifie un mouvement qui diminue (1965).

ACCENT n. m. est emprunté (1220), avec la variante *aucent* (déb. XIIIe s.), au latin *accentus* «intonation», servant à traduire le grec *prosôdia* (→ prosodie). *Accentus* dérive de *accinere,* lui-même issu de *ad-* (→ à) et de *canere* «chanter» (→ chanter).

♦ Il signifie d'abord «élévation ou renforcement de la voix sur un son», puis (1559) «l'ensemble des inflexions de la voix». ◇ Au sens de «signe graphique», les principaux accents du français sont nommés dès 1549 (R. Estienne) : *accent aigu, grave, circonflexe.* ◇ Avec la valeur phonétique du mot, on parle d'*accent prosodique* (1736), *grammatical* (1768, chez J.-J. Rousseau). Ce n'est qu'au XVIIe s. (1680) que *accent* désigne les caractères de la prononciation d'une langue, par rapport à une norme sociale : ainsi, en français, *accent du Midi, accent parisien,* qui ne caractérisent que des écarts par rapport au phonétisme du français cultivé d'Île-de-France, considéré comme *sans accent* (alors que, du point de vue provençal par exemple, on parle d'un *accent du Nord, parisien,* dit aussi *accent pointu*). ◇ Des extensions concernent la musique : *accent musical* (1759) et absolument *accent* (1768, Rousseau). ◇ Au figuré, le mot s'emploie en peinture pour «intensité locale» (fin XIXe s.).

▸ Le dérivé français *accenter* (XIIIe s.), repris au XVIIe s., a disparu au profit de **ACCENTUER** v. tr., emprunt (v. 1300) au dérivé latin *accentuare,* qui a signifié «réciter avec les accents convenables» (1511) et, d'après le nouveau sens de *accent,* «marquer d'un accent graphique» (1549). ◇ Par extension, le verbe correspond à «donner du relief à» (1838), d'où (Maupassant, *in* Grand Robert) «rendre plus sensible», sens réalisé aussi par le participe passé **ACCENTUÉ, ÉE** (XIXe s., Balzac), qui a fourni l'antonyme préfixé **INACCENTUÉ, ÉE** (1829, Hugo). ◇ Le verbe a pour dérivé **ACCENTUABLE** adj. (1863, Littré). ➛ **ACCENTUATION** n. f., emprunt (1521) au dérivé latin *accentuatio,* désigne l'élévation de la voix sur une syllabe et (1762) le fait de poser un accent graphique. Comme *accentuer,* il se dit au figuré (2e moitié XIXe s., Champfleury) pour «augmentation de force (des traits, d'une forme, d'une action)». ➛ **ACCENTUEL, ELLE** adj., didactique, est dérivé (1621, in *D. D. L.*) de *accent.*

✻ **ACCEPTER** v. est un emprunt ancien (XIIIe s.) au latin *acceptare,* forme «fréquentative» (par *acceptus*) de *accipere* «recevoir souvent des hôtes», d'où en bas latin «recevoir», puis «consentir à». On retrouve le même radical dans *exception, précepte, réception, déception* et dans *anticiper.* Ces mots sont témoins de l'importance de cette famille latine. *Accipere* est un composé de *ad-* (→ à) et de *capere* «prendre», que l'on trouve en français dans *captif, capture* et dans les verbes *chasser** et *capter**.

♦ C'est le sens le plus tardif du latin qui est emprunté (v. 1250), notamment en religion *(id.)* et en droit (1317), spécialement dans *accepter une lettre de change* (1679). *Accepter de* «consentir à» est attesté au XIVe s. (Bersuire, av. 1362). Des emplois comme *accepter le combat, un défi* (1671), *j'en accepte l'augure* (1640, Corneille), manifestent la diffusion du verbe dans l'usage.

▸ Le participe passé **ACCEPTÉ, ÉE** sert de formule d'acceptation des lettres de change (1723). ➛ **ACCEPTANT, ANTE** adj. et n. se dit de la personne qui accepte un legs, une donation (1464), une lettre de change (1723). L'adjectif s'emploie en religion dans *grâce acceptante* (1561, Calvin) et dans *les Acceptants* «jansénistes soumis à la bulle papale Unigenitus» (1751).

ACCEPTATION n. f. est un emprunt (1262) au dérivé latin chrétien *acceptatio* (Fulgence) «action d'accepter». Le mot français s'emploie dans ce sens, puis en philosophie (1370, Oresme), en commerce pour «promesse de payer une lettre de change» (1679), et enfin dans l'usage général. ◇ Un autre sens du latin dans *personae acceptatio* (Tertullien), variante de *personae acceptio* (→ ① acception), est repris (1563, Pasquier) dans *acceptation de personnes* «considération, préférence» (cf. ci-dessous *acception*).

ACCEPTABLE adj. est emprunté au dérivé latin *acceptabilis,* d'abord sur la variante *aceptable* (1165) au sens d'«agréable», à propos d'un être vivant et (1170, *acceptable*) d'une chose, puis en parlant du temps «opportun, favorable» (déb. XIIIe s.) et en général (XIVe s.) pour «qui mérite d'être accepté» (*acceptable à qqn,* XVIIe s.). ◇ L'adjectif a pris, par atténuation (XXe s.), la valeur évaluative de «à peine bon, moyen», mais a gardé sa valeur forte, notamment en logique et en linguistique (cf. *acceptabilité*). ➛ Il a pour dérivés **ACCEPTABLEMENT** adv. (1165) «de bonne volonté», qui semble repris au

XIXe s. au sens moderne (1877, Littré, *Supplément*) ; **ACCEPTABILITÉ** n. f. (mil. XIXe s. ; Proudhon *in* Larousse, XIXe s.), repris en linguistique (v. 1960) pour «caractère d'un énoncé dont la syntaxe et le sens sont conformes au code de la langue» et le préfixé antonyme **INACCEPTABLE** adj. (1779, Beaumarchais), qui a pris la valeur extensive de «très mauvais».

① **ACCEPTION**, d'abord *assepcion* (XIIIe s., isolément), est emprunté au latin classique *acceptio* «action de recevoir (qqn)», dérivé de *acceptare* «recevoir» (→ accepter). Ce mot a pris en latin chrétien (Tertullien) la valeur de «action de tenir compte» dans *acceptio personae*, variante de *acceptatio* (voir *acceptation*, ci-dessus). ◆ Le mot est repris (déb. XIIIe s., *sans acception*) en droit pour «action de prendre en compte (une qualité, un statut)», d'où la locution *de grande acception* «de grande valeur» (1547), sortie d'usage. ◇ D'après le latin on parle aussi (1314) d'***acception de personne*** et on emploie en droit (v. 1700) les formules ***sans acception de*** (*fortune, qualités*, etc.). ◆ ② **ACCEPTION** n. f. est un réemprunt (Académie, 1694) au latin *acceptio*, qui avait pris au moyen âge la valeur tardive de *accipere* «comprendre» (Quintilien). Le mot correspond à «signification (d'un mot, d'un terme, d'une expression)». ◆ **ACCEPTEUR** n. et adj. m. est emprunté (1369) au dérivé bas latin *acceptor*, au sens de «personne qui approuve». ◇ Spécialisé en droit (1740, Dict. de Trévoux) pour «souscripteur (d'une lettre de change)», le mot a été repris en sciences, comme adjectif de chimie (1928) et de physiologie, pour qualifier une substance, un atome, capable de se combiner, d'accepter une liaison.

✱ **ACCÈS** n. m. provient (*acès*, 1170) du latin *accessus*, participe passé de *accedere*. *Accedere*, composé de *ad* «vers» (→ à) et de *cedere* «aller, marcher, arriver», signifiait en latin «s'approcher de...» et «s'ajouter à...». On retrouve *cedere* dans de nombreux mots français, comme *abcès, antécédent, concéder, décéder*, et directement *céder**.

♦ Le mot, signifiant en ancien français «choc des flots», puis (1280) «moyen, occasion», sens disparu, s'est implanté avec deux valeurs très différentes : «entrée, approche» ***(voie d'accès)*** et, l'accès arrivant brusquement, «brusque poussée (de fièvre, etc.)». Ce sens, qui existe aussi en latin, est emprunté en médecine (1341); il remplace *accession* (ci-dessous). ◇ Le mot a eu en outre divers sens spéciaux en moyen français. ◇ Au XXe s., l'emploi abstrait s'étend *(accès à la propriété, à la culture)* et une spécialisation technique se développe, «recherche et obtention d'informations», par exemple *temps d'accès*, en informatique.

▸ **ACCESSOIRE** adj. et n. m. (1296) vient du latin médiéval *accessorius*, dérivé du supin de *accedere* : une chose accessoire est une chose qui «vient s'ajouter» *(accedere)* au principal. ◇ Ce mot est d'abord adjectif, puis nom *(un accessoire)* avec des valeurs spéciales, d'abord générales (1329), puis juridiques (XVe s.), artistiques (1751), techniques, théâtrales (1835) et cinématographiques (1907, Méliès), enfin en termes de mode. ◇ De là **ACCESSOIRISER** v. tr. «munir d'accessoires (une toilette)». ◆ Le dérivé **ACCESSOIRISTE** n., qui n'est attesté qu'en 1902 (Jules Renard), correspond à ce dernier sens. ◆ **ACCESSOIREMENT** adv. est attesté en 1326 comme terme de droit et semble repris au XVIIe s. (1611).

ACCESSIT n. m. est l'emprunt graphique (1690) à un mot latin, forme du verbe *accedere*, dans la formule *accessit proxime* «il (elle) s'est approché(e) le plus près» du prix.

ACCÉDER v. tr. est emprunté (XIIIe s.) au latin *accedere* (ci-dessus) au sens de «s'approcher», d'où «avoir accès à, pouvoir pénétrer quelque part» (1498) et (XIXe s.) «arriver à, dans un endroit». ◇ Le verbe a eu (1731) le sens juridique de «se joindre à qqn dans un engagement» et conserve la valeur figurée de «donner son consentement à» *(accéder à une demande)*, attestée à la fin du XVIIIe s. (1790, Marot).

ACCESSION n. f. est emprunté (fin XIIe s.) au dérivé latin *accessio* «attaque, accès (d'une maladie)». Dans ce sens, il sera plus tard éliminé par *accès* (XIVe-XVe s.). En bas latin, *accessio* signifie «accroissement». ◇ Le français a d'abord emprunté le premier sens, sorti d'usage, puis le second en droit (1326). ◆ Des valeurs demeurées usuelles apparaissent, semble-t-il, au XVIIe siècle : *accession au trône* (Bossuet, cité sans référence par Bescherelle) et au XVIIIe siècle : «action d'adhérer (à un traité)» (Saint-Simon, 1718). Ces valeurs étaient considérées comme empruntées à l'anglais *acception*, lui-même pris au français, et qui signifie «adhésion» (1603) et «fait de monter sur le trône» (1769, Burke). Cette attestation tardive fait douter du caractère d'anglicisme pour l'emploi français, bien attesté au XVIIIe s., et qui est plutôt emprunté au latin médiéval *acessio* (mil. XIIe s.). Le sens concret, «action de pouvoir aller dans un lieu» (1611), est archaïque : il a été lui aussi éliminé par *accès*.

ACCESSIBLE adj. est emprunté (mil. XIVe s.) au dérivé bas latin *accessibilis*, au sens concret puis abstrait (déb. XVIIe s., d'Aubigné) de «que l'on peut atteindre», et avec le contenu psychologique de «ouvert (à un sentiment)» (1611, des personnes). ◆ Le dérivé **ACCESSIBILITÉ** n. f. (1630) a une valeur spéciale : «conditions d'accès à une fonction» (1878, Académie). ◆ Ces deux mots ont des antonymes. **INACCESSIBLE** adj. est emprunté (1372) au préfixé bas latin *inaccessibilis*. ◇ Employé à l'abstrait, puis (1496) concrètement, peut-être par le hasard des attestations, il s'applique aussi aux personnes (1580), signifiant alors «que l'on ne peut rencontrer, qui est d'un abord presque impossible» ou bien, dans la construction ***inaccessible à*** (un sentiment, etc.), «qui ne se laisse pas toucher». La substantivation abstraite *(l'inaccessible)* apparaît peu avant 1885. ◆ **INACCESSIBILITÉ** n. f., dérivé (1522) de *inaccessible*, est littéraire, au concret comme à l'abstrait. ◆ Par ailleurs, **ACCÉDER** v. tr. ind. est emprunté (XIIIe s.) au latin *accedere* au sens de «s'approcher», sorti d'usage. Depuis le XVe s. (1488), il s'emploie concrètement pour «avoir accès à», puis au XVIIIe s. abstraitement dans *accéder à un traité* (1731) et, plus tard, au sens moderne d'«accepter» *(accéder aux désirs, au vœu de qqn)*. En relation avec *accès,* il s'emploie aussi pour «être admis à» *(accéder à la propriété).*

ACCIDENT n. m., vient (1170) par emprunt de *accidens,* participe présent du verbe *accidere* «tomber sur» et au figuré «arriver par hasard», sens voisin de celui de *accedere,* qui a fourni *accéder** (→ accès), et qui signifiait «s'ajouter» et «arriver». *Accidere* est formé de *ad-* (→ à) et de *cadere* «tomber», qui a donné *choir*;* le *ci-* de *occident,* de *récidive,* est de même origine. *Accidens,* en latin classique «arrivant, survenant», est devenu substantif en latin philosophique pour traduire le grec *sumbainen* (→ symbole).

♦ Le mot français apparaît au sens de «signe, indice» (1170) et en philosophie «modification de l'être», alors opposé à *essence* (1237) selon les théories issues d'Aristote. ◇ L'idée de «hasard malheureux» a prévalu en français dès la fin du XIIe s., d'où, depuis le XVIIe s., un sens médical (v. 1650) et, au XVIIIe s., celui d'«événement soudain qui entraîne des dégâts», notamment dans *accident de voiture, de train* (XIXe s.), *d'avion,* etc. ➜ Un autre sens propre au français (déb. XIXe s., H. de Saussure) est ***accident (de terrain),*** où le mot signifie «ce qui change brusquement».

► Le dérivé **ACCIDENTÉ, ÉE** adj. est d'abord attesté (1622) en médecine. Il s'emploie aussi (1827) pour «qui présente des accidents de terrain (d'un lieu)» et a rejoint (v. 1900) le sens le plus courant de *accident,* par un emploi critiquable de l'adjectif (une *voiture accidentée* «qui a eu un accident») et plus encore de substantif, s'agissant de personnes *(les accidentés).* ➜ **ACCIDENTER** v. tr. apparaît au milieu du XIXe s. en littérature (Du Camp, Sand, Gautier... in *T. L. F.*) pour «rendre accidenté» et au figuré «rendre mouvementé». Il avait été proposé en 1842 par Richard de Radonvilliers.

ACCIDENTEL, ELLE adj. est un emprunt (XIIIe s.) au dérivé bas latin *accidentalis,* terme philosophique (IVe s.) qui s'oppose à *substantialis* «de la substance». ◇ C'est dans ce sens qu'il passe en français. La valeur moderne, «qui arrive par hasard» (déb. XVIe s., *accidental*), est soit empruntée au latin médiéval (XIIe s.), soit dérivée de *accident,* dont il suit l'évolution, aux XVIIIe et XIXe s., époque où l'adjectif entre dans l'usage courant. ➜ Le dérivé **ACCIDENTELLEMENT** adv. a signifié (déb. XVe s.) «par hasard», s'est employé en philosophie (1587) et a pris sa valeur actuelle «par suite d'un accident» au XXe siècle.

ACCLAMER v. tr. est emprunté (1509) au latin *acclamare* «crier à l'adresse de qqn soit pour protester, soit pour louer», préfixé en *ad-* (→ à) de *clamare* (→ clamer).

♦ Le verbe n'a en français que la valeur laudative. La spécialisation pour «nommer par acclamation» (déb. XVIIIe s., Saint-Simon) procède du latin médiéval *acclamare* (XIIe s.).

► **ACCLAMATION** n. f. est emprunté (1504) au dérivé latin *acclamatio,* au sens général, et du latin médiéval au sens juridique de «vote par cris d'enthousiasme, pour ratifier une élection» (1690, *acclamations publiques;* 1740, *élire par acclamation).* ➜ **ACCLAMATEUR, TRICE** n., dérivé de *acclamer* (1578), est rare.

ACCLIMATER → CLIMAT

ACCOINTER v. tr. est issu, d'abord sous la forme *acointier* (mil. XIIe s.), du latin oral °*accognitare,* formé sur *accognitus,* p. p. du bas latin *accognoscere* «reconnaître» (Varron); le verbe français est parallèle au latin médiéval *accognoscere* «faire connaître, promulguer» (IXe s.). Le latin *accognitus* a produit en ancien français le substantif *acointe* (1164) «ami», au féminin «femme aimée», et abstraitement «rencontre, relation» (1268). *Accognoscere* est préfixé *(ad;* → à) de *cognoscere* (→ connaître).

♦ *Acointier, acointer* «faire connaître» s'employait aussi au pronominal (1170, Chrétien de Troyes) pour «s'attaquer (à qqn)», sens disparu, et «entrer en relations avec» (v. 1175). Le verbe est sorti de l'usage courant avant le XVIIe siècle; il a eu un regain littéraire comme archaïsme et s'est employé plus longtemps régionalement.

► Les dérivés anciens, **ACCOINTABLE** adj. (1170) et **ACCOINTEMENT** n. m. (1155, *acointement*), sont archaïques ou dialectaux. ➜ En revanche, un autre dérivé, **ACCOINTANCE** n. f., est resté usuel. Le mot avait en ancien français les deux valeurs de *s'accointer,* «rencontre amicale ou sociale (entre personnes)» (v. 1170) et «rencontre belliqueuse» (1176), seule la première demeurant usuelle. ◇ Tandis que *accointer* sortait d'usage, *accointance* prenait au XVIIe s. la valeur péjorative de «relations suspectes ou intéressées» et notamment (XVIIIe s.) de «relations sexuelles illicites». ***Avoir accointance avec*** est vieilli dans ce sens, et seul le pluriel est usuel. ➜ La vitalité du verbe en ancien français est attestée par les préfixés *racointier* (XIIIe s.), *desacointier, entracointier* et leurs dérivés, employés jusqu'au début du XVIIe siècle.

ACCOLADE, ACCOLER → COL

✻ **ACCOMMODER** v. tr. est emprunté au latin *accomodare,* formé sur les deux préfixes *ad-* (→ à) et *cum- (com-)* [→ co-] et sur *modus* (→ mode; commode).

♦ Il signifie d'abord «arranger, régler» *(accommoder une injure,* en se réconciliant), puis (1530) «rendre conforme à, mettre en harmonie avec». L'idée de «rendre convenable» (→ commode) a produit plusieurs sens classiques, aujourd'hui archaïques : avec un complément de personne «bien installer» (1606), «habiller» (1622), «coiffer» (1688), et par ironie «maltraiter, injurier» (même métaphore avec *arranger, accoutrer*); en parlant de choses «arranger, disposer», «préparer (des aliments)» (1508, sens encore vivant), et abstraitement «conformer (son esprit, ses paroles)» (1536), etc., toutes valeurs attestées dans la seconde moitié du XVIIe s. et qui ont vieilli au XVIIIe s. pour disparaître peu à peu ensuite, sauf régionalement *(accommoder un plat,* etc.). ◇ *S'accommoder à qqch.* (1539), *avec qqch.* (déb. XVIIe s.) «s'accorder» ont disparu, de même que ***s'accommoder de qqch.*** au sens d'«acquérir, acheter» (1667, Molière). Cette dernière tournure correspond encore aujourd'hui à «se contenter de» (1594) puis «s'arranger» (1617). ◇ D'après *accommodation* (ci-dessous), le verbe s'emploie au transitif *(accommoder sa vision, sa vue)* et à l'intransitif pour «mettre au point» (attesté XXe s.).

▸ Le participe présent **ACCOMMODANT, ANTE** adj. s'est d'abord dit d'un remède qui «accommode», qui guérit (v. 1600). ◇ Employé un peu plus tard (1671) en parlant des personnes, il correspond à *s'accommoder* et tend rapidement à se substituer à *commode**, qui ne résiste, en parlant des personnes, qu'en emploi négatif. ◆ Le dérivé **ACCOMMODEMENT** n. m. (1585) correspond à «moyen par lequel on accommode, on satisfait qqn», puis à «disposition (de qqch.)» (1660), sens sorti d'usage. La valeur de «réconciliation (entre personnes)» (1636) est également archaïque, alors qu'un autre sens classique, celui de «conciliation» (1664, Molière), reste vivant, surtout dans *des accommodements avec le Ciel.*

ACCOMMODATION n. f. est emprunté (1395) au dérivé latin *accommodatio* «action d'accommoder, de conformer», puis en latin médiéval «prêt d'argent» (qu'on donne, par lequel on accommode qqn). Ce dernier sens est le premier attesté, avant les valeurs correspondantes à celles du verbe, «moyen de satisfaire qqn» (mil. XVe s.), «accord, en droit» (1690, Furetière), «fait de conformer qqch., son discours, etc. à qqch.» (1566), etc., toutes devenues archaïques. ◇ Le mot est repris au milieu du XIXe s. en physiologie pour «modification de la courbure du cristallin selon la distance des objets» (1863, Littré), sens généralisé en optique et qui procède de l'idée d'assimilation, d'adaptation. ◆ **ACCOMMODATEUR, TRICE** n., emprunt au dérivé latin *accommodator,* a signifié «personne qui accommode, soigne» (exemple isolé, 1578). La reprise du mot (1897) comme adjectif, «relatif à l'accommodation (de l'œil)», correspond plutôt à une dérivation savante d'*accommodation.*

Le préfixé **RACCOMMODER** v. tr. (1587) veut dire à l'origine «arranger, remettre en état» puis (1633) «réconcilier (des personnes)». Ces deux sens correspondent à ceux de *accommoder.* La valeur spéciale de «réparer à l'aiguille» (1671) est devenue très courante. ◆ Il en va de même pour le dérivé **RACCOMMODAGE** n. m. (1650), qui ne s'emploie plus qu'en couture, alors que **RACCOMMODEMENT** n. m. (déb. XVIIe s.) garde le sens de «réconciliation». ◆ Quant à **RACCOMMODEUR, EUSE** n. (1612), il a gardé son sens ancien de «réparateur» dans *raccommodeur de porcelaines,* à côté de la valeur courante de *raccommoder.*

ACCOMPAGNER v. tr. est formé (1165) de *a-*, de l'ancien français *compain* (→ compagnon, copain) et d'un suffixe verbal.

♦ Le verbe signifie «prendre pour compagnon», puis «se joindre à (qqn)», notamment pour faire un déplacement en commun. Avec des noms de choses (fin XIIe s.), il correspond simplement à «se joindre à, être proposé avec». ◇ Le sens spécialisé en musique apparaît au XVe s. (*accompaigner,* intr.) pour «jouer d'un instrument, en même temps que la voix ou un autre instrument assume la partie principale».

▸ Le dérivé **ACCOMPAGNEMENT** n. m. (XIIIe s.) est d'abord un terme de droit féodal : «contrat d'association», sens que connaît aussi le verbe (1239). Le sens «action d'accompagner» (1539) est archaïque à propos des personnes, mais reste vivant à propos des choses qui vont ensemble, avec une métonymie usuelle *(un accompagnement de légumes).* ◇ En musique, le mot signifie (1690) «partie qui accompagne la partie principale». ◆ C'est aussi le sens musical que possède **ACCOMPAGNATEUR, TRICE** n. (v. 1670, Mme de Sévigné) ; le mot a pris d'autres valeurs spécialisées, notamment (XXe s.) «personne qui accompagne et guide un groupe».

ACCOMPLIR v. tr. est le préfixé (1121) de l'ancien verbe *complir* (Xe s.), du latin *complere* «remplir», devenu *complire* (→ complément), comme *tenere,* d'où *tenire,* qui a donné *tenir. Complir* a signifié «réaliser (la promesse divine)», puis (déb. XIIIe s.) «satisfaire (un désir)» et «mener à bien (un projet)» ; dans tous ses emplois, il a été éliminé par *accomplir.*

♦ D'abord terme de religion, au sens de «réaliser (la Promesse)», le verbe est immédiatement employé dans un contexte laïque pour «exécuter (une promesse)» et «exécuter» en général (mil. XIIe s.), ainsi que «terminer (une action)». Ces valeurs sont toujours vivantes, alors que les sens de «compléter (qqch.)» (1329), «munir (qqn) de qqch.» ont disparu.

▸ **ACCOMPLI, IE** p. p. a été adjectivé au sens de «parfait, entièrement réalisé et achevé» (v. 1200) et aussi de «arrivé à son terme (temps)» (déb. XIIIe s.). ◆ Le dérivé **ACCOMPLISSEMENT** n. m. (1214) signifie «satisfaction», puis (1284) «fait de terminer (un acte, une œuvre)», sens devenu dominant. De là, le mot s'emploie pour «perfection» (1288). ◆ Le préfixé antonyme **INACCOMPLI, IE** adj., attesté au XIXe s. (1834, Sainte-Beuve) au sens général, d'emploi littéraire, s'est spécialisé en linguistique (1933) pour l'aspect verbal correspondant à une action envisagée dans son cours, non dans ses effets ; il s'oppose à *aspect accompli* et, comme *accompli,* est substantivé *(l'accompli ; l'inaccompli).* ◆ **INACCOMPLISSEMENT** n. m. (1845) est littéraire.

ACCORDÉON n. m. Ce mot est signalé en français avant 1848 (v. 1835 ?) dans les *Mémoires d'outre-tombe,* peu de temps après l'invention de l'instrument par Damian en Allemagne : il le nomma en 1829 *Akkordion,* dérivé de *Akkord* «accord» (→ accorder). *Akkordion* a été francisé d'après *orphéon.*

♦ Le mot désigne, comme son étymon, un instrument de musique à anches métalliques, à boutons ou à clavier, et à soufflet, devenu très populaire dans plusieurs cultures. En France, il est au centre de la musique de danse et notamment du «musette», surtout dans la première moitié du XXe siècle. ◇ La forme du soufflet donne lieu à des métaphores *(chaussettes en accordéon, plissé accordéon...)*.

▶ Le dérivé **ACCORDÉONISTE** n. n'est enregistré (P. Larousse) qu'en 1866, à l'époque où l'instrument s'est répandu.

✻ **ACCORDER** v. tr. est emprunté (1080, *acorder*) au latin parlé °*accordare,* formé d'après *concordare, discordare,* d'après des ensembles existants en *con-, ad-*. Le sens de ce verbe devait être à peu près celui de *concordare* «être d'accord» et «mettre d'accord», avec un complément humain en bas latin (ve s.). Le verbe est formé de *ad-* (→ à) et de *cor, cordis* (→ cœur), influencé par *chorda* (→ corde), mot de musique, ce qui évite l'hypothèse d'un °*acchordare* ou d'un dérivé de *corde* pour le sens musical.

♦ Le verbe apparaît avec la valeur de «réconcilier», d'où le pronominal (1080) «faire la paix (avec qqn)»; dès le XIIe s., il prend le sens juridique de «décider (qqch.)», disparu, puis (1554, *accorder avec qqch.*) de «conclure un accord» (1291), «concéder (qqch.)» et «reconnaître pour vrai». ◇ Par ailleurs, *s'acorder* s'est employé à propos de choses compatibles, qui s'harmonisent ensemble (1170), acception toujours usuelle. ◇ De nombreux sens spéciaux se développent ensuite : «promettre (une fille) en mariage» (*adcorder,* XVe s.); en grammaire «faire concorder (les mots entre eux)» (XVe s.), aussi au pronominal (1607), sens demeuré vivant, *s'accorder* s'employant spécialement en peinture (1677, R. de Piles).
Avec l'influence de *chorda,* le verbe s'emploie pour «employer (la voix, un instrument) en harmonie avec» (1158-1180), d'où «jouer ensemble» (v. 1200, *s'acorder*) puis au XIVe s. pour «préparer (un instrument) de manière à mettre dans le ton» (cf. ci-dessous *accordeur*).

▶ **ACCORDE** n. f., terme de marine, commandement pour «nagez (ramez) ensemble» (1687), est très probablement l'impératif du verbe, en relation avec *s'accorder* «faire effort ensemble» (attesté 1831).
Le déverbal **ACCORD** n. m. (*acort,* v. 1160, Wace), écrit *accord* à partir du moyen français (XIVe s.), concurrencé en ancien français par *accorde* (1080) et *accordance* (1172), possède deux valeurs dominantes. ➜ La première est liée au premier sens du verbe, «pacte» et «conformité de sentiments, d'opinions» (fin XIIe s.), d'où *être en accord* et *être, mettre d'accord* (1538), qui a donné naissance à l'expression elliptique très usuelle ***d'accord*** (XVIIe s.), familièrement abrégée en ***d'ac, d'acc*** (XXe s.). ◇ Une extension ancienne est «harmonie entre des choses» (1538). ◇ Le sens spécial de «fiançailles» (1350) est sorti d'usage (cf. *accordailles*). ◇ En revanche, l'emploi en grammaire (1690) est usuel (*accord du participe,* etc.), l'acception picturale «harmonie (de couleurs)» (1677, R. de Piles) étant plus technique. ➜ Avec l'influence de *chorda* dans *accorder* (ci-dessus), *accord* se dit (1341) pour «harmonie de sons émis ensemble», d'où, plus techniquement (1538), «sons musicaux simultanés en harmonie», avec divers syntagmes (***accord parfait,*** etc.). Le sens de «état d'un instrument accordé» apparaît au XVIIe s. (1690, Furetière).

ACCORDABLE adj. s'est dit d'une personne conciliante (1164) et en général de ce qui peut s'accorder (1170). Le sens musical «qu'on peut accorder (pour jouer de la musique)» est ancien (v. 1262, B. Latini) et rare. ➜ Le préfixé antonyme **INACCORDABLE** adj. (1776), «qu'on ne peut mettre d'accord», est assez didactique. ➜ **ACCORDEUR** n. m. s'est dit en droit (depuis 1324) pour «conciliateur». ◇ Il a été reformé en musique (1768) pour désigner le professionnel qui accorde les pianos. ➜ **ACCORDOIR** n. m. a désigné (1680) la clé d'accordeur et tout dispositif servant à accorder un instrument de musique. ➜ **ACCORDAILLES** n. f. pl., tiré au XVIe s. d'*accorder* au sens de «promettre en mariage» et *-ailles,* d'après *fiançailles, épousailles* (XIIe s.), désigne la cérémonie accompagnant le mariage et son contrat (1539). Considéré comme hors de mode au XVIIe s., puis comme archaïque au XVIIIe s., le mot a connu un renouveau régional au XXe siècle. ➜ **ACCORDAGE** n.m. s'emploie (rarement) en musique pour «action d'accorder (un instrument)» (1883).
Plusieurs dérivés préfixés sont formés sur *accorder.* ➜ **DÉSACCORDER** v. est, dès son apparition, intransitif pour «être en mésintelligence» (v. 1330), emploi disparu, et transitif pour «détruire l'accord, l'harmonie entre des choses» (1332), puis «entre des personnes» (1611). L'emploi musical (1471) équivaut au sens correspondant d'*accorder.* ➜ Le déverbal **DÉSACCORD** n. m., d'abord *desacort* (2e moitié du XIIe s.), «fait de ne pas être d'accord», est demeuré plus courant que le verbe et passe pour un préfixé de *accord.* ◇ **RACCORDER** v. a d'abord (*racorder,* XIIe s.) le sens de «réconcilier» au pronominal, puis (XIIIe s.) à l'actif, et de «mettre fin à (la guerre) par un accord», sorti d'usage. ◇ Ces acceptions ont peu à peu cédé la place aux emplois concrets, tels «exécuter la réunion de (bâtiments)» (1701), «servir de raccordement» (1701; 1845, en technique), «rattacher (un événement à un autre)» (XXe s.). ➜ Le déverbal **RACCORD** n. m. correspond au verbe; il signifie d'abord (*racort,* v. 1200) «réconciliation», puis (XVIe s., Palissy) «réunion de parties séparées», avec des spécialisations techniques en architecture (*in* Larousse 1874), en maçonnerie (1904), en plomberie, en théâtre (attesté XXe s.), en cinéma (1919) et dans *faire un raccord* (de rouge à lèvres...) [XXe s.]. ➜ Le dérivé **RACCORDEMENT** n. m. a suivi la même évolution sémantique, de «réconciliation» (*racordement,* XIIe s.) à «réunion (de bâtiments différents)» (1701), puis «action de faire des raccords» (1744; 1755, en parlant de tuyaux) et, par métonymie, de «raccord», spécialement «jonction de tuyaux», «voie reliant deux voies ferrées» (1845), «courbe ou ligne réunissant deux surfaces» (1875).
S'ENTR'ACCORDER v. pron. a signifié (v. 1155) «se réconcilier», puis (v. 1460) «bien s'entendre», acception encore vivante, mais assez rare.

◈ voir ACCORDÉON.

① **ACCORE** adj. est un emprunt (1544), avec un préfixe *a-* alternant avec *es-, é-* (*escore* 1606, mais antérieur) [cf. ② *accore*], au néerlandais *schor* «escarpé», d'une famille de mots attestée dans la plupart des langues germaniques, dont l'anglais *shore* «rivage». La racine de ces mots, °*sker-,* semble apparentée à la racine indoeuropéenne servant à exprimer le fait de couper et à désigner la peau, l'écorce (→ chair, cuir), c'est-à-dire la chose que l'on peut enlever, couper.

♦ Le mot signifie «abrupt, escarpé» et demeure technique, comme le nom qui en est tiré, *un* ou *une acore (accore)*, «écueil» (1753), qui succède à *escore* (1606).

▸ ② **ACCORE** n. m. ou f., «étai d'un navire»; le passage de *escore* à *accore* a pu se faire sous l'influence de verbes comme *accoter*. ◆ De là, **ACCORER** v. tr. (1687), d'abord *escorer* (1382), «soutenir avec des accores».

ACCORT, ACCORTE adj. est emprunté (mil. XIVe s.) à l'italien *accorto* (XIIIe s.), du verbe *accorgersi* «s'apercevoir», issu du latin oral °*accorigere*, de *ad-* (→ à) et *corrigere* (→ corriger).

♦ L'adjectif signifie «habile, adroit» et *mal accort* (1555) «inhabile»; le sens vieillit au XVIIe s., époque où, sous l'influence de *cour, courtois*, par fausse étymologie, il signifie «gracieux, attirant». ◇ Ce sens est bien attesté depuis les *Satires* de M. Régnier (1609) et doit exister dès le XVIe siècle. Il est aujourd'hui archaïque ou plaisant *(une accorte soubrette)*.

▸ Les dérivés **ACCORTISE** n. f. (1539, in *F. e. w.*) et **ACCORTEMENT** adv. (mil. XIVe s.), qui ont suivi la même évolution, sont archaïques.

ACCOSTER → CÔTE

ACCOTER v. tr. est issu, d'abord (déb. XIIe s.) sous la forme *acuter*, du bas latin *accubitare* (Ve s.) «être étendu sur un lit (à table)», qui vient soit de *cubitus* «coude*» (être accoudé), soit de *accubare* (*ad*, → à et *cubare*, → couver) dont il serait le fréquentatif.

♦ Le verbe signifie d'abord «se coucher», en parlant d'animaux, puis au pronominal (1172-1175) «s'étendre en s'accoudant», d'où «s'appuyer sur les coudes» (2e moitié XIIe s.), puis en général «s'appuyer» et, transitivement (XIIe s.), «appuyer (contre qqch.)». ◇ Ce transitif a vieilli, mais le pronominal, pour «se mettre contre, de manière à se soutenir» *(s'accoter à, contre, sur...)*, et le participe **ACCOTÉ, ÉE** adj. sont demeurés courants.

▸ Le dérivé **ACCOTOIR** n. m. (1560), d'abord *accoutouere* au féminin (1490), désigne certains appuis, notamment pour les bras, sur les côtés d'un siège. ◆ **ACCOTEMENT** n. m. (1552), «support», s'est spécialisé à propos du bord d'une voie (1755), entrant dans divers syntagmes au XXe s. (*accotements stabilisés*, par exemple).

ACCOUCHER → COUCHER
ACCOUDER → COUDE
ACCOUPLER → COUPLE
ACCOURCIR → COURT
ACCOURIR → COURIR

ACCOUTRER v. tr. et pron., d'abord écrit *acoutrer* (XIIIe s.) puis *acoustrer* (1525) et *accoustrer* (1509), est peut-être issu d'un latin oral °*aconsuturare*, °*acconsturare*, de *ad-* et *consutura*, dont le sens aurait été «assembler en cousant», d'où «orner» et «préparer, arranger». *Consutura* (→ couture) est formé de *con-* (→ co-) et de *sutura* (→ suture), du verbe *suere*. Une autre hypothèse le ramène à *coutre**, issu du latin *culter*, avec la valeur d'«équiper (d'un soc)» ou de «préparer (la terre) pour le labour», sens attesté régionalement. L'ancien provençal *acotrar* «équiper» et «parer» (XIIIe s.) semble emprunté au français. Mais l'évolution sémantique n'est pas claire.

♦ L'idée première, tant pour le transitif que pour *s'acoustrer*, pronominal (1295), est celle d'installation, de mise en place, dans des contextes qui n'ont pas de rapport avec le vêtement. Au XVIe s. (1525), le verbe s'emploie pour «accommoder (les aliments)» et «décorer (un tissu, etc.)» (1509), sens qui serait compatible avec la première hypothèse étymologique. ◆ Ces usages ont disparu au profit du sens vestimentaire, *s'accoutrer* signifiant «se vêtir» (1509) et le verbe devenant, pour des raisons inconnues, péjoratif et correspondant à «habiller de manière grotesque» (1680), le participe **ACCOUTRÉ, ÉE** étant adjectivé dans ce sens à la même époque.

▸ Cependant, le sens général ancien se continue dans le dérivé technique **ACCOUTREUR** n. m., attesté isolément au XIIIe s. au sens général, puis au XVIIIe s. pour «ajusteur de la filière à tirer de l'or» (1771). ◆ **ACCOUTREMENT** n. m. n'a au contraire que le sens de «costume, manière de s'habiller» (fin XVe s., Commynes), devenu populaire ou archaïque au XVIIe s. et repris vers la fin du XVIIIe s. avec la valeur ironique (par exemple Mercier, 1801) ou péjorative (1812) du verbe.

ACCOUTUMER → COUTUME.

ACCRÉDITER → CRÉDIT

ACCRÉTION n. f. est emprunté en médecine (1751) au latin médiéval *accretio*, terme général pour «action d'augmenter», en droit, spécialisé ou repris plus tard en sciences. *Accretio*, attesté en latin classique (Cicéron), est dérivé du supin de *accrescere* (→ accroître), préfixé en *ad-* (→ à), de *crescere* (→ croître), à côté de *concrescere* (→ concrétion), verbe en rapport avec *creare* (→ créer).

♦ Le sens médical et la valeur juridique (1752) ont été éliminés par *accroissement*. Un emploi en physiologie (1752, en conchyliologie; 1845, en général) vient soit du latin scientifique, soit de l'anglais *accretion* (1626, Bacon); il correspond à «croissance par juxtaposition d'éléments». Le mot a été repris au XXe s. en astronomie et en géologie.

ACCROCHER → CROC

ACCROIRE v., d'abord *acreire* (déb. XIIe s.), est issu, d'après *croire*, du latin *accredere* «ajouter foi à», de *ad-* (→ à) et *credere* (→ croire), souvent confondu, par exemple dans *faire acreire* (1155), avec *à croire*. *Accredere* a pris en latin médiéval le sens de «donner ou prendre à crédit».

♦ C'est cette double valeur de «prêter» et «emprunter» qui apparaît en premier et semble disparaître avant l'époque classique. ◇ ***Faire accroire*** «faire croire (qqch. de faux)» (1155) est resté usuel, prolongé en ***en faire, s'en faire accroire*** «se tromper ou se laisser tromper». ◇ *Soi acroire (sur qqn)* «lui faire confiance (souvent à tort)» (mil. XIIe s.) a disparu, comme *acroire qqn* «lui faire confiance» (1250-1280).

ACCROÎTRE v. est issu du latin *accrescere*, intransitif puis transitif en latin médiéval, composé de *ad-* (→ à) et de *crescere* (qui a donné *croître**), d'abord sous la forme *acreistre* (XIIe s.), refaite d'après *croître* en *acroistre* (av. 1220), *accroistre* (XVe s.), enfin *accroître*.

♦ Le verbe signifie d'abord (mil. XIIe s.) «donner de l'éclat à (qqch.)» puis «augmenter (un bien)», sens maintenu. L'emploi intransitif (XIIIe s.), pour «augmenter en quantité», a disparu.

► Le participe passé **ACCRU, UE** est adjectivé et substantivé au féminin dans **ACCRUE** n. f., d'abord *acreue* (1246) «agrandissement (d'une terre, d'un bien)» puis en général «augmentation» (1554), sens devenu archaïque. ◆ À côté de **ACCROÎT** n. m. (1174, *acreis*) «fait de s'accroître», qui a eu des acceptions spécialisées («enchère», 1308; «profit», 1562; «croissance [d'un organisme]», 1585) et qui est sorti d'usage, **ACCROISSEMENT** n. m. (*acreissemens*, 1150; *accroissement*, 1235) est devenu le seul substantif d'action du verbe, au sens de «progression morale», «amélioration» (XIIe s.), «prospérité», puis en droit (1239) «augmentation d'un bien». Le sens actif général, «action d'ajouter», est lui aussi ancien (1235), de même que «fait de se développer (d'un être vivant)» (1267, B. Latini), aujourd'hui archaïque (remplacé par *croissance*).

◈ voir **ACCRÉTION**.

ACCROUPIR → **CROUPE**

ACCUEILLIR v. tr. est issu, sous plusieurs formes, *acueillir* (1080), *acoillir, acoildre* (XIIe s.), etc., du latin populaire °*accolligere* qui signifie aussi «recueillir», composé de *colligere*, qui a donné *cueillir** (avec un changement de conjugaison très ancien).

♦ L'ancien français (de 1080 au XIVe s.) et les patois connaissent de nombreux sens «réunir», «associer», «attaquer» (1080), «chasser» (*acoillir*, XIIIe s.). Le moyen français connaît l'intransitif «entrer au service de qqn» (XIVe-XVe s.). ◆ Le sens moderne, qui apparaît au XIIIe s. (Chrétien de Troyes), est une spécialisation méliorative de «saisir, prendre» (1080), le verbe signifiant ensuite (XIIIe s.) «recevoir (qqn), bien ou mal». ◇ Dans ce sens, il a des emplois abstraits, qui correspondent à «recueillir», et s'utilise avec divers compléments, toujours au sens général de «prendre» (*accueillir son chemin, sa voie* «s'acheminer», v. 1175). De ces emplois et de nombreux autres, ne subsistent au XVIIe s. que «recevoir favorablement», «aider, protéger», sens qui disparaîtra, «recevoir à bord d'un navire» et «recevoir (qqn)» en parlant d'une circonstance (*nous fusmes accueillis par la tempeste, l'orage*, 1690, Furetière). En français actuel, le complément peut aussi désigner une chose, une action, un phénomène.

► Le déverbal **ACCUEIL** n. m. (*acueil*, v. 1200; *achial*, av. 1188) a signifié aussi «assemblée, lieu de réunion» (XVe-XVIe s.), mais s'est imposé au sens actuel, avec des expressions comme ***faire bon accueil*** (1564). *Bel Acueil* est un personnage symbolique du *Roman de la Rose* (v. 1230). ◇ Le mot a éliminé *accueillance* n. f. (XIIIe s.) et d'autres dérivés. ◆ **ACCUEILLANT, ANTE** p. pr. adj. (XIIIe s.) a immédiatement le sens d'«affable, aimable».

ACCULER v. tr., composé de *cul* et de ① *a-*, est attesté au pronominal v. 1200.

♦ Synonyme de *mettre à cul*, aujourd'hui aussi démotivé que *reculer*, il signifie «pousser dans une position où on est le dos au mur». Au figuré (XIIIe s.), il correspond à «contraindre sans laisser d'échappatoire».

► Le déverbal **ACCUL** n. m. «lieu sans issue» (v. 1300) s'est employé en chasse (1561) pour «fond du terrier», puis en marine et en technique. ◇ **ACCULEMENT** n. m. (1677), terme de marine, remplacé, semble-t-il par **ACCULÉE** n. f. (1848), désignait le mouvement d'un bateau vers l'arrière.

ACCULTURATION, ACCULTURER → **CULTURE**

ACCUMULER v. tr. est emprunté au latin *accumulare* «amasser», composé de *cumulare* «entasser», qui a donné *cumuler** et *combler**.

♦ Le verbe et son dérivé *accumulation* apparaissent quasiment en même temps (1327 et 1336). *Accumuler* signifie «amasser, amonceler», abstraitement et concrètement (1350); le pronominal est usuel. *Accumuler qqn de qqch.* s'est employé pour «combler» (1504).

► **ACCUMULATION** n. f. correspond au verbe; il s'est spécialisé en droit (*accumulation de droits*, 1690), puis (mil. XIXe s.) en électricité (cf. ci-dessous *accumulateur*), en technique *(chauffage, poêle à accumulation)* et (XXe s.) en mathématiques.
Un autre dérivé, **ACCUMULATEUR** n. m., a désigné la personne qui accumule (mil. XVIe s.). Le mot, repris au XIXe s., se dit (1870) des appareils qui «accumulent» l'énergie, probablement d'après l'anglais *accumulator* (1833); il a été appliqué (1881) à l'«accumulation» d'énergie électrique dans la pile secondaire de Planté (inventée en 1860). Il vient alors soit de *accumuler*, employé dans ce sens (1861), soit de l'anglais *accumulator* (1881, à propos de l'appareil français). ◇ Le succès du mot, dû à l'automobile, engendre le dérivé familier les **ACCUS** n. m. pl. (1907).

ACCUSER v. tr. vient très anciennement (v. 980, *acuser*) du latin *accusare*, de *ad- (ac-)* (→ à), *causa* (→ cause) et morphème verbal. Le verbe latin est un mot juridique, lié à l'idée de «procès», exprimée par *causa*. En latin, on accuse non seulement les personnes, mais les actions.

♦ Le premier sens français concerne les personnes et correspond à «mettre en cause»; *accuser qqn de qqch.* s'employait dès le XIIe s. (1155). Comme en latin, le verbe peut aussi avoir un complément nom de chose (v. 1152), d'où le sens de «signaler, révéler avec hostilité» (1205) et celui de «révéler, montrer»

(1190), avec un sujet nom de chose, d'abord dans *accuser un secret,* puis dans d'autres contextes (Montaigne). ◇ *Accuser la réception* (1627) puis ***accuser réception*** (1835) ***de qqch.*** correspond au sens de «reconnaître, réagir en acceptant», que l'on retrouve dans ***accuser le coup*** (1927), d'abord en sports, «reconnaître qu'on a été touché». ◇ Le sens de «faire ressortir, mettre en relief» (v. 1870) a été précédé par l'emploi en art pour «faire ressortir» (1762, *accuser les os, les muscles...*), plus fréquent avec *accusé.*

▸ Le participe passé **ACCUSÉ, ÉE** est adjectivé et substantivé (XIIIe s.), avec une spécialisation en droit pénal (Code Napoléon); de là **COACCUSÉ** n. (1743). ◇ ***Accusé de réception*** apparaît au début du XIXe s. (1832, Las Cases, in *T. L. F.*). Comme adjectif, le mot s'emploie aussi pour «marqué, très visible» ou «très sensible» (1836, Balzac).
Plusieurs mots de la même famille sont empruntés à des dérivés latins. ◆ **ACCUSATION** n. f. est emprunté (av. 1275, *acusacion*) au latin *accusatio* pour «action en justice par laquelle on accuse qqn», d'où *acte d'accusation* (code pénal, 1808), puis (1335) en général «action d'accuser». Le mot désigne par métonymie le ministère public (*in* Larousse, 1866). ◇ Il a pour composé **CONTRE-ACCUSATION** n. f. (1550) et **AUTO-ACCUSATION** n. f. (1900). ◆ **ACCUSATEUR, TRICE** n. (1481) donne lieu au syntagme ***accusateur public*** (1701) dont la fréquence s'accroît considérablement à l'époque des tribunaux révolutionnaires. Le féminin *accusatrice* est d'abord attesté en droit (1572). ◇ L'adjectif (1351, in *F. e. w.*), repris au début du XIXe s. (1808), s'emploie par extension pour «qui constitue par sa présence une preuve contre qqn» (1812). ◆ **ACCUSATOIRE** adj. est emprunté (v. 1355) au dérivé latin *accusatorius* et s'emploie en droit pour «relatif à une accusation». ◆ **ACCUSATIF** n. m. est un emprunt (XIIe s.) au dérivé latin *accusativus,* adj. (*accusativus casus,* Varron) et n. m. (Quintilien), terme de grammaire dérivé de *accusare,* pris au sens de «signaler, révéler». Le mot est usuel en grammaire grecque, latine et par extension dans d'autres langues à cas, pour «cas du complément direct, cas régime».

-ACÉ, -ACÉES, suffixe d'adjectif et de nom féminin pluriel, est emprunté au latin *-aceus, -acea* signifiant «appartenant à» et servant à former des mots savants à partir de substantifs, notamment en classification. *-acées* correspond au latin *aceae,* utilisé en latin moderne pour les taxinomies botaniques.

ACÉPHALE → -CÉPHALE

ACERBE adj. est emprunté (fin XIIe s.) au latin *acerbus* «aigre, piquant», puis en bas latin «agressif, dur», au figuré (→ aigre). Ce mot se rattache à la racine *ac-* de *acidus, acies, acus* «aiguille», *acer* «aigu», c'est-à-dire au thème indoeuropéen *ak-*.*

♦ Le mot signifie en ancien français «cruel» ou «dur, sévère» et s'applique aux paroles, aux sentiments. Cette valeur abstraite se différencie au XVIe s. en «méchant» (1545), «pénible, douloureux» (des choses, 1re moitié XVIe s.), tandis que l'adjectif est repris au sens concret du latin classique «aigre, âpre» (1570), sens archaïque, encore attesté au XXe s. comme mot didactique de gastronomie. ◇ Le sens figuré est surtout vivant à propos des paroles, de l'expression des sentiments.

▸ Le dérivé **ACERBEMENT** adj. (XVe s.) est demeuré rare. ◆ **ACERBITÉ** n. f. est emprunté (v. 1327 ou XVe s., J. de Vignay) au dérivé latin *acerbitas,* au sens figuré abstrait, puis (1611) concret.

ACÉRÉ → ACIER

ACÉTO-, élément tiré du latin *acetum* «vinaigre», probablement neutre substantivé d'un adjectif °*acetus* qui contient la racine °*ak-* (→ âcre), est productif à partir du milieu du XIXe s. sous cette forme, et a servi à former des termes de chimie lors de l'élaboration de la nouvelle nomenclature par Guyton de Morveau (1787). Un mot plus ancien, *acéteux* (voir ci-dessous), a pu servir de modèle à ces créations; par ailleurs, le latin *acetum* avait donné en ancien français et en ancien provençal un mot *azet,* devenu *aisil, esil* (XIIe-XIVe s.) «vinaigre», qui a donné naissance à des dérivés régionaux, et un emprunt *acete,* qui n'a pas vécu.

▸ **ACÉTEUX, EUSE** adj., d'abord *acetos, aceteus* (XIIIe s.), puis *acéteux* (XVIe s.), signifie «de vinaigre», «qui a le goût du vinaigre», d'où **ACÉTEUSE** n. f. «oseille» (XIVe s.). La chimie du XVIIIe et du début du XIXe s. emploie *acide acéteux* pour le corps qui s'appelait *vinaigre radical* (ou *mère du vinaigre*), *esprit de Vénus* en alchimie, et qui va être nommé *acide acétique.* ◆ **ACÉTIQUE** adj. est l'un des termes forgés par Guyton de Morveau et Lavoisier (1787). *Acide acétique* n'est pas le seul emploi de l'adjectif; on parle aussi de *fermentation acétique,* etc. ◆ **ACÉTATE** n. m., désignant un sel de l'acide acétique, est formé en même temps (1787). L'acétate de cellulose est appelé **ACÉTOCELLULOSE** n. f. (1928, dans les dictionnaires). ◆ Au milieu du XIXe s. sont apparus les dérivés de *acétique,* **ACÉTIFIER** v. tr., d'où **ACÉTIFICATION** n. f. et, tiré de *acetum,* **ACÉTONE** n. f. (av. 1853, Dictionnaire de La Châtre), avec le suffixe *-one,* mot assez usuel avec des composés en médecine : **ACÉTONÉMIE** n. f. (1885), **ACÉTONURIE** n. f. (1885). ◆ **ACÉTYLE** n. m. (av. 1865, Littré et Robin), tiré de l'élément *-hyle,* du grec *hulê* «bois», a plusieurs dérivés (cf. ci-dessous *acétamide* et *cétone*). ◆ Par ailleurs *acétone* a donné par troncation **CÉTONE** n. f. (attesté 1903, mais antérieur) désignant une série de corps de constitution analogue à celle de l'acétone (deux radicaux carbonés; une molécule CO). Le mot s'emploie aussi par apposition *(fonction cétone)* et en composition *(cétone-alcool).* ◆ Il a pour dérivés **CÉTONIQUE** adj. (attesté dès 1899), **CÉTOSE** n. m. (1897), «ose ayant une fonction cétone», et pour composés, en médecine, **CÉTONÉMIE** n. f. et **CÉTONURIE** n. f. (mil. XXe s.), «présence de cétones dans le sang, l'urine».
Quant à **ACÉTYLÈNE** n. f., c'est le nom d'un gaz, découvert par Davy (mort en 1829) mais dont le nom n'est attesté que dans les années 1860, en an-

glais comme en français. Ce carbure d'hydrogène non saturé fournit un gaz servant au chauffage et à l'éclairage *(lampe à acétylène)*, le mot étant usuel dans cet emploi de 1880-1890 à 1940 environ. ◆ Le dérivé **ACÉTYLÉNIQUE** adj. (1892) sert à qualifier la série des carbures dont l'acétylène est le premier terme, et ces carbures, d'où l'emploi comme substantif masculin. ◆ L'élément **ACÉTYL-** vient du nom du radical **ACÉTYLE** n. m. (1853) et sert à former des composés en chimie, tel **ACÉTYLFORMIQUE** (1904), en pharmacologie, par exemple **ACÉTYLSALICYLIQUE** adj. (fin XIXe s.) qualifiant l'acide appelé couramment *aspirine*, en biochimie, avec **ACÉTYLCHOLINE** n. f. (emprunté à l'anglais, av. 1906). ◆ **ACÉTAMIDE** n. m. est un emprunt (1847) à l'allemand *Azetamid*, de *Amid* (→ amide), pour «amide de l'acide acétique». ◆ De nombreux composés en *acéto-* existent en chimie et en biologie, comme **ACÉTOMEL** n. m., formé (1842) sur le latin *acetum* «vinaigre» et *mel* «miel»; **ACÉTOPHÉNONE** n. f., de *phén(yle)* et *-one* (1880, Wurtz); **ACÉTOBACTER** n. m. inv. (→ bactérie); **ACÉTOCELLULOSE** n. f. (1928, dans les dictionnaires généraux).

ACHALANDÉ, ÉE adj. est formé (1383) sur *chaland, ande* (→ ② chaland), au sens d'«acheteur», avec le préfixe *a-* et le suffixe *-é* des participes passés; le verbe *achalander*, d'abord virtuel, étant attesté dans le dictionnaire d'Henri Estienne (1549).

♦ Dès l'origine, le mot signifie «fréquenté par les chalands, les clients», spécialisé en «qui a une clientèle abondante», d'où «en vogue» (XVIIe s.) et «qui a une clientèle d'élite» (XIXe s.). Ce sens est demeuré vivant, mais démotivé du fait du vieillissement de *chaland*. ◆ Une acception nouvelle, qui vient du sens de «en vogue, bien fréquenté», en parlant d'un commerce, apparaît vers la fin du XIXe s. et correspond à «bien approvisionné en marchandises» (1907, in *T. L. F.*); très critiquée par les puristes, elle s'impose en français moderne courant au point d'éliminer la valeur étymologique.

▸ **ACHALANDER** v. tr. signifie d'abord (1549) «fournir des clients» et au figuré «mettre en vogue». ◇ Considéré comme populaire au XVIIe s., le verbe est surtout employé au passif *(être bien, mal achalandé)* avec les mêmes emplois que l'adjectif *achalandé*, prenant (déb. XIXe s.) le sens de «fournir des marchandises». ◆ Le dérivé **ACHALANDAGE** n. m. désigne (1820) le fait de fournir en clientèle et, par métonymie, la clientèle (1835), sens devenu archaïque. Au XXe s., le nom suit *achalandé* et *achalander* dans leur évolution.

ACHAR ou **ACHARD** n. m. est un emprunt (1609, *achar*) au portugais (1563), lui-même emprunté, par l'intermédiaire du malais, au persan *āčār* «légumes (oignons) confits dans du sel et du vinaigre» *(pickles)*. L'emprunt anglais correspondant semble plus tardif (1675).

♦ Le mot, au pluriel (*des achars* ou *achards*), désigne les légumes et fruits confits ou marinés (sel, vinaigre, condiments). Les emplois des XIXe-XXe s. sont probablement influencés par l'anglais.

ACHARNER v. tr., d'abord attesté au participe passé *acharné* (v. 1170), est formé de *charn*, forme ancienne de *chair**, avec le préfixe *a-* et la finale des verbes du premier groupe en *-er (-é, -ée)*.

♦ Le verbe dépend dès l'origine du sens figuré de *chair* «être humain vivant», avec l'idée de proie, *être acharné sor* (sur) se disant pour «s'attaquer avec fureur à» et, au figuré (1409), pour «s'exciter, s'irriter contre». Avec une autre valeur de *chair*, le réfléchi *s'acarner* est attesté en ancien français (mil. XIIIe s.) pour «s'attacher avec passion»; de là *acharner (qqn)* «exciter érotiquement» au XVIe s. (Montaigne). ◇ En moyen français, le participe *acharné* (mil. XIVe s.) et le pronominal *s'acharner* (1394) s'emploient en vénerie pour «avoir (qui a) pris goût à la viande *(chair)*». ◇ L'emploi actif est assez rare; on le trouve au XVIe s. au sens de «garnir de viande» (Ronsard), disparu au XVIIe s., puis en vénerie. ◇ Depuis le XVIIe s., le pronominal *s'acharner* et le participe passé **ACHARNÉ, ÉE** développent deux valeurs usuelles, «attaquer, combattre avec violence» et «persévérer dans une attitude de lutte ou de travail».

▸ Le dérivé **ACHARNEMENT** n. m. apparaît (1611) au sens concret en vénerie (ci-dessus) et au figuré pour «fureur du combat», puis (1664, Molière) «lutte opiniâtre». On parle depuis peu d'***acharnement thérapeutique*** pour l'attitude qui consiste à soigner un malade perdu, un moribond.

ACHAT → ACHETER

ACHE n. f. est issu (XIIe s.) du latin *apium*, au pluriel *apia*, désignant un ensemble de six plantes (Pline), l'une d'elles étant utilisée comme thème ornemental par son feuillage. Le mot latin avait déjà fourni en ancien français *apie* (XIe s.), *ape* (XIIIe s.). Il vient très probablement de *apis* «abeille» (→ abeille) et correspond au grec *meliphullon* «herbe au miel».

♦ Le mot désigne une plante sauvage, dont une variété cultivée est le céleri. Sa feuille stylisée sert d'ornement (couronnes ducales), d'où *fleuron, feuille d'ache*.

ACHEMINER → CHEMIN

✳ **ACHETER** v. tr., sous des formes un peu différentes, *achapter, acheder* (Xe s.) puis *achater* (XIIe s.) et *acheter (id.)*, est issu du latin populaire °*accaptare* de *ad-* «vers soi» (→ à) et *captare*, qui a donné par emprunt *capter*, peut-être d'un autre verbe latin *acceptare* (→ accepter), influencé par *captare*. On disait normalement en latin, pour «acheter», *emere* (→ rédemption), verbe remplacé après le IIe s. par *comparare* signifiant «procurer» et d'où viennent les mots italien et espagnol signifiant «acheter» (respectivement *comprare* et *comprar*).

♦ L'idée première, qui était celle de «prendre, obtenir», a été recouverte par celle d'une opération : «échanger contre de l'argent» (mil. XIIe s.), à tel point que l'on peut acheter une chose pour quelqu'un d'autre que pour soi : *acheter* peut alors être quasi synonyme de «donner», «offrir» *(il a acheté un vélo à son fils)*; cet emploi paraît récent. ◇ Au figuré et depuis l'ancien français (1160), par exemple dans *acheter trop cher sa tranquillité,* c'est l'idée d'«échange», de «paiement» qui l'emporte. ◇ Avec un complément nom de personne, le verbe s'est employé pour «gagner la confiance de (qqn)» (fin XIIe s.) ; ce sens a disparu au profit de la valeur péjorative «s'assurer les services de (qqn) par de l'argent de manière immorale» (XVe s.) ; l'emploi neutre pour *salarier* ayant disparu.

▸ Le dérivé **ACHETEUR, EUSE** n., d'abord *achatiere* (1180) en français d'Angleterre (anglo-normand), puis *acateour* (v. 1225), écrit *achatevour* (1259), a suivi les sens du verbe, avec l'acception spéciale (1801) d'«agent effectuant les achats pour le compte de qqn d'autre», d'où l'emploi spécialisé de **ACHETANT, ANTE** adj. et n., pour l'agent économique. Le féminin *acheteuse* est attesté en 1701 (Furetière). ◆ **ACHAT** n. m. est le déverbal de *achater* (1164) ancienne forme, aussi *acat, akat* au XIIe siècle. Il signifie «action d'acheter» et, par métonymie, «chose achetée» (1606). ◆ **ACHETABLE** adj. (fin XIVe s.) s'emploie dès le XVIe s. en parlant d'une personne qui «se vend» (1550).

RACHETER v. tr. est formé (XIe s.) du préfixe *re-* et du verbe, avec la variante *rachater* (d'où *rachat,* ci-dessous). Le premier emploi, issu de la valeur générale du verbe simple (ci-dessus), et d'usages juridiques en latin médiéval, concerne le «rachat», la rédemption des âmes et des péchés par Jésus-Christ ou par l'Église. Ce sens coexiste avec celui de «délivrer (un captif) par une rançon» (XIIIe s.). ◇ À la même époque, le verbe signifie aussi «acheter (ce qu'on avait vendu ou ce qui avait été vendu)» et se spécialise en droit. Il acquiert aussi un sens figuré (v. 1230) en parlant des choses : «compenser (une chose par une autre)», d'où «rendre (un défaut) moins sensible» (1510, en architecture). ◇ Ces diverses valeurs se développent avec des extensions : au sens financier, «acheter une seconde fois (un même type d'objet)» (1668) ; au sens moral, *racheter ses péchés* (XVIIe s.), puis *racheter qqn,* «le relever de la déchéance» (déb. XIXe s., Balzac, in *F. e. w.*), et *se racheter* (1829, Boiste, *ibid.*). ◆ **RACHAT** n. m., déverbal de la forme ancienne *rachater* (v. 1175), probablement antérieur à 1150 si l'on en juge par le latin médiéval *rachetum, rachatum* (XIe-XIIe s., du Cange), est d'abord un mot juridique, fréquent en droit féodal et au sens de «recouvrement d'une chose vendue (par soi ou un autre)» (XIIe s.). ◇ Le mot correspond aussi à «rançon», en parlant des personnes (1378). ◇ Les valeurs religieuses de «salut d'une âme» (XVIe s.) et de «rédemption par le Christ» (*in* Furetière, 1690) semblent anormalement tardives par rapport au verbe, peut-être simplement faute d'attestations. ◇ Par extension, le mot signifie aussi (1560) «expiation», puis (XIXe s.) «fait de se racheter». ◆ **RACHETABLE** adj., réfection (1428) de *raccataule* (1347, pour °*rachatable*), est plus fréquent que **RACHETEUR, EUSE** n., réfection (1611) de *raacheterre* (v. 1120), puis *reacheptеur* (1588), d'abord mot de religion, repris pour «personne qui effectue un rachat», spécialisé au XXe s. en Bourse (cf. *repreneur).*

ACHEVER v. tr. est le dérivé (1080), aujourd'hui non perçu, de l'ancien français *a chief* «à bout», où *chief, chef* «tête» (→ chef) a le sens extensif de «bout, extrémité».

♦ *Traire* [«tirer»] *a chef,* «se terminer», et *a chief venir,* «venir à bout», sont usuels en ancien français. *Eschever* (XIIe s.) et *chever* (XIIIe s.) n'ont pas vécu, *achever* les ayant remplacés. ◇ Le sens spécial «tuer (qqn), donner le coup de grâce à» apparaît chez Rabelais (1534). Dans la langue classique, *achever* signifie figurément (1614) «ruiner la santé, la fortune de (qqn)». Le sens moderne, «compléter un effet pénible sur (qqn)», «fatiguer à l'extrême», lui est apparenté. ◇ Le verbe est courant au pronominal (XIIe s., apr. 1170), au sens passif «être en train de finir».

▸ Le participe passé **ACHEVÉ, ÉE** fonctionne comme adjectif depuis le XVIe s. (1538) ; il a eu des valeurs figurées dans la langue classique «complet» (péjoratif), par exemple dans *un sot achevé,* et «ruiné». Le sens dominant est «parfait». ◇ Le mot est substantivé dans ***achevé d'imprimer*** «texte légal indiquant les références de l'impression d'un livre».
Le dérivé **ACHÈVEMENT** n. m. (XIIIe s., apr. 1273) désigne spécialement la perfection d'une œuvre (1611). ◆ **ACHEVAGE** n. m. (1842) est un terme technique de poterie, de céramique. ◆ *Achevé* a servi à former un préfixé antonyme, **INACHEVÉ, ÉE** adj., mot proposé ou enregistré par Mercier (1783), devenu usuel au concret comme à l'abstrait pour «non achevé», d'où «incomplet». Une célèbre symphonie de Schubert est appelée *L'Inachevée.* ◆ **INACHÈVEMENT** n. m., formé sur *achèvement* (1836, chez Balzac), correspond à *inachevé.* ◆ Un verbe, **INACHEVER** v. tr. (1935, L. Daudet, in *T. L. F.*) «laisser inachevé», est rare.

PARACHEVER v. tr., formé en ancien français (1213) avec l'adverbe intensif *par* (→ ② par), signifie «achever complètement». Il est aussi employé au participe passé adjectivé et a pour dérivés assez rares **PARACHÈVEMENT** n. m. (mil. XIVe s.) et **PARACHEVABLE** adj. (1571).

ACHIGAN n. m. est un emprunt (1683) à l'algonquin, l'étymon signifiant «celui qui se débat».

♦ Le mot désigne deux poissons différents d'Amérique du Nord, dont le plus connu est appelé *perche noire* (ou *truitée*). Il est usuel en français du Canada.

ACHILLÉE n. f. est un emprunt (1572), après le moyen français *aquilée* (XIVe s.), au latin *achillea,* emprunté aussi sous cette forme (1562). Le latin est lui-même un emprunt au grec *akhileios* «herbe d'Achille», le héros grec ayant guéri Télèphe, qu'il avait blessé, à l'aide de cette plante. Les dérivés viennent respectivement du latin *Achilles* et du grec *Akhilleus* «Achille», mot d'origine inconnue.

♦ Le mot désigne une plante appelée communément *saigne-nez, mille-feuilles.*

▸ Le dérivé **ACHILLÉINE** n. f. (1866) désigne l'alcaloïde tiré de la plante.

ACHOPPER → CHOPPER

ACIDE adj., emprunt au latin *acidus,* n'apparaît qu'au XVIe s. (1545) à propos d'un fruit. L'adjectif latin vient du verbe *acere* «être aigre», apparenté à *acer* «pointu, perçant», d'un radical indoeuropéen °*ak-* «pointe», présent dans *acetum* «vinaigre» (→ acéto-), *acies* «pointe» (un dérivé donne *acier**), *acus* (→ aiguille), *acer* (→ âcre, aigre), d'où *acerbus* (→ acerbe).

♦ En français, l'adjectif, comme c'était le cas pour le latin *acidus*, s'emploie au figuré, mais seulement depuis le XIXe s. (P. Larousse cite Lamartine, Hugo). ◇ Sans cesser d'appartenir à la langue courante, *acide* qualifiant et désignant l'une des quatre saveurs fondamentales, le mot devient un terme de chimie, comme adjectif et surtout comme nom (fin XVIIe s.). ◇ Le concept chimique moderne apparaît à la fin du XVIIIe s. avec Lavoisier et Guyton de Morveau, en opposition à *base*, puis se modifie avec la théorie atomique et ionique. ◇ Au sens d'«acide lysergique» (L. S. D.), *acide* est emprunté à l'américain *acid* vers 1965.

▸ Outre **ACIDITÉ** n. f., emprunt au dérivé latin *aciditas* (1545) «caractère de ce qui est acide au goût», employé aussi en chimie (déb. XIXe s.), de nombreux termes scientifiques sont formés avec *acide* : **ACIDIFIER** v. tr. (1786), d'où **ACIDIFIANT, ANTE** adj. (1786), **ACIDIFICATION** n. f. (1786) et **ACIDIFIABLE** adj. ⟡ *Acidité* lui-même a donné en physiologie **HYPERACIDITÉ** n. f. ⟡ Le composé **ACIDIMÉTRIE** n. f. (1855), «mesure de la concentration des acides», a donné le dérivé **ACIDIMÉTRIQUE** adj. (1866). ⟡ **ACIDIMÈTRE** n. m. (1907) est formé avec *-mètre*. ⟡ **ANTIACIDE** n. (1750) et adj. se rapporte au sens courant. ⟡ **HYDRACIDE** n. m. (1816, Gay-Lussac) et **OXACIDE** n. m. (1823) sont des termes de chimie, le premier désignant les acides dont la molécule ne contient pas d'oxygène (leurs noms sont en *-hydrique*), le second, dans l'ancienne terminologie, les acides contenant de l'oxygène.
ACIDULÉ, ÉE adj. est dérivé (1721) de *acidule* dans *eau acidule* (attesté 1747), emprunt au diminutif latin *acidulae (aquae)* «(eaux) légèrement acides». Il signifie «légèrement acide au goût» et est usuel, notamment dans *bonbons acidulés*. ◇ Le verbe **ACIDULER** est attesté en même temps (1721), le participe **ACIDULANT, ANTE** étant adjectivé au XIXe s. (1863). ⟡ La médecine a créé **ACIDOSE** n. f. (1909) pour nommer un trouble dans la concentration des acides et des bases de l'organisme, avec prédominance de l'acidité; de là **ACIDOSIQUE** adj. (v. 1946). ⟡ Un préfixe **ACIDO-** sert à former des adjectifs, comme **ACIDOPHILE** adj. (1897), **ACIDO-RÉSISTANT, ANTE** (1910), **ACIDO-BASIQUE** adj. (XXe s.), et des noms.

◈ voir OSEILLE (du latin *acidula*), ACRYLIQUE.

ACIER n. m. apparaît en ancien français (1080) avec les variantes *acer, asser*, que l'on retrouve dans certains dérivés. Le mot est issu du bas latin *aciarium*, dérivé de *acies* «pointe (d'une arme)», où l'on retrouve le radical °*ak-* de *acide**. La pointe de l'arme devant être dure et tranchante, elle est fabriquée dans un métal plus résistant que le fer, obtenu par alliage avec du carbone (selon l'analyse moderne, faite au XVIIIe s.).

♦ *Acier* désigne ce métal et aussi, comme en latin (XIIe s.), la pointe d'une arme; au premier sens, il s'emploie dans des syntagmes et au figuré, notamment dans ***d'acier*** «très résistant», qualifiant le courage, le caractère (déb. XVIIe s., d'Aubigné). ◇ Le sens concret a pris de l'importance au XVIIIe s., le concept technique étant élaboré par Réaumur (1720-1722) — époque où apparaît *aciérie*, et au XIXe s. avec la fabrication industrielle. Un sens extensif est «industrie de l'acier».

▸ Le dérivé **ACÉRIN, INE** adj., «d'acier» (XIIe s.) et au figuré «inébranlable» (XIIIe s.), a disparu, mais **ACÉRÉ, ÉE** adj. «recouvert, garni d'acier» (1155) et «tranchant, aigu» (XVIe s., Rabelais) est resté usuel; il s'est employé au figuré pour «résistant, ferme» (XVIe s.) et «piquant, agressif» (1625). Ce dernier sens est en usage, comme la valeur concrète «très pointu, aigu». ⟡ Les autres dérivés d'ancien français en *acer-* ou *acher-* *(acérer, acérure, acherure)*, disparus, ont parfois été repris en technique : **ACÉRURE** n. f. (1751), **ACÉRAGE** n. m. pour *acérage* [ci-dessous] (1762), puis «soudage d'une pièce d'acier à un outil».
La forme *acier* a fourni plusieurs dérivés. ⟡ **ACIÉRER** v. tr. (1549) «garnir d'acier la pointe de (une arme)», puis (1767, *aciéré* p.p.) «transformer en acier». ⟡ **ACIÉRIE** n. f. désigne une fabrique (1737) puis une usine où l'on fabrique l'acier. ⟡ **ACIÉREUX, EUSE** adj. (1783) a vieilli, mais le langage technique connaît **ACIÉRAGE** n. m. (1753), «transformation du fer en acier» puis (1864) «opération par laquelle on garnit d'acier une surface métallique par galvanoplastie»; **ACIÉRATION** n. f. (1790), terme archaïque pour «aciérage», et **DÉSACIÉRER** v. tr. (1838) après *désacérer* (1752).

ACMÉ n. f. est emprunté (1751) en médecine au grec *akmê*, «point critique (d'une maladie)» et «haut degré», figurés du sens propre initial «partie aiguë (d'un objet)», du radical indoeuropéen °*ak-* exprimant l'idée de «pointe» (→ acide).

♦ Le mot s'emploie au sens médical du grec, puis en général pour «point culminant, extrême», notamment en philosophie (1928, in *T. L. F.*), sens qu'avait eu le grec.

◈ voir ACNÉ, ACRO-.

ACNÉ n. f. est un emprunt (1816) à l'anglais *acne* (1812, Bateman), lui-même emprunté au latin scientifique *acne* «couperose», emprunt au grec tardif *aknê* (Ve s.). Ce dernier est obscur; on le considère souvent comme une erreur de copiste pour *akmê* qui, de «pointe» (→ acmé), aurait signifié «éruption, efflorescence», ou bien aurait pris le sens d'«éruption de boutons» par métonymie d'une acception attestée, «adolescence». Mais Skinner y voit un dérivé régressif de *aknêsis* «éruption cutanée sans démangeaison», de *a-* privatif (→ ② a-) et de *knêsis* «démangeaison» (*aknêsmos*, «sans démangeaison», est chez Hippocrate). Cependant la métaphore de l'«efflorescence» est antique, et cette dernière explication n'est pas vérifiable.

♦ Le mot désigne une affection inflammatoire de la peau et notamment la couperose (dite aussi *acné rosacée* : *acne rosacea*, 1827) et surtout, dans l'usage courant, la dermatose des adolescents dite *acné juvénile*.

▸ Le dérivé **ACNÉIQUE** adj. et n. (1858) est didactique.

ACOLYTE n. est emprunté (*acolite*, v. 1190, Chrétien de Troyes) au latin chrétien *acoluthus, acolythus,* emprunt au grec *akolouthos* «suivant, serviteur», dont l'équivalent latin initial est *sequens* ou *minister. Akolouthos,* «qui accompagne» et «qui aide», est formé de *a-* «avec» et de *keleuthos* «chemin», comme il est déjà indiqué dans le *Cratyle* de Platon. *Keleuthos,* malgré une morphologie anormale, est rapporté au verbe *keleuein* «diriger, pousser vers», apparenté à *kellein* «mettre en mouvement», et que l'on rapporte en général à une famille indoeuropéenne représentée par le sanskrit *kălayati* «pousser», le latin *celer* «rapide» (→ célérité).

♦ Le mot, sous différentes variantes dont *acolyte* (1549) et *acolythe* (1671), garde le sens religieux de l'étymon «clerc subalterne qui sert les prêtres et diacres». Il s'est dit en histoire (1721) d'un officier laïc attaché à la personne des empereurs d'Orient. ◇ Dans l'usage courant, le mot désigne un aide subalterne *(X et ses acolytes),* par une figure péjorative probablement de nature anticléricale (av. 1740, Saint-Simon). ◇ Le féminin (déb. XIXe s., 1825 in *T. L. F.*) est devenu rare.

▸ Le dérivé **ACOLYTAT** n. m. (1721) est un terme technique de religion.

◈ voir **ANACOLUTHE.**

ACOMPTE → **COMPTER**

ACONIT n. m. est un emprunt (v. 1160, *aconita*) au latin *aconitum* (Ovide), qui désignait probablement une autre plante toxique. Le mot latin transcrit le grec *akoniton* et les étymologies données par Pline (par exemple du latin *acone* «pierre à aiguiser» parce que la plante pousserait sur des roches ainsi nommées) sont fictives. Le grec *akoniton* s'applique à diverses plantes toxiques et son origine est inconnue, malgré celle que donnaient les Anciens, de *akoniti* «sans poussière», d'où «sans combat» et «invincible». Un rapport avec la racine indoeuropéenne °*ak-* «pointe» (→ acide), s'agissant d'une plante vénéneuse, est possible.

♦ Le mot, écrit *aconite* (1213 jusqu'au XVIe s.), puis *aconit* (1550), désigne une plante toxique de la famille des Renonculacées, employée en médecine, et le suc de cette plante (1213, *aconite*), emploi rare avant le début du XIXe siècle.

▸ Les dérivés **ACONITINE** n. f. (1836), **ACONITIQUE** adj. (1838) sont des termes de chimie.

ACOQUINER (S') → **COQUIN**

ACOUSTIQUE adj. et n. f. est emprunté (1700, Sauveur) au grec *akoustikos* «de l'ouïe», dérivé du verbe *akouein* «entendre», que l'on a longtemps expliqué par une composition à partir de *ous* «oreille»; mais on tend aujourd'hui à rattacher le mot, à l'intérieur du grec, à *koein* «percevoir», que l'on rapproche — et c'est sans doute le sens initial de cette famille de mots — du latin *cavere* «prendre garde» (→ caution).

♦ Le mot, proposé en français par le savant Joseph Sauveur (1653-1716), est attesté simultanément comme nom de la science des sons, branche de la physique complémentaire de l'optique (Académie des sciences, 1700), et comme adjectif, en médecine («qui guérit de la surdité») et en anatomie (*nerf, conduit acoustique, in* Furetière, 1701). ◇ L'adjectif qualifie aussi (1752) les instruments aidant l'audition, d'où *cornet* (1762), *tuyau acoustique,* ainsi que les lieux qui favorisent la transmission des sons. ◇ Le nom signifie aussi «conditions favorables à la transmission et à la perception des sons» (*l'acoustique d'une salle,* fin XIXe s.).

▸ Le dérivé **ACOUSTIQUEMENT** adv. (*in* Larousse, 1922) est didactique, comme **ACOUSTICIEN, IENNE** n. (1826). ➛ Un certain nombre de composés préfixés **DIACOUSTIQUE** n. f. (1721), **POLYACOUSTIQUE** adj. (1765), etc. ont été formés.

Du verbe grec *akouein* ont été formés **ACOUMÈTRE** n. m. (1836 ou 1842, *Complément* Académie), plus tard remplacé par *audiomètre,* **ACOUMÉTRIE** n. f. et **ACOUMÉTRIQUE** adj. (*in* Larousse, 1928), qui ont eux aussi vieilli.

Du grec *akousma* «ce qu'on entend» viennent **ACOUSMATE** n. m. (1730), «bruit imaginaire», et **ACOUSMATIQUE** (*Encyclopédie,* 1751), nom donné à un disciple de Pythagore qui écoutait ses leçons, caché derrière un rideau, sans voir son maître; le mot s'est aussi employé comme adjectif (1811), qualifiant un son entendu sans que l'on puisse en voir la cause.

ACQUÉRIR v. tr. est issu du latin populaire °*acquaerere,* altération de *acquirere* d'après son origine *quaerere* (qui a donné le verbe *quérir** «chercher»). Le sens originel est «obtenir *(quaerere)* en plus», d'où «augmenter», devenu terme juridique, et figuré en latin chrétien. Le verbe français *acquerre* (1148) a changé de conjugaison et a pris sa forme actuelle au XIVe siècle.

♦ Il a eu de nombreux sens en ancien français, dont ne sont restés que la valeur commerciale et juridique d'«obtenir» et des figurés : «se procurer (des connaissances, des aptitudes)» (XVe s.). Il est resté plutôt littéraire ou didactique.

▸ Parmi les nombreux dérivés, *acquérant* n. m. (v. 1250), *aquise* n. f. (XIIIe s.) «acquisition», *aquisement,* etc., trois seulement sont maintenus en français moderne. ➛ **ACQUÉREUR** n. m. (1385) désigne la personne qui acquiert. ➛ Le participe passé **ACQUIS, ISE,** d'abord adjectivé dans un sens figuré disparu, a été substantivé en **ACQUIS** n. m. «chose acquise» (1546) et au figuré «savoir-faire, expérience» (1601). L'adjectif est resté usuel dans *maladie acquise* (1608), *vitesse acquise* (fin XIXe s.), *caractère acquis* (1835, en psychologie; XXe s., en biologie), opposé à *naturel* puis à *héréditaire.* ◇ *Être acquis à qqn* signifie (1610) «lui être dévoué». ➛ **ACQUÊT** n. m. est la réfection (XVIe s.) de *aquest* (v. 1150), *acquest* (v. 1190) «ce qu'on a acquis», puis (déb. XIVe s.) «profit». ◇ L'emploi juridique, aussi dans *droit de nouvel acquêt* (attesté 1611), apparaît au XVIe s. pour «biens acquis par achat ou donation (et non par succession)» (attesté 1573). ◇ Le dérivé verbal *acquester* (1263; *aquasteir,* dès fin XIIe s.) n'a pas vécu après le XVIIe siècle.

ACQUISITION n. f., qui fonctionne comme substantif verbal de *acquérir*, est emprunté (1283) au dérivé latin *acquisitio* «action d'augmenter», comme terme de droit pour «bien acquis», sens qui correspond au latin médiéval *acquisitio* (1114-1118) [cf. ci-dessus *acquêt*], et au sens général d'«action d'acquérir» (1501). ➜ **ACQUISITIF, IVE** adj. succède (v. 1450) au nom féminin *acquisitive*, «art d'acquérir des biens» (1372, Oresme), comme emprunt au latin *acquisitivus*, adjectif en bas latin (déb. VIe s.). Le mot est toujours employé en droit *(prescription acquisitive)* et en psychologie, où il a donné naissance au dérivé didactique **ACQUISIVITÉ** n. f. (pour *acquisitivité*) [1841, in *T. L. F.*; 1839 selon Dauzat].

ACQUIESCER

ACQUIESCER v. est emprunté (v. 1327, J. de Vignay) au latin *acquiescere*, composé de *ad-* (→ à) et de *quiescere* «se reposer» (et ablatif avec ou sans *in*), puis (Cicéron) «avoir confiance en» et «donner son assentiment», sens développé en latin chrétien. *Quiescere* dérive de *quies* «repos, calme» (→ coi, quiet).

♦ L'ancien français connaît un emploi transitif (*acquiescer qqch. à qqn* «lui permettre») qui a disparu. *Acquiescer à* a signifié (1371-1375) «accepter, se soumettre (à qqch.)», et *acquiescer* s'emploie absolument en droit pour «donner son accord» (1327). ◇ Le sens intellectuel moderne «manifester son accord» semble fixé dans la seconde moitié du XVIIe siècle. Le verbe a été repris au XVIe s. (1513) au sens étymologique du latin «se reposer», vite disparu.

▸ Le dérivé **ACQUIESCEMENT** n. m. (1527) s'est employé comme terme juridique et en religion (déb. XVIIe s., François de Sales). ◇ Le sens intellectuel, qui correspond à celui du verbe, est attesté dans les *Lettres* de Guez de Balzac (av. 1654).

ACQUITTER, ACQUIT → QUITTE

ACRA

ACRA n. m. est un emprunt, probablement par un créole, à un mot yoruba, désignant en Afrique un beignet de haricots.

♦ Le mot est usuel en français des Antilles et s'est un peu répandu en France avec la cuisine créole. On écrit parfois *akra*.

ACRE

ACRE n. f. apparaît en anglo-normand (v. 1170) avec la variante *agre*, qui a disparu. Le mot correspond au latin médiéval *accrum* (839, à Gand), *agram* (893, en Rhénanie), se répandant dans l'ouest de la France (XIe-XIIIe s., en Normandie), tandis que le mot français s'applique à l'Angleterre et à la Normandie. C'est un emprunt aux langues germaniques, au sens de «mesure agraire» (bas allemand *acker*, anglais *acre*), probablement par les invasions scandinaves du IXe s., qui avaient touché les Flandres et la Rhénanie avant la Normandie, et avaient occasionné des partages de terre. Cependant l'ancien norrois *akr* ne signifie pas «mesure», mais «champ» et «grain». Un réemprunt à l'anglais (*acre* «mesure agraire», v. 1000), après la bataille d'Hastings (1066), est probable. L'étymon germanique °*akr(a)-* correspond au latin *ager*, au grec *agros*, à l'arménien *art* «champ», au sanskrit *ajra* «pâturage», sens de l'étymon indoeuropéen °*agro-* (→ agreste).

♦ Le mot, qui désigne une mesure de surface d'environ 50 ares, est resté vivant dans les dialectes normands jusqu'au XXe siècle. Il a disparu du français général, en ce qui concerne la France, avec l'Ancien Régime. ◇ Il a été repris pour désigner la mesure agraire britannique (env. 40 ares), puis américaine (1827, Chateaubriand).

◈ voir AGRESTE, ② AIRE.

ÂCRE

ÂCRE adj. vient, comme *aigre**, sur doublet «populaire», du latin *acer* «pointu», par emprunt relativement tardif (1606, sans doute antérieur; cf. *âcreté*).

♦ L'adjectif, qui semble d'abord être d'usage exclusivement médical, s'applique au goût, mais aussi à l'odorat, et à l'ouïe; il s'emploie au figuré (1611, d'une personne) pour «irritant, agressif», dans un usage littéraire.

▸ **ÂCRETÉ** n. f. (av. 1590) est dérivé de l'adjectif, le latin *acritas* étant rarissime (le substantif était *acritudo*); le mot s'emploie aussi au figuré (1762); il a eu pour synonyme *acreur* n. f. (1548, Arveiller). ➜ **ÂCREMENT** adv. (1840) est rare.

ACRIMONIE n. f. est emprunté à un dérivé latin de *acer*, *acrimonia* «âcreté»; c'est d'abord un mot de médecine (1539) qui concerne l'âcreté des humeurs, puis (1801, Mercier) le mauvais caractère (comme *aigreur*), par allusion aux humeurs âcres du bilieux. Le nom s'applique aussi aux sens (1636), aux actions (*id.*). ➜ Le dérivé **ACRIMONIEUX, EUSE** adj. signifie «âcre» (1605) et, au figuré, «qui a de l'aigreur» (1801). ◇ Le dérivé **ACRIMONIEUSEMENT** adv. (1866) est rare.

◈ voir AGRIOTTE, AGRUME, GRIOTTE.

ACRO-

ACRO- Élément tiré du grec *akros* «élevé, extrême», qui appartient à une racine °*ak-* «pointe», largement représentée dans les langues indoeuropéennes, entre autres dans le latin *acer* (→ acide) et, en grec même, dans *akmê* (→ acmé).

♦ Il a servi à former des mots savants, où il signifie «extrême, élevé», et entre dans des composés grecs empruntés.

▸ On peut mentionner **ACROCÉPHALE** adj., de *-céphale*, «qui a le haut du crâne en pointe» (1873), d'où **ACROCÉPHALIE** n. f. et **ACROCÉPHALIQUE** adj. (1878); **ACROMÉGALIE** n. f. (1885), d'où **ACROMÉGALIQUE** adj. (1898).

ACRONYME n. m. est emprunté (1968) à l'anglais *acronym*, de *acro-* et *-onym*, qui correspond à *-onyme* «nom», formé d'après *synonym*, etc. ◇ Le mot désigne un sigle prononcé comme un mot ordinaire (ex. *radar*). D'autres termes, plus anciens, sont empruntés à des composés grecs. ➜ Ainsi **ACROCHORDON** n. m. «tumeur au bord des paupières» (v. 1540), grec *akrokhordon*; **ACROCARPE** adj. qui qualifie les mousses dont la capsule termine la tige (1838), grec *akrokarpos*; **ACROMION** n. m. (1541), d'abord adjectif (*os acromion*, 1534) «apophyse de l'omoplate», grec *akromion*, de *omos* «épaule» (→ omoplate).

◈ voir ACROBATE, ACROPOLE, ACROSTICHE.

ACROBATE adj. et n. Ce mot, aujourd'hui usuel, est un emprunt savant et tardif (1751) au grec tardif *akrobatês* «acrobate» (attesté dans une inscription), du verbe *akrobatein* «marcher sur la pointe des pieds», composé de *akros* «élevé, extrême» (→ acro-). Le second élément est *-batein*, de *bainein* «marcher» (→ base, diabète). Ce verbe est apparenté au latin *venire* (→ venir) et remonte à une racine indoeuropéenne.

♦ À partir du sens de «danseur de corde», *acrobate* désigne (1885) toute personne qui exécute professionnellement des exercices d'équilibre difficiles. ◇ Des valeurs figurées apparaissent au milieu du XIXe s. (1853, Balzac) quand sont formés les dérivés.

▸ **ACROBATIE** n. f. désigne d'abord (1853) l'art de l'acrobate, au sens strict de «danseur de corde». Le mot a aussi une valeur figurée correspondant à celle qu'a prise *acrobate :* «action très habile, souvent déconcertante ou trompeuse» (1853). Le sens concret général «exercice d'acrobate» semble postérieur (1876, Littré). Le mot s'applique ensuite à l'aviation (1928, *acrobatie en vol*), comme quasi-synonyme de *voltige.* ➝ **ACROBATIQUE** adj., «relatif aux danseurs de corde» (1837), puis «aux exercices d'équilibre en général», représente un dérivé de *acrobatie,* alors que l'ancien mot *acrobatique* n. f. «machine à soulever les fardeaux» (1627), est un emprunt au grec *akrobatikon,* où *akro-* a le sens concret «en haut». ◇ L'adjectif moderne *acrobatique* a pris des valeurs figurées, comme *acrobate* et *acrobatie,* et signifie «qui correspond à un exercice de virtuosité, d'habileté déconcertante», par exemple en art, en musique (1894). ➝ Un autre dérivé d'*acrobate,* **ACROBATISME** n. m. (v. 1830, Balzac), est resté rare.

ACROPOLE n. f., francisation (1732) de *acropolis* (1552), est emprunté au grec *akropolis* de *akros* «haut» (→ acro-) et *polis* «ville» (→ police, politique).

♦ Le mot désigne la cité haute, souvent fortifiée, des villes grecques et s'applique notamment à celle d'Athènes. Le sens étendu de «cité fortifiée et sacrée» (1862) est littéraire.

ACROSTICHE n. m. (1585) succède à l'adjectif *acrostique* (1576). Le mot est emprunté au grec *akrostikhos,* de *akros* «élevé» (→ acro-) et *stikhos* «vers» (→ hémistiche), désignant un poème dont les lettres extrêmes, lues verticalement, forment un mot ou une expression.

♦ L'adjectif, étant sorti d'usage ainsi que la forme *acrostique* (encore mil. XVIIe s.), *un acrostiche* désigne au XVIe s. une forme poétique déjà pratiquée depuis longtemps.

ACRYLIQUE adj., enregistré par le *Dictionnaire de médecine* de Robin et Littré (1865), est formé de l'élément *acr-,* du latin *acer* «aigre, acide» (→ acide), *-yle,* du grec *hulê* «bois» (→ hyl-), et du suffixe *-ique.*

♦ L'adjectif qualifie en chimie un acide gras éthylénique et les composés qui en dérivent, des esters polymérisables. De là *résine acrylique.* ◇ Par extension, en technique et dans l'usage courant, il se dit (apr. 1950) de produits obtenus à partir de ces composés *(fibre, fourrure, peinture acrylique).* Il est parfois substantivé *(de l'acrylique).*

✳ **ACTE** n. m. n'est attesté qu'au XIVe s. (1338); c'est un emprunt au latin *actum,* au pluriel *acta,* participe passé passif substantivé du verbe *agere* «faire», qui donnera *agir** un siècle plus tard. *Acta* est devenu en latin médiéval l'équivalent de *charta* «pièce juridique» (→ charte). Ce radical *act-* (supin et participe de *agere*) a produit *actor* «celui qui agit», *actio* «fait ou manière d'agir» et en latin scolastique les adjectifs *activus,* (d'où le latin médiéval *activitas*) et, par l'intermédiaire de *actus, actualis* (d'où le médiéval *actualitas*) : on retrouvera plus loin les emprunts français à ces mots. ◇ Le latin *agere,* comme le grec *agein* (d'où *agôn* «lutte»), signifie d'abord «pousser devant soi»; il se distingue de *ducere* «conduire en marchant devant»; ce sont les mots d'une civilisation de pasteurs conduisant leurs troupeaux. Le présent *ago* correspond à un thème indoeuropéen (sanskrit *ájati* «il conduit»); il est en rapport probable avec le grec *agelê* «troupeau». On peut noter que les langues italiques n'ont pas conservé la racine indoeuropéenne °*werg'-,* «agir» (Ernout et Meillet), que l'on retrouve dans le grec *ergon,* le *werk/work* des langues germaniques, etc. Outre ses dérivés en *act-,* le verbe latin a de nombreux composés *(agitare, cogitare, cogere, exigere, prodigere, subigere, transigere)* et dérivés *(agilis)* qui ont eu des effets en français. *Agere* exprime l'activité continue, alors que *facere* (→ faire) concerne l'instant; le verbe latin s'est spécialisé en religion (activité sacrificielle), en droit, en spectacle, en grammaire : on retrouvera ces contextes en français pour *agir, acte, action, acteur...*

♦ *Acte* apparaît en français (1388) avec le sens juridique du pluriel latin *acta,* désignant un contrat entre particuliers; l'ancien provençal *actas,* dans ce sens, est plus ancien (1296). De là diverses valeurs techniques, «déclaration devant un tribunal» (1549), «décision de l'autorité publique» (1690), puis *acte d'état civil* (1811), *acte d'accusation* (1835), etc., ainsi que des expressions devenues courantes : ***prendre acte de qqch.*** (1532), ***donner acte à qqn*** (1690). L'expression *actes de la Couronne* (1624) calque l'anglais *act* (*acts of Parliament,* 1466). ◇ Le sens général, «ce que l'on peut faire, ce que l'on fait», n'est repéré qu'au début du XVIe s. (1504) et prend au XVIIe s. une valeur philosophique précise. Le mot signifie en outre «action d'éclat» (1513). De nombreuses expressions réalisent cette acception, tels ***acte de foi*** (1658, Pascal), ***acte d'autorité*** (1829) et ***faire acte de*** «agir comme» (1694, en droit, *faire acte d'héritier*). Une valeur du latin chrétien *acta* «récit» se réalise au pluriel dans *Actes des Apôtres* (1550), puis dans les *Actes des martyrs* (fin XVIIe s., Bossuet). À ce sens se rattache celui de «journaux, publications de sociétés savantes» (1751, *Encyclopédie*). ◇ Par ailleurs, le sens latin de *actus* «pièce de théâtre», puis «partie d'une narration, *fabula*» (Cicéron), est emprunté à la Renaissance (1533). *Acte* se spécialise pour «subdivision principale d'une pièce de théâtre» et donne lieu à une extension pour «épisode» (XVIIe s.), comme *scène*, et à un composé, *entracte*.

▶ **ENTRACTE** n. m., attesté au début du XVIIe s. (1623, *entr'acte*), est formé d'*entre* et *acte*. ◆ Le mot désigne d'abord un *intermède**, une petite composition légère jouée entre deux actes d'un spectacle (seule acception dans les dictionnaires du XVIIe et la plupart de ceux du XVIIIe s.). ◇ Puis, il s'applique abstraitement à l'espace de temps entre deux actes au théâtre (1755, *Encyclopédie*), mais les connotations modernes de détente, de rencontres occupant ce temps, où les spectateurs quittent leur place, ne semblent se développer qu'au XIXe siècle. Le mot s'applique par extension au concert, au cinéma et à tout spectacle. ◆ *Entracte* a aussi (fin XVIIe s.) une valeur figurée, «interruption, temps de repos pendant une action».

Acte n'a guère de dérivé en français, sinon le verbe **ACTER** en droit (XIIIe s., «dater des actes»), repris au XVIIIe s. (1751, absolument «rédiger un acte»).

ACTIF, IVE adj. est un emprunt ancien (1160) au dérivé latin didactique *activus*, employé en philosophie (Sénèque) où il est opposé à *contemplativus*, sens devenu courant en latin chrétien, ainsi qu'en grammaire. ◇ Le mot s'emploie d'abord dans ***vie active***, en religion, opposé à *contemplative*. Il se dit ensuite d'une personne diligente, qui agit beaucoup (1360), est rapide (XVIIe s.), et prend aussi divers sens spécialisés. ◇ *Dette active* (1549) désigne les sommes dont on est créancier (cf. ci-dessous *l'actif*). ◇ En politique, on a parlé de *voix active* (1636), puis sous la Révolution de *citoyen actif* (*in* Académie, 1798) «qui a droit de suffrage»; *service* (militaire) *actif* (1835) est à la source de ***armée active*** (cf. ci-dessous *l'active*). Enfin, ***verbe actif*** (XVe s.), *voix active* sont repris en bas latin grammatical, comme *l'actif* (XIVe s., Thurot), «la forme verbale qui exprime l'action». ◇ Une autre valeur de *actif* n. m., en finances, correspond aux créances, et s'oppose à *passif*. Cet emploi apparaît au milieu du XVIIIe s. (attesté 1762). ◆ Le dérivé **ACTIVEMENT** adv. a les valeurs psychologique (1495) et grammaticale (1680) de l'adjectif.

ACTIVER v. tr. (v. 1420), qui correspond à de nombreuses formes dialectales, signifie d'abord «rendre hardi, courageux», puis (1519) «faire croître rapidement (des plantes)». Le verbe acquiert aussi la valeur psychologique de l'adjectif (1794), puis se dit d'un processus qu'on accélère, un incendie (1845), une réaction chimique ou nucléaire (1922), en relation avec *activation*. **S'ACTIVER** pron. signifie familièrement (1927) «se mettre en action, commencer à agir, à travailler». ◆ Le verbe a plusieurs dérivés didactiques : **ACTIVÉ, ÉE** p.p. adj., qualifiant un atome (1928), **ACTIVATEUR** n. m. (1910), «appareil qui stimule une réaction radioactive» et «substance qui augmente l'activité d'une enzyme, la croissance d'une structure embryonnaire, etc.». ◆ **ACTIVATION** n. f., «fait d'activer un processus», est employé en radioactivité (1910), en pharmacologie et en thérapeutique (1928), d'où le préfixé **INACTIVATION** n. f. (mil. XXe s.). ◆ **ACTIVABLE** adj. s'emploie à propos d'une réaction qui peut être activée. ◆ **ACTIVEUR** n. m., mot récent (1953, dans les dictionnaires), est spécialisé en chimie *(activeur d'un catalyseur)*.

Le verbe préfixé **RÉACTIVER** v. tr. (1798) a donné **RÉACTIVATION** n. f. (1936). ◆ **SURACTIVER** v. tr. (mil. XXe s.) s'emploie surtout au passif et au participe passé. ◆ **INACTIVER** v. tr. (1911), qui signifie «rendre inactif (un vaccin, etc.)», est plus fréquent au participe passé **INACTIVÉ, ÉE** adj. **INACTIVATION** n. f. lui correspond (1907).

Outre *activer*, l'adjectif *actif* a servi à former **ACTIVISME** n. m., qui s'est dit d'une théorie géologique (1907), avant de s'appliquer à une théorie de l'action en philosophie (F. Rauh, 1911), à nommer en politique la tendance des flamingants agissant pour leur langue (1916), et en général toute attitude d'action politique forte, voire violente, sens qui rejaillit sur certains emplois de *action (Action directe)*. ◇ De là, **ACTIVISTE** adj. et n. (1916, en parlant des flamingants).

Actif a pour préfixé et antonyme **INACTIF, IVE** adj., qui se dit des personnes (1717), des remèdes sans effet (1828). Il a pour dérivé rare **INACTIVEMENT** adv. (1840), *inactivité* étant préfixé de *activité* (ci-dessous). ◆ Pour *réactif* et *réactivité*, voir *réaction* (→ réagir). ◆ **RÉTROACTIF, IVE** adj. semble dérivé (1510) du latin *retroactus*, de *retroagere*, composé de *agere*. Il s'emploie couramment en droit *(effet rétroactif)*, comme le dérivé **RÉTROACTIVEMENT** adv. (1603), *rétroactivité* étant préfixé de *activité*.

Par substantivation, l'adjectif *actif* a fourni **ACTIF** n. m., formé (1762) à partir de syntagmes comme *dettes actives* (ci-dessus), pour désigner l'ensemble de ce qu'on possède, alors opposé à *passif*, d'où, au figuré, ***mettre** qqch. **à l'actif de** qqn*, «à son compte» (fin XIXe s.). ◆ **ACTIVE** n. f. semble récent (*in* Larousse, 1948) pour désigner l'armée active, opposé à *réserve*. Le mot est courant dans *officier*, etc. *d'active*.

ACTIVITÉ n. f. est emprunté (1351) au latin médiéval des grammairiens *activitas*, dérivé de *activus*. Du sens grammatical, qui n'est pas passé en français, le latin a pris une valeur didactique générale, celle de la *vis agendi* «force qui pousse à agir». ◇ Le mot désigne la faculté d'agir chez l'homme, puis le fait d'agir (1425) et spécialement la vivacité dans l'action, le travail (1536). La locution ***en activité*** (1787) s'applique aux personnes qui exercent effectivement leur fonction. ◆ Le mot a pour antonyme préfixé **INACTIVITÉ** n. f. (1737) et **NON-ACTIVITÉ** n. f. (1791), qui a disparu. ◆ **RÉTROACTIVITÉ** n. f. (1812) correspond à *rétroactif* (ci-dessus) et a pour composé **NON-RÉTROACTIVITÉ** n. f. (1875), concept de droit.

Le dérivé latin *actor* signifie «celui qui agit, qui fait»; il s'est parfois confondu à basse époque avec *auctor* (de *augere*, «augmenter»), d'où l'ancien français *actor* (1180), puis *acteur* (XVIe s.) appliqué à Dieu, «auteur» de l'univers (→ auteur), et employé pour «écrivain» (1236). Le latin *actor* a pris deux sens spéciaux «instigateur», «agent» (d'une action) et «comédien» (Plaute), tous deux passés en français : *actor*, puis *acteur*. ◆ **ACTEUR** n. m. désigne aussi (1450) celui qui a fait une action ou qui y a une part active (v. 1490); il se dit spécialement d'un malfaiteur, en moyen français, et a pour féminin **ACTRICE** n. f.

(av. 1630, d'Aubigné). ◇ Le sens juridique de «demandeur en justice», d'abord *actor,* puis (XVIe s., Calvin) *acteur,* qui correspond à *acte,* a disparu. ◇ Le sens moderne le plus usuel, «comédien», ne semble apparaître que dans la seconde moitié du XVIIe s. (1664, Molière), désignant ensuite la profession et prenant des valeurs figurées (1689, Mme de Sévigné «personne qui prend part à un jeu»).

ACTION n. f., d'abord mot religieux (*acciun de grâce,* déb. XIIe s.) emprunté au latin chrétien *actio* «fait de rendre grâce, de manifester», entre dès le XIIIe s. en concurrence avec *acte,* par référence au sens du latin classique *actio* «façon d'agir». Le mot français a pris au latin divers sens spéciaux, dont «action en justice, procès» (1260, pris au latin), «contenu d'un récit» (XVIe s., le latin *actio* traduit ici le grec *praxis*). ◇ Quant au sens financier (1669, Colbert), son explication est douteuse : il pourrait venir d'un sens apparenté à *actif,* «dette active» (XVIIe s.), avec influence possible du néerlandais *Aktie,* les Pays-Bas exerçant un commerce important, mais ce sens n'est attesté que plus tard en néerlandais. ◇ *Action* a pour dérivé **ACTIONNER** v. tr. «donner de l'activité à (qqn)» (mil. XVIe s., B. Palissy), déjà employé en droit pour «engager une action contre (qqn)» (1312), d'où **ACTIONNEMENT** n. m. (1491) et **ACTIONNABLE** adj. (1845). ◇ Le sens général du verbe *actionner* a donné lieu à des valeurs spéciales, «importuner» (1559) et, familièrement, «harceler» (1866), qui ont vieilli, et, dans un contexte concret, «mettre en marche, en mouvement (un appareil, une machine)» (1872), qui est très vivant. *Actionner qqn* se dit pour «pousser à agir» et *s'actionner* pour «se remuer, travailler» (1829). ◇ Du sens commercial d'*action* viennent **ACTIONNAIRE** n. (1675, au masculin), *actionniste* (1701) ayant disparu, d'où **ACTIONNARIAT** n. m. (1912), «qualité d'actionnaire» et (mil. XXe s.) «ensemble des actionnaires».

Au sens général d'*action,* le mot a servi à former **INACTION** n. f. (av. 1647, Vaugelas), mot usuel pour «absence d'activité», et **INTERACTION** n. f. (1876), devenu assez courant, parfois en concurrence avec *synergie.* ➛ **RÉTROACTION** n. f. est formé (v. 1550) d'après le sens juridique de *action,* avant de réapparaître dans l'acception générale (1893, Gide) et de servir (mil. XXe s.) d'équivalent français, en sciences, à *feed-back.*

La série de **ACTUEL, ELLE** adj. vient du latin *actualis,* dérivé de *actus* qui signifie «agissant», puis en latin scolastique «effectif» (opposé à *virtuel*); d'où l'emploi français chez Calvin en religion (*péché actuel,* opposé à *originel*). Un emploi médical de *actuel* «qui produit son effet» (XVIe s.; *actual,* une fois au XIIIe s.) engendre le sens moderne «qui agit», puis «qui existe au moment même» (1750), peut-être sous l'influence du dérivé *actuellement.* ◇ Le passage de «activité» à «présence temporelle» est progressif et variable; l'emploi de *actuel* est récent pour «qui est en activité» (1863), et comme substantif «ce qui est présent» (1866). ◇ Les deux valeurs de l'adjectif se retrouvent inégalement dans les dérivés. ➛ **ACTUELLEMENT** adv. signifie d'abord «en acte» (1337) et prend ensuite la valeur temporelle qu'il a conservée (attestée 1372).

ACTUALITÉ n. f., d'abord *actuauté* (1253), dérivé savant de *actualis,* correspond à *actuatio* et signifie «mise à exécution»; ce sens, comme celui d'*actualité* en philosophie médiévale (XIIIe s.), emprunté au latin médiéval *actualitas* (Albertus Magnus) «force agissante, opérante», a disparu, puis a été repris en philosophie au XIXe siècle. ➛ Le mot a été ranimé au début du XIXe s., alors dérivé de *actuel* au sens temporel, pour «état de ce qui est présent, contemporain» (1823), d'où ***être d'actualité*** et au pluriel «nouvelles, informations du jour» (1845), dans la presse puis au cinéma (1923, in *T. L. F.*).

ACTUALISER v. tr., terme de chimie (1641) pour «réaliser», s'emploie généralement pour «rendre effectif» (1754), puis au sens temporel «rendre actuel» (1872) et «mettre à jour, corriger en mettant à jour». ◇ Le verbe s'emploie aussi en linguistique pour «réaliser dans la parole, le discours (un fait du système, de la langue)», d'où **ACTUALISATEUR** adj. (1932, Ch. Bally). ➛ **ACTUALISATION** n. f. a lui aussi les deux valeurs, «réalisation» (1836) et «modernisation» (XXe s.). ◇ Du verbe vient aussi **RÉACTUALISER** v. tr. (1898). ➛ **ACTUALISME** n. m., après avoir servi à nommer une théorie géologique (1898), s'applique à toute doctrine qui se place au point de vue du présent (1911); de là **ACTUALISTE** n. (1907).

D'*actuel* procède **INACTUEL, ELLE** adj. (*in* Larousse, 1931), assez courant, et d'*actualité* **INACTUALITÉ** n. f. (1927, Gide), didactique.

ACTUAIRE n. m. est un emprunt (1749) au latin *actuarius,* dérivé de *acta* au sens juridique, pour désigner en histoire un secrétaire dans la Rome antique. ◇ Le mot avait déjà été formé en moyen français (1327) comme adjectif dérivé de *acte,* d'après le latin *actuarius,* au sens de «qui concerne les *acta,* les actes»; cette acception est sortie d'usage. Le substantif a été repris (1872) à l'anglais *actuary,* lui-même emprunt du XVIe s. (1553) au latin, au sens de «spécialiste du calcul des assurances» : *l'Institut des actuaires,* créé en 1890, a été nommé d'après l'anglais *Institute of actuaries.* ➛ De là, **ACTUARIEL, ELLE** adj. (1908) et **ACTUARIAT** n. m. (1948, dans les dictionnaires généraux).

ACTANT n. m., tiré du radical de *action, actif,* désigne les agents de l'action représentés dans la phrase (1959, Tesnière), puis les éléments actifs et récurrents d'une structure narrative (av. 1966, Greimas).

◈ voir **AGENT, AGIR, RÉAGIR (RÉACTEUR, RÉACTIF, RÉACTION),** peut-être **LAZZI.**

ACTINIE n. f. a été dérivé (1791) du radical du grec *aktis, -inos* «rayon» (à rapprocher du sanskrit *aktú-* à la fois «rayon» et «nuit»), avec le suffixe *-ie,* pour désigner un animal marin appelé *anémone de mer.*

♦ Le mot appartient au vocabulaire des sciences naturelles. L'*actinie* a été décrite par Cuvier (1805) et Lamarck (1809).

▸ L'élément **ACTINO-,** tiré du grec *aktis, -inos* ou de son équivalent latin *actin-,* sert à former de nombreux composés savants depuis le début du XIXe s., par exemple **ACTINOTE** n. f. «minéral à structure rayonnée» (1801); **ACTINOMORPHE** adj.,

de *-morphe* (1838). ◇ La plupart utilisent ce radical au sens de «rayonnement, radiation». **ACTINIQUE** adj. qualifie les radiations exerçant une action chimique (*in* Larousse XIXe s., 1866); **ACTINISME** n. m., leur propriété (1877); **ACTINOMÈTRE** n. m., de *-mètre* (1838), l'instrument qui les mesure. ➛ Le préfixé **INACTINIQUE** adj. (1904) se dit d'un rayonnement sans aucune action chimique.
ACTINIUM n. m. est emprunté (1881) à l'anglais *actinium,* forme du latin scientifique, ainsi nommé par J.-L. Phipson en 1881, à cause des radiations émises, l'élément radioactif en question étant isolé par Debierne en 1900.

ACTUAIRE, ACTUALITÉ, ACTUEL
→ **ACTE**

ACUITÉ n. f. est emprunté (1256) au bas latin *acuitas,* dans le sens de «saveur aigre». *Acuitas* est dérivé de *acutus* (qui a donné *aigu**), de même origine que *acidus* (→ acide).

♦ Pour *acuité,* aussi *accuyté* (déb. XIVe s.), c'est le sens concret de «aigu» qui a d'abord prévalu, puis celui de «âcreté» (1495). ◇ La valeur moderne, en parlant d'une douleur (v. 1520), puis des sensations, date de la Renaissance (1576), et le mot s'applique ensuite à la pénétration du regard ou de l'esprit (1611), d'où *acuité visuelle* (1907). Des emplois abstraits, psychologique et intellectuel, se développent au XIXe siècle.

ACUPUNCTURE n. f. est la francisation (av. 1765) du latin médical *acupunctura,* composé de *acus* «aiguille» (→ aigu) et *punctura,* de *pungere* «piquer, poindre*».

♦ Le mot, parfois écrit *acuponcture,* est attesté dans un ouvrage en latin publié à Londres en 1683 par le chirurgien hollandais Ten Rhyne et commenté en France dès 1684. Le mot français est utilisé dans l'*Encyclopédie* pour désigner un vésicatoire et avec allusion à l'origine chinoise de cette thérapeutique. Des traités d'acupuncture paraissent en 1816 (Berlioz, père du musicien), 1819 (Demours), 1825 (Sarlandière, qui emploie le mot *électro-puncture*) et 1826 (Dantu). L'acupuncture, connue, pratiquée et décrite en Chine de toute antiquité, a été révélée en Occident au XVIIe s. (le R.P. Harvieu, 1671). C'est après les travaux de Dabry (1863) et Jules Regnault (1883) que cette technique médicale s'est répandue en Europe, notamment en France.

► Le dérivé **ACUPUNCTURER** v. tr. (1834) est demeuré rare, à la différence de **ACUPUNCTEUR, TRICE** n. (1829, au masculin) qui a éliminé la forme développée *acuponctureur* (1858).

ADAGE n. m. est emprunté (1527, Gringore) au latin *adagium* et synonyme de *proverbium.* Le mot latin, d'abord *adagio, -onis,* rapproché par fausse étymologie de *ad-agendum* (→ agir) pourrait provenir d'une forme ancienne du verbe défectif *aio* «je dis», dont l'infinitif *aiein* n'est attesté qu'à basse époque. Ce verbe a été rapproché de deux groupes, l'un grec, l'autre arménien, mais sans résultat probant quant à l'appartenance indoeuropéenne.

♦ Le mot, diffusé en latin moderne par Érasme (1500), s'appliquait au XVIe s. à toute formule figée, soit figurée (locution), soit parémiologique (proverbe ou dicton). Il s'est spécialisé, désignant depuis le XVIIe s. une formule analogue à la sentence, à la maxime, contenant souvent un principe juridique.

► Les adjectifs dérivés, **ADAGIAL, ALE** (1583) et **ADAGIAIRE** (1866), n'ont pas vécu.

ADAGIO adv. et n. m. est emprunté (1750) à l'italien *adagio,* qui semble apparaître au début du XVIIe s., déjà emprunté par l'anglais dans la seconde moitié du siècle (1683, Purcell). Le mot est formé de *ad-* (→ à) et de *agio* «aise», emprunt (fin XIIe s.) soit à l'occitan *aize,* attesté un siècle plus tard mais qui constitue une voie d'emprunt vraisemblable, soit au français *aise** (XIIe s.) [→ agio].

♦ Le mot, emprunté avec la valeur du terme italien, est adverbe («à l'aise», «sans se presser») et nom (1751, *Encyclopédie*) pour «morceau dans ce mouvement».

ADAM n. propre et n. m. est emprunté au latin *Adam,* lui-même pris à l'hébreu, langue où le mot signifie «homme».

♦ Ce nom est pris dans des locutions religieuses, comme ***le nouvel Adam*** (1751) «homme en état de grâce», opposé au ***vieil Adam*** *(id.)* «en état de péché», ou familières, tel ***n'être pas de la côte d'Adam*** «être de condition basse» (1752), d'où ***se croire (sorti) de la côte d'Adam*** (1838) ou encore ***habit du père Adam*** «nudité» (1878), ***la fourchette du père Adam*** «les doigts» *(id.)* et ***ne connaître qqn ni d'Ève ni d'Adam*** (1752) «ne pas le connaître». ◇ L'expression usuelle ***pomme d'Adam*** «partie saillante du cartilage thyroïdien chez l'homme» a été précédée par *le morceau d'Adam* (1544) et *l'os d'Adam* (1644), qui ont disparu.

► **ADAMIQUE** adj. a qualifié (1654) une médecine naturelle par attouchements, puis (1700) les terrains formés par le reflux de la mer (alluvions), avant que le mot ne s'emploie pour «relatif à Adam, qui remonte au premier homme» (1788, Mercier). ➛ **ADAMITE** adj. et n. désigne (1688) une secte d'hérétiques pratiquant le nudisme (aussi **ADAMIENS** n. m. pl., 1721); de là **ADAMISME** n. m. (*in* Larousse 1866). ➛ Le préfixé **PRÉADAMITE** adj. et n. (mil. XVIIe s., Pascal), «homme ayant vécu avant Adam», a été formé en latin par le calviniste de La Peyrière (1655), dans un livre condamné par l'Église. ◇ La doctrine, selon laquelle Adam n'est que l'ancêtre du peuple juif, a été nommée **PRÉADAMISME** n. m. (1842) et *préadamite* s'est appliqué aux tenants de cette doctrine (1701).

ADAMANTIN, INE adj. est emprunté (1509) au latin *adamantinus,* attesté chez Lucrèce, lui-même emprunt au grec *adamantinos,* de *adamas, -antos* «corps dur», «fer le plus dur» et «diamant», terme magique puis technique tiré (avec *a-* privatif) de *damnênai* «dompter», verbe reposant sur la même racine indoeuropéenne que le latin *domare* (→ dompter); c'est l'idée de diamant qui l'emporte en latin médiéval.

♦ L'adjectif a signifié au figuré «très dur, insensible (du cœur)». ◇ Inusité au XVIIe s., il a été repris en sciences (1782, Lavoisier), peut-être sous l'influence de l'anglais *adamantine*, et s'est spécialisé au XIXe s. à propos de l'émail dentaire (*couche adamantine*, *in* Larousse 1866). Il est didactique ou poétique.

◈ voir AIMANT, DIAMANT.

ADAPTER v. tr. est un emprunt du XIIIe s. (1270) au latin *adaptare* «ajuster à», mot rare avant le latin chrétien, où il prend son acception figurée. *Adaptare* est formé de *ad-* (→ à), *aptus* (→ apte), participe passé de *apere* «lier, attacher», et terminaison verbale.

♦ Le verbe apparaît au sens concret d'«appliquer, ajuster», puis au figuré pour «mettre en accord avec qqch.» (1300). ◇ Le pronominal, avec un sujet nom de personne, a signifié «s'appliquer à» (XIVe s., *soi adapter à faire...*) et, avec un sujet nom de chose, «concerner» (*s'adapter contre qqn*, 1492), sens sortis d'usage; l'emploi moderne de *s'adapter* apparaissant au XVIe s. (Rabelais). ◇ *Adapter*, verbe actif, s'applique spécialement (1690) à la création littéraire (*adapter une phrase, un passage à qqn ou qqch.*), puis aux œuvres dont on change la forme (1890), sens lié à *adaptation*. ◇ La valeur physiologique, «acclimater», apparaît aussi vers la fin du XIXe siècle.

► Le participe passé **ADAPTÉ, ÉE** a servi à former **INADAPTÉ, ÉE** adj. (1922), fréquent dans *enfant inadapté* (mil. XXe s.) et **SURADAPTÉ, ÉE** adj. (mil. XXe s.). ◇ À ce dernier correspond **SURADAPTATION** n. f. (1960).

ADAPTABLE adj. est dérivé de *adapter* (1755) au sens de «qui convient, s'adapte bien», au figuré; il s'est spécialisé comme le verbe et comme *adaptation*, le dérivé **ADAPTABILITÉ** n. f. concernant plutôt la technique (1932) et la biologie (1935, Carrel in *T. L. F.*).

ADAPTATION n. f. est emprunté (XIIIe s., in *F. e. w.*) au latin médiéval *adaptatio*, attesté au XIIIe s. au propre et au figuré. ◆ Le mot, qui ne se diffuse qu'au XVIe s., désigne l'action d'adapter, d'approprier (1501) ou d'ajuster (1561). Il se spécialise très tôt en rhétorique pour «convenance (d'un mot, de l'expression) à l'idée» (1539) et «convenance (d'une œuvre) à une situation» (1578). ◇ Ce dernier sens, considéré comme vieux au XVIIIe s., a été repris avec une autre valeur vers la fin du XIXe siècle : «transformation (d'une œuvre) pour l'adapter à une forme nouvelle» (1890). Le mot concerne en particulier le passage d'un récit, d'un contenu narratif, à la forme dramatique, puis (1912) au cinéma. ◇ Le sens de «modification (d'un organisme vivant) selon le milieu, la situation» date aussi de la fin du XIXe siècle; cette spécialisation découle naturellement d'emplois plus généraux dans le contexte de la physiologie (mil. XIXe s.).
◆ *Adaptation* a servi à former **ADAPTATIF, IVE** adj., «qui sert à l'adaptation», d'abord en biologie (1898), puis en psychologie, et **ADAPTATEUR, TRICE** adj. et n. qui désigne d'abord la personne qui fait une adaptation littéraire, théâtrale (1885), cinématographique (1917), puis un dispositif photographique, électrique (mil. XXe s.). ◇ Le préfixé **INADAPTATION** n. f. apparaît dans les dictionnaires en 1931 et se spécialise en psychologie, où il correspond à *inadapté* (ci-dessus). ◆ Ces emplois ont pu être stimulés par d'autres préfixés, **RÉADAPTER** v. tr. (1900), spécialisé lui aussi en psychologie, **RÉADAPTATION** n. f., d'abord (1904) mot de biologie. ◆ Par ailleurs, avec le préfixe *dés-* (→ dé-) ont été formés **DÉSADAPTATION** n. f. (1894), «perte de l'adaptation», et **DÉSADAPTER** v. tr. (1929), plus usuel au pronominal et au participe passé **DÉSADAPTÉ, ÉE** adj. (1933), quasi synonyme d'*inadapté*.

◈ voir ADEPTE.

ADDITION n. f. vient par emprunt (1265) du latin *additio*, de *addere* «ajouter» et «placer auprès», composé de *ad-* (→ à) et de *dare* «donner» (*dō* «je donne») en raison de l'attraction des composés en *-dō* comme *credō* «je crois». Ce verbe, dont un dérivé a donné *donner**, est issu de la racine indoeuropéenne °*dhe-* «poser», que l'on retrouve dans *thèse* et en de nombreux composés latins tel *facere* (élargi en *k*) [→ faire, perdre].

♦ Le sens proprement arithmétique du mot apparaît au XVe siècle. *Addition* s'emploie spécialement en littérature et en typographie (1680-1690), au sens d'ajout, complément», puis, par l'idée arithmétique de «total d'un compte», désigne très couramment (1866) une note de restaurant.

► Les dérivés sont **ADDITIONNER** v. tr. (av. 1549), au sens général et arithmétique, puis avec celui d'«ajouter» (XIXe s., Balzac), d'où *additionner de sucre, d'eau...* (1863), et **ADDITIONNEL, ELLE** adj., terme de droit (1500), puis général (1723), spécialisé en finances (*centimes additionnels*, 1798).
Le latin **ADDENDA**, de *addere*, a été emprunté au XVIIIe s. (1798) au sens de «ce qui doit être ajouté».
ADDITIF, IVE adj. est emprunté (1836) au dérivé latin *additivus*, d'abord en grammaire, puis en minéralogie (1838) et en arithmétique (*in* Larousse, 1866). ◆ Didactique lorsqu'il est adjectif, le mot est devenu usuel comme nom masculin pour «produit chimique ajouté à un carburant» (*in* Larousse, 1960), le sens juridique de «partie ajoutée à un décret, à un règlement...» (1948) étant moins courant.
◆ Du sens mathématique de l'adjectif vient **ADDITIVITÉ** n. f., employé au sens général (1910, Valéry, *Cahiers*) et surtout en mathématiques.

ADDUCTION n. f. est emprunté (1541) au latin *adductio*, terme de médecine, dérivé du verbe *adducere* «amener», formé de *ad-* (→ à) et de *ducere* «conduire», que l'on retrouve dans de nombreux dérivés passés en français (*conduire**, *réduire**, etc.). ◇ *Adducere* avait donné en ancien français le verbe *aduire* «amener, conduire», usité du XIIe au XVe s., et conservé plus longtemps dans de nombreux dialectes.

♦ *Adduction* désigne d'abord le mouvement des muscles qui rapproche un organe de l'axe du corps, alors opposé à *abduction*. Il a pris des valeurs figurées en philosophie et psychologie, et est devenu plus courant en technique, pour «fait de conduire les eaux en un point» (1871), sens développé avec les techniques de l'eau courante.

▶ **ADDUCTEUR, TRICE** adj. vient de *adduction* en physiologie (1690) à propos d'un muscle, substantivé au XVIIIe s. (1721, *un adducteur*). Il s'est employé au figuré (1801, Mercier), puis en technique (1890, *tube adducteur d'eau*, in *T. L. F.*).

ADÉNO- est un élément emprunté au grec *adên* «glande», rapproché du latin *inguen* «enflure, tumeur», puis «aine» et, dans le domaine germanique, d'un mot vieil islandais signifiant «enflure».

♦ Il a donné (XVIe s., puis XIXe-XXe s.) de nombreux composés savants, en sciences naturelles et en médecine, puis en biochimie. Le mot grec avait donné par emprunt *adones* n. f. pl. «ganglions» (1534, Rabelais).

▶ **ADÉNOÏDE** adj., emprunt au composé grec *adenoeidês*, de *-eides* (→ oïde), signifie «glanduleux» (1541) et spécialement «des ganglions lymphatiques», d'où **ADÉNOÏDIEN, IENNE** adj. (1920). ◆ **ADÉNITE** n. f. (1833) concerne aussi l'inflammation des ganglions lymphatiques. ◆ **ADÉNINE** n. f. est emprunté à l'allemand *Adenin* (Kossel, 1885), formé sur le grec *adên*, et désigne une base azotée qui intervient dans la constitution des acides nucléiques (A. D. N.). De *Adenin* et *ribose*, Levere et Jacobs ont formé l'allemand *Adenosin* (1909), passé en français sous la forme **ADÉNOSINE** n. f. ◆ **ADÉNOME** n. m. (1858), «tumeur bénigne d'une glande», a pour dérivés **ADÉNOMATEUX, EUSE** adj. (XXe s.) et **ADÉNOMATOSE** n. f. ◆ Les recueils du milieu du XIXe s. (*Complément* de l'Académie, Littré-Robin, 1865) attestent la multiplication des composés en **ADÉNO-**, comme **ADÉNOPATHIE** n. f. (1855), **ADÉNOFIBROME** n. m. (1920), **ADÉNOCARCINOME** n. m. (av. 1929 ; 1889, en anglais *adenocarcinoma*), **ADÉNOVIRUS** n. m., emprunt à l'anglais *adenovirus* (1956) pour un virus appelé *adenoid degeneration agent* en 1953 (Rowe et collab.).

ADEPTE adj. et n. vient du latin des alchimistes *adeptus*, du verbe *adipisci*, de *ad-* (→ à) et de *apisci*, inchoatif de *apere* «attacher, lier» (→ apte).

♦ Le mot signifie proprement «qui a atteint» et s'applique (depuis 1630) à l'alchimiste sur la voie du «grand œuvre» ; de là le sens d'«initié à une secte» (1723). La valeur moderne de «disciple, partisan», sans idée initiatique, se répand au début du XIXe s., d'après l'anglais *adept*, ce sens étant déjà préparé par certains emplois au XVIIIe s. (1775, d'Alembert, in *T. L. F.*) où le mot garde la valeur métaphorique de son emploi fort, aujourd'hui assez oubliée.

◈ voir ADAPTER.

ADÉQUAT, ATE adj. est un emprunt (XIVe s.) au latin *adaequatus*, du verbe *adaequare*, tiré de *ad-* (→ à) et *aequare* «rendre égal», formé sur l'adjectif *aequus* «égal» (→ égal). Ce verbe avait fourni à l'ancien français, par évolution phonétique, *aïver* «niveler, rendre égal», employé aux XIIIe-XIVe s. et, par emprunt, *adequer*, aux mêmes époques.

♦ Attesté isolément au XIVe s., le mot est repris et se diffuse au XVIIIe s. (1736). Il est resté didactique au sens de «qui rend compte de son objet d'une manière exhaustive», en philosophie scolastique d'abord. ◇ Il est devenu relativement courant avec la valeur de «bien approprié à son objet» (1864), d'où procède le dérivé **ADÉQUATEMENT** adv. (1889, chez Bergson).

▶ **ADÉQUATION** n. f. (mil. XIXe s.) est emprunté au dérivé bas latin *adaequatio*, employé en scolastique (*adaequatio rei et intellectus* correspond à la théorie de l'intellection).
Le composé et antonyme **INADÉQUAT, ATE** adj. n'est attesté qu'au XVIIIe s. (1760) ; il vient probablement de l'anglais *inadequate* (1675) de même origine. **INADÉQUATION** n. f. (1907, chez Bergson) est vraisemblablement aussi un anglicisme.

ADHÉRER v. tr. est un emprunt (XIIIe s.) au latin *adhaerere*, de *ad-* (→ à) et *haerere* «être attaché», d'où «être arrêté», verbe dont on retrouve le radical dans *cohérence, hésiter*. Il a été plus ou moins influencé par l'ancien français *aerdre, aherdre*, d'où *ahérer* (1216) [jusqu'au XVIe s.] «saisir, s'attacher à», qui vient peut-être (s'il ne provient pas de *adhaerere*) d'un latin supposé °*aderigere* «se dresser contre», composé de *erigere* (→ ériger). Le sens abstrait «être de l'opinion, du parti de (qqn)» a été influencé par *aerdre*. Des autres mots de la famille, l'un est resté concret, *adhérence*, les autres ont les deux valeurs.

♦ *Adhérer* a d'abord été pronominal avant d'être transitif indirect (*adhérer à*, 1377, «être du même avis»). Il a eu aux XVIe et XVIIe s. des emplois étendus pour «être attaché moralement, sentimentalement», et même «sexuellement» *(adhérer à une femme)*.

▶ **ADHÉRENCE** n. f. est emprunté (XIVe s.) au dérivé bas latin *adhaerentia*, au sens concret, et s'est spécialisé en médecine dès le XIVe s. *(azerence)*, surtout au XVIe s. (Paré). Il a signifié au figuré «entente» (1465), «attachement à un parti» (1477), ce sens étant encore attesté au XVIIIe s., alors que le premier disparaît plus tôt ; dans ces valeurs, le mot a été remplacé par *adhésion*. ◆ Si **ADHÉRÉ**, «partisan» (1420), a disparu, le participe présent a produit, d'après le latin *adhaerens*, **ADHÉRENT, ENTE** adj. et n., d'abord *adhérant* (1331), repris au sens concret au XVIIe s. (attesté 1680), avec plusieurs emplois techniques. ◇ Le substantif, *un adhérent*, a été repris au XIXe s. (1855) pour «membre d'une organisation, d'une association (politique, syndicale, etc.)», acception usuelle liée à l'emploi correspondant de *adhérer* et *adhésion*.
ADHÉSION n. f. est emprunté (1372) au latin *adhaesio*, dérivé de *adhaerere*, aux sens abstrait et (v. 1380) concret, «jonction». ◇ Il a été repris (1701) pour «consentement, approbation» et se spécialise en politique (v. 1860) pour «inscription (à une organisation, un parti)».
Le dérivé **ADHÉSIF, IVE** adj. est concret (1478), avec une substantivation en médecine (1866), puis en photographie (1922) et des emplois spécialisés *(ruban adhésif)*. ◇ Le sens abstrait, «qui exprime l'approbation» (1838), est demeuré exceptionnel. ◆ L'adjectif a pour dérivés **ADHÉSIVEMENT** adv.

(1866) et **ADHÉSIVITÉ** n. f. «fixation de l'attention sur une idée» (1865) et «approbation d'autrui», avant le sens concret (1928, dans les dictionnaires).

AD HOC adj. est l'emprunt (attesté en 1765 *tuteur ad hoc,* mais antérieur) d'une locution latine formée de *ad* (→ à) et de *hoc,* pronom démonstratif : «cela», et signifiant «à cet effet» (→ ce).

♦ Emprunté en droit, le mot désigne une personne qualifiée pour une activité, puis un groupe et aussi une chose (attesté 1748) destinée à un effet, et aussi un élément abstrait *(argument, explication...).*

ADIEU → DIEU

ADIPEUX, EUSE adj. est dérivé en français (1503, *adipos*) du latin *adeps, -ipis* «graisse». On soupçonne un emprunt à un dialecte italique qui, lui-même, aurait repris le grec *aleipha* «huile, graisse». Celui-ci se rattache à *aleiphein* «oindre, frotter» (en général «oindre d'huile» dans les gymnases), verbe dont le thème est apparenté au latin *linere* ou *linire* (→ liniment).

♦ L'adjectif est d'abord didactique et signifie «qui est de la nature de la graisse». Il passe vers la fin du XVIIIe s. dans l'usage courant, se disant d'une personne grasse (1801, Mercier).

► La langue scientifique connaît de nombreux composés en *adip(o)-,* dont **ADIPOSE** n. f. (1878) et en chimie **ADIPIQUE** adj. (1855) dans *acide adipique.* ◆ **ADIPOSITÉ** n. f. est dérivé (1869) du radical de *adipeux* et reste didactique, à la différence de l'adjectif.

ADJACENT, ENTE adj. est un emprunt (1314) au latin *adjacens,* participe présent de *adjacere,* qui signifie «voisin, placé ('jeté') à côté de» et qui a donné par voie orale *aise**. Cet adjectif, rare en latin classique, est usuel dans les actes juridiques médiévaux. Le verbe latin vient de *ad-* (→ à) et de *jacere* «jeter», dont le fréquentatif *jactare* a donné *jeter** (→ jacent).

♦ Le mot, en ancien et en moyen français, s'emploie au sens général de «voisin, contigu», mais surtout dans l'usage technique (médical) et scientifique, en géographie (1324). Il s'est spécialisé en géométrie (*angles adjacents,* 1751).

ADJECTIF, IVE adj. et n. est un emprunt (1365) au latin tardif et didactique *adjectivum (nomen),* «nom qui s'ajoute», de *adjicere* «ajouter», de *ad-* (→ à) et *jacere* «jeter, lancer». Dans ce sens linguistique, le mot traduit le grec *epithêton* «ajouté à» (→ épithète).

♦ *Adjectif,* rare comme qualificatif (v. 1350) par exemple dans *nom adjectif,* est surtout substantif (aussi depuis le XIVe s.).

► Parmi les dérivés, **ADJECTIVEMENT** adv. (XVe s.), **ADJECTIVER** v. tr. (1801, Mercier) qui a eu au XIXe s. (1867, Delvau) la valeur familière d'«insulter» *(adjectiver qqn).* ◇ **ADJECTIVAL, ALE, AUX** adj. (1922) et **ADJECTIVATION** n. f. (mil. XXe s.) sont des termes de grammaire et de linguistique.

ADJOINDRE v. tr. provient du latin *adjungere,* sous la forme *ajoindre* (v. 1190), relatinisée en moyen français (XIVe s., puis XVIe s.) ; le verbe latin est composé de *ad-* (→ à) et de *jungere* (→ joindre). On trouve en roman la forme *adjungeat* «il joint» dès le VIIIe siècle.

♦ En ancien et moyen français, *ajoindre,* puis *adjoindre* signifie «ajouter» et «unir». L'intransitif, *ajoindre à qqch.,* correspond à «être contigu» (v. 1300) et *s'ajoindre* à «être près» (1575). ◇ La forme moderne (XIVe s.) s'emploie pour «mettre (des personnes) avec d'autres», d'où *s'adjoindre avec qqn* puis *à qqn* (1538), et *s'adjoindre à qqch.* «y participer». Le sens du verbe actif pour «ajouter, joindre (qqch. à une autre)» date d'Oresme. ◇ Le participe passé *ajouint* «contigu» (XIIIe s.), puis *ajoint,* substantivé pour «allié» (1314) et «associé», au XIVe s. sous la forme **ADJOINT** (1337), a pris des valeurs spécialisées au XVIe s., en droit (1549 ; encore *ajoint* en ce sens au XVIIe s.), en administration pour «assistant du maire», mot de la Révolution (1795), et dans l'armée (1825).

► **ADJONCTION** n. f. (1306), réfection de *ajonction,* n. f. (v. 1250, «union entre époux»), aussi *ajunction* (XVIe s., Amyot), est emprunté au latin *adjunctio,* du supin de *adjungere.* ◆ Le mot signifie «chose adjointe» et «annexe (d'un bâtiment)» (1306).

ADJUDANT n. m. est un emprunt (1671) à l'espagnol *ayudante* (on trouve la forme *ayudant* en 1701) «aide», dérivé du verbe *ayudar* «aider» *(aiudar),* modifié en français d'après son origine latine *adjuvare* «aider» (qui a donné en français *adjuvant** et dont le radical se retrouve dans *Joconde*). Le fréquentatif de *adjuvare* a donné *aider**.

♦ Le mot désigne d'abord un aide militaire, notamment un aide canonnier, puis un officier qui seconde un officier de grade supérieur (1776) et, dans l'armée moderne, le plus élevé en grade des sous-officiers, néanmoins au-dessous de l'*adjudant-chef* (ci-dessous). ◇ Au XIXe s., le mot prend des connotations péjoratives d'autoritarisme borné ; il reçoit des synonymes argotiques, comme *juteux,* et a servi en argot à désigner un lavement (1881), par jeu de mots, *lavement* signifiant «personne insupportable».

► Le sens général devenant archaïque, le mot a servi à former des composés, avec un nom de fonction : **ADJUDANT-PILOTE** n. m. en marine (1701), **ADJUDANT-SOUS-OFFICIER** (1825) «chef des sous-officiers», emplois disparus. ◆ Est resté usuel **ADJUDANT-CHEF** n. m. «sous-officier supérieur» (*in* Larousse, 1922). ◇ D'autres grades ont disparu, comme **ADJUDANT-MAJOR** (1790) et **ADJUDANT GÉNÉRAL** (1818) «colonel adjoint à un général», *adjudant-major* prenant le sens de «capitaine qui assiste un commandant» (1825).

ADJUGER v. tr., comme *adjoindre,* est une réfection ancienne (*adjugier,* 1208 ; *adjuger,* XIVe s.) de *ajuger, ajugier* «juger, condamner» (XIIIe s.), qui vient du latin *adjudicare,* "attribuer par jugement", avec influence de *juger* ou d'un sens tardif non attesté. *Adjudicare* est formé de *ad-* (→ à) et *judicare* «juger*».

♦ Le verbe a signifié en droit «attribuer (une chose contestée) à l'une des parties», puis (1549) «déclarer qu'une personne est devenue propriétaire de (un bien mis aux enchères)», sens demeuré vivant, d'où *adjugé!* (*in* Académie, 1835). ◇ Dans l'usage général, *ajuger* puis *adjuger un prix* s'est dit pour «donner, décerner» (XVe s.). ◇ *S'adjuger*, depuis la fin du XVIIe s. (La Bruyère), correspond à «s'emparer arbitrairement (de qqch.)».

▸ **ADJUDICATION** n. f. est un emprunt (1330) au dérivé latin *adjudicatio*. ◆ **ADJUDICATIF, IVE** adj. est formé (1534) sur *adjudication*, comme les suivants. ◆ **ADJUDICATAIRE** n. m. désigne (1560) la personne à qui un bien mis aux enchères est attribué et, spécialement sous l'Ancien Régime, un fermier des droits du roi (1690). ◆ **ADJUDICATEUR, TRICE** n. (1823) désigne la personne qui cause l'adjudication.

ADJURER v. réfection (1465) de l'ancien verbe *ajurer* (XIIIe s.), emprunt au latin *adjurare* «promettre avec serment» (Plaute), devenu fréquent en latin chrétien, aussi pour «conjurer (les esprits)», de *ad-* (→ à) et *jurare* (→ jurer).

♦ D'abord réservé au langage religieux, le mot s'applique à toute prière instante (XVIe s. ; peut-être déjà chez Guillaume de Machaut).

▸ **ADJURATION** n. f. est emprunté (1488) au dérivé latin *adjuratio* et a signifié «exorcisme», puis «action de faire promettre par serment» (1560). Le sens moderne de «prière instante» (1492) est littéraire.

ADJUVANT n. m. est emprunté comme adjectif (v. 1580) au latin *adjuvans*, participe présent de *adjuvare* «aider, seconder» (depuis Plaute), qui a donné en ancien et en moyen français (XIIIe s.) le verbe *adjuver*, sorti d'usage. *Adjuvare*, dont le fréquentatif a donné *aider**, est formé de *ad-* (→ à) et de *juvare* «faire plaisir à (qqn)», puis «aider», mot d'origine inconnue, lié à *jucundus* «agréable, plaisant», mais qui n'est rapproché de *jocus* (→ jeu) que par étymologie populaire.

♦ *Adjuvant* désigne un médicament qui renforce l'action d'un autre (1810), aussi comme adjectif (1812), puis un produit ajouté pour déclencher un effet, un catalyseur (1932, in *T. L. F.*), un additif (mil. XXe s.). ◇ En sémiotique narrative, il désigne un des rôles parmi les actants du récit (Greimas).

⟐ voir ADJUDANT.

AD LIBITUM adv. est l'emprunt (1771) d'une locution latine, formée de *ad* (→ à) et de *libitum*, participe substantivé de *libere, libet*, d'abord *lubere, lubet* «avoir envie de» (→ lubie). *Libet* exprime le désir et a pour dérivé *libido* (→ libido) ; il sert à former des indéfinis comme *quo libet* (→ quolibet).

♦ L'expression signifie «à volonté, au choix» et s'emploie en musique pour «librement», alors abrégée en *ad lib*.

ADMETTRE v. est la réfection (une fois au XIIIe s. ; puis 1508, *F. e. w.*) de *amettre* (XIIIe s.), d'après l'étymon latin *admittere*, composé de *ad-* (→ à) et de *mittere* (→ mettre). *Amettre* signifiait aussi en ancien français «accuser, imputer, mettre à charge», alors que *admittere* équivaut à «laisser venir» ou à «laisser faire».

♦ Le français a développé la valeur «accepter, recevoir», notamment au figuré : *admettre des excuses* (Amyot). ◇ Le sens intellectuel, «reconnaître pour vrai», apparaît au milieu du XVIIe s. (Pascal), à peu près en même temps que *admettre qqn à* (se justifier, etc.), «permettre» (1643). ◇ Le verbe s'emploie aussi avec un sujet nom de chose, pour «comporter, recevoir» (1636), notamment en sciences *(ce problème admet deux solutions)*.

▸ Le préfixé **RÉADMETTRE** v. tr. est attesté en 1829.

ADMIS, ISE p.p. adj. s'applique aux personnes pour «reçu (dans une société)» (1671), parfois substantivé pour «reçu à un examen» (1919, in *T. L. F.*). ◇ En parlant des choses, il se dit pour «adopté par l'usage» (1636) et «considéré comme vrai».

ADMISSION n. f. est un emprunt (1568 ; 1539, selon Bloch et Wartburg) au dérivé latin *admissio* «fait d'être reçu en audience» et, au moyen âge, «approbation». ◆ Le mot s'est appliqué à une loi reconnue valable, avant de se dire (1615) des personnes admises à une fonction, puis (1839) à un concours ou examen. Le sens abstrait d'«acceptation (d'une chose)» (1803) précède l'emploi concret d'abord métonymique, «ouverture par laquelle la vapeur est admise dans le cylindre» (1866), puis actif, en mécanique, pour «premier temps du cycle à 4 temps d'un moteur à explosion» (1904). ◇ *Admission temporaire* se dit de marchandises destinées à être réexportées (1866). ◆ Le préfixé **RÉADMISSION** n. f. (1803) correspond à *réadmettre*.

ADMISSIBLE adj., qui semble dérivé du participe passé du latin *admittere* (le latin médiéval *admissibilis* est tardif), signifie (1453) «qui peut être admis, reçu à un emploi, à un titre» et spécialement, dans l'organisation des examens et concours, «qui est admis à concourir à une deuxième épreuve, en général une épreuve orale après l'écrit» (*in* Larousse, 1866, à propos de l'agrégation). ◇ En parlant de choses abstraites, il qualifie une raison, une explication, une excuse qui est considérée comme acceptable, valable. ◆ De l'adjectif vient **ADMISSIBILITÉ** n. f. qui se dit des personnes (1789, Beaumarchais), spécialement du résultat de la première épreuve par laquelle un candidat est déclaré *admissible* à un examen, à un concours (1894), et des choses (raisons, explications) [1811]. ◆ Le préfixé **INADMISSIBLE** adj. se dit des choses inacceptables (1475), spécialement sur un plan moral, d'où la valeur d'«impardonnable», au XXe siècle. ◇ L'emploi à propos de l'admissibilité aux examens (1866) est rare. ◇ **INADMISSIBILITÉ** n. f. (1789, Beaumarchais) correspond aux valeurs de l'adjectif.

ADMITTANCE n. f. est un emprunt (1896) au mot anglais *admittance*, d'abord «permission d'entrée» (1589), pris comme terme de physique d'après *impedance*, pour désigner la notion inverse en électricité : c'est une résistance ou impédance négative.

✱ **ADMINISTRER** v. tr. est la réfection (*administreir*, fin XIIe s.) de *aministrer* (XIIe s.), *amenistrer* (du XIIe au XVe s.), relatinisé en *ad-* (→ à), emprunt au latin *administrare* «prêter son aide», «prêter son aide dans un sacrifice religieux», sens rare en latin classique (où l'on emploie *ministrare*) mais usuel en latin chrétien ; l'ancien français emploie *menistrer* (déb. XIIe s.) avec cette valeur. *Administrare* se dit depuis Varron des affaires privées, sens développé en latin médiéval et repris en français. Le verbe latin vient de *ministrare* ou de *minister* (→ ministre).

♦ Le verbe signifie d'abord «fournir (qqch. à qqn)», d'où *administrer un sacrement* (XIIIe s.) et comme intransitif «servir», en contextes religieux (*aministrer*, déb. XIIIe s.) et civil, «exercer une fonction» (XVIe s., Amyot). ◇ Comme transitif, il signifie en ancien français «prendre soin de (qqn)», sens sorti d'usage après le XVIe s. comme l'acception pour «enseigner (qqn)», et «s'occuper de (qqch.)». ➜ La spécialisation moderne, concernant les affaires publiques, apparaît chez B. Latini (1262-1268) : *amenistrer la cité*. Cette valeur est devenue aussi vivante en emploi transitif, par exemple dans *administrer justice* (1485), puis *la justice* (1671). ◇ Le verbe a conservé la valeur ancienne de *amenistrer* «donner» dans *administrer* (un mourant), «lui donner l'extrême-onction» (1754, in *D. D. L.*), *administrer un remède*, etc. et familièrement dans *administrer des coups* (*in* Académie, 1835), *administrer une punition* ou *s'administrer un bon repas* (déb. XIXe s.), remplacé par *s'envoyer*. ◇ Le sens de «diriger, organiser» s'est surtout développé dans les autres mots de la série, notamment à partir de la Révolution.

▸ **ADMINISTRÉ, ÉE** adj., tiré du participe passé, se dit des choses (*admenistré* «mis en usage», 1340) et des personnes ; en relation avec *administration*, il est substantivé sous la Révolution pour «citoyen relevant d'une administration» (1795), d'où la formule de la IIIe République, *mes chers administrés*, dans les discours officiels. ➜ Les autres dérivés français, *administrance*, n. f. (1530), réfection de *amenistrance* (XIIIe s., puis 1354), *administrement*, n. m. (XVe s.), de *aministrement* (1190), ont disparu au XVIe siècle.

ADMINISTRATION n. f. apparaît en moyen français (v. 1380, Froissart) comme réfection de *amenestraison* (2e moitié XIIe s., Gloses du Talmud), puis *aministration* (v. 1300), adaptation, puis emprunt au dérivé latin *administratio* «fait de s'occuper (*curare*) de qqn» et «gestion», notamment «gestion des affaires politiques», et en latin médiéval «fourniture (d'aliments)», «portion», sens attesté le premier en français. Au sens actuel, le mot en moyen français est concurrencé par *menistration*, qui est sorti d'usage au XVIe siècle. ➜ Disparu au sens général, pour «fait de donner (qqch.)», attesté jusqu'au XVIe s., *administration* s'emploie encore en contexte religieux (sacrements, XVIIe s.) ou médical (1845). ◇ Il s'est développé avec la valeur de «gestion, fait de régir, d'organiser», notamment les affaires privées (2e moitié XIIIe s.) et publiques. D'abord très général, s'appliquant aussi aux personnes («tutelle», 1409), le mot s'est spécialisé en droit (*administration de la justice*, XVe s. ; «fourniture de preuves, de témoins», *in* Furetière, 1690). ◇ C'est vers la fin du XVIIIe s. et surtout avec la Révolution qu'*administration* prend sa valeur moderne, avec le sens métonymique «ensemble des personnes, des services qui administrent les affaires publiques» (1787) et «manière d'administrer» (1783, Mercier), d'où *administration publique* (1794). ◇ Sur le plan des affaires privées, ***conseil d'administration*** semble apparaître pendant l'Empire (1811).

ADMINISTRATEUR, TRICE n. est la réfection (1290) de *aministreor* (v. 1190), concurrencé en ancien français par de nombreuses formes : la plus ancienne connue est *administratour* (v. 1180), mais on relève aussi (XIIIe-XIVe s.) *amenistreur*, *administreur*, etc. La forme moderne est empruntée au dérivé latin *administrator*, exceptionnel en latin classique, courant en latin juridique (IIe s.), certains mots anciens étant dérivés de *amenistrer*, *administrer*. ◇ En négligeant ces formes anciennes, *administrateur* a signifié aussi «serviteur» (v. 1350), «tuteur» (1480), «personne chargée d'un travail précis» (XIVe s.), *administrateur de justice* (XVIe s.) correspondant à «juge». ◇ En français moderne, le mot n'est pas homogène à *administration* et *administratif* ; il garde une valeur plus générale et s'emploie couramment à propos de la gestion privée (*administrateur de biens, de sociétés*), se spécialisant pour «personne qui administre une salle de spectacles». Mais il se dit aussi dans certains secteurs de l'administration publique, notamment (XIXe-1re moitié XXe s.) dans l'organisation coloniale. ◇ L'emploi adjectif pour «qui aime administrer, sait bien administrer» apparaît à la Révolution (1789).

ADMINISTRATIF, IVE adj., dérivé du radical de *administration*, correspond à la spécialisation politique de ce dernier, au début de la Révolution de 1789 ; d'où *pouvoir administratif* (1790), *corps administratif* (1791), *mesure administrative* (1790). ◇ Un des syntagmes le plus usuel est ***droit administratif***, désignant la branche du droit public qui concerne l'administration (branche essentielle du droit public distinct du droit constitutionnel). ◇ Le mot signifie par extension «caractéristique de l'administration», avec une valeur proche de *bureaucratique* (*formalisme administratif, lenteurs administratives*). L'adjectif s'applique aussi à la gestion privée, par exemple dans *directeur administratif, services administratifs (d'une société)*. ◇ Substantivé, *administratif* signifie «employé d'administration» (fin XIXe s.), alors distinct d'*administrateur*. ➜ L'adjectif a pour dérivé **ADMINISTRATIVEMENT** adv. (1826, in *F. e. w.*).

ADMIRER

ADMIRER v. tr. est la réfection (XVIe s.) de *amirer* (1360, «apprécier»), *s'ammirer* (1468, «s'étonner, s'ébahir»), emprunts au latin *admirari* «admirer» et «considérer avec étonnement», de *ad-* (→ à) et *mirari* «s'étonner» (→ mirer).

♦ Le verbe, qui signifie aussi à l'époque classique «considérer avec surprise, étonnement» (1644, Corneille), a développé un sens apparu au XVIe s. (1566, *amirer*) «éprouver un sentiment de grande estime pour (qqn)». Il s'applique aussi aux choses, aux actions, avec diverses nuances, surtout morales et esthétiques. Il se construit aussi avec *que, comment, de (admirer qqn de...)*, etc., parfois avec une nuance ironique qui continue l'emploi classique.

▸ **ADMIRATION** n. f., réfection (XIVe s.) de *amiration* (v. 1190), *amiracion*, est emprunté au dérivé latin *admiratio* «admiration» et «étonnement». ◇ Ses sens en français sont parallèles de ceux d'*admirer*, celui de «surprise» (v. 1190) et «objet d'étonnement» (1548) disparaissant au XVIIe siècle. ◇ Le sens moderne, apparu très tôt (mil. XIIe s., *ammiration*, in *T. L. F.*), se développe en français moderne. ➔ **ADMIRATIF, IVE** adj. est un emprunt du vocabulaire philosophique (1370) au dérivé latin tardif *admirativus*, mot de rhétorique. ◇ Le sens premier, conforme à celui de *admirer* et *admiration* jusqu'au XVIIe s., est «étonné, stupéfait» et (XVe s.) «qui exprime la crainte, l'étonnement». ◇ La valeur moderne se développe au XVIIe s. (1636, des personnes; 1690, de l'expression). L'emploi linguistique (*particule admirative*, 1718) et rhétorique (*genre admiratif*, 1798) a disparu. ◇ Le dérivé **ADMIRATIVEMENT** adv. entre en 1866 dans les dictionnaires. ➔ **ADMIRATEUR, TRICE** n. est emprunté (1542) au dérivé latin *admirator*, qui ne semble pas avoir le sens de *admirare* «s'étonner», mais seulement celui de «personne qui admire». Le mot a conservé ce sens, aussi comme adjectif (1684, La Fontaine), emploi rare.

ADMIRABLE adj., réfection (1546, Rabelais) de *amirable*, *ammirable* (1170), a les deux valeurs du latin, d'abord «étonnant, étrange», souvent ironique à l'époque classique (Vaugelas), puis «digne d'admiration» (XVIe s.) d'où «excellent, parfait» (1680). ◇ Le mot a été substantivé au féminin pour «élégante» (1672) et pour désigner une variété de pêche (1620), puis de rose (1866). ◇ Il est aussi employé collectivement comme nom masculin, pour «ce qui mérite l'admiration» (1808). ➔ En dérive **ADMIRABLEMENT** adv. «étonnamment» (1416), puis «de manière à susciter l'admiration» (1564).

ADMISSIBLE, ADMISSION → **ADMETTRE**

ADMONESTER v. tr. coexiste en ancien français (depuis 1160-1170) avec la forme ancienne *amonéter*, *amonester* (1170), ceci jusqu'au XVIe s., époque où le latin *admonere*, de *ad-* (→ à) et *monere* (→ moniteur), est pris pour modèle. *Admonere* signifie «avertir, sans critiquer». L'ancien français a aussi *monester* «exhorter». Comme des formes parallèles existent en espagnol, en catalan et en ancien provençal *(amonestar)*, on a supposé une forme latine populaire °*admonestare*, mais il peut s'agir d'un croisement entre *admonere*, au p. p. *admonitus*, et *molestus* «pénible»; P. Guiraud évoque même *administrare*. Il s'agit en tout cas d'une forme hybride, apparue en milieu étudiant. Par ailleurs *admonitio*, dérivé de *admonere*, a fourni *amonition* n. f. (v. 1180) puis *admonition**, dont les emplois interfèrent avec ceux d'*admonestation*.

♦ Le verbe a en ancien et moyen français le sens dominant de «conseiller, avertir» (v. 1130, *F. e. w.*) et d'«exhorter» (XIIe s.), *admonester qqn de qqch.* signifiant «exhorter à» et *amonester que* «demander avec insistance». ◇ *Amonester a qqn que...* prend (fin XIIIe s.) la valeur de «reprocher, réprimander pour», le verbe s'étant déjà employé pour «avertir» (1208). L'emploi pour «réprimander» semble rare avant le début du XVIIe s. (*Satires* de M. Régnier) et se spécialise en droit pour «adresser des remontrances» (1690). Le verbe est didactique ou littéraire. ◇ Ses dérivés disparus, *admonestance*, *admonestement*, *admonesteur*, *admonestable* (aussi *amo-*), témoignent de sa vitalité jusqu'au XVIe siècle.

▸ **ADMONESTATION** n. f., reprise tardive (1837) du dérivé isolé *amonestation* (v. 1260), est le seul mot vivant issu d'*admonester*.

◈ voir ADMONITION.

ADMONITION n. f. est la réfection (2e moitié XIIe s., in *T. L. F.*; puis 1561) de *amonition* (v. 1180), employé jusqu'au XVIe siècle. C'est un emprunt au latin *admonitio* «remise en mémoire» et «exhortation», de *admonere* «avertir», «remettre en mémoire», de *ad-* (→ à) et *monere* (→ admonester; moniteur).

♦ Le nom signifie d'abord «avertissement, conseil» et, ne correspondant pas à un verbe, il est souvent pris pour substantif de *admonester* notamment en droit, pour «remontrance faite par le juge à un délinquant» (1690) et en général «réprimande» (1694). Il signifie aussi «invitation pressante, exhortation», emploi littéraire.

▸ **ADMONITEUR** n. m., emprunt (1609) au latin *admonitor*, de *admonere*, a signifié «conseiller», puis (1761) «personne qui réprimande», avec des emplois spéciaux en religion (l'*admoniteur* du général des jésuites). Il est archaïque.

ADOBE n. m. est un emprunt (1868, chez J. Verne) à l'espagnol *adobe* «brique d'argile crue» (1157), lui-même emprunté à l'arabe *al-ṭūb*, pluriel, avec l'article.

♦ Le mot conserve le sens de l'étymon. Souvent employé à propos de l'architecture indienne du sud des États-Unis, il est alors passé par l'emprunt anglais à l'espagnol (Mexique et Nouveau-Mexique).

ADOLESCENT, ENTE adj. et n. est emprunté (1327, n. m.) au latin *adolescens*, participe présent de *adolescere* «grandir», verbe d'origine incertaine, mais formant couple antithétique avec *abolescere* et le simple *abolere*, qui a donné *abolir**. On peut supposer, au-delà de l'opposition marquée par les préverbes (*ad-* et *ab-*; → à), une source commune, à rapprocher de *alere* «nourrir» (→ aliment), dont le participe passé est *altus* «haut*», de *indoles* «accroissement» et de *proles* «descendance» (d'où *proletarius* → prolétaire).

♦ Le nom est employé aussi (XVe s.) au féminin et prend au masculin la valeur extensive de «jeune homme inexpérimenté, naïf» (1634). L'emploi adjectif est attesté au XVIe s. (Ronsard), avec des emplois figurés (2e moitié XVIIe s.). ◇ Didactique ou ironique en français classique, le nom, qui semble repris au XIXe s., est plus courant au XXe s.; il a fourni la forme abrégée **ADO** n. (1974; surtout au pl. *les ados*).

▸ **ADOLESCENCE** n. f. est emprunté (1270) au latin *adolescentia*, de *adolescens*. Il désigne par métonymie l'ensemble des adolescents (1845) et au figuré les débuts, l'époque du premier développement (de qqch.) [1680].

PRÉ-ADOLESCENT, ENTE n. et adj. (XXe s.) a été abrégé en **PRÉ-ADO** (1975).

◈ voir ADULTE.

ADONIS n. m. est emprunté (1619), précédé par la forme *adon* (1576, encore chez La Fontaine), au nom grec *Adônis,* par le latin. Ce nom est à l'origine le titre d'une divinité phénicienne (identique au nom hébreu *'ādôn* «seigneur»), la réputation de beauté s'établissant dans les mythologies grecque et latine.

♦ Le mot désigne un homme jeune et beau (cf. *Apollon*). Il a eu divers emplois pour désigner des animaux (un poisson, 1554 ; un papillon, 1829), soit avec l'idée de beauté, soit, comme pour la fleur ainsi nommée (1615), par allusion au sang d'Adonis, tué dans la légende par un sanglier.

▸ **ADONISER** v. tr. est dérivé (1552) de *Adonis* au sens de «parer, embellir» et comme intransitif (1611), «faire le beau, être infatué». Il s'est aussi employé au pronominal. Le verbe est archaïque et les autres dérivés du nom ont disparu.

ADONNER (S') v. pron. est emprunté (v. 1140) au latin populaire °*addonare,* de *ad-* (→ à) et *donare* (→ donner), induit des mots romans correspondants : français, ancien provençal, catalan et espagnol *adonar,* ancien italien *addonare,* latin médiéval *addonare se* (1296). Le mot a dû être rapidement considéré comme un préfixé de *donner,* tout en perdant son lien sémantique avec lui.

♦ Le verbe signifie d'abord «se présenter ou regarder dans une direction», puis (fin XIIe s.) «tendre vers un point» (cf. *donner sur...*). En ancien et moyen français, il est aussi transitif : *adoner qqn a* et infinitif ou nom, «soumettre», au propre et (XVIe s.) au figuré (*être a honeur addonné,* Marot), et a parfois le sens de «donner, livrer», notamment à propos d'un serf donné à un établissement religieux (1253). ◆ L'emploi qui a survécu, *s'adonner à,* semble apparaître avec un infinitif (2e moitié XIIe s.), avant de se construire avec un nom, surtout péjoratif (1342, *s'adoner au péché*), plus récemment *s'adonner à la boisson.* Le verbe, usité absolument, a signifié en ancien français «s'abandonner, supplier» (1205).

ADOPTER v. tr. est un emprunt (XIIIe s.) au latin juridique *adoptare,* de *ad-* (→ à) et *optare* «choisir» (→ opter).

♦ Le mot est d'abord (XIVe s.) spécialisé en droit au sens de «choisir légalement pour enfant». Il prend une valeur extensive au XVIIe s., «traiter (qqn) comme son enfant» (depuis 1631, Corneille). ◇ Il s'emploie au figuré dès le XVIe siècle : «faire sienne (une opinion, une décision)», puis (1798) «choisir pour soi de manière durable» *(adopter une apparence, un habillement).* ◇ Au XIXe s., il acquiert le sens d'«approuver, voter pour», en droit constitutionnel (1845).

▸ Il a pour dérivés **ADOPTÉ, ÉE** participe passé adjectivé *(un enfant adopté)* puis (1804) substantivé ; **ADOPTANT, ANTE** participe présent substantivé (1728), terme juridique et **ADOPTABLE** adj. (1801). **ADOPTION** n. f. est un emprunt plus ancien (XIIe s., en religion, «grâce du baptême») au dérivé latin *adoptio,* avec les mêmes valeurs que le verbe, juridique (XIIIe s.), extensive et figurées, en particulier *adoption d'une loi* (1845) et *adoption d'un mot* (dans une langue) [XVIIIe s., Voltaire]. ◆ **ADOPTIF, IVE** adj. est un emprunt juridique (XIIIe s.) au dérivé latin classique *adoptivus.* Il s'emploie pour «qui a été adopté» *(enfant adoptif),* «qui a adopté» (*père adoptif,* XIIe s.), c'est-à-dire *adoptant,* et en général pour «relatif à l'adoption» (1662, Corneille). ◇ Le dérivé **ADOPTIVEMENT** adv. (1556) est rare.

ADORER v. tr. est emprunté (fin du Xe s.) au latin *adorare,* formé de *ad-* (→ à) et de *orare* «prier» (→ oraison). La forme évoluée *aorer, aürer* (1080), encore en usage au XVIe s. (le *vendredi aoré* «vendredi saint»), a été éliminée sous l'influence du latin d'Église.

♦ *Adorer* apparaît dans le contexte religieux, pour «honorer (la divinité) par le culte», s'appliquant aussi aux idoles, aux faux dieux (1080) et à des symboles sacrés, la Croix (fin XIIIe s.), les reliques (*in* Furetière, 1690). Le sens extensif, «respecter de manière extrême», apparaît en ancien français (v. 1165) pour *aorer* et au XIVe s. (Froissart) pour *adorer.* ◇ *Aorer* était aussi employé pour «aimer passionnément», dans la poésie lyrique (Chatelain de Coucy, fin XIIe s.), sens développé au XVIe s. par *adorer* (1576). Depuis le XVIIe s., le verbe s'applique aussi aux abstractions, devenant hyperbolique pour *aimer* (voir le schéma ci-contre).

▸ Le dérivé **ADORATIF, IVE** adj. (1503) est archaïque. ◆ **ADORATEUR, TRICE** n., emprunt au latin chrétien *adorator* (Tertullien), remplace (1420) le dérivé français *aoreor* (fin XIIIe s.) aux sens religieux et extensif (1611), puis amoureux (1644, Corneille) de *adorer.* Le féminin *adoratrice* est attesté à la fin du XVIIe s. (1696). ◆ **ADORATION** n. f. est un mot du moyen français (une fois fin XIVe s. sous la forme provençalisante *azoration ;* chez Jean de Vignay, XIIIe ou XVe s.), emprunté au latin *adoratio* (depuis Pline, répandu en latin chrétien), de *adorare.* Il a eu en religion des emplois spécialisés : *adoration de la Croix* (mil. XVIIe s., Retz), *adoration perpétuelle* (du Saint-Sacrement) [1752]. En peinture, le mot désigne la représentation des mages adorant l'Enfant Jésus (1737). ◇ Les emplois extensifs, notamment amoureux (1611), sont plus rares que pour *adorer* et *adorateur.*
ADORABLE adj. est soit emprunté (fin XIIIe s., en parlant de l'encens) au latin *adorabilis* (IIe s.), soit dérivé de *adorer,* au sens de «digne d'être adoré» (1611), puis «vénérable» (1690). ◇ Le mot prend au XVIIe s. les valeurs extensives et figurées du verbe : «digne d'être aimé» (1640) et, dans un contexte mondain, «digne d'une grande estime». Les valeurs hyperboliques se développent au XIXe s., à propos des personnes, des qualités puis des choses, pour «exquis, parfait» (1845). ◆ L'adjectif a pour dérivé **ADORABLEMENT** adv. (1660), employé aussi comme hyperbolique (1838, Barbey, in *T. L. F.*).

ADORNER → ORNER

ADOSSER → DOS

✳ **ADOUBER** v. tr., mot de féodalité attesté dans *La Chanson de Roland* (1080), viendrait d'un radical francique °*dubban* «frapper», parce qu'on

ADORER

Le sacré et le profane : la parole et l'amour

- latin **ORARE** « prier » et « plaider »
  - ancien français orer « prier » → orant
  - **orator** → orateur
    - **oratorius** adj. → oratoire adj.
  - **oratio** (vs *sermo* ; → sermon) « éloquence », « style », « discours » latin chrétien « prière » → oraison « prière » v. 1050, terme de grammaire 1210, « discours » fin XIVe s : *oraison funèbre* 1569
  - **oraculum** 1° lieu où l'on fait une requête au dieu 2° réponse du dieu 3° latin chrétien « chapelle » → oracle
  - latin chrétien **oratorium** → oratoire n. m.
    - italien ***oratorio*** → oratorio
  - **adorare** « adresser une prière, aimer »
    - ancien français aorer jusqu'au XVIe s.
    - → ADORER
      - adorable
    - **adoratio** → adoration
    - latin chrétien **adorator** → adorateur
  - **exorare** « prier avec insistance »
    - ancien français exorer XVIe s. ; sorti d'usage
    - **exorabilis** → exorable
      - **inexorabilis** → inexorable
  - **perorare** « plaider à fond », « achever de plaider »
    - → pérorer
    - **peroratio** → péroraison

armait le chevalier en lui frappant symboliquement l'épaule du plat de l'épée (cf. ancien anglais *dubban*). Le mot francique serait à rattacher à la racine indoeuropéenne *dheubh-, dubbh-*. L'importance des institutions féodales explique la reprise du sens extensif «préparer (comme un chevalier qu'on arme)». Ce radical se retrouve, avec le sens très général de «préparer, arranger», dans des mots de nature bien différente, comme *radouber* «réparer (un navire)» (XIIIe s.) ou encore *daube*, en cuisine.

♦ Le mot est aujourd'hui un terme d'histoire, mais son emploi évocateur du moyen âge lui donne un statut plus large. ◇ Il s'emploie en outre au jeu d'échecs, pour «remettre en place une pièce déplacée involontairement».

▸ Son dérivé **ADOUBEMENT** n. m. (XIIe s., apr. 1150, *adobement*) désigne la cérémonie par laquelle on adoubait le nouveau chevalier et, par métonymie, son équipement. Ce sens est attesté le premier, et la valeur active seulement en 1306. En ancien français, le mot a eu le sens large de «parure, ornement» (v. 1230) et en moyen français «fard» (XIVe s.), valeurs qui correspondent au sens extensif du verbe.

◈ voir **DAUBE, RADOUBER.**

ADOUCIR → **DOUX**

ADRÉNALINE n. f. est un emprunt à l'anglais *adrenalin*, mot créé en 1901 aux États-Unis par le découvreur de la substance, Takamine, et formé du latin *ad-* (→ à) et de *renal* «rénal» (→ rein) , d'où *adrenal* «surrénal», avec le suffixe *-in* (en français *-ine*), la substance ayant été extraite des glandes surrénales du bœuf et du cheval.

♦ Le mot désigne l'hormone principale de la glande médullo-surrénale.

▸ Il a plusieurs dérivés et composés, comme **ADRÉNALINÉMIE** n. f. (1920-1924, in *T. L. F.*), **ADRÉNALINIQUE** adj. ◆ Du radical, H. H. Dale a tiré en 1934 l'anglais *adrenergic*, avec le radical du grec *ergon* «énergie» (→ énergie), d'où en français **ADRÉNERGIQUE** adj.

✳ ① **ADRESSER** v. tr. est composé de *a-* et de *dresser**, d'abord sous la forme *drecer, drecier*, d'où *adrecier* (déb. XIIe s., pron.), *adrecer*, écrit *adresser* au début du XVe siècle.

♦ Le verbe, au pronominal comme à l'actif (1170), signifie d'abord «dresser, élever» et d'abord pour *s'adrecer* (1174), puis *adrecer* «aller vers» et «diriger», sens vivant jusqu'au XVIIe siècle. ◇ De l'idée de direction proviennent les emplois modernes, pour «émettre (des paroles) à l'intention de qqn» (XIVe s.) et «envoyer en direction de qqn» (mil. XVIe s.), spécialement par un intermédiaire ou par la poste. ◇ L'emploi de *adresser a qqn* «lui parler» (1518) a été remplacé par le pronominal *s'adresser à*, qui s'emploie aussi avec un sujet nom de chose, au sens d'«être destiné à».

▸ Le dérivé ① **ADRESSE** n. f. apparaît sous la forme *adrece* et signifie d'abord «chemin direct» (1177-1179), «direction, bonne voie» (v. 1280), puis (XVe s.) abstraitement «action d'avoir recours à qqn». Ce n'est qu'aux XVIe et XVIIe s. que les deux sens modernes apparaissent, produisant deux mots aujourd'hui distincts. ◇ L'un, provenant de l'idée de bonne direction, est rattaché à l'adjectif *adroit*, de *droit* (ci-dessous ② *adresse*). ◇ L'autre, à partir de l'idée d'«indication» mais aussi de «bonne direction», se développe au début du XVIIe siècle. On passe d'«indication du lieu où l'on peut trouver qqn» (par exemple dans le *bureau d'adresses* de Théophraste Renaudot, 1623) à «description du lieu où une personne vit» puis «suscription d'une lettre portant l'adresse». ◇ La valeur du XVe s., «fait de recourir à qqn», passée en anglais *(address)*, revient d'Angleterre (1656) avec un sens politique, «message d'une assemblée au roi»; ce sens politique se diffuse en France avec la Révolution (1789, Mirabeau). ◇ Enfin, un autre sens de l'anglais est récemment passé en français : «signe sous lequel est classée une information». ◇ En informatique apparaissent de nouveaux dérivés : un verbe transitif ② **ADRESSER** (v. 1960), l'adjectif **ADRESSABLE** (v. 1960), le substantif **ADRESSAGE** n. m. (1968).

② **ADRESSE** n. f., au sens d'«habileté», provient (1559) de la contamination par *adroit*, dont il est devenu le substantif, de ① *adresse (adrece)* «chemin direct», d'où «manière d'aller droit au but».

ADRET n. m., attesté dans les dict. depuis 1927 comme terme de géographie, mais plus ancien en français régional, est un emprunt à l'ancien provençal *adreg* (v. 1300), *adrech, adret*, qui correspond à *a-droit*, (→ ① droit). Le mot, usuel dans les Alpes françaises, désigne le versant exposé au soleil et s'oppose à *ubac**.

ADROIT, OITE adj. est formé (XIIe s.) de *a-* et de l'adjectif *droit**. À noter que le latin *dexter*, «situé à droite», signifie «habile» (→ dextre), dès l'Empire; mais l'ancien français *adestre*, «habilement» (XIIIe s.), n'a pas de correspondant sémantique dans l'adjectif *destre* «qui est à droite», à partir duquel il est formé.

♦ L'adjectif est attesté au XIIe s. à la fois au sens de «svelte, élégant» (Chrétien de Troyes) et de «habile au combat» *(id.)*; c'est un mot du vocabulaire de la chevalerie qui évoque probablement la forme droite (cf. *dressé, élancé*...) et aussi le coup au but (cf. *adresser*). Il a aussi signifié, comme *droit*, «moralement juste» (XIIe-XIIIe s.). ◇ L'emploi moderne, «habile dans les exercices physiques» (*adroit à*, XVIe s.), est précédé par *adroit de* employé avec l'infinitif, «habile à» (2e moitié XIIe s.), emploi qui sert de passage. L'extension aux activités intellectuelles est attestée au XVIIe s. (1680) comme l'emploi pour «qui témoigne d'adresse».

▸ Le dérivé **ADROITEMENT** adv. a suivi l'évolution de l'adjectif, depuis le sens de «correctement» (fin XIIe s.) à «de manière habile» (1306), aussi dans le domaine intellectuel (1641). ◇ Enfin, le substantif correspondant à *adroit* (→ ② adresse) vient d'une autre origine, mais a été influencé par l'adjectif.

ADSORBER → **ABSORBER**

ADULER v. tr. est emprunté (1389) au latin *adulari* «flatter, caresser (les animaux)», ensuite appliqué aux hommes. S'est dit des animaux qui remuent la queue en signe de joie. On l'a rapproché du sanskrit *vālaḥ, vāraḥ* «queue».

♦ Le verbe signifie «flatter (qqn) à l'excès», souvent par intérêt, par bassesse; après *aduler a qqn* (v. 1500, jusqu'au XVIIIe s.), le transitif l'emporte (fin XVIIIe s., Diderot). Un sens extensif, «combler de louanges» (mil. XIXe s.), témoigne d'une influence d'*adorer*.

▸ **ADULATION** n. f. est un emprunt ancien (v. 1190) au dérivé latin *adulatio*. ◆ **ADULATEUR, TRICE** n. est emprunté (1370) au latin *adulator*, au féminin *adulatrix*, éliminant le dérivé français *aduleur* (d'abord *adulierres*, 1270). Le mot est aussi adjectif (1740). ◇ Le féminin *adulatrice* est attesté au début du XVIIIe s. (1718), longtemps après l'emploi isolé de *adulateuse* (XIVe s.). ◆ **ADULATOIRE** adj., emprunt (1477) au latin *adulatorius*, a vieilli, après l'apparition d'*adulateur*.

ADULTE adj. et n., réfection (XVIe s.) de *aduls* (1394), est emprunté au latin *adultus*, participe passé de *adolescere* (→ adolescent), notamment dans *adulta virgo* «jeune fille nubile».

♦ Le mot a jusqu'au XVIIe s. plutôt la valeur que *adolescent* a de nos jours; il s'emploie aussi comme nom (1570, à propos de Jupiter), et ne prend son sens actuel qu'à la fin du XVIIe siècle. Il se dit aussi des animaux (1699), puis des plantes (1814) et s'emploie parfois au figuré (*langues adultes*, 1845, métaphore vieillie). ◇ Le substantif, selon Furetière (1690), n'avait «guère d'usage qu'en théologie»; il est entré dans la langue courante au début du XIXe s., mais peut alors encore désigner l'adolescent, opposé à l'homme mûr (1839, Balzac). ◇ Au XXe s., au contraire, *adulte* qualifie notamment la maturité psychique. Des emplois institutionnels, en éducation, apparaissent au XIXe s. (*école, cours d'adultes*, 1835); au XXe s., *pour adultes* se dit spécialement de ce qui implique la sexualité, le mot étant influencé par l'anglo-américain *adult*, «érotique, pornographique».

▸ Le dérivé **ADULTISME** n. m. (v. 1960) «caractère d'un comportement adulte» est didactique (psychologie).

✻ **ADULTÈRE** n. est emprunté (XIIe s.) de deux mots latins, *adulter* «(personne) qui a trompé son conjoint» et *adulterium* désignant l'acte lui-même. Ces noms sont dérivés du verbe *adulterare*, composé de *alterare* (→ altérer).

♦ ① **ADULTÈRE** n., réfection (1570) de *adulteire* (v. 1190), a éliminé les formes issues du latin *adulter* par voie orale : *avoutre* (XIIe s.), qui signifiait aussi «bâtard», *aoutre* (XIVe s.), *avoitre*, etc. Le mot signifie secondairement (depuis le XVIe s.) «amant, maîtresse d'une personne mariée» et s'est employé comme adjectif (1546) avec la valeur figurée d'«impur, mêlé» (1787), lié à *adultéré*.

② **ADULTÈRE** n. m. (v. 1190) remplace *avulterie* (v. 1100), *avoutiere* (XIIIe s.) pour «violation de la foi conjugale». On a longtemps distingué *l'adultère simple* (*simple adultere*, XVIe s.) du *double*, selon qu'un seul était marié ou les deux.

▸ Ces deux mots ont conservé leur valeur juridique et morale, comme **ADULTÉRIN, INE** adj., emprunt (1327) au latin *adulterinus* qui signifie «qui concerne l'adultère» et (1594) «qui est né d'un adultère» (*enfant adultérin*), d'où l'emploi substantif (déb. XVIIe s., d'Aubigné). ◇ Cependant l'adjectif a eu en moyen français le sens de «parjure» (Marguerite de Navarre) et de «hybride, impur» (1553, d'une plante). Deux autres emprunts sont surtout figurés. ◆ **ADULTÉRATION** n. f., emprunt au dérivé latin *adulteratio*, signifie à la fois «détournement de la foi, abjuration» (1374, emploi isolé) et (1551) «adultère». L'emploi pour «falsification» (1579) en droit (d'abord des monnaies) l'a emporté. ◆ **ADULTÉRATEUR** n. m., emprunt (1552) au bas latin *adulterator* «falsificateur (de monnaies)», est peu usité.

ADULTÉRER v. tr., emprunt (1350) au latin *adulterare*, signifie d'abord «commettre un adultère», puis «inciter (qqn) à l'adultère», sens disparus. ◇ Depuis le XVIe s. (1532), il a pris, d'après *adultération*, la valeur d'«altérer la pureté de, falsifier».

ADVECTION n. f. est un emprunt récent (mil. XXe s.?) au latin *advectio*, du supin de *advehere*, formé de *ad-* (→ à) et de *vehere* «transporter» (→ véhicule), ou plus probablement à l'anglais *advection* (1909).

♦ Ce mot de météorologie, formé sur le modèle de *convection*, désigne le déplacement de l'air chaud horizontalement.

ADVENIR v. intr. est la réfection étymologique (1239) de *avenir* (v. 980; 1re moitié IXe s., selon *T. L. F.*). Ce verbe, comme la variante *aveindre*, *avoindre* (XIIe-XVIe s.), provient du latin *advenire*, de *ad* (→ à) et *venire* (→ venir).

♦ Le verbe signifie dès les premiers textes «se produire, survenir» et aussi, jusqu'au XVIIe s., sous la forme *avenir* «réussir, parvenir à» et «s'approcher de». Au sens moderne, *advenir* s'emploie dans des expressions comme ***advienne que pourra*** (1549) qui continue l'ancien français *aviegne [aveigne] que* «quoique», ou ***quoi qu'il advienne***, synonyme de *quoi qu'il arrive*. Alors que les dictionnaires de l'époque classique privilégient *ad-* pour tous les mots de la série, ceux de la fin du XVIIIe et du XIXe s. jusque vers 1850 prônent la variante *avenir*, qui est celle du code civil (1804), et qui recule puis disparaît au XXe siècle.

▸ La descendance du verbe, surtout sur la forme *avenir*, est importante : (→ avenir, avenant [*advenant*, 1538, n'a pas vécu], avènement; aventure). ◆ **ADVENU, UE** adj., réfection de *avenu** (XVe s.), s'est employé dans *bien advenu* (1611) «bien développé», *non advenu* (1690, aujourd'hui *non avenu*) et dans *advenue* (→ avenue). ◆ Les verbes préfixés *désavenir* ou *désadvenir, mésadvenir*, comme leurs dérivés, n'ont pas été employés au-delà du XVIIe siècle. ◇ *Advenir* reste donc isolé, avec son *d* étymologique.

◈ voir ADVENTICE, ADVENTISTE, AVENT, AVENTURE.

ADVENTICE adj. est repris (1751) au latin scientifique, après l'ancien français *adventiz, aventiz*, adj. (XIIe s.), et le substantif *adventice* (1532), du latin *adventicius* «qui est acquis, et non pas inné», dérivé de *advenire* (→ advenir).

♦ Le mot qualifie en sciences (1751) ce qui est joint de manière accidentelle ou accessoire à un corps, puis à une chose quelconque (1801, Mercier). Le mot s'emploie spécialement dans *plante adventice* «qui croît sans avoir été semée» (1767), *racine adventice* (1811), *maladie adventice* (1836).

▶ **ADVENTIF, IVE** adj., terme de droit, est un autre emprunt (1510) au latin *adventicius* avec substitution de suffixe *(-ivus, -if)*. Il s'est dit de biens acquis après un mariage ou obtenus par succession et, au XVIIe s. comme nom, d'un étranger (1606). ◇ Le mot est repris d'abord en philosophie (*raison adventive,* 1802) puis en sciences naturelles, dans *racine adventive* (1852), remplaçant *adventice,* puis *cratère adventif* (1900), *cône adventif.*

ADVENTISTE adj. et n. est un emprunt (1894) à l'anglais des États-Unis *adventist,* de *advent* «avènement», emprunt anglais au latin *adventus* «arrivée», de *advenire* (→ advenir).

♦ Le mot désigne et qualifie une église évangélique américaine, dont les membres attendent un second avènement du Messie.

ADVERBE n. m. est la réfection d'après le latin (XVe s.) de *averbe* (1236), du latin *adverbium,* de *ad-* (→ à) et *verbum* (→ verbe), «mot qui s'ajoute au verbe».

♦ Le mot se définit lui-même, alors que *adjectif** ne dit pas qu'il s'«ajoute» au substantif.

▶ **ADVERBIAL, ALE, AUX** adj., d'abord *averbial* (1550), refait en *adverbial* (1647), est emprunté (1550) au dérivé bas latin *adverbialis.* Le syntagme *locution adverbiale* (1731) désigne un groupe de mots à fonction d'adverbe. ◆ De l'adjectif viennent **ADVERBIALEMENT** adv. (1606; une fois *adverbiaument,* XVe s.) et **ADVERBIALISER** v. tr. (pron. chez Nodier, av. 1834). ◆ **ADVERBIALITÉ** n. f. (1647) est inusité.

ADVERSE adj., réfection (XVe s.) de *avers, averse* (1080), adjectif, est emprunté au latin *adversus* «situé en face», et «qui s'oppose, est tourné contre», de *ad-* (→ à) et *versus* «tourné» (→ vers), de *vertere (advertere).* Ce verbe latin a donné par ses dérivés et composés plusieurs mots français *(controverse, converser, divers, inverse, pervers, subversion, vertèbre...).*

♦ *Advers,* puis *adverse,* après *avers,* signifie «hostile, ennemi» et se spécialise en droit dans *averse partie* (1283), *adverse partie* (v. 1380), devenue *la partie adverse,* au cours d'un procès. ◇ Il se dit aussi de circonstances défavorables (*fortune adverse,* 1530), ce sens paraissant antérieur en ancien provençal. ◇ L'adjectif se généralise au XVIIe s. pour «contraire, opposé».

▶ **ADVERSAIRE** n., réfection de *aversaire* (1135), aussi *adversarie* et *aversier,* est issu ou emprunté au dérivé latin *adversarius* «ennemi» qui avait désigné le démon, l'«ennemi» de l'homme. ◇ Le nom se trouve avec la forme et le sens modernes dès le XIIe s. (1160). Il s'est aussi employé comme adjectif (v. 1300) pour «adverse». ◆ **ADVERSITÉ** n. f., réfection (v. 1145) de *aversité* (XIIe s.), est un emprunt au latin chrétien *adversitas,* dérivé de *adversus.* ◇ Le mot signifie «malheur, sort hostile, adverse» et *(une adversité)* «accident malheureux» (v. 1190). Il s'est dit aussi pour «antipathie, hostilité» (1160), sens sorti d'usage. ◆ **ADVERSATIF, IVE** adj., réfection (1606) de *aversatif* (1550, Meigret), est un emprunt de grammairien au latin grammatical *adversativus* (Priscien). Le mot, employé en grammaire, puis en droit, est didactique et archaïque.
Advertere, par son dérivé en latin chrétien *advertentia,* a donné un emprunt **ADVERTANCE** n. f. (XIVe s.), archaïsme dont l'antonyme *inadvertance** est courant.

AÈDE n. m. est un emprunt du XIXe s. (1841) au grec *aiodos* «chanteur», puis «poète», du verbe *aeidein* «chanter» à rattacher, par un développement morphologique discuté, à *audê* «voix humaine», distingué de *phônê* (→ phonétique) qui se dit aussi de la voix animale. *Audê* se dit par extension pour «récit, oracle», parfois «chant». *Aeidein* et *audê* relèvent d'une famille européenne, à laquelle appartiennent aussi le sanskrit °*ved-,* dans *vádati* «parler», *vāda* «appel», le vieux slave *vada* «calomnie», le vieux haut allemand dans le composé négatif *far-wāzan* «nier».

♦ Le mot désigne les poètes épiques de la Grèce archaïque, qui récitaient et chantaient leurs œuvres; il est didactique. Il s'est employé analogiquement pour «poète-récitant», emploi littéraire (1862, Mallarmé, in *T. L. F.*).

ÆGIPAN n. m. est un emprunt (1673), sous des graphies variées, au grec *Aigipan,* composé de *aix, aigos* «chèvre» (→ égide) et de *Pan,* dieu des bergers (→ panique).

♦ Le mot désigne une divinité de l'Antiquité à corps d'homme et aux pieds de chèvre.

✳ **AÉRER** v. tr. est une réfection, d'après le latin *aer* (→ air) [fin XIVe s., au participe passé], du dérivé français ancien de *air : airer, airier.* L'hésitation entre le radical français et le latin *aer* se marque encore au XVIIIe s. avec le dérivé *airage* (1758), aujourd'hui *aérage.*

♦ *Aérer* est attesté (1660) avec une variante *aérier* (v. 1640) et après *airier* (v. 1360). Pour la forme en *aér-,* c'est d'abord **AÉRÉ, ÉE** adj. qui apparaît (1398) au sens moderne («où l'air circule sans entraves»), avant de signifier «de la nature de l'air» (1503) et «qui vit dans l'air» (1570), acceptions où il sera remplacé par *aérien* (ci-dessous). ◇ Le verbe lui-même signifie, comme la forme populaire dérivée de *air,* «mettre à l'air», puis (1671) «faire entrer l'air dans (un lieu)». Depuis le XIXe s., il s'applique aussi aux personnes pour «faire prendre l'air à (qqn)» (1874), aussi au pronominal *s'aérer* (1883) et au figuré «se distraire des soucis» (déb. XXe s., Barrès). ◇ Il signifie par extension «rendre moins dense» (1879, dans les arts plastiques) et au figuré «rendre moins complexe, moins touffu» (1925, in *T. L. F.*).

▶ Du verbe dérivent **AÉRAGE** n. m., réfection de *airage* (ci-dessus) «renouvellement de l'air» (1801), spécialement «ventilation (des galeries de mine)» (1838). ◆ **AÉRATION** n. f. (1836) est beaucoup plus courant pour «action de faire circuler l'air, de le renouveler»; le mot est aussi employé en sciences et en technique pour «apport d'air» et dans des syntagmes *(conduite, tuyau d'aération)*. La valeur figurée «fait de mettre plus de liberté (en art)» est littéraire. ◆ **AÉRATEUR** n. m., d'abord adjectif (1866) dans *plancher aérateur* (pour aérer le blé), est ensuite le nom d'un appareil (1890), puis d'un produit (mil. XXe s.) qui sert à aérer.

AÉRIEN, IENNE adj., formation ancienne (fin XIIe s.) sur le latin *aer*, est concurrencé en ancien français par *aerin* (1216; jusqu'au XVIIIe s.). ◆ L'adjectif qualifie d'abord les esprits qui vivent dans les airs, sens étendu (XVIe s.) aux animaux, puis signifie (XVIe s.) «de la nature de l'air» et, au figuré, «léger, vaporeux» (1655, Molière). L'adjectif a de nombreuses spécialisations en sciences, en anatomie (*conduits aériens*, 1810), botanique (*vaisseaux aériens*, 1817), météorologie (XIXe s.), etc. ◇ Un sens particulier, «qui peut s'élever et se déplacer dans l'atmosphère», apparaît avec l'aérostation (1784, *vaisseau aérien, navire aérien; navigation aérienne*, dès 1742) et se développe avec l'aviation (fin XIXe s.), servant à former de nombreux syntagmes, comme *transports aériens, flotte aérienne, droit aérien, photographie aérienne, pont aérien*... Liée à de nombreux composés en *aéro-* (voir ci-dessous), cette valeur de l'adjectif, très vivante aujourd'hui, correspond à une spécialisation de *air**. ◆ De l'adjectif dérive **AÉRIENNEMENT** adv. «en l'air» (1557), au figuré «de manière légère, vaporeuse» (1863) et «au moyen d'un aérostat» (1866), mot demeuré rare. ◇ Le préfixé **ANTIAÉRIEN, IENNE** adj. (av. 1917, *Mémoires* de Joffre) utilise le sens d'*aérien* lié à l'aviation et s'associe aux moyens, notamment à l'artillerie, utilisés contre les avions de bombardement.

AÉROMANCIE n. f. est la réfection de *aerimancie* (av. 1380), emprunt altéré au bas latin *aeromantia*, de *aero* (grec *aero-*) et *mantia* (grec *manteia*) «divination». Ce mot didactique désigne la divination par les mouvements de l'atmosphère. ◆ Il a pour dérivé **AÉROMANCIEN, IENNE** adj. (XVIe s., A. Paré).

De nombreux mots sont formés à partir du latin *aer*, dans les différentes valeurs de *air* et *aérien*. ◆ **AÉROLE** n. f., «vésicule pleine d'air» (1538) et «fiole» (1596), est sorti d'usage au XIXe siècle. ◆ **AÉRIFORME** adj. (1776), «qui ressemble à l'air», est archaïque, comme **AÉRIFICATION** n. f. (1793) «passage à l'état gazeux». ◆ **AÉRIFÈRE** adj. (1808) signifie «qui amène de l'air». ◆ Plus récemment, **AÉRIUM** n. m., formé (1928) d'après *sanatorium*, désigne une maison de repos, de soins, dans un lieu où l'air est sain.

La plupart des composés vivants sont en **AÉRO-**. Ils sont très nombreux et se répartissent pour le sens en deux catégories. ◆ La première concerne le fluide, l'atmosphère. On y relève d'abord **AÉROLOGIE** n. f. (1696), d'où **AÉROLOGIQUE** adj. (1836); **AÉROMÉTRIE** n. f. (1712), **AÉROMÈTRE** n. m. (1762), **AÉROGRAPHIE** n. f. (1752), **AÉROPHORE** adj. (1798), ces formations étant pour la plupart sorties d'usage. ◆ Les composés se multiplient au XIXe et au XXe siècle; plusieurs sont restés courants. ◇ **AÉROLITHE** n. m. (1806), formé avec *-lithe* («pierre»), signifie «petit astéroïde». ◆ **AÉRODYNAMIQUE**, d'abord n. f. (1812), formé d'après *aérostatique* n. f. (1784), désigne la science du mouvement des gaz, puis est adjectif (1891). ◇ Le mot est devenu usuel lorsqu'il s'est appliqué aux engins se déplaçant dans l'air (1904), surtout comme adjectif pour «bien profilé» (1929), à propos d'une voiture, d'un avion, ce qui donne en partie à *aéro-* la valeur liée à l'aviation (ci-dessous). ◆ **AÉROFREIN** n. m. (1960, dans les dictionnaires) correspond à «frein aérodynamique». ◆ **AÉROMOTEUR** n. m. a désigné (1853) un moteur actionné par l'air.

AÉROBIE adj., création d'époque pastorienne (1875), se dit des microorganismes, notion exprimée par *-bie* (→ bio-), qui ont besoin d'air pour vivre, d'où l'antonyme **ANAÉROBIE** adj. (1875). ◇ *Aérobie* a été repris à l'anglo-américain pour qualifier (v. 1960) des propulseurs qui ont besoin de l'oxygène de l'air. ◆ **AÉROPHAGIE** n. f. désigne en médecine (1891) la présence d'air en quantité excessive dans les voies digestives, d'où **AÉROPHAGE** adj. et n. (dans les dictionnaires, 1948). ◆ **AÉROGRAPHE** n. m. (1921) se dit d'un pulvérisateur à couleurs liquides; le mot s'était employé (1811) pour «auteur qui décrit les propriétés de l'air». ◆ **AÉROSOL** n. m. (1928), où *sol*, emprunté à l'anglais, représente *solution*, désigne la suspension de particules dans un gaz et, par métonymie, le système qui projette cette suspension. ◆ **AÉROGLISSEUR** n. m. (1966) et **AÉROTRAIN** n. m. (1965) nomment des véhicules se déplaçant sur un coussin d'air.

AÉROBIC n. m. est un emprunt (1981) à l'anglo-américain *aerobics* (1969), désignant une gymnastique censée oxygéner les tissus, l'élément *aero-*, démotivé, fonctionnant comme un mélioratif.

Une autre série de composés concerne l'air en tant que milieu permettant de se déplacer; elle est liée aux emplois de *air* et *aérien* et au développement de la «navigation aérienne», d'abord (fin XVIIIe s.) à l'aide de ballons, puis (fin XIXe s.) d'engins appelés «plus lourds que l'air» (cf. *aviation*). ◆ Les premiers sont formés sur le latin *stare, statio* (→ station) et sur le grec *nautês* «navigateur» (→ nautique). ◇ **AÉROSTAT** n. m. désigne (1783) un ballon qui peut s'élever dans l'atmosphère et y transporter des passagers (cf. *ballon* et *montgolfière*); d'où **AÉROSTATEUR** n. m. (1784), remplacé par **AÉROSTIER** n. m. (1794), et **AÉROSTATIER** n. m. (1796), sortis d'usage eux aussi, ainsi que **AÉROSTATION** n. f. (1784) et **AÉROSTATIQUE** adj. (1783). ◆ **AÉRONAUTE** n. désigne (1784) la personne qui monte dans un aérostat, éliminant les dérivés de ce nom, y compris *aérostier*. *Aéronaute* est resté en usage plus longtemps qu'*aérostat*. ◇ Il a servi à former un mot toujours très vivant, **AÉRONAUTIQUE** adj. (1784) puis n. f. (1785); cet adjectif correspond à *nautique aérienne*, sous une forme inversée et savante, *aéro-nautique* (→ nautique), puis (1863, La Landelle) à ce que l'on appellera *aviation*. Ce caractère général, englobant aérostation et aviation, a assuré la survie du mot, plus didactique que *avia-*

tion. ◆ Dans la même série, **AÉRONEF** n. m., plus tardif (1844), a vieilli ; il a été créé par opposition à *aérostat* pour désigner les ballons libres et dirigeables, puis s'est étendu à tout «navire aérien». ◆ **AÉROSCAPHE** n. m., créé par Hugo (1859) à partir du grec *skaphê* «barque», n'a pas vécu.

AÉROPLANE n. m., «appareil qui se soutient dans l'air grâce à ses 'plans'», appartient à cette série. Créé en 1855 comme adjectif, d'après *plan, plane* (*navire aéroplane* «aérien et de forme plane, non sphérique»), inusité, puis repris vers 1885, ce mot s'emploie couramment au début du XXe s. comme son abréviation *un* **AÉRO** (1914-1918) ; il recule après 1918 puis disparaît sauf comme terme d'histoire, devant la concurrence d'*avion**.

Malgré l'importance prise par la série *avion, aviation,* plusieurs composés en *aéro-,* formés autour de 1900, sont toujours employés, d'autres, *aérocab, aérobus...,* ayant disparu. ◆ **AÉROCLUB** n. m. est construit (1898) comme *automobile-club.* ◆ **AÉRODROME** n. m., tiré du grec *dromos* «course», a été repris (1903) après avoir été formé pour désigner une machine volante (1868, puis 1896). ◇ Il désigne la piste d'où partent ces machines (d'abord à propos de ballons, 1903), puis (1928) le lieu aménagé où les avions décollent et atterrissent. ◆ **AÉROPLACE** n. f. (1928) a rapidement disparu, remplacé par *aéroport* et *aérogare.* ◆ **AÉROPORT** n. m. (1922) reprend la métaphore de la navigation *(port),* toujours active depuis *navigation aérienne.* ◇ **AÉROGARE** n. f. (1928), par la métaphore du chemin de fer, insiste sur les aménagements destinés aux voyageurs. ◆ **AÉROGRAMME** n. m. (mil. XXe s.) correspond à «lettre expédiée par avion» et est formé par analogie avec *télégramme.* ◆ Parmi les adjectifs, **AÉROPORTÉ, ÉE** (1928) «transporté par avion» est resté usuel, notamment dans le contexte militaire (de là **AÉROPORTER** v. tr.), comme **AÉRONAVAL, ALE, ALS** «qui concerne l'aviation et la marine» (1928), adjectif créé (1860) au sens de «relatif à la navigation aérienne», comme quasi synonyme d'*aéronautique.* ◇ **AÉROPOSTAL, ALE, AUX** correspond à «qui concerne la poste aérienne» (1927), d'où *l'***AÉROPOSTALE** n. f., expression qui a vieilli. ◆ **AÉROMARITIME** adj. (1905) a été concurrencé par *aéronaval.* ◆ **AÉROSPATIAL, ALE, AUX** adj. (v. 1960) correspond aux développements techniques de la navigation spatiale, liée à l'aviation. ◇ **AÉROSPATIALE** n. f. (1964) s'applique notamment à une société de construction aéronautique et spatiale.

AFFABLE adj. est emprunté (1367) au latin *affabilis* «avec qui on peut parler» et «d'un abord aisé», du verbe *affari, adfari* «parler à (qqn)», composé rare et archaïque de *ad-* (→ à) et *fari* «parler», dont *facundus* et *fabula* sont des dérivés (→ fable, faconde ; enfant).

♦ Le mot s'applique aux personnes, puis (XVe s.) aussi aux actes, aux paroles.

▸ **AFFABILITÉ** n. f. est emprunté (1270) au dérivé latin *affabilitas* et **AFFABLEMENT** adv. est formé en français (1532).

Les préfixés antonymes **INAFFABLE** adj. (1840) et **INAFFABILITÉ** n. f. *(id.)* n'ont pas vécu.

AFFABULATION, AFFABULER → FABLE

AFFADIR → FADE

AFFAIBLIR → FAIBLE

AFFAIRE → FAIRE

AFFAISSER v. tr. et pron. est formé (fin XIIe s., *s'afaicher ;* 1250, *affaicher*) de *faix** avec le préfixe *a-* et la désinence verbale.

♦ *S'affaisser* signifie étymologiquement «plier sous le faix, sous une charge», puis «se laisser tomber» et, en parlant de choses, «plier, tomber sous l'effet d'un poids». Au figuré (1529, au passif), il s'emploie pour «s'affaiblir, décliner». L'emploi transitif est plus rare.

▸ En est dérivé **AFFAISSEMENT** n. m. (1538) «état de ce qui s'est affaissé», concret et abstrait («abattement»), et «fait de s'affaisser». ◆ Le préfixé **SE RAFAISSER** v. pron. (1690) a eu le sens propre de «s'affaisser encore plus» et le sens figuré de «diminuer encore» ; il a disparu.

AFFALER v. tr. et pron., mot de marine, est emprunté (1610) au néerlandais *af halen* «faire descendre (un cordage)», composé préfixé de *halen* (→ haler).

♦ Le sens de l'étymon (1687 en français) est précédé (1610) par une autre valeur, métaphorique : «pousser (un navire) vers la côte». ◇ *S'affaler* s'est dit en marine pour «se laisser glisser le long d'un cordage» (1811). Son sens figuré «se laisser tomber, se vautrer» semble récent (1872, chez les Goncourt) ; il est courant, comme le participe passé **AFFALÉ, ÉE** adj. (1857, Goncourt). ◇ *S'affaler* a eu le sens argotique de «tomber» (1883, Richepin), «se coucher» (1895, à l'École polytechnique), aujourd'hui familier, et, comme *s'allonger,* celui de «dénoncer ses complices, avouer» (1953, Le Breton).

AFFAMER → FAIM

✳ ① **AFFECTER** v., forme attestée au XIVe s., recouvre en français moderne trois verbes distincts et deux ou même trois sources latines, toutes issues de *facere* «faire*». En latin, *ad-ficere (afficere)* signifie «mettre (qqn) dans une certaine disposition ; toucher, notamment en mal» ; ce verbe produit *affectus* et *affectio,* qui traduisent d'abord le grec *diathesis,* puis se spécialisent (*affectus* correspondant à *pathos* → patho-), et *afficere* coexiste avec le verbe fréquentatif *affectare* «se mettre à (faire)», puis «rechercher», qui se confondra plus tard, pour la forme, avec un verbe bas latin °*affectare* «arranger», doublet de °*affactare.* Ce dernier est l'altération du latin classique *affectare* d'après le participe de *facere, factus,* et a donné l'ancien français *affaitier* «arranger, disposer» (→ afféterie). Le participe passé de cet °*affectare* est *affectatus,* attesté en latin médiéval (864). La recomposition de *ad-* et du thème *fact-* ou *fect-* a conduit à de nombreuses formes *(affact-, affect-, affait-)* mêlées en latin médiéval, et les trois verbes ci-dessous distingués ont dû être en général confondus, ce qui s'exprime par de nombreuses interférences sémantiques. ① *affecter* v. tr. est emprunté (XIVe s.) au latin classique *affectare.*

♦ Il signifie d'abord «rechercher, désirer» et spécialement «rechercher par ambition (le pouvoir, etc.)». Ces valeurs latines sont sorties d'usage après le XVIIe s.; on les rencontre encore au XIXe s. par archaïsme. ◇ Un autre sens du latin, «prendre ostensiblement (une forme, une manière d'agir)», passe en français (XVIe s.; un exemple antérieur est incertain), soit à propos de personnes avec la double idée de mensonge et de manque de naturel, sens vivant et usuel, soit de choses, dans un usage littéraire, pour «prendre (telle forme)».

▸ L'emprunt correspondant au dérivé latin *affectatio,* ① **AFFECTATION** n. f., désigne d'abord un désir, une recherche (1541), sens archaïque, puis (XVIe s., Montaigne) un comportement peu naturel, sens à rapprocher de celui d'*afféterie,* et aussi (1701) un comportement trompeur. ➜ **AFFECTÉ, ÉE** adj. suit la même évolution, de «porté à» (déb. XVe s.), sens disparu, à «simulé» (1546), valeur très vivante.

② **AFFECTER** v. tr. signifiant (XVe s., Chastellain) «toucher par une impression physique ou morale», procède des autres sens du verbe, notamment de ① *affecter,* mais peut aussi être dérivé de *affectus,* comme le moyen français *affect* «attaché, passionné», et *malaffect* «malade». Il a en outre subi l'attraction sémantique de *affection** et a influencé *affectif.* ➜ Le verbe est d'abord attesté au sens psychologique, puis (1636) en médecine; d'où *s'affecter* (1863) pour «contracter une lésion». Le sens moral se précise au XVIIe s., et *s'affecter,* «ressentir une impression pénible», est attesté en 1740, à peu près en même temps que **AFFECTÉ, ÉE** adj. (chez Lesage).

③ **AFFECTER** v. tr., «destiner», est attesté au milieu du XVIe s. (1551) mais doit être antérieur (voir ci-dessous ② *affectation*). Il est emprunté au bas latin, plutôt qu'au latin classique (voir ci-dessus) et relatinise probablement l'ancien français *afaitier* (1080), issu du latin populaire °*affactare* au sens d'«arranger, mettre en état», «préparer» (1240), «instruire, élever» (XIIe s.), d'où «apprivoiser» et aussi «transmettre (un bien)» (XIIIe s.). ◇ On trouve la forme *affaictier* (1530), *affaicter* (1573) pour ce verbe, dont l'usage est constant au moyen âge et jusqu'à la fin du XVIe s. avec de nombreux dérivés. ➜ *Affecter* a développé ses emplois modernes au XVIIe s., d'abord à propos de choses (*affecter un rôle, un droit à qqn,* av. 1690), d'abstractions (1680), de sommes d'argent en comptabilité, et plus tard de personnes, pour «désigner (qqn) dans une fonction» (1830). ➜ Le participe passé **AFFECTÉ, ÉE** adj., qui signifie d'abord «attaché, porté à qqch.» (déb. XVe s.), a pris au XXe s. les acceptions du verbe et de *affectation;* de là un emploi substantivé, *affecté spécial* (1946), tiré de *affectation spéciale.* ➜ Le dérivé ② **AFFECTATION** n. f. est attesté dès 1413 pour «fait d'attribuer (un bénéfice ecclésiastique) à certains dignitaires». Puis il signifie «application (d'une chose) à un usage» (XVIe s.). Le mot a des spécialisations juridiques, notamment «fait d'hypothéquer» (1611), et comptables. ◇ Il s'applique beaucoup plus tard (1899) aux personnes, en général dans le contexte militaire et souvent au passif *(être affecté à...).* ➜ **AFFECTATAIRE** n. désigne la personne qui est affectée à un poste (1877).

Le préfixé **DÉSAFFECTER** v. tr. signifie (1877) «cesser d'affecter (une somme) à un emploi» et (v. 1900) «enlever à (un édifice) sa destination», d'où **DÉSAFFECTATION** n. f. (1876) et **DÉSAFFECTÉ, ÉE** adj., plus courant *(église désaffectée).*

◈ voir AFFECTION.

AFFECTION n. f. est emprunté (1190) au latin *affectio* «modification», en latin impérial «attitude psychologique résultant d'une influence», dérivé de *afficere* (→ affecter).

♦ Le mot apparaît à la fois au sens général de «sentiment, émotion» et de «sentiment d'attachement tendre» (1190, *F. e. w.*), les connotations modernes se précisant à la Renaissance (1546, Rabelais). Il conserve le premier sens dans l'usage didactique *(les affections de l'âme)* et signifie aussi en moyen français «ardeur», «désir» (XIVe s., jusqu'au XVIIIe s.). ◇ Une autre acception, «maladie» (1539), correspond aux valeurs étymologiques d'influence, d'effet, et est à rapprocher des emplois correspondants d'*affecter.*

▸ Le dérivé **AFFECTIONNÉ, ÉE** adj. (XIVe s.), «qui a de l'attachement pour qqn» et aussi «dévoué, zélé» (XVIe-XVIIe s.), s'est employé dans la langue de la politesse *(votre affectionné...),* et comme substantif. ◇ Il a pour dérivé **AFFECTIONNÉMENT** adv. (1541). ➜ Le verbe **AFFECTIONNER** v. tr. (mil. XVIe s.) «aimer, être attaché à» (fin XVIe s.), et le pronominal *s'affectionner à* ou *de qqn* (XVIe s.) ont vieilli.

Une série préfixée, **DÉSAFFECTION** n. f. (1787) «perte de l'affection», **DÉSAFFECTIONNÉ, ÉE** adj. (1743), **(SE) DÉSAFFECTIONNER** v. (1794, v. tr.; 1834, pron.), d'où **DÉSAFFECTIONNEMENT** n. m. (1838), est littéraire *(désaffection)* ou rare (les autres).

AFFECTIF, IVE adj., emprunt (XVe s.) au dérivé latin *affectivus,* est contemporain du verbe ② *affecter.* Il s'emploie d'abord en philosophie pour qualifier des sentiments éprouvés et non manifestés, amour, dévotion, etc., par opposition à *effectif,* puis pour «émouvant» (v. 1600) et, à propos des personnes, «sensible, impressionnable» (XVIe-XVIIe s.), ces acceptions étant sorties d'usage. L'adjectif prend sa valeur moderne au XVIIIe s. et se répand au XIXe s. (cf. *affectivité*). ◇ Le dérivé **AFFECTIVEMENT** adv. (1616) suit la même évolution. ➜ **AFFECTIVITÉ** n. f., autre dérivé de *affectif,* est plus récent (1865) et correspond au développement de la psychologie. ➜ Il en va de même pour **AFFECT** n. m., repris (1908) à l'allemand *Affekt,* après avoir signifié «état, disposition de l'âme» en moyen français, où il représente la réfection de *affet* (v. 1235), par emprunt au latin *affectus.*

Ce même mot latin produit en bas latin un adjectif *affectuosus* qui donne par emprunt **AFFECTUEUX, EUSE** adj., d'abord (XIIIe s.) «ardent», puis «émouvant» (1568), sens disparus. ◇ Le sens moderne de cet adjectif apparaît en français classique, d'abord en parlant des sentiments qui témoignent de tendresse (1611), puis des personnes (1718) et des actes. ➜ Il a pour dérivé **AFFECTUEUSEMENT** adv., d'abord (XIIIe s.) «avec zèle, ardeur», puis (1611) «avec affection». ➜ L'adverbe comme l'adjectif, dont il dérive, sont usuels, alors qu'*affectif* et *affect* relèvent d'un usage didactique.

◈ voir AFICIONADO.

① **AFFÉRENT, ENTE** adj. est la réfection (XVIIe s.; *in* Furetière, 1690) de l'ancien et moyen français *aferant* (XIIIe s.), *aufferant* (XIIe s.), participe présent du verbe *aférir*, impersonnel, dans *il afiert, il affiert* «il convient». C'est un emprunt au latin populaire °*afferire*, de *afferre* «apporter», *affert* «cela convient». *Afferre* est formé de *ad-* (→ à) et de *ferre* «porter» (→ -fère), dont les dérivés sont présents en français (→ fertile; conférer, déférer, différer, inférer, proférer, référer, transférer).

♦ L'adjectif, construit avec *a-*, correspond à «qui concerne (qqch.)»; il s'emploie encore en droit *(les documents y afférents)*. ➜ ② **AFFÉRENT, ENTE** adj. est emprunté en médecine (1814-1820, Nysten) au latin *afferens*, de *afferre* (ci-dessus). ◇ Il qualifie les vaisseaux, nerfs, etc. qui vont de la périphérie au centre de l'organisme, et s'emploie abstraitement en psychologie.

▶ ① **AFFÉRENCE** n. f., dérivé moyen français (av. 1481) de ① *afférent*, a disparu. ➜ ② **AFFÉRENCE** n. f. est un terme didactique (attesté 1957, Jankélévitch, en psychologie) qui correspond à ② *afférent*.

AFFERMER → ② FERME (n. f.)

AFFERMIR → ① FERME (adj.)

AFFÉTERIE n. f. est un dérivé (v. 1500) de *affété, ée* (XVe s.) [*afaitié*, XIIIe s., «façonné»], participe passé de l'ancien verbe *afaitier* ou *affaitier, affeter* (→ affecter), repris sous l'influence de l'italien *affetato*, de même origine. C'est le quasi-doublet de ② *affectation*, mais il est archaïque et littéraire. Parmi les dérivés de *affaitier*, plusieurs représentent le même sémantisme, à côté d'«action de préparer, de dresser, etc.» *(afaiture, afaitaison, affaitage...)*, de «circonstance, manière» *(afaite, afaitement...)*. *Affaicterie* en particulier a signifié «apprivoisement» (1611), *affeterie* «ruse, tromperie», avant ou à côté de la reprise de ce mot au XVIe s., sous l'influence de l'italien, l'isolant de la série de *afaitier*, qui était sur le point de disparaître.

♦ Le mot correspond à certaines valeurs de *afaitié, affété*, forme première de *affecté*, et qui prend le sens de ce dernier au XVIe siècle. ◇ À côté de l'idée de recherche artificielle dans les manières, les apparences, il a eu aussi dans la langue classique des connotations de joliesse apprêtée.

▶ **AFFÉTÉ, ÉE** adj. se dit encore dans un usage très littéraire des manières caractérisées par l'afféterie; cet emploi (1559) vient de celui d'*afféterie* après influence italienne.

✳ **AFFICHER** v. tr. est un composé ancien (1080) de *ficher**, qui signifie en ancien français «ficher, fixer dans un endroit, contre qqch.» et «planter en terre» puis (1180) «accrocher». Ce verbe avait pour déverbal *affiche* ou *affice*, n. f., désignant ce qui sert à fixer, une épingle (déb. XIIIe s.), une agrafe servant d'ornement (→ affiquet), puis un piquet (XIVe s.), mot parallèle à *fiche*, de *ficher*.

♦ Le sens actuel du verbe, d'abord «apposer et fixer (un texte officiel, un édit)», apparaît au XVIe s. et vient du sens pris par le déverbal *affiche* (ci-dessous). ◇ Par extension, *afficher* a signifié (1690) «dire, faire savoir publiquement», sens disparu, alors que «montrer publiquement, faire étalage de» (1740) est resté en usage, comme le pronominal *s'afficher* «se montrer avec ostentation». ◇ Le sens propre s'emploie aussi absolument (XVIIe s.), par exemple dans l'avis officiel *défense d'afficher*. ◇ Le verbe, moins courant en publicité qu'*affiche*, prend sa valeur moderne au début du XIXe siècle.

▶ Il a pour dérivés **AFFICHEUR, EUSE** n. (1680) «personne qui pose des affiches» et **AFFICHAGE** n. m. (1792) «action d'afficher». *Afficher* a été repris en informatique (1974) pour «présenter (des données) sur écran, visualiser», d'où *affichage*, notamment dans *affichage à cristaux liquides*.

Le déverbal **AFFICHE** n. f., attesté depuis le XIIIe s. aux sens anciens du verbe (voir ci-dessus), a pris au XVe s. la valeur de «ce qui est affiché, fixé» dans un contexte juridique et au sens spécial d'«annonce écrite au public, fixée sur un mur ou un support» (1427). ◇ Le glissement de sens, qui va de «fixation d'une annonce» à «annonce, avis», est achevé au début du XVIIIe s., avec l'acception de «feuille d'avis, publication périodique destinée au public» (1716), qui a vieilli depuis que le mot (v. 1830) désigne une feuille publicitaire destinée à être collée sur un support (par retour au sémantisme initial) et présentée au public. Le sens du mot est plus large, encore en français moderne, d'où la précision de *affiche-réclame*, composé disparu. ◇ Parmi les spécialisations, celle qui correspond à «annonce d'un spectacle» a donné lieu à la locution ***tête d'affiche*** «nom de la vedette». ◇ Par ailleurs, l'affiche publicitaire étant de plus en plus souvent illustrée, le mot s'applique à la forme artistique, à l'art graphique appliqué aux affiches (fin XIXe s.), alors en relation avec *affichiste*. ➜ Ce nom a pour dérivé le diminutif **AFFICHETTE** n. f. (1867) et le nom d'agent **AFFICHISTE** n. Ce dernier apparaît au sens d'*affiche* «feuille périodique» (1789, Beaumarchais) pour «auteur de libelle», rapidement disparu. ➜ Il est repris, remplaçant *affichier* (1866), pour désigner le créateur d'affiches publicitaires (1904).

◈ voir AFFIQUET.

AFFIDAVIT n. m. est un mot latin, troisième personne du parfait de l'indicatif du verbe latin médiéval *affidare*, qui signifie «il a fait foi, il a attesté». Ce verbe est formé avec *ad-* (→ à) sur le latin classique *fides* «foi*». Passé en anglais comme terme de droit, le mot a été repris en français (1773).

♦ Il désigne une déclaration faite par le porteur étranger de valeurs mobilières déjà frappées d'impôts, qui lui permet de ne pas en payer d'autres.

◈ voir AFFIDÉ.

AFFIDÉ, ÉE adj. est un emprunt (1567) à l'italien *affidato,* lui-même emprunt au latin médiéval *affidatus,* de *affidare* (→ affidavit), qui avait donné l'ancien et moyen français *affier* (XIIe-XVIe s.).

♦ Le mot qualifie d'abord une personne à qui l'on peut se fier, se confier, et prend au XVIIe s. une valeur péjorative (1622), aussi substantivé pour «complice stipendié, acolyte». Il est didactique ou littéraire.

AFFILÉE (D') → **FILER**

AFFILIER v. tr. est un emprunt juridique (XIVe s.) au latin médiéval *affiliare,* de *ad-* (→ à) et *filius* (→ fils).

♦ Il signifie d'abord «adopter, rendre fils», puis (1701) «faire entrer dans une religion», valeur où l'idée de «fils» est encore sensible, et qui est sortie d'usage. ◇ Le sens moderne apparaît au XVIIIe s. et correspond à «admettre comme membre d'un groupe»; il se répand sous la Révolution (*s'affilier,* 1791).

▸ **AFFILIATION** n. f., du dérivé latin médiéval et juridique *affiliatio,* suit la même évolution, allant d'«adoption» (1560) à «action d'affilier» (1762).

AFFINER → ② **FIN** adj.

AFFINITÉ n. f. est emprunté (XIIe s., «voisinage») au latin *affinitas, adfinitas* «voisinage, parenté par alliance», dérivé de *affinis, adfinis* «voisin, allié» et aussi «complice», composé de *ad-* (→ à) et de *finis* «limite, confins» (→ ① fin, n. f.).

♦ Mot juridique, il s'étend et s'applique aux choses, pour «conformité» (1286) et, par le latin alchimique du XIIIe s., aux propriétés communes des êtres vivants (1538), puis des corps chimiques qui peuvent s'unir (XVIIe s.; concept moderne au XVIIIe s., *in* Académie, 1762). *Les Affinités électives* de Goethe (trad. de l'allemand) sont une métaphore de la chimie. ◇ Un autre sens (1885) concerne les mathématiques.

▸ L'ancien adjectif *afin,* issu de *affinis,* a signifié «voisin» (v. 1380), le mot s'employant déjà au XIIIe s. comme nom pour «mari» (v. 1233); en moyen français, *afin* signifie «semblable», du XIVe au XVIe siècle. ➜ La reprise de **AFFINE** adj. en mathématiques, pour «qui reste invariant» à propos de propriétés, transformations et de l'espace caractérisé par elles, semble récente (XXe s.) et correspond à une valeur plus ancienne d'*affinité.*

AFFIQUET n. m. est le diminutif ancien (XIIe s.) de *affique,* forme normanno-picarde de *affiche,* au sens d'«agrafe servant d'ornement» (→ afficher).

♦ Le mot est familier et a désigné, au pluriel, de petits bijoux ou objets de parure et, spécialement en emploi régional, un porte-aiguille. ◇ Par extension, il s'est dit ironiquement (XVIIe s., Molière) de tout ornement ou parure de mauvais goût, sens archaïque ou régional.

AFFIRMER v. tr. est la réfection (XIIIe s.) de la forme ancienne *afermer, affermer,* d'abord (1080) «rendre ferme, consolider», remplacée plus tard par *affermir* (→ ① ferme), puis à l'abstrait (1119) «assurer qu'une chose est vraie». Les deux formes sont empruntées au latin *affirmare,* composé de l'adjectif *firmus* (→ ferme). Le verbe latin a une valeur abstraite, à la différence de *confirmare,* qui ne l'a prise qu'en français.

♦ *Afirmer, affirmer* (XIIIe s.) ont coexisté au sens abstrait, «assurer avec certitude», avec *afermer, affermer* jusqu'au XVIe s. inclus. Le pronominal *s'affirmer,* pour «se manifester au dehors», est attesté au milieu du XIXe s. (Proudhon); ce pronominal s'emploie aussi pour «devenir plus ferme (d'un sentiment, etc.)» et «manifester sa personnalité (d'une personne)».

▸ Le verbe a eu plusieurs dérivés, comme **AFFIRMANT, ANTE** adj. dans *proposition affirmante* (1690), **AFFIRMATEUR** n. m. (1564), en concurrence avec des dérivés en *afferm- (affermement, affermable, affermance),* tous sortis d'usage. ➜ **RÉAFFIRMER** v. tr. (1858) est usuel, mais **SURAFFIRMER** v. tr. (1920, Gide), «affirmer avec force», n'a pas eu de succès.

AFFIRMATION n. f., réfection (av. 1275, *-acion*) de *affermation* (v. 1190), est un emprunt au dérivé latin *affirmatio,* terme de rhétorique. C'est un mot d'abord didactique, employé aussi en procédure (1680). Comme *s'affirmer,* le mot signifie (mil. XXe s.) «renforcement (d'un sentiment, d'une personnalité)». ◇ Le préfixé **RÉAFFIRMATION** n. f. (av. 1935) correspond à *réaffirmer.* ➜ **AFFIRMATIF, IVE** adj. est emprunté (XIIIe s.) au dérivé latin tardif *affirmativus* (IIe s.), mot de rhétorique; la variante en *affer-* est rare (XVIe s., Pasquier). ◇ L'adjectif signifie «qui donne (qqch.) pour vrai», puis qualifie un ton résolu et la personne qui en use (XVIIe s.; *in* Académie, 1694). Il s'est employé en logique et en grammaire, dans *une affirmative,* n. f., en ancien et moyen français (depuis 1283), *proposition affirmative* (1680), *mode affirmatif* (1845), abandonné pour *indicatif,* et en algèbre (1751), abandonné pour *positif.* Le substantif *affirmative,* n. f., s'emploie surtout dans *répondre par l'affirmative.* ◇ Le mot s'emploie en réponse, dans les transmissions militaires, au sens de «oui, d'accord», comme *positif.* ◇ Le dérivé **AFFIRMATIVEMENT** adv. (v. 1460) suit les emplois de l'adjectif et signifie d'abord «avec fermeté» puis (1636) «avec assurance», avant l'acception moderne, «par l'affirmative» (XIXe s.).

AFFIXE n. m. est un emprunt de la Renaissance (1584), après celui de l'adjectif *affis* (1357) puis *affix* (1497) «attaché, fixé», au latin *affixus,* participe passé de *affigere* «attacher à» et «enfoncer», de *ad-* (→ à) et *figere* «fixer» et «enfoncer», dont le participe *fixus* a donné *fixer**.

♦ En français, le nom apparaît en grammaire hébraïque pour «particule qui s'ajoute au radical»; le sens s'étend au début du XIXe s. (*in* Académie *Compl.,* 1838), englobant les valeurs de *préfixe* et *suffixe,* mots rendus plus usuels par l'enseignement. ◇ *Affixe* a pris aussi, par réemprunt au latin *affixus,* une acception mathématique (1885).

▸ Les dérivés **AFFIXÉ, ÉE** adj. (1852), **AFFIXAL, ALE, AUX** (1872) et **AFFIXATION** n. f. (av. 1948) sont didactiques, notamment linguistiques.

AFFLEURER → FLEUR

AFFLIGER v. tr. est emprunté (1120) au latin *affligere* «abattre», concrètement et abstraitement, au moral, composé du verbe rare et archaïque *fligere*, que l'on rapproche du grec *phlibein* «écraser» et de formes gotiques pour en faire un mot expressif ancien, comme d'autres formes latines en *fl-* (*flare* «souffler», etc.). *Affligere* avait donné en ancien français *aflire* «tourmenter, mortifier» (XIe-XIVe s.).

♦ Le verbe signifie d'abord «tourmenter par une épreuve» et par extension «ruiner, dévaster (une ville)» (1553), «battre (qqn)» (XIVe s.), sens disparus. ◇ La valeur aujourd'hui dominante, «attrister, abattre», apparaît elle aussi au XVIe s. (1550).

▸ **AFFLIGÉ, ÉE** p. p. est attesté comme adjectif dans ce dernier sens (1553), d'où, à même date, *un affligé*, tous deux en religion. *Affligé d'une maladie*, etc. est contemporain (1538), mais le sens extensif pour «infirme, estropié», courant dans les dialectes, a disparu en français central. L'antiphrase ironique (*affligé d'une fortune*, etc.) apparaît au début du XIXe s. (1812). ◆ L'adjectif dérivé **AFFLIGEANT, ANTE**, du participe présent, est employé depuis 1578; il a pris assez récemment la valeur affaiblie de «pénible, tristement mauvais», par la même évolution que *lamentable* ou *navrant*.
AFFLICTION n. f., emprunté au latin *afflictio* (de *afflictus*, supin de *affligere*), est très ancien (v. 1050) et a parfois eu le sens concret de «génuflexion» (1080) et de «châtiment corporel» (XIVe s.). Le mot s'est beaucoup employé dans un contexte religieux. ◆ **AFFLICTIF, IVE** adj., tiré de *affliction* ou de *afflictus* (1374), est très rare au sens de «qui afflige»; il devient au XVIIe s. un terme de droit : «qui punit physiquement» (*peine afflictive*, 1611, distincte de *peine infamante*). ◇ Le dérivé **AFFLICTIVEMENT** adv. (1866) est rare.

◈ voir **CONFLIT, INFLIGER.**

AFFLUER v. tr. est emprunté (1375) au latin *affluere* «couler vers...», composé de *ad-* (→ à) et de *fluere* «couler» (→ fleuve, flux).

♦ Ce sont les sens métaphoriques d'«avoir (qqch.) en abondance» (cf. *abonder*) et de «fournir» qui apparaissent d'abord (1340), le sens du latin n'étant attesté normalement qu'au XVIIe s. (1636) après d'autres métaphores : «arriver en foule» (XVIe s., Montaigne) qui se développent plus tard.

▸ **AFFLUENT, ENTE**, emprunté au participe latin *affluens*, est d'abord adjectif (1374) et signifie «abondant». Il se dit au XVIIe s. (1690) d'un cours d'eau, d'où le nom masculin *un affluent* au sens de «confluent» (1751), puis de «cours d'eau qui se jette dans un autre» (1835) et aussi, par métaphore de ce sens plutôt que par retour au sens général plus ancien, «rue qui aboutit à une plus grande voie» (1866). ◆ Le substantif **AFFLUENCE** n. f. (1308), emprunt au dérivé latin *affluentia*, a aussi concerné l'eau (1653), les humeurs du corps (1690) et les rayonnements électriques (1750). ◇ Mais, en français moderne, ce substantif ne désigne qu'une abondance, une arrivée massive de personnes (1443).
AFFLUX n. m., emprunt au latin médiéval *affluxus*, du supin de *affluere*, a signifié comme *affluence* «arrivée massive de personnes» (1611), avant de se dire des liquides organiques (1810) et du fluide électrique (1898), souvent en concurrence avec *flux**. Il s'emploie aussi abstraitement (mil. XIXe s., Sainte-Beuve) et en économie (*afflux de capitaux*, etc.).

AFFOLER → FOU

AFFOUAGE → ① FEU

AFFRANCHIR → ① FRANC

AFFRES n. f. pl., qui signifie d'abord «effroi», est attesté en 1460. Son origine est douteuse; on le rattache à l'ancien provençal *afre* «horreur», apparenté à l'italien *afro* «âpre» et qui serait d'origine germanique : on restitue alors un mot gotique °*aifrs* «terrible», d'après l'ancien haut allemand *eivar*. P. Guiraud, qui conteste ce recours au germanique, préfère, malgré la voyelle initiale, voir dans *affres* un dérivé du latin *ferus* «sauvage» *(efferare)* par une variante de *effarer**, sa forme la plus ancienne étant *efferé* (déb. XIIIe s.). *Ferare* vient de *ferus* «sauvage, farouche», mais *effroi**, *effrayer* ont une autre origine.

♦ *Affres* a signifié «effroi», puis «angoisse (de l'épouvante, de la mort)», sens usuel au XVIIe siècle. Il s'est spécialisé, dans un usage littéraire, pour «angoisse née d'inquiétudes», surtout dans ***être dans les affres de*** (qqch., une situation).

▸ Le dérivé **AFFREUX, EUSE** adj. (av. 1520, en parlant d'un paysage «sauvage») est très usuel. Le sens de l'adjectif s'est affaibli, de «qui inspire l'effroi» à «qui dégoûte», «très laid» (d'une personne, 1690), puis à «détestable, horrible moralement» (1712) et à «très mauvais» *(un temps affreux)*. Il réalise aussi une pure valeur intensive «très intense, extrême» (1802) (cf. *terrible*). ◇ Depuis 1960, on dit *les affreux* pour «les mercenaires au service d'une armée, en Afrique». ◆ Le dérivé **AFFREUSEMENT** adv. (1538) correspond à l'adjectif, d'abord au sens fort «effroyablement»; une valeur atténuée (1701), distincte des emplois, longtemps critiquée comme emploi mondain et incorrect, correspond à un intensif, «extrêmement» (cf. *terriblement*).

AFFRÉTER → FRET

AFFRIOLER v. tr. est un composé (1530) du moyen français *frioler* «frire» et, au figuré, «s'enflammer de désir», diminutif de *frire** et qui a eu pour dérivé l'adjectif *friolet* (XIVe-XVIe s.). ◇ *Friand*, autre dérivé de *frire*, a donné un composé de sens et de forme proches, **AFFRIANDER** (XIVe s.).

♦ *Affrioler* a signifié «attirer, faire enflammer de désir», puis «aguicher». Il est aujourd'hui archaïque.

▸ Le participe présent **AFFRIOLANT, ANTE** adj. (1808) «aguichant, qui séduit», est resté plus usuel que le verbe.

AFFRONTER, AFFRONT → FRONT

AFFUBLER v. tr. est l'altération ancienne (1080) d'une forme °*afibler*, du latin tardif *affibulare*, composé de *ad-* (→ à) et de *fibula* «agrafe» (→ fibule) [l'italien connaît *affibiare* «agrafer» et le catalan *afiblar*]; on trouve aussi *afluber* (Roman de Rou), par métathèse.

♦ Le verbe signifie en ancien français «couvrir (d'un vêtement de dessus)» et aussi «se couvrir de» (*affubler un manteau* v. 1200), remplacé par *s'affubler de* (XIIe s.); il a aussi des emplois figurés comme «imposer» *(affubler qqch. à qqn)*. Il est très courant et a de nombreux dérivés jusqu'au XVIe siècle. La valeur péjorative semble d'abord se manifester avec les emplois figurés, tels *affubler qqn d'un nom* (1601) et *s'affubler de qqn* «s'en enticher» puis *affubler qqn de ridicule* (1834), emplois disparus. Au sens concret, le transitif et le pronominal deviennent péjoratifs au XVIIe siècle; depuis lors, le pronominal et le passif sont plus courants.

▸ **AFFUBLÉ, ÉE** adj. s'emploie d'abord au figuré pour «entiché, amoureux» (1601; *affublé de*, v. 1340), puis au sens d'«accoutré». ◆ **AFFUBLEMENT** n. m. (isolément au XIIIe s.; puis 1538) signifie en général «vêtement» puis, à la suite du verbe, devient péjoratif ou comique (1701); il est rare par rapport à *accoutrement*.

AFFÛT, AFFÛTER → FÛT

AFICIONADO n. m. est un emprunt, attesté en 1782 sous la forme *afécionado*, puis en 1804 écrit *afficionado*, et en 1831, à l'espagnol *aficionado*, dérivé de *afición* «goût, passion» (→ affection), spécialisé pour désigner les «passionnés» de tauromachie.

♦ Le mot désigne l'amateur fervent de courses de taureaux, et (fin XIXe s.) d'un sport.

AFIN (DE, QUE) loc. prép. et conj. est composé de *à** et de ① *fin**, d'abord (2e moitié XIIIe s.) en emploi conjonctif *(affin que)*.

♦ L'expression lexicalisée, sans article, apparaît en milieu savant, en concurrence avec un emploi non lexicalisé du type *à la fin que* (v. 1280), qui a donné les emplois juridiques du genre *à celle fin que* (cf. *à toutes fins utiles* → fin). ◇ La locution prépositive **AFIN DE** semble plus tardive (mil. XIVe s.). Les deux tours expriment l'intention et le but, en concurrence avec *pour*, dans un registre plutôt soutenu (langue écrite).

A FORTIORI adv. est un emprunt didactique (1834) à la locution latine *a fortiori causa* «pour une raison plus forte» (→ fort).

♦ L'adverbe est l'équivalent didactique de la locution *à plus forte raison*; il est relativement usuel.

AFRICAIN, AINE adj. et n. l'adjectif, dérivé du latin *africanus*, lui-même de *Africa*, est ancien (*african*, 1080; le suffixe *-ain* l'emporte au XVIe s.). *Africa* désigne en latin la partie connue par les Anciens de ce continent, essentiellement la province occupée par Rome au milieu du IIe s. avant notre ère et auparavant nommée, d'après le grec, *Libya*, province correspondant à l'est du Maghreb. Plus tard (après plus d'un siècle), l'*Africa* s'étend à la Numidie *(Africa nova)* puis, non officiellement, à la Mauritanie. Le latin *Africa* et le grec *Aphrikê* sont probablement issus du nom indigène d'une tribu berbère (en latin *Afer*, pluriel *Ifri*). D'autres origines ont été évoquées, comme l'arabe *'afar* «poussière» et «terre», qui correspond à l'hébreu *'āfār* (akkadien *epiru* «poussière»); on a aussi supposé, en s'appuyant sur l'usage carthaginois pour désigner les tribus voisines de Tunisie, un nom punique (langue sémitique), de racine *frq* dénotant le partage, pour désigner des terres colonisées. Le terme arabe *ifriqiya* vient lui-même du latin.

♦ L'adjectif français, depuis le XIe s., évolue suivant les connaissances occidentales; après la Renaissance et surtout au XIXe s., il désigne principalement ce qui concerne l'Afrique noire, l'Afrique du Nord correspondant à l'emploi de *barbaresque*, puis d'*arabe* et de *maghrébin*.

▸ Si **AFRICANISME** n. m. (1751) correspond d'abord à «élément linguistique propre au latin de la province d'Africa», puis à «particularité du français [ou de l'anglais] d'Afrique» (voir encadré «le français en Afrique»), les autres dérivés d'*africain*, **AFRICANISTE** n. (1908), **AFRICANISER** v. tr. (1931, en emploi métaphorique; repris v. 1960), d'où **AFRICANISATION** n. f., concernent uniquement le reste du continent, l'Afrique noire. *Africanisme* même a été repris en linguistique avec cette valeur large. ◆ L'élément **AFRO-**, emprunté au latin *afer*, *afri* «africain», sert à former des composés en français, tel **AFRO-ASIATIQUE** adj. (1937, chez Céline), comme en d'autres langues. L'anglais des États-Unis *afroamerican* (cf. *africo-américain, aine* adj. en français, 1826), d'où *afro*, a donné en français **AFRO** adj. inv., appliqué dep. 1971 à une coupe de cheveux d'inspiration *négroafricaine*.
Par ailleurs, *Afrique*, dans l'expression ***bataillon d'Afrique*** «bataillon disciplinaire de l'armée française», a donné en argot militaire **BAT'D'AF** (1885). ◆ **AFRIKAANS** n. m., emprunt (1952) au néerlandais, «africain», désigne le parler néerlandais d'Afrique du Sud, langue officielle de l'Union sud-africaine avec l'anglais. ◇ **AFRIKANDER** n. (1890) et **AFRIKANER** n. (fin XIXe s.) sont deux emprunts à la même langue pour désigner les Blancs d'Afrique du Sud de langue et de culture néerlandaises. *Afrikaner* est aussi adjectif.

◈ voir **NORD-AFRICAIN** (sous **NORD**).

AFTER-SHAVE adj. et n. m. est un emprunt (1959) au composé anglais *after-shave*, de *after* «après» et *shave*, de *to shave* «raser» et «se raser». Le groupe germanique de *after* pourrait se rattacher à la racine indoeuropéenne °*ap-* du grec *apo* (→ apo-). *To shave* remonte à un germanique °*skaban* d'origine douteuse.

♦ Le mot se dit d'une lotion que les hommes s'appliquent sur le visage après s'être rasés; comme nom (1960), il désigne cette lotion. L'équivalent francisé *après-rasage* semble plus rare.

AGACE ou **AGASSE** n. f., mot ancien (XIe s.) aussi sous la variante *agache*, vient peut-être de

LE FRANÇAIS EN AFRIQUE

Héritier d'une situation coloniale (→ français hors de France), le français constitue au sud du Sahara un moyen de communication imposé qu'utilisent naturellement plus de 30 % de la population du continent (en excluant le Maghreb), à côté de l'anglais (près de 55 %), du portugais, de l'afrikaans (néerlandais).

Ces langues d'origine européenne sont venues, par la mission religieuse, le commerce, les armées et les administrations coloniales, se superposer à un nombre impressionnant de langues maternelles, appartenant à divers groupes linguistiques et dont le recensement n'est pas terminé. Ainsi, le français coexiste en Afrique avec 750 langues au moins et la population de certains États parle de très nombreux idiomes. Le Cameroun, par exemple, avec ses 250 langues distinctes, est linguistiquement plus varié que l'Europe ou que l'Asie entières ! Cette situation est unique dans le monde depuis que la majorité des langues indiennes, parlées en Amérique et aux Caraïbes avant Colomb et jusqu'au XIXe s. et qui étaient elles aussi extrêmement nombreuses, a été détruite, parfois avec les locuteurs. Les autres zones du monde connaissent plutôt aujourd'hui la variété dialectale, celle-ci se réduisant au profit de quelques langues relativement normalisées et très répandues.

Statut des langues.

Cependant, plusieurs parlers africains, en général sous des formes simplifiées et unifiées par rapport aux usages spontanés qu'ils représentent, ont un statut de langue véhiculaire. Ce qui est vrai du swahili en Afrique anglophone l'est avec moins d'expansion du bambara (Mali), du wolof (Sénégal), du lingala (Congo, Zaïre), qui dépassent largement l'usage des ethnies dont ils sont originaires. Mais ces langues, encore marquées par leur source ethnique, pouvaient plus difficilement que le français être promues par les États «langues officielles», du fait de l'immense travail de normalisation qu'elles requéraient : notation de la prononciation, système d'écriture, inventaire et réglage des richesses syntactiques et lexicales, néologie assistée dans les domaines inexprimés par la tradition. Aussi bien durent-elles se contenter du statut de «langues nationales» chargées de représenter l'identité culturelle. Si Madagascar a opté (1959, puis 1972) pour le malgache comme seule langue officielle, cette situation a été compromise par la rivalité dialectale et par l'extrême difficulté à normaliser la langue. «L'immobilisme linguistique actuel, écrivait J. Picoche en 1989, maintient (le français) comme langue officielle de facto.» Plusieurs États d'Afrique ont opté pour le bilinguisme officiel, soit au profit de langues coloniales (Cameroun : français et anglais), soit de l'arabe (Tchad, Mauritanie), soit enfin d'une langue africaine, lorsque, fait exceptionnel en Afrique, la majorité de la population s'exprime dans une seule langue maternelle (le kirundi au Burundi, le kinyarwanda au Rwanda). Ce dernier cas est en fait proche de celui des pays à langues nationales privilégiées, à côté d'un français «officiel» : tels sont le Togo, le Sénégal (où le wolof est dominant par rapport à cinq autres langues nationales), la Côte-d'Ivoire possédant huit langues nationales, parmi lesquelles le dioula est compris par la moitié des Ivoiriens, mais rejeté par une partie d'entre eux. En République centrafricaine, le sango est bien répandu. Au Zaïre, où le français officiel reflète historiquement les particularités du français de Belgique, quatre langues ont été déclarées «nationales», parmi lesquelles le lingala. Enfin, au Mali et au Niger, au Congo et au Gabon, au Bénin et au Burkina, aucune langue n'est considérée comme nationale, même si le bambara joue un rôle comparable au Mali.

Mais ce tableau institutionnel recouvre une réalité encore plus complexe, modelée par les pratiques sociales. Si la politique, l'administration, la magistrature usent en effet du français, si la presse francophone est active, une institution est plus importante encore pour évaluer l'état des langues : c'est l'école. Or celle-ci vit une crise à la mesure de la crise générale, notamment économique, de l'Afrique. C'est en particulier l'enseignement primaire, seul accessible à l'immense majorité, qui définit les conditions futures de la maîtrise des langues en Afrique. Le français fait à l'évidence partie d'un ensemble multilingue et son implantation, sa maîtrise sont fonction de la qualité globale de l'enseignement, quels que soient les choix. À ce stade, l'abandon du français à Madagascar jusqu'en 1985, ou bien en Guinée (1958-1984) s'est soldé par des difficultés pédagogiques encore accrues. En théorie, dans un pays comme Madagascar, où 80 % de la population ignorent tout du français, la décision était sage. D'une manière générale, imposer une alphabétisation dans une langue sans rapport avec la langue maternelle ni avec les autres langues pratiquées dans le milieu — langues africaines, qui aussi différentes soient-elles, reflètent les mêmes modes de pensée — est un frein pour l'acquisition des connaissances de base. Cette méthode aberrante est pourtant rendue nécessaire par la continuité des études. En passant au secondaire, puis au supérieur, les minorités africaines lettrées rencontrent nécessairement le français (ou l'anglais) comme véhicule du savoir. Une méthode plus souple préconise le bilinguisme pédagogique au primaire : elle fut appliquée plus ou moins expérimentalement (Mali, Niger, Sénégal en 1971, Burkina en 1979). Mais ce bilinguisme, assorti d'un enseignement du français par «méthode directe» ou par télévision, c'est-à-dire la promotion d'un usage populaire et élémentaire, malgré une certaine efficacité pratique (en Côte-d'Ivoire, par exemple), de même que les méthodes très étudiées et systématiques du centre de linguistique appliquée à Dakar, a donné des résultats pratiques décevants.

Le vrai problème n'est pas, malgré l'énorme pouvoir symbolique des options, le choix d'une langue d'enseignement (français ou, comme certains le souhaiteraient, anglais, ou encore arabe, dans les zones subsahariennes), mais les processus sociopédagogiques eux-mêmes. Les langues sont à la fois un moyen et un objet pour l'école. La bonne direction théorique, qui est de rapprocher les Africains d'une maîtrise orale et écrite des langues africaines (ce ne pourra souvent pas être leur langue maternelle), se heurte aux problèmes pratiques que l'on connaît : difficultés sociopolitiques (conflits ethniques, image peu valorisée de beaucoup de langues) et difficultés linguistiques s'accumulent. Quant aux langues africaines, absence de normalisation et de descriptions précises utilisables dans la pratique didactique, absence quasi totale de matériel imprimé. Quant au français, insuffisance d'un matériel pédagogique réellement adapté, prix exorbitant pour l'Afrique du livre produit aux normes internationales, insuffisance des connaissances et de la formation des maîtres (l'institution critiquée des coopérants a été sur ce plan une bouée de sauvetage).

Usages du français en Afrique.

Ces problèmes concernent tout l'équilibre culturel de l'Afrique et dépassent évidemment ceux du français. Cependant, en ce qui concerne cette langue, sa pratique en Afrique a créé pour elle des conditions très nouvelles par rapport à ses autres zones d'utilisation.

D'une part, le plurilinguisme est de rigueur. Les Africains dits «francophones», qui n'ont pas appris à lire, parlent en fait plusieurs langues africaines. Ces illettrés, pour la plupart non réellement francophones, étaient 62 % en 1975 dans l'un des pays les plus culturellement francisés, la Côte-d'Ivoire. Ceux qui savent écrire y ajoutent la pratique d'un niveau relativement normalisé du français, souvent mêlé de particularités locales et de stéréotypes rapportés (de nature administrative ou provenant de quelque «parfait secrétaire»). D'autres, qui sont analphabètes, peuvent pratiquer un français très altéré (par rapport à une norme scolaire locale acceptable) pouvant aller jusqu'au sabir véhiculaire (le cas des banlieues d'Abidjan est bien connu ; celui du parler franco-lingala de Kinshasa dit «indoubil» est notable). Alors, le français joue le même rôle que d'autres langues véhiculaires, tels l'arabe, l'éwé au Togo, le wolof au Sénégal. Selon le niveau de prestige de ces langues, leur aptitude à devenir des objets d'enseignement est variable. En tout cas, deux langues, l'arabe et le français, se partagent le prestige le plus grand. Celui du français, maîtrisé à l'écrit comme à l'oral, est une condition de l'accès aux fonctions sociales dominantes. En général, faute de pouvoir évaluer les véritables francophones d'Afrique (environ 30 % de la population surtout masculine, surtout urbaine, et en comptant tous les niveaux de maîtrise, y compris les plus faibles), on estime que les statistiques de l'enseignement primaire sont pertinentes : les inscriptions allaient de plus de 90 % (Gabon, Congo) à 13 % (Burkina) en passant par les taux médians de Madagascar ou du Sénégal (chiffres donnés par J. Picoche, *op. cit.*, p. 127). Mais on a des raisons de penser que la réalité est en deçà de ces pourcentages ; en outre, la désalphabétisation, après une école primaire peu suivie et souvent peu efficace, doit être énorme, notamment en milieu rural. Certes, le fonctionnement en français de l'administration (sauf dans les ex-colonies belges) joue un rôle semi-pédagogique non négligeable. Mais les nécessités d'une communication rapide avec l'usager font là encore reculer l'usage du français.

Le statut du français en Afrique est donc très complexe, au point que l'expression «français d'Afrique» pourrait bien représenter une abstraction dangereuse. Il y a en effet peu de traits linguistiques communs entre le français d'un lettré africain, écrivain, homme politique, avocat, médecin ou scientifique et celui d'un analphabète sans formation scolaire, entre d'une part le (très) bon français identique au «français européen» pour la syntaxe, parfois enrichi quant à la rhétorique, et par les régionalismes lexicaux, et de l'autre des sabirs profondément altérés phonétiquement, lexicalement et syntactiquement et qui pourraient, si les circonstances s'y prêtaient, devenir des créoles. Entre ces extrêmes, divers registres de français africain «populaire» sont repérables : certains avaient reçu des noms dérisoires pendant l'époque coloniale : mais le «petit français», alias «petit nègre» et le «français tirailleur» ont cédé la place à des parlures plus dynamiques et ayant d'autres fonctionnalités, comme le français populaire ivoirien.

Indépendamment de ces usages très marqués, auxquels correspondent des altérations des langues maternelles, parfois envahies de gallicismes (et d'anglicismes, véhiculés par le français ou originaux), le français parlé et écrit en Afrique est marqué par des traits phonétiques variables selon les substrats, avec des

constantes (par exemple les variations de hauteur dues à l'existence de tons dans la plupart des langues maternelles — ce qui oppose le parler francophone des Africains à celui des Antillais).
La syntaxe est simplifiée, surtout en ce qui concerne les éléments les plus complexes en français, comme les temps verbaux (au contraire, les oppositions d'aspect que connaissent les langues africaines subissent une déperdition en français) ou encore la subordination. Les constructions verbales sont fréquemment modifiées, de nombreux verbes pouvant être employés transitivement alors qu'ils ne le sont pas en français standard. Le vocabulaire, variable selon les pays et les régions, a été bien étudié : il est marqué par un enrichissement dû aux calques et aux emprunts africains ou arabes, à des transferts de sens entre mots français de forme voisine, à une morphologie plus libre qu'en français de France, à des différences de statut dans l'usage (ce qui est familier, voire vulgaire en France, est souvent neutre en Afrique).
L'attitude vis-à-vis de ces tendances est ambiguë : la notion de faute doit être déplacée par rapport à la norme européenne, mais elle est loin de s'atténuer. Les responsables culturels et pédagogiques d'Afrique exigent la transmission d'un français certes spécifique, acceptant des enrichissements (africanismes), mais correspondant à une norme bien décrite, par rapport à laquelle les écarts pourront être sanctionnés. Un bon usage du français d'Afrique est unanimement requis : toutes les formes altérées et marquées qui peuvent se rencontrer dans l'oral spontané en seront exclues.
En effet, les français régionaux d'Afrique doivent être classés en deux grandes catégories : formes orales, métissées, fortement marquées, dont le cas extrême constitue un sabir ; formes écrites et orales maîtrisées selon des normes locales, fondamentalement peu différentes du français européen (France et Belgique étant les sources historiques), sauf en matières phonétique et lexicale, et que l'école tente de transmettre, avec plus ou moins de tolérance à l'égard des éléments plus marqués. Le cas des usages littéraires, où un français presque identique au français littéraire de France est modifié et surtout enrichi par des éléments de substrat qui transfèrent en français des contenus de civilisation africaine, représente une grande réussite esthétique, intellectuelle et culturelle, limitée par les difficultés sociologiques. Cette littérature est en effet interdite aux illettrés et aux peu lettrés qui constitueraient son public le plus naturel.
L'Afrique de l'Ouest est, semble-t-il pour longtemps encore, condamnée à une francophonie partielle. Cette situation a enrichi la langue française mais, en saturant l'espace pédagogique, contribue à maintenir les langues africaines dans une situation difficile par rapport aux besoins de normalisation indispensables. Là, comme en d'autres domaines, les séquelles du passé, qu'il soit colonial et rejeté ou traditionnel et revendiqué, se font lourdement sentir. La situation du français est d'ailleurs rendue précaire non par un abandon, impossible à un certain niveau sociopolitique, mais par une crise culturelle et pédagogique dont on ne sortira pas sans une réévaluation des langues africaines et par la promotion de quelques-unes, si possible librement choisies.

A. Rey

BIBLIOGRAPHIE

L. J. CALVET, *Les Langues véhiculaires,* Paris, P.U.F., 1981.

P. DUMONT, *L'Afrique noire peut-elle encore parler français?* Paris, L'Harmattan, 1986, *Français moderne (le),* 1979, n° 3.

J.-P. MAKOUTA-MBOUKOU, *Le Français en Afrique noire,* Paris, Bordas, 1973.

X. MICHEL, «Panorama de la langue française dans les États africains et malgache vingt ans après les indépendances», in *Französisch heute,* Frankfurt. a. M. Moritz Diesterweg Verlag.

J. PICOCHE, C. MARCHELLO-NIZIA, *Histoire de la langue française,* Paris, Nathan, 1989.

A. VALDMAN, *Le Français hors de France,* Paris, Champion, 1979 (articles de J.-P. Caprile, S. Faïk, J. Manessy...).

Inventaire des particularités du français en Afrique noire, Paris, EDICEF et AUPELF, 1988 (1re éd. 1973), coordination : D. Latin.

l'ancien haut allemand, restitué d'après le gotique reconstruit °*agatja.*

♦ Le mot est resté vivant régionalement pour désigner la pie.

▶ **AGASSIN** n. m. (1605), réfection de *agaçon* (1557), est aussi un dérivé de *agasse.* ◇ Le mot, par allusion à l'œil de l'oiseau (cf. latin *oculus pullinus* «œil de poule», qui a pris ce sens), désigne le cor au pied (alors interprété par étymologie populaire comme lié à *agacer*) et aussi un œil de la vigne ne donnant jamais de fruit.

AGACER v. tr. semble être issu (v. 1180, *agacier*) de l'ancien verbe *aacier* (1155), qui pourrait être issu d'un latin populaire °*adaciare,* pour *adacidare,* de *ad-* (→ à) et de *acidus,* de *acies* «pointe, tranchant» (→ acide, acier). On postule une contamination par l'ancien français *ager* «épicé», qui correspond à *aigu**, et surtout par l'ancien français *agace* «pie», d'où le verbe *agachier* (v. 1330) «crier comme une pie». *Agace* est probablement d'origine germanique (cf. l'ancien haut allemand *agaza*). L'ancien français *aachier, aacier* signifiait «rendre aigre (en mettant du levain)» et *acier, aacier les* *dens* (1231) semble bien avoir le sens pris par *agacer.*

♦ Le verbe a d'abord le sens figuré d'«attaquer, harceler» (v. 1180), puis, comme *aacier,* «irriter (les dents)» (XIIIe s.). ◇ Au XVIIe s., il prend deux valeurs nouvelles, après celle d'«exciter, provoquer» (Montaigne) : «irriter moralement» (Mme de Sévigné), devenue la plus usuelle, et «chercher à plaire» (Molière), sens prolongé par le dérivé *agacerie* (ci-dessous).

▸ **AGAÇANT, ANTE** p. prés. adj. signifie d'abord (1538) «qui harcèle» et «qui provoque à l'action», puis (1762) «qui excite le désir». ◇ Le sens actuel, «qui énerve, irrite», qui correspond à celui du verbe, se développe au milieu du XIXe s., à propos des actes et des personnes, en même temps que le sens physiologique, moins usuel. ◆ **AGACEMENT** n. m. se dit d'abord (après *agassement,* XVe s.) d'une irritation physique, des dents (1507), et au figuré pour «provocation» (1538). ◇ Le sens moderne de «légère irritation psychologique» semble être postérieur (XIXe s. ?) à celui de «raillerie, acte qui agace» (1718), lequel est métonymique. ◆ **AGACERIE** n. f. (XVIe s., Montaigne, in *F. e. w.*) s'est spécialisé au XVIIe s. au sens de «provocation érotique», correspondant à une acception du verbe. ◆ **AGACEUR** n. m. (1611) a vieilli.

AGAPE n. f. est emprunté (1574) au latin chrétien *agape,* du grec *agapê* «affection» et en grec chrétien «charité», mot sans étymologie connue. Le pluriel du grec *agapai* s'est spécialisé pour désigner un repas pris en commun en signe de fraternité chrétienne, acception reprise par le latin chrétien.

♦ Le mot français s'emploie d'abord au sens chrétien du grec et du latin. Son emploi laïc, surtout au pluriel, est attesté au milieu du XIXe s. chez les francs-maçons (*in* Larousse, 1866) et dans l'usage familier (1859, Sainte-Beuve); il conserve alors l'idée de communauté *(agapes fraternelles).* La valeur moderne, d'emploi littéraire, est «repas excellent, festin».

AGARIC n. m. est un emprunt (1256) au latin *agaricum,* hellénisme, du grec *agarikon,* nom de plusieurs champignons; le terme vient sans doute du nom de pays *Agaria,* dans l'ancienne Sarmatie (au nord de la mer Noire). En latin, le mot ne désigne qu'une ou deux sortes de champignons poussant sur les arbres, notamment l'olivier.

♦ Le mot s'applique progressivement, en français, à un grand nombre d'espèces de champignons à chapeau et à lamelles, parfois désignées par des syntagmes figés : *agaric de* (puis *du*) *chêne* (1694) «amadouvier», *agaric noir* (1611), etc. ◇ *Faux agaric* (1714) désigne le polypore du chêne, utilisé aux XVIIIe et XIXe s. comme combustible, de même que l'amadou, et comme hémostatique, d'où le nom d'*agaric des chirurgiens* (1791), et *agaric astringent* (1866) pour la substance qu'on en tire. Ces désignations sont archaïques, comme *agaric minéral* (1694) et *agaric fossile* (1721), désignant un minéral calcaire et spongieux.

▸ *Agaric,* depuis le début du XIXe s., a de nombreux dérivés, qui ont vieilli. **AGARICINÉES** n. f. pl. (1846), **AGARICACÉES** n. f. pl. (1928) et **AGARICALES** n. f. pl. (v. 1960) sont des termes taxinomiques, les deux derniers (famille et ordre de Basidiomycètes) sont en usage.

AGATE n. f., d'abord *agathe* (XIIIe s.), écrit *agate* au XVIIe s., est l'altération de *achate* (XIIe s.), emprunt au latin *achates,* hellénisme, du grec *akhatês,* désignant le même minéral, mot d'emprunt. La graphie avec *g* provient du latin médiéval et s'explique peut-être par contamination avec *agapis,* bien attesté aux XIIe et XIIIe s. au sens d'«agathe».

♦ Le mot désigne une variété de calcédoine et ce minéral lorsqu'il est poli et brillant. ◇ Par métonymie, il se dit d'un polissoir (1680), puis d'un objet décoratif en agate polie (1718); enfin d'une bille en agate, puis (1928) en verre coloré imitant l'agate. ◇ Au figuré, *agate* se dit d'un papier marbré (mil. XVIIIe s.) et d'une tulipe panachée (1667).

▸ Parmi les dérivés, **AGATISER** v. pron. (1819) et tr.; **AGATISÉ, ÉE** adj. (1781; *agathisé,* 1763) et **AGATISATION** n. f. (1871, Goncourt) concernent l'apparence de l'agate.

AGAVE n. m., nom d'un végétal mexicain, est un pur hellénisme (1769). Le latin scientifique *agave* (Linné), adapté en français par Lamarck (*agavé,* 1778), est en effet un emprunt au grec *agauê* «l'admirable», féminin de l'adjectif *agauos.* On explique le passage par le nom propre mythologique *Agauê,* femme qui inaugura le culte de Dionysos, dont elle était la tante; or, l'agave sert à fabriquer une boisson alcoolisée qui a pu être assimilée au vin dionysiaque.

♦ Le mot désigne une plante d'origine mexicaine, dont les feuilles fournissent une fibre textile et le suc fermenté, un alcool, le *pulque.*

AGE n. m., désignant la flèche d'une charrue, est une forme dialectale (Berry, Poitou) de l'ancien français *haie* (v. 1290), forme évoluée pour *hage,* issu d'un francique *°hagja.*

♦ Le mot, sous cette forme, n'est attesté en français général écrit qu'en 1801 (Brunot).

ÂGE n. m. vient du latin populaire *°aetaticum,* par les formes *edage, eage* (1080), *aage,* à moins qu'il ne soit dérivé en français de l'ancien français *aé, ée* (1125), d'abord *edet* (1080), *edé* (v. 1140), puis *eié,* lequel, comme l'italien *eta* et l'espagnol *edad,* vient du latin *aetatem,* accusatif de *aetas.* Ce dernier, comme *aeternus* (→ éternel), est un dérivé du mot plus ancien *aevum* «temps, durée» (qui s'oppose à *tempus,* dont le sens premier est «instant»). Ces mots continuent le nom indoeuropéen de la durée, de la force vitale, *°ai-w-,* radical dont les descendants sont attestés en persan, grec *(aiôn),* dans les langues germaniques, etc., et que l'on retrouve dans le latin *juvenis* (→ jeune).

♦ Après *edet* et *edage, eage, aage* signifie en ancien français «vie», puis «temps depuis lequel on est en vie» (1160), sens aujourd'hui dominant. Le mot, écrit avec l'accent circonflexe à partir du XVIe s., signifiait aussi (XVIe s.) «durée d'une génération» et «moment, portion de la vie (d'un être humain)» (XIIIe s.), en particulier «vieillesse» (XIVe-XVIIe s.) et «jeunesse» (1636); ces dernières acceptions ayant disparu. ◇ L'emploi absolu pour «majorité» (1180, *aage*) reste usuel jusqu'au XVIIe siècle. ◇ Au sens de «moment de la vie», *âge* entre dans de nombreuses locutions, comme ***bas âge*** (1538), qui succède à *petit aage*, ***jeune age*** (1307), ***âge tendre*** «enfance» (1680), ***bel âge*** «jeunesse» (1669), ***âge mûr*** «maturité», ***d'un certain âge*** (fin XVIIe s., La Bruyère), ***grand âge*** (*de grand aage* «vieux», XIIe s.) et récemment ***troisième âge*** «vieillesse» (1966). ***D'âge*** «âgé» (XIIe s.), ***être en âge de...*** «avoir un âge qui permet de...», ***être d'âge à...*** (1835), ***ne pas paraître son âge*** (1798), ***être entre deux âges*** (XVe s.) sont restés dans l'usage, mais de nombreuses autres expressions ont disparu. ◆ Au sens de «période de l'histoire» (*eage*, Wace) et «époque», d'autres locutions ont cours; certaines sont devenues archaïques comme ***âge doré*** (XVIe s., Baïf), d'abord *doré aage* (v. 1320), remplacée (2e moitié XVIIe s.) par ***âge d'or***, contemporaine de ***âge d'airain***, ***âge de cuivre*** (Académie, 1694), ***âge de fer*** (d'abord *âge ferré*, Malherbe), puis ***âge de pierre*** et ***âge de bronze*** (*in* Larousse, 1866). Dans le contexte de la nouvelle science de la préhistoire, les savants préconisent *âge de la pierre, du bronze, du fer* pour éviter les interprétations mythiques (1882, de Mortillet). ◆ À ce sémantisme appartient ***moyen âge**** «époque entre l'Antiquité et la Renaissance», peut-être par calque de l'anglais *middle age*, attesté avant le français dans ce sens; *moyen âge* avait signifié «âge mûr (d'une personne)» (une fois au XIIIe s.; puis XVIe-XVIIe s. ; cf. *moyen*).

▸ Le dérivé **ÂGÉ, ÉE** adj., écrit *aagé, aagié* jusqu'au XVIIe s., signifie d'abord (1283, *aagé*) «qui a l'âge, la majorité», puis «qui existe depuis une certaine durée» (1314, d'un bois) et s'est dit d'un animal sevré (*aagié*, 1324). ◇ Le sens actuel, «qui a un âge assez grand», d'une personne (1370), est devenu un euphémisme usuel pour *vieux*, notamment dans ***personnes âgées***.

◈ voir LONGÉVITÉ, MÉDIÉVAL, MOYEN ÂGE.

AGENCE → AGENT

AGENCER v. tr. est composé (XIIe s.) de l'ancien adjectif *gent, gente* «noble, beau», encore connu par le syntagme *gente dame* (→ gentil), qui vient du latin *genitus* «né», spécialement «bien né», en latin médiéval. L'adjectif est le participe passé du verbe *gignere* «engendrer» (→ genre, gens; et aussi naître). On a aussi proposé un latin oral °*adgentiare*, formé sur °*gentus*, contraction de *genitus*, mais l'hypothèse ne semble pas nécessaire.

♦ Le verbe, d'abord attesté avec le préfixe *re-* pour «remettre en ordre» (1164, *rajancier*), s'est employé en ancien français pour «organiser, disposer en bon ordre» (fin XIIe s., Renart), et absolument pour «arranger, adoucir les choses». La valeur étymologique de «rendre agréable ou beau *(gent)*» s'étant perdue, le verbe se rattache sémantiquement à *agent, agir;* à partir des XIVe-XVe s., l'idée dominante devenant «organiser, arranger», spécialement en arts, et **AGENCÉ, ÉE** adj. correspondant à «disposé, organisé».

▸ **AGENCEMENT** n. m. (v. 1200) a suivi l'évolution du verbe, d'«ordonnance, organisation» à «ornement» (XVIe s.), «disposition des draperies» en art (*engencement*, 1752) puis à «organisation», abstraitement ou concrètement.

AGENDA → AGENT

✳ **AGENT** n. m. est un emprunt (1332), aussi comme adjectif (1337, *agent à*, avec un infinitif), au latin scolastique *agens*, participe présent substantivé de *agere* (→ agir).

♦ Le mot désigne en philosophie l'être qui agit, en général, la cause agissante (1370), puis (XVIIe s.) tout ce qui déclenche des effets (comme *cause, origine, force*, etc.). Cette valeur didactique se prolonge en philosophie et en sciences (*agent naturel*, 1690; *agent [chimique]*, 1835). ◇ Dès le XIVe s. (1332), le mot reçoit une valeur plus concrète, développée au XVIe s. par influence de l'italien *agente*, de même origine, «chargé de mission, diplomate» (1578), d'où plus tard *agent diplomatique* (1804), *consulaire* (1835). De là aussi *agent de banque* (1636), ***agent de change*** (1639), qui est resté en usage, *agent des finances* en 1800, sous Napoléon. ◇ On doit à la Révolution l'***agent de police*** (1797), dénommé simplement *agent* en français courant (1913). À côté de ce «gardien de la paix» en uniforme, la police connaît ***agent secret*** (1825), ***agent provocateur*** (1829), au XXe s. ***agent double***. Dans les affaires, on a ***agent d'affaires*** (1835), ***agent d'assurances*** (XXe s.; *in* Académie, 1932), certains de ces syntagmes semblant venir d'emplois correspondants de *agence* (ci-dessous). Cependant l'emploi d'*agent* seul pour «agent de police (en uniforme)» souligne la fréquence dominante de ce dernier sens.

▸ **AGENCE** n. f., substantif qui correspond à certaines valeurs de *agent* (1653, Colbert), est soit dérivé de ce mot, d'après le verbe *agencer**, plus ancien et d'origine différente, soit emprunté à l'italien *agenzia*, dont la première attestation sûre est cependant tardive (fin XVIIe s.). ◆ Outre l'acception didactique et rare pour «emploi d'agent» (*in* Furetière, 1690), le mot désigne d'abord un comptoir de commerce à l'étranger, puis (1797) un intermédiaire commercial, d'où au XIXe s. une société commerciale (1840, *l'Agence Havas*). ◇ L'expression ***agence d'affaires*** semble antérieure (1797) à *agent d'affaires*. Parmi les syntagmes usuels, figurent *agence matrimoniale* (v. 1870), *agence théâtrale* (1890), *agence de voyage* (1898), ***agence de presse*** (XXe s.), d'où vient **AGENCIER** n. m. «journaliste travaillant pour une agence de presse».

AGENDA n. m. est emprunté (1535, à une forme latine du verbe *agere* «agir», signifiant «ce qui doit être fait, choses à faire», d'où en latin médiéval «office», par l'expression *agenda dei* «(registre des) offices du jour». *Agenda*, d'abord employé pour «livre de comptes municipal» (1535 in *T. L. F.;* 1719 in *F. e. w.*), a pris en français le sens de «livre sur lequel on note les choses à faire» (1640 in *F. e. w.*). La valeur plus large de «carnet de notes» reprend le sens du XVIIe s., mais lui donne une valeur plus concrète *(acheter un agenda).*

◈ voir **AGILE**, **AGITER**, et les mots venant des composés latins de *agere* : **EXIGER**, **EXIGU**, **PRODIGUER**...

AGGLOMÉRER v. tr. est un emprunt de la fin du XVIIIe s. (v. 1790) au latin *agglomerare,* composé de *glomus, -eris* «pelote», «boule», sens et forme proches de *globus* (→ globe); d'origine obscure, *glomus* est peut-être apparenté à *globus* et à *gleba* (→ glèbe).

♦ *Agglomérer* est un mot scientifique dont l'emploi s'est élargi au XIXe s., moins cependant que celui d'*agglomération* (ci-dessous).

► Le verbe a produit **AGGLOMÉRAT** n. m. (1824), mot didactique, et **AGGLOMÉRÉ, ÉE** adj. (1817), qui qualifie des fruits ou fleurs rapprochés en une masse, puis d'autres éléments, et qui est devenu substantif pour désigner des briquettes de charbon aggloméré (*in* Larousse, 1866), ainsi qu'un matériau de construction (1924). L'abréviation **AGGLO** n. m. (1930) est courante.

AGGLOMÉRATION n. f. est soit emprunté (1762) au latin médiéval *agglomeratio,* soit dérivé de *agglomérer,* qui doit dans ce cas être plus ancien que son attestation. Il désigne le fait de s'agglomérer, puis la fabrication des agglomérés (1905). ◇ Il a pris par métonymie (déb. XIXe s.) le sens d'«entassement, groupement de nombreux éléments ou individus» et spécialement (1861) celui de «concentration d'habitations», d'abord avec un complément, puis employé seul (XXe s.). Dans ce sens, il rejoint le champ sémantique de *ville, bourg, village,* et se sépare de la valeur étymologique *(une agglomération lâche, dispersée...).*

◈ voir **CONGLOMÉRER**.

AGGLUTINER v. tr. est un emprunt (XIVe s.) au latin *agglutinare,* composé de *gluten, -inis* «colle» (→ glu, gluten).

♦ Le verbe, transitif et pronominal, signifie d'abord «(se) joindre, (se) réunir moralement», puis devient concret (1543, *adglutiner*) surtout en technique, aussi en chirurgie et médecine (mil. XVIe s., Paré), emploi disparu. ◇ Le pronominal *s'agglutiner* s'est employé aussi en linguistique (mil. XIXe s., Renan); cf. ci-dessous *agglutinant* et *agglutination.*

► Le dérivé **AGGLUTINANT, ANTE** adj. s'est dit de ce qui aide les plaies à se cicatriser (1590, Paré), emploi substantivé (1751). Au XIXe et pendant une partie du XXe s., on parle aussi de *langues agglutinantes* (1863, Littré) «qui procèdent par affixation de racines». ➛ **AGGLUTINATIF, IVE** adj. (mil. XVIe s., Paré) s'est employé en médecine, aussi substantivé (1845) avant de prendre en sciences une valeur générale (v. 1920). ➛ **AGGLUTINATION** n. f., emprunt (1537) au latin des Gloses *agglutinatio,* est aussi un mot de médecine, puis signifie en général «action d'agglutiner ou de s'agglutiner», comme le dérivé français **AGGLUTINEMENT** n. m. (1611). Seul *agglutination* s'emploie en linguistique (1814, A. de Humboldt). ➛ **AGGLUTININE** n. f., formé avec le suffixe *-ine,* désigne (1903) des substances provoquant l'agglutination de microorganismes, de globules. ➛ **AGGLUTINOGÈNE** adj., «qui a le pouvoir d'agglutiner» (1904), est formé avec *-gène**. Il est substantivé (1945) pour désigner des anticorps à pouvoir agglutinant.

AGGRAVER et dér. → **GRAVE**

AGILE adj. est emprunté (XIVe s.) au latin *agilis* «qui avance vite; rapide», au figuré «facile», dérivé de *agere* (→ agir), verbe parallèle au sanskrit *ajirah* «rapide», ce qui confirme le caractère archaïque de cette famille de mots.

♦ L'adjectif s'emploie à propos de la vivacité physique et aussi morale (1543). Il a été substantivé *(un agile)* à propos de quelques animaux (1791, d'un serpent; 1826, de loirs : *les agiles,* famille de rongeurs, emploi disparu).

► Le dérivé **AGILEMENT** adv. (1380) correspond à l'adjectif. ➛ **AGILITÉ** n. f. est emprunté (XIVe s.) au dérivé latin *agilitas* «vivacité (physique et intellectuelle)» à propos de la subtilité de l'air (J. de Vignay) puis au sens moderne, physique (v. 1360-1370, Oresme) puis (1601) intellectuel. Il se dit aussi de la voix (1845). ➛ Un dérivé spontané formé sur *agile,* **AGILETÉ** n. f., est attesté depuis le XIXe s. (av. 1852, en Suisse); il est condamné par les puristes.

AGIO n. m. est un emprunt des financiers (1679) à l'italien *agio,* aujourd'hui *aggio,* terme de banque (mil. XIVe s.), probablement de *agio* «aise» (→ adagio), emprunté soit à l'ancien provençal *aize,* soit au latin médiéval *aisium* «droit d'usage sur des biens communaux» et «bénéfice ajouté», de l'ancien français *aise** en droit féodal. Le mot serait passé du droit terrien au vocabulaire des affaires.

♦ En français, *les agios* désignent d'abord une différence en plus entre les cours d'une même monnaie, puis (fin XVIIIe s.) une spéculation malhonnête sur des effets publics (écrit parfois *agiot,* d'après *agiotage,* dans ce sens) et, par métonymie, le bénéfice réalisé dans l'un et l'autre cas. Ces emplois sont archaïques ou historiques. ◇ Au XIXe s., le mot reçoit une valeur technique neutre, en finances, pour «commission retenue par une banque sur une opération» (par exemple *frais d'agio*).

► Le dérivé **AGIOTER** v. tr. (1716) correspond à «spéculer sur les cours des monnaies, puis sur les effets publics». ➛ **AGIOTAGE** n. m. est déjà chez Saint-Simon (1710) et prend très vite une valeur nettement péjorative (1720, d'Aguesseau). Les deux mots ont été très employés lors des spéculations financières de la fin du XVIIIe s. et à propos des assignats, sous la Révolution, avec l'idée de crise économique. ➛ Il en va de même pour **AGIOTEUR** n. m. (1710, Saint-Simon), concurrencé pendant la Révolution par *agiotateur* (Brunot) au sens péjoratif de «spéculateur».

AGIR v. est issu assez tard (1450) du verbe latin *agere,* ancien verbe de la langue pastorale qui signifie «pousser devant soi», et se dit aussi des hommes avec le sens de «poursuivre, pousser, mener», et des choses. *Agere* s'emploie absolument pour «aller, se diriger», spécialement dans la langue juridique («mener une affaire»), théâtrale («représenter, jouer») et en grammaire («être

AGIR
De l'action à la pensée

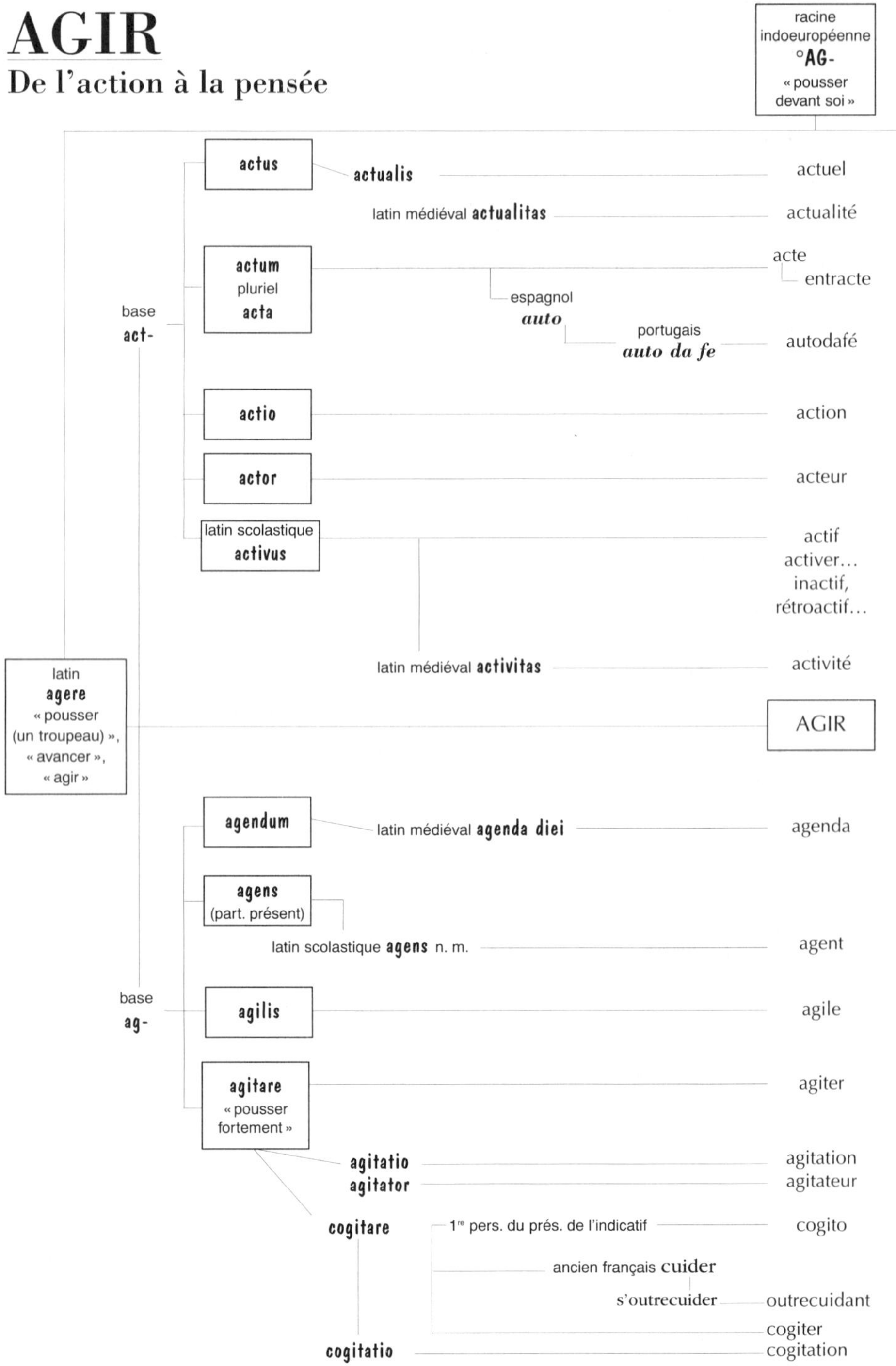

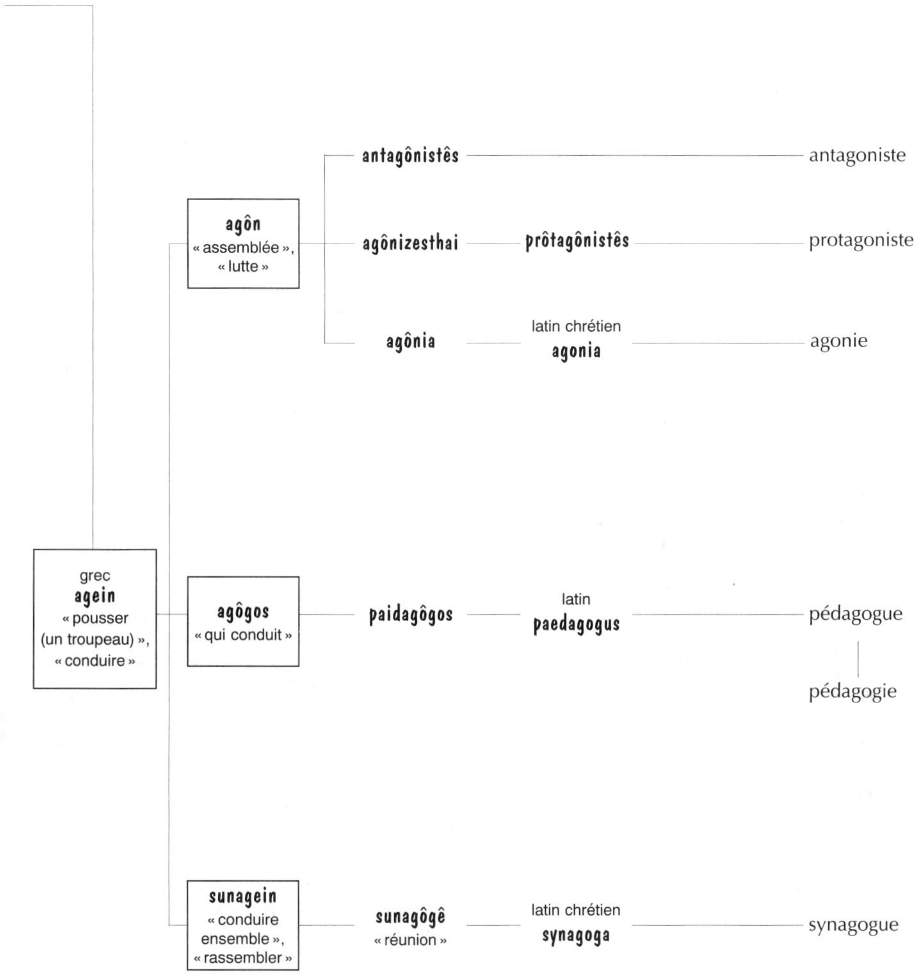
grec
agein
« pousser (un troupeau) », « conduire »
agôn
« assemblée », « lutte »
antagônistês
antagoniste
agônizesthai
prôtagônistês
protagoniste
agônia
latin chrétien
agonia
agonie
agôgos
« qui conduit »
paidagôgos
latin
paedagogus
pédagogue
pédagogie
sunagein
« conduire ensemble », « rassembler »
sunagôgê
« réunion »
latin chrétien
synagoga
synagogue

actif»). Ce mot appartient à une racine indoeuropéenne aux représentants celtiques, arménien, sanskrit et grec (*agein*; → agonie); voir aussi le schéma pages précédentes.

♦ Le verbe apparaît d'abord dans un contexte chrétien, au sens didactique de «produire, rendre effectif», lié aux valeurs philosophiques d'*acte* et d'*actif.* Le sens le plus usuel, où le sujet est un nom de personne et qui correspond à «être actif, faire qqch.», se développe en moyen français, aussi comme transitif (*agir qqch.*, XVIe s.). Le verbe, comme le transitif indirect (*agir de qqch.*, 1503), signifiait alors aussi «parler, traiter de qqch.». ◇ L'emploi intransitif moderne apparaît dans la seconde moitié du XVIe s. (Montaigne), mais ne semble devenir usuel qu'au XVIIe siècle; on disait auparavant *œuvrer, faire.* ◇ L'emploi transitif est aussi attesté en droit au sens de «poursuivre en justice» (1538; encore dans Académie, 1932); il correspond au sens spécial d'*acte, action**. Il s'est conservé didactiquement en philosophie pour «pousser (qqn) à l'action», aussi au passif dans *être agi* (fin XVIIe s., Bossuet). ◇ L'emploi intransitif usuel est souvent qualifié : *agir bien, mal* (1650, Corneille), et il prend des valeurs spéciales : «négocier» (1636), «passer à l'action au lieu de parler» (1701). ◇ Le pronominal impersonnel *s'agir*, d'abord dans ***il s'agit que*** (1600, O. de Serres qui le construit avec *à* et infinitif : *il ne s'agit qu'à...*), puis ***il s'agit de*** (1656, Corneille), est devenu usuel, surtout au négatif ***(il ne s'agit pas, plus de...).*** ◇ ***S'agissant de...*** (1688) est didactique mais vivant.

▸ *Agir* a plusieurs dérivés. **AGISSANT, ANTE** adj., tiré du participe présent (1584), a signifié «qui est vif, est actif» (1660), peut-être avec influence de *s'agiter.* ◆ **AGISSEMENTS** n. m. pl. apparaît pendant la Révolution (1794) pour désigner des actions critiquables, blâmables *(des agissements suspects).* ◆ À ce sens est lié **AGISSEUR** n. m. (1871) qui s'est employé en politique, puis a disparu.

◈ voir **ACTE, AGENT, AGILE, AGITER, AMBAGES, RÉAGIR.**

AGITER v. tr. est un emprunt (XIIIe s.) au latin *agitare*, fréquentatif et intensif de *agere* (→ agir), qui signifie «agir beaucoup et souvent» et d'abord «pousser avec force»; son composé *cogitare (co-agitare)* correspond à «remuer des pensées» (→ cogiter).

♦ Le verbe apparaît en contexte matériel, à propos de substances, en alchimie. ◇ Il se dit abstraitement pour «troubler (qqn), exciter» (1550; emploi usuel au XVIIe s.), «débattre, discuter (un problème)» (fin XVIe s.). ◇ Le pronominal *s'agiter* (mil. XVIIe s.) se dit spécialement des personnes pour «montrer une grande activité, un peu désordonnée» et, en parlant d'abstractions, «être en discussion». ◇ Sous la Révolution, probablement d'après *agitateur* et *agitation*, le verbe prend la valeur de «pousser à la révolte» (1797). ◇ En argot, *les agiter* (les jambes) a signifié «courir, s'enfuir» (1917).

▸ Le participe passé **AGITÉ, ÉE** est adjectivé (attesté fin XVIIIe s.), puis substantivé en parlant des personnes, spécialement en parlant d'un aliéné (1867, chez Baudelaire). ◆ **AGITATION** n. f., emprunt (1355) au dérivé latin *agitatio*, signifie «mouvement vif et irrégulier» (1354), «trouble politique ou social» (1538) et «trouble de l'esprit» (XVIe s., Montaigne) et correspond en général aux emplois du verbe. ◆ **AGITATEUR, TRICE** n. est un emprunt au dérivé latin *agitator* «cocher» (qui pousse les chevaux). Entré en français en 1520, le mot est oublié et revient de l'anglais en 1687 dans un sens politique, pour «représentant (agent) des soldats, dans l'armée du Parlement anglais». ◇ Il prend son sens moderne, se substituant à *factieux* en 1792 (selon Robespierre lui-même), et s'emploie comme adjectif (1793). ◇ En sciences, il désigne depuis 1838 (Péclet) un instrument pour agiter un liquide. **AGITATO** adv. est un emprunt au vocabulaire italien de la musique (1791), substantivé vers 1850, à propos d'un mouvement très animé.

Quant à **AGIT-PROP** n. f., c'est un emprunt du XXe s. (1927) à un composé russe où *agit* représente le français *agitation* et *prop* le mot *propagande.*

AGNEAU n. m. est issu, d'abord sous la forme *anel* (XIe s.), puis *aignel* (déb. XIIe s.) et *agneau* (XIIIe s.), du latin *agnellus*, diminutif de *agnus* «agneau» («mouton» se dit *ovis*; → ovin). *Agnus* remonte à l'indoeuropéen, comme le grec *amnos* (→ amnios); c'est l'un des deux noms du jeune animal, l'autre ayant donné *vervex* (→ brebis). En latin chrétien, *agnus* entre dans la symbolique religieuse *(agnus Dei).*

♦ Le mot, qui a de nombreuses variantes en ancien français, possède le sens du latin et signifie aussi (XIIIe s.) «fourrure d'agneau». Il se spécialise aussi en boucherie (1694, *manger de l'agneau*). ◇ Le sens religieux est repris du latin chrétien (1289) à propos du Christ, appelé aussi ***agneau de Dieu*** (1550; *aignel*, XVe s.), *agneau de Pâques* (XIIe s., *aignel*) et *aignel* (XIVe s.) puis ***agneau pascal*** (XVe s.) sont usuels. ◇ L'image de l'animal, comme celle du mouton, servant d'emblème, on a parlé de *monnaie a l'aignel* d'où *un agnel* (1310), et le mot s'emploie aussi en blason (*in* Furetière, 1690). ◇ Les usages figurés concernent un animal docile (1690), une personne très douce (*aignial* une fois au XVe s.; *agneau*, courant à partir du XVIIe s.), avec l'appellatif familier *mes agneaux!* (1871, Zola, in *T. L. F.*). ◇ La forme **AGNEL** se rencontre par archaïsme ou au sens de «monnaie» (en histoire) et le féminin **AGNELLE** n. f. (*aignelle*, XVIe s.) «agneau femelle» est rare.

▸ Les dérivés sont formés sur l'ancienne forme *agnel.* ◆ **AGNELER** v. intr. (*aigneler*, v. 1180) signifie «mettre bas» en parlant de la brebis; d'où **AGNELAGE** n. m. (1840) après **AGNÈLEMENT** n. m. (1571). ◆ Le diminutif **AGNELET** n. m. (1177, *aignelet*) signifie «petit agneau» et spécialement, de *agnel* dans ce sens, «monnaie d'or» (1356); il est archaïque ou historique. ◆ **AGNELIN** n. m., après avoir désigné (av. 1200) le jeune agneau dans *piax* (peaux) *d'aingnelins*, s'applique par métonymie à la peau; comme adjectif (XIIIe s.), il qualifie ce qui provient de l'agneau (laine, cuir...). ◆ **AGNELINE** n. f., substantivation de *agnelin* au féminin (XIIe s.), désigne la première laine de l'agneau.

Le latin *agnus*, qui avait donné en ancien français *agne* (XIIe-XVe s.), a fourni l'emprunt **AGNUS DEI**

n. m. «agneau de Dieu» désignant une médaille (1360), puis une image de piété (1690) et en français moderne la prière commençant par ces mots (1721), formant une partie de la messe chantée.

AGNOSTIQUE adj. est un emprunt (1884, *agnostic*) à l'anglais *agnostic*, formé par Thomas Huxley en 1869, préfixé avec *a-* privatif (→ ② a-), de *gnostic* (1585), qui correspond au français *gnostique* (→ gnose). *Agnostic* est formé en anglais sur le modèle du grec *agnôstos* «inconnu», dans l'allusion de saint Paul à l'autel d'Athènes dédié «au dieu inconnu» *(agnôstẹ theọ)*.

♦ Le mot qualifie une personne qui considère que l'absolu, et donc toute opinion religieuse certaine, est inaccessible à l'homme. Il est aussi substantivé (av. 1909).

▸ **AGNOSTICISME** n. m. est emprunté (1884) au dérivé anglais *agnosticism* (Th. Huxley) et désigne la position philosophique des agnostiques.

AGNUS-CASTUS n. m., nom d'une plante méditerranéenne du genre *vitex*, n'a rien à voir étymologiquement avec l'agneau. C'est un mot emprunté (1456) au latin savant, où *agnus* représente le grec *agnos* (d'origine inconnue), nom d'une plante dont les femmes jonchaient leurs lits lors des fêtes des Thesmophories pour rester chastes. *Castus* «chaste*» est la traduction du grec *hagnos* «sacré» (apparenté à *hagios*), puis «chaste», et confondu avec le premier. Emblème de la chasteté pour les Anciens, il a pu évoquer l'agneau divin pour les chrétiens et a dès lors été compris comme le latin *agnus* «agneau».

♦ Le mot, en botanique, a conservé le sens de l'étymon.

AGNUS DEI → AGNEAU

-AGOGUE → MYSTAGOGUE, PÉDAGOGUE

AGONIE n. f. est un emprunt au latin chrétien *agonia* «angoisse», du grec *agônia*. Ce dernier vient du verbe *agein* «pousser (à l'origine, un troupeau)», «mener», qui, comme le latin *agere* (→ acte), appartient à une importante famille indoeuropéenne. Il a pour dérivé *agôn* «assemblée» et spécialement «assemblée de jeux; lutte». *Agônia*, qui n'a plus aucun rapport avec le sens originel de cette famille de mots, est passé d'«exercice, lutte» à «angoisse».

♦ Le français *agonie* (1546), précédé par la forme héritée *aigoine, agone* (XIe-XIIIe s.), se spécialise par l'expression l'*agonie* («la lutte, l'angoisse») *de la mort* (Montaigne), d'où au XVIIe s. *agonie* au sens moderne, «extrême fin de la vie, moments qui précèdent la mort», aussi au figuré (v. 1780) «décadence extrême».

▸ Le dérivé **AGONER** v. tr., «jeter dans l'angoisse» (XIIIe-XIVe s.), a rapidement disparu. ◆ ① **AGONISER** v. tr., d'abord «combattre» (XIVe s.) puis «entrer en agonie» (fin XVIe s.), est emprunté au latin chrétien *agonizare*, du dérivé grec *agonizesthai* «lutter». ◇ Ce verbe a pour dérivé **AGONISANT, ANTE** p. présent adjectivé (1587), puis substantivé (1680), pour qualifier et désigner une personne qui va mourir. Le mot est surtout employé dans un contexte religieux *(prière aux agonisants)*. L'adjectif est aussi figuré (J. de Maistre), comme le verbe. Le sens grec reste vivant dans les emprunts didactiques au grec par le latin : **AGONISTE** n. m. (1764) «lutteur» et **AGONISTIQUE** adj. (1732), «technique de la lutte», termes d'Antiquité grecque. ◇ Le premier a des emplois scientifiques (physiologie).
Un autre verbe ② **AGONISER** (mil. XVIIIe s., *agoniser qqn d'injures*) est une altération populaire de **AGONIR** v. tr. (1756, Vadé), croisement possible d'*agonie* et de l'ancien et moyen français *ahonnir* (→ honnir). *Agonir* et *agoniser* apparaissent dans le vocabulaire poissard (Vadé), puis le premier passe dans la langue générale, *agoniser* dans ce sens demeurant régional et populaire et étant considéré comme fautif, alors que *agonir qqn d'injures* est d'usage soutenu.

◈ voir ANTAGONISTE, PROTAGONISTE et aussi AGORA, ÉPACTE, SYNAGOGUE.

AGORA n. m. est un emprunt tardif (1831, Michelet) au grec *agora* «lieu de réunion» et «place publique», «marché», de *ageirein* «rassembler», de la même famille indoeuropéenne que *agein* «pousser (un troupeau)» (→ agonie) et que le latin *agere* (→ agir).

♦ Ce terme d'Antiquité grecque a été repris en français courant (v. 1975) pour désigner une vaste place, dans un ensemble urbain moderne (comme *forum, parvis*).

▸ **AGORANOME** n. m. (1611), emprunt à un composé grec, désigne un magistrat d'Athènes chargé de surveiller les marchés. ◆ **AGORAPHOBIE** n. f. a été formé, semble-t-il, en français (1865, *in* Littré et Robin) plutôt qu'en allemand (Westphal, 1871), langue où le concept psychiatrique s'est précisé, avec les éléments grecs *agora* et *phobia* (→ phobie). Le mot désigne la crainte pathologique des espaces vides. ◇ De là **AGORAPHOBE** adj. et n. (1896, Ribot).

AGOUTI n. m. est un emprunt rapporté par les voyageurs de la Renaissance (1578; *agoutin*, 1556) au tupi-guarani (langues indiennes du Brésil) *aouti, aguti*.

♦ Le mot désigne un rongeur haut sur pattes d'Amérique tropicale.

AGRAFE n. f. est probablement dérivé (1421, *agraffe*) du verbe *agrafer*, qui n'est attesté qu'au XVIe s. mais doit être antérieur. Dans le cas contraire, ce pourrait être une altération de l'ancien français *agrappe* (1295), déverbal de *agrapper*, d'après *graffe* «crochet» (fin XIIIe s.). ◇ *Grafe, graffe* est lui-même emprunté à l'ancien haut allemand *chrapfo* (IXe s.), remontant au germanique °*krappa*, passé en latin médiéval, et qui avait fourni *grape* «crampon» (→ grappin). Cette racine germanique a donné plusieurs mots français (→ agripper, grimper, grippe).

♦ *Agrafe* désigne d'abord un crochet soutenant des tapisseries, puis (1530) attachant un vêtement. ◇ Le mot s'est spécialisé en architecture (1701, «crampon»), en chirurgie et dans l'usage courant désigne une petite attache pour les papiers (XXe s.).

▶ **AGRAFER** v. tr., attesté en 1542 *(aggraffer)* au sens de «griffer», s'est employé pour «accrocher (un navire) avec le grappin» (1546), le pronominal *s'agrafer* (1562) correspondant à «s'agripper». Le sens moderne, «attacher (un vêtement) avec une agrafe», est attesté à la fin du XVIe s. (1594, au participe passé), puis le verbe correspond aux emplois successifs d'*agrafe,* les sens de «poser des 'agrafes' sur les bouteilles», par exemple de champagne, et de «fixer des papiers» donnant naissance au dérivé **AGRAFEUSE** n. f. (1912, pour le premier emploi). Au figuré et d'abord en argot, *agrafer* s'emploie comme *épingler* pour «arrêter» (1833). ◆ **AGRAFAGE** n. m. (1853) désigne l'action d'agrafer et la pose d'agrafes.

AGRAIRE → AGRESTE

AGRANDIR → GRAND

AGRÉER → GRÉ

✱ AGRÉGER

AGRÉGER v. tr. est un emprunt (v. 1250) au latin *aggregare* «ressembler», de *ad-* (→ à) et *grex, gregis* «troupe, groupe» (→ grégaire).

♦ Le verbe signifie d'abord (mil. XIIIe s.) «amasser (des biens)», puis en général (XVe s.) «réunir en un tout» et (1483) «joindre (qqn) à un groupe» avec l'idée d'association à un corps dont les membres ont des prérogatives (1538), d'où *agrégé* (ci-dessous). Le mot, employé concrètement, s'est spécialisé en physique (1690). ◇ Il s'emploie aussi au pronominal (1803) *(s'agréger à...).*

▶ **AGRÉGATION** n. f. est un emprunt (1375) au dérivé bas latin *aggregatio* et signifie «réunion, assemblage de choses» (1491), dans divers emplois spéciaux. Il signifiait aussi (XVIe s.) «assemblée, réunion» et, après le participe passé *agrégé,* il a reçu au XVIIIe s. un emploi en pédagogie (1743, en médecine), «admission comme professeur attaché à une faculté», puis son sens moderne, institutionnel en France, en 1808, «concours et titre de professeur de lycée». ◇ *Agrégation* est souvent abrégé en **AGREG'**. ◆ De ce sens vient **AGRÉGATIF, IVE** n. «étudiant(e) préparant le concours de l'agrégation» (v. 1930), mot qui reprend un ancien adjectif (XIVe s.) signifiant «formé par réunion d'éléments».
Le participe passé **AGRÉGÉ, ÉE** est adjectivé au sens d'«aggloméré» (en parlant de fleurs, XVIIIe s., J.-J. Rousseau), et surtout en parlant de personnes intégrées à un corps *(docteur agrégé,* 1636), aussi substantivé (1706, «docteur en droit»), en médecine et pharmacie (1787) et dans le cadre du concours d'agrégation (1808), sens aujourd'hui le plus vivant en France *(un, une agrégée d'anglais,* etc.; *agrégés et docteurs).* ◇ En français québécois, le mot s'applique encore à un professeur «agrégé» à une université, alors qu'en France le mot, détaché de sa valeur étymologique, désigne un ou une titulaire de l'agrégation.
DÉSAGRÉGER v. tr. est créé en sciences pour «disjoindre (un corps) par la séparation de ses parties agrégées» (1798, en chimie). Il se répand dans l'usage général au siècle suivant avec le sens figuré «faire perdre son unité à un ensemble organisé» (1860), également réalisé au pronominal *se désagréger* (1861, Proudhon). ◆ Les dérivés ont suivi la même évolution : **DÉSAGRÉGATION** n. f. (1798) s'emploie en sciences puis (1862) au figuré; il est concurrencé par la forme moins fréquente **DÉSAGRÉGEMENT** n. m. (1846, Proudhon), pour laquelle on note une hésitation quant à l'accent (1879, *désagrègement).* ◆ **DÉSAGRÉGATEUR, TRICE** adj. (1848, n. m.; 1946, adj.) et **DÉSAGRÉGEABLE** adj. (1868) sont d'un usage plus didactique; on relève également **DÉSAGRÉGEANT, ANTE** adj., tiré du participe présent.

◈ voir CONGRÉGATION, GRÉGAIRE, GRÈGE, SÉGRÉGATION.

AGRÈS

AGRÈS n. m. pl. dérive de l'ancien verbe *agreier* (v. 1170) «équiper, mettre en état», puis *aggreer* (XVIe s.), *agréer* (1621), qui vient de l'ancien norrois *greida* «préparer, apprêter» et a été remplacé par *gréer** (d'où *gréement).* L'origine germanique ancienne, malgré la localisation géographique, ne concerne pas la marine.

♦ *Agrei, agreie* (1120) désigne en ancien français un équipement quelconque et spécialement un harnais (v. 1190, *agrei; aggrais,* fin XVe s.). Puis *agrès* se spécialise en marine; c'est alors le déverbal d'*agréer* au sens de *gréer* (un navire). ◇ Dans la langue courante, le mot ne s'applique plus qu'au gréement du navire et surtout à la gymnastique, extension qui date de la fin du XIXe s. (*in* Larousse, 1898).

AGRESSER

AGRESSER v. apparaît selon Wartburg dès le XIIIe s. (*soi agresser de* «entreprendre»); il est alors tiré du radical latin de *aggressor* et de *aggressio* (ci-dessous).

♦ Le verbe, avec la variante *acresser,* semble utilisé du XIVe au XVIe s., aux sens de «provoquer, exciter», en relation avec *progresser* et *oppresser.* ◆ La valeur moderne «attaquer» est attestée au XVe s., après *soi agresser à* «s'attaquer à» (1351). ◆ Le verbe réapparaît au milieu du XIXe s. (1845, à titre de proposition; puis 1892), en relation avec *agression* — qui était resté en usage — pour «attaquer physiquement» (en parlant d'un malfaiteur, par exemple). ◇ Avec un sujet nom de chose, il prend une valeur psychologique (XXe s.) souvent au passif et participe passé *(être, se sentir agressé),* puis physiologique, liées aux emplois de *agression, agressif* (ci-dessous).

▶ Le participe présent **AGRESSANT, ANTE** adj. (1495) a été repris tardivement (mil. XXe s.) en psychologie.
AGRESSION n. f. est emprunté (v. 1395) au latin *agressio* «attaque», du supin de *aggredi* «attaquer», de *ad-* (→ à) et *gradi* «marcher», lui-même dérivé de *gradus* «pas; marche; progression» (→ grade) qui a donné d'autres dérivés adaptés en français *(progression, digression).* Le sens particulier de *agressio* vient de ce qu'il traduit un terme militaire grec, *epikheirêma.* ◆ *Agression* est vivant depuis son entrée en français. ◇ Le mot signifie aussi en ancien français «arrivée, approche» (in *F. e. w.*); il s'enrichit

au XXe s. d'une valeur psychologique venue de l'anglais et de l'allemand (exemple : *instinct d'agression*). ➛ **AGRESSEUR** n. m., comme *agression*, est un emprunt (1404) à un mot latin rare et tardif, *agressor*. Il est resté en usage comme *agression*, avec des emplois spécialisés dans le contexte du droit international et dans celui de la criminalité. ➛ **AGRESSIF, IVE** adj. est tiré du radical de *agression*. Cet adjectif a d'abord eu (1790) une valeur militaire; son sens moderne est chez Balzac (1836); mais les emplois dans le domaine psychologique, répandus par la psychanalyse, et en contexte commercial (*un vendeur agressif*, «efficace») sont récents et, surtout le second, influencés par l'anglais. ◇ L'adjectif, très courant, est appuyé par ses dérivés **AGRESSIVEMENT** adv. (1845) et **AGRESSIVITÉ** n. f. (1873, chez Goncourt) dont la mode pour la psychologie a récemment développé l'usage, avec, pour le second, une spécialisation en éthologie (comportement animal et humain), en quasi-synonymie avec *instinct d'agression*.

✱ **AGRESTE** adj., d'abord attesté comme nom (1210, «paysan»), est un emprunt au latin *agrestis* «des champs», dérivé de *ager, agri*. *Ager* «champ», puis «domaine, territoire», s'oppose à *urbs* «ville»; c'est un terme d'origine indoeuropéenne (→ acre), apparenté au védique *agrah*, au grec *agros* (cf. ci-dessous *agronome*), au gotique *akrs*, qui correspond à l'idée d'espace cultivé.

♦ L'adjectif signifie (v. 1220) «de la campagne» et «sauvage» (d'un lieu) [v. 1500]. Il s'est spécialisé en botanique (1797) pour qualifier une plante qui croît naturellement, sans être cultivée. C'est un mot littéraire, à la différence de *agraire* et *agricole*.

▸ **AGRAIRE** adj., réfection (1694) de *agrarie* (1354), est emprunté au latin *agrarius*, dérivé de *ager*, comme terme d'antiquité (*loy agrarie, loi agraire*). L'ancien français avait *agrier*, n. m. (1283), «redevance sur une terre cultivée». ◇ *Agraire* s'est employé à propos du partage des terres (1790), puis en général pour «relatif aux champs, aux biens fonciers» (1811). ➛ Le dérivé **AGRARIEN, IENNE** adj. est d'abord synonyme d'*agraire* (1354); repris en 1790 comme nom (*agrairien* «partisan de la loi agraire»), il est repris (déb. XXe s.) pour désigner un parti défendant les intérêts des agriculteurs. ◇ Cet adjectif a lui-même pour dérivé **AGRARIANISME** n. m. (1795), repris au XIXe s. (1866).

AGRICOLE adj., d'abord substantif (1361, «cultivateur») comme *agreste*, est un emprunt au latin *agricola*, composé de *ager* «champ» et de *colere* (→ colon, cultiver, culture). ➛ *Agricole* n. m., «personne qui travaille la terre» et aussi «spécialiste qui écrit sur l'agriculture» (O. de Serres), s'est employé jusqu'au XVIIe s., avant d'être éliminé par *agriculteur*. ◇ Le mot est repris comme adjectif (1765), sous l'influence d'*agriculture*, et devient usuel dans la 2e moitié du XVIIIe s.; il est aussi employé à propos des personnes (1846, *ouvrier, travailleur agricole*). ➛ **AGRICULTEUR** n. m. est emprunté (1495) au latin *agricultor* (de *cultor*, dérivé de *colere*) et se substitue à partir du XVIe s. à *agricole*, nom. ◇ Le féminin **AGRICULTRICE** est rare. Les emplois adjectifs d'*agriculteur, trice* (XVIe-XVIIIe s.) ont disparu, au profit d'*agricole*. ◇ **AGRICULTURE** n. f. est un emprunt antérieur (1343) au latin *agricultura* (Varron), de *cultura* (→ culture). ◇ Les deux mots datent de la fin de la féodalité et sont responsables de la reprise d'*agricole* au XVIIIe siècle. À côté des séries de *paysan* et de *rural*, celle qui vient de *ager* est, en français, sauf *agreste*, plus nettement économique, comme l'est d'ailleurs *cultivateur*.

De son côté, le grec *agros*, à travers ses composés puis directement, a fourni d'autres emprunts. ➛ **AGRONOME** n. m. est emprunté (v. 1372, Oresme) au grec *agronomos* «inspecteur des champs, des campagnes», qui a donné aussi le latin médiéval *agronomus* (XIIIe s.). C'est d'abord un terme d'Antiquité grecque, repris vers la fin du XVIIIe s. (1787, Féraud) dans un contexte moderne pour «théoricien de l'agriculture». *Ingénieur agronome* est attesté en 1892. ◇ Les dérivés **AGRONOMIE** n. f. (1798) et **AGRONOMIQUE** adj. (v. 1780) sont usuels; comme **AGRONOMÉTRIE** n. f. (1845), vieilli ; ils concernent la science agricole. ◇ L'apocope **AGRO** n. m. désigne (1941) l'Institut national agronomique, et d'abord (1935) un élève de cet institut.

L'élément **AGRO-**, tiré du grec *agros*, sert à former des composés didactiques comme **AGROMANIE** n. f. (1762), **AGROLOGIE** n. f. (1836), archaïques, d'où **AGROLOGIQUE** adj. (1836), et **AGROGÉOLOGIE** n. f. (1922). ➛ Une série de composés récents sont usuels, en sciences et même dans le vocabulaire général. **AGROBIOLOGIE** n. f. (1948) a pour dérivés **AGROBIOLOGISTE** n. (1948), **AGROBIOLOGIQUE** adj. (v. 1960). ◇ **AGROCHIMIE** n. f. (v. 1958) et **AGROCHIMIQUE** adj. (v. 1958) sont plus spécialisés. ➛ **AGRO-ALIMENTAIRE** adj. (v. 1960) est usuel à propos des techniques et industries des produits alimentaires, aussi comme nom masculin au sens de «secteur économique et technique agro-alimentaire». ➛ **AGROPASTORAL, ALE, AUX** adj. (v. 1965) est un mot didactique de sociologie et d'ethnologie concernant les sociétés qui s'adonnent à l'élevage et à la culture.

AGROSTÈME n. f., formé avec le grec *stemma* «couronne», désigne (1809) la nielle des blés, plante parasite. ◇ Son dérivé **AGROSTEMMINE** n. f. (1865) nomme une base cristallisable tirée de cette plante. ➛ **AGROSTIS** n. m. est un emprunt (1791) au latin *agrostis* (Pline) employé en science naturelle (Linné), du grec *agrôstis, -idos* «chiendent». ◇ La variante francisée **AGROSTIE** n. f. (1801), ainsi que **AGROSTIDE** n. f. (1828), vient des formes fléchies du grec.

⟐ voir ② AIRE, PÈLERIN, PÉRÉGRINATION.

AGRIOTTE n. f. est emprunté (1597) à l'ancien provençal *agriota* (XIIIe s.), de *agre* (→ aigre).

♦ Le mot désigne encore régionalement une cerise aigre, mais il est supplanté par *griotte** en français central.

AGRIPPER → GRIPPER

AGRUME n. m., mot technique d'agriculture (1859), est emprunté à l'italien *agrume* (la forme erronée *agrumi* se trouve en français dès 1739, chez

De Brosses), lui-même du latin médiéval *acrumen* «fruit de saveur acide», de *acer* (→ âcre, aigre).

♦ Le mot, qui désigne les fruits du genre citrus, n'est devenu courant qu'au XXe siècle : il est absent des dictionnaires usuels avant 1930; l'Académie française ne l'accepte qu'en 1940. Il est devenu usuel à la suite de la commercialisation accrue des oranges et citrons dans les régions qui n'en produisent pas.

► Le composé **AGRUMICULTURE** n. f., de *culture*, semble apparaître avec le *Comité consultatif de l'agrumiculture* (1938). ◆ **AGRUMICULTEUR, TRICE** n. pourrait être un peu antérieur (v. 1935).

AGUARDIENTE n. m. est un emprunt (1830) à l'esp. *aguardiente*, de *agua* «eau» et *ardiente* «ardente».

♦ Le mot désigne une eau-de-vie en usage en Amérique hispanophone.

AGUERRIR → GUERRE

AGUETS → GUETTER

AGUICHER v. tr. est un mot du XIXe s., attesté d'abord en argot (1842). L'ancien français connaissait *aguichier*, qui a dû survivre régionalement et dont l'origine est douteuse : composé de l'ancien français *guiche** «courroie», d'abord *guige*, peut-être issu du francique °*withthja* «lien en osier», ce peut être une variante dialectale de *agacer (agacher)* ou encore de *aiguiser*. L'influence tardive de *guiche**, «accroche-cœur», n'est pas à exclure.

♦ *Aguicher* apparaît en argot (1842, Eugène Sue) au sens d'«agacer, exciter contre qqn». ◇ Son passage dans la langue générale (attesté 1881) correspond à un glissement de sens vers «attirer, allécher», avec une connotation galante (1890, Bourget) en rapport avec *guiche* «accroche-cœur» et déjà véhiculée par *aguichant*.

► Le participe présent **AGUICHANT, ANTE** adj. (2e moitié du XIXe s.) se dit d'une personne (souvent d'une femme) et des comportements. ◆ **AGUICHEUR, EUSE** n. (1896), aussi adjectif, est moins courant. ◆ Quant à **AGUICHAGE** n. m. (1890, Bourget) et **AGUICHERIE** n. f. (1911, in *T. L. F.*), ils ont vieilli.

AH ! interj., onomatopée, était d'abord notée *a* (mil. XIe s.), *ha* (XIIe s., Chrétien de Troyes), la graphie latine étant plutôt *a* et *aha* (Plaute). De toutes façons, s'agissant d'une voyelle fréquente en français (comme *hé, ho, hi*), son emploi et la répartition de ses valeurs sont purement expressives.

♦ *A !* a exprimé la douleur (1050) encore au XVIIe s., avec la variante *ahi* (cf. *aïe* ci-dessous), *ha* puis *ah*, l'admiration (1177, Chrétien de Troyes), mais aussi l'indignation (1217, *ha ha*). Il exprime en fait tout sentiment vif, et sert à noter le rire, redoublé ou répété. ◇ *Ah !*, depuis le XVIIe s. (1667, Racine), représente à l'écrit une exclamation en tête de phrase. ◇ L'emploi substantif, «autonymique» *(pousser des oh et des ah)*, apparaît aussi au XVIIe s. (1666, Molière). Enfin, il se combine avec diverses particules *(ah ça !, ah non !...)*.

► **AÏE !**, exprimant la douleur, est une variante graphique du XVe s. (1473) de *ahi* (1080), combinaison expressive de *a, ah* et de *hi*, onomatopées; *ahi* est encore usuel aux XVIIe-XVIIIe s. et parfois encore écrit au XIXe et au XXe siècle. Le graphisme est peu pertinent, mais le passage des deux syllabes initiales à la diphtongue marque la lexicalisation. *Aïe* est souvent redoublé ou triplé *(aïe aïe aïe)* marquant alors le dépit, la crainte, etc., et non plus la douleur physique.

AHAN n. m., mot très ancien (Xe s.), est probablement emprunté avec dérivation (déverbal) au latin populaire °*affanare*, postulé par le français, l'ancien provençal *affanar* (XIIe s.), l'espagnol *afanar* (l'italien *affanare* pourrait venir du provençal). L'origine de ce mot latin supposé est incertaine; la dérivation de *affanae* «faux-fuyants, paroles creuses» ne rend pas compte du sens; l'emprunt germanique, à l'ancien norrois °*af-annan*, de *ann* «effort», ne correspond pas à l'aire d'emploi, qui est méridionale.

♦ Le mot signifie «souffrance, douleur» et aussi (XIe s.) «effort difficile, peine» et «travail pénible» (XIIIe s.); dans ce sens, l'ancien français a aussi les formes *hahan, afan* (XIIe-XIIIe s.), et s'emploie dans des expressions comme ***à grand ahan***. ◇ Utilisant la valeur onomatopéique *(han !)*, le mot a pris la valeur spéciale de «respiration difficile, essoufflement» (1611). Il est considéré comme «burlesque» (archaïque) à partir de la période classique (1660 environ), mais est encore d'usage littéraire au dernier sens mentionné.

► Les dérivés verbaux *haner* «labourer» (XIIIe-XVIe s.) et aussi «respirer bruyamment» (régional; chez Flaubert, 1841), *enhaner* («labourer», XIIe-XVe s.) sont sortis d'usage mais vivaient encore dans les dialectes jusqu'au XIXe siècle. ◇ Seul **AHANER** v. intr. est encore usité en français central pour «respirer avec peine». Ce sens est relativement récent (1611) et le verbe a eu auparavant de nombreuses valeurs en ancien et moyen français : *s'ahaner* «peiner, se fatiguer» (XIIe s. ; encore au XIXe s., dans l'ouest de la France), *ahaner* «travailler dur» (XIIIe s.) et aussi «labourer» (XIIe-XVIe s.), dialectalement «herser» (XIVe-fin XVIIIe s.). ◇ Dans ces acceptions disparues, le verbe, avec la variante *afaner*, avait divers dérivés, dont *affanures* n. f. pl., «salaire des moissonneurs» (1665), ou dans le déverbal *ahan* n. m. (XIIIe s.), au sens de «labour», et son dérivé *ahanier* n. m. «laboureur» (v. 1200; encore chez G. Sand, comme régionalisme berrichon). ◇ Au sens de «respirer avec peine», il a pour dérivé rare **AHANEMENT** n. m. (1901, in *T. L. F.*).

AHURIR → HURE

AIDER v. tr. est l'aboutissement, d'abord sous la forme *aidier* (*il aiud*, fin Xe s. ; *aidiez*, v. 1100) et aussi *aïer* (XIe s.), du latin *adjutare*, fréquentatif de *adjuvare* (→ adjuvant). Des formes anciennes °*adjudhar*, °*aiuder* sont postulées par le déverbal *aiudha*, *ajude* (cf. *aide* ci-dessous). *Aiuer* est refait sur *aiue*, du latin *adjutat*. *Aider* est attesté au XIVe s. *(F. e. w.)*, semble-t-il, après *aide*.

♦ En ancien français, le verbe se construit comme aujourd'hui *(aider qqn),* mais aussi en transitif indirect (*aider à qqn,* 1080), sorti d'usage sauf régionalement. *Aider qqn à qqch.* (1125) est resté vivant, comme *aider à qqch.* «être utile à» (XIIIe s.). Le pronominal apparaît dans *s'aider de qqch.* (XIIe s.), «tirer parti de», puis (XIIIe s.) «faire usage de» : *s'aider de* (une partie du corps). ◇ Des emplois spéciaux apparaissent dès l'ancien français et se développent ensuite : comme intransitif, le verbe signifie «payer l'impôt appelé *aides*» (v. 1350) ; *aider à la messe* s'est dit (1690) pour «servir la messe» ; *aider l'ancre* s'emploie (1836) en marine.

► Du verbe, qui a peu varié dans son contenu «apporter un soutien, un secours à (qqn)», vient l'interjection usuelle en ancien français *aït* ou *aïe* dans *aït Deus* (1080) «que Dieu (nous) aide», d'où *m'aït* qui correspond à *ma foi!* («certainement»). Dans le même contexte, le proverbe ***aide-toi, Dieu*** (1606), ***le ciel*** (1668) ***t'aidera*** est resté vivant.

AIDE n. f. est le déverbal, attesté très tôt sous les formes archaïques *aiudha* (842, Serments de Strasbourg), *ajude* (XIe s.), *aiude* (1080), *aidie, aïe* (1080), *aiue* (v. 1050), avec diverses variantes, la forme moderne apparaissant au XIIIe siècle. ◆ Le mot signifie depuis l'origine «action d'aider, soutien, secours» ; dans ce sens, il donne lieu à des locutions comme ***avec l'aide, sans l'aide de..., à l'aide de*** (qqch.) «en s'aidant de...» et (1665, Molière) à l'exclamation ***à l'aide !*** (cf. *au secours! ; alarme*). ◇ Dans divers domaines spéciaux, le mot a pris une valeur métonymique. *Aïe* (XIe s.), puis *aide* (XIIIe s.), enfin le pluriel *aides* (XVe s.), désigne un subside féodal, puis un impôt indirect sur la circulation des marchandises ; d'où ***la cour des aides*** (attesté 1573) désignant un tribunal qui fonctionna de 1355 à 1790, jugeant des contentieux en matière d'impôts, expression employée au figuré dans l'usage classique, dans *aller à la cour des aides* «emprunter» ; «être infidèle (d'une femme)» (1690). ◇ *Aide* se dit aussi concrètement (v. 1625) des moyens que le cavalier emploie pour manier son cheval, et d'une petite pièce servant de dégagement (1701), valeur disparue. ◆ Au sens général, le mot entre au XXe s. dans le vocabulaire militaire *(aide technique),* économique *(aide à l'exportation),* social (*aide médicale ; aide sociale,* 1953, remplaçant *assistance*), technique (mil. XXe s., *aides à la navigation ; aide au sol,* en aviation).

Par ailleurs, ② **AIDE** n. désigne depuis l'ancien français une personne chargée d'aider qqn (XIIIe s. ; *aïe,* 1130-1140 ; *aiue,* fin XIIe s.), avec de nombreuses spécialisations militaires (v. 1200, «mercenaires»), maritimes (1687, «officier marinier») et civiles, souvent dans des syntagmes : ***aide de camp*** (déb. XVIIe s., d'Aubigné), *aide de cérémonies* (1680), *aide de cuisine* (1680).

Dans ce sens, le mot a un composé préfixé, **SOUS-AIDE** n. m. (1798) et de très nombreux composés avec un nom de métier, comme **AIDE-MAÇON** n. m. (1751), **AIDE-MAJOR** n. m. (→ majeur), **AIDE-BOURREAU** (av. 1774). ◆ Le préfixé **S'ENTRAIDER** v. tr. (XIVe s.), d'abord *entraidier* (v. 1175), «s'aider mutuellement», a pour dérivé **ENTRAIDE** n. f. (1907), devenu usuel avec le développement de la solidarité sociale.

Le verbe *aider* sert aussi à former *aide-mémoire* (→ mémoire). ◆ **AIDE-OUÏE** n. m. (1964) désigne un appareil destiné à améliorer la perception des sons chez les malentendants.

◈ voir **ADJUDANT, ADJUVANT.**

AÏE → **AH !**

AÏEUL, AÏEULE n. est issu, d'abord sous les formes *aiuel* (v. 1050), *aioel* (déb. XIIIe s.), d'un latin populaire °*aviolus, aviolas,* diminutif du latin classique *avius, avia,* issus de *avus,* mot ancien, non pas terme de parenté mais appellation familière à l'égard d'un «ancien» du groupe, d'origine indoeuropéenne (cf. l'arménien *haw,* le hittite, l'islandais *āe*). De *avus* dérive *avia* «grand-mère», d'où *avius,* plus tardif. Le dérivé *avunculus* a donné *oncle**. Le pluriel est *aieux,* d'abord *aiues, aieus,* forme du cas régime, refait d'après le singulier en *aïeuls* (XVIIe s.) ; la distinction de sens entre *aïeuls* et *aïeux* est établie au XVIIIe siècle. Le féminin est attesté vers 1180 (*aiuele* «grand-mère»).

♦ Le mot signifie d'abord «grand-père» et au féminin «grand-mère», puis (déb. XIIIe s.) au masculin «ancêtre», souvent au pluriel, *aïeuls* et *aïeux.* Au XVIIIe s., on fait la distinction entre *les aïeux,* «les ancêtres», et *les aïeuls* «les grands-pères et grand-mères». ◇ Au sens d'«ancêtre», le mot a des emplois extensifs et figurés (d'abord par métaphore, 1821, in *T. L. F.* ; puis au figuré, 1832, Hugo). Il se dit aussi d'animaux et de plantes (1835, Lamartine, in *T. L. F.*). ◇ ***Mes aïeux!,*** exclamation familière d'étonnement, semble récent.

► Les préfixés sont **BISAÏEUL, EULE** n. (1315), réfection de *besaiol* (1283), de *bis-* «deux fois», pour «père ou mère des aïeuls», **TRISAÏEUL, EULE** n. (1552, *trysaieul*), de *tri-,* pour la génération précédente, **QUADRISAÏEUL, EULE** n. étant rare.

◈ voir **ATAVISME, AVUNCULAIRE, ONCLE.**

AIGLE n. m. et f., réfection (XIIe s.) de *eigle* (1165), est, comme la variante ancienne *aille* (XIIe s.), issu du latin *aquila* par des formes orales °*agwila,* °*aug (w)ila* d'où °*aigila.* L'hypothèse d'un emprunt à l'ancien provençal *aigla,* de même origine, a été émise, mais est moins vraisemblable. Le mot est indifféremment féminin (comme en latin) et masculin en ancien français ; le masculin l'emportant en français moderne, au sens propre.

♦ Le mot désigne un grand oiseau rapace diurne, soit de manière spécifique, soit plus vaguement un grand oiseau de proie, notamment dans des syntagmes : *aigle pêcheur* «pygargue» ; *aigle Jean le Blanc* «circaète», *aigle de mer* (1564) désignant plusieurs oiseaux marins. ◇ *Aigle* étant surtout féminin jusqu'au XVIIe s., on a employé *aiglesse* pour «aigle femelle» (XIIe s.-1611). ◇ Au sens strict du mot, l'oiseau est chargé d'un fort pouvoir symbolique, ce qui rend compte d'expressions comme ***regard d'aigle*** au figuré, «vue géniale» (1798), ***œil d'aigle*** «perçant», ***nez en bec d'aigle*** «busqué (avec une idée de noblesse)», et de valeurs figurées, *un aigle* «homme de génie» (XVIIe s. ; *in* Richelet, 1680), aussi appliqué à des personnages illustres : *l'aigle de Meaux,* Bossuet ; *l'Aigle,* Napoléon ; etc. et dans l'expression ***ce n'est pas un aigle*** «c'est une personne médiocre» (1768). ◇ Au sens latin de «figure, image d'un aigle», le mot désigne une figure du blason (XIIe s.), l'enseigne des légions romaines (1680), celui de l'empire d'Allemagne (XVIIe s.), puis de Napoléon. Il est plus souvent féminin dans ces emplois. ◇ Il a servi à nommer des monnaies frappées d'un aigle (1472), notamment aux États-Unis (1838), et des ordres honorifiques (*aigle blanc,* 1694). Le mot désigne spécialement un lutrin d'église à l'image de l'aigle (1690) et des papiers portant un aigle en filigrane (*grand-aigle,* 1723 ; *petit-aigle,* 1838). ◇ De nombreuses expressions avec *aigle* ont eu cours en alchimie, du fait des valeurs symboliques attachées à l'oiseau : *aigle blanc* (1721), nom d'un sel de mercure ; *aigle noir* (1752), d'un sel de cobalt ; *aigle de Vénus* (1752), etc. ◇ En histoire naturelle, on a nommé *aigle* une raie (1791), la sciène (1845), une fougère (*fougère aigle* ou *aigle impériale*).

▶ Parmi les dérivés, le seul resté vivant est **AIGLON** n. m. (1546), «petit de l'aigle», qui succède à *aiglel* (XIIe s.), *aiglet* (XVIe s.), avec un sens spécial en blason (1636) et, au XIXe s., un emploi figuré pour «personnage ridicule», sorti d'usage. ◇ L'emploi comme surnom du prince impérial, fils de Napoléon, popularisé par la pièce d'Edmond Rostand, vient de celui d'*aigle* à propos de Napoléon Ier. ➜ **AIGLONNE** n. f. (1863) est rare.

◈ voir **AQUILIN** ; peut-être **ANCOLIE**, **AQUILON**.

◈ **AIGRE** adj. est issu (XIe s. au figuré ; 1170, Chrétien) du latin classique *acer, acris,* passé en latin populaire à la 2e déclinaison. Le mot signifie «aigu, pointu» et au figuré (Pline) «piquant au goût», notion exprimée par *acidus* (→ acide) et *acutus,* qui a donné *aigu**. *Acer,* lui-même adapté savamment en *âcre**, qualifie aussi les odeurs piquantes et s'est dit des personnes (Plaute) pour «fougueux, impétueux».

♦ L'adjectif, écrit aussi *egre* en ancien français, s'est employé en parlant des personnes et des animaux, pour «avide» (en judéo-français, XIe s.), «féroce» (XIIIe s.), «ardent au combat» *(id.),* «passionné, ardent» (av. 1188). Ces valeurs ont disparu, et celle de «désagréable, acariâtre» (1370), toujours vivante, correspond plutôt à une métaphore du sens concret (ci-dessous), comme on le voit par une expression du genre ***être aigre comme verjus*** (Voltaire). ◇ L'ancien français connaît aussi un emploi pour «pénible», d'une chose (*egre faim,* v. 1121).

Dès le XIIe s., le mot s'emploie au sens de «qui a une saveur piquante désagréable» servant à former le composé *vinaigre* (→ vin) et se disant par analogie d'un son, d'une voix aiguë et pénible (XVIe s., Montaigne), d'une odeur (1690), de couleurs vives et déplaisantes (1762), de sensations physiques (*vent, bise aigre,* 1835). En technique, l'adjectif qualifie un métal cassant (XVIe s., Amyot), une terre acide (1845). ◇ Au figuré, il se dit (XVe-XVIe s.) d'un comportement désagréable, irritant, des paroles, avec une valeur très voisine de celle d'*acide* et *acerbe.*

La substantivation *(l'aigre)* pour «goût, odeur aigre» (1660) est utilisée dans la locution ***tourner à l'aigre*** (1835), qui se dit du vin et au figuré (Balzac) pour «s'aigrir». ◇ En ancien français, on rencontre *aigre,* n. m., pour «vinaigre» (XIe s., en judéo-français) et (1494) pour «ferment».

▶ Le dérivé **AIGRIR** v., aussi *egrir* en ancien français, apparaît (fin XIIe s.) au participe passé *aigris* (du soleil qui brûle, pique), et comme intransitif pour «devenir aigre». ◇ *S'aigrir* (1538) s'emploie aussi au figuré (dès le XVe s.) pour «s'irriter» puis «devenir désagréable, irritable, amer», sens qui se développe au XIXe s. en même temps que **AIGRI, IE** adj., qui ne semble substantivé *(un aigri)* qu'au XXe s., et que le transitif *aigrir.* Dans ces emplois, le verbe a dans la langue classique le sens de «rendre vif, aigu (un sentiment pénible ou dangereux)» ; au XIXe s., la valeur dominante du mot passe de la peine éprouvée à l'amertume désagréable pour les autres. ➜ Il a pour dérivé **AIGRISSEMENT** n. m., au figuré (1560) et au sens concret (1575, Thevet), enfin au sens psychologique moderne d'*aigrir* et *aigri* (attesté XXe s.). ➜ Les préfixés *enaigrir* v. tr. (XIIIe-XVIIe s.) «rendre aigre» et *désaigrir* v. tr. et intr. (1487-XIXe s.) ont disparu.

De l'adjectif viennent plusieurs autres dérivés. ➜ **AIGREMENT** adv. signifie d'abord (v. 1170) «avec impétuosité», puis «avec une intention désagréable, blessante» (1316). ◇ Il a pris en français moderne les nuances psychologiques d'*aigre* et *aigrir,* et demeure rare au sens concret (1380). ➜ **AIGREUR** n. f. est la réfection (1380) de formes anciennes, comme *aigror* (XIe s.), pour «saveur, goût aigre». Comme l'adjectif, il s'emploie au figuré en ancien français pour «ardeur», «violence» puis «amertume à l'égard de qqn» (1492), d'où par métonymie *une aigreur* «parole offensante» (déb. XVIIe s., d'Aubigné) et «début de brouille» (1654). ◇ Il se dit aussi du caractère d'un son aigre (1553) et des métaux dits *aigres* (1690). ◇ Au pluriel, *aigreurs* désigne l'acidité gastrique (1718). ➜ **AIGRELET, ETTE** adj. est d'abord figuré (1562, d'une douleur), sens où il remplace *aigret* (XIIIe-XVIe s.). Il s'emploie aussi au sens concret (1636, d'un fruit), et a repris par métaphore la valeur psychologique d'*aigre, aigrir* (1798).

Le composé **AIGRE-DOUX, DOUCE** adj. est une création poétique du XVIe s. (1541, Marot ; 1549, Du Bellay), d'abord employée au figuré pour «à la fois pénible et agréable», puis au concret (1546), enfin avec la valeur moderne d'*aigre* pour «d'une douceur apparente, pleine d'agressivité» (1690). ➜ **AIGRE-DE-CÈDRE** n. m. a désigné (1614) un jus acide de cédrat.

La famille de *aigre* était plus riche en ancien et moyen français : en témoignent des mots comme *aigras* (1406) «verjus», *aigrun* (1260) «légume à saveur acide», dont l'équivalent italien a donné *agrume**, *aigreté,* n. f. (XIIIe s.), «caractère aigre», ou *besaigre* (1743) «devenu aigre (du vin)».

◈ voir **ÂCRE**, **AGRIOTTE**, **AGRUME**, **GRIOTTE** ; **VIN** (**VINAIGRE**).

AIGREFIN n. m. est très probablement un emploi métaphorique (1670) d'une variante de *aiglefin, églefin* (→ églefin). Désignation péjorative, le mot a été interprété par *aigre** et *faim (avoir aigre faim)* ou *fin,* adj. («un homme fin, et difficile à tromper», Furetière, 1701), et a pu subir l'influence de *agriffer* (provençal *agrifa*), *agripper.*

♦ Le mot désigne d'abord un officier ou un soldat de mauvaise mine, tricheur au jeu, puis (1740) un chevalier d'industrie. Il est aujourd'hui un peu archaïque et ne s'emploie guère comme adjectif (1824, in *T. L. F.*).

AIGRETTE n. f. est emprunté sous la forme *égreste* (mil. XVIe s.), puis *aigrette*, à l'ancien provençal °*aigreto* (provençal moderne *eigreto*), dérivé de *aigron* «héron», mot d'origine germanique (→ héron).

♦ Le mot désigne un oiseau voisin du héron, blanc, portant un faisceau de plumes effilées sur la tête, puis (1532) ce faisceau de plumes ou un faisceau analogue, utilisé comme ornement, et aussi (1611) les plumes sur la tête de l'oiseau. Cette métonymie a détaché le mot de ses origines, la désignation de l'oiseau étant alors sentie comme celle d'un oiseau qui porte une aigrette. ◇ Une influence de l'homonyme *aigrette*, de *aigre* («plante acide»), n'est pas à exclure, peut-être avec l'idée de «pointu», liée au latin *acer*. ➛ *Aigrette* s'emploie aussi en parlant de plantes en forme de faisceau (1694), puis en électricité (1746). Diverses extensions, au sens étendu de «forme allongée et épanouie», sont en usage depuis le XIXe s. *(une aigrette d'écume, de fumée, d'étincelles...)*.

► Le dérivé **AIGRETTÉ, ÉE** adj. est apparu à propos des plantes (1694).

AIGU, UË adj. est le produit (XIIIe s.) de l'évolution phonétique de *agu, agud* (1080 et jusqu'au XVIe s.), issu du latin *acutus* «coupant, tranchant» et «pénétrant (de l'esprit)». Le *ai-* (pour *a-*) s'expliquerait soit par un latin populaire *acuutus* (Guiraud), soit par l'influence de *aigre**, qui provient de la même famille de mots latins, puis de *aiguille**, *aiguiser**. En effet, le latin classique *acutus* avait donné régulièrement le nom *eu* (attesté dans des noms de lieux : Bloch et Wartburg citent *Montheu*, de *Mons acutus*), forme trop brève, refaite en *agu*, probablement d'après le latin. *Acutus*, comme *acumen* «pointe», est dérivé de *acus*, forme ancienne à côté de *acies*, de la même famille que *acer* (→ acier, aigre); *acutus* (sous-entendu *clavis*) désigne spécialement le clou. Les autres langues romanes ont des adjectifs proches du latin (italien *acuto*, espagnol *agudo*).

♦ Le mot français, sous la forme *agu*, puis *aigu* qui triomphe au XVIe s., se dit (1080) d'une forme pointue (cf. *acéré*), puis d'un mal violent (XVe s.; *aigu*, 1680), d'une personne ou d'un caractère violent (XIIIe s.), d'un son perçant (*agu*, XIIIe s.; *aigu*, 1643), avec en ancien et moyen français des valeurs proches de celles de *aigre**. ◇ Cependant, à la différence de *aigre* et comme *acéré*, *aigu* a pris, comme *acutus* en latin, la valeur figurée et positive de «vif et pénétrant», en parlant de l'esprit (1180-1190, Chrétien de Troyes), d'où «spirituel», à propos d'un écrit (1548). ◇ Perdant sa valeur initiale de «pénible, criard», en parlant des sons, il désigne en musique les sons élevés dans l'échelle musicale, par opposition à *grave*. ◇ En grammaire, ***accent aigu*** se dit (1690) d'après le latin (du son et de la syllabe) d'un accent dirigé obliquement vers le haut et marquant que le *e* sur lequel il est placé se prononce sur un ton plus aigu *(é)*; il est, là aussi, opposé à *grave*. ➛ Le substantif *agu*, «pointu, tranchant» (v. 1150), puis *aigu* (XVIe s.), est sorti d'usage. L'*aigu* désigne aujourd'hui l'ensemble des sons élevés dans l'échelle musicale (1622).

► Les dérivés *aguement* adv. (v. 1265), devenu *aigûment* (1752); *agüeté* n. f., devenu *aiguité* (1838), ont disparu, le second éliminé par *acuité*. ◇ **SURAIGU, UË** adj. formé avec *sur-* (1705), s'emploie aussi en médecine (1855) et au figuré, pour «très intense».

◈ voir AIGUILLE, AIGUISER, BESAIGUË, ÉGLANTIER.

AIGUE n. f., forme ancienne en français (XIIe-XVe s.) et méridionale (Provence, etc.), est issue, comme *eau**, du latin *aqua* «eau».

♦ C'est une des formes anciennes du mot *eau*.

► Elle survit dans **AIGUE-MARINE** n. f. (1578), d'un mot provençal non attesté (°*aigua marina* «eau de mer») qui désigne une émeraude (cf. l'*eau* d'un diamant). ➛ **AIGUADE** n. f. (mil. XVIe s.), du dérivé provençal *aiguada*, signifie «approvisionnement d'eau». ➛ **AIGUIÈRE** n. f. est emprunté (1352) au provençal *aiguiera* «vase à eau», qui vient d'un dérivé latin populaire de *aqua*, °*aquaria*. Le mot désigne en français un vase ornemental avec anse et bec.

✳ **AIGUILLE** n. f. est la réfection (XVe s.) de *aguille* (1177), *agul* en judéo-français, issus du latin tardif *acucula* «aiguille de pin», littéralement «petite (chose) pointue», du latin classique *acus* «pointu». La forme *aiguille*, qui correspond à *aigu** (de *agu*), élimine la forme en *a-* au XVIe siècle; elle se prononçait *aigulle*, puis (XVIIIe-XIXe s.) *aiguilhe* avec *l* mouillé (comme l'italien *gl-*); sa prononciation moderne le détache d'*aigu*.

♦ Le mot désigne l'instrument rectiligne et pointu qui sert aux travaux de couture, sens qui donne lieu à des expressions comme ***de fil en aiguille*** (v. 1250), «en suivant le fil d'un propos», ***la pointe d'une aiguille*** (1561), «une subtilité», d'où ***disputer sur la pointe d'une aiguille*** (1718) et, par allusion à la Bible, ***passer par le trou*** (*le pertuis*, 1560) ***d'une aiguille***, précédée par *entrer en l'oil* [œil] *d'aguile* «faire une chose impossible» (1080). ◇ Des spécialisations et extensions interviennent ensuite : ***aiguille à tricoter*** (1680), *aiguille* pour «pointe servant à maintenir les cheveux» (1636), *aiguille* «instrument de chirurgie» (1690). ◇ Par métonymie, *l'aiguille* s'est dit pour «métier de couturière» (déb. XIXe s., Béranger), sans doute d'après ***travaux d'aiguille***. ➛ En outre, des sens techniques spécialisés ne conservent que l'idée de tige métallique pointue, dans *aiguille de boussole* et *aiguille aimantée* (d'abord «boussole», déb. XIIIe s.), au sens de «style (d'un cadran solaire)» (*aguille*, 1549), puis *aiguille d'horloge, de montre, de pendule* (*aiguille*, 1660), aujourd'hui dans *grande, petite aiguille, aiguille des heures, des minutes*, et surtout *les aiguilles*. ◇ Le mot désigne en outre la pièce au milieu du fléau d'une balance (1636), plus tard la tige

traversant la cartouche et enflammant l'amorce (d'un fusil) [1860], surtout dans ***fusil à aiguille,*** puis la pointe amovible en acier qui servait à transmettre les vibrations des sillons des disques : *aiguille de gramophone* (1866), *de phono*... ◇ Dans d'autres acceptions, c'est la fonction qui est retenue : «navette plate servant à faire les filets de pêche» (1751).
Une série de sens techniques anciens concernent des poutres, des perches (*aguille,* 1287, «poutre d'un pressoir»), notamment en marine (1690). ◆ Par figure, le mot désigne la pointe d'un clocher (fin XIIe s.) et beaucoup plus tard, semble-t-il, une pointe rocheuse, un sommet de montagne aigu (1779, Saussure), un cristal allongé et divers objets longilignes, ainsi que des animaux de forme fine et allongée. ◆ Le sens technique de chemin de fer «rail mobile» (1819) a servi à former les dérivés *aiguilleur* et *aiguillage* (ci-dessous). ◆ À propos des plantes, le sens latin *(aiguille de pin)* n'apparaît dans les dictionnaires qu'avec Littré (1863). ◇ Le mot servait à désigner depuis le XVIIe s. des plantes, dans des locutions métaphoriques : ***aiguille de berger*** (1611 ; après *esquilles de berger,* 1544), ***aiguille de pasteur*** *(id.),* etc. ◆ Enfin l'apposition, dans ***talon aiguille,*** est récente.

► Le diminutif **AIGUILLETTE** n. f. concerne d'abord (1180) l'aiguille aimantée, puis en général une petite aiguille (XIIIe s.), sens disparus. ◇ Le mot a pris deux valeurs spéciales, «cordon ferré» (1339), spécialement utilisé pour attacher la jupe et le pantalon. De là les locutions ***nouer l'aiguillette à*** (un homme) «le rendre impuissant (par maléfice)» et *courre,* puis ***courir*** (1546) ***l'aiguillette*** «courir après les filles» (XVe s., *courre l'aiguillette*), où il s'agit du vêtement féminin (cf. *courir la jupe, le jupon*). ◆ D'autres valeurs, liées à celles d'*aiguille,* ont disparu. Un seul sens figuré est demeuré courant, celui de «morceau de viande coupé en long» (XVIe s., d'une volaille), repris au XXe s. pour une partie du romsteck. ◆ Les dérivés **AIGUILLETIER** n. m. (*aguilletier,* 1390), «ouvrier qui fait les aiguilles» et «étui à aiguilles», **AIGUILLETERIE** n. f. (*esguilleterie,* 1412) «fabrique d'aiguilles» et **AIGUILLETER** v. tr. «attacher les aiguillettes de (un vêtement)» (1549) ont disparu.
Le verbe dérivé de *aiguille,* **AIGUILLER** v. tr. (XIIIe s., *aguiller*), signifie d'abord «piquer avec une aiguille», avec des sens techniques (chirurgie, textile). ◇ Un sens spécialisé, «diriger sur une voie ferrée en faisant fonctionner l''aiguille' mobile» (1877 ; semble postérieur à *aiguilleur*), a donné lieu à des emplois figurés : «diriger (qqn) sur une voie, orienter» (1922) et «orienter (la conversation)». ◆ De ce sens procèdent **AIGUILLAGE** n. m. «action d'aiguiller (un train)» (1872) et, par métonymie ou dérivation de *aiguille* avec le suffixe collectif *-age* (1928), «dispositif permettant les changements de voie», et **AIGUILLEUR** n. m., antérieur à *aiguillage* et à *aiguiller* dans ce sens (1845). Ces mots techniques concernent d'abord des opérations nouvelles et mécaniques, puis des systèmes de plus en plus complexes, commandés à distance ; *poste d'aiguillage* et d'autres syntagmes ont ainsi changé de référent concret. *Aiguillage* est plus rare que *aiguiller* dans l'emploi figuré.
D'autres dérivés d'*aiguille* sont archaïques ou régionaux. ◆ **AIGUILLÉE** n. f., «longueur de fil (de soie) pour les travaux à l'aiguille» (1229-1237, *agulliée*), signifie aussi «gaule armée d'une pointe» (1390). ◆ **AIGUILLIER** n. m. (v. 1200), «étui à aiguilles», est rare. ◆ **AIGUILLAT** n. m., réfection (1587) de *aguillat* (1554), correspond au provençal *agulhat* (1445, à Nice) et désigne un petit squale allongé et mince, appelé aussi *chien de mer ;* le mot est issu du dérivé latin *aculeatus,* de *aculeus,* lui-même de *acus.*
AIGUILLON n. m. (XIIIe s.), réfection de *aguillon* (mil. XIe s. et jusqu'au XVIe s.), est issu du latin médiéval *aculeo* (accusatif *aculeonem*), du latin classique rare *aculeus* «épine», dérivé de *acus* comme *acutus* (→ aigu) et *acucula* (voir ci-dessus). ◆ Le mot apparaît dans le contexte de l'élevage, désignant un bâton ferré pour stimuler les bœufs (cf. ci-dessus *aiguillée*) ; d'où (XIIe s.) le sens métaphorique de «stimulation», par exemple dans ***l'aiguillon de la chair*** (XIIIe s. ; puis 1546). ◇ Une autre spécialisation (1567) concerne le dard des insectes hyménoptères ; d'autres sens («piquant de hérisson», 1538, etc.) ont disparu. ◆ **AIGUILLONNER** v. tr. (1551), «toucher (les bœufs) avec l'aiguillon» (d'abord *aguillonner,* XIVe s.), a aussi et d'abord le sens métaphorique de «stimuler» (*aguillonner,* 1160), demeuré usuel. ◆ **AIGUILLONNÉ, ÉE** adj. «muni d'aiguillon» (1530) et **AIGUILLONNEMENT** n. m. (*aguillonement,* v. 1270 ; *ai-,* 1636) sont rares, tout comme **AIGUILLONNEUR** n. m. (*aguillonneour,* v. 1330 ; forme moderne, 1636).
Du latin *aculeus* viennent par emprunt plusieurs mots de sciences naturelles, **ACULÉES** n. f. pl. «hyménoptères à aiguillons» (1845), désignation abandonnée, **ACULÉATES** n. m. pl. (1928), **ACULÉIFORME** adj. (1838).

AIGUISER v. tr., comme *aigu, aiguille* et *aiguillon,* apparaît d'abord (1080) sous une forme en *a-, aguisier,* avec de nombreuses variantes. La forme moderne en *ai-,* qui apparaît aux XIVe-XVe s. pour certains dérivés, ne semble normale qu'au XVIe s. (attestée 1611). Le mot est issu d'un latin populaire °*acutiare,* altération du bas latin *acutare,* dérivé de *acutus* (→ aigu).

♦ Le verbe signifie «rendre tranchant» et, au figuré (déb. XIIIe s.), «rendre plus aigu (un sens, un sentiment)». *Aiguiser l'appétit* (XVe s.) est resté courant, comme *aiguiser l'esprit* (1610), *une épigramme* (Boileau) et *aiguiser la vue* (*aiguisier,* XIVe s.). *Aiguiser la raison* (av. 1215) est sorti d'usage. ◇ En revanche, les métaphores sur le sens concret, *aiguiser ses couteaux* «se préparer à la lutte» (1690) ou *aiguiser ses dents* «se préparer à bien manger» (1690), sont sorties d'usage.

► **AIGUISÉ, ÉE** adj. (*aguisé,* XIVe s.) s'emploie au propre et au figuré. ◆ **AIGUISEMENT** n. m. (XVIe s., Montaigne), réfection de *aguisement* (1172, au figuré), s'est dit pour «excitation», puis au sens concret (1380) pour «action de rendre pointu» et «de rendre tranchant» (1530). ◆ **AIGUISAGE** n. m. (1832) est reformé longtemps après la forme alté-

rée *evuisaige* (1467). ➛ **AIGUISEUR** n. m. (XIVe s.; variante *aguiseur*, 1380) est surtout concret. ➛ **AIGUISOIR** n. m. est d'abord figuré (1458), puis concret, comme nom (1581) et adjectif (*pierre aguisoire*, 1585). ➛ **AIGUISABLE** adj. (1845) est plus rare.
Le préfixé **RAIGUISER** v. tr. (XIIIe s., *raguisier* en picard) a une valeur intensive, au sens propre; il semble plus courant dans les dialectes.

AIL n. m. (XIIIe s.), d'abord *al* (XIIe s.), avec plusieurs variantes en ancien français, est issu du latin *allium*, comme l'italien *aglio*, l'espagnol *ajo*. La forme classique en latin est *alium*, mot probablement autochtone (italique), malgré sa ressemblance avec le sanskrit *aluḥ* «plante à bulbe».

♦ Le mot désigne une plante à bulbe et ce bulbe utilisé comme condiment ou aliment. Il a eu des emplois figurés en locution, *ne... pas un ail* (XIIe s.) signifiant «très peu de choses», avec diverses variantes pittoresques *(ne pas valoir la queue d'un vieil ail, d'un ail pelé, pourri...)*; cf. *des prunes, des nèfles*. Des locutions désignent d'autres plantes: *herbe aux aulx* (1564), *arbre à l'ail* (1877), *ail de serpent* (1549), etc. ◇ Le pluriel, *des aulx*, d'abord *alz* (1165-1170), est en concurrence avec *ails*, utilisé en botanique. ◇ Dans son emploi principal, le mot connote la cuisine du sud de la France et de la Méditerranée, en général. Il est plus souvent collectif *(de l'ail, aimer l'ail)*.

▸ Le dérivé **AILLÉ, ÉE** adj. (XIIe s.) est le seul usuel, parmi une importante série, avec des diminutifs: **AILLET** n. m. (1240), *aillot, ailleron* (XVIIIe s., en Saintonges), **AILLEROTTE** n. f. (1826), et encore **AILLÉE** n. f. (XIIIe s.) «plantation d'aulx» et «sauce à l'ail», **AILLADE** n. f. (1812), emprunt à l'ancien provençal *alhada* «pain frotté d'ail». ◇ Le verbe **AILLER** v. tr., tiré de *aillé*, semble récent (1928, dans les dictionnaires).
AILLOLI ou **AIOLI** n. m. est un emprunt (1723) au provençal moderne *aioli*, composé de *ai* «ail» et de *oli* «huile», désignant une émulsion d'ail pilé et d'huile d'olive, plat typique de Provence.
Du latin *allium* provient **ALLIAIRE** n. f. (1549), nom d'une plante, **ALLIACÉ, ÉE** adj. (1799), relatif à l'ail, et les termes de chimie **ALLYLE** n. m. (1855), **ALLYLIQUE** adj. (1865).

◈ voir CHANDAIL, peut-être ALLANTOÏDE.

✳ **AILE** n. f. est une réfection partielle (XIIIe s.) de *ele* (XIIe s.), *eille*, formes issues du latin classique *ala* «point d'articulation du membre supérieur, bras ou aile, avec le tronc», mot apparenté à *axis* (→ aisselle, axe, essieu) dont il serait le dérivé archaïque, par une forme supposée °*aks-la*. En ancien et moyen français, sont attestées de nombreuses variantes, *aule, aesle*, etc.; *aile* correspond à l'ancien provençal *ala*.

♦ Le mot désigne l'organe du vol chez les oiseaux, puis chez les insectes. Dans ce sens, il donne lieu à de nombreuses locutions comme *être sur l'aile* «planer» (1669, après des formes anciennes), *bailler* (1606), *donner les ailes à* (un cheval) «faire courir», sorties d'usage, ***donner des ailes à (qqn)*** (1652) au figuré, «(le) stimuler», ***à tire d'aile*** «en volant rapidement» (1532), etc. ***Battre de l'aile*** (1611) «avoir perdu de sa force, aller mal» a été précédé par *ne battre que d'une aile* (1606); avec une idée voisine, on disait aussi *se brûler les ailes* (1596) «perdre son crédit, sa réputation»; ***en avoir dans l'aile*** (1635) a eu de nombreux emplois spéciaux («être amoureux», 1644; «vieillir», 1685). Par métaphore, on parle des ***ailes du vent*** (1553; une fois au XIVe s., *aules*); au figuré, ***sous l'aile, les ailes de*** signifie «sous la protection de» (1403). ◇ Une spécialisation du sens initial (*ele*, XIIIe s.) correspond à «partie d'une volaille, l'aile et la chair qui est autour, préparée pour être mangée»; *aile* s'oppose alors à *cuisse*.
Le mot a pris de nombreuses valeurs figurées, procédant de plusieurs figures. L'idée de latéralité est exploitée dans *ele*, «contrefort (d'une montagne)» (mil. XIIe s.), d'où «côté» (une fois au XIIe s.) et *les esles* «les abords» (1394); ces emplois ont disparu. En revanche, le sens d'*aile* «côté (d'un édifice)», par rapport au «corps principal de bâtiment» (v. 1200, *esle*), est resté usuel, avec des spécialisations. La même figure produit le sens de «bord, côté (d'un chapeau)» (1611) et plusieurs acceptions, par exemple dans ***les ailes du nez*** (1546), devenue usuelle, et aussi en botanique (1694), en arboriculture (1685), en technique pour «dent d'un pignon d'horlogerie» (1701), «partie latérale d'un gond» (1676)... ◇ En parlant d'un groupe d'hommes, le mot s'applique aux côtés d'une armée en ordre de bataille (1310, *ele*); au XXe s. à ceux d'une équipe de sport (1924) et, au figuré, à *l'aile d'un parti* (1924) puis à *aile marchante* (1934) «les éléments actifs, progressistes». ◇ Une valeur technique passée dans l'usage est «partie latérale d'une carrosserie d'automobile, protégeant les roues» (1922). ➛ Une autre figure concerne la fonction de l'aile d'oiseau qui est, soit de se mouvoir dans l'air, d'où *aile* de moulin à vent (1534, Rabelais), soit de soutenir dans l'air ce qui a des ailes: la métaphore de l'oiseau mécanique produit *aile planeuse* (1863) puis *aile*, en parlant de la surface sustentatrice d'un appareil aérien plus lourd que l'air. De là, *les ailes* «l'aviation» (les *Ailes françaises*, XXe s.). ◇ Le mot avait désigné auparavant une sorte de gouvernail pour les aérostats (1783) et un dispositif de propulsion (1784), sens repris dans celui de «branche (d'une hélice)» (1861), sortis d'usage et remplacés par *pale*.
Par ailleurs, les syntagmes déterminés, désignant l'organe du vol d'une espèce d'oiseau, d'insecte ou de mammifère (chauve-souris), peuvent donner lieu à des figures, comme ***aile de corbeau*** «bandeau de cheveux très noirs» (1869), puis adjectivement, qualifiant des cheveux d'un noir intense (1898).

▸ Le mot a eu plusieurs dérivés anciens, dont certaines acceptions ont survécu. ➛ **AILÉ, ÉE** adj., d'abord *alé* (XIIe s.), refait en *aellé* (1555), *ailé* (1596), signifie «muni d'ailes» et s'emploie spécialement en blason (1581). Il a des emplois extensifs, comme *graine ailée* (1798), et figurés, pour «léger, subtil» (1852 in *T. L. F.*). ➛ Parmi les dérivés, le verbe **AILER** v. tr. (XVIe s.) «munir d'ailes», au figuré «faire aller vite» (XVIe s.), «donner de l'élan» (1871), est archaïque et littéraire.
AILETTE n. f. (XIIe s., *elette, alette*), qui désigne d'abord une petite aile d'oiseau, a eu de nombreux

sens figurés en construction, architecture (1564), marine (1820), etc., correspondant en général aux sens figurés de *aile.* ◇ Après *allette* (XIVe s.) «palette d'un moulin à eau», ce sont les valeurs techniques de «palette (d'hélice, de ventilateur)» (1890), «aile (d'une fusée)» (1866) qui l'ont emporté, entraînant la création de dérivés techniques, comme **AILETTAGE** n. m. ◆ **AILERON** n. m. (*alleron,* v. 1320), d'abord «petite aile», s'applique à l'extrémité de l'aile (1393), avec de très nombreux sens figurés, aux divers sens d'*aile,* certains attestés avant le sens initial (*aleron* «blason d'épaule de l'armure», 1285). ◇ Les sens techniques sont parfois repris comme métaphores plaisantes, par exemple «bande d'étoffe ornant une manche» (1625); les seuls usuels concernent les fusées d'artifice (1762), l'aviation (1898), les techniques spatiales (d'un satellite artificiel, 1967), l'automobile («stabilisateur horizontal»). ◆ **AILIER** n. m. se dit (1905), en sports d'équipes, d'un équipier jouant à l'*aile* des avants et aussi (mil. XXe s.) en aviation de l'équipier extérieur d'une patrouille de chasse.

Du latin *ala* ou de son dérivé *alarius* vient le terme didactique **ALAIRE** adj. (1798) «en forme d'aile» et «relatif aux ailes», ainsi que **SUBALAIRE** adj. (1770, Buffon), appliqué à ce qui se trouve sous l'aile ou sous l'aisselle d'une branche (1808).

◈ voir **HALETER.**

◈ **AILLEURS** adv., «dans un autre lieu», semble venir (XIe s.) d'une forme sans *s, ailleur,* issue du latin *alior,* dérivé de *alius* «autre» qui a donné *alienus* (→ aliéné) et *alter* (→ autre), dans une locution hypothétique *in aliore loco,* car l'adverbe latin attesté *aliorsum* n'aurait pas donné la voyelle *-eu.*

♦ Ce mot apparaît sous la forme *ailurs* (1050), devenue *aillor(s)* (XIIe s.), *allors* (v. 1200); il s'emploie au figuré pour «autrement» depuis le début du XIIIe siècle. Il sert à former des expressions très courantes en français moderne : ***d'ailleurs*** (1174) «d'un autre endroit», puis (mil. XVIIe s.) «d'autre part»; ***par ailleurs*** «par une autre voie» (1160), puis au figuré «d'une autre manière» (cf. *autrement*); ***et puis d'ailleurs*** (1688). ◇ Après avoir évoqué l'exotisme (substantivé : *les ailleurs*), le mot, avec la conquête de l'espace et la science-fiction, concerne parfois les extra-terrestres que l'on dit *venus d'ailleurs.*

◈ ① **AIMANT** n. m. n'a rien à voir avec le verbe *aimer,* malgré le sémantisme de l'«attirance» qu'il a pris en français. Le mot, sous la forme *aiemant* (XIIe s.), en judéo-français *jamant* (Gloses de Raschi), procède du latin populaire supposé °*adimas,* altération nécessaire de *adamas* (les formes en *-i-* existent en ancien provençal, en espagnol), d'ailleurs normale : ainsi le grec *mêkhanê* (*makhana* en dorien) a donné *machina,* d'où *machine.* Le mot latin a deux sens : «fer très dur» et «diamant»; c'est un emprunt au grec *adamas* «corps dur, fer le plus dur» (→ adamantin), qui a pris depuis Pline le sens de «substance magnétique»; quant à la valeur «diamant», elle est passée par la forme tardive *diamas* (IVe s.) [→ diamant].

♦ *Aimant* a eu en ancien français le sens de «diamant» (1125, jusqu'au XIVe s.), mais désigne plus souvent, dès le XIIe s., l'oxyde de fer magnétique qui attire les métaux, par extension la boussole (XVIIe s.), sens disparu, et, au figuré, ce qui attire et attache (1625, Racan), valeur surtout assumée par la comparaison ***(comme un aimant).*** ◇ Le sens premier est en concurrence avec ***pierre d'aimant*** (XIIe s., *d'ayement*). Outre le minéral (magnétique), appelé depuis le XVIIIe s. *aimant naturel* (1751), le mot désigne toute substance aimantée (*aimant artificiel,* 1721) et s'emploie en syntagmes pour d'autres minéraux magnétiques (par exemple *aimant arsenical,* 1701). La notion, avec le développement de la physique, correspond dès lors à «substance magnétique ou magnétisée» (→ magnétisme) et à «pièce de métal aimantée» (*un aimant en fer à cheval,* etc.).

▶ Le dérivé **AIMANTER** v. tr. (1386), aussi pronominal (1751), a pris au figuré la valeur d'«attirer de manière invincible». ◇ Son emploi est plus rare que celui de **AIMANTÉ, ÉE** adj. (attesté XVIIIe s.), surtout dans *aiguille aimantée.* ◆ Il a pour dérivé **AIMANTATION** n. f. (v. 1750) qui s'emploie aussi littérairement au figuré (fin XIXe s.). ◆ Par préfixation, le verbe et son dérivé ont produit **DÉSAIMANTER** v. tr. (1853, *se désaimanter*) et **DÉSAIMANTATION** n. f. (1854).

✻ **AIMER** v. tr. est issu du latin *amare,* d'abord sous la forme *amer* (X^e, jusqu'au XVe s.), modifiée sous l'influence des formes accentuées, comme j'*aime.* Le verbe latin est peut-être, selon Ernout et Meillet, un «mot populaire expressif à rapprocher de *amita* («tante»), *amma* («maman»); *amare* a pris les deux valeurs, affective et érotique, des deux verbes grecs *philein* et *eran,* comme *amor* (→ amour) correspond à la fois à *philia* et à *erôs.* ◈

♦ De ces valeurs initiales fortes, conservées en français tant sur le plan sentimental et érotique (v. 1150) qu'intellectuel, on est rapidement passé à des sens affaiblis, comme «avoir du goût pour (des aliments, des boissons)» (XIIe s., *amer*). Les constructions *aimer à* (et nom) [mil. XIIe s.], *aimer que* et subjonctif (1370) et *aimer de* (et infinitif) [1550] ont précédé *aimer à* (et infinitif) [Montaigne] et *aimer* suivi directement d'un infinitif (XVIIIe s., Rousseau). ◇ L'affaiblissement de sens se manifeste dans ***aimer mieux*** «préférer» (v. 1300), construit, comme le verbe simple, avec *de* et infinitif, l'infinitif seul ou *que* et le subjonctif, et dans ***aimer bien*** (XIVe s., dans des formules). ◇ Avec un sujet nom de plante, le verbe signifie «croître en abondance dans» (1549, *aimer un lieu, l'ombre,* etc.). ◇ Au sens psychologique, certains proverbes avec *aimer* sont restés en usage, comme ***qui aime bien châtie bien*** (d'abord *qui bien aime...,* XIVe s.) ou ***qui m'aime me suive*** (1690).

▶ Les dérivés français de la forme moderne sont peu usités et assez récents : **AIMEUR, EUSE** n. (1857), **AIMOTER** v. tr. (Verlaine), à la différence des composés (ci-dessous) et des participes.

AMÉ, ÉE (XIIe s.), puis **AIMÉ, ÉE** adj., s'emploie comme adjectif et comme nom, dans les divers sens du verbe. Au moyen âge, *mon amé...* se dit d'un inférieur (vassal, féal). ◆ Les composés **BIEN-**

AIMÉ, ÉE adj. (XVIe s., Rabelais) et **MAL-AIMÉ, ÉE** adj. (1909, Apollinaire), ce dernier littéraire, ont, comme *aimé*, pris une valeur sentimentale et érotique en français contemporain. ➔ ② **AIMANT, ANTE** adj. (1549) est reformé sur *aimer*, parallèlement à *amant* (ci-dessous); puis il s'en détache et correspond à «porté à aimer, affectueux» (fin XVIIe s.).

AMANT n. m., dérivé de la forme ancienne *amer*, et peut-être conservé à cause de la rencontre homonymique avec *aimant**, n. m., a signifié (v. 1130) «celui qui a de l'affection, ami*», avant de se spécialiser pour «celui qui aime et est aimé (d'une femme)» (v. 1160). Le féminin **AMANTE** (XIIe s.) a la valeur réciproque, et le pluriel *les amans* (mil. XIIIe s.) désigne un couple lié par un amour partagé. ◇ Le mot désigne alors et jusqu'à la fin du XVIIe s. des personnes qui aiment, qu'elles aient ou non des relations sexuelles. À partir du XVIIIe s., le masculin suppose des relations sexuelles hors mariage, le féminin reculant devant *maîtresse**; l'élément affectif devient alors moins important que l'élément sexuel et social. Apparaissent ensuite des locutions comme ***amant en titre*** (1830), ***amant de cœur*** (1842), les anciennes expressions non érotiques (*amant de la liberté*, etc.) tendant à vieillir.

L'adjectif **AIMABLE** (d'abord *amable*, v. 1165) vient du dérivé latin *amabilis*, mais est senti comme venant du verbe français, quand la forme *aimable* (XIVe s.) l'emporte, au XVIe s., sur *amable*, qui a subsisté en tant que prénom (de saint *Amable*). Cet adjectif, comme d'autres mélioratifs sociaux de forme analogue *(agréable, adorable, charmant)*, perd dans la langue courante sa valeur propre («digne d'être aimé») et qualifie les personnes d'une fréquentation plaisante (fin XVIIIe-déb. XIXe s.). Il entre alors (1771) dans les formules de politesse *(soyez aimable, bien aimable, assez aimable de..., pour...)*. ◇ La substantivation (*un aimable*, 1734, «mondain») a disparu. ◇ Les dérivés *amableté* (de *amable*) et *aimabilieté* se sont effacés devant *amabilité*. ◇ Seul **AIMABLEMENT** adv. (XIVe s.), qui a suivi l'adjectif, est courant.

AMABILITÉ n. f. est un emprunt assez tardif (1683) au dérivé latin *amabilitas*; il a supplanté les dérivés français (*aimabilité*, 1676, Mme de Sévigné) et correspond à *aimable* au sens affaibli.

◈ voir AMADOU, AMATEUR, AMI, AMOUR, ENNEMI, INIMITIÉ, MAMIE.

AINE

AINE n. f. est l'aboutissement (fin XIIe s.) de l'évolution phonétique, par *eigne, aigne*, d'un latin tardif *inguinem*, de *inguina* pluriel (plus fréquent), du latin classique (neutre) *inguen, inguinis* «enflure» et «aine». *Inguen* est rapproché par Saussure du grec *adên, adenos* «glande» (→ adéno-).

♦ Le mot, plutôt didactique, désigne la partie du corps humain située entre le bas-ventre et la cuisse, spécialement dans *pli de l'aine*.

◈ voir INGUINAL.

AÎNÉ, ÉE

AÎNÉ, ÉE adj. et n. est composé (1155) de l'ancien français *ains**, *ainz* «avant» et de *né* (→ naître).

♦ Le mot est attesté au XIIe s. comme nom masculin et féminin, sous la forme analytique *ainz nez* (1155) et aussi au féminin *einznee* (1160-1174), comme nom et comme adjectif (1174). Cet emploi est logiquement antérieur et les attestations, très proches, ne sont pas pertinentes pour l'histoire du mot. ◇ Celui-ci reste courant comme adjectif, alors que *puîné, ée*, son contraire, est devenu archaïque; *aîné* qualifie aussi la branche d'une généalogie royale qui descend du *fils aîné*. Au premier emploi, *fils, fille aîné(e)*, s'ajoute *frère, sœur aîné(e)*, où la seule antériorité chronologique est retenue, l'idée de filiation étant perdue dans l'extension *être l'aîné (e) de qqn*. *Aîné*, adj. et n., est en concurrence avec *premier-né*. Il a aussi des emplois extensifs et figurés (la France, *fille aînée de l'Église*). ◇ Un emploi particulier concerne la postposition au nom propre *(Coquelin aîné)*, alors opposé à *cadet*.

▸ Le dérivé **AÎNESSE** n. f. est formé en droit (1283) avec le suffixe *-ece (ainsneece)*, puis *-esse*. L'emploi le plus usuel est demeuré celui de ***droit d'aînesse***, désignant la prérogative du premier-né mâle en matière de succession parentale. ◇ *Aînesse* seul, pour «qualité de premier-né» et au figuré «primauté en âge, en expérience», est littéraire et assez rare, sauf dans *droit d'aînesse*.

AINS

AINS conj., extrêmement courante jusqu'au début du XVIIe s., est issue du latin *ante* «avant, devant» (→ anté-), par une voie peu claire et sous diverses formes : *anz* (980), *einz* (1080), *ainz* (id.), *ains*. On a évoqué depuis Ménage un comparatif °*antius* (comme *puis* viendrait de °*postius*), hypothèse la plus plausible.

♦ *Ainz, ains* a exprimé l'antériorité jusqu'au XVe siècle; dans ce sens d'«avant», il s'est employé aussi comme adverbe (1080, jusqu'au XVIIe s.). *Ains que (ainz que)* signifiait «avant que» (1050). ◇ Le mot a pris une valeur adversative et s'est employé dès l'an 1000 pour «au contraire, plutôt», aussi comme adverbe (XVIe s.) et dans *ainz que* (1050). Dès l'ancien français, *ainz* est employé en concurrence avec *mes (mais)*, avec une différence notable : *ainz* introduit une idée positive, compensant une idée négative, alors que *mes* introduit une idée toute différente. *Ains* s'emploie normalement jusqu'au XVIe siècle; au XVIIe s., il est considéré comme «burlesque» (c'est-à-dire du style ancien). Il sera repris en littérature dans le style dit «troubadour» (de 1750 à 1830).

▸ **AINÇOIS** (XIIe s.; d'abord *enceis*, 1080), de sens voisin, vient peut-être d'un dérivé du comparatif °*antius* ou d'un °*antecessius*, de *antecessus*, participe de *antecidere*, de *cedere;* cette hypothèse de Sandfeld est contestée, *ainz* et *ainçois* étant étroitement liés. *Ainçois* est adverbe et signifie «auparavant», et aussi (XIIe s.) «plutôt»; comme *ains*, il s'utilise comme conjonction temporelle (1080) et adversative (mil. XIIe s.). Le mot a cessé de s'employer avant *ains* (XVe-XVIe s.).

◈ voir AÎNÉ, ANCIEN, ANTAN.

AINSI

AINSI adv. résulte de l'altération (XIIe s.) de l'ancien français *ensi, einsi* (mil. XIe s.), d'origine complexe, au moins pour le premier élément *en-*. *Si* dans *ainsi* vient de *sic* (→ si, adv.), probablement par l'adverbe *eissi*, employé en Normandie et dans l'ouest de la France, et que l'on rapproche de l'ancien provençal *aissi*, du latin populaire °*accum sic* (où °*accum* représente *eccum*, pour *ecce*; → ecce homo) qui aurait pénétré par le Sud-Ouest. Un autre adverbe ancien, *issi*, a pu jouer un rôle. La forme moderne *ainsi*, selon Guiraud, aurait subi l'influence de *ains** pour produire le sens «de cette manière plutôt que d'une autre».

♦ L'adverbe signifie d'abord «de cette façon» (*ensi*, mil. XIe s.) avant de servir de particule au début d'une phrase au subjonctif optatif : *ainsi soit*, ***ainsi soit-il*** (1539), le second, formule de prière, équivalant à *amen*. ◇ La conjonction ***ainsi que*** (v. 1200, *anssi que*) «de même que», puis (1330) «au moment où» est sortie d'usage au XVIIe siècle.

⊕ voir AUSSI.

AIR n. m. est issu (XIIe s.) du latin *aer*, à l'accusatif *aerem*, emprunt au grec *aêr*, *aeros* «vent», puis «air» (→ aérer), traditionnellement rapproché du verbe *aênai* «souffler», d'origine clairement indoeuropéenne. Mais ce rapprochement est aujourd'hui abandonné, et d'autres hypothèses ont été émises, sans plus de certitude.

♦ ① AIR, avec ses variantes anciennes *ar* (XIIIe s.), *aer* (XIIIe-XVIe s.), est resté très courant au sens premier d'«atmosphère» (1119) et au pluriel *les airs*, en poésie (depuis XVIIe s., Voiture). Par extension, *air* a désigné en sciences tout fluide élastique invisible (XVIIe-XVIIIe s.), sens où il a été remplacé par *gaz*; ainsi, *air inflammable* (1780) et *air vital* (1810) se sont dits pour «hydrogène» et «oxygène». ➡ Le sens de «vent» (1275) puis de «coup de vent, souffle» (1549), d'où *être, se mettre entre deux airs* (déb. XIXe s., Balzac), a disparu au profit de ***coup d'air***, spécialement «douleur provenant du vent ou du froid» (1787) et de ***courant d'air***, où *air* a le sens premier. ◇ De très nombreuses locutions dépendent de cette acception primordiale : ***prendre l'air*** (XVIIe s., au figuré ; 1669, pour «aller se promener»), ***donner de l'air*** (1671), d'abord *bailler* (1549), *donner air* (1559), par exemple en ouvrant les fenêtres, *battre l'air* «faire une chose inutile» (1590), ***fendre les airs, l'air*** (XVIIe s.) «aller très vite», ***libre comme l'air*** (1803). ◇ Combiné avec des prépositions *(à, en, dans)*, le mot prend des valeurs particulières : ***à l'air*** correspond surtout à «dans le milieu extérieur», ***en l'air*** à «dans une situation élevée, vers le haut», par exemple dans ***tirer (un coup) en l'air*** (1660), ***cracher en l'air*** (au fig., 1808), au figuré ***être en l'air*** «dans l'agitation» (Mme de Sévigné), «en désordre» (1873), ***avoir un pied en l'air*** «être tout prêt à partir» (Mme de Sévigné), qui a vieilli, et abstraitement ***tête en l'air*** «personne distraite, évaporée» (XXe s.). ◇ ***Dans l'air*** correspond plutôt à «dans l'atmosphère» et donc à «prévisible» : ***il y a de l'orage dans l'air*** (fin XIXe s.), ***c'est dans l'air*** (1835) «cela vient de la nature du pays», puis (1878) «l'idée, l'impression est répandue, sans être nettement exprimée». ◇ L'expression ***plein air***, comme ***air libre***, désigne l'espace ouvert, l'air du dehors. On est passé de *en plein air* à *le plein air*, expression nominale (*activités de plein air*, etc.). ◇ Au sens de «lieu, séjour», l'expression ***changer d'air*** (d'abord *changier air*) «changer de lieu de séjour, d'ambiance, d'atmosphère» est ancienne (av. 1475).
La même idée d'atmosphère propre à un lieu, à une activité, se retrouve dans ***l'air de la cour*** (XVIe s.), ***l'air du bureau*** (mil. XVIIe s., Retz). Ces emplois ont préparé ② *air*, «façon d'être» (ci-dessous). ➡ Au sens de «partie élevée de l'atmosphère», le mot s'est spécialisé pour «milieu où se déplace ce qui vole», les oiseaux, puis les engins aériens, notamment (fin XIXe s.) les ***plus lourds que l'air***, jusqu'à être synonyme de «avions, flotte aérienne». ◇ Cette valeur se réalise dans ***hôtesse* de l'air***, calque de l'anglais, dans le nom de plusieurs compagnies d'aviation, tel *Air France*, dans les syntagmes comme ***mal de l'air, baptême de l'air***; elle est soutenue par les emplois d'*aérien**; cf. aussi *Airbus* (→ omnibus).
Dans tous ces emplois, le mot est usuel et sert à former une importante phraséologie ; son pouvoir est lié au caractère monosyllabique, comme les noms des trois autres éléments de la physique antique, *terre*, *eau* et *feu*, et, comme ces mots, à une symbolique fondamentale (voir les travaux de Bachelard). Par ailleurs, deux types d'emplois, apparus au XVIe s., donnent à *air* deux homonymes, aujourd'hui détachés du sens premier. ② AIR n. m. Au XVIe s. (1580), le mot, déjà utilisé au sens de «façon de se comporter» *(l'air de la cour)*, s'emploie pour «manière de parler, de se vêtir», «apparence» (Montaigne). L'influence de l'italien *aria* «aspect» et «expression» (av. 1374, Pétrarque) est probable. De là, au pluriel, *des airs* «manières affectées» (1690, ***se donner des airs***). L'une des expressions les plus courantes au XVIe s. (Brantôme) et au XVIIe s. est ***bel air*** «manières élégantes, à la mode», d'où ***(être) du bel air*** (1661), sortie d'usage au XVIIIe s. mais encore citée ; ***bon air*** «bonne apparence», surtout dans ***avoir bon air*** (1640), et ***avoir (un) grand air*** (1669) s'emploient encore, de même que ***avoir l'air de...*** (XVIIe s., Mme de Sévigné ; *avoir de l'air de qqn*, 1665), très usuel avec diverses spécifications : ***avoir tout l'air de...*** (1674), ***avoir un faux air de...*** (1798), ***n'avoir l'air de rien*** (1866), ***avoir un drôle d'air***, etc.
③ AIR correspond à l'italien *aria* «manière», qui s'était spécialisé (mil. XIVe s.) au sens de «mélodie», par une évolution dont on rend compte par le fait que le chant est considéré comme une «manière», un «genre» musical, de même en allemand *Weise*, en arabe *ṭab'*. ◇ Le français a emprunté ce sens au XVIe s. (1578) et l'étend aux instruments. Quelques locutions utilisent cette acception, comme ***(en) avoir l'air et la chanson*** (1866), ou ***jouer le même air*** «rabâcher» (1898).

⊕ voir AÉRER (AÉRIEN, AÉRO-), ARIA, MALARIA.

AIRAIN n. m. est la réfection d'après le latin *aes*, de *arain* (XIIe-XVIe s.). Le mot, désignation littéraire du bronze, vient du latin populaire °*aramen*, déformation de *aeremen*, mot tardif dérivé de *aes*, *aeris* «bronze» et «cuivre», représentant une famille indoeuropéenne (sanskrit *áyaḥ*, gotique *aiz*).

♦ *Airain*, mot courant dans la poésie classique, notamment au sens de «canons» (1691, Racine), «cloche(s)» et au figuré (***un cœur d'airain*** «impitoyable»), est aujourd'hui archaïque. Il a désigné aussi le cuivre (v. 1200-XVIe s.). Les syntagmes, qu'ils soient concrets comme ***pierre d'airain*** (1538) ou figurés comme ***un ciel d'airain*** (1618, d'Aubigné), sont sortis d'usage. Certains caractérisent la poésie classique et néo-classique, jusqu'au XIXe siècle; d'autres viennent de la tradition biblique (***mur d'airain,*** 1550 «obstacle infranchissable»; ***être écrit, gravé sur l'airain,*** 1694).

◈ voir ÈRE, ÉRUGINEUX, OBÉRÉ.

① **AIRE** n. f., d'abord masculin en ancien français (XIe s.), est issu du latin *area* «espace où l'on bat le blé», «cour», rendant compte du masculin; le mot latin signifie en outre «terrain à bâtir; bassin; cimetière, etc.», autres spécifications d'une valeur de base, «sol uni, espace libre», et abstraitement, «superficie». Certains de ces sens survivent dans les langues romanes, comme l'italien *ara,* l'espagnol et le catalan *era,* l'ancien provençal *eira* (XIe s.). *Aire* a pu se confondre avec des formes issues d'autres mots latins, *aer (air*), arare, iter* et surtout *ager* «champ» (→ agreste) et «domaine», qui a donné l'ancien provençal *agre, aigre* «nid», d'où en français «nid de l'aigle» (ci-dessous ② *aire*).

♦ *Aire* n'a conservé que peu d'emplois, par rapport à l'ancien et au moyen français. Le mot signifiait en général «lieu, endroit» (v. 1200) et spécialement «cour», «terrain en friche» (1321), avec plusieurs locutions; ces acceptions ont vécu dans les dialectes jusqu'au XXe siècle. ◇ L'acception de «sol uni, dégagé» était vivante dans des locutions comme *en l'aire, en mi* [au milieu de] *l'aire* (XIIe s.), probablement disparues à cause de l'homonymie avec *en l'air.* ◇ La valeur de «plancher, sol (d'une pièce)» (*eire,* XIIIe s.), utilisée pour le calcul des surfaces bâties (1227), a mieux résisté, soit en usage régional, soit dans des emplois techniques spéciaux : *aire d'un plancher* (1409), *aire de chaux et de ciment* (1694), *aire de plâtre* (1845); *aire d'un bassin* (1751), etc. En technique encore, le mot a servi à désigner des parties plates, comme la partie supérieure de l'enclume et l'enclume elle-même (1838). ◇ Alors que le sens de «jardin potager» (v. 1120) a disparu (sauf régionalement), une acception agricole est demeurée usuelle depuis l'ancien français (v. 1170) : c'est celle d'«espace où l'on bat le blé», d'où *batere* (batteur) *en aire* (1204), *batre son aire,* etc.; on a longtemps dit régionalement *aire de grange* pour «sol de la grange», emploi distinct de *aire à battre.* ➔ Avec le dérivé disparu **AIRÉE** n. f. (XIIIe s.), des locutions ont été formées; le verbe **AIRER** «mettre le blé à battre sur (l'aire)» est lui aussi sorti d'usage.

Dans les contextes non agricoles, le mot est employé en sciences, notamment en géométrie pour «superficie (d'une figure)» (XIIIe s.) et en navigation, avec ***aire de*** ou ***du vent*** (1394, *are de vent*) «secteur limité par deux points du compas; rhumb». Ces acceptions sont restées en usage. ◇ En géologie, le mot acquiert la valeur de «plateforme» dans ***aire continentale*** (1900). ◇ En technique, le sens général de «surface plane dégagée» a été appliqué à l'aviation (1890), notamment dans ***aire d'atterrissage*** et dans ***aire de lancement*** (d'une fusée) [v. 1970]. ◇ Dans l'aménagement urbain et routier, on parle d'*aire de jeu* (1966), *de stationnement* (1974), d'*aire de repos* (en bordure d'autoroute), par influence de l'anglais *area,* mot qui est responsable de l'emploi pour «zone», dans *aires culturelles,* et probablement d'acceptions techniques en anatomie, neurologie (*aires cérébrales*), embryologie, physique (*aires de diffusion, de ralentissement* [d'un neutron]); tous ces emplois apparaissent au milieu du XXe siècle.

◈ voir ARE, ARÉOLE, HECTARE.

② **AIRE** n. f., d'abord masculin, est issu (1086, écrit *haire*) du latin *ager* «fonds de terre; domaine agricole» (→ agreste).

Comme l'ancien provençal *agre* (XIIe s.) «nid d'oiseau», le mot s'est spécialisé dès l'ancien français pour «nid de l'aigle», l'homonymie avec ① *aire* l'inclinant vers l'acception «espace libre où l'aigle établit son nid».

♦ De même qu'en provençal, le mot s'applique figurément à l'origine d'une famille (déb. XIIIe s., *ere*), soit par la métaphore du nid, soit parce que le latin *agre* désignait le patrimoine de terres d'une famille. De là en ancien et moyen français les expressions *de... aire* «de (telle) origine» et *de bonne aire* (1342), où le mot est devenu féminin. L'idée d'origine s'efface très tôt au profit de celle de «genre, espèce», par exemple dans *de put* [mauvais] *aire* (1080). Tous ces emplois figurés ont disparu du fait des homonymies (*de bonne aire, de bon air,* etc.) avant le français classique, le seul témoin moderne étant le composé *débonnaire**.

► Le verbe **AIRER** v. intr. est la réfection (v. 1465) de l'ancien français *s'aarier* (v. 1200), dérivé d'une variante longue de *aire.*

◈ voir DÉBONNAIRE.

AIRELLE n. f. est un emprunt (1582) à l'occitan *airolo* (Cévennes), diminutif d'un mot simple *aire,* attesté en provençal *aire* (prononcé *aïré*), provenant du latin *altra* «la noire», de l'adjectif *ater* «sombre, noir», marqué d'un caractère funeste. On peut partir d'un sens originel «noirci par le feu», si l'on accepte de rapprocher l'irlandais *áith* «fourneau», l'arménien *ayrem* «je brûle», l'avestique *ātarš* «feu».

♦ Le mot désigne la baie noire ou rouge comestible d'un arbrisseau (*Vaccinium*) et cet arbrisseau. Il est d'abord régional (Massif central) et continue d'être en concurrence avec d'autres noms de cette baie ou de baies semblables, comme *myrtille,* qui paraît plus courant en français central, et au Canada, *bleuet.*

◈ voir ATRABILAIRE, ATROCE.

AIS n. m. provient du latin tardif *axis,* du latin classique *assis* (et distinct de *axis,* qui a donné *axe*). *Assis* signifie en général «planche». Son origine n'est pas claire (un emprunt est probable).

♦ Le mot est ancien (1160); il ne s'est maintenu à côté de *planche* que dans des contextes spéciaux (souvent suivi d'un déterminant) et dans des acceptions particulières comme «plat d'une reliure»

(1395), «plateau de bois utilisé en typographie ancienne», etc. Il est courant en technique.

✱ **AISE** n. f. est issu (XIe s., *ajjse*) du latin *adjaceus* (→ adjacent), participe présent du verbe *adjacere*, de *ad-* (→ à) et *jacēre* (*e* long) «être dans l'état de ce qui a été jeté», verbe qui correspond au grec *parakeimein*. Ce verbe vient de *jacere* «jeter», dont le fréquentatif *jactare* a donné *jeter**. Le latin *adjacens* signifie «qui se trouve près» et a donné le latin médiéval *in aiace* (IXe s.) «dans le voisinage de», l'ancien provençal *aize*, d'où par emprunt l'italien *agio* (cf. *adagio*), le portugais *azo*. En ancien français, coexistent la forme réduite et une forme développée, notée *aaise, eese, ahaise, aiese*, soutenue par de nombreux dérivés (*aaisement, aiesement, aaisier*, etc.).

♦ Le mot est attesté au XIe s. isolément *(ajjse)*, puis régulièrement à partir du XIIe siècle. Les sens propres à l'ancien français sont «demeure, résidence» (*ais*, v. 1190), «droit d'usage» (*aaises*, 1258) et au figuré «occasion» (XIIe s.), en particulier dans *aveir aise de* «avoir la possibilité de». Ces valeurs ont disparu aux XVe et XVIe s., mais la première, étymologique, survit longtemps dans les dialectes et patois, avec des spécialisations, pour «lieu, endroit»; jusqu'au XVIe s. on a dit *a aise* pour «près de». La valeur psychologique du mot, qui existe pour *aise, eise* et pour *aaise* (ci-dessus), apparaît dans le premier tiers du XIIe s. (v. 1130, Eneas; XIIIe s., pour *aaise*). Elle correspond, comme pour *aisance* (ci-dessous), à un passage de l'idée de dépendance matérielle, de lieux disponibles à côté du lieu principal (cf. ci-dessous les valeurs métonymiques, aux XIVe-XVe s.) à celle de service, de commodité, puis de plaisir lié à la satisfaction d'un besoin, et à l'utilisation d'un espace, notamment dans *a eise* (1170, Chrétien de Troyes), *a aise* (XIIIe s.) qui signifient «bien, confortablement», puis «agréablement». De là en moyen français *à bel aise* «commodément» (1490) et en français moderne ***à l'aise*** (fin XVe s.) «facilement, sans difficulté», très courant aujourd'hui dans la langue familière ***(à l'aise, Blaise !)***, et aussi «confortablement» dans ***être, se mettre à l'aise*** (1690). ◇ L'emploi au pluriel est très ancien (v. 1210) pour «les agréments, les commodités de la vie» (par exemple ***avoir, prendre ses aises***). ◇ De nombreuses locutions sont formées avec *à* : ***à votre aise*** (XIIIe s.), ***être à son aise*** «riche» (XIIIe s.), *mal à son belaise* «indisposé» (1549), «pauvre» (1658), puis ***être mal à l'aise*** (XIXe s. : 1860 Goncourt); ***en parler à son aise*** «sans être concerné» (v. 1550), ***mettre qqn à son aise*** (1762). ◇ *D'aise* (XIIIe s.) et *en aise* (*en grant haaise*, XIIIe s.) ont disparu, et l'emploi libre au singulier *(l'aise, une aise)* est archaïque et littéraire. ➜ Aux XIVe-XVe s., le mot a eu des emplois métonymiques concrets, pour «récipient, vase» (depuis 1372), «vaisselle», «outils» (v. 1476), qui ont disparu au XVIe s., sauf dans les dialectes.

L'emploi adjectif, conservé dans ***être bien aise***, pourrait provenir (XIIe s.) de *être a aise*. Le sens premier semble être (1164) «heureux, content»; *être aise (que)* est devenu archaïque. *Être bien aise* (fin XVe s.), devenu rare sans complément, est resté dans l'usage dans ***être bien aise de, que...***, donnant un composé régional *bénaise* (avec de nombreuses variantes) et un substantif *bien-aise*, n. m. (1756), qui a vieilli.

▶ *Aise*, en ancien français, a de nombreux dérivés usuels, dont plusieurs ont à peu près disparu. ➜ **AISEMENT** n. m. (v. 1160, *aissement*) signifiait à la fois «commodité» et concrètement «terrain bâti, dépendance» (1231), «cabinet d'aisance» (1389; d'abord *faire ses aissemans* «satisfaire ses besoins naturels», 1264); cf. ci-dessous *aisance*. Le mot s'est employé en droit pour «libre disposition, jouissance». ◇ Comme *aise*, il a pris des valeurs métonymiques, «objet utile», «instrument» (1229), «meubles» (*aisemens d'ostel*, 1231), «récipient» (1443). L'aire d'emploi du mot, usuel jusqu'au XVIe s., est surtout le nord et l'est de la France.

Le verbe **AISER** v. tr., d'abord *eisier* (v. 1180) à côté de *aaisier*, contemporain, est lui aussi usuel en ancien français, pour «aider», puis (1263) «bien traiter» et «mettre à l'aise», «rendre content». Le pronominal *s'aisier* «se reposer» (XIIIe s., «se restaurer») est usuel aux mêmes époques (jusqu'aux XVe-XVIe s.). ➜ Ce verbe disparu a donné un adjectif conservé en français moderne, le participe passé **AISÉ, ÉE** adj. (v. 1150), aussi *aisié* (XIIIe s.) parallèlement à *aaisié, aeiser* (fin XIIe s.). *Aisé de* ou *à* a signifié activement «qui est en mesure de» et «qui aime à» (XIIe-XVIe s.). ◇ Ce sens a disparu et l'adjectif s'applique, depuis le XIIe s. mais surtout à partir du XVe s., à ce qui se fait facilement par exemple dans *il est aisé de* (dès 1283). L'adjectif s'est employé absolument pour «agréable» (fin XIIe s.), «agile, vif» (de l'esprit, 1559), pour «dégagé» (1670), «libre», du ton et du style (mil. XVIIe s.). ◇ Une valeur spéciale, appliquée aux humains, est «qui a du bien» (fin XVe s.), en rapport avec *à l'aise* et avec *aisance*; mais on ne dit plus *les aisés* (1654) dans ce sens. ➜ *Aisé* a pour dérivé **AISÉMENT** adv. (fin XIIe s., *aisiement*) «commodément», puis «facilement» (v. 1300). L'adverbe a pris sa graphie actuelle au XVIe s. (1564) et ne s'utilise qu'aux sens psychologiques d'*aisé*.

Aise a servi à former deux composés négatifs. **MÉSAISE** n. m. (v. 1130), «souffrance, inconfort» et aussi (1538) «gêne pécuniaire», est sorti d'usage, comme *désaise* (XIIIe-XVIe s.); ces mots avaient des dérivés, verbes et participes adjectifs. ➜ **MALAISE** n. m. (1137) désigne l'état contraire à l'«aise», souvent en construction adverbiale, *a malaise, a grand malaise* (v. 1220). Le mot, surtout féminin en ancien français, désigne aussi une difficulté (1190), sens disparu, comme celui d'«état de gêne matérielle» (déb. XIVe s.). ◇ Depuis le XVIe s. tardif (1587, Malherbe), il désigne une sensation pénible, tant morale que physique, puis (déb. XIXe s.) un trouble de la santé et, au figuré (1810), un trouble dans la société, l'opinion, spécialement (1873) une crise larvée. ➜ *Malaise* a eu plusieurs dérivés disparus (*malaisance* n. f., *malaisieu* ou *malaiseux* adj., *malaiser* v. «mettre dans une mauvaise situation»). ➜ **MALAISÉ, ÉE** adj. est formé (1re moitié XIIIe s.) de *mal* et de *aisé, aisié*, parallèlement à *malaise*. Il signifie «désagréable, incommode» et «difficile» (v. 1260), d'où *malaisé à* (1530) puis *de* (et l'infinitif) [XVIIe s.]. Il s'est dit des personnes malades (1398, *malaissé*) et dépourvues d'argent (1552), acceptions sorties d'usage. ◇ L'adjectif a servi à former l'adverbe **MALAISÉMENT** (v. 1350, *malaisiement*) «difficilement, avec peine», dont l'orthographe actuelle date du XVIe s. (1538).

AISANCE n. f. est issu (1284) du latin *adjacentia* «les environs, les entours», participe présent *(adjacens)* au neutre pluriel, substantivé, de *adjacere* (ci-dessus). Le mot latin (Ier s., Pline), devenu féminin singulier, a pris en bas latin (Ve s.) le sens de «bonne disposition», par une évolution antérieure et analogue à celles qu'ont subies en français *aise* et *aisé* (ci-dessus). ➙ Le mot signifie d'abord, comme le faisait *aise, aises* en ancien français, «dépendances (d'une maison)» puis «accès», «place libre autour d'un bâtiment» (1524), valeur conservée jusqu'au XIXe s. dans des applications spéciales (*chemin d'aisance,* 1768). ◇ De ce sens, disparu comme ceux de «biens communaux», «droit d'usage» (XIIIe s.), subsiste seulement ***cabinet d'aisances*** (1771), ***lieu d'aisance*** (1783), aujourd'hui au pluriel ***lieux d'aisances,*** dans un sens qui a aussi existé pour *aise* et *aisement* (cf. ci-dessus). ➙ Les valeurs actuelles d'*aisance* sont figurées; elles viennent du latin par des emplois anciens, comme «libre disposition (d'une chose)» (*aiesance,* XIIIe s.), «soulagement» (1342), «commodité» (1538) et correspondent soit à «état de fortune suffisant» (1472), en rapport avec *aisé,* soit à «facilité d'action, morale et physique» (1538). ◇ Le sens concret, «libre jeu des pièces d'un assemblage» (1690), a vieilli; on dit *jeu.*

◈ voir ADAGIO, AGIO, JACENT.

AISSE, ASSE

AISSE, ASSE n. f., désignant plusieurs outils, est issu (XIIe s.) du latin *ascia* «herminette de charpentier», «pioche» et «outil de tailleur de pierre», qui a aussi donné l'italien *ascia* (1304). Le mot latin a été rapproché du grec *axinê* «hache» et de mots germaniques comme le gotique *aqizi.*

♦ Le mot simple *aisse, asse* ou *ace* (1382), aussi *esse,* a désigné de nombreux outils. Il est moins attesté que les dérivés et semble sorti d'usage en français central, bien qu'il figure encore dans les dictionnaires.

▸ **AISSEAU** n. m. (1752; d'abord *aisceau,* 1549) désigne surtout une hachette de charpentier, tonnelier ou charron. ➙ **AISSETTE** n. f. (1396) est difficile à distinguer par le sens de *aisseau* et de *aisse.* ➙ D'autres dérivés, formés sur le radical irrégulier *ass-,* appartiennent plutôt au sud du domaine d'oïl. **ASSEAU** n. m. (1406) désigne d'abord l'outil double de charpentier et de tonnelier, puis (1766) un outil de couvreur, aussi appelé **ASSETTE** n. f. (1659). D'autres formes sont régionales (*assereau, asserole,* etc.). Selon les dictionnaires, après 1850, les formes régulières *(aisseau, aissette)* désigneraient plutôt l'outil de tonnelier, *asseau* et *assette* celui des couvreurs.

En outre, le verbe latin dérivé *asciare,* au participe passé, a donné en latin populaire un substantif °*asciata,* désignant un outil de cultivateur (houe, hoyau). Ce mot, outre le catalan *aixada,* l'espagnol *azada,* a donné de nombreuses formes dans le domaine occitan, et quelques-unes en franco-provençal, en français *(aissade, assadon...).* Il en va de même pour la descendance de l'italien *asciola,* diminutif de *ascia,* du latin *ascia* (*aissole,* etc.).

AISSELLE

AISSELLE n. f. est issu (v. 1130) du latin populaire °*axella,* dérivé de *axilla,* mot dérivé de *ala* (diminutif) qui signifiait initialement «aisselle», avant «aile», *ala* étant dérivé du thème *aks-* de *axis* (→ axe). La répartition des sens a donné deux mots français, *aile** et *aisselle**.

♦ Ce dernier, d'abord sous la forme *asaile,* puis *aisselle* (1204), désigne le dessous des bras et par analogie (XVIIe s.) l'angle que fait une feuille avec la tige. Les autres emplois figurés sont techniques et rares.

◈ voir ESSIEU.

AÎTRES ou ÊTRES

AÎTRES ou **ÊTRES** n. m. pl. est issu, d'abord sous la forme *estras* (v. 980) puis *estres* (v. 1130), du latin *extera,* pluriel neutre de *exter* «situé à l'extérieur» (→ externe, extérieur). ◇ Le mot s'est écrit par confusion *aistre* (v. 1210) et *aîtres,* cette forme surtout dialectale étant préférée en français moderne pour éviter l'homonymie avec le verbe *être. Aîtres* était encore, selon Littré, une graphie exceptionnelle; à la fin du XIXe et au XXe s. (voir *T. L. F.*), elle l'emporte largement, peut-être par une confusion avec *aître* «porche, parvis d'église» et «cimetière», issu (1080) du latin *atrium* (→ atrium) et où l'on a pu voir, par étymologie populaire, une spécialisation de *êtres.*

♦ Le mot a désigné la cour qui entoure une maison, puis (v. 1130) une galerie supérieure. Il a eu de nombreuses spécialisations ultérieures, surtout dans les dialectes, et a pris la valeur plus générale de «disposition des pièces, des parties d'une maison». Ces emplois, littéraires, semblent dater de la fin du XIXe s., les attestations antérieures étant toutes plus spécialisées.

AJONC

AJONC n. m. est l'altération (1389), due au mot *jonc**, de *agon* (1280), mot régional (Berry) d'origine inconnue, sans doute prélatine. Pour l'expliquer, on a reconstitué un °*ajaugone,* de °*ajauga,* qui rend compte des mots dialectaux *jaugues, yaugue* (Ouest), *jeyon* (Poitou), et par *agajuá, gajuá,* de mots espagnols de sens voisin (*gayuba,* etc.). Une autre hypothèse propose une forme °*jauga* qui aurait donné °*jou* dans l'ouest de la France, d'où *la jou* et *l'ajou,* ensuite traité d'après *jonc.*

♦ Le mot désigne un arbrisseau épineux à fleurs jaunes.

AJOUR, AJOURNER → JOUR

AJOUTER

AJOUTER v. tr. est préfixé (*ajouster,* XIe s.) du verbe *joster, jouter* «réunir», d'un dérivé latin populaire °*juxtare* ou de *joste,* du latin *juxta.* °*Juxtare* aurait signifié «rapprocher» (d'où *jouxter*) et «réunir», parfois «affronter» (→ jouter).

♦ Le verbe, écrit *ajouster, ajuster, ajouter* à partir du XIIIe s. (1262), signifie en ancien français «mettre auprès, à côté et en plus» (XIe-XIIIe s.), le pronominal correspondant à «se rassembler, se réunir» et aussi «combattre» (cf. *jouter*), sens disparu avant le XVIe siècle. ◇ Au figuré, l'expression ***ajouter foi à qqch.*** (*ajoster fei,* XIIe s., dans une traduction du latin en dialecte lorrain), qui correspond à «venir se joindre à la croyance à qqch.», est le seul témoin vivant de cette valeur. ◆ Le sens moderne, «mettre en plus», est lui aussi très ancien (*ajuster*, 1119) et s'est employé continûment jusqu'à nos jours.

▶ Le préfixé **RAJOUTER** v. tr. a d'abord lui aussi les deux valeurs, «rallier, réunir (des hommes)» et (*rajousteir*, XIIe s.) «mettre en plus». La première a disparu au XVIe s., le verbe lui-même semble être repris au XIXe s. (1869). ◇ L'emploi figuré et familier de ***en rajouter*** «exagérer» (cf. *en remettre*) apparaît au XXe siècle. ◆ De ce verbe viennent **RAJOUT** n. m. «chose rajoutée» (1904) et **RAJOUTURE** n. f. ◆ **SURAJOUTER** v. tr. (1314, *surajouster*) est plus courant au participe passé.

Ajouter, au sens de «réunir», a eu pour dérivé **AJOUTEMENT** n. m. (*ajoustement*, XIIe [1174]-XIVe s.) «accord, réunion», reformé au XIVe s. pour «addition» *(ajoustement)*; le mot est rare en français moderne (repris 1857, in *T. L. F.*). ◆ **AJOUTAGE** n. m. (1752), «partie ajoutée», a vieilli. ◆ *Ajoutée* n. f. (v. 1670) et *ajoute* n. m. (1845) ont cédé la place à **AJOUT** n. m. (1895, chez Gide), devenu courant. ◆ **AJOUTURE** n. f. (1852) est en usage en français de Suisse (Genève, Neuchâtel). ◆ **AJOUTE** n. f., qui reprend le moyen français *adjouste*, est un belgicisme. ◆ **AJOUTANCE** n. f. (1835) est rare et archaïque. ◆ **AJOUTIS** n. m. (1858) a des connotations péjoratives. ◆ **AJOUTABLE** adj. (1866) est demeuré rare.

AJUSTER → JUSTE

ALACRITÉ

ALACRITÉ n. f. est emprunté (1495) au latin *alacritas* «ardeur, entrain», de *alacer* qui a donné *allègre**.

♦ Le mot signifie à la fois «joie, allégresse» et (1542) «ardeur, vivacité». Il a pris au XVIIIe s. la nuance de «gaieté enjouée» (1777, Beaumarchais), et continue de s'employer dans l'usage littéraire, après une période d'extrême rareté (on le considère au milieu du XIXe s. comme un néologisme).

ALAMBIC

ALAMBIC n. m. attesté au XIIIe s. (1265, *alambit*), témoigne de la diffusion de l'alchimie et de la distillation en Europe, sous l'influence des Arabes (cf. *alchimie, alcool*). Le mot arabe *'al 'anbīq*, emprunté au grec tardif *ambix* «vase», a aussi fourni l'espagnol *alambique* et l'italien *lambisco*.

♦ Le mot désigne l'appareil à distiller, emploi où il entraîne des syntagmes spécialisés *(col, panse, voûte d'alambic)*. Les emplois métaphoriques, *passer à, par l'alambic* «examiner minutieusement», *raisonnement tiré à l'alambic* «trop compliqué», sont sortis d'usage.

▶ Le dérivé **ALAMBIQUER** v. tr. (1552) correspond à ces emplois. Le verbe avait aussi le sens concret de «distiller à l'alambic» (1559). ◆ **ALAMBIQUÉ, ÉE** adj. (XVIIe s., Bossuet) se dit des discours, puis des raisonnements, de l'esprit, des sentiments, pour «exagérément compliqué». Il est plus courant que le verbe.

Ce verbe a pour dérivé rare **ALAMBIQUEUR** n. m., «distillateur à l'alambic» (1605) puis (1747) «auteur au style alambiqué», et **ALAMBIQUAGE** n. m. (av. 1847, Fr. Soulié). ◇ Par métonymie, *alambic* (en rouchi) et *lambic* désignent et qualifient une bière, et plus souvent une gueuze deux fois distillée. ◆ **LAMBIC** n. m. (*lambick*, 1832) est emprunté au flamand *lambiek*, de même origine ; on dit aussi, en apposition, ***gueuse lambic.***

ALANGUIR → LANGUIR

ALARME → ARME

ALBÂTRE

ALBÂTRE n. m., qui succède (fin XIVe s.) à diverses variantes, *aubastre* (v. 1165) et à la forme savante *alabastre*, est emprunté au grec *alabastros*, *alabastos* «vase à parfum, souvent fait en albâtre», mot obscur, probablement emprunté et que l'on a expliqué sans certitude par un mot égyptien qui signifierait «vase *(ala)* appartenant à (la déesse) *Bastet*». La variante ancienne *alabaustre*, latin médiéval *alabaustra*, est mal expliquée.

♦ Le mot, écrit *albâtre* au XVIIe s. (1680), désigne depuis le XIIe s. une roche blanchâtre, en général polie pour un usage décoratif, ainsi que le vase qui en est fait (*alabaustre*, 1190), sens initial de l'étymon grec. En français, le mot est devenu (depuis Marot), surtout en français classique, le parangon de la blancheur laiteuse, notamment à propos des chairs féminines.

▶ Le dérivé **ALBÂTRÉEN, ENNE** adj. (1836), qui reprend le moyen français *alebastrin* (1564), est très rare.

ALBATROS

ALBATROS n. m., qui n'apparaît sous cette forme qu'au milieu du XVIIIe s. (*albatross*, 1748), est alors emprunté à l'anglais *albatros*, variante de *albitros* (1681), d'origine incertaine. On suppose une altération d'après le latin *albus* «blanc» (→ albe), de *alcatras*, en français *alcatras* (1556), *alcatrace* (1575). Mais le passage de *a* à *o* dans la syllabe finale n'est pas expliqué. *Alcatras* et l'espagnol *alcatraz*, considéré parfois comme un mot indien du Mexique et origine du nom du célèbre rocher d'*Alcatraz*, ancienne prison dans la baie de San Francisco, viennent plutôt du portugais et seraient empruntés à l'arabe *al jattaz*. *Alcatraz* a désigné le pélican d'Amérique (ce qui tendrait à renforcer l'hypothèse indienne), puis (1610) l'oiseau marin appelé plus tard *albatros*.

♦ Le mot désigne un grand oiseau marin, palmipède ; la graphie est encore flottante au début du XIXe s. (*alabatrose, albatrosse*, Cuvier 1805). Sous la forme *albatros*, il entre dans le vocabulaire de l'exotisme poétique avec une symbolique puissamment évoquée par Baudelaire.

ALBE

ALBE adj. est un latinisme poétique d'époque symboliste (1886, in *T. L. F.*), emprunté au latin *albus* «blanc», qui a donné dès l'ancien français de nombreuses formes en *aube* (*aube, aubépine, aubier*, etc.).

♦ Ce fut un adjectif poétique à la mode, peu avant 1900.

▶ **ALBÉDO** n. m., mot d'astronomie et de physique, est emprunté (1902) au latin *albedo* (depuis Apulée), dérivé de *albus* «substance blanche» et en bas latin «blancheur». Le mot désigne un indice de réfraction des astres, notamment de la Lune.

◈ voir **ALBIGEOIS, ALBINOS, ALBUGO, ALBUM, ALBUMINE, AUBADE, AUBERT, AUBIER, AUBURN.**

ALBERGE n. f. est un emprunt (1546, Rabelais) au catalan *alberge* (attesté 1530), lequel, comme l'espagnol *alberchiga*, est une transformation en arabe d'Espagne, avec l'article *al*, du latin *persicum* «pêche*».

♦ Le mot désigne un hybride de la pêche et de l'abricot.

▶ Le dérivé **ALBERGIER** n. m. (1546 ou 1557) est rare.

ALBIGEOIS, OISE adj. et n. est la francisation (déb. XIIIe s.) du latin *albigensis*, de *Albiga* «Albi», peut-être dérivé de *Albius*, nom d'homme de *albus* «blanc» (→ albe), ou du préceltique *alb* «colline», que l'on retrouve dans *Alpes**. Cette racine, peut-être ligure, est d'origine indoeuropéenne.

♦ Le mot, qui signifie «d'Albi», sert à désigner (depuis 1223) une fraction de la secte chrétienne des Cathares, ou «purs», contre lesquels Innocent III fit prêcher une croisade exterminatrice au XIIIe siècle. ◇ L'adjectif, outre «d'Albi», qualifie ce qui a rapport à la secte des Cathares de la région d'Albi.

ALBINOS adj. et n. est emprunté (1665) à l'espagnol, où il note le pluriel de *albino* (v. 1570), du latin *albus* «blanc» (→ albe).

♦ Le mot, surtout appliqué à des Noirs dépourvus de pigment mélanique, s'emploie jusqu'au XVIIIe s. en concurrence avec *nègres blancs*, traduisant l'espagnol *negros albinos*, par exemple chez Buffon. Puis le mot s'étend à toutes les races humaines et se dit aussi d'animaux, surtout comme adjectif *(souris, lapin albinos)*.

▶ **ALBINISME** n. m. est un dérivé savant (1838).

ALBUGO n. m. est un emprunt (1492) au latin *albugo*, précédé par le dérivé *albugine* (XIVe s.); il correspond à l'ancien provençal *albuge* (v. 1220). Le mot latin est dérivé de *albus* «blanc» (→ albe).

♦ Terme de médecine désignant une tache blanche sur la cornée, le mot, attesté isolément au XVe s., s'emploie aussi pour désigner une tache blanche des ongles (1606).

▶ La forme **ALBUGINE** a donné naissance à plusieurs dérivés, comme **ALBUGINÉ, ÉE** adj. (1495) appliqué à la tunique de l'œil (1751) et celle du testicule *(id.)*; **ALBUGINEUX, EUSE** adj., «blanchâtre» (1503), mot très didactique; **ALBUGINITE** n. f. «inflammation du tissu fibreux, dit albugineux» (1845). ◇ Comme *albugo*, tous ces mots appartiennent à l'usage médical.

ALBUM n. m. est un mot latin signifiant «surface blanche, tableau blanc», qui est tiré de l'adjectif *albus* «blanc» (→ albe).

♦ Le premier emploi en français (Saint-Évremond, 1662) mentionne l'emploi par les Allemands d'un «livre blanc relié» que l'on fait signer par des personnalités visitées et que l'on nomme *album amicorum* (le livre blanc des amis). ◇ Le mot, employé seul, est adopté en français (1704); son sens s'étend (déb. XIXe s.) à des cahiers ou publications contenant beaucoup d'illustrations, d'où ***album de famille,*** qui a pris en argot (1939) le sens de «collection de portraits d'anthropométrie, concernant des malfaiteurs». ◇ Au XIXe s. (1865), *album* commence à désigner un cahier relié destiné à recevoir une collection (de timbres, par exemple). On parle ensuite d'*album de disques* pour une série de disques vendus ensemble (attesté mil. XXe s., dans les dictionnaires) et même pour une pochette contenant un seul disque; ce sens tend à vieillir avec la diffusion du disque compact.

ALBUMINE n. f., mot savant, a été tiré à la fin du XVIIIe s. (1792) de l'expression *suc* **ALBUMINEUX** (1736), cet adjectif étant dérivé du bas latin *albumen* (IVe s.) «blanc d'œuf», de l'adjectif classique *albus* «blanc» (→ albe). *Albumen* avait donné en ancien français *albun* n. m. (déb. XIIe s.) «blanc d'œuf» ou *aubun, abun* (1245), puis par emprunt, dans le même sens, *albumen* (1787).

♦ La notion scientifique d'albumine, d'abord «protéine coagulable nécessaire à la nutrition», s'est rapidement étendue à un groupe de protéines aujourd'hui spécifiées par des désignations obtenues à partir d'*albumine : lactalbumine,* etc. ◇ Le mot s'emploie couramment pour *albuminurie*.

▶ Le mot a de nombreux dérivés et composés dans la terminologie chimique et médicale. ◆ **ALBUMINURIE** n. f., mot forgé en 1838 par Martin Solon avec le grec *ourein* «uriner», désigne la présence d'albumine dans les urines. ◇ De là **ALBUMINURIQUE** adj. (1857), aussi substantivé. ◆ **ALBUMINOÏDE** adj. (1849) «analogue à l'albumine» est archaïque, sauf comme nom pour «protéide». ◆ **ALBUMINOSE** n. f. (1857) a été remplacé par **ALBUMOSE** n. f. (1898) pour désigner un corps produit par hydrolyse incomplète de l'albumine. ◆ **ALBUMINER** v. tr. signifie «enduire d'albumine» (1865). ◆ **ALBUMINASE** n. f. (1920-1924) désigne une enzyme agissant sur les albumines. ◆ **ALBUMINATE** n. f. (1865) s'applique à une combinaison d'albumine et de sels ou d'oxydes métalliques. ◆ **ALBUMINEUX, EUSE** adj., après l'expression *suc albumineux* (ci-dessus) a été reformé (1905) et s'emploie pour «relatif à l'albumine» et pour «albuminurique». ◆ **ALBUMINÉMIE** n. f. (1926) concerne le taux d'albumine du sang. ◆ **ALBUMINIQUE** adj. (v. 1950) tend à remplacer *albumineux*. ◆ Le préfixe **ALBUMINO-** est productif. ◆ **ALBUMEN** n. m. est emprunté au début du XIXe s. (av. 1808) au bas latin *albumen* au sens de «blanc d'œuf», puis spécialisé en botanique à propos de la réserve alimentaire des graines. ◇ Il a pour dérivé **ALBUMINÉ, ÉE** adj. (1814).

ALCADE n. m. est un emprunt médiéval (1323) à l'espagnol *alcalde* (attesté v. 1060), lui-même emprunté à l'arabe *'al-qāḍī* «le juge» (cf. *cadi*), participe présent substantivé du verbe *qāḍā* «juger».

♦ Le mot est resté typique de l'administration espagnole ; il désigne un magistrat exerçant diverses fonctions, notamment municipales.

ALCALI n. m. est un emprunt du moyen français (1363, *alkali*) à l'arabe *'al* (article) *qaly* «la soude» désignant la cendre des plantes marines et la soude qu'on en tirait, par le latin médiéval *alkali* (1215).

♦ *Alcali,* mot de chimie ancienne, s'applique en français comme en arabe à la soude tirée des cendres, et par analogie aux sels basiques produits par une série de métaux. Le mot désigne encore dans le commerce une solution ammoniacale, aussi dans ***alcali volatil.***

► Le dérivé **ALCALIN, INE** adj. (1691) qualifie les métaux qui produisent des alcalis. Il a été substantivé en pharmacie (1884, Zola in *T. L. F.*). ◇ De là **ALCALINISER** v. tr. (1877). ◆ **ALCALOÏDE** n. m. est la réfection (1827), avec le suffixe *-oïde,* de *alcalide* (1823, Guibourt) et désigne les corps à réaction basique qui se trouvent avoir une puissante action physiologique (comme la morphine, la strychnine, les principes du café, du thé, etc.). ◇ De là **ALCALOÏDIQUE** adj. (1879) et **ALCALOÏDISME** n. m. (1881) «intoxication par les alcaloïdes». ◆ **ALCALOSE** n. f. est dérivé (1926) de *alcali* pour désigner un trouble de l'équilibre entre les bases (alcalines) et les acides de l'organisme.

ALCARAZAS n. m. est un emprunt (1798) à l'espagnol *alcaraza* (XVIe s.) au pluriel, emprunt (sous la forme *carraço,* 1330) à l'arabe *al karrāz* «la jarre».

♦ Le mot désigne, toujours dans un contexte hispanique ou arabe, un vase de terre poreuse utilisé pour conserver les liquides au frais (analogue à la *gargoulette*).

ALCAZAR n. m. est un emprunt en architecture (*in* Larousse, 1866) à l'espagnol *alcazar* (1069), lui-même pris à l'arabe *al qaṣr* «la forteresse» (aussi *ksar, ksour*), issu du latin *castrum* «château fort» (→ château).

♦ Le mot désigne un palais fortifié des musulmans d'Espagne. Il a été appliqué au XIXe s. (1872 in *T. L. F.*) à des lieux de plaisir décorés dans le style mauresque et fort utilisé comme nom propre pour ces lieux.

ALCHIMIE n. f. Les formes françaises *alkimie* (1275), *alchimie* et, par altération (grec *arkhê,* latin *ars*), *arkemie, archimie* ont été précédées par le latin médiéval *alcheimia* (mil. XIIe s.) ; elles sont empruntées à l'arabe *'al kīmiyā',* mot désignant la pierre philosophale et passé au XIIIe s. à l'espagnol et au catalan (chez le philosophe et savant Ramon Llull, en 1295). Ce mot est d'origine incertaine : on invoque soit le grec tardif *khêmia* «magie noire» ou le copte *chame* «noir» (désignant les Égyptiens, renommés comme alchimistes), tous deux apparentés, soit le grec *khumeia* «mélange», dérivé de *khumos* «jus», enfin le grec *khuma* «ce qui se répand» (hypothèse aujourd'hui écartée). Cependant, certains arabisants se réfèrent au radical arabe *kama* «tenir secret». *'Al kīmiyā'* est très proche par le sens de *'al-'iksīr* (→ élixir). Les anciens alchimistes grecs pensaient à l'hébreu *šemeš,* un des noms du Soleil (cf. René Alleau, in *Encyclopaedia Universalis*), arabe *šams.* On voit donc deux séries d'hypothèses, l'une fondée sur des pratiques (préchimiques), l'autre sur un savoir ésotérique, toutes deux situant l'apparition de l'alchimie dans le Proche-Orient.

♦ Le mot désigne depuis le XIIIe s. l'activité qui consiste à rechercher la transmutation des métaux. Il a désigné un alliage de composition alchimique (*arquemie,* 1447) et au figuré une opération de transformation, d'où *faulse alquemie* (1547) «tromperie». Ces valeurs ont disparu, mais le mot a pris au XIXe s. la valeur métaphorique de «processus mystérieux» (cf. l'*alchimie du verbe* chez Rimbaud). Les dérivés latins (ci-dessous) témoignent de la vitalité du domaine à partir du moyen français. L'alchimie est aussi un langage, «qui permet de décrire des opérations avec précision tout en les situant par rapport à une conception générale de la réalité» (M. Butor) ; elle est alors en rapport avec l'hermétisme. ◇ Alors que le mot est encore synonyme de *chimie* en français classique, les deux notions s'opposent depuis que la chimie moderne s'élabore (fin XVIIIe s.).

► Le dérivé **ALCHIMISTE** n., d'abord sous la forme *alkemiste* (v. 1370), puis *alchymiste* (1582), est emprunté au dérivé latin médiéval *alchimista* (v. 1200) et désigne le praticien de l'alchimie.

ALCHIMIQUE adj., d'abord attesté isolément au figuré (*alquimique,* «factice» XIVe s.), signifie «de l'alchimie» (1547, *alki-*). Il est emprunté au latin médiéval *alchimicus* (XIIIe s.), employé notamment dans *aurum alchimicum* «or obtenu par l'alchimie», c'est-à-dire «artificiel».

◈ voir CHIMIE.

✳ **ALCOOL** n. m., attesté au XVIe s. sous la forme *alcohol* (1586, Paré), est emprunté au latin moderne *alcohol* (XVIe s.), lui-même emprunté à l'arabe *'āl* (article) *kuḥl* «la poudre d'antimoine» (*kuḥl* a aussi donné *kohl**, d'où vient *khôl*).

♦ D'abord présenté comme mot arabe (A. Paré) au sens de «poudre d'antimoine», le mot acquiert la valeur plus générale de «poudre obtenue par trituration et sublimation» (*alcohol martis,* etc. en latin). ◇ Par analogie, *vini alcohol* (1594) désigne l'«esprit» du vin, fluide obtenu par sublimation et *alcohol* équivaut alors à «essence» ou «esprit». Cette acception (1612, *alkol*), qui, s'agissant du vin, correspond au concept moderne d'*alcool éthylique* (où *alcool* a le sens étendu en chimie, ci-dessous), passe dans les langues modernes au XVIIe s. et l'emporte sur la première (*alkool,* dans le dictionnaire de Thomas Corneille, 1694). Le mot reste alors rare et didactique mais, au XVIIIe s., l'acception d'«esprit de vin» (désignée par *alcool* ou *alcool de vin,* 1762) est seule connue, même si le sens de «poudre» est encore rappelé (1757, *Encyclopédie*). ◇ Le mot devient usuel au début du XIXe s., soutenu par plusieurs dérivés (*alcoolique, alcoolisé, alcoolisme,* ci-dessous), et s'emploie collectivement pour «boisson alcoolisée», spécialement, hormis le vin (d'où *vins et al-*

cools, en commerce). ◇ Il évolue à la même époque (1830-1860) dans deux directions : en chimie (voir ci-dessous) et en technique, il désigne ce que l'on appellera le méthanol, utilisé comme combustible, d'où ***alcool à brûler*** (pour le distinguer de l'*alcool éthylique*) et ***lampe, réchaud... à alcool,*** puis l'«esprit de bois» (1835). *Alcool absolu* (1845) signifie «alcool pur».

Le concept chimique d'alcool procède de ces acceptions techniques ; c'est une nouvelle extension englobant des composés de carbone, d'hydrogène et d'oxygène de même nature que l'esprit de vin et que l'«alcool» combustible (lesquels seront identifiés aux alcools éthylique et méthylique). Ce nouveau concept est proposé par Dumas et Péligot (1834-1835) et de nouveaux alcools sont identifiés dans les années qui suivent (*alcool cétylique,* 1836 ; *amylique,* 1844, Cahours ; etc.). Ce sens apparaît ensuite dans les dictionnaires généraux (1863, Littré), après les syntagmes *alcool éthylique* (1850) et *méthylique* (1839).

▶ Le sens chimique de *alcool* a servi à former plusieurs dérivés. ◆ ① ALCOOLISER v. tr. (1620) signifie «transformer un alcool, en esprit de vin». ◇ ALCOOLISATION n. f. (1838) en est dérivé. ◆ ① ALCOOLIQUE adj. (1789, Lavoisier, *gaz alcoolique*) sert à qualifier ce qui est relatif à l'esprit de vin, puis aux alcools en général, au sens chimique moderne (mil. XIXe s.). ◆ ALCOOLAT n. m. (1819, aussi *alcoholat,* 1823) est relatif aux alcools méthylique, éthylique, puis aux autres alcools. ◆ ALCOOLOMÈTRE n. m. (1809), «instrument déterminant la teneur d'un liquide en alcool éthylique», a cédé la place à ALCOOMÈTRE n. m. (mil. XIXe s.). ◆ ALCOOLYSE n. f. (déb. XXe s.), de *-lyse,* désigne la séparation des éléments d'un composé (glycéride, ester) par l'éthanol.

Le radical *alc-* de *alcool* a servi à former en chimie ALCANE n. m. (mil. XXe s.), désignant des hydrocarbures saturés, autrefois appelés *paraffines.* ◇ Sur le même modèle sont formés ALCÈNE n. m. (mil. XXe s.) «carbure éthylénique» (olégine) et ALCYNE n. m., où l'élément *-yne* provient de *acétylène.*

Parallèlement, le sens courant d'*alcool* «boisson alcoolisée» a produit plusieurs dérivés plus usuels. ② ALCOOLISÉ, ÉE adj., indépendamment du verbe *alcooliser* (ci-dessus) dont il spécialise le participe passé, qualifie les boissons contenant de l'alcool (1834). ◇ S'ALCOOLISER v. pron. (*in* Larousse, 1866) est un équivalent plaisant de «boire de l'alcool».

② ALCOOLIQUE adj. se dit (1859) de ce qui concerne l'alcool consommé et ses effets, de ce qui contient de l'alcool (boisson), ainsi que d'une personne qui consomme beaucoup d'alcool, aussi substantivé (1873). ◆ ALCOOLISME n. m. (1852) se dit de l'abus des boissons alcoolisées et de ses effets pathologiques. Ces deux dérivés sont très courants. ◆ Le premier a produit ANTIALCOOLIQUE adj. (1890, *anti-alcoolique*) «qui combat l'alcoolisme», le second ANTIALCOOLISME n. m. (1898, *anti-alcoolisme*).

Cependant, cette valeur usuelle d'*alcool* sert à former des mots plus techniques, comme ALCOOLÉMIE n. f., de *-émie* (1938) désignant la teneur du sang en alcool. ◆ ALCOOTEST n. m., marque déposée en 1960, ou ALCOOTEST n. m., de *test,* «épreuve pour déceler l'alcoolémie», notamment dans le cas des conducteurs d'automobile.

Enfin, de la valeur étymologique de «poudre», vient l'ancien terme technique ALQUIFOUX n. m. (1687), désignant le sulfure de plomb pulvérisé, utilisé en vénerie. Le mot est encore connu en histoire des sciences et des techniques.

◈ voir ALDÉHYDE, KHÔL.

ALCÔVE n. f. comme plusieurs mots français en *al-*, est un emprunt à l'arabe, *al* (ou *el*) étant l'article défini. Ainsi *al qubbat* est passé au français par l'espagnol *alcoba* et le français l'a transmis à d'autres langues européennes, tel l'anglais *(alcove).* Le sens avait beaucoup évolué depuis l'arabe *qubbat* «coupole», puis (XIVe s.) «petite chambre contiguë à une grande pièce», jusqu'à l'espagnol *alcoba* qui a signifié «passage public (couvert)», puis, comme en arabe, «coupole» (fin XIIIe s.), enfin «renfoncement d'une chambre, où l'on place le lit» (XVIe s.). Le mot arabe avait donné en ancien français *alcube, acube* ou *ancube* (XIIIe s.), désignant une petite tente.

♦ C'est le sens espagnol de «renfoncement où l'on place le lit» qui a été retenu en français, dans un contexte mondain et précieux (1646, Boisrobert), d'où ***tenir alcôve*** (1660), avec le sens précieux de *ruelle,* puis, bien plus tard, galant, d'où une expression comme ***secrets, mystères d'alcôve*** (enregistrée par Larousse, en 1866).

ALCYON n. m. est un emprunt (2e moitié XIIIe s., *alcion*) au latin *alcyon,* emprunté, à côté de la forme *alcedo,* au grec *alkuôn,* d'origine inconnue (emprunt méditerranéen ?). L'étymologie populaire des Anciens voyait le mot comme un composé de *hals* «mer» et de *kuôn,* du verbe *kuein* «porter des petits» ; en effet, dans la légende, l'oiseau faisait son nid l'hiver, au moment où la mer était calme. La graphie moderne apparaît au XVIe s. (1547) ; *halcion* (1519) a disparu au XIXe siècle.

♦ Ce mot littéraire de mythologie désigne, comme en grec et en latin, un oiseau de mer, d'heureux présage ; la femelle, lorsqu'elle était séparée du mâle, poussait continuellement un chant plaintif. Le mot s'emploie surtout dans la poésie classique. ◇ Puis il s'applique à des oiseaux réels, de rivière (*halcyon* 1555, Belon) ou de mer. ◆ Les zoologistes ont aussi donné ce nom à un polypier marin (*alcyonium,* 1690 ; puis *alcyon,* 1752), et ***nid d'alcyon*** (1829) s'est dit du nid de salangane, appelé aussi par confusion *nid d'hirondelle.*

▶ ALCYONIEN, ENNE adj., est dérivé de *alcyon, halcyon* (*halcyonien,* 1562) pour traduire le latin *alcyoneus* «relatif aux alcyons». *Alcyonei dies* a fourni ***jour alcyonien*** (1694), jours qui entourent le solstice d'hiver et pendant lesquels l'alcyon fait son nid et la mer se calme, selon la croyance antique. ◆ ALCYONAIRE adj. et n. m. est dérivé (1838) de *alcyon* au sens de «polype» ; il a servi à former le nom d'un ordre (ancien) de cœlentérés (1838).

ALDÉHYDE n. m. est emprunté (av. 1845) à l'allemand *Aldehyd,* mot formé par J. von Liebig d'après le latin moderne *al(*cohol*) dehy(*drogenatum*)* (→ alcool, hydrogène).

♦ Le mot désigne en chimie un corps obtenu par oxydation (ou déshydrogénation) d'un alcool primaire. Par apposition, on emploie *fonction aldéhyde* (comme *fonction alcool*) et, en composition, **ALDÉHYDE-ALCOOL** n. m.

▸ Il a pour dérivés **ALDÉHYDIQUE** adj. (1845) et **ALDÉHYDÉ, ÉE** adj. (mil. XXe s.), notamment dans *parfums aldéhydés.*

ALE n. f. est d'abord un emprunt (v. 1223) au moyen néerlandais. En effet, les attestations du XIIIe s. sont de G. de Coincy, originaire de Soissons, et en picard on trouve aussi *gœdale* («bonne bière») à la même époque. Le moyen néerlandais est lui-même emprunté à l'anglais *ale,* mot très ancien (v. 940), dont la racine germanique pourrait être apparentée au latin *alumen* (→ alun), mais sous toute réserve.

♦ Les emplois médiévaux étant oubliés, le mot a été réemprunté à l'anglais sous la forme *aile* (1701), qui correspond à la prononciation, mais est critiquée comme incorrecte (1835, Platt) et remplacée par l'emprunt graphique *ale.* Il désigne une bière anglaise blonde, peu amère (opposé à *bitter*), appelée aussi *pale ale.*

ALÉA n. m. est emprunté (1852) au sens de «hasard» au latin *alea,* mot d'origine inconnue signifiant «jeu de dés», puis «dés» (le mot classique pour «dés» étant *tali*) et enfin «hasard». Le sens de «dés» reste connu par la phrase célèbre de César, franchissant le fleuve Rubicon, *alea jacta est,* «les dés sont jetés».

♦ Le mot signifie «hasard» puis, surtout au pluriel, «événements imprévisibles».

▸ **ALÉATOIRE** adj. adapte le dérivé latin *aleatorius* et apparaît en droit (1596), pour qualifier un contrat qui prévoit des conditions liées à la chance, puis (1837, chez Balzac) dans des emplois généraux («problématique»), enfin en mathématiques, en logique et (v. 1955) en musique, pour signifier l'intervention du hasard. Il est devenu relativement usuel dans l'usage général. ◇ Il a pour dérivé **ALÉATOIREMENT** adv. (1829).

ALÈNE n. f. est un emprunt (v. 1180) au germanique °*alisno,* dont le radical se retrouve dans l'allemand *Ahle* ou, selon Guiraud, serait apparenté au latin *licinus* «courbé vers le haut».

♦ Le mot désigne d'abord un stylet, puis (v. 1200) un poinçon pour coudre le cuir, employé par les cordonniers. Aujourd'hui *alène* s'applique aussi à l'élément de machine-outil servant au même usage. ◇ Par apposition, le mot caractérise un poisson à museau effilé (*rai alène,* 1558), d'où *une alène,* et aussi un coquillage (1842). ◇ ***En alène*** se dit en botanique (1835) pour *subulé.*

▸ Le dérivé **ALÉNIER** n. m. (1798), d'abord *allesnier* (XVIe s.), a désigné la personne qui fabrique ou vend des alènes. ⟜ **ALÉNÉ, ÉE** adj. (1808) signifie «pointu comme une alène» et en botanique «subulé» (cf. *en alène*).

◈ voir **LÉSINE.**

ALENTOUR, ALENTOURS → **ENTOUR**

ALERTE n. f. et adj. est un emprunt (XVIe s.), sous des graphies variées (*a l'herte,* chez Rabelais; *a l'airte,* chez Montaigne), à l'italien *all'erta,* «sur ses gardes», pris comme interjection dans un sens voisin de *alarme**. Le mot italien signifie proprement «sur la crête, sur la hauteur», *erta* étant le nom dérivé de l'adjectif *erto* «escarpé», participe passé du verbe *ergere* «dresser» qui représente le latin *erigere* (→ ériger).

♦ En français, l'exclamation, qui correspond à «debout!», donne d'une part un adjectif (XVIe s.), qui signifie «sur ses gardes» puis «vif, leste», au physique et au moral, et d'autre part un nom féminin (2e moitié XVIIIe s.) équivalant à *alarme.* ◇ Ce dernier emploi s'est diffusé dans la langue générale (par exemple, *fausse alerte, être en alerte*) et comme terme de guerre (*alerte aérienne, sirène d'alerte*), emploi fréquent dans le contexte de la Seconde Guerre mondiale.

▸ Le dérivé **ALERTÉ, ÉE** adj. (1836, chez Stendhal) a les mêmes valeurs, d'abord militaires, comme le suggère l'apparition du verbe actif pendant la guerre, en 1918. ◇ *Alerté,* comme **ALERTER** v. tr. (1918), s'étend à de nombreux contextes et équivaut à «avertir, lorsqu'il peut y avoir danger».

ALÈSE (ALAISE) → **LAIZE**

ALÉSER v. tr. est une reprise spécialisée en technique (1671) de l'ancien français *alaisier* (XIIIe s.) «élargir», qui n'est pas en rapport avec *aise,* mais est issu du latin populaire °*allatiare,* formé sur l'adjectif *latus* «large» (→ latéral, lé).

♦ *Aléser* signifie d'abord «aplanir les bords de (une monnaie)» et, très vite, «calibrer (une pièce mécanique)» à la main, notamment un canon (1697), puis «calibrer à la machine» (XIXe s.). L'évolution technique rend compte de ces derniers sens, ainsi que de plusieurs dérivés.

▸ **ALÉSÉ, ÉE** adj. (1671), d'abord *aleessé* (1559), continue pour le sens l'ancien français *alaisié* et signifie en blason «diminué de longueur (d'une pièce honorable)». ⟜ **ALÉSOIR** n. m. est le nom d'un outil à aléser (d'abord les monnaies, 1671). ⟜ **ALÉSURE** n. f. désigne (1761) les parcelles de métal d'une pièce alésée, d'abord d'un canon. ⟜ **ALÉSAGE** n. m. (1813) signifie «action d'aléser» et, par métonymie, «diamètre intérieur (d'un cylindre)», le mot désignant l'une des dimensions d'un piston (l'autre étant la *course*), notamment dans un moteur à explosion. ⟜ **ALÈSEMENT** n. m. (1901), synonyme d'*alésage,* se dit aussi du résultat de l'opération. ⟜ **ALÉSEUR** adj. qualifie un outil servant à aléser (*foret aléseur,* 1924) et, comme nom masculin, l'ouvrier qui alèse. ⟜ **ALÉSEUSE** n. f. (1924) est le nom de la machine-outil destinée à l'alésage.

ALEVIN n. m., d'abord *alevain* (1220), est issu du latin populaire °*adlevimen, allevamen,* du latin classique *allevare* «lever» et «soulager», employé en bas latin pour *elevare* (→ élever), d'où l'ancien français *alever. Allevare* vient de *adlevare* en latin classique, de *ad-* (→ à) et *levare* (→ lever).

♦ La spécialisation de sens («jeune poisson pour le peuplement des eaux») semble immédiate mais n'est attestée en ancien français que dans des locutions figurées : *avoir son alevin corant* «être en bonne passe, en bonne forme» (XIIIe s.), où le mot peut désigner un autre animal «élevé». Le sens moderne est indirectement attesté par *aleviner* (ci-dessous). ◇ Le mot semble repris au XVIIe s. (*alvin,* 1680; puis *alevin*) avec des emplois figurés régionaux pour «menu fretin», puis un emploi extensif en sciences naturelles pour «très jeune poisson» (attesté XXe s.).

▸ Le dérivé **ALEVINER** v. tr. (1386, aussi *alviner*), d'abord *eleviner* (1344), signifie «peupler (un étang) d'alevins» et, comme intransitif (1874), «déposer ses œufs (en parlant du poisson)». ➝ De là **ALEVINAGE** n. m. (1690). ➝ **ALEVINIER** n. m., d'abord *alvinier* (1701) «étang où l'on élève les alevins», est surtout régional.

① **ALEXANDRIN** n. m. désignant le vers français de douze syllabes, est la substantivation de *vers alexandrin* (1492), type de vers représenté par le *Roman d'Alexandre,* poème du XIIe s. évoquant de manière légendaire *Alexandre* le Grand. Le prénom, en grec *Alexandros,* signifie littéralement «qui protège les hommes»; comme le prénom *Andreas (André),* il contient *anêr* «homme» (→ andro-). On a employé aussi *rime alexandrine* (v. 1420) et *ligne alexandrine* (1432).
L'adjectif homonyme ② **ALEXANDRIN, INE,** «d'Alexandrie; de la civilisation hellénistique», est un emprunt au latin *alexandrinus,* dérivé du nom de la ville *Alexandria.* En ancien français, *alexandrin* s'est dit d'une étoffe précieuse (1080), de l'encens et de certaines épices (XIIIe s.), avant de s'appliquer en histoire à la civilisation grecque tardive.

▸ Le dérivé de ce dernier sens, **ALEXANDRINISME** n. m. (1838), est d'abord employé en histoire de la philosophie, puis en histoire et en littérature pour «subtilité et hermétisme, analogues à ceux des écrivains alexandrins» (1885, J. Lemaître in *T. L. F.*).

ALEXINE n. f. est un emprunt (1903) à l'allemand *Alexin,* forgé par Hans Buchner (1889) par emprunt au grec *alexein* «repousser, écarter», verbe que l'on rapproche, avec un contenu sémantique différent, de *aluein* «protéger» (→ alexandrin), dont le thème se retrouve dans le sanskrit *rákṣati* «protéger».

♦ Ce mot, qui désigne une substance albuminoïde du sérum sanguin, a été remplacé par *complément.*

ALEXIPHARMAQUE adj. et n. m. est un emprunt (1538, Paré) au latin *alexipharmacon* (Pline), formé sur le grec *alexein* «repousser, écarter» (→ alexine) et *pharmakon* «poison» (→ pharmacie).

♦ Le mot, didactique, correspond à *antidote, contrepoison.*

▸ Le dérivé **ALEXIPHARMACEUTIQUE** adj. (1838), d'après *pharmaceutique,* s'applique aux anciens traités grecs de pharmacologie.

ALEZAN, ANE adj. et n. m. qui apparaît chez Rabelais (1534), est un hispanisme, venant de l'arabe *'az'ar* «blond ardent, roux», désignant le renard et le poil de couleur analogue de certains chevaux.

♦ Le mot qualifie un cheval, dont le poil tire sur le roux, et ce poil. Il est substantivé pour désigner le cheval.

ALFA n. m. vient de l'arabe *ḥalfā';* attesté sous la forme *auffe* en 1680, il est réemprunté au XIXe s. (1848). Le provençal *elfa* (XIVe s.), de même provenance, avait donné les formes anciennes *auffa* et *auffe.*

♦ Le mot désigne une graminée méditerranéenne, dont les feuilles sont utilisées en sparterie (nattes, paniers) et en papeterie. D'où (XXe s.) ***papier alfa,*** et *de l'alfa.*

▸ Le dérivé **ALFATIER, IÈRE** n. m., nom (1884) et adjectif (1908, *industrie alfatière*), est un témoin de l'importance économique du végétal.

ALGARADE n. f. est un emprunt (1502) à l'espagnol *algarada* (v. 1300), dérivé de *algara* «troupe qui attaque, bande armée», emprunt à l'arabe *'al* (article) *ǧārra^t* «attaque à main armée».

♦ Le mot signifie d'abord «combat simulé, joute», puis (1530) «mouvement brusque» et enfin (1548) «querelle, attaque verbale inattendue».

ALGÈBRE n. f. Le nom de cette branche des mathématiques apparaît en français à la fin du XIVe s., calquant le latin médiéval *algebra,* emprunt à l'arabe *'al* (article) *ǧabr* «la réduction», appliqué d'abord à la technique chirurgicale propre à remettre les membres démis, puis (IXe s., chez le mathématicien al Huwarizmi ou Khawarizmi, dont le nom a donné *algorithme*) à la réduction des calculs, à une forme «contrainte», épurée, utilisant les chiffres encore aujourd'hui appelés *arabes;* il s'agit d'un traité d'arithmétique, transmettant à l'Occident les connaissances et les procédés des mathématiciens de l'Inde. Le rôle de l'arabe dans l'histoire de la pensée mathématique occidentale au moyen âge est éminent (cf. *algorithme, chiffre,* etc.).

♦ Cependant, le mot *algèbre,* avant Viète (XVIIe s.), ne correspond pas au concept moderne mais inclut l'arithmétique. Pour Viète, il existe, au sens ancien, deux sortes d'algèbres, *l'algèbre nombreuse,* utilisant les nombres, et *l'algèbre spécieuse,* utilisant les lettres pour représenter des quantités (géométriques). C'est l'algèbre spécieuse de Viète qui sera appelée *algèbre,* par opposition à *arithmétique.* ◇ Le concept moderne d'*algèbre,* d'abord système de résolution d'équations, se développe donc au XVIIe siècle; il évolue et s'élargit dans la seconde moitié du XIXe et au XXe s. et concerne alors des relations et des structures mathématiques abstraites, dites *algébriques.*

▸ Les dérivés manifestent la diffusion du domaine des mathématiques défini au XVIIe siècle. ➝ **ALGÉ-**

BRIQUE adj. remplace (1743) *algébraïque* (1585), lequel s'appliquait d'abord au concept ancien, et signifie «arithmétique», puis «de l'algèbre». Le mot a pris au milieu du XIXe s. la valeur étendue de «mathématique, très précis», mais ne s'est pas imposé dans ce sens. ◆ **ALGÉBRISTE** n. apparaît au XVIe s. (v. 1580) pour désigner un mathématicien qui fait des calculs et s'applique depuis le XVIIe s. (attesté 1688) au spécialiste de l'algèbre «spécieuse». ◆ **ALGÉBRISER** v. tr. a d'abord la valeur vague de «faire de l'algèbre, remplir (un texte, un raisonnement) d'équations» (1752), puis s'emploie pour «mettre en forme algébrique», d'où **ALGÉBRISATION** n. f.

ALGÉRIEN, ENNE adj. et n. Dérivé (1677) de *Algérie*, nom de pays.

♦ L'adjectif qualifie tout ce qui concerne l'Algérie. Le nom désigne les nationaux de l'Algérie.

ALGIDE adj. est un emprunt savant (1812) au latin *algidus* «froid», qui correspond au substantif *algus* «grand froid». Ces mots sont dérivés du verbe *algere* «avoir froid», alors que *frigere* signifie «être froid». Son origine est inconnue ; le grec *algos* «douleur» est sans rapport ; un rapprochement avec le vieil islandais *elgiar* «neige glacée» est indémontrable (Ernout et Meillet).

♦ Le mot est d'abord aussi didactique et littéraire (*des eaux algides*, Chateaubriand) ; seul, l'usage médical (*fièvre algide*, etc.) est encore vivant.

► Le dérivé **ALGIDITÉ** n. f. (1836) désigne un refroidissement pathologique (hypothermie).

-ALGIE est un élément tiré du grec *algos*, en composition *-algia*, signifiant «douleur». *Algos* est traditionnellement rapproché du verbe *alegein*, malgré l'extrême divergence de sens (*alegein* signifie «tenir compte de») difficile à combler par une valeur intermédiaire qui pourrait être «se soucier de». *Alegein* pourrait venir de *legein* «choisir, cueillir», «compter, énumérer» (→ -logie) avec un préverbe, mais cette origine est contestée. Les composés les plus courants sont *gastralgie, névralgie*. ◆ **ALGO-**, en position initiale, sert aussi à former au XXe s. des composés savants comme **ALGOPHILIE** n. f. «recherche pathologique de la douleur», et **ALGOPHOBIE** n. f. «crainte obsessionnelle de la douleur».

► **ALGIE** n. f., emprunt (1800) au radical du grec *algos*, désigne une douleur sans relation avec une cause organique précise.
ALGIQUE adj. (1912) correspond dans le vocabulaire didactique à «de la douleur». ◆ Le mot est très postérieur au préfixé antonyme **ANTALGIQUE** adj. (1793) «qui combat la douleur».

◈ voir **ANALGÉSIE, NÉVRALGIE, NOSTALGIE.**

ALGONQUIN, INE n. et adj. est emprunté (1752) à l'anglais *algonkian*, forme altérée de *algoumequin* (1605), emprunt à un mot de cette langue indienne, nom de lieu signifiant «là où l'on pêche au harpon», de *algum* «harpon».

♦ Le mot qualifie et désigne les membres d'une tribu indienne du Canada, formant avec les Hurons et les Iroquois l'une des trois nations qui se partageaient le territoire.

► **ALGONKIEN, IENNE** adj. (1899) et n. m. est emprunté à l'anglais *algonkian*, spécialisé en géologie (1890, Powell). Le mot qualifie et désigne un étage inférieur du cambrien.

ALGORITHME n. m. désigne d'abord, sous la forme *augorisme* (v. 1230), puis *algorisme* (XIIIe s.), le calcul en chiffres, l'arithmétique. Ces formes viennent de l'ancien espagnol *algorismo*, alors que la forme moderne calque le latin médiéval *algorithmus*, altération sous l'influence de *arithmetica* du nom du grand mathématicien arabe *Ḫwārizmī* (= originaire du *Ḫwārizm*, au sud de la mer d'Aral), inventeur du terme qui a donné *algèbre**.

♦ Le mot a d'abord désigné l'arithmétique élémentaire et ses règles. Il s'est spécialisé au XIXe s. au sens de «suite de règles opératoires explicites» avec une diffusion importante après 1960, grâce à l'informatique.

► Le dérivé **ALGORITHMIQUE** adj. (1845) a suivi l'évolution du nom et s'applique (mil. XXe s.) à ce qui utilise les algorithmes.

ALGUAZIL → **ARGOUSIN, VIZIR**

ALGUE n. f. apparaît au XVIe s. (1551, *alga*) au sens d'«herbe marine», c'est alors un adjectif *(herbe alge)* et on a d'abord dit *une alge* (1562). Le mot vient du latin *alga*, qui ne semble pas être indoeuropéen.

♦ En français, *alge* ou *algue* a d'abord le sens imprécis d'«herbe marine», spécialisé par les botanistes, puis étendu par eux. En effet, depuis le XVIIIe s., le pluriel latin *algae* est utilisé en botanique pour désigner une classe de végétaux (Cryptogames) ; le concept, dans ce sens, inclut, outre les *algues* du langage courant, des plantes aériennes et de nombreuses espèces microscopiques.

► Le mot a pour dérivés **ALGUETTE** n. f. (1751), désignant une plante, **ALGOÏDE** adj. (1817) «ressemblant aux algues». ◆ **ALGINE** n. f. (1887) désigne un colloïde que l'on trouve dans les algues. ◇ De là en chimie **ALGINIQUE** adj. (fin XIXe s.) et **ALGINATE** n. m. (XXe s.) «sel de l'acide alginique».
Le composé **ALGOLOGIE** n. f. (1817), «étude des algues», a vieilli, remplacé par *phycologie*. ◇ Il a donné **ALGOLOGIQUE** adj. et **ALGOLOGUE** n., attestés dans le *Complément de l'Académie* (1838). ◇ **ALGOCULTURE** n. f. est récent (attesté 1972).

ALIAS adv. est emprunté (v. 1465) au latin *alias* «autrement», de *alius* (→ autre).

♦ Le mot s'est employé, dans l'usage didactique, comme en latin, se spécialisant au XIXe s. pour «autrement dit, appelé autrement» (1866, Larousse), entre deux noms propres.

ALIBI n. m. est un mot latin signifiant «ailleurs», dérivé adverbial de *alius* «autre» (→ autre), d'origine indoeuropéenne (cf. grec *allos*, gotique *aljis*) ; → aliéner.

♦ *Alibi* est passé en français comme substantif (1394) en droit, pour «fait d'avoir été dans un autre lieu, au moment d'une infraction», puis (mil. XVe s.) aux sens extensifs de «diversion, dérobade» et de «ruse, subterfuge» (XVIIIe s.), distincts de l'emploi moderne extensif (XIXe s.) «activité ou circonstance qui permet de se disculper», senti comme un figuré du sens juridique.

▸ L'expression *un alibi forain* («étranger»), au sens de «mauvaise excuse, échappatoire», a donné naissance au composé **ALIBIFORAIN** n. m. (1549), sorti d'usage.

ALIBORON n. m., d'abord nom propre (1440), vient d'un mot d'ancien français d'origine obscure, peut-être altération de *hellebore*, emprunt au latin *helleborus* (→ ellébore), plante considérée comme une panacée ; peut-être du nom du philosophe arabe *al Biruni*.

♦ Le mot, souvent sous la forme ***maître Aliboron***, a désigné un ignorant prétentieux, un pédant. Il s'applique symboliquement (1654) à l'âne, sens popularisé par La Fontaine, avec la même valeur figurée que *âne*, à savoir «imbécile» et non plus «pédant». Il a vieilli.

ALIDADE n. f. est emprunté (1415) au latin médiéval *alidada*, écrit aussi *alhidada*, graphies employées au XVIe s. en français (1544, Rabelais). Le mot est emprunté à l'arabe *('al) 'idāda^t* «compteur».

♦ Ce terme didactique, qui apparaît dans un *Traité de l'astrolabe*, désigne une règle composée de deux équerres mobiles munies de fenêtres et formant un instrument de visée, en topographie et en navigation.

ALIÉNER v. tr. apparaît en droit (1265) comme emprunt au latin *alienare* «rendre autre» ou «rendre étranger», dérivé de *alienus* «autre», lui-même de *alius* (→ ailleurs, alias, alibi). Il correspond à l'ancien provençal *alienar* (XIIe s.).

♦ En parlant des choses, le verbe signifie «céder, transférer (un droit)» et «perdre», en parlant des personnes (ou de l'âme, de l'esprit) «rendre hostile» (1355) et au figuré «abandonner (sa liberté, ses droits)» (v. 1750). ◇ Après l'ancien provençal *alienar* (XIIIe s.), *aliéner* se spécialise avec la valeur de «rendre fou (qqn)» (une fois au XIVe s. ; puis 1566). ◇ D'où **ALIÉNÉ, ÉE** adj. (XVIe s., Amyot), plus tard substantivé (1812) et répandu au XIXe s., pour remplacer *fou* dans la langue institutionnelle.

▸ Les dérivés ② **ALIÉNATION** n. f. (XIVe s., *aliénation d'entendement*) spécialisé au XVIIIe s. (1745) au sens de «folie», **ALIÉNISME** n. m. (1833), archaïque, et **ALIÉNISTE** n. (1846) montrent l'importance de ce concept, qui croise juridisme et psychiatrie, et qu'il faut confronter à *fou, folie*, plus usuels, puis aux mots spécialisés, de *démence* à *psychose*.
① **ALIÉNATION** n. f. est emprunté au dérivé latin *alienatio* dans le domaine du droit (1265), avec les valeurs initiales de *aliéner*, c'est-à-dire «vente», «renonciation», appliquées ensuite au droit international (1840), et qui s'était employé (dep. 1541) pour «désaccord, hostilité», sens sorti d'usage. ➝ Au XXe s., le mot *aliénation* (puis *aliéner, aliénant*, 1943 Sartre, etc.) a connu une nouvelle carrière, étant choisi pour traduire l'allemand *Entfremdung*, expression d'une importante notion philosophique chez Hegel, puis Marx, «état où l'être humain est comme détaché de lui-même, détourné de sa conscience véritable par les conditions socio-économiques». Le succès du concept amène l'emploi du mot et de certains dérivés *(aliénant, aliénateur)* dans un sens plus vague «perte par l'être humain de son authenticité», réunissant le thème cher au XVIIIe s. des méfaits de la vie en société et celui du XIXe s. de l'exploitation de l'homme par l'homme.
Les comp. préfixés **DÉSALIÉNER** v. tr. (1947) et **DÉSALIÉNATION** n. f. correspondent à la diffusion du sens marxiste de *aliéner* et *aliénation*.
L'emploi initial de *aliéner* a en outre servi de base à une série de dérivés juridiques, postérieurs à ① *aliénation* (ci-dessus). ➝ **ALIÉNATAIRE** n. (XVIe s. ; repris 1793) correspond à «personne au profit de laquelle on aliène un bien». ➝ **ALIÉNATEUR, TRICE** n. (1596) signifie «personne qui aliène un bien au profit d'une autre». ➝ **ALIÉNABLE** adj. (1523) «qui peut être aliéné» a pour dérivés **ALIÉNABILITÉ** n. f. (1795) et la série antonymique préfixée, formée par **INALIÉNABLE** adj. (1539), employé en droit et figurément à propos de droits qui ne sauraient être mis en cause, d'où **INALIÉNABLEMENT** adv. (1584), rare, et **INALIÉNABILITÉ** n. f. (1722).

ALIGNER → LIGNE

ALIMENT n. m. est un emprunt ancien (1120) au latin *alimentum*, dérivé du verbe *alere* «nourrir», employé concurremment avec *nutrire* (→ nutrition). Les correspondants en germanique (par exemple l'ancien anglais *alan*) et en celtique, du verbe *alere* et de certains dérivés, comme *adolescere*, d'où *adultum* (→ adolescent, adulte), le populaire *altus* «qui a grandi», d'où «grand, vieux» (→ haut), font remonter à un thème indoeuropéen, d'ailleurs mal établi.

♦ Le mot français semble d'abord désigner ce qui nourrit le cœur (une fois au XIIe s.) ; on ne le trouve en emploi concret qu'au XIVe s. (1379). Ensuite, les emplois abstraits, en parlant de l'esprit (1601) ou dans *aliment de l'âme* «eucharistie» (fin XVIIe s., Bourdaloue), sont des métaphores du sens concret. ◇ En droit, le mot correspond (1690) à «pension alimentaire», valeur attestée bien avant en ancien provençal *(alimens)*, en saintongeais (*aleements*, 1469) et conservée par l'anglais *alimony*. ◇ Par extension, *aliment* se dit pour «ce qui sert à entretenir le feu» et pour «action de se nourrir» (fin XVIIe s.), sens bientôt assumés par *alimentation* (ci-dessous).

▸ Le dérivé **ALIMENTER** v. tr. est d'abord attesté au figuré (une fois au XIVe s., mais rare avant le XIXe s.) pour «entretenir (un feu, un cours d'eau)», puis (1460) au sens propre de *aliment* : «fournir de la nourriture à» ; il est alors didactique par rapport à *nourrir*, comme *s'alimenter* par rapport à *manger*. ◇ Il se dit au figuré (1763, Rousseau) pour «entretenir (la conversation, un sentiment)» et en technique pour «approvisionner» (1845), puis «fournir en énergie». ➝ Le verbe a servi à former **SURALIMEN-**

TER v. tr. (1896), d'où **SURALIMENTÉ, ÉE** adj., et **SOUS-ALIMENTÉ, ÉE** adj. (1925), substantivé au milieu du XXe s. (v. 1960) ; préfixés qui correspondent à *sur-* et *sous-alimentation* (ci-dessous).
ALIMENTATION n. f. est formé (1412) à partir du verbe au sens concret, avec plusieurs extensions, psychologique (1842), d'emploi rare, économique pour «approvisionnement renouvelé (d'une ville, d'un marché)» (1845), technique au sens de «fait de fournir en combustible, en énergie» (1845), sens devenu usuel à propos des machines, de l'énergie électrique, des munitions d'une arme, etc. Par une autre extension, le mot s'applique au commerce et à l'économie des denrées alimentaires (1926). ➝ Les préfixés **SURALIMENTATION** n. f. (1891), qui s'emploie aussi à propos des moteurs (1926) et **SOUS-ALIMENTATION** n. f. (1891) sont employés à propos de l'alimentation humaine. ➝ Sauf en moyen français dans un emploi sorti d'usage, le nom d'agent ne concerne que le sens figuré : **ALIMENTEUR** n. m. «dispositif réglant l'alimentation d'une machine, etc.» (1908). ➝ Il en va de même pour l'adjectif **ALIMENTATEUR, TRICE** (1866), substantivé pour désigner le conducteur qui transfère l'énergie à une antenne (1960), à un appareil distributeur dans les mines (1974).
ALIMENTAIRE adj. est emprunté (1580) au latin *alimentarius,* dérivé de *alimentum.* Au sens concret de *aliment,* «relatif aux aliments, qui sert d'aliments», il entre dans des syntagmes courants, comme ***pâtes alimentaires*** (1866), *produits alimentaires, industrie alimentaire,* d'où le composé *agroalimentaire* (→ agro-, à agreste). ◇ En droit, ***pension alimentaire*** (v. 1650) désigne une somme destinée à procurer la subsistance de qqn, versée par exemple en cas de divorce (on a dit *aliments* en ce sens) ; *provision alimentaire* (1690) s'emploie dans le même contexte. En physiologie, on relève *conduit alimentaire* (1751), *ration alimentaire* (1814), *bol alimentaire* (id.). ◇ Enfin, au figuré, l'adjectif s'applique à ce qui n'a qu'un but lucratif : *littérature alimentaire* (1905), *travail alimentaire.*

ALINÉA n. m. est la substantivation (mil. XVIIe s.) de la locution latine *a linea* «en sortant, en s'écartant de la ligne» (→ ligne), employée en dictant (cf. en français *aller, passer à la ligne*) et attestée aussi en français (1694).

♦ Le mot désigne chez Guez de Balzac (av. 1654) la séparation, par renfoncement du début du texte, d'un début de paragraphe, puis (1817) le texte compris entre deux de ces séparations successives.

ALISE n. m., représenté dans de nombreux dialectes et en francien dès le XIIe s. (*alie,* 1153 ; puis *alèze*), serait l'un des rares représentants en français de la langue gauloise, le mot pouvant être issu d'un °*alika,* le germanique *Aliza* étant dans cette hypothèse (corroborée par des toponymes) emprunté au gaulois. P. Guiraud préfère le rapprocher de l'ancien adjectif *lis, alis* du latin *lixare* (→ alizé, lisse).

♦ Le mot, surtout régional en français moderne, désigne le fruit d'une variété de sorbier.

▸ Le dérivé **ALISIER** n. m., désignant la plante (1235), est d'abord attesté sous la forme *alier* (1153), suggérant, comme *alie* pour *alise,* que le *s (z)* pourrait ne pas être étymologique, ce qui rend moins plausible l'hypothèse *lixare.*

ALITER → LIT

ALIZÉ adj. et n. m. est d'origine incertaine ; le mot pourrait venir (1573) de l'expression ancienne et rare *au lis du vent* «dans la direction où le vent souffle», elle-même identifiée soit à *au lit du vent* (Wartburg), soit au latin *licium* «chaîne d'un tissu» (Jal) [→ lice], soit ramenée au francique °*listia* (Dutko). L'emprunt à l'espagnol *alisios* (Dauzat) paraît impossible, ce dernier étant tardif (attesté 1884). L'hypothèse la plus vraisemblable concerne la série de verbes occitans issus du latin *allisus, alis,* ancien provençal *lis* «doux (du temps)» (→ lisse).

♦ Le mot, employé dans ***vent alizé*** et comme nom, s'est écrit aussi *alisée* (1643). Il désigne un vent d'est régulier, sous les tropiques.

▸ Le dérivé **ALIZÉEN, ENNE** adj., attesté isolément au XVIe s. (A. Jamyn, v. 1575-1578), repris au XIXe s. (1877), demeure rare.

ALLAITER → LAIT

ALLANTOÏDE n. f. et adj. est emprunté (1541) au grec *allantoeidês,* de *allas, allantos* «saucisse», d'où «boyau, membrane», mot d'origine obscure qui pourrait correspondre au latin *alium* (→ ail) et désigner une saucisse à l'ail, et *eidos* «forme» (→ ② -ide).

♦ Le mot, aussi adjectif (*membrane allantoïde,* 1611), désigne et qualifie une membrane embryonnaire.

▸ Le dérivé **ALLANTOÏDIEN, IENNE** adj. (av. 1820, Nysten) s'applique comme nom masculin pluriel (1846) aux animaux dont l'embryon possède une allantoïde. ➝ De là, avec le préfixé privatif *a- (an-),* **ANALLANTOÏDIEN, IENNE** adj. «dépourvu d'allantoïde» (1865) au pluriel «ordre des vertébrés dépourvus d'allantoïde» (av. 1900, *Grande Encyclopédie*).

ALLÉCHER v. tr. est issu (v. 1175) d'une forme latine populaire °*allecticare* (cf. espagnol *alechigar* «adoucir»), du latin classique *allectare* (d'où l'italien *allettare*), fréquentatif de *allicere* «attirer». Celui-ci est composé de *ad-* (→ à) et de *lacere* «séduire», verbe dont certains dérivés sont représentés en français (→ délecter, délicat, délice, délié, dilettante).

♦ Le verbe, attesté en ancien et moyen français sous diverses formes, *alechier, alekier, allicher* (1538), également au pronominal *s'alechier* (XIIIe-XVe s.), a pris la nuance d'«attirer par la promesse d'un plaisir». Il est surtout employé au passif et au participe passé, d'ailleurs adjectivé en ancien français (XIIIe s.), au sens de «qui cède à la tentation», c'est-à-dire «pécheur», sorti d'usage en moyen français.

▸ Le participe présent **ALLÉCHANT, ANTE** adj. (1495) est demeuré courant, après une éclipse à

partir du milieu du XVIIe s. (il est considéré comme vieux en 1669). Il avait le sens général du verbe, «qui attire, séduit» et s'emploie surtout en français moderne (mil. XIXe s.) en parlant de la nourriture, puis au figuré. ◆ **ALLÈCHEMENT** n. m. (v. 1300), bien attesté au XVIe et au début du XVIIe s., a vieilli.
L'adjectif rare **ALLICIANT, ANTE**, cher aux poètes symbolistes, est tiré du latin *allicere* peut-être pour éviter le rapprochement formel avec *lécher*. C'est un emprunt tardif (1851, Barbey), mais le verbe *allicier* (une fois au XIIIe; puis XIVe s.), «attirer (l'attention)» puis «séduire» (1517), s'est employé en moyen français.

① **ALLÉGEANCE** n. f., d'abord *alligeance* (1661), est un terme tardif de droit féodal, utilisé par les historiens et emprunté à l'anglais *allegiance*. L'équivalent en ancien français était *liejance, lijance*, dérivé de *lige** signifiant «état d'homme lige, vassalité». La forme *allégeance* (1704) marque peut-être l'influence formelle de l'homonyme archaïque *allégeance* (1165), qui vient de *alléger* (→ léger).

♦ Le mot s'est élargi (XXe s.) à «obligation de fidélité à une nation» et, abstraitement, à «soumission» *(faire allégeance à...)*.

② **ALLÉGEANCE** → LÉGER

ALLÉGER → LÉGER

ALLÉGORIE n. f. vient (1119), par le latin *allegoria*, du grec tardif *allêgoria*, dérivé du verbe *allêgorein* «parler par figures», composé de *allos* «autre» (→ allo-) et de *agoreuein* «parler», d'abord «parler en public», dérivé de *agora* «place publique» et «assemblée du peuple» (→ agora, catégorie). *Agora* est en rapport avec le verbe *ageirein* «rassembler» qui est souvent considéré, sans certitude, comme issu de *gargara* «foule remuante», rapproché du *grex* latin (→ grégaire), avec des corrélations indoeuropéennes (notamment dans les langues baltes).

♦ Étymologiquement, l'allégorie est donc une «parole différente»; employé en français aux sens grec et latin de «discours métaphorique», le mot se spécialise dans l'usage classique pour désigner une narration dont tous les éléments concrets organisent un contenu différent, souvent abstrait. *Allégorie* désigne aussi une œuvre utilisant ce type de narration. ◇ En art (peinture, sculpture) il désigne (1694) une représentation concrète à contenu symbolique.

▸ **ALLÉGORIQUE** adj. vient (v. 1470) d'un dérivé bas latin. ◇ Il a pour dérivé **ALLÉGORIQUEMENT** adv. (1488). ◆ **ALLÉGORISER** v. et **ALLÉGORISTE** n. (tous deux attestés en 1578) sont formés, le premier en français, le second d'après le latin chrétien *allegorista* «interprète des textes sacrés selon une symbolique». Ces mots didactiques apparaissent à l'époque (XVe-XVIe s.) où l'on redécouvre la rhétorique antique. Le verbe est d'abord transitif; *allégorier* (1566) l'a concurrencé jusqu'au XVIIIe siècle. ◇ Il est didactique comme ses dérivés **ALLÉGORISEUR** n. m. (1563) et **ALLÉGORISATION** n. f. (1804). ◆ De *allégorie* dérivent aussi **ALLÉGORISTE** n. m. (1578) et **ALLÉGORISME** n. m. (1827).

ALLÈGRE adj. se manifeste surtout en ancien français (XIIe s.) sous la forme *haliegre*, mais aussi *alegre* (XIIe s.) et *aligre* (XIIIe s.). Le *h* est obscur; on l'a expliqué par influence du germanique *heil* «sain». Mais le mot est issu d'une altération du latin *alacer* «vif» (peut-être °*alicer*, °*alecris*, d'où °*alecrus*). Le passage de *-iegre* à *-ègre* (*alegre*, dès 1130; *allaigre*, une fois au XVe s.; enfin *allègre*, 1538; une fois isolément au XIIe s.) a pu se faire sous l'influence de l'italien *allegro*.

♦ L'adjectif signifie en ancien et moyen français «sain, bien portant» et «dispos», en même temps que «joyeux, plein d'entrain», valeur qui l'a emporté. En moyen français (XVe-XVIe s.), *allègre* s'est appliqué aux choses, au sens d'«agréable».

▸ Le dérivé **ALLÈGREMENT** adv. apparaît au XIIIe s. sous les formes *halègrement, alegrament*, puis *alaigrement* (1354), la graphie moderne étant attestée au XVIe siècle. Les valeurs correspondent à celles de l'adjectif. ◆ **ALLÉGRER** v. tr. «rendre joyeux» (*halagrer*, XIe s.; *alegrer*, XIIIe s.; *allégrer*, XVIe s.), aussi pronominal pour «se réjouir», a disparu avant le XVIIe s. avec ses dérivés et composés.
ALLÉGRESSE n. f., longtemps écrit *allegresse* (XVe-XVIIIe s.), après une attestation isolée d'*alegrece* (XIIIe s.), semble garder plus de stabilité sémantique que l'adjectif; il a éliminé *allegrance* n. f. (XIIe-XIVe s.), *allegrie* n. f. (XVe-XVIe s.) et *allegreté* n. f. (XIIIe s., *haliegreté*). Cependant, l'idée générale est passée de «vigueur et entrain», en ancien et moyen français, à «joie exprimée, jubilation», en français moderne (la même évolution se constate en espagnol avec *alegría*).
ALLEGRO adv. est un emprunt du langage musical (1703) à l'italien *allegro*, de même origine que *allègre*. Le mot, comme la plupart des indications de mouvement en musique, est devenu aussi substantif (1762) pour «mouvement modérément rapide», spécialement à propos d'une sonate, d'une symphonie. ◆ **ALLEGRETTO** adv. (1703), devenu aussi nom masculin (1722), est emprunté au diminutif italien. ◆ **ALLEGRISSIMO** adv., directement emprunté (1826) au superlatif italien, est plus rare que son quasi-équivalent *allegro vivace*.

◈ voir ALACRITÉ.

ALLÉGUER v. tr. est emprunté (1246) au latin classique *allegare*, formé de *ad* et de *legare* «déléguer (une charge à qqn)» et «envoyer comme député, chargé de mission» (→ légat, léguer), verbe dont un autre préfixé est passé en français (→ reléguer). Le verbe latin vient de *lex* «loi*». *Allegare*, qui signifie d'abord «déléguer (qqn) pour une affaire privée», a pris en latin impérial le sens de «mettre en avant (un exemple, etc.)».

♦ Le français a pris le sens tardif du latin, avec une spécialisation juridique (1280) pour «mettre en avant (un argument)». À la Renaissance, le verbe s'emploie pour «citer (un texte, un auteur) à l'appui de ce qu'on dit» (1530); cet emploi a vieilli à partir du XIXe s., sauf dans l'usage didactique.

▸ Les dérivés français *allégance* n. f. (1326), *allégement* n. m. (d'abord *allegament*, v. 1260), *allégueur* n. m. (*alligueur*, 1417) et *alligateur* n. m. (v. 1600) ont disparu, comme *alléguable* adj. (XVIe s.). ◇ Le verbe préfixé **RÉALLÉGUER** v. tr. (XVIe s., Montaigne) est peu usité.

ALLÉGATION n. f., emprunt (v. 1230) au dérivé latin *allegatio*, a éliminé les substantifs formés en français (ci-contre). ◇ Il signifie «assertion (qu'on allègue)» et, en droit (1269), «preuve à l'appui d'une prétention». Il est souvent péjoratif ou employé dans un contexte péjoratif (*des allégations mensongères*, etc.).

ALLÉLUIA n. m., d'abord *alleluie* (1223), est emprunté au latin chrétien *alleluia*, lui-même pris à l'hébreu «louez Yahweh».

♦ Le mot désigne le cri de louange et de joie placé à la fin de certaines phrases des psaumes et repris par l'Église catholique, surtout au temps pascal. ◇ Au figuré, il correspond à «chant de joie» (XVIIe s.). ➛ Un sens régional (XIVe s.) concerne une plante qui fleurit à Pâques, l'oxalis.

ALLEMAND, ANDE adj., d'abord *aleman* (1080) puis *alemant* (XIIe s.), est emprunté au latin *Alamanus, Alemanus* (aussi *Alla-, Alle-*) désignant au pluriel une confédération de peuples germaniques occidentaux, le pays étant nommé *Alamannia*, d'où *Allemagne*. Le mot latin est d'origine germanique, l'ancien haut-allemand *Alaman* venant probablement de *ala* «tous, tout» (cf. anglais *all*) et *man* «homme» (→ mannequin). Pour le premier élément, on a aussi évoqué le nom de rivière *Alle*.

♦ Le mot s'est écrit *allemant*, comme marque du cas régime *(granz-grant)*, puis *-and* par substitution de suffixe. Comme adjectif et comme nom, il s'applique aux habitants de l'Allemagne, avec des références géographiques variables selon les époques et les entités politiques. ◇ ***Querelle d'Allemand*** «querelle pour un sujet futile» a succédé à *querelle d'Allemagne* (XVIe s.) et fait allusion à la réputation combative du pays (sur le plan militaire), puis de ses habitants ou soldats. ◇ ***Berger allemand*** se dit d'une race de chiens.
➛ L'*allemand* «langue allemande» est attesté au XIIIe s. *(alemant)*. Le *haut-allemand* désigne les parlers de l'Allemagne moyenne et méridionale, le *bas-allemand* ceux du Nord ; l'allemand moderne vient de l'*ancien haut-allemand* (voir ci-contre l'encadré).

▸ **ALLEMANDE** n. f. correspond (1542) à *danse allemande*, désignant une danse vive à deux temps, puis une composition musicale qui en découle et sert aux XVIIe et XVIIIe s. de premier mouvement à une suite (de danses). ➛ **ALÉMANIQUE** adj. est emprunté (1838) au bas latin *alamannicus* (fin IVe s.), dérivé de *alamannus, alemannus*, de l'ancien haut-allemand *Alaman* (voir ci-dessus). Le mot qualifie en histoire ce qui concerne les Alamans, peuple germanique occidental repoussé au IIIe s. par les Romains, puis envahisseur en 406 de l'Alsace, du Palatinat, du nord de la Suisse (Helvétie) et de la Franche-Comté. Son emploi courant concerne la Suisse de langue germanique et ses dialectes.

✳ **ALLER** v. tr. Ce verbe fondamental, l'un des plus irréguliers de la langue française, amalgame trois verbes latins signifiant «se déplacer, avancer» : *ire*, le plus usuel, a donné les formes du futur et du conditionnel (*j'irai*, etc.) ; *vadere*, qui a une nuance de vitesse et de force (sensible dans le composé *invadere* → invasion), a fourni de nombreuses formes personnelles *(je vais, tu vas, il va...)* ; ces deux verbes, très clairement en ce qui concerne *ire*, se rattachent à une racine indoeuropéenne (cf. sanskrit *eti* «il va»). Enfin l'infinitif *aller* et d'autres formes personnelles *(nous allons, vous allez)* sont d'origine moins claire. On suppose en général que le latin *ambulare* (IIe s.) «se promener, marcher» (→ ambulant) aurait donné une forme populaire °*allare*, par une réduction anormale du type °*amlare*, d'où °*allare* (*transalare* est bien attesté). On a pensé, d'après des formes du bas latin, que les ordres militaires commandant d'avancer auraient pris, à partir de *ambulare*, cet aspect abrégé (d'où l'impératif *allez !*). *Ambulare* était formé d'un préverbe *amb-* «autour», équivalent du grec *amphi* (→ amphi-) et d'un radical °*el-*, peut-être indoeuropéen, puisqu'on le trouve en celtique (→ exil). Cependant, P. Guiraud, sceptique quant à l'hypothèse de la réduction, suppose, sans preuve à l'appui, une dérivation verbale sur *ala* «aile» (d'où un *alare* «voler, filer», d'ailleurs incompatible avec la forme *allare*). Les premières graphies attestées en roman, puis en ancien français, sont *alare* (VIIIe s.) et *aler* (XIe s.). Par ailleurs, *ambulare* est probablement en rapport étymologique avec les verbes romans *andare, andar* «aller», par un radical commun *-amb* ; le verbe latin a donné le roumain *umblá*, le catalan et l'espagnol *amblar*, et par emprunt, le moyen français *ambuler* (→ ambulant).

♦ En ancien français, le verbe est à la fois intransitif, avec deux idées dominantes, la destination, «se rendre quelque part» (v. 980), et le déplacement, «se transporter quelque part» (XIIe s.), et transitif, pour «parcourir (une région, une distance)» (1080), cet emploi ne se maintenant en français moderne que dans ***aller son chemin*** (XIVe s.). En outre, *aller*, intransitif, signifie généralement «marcher, se déplacer» (v. 1050). ◇ *Aller à qqn* (1080) a été en grande partie remplacé par ***aller chez qqn*** (XIIIe s.), mais s'emploie encore populairement *(aller au docteur)* ou avec l'idée de recours. *Aller à* s'emploie aussi avec un complément nom de chose (1280), en particulier *aller aux nouvelles, aux renseignements* (1690), *aux avis, aux voix* «voter» (1671), *aller au combat* (1538). En ancien français *aller sur qqn* «l'attaquer» (XIIe s.) est en concurrence avec *aller à qqn* (cf. *aller [droit] à l'ennemi*, mil. XIIIe s.). *Aller à (un lieu)*, «y aboutir», se dit d'un chemin (1231). ◇ Le verbe prend des valeurs abstraites dès l'ancien français, comme «s'écouler», en parlant du temps (XIIe s.), sens devenu archaïque, remplacé par *s'en aller, passer*. Une autre acception abstraite est «faire des progrès en bien ou en mal» (une fois XIIe s. ; puis à partir des XIVe-XVe s.), d'où *aller loin, aller jusqu'à* (un état), *aller à* (une somme), en parlant d'un prix (mil. XVIIe s., Retz). ◇ Dans le domaine spatial, *aller à* correspond à *s'étendre, arriver* (*aller*

LA LANGUE ALLEMANDE

L'allemand est une langue indoeuropéenne, de la famille du germanique occidental ou «westique». Elle se divise en deux zones linguistiques principales, dont la limite a été tracée au XIXe s. («ligne de Benrath») : le *haut-allemand* (allemand standard moderne) et le *bas-allemand.* Les dialectes haut-allemands sont parlés sur les deux tiers du territoire germanophone (Allemagne du Sud, Autriche, Suisse, Alsace et une partie de la Lorraine) ; l'Allemagne du Nord est le domaine des parlers bas-allemands, auxquels il faut rattacher le frison, le néerlandais et le flamand ; une partie des dialectes franciques opèrent une transition entre ces deux zones. Cette répartition linguistique se fonde sur ce que l'on appelle la «deuxième mutation consonantique», qui a eu lieu vers le VIe s. ou le VIIe siècle. Dans la majeure partie des dialectes haut-allemands, par exemple, la consonne *p* devient *pf* et *t* aboutit à *ts,* alors que les dialectes bas-allemands, auxquels l'anglais est apparenté, ne connaissent pas cette évolution. On comparera, par exemple, l'allemand *Pfeffer* «poivre» à l'anglais *pepper* ou bien l'allemand *zehn* «dix» à l'anglais *ten.* Cette mutation consonantique haut-allemande permet, en outre, de préciser la date des emprunts que les Germains ont faits aux Romains. Le latin *pilum* «javelot», par exemple, a été emprunté par les parlers germaniques avant le VIe s. puisqu'il a donné en allemand *Pfeil* «flèche». L'allemand conserve, dans son lexique, la trace des contacts étroits que cette langue avait établis avec les Romains et les Gallo-Romains.

Le bas-allemand est représenté à date ancienne d'une part, par l'ancien bas francique (→ francique), qui donnera naissance au hollandais et au flamand, et, d'autre part, par l'ancien saxon. Le plus ancien texte dans un dialecte bas-allemand est le poème de *Heliand,* écrit vers 830 en ancien saxon. Ces dialectes n'ont guère contribué à la formation de l'allemand moderne.

On distingue trois étapes de l'évolution de la langue allemande : l'ancien haut-allemand (du VIIIe au XIe s.), le moyen haut-allemand (du XIe au XVe s.) et l'allemand moderne devenu langue commune (à partir du XVIe s.). Ces périodes sont elles-mêmes subdivisées en sous-périodes qui correspondent à des tournants de moindre importance, plutôt littéraires ou historiques que linguistiques.

1. Ancien haut-allemand.

Cette période débute, par convention, avec les premiers textes écrits en langue vulgaire (v. 750, avant les premiers textes romans → français) et se termine lorsque l'évolution de la finale *-a* ou *-a-* aboutit à *-e* ou *-e-* [ə]. La langue écrite était encore le latin, véhicule de la civilisation. Nous noterons, à ce propos, un fait culturel que reflète le lexique. Les Germains avaient à leur disposition un alphabet runique, mélange d'alphabets latin et grec, dont ils se servaient pour graver des inscriptions. Cet acte était nommé *wrîtan* «couper, entailler» ; les Anglo-Saxons ont conservé ce verbe sous la forme *write* «écrire». Les Allemands, en revanche, ont emprunté le verbe latin *scrībere* «écrire», d'où *schreiben.* Malgré la renaissance carolingienne, il n'y a pas d'unification de la langue pendant la période de l'ancien haut-allemand. Les dialectes se maintiennent ; aucun n'a la prépondérance sur les autres. Les centres culturels étaient situés dans le sud de l'Allemagne et les innovations viennent toutes de cette région. Les textes qui nous sont conservés représentent les trois grands groupes dialectaux de cette période : l'*alémanique,* parlé en Souabe, en Alsace et dans le nord de la Suisse ; le *bavarois,* parlé en Bavière, dans la Marche d'Autriche, en Styrie et en Carinthie ; le *francique* qui est divisé en francique oriental, francique rhénan, francique rhénan méridional et francique moyen et que l'on désigne parfois sous le nom de «moyen-allemand occidental». Au Xe s., la langue s'enrichit en particulier par des emprunts au latin dans le domaine abstrait ou celui de la vie religieuse.

2. Moyen haut-allemand.

À partir du XIIe s., quelques changements linguistiques, touchant le vocalisme, s'accentuent et aboutissent, à peu de chose près, au système vocalique actuel. Le moyen haut-allemand n'accuse donc que peu de différences avec l'allemand moderne. Au niveau littéraire, le début de cette période est caractérisé par le développement et l'abondance de la littérature profane en langue vulgaire, qui l'emporte peu à peu sur la littérature religieuse. Les poètes allemands sont particulièrement influencés par la littérature et les mœurs chevaleresques françaises. Cet engouement se reflète dans le vocabulaire. C'est l'époque où l'allemand emprunte au français, peut-être par l'intermédiaire des Flamands que les Allemands admiraient. Des mots comme *Preis* «prix», *Abenteuer* «aventure», des suffixes tels que *-ieren* pour les verbes, ont été empruntés à l'ancien français. Cette littérature courtoise donne naissance à un *koinè* (langue littéraire commune) — compromis entre divers dialectes des pays haut-allemands —, qui disparaît au mi-lieu du XIIIe s., en même temps que décline la société courtoise. Elle a produit des chefs-d'œuvre, telles les poésies des *Minnesänger* (poètes de l'amour courtois), Hartmann von Aue, Walther von der Vogelweide,

Wolfram von Eschenbach, ainsi que l'épopée anonyme du *Nibelungenlied*. Réservée à une élite, cette *koinè* ne donnera pas naissance à une langue commune. Le latin est resté en Allemagne la langue de la diplomatie, de la juridiction et de l'administration. Ce n'est que vers 1325 qu'il cède définitivement le pas à la langue vulgaire par une évolution plus précoce que celle que connaît le français. Les dialectes reprennent alors une vie nouvelle et le particularisme l'emporte ; l'ère des «dialectes littéraires» s'ouvre. Une norme s'installe peu à peu dans la chancellerie impériale et la chancellerie saxonne, qui se fonde sur la fusion du moyen-allemand et du haut-allemand. Cette langue devient la langue officielle, adoptée par l'élite. La naissance de l'imprimerie vient en aide aux chancelleries pour la divulguer. Ce sont les imprimeurs «qui feront connaître à l'ensemble du peuple allemand la norme déjà acceptée par les milieux cultivés» (Tonnelat, *Histoire de la langue allemande*, p. 126).

3. Allemand moderne.

Cette période commence conventionnellement avec les écrits de Luther. C'est lui qui «en a [de l'allemand] relevé la dignité, il en a fait, aux yeux des hommes de son temps, l'égal du latin» (Tonnelat, *op. cit.*, p. 128), avant tout parce qu'il s'en sert pour des écrits religieux. La dernière édition qu'il fait de la traduction de la Bible en moyen-allemand (1545) est étonnamment moderne. Il simplifie l'orthographe et introduit les majuscules à l'initiale des noms communs. C'est surtout dans le vocabulaire que Luther s'impose ; les mots qu'il emploie sont acceptés par les Bavarois et les Alémaniques et pénètrent dans la langue commune. Sa Bible est la lecture quotidienne de tous les Allemands. Le haut-allemand devient vers le milieu du XVIe s. la langue de la culture ; elle est enseignée. Au XVIIe s., elle est diffusée dans toute l'Allemagne. Les dialectes littéraires périclitent ; les dialectes parlés, en revanche, se maintiennent. Au XVIIe et au XVIIIe s., la prépondérance de la langue littéraire est confirmée par des grammairiens qui codifient la langue ; les ressources du vocabulaire sont enrichies. Les puristes s'efforcent de lutter contre l'envahissement du latin et surtout du français dû au rayonnement de la cour de France. L'engouement pour le français est comparable à celui que le XIIIe s. connut. Les nobles et les bourgeois vont faire leurs études en France et s'inspirent de la culture française. Beaucoup de mots des domaines militaire, social, des techniques et des métiers sont alors empruntés en allemand : *General, Artillerie, Regiment, Cavalier, Monsieur, Balkon, Taille, Omelette*, etc. Au début du XVIIIe s., le français est la langue de la Cour. Un voyageur français, au milieu du siècle, peut avoir l'illusion que l'«on ne parle que notre langue» et que «l'allemand est pour les soldats et les chevaux» (Voltaire, le 24 octobre 1750, à Postdam). Frédéric II de Prusse écrit en français. Le philosophe Leibnitz est obligé de se plier à cette mode, bien qu'il soit un ardent défenseur de la langue allemande. Vers le milieu du XVIIIe s., la langue commune conquiert pourtant les domaines des sciences, de la philosophie, de l'administration, de la religion, de la politique et, bien entendu, de la littérature ; elle tend à se substituer aux dialectes. Après les grammairiens puristes du XVIIe s., relayés par Johann Gottsched (1700-1766) et par Adelung (1732-1806), le mouvement de libération s'incarne en Lessing, Klopstock et surtout dans les grands initiateurs du *Sturm und Drang*, Goethe, que son génie met à part, et Schiller, dont la langue plus simple a pu agir en profondeur sur la norme de l'allemand commun. Les romantiques, à partir de Kleist, ont achevé l'unité de la langue commune. Un grand enrichissement du vocabulaire mêle les apports du présent aux réanimations du passé : les poètes réutilisent des mots archaïques, médiévaux, familiers ou parfois dialectaux. Les contes que recueillent dès 1806 les frères Grimm, avant tout philologues et auteurs d'un monumental *Dictionnaire allemand* (1852), contiennent certaines histoires en *Plattdeutsch* (dialecte bas-allemand) ; lorsqu'ils ne peuvent pas utiliser le dialecte, ils créent, pour le remplacer, un *Hoch-*

à la ceinture, 1690). ◇ Un sens extensif est «fonctionner», à propos d'un mécanisme (1659).

Construit avec un adverbe (***aller bien, mal***, etc.), le verbe s'emploie (depuis le XIIe s.) pour décrire tout changement d'état, toute évolution et en particulier celle de la vie humaine, santé ou maladie (depuis le XIVe s.). D'une manière générale, le verbe peut concerner le cours de la vie, par exemple dans *aler de vie à mort* (1250), puis *de vie à trépas*. *Comment ça va ?*, avec des variantes du genre *comment va cette petite santé ?* (1831), plus affectueuse, questionne sur la santé mais aussi sur le cours de la vie, notamment professionnelle (*comment va le* + activité professionnelle, 1763).

De l'idée de destination, exploitée en ancien français dans *aller à qqn* «lui être destiné (d'un envoi, d'une lettre)» (XIIIe s.) et en français classique au sens de «concerner (qqn)», viennent les emplois demeurés courants de ***aller bien, aller mal***, etc. ***à qqn*** «lui convenir ou pas» (en moyen français, puis 1640), aussi ***aller ensemble*** (1690), ***ne pas aller sans*** (1640, Corneille), ***aller bien (mal) ensemble*** (1718) et *aller à qqch.* «s'y adapter» (1835) ou «résister à l'action de» (1834, *aller au feu, à la lessive*...). ◇ Par ailleurs, *aller* suivi d'un adverbe (*doucement, fort*, etc.) cor-

deutsch (langue littéraire commune) stylisé, d'après le modèle de la langue paysanne ; et l'on sait quel fut et quel est encore le succès de leurs *Contes.* Mais ce sont surtout les changements de sens qui caractérisent cette période. Au XIXe s., la langue de Goethe et de Schiller devient également la langue parlée diffusée par les écoles, les journaux ou le théâtre. Malgré cette unité apparente, le vocabulaire de la langue parlée *(Umgangssprache)* présente des variations régionales. Les dialectes, encore vivants, recouvrent les mêmes aires qu'au moyen âge. Ce n'est donc, en fait, qu'au XIXe s. que la langue écrite triomphe. Il aura fallu trois siècles pour en réaliser l'unité.
On vient de voir que l'allemand avait été, au cours des siècles, influencé par le français. La réciproque est vraie. Dans un livre, intitulé *les Relations franco-allemandes au XIXe s. à travers le vocabulaire français [Die deutsch-französichen Beziehungen im 19. Jahrhundert im Spiegel des französischen Wortschatzes]* de P. Fischer (Francfort, 1991), l'auteur ne relève pas moins de 767 mots français empruntés à l'allemand, calqués ou adaptés, entre 1798 et 1900. Ces mots relèvent du domaine de la philosophie, de la musique, des sciences naturelles ou exactes, mais traduisent aussi des réalités allemandes. Ces activités langagières sont liées au développement des sciences et des techniques. L'Allemagne, après la philosophie, se distinguera dans les sciences humaines, l'histoire, la philologie, les mathématiques, la physique et la chimie, les sciences de la vie. L'influence lexicale sur le français, sur l'anglais et, par ces deux langues, sur les autres, se marque surtout dans ces domaines. La terminologie chimique et biologique, notamment (Liebig, Haeckel), se diffuse vers le français, en particulier entre 1850-1860 et 1914 ; mais ces germanismes sont discrets, car ils correspondent le plus souvent à des formations gréco-latines ou à des adaptations.
Après 1860, les dialectes allemands reculent, même dans l'usage parlé. Dans les villes, on passe insensiblement à des «langues courantes régionales», et la prononciation de l'allemand commun se normalise, en partie grâce aux travaux de Th. Siebs (*Deutsche Aussprache,* première publication, 1898). La langue parlée *(Umgangssprache)* reste plus dialectale au Sud (Bavière, Autriche, Suisse alémanique) qu'au Nord. Parallèlement, son unification relative crée une norme qui s'éloigne quelque peu de la norme écrite littéraire *(Hochsprache* ou *Schriftsprache)* et qui, l'influençant à son tour, la fait évoluer : au XXe s., la radio, la télévision jouent leur rôle dans ce processus. Sur le plan du lexique, malgré les mouvements nationalistes tendant notamment à lutter contre les emprunts étrangers (1885, avec le *Sprachverein* ;en 1918 ; après 1933, avec le nazisme), l'allemand, comme les autres langues d'Europe, s'ouvre à l'influence de l'anglais, surtout après la défaite de 1945 et l'occupation américaine. Quant à la division entre Allemagne fédérale et République démocratique, contrôlée par l'U. R. S. S. avant 1989, elle n'a pas produit de clivage linguistique, sauf dans le domaine des vocabulaires institutionnels et didactiques ou dans les rhétoriques du discours (presse, radio). Face à ces tendances dans l'ensemble unificatrices, la Suisse germanophone pratique une diglossie entre allemand commun écrit et dialectes, qui semblent se renforcer. Une zone tout aussi intéressante que la Suisse, et plus encore dans un ouvrage concernant la langue française, est l'Alsace et une partie de la Lorraine où, à côté du français, langue officielle, sont parlés plusieurs dialectes allemands (franconien, haut et bas alémaniques). Vers 1960, 80 % des Alsaciens étaient trilingues : l'allemand commun est connu par eux passivement, comme langue écrite ; les dialectes activement, de même que le français, langue de l'école, de l'administration et des échanges économiques, sous une forme régionale assez marquée par le contact (voir Alsace, encadré).

M.-J. Brochard

BIBLIOGRAPHIE

Fr. RAYNAUD, *Histoire de la langue allemande,* Paris, Que sais-je ?, n° 1952, 1982.
E. TONNELAT, *Histoire de la langue allemande,* Paris, Armand Colin, section de langues et littératures, n° 92, 1962 (6e éd.).

respond à «agir (de telle manière)» (XIIIe s.) et spécialement à «travailler» (1690).
À l'impératif, le verbe sert à exhorter : ***allons !*** (XIIe s.), ***allez !*** (XIVe s.). *Allons !* exprime aussi l'étonnement, voire l'indignation (1640), *et allons donc* (v. 1714), *allons donc !* y ajoutant l'incrédulité (1834, Musset). *Allez donc !, et allez donc !* souligne la rapidité, l'excès d'une action (mil. XIXe s., *in* Doillon).
Aller à, ayant produit par pronominalisation ***y aller,*** cette forme a reçu de nombreux emplois tant concrets (*on y va !* : on vient !) qu'abstraits. *Y aller de qqch.* «s'agir de, être en cause» (XVIe s., Amyot) est sorti d'usage, mais pour «risquer, hasarder» (1593), il s'emploie encore, notamment à propos d'une somme jouée (1690), d'une contribution (*y aller d'une bouteille,* etc., 1888), plaisamment *y aller de sa larme* (1867). ◇ *Y aller* signifie aussi «se décider à partir» (1787), puis «agir, se décider sans réticence» (1859), emploi précédé par la locution ***y aller de cul et de tête, comme une corneille qui abat des noix*** «se démener» (1718), devenue archaïque.
Le verbe *aller,* ayant reçu des valeurs variées et vagues, souvent abstraites, a pris une fonction d'auxiliaire de temps. S'y rattachent *aller* et l'infinitif *(il va venir),* pour «être sur le point de» (XIVe s.) et «se mettre à» (XIIIe s.), qui viennent d'un emploi spa-

tial (XIe s.) «se mettre en mouvement pour»; *aller* et participe présent (*aller criant, courant,* etc.), attesté depuis le XIe siècle et devenu archaïque, remplacé par *aller en* et participe présent.

La phraséologie est immense; elle correspond parfois à des types de contextes. Ainsi, après *aller* absolument (1639), *aller à*... avec certains compléments évoque les nécessités naturelles (*aller à ses affaires,* XVIe s.; *à la garde robe,* 1640), domaine où *aller de*... est employé par évocation du «transit» intestinal, dans *aller du corps* (1640), *aller du ventre* (1690), expressions sorties d'usage, alors que *faire aller* «provoquer la défécation» (1700) se dit encore. ◇ Un autre contexte typique est celui du rapprochement sexuel, très ancien pour *aller à qqn* (XIIe s.) et récent pour *aller avec qqn* (1888); on dit encore familièrement *aller aux filles, aux putes.* ◇ *Aller à la gloire, aux honneurs* (1648), puis *aller à tout* (1780) «réussir pleinement», sont archaïques. ***Aller au charbon*** (1939) «travailler» est sorti de l'argot des souteneurs (comme évocation d'un travail pénible, rebutant) pour entrer dans le vocabulaire politique. *Aller sur,* suivi d'un nombre d'années, signifie pour une personne «avoir presque atteint l'âge de» (1835). ◇ Quelques locutions conservent l'usage du transitif: ***aller son train*** «agir sans s'arrêter» (1549), *aller grand erre* «aller très vite» (1669), archaïque. ◇ ***Laisser aller*** a eu de nombreux emplois, il signifie en ancien français (XIIe s.) «laisser tranquille, en paix», et *laisser tout aller* «négliger ses affaires» (XVIIe s., Scarron); ***se laisser aller*** (1627) équivalant à «se négliger» ou «s'abandonner» (1370) et *se laisser aller à (qqch., faire qqch.)* «faire (ou dire) sans se contrôler» (mil. XVIIe s., Pascal).

Quant à ***s'en aller,*** on peut le considérer comme un verbe composé, souvent simple renforcement de *aller.* L'ancien français connaît aussi *en aller* «partir d'un lieu» (1080), encore dans l'Académie de 1694, sorti d'usage sauf dans quelques constructions. *S'en aller* «partir, sortir (d'un lieu)» (XIe s.) s'emploie aussi au figuré, en parlant du temps qui passe, de ce qui se dissipe (v. 1210), d'un fluide qui s'écoule (XIIIe s.), de ce qui se défait, s'efface (XIVe s.). Il se construit aussi, comme *aller,* avec un infinitif au sens spatial, concret (1050) et signifie alors au figuré «être sur le point de» (1395), ou avec un participe présent (XIIe s.), emploi archaïque (*s'en aller disant,* etc.). Les emplois régionaux sont nombreux et variés, par exemple *il s'en va temps que*... «le temps est largement venu», dans le Sud-Ouest (depuis 1659).

L'infinitif est substantivé, et **ALLER** n. m. signifie d'abord «action d'aller» (v. 1150) et «départ», emplois sortis d'usage, le mot s'employant surtout aujourd'hui en corrélation avec *retour* (*l'aller et le retour* XVIe s., Rabelais). De là, au XIXe s., *billet d'aller et (de) retour* (1878), puis *un aller* (1907) et ***un aller et retour*** (1928). Le sens figuré de ***aller et retour*** «paire de gifles» (1926) continue l'ancienne expression *bailler (donner) son aller et venir (à qqn)* (1613) et *donner l'aller et le venir* (1640).

▸ Les participes passé et présent sont lexicalisés. **ALLÉ, ÉE** adj. s'est employé en ancien français pour «affaibli, fini» (XIIe s.), «corrompu» (d'une époque); il est sorti d'usage. ➛ **ALLANT, ANTE** adj. a signifié «qui court, qui va vite», d'où «actif» (XVe s., Villon), emploi encore vivant mais littéraire. ***Ne pas être bien allant*** «être fatigué, faible, abattu» (1808) est d'usage régional. ◇ *Allant* est substantivé dès le XIIe s. en moyen français pour «passant» (XIVe s.), «homme habile et entreprenant» (XVIe s.), «personne alerte, active» (1690), sens disparus; il était souvent employé avec *venant : les allants et venants* (1560). ◇ Enfin le mot au singulier signifie «initiative, activité» dans ***avoir de l'allant*** (v. 1900).

Le dérivé nominal **ALLÉE** n. f. signifie d'abord (1160) «action d'aller», d'où «voyage, expédition», «départ» (1260), «démarche» (1280), l'ancien français ayant pour ce mot de nombreuses acceptions. Celle qui est réalisée dans *a grande alee* «à grande vitesse» a été remplacée par *allure* (ci-dessous). ◇ Ce sens actif ne s'est maintenu que dans ***allées et venues*** «déplacements en divers sens» (2e moitié XVe s.) et dans des emplois régionaux (*à toute allée,* etc.). ➛ Au début du XIIIe s. (1204), le mot désigne par métonymie un chemin, d'abord un chemin de ronde, puis un accès, un corridor (1278), un balcon (v. 1380), un passage (1456), le petit chemin entre les carrés d'un potager (1570) et, au XXe s., un espace vide permettant le passage, dans une mine (1928), une église, une salle de spectacle (mil. XXe s., dans les dictionnaires). Les contextes sont variables et les sens très nombreux, surtout en français régional, mais la valeur générale «voie de passage, souvent rectiligne» ne varie guère. ◇ La spécification la plus importante est «chemin large et rectiligne de promenade» (1538), ***allée couverte*** désignant ce chemin ombragé d'arbres et spécialement, en archéologie, un alignement de dolmens (1845). ◇ Enfin, le sens de «ruelle entre deux maisons ou immeubles» est emprunté à l'anglais des États-Unis *alley,* de même origine. ➛ Le composé **CONTRE-ALLÉE** n. f. (1638), «partie latérale d'une large allée» (opposé à *allée centrale*), est resté en usage.

Le dérivé **ALLURE** n. f., réfection (1530) de *aleüre* (1170), puis *alleure* (XVe s.), est passablement démotivé. ➛ Le mot désigne d'abord la façon de marcher, d'avancer (hommes et bêtes), sens spécialisé pour le cheval (XVIe s., Ronsard), et en général l'action d'aller, de se déplacer (XIIIe s.). ◇ Par métonymie, il a désigné les traces d'un animal chassé (v. 1390), synonyme de *erres;* plusieurs autres acceptions métonymiques ont disparu. ◇ L'expression adverbiale *grant aleure,* puis *à grant aleure* (XIIe-XVIe s.) s'est prolongée avec *de grande allure* (1549, jusqu'au XVIIe s.), puis a disparu; il en va de même pour *de petite aleure* «lentement» (1180). ◇ Le sens de «vitesse (d'un véhicule)» (1863) a probablement suscité ***à toute allure,*** adverbial, «le plus vite possible» (v. 1930). En technique, le mot s'applique au comportement d'un navire (1740, Jal), à un régime de fonctionnement (1863), etc. ➛ De *allures,* «façon de se comporter (d'une personne)» (XVIe s., Montaigne), on est passé à «aspect extérieur» (fin XVIIIe s.) et absolument à ***avoir de l'allure*** «de la distinction, une belle apparence» (1885). ◇ Le mot se dit aussi de la marche des événements (1748), de la tournure que prend une affaire (1798). L'expression *avoir des allures* (1743) «avoir des relations galantes» s'est dite aussi par figure pour «faire des manœuvres secrètes» (1862, Hugo). De nombreux emplois différents existent en français régional; ainsi, au Canada ***ça a, ça a pas d'allure*** signifie «c'est bien, c'est positif» et son contraire. ➜ Le dérivé familier **ALLURÉ, ÉE** adj. (1929, répandu à la fin des années 30), «qui a de l'allure (d'un vêtement, puis d'une personne)», est assez rare.

D'autres dérivés ont disparu, comme **ALLIER** n. m. «échafaudage (pour aller sur une maison en construction)» (1559); **ALLEUR** n. m. (*aleur*, XIIIe s.) «celui qui va, voyage», avec des sens spéciaux; **ALLAGE** n. m. «corridor souterrain» (1375) synonyme d'*allée;* **ALLABLE** adj. «par où on peut passer» a été repris au XXe s. (1945 in *T. L. F.*).

La plupart des verbes préfixés ont disparu. ◇ *Préaller* «aller devant soi» a pour dérivé *préalable* (→ préalable). ◇ L'ancien français employait couramment le verbe *raller* (de *re-*) «revenir» et «aller de nouveau», du XIe au XVe s., la variante *realer*, encore au début du XVIIe s., est sporadiquement employée en français moderne *(realler)* seulement au sens itératif, l'idée de retour étant assumée par *revenir* et *retourner; s'en raller* «s'en retourner, revenir» s'est employé du Xe au XVe s. (*s'en realler* au XVIe s.). ◇ *Trésaler*, v. intr., «passer (du temps)», «quitter» est attesté du XIe (1080) au XVe s., aussi pour «se gâter», «mourir». ◇ De là *trésalée, ée* adj. (XIe s.), altéré en **TRÉSAILLÉ, ÉE** adj. (1907), d'abord *trésalé* (1765), puis *trézaillé* (1842), mot technique qualifiant une «matière (faïence, etc.) fendillée par la chaleur» auquel correspond **TRÉSAILLEMENT** n. m. (1789) «état d'une poterie, d'un vernis fendillé au feu».

SURALLER v. intr. (d'abord *suraler* v. tr., Xe s.), employé jusqu'au XVIe s. au sens général de «poursuivre», a conservé sa valeur ancienne (v. 1375) en vénerie pour «passer sur la voie du gibier sans se rabattre (des chiens)».

◈ voir AMBAGES, AMBI-, AMBIANT, AMBIGU, AMBITION, AMBLE, AMBUL-, AMBULANT, DÉAMBULER, FUNAMBULE, NOCTAMBULE, PRÉALABLE, PRÉAMBULE, SOMNAMBULE, VA.

ALLERGIE n. f. a été emprunté (1909) à un mot allemand (1906) tiré, par le biologiste von Pirquet, du grec *allos* «autre» (→ allo-) et de *-ergeia* (→ énergie), de *ergon* «action, travail» et «œuvre».

♦ L'auteur allemand définissait cette notion médicale comme une «réactivité altérée et excessive». En relation avec celle d'immunité, l'allergie est devenue une notion clé en physiologie et en médecine, et le mot a produit en allemand, en anglais, en français, etc. de nombreux dérivés et composés. ◇ Le succès de ce terme a entraîné pour le français *allergie* la valeur figurée de «hostilité instinctive», devenue usuelle vers 1960-1970.

▶ **ALLERGIQUE** adj. (attesté 1920) est emprunté au dérivé allemand *allergisch* (1906), et est devenu aussi usuel que le nom; il a aussi la valeur figurée de «spontanément hostile». ➜ En revanche, **ALLERGÈNE** n. m. «substance qui peut produire une allergie» (1922), **ALLERGOLOGIE** n. f. (1938), de *-logie*, et **ALLERGOLOGUE** n., de *-logue*, sont didactiques.

ALLERGISANT, ANTE adj. «qui peut provoquer une allergie» (v. 1920) et **ALLERGISATION** n. f. (mil. XXe s.), sont formés en français.

ANERGIE n. f. est formé (1916) de *a-*, *an-* privatif et de *allergie* pour désigner l'absence ou la disparition de l'allergie. Il a pour dérivé **ANERGIQUE** adj. (v. 1925). ➜ **ANALLERGIQUE** adj. (1967), de *an-* privatif et *allergique*, qualifie ce qui ne provoque pas d'allergie. ◇ On emploie aussi **ANTIALLERGIQUE** adj. ◇ **ANALLERGISANT, ANTE** adj. qualifie les substances capables d'éviter les allergies.

ALLEU, ALLEUX n. m., terme de droit féodal, est la réfection (*aleu*, v. 1180) de *alue* (XIIe s.), avec la variante *aluef, alloef* (1131), probablement d'après *fief*, emprunt au francique °*alod* «propriété intégrale». Ce mot est un composé de °*al* «tout», d'une racine indoeuropéenne représentée dans les langues germaniques (allemand et anglais *all*), et de °*ôd* «bien, propriété», correspondant à l'ancien saxon *ôd*. Ce terme francique est passé en latin médiéval sous la forme *alodis (loi Salique)*, puis *allodium*, d'où viennent l'italien *allodio*, l'espagnol *alodio*. ◈

♦ Le mot désignait et désigne encore en histoire un domaine héréditaire dont la propriété est franche de redevance (opposé à *fief, tenure*). On dit aussi ***franc alleu***.

▶ Le dérivé **ALLEUTIER** n. m. (1534) «propriétaire d'un alleu» est aussi réservé au droit féodal.

ALLODIAL, ALE, AUX adj. est un emprunt du moyen français (1463) au dérivé latin médiéval *allodialis*.

✳ **ALLIER** v. tr. provient normalement (1080, *alier;* var. *aloier*) du latin *alligare* «attacher à; mettre avec», composé de *ad-* (→ à) et de *ligare* «lier» (→ lier). ◈

♦ Le verbe se dit en ancien français des humains, au sens de «rassembler, réunir», et des choses, pour «amasser» (v. 1525); de la première de ces acceptions disparues viennent *rallier* et ses dérivés. L'ancien français emploie aussi *allier à* (*aleier a*, v. 1165-1170) «faire conclure une alliance à» et *soi allier* «se liguer» (XIIe s.). *S'allier* est resté en usage dans ce sens, alors que *s'allier* (1538) «se lier d'amitié» a disparu; mais le sens de «contracter des liens de parenté» (XVIe s., Amyot) est resté en usage. ➜ Une acception devenue rare (1359), aussi sous les formes *allayer* (1389), *aloyer* (1547), correspond à «combiner des métaux» et a donné naissance à *aloi* et à *alliage* (ci-dessous). ➜ Le verbe a signifié aussi (v. 1280 en picard) «lier, attacher», spécialement «bander (une blessure)», sens disparu dont procède, selon Wartburg, la valeur abstraite d'«unir (deux choses différentes ou complémentaires)» (1657, Pascal), et *s'allier* «s'unir» (1672), «s'assortir».

▶ Le participe passé a donné l'adjectif **ALLIÉ, ÉE** (1536; *alliet*, déb. XIVe s.) signifiant «uni par un traité» (d'où le nom : *un, des alliés*, 1316). ➜ Le dérivé **ALLIANCE** n. f. (*aliance*, fin XIe s.), formé avec le suffixe *-ance* (cf. *vengeance*), désigne une union par engagement mutuel, d'abord en religion (Bible), en politique, en droit (XIIIe s.), et généralement un accord. Du sens biblique, viennent les expressions ***l'ancienne, la nouvelle alliance*** (XIIIe s.) «le judaïsme et le christianisme» et ***Arche d'alliance*** (XIIIe s.). Par métonymie, le mot désigne une confédération (XIIIe s.). ◇ D'autres sens correspondent à la valeur psychologique et familiale du verbe, «lien d'amitié» (v. 1180), sortie d'usage, et «lien par mariage entre deux familles» (1279), d'où par métonymie «anneau de mariage» (1611). ◇ De là **MÉSALLIANCE** n. f. (v. 1680) qui correspond à *se mésallier* (ci-dessous).

ALLIAGE n. m. (1516 ; *alleage,* 1507), formé avec le suffixe *-age,* vient du sens technique du verbe «combiner des métaux» ; aujourd'hui, il désigne surtout le produit métallique résultant de l'opération (1690), avec des emplois multipliés au XVIIIe et surtout au XIXe s. par les développements de la technique.

ALOI n. m. est le dérivé (1268) de l'ancien verbe *aloier,* variante de *allier* ; il signifie «alliage» (cf. anglais *alloy*), notamment à propos de la monnaie métallique, d'où, au figuré, ***de bon (mauvais) aloi*** «de bonne (mauvaise) qualité».

Plusieurs verbes préfixés sont formés avec *allier.* ➛ **RALLIER** v. tr. signifie «rassembler (des troupes éparses)» (1080, *ralier*) et «rassembler (des choses dispersées)» (1573). L'idée de réunir est présente dans les emplois en marine : ***rallier le navire au vent*** (1694), ***rallier la terre*** (1812), ***rallier le vent*** (1835) et dans ***rallier son poste*** (1835), terme de marine passé dans l'usage général. ◇ Le verbe signifie aussi «réconcilier» (1549), «mettre d'accord» (1829). ◇ L'interjection *rallie !,* cri poussé pour arrêter et réunir les chiens à la chasse (1794), a servi à former **RALLIE** n. f., nom d'une société de chasse (1866) et d'une fanfare sonnée avant la curée (1907). Le pseudo-anglicisme *rallye* est issu de *rallie-papier* qui vient de ce nom (→ rallye). ➛ Le dérivé **RALLIEMENT** n. m., en ancien français «forces qui réunissent» *(raliement),* se dit des troupes (XIVe s.), des navires d'une flotte (v. 1780). Abstraitement, il a signifié «réconciliation» (1538). ◇ Le mot est surtout employé dans des locutions comme ***mot, signe*** (1721), ***point*** (v. 1770) ***de ralliement,*** cette dernière étant employée abstraitement, puis concrètement (1798).

Du sens matrimonial du verbe procède **SE MÉSALLIER** v. pron. (1651), «contracter une alliance avec une personne de rang inférieur». (Voir ci-dessus *mésalliance,* de *alliance.*)

◈ voir ALLIGATOR.

ALLIGATOR n. m. est un emprunt (1663) à l'anglais *alligator* (*aligarta,* en 1597), qui altère peut-être, d'après le latin *alligare* (→ allier), le mot espagnol *el lagarto* «le lézard» qui, comme le portugais *lagarto,* désigne aussi de plus grands sauriens, tel ce crocodilien d'Amérique analogue au caïman. *Lagarto* vient du latin *lacertus* (→ lézard), d'origine inconnue, peut-être la même que *lacertus* «muscle du bras», par la métaphore qui relie *mus* «souris» à *musculus* (→ muscle).

♦ Le mot désigne un grand reptile voisin du crocodile, au museau large et court, vivant en Amérique du Nord (ceux d'Amérique du Sud, d'une espèce un peu différente, sont dits *caïmans*).

ALLITÉRATION n. f. est probablement emprunté (1751) à l'anglais *alliteration* (1656), formé de *ad-* (→ à) et de *littera* (→ lettre) sur le modèle de *adlocutio.*

♦ Ce mot de rhétorique désigne une répétition de consonnes et, par extension, de sons, de phonèmes, dans une suite de mots rapprochés.

▸ **ALLITÉRER** v. tr. (1866), «employer l'allitération dans (un passage, une œuvre)», d'où **ALLITÉRÉ, ÉE** adj., et **ALLITÉRATIF, IVE** adj. (1894) sont aussi des termes didactiques.

ALLÔ interj. est la francisation (1890) de *hallo* (1881), emprunt à l'interjection anglaise des États-Unis *hallo !* ou *hello !,* qui sert à interpeller qqn en le saluant et à l'appeler au téléphone (les téléphonistes s'appelaient *hello girls*). L'anglais *hello, hallo (halloa)* est une variante du plus ancien *hollo* (XVIe s.), lui-même apparenté à *holla,* cri pour arrêter et pour attirer l'attention, repris en français par *hola*. Hello* est lui-même passé en français (1895), d'abord en parlant d'Américains, puis pour s'appeler de loin entre Français. Une autre origine et une date antérieure sont évoquées par un témoin (*Bulletin de l'association des abonnés au téléphone,* juin 1906, cité par J. Teppe) : en 1880, on aurait employé le mot *allons !,* ensuite dénasalisé : *allo' !*

♦ Le mot sert d'interjection d'appel, établissant la communication (fonction «phatique») au téléphone. Il a gardé cet emploi, souvent répété *(allô allô).* Au Canada, on emploie fréquemment *hello.*

ALLO- est l'élément initial de composition tiré du grec *allo-,* de *allos* «autre», mot d'origine indoeuropéenne, correspondant au latin *alius* (→ autre), au gotique *aljis,* etc. ; il sert à former des mots didactiques, d'autres étant empruntés à des composés grecs.

▸ **ALLOCHROÏTE** n. f. «grenat verdâtre» est un dérivé (1810) du grec *allokhrous,* de *khroa* «couleur». ◇ De là **ALLOCHROÏSME** n. m. (1838) «changement graduel de couleur». ➛ **ALLOPHANE** n. f., nom d'une argile colloïdale (1822), emprunt au grec tardif *allophanês* «qui a une autre apparence», de *phainesthai,* a pour dérivés **ALLOPHANIQUE** adj., qualifiant un acide, et **ALLOPHANATE** n. m., son sel (1866). ➛ **ALLOPHYLE** adj., emprunt (1812) au grec *allophulos,* de *phulon* «race, tribu», signifie «d'un autre groupe humain». ➛ **ALLOPATHIE** n. f. (v. 1800, traduit de Hahnemann) est emprunté à l'allemand *Allopathie,* mot forgé par Hahnemann, créateur de l'homéopathie, à partir de *allo-* et *-pathie* pour désigner, par opposition à *homéopathie,* un traitement classique. ◇ Il a pour dérivés **ALLOPATHE** n. m., qui se dit du médecin (1834), **ALLOPATHIQUE** adj. (1833). ➛ **ALLOTROPIE** n. f., de *-tropie,* du grec *tropos* (1855), emprunt à un terme créé en suédois par Berzelius (v. 1830), désigne le caractère d'un corps simple qui prend des caractéristiques différentes en changeant d'état ; de là **ALLOTROPIQUE** adj. (1855) et **ALLOTROPISME** n. m. (1873). ➛ **ALLOGÈNE** adj. est formé (1890) de *allo-* et de *-gène* et s'oppose à *autochtone,* **ALLOCHTONE** adj. (1907) et n. (1922) étant rare ;

allogène est aussi substantivé (1877) et s'emploie en minéralogie (1918, dans les dictionnaires généraux).
D'autres formations sont récentes, comme **ALLOGREFFE** n. m., **ALLOBARBITAL** n. m.; **ALLOCENTRIQUE** adj. (mil. XXe s.) et **ALLOCENTRISME** n. m. (1951), formés d'après *égocentrique* et *égocentrisme* pour leur servir de contraires. ➜ **ALLOGAMIE** n. f. (1951) correspond à «mode de reproduction sexuée où les gamètes proviennent d'individus différents». ➜ **ALLOMORPHE** adj. se dit (mil. XXe s.) des variantes d'un morphème, en linguistique. ◇ De là **ALLOMORPHIE** n. f. et **ALLOMORPHISME** n. m. ➜ **ALLOPHONE** n. et adj., mot récent, signifie «(personne) qui parle une autre langue que celles de la communauté où elle vit». ➜ **ALLOSTÉRIE** n. f. et **ALLOSTÉRIQUE** adj. (v. 1970) concernent des changements de structure spatiale de molécules protéiniques. ➜ Ces composés, avec d'autres, sont entrés dans les dictionnaires entre 1950 et 1970.

◈ voir ALLÉGORIE, ALLERGIE, HYPALLAGE, PARALLAXE, PARALLÈLE.

ALLOCUTION

ALLOCUTION n. f., malgré une attestation isolée au XIIe s., n'entre dans l'usage didactique qu'au début du XVIIIe s. et dans la langue courante que vers 1825. C'est un emprunt au latin *allocutio*, du verbe *alloqui*, de *ad-* (→ à) et *loqui* «parler» (→ locution).

♦ Le mot désigne en ancien et moyen français un bref discours par un chef, un court sermon, puis (1705) une harangue faite par un général romain. Après d'autres acceptions spéciales, le mot entre dans l'usage général au début du XIXe s. pour «discours de circonstance, souvent familier et bref».

▸ Le dérivé **ALLOCUTIONNER** v. tr. (1902) est familier et rare. ◇ Du sens linguistique de «communication entre deux personnes» vient **ALLOCUTAIRE** n. (1936), qui s'oppose à *locuteur*, mais est beaucoup plus didactique.

ALLONGER → LONG

ALLOUER

◈ **ALLOUER** v. tr. est la réfection (1491), d'après *louer*, de l'ancien français *aloer* «mettre, placer» et «dépenser», puis (1305) «considérer comme juste, légitime»; *aloer* et *allouer* viennent du latin populaire °*allocare* «mettre à sa place» et probablement «louer» (comme *locare*), de *ad-* (→ à) et *locus* «lieu*».

♦ *Allouer* prend (fin XVe s.) le sens général d'«attribuer», plus tard spécialisé : «attribuer de façon officielle».

▸ **ALLOCATION** n. f. est emprunté (1478) à un dérivé latin médiéval, de *allocare*, *allocatio*, qui avait pris le sens d'«approbation d'un compte»; il est repris (1836) pour servir de dérivé à *allouer*, avec influence formelle de *location*, qui correspond à *louer**. ➜ Le mot s'est répandu au XXe s. avec les systèmes de protection sociale au sens de «prestation en argent pour faire face à un besoin», avec diverses spécifications (***allocations familiales**, de maternité, de chômage*, et familièrement, par opposition, *allocation logement, chômage*, etc.). Par métonymie, *les allocations* se dit de l'organisme qui verse les allocations. ➜ **ALLOCATAIRE** n., tiré du radical de *allocation* (1917), désigne le bénéficiaire d'une allocation.

ALLUMER

ALLUMER v. tr. est issu (1080; antérieur : voir ci-dessous *rallumer*) d'un latin populaire °*alluminare*, de *ad-* (→ à) et *luminare* «éclairer», dérivé de *lumen* «lumière» (→ lumignon).

♦ Employé au sens étymologique, «éclairer» (XIIe s.), *allumer* ajoute en français le sens de «mettre le feu à» (1080), éliminant peu à peu *esprendre* et *affouer* (de *fou, feu*) et rejetant d'autres verbes dans les dialectes (*activa* «activer», *aviva* «aviver» en provençal); l'italien, l'espagnol, l'ancien provençal ont des formes correspondantes, avec le même sens. Cependant, la valeur étymologique «éclairer» est restée vivante. ◇ Au sens concret, s'ajoute la nuance «incendier» (XIIe-XVe s.), sortie d'usage, et au XIXe s. des emplois spéciaux, comme *allumer une pipe* (1845), *un cigare, une cigarette, allumer un poêle, un fourneau* (v. 1850). ◇ De *allumer une lampe*, très ancien, d'où absolument *allumer* «faire la lumière» (XIIe s.), on est passé à *allumer une lampe électrique*, puis au XXe s. à *allumer l'électricité* (*in* Académie 1932), ensuite à *allumer la radio, un appareil*.
Par extension, le verbe s'emploie pour «colorer, rougir (le visage)» (1689, Racine). ◇ Dès le XIIIe s., il prend la valeur abstraite d'«exciter les sentiments de (qqn)», «enflammer (qqn, son cœur)» (XIIe s.), d'où *s'allumer* (XIIIe s.); ces emplois sont sortis d'usage, éliminés par des synonymes comme *enflammer, brûler*. Mais le sens d'«exciter les désirs de» (déb. XVIIe s., Malherbe), devenu familier, s'est conservé ou a été repris au XIXe s. (cf. ci-dessous *allumeuse*); cependant *s'allumer* «s'enthousiasmer» (1877, chez Zola) ne s'emploie guère. ◇ D'autres emplois figurés (*allumer la guerre*, 1553; *la guerre s'allume*, 1664) ont disparu, y compris la métaphore sur l'action d'éclairer, de révéler, exploitée en argot ancien, où le verbe signifie «observer (pour reconnaître)» (1808), «guetter» (1787), avec quelques locutions encore parfois attestées en argot moderne, comme ***se faire allumer*** «remarquer» (1960). ◇ En revanche, la métaphore du feu dans *allumer qqn* «tirer sur lui» (1957), «bombarder, attaquer avec une arme» (1954), est vivante dans l'usage familier (*se faire allumer*). ◇ L'interjection populaire *allume!*, qui a signifié «courage!» (1866) et «attention» (1888), est sortie d'usage.

▸ Parmi les dérivés, le participe présent **ALLUMANT, ANTE** adj. (XVe s.) ne s'est maintenu que dans des syntagmes techniques comme *poudre allumante* (mil. XXe s.). ➜ **ALLUMÉ, ÉE** adj. s'est employé au figuré (1180, *lèvre allumée*) surtout dans *teint allumé* (v. 1230), toujours en usage, et se dit en blason d'un animal dont les yeux sont d'un autre émail que le corps (1671). ◇ D'autres sens figurés et populaires, aujourd'hui archaïques, correspondaient à «excité sexuellement» (1888) et à «ivre, éméché» (1859). L'adjectif a été repris pour «inspiré et un peu fou».
ALLUMEMENT n. m. (XIIIe s., *alumement* «feu») a disparu, de même que *allumance* n. f., *alumerie* n. f. «incendie» (1508) et «illumination» (XIVe-XVe s.), ou

alumelle n. f. «ce qui sert à allumer» (une fois XIIIe; puis XVIe s.), qui sera éliminé par *allumettes* (ci-dessous).

Certains dérivés sont restés dans l'usage courant. ◆ **ALLUMEUR, EUSE** n. désigne une personne chargée d'allumer qqch. (d'abord des chandelles, 1321); ce sens a subsisté jusqu'au XIXe s. par le syntagme ***allumeur de réverbères,*** encore connu après la disparition de la fonction désignée. ◇ Le sens figuré, «personne qui provoque, 'allume' (un conflit)» (1540), a disparu avec l'emploi correspondant du verbe. ◇ Des sens figurés développent certaines autres valeurs, dans des spécialisations populaires du XIXe s., désignant par exemple (1835) un compère chargé de faire monter le prix des enchères (il «allume» la vente), un dénonciateur, indicateur de police (1899), un agent provocateur (1894), le complice d'un voleur chargé du guet (1896). ◇ Dans ce type d'emplois, le féminin ***allumeuse*** est plus courant pour désigner une racoleuse (1861), prostituée ou entraîneuse et, en général, une femme qui «allume», excite les hommes (1891, chez Huysmans). ◇ Par ailleurs, *allumeur* désigne des dispositifs, notamment celui qui déclenche l'allumage d'un moteur à explosion (1863), concurrencé en français de France par le nom de marque *Delco,* et celui qui provoque une déflagration (*in* Larousse, 1948). ◆ **ALLUMETTE** n. f. apparaît en ancien français (1213) pour désigner une petite bûche destinée à faire prendre le feu; depuis 1845 on parle d'*allumettes phosphoriques,* puis *chimiques* et plus tard d'*allumettes suédoises* (1878), d'où *allumettes de sûreté,* progrès technique important, puisque le dispositif ne se contente plus de transmettre le feu, mais le provoque. Les locutions ***brûler comme des allumettes*** (1690), ***marchande d'allumettes*** (1723), au figuré «tout petit commerce», ***mince, maigre comme une allumette*** (v. 1650), d'où ***jambes d'allumettes,*** et l'emploi de *une allumette* pour «jambe maigre» (1877) renvoient à l'origine au sens ancien de «bûchette», de même que les figurés pour «ce qui allume la guerre, les passions» (depuis le XVIe s., Calvin). Le sens moderne a produit ***(il ne faut pas) jouer avec les allumettes*** «avec le feu». ◇ Le mot a désigné, par analogie de forme, un morceau de viande (*allumette de veau,* 1789); une attestation en moyen français est une faute typographique, puis (1739) un gâteau (XIXe s.), sens encore vivant, ainsi que des frites très fines (en apposition : *pommes allumettes*). ◆ Il a pour dérivés **ALLUMETTIER** n. m. (XVIe s., Rabelais), repris au XIXe s. (1829), et l'argotique **ALLOUF** n. f. de finale obscure (1900).

Dérivé assez récent de *allumer,* **ALLUMAGE** n. m. (1845) est rare au sens général, «action d'allumer», et s'est spécialisé en parlant des explosifs (1928) et surtout de l'inflammation du mélange gazeux des moteurs à explosion (1866). Ce sens est devenu usuel au XXe s. et a donné lieu à des locutions, comme ***avance, avancer à l'allumage*** (au figuré, 1912, «aller vite»), et à un composé, **AUTO-ALLUMAGE** n. m. (1913). ◆ **ALLUMABLE** adj. (1866) est rare.

Le verbe a plusieurs composés usuels : **ALLUME-FEU** n. m. (1866), **ALLUME-GAZ** n. m. (1891), **ALLUME-CIGARETTE** n. m. (1922) et **ALLUME-CIGARE** n. m. (1900).

Beaucoup plus ancien (XIe s.), le verbe **RALLUMER** (*ralumer,* v. 1050) a signifié aussi en ancien français «redonner la vue à (un aveugle)» et a pris au XVIe s. des valeurs figurées : *rallumer un conflit, une passion* (Montaigne); le pronominal *se rallumer* étant plus ancien que l'actif (une fois au XIIIe s.) dans cet emploi.

◈ voir ENLUMINER, ILLUMINER, LUMIÈRE, LUMINAIRE, LUMINEUX.

ALLURE → ALLER

ALLUSION n. f. est un emprunt de la Renaissance (1558) au bas latin *allusio* «jeu», notamment «jeu verbal», dérivé du supin de *alludere* «jouer», de *ad-* (→ à) et *ludus* «jeu» (→ ludique). *Alludere* et le bas latin *allusio* ont pris le sens de «plaisanter, se jouer de» mais aussi «parler sans insister», passant ainsi de l'idée de «badinage» à celle de «suggestion sans parole explicite», de la rhétorique à la logique.

♦ Le mot français signifie à la fois «jeu de mots plaisant» (1558) et «expression qui éveille une idée, sans désigner clairement» (1593). De là on passe au sens moderne de «sous-entendu», vers le milieu du XVIIe s. (attesté 1671).

▸ Le dérivé **ALLUSIF, IVE** adj., attesté en 1624 dans la traduction française des *Progrès et avancement des sciences* de Francis Bacon, semble inusité avant 1770. L'idée initiale de «jeu» *(ludus)* y a à peu près disparu. L'adjectif, qui s'applique aussi aux personnes (*allusionniste* étant inusité), a pour dérivé **ALLUSIVEMENT** adv. (XXe s.), assez employé. ◆ Le verbe **ALLUDER** (v. 1500) est resté un latinisme rare et a suivi la même évolution de sens.

Les dérivés directs d'*allusion,* **ALLUSIONNEL, ELLE** adj. (1866), **ALLUSIONNISME** n. m. (1916) et **ALLUSIONNISTE** adj. et n. (1900; puis 1917) sont exceptionnels.

ALLUVION n. f. est un emprunt (1527) au latin *alluvio,* de *alluere* «baigner, faire couler de l'eau sur...», composé de *ad-* (→ à) et de *luere* ou *lavere* (→ laver), qui s'oppose à *ab-luere* «enlever en lavant, purifier» d'où vient *ablution.* Comme *alluvies, alluvio* désigne l'inondation (sens emprunté par le provençal, v. 1350), mais aussi la terre apportée par l'eau.

♦ Le mot apparaît au sens latin de «débordement (d'un cours d'eau)» mais s'applique assez vite aux terres apportées par un tel débordement (1636), peut-être par l'intermédiaire de *terre d'alluvion* «apportée par l'eau» (1583). Ce sens est juridique. ◇ L'acception géologique, dominante en français moderne (1815), existe déjà en latin; cependant, sa reprise ne concerne plus l'inondation, directement observable, mais le résultat des lents processus géologiques : du droit («accroissement de terrain par alluvionnement»), le mot est passé à la science.

▸ Le dérivé **ALLUVIAL, ALE, AUX** adj., qui concerne surtout le droit puis la géologie, apparaît dans une traduction (1802); il a été concurrencé par *alluvien* (1836), mot abandonné. ◆ **ALLUVIONNAIRE** adj. (v. 1844), **ALLUVIONNEMENT** n. m. (av. 1877) et **ALLUVIONNER** v. (1908 comme v. trans.) concernent seulement la géologie.

ALMANACH n. m. vient du latin médiéval *almanach* sous diverses formes (*anemalhac,* 1328; *almenach,* 1303). C'est la transcription romaine d'un mot arabe d'Espagne *'al* (article) *manāḫ* «calendrier», d'origine obscure.

♦ Le mot, passé dans la plupart des langues européennes, concerne l'astronomie («calendrier») puis les pronostics (XVIe s. en français, d'où un ***faiseur d'almanachs,*** un prétendu prophète) et enfin (XVIIe s.) des publications en forme d'annuaires. Celles-ci, devenues populaires, font l'objet d'un vaste colportage du XVIIe à la fin du XIXe siècle; le mot évoque encore parfois cette littérature populaire et rurale (cf. *l'Almanach Vermot,* célèbre en France pour ses jeux, plaisanteries et calembours).

ALMÉE n. f. est un emprunt (1785) à l'arabe parlé *'ālm,* de l'arabe classique *'ālima^t ('ar raqṣ)* «celle qui est experte (à la danse)».

♦ Le mot désigne en français une danseuse orientale, notamment égyptienne, par un transfert de sens comparable à celui du japonais *geisha.* Le mot, à la mode au XIXe s., fait allusion aux voluptés orientales, en concurrence avec *bayadère.*

ALOÈS n. m. est un emprunt (1160) au latin *aloes,* faux nominatif (VIe s.) pour le génitif grec, à côté d'*aloe* (d'où la forme française *aloë,* XIIe-XIIIe s.), du grec *aloê,* qui désigne plusieurs plantes, dont un arbre oriental *(Aquiloria agallocha),* et qui doit être un emprunt au vocabulaire oriental. La spécialisation pour désigner une plante grasse (Liliacées) d'Afrique, de Méditerranée et d'Amérique, produisant un suc amer et purgatif, s'est faite en latin.

♦ En ancien français, le mot, sous ses deux formes (souvent *aloé*), désigne surtout un bois odoriférant qui servait à parfumer les corps, les habits, la chambre; le mot était encore plus ancien sous la forme *aloen* (Xe s.), emprunté à l'accusatif latin; on disait aussi dans ce sens *lignon, linon aloes* (XVe-XVIe s.), du latin moderne *lignum aloes* (1355) et aussi ***bois d'aloès*** (1552, Rabelais). ◆ *Aloé, alloeu* (1359) et *aloes* (XIVe-XVe s.; puis 1538) s'appliquent ensuite au suc résineux amer, tonique et purgatif (cf. *chicotin*), tiré de la plante grasse, le mot s'appliquant aussi à la plante (1549, *aloé;* 1611, *aloès*). ◇ *Aloès* se dit enfin (1905) de la fibre textile tirée de cette plante.

► Les dérivés sont des termes de pharmacie. **ALOÉTIQUE** adj. (une fois au XVIe s.; puis 1751) s'est dit d'une pilule, puis (1866) d'un acide, dont les sels sont nommés **ALOÉTATES** n. m. pl. (1866).

ALOI → ALLIER

ALOPÉCIE n. f. (1538), d'abord *allopecie* (1505), réfection de formes altérées (*allopice,* 1377; etc.), est emprunté au latin *alopecia,* lui-même emprunté au grec *alôpêkia* «chute des cheveux» (comparée à celle des poils du renard), de *alôpêx* «renard», mot d'origine indoeuropéenne.

♦ Le mot désigne la chute des cheveux, des poils, et son résultat.

► Il a pour dérivé **ALOPÉCIQUE** adj. et n. (1866).

ALORS → LORS

ALOSE n. f. (1180), avec la variante *alouse* (1374), est un des rares témoins français assurés de la langue gauloise, passé par le bas latin attesté *alausa :* l'espagnol, le provençal, le germanique (d'où allemand *Alse*) ont aussi adopté ce mot gaulois.

♦ Le mot désigne un poisson marin, voisin du hareng, qui remonte les rivières au printemps pour frayer.

ALOUETTE n. f., d'abord *aloete* (mil. XIIIe s.), est un diminutif expressif et poétique d'un mot d'ancien français, *aloe,* avec le suffixe féminin *-ette. Aloe* et ses variantes (*aloie, aloue,* encore chez Villon) venaient par évolution phonétique du latin *alauda,* considéré comme gaulois par les Romains, qui disaient en latin *avis galerita* (de *galea* «casque») pour parler de l'alouette huppée. L'ancien français connaît *aloete, aloiette* (v. 1230), *aloiete, aloeete* (fin XIIe s.), avant la forme moderne (XVIe s.).

♦ Le mot désigne le même oiseau que *aloe,* l'*alauda arvensis,* et ses variétés; il est riche en contenus culturels, cet oiseau au chant caractéristique évoquant le matin. Des syntagmes qualifiés désignent des oiseaux de l'espèce : *alouette huppée* (1569), *à crête* ou *crêtée* (1767), *alouette des bois* (1780), ainsi que des oiseaux d'apparence voisine, appartenant à d'autres espèces : *alouette de mer* (XVIe s., Belon). Au sens dominant, le mot donne lieu à des locutions et proverbes : ***il pense*** (*attend,* etc.) ***que les alouettes lui tomberont toutes rôties*** «il ne fait rien» (1611); une autre image, *si les nues cheoient* (tombent) *les aloes sont toutes prises* (XVe s.), évoquant une autre perspective absurde. Cette locution a été reprise avec *alouette* (1534, Rabelais). ***Au chant de l'alouette*** «très tôt le matin» semble récente (1835). ◇ D'autres expressions sont formées par analogie de formes. ***Pied d'alouette*** désigne une plante; *nœud d'alouette* (1863) se disait d'un nœud en marine. ***Alouette sans tête*** se dit d'une préparation culinaire «paupiette de veau» (1962 in *T. L. F.;* bien antérieur régionalement, par exemple dans le Sud-Ouest), probablement par analogie de préparation (→ aloyau). ◇ La chasse aux alouettes avec des appeaux a donné lieu à l'expression ***miroir aux alouettes*** «apparence qui séduit et trompe».

ALOYAU n. m., d'abord *allouyaulx* (fin XIVe s.), pourrait venir, comme *alouette**, de l'ancien français *aloe,* pour désigner de petits morceaux comestibles cuits à la broche, comme l'oiseau (cf. *alouette sans tête*). Mais P. Guiraud, trouvant la métaphore peu probante, le rattache à la famille de *allier, aloi,* par le verbe ancien *aloier.* Dans les deux cas, il s'agirait d'une recette plutôt que, comme aujourd'hui, d'un morceau de la bête de boucherie. À l'appui de la dérivation d'*aloe,* d'autres formes du moyen français *aloeaux, aloyaux* (XIVe s.) désignent des morceaux de graisse de rognons ou de moelle, de forme allongée. Le singulier correspondant *aloel* (v. 1250) désignait l'alouette.

♦ Les *allouyaulx* (v. 1395) sont d'abord une préparation de rognons, avec leur graisse, et de moelle de bœuf entourés de tranches de bœuf, le mot désignant ensuite ces tranches de bœuf, puis (1611) la partie charnue d'une côte de bœuf, et enfin (1680) le morceau formé par la suite du filet de bœuf, qui sera appelé plus tard *contrefilet* et *rumsteck*. La métaphore originelle, qui devait donc évoquer une préparation plus qu'une forme, s'est perdue.

ALPAGA n. m., comme de nombreux emprunts exotiques, se manifeste en français sous plusieurs formes éphémères (*alpace,* 1579 ; *alpaque,* 1716 ; *alpaca,* 1739) ; il est pris à l'espagnol *alpaca,* emprunt au quichua ou à l'aymara, langues indiennes d'Amérique où le mot désigne un animal proche du lama, élevé pour sa laine fine.

♦ *Alpaga* n'est devenu courant en français que quand il a désigné (1808) un tissu contenant de la laine d'alpaga, puis une qualité spéciale de laine mêlée à la soie. En effet, le nom de l'animal est *vigogne.* ◇ Un *alpaga* a désigné le manteau de ce tissu.

▸ De ce dernier sens viennent l'argot **ALPAGUE** n. m. (1869) «manteau» et **ALPAGUER** v. tr. (1935) «saisir au collet (du vêtement) ; arrêter».

ALPENSTOCK n. m. est un emprunt (1853) à l'allemand *Alpenstock,* de *Alpen* «Alpes» et *Stock* «bâton ».

♦ Le mot, qui fut à la mode jusque vers 1920, désignant le bâton ferré utilisé par les premiers alpinistes.

ALPES, n. propre de la même origine celtique qui aboutit au latin *Alpes,* a produit plusieurs formes dans les langues romanes.

▸ **ALPES** n. f. pl. est emprunté (1213) pour désigner des hautes montagnes, le singulier *(une alpe)* paraissant tardif (1826), et régionalement un pâturage en altitude (XVIIIe s., en Suisse), sens répandu en français vers le milieu du XIXe siècle. ➛ C'est aussi le sens de **ALPAGE** n. m., dérivé du verbe dialectal *alper* (attesté en Suisse au XVIIe s., mais bien antérieur) au sens de «passage des troupeaux qui montent» (altéré en *arpaige,* Dauphiné 1546). *Alpage* signifie ensuite (1661) «pâturage». ◇ Il a servi à former **ALPAGER, ÈRE** n. (1872) «personne qui vit dans les alpages».

ALPESTRE adj. est un emprunt (1660) à l'italien *alpestre,* du latin médiéval *alpestus,* de *Alpes ;* il concerne surtout les plantes («des Alpes»).

ALPIN, INE adj. (1240), plus général, est emprunté au latin *alpinus ;* il se dit aussi (1770) des plantes. ◇ Lorsque la montagne devient un sport, d'abord pratiqué par les Britanniques, l'adjectif se rapporte aux activités de loisir en montagne (1874), et notamment à l'escalade (le ***Club alpin*** [1865]). L'armée désigne par ***chasseurs alpins,*** puis *les Alpins* (1898), l'infanterie de montagne chargée de la défense des frontières alpines. ➛ La même année que le *Club alpin* (1874) apparaît le dérivé **ALPINISTE** n. «ascensionniste en montagne, notamment dans les Alpes» ; **ALPINISME** n. m. est attesté deux ans plus tard (1876) pour désigner l'activité.

De *alpin* ou du latin *alpinus* dérivent les préfixés **TRANSALPIN, INE** adj. (déb. XVIe s. ; *la Transalpine,* province, XIVe s.), **CISALPIN, INE** adj. (1596 ; *la Cysalpine,* XIVe s.), puis, en géographie et en botanique **SUBALPIN, INE** adj. (1786, *plantes subalpines*).

Des verbes composés, formés sur *Alpa,* d'abord attestés en latin médiéval, *inalpare* (1454), «faire monter (les bêtes) à l'alpage», et *dearpare [sic* pour *deal-]* (1469), «faire descendre de l'alpage», ont donné naissance à des emplois et à des dérivés en français de Suisse, tels *inalper, désalper.*

◈ voir **ALPENSTOCK, ALPISTE.**

ALPHABET n. m. est un emprunt (v. 1140) au latin tardif *alphabetum,* employé par l'Église à côté de *abecedarium ;* c'est un calque du grec, où il est composé du nom des deux premières lettres *alpha* et *bêta,* emprunts sémitiques (hébreu *'aleph,* araméen *bētā*).

♦ Spécialisé au XVIe s. (1547) au sens de «livre d'apprentissage à la lecture», le mot a toujours désigné le système ordonné de signes graphiques dans une écriture, où chacun de ces signes correspond à un phonème (écritures dites *alphabétiques,* par opposition aux écritures syllabiques ou consonantiques et, bien entendu, idéographiques). Il s'applique d'abord aux systèmes latin et grec, mais aussi à un grand nombre d'écritures depuis le phénicien. ◇ Outre l'emploi pour «livre d'initiation à la lecture», resté usuel, le mot a eu diverses valeurs spéciales : «dictionnaire» (1738), «registre marqué aux lettres de l'alphabet» (1679), «série de lettres gravées au poinçon» (1680). ◇ Par figure, *alphabet* s'est dit d'une série de signes (autres que les lettres) de même nature (déb. XVIIe s., d'Aubigné), spécialisé au XXe s. dans *alphabet musical* «représentation des sons par des lettres». ◇ De l'idée d'initiation, réalisée par des locutions comme *être à son alphabet* (1669), *n'en être qu'à l'alphabet* (1694), *renvoyer qqn à l'alphabet* (1718), toutes devenues archaïques, le mot s'applique à un résumé de connaissances élémentaires (1835, Balzac).

▸ Le dérivé **ALPHABÉTIQUE** adj. (XVe s.) évoque surtout l'ordre des lettres, hérité de l'hébreu *(aleph)* et du grec dans des syntagmes *index, dictionnaire, encyclopédie... alphabétique,* mais l'adjectif s'applique aussi à la nature de cette écriture (1791). ➛ L'idée d'ordre domine dans les dérivés **ALPHABÉTIQUEMENT** adv. (1655) et **ALPHABÉTISER** v. tr. (1853). ◇ Ce dernier verbe a pris au XXe s. un autre sens : «apprendre une écriture alphabétique à (un groupe social qui l'ignore)», d'où **ALPHABÉTISATION** n. f. (1913), pour «transcription par signes alphabétiques» (mil. XXe s., avec cette valeur).

Des valeurs nouvelles viennent de l'emploi de l'adjectif **ANALPHABÈTE,** «qui ne sait ni lire ni écrire», emprunt (1580) à l'italien, qui l'avait pris au grec tardif *analphabêtos* (littéralement «qui ne sait ni A ni B»), et qui fut réemployé à la fin du XIXe s. dans un contexte didactique, donnant naissance à **ANALPHABÉTISME** n. m. (1907). ◇ Cependant, **ALPHABÉTISME** n. m. (1868) désigne, de manière non symétrique, un système d'écriture alphabétique.

◇ *Analphabète* et son dérivé sont en concurrence avec *illettré, illettrisme* (ce dernier correspond à un concept sociologiquement différent). ◇ La formation régressive **ALPHABÈTE** n., «personne qui sait lire et écrire» (1965), n'a pas eu beaucoup de succès. De son côté, le nom de la première lettre grecque **ALPHA** n. m. (XIIe s., écrit en français *alfa*) s'est employé dans l'expression ***l'alpha et l'oméga*** (sans article) «le commencement et la fin; tout» (→ oméga). Le mot, souvent noté à l'aide de la lettre grecque α s'applique au XXe s. à plusieurs notions physiques (*particule alpha* ou α; *rythme alpha*, en neurophysiologie; *récepteurs adrénergiques* α), d'où plusieurs composés : **ALPHARÉCEPTEUR** n. m., **ALPHABLOQUANT** adj.
Les composés **ALPHANUMÉRIQUE** adj. «qui recourt à la fois à des lettres et à des chiffres», et **ALPHASTIMULANT** adj. (1947) prennent *alpha* au sens de «lettre d'un alphabet»; ils sont passés dans l'usage général. ➡ De *rayons alpha* vient **ALPHATHÉRAPIE** n. f. (1960, dans les dictionnaires).

◈ voir CHIASME, DELTA, GAMME, IOTA, OMÉGA, RHOTACISME, SIGMA, X, Y.

ALPIN → ALPES

ALPINIE

ALPINIE n. f., nom d'une zingibéracée tropicale, n'a rien à voir avec les *Alpes*. Ce nom a été formé par Charles Plumier en latin moderne (*alpina*, 1703) sur le nom du botaniste italien Prospero *Alpini* (1553-1617).

♦ En français, la plante s'est appelée *alpine* (1757), puis *alpinie* (1803), d'où le nom de famille *alpiniées* n. f. pl. (1845).

ALPISTE

ALPISTE n., nom d'une plante des Canaries, semble être un emprunt (1660) à un mot espagnol de ces îles, *alpista* qui est probablement sans rapport avec les *Alpes*.

ALQUIFOUX → ALCOOL

ALSACIEN, IENNE

ALSACIEN, IENNE adj. et n., attesté anormalement tard (1752), est adapté du latin médiéval *Alesaciones* (642-658), de *Alesacia*, désignant la région, qui correspond à l'allemand *Elsass*. On a expliqué le mot soit par le gaulois *alisa* «falaise», que l'on explique par la réaction des Celtes venant du sud de l'Allemagne devant les parois assez abruptes des montagnes vosgiennes sur la vallée du Rhin, soit par un autre mot gaulois *aliso* «aulne», soit enfin par la racine du nom de la rivière *Ill*.

♦ Le mot qualifie ce qui a rapport à l'Alsace et, comme nom, les personnes qui habitent cette région. Le nom masculin *l'alsacien* désigne les dialectes allemands (bas-alémanique, franconien et haut-alémanique) parlés en Alsace, aujourd'hui à côté du français, langue officielle (→ allemand) ; cf. aussi l'encadré «L'Alsace» au verso.

ALTERCATION

ALTERCATION n. f. est d'abord (1289) un terme de droit, emprunté au latin *altercatio*, de *altercari* «avoir une discussion», qui a donné l'ancien verbe *alterquer* (1459; archaïque au XVIIe s.). Le mot latin pourrait venir d'un adjectif °*altercus*, doublet de *alternus*, désignant les propos échangés «alternativement» par des plaideurs; il relève de la riche famille de *alter* «autre» (→ altérer, alterner).

♦ Le mot français, qui signifie «débat en justice», prend son sens moderne au XVIe s., entraînant l'idée de dispute violente. Il est aujourd'hui isolé, sans verbe ni nom d'agent; *alterquer* v. intr., *altercant* n. m. (XVIe s.), *altercas* ou *alterque* n. m. (XVe-XVIe s.) ayant disparu.

▶ Les adjectifs juridiques **ALTERCATIF, IVE** (1580, aussi *alterquatif*) et **ALTERCATOIRE** (1562) sont demeurés rares.

✳ ALTÉRER

✳ **ALTÉRER** v. tr. est un emprunt au bas latin *alterare* «changer, rendre autre» et spécialement «changer en mal», du latin classique *alter* «autre» (→ autre), apparenté à *alius* dont il a pris la place en roman.

♦ Outre le sens initial, «changer en mal» (1317, Mondeville; puis 1365, Oresme), le verbe a la valeur générale de «modifier la nature de» (1377), *s'altérer* (XVIe s.) ayant ces deux acceptions. *S'altérer* est employé à propos des personnes pour «se troubler, s'irriter» (v. 1440-1475), avant le verbe actif au sens de «irriter, exciter» (XVIe s., Belleau). ◇ Parmi les contextes spéciaux, *altérer la vérité* (1691), *un discours* en le rapportant infidèlement (1694), *altérer un texte, un passage, altérer un intervalle (musical)* [1768, Rousseau], d'où *accord altéré*, ***note altérée*** (1791), et *altérer les traits, la voix* (1835) sont restés en usage. ➡ *S'altérer* avait jusqu'à la fin du XVe s. la valeur de «commencer à avoir soif», «éprouver un changement par suite de la soif», sens qui existaient en latin médiéval. De là, *altérer qqn* «assoiffer» (1549) et surtout *altéré*.

▶ **ALTÉRÉ, ÉE** p. p. est adjectivé dès le XIVe s. (1379) au sens de «qui a perdu la raison», puis (XVIe s.) «agité; très ému, troublé» et (1561) «affaibli par la maladie». ◇ Ces valeurs psychologiques ont disparu au profit de la valeur de «qui a soif» (1538) aussi substantivé au XVIe s. (1532, Rabelais), sens très vivant dans le discours poétique classique dans ***altéré de sang*** (depuis le XVIe s.; puis dans *tigre altéré de sang* «homme cruel», chez Corneille). Ce sens se retrouve dans le composé *désaltérer* (ci-dessous). D'autres sens classiques, «avide (de gloire, etc.)» (1673), «affamé, misérable» (1640), «âpre au gain», ont disparu. ➡ **ALTÉRANT, ANTE** adj. s'est dit d'un remède qui modifie l'équilibre organique (1700), d'où *un altérant* (1700); il est sorti d'usage, comme *altérance* n. f. (1602) «altération».
Le verbe et son participe passé ont eu de nombreux dérivés. ➡ **ALTÉRABLE** adj. (1365) «qui peut être changé», dérivé ou emprunt au dérivé latin médiéval *alterabilis*, est demeuré rare par rapport à **INALTÉRABLE** adj. (1365), spécialisé à propos de la gaieté, de la santé jugées immuables. ◇ De là, **ALTÉRABILITÉ** n. f. (1786) qui semble précédé par **INALTÉRABILITÉ** n. f. (1724).
ALTÉRATIF, IVE adj. «qui altère, modifie» (1365), emprunt au latin médiéval *alterativus*, s'est spécialisé au XVIe s. en médecine, d'où *un altératif* (XVIe s.) «remède qui altère l'équilibre des humeurs sans évacuation»; ces emplois ont disparu.

L'ALSACE : LA LANGUE FRANÇAISE EN ALSACE

L'Alsace, comme une grande partie de la Suisse, pratique un dialecte allemand de la variété alémanique (→ allemand), alors que la Lorraine germanique emploie des dialectes d'origine francique (comme le sont le flamand, le néerlandais). Pour les Alsaciens de souche, la situation linguistique la plus normale est un bilinguisme avec le français, français régional marqué par le substrat germanique dans le registre parlé spontané, français fort peu marqué par rapport à la norme générale, en ce qui concerne le registre écrit socialement valorisé, du journal au texte littéraire.

Depuis le traité de Westphalie (1648), les possessions des Habsbourg et dix villes de l'empire étant passées sous le pouvoir du roi de France, une certaine connaissance du français s'introduit dans la région, au moins par les huguenots venus de France et aussi par la communauté juive. Un mouvement spontané, entre le milieu du XVIIe s. et la Révolution de 1789, conduit à un certain bilinguisme collectif, mais pas toujours individuel : les classes élevées de la société maîtrisaient (outre le dialecte) l'allemand littéraire et le français, la bourgeoisie moyenne avait souvent appris le français.

C'est 1789, et la volonté jacobine d'unifier la France par la langue de Paris, qui précipite l'évolution. Si les décisions politiques (comme la loi du 9 thermidor an II), très hostiles à l'allemand, langue de l'ennemi de la République, n'ont pas eu l'effet attendu, le contrôle du système scolaire, mis en place surtout par l'Empire et les régimes suivants, introduit très largement le français : école normale ouverte à Strasbourg dès 1810, enseignement du français (loi Guizot, 1833), puis en français (1853) dès l'école primaire. Le bilinguisme dialecte / français devient peu à peu la règle, surtout dans les villes et les bourgs.

Bien entendu, en 1870, l'intégration à l'Empire allemand de l'Alsace — et d'une partie de la Lorraine germanophone — détruit cet équilibre au profit de l'allemand, seule langue d'enseignement primaire en 1887. Le conflit de 1914 durcit la situation, l'emploi du français devenant un acte de rébellion ; en revanche, le purisme en français fut alors ravivé par le désir de ne pas passer pour Allemand aux oreilles des Français de l'intérieur : «Alsaciens, corrigeons notre accent.» (A. de Dietrich, 1917.)

De 1918 à 1940, l'Alsace vit une époque de refrancisation, et la connaissance de la langue romane se répand alors dans toutes les couches sociales. Lévy estime en 1937 que 300 à 400 000 Alsaciens connaissaient le français en 1910, et plus d'un million en 1931, dont près de 400 000 comme langue première, maternelle ou usuelle. La «défrancisation» de 1940 à 1945 a été probablement trop courte pour modifier le tableau général, d'autant que, comme en 1914-1918, la majorité des Alsaciens continue à pratiquer discrètement le bilinguisme dialecte / français, les progrès en allemand standard n'étant que relatifs.

La suppression provisoire en Alsace de tout enseignement de l'allemand, en 1945, était destinée à compenser les effets de la récente germanisation : elle cessa en 1952. Une dizaine d'années plus tard, on estimait à 80 % le nombre des Alsaciens de langue maternelle alsacienne connaissant le français, et ce chiffre ne cesse de croître.

Cependant, on s'interroge parfois sur la maîtrise par les locuteurs des langues qui composent leur usage. C'est d'abord le dialecte

Un dérivé préfixé de *altérer*, **DÉSALTÉRER** v. tr., après un emploi au sens premier du verbe simple pour «rendre malade» (1530), correspond seulement à *altéré* «qui a soif». Il signifie «apaiser la soif de (qqn, un animal)» (1549), d'où *se désaltérer* (1668), et il a des emplois extensifs, à propos de la pluie qui arrose le sol, les plantes (v. 1700, chez Fénelon), et figurés. ➜ Le seul dérivé vivant de ce verbe est **DÉSALTÉRANT, ANTE** adj. (1762) et n. m. (1821).

Du latin *alter* et de *ego* «moi» (→ ego) vient le latinisme **ALTER EGO** n. m. (1825), attesté chez Balzac et qui désigne un «autre soi-même», une personne qui agit à la place d'une autre, dans la locution ***c'est mon (son...) alter ego.***

La famille du latin médiéval a produit plusieurs mots français. ➜ *Alteritas* donne **ALTÉRITÉ** n. f. «changement» (1270, emploi isolé), puis en arithmétique «fait d'être binaire» (v. 1580) et en philosophie (1697) «fait d'être autre». ➜ **ALTÉRATION** n. f. est emprunté (v. 1260) au bas latin *alteratio,* au sens général de *altérer*, et a pris divers sens spéciaux dont en médecine (une fois au XIVe s. ; puis XVIe s., Amyot) «dégradation de la santé», en musique (1768) «signe modifiant la hauteur d'une note, dans le système tonal» (plus fréquent que le verbe). ◇ D'autres emplois ont vieilli ou disparu, comme «agitation» (XVe s.), «conflit politique» (1626), «émotion, trouble» (XVIe s., Brantôme). ◇ Dans ces usages, comme dans des spécialisations encore vivantes, «modification anormale (d'un texte, d'un mot)» (fin XVIIe s., Bossuet), le nom est plutôt repris comme dérivé du verbe.

ALTÉRITÉ n. f. est un emprunt philosophique (1270) au bas latin *alteritas* (mil. IVe s.), dérivé de *alter* (→ autre, autrui ; altruisme).

♦ Le sens d'emprunt correspond à la notion philosophique de «différence par changement», à la fois

alémanique (alsacien), langue maternelle d'une partie de la population; mais le brassage et la vocation «européenne» de Strasbourg entraînent la présence de nombreux résidents dont le dialecte n'est pas la langue maternelle et qui ne l'apprennent pas, à la différence de ce qui peut se passer en Suisse alémanique. L'allemand standard occupe aujourd'hui, après la proscription des années 1945-1952 et surtout après 1968, année où le bilinguisme est revendiqué comme un aspect important de l'identité culturelle alsacienne (cercle René Schickelé), une place notoire. Son enseignement facultatif dans les classes primaires (1972) tient enfin compte du trilinguisme de fait : l'acquisition de l'allemand doit tenir compte de l'acquis dialectal des élèves et tenter de corriger les interférences. D'ailleurs, le rapport entre dialecte et allemand spontané des régions voisines est resserré par les échanges économiques et le marché du travail (les Alsaciens travaillant en Allemagne). Certains pensent raisonnablement que «si on apprenait (aux jeunes Alsaciens), dès le jeune âge, à s'exprimer correctement en langue allemande, ce serait au bénéfice de l'enseignement du français» (Alfred Kastler, *Le Monde,* 26 septembre 1977, *in* L. Wolf, *op. cit.*). Mais le recul relatif de l'allemand, et donc du bilinguisme «cultivé» français / allemand standard, se marque par celui du tirage des éditions bilingues des principaux journaux alsaciens (de plus de 50 % en 1966, à moins de 30 % en 1978, *in* L. Wolf, *ibid.*).

La situation évolue différemment dans les grandes villes (Strasbourg, Colmar) et en milieu rural ou semi-rural, ce qui est normal; dans l'ensemble, elle est stabilisée, mais on peut penser qu'avec la scolarisation, l'unilinguisme dialectal va devenir exceptionnel et disparaître. En revanche, le bilinguisme (avec un français régional plus ou moins marqué, surtout phonétiquement) et le trilinguisme (avec un allemand standard plus ou moins correct) continuent de dominer chez les Alsaciens de souche.

Quant à l'attitude des Alsaciens vis-à-vis de la langue française, elle varie du purisme à la revendication d'une spécificité régionale. Lothar Wolf a inventorié les publications alsaciennes visant à améliorer la qualité du français (de 1835 à 1974), qui se font moins puristes aujourd'hui : «Le français alsacien fait partie d'une originalité linguistique qui exerce un certain charme [...]. Libre à chacun d'y remédier ou de s'y complaire.» (R. Matzen, *Le Français alsacien d'aujourd'hui,* Strasbourg, 1977, *in* L. Wolf.) Le même Lothar Wolf, linguiste allemand, a dressé l'inventaire du français régional d'Alsace, tel qu'il résulte de ces sources : différences de constructions, de valeurs sémantiques, etc., plutôt qu'emprunts (*schoppe* pour *chope, trinkgeld* «pourboire»). Il en résulte que l'«alsacianisme» en français (ou plutôt ce qui est dénoncé comme tel) est souvent l'effet d'un contact plus général germanique-roman, contact que l'on retrouve en français régional de Belgique, et même de Flandre française, de Suisse et de Lorraine germanophones; en outre, des faits dénoncés comme relevant de cette influence germanique sont bien représentés dans le français «central». Un effet d'hypercorrection se fait donc sentir, là comme ailleurs. Enfin, des alsacianismes culturels, tels *kouglof* et ses variantes, *winstub,* voire *baeckeofe* — qui figure dans le *Grand Robert* —, entrent dans les dictionnaires généraux, au même titre que *magret* et de nombreux autres régionalismes, mais ne sont pas envisagés par les auteurs de listes de régionalismes à corriger.

A. Rey

BIBLIOGRAPHIE

L. WOLF, *Le Français régional d'Alsace,* Paris, Klincksieck, 1983.

«diversité» et «altération». Le mot semble disparaître de l'usage et réapparaître en français classique (1697, Bossuet) au sens moderne de «caractère de ce qui est autre». ◇ Il est devenu usuel en philosophie à partir du début du XIXe s., se spécialisant à propos des rapports humains, d'après les emplois didactiques de *autre.*

ALTERNER v. est emprunté (XIIIe s.; puis v. 1380) au latin *alternare,* dérivé de *alternus* «un sur deux», lui-même de *alter* «autre» (→ autre).

♦ Le verbe signifie d'abord (une fois au XIIIe s.; puis v. 1380) «altérer, changer»; il est repris (attesté 1549; probablement dès le XIVe s.; cf. ci-dessous *alternation*) au sens latin de «faire tour à tour une même chose», en parlant de deux personnes, moins usité que «faire succéder l'un après l'autre» et (1761) «se succéder avec régularité». ◇ Parmi les emplois spécialisés, *alterner les cultures* (1776) et absolument *alterner* (id.) sont restés en usage.

► Le participe passé **ALTERNÉ, ÉE** est adjectivé, d'abord en blason (1690) puis en parlant de poésie *(chants alternés),* de voix (XXe s.). Il s'emploie aussi à propos des cultures. ➛ Le participe présent **ALTERNANT, ANTE** adj., suscité en partie par le latin *alternans* (1519), se spécialise en géologie (*roche alternante,* 1859), en biologie (*génération alternante,* 1855), en médecine (*pouls alternant,* XXe s.). ➛ De *alterner* et *alternant* est dérivé **ALTERNANCE** n. f. qui correspond à des valeurs spéciales de *alternant* en sciences : «succession régulière de deux roches en couches parallèles» (1830), «position alternée de pièces d'un végétal» (1845), «succession d'espèces végétales sur un même sol» (1830), «répétition de deux motifs décoratifs, l'un après l'autre» (1898), «cycle biologique alternatif» (1898), «permutation régulière d'éléments linguistiques» (1928), «succession d'un parti et d'un autre à la majorité, dans un régime démocratique» (v. 1920), etc. ◇ Le sens actif général, «action d'alterner, de faire alterner», est enregistré en 1863 avec, là aussi, des spécialisations, par exemple en agriculture (v. 1900).

ALTERNATION n. f., emprunt (v. 1380) au dérivé latin *alternatio,* signifie «succession de ce qui alterne» et s'applique à un changement d'ordre, en mathématiques (1751). Au XIXe s., le mot est en général remplacé par *alternance* (ci-dessus). ➜ De *alternatum,* supin de *alternare,* a été tiré (1375), peut-être par emprunt au latin médiéval *alternativus* (XIIe s.), **ALTERNATIF, IVE** adj. «qui agit à tour de rôle», spécialisé en droit (déb. XVe s.), puis substantivé au sens de «remplaçant» (1535), sorti d'usage. Le mot s'applique au XVIIIe s. à l'agriculture (1776, *culture alternative*), à la physique mécanique (XVIIe s., ***mouvement alternatif***). ◇ Au XIXe s. apparaissent des emplois en botanique (1822) et surtout en électricité : ***courant alternatif*** (1843), opposé à *continu.* De ce dernier sens vient *alternateur* (ci-dessous). ➜ *Alternatif* a produit deux dérivés : **ALTERNATIVEMENT** adv. (1355) et l'expression synonyme ***par alternative*** (1401), qui a donné naissance au nom féminin *une* **ALTERNATIVE** n. f. «succession de choses qui alternent», puis au pluriel «phénomènes opposés qui se succèdent» et au singulier (1680) «situation où l'on doit choisir entre deux partis possibles», ainsi que «fait d'alterner des cultures» (1776), là où l'on dirait aujourd'hui *alternance;* l'emploi critiqué du mot pour «solution de remplacement» est emprunté au début du XXe s. au mot anglais de même origine.

À côté de *alternance* et de *alternation,* devenu archaïque, le substantif d'action, tiré du verbe, **ALTERNEMENT** n. m. (1860) est resté à peu près inusité. ➜ **ALTERNAT** n. m. (1791) est didactique et rare, en histoire pour «gouvernement, administration par alternance», puis en agriculture pour «action d'alterner les cultures» (1826). ◇ Il a été repris en technique (*in* Larousse 1960) pour désigner un système de transport par véhicules allant en sens inverse l'un de l'autre (téléphérique, etc.).

De *alternatif* en électricité provient **ALTERNATEUR** n. m. «générateur de courant alternatif» (1893), aussi adjectif au sens de «qui fait alterner» (*in* Académie 1932), emploi rare.

Le latin *alternus* a donné par emprunt **ALTERNE** adj. (1re moitié XVIe s., av. 1555; et non v. 1350, date erronée pour le texte où l'on trouve ce mot) «qui se présente l'un après l'autre, tour à tour», appliqué au XVIIe s. en géométrie (1668, *angles alternes* chez Bossuet), d'où ***alterne-interne,*** en botanique (*feuilles alternes,* 1694). ◇ Un certain nombre de dérivés et composés savants ont eu cours en sciences naturelles (*alterniflore, alternifolié* en botanique, 1838) et en électricité (*alternomoteur* n. m., 1928).

◈ voir SUBALTERNE.

ALTESSE n. f. est pris à l'italien *altezza* (1560; une première fois en 1500, *altese*), dérivé de *alto* «haut», du latin *altus* (→ haut; altitude) et qui correspond au latin *altitia,* qui a donné en français *hautesse* (*haltesse,* au XIIe s.).

♦ Le mot est emprunté pour «rang élevé, haute dignité» (1532), le sens général d'«élévation morale» (*altezza,* 1589) ayant rapidement disparu. Il s'applique surtout au titre d'honneur donné aux princes (1560) d'où ***donner de l'altesse à qqn*** (pour le flatter) [1676] et, par métonymie, *une altesse* «un grand personnage» (déb. XVIIIe s.). ◇ *Altesse* a été appliqué, par dédicace et hommage (cf. aussi *prune d'altesse*) à une variété d'œillet (1715) et à un cépage de Savoie (1874).

▸ **ALTIER, IÈRE** adj. est aussi un italianisme *(altiero)* de la même famille. Il a vieilli au sens initial (v. 1500; puis 1578) d'«élevé, haut» (un *mont altier*), et s'emploie métaphoriquement et littérairement (1578) au sens de «hautain, orgueilleux». ➜ Son dérivé **ALTIÈREMENT** adv. (1620) est rare.

ALTISSIME adj., emprunt au latin *altissimus,* qui a donné en ancien français *altisme, hau(l)tisme* (X^{e}-XIVe s.) «très haut, glorieux», puis «noble», s'est dit de Dieu tout-puissant (une fois au XIIe s.; puis 1508), subissant au XVIe s. l'influence de l'italien *altissimo,* puis disparaissant. ◇ L'adjectif a été repris littérairement et par plaisanterie dans la seconde moitié du XIXe siècle.

ALTITUDE n. f. est emprunté (1452) au latin *altitudo,* de *altus,* qui signifie à la fois «élevé» (comme *excelsius*) et «profond», et qui a donné des adjectifs à toutes les langues romanes (*haut**, avec un *h* germanique; italien *alto,* etc.) et par emprunt, au celtique. *Altus* remonte au verbe *alere* «nourrir» (→ aliment).

♦ Le mot s'emploie d'abord au figuré, pour «élévation morale», puis au concret. ◇ À peu près éliminé par *hauteur,* il a été repris en géographie (1845) avec une valeur précise («élévation verticale par rapport au niveau de la mer»), d'où par métonymie le sens d'«endroit élevé par rapport au niveau de la mer» (XXe s.). L'expression ***en altitude*** est usuelle, ainsi que *station,* etc. ***d'altitude.***

▸ Les dérivés **ALTITUDINAL, ALE, AUX** adj. (1866) et **ALTITUDINAIRE** adj. (1870) sont didactiques et rares.

Du latin *altus* viennent plusieurs composés propres à la langue des XVe-XVIe s., tels Jupiter *altitonnant* (1477), Dieu *altissonant* (v. 1482) ou encore *altiloque* (1545, Ronsard) «qui a un langage élevé», tous abandonnés au XVIIe siècle. ➜ Par ailleurs, l'usage scientifique a adopté **ALTIMÈTRE,** d'abord adjectif (1561) «qui mesure la hauteur», d'où **ALTIMÉTRIE** n. f. (1690) et **ALTIMÉTRIQUE** adj. (1826). ◇ *Altimètre* n. m. a été repris (1803) pour désigner un instrument géodésique mesurant les hauteurs sur l'horizon puis (1922) l'altitude où l'on se trouve (sur un avion, etc.), seul sens usuel aujourd'hui. ➜ **ALTIGRAPHE** n. m., «baromètre produisant des courbes d'altitude» (1928), est peu usité. ➜ **ALTIPORT** n. m. (1964), «terrain d'atterrissage en montagne», est en usage; ce dernier vient de *aéroport* et *altitude;* c'est un «mot-valise». ➜ *Altus* sert enfin à former des composés scientifiques en *alto-,* comme **ALTOSTRATUS** n. m., **ALTOCUMULUS** n. m. en météorologie, désignant des types de nuages (→ cumuler, strate).

ALTO n. est un mot italien, l'adjectif *alto* «haut» substantivé, emprunté (1769) en musique. *Alto* vient du latin *altus,* qui a donné *haut**.

♦ Le mot désigne surtout l'*alto de viole* (*alto viola,* XVIIe s.), instrument analogue au violon, une quinte plus bas. De même, des clarinettes, saxophones sont dits *alto* (1890). ◇ En chant, le mot désigne d'abord (1836, Fétis) la voix d'homme la plus haute (cf. *contre-ténor*), puis la voix de femme dite aussi *contralto.* ➜ **CONTRALTO** était déjà (1636) emprunté au composé italien, de *contra alto* «près de l'alto» (→ contre).

▸ *Alto* a pour dérivé **ALTISTE** n. qui se dit d'un chanteur ou d'une chanteuse (1836), puis d'un instrumentiste jouant de l'alto (1877), seule acception en usage aujourd'hui.

ALTRUISME n. m. semble être une création d'Auguste Comte (v. 1830; attesté 1852) sur le modèle du mot *égoïsme* et pour lui servir de pendant; il est dérivé du radical de *autrui** d'après le latin *alter;* il a pu être formé par un professeur d'A. Comte à l'École polytechnique, Andrieux.

♦ Le mot désigne la disposition innée de l'être humain à la bienveillance à l'égard des autres membres de sa communauté, et qui coexiste avec l'égoïsme. Sa valeur s'est étendue en morale pour toute conduite et attitude où l'intérêt personnel est subordonné à celui des semblables, sans motivation religieuse.

▸ **ALTRUISTE** adj., attesté aussi chez Comte (1852), qualifie les sentiments et les actes d'altruisme. Il est aussi substantivé, mais demeure plus didactique qu'*altruisme.*

ALUMINE n. f. a été formé (1782) par le chimiste Guyton de Morveau, collaborateur de Lavoisier, à partir du latin *alumen, -inis.* Ce mot latin, relativement tardif et d'origine obscure (emprunt?), a fourni aux langues romanes des noms désignant une substance minérale utilisée en teinture et en pharmacopée (astringent). C'est le cas du français *alun* (voir ci-dessous).

♦ L'un des sulfates contenus dans l'alun produit un hydroxyde qui fut dénommé *alumine* en 1782 par Guyton de Morveau; le métal correspondant à ce corps, découvert par H. Davy en 1808, a été nommé par lui *aluminium* en anglais (1812). Ce néologisme est tiré de *alumine,* qui désignait en anglais le minerai naturel d'alun (nommé plus tard *alunite* en français, ci-dessous); mais *alunière* «mine d'alun» était attesté depuis longtemps (voir ci-dessous). ➜ Le mot anglais passe rapidement en français sous la forme *aluminon* (1813), puis **ALUMINIUM** n. m. (1819). D'abord métal rare, donc précieux, ce qui implique que le mot est alors inconnu dans l'usage commun, l'*aluminium* devient une matière première industrielle après 1850 : le mot devient usuel vers la fin du siècle. Il est abrégé en **ALU** n. m. (1947).

▸ **ALUN** n. m. est issu anciennement, sous la forme *alun* (1148) ou *alum* (fin XIIe s. en judéo-français), du latin *alumen* pour désigner le minéral utilisé en teinture, en mégisserie et en thérapeutique pour ses propriétés toniques et astringentes. Non analysée, la substance est identifiée d'après son apparence et ses effets; son nom sert à former plusieurs syntagmes et dérivés : *alun de glace* (XVe s.; *de glache* en Flandres, v. 1300), *alun de roche* (XVIe s.) «cristallisé», *alun de plume* (1280) sont sortis d'usage.

ALUNEUX, EUSE adj. signifie (XVe s.) «qui contient de l'alun»; il est concurrencé au XIXe s. par **ALUNIQUE** adj. (1838). ➜ **ALUNER** v. tr. signifie (1532) «imprégner d'alun (le papier)», «mettre de l'alun dans (le vin)» (1793), sens disparus, et «tremper (une étoffe teinte) dans une solution d'alun» (1690). ◇ De là, **ALUNAGE** n. m. (1762), concurrencé plus tard par *aluminage.* ➜ En minéralogie, *pierre d'alun* a pour équivalent **ALUNITE** n. f. (1824), qui correspond à l'anglais *alumine* (ci-dessus, *aluminium*). ➜ **ALUNOGÈNE** n. m. a désigné (1830, Beudant) le sulfate d'aluminium des solfatares.

Avant les découvertes chimiques de la fin du XVIIIe s., le latin *alumen, -inis* avait donné par emprunt les dérivés français **ALUMINÉ, ÉE** adj. (XVe s.) et **ALUMINEUX, EUSE** adj. (XVe, jusqu'au début du XIXe s.), «qui contient de l'alun». ➜ **ALUMINAIRE** adj., plus tardif (1838), est un terme de minéralogie. ➜ **ALUMINIÈRE** n. f. (1782) est la réfection de *alumniere* (1566) aussi *alunière* (1702), «mine d'alun».

De *alumine* (1782), indépendamment des dérivés anciens de *alumen* et de l'anglicisme *aluminium* (ci-dessus), sont dérivés **ALUMINEUX, EUSE** adj. (1782, Morveau) «qui contient de l'alumine», **ALUMINÉ, ÉE** adj. (1838) et des termes de minéralogie, comme **ALUMINIFÈRE** adj. (1814), ou encore de technique, tel **ALUMINER** v. tr. (1845), d'où **ALUMINAGE** n. m. (1890) qui tend à se substituer à *alunage.* ➜ En chimie moderne, sont formés **ALUMINITE** n. f. «sel (sulfate) d'alumine», minéral (1812), **ALUMINATE** n. m. «sel d'alumine» (1838), **ALUMINIQUE** adj. *(id.).*

◈ voir DURALUMIN.

ALVÉOLE n. m. (genre académique) ou f. (critiqué) est emprunté (1519) au latin *alveolus,* diminutif de *alveus* qui a donné *auge**, et signifie «cuve, récipient de bois, auge», puis «cale de navire», mot probablement apparenté au grec *aulos* «tuyau; chalumeau» que l'on rapproche de mots indoeuropéens du nord : lituanien, norvégien, et au latin *aluus. Alveolus* a donné en ancien français *aujoel* (v. 1190), employé pour le berceau flottant de Moïse, et les mots régionaux *augeon, augelot,* désignant des auges.

♦ Le français *alvéole* s'est d'abord dit (1541) pour «cavité où est implantée une dent», puis (1690) pour «cellule de cire hexagonale que fait l'abeille». ◇ Le sens général de «petite cavité» (1519, *alveolle*) ne semble s'être répandu qu'au XIXe s., après l'apparition de nombreux sens spéciaux (en botanique, paléontologie, anatomie). Le mot s'est ensuite employé en technique (1872, en armement), en numérologie (v. 1900), etc.

▸ Le dérivé **ALVÉOLAIRE** adj. (1751) procède du premier sens, signifiant «de la cavité d'une dent», et s'emploie notamment en phonétique, en parlant

des consonnes produites par la pointe de la langue s'approchant des alvéoles (1933, Marouzeau), et aussi en paléontologie. ◆ **ALVÉOLÉ, ÉE** adj., «qui se compose d'alvéoles», apparaît en biologie (1778, Lamarck), comme **ALVÉOLITE** n. m. nom d'un fossile (1801, Lamarck), aujourd'hui archaïque, reformé au féminin en pathologie (1896).
Alvéole ou son origine latine servent à former des composés en anatomie et pathologie, comme **ALVÉOLODENTAIRE** adj. (1865).

◈ voir ALVIN.

ALVIN, INE adj. est emprunté (1790) au latin *alvinus,* dérivé de *alvus* au sens de «ventre» (→ alvéole).

♦ Le mot qualifie ce qui est relatif au bas-ventre, à sa fonction excrémentielle (*flux alvin,* etc.).

AMABILITÉ → AIMER

AMADOU n. m., qui apparaît au XVIIe s. (1628, *amadoue*) dans l'argot des truands (mendiants), est d'origine obscure.

♦ Le mot, très probablement antérieur au XVIIe s. puisqu'on trouve son dérivé *amadouer* «frotter avec de l'*amadoue*» dès 1546 (Rabelais), désigne la préparation avec laquelle les mendiants se jaunissaient le teint pour paraître malades et provoquer la pitié. Il semble lié au verbe *amadouer* (ci-dessous), mais il n'est pas certain que *amadou* au sens moderne, «substance spongieuse et inflammable tirée de quelques champignons» (1723), soit de même origine; celle qui est en général retenue est le provençal *amadou* «amoureux», de l'ancien provençal *amador,* dérivé du verbe qui correspond à *aimer**. Ce nom aurait été donné à un champignon dont la substance s'«enflamme» avec facilité et qui sera nommé en français **AMADOUVIER** n. m. (1775), mot formé avec le suffixe *-ier* et un *v* de liaison. ◇ *Amadou* s'est dit par analogie de la fonction de la matière inflammable faite avec du linge brûlé (1845). Des locutions, ***sec comme de l'amadou*** (1845), ***prendre feu comme de l'amadou*** (1845), ont été courantes au XIXe siècle.

▸ ② **AMADOUEUR** n. m. est tiré (1728) de *amadou* pour «fabricant d'amadou».
AMADOUER v. tr. est en général considéré comme le même verbe que *amadouer* (1546) «frotter avec l'onguent nommé *amadoue*» (ci-dessus), et qui semble dérivé de *amadoue, amadou,* bien qu'il soit attesté avant lui. ◆ Il signifie dès 1531 (R. Estienne) «apaiser, flatter par de belles paroles», avec une idée de tromperie qui appuie l'hypothèse argotique. ◇ Cependant, en argot, *amadouer* a signifié «tomber amoureux» (1822) et il est alors lié à *aimer,* probablement par le provençal (ci-dessus); de là **AMADOUAGE** n. m. en ancien argot «mariage» (1822). ◆ Au sens moderne, *amadouer* a pour dérivés **AMADOUEMENT** n. m. (1531) et ① **AMADOUEUR, EUSE** n. (1531, au masculin).

AMALGAME n. m. est emprunté (1431) au latin médiéval *amalgama,* qui pourrait venir d'une expression arabe *'amal 'al ǧam'* «l'œuvre d'union». Une forme simplifiée *algame* est attestée au début du XVIIe s. (1611).

♦ Du sens chimique, «alliage du mercure et d'un autre métal», encore utilisé en chirurgie dentaire, on passe à des valeurs figurées, telle «mélange hétérogène», et spéciales.

▸ **AMALGAMER** v. tr. (XIVe s.) et **AMALGAMATION** n. f. (1620) sont empruntés aux dérivés latins du moyen âge *amalgamare* et *amalgamatio.*

AMAN n. m. est un emprunt (1781) à l'arabe *'aman* «sécurité», d'où «pardon, octroi de la vie sauve».

♦ Le mot ne s'emploie guère que dans ***demander*** (ou un verbe synonyme) ***l'aman,*** soit à propos d'un conflit en pays arabe soit, par extension et rarement, en emploi général (1889, *Journal des Goncourt* in *T. L. F.*).

AMANDE n. f. vient (déb. XIIIe s.), avec la variante *amandre* (jusqu'au XVIe s.), du bas latin *amandula,* altération de *amandala,* qui altère lui-même le latin classique *amygdala,* du grec *amugdalê* (→ amygdale); une forme méridionale °*amyndula* correspond à l'aire occitane. L'influence de l'italien *mandorla,* par le Dauphiné et la région de Lyon, n'est nullement établie; l'espagnol *(almendra),* le provençal *(amelo)* sont apparentés. Outre *amande* et les formes occitanes (ancien provençal *amelha, meilla* et *mella, amenla, amela, amenda,* etc.), la descendance du latin *amygdala* par *amandula,* type tardif, comprend l'ancien et moyen français *almande, alemande* (XIIe-XVe s.), aussi *almandre* et *allemande* (XVe-XVIe s. en Normandie, Saintonge) et le moyen français *amandre* (fin XIVe s.) et *armande* (déb. XVe s.). *Amande* l'a emporté comme forme normalisée, éliminant en français central les autres formes ainsi que le réemprunt au grec, *amygdale**, spécialisé dans un autre sens.

♦ *Amande,* aussi *amende* (XIIIe s.; courant jusqu'au XVIIe s.), désigne le fruit de diverses espèces d'amandiers et la graine comestible qu'il contient (sens plus usuel). On distingue l'*amande amère* (XIVe s.) et l'*amande douce* (*dulce,* XVe s.; puis 1542). L'utilisation du fruit en confiserie donne *amande lissée* (1694), «dragée contenant une amande», *amande pralinée* (1835), *amande brûlée,* termes archaïques ou techniques. Les syntagmes ***pâte d'amandes, aux amandes*** sont en revanche usuels. ◇ Par extension, le mot désigne diverses graines, des fruits à coques dures servant de petite monnaie aux Indes (1723). ◇ La forme caractéristique de l'amande et le syntagme ***en amande*** font que le mot s'applique à divers objets naturels, un coquillage (1803), une perle (1836), ou artificiels : «partie ovale d'une garde d'épée» (1751); «encadrement ovale de certaines représentations» : Christ en gloire, par exemple (1866), à côté de l'italianisme de même origine *mandorle* (aussi *amande mystique,* pour la Vierge). En outre, des syntagmes sont employés par analogie : *amande volcanique* (1866), *calcaire* (1907). ◆ La couleur de l'amande dans sa coque a donné lieu à l'expression ***vert amande*** (1897).

▸ AMANDIER n. m., dérivé de *amande* (1372), s'est substitué à l'ancien français *amandelier* et à ses variantes *amanlié, amellier* (XIVe-XVe s.), mots issus du dérivé latin médiéval *amandolarium,* d'où *amellarius* (1077) et d'autres formes. De son côté, l'ancien français *alemande, almande* a un dérivé *alemandier* (XIIe-XVIe s.), et *amandre* a produit *amandrier.* Comme pour *amande, amandier* a éliminé ses concurrents.
AMANDAIE n. f. (XVIe) «plantation d'amandiers» (Olivier de Serres) est repris au XIXe siècle. ◆ AMANDÉ, ÉE adj. a eu le sens culinaire de «garni d'amandes» (XVIe s.) avant de qualifier ce qui est parfumé à l'amande (1829). ◆ AMANDINE n. f. s'est dit d'une pâte à base d'amandes servant de cosmétique (1834), puis de la substance albuminoïde contenue dans l'amande douce (1855); enfin (1898) d'une préparation comestible à l'huile d'amandes. ◇ De *tartelette amandine* (1898) est tiré le nom d'un gâteau aux amandes (XXe s.) : *une amandine.*

◈ voir MANDORLE.

AMANITE n. f. est emprunté (1611) au grec *amanitai* (pl.), probablement tiré d'un nom de lieu (peut-être le mont *Amanos,* en Asie Mineure).

♦ Le mot désigne une famille de champignons dont certains sont comestibles et d'autres vénéneux, voire mortels, comme l'*amanite phalloïde,* l'*amanite tue-mouches.*

▸ Le dérivé AMANITINE n. f. a désigné (1838) le principe vénéneux de certains parmi ces champignons.

AMANT → AIMER

AMARANTE n. f. est emprunté, d'abord sous la forme *amarantha* (1544), puis *amaranthe* (1564), *amarante* (1636), au latin *amarantus* (Pline), emprunté au grec *amaranton,* substantivation de *amarantos* «qui ne peut se flétrir». Cet adjectif est formé, avec *a-* privatif, sur l'adjectif verbal de *marainein* «pourrir, se flétrir»; ce verbe doit sans doute être rapporté à la famille du latin *mori* (→ mourir).

♦ Le mot désigne une plante d'automne à fleurs pourpres et (déb. XVIIe s., d'Aubigné) cette couleur, aussi comme adjectif (1632), emploi à la mode au XVIIe s., comme l'atteste le sonnet de l'abbé Cotin dont Molière se moque dans *Les Femmes savantes.* ◇ Le mot a eu des emplois extensifs, par exemple *bois d'amarante* (1748), nom d'un bois brésilien employé en marqueterie.

▸ Le dérivé AMARANTINE n. f. (1667) désigne une anémone rouge, puis une tulipe (1715). ◆ AMARANTACÉES n. f. pl. désigne (1808) la famille de plantes dont l'amarante est le type; le mot est aussi adjectif (1838).

✳ **AMARRER** v. tr. est un emprunt du XIVe s. au moyen néerlandais (origine fréquente de nos termes de marine anciens) *aenmarren,* du préfixe *aen* et de *marren* «attacher». Le verbe *marren,* de l'ancien saxon *merrian* «empêcher, bloquer», appartient à une riche série germanique, dont l'idée de base est «gêner, empêcher, entraver», à côté de «gâter, détruire» : ancien frison *meria,* ancien haut-allemand *marren, merren,* gotique *marzjan* «faire trébucher» et abstraitement «fâcher». Le francique °*marrjan,* dans des emplois figurés, est passé en français dans le verbe *soi marrir* (→ marri).

♦ Ce verbe, depuis son apparition et encore de nos jours, concerne les bateaux, leurs cordages et chaînes, d'abord au sens de «retenir (un bateau) immobile en l'attachant à un point fixe», puis (XVe s.) pour «attacher (qqch.) à bord d'un navire». Le verbe s'emploie aussi par extension avec la valeur de «fixer, attacher».

▸ Le dérivé AMARRE n. f. (*amare,* 1386) s'emploie parfois en outre métaphoriquement («attache, lien»). ◆ AMARRAGE n. m. vient soit du nom (1636, «réunion de deux amarres»), soit du verbe (1678, «action ou manière d'amarrer»).
Le composé en *dé-* DÉMARRER v., a subi une évolution plus forte. De *se démarrer* «rompre ses amarres» (1491), on passe au verbe intransitif de même sens (1539), puis à des emplois figurés. ◇ *Démarrer* se dit pour «partir» en parlant d'une personne (1622); cette valeur familière s'est conservée, mais elle n'est plus aujourd'hui rapportée à son origine maritime. ◇ Transitivement, *démarrer une armoire* s'est employé pour «la faire glisser» (1694), et, sans abandonner le sens maritime, *démarrer* aboutit à des emplois terrestres : «commencer à rouler» (fin XIXe s.), «aller plus vite» (1895, en sports), «mettre en marche (un moteur)» (av. 1908, date de *démarreur*) et enfin, figurément (1948), «se mettre à marcher, à réussir».
Le verbe a plusieurs dérivés. DÉMARRAGE n. m. (1702, en marine) a suivi la même évolution, de «départ (d'un navire)» à «fait de commencer à rouler, à avancer, à marcher (moteur)». ◆ DÉMARREUR n. m. dérive du sens extensif du verbe pour désigner (1908) le mécanisme faisant partir un moteur, notamment d'automobile. ◆ Le composé REDÉMARRER v. tr. et son dérivé REDÉMARRAGE n. m., récents, ne s'emploient que pour les valeurs non maritimes du verbe.

AMARYLLIS n. est emprunté (1771, *amarillis*) au latin des botanistes (Linné) *amaryllis,* du nom propre latin *Amaryllis* donné par Virgile et Ovide à un personnage de bergère, d'après le grec *Amaryllis,* nom employé par Théocrite.

♦ Le mot désigne une plante à bulbe, ornementale, aux fleurs de couleurs éclatantes. Il s'applique aussi à un papillon.

AMAS, AMASSER → MASSE

AMATEUR n. m. est emprunté (1488) au latin *amator,* dérivé de *amare* (→ aimer), notamment au sens d'«être partisan de...». Il a remplacé le dérivé français de *amer* ou *aimer,* qui était *ameor* (auquel correspondrait °*aimeur*) et qui signifiait «amoureux, amant», mais aussi «qui aime, apprécie (qqch.)».

♦ *Amateur* signifie d'abord (XVe s.) «ami (de qqn)», puis aussi (XVIe s.) «amoureux». ◇ En relation avec l'italien *amatore*, il s'est spécialisé (1501) en esthétique, notamment au sens de «qui aime un art, sans en faire sa profession» (1762), puis il a pris la valeur de «qui exerce une activité de manière négligente, non professionnelle» (1822, Stendhal). ◇ En commerce, le mot s'applique à l'acheteur vraisemblable, notamment d'objets d'art (1886), et en général à la personne qui recherche qqch., à un homme qui recherche les femmes (fin XIXe s.). ◇ En sports, un emploi trahit l'influence de l'anglais *amateur*, pris au français pour désigner le non-professionnel; mais ce sens apparaît en français dès 1859 et se trouve chez Mérimée (1833) à propos de toreros, loin d'une influence anglaise par ailleurs vraisemblable.

▸ Le dérivé **AMATEURISME** n. m. (1892, en cyclisme) peut venir de l'anglais *amateurism* (1868). Il s'est employé aussi en art (1896) et se dit péjorativement pour «manque de professionnalisme» (1933). ➛ La forme féminine **AMATRICE** n. f. a suivi la même évolution, de «celle qui aime (Dieu)» (XVIe s., Brantôme) à «celle qui a du goût pour (qqch.)» (XVIe s.), puis (1762) «celle qui pratique un art, une activité sans en faire sa profession». Le mot est demeuré rare (on dit plutôt *elle est amateur*) et la forme régionale *amateuse* ne s'est pas implantée.

AMAZONE n. f., apparu en français sous la forme *amasoine* (v. 1247), refait au début du XVe s., vient du nom propre latin *Amazones* désignant une peuplade de femmes guerrières d'Asie Mineure. D'origine inconnue, le mot a été analysé dans l'Antiquité comme composé de *a-* privatif (→ ② a-) et du grec *mazos* «sein», variante de *mastos* (→ mastodonte), mais cette origine anecdotique ne fait qu'appuyer une légende (probablement antérieure) selon laquelle les Amazones se coupaient le sein droit pour mieux tirer à l'arc — à moins que la légende ne provienne de cette pseudo-étymologie.

♦ Le mot a pris (déb. XVIIe s.) des valeurs extensives, dont (v. 1608) «femme courageuse, belliqueuse», puis (1765) «femme qui monte à cheval, en s'asseyant sur le côté». ◇ Il a désigné par métonymie (1824) la jupe des cavalières montant *en amazone*.

▸ Dans son emploi mythologique, le nom a servi à désigner le plus grand fleuve d'Amérique du Sud, nommé *río de las Amazonas* à cause de la conviction d'explorateurs au XVIe s., qui pensaient avoir été attaqués par des «Amazones» (probablement des groupes d'Amérindiens lanceurs de flèches); d'où l'adjectif **AMAZONIEN, IENNE** (cette même forme avait servi au XVIe s. d'adjectif au pays des Amazones, assimilé à la région d'Asie Mineure arrosée par le fleuve Thermodon); on avait employé *les amazoniennes* pour les «Amazones» dès le XIIIe siècle.

AMBAGES n. f. pl. est emprunté (v. 1355) au latin *ambages* (f. pl.) «sinuosités, détours», dérivé de *amb(i)-* «de chaque côté» (→ ambi-), que l'on retrouve dans *ambigu**, et du radical du verbe *agere* «marcher» (→ agir). La métaphore de la marche sinueuse est normalement appliquée aux «détours» du langage. *Ambages* n'est employé positivement en latin que dans un usage archaïque ou très littéraire.

♦ Le mot est considéré comme vieux par Miège en 1677; il ne s'emploie plus que dans la locution adverbiale encore en usage ***sans ambages*** «sans détours, franchement».

AMBASSADE n. f. est, comme *ambassadeur*, un emprunt à l'italien *ambasciata*, d'abord sous des formes plus francisées, empruntées plus tard par l'anglais *embassy*: *ambasce* (1299), *embassee*, remplacé par *ambaxade* (v. 1355) et enfin *ambassade* (1387). L'italien *ambasciata*, comme l'espagnol *embajada*, vient de l'ancien provençal *ambaissada*, dérivé d'un emprunt au latin médiéval *ambactia* «service, fonction». Ce mot, reconnu comme gaulois par les Romains (gaulois °*ambactos* «personne au service d'une autre», transcrit *ambactus* par Ennius et César), aurait transité du celtique au germanique (gotique *andbahts* «serviteur», d'où *andbahti* «service»; l'allemand *Amt* «fonction» en dérive) et de là au latin. Comme le latin *ancilus*, *ancilla* «serviteur, servante» (→ ancillaire), qui lui est apparenté, °*ambactos* semble venir de la racine indoeuropéenne °*kʷel-* «circuler» (→ colon, culture), et la forme gauloise se rattache à °*ambhikʷalos* «qui circule autour» (cf. *ambages*, *ambition*), pour exprimer l'idée de service, de ministère.

♦ Ces mots ont d'abord concerné la mission d'un envoyé, d'un député; cette valeur est conservée dans *envoyer qqn en ambassade*. Ils ont aujourd'hui une valeur institutionnelle en diplomatie: «représentation permanente d'un État auprès d'un autre». ◇ Enfin, le mot *ambassade* a pris en français d'Afrique (Zaïre) une valeur plaisamment érotique: «lieu de rencontres galantes», «maîtresse» et même «vagin» *(Inventaire du français en Afrique noire)*.

▸ **AMBASSADEUR** n. m. est emprunté (1366), d'abord sous la forme *ambassator* (déb. XIVe s.), à l'italien *ambasciatore*, du provençal *ambaissador*, dérivé de *ambaissada*. Il désigne le représentant, puis le représentant permanent d'un État auprès d'un autre. ➛ Le féminin **AMBASSADRICE** n. f. (1694), d'abord *embasciatrice* (fin XVIe s.), est lui aussi un italianisme. Selon l'évolution des mœurs, il a signifié et signifie encore «épouse d'un ambassadeur», puis (mil. XXe s.) «femme assumant cette fonction». ◇ Masculin et féminin s'emploient normalement aux sens de «personne chargée d'un message» et «représentant (ante) à l'étranger» *(une ambassadrice de l'art, du goût français)*.

AMBI-, AMBO- est un premier élément de composés, emprunté au latin *ambo* «double; des deux côtés; tous les deux» et aussi «tout autour», dérivé de l'ancienne préposition *am-* et correspondant au grec *amphi-**.

♦ Il sert à former des composés dont les plus usuels sont *ambidextre**, *ambivalent* et *ambivalence**.

◈ voir AMBIGU; AMBAGES, AMBASSADE, AMBIANT, AMBITION, ANDAIN.

AMBIANT, ANTE adj. est un emprunt, d'abord sous la forme *ambiens* (1515), au latin *ambiens,* participe présent du verbe *ambire* «aller autour» (→ ambages, ambassade, ambition).

♦ Terme de sciences, *ambient* qualifiait (XVIe-XVIIe s.) l'air, un fluide qui «circule autour»; il a été repris comme nom masculin (*un ambient,* 1720; puis *ambiant,* 1745) pour désigner un corps pouvant être «parcouru», traversé par un autre, notamment un fluide. ◇ L'adjectif, repris au début du XIXe s. (attesté 1835), a fait fortune surtout au figuré : «qui appartient au milieu»; et plus encore son dérivé *ambiance.*

▶ **AMBIANCE** n. f. est courant à partir de Villiers de L'Isle-Adam (1885) au sens d'«atmosphère matérielle ou morale». Du domaine littéraire, le mot est passé à l'usage courant; le cinéma l'a répandu (v. 1928) avec les ***lumières d'ambiance*** (1934) et il a fini par évoquer l'atmosphère gaie d'une réunion (surtout v. 1945-1950 où il sert à traduire l'anglais *mood*). Il semble que le mot ait cessé d'être à la mode, sauf en français d'Afrique, où il désigne par métonymie une réunion dansante, d'où **AMBIANCEUR, EUSE** n., alors qu'un mot de sémantisme comparable, *environnement,* s'est répandu dans un autre registre.

AMBIDEXTRE adj. et n. est un emprunt savant (v. 1350) au latin *ambidexter,* composé de *ambi* «les deux» (→ ambi-) et de *dexter* «droite» (→ dextre).

♦ L'adjectif, repris au XVIe s. (1547), qualifie puis, substantivé (1797), désigne la personne qui se sert de ses deux mains aussi facilement. Le mot est en rapport avec *gaucher* et *droitier.*

▶ Les dérivés **AMBIDEXTÉRITÉ** n. f. (1826), formé sur *dextérité**, et **AMBIDEXTRIE** n. f. (1887) sont rares.

AMBIGU, UË adj. est emprunté (1495) au latin *ambiguus,* du verbe *ambigere* «être indécis», composé de *ambi-* «de côté et d'autre» (→ ambi-) et de *agere* «pousser; marcher» (→ agir, ambages). De «pousser de côté et d'autre», le verbe s'est spécialisé au sens de «mettre dans les plateaux de la balance», d'où «hésiter» ; cf. *balancer,* en français.

♦ *Ambigu,* comme *équivoque,* se dit de ce qui, réunissant des caractères différents ou opposés, est difficile à interpréter ou est incertain (XVIIe s.). Il se dit aussi d'une personne dont les propos sont ambigus (une fois au XVe s.). ◆ Parmi les emplois substantifs, le mot s'est dit pour «mélange disparate» (1659), «repas entre le déjeuner et le dîner» (1648), sens propres au XVIIe s., puis «pièce de théâtre mêlant plusieurs genres» (XVIIIe s.), d'où le *théâtre de l'Ambigu,* à Paris.

▶ Le dérivé latin *ambiguitas* a fourni (1270) **AMBIGUÏTÉ** n. f. (mot que, en 1975, l'Académie écrit aussi *ambigüité*). Comme l'adjectif, ce nom, employé en philosophie, manifeste le goût contemporain pour les incertitudes morales et logiques (cf. aussi *ambivalent,* de l'allemand). ◇ L'adverbe **AMBIGUMENT**, dérivé de l'adjectif, apparaît en 1508 *(ambiguement).* ◆ *Ambigu* et *ambiguïté* se sont spécialisés en sémantique (XXe s.; 1965 in *F. e. w.*) avec l'idée de pluralité de sens simultanés. ◇ De là l'expression ***levée d'ambiguïté*** à laquelle correspondent **DÉSAMBIGUÏSER** v. tr. et **DÉSAMBIGUÏSATION** n. f., qui semblent apparaître dans les années 1960, probablement sous l'influence de l'anglais *disambiguation* (attesté 1827) et *to disambiguate,* de formation analogue.

AMBITION n. f. est un emprunt ancien (1278) au latin *ambitio, -onis,* «démarche pour se faire élire», dérivé du verbe *ambire* «aller autour» et notamment «faire la tournée des électeurs», d'où «intriguer (pour se faire élire)». *Ambire* est formé de *ire* «aller» et *ambi* (→ ambi-), de l'indoeuropéen °*ambhi-* (→ ambages, ambassade, ambiant). *Ambitio* n'a eu en latin classique que ce sens figuré; c'est *ambitus* qui signifie «pourtour» (→ andain).

♦ En français, *ambition* désigne d'abord la recherche de réussite et d'honneur, d'où l'ostentation (1487), sens sorti d'usage. La valeur latine d'«intrigue» (XVIe s.) a disparu. ◇ Une acception psychologique différente du sens dominant, «désir ou intention forte (de faire qqch.)», courante dans l'usage classique (depuis 1636), est toujours en usage dans un style soutenu.

▶ Le dérivé **AMBITIONNER** v. tr. (déb. XVIIe s., d'Aubigné) est assez littéraire; il se répartit entre les deux sens vivants d'*ambition :* «rechercher par ambition» et, plus littéraire, «désirer ardemment» (1636).

AMBITIEUX, EUSE adj. et n. est emprunté (XIIIe s.) au dérivé latin *ambitiosus.* ◆ Le mot, attesté une fois au XIIIe puis isolément au XVe, ne semble usuel qu'à partir du XVIe s. (1530). Il correspond à «qui a de l'ambition», avec des valeurs spéciales au XVIe s., «qui excite l'ambition ou le désir», «qui cherche à éblouir» et, au XVIIe s., «qui agit avec trop d'ardeur» (1601, Charron), «qui désire ardemment» (chez Malherbe), sens disparus. ◇ *Ambitieux* a signifié aussi «recherché, affecté» en parlant du style, de l'expression (1605). ◇ La valeur moderne, en parlant des personnes, est assez péjorative par influence du sens latin et correspond à «qui use de tous les moyens, de l'intrigue, notamment pour s'élever» (XVIIe s.; 1640, chez Corneille). ◆ **AMBITIEUSEMENT** adv. (XIVe s.) correspond aux principaux sens de l'adjectif.

AMBIVALENCE n. f. est emprunté (1911), d'après ② *valence**, à l'allemand *Ambivalenz,* où *ambi-* représente le latin *ambo-* «les deux» (→ ambi-).

♦ D'abord terme de psychologie et de psychiatrie désignant la coexistence de deux tendances ou composantes contraires, le mot, perdant la notion d'«opposition», est passé dans un usage plus général (1936) pour «caractère de ce qui se présente sous deux aspects différents», avec une idée d'ambiguïté.

▶ **AMBIVALENT, ENTE** adj., employé dans la traduction de *Totem und Tabu* de Freud (1924), est un emprunt à l'allemand *ambivalent,* du latin *ambo-* et du participe présent de *valere* (→ valoir). Il a les mêmes emplois que *ambivalence*, son usage extensif pour «ambigu» étant assez usuel.

AMBLE n. m. est dérivé (v. 1200) du verbe *ambler* (1166), emprunt à l'ancien provençal *amblar*, issu du latin *ambulare* «se promener» (→ ambulant), dont une forme réduite a donné *aller**.

♦ Le mot s'est spécialisé pour désigner une allure du cheval, naturelle chez quelques quadrupèdes. Très courant avant le milieu du XIXe s., c'est-à-dire lorsque le cheval garde son importance, il a survécu au verbe *ambler*, «aller à cheval, d'une allure modérée», déjà considéré comme vieux au début du XVIIIe s., et à ses autres dérivés, *amblant*, adj., *ambleüre* «amble» et en général «allure», *ambleur* adj. «qui va l'amble», employés dès les XIIe-XIIIe jusqu'au XVIIe s., le dernier conservant des emplois en vénerie *(cerf embleur, ambleur)*. ◇ *Amble* entre dans divers syntagmes, comme *amble rompu* (1765), *amble des marchands* «trot» (1640), *cheval d'amble* (1694, chez La Fontaine). Les expressions verbales, d'usage plus général, comme *aller grant amble* «vite» (1450), *aller les ambles* (1530) ou *l'amble* (Marot), *mettre aux ambles, à l'amble* (1563-1565) «dresser (un poulain)» et au figuré (1572) «soumettre, dompter», *perdre l'amble* «échouer» (mil. XVIe s.), etc., ont disparu après l'époque classique.

Ambler a aussi donné **AMBLEUR, EUSE** adj. (v. 1165), et *amble* **AMBLIER** (1838) pour «cheval, équidé qui va l'amble».

◈ voir AMBULANT.

AMBLYOPIE n. f. est un emprunt médical (1611) au latin scientifique médiéval *amblyopia* (mil. Ve s.), emprunt au grec *ambluôpia*, de *ambluôpos*, composé de *amblus-* «émoussé, affaibli» et de *-ôpos* signifiant «qui voit», de la famille de *ôps* «vue, visage» (→ myope, nyctalope, prosopopée). *Amblus* contient probablement le même thème que *malakos* «mou, doux» (→ malaxer), *amaldunein* «effacer (par l'eau et par le sable)», et que le latin *mollis* (→ mou).

♦ Le mot désigne un grave affaiblissement de la vue, sans lésion physiologique apparente.

▸ **AMBLYOPE** adj. et n. (1838) est directement emprunté au grec *ambluôpos*, d'après *amblyopie*. Le mot s'emploie en pathologie humaine, et aussi en zoologie pour qualifier un animal qui a des yeux très petits et voit peu ou mal. ◆ **AMBLYOPSIS** n. m. désigne (1896) un poisson aveugle des eaux souterraines dont la peau recouvre les yeux. ◆ Un élément **AMBLY-, AMBLYO-**, tiré du grec (ci-dessus), sert à former des composés, tels **AMBLYORNIS** n. m. (1888), de *ornis* «oiseau», désignant un oiseau qui construit, en tant que parade sexuelle, un faux abri orné d'objets de couleurs (le vrai nid étant ailleurs); **AMBLYRHYNQUE** n. m., formé (1855) à l'aide du grec *rhunkhos* «museau», nom d'un iguane; **AMBLYSTOME** n. m. (1871), du grec *stoma* «bouche», nom d'un urodèle dont la larve s'appelle *axolotl;* **AMBLYPODE** n. m. (1890), «mammifère fossile aux doigts en sabots».

AMBON n. m. est un emprunt savant (1740) au grec byzantin *ambôn* «chaire», du grec classique *ambôn* «bordure». Ce terme technique d'origine obscure était rapproché par les Grecs de *anabainein* «monter» par l'idée de «hauteur» (→ ana-).

♦ Ce terme d'archéologie désigne une tribune placée à l'entrée du chœur des basiliques chrétiennes, plus tard remplacée par la chaire ou par un jubé.

AMBRE n. m. est un emprunt (v. 1200) au latin médiéval *ambar* et par métathèse *ambra*, emprunté à l'arabe *'anbar*, désignant la substance précieuse provenant des concrétions intestinales du cachalot, recueillies dans l'océan Indien par les navigateurs et marchands arabes, fournissant un parfum.

♦ En français, le mot a des variantes, comme *aumbre* ou *lambre* (XIIIe s.). ◆ Comme dans d'autres langues (italien, allemand, anglais), il est utilisé par analogie (déb. XVIIe s.) pour désigner une tout autre substance, le succin, appelée aussi ***ambre jaune*** pour la distinguer du «blanc de baleine», dit *ambre blanc* (1562) ou ***ambre gris*** *(id.)*. Dans le second sens, *ambre* désigne une résine fossile translucide, appréciée pour sa belle couleur. ◇ Le mot s'est employé par extension, soit par allusion à l'odeur de l'ambre gris, soit à l'apparence, à la couleur du succin. *Une ambre* s'est dit (1680) d'une odeur agréable et, dans la langue classique, *ambre renardé* (1694), *ambre de chien* (1601) désignent des excréments d'animaux. ◇ Plus souvent, le mot a des connotations positives, par exemple dans ***fin comme l'ambre*** (1721) «qui a l'esprit subtil», locution devenue archaïque.

▸ Parmi les dérivés, seul **AMBRÉ, ÉE** adj. (1660), «qui a le parfum de l'ambre gris» puis (XVIIIe s.) «qui a les couleurs de l'ambre jaune», est usuel. ◆ Le verbe **AMBRER** (1688) est plus rare. ◆ **AMBRETTE** n. f. (1671 ; une fois *amblete*, au XIIIe s.) a désigné plusieurs plantes, en général par allusion à l'odeur, *poire d'ambrette* (1701) est à comparer à *prune d'ambre* (1715) pour désigner des fruits odorants.

AMBROISIE n. f. est emprunté (1525) au latin *ambrosia*, pris au grec *ambrosia* «nourriture des dieux», avec les variantes disparues *ambroise* (1480) et *ambrosie* (XVe s.; encore en usage au XVIIe s.). *Ambrosia* est le féminin substantivé de *ambrosios* «immortel, qui concerne les dieux», dérivé de *ambrotos* de même sens, lui-même formé de *a-* privatif (→ ② a-) et de *brotos* «mortel» ; ces termes se rattachent à une racine indoeuropéenne °*mer-* «mourir», que l'on retrouve dans le latin *mori* (→ amarante, mourir).

♦ Le mot désigne par latinisme et hellénisme la nourriture des dieux, par extension une nourriture exquise (1690), et déjà au XVIe s. au figuré une chose délicieuse (depuis Baïf, *ambrosie*). Il a vieilli, sauf par allusion mythologique, et ses dérivés *ambrosien* adj. (XVIe s.; encore littérairement aux XIXe-XXe s.), *ambrosiaque* adj. (1792) ont à peu près disparu, sauf, pour le dernier, dans le vocabulaire didactique des odeurs.

Une autre série sémantique issue de *ambrosia* concerne des plantes aromatiques : *ambrose* n. f. (mil. XIIIe s.), *ambroise* (v. 1300) puis *ambrosie* (1611), aussi «thé du Mexique» (1751), semblent sortir d'usage, au moins dans la langue courante, au XVIIIe siècle. ◇ Mais la forme *ambroisie* (1540) est reprise au XVIIIe s. dans *ambroisie sauvage* (1767), «variété de cresson» puis aux divers sens des formes antérieures, notamment pour «thé du Mexique» (Chénopodiacées).

▸ Le dérivé **AMBROSIACÉES** n. f. pl. (1816) a eu cours en botanique.

AMBROSIEN, IENNE adj. est emprunté (1704) au latin ecclésiastique *ambrosianus* de *Ambrosius* «Ambroise», du groupe de *ambrosia* (→ ambroisie), nom d'un Père de l'Église qui fut au IVe s. archevêque de Milan.

♦ Ce mot de liturgie est employé dans *rite ambrosien, messe ambrosienne* et (1721) *chant ambrosien*. Il désigne aussi (attesté en 1752) un religieux d'un ordre (XIVe-XVIIe s.) autorisé par le pape Grégoire IX à porter le nom de saint Ambroise.

AMBULACRE n. m. est un emprunt savant (1803) au latin *ambulacrum,* dérivé de *ambulare* (→ aller, amble, ambulant).

♦ Un premier emprunt au sens de «promenoir» (XVIe s.) a été repris didactiquement au XIXe s. (1863) pour «promenade plantée d'arbres», puis est sorti d'usage. ◆ En sciences naturelles, le mot s'applique (1838) au tentacule locomoteur des échinodermes et à son orifice.

▸ Dans ce sens, il a pour dérivé **AMBULACRAIRE** adj. (1825), plus rarement **AMBULACRAL, ALE, AUX** adj. (1928), et pour composés **INTERAMBULACRAL, ALE, AUX** adj. (1867) et **INTERAMBULACRAIRE** adj. (1878).

AMBULANT, ANTE adj., latinisme de la Renaissance (1558, Rabelais), est emprunté à *ambulans,* participe présent de *ambulare* «se promener» (qui a donné *aller**, *amble**). ◆ *Ambulare* avait donné par emprunt le verbe *ambuler,* sorti de l'usage normal au début du XVIIe s., encore attesté à propos des juges qui se déplacent professionnellement (1790), puis au XIXe s. pour «se promener sans but» (1801, Mercier).

♦ En revanche, l'adjectif s'est maintenu mais en se spécialisant. Le sens général et initial, «qui se déplace sans cesse», d'où «vagabond» (1874), a disparu. La valeur administrative, qualifiant un employé, un fonctionnaire appelé à se déplacer (1680), notamment dans *contrôleur, receveur ambulant,* a vieilli. *Un ambulant* (1751) a été repris au sens de «postier chargé du tri dans un wagon-poste» (1866). ◆ Les emplois concernant en médecine des choses, maladies (1814) vésicatoires (1810) qui se déplacent, sont également sortis d'usage; cependant, *hôpital ambulant* (1758) a donné naissance au sens moderne d'*ambulance* (ci-dessous). ◆ Les emplois vivants concernent des personnes sans résidence fixe (comédiens, musiciens, 1680), des marchands forains (1835) et les expressions figurées ***mort, cadavre... ambulant*** «personne qui se déplace encore mais qui a l'apparence d'un cadavre» (1824).

▸ Le dérivé **AMBULANCE** n. f., formé en français pour désigner une charge administrative «ambulante» (1752), est devenu courant à partir de 1787 au sens de *hôpital ambulant;* ce sens a vieilli depuis que le *service d'ambulance* de l'armée emploie des voitures, dites (v. 1864) *ambulances,* usage préparé par le syntagme *chariot d'ambulance* (dès 1787), puis par *voiture de l'ambulance* (1825). Le mot est passé (1891) à l'usage civil (tout en demeurant usuel dans le langage militaire) et de la voiture hippomobile à l'automobile. ◆ Le dérivé **AMBULANCIER, IÈRE** n. (1877) a évolué comme *ambulance,* de «personne employée à une ambulance militaire» à «conducteur d'ambulance» (attesté mil. XXe s.).

AMBULATOIRE adj. est emprunté (1497) au latin tardif *ambulatorius,* dérivé de *ambulare,* comme terme juridique. ◆ Il signifie «qui n'a pas de siège fixe», sens vivant jusqu'à la fin du XVIIIe siècle. L'emploi abstrait pour «qui se déplace» (XVIe s.), «changeant, variable» (XVIIe s.) est devenu plaisant ou archaïque. ◇ L'adjectif est repris au XIXe s. pour «relatif à la marche» (1805), notamment en sciences naturelles à propos de la locomotion des animaux, se disant d'un organe (v. 1808) [→ ambulacre], puis d'une fonction (1845). ◇ *Ambulatoire* qualifie aussi en médecine un symptôme, une maladie (1884; cf. *ambulant*), enfin un traitement régulier sans hospitalisation (v. 1966).

◈ voir **ALLER, AMBLE, AMBULACRE, DÉAMBULER, FUNAMBULE, NOCTAMBULE, PRÉALABLE, PRÉAMBULE, SOMNAMBULE.**

✳ **ÂME** n. f. est issu du latin *anima,* qui a produit en roman puis en ancien français les formes *anima* (Xe s.), *aneme* (XIe s.), *anme,* dénasalisé en *ame* (XIe s.). Le mot latin signifie «souffle, air» et remonte à l'indoeuropéen (sanskrit *aniti* «il souffle»); il est apparenté au grec *anemos* «air» (→ anémo-). Le latin a très tôt distingué un principe mâle, supérieur, l'*animus* (traduisant le grec *thumos* [→ thymique] et s'opposant à *corpus,* le corps), et un principe femelle, l'*anima,* qui traduit le grec *psukhê* (→ psych(o)-, psyché) au sens de «principe de la vie» (c'est l'*anima* qui fonde une forme de vie supérieure, celle que caractérise *animal* → animal), d'où «âme» et «âme des morts». Concurrencé plus tard par *spiritus* (→ esprit), *animus* a reculé devant *anima,* ce mot passant seul en latin d'Église et dans les langues romanes (italien *anima,* espagnol *alma*). Les composés du latin *anima* ont donné naissance à *magnanime, équanimité,* etc.

♦ Le français reprend les sens du latin, les développe en philosophie et en sciences (où le mot a vieilli, surtout à partir du XIXe s., en même temps que la référence religieuse reculait), et y ajoute des valeurs spéciales comme «conscience morale» (XVIe s., par exemple dans *force d'âme*), ou encore des sens concrets.

Les formes d'ancien français *anima, anime, anme* (Roland), *alme, aume, arme* (qui correspond à l'ancien provençal *arma*), usuelles jusqu'au début du XVIe s., la dernière étant éliminée par l'homonymie avec *arme**, etc., s'appliquent aux valeurs héritées du latin, d'abord religieuses, «partie immatérielle et éternelle de l'homme, opposée au corps», «âme séparée du corps après la mort» (XIe s.), «principe de vie» (XIIe s.). Les distinctions scolastiques entre *ame sensitive* (XIIIe s.), *ame rationable* (XIIIe s.), puis *raisonnable* (déb. XVIIe s.) et *ame végétative* donnent au mot cette valeur très générale. ◇ Ce n'est qu'à partir du XVIIIe s. (1752) que le mot s'écrit avec un accent circonflexe, *âme* (on le note ainsi par la suite, même si les attestations sont antérieures : elles correspondent à la graphie *ame*). ◇ Certaines valeurs dérivées sont restées elles aussi en usage, telles «être humain vivant dans un lieu» (XIIIe s. ; reprise au XVIe s., surtout après un chiffre de population, en français moderne), et par extension «principal fondement (d'une chose)» (XVIe s.), «personne qui anime et entraîne un groupe, une entreprise» (déb. XVIIe s., d'Aubigné), «inspiration collective». ◇ D'autres sens, «courage, audace», «cœur», «conscience», se sont surtout réalisés dans les dialectes. ◇ La valeur latine de «respiration, haleine» (1465) a disparu.

Avec le sens d'«être humain vivant et conscient», le mot a donné en ancien français un pronom (que l'on peut comparer à l'emploi de *on*, qui vient de *homme*) signifiant «quelqu'un», attesté depuis le début du XIIIe jusqu'au XVe siècle. La locution *ne ... ame* «ne ... personne» (XIIIe-XVIe s.), prise au latin chrétien *ne ... anima*, survit avec le substantif dans ***ne ... pas une âme*** (1690) et dans ***il n'y a pas âme qui vive.*** ◇ La phraséologie est abondante, avec des syntagmes comme *belle âme* (XVIe s.), *bonne âme* (*id.*, du Fail) «âme» et par métonymie «personne sensible, bonne», souvent ironiques, *âme sœur*, ***âme damnée,*** au sens religieux (1534), puis au figuré «personne prête à tout pour servir qqn» (1690), ***âme en peine*** (1762), surtout dans ***errer comme une âme en peine. Charge d'âme*** est passé du sens religieux (XVIe s.) à «responsabilité morale (quant à la personne)» (1833) ; ***état d'âme*** (1884) se dit spécialement pour «attitude irrationnelle, émotionnelle». ◇ De nombreuses expressions verbales donnent au mot le sens de «vie» (***rendre l'âme,*** XIe s.) ou même de «souffle» (***avoir l'âme sur les lèvres,*** 1694). ***Avoir l'âme chevillée au corps*** (1690, *dans le corps*) correspond à *avoir la vie dure.* ◇ Là encore, la valeur religieuse, conservée dans des allusions culturelles du type ***vendre*** (XVIIe s.), ***donner*** (1863) ***son âme au diable,*** s'efface devant les valeurs laïques et psychologiques : *avoir de l'âme* (1811) «être sensible, émotif», *mettre de l'âme à qqch.* (1671) «du sentiment», qui ont disparu. ◇ ***Avoir du vague à l'âme*** (1885) «être mélancolique» est familier. ◇ En outre, *ame* et ses variantes anciennes entraient dans de nombreuses exclamations, *mon ame!* (1353), après *par m'ame* (XIIIe s.), ***sur mon âme*** (v. 1550) renforçaient une affirmation ; cf. *sur mon honneur, sur ma vie*, etc. *Mon âme*, ***ma chère âme*** (1629), terme de tendresse, s'est employé jusqu'au XIXe siècle. Dans ces emplois, la métonymie («être humain») est toujours présente.

Le rapport spatial imaginé entre l'âme et le corps a donné naissance en français à une série d'emplois où le mot désigne une partie centrale (cf. *cœur*) : «pièce d'un moulin» (1430), «partie creuse (d'un canon)» (1611), «partie centrale (d'un moulage)» (1676) ; avec diverses spécialisations : «pièce de bois qui soutient la table d'un instrument à cordes» (1680), «fil central (d'un câble)» (1736), etc. ◇ Parfois, la métaphore du souffle est elle aussi active en technique, par exemple dans l'acception «soupape d'un soufflet» (1640). ◇ L'idée de partie centrale s'applique aussi aux animaux (1530, «viscères d'une volaille»), aux fruits (1669, «cerneaux d'une noix»), mais ces valeurs sont archaïques, par rapport à plusieurs sens techniques bien vivants.

▸ Les dérivés de *âme* (et de ses variantes, notamment *arme*) ont en général disparu. *Amette* n. f. (1490), diminutif, a cédé la place au XVIe s. à *amelette* (Ronsard).

ANIMISME n. m. (1781), emprunt au latin *anima,* désigne la doctrine vitaliste de Stahl en physiologie, puis (1881, R. Réville) la croyance religieuse aux âmes actives hors de l'être vivant, spécialement en parlant des religions africaines traditionnelles. ⟡ **ANIMISTE** n. (1765) «partisan de l'animisme de Stahl», puis adjectif (1881) «relatif à l'animisme religieux», correspond à *animisme.* ⟡ **ANIMIQUE** adj. (1800) «de l'âme» est didactique et rare.

ANIMELLES n. f. pl. «testicules» (1567) et spécialement «testicules d'animaux, en tant que plat» (1611), puis «plat d'abats et de testicules de bélier» (1716), est emprunté à l'italien *animelli,* de *anima,* emprunt au latin.

◈ voir ANIMAL, ANIMER, ANIMOSITÉ, AUMAILLE, ÉQUANIME, LONGANIME, MAGNANIME, PUSILLANIME, UNANIME ; peut-être ANTRE, INANITÉ.

AMÉLIORER v. tr. est un mot savant, refait (1507) d'après le comparatif latin *melior,* à partir de l'ancien français *ameillorer* (2e moitié XIIe s.), composé de *meillor* (→ meilleur). Cette réfection peut être plus ancienne, puisque *amélioration* est attesté dès 1421. Les noms correspondant à l'ancien verbe sont *amellorissement* (1386), *ameillorement* (v. 1300) et *améliorement* n. m., déjà traité par le latin *melior* (1571). ◇ *Meilleur* avait un autre composé verbal, *enmeilleurer* (XVe s. ; *enmelhorer,* XIIIe s.), disparu au début du XVIIe siècle.

♦ Le verbe signifie «rendre meilleur» en général (1611), après s'être appliqué à «réparer (un bâtiment)» (1507). *S'améliorer* est attesté à la fin du XVIIIe siècle.

▸ Ses dérivés **AMÉLIORANT, ANTE** adj. (1838) et **AMÉLIORABLE** adj. (1804, B. Constant) sont peu usités.

AMÉLIORATION n. f. est probablement formé (1421) d'après *melioracion* (1315), emprunt au latin *melioratio,* de *melior.* ⟡ Le mot s'est spécialisé au pluriel (1510) au sens de «réparations (d'un bâtiment)» et «travail améliorant un fonds agricole» (1463), emploi courant en droit.

AMEN interj. est un emprunt très ancien (v. 980) au latin religieux *amen,* pris au grec *amên,* lui-même emprunté à l'hébreu *āmēn* «vrai, certain».

♦ D'abord citation liturgique, le mot s'acclimate en français au XIIe s. en concurrence avec *seit fait* (soit fait) [XIIe s.] puis *ainsi soit-il* (XVe s.) qui est sa traduction moderne. ◇ Devenu familier, il entre dans des locutions comme ***dire amen*** «approuver» (XVIe s., Calvin), *depuis pater à amen* (1808) «du début à la fin», sortie d'usage, et dans de nombreuses expressions dialectales. ➜ Comme signe d'approbation aveugle, le mot a désigné en outre dans plusieurs régions un benêt, un imbécile (cf. *crétin*, de *chrétien*).

✻ **AMENDER** v. tr. est issu (XIIe s., av. 1150) du latin *emendare* «corriger», «améliorer» et aussi «punir, châtier» (depuis Tacite), composé de *menda, mendum* «faute, défaut (physique)» et spécialement «faute dans un texte», mot peut-être indoeuropéen (cf. sanskrit *mindá* «défaut») et dont un dérivé a donné *mendier**. Le changement de préfixe, de *é-* à *a-*, doit être ancien, puisque l'italien a aussi *ammendare*, le provençal *amendar* (mais l'espagnol a *enmendar*).

♦ Aux valeurs du latin, «corriger» (1174) et «améliorer», le français ajoute «condamner à payer une somme» (déb. XIIe s.) et, en français classique, «améliorer (une terre)» (1690), peut-être d'après le sens spécial que le dérivé, *amendement*, a pris au XVe siècle. ◇ D'autres valeurs, «réparer (un méfait)», «se perfectionner» (1130-1140), sont attestées en ancien français, ainsi que «grandir (d'un enfant)» (v. 1150) et «réussir» (1155). ➜ Une autre spécialisation vient de l'emprunt fait par l'anglais au français : *to amend* «modifier (un texte de loi)», qui repasse en français dans ce sens dans la seconde moitié du XVIIIe s. avec de nombreux termes liés au droit constitutionnel parlementaire (1784 ; mais probablement antérieur : *amendement* se dit dans ce sens dès 1778) ; ce sens a été répandu par la Révolution.

▸ Le dérivé **AMENDEMENT** n. m. signifie d'abord (1174) «amélioration». Il se spécialise à propos de terres traitées pour la culture (1467), entraînant un nouveau sens du verbe et de son participe passé adjectivé *(terres amendées)*. ◇ La valeur en droit parlementaire vient de l'anglais (1778, voir *amender* ci-dessus). ➜ **AMENDE** n. f., d'abord écrit *amande* (v. 1173), puis *amende* (v. 1270), vient du sens spécial de *amender* et désigne une peine correspondant à la réparation d'un tort et, spécialement, cette réparation par le paiement d'une certaine somme (1268-1271, E. Boileau). C'est le sens large de «punition» et «réparation», attesté en moyen français dans *amende corporelle* (1391), au XVIe s. dans *amende pecuniere* (Paré), *amende honorable* (opposé à *amende profitable*, Castelnau, *in* Littré), qui a donné l'expression ***amende honorable*** «fait de reconnaître sa faute, un crime et d'en demander le pardon», d'où *faire amende honorable* (XVIIIe s.) «reconnaître ses torts». ◇ Au sens pécuniaire, *amende* s'applique à une somme exigée sous la contrainte, notamment dans ***mettre à l'amende***, spécialement dans le contexte de la prostitution (1928), puis du racket. ➜ **AMENDABLE** adj. (1369) a qualifié une personne passible d'une peine de réparation, d'où *crime amendable*, punissable par une amende pécuniaire. ◇ Le mot a été reformé (1690) pour «qui peut être amendé», d'abord d'une terre, puis (XIXe s.) d'une loi.

◈ voir ÉMENDER.

AMÉNAGER → MÉNAGE

AMÈNE adj. est emprunté (fin XVe s., Molinet) au latin *amoenus*, précédé par le franco-provençal *amenes* (au pl.) «douces, agréables» (v. 1220-1230). Le mot latin signifie «agréable» et se dit des choses et des personnes. *Amoenus*, rapproché par les anciens de *amare* «aimer» (Varron) et aussi de *munus* «fonction officielle, cadeau» (→ rémunérer), est d'origine inconnue.

♦ L'adjectif, qui qualifie diverses choses agréables, n'est plus attesté que dans les dialectes après le XVIIe s. avant d'être repris par latinisme (1877). ◇ Le seul emploi relativement vivant concerne les paroles, les manières, le caractère (1833) et se dit surtout dans des phrases négatives *(un accueil peu amène)*.

▸ **AMÉNITÉ** n. f. est emprunté (XIVe s.) au dérivé latin *amoenitas*. ➜ Il se dit de l'agrément d'un lieu, sens disparu au XVIIe s., puis (Rabelais) d'une douceur gracieuse (des propos, du comportement, du style) ; d'où *des aménités*, surtout employé par antiphrase (1840) pour «critique, paroles hargneuses».

AMENER → MENER

AMÉNORRHÉE n. f. semble emprunté (1795) au latin moderne *amenorrhoea* par l'anglais (Cullen), mot formé de *a-* privatif (→ ② a-), du grec *men* «mois» (→ en catimini) et de *rhoia*, substantif de *rhein* «couler» (→ -rrhée).

♦ Le mot désigne l'absence de flux menstruel chez la femme en âge d'être réglée.

AMENUISER → MENUISIER

AMER, AMÈRE adj., attesté v. 1130, est issu, comme l'italien *amaro*, du latin *amarus*, vraisemblablement indoeuropéen (cf. sanskrit *amlah* «maigre» et, dans les langues indoeuropéennes modernes, le germanique : suédois *amper* «aigre», allemand *Ampfer* «oseille»). Le latin a un sens concret et un abstrait («triste») ; les deux sont passés en français avec en outre l'idée d'acrimonie.

♦ L'adjectif français qualifie dès l'origine, à la fois concrètement (v. 1150, Chrétien de Troyes) ce qui a une saveur âpre caractéristique, souvent désagréable, et abstraitement (v. 1130) ce qui est pénible, cruel (guerre, mort...), ainsi qu'une personne méchante (v. 1150), sens sortis d'usage. Parmi les valeurs abstraites, celles qui qualifient un sentiment ou une expression douloureux, triste et une personne malheureuse, attestées aussi au XIIe s., sont restées en usage, ainsi que l'emploi pour «qui offense, fait du mal» (XVIIe s.), d'où «qui fait des reproches», d'une personne (XXe s.). ➜ Dans le domaine concret, l'adjectif se dit des choses qui ont cette saveur, et aussi de la saveur même, considérée comme l'un des goûts fondamentaux (avec l'acide, le sucré, le salé) et, par métonymie, de la bouche lorsqu'elle éprouve cette sensation (1694). La phraséologie est assez abondante, au propre et métaphoriquement : *avoir amère bouche, bouche amère* a signifié «être amer (personne)» (XIIe-XIIIe s.) ; la plupart des locutions sont comparatives : *amer comme suie* (1694) continue *amer plus que n'est suie* (XIVe s.) et est sorti d'usage ; on dit encore ***amer***

comme du chicotin (1721). Au concret, quelques syntagmes (*amande amère*, etc.) sont usuels. ➛ L'adjectif est substantivé (1206) aux sens concret et abstrait, *l'amer* signifiant «la rancœur» (XIIe s.) puis «le chagrin, la douleur» (XIVe s.), sens disparus après le XVIe siècle. ◇ En revanche, on dit toujours *un amer* pour «médicament tonique de goût amer» (XVIIe s., Mme de Sévigné) puis (1866) «boisson alcoolisée amère», concurrencé par l'anglicisme *bitter* et récemment par l'italianisme *amaro*.

▸ Le dérivé **AMÈREMENT** adv. (1174), d'abord *amarement* (980), s'est dit des pleurs, puis d'une parole ou action hostile (sens disparu) et pour «cruellement» (XIVe-XVIe s.). Le sens concret, rare, n'est attesté qu'au XVIIe s. (1636). ◇ L'ancien français avait d'autres dérivés comme le verbe *amerir (amérir)* «devenir amer» (v. 1270) et «rendre amer» (v. 1560). ➛ Le composé **DOUX-AMER, DOUCE-AMÈRE** adj. s'est employé au sens concret (XVIe-XVIIe s.) et a été repris à l'abstrait (attesté XXe s.). *Amer-doux, douce* (1533) est complètement sorti d'usage (encore attesté en 1842).

Certains dérivés latins de *amarus* ont fait l'objet d'emprunts. ◇ L'ancien et moyen français *amerté* n. f. (1120), «douleur physique», «rancœur», puis (XIIIe s.) «saveur amère», vient du dérivé bas latin *amaritas ;* il disparaît au XVIe s., remplacé par *amertume*. ➛ **AMARELLE** n. f., «merise, cerise amère» (1659), est emprunté au bas latin *amarella*. ➛ Enfin, un dérivé savant du latin *amarus*, qui n'a pas vécu, est **AMARINE** n. f. (attesté 1817), désignant une «substance hypothétique qui serait cause de la saveur amère» (de Candolle ; hypothèse abandonnée) puis (1855) un alcaloïde découvert par Laurent, et produit par l'action de l'ammoniaque sur l'essence d'amande amère.

AMERTUME n. f. vient du dérivé latin *amaritudo, -inis* (*amaritudinem* à l'accusatif), avec simplification du suffixe (comme dans *coutume*, de *consuetudinem*) et influence de *amer* (pour °*amaritude*). ➛ Le sens abstrait (une fois en 1165) précède dans les attestations celui de «saveur amère» (1267) ; les valeurs abstraites de l'ancien et du moyen français correspondent à celles d'*amer ; une amertume*, «parole ou action offensante, hostile» (1549), ne se dit plus. ◇ La valeur moderne la plus courante est «rancœur pénible» (depuis le XVe s.) et «caractère désagréable et triste». ➛ L'ancien dérivé **AMERTUMER** v. tr. (1350, *s'amertumer*, au fig.) a été repris littérairement vers 1890 (L. Bloy, J. Renard, in *T. L. F.*).

◈ voir **MARASQUIN, MERISE.**

AMER n. m. (surtout au pluriel), sans rapport avec l'adjectif *amer*, est un emprunt (1683) au normand *merc* «borne, limite» (1119), de l'ancien norrois *merki*, d'où le néerlandais *merk* (→ marquer). Le mot *merc*, qui semble avoir été emprunté comme terme juridique, témoigne tardivement de l'emploi du scandinave en Normandie.

♦ Le mot, qui désigne tout objet observé à terre et servant de repère pour la navigation, a eu pour variante *amet* (1783), abandonné. Il s'emploie aussi au singulier et a été repris en poésie par Saint-John Perse (comme *rhumb* l'avait été par Valéry) ; son homonymie avec l'adjectif *amer* lui donne des connotations affectives.

AMÉRICAIN, AINE adj. et n. apparaît, en concurrence avec l'adjectif *amérique* (1556), sous la forme *amériquain* (1576). Il est dérivé du nom propre l'*Amérique*, francisation de *America*, tiré du prénom d'un navigateur italien au service de l'Espagne et du Portugal, *Amerigo* (francisé en *Améric*) Vespucci. Ce dernier, ayant exploré le «Nouveau Monde» découvert par Colomb, fut crédité en 1507 par le cosmographe allemand Waldseemuller de cette découverte, peu avant la disgrâce de Christophe Colomb qui dut se contenter de nommer la *Colombie*.

♦ L'adjectif *américain* concerne d'abord les aspects autochtones du continent et ses «Indiens», d'abord d'Amérique centrale et méridionale, puis (XVIIe-XVIIIe s.) aussi du Nord. ◇ L'un des emplois les plus anciens, substantivé, concerne la maladie vénérienne (*l'amériquain*, 1584), sens abandonné au XVIIe s. (mais on rencontre ensuite *lèpre américaine*, 1780). La locution ***avoir l'œil américain*** (1834) concerne le regard perçant des Indiens, thème popularisé au XIXe s. (par les traductions de Fenimore Cooper, notamment). ➛ Cependant, après l'Indépendance des États-Unis, le mot, d'abord comme nom (1783-1784), puis comme adjectif, s'applique à ce pays seul. C'est aujourd'hui, en français comme en diverses langues, son emploi usuel (vu la rareté d'un adjectif propre comme *étatsunien*). ◇ L'immense influence des États-Unis sur les autres cultures a développé divers emplois, locutions et allusions. Ainsi, on a parlé de *grog américain* (1866), de *chemin de fer américain* «tramway à chevaux» (1873) ; sont encore en usage *bar américain, vedette américaine*, «seconde vedette, qui entre en scène avant la grande vedette», et au cinéma *nuit américaine*, «prise d'une scène nocturne le jour». ◇ ***À l'américaine*** (1866) s'est dit notamment dans *vol à l'américaine* (1840, Proudhon), d'où *un américain* «compère, acolyte qui se fait passer pour un Américain et sert à escroquer un naïf» (1835) ; cet emploi a disparu. En revanche, sont restés vivants *homard à l'américaine* (1867) — *à l'armoricaine* est postérieur —, *course* (cycliste) *à l'américaine* (1933) ou *une américaine* (1927), *enchères à l'américaine* (mil. XXe s.). La viande de bœuf crue hachée et assaisonnée (en français de France *steak tartare*) est appelée en français de Belgique *filet américain*. ◇ Les substantivations les plus usuelles, au féminin, sont pour «voiture américaine» (attesté mil. XXe s., pour les automobiles ; mil. XIXe s., pour désigner une voiture à cheval légère à quatre roues) et «cigarette américaine». ◇ *L'américain* désigne aussi la langue (voir l'encadré ci-dessous, sur l'anglais des États-Unis).

▸ Les dérivés **AMÉRICANISER** v. tr. (1851, Baudelaire), d'où **AMÉRICANISATION** n. f. (1867, Goncourt) ne concernent en français que les États-Unis. ➛ Protégés par le didactisme, **AMÉRICANISME** n. m., d'abord «admiration pour l'Amérique» (1853 ; 1875, dans ce sens), et surtout *américaniste* peuvent en revanche s'appliquer au continent tout entier et notamment aux études indiennes et «précolombiennes». ◆ **AMÉRICANISTE** n. a désigné (1866) un partisan des coutumes américaines, avant de s'appliquer au spécialiste de l'Amérique (1877), aussi comme adjectif (1913).

Pour les comp. *Nord-Américain* et *Sud-Américain* (→ Nord et Sud).

AMÉRINDIEN, IENNE adj. et n. (1930) est un emprunt à l'anglais des États-Unis *amerindian* (1897), contraction de *American Indian*. ◆ Au sens de «ressortissant des États-Unis», le nom *un américain* a donné deux dérivés argotiques, **AMERLO** (1934) ou **AMERLOQUE** (1945) et, par aphérèse, **RICAIN, AINE** (1948), qui sont devenus familiers et ne sont pas péjoratifs.

AMÉTHYSTE n. f. est un emprunt (*ametiste*, 1080) au grec *amethustos*, par le latin *amethystus*. L'étymologie du mot grec témoigne du pouvoir physiologique prêté aux pierres de l'antiquité : *amethustos* est l'adjectif verbal, avec *a-* privatif (→ ② a-), tiré de *methuein* «s'enivrer», où l'on retrouve *methu* «boisson fermentée», qui a donné le *meth-* de *méthane**, *méthyle**, *méthylène*. La pierre passait en effet pour préserver les buveurs de l'ivresse ; on a pensé que la couleur violette évoquait un vin étendu d'eau, et n'enivrant pas le buveur.

♦ Le mot, réécrit *améthyste* (Rabelais) et aussi *amethiste* (1676) d'après le grec, a eu des variantes, comme *amatiste* (XIIIe s.), *amathyste* (1538), et diverses altérations. Il désigne, depuis son apparition, une pierre précieuse de couleur violette et a eu la valeur figurée de «partie la plus précieuse (d'un groupe)», du XIIIe au XVIIIe siècle : dans ce sens, les formes sont en *ama-* et souvent altérées. ◆ Comme adjectif, le mot qualifie ce qui est de la couleur de l'améthyste (1817), d'où *l'améthyste* «cette couleur» (1830, Flaubert). ◆ Le mot s'était auparavant appliqué à une variété de raisin (1636), à un oiseau-mouche (1791) et à un serpent du genre python (1802), pour leur couleur.

▸ Les dérivés **AMÉTHYSTÉ, ÉE** adj. (1838) et **AMÉTHYSTINE** n. f., «substance artificielle d'un violet soutenu» (1890), sont rares.

AMÉTROPE adj. est emprunté (1865, Littré et Robin) au grec *ametros* «disproportionné», de *a-* privatif (→ ② a-), de *metron* «mesure» (→ mètre) et de *ops*, *opa* «œil» (→ optique ; myope).

♦ Le mot qualifie un œil ayant un défaut dans sa structure optique, une insuffisance de réfraction ; il s'oppose à *hypermétrope*.

▸ **AMÉTROPIE** n. f. (1865) désigne ce défaut.

AMEUTER → MEUTE

AMI, IE n. est issu (v. 1170), après *amics*, *amicz*, *amic* (980), du latin *amicus*, comme l'italien *amico*, l'espagnol *amigo*. *Amicus*, *amica* en latin «ami» et «amant, maîtresse», vient du verbe *amare* (→ aimer).

♦ En français, le mot s'articule sémantiquement avec *amitié*, et non pas avec *amour*, comme ce pouvait être le cas en latin pour *amicus* par rapport à *amor*, ainsi qu'en ancien français. *Ami* a en effet signifié «amant» (XIe s.) jusqu'au XVIIe s., aussi dans la locution *ami par amour* qui s'est dit de l'amant d'une femme mariée (v. 1430). ***Ami de cœur***, qui signifiait «ami préféré» (1671), a aussi le sens d'«amant» (1762) ; il est resté en usage avec une modification de valeur pour *ami*. ◇ Un autre sens est «parent» (v. 1050), aussi *ami de char* (chair) [XIIIe s.], *ami de ligne* (lignage) [1442], emplois disparus avant l'époque classique. ◇ La valeur ancienne, érotique et amoureuse, reste active en français moderne, surtout au féminin *(son amie)* et dans des syntagmes formés avec des adjectifs : *ami de cœur* (ci-dessus), *bon, bonne, bel, belle, petit, petite*.

Le féminin *amie* a les deux valeurs, amitié (v. 1050) et amour (XIe s.) ; les syntagmes et sens extensifs («maîtresse», «compagne», XVe s.) ont donné à cette acception amoureuse plus d'importance et de durée. ***Belle amie*** (v. 1130), d'abord appellatif d'affection, puis au sens de «maîtresse» (XVe s.), est un des termes importants du vocabulaire courtois, où *avoir belle amie* signifiait «séduire, avoir une maîtresse». Cet emploi est à peu près sorti d'usage après le XVIIIe s., mais reste connu par allusion médiévale. ***Bonne amie*** (XIIe s.) en revanche est resté dans l'usage, après une éclipse : usuel en ancien et moyen français, il devient archaïque et provincial à partir du XVIIe s., puis est repris dans l'usage familier, souvent ironique ; comme ***bon ami*** «amant» qui paraît plus récent (1766, Rousseau ; l'expression est attestée en ancien français [XIIe s.], mais comme appellatif pour un inférieur ; cf. *bon, brave homme*). Dans le même registre, le XIXe s. emploie *bel ami* (cf. le roman de Maupassant), résurrection de l'expression ***beau doux ami***, évocation pittoresque d'un moyen âge courtois. ◇ *Ami*, avec un possessif ou un complément en *de*, s'emploie au XXe s. par euphémisme pour *amant* ou *bon ami (c'est son ami)*.

Le français classique et moderne a développé des valeurs affaiblies, où ni l'amour ni un vrai sentiment d'amitié ne sont en cause. Le mot s'emploie, d'ailleurs depuis les XIIIe-XIVe s. pour désigner des personnes liées par l'intérêt ou qui s'aident. De là des expressions commerciales, comme ***pour compte d'ami*** (1723). ◇ *Ami* est employé dès l'ancien français dans ce genre de valeur faible, comme terme d'adresse à un inférieur : *l'ami, mon ami* (XIIe s.), *bon ami* (ci-dessus), plus tard *mon petit ami* (XVIIe s., Molière) devenu condescendant et méprisant. ◇ Les expressions *ami d'enfance, de collège* (1690, Furetière) équivalent à peu près à *camarade*, comme *ami de table, de débauche* (XVIe s.), qui ont vieilli. ◇ Dans *chambre d'ami* il ne signifie plus que «hôte». Cette valeur atténuée ou ironique se retrouve dans la phraséologie : *amis de bourse* (XVIe s.) s'opposait à *amis jusqu'à la bourse* (1694) ; *ami de cour* (1666) était franchement péjoratif. De même dans les proverbes, comme *au besoin voit-on (connaît-on) l'ami* (XIIe-XVIIIe s.), où le mot a une valeur positive, ou *ami au prêter, ennemi au rendre* (1690), archaïque, ***les bons comptes font les bons amis*** (1640), encore très vivant, comme ***les amis de nos amis sont nos amis*** (1866). ◆ Au figuré, *ami de* correspond à «qui aime (qqch.)», dans *ami de la bouteille* (1835), etc. *Les amis de l'homme* (1690) désigne les animaux familiers.

L'AMÉRICAIN (L'ANGLAIS DES ÉTATS-UNIS)

Constitution et situation de l'anglais aux États-Unis.

L'anglais d'Amérique, apparu au XVIIe s. en Nouvelle-Angleterre, représente à l'origine une variante de la langue cultivée de Londres et du sud-est de l'Angleterre, celle des «pères pèlerins» *(pilgrim fathers)*. De nombreuses variantes dialectales s'y ajoutent, unifiées par l'organisation coloniale britannique : armée, marine, administration. Dès l'époque de l'Indépendance, les spécialistes distinguent six aires dialectales : Nouvelle-Angleterre ; ville de New York, déjà soumise à des contacts de langue ; Sud de l'intérieur montagneux (Appalaches) ; Sud côtier jusqu'à la Louisiane, avec une influence française, puis espagnole ; enfin Nord-Est (région des Grands Lacs) et régions situées autour de la Pennsylvanie. Ces deux dernières zones, avec des apports humains d'Allemagne, d'Europe du Nord, d'Irlande, ont fourni une bonne part de la migration vers l'Ouest, imposant à de très vastes territoires un parler assez homogène, malgré les originalités phonétiques et lexicales du Centre et de l'Ouest. C'est ce parler qui, jusqu'au Pacifique, fournit aujourd'hui la forme la plus pratiquée de l'américain. Par rapport à cet usage, les variantes de l'Est et du Sud, avec des prestiges différents, sont plus marquées, surtout dans les zones rurales.

Se différenciant de l'anglais britannique, l'anglais d'Amérique prend conscience de sa spécificité avec Washington et l'Indépendance, alors même que les nouveaux Américains (fin XVIIIe et XIXe s.), originaires du nord et de l'ouest de l'Angleterre, puis d'Écosse et d'Irlande, modifient la source européenne primitive qui était le *King's English*.

Au XIXe s. et au début du XXe s., les flux d'immigrants non anglophones, Italiens du Sud, originaires d'Europe du Nord et d'Europe centrale, membres des communautés juives, nombre d'entre eux parlant yiddish, tous rapidement anglicisés, ont apporté des influences phonétiques et lexicales nouvelles. Un apport tout différent est celui des Noirs, dont l'influence est insignifiante avant l'abolition de l'esclavage — sauf sur le plan du pittoresque — mais qui, ayant ensuite émigré dans les grandes villes du Nord, y pratiquent une variété d'anglais originale et relativement homogène, le *Black English*.

Les sociolinguistes, d'après la situation dans la première moitié du XXe s., ont étudié l'assimilation linguistique des flux d'immigrés : une première génération, de statut social très infériorisé, manifeste à la fois un attachement pour sa langue et sa culture d'origine et un désir de s'assimiler en anglo-américain ; les hommes, soumis à la contrainte du travail, devenant plus vite bilingues. La deuxième génération rejette le plus souvent la langue maternelle, devenue le symbole du frein à l'assimilation, surtout si la culture (sicilienne, juive d'Europe centrale, hispano-américaine, etc.) a suscité des images négatives dans le système dominant. Mais ce système, sauf exceptions xénophobes surtout actives au XIXe s., était et demeure en général tolérant, face à l'attitude de bonne volonté vis-à-vis de l'américanisation que manifeste l'immense majorité des immigrés : aucun combat pour une identité culturelle et linguistique minoritaire n'est à noter avant l'époque contemporaine. L'attachement aux langues originelles, demeuré instinctif, s'efface donc assez rapidement, à l'exception de traces, vocabulaire affectif et injurieux, emprunts culturels, formes altérées de l'anglo-américain à fonction ludique (plaisanteries, chansons, etc.). Cependant, dès la troisième génération, l'assimilation étant obtenue, la langue et la culture des grands-parents immigrés «paraît plutôt pittoresque et pleine d'attraits, la plupart du temps, que barbare et embarrassante»

Ami s'emploie aussi comme adjectif (1080), au propre et au figuré (XIIe s.), dans *un destin ami* «propice», etc. Il signifie «allié» (1647, Corneille) en parlant de pays et, à propos de choses, «qui a de l'affinité» (1636).

Avec le possessif *mon* élidé, *ami, amie* a fourni **MAMIE** (v. 1260), **M'AMIE, MA MIE** terme appellatif de tendresse, puis d'affection, sorti d'usage mais encore connu, alors que le masculin *m'ami* est demeuré régional. ◇ L'emploi récent de *mamie* pour «grand-mère» est un anglicisme (anglo-américain *mammy*) qui tend à remplacer *bonne maman, grand-maman,* etc. et qui n'a pas de rapport avec *amie.* ◇ De *m'amie,* interprété en *ma mie,* est issu **MIE** n. f. (v. 1200) «femme aimée», en général employé avec le possessif *ma* et devenu littéraire (allusion au passé). Il a pour dérivé plaisant *miette* (1859 ; une fois *myette,* au XVIe s.).

▶ *Ami* a eu des dérivés, aujourd'hui disparus, comme *amiet* n. m. «petit ami, amant» (XIIIe s.) ou *amiot* (XVIe s.), *amiette* n. f. (XIIIe-XVIIe s.), *amiier* v. «témoigner de l'amitié» (v. 1270), ou encore *desami* n. m. «ennemi» (1484). ◆ Seul, l'argotique **AMINCHE** n. m. (1898) «ami, camarade, complice», aussi *amunche* (1850) et *aminge* (1844), a survécu. Le point de départ en est une forme dialectale nasalisée *(amin)* et des finales argotiques, analogue (pour *aminche*) à celle de *grinche* «voleur».

AMIABLE adj. est issu (1040, Alexis) du bas latin *amicabilis,* dérivé de *amicus* ou de *amicare,* et correspond à l'ancien provençal *amicable,* à l'ancien italien ou catalan *amigable.* En relation avec *ami,* il

(J. A. Fishman, *op. cit.*). Il en résulte une situation de relatif équilibre, où l'anglais l'emporte partout, mais où les références linguistiques originelles sont souvent présentes et parfois appréciées.

Histoire et nature de l'anglo-américain.

Aux États-Unis, depuis l'Indépendance, la revendication d'une culture autonome est fondée sur diverses influences britanniques, essentiellement puritaines et démocratiques ; elle s'est opérée aussi sur le plan de la langue, à partir de la fin du XVIIIe siècle. «La tradition orale ayant peu de poids, la nouvelle nation tendait à s'appuyer sur l'autorité de l'écrit» (G. J. Forgue). Noah Webster, linguiste et lexicographe nationaliste et démocrate, a fixé, notamment par son abécédaire et ses dictionnaires (1806, 1828, 1841), un usage standard, transmis et affermi par l'enseignement des masses.

Le vocabulaire américain représente, par de nombreux emprunts et effets de contact, la variété de la démographie des États-Unis : «un américanisme sur six (...) est un mot étranger ou son adaptation» (Forgue). Cependant, la première source d'emprunts demeure, comme en anglais britannique, le grec et le latin. D'autres sources sont plus représentatives du *melting pot* nord-américain (voir ci-dessous) ; outre le français, ce sont l'espagnol, l'allemand, le yiddish, l'italien, le chinois et le japonais (surtout sur la côte Ouest). Si l'on définit les américanismes comme des mots anglais apparus en Amérique du Nord ou qui y sont plus usuels que dans les îles Britanniques, trois sur quatre viennent du fonds anglais, mais se distinguent souvent formellement : ce sont des abréviations, des métaphores, des effets expressifs. Par ailleurs, pour des mots communs, l'orthographe (*tire, center* et non *tyre, centre,* britanniques) et plus souvent encore la prononciation les américanisent.

D'une manière générale, l'anglais des États-Unis s'est différencié fortement de l'anglais britannique, notamment dans la seconde moitié du XIXe siècle. Mais après 1920, un rapprochement s'est esquissé par intensification des relations et américanisation de l'anglais d'Angleterre ; les deux communautés sont bien «séparées par une même langue» (Churchill).

La spécificité de l'américain est pourtant très nette en phonétique, dans le lexique, dans certains aspects de la syntaxe et surtout dans les stratégies de la parole (il en va de même pour le québécois par rapport au français d'Europe). De par une norme linguistique plus souple, la créativité est plus intense et l'accueil aux emprunts étrangers plus ouvert qu'en anglais européen. Enfin, dans le monde, l'influence de l'anglais américain l'emporte de loin sur celle de l'anglais britannique.

La situation linguistique des États-Unis.

Le lexique de l'anglo-américain reflète de manière très indirecte la complexité de la situation linguistique des États-Unis. On a évoqué plus haut les processus d'assimilation culturelle et langagière d'une des populations nationales les plus hétérogènes du monde contemporain.

À côté de l'anglo-américain triomphant, une multitude de langues ont été éliminées ou circonscrites, avec une contre-offensive récente qui correspond à l'expression de minorités.

La pratique des langues autres que l'anglais est évidemment très variable et très évolutive. Il faut distinguer les langues autochtones, indiennes, les langues apportées par les colons aux XVIe et XVIIe s. (outre l'anglais, l'espagnol, le français, l'«allemand de Pennsylvanie») et enfin les langues de l'immigration, qui ont alimenté le *melting pot.* Les Indiens d'Amérique, encore nombreux dans le Sud-Ouest (Arizona, Nouveau-Mexique), sont pour la plupart devenus bilingues ; plusieurs langues, notamment le navajo, sont largement diffusées. Parmi les langues «coloniales» autres que l'anglais, l'espagnol est le plus vivant, mais surtout aujourd'hui

redouble le dérivé de *aimer, aimable.* ➜ L'adjectif a signifié «agréable, plaisant», surtout (XIIe s.) «amical, bienveillant» et «doux», à propos des personnes et des choses, puis (XVIe s.) «aimable». Il sort d'usage au XVIIe s., sauf en médecine, où il se dit pour «salutaire à l'organisme, digeste», emploi propre aux XVIe et XVIIe s., et en droit, notamment dans *amiable composition* (1273, à Namur), *amiable compositeur* (av. 1400 ; antérieur dans les dialectes) et *journée amiable* (1389) qui ont trait à des accords et négociations non contentieuses, «amicales». ◇ L'expression ***à l'amiable,*** qui vient de ce contexte juridique (1636 ; *par l'amiable,* v. 1590), est entrée dans l'usage courant au début du XIXe s. (1833, Balzac in *T. L. F.*). ➜ Le dérivé AMIABLEMENT adv., d'abord «affectueusement» (XIIe, jusqu'au XVIIe s.), équivaut à *à l'amiable* (1346). ➜ *Amiableté* n. f. (XIIIe s.) a disparu, comme le verbe *amiabler* (1240). ➜ Des composés régionaux sont bien attestés, comme en Belgique AMIDOULER v. tr. «cajoler», de *ami* et *doux (ami doux)* ou de *amadouer.*

À la différence de *amiable,* AMICAL, ALE adj. est au contraire resté dans le registre de *ami.* Le mot est un emprunt au latin tardif *amicalis* (XIIe s.) et n'apparaît qu'au XVIIIe s. en français (1735, Marivaux) pour servir d'adjectif à *ami,* la forme ancienne *amial* (XIIe s.) ayant disparu et les adjectifs *aimable* (→ aimer) et *amiable** ayant évolué sémantiquement. ◇ L'adverbe dérivé AMICALEMENT apparaît aussitôt (1735, Marivaux). ◇ Une AMICALE n. f. (fin XIXe s.) désigne (par une métonymie qui a joué pour le mot *amitié,* ci-dessous) une asso-

par immigration (Porto-Rico, Mexique, puis Cuba). Il demeure des unilingues espagnols dans le Sud-Ouest, où le Nouveau-Mexique est un État largement bilingue. Faute d'immigration forte, les traces du français ne subsistent dans le Nord que grâce à la présence francophone canadienne ; mais là comme en Louisiane cajun, les unilingues francophones tendent à disparaître. L'allemand dialectal de Pennsylvanie, originaire de basse-Allemagne, est resté parlé jusqu'à nos jours, mais ses locuteurs ne forment qu'une petite minorité parmi ceux de l'allemand, qui étaient près de 5 millions en 1940. À la même époque, les langues d'immigrants encore pratiquées étaient surtout l'italien (3,7 M), le polonais (2,4 M), le yiddish (1,7 M), puis les langues scandinaves (suédois et norvégien : 1,5 M) et slaves : russe et tchèque (un demi-million chacun). À la même époque il y avait 1 800 000 hispanophones — ce chiffre ayant considérablement augmenté — et 1 400 000 francophones (pour la plupart originaires du Canada), aujourd'hui beaucoup moins.

La situation sociolinguistique des États-Unis est devenue aujourd'hui moins complexe qu'au milieu du XXe siècle. Seule la langue espagnole dans ses variantes d'Amérique centrale produit en plusieurs lieux un véritable bilinguisme, New York, Chicago, la Floride s'étant ajoutés aux territoires traditionnels : Nouveau-Mexique, Texas, Arizona, Californie. Les autres langues, dont on peut mesurer la présence par la presse, la radio et la télévision, sont vers 1960-1970, outre les idiomes déjà cités, le grec, le portugais, le hongrois et le finnois, le créole haïtien (à New York) et quelques autres. Ces idiomes ne figurent que comme langues de «première génération» prises dans une situation de «diglossie» (bilinguisme hiérarchique) où l'américain est fortement dominant. Leur influence sur cette langue dominante semble très faible, l'américain s'imposant aussi comme moyen de communication dans de nombreux pays non anglophones.
En effet, l'américain est très actif hors des États-Unis, alors même que d'autres formes d'anglais peuvent s'imposer, notamment en Afrique, en Asie et en Australie. Comme langue des affaires, des techniques et de la science, c'est bien plutôt l'américain qu'un «anglais» de coloration britannique ou même australienne qui sert de référence véhiculaire, que ce soit au Brésil ou au Japon. Cependant, en Europe, on apprend encore plutôt l'anglais britannique, au moins dans l'enseignement institutionnel.
Un autre exemple frappant de l'influence du parler anglo-américain des États-Unis concerne l'anglais lui-même. Ainsi, au Canada, où après les Américains anti-révolutionnaires, fidèles à la Couronne, ce sont des colons britanniques qui ont façonné la langue au XIXe s., l'influence de la langue des États-Unis est évidente au XXe siècle. Seules des enclaves «archaïsantes» (Forgue), dans les Provinces maritimes, Terre-Neuve, surtout la Colombie-Britannique, se détachent de cet ensemble. Mais, si le bilinguisme officiel avec le français affecte peu les zones anglophones — à l'exception d'Ottawa — la présence linguistique forte du français québécois confère au Canada une personnalité très spécifique (voir Québec).

A. Rey

BIBLIOGRAPHIE

C. A. FERGUSON, *Language in the U. S. A.*, Cambridge Univ. Press, 1981.
J. A. FISHMAN, *La Situation aux U. S. A.*, in *Le Langage*, A. Martinet, Paris, Gallimard, 1968 (Encyclopédie de la Pléiade).
G. J. FORGUE, R. McDAVID, *La Langue des Américains*, Paris, Aubier-Montaigne, 1974.
G. J. FORGUE, *Les Mots américains*, Paris, Que sais-je ?, n° 1660, 1976. — *La Langue anglaise*, in *Encyclopaedia Universalis*.
H. L. MENCKEN, *The American Language* (1re éd., A. A. Knopf, 1919).

ciation non lucrative de personnes exerçant la même activité, d'où **AMICALISTE** adj. et n. (1922). ➜ **AMICALITÉ** n. f. (1871) n'a pas vécu. ➜ Par préfixation a été formé **INAMICAL, ALE, AUX** adj. (1794, Pougens) «qui n'est pas amical, qui marque de l'indifférence ou de l'hostilité», d'où **INAMICALEMENT** adv. (1838-1842).

AMITIÉ n. f. est issu d'un dérivé tardif non attesté de *amicus*, dont l'existence est assurée par une série de mots romans : ancien français *amistet*, catalan, espagnol *(amistad)*, portugais, occitan (d'où l'italien *amistá*). La forme moderne (v. 1330), d'abord *amistié* (v. 1170), est la réfection de *amistet* (mil. XIe s.), du latin populaire °*amicitas*, *-atis* (à l'accusatif), altération de *amicitia*, «amitié», mot séparé de la notion de *amor* et dérivé de *amicus*. Comme *ami*, *amitié* n'a évolué que par élimination relative des valeurs érotiques et sentimentales fortes et évolution des relations sociales affectives (une étape importante étant marquée par l'apparition de l'adjectif *amical* au XVIIIe s., ci-dessus). ➜ Parmi les nombreuses formes dialectales et les pseudo-dérivés sur la fausse coupe *amit-* (*amitable*, XIIIe-XVe s. ; le verbe *s'amiter*, *amitage*, *amitance*, XIIIe-XVe s.), on retiendra l'adjectif **AMITEUX, EUSE** ou **AMITIEUX, IEUSE** qui continue l'ancien provençal *amistos* (XVe s., en Dauphiné) et est attesté par écrit au milieu du XIXe siècle. Ce mot, employé par G. Sand (Berry) et en français central par les Goncourt, est resté vivant en picard et en wallon *(amitieux)*. ➜ En ancien français, *amitié*, qui correspond à *ami*, désigne à la fois le sentiment de bienveillance (v. 1050), l'affection filiale, conjugale, charitable ou religieuse, appelée *amour* en français mo-

derne (v. 1220), et la relation érotique et amoureuse (1170), ceci jusqu'au XVIIIe siècle. De là, encore au XVIIe s., les formules *faire une amitié* «avoir une liaison» (1690) et *boire aux amitiés de qqn* (aux amours) [1694]. La locution *charnel amisté* (v. 1230) montre qu'une certaine ambiguïté se manifestait entre les emplois du mot; alors qu'aujourd'hui *amitié amoureuse* (1909) manifeste la disparition du sens érotique. ***Amitiés particulières*** (1928), expression répandue par R. Peyrefitte (1944), concerne des relations affectives homosexuelles (d'abord masculines). ◇ C'est le sens dominant, non érotique et affaibli, moins toutefois que celui de *ami*, qui domine dans les extensions pour «bonnes relations entre souverains ou États» (XVIIe s., Racine), «inclination pour qqch.» (1660), emploi aujourd'hui littéraire, «affinités entre des choses» (1585), réalisé dans des locutions populaires comme ***avoir, n'avoir (point) d'amitié***, employé à propos de la viande (bonne ou mauvaise) [1690], d'une chose tendre, souple ou au contraire dure (aussi *terre en amitié*, 1805), qui s'oppose par le sens à ② *amour*. ◇ *Une, des amitiés* se dit de paroles ou de gestes amicaux (1080); *faire à qqn l'amitié de* (1690) signifie «rendre le service amical de». ***Par amitié*** (1080) est resté usuel. ◇ Plusieurs valeurs métonymiques, en revanche, ont disparu, *une amitié* ayant signifié en moyen français «compagnie de soldats», «parti politique» et aussi «ami, personne aimée» (XVIIe s.). La première de ces métonymies se retrouve avec *amicale* (ci-dessus).
En Belgique, on emploie **AMIGO** n. m. pour «poste de police», comme *violon* en France. Le mot est un emprunt à l'espagnol, que l'on rapporte sans document à l'époque de l'occupation des Flandres par l'Espagne et qui joue sur la paronymie entre le brabançon *vruente* «prison» et le bruxellois *vrunt* (néerlandais *vriend*, de la même famille que l'anglais *friend*) «ami».

AMIANTE n. f. est emprunté (1555) au latin savant *amiantus*, pris au grec *amiantos*, proprement «incorruptible», formé de *a-* privatif (→ ② a-) et de l'adjectif verbal de *miainein* «souiller», dont un dérivé a donné *miasme**, mot sans doute indoeuropéen, mais sans étymologie connue.

♦ Le mot, aussi *pierre amiante* au XVIe s. (1567), désigne une substance minérale fibreuse, qui résiste à l'action du feu, et sa préparation en plaques ou en tissus incombustibles.

▸ Parmi les dérivés et composés, **AMIANTACÉ, ÉE** adj. qualifiait un minerai qui contient de l'amiante (1810); **AMIANTÉ, ÉE** adj. (1925) «composé en partie d'amiante»; **AMIANTOÏDE** adj. (1838-1842) et **AMIANTIFÈRE** adj. (1948, dans les dictionnaires généraux).

AMIBE n. f. est un emprunt (1822), aussi sous les formes latines *amiba* (1824) et *amoeba* (1830), au grec *amoibê* «changement», à cause de la plasticité de cet organisme. *Amoibê* est le nom d'action correspondant à *ameibein* «changer, échanger», d'une racine indoeuropéenne °*mei* que l'on retrouve dans le latin *migrare* (→ migration).

♦ Le mot désigne un infusoire unicellulaire (protozoaire).

▸ Il a plusieurs dérivés. ◆ **AMIBIEN, IENNE** adj. (1838, *Complément de l'Académie*), surtout courant dans *dysenterie amibienne*, d'où *les amibiens* n. m. pl. (1853; les *amébiens*, 1838) désignant la famille d'infusoires de l'amibe. ◆ **AMIBOÏDE** adj. (1865) s'emploie surtout dans *mouvement amiboïde*. ◆ **AMIBIASE** n. f. (1909) désigne une maladie causée par les amibes. ◇ Il a pour dérivé **AMIBIASIQUE** adj. et n. (1920). ◆ Un élément **AMIBI-** ou **AMIBO-** est peu productif (*amibiforme*, 1873; *amibocyte*, 1907, etc. sont peu usités).

AMIDE → AMMONIAC

AMIDON n. m. est un emprunt (1302; d'abord *amidum, amidom*, XIIIe s. [Arveiller]), à prononciation francisée, normale en ancien français, au latin médiéval *amidum*, altération de *amilum* puis *amylum*, du grec *amulon* «ce qui n'est pas moulu», de *a-* (privatif) [→ ② a-] et de *-mulon*, de *mulê* «meule». *Mulê* se rattache, avec un vocalisme en *u* non expliqué, à une racine indoeuropéenne °*mel-*, °*mol-*, que l'on retrouve entre autres dans le latin *molere* (→ moudre), *mola* «meule» (→ meule), *molaris* (→ molaire).

♦ Le mot, avec diverses variantes anciennes, désigne la fécule tirée des céréales, orge et blé, utilisée pour empeser le linge et pour faire la poudre ornant la peau, si importante socialement aux XVIIe-XVIIIe siècles. L'amidon est étudié par la chimie à partir du XVIIIe siècle : on sait aujourd'hui que c'est un glucide. ◇ Le mot a signifié au figuré «louange trompeuse» (1723), sens sorti d'usage et qui évoquait le fait d'apprêter de manière artificielle.

▸ Les emplois de l'amidon ont suscité plusieurs dérivés. ◆ **AMIDONNER** v. tr. (1581) signifie «empeser en imprégnant d'amidon» et aussi (1753) «poudrer (le visage)», d'où *s'amidonner*, sens disparu au XIXe siècle. ◇ **AMIDONNÉ, ÉE** est adjectivé au sens concret pour «empesé à l'amidon» (1845) et au figuré pour «empesé, raide». ◆ Le verbe a pour dérivés **AMIDONNEUR, EUSE** n. (1723) et **AMIDONNAGE** n. m. (v. 1861), et pour préfixé **DÉSAMIDONNER** v. tr. (1929), d'où **DÉSAMIDONNAGE** n. m. *(id.)*.
De *amidon* viennent aussi **AMIDONNIER** n. m. (1680) «fabricant, vendeur d'amidon», réformé pour désigner une toile à tamis utilisée par les amidonniers (1723), et **AMIDONNERIE** n. f. (1788) «fabrique d'amidon».
Le radical *amid-* de *amidon* a servi au XIXe s. à former des dérivés comme *amidine* n. f. (1829), *amidique* adj. (1829), *amidolique* adj. (1844), *amidé, ée* adj. (1866), etc. ◆ La base des dérivés chimiques est plus souvent *amylum*. Cette base est présente dans **AMYLACÉ, ÉE** adj. (1773) «de la nature de l'amidon», **AMYLE** n. m. (1844), désignant le radical chimique des composés dits **AMYLIQUES** (1855); **AMYLÈNE** n. f. (1844, Balard; *amilène*, 1839, Cahours) «carbure éthylénique obtenu à partir de l'alcool amylique», d'où **AMYLÉNIQUE** adj. (1855), **AMYLOÏDE** n. f. et adj. (1855), **AMYLASE** n. f. (1875), enzyme découverte en 1833 par Payen. ◆ Les composés **AMYLOBACTER** n. m. (en latin moderne, 1885) «bactérie de la fermentation buty-

rique», et **AMYLOPECTINE** n. f. (1928) sont très didactiques. ◆ Enfin, le radical *amid-*, modifié d'après *amylum*, a fourni **AMIDOLIQUE** n. (1844) et adj. (1855), dit de médicaments contenant des matières amylacées.

AMINE, AMINÉ → AMMONIAC

AMIRAL n. m. apparaît sous plusieurs formes : *amiralt* (dans *La Chanson de Roland*, 1080), *amirant* (cf. espagnol *almirante*), *amirail* (cf. italien *amiraglio*), enfin *amiral* (XIIIe s.), toutes empruntées à l'arabe *'amīr* «chef» (→ émir), avec une finale qui correspond peut-être à *al 'alī* «très grand» (donc «chef suprême»).

♦ *Amiral* désignait le général en chef des Sarrasins ; à la cour des Normands de Sicile, le mot a pris le sens de «chef de la flotte» (attesté déb. XIIIe s.), qu'il conservera dans plusieurs langues, la variante franco-normande *admiral* (1305 en Angleterre) se retrouvant en anglais. Aussi, l'amiral est d'abord un chef suprême (équivalant à *maréchal*), puis un officier général de la marine, d'où l'expression *amirail de la mer* (1345), qui n'est pas un pléonasme. Au XVIIIe s., le mot désigne une fonction (1718) puis (déb. XIXe s.) une dignité. ◇ Par métonymie, il se dit du navire où se trouve l'amiral (déb. XVIIe s., d'Aubigné), surtout en apposition dans *vaisseau* (1680), *navire amiral* et dans *l'amirale* n. f. (d'Aubigné), désignant la galère où se trouve l'amiral des galères.

► Les dérivés **AMIRALAT** n. m. (1845) et **AMIRALISSIME** n. m. (1922), d'après *généralissime*, sont rares.

AMIRAUTÉ n. f. (1605), réfection de *ameirauté* (XIIIe-XIVe s.) signifie «dignité d'amiral», puis (1624) «haut commandement naval» et (XXe s.) «corps des amiraux». Les composés **VICE-AMIRAL** n. m. (1346), d'où **VICE-AMIRAUTÉ** n. f. (1718), et **CONTRE-AMIRAL** n. m. (1648) désignent des fonctions puis (1835 pour *contre-amiral*) des grades.

✻ **AMMONIAC** n. m. est d'abord adjectif, sous la forme *armoniac* (XIIIe s., *sal* (sel) *armoniac*), puis *armonial* (1359) ; la forme moderne (1575) restitue le latin *ammoniacum* (Pline), emprunté au grec *ammôniakos*. Ce dernier vient du nom de *Ammon*, désignation orientale de Zeus (Jupiter) empruntée au nom du dieu égyptien solaire, «roi des dieux» (à l'origine, dieu de l'air, du vent). Le grec *ammôniakos* (d'où le latin *ammoniacus*) signifie «libyen», la Libye étant célèbre pour son temple de Zeus Ammon, et s'appliquait au chlorure d'ammonium naturel (*halas ammôniakon*, d'où en latin *sal ammoniacum*), *gutta* (gomme) *ammoniaca* et *lacrima* (larmes) *ammoniaci*, désignant par ailleurs la résine d'une plante orientale, la dorème. Pline faisait venir le mot du grec *ammos* «sable», mais cette origine est fictive.

♦ Le mot est passé en français et en ancien provençal sous la forme *armoniac*, sous l'influence de *armeniacus* «arménien», l'Arménie étant un fournisseur de «sel ammoniac». *Sel armoniac* ou *ermoniac* (XIIIe s.) s'est continué par *armoniac* n. m. (Furetière). Par ailleurs, *armoniac* désigne aussi (v. 1300) la résine dite aussi *gomme armoniaque* (1660). ◇ Ces formes sont éliminées par *ammoniac* au XVIIIe s., après restauration au XVIe s. de la forme grecque et latine, faussement motivée par le grec *ammos* «sable». D'où *sel ammoniaque* (1575), *sel ammoniac* (1570), substantivé au XVIIe s. en *ammoniac* n. m. (Furetière) pour désigner le chlorhydrate d'ammonium, et *gomme ammoniac* (1538) et *ammoniac* n. m. (Paré) pour la résine, emploi sorti d'usage au XVIIIe s., surtout lorsque l'autre emploi se développe en chimie.

En 1782, Guyton de Morveau fait de *ammoniac* n. m., d'après le premier sens évoqué ici, le nom d'un gaz formé d'azote ou d'hydrogène et qui venait d'être isolé par Priestley en 1774, à partir de sa solution dans l'eau. Celle-ci était appelée *alcali** et son nom courant restera au XIXe s. sous la forme *alcali volatil*. Ce gaz contient le radical chimique dont un sel, un chlorure, était appelé *sel ammoniac* ; dans cet emploi, la graphie **AMMONIAQUE** n. f. (1787) est devenue usuelle. On parle aussi (1811) de *gaz ammoniac*.

► Le radical chimique, commun au gaz et au sel, fut nommé en 1808 par le chimiste anglais H. Davy **AMMONIUM** n. m., mot qui passe immédiatement en plusieurs langues, dont le français (1809). ◆ L'adjectif dérivé **AMMONIACAL, AUX** était déjà formé en français (1748) pour qualifier le sel «ammoniac», puis la solution (d'où les *ammoniacaux*, médicaments excitants, 1863), avant de suivre le sens chimique. ◆ La forme *ammoniaque*, adoptée par Morveau (1786), a donné **AMMONIAQUÉ, ÉE** adj. (1838), qui remplace *ammoniacé, ée* (1814), et signifie «qui contient de l'ammoniaque», puis (1933) «qui a l'odeur de l'ammoniaque».

Parmi les dérivés et composés de *ammoniaque* et *ammonium*, les plus importants sont **AMMONIATE** n. m. (1836), **AMMONISATION** n. f. «transformation en composé ammoniacal» (1928), et les composés médicaux **AMMONIURIE** n. f. (1890), **AMMONIÉMIE** n. f. (1855), sur *-iurie* et *-émie*. ◆ Le syntagme *nitrate d'ammonium*, notamment quand il désigne un engrais, a donné naissance au composé **AMMONITRE** n. m. (mil. XXe s.).

Par ailleurs, le composé *oxamide* (ou *oxalammide*), formé par Dumas en 1830 à partir de acide *oxalique* et de *ammoniaque*, fut suivi par *benzamide*, formé en allemand (1832) par Wöhler et Liebig à partir de *benzène*. Ces formations aboutissent chez Berzélius (1832), puis Dumas et Pelouze (1833) au mot **AMIDE** n. m. ◇ De manière analogue, les composés *méthylamine* et *éthylamine* (1849, Wurtz) formés sur *méthyl-*, *éthyl-*, le radical de *ammoniaque* (on les appelait *ammoniaques composés*) et *-ine*, sont suivis par d'autres composés analogues et aboutissent à **AMINE** n. m. (1851 en allemand). ◇ *Amine* et *amide* désignent les composés organiques obtenus par substitution à l'hydrogène de l'ammoniac de radicaux acides (*-ide*) et hydrocarbonés (*-ine*) ; on parle en chimie de *fonction amide* et *fonction amine*. ◆ Ces deux termes ont de nombreux dérivés et composés. De *amide* dérivent **AMIDASE** n. f. (1865), **AMIDÉ, ÉE** adj. (1931) «qui possède la fonction amide», ainsi que **AMIDOPYRINE** n. f. (1960), nom d'un analgésique.

◇De *amine*, **AMINÉ, ÉE** adj. (1908) s'applique à des acides transformés en amines. De là vient **AMINATION** n. f. (1947). ◇**AMPHÉTAMINE** n. f. (1947, par le dérivé ci-dessous), emprunté probablement à l'anglais *amphetamine* (1938), tiré de «*alpha**me**thyl**phe**ne**t**hyl**amine***» (et non pas du grec *amphô* «les deux»), désigne un médicament excitant du système nerveux central. On parle aussi d'*amines de réveil* (1960, Larousse) et aussi de *psychamines* (1951). ◇Le mot a pour dérivé **AMPHÉTAMINIQUE** adj. (1947, chez J. Delay), notamment dans *choc amphétaminique*. ◆Du radical de *amine*, par préfixation, sont formés **DÉSAMINATION** n. f. (1929), **TRANSAMINATION** n. f. (1964, Larousse) «transport du groupement aminé NH_2» et **TRANSAMINASE** n. f. (1959) «enzyme effectuant la transamination», important cqmme symptôme de dysfonctionnement hépatique.
Oublié et caché dans ces mots de chimie et de pharmacologie, le nom du dieu *Ammon* se retrouve dans quelques termes didactiques : la ***corne d'Ammon*** (le dieu égyptien, assimilé à Zeus-Jupiter en Libye, étant symbolisé par un bélier; *corne de Hammon*, 1562, du latin *Ammonis cornu*) fournit **AMMONITE** n. f. (1752) par le latin zoologique *ammonites* (Breyn, 1732). Le mot désigne un céphalopode fossile et d'abord sa trace dans la roche. ◇De là **AMMONITIDÉES** n. f. pl. (1872) et **AMMONITIDÉS** n. m. pl. (1883, Lapparent), noms de famille, après **AMMONÉS** n. m. pl. (1838), sorti d'usage. ◆**AMMONIE** n. f. a désigné (1797) le nautile, d'après le latin scientifique *ammonia* (1732, Breyn).

AMMO-, premier élément de mots scientifiques, est emprunté au grec *ammos* «sable», créé à partir de *amathos* de même sens. Ce dernier est rapproché d'un mot germanique qui a donné l'anglais *sand* et l'allemand *Sand* «sable», mais cette parenté ne permet pas de poser une racine indoeuropéenne.

▸ **AMMOBATE** n. m., de *bate*, grec *-batos*, de *bainein* «marcher», est le nom donné par Latreille (1810) à un genre d'hyménoptères. ◇Un autre genre est nommé **AMMOPHILE** n. m. (1810), aussi nom d'une graminée des bords de mer (1845). ◆**AMMOCŒTE** ou **AMMOCÈTE** n. f., du grec *koitê* «couche», d'où «gîte d'un animal», désigne (1816) la larve de lamproie.

AMNÉSIE n. f. représente (1771) le grec tardif *amnêsia*, de *a-* (privatif) (→ ② a-) et *-mnêsia*, de *mimnêskein* «se souvenir» (→ amnistie).

♦ Le mot, employé en français dans la seconde moitié du XVIIIe s., est passé par le latin médiéval *amnesia*, formé avant 1674, date où il est attesté en anglais. Il désigne un affaiblissement ou une perte anormale de mémoire.

▸ Le dérivé **AMNÉSIQUE**, d'abord adjectif (1843), désigne, aussi comme nom, la personne frappée d'amnésie (1874). D'abord scientifique, il est devenu usuel.
Par substitution de préfixe, ont été formés en médecine **PARAMNÉSIE** n. f., de *para-* (1843, Lordat) «trouble de la mémoire conduisant à des déplacements : faux souvenirs, un mot pour un autre, etc.»; **HYPERMNÉSIE** n. f., de *hyper-* (1881, Ribot) «mémoire pathologiquement aiguë»; **ECMNÉSIE** n. f. (1887), désignation par Pitres de l'«amnésie partielle rétrograde».
ANAMNÈSE n. f. est emprunté (1831), comme *anamnésie* n. f. (1826) vieilli, au latin *anamnesis*, grec *anamnesis*, pour désigner le retour des souvenirs, le fait de se ressouvenir, puis en médecine (1907) la fin d'une amnésie et en psychanalyse le retour d'éléments psychiques refoulés.

AMNIOS n. m. est un emprunt de la Renaissance (1541) au grec *amneios* (Galien), avec prononciation byzantine, dérivés de *amnos* «agneau», d'origine indoeuropéenne, apparenté au latin *agnus* (→ agneau).

♦ Le mot désigne la membrane la plus interne qui enveloppe le fœtus des mammifères, des oiseaux et des reptiles. ◇Il est étendu (1826) au liquide épais qui entoure l'embryon des plantes.

▸ Le dérivé **AMNIOTIQUE** adj. (1799) est assez courant, alors que d'autres mots sont réservés à la biologie : **AMNIOTE** adj. «qui a un amnios» (1886), d'où *les amniotes* n. m. pl. (1893) et **ANAMNIOTES** n. m. pl. (1898; précédé par *anamniens*, 1893 et *anamniés*, 1884). ◆Plusieurs composés en *amnio-* ont été formés, de **AMNIOMANCIE** n. f. (*-mantie*, 1751), mot de divination antique, à **AMNIOGRAPHIE** n. f. (1935), terme de médecine.

AMNISTIE n. f. est un emprunt (1550; *amnestie* 1546) au grec hellénistique et tardif *amnêstia* «pardon», de *amnêstos* «oublié», composé comme *amnêsia* (→ amnésie), de *a-* privatif (→ ② a-) et de formes du verbe *mimnêskein* «se souvenir» et aussi «avoir dans l'esprit», «mentionner» (ici, l'adjectif verbal). *Mimnêskein* se rattache à une importante racine indoeuropéenne °*men-* que l'on retrouve en grec même, dans *mania* (→ manie), le second élément de *automatos* (→ automatique), dans le latin *memini* et *mens* (→ mental) et dans des formes d'un verbe sanskrit signifiant «mentionner». Le *i* vient d'une prononciation du grec tardif, mais la forme plus correcte *amnestie* est attestée jusqu'au XVIIe siècle.

♦ Le mot désigne un acte de pouvoir par lequel sont suspendues des sanctions pénales; il signifie par extension (1553, *amnestie*) «pardon» en général. Le mot a été un moment confondu avec *armistice* (1796, Bonaparte). ◇Le mot français, sous la forme *amnestie*, a été emprunté par l'allemand *Amnestie* et l'anglais *amnesty*, aujourd'hui connu mondialement par l'action d'*Amnesty International* contre les violations des droits de l'homme.

▸ Le dérivé **AMNISTIER** v. tr. apparaît significativement après une époque de condamnations massives (1795), aussi au participe passé adjectivé *amnistié, ée*. ◆De là **AMNISTIABLE** adj. (1845), **AMNISTIANT, ANTE** adj. (1879), par exemple dans *grâce amnistiante*, et **AMNISTIEUR** n. m. (1885), plus rare.

AMOCHER v. tr., comme nombre de mots argotiques, est d'origine incertaine. On le rapporte à *moche* n. m., «écheveau de fils vendus en gros paquets», par une métaphore non attestée «arranger grossièrement», d'où (1867) «défigurer, détériorer». *Moche,* mot technique ancien (1723), viendrait selon Wartburg du francique *mokka* «masse informe» (restitué d'après l'allemand *Mocke*) et aurait pu donner naissance à l'adjectif familier *moche,* «laid», attesté après *amocher,* en 1878.

♦ *Amocher* signifie «abîmer (qqch.)» et «blesser, faire du mal à (qqn)», par exemple dans *se faire (salement) amocher.* L'idée de «défigurer» a dû, dès les premiers emplois, évoquer l'adjectif *moche* «laid».

▸ Le verbe argotique **AMOCHIR** (1921) «rendre plus laid» est un croisement de *amocher* et de *moche* adj. «laid».

◈ voir MOCHE.

AMODIER v. tr. est un emprunt (1283) au latin médiéval *admodiare* (1224), de *ad-* et *modius* «boisseau, muid* (de blé)».

♦ Le verbe signifie «mettre (un domaine) à ferme moyennant une redevance en nature (muids de blé)». Il s'emploie aussi au pronominal (1580).

▸ **AMODIATEUR, TRICE** n., réfection de *admodiator* (1381), est dérivé du verbe et signifie «personne qui prend une terre par amodiation». ➛ **AMODIATAIRE** n. (1513) a le sens d'*amodiateur* et aussi de «propriétaire qui amodie» (1564). ➛ **AMODIATION** n. f. est emprunté (1564) au latin médiéval *admodiatio* (1227), la variante antérieure *amodiacion* étant dérivée (1419) de *amodier.*

AMOINDRIR → MOINDRE

AMOK n. m. est un emprunt (1830, faire *amok*) au malais *amuk,* par les voyageurs, repris en ethnologie.

♦ Le mot désigne une forme de folie homicide d'abord observée chez les Malais, ainsi que l'individu qui en est atteint.

AMOLLIR → MOU

AMOME n. m. est emprunté (1213) au grec *amômon* par le latin *amomum,* mot qui concerne plusieurs plantes différentes; le mot grec est un emprunt à une langue orientale.

♦ *Amome* désigne une plante à tubercules, apparentée au gingembre, à fruits en grappes, utilisée en thérapeutique, ainsi que le parfum qui en est extrait (1530). ◇ Par un autre emprunt (1768), on appelle *amome,* ou pour lever l'ambiguïté *faux amome* (1791), *amome des jardiniers,* la berce, ombellifère, dont les graines ont une odeur comparable.

◈ voir CARDAMOME.

AMONCELER → MONCEAU

AMONT → MONT

✳ **AMORCE** n. f. est le participe passé au féminin (*amorse,* XIIIe s., f. de *amors*) de l'ancien verbe *amordre* (v. 1170, jusqu'au XVe s.), issu du latin populaire °*admordĕre* avec un *e* bref, altération de *admordēre,* de *ad-* (→ à) et *mordēre* (→ mordre). *Amordre* a signifié «mordre» ou «faire mordre», d'où «attirer» et «appâter». Ainsi, l'*amorse,* puis *amorce* (1538), c'est la «chose qui est mordue (par le poisson)», l'appât.

♦ Ce sens spécialisé (*amorse,* XIVe s.) est précédé par le figuré «ce qui attire en flattant» (XIIIe s.; courant au XVIIe s.). D'autres spécialisations ont eu cours, comme «embuscade» (v. 1510). ◇ Plus inattendu, le passage à «ce qui provoque (attire) une explosion» (1549), c'est-à-dire «petite masse détonante». Ce sens s'explique par l'évolution du verbe dérivé *amorcer* (ci-dessous) dont *amorce* devient le déverbal. ◇ D'autres valeurs, «commencement (d'un fonctionnement)», «ébauche (d'un mouvement)», d'où (1866) «élément qui sert de début», «quantité d'eau pour faire partir une pompe», etc., sont dérivées du verbe. ◇ De *amorce,* «matière explosive», on est passé à «lumière d'une arme à feu» (1611) et récemment à «poudre fulminante dans du papier, qui explose au choc», nom d'un jouet d'enfant (1890), employé dans *pistolet, fusil... à amorces.*

▸ Le dérivé **AMORCER** v. tr. (XIIIe s.) est passé de «attirer, flatter, séduire», sens archaïque, d'où *s'amorcer* «se laisser séduire» (v. 1590), à des valeurs concrètes, d'après *amorce* (ci-dessus). *Amorcer* se dit pour «garnir (une arme à feu) du dispositif qui déclenche l'explosion», valeur spéciale à l'origine du sens moderne de *amorce* (ci-dessus) [v. 1510] et pour «garnir (un hameçon) d'une amorce» (1530). Dès le XIVe s., une spécialisation du sens initial, «attirer (des animaux)», est en usage jusqu'à la fin de l'époque classique. ◇ Des emplois techniques correspondent à «commencer (une opération)», d'abord pour le percement d'un trou (1680), d'où *amorçoir* n. m. (1680), pour un soudage (1751), puis pour «mettre (une pompe) en fonctionnement» (1838), sens devenu courant. ◇ De là semble procéder l'acception figurée pour «commencer (une recherche, une affaire, une opération)» (1928 dans les dictionnaires) et plus tard «commencer (une conversation)» (mil. XXe s.). ➛ Le verbe a plusieurs dérivés, dont *amorce* dans ses emplois seconds (voir ci-dessus). **AMORÇURE** n. f. (XIIIe s., *amorsure*) et **AMORCEMENT** n. m. (1611) ont disparu, le second remplacé en emploi concret (1611, aussi) par **AMORÇAGE** n. m. (1838), relativement usuel en plusieurs sens du verbe, notamment dans *l'amorçage d'une pompe.* ➛ **AMORÇOIR** n. m. se dit des armes à feu (1584, *amorsoir,* en artillerie), puis en technique pour «ébauchoir» (1680) et enfin en pêche (1922). ➛ **AMORCEUR, EUSE** adj., «qui attire» (1564), a été repris comme nom pour «séducteur» (1636), sorti d'usage, puis pour «personne qui amorce une ligne de pêche, une arme» (1845).

Le préfixé **DÉSAMORCER** v. tr., attesté au XIVe s. (*desamorser*), a été repris au XIXe s. pour «enlever l'amorce de (une arme)», «arrêter le fonctionnement de (une pompe)» et «enlever l'amorce de (un hameçon)» (1870), d'où au figuré «arrêter (un processus, un fonctionnement)». ◇ De là **DÉSAMORÇAGE** n. m. (1864). ➛ **RÉAMORCER** v. tr. (1932) s'oppose à *désamorcer.*

AMORPHE adj. est un emprunt savant (1784) au grec *amorphos*, de *a-* privatif et *morphos* «forme» (→ morpho-).

♦ C'est d'abord un terme de science, qualifiant un état non cristallin des minéraux. L'emploi de l'adjectif s'est étendu à tout objet matériel sans structure ou organisation régulière décelable. ◇ Il est passé dans l'usage général à propos de ce qui est ou semble informe, puis d'un être humain sans personnalité construite (1896), et par extension, sans énergie, incapable d'agir. Le mot est ainsi passé de l'idée d'origine à celle d'absence de force, de dynamisme.

AMORTIR v. tr. est issu (v. 1190) d'un latin populaire °*admortire* ou °*ammortire* «tuer» et «mourir», composé de *ad-* (→ à) et de *mors, mortis* (→ mort) qui a produit des correspondants romans et a fourni au XIIIe s. une spécialisation juridique *admortire,* reprise en français (ci-dessous).

♦ Le verbe apparaît (v. 1190) au sens étymologique de «rendre comme mort», d'où (XVIe s.) «figer, paralyser». Ce sont les valeurs figurées, abstraite et psychologique, pour «gêner dans sa vitalité» (fin XIIIe s., à propos du cœur), ou juridique, d'après le latin médiéval «concéder à titre de mainmorte» (1277), qui l'ont emporté, la seconde s'appliquant (XVe s.) à une sorte de vente en viager. ◇ Au XVIe s. apparaît un sens technique, *admortir un ouvrage (d'architecture),* correspondant à «terminer», d'où «orner en terminant»; ce sens a disparu. ◆ C'est dans la seconde moitié du XVIIe s. que sont attestées les deux acceptions les plus vivantes en français moderne, outre la valeur psychologique de «calmer, émousser, rendre moins vif», usuelle dès le XVIIe siècle. *Amortir* correspond à «rendre moins violent (un choc, l'effet d'un projectile)» (av. 1680, La Rochefoucauld) d'où «diminuer (un bruit)» (attesté XIXe s.). ◇ Par ailleurs, le sens juridique latin aboutit (Richelet, 1680) à une valeur financière, «éteindre (une rente)» d'où (mil. XIXe s.) «reconstituer le capital dépensé, par le bénéfice» et «maintenir en état (un capital)», sens liés à *amortissement* (ci-dessous).

▸ Le participe passé **AMORTI, IE** est adjectivé dans les principaux sens du verbe, surtout pour «atténué, affaibli» et, des personnes, «qui a perdu son enthousiasme, sa vivacité». ◇ Le XXe s. a vu plusieurs substantivations : une **AMORTIE** n. f. pour «balle amortie» en tennis (1933), un **AMORTI** n. m. au football et en ski. ◇ À propos des personnes, au masculin comme au féminin, le mot s'applique à un homme ou une femme d'âge mûr, qui n'est pas encore *un croulant* (à la mode v. 1950-60).

Le verbe a plusieurs dérivés. ◆ **AMORTISSEMENT** n. m. est d'abord (1263) un terme de droit, lié à l'acquisition des biens de mainmorte. Il correspond aussi (v. 1400) au sens du verbe en architecture, pour «couronnement d'un édifice, qui va en se réduisant». ◇ L'emploi comme substantif d'action, au sens d'«affaiblissement graduel» (XVe s.), est devenu archaïque, mais celui de «manière de réduire un effet (de choc, etc.)» et de «diminution d'amplitude» en physique (1854, *amortissement des oscillations*) est plus courant. ◇ La valeur la plus usuelle est financière (1604, Henri IV parlant de *l'amortissement des rentes*) et correspond à «extinction progressive d'une dette», puis (mil. XIXe s.) «imputation comptable des sommes nécessaires au maintien en état d'un capital». ◆ **AMORTISSABLE** adj. (*admortissable,* 1465) est spécialisé en droit, puis (1611) en finances, à propos d'une dette et aussi d'une rente (1771). ◆ **AMORTISSANT, ANTE** adj. (1834) est rare au sens de «qui adoucit, calme». ◆ **AMORTISSEUR,** créé en ancien français pour «personne qui amortit un bien» (1269), a disparu, puis a été reformé en technique (1894) à propos d'un dispositif destiné à amortir des chocs, des sons, etc. Le mot est devenu usuel avec sa spécialisation en automobile (1906).

① **AMOUR** n. m., d'abord sous la forme *amor* (fin Xe s.), surtout féminin jusqu'au XVIIe s., est un emprunt au latin *amor;* sa forme actuelle, *amour,* est influencée par l'ancien provençal *amor,* illustré par la conception des troubadours, la *fine amor,* amour courtois, qui se développe en France du sud vers le nord, remplaçant l'idéologie féodale marquée par les mœurs franques, et qui n'est guère féministe. En effet, le latin *amor* a donné directement *amur* (842), d'où *amurer;* la forme normale *ameur* (cf. *fleur*) étant attestée plus tard (déb. XIIIe s.). Le mot latin, dérivé du verbe *amare* (→ aimer), comme *amicus* (→ ami), équivaut aux mots et aux concepts grecs distincts de *erôs* (→ érotique) et *philia* «amour (physique et sentimental)» et «amitié» (→ -philie); c'est un nom de genre animé, souvent personnifié en nom de dieu (comme *Erôs* en grec).

♦ En ancien français, le mot, en concurrence avec *amitié**, exprime toutes les nuances fortes de l'affection, de celle qui est portée à Dieu (Xe s.), héritage du latin chrétien *amor Dei* (*pro Deo amur,* Serments de Strasbourg) et aux êtres humains. Il a le sens d'«amitié», du XIIe (1139) jusqu'au XVe s., mais s'applique en particulier, sous l'influence de l'occitan, à la passion sentimentale à composante érotique et hétérosexuelle (bien différente cependant de l'*eros* grec, surtout homosexuel, et de l'*amor* latin), et ceci depuis le XIIe s. (Chrétien de Troyes). Cette valeur est appelée à dominer les emplois du mot, en relation avec l'évolution inverse d'*amitié** vers des liens plus sociaux. ◇ *Un, des amours* désigne la passion et les relations amoureuses d'une personne (v. 1150).

Cependant, l'amour médiéval entre homme et femme est à la fois sexualisé et idéalisé, en tant que sentiment central de l'univers courtois*. L'hésitation entre valeurs érotiques et valeurs idéales marque d'ailleurs le mot, dans ce contexte, tout au long de son histoire, avec une dominante différente selon les époques, les milieux et les rhétoriques. En outre, la valeur non érotique, où *amitié* va éliminer *amour,* est normalement exprimée par ce dernier mot jusqu'au XVe s., *une amour* correspondant par métonymie à «acte d'amitié» (1250-1280); jusqu'au XVIIe s. *amour* vaut aussi pour «attachement à une chose», sans l'aspect aujourd'hui stylistique de cet emploi, qui correspond aux extensions du verbe *aimer;* ces emplois se développent au XVIIe s. *(faire qqch. avec amour).* ◇ Mais l'importance de l'amour érotique et courtois au moyen âge se marque déjà par les métonymies, *amour* désignant (fin XIIe s.) la personne aimée, d'abord au féminin, genre encore usuel et ici renforcé par le fait qu'il s'agit le plus souvent (dans un discours en majorité masculin) d'une femme «objet» du sentiment courtois; puis au masculin, d'où assez tardivement (1671) l'appellatif *mon amour.* ◇ Une autre métonymie, où *les amours* s'applique à un pays, une chose qu'on aime, est attestée depuis le XVIIe siècle. On peut y rattacher, plutôt qu'au nom du dieu de l'amour (ci-dessous), l'expression familière ***un amour de*** (*enfant, chapeau,* etc.), attestée au XIXe s. (Balzac), et ***c'est un amour,*** d'où l'adjectivation populaire *il est amour.* ◆ Si *amour* employé seul évoque surtout en français moderne le sentiment humain passionnel, le premier emploi du mot *(pro Deo amur)* s'est maintenu dans ***pour l'amour de Dieu*** (*pour amur Deu,* XIe s.; *pour amor Dieu,* 1271; *pour l'amour de Dieu,* XVe s.) et simplement *l'amour de Dieu,* «porté à Dieu», aussi en parlant de la bienveillance divine pour les créatures (*Dieu est amour,* etc.).

L'hésitation entre valeurs courtoises et valeurs érotiques explicites est aussi marquée dans la phraséologie, avec les locutions ***par amour*** (1080) «amicalement», puis «de grâce» (XIIIe s.), ***d'amour*** (*d'amors,* XIIe s.), ***pour (l')amour (de)*** [XIe s.] affaibli en ancien français jusqu'à signifier «parce que» (XIIIe s.) et «afin que» (v. 1300). ◇ Témoin de la même ambiguïté, l'expression ***faire l'amour (à qqn),*** qui, après l'ancien provençal *far amor (ad alcun)* [XIIIe s.], signifie «courtiser», sens encore normal dans l'usage classique (XVIIe-XVIIIe s.), mais concurrencé par la valeur érotique physique «accomplir l'acte sexuel (avec qqn)», emploi attesté depuis 1622 mais qui ne l'emporte nettement qu'au XIXe siècle. ◇ En revanche, *femme d'amour* (1591), *maison d'amour* (déb. XVIIe s.), puis *fille d'amour* (déb. XIXe s., Béranger), oubliés ou vieillis (pour le dernier), font exclusivement allusion à l'***amour physique,*** expression poissarde (Collé) répandue pour lever les ambiguïtés. ◇ ***Amour socratique*** (mil. XVIIIe s., Rousseau) désigne l'homosexualité masculine; le mot *amour,* avec la levée des interdits, s'applique au XXe s. sans réticence aux relations homosexuelles. ◇ On peut rattacher à ce sémantisme l'expression ***(être) en amour,*** qui provient en fait d'un autre mot signifiant «humeur, sève» (d'où «en rut»); cf. ② *amour* ci-dessous. ◆ Quant à l'expression ***amour courtois,*** elle reprend le sens de l'ancien provençal *fin amor* (XIIe s.), mais semble récente et vient des historiens du moyen âge et de sa littérature (1883, Gaston Paris).

Cependant, certaines valeurs affaiblies et plus abstraites se maintiennent et se développent en relation avec *aimer,* dont *amour* est senti comme la substantivation. Des emplois figurés apparaissent à partir du XVIe s., formés avec *d'amour*: ***pomme d'amour(s)*** désigne l'aubergine (1535, jusqu'au XVIIIe s.) et aussi la tomate (1557), puis une plante solanée, la cerisette (1752), enfin une confiserie (pomme caramélisée); *poire d'amour* (1721), *arbre d'amour* (1796) sont entièrement sortis d'usage, tandis que ***puits d'amour*** s'applique en français contemporain à une pâtisserie.

C'est aussi à la Renaissance qu'apparaît l'expression *propre amour de soy mesmes* (fin XVe s.), d'où *amour de soi* (1521), lexicalisée avec changement de sens en **AMOUR-PROPRE** n. m. «égoïsme, attachement à ses intérêts» (1521), puis «tendance à la fierté» (v. 1640) et, spécialement, «opinion trop avantageuse de soi-même» (1665), sens vieilli. L'expression correspond aujourd'hui à «sentiment de sa valeur, de son honneur».

Un autre emploi du latin *Amor,* correspondant au grec *Erôs,* concerne le dieu de l'Amour; il est passé en français (XIe s.), surtout par l'influence d'Ovide, au cas sujet *(Amors, Amours)* devenu *Amour* (forme du cas régime) au XVIe siècle. Le mot s'applique (1508) à la représentation du dieu (aussi nommé *Cupidon*) en peinture, selon une iconographie fixe (enfant joufflu, nu, muni d'un carquois, d'un arc et de flèches). ◇ Par extension, *un amour* désigne une personne (enfant, femme) ou une chose charmante (XVIIe s., Malherbe) et le mot s'emploie dans ***beau comme l'Amour*** (1740).

▶ Les dérivés français de *amour* sont peu nombreux. *Amurer* (XIIIe s.) puis **AMOURER** v. tr. (XIVe s.), pour «devenir amoureux», a disparu au XVIe s. de l'usage normal, étant parfois repris (1784, Mercier; 1801, les Goncourt, en tant que mot d'enfant) comme variante marquée de *aimer.* ◆ Le diminutif ① **AMOURETTE** n. f. (XIIIe s.), d'abord *amorete* (XIIe s.), se dit d'un amour sans passion, mais a d'abord constitué un diminutif affectif, au sens fort du mot *amour;* de là le sens métonymique de «femme aimée». ◇ Les emplois figurés ont disparu, sauf «testicule (des animaux comestibles, mammifères, coqs, etc.)» (1836) et, pour des raisons moins évidentes (probablement «partie délicate»), *amourettes,* qui désigne aussi la moelle épinière (de bœuf, veau ou mouton) (1771), à moins que ces valeurs ne relèvent de l'homonyme ② *amour* (ci-dessous).

Parmi les formations préfixées, **DÉSAMOUR** n. m. (XIIIe s.) s'est employé jusqu'au début du XVIIe et a été repris au XIXe s. («néologisme» dans *Le Complément de l'Académie,* 1838) au sens de «refroidissement de l'affection». ◇ *Contre-amour* n. m. (1718) et *non-amour* n. m. (1551) sont très rares (*contramour* était employé, au XVIe s., pour «amour réciproque»). ◆ **ENAMOURER** v. tr. «rendre amoureux» (v. 1180) et aussi «aimer (qqn)» (v. 1300) est encore en usage au pronominal (XIIIe s.), aussi pour «se passionner pour (qqch.)» (1571), avec la nuance de «s'attacher de manière excessive ou ridicule», mais est moins usité en français moderne que **ENAMOURÉ, ÉE** adj., d'abord «amoureux» (XIIIe s.), archaïque au XVIIe s., puis abandonné, et repris (1879) avec la valeur spéciale du verbe.

Avec le pronom possessif *mon,* élidé comme dans *m'amie, amour* a donné l'appellatif affectueux *m'amour* (XVe s.), d'où le substantif **MAMOUR** n. m. (1669), repris en français moderne sous la forme ***faire des mamours*** (mil. XIXe s., E. Sue) «des caresses, des démonstrations affectueuses». ◇ De là **MAMOURER** v. tr. «faire des mamours (en parole) à (qqn)» (1879, Huysmans), repris au sens érotique de «faire l'amour» par J. Lanzmann (1981).

① **AMOUREUX, EUSE** adj., aujourd'hui senti comme un dérivé de *amour,* est issu d'un dérivé latin tardif *amorosus,* comme l'italien, l'espagnol et le

portugais *amoroso.* ◇ La forme ancienne *amareus* (1206) a été refaite d'après *amor* (*amoreus,* XIIe s.; *amorous,* v. 1200), puis d'après *amour* (v. 1430) en *amoureux.* L'adjectif signifie en ancien français «enclin à l'amour» et, objectivement, «qui inspire l'amour, au sens large», c'est-à-dire «charmant, aimable, attachant» et «aimé (de qqn)» (v. 1212), valeur commune à l'ancien français et à l'ancien provençal, qui sera éliminée par le sens subjectif du mot vers le XVe siècle. ➻ Par extension, dès le XIIe s., l'adjectif s'applique aussi à ce qui concerne, puis (XIIIe s.) à ce qui exprime, dénote l'amour et à ce qui rend amoureux. Ces valeurs restent dans l'usage moderne, alors que celles qui correspondent au sens ancien de *amour,* «attachement, amitié», ont disparu (*amoureux* s'est dit pour «bienveillant», XIIIe-XVe s.; «amical, cordial», XIVe-XVe s.). Mais on relève encore au XVIIIe s. le mot au sens d'«ami» (d'un capitaine à ses matelots, comme appellatif, 1721). ➻ Substantivé au féminin, *amoureuse* signifiant «maîtresse, concubine» (1530), le mot fonctionnait comme nom au masculin depuis le XIIe s. (*amerus, amorous* au XIIIe s.; *un amoureux,* av. 1285). Cet emploi est jugé rural et archaïque à la fin du XVIe s. (Mlle de Gournay), le mot étant remplacé par *amant*.* Cependant, à l'époque classique (depuis Corneille), une distinction s'opère entre *l'amant,* qui aime et est aimé et *l'amoureux,* qui ne l'est pas. Puis le mot reprend une valeur plus générale, mais implique surtout le sentiment subjectif, par exemple dans ***amoureux transi*** (1616 [*transif* au XVIe s.], aussi adjectif) et il s'oppose à *amant* dans la mesure où ce dernier implique en français moderne des relations sexuelles. L'emploi adjectif reste très vivant, tant en parlant des personnes, aussi dans des syntagmes comme ***amoureux fou*** (XVIIIe s.). ➻ L'adjectif a pour dérivé **AMOUREUSEMENT** adv. (XIIIe s.), qui s'est employé en ancien et moyen français (XIIIe-XVIIe s.) pour «amicalement, affectueusement» et se dit encore, hors du contexte de la passion pour «avec soin et plaisir» *(faire qqch. amoureusement).* ➻ Les autres dérivés (*amoureuseté* n. f., sous des formes variées, *amoureuser* v., etc.) ont disparu.
portugais *amoroso.* ◇ La forme ancienne *amareus*C'est à l'italien *amoraccio,* dérivé péjoratif de *amore* «amour», par le verbe *amoracciarsi,* que le français doit (1530) *amourescher,* puis **S'AMOURACHER** (1531, in *F. e. w.*); on trouvait déjà au XVe s. *amouracherie* (1414) dans la première traduction française de Boccace. La forme *amorazzo* avait fourni *amourasser* «courtiser» (1396). *S'amouracher, s'amouracher de qqn* (1804), puis *de qqch.* sont et restent péjoratifs, impliquant un attachement injustifié, excessif, passager. ◇ Il en va de même pour *amouraché, ée,* p. p. (1845), *amourachement* n. m. (1538), *désamouracher* v. tr. (1596), mots disparus. ➻ Un autre italianisme, musical, est **AMOROSO** adv. «avec langueur, émotion» (1768, Rousseau à propos de *tendrement;* répandu au XIXe s.).
Enfin, ② **AMOURETTE** n. f., «plante des champs», vient (1531) d'une confusion populaire, due aux vertus et à la symbolique des plantes, entre *amour* et *amarouste,* d'un latin populaire altérant *amalusta,* nom de la camomille.

② **AMOUR** ou **AMEUR** n. m., dans une série d'emplois impliquant l'idée de sève, de saveur, d'humidité, est issu d'un latin populaire °*amor,* croisement de *umor* (*humor* → humeur) et de *amor* (→ ① amour), et source de nombreuses formes romanes (notamment italien régional), où le sémantisme passe de «liquide» en général à «suc, sève, saveur» et, par l'idée de «sève», à «développement» et, avec un évident rattachement à *amour,* «ardeur sexuelle». ◇ Tous les emplois sont archaïques ou techniques. ***En amour*** s'est dit de la terre fertile (v. 1200), d'où régionalement ***avoir, ne pas avoir d'amour*** (1805). Le mot s'emploie aussi (1863) pour désigner la bonne maniabilité du plâtre. ◇ *En ameur* (mil. XVe s.) et *en amour* (1492) «en rut, en chaleur (des animaux)» est évidemment compris comme une spécialisation de *amour,* «passion érotique». ◇ *Ameur,* «suc, jus (d'une plante)», mot wallon, ne se dit plus depuis le XIXe siècle.
Un dérivé °*amorosus,* de *umorosus* «humide», doit être à l'origine de ② **AMOUREUX, EUSE** «onctueux, humide», puis en technique agricole dans *terre amoureuse* (1805) «bien ameublie, rendue fertile», mot régional encore vivant dans le centre de la France, disparu des dictionnaires généraux après 1928 (Larousse).

AMOVIBLE adj. est tiré par dérivation savante (1665) du verbe latin *amovere,* qui avait donné le moyen français *amœver* (1430) «enlever». Le latin est formé avec *ad-* (→ à) sur *movere* (→ mouvoir).

♦ Le mot se dit d'une charge, d'un emploi qui peut être retiré à qqn, puis (1690) d'une personne qui peut être destituée de sa charge (juge, prêtre). Ces valeurs ont vieilli et le sens moderne, souvent concret, concerne des objets ou des parties d'un objet que l'on peut enlever, séparer; il apparaît pendant la Révolution (1792).

▸ Le dérivé **AMOVIBILITÉ** n. f. (1748, Montesquieu) se dit d'un emploi, d'une charge amovible. ➻ **INAMOVIBLE** adj. qualifie des personnes (1743) et des charges (1771); comme **INAMOVIBILITÉ** n. f. (1774), il est resté plus vivant dans ce contexte que *amovible;* en revanche, il ne s'emploie guère au sens concret et moderne d'*amovible.*

AMPÈRE n. m. est tiré du nom du physicien André Marie *Ampère* (1775-1836) sur proposition du physicien S. W. Thomson au congrès d'électricité de 1881, qui se tenait à Paris. Ce terme remplaçait *Weber,* conservé en magnétisme.

♦ Le mot désigne l'unité de mesure de l'intensité des courants électriques.

▸ L'instrument de mesure de cette grandeur a été nommé **AMPÈREMÈTRE** n. m. (1881). ➻ Le nom de l'unité a servi à former les composés **AMPÈRE-HEURE** n. m. (1887), **VOLTAMPÈRE** n. m. (1890). ➻ Elle a pour dérivé **AMPÉRAGE** n. m., formé (1905) d'après *voltage.*

AMPHÉTAMINE → AMMONIAC (AMINE)

AMPHI- est tiré du préfixe grec *amphi* «des deux côtés» et «autour de». Ce préfixe semble appartenir à la même racine que le latin *ambi-*

(→ ambi-), l'albanais *mbi-* et le gaulois *amb-*, précédés par le sanskrit *abhī-*, supposant un indoeuropéen °*m̥bhi-*.

♦ Cet élément a produit de nombreux composés dans les langues européennes et notamment en français. Le grec avait déjà formé des composés, dont certains, directement ou par le latin, sont passés en français.

▶ **AMPHITHÉÂTRE** n. m., est un emprunt ancien (1213) au latin *amphitheatrum*, lui-même emprunté au grec *amphitheatron* «théâtre double», de *theatron* qui a été lui-même emprunté (→ théâtre). ◆ Le mot s'applique d'abord aux constructions romaines antiques, circulaires ou ovales. La graphie actuelle est la réfection (XIVe s.) de *amphiteaitre* et de quelques autres formes. Le mot s'applique ensuite à la partie d'un théâtre moderne située au-dessus du parterre (1676) et aux spectateurs qui s'y trouvent (fin XVIIe s., La Bruyère). Depuis le XVIIIe s. (1751), il se dit de la salle de dissection d'une école de médecine, puis (1829) d'une salle de cours munie de gradins. ◇ De la forme dite ***en amphithéâtre*** (attestée 1690), on passe à divers emplois spéciaux, en marine (1743), dans un jardin (1715, *amphithéâtre de verdure*), en parlant de la disposition d'un terrain (1677), sens repris en géologie, par exemple dans *amphithéâtre morainique* (1928). ◆ Du sens de «salle de cours», appliqué à toute grande salle à gradins, même rectangulaire, vient le mot familier **AMPHI** n. m. (1888). Cette abréviation s'employait déjà, selon Esnault, en 1829 (sinon elle est attestée en 1889, Larcher) pour parler d'un cours professé en chaire. Cette acception s'étend (1918) à tout exposé verbal, à l'ensemble des étudiants suivant le même cours (mil. XXe s.), à une réunion d'étudiants (dans des composés, en argot des grandes Écoles). ◇ Le sens initial d'*amphithéâtre* en contexte pédagogique est repris pour *amphi* «salle de dissection» (av. 1926, M. Stéphane), d'où «morgue» (1975, Doillon). ◆ **AMPHITHÉÂTRAL, AUX** adj., emprunté (1548) au dérivé latin *amphitheatralis*, est demeuré rare, moins cependant que **AMPHITHÉÂTRIQUE** adj., emprunt (1562) à *amphitheatricus*, qui s'est employé à propos d'un papyrus préparé près de l'amphithéâtre d'Alexandrie, puis a été repris pour «en amphithéâtre» (1836), avant de sortir d'usage.

AMPHISBÈNE n. m. est un emprunt ancien (d'abord *amphimenie*, v. 1265), refait au XVIe s., au latin *amphisboena*, pris au grec *amphisbaina*, du verbe *bainein* «aller». ◆ Le mot désigne un serpent mythique à deux têtes qui peut aller dans les deux directions, puis un serpent réel (1767).

AMPHIBOLE, emprunté isolément au latin *amphibolus*, grec *amphibolos*, au sens d'«ambigu» (1611), a été recréé par Haüy en 1796 pour désigner le minéral appelé *schorl*, parfois confondu avec la tourmaline, avec l'intention, dit-il, d'«avertir l'observateur de ne pas s'en laisser imposer par des dehors équivoques» (et non pas, comme on l'a prétendu, parce que le minéral était de composition incertaine). Le mot a eu d'autres emplois. ◆ Le dérivé **AMPHIBOLITE** n. f. (1815) est resté en usage, à la différence de *amphiboliques* n. m. pl. (1813) et *amphiboloïde* adj. (1810). ◆ Le grec *amphibolia*, comme *amphibolos*, est dérivé du verbe *amphiballein* «envelopper». ◆ *Amphibolia*, par le latin classique, avait fourni au français **AMPHIBOLIE** n. f. (XIIe-XVIe s.) «ambiguïté», repris (1803) d'après l'allemand chez Kant, mais éliminé au sens rhétorique par un emprunt au latin tardif (médiéval et renaissant) *amphibologia*, **AMPHIBOLOGIE** n. f. (1533), d'où **AMPHIBOLOGIQUE** adj. (1596), déjà employé isolément, comme latinisme, par Oresme (1370).

AMPHIBIE adj. est emprunté (1553) au grec *amphibios*, de *amphi-* et *bios* «vie», «qui vit dans deux milieux». ◆ Le mot est substantivé dès le XVIe s. et s'applique aux animaux vivant sur terre et dans l'eau, notamment aux batraciens. ◇ Au figuré, il désigne au XVIIe s. un religieux vivant aussi dans le monde (v. 1650), un homme exerçant deux professions peu compatibles (d'abord adj. dans ce sens, 1666), puis au XVIIIe s. une personne de sexe incertain (1777), acception qui, par allusion aux mœurs hétéro- et homosexuelles, donne à *amphibie* le statut de terme injurieux (1917). ◇ Appliqué à un hydravion pouvant se poser sur terre (1928), l'adjectif qualifie aussi un véhicule militaire capable de naviguer (1948). ◆ Le dérivé **AMPHIBIENS** n. m. pl. (1822, Blainville) a désigné les batraciens. ◆ Plusieurs composés savants en **AMPHIBIO-** ont été créés, depuis *amphibiologie* n. f. (1778) «sciences des animaux amphibies», puis sont sortis d'usage lorsque cette caractéristique éthologique a cessé d'être utilisée en zoologie.

AMPHICTYON n. m., terme d'antiquité grecque, est emprunté (1556) au latin *amphictyones*, pris au grec *amphiktiones* (pl.). Le mot désigne les députés à une assemblée délibérante grecque. ◆ Il est moins courant que **AMPHICTYONIE** n. f. (v. 1700), emprunt au grec *amphiktionia*, qui désigne surtout (1829) le conseil, l'assemblée. ◆ **AMPHICTYONIQUE** adj., est plus ancien (1568).

AMPHIPROSTYLE n. m., emprunt (1547) au latin de Vitruve *amphiprostylus*, est formé du grec *amphi-*, *pro-* et *stulos* «colonne». ◆ Le mot désigne un temple grec garni de colonnades à l'avant et à l'arrière.

AMPHIGOURI n. m. «discours embrouillé» (1738), vient très probablement du grec *amphi*, au sens de «double, ambigu», mais le second élément est obscur (grec *agoreuein* «discuter» [→ agora], ou mot populaire apparenté au moyen français *se gorrier* «s'habiller à la mode»?). ◆ Les dérivés **AMPHIGOURIQUE** adj. (1748) et **AMPHIGOURISME** n. m. (1876) sont didactiques, surtout le second, mais attestent la relative vitalité du mot.

Sont formés en français **AMPHIARTHROSE** n. f. (1630); **AMPHISTÈRE** n. m., altération, peut-être d'après *amphisbène* (ci-dessus), de *amphiptère* (1655) «serpent à deux têtes»; **AMPHIGÈNE** n. m., nom d'un minéral «de double origine» *(-gène)*, créé par Haüy (1801); **AMPHIPNEUSTE** n. m., du grec *pnein* «souffler», «qui a des branchies et des poumons (d'un reptile)» (1838). ◆ **AMPHIOXUS** n. m., du grec *oxus* «pointu» (1845), désigne un petit animal marin étudié comme représentant remarquable de la genèse des vertébrés.

AMPHITRYON n. m. est le nom propre grec d'un personnage légendaire, fils d'Alcée et roi de Tirynthe. Zeus (Jupiter) revêtit son apparence pour séduire Alcmène, son épouse fidèle, qu'il rendit par tromperie mère du demi-dieu Héraklès (Hercule). Le mythe, repris à diverses époques, et notamment en France au XVIIe s., fait mention du dîner d'Amphitryon, offert par Zeus-Jupiter; faisant allusion à l'ambiguïté des deux Amphitryon, le valet Sosie déclare que le véritable est celui qui invite à dîner (cf. Rotrou, *Les Sosies,* puis Molière).

♦ Le mot est devenu nom commun, au sens de «hôte», au XVIIIe s. (1727), d'où **AMPHITRYONNE** n. f. (1867, Barbey d'Aurevilly), rare.

▸ Les dérivés sont peu usités, sauf peut-être **AMPHITRYONISME** n. m. (v. 1835).

AMPHORE n. f. est un emprunt (1518) au latin *amphora,* du grec *amphoreus,* n. m., avec changement de déclinaison (→ ampoule). *Amphoreus,* «jarre à deux anses», signifie proprement «instrument porté des deux côtés»; il est formé de *amphi* (→ amphi-), du radical de *phoros* «qui porte» (→ phosphore) et d'un suffixe *-eus* caractérisant des instruments.

♦ Le mot désigne un récipient antique de terre cuite, et une mesure antique de vingt litres environ (1534).

▸ Le dérivé **AMPHORIQUE** adj. se dit en médecine (1837) d'un souffle, perçu à l'auscultation, analogue au bruit du souffle dans un récipient vide.

◈ voir AMPOULE.

AMPLE adj. est issu (XIe s. in *F. e. w.*) du latin *amplus* «large, vaste», puis «grand, abondant», d'origine inconnue.

♦ Le mot a dès l'origine ses deux valeurs, l'une concrète «vaste, qui se déploie», l'autre abstraite «considérable», appliquée à un récit, au pouvoir, etc. (v. 1120). ◇ En ancien français, il est aussi adverbe (1190) et nom masculin pour «grande étendue» (XIIe s.); il s'emploie dans la locution *par ample le pais* (v. 1190), *la contree* (v. 1200) signifiant «par toute son étendue». ➝ L'adjectif a pris au XVIIe s. le sens de «copieux» dans *un ample repas* (1690), emploi disparu. ◇ Le mot est devenu plutôt littéraire, sauf en parlant de vêtements non ajustés et des développements du discours.

▸ Plusieurs dérivés ont disparu : *amplement* n. m. (1663), *ampler* v. tr. «augmenter de volume», *amplir* et plusieurs verbes composés, *amplete* n. f. (XIIe s.), *amplesse* n. f. (XIIIe s.), mais deux se sont maintenus et semblent aujourd'hui plus courants que *ample.* ➝ **AMPLEMENT** adv. (1190) s'emploie surtout par extension pour «beaucoup, largement, en grand nombre». ➝ **AMPLEUR** n. f. (1640), dérivé assez tardif de *ample* qui correspond à l'ancien provençal *amplor* (1294), a remplacé les anciens dérivés pour «caractère de ce qui est ample». ◇ Il s'emploie notamment en couture (1755), alors en concurrence avec *amplure* n. f. (1725) qu'il élimine, et par extension pour «surplus de tissu pour un vêtement» (v. 1930). ◇ Figurément (1787) il s'applique au développement d'un récit, du style, à l'importance d'une action.

Les dérivés latins sont continués en français : *ampliatio* donne **AMPLIATION** n. f., d'abord (1339) «agrandissement», puis en droit, «duplicata authentifié» (XVIIe s.); **AMPLIATIF, IVE** adj. (XVe s., «qui agrandit»; 1704, en droit) en est dérivé. Ces sens juridiques viennent du latin, où *amplius,* «plus ample», a signifié «supplément d'enquête» et *ampliare* «ajourner».

Amplificare, devenu en français *amplier* (XIIIe s.), redonne par emprunt **AMPLIFIER** (XVe s.) «augmenter, rendre plus vaste» (1549). Comme *amplification,* le verbe s'est spécialisé en rhétorique (XVIe-XVIIe s.) puis en physique, en parlant d'un phénomène (*s'amplifier,* 1856).

AMPLIFICATION n. f., emprunt (XVe s.) au dérivé latin *amplificatio,* est d'abord employé au figuré, pour «fait de s'épanouir (d'une personne)», puis au concret pour «augmentation de surface, élargissement (d'un chemin)» (v. 1500) et en général pour «fait d'amplifier, d'augmenter, de grossir» (XVIe s.), d'où «augmentation apparente de volume» (1801). ◇ Vieux ou très littéraire dans ces emplois, le mot est repris en rhétorique, désignant une figure (1521), puis un développement excessif du discours (1636) et, du XVIIe au XIXe s., un exercice scolaire de développement d'un sujet, sens disparu au cours du XIXe siècle. ◇ *Amplification* ressuscite en sciences, d'abord en photographie (1828) pour «rapport d'agrandissement», puis en électricité (1924), en relation avec *amplificateur.* ➝ **AMPLIFICATEUR** n. m., emprunt parallèle (1532) au dérivé latin *amplificator,* s'est dit alors d'une personne qui augmente (un droit, un pouvoir) puis (1636) qui amplifie un discours. ◇ Disparu, le mot a été repris au début du XIXe s. comme adjectif et nom, au sens général de «(chose) qui augmente l'importance» (1809) et d'après *amplification* pour «agrandisseur», en photo (1898), sens disparu, puis en électricité (1922) au sens d'«appareil, dispositif permettant d'amplifier les sons». ◇ De là, en radio, un **AMPLI** n. m. (1934) et le composé **PRÉAMPLIFICATEUR** n. m., abrégé en **PRÉAMPLI** n. m. (1955; par exemple dans le syntagme *ampli-préampli,* désignant un élément d'une chaîne de reproduction sonore). ◇ Un autre composé est **AMPLI-TUNER** n. m. (1971).

Enfin *amplitudo,* «grandeur, importance matérielle ou morale», a donné **AMPLITUDE** «durée» (XVe s.), «grandeur, prestige» (1495), «ampleur», «grandeur physique» (1495). ◇ Le mot s'est spécialisé en astronomie (1557), géométrie (XVIIe s.) et enfin en physique pour «grandeur maximum d'une variable de nature oscillatoire, onde, etc.» (1784) et en météorologie («écart maximum de température»).

AMPOULE n. f. est issu (1174) du latin *ampulla* «fiole», diminutif de *ampora, amphora* (→ amphore), détaché de son origine.

♦ Le mot français, sous des formes diverses (*ampole, ampolle, ampoule* depuis 1260, *ampule*), désigne des objets fabriqués, depuis le sens latin de «fiole renflée», spécialement ***la sainte ampoule*** (1260), jusqu'au contenant pharmaceutique (1886) et au globe de verre enfermant un filament à incandescence (1881). On parle dès 1879 d'une «petite *ampoule* de cristal» dans laquelle on fait le vide et on introduit du charbon de papier (invention d'Edi-

son, 1878) pour en faire une lampe* électrique — le syntagme *ampoule électrique* apparaissant à la fin du XIXe s. (1898, Paul Adam). ➜ Un autre sens du latin populaire a probablement fourni au français (XIIIe s.) l'emploi du mot pour «cloque, vésicule». Dans cette acception, le latin *pulla,* féminin de *pullus,* «petit d'un animal» (→ poule) d'après le sens de *pullare* «pousser» («ce qui pousse») et le latin *bulla* ont pu interférer avec *ampulla.* ◇ *Ampole, ampoulle, ampoule* s'emploie dans ce sens depuis l'ancien français, dans l'usage courant, et donne lieu à la locution figurée ***ne pas se faire des ampoules (aux mains)*** «travailler paresseusement» (1866). ◇ D'autres emplois, en botanique (1817) puis en anatomie (1865), où *ampoule* a le sens de «production anatomique formant un petit gonflement», peuvent être une métaphore du sens premier.
Le verbe **AMPOULER** (1580) «écrire, faire des vers avec emphase» est emprunté au verbe latin *ampullari* (Horace) «s'exprimer emphatiquement», qui, comme *ampulla* au sens d'«emphase», vient de l'idée de gonflement, de boursouflure, imitée du grec *lêkeuthos.* Ce verbe, actif et pronominal (v. 1620) est rare, comme *ampoule* n. f. «emphase dans l'expression» (1787), emprunt au latin *ampulla* (comme adjectif *paroles ampoulles,* 1640). ➜ Par contre **AMPOULÉ, ÉE** adj. (déb. XVIIe s. Régnier; déjà *empoullé,* 1550), dit d'un style boursouflé et par métonymie de la personne qui s'exprime ainsi, est usuel.

AMPUTER v. tr. est emprunté en moyen français (1480) au latin *amputare* «tailler tout autour», d'où «mutiler», composé de *am-* (→ ambi-) et de *putare* «émonder les arbres» et «apurer un compte», puis «calculer» (spécialisation d'un sens général, «nettoyer»). Le mot est peut-être indoeuropéen (cf. sanskrit *pūtáḥ* «purifier»), mais sa relation avec *purus* (→ pur) n'est pas assurée. D'autres composés latins de *putare* ont donné des mots français *(comput, disputer, imputer, réputé, supputer).*

♦ Le verbe s'est spécialisé au XVIe s. en chirurgie (A. Paré) et dans des emplois figurés, attestés en premier. On a dit aussi *amputer un arbre* (1519) «tailler», par latinisme. ◇ Au XIXe s., on passe par métonymie de *amputer un membre* à *amputer qqn* (1835) et un nouveau figuré apparaît : «retrancher une partie de» en parlant d'un pays, d'une propriété et aussi d'un texte (1842).

▸ **AMPUTÉ, ÉE,** adjectivé au figuré (1611), se dit d'un membre coupé (1829) et d'une personne dont on a coupé un membre, aussi substantif (1re moitié XIXe s., Chateaubriand). On parle en psychophysiologie de l'*illusion des amputés* (1879), par laquelle un membre coupé est encore perçu. ◇ Au figuré, *amputé de qqch.* ou *de qqn* correspond à «privé de» (v. 1880).
AMPUTATION n. f. est emprunté au dérivé latin *amputatio.* ➜ Le mot s'emploie en chirurgie (1478) et au figuré dans un contexte abstrait (1521), puis en horticulture (1826). ◇ De nouveaux sens figurés, comme pour le verbe, apparaissent au XIXe («retranchement important», 1866) et au XXe s. («abrègement d'un mot, coupe», 1955).

AMUÏR v. tr. apparaît en ancien français (v. 1120) et est issu d'un latin populaire °*admutire,* de *ad-* (→ à) et de *mutus* (→ muet) avec suffixe verbal.

♦ Le verbe s'est employé en ancien français pour «rendre muet». ➜ Il a été repris en phonétique à la fin du XIXe s., sous la forme pronominale *s'amuïr,* à propos d'un phonème qui cesse de se prononcer, qui devient muet.

▸ Le dérivé **AMUÏSSEMENT** n. m. a signifié «mutisme» en ancien français (1275, *amui-*). ◇ Il a été repris en même temps que *s'amuïr* en phonétique pour «disparition (d'un phonème, d'un son qui était prononcé)».

AMULETTE n. f. est un emprunt savant (1558, *amulete*) au latin *amuletum,* mot d'origine inconnue attesté depuis Varron et qui rend le grec *phulakterion* «talisman» (→ phylactère).

♦ Le mot français s'est longtemps écrit *amulete* (1558, jusqu'au XIXe s.); d'abord masculin (aussi *amulet,* v. 1610), il s'emploie au féminin depuis le début du XVIIe s., ce genre l'emportant au XIXe s., en relation avec la resuffixation diminutive *-ette.* ◇ Le mot désigne un petit objet censé avoir des vertus magiques, protectrices, et que l'on porte sur soi.

AMURER v. tr. est un emprunt (1552, Rabelais) à l'espagnol *amurar* (attesté 1538), dérivé probable de *muro* au sens de «paroi de la coque», du latin *murus* (→ mur).

♦ Le verbe désigne l'action d'orienter une voile selon le vent en fixant les cordages. *Amure!* est un commandement. Des emplois figurés sont attestés dans les argots maritimes, en intransitif dans des locutions comme ***amurer du mauvais bord,*** au passif *être mal amuré* «mal parti» (argot de l'école navale), ou *amurer un coup de poing* «flanquer» (1919, Esnault), emploi disparu.

▸ **AMURE** n. f. (1634) semble être le déverbal de *amurer* (plutôt qu'un emprunt au provençal ancien *amura,* mal attesté). Le mot désigne le cordage qui fixe la voile du côté d'où vient le vent. La phraséologie comprend *amure de misaine, de grand-voile, point d'amure, fausse amure, amure à bâbord, à tribord* (1797, La Pérouse) et ***bâbord amure(s), tribord amure(s).***

AMUSER et dérivés → **MUSER**

AMYGDALE n. f. est un emprunt ancien (XIIIe s.) au latin *amygdala,* du grec *amugdalê* (→ amande), mot emprunté d'origine inconnue. Le latin classique a été altéré en *amandula,* d'où *amande**.

♦ Le mot désigne d'abord l'amande, et plusieurs dérivés continuent cette valeur étymologique (voir ci-dessous). Il a pris vers 1250 un sens anatomique, «organe en forme d'amande», désignant spécialement, dans l'usage courant, deux organes lymphoïdes situés de part et d'autre du larynx, fréquemment enflammés (cf. *amygdalite*) et devant être excisés. ◇ Le mot est passé au XIXe s. de l'usage savant à la langue générale, comme l'attestent les locutions familières ***s'humecter, se rincer les amygdales*** (1888) «boire (de l'alcool, du vin)», ***se caler les amygdales*** (1896) «bien manger»; ces emplois ont vieilli. ◇ En revanche, une acception métonymique familière, pour «inflammation des amygdales» (*avoir les amygdales,* d'un enfant), est restée vivante.

▶ Le mot, au sens anatomique, a pour dérivés et composés **AMYGDALITE** n. f. «inflammation des amygdales» (1775), **AMYGDALIEN, IENNE** adj. (1852), **AMYGDALOTOME** n. m. (1853) et **AMYGDALOTOMIE** n. f. (1856), puis **AMYDALECTOMIE** n. f. (1927). ◆ Du sens d'«amande» dérivent **AMYGDALOÏDE** n. f. (1752) «roche à noyaux en forme d'amande», **AMYGDALÉES** n. f. pl. (1789, Jussieu) «tribu de plantes rosacées dont le type est l'amandier», **AMYGDALINE** n. f. «glucoside existant dans l'amande amère».

◈ voir **MANDORLE.**

AN n. m. est issu (v. 1080), comme l'italien *anno* et l'espagnol *año,* du latin *annus;* ce mot semble autochtone de l'Italie, proche de l'osque (*akenei* «dans l'année») et de l'ombrien (*aenu,* à l'accusatif pluriel); il signifie aussi «récolte annuelle».

♦ *An,* «durée de la révolution de la Terre autour du Soleil», donne lieu à des locutions, comme ***le jour de l'an*** (XIVe s.), ***le premier*** (jour) ***de l'an, l'an neuf*** (1274, régionalement; *an nuef,* 1488), ***le nouvel an*** (1611). En religion, ***le bout de l'an*** se dit (1549) d'une messe célébrée un an après l'enterrement de qqn. ◇ Le mot est souvent déterminé pour caractériser une manière de compter: *an de l'Incarnation* (XIIIe s.), mesuré à partir de Pâques, de la Nativité, etc., *an Nostre Seigneur* (XIIIe s.), *an de salut* (1691), ont disparu, mais ***an de grâce*** (1260) sert toujours à évoquer un compte d'années chrétien. *An civil* (1636) est remplacé par *année civile; an lunaire* (isolément au XIIIe s.; puis 1636), *an solaire* (id.), *an planétaire* (1691) sont tous archaïques (cf. *année*). ◇ *Bon an* a servi dans des formules de souhait, comme *bonjour bon an* (XVIIe s., Voiture). ◇ De nombreuses locutions servent à caractériser une époque, un rythme: ***(une, deux...) fois l'an*** (1319) est toujours usuel, comme ***... par an*** (1273), alors que *d'an en an* (1291), *chacun an* «chaque année» (XIIIe s.) ont disparu au XVIIe s. (sauf régionalement); *an et jour* (XIIe s.) a signifié «depuis longtemps». ◇ Aujourd'hui encore, ***bon an mal an*** (1re moitié XVIIe s., Scarron) signifie «en moyenne, les bonnes années compensant les mauvaises». ◆ Au pluriel, *ans,* qualifié, a servi à marquer l'âge: *jeunes ans* (1666), *vieux ans* (1540) ont cédé devant *année,* comme *chargés d'ans* (1636); mais on dit encore ***le poids des ans.*** ◇ En parlant des animaux, on désigne les chevaux de courses par l'âge, dans *un deux ans, un trois ans* (1856).

▶ Le dérivé **ANNÉE** n. f. (1170, *anée*) signifie aussi «temps d'une révolution de la Terre autour du Soleil» avec un début socialement fixé, ainsi que «durée de douze mois» (av. 1550) et «cette durée, à partir de la naissance de qqn» (déb. XVIIe s. pour *année;* cf. *anniversaire*). ◇ Ses emplois ne sont pas identiques à ceux de *an;* en phraséologie, ils les ont souvent remplacés. Ainsi, dans le comput: ***année sainte, année ecclésiastique*** (1690), ***année civile*** (1671), ***année julienne*** (1690), ***grégorienne*** (1680), puis ***année républicaine*** (1792), ***année olympique*** (en Grèce antique, 1845); ***année lunaire*** (XVIe s.), ***astronomique*** (1671), ***tropique*** (1732). ◇ De même ***d'année en année*** (1694) a remplacé *d'an en an,* et ***bonne année*** (1771), formule de souhait (d'abord surtout attestée en Picardie, dans le Centre, le Sud-Ouest), s'est substitué à *bon an,* antérieur. ***Nouvelle année*** est en concurrence avec ***nouvel an.*** ◆ En parlant de l'âge, *année* concurrence *an* dans ***jeunes années*** (Corneille), ***dernières années*** (La Bruyère), ***le poids des années*** (1824). ◇ Lorsqu'il s'agit de contenu social, *année* l'emporte nettement: *année (d'exercice)* [1669], *première, deuxième année (d'études)* [1835]. ◇ Par métonymie, le mot sert de titre à des recueils: *année littéraire* (1754), *scientifique,* etc. ◆ Dans tous les cas où un contenu est en cause, l'usage moderne préfère *année;* de là le fait que les métonymies sont plus fréquentes avec *année* qui signifie par exemple «récolte de l'année» (1180), «gages pour une année» (1562; *an* est cependant attesté dans ce sens); «livraison annuelle (d'un périodique)» (1866). ◆ En astronomie, *année* entre dans des syntagmes, ***année de lumière*** (1877) d'où abusivement **ANNÉE-LUMIÈRE** n. f. (1946), «distance parcourue en un an par la lumière» (unité astronomique).

▶ **ANNAL, ALE, AUX** adj. est emprunté (av. 1150) au dérivé latin *annalis.* Il s'emploie en droit pour «qui ne dure qu'un an». ◇ De là **ANNALITÉ** n. f. qui équivaut en général à *annualité.* Ces deux termes sont rares. ◆ Le composé **SURANNÉ, ÉE** adj. est formé (XIIIe s.) en français à partir de *sur-** et *an* au sens de «qui a plus d'un an»; le sens de «vieillot» (mil. XVIIe s.) procède d'un emploi juridique, «dont le délai est expiré, périmé» (XVIe s.).

ANNUEL, ELLE adj., réfection (v. 1310) de *anoel* (1080), est emprunté au bas latin *annualis,* dérivé de *annus,* «an, année», qui résulte de la contamination par *annuus* du latin classique *annalis* (→ annales). L'adjectif latin s'est employé en religion et en agriculture ou pour désigner une redevance, aussi substantivement. ◆ Le mot se dit de ce qui a lieu chaque année, d'abord des fêtes liturgiques, puis en général (v. 1310), et aussi d'un revenu versé chaque année (1550). ***Plante annuelle*** (1694), «qui ne vit qu'un an», s'oppose à *vivace.* ◆ *Annuel* est substantivé (au masculin) en religion, pour «messe annuelle pour un défunt» (1226), et en droit, pour «droit ou revenu annuel» (1306), emploi archaïque. Il a signifié aussi «grande fête religieuse annuelle» (*annuel majeur, mineur,* 1834). ◆ Le dérivé **ANNUELLEMENT** adv. (v. 1350, *annuelement; anuelment,* 1294) signifie «chaque année». ◆ **ANNUALITÉ** n. f., «caractère de ce qui est annuel» (1789), succède à l'ancien français *anuelte* (1292) qui désignait une rente annuelle (cf. *annuité,* ci-dessous). ◆ Du sens botanique viennent les préfixés **BISANNUEL, ELLE** adj. (1694), d'où **BISANNUALITÉ** n. f. (1829), et **TRISANNUEL, ELLE** adj. (1771), ces deux adjectifs s'employant aussi au sens général de «tous les deux (trois) ans» (1872, pour *tri-*).

ANNUITÉ n. f. est emprunté au bas latin *annuitas,* dérivé attesté en Angleterre du latin classique *an-*

nuus «annuel». D'où en anglo-normand (ancien français d'Angleterre) *annuité* (1386) «rente à payer annuellement». ◇ Le français moderne, mot juridique (1607), est emprunté soit au latin médiéval, soit à l'anglais *annuity* qui en procède. Il a été repris (1722) pour «somme à payer annuellement par un débiteur» puis (1866) «prime annuelle d'assurance».

ANNUAIRE n. m. est dérivé d'une forme latine tardive, contamination du latin *annarius* par *annuus* (ou par *annuitas*, ci-dessus). ➜ Attesté une fois au XVIe s. (1555) comme adjectif, le mot est recréé comme nom pendant la Révolution. La première publication annuelle portant ce nom concerne la météorologie (1791), puis il s'agit de recueils de nature administrative, commerciale, économique (1797).

◈ voir ANNALES, ANNIVERSAIRE, ANNONE, ANTAN, BIENNAL, DÉCENNAL, PÉRENNE, QUINQUENNAL, SEPT (SEPTENNAL), TRIENNAL.

ANA n. m. pl. est dérivé (1716) de la terminaison *-ana*, ajoutée après le nom (masculin) d'un auteur (1669, *scaligeriana*, de *Scaliger*), d'après le pluriel de *-anum*, suffixe formant un adjectif latin sur un nom propre (*virgilianum*, etc.).

♦ Le mot désigne un recueil de pensées extraites d'un auteur ou qui lui sont attribuées. On a dit aussi *livre en ana* (1721). Il a pu être senti comme en rapport avec *analecta* (→ analectes).

ANA-, élément emprunté au grec, correspond à trois sémantismes : «de bas en haut», «en arrière» ou «en sens inverse» et «de nouveau». C'est un mot d'origine indoeuropéenne apparenté au gotique *ana* «contre», au vieux perse *anā* «le long de», etc. ◇ Voir les mots ci-dessous, classés dans l'ordre historique de leur apparition, et quelques composés plus usuels comme *analyse*.

ANACHORÈTE n. m. est la réfection d'après le grec (mil. XVIe s.) de *anacorit, anachorit* (v. 1190), emprunt au latin chrétien *anachorita*, pris au grec *anakhorêtês* «qui vit dans la retraite» avec prononciation byzantine. Le mot appartient au groupe de *anakhôrein* «aller en arrière», de *ana-* (voir *ana-* ci-dessus) et *khôrein* «quitter les lieux, aller». Ce verbe est dérivé de *khôra* «espace», mot d'origine très incertaine. ◇ Le mot désigne un religieux solitaire, un ermite, vivant dans les privations. ➜ Il a pour dérivés **ANACHORÉTISME** n. m. (1840) et **ANACHORÉTIQUE** adj. (1845), mots didactiques.

▸ **ANAGOGIQUE** adj. est emprunté (1377) au latin ecclésiastique *anagogicus*, du grec *anagôgê* «action de faire remonter», dérivé de *anagein* «conduire en haut», de *ana-* et *agein* «mener» (→ agonie). ◇ C'est un synonyme didactique de *mystique*, d'abord en opposition à (sens) *littéral*. ➜ **ANAGOGIE** n. f. est emprunté (1560) au latin ecclésiastique *anagoge*, pris au grec *anagôgê* «élévation», pour désigner l'interprétation anagogique et aussi (1771) l'élévation mystique de l'âme.

ANAGLYPHE n. m. est un emprunt (1495, *anaglife*) au latin *anaglyphus*, grec *anagluphos*, de *gluphein* «ciseler» (→ hiéroglyphe). ◇ Le mot désigne un ouvrage sculpté et ciselé, puis (1894) un procédé d'impression pour les photographies stéréoscopiques. ➜ Il a pour dérivé **ANAGLYPHIQUE** adj. (1838) qui se dit aussi du procédé photographique donnant l'impression du relief (1936).

ANASTOMOSE n. f. est emprunté (mil. XVIe s., Paré) au latin *anastomosis*, grec *anastomôsis* «action de déboucher», de *ana-* et *stoma* «bouche» (→ estomac, stoma-). ◇ Le mot s'applique à l'abouchement naturel d'un vaisseau de l'organisme à un autre puis à l'ouverture d'une veine (XVIe s., puis 1665) et à un abouchement chirurgical (1866). ➜ Il a pour dérivés **ANASTOMOSER** v. tr. (1712, pron.) et **ANASTOMOSÉ, ÉE** adj. (1845). ➜ **ANASTOMOTIQUE** adj. est emprunté (1694) au dérivé latin *anastomoticus*, emprunt au grec tardif *anastomôstikos* pour désigner un remède dilatateur des vaisseaux, sens disparu, puis comme adjectif (1803, Cuvier), pour qualifier ce qui est relatif à une anastomose.

ANAGRAMMATISME n. m. est un emprunt (1549) au grec tardif *anagrammatismos* pour «transposition des lettres d'un mot formant un autre mot», d'où **ANAGRAMMATISER** v. tr. (fin XVIe s., repris XXe s.) et **ANAGRAMMATISATION** n. f. (1976, Guiraud). ◇ *Anagrammatisme*, comme **ANAGRAMMATISTE** n. (1584), est à peu près sorti d'usage, éliminé par une recomposition française. ➜ **ANAGRAMME** n. f. a été formé (1571) soit de *ana-* et *gramme**, soit d'après *diagramme*, plutôt qu'emprunté au grec de la Renaissance *anagramma* (1547) qui a un autre sens ; il a la même valeur que *anagrammatisme*. ◇ Il a pour dérivé **ANAGRAMMATIQUE** adj. (1823).

ANALEPTIQUE adj., emprunt (1555) au bas latin *analepticus*, grec *analêptikos*, qualifie et désigne (1808) un remède qui rétablit les forces.

ANAPHORE n. f. est emprunté (1557) au latin *anaphora*, grec *anaphora*, terme de rhétorique, d'astronomie et de liturgie, composé de *ana-* «en haut» et *-phora*, de *pherein* «porter» (→ phosphore). ◇ Le mot a désigné l'ascension des planètes (1611), d'où en astrologie une «maison» du ciel (1885). ◇ Il a été réemprunté en grammaire (XXe s.) pour désigner la reprise du signifié d'un mot par le moyen d'un autre signe (pronom, etc.). ➜ Le dérivé **ANAPHORIQUE** adj. et n. s'est dit (1829) d'une période (en rhétorique), puis d'un élément de la langue servant à l'anaphore (1928 ; autre sens, 1877). ◇ Le mot s'était appliqué à une horloge à eau (1829 ; déjà au XVIe s., altéré en *anaporique*, 1547), d'après le latin *horologium anaphoricum*.

ANAPESTE n. m. est emprunté (1671) au latin *anapestus*, grec *anapaistos* «frappé à rebours», de *ana-* et *-paistos*, de *paiein* «frapper», verbe que l'on a rapproché, sans certitude, du latin *pavire* (→ pavement). ◇ Ce terme de rhétorique antique désigne un pied composé de deux brèves et d'une longue. Il s'emploie rarement en musique (1925). ➜ Le dérivé **ANAPESTIQUE** adj., en rhétorique (1558) et en musique (1847), est rare.

ANALECTES n. m. pl. est emprunté (1708) au latin moderne *analecta*, qui semble créé par Mabillon (1675) par emprunt au grec *analekta* «choses recueillies», de *ana-* et de l'adjectif verbal de *legein* «recueillir, choisir» et «dire» (→ logique). Le mot, di-

dactique et vieux, désigne des morceaux choisis, en concurrence avec la forme latine *analecta* (reprise fin XIXe s.). En principe, le mot est sans rapport avec *ana*, mais la confusion est possible.
ANACLASTIQUE adj. est dérivé (1740) du grec *anaklasis* «réfraction (de la lumière)» (de *ana-* et *klan* «briser», mot rapproché de la racine du latin *calamitas*; → calamité) et qualifie la courbe de réfraction, le point où un rayon se réfracte (1751). ➛ **ANACLASE** n. f., emprunt au grec, s'est employé en médecine (1826, «torsion d'une articulation»), en optique (1866) et en rhétorique.
ANAMORPHOSE n. f. est dérivé (1751, *Encyclopédie*) du verbe grec *anamorphoun*, «transformer», de *ana-* et *morphê* (→ -morphe) ou emprunté au grec *anamorphôsis*. ◇ Le mot désigne une projection où les figures, passant d'une surface à une autre, sont déformées, d'où un dessin ainsi déformé. Le procédé est fréquent en peinture, dès la Renaissance (on cite souvent la célèbre toile de Holbein, *Les Ambassadeurs*); repris en optique, le mot est plus fréquent depuis que le procédé sert aux projections cinématographiques sur grand écran. ◇ *Anamorphose* est parfois employé au figuré («déformation») et en sciences (botanique, 1845, médecine, entomologie). ➛ Le grec *anamorphoun* a aussi pour dérivé savant **ANAMORPHIQUE** adj. (1834).
ANABASE n. f. est un emprunt savant (1803) au grec *anabasis* «action de monter», et spécialement «plante grimpante» (→ base). Ce sens de «plante grimpante» est passé par le latin *anabasis*. Le mot, emprunté à Galien, s'est dit aussi (1836) pour «accroissement des symptômes d'une maladie». ➛ D'après le titre d'un ouvrage de Xénophon, le mot désigne aussi (1938, Nizan, in *T. L. F.*) une grande expédition militaire, sens repris comme titre et nom propre par Saint-John Perse.
ANABAS n. m., chez Cuvier en latin scientifique, tiré du grec *anabas* «qui monte», participe du verbe *anabainein* «monter», désigne (1817) un poisson capable de s'accrocher à des troncs d'arbres par ses nageoires épineuses.
D'autres composés ont été formés en français, tel **ANABOLISME** n. m., formé (1898) en même temps que *catabolisme*, d'après *métabolisme**, pour «première phase du métabolisme, assimilatrice et correspondant à un accroissement». ◇ De là **ANABOLIQUE** adj. (1907), **ANABOLITE** n. m. (1922), **ANABOLISER** v. tr. (1955), d'où **ANABOLISANT** adj. et n. m. «(substance) qui stimule l'anabolisme» (1969), mot répandu à cause de son usage pour le «dopage» des sportifs. ➛ **ANAPHYLAXIE** n. f. est formé (1902, Richet) de *ana-*, d'après *prophylaxie**, pour désigner l'hypersensibilité à une substance; le mot a été remplacé par *allergie*. ◇ **ANAPHYLACTIQUE** adj. (1902) lui correspond.
◈ voir ANACHRONISME, ANALOGIE, ANALYSE, ANATOMIE, ANÉVRISME, BAPTÊME (ANABAPTISME).

ANACHRONISME n. m. est formé en français (1625) à partir des éléments grecs *ana* «en arrière» (→ ana-) et *khronos* «temps» (→ chrono-).

♦ Le mot désigne donc les confusions entre un fait et une époque plus ancienne; mais l'erreur inverse et d'autres confusions de temps étant nommées par des mots rares (*méta-*, *parachronisme*), *anachronisme* s'applique à toute confusion chronologique et à tout décalage dans le temps.

▶ Le dérivé **ANACHRONIQUE** adj. (attesté 1866 mais antérieur, cf. *anachroniquement*) a les valeurs correspondantes. Plus usuel que le substantif, il signifie surtout «qui correspond à un écart, à une erreur de temps, d'époque», et par extension (XXe s.) «périmé, vieillot». ◇ Il a lui-même pour dérivé **ANACHRONIQUEMENT** adv. (1852).

ANACOLUTHE n. f. est un emprunt rhétorique (1751) au grec *anakoluthos* «sans suite, inconséquent», et terme de rhétorique, formé de *an-* privatif (→ ② a-) et de *akolouthein* «accompagner» (→ acolyte), de *keleuthos* «chemin».

♦ Ce terme de rhétorique s'applique à un mot qui n'est pas accompagné (par un mot corrélatif habituel). Il désigne une sorte d'ellipse, puis (1866) une phrase rompue où une construction amorcée est abandonnée et remplacée par une autre.

ANACONDA n. m., aussi *anacondo* (1845), variante disparue, est le nom donné par Daudin (av. 1836) à un boa d'Amérique; le nom s'appliquait (*anacondaia*, 1693 Ray), aussi en anglais, à un python. Le mot, attribué au cinghalais, a pu être transmis par les Hollandais (Ray se réfère à une liste du musée de Leyde). Il vient peut-être du tamoul où *ānaik'k'ouḍa* signifierait «qui a tué un éléphant».

♦ Le mot désigne un grand serpent (boa) d'Amérique du Sud, nommé scientifiquement *eunecte*, capable d'étouffer un gros mammifère.

ANALGÉSIE n. f. est emprunté (1823) au grec *analgêsia*, de *an-* négatif (→ ② a-) et *algos* «douleur» (→ algie).

♦ Le mot, employé en médecine, se distingue de *anesthésie**, qui avait cette valeur mais en change au milieu du XIXe siècle; il désigne une insensibilité pathologique ou provoquée par médicaments.

▶ Il a pour dérivé **ANALGÉSIQUE** adj. (1878; attesté dès 1860, comme substantif, *un analgésique*) qui désigne et qualifie un médicament qui apaise la douleur; **ANALGÉSIER** v. tr. (1909), précédé par **ANALGÉSIANT, ANTE** adj. (1877). ➛ **ANALGÉSINE** n. f. (1898) a servi à désigner l'antipyrine.
Par substitution de préfixe, on a formé **HYPERALGÉSIE** n. f. (1891) «sensibilité extrême à la douleur», d'où **HYPERALGÉSIQUE** adj. (1891).

ANALOGIE n. f. est d'abord le calque du latin *analogia* dans le titre de l'ouvrage de César, *De analogia*, traduit en français en 1213. Le mot latin est emprunté au grec *analogia*, de *ana-* (→ ana-) et *-logia*, de *logos* «discours, raison» (→ -logie); il a servi aux grammairiens pour désigner l'aspect systématique des langues (opposé à *anomalia*; → anomalie). La série, avec *analogue* et *analogique*, s'emploie depuis le moyen français. Ces trois termes correspondent à trois mots latins, tous empruntés au grec, les mots *analogia* et *analogikos* étant dérivés de *analogos*, «proportionnel», qui s'applique strictement à l'identité des rapports entre les termes de deux ou (plusieurs) couples d'éléments. Ce sens mathématique se conserve en latin, puis dans les langues d'emprunt.

♦ *Analogie*, après son emploi comme titre, est repris avec la valeur assez vague de «ressemblance» (1423) connue en latin, puis en mathématiques (1503) et en logique, d'où *(raisonner...) par analogie* (1690). ◇ Le mot s'est appliqué à des ressemblances de structures et de fonction en sciences naturelles (1791 ; déjà 1767, en botanique). L'emploi d'*analogie* en lexicographie (1949, P. Robert), pour «relation sémantique entre unités lexicales», procède de l'adjectif *analogique*.

▶ **ANALOGUE** adj. est emprunté (1503) au latin *analogos*, lui-même pris au grec *analogos*, mot rare, pour correspondre à *analogie*. La construction *analogue à* (1770) donne au mot le sens extensif de «semblable». ◇ L'adjectif est substantivé (1787), notamment au sens d'«organe qui a des ressemblances fonctionnelles avec un autre, en anatomie comparée» (1830, Geoffroy Saint-Hilaire). ◆ **ANALOGON** n. m., terme de philosophie (XXe s. ; *in* Foulquié, 1936), est directement emprunté au grec.

ANALOGIQUE adj., emprunt (1547) à *analogicus*, du grec *analogikos*, signifie «proportionnel» et, plus précisément, «relatif à l'analogie, qui repose sur une analogie» (1554). ◇ *Analogique* reste plus étroitement lié que *analogue* au sens précis d'*analogie* : le *dictionnaire analogique* (1862, Boissière) regroupe les mots par rapports de sens. ◇ Un emploi récent de l'adjectif concerne un calcul par analogie avec des mesures physiques continues, d'où la valeur de «continu», opposé à *discontinu, discret* et à l'anglicisme *digital*, dans *calculateur, codage analogique*. ◇ L'adjectif a pour dérivé **ANALOGIQUEMENT** adv. (1557, puis 1636). ◆ **ANALOGISME** n. m., ancien terme de médecine (1732) pris au latin moderne *analogismus*, désignait l'imitation, en médecine empirique.

ANALPHABÈTE → ALPHABET

ANALYSE n. f. est emprunté (déb. XVIIe s., d'Aubigné) au grec *analusis* «décomposition» et «résolution», dérivé du verbe *analuein*, composé de *ana-* (→ ana-) et de *luein* «dissoudre» (→ lyse, lytique), auquel correspond le latin *solvere* (→ solution).

♦ Le mot désigne d'abord une décomposition d'éléments de nature intellectuelle et abstraite, une critique, puis un procédé de raisonnement (1641). À la même époque, en logique (1637), il s'oppose à *synthèse*. Il s'applique aussi à la décomposition des éléments du discours (1775), par exemple dans *analyse logique, analyse grammaticale* (1778). ◇ L'emploi concret, en chimie, est attesté au début du XVIIIe s. (1726) et semble découler du sens chimique du verbe *analyser* (ci-dessous). ◇ Le mot est entré dans l'usage courant, notamment à propos de l'examen psychologique du comportement, au XVIIIe siècle. ◆ Une autre valeur est celle de «résolution, solution» et concerne la démonstration mathématique ; elle se combine avec la première valeur du mot. L'*analyse*, d'abord méthode par déduction (1636, Descartes), c'est-à-dire *algèbre* (voir ce mot), devient une branche des mathématiques par l'expression *analyse des infiniment petits* (1695).

▶ **ANALYTIQUE** adj. traduit d'abord, par emprunt, le grec *analytikos* chez Aristote, employé substantivement pour «démonstrations» et titre d'une partie de la logique (*Les Analytiques*, 1579). ◇ Le mot est repris, peut-être par le latin *analyticus*, en mathématiques (1630, Viète, fondateur de l'algèbre), et plus largement en épistémologie, en relation avec *analyse* («j'ai suivi la voie analytique», Descartes, 1642), d'où *géométrie analytique* (attesté 1840). ◇ Il correspond aux emplois logiques et linguistiques d'*analyse* dans *ordre analytique* (1757), et rejoint le sens plus courant du mot, «décomposition intellectuelle d'éléments», dans la seconde moitié du XVIIIe s., par exemple dans *un esprit analytique* (1770). ◇ D'après Kant, *analytique* (déb. XIXe s.) s'oppose à *synthétique* pour qualifier les jugements dont les valeurs de vérité dépendent de termes analysables et non pas des faits. ◇ De là **ANALYCITÉ** n. f., pour °*analyticité* «caractère analytique, tautologique» ; cf. anglais *analyticity* (1939). ◆ Le dérivé **ANALYTIQUEMENT** adv. (1668) est didactique.

ANALYSER v. tr. est dérivé d'*analyse*, manifestant la vitalité de ce mot au XVIIe s., d'abord en chimie (1679), le verbe semblant antérieur au substantif dans cet emploi. Il devient usuel au XVIIIe s. comme verbe abstrait (1725), par exemple en psychologie (1746, Condillac), d'où *s'analyser* (1801). ◆ Ce verbe a plusieurs dérivés. **ANALYSEUR** n. m. s'est dit d'une personne qui analyse (1791) et s'emploie encore en parlant de divers dispositifs, avec la notion concrète d'analyse : «prisme analysant la lumière» (1838), d'où *prisme analyseur* (1855), etc. ◆ **ANALYSABLE** adj. (1849) et **INANALYSABLE** adj. (1845) sont usuels. ◆ **INANALYSÉ, ÉE** adj. (1838) semble plus didactique.

ANALYSTE n., autre dérivé d'*analyse*, apparaît (1638) dans le contexte des mathématiques, puis au sens de «personne qui analyse des idées, des sentiments» (1780) et «critique qui analyse une œuvre» (1829), sens rare. ◇ Un emploi concret concerne la chimie (1875). ◇ Au XXe s., le mot s'applique à l'analyse économique, financière, puis à celle de l'information, d'où **ANALYSTE-PROGRAMMEUR** en informatique (v. 1960).

D'autres emplois de *analyse, analytique, analyser* et *analyste* concernent la psychanalyse (ci-dessous).

Analyse et les mots apparentés sont communs à la plupart des langues européennes modernes. En allemand, *analyse* a servi à former un composé appelé à un succès mondial : *psychoanalyse*, «analyse psychologique», mot créé par Freud (→ psycho-). *Psychanalyse* et ses dérivés ont donné naissance, par aphérèse, à de nouveaux emplois de **ANALYSE** (v. 1960 ; reprenant un emploi ancien, pour *psycho-analyse*, 1896), à **ANALYSER** v. tr. (1912 ; *analysé*, 1939 ; *se faire analyser*, 1954), d'où **ANALYSANT, ANTE** n. (1924), ainsi qu'à **ANALYSTE** n. (1907) et **ANALYTIQUE** adj. (1905) qui tendent à remplacer les mots en *psycho-*, au moins dans l'usage spontané des personnes familiarisées avec ce domaine.

ANAMNÈSE → AMNÉSIE

ANANAS n. m., nom d'un fruit exotique, est rapporté en 1578 par le voyageur et écrivain Jean de Léry ; on l'avait transcrit sous des formes différentes (*amanat,* 1544 ; *nana,* 1554) supposant une transmission orale. L'origine est soit l'espagnol *ananas,* soit le mot-source indien (tupi-guarani) que l'espagnol a emprunté.

♦ Le mot désigne un gros fruit conique, à enveloppe écailleuse, de couleur orangée, à chair jaune clair très estimée pour son goût. ◇ Par extension, il s'applique à la plante qui produit ce fruit (fin XVIIIe s.) et sert à qualifier une couleur comparée à celle du fruit (1823). ◇ Il entre dans des syntagmes courants, comme *jus d'ananas, ananas frais, en conserve.*

▸ Un mot aramak apparenté a donné le nom d'un autre fruit tropical, **ANONE** n. f. (*anon,* 1556, lui aussi par l'espagnol).

ANARCHIE n. f. est emprunté par Oresme (v. 1372) au latin *anarchia,* employé dans les traductions d'Aristote pour rendre le grec *anarkhia,* de *an-* (*a-* privatif ; → ② a-) et *arkhê* «commandement» (→ -archie, monarque).

♦ Le mot apparaît avec une valeur antique et technique pour «état politique où les affranchis peuvent jouer un rôle dans le gouvernement». Il ne se répand qu'à la fin du XVIe s. (1596) avec la valeur générale de «désordre politique faute d'autorité». ◇ De ce sens général péjoratif, «absence de gouvernement ; désordre qui en résulte», on est passé à «confusion, désordre» (1742) et, pendant la Révolution, à «doctrine politique basée sur la suppression du pouvoir de l'État», valeur qui se développe au XIXe s. (1840, Proudhon). À la fin du siècle, le concept est en relation et en opposition avec le socialisme et le syndicalisme (cf. les composés *anarchosyndicalisme* et *-syndicaliste*). ◇ De la même période date l'abréviation populaire de *anarchiste, anar* (ci-dessous), qui manifeste la vitalité du mouvement. ◇ Des mots concurrents, comme *libertaire,* puis *gauchiste,* marquent le recul du concept, dans des contextes plus récents.

▸ **ANARCHIQUE** adj. (1594) a suivi l'évolution sémantique du substantif. Il signifie par extension «désordonné, confus» (1866) et se détache alors de toute allusion politique (*un développement anarchique,* etc.). ◇ Il a pour dérivé **ANARCHIQUEMENT** adv. (1834). ◆ **ANARCHISTE** n. est un mot de la Révolution (1791), devenu usuel au milieu du XIXe s. avec le développement de *anarchie* et qui prend des connotations nouvelles à la fin du XIXe siècle. ◆ **ANARCHISME** n. m. désigne la doctrine politique des anarchistes (1834) et, comme *anarchiste,* a pris une valeur extensive pour «refus de l'autorité, en général» (1917). ◆ **ANARCHISANT, ANTE** adj. (1925) est encore en usage, alors qu'**ANARCHO** n. m. (fin XIXe s.), formation argotique sur *anarchiste,* a été remplacé par **ANAR** n. m. (1901), aussi employé comme adjectif et, rarement, au féminin. ◆ Enfin *anarcho-* sert d'élément de composition dans **ANARCHOSYNDICALISME** n. m. et **ANARCHOSYNDICALISTE** adj. et n. (v. 1900).

ANATHÈME n. m. est d'abord un terme religieux (1174), emprunt au latin ecclésiastique *anathema,* qui transcrit le grec biblique *anathêma* «malédiction ; objet maudit». Ce dernier est la péjoration du grec classique *anathêma,* qui signifiait «offrande votive» (littéralement «ce que l'on place ou pose en plus»), par un renversement propre à l'usage de l'Église, mais qui n'est pas clairement expliqué. Le mot grec pour «malédiction» est *katathêma. Anathêma* est préfixé de *thêma, -atos* «dépôt» (→ thème), qui existe surtout en composition et qui appartient, comme *thesis* (→ thèse) et le latin *facere* (→ faire), à une vaste famille indoeuropéenne.

♦ En français, le mot est sorti du domaine religieux (fin XVIIe s.) mais est resté didactique. Il désigne aussi (déb. XVIIe s.) la personne qui fait l'objet d'un anathème, notamment celle qui est retranchée de la communion des fidèles (1680). ◆ La reprise du mot au sens grec, «offrande» (1596), est attestée jusqu'au XIXe s. en contexte moderne («ex-voto») et s'emploie en terme d'antiquité (1764) pour «victime immolée».

▸ **ANATHÉMATISER** v. tr. (déb. XVe s.) calque un dérivé latin (et grec) *anathematizare.* ◇ Il a pris aussi une valeur laïque (XVIe s., Amyot), très didactique, comme le dérivé **ANATHÉMATISATION** n. f. (v. 1420, en religion ; «condamnation absolue», 1895).

ANATIFE → ANE

ANATOMIE n. f. est emprunté au latin *anatomia,* formé sur le grec *anatomê,* de *ana-* (→ ana-) et *tomê* «coupure» (→ -tome, -tomie), dérivé de *temnein* «couper, fendre», d'origine indoeuropéenne. Le mot, concret à l'origine, a pris en latin un sens abstrait, «étude de la structure des organismes», passé par emprunt savant en ancien provençal (*anathomya,* v. 1250) et en français (*anathomie, anatomie,* 1314).

♦ Le mot, souvent altéré en *nathomie, nothomie, notomie* (XIVe-XVIe s.), prend au XVIe s., par suite de la levée de l'interdit religieux sur cette pratique, le sens concret de «dissection» (1552), sorti d'usage au XVIIe siècle. Par ailleurs, il signifie au figuré «examen détaillé, analyse», valeur usuelle jusqu'au XVIIIe s., puis archaïque. ◇ Le nom de la science, devenu courant, donne lieu à *anatomie comparée* (1730), *anatomie humaine,* etc., puis à *anatomie pathologique* (1835), branche des études médicales. Le mot est employé pour «étude des formes extérieures du corps, en art», aussi dans *anatomie artistique* (1883). ◇ Par métonymie, *anatomie* s'est dit pour «squelette» (une fois au XVe s., puis XVIe-XIXe s.), sens disparu comme le familier «personne maigre» (1690, jusqu'au XVIIIe s., plus tard en français régional, souvent altéré). ◇ De là, l'acception encore vivante de «corps disséqué» (1611), d'où *pièce d'anatomie* (1821) et, par extension, celle de «représentation du corps analysé» (1751). ◇ Un autre sens extensif est «forme extérieure du corps», d'où *avoir une belle anatomie*, familier.

► **ANATOMISTE** n. «spécialiste de l'anatomie» est dérivé en français (1503) comme **ANATOMISME** n. m., qui a désigné (1863) la tendance à expliquer les phénomènes physiologiques et pathologiques par l'anatomie. ◆ **ANATOMISER** v. tr. a signifié «disséquer» (1503, jusqu'au XIXᵉ s.) et, au figuré, «analyser en détail» (1552, Rabelais). ◆ **ANATOMIQUE** adj. est emprunté (1546) au dérivé bas latin *anatomicus;* il a lui-même pour dérivé **ANATOMIQUEMENT** adv. (1651).
De nombreux composés en **ANATOMO-** soulignent l'importance du concept, articulé avec ceux de morphologie, de physiologie, dans **ANATOMOPHYSIOLOGIE** n. f. (déb. XXᵉ s.), de pathologie, dans **ANATOMOPATHOLOGISTE** n. m. (1833), **ANATOMOPATHOLOGIQUE** adj. (1835), d'où le nom de la discipline **ANATOMOPATHOLOGIE** n. f. (1865), ou encore avec le concept de clinique médicale : **ANATOMOCLINIQUE** adj. et n. f. (1887). Cette série exprime avec d'autres la scientifisation de la médecine, au cours du XIXᵉ siècle.

ANCÊTRE n., notation moderne de *ancestre* (XIIᵉ s.), procède du latin *antecessor, -orem,* dérivé spécialisé du verbe *antecedere* (→ antécédent) «marcher (*cedere;* → cession, concéder, décéder...) devant (*ante*)» (→ anté-). *Antecessor* a pris les sens d'«avant-garde militaire» et de «prédécesseur (en droit)», sens dominant en latin médiéval, où le mot s'applique aussi (VIIIᵉ s.) aux ascendants, empiétant sur le sens de *avus* (→ aïeul).

♦ *Ancestre,* forme dérivée du nominatif, a éliminé l'ancien français *ancessor* (*anceisor,* v. 1050), de l'accusatif (cas régime), les deux formes existant aussi en ancien provençal. Le type *ancessor,* représenté aussi en catalan, disparaît au cours du XVᵉ siècle. ◇ Un emprunt savant, *antecesseur* (v. 1250) s'est employé pour «prédécesseur» (jusqu'au XVᵉ s. ; repris 1898, Huysmans, par latinisme littéraire), puis pour «ancêtre» (1521). La graphie *ancêtre* apparaît au XVIᵉ siècle. ◇ *Ancestre* a dès l'origine sa valeur actuelle, mais signifie aussi en ancien français «prédécesseur» (XIIᵉ s.), et aussi «vieillard» (mil. XIIᵉ s., Wace), sens disparus, le premier étant repris au XIXᵉ s. (Dumas) au sens d'«initiateur, devancier» et le second au XXᵉ s. ironiquement (cf. *grand-père*).

► Le dérivé **ANCESTRAL, AUX** adj. (1853) reprend l'anglo-normand *ancestrel* (XIIIᵉ-XVᵉ s.) et conserve le *s* de l'ancienne graphie ; il signifie «des ancêtres ; ancien et héréditaire» avec la valeur extensive de «traditionnel, hérité».

ANCHE n. f. apparaît en 1402 sous la forme *ence,* qui désigne une gouttière ; *anche* (1413) signifie «goulot (de bouteille)» ; ces formes remontent au francique °*ankja* (cf. ancien haut-allemand *ancha* «jambe» et «tuyau») qui semble avoir désigné le canal d'un os long.

♦ Divers sens se développent dans les dialectes français du Nord, dont «gouttière» (*ence*), «goulot», «tuyau» (av. 1585, Ronsard) puis «robinet d'un pressoir» (1655, *enche*). ◇ La valeur musicale, «embouchure (de cornemuse, etc.)», a donné par métonymie le sens moderne de «languette vibrante» (1530), pour certains instruments à vent, d'abord le hautbois, puis la clarinette, ensuite le saxophone et tous les instruments dits *à anche.* De là *jeu d'anches* (1690), nom d'un registre de l'orgue. ◇ Les autres valeurs du mot sont toutes sorties d'usage, ainsi que les dérivés.

► En musique, le mot a pour dérivés **ANCHER** v. tr. (1752) «munir (un orgue) d'un jeu d'anches», précédé par **DÉSANCHER** v. tr. (1636) «enlever l'anche de (un hautbois, etc.)».

ANCHOIS n. m. est un emprunt (1546 ; 1564, *anchoie*) à l'ancien provençal *anchoia* (d'où *anchouiado,* en français *anchoïade*), qui correspond au catalan, à l'espagnol *anchoa* (fin XVᵉ s.), au portugais *anchova* et doit remonter à une forme mal déterminée du latin populaire, qui a donné aussi l'italien *acciuga* (l'anglais *anchovy,* l'allemand *Anschove, Anschovis* viennent des langues romanes). Une glose *apya* a suggéré un latin populaire °*apiua* ou °*apiuva,* que l'on rapproche du grec *aphuê* «petits poissons, friture» (peut-être de *a-* privatif et *phuein* «pousser»); si cette origine est exacte, les formes modernes sont irrégulières. Le grec a donné l'emprunt latin *aphye,* qui est passé en français sous la forme *afye* (1582), puis *aphie* (1775), sortie d'usage.

♦ Le mot, attesté après l'ancien provençal *anchoia* (1397), et qui lui est probablement emprunté (au féminin, *anchoie*), désigne un petit poisson comestible, souvent conservé dans l'huile ou la saumure. D'où les syntagmes usuels *filets d'anchois, beurre d'anchois.*

► Le dérivé **ANCHOITÉ, ÉE** adj., qui vient probablement du languedocien *anchoiat,* à côté du dérivé français *anchoisé* (1810), se dit de poissons préparés comme l'anchois (1765, *sardine anchoitée*). ◆ **ANCHOYADE** ou **ANCHOÏADE** n. f., «préparation d'anchois, sauce à l'anchois», est un emprunt à l'occitan (provençal), qui paraît récent.

ANCIEN, ENNE adj. vient par évolution phonétique du très bas latin *anteanus* (VIIᵉ s.), adjectif dérivé de *ante* «avant» (→ ains, antérieur, antique) ou d'un latin populaire *antianus* (XIIᵉ s.), qui ont une valeur hiérarchique plutôt que temporelle. Dans ce cas, ce serait un mot de clerc, «demi-savant».

♦ Le mot français signifie (mil. XIᵉ s.) «qui existe depuis longtemps», mais il conserve longtemps la valeur hiérarchique du latin populaire : *l'Ancien des jours* «Dieu» (XIIIᵉ s.), *les anciens* désignant de hauts personnages, des évêques conseillers (1466), etc. Cette valeur, en français moderne, disparaît ou est imprégnée par le sens chronologique. ◇ En parlant des humains, *ancien* a signifié «vieux, âgé» (mil. XIIᵉ s.) et, comme nom, «vieillard» ; ce sens s'est perpétué localement dans le terme d'adresse *mon ancien* (1781) et par la valeur rurale de «père, mère» (attestée XIXᵉ s.) ; cf. *vieux.* ◇ L'adjectif qualifie ce qui dure encore (choses et personnes), ou ce

qui a disparu. Spécialisé pour qualifier des objets valorisés (XIXe s.; *meubles, livres anciens*) et alors opposé à *vieux*, il peut être substantivé *(aimer l'ancien)*. L'expression ***à l'ancienne*** (attestée 1935) qualifie une préparation à la manière d'autrefois, traditionnelle. L'idée de tradition est en effet souvent présente, même en parlant des personnes; l'adjectif peut être alors substantivé *(les anciens)*. ◇ Un emploi spécial et normal depuis le XIe s. (1080) concerne une époque antérieure, et notamment les peuples, les auteurs de l'Antiquité (cf. *antique*). *Ancien* est normalement opposé à *moderne*.
Trois valeurs peuvent s'amalgamer dans les emplois substantivés humains : l'âge, l'idée de paternité (*anciens* et *ancêtres* s'influençant mutuellement, mais *les anciens*, «les ancêtres», est sorti d'usage) et même d'héritage, de patrimoine (d'où *les anciens* [1593] «les biens patrimoniaux») et celle d'autorité plus ou moins vénérable; s'y joindra l'idée d'un long exercice d'une activité, d'une profession, qui connote l'expérience et la compétence (depuis fin XVe s., Commynes). De là des emplois comme *conseil des Anciens*, dans la constitution de l'an III, ou, déjà au XVIIe s., celui qui correspond au sens de «vétéran (dans l'armée)» (1690). ◇ De l'acception pour «disparu, qui n'est plus tel», viennent les emplois modernes de *ancien élève* (d'où *un ancien*, 1810) et *une, son ancienne* (1873) pour une ancienne maîtresse.

▸ Parmi les dérivés, deux sont restés vivants. ◆ **ANCIENNEMENT** adv. (1150) est en concurrence avec *autrefois* et *jadis* et s'emploie aussi au sens de «depuis toujours» (1278). ◆ **ANCIENNETÉ** n. f. signifie d'abord (XIIe s.) «les temps anciens, l'Antiquité», sens disparu, et «caractère de ce qui est ancien». Le sens de «vieillesse» (mil. XIIe s.) a disparu. ◇ Le mot a désigné par métonymie une chose ancienne, un fait ancien (v. 1300). ◇ Des valeurs spéciales se sont dégagées, comme «priorité de réception dans un corps, temps d'exercice d'une fonction» (1680), «caractère ancien d'une famille» (1636).

ANCILLAIRE adj. est un emprunt (1803) au latin *ancillaris*, dérivé de *ancilla* «servante», qui a donné l'italien *ancella* (XIIIe s.), l'ancien et moyen français *ancele* (1050), *ancelle* (XIIIe s.) «servante» qui s'est employé jusqu'au début du XVIIe s. (parfois repris au XIXe s.). *Ancilla* repose sur la même racine indoeuropéenne que *colonus* (→ colon) et *cultura* (→ culture).

♦ Le mot qualifie d'abord ce qui a rapport aux servantes; il ne s'emploie plus que dans ***amours ancillaires*** (1855), sens qui correspond au dérivé latin *ancillariolus* «homme qui recherche les servantes», attesté chez Ménage (1713, Menagiana) et qui a donné en français *ancillariole* (1732), rapidement disparu.

ANCOLIE n. f. est issu (1325) du bas latin *aquileia*, mot peut-être dérivé de *aquila* (→ aigle), à côté de l'emprunt *aquilée, aquillée* (XVe s.), sorti d'usage. La forme moderne provient d'altérations du latin, *aquilegia, acoleia*, etc. La nasalisation de *acolie* en *ancolie* a pu être suscitée par *mélancolie*, la fleur étant un symbole de ce sentiment (attesté XVe s.) [cf. *souci, pensée*, noms de fleurs].

♦ Le mot désigne une plante (Renonculacées) aux fleurs de couleurs variées. La variante *ancholie* (XVIe-déb. XVIIe s.), pseudo-savante, coexiste avec diverses altérations populaires.

ANCRE n. f. est issu (v. 1160) du latin *ancora*, emprunt ancien au grec *ankura*, passé dans de nombreuses langues, notamment romanes et germaniques. *Ankura* vient avec un suffixe en *r-* du thème *ank-* que l'on retrouve dans plusieurs dérivés, dont *ankôn* «coude» (→ angle), thème attesté en indoeuropéen (sanskrit *áṅkas* «vallée profonde»). L'idée originelle est celle de crochet, de chose recourbée.

♦ Mot usuel de marine, *ancre* (aussi écrit *encre*, *hancre* en ancien et moyen français) figure dans des syntagmes et des locutions. ***Jeter l'ancre*** (XVIe s.), d'abord *geter ancre* (v. 1165), puis *jeter son ancre, les ancres* (1552), s'emploie aussi au figuré (*jeter ses ancres*, déb. XVIIe s., d'Aubigné). ***Être à l'ancre*** (fin XIVe s., Froissart) «être au mouillage» a signifié au figuré «être inactif, impuissant» (1532) et «être au repos». ***Lever l'ancre*** a pour valeur métaphorique encore vivante «partir» (v. 1650). ◇ La plupart des syntagmes techniques sont attestés en langue classique : *ancre sacrée* (XVIe s.), d'abord *ancre sacre* (1546) «ancre principale», et au figuré «recours», comme *ancre de salut* (1823), sont sortis d'usage; *ancre d'affourche* (1691), *à jet* (1773), *de bossoir* (id.), *ancre flottante* (1866), *ancre de miséricorde* sont techniques. ◆ La forme la plus courante de l'ancre produit des sens dérivés en construction (1561; *ancrer* est antérieur en ce sens), en blason (1671), en horlogerie (1720) pour «pièce d'échappement». Par analogie, le mot s'emploie en aérostation (1863). ◇ La valeur figurée, «ce qui fixe, consolide, arrête», est ancienne (v. 1165-1170).

▸ Le dérivé **ANCRER** v. tr. (v. 1160) correspond à «amarrer» et s'emploie au pronominal (v. 1210). Il se dit par extension pour «consolider (un mur, une poutre)» (1397). Au figuré, pour «fixer dans une situation», il s'emploie surtout au pronominal (XVIe s., Amyot). ◇ *S'ancrer*, comme le participe passé *ancré*, s'emploie surtout au figuré, en français moderne avec l'idée d'attachement obstiné. ◆ **ANCRÉ, ÉE** p. p. adj. se dit d'un navire (anglonormand, 1180) et, en blason, d'une croix aux extrémités en forme d'ancre (1380, Froissart). ◆ **ANCRAGE** n. m. est d'abord attesté (1468) au sens de «lieu où l'on peut ancrer» puis (déb. XVIIe s., *encrage*) «action d'ancrer (un navire)». Avec cette valeur active, le mot s'emploie aussi en architecture (1898). ◇ Il se dit d'une redevance de port (1669; aussi *droit d'ancrage*, 1694), après le provençal *ancorage, anchorage* (1506 à Antibes). ◇ Au figuré, *ancrage* signifie abstraitement (1964, Barthes) «fixation, implantation».
Le composé **DÉSANCRER** v. tr. (v. 1210) signifie «lever l'ancre» et s'est employé au figuré (une fois au XVIe s., puis 1864).

ANDAIN n. m. est probablement issu (déb. XIIe s.) du latin populaire °*anbianus*, du latin *ambi-*

tus (IIe s.) «pourtour; bord» et «espace» puis «chemin circulaire». Cette forme a donné de nombreux mots patois et dialectaux. *Ambitus* est dérivé de *ambire* «aller autour, faire le tour de», composé de *ambi* (→ ambi-) et de *ire* «aller» (→ errer).

♦ *Andain*, représenté au IXe s. par le latin médiéval *andainus* (844), signifie (fin XIIe s.) «enjambée, pas», puis (v. 1200) «bande d'un pré correspondant à un coup de faux», enfin «chemin tracé par le faucheur» (1636), d'où «rangée d'herbe fauchée» (v. 1200 ; répandu XVIe s. avec de nombreuses variantes dialectales).

◈ voir **AMBIANT**, **AMBITION**, **ANDANTE**.

ANDANTE adv. est un emprunt (1710) à l'italien *andante* «allant», participe présent du verbe *andare*, du bas latin *ambitare*, dérivé de *ambire* «aller autour» (→ andain).

♦ Le mot, répandu en musique au XVIIIe s. aussi comme adjectif (1750) et comme nom (1751), correspond au français *allant* et signifie «modéré et d'un mouvement régulier (mais plus vif que *adagio*)».

▸ **ANDANTINO** adv. et n. m. est emprunté (1751) au diminutif italien et caractérise un mouvement musical intermédiaire entre *andante* et *allegretto*.

◈ **ANDOUILLE** n. f., terme d'alimentation ancien (v. 1178, *andoille*), vient probablement, par évolution phonétique, du bas latin populaire °*inductilis*, au neutre pris substantivement °*inductile*, dérivé de l'adjectif *inductile*, lui-même dérivé de *inducere*. Ce verbe est composé de *in-* et de *ducere* «conduire, mettre», *inducere* signifiant en outre «enduire, couvrir» et «tromper» (→ enduire, induire). Cependant, *inductilia* est attesté au sens moderne en latin médiéval.

♦ La charcuterie appelée *andouille* est faite de lanières de porc et de veau enserrées dans un boyau. ◇ Plusieurs locutions péjoratives, comme ***dépendeur d'andouilles*** «niais», et des métaphores plaisantes, fréquentes dans ce domaine (cf. *saucisse*), parmi lesquelles le sens vieilli, aussi ancien que le sens propre, de «membre viril», ont pu conduire au figuré (1866) «imbécile», employé comme nom, adjectif et appellatif injurieux. Ce sens entre dans des syntagmes comme ***faire l'andouille***, qui équivaut à *faire l'idiot*.

▸ Le diminutif **ANDOUILLETTE** n. f. (1680; déjà 1451, comme nom propre, *Andoilette*) désigne une autre charcuterie, qui se mange en général chaude, et n'a pas de valeurs figurées courantes.

◈ **ANDOUILLER** n. m. «ramification des bois du cerf» serait une altération (mil. XIVe s., variantes *endoillée;* puis *endoiller*, au XVIe s.) de *antoiller* (XIVe-XVIIIe s.), dérivé d'un latin populaire °*anteoculare*, adjectif substantivé au neutre, «qui se trouve devant *(ante)* les yeux *(oculi)*», *(cornu) antioculare* étant le premier andouiller, qui pousse horizontalement au-dessus des yeux de l'animal (→ anté-, œil).

♦ Le mot s'applique aux ramifications des bois du cerf, au sens strict (aujourd'hui *andouiller d'œil*, *maître andouiller*) et par extension.

ANDRINOPLE n. m., nom d'étoffe, est tiré (1825) du nom de la ville grecque, puis turque, qui porte ce nom en français, par altération de son nom grec *Hadrianopolis* «ville d'Hadrien» (en turc *Edirne*), *polis* signifiant «ville» (→ ① police).

♦ Le mot est attesté peu après *rouge d'Andrinople* (1821) «teinture rouge de garance», le tissu de coton en question étant à l'origine teint en rouge.

ANDRO-, premier élément de mots savants, procède du grec *anêr*, *andros* «homme», par opposition à la femme. Le mot vient d'un radical indoeuropéen désignant l'homme en tant que guerrier, alors que *vir* (cf. latin *vir*) correspond seulement à l'idée de «mâle» (→ viril). *Anêr* a des correspondants dans les langues indoeuropéennes, arménien *ayr* et, sans *a* initial, sanskrit *na*, gallois *ner*, etc. Le mot français le plus ancien contenant cet élément provient du grec par le latin.

▸ **ANDROGYNE** adj. est emprunté (1555) au latin *androgynus*, lui-même pris au grec *androgunos*, de *aner* et *gunê* «femme» (→ gynécée). Le mot s'est dit au figuré d'un métal de nature double (une fois au XIVe s.) puis s'est employé comme nom, signifiant alors «être humain réunissant les organes des deux sexes» (1555) et comme adjectif, pour «qui unit l'homme à la femme» (1598). Repris au XVIIIe s. en botanique (1771), il se dit aussi des animaux hermaphrodites (1803) et des êtres humains qui ont des caractères des deux sexes (1841), puis des choses de nature hybride (1831). ➛ Le dérivé **ANDROGYNIE** n. f. (1554) s'applique aussi aux plantes (1845) et s'emploie au figuré (1865). ➛ Les autres dérivés, **ANDROGYNISME** n. m., **ANDROGYNAT** n. m. (1875), etc., sont peu usités. ➛ D'autres composés gréco-latins ont donné lieu à des emprunts très rares, tels **ANDROGÉNIE** n. f. (1793), **ANDROLEPSIE** n. f. (1721).

ANDROÏDE n. m. est créé en français (Naudé, fin XVIIe s.) au sens d'«automate à forme humaine». La vogue de la science-fiction lui a donné une nouvelle carrière, à côté de *humanoïde;* il est alors emprunté à l'anglo-américain *android*.

Ont été formés en français **ANDROLÂTRE** adj. (1790) «adorateur de l'homme»; **ANDROPHOBE** adj. (1807) «qui fuit les hommes, s'oppose aux hommes», **ANDROPHOBIE** n. f. (1807), aussi avec la valeur générale de «misanthropie» (1838); **ANDROCÉPHALE** adj. «à tête d'homme (d'une représentation animale)» (1889, Huysmans), précédé par **ANDROCÉPHALOÏDE** n. f. «pierre à tête humaine» (1812); **ANDROSTÉRONE** n. f. (1931) de *-stérone;* **ANDROGÈNE** n. m. et adj. qui se dit d'une hormone mâle (1951); **ANDROPAUSE** n. f. formé sur *ménopause* (1952).

POLYANDRIE n. f. est formé (1765) de *poly-**, d'après *polygamie* et d'un élément dérivé **-ANDRIE** pour désigner l'état d'une femme ayant simultanément plusieurs époux. ➛ Le mot désigne aussi en botanique une classe dans le système de Linné (1787), d'où **POLYANDRE** adj. (1809), attesté plus tard en parlant des femmes (1842).

◈ voir **ALEXANDRIN**, **SCAPHANDRE**.

ANE n. f., qui a désigné (XIIe-XIVe s.) le canard, est issu du latin *anas*, *anatis*. Ce mot correspond à ◈

l'ancien haut-allemand *anut,* au grec *nêtta* (attique). On en a même rapproché un nom sanskrit. Certains dérivés, comme *anete,* ont survécu jusqu'au XVIIe siècle.

♦ Le mot a été éliminé par la confusion homonymique avec *asne* (→ âne) et remplacé par *cane* et par *canard.* Il ne survit que dans le composé *bédane* (→ bec), c'est-à-dire *bec d'ane* «bec de canard».

▸ Par emprunt savant au latin, a été formé le mot de zoologie **ANATIDÉS** n. m. pl. (1846; *anatides,* 1838) «famille de palmipèdes comprenant le canard»), et quelques autres.

ANATIFE n. m., qui désigne un crustacé cirripède, est emprunté (1803) au latin scientifique *anatifa* (1792, Brugnières), de *concha anatifera* (fin XVIe s.), d'où *conque anatifère* (1628), formé de *anas, anatis* et *-fera (-fère).* ◆ Le mot est issu d'une légende nordique selon laquelle ce crustacé, ou *bernique,* qui s'attache à la coque des navires, donnait naissance à des oiseaux marins.

En outre, plusieurs mots techniques anciens, **ANILLE** n. f. «étai de construction» (XVe-XIXe s.) aussi «béquille» (XVIe-XVIIe s.), **NILLE** n. f. «fer de la meule d'un moulin» (XIVe-XVIIIe s.), aussi *anille* «manivelle, tourniquet» (XVIe-XVIIIe s.), sont issus du dérivé latin *anaticula,* proprement «petit canard», qui a pris diverses valeurs métaphoriques par analogie de forme, notamment en technique, valeurs passées dans les langues romanes (à l'exception du roumain).

◈ voir peut-être **ANICROCHE**.

◈ **ÂNE** n. m. est la forme phonétiquement évoluée (*asne,* Xe s.; *ane,* XIIIe s.) du latin *asinus,* qui a donné *asino* en italien, *asno* en espagnol. Alors que les noms du cheval, comme le latin *equus* (→ équestre), sont indoeuropéens, ceux de l'âne, animal méditerranéen, sont différents dans chaque langue (Ernout et Meillet). Cependant, le grec *onos* (→ onagre), que Benveniste explique par le sumérien *anšu,* semble apparenté à *asinus.* Dès le latin, le mot sert de désignation péjorative pour les humains.

♦ Le mot désigne depuis le Xe s. le mammifère domestiqué, utilisé à diverses tâches et, au figuré (XIIIe s.), une personne peu intelligente. De nombreuses locutions et proverbes utilisent l'âne. Parmi les locutions, ***âne bâté*** (1670, Molière), précédée par *âne bardé* (1530), renforce *âne* pris au figuré par une caractérisation concrète de l'animal; l'idée est développée par une autre expression, *fier comme un âne qui a un bât neuf* (XVIe s.). ***Âne rouge*** «hémione» n'est probablement pas en cause dans ***méchant comme un âne rouge*** (1640, chez Oudin), où *rouge* a la fonction péjorative de *roux* au moyen âge. Sont attestées au XVIe s. *faire de l'âne pour avoir du bren* (son) [1534, Rabelais], qui renforce *faire de l'âne* «tromper» (1496-1497), locution qui est devenue ***faire l'âne pour avoir du son, brider l'âne par la queue*** «agir maladroitement» (Montaigne), ***tirer un pet d'un âne mort*** *(id.)* et d'autres. De nombreuses phrases proverbiales ont été fixées par les *Fables* de La Fontaine *(L'Âne chargé de reliques, L'Âne vêtu de la peau du lion, Le plus âne des trois...)* et ***peau d'âne*** par Perrault. *Peau d'âne* a été repris (mil. XXe s.) pour «parchemin» au sens de «diplôme». ◇ L'idée d'obstination est évoquée à partir du XVIIIe siècle : ***têtu comme un âne*** (1798), puis ***tête d'âne*** «personne têtue». ***Gueuler*** (***beugler,*** etc.) ***comme un âne*** «très fort» semble récent (attesté 1925). ◇ L'idée de sottise, héritée du latin, est associée aux longues oreilles de l'âne dans ***avoir des oreilles d'âne*** (1690) «être ignorant», d'où *oreilles d'âne* (1835), remplacé par ***bonnet d'âne,*** qui fut une marque d'infamie pour un enfant puni. ◇ L'allusion à l'***âne de Buridan,*** âne évoqué par le philosophe médiéval Buridan (l'anecdote est probablement apocryphe) et qui mourait faute de savoir choisir entre la nourriture et la boisson, n'est pas attestée avant le XVIIe s. (1690, Furetière). ◆ Une série d'emplois archaïques fait allusion à la sexualité débridée qu'on attribue au mâle, d'où *jeu d'asne* «coït» chez Villon, *(comme) asnes débâtés* (1578), etc., et à des coutumes infamantes (*chevaucher l'asne* [à l'envers], 1395), associées au charivari.

Désignant concrètement des animaux analogues, on relève *asne sauvage* (1265) «onagre», *asne rayé* «zèbre» (XVe s., Villon) sorti d'usage. ◆ Une série d'emplois métaphoriques portent sur l'idée de grosse tête (cf. *têtard*), *âne* désignant un poisson, souvent le chabot (1753), sur celle de couleur grise, régionalement (*âne* désigne le taon, mais une confusion avec *asille,* du latin *asillus* «taon», a pu jouer ; *ânons* des nuages gris), enfin et surtout sur celle de monture ou de bête de trait. ◆ *Âne,* par allusion à l'échine, que l'on retrouve dans *dos d'âne* (ci-dessous), et par l'idée de bête de somme (cf. *chevalet*), désigne ainsi divers objets servant de support (tréteaux, chevalets...), au transport (bottes), souvent sous la forme dialectale *ase.* ◇ L'idée de monture donne lieu dans l'usage général à quelques emplois techniques et à l'expression ***à âne*** «à califourchon sur un âne». ◇ ***D'âne, aux ânes*** se dit de plantes comme le chardon (*chardon d'âne,* 1690) et d'autres, surtout régionalement (*concombre d'âne,* 1542).

▸ Un certain nombre de dérivés ont disparu : *asnele* n. f. (1165-1170) remplacé par *ânesse* ; *anel* n. m. «petit âne» (XIIe-XIIIe s.) ; *asneton* n. m. (1546) ; *anichon* n. m. (XVIe-XVIIe s.) de même sens, conservé régionalement; *anee (anée)* «troupeau d'ânes» (1550), etc.

Parmi les dérivés restés en usage, **ÂNESSE** n. f. (*asnesse,* v. 1130) s'est substitué à *asne* provenant du latin *asina :* il fallait une forme distincte pour désigner la femelle, comme pour tout animal domestique. ◇ *Ânesse,* au figuré «femme sotte, ignorante» (1680), est demeuré rare, alors que *ânon,* dans le même emploi (1669), a une certaine vitalité. ◆ **ÂNON** n. m. (XIIe s., *asnon*), diminutif, a produit le verbe **ÂNONNER** (1606), au sens peu prévisible de «parler, réciter comme un "petit âne", un cancre»; allusion claire à l'apprentissage de la lecture et à l'emploi de *âne* et *ânon* pour qualifier l'enfant peu doué ou paresseux (cf. aussi *bonnet d'âne*). ◇ De là **ÂNONNEMENT** n. m. (XVIIe s., Mme de Sévigné) et **ÂNONNEUR** n. m. (1866). ◆ **ÂNERIE** n. f., autre dérivé français (isolément au XIIIe s., puis au XIVe s.; usuel depuis 1488), vient du sens figuré «personne stupide» et désigne un acte, une parole sotte.

◆ **ÂNIER, IÈRE** adj. «stupide» (déb. XIIIe s., *asnier*, Gace Brûlé ; puis XVIe s.), est sorti d'usage, après avoir suscité des calembours sur la ville d'*Asnières* (XVIIe s.).

L'idée d'échine saillante, exploitée dans les dialectes, où *âne* désigne divers objets, meules, cercueils (à Rodez, 1546), tréteaux (cf. *chevalet*), a servi à former le composé **DOS-D'ÂNE** n. m. inv., désignant initialement le bord extérieur d'un fossé de fortifications (fin XIVe s., Froissart), puis une levée de terre (1584), notamment en jardinage (1684), et enfin le bombement transversal d'une chaussée (1690), sens usuel en français contemporain. ***En dos d'âne*** (1469) loc. adv. est aussi très vivant, et le mot a par ailleurs de nombreuses spécialisations techniques.

Un composé récent, **ZÉBRÂNE** n. m. «hybride de zèbre et d'ânesse» (1975), est peu usité.

Plusieurs dérivés latins de *asinus* ont donné naissance à des mots français, dont certains sont sentis comme des dérivés de *asne, âne*. ◆ **ÂNIER, IÈRE** n. (*asnier*, v. 1224) est issu du latin *asinarius*, n., comme l'italien *asinaio*, l'espagnol *asnero*, etc. Le mot est la substantivation de l'adjectif *asinarius* «de l'âne». *Ânier* désigne le conducteur d'âne et a donné lieu à proverbes (comme *à rude asne rude asnier*, XIIIe s.). ◆ **ÂNÉE** n. f., «charge portée par un âne», est issu (XIIIe s.) du latin populaire °*asinata*, d'où le latin médiéval *asinata* (v. 1100) désignant une mesure pour les grains, sens passé en français, où *asnee, asnie* désignent du XIIIe au XVIIIe s. des mesures de capacité (grains, vin) et des mesures agraires de superficie (XVIe-XVIIIe s.).

D'autres formes sont des emprunts savants. ◆ **ASININ, INE** adj. est emprunté au XVIe s. au dérivé latin *asininus*, qui avait donné *asnin* en ancien français (2e moitié XIIe s., puis 1226), dans des emplois spéciaux. *Asinin* «de l'âne» est peu usité. ◆ *Bête asinine* a donné *bête* **ASINE** adj. f. (1620), archaïque, d'où *race asine* (1863). ◆ **ASINIQUE** adj., dérivé savant de *asinus*, concurrence sans plus de succès *asinin*, dans *bête asinicque* (fin XVe s.), puis en général pour «de l'âne» (1622). ◆ D'autres formations en *asin-* (*asinal, asinien, asinerie...*) sont rarement attestées en français moderne. **ASINESQUE** adj. (1612), aussi rare, est emprunté à l'italien *asinesco*.

ANECDOTE n. f. est emprunté, par le latin *Anecdotes*, au titre grec d'un ouvrage de Procope, *Anekdota*, c'est-à-dire «choses inédites». Le mot est la substantivation de l'adjectif grec *anekdotos*, de *an-* (*a-* privatif ; → ② a-) et de *ekdotos*, adjectif verbal de *ekdidonai* «produire au-dehors, publier». Ce verbe est formé de *ek-* «au-dehors», variante de *ex* devant consonne (→ ex-), et de *didonai* «donner, produire», que l'on retrouve dans *antidote**, dans *dose** par le dérivé grec *dosis*. D'origine indoeuropéenne, le mot est apparenté au latin *donum*, d'où *donare* (→ don, donner).

♦ Le mot est passé en français comme adjectif (av. 1650) et comme nom, d'abord dans un titre (*Anecdotes de Florence*, 1685) ; il s'est diffusé au XVIIIe s. en histoire (1718), puis dans l'usage courant (Voltaire), et a donné des dérivés.

▶ **ANECDOTIER** n. m. (1736, Voltaire), «auteur d'anecdotes», est rare. ◆ **ANECDOTIQUE** adj. (1781), usuel comme *anecdote*, a reçu comme lui un sens généralisé, non littéraire («petit fait curieux ; détail secondaire»). ◇ Il a servi à qualifier une personne qui aime à raconter des anecdotes (mil. XIXe s., Lamartine). ◆ **ANECDOTER** v. tr. (1801) et **ANECDOTISER** v. intr. (1866), comme **ANECDOTOMANIE** n. f. (1801) et **ANECDOTOMANE** n. (1836), sont inusités.

ANÉMIE n. f. est emprunté au latin scientifique *anaemia*, lui-même pris au grec *anaimia* (Aristote), de *an-* privatif (→ ② a-) et de *haima* «sang» (→ hémato-, hémo-). Il s'est écrit *anaemie* (1752) et *anhémie* (1838).

♦ Le mot, dans la médecine ancienne (1722), désigne un épuisement par défaut de sang. Le concept moderne s'applique à une faiblesse en globules rouges et en hémoglobine. Le mot est devenu usuel vers le premier tiers du XIXe siècle ; le syndrome étant vague, il a vieilli, sauf dans des locutions qui le précisent.

▶ **ANÉMIQUE** adj. remplace (1833), après *anhémique* (1826), *anème* (1838), emprunté au grec *anaimos*. ◆ **ANÉMIER** v. tr. (1866), «rendre anémique», semble légèrement postérieur à **ANÉMIÉ, ÉE** adj. (1857), employé aussi comme substantif (1896). ◇ *Anémie, anémié* et *anémique* ont reçu des valeurs figurées («faiblesse, faible» ; cf. *exsangue*).

ANÉMO-, élément de mots savants, est tiré du grec *anemos* «vent», de la racine sanskrite *áni-ti* «souffler», commune au latin *animus, anima* (→ âme).

▶ **ANÉMONE** n. f., qui est d'abord attesté sous la forme altérée *anemoine* (XIVe s.), est emprunté au latin *anemone*, mot grec tiré de *anemos*, la fleur s'ouvrant au souffle du vent. ◆ Le mot désigne une plante à fleurs très colorée, inodore, et cette fleur ; des variétés sont appelées *anémone pulsatile, pulsatille* (1810), *anémone des bois* (1791), une plante voisine *anémone hépatique* (1812). ◇ La métaphore ***anémone de mer*** (1768) désigne l'actinie, espèce différente de l'*étoile de mer*.

Parmi les composés formés en français, **ANÉMOMÈTRE** n. m. (déb. XVIIIe s., Huet) «instrument mesurant la vitesse du vent», et **ANÉMOMÉTRIE** n. f. (1752) marquent les débuts de la météorologie. ◆ Ils sont suivis par **ANÉMOGRAPHIE** n. f. (1771), **ANÉMOGRAPHE** n. m. (1811), **ANÉMOGRAPHIQUE** adj. (1836). ◆ **ANÉMOSCOPE** n. m. a désigné (1683) un baromètre à personnages, puis (1691) une girouette ; le mot est sorti d'usage. ◆ En botanique, **ANÉMOPHILE** adj. (1898) qualifie une plante dont la fécondation requiert l'action du vent.

◈ voir ANTRE, ASTHME.

ANESTHÉSIE n. f. est la francisation d'un mot formé en latin moderne, puis en anglais (*anaesthesia*, 1721) à partir du grec *anaisthêsia* «insensibilité», composé de *an-* privatif (→ ② a-) et d'un dérivé de *aisthanesthai* «sentir, percevoir» (→ esthétique), mot d'origine indoeuropéenne.

♦ En français (1771), comme dans les langues européennes qui ont emprunté le mot, il désigne d'abord une perte pathologique de sensibilité. ➜ C'est vers le milieu du XIXe s. que les techniques médicales parviennent à lutter contre la douleur opératoire. Le vocabulaire reflète ce progrès par un nouveau sens pour *anesthésie* (1847), l'ancien sens étant assumé par *analgésie**. L'apparition des anesthésiques se traduit dans la langue par des dérivés.

▸ **ANESTHÉSIQUE** adj. (1857), «relatif à l'anesthésie», a été substantivé au sens de «substance qui procure l'anesthésie» : *un anesthésique* (1850). ➜ **ANESTHÉSIER** v. tr. (1851) a donné l'adjectif et nom **ANESTHÉSIANT, ANTE** (1866). ➜ Depuis la fin du XIXe s., on parle d'**ANESTHÉSISTE** n. «spécialiste de l'anesthésie» (1897). ➜ Au XXe s., le domaine fait l'objet d'une science, dite **ANESTHÉSIOLOGIE** n. f. (1950). ➜ Enfin, *anesthésie* et *anesthésier* prennent à la fin du XIXe s. le sens figuré d'«apaisement, apaiser».

ANETH n. m. est un emprunt ancien (XIIIe s., *anet*) au latin *anethum* (depuis Virgile), pris au grec *anêthon,* passé dans la plupart des langues romanes et qui a donné en ancien français la forme héréditaire *anois* ou *annois* (1290; jusqu'au XIVe s.), puis *anet, danet* (1441). *Anêthon* est sans doute un mot d'emprunt, mais n'a pas d'étymologie connue.

♦ Le mot, écrit *aneth* depuis le XVIe s. (1534, Rabelais), désigne une plante annuelle à l'odeur aromatique, au goût âcre, dite aussi *faux anis* et utilisée comme condiment. L'aneth était utilisé en pharmacie, d'où *onguent anetin* (1607), sorti d'usage.

◈ voir ANIS.

ANÉVRISME n. m., d'abord *anevrisma* (1478, *aneurisma*), est emprunté au latin *aneurysma, anevrisma,* pris au grec tardif *aneurusma,* du verbe *aneurunein* «dilater». Celui-ci est composé de *ana-* (→ ana-) et de *eurunein* «élargir», dérivé de *eurus* «large, étendu». Ce mot semble apparenté au sanskrit *urú-* «large», *váras-* «largeur».

♦ Le mot désigne en médecine, depuis le XVe s., une dilatation locale des artères. Les formes *aneurisme* (Paré), *anevrysme* (1598) ont concurrencé *anévrisme* (1538). Les syntagmes *faux anévrisme, anévrisme diffus* désignent un épanchement de sang hors d'une artère. ◇ On parle de *rupture d'anévrisme, d'un anévrisme,* parfois métaphoriquement (1883, Renan).

▸ Le dérivé **ANÉVRISMAL, ALE, AUX** adj. (1598, *anevrysmal*) a été concurrencé par *anévrismatique* (1812), peu employé.

ANFRACTUEUX, EUSE adj. est emprunté (1503) au latin tardif *anfractuosus* (saint Augustin), dérivé de *anfractus,* peut-être (Varron) composé du verbe *frangere,* au participe passé *fractus* «briser». Cependant, Ernout et Meillet analysent le mot autrement, en *amfr-actus,* et évoquent un emprunt à des parlers osques.

♦ L'adjectif a qualifié en anatomie un conduit sinueux, puis (1547) un chemin difficile de par son tracé. Devenu rare, le mot semble repris au XIXe s. (Gautier) sous l'influence d'*anfractuosité* (ci-dessous). ◇ Il s'emploie rarement au figuré pour «retors» (1897, Bloy) ou «difficile».

▸ Le dérivé **ANFRACTUOSITÉ** n. f., d'abord mot d'anatomie «sinuosités entre les lobes du cerveau», «cavité inégale des os» (1503), s'est appliqué comme l'adjectif aux détours irréguliers d'un chemin (1762) et aux cavités, aux enfoncements de la roche (2e moitié XVIIIe s., Buffon), sens passé dans l'usage courant. ◇ Le mot est en revanche rare et littéraire au figuré (XXe s.; J. Romains, 1932). ➜ Le dérivé **ANFRACTUEUSEMENT** adv. (1546) est rare.

ANGE n. m., forme attestée au XIIIe s., a succédé à *angele* (v. 980) parfois altéré en *angle* et *angre,* aussi *angel,* formes employées en ancien français (XIIe-XIVe s.). *Angele* est emprunté au latin chrétien *angelus* (chez Apulée, «envoyé»), du grec *angelos* «messager» (d'origine inconnue, emprunt oriental probable) et, spécialement, «messager de Dieu», mot utilisé pour traduire en grec l'hébreu *mal'ak* «messager» dans la Bible (Exode, 23, 20, etc.).

♦ Au sens premier, religieux du mot, une représentation populaire (être humain jeune et beau, ailé) s'ajoute à l'idée théologique de «messager» entre Dieu et les hommes. La forme *ange* a éliminé *angele* au XVIe siècle. ◇ Le mot désigne ensuite par métaphore une personne parfaite (il se dit d'une femme, XVIe s.; d'un enfant), puis une personne bonne et pieuse (1657, Pascal); ***mon ange,*** terme d'affection (déb. XVIIe s., Malherbe), est devenu plus sentimental, voire érotique, que pieux. ◇ De nombreux syntagmes utilisent le sens religieux : ***bon ange*** (1550), ***ange gardien*** au sens extensif de «protecteur» (1564, Rabelais), ***mauvais ange*** (1550) ont tous trois des emplois figurés et profanes (*bon* et *mauvais ange* sont chez Estienne, 1549, au sens de «daimon»); récemment ***ange gardien*** a reçu des applications spéciales («garde du corps», 1968) et ***ange de la route*** s'est dit (v. 1950) d'un agent motocycliste surveillant la circulation routière. ◇ On peut encore citer au sens religieux ***ange exterminateur*** (1680), *ange de lumière* (1546) et *ange de ténèbres* «démon» ou ***ange déchu*** (1690). ◇ Parmi les locutions figurées, ***rire aux anges*** (v. 1600), ***être aux anges*** «ravi» (1834), ***un ange passe*** (mil. XIXe s., G. Sand) «un silence se fait» sont restées usuelles. Cette dernière locution peut représenter la version christianisée d'une expression antique évoquant Hermès, Mercure (v. Bárdosi). ◇ ***Faiseuse d'anges*** «avorteuse» (1878) fait allusion à la figuration des anges sous forme de très jeunes enfants et à des expressions comme ***petit ange*** pour un très jeune mort. ➜ Indépendamment des extensions métaphoriques, le mot a des acceptions nouvelles, parfois réalisées par des syntagmes figés : ***ange de grève*** (XVIe s.) a désigné des crocheteurs (portefaix), leurs crochets étant comparés à deux ailes. ◇ ***Ange de mer*** (1552) ou *ange* (1613) se dit de poissons (notamment de squales) à cause de leurs nageoires. ◇ Une monnaie figurant un ange s'est nommée *ange* (d'abord altéré en *angle,* 1340); cf. ci-dessous *angelot.* ➜ Des syntagmes où *ange* est complément sont ou ont été fréquents : ***eau d'ange*** (1380) «eau aromatique» est sorti d'usage; ***cheveux d'ange*** «confiture de cédrats (formant des fils)»

(1863) signifie aujourd'hui (mil. XXe s.) «vermicelle très fin». ***Pain des anges*** «manne» (1550), puis «eucharistie» (1690), est du vocabulaire religieux. ◇ ***Saut de l'ange*** (1928 dans les dictionnaires) désigne un plongeon les bras écartés.

▸ Les diminutifs **ANGELET** n. m. (XIIIe-XIXe s.) et **ANGELETTE** n. f. *(id.)* ayant à peu près disparu, le seul dérivé diminutif vivant est **ANGELOT** n. m. (v. 1180), «petit ange», qui a pris comme *ange* des valeurs extensives et figurées. ◇ Le mot a désigné, après *ange* (ci-dessus), une monnaie française (1340) frappée par Philippe de Valois, puis une monnaie anglaise (1427) et celle que Louis XI dédia à saint Michel en 1467. ◇ Le mot a désigné (depuis 1490) un petit fromage fermenté, probablement frappé à l'origine d'une empreinte analogue à celle des monnaies, représentant un ange. On a voulu expliquer cet emploi, ceci dès le XVIe s. (1558), par une altération de *augelot,* de vallée d'*Auge,* mais *augelot* n'est pas attesté anciennement et le fromage, lorsque son origine est précisée (XVIIe s.), est attribué à la Brie puis au pays de Bray, à Pont-l'Évêque au XVIIIe s., à Maroilles (1812), au Perche, etc., sans nulle mention de la vallée d'Auge (d'après Gossen, in *F. e. w.*).
Les adjectifs dérivés *angelien* (1330), *angeliel* (XIIe s.), *angelin, ine* (XIIIe s.) ont tous disparu, éliminés par l'emprunt *angélique* (ci-dessous). ➛ **ANGÉLISER** v. tr. (XVe s.) est rare. ➛ **ANGÉLISME** n. m., dérivé récent (attesté chez Gide), est devenu assez usuel pour «désir excessif de pureté, refus des réalités de la nature humaine», allusion probable à l'aphorisme pascalien, selon lequel «qui veut faire l'ange fait la bête». ➛ **ANGÉLOLOGIE** n. f. (1842), «étude théologique des anges», est didactique.
ANGÉLUS n. m., premier mot de la prière *(Angelus Domini nuntiavit Mariae)* de la salutation angélique, sert à désigner cette prière (1690; écrit avec accent, depuis le XVIIIe s.). Il se dit aussi du moment où on la récite, le matin, à midi et le soir, et est devenu le symbole de la dévotion simple et fervente (cf. l'*Angélus* de Millet, peint en 1859).
ANGÉLIQUE adj. est emprunté (v. 1262) au dérivé latin *angelicus,* au sens religieux de «relatif aux anges». ◇ Il s'emploie au figuré pour «qui a la douceur, la bonté, la perfection attribuée aux anges» (XIVe s.), et dans des emplois spéciaux en religion, souvent calqués du latin (*docteur angélique,* en parlant de saint Thomas d'Aquin, 1690). ➛ Substantivé au féminin, **ANGÉLIQUE** désigne depuis le XVIe s. (1538; *angelic,* 1543) une plante officinale (latin moderne *angelica*), dont les tiges servent à confectionner une confiserie, et cette confiserie même (1737). ◇ D'autres plantes ont reçu ce même nom, l'anémone blanche (1667), un figuier (XVIe-XIXe s.), un arbre de la Guyane (1768), dont le bois est encore appelé *bois d'angélique* (1928). ◇ *Angélique* (1690), *eau d'angélique* (1709) se dit de liqueurs à base d'angélique, plante officinale.
ARCHANGE n. m. est emprunté (XIIe s.) au composé latin *archangelus,* lui-même emprunt au grec d'Église *arkhangelos,* de *arkh(i)-* (→ archi-) et *angelos,* pour désigner un ange supérieur dans la hiérarchie (qui comporte aussi les *trônes* et les *dominations*). Le mot a plusieurs variantes en ancien français : *arcangle* (Chrétien de Troyes), *archangle, archangele.* ➛ **ARCHANGÉLIQUE** adj. (1442) procède d'un dérivé latin, pris au grec *arkhangelikos;* il a (rarement) la valeur figurée de *angélique.* ◇ Comme nom féminin, il a désigné une plante de la même manière que *angélique,* du XVe au XIXe siècle.

◈ voir ÉVANGILE.

ANGINE n. f. est emprunté (1532, Rabelais) au latin *angina,* emprunt ancien au grec *ankhonê* «action d'étrangler», que le sentiment linguistique a rapproché de *angere* «serrer, oppresser» (→ angoisse, anxiété). *Ankhonê* vient du verbe *ankhein* «serrer, étouffer», de la même famille que *angere* et qui correspond à un ensemble de termes indoeuropéens.

♦ Le mot a gardé son premier emploi, «inflammation de l'isthme du gosier», mais ***angine de poitrine*** (dans Bescherelle, 1845), du latin moderne *angina pectoris* (Heberden, 1768), désigne par référence au latin les douleurs cardiaques et précordiales symptomatiques de plusieurs affections du myocarde (dont l'infarctus).

▸ Le dérivé **ANGINEUX, EUSE** n. désigne le malade (1615) puis s'emploie comme adjectif (1755).

ANGIO-, élément de mots savants, vient du grec *angeion* «récipient», terme servant à désigner différentes parties du corps, notamment les veines. *Angeion* dérive de *angos,* mot ancien (attesté en mycénien) d'origine inconnue, désignant toutes sortes de récipients.

▸ **ANGIOSPERMES** n. f. pl., mot de classification botanique, est formé de *angio-* et du grec *sperma* «graine» (→ sperme). Attesté en 1740, il désigne l'ensemble des plantes dont les graines sont enfermées dans des fruits.
ANGIOME n. m. est emprunté (1869) à un mot allemand créé par Virchow. ➛ De nombreux composés de médecine et de biologie sont formés sur **ANGIO-** au sens de «qui concerne les vaisseaux, veines et artères».

ANGLAIS, AISE adj. et n., d'abord sous la forme *angleis* (XIIe s.), est dérivé du nom ethnique *Angles,* du bas latin *Angli* (sing. *Anglus*), mot désignant le peuple germanique établi en Grande-Bretagne aux Ve-VIe s., et venant d'un toponyme germanique, *Angeln* (à l'est du Schleswig). Ce nom de lieu viendrait de la forme du district, et le mot germanique se rattacherait au latin *uncus* «croc» et à *angulus* «crochet» (→ angle).

♦ Appliqué à l'Angleterre et par extension à la Grande-Bretagne, le mot français a servi à former de nombreux syntagmes et des expressions, proprement *(cigarettes anglaises)* et figurément *(capote anglaise).* L'*anglais,* n. m., désigne la langue née en Angleterre, où qu'elle soit parlée (voir ci-après l'encadré «La langue anglaise», pages 138 à 141). ◇ *Les Anglais,* qui désigne souvent les sujets britanniques en général, s'applique en français du Canada aux Canadiens de langue anglaise. ◇ L'expression ***à l'anglaise*** s'est développée au XIXe s. (***filer à l'anglaise*** «s'esquiver», 1890). ➛ L'*anglaise,* n. f., désigne (1788) un type d'écriture manuscrite penchée et les *anglaises* des boucles (1829).

▶ Ce mot n'a qu'un dérivé technique, **ANGLAISER** v. tr. (un cheval) «lui couper les muscles abaisseurs de la queue» (1788), coutume d'origine anglaise qui est bizarrement à l'origine du mot *cocktail**.
L'adjectif latin *anglicus,* de *anglus,* a fourni **ANGLICISER** v. tr. (XVIIIe s.), d'où **ANGLICISATION** n. f. (1918), **ANGLICISTE** n. (XXe s.) «spécialiste de la langue anglaise», et le mot anglais *anglicism* (1642), d'où en français **ANGLICISME** n. m. (1652) «façon de parler propre aux Anglais», puis (1704) «emprunt à l'anglais», surtout lorsqu'il s'agit du français.
L'élément **ANGLO-**, tiré soit du latin *anglus,* soit de *anglais,* a servi à former de nombreux composés, dont **ANGLO-SAXON, ONNE** adj. et n. (1664, «des Angles et des Saxons»; → saxon); **ANGLO-NORMAND, ANDE** adj. et n. (1796, à propos des îles de la Manche) qui désigne notamment (n. m.) le dialecte français de Normandie parlé et écrit en Angleterre au moyen âge, et qui devrait plutôt s'appeler *franco-normand d'Angleterre* (voir l'encadré p. 142 et 143).
ANGLOMANE adj. (1764) et **ANGLOMANIE** n. f. (1754) marquent le sentiment d'un excès dans l'influence exercée par l'Angleterre sur les Français. ◆ **ANGLOPHILE** adj. (1829; on trouve la forme *anglophilète* en 1768) et **ANGLOPHILIE** n. f. sont contemporains de **ANGLOPHOBE** adj. et **ANGLOPHOBIE** n. f. (1829).
Le fait qu'on parle anglais à travers le monde a contribué à la diffusion du mot **ANGLOPHONE** adj. et n. (1894, comme nom). **ANGLOPHONIE** n. f. (1970) est rare. ◆ La dénonciation de l'influence de l'anglais sur la langue française a motivé le mot-valise **FRANGLAIS** n. m., formé sur *français* et *anglais* (1959, Maurice Rat), qui s'inspirait d'un mot-valise analogue, *fragnol* (sur *espagnol*); *franglais,* répandu par Étiemble, a connu un grand succès, alors même que la lutte contre le franglais (ou *babélien*) fut dans l'ensemble un échec.
ANGLICAN, ANE adj. et n. est emprunté au XVIe s. (1554) à l'anglais *anglican,* emprunt lui-même au latin médiéval *anglicanus* (*Anglicana ecclesia,* 1215), dérivé de *anglicus* (voir ci-dessus). Le mot caractérise ce qui appartient à l'Église réformée d'Angleterre; il est aussi substantivé (1730). ◆ **ANGLICANISME** n. m. (1801) est dérivé de *anglican* (le mot anglais *anglicanism* est attesté plus tard).

ANGLE n. m. est issu (v. 1170) du latin *angulus* «coin», puis «angle», sans doute apparenté au grec *ankon* «coude» qui, comme *ankura* (→ ancre), se rattache à un thème °*ank-* exprimant l'idée de courbure, thème bien attesté dans les langues indoeuropéennes (→ angon, angora); *angulus* a pour correspondants le grec *ankulos* «recourbé» (→ ankylose), l'arménien *ankiwn* «coin», cousin du latin *uncus* «crochet».

♦ En français, le mot est d'abord concret, désignant le coin d'une construction, d'une rue; il s'emploie ensuite abstraitement (1370, Oresme). Il a en ancien français des valeurs extensives, «espace étroit, coin ou recoin» (XIIe-XIVe s.), qu'il cédera à *coin.* Son emploi en géométrie donne lieu à de très nombreux syntagmes, *angle droit* (1377), *aigu* (1585; *angle acut* chez Rabelais), *angle obtus* (1542), *angle au centre* (1751, remplace *angle du centre,* 1645), *angles alternes, internes* (1751), *angles rentrant* et *saillant* (1694), *angle plan* (1645) opposé à *angle curviligne* (1690). ◇ Ces syntagmes sont enrichis par le vocabulaire des fortifications: *angle vif, angle mort* (1690), *angle flanqué* (1604) et *flanquant* (1676). ◇ L'emploi du mot dans d'autres domaines est corroboré par l'apparition de syntagmes nouveaux, en optique (*angle d'incidence, de réflexion, de réfraction,* 1637, Descartes), en astronomie (*angle de position,* 1690), en anthropologie physique (*angle facial,* 1802), en technique (*angle d'attaque* d'une aile, 1873; *angle de coupe,* 1928), au cinéma et en photo (*angle de champ,* 1948). ◇ Par ailleurs, *pierre d'angle* (1672) s'est employé pour *pierre angulaire* et *grand-angle* en photo pour *grand angulaire* (ci-dessous). ◇ Le mot est entré dans des expressions de la langue courante, ***voir sous un certain angle*** (1898), ***sous l'angle de*** (v. 1920) correspondant à *au point de vue de.* ◇ ***Adoucir*** (1925), ***arrondir*** (mil. XXe s.) ***les angles*** se dit pour «rendre les choses plus faciles, moins litigieuses».

▶ Les dérivés français ont vieilli. ◆ **ANGLET** n. m., «coin, recoin» (mil. XIIe s.), puis «coin d'un édifice» et «coin de l'œil» (1611), a eu aussi des valeurs techniques. ◇ *Anglot* et *anglon* n. m. (v. 1330 et XIIIe s.) ont disparu, comme *anglée* n. f. (XIIIe-XIVe s.), repris (1664) pour «pierre angulaire». ◇ **ANGLEUX, EUSE** adj. (XIIIe s.) est encore attesté dans *noix angleuse.* ◆ Des formes empruntées au latin *angulus* (depuis le XVe s.), seul **ANGULATION** n. f., terme de ski (1966), semble vivant.
ANGULAIRE adj. (1377) est une réfection savante de l'ancien adjectif *anguler* (XIIIe s.), surtout dans *pierre angulere,* emprunt au dérivé latin *angularis,* notamment dans *lapis angularis.* ◆ Le mot a éliminé l'ancien français *pierre anglere,* ou *angliere* (1190), issu de l'adjectif latin, et ceci malgré la fréquence du mot *angle.* Outre *pierre angulaire* (1451), l'adjectif a servi à former des syntagmes savants, tels *artère* (1751) et *veine angulaire* (1814), qui, de même que *muscle angulaire* (1751), peuvent être substantivés. ◇ *Vitesse angulaire* (1753) en mécanique et *distance angulaire* (de deux astres) [1874] sont relativement usuels. ◇ L'adjectif est substantivé au masculin dans *grand-angulaire* (1898), désignant en photo un objectif à courte focale et à angle supérieur à 50° (opposé à *téléobjectif*). ◆ Les dérivés **ANGULAIREMENT** adv. (1803) et **ANGULARITÉ** n. f. (1872) sont rares.
ANGULEUX, EUSE adj. est emprunté (1539) au dérivé latin *angulosus,* formé pour traduire le grec *polugonos* (cf. *polygone*), et a une valeur expressive, signifiant non seulement «qui présente des angles», mais «des angles nombreux, saillants, très visibles». Dans ces emplois, il est devenu usuel, et se dit d'un visage osseux (1845), d'une personne aux attitudes raides (1866) et dès le XVIIIe s., à l'abstrait, d'une chose incommode (1761), puis d'un caractère âpre, difficile (v. 1820). ◆ Le dérivé **ANGULEUSEMENT** adv. (1500) semble rare avant sa reprise (1883, Huysmans).

LA LANGUE ANGLAISE

Origines et ancien anglais.

La langue anglaise appartient à l'ensemble germanique* des langues indoeuropéennes. Les évolutions historiques l'ont passablement éloignée de l'allemand et du néerlandais, qui font partie comme elle du groupe germanique occidental. La langue qui serait la plus proche est le frison, parlé dans la province de Frise (Pays-Bas) et les îles de la côte du Schleswig. Par ailleurs, l'ancien anglais présente des similitudes avec l'islandais, qui est la langue germanique et nordique la plus conservatrice.

Les îles Britanniques furent envahies aux ve et vi^e^ s. par trois peuples de langue germanique, les Jutes qui venaient du Jutland (actuel Danemark continental), les Saxons du Schleswig et les Angles du Holstein. C'est le latin *Angli,* appliqué à ces derniers, qui a fourni en ancien anglais *Engla* (génitif) *-land,* le nom du pays. Les Jutes s'étant établis dans le Kent, le sud du Hampshire et l'île de Wight, leur idiome est appelé kentien *(kentish).* Les Saxons installés dans le Sud-Ouest (au sud de la Tamise) parlaient le saxon occidental. Les Angles établis plus au Nord voient leur parler, l'anglien, se subdiviser en deux dialectes : le mercien au sud de la rivière Humber, le northumbrien («au nord de la Humber») au Nord. Ce dernier était culturellement mieux établi que les autres au viiie s., mais les raids (fin viiie s.), puis l'invasion des Vikings (865), danois et ensuite norvégiens, détruisirent cette suprématie au bénéfice du Wessex et du dialecte saxon qui y était parlé.

La langue germanique importée par les Anglo-Saxons dans les îles n'était pas pure de tout contact : elle avait déjà emprunté au latin des mots usuels : *strata* qui donnera *street* «voie», *vallum* (*wall* «mur»), *cocina* (*kitchen* «cuisine»), *episcopus* (*bishop* «évêque»), *butyrum* (*butter* «beurre»), etc. En «Bretagne» (Grande-Bretagne), les chefs politiques christianisés se servirent de l'écriture latine.

À l'époque même où les Celtes d'Irlande diffusaient les lettres latines par leurs monastères (v^e^-viiie s.), les Anglo-Saxons commencèrent à noter leur langue par l'écriture : un premier poème, imité de la Genèse, fut transcrit dans une abbaye du Yorkshire dès 680.

C'est dans cette langue que furent écrits, deux siècles plus tard, les premiers textes importants d'ancien anglais : chronique Parker, traduction du latin (saint Augustin, importateur du christianisme dans les îles, à partir de 597; saint Grégoire, Bède le Vénérable); des poèmes en dialectes mercien et northumbrien furent aussi adaptés. Cet ancien anglais fut illustré dans la seconde moitié du xe s. par Aelfric (v. 955-v. 1010).

Cette langue, contemporaine du plus ancien français, garde des traces de la riche morphologie germanique. Les noms ont quatre cas : nominatif, accusatif, génitif, datif; les adjectifs aussi, avec une déclinaison «forte» et une «faible». Certains noms ont des racines fléchies : *mon* «homme», *men* «hommes» : ils ont résisté aux grandes simplifications morphologiques de la langue. Les pronoms personnels (1re et 2e personnes) conservent un duel. Les verbes ont trois modes (indicatif, subjonctif, impératif) et seulement deux temps (présent-futur et passé). Les verbes «forts» présentent des variations de voyelles («chanter» : *singan, sang, sungon* et *gesungen*); mais tous les verbes nouveaux se rangent dans la classe «faible» ou «consonantique» et ne présentent pas de variation vocalique. Outre le masculin et le féminin, un neutre apparente sur ce point la langue à l'allemand, le genre étant rarement marqué par la terminaison des noms, mais par les adjectifs et déterminants; le système se simplifia, d'abord au nord (xie s.) puis au sud du pays jusqu'au xive siècle.

Comme en ancien français et en allemand, la morphologie de l'anglais entraîne une assez grande liberté dans l'ordre des mots; dans les subordonnées, le verbe est en général placé en dernier.

Le vocabulaire fondamental de l'anglais se constitue alors : il est évidemment germanique et s'enrichit par composition (procédé majeur, comme en allemand) et dérivation. Un autre aspect essentiel, qui commence alors à se manifester, est le transfert (de verbe à nom, de nom à verbe) qui confère à l'anglais sa physionomie lexicale spécifique.

Le moyen anglais.

La situation linguistique des îles Britanniques se modifia après la conquête des Normands (1066). Plusieurs évolutions essentielles transforment alors l'ancien anglais et ses variantes. Tout d'abord, une répartition en partie différente oppose deux dialectes du Sud, celui du Sud-Ouest qui continue le saxon occidental, celui du Sud-Est qui s'étend au-delà du Kent, continuant la langue des Jutes. Au centre, l'ancien mercien se subdivise en deux dialectes des Midlands, un à l'Est, un à l'Ouest, tandis qu'au Nord, le northumbrien se sépare en un dialecte d'Angleterre et un dialecte des Basses-Terres d'Écosse, repoussant vers le Nord le celtique. Le parler des Midlands orientales, préservé de l'effet des invasions, est souvent considéré comme la norme de l'anglais du xie au xive s., mais tous les dialectes jouissent alors d'un statut équivalent, après la primauté du saxon occidental.

La phonétique évolue avec un allongement des voyelles : *nama* (*a* bref) donne *nāme*, *nosu* (*o* bref) *nōse*, etc. ; un allongement similaire se produit en allemand à la même époque (XIIIe s.). En revanche, dans les mots de trois syllabes, les voyelles des premières syllabes se raccourcissent (ex. *hāligdaeg* → *holiday*). Les conjugaisons verbales se modifient de manière différente selon les dialectes. Du côté de la graphie, l'usage de l'écriture carolingienne élimine les lettres d'origine irlandaise, empruntées lors du rayonnement des monastères d'Irlande, et de nombreux signes évoluent, *y* devenant *u*, *u* long devient *ou* et *ow* (en finale). Certains *u* deviennent *o* (*sunu* → *sone*, anglais moderne *son*), des *i* aboutissent à *y*. Le groupe *cw* s'écrit *qu* (*cwēn* → *queen*), *hw* devient *wh* (*hwaet* → *what*), le groupe *ht* de *miht* s'écrit (*mi*)*ght*.

Quant au vocabulaire, à côté du fonds germanique qui concerne toutes les réalités fondamentales et quotidiennes, les mots grammaticaux, les auxiliaires, des emprunts scandinaves résultent des invasions vikings du IXe s. : ils concernent même des éléments grammaticaux (les pronoms *they*, *their*, *them*). La plupart du temps, les mots d'origine anglo-saxonne et scandinave apparentés au germanique aboutissent à une forme identique, mais il existe des doublets : à l'anglais *shirt* (aujourd'hui «chemise») correspond le scandinave *skirt* («jupe»), à *less* («moins») *loose* («lâche»). De très nombreux mots usuels d'origine scandinave sont ainsi passés des dialectes de l'Est à tout le territoire anglo-saxon.

Après l'invasion normande, le vocabulaire anglais reçoit un énorme apport français, qui modifie tout l'équilibre du lexique. Au XIe s., ce sont des mots normands et picards, puis à partir de 1154, date où l'Empire angevin s'étend vers le Sud, des mots «français», de la langue institutionnelle qui l'emporte en France, partant de Paris : il en résulte pour l'anglais des doublets qui reflètent les différences dialectales du français : *catch* à côté de *chase* («chasse»), *real* à côté de *royal*, *wage* à côté de *gage*, etc. Au XIIIe s., le pouvoir des Capétiens augmentant, l'apport du français proprement dit surclasse celui du picard et du normand. Ce que l'on appelle l'*anglo-normand** est en fait un français d'Angleterre, parlé par les couches supérieures de la société et influençant le moyen anglais qui demeure la langue de la majorité. Du XIe au XIIIe s., le rôle du latin est lui aussi très important et les emprunts à cette langue, souvent par l'entremise du français, sont nombreux. Comme pour toutes les langues vivantes d'Europe, la suprématie du latin, langue écrite du savoir, entraîne de fortes influences. Par ailleurs, le néerlandais a fourni depuis le XIIe s. son contingent de termes de marine (*deck*, *dock*, *pump*, *skipper*...).

Cependant, l'anglais prendra peu à peu la place de l'«anglo-normand» et, en 1362, les statuts de Pleading — longtemps avant l'ordonnance de Villers-Cotterêts en France — décident que les actes judiciaires seront rédigés en anglais. C'est l'époque où Chaucer commence à donner l'exemple d'un moyen anglais évolué, fixé et admirablement maîtrisé, qui tend vers l'anglais moderne.

Alors la mixité (germanique-roman) du vocabulaire aboutit à une complète intégration, que souligne l'«hybridité» : composés venant des deux sources, dérivés germaniques d'emprunts romans : *gentle* (1225), de *gentil*, donne très vite *gentlewoman* (1230) et *gentleman* (1275) ; *easy*, pris au normand *aisé* (ancien français *aisié*), donne *uneasy* et *uneasiness*. Le procédé inverse existe aussi : le suffixe roman *-able* s'ajoute aux radicaux germaniques.

Du XIe au XIIIe s. inclus, l'Angleterre et l'Écosse sont bilingues (trilingue dans le cas de l'Écosse gaélique). Le français (anglo-normand) est la langue du pouvoir et de la haute aristocratie ; celle d'une littérature de cour, de qualité égale et parfois supérieure à celle du français de France. Le vieil anglais, avec ses dialectes, reste le parler du peuple et de la petite noblesse. Ce clivage social est reflété par les romans historiques de Walter Scott. Quant aux positions linguistiques, l'anglais est alors surtout une langue parlée ; comme langue écrite, il reprend de l'importance à partir de 1200, d'abord dans l'ouest du pays, puis au nord, enfin dans la région de Londres. Vers 1400, l'usage du français est devenu exceptionnel.

Le XVe et le XVIe s. correspondent à une époque de transition. C'est le début de la Renaissance, venue d'Italie et de France, avec (comme en français) l'intervention de plus en plus importante du grec comme source d'emprunts, directement ou travers le latin, tandis que le flot des emprunts au français d'Ile-de-France et au latin s'accentue : ceci reflète l'équilibre entre latin et langues vivantes, et celui que ces langues établissent en Europe. Par ailleurs, l'imprimerie est introduite par William Caxton (1476). Cet humaniste, conscient des incertitudes de l'usage (syntaxe, morphologie et surtout graphie), sut exposer les lacunes de l'anglais face aux besoins de la traduction et de la fixation typographique du discours écrit.

Par ailleurs, les dialectes étant mis sur un pied d'égalité, le creuset où s'élabore le nouvel état de l'anglais est Londres. La ville, avec 40 000 habitants en 1400, dépasse Bristol, Coventry, Norwich ; les usages des Midlands et de l'Est s'y rencontrent avec ceux du Sud, Kent et Wessex.

C'est alors que les voyelles longues du temps de Chaucer produisent les diphtongues de l'époque élisabéthaine, qui conduisent à la prononciation moderne. Par exemple, le *a* long de *name* (ancien anglais *nama*) devient un *e* long, puis la diphtongue *ei* ; le *o* long de *mone* devient *ou*, puis *oou (moon)*, le *i* de *lyf*, *ei* puis *ai (life)*, le *ou* long de *hus* devient *ouw* puis *aw (house)*, etc. Par ailleurs, certaines consonnes devant consonne commencent à disparaître, dans *knight* (de *cniht*) «chevalier», dans *knife*, malgré leur conservation dans l'écriture, dans *hlaf* qui donne *lof* puis *loaf*. Plus tard le son *l* de *talk*, de *should*, le *r* de *dark*, de *service* s'amuïront aussi.

L'anglais moderne.

Les débuts de l'anglais moderne *(Early Modern English)*, vers 1500-1660, correspondent à une intense activité d'enrichissement et de stabilisation. L'influence du français, du latin et du grec est alors essentielle : ainsi, Thomas Morus écrit son *Utopia* en latin et la fait traduire en français ; elle ne paraîtra en anglais qu'après sa mort (1551). Berners termine la traduction des *Chroniques* de Froissart en 1525 ; Tyndale traduit la Bible.

Les emprunts au latin sont concurrencés par le grec, qui transite fréquemment par le latin, ce dernier étant souvent véhiculé par le français et venant concurrencer de plus anciens emprunts directs au français (*chance* et *cadence* ; *count* et *compute* ; *frail* et *fragile* ; *sure* et *secure*). À *real*, *leal* de l'anglo-normand, *royal* et *loyal* du français, s'ajoutent les latinismes *regal*, *legal*. L'historien de la langue A. Baugh estime à 10 000 les emprunts faits par l'anglais à cette période.

La floraison littéraire élisabéthaine (Shakespeare) est suivie par un rapide enrichissement du savoir. Mais la philosophie anglaise du XVIIe s., comme la science, s'exprime encore en latin (Bacon, 1626 ; Harvey, 1628, etc.). John Milton lui-même écrit en latin.

Un tournant décisif a lieu après Cromwell, lorsque la monarchie est restaurée. Avec le modèle de l'Académie française, qu'admire Dryden, la *Royal Society for the Promotion of Natural Knowledge* est fondée à Londres (1662). Son effort pour fixer l'anglais et le rendre plus clair fut un échec, comme le sera, pour des raisons politiques, la tentative mémorable de Swift en 1712. Il n'y eut pas d'équivalent anglais des académies espagnole ou française, mais le XVIIIe s. vit, de même que le troisième tiers du XVIIe s. en France, le triomphe de la langue nationale sur le latin (Newton, auteur des *Principia mathematica*, 1687, écrit en anglais son *Opticks*, 1704).

Au XVIIIe s., la grammaire de l'anglais moderne étant constituée, elle peut être décrite de manière plus systématique. Cet effort métalinguistique se fait alors au nom du bon usage, toujours à l'image du XVIIe s. français. Par rapport à l'anglais aisé d'Addison, Samuel Johnson, Gibbon et d'autres préconisent une correction rhétorique plus contrôlée. Alors que l'anglais didactique, on vient de le voir, triomphe du latin, du même coup il se latinise quelque peu : on a noté alors la fréquence accrue du passif, la subordonnée à l'infinitif, le participe absolu. L'effort vers une rationalisation, qui occulte la continuité d'un anglais vivant, plus spontané, aboutit, après Robert Lowth (*Grammar*, 1761), à la célèbre grammaire normative de Lindley Murray (*English Grammar*, 1795) qui règne sur le XIXe siècle.

Quant au lexique, un effort parallèle de description se développe. Après Nathan Bailey (1721), le grand lexicographe de l'époque est le fameux Dr Johnson, dont l'excellent dictionnaire (1755) fait progresser grandement la lexicographie. Utilisant les richesses des dictionnaires bilingues (notamment français-anglais), proposant de nombreux exemples littéraires, il fait la synthèse des nombreux enrichissements du lexique anglais, qui, depuis le XVIe s., a puisé aux sources latine et grecque, a emprunté à l'italien, à l'espagnol, à l'allemand, a continué de le faire au néerlandais, au français. Comme en France, et souvent avant la France, l'évolution scientifique, technique, politique suscite des termes nouveaux, formés à partir des mots disponibles, souvent des mots d'origine latine, à partir des radicaux grecs et latins, ou encore empruntés. À partir de 1750, dans les échanges entre l'anglais et le français, c'est l'anglais qui sert le plus souvent de source. Ce mouvement d'exportation du savoir et des mots se renforcera au XIXe siècle.

La courbe des emprunts que l'anglais a faits au français, après le sommet du XIVe s., marque une diminution régulière jusqu'au XVIIIe s. (de 306 emprunts significatifs au XIVe s. à 59 au XVIIIe s., d'après l'*Oxford Dictionary*), avant de remonter du fait de l'accroissement des échanges. Parfois un même mot français est réemprunté sous une forme différente : *jaunty* «désinvolte» (XVIIe s.) est, comme *gentle* (XIIIe s.) et *genteel* (XVIe s.), pris à *gentil*. Il ne faut pas négliger les emprunts de contact, propres aux îles Britanniques ; parmi les langues celtiques mises à mal par l'anglais et qui ont laissé à date ancienne de très nombreux noms de lieux, l'écossais *(clan, glen, loch)* et l'irlandais *(whisky, Tory, galore...)* fournissent leur contingent de mots à l'anglais moderne. En outre, comme dans d'autres langues d'Europe occidentale, des langues asiatiques et américaines, outre l'arabe, sont mises à contribution.

Cette richesse pléthorique est jugée excessive par beaucoup : comme en France, la lutte des puristes qui souhaitent choisir, clarifier, expulser le mauvais goût contre les tenants de l'enrichissement se poursuivra du XVIIIe au XXe siècle. À côté de Johnson, conscient de l'impossibilité de «fixer la langue», les grands acteurs de l'évolution, Priestley, Lowth, Buchanan, jouent un rôle normatif et puriste. Le dogme de la supériorité du latin, notamment, durera jusqu'au milieu du XIXe siècle.

L'évolution de l'anglais au XIXe et au XXe s. est soumise aux mêmes effets sociaux que celle du français ou de l'allemand : enseignement généralisé — mais socialement très hiérarchique, au moins jusqu'en 1945 —, écart entre norme officielle et variété des usages spontanés, évolution du phonétisme et, plus discrètement, de la syntaxe, prolifération des vocabulaires, avec au XXe s. l'influence croissante de l'anglais des États-Unis. Du côté du sentiment linguistique et de l'étude de l'anglais, le XIXe s., dominé par la linguistique historique, voit naître un grand chantier lexical. Sur l'initiative de Richard Trench, Herbert Coleridge puis Frederick Furnivall (fondateur de la Société des textes d'ancien anglais) commencent en 1864 l'édition d'un grand dictionnaire, dont James Murray publie le 1er fascicule (1884) et que ses successeurs mènent à bien en 1928. *A New English Dictionary on Historical Principles,* autrement dit l'*Oxford English Dictionary,* enrichi d'importants suppléments dans la seconde moitié du XXe s., constitue le plus impressionnant recueil historique consacré à une langue, exhaustif ou presque, de 1150 à nos jours.

Quant à **l'influence lexicale de l'anglais**, puis de l'américain, **sur le français**, devenue très importante au XVIIIe s. (en politique, dans les mœurs), elle s'amplifie au XIXe s., fournissant au français comme à la plupart des langues du monde des emprunts de mode et des emprunts de nécessité. Ceux-ci, dans le domaine scientifique et technique, sont d'ailleurs plus souvent latino-grecs qu'anglo-saxons.

Les variétés de l'anglais.

L'anglais britannique ne se réduit pas à sa forme institutionnelle et prestigieuse, le *King's English* «anglais du roi» ; les dialectes et variantes régionales, négligés au XVIIIe et au début du XIXe s., ont été redécouverts — quand ils n'avaient pas disparu. Ils reflètent les répartitions anciennes (voir ci-dessus) : anglais du sud de la Tamise, des Midlands, du nord de la Humber, auxquelles s'ajoutent le cockney, londonien populaire. Hors d'Angleterre, la langue anglaise du Royaume-Uni comprend la variante écossaise, avec une forte tradition littéraire (Robert Burns), et l'anglais d'Irlande, distinct dès le moyen anglais et récemment illustré par Synge, Sean O'Casey, Brendan Behan (d'autres grands auteurs irlandais, de Swift à Joyce, lui donnant une place très modeste) : il se distingue par sa phonétique, des traits syntaxiques et lexicaux qui trahissent le substrat celtique.

Hors d'Europe, l'anglais des États-Unis et celui du Canada ont connu un sort particulier (→ américain) ; celui d'Australie et de Nouvelle-Zélande ; celui d'Afrique du Sud, en contact avec le néerlandais *(afrikaans)* et les langues africaines de la région ont acquis une importance institutionnelle. Langue officielle dans différents points de l'ancien Empire britannique, l'anglais joue un rôle essentiel aux Indes, à côté de langues autochtones très nombreuses, indoeuropéennes (hindi, notamment) et dravidiennes. En Afrique noire, dans les Caraïbes, alors en contact avec des créoles anglais (Jamaïque, etc.), l'anglais, imposé par une colonisation plus récente, joue là aussi, à côté du français et du portugais, un rôle prépondérant.

En outre, soit par l'institution politique (Hong-Kong, Singapour), soit par la présence économique et culturelle de la Grande-Bretagne et surtout des États-Unis, l'anglais est une langue seconde privilégiée à travers le monde : l'enseignement, l'édition en anglais permettent d'en apprécier la vitalité, de la Suède ou de la Hollande au Japon. Comme idiome des communications internationales en technique et en sciences, en économie et en finance, l'anglais est partout présent et l'emporte sur toute autre langue. La suprématie technique et militaire des États-Unis renforce cette position.

En Europe, à côté du français, de l'allemand, de l'italien, de l'espagnol et du russe, l'anglais joue, au moins depuis le XVIIIe s. — époque de sa très forte expansion mondiale —, un rôle pilote dans les échanges intellectuels, culturels et pratiques.

A. Rey

BIBLIOGRAPHIE

A.-C. BAUGH, *A History of the English Language,* New York, 1957.

A. CRÉPIN, *Histoire de la langue anglaise,* Paris, Que sais-je ?, n° 1265, 1967.

O. JESPERSEN, *A Modern English Grammar,* Heidelberg, 1921-1931.

F. MOSSÉ, *Esquisse d'une histoire de la langue anglaise,* Lyon, 1949 (2e éd., 1988).

Cl. TRUCHOT, *L'anglais dans le monde contemporain,* Paris 1990.

L'ANGLO-NORMAND

On appelle *anglo-normand* le français en usage en Angleterre du XIe au XVe siècle. En accédant au trône d'Angleterre en 1066, Guillaume le Conquérant, duc de Normandie, introduit le français en Angleterre. Les chevaliers qui le suivent sont originaires de ses possessions françaises : le Maine, la Normandie et la Bretagne, qui le reconnaît comme suzerain. La base dialectale de cette variété de français est donc les parlers de l'Ouest. Au cours de l'histoire qui lie l'Angleterre au continent, d'autres influences se feront sentir et laisseront des traces en anglo-normand : celle des parlers du Sud-Ouest avec le rattachement des possessions d'Aliénor d'Aquitaine par son mariage avec Henri II Plantagenêt (1154), celle des parlers picards (le Ponthieu devient anglais en 1279) puis surtout, aux XIIIe et XIVe s., celle grandissante de Paris et des parlers de l'Île-de-France.

On distingue deux périodes principales dans l'histoire de l'anglo-normand : du milieu du XIe au début du XIIIe s., époque pendant laquelle l'anglo-normand se développe, puis de la seconde moitié du XIIIe au tout début du XVe s. où il décline et devient une langue morte. Cette coupure correspond à un événement historique. Dès 1202 en effet, Jean sans Terre est dépossédé par Philippe Auguste de la Normandie, du Maine, de l'Anjou, de la Touraine et du Poitou — la perte définitive de ces domaines sur le continent sera signée officiellement par Henri III d'Angleterre en 1259. Dans sa première période, ce parler français se propage parmi toutes les couches sociales d'Angleterre : tout d'abord langue de la cour, des lettrés, des nobles et des marchands, il touche enfin les milieux ruraux à la fin du XIIe s. ; mais ces milieux, ainsi que les couches populaires des villes et même la petite noblesse, continuent de s'exprimer en ancien anglais. Coupé de ses attaches continentales, l'anglo-normand se maintient comme langue parlée jusque vers le milieu du XIIIe siècle. D'usage courant à la cour jusque sous le règne de Henri IV d'Angleterre (1399-1413), premier roi de langue maternelle anglaise, l'anglais a néanmoins gagné alors beaucoup de terrain : nombre de nobles ne parlent plus l'anglo-normand vers la fin du XIIIe siècle. Son prestige social durera toutefois plus longtemps. Comme langue écrite, en effet, l'anglo-normand traditionnel perdurera jusqu'à la fin du XIVe s. dans les emplois où il est bien établi : littérature, éducation, mais surtout juridiction. C'est dans ce dernier domaine qu'il résistera le plus longtemps. Bien que depuis 1362 l'anglais ait fait son entrée officielle dans les cours juridiques, bien que l'anglo-normand y ait été banni au début du XVIe s., on y utilise une forme «technique» de l'anglo-normand, le Law French, qui trouvera d'ardents défenseurs jusqu'au XVIIIe siècle. Dès le XIVe s., des efforts constants sont entrepris pour préserver la dégradation de ce parler : les étudiants doivent l'apprendre ; on enseigne également son orthographe. Mais ces tentatives restent vaines. Au XVe s., la langue écrite est plutôt de l'anglo-français que de l'anglo-normand.

Dans sa première phase, l'anglo-normand diffère très peu des parlers de l'Ouest ; on peut le considérer comme un dialecte français dont la tradition se transmet de génération en génération par les envahisseurs et leurs descendants. Vers la fin du XIIe et le début du XIIIe s., les populations se mêlent, et l'anglo-normand est parlé par des gens d'origine mixte ou purement anglaise.

De même, c'est la traduction latine des composés savants du grec en *-gonos,* comme *triangulus, rectangulus,* et non pas le français *angle,* qui a servi à former *triangle** et *rectangle**.

◈ ① **ANGOISSE** n. f. est issu, comme l'italien *angoscia,* du latin *angŭstia,* d'abord sous la forme *anguisse* (v. 1130). Le mot latin, dérivé de *angustus* «étroit, serré», lui-même du verbe *angere* «serrer, resserrer» (→ anxieux ; angine), signifiait d'abord «étroitesse» et «lieu étroit, défilé». Au pluriel et au figuré, *angustiae* correspond à «gêne», d'où en latin chrétien «angoisses».

♦ Outre son sens moderne, qui correspond à celui du latin d'Église, *anguisse* puis *angoisse* signifie, en ancien français comme en latin classique, «défilé étroit» (XIIe-XVIe s.) et, abstraitement, «embarras» (XIIIe s.), «difficulté, gêne» (XIIe s.) et aussi (XIe s.) «violente colère». ➛ En français moderne, le mot, après une éclipse («vieux mot», au XVIIe s.), désigne à la fois un malaise physique, sens attesté depuis Chrétien de Troyes (XIIIe s. ; puis sorti d'usage et repris au XVIIIe s.), une oppression et un état moral pénible. Au sens physique, le mot a la valeur générale de «douleur» et, au moral, d'«affliction mêlée de crainte». La notion moderne d'anxiété se traduisant par un serrement pénible de l'épigastre, nettement définie au XVIIIe s. (1751), est certainement antérieure à cette période. ◇ La phraséologie est peu importante : outre ***poire d'angoisse*** (→ ② angoisse), *eau d'angoisse* (XVIe s.), expression biblique *(pane tribulationis et aqua angustiae),* s'est appliqué à la punition des criminels et a eu des emplois figurés (1553). ◇ Au XXe s., le mot a pris des valeurs philosophiques, notamment dans ***angoisse existentielle,*** sens lié aux traductions de Kierkegaard, mais aussi des emplois familiers et «branchés», *l'angoisse !* concernant, peut-être d'abord dans l'ar-

Il connaît alors des modifications; beaucoup sont dues au mode d'articulation et aux habitudes phonatoires propres aux anglophones. D'autre part, comme tout parler coupé de ses racines, fondé sur une tradition orale allant s'affaiblissant, c'est un laboratoire d'archaïsmes mais également de formations analogiques et de néologismes. Il se caractérise aussi par l'instabilité. Celle-ci doit être attribuée à divers facteurs : les premiers immigrés venaient de tout l'ouest de la France, d'où, dès l'origine, une grande diversité dans l'usage; le français du XIe s. évoluait très rapidement; l'«adstrat» anglais (langue en contact) a joué un grand rôle, de même que les différents «superstrats» français (parlers du Sud-Ouest, picards et de l'Île-de-France). En outre, cette variété de français, basée avant tout sur la langue orale et dont la tradition d'écriture est au départ inexistante en comparaison du français, présente des graphies flottantes qui tentent de refléter la prononciation. La précocité de certains phénomènes linguistiques notés en anglo-normand et attestés plus tardivement dans certains parlers continentaux est donc relative. De ce fait, l'étude de l'anglo-normand, à travers la littérature abondante et remarquable qui s'en est conservée, est importante pour l'histoire du français. Elle l'est également pour l'étude de l'anglais, dont le legs français, à travers l'anglo-normand, est remarquable pour le lexique comme pour la prononciation : les influences étaient réciproques. (→ anglais).

À titre d'exemple, un court extrait d'un texte anglo-normand du XIIe s. (env. 1119), composé par Philippe de Thaon, *li Cumpoz Philippe de Thaün*, illustrera quelques caractéristiques de cet usage de l'ancien français.

Hic incipit primus liber computi.
En un livre divin, */v. 215/*
Qu'apelum[1] Gesesin,
Iloc lisant truvum[1]
Que Deus fist par raisun
Le soleil e la lune
E esteile[2] chascune. */v. 220/*
Pour çol me plaist a dire,
D'iço est ma matire
Que jo demusterrai[3]
E a clerc e a lai,
Ki grant busuin[4] en unt */v. 225/*
Et pur mei[2] preierunt[2] [...]
[éd. Mall, p. 8]

1. *apel-**um**/truv-**um*** «appelons/trouvons», 4e pers. ind. présent. La terminaison *-um* est typique des dialectes de l'Ouest et de l'anglo-normand (cf. anc. franç. *apelons/trouvons*).

2. *est**ei**le/m**ei**/pr**ei**erunt* «étoile/moi/prieront». L'évolution de E fermé libre a évolué en une diphtongue *ei*, stade auquel se sont arrêtés les parlers de l'Ouest et l'anglo-normand. Cette diphtongue a abouti en français à *oi* (cf. anc. franç. *estoile, moi, proieront*).

3. *demusterrai* «démontrerai», 1re pers. ind. futur. La séquence *-err-* est caractéristique des textes anglo-normands — et picards — (cf. anc. franç. *-rer-*).

4. *busuin* «besoin», forme typiquement anglo-normande (cf. anc. franç. *besoign*).

M.-J. Brochard

BIBLIOGRAPHIE

F. MAC KENZIE, *Les Relations de l'Angleterre et de la France d'après le vocabulaire*, 2 vol., Paris, Droz, 1939 [en particulier, II : Les infiltrations de la langue et de l'esprit français en Angleterre. Gallicismes anglais].

M. K. POPE, *From Latin to Modern French with Especial Consideration of Anglo-Norman*, Manchester University Press, 1934.

got des toxicomanes, un état pénible (crainte du «manque», etc.). ◇ En outre, le mot, employé par la psychanalyse *(névrose d'angoisse)*, en a reçu une nouvelle modernité.

▶ **ANGOISSER** v. tr. (1080, *anguisser* «harceler») est issu du dérivé latin *angustiare* «presser, resserrer», au figuré en bas latin, «troubler par l'angoisse», et correspond très tôt à *angoisse*, dont il devient le quasi-dérivé. ◆ Très courant en ancien français, le verbe signifie d'abord «s'acharner contre (qqn)», puis «tourmenter» et «augmenter (une peine, une douleur)». Il se dit des choses qui font souffrir (XIIIe s.) et s'emploie dans plusieurs sens extensifs, aussi comme intransitif pour «être dans la peine, l'angoisse» (1080). Tous ces emplois ont disparu au XVIIe siècle. ◇ Le pronominal, d'abord attesté au sens de «faire des efforts, se presser» (*soi angoissier*, XIIe s.), a lui aussi disparu, avant d'être repris sous l'influence des dérivés (ci-dessous). ◆ Le participe passé **ANGOISSÉ, ÉE**, adjectivé au XVIe s. (1560), pour «qui exprime l'inquiétude» puis «l'angoisse», et le participe présent **ANGOISSANT, ANTE** adj. (XIIIe s.) «pénible, cruel», ont vieilli, comme *angoisse*, après le XVIe siècle. Ainsi Bossuet, lorsqu'il emploie *angoissé*, doit l'expliquer par «resserré dans (son) cœur». C'est sous l'influence de *angoisse*, réutilisé normalement au XVIIIe s. (d'abord comme terme savant), que réapparaissent *angoisser*, considéré comme un néologisme par le *Complément de l'Académie* (1838) [par ex. chez G. Sand, peut-être par dialectalisme], *angoissé* et *angoissant*, redevenus usuels à la fin du siècle. On peut alors les considérer comme des dérivés de *angoisse*. ◇ Le verbe, normalement employé au pronominal *(s'angoisser)*, acquiert au milieu du XXe s. un nouvel usage intransitif *(il commençait à angoisser)*. ◆ Le préfixé **DÉSANGOISSER** v. tr., déjà attesté au XVIe s. (1554), a été reformé récemment.

ANGOISSEUX, EUSE adj. est issu du dérivé latin tardif *angustiosus* (VIᵉ s.). Courant en ancien français aux divers sens de *angoisse* (*anguissus*, 1080; puis *angoissous, angoisseux*, XIIIᵉ s.), le mot a des valeurs variées passives, «pressé de faim, de désir», «qui souffre», et aussi actives, «violent, cruel», «extrême, pénible (de la chaleur)», «qui cause de l'angoisse» (XIVᵉ s.). Tous ces emplois ont disparu ou sont devenus archaïques au XVIIᵉ siècle. ➛ Ensuite, l'adjectif survit dans un usage littéraire ou par allusion au passé, pour «qui cause de l'angoisse» (rare au XVIIIᵉ s., littéraire à partir du milieu du XIXᵉ s.), «qui exprime l'angoisse» (sens ancien, XIIᵉ s.; repris avec une valeur différente au XIXᵉ s., Goncourt). ◇ À la différence de *angoisser* et de ses participes, cet adjectif n'est pas rentré dans l'usage courant. ➛ Le dérivé **ANGOISSEUSEMENT** adv. (XIIIᵉ s.), usité jusqu'au XVIᵉ s., n'a été repris que très exceptionnellement.

ANGOR n. m. est un emprunt médical (1845) à un mot latin du même groupe, signifiant «serrement, oppression». Il désigne en médecine une douleur brusque et angoissante, en général d'origine cardiaque si le siège en est la poitrine *(angor pectoris)*.

◈ voir ② ANGOISSE, ANXIEUX.

② **ANGOISSE** n. f., dans ***poire d'angoisse*** (fin XIIIᵉ s.), n'est pas à l'origine dérivé de ① *angoisse* mais, comme le disait déjà Ménage, vient du nom d'une localité du Limousin (aujourd'hui en Dordogne) qui produisait depuis le moyen âge une variété de poire appréciée, notamment comme poire d'hiver à cuire ou à sécher et comme poire à cidre (dès le XIIIᵉ s.); l'expression s'emploie de l'Artois au Maine et la Normandie. On trouve déjà *pera d'engoyssa* en ancien provençal (1245, Albi).

♦ L'homonymie, plus encore que l'âpreté de ces poires lorsqu'elles sont consommées crues, a fait que *poire d'angoisse* a été compris dès le XVᵉ s. comme lié à ① *angoisse* et à *angoisser*. De là ***manger*** (puis ***avaler***) ***des poires d'angoisse*** (mil. XVᵉ s.) «avoir de grands déplaisirs». ◇ De là aussi le sens figuré pour désigner un projectile puis (1454) un bâillon métallique en forme de poire et à ressort, placé dans la bouche.

ANGON n. m., attesté isolément au XVᵉ s., à côté de l'ancien provençal *angon* (1492) et après les formes du latin médiéval *angous* (VIIIᵉ-XIᵉ s.) «aiguillon», *angones* (plur.) «javelot» (VIᵉ s.), vient du francique °*ango* qui désigne un aiguillon, une arme pointue, un crochet, un hameçon, et appartient à la famille indoeuropéenne °*ank-*, °*ang-* «courber», qui a donné le latin *angulus* (→ angle) et le grec *ankulos* (→ ankylose).

♦ Le mot a désigné un crochet servant à divers usages, notamment (1771) aux pêcheurs de roche, et surtout, par tradition (1535), le javelot à deux crocs dont se servaient les Francs.

▸ **LANGON** n. m., formé par agglutination de l'article, désignait (1783) une perche à crochet servant à harponner le poisson.

ANGORA adj. et n. m. est la francisation du nom de *Ankyra*, aujourd'hui *Ankara* (capitale de la Turquie moderne), toponyme venant probablement du radical indoeuropéen °*ank* «coin, coude» (→ angle), qui correspond à la situation de la ville. De cette région venait une laine provenant de poils d'animaux autres que le mouton.

♦ Les chèvres (1768), les lapins (1790) et d'abord les chats furent nommés ***d'Angora*** (*chat d'Angora*, 1761, Diderot) pour désigner des races dont les poils étaient longs et soyeux, et par altération *d'angola* (1767; cette variante a disparu). ◇ De là *un angora* (1792, Florian), d'abord pour le chat. ➛ *Angora* désigne aussi la matière : *laine angora* et, substantivement, *de l'angora* (mil. XXᵉ s.).

ANGSTRÖM n. m. a été emprunté en anglais en 1905 au nom du physicien suédois A. J. Ångström (1814-1874), qui avait utilisé une unité analogue pour des mesures de spectroscopie, en 1868.

♦ Le mot désigne l'unité de longueur valant un dix-milliardième de mètre, en microphysique; il est employé en français dès 1906.

ANGUILLE n. f. provient (1165) du latin *anguilla* ou *anguila*, diminutif de *anguina (bestia)*, lui-même dérivé de *anguis* «serpent», mot «de date indoeuropéenne» (Ernout et Meillet), corroboré par des formes divergentes, mais probablement apparentées, en diverses langues du groupe. Le parallélisme des dérivations entre «serpent» et «anguille» est attesté en germanique, en slave, etc. (cf. par exemple le vieux prussien *angis* «serpent non venimeux», *angurgis* «anguille»). Les synonymes latins de *anguis*, tels *serpens*, *vipera* (→ serpent, vipère), sont des adjectifs latins.

♦ Le mot, qui a des correspondants dans toutes les langues romanes (sauf le roumain), a plusieurs variantes en ancien français (*angille, anwille, angalle, anguile*, etc.). La prononciation moderne (on disait *anguile*) est récente. L'anguille, poisson très estimé au moyen âge, où les *pâtés d'anguille* étaient recherchés, fournit la matière linguistique et symbolique à plusieurs proverbes et locutions où le latin est parfois interprété; ainsi, de *latet anguis in herba* «un serpent se tient (se cache) dans l'herbe», on est passé à ***il y a anguille sous roche*** (attesté 1563). ◇ Des sens métaphoriques ***(glisser, se faufiler comme une anguille)*** reflètent l'expérience concrète du pêcheur. La phraséologie est abondante au XVIᵉ s., avec des locutions pittoresques, sorties d'usage mais souvent citées : *les anguilles de Melun, qui crient avant qu'on les écorche* (sous des formes diverses, depuis Rabelais, 1534, jusqu'au XIXᵉ s.) signifie «ceux qui crient avant d'avoir mal», et reste inexpliquée; *rompre l'anguille au genou* (XVIᵉ s.) «s'y prendre de manière à échouer», puis «tenter l'impossible», est en revanche assez claire, à condition de prendre *genou* au sens d'«angle du corps de l'anguille», de même que *écorcher l'anguille par la queue* (XVIᵉ s., N. du Fail). Plus tard, ***faire avaler des anguilles à qqn*** (fin XVIIIᵉ s.) est une variante pour *couleuvre*.

Le mot, qualifié, a des emplois extensifs, *anguille de mer* (1791) «congre» (très postérieur à l'occitan *anguila de mar*, v. 1350); *anguille électrique*, ancien nom du gymnote (1791); *anguille de bois* (1546), *de haies,* «serpent», est inusité, au moins en français central. Le mot a servi aussi à désigner des vers (1747). ◆ L'idée de forme allongée et celle de glissement sont utilisées dans *anguille* «pièce de bois contre un navire en lancement» (1740), et aussi d'après *anguillade* (ci-dessous), «fouet», d'où «coup de fouet» (1820), «mouchoir roulé servant à frapper, dans un jeu», et «ce jeu d'enfants» (1825).

▶ Les nombreux dérivés ont presque tous disparu ou sont devenus régionaux : **ANGUILLET** n. m. (1260) et **ANGUILLON** n. m. (1373) sont des diminutifs (aussi figurés) ; **ANGUILLÈRE** n. f. «vivier à anguilles» (XVIe s.) a eu de nombreux emplois techniques, comme **ANGUILLER** n. m. (1740) «petit canal d'écoulement, sur un navire».
Outre ses qualités comestibles, l'anguille fournissait avec sa peau une matière utilisée pour faire des fouets ; d'où **ANGUILLADE** n. f. (XVIe s.) «coup cinglant», employé jusqu'au XVIIIe siècle.
Un diminutif latin de *anguilla* a fourni à la terminologie zoologique **ANGUILLULE** n. f. (1845) «ver nématode», avec plusieurs dérivés. ◆ Un préfixé **ANGUILLO-** a servi à désigner les animaux ; enfin **ANGUILLIFORME** (1803) désigne chez Cuvier (1829) un ordre de poissons allongés.
ANGUIFORME adj. est formé savamment (1834) sur le latin *anguis* «serpent» et *-forme.*

ANGUSTURA n. f. (1826), d'abord *angusture* (1810), est emprunté au nom d'une ville du Venezuela, *Angostura* ou *Angustura,* qui deviendra plus tard Ciudad Bolivar, et d'où provenait cette écorce.

♦ Le mot désigne une écorce amère, tonique et fébrifuge, provenant d'un arbre d'Amérique du Sud, puis (1855) l'alcaloïde qui en est tiré.

◈ **ANICROCHE** n. f., où l'on reconnaît un composé et l'élément *croche,* est d'abord attesté (1546, Rabelais) sous la forme *hanicroche* désignant une arme recourbée en forme de bec. L'élément initial vient soit de l'ancien français *ane** «canard», soit, ce qui expliquerait les formes en *h,* de l'ancien français *hain* ou *ain* (→ hameçon). Le second élément est *croche* (→ croc).

♦ Du sens concret initial, on passe rapidement (1584) à l'acception de «petite blessure, chose qui accroche» et (1608, alors altéré en *hemicroche*) «petite difficulté, obstacle» (*anicroche* chez Scarron, 1648).

ANILINE n. f. est emprunté (1855) à l'allemand *Anilin* (Fritzche, 1841), dérivé du portugais *anil* «indigo» qui, comme le moyen français *anil* (1582), est un emprunt à l'arabe *an nīl* «l'indigo», mot probablement pris au persan, qui le tient du sanskrit *nīlī* «indigo» (couleur et plante), dérivé de *nīlā* «bleu sombre».

♦ Le mot désigne une amine isolée dans les produits de distillation de l'indigo, obtenue aujourd'hui par réduction du nitrobenzène. Ce corps sert à la préparation de matières colorantes (*rouge d'aniline,* la fuchsine), de produits pharmaceutiques.

▶ **ANILISME** n. m. (1878) désigne l'intoxication par les couleurs d'aniline.

ANIMAL n. m. est emprunté (fin XIIe s.) au latin *animal, animalis* «être vivant mobile, doté du souffle vital ou *anima*», substantif dérivé de *anima* (→ âme). Dès Varron, le mot latin est opposé à *homo* «homme*», mais normalement il inclut l'espèce humaine et exclut toujours les plantes. La langue familière emploie plutôt *bestia* (→ bête). Le concept général, englobant les êtres humains, subsiste dans les langues empruntées, notamment en français, *animal* étant le mot qui traduit le grec *zôon,* par exemple chez Aristote («l'homme, animal politique»). La valeur particulière, opposée à *homme,* a aussi passé dans les langues romanes : ainsi le français *aumaille** vient du pluriel neutre *animalia.*

♦ Rare et savant au moyen âge, *animal* est repris au XVIe siècle ; son emploi demeure plus général et plus didactique que celui du mot *bête ;* comme ce dernier, il acquiert (1537) une valeur d'injure légère, adressée à un être humain (plusieurs noms d'animaux, de *âne* à *chien* ou à *buse,* sont dans le même cas). Au XVIIe s., le mot s'applique familièrement aux femmes, par antiféminisme (Molière). ◇ Dans son emploi dominant, *animal* donne lieu à des locutions, comme ***le roi des animaux*** «le lion» ; il s'applique le plus souvent aux «animaux supérieurs» de la science, oiseaux et surtout mammifères, les autres recevant surtout des désignations spécifiques (*insecte,* etc.). Les ***animaux domestiques*** (ou ceux de la ferme) soulignent cette spécialisation, fondée sur le rapport animal-homme, qui est de complémentarité. ◇ L'évolution des connaissances, s'agissant des êtres vivants moins évolués, compromet l'opposition conceptuelle «animal»/«végétal». Après le composé ***animal-plante,*** appliqué (1768) à des zoophytes, une terminologie biologique nouvelle, dans la seconde moitié du XIXe s., a modifié et parfois supprimé la répartition classique entre zoologie et botanique (cf. des termes comme *zoophyte,* puis *protiste,* etc.). ◇ Enfin, l'utilisation littéraire de l'animal pour représenter l'homme, depuis le *Roman de Renart* jusqu'aux fables et aux contes classiques ou modernes, fait se rejoindre les deux valeurs initiales du mot : parlant des bêtes, il vise des types humains.

▶ *Animal,* en latin et en français, a de nombreux dérivés. ◆ **ANIMALCULE** n. m., attesté une fois en 1564, a été repris au XVIIIe s. d'après le latin moderne *animalculum* (Loewenhoek, 1677) ; désignant en sciences les organismes microscopiques, il a vieilli au XIXe s. avec l'apparition de termes comme *microbe.* Il s'est employé au figuré pour «personnage insignifiant» (1752, Voltaire). ◆ **ANIMALISER** v. tr. apparaît (1742) avec un sens physiologique spécial («assimiler les aliments») : il est probablement emprunté à l'anglais médical *to animalize,* de même origine, puis prend son sens moderne «ravaler au rang de l'animal» en référence à *animal,* adj., et à *animalité.* ◆ **ANIMALISTE** n. (1751) et **ANIMALISME** n. m. (1838) se sont appliqués aux théories préformationnistes. ◆ **ANIMALIER** n. m. (XVIIIe s., chez J.-J. Rousseau) désigne l'artiste qui représente volontiers des animaux, puis (v. 1960) la personne qui s'occupe des animaux destinés aux expériences de laboratoire. ◇ De là **ANIMALERIE** n. f. (v. 1960).

Quant à **ANIMAL, ALE, AUX** adj., il vient (fin XIIe s., comme le nom) du latin *animalis,* «animé, vivant, doué de l'*anima*» (Lucrèce), adjectif opposé dans la langue chrétienne à *spiritalis* (→ spirituel); cet emploi est passé en français dès le XIIe s. (v. 1190, *li animas homs* «la partie animale de l'être humain»), d'où *la partie animale, les* ***esprits animaux de l'homme,*** au XVIIe siècle. ◇ Les valeurs courantes de l'adjectif dans *règne animal,* etc. sont plus récentes, et se réfèrent au substantif, non plus à l'origine latine. ***Chaleur animale*** (1753), terme de sciences, est passé à l'usage familier pour «chaleur humaine».

ANIMALITÉ n. f. est emprunté (fin XIIe s., *animaliteit*) au dérivé latin *animalitas,* dans un sens abstrait et philosophique : «caractère de l'être pourvu d'une *anima*». ➔ Le mot sera repris au XVIIIe s. (Buffon) comme dérivé de l'adjectif *animal,* avec la valeur de «partie animale (de l'être humain)», puis «ensemble des animaux» (mil. XIXe s., Michelet), sens disparu.

◈ voir ÂME, ANIMER, AUMAILLE.

ANIMER

ANIMER v. tr. est emprunté (1358) au latin *animare,* dérivé de *anima* «souffle vital» (→ âme, animal).

♦ Le premier sens est «insuffler la vie», dans un contexte religieux (acte divin). ◇ Puis le verbe acquiert une valeur psychologique, pour «encourager, exciter» (1358), mais aussi pour «irriter» (XVe s.). En français classique, le verbe signifie surtout «entraîner à l'action», avec des valeurs proches de *inspirer, exciter, vivifier* ou de celles des verbes évocateurs du feu (*enflammer,* etc.). ◇ Il s'emploie aussi comme pronominal (1575, «s'irriter»; puis XVIIe s., au sens moderne). ◇ Une autre extension est «remplir d'activité, de mouvement (un lieu, etc.)» (déb. XVIIIe s., Saint-Simon) après *animer la nature* (du soleil) [1691]. Les emplois pronominaux et ceux du participe passé adjectivé **ANIMÉ, ÉE** sont fréquents, avec des valeurs spéciales, fortes, pour «doué de vie» : les ***êtres animés*** se dit des animaux (XIVe s.). ◇ Dans cet emploi, *animé* se dit des personnes (déb. XVIIe s., *animé de* [un sentiment]), des propos (fin XVIIe s.), d'un ouvrage artistique, d'un récit, du teint, du regard (1805, *T. L. F.*). ◇ Les valeurs de l'ancien et du moyen français (XIVe-XVIe s.), «plein d'ardeur» et «doué de vie», n'ont pas disparu, à l'exception de «en colère, irrité» (attesté encore au XVIIe s.). ◇ Le sens fort réapparaît en linguistique dans *genre animé* (1897, Meillet) «catégorie linguistique dénotant les êtres vivants», d'où *l'animé,* repris en sémantique, d'après l'anglais *animate.* ➔ ***Dessin animé*** (1916), concurrencé par *film d'animation,* de sens plus large, correspond à l'idée de mouvement. Au pluriel, le syntagme désigne le genre du cinéma d'animation dessiné. ◇ Si les emplois de *animer* au cinéma pour «diriger (un acteur)» (1919), puis «mettre en scène (un film)» (1922) ont disparu, le verbe a été repris (v. 1970) pour «rendre plus vivant, plus gai (une réunion, un groupe)», en relation avec *animation* et *animateur.*

► Le substantif féminin **ANIMATION** est emprunté (XIVe s.) au dérivé latin *animatio, -onis;* il est passé de l'acception ancienne, «colère», au sens fort de *animer,* «création de la vie» (1488), puis aux valeurs correspondant à celles du verbe (*l'animation du regard,* etc., v. 1800), «chaleur, vivacité» (1845), «mouvement humain d'un lieu» (mil. XIXe s.), avec quelques spécialisations, l'une d'elles, cinématographique (1923), correspondant à *animé* dans *dessins animés (cinéma d'animation).* ◇ Une spécialisation récente (attestée en 1969) concerne la conduite des activités d'un groupe, d'une collectivité, en relation avec *animateur.*

ANIMATEUR, TRICE n. est dérivé (1787) du verbe *animer* au sens fort de «qui donne la vie, créateur» (1803) (un bas latin *animator* «créateur, qui donne la vie» existait). ➔ Ce mot rare est devenu usuel au XXe s. lorsqu'il a pris ses valeurs modernes : «personne qui anime une collectivité», «metteur en scène de cinéma» (1921, sens disparu), «personne qui présente un spectacle» (v. 1960), «auteur de dessins *animés,* de films d'*animation*» (1929), enfin «professionnel de l'*animation* (des groupes, des ventes...)» (1967).

L'adjectif **INANIMÉ, ÉE** est composé (1478) de *in-* privatif et de *animé;* il qualifie ce qui est sans courage, sans force d'âme, ce qui, par essence, est sans *anima,* sans vie (1529), puis (1677) ce qui, étant par essence animé, semble sans vie *(un corps inanimé).* ◇ Au figuré (1665), il signifie «insensible, inexpressif», sens vieilli.

Formés sur *animer,* le verbe préfixé **RANIMER** (1549) signifiait à l'origine «rendre la vie, ressusciter», puis «redonner courage à (qqn)» (1596), «faire revenir à la conscience (une personne évanouie)» (XIXe s.); dans ce sens, il est concurrencé par *réanimer* (ci-dessous). ◇ Le verbe *ranimer* a aussi des valeurs figurées et abstraites d'intensif («rendre plus vif, plus animé»), et s'emploie concrètement pour «faire reprendre (le feu)» (1690). ◇ Le pronominal *se ranimer* «revenir à la vie» (1672) se dit du feu qui reprend (1690), d'une personne qui revient d'un évanouissement (1699), ainsi que des sentiments. ➔ **RÉANIMER** v. tr. (XVIe s.), d'abord éliminé par *ranimer,* a été repris dans *réanimer une terre* (par l'engrais) [1842] puis (mil. XXe s.) pour «faire revenir à lui (un noyé, un accidenté)», en rapport avec *réanimation.* ➔ **RÉANIMATION** n. f. a en effet éliminé *ranimation* qui semble antérieur en médecine pour «rétablissement des fonctions vitales» (1949, Larousse). *Les Techniques de réanimation médicale* font en 1954 l'objet d'un ouvrage de Hamburger, Richet, Crosnier et coll. De ce sens devenu courant procède *service de réanimation, être en réanimation* (dans ce service, pour des soins), abrégé familièrement en **RÉA.** ➔ **RÉANIMATEUR, TRICE** n. (1964) se dit d'une personne, puis (1977) d'un appareil et s'emploie aussi comme adjectif (1983).

ANIMISME, ANIMISTE → ÂME

ANIMOSITÉ

ANIMOSITÉ n. f. est emprunté (1370) au bas latin *animositas, -atis* «ardeur», dérivé de *animosus* «courageux» et «orgueilleux», lui-même dérivé de *animus* (→ âme) sur le modèle sémantique des dérivés grecs de *thumos* (→ thymique). *Animosus* a donné en moyen français *animeux, euse* adj. (v. 1450-1475) «courageux» et «violent, colérique», sorti d'usage au XVIIe siècle.

♦ Le mot a d'abord eu (XVe s.) la valeur du latin, «courage, ardeur», mais celle de «malveillance active, hostilité», développée à basse époque en latin, l'a emporté au XVIe s. (Ronsard). Cette acception reste vivante, mais est demeurée littéraire. ◇ La valeur affaiblie «animation excessive dans un débat» (1777) est sortie d'usage.

ANIS n. m., nom d'une plante, est emprunté (1236) au latin *anisum*, du grec tardif *anison*, à rapprocher de *anethon* (→ aneth) qui désigne l'aneth ou faux anis, mot d'origine inconnue, probablement emprunté.

♦ *Anis* désigne en français la même plante aromatique méridionale que le latin *anisum*, avec plusieurs variantes *(anich, ynis, annis)*, s'employant dans des syntagmes tels que *anis musqué* (1607), *anis vert* (*anix verd*, 1630). ◇ Le mot désigne par métonymie la graine (v. 1250), d'où *pain à l'anis* (v. 1775); cette graine confite (*aniz confit*, 1400), recouverte de sucre (*anis sucré*, XVIe s.), constitue une petite confiserie dite aussi *anis* (*annis*, déb. XVe s.). Au XVIIe s., *anis* se dit aussi d'une dragée, d'un bonbon parfumé à l'anis (1690), le plus célèbre étant l'*anis de Verdun* (1690), puis au XIXe s. les *anis de Flavigny* (1870). Les *anis à la reine* (déb. XVIIe s., Cyrano) ou *anis reyne* (1694) sont connus jusqu'à la fin du XVIIIe siècle. ◇ Puis le mot désigne aussi une liqueur parfumée à l'anis (1811), sens où *anisette* l'a emporté. ➝ Par extension, *anis*, qualifié ou non, s'applique à des plantes comparables : *anis aigre* (1671), le cumin, *anis bâtard* (1885), *faux anis* (1906) ou *anis* (au Canada), le carvi, *anis étoilé* (1780), la badiane, etc.

► Le dérivé **ANISETTE** n. f. (1771) désigne une liqueur fabriquée avec de l'essence d'anis, bue en apéritif, souvent avec de l'eau, surtout dans les régions méditerranéennes (au XXe s., le mot étant très fréquent en français d'Algérie). ➝ Le verbe **ANISER** v. tr. (1611; au participe passé, écrit avec un *z*, 1564) signifie «aromatiser à l'anis» et **ANISÉ, ÉE** adj. se dit de ce qui a une odeur d'anis (mil. XXe s.; déjà au XVIIIe s. dans *cerfeuil anisé*, 1784).

ANKYLOSE n. f. apparaît chez Ambroise Paré (1564) sous la forme *ancylosis* (à côté de *ancyle*, emprunt au grec *ankylê*) et procède du grec médical *ankulosis*, dérivé de *ankulos* «courbé» parce que cette affection «courbe» le corps (cf. *courbature*, qui vient de *battre*, mais est interprété comme rattaché à *courbe* ou à *courbé*). *Ankulos*, comme le latin *angulus* (→ angle), se rattache à une racine °*ank-* exprimant l'idée de courbure et bien attestée dans les langues indoeuropéennes (→ angon).

♦ Le mot, d'abord écrit *anchylose* (1698), *anchilose* (1759) et enfin *ankylose*, désigne en médecine la soudure d'une articulation mobile, puis (1709) une «disposition à ce mal» et par extension une gêne dans les mouvements sans cause précise (attesté mil. XIXe s.). Au figuré, *ankylose* se dit d'une sclérose de la pensée (attesté chez Gide, 1923), *ankyloser* semblant plus ancien dans cet emploi.

► Le dérivé **ANKYLOSÉ, ÉE** adj. apparaît au sens médical (1743), puis évolue selon les sens de **S'ANKYLOSER** v. pron. (1838, *s'ankiloser*) et **ANKYLOSER** v. tr. (1845). *S'ankyloser* se dit pour «perdre la mobilité; paralyser à demi» (Balzac), «perdre la rapidité des réflexes» (1886, Zola) et au figuré «se scléroser (de la pensée)» (1883, Huysmans).

ANNALES n. f. pl. est emprunté (1447) au latin *annales*, pour *libri annales*, pluriel substantivé de l'adjectif *annalis* «annuel», de *annus* (→ an). L'adjectif latin avait produit en français (1119) l'adjectif *annel, anel*, puis *annal, ale, aux*, éliminé, sauf en droit, par *annuel* (→ an).

♦ *Annales*, «chroniques annuelles», après *livres, histoires annal(e)s* (v. 1170, en Normandie; puis v. 1500), désigne des revues annuelles et notamment un récit historique année par année, strictement chronologique, puis (1789) un recueil scientifique annuel ou périodique. Au XXe s., l'un des emplois les plus notoires du mot concerne les *Annales d'histoire économique et sociale*, fondée en 1929 par Lucien Febvre et Marc Bloch, qui a donné son nom à l'École française qui a promu ce qu'on a appelé plus tard la «Nouvelle Histoire». ◇ Les *annales de...* signifient en style noble «l'histoire de...» et ***être bien (mal) dans les annales de qqn*** «être bien (mal) jugé par lui» (1845).

► Le dérivé **ANNALISTE** n. (1560) est didactique.

ANNAMITE adj. et n., attesté en 1838, est dérivé de *Annam*, nom d'un royaume situé au centre du Viêt-Nam. *An nam* vient du chinois *ān-nán*, de *an* «paix» et *nam* «Sud», mot que l'on retrouve dans *Viêt-Nam*. C'est le nom donné par les Chinois en 111 av. J.-C. à l'ancien royaume du *Nam Viêt*, rebaptisé par les Vietnamiens *Dai lo Viêt* en 939. Le nom *An nam*, reparu au XVIIIe s., fut adopté par le colonisateur français (1887, protectorat).

♦ Le mot qualifie ce qui est en rapport avec l'ancien royaume d'Annam, et avec ses habitants, désignés par le nom *Annamite*. La langue du groupe thaï dénommée *l'annamite* est aujourd'hui appelée *vietnamien*.

► **ANNAMITIQUE** adj. est emprunté en géographie (1845) au latin moderne *annamiticum* (1651, Alexandre de Rhodes) à propos d'une chaîne de montagnes, dite *chaîne* ou *cordillère annamitique*, aussi *monts d'Annam*.

ANNEAU n. m. est issu, d'abord sous la forme *anel* (XIe s.), du latin *anellus, annellus*, variante de *anulus*, lui-même diminutif de *anus* «anneau» (réemprunté; → anus).

♦ Ressuffixé en *anneau* (1380), le mot désigne tout cercle de matière dure (surtout de métal) servant notamment à attacher qqch., forme et fonction s'appliquant à de nombreuses spécialisations techniques : «élément d'une chaîne» (*anels*, XIIe s. «fers d'un prisonnier»; au sens général, 1636), «bague» (*anel*, XIIe s.), «évidement circulaire d'une clé» (1611), «moulure cylindrique, en architecture» (1627), etc.; il s'agit alors d'objets fabriqués. ➝ Des spécialisations et extensions dépendent de cette valeur générale. Le sens de «bague» a donné en moyen français «fiançailles» (1399), puis «mariage» (XVIe s.). Les acceptions spéciales concernent l'anneau d'or des évêques (XIIe s.; *anneau pontifical,* 1380) et le sceau papal dit *anneau de pêcheur* (XVIe s.), par allusion à saint Pierre. ◇ De nombreux objets techniques particuliers sont constitués par un anneau de fer et se nomment *anneau,* en marine (1690), en ferronnerie : «marteau de porte» (*anel,* XIIIe s.), en gymnastique pour un agrès formé de deux cercles métalliques au bout de deux cordes (*les anneaux,* 1898). ➜ Avec la valeur de «forme naturelle circulaire», le mot a aussi de nombreuses applications concrètes : en anatomie (1585), en optique, en astronomie (*les anneaux de Saturne,* 1690), en sciences naturelles (depuis 1767 en botanique), ou abstraites : en géométrie, et en théorie des ensembles pour un concept où l'analogie d'une forme perceptible cède la place à une structure de relations. ◇ Dans ce sens, apparaît le composé **SOUS-ANNEAU** n. m.

▶ Parmi les dérivés, le diminutif **ANNELET** n. m. (*anelet,* XIIe s.) s'est employé avec plusieurs valeurs spéciales : «petite bague», «boucle d'attache» (jusqu'au XIXe s.), «boucle servant d'ornement» (1455), «grain de chapelet» (1260), «anneau passé aux pattes des faucons» (1392); quelques sens techniques apparaissant encore au XVIIIe siècle. ◇ Pour désigner des formes décoratives, par exemple une moulure circulaire (1870), le mot semble encore usité en français actuel; cependant, il est sorti de l'usage général. ➜ L'adjectif **ANNELÉ, ÉE** (*ennelé,* 1398) est employé depuis le XVIe s. (1543) pour qualifier les cheveux en boucles, puis un animal dont le corps présente des raies circulaires (1611). ◇ Il s'est spécialisé en histoire naturelle au sens de «formé de segments en anneaux» (1843, Milne-Edwards).

Le verbe **ANNELER** v. tr. (1398), «garnir d'un anneau» et «disposer en anneaux ou en boucles (les cheveux)» (1584), est à peu près sorti d'usage, sauf en zootechnie. ➜ Le terme de zoologie **ANNÉLIDES** n. m. pl. a été créé par Lamarck (1802) pour désigner l'embranchement animal des vers (segmentés en «anneaux» ou métamères) porteurs de soies. ➜ **ANNELÉS** n. m. pl. (1845) avait déjà désigné un sous-ordre de sauriens (lézards) à peau ornée d'anneaux (1803) : les caractéristiques visibles et superficielles s'effaçant de manière notable devant des caractères plus structuraux.

Le dérivé latin *anularius, annularius* a produit le français **ANNULAIRE** (1546, comme adjectif), qui, substantivé au masculin (1539), désigne le doigt qui porte normalement un anneau. Ce passage d'un détail culturel à l'anatomie souligne l'importance des coutumes sociales dans la vision de la réalité naturelle.

◈ voir ANAL, ANUS.

① **ANNEXE** adj. est emprunté (v. 1265) au latin *annexus,* participe passé de *annectere, adnectere,* «attacher à», de *ad-* (→ à) et de *nectere* «joindre, unir», alors synonyme de *ligare* (→ lier), d'abord «enlacer». Ce verbe remonte à une racine indoeuropéenne °*nodh-,* que l'on retrouve dans *nodus* (→ nœud). En latin, *nectere-nexus* correspond à *plectere-plexus* «tresser»-«chose entrelacée» (→ plexus, plier); dans le premier, l'idée générale de «lier, attacher» l'emporte, mais les deux concernent une opération technique primitive, impliquant l'utilisation de végétaux, de fibres.

♦ Comme adjectif, *annexe* signifiait en ancien français «uni, réuni» et aussi «adjoint, très uni (de personnes)» (1370). ➜ Sorti d'usage à l'époque classique, il sera repris au début du XIXe s., probablement par adjectivation du substantif (ci-dessous) pour «contigu et dépendant (d'un bâtiment)» et au XXe s. «secondaire, accessoire» (1924), se disant aussi d'un document joint à un autre (1929). Dans ces emplois modernes, le sens du mot est centré sur l'idée d'accessoire et non plus de réunion.

② **ANNEXE** n. f. apparaît au XIVe s., et il est repris vers la fin du XVe s. (1495). Son sémantisme dominant, on l'a vu, est «chose accessoire». C'est au sens d'«élément complémentaire» que ce nom féminin apparaît au pluriel, notamment (1495) pour parler d'un bénéfice ecclésiastique secondaire, puis, en droit, de dispositions complémentaires d'un texte juridique. ◇ Les valeurs concrètes sont plus tardives, par exemple en anatomie, au XVIe s. (A. Paré) dans des syntagmes comme *annexes de l'œil* (1835), etc. ◇ Des spécialisations sont apparues, «bâtiment (1546), chapelle secondaire» (1718) ou «embarcation auxiliaire, canot» (attesté 1898 dans les dictionnaires).

▶ Le dérivé **ANNEXER** v. tr., qui vient de ① *annexe,* apparaît en droit pour «attacher à un dossier» (1277) et signifie aussi «s'attacher (qqn)» (*annexer à soi,* v. 1290). Il prend aussi la valeur générale d'«unir étroitement (des personnes, des choses)» (XIVe s.; jusqu'au XVIIe s.). ◇ Il se dit spécialement par influence probable du substantif *annexion,* ancien dans l'acception politique (ci-dessous), pour «faire passer sous une dépendance» (XIVe s.) avec des valeurs spéciales, politiques, juridiques et économiques (1688), aussi pour «attirer (qqn, des personnes) dans un groupe» (1908). ➜ **ANNEXÉ, ÉE** adj., après s'être employé en poétique (*rime annexée,* 1548), se dit d'une personne, d'un groupe, d'un pays passé sous une nouvelle souveraineté (1907). Il est substantivé pour «habitant d'un pays annexé» (1907). ➜ **DÉSANNEXER** v. tr. «disjoindre» (1476) a disparu, le mot étant repris en politique (1875). ➜ **RÉANNEXER** v. tr. «joindre de nouveau» (1476), a été repris lui aussi (1875) dans ce contexte.

ANNEXION n. f. est soit dérivé de *annexer,* soit emprunté au dérivé latin tardif *annectio.* Le mot est déjà attesté en anglo-normand au sens moderne de «rattachement d'un territoire à une nouvelle souveraineté» (1397-1398), sens passé en France, où le mot prend des valeurs plus générales, alors écrit *annexcion* (fin XIVe s.), puis *annexion* (1548). Le mot est devenu un euphémisme pour «envahissement, occupation», «domination». ◇ Il a pris des valeurs abstraites, en grammaire de l'arabe (1810), en droit (*annexion d'une pièce à un dossier,* 1866) et, généralement, pour «intégration (d'un élément nouveau)» (1955, *T. L. F.*). ➜ Du sens politique, largement dominant, dérivent **ANNEXIONNISTE** adj. et n. (1853) et **ANNEXIONNISME** n. m. (1866), témoignant de la vitalité du concept en pleine période d'expansion coloniale pour la France.

ANNIHILER v. tr. est emprunté, d'abord sous les formes *anniller* (1302), *anichiler* (1315), au latin d'Église *adnihilare*, composé de *ad-* (→ à) et de *nihil* «rien» (→ nihilisme), et devenu *adnichilare* au moyen âge. Comme *annihilation*, le verbe a été refait au XVIe s. d'après le latin classique.

♦ *Annihiler* a le sens juridique de «rendre nul» (1466) et la valeur générale d'«anéantir»; il est devenu didactique et abstrait, retrouvant une valeur concrète avec la physique nucléaire.

▸ **ANNIHILATION** n. f. est emprunté (1377, *adnichilation*) au latin médiéval *adnichilatio*, dérivé de *adnichilare*. La réfection savante, comme pour le verbe, se fait très probablement au XVIe s. (attesté 1610). ➛ Les valeurs juridiques et abstraites sont didactiques. ◇ En physique, le mot sert à désigner la transformation de la matière en énergie.
De nouveaux dérivés du verbe sont apparus : **ANNIHILABLE** adj. (1899; une fois au XIVe s.), **ANNIHILANT, ANTE** adj. (fin XIXe s.), **ANNIHILATEUR, TRICE** adj. (1865).

ANNIVERSAIRE n. m. et adj. apparaît au XIIe s., emprunté au latin *anniversarius*, composé de *annus* (→ an) et du participe passé du verbe *vertere* «revenir» (d'abord «tourner»; → version), employé comme substantif en religion (IXe s., *anniversarium*).

♦ Le mot désigne, d'abord en religion, une cérémonie, une messe faite au retour annuel du jour du décès (aussi féminin, 1423), alors synonyme de *bout de l'an**, puis un nombre quelconque d'années après un événement. ◇ Malgré sa forme et son origine didactiques, le substantif est usuel, à cause des coutumes sociales de célébration au cours de la vie humaine, et il correspond au registre de la fête. ◇ En revanche, l'adjectif, réemprunté (1330) au latin classique, est resté didactique ou religieux *(messe anniversaire)*. ◇ Dans le contexte social, le nom est concurrencé par des formations en *-aire* sur un nom de chiffres rond (*cinquantenaire, centenaire, bicentenaire*, etc.).

♦ **ANNONCER** v. tr. résulte (1080) de l'évolution du latin impérial *adnunciare, annuntiare*, composé de *ad-* (→ à) et de *nunciare*, de *nuntius* «messager» et comme adjectif «annonciateur» (→ nonce) [cf. *ange* pour le sens]. *Nuntius* est d'origine obscure, mais on suppose parfois un rapport avec *novus* (→ ① neuf); ses composés ont donné des mots français (comme *dénoncer, énoncer, prononcer* et *renoncer*).

♦ Le verbe concerne le langage, comme *énoncer* et *prononcer*; pour *annoncer*, le discours est adressé à qqn et devient un «message». Le sujet du verbe peut être l'énonciateur ou (XVIIe s.) un signe qui révèle qqch., notamment un événement futur. Apparu dans un contexte religieux (*annunciar las virtuz Crist*, v. 980) dans un sens voisin de «dire solennellement, prêcher», et aussi laïque pour «raconter» (v. 980, *anuncier*), le verbe s'emploie ainsi jusqu'au XVIe s. au moins. ◇ Dès le XIe s. (1080), il s'applique aussi à une déclaration concernant un fait inconnu, au sens de «révéler», ou un fait à venir. C'est cette dernière valeur qui va devenir dominante en français moderne, souvent avec l'idée de publicité (fin XIVe s., Froissart). ◇ Par extension, *annoncer qqn* (v. 1650) se dit pour «faire savoir son arrivée». ◇ Le mot s'emploie aux jeux de cartes (1866), d'où ***annoncer la couleur*** au figuré (XXe s.) «faire connaître clairement ses intentions». ◇ *S'annoncer*, «se manifester» (2e moitié XVIIe s., Bossuet), se dit aussi des personnes (XXe s.).

▸ **ANNONCE** n. f., déverbal, se dit d'abord (1440, *anunce*) de l'avis figurant sur un produit, puis (XVIe s.) de l'avis portant sur un mariage, chez les protestants. Il prend au XVIIe s. la valeur générale d'«avis au public» (1678), d'où *feuille d'annonces* (1835), sorti d'usage. Le mot s'est spécialisé au théâtre (1680), toujours au sens d'«avis». Il s'est diffusé avec le développement du journalisme, pour désigner une brève information publicitaire (XIXe s., d'où le dérivé *annoncier*, ci-dessous) et, dans le syntagme ***petites annonces***, à propos des offres d'objets, de services, d'emplois. Le mot est récemment passé au vocabulaire de l'audiovisuel, parfois en composé (*bande-, film-annonce*, 1970 et 1965). ◇ Il a une autre spécialisation en bridge (1928) ainsi que le verbe *annoncer*.
Annoncer a un dérivé plus ancien, **ANNONCEUR** n. m. (*annoncieres*, v. 1190), rare ensuite («vendeur à la criée», 1439), réapparu au XVIIe s. (1611; puis au sens de «héraut», en 1690), mais encore rare, et enfin repris dans un sens spécialisé au théâtre (fin XVIIe s., «comédien qui donne une annonce»). ◇ Les sens modernes sont liés à la publicité dans les journaux (1853, «personne qui rédige les annonces»), puis dans l'audiovisuel (dès 1900, «personne qui présente et commente un film muet», sens disparu). ◇ Au XXe s., d'abord au Canada (1930), le mot désigne la personne ou l'entreprise qui finance des annonces (1939, en France). ◇ Le mot a été proposé (v. 1970) pour remplacer *speaker*. ➛ **ANNONCIER, IÈRE** n. désigne (1847) la personne qui est chargée des annonces dans un journal, puis (1877) celle qui les fait paraître.
Deux emprunts au latin sont entrés en français par l'usage de l'Église. ➛ **ANNONCIATION** n. f. (XIIe s.), pris au latin d'Église *adnuntiatio*, le plus souvent spécialisé pour désigner le «message» de Gabriel (dans le même contexte que *ange*). ◇ Le mot, qui possède plusieurs variantes formelles, a éliminé l'ancien *anuncion*, dérivé du verbe, mais est sorti d'usage au sens général, «action d'annoncer» (XIIe-XVIIIe s.). ◇ Par extension de l'acception religieuse, *une annonciation* désigne (1438) un tableau religieux représentant ce sujet. ◇ Le même mot latin a donné l'italien *annunziata*, d'où l'***Annonciade***, nom d'un ordre religieux (1590); d'abord (1516) «représentation de la scène de l'Annonciation». ➛ **ANNONCIATEUR, TRICE** adj. (XVe s.), emprunt au latin ecclésiastique *adnunciator*, dérivé de *adnunciare*, a remplacé *annonceur* dans ses anciens emplois comme nom, et est resté vivant comme substantif d'agent du verbe *annoncer*, au sens de «faire présager» *(signes annonciateurs de...)*. ◇ Le mot, au masculin, a eu des sens tech-

niques (1928, «avertisseur»), aujourd'hui disparus.

◈ voir DÉNONCER, ÉNONCER, PRONONCER, RENONCER.

ANNONE n. f. est emprunté (v. 1160), d'abord sous la forme *annune* (déb. XIIe s.), au latin *annona* «production, récolte d'une année», dérivé de *annus* (→ an).

♦ Ce mot didactique désigne le ravitaillement du peuple romain en denrées alimentaires, ainsi que l'impôt payé pour assurer ce ravitaillement.

▸ **ANNONAIRE** adj. est emprunté (1546) au dérivé latin *annonarius* «de l'approvisionnement» dans les expressions *provinces annonaires* et *loi annonaire*.

ANNOTER et dérivés → NOTE

ANNUAIRE, ANNUEL → AN

ANNULER → NUL

ANODE n. f. est un emprunt (1838) à l'anglais *anode*, mot créé par M. Faraday par emprunt au grec *anodos* «chemin vers le haut», opposé à *cathode**. *Anodos* vient de *ana* «en haut» (→ ana-) et de *hodos* «voie», mot d'origine indoeuropéenne (→ exode, méthode, odomètre, période).

♦ Le mot désigne en électricité l'électrode positive, et le conducteur lié à cette électrode.

▸ **ANODIQUE** adj. est un emprunt probable (1897) à l'anglais *anodic* (1837), comme **ANODISER** v. tr. à *to anodize* «traiter l'aluminium par électrolyse anodique»; de là **ANODISÉ, ÉE** adj. (attesté 1933) et **ANODISATION** n. f. (mil. XXe s.).
ANION n. m. est lui aussi emprunté (1838) à l'anglais *anion*, créé en 1834 par Faraday par emprunt au grec *aniôn* «ce qui s'élève», du verbe *aniêain* «s'élever». ◇ Il a pour dérivé **ANIONIQUE** adj. (1935), didactique et rare.

ANODIN, INE adj. est à l'origine (1503) un terme de médecine emprunté au bas latin *anodynos*, mot grec composé de *an-* privatif (→ ② a-) et de *odunê* «douleur (physique, puis en général)», que l'on rattache à une racine indoeuropéenne °*ed-* signifiant «manger, ronger», et qui a de nombreux représentants en latin (→ comestible).

♦ L'adjectif qualifie un remède qui supprime ou calme la douleur (un analgésique), sans guérir le mal. On est passé de là par métaphore, au XVIIe s., à l'idée d'«adoucissant, mais peu efficace» et d'«inoffensif». De là le sens usuel et moderne qui apparaît tard dans le XVIIIe s. (1787) à propos de poésie, puis en général (1823) pour «sans caractère affirmé; fade ou neutre». ◇ Substantivé, *un anodin* a désigné (1585) un remède anodin (jusqu'au XIXe s.).

▸ Le dérivé **ANODINEMENT** adv. (1794) est rare.

ANOMALIE n. f. est un emprunt (1570) au bas latin *anomalia* désignant chez Varron l'irrégularité dans les langues, le non-systématique, opposé à l'*analogia* (→ analogue). C'est un hellénisme tiré de *anômalia* «irrégularité», de *an-* privatif (→ ② a-) et de *homalos* «égal, uni, plan». *Homalos* est, comme *homoios* «semblable, égal», un dérivé de *homos* (→ homo-), mot d'origine indoeuropéenne (cf. sanskrit *samá-* «un, le même», vieux perse *hama-*, germanique [gotique] *sa, sama*, vieil irlandais *-som*, vieux slave *samŭ* «lui-même»).

♦ *Anomalie* a été précédé en français par l'adjectif **ANOMAL, ALE, AUX** (1174; repris XVIe s.: 1546), emprunt au bas latin *anomalus*, grec *anomalos*, lequel est devenu rare et très didactique (médecine, linguistique), sans doute à cause des ressemblances de forme et de sens avec *anormal* (→ norme). ◇ *Anomalie* est en revanche assez usuel, mais a été interprété comme venant du grec *nomos* «loi», qui n'est représenté en français que par quelques composés savants en *nomo-*; le mot s'est alors situé dans le champ conceptuel de la norme, négativement. L'idée initiale d'inégalité, d'aberration, conservée en astronomie (XVIIe s.; du latin de Képler *anomalia*), en grammaire, en biologie (1808), a été remplacée par celle de «déviation par rapport à la règle, à la norme», notamment à cause de l'absence de substantif correspondant à *normal-anormal* (*normalité* et *anormalité* sont formés tard, au milieu du XIXe s.). D'où les emplois courants et récents (déb. XXe s.) de *une, des anomalies* pour «chose(s) anormale(s)». ◇ Le mot s'emploie spécialement en grammaire (pour les conjugaisons, 1690), en astronomie, en chimie (1811).

▸ Parmi les composés didactiques, le moins rare est **ANOMALISTIQUE** adj. dans *année anomalistique* (1750) «temps que met une planète à revenir au même point de son orbite».
Le grec *anomos* a en outre servi à former quelques dérivés savants, noms d'animaux de forme irrégulière: ① **ANOMIE** n. f. (1762), **ANOMOURES** n. m. pl. (1832), l'irrégularité concernant alors la queue de l'animal.
Le grec *anomia*, «illégalité», a donné par emprunt ② **ANOMIE** n. f. (1884) «absence de loi ou de norme», spécialement «trouble de l'évocation des mots» (Piéron, 1951). ◇ D'où **ANOMIQUE** adj. (1893).
ANOMALE n. m. (1845) est emprunté au latin scientifique *anomala*, du bas latin *anomalus* (ci-dessus *anomal*), pour désigner un insecte coléoptère.

ÂNONNER → ÂNE

ANONYME adj. est un emprunt de la Renaissance (1540) au grec *anonumos*, par le bas latin *anonymus*, formé de *an-* privatif (→ ② a-) et de *onoma* «nom» (→ onomatopée), que l'on retrouve dans *synonyme, homonyme*, etc. *Onoma* a des correspondants dans diverses langues indoeuropéennes, entre autres le latin *nomen* (→ nom).

♦ *Anonyme* signifie «sans nom» ou plus souvent «dont on ignore le nom propre» et «qui cache son nom ou son auteur» (*lettre anonyme*, d'où *anonymographie*, ci-dessous). ◇ L'emploi dans ***société anonyme*** (1679), expression répandue au début du XIXe s., a été abrégée en *S. A.* (XXe s.). ◇ Le substantif *un anonyme* (1694) est surtout représenté en littérature, en art. ◇ Par extension, l'adjectif s'emploie pour «sans personnalité, sans originalité» (v. 1810, Mme de Staël).

▶ Le dérivé **ANONYMAT** n. m. (1864) a remplacé *anonymie* (1837, Balzac) et *anonymité* n. f. (1782), et ***garder l'anonymat*** (1890) se dit au lieu de *garder l'anonyme* (XVIIIe s.). ◆ L'adverbe **ANONYMEMENT** est chez Beaumarchais (1776). ◆ **S'ANONYMISER** v. pron. est littéraire (1901, Gide) pour «devenir anonyme». ◆ **ANONYMOGRAPHE** n. (av. 1943, *Le Corbeau*, film de H.-G. Clouzot) et **ANONYMOGRAPHIE** n. f. sont des termes de psychiatrie concernant la tendance pathologique à écrire des lettres anonymes.

ANOPHÈLE n. m. est emprunté (1829, Cuvier) au latin moderne *anopheles* créé par J. W. Mengen, emprunt au grec *anôphelês* «inutile, nuisible», de *an-* privatif (→ ② a-) et de *ôphelês* «utile», sans doute d'origine indoeuropéenne, mais de racine inconnue.

♦ Le mot désigne un diptère, voisin du moustique ou cousin, qui peut transmettre le paludisme.

ANORAK n. m. est un emprunt à l'inuktituk (langue des Inuit ou Eskimos), où il est dérivé de *anoré* «vent».

♦ Utilisé dès 1905 en français par Charcot (1897 *anorach*), le mot a été repris vers 1945 avec la vogue des sports d'hiver, pour désigner une veste imperméable et chaude à capuchon ; il est alors acclimaté en français.

ANOREXIE n. f. est emprunté (1584) au latin *anorexia*, lui-même emprunt au grec tardif *anorexia*, de *anorektos* «sans désir, sans appétit», formé de *an-* privatif (→ ② a-) et de *orektos* «tendu», adjectif verbal de *oregein* «tendre». Le verbe *oregein* est rapproché du latin *regere* «diriger en ligne droite» (→ régir), *o-* pouvant être un préfixe. Il s'agirait alors de l'importante famille indoeuropéenne qui, par le latin, a donné en français *régime, direction, diriger, droit, droite*, etc.

♦ Le mot désigne en médecine une perte d'appétit pathologique. Il a reçu une diffusion nouvelle avec la psychiatrie moderne (*anorexie hystérique*, 1873 ; *mentale*, 1833) et a servi à former plusieurs dérivés.

▶ **ANOREXIQUE** adj. (1903) et n. (1920) a remplacé en partie *anorectique*, adj., dérivé savant (1853 dans le dict. de Lachâtre) du latin *anorectus*, du grec. ◆ **ANOREXIGÈNE** adj. (v. 1980) s'emploie pour «qui supprime la faim», à propos de traitements amaigrissants.

ANORMAL → NORMAL

ANSE n. f. est un emprunt (v. 1220) au latin *ansa* «poignée» (alors que l'espagnol *asa* est une forme évoluée), mot venu du Nord, comme l'attestent les langues baltes et germaniques, avec le sens initial probable de «prise située sur le côté».

♦ En français, *anse* désigne diverses poignées, notamment celle d'un panier, d'où ***l'anse du panier*** (1622) puis ***faire danser, sauter l'anse du panier*** «majorer les prix en achetant des denrées» (1798). ◇ Par analogie de forme, ***en anse de panier*** se dit d'un arc surbaissé (1561 ; déjà *à la forme d'une anse...*, 1534 Rabelais). ◇ Le mot a eu divers emplois techniques, par analogie de fonction : il se dit d'une corde nouée (1564), d'un anneau de métal (1660). Par analogie de forme, il désigne une partie d'organe en anse (1805, Cuvier). ◇ Au sens initial, le mot donne lieu à l'expression familière ***faire le pot à deux anses*** (1552) «mettre les bras en anses en posant les mains sur les hanches», sortie d'usage, puis (1842) «donner le bras à deux personnes», aussi dans ***panier à deux anses*** (1861).
Une analogie ancienne a produit un sens autonome, *anse* désignant alors (1484) une petite baie s'enfonçant assez peu dans les terres (à la différence de la *crique*), emploi fréquent en toponymie.

▶ Les dérivés, assez nombreux, sont archaïques ou rares. ◆ **ANSIÈRE** n. f., qui vient du sens maritime, a désigné (1771) un filet tendu dans une petite baie. ◆ **ANSETTE** n. f., du sens général de *anse*, désigne des instruments que l'on passe dans les anses (un crochet, 1435) et une petite anse (1524). ◆ **ANSERON** n. m. (1556) a rapidement disparu. ◆ **ANSÉ, ÉE** adj., encore connu dans *croix ansée* (1838) «suspendue à une anse», s'emploie depuis le moyen français pour «muni d'une anse». ◆ **ANSER** v. tr. se dit pour «garnir d'une anse» (1751).

ANSÉRINE adj. et n. f. est emprunté (1534 comme adjectif) au latin *anserinus*, de *anser* «oie». Ce mot rural appartient à une racine indoeuropéenne °*ghans-*, élargie à l'aide du suffixe *-er*. Il est apparenté au grec *khên*, à l'ancien haut allemand *gans*, au vieux slave *gǫsĭ* (russe *gous'*).

♦ Comme nom de plantes, «chénopode blanc» (1791), le mot est probablement la francisation du latin moderne *pes anserinus* (Bauhin, 1671), latinisation de *pied d'oie* (1611), désignation populaire internationale (allemand *Gänsefuss*, XVIe s.) évoquant la forme de la feuille.

▶ Parmi les dérivés savants du latin *anser*, **ANSÉRIDÉS** n. f. pl. est le nom d'une famille de palmipèdes dont l'oie est le type (1898), succédant à *ansérides* n. m. pl. (1834) et à *ansérinées* n. f. pl. (déb. XIXe s., Cuvier), sorti d'usage.
ANSÉRIFORME adj. est composé savamment du latin *anser* et de *-forme*, pour qualifier ce qui évoque l'oie (attesté 1907, dans les dictionnaires généraux). ◇ **ANSÉRIFORMES** est le nom de l'ordre d'oiseaux auquel appartient l'oie (syn. *Anatidés*).

ANTAGONISTE adj. et n. apparaît comme adjectif (1575) pour désigner un muscle en opposition fonctionnelle avec un autre ; c'est un hellénisme médical, le grec *antagônistês* signifiant «qui lutte (*agônistês*) contre (*ant-* ; → anti-)» ; il appartient à la famille de *agônia* «lutte» (→ agonie).

♦ Le mot français a pris dès le XVIe s. la valeur générale d'«opposé, rival» et est devenu substantif au début du XVIIe siècle.

▶ **ANTAGONISME** n. m. est quasi contemporain (1593), mais semble rare avant le XVIIIe s. (1751 en anatomie) ; il a été précédé par *antagonie* «lutte», les deux formes provenant du grec *antagônisma*, de même formation que l'adjectif. ◇ De l'anatomie, *antagonisme* est passé à l'usage courant («état d'opposition; hostilité», 1826) et à d'autres terminologies : médecine à propos de deux maladies opposées (1855), chimie, bactériologie. ➜ Un nouvel adjectif, **ANTAGONIQUE**, apparaît en 1861 (Proudhon), éliminant le dérivé *antagonistique* adj. (1842, Balzac).

◈ voir **PROTAGONISTE**.

ANTAN adv. est issu (1050) du latin tardif *anteannum* «l'an dernier», composé de *ante* «avant» (→ anté-) et de *annum* (→ an).

♦ Le mot signifie strictement «l'année passée» : c'est l'emploi qu'en fait Villon dans la célèbre *Ballade des dames du tems jadis (... mais où sont les neiges d'antan)*, mais la valeur plus large, «autrefois», est fort ancienne. Les expressions *dès antan* (XIIIe s.) «depuis longtemps», disparue, et surtout ***d'antan*** (XIIe s.) ont vécu plus longtemps que l'emploi comme adverbe, disparu au début du XVIIe siècle. ◇ Mais les emplois modernes, littéraires, se bornent à *d'antan*, notamment par allusion à Villon.

ANTARCTIQUE → ARCTIQUE

ANTÉ-, du latin *ante* «avant», sert, comme *pré-*, à former des composés et indique l'antériorité; exemples : *antédiluvien, ienne* adj. (→ diluvien), *antéposer* (→ poser), *antéposition* n. f. (→ position). Voir aussi *anti-* dans *antidater* (→ date). Le latin *ante* répond au grec *anti* (→ anti-) et au sanskrit *ánti-*.

ANTÉCÉDENT, ENTE adj. est emprunté (1314) au latin *antecedens*, participe présent de *antecedere*, de *ante* (→ anté-) et de *cedere* «aller» (→ céder). → aussi ancêtre.

♦ L'adjectif qualifie «ce qui va avant», dans le temps ou logiquement, avec plusieurs spécialisations, comme le substantif masculin, surtout pluriel (1370, Oresme), *les antécédents* «faits du passé», employé en mathématiques (1691, Ozanam), en droit (1789), en médecine (XIXe s., longtemps après l'emploi de l'adjectif dans *cause antécédente*). ◇ D'autres spécialisations sont plus didactiques, en grammaire (1694, exemple : *l'antécédent d'un pronom*), en musique (1835) et en logique.

▸ Il en va de même pour **ANTÉCÉDENCE** n. f. (1756). ➜ **ANTÉCÉDER** v. tr. (1195) est sorti d'usage au XVIIe s., à part une reprise littéraire chez Huysmans (1901).

ANTÉCHRIST → CHRIST

ANTÉFIXE n. f. est un emprunt didactique d'architecture (1832) au latin *antefixa*, pluriel substantivé de l'adjectif *antefixus* «fixé devant», de *ante* (→ anté-) et de *fixus* (→ fixer).

♦ Le mot désigne, en architecture antique romaine, un ornement placé aux extrémités d'un toit.

ANTENNE n. f., d'abord écrit *antaine* (v. 1200), est un terme de marine emprunté au latin tardif *antenna*, altération phonétique (et graphique) de *antemna*. Le mot latin désignait à l'origine la vergue portant toute voile, y compris la voile carrée des grands vaisseaux; c'est probablement un mot d'emprunt, dont on ne connaît pas l'origine. La décadence de la navigation après la chute de l'Empire romain réduisant la taille des navires — on ne pratique plus en Méditerranée que la navigation côtière et la pêche, et les mers sont dangereuses, depuis les grandes invasions (Vandales, Goths) —, *antemna* et *antenna*, au moyen âge (VIIe-VIIIe s.), ne désignent plus que la vergue formée de deux pièces de bois (sapin) liées, soutenant la voile triangulaire dite latine des petites embarcations. Le mot est passé en italien, catalan, portugais, occitan (*antena* en latin d'Occitanie, 1248). Le mot français est probablement passé par l'ancien provençal *antena* ou par l'italien; il a de nombreuses variantes *(antaine, antene, enthene...)* jusqu'au XVIe s. où la forme *antenne*, apparue au XIIIe s. (1246), l'emporte.

♦ Le mot reste usuel comme terme de marine jusqu'au XIXe s., époque où le recul de la navigation à voile, qui rend possible la diffusion des autres sens, le rend légèrement archaïque. La réapparition d'un vocabulaire du voilier, par la plaisance, au XXe s., n'affectera pas cette situation : l'antenne de la voile latine reste un objet lié à des embarcations anciennes ou exotiques. ◇ Les sens analogiques de cette acception sont rares et vieillis : «rang de barriques arrimées transversalement» (1783), «pièce de bois ou de métal comparée à une antenne de voile» (XXe s. ; chez Gide, 1927).

➜ Cependant Théodore Gaza, dans sa traduction latine d'Aristote, *Historia animalium*, ayant appliqué le mot *antenna* aux insectes, au lieu de *cornua*, pour traduire *ker aioi*, cette image passe dans plusieurs langues, fournissant un sens nouveau au français (1712) : «appendice allongé et fin sur la tête des insectes» (on disait *corne*). Lamarck étend cette désignation aux crustacés (1818), le concept devenant «appendice sensoriel de la tête des arthropodes». De là plusieurs dérivés (ci-dessous) et des extensions non scientifiques pour désigner les barbillons des poissons (fin XVIIIe s., Bernardin). ◇ Une série de sens analogiques, où l'idée d'extrémité fine se joint à celle de moyen d'information (voir ci-dessous), ont dû procéder de métaphores portant sur les antennes des arthropodes : ***avoir des antennes*** correspondant à «avoir de l'intuition, sentir à l'avance». Ces métaphores ou comparaisons, attestées au début du XXe s., semblent avoir précédé les emplois concrets. ➜ Mais il existe une exception. À la fin du XIXe s., le mot s'applique à la télégraphie sans fil, probablement du fait de Marconi (1898, pour le télégraphe sans fil installé par lui entre Wimereux et la côte anglaise, et peut-être avant; in *Grande Encyclopédie*, v. 1900). La métaphore peut impliquer l'antenne de l'insecte, mais aussi le sens maritime (le mât d'antenne évoque l'antenne de la voile). Le mot désigne d'abord le long fil vertical fixé à un mât de bois et servant tant à l'émission qu'à la réception de l'onde électromagnétique, puis tout dispositif ayant cette fonction (*antenne télégraphique, de T. S. F.*, puis *antenne de radio, de télévision*). Dès 1914 (*Larousse mensuel*), on parle d'*antenne réceptrice, dirigée, en nappes, multiples*. ◇ De là, le mot désigne l'émetteur de radio, puis de télévision, d'où les syntagmes ***(être, passer) à l'antenne, sur l'antenne; garder, rendre l'antenne; temps d'antenne*** «d'émission», répandus vers 1960. Les formes nouvelles d'antennes (en râteau, parabolique, etc.) ont détaché cette acception de son origine. ◇ En outre, l'antenne de radio est très probablement l'origine d'autres métaphores concrètes (*antennes d'une mine* [1928], *d'un flotteur de pêche*, etc.). ➝ Par ailleurs, le sens de «poste avancé» ou «chemin y conduisant», par exemple *antenne de pénétration* d'un chemin de fer (1905, Lyautey), qui procède à la fois de l'idée concrète et abstraite, semble s'être diffusé dans le contexte militaire *(antenne chirurgicale)*, puis civil (*raccordement à antenne*, en chemin de fer, *in* Larousse, 1928).

▶ Les dérivés et composés viennent du sens zoologique (ou botanique). ➝ **ANTENNAIRE** adj. (1834) a été précédé par l'emploi comme nom pluriel pour un genre de poissons (1822) et un genre de plantes composées (1822). ➝ **ANTENNÉ, ÉE** adj. «muni d'antennes» (1818, Lamarck), a éliminé **ANTENNISTE** adj. (1803), alors que **ANTENNIFÈRE** adj. (1818) s'emploie encore. ➝ **ANTENNULE** n. f. (1762) «petite antenne» a disparu, le mot s'appliquant (1893) à ce qu'on nommait *antenne interne* chez les crustacés (opposé à *antennes vraies*).

ANTÉRIEUR, EURE adj. est un emprunt (1488) au latin tardif *anterior*, dérivé de *ante* «en face de...» et «avant» (→ anté), qui a donné aussi *anticus, antiquus* (→ antique), forme indoeuropéenne (cf. sanskrit *ánti*). *Anterior*, employé dans la langue d'Église, y remplace le latin classique *prior* et s'oppose à *posterior* (→ postérieur).

♦ L'adjectif français est d'abord spatial et logique; le sens temporel est un peu plus tardif (1531); ce sens s'est spécialisé en grammaire (*futur antérieur*, 1787). La valeur spatiale a donné lieu à des emplois scientifiques, en anatomie (1751), d'où *l'antérieur* n. m. (1805) pour *muscle antérieur*, et en phonétique dans *voyelle antérieure*, articulée à l'avant du palais (1902, Rousselot).

▶ Le dérivé **ANTÉRIEUREMENT** adv. (1611) est plus courant au sens temporel que spatial. ➝ **ANTÉRIORITÉ** n. f. est formé sur le latin (1553, Rabelais) au sens spatial, mais s'emploie surtout temporellement pour «priorité, primauté», en droit (1829).
Un élément **ANTÉRO-**, formé sur *antérieur* ou sur le latin médiéval *anterus*, est parfois opposé à *rétro-* (**ANTÉROGRADE** adj., 1892); il s'emploie en anatomie, au sens spatial de *antérieur*.

ANTH(O)-, élément tiré du grec *anthos* «fleur», est peut-être apparenté au sanskrit *ándhas-* «herbe, plante», et sert à former de nombreux mots composés didactiques, en botanique, zoologie, chimie biologique...; il en va de même pour l'élément final **-ANTHE**. Certains dérivés et composés grecs sont passés en français, parfois par l'intermédiaire du latin savant. Le grec *anthos* a peut-être d'abord désigné la pousse végétale, ce qui pourrait le rapprocher du verbe défectif signifiant «jaillir», *anênothe*, forme unique (3ᵉ pers. du singulier du parfait).

▶ Le seul mot appartenant à un usage relativement courant est **ANTHOLOGIE** n. f., emprunté au grec *anthologia*, proprement «collection de fleurs» et au figuré «recueil de textes choisis». La même métaphore a produit le latinisme *florilège*. *Anthologie* est un hellénisme de la Renaissance (1574), avec une valeur figurée rare (mil. XIXᵉ s., Proudhon). ◇ Le mot a été repris (1755) au sens étymologique, «herbier de fleurs»; Chateaubriand l'emploie. ➝ Le dérivé **ANTHOLOGIQUE** adj. (1832) ne possède que la valeur figurée et littéraire. ➝ **ANTHOLOGISTE** n. (1892, A. France) semble avoir remplacé *anthologue* n. m. (1832), précédé par *antologe* n. m. (1801, Mercier), homonyme maladroit d'un mot de rituel grec (1704), «recueil de prières», emprunté au grec tardif *anthologion*.

ANTHÉMIS n. f. est emprunté (1549 *in* Arveiller) au latin *anthemis*, hellénisme pris au grec tardif *anthemis, -idos*, pour désigner la camomille.

ANTHÈRE n. m. est pris au latin *anthera* (Celse), emprunt au grec *anthêros* «fleuri», dérivé de *anthos*. Le mot (*anthera*, 1501) désigne d'abord un médicament composé d'étamines de rose et d'autres ingrédients; ce sens, sous les formes *anthere* et *antheras*, disparaît au XVIIIᵉ siècle. ◇ *Anthère* est repris (1787, Schwan) pour désigner ce que l'on appelait *sommet*, la partie terminale des étamines. ◇ De ce sens moderne procèdent **ANTHÉRAL, ALE, AUX** adj. (1834), **ANTHÉROGÈNE** adj. (De Candolle), **ANTHÉRIDIE** n. f. «organe mâle des cryptogames» (av. 1840, Bischoff; on disait *anthère*), **ANTHÉROZOÏDE** n. m. (1872), qui remplace *animalcule spermatique*, et d'autres dérivés et composés. ➝ **ANTHÈSE** n. f., emprunt (1801) au dérivé grec *anthêsis* «floraison», désigne en botanique l'épanouissement de la fleur.

Le grec *anthos*, «fleur», a servi à former des mots savants, suffixés comme *dianthe, polyanthe, monanthe, ananthe* (1838), et surtout préfixés en *antho-*. ➝ **ANTHOCÉROS** n. m. (1729), puis **ANTHOCÈRE** n. m. (1803), du grec *keras* «corne», désigne une algue dont les organes femelles ont la forme d'une corne. ➝ **ANTHOPHAGE** adj. (1803), de *-phage*, se dit d'un coléoptère qui mange les fleurs. ➝ **ANTHOZOAIRES** n. m. pl. (1838), de *zôon* (→ zoo), désigne des polypiers dont les sommets ressemblent à des fleurs.

◈ voir CHRYSANTHÈME, HÉLIANTHE, PÉRIANTHE.

ANTHRAC(O)- vient du grec *anthrax, -akos* «charbon», d'origine obscure; on ne peut rapprocher le terme que de l'arménien *ant-'el* «charbon ardent», ce qui est sans doute le sens premier du mot grec.

♦ L'élément a gardé sa valeur initiale dans des termes de minéralogie et de chimie, mais a transmis en biologie le sens dérivé de «maladie de la vigne», dite aussi en français *charbon*.

▸ **ANTHRACITE** n. m., formé au XVIe s. (1549) pour désigner une pierre précieuse rouge (comme un charbon ardent), a été repris de manière indépendante au XVIIIe s. (1771) pour nommer une variété de charbon pur, utilisé pour le chauffage domestique, ce qui a rendu au XIXe s. le mot usuel, au moins jusqu'au recul du chauffage au charbon. ◇ De là son emploi dans *gris anthracite,* «très foncé», et comme adjectif de couleur (mil. XXe s.), par exemple dans *un complet anthracite.*

ANTHRAX n. m., terme de médecine, vient (v. 1240, *antrax*) du latin médical *anthrax,* du mot grec, pour désigner un syndrome à pustules noirâtres, attribué à un microorganisme, et appelé aussi *charbon.* ◇ Le mot désigne aussi par confusion une tumeur inflammatoire causée par un autre microorganisme, le staphylocoque doré; cette dernière étant appelée erronément *anthrax* (*antrac* en 1495; aussi *andrac, anthrax* par réfection savante, 1502).

ANTHRACOSE n. f., emprunt au dérivé grec tardif *anthrakôsis* «ulcère, tumeur», a désigné un ulcère de l'œil (1721; jusqu'au mil. du XIXe s.); le mot a été repris (*anthracosis,* 1855; francisé dep. 1863, *Année scient.*) pour une maladie pulmonaire. ➝ **ANTHRACÈNE** n. m. a été formé (1838) sur *anthrax,* d'abord en médecine, pour désigner un néoplasme. ◇ La forme *anthracène* l'a emporté sur *anthracine* dans l'acception moderne, «produit hydrocarburé extrait du goudron de la houille» (1865).

◈ voir QUINONE (ANTHRAQUINONE).

ANTHROPO-, -ANTHROPE sont tirés du grec *anthrôpos* «être humain», d'origine très discutée. Van Windekens suppose que *anthr-* est formé de *andr-* (de *anêr, andros;* → andro-), de *thoros* «sperme» (expliquant ainsi le *th,* absent du radical *andr-*) et de *-ôpos* de la racine indoeuropéenne *-ōkʷo-* «voir» (→ amblyope à amblyopie); le mot signifierait donc d'abord «qui a l'apparence de l'homme-qui-féconde (le *mâle*)». Toutefois, seule l'explication du suffixe *-ôpos* est pleinement satisfaisante : il est difficile d'admettre que les Grecs aient désigné les humains par un terme signifiant «qui a l'apparence du mâle» (Chantraine).

♦ Parmi les nombreux mots généralement didactiques que l'élément sert à former dans la plupart des langues européennes, certains sont des composés grecs, quelques-uns par un emprunt latin; d'autres sont formés en français (ou dans une langue moderne, puis empruntés). On mentionnera les plus courants et importants.

▸ **ANTHROPOPHAGE** n. est emprunté (XVe s.) au latin *anthropophagus,* lui-même emprunt au grec *anthrôpophagos* (→ -phage), et se répand au XVIe s. (1531, *antropofage;* graphie moderne 1562). ➝ Le mot, désignant une pratique qui frappait les imaginations (cf. *cannibale*), est devenu assez usuel, d'où le sens d'«exploiteur» (mil. XVIIIe s., Saint-Simon) voire de «bourreau» (sous la Révolution; attesté 1797), sorti d'usage. Il est parfois repris plaisamment comme terme d'injure. ➝ **ANTHROPOPHAGIE** n. f. (XVIe s., François de Sales) est emprunté à un dérivé latin pris au grec *anthrôpophagia.* ➝ **ANTHROPOPHAGIQUE** adj. est dérivé en français (1838) comme **ANTHROPOPHAGISME** n. m., créé au figuré pendant la Révolution (1794).

ANTHROPOLOGIE n. f. a eu en français une histoire complexe. Apparu au début du XVIe s. (1507, *entropologie*) et calquant le latin moderne *anthropologia* (1501), emprunt au composé grec *anthrôpologos,* il désigne d'abord un répertoire d'hommes célèbres, puis (1690, Dionis) la science qui étudie l'homme, âme *(psychologie)* et corps *(anatomie).* ◇ Le sens moderne apparaît en allemand (1795, Blumenbach) et vise l'étude scientifique des caractères biologiques des humains; dans ce sens, il passe en français au début du XIXe siècle. Cette science, développée par exemple par Broca, s'appelle plutôt aujourd'hui *anthropologie physique* ou *biologique,* car le mot, repris en anglais *(anthropology),* a changé de sens aux États-Unis dans les années 1920-1930 (Boas, Malinowski). Il couvre alors tout le champ humain comme au XVIe s., mais dans un tout autre contexte intellectuel, et notamment le domaine socioculturel. Diffusé par le structuralisme (cf. *Anthropologie structurale,* par Lévi-Strauss), cet emploi rend caduc l'usage antérieur : au lieu de la seule ethnologie, il concerne en général l'ethnologie, la sociologie, la linguistique (avec laquelle l'anthropologie s'est développée), le folklore, l'archéologie, la sémiotique. ➝ Les dérivés **ANTHROPOLOGIQUE** adj. (1803, puis XXe s.; le mot avait existé fin XVIIe s., dans un autre sens) et **ANTHROPOLOGISTE** n. (1808) ou **ANTHROPOLOGUE** n. (1850) ont suivi la même évolution.

ANTHROPOGENÈSE n. f. a succédé à *anthropogénie* (1793) et à *anthropogonie* (1832, chez Balzac) pour désigner l'étude de l'origine et de l'évolution de l'espèce humaine. Le mot a vieilli.

ANTHROPOMORPHE adj., formé sur *-morphe* (1803), et ses dérivés succèdent à des composés empruntés au grec par le latin, comme **ANTHROPOMORPHITE** n. (1541), formé en latin ecclésiastique *(anthropomorphitae),* pour «hérétique donnant à Dieu une forme humaine», et surtout son dérivé **ANTHROPOMORPHISME** n. m. (1710, Leibniz) qui est passé du registre de la théologie à celui des rapports de connaissance : «tendance à étudier, décrire, envisager tout phénomène en termes humains». *Anthropomorphe* s'applique spécialement aux grands singes (n. m., 1822). ◇ Il a pour dérivés **ANTHROPOMORPHIE** n. f. (1832, Balzac), rare, et surtout **ANTHROPOMORPHIQUE** adj. (1829), relativement usuel comme adjectif correspondant à *anthropomorphisme.*

ANTHROPOÏDE n. m. est dans son premier emploi (1816) un emprunt probable au grec *anthrôpoeidês* «qui a une forme humaine» (Hérodote). Il se disait d'une grue à longues plumes, appelée aussi *demoiselle de Numidie.* ◇ Cet emploi a disparu, le mot étant repris comme adjectif (Littré, 1866) pour qualifier les grands singes déjà appelés *anthropomorphes* (ci-dessus), et aussi substantivé (1884). Cette acception est devenue relativement usuelle. Outre ces mots empruntés à des composés grecs, l'élément *anthropo-* a servi à former en français un certain nombre de termes didactiques. Plusieurs sont encore en usage. ◆ **ANTHROPOMÉTRIE** n. f. (1659), «mesure anatomique», a été repris au XIXe s. (v. 1830, Manouvrier et Bertillon) pour désigner les techniques de mesures du corps humain utilisées par la justice à fins d'identification, avec des dérivés comme **ANTHROPOMÉTRIQUE** adj. (1836). ◆ **ANTHROPOSOPHIE** n. f. (1792, au sens général de «connaissance de la nature humaine») a été repris (v. 1910) par emprunt à l'allemand (Rudolf Steiner, d'après *théosophie*), avec pour dérivé **ANTHROPOSOPHIQUE** adj. (1836; puis v. 1910) et **ANTHROPOSOPHE** n. (attesté 1923). ◆ **ANTHROPOCENTRIQUE** adj. (1876) et **ANTHROPOCENTRISME** n. m. (1898) concernent une épistémologie où l'homme est considéré comme le centre de l'univers. ◆ **ANTHROPOPITHÈQUE** n. m. (1882, de Mortillet), pris au latin savant *anthropopithecus* (1878, *id.*), est formé de *anthropo-* et de *pithecus* «singe», grec *pithêkos*, le mot latin ayant servi à désigner le chimpanzé «homme-singe» (1839, Blainville). ◇ Le mot a désigné un primate fossile présenté à la fin du XIXe s. comme intermédiaire entre les grands singes anthropoïdes et l'homme. Par extension, il se dit d'un homme primitif (cf. *primate*); dans cet emploi, il appartient au répertoire d'injures du capitaine Haddock, dans *Tintin*. ◆ **ANTHROPONYMIE** n. f., attesté en 1919 en français (*F. e. w*) et dès 1887 en portugais (*antroponymia*), est formé de *anthropo-* et de *-onymie* (du grec *onoma* «nom»). Ce terme savant désigne l'étude linguistique des noms de personnes, partie de l'onomastique. ◆ **ANTHROPONYME** n. m. et **ANTHROPONYMIQUE** adj. (v. 1940) en sont dérivés. ◆ **ANTHROPOZOÏQUE** adj., tiré de *anthropo-* et *-zoïque*, qualifie l'ère géologique caractérisée par l'apparition de l'homme (quaternaire).

Comme second élément, *-anthrope* a surtout été utilisé en paléontologie. ◆ **PITHÉCANTHROPE** n. m. (Larousse, 1903) est emprunté au latin moderne *pithecanthropus*, mot forgé par Haeckel (1868) pour désigner une créature hypothétique, intermédiaire entre le singe (*pithêkos* en grec) et l'homme, et appliqué par E. Dubois en 1894 (*Pithecanthropus erectus*) à un fossile hominien découvert à Java. ◆ **SINANTHROPE** n. m. (1929 chez Teilhard de Chardin) est la francisation du latin moderne *sinanthropus*, créée par D. Black en 1927 pour nommer un hominien fossile découvert dans la région de Pékin (de *sino-* «de Chine»).

◈ voir LYCANTHROPE, MISANTHROPE, PHILANTHROPE.

ANTI-, préfixe très productif, est tiré de la préposition grecque *anti*, exprimant notamment l'opposition et la protection contre un mal. Les mots en *anti-* traités dans cet ouvrage le seront en général à l'entrée du radical; on ne trouvera ci-dessous que des composés démotivés, sans radical libre. ◆ *Anti-*, préverbe et préposition dont le sens premier est «en face», est passé en latin avec une grande productivité. Le thème *ant-*, outre *anti-*, a servi à former l'adverbe *anta* «en face» (qui a de nombreux dérivés, mais a été vite remplacé en grec par *anti*). *Anti* lui-même a servi à former dès le grec de nombreux dérivés et composés avec des valeurs diverses, «en face de», «en échange, comme équivalent» et «contre», aussi au sens temporel. Il s'agit d'un thème indoeuropéen : à *anti* correspondent le latin *ante* (→ anté-), le sanskrit *ánti*, le hittite *ḫanti*; au thème *ant-* le gotique *and(a)*.

ANTIBIOTIQUE adj. et n. m. a été créé dès 1871 (Dr Hallopeau) avec la valeur large de «qui s'oppose à la vie», de *anti-* (→ anti-) et du grec *biôtikos* «de la vie», de *bios* (→ biologie). Le mot avait existé en anglais (*antibiotic*) dans un sens tout différent («opposé à la croyance à la vie dans un lieu, par exemple à la vie extraterrestre»). ◇ Peu employé, le terme a été repris en anglais par Waksman (1941-1942), après les travaux fondateurs de Fleming, puis Dubos et Florey, pour qualifier une substance produite par des microorganismes et qui s'oppose à d'autres microorganismes pathogènes; le substantif *antibiotics* en dérive (1944; répandu, en 1949, par Florey *et al.*).

♦ Le français a immédiatement emprunté adjectif et substantif, avec les noms des substances particulières, *pénicilline*, etc. Le mot, devenu essentiel en thérapeutique, s'est répandu dans l'usage courant.

ANTICHAMBRE n. f. est l'adaptation francisée (1560), d'après *chambre*, de l'italien *anticamera* (XIVe s.) «chambre de devant»; *anti-* correspond au latin *ante* (→ anté-), et *camera* au latin *camera* (→ chambre). La francisation complète en *avant-chambre* (1560) n'a pas réussi.

♦ Assez rare en français contemporain dans les contextes usuels, *antichambre* s'est spécialisé en parlant des salles d'attente officielles, d'où la locution ***faire antichambre*** «attendre» et le sens figuré «situation d'attente avant une autre» (*l'antichambre du pouvoir, de la mort*). Le mot est pratiquement détaché de *chambre*, sémantiquement.

ANTICHRÈSE n. f. est un emprunt juridique de la Renaissance (1554) au grec *antikhrêsis* «usage d'une chose pour une autre», de *anti-* (→ anti-) et de *khrêsis* «usage», qui réalise la même base que *khrêma* «chose», et au pluriel «biens, richesses». La valeur de «recherche d'utilisation pour son profit» ne permet aucun rapprochement décisif, mais on évoque une parenté avec le latin *hortari* «faire vouloir» (→ exhorter).

♦ Le mot désigne un contrat par lequel le débiteur abandonne les revenus d'un bien immeuble à son créancier.

▸ Il a pour dérivé **ANTICHRÉSISTE** n. (1829).

ANTICHTONE adj. est emprunté (1562, Rabelais) au latin *antichtones*, au pluriel, emprunt au grec *antikhthôn* «terre opposée, située aux antipodes», de *anti* (→ anti-) et de *khthôn* «terre» (→ chtonien).

♦ Le mot a été repris comme nom (1568, Thevet) pour «populations de terres opposées» puis (1721) «population des antipodes» (→ antipode). Il est archaïque.

ANTICIPER v. tr. est emprunté (v. 1355) au latin *anticipare,* composé assez tardif (Varron) de *ante* «avant» (→ anté-) et de *capere* «prendre» (→ capter, chasser), peut-être formé d'après *participare* (→ participer).

♦ Le verbe français a d'abord un emploi transitif et signifie «devancer (qqn)» puis (1442) «devancer (un temps fixé)» et «faire (qqch.) avant le temps prévu». Des spécialisations existent en droit : *anticiper un appel* (1508). Depuis le XVIe s. (1549), le verbe signifie aussi «imaginer par avance». L'emploi intransitif, construit avec *sur,* semble apparaître en droit au sens d'«usurper (des droits)» (1671) ; l'emploi absolu est antérieur (XVIe s., à propos de la fièvre et pour «prendre les devants») et s'est spécialisé en musique (1776), puis au XXe s. en sports (1932), où il signifie «agir en prévoyant la réaction de l'adversaire».

▸ Le participe passé ANTICIPÉ, ÉE adjectivé (1694 ; dans un autre sens, 1537) est relativement courant. ANTICIPATION n. f. est emprunté (1380) au dérivé latin *anticipatio.* Le nom correspond au verbe et s'emploie dans la locution adverbiale ***par anticipation*** (1648). Il a reçu plusieurs valeurs spécialisées, en finances (1781, Necker), en rhétorique (1718), en musique (1776), la plus fréquente évoquant les réalités supposées de l'avenir, dans la narration (***romans*** [1848], ***films... d'anticipation***), en concurrence avec l'anglicisme *science-fiction.* Par métonymie, le mot s'applique aussi à ce genre de narration. Comme *anticiper,* le mot s'emploie aussi en sports (1925).
Les dérivés français du verbe, avec des suffixes savants, sont ANTICIPATIF, IVE adj. (1826) et ANTICIPATEUR, TRICE adj. (1922, Proust), didactiques.

ANTICLINAL, ALE, AUX adj. et n. m. est un emprunt (attesté 1845) à l'anglais *anticlinal,* mot dû à Buckland et Conybeare, employé par Lyell (1833), et tiré du grec *antiklinein* «pencher en sens contraire», de *anti-* (→ anti-) et *klinein* «pencher», verbe qui repose sur la même racine indoeuropéenne que le latin *clinare* (→ incliner).

♦ L'adjectif qualifie en géologie les formes qui présentent une convexité vers le haut. L'emploi le plus fréquent est le nom masculin pour «pli anticlinal».

◈ voir SYNCLINAL.

ANTIDOTE n. m. est un emprunt ancien (XIIIe s.) au latin *antidotum* (Celse), pris au grec *antidotos,* adj., «donné contre, donné comme remède», de *antididonai,* lui-même formé de *anti-* (→ anti-) et de *didonai,* d'une racine °*dō-* représentée dans presque toutes les langues indoeuropéennes (→ donner). Le mot latin signifie «contrepoison» puis (IVe s.) «remède» ; il s'emploie au figuré.

♦ Le mot désigne un contrepoison et, au figuré (*antidot,* v. 1150), un remède contre un mal moral, sens repris au XVIIe s. (1645).

▸ Les dérivés ANTIDOTÉ, ÉE adj. (XVIe s., Rabelais), ANTIDOTER v. tr. (1564), ANTIDOTAIRE adj. (1314), ANTIDOTISME n. m. (1878) sont archaïques, sauf le néologisme didactique ANTIDOTIQUE adj. (v. 1950).

ANTIENNE n. f., qui doit se prononcer avec un *t,* est le produit (1262) de l'évolution phonétique, par *antevenne* (fin XIIe s.) puis *antievre, antievne* (fin XIIe s.) et *anteffle* (1215), du latin médiéval d'Église *antefana,* altération de *antiphona,* devenu *antephona* d'après *ante. Antiphona* est emprunté au grec *antiphonê* «chant alternatif», de *anti-* (→ anti-) et *phônê* (→ phonétique). En ancien français, *antievre* est en concurrence avec *antoine* (1382), sans doute éliminé par l'homonymie avec le prénom.

♦ Mot liturgique désignant le refrain après chaque verset d'un psaume, exécuté à l'origine par deux chœurs alternés, et certains hymnes et prières, il a pris (XIVe s.) le sens figuré et péjoratif de «chose qu'on ressasse» et celui de «vif reproche», notamment au XIXe s. dans des locutions avec *chanter* : ***chanter une antienne à qqn*** «lui faire des reproches» (1808), ***chanter toujours la même antienne*** (1835). Ces expressions ont vieilli.

▸ Le mot grec et son emprunt latin *(antiphona)* ont produit en latin médiéval un dérivé *antiphonarius,* passé en français (1302, *antiphonar*) ; ANTIPHONAIRE n. m. a éliminé la forme évoluée *antefinier* (1119) pour désigner un recueil de chants liturgiques. Le rapport entre ce mot et *antienne* n'est plus perçu. ◆ D'autres emprunts, *antephone, antiphone* (1553) «antienne», *antiphonie* n. f. (1380), etc., ont disparu.
Par ailleurs, deux mots d'argot ancien sont rattachés par les étymologistes à *antiphona.* ◆ Ce sont ANTICLE n. f. «messe» (1596) et ANTIFFLE n. f. «église» (1561), que Sainéan rapportait à *antique* et *antif* «antique» (ou, pour le second, à l'italien *antifona*). Gossen *(F. e. w.)* fait venir de *antiffle* «église» l'argot *battre l'antifle, l'antife* (1721) «marcher», d'où (1885) «faire le trottoir» et, au figuré, «mentir» (1830), qui semble vivant jusqu'en 1914. Mais l'évolution sémantique n'est pas claire.

ANTIFONGIQUE adj. est une formation savante (mil. XXe s.) de *anti-* (→ anti-) et du latin *fungus* «champignon», sans doute emprunté au mot d'une langue méditerranéenne qui a fourni le grec *spongê* (→ éponge) et l'arménien *sunk* «éponge, chêne-liège».

♦ L'adjectif qualifie toute substance apte à détruire les champignons (au sens botanique du mot) et notamment plusieurs antibiotiques. Il est aussi substantivé.

◈ voir FONGUS.

ANTILOGIE n. f. est emprunté (1623) au grec *antilogia* «réplique» et «contradiction», de *anti-* (→ anti-) et de *-logia* (→ -logie).

♦ Ce mot didactique désigne une contradiction interne, dans un texte. En philosophie (Renouvier), il s'applique au scepticisme issu de l'équilibre entre arguments opposés. Il est rare.

ANTILOPE n. f. apparaît isolément (1622) et a été précédé par les formes médiévales *antule* (v. 1200), *antelu* et *antelop* (XIIIe s., B. Latini) pour désigner un animal mythique. Il est emprunté au latin médiéval *anthalopus* (XIe s.), pris au grec byzantin *anthalops*. Ce mot grec, emprunt à une langue non identifiée, est attesté dans un commentaire sur l'*Hexaéméron* de Basile de Césarée (après le IVe s.). Le latin de Pierre Damien *(antalopus, antholops)* a évolué en *Antilops* (latin d'Angleterre, XIIIe s.). L'italien a emprunté *antalupo*.

♦ Le mot réapparaît au XVIIIe s. (1754) sous l'influence de l'anglais *antelope* (1673), lui-même pris au français, et se diffuse avec la connaissance de l'Afrique, pour désigner un ruminant svelte, à longues cornes, des régions tropicales. ◇ En français d'Afrique, il produit des syntagmes courants désignant des espèces très distinctes *(antilope-cheval, antilope royale)*; les zoologistes ont employé et emploient d'autres syntagmes (en 1841, *antilope à bourse, à pieds noirs, pourpre, bleue, chevaline, noire*, etc.).

▸ Les dérivés savants **ANTILOPIDÉS** n. m. pl. (1861) et **ANTILOPINÉS** n. m. pl. (1892) ont éliminé la forme masculine *antilopins* (attestée 1866).

ANTIMOINE n. m., sans aucun rapport avec l'anticléricalisme, est emprunté (XIIIe s.) au latin médiéval *antimonium*, assez obscur, où l'on retrouve probablement l'arabe *'iṯmid*, peut-être lié au grec *stimmi, stibi* «antimoine en poudre, kôhl» (qui a donné le latin *stibium*), mot d'origine égyptienne; *antimonium* désignait un produit très utilisé en alchimie, soit le sulfure d'antimoine (qui s'allie facilement à l'or, d'où son nom de *regulus, régule* «petit roi»), soit d'autres composés du corps simple définis beaucoup plus tard par la chimie moderne.

♦ Connu pour ses propriétés purgatives, ce sulfure est le seul désigné usuel du mot *antimoine* en français classique (XVIe-fin XVIIIe s.). La *poudre d'antimoine* est le kôhl. La valeur chimique moderne s'établit à l'extrême fin du XVIIIe siècle.

▸ Le mot n'a qu'un dérivé vivant, **ANTIMONIÉ, ÉE** adj. (1757), l'adjectif **ANTIMONIAL, AUX** «relatif à l'antimoine» (1612), sorti d'usage, ayant produit au XVIIe s. un substantif pour «médecin préconisant l'usage de l'antimoine». ◇ **ANTIMONIURE** n. f. (1838) et **ANTIMONIATE** n. m. (1801) désignent des combinaisons de l'antimoine.

ANTINOMIE n. f. est emprunté (1546, Rabelais) au latin *antinomia*, qui calque le grec, de *anti-* (→ anti-) et de *nomos* «loi», mot d'une importante série indoeuropéenne en °*nem-* (langues germaniques, etc.), signifiant «prendre» et complémentairement (grec *nemein*) «attribuer, répartir» (→ nomade).

♦ Le mot désigne une contradiction entre deux lois, d'abord juridiquement, puis philosophiquement (1801, dans la doctrine kantienne). Dans l'usage courant, il signifie simplement «contradiction, opposition» et l'idée de loi *(nomos)* n'y est plus perçue.

▸ Le dérivé **ANTINOMIQUE** adj. (av. 1847, date où l'on trouve chez Balzac l'adverbe *antinomiquement*) est resté didactique, dans un usage plus général que l'adjectif. ➛ **ANTINOMISME** n. m. et **ANTINOMISTE** n. (*in* Larousse, 1866) sont rares.

ANTIPATHIE n. f. est, comme plusieurs mots de la série en *anti-**, un emprunt de la Renaissance (1542); il reprend le latin *antipathia*, du grec *antipatheia* formé sur *anti-* et *pathos* «sentiment, passion» (→ patho-), comme son opposé *sumpathia* (→ sympathie).

♦ Didactique et alchimique, pour «rapport de deux substances sans affinités», le mot rejoint (1re moitié XVIIe s.) le domaine psychologique et devient usuel pour «aversion, hostilité instinctive» (à l'égard d'une personne).

▸ Le dérivé **ANTIPATHIQUE** adj. (1568) est longtemps réservé aux choses qui déplaisent (*sympathique* est resté plus courant dans l'emploi correspondant) et ne se dit des personnes qu'à partir du XVIIIe s. selon les textes connus (v. 1770). ➛ Il a pour dérivé **ANTIPATHIQUEMENT** adv. (1833), rare.

◈ voir **APATHIE, EMPATHIE.**

ANTIPHONAIRE → **ANTIENNE**

ANTIPHRASE n. f. est emprunté (1546; isolément au XIVe s., *antifrase*) au latin des grammairiens *antiphrasis*, pris au grec *antiphrasis* «désignation par le contraire», de *anti-* (→ anti-) et de *phrasis* (→ phrase).

♦ Le mot désigne la figure de rhétorique par laquelle on utilise un élément du langage dans un sens opposé au sens normal.

▸ Le dérivé **ANTIPHRASTIQUE** adj. (1612; repris au XXe s.) est encore plus didactique.

ANTIPODE n. m. (v. 1370) a aussi été adjectif (1377); c'est un emprunt au latin *antipodes*, mot grec pluriel, de *antipous, antipodos*, composé de *anti-* (→ anti-) et de *pous, podos* «pied» (→ podo-), qui a des correspondants dans plusieurs langues indoeuropéennes, par exemple le latin *pes, pedis* (→ pédestre).

♦ Le substantif, seul usuel aujourd'hui, désigne des humains qui marchent la tête en bas par rapport à nous. Le mot a été en concurrence avec *antichtone**. L'hypothèse, d'abord mythique, de la Terre ronde (Pythagore) devenant une réalité scientifique indiscutée, le mot *antipode* devient géographique et s'applique aux lieux de la Terre diamétralement opposés (1798). Par extension, ***aux antipodes de*** se dit dès le XVIIe s. pour «très loin»; au figuré, ***être l'antipode de (qqn, qqch.)*** signifie «être son contraire» (1646); on a employé *à l'antipode de* (1752), remplacé par ***aux antipodes de*** (1913). ◇ L'adjectif s'est aussi employé au figuré pour «opposé au bon sens» (1622) et pour «contraire» dans *antipode à* (1791) et *être antipode de* (chez Balzac); cet usage a vieilli au XIXe siècle.

▸ Les dérivés sont très didactiques. ➛ **ANTIPODIEN, IENNE** adj. (1613) a qualifié et désigné à la fin du XIXe s. un équilibriste qui jongle avec les pieds; ce sens, concurrencé par *antipode* (1924), puis par *antipodiste* (ci-dessous), a disparu. ➛ **ANTIPODAL, ALE, AUX** adj. (1752; antérieur, l'adverbe *antipodalement* se trouvant chez saint François de Sales) est archaïque. ➛ **ANTIPODIQUE** adj. (1872) s'emploie quelquefois au figuré pour «contraire» (1949, in *T. L. F.*). ◆ **ANTIPODISTE** n. désigne un acrobate jonglant avec ses pieds (1914), d'où **ANTIPODISME** n. m. (1930); il s'agit alors d'une reprise du sens étymologique (*anti* et *pous, podos*).

✳ **ANTIQUE** adj. et n. (XIVe s.) succède à *antic* (XIIe s.). Ces adjectifs viennent par emprunt du latin *antiquus* «ancien, éloigné dans le temps», qui, comme *anticus*, lequel signifie plutôt «en avant dans l'espace», est dérivé de *ante* «devant, avant» (→ anté-), de même que *anterior* (→ antérieur). *Anticus, antica* a donné en ancien français *anti*, féminisé en *antive* d'où un masculin analogique *antif* (v. 1150) employé jusqu'au XVIe siècle; alors que *antic* (v. 1180), puis *antique* procède de *antiquus*.

♦ L'adjectif français a eu le sens général de «très ancien» ou simplement «vieux», valeur sortie d'usage au XVIIe siècle. ◇ Au XVIe s., il s'est spécialisé pour désigner le passé culturel gréco-latin (voir plus loin *antiquité*), sens que prend le mot dans la locution ***à l'antique*** (1523). À la même époque (1530), on parle de *un* ou *une antique* «œuvre d'art de l'antiquité» et *les Antiques* signifie «les Anciens».
Au XVIIe s. le mot est à la fois majoratif, en art : *goût, manière antique* (1668) et, depuis le XVIe s., péjoratif, par exemple dans ***sentir son antique*** «être démodé» (1538), ou dans *habit, meuble antique* «vieillot, suranné» (Molière). ◇ Du sens d'«âgé» (XVe s.), appliqué par moquerie aux humains, vient *une antique* «une vieille femme» (1671), sens disparu. Au XIXe s., en argot de Polytechnique, *un antique* désigne un ancien élève (1866). ◇ Par ailleurs, le sens conservé en français moderne de «relatif à l'antiquité gréco-romaine» a produit des spécialisations, tel «caractère d'imprimerie sans pleins ni déliés» (1550).

▶ Les dérivés français sont rares. ◆ **ANTIQUEMENT** adv. (1394), attesté sporadiquement, est peu usité. ◆ **ANTIQUISSIME** adj. (1583) est stylistique. ◆ **ANTIQUISANT, ANTE** adj. et n. (1910), didactique, se dit de ce qui s'inspire d'un idéal artistique antique.
ANTIQUITÉ n. f. (*antiquitet*, 1080) est emprunté au dérivé latin de *antiquus, antiquitas* «grande ancienneté». ◆ Le mot a en ancien français la valeur générale de «vieillesse» (1390 pour les humains) et s'emploie surtout dans les expressions ***d'antiquité*** (XIIe-XIVe s.), ***de toute antiquité*** (1636), ***par antiquité***, qui équivalent à *antique* (comme adjectif) et à «de manière très ancienne» (comme adverbe). ◇ Le mot ne prend qu'au XVIe s. le sens spécial correspondant à «les plus anciennes civilisations historiques», d'abord dans le contexte gréco-latin, puis, selon les connaissances, celles d'Égypte et du Proche-Orient, voire, mais de manière incertaine, celles d'Asie. Ce sens, d'abord limité à la Grèce et à Rome, est attesté chez Montaigne (1580), mais la valeur «monument, œuvre d'art de la Grèce ou de la Rome antique» était déjà courante (les *Antiquités de Rome*, par Du Bellay, 1558).
ANTIQUAILLE n. f. atteste un usage plus ancien, apparenté à *antiquité*. Le mot est emprunté (fin XVe s., à Lyon comme nom d'une construction; puis 1507) à l'italien *anticaglia*, dérivé non péjoratif de *antica*; il a cette valeur : «œuvres d'art antiques», au XVIe et au début du XVIIe siècle. ◇ Le sens péjoratif «objet ancien sans valeur, vieillerie», dû à la valeur dominante du suffixe *-aille* en français, apparaît clairement chez Corneille (1669). *Antiquaille* s'est dit plaisamment d'un vieillard (1566); c'est un mot burlesque, devenu de mauvais goût à l'époque classique. Il a été repris au XIXe s. en relation avec le commerce des objets anciens. ◇ De là le dérivé **ANTIQUAILLERIE** n. f. (1837, Mérimée), aussi employé abstraitement pour «attitudes démodées, archaïques» (1889, Goncourt).
ANTIQUAIRE n. a une histoire sémantique riche. Le latin impérial *antiquarius*, dérivé de *antiquus*, signifiait «amateur des choses anciennes» et «copiste, scribe (qui reproduit les textes anciens)»; ce dernier sens est attesté en français (fin XIIe s.), mais n'a pas vécu, sinon comme terme d'historien à propos des annotateurs grecs ou romains (1721). ◇ *Antiquaire* réapparaît à la Renaissance comme adjectif au sens d'«antique» (1552) et comme nom (1568), là où l'usage moderne emploierait *archéologue*; ce sens a vécu jusque dans la première moitié du XIXe s. *(les sociétés d'antiquaires)*. ◆ Le sens moderne vient de l'allemand *Antiquarius* (1727), puis *Antiquar* (av. 1850), pour désigner le commerçant d'objets d'art anciens (mais on dit *libraire d'ancien* pour les livres). ◆ **ANTIQUARIAT** n. m. «connaissance des antiquités» (1692, Bayle) a disparu. En allemand, le mot désigne le magasin de l'antiquaire et du libraire de livres anciens *(Antiquar)*, sens qui a existé en français (1838) puis a disparu.

ANTITHÈSE n. f. est un emprunt du XVIe s. (v. 1550) au latin *antithesis*, pris au grec *antithesis* «opposition», de *anti* (→ anti-) et de *thesis* (→ thèse).

♦ Le mot apparaît en rhétorique; il s'est employé en algèbre (1691, Ozanam) et semble se diffuser au XIXe s., à la fois dans l'usage général, pour «personne ou chose entièrement opposée à une autre» (v. 1830), et en philosophie. Il signifie alors «proposition contraire à une thèse», d'abord chez Kant (déb. XIXe s.), puis à propos de Hegel, repris par Marx, dans la fameuse triade dialectique (absente de Hegel) : thèse, antithèse, synthèse.

▶ **ANTITHÉTIQUE** adj. est emprunté savamment en rhétorique (v. 1680) au dérivé grec *antithetikos*, et s'emploie en philosophie (1843) et dans l'usage général (1843, Proudhon).

ANTONOMASE n. f., réfection (1634) de *anthonomasie* (v. 1275), est emprunté au latin rhétorique *antonomasia*, hellénisme, le mot grec étant dérivé du verbe *antonomazein* «appeler d'un nom différent», formé de *anti-* «à la place de» (→ anti-) et de *onomazein* «nommer», dérivé de *onoma* «nom» (→ onomatopée).

♦ Ce mot, très didactique, concerne la figure de rhétorique qui consiste à désigner une personne par une expression qui la décrit, ou d'employer un nom propre typique pour caractériser une personne (dans le premier cas, «le fondateur de la linguistique moderne» pour Saussure; dans le second, «le nouveau Shakespeare» pour un dramaturge admiré).

ANTONYME n. m., enregistré dans le Dictionnaire universel de P. Larousse (1866) doit être antérieur. Comme *antonymie,* il est formé sur *ant(i)-** d'après *synonyme*, -nymie.*

♦ Il désigne une unité lexicale (mot, expression) de sens contraire à une autre (relation de contrariété ou de complémentarité).

▶ **ANTONYMIE** n. f. serait chez Robespierre (av. 1794) selon Boiste 1829. ◇ Le mot désigne la relation sémantique entre antonymes (opposition de sens). ➜ **ANTONYMIQUE** adj. (mil. XIXe s.) en est l'adjectif.

ANTRE n. m. est emprunté (mil. XIVe s.) au latin *antrum* «caverne», hellénisme poétique (grec *antron* «caverne, fosse») passé plus tard en prose et en latin chrétien. Le mot grec, rapproché de l'arménien *ayr* «caverne», semble lié à la racine indoeuropéenne du grec *anemos* «vent», sanskrit *áni-ti* «souffler» (→ âme, anémo-, etc.), si l'on admet pour valeur initiale «lieu d'où sortent des émanations».

♦ En français, le mot est resté didactique ou littéraire. Il a commencé par désigner une grotte (v. 1350), notamment l'abri d'une bête féroce. Des connotations mythologiques ou métaphoriques sont apparues : «lieu inquiétant, mystérieux, abritant des dangers», sens usuel pendant la Révolution (1790). ➜ En sciences, il sert à désigner certaines cavités de l'organisme (1751); ce sens spécialisé *(antre du pylore, antre mastoïdien),* et qui a produit des dérivés récents (**ANTROTOMIE** n. f., 1928; **ANTRITE** n. f.), est très didactique. ➜ Enfin, depuis le XIXe s., *antre* se dit plaisamment pour «lieu où l'on se retire (pour vivre, travailler)» (1878, Flaubert).

ANUS n. m. est un emprunt savant (1314) au latin *anus* (→ anneau, qui vient d'un diminutif latin), spécialisé en anatomie pour «orifice du rectum». On ne peut faire de rapprochement qu'avec le vieil irlandais *ānne* «anneau», si toutefois ce dernier n'est pas repris au latin.

♦ Le mot, désignant l'orifice du rectum, est resté didactique; il a eu quelques significations extensives, par exemple à propos des mollusques (1834), dont la plupart ont disparu.

▶ Le dérivé **ANAL, ALE, AUX** adj. (1805, *nageoire anale,* Cuvier) est attesté un peu plus tard au sens général, «relatif à l'anus» (1821). ◇ Le mot a reçu en psychanalyse (1914) un sens spécifique, pour désigner la libido infantile prégénitale notamment dans le syntagme *stade anal.* ➜ De là **ANALITÉ** n. f. (mil. XXe s.) «caractère anal (d'une pulsion)» et «stade anal», qui succède à l'*oralité* et précède la *génitalité.*

ANXIEUX, EUSE adj. est emprunté (1529), longtemps après *anxiété* (ci-dessous) au bas latin *anxiosus* (Ve s.), terme de médecine, dérivé de *anxius* «qui ressent ou qui fait ressentir de l'angoisse», lui-même dérivé de *anxi,* forme du verbe *angere* «oppresser, serrer la gorge», mot qui a donné *angoisse*.* Alors que *angoisse* et sa famille ont une valeur concrète, physiologique, *anxieux* et *anxiété* ont un contenu psychologique.

♦ *Anxieux,* qui a éliminé les formes d'ancien français issues de *anxiosus,* comme *ainsus* (XIIe s.), puis *entieus* (Froissart), signifiant aussi «rêveur, soucieux», se dit d'abord des personnes (1533) et des choses (discussion, situation..., 1529). ◇ À peu près disparu, il a été repris en médecine (1793), puis dans l'usage général où *(être) anxieux de...* s'emploie pour «désireux, avide de...» (mil. XIXe s.); c'est alors un calque de l'anglais *anxious to,* de même origine. ◇ La substantivation *(un anxieux, une anxieuse)* semble récente (Bernanos, 1929, in *T. L. F.*).

▶ Le dérivé **ANXIEUSEMENT** adv. (1823) est assez courant.

ANXIÉTÉ n. f. est un emprunt ancien (1190) au dérivé latin *anxietas,* de *anxius.* Le mot est attesté sporadiquement en ancien et moyen français, puis au XVIe s. (1531), où il est renforcé par *anxieux.* Du sens psychologique, il passe alors à une valeur double, aussi physiologique, à la manière de *angoisse,* et il signifie «oppression» (1564) et même «suffocation» (1585). ◇ À la différence de l'adjectif *anxieux, anxiété* se conserve au XVIIe s., mais avec une valeur «morale», c'est-à-dire psychologique (cf. Furetière, 1690). Il devient plus courant en médecine (1751), puis dans l'usage général, à peu près lorsque *anxieux* redevient usuel. L'histoire du mot évoque celle d'*angoisse*,* à ceci près que *anxiété* apparaît exceptionnel avant le XVIe siècle. Le mot d'ancien français est *ainsse* (XIIe s.), *aisse* (aussi en ancien provençal *ais, aisse*), issu du latin *anxia.*
Sur *anxiosus,* les composés savants **ANXIOGÈNE** adj. (1968) «qui cause de l'anxiété, de l'angoisse» et **ANXIOLYTIQUE** adj. et n. m. (1970) «qui combat, supprime l'angoisse» sont des formations médicales et pharmacologiques récentes.

◈ voir ANGINE.

AORISTE n. m. est un emprunt grammatical (1548, puis 1564, Rabelais, écrit *aorist*) au latin de Macrobe, calque du grec *aoristos (khronos)* «(temps) indéterminé». *Aoristos* «non limité» est formé de *a-* privatif (→ ② a-) et de *horistos,* adjectif verbal de *horizein* «séparer par une frontière, délimiter», terme sans étymologie connue, qui a donné *horizon*.*

♦ Ce mot de linguistique grecque désigne un temps du verbe qui correspond à un passé indéterminé. Il s'est appliqué (XVIe-XVIIIe s.) au passé défini en français.

◈ voir APHORISME.

AORTE n. f. est un emprunt (1478, *Grande Chirurgie*) au grec *aortê,* de même origine que *artêr, artêria* (→ artère).

♦ Le mot désigne la grande artère qui sort du ventricule gauche du cœur.

▶ Le dérivé **AORTIQUE** adj. (1805, Cuvier), d'abord attesté comme n. m. (1789), est courant en anatomie. ➜ **AORTITE** n. f. (1824) désigne une inflammation de l'aorte, puis (XXe s.) l'ensemble des lésions affectant cette artère. ➜ **AORTISME** n. m. (1907) s'applique à l'artériosclérose aortique.

Plusieurs composés en **AORTO-** ont été formés, comme **AORTOSTÉNIE** n. f. (1855), **AORTOGRAPHIE** n. f. (mil. XXe s.).

◈ **AOÛT** n. m. est issu, par la forme bisyllabique *aüst* (v. 1120), puis *aoust* ou *oust* (XIIe s.), du latin populaire *agustus,* altération de *augustus* «(mois) d'Auguste», nom substitué en l'honneur de l'empereur à *sextilis (mensis),* le sixième mois de l'ancienne année romaine.

♦ Le mot désigne en français le huitième mois de l'année, correspondant au cœur de l'été. *Mi-août* «milieu du mois» (XIIe s.), encore employé au début du XXe s., est archaïque ou plaisant. ◇ Le sens dérivé de «récolte», en français (v. 1170), a vécu jusqu'au XVIIe siècle ; il a produit les dérivés anciens *aoûter* et *aoûtage* (ci-dessous).

▸ Les dérivés marquent bien l'évolution des connotations sociales du mot. ◆ **AOÛTER** v. intr. «faire la récolte» (*aoster,* fin XIIe s.), d'où **AOÛTÉ, ÉE** adj., spécialisé en arboriculture (1571), et **AOÛTAGE** n. m. (1232) sont les plus anciens. ◆ Des travaux des champs, le sens sélectionné par les dérivés est passé aux particularités de l'époque, d'où **AOÛTAT** n. m. «parasite du plein été» (mot régional attesté par écrit en français à la fin du XIXe s.), et, de là, aux conditions de la vie moderne : **AOÛTIEN, IENNE** n. (v. 1965) signifie «personne qui prend ses vacances en août» ou «qui reste dans une grande ville en août».

◈ voir **AUGMENTER, AUGURE, AUGUSTE, AUTEUR, AUTORISER, AUXILIAIRE, HEUR, INAUGURER, OCTROYER.**

APACHE n. m., mot désignant un malfaiteur parisien, provient d'une idée du journaliste Victor Moris (1902) qui faisait allusion à la réputation de férocité et de ruse de la tribu *Apache.* Ce nom ethnique, attesté en 1751 en français, réduit phonétiquement l'anglo-américain *Apache* (1745), prononcé *apatchi, apatchè,* emprunt à l'espagnol et déformation du nom indien mieux transcrit par *Athapaska, Atabasca.* Les romans populaires traduits ou écrits en français (Gustave Aimard) avaient transmis de manière innocemment raciste la réputation de ces Indiens guerriers.

♦ Le sens français, inventé à propos d'une des bandes en lutte au sujet d'une belle prostituée, *Casque d'or,* est resté typique d'un milieu (banlieues ou plutôt «barrières» parisiennes) et d'une époque (1900). Il est courant jusqu'en 1920 environ, puis connu, mais comme allusion au passé.

APAISER → PAIX

APANAGE n. m., attesté sous la forme *apanaige* en 1297, est un dérivé de l'ancien verbe *apaner,* qui signifiait «donner son pain, sa part de nourriture à (qqn)», emprunt au latin médiéval *apanare,* composé de *panis* (→ pain). Cf. l'ancien provençal *apanar* «nourrir».

♦ *Apanage* est un mot du Bourbonnais, du Berry, propre au régime féodal et à la succession des fiefs, et qui est entré dans le vocabulaire juridique du royaume au XVe s., désignant une portion du domaine accordée à un prince en compensation de son exclusion du pouvoir, concept essentiel pour le réglage des successions. En effet, le retour des apanages à la Couronne garantissait dans certains cas l'unité du royaume. ◇ Le mot prend le sens figuré de «privilège» avec la Renaissance (1546, Rabelais) ; il l'a conservé dans un registre soutenu.

▸ Le dérivé **APANAGER** v. tr. (1407) précède **APANAGISTE** adj. et n. (1669), lui aussi mot d'historien.

APARTÉ n. m. est un emprunt du français classique (1640) à l'italien *a parte* «à part». L'expression vient du bas latin *a parte* (→ part), du latin classique *pro parte sua* «pour sa part, pour soi-même».

♦ Un *aparté* désigne, au théâtre et comme en italien, ce que l'acteur est censé dire «à part soi», sans que nul sur la scène ne l'entende. ◇ Le mot s'emploie par extension (*a-parté,* 1770) à propos d'un entretien particulier, puis d'une remarque faite «à part soi».

APARTHEID n. m. est emprunté (1954) à un mot afrikaans, c'est-à-dire de la variété de néerlandais parlée en Afrique du Sud par une partie de la population blanche, et signifie «mise à part, ségrégation». Le mot afrikaans (1929) signifie «état séparé» et est formé du néerlandais *apart,* lui-même emprunté au français *à part* (→ part), et de l'élément *-heid,* qui correspond à l'anglais *-hood,* servant à former des substantifs abstraits.

♦ Cet emprunt dénomme la politique de séparation des races dans la pratique sociale, qui fut adoptée par l'Afrique du Sud de manière officielle jusqu'en 1990, et en général condamnée par le reste du monde. Par extension, il se dit d'un système raciste de séparation d'un groupe social.

APATHIE n. f. est un emprunt (1375) au latin *apathia,* mot grec *(apatheia),* de *a-* privatif (→ ② a-) et de *pathos* (→ patho- ; comme dans *antipathie* et *sympathie*). C'est un terme de philosophie désignant l'impassibilité psychique, le mépris des émotions, notamment chez les Cyniques.

♦ Le mot, d'abord employé en français à propos des philosophes antiques, avec la valeur du grec et du latin, étend son sens au XVIe s., signifiant «insensibilité passive». Il reste rare avant la première moitié du XVIIIe s. (Saint-Simon). Il devient alors péjoratif, désignant couramment l'absence d'activité et de réactions due à la mollesse, à un état dépressif, etc.

▸ Le dérivé **APATHIQUE** adj. (1643, en philosophie) prend le sens usuel au début du XIXe siècle.

APATRIDE → PATRIE

APERCEVOIR → PERCEVOIR

APÉRITIF n. m. est un terme de médecine ancien (XIIIe s.), d'abord adjectif, emprunté au bas latin *aperitivus,* dérivé du verbe *aperire* qui a donné *ouvrir*.*

♦ Le mot qualifie d'abord les médicaments qui «ouvrent» les voies d'élimination, c'est-à-dire les sudorifiques, diurétiques, purgatifs. ◇ Ce sens, substantivé pour «médicament qui ouvre les pores»

(1751), a dû vieillir et disparaître dans la première moitié du XIXe s., pour qu'une autre valeur, correspondant à «qui stimule, ouvre l'appétit», puisse se développer après 1850 (un exemple de 1750, concernant le poivre, relève plutôt de l'acception ancienne, même si ces médicaments ou substances sont reconnues «ouvrir l'appétit»). ◇ Au cours du XIXe s., l'adjectif se substantive à nouveau pour désigner, au masculin, une boisson alcoolisée prise avant le repas (1888, Maupassant). Il s'agit d'une désignation quelque peu publicitaire et pseudo-médicale, dont le succès est dû aux mœurs françaises et à l'alcoolisme convivial. Courant, le mot donne lieu à une métonymie : «réunion où l'on boit des apéritifs» (cf. *un vin d'honneur*, etc.).

▸ L'abréviation **APÉRO** n. m. (1901) est très usuelle, mais ne prend guère la valeur métonymique (on *boit l'apéro*, mais on est *invité à un apéritif*).

◈ voir **APERTURE**.

APERTURE n. f. est un emprunt savant (XIVe s.), effectué plusieurs fois, au latin *apertura*, dérivé de *aperire* (→ apéritif, ouvrir).

♦ En moyen français, le mot s'est employé à l'abstrait (*aperteure*, XIVe s.) pour «intelligence» (cf. *ouverture d'esprit*); repris en architecture (le mot latin étant employé par Vitruve) et en emploi général au sens concret (1556), il est sorti d'usage à l'époque classique. ◇ Par un nouvel emprunt (1916, chez Saussure), il désigne en phonétique l'écartement des organes de la phonation lors de l'articulation d'un phonème, entre occlusion et ouverture maximale. Il est aussi employé en sciences naturelles, à nouveau en emploi concret.

APEX n. m. est un emprunt didactique (1771) au latin *apex* «sommet, pointe», dans quelques emplois spécialisés. Pour les Latins eux-mêmes (Festus), *apex* vient de *apere* «lier, attacher» (→ apte), comme *vertex* de *vertere*, mais le sens attesté le plus ancien, «pointe», ne convient pas, et s'il s'agissait vraiment du sens originel, une étymologie étrusque (F. Müller) serait plus vraisemblable. ◆ Un homonyme plus fréquent après 1980, emprunt d'un sigle anglo-américain, désigne un tarif réduit aérien.

♦ Le mot, plusieurs fois réemprunté, désigne d'abord un ornement du bonnet, un cimier de casque, dans l'Antiquité romaine; puis, en sciences naturelles, le sommet ou la pointe d'un organe. ◇ Le sens le plus courant est astronomique (1894) : il concerne le point du ciel vers lequel le système solaire semble se diriger.

▸ **APICAL, ALE, AUX** adj., dérivé savant du latin *apex, apicis*, s'emploie (1838) en anatomie et en sciences naturelles, puis (1933) en phonétique, pour un phonème (par ex. le *r*) prononcé avec la pointe *(apex)* de la langue. ◆ De là, **APICO-**, élément de composés (**APICO-LABIAL, APICO-ALVÉOLAIRE** adj.).

APHASIE n. f., terme de médecine, est emprunté (1829) au grec *aphasia* «incapacité à parler», de l'adjectif *aphatos*, de *a-* (→ ② a-) et de *phanai* «dire» (1re pers. *phêmi*). Ce dernier relève d'une base indoeuropéenne °*bhā-* «parler» dont on retrouve la trace dans *blasphème, fable, prophète*.

♦ Le mot a d'abord concerné, généralement, toute impossibilité de parler. C'est au cours du XIXe s. que les savants, et notamment Broca qui employait le terme *aphémie*, de *a-* privatif et du grec *phêmê*, autre dérivé de *phanai* (v. 1860), puis Déjerine, Wernicke (en allemand, 1874), ont élaboré les concepts modernes de l'aphasie, liés à la physiologie de l'hémisphère gauche du cerveau. Le mot, absent du dictionnaire de médecine de Littré et Robin (1855) et du Littré, semble rare avant le dernier quart du XIXe siècle. Le physiologiste J. Lordat, lui-même aphasique, emploie *alalie* (1842). C'est probablement Trousseau, polémiquant avec Broca et critiquant le terme *aphémie*, qui imposa *aphasie*, en 1864. Les syntagmes analysant le concept (*aphasie de Wernicke, de Broca*, etc.) sont chez Pierre Marie (v. 1900); ils correspondent à des réalités très différentes. L'aphasie est au centre d'une discipline, la neurolinguistique.

▸ Le dérivé **APHASIQUE** adj. (1864), aussi substantif (1865), s'emploie pour «relatif à l'aphasie» et «atteint d'aphasie».

PARAPHASIE n. f. (1864, de Fleury) est formé sur *para-*, et d'après *aphasie*, pour désigner un trouble du langage où les éléments linguistiques sont déplacés.

APHÉLIE n. m., attesté chez Furetière (1690), est composé savamment en latin moderne (*aphelium*, 1596, Képler), d'après *apogaeum* (→ apogée), du grec *apo* «loin» (→ apo-) et de *hêlios* «soleil» (→ hélio-).

♦ Le mot désigne le point de l'orbite d'une planète où elle se trouve à sa plus grande distance du Soleil.

APHÉRÈSE n. f. est un emprunt (1521, *apheresis*) au latin des grammairiens *aphaeresis*, lui-même emprunté au grec *aphairesis* «fait d'enlever», dérivé de *aphairein*, de *aph-* (*apo-*; → apo-) et de *hairein* «prendre» (→ hérésie), probablement indoeuropéen, mais dont les correspondants sont rares et incertains (hittite, arménien, selon Meillet).

♦ Ce terme de grammaire désigne le retranchement du début d'un mot (opposé à *apocope*). Il s'est employé au sens général du grec, en mythologie (1580, *aphairaise*), en théologie, pour «fait de sortir du corps, pour l'âme» (1605), et en chirurgie (1787) pour «ablation»; ces valeurs ont disparu.

APHONIE n. f. est emprunté (1617) au grec *aphônia*, de *a-* privatif (→ ② a-) et de *phônê* «voix» (→ phono-).

♦ Le mot désigne en physiologie la perte de la voix. Il s'est employé littérairement au figuré pour «silence» (Chateaubriand).

▸ Le dérivé **APHONIQUE** adj. (XXe s.) est didactique et rare.

APHONE adj. est un emprunt (1834) au grec *aphônos*. Il est assez courant pour qualifier une personne qui n'a plus ou peu de voix, pour des raisons physiologiques ou psychosomatiques, mais non cérébrales (cf. *aphasique*). Il signifie littérairement «qui ne produit aucun son».

APHORISME n. m., d'abord déformé en *auphorisme* (1270), *afforime* (id.), *amphorisme* (1370), puis repris savamment en 1490, est emprunté au bas latin *aphorismos*, appliqué aux maximes hippocratiques. C'est un emprunt au grec *aphorismos* «définition», de *aph-* (*apo-*; → apo-) et de *horismos* «délimitation», de *horizein* «délimiter» (→ aoriste, horizon). Cf., pour le sens, *défini* et *terme*.

♦ Le mot, proche du sens grec au XVIe s., s'est étendu, peut-être par influence de l'italien et de l'espagnol, aux maximes politiques (v. 1600), puis à tout bref précepte, notamment moral. Il est resté didactique.

▶ **APHORISTIQUE** adj. (1545) semble formé en français; comme son dérivé **APHORISTIQUEMENT** adv. (1845), il est très didactique.

APHRODISIAQUE adj. est emprunté (1742) au grec *aphrodisiakos*, adjectif tiré de *Aphroditê*, nom de la déesse de l'amour (latin *Venus*), sans étymologie connue, avec la même valeur que *aphrodisia* (au pluriel) «plaisirs érotiques». Le diminutif *Aphrô* (à valeur hypocoristique à côté du nom rituel) a donné, par l'intermédiaire de l'étrusque *apru*, le latin *aprilis* (→ avril).

♦ Rare et récent (mil. XIXe s.) en emploi archéologique («de la déesse Aphrodite»), le mot sert surtout à qualifier les substances qui excitent le désir sexuel, après s'être employé pour «vénérien» (1793). ◇ L'emploi substantif, *un aphrodisiaque*, est relativement courant.

▶ **APHRODISIE** n. f., emprunt au grec *aphrodisia*, a désigné (1838) l'âge nubile et a été repris au XXe s. pour «appétit sexuel» (*in* Larousse, 1928). ◆ **ANAPHRODISIE** n. f. est emprunté (1803) au préfixé grec *anaphrodisia* et signifie «absence de désir sexuel». ◇ De là **ANAPHRODISIAQUE** adj. (1850) et n. m. (1855). ◆ **ANTIAPHRODISIAQUE** adj. est formé (1810) en français.

APHTE n. m., d'abord sous la forme *afta* (1478), puis *afte* (1548), *aphta* (1549), *aphte* (1550), est un emprunt au pluriel latin *aphtae*, hellénisme pris au grec *aphthai*, nom pluriel dérivé du verbe *aptein* «brûler», signifiant d'abord «attacher», puis «se mettre à», terme concret d'origine obscure.

♦ Ce mot médical, désignant l'ulcération virale de certaines muqueuses, est devenu relativement courant.

▶ Le dérivé **APHTEUX, EUSE** adj. (1768) est, lui aussi, assez courant, notamment à cause de son importance en médecine vétérinaire, par exemple dans *fièvre aphteuse* des bovidés (1769).

API n. m., d'abord adjectif dans *pomme apie* (1571), est issu du latin *mala Appiana* (Pline), «pomme apienne», de *Appius* nom propre romain.

♦ Le mot, avec la variante empruntée *apiane* (*pomme apiane*, 1573), puis dans *pomme d'apie* (1615), *d'api* ou encore *pomme api* (1690) — qui ne se dit plus —, désigne une variété de pomme croquante et d'un rouge vif sur un côté. De là ***rouge, rose comme une pomme d'api***, à propos d'un visage, souvent enfantin.

APICULTURE n. f. est formé au XIXe s. (1845) pour désigner l'élevage des abeilles, sur le latin *apis* «abeille», d'après *agriculture* (→ culture). Le latin *apis* vient d'un thème °*ap(i)*, peut-être indoeuropéen, et son diminutif est à l'origine du mot *abeille**.

♦ Le mot désigne une activité d'élevage des abeilles, productrices de cire et de miel, pratiquée sans interruption depuis l'Antiquité et même la protohistoire.

▶ **APICULTEUR, TRICE** n., formé d'après *agriculteur*, désigne simultanément (1845) la personne qui pratique l'apiculture. ◆ **APICOLE** adj., formé aussi sur *apis* et *colere*, a d'abord désigné en tant que substantif (1845) l'apiculteur. Le mot est repris ensuite (1866) comme adjectif, pour «de l'apiculture».
Le latin *apis* a aussi produit **APIDÉS** n. m. pl. (1892), après *apiaires* (1839) et *apides* (1842), du latin savant *apidae* (Laach) et *apiarii*, tous deux dérivés du mot latin classique. Le mot désigne en entomologie la famille d'hyménoptères à laquelle appartient l'abeille.

APITOYER → PITIÉ

APLANIR → PLAIN

APLATIR → PLAT

APLOMB → PLOMB

APNÉE n. f. est emprunté (fin XVIe s., *apné*) au grec *apnoia* «absence de vent, calme» et «absence de souffle». Ce mot est dérivé de *apnoos* «qui ne respire pas, sans souffle», lequel est formé du préfixe privatif *a-* (→ ② a-) et de *pnein* «souffler, respirer» (→ neume, pneumatique, pneumonie).

♦ Hellénisme isolé de la fin du XVIe s., le mot est repris au XVIIIe s. (1747) pour désigner la suspension momentanée de la respiration, en médecine puis (mil. XXe s.) en plongée sous-marine *(plonger en apnée)*.

▶ Le dérivé **APNÉIQUE** adj. (1883) est plus didactique que le nom.

APO-, premier élément de mots empruntés au grec, souvent par le latin tardif, notamment ecclésiastique ou juridique, ou formés dans une langue moderne. *Apo*, préposition et préverbe grec, a les valeurs d'«éloigner, écarter» (d'où «extrême»), de «rendre», ou encore évoque l'aboutissement d'un processus; il peut enfin avoir une valeur négative. C'est une forme indoeuropéenne (cf. sanskrit *ápa*); il correspond au latin *ab* (→ à).

◈ voir les mots en APO-, et aussi APHÉLIE; ② POLICE (D'ASSURANCE).

APOCALYPSE n. f. est emprunté comme nom propre (v. 1160) au mot du latin ecclésiastique désignant le texte de saint Jean, d'après le grec tardif *apokalupsis* «révélation», du verbe *apokaluptein* «découvrir, révéler», de *apo-* négatif (→ apo-) et de *kaluptein* «cacher, envelopper», d'une racine °*kel-*, que l'on retrouve dans le latin *celare* (→ celer).

♦ Le sujet terrifiant et symbolique du texte désigné induit des sens figurés, d'abord pour «révélation» (1549), puis «langage, discours hermétique» (1680), d'où *style d'Apocalypse* (1798), sorti d'usage. ◇ Des syntagmes, tels que *bête de l'Apocalypse* (1690), et le dérivé *apocalyptique* (ci-dessous) étant pris avec l'idée de terreur, de cataclysme, *apocalypse* lui-même évoque la fin du monde (2e moitié XIXe s., Renan, etc.), une guerre meurtrière, un cataclysme.

▸ **APOCALYPTIQUE** adj., emprunt (1532) au dérivé grec *apokaluptikos*, est employé au XVIe puis au XVIIIe s., d'abord pour qualifier le texte sacré, puis en parlant d'un style symbolique et visionnaire, voire obscur et embrouillé. ➔ Au XIXe s. (1836, E. Quinet), l'adjectif prend sa valeur moderne : «de fin du monde, cataclysmique».

◈ voir **EUCALYPTUS**.

APOCOPE n. f. est emprunté (v. 1501) au latin *apocope* ou *apocopa*, grec *apokopê*, dérivé du verbe *apokoptein* «couper», de *apo-* (→ apo-) et de *koptein* «frapper, trancher», appartenant à une famille indoeuropéenne représentée dans le latin *capus* «chapon» (→ chapon) et le lituanien *kapiù* «tailler, abattre».

♦ Le mot désigne, en grammaire et en rhétorique, le retranchement de la fin du mot. Comme *aphérèse*, il s'est employé en chirurgie, désignant une fracture avec perte osseuse (v. 1740).

▸ Le dérivé **APOCOPER** v. tr. (1578) est rare.

◈ voir **SYNCOPE**.

APOCRYPHE adj. est un mot religieux emprunté (v. 1220, *apocrife*) au latin ecclésiastique *apocryphus* (saint Augustin), lui-même emprunt au grec *apokruphos* «tenu secret», de *apo-* (→ apo-) et *kruptein* «cacher» (→ crypte).

♦ Il qualifie les textes bibliques ou évangéliques non reconnus par l'Église et prend au XVIIe s. (1636) une valeur profane, «qui n'est pas authentique» ; dès le moyen âge, mais dans un contexte religieux, il s'est appliqué à autre chose que des textes et opposé à *authentique*. ◇ Le substantif s'applique à un auteur apocryphe (*apocrife*, isolément au XIIIe s.), à un écrit (1845), spécialement *Les Apocryphes*, «livres de la Bible non canoniques» (1878).

APODICTIQUE adj. est un emprunt savant (1690) au grec *apodeiktikos* par le latin *apodicticus*. L'adjectif grec est dérivé du verbe *apodeiknunai* «démontrer», de *apo-* (→ apo-) et *deiknunai* «faire voir, montrer» ; ce verbe vient d'un radical indoeuropéen °*deik*, *dik*, que l'on retrouve dans le latin *dicere* (→ dire).

♦ Le mot, qualifiant ce qui est évident par démonstration, s'est appliqué avec Kant à ce qui entraîne l'adhésion nécessaire de l'esprit.

▸ Le dérivé **APODICTIQUEMENT** adv. (*in* Larousse 1928) est rare.

APOGÉE n. m. est un mot de la Renaissance (1557), emprunté au latin moderne *apogaeum*, hellénisme, de *apogaion*, désignant, dans le système de Ptolémée, la plus grande distance d'une planète par rapport à la Terre ; c'est le neutre substantivé de *apogaios* «loin de la Terre», composé de *apo-* (→ apo-) et de *gê* «terre» (→ géo-).

♦ Terme d'astronomie, étendu au milieu du XXe s. aux objets célestes artificiels, il avait pris par métaphore (1652, Guez de Balzac) le sens de «point suprême, apothéose» ; il est devenu assez usuel dans ce sens. Le mot s'oppose à *périgée*, qui n'a pas de sens figuré. ◇ Il est aussi, rarement, adjectif (1690).

◈ voir **APHÉLIE**.

APOLLON n. m., tiré du nom propre de dieu emprunté au latin *Apollo*, a fait l'objet de plusieurs emprunts, concernant d'abord (XVIIe s., Boileau) le génie poétique. Le mot latin est emprunté au grec *Apollôn*, nom d'origine très controversée.

♦ En zoologie, le mot désigne (1800) un beau papillon diurne, le dieu Apollon étant représenté comme un homme jeune, d'une beauté remarquable. ➔ Une valeur anthropomorphique (1842) correspond à «très bel homme jeune».

▸ **APOLLINIEN, IENNE** adj. est emprunté (1893) à l'allemand *apollinisch*, employé dans ce sens par Nietzsche, et tiré du latin *Apollo, -onis*, les adjectifs français, devenus archaïques, étant *apollinaire* (mil. XVIIIe s.) et *apollonien* (XVIIIe s., Rousseau). ➔ Le mot qualifie ce qui est caractérisé par la mesure, l'ordre, la sérénité (opposé chez Nietzsche à *dionysiaque*). Il a été repris (XXe s.) pour «relatif au dieu Apollon».

APOLOGUE n. m. est emprunté (v. 1470) au latin *apologus*, terme littéraire, lui-même du grec *apologos* «récit détaillé, fable», de *apo-* (→ apo-) et de *logos* (→ logique), du verbe *legein*.

♦ Le mot s'est spécialisé pour «récit à enseignement moral».

◈ voir **APOLOGIE**.

APOLOGIE n. f. est emprunté à la même époque que *apologue* (1488) au latin ecclésiastique *apologia*, grec *apologia*, appliqué à des discours juridiques de défense, à des plaidoiries.

♦ En français, le mot se dit d'abord d'un discours de défense, d'une justification, en droit et en religion, puis (1762) d'une justification de quelque nature que ce soit. ◇ Le sens a glissé au XIXe s. vers l'idée d'éloge, aujourd'hui dominante.

▸ Les dérivés **APOLOGIQUE** adj. (1543) et **APOLOGISER** v. tr. (fin XVIIIe s., Mirabeau) sont rares. ➔ En revanche, **APOLOGISTE** n. (1623), appliqué spécialement à un docteur de l'Église qui défend la foi chrétienne (1752), est relativement courant.

APOLOGÉTIQUE adj. est emprunté au grec *apologêtikos*, du verbe *apologeisthai*, de *apologos*, et signifie «qui contient une apologie, surtout religieuse», d'où le nom féminin (1re moitié XIXe s.) désignant la discipline théologique appliquée à la défense de la religion catholique. ◇ Le latin *apologeticum* a fourni la valeur spéciale, historique de «défense des chrétiens par Tertullien» (1690).

◈ voir APOLOGUE.

APONÉVROSE n. f. est un emprunt de la langue médicale (1541) au grec tardif *aponeurôsis*, de *apo-* (→ apo-) et de *neurôsis* (→ nerf, névrose).

♦ Le mot désigne en anatomie la membrane fibreuse qui recouvre et maintient les muscles ou les attache aux os.

► Il a pour dérivés **APONÉVROTIQUE** adj. (1751, aussi *aponeurotique*) «des aponévroses», **APONÉVROSITE** n. f. «inflammation d'une aponévrose» (mil. XXe s.) et pour composés **APONÉVROLOGIE** n. f. (1751), **APONÉVROGRAPHIE** n. f. (1771) et **APONÉVROTOMIE** n. f. (1803); cf. *-logie, -graphie, -tomie*.

APOPHTEGME n. m. est emprunté (1529) au grec *apophthegma* «parole claire», de *apo-* (→ apo-) et de *phthegma* «bruit, son», de *phthengesthai* «émettre un bruit», mot expressif et sans étymologie assurée.

♦ Le mot signifie «adage d'une personne célèbre» et par extension «maxime, adage», par exemple dans ***ne parler que par apophtegmes*** (1690). Il est très didactique.

◈ voir DIPHTONGUE.

APOPHYSE n. f. est un emprunt (1541) au grec *apophusis* «pousse, rejet d'un végétal» et terme d'anatomie chez Hippocrate, de *apo-* (→ apo-) et de *phusis* «fait de pousser, nature» (→ physique).

♦ Le terme désigne une saillie osseuse identifiable (qualifié par un adjectif), et, par analogie, un renflement à la base de l'«urne» des mousses (1798); il a d'autres extensions en sciences.

► Le dérivé **APOPHYSAIRE** adj. (1877) s'emploie en anatomie.

APOPLEXIE n. f. est un emprunt ancien (XIIIe s.) au bas latin *apoplexia*, hellénisme. Le grec *apoplêxia* vient de *apoplêktos* «qui a perdu la raison» et «estropié, impotent», de *apo-* (→ apo-) et de *plêssein* «frapper» (d'où *plêktron* qui a donné *plectre*), mot d'origine indoeuropéenne, auquel se rattache le latin *plangere* (→ plaindre).

♦ Ce terme de médecine a cessé d'être à la mode au début du XXe s., remplacé par *congestion (cérébrale)*.

► **APOPLECTIQUE** adj., d'abord *appopletique* (1256), repris et refait au XVIIIe s., est un emprunt au bas latin *apoplecticus*, pris au dérivé grec *apoplektikos*. Il s'emploie encore pittoresquement, en parlant d'une complexion sanguine, congestionnée.

◈ voir HÉMIPLÉGIE, PARAPLÉGIE, PLANCTON.

APORIE n. f. est emprunté à la fin du XVIIIe s. (av. 1789) au latin ecclésiastique *aporia*, de *a-* privatif (→ ② a-) et de *poros* «chemin» (→ pore). Il a été précédé par la variante *apore* (1704).

♦ Ce terme de logique désigne une difficulté rationnelle insurmontable, souvent une contradiction sans issue.

► **APORISME** n. m., dérivé savant (1751) du grec *aporon*, adjectif neutre correspondant à *aporia*, se dit en mathématiques d'un problème insoluble. ◆ **APORÉTIQUE** adj. est un emprunt (1866) au grec *aporetikos*, de *aporein* «être embarrassé», de même origine que *aporia* et *aporon*. Il se dit de ce qui se heurte à une contradiction et, en parlant de personnes, d'un sceptique.

APOSTAT, ATE adj. et n. est emprunté au latin ecclésiastique *apostata* «qui a abandonné la foi chrétienne», hellénisme pris au grec *apostatês* «(celui) qui fait défection, qui abandonne», de *apo-* (→ apo-) et d'une forme dérivée du verbe *histanai* «dresser, placer» (→ apostème), qui se rattache à une racine indoeuropéenne °*sta-* (→ statique).

♦ L'adjectif français, avec la variante ancienne *apostate* (n. m.), au pluriel *apostas* (1265), devient substantif au XVIe siècle. ◇ *Apostate* (XIIIe s.) s'est employé au sens concret pour «qui s'est éloigné (d'un lieu)», mais cette acception semble rarissime, le mot ayant pris (XIVe s.) la valeur qui correspond à *apostasie* — cf. *Julien l'Apostat*—, avec une extension au domaine profane (XVIe s.) pour «renégat».

► **APOSTASIE** n. f., emprunt (v. 1250) au bas latin *apostasia*, d'un dérivé grec, a aussi étendu son sens au domaine profane (1687). ◆ **APOSTASIER** v. succède (XVe s.) à *apostater* (v. 1190) et a été concurrencé au XVIe s. par *apostatiser* pour «faire acte d'apostasie».

APOSTÈME ou **APOSTUME** n. m. est un emprunt ancien (XIIIe s.) au latin *apostema*, hellénisme, du grec *apostêma*, de *aphistanai* «retirer, enlever» (qui correspond à *abcès*) et qui a aussi donné le catalan, l'espagnol et le portugais *postema*. *Aphistanai* est composé de *apo-* (→ apo-) et de *histanai* «dresser, placer» (→ apostat).

♦ Le mot, en concurrence avec la forme *posteme* (v. 1350, en Normandie) et souvent altéré, par influence d'emprunts gréco-latins comme *reume* (latin *rheuma*), *fleume* (cf. *flegme;* latin *phlegma*), en *aposteume* (v. 1240), *apostume* (1256), désigne un abcès, une tumeur purulente. Les deux formes étaient encore usuelles aux XVIIe-XVIIIe s., où apparaissent les expressions métaphoriques *il faut que l'apostume crève* (1690), *crever, découvrir l'apostume* (1762), différentes par le sens de *crever l'abcès* et qui signifient «mettre au jour ce qui était caché et honteux». Le mot est archaïque à partir du XIXe siècle.

► Le dérivé **APOSTUMER** v. tr. (1372), «former un abcès» et (1575) «crever (d'un abcès)», est entièrement sorti d'usage.

A POSTERIORI → POSTÉRIEUR

APOSTILLER v. tr. est dérivé (v. 1450) de l'ancien français *postille* «annotation», emprunt au latin médiéval *postilla*, tiré de l'expression *post illa* «après ces choses», de *post* (→ post-) et de *illa*, neutre pluriel de *ille* (→ il, le).

♦ Le verbe a d'abord signifié «gloser (un texte) par des amplifications, l'augmenter», puis en droit «mettre une addition *(apostille)* à», «annoter» (1560). Ce mot didactique a vieilli.

▶ **APOSTILLE** n. f., aussi masculin en moyen français (1506), est le déverbal de *apostiller.* ◇ Il désigne en droit une note additionnelle en marge d'un écrit, puis dans l'usage général (1802) un mot de recommandation ajouté à une lettre, à une pétition et aussi une annotation à un texte. Il a vieilli, mais est moins rare que le verbe.

APOSTOLAT → **APÔTRE**

① **APOSTROPHE** n.f. est, comme beaucoup d'autres mots de rhétorique, un hellénisme de la Renaissance (1516) passé par le latin *apostropha.* Le grec *apostrophê* signifiait d'abord «action de (se) détourner», de *apo-* (→ apo-) et de *strophê* (→ strophe), mot indoeuropéen sans origine connue.

♦ En rhétorique, c'est la figure par laquelle on se «détourne» du développement principal, pour s'adresser à quelqu'un et l'interpeller. Dans l'usage général, le mot désigne (1738) une attaque verbale brusque.

▶ Le dérivé **APOSTROPHER** v. tr. (1672) s'emploie en rhétorique et dans l'usage général (une fois en 1611, sans idée d'agression; puis 1701). ◇ Les deux mots ont eu en français classique le sens plaisant de «soufflet; souffleter» (1661, pour le nom; 1740, pour le verbe); cet emploi a disparu vers la fin du XVIIIe s.

② **APOSTROPHE** n. f. vient par emprunt (1514) du latin grammatical *apostrophus,* grec *apostrophos* n. m. : il désigne le signe graphique (un accent) par lequel on marque l'élision d'une voyelle, ainsi «détournée». Il a dû passer au féminin par influence de l'homonyme ① *apostrophe.* ◆ Un dérivé verbal, **APOSTROPHER** «retrancher la dernière voyelle de (un mot)» (1611), a disparu. Le pronominal *s'apostropher,* «s'écrire avec l'apostrophe» (1866), est rare.

APOTHÉOSE n. f. est un emprunt de la Renaissance (1581) au latin *apotheosis* «déification», pris au grec tardif *apotheôsis,* de *apo-* (→ apo-) et de *theos* «dieu» (→ théo-).

♦ Le mot, d'abord terme d'Antiquité, désigne l'admission d'un héros parmi les dieux puis, sous Louis XIV (attesté 1674), des honneurs exceptionnels rendus à un homme; c'est alors une variante forte de *triomphe.* Un sens figuré, «épanouissement sublime», se développe plus tard. ◇ Le mot a pris des valeurs spécialisées, «final brillant d'un spectacle» (1907), valeurs vieillies ou ironiques, et concrètement «lueurs qui apparaissent dans le ciel à l'opposé du soleil, lorsqu'il est bas sur l'horizon» (1866).

▶ Le dérivé **APOTHÉOSER** v. tr. (1620), «mettre parmi les dieux» puis «porter aux nues» (1797), est sorti d'usage, comme l'adjectif **APOTHÉOSIAQUE** adj. (1898). ◆ **APOTHÉOTIQUE** adj. (1869) est didactique et rare.

APOTHICAIRE n. m. est un emprunt médiéval (1260, *apotecaire,* avec plusieurs variantes en ancien français) au bas latin *apothecarius,* dérivé de *apotheca* «magasin à vivres», hellénisme, du grec *apothêkê* «magasin», qui a donné en ancien provençal *botica,* d'où *boutique**. Le mot grec est dérivé du verbe *apotithenai,* de *apo-* (→ apo-) et de *tithenai* «poser, établir, fonder», d'où vient *thesis* (→ thèse).

♦ Dès l'ancien français, le mot, écrit sous sa forme moderne dès le XIVe s. (v. 1350), désigne une personne qui vend des produits rares et médicamenteux, y compris des épices (cf. *épicier*) et des produits exotiques, comme le sucre, mais il a déjà un sens spécialisé, «préparateur et vendeur de médications», et rejoint le domaine médical et commercial de la *pharmacie**. Il est remplacé (déb. XIXe s.) par *pharmacien,* mais subsiste encore régionalement, puis dans des emplois plaisants : ***des comptes d'apothicaire*** (1826), précédé par *parties d'apothicaire* (1690), *mémoires d'apothicaire* (1798). La locution disparue, *apothicaire sans sucre* (1590) «personne qui manque des choses les plus nécessaires pour exercer sa profession», montre que le mot désignait encore au XVIe s. un commerçant moins spécialisé que le moderne pharmacien.

▶ Le dérivé **APOTHICAIRESSE** n. f. (1660; une fois *apotiquarisse,* au XVe s.), «femme de l'apothicaire» et (1546) «religieuse chargée des médicaments dans un couvent», est archaïque. ◆ **APOTHICAIRERIE** n. f. (XVe s.), précédé par *apoticarie* (v. 1350) «remède» puis «boutique d'apothicaire», a désigné la boutique et aussi (1545) la profession d'apothicaire; il semble sortir d'usage au début du XIXe siècle.

◈ voir **BOUTIQUE.**

APÔTRE n. m. provient, d'abord sous la forme *apostles* (1080), du latin ecclésiastique *apostolus,* emprunt au grec *apostolos* «envoyé», dérivé du verbe *apostellein,* de *apo-* (→ apo-) et de *stellein* «envoyer» et d'abord «préparer, armer», mot qui n'a pas de correspondant évident hors du grec. *Apostolos* signifie en grec évangélique «envoyé de Dieu»; cf. *ange,* pour le sens.

♦ *Apostle,* devenu *apotre* (v. 1130), *apostele,* etc., s'applique en français, comme en d'autres langues (notamment celtiques : irlandais *apstal*), aux douze disciples que Jésus envoya prêcher son évangile. Le sens figuré, «propagateur (d'une idée)», date de la fin du XVIIe s. et *bon apôtre,* employé ironiquement, apparaît au XVIIe s. (1640); de là ***faire le bon apôtre*** (1718). ◇ Le mot a eu des valeurs spéciales : «membre d'une confrérie figurant les apôtres dans les processions» (1680), en argot «juré d'assises» (1902) et s'est employé dans des expressions comme *onguent des apôtres* (1751), composé de douze drogues.

▶ Le latin d'Église *apostolicus,* dérivé de *apostolus* et correspondant au dérivé grec *apostolikos,* a fourni au français **APOSTOLIQUE** adj. (XIIIe s.), qui signifie depuis le XIVe s. (Froissart) «qui émane du Saint-Siège» (*chambre, siège... apostolique,* 1690), la religion catholique étant dite *apostolique et romaine. Royaume apostolique* s'est dit (1752) de la Hongrie. ◆ **APOSTOLIQUEMENT** adv. (1680) est rare; **APOSTOLICITÉ** n. f. (1751) didactique.

APOSTOLAT n. m., emprunté au latin chrétien *apostolatus,* dérivé de *apostolus,* désigne d'abord (XIIIe s., sous la forme *aposteilat*) la mission d'un apôtre, puis (1701) la propagation de la foi. ◇ Il désigne au figuré une mission, une activité désintéressée : ce dernier emploi apparaît à l'époque révolutionnaire, chez Camille Desmoulins.

◈ voir **DIASTOLE, ÉPISTOLAIRE, ÉPÎTRE, PÉRISTALTIQUE, SYSTOLE.**

✱ **APPARAÎTRE** v. intr. est issu (XIe s., *apareistre*) du bas latin *apparescere* «se manifester soudainement», dérivé (inchoatif) du latin classique *apparere,* lui-même composé de *parere* «paraître» (→ paraître). Le verbe français est formé sur le modèle de *paraître* et a plusieurs formes, tout comme ce dernier. *Apparescere* n'est attesté qu'aux IIIe-IVe s., c'est surtout un terme du latin d'Église.

♦ *Apareistre, aparoistre* (mil. XIe s.) est fréquent en contexte religieux, mais il s'emploie dès l'ancien français au sens général de «devenir visible» (XIe s.). La spécialisation pour «se manifester soudainement», qui correspond au substantif *apparition,* semble dater du XVIe s. (Amyot). Un sens juridique ancien (*aparistre,* 1294) a été éliminé par *comparaître.* L'emploi transitif pour «faire apparaître, montrer» (*aparoistre,* XIIe s.) n'existe qu'en ancien français. ◇ La concurrence entre *aparoistre* et *ap(p)araître* (XVIe s.) se résout au bénéfice du second au XVIIe siècle. ◇ L'emploi psychologique du verbe, notamment avec un adjectif *(cela apparaît certain),* date du XVIe s. (1536, Calvin). Cet emploi, comme l'usage impersonnel *il apparaît que...* «il semble que...» (1437), existait déjà en latin avec *apparere :* ce sont des réemprunts humanistes.

► Ce verbe latin avait donné en français *apareir* (1080), **APPAROIR** (XIVe s.), d'emploi général, synonyme de *apparaître,* qui l'a évincé vers le XVIe s., mais qui survit dans *apparent* (ci-dessous). *Apparoir* s'est spécialisé en droit, surtout dans la formule ***il appert que...*** (1180) [cf. ci-dessous *apparence* et *apparent*].

Le composé **RÉAPPARAÎTRE** v. intr., qui forme alternance avec *disparaître**, est récent (attesté 1867); il a été suscité par *réapparition* (ci-dessous), le moyen français *reapparoistre* (XVIe s., Olivier de Serres) ayant disparu.

APPARITION n. f. est emprunté (v. 1190) au latin d'Église *apparitio, -onis,* dérivé de *apparere,* usité pour traduire le grec *epiphaneia* (→ épiphanie). En latin classique *apparitio* signifiait seulement «fonction d'accompagnateur d'un magistrat», sens conservé dans *appariteur* (ci-dessous). ➝ Employé au sens religieux d'«épiphanie» sous diverses formes, *aparicion, aparition,* il s'est étendu très tôt dans ses emplois (v. 1190) pour correspondre aux valeurs du verbe *apparaître.* Une métonymie donne *une, des apparitions* (1559), spécialement «être imaginaire qui se manifeste à qqn». ◇ Dans l'usage courant, le mot se dit aussi (1528) pour «fait d'arriver, de se manifester pendant peu de temps», en parlant d'une personne; d'où ***faire une (courte) apparition*** (1740). ◇ *Apparition* a diverses applications spéciales, dont «publication (d'un livre)» (1845). ➝ Le composé **RÉAPPARITION** n. f. apparaît au XVIIIe s. (1752) en astronomie, puis généralement (1835), suscitant l'emploi de *réapparaître* (ci-dessus).

APPARITEUR n. m. est un emprunt (1332) au latin classique *apparitor,* autre dérivé de *apparere,* dans son sens administratif, «huissier qui introduit un magistrat». ➝ Le mot a eu d'autres valeurs et s'est spécialisé depuis le XVIIe s. au sens de «huissier (d'abord «bedeau») de faculté»; d'où les ***appariteurs musclés,*** policiers se présentant sous les apparences bénignes d'appariteurs, au moment des troubles étudiants de 1968. ◇ Au XIXe s., le mot s'était employé pour «préparateur de laboratoire» (1845), «agent de mairie chargé de la police, dans le nord de la France» (1845), sens disparus.

De son côté, le verbe *apparoir* (ci-dessus) n'a pas disparu entièrement : son participe présent **APPARENT, ENTE** a donné naissance (1155, *aparant*) à un adjectif signifiant à la fois en ancien français «qui appert, apparaît» et «très visible», d'où «notable, important» (1385). Le latin *apparens,* participe présent de *apparere,* a joué son rôle pour renforcer l'adjectif. ➝ En français, *apparent* s'emploie au concret et à l'abstrait (1413) pour «évident». Sa connotation littéraire, «qui n'est pas tel qu'il paraît être» (1649), est liée à *apparence* (ci-dessous); alors que l'originalité de l'adjectif réside dans sa spécialisation scientifique, attestée au XVIIe s. (1690, Furetière), notamment en astronomie *(diamètre, horizon, lieu, mouvement... apparent).* Cet emploi est lié à l'évolution de l'observation scientifique et à la dialectique observateur-objet : les aspects apparents sont mesurables autant que les aspects «vrais», et ils sont significatifs du rapport de connaissance. ➝ L'adverbe dérivé **APPAREMMENT,** qui signifie (XVIe s.) «manifestement», succède à *apparentement* (1370) «notablement»; un exemple plus ancien (v. 1175, *aparement*) semble avoir la valeur de «visiblement». Ce mot suit l'évolution de *apparence* et de *apparent.* ◇ D'un sens neutre, «extérieurement, selon les apparences visibles» (1564), cet adverbe se met à signifier «d'une manière probable, selon toute apparence» (1652). *Apparemment que,* «probablement», est attesté au début du XIXe s. (1811).

APPARENCE n. f. est un emprunt au latin de basse époque *apparentia,* autre dérivé du latin classique *apparere,* qui signifie «présence», comme *apparitio,* dans la langue de l'Église, et (IVe s.) «aspect extérieur, visible». ➝ C'est dans ce dernier sens qu'il passe en français au XIIIe siècle : *apparenche* (av. 1225), *aparence* (1280), cette forme marquant une influence, voire une dérivation du verbe français *aparoir.* Le mot semble rare avant le XIVe siècle. ◇ D'une valeur neutre, «ce qu'on voit, perçoit», il passe à plusieurs implications successives, liées aux sens de *apparaître,* notamment «caractère vraisemblable» (1468), valeur très vivante aux XVIIe-XVIIIe s. qui, outre *il y a apparence* «c'est probable» (1549), sorti d'usage, a laissé des locutions comme ***selon, contre toute apparence;*** elle correspond à celle de l'adverbe *apparemment.* ◇ Une autre valeur, qui a envahi le sémantisme du mot, apparaît au milieu du XVIIe siècle; elle concerne l'aspect extérieur, souvent distinct du réel et même opposé à la réalité, *l'apparence, les apparences* étant considérées comme un leurre, lié à la faiblesse des sens et de la raison humaine. Des locutions antérieures (comme ***sous apparence*** [1669], ***en apparence*** [1636]) ont été absorbées par ce sens, développé par la philosophie religieuse, notamment janséniste, puis par tous les courants critiques, avant et après Kant.

APPARAT n. m. est emprunté (1280) au latin *apparatus* «apprêt, chose préparée», de *apparare* «préparer» (composé de *parare;* → parer) qui a très tôt remplacé *paratus.*

♦ Le mot a d'abord en français le sens de «préparatifs de toilette»; il prend au XVIe s. (1547) sa valeur moderne «solennité, éclat (d'une cérémonie)». ◇ Dès 1417, il a aussi le sens spécialisé du latin moderne, pris par *apparatus* «vocabulaire». Au XVIIe s., le mot s'est appliqué à des dictionnaires pédagogiques (1680, Richelet). ◇ ***Apparat critique*** «ensemble de notes, de commentaires d'une édition de texte» est beaucoup plus tardif (1922, dans les dictionnaires) et interfère avec *appareil,* au figuré.

① **APPAREILLER** v. tr. est un emprunt francisé très ancien (1080) au bas latin °*appariculare,* du latin classique *apparare* «préparer», de *parare* (→ parer).

♦ Du XIe au XVIe s., le verbe signifie en général «préparer» et s'emploie spécialement à propos des aliments (XVIe s.), des filets de pêche et du gréement d'un navire (XIIe-XIXe s.), puis dans diverses techniques. Ce sens survit régionalement (*appareiller qqn,* en français du Canada) et techniquement, par exemple en chirurgie. ➜ Depuis le XVIe s. (1544), le verbe a pris intransitivement le sens de «se préparer au départ», puis de «partir, lever l'ancre», en parlant d'un navire. De là un figuré argotique (1840) pour «partir», d'abord chez les marins.

▸ Le dérivé (déverbal) **APPAREIL** n. m. a pour sens initial (fin XIIe s.) «préparatif», d'où «déroulement d'un cérémonial», «magnificence» (1538), sens proche de celui de *apparat** et de *apprêt**. ➜ Ce sens coexiste, depuis le XIIe s. (v. 1170), avec celui d'«ensemble d'éléments préparés pour obtenir un résultat», où il pourrait venir du latin populaire °*appariculus,* pour le latin classique *apparatus* (→ apparat) ou bien résulter d'une métonymie (ou encore les deux). ◇ *Appareil* s'est dit de l'équipement militaire (XVe s.), d'où *haut appareil* «armure complète» (XVIe s.). Puis on enregistre de nombreux sens spécialisés, d'abord (1676) en architecture «agencement des matériaux (d'un mur, etc.)», puis (fin XVIIIe s.) en physiologie «ensemble fonctionnel d'organes», en chirurgie (1636) «ensemble des pansements» (1793, à propos d'une opération), en droit *(l'appareil des lois),* en politique où le mot s'inscrit dans la terminologie marxiste (*appareil d'État, d'un parti,* etc.), sens d'où provient le mot russe dont un dérivé, **APPARATCHIK** n. m., a été emprunté (1965) pour désigner un membre de l'appareil du parti communiste (russe). ➜ La valeur la plus courante de *appareil* est ancienne, mais ne se développe qu'avec les techniques et les sciences, au début du XIXe siècle. Alors, le mot est encore sémantiquement ambigu, conservant l'idée ancienne d'un ensemble d'éléments préparés pour une opération, par exemple les instruments, le matériel nécessaire pour une expérience de chimie, de physique (1805). De cette idée encore dynamique à celle de «dispositif matériel unique, mais complexe», le passage n'est pas net, avant les spécialisations; il semble pourtant que *appareil de pompe* (1691) désignait déjà un objet technique précis (le piston). Dans ce sens concret, le mot s'oppose à *outil,* à *instrument* (par l'idée de complexité), et à *machine* qui évoque la production ou la transformation d'énergie, mais les frontières d'emploi ne sont pas nettes. On parle couramment de *appareils de mesure** (1805) et de nombreux syntagmes apparaissent plus tard, comme *appareil électrique, ménager,* etc. ◇ Parmi les spécialisations lexicalisées, ***appareil (de photo, photographique)*** désigne le dispositif de prises de vue (1874 [1838, *F. e. w.* est erroné]); *appareil téléphonique* devient absolument *l'appareil* dès 1877, concurremment avec *le téléphone**. ◇ Au sens ancien de «préparation complexe» se rattachent l'acception culinaire «ensemble des éléments nécessaires pour faire une sauce, une farce, etc.» (1751) et l'emploi abstrait dans ***appareil critique*** (1928), variante de *apparat.* ◇ En chirurgie dentaire, *appareil* (XXe s.) sert d'euphémisme pour *dentier,* puis désigne toute prothèse amovible. ➜ **APPARAUX** n. m. pl., ancien pluriel (XIIe s., *apparauz*), s'est spécialisé en marine, pour le matériel destiné aux manœuvres de force *(agrès et apparaux),* et, par analogie, en technique, pour les agrès de gymnastique.

APPAREILLAGE n. m., dérivé d'*appareiller,* a suivi les divers sens du verbe : «préparatif» (1371) et (1771) «action d'appareiller (en parlant d'un navire)». ➜ Le sens collectif «ensemble d'appareils et d'accessoires» est récent (1928) et vient du sens courant de *appareil.* Une spécialisation chirurgicale correspond à «prothèse complexe» (attesté 1948).

APPAREILLEUR n. m. (1611), réfection de l'ancien français *apparoillerres* (v. 1330), s'est dit d'ouvriers,de contremaîtres préparant une opération technique, notamment (1676) en architecture (sens lié à *appareil,* en parlant des pierres de taille). ➜ **APPAREILLEMENT** n. m., «préparatif» (XIIe s.) et «ustensiles, équipement» (XIIIe s.), a disparu, cédant à *appareillage* et à *appareil.*

Les préfixés *rapareiller* v. tr., «réparer» (1155) et «compléter» (1690), et *désapareiller* (XIIIe s.) «dépouiller» sont sortis d'usage au XVIe s., sauf en marine, où **DÉSAPAREILLER** (1762) et *rapareiller* (1690), refait en **RÉAPPAREILLER** (1904), sont employés.

② **APPAREILLER** → PAREIL

APPARENT, ENTE → APPARAÎTRE

APPARENTER et dérivés → PARENT

APPARIER → ① PAIR

APPARTEMENT n. m. manifeste la circulation par emprunt des mots romans : emprunté à l'italien *appartamiento* (1559, Du Bellay) qui l'a pris à l'espagnol *apartamiento,* il dérive dans cette langue du verbe *apartarse* «se séparer, se mettre à part» (comme *appartare* en italien). Ces verbes viennent du latin *pars, partis* (→ part).

♦ Au début, et notamment au XVIIe s., le mot désigne la partie d'un «grand logis» (Furetière) affecté (mis *à part*) à un usage d'habitation particulier (*les appartements* d'un prince dans un palais, etc.). Avec l'évolution du logement et l'apparition d'immeubles d'habitation «prédécoupés» (au déb. du XIXe s.), le mot désigne un logement négocié à part, dans une construction qui en comporte plusieurs; il possède normalement plusieurs *pièces* (mot qui procède d'une métaphore analogue), mais il existe des emplois emphatiques, pour «chambre d'hôtel» et pour *studio* (mot récent, dévié de son sens), qui trahissent le souci commercial de masquer la dégradation des conditions spatiales de logement à l'époque moderne. L'idée de subdivision, de mise à part (cf. *département*) a complètement disparu et le mot figure dans le champ sémantique du logement, avec *logement, maison.* ◇ Il est abrégé familièrement et couramment en **APART'** n. m. (1976), forme précédée par la variante *à part* (1842), peut-être due à un jeu de mots avec *se mettre à part.*

APPARTENIR v. tr. ind. est emprunté (XIIe s.) au latin tardif *appertinere,* composé de *pertinere* (→ pertinent), probablement modifié sous l'influence de *pars, partis* (→ part) en °*appartinere.* L'italien a aussi une forme en *-are : appartenare,* mais l'ancien provençal conserve une forme plus latine *apartener. Pertinere,* apparenté à *tenere* (→ tenir), signifie «s'étendre de manière continue» et «s'appliquer à, tendre à, concerner»; son composé *impertinens* a donné *impertinent*.*

♦ *Appartenir* signifie d'abord (v. 1155) «faire partie de», mais il a très tôt (v. 1170) la valeur juridique moderne «être la propriété de», converse de *posséder,* et celle, figurée (v. 1200), de «constituer un caractère propre à (qqn, qqch.)». De là l'emploi impersonnel (1360) ***il appartient à (qqn)*** «c'est le rôle, le devoir de...» et au XVIIe s. «c'est le privilège de...». Le verbe s'est employé à propos d'êtres humains, d'abord pour «être *parent* de (qqn)» (XIIe s.), puis «être attaché à son service» (1538). *Appartenir à un homme* se dit aussi, comme *se donner,* de la soumission d'une femme (1898) et *s'appartenir* correspond à «disposer de soi-même» (1829).

▸ Le dérivé **APPARTENANCE** n. f. est d'abord employé au pluriel (v. 1170) pour «ce qui dépend d'un bien immeuble» (cf. *dépendances*), valeur proche du sens initial de *appartement*.* Le sens général, «fait d'appartenir à, d'être propre à», n'apparaît qu'au XVIe s. (1536). ◆ **APPARTENANT, ANTE** n. a signifié (XIIe-XIVe s.) «parent» et s'est dit pour «convenable, juste» (XIIe-XVe s.). Il s'est employé au XVIIe s., notamment en droit, pour «qui concerne, dépend de qqch.» (1690). Tous les emplois ont disparu.

APPÂTER v. tr. Le verbe *appaster* (1540; v. 1530, au pronominal), précédé par *appasteler* (av. 1500), construit avec le suffixe *-eler,* est composé de l'ancien français *past* «nourriture, repas», qui avait pris au XVe s. le sens de «fragment comestible pour attirer les animaux»; *past,* comme l'italien et l'espagnol *pasto,* l'ancien provençal *past,* vient du latin *pastus* «pâture, nourriture», dérivé du verbe *pascere* «nourrir» et «engraisser», source des verbes *paître** et *repaître*.* Par ses dérivés, il a suscité *pasteur** et, moins prévisible, *empêtrer*.* La racine *pat-* «manger» se retrouve dans plusieurs langues indoeuropéennes (le gotique, le grec).

♦ L'emploi du pronominal *s'appaster de (qqch.)* «se nourrir de» (Marot) a disparu. Le verbe actif semble s'être d'abord employé pour «nourrir, engraisser (la volaille), etc.». Puis *appaster,* plus ou moins influencé par l'ancien verbe *apaistre* (composé de *paistre;* → paître), est passé à «faire manger (un enfant)» (1690), puis «attirer avec un *appât*» (voir plus loin) et, figurément dès le XVIe s. (1549), «attirer (qqn) par l'espoir d'un gain, d'une récompense». Le verbe est aujourd'hui plus rare que son dérivé (ci-dessous).

▸ **APPÂT** n. m., d'abord *appast,* désigne le morceau comestible servant à attirer des animaux pour les prendre; aujourd'hui et depuis le XVIIe s. au moins, il évoque surtout la pêche. L'acception «nourriture pour engraisser des volailles ou du bétail» (1549), qui correspond au premier sens du verbe, a disparu. ◆ Le sens figuré, courant dans la langue classique, correspond à celui du verbe *appâter (l'appât du gain); appast* se disant au figuré pour «ce qui attire» (1549). Le pluriel ancien les ***appas*** se spécialise au début du XVIIe s. pour désigner les attraits, les charmes (de la gloire, etc.) et, surtout, ceux d'une femme attirante (cf. *attrait* et, par une autre métaphore, *charme*). Usuel au XVIIe s. où *les appas* ont des emplois plus variés, «agrément, charme extérieur (d'une personne, homme ou femme)» et aussi «attraits (d'une chose)» (depuis Malherbe), le mot, même en parlant des attraits physiques d'une femme, est devenu au XIXe s. archaïque ou plaisant, par exemple un euphémisme pour les seins dans «l'argot des bourgeois» (Delvau, 1867). ◇ Ce sens extensif de *appat (appast, les appas)* a produit à son tour un verbe *appaster* (1550), puis *appâter* (XVIIe s.) «attirer par ses charmes», sorti d'usage.

✳ **APPELER** v. tr. est un emprunt ancien (1080) au latin *appellare* «s'adresser à (qqn), recourir à (qqn)» et par affaiblissement «nommer»; il est préfixé d'un verbe °*pellare,* variante de *pellere* «pousser» (→ pousser), d'un radical °*pel-,* à rapprocher peut-être du grec *pallein* «secouer». °*Pellare* aurait signifié «se pousser, aller vers», d'où pour *appellare* le sens d'«aller vers qqn pour lui parler»; de même *com-pellere* (→ compulsion), *inter-pellere* signifiant «interrompre» (→ interpeller).

♦ Le français *appeler* signifie donc d'abord «s'adresser à qqn (par un cri, des paroles)», secondairement «en le nommant» ou «en le désignant par un caractère propre» (XIIIe s.). Le verbe s'emploie spécialement (XIIe s.) pour «invoquer (Dieu, les saints)» et «faire venir par la voix» (v. 1160), «inviter à venir (une personne dont on a besoin : un médecin, etc.)». Par extension, on *appelle* qqn *du geste, des yeux* (1528) et, de nos jours, à l'aide d'un instrument, notamment le téléphone. ***Appeler au secours*** (1690), d'abord *à son secours* (1538), est resté usuel. ◆ Du sens initial, spécifié par le recours au nom, vient la valeur de «nommer» (XIIe s.), réalisée dans ***appeler les choses par leur nom*** (1678, La Fontaine) et, fréquemment, dans *s'appeler* (XIVe s.), par extension «signifier», employé dans l'expression *cela s'appelle* (et infinitif ou nom) «c'est bien, c'est vraiment...» (XVIe s.), d'où ***voilà qui s'appelle...*** (avec un nom ou un infinitif; 1671). ◇ *Appeler* a diverses valeurs spéciales : «désigner pour convoquer» (1538), d'où *appeler (sous les drapeaux)* «mobiliser» (1835), en relation avec *appel* et *appelé;* en droit, «citer devant un juge» (XIVe s.), «nommer à voix haute les parties» (*appeler une cause,* 1549), «faire venir (des témoins)». ◇ Le sujet peut aussi désigner une puissance supérieure, Dieu, *appeler qqn à soi* (1080) correspondant alors à «faire mourir». ◇ La valeur féodale de «défier» (XIIe s.) a disparu, mais *appeler au combat* (1597), *en duel* (1636) seraient encore compris. ◇ *Appeler qqn à (un rôle, une fonction)* «lui confier» (1560) a été précédé par *appeler qqn en (un rôle)* (XIIIe s.), sorti d'usage. ◇ ***En appeler,*** expression juridique, issue de *appeler* en emploi absolu, «recourir à un tribunal supérieur» (1270), sens qui correspond au latin juridique et au premier sens de *appel* (ci-dessous), s'emploie au figuré (fin XVIIe s.) et dans des expressions métaphoriques, telle ***en appeler à la postérité*** (XVIIe s., Boileau). ◇ Avec un complément nom de choses, *appeler* correspond à «susciter, faire se produire» *appeler le mépris sur qqn* (XVIe s., Montaigne). ◇ Enfin, avec un sujet nom de choses, le verbe correspond à «avoir pour conséquence vraisemblable, entraîner» : *son attitude appelle une réplique.*

► Le principal dérivé, le déverbal **APPEL** n. m., apparaît au sens de «recours» (fin XIe s., *apel* et *apiau*); la valeur usuelle «action d'appeler (pour faire venir)» est attestée plus tard (v. 1172, Chrétien de Troyes), après l'acception disparue d'«accueil». Dans le premier sens, *appel* est demeuré usuel en droit pour «recours à une juridiction supérieure» (1382), d'où *cour d'appel, en appel,* etc., et dans l'expression usuelle ***sans appel,*** qui se dit d'une décision irrémédiable. ◇ Au sens usuel, *appel* s'emploie dans ***faire appel à*** *(qqn, qqch.),* d'abord *faire un appel* (1835) «demander des secours»; il a de nombreuses spécialisations, comme «vérification de la présence des membres d'une collectivité» (1690), «discours ou écrit s'adressant au peuple» (*appel au peuple,* au sens propre). ◆ L'emploi dans un contexte militaire est très ancien, avec la valeur spéciale «signal de rassemblement» (XIIIe s.), repris au début du XIXe s. avec une acception précise : «réunion des hommes de troupe pour vérifier les effectifs», le mot s'appliquant aussi (1835) au fait de convoquer les jeunes gens appartenant à une classe d'âge pour désigner ceux qui doivent faire le service militaire *(appel du contingent);* de là *les appelés* (ci-dessous). ◆ D'autres emplois concernent un signal émis par un instrument (sonnerie de cor à la chasse, XIIIe s.); au XXe s., *appel téléphonique, appel de phares;* un signe d'imprimerie (dans *appel de note,* 1866). ◇ *Appel à l'aide* et ***faire appel à*** *qqn* «requérir comme une aide» correspondent à un emploi du verbe; se rattache à ce sémantisme *appel au peuple,* employé familièrement pour «demande d'aide financière». ◇ Ce sont les finalités de l'acte d'appel (avertir, prévenir, requérir, demander...) qui modulent les emplois du nom, plus encore que ceux du verbe; *appeau, appel* a signifié «provocation en duel» (XVIe s.), ***appel du pied*** «battement de pied en escrime» (1690) et figurément (XXe s.) «appel discret», ***appel de fonds*** «demande d'argent» (1835). ◇ Enfin, une métaphore concerne un mouvement (de ce qui est attiré, comme l'appel adressé à qqn le détourne ou l'attire), par exemple dans ***appel d'air*** (1857) ou encore en sports «mouvement de départ du saut» (1901).

Le pluriel ancien (au cas régime) et le cas sujet du singulier du mot *appel,* en ancien français, était *apeaus;* tandis que, normalement, il évoluait en *appel, appels,* avec la disparition des cas, la forme ancienne, harmonisée en **APPEAU** n. m. (pl. : des *appeaux*), se spécialisait (1380) pour désigner le sifflet (d'appel) utilisé pour faire venir les oiseaux à la chasse, sens déjà réalisé par *appel* (1270) [l'influence du paronyme *appât* a dû jouer]; d'où le sens figuré de «leurre» (XVe s.) et la valeur technique «oiseau dressé pour appeler et attirer d'autres oiseaux» (1671). ◆ Dans ce dernier sens, un synonyme est le participe présent **APPELANT,** substantivé (qui a d'autres emplois, depuis 1390, comme adjectif dérivé de *appeler*).

APPELÉ, ÉE p. p. a été substantivé (XIVe s.) en droit pour «personne citée en justice» et dans l'allusion évangélique *il y a beaucoup d'appelés et peu d'élus* (1672). ◆ Le mot a été repris dans le contexte de la conscription militaire (cf. ci-dessus *appel* et *appeler*) pour «jeune homme mobilisé dans l'armée» (1832), opposé à *militaire de carrière :* on parle des *appelés du contingent;* au XXe s. le mot remplace *conscrit* devenu archaïque. ◆ Le dérivé **APPELABLE** adj. (1170), spécialisé en droit (XVIe s.), a vieilli. ◆ **APPELLEMENT** n. m., en ancien français «expression de la volonté divine» (XIIe s.), puis «convocation» (XIIIe s.) et «fait de nommer qqn» (1549), a disparu. ◆ **APPELEUR** n. m. (1611), réfection de l'ancien français *apeleor* «demandeur en justice» (XIe-XIIIe s.), s'est dit (1863) de l'oiseau nommé aussi *appelant.*

APPELLATION n. f., emprunt (1172) au dérivé latin *appellatio,* a signifié en ancien français «appel d'un jugement». Repris ou dérivé de *appeler,* il signifie action de nommer» (v. 1550), surtout «nom donné (à une chose)» (XIIIe s.) et «façon de dénommer» (XIVe s., Oresme). Pour «action de nommer les lettres de l'alphabet» (1762), il a été remplacé par *épellation.* ◇ Il s'est spécialisé en droit commercial, notamment dans *appellation d'origine* (1922), ***appellation contrôlée,*** sens courant en parlant des vins. ◆ **APPELLATIF, IVE** adj. est emprunté (v. 1350) au dérivé *appellativus,* mot du latin des grammairiens, qui calque le grec *prosêgorikos* «qui sert à nommer». *Nom appellatif* a été remplacé par *nom commun;* le substantif *un appellatif* (v. 1550) est lui aussi archaïque. ◆ **APPELLATOIRE** adj., emprunté (1466) au dérivé latin *appellatorius,* est un terme de droit ancien, concernant la procédure d'appel.

Le préfixé verbal **RAPPELER** est très ancien (*rapeler,* 1080), d'abord au sens de «faire revenir (qqn) par un appel», puis (v. 1175) «appeler pour faire revenir»; le deuxième sens, chronologiquement (par le hasard des attestations), étant logiquement le premier, exprime la cause, l'appel et non l'effet cherché. Des valeurs spéciales sont attestées, «faire revenir (des bannis, des proscrits)» (v. 1240), «battre le rappel des troupes» (déb. XVIIIe s.). ➛ Une valeur abstraite importante, plus que dans *appeler,* apparaît très tôt (fin XIIe s.) : «faire revenir (un contenu psychique) à la conscience, à la mémoire»; il a donné le verbe pronominal **SE RAPPELER** (av. 1673) qui fonctionne en concurrence avec *se souvenir de...* et avec *rappeler qqch. à sa mémoire* (1694); la construction analogique *se rappeler de* (XVIIIe s. : 1787, Féraud), sans cesse combattue par les pédagogues, est très vivante dans l'usage spontané. ➛ Avec un sujet exprimant une chose, *rappeler* correspond aussi à «évoquer» (fin XVIe s.). Un autre figuré du verbe transitif (XVIIe s.) signifie «faire revenir (qqn) à (un état)». *Rappeler un sentiment* correspond à «raviver» (déb. XVIIe s.). ***Rappeler** qqn **à la vie*** (1670) «faire revivre», ***rappeler à l'ordre*** (1789) «réprimander» figurent parmi d'autres constructions analogues. ➛ Enfin, le sens logiquement le plus évident, «appeler de nouveau» *(appeler et rappeler qqn au téléphone),* semble paradoxalement récent.

Le dérivé (déverbal) **RAPPEL** n. m. (1260) utilise les principales valeurs du verbe avec des spécialisations : «action de faire revenir», spécialement des bannis (1311), aussi *rappel de ban* (1549); «batterie de tambour ou sonnerie de clairon» (1762) dans *battre, sonner le rappel,* ***battre le rappel*** s'employant au figuré pour «réunir toutes les ressources, demander des aides partout» (1869); «applaudissements pour rappeler un comédien» (1875). Au sens abstrait de *se rappeler, rappel* signifie «évocation» (1875). ◇ Des sens originaux par rapport au verbe se développent : «répétition, retour» par renvoi à une même chose (1803), «fait de payer une somme due (appointements...) en retard» (1825) et, concrètement, «fait de ramener une chose à soi», notamment en alpinisme (1904), avec une valeur technique précise *(faire du rappel),* impliquant une corde pouvant être «rappelée» *(descente **en rappel**),* et en technique dans *ressort* ***de rappel*** (1904).

Des formes dialectales anciennes, *rapeau* et avec nasalisation **RAMPEAU** n. m. (XVIe s., Brantôme), désignent le second coup d'une partie de quilles jouée en deux manches et, dans les dialectes, de nombreux jeux de quilles.

◈ voir **SEXE (SEX-APPEAL)**.

APPENDICE n. m. est un emprunt ancien (1281) au latin *appendix, -icis,* «supplément», formé sur *pendix* et de *appendere* «suspendre», tous deux dérivés de *pendere* (→ appendre, pendre). Le mot latin a perdu son sens virtuel «ce qui est suspendu»; il est surtout abstrait et didactique.

♦ Cependant le français apparaît (1233, *apendiches*) au sens concret de «dépendances». Le sens latin de «supplément, addition (à un texte)» est resté didactique en français (1611). ➛ C'est Réaumur qui donne au mot (1757), d'après des emplois plus généraux au sens de «prolongement» (comme *appendice caudal, nasal...*), sa valeur aujourd'hui dominante de «prolongement secondaire d'un organe», valeur qui a produit le sens spécial «appendice du cæcum», aujourd'hui le plus courant, renforcé par plusieurs dérivés.

▸ Le principal est **APPENDICITE** n. f. (1898), du latin moderne *appendicitis,* créé par le chirurgien américain R. H. Fitz en 1886 et qui désigne l'inflammation de l'appendice du cæcum. ➛ On peut citer aussi **APPENDICULAIRE** adj. (1866) dans *point, douleur appendiculaire,* «au niveau de l'appendice», qui dérive du diminutif archaïque **APPENDICULE** (XVIe s.), d'où **APPENDICULÉ, ÉE** adj. (1803). ➛ Par ailleurs, *appendicite* a pour dérivé **APPENDICITEUX, EUSE** adj. et n. (1907) et pour composé **APPENDICECTOMIE** n. f. (1872) «ablation de l'appendice», cette opération bénigne et courante étant désignée fautivement mais fréquemment par *appendicite.*

◈ voir **APPENDRE, APPENTIS**.

APPENDRE v. tr. est issu, d'après *pendre,* du latin *appendere* «suspendre», composé de *pendere* (→ pendre), aussi représenté en italien, portugais.

♦ Le verbe a plusieurs valeurs en ancien français, surtout abstraites, pour «dépendre, convenir à» (1080), «s'appliquer à» (*apendre a,* 1271), aussi concrètes, pour «toucher à, être contre» (v. 1200, en wallon) [cf. ci-dessous *appentis*]. Repris au XVIe s. dans un emploi abstrait, le verbe signifie «appartenir à, relever de», toujours par l'idée de «dépendre». Disparu, il a été repris comme archaïsme, au sens de «suspendre» (*s'appendre,* chez Chateaubriand; dans *appendre des drapeaux,* 1863).

▸ Les dérivés sont tous archaïques, sauf *appentis* (ci-dessous) et peut-être **APPENDU, UE** adj. «suspendu» (1636). ◇ L'ancien français *apendance* n. f. (1233, jusqu'au XVIe s.) a été remplacé par *dépendance,* comme *apendant* (XIIe-XVe s.) par *dépendant, soumis.*

APPENTIS n. m. désigne (XIIe s.) un petit toit à une seule pente, appuyé contre un mur, et par extension (1694) un bâtiment accolé à un autre. Divers sens techniques d'architecture ont eu cours à partir du début du XVIIIe siècle.

◈ voir **APPENDICE**.

APPÉTIT n. m. est emprunté (v. 1180, *apetit*) au latin *appetitus* «désir», de *appetere* «chercher à atteindre; approcher», de *a-* et de *petere* «se diriger vers» qui survit en français par plusieurs verbes préfixés *(compétition, impétueux, répéter...)* et par les dérivés *petitio, petulans* (→ pétition, pétulant). La valeur psychologique de *appetitus* s'est fixée par l'emploi du mot (Cicéron) pour traduire le grec *hormê* «pulsion, désir».

♦ Cette valeur générale existe toujours en français dans *un, des appétits* «passion, désir» (v. 1180), spécialement en un sens érotique (1636), ou dans *l'appétit de...* «désir de...» et *à l'appétit de...* «selon le désir», et au figuré «à cause de» (XVe s.) ainsi qu'en philosophie (1671, *appétit concupiscible*). ➛ Mais l'emploi le plus courant du singulier *(l'appétit),* souvent non qualifié, est, depuis le milieu du XIIIe s., le désir de nourriture, l'envie et le plaisir de manger. C'est dans ce sens que se sont imposés expressions sociales (***bon appétit!*** XVIIe s.), locutions (***ouvrir l'appétit; appétit ouvert,*** 1690) et proverbes (***l'appétit vient en mangeant,*** 1534).

▸ Les dérivés français au sens général du verbe sont **APPÉTITIF, IVE** adj., formation savante (v. 1260) demeurée très didactique, et le participe présent **APPÉTISSANT, ANTE** adj. (v. 1393), usuel au sens de «qui stimule l'appétit» et par extension «qui semble bon à manger, donne envie de manger». Il s'emploie aussi d'après le sens général de *appétit*, pour «alléchant, engageant».
Plusieurs mots sont empruntés aux dérivés latins de *appetere*. ➛ **APPÉTITION** n. f., emprunt (1537) à *appetitio*, est didactique comme *appétitif*, qui lui correspond. ➛ **APPÉTENCE** n. f. est emprunté (1555) au dérivé latin *appetencia* pour servir de substantif au verbe *appéter* (ci-dessous). ◇ Ce mot littéraire a servi à former **INAPPÉTENCE** n. f. (1752), terme de médecine, et **APPÉTENT, ENTE** adj. (1857).
APPÉTER v. tr. est emprunté (XIIIe s., en picard *apetter;* puis v. 1370) au verbe latin *appetere*, avec le sens large de «désirer, rechercher». Il a vieilli au XVIe s. et ne s'employait plus au XVIIe s. que dans un contexte didactique et scientifique, en parlant de choses.

APPLAUDIR v. tr. est un emprunt du moyen français (1375) au latin *applaudere*, de *plaudere* «battre» et spécialement «battre des mains», mot expressif d'origine incertaine (Ernout et Meillet). Le geste culturel d'approuver, de célébrer en claquant dans ses mains existait à Rome, en même temps que celui de «chasser» par le même geste (*explodere* «huer», de même origine, avec *ex-*), là où on a plus tard sifflé.

♦ En français, le sens figuré, «confirmer» (1394), semble précéder la valeur concrète «battre des mains pour approuver» (1531). *Applaudir à tout rompre* est attesté en 1746 (D. D. L.). ◇ De là de nouveaux figurés (XVIe s., Montaigne), «approuver avec éclat», notamment dans le pronominal *s'applaudir de* «se féliciter», courant depuis le XVIIe s. (1680).

▸ Le dérivé **APPLAUDISSEMENT** n. m. (1532, Rabelais) signifie au figuré «vive approbation» (1671). ➛ **APPLAUDISSEUR** n. m. (1538) est plus rare, malgré *applaudisseur à gages* (1787), membre d'une *claque**. ➛ Le composé plaisant **APPLAUDIMÈTRE** n. m. (v. 1950), «système d'appréciation d'un succès», tend à vieillir, remplacé par le sondage d'opinion et la mesure effective d'audience, dans les médias.

◈ voir **EXPLOSION, PLAUSIBLE.**

APPLIQUER v. tr. est emprunté (1280, *apliquier*) au latin *applicare* «aborder, aller vers», «appuyer» et «employer son esprit à», de *ad-* (→ à) et d'un verbe intensif *plicare*, variante de *plectere* sans le *t-* suffixal (comme *complicare* et *explicare*), et qui signifie «plier» (→ plier). *Plectere* (d'où *plexus*) signifie d'abord «tresser, entrelacer», une idée de complexité restant présente dans de nombreux composés (*complexe, perplexe*). Cette connotation, lorsqu'il s'agit de la vie intellectuelle, se mêle au sens de «mouvement vers», propre à *applicare*. *Applicare* a produit en ancien français, par voie orale, *aploier* (XIIe s.), et en moyen français *applier* (1357), tous deux disparus.

♦ Le verbe, construit avec *à*, signifie d'abord «employer, utiliser», et le pronominal *s'appliquer*, en emploi réfléchi (1403), «apporter une attention soutenue et intense». *Appliquer* (un nom, une phrase) *à qqn* «lui attribuer» (1303, *apliquier*), *appliquer* (une comparaison) *à qqch.* (1664) sont restés usuels, de même que *appliquer sa volonté* (1350), *son esprit à qqch.* (1375). ◇ Cependant, la valeur concrète de *appliquer*, «placer contre», qui apparaît tôt en médecine (1314), reste très vivante. ◇ Un autre figuré, «mettre à exécution» (1280), passe de la première valeur, l'utilisation, à celle de mise en œuvre, de mise en pratique, réalisées aussi par *application* (ci-dessous).

▸ Le participe passé **APPLIQUÉ, ÉE** est adjectivé aux sens d'«attentif», «occupé» (XVIIe s.). ***Sciences appliquées*** (1863), ***arts appliqués*** (1928) correspondent plutôt à *application* qu'au verbe *appliquer*.
Les diverses notions réalisées par le verbe se retrouvent pour **APPLICATION** n. f. (1314, *applicacion*), emprunt au dérivé latin *applicatio* et (plus souvent) dérivé du verbe. ➛ Il signifie concrètement (1380) «action de placer, d'appuyer contre», une métonymie correspondant à «gifle, soufflet» (*faire une application*, 1656), est sortie d'usage. On parle de *dentelle* (1866), *broderie d'application* (1677). ◇ Au sens abstrait de *appliquer, application* s'emploie en droit (*application de la loi*, 1666), puis en sciences pour «mise en pratique» (1751), emplois aujourd'hui très vivants, soutenus par le verbe et par des expressions comme ***mettre, mise en application.*** ◇ La valeur psychologique du substantif, pour «fait d'appliquer son esprit, de s'appliquer», est attestée depuis Montaigne (1580) et a donné naissance à *inapplication* (ci-dessous).
Enfin, **APPLIQUE** n. f., qui a d'abord la valeur d'«action d'appliquer» concrètement, dans l'expression *d'applique* (1363), a reçu par métonymie le sens d'«élément appliqué» et spécialement (1831) «appareil d'éclairage fixé au mur, à la paroi». ➛ D'autres dérivés sont **APPLICABLE** adj. (*appliquable*, 1282), abstrait et aussi concret (1690), d'où **APPLICABILITÉ** n. f. (1819). ➛ **APPLICAGE** n. m. (1823) concerne l'action d'appliquer un ornement sur un objet. ➛ **APPLICATEUR** n. m. (1834) s'est dit d'un ouvrier qui applique des substances et aussi (XXe s.) d'un dispositif.
INAPPLICABLE adj. (1762) concerne les réalités intellectuelles et les procédés techniques ou pratiques qui ne peuvent pas être concrètement appliqués. ➛ **INAPPLICATION** n. f. (1671) désigne le manque d'application intellectuelle et, plus rarement (1873), l'impossibilité d'appliquer, de mettre en œuvre. Ces préfixés en *in-* sont donc absolument hétérogènes.
➛ Le verbe **RAPPLIQUER** signifie d'abord «rattacher» (mil. XVIe s.), puis (1675) «appliquer, placer contre, une nouvelle fois». ◇ C'est l'argot (1837, Vidocq) qui lui a donné sa vitalité, en le détachant de son ori- gine immédiate, mais en retrouvant curieusement une valeur du latin *applicare* «aller

vers». *Rappliquer,* c'est en effet familièrement «revenir, arriver».

APPOGIATURE n. f. est emprunté (1821) à l'italien *appogiatura,* dérivé du verbe *appogiare,* lui-même issu, comme le français *apoyer, appuyer** et l'espagnol *apoyar,* du latin populaire °*appodiare.*

♦ Cet emprunt de la langue musicale désigne une note (dite d'agrément) placée avant une note principale, «s'appuyant sur elle», à un degré au-dessus ou au-dessous.

APPOINT, APPOINTER → POINT

✱ **APPORTER** v. tr. est un emprunt ancien (*aporter,* 2e moitié xe s.) au latin *apportare* (à partir de Plaute, Térence), formé de *ad-* (→ à) et de *portare* (→ porter), qui signifie «porter à qqn (un objet, des nouvelles)». Les principales langues romanes ont un équivalent : *apportare* (italien), *aportar* (catalan, espagnol, portugais).

♦ Le verbe a pris au latin sa valeur concrète et abstraite («transmettre, communiquer», 1080), prenant aussi le sens de «causer, faire exister ou mettre à disposition (un sentiment, un bien)» (v. 1230) et même de «produire», plus tard remplacé par *rapporter.* Au sens concret, *apporte !* se dit à un chien qu'on incite à rapporter un objet (1675). ◇ *Apporter du soin,* etc. *à qqch.* (1595) correspond à «mettre du soin». En parlant des circonstances, *apporter des facilités, des obstacles* (xviie s., La Rochefoucauld) se dit pour «amener». ◇ Le verbe s'emploie aussi pour «fournir (des capitaux, des biens)», d'abord dans *apporter une dot* (1668).

▸ Le déverbal **APPORT** n. m. a signifié depuis l'ancien français (xiie s.) jusqu'au xviiie s. «action d'apporter», emploi général qui s'est effacé devant la métonymie, pour «chose qui est apportée», sauf en droit dans *apport de pièces* (1751). ◇ Le mot a eu des valeurs spéciales, «offrande religieuse, impôt, etc.» aux xive et xve siècles ; d'autres sens apparaissent plus tard : «bien apporté par un époux à la communauté» (1583), «profit d'un capital» (1538), concurrencé ultérieurement par *revenu* et *rapport,* «contribution en capital à une société» (1835). ◇ Concrètement, *apport* se dit d'une alluvion (1898) ; abstraitement et généralement (xxe s.) d'une contribution au savoir, à une entreprise, à un contenu de pensée (concept). ◇ Les autres dérivés sont archaïques : *apportage* n. m. (1379, jusqu'au xviiie s.), *apportement* n. m. (1380, jusqu'au xviie s.), ou assez rares. ➜ **APPORTEUR, EUSE** n., «celui qui apporte» (xiiie s., inusité après le xvie s.), a été repris en droit commercial (1865).

Le verbe préfixé **RAPPORTER** v. tr. (xiie s.) a pris une importance très grande, jusqu'à se substituer au verbe simple dans plusieurs emplois. *Rapporter* réalise les différentes valeurs du préfixe *re- :* «apporter (qqch.) au lieu d'origine», spécialement d'un chien (attesté 1690), puis «apporter à son retour (une chose qui ne vient pas du lieu où l'on revient)» (fin xive s., Froissart), le sens d'«apporter une deuxième fois» étant rare. *Rapporter des impressions, des souvenirs* (xvie s.) signifie «revenir avec et conserver...». L'idée de profit s'exprime au figuré dans *rapporter de la gloire* (1636), *de la honte* (1694), *des coups* (1718), etc. *à qqn,* le sujet désignant une action. ➜ Au sens financier, le verbe s'emploie d'abord à propos du retour d'une avance à la masse d'une succession (2e moitié xiiie s.), puis sans l'idée de retour, pour «produire» (1531) et «procurer un avantage» (1587). Ces valeurs, soutenues par une acception courante de *rapport* (ci-dessous), sont aussi en relation avec *produit, profit, revenu.* ➜ Sur le plan du langage, *rapporter* correspond à «raconter (ce qu'on a vu, entendu, appris)» (xiiie s.), c'est-à-dire «ramener de l'information», spécialement «redire des choses négatives, des critiques, des calomnies» (xive s.) et, sans valeur péjorative, «citer, alléguer (un exemple)» (xviie s., Pascal). De nos jours, la valeur péjorative s'est spécialisée pour «dénoncer» (surtout dans le langage enfantin). ◇ Du sens concret de «prendre (qqch.) pour porter ailleurs» (1535), spécialement dans *rapporter des terres* (1718), on peut rapprocher celui de «tracer et noter (des mesures, des formes observées)» (1765). Cette idée de transfert, appliqué à une information, à un contenu sémantique, rend compte de valeurs figurées pour *rapporter qqch. à... :* «comparer» (1538), aussi au pronominal *se rapporter à* «ressembler à», «attribuer (qqch.) à une cause» (xviie s., 1668, La Fontaine). Le pronominal *se rapporter à qqn* signifiait «s'en remettre à la décision» (1530) et «avoir confiance en lui» (1538) ; ces emplois ont vieilli au profit de *s'en rapporter.* ***S'en rapporter à qqn, à qqch.*** (xvie s.) «s'y référer» est toujours en usage. ◇ L'idée de relation se spécialise en grammaire dans *se rapporter à* «avoir un rapport grammatical avec» (1701). ➜ Une autre idée, celle de «retour en arrière», correspond à l'emploi juridique pour «abroger, révoquer (un arrêté, etc.)» (1258), d'où l'ancien emploi de *se rapporter* pour un procès jugé, terminé. Dans cet emploi, le paronyme *reporter* a pu jouer un rôle.

Le déverbal **RAPPORT** n. m. (1214, *raiport*) reprend et renforce plusieurs valeurs du verbe. Le sens le plus ancien, «récit, témoignage», est devenu rare, et le figuré pour «témoignage des sens» (1678) a disparu. L'acception juridique d'«exposé d'un procès (fait par un juge devant les autres membres du tribunal)» (1283) précède une série d'emplois où *rapport* équivaut à *compte rendu,* spécialisés en vénerie (1573), en médecine, pour les experts (xvie s., Paré), en droit maritime (*rapport de mer,* 1581), dans l'armée (1793), dans l'administration, la politique, la police *(rapport de police),* les affaires, la science, etc. Par extension du sens militaire de «compte rendu quotidien», le mot désigne (1888) la réunion des hommes de troupe et des sous-officiers et officiers pour la communication d'informations et d'instructions (d'où la formule : ***au rapport***). ➜ Un second sens courant est «action de produire (notamment un profit)». Comme pour le verbe, il s'agit d'abord (1283) de l'acte par lequel des biens sont apportés à la masse des héritiers par l'un d'entre eux, puis, par métonymie, de ces biens, ensuite d'un revenu, d'un produit (fin xive s.), d'où *être en rapport* «produire, rapporter» (1690), archaïque, *peu de rapport* (id.), ***maison de rapport*** (fin xixe s.), en usage. ◇ Le sens concret de *rapporter* fournit

pour *rapport* l'idée d'adjonction matérielle (1690) notamment dans le sens d'«eau apportée par la marée» (1660), d'où *terres*, etc. *de rapport* «rapportées» (1718). Comme l'acception de «restitution, action de rapporter» (1835, en comptabilité), ces emplois sont relativement rares.
En revanche, l'idée de «relation constatée par l'esprit», d'abord «conformité» (1538), fournit des emplois du mot parmi les plus fréquents, tant abstraits que concrets. *Rapport* est alors en concurrence avec *relation, raison (ratio)* et s'emploie dans l'usage général (*rapports de parenté*, etc.) comme en sciences (av. 1690, «relation entre deux grandeurs de même espèce»). De nombreuses expressions ont cours : ***avoir rapport à*** (1690) «concerner», ***avoir rapport avec, (être) en rapport*** «convenir», ***par rapport à*** (1677) «en ce qui concerne» et, dans l'usage parlé (1835), ***rapport à...***; on trouve aussi ***sous le rapport que...*** (XVIIIe s., Beaumarchais), ***de...*** (1833) et ***sous tous (les) rapports*** (1829), ***n'avoir pas de rapport, (être) sans rapport***, etc. ◆ Sur le plan concret, et le plus souvent au pluriel, le mot s'applique aussi, depuis le XVIIIe s. (1762), aux relations entre des personnes, en concurrence avec *relations, commerce* et des mots plus spécialisés. Il s'applique spécialement aux relations sexuelles (1re moitié XIXe s., Chateaubriand), en emploi absolu *(avoir des rapports)* et aussi dans *rapports intimes*. ◇ Dans cette acception générale, le mot s'applique aussi aux relations et échanges entre groupes, États, par exemple dans ***rapports de force***, et (XXe s.) à la façon d'appréhender un objet, pour un sujet *(notre rapport au monde)*.
D'autres dérivés du verbe sont sortis d'usage, tel *rapportement* n. m. (v. 1250) ou *rapportage* n. m. (1328). ◆ **RAPPORTEUR, EUSE** n. a pour premier sens (v. 1300) celui de «dénonciateur, accusateur» (qui rapporte contre qqn), repris de manière péjorative en français moderne, souvent en contexte enfantin, scolaire. Le mot s'applique ensuite à la personne qui fait un rapport (fin XIVe s.), avec des spécialisations en droit public (*grand rapporteur*, 1690), en droit pénal, pour «juge d'instruction» (1825), sens disparu, le mot s'appliquant depuis le XIXe s. (1825) dans de nombreux contextes, correspondant alors aux emplois modernes de *rapport* et non plus de *rapporter*. ◇ Du sens du verbe, «établir une relation par report», vient *rapporteur* «demi-cercle gradué pour rapporter les angles» (1680). ◆ **RAPPORTABLE** adj. a plusieurs valeurs : «qui est comparable ou analogue (à)» (1558), «qui doit être rapporté à une succession» (1752), «qui peut être prélevé et apporté ailleurs» (1845).

APPOSITION, APPOSER → POSER

APPRÉCIER v. tr. est emprunté (1391) au latin ecclésiastique *appretiare*, de *ad-* (→ à) et de *pretiare* (→ priser), lui-même de *pretium* (→ prix). L'ancien français avait *aprisier* (v. 1270).

♦ Le verbe a pour sens premier «fixer le prix de; évaluer le prix». ◇ Son emploi s'est étendu à «déterminer approximativement (une quantité)» (1712), puis «porter un jugement critique (sur qqch. ou qqn)» (1740) et enfin «un jugement favorable» (1793); *apprécier* est comparable, pour le sens et son évolution, à *estimer*.

▶ Malgré l'existence du bas latin *appretiatio*, **APPRÉCIATION** n. f. est probablement dérivé du verbe (1389); il ajoute à «action de fixer le prix» le sens d'«action de juger, d'évaluer» (déb. XIXe s.), pas forcément de manière positive, à la différence du verbe. ◆ **APPRÉCIATEUR, TRICE** est d'abord un nom (1509), puis un adjectif (1801 dans le dictionnaire néologique de Mercier), avec la valeur positive de *apprécier*. ◆ **APPRÉCIATIF, IVE** adj. (1798; 1615, en théologie) se dit en revanche de manière neutre pour «relatif au fait de juger, d'évaluer» (1821, Stendhal). ◆ **APPRÉCIABLE** adj. (1486) est devenu courant aux sens de «perceptible» (1765), d'où «assez considérable» (XXe s., *in* Larousse 1928), et «digne d'estime» (chez Gide, 1918). ◇ Le dérivé **APPRÉCIABILITÉ** n. f. (1846) est didactique. ◇ L'antonyme préfixé **INAPPRÉCIABLE** adj. (mil. XVe s.) a perdu sa valeur initiale, «qu'on ne peut apprécier», sauf en parlant d'une évaluation quantitative (1835); il a surtout pris le sens positif de «qu'on ne peut apprécier à sa juste valeur», donc «de grande valeur», renforçant ainsi *appréciable* (même évolution pour *inestimable*). ◇ Il a pour dérivé **INAPPRÉCIABLEMENT** adv. (1840).

APPRÉHENDER v. tr. est le doublet savant de *apprendre**, emprunt (XIIIe s.) au latin classique *apprehendere* «saisir», de *ad-* (→ à) et *prehendere* (→ prendre), qui a acquis en bas latin la valeur abstraite qu'avait le verbe simple, «saisir par l'esprit».

♦ Le sens concret initial, «prendre, saisir», s'est perpétué en droit (1460, «arrêter»). ◇ L'acception abstraite «saisir par l'esprit» (XVIe s.), «comprendre» ou «concevoir», a produit (1587) la spécialisation «penser à un danger; craindre», qui correspond au sens dominant de *appréhension*.

▶ **APPRÉHENSION** n. f., emprunt (1265) au dérivé latin *apprehensio* au sens intellectuel, est parallèle au verbe. ◆ Le sens initial «compréhension, intelligence», d'où «idée» (XVIe s.), spécialement «idée abstraite, sans jugement» (1690), est sorti d'usage. L'acception concrète, «acquisition» (1375), comme celle d'«arrestation» (1375), est archaïque. ◇ La valeur de «crainte» (1558) est au contraire usuelle. ◆ Le dérivé **APPRÉHENSIF, IVE** adj. (1372) signifiait en ancien français «intelligent», puis a pris (1611) la valeur concrète de *appréhension* et enfin celle de «craintif» (1556); seul ce sens subsiste, dans un usage didactique. ◆ **APPRÉHENSIBLE** adj. a signifié (1550) «concevable», puis «qui peut être arrêté, appréhendé (en parlant d'un délinquant)» (XVIe s.) et enfin «disposé à craindre». Tous les emplois ont disparu.

APPRENDRE v. tr. vient du latin populaire *apprendere*, du classique *apprehendere* (→ appréhender) au sens psychologique de ce verbe. Les développements du latin d'Église, qui correspondent aux sens abstraits de *prehendere* et en bas latin de *apprehendere*, sont passés en français.

♦ Le verbe signifie dès l'ancien français «saisir par l'esprit» et «acquérir pour soi des connaissances»

(v. 950), valeurs parallèles à celles de *comprehendere, comprendere* (→ comprendre). Il se dit aussi (v. 1140) pour «donner à autrui (des connaissances)» : *apprendre à qqn à,* aussi *apprendre qqn à...* (v. 1190), ainsi que pour «instruire (qqn)» (mil. XIIe s.), sens disparu mais qui a donné *bien appris* et *mal appris* (ci-dessous). ◇ La valeur concrète de *apprehendere* existe aussi en ancien français (v. 1120), ainsi que le sens d'«allumer» (XIIIe s.) qui correspond à «faire *prendre* le feu». ➜ Le sens subjectif du verbe, construit avec *à* (1080), correspond à «contracter une habitude» et à «devenir capable de (qqch.), par l'expérience». Quant aux opérations intellectuelles d'acquisition des connaissances, elles sont assez précisément senties pour qu'un emploi absolu (*le désir d'apprendre,* etc.) se dégage très tôt (v. 1175). ◇ Les principaux emplois actuels sont donc acquis au XIIe s., mais des constructions ont disparu (*apprendre qqn de...,* XVIe s.) et d'autres semblent avoir été abandonnées puis reprises (***apprendre à qqn à faire,*** au XVIIe s.). ◇ Des valeurs nouvelles sont apparues, comme *apprendre à qqn* «l'obliger, le contraindre» (XVIIe s., Retz), notamment dans des formules de menace, telle *je vais t'apprendre à...* et infinitif, ou encore ***apprendre à vivre à qqn*** (1650) et dans ***ça lui apprendra,*** sans complément.

▶ Les deux participes ont servi à former des adjectifs, dans des conditions très différentes. *Appris de* (v. 1150) et *appris à* (déb. XVe s., C. de Pisan) ont signifié «instruit en», et *appris* s'est dit pour «instruit» et «habile». ◇ Le mot, conservé dans des dialectes, a survécu dans les composés *bien appris* (v. 1175), sorti d'usage au XIXe s., et surtout **MAL APPRIS** (XIIe s.) «sans éducation», d'où «grossier» (cf. *mal élevé*) substantivé dès le XIIIe s. et toujours en usage sous la forme **MALAPPRIS** n. m. ➜ *Aprenant* n. m. «apprenti» (XIIIe-XIVe s.), puis «étudiant» (v. 1550) est sorti d'usage au XVIIe siècle. Le mot moderne **APPRENANT** est une recréation (mil. XXe s.) suscitée pour traduire l'anglais *learner* (de *to learn* «apprendre»), là où *étudiant, élève* ne conviennent qu'imparfaitement. ➜ **APPRENABLE** adj. est rare et semble récent, alors que **INAPPRENABLE** adj. est attesté au XVIIIe s. (1744). ➜ D'autres dérivés ont disparu, tel *apprise* n. f. (*aprise,* XIIIe s.) qui a signifié jusqu'au XVIe s. «apprentissage ; connaissance acquise» et aussi (XIVe-XVe s.) «enquête judiciaire».

Le préfixé **DÉSAPPRENDRE** v. tr., d'abord (v. 1220) «faire oublier», puis (XVIe s.) «déshabituer de qqch.», n'est vivant qu'au sens, d'ailleurs ancien (XIIIe s.), mais qui semble avoir été abandonné, puis repris au XIXe s. (1866), d'«oublier (ce qu'on avait appris)» ; le verbe avait pour dérivé *désappris* «qui a oublié» (v. 1220), puis «ignorant» (av. 1370, Machaut), sans l'idée de grossièreté qu'exprime *malappris.* ➜ **RAPPRENDRE** v. tr. (2e moitié XIIe s. ; repris au XVIe s., 1549) «apprendre de nouveau» est concurrencé (mil. XXe s.) par *réapprendre.* ➜ **S'ENTRAPPRENDRE** v. pron. réciproque (1585) est archaïque.

Le cas de **APPRENTI** n. m. est complexe. Apparu comme adjectif sous la forme *aprenti* (v. 1175 ; encore *apprentis* au XVIe s.), puis comme nom sous la forme *aprentif, ive* (1268 ; encore au déb. XVIIIe s.), il aboutit à *apprenti* (1357, puis 1538) ; il a un féminin en *-isse* (1260) jusqu'à la fin du XVIIe s., le moderne *une apprentie* apparaissant au XVIIIe s. (1718). La dérivation de *apprendre* avec un *t* (cf. *appendre-appentis*) et le suffixe ancien *-is* (Bloch et Wartburg), ou l'évolution à partir du latin populaire *apprenditicium,* pour *apprenditum,* de *apprendere,* sont également possibles. ➜ Dès le moyen âge, le mot désigne une personne jeune qui apprend un métier artisanal ; à la Renaissance (depuis 1515 environ et souvent sous la forme *apprentif,* Ronsard, Baïf, etc.) il correspond à «novice», valeur conservée dans un usage assez littéraire. ◇ Divers emplois spéciaux, par exemple dans la franc-maçonnerie (1866), chez les jockeys (mil. XXe s.), et des syntagmes professionnels sont attestés.

Le dérivé de *apprenti,* **APPRENTISSAGE** n. m. (1395), signifie «formation technique et artisanale», d'où (1447) «temps où l'on est apprenti». Comme *apprenti,* ce dérivé reçoit (1558, dans un contexte moral) une valeur étendue : «premiers essais» et, en sciences, une acception spéciale «processus d'acquisition des mécanismes et automatismes psychiques» (XXe s.). ◇ Mais le premier sens attesté, toujours usuel, se développe aux XIXe et XXe s. avec l'enseignement technique.

APPRÊTER v. tr. est un très ancien emprunt (980) au latin populaire °*apprestare,* dérivé d'un adjectif latin également populaire mais attesté, *prestus,* issu de l'adverbe classique *praesto* «à portée de, sous la main» (→ prêt). Le latin classique employait le verbe *praestare* (→ prêter).

♦ Encore très vivant dans la langue classique, *apprêter,* «disposer, préparer pour une utilisation», ne survit que régionalement et dans des sens spéciaux, culinaire et technique (1694, d'après le dérivé *apprêt*). ◇ *S'apprêter* v. pron. (XIVe s. ; précédé par *soi aprester à..., de...,* XIIe s.) subsiste surtout dans «faire sa toilette» (depuis 1538) ; le pronominal signifie aussi (1667) «se préparer, être imminent». ◇ L'intransitif (*aprester,* XVe s.) pour «s'apprêter» a disparu.

▶ Le déverbal **APPRÊT** n. m. (1306, *aprest*) désignait une préparation, spécialement l'assaisonnement de la nourriture (1616). Ce sens subsiste encore au pluriel, dans l'usage littéraire ou spécialisé. ◇ Deux autres valeurs se sont développées, l'une technique (1622), «préparation de la toile à peindre», puis (av. 1680) «opération effectuée sur des matières premières : textiles, cuirs, avant de les travailler» ; l'autre figurée, «manière d'agir affectée, trop préparée» (1762). ➜ Ce dernier a peut-être produit un adjectif **APPRÊTÉ, ÉE** (1760) que Littré considère plutôt comme une métaphore du participe passé du verbe au sens technique (*toile apprêtée* «empesée») ; ce participe était déjà adjectivé en ancien français au sens d'«équipé» (v. 1190) et de «prêt à» (1155). ➜ Les dérivés **APPRÊTAGE** n. m. (1750) et **APPRÊTEUR, EUSE** n. (1552) sont concrets et techniques. ➜ À côté de *apprêt* (ci-dessus), le moyen français avait *appreste* n. f. «préparatifs» (v. 1450), l'ancien français *aprestement* (XIIe s.), disparus avant le XVIIe siècle.

◈ **APPRIVOISER** v. tr. est issu, sous la forme *apriveiser* (fin XIIe s.) refaite au XVIe s. (1558), du latin populaire °*apprivatiare,* alors que l'ancien provençal *aprivadar* implique une forme plus ancienne °*aprivatare,* du latin classique *ad-* (→ à) et de *privatus* «personnel, domestique» (→ privé). L'ancien français connaît aussi *apriver, aprivoyer,* de *privé* au sens d'«apprivoisé» (d'où aussi le verbe *priver,* avec cette acception jusqu'au XVIIe s.).

♦ Le verbe a perdu son sens originel, «rendre privé, s'approprier», pour se fixer au figuré sur «rendre familier, familiariser (une personne, un animal)» (v. 1225) et, à propos de personnes, «rendre docile, doux», qui semble plus tardif (1677). Le pronominal, dans ce sens, est attesté dès le XIIIe siècle. ◇ Des valeurs plus précises apparaissent plus tard, «domestiquer (un animal)» (1538), sens demeuré le plus usuel, ainsi que des figurés devenus archaïques, *s'apprivoiser à qqch.* «s'y habituer» (Montaigne), *apprivoiser qqn à qqch.* «accoutumer, familiariser» (1701), d'où *s'apprivoiser avec le danger* (1701).

▸ Le participe passé **APPRIVOISÉ, ÉE** adj. s'oppose à *sauvage* et se distingue (pour les animaux) de *domestique,* qui concerne un état et presque une essence. ➛ Les dérivés **APPRIVOISEMENT** n. m. (1558) et **APPRIVOISEUR** n. m. (1556) ne sont pas usuels. ➛ **APPRIVOISABLE** adj. (1784) est surtout figuré, comme **INAPPRIVOISABLE** adj. (XVIIIe s., Diderot).
Le préfixé **RAPPRIVOISER** v. tr. (1587) s'emploie aux divers sens du verbe ; *se rapprivoiser,* au figuré «s'apaiser» (déb. XVIe s.) puis «reprendre des habitudes avec» (1690), a disparu. Le verbe est aujourd'hui concurrencé et éliminé par **RÉAPPRIVOISER.**

APPROBATEUR, APPROBATION → **APPROUVER**

◈ **APPROCHER** v. tr. est issu, par la forme *aprochier, aproechir* (1080), puis *approchier* (XIIe s.), du latin tardif *appropiare,* dérivé de *prope* «près de», le *i* latin après *p* donnant *ch-* (→ prochain, proche). L'ancien provençal *s'apropriare,* le roumain *apropia* ont conservé une forme plus proche du latin.

♦ Le verbe, construit avec *a [à],* signifie d'abord «s'avancer vers», sens représenté ensuite par *approcher de* (XIVe s.), puis *vers* (XVIe s.). L'intransitif correspond dès le XIIe s. à «se mettre auprès de qqn». Le transitif direct, dans *approcher qqn,* signifie d'abord (v. 1180) «aborder, aller trouver», puis (1309) «presser» et en droit «impliquer dans une accusation». Un autre sens juridique, comme intransitif, correspondait à «comparaître en justice» (1369) et a disparu. La valeur générale du verbe transitif, «mettre plus près», est attestée depuis le XVe siècle. ➛ Les valeurs abstraites sont anciennes, *approcher* signifiant en ancien français «aborder un sujet, en venir à qqch.» (XIIe s.) et prenant aussi (v. 1130) un aspect temporel, à propos d'un événement, du temps, sens toujours usuel, puis un aspect comparatif dans *approcher de* (qqn, qqch.) «rivaliser avec, ressembler à» (1538). Au XVIIe s., *approcher de* prend des acceptions spéciales, *approcher de qqn* se disant pour «avoir accès auprès de lui» (1538), *approcher des sacrements* (Bossuet) «de la sainte table, pour aller communier». Diverses spécialisations techniques apparaissent plus tard. ◇ *S'approcher* v. pron. signifie «venir près» (XVIe s.) et au figuré «s'appliquer à» (av. 1286), sorti d'usage. *S'approcher du vent* (1691) en marine, correspond à «aller au plus près».

▸ De l'idée de «se rapprocher», abstraitement, vient l'emploi du participe passé **APPROCHÉ, ÉE** adj. (XVIIIe s.) ; cf. *approximatif.* ➛ Le dérivé **APPROCHE** n. f. apparaît (v. 1450) dans la locution militaire ***faire approche*** et dans *les approches* (d'une place) [1465]. ◇ Le sens logiquement premier, «action d'approcher», apparaît un peu plus tard (1530) ; le mot a signifié «combat» (XVe s.) et l'acception «fait de s'approcher, de se rapprocher» est propre au français classique ; cependant ***lunette d'approche*** (1530) est toujours usuel. ◇ Des spécialisations techniques apparaissent aux XVIIIe et XIXe siècles. ◇ L'anglais *approach,* de même origine, a fourni (mil. XXe s.) un sens critiqué, «manière d'aborder un domaine de connaissances». ➛ **APPROCHANT, ANTE** adj. (1538) ne se dit pas au sens spatial de *approcher,* mais au sens temporel et surtout abstrait «qui ressemble, qui est voisin de» ; comme adverbe il correspond à «à peu près». ➛ **APPROCHABLE** adj. (XVe s.) ne s'emploie plus en français qu'avec la négation, qui correspond à l'antonyme préfixé **INAPPROCHABLE** adj., employé à propos d'une personne qu'on ne peut aborder ou joindre (1911, Proust ; attesté une fois au XIIIe s.).
Le verbe préfixé **RAPPROCHER** (*raprochier,* 1268) «mettre plus près», prend au XVIIe s. une valeur abstraite, comme le verbe simple, et comme *se rapprocher de* (v. 1320), qui signifie (1671) «être en relations confiantes (en parlant des personnes)» et «présenter une conformité, une analogie (en parlant des choses)». ◇ Le participe passé **RAPPROCHÉ, ÉE** est adjectivé, par exemple dans *protection rapprochée* (v. 1970-1980). ➛ Le dérivé **RAPPROCHEMENT** n. m. (v. 1460) suit le même mouvement et correspond à «conciliation» ou «réconciliation (en parlant de personnes)» (1629), puis à «association (en parlant de choses, d'idées) par analogie» (1674). ➛ Un sens spécial du verbe, «s'approcher de la bête poursuivie» en parlant des chiens (1690 ; *rapprocher le cerf,* 1650), donne **RAPPROCHEUR** adj. qualifiant un chien au flair aigu (1763), d'où *un rapprocheur* (1875).

◈ voir **APPROXIMATION.**

APPROPRIER v. tr. est emprunté (1209) au bas latin *appropriare,* composé «parasynthétique» de *proprius* (→ propre).

♦ Le verbe apparaît comme transitif au sens d'«attribuer (qqch.) à qqn en propre» (*appropriier,* 1209), emploi qui ne s'est conservé qu'au participe passé *approprié,* en droit canon à propos d'une église ou d'un bénéfice dont les revenus sont attribués à un dignitaire, et surtout au pronominal **S'APPROPRIER** (1548) «s'attribuer», seul emploi usuel en français moderne avec *approprié* (ci-dessous). ➛ Une autre valeur du transitif est «faire bien (qqch.)» (fin XIIe s.), spécialisée pour «rendre propre à une fin, aménager» (1538), sens disparu, sauf régionalement avec l'idée de propreté (1833, Balzac). ◇ *Approprier qqch. à qqn* s'est employé en ancien et moyen français pour «adapter à l'usage de qqn», notamment en droit (1283). ◇ De là l'emploi moderne du participe **APPROPRIÉ, ÉE** adj. «adapté à un usage», puis «bien adapté».

▸ Les dérivés français sont **APPROPRIEMENT** n. m. (1339, en droit), refait pour «action d'agencer» (1611), puis au XIXe s. «action de rendre approprié»; **APPROPRIABLE** adj. (1373; repris mil. XIXe s., Proudhon) et **APPROPRIATIF, IVE** adj. (1895, Gide in *T. L. F*), mot didactique. ➜ **APPROPRIATION** n. f. est emprunté (XIVe s., *apropriacion*) au bas latin *appropriatio*, dérivé du supin de *appropriare*, employé en médecine pour «assimilation». Resté inusité, il a été repris en chimie (1762) pour désigner un concept voisin de celui qui sera plus tard désigné par *catalyse*. ◇ Un autre emploi en rhétorique apparaît au XVIe s. (1521), mais disparaît jusqu'au XIXe s. (1826). ◇ La valeur de «fait de s'approprier des biens» (1636) est restée en usage, alors que celle qui correspond au verbe dans «action de rendre propre» (1866, Larousse) n'a pas vécu.

APPROUVER v. tr. vient du latin *approbare*, dérivé par préfixation de *probare* (→ prouver), lui-même de *proba* (→ preuve), d'abord sous la forme *aprover*.

♦ Le verbe signifie «prouver, démontrer» (fin XIIe s.), «donner son accord à», quasi synonyme de *accepter* et *admettre;* il a aussi voulu dire «éprouver, se rendre compte de» (XIIIe s., jusqu'au XVIIIe s.). Le sens de «juger bon, digne d'estime, louable» (1250) avec la spécialisation pour «autoriser» (1538) a éliminé les autres acceptions, qui se sont réparties entre *prouver, éprouver* et d'autres verbes.

▸ Le participe passé **APPROUVÉ, ÉE** adj. (1536), dans ***lu et approuvé,*** a donné en droit *un approuvé* (1835).
À part **APPROUVABLE** adj. (1550), le verbe français n'a pas de dérivé vivant : **APPROUVEMENT** n. m. et **APPROUVEUR** n. m. (XVIe s.) ont disparu.
Ce sont les emprunts aux dérivés latins qui jouent ce rôle. **APPROBATION** n. f. (1295) calque le latin *approbatio* «preuve» (av. 1525) et «action de consentir» (1295); le passage au sens moderne, «jugement favorable», semble plus récent (1671) que pour le verbe. Un sens spécial, «permission donnée à une publication» (1690), correspond à un emploi du verbe *approuver*. ➜ **APPROBATEUR, TRICE** n. est pris au latin *approbator* (1531) mais est resté littéraire, comme **APPROBATIF, IVE** adj., pris au bas latin *approbativus* (Priscien) au XVIe s. (1561). ◇ Le dérivé **APPROBATIVEMENT** adv. (1829) est rare, mais le dérivé savant **APPROBATIVITÉ** n. f. (attesté chez George Sand en 1842) a une certaine vitalité dans l'usage didactique : «besoin d'être approuvé». ➜ Au verbe préfixé négatif, **DÉSAPPROUVER** (1535) «juger défavorablement», correspondent les formes savantes **DÉSAPPROBATION** n. f. (1783, Beaumarchais; probablement antérieur) et **DÉSAPPROBATEUR, TRICE,** attesté comme adjectif chez Montesquieu (1748), puis comme nom (1787).

APPROXIMATION n. f. est un emprunt ancien de la langue médicale (1314) au latin médiéval *approximatio*, du bas latin *approximare*, de *proximus* «très proche» (→ proximité), adjectif dérivé du superlatif de *prope* «proche» (→ approcher, proche).

♦ Rare ou technique en ancien et moyen français, le mot désigne le rapprochement de deux éléments disjoints, la réduction d'une fracture. ◇ Au XVIIIe s. (1740), *approximation* prend en mathématiques le sens abstrait de «calcul qui permet d'approcher une grandeur réelle», d'où le sens courant (fin XVIIIe s.) de «valeur approchée».

▸ Du sens abstrait de *approximation* vient un dérivé en mathématiques (1789), **APPROXIMATIF, IVE** adj. dont le sens familier, «imparfait, vague», semble assez récent. ➜ L'adverbe **APPROXIMATIVEMENT** (1823) témoigne de la vitalité de cet adjectif.
Le verbe **APPROXIMER** v. tr. est formé (fin XVIIIe s.) d'après *approximation*. Un emprunt ancien (*aproximer*, XIVe s.) n'est qu'une variante savante de l'ancien français *aproismer* (X^e-XIVe s.) «approcher de», «appeler en justice» (cf. *approcher*), prolongé par les dialectes occitans. ➜ La réapparition du mot, pour «s'approcher de (qqn)», n'a pas eu de suite, et le verbe a été reformé en sciences (1866, Larousse) pour «évaluer par approximation».

APPUYER v. tr. est issu (1080), d'abord aussi sous la forme *apoyer* (cf. l'espagnol *apoyar*), d'un latin populaire °*appodiare* (cf. l'italien *appoggiare*), dérivé de *podium* «socle, support» (qui a donné *puy*), lui-même emprunt au grec *podion* «petit pied» (→ podium), diminutif de *pous, podos* (→ -pode).

♦ Très usuel, le verbe, qui se dit d'abord pour «soutenir matériellement» et «s'aider de qqch.» (1080), a pris des valeurs concrètes, «soutenir par un appui» (XIIe s.), «bâtir (une maison) contre (qqch.)» (1283), et abstraites *(appuyer qqn, un projet)*. ◇ Comme intransitif, le verbe signifie «émettre avec force» (1664), «insister avec force» (*appuyer sur*, 1690).
L'idée de soutien se développe métaphoriquement (aussi au pronominal) surtout à partir du XVIIe siècle, dans *appuyer* (son espérance) *sur qqch.* (1671), etc. *Appuyer qqn* signifie «aider, protéger» (1669). ◇ *Appuyer sur*, «appliquer contre, en pressant» (*sur le mors*, 1690), fournit par figure *appuyer sur la droite, la gauche* «porter vers» (1835). ◇ L'intransitif s'emploie aussi pour «prendre appui sur qqch.» (en parlant d'une voûte, 1690). ◇ Le pronominal ***s'appuyer*** s'emploie en parlant des personnes, en droit (*s'apuier a droit*, 1283), dans le domaine des références intellectuelles (*s'appuyer sur [un passage, un texte]*, 1538; cf. *se fonder, se baser*), du soutien, qu'il soit financier (*s'appuyer sur qqn*, 1607) ou moral, aussi *s'appuyer de* en langue classique (1694), sorti d'usage. ◇ Un emploi familier du réfléchi indirect, *s'appuyer qqch.*, correspond à «prendre, s'emparer» (1888, en argot) et aussi à «subir, supporter»; si l'on en juge par des métaphores analogues, *se faire, se farcir, se taper*, ce sens pourrait impliquer avec euphémisme une métaphore érotique, probablement homosexuelle.

▸ Le participe passé **APPUYÉ, ÉE** adj. s'emploie surtout au sens d'«émis avec force» et «insistant, lourdement marqué».

Le déverbal **APPUI** n. m. est très usuel au sens initial abstrait (1165, *apui*) «action d'appuyer, de soutenir», dans des syntagmes figés comme ***prendre appui sur..., point d'appui*** (1751 ; puis avec des valeurs métaphoriques militaires) et des spécialisations liées à l'emploi intransitif et extensif du verbe : *appui de la voix* (1835), *consonne et voyelle d'appui* en phonétique. ◆ Un sens métonymique, «ce qui sert à soutenir», se dégage au XIVe s. (*apoie*, 1355; *appui*, 1530) : il est concret, surtout spécialisé (*appui d'un levier*, 1671; *appui de fenêtre*, d'où ***à hauteur d'appui***, 1671), et abstrait, «soutien moral ou aide» (1671); il donne naissance à l'expression ***à l'appui de...*** (1804, en droit). ◇ De l'idée concrète d'appuyer sur le sol, vient le sens technique «temps de la marche où le pied pose sur le sol» (1835, du cheval). ◆ Enfin, le verbe ou le substantif *appui* ont servi à former des composés concrets écrits *appui-* (alors variables) ou *appuie-* (invariables) : **APPUI(E)-BRAS** n. m. (1928), «accoudoir»; **APPUI(E)-MAIN** n. m., **APPUI(E)-TÊTE** n. m. et **APPUIE-LIVRES** n. m. (→ livre, main, tête).

Le préfixé **S'ENTRAPPUYER** v. pron. (XVIe s., Baïf) est sorti d'usage.

◈ voir **APPOGIATURE.**

APRAXIE n. f. Cet emprunt didactique a eu deux valeurs successives. Il a été créé en russe par Gogol (1873), d'après le grec *apraxia* «inaction», de *a-* privatif (→ ② a-) et de *prattein* «agir» (→ pragmatique, pratique).

♦ Le mot a désigné (fin XIXe s.) une perte de la compréhension des finalités ustensiles. ◇ Forgé en allemand par Liepmann (1900), il est passé en plusieurs langues, en psychophysiologie, pour «incapacité d'exécuter des mouvements volontaires finalisés, sans lésion motrice ou sensorielle».

▸ Ce sens a effacé le premier, et a produit **APRAXIQUE** adj. (attesté 1907).

ÂPRE adj. vient (XIIe s.), comme l'italien *aspro* et l'espagnol *áspero*, du latin *asper*, à l'accusatif *asperum* «rocailleux», puis «qui cause une sensation rude au toucher, au goût, à l'ouïe», et au figuré «rude, pénible», dont un dérivé a produit *exaspérer**. *Asper* est d'origine inconnue; il s'applique par figure aux choses et aux personnes.

♦ Les premières attestations de *aspre*, appliqué aux personnes, couvrent de nombreuses notions : sévérité, vaillance (XIIe-déb. XVIIe s.), passion, ardeur (XIIIe-déb. XVIIe s.), avidité, cupidité, notamment dans *aspre de* et infinitif (1274) et *apre à*, qui s'emploie aussi avec l'infinitif (1559). ◇ *Âpre à*, dans ce sens, survit dans ***âpre au gain*** (1694, *aspre*), mais s'employait avec de nombreux substantifs; *âpre en*... est plus récent (*âpre en affaires*, 1846). *Âpre à*, au sens d'«ardent, violent», attesté du XVIIe au XIXe s. (*âpre à l'ouvrage*, Balzac), devient ensuite un archaïsme littéraire sauf peut-être régionalement. ◆ L'idée figurée de violence correspond à plusieurs emplois anciens : «fougueux, rétif (en parlant d'un cheval)» (XIIIe-XVe s.), «hargneux (en parlant d'un chien)» (1559), «violent (à propos d'un combat, d'une lutte, d'un affrontement)» (XIIe - déb. XVIIIe s.). Celle de cruauté, de dureté est réalisée en parlant de la mort (v. 1240), des événements (XIIe-XIVe s.), d'actes, etc.

L'acception concrète, «abrupt, escarpé», apparaît au XIIe s. (Chrétien de Troyes, 1164) ainsi que la valeur «désagréablement rude (au toucher, au goût)», «piquant (à propos du froid)» (fin XIIe s.). Pour cet adjectif, employé concrètement, l'usage moderne reflète une faible partie de celui de l'ancien français, toutes choses (contextes, connotations) inégales d'ailleurs. ◆ *Âpre* a vieilli pour exprimer la rugosité, notion avec laquelle il s'est employé dans tous les contextes, remplacé par *inégal, rugueux, grossier, râpeux*, etc. Il ne se dit plus du chaud et du froid (XIIe-XIXe s.); il est rare à propos des sons (XVIe s., Montaigne), mais se maintient à propos du goût. Dans ce domaine il a été positif, qualifiant un vin généreux, fort (XIIe-XIVe s.) puis, à partir du XIVe s., désagréable, râpeux ou âcre, emploi qui s'étend à toute nourriture, aux fruits (XVIIe s., Ménage) et reste en usage.

▸ L'adverbe **ÂPREMENT** est dérivé (1119) en français; sa valeur abstraite (fin XIIe s.) est encore vivante dans l'usage littéraire. Il s'est employé (déb. XVIe jusqu'au XIXe s.) dans certains emplois concrets de l'adjectif. ◆ **ÂPRETÉ** n. f. adapte le dérivé latin *asperitas* avec une morphologie française (XIIe s.); il est en concurrence, par répartition des sens, avec l'emprunt *aspérité* (ci-dessous). ◇ *Âpreté* désigne, aujourd'hui littérairement, une rudesse désagréable (d'un pays, du temps) et, abstraitement, le caractère pénible ou violent d'une action, d'une attitude. Il s'est dit d'un chemin (XIVe s. ; puis XVIe-XIXe s.), du climat (1564), valeur où le mot reste en usage. ◇ Son emploi le plus vivant concerne le goût (1539, du vin; 1680, d'un fruit).

ASPÉRITÉ n. f. est emprunté au latin *asperitas* «rugosité» et «élément saillant», de *asper* qui a donné *âpre*. Il a eu en français plusieurs formes : *asperiteit* (fin XIIe s.), *aspirité* (XVIe s.), demeurées rares car on utilisait surtout *aspreté* ; avant d'être repris (1726) sous la forme *aspérité*. Les premiers emplois sont abstraits : «âpreté, rudesse»; le sens de «caractère rugueux (en parlant d'une surface, d'une matière)» est en usage de la fin du XVIe au début du XIXe siècle. L'emploi actuel, *une, des aspérités*, apparaît en 1726 et a pris (1824 in *T. L. F.*) des valeurs métaphoriques : *les aspérités du style, du caractère*, etc.

◈ voir **EXASPÉRER, PRÊLE.**

APRÈS, d'abord adverbe (Xe s.), puis préposition (v. 1130), est issu de l'adverbe bas latin *ad pressum*, employé en Gaule au lieu du latin classique *post* (qui a donné l'italien *poi*, l'espagnol *pues*, l'ancien provençal *pos*) et formé avec *ad* (→ à) et le neutre de *pressus*, participe passé adjectivé de *premere* «presser» (→ presser). *Ad pressum* signifie «auprès; serré contre ou avec», sens qu'ont conservé l'ancien provençal *apres* et l'italien *appresso*.

♦ Le sens spatial gallo-roman s'est réparti en français entre *après* (1080), l'ancien français *empres* (Xe s.) et le composé de l'adverbe *près, auprès*, beaucoup plus tardif. Plus important sémantiquement est le passage de l'idée initiale de proximité à celle de postériorité et d'ordre (dans l'espace), qui marque l'influence du contraire *avant,* d'après l'opposition *ante-post.* Ainsi, le clivage entre *auprès* et *après* n'est pas seulement entre «espace» et «temps» mais entre «proximité sans ordre» (cf. *près, proche*) et «succession», l'idée d'ordre (spatial ou temporel) assurant l'unité de *après,* comme celle de *avant,* et permettant les emplois abstraits (*cela vient après, logiquement,* etc.). ◇ Seule exception à cette évolution, l'emploi de *après* au lieu de *à,* de *sur (grimper après un mur, la clé est après la porte),* considéré comme populaire et fautif, et qui ne fait que transmettre la valeur ancienne. ➜ L'emploi adverbial de *après* donne lieu à l'expression interrogative ***après ? et après ?,*** qui peut marquer l'indifférence et même le défi, ainsi qu'à ***ci-après*** (fin XIVe s.) «plus loin (dans un texte)». ➜ De la préposition, vient la locution conjonctive ***après que*** (v. 1200), aujourd'hui souvent construite de manière critiquable avec le subjonctif, sur le modèle de *avant que...* Le sens spatial a produit ***être après qqn*** «le suivre et l'importuner». ◇ De l'idée de «suite» dérive celle d'«imitation» dans ***d'après*** «selon», courant depuis le XVIIe siècle. Deux locutions adverbiales, ***après coup*** «une fois la chose faite» (mil. XVIIe s.) et ***après tout*** (1641) «tout bien considéré», sont restées courantes. ➜ *Après* sert à former des composés nominaux, avec *demain*, guerre*, midi*, ski*, vente*,* etc.

A PRIORI adv., comme *a posteriori,* apparaît dans le langage scientifique (1626) emprunté au latin scolastique, de *a* et de *priori,* lui-même de *prior* «qui est premier» (→ prieur, priorité), au lieu de *a priore.*

♦ Le mot, scientifique puis général, correspond à «avant vérification par l'observation ou l'expérience»; il prend une valeur péjorative (1738): «avant d'examiner les faits, par préjugé». ◇ Devenu substantif (1845), il possède ces deux valeurs.

▸ Les dérivés **APRIORISME** n. m. (1872, Janet) et **APRIORISTE** adj. (1869), d'où **APRIORISTIQUE** adj. (1874), sont didactiques et sans connotation péjorative, de même que **APRIORIQUE** adj. (milieu XIXe s., Proudhon).

APTE adj., emprunt au latin, a remplacé (XIVe s.) l'ancien français *ate* «serré, joint», «convenable» (XIIe-XIIIe s.), issu du même *aptus,* d'où «bien attaché» et figurément «capable», synonyme de *habilis,* avec pour contraire le composé *ineptus* (→ inepte). Cet adjectif latin vient du participe passé de *apere* «lier, attacher», mot indoeuropéen correspondant au sanskrit (*apa* «il a atteint»), au hittite (avec les sens «atteindre» et «prendre»). Un dérivé verbal de *aptus* a produit le composé *adaptare* «équiper pour» (→ adapter).

♦ Rare en moyen français (1375), où il signifie «propre à qqch.» et «habile», *apte* est repris (XVIIIe s.) en droit (*apte à hériter* «qui a la capacité de»), et n'entre dans l'usage courant qu'au milieu du XIXe s. sous l'influence de *aptitude* (ci-dessous). Comme nom, le mot s'impose dans le contexte de la biologie darwinienne *(la survivance des plus aptes).*

▸ **APTITUDE** n. f. est emprunté au dérivé latin de basse époque *aptitudo* pour désigner la disposition, la capacité naturelle d'une personne (1361). ◇ Parmi les spécialisations et extensions, l'idée de capacité juridique (1701), celle de capacité à servir sous les armes (d'où *inapte,* ci-dessous), de compétence professionnelle acquise par une formation (XXe s.), et (mil. XIXe s.) celle de dispositions naturelles des espèces vivantes, qui a influencé l'adjectif.

Les dérivés de *apte* ont disparu (*aptement* adv., 1546, etc.), sauf le préfixé **INAPTE** adj. (*inapt,* av. 1475, repris à l'époque révolutionnaire) qualifiant un homme qui n'est pas apte au service armé. De là *un inapte* (*in* Larousse,1928). ➜ **INAPTITUDE** n. f. (1380) a été repris au XVIIIe s. (1762), appliqué plus tard à l'état d'un homme inapte au service militaire.

◈ voir ADAPTER, ADEPTE, ARTILLERIE, COPULER, COUPLE, INEPTE.

AQUA-, AQUI-, élément figurant dans des emprunts au latin ou à l'italien, représente le latin *aqua* qui a donné *eau** (→ aqueduc).

▸ **AQUATIQUE** adj. est emprunté (1270) au latin *aquaticus,* dérivé de *aqua;* il signifie «qui est de la nature de l'eau», puis (XVe s.) «plein d'eau, marécageux» et (mil. XIVe s.) «qui vit dans l'eau ou près de l'eau». ◇ Le dérivé **AQUATIQUEMENT** adv. (1658) est rare. ◇ En revanche, le préfixé **SUBAQUATIQUE** adj. (1866) s'emploie didactiquement pour «qui a lieu sous l'eau». ➜ L'italien a fourni au français trois termes d'art. ◇ **AQUARELLE** n. f. est emprunté (1791) à *acquarella* «couleurs diluées dans l'eau», de *acqua,* du latin *aqua;* on disait en français *peinture à l'eau.* Le mot désigne le procédé et *(une, des aquarelles)* l'œuvre; les dérivés **AQUARELLER** v. tr. (1855), surtout au participe passé, et **AQUARELLISTE** n. (1829) témoignent du succès du mot. À noter que *gouache*,* pris à l'italien *guazzo,* vient indirectement de *aquatio,* autre dérivé de *aqua.* ◇ **AQUAFORTISTE** n. et adj. est pris (1853) à l'italien *acquafortista,* dérivé de *acquaforte,* calqué en français par *eau-forte* (qui a subsisté), procédé de gravure à l'acide; il est composé de *acqua* «eau» et de *forte* «forte». ◇ **AQUATINTE** n. f. est un peu plus ancien (1817, *aquatinta*); c'est un emprunt à l'italien *acqua tinta,* qui signifie «eau teinte» et désigne une gravure à l'eau-forte imitant le lavis. En français, la forme *aquatinta, aqua-tinta* est archaïque. ◇ Le dérivé **AQUATINTISTE** n. (1866) est rare.

AQUARIUM n. m. est le mot latin *aquarium* «réservoir, évier», de l'adjectif *aquarius,* qui a donné *évier, aiguière.* Le mot est emprunté dans un sens spécialisé (1860), apparu semble-t-il dans le contexte de la zoologie avant de passer dans le grand public. ◇ Les récents hybrides **AQUARIOPHILE** n. et **AQUARIOPHILIE** n. f. signalent la socialisation du goût pour les poissons décoratifs.

AQUAMANILE n. m. emprunt (1885) à un composé latin de *aqua* et *manus,* suff. *-ile,* désigne en archéologie un bassin et une aiguière pour se laver les mains.

D'autres composés modernes de *aqua* sont **AQUICULTURE** n. f., proposé par Quatrefages de Bréau

(1864), suivi par **AQUICULTEUR, TRICE** n. (1866) et **AQUICOLE** adj. (1877) qui concernent l'élevage commercial des espèces marines (la *pisciculture* n'en étant qu'un aspect), très développé au XXe s., où les formes en *aqua-* tendent à l'emporter sur *aqui-*. ◆ **AQUIFÈRE** adj., terme didactique formé sur le latin *aqua* et *-fère*, est un mot zoologique créé par Lamarck (1809), plus courant depuis 1834 au sens «qui contient de l'eau (en parlant d'un terrain)».
Le sport a fourni **AQUAPLANE** n. m., du latin *aqua* et *planer* (1931), remplacé plus tard par le ski nautique, le surf. ◆ **AQUAPLANAGE** n. m., recommandé officiellement en 1973 pour remplacer le faux anglicisme *aquaplanning* (1969), concerne la perte d'adhérence d'un véhicule sur une surface mouillée.

◈ voir AIGUIÈRE, AQUEDUC, AQUEUX, EAU, ÉVIER, GOUACHE, VODKA, WHISKY. — Voir aussi à EAU le tableau «les noms de l'EAU».

AQUEDUC n. m. est un emprunt de la Renaissance (*aqueducte*, 1518, simplifié plus tard) au syntagme latin *aquaeductus*, du génitif de *aqua* (→ aqua-, eau) et de *ductus* «conduite», dérivé de *ducere* (→ conduire). L'italien *acquidetto* vient d'une variante de basse époque *aquiductus*, écartée ou ignorée par les humanistes. La présence de nombreux aqueducs romains en France a renforcé la stabilité formelle et sémantique de ce terme.

♦ Le mot désigne un ouvrage d'art destiné à conduire l'eau d'un point à un autre.

AQUEUX, EUSE adj. est adapté en empruntant (v. 1480, *vin aqueux in* Arveiller) le latin *aquosus*, de même sens, dérivé de *aqua* (→ eau).

♦ Parallèle à d'autres emprunts romans, *aqueux* (1503) a remplacé l'adjectif populaire *eveux, ewos* (v. 1170), *eweu*, dérivé de *ewe, eau**, qui a vécu jusqu'au XVIe s., mais *aqueux* est resté didactique aux deux sens : «de la nature de l'eau» et (1546) «qui contient de l'eau» (en parlant notamment d'un fruit). La paronymie avec *queue* ne l'a pas aidé.

▸ **AQUOSITÉ** n. f., pris (1314) au dérivé bas latin *aquositas*, est encore plus rare.

AQUILIN adj. m. est emprunté (XIVe s.) au latin *aquilinus*, dérivé de *aquila* qui a donné l'ancien français *aille* et *aigle**. Le latin *aquila* n'est pas indoeuropéen; il est peut-être de la même famille que l'adjectif *aquilus* «brun sombre».

♦ L'adjectif signifie d'abord en général «qui ressemble à l'aigle». Seule la spécialisation ***nez aquilin*** (1468) «courbé en bec d'aigle» a survécu. ◇ Par influence sémantique de l'adjectif latin *aquilus* (ci-dessus), le français connaît un *cheval aquilain* ou *aquilant* (1802), reprise de l'ancien français *aquilant* (une fois au XIIIe s.) que les Anciens rattachaient à *aqua*, sans s'attarder à la difficulté pour le sens.

AQUILON n. m. est un emprunt ancien (1120) au latin *aquilo, -onis* «vent du nord», mot rattaché par l'auteur latin Festus à *aquila* (→ aigle), par l'idée de «vol rapide» *(aquilo ventus a vehentissimo volatu ad instar aquilae appellatur)*. Cette origine est douteuse (→ ancolie) mais non remplacée, le rapport avec l'adjectif *aquilus* «brun sombre» (Suétone) [cf. *aquilin*] étant plus douteux encore.

♦ *Aquilon* est littéraire et rare, comme *autan;* il s'applique au vent du nord et, au pluriel, aux vents froids en général.

ARABE (LA LANGUE ARABE)

C'est autour de l'année 620 de notre ère que la langue arabe, qui était le dialecte de quelques tribus du désert de l'Arabie, est brusquement devenue l'instrument d'expression privilégié de la religion qui vient de naître : l'islam. Assurant la transmission du Coran, le texte sacré, l'arabe a vite pris une importance capitale dans l'expansion de l'Empire musulman à travers l'Orient, l'Afrique du Nord, l'Europe et l'Asie. Sans éliminer complètement les langues des populations islamisées, l'arabe est devenu néanmoins la langue dans laquelle s'exprimaient la littérature, les arts et les sciences, et reste encore de nos jours la langue liturgique de 200 millions de musulmans.
L'arabe est une langue sémitique, appartenant à la même famille que l'akkadien, l'ougaritique, le phénicien, l'hébreu (voir l'article consacré à cette langue) et les idiomes araméens, le sudarabique et les langues éthiopiennes (guèze, tigré et amharique). Avec ces deux dernières langues, dont il est le plus proche, l'arabe forme le sous-groupe du sémitique méridional; il aurait pour berceau la péninsule arabique.
Selon des témoignagnes épigraphiques, dont les plus anciens datent du VIIIe s. avant J.-C., deux langues distinctes coexistaient dans la péninsule arabique : le sudarabique (sous plusieurs formes dialectales telles que le sabéen, le minéen, le hadramoutique et le qatabanite) et l'arabe septentrional, qui fonctionnaient indépendamment l'une de l'autre. Après l'islamisation, les langues sudarabiques ont été pratiquement supplantées par l'arabe du Nord. Les premières données épigraphiques concernant ce dernier sont celles d'El'Ula, l'ancien Dédan (au nord de l'Arabie), remontant au Ve, peut-être même au VIIe s. avant J.-C., dont l'écriture s'apparente à celle du sudarabique. On considère néanmoins que les premiers véritables spécimens de la langue arabe sont les inscriptions dites liḥyanites et thamoudéennes ainsi que les

graffiti safaïques remontant au IIe siècle de notre ère et écrits dans des dialectes quelque peu différents en une écriture dérivée du sudarabique. Mais ces textes trop brefs ainsi que le recours aux philologues de l'époque classique ne nous renseignent qu'imparfaitement sur la genèse de l'arabe classique et ne nous permettent pas de faire la lumière sur la répartition exacte de ces dialectes en Arabie, ni de savoir s'il s'agissait de variantes d'une même langue ou de langues différentes.

Les seuls documents connus en arabe, écrits antérieurement à l'islam, sont des inscriptions datant du VIe s. de l'ère chrétienne, trouvées à Zebed et à Harran en Syrie. Pourtant à la même époque, une langue littéraire orale, celle de la poésie dite antéislamique, était florissante en Arabie centrale. Cette poésie, riche et profonde, composée dans une langue très élaborée, tant sur le plan grammatical que lexical, a été transmise par voie orale et n'a été fixée par écrit qu'aux premiers siècles de l'islam par les philologues de l'époque classique.

Le Coran a été articulé dans une langue très proche de cette poésie païenne, ce qui n'est pas sans poser de graves problèmes. En effet, Mahomet, originaire du Hedjaz, aurait dû transmettre la parole divine dans son parler de La Mecque, ce qui n'est pas le cas. Des linguistes occidentaux ont donc émis l'hypothèse d'un état premier du Coran en hedjazien, remanié ultérieurement dans une langue littéraire commune au moment de la parution de la vulgate coranique, seul texte que nous possédons. Nous ne sommes pas en mesure de savoir, en l'état actuel des recherches, si cette langue commune provient d'un mélange de dialectes ou d'un dialecte qui aurait supplanté les autres. Ce qui est sûr, c'est que cette langue du Coran et de la poésie antéislamique va très vite acquérir un statut de norme et d'idéal linguistique et littéraire.

L'avènement de l'islam va promouvoir la langue arabe et la mettre à une nouvelle place. Le Coran, parole de Dieu, constitue un élément fondamental de cohésion qu'il faut codifier et réglementer. Selon la tradition mythique, ce serait le calife 'Ali, cousin de Mahomet, qui aurait élaboré la première grammaire avec des principes tirés du Coran. Peu importe le bien-fondé de cette légende, puisqu'il est certain qu'à partir de l'époque omeyyade, les nouveaux besoins d'un islam en expansion ont poussé les grammairiens et les philologues, à partir du VIIIe s., à établir un corpus de référence de la langue. Ce travail, qui correspondait à des préoccupations religieuses, a fourni l'occasion d'une recherche exceptionnelle dans les sciences du langage.

Le développement de l'**Empire musulman** par des conquêtes territoriales va pourtant produire une évolution du vocabulaire ; la nouvelle langue classique va, d'une part, assimiler tous les apports linguistiques des populations islamisées et, d'autre part, faire face à la nécessité de créer de nouveaux termes adaptés aux besoins d'une civilisation en pleine mutation culturelle et administrative. Les philologues doivent alors adapter la vieille langue tribale et bédouine aux nouvelles exigences.

C'est avec la dislocation de l'empire musulman amorcée au XIIIe s. et le passage à des dynasties non arabes, que l'arabe a commencé à perdre du terrain, tout en demeurant néanmoins la langue religieuse et la langue officielle d'une partie de l'empire. Ce facteur politique explique en grande partie la léthargie dans laquelle est tombée la langue arabe jusqu'au XIXe s., date à laquelle débute la Nahda, mouvement de renaissance culturelle.

L'arabe moderne. En effet, la pénétration européenne avec, entre autres, la campagne d'Égypte de Bonaparte, confronte le monde arabe, refermé sur lui-même, aux progrès de la civilisation occidentale et à la nécessité d'adapter de nouveau sa langue aux exigences du monde moderne. Si les structures syntaxiques se sont simplifiées tout naturellement et progressivement sous l'influence des langues européennes comme l'anglais ou le français, parlées en Orient et en Afrique du Nord, il n'en va pas de même pour les problèmes d'ordre lexical. L'arabe, de par sa structure profonde liée à une morphologie et à une sémantique étroitement imbriquées (les «racines trilittères»), rend difficile l'apport de nombreux néologismes. Malgré l'effort des Académies et des organismes spécialisés, l'actualisation de la langue classique s'est souvent faite de manière anarchique, en laissant le champ libre aux emprunts aux autres langues, chaque pays utilisant sa propre terminologie.

Cet état de fait est également lié à la situation linguistique actuelle du monde arabe, où deux systèmes linguistiques se juxtaposent. Le premier, celui de l'expression écrite, est cet **arabe moderne,** dérivé de l'arabe classique, enseigné à l'école et utilisé comme langue de communication dans les médias et la littérature. Le second est la **langue parlée,** formée de dialectes vernaculaires, pratiquée quotidiennement, différente selon les pays et même les régions. Ces dialectes ne sont pas enseignés, ils sont partiellement écrits et on n'a, à ce jour, aucune hypothèse sérieuse sur leur formation par rapport à l'arabe classique. Parlés aujourd'hui par quelque 80 millions d'habitants, ils sont regroupés en plusieurs familles linguistiques et sont souvent marqués par l'influence d'autres langues, comme le berbère en Afrique du Nord. Ces dialectes peuvent être parfois suffisamment éloignés les uns des autres pour que la compréhension soit difficile. Ainsi, le monde arabe étant divisé géographiquement entre pays d'Orient

(Machrek) et pays d'Occident (Maghreb), la communication ne peut se faire aisément entre deux usagers appartenant à l'une ou l'autre partie sans le recours à l'arabe moderne.

L'apport de l'arabe au français.

Avec plus de 250 mots, l'arabe est à l'origine d'un bon nombre d'emprunts de la langue française. L'Empire musulman à son apogée a en effet été l'une des sources importantes des cultures européennes, et notamment de la culture française.

L'expansion territoriale de l'Empire arabe aux VIIe et VIIIe s. lui a permis de s'implanter en Orient jusqu'à l'Indus, en Occident jusqu'au Maroc et à l'Espagne. Sa puissance militaire et politique s'est doublée d'une civilisation brillante qui a connu un essor littéraire, scientifique et technique sans égal dans le monde occidental du moyen âge. Les Arabes reprennent très vite à leur compte l'héritage d'autres cultures comme les cultures indienne, persane ou grecque, dans les domaines de la philosophie et de la science. Cet héritage se manifeste par l'arabisation de nombreux termes techniques venus surtout du grec.

Les Arabes, précurseurs de la science moderne, se sont particulièrement distingués dans les mathématiques, la médecine (avec Avicenne et Averroès), l'alchimie (mot d'origine arabe) et l'astronomie. De par leur activité commerciale en Orient et dans le monde méditerranéen, ils ont joué un rôle de tout premier rang et ont multiplié les contacts entre Orient et Occident.

Ce rayonnement intellectuel et économique s'est traduit par de nombreux apports linguistiques qui ont été véhiculés principalement par le biais de trois langues : le latin médiéval des savants étudiant les ouvrages scientifiques arabes, l'italien pratiqué dans les ports de Gênes et Venise, lieux d'échanges commerciaux entre l'Orient et l'Occident, l'espagnol, fortement influencé par la présence arabe dans la péninsule Ibérique, du VIIIe au XVe siècle.

Avec le déclin de l'empire au XIVe s., les apports linguistiques se sont raréfiés et il faut attendre la conquête de l'Algérie en 1830 pour qu'un certain nombre de mots d'origine arabe dialectale fassent leur entrée dans le vocabulaire français, d'abord par l'argot militaire.

Les sciences.

Médecins et alchimistes, les Arabes nous ont laissé de nombreux termes touchant aux sciences. Un certain nombre d'entre eux provenaient du grec, particulièrement en alchimie ; on peut ainsi citer les mots *alchimie* (en arabe *al-kimîyâ*, du grec *khêmia*), *élixir* (arabe *al-iksîr*, grec *ksêron*) et *alambic* (arabe *al-anbiq*, grec *anbix*).

Le latin médiéval s'est souvent chargé de la transmission des termes scientifiques. On trouve ainsi pour les mathématiques les mots *algèbre (al-jabr)*, *algorithme* (du nom de l'inventeur de l'algèbre *al-Khawarizmi*), *chiffre* et *zéro* (provenant tous deux de l'arabe *ṣifr*). L'arabe nous a laissé en astronomie les termes *zénith* et *azimut (samt)*, en chimie ceux de *camphre (kafour)*, *goudron (qatran)*, *alcool* (de *al-kohl*, qui a aussi donné *kôhl*). Dans le domaine de la pharmacopée, des plantes médicinales et des cosmétiques, on trouve notamment *sirop (sharâb)*, *musc (misk)*, *ambre ('anbar)* et *momie (moumia)*, qui désignait le bitume avec lequel on embaumait les cadavres. Un certain nombre de végétaux, utilisés comme médicaments (les simples), ont fait leur apparition dans le vocabulaire : *safran*, *nénuphar*, *épinard*, *benjoin* et *estragon*. Quelques noms de végétaux sont parvenus en français par le biais de l'italien, de l'espagnol ou du provençal comme *coton (qutn)*, *sucre (sukkar)*, *abricot (al-barqûq)*, *orange (naranj)*, *pastèque (batîkha)*.

La civilisation.

Les rapports commerciaux intenses entretenus par l'Italie avec le monde arabe ont joué un grand rôle dans la diffusion de tout un vocabulaire regroupant soit des activités liées directement au commerce, soit des produits importés par ce commerce. On trouve dans cet ensemble les mots *douane* (de l'arabe *diwân*, venu du persan qui a donné également *divan*), *gabelle (qabâla)*, *tarif (ta'rîf)*, *avarie ('awār)*, *arsenal (dârsinâ'a)*, *quintal (qintâr)*. Les produits importés d'Orient ont fourni *nacre (naqâra)*, *satin (zaituni)*, *matelas (matraḥ)*, *guitare (kithara)*.

Les apports plus tardifs.

Au XVIIe et au XVIIIe s., la mode du voyage en Orient fait entrer des termes d'origine littéraire ou touristique, comme *almée*, *houri*, *djinn*, *fakir*, *marabout*, *babouche*. C'est l'époque où Galland traduit en un français admirable le chef-d'œuvre narratif des *Mille et Une Nuits*. Ce vocabulaire spécifique s'ajoute à quelques termes de fonction entrés antérieurement comme *émir*, *amiral*, *calife*, *mufti*. La présence militaire française en Algérie a favorisé l'emprunt par le français argotique de mots appartenant à l'arabe dialectal. Utilisés par les soldats, ils sont ensuite passés dans la langue populaire : *toubib*, *casbah*, *nouba*, *bled*, *maboul*, *kif-kif* en font partie.

Mimoun Nouri

BIBLIOGRAPHIE

P. GUIRAUD, *Les Mots étrangers*, Paris, Que sais-je ?, n° 1166, 1971.

A. MEILLET, M. COHEN, *Les Langues du monde*, Paris, Éditions du C. N. R. S., 1952.

C. PELLAT, *Langue et littérature arabes*, Paris, A. Colin, 1970.

► Les dérivés *aquilonaire* adj. (XVIe s.) «du nord» et *aquiloniens* n. m. pl. (1575) «gens du Nord», ont rapidement disparu.

ARA n. m. est un emprunt (1558) au tupi *arara* (*araraca* en guarani, sous cette forme en français, chez Maupassant).

♦ Le mot, directement transmis des langues indiennes du Brésil en français (Thevet, 1558, qui écrit *arat*), désigne un gros perroquet à plumage vif, originaire du Brésil. La forme complète *arara* (1651), réempruntée, n'a pas concurrencé la forme *ara* (1614).

ARABE adj. et n. est la réfection, par le latin *arabus*, de la forme ancienne *arrabit* (1080), peut-être issue directement de l'arabe *'arabī*. Le mot latin vient du grec *araps, arabos*, lui-même emprunté à l'arabe où il signifiait peut-être «le nomade qui vit sous la tente».

♦ Le mot concerne d'abord exclusivement l'Arabie, puis s'applique aux peuples originaires d'Arabie qui, avec l'islam, se sont établis au sud de la Méditerranée (Égypte, Libye, Maghreb), au Proche-Orient (Syrie, Irak) et en Espagne. Le mot a quelques emplois figés, tel *chiffres arabes* opposé à *chiffres romains* (le mot *chiffre** étant lui-même d'origine arabe). ◆ Il a eu des valeurs figurées, souvent péjoratives, qui reflètent les images sociales de l'Arabe : corsaires barbaresques, d'où *un arabe*, du XVIIe au XIXe s. au sens d'«usurier rapace» (avec pour synonyme *juif*), puis «pillard nomade» (on disait aussi *bédouin*), succédant à *barbaresque*. ◆ En français moderne populaire, par suite de la colonisation du Maghreb au XIXe s., *arabe* équivaut à «maghrébin», sans perdre ses emplois normaux; ceci à tel point qu'on ne dit plus *arabe* pour «d'Arabie» mais par exemple *saoudien* (d'Arabie Saoudite). ◆ *Arabe* adj. et n. m. est appliqué à la langue sémitique née en Arabie et répandue par l'islam, dont les variétés sont distinguées par des syntagmes (*arabe préislamique, coranique, littéral, dialectal, «du journal»*; *arabe égyptien, algérien*, etc.).

► **ARABIQUE** adj., ancien synonyme de *arabe*, est emprunté (1213) au dérivé latin *arabicus*. Il a subsisté en géographie (*golfe Arabique* : mer Rouge) et encore aujourd'hui dans *gomme arabique*. ◆ Le féminin latin **ARABICA** a fourni le nom international d'une variété de café (d'abord, caféier originaire d'Arabie). ◆ Le nom de la langue (voir l'encadré pages 179 à 181) a donné plusieurs dérivés. **ARABISER** v. tr. (1735) a signifié «donner une phonétique arabe à (un mot)» et **ARABISME** n. m. (1740) «manière de dire propre aux Arabes». ◇ Cependant, ces deux mots, notamment avec l'indépendance des pays arabes, ont pris une autre valeur, «donner un caractère social arabe à» et, pour *arabisme*, «esprit, civilisation arabe». ◆ **ARABISANT, ANTE**, d'abord adjectif pour «arabique» (1637), a été reformé comme nom (1842) pour «spécialiste de la langue et de la culture arabes». ◆ Le dérivé du verbe, **ARABISATION** n. f. (attesté 1903), est devenu courant pour «fait de donner un caractère arabe à (l'administration, l'enseignement, par exemple)». ◆ Les mots composés en **ARABO-** sont nombreux. **ARABOPHONE** adj. et n. (attesté 1903) est d'usage fréquent en français dans la série des adjectifs en *-phone*, notamment du fait des relations entre l'arabe maghrébin et le français (cf. *francophone*).

ARBI n. m. date sans doute du milieu du XIXe s. (attesté 1863); c'est un emprunt des militaires de l'armée coloniale à l'arabe maghrébin, qui correspond à l'arabe classique *'arăbīyī* «arabe». Ce mot familier a désigné les Maghrébins d'Algérie, dits en français *Arabes* (ci-dessus); il était familier et condescendant, mais non injurieux. ◇ Son dérivé **ARBICOT** n. m. (1861), qui a disparu, a donné le terme raciste *bicot**. ◆ Enfin, par renversement (verlan) d'une prononciation non francisée *('reub)* de *arabe*, le nom et adj. **BEUR** (v. 1980) s'applique aux Maghrébins de la «deuxième génération», en général nés en France et souvent citoyens français. ◇ Un dérivé **BEURETTE** n. f. (av. 1990) désigne les jeunes filles.

◈ voir ARABESQUE.

ARABESQUE n. f., qui apparaît chez Rabelais en 1546, est un italianisme emprunté à *arabesco*, dérivé de *arabo* (→ arabe).

♦ Adjectif et nom masculin, il signifie «langue arabe» (jusqu'au XVIIe s.). ◇ Cependant, l'expression *à l'arabesque*, pour désigner un style décoratif, est ancienne. De là vient (1611) l'emploi de *une arabesque*, une décoration «à l'arabe», faite de formes végétales et géométriques compliquées, l'islam excluant la représentation humaine. Le mot a eu pour synonyme *mauresque*, par la même image. ◇ *Arabesque*, mot pittoresque, s'est étendu avec le romantisme à «ligne, évolution sinueuse, capricieuse» (1839, Balzac), parfois mis en relation avec *grotesque* (les contes de Poe traduits par Baudelaire). Il s'est employé en chorégraphie (1838); depuis 1872, il concerne le domaine sonore, musical (titre d'œuvres pour piano, de Debussy).

ARABLE → ARAIRE

ARACHIDE n. f. , d'abord féminin, est d'abord un mot scientifique (*arachydna*, 1752) emprunté au latin *arachidna*, hellénisme pris au grec *arakhidna* «gesse», dérivé de *arakos* (même sens), mot d'étymologie inconnue, qui vient peut-être d'Asie Mineure.

♦ Francisé en *arachide* (1794), peu avant l'apparition de *cacahuète* (1801), qui ne concerne que la graine, le mot désigne une plante tropicale produisant des graines oléagineuses. Un autre synonyme, pour la graine, est *pistache (de terre)*, employé en français des Antilles. ◇ *Arachide* (et non *cacahuète*) tend à remplacer l'anglicisme *pinotte (peanut)* en français du Canada.

ARACHNIDES n. m. pl., d'abord féminin, est un dérivé savant (1801), par le latin scientifique, du grec *arakhnê* «araignée» et «toile d'araignée», que l'on ne peut rapprocher, hors du grec, que du latin *aranea* (→ araignée); le mot est peut-être apparenté à *arkus* «filet».

♦ Ce terme de zoologie désigne la classe d'animaux, différents des insectes, à laquelle appartiennent les araignées — considérées comme des insectes jusqu'au XVIIIe s. —; la classe zoologique, établie par Lamarck, remplace les *Araneae* (araignées) de Linné.

► Du dérivé grec *araknoides* «en forme de toile d'araignée», vient par emprunt en anatomie le mot **ARACHNOÏDE** n. f. (XVIe s., Paré), nom d'une des membranes enveloppant l'encéphale. ◇ Il a pour dérivés **ARACHNOÏDIEN, IENNE** adj. (1838), «fin comme une toile d'araignée» et en anatomie (1855) «de l'arachnoïde», et **ARACHNOÏDITE** n. f. (1812).
➡ **ARACHNÉEN, ENNE** adj. est un dérivé savant (1857) du grec *arakhnê*, d'abord didactique pour «propre à l'araignée», puis littéraire au sens de «léger, aérien comme la toile d'araignée» (1889, Goncourt : *architecture arachnéenne,* à propos de la tour Eiffel).

ARACK n. m. est emprunté (1519, *arach*) à l'arabe *'araq* «sueur» et «exsudation», dans *'araq al-tamr* «exsudation du palmier», le suc du dattier, après fermentation, fournissant une boisson alcoolique (cf. *vin de palme*). Le portugais a *arraga.*

♦ Le mot apparaît dans la traduction française du voyage aux Moluques de l'Italien Pigafetta. Il désigne alors un alcool de riz (sens extensif en arabe), puis (1670, *arac*) de canne à sucre, de lait aigri, chez les Tartares (1752). Le mot arabe ayant été emprunté dans de nombreuses langues, des réemprunts ont eu lieu, pour désigner divers produits de distillation alcoolique. On écrit aussi *arak, arac* (archaïque).

◈ voir **RAKI.**

ARAIGNÉE n. f. désigne, sous diverses variantes formelles (notamment une voyelle initiale *i* dans *iraignée,* du XIIe au XVIIe s.), ce que nous appelons *toile d'araignée,* le mot ayant changé de sens, d'ailleurs très tôt (déb. XIIe s.). C'est un dérivé de *araigne, aragne, iraigne, irègne* «araignée» au sens actuel. Toutes ces variantes sont issues (déb. XIIe s.) du latin *aranea* «toile des arachnides». L'animal se disait *araneus* (l'italien a gardé cette distinction : *ragna, ragno*), forme primitive du mot latin, probablement apparenté au grec *arakhnê* «araignée» (→ arachnides). Un composé a donné *musaraigne** (avec *mus* «souris»). ◇ Le couple *araigne-araignée,* où le suffixe *-ée* vaut pour «ce qui est produit par...», a disparu avec son premier terme (XVIe-XVIIe s.), *araignée* prenant le sens de l'ancien mot. ◇ Les composés du type *arantèle* (XVIe s.), du latin *tela,* pour désigner la toile, n'ont pas vécu ; le latin avait connu *araneae tela,* littéralement «toile d'araignée».

♦ C'est au XVIe s. que le dérivé *araignée,* d'abord «toile d'araignée», se met à désigner l'animal (1549), éliminant peu à peu la forme simple *araigne, aragne* (maintenue dans les dialectes et encore attestée en français central au XIXe s.). ◇ *Araignée* étant seul usuel, c'est le syntagme ***toile d'araignée*** qui a occupé le premier sens du mot, alors que les dialectes occitans utilisent plutôt *toile aragne* (cf. espagnol *telaraña*). *Araignée* a divers emplois extensifs. ◇ Le fait que *araignée rouge, araignée d'eau* désignent des insectes, et non des arachnides, souligne le fait que la distinction entre insectes (concept précisé aux XVIIIe-XIXe s.) et araignées est relativement récente (cf. *arachnides*). ◇ La forme caractéristique de nombreuses araignées, aux pattes longues et recourbées disposées autour du corps, a donné lieu à des métaphores comme ***doigts d'araignée*** (1694) avec l'idée secondaire de doigts crochus, d'avidité pour *araignée de comptoir* «marchand» et *araignée de trottoir* «prostituée», en argot (1896), expressions sorties d'usage. L'idée de marche rapide s'y joint dans le second syntagme, qui reprend *araignée de bastringue* (1809) «fille qui fréquente les cabarets».
➡ Par ailleurs, la forme de l'araignée sert à désigner des objets à partie centrale circulaire et à éléments rayonnants : «pince à crochets de chirurgien» (XVIe s., Paré), «cercle de l'astrolabe» (1690), «crochet de fer à plusieurs branches» (1694), «poulie à plusieurs branches» (1678), «petite voiture à grandes roues» (1870), plus récemment «système de fixation à plusieurs élastiques» où l'idée de la toile est aussi présente. ➡ D'autres métaphores, pour *aragne,* puis pour *araignée,* concernent la toile : «filet à oiseaux» (*araigne,* 1565 ; *araignée,* 1660) ou «filet de pêche» ; «nielle des prés» (*aragne*), «grillage de fer» (*areigne,* 1386) ; la plupart ont disparu.
Enfin, les valeurs symboliques négatives attachées à l'animal donnent parfois lieu à de la phraséologie : tristesse (***araignée du matin, chagrin*** ; mais ***du soir, espoir***), folie : ***avoir une araignée dans le plafond*** (1866), ou ***au plafond*** «être un peu fou».

► Le latin *aranea* a servi à former quelques termes scientifiques, notamment **ARANÉIDES** n. m. pl. (1803) «ordre de la classe des arachnides, les Araignées de Linné» (cf. *arachnides*) ; cet ordre a été établi par Walckenaer («arachnides fileux»).
◇ **ARANÉIFORME** adj. (1838) a vieilli.
ARANTÈLE n. f. est composé (1561) du latin *aranea* ou de *aragne* et du latin *tela* «toile», selon le procédé familier au XVIe s., pour désigner la toile d'araignée. Ce mot disparu est parfois repris comme archaïsme littéraire. ◇ Il s'est spécialisé en vénerie pour désigner des formations fibreuses sur le pied du cerf.

◈ voir **ARACHNIDES, ÉRIGNE, MUSARAIGNE, ROGNE.**

ARANÉIDES, ARANTÈLE → **ARAIGNÉE**

ARAIRE n. m. est un terme ancien (*arere,* déb. XIIe s.) devenu dialectal (nord-est et midi de la France) et repris (1740) avec un sens distinct de celui de *charrue.* Le Centre connaît, avec un autre suffixe, *areau* et ses variantes, courantes au XVIe siècle. Ces mots, supplantés par *charrue,* sont issus du latin *aratrum,* dérivé de *arare.* C'est un verbe indoeuropéen, signifiant «labourer», que l'on retrouve dans de nombreuses langues (racine °*ara-*). Un dérivé spécifique désigne l'instrument pour labourer, *aroun* en grec, *arathar* en celtique, etc. C'est le passage de l'instrument archaïque, sans roues, à celui qui en comporte, que signale le passage au mot *charrue.*

♦ *Araire,* après l'apparition de la charrue (XII-XIIIe s.), reste en usage pour désigner l'ancien instrument et ses équivalents dans des cultures traditionnelles.

▸ Le verbe latin *arare* avait donné en ancien français *arer* (1155), éliminé par *labourer*, et qui a eu des sens figurés en marine (XVIe-XVIIIe s.). Il a disparu, comme ses dérivés *arée* n. f. «terre labourée» (1155) et «action de labourer» (2e moitié XIXe s.), *arage* n. m. «terre labourable» (XIIIe-XIVe s.) et comme *areur* n. m. «laboureur», issu (XIIIe s.) du dérivé latin *arator*, et *areüre, airure* n. f. (XIIe-XVIe s.) «labour; culture». Outre *araire*, deux mots de cette famille ont survécu, *arable* et *aratoire*.

ARABLE adj. est un emprunt ancien (1155) au latin *arabilis* à l'accusatif, dérivé de *arare*. Il signifie «propre à être labouré». *Bœuf arable* «de labour» s'est employé en moyen français (1395-XVe s.). ◆ **ARATOIRE** adj. est un emprunt (traité quant au suffixe) au latin *aratorius*, autre dérivé de *arare*. *Bœuf aratoire* (1514), qui avait remplacé *bœuf arable* (ci-dessus), est lui aussi sorti d'usage. ◇ L'adjectif semble repris au XVIIIe s. dans ses emplois modernes : *instrument aratoire* (1787), *art aratoire* (1796), vieilli.

ARAUCARIA n. m. est emprunté (1823, adapté en *araucaire*) au latin botanique *araucaria*, tiré par A. L. de Jussieu *(Genera plantarum)* de l'espagnol *Araucanos*, nom d'une population indienne du sud du Chili (en français *Araucans*).

♦ Le mot désigne un conifère originaire d'Amérique du Sud.

ARBALÈTE n. f. est issu (1080) du composé latin *arcuballista* (Végèce), de *arcus* (→ arc) et *ballista* (→ baliste). Il est écrit *arbaleste* dès *La Chanson de Roland*, par disparition du *c* de *arcus* (°*arcbaleste*); une variante *arbalestre* est usuelle jusqu'au XVIe s. et a produit le dérivé *arbalestrier* (XIIe s.; variante *arbalestier*). Elle est produite par assimilation, comme pour *regesta-registre*. Une autre variante, *erbalète*, a elle aussi disparu.

♦ L'arme fut en usage jusqu'au XVIe s., mais le mot reste connu comme terme historique et a été repris, de même que *arc*, pour exercer un sport, d'où le sens «tir à l'arbalète; sport qui consiste à tirer avec cette arme» (probablement mil. XIXe s.). *Arbalète* a en outre désigné des petits arcs pour enfants (1544, *arbellette*) et par plaisanterie, en argot, un fusil (1915-1918), une arme à feu (mil. XXe s.); cf. *escopette, tromblon*. ◇ L'idée d'arme est aussi à la base du figuré plaisant pour «membre viril» (1531), encore attesté au XXe s. mais peu usuel (cf. ci-dessous ① *arbalétrier*). ◇ L'idée de rapidité *(filer comme une arbalète)* concerne la valeur régionale et peu attestée de «flèche». ◆ Sans rapport avec le sémantisme «arme», d'autres emplois concernent des objets plus ou moins cintrés, en forme d'arc, «poutre» (*aubelestre*, 1287), éliminé par le dérivé ② *arbalétrier* (ci-dessous), des instruments techniques, par allusion à la corde de l'arc, «attache du battant d'un métier à tisser» (1751), des pièges comportant un arc de métal (XIIe, au moins jusqu'au XVIIIe s.). On peut signaler aussi *cheval en arbalète* (1749) pour «(attelage) en flèche».

▸ ① **ARBALÉTRIER** n. m. (v. 1375), d'abord *arbalestier* (XIIe-jusqu'au XVIIIe s.), désigne le soldat armé d'une arbalète et (mil. XIXe s.) celui qui pratique l'arbalète comme un sport (cf. *archer*). ◇ Des métaphores érotiques ont eu cours à l'époque classique, du type *méchant arbalétrier* (1657) «homme qui se vante à tort d'exploits amoureux» (cf. *abatteur de quilles*), aussi *n'être pas grand arbalétrier* (1694); plus tard, le mot a signifié «souteneur» (1718). ◆ Un homonyme vient du sens métaphorique en charpenterie, d'abord sous la forme *arbalestier* (1676) puis, à partir des formes en *-estre*, ② **ARBALÉTRIER** (1693; *arbalestrier*, 1690), «poutre oblique d'un comble, assemblée à une poutre verticale (poinçon)», terme technique toujours en usage. ◆ **ARBALÉTRIÈRE** n. f., réfection suffixale (1300) de *arbalesteres* (1174), désigne une meurtrière en forme de croix permettant de tirer à l'arbalète.

ARBI → ARABE

✳ ① **ARBITRE** n. m. est emprunté (1213) au latin *arbiter* «témoin qui assiste à un événement», puis «arbitre», mot d'origine obscure, peut-être formé sur *ad-* (→ à) et un verbe archaïque *baetere* signifiant «aller» (le témoin «survient»?). La série latine n'a donné lieu qu'à des emprunts, à l'exception de *arbitrium*, d'où vient l'ancien français *arvaire*, etc. «vision, songe», «illusion».

♦ D'abord juridique en français, le mot s'applique aussi, par latinisme, à un témoin (1586), figurément (1654) à une autorité qui fait respecter ses décisions; ce sens existait déjà en latin. ◇ Au figuré, on a parlé de *arbitre de la vie, de la mort* (1653) pour «maître absolu». ◇ Une spécialisation en sports (1896) concerne la personne désignée pour contrôler la régularité d'une épreuve sportive; elle correspond à l'avènement d'un sport organisé, aux règles précises.

▸ L'homonyme ② **ARBITRE** n. m., dans ***franc arbitre*** (v. 1230), puis ***libre arbitre*** (1541), est abstrait : «faculté de se déterminer par la seule volonté, sans contrainte». Il vient du latin *arbitrium* «fait d'être témoin» et «arbitrage», d'où «pouvoir de décider» (*liberum arbitrium*, chez Tite-Live). ◇ L'emploi du mot seul, dans ce sens (1265), est archaïque ou confondu avec ① *arbitre*.

ARBITRAL, ALE, AUX adj. (1270), du dérivé latin *arbitralis*, et **ARBITRER** v. tr. (1274), pris au latin *arbitrari*, sont liés au sens juridique de *arbitre* et, récemment pour le verbe, à son usage en sports (1901, *arbitrer un match*) et à celui de *arbitrage* en finances (1922 dans les dictionnaires). ◆ Le dérivé du verbe, **ARBITRAGE** n. m. (1283, en droit), a pris au début du XVIIIe s. un sens financier (l'opérateur «arbitre» les différences de cours à son avantage); d'où **ARBITRAGISTE** (1869, comme nom) et même **ARBITRAGER** v. (XXe s.) qui montre que le verbe *arbitrer* n'est pas usuel dans ce sens. ◇ *Arbitrer*, comme *arbitre*, s'est spécialisé en sports. ◆ *Arbitrer* a aussi pour dérivé **ARBITRABLE** adj. (1866).

ARBITRAIRE adj. est emprunté (1397, Froissart) au latin *arbitrarius* «du témoin; de l'arbitre», qui a pris à partir d'Aulu-Gelle le sens de «relatif au libre arbitre». ◆ C'est le premier emploi en français, avec une évolution depuis l'usage philosophique et politique (*arbitraire* n. m. «pouvoir absolu», 1525) vers la langue courante, où *arbitraire* devient péjoratif

(1611) : «qui procède du caprice, du bon plaisir», jusqu'à devenir voisin de *despotique* ou de *tyrannique* (en parlant d'une décision). Comme adjectif et substantif masculin (*l'arbitraire,* au XVIIIe s. chez Montesquieu), cet emploi reste vivant. ◇ Dans la seconde moitié du XIXe s., l'adjectif prend en sciences la valeur d'«auquel on peut attribuer une valeur quelconque» (attestée 1877 en mathématiques : *quantité arbitraire*). Comme adjectif et nom masculin, cette valeur passe aux sciences humaines, où le mot correspond à «non motivé, libre, conventionnel», par exemple en linguistique chez Saussure (déb. XXe s.). L'opposition *arbitraire/conventionnel* s'est alors déplacée par rapport à l'emploi précédent, politique, où *arbitraire* «dû au pouvoir et au vouloir d'un seul» s'opposait à *conventionnel* «collectif». ➜ Le dérivé **ARBITRAIREMENT** adv. (1397) a pris au XVIIe s. (1677) la valeur de «manière autoritaire et despotique» et, plus récemment, celle de «conventionnellement».

ARBORER v. tr. est un italianisme, emprunté (v. 1320 ; v. 1490, selon *F. e. w.*) à *arborare* «élever, dresser droit (comme un arbre)», du latin *arbor* (→ arbre).

♦ Il signifie «planter, dresser (un étendard, etc.)» puis «porter de manière très visible, et fièrement», équivalent approximatif de *afficher, étaler,* parfois ironique comme ces verbes. Par métaphore, *arborer l'étendard de qqn* signifie «se déclarer ouvertement pour lui» (1718).

ARBORESCENT, ENTE adj. est emprunté (1549) au dérivé latin *arborescens,* de *arborescere,* verbe dérivé de *arbor* (→ arbre).

♦ De «en forme d'arbre», sens du latin, le mot français a retenu la subdivision des branches ; l'adjectif équivaut à «ramifié». Comme son dérivé **ARBORESCENCE** n. f. (1838), l'adjectif a pris des valeurs figurées, «développement (développé) par subdivisions», «formation (formé) de subdivisions, de bifurcations», en parlant d'un schéma (cf. *arbre*).

▸ Le latin *arbor* a produit en français une série de mots. ➜ **ARBORÉ, ÉE** adj. (XVIe s.), mot de géographie («parsemé d'arbres») et d'horticulture (*jardin arboré,* courant en Belgique). ➜ **ARBORICOLE** adj. (1863) se dit en zoologie pour «qui vit dans les arbres». ◇ Il sert aussi d'adjectif à **ARBORICULTURE** n. f. (1836) «culture des arbres, exploitation des forêts», lequel, comme **ARBORICULTEUR, TRICE** n. (1853), appartient à la riche série des mots en *-cole, -culture...* ➜ *Arboriculteur* a remplacé l'ancien **ARBORISTE** n. m. (1572) «pépiniériste» qui vient du moyen français *arboliste* (1499), altération de *herboriste* (→ herboriste), avec influence de *arbor.* ➜ **ARBORISER** v. intr. (1539, Rabelais), tiré de *arbor, arboris,* s'est plus ou moins confondu avec *herboriser.* ➜ Il est sémantiquement distinct de **ARBORISÉ, ÉE** adj. (1750) «qui présente une forme en ramifications», d'où **ARBORISATION** n. f. (1806) souvent appliqué aux cristaux, au givre.

ARBOUSE n. f. (1557), d'abord *arbouce* (1562), aussi *arbousse* (1614), est issu, comme l'ancien provençal *arbous* (1550), du latin *arbuteus,* variante de *arbutus,* de même sens (on disait aussi *unedo*), d'étymologie inconnue.

♦ Le mot désigne le fruit rouge, aigrelet, d'un arbre de la famille des *Éricinés.*

▸ Le dérivé **ARBOUSIER** n. m. (1552), aussi *arbouzier, arboussier* (1605), *arboisier* (1660), désigne l'arbre qui porte ces fruits.

ARBRE n. m. est issu du latin *arbor, arboris* (primitivement *arbos*), nom féminin de forme exceptionnelle qui signifie «arbre» et aussi «mât», mot obscur (il n'y a pas un type «arbre» en indoeuropéen). Le féminin en latin s'explique par la féminisation de la «mère (productrice) des fruits», phénomène lié à un concept religieux qui est, lui, à peu près universel. L'accusatif *arborem,* en latin populaire °*arbrem,* a donné *arbre.* Le mot est passé en italien (*albero*), espagnol (*árbol*) ; en portugais il est resté féminin, les autres langues ayant adopté le genre masculin du bas latin, par analogie avec les autres mots en *-or.*

♦ *Arbre* est courant en français à toutes époques (depuis 1080), avec des valeurs symboliques d'origine mythique (dans *arbre de Noël ; arbre de la science du bien et du mal,* d'après la Genèse, dès le XIIe s.) et métaphoriques, symbole de force et aussi de lignée, de race, d'où la figure de l'*arbre de Jessé* et le sens de *arbre généalogique.* ◇ De nombreux syntagmes servent à désigner des plantes, arbres et arbustes, d'après une caractéristique ou une utilisation : *arbre de Judée* (XVIe s.), *arbre saint* (1768), l'azédarach, dont les graines servaient à la fabrication des chapelets, *arbre à la glu* (1845), le houx, etc. ◇ Des objets de forme analogue au tronc d'un arbre ont reçu ce nom : «mât» (XIIIe-fin XVIIIe s.), d'où *arbre de mestre* «grand mât» (1690), *arbre de trinquet* «mât de misaine» (1835) ; «moyeu» (XIIe s., d'un moulin, d'un pressoir), sens réemprunté au latin *arbor,* très vivant en mécanique, par exemple au sens d'«axe (d'un pendule)» (1690) et dans *arbre de couche* (1866), *arbre de manivelle* (1873). ➜ *Arbre* désigne en particulier des arborescences, par exemple *arbre de corail* (1672), *arbre des philosophes* (1721) «mercure (en alchimie)», des cristallisations : *arbre de Mars* (1751), *arbre de Saturne* (1811).

L'idée de schéma à bifurcations, également présente dans *arborescent*,* s'est développée abstraitement à partir du XVIIIe s. (*arbre encyclopédique,* 1755), puis aux XIXe et XXe s. en logique, en linguistique, sous l'influence de l'anglais *tree,* qui témoigne de la même métaphore.

▸ Les dérivés français ont disparu : *arbrier* n. m. «fût d'arbalète» (XIVe s.), aussi *arbrière* n. f. (1338) ; *arbret* n. m. (1337) et *arbrot, arbrel,* diminutifs, *arbroie* n. f. (XIIIe s.) [arbraie] «lieu planté d'arbres», *arbreux* adj. (1330) et plusieurs verbes (→ arbor-).

ARBRISSEAU n. m. vient, sous les formes *arbroisel* (XIIe s.) et *arbriscel, arbrissel* (XVIe s.), du latin populaire °*arboriscellum* (*arbriscellum* en latin médiéval), diminutif de *arbor.* ◇ Le mot, depuis le XIIIe s. sous cette forme, désigne un végétal ligneux plus petit que l'arbre et ramifié depuis la base. ➜ Il a pour composé en botanique **SOUS-ARBRISSEAU** n. m. (1701).

ARBUSTE n. m. est emprunté (1495) au latin *arbustum* «bosquet», de l'adjectif *arbustus* «de l'arbre»; le mot désigne un petit arbrisseau et est devenu courant. ◇ Dans l'usage général, il désigne plutôt un petit arbre, qui peut être plus grand que l'arbrisseau, distinction contraire à la terminologie botanique. ➜ Un autre dérivé de *arbor, arbuscula,* avait donné au XVIe s. **ARBUSCULE** n. m., archaïque et repris au figuré en zoologie. ➜ Le dérivé **ARBUSTIF, IVE** adj. (1551) se dit de plantes analogues aux arbres ou *(vigne arbustive)* plantées au pied d'un arbre.

◈ voir **ARBORER, ARBORESCENT** (et mots en **ARBOR-**).

✻ **ARC** n. m. est issu (1080) du latin *arcum,* accusatif de *arcus,* comme l'italien et l'espagnol *arco;* le mot français s'est prononcé *ar* jusqu'au XVIe s., le *c,* lorsqu'il est prononcé, servant à lever l'ambiguïté avec *art. Arcus* désigne en latin l'arme, puis des objets ayant la forme du bois d'un arc tendu : l'arc-en-ciel, l'arche, la voûte. *Arcus* est un mot de l'aire indoeuropéenne occidentale, à rapprocher du vieil islandais et du vieil anglais *(or, orvar, earh),* d'où procède l'anglais *arrow* «flèche». Les trois principales valeurs du latin, développées en latin médiéval, se sont prolongées en français.

♦ Le mot désigne, dès l'origine, une arme formée d'une tige flexible, courbée au moyen d'une corde et servant à lancer des flèches; les variantes *(are, art, arche, ark)* ont disparu au XVIe siècle. En ancien français, on opposait l'*arc à manier, a main, de main* «à la main» (XIIe s.) à l'*arc à tour* (1288), ancêtre de l'arbalète. Certains arcs lançaient d'autres projectiles que les flèches : *arc à jalets* (balles de terre glaise) [1454], *à pierres* (*arc a perre,* 1419, en anglonormand), *à balles.* Mais le mot, employé seul, évoque la forme primitive et le jet de flèches, par exemple dans la locution ***avoir deux cordes à son arc*** (XIIIe s.), ***plus d'une*** (déb. XVIIe s.), ***plusieurs*** (1611) ***cordes à son arc.*** Ce sens a donné naissance à deux dérivés, *archer* et *archère* (ci-dessous). ◇ Par métonymie, *arc* désignait aussi la portée d'un arc (1240). ◇ Après le remplacement de l'arc comme arme de guerre ou de chasse, le mot change de statut; il s'emploie surtout, depuis le XVIIe s., comme terme d'histoire ou d'ethnologie puis en sports, le *tir à l'arc* ayant réapparu en tant que sport.

➜ Le second sens emprunté au latin (v. 1150) concerne la construction courbe servant de sommet à un édifice et s'appuyant sur deux points solides. Des syntagmes, tel *arc doubleau* (1399) «arc en saillie, sous une voûte», des composés (ci-dessous *arc-boutant*) et des acceptions analogiques s'ensuivent. ◇ *Arc* signifie alors «portique», «arcade», surtout dans les dialectes, «arche (d'un pont)» (XVIe s.); mais ces valeurs, en français central, sont souvent remplacées par des dérivés de *arc,* notamment *arche* et *arcade.* ◇ Une spécialisation (en anglo-normand, 1165, puis en France) concerne ce que l'on nomme en français moderne et depuis l'ancien français (XIIe s.) ***arc de triomphe.*** Au sens architectural, les différents types d'arcs (et de voûtes) servent à caractériser les styles : *arc en plein cintre* (roman), *arc brisé, en tiers point* (gothique), *arc en anse de panier* (Renaissance), *arc outrepassé* (arabe), etc.

Au XVIe s., le mot désigne plus largement toute forme en segment de courbe (1562), sens déjà réalisé auparavant en géométrie (v. 1474, Chuquet), d'où ***arc de cercle,*** et en astronomie (*arc dou zodiac, arc du jour* av. 1324). *En arc* qualifie (1636) cette forme. ◇ Des spécialisations techniques, en imprimerie (1571), en carrosserie (1680), en marine (1740), semblent archaïques. ◇ Des emplois scientifiques, en anatomie (1776, *arc du colon,* etc.), en électricité (1814, *arc excitateur,* puis ***arc voltaïque; arc électrique,*** 1890), sont toujours en usage. La dernière acception désigne l'étincelle entre deux électrodes, dont la forme est d'ailleurs légèrement arquée, puis à peu près rectiligne; de là ***lampe à arc, soudure à l'arc.***

Enfin, au troisième sens du latin (*arc,* XIIe-XIVe s.), l'usage a préféré les formes issues du latin *coelestis arcus* (cf. ci-dessous *arc-en-ciel*).

▸ Le composé le plus ancien, calque du latin *coelestis arcus,* est **ARC-EN-CIEL** n. m., d'abord écrit *arc en ciel* (1270), précédé par *arc del (dou) ciel* (mil. XIIe s.), la variante *arc au ciel* (1485) ayant disparu. Écrit *arc-en-ciel* (1636), le mot désigne le météore aussi appelé *écharpe d'Iris,* s'appliquant par extension aux couleurs du spectre. ◇ La forme arquée devenant secondaire, le mot s'applique à des poissons irisés (1875), par apposition *truite arc-en-ciel,* et s'emploie comme adjectif de couleur (1945), par exemple dans *maillot arc-en-ciel,* du champion du monde de cyclisme.

Formé avec *arc* au sens architectural, **ARC-BOUTANT** n. m. (1387), du participe présent de *bouter* «pousser», désigne le système de contre-butée propre au gothique. C'est de ce nom que vient *arc-bouter* (ci-dessous). ➜ Enfin, un ancien composé (XIe s.) **ARC VOLT** (de *volutus,* de *volvere*), désignant une voûte ou une arcade, a donné en ancien et moyen français les formes soudées *arvol* (XIIe-XIVe s.), *arvoil, arvoux,* prolongées dans les dialectes, avec de nombreux sens spécialisés. Des formes dérivées sont courantes en ancien français. Les formations sont parallèles à celle de l'italien qui a donné *archivolte**.

Le dérivé (diminutif) ① **ARCHET** n. m., parfois *arhet* en ancien français, désigne d'abord (mil. XIIe s.) un petit arc, en construction, puis une niche voûtée (1530), une arcade au-dessus d'une baie (1490). Le mot a disparu dans cet emploi, mais s'est maintenu en technique et sourtout en musique, alors démotivé par rapport à *arc.* ➜ En effet, depuis le milieu du XIIIe s., il se dit de la baguette d'abord courbe, tendue d'une mèche de crin, qui frotte sur les cordes d'un instrument pour en tirer des sons continus. Le mot est aujourd'hui sans rapport perçu avec *arc,* l'archet étant devenu droit, ce qui oblige à employer *archet courbe* en histoire de la musique; il est inséparable du nom des principaux instruments à corde : *violon, alto, violoncelle, contrebasse.* ➜ Le mot a en outre de nombreux sens techniques, en chirurgie (XVIe s., Paré), en imprimerie (1567), etc.

ARCEAU n. m., étant donné sa phonétique et son ancienneté (*arcel,* 1170), vient plutôt d'un dérivé latin populaire °*arcellus* que de *arc.* ◇ En construction, il est synonyme de *archet,* au sens ancien de «petit arc, niche»; il sert aussi à désigner un petit arc de triomphe (1548) et se dit de toute tige recourbée (1514), d'un arçon de selle (1549), d'un châssis de berceau (1636). ◇ Le sens le plus vivant, hors des techniques, concerne l'architecture des jardins *(arceau d'une tonnelle).* ➜ Un autre dérivé diminutif est **ARCHELET** n. m. (XVIe s.) «archet, arceau; petit arc (arme)», conservé en technique (XVIIIe s.). ➜ D'autres formes, **ARCELET** n. m. (av. 1552, «anneau de métal dans la coiffure féminine»), *arcelot,* désignent divers objets en forme d'arc.

Deux mots se rattachent exclusivement à l'acception de *arc* «arme pour lancer des flèches». ➜ **ARCHER** n. m. (*archier,* XIIe s.) vient probablement d'un dérivé latin populaire de *arcus.* Le mot, avec des variantes en ancien français *(arkier, arcier),* désigne un soldat ou un chasseur armé de l'arc; la forme moderne apparaît en anglo-normand (XIIe s.) et l'emporte au XVIe siècle. Comme *arc, archer* est devenu un terme d'histoire et d'ethnologie, mais il a été repris dans le contexte du tir à l'arc sportif (1905). ◇ Au XVIe s., le mot désignait un officier de justice subalterne (1530, *archier*), un agent de police (1549), alors démotivé par rapport à *arc,* ces «archers» portant au XVIIe s. des mousquets et autres armes à feu; le mot est en concurrence avec *sergent.* Ce sens disparaît au XVIIIe s., se conservant par plaisanterie (1814, «agent de la sûreté») et dans les dialectes. ➜ **FRANC-ARCHER** n. m. (1448) se disait d'hommes de guerre exempts d'impôts (cf. *franc bourgeois**), membres d'une milice créée par Charles VII. ➜ *Archer* a pour diminutifs **ARCHERET** n. m. (1340) et **ARCHEROT** n. m. (XVIe s.), mot archaïque dès le XVIIe s. et désignant en poésie le «petit archer», Cupidon.

ARCHÈRE n. f. (*arciere,* puis *archiere,* XIIIe s.), dont la forme moderne apparaît au XIVe s. et s'établit au XVIe s., désigne une meurtrière pour tirer à l'arc. Disparu, ce sens est repris (1644) en histoire de l'architecture. Le mot signifie par extension «lucarne» (1826), reprenant une valeur attestée en flamand vers 1300. ◇ Au sens de *arc* et *arche* en construction, *archère* s'est appliqué aussi à une petite arcade (1324) et à diverses arches, acception sortie d'usage.

D'autres mots rattachés à *arc* (arme) ont disparu, notamment les verbes *archier* (une fois au XIIe s.), *archoier, archeier* (XIIe-XVe s.) «tirer, chasser à l'arc»; *archiee* n. f. «portée d'un arc» (v. 1165). ➜ **ARCHERIE** n. f., «fabrication des arcs» (XIVe s.) et «technique de l'arc» (XVe s., *L'Art d'archerie*), a été repris au XIXe (1866) et au XXe s. pour «matériel de tir à l'arc».

ARQUER v. tr., qui est plutôt dérivé de *arc, arche* qu'issu du latin *arquare,* a succédé (1611) à *archer* (XIIIe s.) «courber en arc», aussi comme intransitif (1678) et, celui-ci s'employant peu, comme pronominal. ◇ Il a pris des valeurs techniques, en architecture, en construction navale (*s'arquer,* 1680), et familières («se courber», 1867). ◇ La valeur populaire, pour «marcher» (1854), semble ancienne dans les dialectes; les enjambées y sont comparées à des courbes, d'où les acceptions «sauter», «faire des enjambées» (aussi en parlant d'un cheval). Les emplois modernes, en ce sens, sont négatifs : ***ne plus pouvoir arquer*** (1921), d'où «être épuisé». ➜ **ARQUÉ, ÉE** adj., «courbé en arc» (XVIe s., Paré), succède lui aussi à *archié* (fin XIVe s.), *arché.* Il a des emplois spécialisés, en marine (1678), en hippiatrie (1680), etc., mais s'emploie surtout dans l'usage général avec *jambes arquées.* ➜ **ARCURE** n. f. (1304) succède à *archeure* (1290) au sens de «courbure, état de ce qui est en arc». Le mot a été repris en viticulture (1817) pour «action de courber les sarments», en horticulture et plus tard en technique (1872) pour désigner une courbure provenant d'un défaut de fabrication, pour un canon.

ARCADE n. f., mot de la Renaissance (1555), succède au latin médiéval *arcata* (1291 en Avignon), à l'occitan et au provençal *arcada* (XIVe s.), *arcado,* désignant surtout l'arche d'un pont. Wartburg le fait venir de l'occitan plutôt que de l'italien *arcata,* qui signifie «portée de l'arc» et n'est attesté en architecture qu'au début du XVIIIe siècle. ➜ Le mot désigne une ouverture en arc dans un mur, ainsi que l'arche d'un pont (1600). Au XVIIIe s., il prend des valeurs spéciales en technique (1845, pour le métier Jacquard), en anatomie (1762), comme *arc. Fausse arcade* (1755) désigne un renforcement cintré sans baie ouverte. ◇ En architecture, la spécialisation par rapport à *arc* et à *arche* donne au mot l'acception «ensemble formé par l'arc et ses supports». Surtout employé au pluriel, par exemple dans *galerie à arcades,* d'où *les arcades,* il en vient à désigner collectivement une galerie formée d'arcades, souvent aujourd'hui une galerie commerciale.

ARCATURE n. f. est soit dérivé (1845) de l'italien *arcata,* soit de *arc,* d'après le sens d'*arcade.* Le mot désigne une série d'arcades. ➜ Il a pour composé **CONTRE-ARCATURE** n. f. (1869).

② **ARCHE** n. f., au sens de «voûte», est issu (XIIe s.) du latin populaire °*arca,* nom féminin, tiré de *arcus.* ➜ Le mot constitue une variante pour l'un des sens de *arc,* par exemple dans *arche triomphale* (1475), mais c'est la valeur la plus ancienne, «partie cintrée d'un pont», qui l'a emporté, un moment concurrencée par **ARCHIE** n. f. (1390), dérivé éliminé par *arcade* (ci-dessus).

ARC-BOUTER v. tr. est dérivé (1604) de *arc-boutant* et non pas formé sur l'ancien verbe *bouter;* il s'emploie en architecture pour «soutenir par un effet de contre-butée (arc-boutant, etc.)». Un emploi général du pronominal *s'arc-bouter* s'est développé dans la première moitié du XIXe s., le sujet désignant une personne, une partie du corps. ◇ Le participe passé **ARC-BOUTÉ, ÉE** est adjectivé.

◈ voir ARBALÈTE, ARCHIVOLTE, ARÇON, NARQUOIS.

ARCANE n. m. est un emprunt didactique au latin *arcanum* «mystère», de l'adjectif *arcanus* «secret, caché», passé dans la langue religieuse au sens d'«ésotérique», et pourtant simple dérivé du mot concret *arca* «coffre» (→ arche).

♦ L'adjectif *archane* «secret» (1504) n'a pas vécu après le XVIIe siècle; en revanche, *arcane,* substantif masculin, «préparation alchimique réservée aux adeptes» (1613), déjà au XVIe s. «secret», et sous la forme *arquenne* chez Marco Polo, a connu un regain d'intérêt au début du XIXe s., où l'on parle des *arcanes de la nature* (1833, Balzac), *de la science*. ◇ Mais le mot, dont le genre est hésitant — on le rencontre au féminin —, demeure littéraire, s'il n'est pas terme historique d'alchimie (*arcane double* «sulfate de potassium», 1751).

ARCANSON n. m. (1636), comme la variante romande *arguenson* (1567), est une altération phonétique du nom de *Arcachon*, sous la variante ancienne *Arcasson*.

♦ Le mot, corrigé au XVIIIe s. en *arcachon* (1759), lequel n'a pas réussi à s'imposer, désigne la résine obtenue par distillation de la térébenthine et qui sert à fabriquer la colophane.

ARCHAÏSME n. m. est directement emprunté au grec *arkhaismos*, dérivé de *arkhaios* «ancien», à l'époque classique (1659, Chapelain). *Arkhaios* vient d'un thème *arkh-*, *arkhe* (→ archi-), qui correspond d'abord à «marcher le premier» (d'où *arkhos* «chef»). On retrouve des composés grecs et français de *arkhaios* sous la forme *archéo-**, préfixe.

♦ En français, *archaïsme* concerne d'abord un fait de langue ancien et sorti de l'usage *(un, des archaïsmes)*, puis (v. 1780) un style affecté et rempli d'archaïsmes. ◇ Au XIXe s., le mot s'applique aussi à l'imitation des Anciens, en art, et, au XXe s., au caractère conservateur d'une langue.

▸ L'adjectif dérivé **ARCHAÏQUE** signifie d'abord «antique» (*Dictionnaire archaïque*, 1776) et se spécialise, d'après *archaïsme*, à propos du langage (1838). ◇ En histoire de l'art, *archaïque* s'applique (XIXe s.) aux époques antérieures à l'épanouissement d'un style alors dit «classique», d'abord à propos de l'art grec. ◇ Passé dans un usage assez courant au sens de «désuet, vieillot», le mot a pris des valeurs spéciales en psychologie et en général dans les sciences naturelles et humaines, pour «qui appartient à un stade très ancien d'un processus». ➝ **ARCHAÏSANT, ANTE** adj. (1906 dans les dictionnaires) qualifie ce qui tend à l'archaïsme, emploie des archaïsmes, en littérature et en art. ➝ **ARCHAÏSER** v. tr. «utiliser des archaïsmes» (Verlaine, 1891) est peu usité.

◈ voir ARCHIVES.

ARCHAL n. m. est issu (XIIe s.) du latin *aurichalcum*, altération d'après *aurum* (→ or) de *orichalcum*, emprunt au grec *oreikhalkos* «laiton», sens qu'il a conservé en français. Le mot grec vient de *oros* «montagne» et de *khalkos* «cuivre» et «bronze»; le «bronze de la montagne» correspondant à «cuivre rouge». *Khalkos* est d'origine obscure, peut-être d'une racine signifiant «rouge», ou bien emprunt ancien à une langue proche-orientale, peut-être le sumérien ou le phénicien.

♦ Le mot, qui signifie «laiton», a d'abord eu la forme *orchal* (1170) et reste en usage dans ***fil d'archal*** (XIVe s.).

ARCHANGE → ANGE

① **ARCHE** n. f. est sans rapport avec le mot homonyme, ② *arche**, de la famille de *arcus* (→ arc), et vient du latin d'Église *arca*, désignant le vaisseau où Noé, dans la Bible, se réfugie pendant le déluge, et traduisant le grec *kibôtos*. *Arca* signifiait «coffre» en latin classique et avait pris plusieurs sens : «caisse», «cachot», «cercueil», etc.; il vient probablement du verbe *arcere* «contenir, maintenir», apparenté au grec (*arkein* «écarter, résister»), à l'arménien, et donc propre à une partie du domaine indoeuropéen.

♦ En français, *arche* concerne d'abord (1131) le bateau de Noé (on a dit plus tard ***arche de Noé*** pour lever les ambiguïtés), puis (1170) le coffre contenant les Tables de la Loi, d'où *arche sainte* (XVIIe s. pour «arche de Noé»; 1798 au figuré), *arche du Seigneur* (1798). ◇ Comme en latin, il a pris des sens techniques, ces acceptions religieuses étant concurrencées dès le XIIe s. par des usages profanes, «coffre, huche à pain» (jusqu'au XVIe s.) et aussi «bahut», et par métonymie «pétrin» (1570), «coffrage des pompes» en marine (1584), «four du verrier» (1723) et en archéologie *arche sépulcrale* «cercueil», réemprunt au latin attesté au XIXe s. (1845). ➝ L'expression *arche de Noé*, remplaçant *arche* pour «bateau construit par Noé pour échapper au déluge, et empli par lui de spécimens d'animaux de toutes sortes», a désigné par analogie un coquillage (1736) et au figuré une maison remplie de gens hétéroclites (1640), *arche* se disant en argot ancien pour «galère» (1560) et au figuré pour «lieu de refuge» (1690). Le mot s'est appliqué par plaisanterie à l'Académie française (1640). Ces acceptions ont disparu.

▸ La plupart des dérivés sont sortis d'usage, tels ② **ARCHET** n. m. «coffre» (1512), éliminé par l'homonyme, de *arc*, **ARCHELETTE** n. f. (1611) «petit coffre».

Le terme de marine **ARCASSE** n. f. (1491; mais le dérivé *arcasser* est attesté au XIVe s.), emprunt au provençal °*arcassa*, de *arco*, qui correspond à *arche* «charpente de poupe», est encore connu. ➝ Le composé **ARCHEBANC** n. m. (XVe-XVIIIe s., en Suisse), représenté en provençal et dans plusieurs dialectes, désignait un long coffre servant aussi de banc.

◈ voir ARCANE.

② **ARCHE** → ARC

ARCHÉE n. f. est emprunté (1578) au latin des alchimistes *archeus*, tiré du grec *arkhê* «commencement» et «commandement, pouvoir, souveraineté», employé par les philosophes pour désigner les principes, les éléments premiers, et dérivé du verbe *arkhein* «commencer» et «commander» (→ -archie).

♦ Comme son étymon, le mot, très didactique, désigne un principe immatériel de vie.

▸ Les dérivés, **ARCHÉAL, ALE, AUX** adj. (1721), **ARCHÉISME** n. m. «théorie de l'archée» (1823), sont inusités.

ARCHÉO-, premier élément de mots savants, est tiré du grec *arkhaio-*, de *arkhaios* «ancien» (→ archaïsme, archi-).

▸ **ARCHÉOLOGIE** n. f. est emprunté à la fin du XVIe s. (1599) au composé grec *arkhaiologia* (→ -logie) et désigne les études antiques. ◇ C'est à la fin du XVIIIe s. que le sens du mot se précise et qu'il correspond à l'étude systématique des civilisations disparues, peu après le développement de l'histoire de l'art antique, notamment en Allemagne (Winckelmann) et alors que Volney vient d'écrire *Les Ruines.* ◇ *Archéologie* a pris avec Michel Foucault une valeur métaphorique très riche, applicable à l'histoire des idées, «reconstitution des structures de connaissances et de sensibilité du passé» (*Les Mots et les Choses,* 1966; *L'Archéologie du savoir,* 1969). ◆ Le dérivé **ARCHÉOLOGIQUE** adj., attesté en 1595, prend le sens du substantif à l'extrême fin du XVIIIe siècle. ◆ **ARCHÉOLOGUE** n. apparaît un peu plus tard (1812) : on disait notamment *antiquaire*,* qui a ensuite changé de sens.

ARCHÉOPTÉRYX n. m., nom d'un fossile, a été forgé en allemand (1861) du grec *arkhaios* et de *pterux* «aile» : le mot désigne le premier oiseau connu (encore semi-reptilien).

◈ voir ARCHÉTYPE, ARCHI-, ARCHIVES.

ARCHER, ARCHÈRE, ARCHET → ARC

ARCHÉTYPE n. m. est la réfection (1548, Rabelais) de *architipe* (1230), emprunt au latin *archetypum,* lui-même emprunté au grec *arkhetupon* «type primitif» et «modèle», composé de *arkhê* (→ archéo-) et de *tupon* (→ type). La forme moderne a pu être réempruntée directement au grec au XVIe s.

♦ Le mot désigne, comme en grec et en latin, un type primitif et idéal et, en concurrence avec *prototype,* un original qui sert de modèle. Par extension, il se dit d'un modèle approchant la perfection. L'emploi comme adjectif est ancien (1268) et d'abord philosophique, relatif à l'idée platonicienne; cet emploi est demeuré très didactique. ◇ Le nom s'est spécialisé en biologie («espèce primordiale dans l'évolution»), en art (1866, «plâtre moulé sur un bas-relief»), en philologie («texte primitif»). ◇ La valeur psychologique, empruntée à l'allemand (Jung), s'applique (v. 1930) à un symbole primitif et universel de l'inconscient collectif.

▸ **ARCHÉTYPIQUE** adj. (1946, Mounier) et **ARCHÉTYPAL, ALE, AUX** adj. correspondent au sens initial et psychologique du nom. Ces adjectifs sont très didactiques.

ARCHEVÊQUE → ÉVÊQUE

ARCHI- et **-ARCHIE, -ARQUE** sont des éléments tirés du grec *arkhein* «prendre l'initiative, commencer», puis très vite (dès Homère) «commander», lequel a donné un préfixe *arkhi-* et des terminaisons *-arkhia, -arkhos* (en grec). L'idée de chef dérive de celle d'ancien, la racine grecque (sans correspondant dans d'autres langues) ayant développé par ailleurs le sémantisme du grand âge (→ archaïsme, archéo-). Outre des noms tirés du grec (souvent par le latin), comme *archidiacre, archevêque, archimandrite, archiprêtre,* concernant tous la hiérarchie ecclésiastique, ou bien formés en français (*archichancelier, archiduc...*), *archi-,* surtout combiné avec des adjectifs, est très productif en français familier : *archinul, archifou* (1881), *archimillionnaire* (1857), etc. ◇ Voir, pour les principaux composés, le second élément, lorsqu'il existe à l'état libre (*diacre, évêque, prêtre, duc...*).

▸ **ARCHIMANDRITE** n. m. correspond au grec *arkhimandrites,* de *mandra* «cloître», d'abord «enclos»; il désigne (1560 Pasquier) le supérieur d'un monastère orthodoxe.

ARCHIATRE n. m. est emprunté (1611), par le latin *archiaster,* au grec *arkhiatros* pour désigner «un médecin en chef». ◆ Le dérivé **ARCHIATRIE** n. f. (XVIIIe s., Voltaire) nomme la fonction.

◈ voir ANARCHIE, ARCHÉE, ARCHIPEL, ARCHITECTE, ARCHITRAVE, ARCHIVES, ARCHONTE, HIÉRARCHIE, MONARQUE, OLIGARCHIE, POLÉMARQUE.

ARCHIPEL n. m. est la reprise du moyen français *archipellegue* (déb. XVIe s.) «mer parsemée d'îles», déjà nom propre au début du XIVe siècle : l'*Archepelague,* la mer Égée. C'est un emprunt à l'italien *arcipelago* (1268), probablement du grec *Aigaion* (Égée) *pelagos* «mer» (→ pélagien), d'après les mots en *arci-* (de *arkhi-;* → archi-), avec l'idée de «mer principale».

♦ Le mot français est passé, comme l'italien, de l'idée de «mer parsemée d'îles» à celle de «groupe d'îles». ◇ Il a eu par métaphore la valeur d'«ensemble de lieux, de choses», et ceci en plusieurs langues témoins; cf. *L'Archipel du Goulag,* de Soljenitsyne. ◇ Il symbolise parfois les îles lointaines et l'exotisme.

ARCHITECTE n. est emprunté (1510) au latin *architectus,* hellénisme. Le grec *arkhitektôn* vient de *arkhi-* (→ archi-) et de *tektôn* «charpentier, constructeur de bateau» (d'où en français *tectonique**), qui possède un correspondant exact dans le sanskrit *tákṣan* de même sens; ces mots se rattachent à une racine indoeuropéenne signifiant «travailler avec la hache, construire une charpente». D'autres formes, *architecton* (Oresme), d'une variante latine qui reproduit le grec, ou *architecteur* (XIVe-XVe s.), par emprunt à l'italien *architettore,* ont existé en moyen français.

♦ D'abord surtout constructeur et maître maçon, l'architecte devient au XVIIe s. un spécialiste, un professionnel, conçu à partir du XIXe s. aussi comme un artiste, capable de concevoir un édifice, d'en tracer le plan, d'en diriger l'exécution. ◇ Dès le XVIe s., la valorisation du terme et du concept est forte, les métaphores renvoyant à «maître d'œuvre» (1546) et même à Dieu, appelé *architecte du monde, grand architecte* (1572), *divin architecte* (Bossuet), *suprême architecte* (XIXe s.).

▸ **ARCHITECTURE** n. f., emprunté (1504) au dérivé latin *architectura,* suit la même évolution, de la technique à l'art, comme le mot *art** lui-même. Au XVIIe s., on distingue *architecture civile* et *architecture militaire* (1676). Par extension, on parle d'*architecture navale* (1738), *hydraulique* (1751). ◇ Par métonymie, *une architecture* est un édifice ou sa disposition (1596). ◇ Par métaphore, le mot désigne le principe d'organisation, la structure d'un ensemble complexe (mil. XVIe s., Du Bellay), sens répandu au XVIIe s. (à propos du corps humain, Bossuet); cet emploi prépare la notion de structure. ◆ Les dérivés **ARCHITECTURAL, ALE, AUX** adj. (1803), d'où **ARCHITECTURALEMENT** adv. (1845) et **ARCHITECTURER** v. tr. (1818), métaphorique sauf au participe passé adjectivé, manifestent l'autonomie de la notion.

ARCHITECTONIQUE apparaît presque simultanément en moyen français comme adjectif (1370) et comme nom féminin (1373). Il est emprunté au latin *architectonicus,* pris au grec *arkhitekhtonikê* «art de l'architecte», de *arkhitektôn* (ci-dessus). ◇ Le mot est d'abord attesté en emploi général («relatif à la structure») et en architecture, notamment comme nom, «l'architecture en tant que technique de construction». Ce nom a pris en français moderne des valeurs figurées spéciales, en philosophie (déb. XIXe s., d'après l'allemand de Kant) «structuration ou structure voulue (d'une œuvre)», «structure (d'un organisme, d'un tissu)» en biologie, etc. ◆ **ARCHITECTONIQUEMENT** adv. (1832) et **ARCHITECTONIE** n. f. (1943, chez Giono), emprunt au grec *arkhitektonia* pour «organisation architecturale» ou «structure», sont plus didactiques encore que *architectonique.*

ARCHITRAVE n. f. est un emprunt (1531) à l'italien *architrave,* de *archi-* (même élément que le français *archi-**) et *trave* «poutre», du latin *trabs, trabis*; il signifie donc «poutre principale» (→ travée).

♦ Le sens du mot italien était passé à «partie inférieure d'un entablement», valeur adoptée par le français. Une première forme *arquitrave* (1528, comme adj.) est empruntée par voie orale, avec la prononciation italienne.

ARCHIVES n. f. pl. est un emprunt médiéval (1282) au bas latin *archivum,* emprunt au grec tardif *arkheia,* pluriel neutre qui avait pris le sens de «lieu où l'on conserve des documents officiels», la valeur initiale du singulier *arkheion* étant «résidence des hauts magistrats de la cité», de *arkhê* «autorité». Il s'agit donc d'un dérivé indirect du verbe *arkhein* «commander» et «commencer» (→ archi-), et non d'un mot directement apparenté à *archéo-* «ancien, antique» (qui correspond cependant au même thème).

♦ Surtout employé pour «documents d'usage historique», *archives* a aussi repris (1416) le sens de «lieu où on les conserve», plus ou moins confondu pour le sens avec *bibliothèque* (XVe s.). ◇ Une acception figurée correspond à «souvenirs du passé». *Une archive,* «document d'archives», est d'usage récent (1913, in *T. L. F.*).

▸ L'importance accrue des archives dans la constitution et la gestion d'une mémoire historique apparaît dans la création de dérivés. ◆ **ARCHIVER** v. tr. (1556) semble rare en français classique et repris à la fin du XIXe s. (1898); on parle aussi de *archiver,* non *un document,* mais *une information.* ◇ De là **ARCHIVAGE** n. m. (1951), d'où **PRÉARCHIVAGE** n. m. (1963) et **ARCHIVABLE** adj. (1958). ◆ **ARCHIVISTE** n. (1701) remplace *archivaire* (1486) à l'aide d'un suffixe *(-iste)* de nature plus scientifique ou didactique, d'où l'expression ***archiviste paléographe*** (1829). ◆ **ARCHIVISTIQUE** adj. (1932), substantivé peu après (1934-1935), désigne une science liée à la paléographie et aux études médiévales, parfois associée à l'archéologie et entrant dans les disciplines annexes de l'histoire et de la philologie, comme au développement des sciences documentaires et bibliothécaires.

ARCHIVOLTE n. f. est, comme *architrave,* un italianisme, mais sans rapport étymologique puisque *archi-* y représente le latin *arcus* (→ arc). Il est emprunté (1694) à l'italien *archivolto,* d'un latin médiéval supposé °*archivoltum,* qui représenterait l'ancien français *arvol (arc volt),* ou le latin classique *arcus volutus* «arc courbé», de *volvere* «courbé» (→ volute, voûte).

♦ Le mot désigne une bande moulurée sur la face interne d'un arc.

ARCHONTE n. m. est emprunté, d'abord sous la forme *alconte* (v. 1220) puis *arconde* (XIIIe s.), prise au grec médiéval, et par réfection *archonte* (1681, Bossuet), au grec *arkhôn, arkhontos* «chef» et «archonte», important magistrat à Athènes. *Arkhôn* est le participe présent de *arkhein* «commander» (→ archi-).

♦ Le mot désigne en ancien français un grand dignitaire de l'Empire byzantin; repris au XVIe s. *(archon),* il s'applique alors aux principaux magistrats, dans les villes de Grèce antique, seule acception vivante en histoire.

▸ Le dérivé **ARCHONTAT** n. m. (1693) désigne la dignité d'archonte.

ARÇON n. m. fait partie de la famille de *arcus* «arc», mais n'est plus senti comme tel; *archet* est dans une situation analogue, malgré l'existence de *arche* (d'un pont) [→ arc]. Le mot est un emprunt ancien (1080), sous des formes diverses *(arson, archon...),* au latin populaire °*arcio, -onis,* dérivé de *arcus* «arc»; il correspond à l'italien *arcione,* à l'espagnol *arzón.*

♦ Le mot a eu de nombreuses valeurs en ancien français, «petit arc» (XIe s.) [d'où *arçonner* v. tr. «courber en arc»], «archet d'instrument à cordes» (fin XIIe s.), «petit arc utilisé en technique» (XIVe-XVIIIe s.), certaines conservées dans des dialectes. ◇ Cependant, son acception actuelle est aussi la plus ancienne (1080, *arçun*). Le mot désigne alors, au pluriel, les deux pièces courbes qui forment le corps de la selle, et diverses expressions donnent à *arçons* la valeur de «selle» : ***sur ses arçons*** (v. 1270) correspondant à «à cheval», ***perdre*** (XIIe s.), ***vider*** *(voidier,* XIIe s.) ***les, ses arçons*** «tomber de cheval». Puis sont attestées ***tenir, être ferme sur ses arçons*** (1671), ***se remettre sur ses arçons*** (1699, au figuré), avec des valeurs métaphoriques. ◇ *Arçon* au singulier a désigné aussi la selle (XIIIe s.) et par extension (XVIIe s.) son pommeau. Enfin, dans ***pistolet d'arçon*** («de selle»), attesté au XVIIe s., *arçon* prend le sens de «fente, poche de chaque côté de la selle». ◇ Par analogie, le mot désigne (1873) les poignées métalliques de chaque côté de l'instrument de gymnastique appelé pour cela *cheval-arçons* n.m. inv. (1911), puis ***cheval-d'arçons*** n.m. inv. (1946 in *T. L. F.*) ; cette dernière forme, plus courante, est critiquée par les puristes. *Les arçons* se dit aussi (1939) de l'exercice de gymnastique fait au cheval-d'arçons.

▶ Le composé **DÉSARÇONNER** v. tr., «faire tomber de la selle» (fin XIIe s.), a pris au figuré la valeur de «troubler, déconcerter» (1581). Le pronominal (XIIIe s.) a vieilli, mais le verbe actif et le participe passé sont restés dans l'usage courant, beaucoup plus que *arçons* lui-même. Les images évoquées par le verbe ont entraîné une certaine confusion entre *arçons*, mal connu, et *étriers*. ➜ De là **DÉSARÇONNANT, ANTE** adj. «déconcertant» (1870), **DÉSARÇONNEMENT** n. m., employé au propre (1625) et au figuré pour «faillite» (mil. XIXe s.).

ARCTIQUE adj. semble avoir existé en ancien provençal *(artic)* avant que n'apparaisse en français la forme *artique* (1338); le *c* étant une réfection savante (1522) prise au latin *arcticus,* emprunt au grec *arktikos,* adjectif tiré de *arktos* «ours» (mot indoeuropéen de la même famille que le sanskrit *ṛ́kṣa-* et que le latin *ursus*) et employé pour désigner les constellations encore appelées en français la *Grande* et la *Petite Ourse.*

♦ *Arctique* signifie d'abord «qui concerne l'Ourse», c'est-à-dire la Polaire, le nord ; et par une extension qui conduit l'adjectif du domaine astronomique à la géographie : «qui concerne les régions septentrionales, proches du pôle Nord» (cf. *polaire*), avec une substantivation, *l'Arctique.*

▶ Le mot forme couple depuis le grec avec **ANTARCTIQUE** adj., qui apparaît en français en même temps (1388) et est emprunté au latin *antarcticus,* grec *antarktikos,* formé sur *anta* «opposé» (→ anti-) et *arktikos.* Malgré l'importance reconnue au XXe s. du *continent antarctique,* le mot est moins courant en français moderne que son correspondant, la relation sémantique intuitive entre *arctique, pôle, polaire* et *nord* étant très forte, et la concurrence de *austral* se faisant sentir (*boréal,* pour sa part, est poétique ou spécialisé).

ARDÉLION n. m. est emprunté (1583) au latin *ardelio,* variante de *ardalio* «importun qui fait l'empressé», emprunt au grec *ardalos* «homme sale», dérivé de *arda* «boue, saleté», rattaché par les Anciens au verbe *ardein* «abreuver (le bétail), arroser», d'origine inconnue.

♦ Le mot, courant et familier dans la langue classique (XVIIe-déb. XVIIIe s.), désigne une personne qui se mêle des affaires d'autrui d'une manière indiscrète et importune. Il sort d'usage au début du XIXe s., puis est repris (rarement) comme archaïsme littéraire.

ARDILLON n. m. est un dérivé, sous la forme *hardillon* (1231), du francique *hard**, «corde formée de fils entrelacés et tordus», avec le suffixe diminutif *-illon.*

♦ Le mot a d'abord désigné une petite corde d'attache et, probablement par analogie de fonction, une boucle d'attache (sens non attesté), puis, avec influence possible de *dard,* la pointe servant à assujettir une boucle en pénétrant dans un trou de la courroie ou ceinture (*hardilon,* XIIIe s. ; *ardillon,* 1444).

◈ voir HAIRE.

✻ **ARDOIR, ARDRE** v. tr., d'abord sous la forme *ardoir,* très usuelle jusqu'à la fin du XVe s., est issu (v. 880) du latin *ardere* «brûler», forme apparentée à *ardor* (→ ardeur) et dérivée, comme *ardor* et *aridus* (→ aride), de *arere* «être sec». Ce verbe indoeuropéen a des correspondants en sanskrit (*āsaḥ* «cendre»), en grec (*azein* «sécher» ; → azalée), en ancien haut allemand (*asca* «cendre»), en arménien. Ce verbe *ardere* est passé dans toutes les langues romanes. D'abord intransitif, pour «se consumer», il est employé transitivement depuis le IVe s. pour «incendier».

♦ Le verbe est très courant en ancien et moyen français comme intransitif, «se consumer», et transitif (fin Xe s.), «consumer, incendier», avec une abondante phraséologie et des valeurs extensives, se disant de ce qui détruit en rongeant (chancre, etc.), de ce qui donne une sensation de brûlure. Il entre dans des formules de malédiction (*mal feu arde...* «qu'un mauvais feu le brûle !»), encore au XVIIe s. *(le feu Saint-Antoine l'arde !).* ◇ D'une manière générale et sous toutes ses formes *(ardoir, ardre, arder),* il entre en concurrence avec *brûler** (du latin *ustulare*), à partir du XVe s., et cède devant lui dans la première moitié du XVIe siècle. Il devient alors archaïque, malgré *ardent* et *ardeur* (ci-dessous), *aride* et ses dérivés n'étant pas spontanément mis en rapport.

▶ Le participe passé **ARS, ARSE** adj. (XIIe s.) a disparu en même temps que le verbe ; il a eu certaines de ses valeurs, concrètes et figurées. ◇ D'autres dérivés du verbe (*ardance, ardeor,* puis *ardeur* n. m.) ont disparu. ➜ De *ars* proviennent **ARSIS** n. m. «lieu incendié ou surface brûlée» (XIIe s.), «incendie», conservé jusqu'au XIXe s. au figuré et dialectalement (*sentir l'arsi, un goût d'arsi* «de brûlé») ; **ARSIN** n. m. (XIIe s.) «incendie», «action de brûler», conservé en foresterie (*bois arsin,* 1694 ; d'où *arsin,* 1784) ; enfin le verbe **ARSER** v. tr. (1281) «brûler», sorti d'usage au XVIe s. avec ses dérivés, tel *arsure* n. f. (XIIIe s.). ➜ Mais le verbe latin survit en français par ses dérivés.

ARDENT, ENTE adj. est un emprunt ancien (fin Xe s.) au participe présent latin *ardens,* du verbe *ardere. Ardent* a absorbé l'ancien participe *ardant* de *ardoir, ardre.* Ainsi le ***mal des ardents*** (v. 1213, *ardenz*), qui désigne une maladie infectieuse très douloureuse, probablement l'érésipèle gangreneux, utilise le participe de *ardre,* alors que deux siècles plus tard *Ardent,* dans *le bal des Ardents* (1392) où des danseurs vêtus de fourrures brûlèrent vifs, est une substantivation de l'adjectif. ◇ Ce dernier signifie donc «qui est en feu» (*le buisson ardent* de Moïse, XIIIe s.) et (v. 1200) «qui chauffe», en parlant du soleil, emplois aujourd'hui littéraires, en général remplacés par *brûlant*. L'emploi pour «allumé» (XIIe s.) est archaïque. ◇ Depuis le XIIIe s., *ardent* se dit aussi pour «qui met le feu, qui incendie», valeur archaïque aujourd'hui (cf. la *chambre ardente*, qui pouvait condamner au bûcher). ◇ Une extension encore vivante correspond à «très vif, de couleur de feu» (1307), par exemple dans *un blond ardent*. ➜ Les sens extensifs de l'ancien français, très nombreux, sont sortis d'usage : «très chaud (en parlant du temps)», «qui donne une sensation de chaleur, de brûlure», fièvre, soif, maladie; cf. ci-dessus *le mal des ardents*. ➜ Certains emplois abstraits, qualifiant (déb. XIIe s.) un homme avide, un animal ou un homme porté à la sexualité (archaïque; encore *ardent taureau*, 1833; *étalon ardent*, 1863), une personne violente, combative (*ardent au combat*, XIIe s.), sont devenues archaïques. ◇ D'autres, toutefois littéraires, restent vivants en français moderne; ils correspondent à *ardeur* et signifient «plein de passion, de force psychique», s'appliquant aux personnes, aux sentiments (XIIIe s.), avec des constructions comme *ardent de* et infinitif (v. 1300), disparu, *ardent à* et infinitif (1465), *ardent pour qqch.* (XVIIIe s.). ➜ Au sens concret, en général archaïque, l'adjectif s'est conservé dans des syntagmes figés : ***buisson ardent*** (ci-dessus), ***chapelle ardente*** (2e moitié XVIe s., du Fail), d'autres ayant disparu comme *esprits ardents* (1690) «liquides inflammables». ➜ Les substantivations, à part celle du *mal des ardents* (ci-dessus), ont disparu, les *ardans* (1549) ayant désigné les feux follets, en termes précieux les chandelles (1660). Par métaphore, l'argot ancien disait *les ardents* (1842) pour «les yeux». ➜ Le dérivé adverbial **ARDEMMENT** (*ardamment*, fin XIIe s.) ne s'emploie qu'avec les valeurs figurées de l'adjectif, pour «passionnément».

Il en va de même pour **ARDEUR** n. f., emprunté (XIIe s., *ardor*) au latin *ardor, -oris* «action de brûler, clarté brillante», et d'abord «sécheresse», acception réservée ensuite à un autre dérivé de *arere, ariditas* (→ aride). Ce sens concret coexiste en latin avec «désir intense». ➜ Le mot, d'abord sous la forme *ardor, ardur*, refait en *ardeur* (v. 1225), apparaît au sens de «chaleur vive», désignant par exemple le feu de l'enfer, puis de «brûlure, sensation de brûlure» (de la soif, 1125). Certaines spécialisations ont disparu (*ardeur d'estomac*, 1783), toutes sont archaïques (*ardeur de la fièvre*, 1550). Le premier sens disparaîtra progressivement avec le verbe *ardre;* d'autres mots, liés à *feu*, à *brûler*, le remplaceront; le recul de *ardent*, surtout au sens concret, est parallèle. ➜ Mais *ardeur*, dans ses emplois psychologiques, a mieux résisté. Ces valeurs, directement issues du latin, sont anciennes (v. 1170), mais leur sémantisme est passé de «désir intense» (qui brûle) à «énergie active», la motivation du feu ayant disparu. ◇ Le sens de «ferveur (religieuse)» (1226) est archaïque et le mot s'emploie surtout en français moderne pour «zèle, énergie» (XVe s.) et «passion amoureuse» (depuis 1190). ➜ Un autre dérivé bas latin, *ardura* «brûlure», avait fourni au français **ARDURE** n. f. (XIIe-XVIe s.), «brûlure», «chaleur» (XIIIe-XVIe s.), «sécheresse», qui a eu au figuré plusieurs sens partagés avec *ardeur*.

ARDOISE n. f. apparaît (2e moitié XIIe s.) pour désigner une pierre, un schiste argileux qui se débite en plaques (*une ardoise*, fin XIIIe s.) et sert à couvrir les maisons. On a eu recours pour l'expliquer à des formes du bas latin des Gaules, traditionnellement °*ardesia* (forme reconstituée *ad hoc* et contestée), qui se serait répandu par la France du Nord. Il faut plutôt remonter au radical gaulois °*ard-* «haut», que l'on retrouve dans °*Arduenna*, les *Ardennes*, nom de montagnes (→ ardu). Il s'agirait alors d'une *pierre ardenoise*, hypothèse appuyée par la diffusion du mot à partir du nord-est de la France. L'adjectif *arduensis* «des Ardennes», attesté au IXe s., fournit un étymon très plausible (J.-P. Chambon, in *F. e. w.*).

♦ Le mot français, d'abord attesté dans la moitié nord de la France (Picardie, Champagne, puis Normandie : *pierre d'ardoise*, 1345), désigne la plaque d'ardoise façonnée servant à couvrir les maisons. Le procédé est attesté dans les Ardennes au XIIe s. (confrérie d'ardoisiers de Fumay), en Anjou peu après, mais les attestations du mot dans la région de la Loire ne datent que du XVe siècle. Le sud de la France connaît la tuile (latin *tegula*), le Centre et diverses régions les pierres de couverture (gaulois °*lausa*, latin *lapis*); le chaume dominait dans le Nord. L'ardoise est un matériau noble, d'abord réservé aux palais, châteaux, églises, et qui ne se diffuse qu'aux XVIe et XVIIe siècles (d'après Chambon, *ibid.*). ➜ *Ardoise* a pris des valeurs spécifiques, dont (1379) «support, d'abord en ardoise, pour écrire à la craie», instrument typique de l'écolier (XIXe-déb. XXe s.) puis l'ardoise étant aussi employée pour noter les consommations servies à crédit, s'ajoute l'idée de crédit (***avoir, laisser une ardoise***, depuis 1868); au figuré, le mot a pris récemment le sens de «coût» (*l'ardoise sociale*, 1984). ◇ À ce sens se rattachent ***tenir l'ardoise*** «compter les points» à la belote (1965) et, en argot sportif, l'acception «tableau d'honneur en cyclisme» (1949), d'où ***faire l'ardoise*** «noter les écarts des coureurs cyclistes» (le motard qui fait l'ardoise est appelé *ardoisier*, 1950). ◇ De l'idée de couverture vient le sens argotique de «coiffure» (1878), d'où «tête» dans *se fourrer qqch. dans l'ardoise* (1878) «s'imaginer», locution disparue. ◇ Les urinoirs publics ayant une plaque d'ardoise, *une ardoise* (1912) désigne en argot l'urinoir, d'où ***prendre*** (1920), ***se payer, mouiller une ardoise*** «uriner dans un urinoir public» (argot vieilli). ➜ De *couleur d'ardoise* et de *ardoisé* (ci-dessous) vient l'adjectif de couleur *ardoise* (1852), d'où *gris, bleu ardoise* (1891).

▶ Les dérivés sont assez nombreux. ➜ **ARDOISIER, IÈRE** adj. (1580), «de la nature de l'ardoise», «qui contient de l'ardoise», et **ARDOISIÈRE** n. f. (1564), «carrière d'ardoise», semblent à peu près contemporains. ➜ **ARDOISIER** n. m. doit être plus ancien (1506, *ardoissier*) pour désigner le couvreur d'ardoises, mais postérieur au sens moderne, «ouvrier ou exploitant d'une ardoisière» (1826). ➜ **ARDOISÉ, ÉE** adj., «couvert d'ardoise» (1580), a disparu, comme le verbe **ARDOISER** dans ce sens (1845). ◇ L'adjectif a été reformé pour «qui a la couleur gris foncé de l'ardoise» (1693). De là *ardoiser* (1845) et *ardoise* (ci-dessus) à propos de la couleur grise de l'ardoise. ➜ **ARDOISAGE** n. m. «couverture en ardoise» (1928) semble plus vivant que *ardoiser* avec cette valeur.

ARDU, UE adj. est emprunté au latin *arduus* «élevé» et spécialement «en pente raide, escarpé», d'où au figuré «difficile». C'est probablement un mot celte, attesté par l'irlandais *ard* «haut», le toponyme *Arduenna, Ardennes,* d'un gaulois °*ard* (→ ardoise), mais qu'on ne peut faire remonter à une racine indoeuropéenne commune (le sanskrit *ūrdhráḥ* «droit» ne semble pas convenir).

♦ Calque du latin en moyen français (1395), *ardu* est repris au XVIe s., employé au XVIIe s., mais il vieillit après 1650 (Furetière le considère comme «un terme dogmatique»). ◇ Un autre sens, qui correspond à «élevé, grand» ou à «profond», par métaphore du sens étymologique (XIVe-XVIe s., en parlant d'un amour, du pouvoir, etc.), est repris avec la nuance d'inaccessibilité (1611, «escarpé»), puis sort d'usage. ◇ L'idée de difficulté est réanimée au XIXe s., l'adjectif qualifiant de nouveau toute question difficile à résoudre ou à comprendre.

▸ L'adjectif reste isolé : **ARDÛMENT** adv. est quasiment inusité. ➜ Quant à **ARDUITÉ** n. f. (XVIe s.) «difficulté», il n'a pas été repris comme l'a été *ardu.*

ARE n. m. est un emprunt artificiel, créé par décret de la Convention en 1793, au latin *area* «surface» (→ aire).

♦ Le mot désigne administrativement une mesure de surface agraire de 100 mètres carrés. ➜ Parmi ses composés, les principaux sont **CENTIARE** n. m. (1793), **DÉCIARE** n. m. (1793), inusité, et **HECTARE*** n. m. (1794). Seul le dernier est passé dans l'usage courant, du fait de son utilisation dans les transactions foncières et comme unité géographique.

▸ Le dérivé **ARÉAGE** n. m. (1803) désigne la détermination de la surface des terres en ares.

AREC n. m. est un emprunt au portugais *hareca,* par l'italien *areca* (Pigafetta), avec des hésitations quant à la forme : *areca* (1525), *arecque* (1610). Le portugais l'avait pris lui-même à un mot dravidien du sud de l'Inde (côte des Malabars, où l'on trouve *aḍakka*) pour désigner un palmier.

♦ Le mot désigne le fruit d'un palmier d'Asie et des Antilles *(Areca catechu)* ainsi que l'arbre lui-même (v. 1540, *arecqua*) ; il est rare, sauf dans ***noix d'arec,*** désignant le fruit contenant divers alcaloïdes.

▸ L'arbre est dénommé en portugais par un dérivé, emprunté au français sous la forme *arrecquero* (1598), francisé en *arequiers* (1687), puis **ARÉQUIER** n. m., qui ne désigne que l'arbre.

ARÈNE n. f., aujourd'hui employé au pluriel pour désigner un amphithéâtre, a longtemps signifié «sable», comme le latin *arena* dont il est issu (mil. XIIe s.). D'abord écrit *harena* ou *hasena* (en sabin *fasena*), le mot latin a pris la valeur de «place sablée, dans un cirque», *harenae, arenae* désignant aussi les sables du désert ; il semble (de par sa finale) être d'origine étrusque, en tout cas autochtone de l'Italie.

♦ *Araine, areine,* courants au sens de «sable» et de «grès» en ancien et moyen français (depuis 1155), viennent par voie populaire du mot latin ; *arène* est repris par emprunt au XVIe s. (1538) et continue à désigner le sable jusqu'au XVIIe s., encore, par archaïsme littéraire, jusqu'au début du XIXe s. (par ex., Chateaubriand) ; le mot *sable**, qui existe depuis le XVe s., s'y est progressivement substitué. ◇ Divers sens techniques, «sable, gravier, argile», ont cours au XIXe s. et dans les dialectes. ◇ La valeur latine «aire sablée (d'un cirque)», donc «lieu de combats réglés», est passée en français (*arainne,* XIIIe s.).
Les ***arènes,*** «amphithéâtre romain», est un réemprunt de la Renaissance (1539) dans la série des antiquités. ◇ La valeur moderne, «cirque pour les courses de taureaux», doit être un autre emprunt (1767) à l'espagnol *arena,* de même origine. ◇ Le mot n'est qu'un terme d'Antiquité (puis de tauromachie) avant la fin du XVIIIe s. où se développent les valeurs métaphoriques et figurées «champ de bataille» et «lieu de débat» (Mme de Staël), après la locution ***descendre dans l'arène*** (1787).

▸ Les dérivés français, tel **ARÉNEUX, EUSE** adj. (*arenous,* XIIIe s.), sont archaïques. *Aréneux* a été repris en droit forestier (1810) pour «qui pousse dans le sable».
Les emprunts aux dérivés latins de *arena* sont nombreux. ➜ *Arenarius* a donné **ARÉNAIRE** adj. (1817), «qui pousse dans le sable» et comme nom masculin (1838) «gladiateur». ➜ *Arenatio* a fourni en médecine (1793) **ARÉNATION** n. f. ➜ *Arenaceus* a été emprunté sous la forme **ARÉNACÉ, ÉE** adj. (1786), substantivé au féminin pluriel pour désigner une famille de roches (1845). ➜ *Arenula* a fourni en médecine ancienne **ARÉNULE** n. f. (1598), d'où **ARÉNULEUX, EUSE** adj. (XVIe s., Paré). ➜ ① **ARÉNA** n. f., terme d'alchimie et d'hermétisme, est emprunté (1721) au latin.
Du latin *arena* viennent des composés savants. ➜ **ARÉNICOLE** adj. et n. f., «qui vit dans le sable» (1808), sert de nom à divers animaux, tel le lombric marin des sables (1801) ; au pluriel, les scarabées (déb. XIXe s., Cuvier). ➜ **ARÉNIFORME** adj. (1803) est rare. ➜ **ARÉNISATION** n. f., «décomposition d'une roche en sable» (mil. XXe s.), est didactique.
De l'anglais des États-Unis *arena,* emprunt au latin, employé au Canada (1958), vient en français du Québec ② **ARÉNA** n. f. (av. 1980) «terrain de sports couvert» (hockey, etc.).

① **ARÉO-** est un élément de mots savants, tiré du grec *araios* «rare», d'abord «mince, sans solidité», d'origine inconnue, et que l'on trouve dans **ARÉOMÈTRE** n. m. (1675) «appareil mesurant la densité des liquides», **ARÉOSTYLE** n. m. (1547), emprunt au latin *araeostylos,* du grec, «édifice à colonnes espacées». ◇ Forme et sens incitent à la confusion avec *aéro-*. L'élément n'a rien à voir avec le nom du dieu grec *Arès* (Mars ; voir ci-dessous).

② **ARÉO-** est tiré de *Arès*, nom du dieu de la guerre en Grèce (Mars dans le panthéon romain), mot rattaché depuis l'Antiquité à *arê* «malheur».

▶ *Aréo-* a servi à former **ARÉOTECTONIQUE** n. f. «technique de la guerre de siège», sorti d'usage, et en astronomie, d'après *géographie*, **ARÉOGRAPHIE** n. f. (1877), étude de la surface de la planète Mars, d'où **ARÉOGRAPHIQUE** adj. (1877).

◈ voir ARÉOPAGE.

ARÉOLE n. f. est un emprunt au latin *areola* «petite cour ; petit espace cultivé, dans un jardin», diminutif de *area* «surface» (→ aire), qui a donné notamment l'italien *airola*, le catalan *airola*, l'espagnol *eruela* et, en France, diverses formes occitanes, du type *airole*. Le mot latin, à la Renaissance, a servi à rendre le grec *phôs* «aréole du sein», et «lumière d'un astre».

♦ Le sens de «petite surface» n'est représenté que par des spécialisations savantes probablement toutes issues du latin savant des humanistes, comme «paume de la main (en chiromancie)» (1611), avec de nombreuses acceptions anatomiques à partir du début du XIXe siècle. ◇ Le mot a servi en médecine (1698), d'après le latin moderne *areola* (1593), à désigner le cercle qui entoure le mamelon du sein. ◇ D'autres valeurs moins courantes correspondent à des cercles, en pathologie, botanique (1817), astronomie (1793, «halo de la Lune»).

▶ Le dérivé **ARÉOLAIRE** adj. (1805, Cuvier) a des emplois extensifs, sans rapport avec *aréole*, comme (1877) *vitesse aréolaire* (c'est alors l'adjectif correspondant à *aire*, pris au sens géométrique), *méthode aréolaire* de sondages, par quadrillage des *aires* d'un territoire (mil. XXe s.). ◇ L'adjectif a été repris (1866) pour «de l'aréole du sein», avec le composé *mamillo-aréolaire*. ➡ **ARÉOLÉ, ÉE** adj. s'emploie en botanique (1817) et à propos du halo lunaire (1836).

ARÉOPAGE n. m. est emprunté (1538 ; 1495, *ariopage* par influence du grec) au latin *areopagus*, grec *Areios pagos* «colline *(pagos)* d'*Arès*», dieu de la guerre (→ ② aréo-), c'est-à-dire «la colline du meurtre (à Athènes)», ainsi nommée parce que l'on y avait installé le tribunal qui jugeait les affaires de meurtre. Le mot a ensuite désigné le tribunal qui siégeait sur cette colline. *Pagos* se rattache à la racine indoeuropéenne du latin *pax* (→ paix), *pagus* (→ pays), *pala* (→ pelle), tous mots ayant en commun l'idée d'«enfoncer, fixer». Le *pagos* serait donc soit ce qui fixe, ce qui plante, soit (Chantraine) ce qui est fixé, dur, solide.

♦ En français, le mot désigne à la fois le tribunal d'Athènes et, de manière très littéraire depuis le XVIIIe s. (1719), toute assemblée de hauts personnages chargés de juger, d'apprécier.

▶ **ARÉOPAGITE** n. m. est emprunté au grec *areopagites* par le latin. C'est le nom des membres de l'*aréopage* (1512 ; *ariopagite*, 1531).

ARÊTE n. f. est issu du latin *aresta*, latin classique *arista* «barbe d'un épi» et «épi», qui a pris à basse époque (IVe s.), par analogie de forme, le sens d'«arête de poisson», acception passée dans la plupart des langues romanes, parfois avec la première, «épi», qui existe en ancien français (v. 1180) [et aussi en italien *resta*].

♦ *Arête* a désigné (déb. XIIe s.) jusqu'au XVIIe s., et en concurrence avec *barbe*, les barbes des graminées, les épis, sens prolongé dans les dialectes. D'autres valeurs aujourd'hui disparues, «tige de lin ou de chanvre» (XIIe s., Rashi) jusqu'au XVIe s., «arbustes épineux», au pluriel (1538), procèdent de la même idée latine, «partie fine et longue d'un végétal». ➡ Mais c'est l'autre valeur, plus tardive, du mot latin qui l'a emporté, *areste* (XIIIe s.), écrit *arrête* au XVIIe s. (1680) puis *arête* (1701), désignant un élément du squelette des poissons *(avaler une arête)* et par extension (XVe s.) le squelette entier, dans le contexte familier de l'alimentation, d'où des connotations négatives, les arêtes étant incomestibles, dangereuses lorsqu'on les avale, comme les os* par rapport à la viande. *Grande arête* «colonne vertébrale du poisson» est tardif (1845) et peu courant. ◇ ***Arête(s) de poisson*** désigne une forme de traits obliques parallèles de part et d'autre d'une droite (1887, en marqueterie).
Au XIIIe s. (1262), le mot prend une nouvelle acception métaphorique, «ligne d'intersection de deux plans, généralement obliques», à la fois en français d'oïl, en franco-provençal («crête de montagne») et en occitan («crête du toit»). Les principales valeurs sont «angle saillant d'un mur», «d'une poutre» (1585), «angle d'une voûte et d'un mur» (1636), puis en sciences «angle des faces d'un cristal» (1751), «angle des faces d'un solide géométrique» (1810), «courbe tangente à la génératrice d'une surface réglée» (1808). Le mot s'applique aussi en technique à l'élévation sur la lame d'une épée (1611) ou d'une baïonnette (1838), à l'extrémité du bord d'une assiette ou d'un plat (1680), à l'angle de la lame d'un patin à glace (1909), plus couramment à la ligne saillante d'un relief osseux (*l'arête du nez*, XXe s.) et en général à toute saillie rectiligne.

▶ Les dérivés sont rares au sens d'«arête de poisson». ➡ **ARÊTEUX, EUSE** adj. (*aresteux*, v. 1580) est peu usité. ➡ **DÉSARÊTER** v. tr. (*desarester*, 1611) est usuel en cuisine et dans l'industrie alimentaire, surtout au participe passé *(filets de poissons désarêtés)*.
Le sens de *arête* en architecture et en charpente a suscité **ARÊTIER** n. m. (*arrestier* à Tournai, 1440), désignant la pièce de charpente formant l'arête du toit. ➡ Dès 1309, *arestier* s'applique à une tuile de faîte, sens où le mot a été remplacé par **ARÊTIÈRE** n. f. (*arrestiere*, 1285), probablement issu de *tuile arrestiere*. ➡ De là **CONTRE-ARÊTIER** n. m. (1889) «ardoise précédant l'ardoise coupée qui couvre l'arête».

ARGENT n. m. est issu à haute époque (881, Eulalie) du latin *argentum*, désignant le métal, l'argenterie et, depuis Plaute, la monnaie. Ce nom, rattaché à une vaste série, dérive d'un °*arguus* «éclat, blancheur», d'où vient le verbe *arguere*, archaïquement «faire briller, éclairer», puis au figuré «démontrer» et «convaincre» (→ arguer, argument). Le métal est donc appelé «le brillant» (comme l'or est «le jaune»); cette appellation se retrouve en grec (→ argyrite), dans les langues celtiques (gaulois *arganto-*), en osque, etc.; il s'agirait d'un mot emprunté, remplaçant une désignation indoeuropéenne (Ernout et Meillet).

♦ En français, *argent* désigne d'abord et encore aujourd'hui le métal blanc précieux. Dans ce sens, il donne lieu aux syntagmes *argent blanc* (1360) «mat, non poli», *argent vierge* «à l'état pur» (1690), *argent natif* (1762); à partir du XVIIIe s., d'autres syntagmes, aujourd'hui archaïques, désignent des composés, qui sont des minerais natifs d'argent : *argent rouge* (1751), *noir* (1780), *blanc*, «plomb argentifère» (1816). ◇ Depuis le XIIe s., le mot s'emploie en blason. ◇ Il symbolise la blancheur et l'éclat (*d'argent*, XVIIe s.), d'où l'adjectif *argent* (1751) «argenté», par exemple dans *blanc argent*.
Le sens de «monnaie métallique» apparaît très tôt (1080), d'abord pour «monnaie d'argent», puis (XIIe s.) pour toute monnaie métallique. La notion attachée au mot deviendra de plus en plus abstraite à mesure que la monnaie se détachera des métaux précieux : *assignats* et *billets* représentent de l'argent (métal) et sont *de l'argent*. Cependant, on a dès l'ancien français désigné le moyen de paiement en général par un mot d'abord concret *(monnaie, deniers, pécune)*. Le fait que ce soit *argent*, plutôt que ces mots ou que *or*, qui ait pris la valeur de «moyen de paiement» en français moderne, vient de l'histoire financière qui a donné à la monnaie d'argent la plus grande importance (quantitativement). Il vient aussi de l'usage de la langue, *argent* donnant lieu à de nombreux syntagmes (***argent frais***, XVIe s.; ***argent liquide, argent comptant, de poche...***), expressions et locutions : ***manger son argent*** (1538), ***faire de l'argent de qqch.*** (1538), ***de tout*** (1561), ***prendre pour argent comptant*** (1587), ***jeter l'argent à poignées*** (1690), ***être à court d'argent*** (1718), puis ***faire de l'argent*** «en gagner» (1837); ***en avoir pour son argent*** (1811), ***bourreau d'argent*** (1690) «prodigue», devenue archaïque, ***être cousu d'argent*** «très riche» (1675), etc.; ainsi que des proverbes, comme ***point d'argent, point de Suisse*** «il faut payer pour avoir tels services» (XVIe s.). ◇ En outre, la langue populaire utilise le pluriel *des argents* (1883, Verlaine) pour *de l'argent*, et le féminin *(de la bonne argent)*. ◇ Le mot *argent* est l'un des substantifs qui a le plus grand nombre de synonymes argotiques et familiers *(blé, fric, flouse, pèze...)*.

▸ Les dérivés sont inégalement répartis selon les deux sens du mot, ceux qui concernent le métal étant plus nombreux que les autres. ➛ **ARGENTER** v. tr. (1233) signifie «recouvrir d'une feuille d'argent» et au figuré (1750, peut-être d'après *argenté*) «donner la couleur de l'argent à (qqch.)». ➛ Le participe passé **ARGENTÉ, ÉE** devenu adjectif (v. 1260 en picard) est plus fréquent, au propre *(métal argenté)* comme au figuré «qui a l'aspect de l'argent» (1240). ➛ Le verbe a plusieurs dérivés techniques, **ARGENTAGE** n. m. (av. 1844), **ARGENTEMENT** n. m. (1866), rare, **ARGENTEUR** n. m. (*-teeur*, 1268; repris 1691). ◇ Deux verbes préfixés, **DÉSARGENTER** v. tr. (1611) avec un participe passé adjectivé (ci- dessous *désargenté*) et plusieurs dérivés, et **RÉARGENTER** v. tr. (av. 1839) sont en usage.
ARGENTURE n. f., «argent massif» (*argenteure*, v. 1341), puis «couche d'argent» (1636), est dérivé de *argent* et non pas du verbe. ➛ **ARGENTERIE** n. f., d'abord «mine d'argent» (Marco Polo), puis dans un sens financier (1286, «fonds, réserve monétaire du roi»; cf. *argentier*), n'a plus que la valeur «métallique». Il signifie (1562) «vaisselle, ustensiles d'argent», après avoir désigné le lieu où l'on place les objets d'argent (1323), sens disparu; le mot est usuel en français moderne. ➛ **ARGENTIN, INE** adj. signifie d'abord (1115) «en argent», puis (une fois au XIVe s.; réattesté en 1541) «qui a l'éclat de l'argent» (*argenté* l'a éliminé dans cet emploi). ◇ Enfin, au XVIe s. (1513), répandu au XVIIe s., il qualifie ce qui résonne clair (métaphore analogue pour *cristallin*). ➛ **ARGENTIFÈRE** adj. (1596) se dit d'un minerai contenant de l'argent et s'emploie familièrement au sens de «monnaie», de ce qui rapporte de l'argent (1888). ➛ **ARGENTITE** n. f. (1792) désigne un sulfure naturel d'argent; **ARGENTAN** n. m. (1829) un alliage de cuivre, nickel et zinc ressemblant à de l'argent. ➛ **ARGENTIQUE** adj. (1838) signifie «qui contient de l'argent» en chimie et en pharmacie. ➛ Le latin *argentum vivum* «argent vivant» a été appliqué au mercure (Pline); l'expression est passée dans les langues romanes et notamment en français, où *argent vif* (1270) et **VIF-ARGENT** n. m. (1368; *vis argent*, mil. XIIe s.) désignent le mercure, en concurrence avec le mot *mercure* à partir du XVIe s., mais sont encore usuels jusqu'à Lavoisier. *Vif-argent* est prononcé *vivargent* jusque vers la fin du XVIIIe siècle. Le mot est resté vivant littérairement dans ses acceptions figurées, ***avoir du vif-argent dans les veines*** (1640), ***c'est du vif-argent*** (1798), d'une personne remuante, vive.
Du côté financier, on trouve **ARGENTEUX, EUSE** adj. «riche, qui a de l'argent» (1494), encore employé au XIXe s., aujourd'hui remplacé par *argenté* (ci-dessous) en dépit de l'homonymie ou à cause d'elle. ◇ *Argenteux* a aussi eu le sens de «qui a l'éclat de l'argent» (XVIe s.), éliminé par *argenté*, et «qui contient de l'argent» (1636). ➛ **ARGENTIER** n. m. signifie depuis le XIIIe s. (1272) «personne qui fait commerce de l'argent (monnaie)», c'est-à-dire «changeur», «trésorier», voire «prêteur, banquier». Puis il se dit pour «officier-payeur» (1351) et «surintendant des finances» (XVe-XVIe s.), et il est attesté au XVe s. pour «homme riche» (1465). ◇ Le mot a pris au XIXe s. des valeurs péjoratives, «capitaliste» (1849), «prêteur d'argent» (1839), sorties d'usage. ◇ ***Grand argentier***, familier pour «ministre des Finances» (1928 dans les dictionnaires), reprend les valeurs administratives et politiques du moyen français; il se dit aussi pour «personne qui tient une bourse commune», «directeur financier», etc. ➛ Au sens d'«ouvrier qui travaille l'argent (métal)» (1393), le mot est emprunté au dérivé latin *argentarius*. ➛ Du sens «monnaie» procèdent encore quelques dérivés. **ARGENTÉ, ÉE** adj., familier, signifie «qui a beaucoup d'argent, riche» (1669), surtout en phrase négative. Le mot a été en concurrence avec *argenteux* (ci-dessus). ➛ Le moyen français *mal argenté* a

été remplacé par **DÉSARGENTÉ, ÉE** adj. «démuni d'argent» (1640); cf. ci-dessus *désargenter*.
L'analogie de couleur et d'aspect produit quelques dérivés désignant des végétaux, tel **ARGENTINE** n. f. (une fois XIIIe s.; puis 1538), nom de la potentille; et des poissons : **ARGENTÉ** n. m. (1791).

◈ voir ARGILE, ARGONAUTE, ARGUER, ARGUS, ARGUTIE, ARGYRITE.

ARGILE n. f. vient du latin *argilla* (*g* dur), emprunt probable au grec *argillos*, de même racine que *argentum* (°*arguus* «éclat, blancheur»). *Argillos* est probablement apparenté à *argos* «d'une blancheur éclatante» (→ argos) et au latin *argentum* (→ argent); il appartient au domaine roman (italien *argilla*, espagnol *arcilla*); en français il a eu de nombreuses formes, explicables par la phonétique ou moins normales (*ardille*, v. 1175-XVIe s.; *arzille*, *arsille*, XIVe-XVe s.).

♦ D'abord noté *argille* (1190) puis *argile* (v. 1290), le mot désigne, comme en latin, une terre imperméable et plastique (que l'on sait aujourd'hui contenir des silicates hydratés d'aluminium), appelée aussi *glaise*. Traduisant un emploi biblique, *argile* sert à nommer (1553) le limon, la terre dont Dieu, dans la Genèse, pétrit l'homme. C'est aussi de la Bible (livre de Daniel, II, 31 à 34) que vient l'expression ***colosse aux pieds d'argile*** (en fait, de fer et d'argile), non attestée avant l'Académie de 1878.

▸ **ARGILEUX, EUSE** adj. continue le dérivé latin *argillosus* ou est dérivé en français, d'abord sous des formes archaïques et variées, puis (1380) fixé en *argileux*. ◆ D'autres dérivés sont archaïques, comme **ARGILETTE** n. f. «argile fine» (1570), **ARGILLIÈRE, ARGILIÈRE** n. f. «carrière d'argile» (1331), **ARGILERIE** n. f., de même sens (1389), **ARGILLER** v. tr. «enduire d'argile» (XVe s.). ◆ D'autres encore sont didactiques et assez rares, tels **ARGILEUR** n. m. (mil. XXe s.), **ARGILITE** n. f. «schiste argileux» (1797), **ARGILOÏDE** adj. (1807) et des composés en **ARGILI-**, **ARGILO-** (*argilo-calcaire* adj., 1797).
ARGILACÉ, ÉE adj. est emprunté (1842) au dérivé latin *argilaceus*, pour «qui a l'apparence, la nature de l'argile».

ARGON n. m., désignant un gaz rare de l'atmosphère, est emprunté à l'anglais *argon* (1894), formé d'après le grec *argos* «inactif, paresseux» (neutre *argon*) pour *aergos*, de *a*- privatif (→ ② a-) et de *ergon* «travail» (→ énergie, exergue), parce qu'il n'entre dans aucune combinaison chimique.

♦ Le corps a été découvert en 1894 par Rayleigh et Ramsay; son nom est passé rapidement en français (1895, Encycl. Berthelot).

ARGONAUTE n. m. est emprunté (1793) au latin *argonauta*, grec *argonautês*, littéralement «marin ou passager du navire Argo», de *Argo*, nom du navire de la mythologie grecque qui emporta l'expédition de Jason, et de *nautês* «marin», de *naus* (→ nautique, naumachie). *Argo* «la rapide» appartient à la même famille que *argos* «blanc éclatant» (→ argus). On peut admettre à l'origine une racine exprimant à la fois la blancheur éclatante de l'éclair et sa rapidité; toutefois, certains hellénistes préfèrent poser deux racines distinctes.

♦ Les *Argonautes*, nom propre, désigne en français, les membres de cette expédition, en quête de la Toison d'or. Le mot, en latin scientifique, a été appliqué par Linné (1758) à un céphalopode, appelé aussi *nautile*; il a été francisé (1793) en *argonaute*. Il a servi aussi à nommer un papillon (1816). ◇ Repris d'après le sens mythologique, *argonaute* s'est dit plaisamment pour «personne qui navigue, fait une excursion fluviale» (1898) et désigne aussi (mil. XXe s.) un type de voilier d'instruction.

◈ voir ASTRO- (ASTRONAUTE), COSMONAUTE.

ARGOT n. m., mot particulièrement obscur, a suscité un grand nombre d'hypothèses étymologiques.
En 1628 paraît à Tours un ouvrage d'Olivier Chérau intitulé *Le Jargon ou langage de l'argot reformé*. *Argot* y signifie «corporation de gueux», dans l'expression *royaume d'argot*. Le «jargon de l'argot» ne sera dénommé *argot* que plus tard (1690), et l'origine du mot ne peut donc se trouver que dans ce premier sens : «corporation de mendiants; ensemble des voleurs». Or, la forme *argot* peut correspondre à plusieurs mots d'ancien français, comme *argoter* «se quereller», variante de ① *ergoter**, dérivé du latin *ergo* (hypothèse de Sainéan), ou bien *argot*, variante de *ergot** jusqu'au XVIe s., et qui aurait été appliqué au vol par la métaphore de la griffe (cf. *agripper*, *harpon*). On évoque encore l'ancien français *hargaut*, *herigaut*, de l'ancien provençal *argaut* «vieux vêtement», donc dans le contexte de la mendicité (l'idée est de Dauzat, qui l'a abandonnée pour recourir à une origine espagnole : *arigote* «personne méprisable»). L'hypothèse de G. Esnault est le verbe *arguer* «tirer de l'or», de *argue* «filière pour l'or», emprunt à l'italien *argano*, du latin *organum* «instrument» (→ organe); mais *argue* (1667) et surtout *arguer* (1751) semblent beaucoup trop tardifs pour justifier cette étymologie. Enfin, pour Pierre Guiraud, autre grand spécialiste de l'argot, le mendiant est celui qui frappe aux portes et son nom viendrait de l'ancien verbe *hargoter* (XIVe s.) «secouer», de la famille du latin *argutus* «piquant, pointu». ◇ Si l'on écarte les multiples étymologies fantaisistes, anecdotiques et non appuyées (*Argus*, le géant aux cent yeux, la constellation *Argo* et le navire *Argo* des *Argonautes*, mot qui a donné lieu à un calembour avec *argot*, «connaisseur de l'argot», 1873), on retiendra surtout deux étymons plausibles : le latin *ergo* et le latin *argutus*, participe du verbe *arguere*, mais peut-être par une autre voie que celle que suggère Guiraud. Quant à *ergot* «griffe», la difficulté n'est que renvoyée, ce mot étant lui-même obscur. Sur le plan sémantique, il ne faut pas omettre que, dès l'apparition du mot (1628), le verbe *argoter* est attesté au sens de «mendier», et non pas de «voler», ni de «se quereller», ce qui pose un problème pour *ergo*, par ailleurs un peu savant (mais les escoliers n'étaient pas toujours d'honnêtes citoyens), et pour *ergot*.

♦ Le sens initial de «communauté de gueux» n'étant connu que des spécialistes, *argot* s'est substitué à *jargon*, mot probablement issu du radical *garg*- de

L'ARGOT

Dans l'usage courant, l'argot représente d'abord une manière de parler incongrue, parfois grossière, en tout cas marquée comme populaire et incorrecte, sans être d'ailleurs forcément lié à des activités délictueuses. Dans ce cadre, la frontière entre ce que l'on désignait nettement par *argot* ou *argot du milieu* et un niveau de langue familier ou très familier s'est atténuée. Ce n'est pas à dire que l'emploi de tels ou tels mots ou expressions ne connote plus l'appartenance à un groupe, mais qu'un certain nombre de changements ont modifié en profondeur le contenu de l'argot et en même temps sa fonction sociale.

Nature des argots. L'argot, la «langue verte», n'est justement pas une langue : c'est un usage social marqué de la langue parlée populaire qui concerne quasi exclusivement le lexique. Cet usage a longtemps été considéré comme propre aux malfaiteurs — aux «coupeurs de bourses» (Richelet en 1680) — et aux mendiants ou «truands», dont une partie du vocabulaire, incompréhensible pour le non-initié, avait pour fonction de communiquer sans être compris du monde extérieur. Le mot lui-même, qui signifie d'abord «domaine, royaume de la pègre», le montre. Ce n'est qu'au XIXe s. que la définition de l'argot s'élargit et inclut d'autres usages sociaux ; l'argot se définit alors comme le vocabulaire particulier à un groupe qui marque l'appartenance et exclut tous ceux qui s'expriment autrement. Il y a donc des argots, chacun constitué d'une «phraséologie particulière, plus ou moins technique, plus ou moins riche, plus ou moins pittoresque», et utilisé par des «gens exerçant le même art et la même profession» (Littré, 1863). L'existence des argots de métier est évidemment plus ancienne ; mais ici le vocabulaire argotique, souvent restreint à l'activité professionnelle et qui peut doubler les mots techniques ou usuels, a pour rôle de marquer l'appartenance à une profession ou à une communauté définie (par exemple une grande école) et d'assurer, dans la communication interne, la cohésion du groupe. L'emploi de cette acception du terme d'*argot* n'appartient qu'à l'usage des linguistes. On parle aussi de *jargon*, d'une manière péjorative.

Plusieurs phénomènes apparaissent à partir du XIXe s. qui modifient peu à peu en profondeur les conditions d'utilisation de l'argot, qu'on le prenne au sens premier ou au sens large. Alors, les dernières bandes de brigands, voleurs de grands chemins (on a jugé celle d'Orgères en 1800), disparaissent, les bagnes sont abolis et la seconde moitié du siècle voit la disparition, dans les grandes villes, des quartiers réputés pour être la proie des malfaiteurs, la délinquance prenant d'autres formes, moins géographiques. Cela ne signifie pas que le vocabulaire propre à ceux qui tournent la loi a disparu, mais que leur isolement social a diminué, et donc le cloisonnement linguistique qui les caractérisait. À la pègre, qui est un milieu, succèdent des clans et une abstraction juridique, la grande délinquance.

Une partie de l'argot s'intègre alors, très lentement, dans le lexique général et perd du même coup sa fonction cryptologique ; la littérature a joué son rôle dans ce processus et, en même temps, l'a reflété. Toujours au XIXe s., la disponibilité du vocabulaire des malfaiteurs a conduit à sa diffusion, notamment à son emprunt partiel par certains parlers de métier : Boutmy relève dans son *Dictionnaire de la langue verte typographique* (1878) quantité de mots, comme *casquer* ou *chiper*, venus du milieu des malfaiteurs. Ces mouvements d'un vocabulaire à un autre, qui restent fort mal connus, ont aussi contribué à l'assimilation de l'argot dans le lexique.

Certains argots de métier recourent à des codes formels. C'est le cas au XIXe s. du *loucherbem* (argot des bouchers : le mot vient de *boucher* + *l* initial + *b* en finale + *em*). Son procédé de formation, très simple, montre que la fonction de secret n'est plus assumée par des mots incompréhensibles, mais par l'accumulation de formes inconnues en discours ; on ferait la même remarque pour le «javanais» (insertion de syllabes en *v* + voyelle), utilisé certes pour décourager les «caves», mais qui a aussi une fonction ludique. Ces argots ne forment plus d'ensembles homogènes ; car l'évolution des techniques, le bouleversement des conditions économiques ont abouti à faire disparaître la plupart des métiers artisanaux qui les pratiquaient. Par exemple, le remplacement du chanvre par le coton avec le développement de l'industrie textile et l'abandon du travail à domicile ont effacé le *bellaud*, argot des peigneurs de chanvre jurassiens. Dès le début du XXe s., l'argot de professions saisonnières — ramoneurs, colporteurs, etc. — n'était plus parlé. Aujourd'hui, on parle pompeusement de *technolectes* à propos des jargons professionnels, héritiers lointains de ces argots disparus.

Argot et littérature. Ces diverses causes, dépendantes de changements socio-économiques, ont pour conséquence que l'argot au sens courant, la langue verte, l'argot du milieu, commence à devenir au XIXe s. un objet social et entre en littérature. Certes, son usage dans les textes est ancien, mais fort différent : Villon, et c'est un cas exceptionnel, l'emploie en lui conservant sa fonction cryptologique dans des ballades. Quant à la littérature poissarde du XVIIIe s., avec Vadé puis Bouchard, Lécluse, etc., elle n'en fait usage que dans un ensemble d'usages populaires et de façon dispersée dans des pièces en vers bouffonnes. Eugène Sue *(Les Mystères de Paris)*, Balzac avec le personnage de Vautrin, puis Hugo *(Les Misérables)* empruntent des termes considérés comme argotiques et élaborent une philosophie de cet usage. Ils contribuent ainsi à faire de l'argot un «signum social» : cette façon de parler devient une marque du comportement de la pègre, ensuite du parler «populaire» (c'est-à-dire des ouvriers) avec les écrivains naturalistes (Zola, principalement) et plus tard populistes (Barbusse, Dabit). L'emploi de l'argot dans la littérature est à peu près contemporain de celui des mots dialectaux qui caractérisent les personnages de paysans ; dans les deux cas, l'assimilation argot-parler populaire et dialecte-parler paysan indique ce que vise l'écrivain : introduire des indices de vraisemblance sociale. D'autres usages littéraires, apparus dès la fin du XIXe s. par exemple avec Bruant, avec la *Chanson des gueux* de Richepin, avec Jehan Rictus, se développent après 1945 : le récit, en vers ou en prose, est envahi par le vocabulaire argotique ou prétendu tel au point que certains auteurs accompagnent leur roman d'un glossaire... L'argot n'est plus là pour prétendre exprimer une réalité sociale ; il est devenu la marque d'un genre littéraire et un élément stylistique (Céline se compare volontiers à Racine : seuls diffèrent les matériaux mis en œuvre). Par ailleurs, toujours depuis les dernières décennies du XIXe s., l'argot est décrit : une bibliographie importante de dictionnaires et d'études en fait foi.

L'argot aujourd'hui.

Qu'en est-il aujourd'hui de l'argot parlé ? L'emploi de l'argot au sens strict est d'assurer le secret de la communication ; il ne peut être que marginal dans une société où les cloisonnements linguistiques sont atténués ou déplacés, notamment du fait de l'allongement de l'obligation scolaire et du développement des médias. Quant aux termes d'argot ancien, passés dans un plus large usage, c'est-à-dire sans fonction cryptologique, ils sont encore socialement marqués comme très familiers ou grossiers, mais leur usage n'est plus limité à certaines couches de la société ; on peut d'ailleurs douter qu'ils l'aient jamais été dans le domaine sexuel, à lire le *Journal* de Stendhal ou la *Correspondance* de Flaubert. Beaucoup de mots naguère exclus du langage de l'«honnête homme» apparaissent plus ou moins familiers ; c'est qu'ils sont couramment employés par ceux dont la parole est devenue un modèle, présentateurs d'émissions télévisées, professionnels de la politique, vedettes, etc., qui à bon compte «font peuple» ou cultivent un genre canaille. Cependant, l'usage d'expressions toujours réputées argotiques n'est pas identique selon la catégorie sociale considérée, sans qu'on sache autrement que par intuition comment la distribution s'effectue : «Il nous semble que *bidule, connerie, foutre, fric, rouspétance, sympa* sont fréquemment utilisés par la bourgeoisie alors que c'est plus douteux pour : *boumer, cuistance, falzar, mirette, mec, mollard, tire-jus*», écrivait J. Rey-Debove en 1971 (*Étude linguistique et sémiotique des dictionnaires français contemporains,* Mouton).
Parmi les procédés de création argotique signalés plus haut, tel le javanais, il en existe un, très simple, qui procède par inversion de syllabes et se dénomme lui-même *l'envers,* devenu par ce renversement *verlan.* Ce verlan, appliqué à des substantifs, à des verbes (*laisse béton,* pour *tomber*), est depuis les années 1970 extrêmement créatif et a produit de nouveaux vocabulaires codés, spécialement dans le langage des groupes d'adolescents. Certains de ces mots, réguliers *(ripou* : pourri ; *tromé* : métro) ou irréguliers (*beur* : arabe ; *meuf* : femme), sont passés dans la langue générale, mais le choix des mots traités étant propre à chaque milieu ou groupe, ce vocabulaire est véritablement argotique dans sa gestion.

T. Hordé, C. Tanet

BIBLIOGRAPHIE

E. CHAUTARD, *La Vie étrange de l'argot,* Paris, Denoël, 1931.

P. GUIRAUD, *L'Argot,* Paris, Que sais-je ?, n° 700, 1973.

L. SAINÉAN, *Les Sources de l'argot ancien,* Paris, Champion, 1912.

«Parlures argotiques», in *Langue française* n° 90, mai 1991 (D. François-Geiger, J.-P. Goudaillier).

Dictionnaires

J. CELLARD, A. REY, *Dictionnaire du français non conventionnel,* Paris, Hachette, 1991 (2e éd.).

J.-P. COLIN, J.-P. MÉVEL, *Dictionnaire de l'argot,* Paris, Larousse, 1990.

G. ESNAULT, *Dictionnaire historique des argots français,* Paris, Larousse, 1965.

J. LACASSAGNE, *L'Argot du milieu,* Paris, Albin Michel, 1948.

gargote (lui-même argotique), signifiant «gorge»; la structure phonétique des deux mots est proche, mais aucun °*gargot* n'est attesté. *Jargon,* d'abord «gazouillement», a pris son sens moderne au XVe siècle. Comme le jargon, l'*argot* (fin XVIIe s.) est un langage secret de malfaiteurs ou plutôt un registre langagier spécial, caractérisé surtout par un lexique, et qui sert de moyen de reconnaissance ainsi que de code secret. Rare au XVIIIe s., le mot connaît la faveur au XIXe s. avec Balzac *(Splendeurs et Misères des courtisanes),* Hugo *(Les Misérables),* Eugène Sue *(Les Mystères de Paris)* et bien d'autres. ◇ Du milieu des malfaiteurs, qui ne sera appelé *le milieu** que bien plus tard, le mot passe par affaiblissement à une valeur, très inexacte pour le linguiste, mais courante, de «langage familier et incorrect; vocabulaire non accepté par les défenseurs du bon français». L'opposition établie par : *ce n'est pas du français, c'est de l'argot,* scientifiquement absurde, reste active. ◇ En revanche, le sens extensif (fin XIXe s.), «langage et spécialement vocabulaire particulier à un milieu ou à un groupe défini», comme *l'argot des grandes écoles, l'argot des sacristains* ou *des coureurs cyclistes,* est propre aux érudits; il englobe le sens dominant, le «milieu» étant un groupe social parmi d'autres (voir aussi l'encadré pp. 197-198).

▶ Le passage au XVIIe s. de l'acception «milieu des malfaiteurs» à «jargon» se marque par le dérivé archaïque **ARGOTER** v. intr. «mendier» (1628), repris au sens moderne de *argot,* «parler argot» (XVIIIe s.). ➜ De même **ARGOTIER** n. m. désigne au XVIIe s. (1628) un homme appartenant au *Royaume d'argot,* un gueux et un voleur. Le mot prend le sens de «connaisseur ou spécialiste de l'argot» en 1808, un moment concurrencé par **ARGOTISTE** n. (1866). ➜ **ARGOTIQUE** adj. est lui aussi attesté en 1628 pour «des mendiants et voleurs». Son sens langagier moderne est beaucoup plus récent (attesté 1845). ➜ **ARGOTISME** n. m. «façon de parler argotique» date lui aussi du XIXe s. (1839). ➜ Récemment, a été formé le composé hybride **ARGOTOLOGIE** n. f. «étude linguistique des argots».

ARGOUSIN n. m., d'abord sous la forme *agosin* (XVe s.), puis *argousin* (1538) qui signifiait «surveillant des forçats, garde-chiourme», a une histoire complexe, qui témoigne de la circulation intense de certains termes autour de la Méditerranée du XIIIe au XVIe siècle. L'initiale *a-* ou *ar-* modifie la forme originelle *algousan* (employée par Rabelais) prise à l'italien, où *algozino* est attesté au XVIe s. (Sicile et Naples), mais qui a été précédée par *aguzerino* (Sicile, v. 1300), emprunt suffixé en *-ino* (caractéristique des métiers) au catalan *agutzir,* lui-même apparenté au portugais *algoz* «bourreau». Le changement de sens vers «surveillant» et «officier subalterne» a dû s'opérer par influence d'un mot espagnol de forme voisine, *alguacil,* lui-même emprunté à l'arabe *'al wazīr* «le conseiller» (→ vizir). Ce mot, qui signifie originellement «aide colporteur», avait pris en Espagne le sens d'«officier subalterne, agent de police». La source portugaise de *argousin, algoz,* est elle aussi un emprunt à l'arabe, où *'al ğuzz* est le nom d'une tribu turque qui fournit des mercenaires aux musulmans de la péninsule Ibérique.

♦ Le mot, senti comme un italianisme au XVIe s., est réservé au contexte du bagne et surtout des galères. Il a subi sans doute à nouveau l'influence de *alguacil* (en français *alguazil,* 1581) et a servi à désigner un agent de police. ◇ Cette valeur, toujours péjorative, a été reprise au XIXe s. (1808); s'y sont ajoutés un moment le sens de «surveillant, mouchard» et des connotations voisines de celle de *sbire.* Il est à peu près sorti d'usage.

✳ **ARGUER** v. tr. résulte de deux verbes latins étroitement apparentés. Le verbe français qui a trois syllabes *(ar-gu-er)* vient soit par évolution phonétique du latin populaire *argutare* (Properce), qui vient lui-même du latin classique *argutari,* intensif de *arguere,* soit par emprunt de *arguere* (XIIIe-XIVe s.) et sans doute des deux, selon les sens et emplois. *Arguere* signifiait en latin «indiquer, démontrer» et «convaincre», puis par extension «accuser»; il viendrait d'un substantif °*argu,* °*argus* «éclat, blancheur», comme l'adjectif *argutus* (→ argutie), probablement le nom du «métal clair», *argentum* (→ argent) et, en grec, *argos* (→ argus, peut-être argonaute). *Argutari,* intensif de *arguere,* d'après la valeur «démontrer, chercher à convaincre», signifie «parler de manière verbeuse, ressasser».

♦ Outre ce sémantisme, *arguer* a en ancien français les valeurs suivantes : «exhorter», «serrer de près en combattant» (XIIIe s.), «solliciter», «aiguillonner (en parlant d'une force morale)» (XIIe-XIVe s.) ou «harceler», «accuser» *(arguer qqn de...)* [1170, en anglonormand]. Ces développements, jusqu'aux sens modernes de «mettre en avant» et «déduire», sont peu clairs : ils trahissent l'influence (sans doute par réemprunt) du latin *arguere* et, pour le sens de «presser», d'une métaphore mal expliquée, où l'élément sémantique «langage», en général présent, a disparu («poursuivre au combat, attaquer», XIIIe s.). Les valeurs propres de *argument,* dont le sens est resté plus stable (voir plus loin), ont aussi joué. ➜ Déjà au sens d'«accuser», le verbe concernait le discours. Ce contexte se développe en emploi intransitif, pour «raisonner», à partir du XIIIe s., aussi pour «développer des raisons favorables», «discuter», toutes acceptions sorties d'usage au cours du XVIIe s., comme les sens transitifs, pour «contredire» (depuis 2e moitié XVe s.), «alléguer comme argument». ➜ Les seules valeurs modernes du verbe sont *arguer contre qqn* (XVIe s., Rabelais), rare, *arguer* intransitif «discuter», surtout *arguer que...,* et *arguer de qqch.* «s'en prévaloir, tirer argument de» (déb. XIXe s., Chateaubriand), qui proviennent du sens transitif ancien, «alléguer comme argument». En français contemporain, le verbe, d'usage didactique, constitue le résidu d'un vaste ensemble sémantique de nature psychologique, où seules les valeurs rationnelles, celles de *argument,* ont résisté, d'ailleurs concurrencées par *argumenter.*

▶ **ARGUMENT** n. m. est emprunté (1170) au latin *argumentum* «preuve» et «matière à traiter» (il correspond alors au grec *hypothesis;* → hypothèse), dérivé de *arguere.* ➜ Le mot, à la différence de *arguer,* a conservé son sens initial (XIIe s.) «raisonnement servant de preuve», et n'y a ajouté que des valeurs spécialisées («syllogisme», «preuve», XIIIe s.) ou proches : «objection» (XIVe s.), «ruse», ainsi que des extensions, de nature littéraire, «exposé sommaire d'un sujet» (depuis Marot), et scientifique (1691 en mathématiques). ***Argument frappant,*** familier (1898), désigne un coup. ◆ Des spécialisations concernent un prologue de théâtre (XVIe s.), le résumé d'un scénario de film (1921), etc. ◆ Dans son emploi le plus usuel, le mot, didactique à l'époque classique (XVIIe-XVIIIe s.), s'est diffusé au XIXe s. dans l'usage courant, avec des applications particulières à la publicité, à la vente. ◆ Le dérivé **ARGUMENTAIRE** n. m. (1960) désigne une série d'arguments publicitaires, puis politiques (1977). ◆ Le composé **CONTRE-ARGUMENT** n. m. (1966) correspond à «argument contraire».

ARGUMENTER v. est emprunté au dérivé latin *argumentari* «démontrer» et péjorativement «ergoter» (sens voisin de celui de *argutari*). Le verbe (v. 1150) reste sémantiquement lié à *argument* et, dans certains emplois, interfère avec *arguer*. Il se construit avec *sur* (*argumenter sur* qqch., déb. XVIIe s.), *contre* (qqn, qqch.) [1680], *avec* (qqn) [XVIIIe s. Voltaire], *de* (qqch.) [1678], *que*... (déb. XVIIe s.). Le verbe s'est appliqué spécialement à l'exposé des arguments dans la soutenance d'une thèse (1673, jusqu'au XIXe s.). ◆ Il a pour dérivé (1580) *argumenteur,* devenu archaïque, alors que **ARGUMENTATEUR** n. m. (1551), emprunté au dérivé latin *argumentator,* est usité. ◆ **ARGUMENTANT** n. m. (1690) a désigné celui qui argumentait dans une soutenance de thèse ou un acte public. ◆ **ARGUMENTATION** n. f. est aussi un emprunt (v. 1320) à un dérivé latin, *argumentatio,* et possède surtout une valeur scientifique. ◇ De là **CONTRE-ARGUMENTATION** n. f. (1974). ◆ **ARGUMENTATIF, IVE** adj. (une fois au XIVe s., puis 1521), «relatif à l'argumentation», repris en logique et rhétorique (1955, Perelmann), est didactique.

ARGUS n. m. est un emprunt (1584) au nom propre latin *Argus,* grec *Argos,* personnage mythologique à cent yeux chargé par Héra (Junon) de surveiller la nymphe Io. *Argos,* adj., signifie «d'une blancheur éclatante» et, appliqué à ce personnage, «aux yeux brillants». Le mot se rattache à un thème indoeuropéen exprimant à la fois la blancheur de l'éclair et sa vitesse (→ argonaute), thème que l'on retrouve aussi dans les mots latins *argentum* (→ argent), *argutus* (→ argutie), *arguere* (→ arguer).

♦ Le mot désigne de manière littéraire un surveillant ou encore un homme clairvoyant, et ***des yeux d'Argus*** s'emploie (1798) pour «yeux très pénétrants, perçants». ◇ Le mot, en latin scientifique, a été appliqué à un coquillage qui présente des ocelles (1796), à un poisson (1791), un serpent (1768), un papillon (1768), etc., tous animaux portant des taches en forme d'yeux. ◆ Par une image publicitaire, le mot s'applique (1900) à une publication qui est censée observer de très près un domaine et qui fournit des informations, puis (1936) à un organisme qui dépouille la presse pour le compte d'abonnés (firmes commerciales, notamment), leur fournissant les allusions faites à leur nom, à leur activité *(argus de la presse),* enfin à une publication de prix d'un marché d'occasions (voitures, etc.).

ARGUTIE n. f. est un emprunt de la Renaissance (1520) au latin *argutiae* «subtilités» (rare au singulier *argutia*), dérivé de *argutus* «clair, perçant» (→ argent), puis «pénétrant, subtil, rusé» et finalement «bavard», d'où le dérivé *argutiae. Argutus* a donné en moyen français l'adjectif *argut* (v. 1500) «subtil, rusé». Une variante rare, *arguce* «plaisanterie» (1537), vient de l'italien *arguzia* «trait d'esprit», de même origine, mais le mot a pris rapidement le sens latin d'«ingéniosité».

♦ Le sens moderne, «argument, raisonnement pointilleux, souvent destiné à retarder une décision», est attesté en 1555, le mot conservant ensuite ce contenu péjoratif. Le lointain rapport étymologique avec *argument, argumenter,* est encore ressenti à cause des valeurs actuelles du mot.

▸ Les dérivés **ARGUTIEUX, EUSE** adj. (1798), **ARGUTIER** v. intr. (1875, Goncourt), sont peu usités.

ARGYRITE n. f. est emprunté (1611) au latin *argyritis,* emprunt au grec, où le mot est dérivé de *arguros* «argent (métal)», d'un thème signifiant «blanc brillant» et «rapide», que l'on retrouve dans le sanskrit *árjuna* «blanc, clair», le latin *argentum* (→ argent), le grec *argos* (→ argus, peut-être argonaute) et *argillos* (→ argile).

♦ Le mot désigne un minerai d'argent.

▸ **ARGYRIQUE** adj. (1875) «de l'argent», et **ARGYRISME** n. m. (1890) «ingestion de sels d'argent», sont très didactiques, comme les composés en *argyro-,* formés à partir du milieu du XVIIIe siècle.

ARIA n. f. est emprunté (1752) à l'italien *aria,* parallèlement à l'emploi de *air,* lui aussi influencé par l'italien *arioso* (→ air).

♦ Le mot, cité comme mot italien dans un texte français dès 1703, puis (1752) comme synonyme de *air, chanson,* désigne une mélodie chantée par une seule voix accompagnée, surtout dans la musique du XVIIIe siècle.

▸ **ARIETTE** n. f. est emprunté (v. 1710) au dérivé italien *arietta.* ◇ Le dérivé **ARIETTEUR** n. m. «chanteur d'ariette» (1788), est sorti d'usage. ◆ **ARIOSO** adv., qui se dit d'un chant soutenu, est un autre emprunt (1768, J.-J. Rousseau) à l'italien, *ariose* (de *aria*). Il s'emploie aussi comme nom (1811) pour «air de grand style».

ARIDE adj. est emprunté (v. 1370) au latin *aridus,* du verbe *arere* «brûler» (→ ardent), qui avait pris le sens de «dessécher». Le mot a évolué de l'idée de sécheresse à la notion de stérilité, d'absence de végétation. *Aridus* avait donné par évolution phonétique l'ancien français *are, arre* (XIIe-XVIe s.) «sec», probablement forme réduite de *aridus* par un latin populaire °*ared,* °*ard.* Cet adjectif a eu pour dérivé un verbe *arir* «sécher» (v. 1280), d'où *ari* «sec» (1538) et au figuré «desséché, sans agrément» (1556). L'adjectif *are, arre* avait pris, de son côté, la valeur de «desséché, racorni» (XVe-XVIe s.).

♦ Les différents usages de *aride* correspondent à des glissements de sens, et aussi à des emprunts successifs au latin. L'adjectif signifie d'abord «sec, stérile» et s'applique à ce qui est racorni, desséché, et au figuré à ce qui est dépourvu d'agréments (1668). Il s'est spécialisé en climatologie. ◇ Une autre métaphore concerne l'esprit, l'auteur infécond (1680), comme synonyme de *stérile*, et aussi (déb. XVIIe s.) la personne dépourvue de sensibilité.

► Le dérivé **ARIDEMENT** adv. (1636) est rare.

ARIDITÉ n. f. est emprunté (1549; une première fois en 1120) à *ariditas* avec les sens de *aride* (sens figuré actuel, 1690). ➛ Les emplois géographiques de l'adjectif, dans le contexte de la mise en valeur des zones *arides* et de la lutte contre la sécheresse, ont produit **ARIDIFICATION** n. f. (1976) et **ARIDOCULTURE** n. f. (1974).

Le préfixé **SEMI-ARIDE** adj. (1912) s'emploie en géographie.

ARISTARQUE n. m. est emprunté (1549 ou 1565) au nom propre latin *Aristarchus*, grec *Aristarkhos*, nom de plusieurs personnages, notamment d'un grammairien d'Alexandrie, critique sévère et éditeur d'Homère. *Aristarkhos* est composé de *aristo-*, élément représentant *aristos* «le meilleur» (→ aristocratie) dans de nombreux noms propres (cf. *Aristote, Aristophane*), et de *-arkhos* «chef, commandant» (→ -archie, -arque). Il signifie littéralement «le meilleur gouverneur».

♦ Le mot désigne un critique minutieux. Il est parfois péjoratif ou ironique.

ARISTOCRATIE n. f. est un emprunt du moyen français (Oresme, 1361) au grec *aristokratia* «gouvernement des meilleurs», de *aristos* «le meilleur», superlatif de *agathos* «bon». *Aristos* appartient au groupe du comparatif *areiôn* «meilleur, plus fort, plus brave», se rapportant à tous les mérites : du corps, de la naissance, de la fortune. Les deux mots sont apparentés à la particule augmentative *ari-*. Le second élément, *-kratia*, que l'on retrouve dans une abondante série (*démocratie*, etc.), vient de *kratos* «force», mot indoeuropéen à rapprocher du sanskrit *kratú-* «force, intelligence, volonté». *Aristocratie*, écrit Oresme, «est dite de *aris* qui signifie vertu; car en elle seigneurirent aucuns vertueus et très bons». L'emprunt s'est parfois fait par le latin des traductions d'Aristote.

♦ C'est un mot didactique qui ne s'applique qu'à l'Antiquité avant la Révolution française, époque où le mot, à la suite de *aristocrate* (ci-dessous), se répand pour désigner la noblesse (1789) et la partie supérieure et dirigeante d'un groupe : *aristocratie des magistrats* (déjà 1788), *de l'argent* (1789). Un sens extensif, «qualité de ceux qui détiennent la prééminence», toujours lié aux valeurs sociales hiérarchisées, existe depuis Buffon (par exemple, *l'aristocratie de l'esprit*); dans le domaine social, on relève *aristocratie bourgeoise* (1789-1790), *marchande* (1793), *municipale* (1824).

► **ARISTOCRATE** n. apparaît à la Renaissance (1550) comme dérivé ou emprunt au grec *aristokrates*, forme tardive, mais semble inusité avant 1778. De l'appartenance à une classe («noble»), le sens passe, dès Beaumarchais, à «partisan de la noblesse» puis, avec la Révolution, à «partisan de l'Ancien Régime» (1790) : ainsi, les «aristocrates» promis «à la lanterne» n'étaient pas toujours nobles (cf. aussi *aristocrate bourgeois*, 1793). ➛ Après la Révolution, le mot reprend ses valeurs d'appartenance à la noblesse; de là **ARISTO** n. (1848), encore très vivant au XXe s. (cf. les témoignages de Proust). ◇ *Aristocrate* se dit (mil. XXe s.) pour «qui se distingue par sa qualité hors du commun», mais ce sens est moins usuel que pour *aristocratique* et reste métaphorique (*les aristocrates de la pensée*, etc.).

ARISTOCRATIQUE adj. est emprunté au dérivé grec *aristokratikos*, peut-être par le latin médiéval *aristocraticus* (XIIIe s.). ◇ Il apparaît avec *aristocratie* (1361, Oresme) et reste rare ou didactique (Montesquieu, etc.) dans la langue classique. Bizarrement, il n'est attesté en contexte moderne qu'en 1817 et chez Chateaubriand; la langue révolutionnaire emploie *aristocrate*. Il a dès lors des connotations positives, à la différence de *aristocrate* et *aristo*, et prend des valeurs figurées, «noble, raffiné». ◇ En est issu **ARISTOCRATIQUEMENT** adv. (1568). ➛ Un dérivé verbal de *aristocrate*, **ARISTOCRATISER** v. tr. (*-izer*, 1361), reste inusité avant sa reprise révolutionnaire (1790), où il a valeur politique. Son emploi plus récent pour «rendre distingué, aristocratique», attribué par Sainte-Beuve à La Fayette (1791), ne se répand que vers le milieu du XIXe s. et demeure rare, même au pronominal. ➛ **ARISTOCRATISME** n. m. (1789) a disparu dans son acception politique, «doctrine des aristocrates», et demeure rare pour «manières aristocratiques» (1876). ➛ Quelques composés en *aristo-* ont eu cours, tels *aristodémocratie* n. f. (1701) ou *aristomonarchique* adj. (1753) ou, plaisant, *aristocrapule* n. f. (1902), etc.; aucun ne s'est diffusé.

ARISTOLOCHE n. f. est un hellénisme emprunté au XVIe s., par le latin *aristolochia*, à un composé grec de *aristos* «très bon, meilleur» (→ aristocratie) et *lokheia* «accouchement» (cf. le nom archaïque *lochies*), à cause des vertus médicinales des racines de la plante. *Lokheia*, mot d'origine indoeuropéenne, appartient à la même famille que *lekhos* «lit», à rapprocher du latin *lectus* (→ lit). ◇ Les formes d'ancien français *aristologie* (1248), *aristologe* (XIVe s.), etc. viennent d'une variante latine *aristologia*, formée par confusion avec l'élément *-logia* (→ -logie).

♦ La forme actuelle (1563) a été précédée par *aristolochie* (1546). Le mot désigne d'abord plusieurs plantes aux vertus médicinales, puis une herbe grimpante à grandes fleurs irrégulières, cultivée comme plante ornementale et dont les racines étaient utilisées en thérapeutique.

ARISTOTÉLIQUE adj. est un emprunt (1527) au latin *aristotelicus* «d'Aristote», en grec *Aristotelês*, nom propre composé de *aristos* «le meilleur» (→ aristarque, aristocratie) et de *-telês*, élément tiré de *telos* «achèvement, réalisation, but» (→ télé-).

♦ Le mot s'employait pour «relatif à Aristote, à sa philosophie». Il a vieilli, sauf en histoire où il demeure plus rare que **ARISTOTÉLISME** n. m. (1771), «philosophie d'Aristote et de ses disciples».

▸ **ARISTOTÉLICIEN, IENNE** adj., dérivé savant (1668) du latin *aristotelicus*, a supplanté *aristotélique*.

ARITHMÉTIQUE n. f., comme *géométrie* et *mathématique*, et à la différence de *algèbre*, vient (XIIe s.) du grec par le latin, où *arithmetica* adapte un emploi de l'adjectif *arithmetikos* : *arithmetikê (tekhnê)* «la technique des nombres». Cet adjectif est dérivé de *arithmos* «nombre», que l'on peut analyser en *ari-thmos*, d'une racine indoeuropéenne °*er-*, °*ar-*, *r̥̄* signifiant «juste, exact», présente dans le vieux haut allemand *rīm* «nombre» et dans le latin *ritus* «compte» et «rite», apparenté à *ars, artis* (→ art, rite).

♦ Les premiers emplois, en *ari-* et *aris-* (*Roman de Thèbes*, 1150 ; *Roman de la Rose*), résultent, comme les formes contemporaines de l'espagnol ancien et du provençal, de la prononciation tardive du *th* (thêta) grec. *Arithmétique*, prononcé *arit-*, réfection savante (1515), précédée par l'ancien provençal *arithmeticha* (1492 à Nice), l'a emporté. ⟡ Outre le nom, l'adjectif latin *arithmeticus* a donné un adjectif français (1370), par exemple dans *machine arithmétique* (1751), *langage arithmétique* (1866). ⟡ Quant au sens, le nom, antérieur à *calcul*, représente l'aspect théorique de cette activité. Plus spécialisé au départ que *mathématique*, concurrencé par *algèbre* (qui ne prend qu'au XVIIe s. sa valeur moderne), il reste étroitement soumis au concept de «nombre». Les sens extensifs, comme «supputation» (XVIIIe s.), sont peu vivants.

▸ *Arithmétique* a eu de nombreux dérivés ; les plus durables sont **ARITHMÉTIQUEMENT** adv. (1558), le substantif didactique **ARITHMÉTICIEN, IENNE** n. (v. 1580 ; *aris-*, 1404). ⟡ L'évolution récente du domaine, par rapport à *mathématique*, plus général, et à *algèbre*, a produit **S'ARITHMÉTISER** v. pron. (1905, Poincaré) et *arithmétiser* (mil. XXe s.), d'où **ARITHMÉTISATION** n. f. (1960).
D'autres composés ont été tirés du grec *arithmos*, comme **ARITHMOMANCIE** n. f. (*-mantie*, v. 1550, Cardan) «divination par les nombres», activité essentielle dans l'ancienne science arabe (d'où **ARITHMOMANCIEN, IENNE** n. [1836]), **ARITHMOMÈTRE** n. m. «machine à calculer» (1823), **ARITHMOLOGIE** n. f. «théorie des nombres» (1838, mot créé par Ampère, aujourd'hui remplacé par l'expression *théorie des nombres*), **ARITHMOGRAPHIE** n. f. (1838) et leurs dérivés.

◈ voir LOGARITHME.

ARLEQUIN n. m., nom propre d'un personnage de la comédie italienne, *Arlecchino*, est passé en français au XVIe s. (1585). Depuis cette époque et jusqu'au XVIIIe s., on trouve aussi la graphie *Harlequin*, et ce *h* semble indiquer l'influence de l'ancien français *Hellequin* (2e moitié XIIe s.) ou *Hierlekin*, désignant un démon volant et malfaisant. Adam de la Halle s'est servi du nom dans le *Jeu de la feuillée*. Ce personnage de tradition populaire aurait été italianisé à la fin du XVIe s. par «le bouffon d'une troupe italienne, qui jouait à Paris (...) pour donner un nouveau relief à son rôle de Zanni» (Bloch et Wartburg). À l'étymologie germanique, suscitée par le milieu anglo-normand où apparaît *Hellequin*, à savoir °*Herle King* «le roi Harilo», qui serait l'un des surnoms de Wotan, P. Guiraud préfère (sans preuve) une composition des verbes anciens *hareler*, *harler* «harceler» et *hacquer* «déchirer» ; ces verbes ont d'ailleurs pu jouer un rôle en remotivant le nom.

♦ Devenu nom commun *(un arlequin)*, le mot a eu des valeurs figurées, souvent liées à l'habit du personnage, fait de triangles de couleurs différentes : ***habit d'arlequin*** «chose formée d'éléments disparates», au XIXe s. *un arlequin* «plat fait de restes». Le ***manteau d'arlequin*** est le décor encadrant la scène de théâtre à l'italienne.

▸ **ARLEQUINADE** n. f. (1726) est un dérivé français.

ARMADA, ARMADILLE → ARME

ARMAGNAC n. m. est le nom d'une région du Bassin aquitain, issu du latin médiéval *(pagus) armeniacensis* (mil. Xe s.), *Armeniacus* (Armagnac) étant un nom de familles attesté dès le début du Xe siècle.

♦ Le mot désigne une célèbre eau-de-vie de raisins de cette région (1802).

ARMATEUR, ARMATURE → ARME

✳ **ARME** n. f. est emprunté, d'abord au pluriel (1080), au latin *arma* (comme dans les autres langues romanes et en celtique), pluriel neutre collectif devenu féminin singulier en bas latin. Le mot latin vient probablement (selon Bréal, par un verbe *armare*) du nom masculin *armus* «haut du bras ; épaule», correspondant à un radical indoeuropéen que l'on retrouve dans le sanskrit *īrmáh*, le grec *armos*. Ce radical, de forme °*er-*, °*ar-*, *r̥̄*, est repérable dans plusieurs autres mots latins : *artus* «membre» (d'où *articulus* ; → article), *ars, artis* (→ art) et aussi *ritus* (→ rite). Il est également apparenté au grec *arithmos* (→ arithmétique). Les *arma* sont originellement «ce qui garnit (ou prolonge) le bras» dans la lutte ; le mot désigne surtout les armes qui restent près du corps, notamment le bouclier, mais aussi tous les instruments pour le combat. Ce sens prévaudra aux dépens de celui de «bras», réalisé par l'anglais *arm*, mot de même origine indoeuropéenne.

♦ Comme en latin, les *armes*, dans *La Chanson de Roland* (1080), désignaient spécifiquement l'*armure*, mais ce dernier mot (XIIe s.) permit à *armes* de s'appliquer de préférence aux armes offensives. ◇ Dans ce sens, de nombreux syntagmes spécifient la nature des armes : *armes molues (moulues)* [1247], *esmoulues* (1270) qui désignait les armes pointues, tranchantes ; *armes de trait* (1562), *de jet* (1694), *à hampe* (1691), synonyme de *hautes armes* (1690), «piques et hallebardes» (les deux derniers sortis d'usage). ⟡ Étant l'un des mots clés du domaine de la guerre, *arme* évolue selon les mœurs et les techniques, de la féodalité aux conflits mondiaux et à l'*arme nucléaire*, en passant par l'invention des ***armes à feu*** (en provençal *armas de fuech*,

1567 à Nice; 1671 en français). ◇ La phraséologie est très abondante, souvent au pluriel et avec la valeur symbolique de «situation militaire». *As armes* («aux armes») est attesté dès Roland (1080), ***aux armes*** au XVe s. (1465) et *aux armes citoyens* en 1790, dans ce qui va devenir *La Marseillaise* (cf. ci-dessous *alarme*). ◇ ***Gens d'armes*** (1306) signifie «soldat» (→ gendarme), comme ***homme d'armes*** (av. 1309, Joinville). ◇ Des expressions d'ancien français, comme *a armes, d'armes, par (per) armes* puis ***en armes,*** signifient «en combattant ou en s'y préparant»; seule la dernière s'est conservée. Parmi les expressions verbales, *porter les armes* (1080), «servir dans une armée», et *avoir, porter, prendre armes* (XIIe s.) concernent en particulier le fait d'être armé chevalier, mais *faire armes* signifiait en général «combattre» (XIIIe-XIVe s.). ***Être sous les armes*** (1671) est encore usuel. ***Rendre*** (v. 1200), ***poser*** (1559), ***mettre bas*** (1606) ***les armes*** signifient «se rendre». ***Fait d'armes*** (déb. XIVe s., Joinville) «exploit guerrier» reste en usage. ◇ *Les armes,* depuis le XIIe s., équivaut à «métier de soldat» et à «campagne militaire» (d'où ***les premières armes,*** aussi au figuré). ➜ Le premier emploi extensif du mot (v. 1170) est celui du blason, que l'on retrouve dans une forme dérivée, *armoiries* (ci-dessous) : les *armes* et l'*écu* ou le *blason,* à la guerre comme au jeu du tournoi, sont les signes distinctifs du chevalier; elles sont portées par un ***héraut d'armes*** (cf. *héraldique*). Signes distinctifs du guerrier, elles deviendront ceux du noble héréditaire, l'allusion au combat disparaissant assez vite. ◇ Un cas analogue de symbolisation, mais où le mot *arme* ne s'est pas conservé, est celui des emblèmes de jeux de cartes en français, *trèfle* représentant la garde de l'épée, *cœur* la pointe de flèche, *carreau* le fer de la lance (peut-être aussi le *carreau* ou flèche) et *pique* le fer de la pertuisane.

Un sens métonymique de *armes* est «troupe; soldats» (1508) en concurrence avec *armée**; il reste de cet emploi des expressions, par exemple ***place, commandant d'armes,*** et un sens technique (1730), «corps de l'armée, infanterie, cavalerie, etc.». ◇ Une spécialisation, qui apparaît dans la langue classique (1670), est «épée ou fleuret» d'où, au pluriel, «escrime» *(faire des armes)*; elle correspond à la vogue du combat singulier, non plus seulement comme moyen de régler les conflits personnels par le duel, mais comme exercice (on dira plus tard : sport). ◇ D'autres sens extensifs, comme *armes Dieu* (XIIe s.), *armes de Dieu* (XIVe s.) «vêtement d'Église», et au figuré *armes espirituelles* (v. 1120), sont sortis d'usage. ➜ Par analogie, *arme* s'est dit des défenses du sanglier (1390), d'épines, d'aiguillons de plantes (1799), de tiges de fer en charpenterie (1704), etc. ➜ Le mot est employé métaphoriquement dans de nombreuses expressions anciennes ou classiques : ***faire ses premières armes*** (1495, au propre) «débuter dans une carrière» (1831), ***baisser les armes*** «céder» (1690); *être sous les armes* se disait d'une femme parée (1718). Le contexte du combat amoureux sert de prétexte à de nombreux emplois littéraires, surtout depuis la préciosité, dont la plupart ont vieilli. ◇ ***Passe d'armes,*** récent (1838), se dit au figuré pour «discussion vive et rapide» (1874). ***Combattre à armes égales*** (1690) vaut pour «avoir des chances équivalentes». ◇ ***Passer l'arme à gauche,*** familier pour «mourir» (1832), est expliqué par une image de l'escrime où *passer l'arme à gauche* correspond à «se faire désarmer par l'adversaire». ➜ Au-delà des emplois figés, où *arme* correspond à l'idée générale de «moyen pour combattre», le mot s'est lexicalisé dans ce sens au XVIe s. (depuis 1553) pour «moyen d'attaque, moyen de pression».

▸ **ARMOIRIES** n. f. pl. est dérivé du verbe ancien français *armoier, armoyer* «combattre» (v. 1180) qui avait pris au XIVe s. (1381) le sens de «garnir (un écu) des figures du blason», d'après une des valeurs figurées de *arme* (voir ci-dessus). Le dérivé *armoierie,* qui signifiait «ensemble des armes» (v. 1350-fin XVIe s.) et «salle d'armes» (1420), avait lui aussi reçu cette valeur symbolique : «ensemble des bannières des chevaliers» (1373, Froissart), «signes héraldiques» (*armories,* 1334; aussi *armoisies* au XVIe s.). ◇ Ce dernier sens a seul survécu en français moderne, avec le dérivé *armoirié* (1596), devenu **ARMORIÉ, ÉE** adj. (1718), **ARMORIER** v. tr. «orner d'armoiries» (XVIIe s.; mais les héraldistes disaient, selon Furetière, *armoyer*) et **ARMORIAL, ALE, AUX** adj. (1606), «qui décrit les armoiries», surtout diffusé comme nom (1690), pour «livre contenant les armoiries».

ALARME n. f. vient (v. 1470) de l'appel (cri, sonnerie, etc.) *à l'arme* (*crier à l'arme,* v. 1310), c'est-à-dire au combat. C'est un emprunt à l'italien *all' arma,* la forme française ancienne était *aus armes, as armes.* Du domaine de la guerre, avec *sonner l'alarme* (XVIe s., *sonner a l'arme*), le mot est passé (1560) à la psychologie, pour désigner une inquiétude et (déb. XVIIe s.) une frayeur vive; dans la langue classique, *les alarmes de la pudeur* sont encore senties comme appartenant à la grande métaphore guerrière appliquée aux relations érotiques. ◇ ***Signal d'alarme*** a servi à désigner un cri (fin XVIIIe s.) puis (XXe s.) le dispositif permettant d'arrêter un train en cas de danger (*in* Larousse 1928). ◇ *Dispositif d'alarme, alarme,* dans le contexte «sécuritaire», concernent (v. 1970) un dispositif électronique d'alarme contre le vol.

Le mot a plusieurs dérivés. ➜ **ALARMER** v. tr., rare au sens d'«appeler aux armes» (v. 1620, d'Aubigné), est très employé au figuré dans la langue classique (depuis 1611) comme *alarme,* pour «troubler, inquiéter», «apeurer», «effaroucher (la pudeur)», mais aussi «éveiller le désir» (1665, Molière). Vieillies, ces acceptions résistent mieux au pronominal, et *s'alarmer* (1642) «s'inquiéter» est toujours usuel. ➜ De ce verbe *alarmer,* la partie la plus vivante est probablement les participes adjectivés, **ALARMÉ, ÉE** adj. (1664) et surtout **ALARMANT, ANTE** adj. (attesté 1766) «qui cause de l'inquiétude, quant à l'avenir». ➜ **ALARMISTE** n., tiré de *alarme* (1775, d'après Boiste), semble contemporain de *alarmant;* Mercier, en 1801, le croyait créé par les révolutionnaires pour dénoncer les critiques contre des mesures en effet inquiétantes. ➜ Cependant, **ALARMISME** n. m. n'est attesté que depuis 1956 (*Mémoires* de de Gaulle).

De *arme* au sens militaire vient encore le préfixé **INTERARMES** adj. inv. «commun à plusieurs armes, infanterie, cavalerie, etc.» (1948, dans les dictionnaires).

ARMER v. tr. est emprunté très anciennement (980) au latin *armare,* dérivé de *arma* (→ arme) qui a plusieurs significations : «équiper d'armes», «équiper (un vaisseau)», «fortifier (une place)» et plus généralement «garnir, pourvoir». ◆ En français, le verbe, plus ancien encore que *arme,* signifie d'abord «pourvoir (qqn) d'armes défensives, d'une armure» (1170) et, très tôt comme en latin, «équiper (un navire) pour la navigation» (1118) : le dérivé *armement* et l'emprunt *armateur* sont liés à ce sens (voir ci-dessous). ◇ Les sens figurés, «prémunir», «exciter à la guerre, à la lutte», semblent appartenir à la langue classique, mais apparaissent sporadiquement plus tôt : *armer qqn de vertus, de pouvoirs,* etc. (1495). L'ancien français a connu d'autres métaphores, «flatter» ; *armer de coups* «battre», etc. ◇ *Armer une ville, un fort,* sens pourtant attesté en latin, n'apparaît qu'en 1669 et *armer un canon* au XVIIe s. (1691). Le sens technique «rendre (une arme à feu) capable de tirer (en tendant le ressort de percussion)» n'est attesté qu'au XVIIIe s. (1752). ◇ D'autres valeurs techniques ou spéciales existent dont, en musique, «indiquer la tonalité au moyen des altérations convenables» (1768). De *armer un arbre,* «le protéger en garnissant sa tige» (1505), vient un sens spécial de *armure.* ◇ D'une manière générale, le verbe s'emploie, peut-être d'après le sens ancien en marine, pour «garnir ou fortifier» (1532), notamment en technique, par exemple dans *armer un aimant* (1668), *un fourneau de mine* (1776) et, au XXe s., *armer un puits de mine.* ◆ De «donner des armes à, militariser» vient au XVIIe s. le sens extensif de *armer (un peuple, une nation, un groupe)* «pousser au combat, à la guerre» (1667, Racine) et, abstraitement, *armer le courage, l'esprit à qqch.* (1650, Corneille) ; avec une valeur analogue, étaient déjà en usage *armer de (vertu, courage...)* [1495] et *armer* (qqn, un sentiment...) *contre qqch.* (XVIe s., Montaigne). ◆ Le pronominal **S'ARMER** (d'abord *soi armer*) est courant au propre (1170) en ancien français pour «revêtir l'armure» comme, par extension, pour «se préparer à une lutte» (*soi armer encountre qqn,* XIIIe s.). En moyen français, *s'armer* se dit aussi pour «devenir chevalier» (XIVe-XVe s.). ◇ Les valeurs figurées sont nombreuses, de *soi armer* (sous-entendu des signes chrétiens, pour se protéger du démon) «se signer», en ancien français (XIIe s.), d'où *s'armer du signe de la croix* (1690), explicite, aux valeurs abstraites de *s'armer des armes de la raison* (Montaigne), *s'armer contre qqn* (XVIIe s.), *en faveur de qqn* (id.). ◆ Le participe passé **ARMÉ, ÉE,** adjectivé depuis le XIIe s., possède la plupart des valeurs du verbe, avec des locutions, par exemple *armé de toutes armes* (XIIe s.), disparue ; ***de pied en cap*** (fin XIIe-déb. XIIIe s., Gace Brûlé) ; ***armé jusqu'aux dents*** (fin XVe s.) «jusqu'au visage» est encore en usage. ***À main armée*** apparaît au sens analogique de «par la force des armées» (Froissart) et est repris (XXe s.) pour «en se servant d'armes», au cours d'un délit (*cambriolage à main armée*). ◇ ***Force armée*** (1811) désigne en droit public la troupe requise pour faire exécuter la loi puis, au pluriel, les armées d'un pays. ◇ Le mot s'emploie aussi en blason, dans *lion, aigle armé* «dont les griffes ou serres sont d'une autre émail que le corps» (1456). Au figuré *poisson armé* s'est dit (1611-fin XIXe s.) d'un poisson à écailles pointues. ◇ Un sens technique, lié à *armature,* est «muni d'une armature métallique», dans *béton, ciment armé* (1898), d'où (mil. XXe s.) un nouvel emploi du verbe. ◆ **ARMÉ** n. m. se dit de la position du mécanisme d'une arme à feu prête à partir (1890) ; de là, *le cran de l'armé.* ◆ De *armé* adj. vient le préfixé **SURARMÉ, ÉE** adj. (1955), «dont l'armement est excessif».

Plusieurs dérivés du verbe, courants et polysémiques, s'en sont relativement détachés, par le sens (*armée, armure*), ou se sont spécialisés : *armement.*

ARMÉE n. f. est le participe passé substantivé au féminin : «troupe armée». Le mot désigne d'abord (1305) une expédition militaire, mais aussi une flotte de guerre (v. 1350) comme l'ancien provençal et l'espagnol *armada,* qui sera emprunté en français. Le sens moderne est assuré au XIVe s. (1365) ; il se substitue à l'ancien français *ost* (du latin *hostis* «l'ennemi» puis «l'armée ennemie») qui devient archaïque aux XVe-XVIe siècles. *Armée* coexiste avec *troupe.* ◇ Un sens figuré (1690) est d'ailleurs quasi synonyme de celui de *troupe,* «grande quantité», dans *une armée de...* ◆ La locution ***Armée du Salut*** est un calque (attesté en 1885, chez Daudet) de l'anglais *Salvation Army,* métaphore religieuse. ◆ Le mot entre dans des syntagmes qui correspondent à l'extension de la notion, qui requiert de plus en plus de précision : *armée de mer* (fin XVe s.), *armée navale* (1599), disparu, *armée de terre* (1680) ; à *armée active* (1789) s'opposera *armée de réserve* (1811). Ces syntagmes, à partir du début du XVIIe s., correspondent à la valeur spéciale «ensemble des troupes levées par un pays» (1636), comme dans *armée de terre* (1845), *de mer* (1890), puis *de l'air* (1934). Plusieurs armées célèbres sont dénommées : *la Grande Armée* «celle de Napoléon», ainsi appelée depuis 1814 ; *l'armée Rouge* «soviétique», *l'armée des ombres* «la Résistance armée». ◇ Un emploi technique, dans l'organisation militaire française, distingue l'*armée* (d'où *général d'armée*) du *corps d'armée.* ◆ De là le préfixé **INTERARMÉES** adj. inv. (mil. XXe s.), distinct de *interarmes* (ci-dessus).

ARMEMENT n. m. (1310, en marine) a sélectionné parmi les sens du verbe *armer,* dont il dérive, deux valeurs principales : «ensemble des armes et des moyens de guerre d'un navire» (1525) et (1630), au singulier, «préparatif de guerre», correspondant au sens le plus usuel de *désarmement,* d'où «ensemble des armes» (1636), déjà *armement de teste* «casque» (1483). Dès 1310, apparaît la seconde valeur du verbe, la plus ancienne pour ce nom : «action d'armer un navire» et «profession d'armateur». ◆ Plusieurs sens techniques extensifs, pour «action d'armer» : *l'armement d'un pistolet* (1879), *d'une fusée* (1930), ou figurés, en musique (1829), mines (1928), électricité, pêche, où le mot a la valeur générale d'«équipement», apparaissent aux XIXe et XXe siècles. ◆ D'autres dérivés, comme *armacion* (1279) puis *armoison* (1607), *armaison* (1611), ont disparu. ◆ **ARMABLE** adj. «qu'on peut armer» s'est employé au

XVe s. et au début du XVIe siècle. ◆ **ARMEUSE** n. f., du sens technique du verbe, désigne une machine disposant l'«armure» de protection des câbles électriques (1948, dans les dictionnaires généraux).

Le verbe a produit plusieurs verbes préfixés. ◆ **DÉSARMER** v. tr. apparaît (1080) pour «enlever l'armure de», puis (XIIe s.) «dépouiller de ses armes», le pronominal possédant les mêmes valeurs. Un sens spécial est, en escrime, «enlever l'épée des mains de (l'adversaire)» (1718). ◇ Le verbe assume aussi la valeur contraire à *armer un navire* depuis 1466, avec un emploi intransitif (1701), aussi appliqué aux marins : «être congédié» (1773). ◇ Aux sens analogiques et figurés du verbe simple correspondent *désarmer la colère*, etc. *de qqn* (XVIe s., Montaigne) puis *désarmer qqn* au XVIIe s. (1640, chez Corneille). *Se désarmer* «se laisser fléchir» (fin XVIIe s.) a disparu, mais *désarmer* v. intr. (mil. XIXe s.) «abandonner» s'emploie, surtout au négatif (*sans désarmer* «sans désemparer»). ◇ Le verbe a pris, au sens propre, des valeurs différentes : «obliger (une troupe) à rendre les armes, à se rendre» (1669), *désarmer* v. intr. signifiant «cesser de se battre» (1636) puis, en politique, «réduire ou supprimer son armement (d'une armée, d'un pays)» (1890), sens où *désarmement* semble antérieur. De là, l'idée de «réduire ou supprimer le potentiel militaire d'un pays, généralement un vaincu», que le verbe assume à partir du traité de Versailles, en 1918. Ce sens, comme pour *désarmement* et pour *réarmer*, est devenu très usuel. ◆ Les dérivés de *désarmer* suivent la même évolution. **DÉSARMÉ, ÉE** adj. s'emploie au propre (XIIe s.) et au figuré pour «sans force» (XVIIe s., Retz), puis «apaisé, sans ressentiment» (1667), sens auquel correspond plus récemment **DÉSARMANT, ANTE** adj. (1910), lequel se dit pour «qui désarme l'hostilité, rend indulgent». ◆ **DÉSARMEMENT** n. m. (1594), spécialement «licenciement des soldats» (1636), vieux, signifie surtout «diminution ou suppression des armées d'un pays» (1864), avec la même valeur que le verbe à partir de 1918. Le mot s'emploie aussi en marine (1689) et en technique.

RÉARMER v. tr. (v. 1495), d'abord *rarmer* (1165-1170), aussi en marine (1771), puis à propos d'un fusil (1872), s'emploie également comme intransitif pour «reconstituer ses armées et son armement» (1831), sens où le transitif «redonner une armée, un armement à (un pays)» semble récent. ◆ **RÉARMEMENT** n. m. s'est d'abord employé en marine (1771) et tardivement pour «action de redonner une armée, des armements» (1875). ◇ D'un sens figuré et rare de *réarmer*, «renforcer (une chose abstraite)» (1869), procède ***réarmement moral***, nom d'un mouvement chrétien fondé en 1921, préconisant, contre les idéologies matérialistes, une réforme par les valeurs chrétiennes dans la vie personnelle.

ARMADA n. f. est emprunté (v. 1550, *armade*) à l'espagnol *armada* (XVe s.), qui correspond au provençal *armada*, au français *armée* (ci-dessus), et désigne une flotte militaire. ◇ Le mot *armade* est appliqué (déb. XVIIe s., d'Aubigné) à la grande flotte envoyée par Philippe II d'Espagne contre l'Angleterre en 1588, puis repris par les historiens sous la forme espagnole *Armada*, et parfois appliquée à toute grande flotte (1828 chez Hugo). Au figuré, *une armada* se dit familièrement comme *armée*, *troupe*, pour «très grande quantité» (v. 1980). ◆ **ARMADILLE** n. f. est un autre emprunt (1615) à l'espagnol, au mot *armadillo*, de *armado* qui correspond au français *armé*. ◇ Le mot désigne un tatou, animal à carapace articulée en plaques, évoquant une armure. Il s'est appliqué aussi à un cloporte (1804, Latreille ; après *cloporte armadille*, 1762).

Deux mots usuels, *armure* et *armature* (voir plus loin), viennent de dérivés latins de *armare*. ◆ Ce n'est probablement pas le cas de **ARMATEUR** n. m. «celui qui équipe les navires» (1543, *armateur de(s) navires*), qui serait emprunté, selon le *F. e. w.*, au vénitien *armatore*, *armadore* (XVe s.) ou serait un dérivé français du latin *armare*, source du verbe *armer* dans ce sens, le latin médiéval *armator* étant très tardif (v. 1360, en Dalmatie) et signifiant normalement «armurier» (XIIIe s.). ◇ Le mot s'est employé seul, malgré les ambiguïtés possibles, à partir du XVIIe s. (1671) et s'est étendu de la marine de guerre, désignant aussi le capitaine d'un navire armé pour la course (1671) [cf. *corsaire*], puis à la marine de commerce (1723).

Le latin *armatura*, dérivé de *armare*, a produit par voie orale le mot *armeure* et par emprunt *armature*. ◆ **ARMURE** n. f., d'abord *armeure*, apparaît tôt (1130) et désigne l'ensemble des armes défensives, poussant le mot *arme*, plus général, à ne plus désigner ces armes. ◇ Un autre sens, «armes offensives» (v. 1200), a disparu au XVIe siècle. ◇ L'ancien français connaît d'autres valeurs de *armeure*, comme «homme en armes» (v. 1280), «bataille» (XIIIe-XIVe s.), «exercice militaire» (1271), «escrime» et «armoiries» (v. 1286). Certains de ces emplois, où *armeure* était encore senti comme une sorte de dérivé collectif de *arme*, étaient en concurrence avec *armes* (ci-dessus). *Armeure* (1226), puis *armure*, s'est aussi employé pour «moyen de protection morale», aujourd'hui par métaphore littéraire du sens concret. C'est aussi cette image qui persiste dans les sens figurés, à propos d'animaux (XIIIe s., puis 1611 ; cf. ci-dessus *armadille*), de plantes (1501) et d'équipements humains lourds. ◇ Cependant, en relation avec les valeurs figurées de *armer* et avec *armature*, les emplois techniques de *armure* échappent au sens dominant. Le mot s'emploie pour désigner un aimant renforcé (1668), les pièces de renfort d'une machine (1751), en marine (*armure de baux, de mât*, 1783) et pour désigner la protection des câbles électriques armés (mil. XXe s.). Dans ces emplois, *armure* est en concurrence avec *armature*. ◇ Une valeur technique autonome est, d'après l'*armure* de la navette et celle des lisses du métier à tisser (où *armure* équivaut à «structure des pièces de renfort»), le sens de «contexture (d'un tissu)» (1751), d'où «mode d'entrelacement des fils de trame et de chaîne, caractéristique des types de tissus» (*armure toile*, etc.). ◆ De *armeure*, *armure* est dérivé *armeurier* (1268), puis **ARMURIER** n. m. (fin XIIIe s.) «fabricant ou vendeur d'armes ou d'armures», sens sorti d'usage comme celui de «fabricant d'armoiries» (1338). ◇ *Armurier* a été repris pour «fabricant et vendeur d'armes, spécialement d'armes à feu» (déjà au XVIIe s., Furetière). Des emplois spéciaux ont eu cours en marine et dans l'armée pour «matelot (1736), soldat (1825) chargé de l'entretien des armes». ➛ **ARMURERIE** n. f. (1364), d'abord *armeurerie* (1352-1356), désigne la boutique de l'armurier, puis la fabrication et le commerce des armes. Comme *armurier*, le mot s'est détaché de *armure* et concerne les armes, aujourd'hui les armes à feu. ➛ **ARMURÉ, ÉE** adj., mot didactique ou technique, dérivé de *armure*, semble récent pour «vêtu d'une armure» et au figuré «recouvert, protégé comme par une armure» (1947, in *T. L. F.*). Il s'emploie surtout en parlant de tissus ayant telle ou telle armure (1953).

ARMATURE n. f. est emprunté (1282, *in* Arveiller; puis XVIe s.) au dérivé latin *armatura* «troupes», qui est passé dans la plupart des langues romanes. C'est un emprunt savant, d'abord en latin médiéval, *armatura* désignant en architecture au XIIIe s. la charpente, le cintre sur lequel on construit une voûte, sens réattesté au XVIIIe s. (1755). ◇ La reprise du mot au début du XVIe s., au sens d'«armure», «arme», au figuré «ce qui protège», a été sans lendemain, et *armature* reprend vers la fin du XVIIe s. des valeurs techniques, correspondant aux emplois du verbe *armer* et parfois de *armure* : «structure maintenant les parties d'un objet technique complexe» (1694), «plaques métalliques d'un condensateur» (1836) et «d'un aimant» (1845), «protection d'un câble sous-marin» (1898), «monture d'un parapluie» (*in* Larousse 1982). ◇ Le mot s'est aussi appliqué à des objets naturels, en géologie et paléontologie (1752). ◇ Des emplois techniques vient un nouveau sens figuré (1895), «ce qui soutient un organisant». ➛ Le dérivé **ARMATURER** v. tr., doublet plus explicite de *armer* (1907), est rare; un figuré littéraire du participe passé *armaturé*, «qui a une armature rigide», est attesté avant le verbe (1886).

◈ voir ARMILLE, ARMISTICE, ARMOIRE.

ARMILLE

ARMILLE n. f. est un emprunt ancien (fin XIIe s.) au latin *armillae* (pluriel) puis *armilla*, passé dans plusieurs langues romanes et dans tout le domaine occitan *(armelo, armel)*. Le mot latin est dérivé de *arma* au sens de «bras» (→ arme); il est employé au pluriel *armillae* pour désigner un bracelet à plusieurs tours (notamment signe d'une récompense militaire), puis des anneaux, des colliers de parure et, en technique, des anneaux métalliques.

♦ Le mot, en ancien français, a été éliminé par *bracelet* et repris comme terme d'histoire (1610, puis 1836). Au pluriel, d'après le latin médiéval *armillae* (XIIIe s.), *armilles* désigne les anneaux d'un astrolabe, sens attesté au XIXe siècle. ◇ Le mot a aussi désigné une moulure en anneau (1611).

▶ **ARMILLAIRE** adj., dans ***sphère armillaire*** (1557), est emprunté au dérivé latin *armillarius*, pour désigner l'appareil formé de cercles matérialisant la sphère céleste locale. D'autres emplois didactiques ont disparu.

ARMISTICE

ARMISTICE n. m. est un emprunt de la langue classique (attesté 1680) au latin médiéval *armistitium* (1335), composé de *arma* (→ arme) et d'un élément tiré de *statum, statio* (→ station), du verbe *stare*, d'après d'autres mots (*solstitium*, etc.).

♦ Le mot s'applique à un «arrêt des armes», proposé pour remplacer *suspension d'armes* ou *trêve;* il est d'abord critiqué. ◇ Assez rare dans la langue classique, où il passe au féminin (XVIIIe s.), *armistice* se répand au XIXe s., reprenant son genre masculin, et surtout à la fin de la guerre de 1914-1918, avec l'armistice du 11 novembre 1918. La distinction de droit international entre *armistice* et *paix* en a fait un mot institutionnel. ◇ Littré signale la confusion possible avec *amnistie*, qui a pu entraîner et maintenir populairement le féminin. ◇ Depuis 1918, en français de France, le mot évoque en premier lieu la fin des hostilités de la Première Guerre mondiale (pour la Seconde, on parle de la «victoire»).

ARMOIRE

ARMOIRE n. f. Dans ce mot pacifique, on ne reconnaît plus l'origine de *arme**, le latin *arma*. Celui-ci signifiait aussi «ustensile», comme *armare* signifiait «équiper», et le dérivé *armarium*, d'où vient *armoire*, s'il a pu signifier «dépôt d'armes, arsenal», est surtout attesté pour désigner un placard, puis un espace pour ranger des livres (chez Vitruve).

♦ Le latin *armarium* a d'abord donné en ancien français *armaire* (XIIe s.), *armarie*, parfois dissimilé en *almaire* (mil. XIIe s.), *aumaire* ou *aulmaire*, et *almarie*. Le type plus tardif *armoire* (XVe s.) l'emporte au XVIe siècle. ◇ Quant aux sens, l'ancien français privilégie celui de «niche dans le mur, servant à ranger», soit des livres («bibliothèque», XIIe-XIVe s.), soit les objets du culte (XIIe-XVIe s.), parfois avec la valeur de «tabernacle» (XVe-déb. XVIIe s.). ◇ Par extension, le mot s'applique (entre 1360 et 1460) à un espace de rangement en général, muni d'une porte (un placard); dans ce sens la forme *armoire* apparaît au XVe s. (1461). Une spécialisation importante (XIIIe-XVe s., plus longtemps dans les dialectes) est «garde-manger». Cette idée de meuble fixe, concurrencée par le sens dominant (ci-dessous) et attestée du XVIe au XIXe s., ne survit que dans des emplois spéciaux et par des syntagmes qualifiés : *armoire arasée* (1835), *emmurée, armoire de cheminée*. Le cas des meubles fixés au mur (voir ci-dessous) est différent. ➛ Depuis le début du XIIIe s., le mot désigne aussi un meuble de rangement qu'on peut déplacer, un coffre à bagages (1210) et même un coffret, un écrin (*aumoire*, XIIIe-XIVe s.). Techniquement, c'est du coffre que vient le meuble de rangement en bois, sur pieds, fermé par une ou deux portes, mobile mais moins que le coffre; ce meuble est nommé *armaire* (déb. XIIIe s.), *armoire* (déb. XVe s., dans *fenestre* [vitre] *a armoire*); ce meuble qui se répand aux dépens des coffres est parfois affecté au rangement de la vaisselle (*armeres*, 1402; *armoire à vaisselle*, 1680), concurrencé par *vaisselier*, mais surtout aux vêtements, au linge (*aumaire*, 1285, pour les draps; 1404 pour les vêtements). Dans cette acception, *une paire d'armoires* s'est dit pour «armoire à double battant» (1599); cependant, le syntagme *armoire à linge* semble récent (1887). Parmi les armoires, certaines étaient vitrées, au moins depuis le début du XVe s., mais le mot implique le plus souvent des portes pleines. Le mot est parfois mal distingué de *bahut* et de *buffet* et l'on a dit *bas d'armoire* (1708) et *armoire basse* pour «buffet bas». Au début du XIXe s. les portes,

lorsqu'il s'agit du meuble servant à ranger les vêtements, sont parfois munies d'un miroir; d'où *armoire de glace* (1830 chez Stendhal), devenu ***armoire à glace*** (1866). *Armoire normande,* désignant une grande armoire rustique ancienne, n'est pas attesté avant le dictionnaire de Havard (1887). Quant aux utilisations, *armoire à livres* (1636), *à papiers,* «archives» (1636), témoignent du recul du sens ancien de *armoire* pour «bibliothèque». ◆ Au XXe s., le mot, sauf dans des emplois particuliers, semble reculer avec la vogue d'autres types de rangements (placards, rayonnages). ◇ Cependant, sans rapport direct avec les valeurs médiévales, le mot s'emploie, concurremment à *placard,* pour un meuble de rangement fixé au mur, par exemple dans *armoire à pharmacie* (1929; d'abord *armoire-pharmacie,* 1914) et *armoire de toilette* (1929). ◇ D'autres emplois extensifs sont techniques, en électronique et en électricité, dans *armoire frigorifique* (1929), *armoire chauffante* (1974).
Les sens figurés relèvent surtout, au XXe s., de l'argot militaire : «sac», «cartouchière» (1879). De l'idée de contenant vient aussi l'emploi pour «tête» (1896), longtemps après un emploi rare en ancien français de *aumaire* «ventre» (fin XIIe s.), repris indépendamment dans l'argot vieilli *armoire à linge* (1916) «ventre» ou «poitrine». ◇ Les seuls figurés vivants sont ***armoire à glace*** (mil. XXe s.), ***armoire normande*** (1928) et *armoire* (1945, chez Sartre), «homme à forte carrure».

▶ Le dérivé moderne **ARMOIRETTE** n. f. (1959), reprenant sans intention le moyen français *aumoirette* (1582), semble inusité.

ARMOIRIES → ARME

ARMOISE n. f. est issu (XIIIe s.), d'abord sous la forme *hermoiz* (XIIe s., selon *T. L. F*), du latin populaire °*artemesia,* du latin classique *artemisia* qui a donné le moyen français *armise* (XVe s., isolément), d'où les formes populaires *larmise* ou *herbe de la remise. Artemisia* est emprunté au grec *artemisia,* nom de diverses plantes utilisées en gynécologie (essentiellement l'armoise), dérivé de *Artemis,* nom de la déesse. L'origine de ce nom est très controversée, l'explication par l'Asie Mineure semblant la plus probable; en effet, Artémis peut être considérée comme une déesse asiatique.

♦ Le mot, avec diverses variantes jusqu'au XVIe s., désigne une plante aromatique servant de remède. Il entre dans plusieurs désignations, *armoise âcre, amère, maritime* (1791), *vulgaire* (1803), *commune* (1816), *des champs* (1836), *de Judée* (1816), etc., qui correspondent à des variétés d'artemisia. ◇ *Armoise absinthe* (1866), *armoise estragon* (id.) désignent d'autres plantes, appelées plus couramment *absinthe, estragon,* et qui appartiennent à la même famille botanique.

ARMORIAL, ARMORIER → ARME

ARNAQUER v. tr. est l'altération de *arnacher* (1837, Vidocq), *harnacher* (1835) «tromper pour voler»; les formes en *qu-* ne sont attestées qu'en 1903 pour le verbe et le nom; elles semblent picardes. *Harnacher**, pris au figuré, ayant signifié «accoutrer», c'est-à-dire «tromper», cette étymologie paraît naturelle.

♦ Le verbe et le nom, **ARNAQUE** n. f., apparaissent à peu près simultanément, et l'on ne peut dire lequel vient de l'autre. La première attestation de la série, *arnache* (1833, *in* Esnault), apparaît dans l'expression *rousse à l'arnache* «policier en civil», c'est-à-dire «harnaché, habillé de manière à tromper» et l'*arnache* semble bien être un «travestissement». Cette valeur se maintient avec *une arnaque* (1849) «un policier» (en civil?), encore attesté en 1891. À l'expression *à l'arnache,* succèdent (1903) *d'arnaque* «capable de tromper, malin» et enfin *une* ***arnaque*** «tromperie». On a prétendu que le mot s'était croisé avec *renacle* (1883), «police secrète», de *renâcler* (cf. moyen français *renaquer* «manifester sa colère», XIVe s.; de *naquer* «renifler», lui-même d'un dérivé latin populaire de *nasus* «nez»), mais on ne voit pas comment *renaquer,* qui convient mal sémantiquement, qui pose un problème formel *(-acle, -aque)* et qui était archaïque au début du XIXe s., aurait pu donner *arnaquer,* par ailleurs très homogène avec la forme *harnacher,* l'une des plus anciennes. ◇ *Arnaque* désigne une escroquerie habile.

▶ Le verbe *arnaquer,* de sens analogue, a pour dérivé **ARNAQUEUR** n. m. (1895) «escroc qui commet des arnaques».

ARNICA n. m. ou f. est un mot du latin des botanistes, passé en français à la fin du XVIIe s. (1697). On considère en général *arnica* comme une altération de *ptarmica,* du grec *ptarmikê,* de *ptarmos,* nom d'action de *ptarnunai* «éternuer», mais ce dernier désigne une autre plante, à propriétés sternutatoires, la *ptarmique.* La forme *ptarnunai* (mot appartenant à une famille indoeuropéenne expressive) expliquerait le *n,* et le latin n'ayant jamais le groupe *pt-* à l'initiale, on aurait ainsi *arnica.*

♦ Le mot désigne une plante des montagnes dont les fleurs ont des propriétés stimulantes et toniques. ◇ On extrait de l'arnica une teinture utilisée pour soigner les contusions, les entorses, et le mot sert surtout à désigner cette teinture.

AROME ou **ARÔME** n. m. est emprunté (v. 1130) au latin *aroma,* hellénisme. Le grec *arôma* désigne d'abord une plante aromatique ou des épices; son origine est inconnue.

♦ Ce mot, très rare en ancien et moyen français, semble repris dans le contexte de la nouvelle chimie (1787, Guyton de Morveau); remplaçant *esprit recteur,* il désigne alors le principe qui s'exhale des essences de végétaux et s'impose rapidement dans la langue gastronomique (Brillat-Savarin) et courante, où il désigne une odeur agréable associée à un végétal, souvent comestible. ◇ Écrit *arôme* depuis 1803, le mot a pris, sous l'influence de *aromatique* en chimie, une valeur précise en industrie alimentaire *(arômes alimentaires, arômes artificiels).* ◇ Pour Fourier, dans son système, l'arôme est un principe subtil émanant des astres et qui induit la répartition des êtres en animaux, végétaux et minéraux.

▸ Le dérivé **AROMAL, ALE, AUX** adj. (av. 1837, Fourier, au sens spécial que l'utopiste donne à *arôme*) est poétique ou didactique. ➛ Quelques composés en *aroma-*, tel **AROMATHÉRAPIE** n. f. (1965), sont en usage dans l'industrie des parfums.
AROMATE n. m. est emprunté (déb. XIIIᵉ s.) au latin populaire *aromatum* «parfum», dérivé du latin classique *aroma,* et aussi emprunté sous la forme *aromat* (XIIIᵉ s.). ➛ Surtout employé au pluriel, le singulier n'étant attesté qu'au XVIIᵉ s. (1693), il se dit de végétaux à odeur agréable et caractéristique, servant de parfums, puis de condiments.
D'autres dérivés latins de *aroma* ont produit un verbe et un adjectif. ➛ **AROMATISER** v. tr. (mil. Xᵉ s.), au sens disparu d'«embaumer (un cadavre)», est emprunté au bas latin *aromatizare,* d'après le verbe grec *arômatizein* dérivé de *arôma.* Son emploi moderne correspond à un réemprunt du XVIᵉ s. (1562) au sens de «parfumer avec une substance aromatique». ➛ Le participe passé **AROMATISÉ, ÉE** adj. est plus courant que le verbe en français moderne ; il est usuel dans le contexte des industries alimentaires. ➛ Le verbe a pour dérivé **AROMATISATION** n. f. (1581).
AROMATIQUE adj. est emprunté (v. 1220-1230) au latin *aromaticus.* Son sens premier est lié à celui de *aromate,* par exemple dans *arbre* (1330), *herbe, plante aromatique.* ◇ En chimie, l'adjectif s'applique d'abord (1878, Berthollet) à certains composés odorants refermant un cycle benzénique, puis à tout composé, odorant ou non, présentant une structure cyclique similaire. ➛ Ce sens chimique a suscité des dérivés récents. **AROMATISATION** n. f. (1962) est dérivé de *aromatiser.* ➛ *Aromatique* a pour dérivés **AROMATICITÉ** n. f. (1982) et **AROMATICIEN, IENNE** n. (v. 1980) «spécialiste des arômes», en industrie alimentaire.
ARYLE n. m. est une formation des chimistes à partir de la syllabe initiale de *aromatique,* avec l'élément *-yle* (1928, dans les dictionnaires). Le mot désigne un radical carboné dérivé des composés aromatiques. ➛ De là **ARYLÉ, ÉE** adj. (1959), **ARYLISATION** n. f., termes techniques de chimie.

ARONDE, ARONDELLE → HIRONDELLE

ARPÈGE n. m. est un emprunt musical du XVIIIᵉ s. à l'italien *arpeggio,* déverbal de *arpeggiare* «jouer de la harpe» (→ harpe). La forme *harpègement* est dans Furetière (1690).

♦ Démotivé en français par rapport au nom de l'instrument, *arpège* (1751) désigne un accord dont les notes sont émises successivement et rapidement.

▸ Le dérivé **ARPÉGER** v. tr. (1751) correspond à «exécuter (un accord, une suite d'accords) en arpège». ➛ **ARPÈGEMENT** n. m. semble emprunté au dérivé italien *arpeggiamento.* Les trois mots se trouvent dans le *Dictionnaire de musique* de J.-J. Rousseau.

ARPENT n. m. est issu (1086) du latin tardif *arepennis,* emprunt au gaulois, la forme irlandaise *airchenn* manifestant la parenté avec le mot *cenn* «tête», d'où «extrémité». C'est probablement une forme dialectale modifiée °*arependis* (d'où *arpendia,* VIIIᵉ s.) qui est à l'origine de la finale *-ent.*

♦ L'*arpent* est essentiellement une mesure agraire et par extension (1080) une mesure de longueur et de superficie (sens encore vivants au Canada). ◇ L'expression familière ***long d'un arpent*** (visage, nez) [1690] atteste la vitalité du mot avant le système métrique. ◇ C'est aujourd'hui un terme d'histoire.

▸ Le verbe **ARPENTER** v. tr. (1247) ainsi que ses dérivés, **ARPENTAGE** n. m. (1293) et **ARPENTEUR** n. m. (1247), sont d'abord étroitement liés au nom. Leur sens s'étend à «mesure d'une superficie terrestre» (d'abord en mesures agraires), puis à «technique géométrique de mesure des surfaces terrestres», sens usuel pour *arpenteur.* ◇ Par ailleurs, *arpenter* signifie figurément (XVIᵉ s.) «parcourir à grands pas», sens courant dans la langue classique, d'où récemment *arpenter le bitume,* variante élégante de *faire le trottoir.* Le sens spécial de «filer, fuir» (v. 1500) a disparu. ➛ **ARPENTEUSE** n. f. se dit figurément (1700) d'une chenille qui, par sa reptation, semble mesurer le sol ; on dit aussi *chenille arpenteuse* (1759).

ARPETTE n. f. est un mot suisse, probablement emprunté à l'allemand *Arbeiter* «travailleur», employé péjorativement (1858, *arpets,* à Genève), sans doute dans un contexte de concurrence d'emploi entre les horlogers genevois et ceux de Suisse alémanique. *Arbeiter,* du groupe *Arbeit* «travail», repose sur une racine indoeuropéenne que l'on repère également dans le vieux slave *rabota* (→ robot).

♦ Repris (v. 1875, *arpète*) en français de France pour «apprenti», sens disparu au XXᵉ s., le mot, probablement à cause de la finale, confondue avec le suffixe diminutif *-ette,* s'applique (1901) aux jeunes apprenties modistes ou couturières. On le rencontre aussi au masculin pour «jeune garçon de course» (1936, Céline). Le mot a vieilli, sauf par évocation de la période 1900-1940, sauf régionalement (Touraine) et il est alors assez péjoratif.

ARPION n. m. est un emprunt argotique (1821 ; 1628, selon Sainéan) au provençal *arpioun* «petite griffe», de l'ancien provençal *arpa* «griffe» ou d'un latin populaire °*harpigo,* de *harpago* (→ harpon).

♦ Le mot, avec la valeur de «petite griffe», désigne d'abord en argot la main, puis (1827, *harpion*) le pied. Dans ce sens et pour «orteil» (1828, Vidocq), il a été usuel et familier, et tend à vieillir.

ARQUEBUSE n. f. est une altération, peut-être due à l'initiale *ar-* des mots issus du latin *arcus* (→ arc), de *haquebuse, hacquebusse* (1475). Ce mot, emprunté au néerlandais *hakebusse,* parent de l'allemand *Hakenbüchse,* signifie «canon *(Büchse, busse)* à crochet» *(Haken, hake),* les premières armes de ce type étant fixées par un crochet à un chevalet, pour le tir. Le premier élément appartient à une famille germanique (anglais *hook*). Le second est le correspondant du français *boîte**. Des

Pays-Bas, le mot a pénétré en Flandres, puis en Bourgogne au milieu du XVe s., parfois altéré en *hacquebute*, sous l'influence de *buter* «tirer» (1470, forme fréquente en moyen français). La finale française *-buse* vient probablement de la métaphore qui associe les oiseaux de proie, employés en fauconnerie, avec les armes à feu (cf. *faucon, fauconneau*); c'est cette finale, combinée avec *arque-*, évoquant une autre arme, l'*arc*, qui l'a emporté aux XVIe-XVIIe siècles. La variante *arquebouse* vient de l'italien *archibugio* (*bugio* signifie «trou»), lui-même pris à l'allemand; elle n'a pas vécu.

♦ Le mot se diffuse lorsque l'arme, s'étant allégée, se répand, au XVIe s., époque où les armes à feu prennent une place essentielle dans la stratégie militaire, comme en témoignent les dérivés. ◇ Arme vieillie, puis abandonnée au profit du mousquet, puis du fusil, l'arquebuse a laissé des traces dans le vocabulaire actuel : *l'eau d'arquebuse* ou *d'arquebusade* (1685), appelée plus tard *arquebuse*, macération de plantes aromatiques (dites elles aussi *arquebuse*) dans l'alcool, qui était censée guérir les blessures d'armes à feu. ◇ Par ailleurs, l'argot familier emploie *arquebuse*, comme d'autres noms d'armes anciennes, au sens de «fusil, arme à feu, pistolet» (cf. *arbalète, tromblon*).

▶ Les dérivés apparaissent lors de la vogue de l'arquebuse. ➜ **ARQUEBUSADE** n. f. (1564), d'abord *arquebuzaide* (1475), désigne un tir d'arquebuse. ➜ **ARQUEBUSER** v. tr. remplace (1573) *harquebutter, hacquebuter* (1516), dérivés de la forme *hacquebute*. ➜ **ARQUEBUSIER** n. m. est la réfection (1564) de *hacquebutier* (1506). ◇ Ces dérivés ont vieilli et sont devenus des termes d'histoire, en même temps que *arquebuse*.

ARQUER → ARC

ARRACHER

ARRACHER v. tr. est issu, avec une substitution de préfixes (*ad-* au lieu de *ex-*, *é-*), du latin populaire °*exradicare*, du latin classique *eradicare* (dont un dérivé a donné *éradication**). L'ancien français a *esrachier* et, avec le préfixe *dé-*, *desrachier*; le préfixe *a-*, selon Bloch et Wartburg, exprime le mouvement qui consiste à tirer vers soi, à soi.

♦ Le mot s'emploie depuis le début du XIIe s. (au participe passé *arachié*) pour «enlever de terre (une plante à racines)», puis pour «détacher avec effort» (exemple : *arracher un dent*). De nombreuses métaphores correspondent à «tirer, enlever», soit en extirpant, soit en prenant de force; d'où le sens figuré (XVIe s.) «obtenir (qqch.) de qqn, malgré ses résistances» *(arracher un aveu, un secret... à qqn)*. ➜ Avec un complément nom de personne, *arracher* correspond à «chasser, faire partir de force» (1690), sens ressenti comme métaphorique *(arracher qqn à qqn, à qqch.)*. Des emplois pronominaux extensifs sont usuels, comme *s'arracher qqn* «se disputer sa présence», d'où familièrement *on se l'arrache* (par plaisanterie *on se m'arrache*), ou *s'arracher à, de* (qqch., un lieu, un état). ➜ Récemment, sous l'influence du participe passé substantivé **ARRACHÉ**, employé (1894) en sports (poids et haltères) et en locution dans ***à l'arraché*** «par un effort violent» (1925), *arracher* intransitif et *s'arracher* (1968) correspondent familièrement à «accomplir un effort intense».

▶ Le dérivé **ARRACHAGE** n. m. (1597, rare; puis repris, 1835) ne s'emploie guère que concrètement, alors que **ARRACHEMENT** n. m. (1542, après des formes disparues comme *aracement*, XIVe s.; *erracement*, 1260, en architecture) s'emploie aussi au figuré : *l'arrachement des adieux, un arrachement*. ➜ **ARRACHEUR, EUSE** n. (1539; *aracheour*, XIIIe s.) s'emploie surtout pour les activités agricoles d'arrachage *(arracheur de pommes de terre)* et dans *arracheur de dents*, vieilli au sens concret (1531), mais très vivant dans la comparaison ***mentir comme un arracheur de dents***, les barbiers chirurgiens ambulants ayant l'habitude de rassurer par tous procédés de rhétorique leurs clients, avant de les opérer. ◇ Le mot désigne aussi, surtout au féminin **ARRACHEUSE** (1852), une machine ou un outil pour arracher les plantes, en concurrence avec **ARRACHOIR** n. m. (1863). ➜ **D'ARRACHE-PIED** loc. adv., formé sur *de, arracher* et *pied** (1515), a d'abord eu le sens de «tout de suite (en s'arrachant à l'immobilité)», puis de «sans interruption, sans relâche», peut-être avec l'idée d'effort comme pour arracher le pied d'une plante, d'un arbre. ◇ Sa valeur moderne est «en soutenant un effort pénible»; elle semble correspondre à une reprise de l'expression, après une époque où elle est jugée basse et familière (fin XVIIe-XVIIIe s.).

ARRAISONNER → RAISON

ARRANGER

ARRANGER v. tr. (XIVe s.), d'abord *arengier* (XIIe s., v. 1160), est formé en français avec le préfixe *a-* et le verbe *rangier, ranger*, de *rang**, mot d'origine francique.

♦ Le verbe a pour valeur initiale «disposer à son rang, à son ordre», d'abord en contexte militaire, des soldats à leurs rangs. À l'idée de ranger, *arranger* ajoute celle de «déterminer (l')ordre même dans lequel on range» (Littré). *S'arranger* (v. 1200) s'est dit pour «se disposer» (en parlant de personnes), puis (1694) «s'installer». La détermination d'une disposition interne à l'objet qui est arrangé fait que la notion est modifiée et enrichie par rapport à celle de rangement; le verbe correspond (1538) à «mettre dans l'ordre convenable». D'où l'éloignement sémantique par rapport au verbe simple et les spécialisations, par exemple de vêtements disposés pour vêtir, parer (1696, La Bruyère), en musique (mil. XIXe s.) *arranger un morceau pour* un instrument, un orchestre, ou encore le sens courant de «réparer, remettre en état» (1863) et le sens vieilli de «préparer» en cuisine (1866). ➜ Avec un complément nom de personne, *arranger* a pris dès le moyen français (*arengier*, 1492), comme *assaisonner, accommoder* (vieilli), le sens de «maltraiter» (1778) puis en argot celui de «voler, duper» (1896). ➜ Avec un complément désignant des personnes ou leurs intérêts, *arranger* correspond aussi à «mettre d'accord» (1665), *arranger une affaire* (1798) se disant pour «régler par une conciliation» et *arranger qqn* pour «lui faire des conditions favorables, en commerce». ◇ Avec la même idée de convenance, le verbe se construit avec un sujet nom de chose et un complément nom de personne ou un pronom pour «satisfaire, contenter, être agréable ou commode» (1835) : *cela m'arrange, ne m'arrange pas;* cette valeur positive est souvent présente dans le verbe au pronominal : *s'arranger avec qqn* (1771), *s'arranger* «se débrouiller» (1747), *s'arranger* «aller mieux», *s'arranger de qqch.* «s'accommoder de...» (v. 1860).

► Le dérivé **ARRANGEMENT** n. m. (v. 1300) sélectionne quelques sens du verbe, avec la valeur d'«action d'arranger» et, dans la langue classique, «organisation, ordre» : ce sens est aujourd'hui didactique, par exemple en algèbre (1863,) ou littéraire. Les principales spécialisations sont rhétoriques (1647 Vaugelas, du style), musicales (1863 ; le mot, au XXe s., équivaut à *orchestration,* en jazz), juridiques ou financières (1732, «convention», «disposition»). ◆ Le participe présent **ARRANGEANT, ANTE** est adjectivé (1863) au sens de «conciliant» (personnes). ◆ **ARRANGEUR** n. m. (déb. XVIIe s.) est rare, sauf en musique (1863) et notamment en jazz, dans un sens voisin de *orchestrateur.* ◆ **ARRANGEABLE** adj. (1re moitié XIXe s.) a servi à former **INARRANGEABLE** adj. (1888).
Les dérivés préfixés **DÉSARRANGER** v. tr. (v. 1570) et **RARRANGER** v. tr. (1821), qui cède devant *réarranger,* sont rares. *Rarranger* des personnes s'est dit pour «réconcilier» (1862, Goncourt).

ARRÉRAGES → ARRIÈRE

ARRÊTER

ARRÊTER v. est issu (1080) d'un latin populaire °*arrestare,* de *ad-* (→ à) et du latin classique *restare* «être immobile» (→ rester).

♦ Le verbe, dès les XIe-XIIe s., est à la fois transitif *(arrêter qqn, qqch.)* et intransitif *(arrêtez ! ; il n'arrête pas).* La valeur première de l'intransitif est «cesser d'avancer, de marcher», puis «rester, s'attarder» (XIIe s.) et «tarder» (sortie d'usage), et aussi «prendre fin» (XIIe s.), en parlant d'un tournoi, en concurrence avec le pronominal, valeurs toujours en usage. Des emplois extensifs concrets, comme *arester jusqu'à* «s'étendre» (1247), *arrester dans qqch.* «persévérer» (1370), ont disparu. ◇ Quant au transitif, il s'emploie d'abord pour «empêcher (qqn, un véhicule, un animal) d'avancer, de se mouvoir» (XIIe s.), puis au XVIIe s., «empêcher (qqn) d'agir» et «interrompre» (1779). Il est alors construit avec un complément nom de personne. ◇ *Arrêter qqch.* se dit (fin XIVe s.) pour «empêcher de bouger, fixer» et, en ancien français, «confisquer (des biens)» (1255) ; aussi pour «suspendre (une activité, un processus)» (v. 1500) avec des spécialisations («intercepter», XVIIe s.) et des locutions : ***arrêter les frais*** (1867). ◇ Des spécialisations concrètes concernent le fait de fixer un nœud (*arrêter un point,* 1690), de terminer les contours d'un dessin (*arrêter une esquisse,* 1845). ◇ En contexte abstrait, *arrêter* se dit de la pensée, de l'esprit qui se fixe à, sur qqch. (fin XIVe s.) et pour «fixer (son choix)» *(id.).* ◇ Parmi les extensions et spécialisations, «choisir, décider» (fin XIVe s.), par exemple *arrêter le lieu, le jour d'une rencontre,* emploi juridique ou d'usage littéraire, est à l'origine de *arrêté* n. m., et d'un sens de *arrêt* (ci-dessous). ◇ Un autre emploi, d'usages courant et ancien (XIIe s.), «s'emparer de (qqn) ; capturer», correspond à *arrestation.* ◇ *S'arrêter* (XIIe s.) a pris des valeurs figurées dans *s'arrêter à, sur qqch.* (1370) «y insister, s'y attarder», d'où *s'arrêter (ne pas s'arrêter) aux apparences* (1680). *S'arrêter de* et infinitif (1575) correspond à *cesser de ;* cet emploi a été repris avec l'intransitif (*arrêter de* faire qqch.), avec une valeur spéciale au négatif qui correspond à «continuer, faire sans cesse» *(il n'arrête pas de...).*

► Du sens de «décider», vient l'emploi du participe passé **ARRÊTÉ,** substantivé, pour «décision d'un tribunal, d'une juridiction», valeur voisine mais distincte de *arrêté* n. m. (1414) «décision écrite» et «règlement (d'un compte)».
Le verbe *arrêter* a en ancien français deux substantifs dérivés : *arreste* n. f. (XIIe s.) «obstacle» et surtout «délai, retard», puis (XIVe s.) «arrêt», disparu au XVIe siècle. ◆ En revanche, *arrest, arest* (1175) puis **ARRÊT** n. m. est demeuré usuel. ◇ Ce déverbal désigne l'action, le fait d'arrêter ou de s'arrêter et par métonymie une halte, une situation de repos (1530). De *arrêt* (1690), en parlant d'un chien qui s'immobilise à la chasse, d'où ***chien d'arrêt*** (1794), vient ***être en arrêt*** «être sur le qui-vive» (1919). ◇ La valeur figurée de «retard» (XIIe-déb. XVIIIe s.) et celle d'«empêchement» (XIIIe s.) sont entièrement sorties d'usage, alors que «suspension (d'une action, d'un processus)» (XIIIe-XVIe s.) témoigne d'une relative vitalité depuis le XIXe siècle. ◇ C'est avec une valeur voisine que l'expression ***sans arrêt*** a été reprise (1939), après avoir signifié en ancien français «sans retard» et «à l'instant même». ◇ De même, de *arrêt d'une activité* «interruption», on est passé à l'expression usuelle ***arrêt de travail*** (d'abord *du travail*) et à *arrêt de (du) développement* en physiologie. ◇ À partir de *arrêt d'un véhicule,* emploi fréquent (opposé à *marche*), on passe à l'expression adverbiale ou adjective ***à l'arrêt*** — qui s'oppose à *en marche* — et, par une métonymie usuelle, à «lieu où s'arrête un véhicule de transport en commun» *(arrêt d'autobus, de car),* correspondant à *station* pour les transports par voie ferrée, même urbains. Au Québec, *arrêt* est substitué à *stop* pour «point où les véhicules doivent marquer le pas». ◆ Diverses spécialisations techniques correspondent à la valeur de «processus interrompu ou fixé» et par métonymie à «dispositif pour maintenir un système immobile». Cette métonymie est ancienne (fin XIVe s.) avec des valeurs spéciales en parlant des harnais (1392), en couture (1393, aussi *point d'arrêt*), plus tard en serrurerie (1751), etc. ; un autre dérivé, *arrêtoir* (ci-dessous), possède une valeur voisine. *Arrêt* est aussi synonyme de *cran de sûreté* (1690, pour les armes à feu) et ***cran d'arrêt*** (où *arrêt* a sa valeur active) s'emploie à propos des couteaux à lame pliante (dans le dictionnaire de l'Académie, 1932), d'où *un cran d'arrêt,* un tel couteau. ◆ De *arrêter* au sens de «capturer», *arrêt* a pris le sens de «saisie» (XIIIe s.), «arrestation» (fin XIVe s.), sorti d'usage en emploi général et libre, mais auquel se rattache ***mandat d'arrêt*** et pour le pluriel, ***arrêts,*** dans l'armée, le sens de «défense faite à un officier de sortir d'un lieu assigné» (v. 1700), d'où *arrêts simples* et *arrêts de rigueur* (1825). ◆ Avec une va-

leur psychologique où *arrêter (s'arrêter)* concerne l'attention, la volonté, *arrest* a signifié «fermeté de caractère» et «attention» (fin XIVe s.), d'où, au XVIIe s., *un homme sans arrêt* «irrésolu» ou «volage». ◇ Ces valeurs ont disparu mais, de l'idée de «décision» (v. 1350), vient un emploi encore vivant en droit, où *arrêt* concerne une décision, le jugement d'une cour souveraine (depuis XIVe s.), sens voisin de celui de *arrêté* (ci-dessus), et au figuré un jugement sans appel (déb. XVIIe s., *les arrêts de Dieu, du destin*). ➙ *Arrêt* en droit a produit **ARRÊTISTE** n. (*arrestiste*, 1740), «juriste qui commente les arrêts».

Plusieurs autres dérivés de *arrêter* ont disparu, tels *arrêtement* n. m. (*arestement*, XIIIe s.) qui s'est employé (XVIIe s.) là où l'on dit aujourd'hui *arrestation* et pour «arrêt» (d'un véhicule, 1801), ou *arrêtance* n. f. (XIIIe-XVe s.), *arrêtage* n. m. (XIIe-XVe s.) «arrêt» et «retard», repris au XXe s. pour «pièce d'arrêt d'un mécanisme» (1924). ➙ **ARRÊTEUR** n. m., sans être entièrement disparu, n'est pas usuel. Le mot (*arriesteur*, 1330 à Namur) a été employé, surtout en Flandres, pour «personne qui arrête les malfaiteurs» (sens réattesté au XXe s.; *agent arrêteur*, 1921) et pour «personne qui fait une saisie» (XVe s.). *Arrestateur* a eu cours pendant la Révolution (1792-1793). ➙ **ARRÊTABLE** adj. (*arrestable*, fin XIIIe s.) est demeuré rare, comme **INARRÊTABLE** adj. (1624). ➙ Le composé **ARRÊTE-BŒUF** n. m. inv. (*arrestebeuf*, 1532; *restebos*, fin XIIIe s. en anglo-normand, Arveiller) désigne une plante rampante aux longues racines résistantes, capables d'arrêter la charrue.

ARRESTATION n. f. est la réfection d'après le latin médiéval *arrestatio* «embargo» (1228), dérivé de *arrestare*, du dérivé français *arestaison*, *arestison* (v. 1200) «pause», «délai, retard», «fait de s'arrêter», en usage jusqu'au XVIe s. (*arrestaison*, 1550). ➙ Le mot est repris en droit (1370), au sens de «saisie»; très rare en français classique, c'est une recréation de l'époque révolutionnaire (1792) pour «fait d'arrêter et d'emprisonner qqn». ➙ Quant à **ARRÊTOIR** n. m. (1838), c'est un dérivé technique au sens voisin de *arrêt* pour «dispositif (saillie, cran, etc.) qui arrête, fixe un mécanisme».

ARRHES n. f. pl. est la réfection savante de l'ancien français *erres*, emprunt adapté du latin juridique *arra* ou *arrha*. Le mot latin est la réduction de *arabo* ou *arrhabo*, emprunt au grec *arrhabôn*, mot sémitique (hébreu *'ērābôn* «gage»). Le pluriel français est mal expliqué, le latin juridique pluriel *arrae* «dot» n'ayant pas été emprunté dans ce sens.

♦ *Erres* et *arres* se sont employés au sens de «gage» et au figuré, du XIIe au XVIIIe siècle; *erre* au singulier (1350) avait le même sens. La forme *arrhe* (déb. XVIe s.), *arrhes* (1610) l'a emporté sur toutes les autres, pour désigner l'acompte versé lors de la conclusion d'un marché pour en garantir l'exécution *(verser des arrhes)*. ◇ Du XIIIe (1272, *erres*) au XVIIe s., le mot s'est appliqué au cadeau de fiançailles, consacrant un engagement au mariage.

◈ voir ACCAPARER.

◈ **ARRIÈRE** adv. est issu (XIIIe s.), par l'intermédiaire de *areche* (980), *arere* (1080), du latin populaire °*arretro*, de °*adretro*, composé du latin classique *ad-* (→ à) et de *retro* «en arrière», formé du préverbe *re-*, marquant retour ou mouvement inverse (→ re-), et du suffixe de *intro* (*de retro* a donné *derrière** et, indirectement, *dernier**).

♦ *Arrière*, depuis l'ancien français, signifie «en allant dans le sens inverse de celui vers lequel le corps est tourné», là où le français moderne utilise *en arrière*. L'adverbe s'emploie aussi (1430) pour «derrière» et, au sens temporel, pour «auparavant» (déb. XIIIe s., Villehardouin), valeur sortie d'usage sauf en composition (*arrière-grand-père*, etc.). Il forme avec des verbes des expressions figurées, tels *mettre en arrière* (1288) «mettre en sûreté», *être arrière*, etc. ◇ Le mot s'emploie depuis le moyen français (v. 1375) comme interjection, à la chasse (adressée aux chiens), puis pour faire reculer des hommes, des chevaux (1606), pour éloigner qqn (fin XVIe s.), aussi *arrière de* et pronom : *arrière de moi, de nous* (1538; considéré comme vieux dès le XVIIe s., Furetière). Des interjections dialectales *(aré, ari)* viennent de cet emploi. ➙ La substantivation pour «partie postérieure» est ancienne (XIIIe s.); elle a des valeurs différentes de celles de *derrière*, et qui sont relativement plus abstraites, encore qu'on parle de l'*arrière d'un navire* (1680), *d'une voiture*. ◇ Ce substantif sert à former des locutions adverbiales et prépositives, notamment ***en arrière***, d'abord temporel (XIe-XIIIe s.) pour «autrefois, longtemps avant», puis spatial (1606; dès le XIIe s., pour «vers le côté opposé à l'avant») et ***en arrière de*** (av. 1475), ***à l'arrière*** (dans *être à l'arrière de ses affaires*, 1530), ***de l'arrière*** (d'abord dans *scier de l'arrière* «ramer en arrière», déb. XVIIe s.). L'ancien français a employé les expressions temporelles *ça arriere* (v. 1150), *ça en arriere* (XIe-XIVe s.) «autrefois» et *ci arriere* (v. 1250) «désormais». ◇ Au pluriel, *les arrières* s'est employé en vénerie (1763), puis (XXe s.) en parlant d'une armée en campagne *(assurer ses arrières)*. ◇ Le nom singulier, *l'arrière*, s'est spécialisé au sens de «territoire, zone en retrait, par rapport à la zone des combats» (opposé à *front*). ◇ *Un arrière*, en sports (1900), désigne un joueur en équipe placé derrière (opposé à *un avant*). ◇ Du substantif, vient aussi un emploi comme adjectif invariable, par exemple dans *les places, les sièges arrière* (d'un véhicule).

► Le dérivé **ARRIÉRER** v. tr., d'abord *arriere*, a plusieurs valeurs en ancien français (XIIIe s.), comme «rendre plus long (un récit)», «porter préjudice à (qqn)» et «empêcher» (*arriere qqn de qqch.*, 1340), comme intransitif «rester en arrière» et «partir» (XIVe s.), puis *s'arriérer* (1660). ◇ Le seul qui survive est «retarder» (1280), spécialisé dans *arriérer un paiement* «ne pas le faire à échéance» (dictionnaire de l'Académie, 1798), précédé depuis l'ancien français par *arriéré*. ◇ L'emploi de *arriéré* (ci-dessous) pour «mentalement retardé» a suscité un nouvel emploi pour *arriérer* «rendre arriéré». ◇ **ARRIÉRÉ** adj. «en retard de paiement» (1248) semble repris en parlant du paiement (1611), puis d'une personne (1721). ◇ L'adjectif a disparu au sens concret (*arriéré de* «en arrière», 1549); de ce sens vient *un* **ARRIÉRÉ** n. m. (1320-XVe s., repris 1788), qui signifie «dette encore due», avec des valeurs figurées (1824).

◇ À cette acception correspond *arrièrages* (1251), altéré en **ARRÉRAGES** n. m. pl. «redevance périodique ; montant échu d'une rente» (1272). ◇ Un autre sens de l'adjectif *arriéré* (1829), appliqué aux personnes, aux idées, vient plutôt de *en arrière* en emploi temporel ; cet emploi correspond à «démodé» (cf. *rétrograde*). ◇ Une spécialisation psychologique (*enfant arriéré, in* dictionnaire de l'Académie, 1835), souvent avec substantivation (*un, une arriéré(e)*), correspond à «en retard dans son développement mental». ◇ Ce sens, outre une acception d'*arriérer* (ci-dessus), a donné (1909) **ARRIÉRATION** n. f., terme datant d'une psychiatrie assurée dans ses références à la normale, quant au développement mental (les choses sont aujourd'hui moins claires).

Arrière sert à former de nombreux composés avec la valeur temporelle de «plus loin dans le temps», soit «avant» (*arrière-grand-père, -grand-mère,* etc.), soit «après» (*arrière-petit-fils,* etc.), mais aussi par métaphore temporelle de l'espace, «tardif» (*arrière-saison,* fin XVe s.), et surtout avec une valeur spatiale (*arrière-boutique, -cuisine, -garde, -plan, -salle, -train*) ou abstraite (*arrière-pensée*) [voir les substantifs]. Dans certains cas seulement, il peut commuter avec *avant* (*avant-garde, avant-train*).

ARRIMER v. tr. est un emprunt (1398), adapté par ajout de la voyelle *a* à l'initiale, sur le modèle des verbes latins en *ad*, au moyen anglais *rimen, remen* «arranger» et aussi «débarrasser», de la famille germanique *rum* «espace, place» (ancien anglais *rum,* anglais *room* [→ living-room], allemand *Raum,* etc.), représentée en ancien scandinave par *rum.* ◇ Ce substantif est passé au moyen français comme terme de marine, *run* «le fond de la cale» (1386), avec des sens plus larges au XVe s. («place, rang»). *Run* a donné le verbe *arrumer* (1386-XVIIIe s.) ou *arruner* (fin XIVe-XVIIe s.) «ranger la cargaison», et en général «disposer» ; c'est ce verbe français qui a donné *arrumar* en espagnol, catalan et portugais.

♦ En français, la forme *arrimer,* au sens d'«arranger», aussi *rimer* «régler, fixer» (Froissart), l'a emporté dans son sens maritime (1398). ◇ L'acception régionale (Canada, Bretagne) de «mettre en ordre» semble plutôt une métaphore de cet emploi qu'un reste de la valeur ancienne.

▸ Les dérivés **ARRIMAGE** n. m. et **ARRIMEUR** n. m. sont attestés (fin XIVe s.) en marine en même temps que le verbe. ➛ Le premier a produit **DÉSARRIMAGE** n. m. (1836), et **DÉRIMER** v. tr. (1870) a laissé la place à **DÉSARRIMER.**

ARRIVER v. intr. est, comme *démarrer* (→ amarrer), un terme de marine dont le sens s'est élargi. Il provient du latin populaire °*arripare,* composé de *ad-* (→ à) et de *ripa* «rivage» (→ rive).

♦ Le verbe a d'abord (mil. XIe s., *ariver*) le sens originel de *accoster, aborder,* verbes de formation analogue. Cette valeur maritime, vivante jusqu'au XVe s. coexiste avec l'acception générale (XIIe s.) qui se répand et fait que, dès le XVIe s., l'origine n'est plus sentie, sauf dans le contexte de la navigation. Ces contextes sont encore vivants, mais *arriver* est alors compris comme une spécialisation du sens élargi, sans rapport avec *rive* ou *rivage,* et ceci même dans des locutions comme ***arriver à bon port.*** En marine à voiles, le verbe s'emploie depuis le XVIe s. (1573) pour «manœuvrer au vent, augmenter l'effet du vent sur les voiles», avec des expressions comme *arriver tout plat* (1771), des constructions du type *arriver sur* (un navire) [1690], qui rejoint le sens général. Ce sens est tardif par rapport à la valeur d'origine ; l'espagnol *arribar* s'emploie plus tôt avec cette valeur (1493, Colomb), probablement issue de l'idée de gagner au plus vite le port en faisant vent arrière. ➛ La valeur normale du verbe, surtout à partir du XVIe s., est «parvenir dans un lieu de destination», «terminer un déplacement», «se mouvoir vers un but» ; dans ces emplois, il s'oppose à *partir.* ◇ Le verbe a diverses valeurs figurées : *arriver à...* «parvenir à (un état)», aussi *arriver à ses fins* (fin XVIIe s.). De *arriver à,* figurément «parvenir à (qqch.)» (fin XIVe s.), on passe à *arriver* «réussir» (XVIIe s.), absolument (d'où *arriviste,* ci-dessous). ◇ ***En arriver à...*** et infinitif (1859) forme un verbe complexe, signifiant «parvenir à» sur le modèle de *en venir à.* ◇ Avec pour sujet un nom de choses, *arriver* correspond à «parvenir à sa destination». ➛ Depuis le XVIe s., le verbe possède une simple valeur temporelle, «se produire, survenir», d'abord en parlant des saisons, de la nuit, des heures... (1553), puis d'un événement quelconque : *ces événements, les choses arrivent ; tout peut arriver ; arrive ce qu'il pourra* (1659), remplacé par *advienne ;* il prend alors une valeur quasi existentielle. Cet emploi très généralisé est utilisé dans le verbe impersonnel : ***il arrive,*** *il est arrivé (que...)* [1640], *il arrive à qqn de...* et infinitif (1640), *ça n'arrive qu'à moi* (1756). ➛ Du sens spatial de «parvenir en un lieu» provient une valeur particulière en sports, «atteindre la fin d'un parcours» (1860), d'où *arriver premier..., dernier* (1878), repris au sens figuré. ◇ Une autre extension correspond à «venir, survenir, se manifester», d'une personne (1606), d'une chose (1701), d'où au passif *c'est arrivé* «la chose s'est produite», et la locution ***croire que c'est arrivé*** (1860) «s'imaginer que le projet a abouti, faire comme si c'était fait», avec influence de l'idée de «réussir». Une autre correspond à «atteindre un certain niveau», sur le plan concret et spatial (1628) et, métaphoriquement, «atteindre une certaine valeur», d'où ***ne pas arriver à la ceinture*** (XVIIe s., Scarron), ***ne pas arriver à la cheville de qqn*** (1908).

▸ Le dérivé **ARRIVAGE** n. m. (1260) apparaît au sens spécial de «droit de débarquement», puis se généralise en marine et en commerce : «arrivée de marchandises, débarquement» (XIVe s.), «arrivée d'un véhicule» (1828), «arrivée massive de personnes» (fin XIXe s.). ➛ **ARRIVÉE** n. f. (1527) signifie en général «action, fait d'arriver, par quelque moyen que ce soit», mais ne correspond qu'aux emplois concrets du verbe en marine (1596), en parlant de choses, de véhicules et de personnes. ◇ Dans ce dernier cas, «moment où une personne arrive, se manifeste» (1680), il a une valeur métonymique, «lieu où arrivent des voyageurs, des coureurs, etc.», avec une spécialisation sportive (1860), aussi dans *ligne d'arrivée* (1903) et dans *à l'arrivée.* Dans tous les cas, il s'oppose à *départ.* ◇ Par métonymie, d'abord en technique, le mot s'applique à une canalisation par laquelle arrive un fluide (*arrivée d'air, d'essence,* mil. XXe s.). ➛ Le participe présent adjectivé **ARRIVANT, ANTE** n. a produit au milieu du XIXe s. un substantif : *les arrivants* (opposé à *partants*). ➛ Du sens figuré du verbe, «réussir», Alcanter de Brahm a tiré **ARRIVISTE** n. (1833), mot qui a eu du succès et a produit **ARRIVISME** n. m. (1903, chez Péguy).

ARROCHE n. f., nom de plante, est l'altération (XVe s.) par des formes du latin oral (°*atrapica,* d'où °*atrabeca,* °*atrawea*), du latin classique *atriplicem,* accusatif de *atriplex,* qui a donné en ancien français *arepe* (XIIe s.), d'abord °*arrepe* (par un °*atreplece*). Une forme *arace, arrace* s'explique par le grec *atraphaxus,* d'origine inconnue, latinisé en °*atrapeca.* Le latin *atriplex* est soit un emprunt déformé à ce mot grec, qui possède une variante *andraphaxus,* soit un emprunt parallèle à une langue non indoeuropéenne.

♦ Le mot désigne une plante comestible et médicinale, aussi appelée *belle-dame.*

ARROGANT, ANTE adj. est emprunté comme nom propre *Arroganz* (1150) puis comme adjectif (XIIIe s.) — cf. aussi l'adverbe dérivé —, usuel à partir des XIVe-XVe s., au latin *arrogans* «insolent, présomptueux», participe présent de *arrogare* «demander en plus», et spécialement «demander indûment, en réclamant». *Arrogans* est formé de *ad-* (→ à) et de *rogare* (→ arroger). L'idée de demande indue a été retenue par l'emprunt de *arroger**; celle de «hauteur, présomption», par *arrogant* et *arrogance.*

♦ *Arrogant* se dit des personnes et, par extension (1406), de paroles, de comportements, puis (XVIIIe s.) d'une entité humaine, pays, nation... Les constructions du moyen français, *arrogant à, contre qqn,* ont vieilli ; *arrogant envers qqn* (1552) se dit encore. ◇ Le mot est aussi substantivé (XVIIe s., Corneille). ◇ Il semble rare dès le XVIIe s. par rapport à *fier,* et reste assez littéraire. ➛ Le dérivé **ARROGAMMENT** adv. (v. 1265) est encore plus marqué.

▸ **ARROGANCE** n. f. est emprunté (1170) au latin *arrogantia,* dérivé de *arrogans* avec les mêmes valeurs. ➛ Le mot sert de substantif à *arrogant ;* il n'a guère varié de sens. *Une arrogance* (1411), «parole arrogante», est sorti d'usage.

ARROGER (S') v. pron. est un emprunt (mil. XVe s.) au latin *arrogare* souvent employé dans *sibi arrogare* «s'approprier, s'arroger», verbe composé de *ad-* (→ à) et de *rogare* «s'adresser à» et «demander», et dont plusieurs dérivés ont produit des verbes français (→ abroger, déroger, interroger).

♦ *Soi arroger de* (et infinitif) correspond en moyen français à «se prévaloir de» ; cet emploi est archaïque. ◇ *S'arroger qqch.* (1538) signifie «s'attribuer (qqch.) sans y avoir droit» ; considéré comme vieux au XVIIe s. (1660, Oudin), cet emploi est néanmoins attesté du XVIe s. à nos jours avec des compléments abstraits, comme *droit, prérogative, honneur.*

▸ Un verbe *arroguer* (fin XIVe, jusqu'au XVIe s.) s'est employé au sens d'«interpeller avec hauteur, agressivement», que ne semble pas avoir eu le verbe latin. Il s'agit alors probablement d'une formation en termes de droit, à partir de *arrogans.*

◈ voir **ARROGANT.**

ARROI n. m. est tiré (1285 ; les attestations antérieures sont erronées) de l'ancien verbe *areer* (fin XIIe s.), *arroier* «disposer, arranger», lui-même issu du latin populaire °*arredare,* qui paraît formé sur le substantif gotique °*reps* «moyen de subsistance, provision» ; ancien haut allemand *rāt,* ancien saxon *rad ;* l'allemand *Rat,* «conseil ; moyen», lui est rattaché. Il figurerait parmi les mots importés en Gaule romaine par les mercenaires germains, à haute époque. Une autre hypothèse y voit une formation en *ad-* sur un latin populaire °*conredere,* du gotique *garedan* «pourvoir à», formé de *ga-* «avec» et de °*reps.* L'italien *arredare,* l'espagnol *arrear,* l'ancien provençal *arezar* témoignent de la large diffusion de cet emprunt germanique. Le français *corroyer* lui est apparenté.

♦ *Arroi* et ses variantes signifient en ancien et moyen français «arrangement, installation» et spécialement (XIVe s.) «équipage». ◇ Certaines locutions, comme ***en grand arroi*** «en grand équipage», sont restées sinon en usage (*arroi* est devenu archaïque au début du XVIIe s.), du moins connues. ◇ Le mot, utilisé pour évoquer le moyen âge, réapparaît littérairement au XIXe s. dans *en mauvais arroi,* archaïque, et s'emploie quelquefois au XXe s. en emploi libre ou dans *en (grand,...) arroi,* expression d'usage littéraire.

▸ Par ailleurs, *areer, aroyer* avait en ancien français un antonyme préfixé *desareier* «mettre en désordre», à côté de *desreer* (XIe s.) «dérouter ; sortir du bon chemin», au pronominal «s'emporter» et «se quereller», d'où *desrei* n. m. (XIe s.), *desroi* (XIIe s.) «confusion, désordre ; combat», puis «tourment», avec de nombreux sens extensifs et figurés. *Desareier,* resuffixé en *desarroyer,* a produit un déverbal encore vivant. ➛ **DÉSARROI** n. m. (av. 1475) a éliminé *desroi,* conservant le sens de «mise en désordre», «désorganisation», et le mot est passé (mil. XVIe s.) au sens psychologique de «trouble moral», avec une idée de confusion, de détresse.

◈ voir **CORROYER.**

ARRONDIR, ARRONDISSEMENT → **ROND**

ARROSER v. tr. vient par emprunt d'un latin populaire °*arrosare,* altération du bas latin *arrorare,* du latin classique *ad-* (→ à) et de *rorare,* d'après le radical de ce verbe, *ros, roris* «rosée» (→ rosée ; romarin). *Rorare* signifie «être humide de rosée» et, transitivement, «humecter, mouiller légèrement» ; c'est ce sens qui est passé en latin populaire et en français.

♦ *Arroser,* qui apparaît au XIIe s. (1155) et coexiste longtemps avec la forme *arrouser* (XIIIe-XVIIe s.), s'est spécialisé en géographie (1265) pour se dire d'un cours d'eau par rapport aux terres qu'il irrigue et fertilise, et en agriculture, pour «répandre de l'eau sur (des végétaux) de manière à les faire mieux pousser», puis «irriguer» (1538) et puis pour «répandre un peu d'eau avant de balayer» (1834). ◇ Mais le verbe a conservé le sens général de «répandre un liquide sur (qqch., qqn)», notamment, et dès le XIIe s., des larmes, du sang, avec des métaphores fréquentes dans la langue classique *(arroser de larmes, de sang...)* et des locutions littéraires : *arroser la terre de son sang* (1690), *son pain de larmes* (v. 1700, Fénelon). Une spécialisation populaire concerne l'urine (*arroser la terre, les pissenlits,* 1878), une autre, érotique, le sperme (XVIIe s., selon Guiraud). ◇ Le sujet désignant la pluie, l'eau, *arroser* signifie familièrement «mouiller (qqn)», d'où ***se faire arroser,*** sens attesté récemment mais annoncé par le participe passé, dans ***(bien) arrosé*** «mouillé de pluie» (1606), puis ***journée arrosée*** (1866) «où il pleut beaucoup».

Une spécialisation figurée assez récente (1719) est «verser de l'alcool dans», «accompagner de boissons alcooliques» ; le participe passé *arrosé* est courant dans ces emplois (***café arrosé,*** 1923). ◇ Ce sens est précédé par *arouser* (un aliment), «tremper dans le vin» (XIIIe s.), et *de quoy arrouser* «de quoi boire» (1537). Au XIXe s., *s'arroser* est attesté dans ce sens (1863), mais on emploie plutôt ***s'arroser le gosier*** (1925), ***la dalle*** (1867), les emplois transitifs anciens, *arrouser sa gorge* (chez Villon), *arroser le gouzier* (1585), étant archaïques. ◇ Une autre valeur, liée à la précédente, est «fêter en buvant, en offrant à boire» (1829), aussi ***arroser ses galons*** en argot militaire (1828), d'où ***ça (cela) s'arrose*** (attesté 1934) et ***il faut arroser ça.*** ➤ D'autres sens figurés, par métaphore de l'eau répandue, existent depuis l'ancien français : *arroser qqn* (de biens, de prières) «prodiguer» (1258, jusqu'au XVIIe s.), puis «répandre» (*arroser ses écrits de belles pensées,* 1710). ◇ Un emploi spécial, «distribuer de l'argent à (des personnes)», apparaît en termes de jeu (1792) et à propos des actionnaires d'une société (1798), déjà avec une idée d'irrégularité, d'échanges illicites, parfois avec celle d'«acompte» (***arroser ses créanciers,*** 1798). ◇ Un autre emploi concerne l'action de bombarder abondamment (1915), de tirer avec une arme automatique. ◇ Un autre encore concerne la diffusion d'une information, déjà au XVIIe s. avec *arrouser le public* (Retz) «y répandre un bruit», valeur reprise au XXe s. pour «diffuser des informations» (1966).

▸ Les dérivés sont nombreux, aux divers sens du verbe.

ARROSEMENT n. m. (fin XIIe s.), d'abord *arosement* (v. 1120), s'emploie au sens concret pour «action d'arroser» et «fait d'être arrosé». On le trouve aussi pour «distribution (illicite) d'argent» (1798) et «bombardement» (1916 chez Gide), alors moins fréquent que *arrosage.* ➤ **ARROSABLE** adj. (1226), d'abord *arousable* (XIIe s.), se dit pour «qui peut être arrosé (d'eau)». ➤ **ARROSOIR** n. m. (v. 1550), réfection de *arousour* (1365), puis *arrousoir* (1489), désigne un instrument servant à arroser, spécialisé selon les époques, désignant aujourd'hui un instrument de jardinage de forme caractéristique, récipient muni d'un tube et d'une pomme percée de trous (*pomme d'arrosoir,* 1680), et aussi (XIXe s.) un entonnoir servant à arroser le plancher, le sol avant balayage (à peu près disparu). ◇ Au figuré, ***coup d'arrosoir*** s'est dit (1874) d'un verre de vin. ➤ **ARROSEUR, EUSE** n. (1559 ; *arrouseur,* 1555), mot tombé en désuétude, puis repris (1839), désigne la personne qui arrose, notamment un jardin ; le thème comique de ***l'arroseur arrosé*** (fin XIXe s., titre de l'une des premières scènes du cinématographe) reste connu. Le mot est aussi adjectif (1838) au XIXe siècle. ◇ Comme nom de véhicule procédant à l'arrosage, *arroseur* (1905, *arroseur automobile*) a cédé devant *arroseuse* n. f. (fin XIXe s., selon Dauzat), mais se dit pour «appareil d'arrosage» (1914 ; *arroseur automatique,* 1939). ◇ Au sens figuré argotique de *arroser, arroseuse* s'est dit de l'artillerie (1916 ; disparu), puis (1956) pour «arme automatique». ➤ **ARROSAGE** n. m. apparaît relativement tard (*arrousage,* 1603), désignant l'action d'arroser les végétaux, les terres, de manière volontaire et finalisée ; dans ce sens, *arrosage* a pris en grande partie les emplois de *arrosement,* «action de pleurer» (1888), «fait d'être arrosé par la pluie» (1893) et «pluie», et s'est dit pour «irrigation» (1752). ◇ Le mot a acquis certaines valeurs figurées du verbe : «versement d'argent» (1878), «action de boire en l'honneur de...» (1883), «mitraillage» (1922, en argot militaire), «diffusion par un moyen de communication» (1967). ◇ Il a en outre, comme *arrosement,* plusieurs valeurs techniques : fabrication de la poudre (1730), textile (1898), mines et machines-outils (XXe s.).

ARSENAL n. m. est une forme tardive, succédant à deux séries de mots bien distincts : *tarsenal* (mil. XIIIe s.), *tercenal, tersenal* (employés jusqu'au XVIe s.), et *archenal* (v. 1400), *arsenail* (XVe s.), *arsenac* (1459), aboutissant à la forme *arsenal* (1601) qui a éliminé les autres. Il s'agit d'un emprunt à l'arabe *dār (aṣ-)ṣan'a* [*sin'a*] «maison de construction, de fabrication» (qui a donné *darse*), peut-être emprunt direct (pour la première forme en *t*), mais surtout par les dialectes italiens, qui ont assourdi le *d* arabe (de *dār*) en *t, tersanaia* (déb. XIVe s., à Pise), *tarcenale* (Naples), d'où l'italien *terzana* (XIVe s.). Les formes sans *t* venant du vénitien ancien *arzana* (1307), on suppose que le *d* arabe a été interprété d'après l'article vénitien *di (d')* et que la fausse coupe *di arzana* (pour *darzana*) en a résulté. Le suffixe *-al* est savant, il a alterné en français avec *-ail* et *-ac* considéré comme populaire au XVIIe s. (Furetière). Le succès du mot est lié à l'importance de l'*arzana* de Venise, créé vers 1104 et reconstruit en 1337, à l'époque de la suprématie maritime de la République. Cet arsenal de Venise était encore le premier d'Europe vers 1800 (voir les *Mémoires d'outre-tombe,* IV, 6) ; les autres villes italiennes ont suivi.

♦ Le mot français, fixé et répandu fin du XVIe-début du XVIIe s., a évolué. De l'idée centrale, «lieu où l'on construit et répare les navires», on était passé (dès le XVe s., pour *archenal*) à «lieu où l'on fabrique les armes et les munitions de guerre» (Furetière, 1690), ce qui reflète les différences de situation entre la République maritime de Venise et le royaume de France. ◇ Dès le XVIIe s., *arsenal* signifie aussi «dépôt d'armes», d'où le sens figuré «grande quantité d'armes» (et de là «matériel compliqué») et la métaphore abstraite (XVIIIe s., Malezieu, *in* Trévoux, alors dans le style burlesque), «ce qui fournit des moyens d'attaque ou de défense» *(l'arsenal des lois).*

◈ voir **DARSE.**

ARSENIC n. m. est un emprunt (v. 1250) au latin *arsenicum,* hellénisme, de *arsenikon.* Le mot grec est un emprunt oriental, probablement de l'iranien ancien °*zarnik* «couleur d'or» (persan *zarnīx, zarnīk*), par une langue sémitique. En grec, le mot était rapproché de *arsenikos, arrenikos* «mâle» (sans rapport étymologique).

♦ Comme le grec et le latin, le français *arsenic* désigne en alchimie des composés toxiques (en termes modernes : acide et anhydride arsénieux, sulfures d'arsenic, arséniosulfures), dont certaines variétés (sulfures) ont reçu d'autres noms : *réalgar, orpiment,* employés en alchimie et donc plus chargés de valeurs symboliques.
Les principaux emplois du mot, du XIVe au XVIIIe s., concernent le sulfure naturel d'arsenic (v. 1250), sulfure jaune (moins riche en soufre que l'*arsenic rouge,* ci-dessous), dit aussi *orpiment* (XIVe s.) et appelé au XVIIe s. ***arsenic jaune.*** ◇ Une autre valeur concerne le composé d'arsenic réduit (1611), appelé *réalgar,* ***arsenic rouge*** (1562), *rubis d'arsenic* (1685). ◇ Enfin, *arsenic* désigne (v. 1393) l'anhydride arsénieux, substance inconnue des Romains à la différence des précédentes et appelée aussi *mort-aux-rats,* et ***arsenic blanc*** (1562 ; critiqué comme impropre au XIXe s.) ; cette valeur était encore en usage au XIXe s., sous la forme *arsenic du commerce* (1814). ◇ Le mot s'applique aussi, en général, à tout composé arsenical servant de poison (déb. XVIe s.), d'où des emplois figurés et régionaux pour «personne, enfant insupportable». ◇ En alchimie, *arsenic des philosophes* (1721) désignait le mercure. ➜ Depuis la seconde moitié du XVIIe s. (attesté 1694), les chimistes emploient l'expression *régule d'arsenic,* donnant dès lors à *arsenic* sa valeur moderne de corps simple, qui sera analysé plus tard. ➜ *Arsenic* a conservé deux emplois modernes, l'un dans la terminologie chimique (1751), l'autre dans la langue courante, où il continue à désigner l'anhydride arsénieux (dit aussi *mort-aux-rats*), utilisé en poudre comme toxique violent et moyen classique d'assassinat (voir ci-dessus).

▶ À l'exception de **ARSENICAL, ALE, AUX** adj. (1578), les dérivés encore vivants attestent la fixation du sens chimique moderne où le mot *arsenic,* désignant désormais le corps simple, doit céder la place à des désignations complexes dans ses emplois traditionnels. ◇ Apparaissent alors **ARSÉNIATE** n. m. (1782, chez Guyton de Morveau), d'où **ARSÉNIATÉ, ÉE** adj. (1803) ; **ARSÉNIEUX, EUSE** adj. (1787) dans *acide arsénieux* (Fourcroy) et *anhydride arsénieux ;* **ARSÉNIÉ, ÉE** adj. (1792) ; **ARSÉNIQUE** adj. (1787, *acide arsénique ;* un adjectif *arcenique* se référait à l'ancien sens, XVIe s.) ; **ARSÉNITE** n. m. (1787) ; **ARSÉNIURE** n. m. (1833). ➜ La liste s'enrichit de composés : **ARSÉNICO-AMMONIACAL, ALE, AUX** adj. (1748), **ARSÉNIOSULFURE** n. m. (1865), **ARSÉNIOÉTHYLE** n. m. (1866), et aussi **ARSÉNIFÈRE** adj. (1834) et, en *arséno-,* **ARSÉNOLITHE** n. m. (1878), **ARSÉNOBENZOL** n. m. (1922), **ARSÉNOBENZÈNE** n. m. (XXe s. ; terme introduit par Michaelis et Schulte, 1873). ➜ Du radical de *arsenic* et *-ine* dans des éléments de composés comme *alcarsine,* vient **ARSINE** n. f. (1846), «hydrogène arsénié», puis (1887) «gaz toxique dérivé de ce corps», d'où **ARSINIQUE** adj. (1920-1924). ➜ Le dérivé **ARSÉNICISME** n. m., «intoxication par un toxique arsenical» (1898), procède du sens courant, non chimique.

ARSOUILLE n., mot argotique, apparaît à la fin du XVIIIe siècle. Son origine est le verbe *arsouiller* (attesté cinq ans plus tard chez Babeuf, mais antérieur sauf si le verbe est dérivé du nom), de sens et d'origine douteux. On a proposé d'y voir une altération de *se resouiller,* de *souiller* (Sainéan), ou encore une suffixation péjorative de l'ancien français *harser, herser* (P. Guiraud). *Arsouiller* a un sens imprécis mais très fort à l'époque révolutionnaire et semble correspondre à *maltraiter,* voire à *massacrer.*

♦ Le sens initial (1792), alors défini «souteneur de tripot», a pris une valeur injurieuse et plus vague. Passé dans la langue courante dans la seconde moitié du XIXe s. (mais Vidocq nomme déjà un *Milord l'Arsouille,* en 1828), *arsouille* a pris le sens de «voyou».

ART n. m., l'un des mots les plus importants de notre culture, vient de l'accusatif du latin *ars, artis,* nom féminin à valeur très générale, signifiant «façon d'être» (cf. Ovide, qui associe *mores* «les mœurs, les habitudes», et *artes*) et «façon d'agir». C'est, avec le thème °*-ti-,* une des réalisations de la racine *armus* (→ arme), qui désigne le haut du bras et l'épaule, mot apparenté à *artus* — dont le diminutif *articulus* a donné *article** —, et au grec *arthron* «articulation» (→ arthro-). *Armus* est lié au grec *harmos* «jointure, épaule» (→ harmonie), et renvoie à une racine indoeuropéenne °*er-,* °*ar-,* *r̥-* que l'on retrouve dans le verbe grec *arariskein* «arranger» et en arménien. Élargi par °*-ei,* cette racine a donné le latin *ritus* «compte», le grec *ari-thmos* «nombre» (→ arithmétique) ; *ritus* ayant pris le sens religieux (→ rite) correspondant au sanskrit *ṛtam,* qui transmet la notion générale d'«ordre», conforme à la religion *(rite)* ou à la logique («compte ; nombre») [cf. Ernout et Meillet]. ◇ Ainsi, le latin *ars* réunit des idées essentielles, toutes liées à l'activité humaine tendue vers un ordre, que cet ordre soit dicté par les dieux ou imposé par les lois logiques (cf. la notion de «loi», elle-même ambiguë). *Ars* a pris en latin le sens d'«habileté acquise par l'étude ou la pratique», et celui de «talent», opposé à *natura,* à *ingenium,* à *scientia,* puis est passé au sens de «métier, profession» (d'où *artifex*) et à la valeur péjorative de «ruse», d'où *artificium* (→ artifice). Le mot a servi d'équivalent au grec *tekhnê* (→ technique), d'où la valeur de «traité», qui a abouti en français par exemple à *art poétique* et en ancien provençal à «grammaire» (v. 1300). Le composé *iners* «inhabile», se retrouve dans *inerte**, et les dérivés latins de *ars* dans *artisan* et *artiste.* Le latin *ars, artis* est passé dans toutes les langues romanes, sauf le roumain.

♦ Le premier groupe d'emplois en français correspond à la valeur générale de «moyen, méthode, connaissance» (fin xe s.), aussi attesté dans *males arz* (1080, Roland), qui désignera un peu plus tard (XIIIe s.), d'après le latin médiéval, la sorcellerie et les connaissances occultes. Benoit de Sainte-Maure (v. 1165) donne au mot deux valeurs venant du latin : «discipline des études» *(les sept arts)* et «habileté pour parvenir à un effet». ◇ De ce dernier sens vient en ancien français la valeur de «ruse, artifice» (XIIe-XVIIe s.), antérieure en ancien provençal (1025) et continuée par l'acception classique, qui correspond plutôt à «affectation» qu'à «artifice». ◇ Par ailleurs, l'idée d'habileté plus ou moins secrète et d'efficacité technique s'incarne dans l'emploi pour «sorcellerie» de *art* seul (v. 1130), de *male arz* (pluriel ; déb. XIIIe s.), *mauvais art* (v. 1450) et *subtil art* (av. 1465).

Au début du XIIIe s., *art* a le sens général d'«activité professionnelle et manuelle» ; à partir du XVIe s., cette valeur sera appuyée par l'emploi de *artisan**. De ces emplois médiévaux, le français moderne a retenu des syntagmes du modèle ***l'art de*** (et infinitif) et des locutions, comme ***c'est du grand art.*** ◇ Au XVIe s. apparaissent par réemprunt au latin une spécialisation technique, «méthodes propres à une discipline», et une valeur générale, en opposition à *nature* (1580, Montaigne), qui correspond à tout ce qui est produit par l'homme (on parlera plus tard de *culture*). Ces sens humanistes ont donné lieu à des emplois toujours vivants, mais souvent mal interprétés, depuis le développement des sens modernes liés à l'esthétique (voir plus loin) ; cependant des locutions comme ***les règles de l'art, l'enfance de l'art, l'art et la manière*** conservent ces valeurs anciennes, passablement isolées dans la langue contemporaine. ◇ De même, certains usages de *un art, les arts,* continuent à faire vivre deux valeurs médiévales. La première est conceptuelle : «connaissance appliquée liée à un domaine d'activité réglée» (c'est-à-dire : technique*), d'où ***un homme de l'art*** «un médecin», ***l'art de la guerre*** et récemment (pris à l'anglais *martial arts,* ce qui explique l'archaïsme apparent) ***les arts martiaux,*** ou encore ***art poétique,*** calque latin du grec *poietikê tekhnê* «méthode de création», chez Aristote. ◇ La seconde est institutionnelle : ***les sept arts*** (XIIe s.) désigne les disciplines enseignées en tant que méthodes, et non en tant que connaissances abstraites dites *scientiae,* dans le *trivium :* grammaire, dialectique, rhétorique, et dans le *quadrivium :* arithmétique, géométrie, histoire, musique, chacun de ces termes étant à prendre au sens latin et médiéval, non pas moderne. De là *maistre en ars* (1432 ; *en hars,* 1427), *aux arts* (1594), enfin *maître ès arts* (1534). Il s'agit là de techniques intellectuelles orientées vers la maîtrise du langage, des structures numériques et sonores, musicales (qui sont liées) et de celle du discours de connaissance *(historia)* ou de conviction (la rhétorique). Dans ces emplois, une partie du concept interfère avec celui que l'on désigne en français moderne par *science.* ◇ Il en va de même en ancien provençal, où l'on trouve *art d'astronomia* (XIVe s.), *de arithmeticha* (1492), à côté de *art de trobar* [de trouver] «rhétorique» et *art de gramatica* (les deux v. 1290). ◇ Au XVIIe s., *les arts,* à l'université, désigne les humanités et la philosophie (1636), dans *faculté des arts* (1690). Disparues avec les mutations de l'institution pédagogique, ces valeurs de *art* ont néanmoins subsisté, surtout par une série de syntagmes. ***Arts mécaniques*** (1265 ; 1361, in *F. e. w.*), en opposition aux ***arts libéraux*** du trivium et du quadrivium, introduit et conserve la valeur de «technique artisanale», et est prolongé par *les* ***arts et métiers*** (1786). ◇ *Les* ***beaux-arts*** (1640 ; aussi *belles arts* au féminin, Bossuet, 1653), expression diffusée au milieu du XVIIIe s., c'est-à-dire «les techniques de la beauté», s'applique, en opposition à *arts mécaniques* et aussi à *arts libéraux,* qui a changé de valeur : ce sont au XVIIIe s. les techniques nobles, poésie, musique, peinture, mais aussi l'*art militaire* et l'*art naval.* On voit alors se dégager deux oppositions, l'une conceptuelle «utilité»-«agrément» *(les beaux-arts),* l'autre sociale, les techniques pratiquées par l'honnête homme (Trévoux) étant opposées aux techniques vulgaires ; la seconde opposition, discutée et contestée par Diderot dans l'*Encyclopédie,* est la clé de l'opposition *artiste*-artisan*,* dès le milieu du XVIIIe s. (voir ces mots).

Cependant, c'est au XIXe s., sous l'influence de l'allemand *Kunst,* que le mot français *art* va changer de domaine. Certes, dès le XVIIe et le XVIIIe s., on pouvait parler d'*un art* pour désigner la sculpture, la peinture, la littérature ou la poésie ; mais le concept général était toujours lié aux oppositions évoquées ci-dessus. Ceci reste vrai dans de nombreux emplois, avant 1850 environ. *Beaux-arts,* de son côté, attesté au milieu du XVIIe s., reste un terme dans une classification. Même dans les emplois absolus du mot *art* appliqué à la peinture ou à la sculpture (chez Diderot, par exemple), il ne s'agit pas de la valeur moderne. La valeur du mot *art* est alors liée à l'importance prise par le sentiment dans la création esthétique, à l'intérieur de la dialectique *nature-art,* d'origine ancienne (latine), et à la notion de *beau idéal.* Seul *artiste** a pris au milieu du XVIIIe s. un sens quasi moderne (mais il en conserve et en développe d'autres). C'est l'esthétique allemande, où *Kunst* transmet une idée de «savoir», plus centrale que celle d'«activité» (le mot est apparenté à *können* «savoir, connaître»), qui transmet la valeur esthétique générale au français, par Mme de Staël, B. Constant, puis par Stendhal et les premiers romantiques. G. Matoré, étudiant ce mot, a montré que l'expression ***l'art pour l'art,*** employée par B. Constant (1804) après une conversation avec un disciple de Schelling, laquelle correspond au glissement complet du mot vers le concept esthétique, vient des idées des philosophes et écrivains allemands, Kant, Goethe, Schiller, Wieland, Hegel. ◇ Dès lors, *art,* en français, reçoit d'autres emplois, et la notion se subdivise, selon les domaines de l'esthétique, en *arts plastiques, arts appliqués,* ***arts décoratifs*** (d'où le style ***Arts déco,*** après l'*Exposition des arts décoratifs,* en 1925). ◇ En outre, selon un décompte assez arbitraire, ***septième art*** désigne le cinéma (1921), ***huitième et neuvième art*** la télévision et la bande dessinée. D'autres qualifications concernent l'origine (*art nègre,* à l'époque cubiste),

Les sens du mot ART

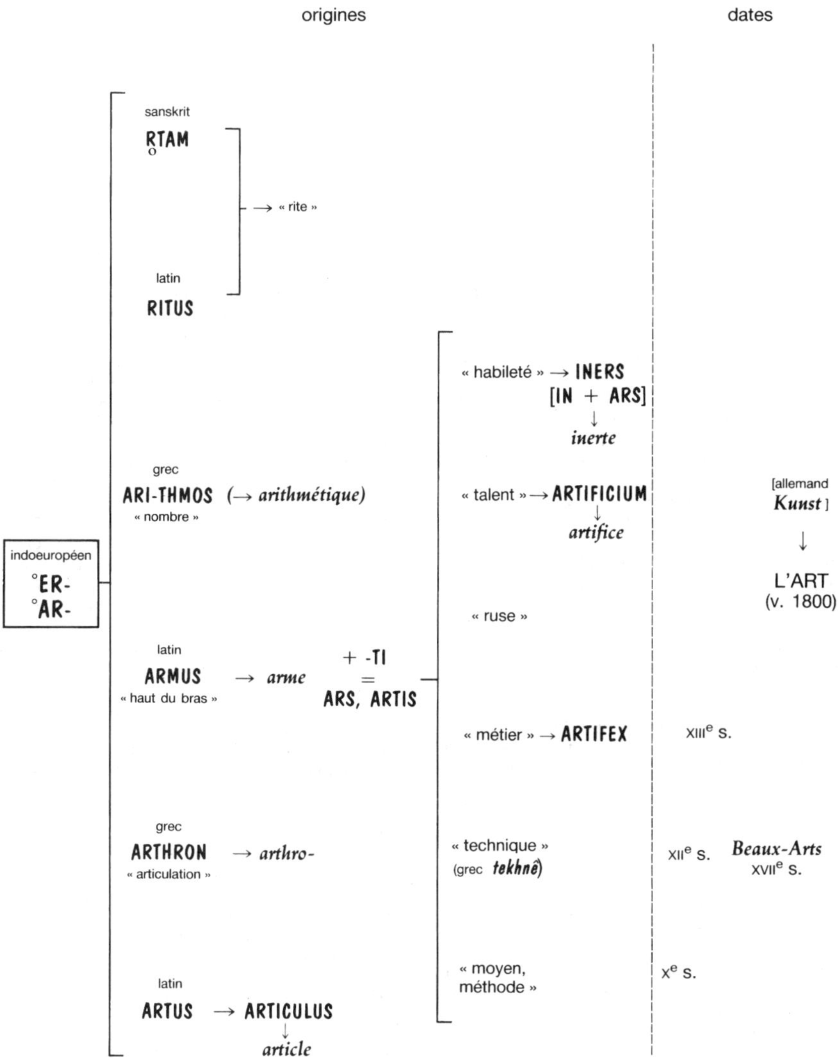

les styles, les époques, etc. ◇ L'expression ***histoire de l'art,*** qui correspond à une notion culturelle essentielle, est attestée dans sa valeur actuelle au début du XIXe s. (*L'Histoire de l'art par les monuments,* de Séroux d'Agincourt, commence à paraître en 1811); là encore, il s'agit d'un concept allemand (*Lehrgebaüde der Geschichte der Kunst in der Altertum,* par Winckelmann, 1764), modifiant profondément la tradition issue des *vite* («vies») de Vasari (1550-1586). ◇ Par métonymie, *art* s'applique aussi à l'ensemble des œuvres (chez G. Planche, av. 1874) et, rarement, aux artistes (1891 chez Verlaine). ➛ Désormais associé aux notions de beauté et d'esthétique, l'art est devenu aussi un objet de connaissance et de critique et l'une des références de la consommation dite culturelle *(objet d'art; le marché de l'art...),* liée aux thèmes de la conservation du patrimoine et de sa manifestation publique (cf. *musée, exposition...*). ◇ En butte à une critique sociale très vive depuis les mouvements de contestation, dada et surréalisme en tête, l'art est aujourd'hui confronté d'une part à *non-art,* à *anti-art* (v. 1980) et aux formes marginales désignées par des syntagmes, qu'ils soient formés en français, *art naïf, art brut* (1944), empruntés : *op'art* (1964); *pop'art* (v. 1955), *land art* (mots anglais), ou enfin calqués : *art minimal, art conceptuel,* de l'anglais, *art pauvre,* de l'italien *arte povera,* etc. (voir aussi le schéma page précédente.)

► *Art* n'a pas de dérivé vivant. L'ancien et moyen français **ARTIEN** ou **ARCIEN** n. m. (XIIIe s.) a désigné jusqu'au XVe s. un savant, habile dans les arts libéraux, puis spécialement (XIIIe, jusqu'au XVIIIe s.) un étudiant en philosophie. ➛ **ARTISER** v. tr., «fabriquer» (XVIe s.), puis «arranger avec art» (1793), a rapidement disparu.

◈ voir ARTICLE, ARTICULER, ARTIFICE; ARTISAN, ARTISTE, INERTE, ORTEIL; ARTILLERIE.

ARTÈRE n. f. est un emprunt ancien (1213) au latin *arteria,* hellénisme. Le grec *artêr,* d'où vient *artêria,* est issu comme *aortê* (→ aorte) d'un verbe *aeirein* signifiant «attacher» et aussi «élever, soulever» : il s'agit peut-être de deux mots distincts, d'origine inconnue. Cette origine est peut-être indoeuropéenne, si l'on admet le rapprochement avec le préfixé arménien *gerem* «je prends» (Meillet) et en rapport avec le hittite °*sryō,* d'un radical °*sēr-* «haut» (Heubeck). ◇ Le terme grec, employé par Hippocrate et Aristote, désigne les artères et fréquemment la trachée («l'artère rugueuse», *trakheia artêria, aspera arteria* en latin). Au moyen âge, l'opposition *arteria-vena* est exploitée selon le savoir médical d'Hippocrate et de Galien; elle correspond à la pulsation observée de ces conduits; elle est surtout pratique, quant à l'impossibilité de pratiquer la saignée (*artaires ne doit on sainnier,* Alebrant, *in* Godefroy) et correspond à la croyance selon laquelle les artères, vides de sang après la mort, sont des conduits d'air (grec *aêr*) contenant un esprit vital considéré comme un «sang spirituel».

♦ Le mot a eu de nombreuses variantes en ancien français, *artheire* (v. 1300), *artire* (déb. XIVe s.; puis 1484). *Grande artère* (1546) désignait l'aorte. Au sens de «trachée», on relève *artere* (v. 1380) et, pour lever l'ambiguïté, *artère vocal* (fin XIVe s.) et *artère du poumon* (1538), *artère de l'haleine* (1579), remplacés par ***trachée artère*** (*trachie arterie,* dès 1240). ➛ La différenciation par rapport à «veine», déjà connue dans l'Antiquité, entraîne un emploi plus précis à partir du XVIe s. (1578), mais le concept moderne date du XVIIe s. après la découverte de la circulation du sang par Harvey. La nomenclature anatomique moderne ainsi que les dérivés autres que *artériel* datent de cette époque. ◇ La locution ***on a l'âge de ses artères*** apparaît à la fin du XIXe s., après la mesure de la tension artérielle. ➛ Le mot a aussi le sens figuré de «voie de communication» (1831), d'où «ligne électrique ou de distribution de gaz» (1960, dans les dictionnaires généraux).

► Le dérivé **ARTÉRIEL, IELLE** adj. succède (1503) à *arterial,* emprunt (déb. XIVe s.) au latin *arterialis* dans *vena arterialis* (XIe s.), *sanguis arterialis* (v. 1225), d'où *veine arterial* «artère pulmonaire», *sang arterial* (1491) puis *sang artériel* (1503). L'hésitation entre les deux formes, au XVIIe s., se résout au profit de *artériel,* employé de manière autonome pour «des artères» (1803). ➛ **ARTÉRIOLE** n. f. (1673) désigne une petite artère. ➛ **ARTÉRITE** n. f. (1821) est emprunté au latin médical *arteris,* de *arteria,* désignant l'inflammation d'une artère. ◇ Il a pour dérivé **ARTÉRITIQUE** adj. (mil. XXe s.) et n. (1977). ➛ De *artère* ou du latin *arteria* procèdent des composés, à partir du XVIIIe siècle. **ARTÉRIOGRAPHIE** n. f. «étude, anatomie des artères» (1771) est sorti d'usage; le mot a été repris (1907) pour désigner la radiographie des artères. ◇ Les dérivés **ARTÉRIOGRAPHIQUE** adj. (1836) et **ARTÉRIOGRAPHE** n. m. (1826), au premier sens du mot, sont aussi sortis d'usage, remplacés par les dérivés de **ARTÉRIOLOGIE** n. f. (1762), **ARTÉRIOLOGIQUE** adj. et **ARTÉRIOLOGUE** n. (1836). ➛ Un composé devenu assez usuel est **ARTÉRIOSCLÉROSE** n. f., mot formé en 1823 en allemand par Lobstein et qui a suscité *athérosclérose**. ◇ Le dérivé **ARTÉRIOSCLÉREUX, EUSE** n. et adj., «(malade) atteint d'artériosclérose» (1907), est aussi en usage. ➛ **ARTÉRIOPATHIE** n. f. «maladie des artères» (av. 1855) est plus technique. ➛ **ARTÉRIECTOMIE** n. f. (1931), employé en chirurgie, est formé tardivement.

ARTÉRIOTOMIE n. f., en revanche, est un emprunt de la Renaissance (XVIe s., Paré) au latin *arteriotomia* (IVe-Ve s.), utilisé au moyen âge. ➛ De là, **ARTÉRIOTOME** n. m. (1890).

◈ voir AORTE, ARTIMON.

ARTÉSIEN, IENNE adj., d'abord (1242) *artisien,* avec les variantes *arthisien, arthesien,* vient des formes anciennes de *Artois,* région du nord de la France. Ce toponyme vient du latin médiéval *Pagus Atrebatensis,* pays du peuple celtique, *Atrebates* signifiant «occupants, maîtres du sol, propriétaires».

♦ Nom d'une monnaie au XIIIe s., le mot est attesté comme nom (*arthisiens,* 1530) et adjectif (*arthesien,* 1548) pour «(habitant) de l'Artois». ◇ Un emploi spécial, lexicalisé, est ***puits artésien*** (1835) «puits foré à l'aide d'une sonde profonde», d'abord pour chercher l'eau d'une nappe souterraine, procédé pratiqué en Artois.

ARTHR(O)- élément tiré du grec *arthron* «articulation, membre» et, tardivement terme de grammaire, «article» (→ article), dérivé de *artunein* «disposer, préparer», appartient à la même famille indoeuropéenne que *arithmos* (→ arithmétique) ou que le latin *ars, artis* (→ art).

♦ On le trouve dans des mots empruntés au grec par le latin ou formés dans une langue moderne.

▶ **ARTHRITE** n. f. est la francisation (1646) de *arthritis* (v. 1580), emprunt au bas latin, hellénisme, le grec *arthritis* désignant la goutte. Il se dit d'une inflammation articulaire. ➙ **ARTHRITIQUE** adj. est la réfection (fin XVIe s., Paré) de *artritique* (v. 1170), emprunté au latin médical *arthriticus,* dérivé de *arthritis,* après plusieurs autres formes. ➙ Le préfixé **POLYARTHRITE** n. f. (1868) a précédé **PÉRIARTHRITE** (1890); *polyarthritis* avait été créé en latin moderne par Broussais (1826), qui l'opposait à *monoarthritis.* ➙ **ARTHRITISME** n. m. est dérivé de *arthrite* au XIXe s. (1865) pour désigner ce qu'on appelait aussi *goutte larvée,* c'est-à-dire une diathèse. ① **ARTHROSE** n. f., au sens ancien d'«articulation», est un emprunt (XVIe s., *artrose;* 1644, *arthrose*) au grec tardif *arthrôsis.* Le mot est en concurrence avec le latinisme *article,* avec *arthron* (XVIe s.; grec *arthron*), enfin avec *articulation,* qui l'emporte au XVIIe siècle; il n'a jamais été usuel. ➙ ② **ARTHROSE** n. f., «altération non inflammatoire des articulations», semble formé (1911, selon *T. L. F.*) par substitution de suffixe sur *arthrite* (ci-dessus). ◇ Le dérivé **ARTHROSIQUE** adj. et n. apparaît dans les dictionnaires généraux en 1960. ➙ Ambroise Paré, en même temps que *arthrose,* a emprunté au grec **DIARTHROSE** n. f., «articulation mobile des os», **SYNARTHROSE** n. f., «articulation des os», et **ÉNARTHROSE** n. f., «articulation formée d'une éminence osseuse et d'une cavité».

ARTHROPODES n. m. pl., terme savant, est la francisation du latin moderne *arthropodium* (R. Brown), d'abord adapté en *arthropodion* (Boiste, 1823), mot formé en botanique au début du XIXe s. sur les éléments grecs *arthron* «articulation» et *pous, podos* «pied» (→ podologie). Il n'a pas fait fortune. ➙ Les zoologistes Siebold et Stannius ont ensuite créé le mot latin *arthropoda* en 1845 pour désigner le regroupement proposé par Latreille en 1825 sous le nom de *Condylopes;* on a longtemps dit en français *animaux articulés* (mais les *articulés,* chez Cuvier, englobent aussi les vers). Cet embranchement, dont le nom s'est imposé au milieu du XIXe s. (1855, Leydig, en allemand), comprend les crustacés, les myriapodes, les arachnides et les insectes, soit les trois quarts des formes animales actuelles.

D'autres composés en **ARTHRO-, -ARTHRE** sont attestés depuis le début du XIXe s., comme **ARTHRALGIE** n. f. (1821), de *-algie,* pour «douleur articulaire», **ARTHROPATHIE** n. f. (1840), «affection articulaire», et en chirurgie **ARTHROTOMIE** n. f. (1883), **ARTHRECTOMIE** n. f. (1887), **ARTHROPLASTIE** n. f. (1928 dans les dictionnaires). ➙ **ARTHROSCLÉROSE** n. f., «raideur des articulations» (→ scléreux), semble récent (mil. XXe s.), de même que **ARTHROGRAPHIE** n. f., «examen radiologique d'une articulation».

ARTICHAUT n. m. est un emprunt de la Renaissance (1538, *artichault*) à l'italien, transmettant lui-même en l'occurrence un mot d'origine arabe, *al-kharshōf.* Il s'agit de la forme lombarde *articcioco,* transmise oralement (*ccio-* accentué se prononçant *tcho, cho* écrit à la française). Cette forme, différente du toscan *carciofo* (qui a donné en français l'éphémère *carchoffle,* avant 1506, dans un emploi figuré), vient probablement de l'espagnol *alcarchofa,* emprunt à l'arabe *al ḫaršūf,* dont le toscan a éliminé l'article, mais conservé le *f* final (comme l'espagnol). L'anglais *artichoke,* l'allemand *Artischocke* viennent aussi du lombard.

♦ Le mot, dans les langues qui l'ont adopté, désigne à la fois une plante herbacée potagère *(Cynara scolymus)* et sa partie comestible (capitules et bractées); en français, il s'applique par analogie à d'autres plantes. *Tête d'artichaut* désigne la partie comestible ronde et supérieure. ➙ La locution ***cœur d'artichaut*** «personne volage» (seconde moitié du XIXe s., *in* Delvau, Larchey) fait allusion aux «feuilles» (bractées) imbriquées, que l'on mange une à une, et au «cœur» tendre des jeunes artichauts. ➙ Des sens figurés concrets se réfèrent aux «feuilles» de forme hérissée (1762, «pièce de fer hérissée de pointes»). ➙ Un sens argotique (1881) forme calembour sur le «porte-feuilles»; il est vieilli, mais son apocope **ARTICHE** n. m. (1883), d'abord «porte-monnaie», puis «argent», est encore employée.

✳ **ARTICLE** n. m. est un emprunt ancien (1248), avec adaptation de la finale, au latin *articulus,* diminutif de *artus, artuum,* n. m. pl., désignant les membres, et dont l'acception primitive «articulation, jointure» est passée au dérivé. Ce mot est un élargissement de la racine *armus* (→ arme), comme *ars, artis* (→ art). *Artus* représente la même famille indoeuropéenne que le grec *arthron* (→ arthr(o)-). *Articulus* a en latin diverses acceptions, «jointure», «nœuds des arbres», «orteil*» (mot issu par voie orale de *articulus*) et, par extension, «moment précis du temps»; en grammaire, il traduit le grec *arthron;* en rhétorique, il désigne une division du discours. Les valeurs du latin ont toutes été conservées en français, ce qui suppose plusieurs processus d'emprunts.

♦ Le premier sens français (mil. XIIIe s.) concerne la partie numérotée d'un texte juridique, sens toujours vivant, puis d'un compte et en général de tout écrit, valeur large assez rare ou bien spécialisée *(articles de dictionnaire, d'encyclopédie)* et utilisée par extension pour «point d'un raisonnement» (déb. XIVe s.) avec un sens voisin de celui de *chapitre.* ◇ ***Article de foi,*** d'abord *article de la foi* (XIIIe s.), parfois *article* employé seul (*artikel* en anglo-normand, XIIIe s.), désigne un point de croyance. L'expression s'est employée par comparaison : ***croire comme, prendre pour un article de foi*** «croire fermement» (1633, Corneille). Elle a pu contribuer à donner au mot *article* la valeur figurée de «propos, argument» (av. 1286, Adam de la Halle) et de «sujet, matière», d'où des expressions comme ***c'est un article à part*** (XVIIe s., Boileau), ***un autre article*** (1690) et ***sur cet article*** (*se mettre sur l'article de...,* 1672). Dans ce sens, le mot s'est spécialisé en droit pénal *(articles d'une accusation),* d'où en moyen français un verbe *articler contre qqn* (1530). ◇ Depuis le début du XVIIIe s. (1711), *article* désigne en outre un écrit faisant partie d'un ensemble (journal, revue) : ce sens est très fréquent depuis le développement de la presse périodique. ◆ Du latin *in articulo mortis,* au sens temporel de *articulus,* absent en français moderne, vient *article de la mort* (1190), d'où *en (l')article de la mort* (1410), puis ***à l'article de la mort*** (1450), qui traduisent l'expression latine. Cette valeur temporelle était vivante en ancien français : par exemple dans *en article de...* «au moment de» (v. 1200).

Le sens grammatical du latin *articulus* est passé en français dès le XIIIe s. (1263) pour désigner le déterminant principal du substantif, les articles étant dits, en français, *définis* et *indéfinis.* ◆ Par ailleurs, le sens anatomique de *articulus,* correspondant au grec *arthron,* a eu cours en moyen français (XVIe s.), en concurrence avec *arthrose, arthron* (→ arthro-) et avec *articulation* (ci-dessous). Ce sens de «jointure, articulation» a disparu; il était encore employé en dessin et en peinture au XVIIIe siècle. ◇ Une valeur métonymique, «partie du membre entre deux articulations» (1549), a été reprise en botanique (1791) et surtout en entomologie (1789), domaine où le mot est toujours employé pour «partie des membres des insectes».

Enfin, du sens initial appliqué aux éléments d'un compte ou d'une liste d'objets, vient (mil. XVIIIe s.; *article de commerce,* 1771) le sens commercial d'«objet vendu au public», d'où «objet usuel». ◇ De là l'expression ***faire l'article*** (1826, chez Balzac) qui correspond au développement de la réclame et signifie «faire valoir la marchandise», puis figurément «défendre les intérêts de qqn» (1861) et «faire un éloge intéressé». ◇ ***Être à son article*** «à son affaire» se dit dans plusieurs régions; ***être porté sur l'article*** (1888) s'est dit familièrement pour «rechercher l'amour physique» (cf. *sur la chose*).

▶ *Article* a peu de dérivés français, sinon en journalisme, **ARTICLER** v. intr., «écrire un, des articles» (1805), sorti d'usage, et **ARTICLIER** n. m. (1839), «auteur d'articles», vieux, repris en argot de métier pour désigner un chroniqueur connu. ◆ Dans ce même domaine, le latin *articulus* a servi à former le diminutif **ARTICULET** n. m. (1866), «petit article de journal ou de revue», en général péjoratif («article insignifiant»).

Les dérivés latins de *articulus,* en revanche, ont produit plusieurs mots français empruntés, souvent considérés intuitivement comme dérivés de *article.* ◆ **ARTICULER** v. tr., emprunt au dérivé latin *articulare,* signifie d'abord (1265) «prononcer distinctement» et plus spécialement, repris au début du XVIIe s. dans *articuler sa langue* (1605), «former nettement les sons (d'un élément de discours»), et aussi abstraitement «formuler (une pensée, une hypothèse)» (1904). En musique (1863), et métaphoriquement en peinture (1676), le verbe correspond à «marquer avec netteté les éléments; faire ressortir une structure». ◇ *Articuler* a par ailleurs, d'après une autre acception du latin *articulus* et de *article,* le sens d'«exposer en détail (qqch.), article par article» (1413) et, en droit, «exposer, énoncer» (XVIe s.). De là *articuler un fait* (1604) «l'affirmer», sens vieilli. ◇ L'emploi en anatomie, pour «joindre par une articulation», procède au XVIIe s. de *articulé* (ci-dessous); il est beaucoup moins usuel que *articulation, articulaire,* et que *désarticuler* (ci-dessous). ◇ Des valeurs extensives de *articulation* vient l'emploi concret du verbe pour «joindre, unir de manière fonctionnelle» (1863), au pronominal *s'articuler,* «être réuni en un assemblage mécanique» (1873), et abstraitement «se succéder en étant en rapport» (1929). ◇ Les emplois abstraits mentionnés ci-dessus, «exposer en détail» et «formuler», sont repris au XXe s. avec cette notion d'organisation fonctionnelle d'éléments. ◆ **ARTICULÉ, ÉE** adj. se dit de la voix qui prononce distinctement (1552), d'un discours nettement prononcé et enfin (1904) d'un système de signes (une langue) organisé en phonèmes. ◇ Parmi les emplois correspondant au verbe, un autre a pris une valeur autonome, pour «qui a des articulations» (XVIe s., Paré); d'où *les articulés* (1815, Lamarck), classe de brachiopodes (emplois archaïques).

ARTICULATION n. f., emprunt (1478) au dérivé latin *articulatio,* désigne d'abord la jointure des os, formant un assemblage fonctionnel. Dans ce sens, le mot se substituera à *article* et à *arthrose,* employés au XVIe siècle; il s'étendra au XVIIIe s. de l'anatomie humaine à la zoologie, en relation avec *articulé;* une extension de ce sens, en mécanique (1690), prépare la valeur abstraite d'«organisation fonctionnelle». ◆ Vers la fin du XVIe s. (A. Paré), *articulation,* d'après *articulé* et *articuler,* désigne la prononciation nette des sons du langage. Remplaçant un dérivé du verbe, *articulement,* n. m. (XVIe s., Pasquier), rapidement sorti d'usage, *articulation* se dit pour «énonciation point par point, article par article» (1694) et, en droit, pour «allégation de faits nouveaux» (1690). ◇ Beaucoup plus tard, *articulation* signifie concrètement et abstraitement «manière dont un système complexe est organisé fonctionnellement», sens lié aux valeurs rhétoriques et logiques du verbe, et développé par le structuralisme (exemple, la *double articulation* du langage, A. Martinet, 1949). ◆ **ARTICULATOIRE** adj., formé sur *articulation* en anatomie (av. 1590, Paré), s'est spécialisé au sens phonétique (1897, Rousselot).

ARTICULAIRE adj., emprunté au latin *articularis,* correspond (1505) au sens anatomique de *articulation,* par exemple dans *maladie articulaire* (1640), *capsule articulaire* (1812).

Articuler, articulé et *articulation* ont servi à former des mots préfixés. ◆ **DÉSARTICULER** v. tr. (1778) s'est employé en chirurgie puis généralement, au concret (mil. XIXe s.) et à l'abstrait (1922), au sens structurel de *articuler, articulation.* ◇ Le participe passé **DÉSARTICULÉ, ÉE** adj. s'emploie surtout au concret. ◇ **DÉSARTICULATION** n. f. y correspond, en parlant des os (1813), en chirurgie (1814) et, généralement, au concret et à l'abstrait (1932). ◇ À noter que le moyen français *déarticuler,* v. tr., d'où *déarticulation,* n. f. (XIVe-XVIe s.), avait un sens tout différent et correspondait à «articuler très nettement». ◆ Le participe passé *articulé* a produit ① **INARTICULÉ, ÉE** adj., d'abord «mal pourvu d'articulations» (*main inarticulée,* 1380), alors antérieur à l'adjectivation de *articulé,* puis (1582) au sens initial de *articuler* et *articulé, ée,* pour qualifier des sons, une parole émis sans netteté, emploi usuel, ou bien non organisés selon l'*articulation* d'une langue humaine. ◇ Les dérivés **INARTICULATION** n. f. (1794) et **INARTICULABLE** adj. (Galiani; av. 1787) sont demeurés rares. ◇ *Articulé,* au sens anatomique, a servi en outre à former ② **INARTICULÉ, ÉE** adj. (1701), dont le masculin pluriel substantivé, *les inarticulés,* désigne une classe de brachiopodes (1885), sens archaïque, ainsi que **MULTIARTICULÉ, ÉE** adj. (déb. XIXe s.) et **PLURIARTICULÉ, ÉE** adj. (1842), rares.

◈ voir **ORTEIL**.

ARTIFICE n. m. est emprunté (XIIIe s.) au latin *artificium* «technique, métier» et «adresse», composé de *ars, artis* (→ art) et de *facere* (→ faire).

♦ La première spécialisation (*artefice,* mil. XIIIe s.) est «art de tromper», d'où, dans la langue classique, «moyen habile et plus ou moins trompeur»; ce sens a reculé par rapport à celui de «moyen ingénieux» (voir ci-dessous). ◇ Le mot avait aussi (1318) le sens latin de «métier, exercice d'un art manuel» (en relation avec le latin *artifex*), sens qui disparaît au XVIIe siècle. ◆ Celui d'«engin, instrument» (1314) s'est spécialisé (XVIe s.) à propos des engins préparés pour une fête, et notamment des *artifices d'éclairage* et *des artifices de feu* d'après l'italien *fuoco artifiziale;* il ne subsiste en français moderne que par l'expression ***feu d'artifice*** (1594), aujourd'hui employée aussi au figuré («ce qui éblouit»). ◇ Ce sens a produit un dérivé isolé, **ARTIFICIER** n. m. (1594). ◆ Enfin, *artifice,* sans péjoration, désigne l'habileté (1505) et, dans la langue classique et moderne, un moyen habile témoignant d'ingéniosité; cette valeur est devenue fréquemment péjorative, impliquant la complication inutile, le manque de naturel, notamment en esthétique, mais non plus la tromperie, comme dans les emplois classiques.

▶ **ARTIFICIEL, IELLE** adj., emprunt (1262-1268 B. Latini, puis 1370) au dérivé latin *artificialis* «conforme à la bonne méthode *(ars)*», n'est que partiellement lié à *artifice,* quant au sens. En effet, *artificiel* n'a qu'exceptionnellement signifié «trompeur, insidieux» (1532) et jamais «habile». ◇ Il s'est opposé à *naturel,* en conservant l'idée d'activité humaine réglée, de méthode, qui ne s'est pas maintenue dans *artifice;* cette valeur moderne apparaît dès les premiers emplois. ◇ L'adjectif a aujourd'hui deux types d'acceptions; l'un, objectif, correspond à «produit par la technique», et «non naturel» : *lumière artificielle* (1765), *respiration artificielle* (1834), *lac, satellite artificiel.* Dans une spécialisation terminologique, *textile artificiel,* qui suppose des opérations sur des fibres naturelles, s'oppose à *synthétique;* de là *de l'artificiel* (1947). ◇ L'adjectif signifie aussi «produit par une convention, un code», par exemple dans *langage artificiel* (1890), d'où «agissant par des processus automatiques» : ***intelligence artificielle*** (1968). ◇ La seconde valeur, subjective et péjorative, correspond à «factice, sans naturel ni simplicité» (XVIIe s., Bossuet) puis à «peu naturel, peu nécessaire» *(des besoins artificiels),* voire «arbitraire» *(classification artificielle).* L'adjectif reflète *a contrario* les ambiguïtés du concept de «nature-naturel». ◇ Il est substantivé au féminin dans *une artificielle* (1959) pour *escalade artificielle.* ◆ Le dérivé **ARTIFICIELLEMENT** adv. (1265, *artificialment*) ne retient guère en français moderne que la seconde valeur de l'adjectif, «de manière affectée ou arbitraire». ◆ Au contraire, les mots didactiques **ARTIFICIALISME** n. m. (1908, Boutroux), employé en philosophie avec plusieurs valeurs successives, **ARTIFICIALITÉ** n. f. (1916), **ARTIFICIALISER** v. tr. (1947, Sartre) et ses dérivés ne concernent que le sens objectif de *artificiel.*

ARTIFICIEUX, EUSE adj., emprunt (v. 1275; mil. XIVe s. in *F. e. w.*) au dérivé latin *artificiosus* (Cicéron), «fait avec art et méthode; habile», a en français le sens latin (v. 1370), l'acception péjorative de «retors, rusé», puis (1569) «ingénieux»; c'est un mot littéraire, comme son dérivé **ARTIFICIEUSEMENT** adv. (XIVe s.), «avec habileté», puis (XVIe s.) «avec ruse, faussement».

ARTEFACT n. m. est un emprunt scientifique (1905) à l'anglais *artefact,* variante de *artifact,* du latin *artis factum* «fait par l'art, par la technique humaine (et non par la nature)» (→ artifice). ◇ Le mot s'emploie d'abord en médecine pour désigner l'altération d'un tissu vivant examiné, due à une intervention scientifique, et, plus généralement, un phénomène artificiel, d'origine humaine, dans l'étude de faits naturels. ◇ Par passage au domaine abstrait, il se dit pour un contenu de pensée artificiel, créé *ad hoc;* l'anglicisme, rejoignant alors l'usage normal de *artifice,* est alors particulièrement inutile.

ARTILLERIE n. f. est dérivé de l'ancien verbe *artillier* (déb. XIIe-XVIe s.), «équiper d'engins», altération sous l'influence de *art* «technique» d'un autre verbe, de l'ancien français *atilier* (attesté 1170), «parer, arranger». Ce verbe représente par évolution phonétique un latin populaire °*apticulare,* dérivé de *aptare* «adapter; équiper», de *aptus* (→ apte). P. Guiraud préfère revenir à l'hypothèse du XIXe s., selon laquelle le verbe proviendrait directement du latin *articulare* (→ article).

♦ *Artillerie* apparaît au début du XIVe s. (v. 1307), désignant l'ensemble des engins de guerre ou, si l'on veut, des armes* lourdes, ainsi que le magasin où on les entrepose, et ceci jusqu'au XVIe siècle. L'emprunt au vénitien, *arsenal**, qui ne concerne d'abord que la marine, le remplacera plus tard. Le mot a aussi désigné l'armurerie, «le mestier [...] de faiseur d'arcs, de flesches, d'arbalestes» (1375). ◆ La spécialisation pour «armes à feu de gros calibre» correspond à l'évolution de l'armement (*canon* apparaît en 1339). ◇ Le mot désigne aussi par métonymie la partie d'une armée (on dira plus tard l'*arme*) qui est chargée du service de ce matériel *(l'artillerie et l'infanterie).* ◇ Par métaphore, et comme *arsenal, artillerie* a désigné un matériel, des provisions (*artillerie de gueule,* au XVIe s.). Le sens spécialisé moderne donne lieu à une autre métaphore, «ce qui sert à bombarder, à tirer sur qqn».

▸ **ARTILLEUR** n. m. (1334) vient aussi de *artillier* et suit les valeurs prises par *artillerie :* «celui qui s'occupe du matériel de guerre», «fabricant d'armes», puis spécialement «des armes à feu lourdes». ◇ Le mot désigne aux XIXe et XXe s. aussi bien le militaire qui sert dans l'artillerie que celui qui est spécialisé dans le service des armes lourdes, avec une technicité de plus en plus grande et le recours à des applications mathématiques, comme la balistique.

ARTIMON n. m. est emprunté au génois (1246), alors que la variante *artemon* l'est au latin *artemo,* d'où vient le mot italien. *Artemo, -onis* «voile ou mât de navire» est très probablement lui-même un emprunt au grec *artemôn,* mot attesté tardivement dans les *Actes des Apôtres* (voyage de saint Paul). On peut croire à une création des gens de métier avec le suffixe *-môn* des noms d'instruments. On a évoqué un dérivé du verbe *arteisthai* «se préparer», apparenté à *artunein* «préparer» (→ arthr[o]-), bien que Vitruve lui fasse correspondre un autre mot grec, *pagôn,* simple équivalence sémantique. Chantraine penche pour une dérivation de *artan* «suspendre», dérivé du verbe *aeirein* «attacher, atteler» (→ aorte, artère).

♦ En français, le mot a désigné la plus grande des voiles que l'on hissait au mât de la proue d'un navire, puis (1621) la voile hissée au mât de la poupe. L'usage moderne a fait porter l'accent sur le mât lui-même, celui de la proue (1248, en latin médiéval) puis celui de la poupe (1660). Le mot s'emploie surtout dans *mât d'artimon* (1570), *voile d'artimon* (1667).

ARTISAN n. m. est un mot de la Renaissance (*artisan,* cité comme mot génois, 1409 ; puis *artizan,* 1546), emprunt oral à l'italien *artigiano* «celui qui exerce un métier», et emprunt écrit à *artesano* (1442), de *arte* «métier», du latin *ars, artis* (→ art), avec le suffixe *-igiano* (→ partisan). Le mot italien concernait fréquemment les techniciens des arts plastiques.

♦ Le français *artisan,* après avoir désigné (jusqu'au XVIIIe s.) les spécialistes de toutes les techniques, *arts libéraux* autant que *arts mécaniques,* a dépendu de cette distinction appuyée par celle qui s'est faite (mil. XVIIIe s.) entre *artisan* et *artiste*.* ◇ Du sens ancien, subsiste l'emploi figuré (XVIe s., Ronsard) «personne qui est la cause de qqch. ; auteur» *(il fut l'artisan de son malheur),* au féminin *artisande* (1594) puis *artisane* (v. 1660). ◇ En outre, au XVIe s., en rapport avec *art* au sens d'«habileté», un adjectif *artisan, ane* signifie «habile», voire (déb. XVIIe s.) «intrigant». ◇ *Artisan* a longtemps été quasi synonyme de *ouvrier,* et s'oppose dans divers usages régionaux à *paysan* et à *bourgeois.* C'est au cours du XIXe s. que se fait la distinction économique entre le travailleur manuel qui exerce sa profession pour son propre compte (envisagé après Marx comme un petit capitaliste) et le salarié d'une entreprise. ◇ Vers la même époque (1845), on trouve le féminin **ARTISANE**, déjà attesté au XVIIe s. (1680) pour «femme d'un artisan». ◇ De même, un adjectif *artisan, ane* s'emploie pour «relatif à un artisan» (1863) et les premiers dérivés apparaissent (ci-dessous). ◇ Dès lors, *artisan* désigne une catégorie socioprofessionnelle proche du commerçant. Après avoir été limité à une compétence mécanique (au sens de *arts mécaniques*) par rapport à *artiste,* mais valorisé par rapport à *ouvrier,* par la notion de technique maîtrisée, l'artisan, devenu un professionnel indépendant et qualifié, récupère des valeurs positives (d'où *maître artisan, artisan d'art,* etc.).

▸ Les premiers dérivés semblent d'usage régional. ◆ **ARTISANERIE** n. f. est chez George Sand, mais reste rare ; le mot a été reformé (1934) pour «ouvrage d'artisan» et, récemment, entre dans la série des noms de commerce en *-erie.* ◆ Les deux dérivés aujourd'hui usuels, *artisanat* et *artisanal,* attestent la notion socio-économique moderne de *artisan.* **ARTISANAL, ALE, AUX** adj. (1924) est devenu usuel, avec la connotation de travail manuel soigné et personnel, opposé à *industriel.* ◇ Il a pour dérivé **ARTISANALEMENT** adv. (v. 1950) qui insiste sur cet aspect non industriel. ◆ **ARTISANAT** n. m. (1920, J. Fontèque à Metz, selon les *Annales* de la faculté d'Aix, in *F.e.w.*) correspond à l'italien *artigianato* (1907) et, en français, à *paysannat ;* il signifie «condition d'artisan» et «ensemble des artisans», «activité d'artisan», et s'emploie aussi au figuré.

ARTISON n. m. est la réfection (1562) de *artoizon* (déb. XIIIe s.), *artuison* (XIVe s.), probablement issu, selon P. Guiraud, du provençal *artison* «irritation», de *arta* «irriter», par la même métaphore que l'ancien français *gratte, gratison* désignant des insectes. Le verbe provençal vient du latin *artare* «gêner, serrer», dérivé de *artus* «étroit, serré», mot probablement apparenté à la racine de *artus* (→ article).

♦ Le mot désigne un insecte qui ronge le bois, les étoffes et fourrures.

▸ Le dérivé **ARTISONNÉ, ÉE** adj. (1807) qualifie ce qui est rongé par les insectes.

① **ARTISTE** n. et adj. vient par emprunt (v. 1400) du latin médiéval *artista* ou de l'italien *artista,* le premier dérivé du latin classique *ars, artis* (→ art), le second de *arte* (de *ars*).

♦ En français, c'est un mot savant, proche par le sens de *artisan :* «Homme de mestier, que les clers appellent artistes», écrit Christine de Pisan. La valeur est celle du latin *artifex* et non celle du latin tardif *artista,* «étudiant des arts libéraux, à l'université», sens adopté par *artiste* (1404 et jusqu'au XVIIIe s.) qui a eu la valeur spéciale d'«architecte» (1578). ◇ En moyen français, *artiste* est aussi adjectif et signifie «fait avec habileté et méthode : avec art» (1554) ; les emplois modernes à propos des personnes sont plus récents (cf. ci-dessous *artistique-artiste,* au XIXe s.). ◆ Depuis que *artisan* s'emploie (mil. XVIe s.), une répartition s'opère entre les deux mots, mais *un artiste,* jusqu'au début du XIXe s., peut être à la fois un artisan (sens attesté depuis déb. XVe s., v. 1405) et (depuis mil. XVIIIe s.) un praticien des *arts libéraux*, ceci incluant les *beaux-arts* («techniques de la beauté»). Surtout, le rapport entre *artiste* et *artisan* devient au XVIIIe s. nettement hiérarchique, comme celui qui existe entre *arts libéraux* et *arts mécaniques*, mais d'une autre manière. L'artiste peut bien exercer une profession technique, mais à condition que son *art mécanique* «suppose de l'intelligence» (Trévoux, 1711) : le cordonnier est un artisan, l'horloger un artiste. ◇ Des valeurs spéciales ont eu cours pour *artiste*, comme «personne qui fait des expériences et opérations chimiques» (1662), d'où (1794) «préparateur de chimie», «médecin» (1787) et, plus tard, «vétérinaire» (1858, jusque v. 1900), sens issu de *artiste vétérinaire*, tiré (1785) de *art vétérinaire*. ◇ À l'époque révolutionnaire, *artiste* prend une valeur très majorative : les comédiens (voir ci-dessous), les cuisiniers, les coiffeurs, etc. se disent *artistes*, tandis qu'on applique le mot à ce que l'on nomme en français moderne *ingénieur* et même *entrepreneur* ou *industriel* (ces valeurs disparaîtront rapidement). La vogue du mot a été vivement critiquée au début du XIXe siècle. Certains de ces emplois ont disparu (1808, «décrotteur, balayeur»), d'autres, du fait de la valeur esthétique dominante (ci-dessous), ne subsistent que par des syntagmes (*artiste en cheveux*, 1811 ; *artiste capillaire*, 1864). ◇ Le seul à demeurer usuel dans la langue spontanée est celui de «comédien, comédienne» (1753), aujourd'hui connoté comme naïf et qui est probablement à l'origine d'emplois extensifs comme *une artiste* «femme galante» (1900), à cause de la réputation des comédiennes et chanteuses (sens disparu), ou encore *un artiste* «camarade, compagnon» en argot de métier (1883) et, souvent en appellatif, «fantaisiste, bon à rien» (v. 1919), nuance encore vivante *(salut, l'artiste !)*. ◇ Dans ces emplois, l'altération populaire **ARTISSE** n. (1805, pour le comédien), qui s'applique aussi au type social du peintre bohème (1873, Verlaine), a quelque peu vieilli.

Au début du XIXe s., le mot était passé dans le champ de l'esthétique, avec le mot *art**; il équivaut alors à l'allemand *Kunstler* et devient un des termes porte-drapeau du romantisme. Depuis cette époque, *artiste* est étroitement rattaché au sort de *art*, et détaché de *artisan*, et ses valeurs évoluent selon la perception de l'activité sociale esthétique, en relation avec *poète*, *écrivain* et les mots désignant des activités artistiques, et aussi avec un autre terme générique, *créateur*. ◇ Comme *art* lui-même, *artiste* a un contenu incertain : centré sur les arts plastiques *(peintre, dessinateur, sculpteur)*, à un moindre titre sur l'architecture, il peut ou non englober les arts du son *(musicien, compositeur, interprète)*, du langage *(écrivain, poète)* et du spectacle ; cette imprécision logique est favorable à un sémantisme affectif et largement lié aux jugements de valeur sociaux. ◆ Le nom s'applique par extension à une personne qui, sans créer, a le goût des arts, une sensibilité qui lui fait apprécier l'art (1838) ; il correspond alors à l'adjectif ② *artiste* (ci-dessous). Par ailleurs, une valeur particulière où le comportement libre et l'hostilité à l'égard des valeurs bourgeoises l'emportent sur la création esthétique donne à *artiste*, surtout après 1860, un statut social, impliquant apparence extérieure, vêtement, comportement ; cette acception, dégradée après 1920, a peu à peu disparu ou connote le passé.

▶ Le dérivé **ARTISTEMENT** adv. apparaît au sens ancien de *artiste*, pour «à la façon d'un artisan» (1538) et, au figuré, «habilement» (XVIe s.). L'adverbe, disparu, est reformé au sens moderne (1830) et signifie «avec goût, avec le sentiment de l'art».

ARTISTIQUE adj., dérivé de *artiste* (1808), devenu nécessaire quand *artiste* connaît sa grande expansion, s'emploie en parlant des choses, et correspond à peu près au sens du syntagme *d'art*. ◇ Il signifie aussi «fait avec art» (1859), remplaçant souvent *artistement*. ◇ Il a pour dérivé **ARTISTIQUEMENT** adv. (1845). ◆ L'adjectif ② **ARTISTE**, beaucoup plus ancien (1575) et rare, est au début du XIXe s. réservé aux personnes, et sélectionne dans le substantif au sens moderne (1807, Mme de Staël) les valeurs sociales et esthétiques *(il, elle est artiste)*, neutralisant l'opposition *créateur-amateur* (d'art). ◇ *Artistique*, *artiste* adj., et *d'art* ont eu tendance à se dévaloriser, en assumant l'aspect institutionnel, parfois académique, de l'esthétique sociale. ◇ Cependant, l'adjectif *artiste* a été repris en littérature par les Goncourt, avec une valeur spécifique d'école *(style, écriture artiste)*, historiquement marquée. ◆ *Artistique* sert à former **ANTIARTISTIQUE** adj. (1852), **ARTISTISME** n. m. (1834), **ARTISTERIE** n. f., péjoratif (1842), mots sortis d'usage au XXe siècle.

Enfin, **ARTISME** n. m., dérivé de *art* d'après *artiste*, est une création de Valéry (1910), désignant une attitude valorisant l'art, l'activité esthétique, plus que toute autre.

ARTO- est le premier élément de mots savants empruntés au grec *artos* «pain de froment» (d'origine incertaine), comme **ARTOLÂTRE** n. m. «adorateur du pain» (1752), appliqué aux catholiques qui croient à la présence réelle du Christ dans l'hostie. ◆ Le seul qui corresponde à une terminologie encore vivante est **ARTOCARPE** n. m., emprunt (1822) au latin scientifique *artocarpus* (Forster et Forster, 1776) «arbre à pain».

♦ Par une voie obscure (grec ou latin médiéval), *artos* a donné une série de formes argotiques, en Italie, en Espagne et en France. ◆ **ARTON** n. m., mot du jargon des Coquillards (1455), ne subsiste au XIXe s. que dans quelques argots de métier, régionalement, et a donné, par agglutination de l'article, **LARTON** n. m. (1800), dans *larton savonné* «pain blanc» et *larton brutal* «pain bis», d'où *du brutal* «du pain». ◇ La variante *artis*, *artiz* est surtout attestée aux XVIe et XVIIe siècles. ◇ D'autres suffixations argotiques ont eu cours ; la seule forme vivante au XIXe et au début du XXe s. est **LARTIF** n. m. (1837).

ARUM n. m. est un emprunt au latin *aron*, latinisé en *arum*, hellénisme, du grec *aron*, mot sans étymologie connue, désignant deux plantes différentes, le gouet (*arum maculatum*, vénéneux) et la colocase. Il est apparenté aux noms de plantes *aris* «capuchon» et *arisaron* «capuchon», rendus en latin botanique par *arisarum vulgare.*

♦ Les formes *aronc* (1389), *aron* (1669) ont cédé la place au latinisme *arum* (1545), plus conforme aux habitudes des botanistes, pour désigner les mêmes plantes.

ARUSPICE n. m., mot didactique d'Antiquité romaine, est un emprunt ancien (1375, Raoul de Presles) au latin *haruspex, -icis,* sous la forme *aruspex* (Plaute), d'un élément probablement étrusque, *haru-* «les entrailles», et de *-espex,* élément tiré de *specere* «examiner, voir» (→ spectacle).

♦ Il désigne le prêtre-devin qui examinait des signes naturels (d'abord les entrailles de bêtes sacrifiées) pour interpréter la volonté des dieux. On écrit aussi étymologiquement *haruspice.*

ARYEN, YENNE adj. et n. L'adjectif et nom *Arien* (1562 et jusqu'au XVIIIe s.) est un emprunt au latin *Arianus, Ariani* «habitant(s) de l'*Ariana*», «région de Perse», terme ethnique de l'Antiquité. La base est le sanskrit *āryas* «noble, distingué».

♦ Le mot est repris (1838) dans un sens plus général, portant la trace du latin *Arianus,* avant d'être modifié en *aryen* (apr. 1850) d'après le sanskrit *ārya-,* par lequel se désignaient les anciens Indo-Iraniens. ◇ Le mot *arien, aryen* s'est employé en linguistique sous l'influence de l'allemand *arisch,* de même origine ; il renvoie à une filiation supposée du sanskrit. Dans ce sens, l'adjectif est concurrencé par *indo*-européen* (1836), qui l'élimine vers 1870, *indo-germanique* (1810) ayant échoué en France. ◆ *Arien* (1859, Pictet), puis *aryen,* la graphie en *i* risquant de faire confusion avec *arien* (de l'hérésie d'Arius), s'est appliqué aussi aux populations, avec un contenu informé par les théories raciales, notamment allemandes, à partir du début du XXe s. (1907, in *T. L. F.*). Il s'oppose dans ce contexte à *sémite, juif* et s'applique aux populations du nord de l'Europe, comme ses dérivés. Le mot est sorti de la terminologie scientifique française (on emploie *indoeuropéen* et spécifiquement *indo-iranien*) en passant de l'histoire à la propagande raciste plus ou moins influencée par le nazisme, qui s'appuyait sur une interprétation mythique de l'histoire valorisant les ethnies germaniques.

► Le dérivé **ARYANISÉ, ÉE** n. (1921) et son antonyme préfixé **NON-ARYEN, YENNE** (1934) ont des connotations nettement racistes.

ARYTÉNOÏDE adj. et n. m. est un emprunt médical (1541) au grec *arutainoeidês* «en forme d'aiguière», de *arutaina* «aiguière ; récipient pour puiser l'eau», dérivé de *aruein* «puiser» (encore en grec moderne), verbe d'origine incertaine, et de *-eidês,* dérivé de *eidos* «forme» (→ idée). Le mot est employé par Galien pour désigner l'ensemble des deux cartilages, qu'il croyait unique ; ce n'est qu'à la fin du XVe s. que l'on découvrit le caractère double de cet ensemble.

♦ Le mot, employé dans *cartilage aryténoïde* puis comme nom (1585, Paré), désigne deux cartilages du larynx.

► Il a pour dérivé **ARYTÉNOÏDIEN** adj. et n. m. (1618, écrit *aritén-*) «(muscle) inséré dans les aryténoïdes et qui ferme le larynx».

AS n. m. est emprunté au latin *as, assis* «unité (monnaie, poids, mesure)», puis «unité numérique» (Vitruve), qui est peut-être un emprunt à la langue étrusque, désignant une unité-étalon monétaire, dans un système duodécimal. Matériellement, l'as romain fut d'abord une pièce rectangulaire, puis ronde.

♦ Le mot français apparaît au XIIe s. (1174) pour désigner la face d'un dé marquée d'un seul point, sens qui n'existe pas en latin attesté. La valeur latine (monnaie) passe aussi en français (1559), mais reste cantonnée au didactisme et au contexte romain antique. ◇ Le mot se développe au contraire comme terme de jeux, s'appliquant aux cartes (1546, Rabelais), où il désigne dans chaque couleur la carte marquée d'un seul point, et aux dominos (1792). Alors que la valeur de la face de dé marquée d'un point, la plus faible, explique les anciennes locutions *de deux as* «sans valeur» (XVIe s.), *ne valoir un as* (XIIe-XIVe s.) «ne rien valoir du tout», celle de l'as aux cartes étant devenue pour des raisons inconnues la carte supérieure, le pouvoir métaphorique du mot s'en est trouvé transformé. Cependant, plusieurs locutions figurées l'utilisent, avec l'idée de tour de cartes, d'escamotage : *passer qqn à l'as* «ne rien lui donner» (1882), sortie d'usage, puis ***passer à l'as*** «disparaître, être éliminé» (1894), évoquent encore en partie la valeur négative de l'as du jeu de dés, comme dans les anciennes locutions *être à l'as* «sans argent» (1878), *bouffer à l'as* «jeûner» (1901). ◇ Au contraire, l'as symbolise la carte majeure, et par extension l'argent, dans ***être plein aux as*** (1909), d'abord *être à l'as* (1881), *aux as* (1916), sortis d'usage. ◇ ***As de pique*** (1680) désigne par analogie de forme un croupion de volaille (1866), l'anus (1883). ***As de pique*** «niais», qui est attesté antérieurement (1643), pourrait venir du sens argotique de «cul», qui, dans cette hypothèse, serait longtemps resté oral. Un calembour sur *hast* («manche») *de pique* (Guiraud), satisfaisant quant au sens de ***fichu (foutu...) comme l'as de pique*** «mal habillé, mal bâti» (1861) et pour d'autres comparaisons péjoratives, ne l'est pas autant pour le sens du XVIIe siècle ; en outre, *hast* n'était probablement plus compris après le XVIe siècle. ◇ ***As de carreau*** «sac de soldat» (1858, jusqu'en 1917) s'explique par une simple analogie de forme. ◆ L'argot de sports emploie le mot dès 1868 pour désigner le premier aviron d'une yole, et l'argot des courses, avant 1918, pour «cavalier du peloton de tête» (sens disparu), puis pour «cheval portant le numéro un». Une autre acception est «aviateur remarquable», sens attesté pendant la guerre de 1914-1918 pour «pilote ayant abattu dix avions ennemis» (1915), par allusion, semble-t-il, à un coup gagnant à la manille. ◇ Puis *as* se dit (1920) de toute personne de grande valeur, avec un sens voisin de *champion.* Cet emploi, à la mode entre 1920 et 1940, est devenu archaïque. ◇ Enfin *as* est employé pour *un,* dans certains décomptes : «table de café, de restaurant portant le numéro un» et «les clients qui l'occupent» (1878).

▸ Le composé **AMBESAS** n. m. s'applique au trictrac, pour le coup amenant deux as (1690), d'où **BESAS** n. m. (1694) et **BEZET** n. m. «deux as au trictrac» (1690) et au figuré «personne qui a de la chance au jeu» *(id.)*. Ces mots, qui figurent encore dans les dictionnaires du XXe s., ont dû vieillir et disparaître au cours du XIXe siècle.

ASBESTE n. m. est emprunté (1546, comme adjectif) au latin *asbestos,* pris au grec *asbestos* «incombustible», de *a-* privatif (→ ② a-) et *sbestos,* adjectif verbal de *sbennunai* «éteindre», mot d'origine indoeuropéenne dont la racine °*gwes-* est repérable en baltique et en slave, probablement aussi en sanskrit. *Asbestos* est employé par Pline pour désigner l'amiante.

♦ Le nom (av. 1650) qui désigne l'amiante à l'état naturel, a succédé à l'ancien français *abestos* (XIIe-XIIIe s.), *abeston* (v. 1330), formes empruntées au latin médiéval *asbeston, lapis abeston* (VIIIe s.), de même origine.

▸ Les dérivés sont didactiques : **ASBESTOÏDE** n. f. «variété d'amphibole» (1811); **ASBESTOSE** n. f. «maladie pulmonaire due à l'inhalation de poussière d'amiante» (Larousse, 1948).

ASCARIDE n. m. est emprunté au latin tardif et médiéval *ascarida,* pris au grec *askaris* «ver intestinal», «larve de moustique» (Hippocrate, Aristote). La dérivation du verbe grec *askarizein,* de *skairein* «sauter, danser», calquée par l'allemand *Springwurm,* est aujourd'hui contestée.

♦ Le mot désigne (1365) un ver parasite de l'intestin. La variante *ascaris* (1759), qui vient de Linné (en latin scientifique), est reprise au grec.

▸ Les dérivés sont didactiques, en taxinomie : **ASCARIDIENS** n. m. pl. (1834), **ASCARIDÉS** n. m. pl. (1836), et en médecine : **ASCARIDIASE** n. f. (1941), francisation de *ascaridiasis* (1855), **ASCARIDIOSE** n. f. (1922), formé avec le suffixe *-ose,* désignant comme le précédent un trouble causé par les ascarides. ➜ **ASCARICIDE** n. f. désigne une plante utilisée contre les ascarides (1836).

ASCENDANT, ANTE adj. et n. m. est la seule forme vivante venant du verbe latin *ascendere,* qui avait produit en ancien français les verbes *ascendre* (v. 1270) et *ascender* (XVIe s.), formes éliminées à partir du XVIe s. par *monter,* sauf par archaïsme ou allusion à *ascension* (en ballon) [voir ci-dessous]. *Ascendere* signifie «monter», «faire monter», et correspond à *descendere;* ces deux verbes sont composés de *ad-* (→ à), *de-*, et de *scandere* «gravir» (→ scander). Le participe présent *ascendans* avait acquis plusieurs valeurs spéciales, juridique *(ascendentes)* et astrologique en latin médiéval.

♦ Comme adjectif, le français *ascendant, ante* est justement attesté en astrologie, puis en anatomie (1503, *veyne ascendente*) et avec des valeurs abstraites. Au concret, le mot est repris en navigation aérienne (*force ascendante,* 1861). ➜ Le nom masculin est lui aussi d'abord astrologique (1372), «degré du zodiaque qui monte sur l'horizon au moment de la naissance», puis «destinée qui est censée en résulter» (XIVe s.), et astronomique. ◇ En dérive l'idée d'influence exercée comme une domination sur qqn (langue classique; les exemples signalés au XIVe et au début du XVIIe s. sont difficiles à interpréter, et plutôt métaphoriques), *ascendant* désignant aussi le succès social (1636), sens disparu. ➜ Comme terme relatif à la parenté, *ascendant* est d'abord substantif (*les ascendants,* déb. XVIIe s.) puis adjectif (*ligne ascendante,* 1690).

▸ Le dérivé **ASCENDANCE** n. f. semble avoir été tiré de *ascendant* par J.-J. Rousseau (*in* Mercier), au sens d'«influence dominante»; le mot s'est répandu au cours du XIXe s., après s'être dit pour «ascension» (1789), à la fois en généalogie (1798), en astronomie et en mathématiques. ◇ En musique (1836), il correspond à *harmonie ascendante* (1829).

▸ Les dérivés du latin *ascendere* ont produit des mots plus durables que le verbe *ascendre.* ➜ **ASCENSION** n. f. est emprunté (fin XIIe s., *asention*) au latin chrétien *ascensio,* qui traduit le grec *analepsis,* pour désigner la montée miraculeuse de Jésus au ciel et la fête liturgique, au jour anniversaire de ce miracle. Le mot est attesté dans ce sens chez Chrétien de Troyes (1172-1175). ◇ *Ascension* est aussi attesté pour «assomption» (de la Vierge) [une fois au XIIIe s.; 1552]. ◇ Le mot est repris au latin scientifique en astronomie (*acention,* v. 1260), dans l'expression *ascension droite* (1690), et en sciences naturelles pour «mouvement ascendant d'un liquide» (1520). ➜ Les valeurs plus courantes correspondent aux débuts de l'alpinisme : «action de gravir une montagne» (1787, de Saussure) et à ceux de la locomotion aérienne (1781, à propos de l'aérostat; 1796, du passager); le premier voyage aérien de Montgolfier a lieu en 1783. ◇ Un sens métaphorique (av. 1848, chez Chateaubriand) correspond à «fait de s'élever, moralement ou socialement». ➜ Le substantif a un dérivé de valeur générale, **ASCENSIONNEL, ELLE** adj., d'abord *ascensional* (1537) «qui tend à monter», refait en *ascensionnel* au XVIIe s. (1691, *différence ascensionnelle* en astronomie), spécialisé en physique et en aéronautique (*force ascensionnelle,* 1784). ➜ Il a aussi deux dérivés sur les sens sportifs, **ASCENSIONNER** v. intr., «faire une ascension», en parlant d'un aéronaute (1851) puis en montagne (1882), et **ASCENSIONNISTE** n., «alpiniste qui fait des ascensions» (1863), «personne qui monte en ballon» (1889).

ASCENSEUR n. m., dérivé savant du latin *ascensum,* supin de *ascendere,* a signifié au XVIe s. (v. 1510) «cavalier»; cet emploi semble propre à un seul auteur. ➜ Le mot, recréé indépendamment par l'inventeur Édoux (1867) pour désigner son appareil d'élévation, a eu un grand succès : il a absorbé le complémentaire *descenseur,* a survécu à la concurrence passagère de l'anglicisme *lift* et l'emporte en fréquence sur *monte-charge.* ◇ Plusieurs syntagmes et sens spécialisés («élévateur pour bateaux», 1890, etc.) et une expression courante ***renvoyer l'ascenseur*** (att. 1913 [D. D. L.], puis 1958) soulignent le caractère nécessaire du mot dans la civilisation urbaine moderne. ➜ Le dérivé **ASCENSEURISTE** n., «spécialiste de l'installation et de la réparation des ascenseurs» (1977), demeure technique.

ASCÈTE n. est emprunté (1580, *aschète*) au latin chrétien *asceta* (Ve s.), lui-même pris au grec *askêtês*, spécialisation ecclésiastique du grec classique, où le mot signifie simplement «personne qui exerce une activité», «professionnel» et, spécialement, «athlète». C'est un dérivé du verbe *askein* «exercer (une activité), s'exercer» et d'abord «façonner, travailler (un matériau)»; originellement, le terme s'appliquait sans doute à un travail technique, mais on ignore lequel; son étymologie est inconnue.

♦ L'idée initiale du grec est encore perçue au XVIIe s. («ascètes, c'est-à-dire exercitants», Bossuet), mais seule l'idée de «privation volontaire dans un but religieux» est retenue, comme on le voit par le figuré «personne qui vit de manière austère» et par les dérivés, notamment *ascétique*.

▶ **ASCÉTIQUE** adj. est emprunté (1641) au dérivé latin chrétien *asceticus*. Il s'est d'abord dit des ouvrages traitant de la vie des ascètes (1673, *un ascétique*; 1718, comme adjectif), puis des personnes (déb. XVIIIe s., comme nom au sens d'«*ascète*»; 1740, comme adjectif). ◇ Plus que *ascète*, l'adjectif a pris au XIXe s. des valeurs extensives : «austère; fait de privations» (1883) et, en parlant des apparences physiques, «qui évoque l'austérité des mœurs». ➜ L'adverbe dérivé **ASCÉTIQUEMENT** (1808, Cabanis) est rare, mais le dérivé de *ascète*, **ASCÉTISME** n. m., est aussi courant que *ascétique*, auquel il correspond. Il désigne la vie des ascètes (1833) et figurément (1818, Nodier, *un ascétisme d'amour*) une vie ou des attitudes d'austérité. ➜ **ASCÉTISER** v. tr. (1886-1887, Laforgue) est rare. ➜ Un autre substantif plus didactique que *ascétisme*, **ASCÈSE** n. f., emprunté au grec *askêsis* pour correspondre plus exactement au sens propre de *ascète*, désigne la discipline qui conduit à l'ascétisme, avec une idée d'exercice directement empruntée au grec et aux valeurs classiques de cette famille de mots (*askêsis* désignait en grec classique tout exercice, particulièrement les exercices gymniques). Le mot s'est diffusé à la fin du XIXe siècle; Renan l'emploie dans l'*Avenir de la science*, écrit en 1848-1849 et publié en 1890.

ASCIDIE n. f. est emprunté indirectement au grec *askidion* «petite outre», diminutif de *askos*, d'étymologie obscure, désignant une outre faite avec la peau d'un animal écorché, d'où usuellement une outre en peau de bête. Le mot grec a fourni le latin scientifique *ascidium* (1780, Baster), puis *ascidia* (1767, Linné).

♦ *Ascidie* (1789) désigne un animal marin (tuniciers) en forme d'outre. ➜ Par francisation du latin botanique *ascidium*, (1865) le mot s'applique aussi à une formation en forme de petite outre (voir les dérivés botaniques, ci-dessous).

▶ Les dérivés sont nombreux en taxinomie : **ASCIDIENS** n. m. pl. (1816, Lamarck), **ASCIDIACÉS** n. m. pl. (1834, Jourdan), **ASCIDITES** n. m. pl. (*id.*) et récemment **ASCIDIIDÉS** n. m. pl. (XXe s.).
En botanique, ont été formés **ASCIDIUM** n. m. (1811) «formation en petite outre à l'extrémité de certaines feuilles» (*ascidion*, 1834), plus tard adapté en *ascidie*. *Ascidium* s'est aussi employé à propos des capsules de certains champignons (1822), en relation avec **ASCUS** n. m. (1822), mot du latin botanique emprunté au grec *askos* «outre», d'où la forme francisée **ASQUE** n. m. (1845) «cellule où se forment les spores, chez les champignons dits *ascomycètes*», mot qui a remplacé *thèque*.

◈ voir ASCO-.

① **ASCLÉPIADE** adj. est emprunté (1740) au latin *asclepiadeum (metrum)*, pris au grec *asklêpiadeion (metron)*, de l'adjectif dérivé du nom de *Asklêpiados* «Asclépiade». Celui-ci est composé sur *Asklêpios*, nom d'un héros médecin originaire de Trikka (Thessalie), dont le culte s'est notamment développé à Épidaure et à Athènes. Ce nom de divinité, d'origine obscure, est peut-être emprunté à une langue d'Orient (sémitique ?).

♦ Le substantif masculin, *un asclépiade*, désigne un vers lyrique grec et latin, dont les quatre pieds correspondent aux douze syllabes de l'alexandrin français.

▶ ② **ASCLÉPIADE** n. f., suffixation francisée (1823) de *asclepias* (1545), correspond à un autre emprunt au latin *asclepias, -adis*, pris au grec *asklêpias, -ados* «d'Asclépios», épithète d'une plante officinale. ◇ Le mot désigne en botanique la plante herbacée à fleurs roses, parfois appelée *dompte-venin*. ➜ Le dérivé **ASCLÉPIADACÉES** n. f. pl., d'abord *asclépiadées* (1839), désigne la famille de plantes ayant pour type l'asclépiade.

ASCO- est un premier élément de mots savants (botanique), tiré du grec *askos* «outre» (→ ascidie).

▶ Parmi les composés qui apparaissent dans la première moitié du XIXe s., en latin, en français et dans d'autres langues (allemand, anglais), quelques-uns sont toujours en usage. ➜ **ASCOMYCÈTES** n. m. pl. est emprunté (1842, dictionnaire de d'Orbigny) au latin botanique *ascomycetes* (1836, Fries, botaniste suédois), de *-mycetes* (→ myco-), et désigne un ordre de champignons à mycélium cloisonné et dont les cellules à spores sont nommées asques. ➜ **ASCOGÈNE** adj. (1884, Van Tieghem), de *-gène*, qualifie les organes qui donnent naissance aux asques (→ ascidie). ➜ **ASCOSPORE** n. f., mot formé pour désigner un genre de champignons, d'après le latin savant *ascospora* (1836, Fries), se dit aujourd'hui de la spore qui se forme dans les asques.

ASEPSIE, ASEPTISER → SEPTIQUE

ASIATIQUE adj. et n. est un emprunt du XVIe s. au latin *asiaticus*, hellénisme, du grec tardif *asiatikos*, de *Asia*, nom de ville à l'étymologie très controversée. Le mot s'applique d'abord à la province romaine correspondant au royaume de Pergame, puis son application s'étend démesurément, selon l'évolution des connaissances géographiques.

♦ Le mot a reçu dans la civilisation française les valeurs successives de *Asie* (à la fois Asie Mineure ou Proche-Orient, puis Asie extrême, Asie centrale, etc.) avec des spécialisations propres au XVIIe siècle. Il a alors signifié «très orné, en parlant du style» (jusqu'au XIXe s.), valeur empruntée au latin. Au XIXe s., il s'est dit pour «opulent, très riche», en relation avec des mots comme *nabab;* ou encore «despotique», en parlant d'un régime politique. ◇ Dans certains syntagmes, il signifie «qui vient d'Asie» *(grippe asiatique).* ◇ Dans les valeurs souvent péjoratives, parfois racistes, l'adjectif est concurrencé par *jaune.* À la différence de *américain,* il n'a pas pris de valeur géographique spécifique et semble moins usuel que les adjectifs ethniques les plus courants : *indien, chinois, japonais.* Sa richesse sémantique est assez limitée, la notion de référence étant probablement trop vaste et très abstraite, et l'adjectif étant concurrencé par *oriental.*

▶ Le dérivé régressif **ASIATE** adj. et n. (1879) apparaît dans un contexte raciste et ne s'emploie que péjorativement. ◆ **ASIATISER** v. tr. (1912) peut être positif, neutre ou péjoratif, selon les contextes.

ASILE n. m. est emprunté au latin *asylum,* hellénisme. Le grec *asulon* vient de l'adjectif *asulos* «qu'on ne peut saisir», de *a-* privatif (→ ② a-) et de *sula,* neutre pluriel signifiant «butin», dérivé du verbe *sulan* «s'emparer de» (peut-être apparenté au latin *spolia;* → spolier). Il signifie «lieu sacré», et son dérivé *asulia* correspond à un privilège juridique accordé à une personne (ambassadeur, athlète, par exemple) par des cités étrangères, qui la mettaient en sûreté, elle et ses biens. Ce sens dérivait d'une valeur religieuse désignant la sécurité garantie par certains temples. Passée en latin, la notion de droit d'*asile* est, en moyen français, religieuse.

♦ Le mot apparaît (1355) dans un contexte antique; ce sens s'étend plus tard aux coutumes analogues. La langue classique (av. 1660, Scarron) l'étend encore à «lieu quelconque où l'on peut se mettre à l'abri d'un danger», avec en outre une valeur abstraite, «défense, sauvegarde». Un sens affaibli, «séjour, retraite», est propre à la fin du XVIIe et au XVIIIe siècle. ◆ Enfin le mot s'applique (1859, in *T. L. F.*) aux établissements de bienfaisance servant de retraite aux infirmes, aux vieillards, sens qui concurrence *hôpital** au sens ancien, *hospice**, puis les orphelins (cf. *orphelinat; asile* et *salle d'asile* ont désigné au XIXe s. l'équivalent des garderies d'enfants ou crèches actuelles), enfin et surtout les aliénés. ◇ Ce sens, souvent représenté par le syntagme ***asile de fous,*** a été usuel, mais le mot a disparu de la terminologie administrative en 1938, remplacé par *hôpital psychiatrique,* le sens de *hôpital* ayant évolué, puis par d'autres termes plus euphémistiques; il est encore en usage dans la langue courante et figurément (***à l'asile!*** «au fou!»).

▶ Le dérivé **ASILAIRE** adj. (1955) qualifie péjorativement ce qui a rapport à l'*asile,* symbole de la psychiatrie de l'internement.

ASPECT n. m. est emprunté au latin *aspectus* «regard», substantif tiré de *aspicere* «apercevoir», de *ad-* (→ à) et de *specere* «apercevoir» et «regarder», dont les dérivés et composés ont produit de nombreux mots français, comme *spectacle, spectre, spécimen, spéculer* et *circonspection, suspicion, suspect,* etc. *Aspectus* est apparenté à *species* «vue» et «aspect» (→ espèce).

♦ Le mot apparaît en français dans l'expression *estre en l'aspect de* (1450) «être sous le regard, l'examen de (qqn)» et «être en face de». Puis, il s'emploie librement pour «regard, vue» (av. 1525, Lemaire des Belges). ◇ *Aspect* s'emploie aussi (1467) en astrologie, pour «situation respective des astres, en rapport avec leur influence». Ce dernier sens est repris en astronomie avec une valeur objective. ◇ Le sens classique, aujourd'hui vieilli, «fait de s'offrir aux regards», apparaît dans une spécialisation d'architecture («perspective, orientation») en 1546, chez Rabelais; ce sens se réalise dans des expressions comme *avoir son aspect vers* (1546), *sur* (1602) avec l'idée d'orientation, d'exposition, d'où l'emploi de *aspect* avec cette valeur du XVIIe (1676) au XIXe siècle. ◆ Le sens moderne objectivé, «apparence, allure extérieure» (1611), est aussi utilisé abstraitement (1684) et dans des locutions, comme ***à l'aspect, sous l'aspect de...***; de même que le précédent, ce sens existe en latin postclassique. ◆ Enfin, en linguistique, le mot a depuis le début du XIXe s. (attesté 1828), à propos des langues slaves, par calque du russe *vid* «aspect, vue» et «état» (1619, en grammaire), une valeur technique concernant les catégories par lesquelles le système verbal d'une langue représente les procès temporels (développement, achèvement, inachèvement, etc.); l'*aspect* s'ajoute ainsi au *temps,* au *mode.*

▶ Dans ce sens, *aspect* a un dérivé didactique, **ASPECTUEL, ELLE** adj. (1958), qui a remplacé **ASPECTIF, IVE** (1922).

ASPERGE n. f. est une relatinisation du XVIe s. (1535, Estienne) des formes anciennes *esparge* (XIIe s.), *esperge* (1387), *sparge* (XIIIe s., *in* Bloch et Wartburg; XIVe-XVe s.); il a eu au XVIe s. une variante, *asparge,* plus proche du latin (1549-1636), mais *asperge* l'a emporté. Toutes ces formes viennent du latin *asparagus,* hellénisme du sud de l'Italie, pris au grec *asparagos* ou *aspharagos,* qui signifie aussi en général «pousse» et doit se rattacher à une série indoeuropéenne signifiant «pousser, jaillir» (sanskrit *sphūrjati*).

♦ Le mot désigne à la fois la plante et son bourgeon comestible, très apprécié. Des syntagmes spécifient les variétés *(asperges blanches, vertes), asperge sauvage* se disant (1538) d'une variété non cultivée. ◆ Le sens métaphorique de «personne grande et maigre» (av. 1833) est populaire; il apparaît aussi dans des locutions comme *asperge montée* (1845, Bescherelle), d'abord *asperge sucée* (1808), qui pourrait faire référence au sens suivant. ◇ Celui-ci, métaphorique et argotique, «pénis», se retrouve dans les locutions ***aller aux asperges*** «se prostituer» (1960).

▶ **ASPARAGUS** n. m. est un réemprunt savant (1797) pour désigner une plante ornementale de la famille botanique de l'asperge. ◆ De là **ASPARAGÉES** n. f. pl. (1807), **ASPARAGINÉES** n. f. pl. (1810). ◆ **ASPARAGINE** n. f., terme de chimie (1817), se dit d'une substance contenue par l'asperge et la pomme de terre, et d'où est tiré un

acide nommé **ASPARTIQUE** adj. (1834), d'où **ASPARTATE** n. m. (1834), son sel, et **ASPARTASE** n. f. de *-ase* (mil. XXe s.), «enzyme dérivée de l'acide aspartique».
Les formes **ESPARGOUTE** n. f. (1530), **ASPARGOUTE** n. f. (1549), reprises avec resuffixation (peut-être par influence de *maroute* «camomille puante») à l'ancien provençal *espargula* (1150), sont en concurrence avec **ESPARGOULE** n. f. (1798) pour désigner diverses plantes. ◇ Le mot occitan s'applique à l'asperge et à la pariétaire; ceux qui en sont issus concernent la matricaire *(espargoutte)*, le petit muguet *(aspergoutte)*, la tanaisie, la spergule (mot de même origine), variation sémantique fréquente dans la dénomination populaire des plantes (ressemblances, analogies d'utilisation, etc.). Ces termes demeurent régionaux.

ASPERGER v. tr., aujourd'hui familier, est un emprunt de la langue d'Église (*esperger*, XIIe s.; puis *aspergher*, av. 1400) au latin *aspergere* «saupoudrer» et «répandre (un liquide)». *Aspergere* vient de *ad-* (→ à) et de *spargere* «répandre», «joncher», au supin *sparsum* (→ disperser, épars). Ce verbe se rattache au grec *speirein* «semer», à l'ancien haut allemand *spriu* «balle de blé»; une racine indoeuropéenne a été proposée. L'ancien français a connu un verbe *espargier*, issu de *spargere*.

♦ *Asperger* se dit des liquides depuis le XIIe s. (alors à propos du saint chrême), de l'eau bénite (fin XIVe s.) en liturgie et depuis le XVe s. (1466-1467) en contexte profane. Dans ce dernier cas, le mot est devenu un équivalent plus familier de *arroser*. Le sens de «répandre en poudre» (1606) est un réemprunt au latin, qui n'a pas vécu.

▸ Les dérivés moyen français sont sortis d'usage, le dérivé moderne, **ASPERGÉE** n. f. (1888), reste exceptionnel. ➔ **ASPERGÈS** n. m. est un latinisme qui correspond au premier mot d'une formule liturgique : *asperges* «tu aspergeras»; il désigne en français (1353) le goupillon (ci-dessous *aspersoir*) et (1535) le moment de l'aspersion. ➔ **ASPERSION** n. f., d'abord mot de quatre syllabes (*aspersïon*, 1160-1170), est emprunté au latin *aspersio*, du supin *(aspersum)* de *aspergere*. ◇ D'abord liturgique, il suit le verbe dans ses emplois profanes (il est critiqué comme bas au XVIIIe s.), mais, devenu rare, il a aujourd'hui une valeur littéraire ou technique, et non pas familière comme celle du verbe. ➔ **ASPERSOIR** n. m., emprunt (1539) au latin médiéval *aspersorium* «goupillon», dérivé de *aspersio*, a remplacé *asperseur* (1545); c'est un mot de liturgie catholique, moins courant que *goupillon* malgré sa transparence. Le moyen français a connu un dérivé de *asperger*, *aspergeoir* (1415).
ASPERGILLE n. f. est emprunté (av. 1808, Lamarck) au latin savant *aspergillus* (1751), bas latin *aspergillum* «aspersoir», dérivé de *aspergere*. Le mot désigne un champignon ascomycète, une moisissure. ➔ Le dérivé **ASPERGILLOSE** n. f. (1887) s'applique à la maladie causée par le développement d'aspergilles dans l'organisme.

ASPÉRITÉ → **ÂPRE**

ASPHALTE n. m. est emprunté au bas latin *asphaltus*, lui-même emprunté au grec *asphaltos* «bitume», peut-être adjectif verbal avec *a-* privatif (→ ② a-) de *sphallein* «faire tomber» et «tomber», probablement indoeuropéen, d'un thème °*sp(h)el-* «fendre». L'asphalte, étant employé comme mortier, empêche (*a-* privatif) de glisser, de tomber.

♦ Le mot est ancien (*betumei d'asfalte*, v. 1160; puis *asphalti* par latinisme, 1488; *asphalte*, 1556) pour désigner un mélange naturel de bitume, calcaire et silice, appelé aussi *bitume de Judée* (le premier gisement connu est situé sur la mer Morte) et *baume de momie*, car les Égyptiens s'en servaient pour les embaumements. La mer Morte a été nommée *lac d'Asfalt* (XIIIe s.), *lac asphaltite*. ➔ Le sens technique moderne (1842, dans la *Correspondance* de Flaubert) désigne un mélange analogue (calcaire et bitume) utilisé pour le revêtement des voies urbaines, notamment des trottoirs; d'où le sens courant de «couche d'asphalte» et (1845) de «chaussée asphaltée; trottoir», par exemple dans *polir l'asphalte* (1850), remplacé par ***arpenter l'asphalte***, où il est synonyme de *bitume*, de *macadam*.

▸ Les dérivés **ASPHALTIQUE** adj. (1585, repris 1751) et **ASPHALTITE** adj., dans *lac asphaltite* (1690), latin *asphaltites lacus*, concernent le premier sens de *asphalte*. ➔ **ASPHALTITE** n. m. (1931) désigne un type de bitume. ➔ Le verbe **ASPHALTER** v. tr. (1866) «recouvrir d'asphalte», surtout au participe passé **ASPHALTÉ, ÉE** adj. (1866), et ses dérivés **ASPHALTAGE** n. m. (1866), **ASPHALTEUR** n. m. (1877), s'appliquent à la technique des revêtements de voies urbaines.

ASPHODÈLE n. m. est un emprunt de la Renaissance (1534, Rabelais) au latin *asphodelus* (Pline), emprunt au grec *asphodelos*, aussi adjectif pour «couvert d'asphodèles», emprunt d'origine inconnue. L'ancien français avait *affodille* (v. 1250) et l'ancien provençal *affrodil* (v. 1200), issus du bas latin *af(r)odillum*.

♦ D'abord employé dans le contexte du grec, où l'adjectif s'applique aux prairies des Enfers, et comme collectif, le mot désigne une plante vivace (Liliacées), médicinale, aujourd'hui cultivée comme ornementale. Les noms des variétés sont *asphodèle blanc* (1791), *jaune* (id.), *rameux* (1803). ◇ On appelle *lys asphodèle* (1667) une autre plante, l'hémérocalle.

ASPHYXIE n. f. est un emprunt savant du XVIIIe s. (1741) au grec médical *asphuxia*, de *a-* privatif (→ ② a-) et de *sphuxis* «battement du pouls», par le latin savant *asphyxia* (déb. XVIIIe s.), attesté en anglais dès 1706. Le mot grec vient du verbe *sphuzein* «battre», d'où «s'agiter», terme technique et expressif d'étymologie obscure, cependant rapproché de *speudein* «s'efforcer, se hâter», d'origine indoeuropéenne.

♦ *Asphyxie* désigne d'abord l'arrêt du pouls, du cœur (la syncope) puis (1790, Fourcroy) les effets d'une privation d'oxygène et d'un ralentissement de la respiration; au figuré, il signifie «étouffement, dépérissement» (1831, Stendhal) et «paralysie des activités» (1941).

▸ Le dérivé **ASPHYXIER** v. tr. (1800, Bichat), précédé par le participe adjectivé **ASPHYXIÉ, ÉE** (1791, comme nom) a le sens physiologique et les emplois figurés du nom ; le verbe fut à la mode au sens d'«ennuyer» (1826). Il a reçu quelques sens argotiques, comme «voler» (1914), d'après *étouffer*. ◆ **S'ASPHYXIER** v. pron. (attesté 1826) est usuel, aussi au figuré (1836 ; mil. XXe s., pour «péricliter»). ◆ **ASPHYXIANT, ANTE,** participe présent adjectivé (fin XVIIIe s., Fourcroy), s'est spécialisé pour qualifier des gaz toxiques.

① **ASPIC** n. m. est emprunté (1461, Villon), d'abord sous la forme *espic* (1250), au latin *aspis,* du grec *aspis, aspidos* «serpent venimeux d'Égypte», dont l'origine est discutée. Le sens premier du terme est «bouclier rond» et son emploi, pour désigner l'aspic, s'explique peut-être parce que l'animal attaque en recourbant le cou. L'ancien français a connu *aspe* (1120) et *aspis* (1121), disparus en moyen français. Le *c* final peut être dû à diverses influences.

♦ Le mot a conservé ce sens, s'appliquant spécialement à une variété de vipère *(vipera aspis)* [1751 ; certainement très antérieur dans les dialectes] et parfois à d'autres serpents. Il a de nombreuses formes et plusieurs valeurs, selon les dialectes et les régions. *Aspic sourd* (1605), *aspic cornu* (1611), *aspic rouge* (1828) désignent des espèces mal déterminées (souvent des vipères). ◇ *Comme un aspic* s'est employé notamment pour caractériser la méchanceté (1680, Mme de Sévigné). *Voix d'aspic* (v. 1465), puis ***langue d'aspic*** (1671) désignent la méchanceté médisante (cf. *vipère*) ; le second est encore connu, mais *aspic* «personne médisante» (1672) est sorti d'usage. ◇ Le mot a pris diverses valeurs techniques, dont «pièce d'artillerie» (1690), sortie d'usage (cf. *couleuvrine*).

② **ASPIC** n. m., au sens de «plat en gelée» (1742, *sauce d'aspic*), est d'origine obscure. P. Guiraud suggère un autre mot *aspic,* désignant (1560) une variété de lavande et l'huile volatile que l'on en tire, à cause de la translucidité ou de l'odeur parfumée de la gelée. Cet *aspic,* «lavande», est l'altération de *espig, espic,* variante de *épi**. Mais la pharmacopée et la cuisine sont rarement confondues, et d'autres explications ont été données à partir de ① *aspic* (analogies de froideur, de forme, de couleur), elles sont aussi peu vraisemblables. L'idée de «piquant» ne serait pertinente que si le plat avait été épicé, ce qui n'est plus le cas.

♦ On est passé de *sauce d'aspic* à *aspic* «gelée» (1771), d'où au XIXe s. «plat froid en gelée» (*in* Académie, 1835). Le mot s'emploie en cuisine et en restauration, notamment dans *aspic de foie gras.*

ASPIRER v. est emprunté (v. 1120) au latin *aspirare* «souffler vers...», de *ad-* (→ à) et de *spirare* «respirer» (→ esprit, respirer).

♦ Le verbe a eu le sens du latin religieux, «inspirer», aussi en parlant de l'amour, des muses, également «donner le souffle de vie» (XIIe-XVIe s.). ◇ Il a reçu (1262-1268) celui de «respirer». Ce dernier s'est appliqué aussi bien à «souffler», «soupirer», «exprimer par la parole» (d'où *h aspiré* «prononcé»), se spécialisant, surtout au XVIe siècle. ◇ Une de ces spécialisations (fin XIVe s.) est «attirer (l'air) dans les poumons», en relation complémentaire avec *expirer ;* elle est seule restée en usage, avec des valeurs métaphoriques. ◆ ***Aspirer à*** (1350), figuré du sens second (image de l'inspiration), signifie «désirer fortement» ; ce sens, très courant au XVIIe s., est devenu littéraire, sinon archaïque.

▸ **ASPIRÉ, ÉE** adj. correspond d'abord (XIIe s.) à «inspiré par Dieu», puis se rattache au sens de «souffler, expirer» (il en est resté *h aspiré*) et au sens moderne du verbe, d'où *une* **ASPIRÉE** n. f. (1550) «son aspiré du langage».

ASPIRATION n. f. est emprunté (fin XIIe s.) au dérivé latin *aspiratio,* qui signifie à la fois «inspiration, ferveur», «respiration» et «action d'aspirer», au sens moderne. ◇ Le sens religieux est le plus ancien dans *divine aspiration* «inspiration par Dieu». ◇ Au XIVe s. (v. 1330), d'après l'ancien provençal, le mot s'applique concrètement à la respiration, puis se spécialise avec les deux valeurs complémentaires, «action de souffler, d'expirer» (1523) et, dès le XVe s. (v. 1460, *aspiracion de l'aer*), «action d'inspirer», avec des extensions à propos de l'eau attirée par une pompe (XVIe s., Palissy). ◇ Au sens de «souffle», le mot a correspondu (1392) à la lettre *h,* qui a gardé le qualificatif de *aspirée.* ◆ Le sens psychologique, «action d'aspirer à qqn, de souhaiter» (1760), pourrait provenir, outre la dérivation d'une acception du verbe (ci-dessus), d'un emploi religieux, «élan de dévotion» (XVIIe s., François de Sales), qui semble lui-même en relation avec l'emploi originel du mot, mais s'en est détaché. ◆ **ASPIRATOIRE** adj., dérivé (1825) du radical de *aspiration,* qualifie ce qui est relatif à une aspiration. ◆ **ASPIRATEUR** n. m. «appareil qui produit une aspiration, attire les fluides» est d'abord didactique ; le mot s'applique d'abord à un ventilateur (1798) puis est passé dans la langue courante avec *l'aspirateur à* ou *de poussière* (1904), d'où *un aspirateur* (1922, *in* Larousse), emploi qui a succédé à un usage médical (1892) et scientifique. ◆ Le participe présent **ASPIRANT, ANTE** a donné un adjectif d'abord figuré (1496), rare au sens concret (*lettre aspirante,* 1647), sauf dans *pompe aspirante,* mais qui a eu plusieurs substantivations avec le sens figuré de *aspirer* «désirer». Un *aspirant à* (un poste) est un «candidat» ; un emploi spécialisé concerne la marine (1775, *aspirant garde*), puis (1910) l'armée : «élève officier qui 'aspire' au grade de sous-lieutenant» (c'est-à-dire à être officier). ◆ D'où l'abréviation familière **ASPI** n. m. (1916).

ASPIRINE n. f. est un emprunt (1894) à l'allemand *Aspirin.* Ce mot est formé de *a-,* qui représente à la fois l'élément *acétyl-* et le *a-* privatif (→ ② a-), du latin savant *spiraea,* désignant la plante dite *spirée,* et du suffixe allemand *-in.* L'acide acétylsalicylique, synthétisé à la fin du XIXe s., est en effet contenu dans cette plante.

♦ Le mot désigne l'acide acétylsalicylique utilisé comme analgésique ; c'est en Belgique un nom de marque déposée. La couleur blanche des comprimés (encore appelés *cachets,* bien que cette présentation n'existe plus guère) a donné lieu à une locution familière ***être blanc comme un cachet d'aspirine*** (v. 1960), qui s'oppose à *bronzé, hâlé.*

ASQUE → ASCIDIE

ASSAGIR → SAGE

ASSAILLIR v. tr. est issu, sous la forme *asalir* (xe s.), puis *assaillir* (1080), refait sur *saillir,* du latin populaire *assalire,* réfection du latin classique *assilire* «sauter sur», d'après *salire* (→ saillir).

♦ Le complément du verbe désigne d'abord un lieu fortifié, puis (fin xiie s.) un ennemi. Des sens figurés, «accabler, harceler», parfois abstraits, sont courants dans la langue classique et moderne littéraire. ◇ En revanche, l'emploi érotique du moyen français (cf. *saillir*) est sorti d'usage.

▶ Le dérivé **ASSAILLANT, ANTE** adj. et n. (xiie s.) n'est usuel qu'au sens initial, militaire. Les autres dérivés, *assailleur, assaillement,* etc., ont disparu.

◈ voir ASSAUT.

ASSAINIR → ① SAIN

ASSAISONNER → SAISON

ASSASSIN n. m. apparaît au xvie s. dans le sens de «tueur à gages» (1560); c'est un emprunt à l'italien *assassino* ou *assessino,* déjà employé dans ce sens par Dante (déb. xive s.). Au cours du xvie s., le substantif *assassin* s'emploie aussi là où le français moderne emploie *assassinat.* Des formes plus anciennes sont fréquentes en latin médiéval, et dans la plupart des langues romanes, notamment occitan et français *(assacis, assassis, hassassis..., assassim),* pour désigner les membres d'une secte ismaélienne (shi'ite) de Syrie et figurément un séide capable de tuer pour son maître : cet emploi n'est pas rare chez les troubadours, pour qualifier la fidélité amoureuse aveugle. En français, le mot, comme tout emprunt peu assimilé, a de nombreuses formes : *assassin, assacin, halsasin, hassissin, haquassin, harsasis* (1195), d'où *arsacide.* Bien identifié comme nom de cet ordre religieux syrien, le mot, qui était expliqué par l'arabe *hassa* «mettre en pièces» (Ménage), a été considéré comme un dérivé de l'arabe *ḥašīš* depuis Antoine-Isaac Silvestre de Sacy (1809) : la forme *ḥaššāš* a pour pluriel *ḥaššāšin* «fumeurs de haschisch». Très critiquée par certains orientalistes, cette origine du mot arabe pourrait céder la place au substantif *'asas* «patrouille», *'assās* «gardien» (pluriel *'assāsīn*). En effet, l'ordre musulman des Ismaéliens concernés, de nature religieuse et ésotérique, modèle de l'ordre chrétien des Templiers, n'aurait guère pu employer pour se désigner le terme péjoratif de *ḥaššāš;* en revanche, ses adversaires sunnites ont pu répandre cette légende de l'intoxication, déjà rapportée en Occident par Marco Polo. Les premiers emplois du mot en France, notamment en domaine occitan chez les troubadours, concernent, on l'a vu, un tout autre sémantisme : «fidélité aveugle». Quoi qu'il en soit, c'est bien comme «fumeurs (ou mangeurs) de haschisch» que la secte a été connue en Occident.

♦ Le mot français, d'abord en concurrence avec *assassineur* et *assassinateur* (xvie s.), a pris un sens plus extensif et correspond à «meurtrier avec préméditation». ◆ Comme adjectif, *assassin,* aujourd'hui vieilli *(une main assassine),* a eu en langue classique des emplois métaphoriques dans le vocabulaire amoureux *(œillade assassine).* ◇ D'où (déb. xviie s.) le sens de «grain de beauté» (*assassin,* plus tard *assassine* ou *mouche assassine*).

▶ **ASSASSINER** v. tr. est lui aussi un italianisme, par emprunt (1556) à *assassinare,* dérivé de *assassino.* ◇ Le verbe a pris immédiatement des valeurs extensives : «saccager (une ville)» au xvie s., puis «causer la mort de (qqn)», «battre, meurtrir», et des valeurs figurées : «faire 'mourir' d'ennui» (1633; à comparer avec *assommer*), «causer un grande peine à (qqn)». Tous ces sens sont archaïques. ◆ **ASSASSINAT** n. m. est attesté un peu avant les autres mots de la série (1547); c'est sans doute pourquoi on y a vu un emprunt à l'italien *assassinato,* qui n'est qu'adjectif; c'est probablement un dérivé de *assassiner* (qui serait alors antérieur à la date retenue). ◇ Le mot est d'abord juridique; il s'impose au xvie s. aux dépens de son synonyme *assassin,* employé pour «assassinat» (cf. Huguet); il a des sens extensifs, mais les figurés sont plus récents que ceux de *assassin* et *assassiner,* et différents («destruction morale» : *l'assassinat des libertés*); le mot est alors synonyme de *meurtre.*

◈ voir HASCHISCH.

ASSAUT n. m. est issu, par la forme *asalt* (1080), puis *assault,* du latin populaire *assaltus,* altération d'après *saltus* (→ saut), du latin classique *assultus* «attaque», du verbe *assilire* (→ assaillir).

♦ D'abord militaire, le substantif a dès l'ancien français des emplois figurés : *assaut de temptation* (1262-1268), *amoureulx assaulx* (v. 1462), *assaut de fièvre* (xvie s., Pasquier). ◇ Au xviie s. (attesté 1680), le mot se spécialise en escrime pour «rencontre courtoise au fleuret ou à l'épée», puis en boxe (1891), et en alpinisme «tentative vers le sommet» (1897). ◇ L'expression ***faire assaut de...*** (mil. xviie s., Scarron) signifie au figuré «rivaliser». ◇ L'emploi militaire, toujours vivant, par exemple dans *donner l'assaut,* a donné lieu à des syntagmes, tels *char* d'assaut* (1917), *avion d'assaut.*

ASSE → AISSE

ASSÉCHER → SEC

✳ **ASSEMBLER** v. tr., écrit d'abord *asembler* (v. 1040), *asanbler* (v. 1175), est issu du latin populaire °*assimulare,* dérivé de *ad* (→ à) et de *simul* «ensemble» (→ simultané), qui est issu, comme *similis* (→ similaire) et *simplex* (→ simple), d'une racine indoeuropéenne °*sem-* «un, unique», que l'on retrouve en sanskrit, *sánah,* en grec dans *homos* (→ homo-), en gotique, *sana,* etc.

♦ En ancien français, le verbe, aussi intransitif ou passif, signifie alors «se mettre ensemble», «être réunis», notamment par le mariage; cet emploi a disparu. ◇ Comme transitif, il signifie «réunir (des personnes)», «mettre ensemble», le complément désignant soit un nombre indéterminé de personnes, parfois dans un contexte institutionnel et politique (cf. *assemblée*), soit un nombre déterminé, et aussi d'animaux. Dans ces emplois, le verbe sera remplacé par *rassembler*. ◆ C'est la valeur de «mettre ensemble (des choses)» qui l'emportera, surtout au concret (cf. *assemblage*). Il a aussi le sens large d'«ajuster, arranger» (XIIIe s.). ◇ Les spécialisations techniques correspondant à *assemblage* datent du moyen français; elles se sont enrichies (textile, reliure, etc.) aux XVIIIe-XIXe s., puis au XXe s. (informatique). ◇ La langue classique employait fréquemment le verbe avec un complément abstrait.

▶ **ASSEMBLAGE** n. m. est dérivé du verbe (1401) au sens technique d'«ensemble d'éléments réunis pour former un tout cohérent», mais il existe aussi pour «ramassis informe» (1606); on parle aussi de *assemblage de lettres* dès le XVIe s. (1567), d'après *assembler* «composer en typographie». ◇ Il s'est dit aussi des personnes, pour «groupe» (1585). ◇ Le mot a eu le sens étendu de «action de réunir», d'où par métonymie «choses mises ensemble», avec plusieurs spécialisations (architecture, du XVIIIe au XIXe s.), alors que l'usage contemporain suppose l'intention d'obtenir un tout cohérent, fonctionnel. ◇ Une spécialisation récente concerne les mathématiques et l'informatique, «regroupement fonctionnel des parties d'un programme» (1975 dans les dictionnaires), en relation avec *assembleur* (ci-dessous).

ASSEMBLÉE n. f., participe passé substantivé, est très ancien (1155) au sens d'«action de réunir»; ce sens a disparu : on emploie aujourd'hui *rassemblement*, tiré du préfixé *rassembler*. De là, on est passé par métonymie à «ensemble de personnes réunies» (dès le XIIe s.), avec des valeurs spéciales, «réunion mondaine ou de plaisir» (XIIIe s.), d'où «bal privé» (1694), «fête locale» (1554), encore en usage régionalement. ◇ *Assemblée des fidèles* (1690) ou *assemblée* (1535) traduit aussi *ecclesia* «Église; les chrétiens». Le mot a désigné aussi une armée (XIIe-XIVe s.) et, activement, un rassemblement armé. ◇ Le sens politique du verbe, attesté depuis le XIe s., n'a guère d'effet sur *assemblée* en ancien français (une fois au XIIe s.; puis 1309), mais *faire assemblée* se rencontre à partir du XIVe s. dans ce sens, de même que le sens de «parlement» (av. 1356). Cette valeur, «personnes réunies pour délibérer», a eu une grande fortune dans le domaine des institutions politiques, surtout depuis la Révolution (*Assemblée nationale* est attesté en 1788); le mot entre alors dans le même champ sémantique que *parlement, chambre, député*, etc. L'*Assemblée*, pour *Assemblée nationale*, semble récent (1937). De nombreux syntagmes servent à dénommer les institutions spécifiques, en France et hors de France (*assemblée fédérale* suisse, etc.). ◇ Des spécialisations juridiques sont attestées depuis le XVIIe s. (*assemblée des créanciers*, 1673). ◆ **ASSEMBLEMENT** n. m., attesté dès 1040 «union, mariage», puis «réunion (de choses)» (1287), devient rare, puis est repris (déb. XVIIe s., Malherbe); le mot a été éliminé par *assemblage*, par le préfixé *rassemblement* et par divers quasi-synonymes. ◆ **ASSEMBLEUR, EUSE** n., d'abord sous la forme *assembleor* (1281), est devenu archaïque avant le début du XIXe s. (on cite chez La Fontaine un exemple isolé : *assembleur de nuages*, à propos de Jupiter). ◆ Les emplois modernes datent du début du XIXe s. (1823), d'abord à l'abstrait, souvent péjoratifs, puis pour désigner un ouvrier, une ouvrière d'abord en dentelle (1866), en reliure et (2e moitié XXe s.) une machine qui assemble. ◆ Le mot a servi très naturellement vers 1965 à traduire l'anglais *assembler language* pour désigner un programme utilisant les instructions d'un «langage d'assemblage», regroupant sous forme de symboles les parties d'un programme complexe.

Le préfixé antonyme **DÉSASSEMBLER** (*desasanbler*, v. 1161) est demeuré rare, mais **RASSEMBLER** v. tr. et ses dérivés sont très vivants, avec des emplois sémantiquement bien distincts de *assembler*. *Rassembler*, attesté au XIIe s. (v. 1155), signifie d'abord «réunir (des personnes) vers soi, autour de soi», puis «dans un même lieu» (1549) et aussi «assembler de nouveau». À la différence du verbe simple, il a gardé le sens de «mettre ensemble (des personnes)», sens où *assembler* est beaucoup plus rare; il est alors concurrencé par *réunir*. ◇ ***Se rassembler*** v. pron. (1549) a remplacé l'intransitif, employé en ancien français. ◇ En parlant des choses, *rassembler* n'entraîne pas une unité fonctionnelle, comme *assembler*, mais suppose que les éléments réunis soient dispersés; il a aussi un usage abstrait (fin XIIIe; puis XVIIe s.), par exemple dans *rassembler ses idées* (1829), *ses forces* (1835). ◇ L'emploi technique d'équitation, *rassembler son cheval* (1719), «le tenir prêt à exécuter un mouvement», a produit un nom, *le rassembler* (1845). ◆ Le dérivé **RASSEMBLEMENT** n. m. (1426), «action de rassembler des choses dispersées», a pris (1596) le sens de «groupe, attroupement», puis (1835) de «réunion de personnes», notamment de soldats (avec une valeur précise : *sonner le rassemblement*). ◇ Une spécialisation politique a eu au XXe s. un certain succès, et le mot sert de dénomination à des partis regroupant en principe plusieurs tendances pour un but commun (1947, *Rassemblement du peuple français, R. P. F.*). ◆ **RASSEMBLEUR** n. m. (1876) désigne la personne qui rassemble, réunit des personnes ou des groupes.

ASSENER v. tr. Ce verbe, qu'il faut en principe écrire sans accent aigu, est dérivé (v. 1138) de *a-* et de l'ancien français *sen* «direction de la marche» (av. 1150) et «raison» (déb. XIIe s.), mot différent de *sens* (latin *sensus*) et correspondant au latin populaire *sinnum*. *Sen* peut venir de deux origines : soit d'un étymon germanique occidental °*sinno* (cf. gotique, ancien haut allemand *sinnan* «voyager») [→ forcené], d'une racine indoeuropéenne *sent-* «prendre la direction de» et «ressentir» (d'où le latin *sentire*; l'allemand *Sinn*), soit du latin *signum* (→ seing, signe).

♦ *Assener* (*asener*, v. 1138) signifierait donc primitivement «diriger (un coup) vers, sur...» et secondairement (XIIIe s.) «donner (un coup)» et «frapper». La valeur première est confirmée en ancien français par *assener a...* (1155) «arriver à (un lieu vers lequel on se dirigeait)». ◇ Un autre sens, apparu vers la fin du XIIe s., est «fixer (une possession) par un partage, une affectation», qui correspond au latin *assignare* (→ assigner); cet emploi a disparu en français classique. ➛ Dans l'usage moderne, *assener* correspond à «donner avec force (un coup)» et figurément (av. 1592, Montaigne; rare avant le XIXe s.) «adresser avec force et hostilité» *(assener à qqn des injures, une réplique...).*

ASSENTIMENT n. m. est dérivé de l'ancien français *assentir* (1171, *s'assentir*), qui est emprunté au latin *assentire* «approuver» (Plaute), de *ad-* (→ à) et de *sentire* (→ sentir). Le pronominal signifiait «s'accorder, être d'accord», «être en harmonie»; il est employé jusqu'au XVe siècle; le transitif, pour «acquiescer» (1209), se rencontre jusqu'aux XVIIe-XVIIIe siècles; il a pour homonyme un préfixé français de *sentir* signifiant «toucher, atteindre» (fin XIIe s.) et «sentir, ressentir» (v. 1200).

♦ *Assentiment* (1307) a eu pour variante *assentement* (1212), qui semble plus courant jusqu'au XVIe s., et qui est parallèle à *sentement* à côté de *sentiment.* En ancien et moyen français, le substantif signifie «acquiescement, approbation», aussi «accord», et entre dans des locutions (*commun, bon assentement,* etc.). *Assentir* et *assentiment* semblent être sortis d'usage à l'époque classique; le second figure dans le vocabulaire édité par Panckoucke (1768, commenté par «vieux mot qui signifiait autrefois consentement»). Les deux mots réapparaissent dans les dictionnaires à la fin du XVIIIe s. (1798, Académie) mais seul le substantif s'est implanté dans l'usage courant à partir de la seconde moitié du XVIIIe s. (Rousseau), et en politique pendant la Révolution (1792, *assentiment national*). ◇ Le mot est devenu plus courant au début du XIXe s. pour «accord, acquiescement», et en philosophie pour «adhésion de l'esprit».

✻ **ASSEOIR** v. tr. et pron. est issu du latin populaire °*assedere,* altération du latin classique *assidere, adsedere* «être assis auprès de...» avec *ad* (→ à), d'après le verbe simple *sedere* «être assis», qui signifie au figuré «être établi, fixé, décidé» (→ seoir).

♦ Le verbe français (fin Xe s.), dont la conjugaison a changé, signifie d'abord «placer, fixer» et au figuré (1119) «établir, instituer, fixer»; dès le XIIe s., il se dit d'un impôt, d'une rente, en relation avec *assiette*.* ➛ Le sens concret moderne, concernant les personnes, apparaît d'abord (mil. XIe s.) au pronominal; le transitif *asseoir qqn* est attesté au XIIIe siècle. ◇ Le passif *être assis* est très fréquent et le participe passé **ASSIS, ISE** adj. a des emplois spécialisés *(magistrature assise)* et des sens figurés, correspondant aux valeurs anciennes du verbe («établi, ferme»), ou récentes («dans une situation établie et passive», des personnes). ◇ La substantivation, pour «personne assise», est propre à quelques spécialisations, comme *votes par assis et levés,* en politique, et s'emploie métaphoriquement (cf. le poème de Rimbaud, *Les Assis*).

ASSISE n. f., d'abord *asise* (v. 1170), puis *assise* (XIIIe s.), est le participe passé féminin de *asseoir,* substantivé au sens initial d'«établir». ➛ Le mot désigne d'abord une imposition, une redevance, puis (XIIIe s., av. 1235) la couche horizontale de matériaux de construction assemblés (pierres, briques...). ◇ Il prend au XIXe s. des valeurs spéciales concrètes, en géographie (1838), en botanique, en histologie (des cellules) et une acception métaphorique (1838) «base, fondation». ➛ Au pluriel ***les assises,*** d'après *s'asseoir,* désigne (av. 1280) une assemblée de seigneurs et, par métonymie, ses décisions; le sémantisme correspond à celui de *séance,* de *session,* sens ancien de *assise* (fin XIIe s.), aussi appliqué aux baillis (1318). ◇ Du sens de «session d'une cour criminelle» (1745) est issu ***cour d'assises,*** juridiction criminelle française instituée en 1810, appelée aussi *les assises* et, par calembour argotique, *les assiettes*.* ◇ Le sens plus général de «réunion, session» apparaît au XVIIe s. et est devenu assez usuel *(tenir des assises, les assises d'un parti, d'un syndicat).*

RASSEOIR v. tr., préfixé en *re-,* est d'abord attesté au participe passé *rassis* «calmé» (déb. XIIe s.). ➛ Il signifie «asseoir de nouveau» (*se rasseoir,* v. 1175) et au figuré «rasséréner» (1559), sens disparu. ➛ Le participe **RASSIS, ISE** (*plomb raci* «durci», v. 1150) s'est spécialisé au concret à propos de substances comestibles qui ont perdu leur fraîcheur première, en particulier le pain (v. 1307). Au figuré, *rassis* correspond à «calme, posé» (v. 1460, Villon : *de sens rassis*). ◇ Cette forme a fourni un nouveau verbe, **RASSIR** (1949 dans les dict.) «devenir rassis» (du pain). De là un nouveau participe en principe fautif : *rassi, ie.*

◈ voir ASSESSEUR, ASSIDU, ASSIETTE.

ASSERMENTER → SERMENT

ASSERTION n. f. est un emprunt didactique (1294) au latin *assertio, adsertio* «revendication de la condition libre pour un esclave», puis (IIe s.) «affirmation», de *adserere, asserere* «attacher à soi». Par la pratique juridique de la revendication de liberté pour une personne qu'on amène au juge en la prenant par la main (*asserere manu* ou *manum*), il signifie «revendiquer, défendre» et «affirmer». La procédure de l'*adsertor libertatis* est à l'origine des valeurs logiques et rhétoriques de ce verbe, composé de *ad-* (→ à) et de *serere* «attacher en enfilade». *Serere* serait, selon les Latins eux-mêmes, à l'origine de *sermo* «suite de mots» (→ sermon) et de *series* «enfilade» (→ série).

♦ Le français *assertion* n'a que le sens logique d'«affirmation». Il est resté en usage, mais comme mot didactique ou littéraire, ou philosophique (1835, à propos de Kant) et enfin logique et linguistique.

▸ L'adjectif **ASSERTIF, IVE** en est dérivé (1836), ainsi que le verbe **ASSERTER** (1851), repris vers 1960 sous l'influence de l'anglais *to assert,* de même origine. ◇ Le moyen français avait emprunté *acertif* (1521) au latin médiéval *assertivus.* ➛ **ASSERTORIQUE** adj., d'emploi philosophique et logique (1835), est emprunté à l'allemand *assertorisch,* mot de même origine latine, que Kant emploie pour qualifier un jugement qui énonce une vérité de fait, non nécessaire.

ASSERVIR → SERF

ASSESSEUR n. m. est emprunté, d'abord (XIIIe s.) sous les formes *assisseur* (1236), *assessour, accessor, acesseur* (1283), au bas latin *assessor* «celui qui aide, qui conseille», dérivé de *assidere, adsedere* «être assis auprès de (qqn)» (→ asseoir).

♦ C'est un terme institutionnel, avec des emplois spéciaux en droit, comme «officier de justice qui assiste un juge», et en religion («prélat secrétaire de certaines congrégations», attesté XXe s.). Les développements spécialisés sont nombreux aux XIXe et XXe siècles.

▸ **ASSESSORAL, ALE, AUX** adj. (*assessorial*, 1752) et **ASSESSORAT** n. m. (1606, *assessoriat*) sont dérivés du latin *assessor*.

ASSEZ adv. est issu (v. 980) d'un latin populaire °*adsatis*, renforçant le latin classique *satis* «d'une manière suffisante» et (fin IVe s.) «beaucoup» (→ satiété). *Ad satis* a donné *adsates, asats, asets, asez* (fin Xe s.), écrit *assez* dès l'ancien français, cette graphie l'emportant aux XIVe et XVe siècles.

♦ Les emplois ont évolué de «beaucoup» (XIe-XVIe s.) à «suffisamment, autant qu'il faut» (XIIe s.). *D'assez* a signifié «à beaucoup près» (XIIIe-XVe s.). La plupart des syntagmes courants, par exemple ***c'est assez*** (1538), ***assez pour...***, sont en usage au XVIIe siècle; certains étant très anciens (***avoir assez***, v. 1200). ◇ À cette époque apparaît l'emploi «alternatif» («plutôt; un peu») et l'emploi propre à la langue classique «trop, à l'excès» (v. 1660), aujourd'hui archaïque. ◇ Le développement le plus vivant concerne l'idée d'excès, de satiété, voire de dégoût ou de réaction à ce qui est devenu insupportable, par exemple dans l'exclamation *assez!* (1661, Corneille), synonyme de *ça suffit!* Au milieu du XIXe s. *en avoir assez de* correspond à l'idée de satiété; d'où *en avoir assez* (XXe s.).

ASSIDU, UE adj. est emprunté (fin XIIIe s., *assiduos, assiduios; assiduel*, fin XIIe s.) au latin *assiduus* «assidu» et «continu, continuel», qui correspond au verbe *assedere, ad-sidere* (→ asseoir), de *ad-* (→ à) et de *sedere* «être assis, siéger, demeurer» (→ seoir).

♦ La forme en *-u*, attestée une fois au XIIe s. *(asidu)*, s'impose au XVIe s. (1534). L'adjectif a en français le sens latin de «continuel» *(asidues larmes)*. ◇ Il prend au XVIe s. (Amyot, av. 1593) la valeur moderne : «qui se tient souvent auprès de qqn» (d'une personne), d'où *assidu auprès de qqn* (XVIIe s.), et par extension (1611) «qui est régulièrement présent (dans un lieu)». ◇ Enfin, il qualifie des actions, des attitudes (XVIIe s.).

▸ **ASSIDUITÉ** n. f. est emprunté (fin XIIe s., *assiduïteit*) au dérivé latin *assiduitas;* il signifie d'abord «persistance», puis, d'après *assidu* «soin, application» (1607), «fait de se tenir auprès de qqn» (1638) ou «dans un lieu, avec constance» (1690). ◇ À partir de l'emploi socialement spécialisé de *assidu* (XVIIe s.), le substantif a reçu, semble-t-il récemment, une valeur particulière : «manifestation d'empressement auprès d'une femme» *(une, des assiduités)*, restée plus vivante que celle de l'adjectif qui y correspond. ◇ Plus que *assidu, assiduité* concerne spécialement la régularité professionnelle ou dans un travail (1559, *l'assiduité du labeur*). ◆ L'adverbe **ASSIDÛMENT** (1246, *assiduement*, variante *assidueusement*, XIIIe s.), avec *û* au XVIIe s. (1669), est dérivé en français de l'adjectif; il concerne surtout le contexte du travail.

ASSIÉGER → SIÈGE

ASSIETTE n. f. vient probablement (1260) du latin *assedita* par évolution régulière : le *e* s'est diphtongué puis le *i* de *-di-* est tombé, le *t* se conservant. Cette forme est le participe passé substantivé au féminin du verbe *adsedere* (→ asseoir), de *ad-* (→ à) et de *sedere* (→ seoir), dont le participe classique *sessum* a été remplacé en latin populaire par *seditium*, selon un modèle courant. Cette hypothèse est plus vraisemblable que celle d'une forme française tirée de *asseoir*.

♦ Le mot, cependant, est sémantiquement lié à *asseoir**, au sens figuré; en effet, *assiette* désigne d'abord (1260) l'assignation d'une rente, puis (v. 1270) la répartition des impôts, sens toujours vivant au XXe siècle. Depuis la fin du XIIIe s., *assiette* désigne par métonymie l'impôt lui-même (en même temps que *taille*). ◆ Trois types de sémantismes, à côté du précédent, se développent à partir du XIVe s., d'après les valeurs concrètes du latin *assedere* et de *asseoir*. D'un côté, «position d'une ville» (1402), d'où «fait d'installer solidement (une chose)» et «position ferme». À propos des humains, «manière d'être *assis*» (1580, Montaigne) et «position du cavalier sur sa monture»; au figuré, «état de l'esprit, façon d'être» *(id.)*. De ce sens, vivant jusqu'au XIXe s., il reste en français moderne la locution ***ne pas être dans son assiette*** et le sens d'équitation *(l'assiette d'un cavalier)*.
La valeur la plus usuelle du mot vient d'un autre chemin métaphorique; *assiette* a eu la valeur de «situation d'un convive à table» (1393), à peu près contemporaine de celle de «plat servi au cours d'un repas» (1378). Les deux sens peuvent être dérivés l'un de l'autre ou bien résulter de deux spécialisations indépendantes, à savoir «fait d'être placé, installé», pour les personnes, et «fait de disposer, de placer sur la table», pour les plats. ***Tenir assiette*** s'est dit des taverniers qui servaient à manger à leurs hôtes. ◇ De là, le sens du mot est passé (1507) à «pièce de vaisselle plate». C'est un des témoins de l'évolution des manières de table, avec *plat, fourchette, cuiller*, etc. Le mot entre dans des syntagmes alors courants, comme *assiette creuse, assiette volante*, «où l'on sert les entremets» (1690, Furetière), ce dernier sorti d'usage, puis *assiette à soupe, à dessert*. Ce sens donne lieu à des locutions métaphoriques, comme ***casseur d'assiettes, piquer les assiettes*** «manger aux frais de qqn», d'où *pique-assiette* (ci-dessous), et parfois figurées (***l'assiette au beurre*** «source de profits»). ◇ Par métonymie, *assiette* s'est dit (XVIIe-XVIIIe s.) du couvert servi et de la personne qui mange et paie son écot (emploi

remplacé plus tard par *couvert*). ◇ Avec une autre métonymie habituelle, le mot signifie «contenu d'une assiette», par exemple dans *assiette anglaise, assiette de viandes froides,* etc., en concurrence avec *assiettée.* ◇ *Les assiettes* se dit en argot pour «cour d'assises» par calembour mais les deux mots sont apparentés.

▶ **ASSIETTÉE** n. f. (1690) désigne le contenu d'une assiette, par exemple dans *une pleine assiettée de...* ◆ **PIQUE-ASSIETTE** n., «personne qui se fait souvent inviter pour manger», vient (1807) de *piquer les assiettes,* expression sortie d'usage. Le dérivé est demeuré très vivant.

ASSIGNER v. tr. est emprunté, d'abord sous la forme *asigner* (1160), au latin *assignare* «attribuer» et, en latin médiéval, «faire appel à (qqn)», de *ad-* (→ à) et de *signum* «signe» (→ seing, signe).

♦ Le verbe s'emploie d'abord en contexte économique et juridique pour «attribuer (un bien, un travail, une fonction) à qqn», et aussi (1216) «fixer (un jour, etc.)» et, par spécialisation (1282), «affecter (une somme) à un paiement, à une rente», valeur d'où provient *assignat* (ci-dessous). ◇ *Assigner qqn,* «lui permettre de percevoir une rente» (XIVe s.), a donné lieu à des locutions, comme *assigner qqn sur les brouillards (d'une rivière)* «ne lui promettre que du vent». ◆ Un autre sens juridique, «convoquer (qqn), faire comparaître», apparaît au XIVe s. (1350) sous la forme *essigner,* par réemprunt au latin médiéval *assignare;* d'emploi technique, ce sens a produit *un, une assigné(e)* «personne appelée à comparaître». ◇ *Assigner,* prononcé *assiner* jusqu'au XVIIIe s., se confond fréquemment en ancien et moyen français avec *assener**. Cette confusion cesse en français classique. Au XXe s. apparaît l'expression juridique ***assigner à résidence.***

▶ **ASSIGNATION** n. f. est un emprunt au dérivé latin *assignatio* «répartition, partage» (*assignacion,* 1265); le nom a suivi l'évolution du verbe; il a signifié au XVIe s. (1545) «rendez-vous». ◇ Le sens juridique, «convocation à comparaître» (1350, *asinacion*), s'est élargi avec l'expression ***assignation à résidence*** «obligation pénale de résider en un lieu désigné». ◆ Parmi les dérivés du verbe, tel **ASSIGNABLE** adj. (fin XVIIe s., Bossuet), d'autres ayant disparu (*assignant, assignance, rassigner* et *réassigner...*), le seul courant est **ASSIGNAT** n. m. Ce mot de finances existe en moyen français (*asinat,* 1395; *assignat,* 1552) au sens de «constitution de rente». Le sens archaïque a été éliminé par la reprise du mot en 1789 pour désigner un billet dont la valeur était, au moins à l'origine, gagée par une assignation sur les biens nationaux. C'est aujourd'hui un terme d'histoire financière, concernant le papier-monnaie.

ASSIMILER v. tr. est un emprunt du moyen français (1495) au latin *assimilare,* variante de *assimulare* «simuler, reproduire par imitation», lui-même composé de *ad-* (→ à) et de *simulare* (→ simuler).

♦ Le verbe *assimiler* semble postérieur à *assimilation,* et signifie d'abord «rendre semblable à». Il prend, à partir d'Ambroise Paré (v. 1580), la même valeur physiologique que *assimilation :* «intégrer et transformer en sa propre substance», sens qui se développe à la fin du XVIIIe s. (Buffon) au pronominal : *s'assimiler qqch.* ◇ Les sens figurés apparaissent dans la langue classique : «comparer en considérant comme semblable» (1611), puis «intégrer à un peuple, un pays» (1817; pron., 1864). ◇ Un autre sens figuré vient assez récemment du sens psychologique, «intégrer (des connaissances)», d'abord sous la forme pronominale (1828), puis transitive.

▶ Le participe passé **ASSIMILÉ, ÉE,** adjectivé (1560), s'emploie dans tous les sens du verbe, avec des spécialisations. *Un, une assimilé(e),* nom, signifie au XXe s. «personne assimilée aux membres d'un groupe (social, ethnique...)».

ASSIMILATION n. f. est un emprunt (1374) au dérivé latin *assimilatio, assimulatio* «simulation, feinte» puis «intégration, identification» et, en latin médiéval, «intégration des aliments», l'idée commune étant celle de rendre semblable. ◆ Le mot est d'abord employé au figuré, pour «action d'intégrer», puis (1503) il est repris au latin médiéval en médecine : «action d'absorber les aliments et de les utiliser, pour un organisme». Le concept physiologique d'assimilation, comme ceux de nutrition, puis d'échange, s'élabore au cours des XVIIIe et XIXe s., avec les progrès de la physiologie. ◇ Une autre spécialisation scientifique (1838) concerne la phonétique. ◆ Le sens abstrait, «comparaison et rapprochement», semble apparaître en même temps que pour le verbe (XVIIe s.), de même qu'au XIXe s. le sens social d'«intégration (d'un élément humain) à un groupe social, national, ethnique, etc.».

Le verbe a des dérivés comme **ASSIMILABLE** adj. (1803), qui correspond aux trois principaux sens de *assimiler.* ◆ D'autres dérivés de forme savante sont formés sur *assimilation.* ◆ **ASSIMILATEUR, TRICE** est adjectif (1626), puis substantif, pour «personne qui assimile (qqch. ou qqn)» (1860). ◆ **ASSIMILATIF, IVE** adj., en physiologie (1560, Paré), a vieilli. ◆ **ASSIMILATOIRE** adj. (une fois au XVIe s.; repris 1808) a disparu en physiologie, mais s'emploie en phonétique pour «caractérisé par une assimilation».

DISSIMILER v. tr. est formé (1890) sur *dis-** et *assimiler,* pour désigner le processus inverse de *assimiler,* en phonétique. ◆ **DISSIMILATION** n. f., qui semble un peu antérieur (1868), est formé sur *assimilation.*

ASSISTER v. est emprunté, d'abord au participe présent *(estre) assistent* (1372), au latin *assistere,* altération de *adsistere,* composé de *ad-* (→ à) et de *sistere,* forme redoublée de *stare* (*adstare* existait aussi), représenté en ancien français par *ester* «être», et en français par de nombreux dérivés et composés (*station, stable, stature; destituer, instituer, rester,* etc.). Le verbe latin signifiait «être auprès de (qqn)» et «être présent», puis «aider».

♦ En moyen français, *assister à qqn* correspond à la fois à «être présent (auprès de qqn)» et à «se tenir avec, près de», avec des valeurs institutionnelles, politiques ou juridiques, «sièges (dans une assemblée, un conseil)» (1420). Le verbe se construit aussi avec *en, sur, dans* (XVIe-XVIIe s.) et, pour la seconde valeur, *autour, auprès*, etc. ◆ Ce sens a été supplanté par celui d'«être présent à (un événement collectif, un spectacle, etc.)» (v. 1500), réalisé aussi par le participe présent substantivé *assistant, ante* (ci-dessous). ◆ L'emploi transitif du verbe (1465, dans un emploi absolu de sens douteux; puis 1501) sélectionne la valeur latine d'«aide» et non plus de «présence»; la construction double *assister qqn de qqch.* (v. 1580) est aujourd'hui archaïque, alors que *assister qqn à* (et infinitif) est encore en usage. ◇ L'idée d'aide (*assister qqn dans le besoin, d'une aumône...*, 1690) a fourni des emplois spécialisés (1841, en parlant de l'aide aux prisonniers), réalisés surtout dans le dérivé *assistance* (ci-dessous) et le participe passé.

▶ **ASSISTÉ, ÉE** adj., adjectivé depuis le français classique au moins, a été spécialisé pour qualifier les bénéficiaires d'une aide publique (1866), et récemment substantivé dans un contexte social : le statut d'*assisté* est aujourd'hui dénoncé au nom du libéralisme ou remplacé par la notion de «solidarité». ◇ *Assisté* entre dans plusieurs expressions inspirées de l'anglais (*to assist; assisted*), où l'adjectif ne correspond plus à l'emploi normal du verbe en français : *freins assistés, direction assistée* (automobile) et, en informatique, *conception, dessin, traduction... **assistés par ordinateur*** (v. 1975), lesquels donnent lieu à des sigles (*C. A. O., D. A. O., T. A. O.*, etc.). ◆ Le participe présent **ASSISTANT, ANTE**, substantivé dès le moyen français (1362), correspond aux deux valeurs principales du verbe : «présence» (*les assistants*, correspondant à *assistance*) et «aide» (1530; déb. XVIIe s., *evesque assistant au pape*). ◇ Depuis le milieu du XVIIIe s., le mot, sous l'influence de l'anglais *assistant*, de même origine, signifie «personne qui en assiste une autre dans l'exercice d'une fonction». Avec cette valeur, le mot a plusieurs spécialisations, en droit : *assistant* (d'un magistrat), en médecine, en cinéma (*assistant technique*, 1923; *assistant, ante* du réalisateur; d'où *premier, second assistant*), les plus courantes au XXe s. étant universitaires, «professeur adjoint» (1897), avec le composé **MAÎTRE ASSISTANT** n. m. et le dérivé **ASSISTANAT** n. m. (1962). ◇ La spécialisation la plus usuelle au féminin est *assistante sociale* (1948, dans les dictionnaires généraux; cf. ci-dessous *assistance* sociale). D'autres composés, notamment en cinéma (*assistant-scénariste*, 1928; *assistant-réalisateur*, 1969, etc.), sont employés.

ASSISTANCE n. f. est un dérivé ancien de *assister* (1387, in *F. e. w., assistence*) où sont réalisées les deux principales valeurs du verbe, en latin comme en français : «présence» (v. 1450) et «aide» (1387). ◇ La première donne lieu à une métonymie (v. 1450) pour «personnes présentes; assemblée», puis «public, auditoire». ◇ Le sens de «fonction d'assistant» (v. 1700, à propos de l'assistant du général des Jésuites) est sorti d'usage, remplacé récemment par *assistanat*. La seconde valeur, «aide», a de nombreuses spécialisations institutionnelles (en France), comme *assistance sociale* (1901, Jaurès, in *T. L. F.*), *Assistance publique* (1849, à Paris; remplacée en 1955 par *aide sociale à l'enfance*), souvent employée absolument (*un enfant de l'Assistance*); *assistance judiciaire* (1851) et, sur le plan international, *assistance technique* (mil. XXe s.), précédée par *assistance médicale*.

ASSOCIER

ASSOCIER v. tr. est emprunté (1263; sous la forme *assoicher*, dès 1238) au latin *associare* «joindre, unir», formé de *ad* (→ à) et de *sociare* «allier», dérivé de *socius* «compagnon» (→ social).

♦ *Associer* se dit d'abord des choses, puis des personnes, notamment au pronominal (1413). La construction double (*associer qqn, qqch. à qqch.*) semble dater de la première moitié du XVIIe siècle. ◇ Le pronominal et le participe passé s'emploient à propos des personnes et des choses. ◆ Le participe passé **ASSOCIÉ, ÉE** adj. a plusieurs emplois spéciaux en chimie, mathématiques, pharmacie, physiologie et une substantivation (1510) pour «personne unie à une ou plusieurs autres par une association» et, dans l'usage général, «personne qui dirige en commun avec d'autres une entreprise» (*X et ses associés*).

▶ **ASSOCIATION** n. f. est dérivé du verbe en moyen français (*associacion*, 1408) au sens de «fait d'être associé, action de s'associer ou d'associer», en relation avec *compagnie*. Cette valeur active est surtout vivante en parlant des choses abstraites, notamment en psychologie : *association des idées* (*d'idées*, 1751) et dans certains contextes scientifiques : *association microbienne* (1897), *association de médicaments*, etc. L'*association des idées* a donné en psychanalyse *association libre*. ◆ La valeur métonymique du mot l'a emporté en parlant des personnes, en relation avec *société, parti, groupe*, etc.; ce sens est courant à partir du XVIIIe s. (Rousseau, Montesquieu); il donne lieu à de nombreuses expressions administratives, juridiques ou générales, telles *association professionnelle, syndicale, internationale...* ◇ En droit français, *association*, «mise en commun d'activité sans but lucratif», s'oppose à *société* et à *entreprise*.

ASSOCIATIF, IVE adj., dérivé du verbe parallèle à *association*, apparaît (1488) en philosophie, et semble abandonné jusque vers la fin du XIXe s. (av. 1888) où il réapparaît en mathématiques (*opération, loi associative*), quand des opérations partielles, effectuées sur des facteurs, n'affectent pas le résultat, en philosophie et en psychologie, puis en droit, au sens juridique de *association*. ◆ L'adverbe **ASSOCIATIVEMENT** est employé par de Saussure (1916) et **ASSOCIATIVITÉ** n. f. semble contemporain de l'adjectif (fin XIXe s.) en mathématiques et en logique. ◆ **ASSOCIATIONNISME** n. m. (1874) et **ASSOCIATIONNISTE** adj. et n. (1874), quoique liés à *association* (des idées), viennent de l'anglais, la théorie de philosophes comme Hume, A. Bain et de logiciens comme J. S. Mill étant fondée sur l'association automatique (en anglais *association*) des idées, d'où *associationism* et *associationist* (1862) qui ont fourni les termes français.

◈ voir DISSOCIER.

ASSOIFFER → SOIF

ASSOLEMENT → ① SOLE

ASSOMBRIR → SOMBRE

ASSOMMER v. tr. est probablement le composé aujourd'hui démotivé de *somme* n. m. (v. 1175, *assomer* et *essomer*; les *mm* apparaissent au XVe s.). Des formes dialectales en *n* montrent qu'il s'agit de dérivés du latin *somnus* «sommeil» (→ ③ somme, à sommeil). Cependant, *assommer* apparaît en français au sens d'«abattre moralement» avant le sens supposé premier, «endormir brusquement» (XVe s.). En outre, la fréquence en ancien français du sens d'«accabler, voire tuer, sous un poids» a pu faire songer à un composé de *somme* ou *somne* «charge» *(bête de somme),* du bas latin *sagma* (→ ② somme), avec la valeur d'«accabler sous le faix» (cette hypothèse se fonde sur le caractère tardif de *assommer* «endormir»). Il pourrait s'agir de plusieurs homonymes tôt confondus.

♦ La première extension, à partir du sens d'«abattre moralement», est «tuer» (1180-1200), aujourd'hui archaïque. Mais il se pourrait que ce sens résulte de l'ancien français *assommer* «achever», de *somme* n. f. (latin *summa*). L'acception présumée étymologique, «endormir brusquement», peut représenter une remotivation par le latin (XVe s.). Les sens affaiblis, «fatiguer à l'extrême, exténuer» (1501), puis «abrutir, accabler» (mil. XVIIe s.), valeur très courante chez les classiques, sont cependant plus forts que l'emploi moderne qui correspond à «ennuyer extrêmement» (depuis 1663, Molière). ◇ Concrètement, le verbe est passé du sens de «tuer» à celui de «faire perdre conscience par un coup» ou «cogner fortement», cette valeur hyperbolique apparaissant dès le XVIIe siècle.

▸ Parmi les dérivés, **ASSOMMAGE** n. m. (1464, variante *essomage*) est rare, sauf en emploi spécialisé (1859, «abattage»). ➝ Il en va de même pour **ASSOMMADE** n. f. (1861, Goncourt), **ASSOMMEMENT** n. m. (1502) et **ASSOMMEUR** n. m. (1468), attestés au propre et au figuré. ➝ Le participe présent adjectivé **ASSOMMANT, ANTE** (attesté déb. XVIIIe s.) est en revanche usuel, surtout au sens psychologique «très ennuyeux», plus familier aujourd'hui, semble-t-il.
Un dernier dérivé, **ASSOMMOIR** n. m., est apparu (1700) au sens de «casse-tête», puis de «piège qui assomme», et au figuré dans ***coup d'assommoir*** «événement qui accable brusquement» (mil. XVIIIe s.). ◇ Le mot a dû sa fortune au sens de «cabaret où l'on s'assomme d'alcool» (v. 1850), titre d'un célèbre roman de Zola (1877), grâce auquel le mot est connu, sinon bien compris et encore moins utilisé, cet emploi étant sorti d'usage au début du XXe siècle.

ASSOMPTION n. f. est un emprunt ancien (*asumpciun*, 1119) au latin *assumptio*, en latin classique «action d'ajouter, fait de s'adjoindre; emprunt», dérivé de *adsumere* (qui a donné *assumer**); ce mot latin a servi à traduire le grec *prolepsis* «mineure d'un syllogisme» et, en latin chrétien, à désigner l'Ascension de Jésus-Christ, d'après le sens pris par *adsumere* en latin d'Église : le Père éternel «assume, accepte» le Fils, puis la Vierge, en son sein.

♦ Ce sens est le premier en français, puis, le mot *ascension** étant employé avec cette valeur, le mot désigne, comme le latin médiéval *assumptio* (v. 1200, *asumption*), l'enlèvement miraculeux de la Vierge au ciel. Dans ce sens, le mot signifie par métonymie «jour anniversaire et fête de cet événement». ◇ Le sens logique du latin est réemprunté au XVIe s. (1576); s'y adjoint (1801, dans un commentaire de Kant) le sens philosophique d'«hypothèse» et, didactiquement, une valeur où le mot redevient, comme en latin, le substantif du verbe *assumer*.

▸ L'adjectif rare **ASSOMPTIF, IVE** est un emprunt (1578) au dérivé latin *assumptivus*, employé en blason, puis en philosophie et en logique. ➝ Du sens religieux de *assomption*, dans *Congrégation de l'Assomption* (fondée en 1847), vient **ASSOMPTIONNISTE** n. (attesté 1900, in *T. L. F.*).

ASSONANT, ANTE adj. est un emprunt ancien (*asonanz*, v. 1170) au latin *assonans*, participe présent de *adsonare* «répondre à un son par un autre», de *ad-* (→ à) et de *sonare*, qui a donné *sonner**.

♦ Le mot français, employé très rarement en musique (nous n'avons qu'une attestation en ancien français), a été repris au XVIIIe s. (1721), d'après *assonance*, en poésie.

▸ **ASSONANCE** n. f. est un emprunt d'époque classique (av. 1690) à l'espagnol *asonancia* (1625), du verbe *asonar*, lui-même du latin *asonare, adsonare* (voir plus haut). Il s'emploie en rhétorique et en poésie, pour désigner la répétition de la voyelle accentuée à la finale de mots successifs ou en fin de vers (en relation avec *rime*, concept distinct). ➝ Ce substantif donne naissance à **ASSONANCÉ, ÉE** adj. (1899, Gourmont), puis au verbe **ASSONANCER** (attesté 1944). ➝ Quant au verbe didactique **ASSONER**, «présenter, faire une assonance», c'est un dérivé de *assonant*, attesté à la fin du XIXe s. (1892, M. de Guérin), plutôt qu'un latinisme.

ASSORTIR v. tr. est un composé (XIVe s., au participe passé) passablement démotivé de *sorte**, avec le préfixe *a-* et le suffixe verbal (*-ir* à l'infinitif).

♦ Le mot apparaît au XIVe s. avec un participe passé («partie du ciel... *assortie*») de sens obscur («disposée selon son ordre»?). ◇ L'emploi actif (1530) correspond à «mettre ensemble (des choses)», puis (1559) «(des personnes) de manière à former un tout harmonieux». ◇ En moyen français, *assortir qqch. de...* (fin XIVe s.) correspond à «fournir» et, au figuré, à «doter».

▸ Le participe passé **ASSORTI, IE**, adjectivé, se dit des personnes et des choses; *assorti de...* au sens d'«accompagné, doté de...» est toujours en usage, à la différence du sens correspondant du verbe. ➝ Le dérivé **ASSORTIMENT** n. m. (XVe s.) désigne l'action ou la manière d'assortir des choses; à propos des personnes, il a signifié simplement «union» (1690, Mme de Sévigné). ◇ Le sens aujourd'hui le plus courant correspond à l'ancien emploi de *assortir* «fournir, garnir»; il s'est spécialisé (1620) pour désigner un ensemble de marchandises variées de même nature, en relation avec *assorti*, adj. ➛ Les autres dérivés, **ASSORTISSAGE** n. m. (XVIe s.), **ASSORTISSANT, ANTE** adj. (déb. XVIIe s.), **ASSORTISSEUR, EUSE** n. (1858), nom de métiers et d'instruments pour assortir, dans des sens spécialisés, sont archaïques ou techniques.

ASSOUPIR v. tr., d'abord attesté sous la forme du participe passé *assopi* (XVe s., Juvénal des Ursins), est peut-être la réfection du verbe *assevir, assouvir** (du bas latin *assopire* «satisfaire, rassasier»), d'après la forme latine, l'ancien français *sopir* et le sens du verbe simple *sopire* «endormir», qui avait d'ailleurs pris en Gaule le sens tardif de «calmer». *Sopire*, comme *sopor* (→ soporifique), est rattaché à *somnus* «sommeil» (→ ③ somme, à sommeil). *Assevir, assouvir* est plus ancien et courant en moyen français; *assouvir* ne se répand qu'au XVIIe siècle.

♦ Les premiers emplois du verbe (*assopir*, XVe s.; *assoupir*, XVIe s.) correspondent à «adoucir, affaiblir (des effets nuisibles)» et à «calmer» (XVIe s.), par exemple *assopir une guerre* (1549); ces valeurs, dès le XVIIe s., sont senties comme métaphoriques du sens moderne, lequel, avec la valeur du latin *sopire*, apparaît aussi au XVIe s. (1550, Ronsard), d'où *s'assoupir* (1622) et **ASSOUPI, IE** adj. (déb. XVIIe s., d'Urfé). ◇ Depuis lors, *s'assoupir* et *assoupi* signifient aujourd'hui, à l'actif et au participe passé, «s'endormir pour un léger somme» et «à demi endormi».

▸ Les dérivés **ASSOUPISSANT, ANTE** adj. (XVIIe s.; *assopissant*, 1549), d'abord «qui endort», et **ASSOUPISSEMENT** n. m. (1531) ne sont guère attestés qu'au sens de «sommeillant» et de «somme». La valeur ancienne de *assoupir* est cependant représentée (av. 1550) pour *assoupissement* «affaiblissement», sens sorti d'usage.

ASSOUPLIR → SOUPLE

ASSOURDIR → ① SOURD

ASSOUVIR v. tr., verbe sans correspondant roman hors de Gaule, pose un problème étymologique. Il est probablement issu d'un verbe gallo-romain °*assopire* «calmer» (→ assoupir), de *sopire* «endormir», dérivé de *sopor* «force qui endort» (→ soporifique), qui avait pris en Gaule le sens de «calmer». On a évoqué (depuis Ménage) un rapprochement avec *sufficere* (→ suffire) et, par ailleurs, un croisement avec l'ancien français *assevir* «achever», du latin populaire °*assequire*, altération du latin classique *assequi* «atteindre», de *ad* (→ à) et de *sequi* (→ suivre), présent en ancien français sous la forme *assuir*.

♦ Le sens est lui aussi hybride: d'abord «achever, mener à bien» (jusqu'au déb. XVIe s.), puis «calmer complètement», d'où «satisfaire, combler» (1270). La forme *assouvir* au sens de «rassasier» date de 1268 environ (Étienne Boileau). ◇ Le pronominal, d'abord passif (v. 1410), courant dans la langue classique, est littéraire.

▸ Le participe passé **ASSOUVI, IE** adj. s'emploie d'abord aux sens anciens du verbe, «porté à son comble» (1403), «pourvu de (qualités, biens, etc.)» (XVe s.), «parfait» (*id.*), ceci jusqu'au XVIe s., puis au sens moderne, «comblé», spécialement «satisfait sexuellement» (depuis XVe s.), valeurs restées vivantes. ➛ Le préfixé **INASSOUVI, IE** adj. (1794) est d'usage littéraire.
Le dérivé **ASSOUVISSEMENT** n. m. (1340) correspond au verbe; il est aussi d'usage soutenu et littéraire, comme le préfixé antonyme **INASSOUVISSEMENT** n. m. (1845) et **INASSOUVISSABLE** adj. (1845).

◈ voir ASSOUPIR.

ASSUJETTIR v. tr., d'abord sous la forme (3e pers. du présent) *assugetty* (v. 1445), puis pronominalement (*s'assoubiectir*, 1539, qui correspond à une graphie de *sujet : soubiect*), est le composé de *a-*, de *sujet** n. m., avec un suffixe verbal du deuxième groupe.

♦ L'origine en est aujourd'hui peu ressentie, mais le sens était d'abord clair, quand le verbe signifiait seulement «rendre sujet, esclave». ◇ *Assujettir* a pris, semble-t-il d'abord au pronominal (mil. XVIIe s.), la valeur psychologique de «dominer (une personne, une tendance)», puis (fin XVIIe s.) le sens concret et technique de «maintenir en place».

▸ Le participe passé **ASSUJETTI, IE** adj. se dit des personnes; il peut alors être substantivé : *les assujettis à l'impôt*. Il qualifie aussi des choses, dans les sens successifs du verbe. ➛ **ASSUJETTISSEMENT** n. m. (1572, *assubject-*) a surtout pris le sens initial et la valeur psychologique. ➛ **ASSUJETTISSANT, ANTE** adj. (1688) s'est spécialisé psychologiquement pour «astreignant».

ASSUMER v. tr. est emprunté (XVe s.) au latin *assumere* «prendre pour soi» et, en latin chrétien, «se charger de», dont le dérivé a donné *assomption**. Le verbe latin est formé de *ad-* (→ à) et de *sumere* «se charger de, entreprendre» et «prendre par adoption», mot d'origine discutée. *Sumere* pourrait représenter un °*susmere*, composé de *sus-* et de *emere* «prendre», «prendre contre de l'argent», «acheter» (→ exempt, rançon). *Susmere* serait tiré du synonyme *suscipere*, de même sens, composé en *sub-* de *capere* «prendre».

♦ *Assumer* signifie d'abord «prendre, absorber (du vin)», puis, dans la langue chrétienne (1re moitié XVe s.) et générale (1530) «se charger de», le complément désignant fréquemment la responsabilité d'un acte, une charge. ◇ Le mot est à la mode au XXe s. dans un contexte psychologique général. ➛ Le sens logique, correspondant à celui de *assomption*, est repris (1924) à l'anglais *to assume*, mais correspond à un sens du latin cicéronien, «prendre à titre d'hypothèse».

◈ voir ASSOMPTION.

✳ **ASSURER** v. tr. provient, d'abord par les formes diphtonguées comme *asoürer* (1080, au pronominal), *asseürer*, du bas latin °*assecurare* «protéger», de *ad-* (→ à) et de *securus* (→ sûr), mot postulé par les verbes de la plupart des langues romanes.

♦ Les premiers emplois sont concrets et concernent les personnes : «mettre en sécurité» : *assurer qqn de qqch.* s'emploie encore dans ce sens au XVIIe siècle. ◇ Puis apparaît (fin XIIe s. ; v. 1175, au pronominal) la valeur psychologique de «tranquilliser, rendre confiant» qui sera concurrencée par le préfixé *rassurer* (ci-dessous). *S'assurer,* «avoir confiance» (v. 1170), et *assuré,* dans ce sens, sont eux aussi remplacés par les formes en *re-*. ◇ Le verbe a signifié en ancien français (XIIe s.) «livrer (qqch.) à qqn» avec des emplois spéciaux en droit, «céder (un bien hypothéqué)» (1305), de là ***s'assurer de*** *qqch.* «se garantir de la possession ou de l'usage de qqch.» (1640), encore en usage. ◆ À la même époque, apparaît la deuxième grande valeur du verbe, qui est intellectuelle : «donner pour sûr, certain», dans *assurer qqn de qqch.* (mil. XIIe s.) et *assurer à qqn que* (v. 1180, Marie de France), sens abandonné avec un complément nominal, alors que *assurer que...* (et complétive) [1461] est bien vivant. ◇ Avec un nom de personnes pour complément, *assurer* signifie encore «rendre (qqn) certain (de qqch.)» (v. 1175, *aseürer qqn de...*). De là, la formule très courante du langage parlé : *je t'assure, je vous assure,* cherchant à entraîner la conviction. Des emplois du participe passé (XIIIe s.) correspondent à cette valeur *(soyez assuré que...).* ◇ Depuis le moyen français (1486) et après *s'asseurer* «s'établir (en parlant du beau temps)» (1250), le verbe s'emploie concrètement en parlant des choses, au sens de «fixer, consolider, rendre stable» et de «rendre ferme (son corps, etc.)». Cette valeur produit des spécialisations comme, en alpinisme, «donner une prise solide» (1780, Saussure) et, par extension, «attacher (la corde)» (1913). Dans ce sens, le verbe a des dérivés (ci-dessous). ◇ Au figuré, *assurer,* en emploi intransitif, correspond récemment à «mettre tout en œuvre pour réussir, se comporter de manière responsable et efficace». Cette valeur semble provenir de l'argot des musiciens, où *assurer* v. tr. est employé pour «fournir un accompagnement rythmique sûr» *(assurer le rythme) ;* de là, un emploi plus général dans le contexte des groupes de musique (1971) et l'emploi général (1974). ◇ Une autre extension correspond à «avoir de l'allure, de la prestance», l'influence de *être assuré, avoir de l'assurance* étant alors très sensible. ◆ Une autre valeur spéciale, celle-là ancienne, est «garantir (un navire, des marchandises) contre les risques» (déb. XVe s.), sens qui, soutenu par *assurances,* correspond au XIXe s. (1829) à «garantir (des biens quelconques) par un contrat». ◇ Le pronominal *s'assurer,* très ancien (voir ci-dessus), s'est spécialisé avec *s'assurer contre qqch.* «se défendre, se protéger» et *s'assurer de qqn ou de qqch.* «s'en garantir l'usage, l'aide, etc.». Les acceptions intellectuelles, *s'assurer de..., que..., si...* «contrôler, vérifier», sont extrêmement courantes. ◆ Le participe passé adjectivé **ASSURÉ, ÉE** possède les principales valeurs du pronominal ; le sens de «certain, sûr», très courant dans la langue classique, est cependant archaïque. *S'assurer* a reçu la valeur correspondant au sens économique de *assurance.*

► ① **ASSURANCE** n. f. Ce dérivé, d'abord sous la forme *asseürance* (2e moitié XIIe et jusqu'au XVIe s.), correspond à plusieurs sens du verbe : «sentiment de certitude, de conviction», puis (v. 1200) «de confiance, de tranquillité» (concurrencé par *sécurité*), valeurs aujourd'hui archaïques, à la différence de ***donner des assurances*** (XVIIe s.), qui correspond à *rassurer* (le verbe simple ayant vieilli dans ce sens). En ancien et moyen français, le mot désigne une garantie de paix, une trêve (1238, jusqu'au XVIe s.) et un serment de fidélité (1330). ◇ Le mot acquiert au XVIe s. (1539) le sens de «confiance en soi, aisance» (cf. *sûr de soi*). ◆ Un développement original dans le domaine financier, par spécialisation du sens de *assurer* «rendre (qqn) certain» et «fournir des garanties de sécurité», correspond à *une assurance* «un contrat qui garantit à qqn *(l'assuré)* une somme convenue, en échange d'une prime ou cotisation versée». Ce sens est d'abord attesté en marine (1489), d'où *bureau, chambre des assurances* au XVIIe siècle ; le procédé s'est étendu au début du XIXe s. à diverses garanties de risques, de là ***compagnie d'assurances*** (1829) et, par ellipse, *assurances* (XXe s.), avec des syntagmes institutionnels comme ***assurances sociales, assurance maladie*** (1909) et bien d'autres. En France *les assurances, l'assurance* désignent en général des sociétés privées, depuis la désignation par *Sécurité* sociale* des systèmes de protection sociale. ◇ Les préfixés *coassurance, réassurance* correspondent à des verbes préfixés (ci-dessous). ◆ **ASSURABLE** adj. (1864) et **ASSURANTIEL, IELLE** adj. (mil. XXe s., «des assurances sociales») n'existent que dans ce sens. ◆ C'est aussi la valeur dominante du dérivé ① **ASSUREUR** n. m. (*asseureur,* 1550, en droit maritime), qui désigne depuis le XVIIe s. (1681), par un emploi répandu au XIXe s. (1803), toute personne ou société s'occupant d'assurances. ◆ À cet emploi correspond **ASSURÉ** n. m. (1563), d'où récemment ***assuré social*** (1964), ainsi que **ASSURABLE** adj. (1865), **INASSURABLE** adj. (1965) et **ASSURABILITÉ** n. f. (1977).

L'adverbe tiré du participe passé du verbe, **ASSURÉMENT** (XVIIe s. ; d'abord *aseüreement,* v. 1160), a d'abord signifié «avec force et sûreté de soi», puis a pris le sens moderne : «de manière certaine» (1532, Rabelais). ◇ Il s'emploie en réponse pour «certainement» (1884).

Le dérivé **ASSUREMENT** n. m. (*aseürement,* fin XIIe s.) s'est employé normalement jusqu'au XVIe s. là où le français moderne utilise *assurance* ou *sécurité.* Le mot a été repris au XIXe s. (1855), en histoire, à propos de la protection royale de Saint Louis aux seigneurs qui s'en remettaient à sa justice.

Par ailleurs, *assurer,* en alpinisme, a produit trois dérivés. ◆ ② **ASSURANCE** n. f. (1931) est rare par suite de l'homonymie. ◆ **ASSURAGE** n. m. (1932) s'applique aux techniques qui préviennent et enrayent les chutes. ◆ ② **ASSUREUR, EUSE** n. (1934) se dit de l'alpiniste qui en assure d'autres.

Les préfixés *rassurer* et *réassurer* se répartissent deux valeurs très différentes du verbe simple, l'une psychologique, l'autre financière. ◆ **RASSURER** v. tr. apparaît sous la forme *rasseurer* (1165) au sens de «tranquilliser», aussi au pronominal. Ce composé préfixé en *re-* s'est spécialisé dans ce sens : «rendre la confiance, la tranquillité à (qqn)». Son emploi concret pour «affermir, rendre stable»

(1476, *rassurer*) a été abandonné. Il en va de même pour «rendre plus sûr, sans danger» (XVIe s.). ◇ *Rassurer,* «rendre confiance à qqn, libérer des craintes», a d'ailleurs éliminé *assurer* dans ce sens (voir ci-dessus) et les deux verbes sont aujourd'hui sémantiquement disjoints. ◆ Le participe passé **RASSURÉ, ÉE** (*rasseuré,* 1275) est usuel comme adjectif. ◆ Le participe présent **RASSURANT, ANTE** est devenu aussi un adjectif courant (1777) qui se dit des personnes et des choses. ◆ Le dérivé **RASSUREMENT** n. m. (1676) reste littéraire.

Dans cette série, le préfixe *re-* ne marque que la distinction de sens ; mais *assurer* a un autre préfixé en *re-*, cette fois itératif, et réservé au sens financier : **RÉASSURER** v. tr. (1681) «assurer (l'assureur)», d'où **RÉASSURANCE** n. f. (d'après *assurance,* 1681) et **RÉASSUREUR** n. m. (1762).

COASSURANCE n. f. (1876) a suscité **COASSURER** v. tr. (1965) et **COASSUREUR** n. m. (1965).

ASTER n. m., **ASTÉRO-,** nom et premier élément, sont empruntés au latin *aster,* transcription du grec *astêr* «étoile», qui a plusieurs prolongements en français comme dans plusieurs langues indoeuropéennes. Le grec *astêr* a de nombreux dérivés et composés en *astro-* (→ astro-) ; il vient d'un radical indoeuropéen °*ster* attesté en sanskrit, celtique, germanique, tokharien et, avec la variante **stel,* en latin (*stella ;* → étoile) : les noms de l'étoile sont apparentés dans de nombreuses langues.

▸ Le substantif **ASTER** n. m. a été emprunté deux fois : au XVIe s. (1549) pour désigner une plante dont la fleur est «étoilée» ; puis vers 1880 (1883, Charpentier) en biologie : «figure en forme d'étoile qui apparaît pendant la mitose». ◆ **ASTÉRIE** n. f. apparaît en 1495 sous la forme *asterice* pour nommer une variété d'opale à réflexion radiée (phénomène dit plus tard *astérisme*) ; le mot sera réemprunté (1729) pour désigner l'échinoderme couramment appelé *étoile de mer.*

ASTÉRISQUE n. m. est emprunté au XVIe s. (1570 ; variante *astérique,* à cette époque) au latin médiéval *asteriscus,* hellénisme, pris au grec tardif *asteriskos,* diminutif de *astêr.* La «petite étoile» est un signe typographique de renvoi.

Le grec *astêr,* par le latin, a surtout servi à former des mots de sciences naturelles (zoologie, botanique), comme **ASTÉRACÉES** n. f. pl., du latin moderne *asteraceae,* créé par l'Anglais Lindley (av. 1865).

Cependant, la valeur initiale, astronomique, réalisée dans le grec *astron,* latin *astrum* (→ astre), existe aussi pour *astêr.* ◆ Témoin **ASTÉROÏDE** n. m., emprunt à l'anglais *asteroid* (1802, Herschel), passé en français en 1815 ; le grec *asteroeidês* «en forme d'étoile», source de cet emprunt, est composé de *astêr.* ◇ Il était déjà passé du grec en français (*astéroïde,* av. 1752, Trévoux), mais pour désigner une plante à fleur radiée, et avait aussi fourni le nom de la classe d'échinodermes dits *astéries* (ci-dessus).

ASTHÉNIE n. f. est emprunté (1790) au grec *astheneia,* de *asthenês* «sans force», de *a-* privatif (→ ② a-) et de *sthenos* «force», mot archaïque d'origine inconnue.

♦ C'est un terme médical et psychiatrique, sans doute issu d'un latin moderne international *asthenia.* Il désigne une faiblesse pathologique.

▸ Il a produit le dérivé **ASTHÉNIQUE** adj. et n. (1814), «(personne) qui souffre d'asthénie».

ASTHME n. m. est emprunté, d'abord sous la forme francisée *asme* «angoisse» (v. 1265), refait en *asthme* (1595), au latin *asthma,* hellénisme. Le grec *asthma* «essoufflement, respiration difficile» vient probablement de la racine de *anemos* «air» (→ anémo-), avec un suffixe *-sthma.*

♦ Sous la forme gréco-latine *asthma* (v. 1580), puis *asthme* (1611), le mot est employé depuis le XIVe s., en médecine et couramment, pour désigner un syndrome de difficulté respiratoire.

▸ **ASTHMATIQUE** n. (*asmatique,* XIVe s. ; forme moderne et savante, 1538) «malade de l'asthme» est emprunté au latin *asthmaticus,* du dérivé grec *asthmatikos.* ◇ Le mot devient adjectif au XVIIIe s. pour «de l'asthme».

ASTIC → **ASTIQUER**

ASTICOTER v. tr. L'origine de ce verbe familier, attesté au milieu du XVIIIe s. (av. 1765, Caylus), est discutée. On le rattache classiquement à *dasticoter* (1640) «parler allemand», d'où *tasticoter* (1718) «discuter, tergiverser» (attesté en Picardie, en Lorraine). *Dasticoter* venait du juron *dasticot* (1574) ou *d'asticot,* qui transcrit l'allemand *Das dich Gott...* «que Dieu te...», premiers mots de formules d'imprécations proférées par les lansquenets allemands dans le nord et l'est de la France. Si la chute de la consonne initiale est possible, le passage sémantique de «discuter, jargonner en tergiversant» à «agacer» est peu vraisemblable. L'influence de *astic, estic,* formes dialectales du Nord et de Belgique, qui sont à l'origine de *astiquer*,* peut être évoquée (P. Guiraud) : l'*astic* est un outil qui pique. Quant à la finale *-oter,* elle peut bien provenir de *dasticoter,* mais aussi être suffixale (cf. *picoter*).

♦ Le verbe est familier et signifie «harceler, agacer», souvent par jeu.

▸ Les dérivés **ASTICOTAGE** n. m. (chez Mme de Staël, 1779), **ASTICOTEUR, EUSE** n. (1813) sont eux aussi familiers.

ASTICOT n. m. se trouve chez Vidocq (1828) au sens de «petit ver blanc». Il s'agit probablement d'un dérivé (déverbal) de *asticoter,* le ver servant à «agacer, taquiner» le poisson, ou bien d'une variante de mots dialectaux liés à *astiquer,* comme *estiquet* «brindille» avec le sémantisme «objet pointu» (P. Guiraud). ◆ *Asticot* désigne figurément (1845) une personne, avec une valeur voisine de *type, zèbre,* sans doute avec l'image de petitesse (ou de maigreur) remuante.

ASTIGMATE → **STIGMATE**

ASTIQUER v. tr. Ce verbe familier apparaît d'abord (1823) dans l'argot militaire et signifie «faire briller, polir (du cuir) avec l'*astic*». Ce substantif **ASTIC**, aujourd'hui technique et archaïque, désigne à l'origine (1721) un petit instrument en os, en métal ou en bois dur. Il s'agit d'un mot dialectal du Hainaut, dérivé d'un verbe régional supposé °*astiker*, °*astiquer* (attesté indirectement par *astiquette*, instrument du mineur, en Artois), qui correspond aux mots liégeois *astitchî* «pousser en avant, pointer». Ce verbe remonte à l'ancien picard *estiquier*, ancien français *estichier* (v. 1300) «ficher, enfoncer», formes empruntées au germanique (francique °*stikkan* «piquer») [→ étiquette].

♦ Le verbe français a signifié figurément «battre, frapper» (1823, *s'astiquer*, dans Balzac), sens archaïque. ◇ Il s'est diffusé dans l'usage familier avec la valeur de «frotter, polir» et, par extension, «nettoyer à fond, avec énergie». Mais l'idée de frotter reste vivante, par exemple dans des emplois érotiques du pronominal pour «se masturber».

▸ Les dérivés **ASTIQUAGE** n. m. (1866) et **ASTIQUEUR, EUSE** n. (1884) sont plus rares que le verbe.

◈ voir **ASTICOTER**.

ASTRAGALE n. m. est emprunté, d'abord sous la forme *astragal* (1546 et jusqu'au XIXe s.), au latin *astragalus*, grec *astragalos* «vertèbre» et «os du talon». Ce mot grec appartient à la même famille que *osteon* «os» (→ ostéo-), d'origine indoeuropéenne. Le latin y ajoute le sens figuré de «moulure» par comparaison avec des osselets de jeu, sens passé en français (*astragalus*, 1545). Une métaphore gréco-latine en fait un nom de plantes (dont la tige présente des nœuds comparés à des vertèbres), lui aussi emprunté par le français.

♦ *Astragale* est donc en français le nom d'un os du pied articulant le tarse et le squelette de la jambe (nom scient. *talus*), puis (1611) celui d'une plante (légumineuses). ◇ L'acception de «moulure», après le vers célèbre de Boileau, «ce ne sont que festons, ce ne sont qu'astragales», est devenue évocatrice d'ornements surchargés, de fioritures.

▸ Le dérivé ① **ASTRAGALÉ, ÉE** adj. (1842) concerne la plante; il est en concurrence avec **ASTRAGALOÏDE** adj. (1842). ➛ **ASTRAGALÉE** n. f. (1842) désigne le profil d'une corniche terminée par un astragale, sens auquel correspond un adjectif ② **ASTRAGALÉ, ÉE** (1901) «orné d'un astragale».

ASTRAKAN n. m. est emprunté (1775) au nom de la ville russe *Astrakhan*, au bord de la Caspienne, d'où provenait une fourrure d'agneau caracul, tué dès sa naissance, et à poils bouclés.

♦ Le mot désigne cette fourrure et s'emploie par analogie (1885, Goncourt in *T. L. F.*) pour «fourrure, poils ressemblant à l'astrakan».

ASTRE n. m. est emprunté (XIIe s.) au latin *astrum*, lui-même emprunt au grec *astron*, variante de *astêr* (→ aster). C'est en latin un terme noble et poétique, employé en astrologie et au figuré pour «gloire, honneurs», le mot usuel étant *sidus, -eris* (→ sidéral).

♦ Comme en grec et en latin, le mot français désigne tout corps céleste; spécialement, *l'astre, l'astre du jour* désigne le Soleil (courant au XVIIe s.). Son contexte astrologique est attesté au XVIe s. (1549, Calvin), mais doit être antérieur; il donne lieu à des expressions du type ***être né sous un astre...***, en concurrence avec *étoile*. ➛ La valeur figurée, «personne illustre, célèbre», apparaît avec la langue classique (déb. XVIIe s.; *in* Malherbe, 1630); les emplois sont alors nombreux (*mon astre* équivaut à *mon amour*); ils semblent être sortis d'usage dès le XIXe s., mais les comparaisons ***(beau comme un astre)*** et les métaphores littéraires de valeur équivalente sont toujours en usage. En français moderne, *étoile* et *star* ont repris cette figure de style.

▸ **ASTRAL, ALE, AUX** adj. est emprunté (1533) au dérivé bas latin *astralis* et signifie «qui a rapport aux astres», en contexte poétique, astrologique et spirite : *corps astral* (cf. *ectoplasme*); *fluide astral*. ◇ Par figure, on a appelé *lampe astrale* (1835) une lampe éclairant de haut en bas, sans appuis portant ombre.

◈ voir **ASTRO-, DÉSASTRE, MALOTRU**.

ASTREINDRE v. tr. est issu (fin XIIe s.) du latin *astringere* «lier, attacher», d'où au figuré «lier en engageant; obliger», composé de *ad-* (→ à) et de *stringere* «serrer, presser» (→ étreindre).

♦ En ancien français (fin XIIe s.), le verbe a des formes aujourd'hui abandonnées ([elles] *astrent*, [nous] *astraindons*), par influence des verbes en *-aindre*. La forme *astreindre* est fixée au XIVe s. (1355). ◇ Le verbe a retenu les valeurs métaphoriques et figurées du latin, «contraindre, soumettre à des obligations pénibles»; le pronominal *s'astreindre à...* est aussi ancien que le transitif *(astreindre qqn à...)*.

▸ Le participe passé a été substantivé en **ASTREINTE** n. f. (1875), «condamnation pécuniaire pour un retard à payer» en droit et, au XXe s., «contrainte, obligation stricte». ➛ **ASTREIGNANT, ANTE** adj. (attesté 1869, Goncourt) qualifie ce qui astreint, notamment un travail, une occupation.

◈ voir **ASTRINGENT**.

ASTRINGENT, ENTE adj. est un emprunt savant de la Renaissance (1537; *adstringent* en 1553, par latinisme savant) au latin *astringens*, participe présent de *astringere* (→ astreindre), employé aussi en médecine («constiper»).

♦ Terme médical, il qualifie ce qui resserre les tissus vivants, et a été substantivé au masculin.

▸ Le dérivé **ASTRINGENCE** n. f. est formé au début du XIXe s. (1816).

ASTRO-, élément emprunté au grec (de *astron*; → aster, astro-) et au latin (de *astrum*), a fourni des emprunts et des composés français, avec le sens d'«astre, corps céleste». Un autre élément *astro-*, issu du grec *astêr* et du latin *aster*, vaut pour «étoile, forme radiée», et sert à former en français des termes de sciences naturelles, biologie, etc., par exemple **ASTROCYTE** n. m. (1903), **ASTROPHORE** n. m. (v. 1860). ◇ Quant au premier *astro-*, les principaux mots issus du grec, par le latin, sont *astrolabe, astrologie* et *astronomie*.

▶ **ASTROLABE** n. m. est emprunté dès le XIIe s. (*astrelabe*, v. 1155) au latin médiéval *astrolabium*, lui-même pris au grec *astrolabion*, de *astrolabos*, de *lambanein* «saisir» (→ syllabe). L'instrument «qui saisit les astres» détermine en fait leur hauteur au-dessus de l'horizon ; c'est un disque plat, utilisé en navigation pour déterminer le point.

ASTROLOGIE n. f., emprunté au XIIIe s. (v. 1260) au latin *astrologia*, grec *astrologia* (→ -logie), signifie proprement «étude des astres», que cette étude soit descriptive et scientifique (grec *astrologia* et latin *astrologia*, dans les emplois anciens et classiques) ou qu'elle prétende aboutir à des connaissances et à des prédictions concernant la vie humaine que l'on suppose être dirigée par les astres ou en relation avec eux. Le second sens prévaut en grec tardif, en bas latin (Tertullien) et passe en français, la valeur scientifique étant plutôt dévolue à *astronomie*. Cependant on trouve, par exemple chez Oresme (1370), des emplois où *astrologie* est ambigu, comme en latin et en grec, cumulant les deux concepts (cette situation est comparable à celle de *chimie-alchimie* en ancien et moyen français). ◇ *Astrologie* a donné plusieurs syntagmes (*astrologie judiciaire*, 1549, dans les attaques portées par Calvin à cette activité) et, à la même époque, des dérivés. Le commerce des horoscopes et de la divination confère aujourd'hui à *astrologie* une valeur populaire et des contextes dégradés par rapport aux savants calculs des spécialistes.

Le dérivé **ASTROLOGIQUE** adj. (av. 1546), d'où **ASTROLOGIQUEMENT** adv. (1585), est resté usuel, mais le verbe **ASTROLOGISER** (1504), «pratiquer l'astrologie», est sorti d'usage. ◆ **ASTROLOGUE** n. est plus ancien (XIVe s.). Il est emprunté au latin *astrologus*, grec *astrologos*, avec la même évolution que *astrologia-astrologie*, et la même ambiguïté, résolue au profit du sens actuel. Le personnage de l'astrologue, en moyen français, comme celui de l'alchimiste, mêle le savoir, l'ésotérisme et le pouvoir divinatoire.

ASTRONOMIE n. f. semble plus ancien d'un siècle (1160) que *astrologie*. Le mot est emprunté au latin *astronomia*, grec *astronomia*, de *astronomos*, de *-nomos* «qui répartit, met en ordre», tiré du verbe *nemein* «distribuer, administrer» (→ nomade). En grec comme en latin, le mot concerne l'étude des astres et de leur position, tant pour des motifs d'observation (astronomie) que de prédiction et de divination (astrologie). ◇ Le mot français correspond d'abord au contexte de la divination, qui sera investi par *astrologie* ; le contexte scientifique est déjà actif à la Renaissance, avec le retour à Aristote et les développements du système de Ptolémée. Cette époque voit aussi paraître le *De revolutionibus orbium coelestium* de Copernic (1543) qui va ruiner l'ancienne représentation de l'Univers ; un peu plus tard avec Tycho Brahé (1546-1601), l'astronomie devient une véritable science d'observation. Kepler (commenté en français par Bouillaud, *Astronomie philolaïque*, 1645) et Galilée sont les grands noms du XVIIe s., avant que Newton publie les *Philosophiae naturalis principia mathematica* (1687). Dès lors, en français comme en d'autres langues, l'astronomie est définie par rapport aux mathématiques et à la physique (cf. *Encyclopédie*, t. I, 1757) ; on parle alors d'*astronomie nouvelle* (copernicienne), d'*astronomie géométrique* (depuis Ward, 1656), d'*astronomie physique*, d'*astronomie pratique*. On trouve aussi (1752) *astronomie sphérique* («géométrique, de position») et *astronomie théorique ; astronomie nautique* (1753, Maupertuis). Une synthèse en français est la *Mécanique céleste* de Laplace (1798-1825). ◇ Au XIXe s., le mot conserve sa signification, mais le concept évolue rapidement, après les calculs de Le Verrier, les observations du spectre solaire par Fraunhoffer, expliquées par Kirchhoff (1859) [cf. *spectroscopie*] et appliquées aux étoiles (Huggins, 1864), ou encore la photographie astronomique (les frères Henry, 1880). ◇ Sur le plan de la langue, cette évolution, accélérée au XXe s. (satellites artificiels, 1957 ; rayonnement radioélectrique de la Galaxie, 1932 ; hypothèses sur l'expansion et l'origine de l'Univers, étude des planètes ou *planétologie*, etc.), correspond à des syntagmes et à des composés nouveaux (ci-dessous). Au XIXe s., *astronomie cométaire, planétaire* (Arago), *solaire, stellaire* (A. Comte) et, par ailleurs, pour l'exposé, *astronomie populaire* (F. Arago, 1856-1857, posthume, puis C. Flammarion) ; au XXe s., par exemple *radioastronomie* (ci-dessous) ou *astronomie spatiale*.

ASTRONOME n. a remplacé (1549) *astronomien* (B. Latini, v. 1260), d'abord avec une valeur indistincte de celle de *astrologue*. Le mot est emprunté au bas latin *astronomus*, grec *astronomos*, mot à mot «celui qui dénombre, ordonne les astres», l'*astrologos* étant «celui qui parle et raisonne» (*logos*) au sujet de ces mêmes astres. ◇ Cette distinction originelle a été vite effacée par l'opposition de deux pratiques, l'une de connaissance objective, l'astronomie, l'autre, l'astrologie, de connaissance projective, selon la conception unitaire macrocosme-microcosme, active en Europe jusqu'à la fin de la Renaissance. L'évolution du sens, à partir du XVIIe s., correspond à celle du mot *astronomie*.

ASTRONOMIQUE adj., emprunt (XIVe s.) au bas latin *astronomicus*, grec *astronomikos*, a eu la même évolution que *astronomie* et *astronome*. En outre, par référence aux grandeurs de l'astronomie, on emploie familièrement l'adjectif (XXe s.) au sens d'«immense, très élevé» (prix, somme). ◆ L'adverbe dérivé, **ASTRONOMIQUEMENT**, apparaît au XVIe siècle. Il a pris la valeur familière de *astronomique* et signifie «immensément (à propos d'une somme, d'un prix, etc.)». ◆ L'élément **ASTRO-** correspond à «astre» dans certains composés du XVIIIe s., **ASTROMÈTRE** n. m. (1771), et du XIXe siècle : **ASTROÏDE** adj. (1838), **ASTROLÂTRIE** n. f. (1852), **ASTROMANCIE** n. f. (1839), tous rares et plus ou moins archaïques.

La plupart des composés modernes concernent l'astronomie : **ASTROMÉTRIE** n. f. (1846 ; *astrométrique*, 1843), vieilli, de même que **ASTRODYNAMIQUE** n. f. ou «dynamique des astres» (1863, Littré). ◆ **ASTROPHOTOGRAPHIE** n. f. (fin XIXe s.), peut-être emprunt à l'anglais *astrophotography* (1858), est en revanche usuel en sciences. ◆ **ASTROPHYSIQUE** n. f. (attesté 1903 ; cf. anglais *astrophysics*, 1890), aussi adjectif, désigne une branche essentielle de l'astronomie, développée depuis que

la spectroscopie* a permis d'analyser la composition des corps célestes. ◇ Il a pour dérivé **ASTROPHYSICIEN, IENNE** n. (av. 1954). ➛ **ASTROBIOLOGIE** n. f. (av. 1953, R. Berthelot) suppose des phénomènes biologiques observables hors de la Terre. ➛ **ASTROBLÈME** n. m. (1960) a été formé sur le grec *blêma* «coup, blessure», de *ballein* «jeter, frapper à distance», pour désigner un cratère dû à une météorite. ➛ Les nouvelles techniques d'observation astronomique ont suscité au XXe s. **ASTRODÔME** n. m., **ASTROGRAPHE** n. m. (av. 1961), **ASTROPHOTOMÈTRE** n. m. (av. 1974).
Un cas particulier est celui de **ASTRONAUTIQUE** n. f., formé avec *-nautique*, du grec *nautikos* «de la navigation», et apparu (1842) au sens d'«astronomie pratique utilisée en navigation» (cf. *astrolabe*, ci-dessus). Le mot était fort peu usité. ➛ Il a été repris ou plutôt recréé en 1910 par Rosny aîné, puis diffusé par Esnault-Pelterie (1927) pour désigner la navigation dans l'espace extraterrestre. Le mot a changé de statut en devenant une technique effective, après 1957; alors apparaît le dérivé **ASTRONAUTICIEN, IENNE** n. (1980). ➛ **ASTRONAUTE** n. (1928) correspond à ce dernier sens; il est concurrencé par *cosmonaute*, tandis que **ASTRONAUTIQUE** adj. est plus rare que *spatial*. ➛ **ASTRONEF** n. m. (v. 1950) a rapidement vieilli.
De *astronomie* est composé **RADIOASTRONOMIE** n. f. (1953, dans les dictionnaires généraux), formé (en anglais *radioastronomy*, 1948 Shapley) avec l'élément *radio-* pour désigner l'étude par l'astrophysique des ondes radioélectriques (invisibles) émanant des corps célestes. ➛ De là **RADIOASTRONOME** n. et **RADIOASTRONOMIQUE** adj., correspondant à l'anglais *radio astronomer* (1952) et *radio-astronomical* (1949).

ASTUCE n. f. est emprunté (1267) au latin *astutia* «habileté, finesse», dérivé du nom masculin *astus* «ruse», que les Latins considéraient comme la modification d'un neutre *astu* emprunté au grec *astu* «agglomération, ville», sur le modèle de *urbane*. Déjà en grec, le dérivé *asteios* «de la ville», signifie «élégant, de bonne qualité». Le mot grec appartient à une famille indoeuropéenne; il est apparenté au sanskrit *vástu* «résidence».

♦ Le premier emploi du mot en français (1267, B. Latini) oppose l'habileté et le bon sens utilisés à bon escient *(astuce)* à la *malice*, mais *astuce* est pris lui aussi en mauvaise part depuis Oresme (1370) et (XVIe s.) au sens de «moyen pour tromper». ➛ La reprise de la valeur méliorative, «ingéniosité fine», semble apparaître au milieu du XIXe s. et *une, des astuces* «invention ingénieuse» ou «plaisanterie amusante», pourrait venir de l'argot des grandes écoles (fin XIXe s. à Polytechnique).

▶ Le dérivé **ASTUCIEUX, IEUSE** adj. apparaît (1495) au sens péjoratif, spécialisé au XVIe s. en «qui trompe par la ruse». La valeur positive, attestée dès 1527, semble très rare; elle pourrait correspondre aux derniers emplois mélioratifs de *astuce* (voir ci-dessus); en effet, l'adjectif, avant le XXe s., est presque toujours lié à l'idée de ruse, malice, tromperie malfaisante. ➛ Au XXe s., où se développe le sens intellectuel laudatif pour l'adjectif aussi *(un étudiant astucieux, une remarque astucieuse)*, cette valeur tend à effacer la précédente. ➛ Il en va de même pour le dérivé **ASTUCIEUSEMENT** adv. (1532; XXe s., pour «avec habileté et finesse»).

ASYMPTOTE n. f. est un emprunt de la langue scientifique (1638, Descartes) au grec *asumptôtos* «qui ne tombe pas sur..., n'entre pas en contact avec...», de *a-* privatif (→ ② à) et du verbe *sumpiptein* «tomber sur...», composé de *sun* «avec» (→ syn-) et de *piptein* «tomber» (→ péripétie, symptôme), mot indoeuropéen apparenté à *petesthai* «voler», le sanskrit *pátati* correspondant à la fois à «voler», «se hâter» et «tomber». En latin, le même thème est repérable dans *pejor* (→ pire) et *pessimus* (→ pessimiste).

♦ L'asymptote est une droite dont une courbe s'approche de plus en plus, sans jamais la rencontrer. ◇ Sa figure fait image; d'où une métaphore (XVIIIe s.) et une figure : «chose qui tend vers une autre sans l'atteindre» (déb. XIXe s.).

▶ Le dérivé **ASYMPTOTIQUE** adj. (1678) a lui aussi, outre ses emplois mathématiques (*branche asymptotique*, etc.), cette valeur figurée.

ASYNDÈTE n. f. est emprunté soit au bas latin *asyndeton*, lui-même emprunt au grec, soit directement au grec *asundeton* «style sans conjonctions», de *a-* privatif (→ ② a-) et de *sundein* «lier ensemble», de *sun* «avec» (→ syn-) et de *dein* «lier», verbe indoeuropéen à comparer au sanskrit *-dyati*.

♦ Ce terme de grammaire désigne l'absence de mot de liaison entre deux mots ou deux phrases qui le requièrent normalement (ex. *bon gré mal gré*). En rhétorique, il concerne la figure par laquelle on supprime des particules et conjonctions dans une phrase pour en accentuer la rapidité et l'énergie.

ATARAXIE n. f. est un emprunt savant de la Renaissance (1580, Montaigne) au grec *ataraxia* «absence de trouble», mot d'Épicure, de *a-* privatif (→ ② a-) et du verbe *tarattein* «troubler», d'origine obscure.

♦ Employé en philosophie, notamment à propos des stoïciens, *ataraxie*, «calme absolu», s'emploie aussi en médecine.

▶ Le dérivé **ATARAXIQUE** adj. et n. (1866) correspond au nom.

ATAVISME n. m. est un dérivé savant du latin *atavi* «des ancêtres» et, strictement parlant, «quadrisaïeul» (Isidore de Séville donne la série *pater, avus, proavus, abavus, atavus*, qui est suivi par *tritavus*). Le mot serait composé de *atta* «grand-père» et de *avus* «grand-père», le premier terme étant aussi une appellation familière du père, le second un nom désignant un ancien du groupe familial et, en particulier, l'oncle maternel (ou *avunculus*, diminutif), dont le rôle social était alors aussi important que celui du père. Le radical, indoeuropéen, est à la base de mots en islandais, arménien, hittite, germanique (gotique), etc. (voir Ernout et Meillet). Le latin *avus* est à l'origine de *aïeul** et *avonculus* de *oncle** (→ avunculaire). ◇ *Atavi* a donné en français **ATAVES** n. m. pl. (1510), «ancêtres», archaïque ou plaisant.

♦ *Atavisme* n. m. a été formé avant 1838 *(Complément de l'Académie)* pour désigner les ressemblances héréditaires de plantes ou d'animaux et spécialement (2e moitié XIXe s.) le retour d'un hybride végétal au type initial dont il provient. ◇ L'emploi humain, «ressemblance avec de lointains ancêtres» (1876 in *T. L. F.*), puis «réapparition de caractères ancestraux», correspond, notamment dans ses extensions à la langue courante, au succès des théories de l'hérédité : le mot est à la mode avec et après Zola.

▶ Le dérivé **ATAVIQUE** adj. (1876) suit la même évolution.

ATAXIE n. f. est emprunté au XVIIIe s. (1741) au grec *ataxia* «désordre», de *ataktos* «désordonné, irrégulier», de *a-* privatif (→ ② a-) et de *taktos*, adjectif verbal de *tattein* «ranger, bien placer» (→ taxe).

♦ En français, c'est un mot de médecine, puis (1838) de psychiatrie : «incohérence de l'esprit». Une spécialisation médicale désigne l'incoordination nerveuse des mouvements *(ataxie locomotrice)*.

▶ Le dérivé **ATAXIQUE** adj. (1798) est aussi substantivé (av. 1877).

ATCHOUM ! interj. est une onomatopée destinée à simuler le bruit d'un éternuement.

♦ La forme écrite normalisée est attestée à partir de 1875.

ATELIER n. m. est un dérivé complètement démotivé de *astelle, attelle* «petit morceau de bois» (→ attelle).

♦ Le mot signifie à l'origine (1332, *astelier*) «tas de bois», mais très rapidement (1362) il désigne le lieu de travail du bois (tonnellerie, charronnage, menuiserie...), puis (déb. XVe s.) tout lieu de travail artisanal. ◇ En 1563, Bernard Palissy emploie *hastelier* en parlant de son laboratoire d'artisan-artiste ; à partir de cette époque, le mot s'attache à la fois aux activités artisanales et aux beaux-arts. ◇ Le premier sens donne lieu à une métonymie : «ensemble des artisans, ouvriers travaillant dans le même lieu» (1690) ; le second aussi (1808). ◇ L'atelier artisanal a suscité des emplois institutionnels : *atelier public* (1789), *atelier de charité* (av. 1838), *ateliers nationaux* en 1848, liés aux événements de l'histoire sociale, d'autres emplois dépendant de l'évolution technique et industrielle *(les ateliers d'une usine)*. ◇ Une extension concerne la franc-maçonnerie, où le mot équivaut à *loge* (av. 1866). ➛ L'atelier d'artiste est devenu au XIXe s. l'un des symboles de l'activité artistique et de l'artiste (*langage, argot d'atelier*, 1845, chez Baudelaire), avec des emplois dérivés : «ensemble des artistes travaillant autour d'un maître» *(œuvre d'atelier)*, «activité du peintre». ◇ Enfin *atelier* «groupe de travail», s'emploie (2e moitié XXe s.) en art dramatique et en pédagogie.

ATERMOYER v. tr. est composé (déb. XIIIe s., *atermoier*) de *a-* et de l'ancien verbe *termoier, termiier* «ajourner» (v. 1200) et «vendre à terme» (1270-1285), lui-même dérivé de *terme**. L'orthographe avec *y* date du XVIe s. (1571, au pronominal).

♦ D'abord général («renvoyer à plus tard») et rare, le verbe est employé en droit (1604, *attermoyer*, puis *s'atermoyer*) au sens de «renvoyer (un paiement) à plus tard». ◇ Le seul emploi moderne (XIXe s.) est absolu et général, «gagner du temps, différer une décision ou un acte».

▶ Le dérivé **ATERMOIEMENT** n. m. est d'abord juridique (*attermoyemens*, 1605) puis général, d'après *atermoyer* (av. 1848, Chateaubriand).

ATHÉE n. et adj. est un emprunt du XVIe s. au grec *atheos* «qui ne croit pas aux dieux», de *a-* privatif (→ ② a-) et de *theos* (→ théo-), peut-être par le latin chrétien *atheos* (IIe s.), au sens de «qui ne croit pas en Dieu» (IVe s.).

♦ Rabelais emploie le mot en grec, à propos de Jules Scaliger ; il est en français, avec le même sens, chez Pelletier du Mans (1547). L'emploi adjectif date du XVIIe s. (1680, Richelet). Le sens n'a pas fondamentalement varié, mais les contextes et les connotations sont différents, depuis le XIXe s. et le recul de la croyance religieuse en Occident.

▶ Le dérivé **ATHÉISME** n. m. désigne d'abord l'incroyance d'un peuple (1555), puis celle d'une personne. ➛ **ATHÉISTE** adj. «de l'athéisme» (1549), a vieilli, remplacé par *athée*, adj. ➛ **ATHÉISER** v. tr., mot révolutionnaire (1792), est sorti d'usage.

ATHÉNÉE n. m. est un emprunt (1740) au bas latin *athenaeum*, lui-même pris au grec *Athenaion* «temple d'Athéna», puis (IIIe s.) «lieu consacré aux sciences et aux techniques, sous l'égide de Pallas Athéna». Le mot est dérivé du nom de la déesse grecque *Athéna*.

♦ D'abord terme d'antiquité, *athénée* s'applique après la Révolution (1808 dans le dictionnaire de Boiste) à un établissement d'enseignement ouvert (cours et conférences) et à un établissement d'instruction publique, sens conservé en Belgique et au Luxembourg (alors que *lycée* l'a emporté en France et *gymnase* en Suisse).

ATHÉROME n. m. est emprunté (XVIe s., Paré) au latin *atheroma*, hellénisme, du grec médical et tardif *athêrôma*, dérivé de *athêra* (attique *atharê*) «bouillie de farine», d'origine obscure.

♦ Ce mot désigne d'abord en médecine un kyste sébacé (emploi ancien). ◇ Il a été repris (XXe s.) pour une lésion artérielle avec dépôt de lipides.

▶ **ATHÉROMATEUX, EUSE** adj. est dérivé savamment (1771, Trévoux) du latin *atheroma*, au sens premier de *athérome*. Le mot doit dater du XVIIe s. (anglais *atheromatous*, 1679) ; il a été repris avec **ATHÉROMATOSE** n. f. au sens moderne de *athérome*. ➛ **ATHÉROSCLÉROSE** n. f. est emprunté à l'allemand *Atherosklerose*, formé par Marchand en 1904 d'après l'allemand *Arteriosklerose* sur le grec *athêrôma*.

ATHLÈTE n. est un emprunt ancien (1495) au latin *athleta*, du grec *athlêtês* «celui qui s'exerce à la lutte», dérivé de *athlein* «lutter, concourir», lui-même de *athlos* «lutte, combat, épreuve» (le mot est employé à propos des «travaux» d'Hercule ou de l'épreuve de l'arc d'Ulysse dans *L'Odyssée*). *Athlos* désigne aussi les jeux, les concours d'exercices physiques, concurrencé par *agônes* (→ agonie). Si le sens initial de *athlos* est «épreuve pénible», on peut le rapprocher du sanskrit *vāyati* «être épuisé». Mais, selon l'hypothèse la plus probable, le sens initial est «épreuve en forme de concours, jeu», comme peut l'attester l'ancien *athlon* «prix (d'un concours)»; cependant, l'origine du mot demeure obscure.

♦ Le mot français s'emploie d'abord dans le contexte antique; mais le sens figuré, aujourd'hui vieilli (1554, *Athletes de Jesus-Christ,* c'est-à-dire «champions»), laisse entendre que l'emploi élargi était ancien. Du lutteur des stades, on est passé à la notion de «homme, puis femme : *une athlète* (1898) qui pratique un exercice physique sportif», avec une idée de compétition ou de professionnalisme. Lorsque *athlétisme* se diffuse, la notion s'y rattache. Enfin, *un athlète,* avec l'évolution de sens de *athlétique,* signifie «homme d'une grande force apparente».

▸ **ATHLÉTIQUE** adj. est emprunté (1534) au latin *athleticus,* emprunté lui-même au dérivé grec *athletikos.* Il signifie «relatif aux athlètes», antiques puis modernes, et, par extension (1818, Nodier in *T. L. F.*), «fort et musclé» (on trouve, déjà au XVIIIe s., *l'embonpoint athlétique*). ◇ Le *type athlétique* (ou *musculaire*) a donné la substantivation *un, une athlétique.* ◇ La technique des athlètes à l'antique s'est appelée *l'athlétique* n. f. (1752). ◆ L'adverbe **ATHLÉTIQUEMENT,** attesté en 1599, est repris au XIXe s. (1838). ◆ **ATHLÉTISME** n. m., dérivé de *athlète* (1855), avec la même acception que *l'athlétique,* a pris l'acception moderne d'«ensemble d'exercices physiques individuels». Avec l'olympisme et l'organisation du sport, le mot acquiert une valeur terminologique, la notion englobant course, marche, sauts et lancers (ou «concours»).

◈ voir **PENTATHLON** (et **DÉCATHLON**).

ATLAS, ATLANTE n. m. appartiennent à la série de mots (surtout latins et italiens) dérivés du nom grec *Atlas,* au génitif *Atlantos,* dieu de la théogonie archaïque soutenant les colonnes du ciel. Le nom est composé de *a-* copulatif et du thème *tla-* qui figure dans *tlênai* «supporter, prendre la responsabilité de». Ce thème remonte à l'indoeuropéen; il est bien représenté en latin (→ tolérer, tollé). En ce qui concerne le nom de la montagne africaine, *Atlas* et *Anti-Atlas* ont pu être choisis par étymologie populaire à partir du berbère *Adrār.*

♦ **ATLANTE** n. m. est un emprunt (1547) à l'italien *atlante,* du pluriel grec *Atlantes,* comme terme d'architecture, «statues colossales soutenant un entablement». ◆ **ATLAS** n. m. a en français deux sens. Le premier, «ensemble de cartes», est d'abord un titre, celui que le géographe flamand Mercator avait donné en 1585 à sa collection de cartes : le frontispice de l'ouvrage représentait le géant Atlas soutenant le ciel; repris, le mot est devenu nom commun (le *Grand Atlas* de Blaeuw, en 1663). ◆ Le second correspond à «première vertèbre cervicale», par métaphore sur son rôle de soutien de la tête.

▸ **ATLANTIQUE** adj. remonte à l'adjectif grec *atlantikos* «d'Atlas». Il correspond en géographie à *Atlas,* montagne d'Afrique, par le latin *atlanticus* (Pline); ce dernier qualifie aussi, dès Cicéron, l'océan qui baigne les côtes d'Afrique et contient l'île mythique dont Atlas est le roi et dont parle Platon, d'où en latin *Atlantis, -idis* et en français **ATLANTIDE,** d'abord adjectif (1557), puis nom féminin. ◇ L'adjectif français *atlantique,* emprunté au latin, qualifie d'abord la montagne africaine (XIVe s.), puis (1488) l'océan. C'est dans ce dernier emploi que le mot est substantivé comme nom propre et donne lieu à divers emplois spécialisés. ◇ Au XXe s., le *pacte de l'Atlantique Nord* (1949) entre les États-Unis et plusieurs pays d'Europe occidentale a produit une nouvelle valeur pour l'adjectif *atlantique* (déjà att. en 1945), parallèle à l'emploi politique de *européen.* Dans cet emploi, le critère n'est plus que partiellement géographique, le pacte comprenait des pays occidentaux, isolés de l'Atlantique (le Luxembourg), situés en mer du Nord (Danemark) ou même en Méditerranée orientale (Grèce, Turquie, qui n'étaient pas membres à l'origine). Les connotations politiques de *atlantique,* quasi synonyme de *occidental,* sont surtout politiques et sociales (capitalisme libéral). ◆ De cette valeur procèdent les dérivés **ATLANTISME** n. m. et **ATLANTISTE** n. et adj. (v. 1960).

ATMOSPHÈRE n. f. est un composé savant (1655) formé avec le grec *atmos* «vapeur humide» (d'origine incertaine; sans rapport avec le sanskrit *ātmán-* «souffle») et *sphaira* «sphère céleste» (→ sphère). Le mot a été considéré comme masculin par l'Académie de 1694 à 1740.

♦ *Atmosphère* désigne l'enveloppe gazeuse entourant la Terre, dont seule la partie inférieure, siège des météores, était d'abord envisagée : la notion s'est étendue avec la connaissance scientifique, aux XVIIIe et XIXe s., et elle s'est enrichie et précisée avec la naissance et le développement de la météorologie. Par analogie, on parle de l'atmosphère d'autres corps célestes que la Terre (Vénus, Mars...). ◇ Au XVIIIe s., le mot était devenu usuel, comme l'attestent les sens figurés, «air qu'on respire en un lieu» (1759) et «milieu qui environne; climat moral, intellectuel» (av. 1793, Barnave; antérieur comme métaphore). À la manière de *climat* et, plus tard, de *milieu, environnement,* le mot, dans ces emplois, est peu précis et n'est pas toujours compris, témoin la célèbre réplique du film *Hôtel du Nord* (Carné et Prévert), où ***changer d'atmosphère*** est interprété plaisamment comme «changer de partenaire» (*est-ce que j'ai une gueule d'atmosphère !,* dit Arletty). Dans ce sens, les références métaphoriques abondent, où *atmosphère* est employé avec des mots comme *respirer, irrespirable, suffocante,* etc. ◆ Le mot, depuis 1793, désigne aussi une unité de mesure de pression des gaz.

▶ Le dérivé **ATMOSPHÉRIQUE** adj. (1781) ne connaît guère que la valeur initiale et scientifique de *atmosphère*.

Plusieurs composés savants ont été formés sur le modèle de *atmosphère*, pour désigner des couches de l'enveloppe gazeuse terrestre. ◆ **AÉROSPHÈRE** n. f. (1828), qui désignait l'atmosphère en tant que formée d'air, est sorti d'usage. ◆ **STRATOSPHÈRE** n. f. a été formé par Teisserenc de Bort (1898), pour désigner la couche entre 8-17 et 50 km d'altitude, avant qu'il ne propose **TROPOSPHÈRE** n. f. (av. 1913) pour la couche inférieure (8 à 17 km). ◆ **MÉSOSPHÈRE** n. f. est emprunté à l'anglais *mesosphere* (S. Chepman, 1950) pour la couche allant de 50 à 85 km (au-delà, on parle de **THERMOSPHÈRE** — jusqu'à 500 km — puis d'**EXOSPHÈRE**). Seul *stratosphère* est devenu courant dans les années 1930, à l'occasion des ascensions. ◆ De là **STRATOSPHÉRIQUE** adj. (1931) dont les connotations scientifiques et aventureuses, actives jusqu'en 1950 environ, ont disparu avec l'exploration de l'espace, cet adjectif étant aujourd'hui plutôt réservé à la météorologie.

ATOLL n. m. est un emprunt exotique au maldive, langue indoeuropéenne des îles situées au sud de Ceylan (Sri Lanka), par l'anglais *atoll*. La forme originelle est *atolu*.

♦ On trouve en français *atolon* (1611), *atollon* (1637), puis *attôle* (1773) avant la forme moderne, fixée au milieu du XIXe siècle. Outre son sens géographique précis d'«île corallienne ou madréporique entourant un lagon», le mot évoque plus vaguement les rivages ensoleillés des îles du Pacifique ou de l'océan Indien.

ATOME n. m. est attesté dans la seconde moitié du XIVe s. sous la forme *athome*, traduisant le latin *athomus*, variante de *atomus*, emprunt au grec *atomos* «qu'on ne peut diviser, couper», de *a-* privatif (→ ② a-) et de *tomos*, de *temnein* «couper, diviser» (→ tome, -tomie). Le mot grec chez Démocrite et Épicure et le mot latin chez Lucrèce ont pris le sens de «particule de matière, considérée comme insécable et ultime». Un autre mot latin, de sémantisme analogue, a fourni *individu**.

♦ La valeur philosophique antique, dans un contexte en principe matérialiste, est la première en français, où le mot désigne par extension, au XVIIe s., une chose infime, tel l'homme opposé à l'univers. En français classique, le mot a servi à désigner l'animal qu'on pensait être le plus minuscule, tel que le révélait le microscope (le sens est alors analogue à *ciron*). Il reste de cet emploi archaïque, concurrencé par *grain, particule, molécule*, etc., l'emploi négatif *(ne... pas un atome)*, attesté au XVIIIe s. (Voltaire), et l'expression ***ne pas avoir un atome de*** (*bon sens*, etc.). ◇ Mais le mot, didactique ou vieilli avec cette valeur étymologique de «partie insécable», d'ailleurs transformée en «partie ultime» et, couramment, «partie infime», a eu une immense fortune en sciences, avec l'hypothèse de la chimie moderne, au début du XIXe s. (loi de Gay-Lussac, 1808). Le mot correspond à l'idée, d'abord abstraite, de particule d'un élément formant la plus petite quantité susceptible de se combiner (Dalton, Gay-Lussac, Proust, Berzelius, Avogadro). Ce sens a donné (1922) le composé aujourd'hui vieilli **ATOME-GRAMME** n. m. (on dit : *mole d'atomes*). À cet emploi en chimie correspond la notion de théorie atomique, d'atomicité (ci-dessous) et les composés de *atomique : mono-, bi-, tri-, tétra-atomique*, employés dans la seconde moitié du XIXe s. (on les trouve tous dans un dictionnaire de 1868), avant *mono-, bivalent*, etc. Le mot est alors inséparable de *molécule* et des syntagmes formés avec *atomique* (ci-dessous) et *moléculaire*.

Le passage de cette notion abstraite de l'atome, liée à l'idée de proportions définies dans les combinaisons chimiques, à celle d'une particule matérielle descriptible et analysable, s'effectue avec les travaux portant sur les propriétés électriques de la matière (J. J. Thomson découvre l'électron en 1897), sur la radioactivité (1896, Becquerel ; 1899-1911, Rutherford). Ces travaux aboutissent à des modèles d'atome, formé d'*électrons* et d'un *noyau* (*nucleus*, 1912, Rutherford). Le modèle «planétaire» de Rutherford, puis de N. Bohr (1913), sera progressivement complexifié. Dès lors, l'atome est conçu comme un système complexe et dynamique, et la valeur étymologique du mot («insécable»), encore sauvegardée dans l'emploi abstrait par la chimie du XIXe s., disparaît totalement, notamment avec la possibilité reconnue de modifications de l'atome, spontanées (radioactivité naturelle) et plus tard provoquées (artificielle). Si le sens moderne du mot, depuis 1911-1912, peut être considéré comme établi, les notions qui correspondent au terme scientifique changent avec les connaissances en physique des particules. En outre, le vocabulaire de l'atome se forme alors en anglais, en allemand, en français, en italien *(neutrino)*, chaque fait de langue suscité étant rapidement emprunté par les autres langues. ◇ Le mot français, connu de l'usage courant surtout depuis la bombe atomique, a pris, d'après *atomique* (v. 1945), la valeur de «connaissances et techniques liées à la structure de la matière» : *la civilisation de l'atome ; les techniques de l'atome ; maîtriser l'atome* (cf. *nucléaire*).

▶ Le dérivé **ATOMIQUE** adj. apparaît (1585) au sens philosophique d'Épicure et de Lucrèce. Au XIXe s. (Nysten, 1858), concurrencé par *atomistique* (av. 1838, *Complément de l'Académie*), il qualifie l'hypothèse des atomes en chimie. Cette acception (mil. XIXe s.) sert à désigner plusieurs notions clés de la chimie : *masse* et *poids atomique, nombre* ou *numéro atomique* (classification de Mendeleïev), *notation atomique*. ◇ Au XXe s., l'adjectif suit l'évolution du nom et signifie soit «relatif à l'atome, en tant que système complexe», soit «relatif à sa partie centrale, le noyau» (syn. de *nucléaire*, qui le concurrence dans plusieurs acceptions), par exemple dans *structure, désintégration atomique ; physique atomique ; énergie atomique*. ◇ Les techniques, militaires (depuis la ***bombe atomique***, 1945) ou pacifiques ***(pile, centrale... atomique)***, conduisent à une nouvelle valeur : «qui concerne ou utilise l'arme atomique» et «qui emploie l'énergie atomique» ou «qui se caractérise par son utilisation» : *époque atomique*, emploi critiqué. ◇ Une extension familière

(v. 1950) a rapidement vieilli : elle donnait à *atomique* la valeur affaiblie de *formidable.* ◆ L'adjectif a pour dérivé **ATOMIQUEMENT** adv. (1843), qui suit la même évolution, et **ANTIATOMIQUE** adj. (1945), «qui s'oppose aux effets nocifs des radiations atomiques» et «qui s'oppose à la bombe atomique». ◇ **SUBATOMIQUE** adj. (1903) qualifie ce qui est à une échelle inférieure à celle des atomes. ◆ **ATOMICITÉ** n. f. (1865) désigne la capacité de combinaison des atomes, la valence. ◇ Dans un autre sens de *atomique,* il désigne le caractère d'un marché «atomisé», formé d'une grande quantité de partenaires. ◆ **ATOMISME** n. m. (1751) et **ATOMISTE** n. (1695) et adj. concernent la doctrine philosophique et physique du matérialisme grec et latin puis, en histoire des sciences, l'hypothèse moderne des atomes au XIXe s., appelée aussi (1897) **ATOMISTIQUE** n. f. et adj. qui existait dep. 1827 au sens de «atomique» *(forces atomistiques)* ; le triomphe de la théorie atomique fait disparaître l'usage de ces termes vers la fin du XIXe s. ◇ *Atomiste* a été repris, comme nom ou en apposition (1934), pour «spécialiste de physique atomique».

ATOMISER v. tr. est emprunté (1884, *atomisé*) à l'anglais *to atomize,* de *atom* (même origine que *atome*) au sens non scientifique de «très petite particule» pour «réduire en particules ténues». ◇ Le verbe est courant au figuré, «subdiviser à l'extrême», d'où *s'atomiser* (1927) et *atomisé.* ◇ *Atomiser,* surtout au passif et au participe passé (1948, Camus), parfois substantivé, a été repris au sens de «détruire, tuer, irradier... par un engin atomique» *(les atomisés d'Hiroshima).* ◆ Le dérivé **ATOMISATION** n. f. (1907) a les deux valeurs. ◆ **ATOMISEUR** n. m., «pulvérisateur», est emprunté (1928) à l'anglais *atomizer,* de *to atomize* (cf. *atomiser*).

ATONAL, ATONALITÉ → TON

ATONE adj. est un emprunt savant (médecine) et récent (1813) au grec *atonos* «non tendu», d'où «faible, sans force», employé tardivement en grammaire, au sens de «non accentué», de *a-* privatif (→ ② a-) et de *tonos* (→ ton).

♦ Terme médical formé sous l'influence de *atonie* (ci-dessous), l'adjectif entre immédiatement dans la langue générale (av. 1823) avec le sens d'«inerte, mou» ou «amorphe». Il se spécialise en phonétique (1877) pour «non accentué», en opposition à *tonique.*

▶ **ATONIE** n. f. est plus ancien. C'est un emprunt (XIVe s., *athonie*) au grec *atonia* «relâchement», dérivé de *atonos.* Oresme a emprunté le mot aux traductions latines d'Aristote *(atonia).* ◇ Le sens premier est «faiblesse physique et psychique» ; le mot devient un terme médical au XVIIIe s. (1751), passant de la psychologie à la physiologie nerveuse. Il repasse dans la langue générale (1834, Balzac) pour «manque de vitalité, d'énergie», mais reste plus rare que l'adjectif *atone.*

ATOURS n. m. pl. est dérivé, d'abord au singulier (*atur,* 1150-1160, «vêtement [d'homme]»), du verbe disparu *atourner* (*atorner,* mil. XIe s.), formé du préfixe *a-* et du verbe *tourner**, et qui signifiait «orner, parer». Ce verbe était encore employé régionalement vers 1920-1930, surtout au participe passé (H. Pourrat, en Auvergne).

♦ En ancien français *l'atour* est la toilette recherchée d'une dame noble ; d'où (1492) *damoiselle d'atours,* ***dame d'atour,*** qui présidait à la toilette d'une reine, d'une princesse, emploi encore connu comme terme d'histoire. L'emploi au pluriel de ce mot médiéval (v. 1280), ***les atours,*** au sens de «toilette et parure féminine», a subsisté au moins en usage ironique et plaisant, dans quelques syntagmes *(elle a mis ses plus beaux atours).*

ATOUT n. m. est composé (mil. XVe s.) de *à** et de *tout**, cette origine n'étant plus analysée, en général.

♦ *Atout* apparaît d'abord (1440) dans une locution du langage général : *jouer atout* «prendre des risques» (on dit aujourd'hui *jouer son va-tout**), puis (av. 1680, Richelet) au jeu de cartes, dans *jetter [jeter] un atout.* Le mot se libère alors des locutions verbales comme ***jouer, faire atout,*** où il signifie «pour tout gagner, pour prendre tout l'enjeu», et commence à désigner, aux jeux de cartes (XVIIIe-XIXe s.), la couleur qui permet de l'emporter, appelée en français classique le *triomphe.* ◇ On passe de la couleur gagnante à la carte qui est de cette couleur et, par métaphore, à «moyen, possibilité de réussir» (chez Barrès, 1905 in *T. L. F.*). ◇ En français populaire du XIXe s. (E. Sue), ***avoir de l'atout*** (donc «de la couleur gagnante») signifiait «avoir de la chance».

ATRABILE, ATRABILAIRE → BILE

ÂTRE n. m. Ce mot, auquel on assignait au XIXe s. une origine germanique, serait issu (XIIe s.) du latin populaire *astracum* (VIe s.) «dalle», puis «pavement», déformation à partir du pluriel *ta ostraka,* du grec *ostrakon* «objet en terre cuite ; tesson» (→ ostracisme) : un verbe latin tardif (Xe s.), *ostracare* «construire en brique», a pour participe passé *ostracatus,* qui convient pour le sens. Cette hypothèse ne paraît plus discutée mais on peut toutefois rappeler que le latin *ater, atrum* «noir» est probablement en relation avec *atrium* et avec divers mots indoeuropéens désignant le feu, le fourneau (→ atrium).

♦ L'ancien français *astre,* parfois *aistre* (sous l'influence de *estre,* issu du latin *extera ;* cf. *aîtres*), désigne (XIIe s.) la partie de la cheminée où l'on fait le feu, et aussi (2e moitié XIVe s.) la «sole» d'un four. Au XVIe s., Henri Estienne considère que le mot est l'équivalent parisien du terme général *foyer.* ◇ *Âtre,* à la différence de *foyer,* est demeuré une désignation concrète de la cheminée servant à faire le feu.

◈ voir ATRIUM, HUÎTRE, OSTRACISME.

ATRIUM n. m. est un emprunt savant (1547) au mot latin désignant la pièce principale de la maison romaine, carrée, couverte, mais percée d'une ouverture en son centre, correspondant à un bassin *(impluvium).* Si le mot n'est pas d'origine étrusque, hypothèse qui paraît la plus plausible, il pourrait, selon les Anciens eux-mêmes (cf. Ernout et Meillet), se référer à l'ancien modèle architectural où l'ouverture centrale du toit correspondait au foyer, pour l'évacuation de la fumée ; d'où la valeur de «noirci par le feu», *atrium* étant alors dépendant de l'adjectif *ater* «noir» (→ airelle, atroce). Les étymologistes, bizarrement, n'ont d'ailleurs pas retenu cette possibilité pour *âtre**.

♦ *Atrium* est passé en français (1547) comme terme d'Antiquité romaine ; le mot a des emplois métaphoriques en sciences naturelles et en physiologie (1892, «oreillette du cœur embryonnaire»). ➙ De là, au début du XXe s., **ATRIOVENTRICULAIRE** adj., de l'anglais, où *atrium* vaut pour «oreillette (du cœur)».

ATROCE adj., d'abord sous la forme *atroxe* (1392), est un emprunt au latin *atrox, -ocis* «affreux», proprement «à l'aspect noir», dérivé de *ater, atrum* «noir», adjectif peut-être en relation avec *atrium*, et certainement à l'origine de *airelle** (→ atrabile, à bile).

♦ L'adjectif français qualifie d'abord une injure, puis au sens passif (XVIe s.) une douleur insupportable. Par exagération, il est à la mode depuis le début du XVIIIe s. (Saint-Simon) et jusqu'à nos jours pour «très désagréable, pénible».

▸ **ATROCITÉ** n. f. est un emprunt (mil. XIVe s., *atrocité*) au dérivé latin *atrocitas*. ➙ Il a les deux valeurs normales, abstraite *(l'atrocité de...)* et concrète (1507 ; *une, des atrocités*) de ce type de noms. Par affaiblissement, il est devenu quasi synonyme de *horreur*.

ATROCEMENT adv. est dérivé (1533, *atrossement*) de l'adjectif ; il s'est lui aussi affaibli en «excessivement, terriblement» (attesté 1866).

ATROPHIE n. f. est un emprunt savant des médecins (1538) au bas latin médical *atrophia* «consomption», hellénisme emprunté au grec *atrophia* «dépérissement», de *a-* privatif (→ ② a-) et de *trophê* «nourriture» (en élément, *-trophia*), dérivé du verbe *trephein* qui signifie à l'origine (Benveniste) «faire se développer (une chose qui croît)», d'où «nourrir, élever» et «chérir, choyer».

♦ Le mot désigne la diminution de volume d'une structure vivante, par une cause physiologique et, figurément (av. 1847), un arrêt de développement ou une régression.

▸ Le dérivé **ATROPHIER** v. tr. apparaît d'abord au participe passé : **ATROPHIÉ, ÉE** adj. (1572) en concurrence avec *atrophe* (1564, Rabelais, emprunt au grec *atrophos*) qu'il élimine. Ce participe passé adjectivé et le pronominal *s'atrophier* sont plus courants que le verbe actif. ◇ Tous ces emplois sont repris métaphoriquement dans la première moitié du XIXe s. (*s'atrophier* «se dégrader, dépérir»). ➙ **ATROPHIQUE** adj., autre dérivé (1863, Littré), est demeuré un terme technique, en médecine et en biologie.

◈ voir HYPERTROPHIE, LIMITROPHE, TROPHIQUE.

ATROPINE n. f., nom d'un alcaloïde, est dérivé (1836) de *atrope* ou *atropa* (1788), autre nom de la belladone, tiré du nom grec de la Parque *Atropos*, chargée de couper le fil de la vie, à cause de ses propriétés vénéneuses. *Atropos* est issu d'un adjectif signifiant «inflexible», «immuable, éternel», formé de *a-* privatif (→ ② a-) et de *trepein* «tourner, changer» (→ trope).

♦ Le mot désigne l'alcaloïde toxique tiré des feuilles de la belladone, utilisé en médecine comme antispasmodique.

▸ On en a tiré **ATROPINISÉ, ÉE** adj. (1875), le verbe **ATROPINISER**, d'où (fin XIXe s.) **ATROPINISATION** n. f., notamment à propos de l'utilisation de l'atropine comme collyre, dilatateur de la pupille.

ATTABLER → TABLE

ATTACHER v. tr. Ce verbe ancien (1080) n'est pas d'origine claire. On a fait l'hypothèse d'un dérivé latin de *attingere* ou *attangere* (→ atteindre), °*attacticare*, au sens de «mettre la main sur» (P. Guiraud), qui le rattacherait à *attaquer** (la confusion des deux verbes français est attestée au XVIe s.). Mais la solution la plus souvent retenue est une substitution de préfixe de l'ancien français *estachier*, attesté plus tard (déb. XIIIe s.) mais dérivé du nom ancien *estache* «pieu», qui se trouve dans la même phrase qui procure le verbe *attacher (La Chanson de Roland : «a un estache l'unt atachet cil serf»)*. Ce mot doit venir d'une source francique °*stakka* (→ étai), une forme avec *kk-* étant indispensable pour obtenir *estache* (alors que les mots germaniques servant à la reconstitution ont une consonne simple, *stake, staken*, etc., difficulté non résolue). De même, le gotique °*stakka* serait à l'origine de l'italien *stacca*, espagnol *estaca*.

♦ Quoi qu'il en soit, le verbe français est rapidement pris au figuré (XIIe s.), avec une valeur psychologique, «lier par un rapport», que ce soit de contrainte ou de devoir, de sujétion ou d'amour, et, beaucoup plus tard (1622), avec une valeur intellectuelle, pour «joindre en esprit». Le premier sens se réalise surtout au pronominal, en relation avec le dérivé *attachement*. À partir du milieu du XVIIe s., *attacher une personne à...* et *s'attacher qqn* signifient «mettre au service de...» ; d'où une valeur de *attaché* (ci-dessous). ◇ *S'attacher*, outre le sens concret et celui qu'on vient de mentionner, signifie (1574) au figuré «se joindre, s'unir à qqch.», en parlant d'une chose. ◇ D'une personne, on dit *s'attacher à qqch., à faire qqch.* pour «s'appliquer avec constance».

▸ Le participe passé **ATTACHÉ, ÉE** prend les différentes valeurs de l'actif et du pronominal, notamment *attaché à...* (qqn, qqch.) «lié par un rapport de dépendance ou d'affection». ◇ Le sens classique ancien, «qui est au service de...», se réalise par le substantif *un, une attachée* (1795) «personne attachée à un service», d'où (1822) ***attaché d'ambassade***, puis (1919) *attaché commercial, attaché militaire, culturel*. ➙ De ce sens, passé en anglais, est revenu **ATTACHÉ-CASE** n. m. «mallette *(case)* d'attaché (diplomatique)» (employé, dès 1921, par P. Morand) et désignant depuis 1960 une petite mallette remplaçant parfois la serviette, le porte-

documents, et caractéristique de l'homme d'affaires.
Le dérivé **ATTACHEMENT** n. m. (1231, *atachemens*) s'emploie d'abord pour «engagement» puis au sens psychologique, aujourd'hui le plus usuel. ◇ Celui d'«application (à un travail)» est propre à la langue classique (à partir de 1659). Enfin, une acception concrète (1573, en architecture) est restée technique.
Pour le déverbal **ATTACHE** n. f., au contraire, c'est le sens concret de «lien» qui l'emporte, depuis l'origine du mot (1155, «ruban»), qui a pris plusieurs valeurs spécialisées et techniques, en chemin de fer, en ski, etc. ◇ L'acception logiquement première, «action d'attacher», n'apparaît qu'au XVIe s. et ne s'est guère conservée que dans des expressions ***(à l'attache ; ... d'attache)*** et par extension (***port d'attache,*** 1866). ◇ La métonymie pour «endroit où s'insère un muscle» (1755) s'est élargie dans la langue courante (1836), d'où ***les attaches*** désignant le poignet et la cheville. ◇ Les sens abstraits, «lien moral» (XIIIe s.), «rapports affectifs» (1552), éliminés par *attachement,* «intérêt intellectuel» (1656), ont vieilli à partir du XVIIIe s., sauf au pluriel, avec l'idée de «sentiments ancrés dans l'habitude». ➛ Le participe présent adjectivé **ATTACHANT, ANTE,** qui a signifié (XVIIe-déb. XIXe s.) «qui accapare», puis «qui retient l'intérêt», correspond aujourd'hui à «attirant, séduisant pour la sensibilité». ➛ **ATTACHEUR, EUSE** n. (*attacheur,* v. 1270) est demeuré technique ou littéraire.

◈ voir ATTAQUER, DÉTACHER.

ATTAQUER v. tr. est un emprunt militaire (1540) à l'italien *attacare* «assaillir, investir», souvent employé dans des contextes comme *attacare battaglia, attacare la scaramuccia* «attaquer l'escarmouche» (emprunté par Rabelais, 1549). Le mot italien est d'origine aussi obscure que le français *attacher**, mot distinct, alors même que sa variante picarde *attaquer* avait pris le sens de l'italianisme. On le rapporte en général au germanique soit par *tacca* «entaille», du gotique *staikn* «signe, marque», soit par *staccare* «détacher», du gotique *stakka* «pieu», mais les deux origines ne sont pas très satisfaisantes, au moins sémantiquement. Pour P. Guiraud, l'italien *attacare,* comme le français *attacher,* viendrait d'un verbe latin populaire dérivé de *attingere* «atteindre*».

♦ Le mot, attesté d'abord au pronominal, a été critiqué par Henri Estienne en tant qu'italianisme, mais s'est rapidement imposé. Le sens belliqueux de ce verbe s'est spécialisé en escrime (1859) et étendu en droit (1735, *attaquer qqn en justice,* chez Marivaux), et plus récemment en sports. ◇ Les valeurs abstraites semblent apparaître au milieu du XVIIe siècle : «saisir (en parlant d'un mal, d'une maladie)» (cf. *atteindre*) ; «critiquer vivement (qqn)», *attaquer* étant antérieur dans ce sens ; «entreprendre (un sujet, un travail)», chez Mme de Sévigné (1675). ◇ Avec un sujet et un complément nom de choses *(la rouille attaque le fer)* ou, pour le sujet, d'un agent vivant (insecte, etc.), l'emploi semble plus tardif (1743).

▸ Le dérivé le plus usuel est le déverbal **ATTAQUE** n. f., qui apparaît à la fin du XVIe s. (1596) au sens de «critique violente, fait d'attaquer verbalement», alors que le sens propre, guerrier, n'est pas attesté avant 1611 (mais doit être antérieur). Le mot a de nombreux emplois spéciaux, en escrime (1751), en sports (1901), et des extensions *(l'attaque d'une banque).* ◇ *Attaque* a pris d'autres spécialisations, au sens d'«action d'entreprendre», notamment en musique, en technique, où ***d'attaque*** signifie en outre «qui entre en contact avec force avec un élément» (*bord d'attaque* d'une aile d'un avion). ◇ Au figuré, le nom désigne la brusque action d'un mal, d'une maladie (1669), en concurrence avec *accès.* ◇ Enfin, *(être)* ***d'attaque*** (fin XIXe s.) signifie familièrement «en forme», le sens originel étant «capable d'attaquer (un travail)». ➛ **ATTAQUEUR, EUSE** n. (1587) est demeuré rare, ainsi que **ATTAQUABLE** adj. (1596), employé aussi au figuré *(raisonnement attaquable)* et en droit, alors que **INATTAQUABLE** adj. (1726) est usuel, tant au sens propre qu'au figuré, pour «inaltérable», en droit et dans l'usage général aux sens d'«indiscutable» et «d'une qualité morale indiscutable». ◇ **INATTAQUÉ, ÉE** adj. (1786) est plus rare. ➛ **ATTAQUANT, ANTE** adj. (1787) est peu usité, mais sa substantivation au masculin pour «personne(s) qui engage(nt) le combat», opposé à *défenseur,* est usuelle, remplaçant *attaqueur.*
Les composés **CONTRE-ATTAQUE** n. f. (1887) et **CONTRE-ATTAQUER** v. tr. (fin XIXe s.) sont usuels en contexte militaire et figurément (1905, en sports). *Contre-attaque* était apparu (1842) au sens d'«ouvrages défensifs», sens qui a disparu.

ATTARDER → **TARD**

ATTEINDRE v. tr. est issu par évolution phonétique du latin populaire *attangere,* lequel provient du latin classique *attingere* «arriver, parvenir à», modifié d'après *tangere* «toucher», d'où vient le préfixé ; *tact, tactile, intègre, contigu, contagion* sont issus de la famille de *tangere.* Le mot est peut-être apparenté au germanique (gotique *tekan,* anglais *to take*...). Comme pour les verbes *attacher** et *attaquer**, traditionnellement rattachés à une origine germanique, P. Guiraud propose d'y voir l'aboutissement d'un dérivé populaire de *attingere,* formant ainsi une famille de verbes gallo-romans.

♦ Le sémantisme de *atteindre* a en tout cas des points communs avec celui des deux verbes *attacher-attaquer* et, en outre, avec celui de *chasser : atteindre un fuyard* (1080). À la même date *(La Chanson de Roland), atteindre* signifie «attaquer», en parlant d'un mal, puis *ataindre qqn de qqch.* «le toucher en le blessant» (XIIe s. ; cette graphie *ataindre, attaindre* est fréquente avant le XVIIe s.). ◇ Vers 1155, *atteindre* s'emploie déjà au figuré pour «égaler, parvenir au même niveau». ◇ La construction avec *à* («parvenir à» et «réussir») est courante à l'époque classique, puis devient un archaïsme.

▸ Le participe passé adjectivé **ATTEINT, EINTE** ne s'emploie guère qu'en attribut. Il est concret et surtout abstrait «touché par un mal», notamment «troublé mentalement». ➜ Le dérivé **ATTEINTE** n. f. (*atainte*, v. 1295) est d'abord figuré. *Venir à son atteinte* correspond en ancien français à «parvenir à ses fins». ◇ Le sens concret de «coup par lequel on atteint» (XVe-XVIIe s.) a disparu, et le mot ne subsiste, au sens de «possibilité d'atteindre», que dans la locution ***hors d'atteinte*** (La Fontaine). ◇ La valeur dominante est aujourd'hui «dommage matériel ou moral» (1636, Corneille, par métaphore), notamment dans ***porter atteinte à*** «attaquer». ➜ Un autre dérivé, **ATTEIGNABLE** adj. (*attaignable*, XVe s.) semble inusité avant le XXe s. (1942 in *T. L. F.*). ➜ Le préfixé (ou parasynthétique, directement formé sur *atteindre*) **INATTEIGNABLE** adj. (1813, Stendhal) s'emploie au concret et aussi à l'abstrait, pour «que l'on ne peut toucher, maîtriser» *(un idéal inatteignable)*. Ces deux adjectifs sont littéraires.

ATTELER v. tr. est emprunté (v. 1165) au latin *attelare*, produit par substitution de préfixe à partir du bas latin *protelare* «conduire jusqu'au bout», de *protelum* «fait de tirer en avant», surtout à l'ablatif *protelo* «d'un trait», en contexte agricole. Le mot est apparenté à *tendere* (→ tendre) et à *tenere* (→ tenir), avec le préfixe *pro-* (→ pour, pro-).

♦ En français, *atteler*, outre le sens propre, «attacher (une bête de trait) à (une voiture)», se dit au pronominal *(s'atteler)* et au figuré pour «s'associer avec (qqn)» (1675, Mme de Sévigné) et «se mettre à (une tâche)» (av. 1850, Balzac). ◇ Une extension technique permet de dire *atteler une voiture à un convoi, atteler un moteur à une pompe*, etc.

▸ Le seul dérivé usuel, outre le participe passé, est **ATTELAGE** n. m., représenté par *hastelage* (1563) et sous la forme contractée *atlage*, à la fin du XVIe s. (av. 1589); le mot désigne les bêtes attelées et le harnais servant à atteler (déb. XVIIe s.). Le sens logiquement premier, «action d'atteler», est plus tardif, au moins dans les textes disponibles. ➜ **ATTELÉE** n. f. (1530) est demeuré rare.

DÉTELER v. tr., formé de *dé-* et de *atteler*, est d'abord attesté (v. 1175, *desteler*) au sens de «se détacher», en parlant d'un fruit. ◇ La valeur moderne, correspondant à *atteler*, est «détacher (une bête de trait) de l'attelage» (fin XIIe s.), puis «séparer (une voiture, une charrue) des bêtes qui y étaient attelées». De là, *dételer un wagon, une voiture de chemin de fer*. ◇ Au figuré, le verbe est employé intransitivement pour «s'arrêter dans une activité, un travail» (1845) et «se ranger, adopter une vie plus calme». ➜ Le dérivé **DÉTELAGE** n. m. (1836) est rare.

ATTELLE n. f. est emprunté, sous la forme *asteles* (1155), altéré en *estelles* à la fin du XIIe s., au bas latin *astella* «copeau, éclat de bois», du latin classique *assula*, lui-même diminutif de *assis*, qui a donné *ais** (*attelle* est encore le quasi-synonyme de *aisseau*, dérivé de *ais*, au XVIIe s.). Le passage de *assula* à *astella* s'explique par une prononciation °*assla*, °*astla*, d'où °*astula*.

♦ Signifiant d'abord «éclat de bois, petit morceau coupé» (sens dont *atelier** est issu), *attelle*, sous la forme *estelles*, s'applique dès l'ancien français (fin XIIe s.) à la planchette utilisée par les chirurgiens pour réduire une fracture. ◇ En 1606, est attesté le sens technique, très probablement influencé par *atteler* (qui est sans rapport étymologique), de «pièce adaptée au collier du cheval de trait et où sont attachés les traits»; d'où le sens de «bretelle (pour tirer), sangle», conservé régionalement. ◇ Une autre valeur technique, «manche, poignée en bois» (1704), reprend la valeur initiale.

◈ voir ATELIER.

ATTENANT → TENIR

ATTENDRE v. tr. est emprunté (*atendre*, XIe s.) au latin *attendere* «tendre à; porter attention à», de *ad-* (→ à) et de *tendere* (→ tendre); l'italien *(attendere)*, l'espagnol, l'ancien provençal n'ont que le sens psychologique du latin, attesté en français du XIIIe au XVe et même jusqu'au XVIe s. (Montaigne), en ce qui concerne *s'atendre*, «s'appliquer à». Ce sens rend compte du rapport entre *attendre, attention** et *attentif*, aujourd'hui détruit.

♦ Les sens actuels de «demeurer jusqu'à l'arrivée de qqn», d'où «patienter», sont propres au domaine gallo-roman; ils apparaissent en français dès l'apparition du mot (XIe s.), mais ont pu se développer oralement en roman. ◇ Une extension ancienne (v. 1160) correspond à «compter sur (une arrivée, un événement)». Ces valeurs donnent lieu à une phraséologie : ***en attendant, attendre de pied ferme***, et aussi à la construction ***s'attendre à...*** (1601).

▸ Le participe passé **ATTENDU, UE** adj. possède le sens dominant du verbe et a produit **INATTENDU, UE** adj. (1613), lequel a développé un sémantisme original, «soudain; inespéré; exceptionnel...». Il est aussi substantivé *(l'inattendu)*. ◇ Par ailleurs, *attendu* conserve par un emploi juridique la valeur latine : «examiné, considéré» (1390), d'où ***attendu que***, loc. conj. (1379), «considérant que». La substantivation juridique *(les attendus d'un jugement)* n'est attestée qu'au XIXe s. (1866, dans le *Larousse universel*).

ATTENTE n. f., qui correspond pour le sens à *attendre*, vient (v. 1050, *atente*) d'un participe passé latin °*attendita*, développement de la forme classique *attenta* «considéré avec attention», participe de *attendere*. ➜ Le mot entre dans des syntagmes, comme *salle d'attente; pierre d'attente* (1676); *course d'attente* (dès 1860, en cyclisme), ***en attente***. ➜ Il a produit les dérivés **ATTENTISME** n. m. et **ATTENTISTE** adj. et n. (tous deux v. 1918).

◈ voir ATTENTIF.

ATTENDRIR → TENDRE

ATTENTER v. tr. ind. est emprunté (1302) au latin *attentare*, variante de *attemptare*, «entreprendre qqch. contre qqn», composé de *ad-* (→ à) et de *temptare* (→ tenter).

♦ D'abord employé absolument, puis dans *attenter contre* (1330-1332), le verbe se construit en français moderne avec *à* (XVe s., *atenter à*). Il signifie «agir de manière à détruire», le complément désignant souvent la vie d'une personne, un sentiment.

▸ **ATTENTAT** n. m. est un emprunt (1326, *attenta*) au latin *attentatum, attemptatum*, participe passé neutre de *attemptare.* ◆ Les constructions avec *contre* (1656) puis avec *à* (1665) sont prises au verbe. ◇ Parmi les syntagmes juridiques, *attentat aux mœurs* et *à la pudeur* sont usuels. ◇ Le sens fort et absolu du mot a reçu des connotations nouvelles dans le contexte du terrorisme, surtout après 1955-1960.

ATTENTATOIRE adj. est tiré (1690) de *attentat;* c'est un terme juridique, comme *décisoire,* etc., qui s'emploie aussi dans l'usage général et soutenu *(mesures attentatoires à la liberté).*

ATTENTIF, IVE adj. est dérivé (XIVe s.), à l'aide du suffixe *-if, -ive,* du supin latin *attentum,* du verbe *attendere* «porter attention à», de *ad-* (→ à) et de *tendere* (→ tendre).

♦ Comme *attention, attentif* conserve les valeurs latines de *attendre,* et s'est complètement séparé par le sens des mots français *attendre-attente.* ◇ L'adjectif, qui apparaît dans *attentif à qqn* avec la valeur de «soumis aux ordres, qui observe la volonté du supérieur», semble rare avant le XVIIe siècle. Il se dit des personnes et par extension des attitudes, de parties du corps (*une oreille attentive,* XVIIe s.; *un œil attentif,* 1690), parfois des animaux. *Attentif à* correspond à «soucieux de», «qui observe avec soin» et se construit aussi avec l'infinitif.

Le dér. **ATTENTIVEMENT** adv., mot de la Renaissance (1542) est resté usuel.

▸ **ATTENTION** n. f. est un emprunt (1536) au latin *attentio,* dérivé du supin de *attendere,* au sens du latin classique «tendre son esprit vers». ◇ Outre cette valeur dominante, qui a donné l'expression usuelle ***faire attention*** (qui se répand au début du XIXe s.) et l'exclamation ***attention !,*** il a pris rapidement (1552) celle de «soin attentif», d'où (fin XVIIe s.), au pluriel, «prévenances». ◆ Cette dernière valeur a produit le dérivé **ATTENTIONNÉ, ÉE** adj. (1823), «qui a des égards, de la prévenance», également dans *attentionné à* «appliqué à» (mil. XIXe s., A. Karr).

Le préfixé **INATTENTION** n. f. (1662) ne s'est imposé qu'au XVIIIe s., époque où apparaît **INATTENTIF, IVE** adj. (1723, chez Massillon) qui se dit des personnes, des actes, etc. et se construit, comme *attentif,* avec *à.* ◇ *Faute, erreur d'inattention* (1740), «étourderie, oubli», qui correspond à «faute commise par inattention», donne lieu à hésitation, par rapport à *faute* («défaut, manque») *d'attention.*

◈ voir **ATTENDRE.**

ATTÉNUER v. tr. est emprunté (v. 1120) au latin *attenuare* «amincir, amoindrir», de *ad-* (→ à) et de *tenuare,* dérivé de *tenuis* «mince» (→ ténu).

♦ Le verbe, en français, signifie dès son apparition «rendre faible physiquement» et figurément «rendre moins actif (un contrat)»; il semble très peu usité avant le XVIe s. où il est attesté (1525) au sens physiologique, et au participe passé, puis (1530) au sens abstrait : *atténuer le pouvoir.* ◇ À la fin du XVIe s., *atténuer les humeurs* signifie «les rendre moins épaisses» (d'où *un atténuement,* 1701); au XVIIIe s., *s'atténuer* (1771) correspond à «maigrir, s'affaiblir». ◇ Les valeurs figurées l'emportent définitivement au XIXe siècle.

▸ Le participe présent **ATTÉNUANT, ANTE** a été substantivé en médecine pour «remède qui atténue les humeurs» (1690, *in* Furetière) — emploi disparu — et adjectivé en droit pénal dans ***circonstances atténuantes*** (déb. XIXe s.), alors opposé à *aggravant.*

ATTÉNUATION n. f. est emprunté (1345, *atenuation*) au dérivé latin *attenuatio,* d'abord pour désigner la diminution d'une somme, puis en droit (1498) une diminution de charges contre un accusé. ◇ Le sens figuré général, «action d'atténuer, de rendre moins fort», semble plus récent. Le mot, qui a eu (1594) une valeur scientifique («réduction en très petits éléments»), a acquis diverses acceptions techniques aux XIXe et XXe siècles; celle de «diminution d'intensité (d'un courant)» (1932, Académie), puis «diminution d'un phénomène physique, en général», correspond à l'apparition d'un nouveau dérivé du verbe. ◆ Ce dernier, **ATTÉNUATEUR, TRICE** adj. (1948), est employé en technique, aussi comme nom masculin.

◈ voir **EXTÉNUER.**

ATTERRER, ATTERRIR → **TERRE**

ATTESTER v. tr. est emprunté (v. 1200, *atester*) au latin *attestari,* de *ad-* (→ à) et de *testari* (→ tester), lui-même dérivé de *testis* «témoin».

♦ Ce verbe signifie «rendre témoignage» et, avec pour sujet un nom de choses, «servir de témoignage» : ainsi, un usage de la langue : mot, sens, emploi, est *attesté* par un texte ou un enregistrement. ◇ La valeur religieuse (1618) «prendre à témoin (le ciel, Dieu)», usuelle en langue classique *(j'atteste, j'en atteste le ciel, les dieux...),* a vieilli.

▸ Le dérivé latin *attestatio* a fourni par emprunt (mil. XIIIe s.) **ATTESTATION** n. f., «action d'attester» et «pièce, écrit qui atteste». ◇ Le mot signifie au figuré «preuve» (1844, Balzac), emploi rare. Il a reçu au XXe s. (attesté 1940, Vidos) une spécialisation linguistique, «fragment de texte qui fournit la preuve d'un usage linguistique, et qui permet de le dater». — Voir *Datation* (encadré).

◈ voir **CONTESTER, DÉTESTER, PROTESTER.**

ATTIFER v. tr. est le préfixé ancien (v. 1220, *atifer*) de l'ancien verbe *tifer* «parer», usité du XIIe (v. 1170) au XVIe s., continué régionalement dans le nord et l'ouest de la France. Ce verbe proviendrait de l'ancien normand °*tippa,* reconstitué par le norvégien *tip* «bout» (cf. l'anglais *tip*), le néerlandais et l'allemand *tippen* «effleurer», etc. Cette racine germanique, qu'on a pu faire dériver du radical indoeuropéen *dumb-* «pénis» et «queue», aurait évolué de *tipp-* à °*tipf-* (attesté par l'allemand *Zipfel*) et c'est un verbe °*tipfen* qui aurait produit le mot français *tiffer* (hypothèse de Wartburg, contestée).

♦ *Attifer* a survécu à *tiffer,* au sens d'«orner, parer», puis, par connotation d'archaïsme (le mot est considéré comme vieux au XVIIe s.), d'«orner ou habiller de manière ridicule».

▸ Le dérivé **ATTIFET** n. m. (1480; *tatiffet,* v. 1240), courant au XVIe s. avec une valeur voisine du paronyme *affiquet,* comme **ATTIFEUR** n. m. (1587, Ronsard), est vieux. ◆ **ATTIFEMENT** n. m. (v. 1250) et **ATTIFAGE** n. m. (1547), archaïques comme l'est toute la série dans la langue classique, ont été repris au XIXe s., souvent par régionalisme (George Sand, 1849, *attifage*).

◈ voir TIFFES.

ATTIGER v., verbe argotique (1808), représente selon Sainéan une simple variante de *aquiger* (1596), qui se serait employé jusqu'à la fin du XIXe siècle. Ce dernier pourrait être un emprunt à l'espagnol *aquejar* «tourmenter» ou venir de l'ancien français *aquis* (1160) «accablé».

♦ *Attiger* signifie «blesser» puis (1922) «exagérer». ◇ L'expression aujourd'hui archaïque ***attiger la cabane,*** peut-être antérieure, correspond à *casser la baraque* et signifie «dépasser la mesure».

► Le dérivé **ATTIGEUR** n. m., sorti d'usage, a désigné argotiquement (1826) le bourreau.

ATTIQUE adj. et n., d'abord *actique* (1538), est un emprunt de la Renaissance au latin *atticus,* calque du grec *attikos* «d'Athènes», adjectif dérivé se rapportant à *Athênai* «Athènes». Il a dès l'origine une valeur majorative, «propre à Athènes, dans le goût, le raffinement», par opposition aux autres cités grecques (cf. l'opposition *attique-béotien,* par exemple). Le nom de la cité attique est dérivé de celui de *Athênê,* déesse grecque que l'on suppose être d'origine minoenne, et issue d'une déesse au serpent protégeant le palais. L'étymologie de ce nom est inexpliquée.

♦ En français, l'adjectif est didactique. L'expression ***sel attique*** est plus tardive (1672) que *urbanité, éloquence attique* et même *miel attique.* ◆ La substantivation en architecture, *un* **ATTIQUE** n. m. (1639), «étage supérieur de dimension inférieure», vient probablement de la décoration de pilastres, évoquant le style grec.

► Le dérivé *atticismus,* grec *attikismos,* a donné (1543) **ATTICISME** n. m., «qualité athénienne» appliquée au style moderne (1687). En latin, à la différence du grec, *atticismus* désignait surtout les caractères dialectaux du grec athénien, et les qualités stylistiques athéniennes, dans la littérature grecque antique. Cette valeur spéciale s'est conservée en français dans l'usage didactique.

ATTIRAIL n. m. est un dérivé (XVe s., *atirail*) de l'ancien français *atirier* ou *atirer* «arranger, mettre en ordre» (v. 1130), dérivé du substantif *tire* «ordre, rang», mot d'origine germanique. L'origine en remonte au francique °*teri* «position dans un ordre», restitué d'après l'allemand ancien (cf. *Zier* «ornement» en allemand moderne), le scandinave, etc. Il semble que le mot, contrairement à ce que pensait Dauzat, n'ait aucun rapport originel avec *attirer* et *tirer;* cependant, l'expression *a tire* «sans interruption» manifeste un croisement sémantique possible entre *atirier* et la famille de *tirer.*

♦ D'abord terme de technique militaire, *attirail* a pris un sens élargi («équipement») et, sous l'influence d'un suffixe souvent dépréciatif, la valeur péjorative d'«équipement encombrant et superflu» (1669, La Fontaine), emploi où il est resté usuel.

ATTIRER v. tr., d'abord écrit *atirer* (v. 1490), est dérivé de *tirer** par addition du préfixe *a-*. Le mot est distinct de l'ancien français *atirier* «mettre en ordre, orner, arranger» (conservé dans l'anglais *to attire*), qui viendrait de l'ancien substantif *tire* «rang» (→ attirail), conservé dans *à tire d'ailes.* ◇ *Attirer* a remplacé l'ancien français *attraire* (→ attraction, attrait) comme *tirer* a supplanté *traire* dans la majorité de ses sens. L'ancien provençal a formé de même *atirar,* attesté dès le XIVe s. au sens de «gagner qqn à soi».

♦ Le verbe correspond d'abord à «amener (qqn)», sens sorti d'usage tout comme «pousser (qqn) à faire qqch.» (1549, *attirer qqn à faire qqch.*) et «respirer» (1553, dans *attirer l'air*). ◇ Cependant, l'usage moderne du verbe s'est fixé avec ses sens encore vivants au XVIe siècle : *attirer* correspond alors à «faire venir à soi» (v. 1510), «séduire» (1538), «provoquer, causer (le malheur, l'amour)» et «solliciter (l'attention)», ces deux derniers sens se rencontrant d'abord dans le langage biblique (1553). La locution figurée *attirer qqn à sa cordelle* «le mettre de son côté» (XVIe s.) est sortie d'usage. ◇ La forme pronominale, *s'attirer (qqch.),* est attestée depuis le XVIIe siècle.

► Les dérivés, à l'exception de *attirant* et *attirance,* ont vieilli. ◆ **ATTIREMENT** n. m. (*atirement,* 1547) a été employé jusqu'au XVIIe s. au sens d'«attrait» et d'«action de faire venir à soi». ◇ Il a été repris au XIXe s., avec un sens érotique (1853, Flaubert) et avec une valeur concrète et neutre (1873), mais ne s'est pas maintenu.
Dès le XVIe s., le participe présent de *attirer,* **ATTIRANT, ANTE,** a été adjectivé avec la valeur de «qui plaît» (1548) et a pris la nuance voisine de «qui exerce une attraction érotique» (1690). ◆ **ATTIRABLE** adj. (1743), «susceptible d'être attiré», est peu usité. ◆ Le XVIIIe s. a fourni un autre nom d'action, **ATTIRAGE** n. m. (1751), mais celui-ci, tant avec ses acceptions techniques attestées depuis l'*Encyclopédie,* qu'avec le sens général, «action d'attirer» (1838), ne s'est pas conservé. ◆ Le seul dérivé de *attirer,* hormis *attirant,* qui soit resté vivant est **ATTIRANCE** n. f. (1854, Baudelaire), uniquement employé au sens de *attirant,* pour «charme qui attire», qui en fait le quasi-synonyme de *attrait* et *attraction.*

ATTISER v. tr. est issu (XIIe s.) d'un dérivé latin populaire °*attitiare,* induit de plusieurs formes romanes et composé de *ad-* (→ à) et de *titio* «tison», mot populaire attesté depuis Varron (→ tison).

♦ D'abord attesté sous la forme *atisier* au figuré (1140) pour «rendre plus vif, exciter», le verbe signifie proprement (v. 1175, Chrétien) «aviver (un feu) par des tisons», la chronologie, probablement due au hasard des attestations, permettant de supposer l'existence du sens figuré en latin médiéval.

► Il a pour dérivés **ATTISEUR** n. m., d'abord (XIIe s.) *atiseor,* aussi *atisseur* (1470) «tisonnier», qui est un nom d'agent rare (1615), **ATTISEMENT** n. m. (XVIe s.) et **ATTISOIR** n. m. (1808), désignation technique d'ustensile, le mot usuel correspondant étant *tisonnier* (ci-dessus). ◆ D'autres dérivés, **ATTISE**

n. f., mot technique de brasserie (1751), **ATTISAGE** n. m. (1836-1838), «action d'attiser», **ATTISANT, ANTE** adj. (1874, Barbey, au figuré) et composés, tels **ATTISE-FEU** n. m. «tisonnier» (1480) et au figuré **ATTISE-QUERELLE** n. m. (1564), sont sortis d'usage. ◆ La série comprend aussi plusieurs régionalismes et archaïsmes, comme *atisies* n. f. pl. «torches allumées» (1390), **ATTISÉE** n. f., mot picard, «bois pour le feu» et «grand feu» (attesté 1850).

ATTITRER → TITRE

ATTITUDE n. f. est un terme classique de peinture (1637, Poussin), emprunté à l'italien *attitudine*, lui-même emprunt au latin populaire *actitudo, -inis*, dérivé de *actitare*, fréquentatif de *agere* (→ action). Quant à la forme *actitudo*, elle est formée d'après le latin tardif *aptitudo, -inis* (→ aptitude) ou, moins vraisemblablement, correspond à la modification de *aptitudo* d'après *actus* (→ acte).

♦ Le mot a eu rapidement du succès et est passé à l'usage général, puis (déb. XIXe s., dans les *Mémoires* de Napoléon) à une valeur figurée, «comportement collectif», puis «disposition mentale». Il est usuel, tant en psychologie, en sociologie que dans l'usage général et courant.

ATTORNEY n. m., emprunt reconnu à l'anglais (v. 1803), correspond à un mot anglais lui-même emprunté à l'ancien français *atorné* (1217), participe substantivé du verbe *atorner, atourner* «régler (une affaire), assigner», formé sur *torn, tour**.

♦ Le mot désigne un homme d'affaires dont les fonctions correspondent, en Grande-Bretagne, en partie à celles du notaire et, aux États-Unis, en partie aussi à celles de l'avocat français. *Attorney général* (1837; le mot est cité en anglais en 1698) correspond à *procureur général*.

ATTRACTION n. f. est emprunté, sous la forme *atration* (1265), au bas latin *attractio, -onis*, du supin *attractum* de *attrahere*, qui a donné en ancien français *attraire* (1080), plus tard remplacé par *attirer**. *Attrahere* est formé de *ad-* (→ à) et de *trahere*, qui a donné *traire**. Le latin *attractio* signifie «contraction», puis (Ve s.) «action de tirer vers soi, d'aspirer».

♦ *Attraction* a d'abord la valeur du latin tardif, «action d'attirer; aspiration», spécialisée en physiologie. Le succès du mot date du XVIIe s., par emprunt à l'anglais de Newton *attraction* (1688), et du XVIIIe s. par évolution rhétorique pour «force qui attire psychiquement» (1761, Rousseau), et à nouveau par emprunt à l'anglais scientifique (1733, traduction de Brown concernant l'électricité; voir ci-dessous). Ces emprunts terminologiques étaient préparés par le sens ancien de *adtractif*, puis *attractif* (voir ci-dessous). ◇ L'emploi du mot en linguistique (1833), pour «modification par influence d'une forme voisine», correspond à une spécialisation et non, comme on l'a cru par une mauvaise lecture de Varron, à un réemprunt au latin. ◆ Enfin, un sens de l'anglais *attraction*, «centre d'intérêt pour le public», passe en français vers 1860 pour se spécialiser plus tard au sens d'«élément d'un spectacle de variétés». ◆ La pluralité des valeurs sémantiques du mot s'explique par les multiples sources, et notamment par l'emploi de *attractio* (Albert le Grand, mil. XIIIe s.) et de *attractivus* (cf. l'ancien français *adtractif*) en astronomie; de là l'anglais *attraction* (1607), utilisé plus tard par Newton et passé dans d'autres langues, dont le français. Le sens newtonien est en relation terminologique avec *gravitation**. L'anglais *attraction* s'est employé aussi à propos de l'aimant (1626), ce qui explique son utilisation dans la terminologie de l'électricité (Brown, voir plus haut).

▸ **ATTRACTIF, IVE** adj. est emprunté sous les formes *adtractif* (1270) puis *actractif* (XIVe s.), avant la forme moderne (XVe s.), au dérivé latin *attractivus*, du supin de *attrahere*. ◇ L'adjectif a dès l'origine, en français, les valeurs astronomique et magnétique prises plus tard par *attraction* et ne prend valeur figurée qu'au XVe s. pour «persuasif, séduisant» (en parlant d'une personne). L'emploi médical, correspondant au premier sens attesté de *attraction*, est attesté à partir du XIVe siècle.

◈ voir ATTRAIT.

ATTRAIT n. m. est le participe passé masculin, substantivé (v. 1175, *atret*), du verbe *attraire* (1080, Roland), vivant jusqu'à la fin du XVIe s., puis archaïque. Ce verbe était issu du latin populaire °*attragere* (Bloch et Wartburg) ou directement du latin classique *attrahere*, de *ad-* (→ à) et de *trahere* (→ traire), comme l'italien et l'espagnol correspondants. *Attraire* a signifié «faire venir», puis (XIIIe s.) «charmer, séduire», entrant alors dans le vocabulaire courtois; il a été en partie remplacé par *attirer*, comme *traire* l'a été par *tirer*.

♦ Le mot *attrait* apparaît au sens de «puissance qui attire (à propos de l'amour)» et devient très courant, surtout au pluriel, dans la langue classique, pour «qualité qui plaît» et notamment «qui suscite le désir, chez une femme» (alors en concurrence avec *appâs**). ◇ Il est aujourd'hui archaïque ou littéraire, dans ce sens, et s'emploie surtout au singulier, en contexte abstrait *(l'attrait de qqch. pour qqn, manquer d'attrait...)*.

▸ Le participe présent du même verbe *attraire*, **ATTRAYANT, ANTE** adj. (1283), correspond d'abord au verbe et signifie «séduisant», en parlant des personnes et des choses. Courant lui aussi dans la langue classique, il est aujourd'hui moins marqué et beaucoup moins littéraire que *attrait*, sans être aussi courant que *agréable*.

◈ voir ATTRACTION.

ATTRAPER v. tr., formé de *a-*, de *trappe** et d'un suffixe verbal (1165, *atraper*), s'est tellement détaché de son origine et est devenu si courant, avec de nombreux dérivés et composés, qu'il doit être considéré comme indépendant, en français moderne.

♦ La valeur initiale «prendre à la trappe, au piège» s'est employée jusqu'au XIVe s. et est encore attestée au XVIIe s. (par ex. dans les *Fables* de La Fontaine); mais des valeurs extensives apparaissent tôt : «se saisir de (qqn, un animal)» (v. 1200) et dès vers 1200 en picard «tromper (qqn) par une ruse» ou (1465) «allécher». ◇ Ces valeurs, comme «prendre sur le fait» (1564), relèvent du sémantisme général de «prendre» qui s'est substitué à celui, très spécifique, de «prendre au piège», conservant il est vrai l'idée de tromperie, de ruse, mais intégrant parfois celle de poursuite (cf. *chasser*). ➜ Deux autres valeurs se sont développées en français classique et moderne. La première correspond à «obtenir, saisir», notamment par ruse, d'où *attraper son but* (1669, Racine), et aussi abstraitement («saisir par l'esprit», 1689) et avec l'idée d'«arriver au bout de» (1678), d'où «se maintenir jusqu'à» (*attraper le bout, la fin de l'hiver*, etc.), aujourd'hui régional. ◇ Une autre valeur, concrète, correspond à «frapper, heurter» (1644, Scarron), aujourd'hui familière, d'où *s'attraper* «se heurter» (2e moitié XVIIe s.) et régionalement «se faire mal, se blesser». Dans le même contexte, «recevoir (un coup)» (fin XVIIe s.) suscite au XIXe s. des locutions populaires : *attraper la fève, le haricot* (1856) «recevoir un coup destiné à un autre», où *attraper* correspond à «obtenir»; ces locutions ont disparu. Un emploi voisin concerne les maladies (*attraper un rhume*, 1694) et reste très vivant. ➜ De *attraper* (qqn), «saisir», vient par atténuation le sens de «réprimander», apparu dans l'«argot des gazetiers» (1866, Delvau), familier et aujourd'hui enfantin, d'où *s'attraper* réciproque (1878). ➜ L'idée de «saisir» conduit aussi au sens de «comprendre, saisir pour exprimer ou reproduire», dans ***attraper la pensée, la manière de qqn*** (1666).

▶ Le déverbal **ATTRAPE** n. f. est d'abord attesté (*atrape*, v. 1240) au figuré pour «procédé déloyal», puis «tromperie» (XVIe s., Calvin) et spécialement «embuscade» (XVe s.), «croc-en-jambe» (déb. XVIe s.), emplois disparus. ◇ Une valeur concrète, «piège» (XIVe s.), s'est continuée dans des dialectes jusqu'au XIXe s., et des acceptions techniques en dépendent, par exemple «corde de retenue» en marine (1691) et déjà «ancre» au début du XVe s. (1409). ➜ De *dragées d'attrape* (1835), où *attrape* signifie «action de tromper», on est passé à *attrape* (XXe s.) «objet servant à faire une farce», d'où ***farces et attrapes.***

ATTRAPEUR, EUSE n. (1526), «trompeur», succède à *attrapart, attrapar* (XVe s., Soties). Une nouvelle dérivation correspond à «personne qui attrape, critique» (1866). ➜ **ATTRAPOIRE** n. f., «piège, fourberie» (*atrapouere*, 1547 ; *-oire*, 1574), s'est employé jusqu'au XVIIIe siècle. ➜ **ATTRAPOIR** n. m. a lui aussi signifié «piège» (1575). ➜ **ATTRAPABLE** adj. (1850, Balzac), «que l'on peut attraper, saisir», est rare. ➜ **ATTRAPAGE** n. m. (1869) est concurrencé par **ATTRAPADE** n. f. (1926), qui correspond au sens de «critiquer, réprimander». ➜ **ATTRAPERIE** n. f., «tromperie» (1611), n'est plus en usage.

Plusieurs composés sont formés avec *attrape-*. ◇ *Attrape-minoult* «procédé trompeur» (1576), *attrape-minou* «hypocrite» (1624) font référence aux valeurs péjoratives de *minaud, minou*, noms du chat (cf. *grippeminaud* où *gripper* correspond à «attraper»). ➜ Dès le XVIe s., *attrape-lourdaud* «ruse grossière» inaugure une série très vivante : **ATTRAPE-NIGAUD** n. m. (1798), **ATTRAPE-NIAIS** n. m. (1812) et, plus récemment, **ATTRAPE-GOGO** n. m. (→ gogo), **ATTRAPE-COUILLON** n. m. ➜ Sans idée de tromperie, mais avec la valeur concrète de «saisir», **ATTRAPE-MOUCHE** n. m. désigne une plante carnivore (1700) et un oiseau (1752). ➜ **ATTRAPE-NEIGE** s'est dit plaisamment (1888) d'une longue robe.

Le préfixé **RATTRAPER** v. tr. correspond à une valeur itérative par rapport à certaines acceptions du verbe simple : «attraper (un prisonnier) pour la deuxième fois» (XIIIe s.), «prendre une seconde fois dans un piège» (1740); au figuré «tromper une seconde fois» (1603), d'où ***on ne m'y rattrapera plus*** (1740), et «prendre à nouveau sur le fait» (1596). ◇ Le verbe s'emploie aussi pour «regagner (ce qu'on croyait perdu)» (1690), d'où *se rattraper* (1845) au jeu, en affaires, et «rejoindre (qqn) en allant plus vite» (1636), acception très usuelle. ◇ Le pronominal *se rattraper à* s'emploie aussi pour «se retenir, se raccrocher» (1872), d'où la locution figurée ***se rattraper aux branches*** (1872).

Il a pour dérivé **RATTRAPAGE** n. m., «action de rattraper», «de se dédommager» (1875), qui signifie spécialement «fin d'alinéa placé en tête de la feuille suivante (et qu'il faut rattraper)» (1867). ➜ **RATTRAPEUR** n. m. s'emploie rarement au sens général, et aussi dans une acception technique (1907).

ATTRIBUER

ATTRIBUER v. tr. est emprunté (1313) au latin *attribuere*, de *ad-* (→ à) et de *tribuere*, originellement «répartir entre les tribus», de *tribus* (→ tribu), comme les verbes ayant fourni *contribuer, distribuer, rétribuer*.

♦ *Attribuer* signifie «allouer dans un partage», d'où *s'attribuer qqch.* (1541), puis (1370, Oresme) «considérer comme étant l'effet, le résultat de (qqch.)», ces deux sens étant bien attestés en latin classique.

▶ Le seul dérivé français est **ATTRIBUABLE** adj. (v. 1571), les autres mots de cette famille provenant de *attributum*, supin de *attribuere*.

ATTRIBUT n. m. est un emprunt (XIVe s.) au latin médiéval *attributum* «propriété, qualité» (VIIIe-IXe s.), devenu terme philosophique (XIIIe s.). ◇ Le mot a en français le sens général de «caractère propre» et désigne spécialement l'emblème qui accompagne une figure symbolique. ◇ En grammaire (1680), l'*attribut* est un mot, participe ou adjectif, lié à un nom sujet ou objet par le verbe *être*.

Le latin *attributum* a fourni deux dérivés savants : **ATTRIBUTIF, IVE** adj. (1516 en droit), spécialisé plus tard (1866) en linguistique, et **ATTRIBUTAIRE** adj. (1874), terme de droit, désignant la personne bénéficiant d'une attribution. ➜ **ATTRIBUTION** n. f. est emprunté (1370, *atribucion*) au dérivé latin *attributio* (surtout terme de droit) pour désigner l'action d'attribuer. ◇ Au pluriel, depuis le milieu du XVIIIe s. (1768), il se dit des pouvoirs du titulaire d'une fonction. Le singulier est passé dans la terminologie grammaticale (1866, *rapport d'attribution*) à propos d'un type de complément d'objet secondaire introduit par les prépositions *à, pour*.

ATTRISTER → TRISTE

ATTROUPEMENT → TROUPEAU

AU → **LE, LA, LES**

AUBADE n. f. est la francisation, d'après *aube* (1432), de *albade* (déb. XVe s.), emprunt à l'ancien provençal *albada* (provençal moderne *aubada*) «concert du matin» (→ aube), correspondant symétriquement à la *sérénade** «concert du soir».

♦ Le mot désigne un air, un morceau de musique donné sous la fenêtre d'une personne, en général une femme ou une jeune fille, le matin et, par extension, à toute heure. ◇ Aujourd'hui archaïque ou évocateur du passé, le mot a été employé ironiquement pour «tapage, huées», notamment dans *donner l'aubade*, employé au XVIe (Marot) puis au XVIIIe s. (1718).

▸ Le dérivé **AUBADER** v. tr. (1548) est archaïque ; il s'est employé populairement (1901, Bruant) pour «insulter, donner l'aubade».

AUBAINE n. f. est dérivé (1237) de l'ancien français *aubain* n. m., qui désignait pendant la féodalité un étranger protégé et soumis à des droits et taxes. Ce mot apparaît au milieu du XIIe s. sous les formes féminines de l'adjectif, *la gent aubaine*, puis comme nom masculin sous les formes *aubaine*, *albin*, etc. Il correspond au latin médiéval *albanus* (X^e-XIe s.), d'origine incertaine. Si le masculin *aubain*, *albanus* était antérieur, on pourrait penser à un latin populaire °*alibanus* «qui est ailleurs», dérivé de *alibi* «ailleurs» (→ alibi) ; si c'est la forme féminine *aubaine* adj. et n., comme les attestations françaises le suggèrent, l'origine est probablement le francique °*alibanni* «homme d'un autre *ban**, d'une autre juridiction» ; l'origine germanique est par ailleurs corroborée par l'emploi du latin médiéval *albanus* des Flandres au Soissonnais et non en France occitane. *Aubain*, d'emploi juridique, est devenu un terme archaïque (ou historique) à partir du XVIIe siècle.

♦ *Aubaine* a d'abord signifié (*aubene*, 1237) le droit du seigneur sur les biens de l'aubain protégé ; ce droit, devenu régalien au XVIe s., n'a été aboli qu'en 1819. Proudhon faisait encore usage de l'expression *droit d'aubaine* pour parler du profit du capital. ➜ Le mot a dû sa fortune à un emploi figuré du XVIIe s. (1668, La Fontaine) au sens de «profit inespéré», resté très vivant. ◇ De la valeur spéciale du mot en commerce, les Québécois ont tiré un sens nouveau, «solde», alors qu'en français de France le mot n'a qu'une valeur générale, celle de «chance ; bonne occasion».

① **AUBE** n. f. est un emprunt (sous la forme *albe*, 1080) au latin populaire *alba*, féminin substantivé («la blanche») de l'adjectif classique *albus* «blanc» (→ albe), par exemple dans *alba lux*, *alba dies*.

♦ La forme évoluée moderne *aube* est attestée au XIIe s. (v. 1170). La locution ***l'aube des mouches*** (XVIe s., Rabelais) a désigné l'heure la plus chaude du jour, où les taons se réveillent et piquent. ◇ Un sens métaphorique, «début» (cf. *matin*), apparaît aussi à la fin du XVIe s. chez d'Aubigné (*l'aube de la vie*). ◇ Démotivé, ***à l'aube*** a pris en français actuel la valeur vague de «très tôt le matin».

▸ De même origine latine, mais du latin d'Église dans l'expression *alba vestis* «habit blanc», vient ② **AUBE** n. f. (1174 ; d'abord *albe*, v. 1040) «vêtement de lin blanc du prêtre».

③ **AUBE** n. f., succédant (1283) à *alve* (1080) puis *auve* (fin XIIe s.), est issu du latin populaire *alapa*, en latin médiéval «couverture de livre» (IXe s.), attesté au Ier s. au sens de «gifle», et qui aurait eu à l'origine la valeur de «paume (de la main)». *Alapa* est d'origine obscure ; ni le verbe *alapare*, *alapari*, trop tardif, ni le latin *alipes* «ailé», de *ala* «aile*», ni enfin le latin populaire *aleps*, *alepis* de *adeps* «graisse» (→ adipeux), ne convenant. La thèse de l'emprunt étrusque (*alapu* ; selon Schuchardt) reste très hypothétique.

♦ Du latin populaire, le mot français, qui signifie d'abord (1283) «planchette reliant les deux arçons de la selle», aurait retenu la valeur non attestée en latin de «palette». Cette acception s'applique à une roue de moulin (1283) ou de navire (*navire à aubes*), puis d'une turbine.

▸ Le dérivé collectif **AUBAGE** n. m. (1845), «ensemble des aubes (d'une roue)», est technique.

AUBÉPINE n. f., d'abord masculin (*albespin*, XIIIe s. ; *aubespin*, 1268), est emprunté au latin populaire *albaspinum*, °*albispinus* du latin classique *alba spina* «épine blanche» (→ albe, épine). Mais le mot français proviendrait d'une forme calquée sur un composé gaulois ; *spina* désignant en latin une autre plante, le prunier sauvage.

♦ Le mot désigne un arbuste épineux à fleurs blanches ou roses très odorantes et par extension une branche fleurie, des fleurs de cet arbuste.
Le masculin **AUBÉPIN** n. m. est une réfection littéraire de *aubespin*.

▸ Le dérivé **AUBÉPINIER** n. m. (1905) dérive du sens «fleur de l'arbuste», pour *aubépine*, qui désigne plus fréquemment l'arbuste même. Le mot est rare.

AUBÈRE adj. et n. m. est un emprunt du XVIe s. (1573) à l'espagnol *hobero*, d'origine incertaine, peut-être emprunté à l'arabe *ḥubārā* «outarde», par comparaison avec le plumage de l'oiseau.

♦ Le mot qualifie et désigne un cheval à robe blanche et rousse.

AUBERGE n. f. est emprunté, sous la forme *aulberge* (1477), au provençal moderne *aubergo*, de l'ancien provençal *alberga*, *alberja* (XIIe s.) désignant un campement sommaire, une baraque. Le mot français, comme le franco-provençal, vient du verbe *arbergar*, dissimilé en *al-*, qui correspond à l'ancien français *arberger* (XIe s.), *habergier* (v. 1188). Comme les verbes italien, catalan, espagnol anciens qui y correspondent, ce verbe est un emprunt au germanique de l'Ouest °*haribergôn*, variante méridionale de *heribergôn*, importé en Gaule par les mercenaires germaniques au sens de «loger une armée» (→ héberger).

♦ *Auberge* a remplacé en français des dérivés comme *abergerie* n. f. «hébergement» ; il apparaît au sens de «droit de gîte, de logement» et ne semble prendre sa valeur moderne qu'à la fin du XVIe s. (1606, Nicot), ce que semble confirmer l'apparition du dérivé *aubergiste* vers le milieu du siècle. ◇ En français moderne, *auberge* donne lieu à des locutions comme ***auberge espagnole*** «lieu où l'on ne trouve que ce qu'on a apporté», ***on n'est pas sorti de l'auberge*** «la situation (mauvaise, difficile) n'est pas dénouée». ◇ En emploi concret, le mot a reculé devant *hôtel* et ses dérivés (comme *taverne, cabaret,* etc. ont reculé devant *café*); il a été repris pour désigner de petits hôtels ruraux (comme *hostellerie*) et dans des expressions désignant des systèmes d'hébergement collectif: par exemple, en France, ***auberges de jeunesse,*** d'où, par le sigle *A. J.*, **AJISTE** n. «membre de l'association des auberges de jeunesse».

▸ **AUBERGISTE** n. (1667) désigne la personne qui tient une auberge. Le mot évoque aujourd'hui le passé.

AUBERGINE n. f. est un emprunt tardif (1750), probablement par voie régionale, au catalan *albergìnia* (XIIIe s.), lui-même emprunté avec des modifications à l'arabe *'al* (article) *bādinǧān,* du persan *bātingān,* apparenté à un nom sanskrit.

♦ D'abord botanique et s'appliquant à une plante potagère (Solanacées), le mot est devenu courant pour désigner le fruit oblong et arrondi de la plante, consommé comme légume. ◇ La couleur violette de ce fruit a suscité un adjectif de couleur (1866) et plusieurs figurés populaires, «nez rouge», «évêque» (1847), «auxiliaire féminine de police, à uniforme de cette teinte». Cette dernière valeur (1977) a disparu deux ans plus tard au profit d'une évocation de couleur différente (bleu tendre), *pervenche.*

AUBERT ou **AUBER** n. m., mot de l'argot des coquillards (1455), semble dérivé du latin *albus* «blanc» (→ albe). La finale peut provenir (Esnault) de *haubert;* on a évoqué l'expression *blanc haubert* «haubert brillant», *blanc* signifiant en argot «monnaie d'argent». Sainéan puis Guiraud ont supposé un calembour sur *maille* «petite monnaie» et «maille du haubert», mais sans preuve.

♦ Le mot, qui désigne populairement l'argent (monnaie), est encore employé au XXe s. (1936, Céline), mais n'est plus usuel.

AUBETTE n. f., mot régional attesté après 1850 dans son sens moderne en Belgique et dans l'ouest de la France, reprend le moyen français *aubette* (v. 1475-1480), *hobette* (1491) à Lille, dont les variantes sont attestées en wallon: Liège; *houbète* à Namur, etc. Il remonte à l'ancien français *hobe,* emprunt au haut allemand *Hûbe* «toit d'un édicule», du germanique °*hūbon,* rattaché à la racine indoeuropéenne °*keu-bh-* «voûte».

♦ Influencé graphiquement par *aube,* le mot est attesté en 1808 *(aubète)* au sens de «corps de garde pour les officiers subalternes», puis (apr. 1850) «abri, kiosque». Considéré comme ancien et «bien français» à cause de sa forme, qui évoque *aube,* alors qu'il s'agit d'un emprunt germanique par les dialectes du nord-est de la francophonie européenne, le mot a été promu recommandation officielle, en France pour remplacer *Abribus,* nom déposé. En fait, les usages de l'ouest de la France sont archaïques et le mot est devenu rare en français actuel de Belgique; il n'est guère employé en France.

AUBIER n. m. est la réfection suffixale (1344) de *albor* (v. 1160), *aubor* (v. 1150), issus du latin *laburnum* (Pline) croisé avec *alburnum,* de *albus* «blanc» (→ albe). L'ancien français a aussi, avec la finale originelle, *ambour* (v. 1330); *aubrier* (XIIIe s.) est aberrant.

♦ Le mot désigne d'abord la viorne ou le cytise, arbuste à bois blanc. Le sens moderne du mot, «partie tendre et blanche du bois, entre le cœur dur et l'écorce», apparaît au XIVe s. sous la forme *aulbain,* ressufixé au XVIe siècle; *aubel* (1521), *aulbier* (1581), au XVIIe s. *aubier* et *aubour* (1671). La forme *aubier* l'a emporté.

AUBURN adj. est un emprunt (1835) à l'anglais *auburn,* lui-même emprunté à l'ancien français *auborne* «blond», issu d'un dérivé du latin *albus* «blanc» (→ albe), mais appliqué en anglais à une couleur rousse.

♦ Le mot, déjà attesté comme mot anglais chez Stendhal (*auburn hair,* 1817), qualifie une couleur de cheveux d'un châtain roux, cuivré.

AUCUN, UNE adj. et pron. apparaît en français sous la forme *alcun* (entre 950 et 1000) avec une valeur positive. C'est très probablement un emprunt au latin populaire °*alcunus,* de °*alicunus,* altération du latin classique *aliquem unum* «un certain» (attesté chez Varron). *Aliquis,* lui-même de *alius, alia, aliud* «autre» (→ aliéner) avec *quis* (→ qui), est peu représenté dans les langues romanes; c'est un autre mot de la même famille, *alter,* qui a véhiculé le concept (→ autre). *Alius* est en rapport avec le grec *allos* (→ allo-), avec des formes celtiques et germaniques et avec quelques mots indoeuropéens orientaux. Le second élément du mot latin est *unus* (→ un).

♦ Le mot signifie d'abord «quelqu'un», positivement. ◇ Employé avec *ne* dans une phrase négative, le français *alcun,* puis (XIIIe s.) *aucun,* a pris comme adjectif une valeur négative (1000-1050). ◇ Il a gardé longtemps au pluriel sa valeur positive (1532, Rabelais, *les aucuns*), emploi dont le français moderne garde une trace dans le pronom ***d'aucuns*** «certains».

▸ Le dérivé **AUCUNEMENT** adv. a eu lui aussi la valeur positive de «dans une certaine mesure» (XIIIe s.), mais ceci après l'emploi négatif (*alcunement,* XIIe s.), «en aucune façon», qui a prévalu.

AUDACE n. f. est un emprunt du moyen français (1387) au latin *audacia,* dérivé de *audax, audacis* «audacieux, effronté», lui-même du verbe *audere* «désirer, vouloir». Ce verbe a donné, par le latin impérial *ausus* n. m., le bas latin *ausere,* d'où vient *oser**. *Audere* est lié à *avere* «être avide de», d'où vient l'adjectif *avidus* (→ avide). L'appartenance indoeuropéenne de la série, que l'on a rapprochée du sanskrit *ávati* «il se réjouit, il aide», est douteuse.

♦ D'abord employé au sens de «courage entreprenant», *audace* a pris au milieu du XVIe s. (v. 1543) une valeur péjorative proche d'«arrogance»; cette valeur existait en latin.

► **AUDACIEUX, IEUSE** adj. en est dérivé (v. 1500), à moins (Bloch et Wartburg) qu'il ne soit tiré du latin *audax*, avec sa valeur péjorative; le sens laudatif n'apparaît qu'en 1611 pour l'adjectif, mais antérieurement pour le substantif (av. 1577, Montluc). Le proverbe ***la fortune sourit aux audacieux*** est calqué du latin. ➝ **AUDACIEUSEMENT** adv. (1490) a été précédé par un adverbe directement tiré du nom, *audessement* (1330, pour °*audacement*) «avec audace».

◈ voir **AVARE**.

AUDIENCE n. f. est emprunté (v. 1165) au latin *audientia*, dérivé du verbe *audire* «entendre» et «écouter», puis «comprendre». Ce verbe, qui a donné en français *ouïr**, est d'origine obscure; le rapport avec *auris* «oreille» (→ oreille) n'est pas établi. *Audire* semble être indoeuropéen, si l'on retient le rapport avec le grec *aio* «j'entends», ou encore l'adverbe sanskrit *āviḥ* «évidemment». Il a donné en français, par ses dérivés, de nombreux mots (voir ci-dessous).

♦ *Audience* est l'un des plus anciens; il apparaît dans *en audience* «de manière à être entendu» et désigne (1309) le fait d'être écouté. *Audience* a éliminé l'ancien français *oïance*, dérivé de *oïr (ouïr)*. ◇ Avec le verbe *donner*, il prend dès le *Roman de la Rose* (1275-1280) le sens d'«entretien»; cette valeur se diffusera dans l'usage juridique (1452, «tribunal»), surtout au XVIe s. (1541, «séance d'un tribunal»). ◇ Au XVIe s. apparaît aussi la valeur «assistance (d'un orateur, etc.)» (av. 1585, du Fail) qui sera concurrencée par *auditoire* et dont la reprise au XXe s. constitue un emprunt à l'anglais *audience*, de même origine. Vers 1970-1980 se développe dans les médias l'emploi de *audience* pour «public touché par une émission», d'où «taux d'écoute» *(faire de l'audience)*, en relation avec *audimètre* et *Audimat* (ci-dessous).

► Le dérivé **AUDIENCIER** n. et adj. m. (*audienchier*, XIVe s.) «huissier», repris comme adjectif (1690) dans *huissier audiencier*, est demeuré un terme juridique.

AUDITEUR, TRICE n. est emprunté (1230, en droit) au latin *auditor*, dérivé du supin de *audire*, et signifie dès le XIIIe s. (v. 1262) «personne qui écoute». Le mot a été appliqué au XXe s. aux personnes qui écoutent la radio (les *chers-z-auditeurs*). ◇ Depuis longtemps il a des valeurs terminologiques administratives; le sens de «fonctionnaire du Conseil d'État, de la Cour des comptes» (déb. XIXe s.) continue les *auditeurs du Châtelet* (1230, premier emploi attesté du mot), et les *auditeurs des Comptes*, sous l'Ancien Régime. ➝ **AUDITORAT** n. m. (av. 1755, Saint-Simon) «fonction d'auditeur-magistrat» est un dérivé latinisant.

AUDITION n. f., attesté un peu plus tard que *auditeur* (1295, *audistion*; forme moderne, 1370), est emprunté au latin *auditio*, autre dérivé du supin de *audire*, qui comme *auditor* a deux principaux emplois, en droit et dans l'usage général. ◇ Le mot est d'abord juridique, et ne prend au latin le sens général d'«action d'écouter» qu'avec la traduction d'Oresme (1370). ◇ L'acception physiologique, «fonction du sens de l'ouïe», date du XVIe s. (av. 1590). ➝ On parle de l'*audition* d'un artiste, pour déterminer son engagement, depuis la Restauration (1837, Scribe); c'est de cet emploi que vient **AUDITIONNER** v. intr. (1922), «se faire entendre au cours d'une audition», puis transitif, «écouter (un artiste qui donne une audition)» (v. 1950).

AUDITOIRE n. m. est encore un emprunt à un dérivé latin de *audire*, *auditorium*. ◇ Le mot est d'abord juridique (av. 1258) et correspond à *auditeur*. Comme ce dernier, il prend ensuite (1440) la valeur générale d'«ensemble d'auditeurs» et de «lieu où l'on s'assemble pour écouter» (1430, au féminin), valeur encore vivante en Belgique et en Suisse, alors que le latinisme tardif **AUDITORIUM** n. m. (1866) l'a emporté en France. ◇ Le mot, d'abord employé en histoire romaine, a été repris à l'anglais *auditorium* de même origine, pour «salle qui reçoit des auditeurs» (1888).

AUDITIF, IVE adj. est emprunté un peu plus tard (1370, chez Oresme, comme *audition*) à un dérivé latin de *auditum*, suffixé en *-ivus*. Il n'a que le sens physiologique, «relatif à l'ouïe» *(conduit, système... auditif)*, avec des extensions didactiques.

L'adjectif **AUDIBLE**, emprunté (1488) au dérivé bas latin *audibilis*, semble complètement inusité avant la seconde moitié du XIXe siècle. Il est alors très didactique, mais devient assez courant au XXe s. avec le développement des sons enregistrés; d'où le dérivé **AUDIBILITÉ** n. f. (v. 1897) et la substantivation (*l'audible*, 1937).

C'est aussi en acoustique qu'apparaissent et se répandent les composés en *audi-*, comme **AUDIMÈTRE** n. m. (1836; repris 1964), «appareil mesurant l'audience, l'écoute (d'un médium d'information, d'une émission)». ◇ *Audi-* sert aussi à former **AUDI-MUTITÉ** n. f. (→ mutité, à mutisme). ➝ La plupart des composés sont en **AUDIO-**. ◇ Les plus anciens sont **AUDIOMÈTRE** n. m. (1865) et **AUDIOPHONE** n. m. (1898), qui remplace *audiphone* (1880). ➝ À *audimètre* se rattachent **AUDIMÉTRIE** n. f. et **AUDIMÉTRIQUE** adj. (1985). ◇ **AUDIMAT** n. m., formé (1981) avec le *-mat-* de *automatique*, est une marque déposée d'audimètre, mais désigne couramment le système d'évaluation et l'audience elle-même (1983). ➝ Le composé le plus courant est **AUDIOVISUEL, ELLE** adj. (→ visuel), répandu avec les nouvelles méthodes en pédagogie, la civilisation de l'image et les médias de masse. ➝ **AUDIONUMÉRIQUE** adj. (1983) concerne le codage numérique des sons enregistrés.

Les mots anglais *auditor* et *audit*, du latin *auditor* et *auditus*, spécialisés en matière de révision comptable, ont été empruntés par le français : **AUDITEUR, TRICE** n. et **AUDIT** n. m. (1970), d'où **AUDITER** v. tr. (av. 1977) «contrôler sur le plan des finances et de la gestion».

◈ voir **OBÉIR, OUÏR**.

◈ **AUGE** n. f. est l'aboutissement normal (XIe-XIIe s.) du latin *alveus* «récipient, vase» et «corbeille» (→ alvéole). ◇ Le mot latin semble apparenté à *alvus* «ventre» et «cavité d'un arbre (où se met l'essaim d'abeilles)», et peut-être au grec *aulos* «tuyau creux», surtout «flûte».

♦ La première attestation (1080) semble douteuse au sens latin de «récipient» (mais le dérivé *auget* apparaît fin XIIe s.). Depuis le XIIIe s. (1268), on trouve la spécialisation «bassin pour donner à boire aux animaux», puis au XVe s. (1446) le mot signifie «pétrin» et, un siècle plus tard, «récipient» en technique (1567). Il désigne ensuite divers récipients. ◇ On parle, en géologie, d'*auge glaciaire* à propos d'une vallée au fond large et plat.

▸ Les dérivés **AUGÉE** n. f. (1450) et **AUGETTE** n. f. (1415) sont plus rares que **AUGET** n. m. (v. 1190, «panier»), qui prend (fin XIVe s.) son sens moderne de «petite auge (pour les oiseaux)» et vers la fin du XVIIIe s. (1798) une valeur technique, «godet», dans *roue à augets*.

AUGMENTER v. tr. est emprunté (mil. XIVe s.) au bas latin *augmentare*, de *augmentum*, terme courant remplaçant l'archaïque *augmen*, du verbe *augere* «faire croître» et «s'accroître». Ce verbe est à la source de nombreux mots latins et romans, dont *augure**, *auteur**, *autorité**, *auxiliaire**. Il remonte à une racine verbale indoeuropéenne polymorphe (°*aweg-*, °*ug-*, °*aug-*) qui se retrouve en de nombreuses langues, du sanskrit et de l'avestique au grec (→ auxine) et aux langues germaniques.

♦ *Augmenter* est d'abord transitif et pronominal (*s'augmenter*, v. 1355), puis intransitif (1536). Sémantiquement, il n'a pas changé, malgré son utilisation dans des contextes successifs et différents.

▸ **AUGMENT** n. m., pris au latin *augmentum*, est déjà employé en ancien français (depuis XIIIe s.) au sens d'«augmentation» et dans une acception juridique au XVIe siècle. Seul l'emploi linguistique (XVIIe s.) est resté vivant. ◆ **AUGMENTABLE** adj. (v. 1510) est didactique ou rare. ◆ **AUGMENTATIF, IVE** adj. semble formé en français (1370); l'emploi linguistique apparaît au XVIIe siècle.
AUGMENTATION n. f. est un emprunt (*augmentacion*, déb. XIVe s.) au bas latin *augmentatio*, dérivé du supin de *augmentare;* il a remplacé *augment* n. m. (voir plus haut). ◇ L'emploi spécial dans *augmentation de gages* (Furetière, 1690), puis *de salaire*, est devenu une valeur importante du mot, aussi employé seul : *demander une augmentation*. ◆ **AUGMENTATEUR, TRICE** n. est lui aussi emprunté (v. 1501) à un dérivé latin *augmentator*.

AUGURE n. m., au sens de «présage, divination», est emprunté (v. 1150) au latin *augurium*, terme général par rapport à *auspicium* (observation divinatoire des oiseaux), mais réservé aux présages favorables. Le mot vient de *augur* «prêtre qui fournit des présages favorables», c'est-à-dire propres à accroître (*augere*; → augmenter) les entreprises humaines. Le sens premier de *augur*, *augurium* devait concerner le développement de ces entreprises accordé par les dieux. *Augustus*, dérivé de *augur* (→ août, auguste), signifiait «consacré par l'augure; promis au succès par les dieux». *Augurium* avait pris dès le latin classique (Cicéron) le sens profane de «prévision».

♦ En français, *augure* apparaît dans un contexte antique, avec pour dérivé *augureor* (1213, *augurerres*, sujet), c'est-à-dire «augureur». ◇ L'emprunt au latin *augur*, pour désigner le prêtre, est attesté en 1355. ◇ Les extensions à la langue courante semblent postérieures à l'emploi moderne du verbe *augurer* et sont peut-être suscitées par lui, en tant que déverbal : *prendre un mauvais augure de qqch.* (déb. XVIIIe s., Galland), puis ***de bon, de mauvais augure***, qui est restée vivante.

▸ **AUGURAL, ALE, AUX** adj., emprunt (1548) au dérivé latin *auguralis*, est resté un terme d'Antiquité, alors que **AUGURER** v. tr. (1355; latin *augurare*) a pris (fin XVIe-déb. XVIIe s., Brantôme) le sens de «prévoir, grâce à un signe», courant à l'époque classique en emploi absolu *(bien, mal augurer de...)*, et conservé en français moderne.

◈ voir **HEUR, INAUGURER**.

AUGUSTE adj. est un emprunt (1243) au latin *augustus*, dérivé de *augur* (→ augure), adjectif qui s'est dit des entreprises semblant vouées au succès «de bon augure», puis s'est appliqué à l'empereur à partir d'Octave, pour rendre le grec *sebastos*, qui a donné en français le prénom *Sébastien*. En outre, l'adjectif avait pris la valeur d'«imposant, digne de respect».

♦ En français, l'adjectif apparaît pour qualifier le nom d'un empereur romain (*César auguste*, 1243). Le sens extensif latin a été repris par le français (XVe s.), sens courant dans la langue classique et devenu archaïque. ◆ L'emploi du mot comme nom masculin, à propos des clowns grimés (1898), semble venir de l'allemand (Tom Belling) où *Augustus*, prénom issu du latin, a été pris par plaisanterie comme nom de personnage. L'*auguste* s'oppose au véritable *clown* (ou *clown blanc*), mais le terme est demeuré technique; les profanes nomment (à tort) *clown** ce type de personnage violemment maquillé et vêtu de manière grotesque.

▸ Le dérivé **AUGUSTEMENT** adv. (1503), «de manière auguste», est inusité. ◆ **AUGUSTAT** n. m. (1823), «dignité d'empereur romain, d'Auguste», est didactique.

◈ voir **AOÛT**.

AUJOURD'HUI → **JOUR**

AULIQUE adj. est un emprunt savant de la Renaissance (1546) au latin *aulicus*, dérivé de *aula* «cour intérieure», et qui correspond au grec *aulikos*. *Aula* est emprunté au grec *aulê* «cour» et «cour du palais royal», aussi «parc à bestiaux», qui correspond au latin *atrium* (→ atrium). Le mot grec, dont l'acception première est «gîte», est dérivé du thème attesté par le verbe *iauein* «dormir» que l'on retrouve en arménien. Il est lié à *aesa*, aoriste de *aeskein* «passer la nuit», et remonte au thème indoeuropéen °*au-*, attesté par le hittite, le sanskrit *vásati* «séjourner», le gotique *wisan*.

♦ Le mot s'est employé en terme d'Antiquité, pour «relatif à la cour d'un souverain», et spécialement en histoire (1710), à propos des institutions suprêmes de l'Empire romain germanique.

► **AULA** n. f. a été repris (1888) à l'allemand *Aula*, lui-même emprunt au latin, qui avait pris le sens de «salle des fêtes», «amphithéâtre». Le mot désigne une grande salle, dans une université. Au sens archéologique de «cour intérieure (d'une maison romaine)», c'est un emprunt au latin.

AULNE n. m. est issu (XIIe s.) du latin *alnus*, mot appartenant à une série indoeuropéenne de vaste diffusion, vieil anglais, langues slaves, lituanien... Dans le domaine gaulois, le mot se serait implanté au nord de la Loire et des Vosges, parce qu'il était renforcé par le francique °*alisa* (et non °*alira*, hypothèse antérieure) de même sens, d'où la forme *ausne* (v. 1200). Au sud de la même ligne, en revanche, *alnus* se heurtait au substrat gaulois °*verno* (d'où *verne, vergne*) et ne s'est pas imposé. Pour Jakob Jud, c'est même °*alisa*, croisé pour la finale avec le latin *fraxinus* (frêne), qui aurait produit *aulne*, ce qui ne tient pas compte de la diffusion romaine du type latin *alnus* (Italie du Nord, etc.).

♦ Le mot désigne un arbre des lieux humides. La célèbre ballade de Goethe *Erlkönig* a été traduite en français (Nodier) par *le Roi des aulnes*. *Erl* correspond à l'allemand *Erle* «aulne», mot apparenté à l'anglais *alder*, au néerlandais *els* et, au-delà, au latin *alnus*. On écrit aussi *aune*.

► Le dérivé **AULNAIE** n. f., réfection (XVe s.) de *auneiz* (v. 1170), puis *aunoie* (1260), vient du latin tardif *alnetum* (IXe s.), dérivé de *alnus*. Le mot désigne un lieu planté d'aulnes. ◆ **AULNETTE** n. f. (1690), de même sens, est rare.

AUMAILLE n. f. est issu (déb. XIIe s.) du latin *animalia*, pluriel neutre de *animal, -alis* (→ animal).

♦ Le mot, rural ou archaïque, signifie «gros bétail».

AUMÔNE n. f. est emprunté sous la forme *almosne* (déb. Xe s.) au latin populaire °*alemosina*, qui provient du latin ecclésiastique *eleemosyna*, hellénisme, par ouverture du *e* initial sous l'influence du *l*. Le grec classique *eleêmosunê*, dérivé de *eleêmôn* «compatissant», signifiait «compassion» et avait pris en grec chrétien le sens de «don généreux fait aux pauvres». *Eleêmon* dérive de *eleos* «pitié», mot qui subsiste en grec moderne et n'a pas d'étymologie connue (→ Kyrie Eleison).

♦ La valeur du mot en français n'a pas varié, mais il a acquis un sens métaphorique *(l'aumône d'un regard)* et a perdu de sa vitalité. Ce recul, lié à l'évolution des mœurs et de la sensibilité sociale, est plus sensible encore avec le vieillissement et la disparition des dérivés, **AUMONER** v. tr. (*eumoner*, 1133) «faire l'aumône», ① **AUMÔNIER** adj. «qui fait l'aumône» (1155), ou l'ancien français *almosnier* (XIe s.) «pauvre qui reçoit l'aumône».

► Cette dernière forme a été reprise dans ② **AUMÔNIER** n. m. (1174, *aumosnier*) «personne chargée de la distribution des aumônes», pris au latin chrétien *elemosynarius*, dérivé de *elemosyna*. ◇ Le mot français a acquis, probablement au XVIe s. (Nicot, 1606), le sens de «chapelain», puis de «directeur spirituel d'un établissement» (attesté déb. XIXe s.). ◆ Parallèlement **AUMÔNERIE** n. f. (1190) signifie «charge d'aumônier», aux sens successifs du mot. ◆ **AUMÔNIÈRE** n. f. (*aumosniere*, 1176) a désigné une bourse destinée en principe à l'argent des aumônes, puis un petit sac. Vieilli dès le XVIe s., le mot s'est réemployé sporadiquement, selon les modes.

AUNE n. f. vient, sous la forme *alne* (1080), du francique °*alina*, restitué par le gotique *aleina*, l'ancien norrois, le moyen néerlandais, par l'intermédiaire probable du latin médiéval *alnus* (attesté XIe s.). La série des mots germaniques (allemand *Elle*) signifie «avant-bras», d'où «longueur de l'avant-bras» par une extension courante (cf. *brasse, pied, pouce*...).

♦ En français, *aune* désigne une mesure (1,18 m, puis 1,20 m) utilisée surtout en commerce, et spécialement dans la mesure des tissus pour la vente, et ceci jusqu'en 1840. Le mot est resté, en histoire et dans des locutions métaphoriques, comme ***long d'une aune*** (XVIIe s.), notamment en parlant d'un long nez, ou ***savoir ce qu'en vaut l'aune*** «juger par expérience».

► Le verbe dérivé **AUNER** v. tr. (v. 1180) s'est surtout employé pour le drap. ◆ **AUNAGE** n. m., d'abord *aunaige*, dérivé (XIVe s.) de *auner*, a d'abord désigné (1318) un droit payé par les marchands de toile, puis (1322) le fait de mesurer à l'aune. ◆ **AUNÉE** n. f. (fin XIIIe s., *ausnee*) a désigné la longueur d'une aune.

AUPRÈS adv. est un composé français (1424) de *au* et *près*.

♦ Son emploi adverbial a vieilli *(les lieux situés auprès)*, remplacé par *près* ou *tout près*. En revanche, la loc. prépositive ***auprès de*** est restée usuelle ; au figuré, elle exprime un rapport entre personnes ou entités *(l'ambassadeur auprès de...)* et peut s'appliquer à la comparaison *(ce n'est rien auprès de cette action)*.

AURA n. f. est un latinisme scientifique (1793) pris au latin moderne *aura vitalis* (attesté en 1577, mais antérieur ; cf. la francisation comique en *aure vitale*, chez l'écolier limousin de Rabelais, 1553) qui signifie «souffle vital», du latin *aura* «souffle» et «atmosphère». Le latin *aura* est un emprunt littéraire et poétique au grec *aura* et a donné en français *orage**. *Aura* est généralement rapproché, mais sans certitude, de *aêr*, qui a donné *aéro-** et *air** en français.

♦ L'ancien français connaissait le mot *aure* (apr. 1170) pour «souffle de vent», sens abandonné, puis repris par archaïsme (et sans suite) par Chateaubriand. *Aura* en français (ou *aura vitalis*) désigne une émanation servant de principe d'explication dans la physique et la physiologie anciennes. Le latin médical de Galien, *aura epileptica* (av. 1820 en français), puis *aura* (1846), s'emploie encore en médecine. ◆ Enfin, le mot est entré, avec l'influence très probable de *auréole, auréoler*, puisqu'il ne s'agit plus de «souffle», dans le vocabulaire des sciences occultes pour «halo visible par les seuls initiés» (fin XIXe s.) et de là dans le registre courant (1923, Proust) pour «atmosphère plus ou moins mystérieuse».

◈ voir **ESSOR, ORAGE.**

AURÉOLE n. f. est emprunté, d'abord avec adaptation orthographique en *oreole* (1291), au latin *aureola,* adjectif féminin dans *corona aureola,* «couronne d'or», dérivé de *aurum* (→ or).

♦ Le mot, dont la graphie latine est restituée au XIVe s. (*auriole;* puis XVe s., *auréole* ou *aureolle*), est passé du sens de «petite couronne en or» au sens religieux actuel, d'abord attesté en latin médiéval pour *aureola.* ◇ Il a pris ensuite des valeurs figurées, «ce qui entoure la tête», «cercle de lumière» et «gloire, prestige», valeurs qui se sont développées au XIXe s., époque où apparaît le verbe dérivé.

▸ **AURÉOLER** v. tr. est d'abord attesté au participe passé adjectif **AURÉOLÉ, ÉE** (1856, chez Baudelaire traduisant Poe ; mais *aureoled* n'est attesté en anglais qu'en 1860, Oxford). *S'auréoler* pron. est chez Nadar (*in* P. Larousse) ; comme le transitif (citation de Mme C. Bachi, *ibid.*), il doit dater aussi du milieu du XIXe siècle. ➜ **AURÉOLAIRE** adj. (1845), «en forme d'auréole», est littéraire et rare.

AURI-, AUR(O)- élément emprunté au latin *aurum* (→ or), sert à former des composés didactiques.

▸ Les principaux sont **AURIFÈRE** adj. (1535), emprunt au composé latin *aurifer* (cf. *-fère*), pour «qui contient de l'or, à l'état naturel» ; **AURIFIER** v. tr. (attesté 1863), «obturer avec de l'or», et **AURIFICATION** n. f. (1858), qui concerne aussi surtout les dents «en or». ➜ **AURIQUE** adj. (1842), dérivé savant de *aurum,* concerne l'or trivalent. ➜ **AUREUS** n. m., emprunt (1845) à l'adjectif latin dérivé de *aurum* («d'or»), désigne une pièce d'or servant d'unité monétaire dans la Rome antique. ➜ Récemment a été formé **AURÉOMYCINE** n. f. (1950), sur *myce-* et *-ine,* pour désigner un antibiotique utilisé en poudre jaune doré (latin savant *streptomyces aureofaciens*) découvert en 1948 (Duggar).

◈ voir **AURÉOLE.**

AURICULAIRE adj. et n. est un emprunt (1532, Rabelais) au bas latin *auricularius* dérivé de *auricula* (→ oreille).

♦ L'adjectif, dans *doigt auriculaire,* qualifie en français le petit doigt que l'on peut mettre dans l'oreille (image remontant au latin). Il ne sera substantivé dans cette acception qu'au XIXe s. (1866). ◇ Au sens large, «de l'oreille ; auditif», il apparaît dans *confession auriculaire* (1561, Calvin) ; le latin médiéval connaissait *auricularius* n. m., «confesseur». Il s'emploie aussi dans *témoin auriculaire* (av. 1690). ◇ *Auriculaire* n'est utilisé en anatomie, avec le sens initial du latin, qu'au XIXe s. (1824), et reste didactique.

▸ **AURICULE** n. f., emprunt (1377) au latin *auricula,* a désigné l'oreillette du cœur, plus tard remplacé par *oreillette.* ◇ Le mot a été repris (1838) pour désigner un diverticule prolongeant l'oreillette, avec d'autres valeurs en botanique. ➜ **AURICULOVENTRICULAIRE** adj. s'emploie en anatomie (1814) pour «relatif à l'oreillette et au *ventricule** (du cœur)».

AURIGE n. m. est emprunté (1823) au latin *auriga* «cocher», parfois *origa,* en général expliqué (Saussure, Muller) par un composé de *agere* «conduire» (→ agir) avec un élément °*ōre-,* °*aure* «mors», mais la composition du sens est bizarre et l'*i* fait difficulté (Ernoult et Meillet). La forme *auriga* pourrait être due à un faux rapprochement avec *aures* «les oreilles» (→ oreille).

♦ Ce mot d'archéologie, désignant le conducteur de char antique dans les courses, a été diffusé à la fin du XIXe s. par la découverte d'un admirable bronze archaïque grec, nommé l'*aurige de Delphes.*

AUROCHS n. m. est un emprunt (1414, sous la forme altérée et bizarre *ourofl;* puis 1611, *aurox*) à l'allemand *Auerochse,* composé de *Ochse* «bœufs», d'abord sous la forme ancienne *Urohse* en moyen haut allemand, de *Ohse* «bœufs», correspondant à l'anglais *ox* et d'origine indoeuropéenne, et *Ur.* Ce dernier, mot germanique d'origine incertaine, désignait déjà cet animal et a donné le latin *urus* (César), d'où le moyen français *ure* (XVIe s., *urus* étant repris en zoologie).

♦ Rarissime en moyen français, le mot est repris en sciences (*aurocks* et *aurochs,* Buffon, v. 1752) pour désigner un mammifère (bovidés), bœuf sauvage de grande taille dont l'espèce est à peu près disparue.

AURORE n. f. est un emprunt (XIIIe s.) au latin *aurora,* que les Latins (Varron) faisaient venir de *ab auro* «de l'or», à cause de la teinte dorée du soleil levant. Il s'agit en fait d'un nom indoeuropéen à valeur religieuse, élargissement d'un thème °*au-* (comme le grec qui atteste les formes simples *auôs* [éolien], *heôs*), originairement en °*es-* (sanskrit *uṣāh*).

♦ *Aurore* reste rare en français avant le XVIe siècle ; il prend des valeurs métaphoriques en langue classique et se spécialise pour désigner une couleur (1666) et un météore, l'***aurore boréale*** (1646), appelée plus tard ***aurore polaire*** (le phénomène étant aussi austral), mais la première désignation demeure plus courante. ◇ En français contemporain, *aurore* est normal au sens propre, mais d'usage évocateur et assez littéraire. En style poétique, *aurore* s'emploie au moins depuis le XVIIe s. pour «début, commencement» (cf. *aube*). ➜ Enfin, le mot désigne (1808) un papillon diurne à ailes blanches tachées de rouge.

▸ Le dérivé **AURORAL, ALE, AUX** adj. (1859) est didactique et littéraire.

◈ voir **AUSTRAL, EST.**

AUSCULTER v. tr. est un emprunt savant (1510) au latin *auscultare* «écouter», qui avait pris au XIIIe s. (1270) la valeur juridique de «comparer, confronter», empruntée un temps par le français.

Ce verbe est composé d'un premier élément identifié comme *auris* (→ oreille) et d'un second élément problématique.

♦ Le verbe avait en ancien français la valeur juridique du latin médiéval; mais il était depuis longtemps inusité, en 1819, quand Laennec écrivit son *Traité de l'auscultation* pour désigner sa méthode d'écoute médicale; ce traité n'atteste pas le verbe, qui semble un peu plus tardif.

▶ **AUSCULTATION** n. f. est lui aussi un latinisme (1570) emprunté au dérivé latin *auscultatio,* avec la même valeur juridique que *auscultare.* Comme on vient de le voir, le mot a été repris par Laennec (1819). ➜ **AUSCULTATOIRE** adj. (mil. XIXe s.; chez Verlaine, av. 1869) qualifie ce qui concerne l'auscultation.

AUSPICE n. m., comme *augure,* a deux valeurs distinctes, dont une seule (XIVe s.) a survécu, l'autre étant empruntée au latin *auspex, -icis* «prêtre romain qui prédisait l'avenir par l'examen du vol des oiseaux». Le mot venait de *avis* «oiseau» (→ avi-, oie) et de *spicere* «examiner» (→ aspect, spectacle). Le dérivé *auspicium* désignait le présage heureux.

♦ *Auspice* (v. 1355), emprunt à *auspicium,* a pour variante en moyen français la forme altérée *euspices* (1366). Ce latinisme, employé comme terme d'Antiquité, a eu aux XVIe-XVIIe s. un homonyme rare, emprunté à *auspex,* désignant en 1570 le témoin dans un mariage, puis (1697) un prêtre de l'Antiquité, emploi exceptionnel qui a disparu. ➜ Le mot a pris une valeur étendue au milieu du XVIIe s. «circonstances permettant une prévision favorable ou défavorable», employée dans ***sous les auspices de qqn, de qqch.*** «sous sa protection», d'abord en contexte antique, puis moderne.

AUSSI adv. et conj. est soit issu (déb. XIIe s., *aisi*) du latin populaire °*alid sic* ou °*alesic,* composé de *aliud* «autre» (dont le résultat en latin populaire °*ale* a donné en ancien français le pronom *al* ou *el;* → alias, alibi) et de *sic* «ainsi» (→ ② si); soit formé en français de °*ale* et de *si* (latin *sic*). Il a éliminé le composé français correspondant, *altresi* ou *autresi.*

♦ Les premiers emplois de *aussi* diffèrent des usages actuels : *alsi... cum* (aussi... comme), locution adverbiale (1re moitié XIIe s.), correspond à «de la même manière que...»; il sera remplacé (XVIIe s.) par *aussi bien que.* ◇ En tête de phrase, l'adverbe, sous la forme *ausins* (v. 1160), correspond à *ainsi.* En phrase négative, *ausi* (v. 1170, Chrétien de Troyes) équivaut à *non plus,* mais l'emploi en phrase affirmative, attesté à la même époque, est toujours vivant. ◇ *Aussi* (adj.) *que* (*osi que,* v. 1270) a été remplacé par *autant que.* ◇ Les emplois du moyen français, «de plus, pareillement» (mil. XVe s.) et ***aussi bien*** «d'ailleurs», ont mieux résisté et *aussi* reste très usuel dans ses emplois classiques, comme ***aussi bien que...,*** ou en conjonction pour «en conséquence» (attesté dès v. 1180) et comme adverbe de phrase, souvent au début de la phrase : *aussi bien, mais aussi...*

▶ Le composé **AUSSITÔT** adv. et prép. (XIIIe s.), de *tôt**, a vieilli comme préposition, mais s'est perpétué comme adverbe et dans ***aussitôt que,*** loc. conj. (*aussitos que,* 2e moitié XIIIe s.). La locution ***aussitôt dit, aussitôt fait*** est attestée à la fin du XVIe s. (1594) et dès 1531 sous la variante *aussi tost faict que dict.*

◈ voir AINSI.

AUSTÈRE adj. est emprunté (v. 1120) au latin *austerus* «âpre» et «sévère», lui-même emprunté au grec *austêros* «âpre, amer», d'abord «sec», apparenté à *hauos, auos* «sec», d'une forme °*hauhos,* variante d'une forme indoeuropéenne en *s* (sanskrit *śoṣa*) «action de sécher».

♦ Le mot, mis à part un emploi étymologique (XVe-XVIe s.) au sens du grec, dans *un fruit austère* «âpre» (encore au XVIIIe s.; *in* Trévoux, 1771), ne s'est implanté en français qu'au sens moral, une *vie austère* (v. 1120) étant une vie ascétique. ➜ Appliqué aux personnes, l'adjectif a voulu dire en ancien français (v. 1300) «cruel, rigoureux» ou seulement «sévère pour les autres», mais c'est au sens quasi latin de «sévère envers soi-même» qu'il s'est imposé, avec l'idée de privations volontaires pour des raisons morales et surtout religieuses (XVIIe-XVIIIe s.). ◇ Il se dit ensuite pour «sévère, strict», aussi des apparences physiques, de l'habillement, du décor, etc.

▶ Le dérivé **AUSTÈREMENT** adv. (1212) est demeuré rare.

AUSTÉRITÉ n. f. est emprunté (XIIIe s.) au dérivé latin *austeritas;* le sens concret, «âpreté», attesté chez Nicot (1606), semble très peu usité, alors même que *austère* pour «âpre» était en usage. ◇ Le mot s'est spécialisé en religion, aussi en emploi concret *(une, des austérités)* pour «mortification» (1671), puis pour désigner une attitude psychologique et morale et une apparence, suivant les emplois de l'adjectif.

AUSTRAL, ALE, AUX adj. est emprunté (1372) au latin *australis* «du Sud», adjectif dérivé de *auster* «vent du Sud» et «région méridionale». À la différence d'autres termes désignant les vents, celui-ci n'est pas grec; on l'a rapproché de l'ancien haut allemand *ostar* «de l'Est» *(Ost)* mais la confusion des points cardinaux est très improbable. Toutefois, les philologues anglo-saxons maintiennent cette hypothèse qui conduit à apparenter le nom de l'est (→ est), celui du vent et celui du lever du jour (→ aurore). Si cela était, il y aurait aussi parenté avec les noms propres *Autriche* et *Ostrogoth,* formés sur le nom de l'est. *Auster* avait donné en ancien français *austre* (v. 1120), repris (déb. XIVe s.) sous la forme latine, mot poétique et rare désignant le vent du Sud.

♦ En français, *austral* ne signifie plus «du Sud», mais «au sud du globe terrestre», d'où *pôle austral* (1680).

▶ L'élément **AUSTRAL(O)-**, tiré du latin *austral,* a servi à former plusieurs mots scientifiques, comme **AUSTRALOPITHÈQUE** n. m., du latin moderne *Australopithecus africanus,* terme créé par l'Anglais Dart en 1925, ou encore **AUSTRALANTHROPE** n. m., terme forgé par Leroi-Gourhan pour remplacer le précédent, ces préhominiens possédant déjà des caractères anthropoïdes.

Le latin *australis* a aussi servi à former le nom *Australie,* d'où **AUSTRALIEN, IENNE** adj. et n. (attesté

1842; *Australian* en anglais, 1812). On parlait depuis le XVIe s. de *Terra Australis* pour désigner les terres inconnues supposées exister dans l'océan Austral; d'où l'emploi extensif de l'adjectif *australian* (1693) en anglais. *Terra Australis,* ainsi que *Australia,* s'est appliqué au début du XIXe s. à la Nouvelle-Hollande (Australie actuelle).

AUTAN n. m. est emprunté (1545, *aultan*) à l'ancien provençal *auta* (provençal moderne *autan*), mot issu du latin *altanus* «vent de la haute mer», dérivé de *altum* «la haute mer», emploi spécialisé et substantivé de l'adjectif *altus,* à la fois «haut» (comme *excelsus*) et «profond» (→ haut).

♦ Le mot, régional du sud de la France, désigne un vent orageux soufflant du sud ou du sud-ouest (de la mer). ◇ *Les autans,* en langage poétique, désignent des vents impétueux.

AUTANT adv. est emprunté (XIe-XIIe s.) à une forme altérée du latin populaire °*al* (ou *ali*) *tantu,* d'un °*aliud tantum* issu du latin classique *alterum tantum* (→ autre, tant), qui signifie «une autre fois autant, encore une fois».

♦ *Autant* remplace l'ancien français *altretant* (1080) sous les formes écrites *altant* (v. 1170) puis *autant* (v. 1180), d'abord comme adjectif (XIIe-XIVe s.), puis comme adverbe (v. 1180). ◇ De nombreux emplois apparaissent au XVIe siècle : ***autant... autant, d'autant*** et ***d'autant que,*** loc. conj. (1532), ***pour autant que*** (mil. XVIe s.), ***d'autant plus que*** (chez Montaigne), etc.

AUTARCIE n. f. est emprunté (1793) au grec *autarkeia,* composé de *autos* «soi-même» (→ auto-) et de *-arkeia,* de *arkein* «protéger, secourir» et «suffire», à rapprocher peut-être du latin *arx* «citadelle» et du verbe *arcere* «contenir, maintenir», «écarter» (→ exercer).

♦ Le mot, apparu sous la Révolution, a d'abord désigné didactiquement le bien-être résultant de la sobriété, par laquelle une personne se suffit à elle-même. ◆ Repris en économie sous la forme *autarchie* (1896), puis *autarcie* (XXe s.; 1931, dans les dictionnaires), le mot s'applique à l'état d'un pays, d'un groupe en économie fermée, qui n'a pas besoin d'importations pour subsister.

▶ Le dérivé **AUTARCIQUE** adj. (1938), d'abord *autarchique* (1928), correspond au substantif dans son emploi moderne.

AUTEL n. m. est une altération (1080) de l'ancien français *alter* (1050), emprunté au latin religieux *altare,* n. m., du pluriel classique *altaria,* désignant un support placé sur la table des sacrifices, sur l'autel au sens antique *(ara),* où l'on brûlait les entrailles de l'animal sacrifié. Dès le latin, *altaria* remplace *ara,* parfois avec un sens spécialisé («partie supérieure de l'autel»). Le rapprochement avec *altus* «haut» est ancien et non étymologique; *altaria* est en revanche apparenté à *adolere* «consumer, faire brûler», verbe archaïque qui semble être d'origine autochtone (italique). La forme latine se retrouve par exemple dans l'anglais *altar.*

♦ *Autel* a son sens chrétien dès 1080, d'où la valeur symbolique (mil. XVIIe s.) de «religion chrétienne» *(le trône et l'autel).* ◇ Cependant, la plupart des figurés *(dresser, élever des autels,* etc.) viennent du sens antique, attesté assez tard (1644 chez Corneille) et repris au latin. ◇ Dans ses emplois religieux, le mot donne lieu à plusieurs syntagmes, comme ***maître autel*** «autel principal (d'une église)», *table, pierre d'autel,* et à des locutions, *à l'autel* s'étant employé dans le contexte du mariage (XVIIe-XVIIIe s.) et *s'approcher de l'autel* correspondant à «communier».

AUTEUR n. m., apparu au XIIe s. sous diverses formes *(auctur,* chez Wace; *autor,* en 1174), est un emprunt au latin *auctor* «instigateur», spécialement «conseiller», en droit «garant d'une vente». Le mot est dérivé du verbe *augere* «faire croître» (→ augmenter) et a lui-même pour dérivé *auctoritas* (→ autorité). Le sens initial du latin, qui l'apparente à *augur* (→ augure), serait religieux, puis social, «celui qui fonde et établit»; le mot a enfin pris les valeurs que le français retiendra, y compris celle du latin chrétien, où *auctor* sert à désigner Dieu, ce qui a pu entraîner des confusions avec *actor,* dérivé de *agere* «agir» (→ acteur, à acte).

♦ Le sens aujourd'hui dominant de *auteur,* «écrivain par rapport à son œuvre», est aussi le plus ancien, la spécialisation juridique, pour «personne qui est à l'origine d'un droit», n'apparaissant qu'en 1606 *(autheur).* ◇ Au sens d'«écrivain», *auteur* s'emploie aussi absolument pour «personne qui a écrit des ouvrages, dans quelque domaine que ce soit». Le mot s'applique aussi à d'autres créations *(l'auteur d'un tableau, d'une musique, d'un film,* etc.). ◇ Par métonymie, il désigne aussi l'œuvre, le texte *(étudier les auteurs),* sens usuel depuis le XVIIe siècle. ◇ L'expression ***droit d'auteur*** est courante depuis la législation française de 1866. ◆ Une autre valeur du mot, moins usuelle et aussi ancienne (1174, *autor*), correspond à «personne qui est la cause de, qui a fait (qqch.)», le complément désignant en général un acte *(l'auteur d'un crime,* etc.).
Le mot n'a pratiquement pas de féminin en français d'Europe : *auteuresse* (av. 1921), *autoresse* et *authoress* (1867, chez Taine, anglicisme), ni *autrice,* plus régulier et ancien, ne sont usuels. Les Québécois utilisent en revanche la forme analogique *auteure.*

▶ Le préfixé **CO-AUTEUR** n. m. (1857) désigne l'une des personnes qui ont signé ensemble un ouvrage. Une variante *conautheur* avait existé au XVIe s. (v. 1562).

◈ voir AUTORITÉ.

AUTHENTIQUE adj. est emprunté (1211) au bas latin *authenticus,* adjectif signifiant «original et bien attribué (d'un texte)» et substantif neutre *(authenticum),* «acte juridique qui peut faire foi», lui-même hellénisme. Le grec tardif *authentikos* signifie «dont le pouvoir, l'autorité est inattaquable». Il est dérivé de *authentes* «auteur responsable» (notamment d'un meurtre), d'où *authentia* «autorité». C'est un composé de *auto-* (→ auto-) et de °*hentês* «qui réalise, achève», d'un thème indoeuropéen.

♦ Le mot français apparaît en droit comme adjectif *(autentique escripture)* puis nom (XIIIe s., déformé en *antentique*); il s'écrit *auctentique* en 1403 (par confusion probable avec *auctoritas*), puis (XVe s.) *authentique*. Il s'applique alors (1403) aux personnes dont l'autorité est reconnue et légitime, puis aux choses véridiques, indiscutables, emploi normal en langue classique et moderne. ◇ Ce n'est qu'au XXe s. (1923 chez Gide) que l'adjectif correspond à «sincère, naturel, non affecté». ◆ Le sens très spécial en musique sacrée, dans *modes authentiques*, a été pris (1751, *Encyclopédie*), au latin médiéval *authenticus* (v. 1230).

▶ Parmi les dérivés, **AUTHENTIQUEMENT** adv. (déb. XIVe s., *autenticquement*; graphie moderne, XVe s.) et **AUTHENTIFIER** v. tr., récent (1860, Goncourt), «identifier comme authentique», comme son dérivé **AUTHENTIFICATION** n. f. (1933), sont devenus relativement courants.
Le verbe **AUTHENTIQUER** v. tr., sous la forme *autenticier* (v. 1260), puis *autentiquer* (1316), est pris au latin médiéval *authenticare* (v. 1030) «déclarer (un acte) authentique». Son usage est limité au droit. ◆ Un dérivé isolé et régulier est *authentiquité* (1557), repris sous la forme **AUTHENTICITÉ** n. f. (1748, chez Buffon), modifié d'après le radical latin et qui a pris aux XIXe et XXe s. les diverses valeurs de *authentique*.

AUTISME n. m. est un emprunt (1913) à l'allemand *Autismus*, créé en 1911 par Bleuler à partir du grec *autos* «soi-même» (→ auto-).

♦ Ce terme correspond à la «schizothymie» de Kretschmer et ses emplois actuels apparaissent d'abord dans le syntagme ***autisme infantile précoce*** (Kanner).

▶ L'adjectif **AUTISTIQUE** (1913) adapte l'allemand *autistisch* (1911, Bleuler), alors que **AUTISTE** adj. et n. semble dérivé en français (1913) sur *autisme*.

AUTO → AUTOMOBILE

① **AUTO-**, en français contemporain, correspond à deux éléments initiaux distincts. Le premier est tiré de l'adjectif et pronom grec *autos* «le même», «lui-même» et «de lui-même», mot d'origine incertaine, et se trouve d'abord dans des mots empruntés au grec, souvent par le latin (cf. ci-dessous et *automate, autonome, autopsie*). Ce processus commence au XVIe siècle. ◇ D'autres composés sont formés à l'époque moderne, en français ou dans une langue indoeuropéenne. Le second élément est alors tiré du grec (*autochrome*, 1907), du latin (*autoclave*, avec *clavis* «clé», 1820) ou, plus récemment, du français : *auto-accusation* (1903), *auto-accusateur* (1908), *auto-allumage* (1904), etc. Ce procédé commence à être productif au début du XIXe s. et l'est pleinement à partir de 1890 environ, avec le développement des terminologies scientifiques et techniques. Ainsi *automoteur, trice* adj. (1834), qui aurait pu concurrencer *automobile**. ◆ L'autre élément ② *auto-* vient du composé *automobile*, lui-même formé avec *auto-*, du grec *autos* (→ automobile). ◆ Fonctionnellement, les productions de ① *auto-* sont des substantifs, parfois des adjectifs; des verbes, surtout pronominaux comme *s'autodéterminer, s'autodétruire*, s'y sont récemment ajoutés.

▶ D'autres sont formés avec un élément grec ou latin lié. ◆ **AUTOGRAPHE** adj. (1580) et n. m., «écrit par l'auteur même», est plus courant que ses dérivés **AUTOGRAPHIE** n. f. (1800) et **AUTOGRAPHIER** v. tr. (1829). ◆ **AUTOCÉPHALE** adj. (1723; de *-céphale*) qualifie une Église chrétienne orthodoxe refusant de se soumettre à une direction unique. ◆ **AUTOCLAVE** adj. et n. m., formé (1820) à l'aide du latin *clavis* «clé», signifie «qui se ferme de soi-même» et s'applique spécialement (1825, n. m.) à un récipient servant d'étuve. ◆ **AUTOGÈNE** adj., d'abord terme philosophique (1840) «qui se fait de lui-même», s'est employé en physiologie (1855), par emprunt à l'anglais *autogenous* (Owen, 1842), avant de se diffuser avec la ***soudure autogène*** (1885). ◆ **AUTOPHAGE** adj. (1854) et **AUTOPHAGIE** n. f. (1854), de *-phage, -phagie*, sont restés didactiques en biologie, pour «qui se nourrit de sa propre substance», avec l'idée figurée (XXe s.) d'autodestruction. ◆ **AUTONYME** adj. et n. m., d'abord formé d'après *anonyme, pseudonyme*, a qualifié (1866) un ouvrage publié sous le nom de son auteur. ◇ Il a été reformé (1957), d'après l'allemand (*autonym*, 1934), pour désigner et qualifier un mot se désignant lui-même, c'est-à-dire un mot en mention, et non pas en usage. ◆ **AUTOTOMIE** n. f. (1882), de *-tomie*, désigne une mutilation réflexe d'une partie du corps; il a pour dérivé **S'AUTOTOMISER** v. pron. (1897). ◆ **AUTOSCOPIE** n. f. (1903), formé avec l'élément *-scopie*, désigne l'hallucination par laquelle on croit voir sa propre image. ◆ **AUTOGAMIE** n. f. (1904; de *-gamie*) désigne en biologie la reproduction par union des gamètes d'un même individu. ◇ **AUTOGAME** adj. (XXe s.) en est dérivé. ◆ **AUTOTROPHE** adj. (1905; de *-trophe*) est un terme important en biologie, pour «qui élabore lui-même ses substances organiques», à propos des végétaux chlorophylliens. ◆ **AUTOCHROME** adj. (1906) est formé avec l'élément *-chrome* et se dit d'un procédé, d'une plaque enregistrant les couleurs sans recourir à un agent extérieur. ◇ De là **AUTOCHROMIE** n. f. (1907).
Parmi les emprunts, **AUTOCHTONE** adj. et n. est pris (1560) au grec *autokhthôn*, de *autos* et de *khthôn* «terre» (→ chtonien). Il signifie «habitant du lieu même, indigène» et devient adjectif (1835). ◆ **AUTOCRATE** n. et adj. est emprunté (1768) au grec *autokratês*, de *kratein* «gouverner». Il désigne la personne qui exerce un pouvoir absolu et qui ne détient ce pouvoir que d'elle-même. ◇ **AUTOCRATIQUE** adj. est attesté en même temps, alors que **AUTOCRATIE** n. f. n'apparaît que pendant la Révolution (1794), emprunté au dérivé grec *autokrateia*.
AUTODIDACTE adj. et n., d'abord (1557) «que l'on apprend sans maître», puis (1580) «qui apprend sans maître», est pris au grec *autodidaktos*, de *didaskein* «s'instruire» (→ didactique).

◈ voir AUTARCIE, AUTISME, AUTOMATE, AUTOMÉDON, AUTOMOBILE, AUTONOME, AUTOPSIE, TAUTOLOGIE.

AUTODAFÉ n. m. est un emprunt (1687, écrit en trois mots : *auto da fé*) au portugais *auto* («acte», «jeu» au sens théâtral) *da fe* («de la foi»), expression appliquée au supplice des hérétiques condamnés par le tribunal de l'Inquisition ; la formule espagnole étant quasi identique *(auto de fe).*

♦ Le mot se trouve chez Lesage et a été diffusé au XVIIIe s., notamment par Voltaire. ◇ Devenu synonyme de «supplice du feu», il a été appliqué au XIXe s. (1826) à une destruction par le feu pour des raisons idéologiques (livres, etc.).

AUTOMATE n. m. et adj. est emprunté (1532) au grec *automatos* «qui se meut de lui-même», de *autos* (→ auto-) et de *-matês,* appartenant à la racine du verbe *memonenai,* qui exprime la force, la tension psychologique, passion, désir, intention. Ce verbe, qui correspond au latin *memini* «avoir présent à l'esprit ; se souvenir» (→ mémento), se rattache au radical indoeuropéen °*men-* «pensée», que l'on retrouve dans *mens* «esprit» (→ mental).

♦ L'adjectif apparaît dans le *Gargantua* de Rabelais (1532) : «de petits engins automates, c'est-à-dire soi mouvans eux-mêmes». Il ne se trouve plus au XVIe s. et réapparaît comme nom (1611), puis au XVIIIe s. comme nom et adjectif, se spécialisant pour désigner ou qualifier un appareil imitant les mouvements d'un être vivant, et non plus tout mécanisme intérieur. Employé au figuré au XVIIe s. (1669, Pascal, pour qualifier un être humain), le mot est courant depuis Descartes. Sa vogue au XVIIIe s. étant attestée par une série de dérivés : *automatique, automatisme,* mot créé par Réaumur (mort en 1757), *automatiser ;* tous trois au sens cartésien, caractérisant les mouvements physiologiques sans participation de la volonté. ◇ En français moderne, *automate* s'emploie soit au sens du XVIIIe s. *(collection d'automates anciens),* soit en relation avec les dérivés modernes et avec *robot*.*

▶ **AUTOMATIQUE** adj., d'abord physiologique (1751), ne devient technique qu'au XIXe s. (1859, dans un texte concernant les métiers à tisser inventés au XVIIIe s.), puis reçoit une valeur figurée (1878). ◇ Avec l'évolution des techniques, l'adjectif entre dans de nombreux syntagmes, tel *téléphone automatique* (1903), et devient substantif dans divers contextes : *l'automatique* «téléphone automatique», *un automatique* «pistolet automatique», *une automatique* «montre, voiture à changement de vitesses automatique», etc. ◇ Enfin l'adjectif, du sens figuré «qui s'accomplit de manière régulière et déterminée, inévitable», est passé dans l'usage familier au sens d'«inévitable» et même d'«absolument normal» (cf. *logique*). ➜ Le dérivé **AUTOMATIQUEMENT** adv. (1801) est particulièrement fréquent dans ce dernier sens (mil. XXe s.). ➜ **AUTOMATICITÉ** n. f. (1906) est resté didactique.

AUTOMATISME n. m., apparu au milieu du XVIIIe s. (av. 1757, Réaumur), continue à s'employer en physiologie et en psychologie : *automatisme mental* (v. 1926, Clérambault). Mais, depuis le début du XIXe s. (1803), il désigne surtout un fonctionnement automatique de machine. ➜ **AUTOMATISER** v. tr. est d'abord didactique (mil. XVIIIe s., Diderot) et s'applique aux personnes que l'on rend «automates», au sens de Pascal. ◇ L'emploi moderne au sens de «rendre automatique» doit être postérieur à l'usage technique de cet adjectif (mil. XIXe s.). ➜ Le dérivé **AUTOMATISATION** n. f. n'est attesté (1875) que dans ce sens ; il a été récemment concurrencé par un emprunt à l'anglais (1955), **AUTOMATION** n. f., qui semble sorti de mode avec l'évolution rapide des techniques de l'automatisme, dont la terminologie s'est renouvelée (informatique, robotique, etc.). ➜ **AUTOMATISABLE** adj. (mil. XXe s.) est moins usuel que **AUTOMATISÉ, ÉE** adj.

AUTOMÉDON n. m. est l'emploi plaisant (1776) du nom du cocher d'Achille dans l'*Iliade.* Celui-ci signifie littéralement «qui pense par lui-même», de ① *auto-** et du patronyme *Medôn,* dérivé de *medein* «mesurer, régler», «méditer, penser». Ce verbe est apparenté au latin *meditari* (→ méditer) *modus* (→ mode) et repose comme lui sur une racine indoeuropéenne °*med-* «prendre des mesures appropriées».

♦ Le mot a été à la mode au XIXe s., par plaisanterie, pour désigner un cocher. À la fin du siècle, il a pu être rapproché plaisamment de *automobile,* mais il est sorti d'usage au XXe siècle.

◈ voir **MÉDUSE.**

AUTOMNE n. m. est emprunté (1231) au latin *automnus,* nom et adjectif d'origine étrusque probable, mais que les Anciens rapprochaient du verbe *augere* «croître», donc du groupe de *augmenter, auteur.*

♦ Le nom de cette saison est apparu en ancien français relativement tard (XIIe-XIIIe s. ; cf. ci-dessous *automnal*) : on employait *gain* (temps de la récolte). ◇ De l'idée de «récolte», appuyée par le rapprochement avec *augere,* on est passé à celle de «déclin», avec les sens figurés (1405, à propos de la vie humaine ; 1735, Voltaire, plus généralement).

▶ **AUTOMNAL, ALE, AUX** adj. est un emprunt (1119) au dérivé latin *automnalis ;* à la différence du substantif, il n'est pas entré dans l'usage courant, mais est fréquent dans le style didactique et littéraire.

AUTOMOBILE adj. et n. f., mot promis à un brillant avenir, apparaît modestement comme adjectif (1861), formé de ① *auto-** et de l'adjectif *mobile*,* d'après *locomobile,* à côté de *automoteur,* plus ancien.

♦ Signalé dans le *Grand Dictionnaire* de Pierre Larousse (1866) comme adjectif pour «qui se meut de soi-même», il a un sens voisin de *automatique ;* il est alors question de *barrages automobiles.* ➜ C'est par ***voiture automobile*** (1876) que le mot, lié à l'apparition des moteurs à explosion utilisés sur des véhicules à roues, prend son essor (à noter que l'adjectif *hippomobile* est formé à partir de *automobile,* en 1897). L'adjectif s'emploie immédiatement (1895) à propos de cette activité *(sport, industrie automobile).* ◇ Par ailleurs, l'abréviation *un auto* (1896), puis *une* **AUTO,** devient courante autour de 1900, le mot *voiture,* normalement appliqué aux véhicules à traction animale, restant ambigu. L'adjectif, en dehors de *voiture automobile,* n'est guère employé que dans *canot automobile. Un automobile* cesse de se dire vers 1920 ; vers la même époque *un auto,* qui concurrence depuis 1896 *automobile,* cède la place à *une auto,* et la forme complète *une automobile* devient marquée (technique ou littéraire, voire académique) par rapport à *auto,* sauf dans *Automobile-Club* (nom propre), et dans l'emploi adjectif (ci-dessus). ◆ Si la carrière lexicale de *automobile* est importante, le mot, et même son aphérèse *auto,* est devenu de moins en moins usuel, notamment après 1950, *voiture,* du fait de la disparition quasi totale des véhicules hippomobiles, étant le mot le plus banal. ◇ *Auto* demeure, semble-t-il, plus usuel en Suisse et au Québec, où il a été fortement concurrencé par *char* (aujourd'hui plutôt rural ou populaire), qu'en France. *Auto* s'emploie dans les milieux de la course automobile, ainsi que dans des emplois dérivés : *les autos tamponneuses* des foires, *les petites autos* («maquettes d'automobiles»).

▶ Les dérivés apparaissent avec l'essor des véhicules à moteur. ◆ **AUTOMOBILISME** n. m. (1895) a vieilli pour «technique, conduite des automobiles» et s'est spécialisé pour «sport automobile», alors que **AUTOMOBILISTE** n. (1897) désigne toujours le conducteur de voiture automobile. ◆ **AUTOMOBILISABLE** adj. (1925) se dit d'une route adaptée à la circulation des automobiles, comme synonyme rare de *carrossable.*
De *automobile* vient un nouvel élément ② **AUTO-**, fort productif. ◆ **AUTOCAR** n. m. (1896, en Belgique) est en concurrence avec *car* pour désigner un véhicule de transport collectif hors des villes. ◇ Le dérivé **AUTOCARISTE** n. m. (1962) «personne qui exploite une compagnie d'autocars», est rare. ◆ **AUTOBUS** n. m. s'est formé spontanément sur la finale de *omnibus** lorsque la Compagnie des omnibus (à chevaux) de Paris lança le 15 mai 1906 les *omnibus automobiles.* L'argot des employés de la Compagnie passa immédiatement dans l'usage. Le mot est resté usuel, concurrencé par *bus;* à Paris notamment, *autobus* et *métro* résument à eux seuls presque tous les transports urbains collectifs. ◆ **BUS** n. m., formé sur *autobus* (1881) est resté usuel, parallèlement à *métro.* ◆ **AUTO-ÉCOLE** n. f. (1906) est resté usuel pour désigner les écoles de conduite qui préparent des candidats au permis de conduire. ◆ Une série de termes concernent les routes et pistes pour automobiles : **AUTODROME** n. m. (1896, à côté d'un fugitif *automobilodrome*; de *-drome*) désigne une piste fermée pour courses ou essais ; le mot a vieilli ; **AUTOSTRADE** n. f., emprunt (1925) à l'italien *autostrada,* de *strada* «route», s'est peu employé, sauf en parlant de l'Italie, faute de telles routes spécialement aménagées en France. ◆ Le mot a presque été éliminé par **AUTOROUTE** n. f., apparu assez tôt (1927) et peu usité à l'époque (on parlait plutôt d'*autostrades*), sauf à propos des États-Unis et de l'Allemagne. Le mot s'est diffusé naturellement avec la construction en France de routes protégées, larges, réservées à la circulation automobile (1966) ; employé d'abord à propos de l'Allemagne, pour traduire *Autobahn,* puis des États-Unis, pour *highway,* il s'est répandu à partir des années 1960, avec la construction d'autoroutes en France (*autoroute de l'Ouest,* partant de Paris), il est devenu très courant, avec quelques syntagmes *(autoroute à péage; bretelle d'autoroute...),* et un dérivé **AUTOROUTIER, IÈRE** adj. (1957), assez didactique. ◆ Le nouvel élément a été exploité aussi par l'armée : **AUTOCHIR** n. f. «ambulance chirurgicale automobile» en 1914-1918, qui n'a pas vécu ; **AUTOCHENILLE** n. f. (1922), véhicule automobile dont le train arrière est chenillé. ◆ L'autonomie de cet élément se marque par la variété des seconds éléments et la négligence à l'égard des ambiguïtés possibles : **AUTOPOMPE** n. f. (1928), «camion automobile équipé d'une pompe à incendie» (et non pas «pompe automatique») ; **AUTORAIL** n. m. (1928), «véhicule automoteur sur rail», usuel ; **AUTORADIO** n. m. (1956), «poste de radio pour automobile» ; **AUTO-COUCHETTES** adj. (1962), dans *train auto-couchettes.* **AUTO-STOP** n. m. (1938) est un composé hybride qui n'a rien d'anglais (où l'on emploie *hitch-hiking*), avec le verbe anglais *to stop* «arrêter» ; il est concurrencé par l'aphérèse *faire du stop* (→ stop). ◆ Le dérivé **AUTOSTOPPEUR, EUSE** n. (1953) est usuel.

AUTONOME adj. est emprunté (1751) au grec *autonomos* «qui est régi par ses propres lois», de *autos* (→ ① auto-) et de *nomos* «loi» (→ -nome, -nomie).

♦ C'est d'abord en français un terme d'Antiquité grecque ; puis (1815, à propos de Kant) un mot de philosophie, appliqué aux personnes. Le sens général et moderne, probablement induit par *autonomie,* ne semble pas antérieur à 1850, d'abord dans des emplois didactiques. ◇ L'adjectif devient usuel au XXe s., notamment dans le contexte politique et social (cf. ci-dessous *autonomie*).

▶ **AUTONOMIE** n. f. est antérieur (1596), mais n'est guère utilisé avant le milieu du XVIIIe siècle ; il est emprunté au dérivé grec *autonomia* et concerne en français l'histoire ancienne, puis (1815) la philosophie kantienne *(autonomie de la volonté);* d'où une valeur psychologique («liberté, indépendance») au milieu du XIXe siècle. ◇ C'est aussi l'époque où le mot s'applique à la politique moderne, en relation avec *indépendance* (→ dépendre), concept distinct, comme l'atteste le dérivé **AUTONOMISTE** adj. et n. (1868). Ces emplois se répandent après 1871, et notamment vers 1910-1911, à propos de l'Alsace-Lorraine, annexée à l'Allemagne puis (1918) à la France. ◇ **AUTONOMISME** n. m. est postérieur (1926, dans une traduction de Lénine). ◇ Au XXe s., tant les mouvements régionalistes que nationalistes, par exemple lors de la décolonisation, ont donné à ces mots de nombreuses occasions d'emploi.

AUTOPSIE n. f. est emprunté (1573) au grec *autopsia* «action de voir par soi-même», de *autos* (→ ① auto-) et de *-opsia,* lui-même de *opsis* «vue» (→ optique).

♦ Le passage du sens général (grec) à celui d'«examen d'un cadavre» (en français) n'est pas clair : le premier emploi du mot est absolu, mais on a longtemps parlé d'*autopsie cadavérique* pour «examen», comme de *dissection* (attesté 1530) *cadavé-*

rique, et le premier a pu servir d'euphémisme, s'agissant d'une pratique souvent condamnée. ◇ L'emprunt (1751) du sens grec en religion («état contemplatif») n'a pas eu de suite, mais l'emploi figuré, pour «examen approfondi» d'abord métaphorique de l'autopsie des cadavres (1827, Hugo), est relativement usuel.

▸ Le mot a un dérivé, **AUTOPSIER** v. tr. (1857, Flaubert in *T. L. F.*).

AUTORITÉ n. f. est un emprunt ancien (1119, *auctorité*) au latin *auctoritas,* dérivé de *auctor,* désignant le fait d'être *auctor,* c'est-à-dire fondateur, instigateur, conseiller, garant, vendeur, possesseur (toutes valeurs propres au latin) et aussi auteur, responsable d'une œuvre (→ auteur). Parmi les sens du mot *auctoritas,* on relève «pouvoir d'imposer l'obéissance» et «crédit d'un écrivain, d'un texte», et notamment, en latin d'Église, d'un texte révélé.

♦ Ces valeurs se retrouvent, appliquées aux textes sacrés, dans les premiers emplois connus de *autorité :* «texte de l'Écriture»; «pouvoir d'imposer l'obéissance» (1174); «force de ce qui est jugé ou décidé» (XIIIe s.). Au XIIIe s. aussi, le mot s'applique à la force d'une référence; cette valeur s'est conservée en espagnol, où *autoridad* correspond à «citation servant de modèle, d'exemple». Au XVIe s. (1559, Amyot), il se dit de la considération dont jouit une personne, indice d'une supériorité morale. ◆ La spécialisation politique («organe du pouvoir») date de la langue classique (mil. XVIIe s.); l'emploi au pluriel, pour désigner des magistrats, des hauts fonctionnaires, apparaît à la fin du XVIIIe s. (1790, Turgot). L'expression ***d'autorité*** (mil. XVIIe s.) a donné au XIXe s. (1830) la locution argotique *d'autor* «obligatoirement, forcément». ◇ Le sens dominant de *autorité* «droit de commander, d'imposer l'obéissance» est exploité dans le dérivé *autoritaire.*

▸ **AUTORITAIRE** adj. (1863) s'applique au pouvoir politique, puis aux attitudes psychologiques (chez Zola, 1873). ◆ La vitalité du mot est prouvée par ses dérivés : **AUTORITAIREMENT** adv. (1875), **AUTORITARISME** n. m. (1870) et **AUTORITARISTE** adj. (1900).

AUTORISER v. tr. correspond à un autre aspect du sémantisme latin; il est emprunté (XIIIe s., *autorizer*), d'abord sous la forme latinisante *actorizer* (fin XIIe s.), au latin médiéval *auctorizare* «confirmer», dérivé de *auctor* au sens juridique de «garant»; le latin classique connaissait *auctorare.* En ancien français, *actorisier, auctorizer (-issier)* signifie à la fois «approuver officiellement», «donner autorité à (qqch.)» et «certifier, prouver» (XIIIe s.). ◆ Le sens moderne dominant, «permettre», apparaît en moyen français (1439), d'abord à propos des choses *(autoriser qqch.),* puis des personnes *(autoriser qqn à),* d'où le pronominal *s'autoriser à, s'autoriser qqch.* ◇ Un autre emploi pronominal, *s'autoriser de qqch.* «prétexter», appartient à la langue classique mais est encore connu. ◆ Le participe **AUTORISÉ, ÉE** adj. (XIIIe s.) a signifié «qui jouit d'une grande autorité», encore au XVIIe s., puis «qui est digne de créance» *(avis autorisé).* ◇ Ses valeurs les plus courantes sont aujourd'hui «qui a reçu autorisation», «qui est permis» et, des personnes, «qui a autorité» *(un porte-parole autorisé).* ◆ Le dérivé **AUTORISATION** n. f. (*auctorization,* 1419; *authorisation,* 1593), terme juridique et courant, désigne par métonymie l'acte, l'écrit qui autorise.

◈ voir OCTROYER.

AUTOUR → TOUR

AUTRE adj. et pron. est issu (fin Xe s., *altre*) du latin *alter,* à l'accusatif *alterum,* d'abord comme pronom, puis (v. 1040, *altra*) comme adjectif. Le latin, avec le suffixe °*-tero* (cf. *uter, ul-te-rior, ci-terior*), procède du même radical *al-* que *alius, alienus* (→ alias, alibi, aliéner et, du grec *allos,* allo-). Cette combinaison est indoeuropéenne (cf. grec *hateros, heteros* en attique et ionien [→ hétéro-]; gotique *anthar,* sanskrit *anyáḥ*), sauf en ce qui concerne le *l,* qui est italique. *Alter* est pronom («le deuxième élément; autrui») et adjectif, avec plusieurs valeurs qui seront reprises en français.

♦ Le français *altre* se manifeste comme pronom au Xe s. («le reste»), puis s'emploie (fin Xe s.) dans *l'altre* «le deuxième, le suivant», d'où (fin XVe s.) *les aultres* «le prochain». ◇ Comme adjectifs, *altra* et *altre* s'emploient dès 1040 (Alexis) comme épithète et attribut (*estre altre* «différent»). Cet usage donne lieu à des locutions : ***d'altre (d'autre) part*** (1080), ***autre chose*** (1220); ***nous autres*** (Joinville, XIIIe s.), ***un autre soi-même*** (Oresme, 1370). ◇ Le pronom est lui aussi riche en phraséologie : ***comme dirait l'autre*** (1613; 1579, *comme dit l'autre*), ***entre autres, l'un et l'autre, l'un ou l'autre,*** bien représentés en langue classique.

▸ *Autre* a aussi servi à former des composés très usuels.

AUTREFOIS adv., d'abord *autre feice* (v. 1170-1180), puis *autrefeiz,* a signifié en ancien français «dans le futur». Cette valeur sera éliminée par *une autrefois* (déb. XIIIe s.), car *autre fois,* soudé plus tard, s'est spécialisé (v. 1200) pour «dans le passé». ◇ Il est attesté comme nom (1845) pour «temps passé»; on dit encore régionalement (Sud-Ouest) *une autrefois* pour «autrefois».

AUTREMENT adv. signifie d'abord (1080) «sinon», puis (mil. XIIe s.) «d'une autre façon». ◇ L'expression ***il n'est pas autrement intelligent*** «pas beaucoup» (1690) peut résulter d'une confusion avec *outrément* «de manière excessive, outrée», devenu archaïque.

◈ voir ADULTÈRE, ALTERCATION, ALTÉRER, ALTÉRITÉ, ALTERNER, ALTRUISME, AUTRUI, SUBALTERNE.

AUTRUCHE n. f. est à la fois l'altération et la réfection étymologique de formes anciennes, *ostruces* (1130-jusqu'au XVIe s.), puis *ostriche* (2e quart du XIIIe s.), le premier étant emprunté au latin populaire °*austruthio,* °*austruthia,* de *av(is)* «oiseau» (→ avi-, oie) *struthio.* Ce dernier, classique (Pline), était emprunté au grec *strouthion,* diminutif de *strouthos,* qui, avec certains adjectifs, peut désigner de gros oiseaux comme l'autruche, mais signifie initialement «moineau» et appartient au même ensemble indoeuropéen, avec des variations de forme, que le latin *turdus* «grive», le russe *drozd* «merle», l'allemand *Drossel.*

♦ La graphie *austruce* avec *au-* est étymologique (xve s.), mais le son et la graphie *-uche* (*austruche,* 1515; *autruche,* 1556), qui reproduisent ceux de *ostriche,* peuvent avoir été suscités, selon Arveiller, par l'italien *struzzo,* aboutissement italien de *struthio.* ◇ Les légendes et observations antiques sur cet oiseau sont à l'origine de l'expression ***avoir un estomac d'autruche*** (1627) «avoir un estomac capable de tout digérer». ◇ Des syntagmes usuels sont ***œuf d'autruche, plume d'autruche,*** ce dernier désignant une réalité culturelle importante dans la mode féminine (fin XIXe-déb. XXe s.). ◇ Le figuré «homme grand et stupide» n'a pas vécu longtemps, et le figuré moderne *être une autruche* correspond à ***faire l'autruche, pratiquer la politique de l'autruche*** «refuser de voir le danger, la réalité» (attestés XXe s., après la comparaison *se cacher la tête comme l'autruche,* 1866 Amiel; cf. déjà *l'imprudence de l'autruche,* 1826 chez Balzac).

▸ Le dérivé **AUTRUCHON** n. m., réfection de *ostruçon* (1374) «petit de l'autruche», est rare. ◆ **AUTRUCHERIE** n. f. (1890) désigne une ferme d'élevage d'autruches.

AUTRUI pron. est le cas régime (*altrui,* 1080) de *altre, autre*,* et correspond au latin °*alterui,* datif populaire (pour *alteri*) d'après *cui* «auquel» (→ qui).

♦ Le mot a en français son sens moderne dès l'origine, mais *l'altrui* signifie aussi (1262 - jusqu'au déb. XVIIe s.) «le bien du prochain».

▸ Un dernier composé, *altresi,* le plus ancien (Serments de Strasbourg), a été éliminé par *aussi*.*

◈ voir **ALTRUISME.**

AUVENT n. m., si l'on n'accepte pas l'hypothèse simple, mais non corroborée, de P. Guiraud, qui fait venir le mot de *au-devant,* d'un latin populaire °*ante-abante* (→ avant), est d'origine obscure. Apparu vers 1300, après le latin médiéval *auventus* (1160), il est rapproché de l'ancien provençal *amban, anvan,* du latin médiéval *antevanna* (1209), lui-même d'origine incertaine. Depuis Du Cange, on le faisait venir de *ante vannum* (de *vannum* «van»), hypothèse peu vraisemblable, puis d'un radical germanique. Pour Jakob Jud, le mot procède du gaulois °*ande* (particule intensive) et *banno* «corne», à cause des cornes propitiatoires ornant le fronton des maisons gauloises, la finale de *auvent* étant due à l'influence de *vent* et l'élément *an* ayant été mal compris, puis remplacé par *au-* (Bloch et Wartburg). ◇ Ces étymologies assez hypothétiques concernent le provençal *auvan* et une variante *anvant;* or, l'ancien provençal signifie essentiellement «entour, périphérie», d'où «retranchement» et «parapet de fortification», et correspond très mal, sémantiquement, au français *auvent,* même si le languedocien connaît *embans* pour «avancée d'une boutique».

♦ Le mot désigne un petit toit en avancée. Il est courant en emploi concret. Ses spécialisations (techniques) et les figures (les mains *en auvent*) sont peu importantes.

AUXILIAIRE adj. et n. est un emprunt de la Renaissance (1512) au latin *auxiliaris* adj. ou *auxiliarius* adj. et n., dérivés de *auxilium* «secours». Ce dernier, comme *auctor, auctoritas, augur* (→ augure, auteur, autorité), vient du radical verbal de *augere* (→ augmenter) «croître» et «faire croître», et signifie à l'origine «accroissement de forces, renfort». La dérivation, connue dès l'antiquité (Varron), s'explique difficilement, peut-être par *auxilia,* pluriel neutre d'un adjectif °*auxilis,* d'où on aurait tiré par analogie un substantif *auxilium.*

♦ Les premiers emplois français sont des latinismes, concernant des troupes envoyées en renfort. ◇ C'est au XVIIe s. que l'adjectif entre dans l'usage général, probablement d'abord en contexte juridique et aussi dans la terminologie grammaticale (*verbe auxiliaire,* 1680, d'où *un auxiliaire, in* Académie 1835). Il s'applique aux choses, aux personnes (entrant dans des désignations de fonction : *maître auxiliaire,* etc.) et il est substantivé, notamment pour «employé recruté à titre provisoire».

▸ Les dérivés **AUXILIAIREMENT** adv. (1866) et **AUXILIARIAT** n. m. (1941) sont rares ou didactiques, mais le second s'emploie administrativement pour «fonction d'auxiliaire».

AUXILIATEUR, TRICE n., mot de religion, est emprunté (v. 1450; 1530, au féminin) au latin *auxiliator* (féminin *auxiliatrix,* IIIe-IVe s.), dérivé de *auxilium.* L'adjectif qualifie un saint, la Vierge qui porte secours.

AUXINE n. f. est un mot scientifique «international», créé en allemand *(Auxin)* par Kögl et Haagen Smit en 1931 pour désigner la substance découverte en 1927 par Went. Le mot est formé à partir du grec *auxein* «augmenter, accroître» (qui correspond au latin *augere;* → augmenter) et du suffixe *-ine* (*-in* en allemand et en anglais).

♦ Le mot désigne une hormone végétale qui constitue un facteur de croissance.

▸ Il a pour dérivé **AUXINIQUE** adj. et pour composés **AUXINOLOGIE** n. f., mots entrés dans les dictionnaires en 1969, **HÉTÉROAUXINE** n. f.

AVACHIR v. tr., malgré les apparences, n'est peut-être pas un composé tout simple de *vache,* mais le résultat dialectal, passé assez tard en langue écrite (1395, «qu'il ne *s'avachise* trop», Christine de Pisan), d'un francique °*wajkjan,* restitué par l'ancien haut allemand *weikjan* «amollir» (cf. fribourgeois *agwetchi,* liégeois *awatchi*). Mais le mot a dû être très vite senti comme apparenté à *vache,* d'autant que certains contextes ruraux s'y prêtaient (franco-provençal *arazi, avezi* «assouplir le pis de la vache avant de la traire»).

♦ Au XVIe s., le verbe prend au pronominal sa valeur figurée moderne «perdre son énergie, sa force» (1539, R. Estienne à propos du langage). Au sens concret, le pronominal et surtout le participe passé sont plus fréquents que le verbe, qui signifie alors «faire perdre sa tenue, rendre mou et informe».

▸ Les deux participes, **AVACHI, IE** adj. (1542) et **AVACHISSANT, ANTE** adj. (1867, Goncourt), sont usuels, le second se bornant à des emplois abstraits, psychologiques. ◆ Le dérivé **AVACHIS-**

SEMENT n. m. (1851) s'emploie au concret et surtout au sens psychologique moderne.

✱ ① **AVAL** n. m. est composé de *à** et de *val**, sur le même modèle que son contraire *amont.*

♦ D'abord adverbe (1080), puis en fonction de préposition (v. 1160, *aval le vent*), et en locution adverbiale (***en aval,*** v. 1260), le mot devient substantif (1534), en parlant d'un cours d'eau et au figuré (XXe s.). ◇ *En aval* s'emploie au figuré, comme *aval* n. m., pour «(à un) stade ultérieur».

▸ Le dérivé ① **AVALER** v. tr. est d'abord cohérent avec l'adjectif : il signifie (1080) «descendre (notamment un cours d'eau)». Ce sens est devenu archaïque ou technique, de même que ses extensions, pour «abattre, faire tomber» (XIIe-XVIIIe s.), plus longtemps conservées au participe passé *(des joues avalées) ;* puis «creuser (une fosse, une mine)» (1783). ◆ Une seule acception est restée dans l'usage courant, rendant les autres valeurs marginales, c'est «faire descendre par le gosier» (fin XIIe s.), que sa fréquence a détachée de son origine dans la conscience des locuteurs, lui permettant de produire des sens figurés où l'idée concrète de «descente» est éliminée. ◇ *Avaler qqch.* signifie «accepter, supporter» (XVe s.), d'où diverses locutions familières, telles ***dur à avaler, avaler la pilule,*** etc., et la valeur spécialisée dans ***faire avaler qqch. à qqn*** (1666, Molière) «faire supporter», ou encore (1835) «faire croire».
Les dérivés se répartissent selon les deux principaux sens. ◆ Pour «aller vers l'aval, descendre» : ① **AVALEMENT** n. m. «descente» (1190), mot repris à la fin du XIXe s. chez les symbolistes comme substantif de *avalé* «pendant» ; ① **AVALOIR** n. m. (1272), terme de pêche ; **AVALOIRE** n. f. (XIIIe s., *avaleoire*) «pièce de harnais qui descend» ; **AVALAGE** n. m. «action de descendre» (1415) et d'abord (1280) «droit sur un bateau qui *avale*» ; **AVALAISON** n. f. (*avaleson,* 1235) ou **AVALASSE** n. f. (1511) «torrent qui descend des montagnes», emploi qui a dû influencer *avalanche**. ◇ Outre ces mots et l'adjectif participal **AVALANT, ANTE** adj. (1415) puis n. m. (1672), pour «(personne) qui descend une rivière», on peut encore citer **AVALURE** n. f. (1678), terme d'hippiatrie pour «corne qui descend autour du sabot d'un cheval». ◆ Pour le sens de «déglutir» : **AVALABLE** adj. (v. 1355), ② **AVALEMENT** n. m. (1539) «action d'avaler», rare, **AVALEUR** n. m. (v. 1510) «glouton», aujourd'hui dans des expressions comme *avaleur de sabres,* et concurrencé pendant quelques années par **AVALE-TOUT** n. m. (1881, chez Louise Michel). ◆ ② **AVALOIR** n. m., «gosier d'un glouton» (1615), a pris une valeur technique pour «partie d'un conduit de cheminée qui avale les gaz».

◈ voir **AVALANCHE, RAVALER.**

② **AVAL** n. m., «engagement à payer» (1673), n'a probablement pas de rapport avec *val.* L'hypothèse d'un emprunt à l'italien *avallo* ou à l'arabe *ḥawālā* «lettre de change, mandat», fait problème : le mot italien semble récent et pourrait être lui-même pris au français, et la date de *aval* en français rend peu probable un emprunt à l'arabe. On a aussi supposé un abrègement graphique de *à valoir,* mais cet abrègement, compatible avec *bailler, donner son aval,* supposerait un transfert (par oubli de l'origine) ou une substantivation de *à valoir,* qui n'est attestée que récemment dans ***bon pour aval,*** que J. Savary glosait «pour faire valoir».

♦ Le mot désigne un engagement par lequel une personne, le *donneur d'aval,* s'oblige à payer un effet de commerce en cas de défaillance d'une autre personne. Il se dit par extension pour «caution» (déb. XXe s.).

▸ Le dérivé ② **AVALER** v. tr. (1690), éliminé par l'homonymie, a été remplacé par **AVALISER** v. tr. (1875), qui s'emploie aussi (déb. XXe s.) pour «cautionner». ◆ Ce verbe a pour dérivé **AVALISEUR** n. m. (attesté 1934) qui remplace un dérivé de *aval,* **AVALISTE** adj. et n. (1846).

AVALANCHE n. f. est emprunté au franco-provençal alpin *avalanche* (1487, à Fribourg), lui-même croisement de *avaler* «descendre, dégringoler» (→ ① aval et ses dérivés, dont avalaison, avalasse) et du terme alpin *lavanche,* qui correspond à l'ancien provençal *lavanca,* peut-être avec métathèse : *la lavanche, l'avalanche.* La forme *lavanche, lavange* est d'ailleurs la première attestée (1572), avant *avallanche* (1611) qui élimine au XIXe s. *avalange.* Ce type alpin °*lavanca* présente un suffixe prélatin (ligure) *-anca,* fréquent dans les Alpes ; le radical pourrait être lié au latin *labina* «éboulement», de *labi* «glisser» (cf. *lavino* «rocher qui dévale», en Dauphiné ; → labile, laps). On a aussi proposé *lave** et (Dauzat) le gaulois °*lauza* «pierre plate» (→ lauze), qui ne conviennent guère.

♦ En français, le mot a conservé sa valeur initiale, diffusée par la fréquentation de la haute montagne avec l'alpinisme et les sports d'hiver, avec des syntagmes comme *couloir d'avalanche.* ◇ Il a pris (mil. XIXe s.) des valeurs métaphoriques, dans ***une avalanche d'injures, de coups,*** etc.

▸ Le dérivé **AVALANCHEUX, EUSE** adj. est attesté en 1927.

AVANCER v. provient d'un latin populaire °*abantiare,* dérivé du bas latin *abante* (→ avant), de *ab* et du latin classique *ante* (→ anté-).

♦ Le verbe apparaît au pronominal (1155 ; v. 1120 in *F. e. w.*) et au transitif (*avancier* «faire progresser», v. 1170, *Roman de Rou ;* puis «accélérer», 1223). ◇ Dès le XIIIe s., apparaît une valeur spatiale pour «faire venir en avant» (1278), puis (intransitif) «faire saillie», aussi au pronominal *s'avancer* (1559). ◇ En moyen français, le verbe prend aussi une valeur temporelle, «hâter» (v. 1400), et dans *avancer une date* (v. 1550). ◇ Une spécialisation financière «prêter (de l'argent à qqn)» (1469) vient de cette acception temporelle, par influence du dérivé *avancement* (ci-dessous). ◇ L'emploi intransitif (XIIIe s.) est lui aussi spatial et temporel : «se produire plus tôt», spécialement à propos d'un instrument pour la mesure du temps, opposé à *retarder.* ◆ Pour le transitif, d'autres valeurs apparues en ancien français se sont conservées : «proposer (qqch.) comme véritable» (1299), «faire progresser (un travail)» (v. 1220).

► Le participe passé **AVANCÉ, ÉE** adj. (attesté 1507) a lui aussi des emplois spatiaux (1690, *poste avancé*) et temporels *(un âge avancé)*, aussi en parlant d'êtres vivants (*avancé en âge*, Montaigne). L'adjectif, d'après le sens temporel, a pris la valeur spéciale d'«un peu gâté» par exemple dans *viande avancée* (1835). ◇ Cet aspect péjoratif du mot, par exemple dans *me voilà bien avancé!* (1726), coexiste avec l'idée méliorative de «qui manifeste un progrès» (*idées avancées*, La Rochefoucauld, in *F. e. w.*)

Le déverbal **AVANCE** n. f. apparaît avec le sens assez imprécis d'«avantage» (XIVe s.), puis prend (1478) le sens financier correspondant au verbe et à *avancement*, antérieur dans ce sens et éliminé par *avance*. ◇ La valeur temporelle correspond aussi à la locution ***d'avance*** (1580), à ***en avance, à l'avance, par avance*** (depuis l'usage classique) et à *prendre de l'avance* (fin XVIIe s.). ◇ Le sens spatial se réalise dans «action d'aller de l'avant» (1468) et par métonymie «saillie» (1473). ◇ Au pluriel, ***faire des avances (à qqn)*** [1662] s'est spécialisé rapidement dans le domaine amoureux.

AVANCEMENT n. m. a vieilli dans la plupart de ses emplois anciens : «marche en avant» (1174), «prêt financier» (1290) et «partie en saillie» (mil. XVIe s.) ; on a vu que *avance* et *avancée* avaient en partie remplacé ces emplois. ◇ *Avancement* désigne surtout aujourd'hui, par figure du sens spatial, le fait d'accomplir des progrès, de s'élever dans une hiérarchie ; ce sens semble dater du XVIIIe s. (1762) et a succédé à celui d'«enrichissement» (1690).

AVANCÉE n. f. est toujours spatial, signifiant «action d'avant, d'aller en avant» et par métonymie «ce qui avance, est en avant» (remplaçant *avancement*) [1771, en fortification].

◈ voir DEVANCER.

AVANIE n. f. semble un emprunt (1557) à l'italien *avania*. Une première attestation isolée de *aveinie* (1287) doit correspondre à un autre mot, préfixé de l'ancien français *venie* «pénitence», du latin *venia* (→ véniel). L'italien *avania* (déb. XIVe s.) est lui-même emprunté au grec médiéval *abania* «calomnie, délation», qui semble provenir de l'arabe *ḥawān* «traître», peut-être par le turc. Ces mots, aux XIVe-XVIe s., désignent précisément un impôt forcé imposé par les Turcs aux infidèles ; ce sens est attesté chez des voyageurs au Levant, au moins jusqu'à Chateaubriand et Lamartine. *Avania* avait pris en italien, dès Machiavel, la valeur figurée de «vexation, abus de pouvoir».

♦ En français, le sens figuré, «humiliation», est attesté en 1713 ; il est devenu le seul en usage, et la valeur d'origine est oubliée.

✳ **AVANT** prép. et adv. est issu du latin impérial *abante*, composé de *ab-* (→ à) et du latin classique *ante* «avant» et «devant» (→ anté-).

♦ *Avant, abanz* est d'abord (mil. Xe s.) un adverbe temporel, «auparavant», et spatial (2e moitié Xe s.) ; la locution ***avant que*** étant plus tardive (1258). ***Par avant*** (XIIIe s.) a précédé *auparavant* (ci-dessous). ◇ ***En avant,*** temporel (Xe s.), emploi qui a vieilli, est devenu spatial (XIe s.) et abstrait (*mettre qqch. en avant*, XVe s.) ; l'expression avait aussi en ancien français la valeur de préposition : *en avant qqch.* (1243). *En avant* spatial donne lieu aujourd'hui à l'expression ***fuite en avant.*** Au sens spatial, *avant* était concurrencé en ancien français par *davant* (Xe s.), *devant* (XIe s.) ; → devant. ◇ L'ancien et le moyen français connaissent de nombreuses locutions sorties d'usage, par exemple *en avant* «ensuite», *en avant de* «plus que» (XIIe s.), d'où *un en avant* (v. 1190) «un avantage» ; *avant mais* «désormais» (v. 1200), *si avant com (comme)* ou *si avant que* «de sorte que» (1347) et «autant que». *Mettre avant* signifiait au XIIIe s. «étaler (la marchandise)» (1260), «avancer (une proposition)» (1283) et *venir avant* «s'avancer» (XIe s.), sens pris aussi pour *aller avant* (1328). ◇ Il nous reste, avec ce verbe *aller* et *avant* substantivé, l'expression ***aller de l'avant,*** en marine (1736), puis au sens figuré (1835). ◇ *Faire avant* voulait dire (XIIIe-XIVe s.) «satisfaire (une obligation), régler, payer» et *être avant de* (XIIIe s.) «être en possession de».

AUPARAVANT adv. est formé (XIVe s.) de *au* et de la locution adverbiale ***par avant*** au sens de «dans un temps plus ancien», «avant» (1389), aussi dans *auparavant que* construit avec l'infinitif (1400), puis le subjonctif (1438), remplacé par *auparavant que de* (1626), tournures vieillies.

L'adverbe *avant* a été substantivé plusieurs fois. ◆ **AVANT** n. m. a désigné une avance (1422), puis la partie antérieure d'un navire (1680), d'une chose (1678) et d'un espace ; enfin, d'après *joueur avant* (1888), *un avant* désigne (1901) le joueur d'une équipe placé près du centre du terrain et qui attaque, au football notamment, d'où le composé **AVANT-CENTRE** n. m. (1900). ◇ Ces emplois sont pour la plupart symétriques de ceux de *arrière*, notamment dans l'adjectivation (XXe s.) : *les places avant* (d'une voiture), *la marche avant*.

► Outre *auparavant* (ci-dessus), *avant* a eu de nombreux dérivés, comme le verbe *avanter* «prétendre» (cf. *avancer*), *avantin* n. m. (1567) «branche de vigne qui avance», sans compter l'ancien provençal *aventier* «entreprenant». ◆ Seul *avantage* et ses dérivés ont vécu jusqu'au français moderne. **AVANTAGE** n. m. est un dérivé suffixé en *-age*, signifiant d'abord (1160) «ce qui produit une différence en plus», «ce qui est en plus pour qqn», puis (v. 1175) «ce qui est profitable». Plusieurs expressions sont déjà courantes dans la langue classique, comme ***tirer avantage de qqch., être à l'avantage de qqn.*** ◇ On enregistre ensuite des spécialisations juridiques, puis sportives en matière d'hippisme (1855), de tennis (1898). ◆ *Avantage*, très vivant, a plusieurs dérivés. ◇ **AVANTAGER** v. tr. (XIIIe s., *avantagier*) signifie «accorder un avantage à» et aussi «donner la préférence à». ◇ L'adjectif **AVANTAGEUX, EUSE** (1418), possède une spécialisation financière *(affaire avantageuse)*, et connaît une extension pour «qui flatte, est favorable» (1527) et un sens devenu archaïque, «beau, agréable à voir», sauf avec la nuance péjorative de vanité (fin XVIe s.), par exemple dans *prendre un air avantageux*. ◇ L'adjectif a pour dérivé **AVANTAGEUSE-**

MENT adv. (v. 1422) qui signifie surtout «favorablement».

La série négative, préfixée en *dé-*, est aussi très vivante. ➜ **DÉSAVANTAGE** n. m. (1290) désigne ce qui défavorise et toute condition d'infériorité. ◇ Il a pour dérivés **DÉSAVANTAGER** v. tr. (1507), courant au participe passé adjectivé, et **DÉSAVANTAGEUX, EUSE** adj. (fin XVe s.), d'où l'adverbe **DÉSAVANTAGEUSEMENT** (1558).

D'avantage a signifié en moyen français «par un avantage», d'où «d'emblée» et «sans le mériter»; mais c'est une autre valeur, «de plus», qui a produit **DAVANTAGE** adv. (fin XVe s., Commynes), construit avec *que* (XVIe s., Amyot) puis avec *de* (Malherbe) au sens d'«en plus grande quantité; encore plus».

Avant sert aussi à former de nombreux composés nominaux, avec les sens de «antérieur» et «le premier» dans le temps et l'espace (voir le second élément); certains composés : *avant-coureur, avant-garde* sont relativement démotivés.

◈ voir AVANCER, DEVANCER, DEVANT, DORÉNAVANT; AÎNÉ, ANCÊTRE, ANCIEN, ANTÉCÉDENT, ANTÉRIEUR, ANTI-, ANTICIPER, ANTIQUE.

AVARE adj. et n. est emprunté (1527) au latin *avarus*, dérivé mal expliqué du verbe *avere* «désirer avidement», qui a aussi produit *avidus* (→ avide), *audax* (→ audace), *ausare* (→ oser). *Avarus* s'est spécialisé au sens d'«avide d'argent», sens retenu en français après l'ancien français *aver*, aboutissement normal de *avarus*.

♦ *Aver*, outre le sens actuel de *avare* (v. 1200, adj.; substantif chez B. Latini, v. 1265), avait aussi la valeur de «peu disposé à» et de «pauvre» (v. 1200, *terre avere de pain*). Ces valeurs sont tardives (mil. XVIIe s.) pour la forme moderne *avare* et sont plutôt des métaphores du sens dominant ou du latinisme sémantique, pour «avide», «cupide» (Bossuet, La Bruyère). Au sens dominant, le mot, comme adjectif et comme nom, est particulièrement fréquent du XVIIe au XIXe s., où il correspond à un type humain caractéristique, hérité des Anciens (Plaute, inspirateur de Molière), et qui correspond à la thésaurisation des richesses. Cette valeur devient au XVIIe s. contraire à l'attitude d'efficacité économique de la bourgeoisie montante, tournée vers l'investissement; cependant, l'avare reste un personnage caractéristique, lié au refus de charité chrétienne, au moins jusqu'à la seconde moitié du XIXe siècle. Sans être archaïque, le mot et la notion (cf. *avarice*) perdent de leur importance ensuite.

▶ Le dérivé **AVAREMENT** adv. a signifié «avidement» (1554). ➜ **AVARICE** n. f. est emprunté, d'abord sous la forme *averice* (1121), corrigée au XIIIe s. (1265, B. Latini), au dérivé latin *avaritia*. ◇ En ancien et moyen français, la référence est surtout religieuse. L'avarice est un péché capital avant d'être (XVIe-XVIIe s.) un vice, une attitude sociale, enfin un comportement pathologique (XIXe-XXe s.). ➜ Le dérivé **AVARICIEUX, IEUSE** adj. (1283), substantivé (1370), est devenu archaïque ou plaisant; il était plus fort et péjoratif que *avare*.

AVARIE n. f. est un emprunt ancien (v. 1200) au génois *avaria*, attesté en latin de Gênes (XIIe s.), répandu en latin médiéval de Méditerranée (Provence, 1210; Catalogne, 1258). Le mot italien *avaria* est attesté au sens de «perte» à peu près en même temps que le catalan (XIIIe s.). En génois comme en français, le mot apparaît dans le contexte oriental : dans la colonie génoise de Constantinople et à Jérusalem; c'est un emprunt à l'arabe *'awāriyya*, dérivé de *'awār* «défaut».

♦ *Avarie* désigne à l'origine l'action de jeter par-dessus bord les marchandises, lorsque le navire est menacé de naufrage, et, en droit, l'évaluation de la perte. Puis (1498) le mot s'applique aux frais résultants. ◇ L'extension au sens moderne, «dommages du bâtiment et de la marchandise», se fait vers la fin du XVIe siècle. Le XIXe s. connaît une autre extension aux personnes, «accident, blessure», aux choses pour «accident» et surtout aux véhicules, voitures puis avions, par le transfert général du vocabulaire de la marine à celui des transports, vers la fin du XIXe s. (cf. *démarrer, en panne*, etc.).

▶ Le dérivé **AVARIER** v. tr. est d'abord (1723) un terme de marine; ses extensions sont surtout vivantes au pronominal (1807) et au participe passé : *marchandises avariées*. Un sens spécial, humain, concerne l'*avarie* majeure que constitue la syphilis (*Les Avariés*, œuvre de Brieux, 1905); il a vieilli. ➜ L'argot connaît aussi **AVARO** n. m. «accident, ennui» (1874, chez les typographes), lui aussi archaïque.

AVATAR n. m. est emprunté (1800) au sanskrit *avatāra*, proprement «descente», d'où en religion «incarnation, descente (d'un dieu) sur terre». Le mot était connu en Europe (1672, en néerlandais *autaar;* anglais *avatar*, 1784) et son extension pour «métamorphose» apparaît dans une traduction de l'anglais (*Lettres* de Walter Scott, 1822).

♦ L'influence probable de *aventure* et plus tard, argotiquement, de *avanie*, jointe à l'ignorance de l'origine, a conféré au mot, toujours employé didactiquement au sens hindouiste d'«incarnation, réincarnation», la valeur familière de «mésaventure, malheur», probablement vers la fin du XIXe s. (1916, chez Barbusse).

AVE ou **AVE MARIA** n. m. inv. sont des mots latins employés en français depuis le XIVe s. (1310, pour *ave*) pour désigner la prière adressée à la Sainte Vierge. La formule latine *ave, ave* «salut» (variante *have*) correspond au grec *khaire*, et était souvent jointe à *vale;* elle était sentie comme un impératif du verbe *avere* «désirer», comme *vale* de *valere* «se porter bien» (→ valoir), mais il pourrait en fait s'agir d'un emprunt au punique (carthaginois) *avo*, les formules de salut étant souvent empruntées.

♦ La spécialisation du latin chrétien a aussi donné en ancien français la formule *avoi!* (1285), salut adressé à la Vierge. La forme *ave* ou *ave Maria* l'a emporté. ◇ Par allusion à l'organisation du chapelet, *ave* désigne, par opposition à *pater*, les petits grains (1690) — alors écrit *avé* — et aussi la récitation de la prière. ◇ Le mot latin *ave* est aussi connu en français par la locution ***ave Caesar*** (*morituri te* *salutant* «ceux qui vont mourir te saluent») adressée par les gladiateurs à l'empereur avant le combat.

AVEC prép. et adv. est la forme stabilisée qui apparaît vers la fin du XIIIe s. (1284) de *avoc* (mil. XIe s.), *ove* ou *ovec* (mil. XIIe s.), *avec* (fin XIIe s.), *avoec* (déb. XIIIe s.), *ovoec* (1225), employés comme préposition et adverbe, avec la plupart des valeurs actuelles. Toutes ces formes viennent par évolution du latin populaire °*apwoke*, °*apoque*, de °*apu-hoque* pour °*apud-hoque*, composé de *apud* «auprès de», «chez» et de *hoc* «cela» (→ ce). *Apud*, qui avait pris en Gaule la valeur d'«avec», a donné en ancien français *od* ou *ot*, *o* «avec» (jusqu'au XVIe s.), éliminé par *avoec*, *avec*, à cause de sa faiblesse phonétique et des ambiguïtés qu'elle entraîne. Le latin classique employait *cum* (d'où espagnol *con*). On a aussi évoqué °*ab hoc*, mais le *b* se serait normalement amuï et, surtout, *ab* ne convient pas pour le sens.

♦ *Avec* est très vivant à toutes époques et a exprimé la concomitance, la simultanéité, la proximité et aussi l'ajout, figurément la manière, le moyen. L'emploi adverbial, normal en ancien et moyen français, est devenu plutôt familier ou régional (*tu viens avec ?*, en français de Belgique, est un calque syntactique des langues germaniques). ◇ La phraséologie produit ***d'avec***, ***et avec cela (ça)*** [1587 ; 1516, *et avec ce*], ***avec (ça) cela que...*** (1781), *avec ce que...* dès le XVIe s. (1531).

AVEINDRE v. tr. est la réfection (XIIIe s.) de l'ancien français *avoindre* (fin XIIe s.), issu du latin populaire °*advanire*, du latin classique *advenire* (→ advenir, avenir, venir).

♦ Le verbe signifie «tirer (qqch.) de sa place» et «parvenir à», en ancien et moyen français. Vieilli au XVIIe s. et abandonné, il s'est maintenu dans les dialectes au sens concret de «prendre, tirer, saisir» et «atteindre».

▸ Un dérivé dialectal, **AVEINIAU** n. m. (1855), désigne l'épuisette.

AVELINE n. f. est l'altération (1393) de *avelaine*, *avelane* (1256), issu du latin *abellana*, dans *nux abellana* «noix (noisette) d'Abella», de *Abella*, nom d'une ville de Campanie.

♦ Le mot désigne une variété de noisette allongée. Il s'est dit aussi d'un coquillage (1775).

▸ Le dérivé **AVELINIER** n. m. (1751), altération de *avelanier* (XIIIe s.), désigne l'arbre, variété de noisetier.

AVEN n. m., mot récent en sciences (1889), est un emprunt à l'occitan du Rouergue, terme ancien attesté comme nom de lieu dès 1151 (*l'Aveno*). Ce mot est prélatin ; on y retrouve très probablement la racine celtique *ab-* «eau, cours d'eau» présente dans le gaulois *abona*, le breton *avon*, *aven*, l'irlandais *abann* «rivière», avec un suffixe *-inco* de nature gauloise.

♦ Le mot désigne régionalement, puis en géographie, une caverne naturelle verticale, creusée par les eaux dans un terrain calcaire.

AVENIR n. m. est la substantivation (1427, *advenir*) de l'expression *temps advenir* «temps futur» (1295), puis *temps à venir* (Froissart) et de *estre a venir* (av. 1400 Froissart) «être jeune, avoir la vie devant soi». C'est donc un composé du verbe *venir**, distinct d'un autre substantif *avenir* «succès, réussite» (Froissart), qui vient du verbe *avenir* au sens de «réussir, parvenir à ses fins». Ce verbe, attesté dès le XIe s., signifiait d'abord «arriver, par accident ou par surprise» ; il était emprunté au composé latin *advenire*, de *ad-* (→ à) et de *venire* (→ venir), qui avait donné d'autre part *aveindre**. *Avenir*, verbe, a été repris sous la forme latinisée *advenir**.

♦ *Advenir* (1427), puis *avenir* (1647), désigne la période de temps qui n'est pas accomplie, et s'oppose à *passé* et à *présent*, en concurrence avec *futur*. Il s'emploie dans *a l'advenir* (fin XVIe s.), *à l'avenir* (1636), en fonction adverbiale pour «à partir de maintenant, dorénavant». ◇ D'abord employé au singulier sans complément, le mot s'applique depuis le milieu du XVIIIe s. dans *un*, *des avenirs* (par ex. chez Rousseau, dans *Les Confessions*) à la situation future d'une personne, d'un groupe, d'un projet (aussi *l'avenir de qqn*, etc.) ; on parlait auparavant de *(bonne, mauvaise) aventure**. *Avenir* a aussi signifié «postérité, générations futures» (chez Corneille, 1662). ◇ Spécialement, il se dit pour «prospérité, succès futur» (déb. XIXe s. ; *in* Académie, 1835), notamment dans ***avoir de l'avenir*** (en parlant d'une personne, d'un projet), ***être sans avenir***. ◇ Après 1980, le mot est de plus en plus souvent concurrencé par *futur*, par influence de l'anglo-américain *future*.

▸ Par ailleurs, l'ancien verbe *avenir (advenir)*, aux sens de «se produire, arriver» et de «convenir» (XIIe s.), a produit deux dérivés. ◆ **AVENANT, ANTE** adj. (1080) a signifié «qui convient», en parlant des choses et des personnes, sens attesté jusqu'au XVIIIe siècle. C'est dans l'acception aussi ancienne de «charmant, qui plaît», appliquée aux personnes, que le mot s'est employé jusqu'à aujourd'hui. ◇ Mais les expressions *bien avenant* (v. 1380, «convenable» ; 1538, *bien advenant* «qui a bonne grâce») et *mal avenant* (1549), «qui est de mauvaise grâce, maladroit», ont disparu au XVIIIe siècle. ◆ Le substantif **AVENANT** n. m. «ce qui convient» (v. 1175) ne survit que par l'une de ses spécialisations juridiques (1266) pour «quote-part», puis «part d'une héritière, d'un héritier». Il s'est spécialisé en termes d'assurances (1759). ◇ Le même sens du verbe, «convenir», est aussi à l'origine de l'expression encore vivante ***à l'avenant*** (2e moitié XIIIe s.), aussi ***à l'avenant de*** (1278) «conformément à, en accord avec» et «à proportion, pareillement». ◆ Les dérivés de *avenant*, *avenent(e)ment* adv. (XIe s.), *avenantise* n. f., etc., comme *avenance* n. f. (XIIe s.), employés jusqu'au XVIe s., témoignent de la vitalité ancienne du mot, et leur disparition de son vieillissement.

La valeur du verbe *avenir*, «arriver», a produit **AVÈNEMENT** n. m. qui se dit d'abord de la venue du Christ sur la terre (v. 1130), puis de l'élévation (d'un prince, etc.) à une dignité (fin XIVe s., Froissart), d'où *don de joyeux avènement*, terme d'histoire qui n'est pas attesté avant la fin du XIXe siècle. ◇ *Avènement* a eu par ailleurs en moyen français le sens de «jeunesse» (cf. *avenir*), «début» et aussi «produit d'une terre» (1278); cf. *revenu.*

◈ voir ADVENIR, AVEINDRE, AVENT, AVENTURE, AVENU.

AVENT n. m., d'abord *advent* (1119), simplifié d'après *avant, avenir*, est emprunté au latin chrétien *adventus* «venue (de Jésus-Christ)», participe passé substantivé de *advenire* (→ advenir).

♦ Le mot désigne le temps liturgique de préparation à la fête de Noël, dans l'Église catholique, et (av. 1692) un sermon ou un ensemble de sermons prêchés pendant cette période.

AVENTURE n. f. est emprunté (1050) au latin populaire °*adventura*, pluriel neutre, devenu nom féminin singulier, du participe futur de *advenire* «se produire» (→ avenir, venir).

♦ Le sens initial, «sort, destin», est voisin de celui de *avenir; aventure* s'est dit aussi pour «hasard» (déb. XIIe s.), «danger» *(se mettre en aventure)*; il en subsiste l'expression ***la bonne aventure*** (XVe s.) dans le contexte de la prédiction; la langue classique emploie encore *bonne et mauvaise aventure* «destin». ◆ Mais le mot a pris très tôt une nuance particulière, celle d'«événement inattendu, accidentel» (fin XIe s.), avec des locutions telles que ***par aventure*** (XIIIe s., Chrétien de Troyes) et ***d'aventure*** (v. 1395), déjà archaïques à la fin du XVIIe siècle; cette acception a vieilli, sauf dans le contexte amoureux (langue classique: Molière, etc.). ◇ La valeur moderne, «action extraordinaire, mêlant le danger et le plaisir de la découverte», apparaît avec les romans de chevalerie (2e moitié XIIe s., dans les *Lais* de Marie de France); il est fréquent au pluriel *(les aventures de...)* et en emploi absolu *(l'aventure)*. Le mot est investi d'autres valeurs, liées aux dangers du voyage, à l'exploration de terres inconnues, puis au risque physique, par l'imaginaire collectif à l'époque moderne (XIXe-XXe s.). ◇ La locution ***en aventure*** (XIIIe s.), remplacée par ***à l'aventure*** (1306), mêle cette nuance à celle de «hasard» (voir plus haut). ◆ Enfin, ***grosse aventure*** «profit hasardeux» (v. 1530) s'est longtemps employé en droit maritime; c'est une survivance du sens de «profit ou héritage éventuel» (1238, en droit; XVIe s., à propos d'un revenu agricole).

▸ Les dérivés exploitent les différentes nuances. ◆ **AVENTURER** v. tr. (déb. XIIIe s.; au participe passé ou présent, dès XIIe s.) insiste sur le risque, le danger, surtout au pronominal (v. 1240, *s'en va aventurant*), puis au transitif (av. 1285). ◇ Le participe passé **AVENTURÉ, ÉE** est adjectivé au XVIIe s. (1663, Molière). ◆ **AVENTUREUX, EUSE** adj. signifie d'abord (1160) «qui se produit et constitue un bien ou un mal» (premier sens de *aventure*). Dès le XIIe s. (1165), il qualifie une situation où l'on est exposé à un danger. Appliqué aux personnes, c'est encore le contexte des romans de chevalerie qui lui confère le sens resté moderne de *aventure* (v. 1330). ◇ *Aventureux,* substantif (1450), insistait sur le goût du risque. ◆ L'adverbe dérivé **AVENTUREUSEMENT**, «par hasard, par aventure» (v. 1360), semble inusité; il refait surface en 1611, puis en 1831. ◆ **AVENTURIER, IÈRE** n., qui est aussi adjectif dans la langue classique, est d'abord le quasi-synonyme de *aventureux.* ◇ De la valeur générale de «personnage qui cherche les aventures», attestée chez Froissart, le mot se spécialise pour «mercenaire, homme de guerre» (1543, Rabelais), puis prend les valeurs successives de *aventure,* avec le plus souvent une idée péjorative, l'*aventurier* pouvant rechercher les aventures amoureuses (mais scandaleuses ou intéressées), financières (plus ou moins malhonnêtes) ou guerrières; le mot a désigné spécialement les flibustiers ou corsaires (1671). Les emplois neutres ou mélioratifs ayant vieilli (ils étaient normaux pour l'adjectif, du XVIIe au XIXe s., avec la valeur de *aventureux*), *aventurier* a aujourd'hui un registre d'emplois différent de celui de *aventure.* ◆ Un autre dérivé, **AVENTURISME** n. m. (av. 1906), concerne la politique et retient l'idée de «décision hâtive et dangereuse»; il en va de même pour **AVENTURISTE** adj. et n. (1918).

AVENTURINE n. f., «pierre diversement colorée» (1671), est expliqué par une dérivation de *aventure.* Il s'agirait d'un produit artificiel (attesté 1690), formé de verre et de limaille, découvert *par aventure* «par hasard». Cette explication anecdotique n'est pas appuyée par des éléments sûrs.

Deux mots préfixés sont formés sur *aventure.* ◇ *Mésaventure* correspond au composé verbal *mésavenir,* de l'ancien verbe *avenir* (→ mésaventure). ◆ **MALAVENTURE** n. f. (2e moitié XIIIe s.) a eu le sens fort de «sort infortuné» et d'«aventure fâcheuse». Courant jusqu'au XVIIe s., le mot a eu plusieurs dérivés, puis est sorti de l'usage, alors que *mésaventure* a survécu avec un sens affaibli.

AVENU, UE adj. est le participe passé de l'ancien verbe *avenir* (→ advenir, avenir).

♦ On a parlé des *biens avenus* «reçus par succession» (1265), avant de donner à l'adjectif une valeur générale «qui est arrivé» (1765), laquelle ne s'est conservée que dans ***non avenu*** (*non advenu,* 1690), renforcée par ***nul et non avenu*** (1829) «sans valeur reconnue», c'est-à-dire «considéré comme n'étant jamais arrivé».

▸ **AVENUE** n. f. est la substantivation du féminin de ce participe. ◇ Le mot signifie anciennement (1160) «approche, venue (d'envahisseurs, etc.)», et ceci jusqu'au XVIe siècle. ◇ C'est alors qu'il prend une valeur spatiale: *avenue* (av. 1475, Chastellain) désigne un lieu par lequel on «advient», on arrive, c'est-à-dire une porte, un passage, une ouverture en général. D'où le sens figuré de «voie d'accès» (déjà chez Montaigne). ◇ Courant à l'époque classique, ce sens se spécialise (1611) pour «allée* (autre participe passé substantivé) bordée d'arbres». À cette acception s'ajoute (fin XIXe s.) celle de «large voie urbaine», en concurrence avec *boulevard* (qui a changé de sens). ◇ Au figuré, *les avenues de la fortune,* etc. (XVIe s.) conserve le sens étymologique mais correspond aussi à «voie d'accès». ◇ Le sens ancien d'«événement, fait qui se produit» (fin XIIe s.) était déjà archaïque au XVIe siècle.

AVÉRER v. tr. est emprunté (déb. XIIe s.) au latin médiéval *averare* ou *adverare* (815), de *ad-* (→ à) et de *verus* «vrai», plutôt que dérivé de l'ancien français *voir* «vrai». Ce verbe provient de *verus* sous la forme occitane *ver,* qui correspond à *veir, voir* en langue d'oïl (→ vrai).

♦ Le verbe signifie (1125) «réaliser, accomplir», puis (v. 1260) «faire reconnaître pour vrai». Devenu archaïque, sauf dans quelques emplois didactiques, le verbe actif a cédé la place au pronominal *s'avérer* (1836, «apparaître comme vrai»), aujourd'hui construit avec un adjectif ou un nom attribut («apparaître comme...», v. 1880). Cet emploi littéraire est critiqué quand l'adjectif qui suit n'emporte pas l'idée de vérité *(s'avérer faux).* On trouve aussi, impersonnel, *il s'avère que...*

▶ Le participe **AVÉRÉ, ÉE** adj. (1546) est lui aussi resté vivant, au sens de «reconnu vrai, certain».

AVERS n. m. est une adaptation francisée, parallèle à *revers* (1845), du latin *adversus* «qui est en face», de *ad-* (→ à) et de *versus* (→ vers), de *vertere.* Le latin *adversus* avait donné l'ancien français *avers* «ennemi, hostile» (1080), remplacé par *adverse**.

♦ Le mot est d'abord synonyme de *revers,* puis il s'emploie (1866) pour désigner la face avant d'une médaille, opposée à *l'envers,* au *revers.* Littérairement, il se dit pour «endroit», en général mis en contraste avec *envers* ou *revers.*

AVERSE → **VERSER**

AVERSION n. f. est un emprunt (XIIIe s.) au latin *aversio,* de *avertere* «détourner», de *ad-* (→ à) et de *vertere* «tourner» (→ version), qui signifie en latin classique «fait de s'égarer», puis en bas latin (IVe s.) «répulsion».

♦ Le mot est d'abord employé en un sens général pour «fait de s'égarer» puis (1537), en médecine, pour «fait de détourner, révulsion». Ces sens correspondent au latin classique *aversio.* ◇ Le sens moderne, «fait de détester, de ne pas supporter ; répulsion», est un réemprunt (1636, Corneille, dans *Le Cid*) au bas latin. *Avoir, prendre... en aversion* semble assez récent.

AVERTIR v. tr. est emprunté (XIIe s.) au latin populaire °*advertire,* changement de conjugaison du latin classique *advertere* «tourner vers» et au figuré «diriger son attention vers». *Advertire* est formé de *ad-* «vers» (→ à) et de *vertere* «tourner» (→ aversion).

♦ Le verbe apparaît d'abord au pronominal, *soi avertir* «s'apercevoir» (1160), puis à l'actif pour «faire attention à» (v. 1180), et au sens de «diriger l'attention (de qqn) vers» (1250). Plusieurs constructions, comme *avertir à qqn de qqch., que...* (v. 1250), ont disparu. De là, par extension, se manifeste le sens moderne, «informer» (fin XVe s., Commynes). ➜ Le participe passé **AVERTI, IE** adj. (attesté XVIe s.) donne lieu au proverbe ***un homme averti en vaut deux*** (1643 ; v. 1624, *une personne avertie en vaut deux*) et, après substantivation, à ***un bon averti en vaut deux,*** encore employé. ◇ Comme adjectif, *averti* donne lieu à locutions, comme ***se tenir pour averti*** (1685).

▶ Le dérivé **AVERTISSEMENT** n. m. est d'abord attesté isolément (XIIIe s.) au sens de «capacité de percevoir, intelligence», puis *(advertissement)* d'«avis». ◇ Le mot semble repris au XVe s. (1427) au sens général, puis à propos d'une préface qui attire l'attention du lecteur : *avertissement au lecteur* (1564), et *avertissement.* ◇ Le sens fiscal apparaît au milieu du XVIIIe siècle ; de nombreux emplois spéciaux sont attestés ensuite.

AVERTISSEUR n. m. a désigné une personne qui avertit (1281) et s'est employé spécialement à propos de l'officier du roi qui avertissait de son arrivée au dîner (1680). ◇ Le mot, archaïque ou rare, a été repris au XIXe s. (1852) pour «appareil donnant un signal, surtout sonore», avec plus tard une spécialisation en automobile, parfois en concurrence avec *trompe* (archaïque), *Klaxon* (marque déposée), par exemple dans *un concert d'avertisseurs.*

Enfin, **AVERTANCE** n. f. (1354) ou *advertance* «attention, surveillance» a disparu, à la différence de son contraire *inadvertance**.

AVETTE → **ABEILLE**

AVEU → **AVOUER**

AVEUGLE adj. et n., lui-même ancien (*avogle,* 1050), a remplacé des mots d'ancien français issus du latin, *cieu* de *coecus* et *orb* de *orbus* «privé de», et spécialement «privé de la vue» (→ orbe). *Aveugle* pourrait trouver son origine dans la locution latine tardive *ab oculis* (→ œil), qui calque peut-être le bas grec *ap'ommatôn* «sans yeux», ou bien, plus vraisemblablement, pourrait provenir de *orbus ab oculis* «privé d'yeux». Une autre hypothèse, moins satisfaisante pour le sens, se fonde sur le composé latin *alboculus,* de *albus* «blanc» (→ albe), employé en latin médical pour qualifier un malade atteint de la cataracte.

♦ *Aveugle,* d'abord *avogle, avugle,* la forme moderne étant attestée au XIIIe s. (mais antérieure car *aveugler* se trouve au début du siècle), est adjectif, puis substantif. ◇ L'adjectif acquiert rapidement des valeurs figurées, «à qui la passion trouble le jugement» (XIIIe s.), puis en français classique «qui trouble le jugement (d'une cause extérieure, fortune, sort)» (1629) et en parlant de sentiments, et «qui ne permet aucun raisonnement» *(une confiance aveugle).* Au sens concret, le mot s'applique aussi bien aux animaux qu'à l'homme. Spécialement, *serpent aveugle* s'est dit de l'orvet (1562). ➜ Une série de métonymies conduisent au sens général de «où l'on ne voit pas clair», par exemple en parlant d'une salle obscure (2e moitié XIIIe s.), et à celui de «qui ne laisse pas passer la clarté» (*fenêtre aveugle,* XVIe s.), d'où «qui est bouché, fermé», en anatomie «fermé à une extrémité» (*intestin aveugle,* 1636 ; cf. *cæcum*). ◇ Une autre métonymie correspond à «exécuté sans voir» (*opération aveugle,* XXe s.), peut-être par contraction de *à l'aveugle.* ➜ Du substantif viennent les locutions ***en aveugle*** (langue classique), sortie d'usage, et ***à l'aveugle*** «sans voir», au figuré «sans réflexion» (1669). ◇ Par ailleurs, ce substantif donne lieu à de nombreux syntagmes, tels *aveugle-né* (1553), *canne, chien d'aveugle,* et à des locutions proverbiales : *crier comme un aveugle qui a perdu son bâton* (1534, Rabelais), sortie d'usage, ou ***parler, juger de qqch. comme un aveugle des couleurs*** (1605).

▶ Outre le verbe *aveugler* (ci-dessous), *aveugle* a pour dérivés vivants *aveuglément* et *à l'aveuglette*. ◆ **AVEUGLÉMENT** adv. (1555; d'abord *aveuglement*, 1468) est surtout métaphorique et figuré, et ceci dès les premiers emplois attestés. ◆ **À L'AVEUGLETTE** loc. adv. (1762) remplace un emploi adverbial du dérivé, *aller, chercher aveuglette* (1694), d'abord *aveuglectes* (XVe s.), peut-être croisé avec la locution *à l'aveugle*, attestée plus tard (on employait *en aveugle*). *Aveuglectes* venait d'une locution adverbiale ancienne °*a veuglettes* (1457, jusqu'au déb. XVIIe s.), forme réduite d'un probable *a aveuglette* (peut-être d'après *a mucette*, de *mucer, mucher* «cacher»). ◇ L'expression signifie «à tâtons» et au figuré «sans éléments d'information». ◆ *Aveugle* a eu d'autres dérivés en ancien français comme *aveuglete* n. f. (*avogleteit*, v. 1190), *aveuglesse* n. f. (*avoglesse*, v. 1165), *aveuglerie* n. f. (XVe s.), disparus en moyen français et remplacés par *cécité*, après *aveuglement* (ci-dessous).
Le dérivé **AVEUGLER** v. tr., réfection (av. 1240) de formes anciennes comme *avogler* (1050), *avugler* (XIIe s.), *aveuler* (v. 1190), n'a plus que rarement le sens fort de «rendre aveugle, crever les yeux à (qqn)». ◇ Sa valeur courante est «gêner la vue de (qqn)» (XIIIe s.), par exemple dans *le soleil l'aveugle*, et figurément «tromper, éblouir» (XIIIe s.) et «priver de raison, de jugement». Ces emplois figurés, très courants dans la langue classique, sont devenus plus rares et littéraires. ◇ *S'aveugler*, pronominal, surtout au sens de «se refuser à envisager par la raison» (1640, Corneille) et *aveuglé, ée*, adj., sont courants dans ces acceptions psychologiques; le second s'employant aussi pour «qui ne peut plus voir, momentanément». ◇ Les valeurs métonymiques et techniques de *aveugle* ont suscité *aveugler une casemate* (déb. XVIIe s., d'Aubigné) «l'empêcher de tirer» et le sens de «boucher» : *aveugler une voie d'eau* (1777).
Aveugler a lui-même des dérivés. ◆ **AVEUGLEMENT** n. m. (1538; *avoglement*, 1130) a le sens fort de «cécité provoquée» puis (v. 1200, *avoglement de la pensée*) d'«égarement, trouble de la raison». ◇ **AVEUGLANT, ANTE** adj., au figuré «qui aveugle, empêche de voir la vérité» (v. 1450), semble avoir été repris (mil. XIXe s.), après une éclipse, aux sens extensif *(lumière aveuglante)* et figuré *(évidence aveuglante)*, cette dernière valeur étant axée sur la force de ce qui convainc et non plus sur ce qui détruit le jugement.
Le préfixé **DÉSAVEUGLER** v. tr. «détromper» (1586) est sorti d'usage.

AVI- élément tiré du latin *avis* «oiseau», d'origine indoeuropéenne, est devenu productif dans les années 1860. Existaient déjà des termes de zoologie, empruntés au latin *avicula*, dérivé de *avis*, tels **AVICULE** n. m., nom d'un mollusque (1803), **AVICULAIRE** adj. «qui se nourrit d'oiseaux» (1838).

▶ Les composés où le mot a son sens propre sont scientifiques ou techniques. ◆ **AVICULTEUR, TRICE** n. (1881), **AVICULTURE** n. f. (1888), d'après *agriculteur*, etc., auquel correspond **AVICOLE** adj. (XXe s.; d'abord n. «parasite des oiseaux», 1878), forment une série assez usuelle. ◆ **AVIFAUNE** n. f. (1986) désigne l'ensemble des oiseaux d'un écosystème. ◇ Il est didactique, comme les adjectifs **AVIAIRE** (1897) et **AVIEN, IENNE** (1903), «des oiseaux». ◆ En revanche, la série *avier, aviation, aviateur*, créée métaphoriquement par La Landelle, a connu un succès extraordinaire (→ aviateur, aviation).

◈ voir AUTRUCHE, OIE, OISEAU, OUTARDE.

AVIATEUR n. m., **AVIATION** n. f., etc. Par un texte de 1863, La Landelle dit avoir créé avec Ponton d'Amécourt une série de mots tirés du latin *avis* «oiseau», pour exprimer l'idée de «voler». *Avis* représente une série indoeuropéenne réalisée sans voyelle initiale par l'indo-iranien (védique *véḥ, váyaḥ*) et par les mots grecs *oiônos* «gros oiseau» et «augure», *aietos* «aigle». Le mot latin a produit une forme signifiant «oiseau» en espagnol et en portugais, *ave*, mais l'italien *uccello*, comme le français *oiseau**, viennent d'un dérivé, *avicellus*. Il faut attendre le XIXe s. pour que le latin *avis* soit exploité en français (→ avi-).

♦ Ainsi sont entrés dans la langue le verbe **AVIER** intr., employé jusqu'à la fin du XIXe siècle, ses dérivés *aviable* adj., d'où *aviablement* adv., qui n'ont pas vécu, et le nom *ave* ou *ef* (ce dernier homonyme de l'ancien français *ef* «abeille», de *apis*).

▶ De cette série, trois éléments se sont intégrés et sont devenus usuels. **AVIATEUR** n. m. a d'abord (1863) désigné l'appareil volant, puis (1865) le technicien, l'adepte de l'aviation. Le sens moderne, en concurrence avec *pilote*, s'emploie au moins depuis 1896. ◆ **AVIATION** n. f. est, en 1863 aussi, un terme assez théorique, désignant la technique du vol par les «plus lourds que l'air», y compris les oiseaux eux-mêmes (1869, *in* Littré *suppl.*). ◇ Le mot se développera surtout pendant la Guerre de 1914-1918, surtout à partir de 1916 avec l'organisation d'une aviation militaire. *Aviateur* et *aviation* se sont diffusés quand *avion* (ci-dessous) a cessé d'être un nom propre et a concurrencé sérieusement *aéroplane* (abrégé en *aéro*), *aéronef* étant à peu près éliminé. *Aviation*, très usuel dans le contexte militaire puis civil (v. 1920), en relation avec la diffusion de *avion*, désigne un vaste ensemble d'activités, équivalant à «construction, technique, transports... aériens» (cf. aussi *air, ailes*) et donne lieu à de nombreux syntagmes (*camp, champ, terrain d'aviation; compagnie d'aviation; aviation civile, militaire, navale, de chasse, de bombardement*, etc.). Par métonymie, le mot s'applique à l'armée de l'air. L'adjectif qui lui correspond est *aérien*.
AVION n. m. avait été créé par Clément Ader vers 1875; le brevet déposé par l'inventeur, concernant «un appareil ailé pour la navigation aérienne», date de 1890. Ce nom désignait ses modèles successifs : l'*Avion I*, l'*Avion II*... Le mot est resté confidentiel (ou inusité) jusqu'à la Première Guerre mondiale : on disait *aéroplane* ou *aéro* n. m. *Aéroplane* a été supplanté dans les années 1920 et *avion* est alors devenu aussi courant que *auto*, qui était répandu depuis quelques années. ◇ *Avion* donne lieu à des syntagmes et à des emplois courants *(en avion,*

prendre l'avion, par avion); il est au centre d'un abondant vocabulaire et se dit par métonymie pour «voyage en avion» *(préférer l'avion)*. Il a acquis plus récemment d'autres valeurs métonymiques, «aviation, vol en avion», et a de nombreux composés : *avion-cargo, avion-citerne* (mil. XXe s.), *avion-école* (1928, comme *auto-école*); *avion-taxi* (1925). ◇ **AVION-SUICIDE** n. m. (1944) sert à traduire le mot japonais *kamikaze*. ➡ En revanche, les dérivés sont peu vivants : **AVIONNERIE** n. f. et **AVIONNEUR** n. m., tous deux créés par C. Ader (1890), ont été supplantés par *aviation* et (construction) *aéronautique* pour le premier, par des syntagmes pour le second; *avionnerie* a été repris au Canada; *avionneur* a récemment réapparu (v. 1980) pour «entreprise qui construit des avions». ➡ **AVIONIQUE** n. f. «électronique aéronautique» (v. 1960) n'est pas usuel. ➡ **AVIONNETTE** n. f., repris à l'espagnol *avionete*, ne s'emploie guère hors du contexte latino-américain pour «avion-taxi». ➡ Le composé **HYDRAVION** n. m. formé avec l'élément *hydro-* dès 1913 désigne un avion conçu pour décoller et se poser à la surface de l'eau, les roues étant remplacées par des flotteurs. ◇ **PORTE-AVIONS** n. m. (1921) désigne un grand bâtiment de guerre dont le pont supérieur sert de plate-forme de décollage et d'atterrissage pour des avions. ➡ La fréquence et l'importance de la série se marquent surtout par le nombre élevé de syntagmes construits avec *aviation* et *avion*, mais le vocabulaire du domaine manifeste la créativité morphologique faible de la série (par rapport à *aéro-*) et la concurrence croissante de mots empruntés.

AVIDE adj. est emprunté (1470) au latin *avidus*, de *avere* «désirer avec force», dont les dérivés sont à l'origine de *audace*, avare*, oser**. Ce verbe latin est d'origine obscure, le radical indoeuropéen signifiant «aide» (sanskrit *ávati* «il aide», *ŭtih*, substantif) et le groupe des langues celtiques n'apportant que des relations incertaines.

♦ *Avide* a été réemprunté (1567) au sens latin de «glouton, gourmand» (Plaute), mais il a gardé sa valeur large. ◇ Le sens extensif «qui exprime le désir» *(des yeux avides)*, attesté au début du XVIIIe s., existe aussi en latin. ◇ Comme *avidité, avide* s'emploie depuis le XVIIIe s. pour «qui désire l'argent», se rapprochant ainsi par le contexte de son cousin *avare*.

▸ Le dérivé adverbial **AVIDEMENT** adv. est d'abord (1555) en relation avec la gloutonnerie; la valeur métaphorique est attestée chez d'Aubigné (déb. XVIIe s.). ➡ **AVIDITÉ** n. f. est emprunté (1389) au dérivé latin *aviditas*, avec son sens général, puis (1587) avec la valeur de «désir immodéré de nourriture» et (1751) «d'argent».

AVILIR et dérivés → VIL

AVIRON n. m., mot aujourd'hui complètement détaché de son origine, vient du verbe *virer*, de manière d'ailleurs assez obscure. En effet, *aviron* (1155) peut provenir de *avironner* «aller autour de, parcourir en tous sens», attesté au XIe s. (v. 1040), lui-même dérivé de l'ancien adverbe *aviron* «autour» (déb. XIe s.), de l'ancien français *viron* «rond», de *virer** (→ environ). Mais la signification des premières attestations de *aviron* n'est pas claire. On a supposé une dérivation directe de *virer*, le latin *vibrare* qui serait à la source de ce verbe ayant d'ailleurs le sens de «brandir, agiter». Quant au verbe *avirer* «aller autour de», il n'est attesté qu'au XIIIe s. et dans les dialectes; cependant, c'est à ce verbe que le *F. e. w.* rattache *aviron*. Les difficultés sont surtout sémantiques, *aviron* «rame» n'étant pas bien lié à l'idée de «cercle» ou de «circuit», mais plutôt à «manœuvrer» (et, si l'on veut, «tourner»), puis «avancer». Cependant, on peut noter que *avironné* s'est employé (XVe s.) pour «garnir d'accessoires (tout autour)»; mais cette attestation est trop tardive.

♦ *Aviron* est en français un mot de marine, domaine où l'on n'emploie pas *rame*. *Tirer à l'aviron* s'est dit pour «ramer» (1538). ◇ Par métonymie, le mot désigne l'activité sportive de la navigation sur embarcation légère mue à l'aviron (1890, chez Maupassant) et aussi le rameur (1868).

▸ Le dérivé ancien **AVIRONNEUR** n. m. «rameur» (v. 1280) semble sorti d'usage dès le XVIe siècle. ➡ **AVIRONNIER** n. m. (1803), «fabricant d'avirons, de rames», n'est pas courant.

✻ **AVIS** n. m. vient (v. 1170) de l'ancienne locution *ce m'est à vis* (1135), qui vient de *ce m'est vis* (*ço m'est vis*, v. 1040) «ce me semble», calque du latin *mihi est visum*, pour le latin classique *mihi videtur*. *Visum* est le participe passé de *videre* (→ voir), au neutre, et signifie dans cet emploi «ce qui semble (est vu comme) bon» (→ visa).

♦ De *ce m'est vis*, puis *ce m'est à vis*, on passe à ***il m'est avis*** (v. 1175) «je pense que», ***m'est avis*** (XIIIe s.), considérés depuis le XVIIe s. comme populaires, et ***à mon, à son avis*** (v. 1185). ◇ L'emploi libre de *un avis* «opinion» est aussi ancien (v. 1138 in *F. e. w.*). Au XIVe s. apparaissent les locutions ***être d'avis, être d'avis de, que***, attestées au XVIe s. (1538), et le sens de «conseil exprimé, recommandation» (1356). Un peu plus tard (Froissart) est attesté le sens d'«information communiquée». Le mot a des valeurs spéciales, «opinion exprimée d'un juge» (1657), *avis doctrinal* en théologie (1688). ◇ La locution *prendre des lettres d'avis* correspondait à «prendre du temps avant de se décider», *lettre d'avis* désignant spécialement la lettre prévenant qqn d'une expédition commerciale. Dans le même sens, *navire d'avis* correspond à *aviso* (ci-dessous). ➡ *Avis* a signifié «bon sens, jugement» (1285, jusqu'au XVIIe s.), d'où *avisé* (ci-dessous) et *par avis* (v. 1330) «raisonnablement». ➡ *Un avis*, au sens de «conseil exprimé» (ci-dessus), donne lieu au XVIIe s. à des syntagmes comme *donneur d'avis* (*in* Furetière), spécialement «celui qui propose un moyen (avis) pour remplir les caisses royales». ◇ Le mot s'applique aussi à une information exprimée et transmise, notamment dans *avis au lecteur* (1690), *au public* (1835), *à la population*... en parlant de textes, d'affiches.

▸ Le verbe dérivé ② **AVISER** (1275) signifie «avertir (qqn)», c'est-à-dire «fournir un avis, une opinion à (qqn)»; *s'aviser de* (av. 1577), c'est «avoir l'idée téméraire de...». ➡ C'est de ce verbe, différent de ① *avi-*

ser «reconnaître», «regarder», que vient **AVISÉ, ÉE** adj., tiré du participe passé (1191) avec la valeur de «qui agit avec à-propos», correspondant au sens de *avis* «sagesse, bon sens; opinion sensée». *C'est bien avisé que...* «c'est bien pensé, trouvé» (1549) est sorti d'usage. ➜ Le dérivé **AVISÉMENT** adv. (v. 1190), «judicieusement», a signifié aussi «à dessein» (1316) et «de manière opportune» (XIVe s.). Il est sorti d'usage au XVIIe siècle.
Le préfixé **MALAVISÉ, ÉE** adj. (v. 1330), «qui parle, agit de manière déraisonnable ou mal à propos», d'où *un malavisé* (1553), est archaïque.
Le verbe ② *aviser* a servi à former divers mots préfixés; la plupart, tels *desaviser* (v. 1310), *preaviser* (XIVe s.), *entraviser* (v. 1310) ont disparu. ➜ Seul demeure usuel **SE RAVISER** v. pron. (v. 1330) «changer d'avis, abandonner une opinion, une attitude». Le verbe s'est employé à l'actif pour «corriger (qqn)» (XVIe s.), «donner un meilleur avis à (qqn)» (déb. XVIIe s.).

AVISO n. m. est emprunté (1757) à l'espagnol *aviso*, pour *barca de aviso* «embarcation d'avis (pour porter les messages)»; le français connaissait déjà (1601) des expressions analogues: *patache d'avis*, puis *navire d'avis* (1618), *barque d'avis* (1690).
◈ voir ① AVISER.

① **AVISER** v. tr. est formé (1040) de *a-* et de *viser**, qui correspond à *vis* (→ visage), comme le composé de *visage, envisager*. Il y a donc parenté entre ① *aviser* et ② *aviser*, tous les deux de la famille de *voir**.

♦ Le verbe signifie «reconnaître» et (v. 1160) «commencer à regarder»; il est fréquent au pronominal (XIIIe s.) *s'aviser de qqch.* «s'en apercevoir». Il s'emploie aussi (XIIIe s.) en transitif indirect, *aviser à qqch., aviser à faire qqch.* «y songer, y réfléchir». ➜ Mais le verbe s'est souvent mêlé à son homonyme, ② *aviser*, tiré de *avis**, et *avisé, ée* peut signifier «qui s'est avisé, aperçu de qqch.».

② **AVISER** → AVIS

AVITAILLER → RAVITAILLER

AVIVER → VIF

① **AVOCAT** n. est emprunté (1160) au latin *advocatus*, qui a donné par évolution phonétique *avoué**. *Advocatus* s'est spécialisé en droit comme *vocare* «appeler» (*in ius vocare* «citer en justice»), *vocatio, advocatio* «assistance en justice», et a désigné celui qui assiste la personne appelée en justice. C'est un dérivé de *advocare* (→ avouer), de *ad-* et *vocare*.

♦ Le mot, avec une variante savante *advocat*, usuelle du XIVe au XVIIIe s., puis éliminée, désigne en français, dès son apparition, une personne habilitée à assister et à représenter qqn en justice, le sens précis évoluant selon l'organisation de la justice et les connotations selon les points de vue (l'ironie critique se manifeste au XVe s. avec la célèbre farce *Maistre Pierre Pathelin*, qualifié d'*advocat dessoubz l'orme*, «sans cause»). L'idée centrale, avant le XIXe s., est celle de «représentant»; celle de «défenseur» se développe en droit pénal au XIXe s., mais était présente depuis l'ancien français. Le mot, comme *juge*, a traversé les siècles, malgré les évolutions de la pratique. À chaque époque, il suscite divers emplois; ainsi au XVIIe s. (1690, Furetière), on parle de *advocat plaidant, écoutant, consultant.* ➜ Le féminin *advocate* (1326) est emprunté au latin chrétien *advocata*, désignant la Vierge Marie en tant que porte-parole des humains auprès de Dieu. Cette forme succède à *avocace* (1262), formé sur le cas sujet *avocaz* au sens de «celle qui intercède». ◇ **AVOCATE** n. f. désigne en français classique une femme qui intervient en faveur de qqn (mil. XIVe s., en picard), puis (1622) la femme d'un avocat. Le sens moderne, «femme qui exerce la fonction d'avocat», en concurrence avec le masculin et avec *femme avocat*, apparaît avant que la profession ne soit accessible aux femmes (1883, Robida). ➜ Des expressions spécialisées, comme *avocat du roi* (XIVe s.), *avocat au Conseil*, ont disparu. ◇ ***Avocat général*** (1359) «avocat qui parle au nom du procureur du roi dans les cours souveraines», puis «représentant du ministère public» s'oppose par le sens à *avocat* employé seul, l'*avocat général* jouant le rôle d'accusateur. ◇ ***Avocat du diable*** (1752) désigne celui qui est chargé de contester un dossier de canonisation et défend ou représente l'adversaire du futur saint, le démon; au figuré (1800), l'expression se dit d'une personne qui plaide pour une cause indéfendable, par jeu ou pour obtenir autre chose. ◇ Des expressions faisaient allusion au mode de vie des avocats; c'est le cas de *dîner d'avocat* «fin dîner» (1611, jusqu'au XIXe s.). ◇ Au sens juridique du mot, on emploie aussi *avocat sans cause* (1671), opposé au XXe s. aux *grands avocats*, appelés pompeusement les *maîtres du barreau*. La définition juridique de l'avocat et celle de l'avoué ont été modifiées par la réorganisation de 1971. ◇ À côté des emplois juridiques, où de nombreux syntagmes ont cours: *avocat d'office, désigné, avocat inscrit* (au barreau), *stagiaire, honoraire, avocat-conseil* (non *plaidant*), *avocat d'affaires, d'assises, avocat international*, etc., *avocat, avocate de* (qqn, qqch.) désigne au figuré une personne qui défend qqn ou qqch. (emploi usuel depuis le XVIIe s.).

▸ Le mot a plusieurs dérivés, devenus péjoratifs. ➜ **AVOCASSER** v. tr., d'abord neutre pour «plaider» (*advocacier*, 1320), est péjoratif depuis le XVIIe s. (attestation sûre en 1669) et a vieilli. ➜ **AVOCASSERIE** n. f., «profession d'avocat» (1356), signifie en français moderne (1669) «chicane d'avocat médiocre ou malhonnête» (cf. *advocassaige* au XVe s., farce de Pathelin). ◇ **AVOCASSIER, IÈRE** adj. (XVIIIe s., Voltaire) correspond à «chicanier». Comme le précédent, il est rare ou archaïque. ➜ **AVOCAILLON** n. m. (1892), «petit avocat sans talent», succède à *avocaton* (1852); l'ancien français avait *avocatiau* (XIIIe s.), *avocateriau* (v. 1310), le moyen français *avocasseau* (*advocassel*, 1478), cette abondance marquant une attitude critique envers la chicane et ses représentants.

② **AVOCAT** n. m., désignant un fruit exotique, est l'adaptation (1716), d'abord sous les formes *avo-*

cate (1684), de l'espagnol *avocado, abogado,* altération, d'après *abogado* «avocat (au sens juridique)», de *aguacate,* qui a été lui aussi emprunté en français (1640) avant d'être éliminé par *avocat. Aguacate* était un emprunt au nahuatl (langue indienne de la culture aztèque) *auacatl,* origine connue dès le XVIIIe s. («son nom Karaïbe Aoüacate»).

♦ Le mot désigne un fruit exotique de forme voisine de celle de la poire, à consistance beurrée. Son statut a changé depuis la diffusion du fruit en Europe (et au Canada), après 1945-1950.

▸ Le dérivé **AVOCATIER** n. m. (1770) désigne l'arbre.

AVOCETTE n. f. est emprunté (1760, Buffon) à l'italien *avocetta,* d'origine incertaine, peut-être dérivé, selon P. Guiraud, du latin *advocare* «appeler» (→ avouer).

♦ Le mot désigne un petit échassier à bec recourbé vers le haut.

AVOINE n. f. provient, sous la forme *aveine* (XIIe s.), du latin *avena* de même sens, mais désignant surtout la graminée sauvage, considérée comme une mauvaise herbe, ou à la rigueur une plante à fourrage. Malgré quelques rapports avec des mots des langues baltes *(avižă, àuza)* et avec le vieux prussien *wyse,* le mot ne semble pas indoeuropéen.

♦ En français, *aveine* (XIIe-XVIe s.) et *avene* (XVe-XVIe s.) n'ont été éliminés qu'au XVIIe s. par *avoine* (apparu par écrit v. 1200), prononciation de la Cour (Vaugelas), sans doute due à l'influence du *v,* consonne labiale (comme dans arm*oire,* m*oins,* ab*oyer*) plutôt que due à la prononciation dialectale de l'Est (Lorraine, Bourgogne). Dans les dialectes, les formes en *e, ei (aveine)* subsistent à l'Ouest, alors que le Midi conserve, comme l'espagnol et le catalan, un dérivé du latin *cibare* «nourrir le bétail». Une *avainne* (v. 1165, Chrétien de Troyes) désignait en ancien français un champ d'avoine. ◇ De nombreux syntagmes concernent les variétés de la plante, dont ***folle avoine*** pour l'avoine sauvage. ◇ On a dit au figuré (1690) ***gagner son avoine*** pour «gagner sa vie» (cf. *gagner son pain,* puis *son bifteck*). ➛ Le sens figuré argotique «volée de coups» (1883) vient de l'expression *avoine des cochers* (1866), «coup de fouet». ◇ D'où le sens figuré de **AVOINER** v. tr., d'abord (1893) «nourrir (un cheval) d'avoine», puis le «nourrir» de coups de fouet et au figuré «battre, corriger (qqn)».

▸ **AVENIER, IÈRE** adj. et n. est un dérivé (v. 1200, comme nom, «personne chargée de nourrir les chevaux»; mil. XVIe s., comme adjectif) du latin *avena,* la variante *aveinier* venant en français de *aveine (avoine).* Vieux ou régional, l'adjectif qualifie ce qui pousse dans les champs d'avoine, d'où **AVENIÈRE** n. f. «champ d'avoine».

AVOIR v., l'un des mots les plus anciennement attestés du français (v. 880, *Poème* [ou *Cantilène*] *de sainte Eulalie*), est issu du latin *habere,* continué dans plusieurs de ses valeurs, «posséder», «éprouver (dans la conscience)», «détenir en son pouvoir», et comme auxiliaire (depuis Caton). Ce verbe signifiait à l'origine «tenir, occuper» et «habiter», comme son dérivé *habitare* (→ habiter). Il semble remonter à une racine en *gh-,* en concurrence avec le *k* de *capere* «saisir» (→ chasser), qui a de nombreux descendants dans les langues romanes et germaniques, tels le haut allemand *haben* et sa série, l'anglais *to have. Habere,* en revanche, n'est clairement apparenté qu'à des formes des langues italiques (osque, ombrien) et celtiques (irlandais *gaimbim* «je prends»).

♦ En très ancien français (av. 1100), le verbe s'emploie surtout pour «posséder en soi», «éprouver (un sentiment)» et «ressentir (une sensation)» (*avoir mal,* av. 1000), «obtenir» *(id.)* et «posséder (des biens)» (1050). ◇ Il est également auxiliaire (Xe s.), s'emploie avec *à* et l'infinitif et dans ***il y a*** (v. 1040), aussi *a* (XIe s.) en ancien français et *y a* au XVIe siècle. La valeur très vague de relation est elle aussi attestée en ancien français (mil. XIe s.). ◇ Une spécialisation ancienne, «posséder sexuellement» (v. 1150), a donné l'idée de «dominer, faire céder, attraper (qqn)», attestée au XVIIe s. (*in* Furetière : *je l'aurai*). ◇ Le détail des emplois et de la phraséologie est difficile à situer chronologiquement. Un emploi avec attribut, *avoir vil,* etc. «considérer comme» (1080), et un emploi transitif pour «savoir» (XIIIe s.) ont disparu avant le XVIIe siècle. ◇ À *en avoir à qqn* (XVIIe s., Mme de Sévigné) ont succédé ***en avoir contre, après qqn*** «lui en vouloir». ◇ ***Avoir à*** (et infinitif) exprime le devoir, l'obligation, depuis l'ancien français (XIe s.). ***N'avoir qu'à, il n'y a qu'à*** correspond à «il suffit de»; le second, contracté en *nyaqua* (parfois écrit *nyaka*), sert à caractériser une attitude irresponsable. ◇ Une autre négation de *avoir à,* sous la forme ***n'en avoir rien à faire (foutre)*** «n'avoir aucun intérêt pour», est très courante dans l'usage spontané. ***En avoir pour (un temps)*** semble récent. ◇ La conjugaison du verbe présente la forme anormale du futur *aurai* (XVIe s.) pour *arai, avrai.* (Voir aussi l'encadré ci-contre.)

▸ **AVOIR** n. m., attesté vers 1040, a pris le sens spécial (1680) de «partie positive d'un compte», opposé à *doit.* Il a signifié aussi «valeur» (XIVe s.) et *les avoirs* (1322) «les marchandises». ➛ Le participe présent a produit **AYANT-CAUSE** n. m. (1337) et **AYANT-DROIT** n. m. (1835) [→ ③ droit], termes juridiques. **RAVOIR** v. tr. (v. 1175), d'abord *raveir* (v. 1155), signifie «avoir (ce qu'on avait perdu)» (XIIe s.) et «avoir à son tour, de son côté» (2e moitié XIIIe s.), sens propre à l'ancien français. La valeur de «ressaisir, reprendre» (XIIe s.) reste en usage. ◇ Le pronominal *se ravoir* a eu le sens de «se remettre (d'une maladie)» (fin XIVe s., Froissart) et celui de «sortir d'un mauvais pas» (v. 1462), sortis d'usage. ◇ Un emploi extensif, «remettre en bon état, rendre propre», est probablement d'origine dialectale.

◈ voir DETTE, DEVOIR, EXHIBER, HABILE, HABIT, HABITER, HABITUER, INHIBER, PRÉBENDE, PROHIBER, PROVENDE, RÉDHIBITOIRE.

AVOISINER → VOISIN

AVORTER v. intr. est issu du latin *abortare,* dérivé de *aboriri,* de même sens, de *ab-* négatif

AVOIR

L'avoir et la dette

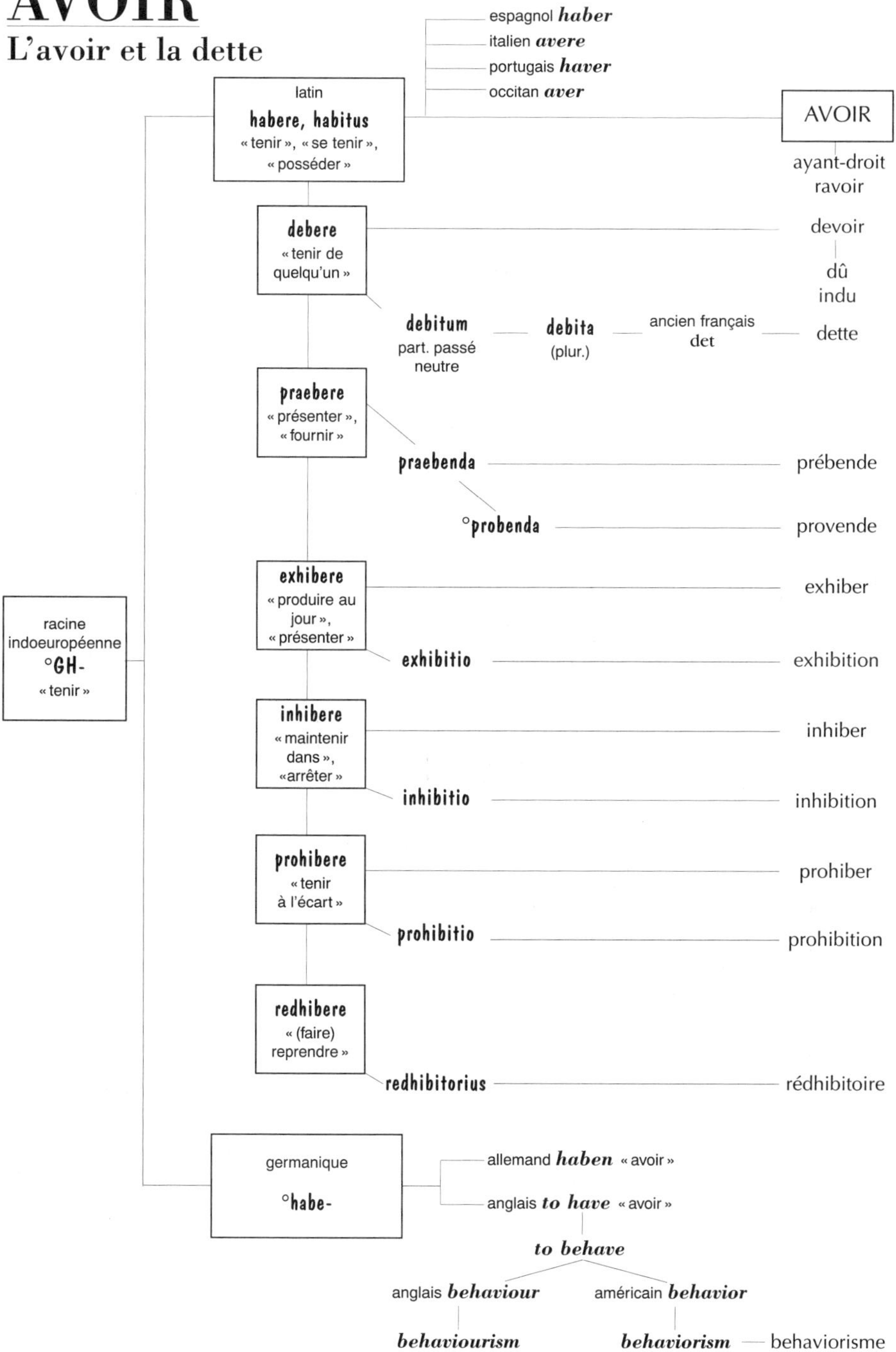

(→ ② à-) et de *oriri* «naître» (→ orient, origine), c'est-à-dire «non naître», «mourir en naissant». Ce verbe semble correspondre au grec *orthai* «naître», «s'élancer, commencer» et au sanskrit *ṛṇóti*.

♦ Le verbe apparaît en français au participe passé substantivé, *avortad, avorted* «enfant mort-né» (déb. XIIe s.), correspondant au latin *abortus*,le verbe actif semblant un peu plus tardif (1174-1178). Il s'emploie dès la fin du XIIe s. au figuré pour «échouer», puis pour «s'affaiblir» (XIIIe s.) et en parlant d'un fruit (XVIe s., Amyot). ◇ L'emploi transitif s'est employé au sens initial (*avorter un enfant*, dans le *Roman de Renart*), au figuré pour «faire échouer» (XIIIe s.) et en parlant des fruits (XVIe s., Ronsard). ◇ Par métonymie, *avorter une femme* (fin XVIIIe s., Sade) donne lieu à l'expression courante *se faire avorter* et au dérivé *avorteur*.

▶ Le dérivé **AVORTEMENT** n. m. (v. 1190) a été concurrencé, en parlant des humains, par *fausse couche* (XVIIe s.); il a pris aussi les sens figurés du verbe, attestés tard : «insuccès» (1863). Puis, le mot s'est restreint au fait de provoquer volontairement l'expulsion du fœtus avant terme. ◆ **AVORTON** n. m., autre dérivé (1re moitié XIIIe s.), employé pour les humains et pour les animaux (1379), a pris la valeur figurée d'«être humain chétif, maladif et faible» (fin XVIe s., Pasquier), qui a à peu près éliminé le sens initial, après la disparition d'autres acceptions figurées. ◆ **AVORTEUR, EUSE** n. vient, à la fin du XIXe s. (1898), de l'emploi transitif du verbe. Le type social rejeté du *médecin avorteur* et de l'*avorteuse* ou *faiseuse d'anges*, lié au caractère illégal de l'avortement, a été très exploité avant la libéralisation des mœurs. ◆ **AVORTOIR** n. m. vient récemment (v. 1970) du verbe intransitif. ◆ En général, ces mots ont vieilli, au sens physiologique humain, avec l'évolution des mœurs : ainsi, *avortement* est concurrencé après 1980 par *interruption volontaire de grossesse* ou *I V G;* son emploi, lié aux revendications féministes, n'est plus toujours péjoratif; *avorteur* et *avorteuse* tendent à devenir archaïques ou d'usage polémique.

ABORTIF, IVE est emprunté (mil. XIIIe s. en anglonormand) au latin *abortivus*, dérivé de *abortare*. D'abord nom, au sens d'«enfant né avant terme, avorton», ceci jusqu'au XVIe s., le mot a été repris en ce sens comme adjectif (1508); cet emploi a disparu, sauf au figuré à propos d'un fruit (1605). L'adjectif a pris sa valeur moderne, «qui provoque l'avortement», au XVIe s. (1562), aussi comme nom (1836), plus tard en relation avec *contraceptif*.

♦ ✳ **AVOUER** v. tr. est issu (v. 1120) du latin *advocare* «appeler auprès de soi», «convoquer», puis «appeler comme représentant et défenseur, comme *advocatus*» (→ ① avocat), de *ad-* (→ à) et de *vocare* «appeler», dérivé de *vox* (→ voix). On explique *avoer*, puis *avouer* et *il aveue* (1283), au lieu de *avuer, il avue*, par une réfection ancienne des formes accentuées par les formes inaccentuées, appuyée par l'influence du latin médiéval et du dérivé *avoé, avoué*.

♦ Le verbe est d'abord, sous la forme *avoer*, un mot de droit féodal, signifiant «reconnaître (qqn) pour seigneur», valeur prise à la même époque par le latin *advocare* (attesté 1164). De là *s'avouer de, à qqn* «se reconnaître son vassal» (XIIIe s.), refait en *s'avouer vassal* au XVIIe siècle. ◇ Diverses extensions apparaissent dès l'ancien français, comme «approuver» et «ratifier», dans *avouer un principe, des actes* (déb. XIIIe s.), ou bien «considérer comme valable», d'où «approuver» (1387, Froissart) qui correspond à un autre sens du latin médiéval *advocare* (attesté 1374). ◇ En moyen français, outre cette dernière acception, le verbe signifie «reconnaître (une puissance, qqn)», par exemple dans *advouer Dieu* (XVIe s., Rabelais), et aussi «permettre» (*avouer qqn de qqch.*, XVIe s.), «protéger, défendre» (1404). Ces emplois ont vieilli au XVIIe s. comme *s'avouer de qqn* «s'autoriser de lui» (une fois au XVe s., puis XVIe s.) et «se recommander de qqn» (XVIe s.), ou encore *avouer un enfant pour fils* (1538) «le reconnaître», d'où *avouer un enfant* (1718). ◆ Le sens moderne, qui correspond à une spécialisation de «reconnaître comme vrai», le complément désignant un acte mauvais (1538, Estienne), apparaît en moyen français et n'existe pas en latin; *s'avouer coupable* est plus tardif (1671). Le verbe s'est spécialisé dans le contexte de la reconnaissance de la culpabilité *(faire avouer un coupable)*, souvent avec l'idée de violence. ◇ Une autre spécialisation du sens de «reconnaître» est *avouer une dette* (1690; au figuré, 1674), qui a vieilli; une autre encore, «reconnaître un sentiment secret» (comme *aveu*).

▶ Le participe passé **AVOUÉ, ÉE** adj. est employé dans la locution proverbiale ***faute avouée est à demi*** (ou ***à moitié***) ***pardonnée.*** ◆ **AVOUÉ** n. m. est issu du latin *advocatus*, spécialisé en droit, participe passé de *advocare*. Le mot latin a donné par emprunt *avocat**. ◇ *Avoé* désigne d'abord (1080) le seigneur qui protège un vassal (lequel l'«avoue»), puis (fin XIIe s.) en général un protecteur. ◇ En droit féodal, le mot a pris des valeurs spécifiques : «laïque délégué par un seigneur pour défendre les droits abbatiaux ou ecclésiastiques» (déb. XIIIe s., Villehardouin), «combattant qui en remplace un autre» (1283). En ancien et en moyen français, comme le verbe *avouer*, *avoué* a un spectre sémantique large, «celui qui est reconnu, habilité à représenter...»; avec des spécialisations comme «mari» et au féminin *avoée, avouée* «protectrice, avocate*». Par exemple, il peut désigner à la fois un tuteur («reconnu pour représenter l'enfant») et sa pupille («reconnue par lui»). ◆ Le sens moderne de *avoué*, «officier ministériel qui représente les parties auprès d'un tribunal de grande instance (jusqu'en 1971) ou d'une cour d'appel, et fait à ce titre des actes de procédure», est un terme de droit révolutionnaire (1790) précisé au XIXe s. et modifié depuis 1971. Le mot, qu'on «alla chercher dans les ténèbres du moyen âge» (Brunot) remplaçait en partie *procureur*, terme de l'Ancien Régime et à ce titre honni. *Avoué* correspondait à l'idée de «défenseur», comme *avocat*, la distinction portant sur l'organisation de la profession (*cabinet, étude, clerc d'avoué* n'ont pas d'équivalent avec *avocat*).

AVEU n. m. est dérivé (1283) de formes anciennes de l'indicatif présent du verbe (*il aveue*, etc.). ◆ Comme *avouer*, c'est d'abord un terme de droit féodal signifiant «reconnaissance des terres venant d'un suzerain», puis (1351) «engagement d'un vassal qui avoue son seigneur». Ces valeurs, disparues avec le système féodal (sauf quand le mot est employé en histoire), sont encore présentes dans ***gens sans aveu,*** signifiant d'abord «sans suzerain» (XVe s.), d'où «sans répondant, sans garantie sociale» (1611, à propos de vagabonds). ◇ Le sens d'«autorisation» est contemporain de l'acception correspondante du verbe (1368 in *F. e. w.*) et est encore vivant au XVIIe s. (Corneille, Racine...); il a lui aussi disparu. ➔ Le sens moderne, qui correspond à l'évolution sémantique du verbe, est «action de reconnaître (une action pour sienne)»; il semble apparaître au début du XVIIe s. (d'Aubigné), en même temps qu'un autre emploi pour «témoignage de ce qu'un autre a fait ou dit» (1611), lequel est sorti d'usage. L'*aveu d'une faute* (attesté chez Molière, 1688) est devenu l'emploi le plus usuel, souvent spécialisé, comme le verbe, dans le contexte des aveux arrachés. *Les Aveux les plus doux,* roman de G. Arnaud, joue sur ce sens et celui de «reconnaissance d'un sentiment (amoureux)», autre spécialisation. ◇ Le sens de «reconnaissance (d'un acte)» et «fait de donner pour vrai» est encore utilisé dans *de l'aveu de qqn* «d'après son témoignage» (1681, Bossuet).

La forme régionale **AVOYER** n. m. (1319) correspond à certains emplois anciens de *avoué* (ci-dessus) «premier magistrat», «protecteur laïc d'un établissement religieux» (1368), «chef d'une corporation de métier» (1580). ◇ Il s'est conservé en Suisse dans quelques cantons francophones pour en désigner le premier magistrat.

Avouer a pour dérivé **AVOUABLE** adj. (*avowable,* 1302) au sens ancien du verbe, repris au XIXe s. (1849), après *inavouable,* semble-t-il, pour «que l'on peut reconnaître, avouer sans honte». ➔ **INAVOUABLE** adj. se dit (1815) de ce qu'on ne peut avouer sans honte, de ce que l'on cache pour des raisons de pudeur. ◇ De là **INAVOUABLEMENT** adv. (1911). ➔ **INAVOUÉ, ÉE** adj. (1794) est formé sur *avoué,* participe passé. Il signifie «qui n'est pas avoué, reconnu (en parlant d'un délit)» donc «caché, secret», et par extension «que l'on ne s'avoue pas» *(sentiments inavoués).*

DÉSAVOUER v. tr. signifie d'abord «renier (Dieu)» (*desavoer Dé,* 1170) et s'emploie aussi en termes de féodalité : *desavouer un seigneur* (1253), *un fief* (1283). ◇ Le verbe prend dès le XIVe s. des valeurs plus larges. Il se dit en droit pour «déclarer que qqn n'a pas été autorisé à faire ou dire qqch.» et *desavouer qqch.* pour «nier avoir fait ou dit» (v. 1310). Il signifie aussi «condamner, réprouver» (1667), «rétracter» (1835) et, à propos du comportement, «être en contradiction avec (un principe, etc.)» (1671). *Se désavouer de qqch.* (1647) ne se dit plus. ➔ **DÉSAVEU** n. m., dérivé de *désavouer* d'après *aveu,* désigne d'abord un refus d'hommage au seigneur (1283) et s'emploie dans ce contexte jusqu'au XVIe s., devenant ensuite terme d'histoire. ◇ Il prend ses valeurs modernes au début du XVIIe s., «récusation d'un mandataire» (1607), «refus de reconnaître pour vrai» *(id.)* et «refus de reconnaître pour sien» (1636). *Désaveu d'un enfant* (1804, Code civil), *désaveu de paternité* (1835) s'emploient en droit après que *aveu, avouer* ont disparu en ce sens. ➔ Le dérivé **DÉSAVOUABLE** adj. (déb. XVIe s., Marot) est rare; on emploie plutôt *avouable* avec une négation.

AVRIL n. m. est issu (1119), d'abord sous la forme *avrill* (1080), du latin *aprilis* et du dérivé latin populaire °*aprilius* en ce qui concerne la forme avec deux *l, avrill.* Plutôt qu'indoeuropéen (cf. sanskrit *áparạh «second, postérieur»*), le nom latin serait pris à l'étrusque *apru,* lui-même emprunté au grec *Aphrô,* apocope de *Aphroditê* (Benveniste). Il s'agirait alors du «mois d'Aphrodite» (→ hermaphrodite). Une étymologie fictive, mais intéressante par son ancienneté (1119, Philippe de Thaon), rapprochait *avril* de *aüvrir* (*ouvrir,* du latin *aperire*).

♦ *Avril* désigne le quatrième mois de l'année. Au XVIe s. (1552, Ronsard), le mot prend la valeur métaphorique de «printemps, jeunesse». Le proverbe ***en avril ne quittez (ne quitte) pas un fil, ne te découvre pas d'un fil*** n'est répertorié qu'à la fin du XIXe siècle.

▸ L'adjectif dérivé *avrillier* (XIIIe s., repris XVIe s.) signifiait «printanier». Outre la toponymie *(Avrillé, Avrilly),* le mot subsiste en agriculture sous la forme **AVRILLÉ, ÉE** adj. (1838, *blé avrillé;* substantif, 1836, *avrillet*) pour désigner le blé semé en avril. ➔ Le dialectal **AVRILLÉE** n. f., «averse de printemps», autre dérivé (1872), n'a rien à voir avec *avrillée* «liseron», forme agglutinée de *vrillée* (de *vrille*).

◈ voir ② POISSON *(poisson d'avril).*

AVULSION n. f. est un latinisme savant, emprunté (XIVe s.) à *avulsio,* de *avellere* «arracher», de *vellere* «tirer violemment», verbe dont les dérivés ont donné *convulsion*, révulsion*,* rattaché à une racine indoeuropéenne °*wel-* (→ flanelle, laine, velu).

♦ Rare après le XVIe s., *avulsion* a été repris par latinisme en chirurgie dentaire (1836).

AVUNCULAIRE adj. est un dérivé savant (fin XVIIIe s.) du latin *avunculus* «oncle*» et d'abord «oncle maternel» (l'oncle paternel est appelé *patruus*), diminutif familier de *avus* «grand-père»; nom familier indoeuropéen pour désigner un ancien dans le groupe social.

♦ Cet adjectif didactique correspond à *oncle* et à *tante.*

▸ Le dérivé **AVUNCULAIREMENT** adv. (1834) est encore plus rare. ➔ **AVUNCULAT** n. m., autre dérivé savant (1936), s'emploie en anthropologie, comme **AVUNCULOCAL, ALE, AUX** adj. (mil. XXe s.) «qui se fait chez l'oncle maternel».

AXE n. m. est emprunté (1372) au latin *axis* «essieu», puis «axe de machine, arbre» et «axe du monde», d'un thème indoeuropéen °*aksi-,* élargissement d'un nom °*aks;* d'autres formes élargies ont donné le grec *axôn* «axe, essieu», le sanskrit *ákṣạh,* l'avestique *asa.* En latin, le mot *ala* «aisselle» (→ axillaire), puis «aile» (→ aile), est une réduction de °*aks-lā.* ◇ Cet *axis* est sans rapport avec celui qui a donné *ais.*

♦ Le mot est d'abord un terme d'astronomie et de géométrie, repris au latin de Vitruve en architecture (1676, Félibien) et, sans doute encore au latin, en mécanique (av. 1690). De nombreuses valeurs scientifiques modernes se développent ensuite : optique, anatomie (1704), magnétisme (1751), cristallographie (1801, Haüy). ◇ *Axe* est passé dans la langue générale (av. 1690) pour désigner une pièce matérielle autour de laquelle tourne une roue, etc. et, récemment, une voie *(axe routier).* ◇ Le sens abstrait, «direction, ligne générale», semble récent (1er quart XXe s.), ainsi que la valeur politique, dans l'*axe Rome-Berlin* (emprunt à l'italien, dans une phrase de Mussolini, le 1er novembre 1936, sur l'«axe vertical de l'Europe» — le traité germano-italien date du 23 octobre), d'où *les puissances de l'Axe.*

▸ Parmi les dérivés, l'adjectif participal **AXÉ, ÉE** (1562) signifie «fixé par un axe». ◇ Abandonné jusqu'au XIXe s., le mot réapparaît avec le verbe **AXER** en sciences (1892); ce dernier signifie «diriger selon un axe»; il prend ensuite (1928) le sens figuré d'«orienter». ◇ À la même époque et en sciences, on relève **DÉSAXER** v. tr., au propre par métaphore (1924), et au figuré en psychologie (1924), surtout au participe passé adjectivé **DÉSAXÉ, ÉE** (1924), synonyme courant de *déséquilibré.* ◇ **DÉSAXEMENT** n. m. (1907) est plutôt technique, de même que son synonyme **DÉSAXAGE** n. m. (1933). ◆ L'adjectif **AXIAL, ALE, AUX** est formé au milieu du XIXe s. (1846). ◆ Le préfixé **COAXIAL, ALE, AUX** adj. (1911) qualifie ce qui a le même axe qu'un autre objet. Le syntagme le plus courant, *câble coaxial,* donne (1976) le substantif *un coaxial.*

AXILE adj. est un mot savant emprunté au latin supposé °*axilis,* de *axis,* ou formé directement sur *axis* (1697). ◆ **AXIS** n. m., réemprunt au latin anatomique (1696), est inconnu jusqu'au XIXe s., alors en concurrence avec *axe* (1801), pour désigner la deuxième vertèbre du cou. ◆ Enfin **AXONE** n. m., «prolongement de la cellule nerveuse» (attesté 1898), est pris à l'anglais *axon* (1842), emprunt au grec *axôn.*

◈ voir AXONGE, ESSIEU.

AXILLAIRE adj. est un dérivé du bas latin *axilla* «aisselle» et à l'origine «petite aile», dérivé de *ala* (→ aile, aisselle).

♦ C'est l'adjectif savant de *aisselle* (1363 ou déb. XVe s., Chauliac; puis mil. XVIe s., Paré). Il s'emploie par analogie en botanique, en entomologie.

AXIOME n. m. est un emprunt de la Renaissance (1547) au latin *axioma,* grec *axiôma* «ce qui est convenable, ce qui vaut, ce qui mérite» *(axios),* du verbe *axioun* «juger digne, valable», de la même famille que *agein* «conduire» (→ agonie), au sens d'«entraîner (par son poids)», d'où «peser».

♦ *Axiome* désigne une vérité générale admise de tous; le mot apparaît dans un ouvrage de chirurgie, mais se spécialise en logique et en mathématiques, ou encore en philosophie (XVIIe s.). ◇ Il prend la valeur courante de «vérité d'évidence» au début du XIXe s. (1803, Chateaubriand).

▸ **AXIOMATIQUE** adj. est directement emprunté au dérivé grec hellénistique *axiômatikos* lorsque G. Budé l'emploie pour «qui exprime l'autorité». ◇ L'adjectif actuel apparaît au début du XIXe s. en philosophie et en logique (1830, chez Balzac), pour «fondé sur un système d'axiomes». ◆ **AXIOMATIQUE** n. f. apparaît au XXe s. (attesté 1921, dans une traduction d'Einstein). ◇ L'importance du concept d'axiome en mathématiques et en sciences formelles est corroborée par l'apparition de **AXIOMATISER** v. tr. (p. p., 1935), **AXIOMATISATION** n. f. (1936, Gonseth), **AXIOMATIQUEMENT** adv. (même source), ainsi que des composés savants du grec *axios,* **AXIOLOGIE** n. f. (1902, créé par Lapie) «science des valeurs de vérité, des conditions de vérité», d'où **AXIOLOGIQUE** adj. (1927).

AXONGE n. f. est un emprunt (1363), d'abord altéré en *amxumge* (*sic,* in *D. D. L.*) [déb. XIVe s.], *axungle* (1320), au latin *axungia* «graisse de porc» (Pline), composé de *ax- (axis)* «essieu» (→ axe) et de *ungia* «graisse», les essieux des chars étant graissés avec cette substance. *Ungia* vient de *ungere* qui a donné *oindre** (→ onguent); le mot remonte à une racine indoeuropéenne °*ungw*-, représentée en sanskrit, gaélique, germanique.

♦ Le mot, didactique, désigne une graisse fine.

AYATOLLAH n. m. est un emprunt à un substantif arabe, composé de *'āyāt-,* pluriel de *'āya* qui désigne un signe miraculeux (et un verset du Coran), et du nom divin *'allah,* connu sous sa forme persane, où le *o* rend le *u* du nominatif arabe. Il s'est répandu en français, comme en d'autres langues, en 1978, lorsque le dignitaire chiite iranien *(ayatollah)* Khomeini, de retour en Iran, déclencha la révolution qui mit fin au régime du shah. Devenu *imam,* le chef des intégristes et son régime ont suscité plusieurs emprunts à la terminologie du shi'isme (chiisme) iranien (*hezbollah, hedjatoleslam,* etc.); mais seul *ayatollah* a une certaine vitalité lexicale, en Occident. Le mot est employé au figuré (attesté dep. 1980).

AZALÉE n. f. est emprunté au grec *azaleos* «desséché», qui vient du verbe *azesthai* «se dessécher», où l'on retrouve une racine °*as-,* ou plutôt (Benveniste) °*ad-,* par rapprochement avec le hittite *ḫat* «sécher». Le latin *arere* «être sec» (→ ardoir, ardre; aride) est apparenté. *Azaleos* a fourni à Linné le latin moderne *azalea* (forme féminine de l'adjectif grec) [1798].

♦ Le mot, écrit *azala* (1799), puis *azalea* (dans *Atala* et *Les Natchez,* de Chateaubriand), s'est imposé sous la forme francisée *azalée* (1803). Le choix du mot s'explique par le fait que la plante se dessèche très vite.

AZEROLE n. f. est un emprunt (1553, *asarole*) à l'ancien espagnol (aragonais) *azarolla* (1365), en espagnol *acerola, cerola,* lui-même emprunté à l'arabe *'az-za'rūra.*

♦ Le mot désigne un petit fruit jaune, appelé aussi *nèfle de Naples,* dont on faisait des confitures, des liqueurs. Sa forme actuelle (1690) a été précédée par *azerolle* (1651), *azarole* (1572), *asarole.*

▸ Le dérivé **AZEROLIER** n. m. (1690; *azarolier,* 1628), précédé par l'altération *argilier* (1547), désigne l'arbre *(mespilus azerolus).*

AZIMUT n. m., attesté dès 1415 (*azimuth; azimut,* 1680), est un emprunt à l'arabe *'as-samt* «chemin» et «point de l'horizon», dont une altération a produit *zénith**. *Azimut* est venu en français par l'espagnol *acimut* (fin XIIIe s.), du pluriel arabe *sumūt.*

♦ Terme d'astronomie désignant l'angle formé par le plan vertical d'un astre et le méridien de l'observateur, *azimut* est passé en géographie, puis en artillerie, notamment avec l'expression (1908) *dans tous les azimuts.* Celle-ci s'est étendue récemment sous la forme ***tous azimuts*** au sens de «dans toutes les directions, par tous les moyens».

▸ Le dérivé scientifique **AZIMUTAL, ALE, AUX** adj. (1579) est employé aujourd'hui en physique quantique. ◆ **AZIMUTER** v. tr. vient de l'argot des artilleurs (1892) «regarder, observer», d'où *être azimuté* «repéré» et par métonymie «être bombardé», puis par une autre métaphore (1937), «avoir perdu la bonne direction, 'le Nord', être fou».

AZOTE n. m. fait partie des termes de la nouvelle chimie forgés par Guyton de Morveau et Lavoisier (1787); il est tiré, écrit Morveau lui- même, «de l'*a* privatif du grec et de *zoê* (vie)». Le préfixe privatif grec a donné le français *a-**, et *zoê* ou *zôê* est apparenté au verbe *zân* dont le thème (→ zodiaque, zoo), d'origine indoeuropéenne, se retrouve dans le latin *vivere* (→ vivre).

♦ Le mot a remplacé *nitrogène,* qui a fourni le symbole *N* et de nombreux dérivés, en concurrence avec ceux de *azote* (→ nitr[o]-). *Azote,* désignant un corps simple, un gaz de l'air, correspond à un concept important et a donné naissance à une série de dérivés.

▸ **AZOTIQUE** adj. (1787, *gaz azotique*) qualifie un acide, un anhydride et un oxyde. ◆ **AZOTEUX** adj. m. (1823), «qui contient de l'azote», entre dans *acide, anhydride azoteux.* ◆ **AZOTATE** n. m. (1823), «sel de l'acide azotique», est concurrencé par *nitrate.* ◆ **AZOTÉ, ÉE** adj. (1826) est courant dans *engrais azotés.* ◆ On peut encore mentionner **AZOTITE** n. m. (1838), «sel de l'acide azoteux» (cf. *nitrite*), **AZOTURE** n. m. (1812), qui désignait le sel d'un autre acide *(azothydrique),* ainsi que plusieurs composés en *azote-*, certains étant empruntés (*azothydrique,* 1890, de l'allemand). ◆ En médecine, **AZOTÉMIE** n. f. (1906, de *-émie*), «quantité d'azote du sang», et **AZOTÉMIQUE** adj. (1906), sont précédés par **AZOTURIE** n. f. (1855), «quantité d'azote éliminée par les urines».

AZUR n. m., d'abord attesté (2e moitié XIe s.) par le judéo-français *lazur,* est emprunté (1080) au latin médiéval *azurium* (v. IXe s.). La forme *lazur* (IXe s.), vient de l'arabe populaire *lāzūrd,* arabe classique *lāžuward* (→ lapis-lazuli), lui-même du persan *lāzward* de même sens. Si l'italien *azzuro* et l'espagnol *azul* «bleu» viennent de la même origine, l'allemand et l'anglais *(Azur, azure)* sont plutôt empruntés au français.

♦ *Azur* désigne d'abord (1080) la couleur bleu clair et s'emploie comme adjectif (v. 1210). Le mot désigne littérairement (1794) le ciel et, au figuré, l'idéal (voir les emplois poétiques au XIXe s., notamment chez Mallarmé). ◇ Les sens techniques, «verre coloré en bleu à l'oxyde de cobalt» (1771), synonyme *bleu d'azur,* et «lapis-lazuli» (XVIe s.), synonyme *pierre d'azur* (1611) [qui revient à l'étymologie], semblent moins usités que ces syntagmes. ◇ La *riviera* française a reçu au début du XXe s. le nom publicitaire de *Côte d'Azur,* devenu usuel.

▸ Le dérivé **AZURÉ, ÉE** adj. (1280, *asuré,* nom d'une étoffe comme *azur;* puis 1285, adj.) précède le verbe **AZURER** (XIVe s., par métaphore ; 1549, *asurer* «colorer de bleu»). ◆ **AZURIN, INE** adj. (1420) est archaïque et **AZURINE** n. f. («matière colorante bleue», 1870), technique. ◆ **AZURITE** n. f. (1838) désigne le lapis-lazuli, dit aussi *pierre d'azurite,* et un carbonate de cuivre de couleur bleue. ◆ **AZURÉEN, ENNE** adj. «de l'azur» et «de la Côte d'azur», semble récent (mil. XXe s. ?).

AZULEJO n. m., «carreau de faïence orné», est un emprunt à l'espagnol (1669 ; *ezzuleia,* 1556), dans cette langue dérivé de *azul* «bleu», pris à l'arabe.

◈ voir **LAPIS-LAZULI.**

AZYME n. m. est emprunté (*azime,* XIIIe s. ; le *y* est restitué au XVIIe s.) au latin ecclésiastique *azymus,* lui-même emprunt au grec ecclésiastique (également médical) *azumos,* de *a-* privatif (→ ② a-) et de *zumê* «levain» (→ enzyme), de la même famille que le latin *jus* (→ jus).

♦ En français, l'emploi adjectif (*pain azyme,* 1495) est devenu le plus usuel, à côté de l'expression ***fête des azymes*** (*feste des azimes,* XIVe s.).

B

① **BABA** n. m. est emprunté (1767) au polonais *baba* désignant une pâtisserie, sens dérivé du sens propre de «vieille femme» avec lequel le mot se retrouve dans toutes les langues slaves, comme onomatopée du langage enfantin.

♦ Le gâteau, de forme ronde et massive, a pu évoquer la représentation plaisante de la paysanne enveloppée dans ses vêtements d'hiver. Le mot et la chose passent pour avoir été introduits en France par la cour de Stanislas Leczinsky (1677-1766), duc de Lorraine et ancien roi de Pologne.

② **BABA** adj. inv. serait un redoublement (1790) du radical onomatopéique *ba-*, *bab-* évoquant un mouvement de lèvres (ici causé par la stupeur) que l'on retrouve en français (→ babiller, babine, babiole, babouin). P. Guiraud l'apparente spécifiquement à *babines* «grosses lèvres», lequel postulerait une forme simple °*babe*, homologue de *bobe*, *bobine*. Il s'appuie sur l'existence des mots dialectaux *baba* (picard), *babille* (rouchi, patois de Valenciennes), *baban* (Jura), *babin* (Suisse, Jura) «niais», et les rapproche d'une série en *bob-*, *bobert*, *bobart*, *boban* «sot, niais».

♦ Ce mot familier n'est employé que dans les locutions ***en être baba, en rester baba*** qui ont remplacé les anciennes variantes *rester comme baba* (1790), *être comme baba* (1808).

③ **BABA** n. m. est emprunté (v. 1975), par l'intermédiaire de l'anglais des hippies voyageant aux Indes, à l'hindi *bābā* «papa», également «père», «monsieur». Celui-ci est issu du sanskrit °*bā-* «père», redoublé en °*bāppa-* ou °*bābba-*, mot expressif à mettre en parallèle avec la formation du nom du père en grec (→ papa). Les dictionnaires anglais attestent l'emprunt comme titre donné à un gourou, à un guide spirituel (1967), employé par extension pour désigner toute personne investie de ce rôle.

♦ Le mot s'emploie pour désigner une jeune personne marginale, non violente, inactive, plus ou moins nomade et souvent mystique, vivant parfois en communauté. Il s'emploie rarement au féminin. Il est marqué par la mode des années 1970, et souvent renforcé en *baba cool* (→ cool).

BABEL n. f., d'abord masculin (1555) puis féminin (1803), est l'emploi spécialisé, aussi comme nom commun (1803), de *Babel*, nom hébreu de Babylone employé dans la Genèse (IX, 9) et désignant la ville fondée par les descendants de Noé qui tentèrent vainement d'y élever une tour atteignant le ciel, laquelle s'effondra, cette catastrophe étant suivie par la confusion des langues. Le mot hébreu *bābel* vient peut-être de l'assyrien *bābilu* «porte de Dieu» ou *bābili* «porte des dieux», employé pour traduire l'akkadien *Cadimira*. L'étymologie de la Genèse, selon laquelle le mot hébreu signifie «confusion», est erronée.

♦ Le mot, employé par allusion biblique avec une valeur péjorative, est attesté une première fois en parlant de Rome, considérée comme un lieu rempli d'orgueil et de confusion. ◆ Il est repris au XVIIe s. dans la locution ***tour de Babel,*** appliquée à une tour babylonienne (probablement une ziggourat) censée atteindre le ciel. L'expression vise le symbole d'orgueil humain et de confusion des langues, et signifie au figuré «chose démesurément grande et haute» (1752, en locution comparative et qualifié de «familier et populaire») et celle de «confusion des discours, des opinions» (1762). ◇ L'emploi autonome du mot *un babel*, à propos d'un objet de dimensions disproportionnées et d'intentions discutables (1803, Chateaubriand), est exceptionnel.

► Les dérivés datent du XIXe s. : **BABÉLIEN, IENNE** adj. (1849) qualifie, en style didactique, ce qui rappelle la confusion des langues. Le mot a été repris comme nom masculin par Étiemble pour stigmatiser le «sabir atlantique» américanisé. ◆ **BABÉLIQUE** adj. (1862) est d'usage plus large ; en dérive **BABÉLIQUEMENT** adv. (1893). ◆ **BABÉLISME** n. m. (1866) correspond à *babélien* et se dit de la confusion dans l'ordre du langage, de l'art, de l'intelligence. ◆ On rencontre aussi **BABELESQUE** adj. au XXe s. (par exemple, chez Claude Simon).

BABILLER v. intr. appartient (v. 1170) à une racine onomatopéique *bab-* du langage enfantin qui exprime le mouvement des lèvres (anglais *to babble,* néerlandais *babbelen,* allemand *babbeln*).

♦ Le mot a signifié «bégayer» jusqu'au XVIe s., également sous la variante *baboyer* (1530). Par extension, il s'est employé transitivement du XIIIe s. au XVIe s. pour «dire en bégayant, peu clairement». L'argot des Coquillards l'a utilisé au sens de «bavarder à tort et à travers, avouer» (XVe s.). ◆ Le sens actuel est «bavarder en tenant des propos insignifiants» (1547), ou «parler vivement, de manière volubile», dans lequel l'ancienne valeur péjorative tend à s'estomper. ◇ Il s'est spécialisé à propos des exercices vocaux des très jeunes enfants.

▶ **BABILLEUR, EUSE** adj. et n., d'abord attesté par le féminin archaïque *babileresse* (déb. XVe s.), puis au masculin *babilleur* (1499), rare avant le XIXe s., désigne un bavard. Il s'est employé argotiquement avec le sens métaphorique de «journal» (1883). ◆ **BABIL** n. m. (v. 1450) désigne un bavardage enfantin, futile et, par analogie, le cri de certains oiseaux (XVIe s.). ◇ Il a été repris à propos des très jeunes enfants qui s'exercent à la parole. ◆ **BABILLET** n. m. (XVe ou XVIe s.) «petit bavard» est sorti d'usage puis a été repris pour désigner plaisamment un billet, une petite lettre (1877) par métaphore et sous l'influence de *billet*,* sens disparu.
BABILLAGE n. m. (XVIe s.), d'abord relevé dans une traduction d'Horace, n'est de nouveau attesté qu'en 1832 chez Hugo (au pluriel : *doux babillages d'amour*). Il concurrence *babil;* les psychologues s'en servent aussi pour désigner le prélangage enfantin (XXe s.).
BABILLARD, ARDE adj. et n. (av. 1555) se dit de la personne qui babille, parle abondamment, quelquefois, et par péjoration, qui ne sait pas tenir sa langue (1690). ◇ L'argot lui a donné une première fois le sens de «confesseur, ministre protestant» (1628), puis celui de «livre, journal». ◇ Le féminin s'emploie familièrement pour «lettre, épître» (1725). ◆ **BABILLERIE** n. f. (1562), «ce que l'on a dit en babillant» et, avec une valeur générale, «qualité de celui qui aime bavarder» (av. 1602), a disparu. ◆ **BABILLEMENT** n. m., attesté une fois en 1584, repris à partir de 1790, sert surtout de substantif d'action à *babiller* en médecine, pour un symptôme de maladie. Il se dit aussi du cri de certains oiseaux, dont l'alouette (1864).

◈ voir ② BABA, BABINE, BABIOLE, BABOUIN.

BABINE n. f. appartient (v. 1460) au radical onomatopéique *bab-* que l'on retrouve dans de nombreuses langues pour exprimer le mouvement des lèvres et en français dans plusieurs mots (→ ② baba, babiller, babiole, babouin).

♦ Le mot, surtout au pluriel, désigne la lèvre pendante de certains animaux et, par extension et familièrement, la lèvre d'une personne (1526) avec influence probable de *baboue* «moue» (→ babiole) et de *babouin.* En ce sens, il a été employé dans quelques locutions de sens propre et figuré dont il reste ***se lécher, se pourlécher les babines*** (1690), au figuré «manifester du plaisir en parlant ou en entendant parler de qqch. d'agréable». ◆ La forme populaire **BABOUINE**, enregistrée par le *Larousse universel du XIXe s.,* est due à l'attraction de *babouin;* elle est archaïque.

BABIOLE n. f. est l'altération par changement de suffixe (XVIe s.), soit par analogie avec *cabriole, bestiole,* soit sous l'influence de *babiller*,* du type plus ancien *babole* (1582). Ce dernier est emprunté à un mot italien aujourd'hui sorti d'usage, *babbola,* «bêtise, sottise, enfantillage» (pluriel *babbole*), dont l'origine est incertaine. L'hypothèse d'une formation expressive sur le radical *bab-* est possible et appuyée par l'existence en italien de *babbeo* «niais, nigaud», issu du latin *babulus,* lui-même d'origine onomatopéique, et de *babbano* «imbécile» (→ ② baba, babiller, babine, babouin). ◇ P. Guiraud, tout en acceptant l'idée d'un emprunt à l'italien, évoque des formes dialectales françaises comme *babuse, bobiole, babeluche* qui supposent une forme ancrée dans le système de la langue populaire française. De fait, on pense à l'ancien français *baboe, baboue, babaye* qui désigne une moue, une grimace (1491), c'est-à-dire un mouvement de lèvres, et qui se dit aussi d'un épouvantail d'enfant, d'une chose sans valeur ni importance (1602).

♦ Le mot, qui a joui d'une certaine vogue au début du XVIIe s., désigne une chose sans importance, de peu de valeur, à la fois concrètement (il s'est appliqué autrefois à un jouet d'enfant) et au figuré (il s'est dit de paroles trompeuses). Le premier sens est resté très vivant.

BÂBORD n. m., d'abord *babort* (1484) puis *babord* (1548), *bas-bord* en deux mots (XVIIe-XVIIIe s.), d'où *bâbord* (1762), est emprunté au moyen néerlandais *bakboord* qui désigne le côté gauche d'un navire en partant de la poupe. Ce mot a des correspondants dans le moyen bas allemand *backbord,* allemand *Backbord,* anglo-saxon *boecbord,* l'ancien norrois *bakbord;* il est formé de *bac, bak* «dos» (anglais *back*) qui appartient à une racine germanique non gotique °*bakam* (→ bacon, feed-back) et de *boord* (→ bord). À l'époque de l'emprunt, le pilote gouvernait avec une godille fixée au côté droit du bateau, tournant le dos au côté gauche. ◇ L'altération, en français, en *bas-bord, basbord,* à l'origine de l'introduction de l'accent circonflexe moderne, qui n'a rien d'étymologique, est due à l'attraction de l'adjectif *bas,* au figuré, par allusion au fait que l'équipage se tenait à bâbord tandis que les officiers se tenaient à tribord. ◇ L'hypothèse d'un emprunt au moyen néerlandais est plus satisfaisante, pour des raisons historiques (les relations maritimes françaises étant actives avec les Pays-Bas), que celle d'un emprunt au bas allemand. Celle d'un emprunt à l'ancien norrois est à écarter, étant donné l'apparition relativement tardive du mot en français.

♦ *Bâbord,* terme de marine désignant la partie gauche d'un navire en regardant vers l'avant, s'emploie adverbialement dans les locutions ***à bâbord, sur bâbord.*** ◇ La locution *faire feu de tribord et de* *bâbord* (1835) s'est employée familièrement pour «user de tous les moyens, de toutes les ressources».

▸ **BÂBORDAIS** n. m. (1694) désigne un homme d'équipage qui appartient à la bordée de bâbord.

◈ voir **TRIBORD.**

BABOUCHE n. f., d'abord *papouch* (1542), et aussi *babuc* (1600) par l'italien, puis *babouche* (1671), est emprunté au turc *pāpuš* «chaussure», lui-même repris au persan *pāpuš*, composé de *pa* «pied» et de *puš* «couvrir». Il ne semble pas nécessaire de recourir à l'arabe *bābūš* pour expliquer le passage du *p* au *b* en français, car les plus anciennes attestations françaises sont tirées de textes se rapportant à l'Empire ottoman, que les formes soient en *b* ou en *p*. D'autre part, l'alternance *p/b* est fréquente dans l'adaptation de mots empruntés aux langues orientales. L'espagnol *babucha* (XIXe s.) vient du français. L'italien a aussi emprunté le mot turc, d'où la forme française *babuc* donnée comme citation d'un mot italien.

♦ Le mot désigne une pantoufle orientale sans contrefort au talon et, par extension, cette pantoufle utilisée comme chausson.

BABOUIN, INE n., écrit *babouin* (1218-1225) ou *baboin* (XIIIe s.) en ancien français, appartient au radical onomatopéique *bab-* exprimant le mouvement des lèvres (→ ② baba, babiller, babine, babiole) dans plusieurs langues romanes et germaniques.

♦ Le mot a désigné un sot, un nigaud, comme le latin *babulus* et, de là, l'italien *babbeo* (→ babiole). On explique traditionnellement ce sens par l'expression niaise que donnent les lèvres proéminentes et l'idée d'enfantillage attachée aux mots de cette famille expressive, mais il s'agit plutôt d'une allusion à un bavardage sans contenu, le premier sémantisme justifiant pleinement l'acception suivante. ◇ En effet, depuis le XIIIe s. (v. 1250), *babouin* sert à désigner un singe caractérisé par de grosses lèvres proéminentes. ◇ Les emplois figurés pour «homme à la figure difforme» (1465), «homme de petite taille» (1845), «vieillard laid et ridicule» (1932-1935) sont métaphoriques en vertu d'une assimilation courante entre le singe et l'homme (cf. *singe, guenon*). ◇ L'idée de figure ridicule et menaçante a donné lieu à des emplois spéciaux, le mot désignant par exemple une figure ridicule que les soldats dessinaient sur la muraille d'un corps de garde pour faire *baiser le babouin,* par mesure de punition, à ceux qui transgressaient les lois établies entre eux (v. 1460), un épouvantail (1619), sens repris pendant la Première Guerre mondiale par les Poilus, à propos du mannequin agité par les soldats allemands dans leurs tranchées afin de leurrer le soldat ennemi (1919).

▸ **BABOUINER** v. intr. (1611), «faire des singeries, tromper», puis «marmotter comme les enfants» (1845), est sorti d'usage.

BABY, BABY-FOOT, BABY-SITTER → **BÉBÉ**

✳ ① **BAC** n. m. serait issu (v. 1160) d'un latin populaire °*baccu,* °*baccos* «récipient», restitué par le latin tardif *bacar* (fin VIIIe s.), *bacarium* (VIIIe-IXe s.), peut-être apparenté à la famille de °*baccinum* auquel remonte *bassin**. Le mot, abondamment attesté dans les parlers gallo-romans au masculin et au féminin au sens d'«auge», d'où «bateau», est propre à la Gaule et doit être d'origine gauloise, bien que le celtique n'offre aucun correspondant convaincant. P. Guiraud nie la spécificité gallo-romane du mot, évoquant un mot ibérique, *baccea,* et des représentants vénitiens et siciliens de *bacar;* il fait de °*baccus,* °*baccu* «récipient», le substantif verbal de *bacchari* «célébrer Bacchus» (→ bacchante, à bacchanale) pris dans le sens de «préparer le vin dans un récipient».

♦ Le mot désigne un type de bateau plat surtout utilisé pour de courtes traversées (rivières, étangs, lacs...), qui semble avoir été moins plat au moyen âge que de nos jours (cf. *en un bac,* chez Chrétien de Troyes). ◇ Par analogie de la forme initiale, il s'est employé pour un évier (1406), un bassin (1468), une cuve en pierre pour recueillir de l'eau de pluie (1612), un grand récipient de bois dont se servent les brasseurs pour faire de la bière (1752). ◇ De nos jours, il sert à désigner un récipient utilisé en technique (1751, *Encyclopédie*), spécialement, en électricité, le récipient qui, dans un accumulateur ou une pile, contient des électrodes. Il se dit couramment d'un récipient mobile dans un réfrigérateur.

▸ **BAQUET** n. m. (1328), issu de *bac* par l'intermédiaire d'une forme *baqué* (1300), s'applique dès les premiers textes à un petit récipient servant à divers usages, notamment le lavage du linge, dont certains techniques, en céramique, dorure, gravure, papeterie, imprimerie. ◇ Le mot désigne aussi (v. 1960) le siège bas très emboîtant des voitures de course et de sport, souvent en apposition dans *siège baquet.* ◆ Le dérivé **BAQUETER** v. tr. (1364), «puiser (l'eau d'un baquet)», est sorti d'usage, ainsi que son dérivé **BAQUETAGE.** ◆ **BAQUETURES** n. f. pl. (1718) s'emploie techniquement pour le vin qui tombe dans le baquet placé au-dessous du tonneau en perce pendant le soutirage ou la mise en bouteille.

① **BACHOT** n. m. (1538) est dérivé de *bache* «bac à passer l'eau» (1393 en wallon), forme féminine de *bac* à rapprocher du latin médiéval *bacca.* Le mot, avec la valeur diminutive attachée au suffixe *-ot,* désigne un petit bateau à fond plat servant à passer des bras d'eau. ◆ En dérivent ① **BACHOTAGE** n. m. (1735), «conduite d'un bachot», et ① **BACHOTEUR** n. m. (1735) «celui qui conduit un bachot», rares.

◈ voir **BASSIN.**

② **BAC** → **BACCALAURÉAT**

BACCALAURÉAT n. m., d'abord *bacaloreat* (1680) puis *baccalauréat* (1690), est emprunté au latin tardif *baccalaureatus* «degré de bachelier donné dans les universités», attesté dans le domaine anglais (v. 1522 et v. 1549), également sous la forme *bacchilaureatus* (v. 1592). Le mot résulte probablement du croisement entre *bacchalariatus* (1424), «grade inférieur dans le chœur des chanoines», et *baccalaureus,* altération de *baccalare,* de *baccalaris,* forme ayant donné *bachelier*.* Il semble que ce soit en milieu universitaire que se soit faite l'altération plaisante (et sans doute distinctive), à une époque qui opposait souvent le clergé et la chevalerie, se disputant la suprématie sociale, de *baccalarius* en *baccalaureus* sous l'influence de *laureare* «couronne de lauriers» (→ lauréat). Il n'est peut-être pas nécessaire pour expliquer la forme *baccalaureus* d'avoir recours à l'attraction de *bacca laurea* «baie de laurier» d'abord proposé par Alciat, jurisconsulte italien mort en 1550, dans la mesure où *baccalaureus* est attesté depuis la première moitié du XVe s. au sens de «jeune homme aspirant à être chevalier».

♦ Le mot désigne le degré de bachelier, c'est-à-dire d'abord le premier degré donné dans les universités pour les sciences de théologie, médecine, droit civil et droit canon. Son sens moderne, qui a entraîné l'évolution sémantique de *bachelier,* est attesté depuis la création, en 1808, d'un grade universitaire conféré après le succès aux examens terminant les études secondaires. ◇ Au Canada, le mot désigne le diplôme du premier cycle de certaines universités donnant accès au second cycle ou maîtrise.

▸ Le mot est abrégé par apocope en ② **BAC** n. m. (1880), d'abord employé dans l'argot des lycéens et, de nos jours, de plus en plus fréquent à côté de *baccalauréat* et de ② *bachot* (→ bachelier).

◈ **BACCARA** n. m., attesté depuis 1851, est d'origine incertaine : son apparition relativement tardive ne s'accorde pas avec l'hypothèse selon laquelle le jeu de cartes qu'il désigne aurait été introduit d'Italie à l'époque de Charles VIII lors des guerres d'Italie. Du reste, l'hypothèse d'un tel emprunt se heurte au fait que le mot italien n'est attesté qu'après le français, chez Panzini (1863-1939). Selon T. E. Hope, le mot serait apparenté à l'arabe *baqara* ou *baqarat* «troupeau», qui se serait spécialisé au jeu avec une valeur symbolique de richesse, mais cette hypothèse s'appuie surtout sur la date d'apparition du mot en français, qui correspond à l'apogée de la puissance française en Afrique du Nord, en Égypte et au Levant, laquelle a vu nombre d'emprunts *(almée, burnous, cheik, zouave...).* ◇ Cependant, le *Trésor du Félibrige* de Mistral donne le mot comme provençal et le rattache à *bacarra* qui veut dire «rien du tout» dans l'expression *faire bacarra* «n'avoir rien à manger» et dans l'interjection *bacarra!* «bernique!». Selon P. Guiraud, qui rappelle cette hypothèse, le mot représenterait plutôt *B-carré* ou *bécarre** (*carrat, carra* étant la forme méridionale de *quarré*) et se rattache à la locution *par bécarre* «au suprême degré», dans un contexte péjoratif. De là, il ressort que *faire bacarra* signifie «faire qqch. de négatif au suprême degré», ce qui concorde, comme chez Mistral, avec le sens.

♦ *Baccara,* nom d'un jeu de cartes et du plus mauvais point possible à ce jeu (voir ci-dessus), est passé dans l'argot, peut-être du provençal, au sens de «faillite, échec» (1935), surtout dans des locutions comme ***être en plein baccara*** «dans les ennuis».

BACCHANALE n. f., d'abord *bachanales* (v. 1355) puis *Bacchanales* (1690) au pluriel, est emprunté au latin *Bacchanalia* «fêtes consacrées à Bacchus», lui-même dérivé, sur le modèle de *Volcanalia* «fêtes consacrées à Vulcain» et *Saturnalia* «fêtes de Saturne» (→ saturnale), de *Baccha* «femme qui célèbre le culte de Bacchus». Ce dernier est dérivé de *Bacchus,* nom du dieu de la vigne et du vin, repris du grec *Bakkhos,* autre nom pour *Dionusos* (→ dionysiaque) surtout usité en poésie, également employé par métonymie pour désigner un adorateur du dieu, une personne inspirée, quelquefois pour le vin, ou une branche de vigne portée par les initiés. *Bakkhos* est d'origine inconnue ; le lydien a *Baki-* dans l'adjectif *bakivalis* en face de *Dionusikléous,* mais le lydien peut être emprunté au grec attique.

♦ Surtout employé au pluriel, avec ou sans majuscule, *bacchanale* est introduit comme terme d'antiquité romaine par Bersuire dans son *Tite-Live* (livre XXXIX). ◇ Par extension, il s'est dit d'une réjouissance du Carnaval dans laquelle on se couronnait de lierre et on imitait les fêtes de Bacchus (1690). ➜ Le mot s'est employé par figure à propos d'une débauche bruyante (1752), sens avec lequel il a éliminé la forme **BACCHANAL** n. m. (1835), reprise de l'ancien français *baquenas* (v. 1155), *baquenal* (v. 1317), emprunt au latin *bacchanal* «lieu où l'on célèbre les bacchanales», «fête de Bacchus», de *bacchanalia.* ◇ *Bacchanales* se dit aussi de la représentation picturale des fêtes antiques (1680) et, au singulier, d'une danse tumultueuse dans un ballet ou un opéra (1835).

▸ **BACCHANT,** ① **BACCHANTE** n. est emprunté (1572) au latin *bacchans, -antis,* participe présent, substantivé pour désigner les prêtresses de Bacchus (Ovide : *Bacchantes*). Le mot vient du verbe *bacchari* «avoir le délire inspiré par Bacchus», d'où «être dans les transports sous l'effet d'une passion violente», de *Bacchus.* ➜ Le masculin *bacchant* est attesté une fois en 1572, puis au XIXe s. (1842), comme terme d'antiquité romaine, désignant le fidèle de Bacchus ; il est très rare. ◇ Le féminin *bacchante,* «prêtresse de Bacchus» (1596), est passé dans l'usage littéraire au sens de «femme débauchée» (1682).

◈ voir **BACHELIER** (hypothèse Guiraud), ② **BACCHANTES**, peut-être ① **BAIE**.

② **BACCHANTES** ou **BACANTES** n. f. pl., mot argotique (1875-1876), est probablement dû à une allusion mythologique facétieuse aux bacchantes (→ bacchant, à bacchanales) et à leur longue chevelure flottante, qui serait assez dans l'esprit de la *Belle Hélène.* L'étymon proposé par Esnault, l'allemand *Backe* «joue», est séduisant pour le sens (les favoris couvrant la joue), mais pose un problème pour la forme.

♦ Le mot a désigné les favoris, la barbe puis, par déplacement (1901), les moustaches. La locution ***sonner qqn aux bacchantes*** «l'agacer» a eu cours dans l'argot des Poilus (1916), puis a disparu.

BÂCHE n. f., d'abord *bache* (XVe s.) puis *bâche* (1741), antérieurement *bacha* en latin médiéval (1364), est d'origine incertaine. On y a vu une forme abrégée de l'ancien français *baschoe, baschoue* ◈

(1384), encore attestée en 1611 sous la forme altérée *baschole* «récipient de bois ou d'osier, hotte» qui remonte au latin *bascauda* «cuvette où on lave la vaisselle», auquel Martial attribue une origine gauloise. Ce mot aurait été plus ou moins contaminé par les représentants de °*baccus*, °*bacca* (→ ① bac). Cette hypothèse est difficile à admettre en raison de l'accentuation de *baschoe*, qui conduit à proposer une forme *bachot* (avec changement de suffixe) attestée dans les dialectes mais non à date ancienne : de cette forme, comprise comme suffixée, viendrait par régression la forme simple *bâche*. Pour expliquer l'absence du *-s-* attendu, on a évoqué un rattachement au latin tardif *baccea*, *bachia* «vase à vin» et «mare, bourbier», passé dans l'ancien français *bachas*, *bachat*, *bachasse* «auge» et dans le provençal *bacha* «auge». ◇ P. Guiraud préfère rapprocher *bâche* du provençal *basto* «panier de transport», «hotte de vendange», et aussi «grande toile couvrant les bateaux» : selon lui, la bâche serait une sorte de *bât ;* l'opposition *-ch-/-t-* à la finale de la racine postulerait la présence d'un suffixe roman *-ĭcus/-ĭtus* et donc un doublet hypothétique °*basĭtus* et °*basĭcus* dont le radical ne peut être que le latin *basis* (→ base). Afin d'expliquer le passage au sens de «grosse toile couvrante», il est amené à supposer que le radical du verbe a à la fois un sens passif («ce qui est supporté») et un sens actif («ce qui supporte») ; toutefois, on reste loin du sens de «toile couvrante» et le premier sens attesté (vêtement) reste inexpliqué.

♦ *Bâche* a d'abord désigné un sous-vêtement monacal, une sorte de caleçon de toile, sens repris au XIXe s. par les médiévistes. ◇ Au XVIe s., il désigne une hotte en osier ou un filet en forme de poche pour prendre le poisson (1572) ; puis une auge (1610), une caisse, un bac, dans différents domaines techniques : cuvette de bois qui reçoit l'eau d'une pompe aspirante (1751), cuvette où passe l'eau d'arrosage en horticulture (1835), petite caisse servant à mesurer le minerai (1863). ➡ Le développement du sens actuel de «grande pièce de toile épaisse et imperméable servant à protéger, à couvrir» (1741) consiste probablement en un transfert métonymique de ce qui est couvert à ce qui couvre ; peut-être cette acception continue-t-elle le sens médiéval de «vêtement de toile», et dialectal de «sac», «paillasse». L'usage signalé au XVIIIe s. de placer un lit de paille ou de foin entre la bâche et la marchandise pour protéger celle-ci a peut-être servi d'intermédiaire. ◇ En argot familier, le mot signifie aussi «casquette» (1878) et «drap de lit» (1881) ; cf. *bâcher.*

▶ Le dérivé **BÂCHER** v. tr., d'abord attesté (XVIe s.) sous la forme du participe passé ***baché, ée*** «habillé, vêtu», a été repris au XVIIIe s. avec le sens de «couvrir d'une bâche» (1751). De ce dernier procèdent les sens argotiques de «se coucher» (1878), en emploi intransitif, ainsi que «vêtir, habiller» (1900, dès 1887 à la forme pronominale *se bâcher* qui retrouve le sens du XVIe s. mais constitue une métaphore du sens usuel). ➡ De *bâcher* sont dérivés **BÂCHAGE** n. m. (XIXe s.) et **BÂCHEUR** n. m. (1873, *Journal Officiel*), d'usage technique pour «ouvrier chargé de poser des madriers dans les mines de charbon». ◇ De *bâcher* «se coucher» vient le sens argotique ancien de *bâcheur* pour désigner un hôtelier (1900). ➡ Le préfixé verbal **DÉBÂCHER** v. tr., «enlever la bâche», est attesté à partir de 1741 ; on rencontre quelquefois **DÉBÂCHEMENT** n. m. et **DÉBÂCHEUR** n. m.

BACHELIER, IÈRE n. est l'altération par changement de suffixe (XIIIe s.) de *bacheler* (1080), encore en usage au XIVe s., issu du latin populaire °*baccalaris*, attesté sous la forme *baccalarius*. *Baccalarius* désignait dans le sud de la France un serf non pourvu d'une tenure et vivant dans le ménage de ses parents (813), et en Catalogne un paysan sans aucune terre à sa charge (XIe s.). On notera l'évolution du latin médiéval *baccalarius* en terre catalane : au XIIe s., des *baccalarii* escortent un coursier sarrazin, en 1193, un *baccalarius* remplace un chevalier dans un duel judiciaire : les *baccalarii* formaient donc un groupe social intermédiaire entre le chevalier et le paysan, d'où en catalan des valeurs analogues à celles de *soudard* (→ soldat) «homme de mauvaise vie», «fripon» et non plus «vilain». En France aussi, *baccalarius* désigne un chevalier qui ne conduit pas de compagnons armés au combat (av. 1050) et, par extension, un jeune homme noble (1223), puis un étudiant avancé (1252). ◇ L'étymologie du mot latin fait problème : on a proposé une origine celtique par rapprochement avec l'irlandais *bachlach* «serviteur», «berger» et «individu grossier». Il s'agit là d'un type celtique °*bacalâcos*, peut-être dérivé de l'irlandais et gaélique *bachall* «bâton, houlette», emprunt au latin *baculus* (→ bacille). Selon d'autres, °*baccalaris* reposerait sur un type °*bakkánno-* «paysan», d'un gaulois plus ancien °*bakkágno-*, °*bakkúgno-*, d'une racine °*bakk-* (cymrique *bach* «petit») munie du suffixe diminutif gaulois *-agno*. Les deux étymologies se heurtent à de sérieuses difficultés phonétiques pour aboutir à la forme °*baccalaris*. P. Guiraud fait de *baccalaris* le domestique attaché à la *baccalaria*, mot désignant un domaine agricole, probablement un vignoble : l'origine en serait *bacchus* «vigne», «vin» (→ bacchanale).

♦ Le mot apparaît en français comme terme de féodalité, désignant un jeune homme aspirant à devenir chevalier et, par extension, un jeune homme noble (déb. XIIIe s.), sens encore vivant en 1685 chez La Fontaine. Cette acception est passée en anglais dans *bachelor* «homme célibataire» (1386). ➡ Au XIVe s. d'après le sens pris par *baccalarius*, le mot désigne celui qui, dans une faculté, est promu au premier des grades universitaires (XIVe s.), avec une signification spéciale dans le cadre des études de théologie. Puis, le mot a suivi l'évolution sémantique de *baccalauréat**. En outre, il s'est appliqué à celui qui, dans un corps de métier, agit sous la direction des jurés et le devient à son tour (1366), et à celui qui passe maître dans un métier (1520) ; *bachelier* s'employait encore au XIXe s. parmi les artisans pour désigner un maître élu pour assister les jurés (1838). ➡ Le féminin *bachelière* n. f. est plus tardif, désignant (une fois en 1461) une jeune fille noble, et s'est longtemps maintenu dans les dialectes pour désigner la jeune fille qui accompagne la mariée en qualité de fille d'honneur le jour de la cérémonie du mariage (Ouest). Il a été repris au XVIIIe s. pour désigner ironiquement une femme lettrée, une savante (Voltaire). C'est seulement au XIXe s. (1867) qu'il est attesté en parlant d'une femme titulaire d'un baccalauréat. ◇ Par jeu de mots misogyne sur ② *bachot*, abréviation pour «baccalauréat», et ① *bachot** dérivé de ① *bac**, *bachelière* a été employé en argot du Quartier latin, pour désigner une femme juste assez savante pour conduire un «bachot» en Seine.

▶ De *bachelier* est dérivé ② **BACHOT** n. m. (1856) employé d'abord dans l'argot des écoles comme synonyme aujourd'hui familier de «baccalauréat», quelquefois par métonymie avec le sens de «programme de cet examen». ➜ À son tour, *bachot* a produit **BACHOTER** v. intr. (fin XIXe s.), «préparer les examens de manière systématique» d'où viennent ② **BACHOTAGE** n. m. (1892) et ② **BACHOTEUR, EUSE** (1892), ce dernier passant du sens de «professeur attentif au succès des candidats au bachot» à celui d'«élève préparant un examen avec un acharnement obstiné ou obtus» (attesté 1946).

◈ voir **BACCALAURÉAT**.

BACILLE n. m. est emprunté (1838) au latin scientifique *bacillus* employé en botanique, en entomologie, puis par l'Allemand Cohn (1828-1898) dans ses études de parasitologie. Le mot est repris au latin *bacillus* «baguette», diminutif de *baculus* (ou *baculum* au neutre) «bâton», «sceptre» et au figuré «soutien» (→ imbécile). Le mot latin correspond au grec *baktêria* (→ bactérie), d'une racine indoeuropéenne °*bak-* de type populaire, qui se retrouve dans l'irlandais *bacc* «bâton recourbé».

♦ Le mot désigne d'abord une production allongée en forme de pédoncule, dans certains lichens; l'Académie (1842) enregistre son emploi en zoologie pour un insecte herbivore ressemblant à une brindille, le phasme d'Europe; ces sens ont disparu. ◇ Sa spécialisation en parasitologie revient à Cohn (1872 en latin scientifique; 1888 en français) pour des organismes microscopiques en forme de bâton, à côté de la dénomination générique *bactérie*. De nombreux bacilles sont caractérisés par une expression qualifiée : *bacille de Koch*, etc.

▶ Le mot a servi à former **BACILLAIRE** adj. et n. (1884) spécialement «caractérisé par la présence de bacilles», dans *tuberculose bacillaire*, d'où *un tuberculeux bacillaire*, aussi substantivé; **BACILLOSE** n. f. (1896), **BACILLURIE** n. f. (1909) et **BACILLÉMIE** n. f. (1946). ➜ **BACILLIFORME** adj. «en forme de bâtonnet» est tiré (1846) du latin scientifique.

COLIBACILLE n. m. est formé (1895) sur le grec *kôlon* (→ côlon, colique) pour désigner un bacille intestinal. ◇ Il a pour dérivé **COLIBACILLOSE** n. f. (1897) « infection due à des colibacilles ».

◈ voir **BÂCLER, BAGUETTE**.

◈ ✱ **BÂCLER** v. tr., d'abord *bacler* (1292) puis *bâcler* (1680), est d'origine incertaine. L'étymon le plus probable paraît être un latin populaire °*bacculare*, dérivé de °*bacculum*, variante de *baculum* «bâton» (→ bacille), bien que l'attestation relativement tardive du verbe français n'appuie pas cette hypothèse; l'intermédiaire du provençal *baclar* «fermer», non attesté avant le XVIe s. (1535), est possible mais incertain. Quant à l'hypothèse d'un emprunt au néerlandais *bakkelen*, fréquentatif de *bakken*, *backen* en moyen néerlandais «coller fortement, attacher», elle fait difficulté parce que *bakkelen* n'est attesté qu'en néerlandais moderne, et seulement au sens de «geler».

♦ Le mot, peu attesté avant le XVIe s. sinon indirectement par son antonyme *débâcler* (1416), signifie d'abord «fermer (une porte, une fenêtre) au moyen d'une traverse de bois» d'où «fermer» en général (av. 1596, *bacler la bouche*). Ce sens (analogue à *barrer*) est sorti d'usage en dehors du langage argotique du XIXe s. *(bâcler la lourde)*, y compris dans sa spécialisation technique de «barrer l'accès d'un port, d'un cours d'eau» (1690; cf. au XVe s. *desbacler*), d'où «arrêter la navigation». ➜ De l'idée concrète de fermeture on est passé au sens figuré de «conclure à la hâte, régler» (1680), d'où le sens péjoratif moderne, «expédier à la hâte et avec négligence» (XIXe s.), usuel à l'actif et au participe passé adjectivé *(travail bâclé)*.

▶ **BÂCLAGE** n. m. (1751) s'est employé en navigation pour «action de bâcler», sens sorti d'usage. ◇ Il a été repris d'après *bâcler* pour désigner, familièrement, l'action de faire vite et mal un ouvrage (in *Dictionnaire universel* de P. Larousse, 1867). ➜ **BÂCLEUR, EUSE** n. et adj. (v. 1830), dit autrefois de celui qui conclut vite en affaire, et avec la valeur péjorative de «personne qui fait à la hâte et sans soin» (1866, comme adjectif), n'est plus en usage. ➜ Le sens primitif de *bâcler* «fermer» s'est continué dans le déverbal **BÂCLE** n. f. (1866) «barre servant à fermer par dedans une porte, une fenêtre», terme technique.

DÉBÂCLER v. tr., d'abord *desbacler* (1416), signifie d'abord «dégager (un port) en faisant sortir les bâtiments déchargés pour faire place aux bâtiments chargés qui arrivent». Le sens de «ouvrir en ôtant une traverse» (av. 1589) est sorti d'usage avec le sens antonymique de *bâcler*. ◇ Le mot s'emploie aussi intransitivement en parlant d'un cours d'eau dont la glace vient de se rompre tout d'un coup (1690), sens soutenu par l'existence d'*embâcle* (ci-dessous). ➜ Il a produit les dérivés : **DÉBÂCLEUR** n. m. (1415), autrefois dit de celui qui présidait au débâclage d'un port, **DÉBÂCLAGE** n. m. (1415), lui aussi sorti d'usage. ➜ **DÉBÂCLEMENT** n. m. (1684), «rupture des glaces dans un cours d'eau», est concurrencé par le déverbal. ➜ Ce dernier, **DÉBÂCLE** n. f. (1680) a signifié «action de débâcler un port», sens disparu, puis «rupture des glaces dans un cours d'eau» (1690). ◇ Il a développé les sens figurés usuels de «brusque désorganisation entraînant le désordre», «déroute, effondrement soudain d'une armée», sens popularisé en 1870 (*La Débâcle*, roman de Zola), et «échec total; désorganisation absolue et rapide d'une entreprise» (mil. XIXe s.). ➜ **EMBÂCLE** n. m. (1640) est probablement formé sur *débâcle* par changement de suffixe et n'a aucun lien avec l'ancien français *enbacler* «tromper» (*Roman de la Rose*, v. 1278). ◇ D'abord employé au sens figuré de «embarras», il s'est limité au sens concret de «ce qui fait obstacle à la navigation d'un cours d'eau» (1755), désignant plus particulièrement, en relation avec un sens de *débâcler*, la formation d'un amoncellement de glaçons obstruant un cours d'eau (1838).

BACON n. m., d'abord en judéo-français (av. 1100), également *bacun* (XIIe s.) en ancien français, est emprunté au francique °*bakko*, forme déduite de l'ancien haut allemand *bahho*, du moyen haut allemand *backe, bache* «jambon, flèche de lard». Ce dernier vient de l'ancien saxon, à rattacher à l'ancien haut allemand *bah*, au vieux norrois *bak*, à l'anglo-saxon *boec*, d'où l'anglais *back* «dos» (→ feed-back). Le mot est attesté dans le domaine gallo-roman (ancien provençal *bacon*, 1157) et catalan (*bacco*, 1063); son absence en italien, espagnol et portugais (on attribue une origine arabe au portugais *bácoro* «jeune porc») et rhéto-roman fait exclure un emprunt roman au niveau du germanique occidental. Un emprunt francique, dans le domaine gallo-roman et catalan, s'explique dans le cadre de l'Empire carolingien qui incluait le nord de la Catalogne formant la Marche d'Espagne.

♦ Le mot se serait répandu pour désigner les flèches de lard servant de redevances en nature. Par métonymie, il a servi à désigner le jambon, du XIIe s. au début du XVIIe siècle. ◆ L'emploi récent, avec une prononciation flottante (1899), est un emprunt à l'anglais *bacon* (v. 1330) qui avait lui-même été repris au moyen français avec le sens général de «viande de porc» avant de se spécialiser pour désigner le lard maigre salé et fumé. Le mot se prononce en général à l'anglaise, sauf au Québec où il semble continuer l'usage du XVIIe siècle.

BACTÉRIE n. f. est la francisation (1845) du latin scientifique moderne *bacterium* (1842), mot forgé en 1838 par le médecin allemand Christian Gottfried Ehrenberg (1795-1876) pour désigner un micro-organisme unicellulaire. Le mot est la latinisation du grec *baktêrion* «petit bâton», lui-même dérivé de *baktêria* «bâton», abandonné en grec moderne mais repris pour désigner le micro-organisme. *Baktêria* semble appartenir à une racine indoeuropéenne désignant le bâton, également représentée dans le latin *baculum* (→ bacille) et le vieil irlandais *bacc*.

♦ Le mot s'est surtout répandu après les découvertes de Pasteur entre 1853 et 1860. ◇ Il est homonyme d'un terme d'entomologie, *bactérie* n. f. (1845), adaptation du latin scientifique *bacteria*, genre ainsi baptisé par Latreille par allusion à la morphologie de ces insectes au corps allongé et cylindrique. ◇ Comme *bacille**, il est passé de la zoologie à la microbiologie, où le mot générique contemporain est *microbe**.

▸ Les dérivés sont créés depuis la fin du XIXe siècle. ◆ **BACTÉRIEN, IENNE** adj. (1888) s'est substitué à *bactérique* (1892). ◆ Il a pour préfixé **ANTIBACTÉRIEN, IENNE** adj. (1889) «qui lutte contre les effets pathologiques des bactéries». ◆ **BACTÉRIOLOGIE** n. f. (1888), désignant la science qui acquit son autonomie sous l'impulsion de Pasteur, Lister et Koch, a pour dérivés **BACTÉRIOLOGIQUE** adj. (1888), employé par extension dans *arme, guerre bactériologique* (mil. XXe s.) utilisant des bactéries pour mettre l'ennemi hors de combat, **BACTÉRIOLOGUE** n. (1885) et **BACTÉRIOLOGISTE** (1891). ◆ Dès ce moment, l'élément **BACTÉRIO-** entre dans la formation d'adjectifs et substantifs appartenant au vocabulaire médical, tels que **BACTÉRIOTHÉRAPIE** n. f. (1891), **BACTÉRICIDE** adj. (1893) «qui tue les bactéries», formé avec *-cide* avec un sens voisin de *antibactérien*, **BACTÉRIOPHAGE** n. m. «virus qui détruit certaines bactéries» (1918), **BACTÉRIOLYSE** n. f. «destruction des bactéries par dissolution sous l'action de substances présentes dans le sang», par emprunt (av. 1926) à l'anglais *bacteriolysis* (1897) ou à l'allemand; **BACTÉRIOLYSINE** n. f. (1920-1924) à l'allemand, d'après les travaux des savants allemands Pfeiffer (1858-1946) et Israël (1848-1926); **BACTÉRIOSTATIQUE** adj. (1945).

BADAUD, AUDE n. et adj. est emprunté (1532) à l'ancien provençal *badau* n. «niaiserie» (1130-1150), et adj. «niais» (XIIIe s.), lui-même dérivé de *badar* «bâiller» (XIIe s.), d'où «rester bouche bée, regarder d'un air ahuri en ouvrant la bouche». Ce verbe vient du latin tardif *batare* «bâiller» qui semble être d'origine onomatopéique et a donné *béer, bayer**. Le suffixe provençal *-au*, utilisé pour former des noms d'action, a été assimilé en langue d'oïl au suffixe d'adjectifs et de noms d'agent *-aud, -aude*.

♦ Attesté chez Rabelais au sens de «sot, niais», comme adjectif, le mot est substantivé pour désigner celui ou celle que la curiosité arrête devant des spectacles futiles (1552). ◇ Il a été repris plus tard dans ce sens comme adjectif pour qualifier la personne qui regarde en manifestant une curiosité un peu niaise (av. 1778), la valeur péjorative diminuant au XIXe siècle.

▸ **BADAUDERIE** n. f. (1547) «niaiserie», puis «caractère du badaud» (av. 1679) et concrètement *(une badauderie)* «action de badaud» (1690), est relativement rare et péjoratif. ◆ Il en est de même de **BADAUDER** v. intr. (1690) «faire le badaud». ◆ Étant donné son antériorité par rapport au verbe, **BADAUDAGE** n. m. (1594), sorti d'usage, doit venir directement de *badaud*.

◈ voir BADIN.

BADERNE n. f., attesté au XVIIIe s. (1773), est d'origine incertaine, peut-être emprunté au provençal *baderno* «grosse tresse faite avec de vieilles cordes». Ce dernier est obscur : à l'hypothèse de P. Guiraud, qui le rattache au verbe *badar* «être ouvert» (du latin *batare* qui a donné *bayer**), on préférera celle d'un emprunt du grec *pterna (pternê)* «talon, sabot d'un animal, talon d'un soulier» et «partie inférieure d'objets, par exemple d'un mât». *Pterna* appartient à une famille remontant à l'indoeuropéen et désignant le talon ou l'arrière de la cuisse, le jambon (latin *perna*), ou le haut de la cuisse (hittite *paršna*). L'italien *baderna*, proposé comme étymon par Dauzat, semble emprunté du provençal, de même que le catalan et l'espagnol *baderna*.

♦ Ce terme technique de marine désignait une tresse épaisse à plusieurs torons faite avec des fils provenant de vieux cordages et dont on recouvrait les mâts, les vergues, pour les protéger de l'humidité et de l'usure. ◆ Par l'intermédiaire de l'argot des marins, qui l'utilisaient péjorativement en parlant d'une chose, d'un individu hors d'état de servir (1845), il est passé dans l'usage, d'abord comme adjectif au sens de «bon à rien» (av. 1857, Eugène Sue); de nos jours, il s'emploie comme nom pour désigner un homme usé, gâteux (1889), surtout un militaire dans ***vieille baderne*** et, dans l'argot des khâgnes, le président de la classe (mil. XXe s.).

BADGE n. m. est emprunté (1867) à l'anglais *badge,* mot qui désignait l'insigne d'un chevalier et de ses suivants avant de s'étendre à tout insigne et emblème, puis d'être repris par Baden-Powell (v. 1908) dans un sens voisin, du fait des rapports souhaités entre la chevalerie et le scoutisme. Le mot, d'abord *bage* (v. 1350) puis *bagge* (v. 1450) en moyen anglais, avant *badge* (1485), est d'origine inconnue. Le moyen français a eu un mot *bage* (1465 *in* Godefroy) au sens de «charge, office», mais il n'est pas plus clair.

♦ *Badge* désigne d'abord un insigne rond de la chevalerie écossaise. On ne sait pourquoi, le genre féminin lui a été attribué pour désigner l'insigne métallique rond des scouts (v. 1920). Le sens plus courant aujourd'hui, «insigne rond à inscription humoristique ou subversive porté en broche», est directement emprunté de l'anglo-américain (v. 1960), car c'est aux États-Unis qu'est née la mode de porter des professions de foi sur la poitrine pour narguer la majorité en protestant par exemple contre la guerre. ◇ Les Québécois emploient souvent *macaron,* dans ce sens.

▸ Le dérivé français **BADGÉ, ÉE** adj., «orné de badges», semble récent.

BADIANE n. f. est emprunté (1681) au persan *bādiān* «anis, fenouil», qui désigne aussi le fruit de l'*illicium anisatum* en raison des caractères communs de l'anis et de l'«anis étoilé» (odeur, goût, vertus thérapeutiques).

♦ Le mot désigne d'abord le fruit, appelé également *anis étoilé,* d'un grand arbuste de Chine, d'Indochine et du Japon. ◇ Par métonymie, il désigne l'arbre, ainsi que son bois utilisé pour la marqueterie (1823, *badian* ou *badiane*).

BADIGEON n. m., attesté au XVIIe s. (*Principes d'architecture* de Félibien, 1676), est d'origine incertaine : les hypothèses d'une corruption de l'allemand *Batzen* «pâte, masse pétrie» et d'un rapport avec le néerlandais *spat* «éclaboussure» ne semblent pas pouvoir être retenues. P. Guiraud, partant du sens technique de «revêtement de protection», apparente le mot à la *baderne* du pont (avec disparition de l'idée d'«écart») et, cohérent avec l'étymologie qu'il attribue à ce mot, en fait une forme fréquentative de la racine *bad-* qui remonte au représentant méridional *badar* «ouvrir la bouche», du latin *batare* (→ bayer).

♦ Le mot, défini par Félibien comme du «plastre meslé avec de la mesme pierre dont la figure est faite et que l'on met en poudre», désigne une couleur en détrempe jaune ou grise que l'on utilise pour peindre les murs, spécialement une peinture en détrempe dont la couleur cherche à imiter celle de la pierre ou du bois. ◇ Il a développé le même sens figuré que *vernis* et *teinture,* à propos d'une connaissance superficielle.

▸ Le dérivé **BADIGEONNER** v. tr. (1701), «enduire de badigeon», a produit **BADIGEONNAGE** n. m. (1820) et **BADIGEONNEUR, EUSE** n. (1820), d'usage technique et courant, péjoratif au figuré.

BADIGOINCES n. f. pl., attesté en 1532 chez Rabelais, est d'origine incertaine, peut-être à considérer comme un mot d'auteur d'intention plaisante. Un rapprochement avec le radical expressif *bab-* qui a servi à former des mots se rapportant aux lèvres et à la parole (→ babiller, babine, babouin) est vraisemblable du point de vue sémantique mais n'explique pas le *d.* ◇ P. Guiraud analyse *badigoince* comme le composé tautologique de °*bader* et de °*goincer,* en songeant d'abord à un terme provençal : *goincer* «crier comme un porc» est attesté dans le Bas-Maine qui est aussi l'aire géographique d'un *bader* «bavarder» (Anjou, Poitou, Centre, Bourgogne) et qui inclut la patrie de Rabelais; son origine est obscure. Toujours selon Guiraud, °*badigoincer* signifierait proprement «parler en criant comme un porc» et *badigoinces* en serait dérivé sur le modèle inverse de celui qui mène de *papes* «lèvres» à *papoter** «bavarder». Le mot *bader,* dont il est difficile de faire un emprunt du provençal *badar* «ouvrir», du latin *batare* (→ bayer), pourrait venir, toujours selon Guiraud, d'un °*babitare* (sur la racine *bab-*) ou °*bahitare,* fréquentatif de °*bahire* (→ ébahir).

♦ Le mot, équivalent familier de «lèvres», s'emploie encore parfois par plaisanterie.

✳ **BADIN, INE** adj. est emprunté (1452) au provençal *badin* «nigaud», adj. et n., seulement attesté à la fin du XVIe s. et dérivé du provençal *badar* «bâiller» (fin XIIe s.-déb. XIIIe s.) avec le suffixe *-in* (→ badaud).

♦ *Badin* a servi à désigner et, comme adjectif, à qualifier (1543) un fou, un niais, ceci jusqu'au milieu du XVIIe siècle. ◇ Par l'intermédiaire de son emploi à propos du bouffon des comédies du XVe s. et du XVIe s., il a désigné comme nom (1690) et il qualifie comme adjectif (av. 1680) une personne enjouée, folâtre et, par métonymie, une chose légère, frivole. Il a vieilli.

▸ **BADINAGE** n. m., dérivé de *badin,* d'abord employé au sens de «sottise» (1541), encore chez Molière en 1663, sert ensuite de substantif d'action (1674) à *badiner,* spécialement en parlant d'un discours, de propos enjoués. ◇ Avec le sens concret de «jouet, amusette», il s'est employé régionalement (1852, *Nouveau Glossaire genevois*). ◇ Un emploi spécial en vénerie, pour désigner une manière de chasser les canards en les attirant à l'aide d'un chien courant au bord de l'eau, procède probablement de l'ancien sens de *badiner,* tr., «tromper par jeu» (*badiner les perdrix* «les prendre en chasse»).

BADINER v. intr. (1549) signifie «plaisanter avec enjouement» et, surtout en phrases négatives, *ne* *pas badiner avec* «prendre très au sérieux». Son emploi concret à propos d'un voile, d'une chevelure et, par extension, d'un nuage animé d'un petit mouvement agréable (1680) est sorti d'usage, ainsi qu'en emploi transitif le sens de «amuser, tromper par jeu». ◆ *Badiner* a produit **BADINERIE** n. f. (1547), «chose dite ou faite en badinant», littéraire. ◆ **BADINANT, ANTE**, son participe présent, a été substantivé (1690) pour désigner un cheval que l'on mène après un carrosse attelé de six chevaux afin de pouvoir en remplacer un; par analogie, il s'est dit au parlement de Paris d'un conseiller suppléant; ce sens est sorti de l'usage avec la disparition de ce parlement en 1790, tandis que le mot lui-même est qualifié de «vieux» en 1835.

BADINEMENT ou **BADINÉMENT** adv. (1611), dérivé de l'adjectif, est demeuré très rare.

Quant à **BADINE** n. f., d'abord usité au pluriel *badines* (1743), son origine est beaucoup moins claire : il pourrait venir de *badiner* au sens de «flotter au vent, s'agiter légèrement», par référence aux cendres remuées avec des pincettes ou à la souplesse de l'extrémité de celles-ci; cependant, P. Guiraud le rapproche du provençal *badino* et en fait le diminutif de *bade* «perche de marinier» : la badine serait proprement une petite perche trop fragile pour assurer sa fonction nautique; toujours selon Guiraud, *bade* est issu du verbe provençal *badar* «ouvrir la bouche», d'où «écarter pour protéger», du latin tardif *batare* (→ bayer). ◇ *Badines*, au pluriel, a désigné des pincettes légères servant à tisonner le feu, sens disparu. ◇ Au singulier, il se dit d'une baguette mince et souple pouvant servir de fouet ou de cravache; dans le vocabulaire de la mode il a désigné (1781) une petite canne souple, souvent travaillée, portée par les hommes soucieux d'élégance aux XVIIIe et XIXe siècles.

BADMINTON n. m. est emprunté (1898) à l'anglais *badminton* (1874), nom d'un jeu de volant d'abord pratiqué en 1873 dans l'établissement de bains de *Badminton House*, siège du duché de Beaufort dans le Gloucestershire, parmi les officiers de l'armée anglaise des Indes.

♦ Le succès du jeu en France a été à la fois limité et tardif, mais le mot s'est un peu répandu avec le jeu après 1960.

BAFFE n. f., d'abord *bafe* (v. 1283) puis *baffe* (1435), est formé sur l'onomatopée *baf-* qui exprime la notion de gonflement, d'où l'idée de «marque de coup», puis de «coup». On peut rapprocher celle-ci de l'onomatopée *buff-* évoquant également le souffle, le gonflement, représentée par l'ancien français *buffe* «coup de poing», «tape» (XIIIe s.) et par le latin médiéval *buffa* de même sens (1273) [→ bouffe, bouffer].

♦ Le mot s'emploie dans l'usage populaire, puis familier, pour «gifle».

◈ voir BAFOUER, BÂFRER.

BAFFLE n. m. est emprunté (1948) à l'anglais *baffle* qui a une histoire complexe. D'abord employé pour «confusion, déconfiture» (1628), «disgrâce, affront» (1645), puis «déception, état d'une personne décontenancée» (1843), il s'est également employé concrètement pour désigner un déflecteur qui détourne le cours de l'air chauffé dans les fournaises (1881) et, par extension, diverses structures protectrices, spécialement un écran acoustique (1928). Le mot est le déverbal de *to baffle* «disgracier» (1548), «calomnier» (1674), «décevoir qqn dans son attente» (1675) et, à propos du vent, «empêcher les navires d'avancer». Le verbe est d'origine incertaine, l'aire écossaise des premières attestations incitant à le comparer au scandinave *bauchle*, lui-même d'origine obscure. D'autre part, on pense au français *beffler* (XVIe s.) «décevoir, tromper», «abuser», onomatopéique et à *bafouer** (1611). Il n'est pas impossible que *baffle*, d'ailleurs, recouvre deux ou trois mots distincts à l'origine.

♦ En français, le mot a été emprunté pour désigner un déflecteur canalisant l'air frais que l'on utilise pour le refroidissement des moteurs d'avion (1948). ◇ Il s'utilise couramment pour désigner le dispositif de couplage d'un haut-parleur assurant la séparation entre les rayonnements acoustiques des deux faces du diaphragme, et couramment au sens d'«enceinte acoustique» (1952). Cependant, cet anglicisme semble reculer devant *enceinte acoustique*.

BAFOUER v. tr., attesté depuis 1580, est soit une formation expressive, peut-être influencée par *fou**, à partir de l'onomatopée *baf-* exprimant le gonflement des lèvres, d'où la moquerie, soit une altération d'après *battre** et *fou**, du moyen français *beffler* «berner, tromper», qui renvoie à cette même formation expressive, de l'onomatopée *beff-*, *baff-*, à rapprocher de l'ancien français *befe* «plaisanterie, mensonge» (déb. XIIe s.), de l'italien *beffare* «se moquer» (XIIIe s.) [→ aussi baffe]. Il semble que le moyen français *bafouer* «attacher au moyen d'une corde» (1534) soit un mot différent.

♦ Le verbe signifie «railler, traiter (qqn) avec dérision, outrager». Il est d'usage soutenu.

▸ En sont dérivés **BAFOUEMENT** n. m. (1616), qui ne s'est pas imposé, et son équivalent **BAFOUAGE** n. m. (1884), rare, de même que **BAFOUEUR, EUSE** n. (1952). ◆ Le verbe a en outre influencé *bafouiller*.

BAFOUILLER v., verbe assez récent (1867), est d'origine obscure, probablement emprunté, avec attraction de *bafouer**, au lyonnais *barfouiller* (1810) qui se disait des oies qui cherchent à manger dans les ruisseaux bourbeux en y fourrant le bec et, au figuré, de qqn qui agite les mains dans l'eau ou qui parle en barbotant. Le lyonnais résulte lui-même d'une altération de *barbouiller** d'après *fouiller** (cf. *farfouiller*). L'hypothèse retenue par Bloch et Wartburg d'une formation sur le radical onomatopéique *baf-*, *baff-* exprimant la notion d'épaisseur, de gonflement, d'où «parler la bouche pleine», et de *fouiller**, est recevable, mais l'existence antérieure du lyonnais *barfouiller* rend la première hypothèse plus probable. Selon P. Guiraud, *barfouiller* est le dérivé fréquentatif et péjoratif de *baffe* «joue» (→ baffe) avec le suffixe *-ouiller* et signifierait «parler dans ses joues». Quant à *barfouiller*, il serait, toujours selon Guiraud, formé du verbe *fouiller** et du préfixe *bar-*, indiquant une idée de confusion d'où «fouiller malproprement», «parler mal» (Lyon), «manger malproprement».

♦ Le mot, d'abord relevé dans l'argot de l'École polytechnique pour «se tromper dans une réponse», s'emploie familièrement et couramment pour «parler d'une manière confuse, incohérente et peu intelligible».

▶ **BAFOUILLAGE** n. m. (1878 dans l'argot de l'École polytechnique) sert au verbe de nom d'action. ➛ Le déverbal **BAFOUILLE** n. f. (1876) est un synonyme argotique, puis familier, de *lettre* (missive). ➛ **BAFOUILLEUR, EUSE** adj. et n. (1878) se rencontre lui aussi d'abord dans l'argot de l'École polytechnique. ➛ Le féminin de **BAFOUILLARD, ARDE** adj. (1903) est substantivé pour désigner argotiquement une lettre, **BAFOUILLARDE** n. f. étant synonyme de *bafouille*. ➛ **BAFOUILLIS** n. m. (v. 1960) enchérit sur *bafouillage* avec une valeur péjorative.

BÂFRER v. tr., modification (1740) de *baufrer* (1507, attesté jusqu'en 1718), est dérivé de l'onomatopée *baf-*, *baff-* qui évoque ce qui est épais, boursouflé, gonflé, puis le fait de manger gloutonnement, les joues étant enflées de nourriture (→ baffe, bouffer, briffer).

♦ Le mot est resté usuel, dans le langage populaire, puis dans l'usage familier, pour «manger gloutonnement».

▶ En sont dérivés **BÂFREUR, EUSE** adj. et n. dont la forme actuelle (1611) a supplanté au XVIIe s. *baufreur* (1571) et qui est resté usuel, **BÂFRÉE** n. f. (1863), mot sorti d'usage qui désignait un repas où l'on mange beaucoup, **BÂFRERIE** n. f. (1838) et **BÂFREMENT** n. m. (1929), rares.

BAGAGE n. m., d'abord *baguage* (v. 1265) puis *bagage* (déb. XVIe s.) est, malgré le hiatus chronologique, le dérivé collectif de **BAGUES** n. f. pl., ancien mot attesté depuis 1449 (selon Bloch et Wartburg, au XIVe s.) et désignant les hardes, les effets, les habits que l'on emporte avec soi. Ce mot, qui se rencontre jusqu'au XVIIIe s. dans la locution *bagues sauves* «en emportant ses bagages», c'est-à-dire «sans dommages» (fin XVe s., dans un contexte militaire), est un terme dont l'aire d'origine semble être celle des dialectes d'Italie septentrionale (Vénétie, Lombardie, Émilie *baga*, Frioul *bage* «paquet») et du provençal (ancien provençal *baga* «sac, bourse» XIVe s.). Il est possible que le français soit emprunté à l'ancien provençal et que, dans cette langue, le mot vienne de l'ancien fribourgeois *bage* «ensemble d'ustensiles nécessaires pour accomplir un travail» (1462), «objets réunis, hardes» (1476) et «bagages» (1481). ◇ L'hypothèse d'une origine germanique est très douteuse : l'ancien norrois *baggi* «paquetage» semble incompatible avec l'aire géographique du mot ; certains ont déduit de l'ancien norrois un gotique °*bagga* qui conviendrait mieux d'un point de vue géographique, mais dont la réalité demeure douteuse. Du reste, les rapports entre le français *bagues* et ses correspondants romans d'une part, et ceux de la famille germanique de l'ancien norrois *baggi*, d'autre part, ne sont pas nets : ce *baggi* semble plutôt être une forme parallèle, avec consonne initiale sonore, de l'ancien norrois *pakki* «paquet» (→ banquise), correspondant au moyen bas allemand *packe* et au néerlandais *pak* de même sens (→ paquet).

♦ Pendant longtemps, *bagages* a désigné le matériel de l'armée, l'équipement, les ustensiles et, avec une valeur collective au singulier, l'équipage de guerre d'une armée, sens encore perceptible dans l'association ***avec armes et bagages*** (XIXe s.). ◇ Le sens courant, «effets et objets personnels que l'on emporte avec soi», bien qu'attesté dès l'ancien français en particulier à propos des objets des pèlerins, s'est répandu petit à petit. Il a profité de l'influence de l'anglais *baggage* (lui-même emprunté au français au XVe s. et de nos jours éclipsé par *luggage*, sauf en américain), utilisé par les voyageurs anglais en France au XVIIIe siècle. ◇ Il est réalisé dans la locution ***plier bagages***, qui a remplacé *trousser bagages* (XVIe s.) et a développé, à partir du sens de «partir», la valeur euphémistique de «mourir» (XVIIe-XVIIIe s.). ◇ *Bagage*, au singulier, a servi à désigner ce qui encombre inutilement (déb. XVIe s.), une chose vaine, sans importance. ◇ Par extension, il se dit abstraitement pour l'ensemble des connaissances acquises dans une profession, un art (av. 1880, *bagage intellectuel*, dans *Bouvard et Pécuchet* de Flaubert) et absolument pour la somme des ouvrages déjà écrits d'un écrivain.

▶ Les dérivés sont tardifs. ➛ **BAGOT** n. m. (fin XIXe s.) est un ancien équivalent argotique de *bagage*, sorti d'usage avec ses dérivés **BAGOTIER** n. m. (1892) et **BAGOTER** v. intr. (1901) «porter des bagages». ➛ **PORTE-BAGAGES** n. m. (1892) se rapporte d'abord à un accessoire de bicyclette avant de se dire d'un accessoire d'automobile. ➛ **BAGAGISTE** n. m. (1922) se dit d'un employé d'hôtel chargé de la manutention des bagages.

L'ancien français *bagues* (ci-dessus) a fourni le dérivé ① **BAGUER** v. tr., autrefois «emballer, lier» (1450) et aujourd'hui terme de couture signifiant «maintenir (deux épaisseurs de tissu) à grands points allongés sur l'endroit».

BAGARRE n. f., attesté depuis 1628, est d'origine douteuse, probablement emprunté au provençal *bagarro* «rixe», qui pourrait être une adaptation du basque *batzarre* «confusion de personnes», proprement «réunion, assemblée», et dont on rapproche le moyen français *bagarot* «bruit, tumulte» (1518). L'hypothèse d'un rapprochement de l'ancien haut allemand *pâgari* «disputeur», ou de l'ancien norrois *baggar* «empêcher, pousser», n'est acceptable ni du point de vue chronologique ni du point de vue géographique. Celle d'une transposition de *gabarre** «bateau» en *bagarre* semble gratuite.

♦ Le mot désigne une mêlée confuse de gens qui se battent, une rixe ; par extension, il se dit d'un conflit important allant jusqu'à la guerre et aussi d'une lutte violente, mais sans échange de coups. Dans certains emplois, comme *chercher la bagarre*, il correspond à «action de se battre».

▸ En est dérivé **BAGARRER** v. intr. et pron. (1905), de nos jours surtout usité à la forme pronominale pour «lutter, batailler pour vaincre», en sports et dans la vie courante. ◆ Du verbe est tiré **BAGARREUR, EUSE** adj. et n. (1927) «(personne) qui aime la bagarre».

BAGATELLE n. f. est emprunté (1547) à l'italien *bagatella* «chose de peu de prix et peu nécessaire» et «chose frivole, de peu d'importance» (av. 1565). Le mot italien est probablement un diminutif du latin *baca* (→ ① baie) avec un assourdissement du *-c-* en *-g-* caractéristique de l'Italie septentrionale et avec le suffixe diminutif *-ello* (→ baguenaude). L'image est la même que dans *des nèfles.*

♦ Le mot est passé en français avec le sens figuré «chose frivole de peu d'importance». Le sens concret, «chose de peu de prix et sans grande utilité» (1611), a décliné mais, par métonymie, a donné celui de «somme d'argent peu importante», souvent inversé ironiquement en «somme importante» *(pour la bagatelle de dix millions).* ◇ À l'époque classique, le mot a développé le sens de «amusement galant» (1687) aujourd'hui inusité mais dont procède le sens moderne très familier de «amour physique» *(aimer la bagatelle).* ◇ Une spécialisation dans le domaine des arts fait employer le mot en musique, en peinture, pour une pièce courte, facile et légère.

BAGNE n. m., d'abord adapté en *baing* (1609) puis réemprunté, *bagne* (1629) est pris à l'italien *bagno,* représentant du latin *balneum* (→ bain) employé par métonymie (1548) pour désigner l'établissement pénitentiaire de Livourne, construit sur un ancien établissement de bains. De là, le terme passa en Turquie, spécialement à Constantinople où les prisonniers chrétiens, en grande partie italiens, nommèrent l'établissement pénitentiaire *bagno,* et ensuite en Afrique du Nord.

♦ Bien que *bagne* soit attesté dans son sens pénitentiaire dès 1629, alors considéré comme propre à l'Afrique du Nord, dans les lettres des ambassadeurs et consuls, la forme en usage jusqu'à la fin du XVIIe s. est l'équivalent français *bain; bagne* ne s'implante définitivement qu'avec Colbert qui étudie et copie l'organisation italienne lorsqu'il songe à la nécessité de construire un établissement pénitentiaire pour «tenir les esclaves et les forçats en seureté» (correspondance avec Arnoul, intendant des galères : 1666-1669). À partir de 1748, la rame cédant la place à la voile, les galériens furent internés dans certains ports de guerre (Brest, Toulon, Rochefort). Ultérieurement, la peine du bagne fut remplacée par les travaux forcés (*Code pénal* de 1810) et la loi du 30 mai 1854 institua pour les condamnés aux travaux forcés la transportation aux Colonies. À leur tour très critiqués, les *bagnes coloniaux* furent supprimés pour devenir *travaux forcés* en 1938 et *relégation* en 1842, et furent remplacés par des prisons métropolitaines (Caen, Mulhouse). ◇ Au cours de son histoire, le mot *bagne* s'est étendu à la peine des travaux forcés, au lieu où elle se purge et a développé le sens hyperbolique de «séjour où l'on est astreint à un travail pénible, odieux», allant jusqu'à devenir synonyme de «lieu de travail» en argot; cf. le sens récent de *galère.*

▸ **BAGNARD, ARDE** n., dérivé de *bagne* avec le suffixe péjoratif *-ard,* n'est attesté qu'en 1831 (*Journal* de Michelet); le féminin est rare.

BAGNOLE n. f., attesté depuis 1840, est un terme d'origine dialectale vivant dans le nord et le nord-ouest de la France et employé dans les Ardennes et en Normandie pour «mauvaise voiture». Il est probablement formé sur le modèle de *carriole** à partir de *banne* «tombereau, voiture», variante de *benne* (→ banne).

♦ Le mot désigne familièrement une voiture, d'abord avec une valeur péjorative qui lui vient de son origine rurale : «véhicule simple, grossier, au confort rudimentaire», d'où «vieille voiture» (1907). ◇ L'ancien sens de «cabane, maisonnette pauvre», d'abord dialectal (1845, Reims; 1851 en picard) puis argotique, devait d'abord concerner les maisons en jonc tressé comme les premiers tombereaux.

BAGOU ou **BAGOUT** n. m., d'abord *bagos* (XVIe s., isolément), puis *bagou* et *bagout* (fin XVIIIe s.), est le déverbal de *bagouler* «railler grossièrement» (1447). Ce verbe est issu du croisement entre *bavarder** et l'ancien français *gule, goule* «bouche» (XIIe s.), ancienne forme de *gueule** encore attestée en Anjou. P. Guiraud identifie le premier élément à un représentant du latin *batare* (→ bayer) combiné, suppose-t-il, à *gula* dans une forme en °*bataculare.* La graphie *bagout,* qui tend à l'emporter depuis le XIXe s. (1845), est probablement due à l'attraction de *goût*,* par étymologie populaire.

♦ Le mot, dont on a une seule attestation avant la fin du XVIIIe s., est employé dans le langage familier à propos d'un bavardage volubile où entrent souvent de la hardiesse et de l'effronterie ainsi que l'envie de duper l'interlocuteur. Il a souvent été associé au discours commercial des camelots.

BAGUE n. f., d'abord *wage* (v. 1360), également *vaghe* (1432) puis *bague* (1416), est d'origine controversée : le mot vient peut-être du moyen néerlandais *bagge, bage* de même sens, à rapprocher du frison oriental *bâge* qui se rattacherait à l'allemand *biegen* «courber», hypothèse appuyée par la localisation des premières attestations (nord de la France). L'hypothèse d'un étymon latin *baca* «baie d'un fruit» (→ ① baie), attesté chez Horace comme synonyme de *gemma* (→ gemme), puis employé pour désigner l'olive servant de fermeture à une chaîne et, par métonymie, au pluriel, comme synonyme de *catenae* (→ chaîne), fait difficulté étant donné qu'elle suppose un intermédiaire provençal *baga* (attesté trop tard, 1462), ce qui semble incompatible avec la localisation et la graphie en *w-, v-* des premières attestations. P. Guiraud, notant l'homonymie entre *bague* «sac» et *bague* «anneau», renvoie au latin *vacua* «objet vide (dans un cas) ou évidé (dans l'autre)», de *vacuus* «vide» (→ vaquer).

♦ Le mot désigne l'anneau que l'on passe au doigt. ◇ Dès le moyen français, il s'emploie aussi en marine pour désigner un anneau en fer, en bois ou en cordage (1416) puis différents objets de forme annulaire, par exemple le cercle de papier qu'on met autour des cigares (cf. *baguer* ci-dessous). ◇ Il a notamment servi à désigner l'anneau employé dans un ancien jeu d'adresse qui consistait à enlever à l'aide d'une lance, sur un cheval au galop, un ou plusieurs anneaux suspendus à un poteau ; d'où la locution ***courir la bague*** (1514), aujourd'hui archaïque, mais encore employée en histoire. ◇ L'extension de *bague* à toutes sortes de joyaux, pierreries, objets précieux (v. 1450), en particulier les pendentifs, broches, boucles d'oreilles, a disparu, mais le langage juridique en garde une trace dans l'expression *bagues et joyaux* (1835) qui désigne les bijoux appartenant à une femme mariée et que le contrat de mariage lui donnait droit de reprendre à la mort de son mari.

▸ Le dérivé ② **BAGUER** v. tr. (XVe s.) a signifié en moyen français «munir (une femme) de parures, de bijoux, la doter d'un trousseau» et, d'après une autre valeur de *bague*, «attacher, lier, enchaîner». ◇ De nos jours, le verbe signifie «garnir de bagues, d'anneaux (une partie du corps humain)» et, par extension, «entourer (qqch.) comme d'une bague». Il s'emploie aussi en marine, en horticulture (1838), en ornithologie, et dans l'industrie du tabac *(baguer un cigare)*. ➜ Son dérivé **BAGUAGE** n. m. (1838) lui sert de substantif d'action en horticulture et en ornithologie *(le baguage des pigeons)*. ➜ **BAGUIER** n. m. (1618), d'abord *bagier* (1562), désigne un petit coffret pour ranger les bagues et se dit en bijouterie d'une série d'anneaux servant à déterminer la dimension d'une bague selon la grosseur du doigt du client. ➜ **BAGOUSE** ou **BAGOUZE** n. f. est une suffixation argotique de *bague* (1919).

① **BAGUENAUDE** n. f., attesté depuis le XVe s. (la date de 1389, avancée par Bloch et Wartburg, semble reposer sur une mauvaise datation d'A. Chartier : 1385-1435), est d'origine douteuse. Le mot est probablement emprunté à un parler du sud de la France, probablement au languedocien *baganaudo*, attesté tardivement au sens de «fruit» dans Mistral et vers 1600 au sens figuré de «niaiserie». L'hypothèse de l'étymon provençal *baga* «baie», du latin *baca* (→ ① baie ; bagatelle) avec influence, pour le sens figuré, du latin *vacare* «être vide, inoccupé» (→ vaquer), convient sémantiquement, mais laisse la finale inexpliquée. L'hypothèse de *baganaudo*, de l'ancien provençal *baganau* «vain, inoffensif», avec influence du gascon et du béarnais *baganau(d), vaganau(t)*, issus du latin *vacare*, ne convient pas.

♦ Le mot désigne le fruit d'un arbuste du centre et du sud-est de la France, le baguenaudier, petite gousse remplie d'air. Il a pris de bonne heure le sens figuré de «niaiserie à laquelle on perd du temps» (1416), probablement en référence au jeu des enfants qui font éclater les baguenaudes, sens disparu après le XVIe siècle. ◇ L'argot parisien, par analogie avec la forme du fruit, lui a donné le sens de «poche», qui fut en usage parmi les pickpockets.

▸ **BAGUENAUDER** v. (1466) a d'abord le sens figuré de «passer son temps à des choses vaines», disparu au XVIIe s., puis signifie «se promener en flânant» (XVIIIe s.), également à la forme pronominale *se baguenauder*, qui profite de la paronymie par l'initiale avec *se balader*. C'est le seul mot vivant de la série en français moderne. Il est familier. ➜ Il a produit quelques dérivés ◇ ① **BAGUENAUDIER, IÈRE** n. et adj., «personne qui perd son temps en futilités», a décliné au XVIIIe siècle. ➜ **BAGUENAUDERIE** n. f. (1561), inusité après le XVIe s., est mentionné par l'Académie en 1842 comme «vieux». ➜ Quant à **BAGUENAUDEUR** n. m. (1572), qui a suivi le même déclin, il a été repris sous l'influence du sens moderne du verbe pour désigner une personne errant sans but précis (1922), mais il est moins courant que ② **BAGUENAUDE** n. f., dérivé du verbe avec le sens familier de «promenade où l'on flâne» (1919). ➜ L'autre dérivé de ① *baguenaude* est ② **BAGUENAUDIER** n. m. (1539) «arbre portant les baguenaudes».
L'homonyme ③ **BAGUENAUDIER** n. m. (1762), ancien nom d'un jeu consistant à enfiler des anneaux sur un support, s'explique probablement par croisement avec *bague**, terme de jeu.

① **BAGUER** → BAGAGE

② **BAGUER** → BAGUE

BAGUETTE n. f. est emprunté (1510), avec influence phonétique de *bague*, à l'italien *bacchetta* «petit bâton» (1348-1353), diminutif de *bacchio* «bâton», qui se rattache au latin *baculum* «bâton» par l'intermédiaire de °*bacculum* (→ bacille, bâcler) dont on aurait tiré un °*baccus* en latin populaire.

♦ Le mot, attesté dès les premiers textes dans la locution figurée ***à la baguette*** «avec autorité», désigne ensuite (1606) un petit bâton mince et allongé servant à divers usages avec des emplois spéciaux et analogiques : dans le contexte des arts divinatoires, seul (1694) et dans *baguette divinatoire* (1704) ou en locutions (1689, ***coup de baguette***). ◇ Deux emplois, ***baguette magique***, à propos des fées et des métamorphoses qu'elles accomplissent dans les contes, et ***baguette de sourcier***, précisent ces contextes divinatoires ou magiques. ➜ Avec une valeur ornementale, le mot s'emploie en architecture et en menuiserie pour «petite moulure arrondie ou plate» (1704) et en couture pour «ornement linéaire vertical». ➜ Par analogie, il désigne à Paris un pain long et mince (mil. XXe s.). ◇ Le pluriel a reçu quelques acceptions particulières, le mot s'appliquant notamment aux instruments avec lesquels on mange en Extrême-Orient (XXe s.).

▸ **BAGUETTISANT** n. m. (1928), par sa forme de participe présent substantivé, suppose un intermédiaire °*baguettiser*, lui-même tiré de *baguette*, comme son doublet **BAGUETTISTE** n. m. (1941) qui désigne en parapsychologie un sourcier ; ces emplois sont rares.

◈ voir BACILLE.

BAH interj., longtemps écrit *ba* (v. 1170) avant *bah* (1783), est une onomatopée évoquant des mouvements de lèvres signifiant l'étonnement, le mécontentement, le doute, etc. On peut la rapprocher de l'onomatopée *ba-*, *bab-* (→ ② baba, babiller, babine, babiole, babouin) que l'on retrouve dans plusieurs langues pour exprimer le mouvement des lèvres.

♦ L'interjection exprime le doute, marque le refus, la négation, le mécontentement (v. 1200), l'étonnement (1216) et, ultérieurement, l'indifférence, la désinvolture (1794). Les dictionnaires ne l'enregistrent qu'à partir de 1823.

BAHUT n. m., attesté depuis le second quart du XIIIe s. avec des variantes *baiul, bahus,* est d'origine douteuse : l'italien *baule* et l'espagnol *baul* ne fournissent aucun éclaircissement. La localisation des premières attestations au nord de la France suggère une origine germanique : on a proposé un composé très hypothétique en francique, °*baghûdi,* °*baghôdi,* formé du francique °*bage,* postulé par le moyen néerlandais *bagge, bage* «paquet, botte», *bagen* «bagages», apparenté au moyen français *bagues* (→ bagage), et, pour le second élément, du francique °*hôdi,* °*hûdi* «protection» restitué par le moyen bas allemand *hoden, huden* «cacher», qui correspond à l'anglais *to hide,* verbe reposant sur la même racine indoeuropéenne que le grec *kruthein.* Certains ont proposé un dérivé °*behuut* «lieu de protection», issu du moyen néerlandais *behuden* «cacher», apparenté au moyen bas allemand *hoden, huden,* en supposant un passage de *be-* à *ba-* en syllabe initiale. D'autres ont évoqué un francique °*baughud,* «protection, cache pour les objets précieux», mais le passage de *-au-* à *-a-* devant un *-u-* accentué est anormal. P. Guiraud propose une formation romane expressive sur l'onomatopée *bab-/bob-* «gonflé» (que l'on a par exemple dans *babine**, *bobine**), mais le caractère «bombé» du coffre n'est probablement pas aussi pertinent que sa nature de réceptacle.

♦ Le mot a désigné une sorte de coffre transportable en bois ou en osier, recouvert de cuir et bombé par-dessus, qu'on assujettissait à une malle pendant les voyages et qui renfermait les objets d'usage quotidien. Par analogie de forme, il se dit du chaperon bombé d'un mur d'appui, en maçonnerie (1640) et du bombement d'une allée ou d'une plate-bande, en horticulture (1701). ◇ Par ailleurs, le sens de «coffre» devenant archaïque après l'époque classique, le mot s'applique (1831) à un meuble servant à ranger le linge, divers objets de ménage, avec une idée de meuble de style rustique (*bahut breton,* etc.). ◇ Le sens figuré de «lycée», d'abord en argot d'écolier (1844) puis dans l'usage familier, est une extension de l'expression *bahut spécial* (1832) désignant l'école militaire de Saint-Cyr ; celui-ci vient d'une image analogue à celle de *boîte.* En effet, un sens de «chambre», «logis, maison» est attesté pour *bahut* dans la seconde moitié du XIXe siècle.

▸ **BAHUTIER** n. m. a d'abord connu la forme *bahurier* (1292) «personne qui fait ou transporte des bahuts (coffres)». Sous la forme actuelle, il a servi à désigner la personne qui transporte les bagages (1544), et celle qui fabrique des malles (1611). Disparu après l'époque classique, il reprit vie lorsqu'on a donné le nom de *bahut* à un meuble rustique.

BAHUTER v. vient par élargissement de suffixe (1633) de *bahuté* (1387) dans *vin bahuté* de sens obscur («vin mis en fût» ?, «vin gâté par le cahotement de la voiture» ?). ◇ Attesté une seule fois au XVIIe s. au sens de «s'amuser, se donner du mouvement», le verbe a été repris au XIXe s. avec les sens argotiques de «faire du tapage» (1850-1860), spécialement chez les élèves de Saint-Cyr, où il doit être en relation avec le sens argotique de *bahut,* d'où «mettre en désordre, abîmer, détruire» (1878) et «secouer, agiter, ballotter» (1883). Ces sens, aujourd'hui sortis d'usage, viennent peut-être de l'idée de «faire du bruit en transportant des coffres» ou de «déranger l'ordre du "bahut" (Saint-Cyr)». ◇ Un autre sens argotique ancien de *bahuter,* «se donner bonne tournure» (1830-1848) et «arranger, fignoler» (1830-1848), a donné lieu à des emplois du participe passé *bahuté* qui a qualifié un képi, un uniforme chic, bien tourné (1895). ◆ De *bahuter* est dérivé **TRANSBAHUTER** v. tr. (1883), mot vivant, d'usage familier, pour «déménager, transporter» ; en sont tirés **TRANSBAHUTEMENT** n. m. et **TRANSBAHUTAGE** n. m. (XXe s.).

BAI, BAIE adj. et n. est issu (v. 1165) par évolution phonétique du latin *badius,* terme technique qualifiant la robe d'un cheval brun-rouge et qui ne trouve un correspondant qu'en celtique dans l'irlandais *buide* «jaune», peut-être dans le nom gaulois *Badiocasses.*

♦ Le mot qualifie la robe d'un cheval brun-rouge, et, par métonymie, désigne un cheval de cette couleur (v. 1170).

① **BAIE** n. f. est issu (XIe s.) du latin *baca,* nom générique des petits fruits et de certaines graines comestibles des arbres et arbrisseaux, en particulier du fruit du laurier, depuis Virgile. Ce mot, comme tous ceux qui se rapportent à la culture de la vigne et du vin, est d'origine méditerranéenne et le rapprochement fait avec le nom du dieu du vin *Bacchus* (→ bacchanale) est séduisant, sinon assuré.

♦ Introduit comme nom du fruit du laurier (→ baccalauréat), le mot est devenu le nom générique des petits fruits des arbres et arbrisseaux (1218-1225), notamment quand ils sont simples (excluant les fraises, framboises) et sphériques.

▸ Quelques termes de description botanique, **BACCIFÈRE** adj. (1562), **BACCIFORME** adj. (1819), et zoologique, **BACCIVORE** adj. (1834), sont dérivés savamment du latin *bacca,* variante de *baca.*

◈ voir BAGATELLE.

② **BAIE** n. f., d'abord employé comme nom propre, sous les formes *Baie* (v. 1360) et *Baye,* est d'origine incertaine. Comme le nom commun, il est écrit *bee* (1422) et *baye* (1465) avant *baie.* Toutes les étymologies proposées présentent de graves difficultés : l'espagnol *bahia,* de même que le portugais *baía,* sont attestés trop tard pour que le mot français leur soit emprunté et feraient d'ailleurs difficulté d'un point de vue géographique, le mot apparaissant dans l'ouest de la France. Le bas latin *baia* «port», que l'on trouve chez Isidore de Séville, est sans doute le nom du port de *Baiae* en Campanie, qu'Isidore aurait pris comme nom commun, mais ne laisse pas de trace en latin médiéval. L'ancien frison *°baga*, «courbe», est une source hypothétique : il aurait dû pénétrer en France entre le Vᵉ s. et le IXᵉ s. par l'intermédiaire du francique : or, on n'en trouve nulle trace en latin médiéval. Metzeltin a proposé le latin *abbatia* (→ abbaye), qui aurait d'abord désigné Noirmoutier et la «baie» de Bourgneuf, lieu concerné par les premières attestations du mot. La forme s'expliquerait par une séparation erronée de l'article, *l'abaie* étant devenue *la baie;* cette hypothèse achoppe contre une difficulté phonétique car *abbatia* est accentué sur le *i*. L'hypothèse la plus satisfaisante serait celle d'un déverbal de l'ancien français *baier, beer* «être ouvert» (→ bayer), une baie formant comme une bouche de la côte, ouverte sur la mer. Guiraud part d'ailleurs d'un roman *°bahir* «ouvrir», postulé par l'ancien français *bahi* (→ ébahir). ◇ La baie de Bourgneuf, connue pour ses salines, a fait évoquer l'influence du moyen français *baee* «grenier à sel, saline» de même origine, ce qui expliquerait que le moyen anglais *bay*, emprunté au français, ait à la fois le sens de «golfe» et celui de «saline». Le provençal *baia* et l'espagnol *bahía* seraient également repris du français, le second étant à l'origine du portugais *baía* et de l'italien *baia;* quant au catalan *badia*, il serait repris du français avec contamination de l'adjectif catalan *badiu* «ouvert, béant».

♦ *Baie* est donc d'abord un nom propre relatif à l'île de Noirmoutier et à la baie de Bourgneuf. ◇ Au XVᵉ s., le mot devient nom commun et désigne usuellement un petit golfe ; il est resté courant.

③ BAIE → BAYER

BAIGNER

BAIGNER v. est issu (v. 1155) d'une forme *°baneare*, altération du bas latin *balneare* «se plonger dans l'eau» (VIᵉ s.), à l'époque médiévale «plonger, tremper», dérivé du latin classique *balneum* (→ bain). La forme régulièrement issue du latin est *bagner* (v. 1170) et la forme actuelle, attestée dès les premiers textes, s'explique par l'influence de *bain** ou *baing*. On trouve souvent *baignier* en ancien français.

♦ Le verbe est d'abord employé pronominalement pour «se plonger dans l'eau afin de se soigner, de se laver», et «se plonger dans l'eau et s'y ébattre» (v. 1170) et, au figuré, «être plongé, immergé» (v. 1170). Le transitif est à peine plus tardif au sens de «tremper, plonger dans un liquide» (v. 1188) et, par extension «mouiller, arroser», en parlant par exemple du sang (XIIᵉ s.), de la mer, d'un cours d'eau (1265). ◇ Le sens métaphorique ou figuré, «environner, imprégner», semble avoir été introduit par les poètes de la Pléiade (XVIᵉ s., Du Bellay). ◇ La métaphore moderne, *ça baigne*, d'usage familier pour «tout marche bien» (XXᵉ s.), vient de ***ça baigne dans l'huile***, qui fait allusion à un mécanisme bien huilé, probablement à l'arbre moteur qui doit tourner dans l'huile.

► Le dérivé **BAIGNOIRE** n. f., d'abord écrit *baigneoire* (av. 1250), désigne dans les premières attestations le récipient utilisé par les juifs «par religion» ; l'usage de l'objet a été pendant longtemps exceptionnel ou réservé à la médication plus qu'à l'hygiène. ◇ La baignoire moderne date de la seconde moitié du XIXᵉ s., le XXᵉ s. connaissant l'eau courante et la *baignoire encastrée*. ➛ En outre, le mot a pris quelques sens analogiques : loge de rez-de-chaussée saillante et arrondie située au bord de l'orchestre et sous le premier balcon au théâtre (1831, Balzac), partie supérieure du kiosque servant de passerelle dans un sous-marin (1940) et, en alpinisme, marche très large taillée dans la glace pour l'escalader.

BAIGNADE n. f. est une création révolutionnaire (1796) désignant l'immersion simultanée de plusieurs personnes liées ensemble dans un fleuve au moyen d'une trappe, mode d'exécution pratiquée par Carrier à Nantes. Ce sens tragique, variante sémantique de *noyade**, a été vite oublié et le sens actuel apparaît au milieu du XIXᵉ siècle. ◇ Par métonymie, le mot sert aussi à désigner l'endroit d'une rivière aménagé pour se baigner (1906).

BAIGNAGE n. m., plus tardif (1892), est technique à propos de l'action de plonger qqch. dans un liquide. En agriculture, il est synonyme d'*irrigation*.

BAIGNEUR, EUSE n., d'abord sous la forme du cas sujet *bainnierres* (1310) qui suppose un *°bainneeur*, puis *baigneur* (1674), est issu du bas latin *balneator* «personne tenant un établissement de bains», de *balneatum*, supin de *balneare*. ➛ Le mot a désigné jusqu'au XIXᵉ s. une personne qui tient un établissement de bains publics ; il se dit encore, de nos jours, de celle qui fait le service dans un établissement de bains. ◇ Au XVIIᵉ s. (1674) il s'emploie aussi pour désigner une personne qui se baigne, spécialement au XIXᵉ s. le ou la curiste dans une station thermale. Le masculin et le féminin, au sens de «personne qui se baigne», sert de titre à de nombreux tableaux, notamment dans la seconde moitié du XIXᵉ s. et au XXᵉ siècle. ➛ Par analogie, le mot désigne une petite figure en porcelaine tenant lieu de fève dans les gâteaux des Rois (1928) et un jouet représentant un poupon de celluloïd ou de plastique que l'enfant peut baigner (1956). ➛ Le féminin *baigneuse* a reçu des acceptions spéciales, désignant d'abord une ancienne coiffure féminine à petits plis (1768) puis une chaise longue arrondie aux extrémités (fin XIXᵉ s.) et un peignoir de bain (1829).

◈ voir **BAGNE**.

BAIL, BAUX → BAILLER

BAILLE

BAILLE n. f. est issu (1325) par évolution phonétique du bas latin *bajula* «récipient (qui sert à porter qqch.)», féminin du latin classique *bajulus* «porteur», dont le dérivé verbal a donné le verbe *bailler** «donner».

♦ Le mot désigne un baquet servant à divers usages, notamment en marine. De là en argot de marins, le sens de «mauvais bateau» et en argot scolaire *la Baille* «l'École navale» (v. 1865). ◇ Par métonymie, le mot désigne aussi l'eau en argot maritime (1767) puis, entré dans l'usage familier général, la mer (où l'on risque de tomber, de se noyer).

BAILLER v. tr., également *baillier* dans les premiers textes (v. 1130-1160), est issu d'un latin *bajulare* «porter sur le dos» (Plaute) d'où, en latin médiéval, «exercer une fonction» (VIIe-VIIIe s.). Ce mot est dérivé de *bajulus* «portefaix», d'étymologie obscure, dont le féminin bas latin *bajula* signifie «chose qui porte» (→ baille).

♦ Le mot, très courant en ancien français, signifiait «porter» jusqu'au XIIIe s., et, avec changement de point de vue, «recevoir, accepter» et «saisir» (v. 1130-1160). Jusqu'au XIIIe s., il avait aussi, à côté de *baillir* (v. 1050), le sens de «gouverner» (→ bailli). ◇ La valeur de «donner» (v. 1130-1160), qui ne semble pas avoir existé en latin, s'est développée dans l'aire gallo-romane seule comme une extension de celle de «porter». En raison de la vitalité de *donner* et de ses nombreux dérivés, ce verbe a décliné dès le XVIIe s., y compris avec un complément désignant des coups (1534) : Vaugelas le taxe déjà de «vieilli», Richelet (1680) signale qu'il n'est pas du bel usage sauf en termes de pratique (procédure). Son usage, restreint à quelques locutions, s'est maintenu en droit avec le sens de «mettre à disposition» et de «donner à bail» (1373), avant de vieillir à son tour ; il n'est vivant que dans la locution ***la bailler belle à qqn*** (1594), expansion de *en bailler* (1545), «duper qqn par de belles promesses, lui en faire accroire».

▸ **BAIL, BAUX** n. m., déverbal de *bailler,* a perdu la plupart de ses sens. Il a signifié en ancien français «gestion, administration» (av. 1160) puis «garde, tutelle» (v. 1250) ; ce sens, encore signalé comme terme de coutume par Furetière (1690), est sorti d'usage. Quant au sens général, «action de donner, de remettre» (1304), il s'est éteint au XVIe siècle. ◇ Seule la valeur juridique de «contrat par lequel on laisse à qqn la jouissance d'une chose pour un prix et pour un temps» (1264) est encore vivante, mais complètement détachée du verbe qui lui a donné naissance. Le mot s'emploie seul et dans des syntagmes désignant diverses espèces de contrats de ce type. Cependant, dans quelques provinces comme l'ancien Dauphiné, il est resté synonyme de «don», dans des formules comme *bail en payement, bail au rabais.* Il se dit couramment de l'acte de location d'un logement et, par métonymie, du loyer, de la somme due. ◇ Un sens figuré, «engagement avec qqn ou qqch. pour un temps», s'est employé à l'époque classique, dans *bail d'amour* (av. 1654), *bail de vie et de santé* (1676), avec la valeur de «long laps de temps» reprise au XIXe s. dans d'autres contextes *(c'est un beau bail,* 1829, plus tard *ça fait un bail que...,* compris comme une métaphore du sens juridique).

BAILLÉE n. f., d'abord *bailliée* (v. 1225), *baallée* (1277) avant *baillée* (1432), est la substantivation du participe passé féminin de *bailler.* Les acceptions de «pouvoir, empire», rares par rapport à *baillie* (v. 1050), et de «action de donner» (1277) ont disparu.

BAILLEUR, BAILLERESSE n., réfection (XVIe s.) de *balleour* (1321) et *baylleor* (1337), est un terme juridique désignant une personne qui donne à bail ; ultérieurement, il est passé dans le langage commercial dans l'expression ***bailleur de fonds*** (1835), toujours employée. ◇ Le sens général, «celui qui donne» (XVe s.), est sorti d'usage, y compris dans sa spécialisation au jeu de paume (av. 1510) correspondant à *serveur* et dans *bailleur de bourdes* (1694) «moqueur, trompeur».

◈ voir **BAILLI.**

BÂILLER v. intr., d'abord *bäaillier* (v. 1119) puis *bâiller* (XVIIe s.), est issu du latin populaire *bataculare/bataclare,* attesté dans une glose du Xe siècle. Ce mot est dérivé de °*bataculum, bataclum,* «action d'ouvrir involontairement la bouche sous l'effet du sommeil, de la faim», lui-même dérivé de *batare* qui a donné *bayer**, *béer** et qui relève d'une onomatopée *bat-,* imitant le bruit du bâillement.

♦ Le mot signifie «ouvrir la bouche sous l'effet de la faim (v. 1119), du sommeil, de la fatigue, de l'ennui» (*bâiller comme une huître,* 1831), d'où au figuré «s'ennuyer» (1666), sens que l'on retrouve dans l'usage transitif que Chateaubriand fait du verbe dans *bâiller sa vie.* ◇ Le fait que, dès l'ancien français, *bâiller* est fréquemment attesté au sens figuré de «soupirer après qqch.» (1231) a probablement contribué à sa confusion ultérieure et à son interchangeabilité avec *bayer**, puis à la disparition quasi totale de celui-ci. ◇ Par analogie, *bâiller* exprime l'idée d'être entrouvert, mal fermé ou mal ajusté (1678-1879), notamment à propos d'une porte. Cf. ci-dessous *entrebâiller.*

▸ Le dérivé **BÂILLEMENT** n. m. (v. 1120) désigne l'action de bâiller et, par analogie, l'action, l'état de ce qui est entrouvert (1840). ◆ **BÂILLANT, ANTE** adj., participe présent de *bâiller,* s'emploie adjectivement (XIIe s.) avec les sens correspondants de «qui bâille» et «qui est entrouvert». ◆ **BÂILLEUR, EUSE** n. (1690) se dit d'une personne qui bâille.

Un autre dérivé senti comme détaché et autonome, **BÂILLON** n. m. (1462), désigne proprement un objet que l'on met sur la bouche et qui la tient ouverte tout en empêchant de parler ou de crier, ce qui équivaut à une fermeture. Son emploi métaphorique ou figuré pour «obstacle à la liberté d'expression» est enregistré par Furetière en 1690. ◆ *Bâillon* a produit **BÂILLONNER** v. tr. (1530) «museler» d'où, au figuré, «réduire au silence par la censure» (1796, *Le Néologiste français*), qui, à son tour, a donné **BÂILLONNEMENT** n. m. attesté tardivement (1842) avec son sens figuré en politique.

Le préfixé **ENTREBÂILLER** v. tr. (v. 1465) signifie «entrouvrir légèrement», et, à la forme pronominale *s'entrebâiller* (1859) «s'entrouvrir légèrement». ◆ En sont dérivés **ENTREBÂILLEMENT** n. m. (fin XVIe s.), **ENTREBÂILLURE** n. f. (1877) d'usage plus rare, et **ENTREBÂILLEUR** n. m. (v. 1950), nom d'une pièce de métal qui limite en le bloquant l'entrebâillement de la porte.

BAILLI n. m. est le déverbal (av. 1160) de l'ancien verbe *baillir* «administrer, gouverner» (v. 1050), lui-même dérivé de l'ancien français *bail* «celui qui dirige, qui administre», «gouverneur, régent» (1207) et «tuteur» (1288). Ce mot est issu du latin *bajulus* qui, à partir du sens classique de «porte-faix» (→ baille, bailler), a développé les sens abstraits de «tuteur» (VIIe s.) et de «gouverneur» (v. 937) attesté chez les auteurs médiévaux dans des contextes religieux. Le mot français pourrait être directement emprunté au latin. ➡ *Baillif,* attesté jusqu'au XVIIe s., est la forme régulière du cas régime singulier, le sujet étant *baillis* (en picard, *baillius*); de *baillis* a été tiré un nouveau cas régime *bailli* d'après les participes passés en *-is/-i* (comme *cueillis/cueilli*), une fois que ceux-ci ont remplacé les formes en *-iz/-it* (du latin *-itus/-itum*); après la disparition normale du cas sujet, la forme *bailli* a été généralisée.

♦ Le mot désignait sous l'Ancien Régime l'officier royal au nom duquel la justice se rendait dans l'étendue d'un certain ressort. Le dictionnaire de l'Académie, en 1694, l'enregistre aussi comme nom d'une dignité (supérieure à celle de commandeur) dans l'ordre de Malte. ➡ De nos jours, le mot s'emploie en histoire et se dit encore en parlant de certains magistrats d'Allemagne, de Suisse, préposés à l'exécution des lois (1835), et de certains magistrats britanniques.

▸ Le dérivé **BAILLIAGE** n. m. (av. 1266), précédé par la forme du latin médiéval *bailliagia* «autorité du bailli» (v. 1184), a perdu avant le XVe s. le sens de «régence, tutelle». ◇ Il se rapporte aux institutions de l'Ancien Régime et désigne l'étendue de pays sous la juridiction d'un bailli (1312) et cette juridiction (1680). Il désigne la dignité de bailli dans l'Ordre de Malte (1794) et la partie de territoire confiée à un bailli suisse ou allemand (1794). ➡ Il a pour dérivé l'adjectif **BAILLIAGER, ÈRE** (1611) «relatif à un bailliage».

BAILLIVE n. f. est le féminin (v. 1278) de *baillif,* ancienne forme de *bailli,* et désigne l'épouse d'un bailli.

BAIN n. m. est issu (v. 1080) d'un latin parlé °*baneum,* altération du latin classique *balineum* ou *balneum* «fait de se baigner, lieu dans lequel on se baigne», et, d'abord au pluriel, «établissement où l'on vient se baigner». Ce mot, venu concurrencer *lavatrina* (→ latrine), est un emprunt ancien au grec *to balaneion* «établissement de bain», surtout au pluriel *to balaneia* «bains», usité en prose (la poésie employant *loutra*). Le mot grec est dérivé de *balaneus* «garçon de bains», mot attique, non attesté avant Aristophane et Platon, sans correspondant dans les autres langues indoeuropéennes. Ou bien ce mot est emprunté à une langue égéenne avec la technique du bain chaud dans une baignoire, mais l'attestation assez tardive ne plaide pas pour cette hypothèse, ou bien il a été créé en grec et l'on se demande alors s'il a un rapport avec *balanos* «gland». Étant donné que *balanos* désigne toute espèce de verrou ou de cheville, on peut imaginer que *balaneus* serait dérivé d'un °*balanos* désignant la cheville bouchant le trou d'une baignoire, dans le terme *balaneiomphalos* «qui a un renflement au milieu», appliqué à la fermeture de baignoire, *omphalos* désignant à la fois le ventre d'une coupe et la valve d'une baignoire. ◇ En français moderne, *bain* est senti comme une sorte de déverbal irrégulier de *baigner,* alors que *baigner* vient d'un dérivé latin de *balneum.*

♦ Le pluriel *bains* a longtemps servi à désigner l'endroit du palais ou de la maison où l'on se baigne (v. 1080), usage qui n'a disparu qu'après l'apparition de la locution *salle de bains* (→ salle). ◇ *Bains* désigne aussi (fin XIe s.) l'établissement public où l'on se baigne et, par extension, le lieu où l'on prend des bains de mer, où l'on suit une cure thermale (1680). ◇ Le singulier *bain* se dit de l'action de se plonger dans l'eau et du liquide dans lequel on se plonge (v. 1155). ◇ Par une métonymie usuelle, le mot désigne le récipient dans lequel on se plonge (1525) ainsi qu'un endroit aménagé pour la baignade (1680). ◇ Son usage technique pour désigner une préparation liquide dans laquelle on plonge un corps pour le transformer ou une substance par l'intermédiaire de laquelle on chauffe un récipient, est répertorié par Furetière (1690) mais déjà attesté au XVIe s. dans le terme *bain-marie* (ci-dessous). ◇ La locution usuelle ***bain de soleil**** participe à l'idée d'une «exposition du corps à un élément naturel», mais est plus tardive (1860). ◇ La langue moderne emploie *bain* avec des valeurs métaphoriques (en locution ***bain de***) et figurées, par exemple dans les locutions ***être, se mettre dans le bain,*** qui s'est d'abord rapportée à une situation difficile, compromettante, et dans ***bain de foule*** (1960), la métaphore étant la même que celle de *plonger, immersion.*

▸ Le terme **BAIN-MARIE** n. m., d'abord *baing marie* dans un texte du XVIe s. (daté de 1516 selon certains), est composé de *bain* et de *Marie,* nom d'une alchimiste appelée aussi Marie-la-Juive. *Balneum Mariae* est attesté en latin médiéval au début du XIVe siècle. Ce personnage était parfois identifié à la sœur de Moïse et d'Aaron, la prophétesse Miriam (*Exode,* XV, 20), parfois à l'auteur de traités d'alchimie portant le même nom. On a supposé qu'il pourrait s'agir de l'intégration symbolique de la Vierge Marie à la mystique ésotérique des alchimistes, succédant à la tradition égyptienne du mythe d'Isis. ◇ Le mot, d'abord terme d'alchimie, s'est répandu dans l'usage courant notamment en cuisine.

◈ voir BAGNE, BAIGNER, BALNÉAIRE.

BAÏONNETTE n. f., d'abord *bayonette* (1572), est dérivé de *Bayonne,* nom de la sous-préfecture actuelle du département des Pyrénées-Atlantiques, ville qui possédait aux XVIe et XVIIe s. des fabriques d'armes et de coutellerie.

♦ Le mot désigne une arme blanche que l'on fixe au bout du fusil pour le combat au corps à corps; par analogie, on appelle aussi *baïonnette* un assemblage de pièces rappelant le mode de fixation de l'arme, par exemple dans *ampoule, douille à baïonnette* (XXe s.).

◈ voir MAYONNAISE.

① **BAISER** v. tr. est issu (v. 980) du latin *basiare,* employé aussi bien à propos du baiser amoureux que du baiser de politesse ou de respect. Ce mot est dérivé de *basium,* d'abord employé avec une valeur érotique à côté d'*osculum* (proprement «petite bouche») et, pour cette raison, évité par les auteurs classiques, puis seul passé dans les langues romanes. *Basium*, étant donné sa date d'apparition relativement tardive en latin, pourrait être un emprunt (on a évoqué une origine celtique). C'est Catulle qui semble l'avoir introduit dans la langue écrite.

♦ Le mot exprime l'idée d'appliquer ses lèvres sur la partie d'un être ou d'une chose en signe d'affection ou de respect. En français, il est d'abord attesté à propos du baiser entre le Christ et ses disciples, en particulier du baiser de Judas. ◇ Son emploi dans un contexte amoureux (XIIe s.), en construction transitive et absolue (1461), a conduit à un emploi érotique par euphémisme pour «posséder charnellement». Cet emploi est attesté aux XVIe et XVIIe s., notamment chez les burlesques, mais il est alors ambigu, le sens «décent» étant encore très usuel. Néanmoins, le «*baiserai-je, mon père ?*», dans Molière, faisait déjà rire. L'emploi érotique a conduit au remplacement de *baiser* au sens initial par *embrasser**. ◇ Par extension de l'idée de posséder charnellement, *baiser* a pris le sens figuré de «tromper», propre au langage familier, une fois attesté au début du XVIe s., et repris depuis 1881, surtout employé au passif par allusion au partenaire passif d'un rapport homosexuel et comme substitut à d'autres verbes, *posséder, avoir* et, explicitement, *enculer*.

► ② **BAISER** n. m., d'abord écrit *baisair* (v. 980), substantivation de l'infinitif du verbe *baiser*, désigne l'action d'appliquer ses lèvres sur une partie d'un être ou d'une chose en signe d'affection, de respect, d'amour. Longtemps jugé prétentieux et concurrencé par des formes régionales, il n'a pas subi la même érotisation que le verbe et a conservé sa vitalité au sens initial, le français moderne utilisant le couple *embrasser-baiser*. En français actuel, il est concurrencé par *bise, bisou*, lorsque le contexte n'est pas érotique. ◆ **BAISEMENT** n. m. (fin XIIe s.), ancien substantif d'action exprimant en général l'action de baiser, est surtout employé dans un contexte liturgique.

BAISEMAIN n. m., soudé en un mot dès son apparition (1306), est apparu dans un contexte féodal pour l'hommage du vassal au suzerain. Il a désigné ensuite la cérémonie d'étiquette consistant à baiser la main du roi (1573). ◇ De nos jours, il désigne encore le geste de politesse d'un homme envers une femme (v. 1588), geste qui a toujours été limité aux classes supérieures de la société. ◆ **BAISE-PIED** n. m., fait (1896) sur le modèle de *baisemain* pour désigner le type de baiser liturgique consistant à effleurer des lèvres le pied du pape en guise de respect, est à peu près inusité.

BAISEUR, EUSE adj. et n., autrefois dit d'une personne qui aime à donner des baisers (déb. XIVe s. au masculin; 1680 au féminin), y compris en emploi adjectif (1571), a développé les mêmes connotations érotiques familières que *baiser*, les emplois initiaux disparaissant au profit d'*embrasseur*. ◆ **BAISOTER** v. tr., écrit *baizoter* par Ronsard (1556), a vieilli, même avec la valeur érotique de «faire l'amour d'une façon médiocre et routinière» plus ou moins remplacé par *baisouiller*. ◆ **BAISURE** n. f. (XVIe s.) est un terme technique désignant, par analogie, la marque faite sur un pain par un autre en le «baisant», en le touchant.

Le participe présent de *baiser*, **BAISANT, ANTE**, se rencontre en emploi adjectivé (1869) avec la valeur érotique et familière de «qui baise» et, par extension, «qui excite le désir» au propre et au figuré; il est concurrencé par *bandant*. ◆ Le participe passé **BAISÉ, ÉE**, employé adjectivement avec différentes valeurs correspondant à celles du verbe, est substantivé dans le terme familier **MAL-BAISÉ, ÉE** n. (v. 1970) qui se dit d'une personne frustrée dans sa vie sexuelle, en général d'une femme. ◆ **BAISABLE** adj. (XIXe s.) qualifie familièrement une personne susceptible d'éveiller le désir sexuel; il est surtout employé négativement. ◆ **BAISE** n. f. (fin XIXe s.), comme la plupart des dérivés tardifs de *baiser*, concerne le sens érotique; distinct sémantiquement de *baiser* n. m., il désigne la pratique de l'amour physique, sauf régionalement (Nord, Belgique) où il est synonyme de «petit baiser affectueux». Il s'emploie souvent avec d'autres déverbaux, comme *la bouffe*, pour désigner les plaisirs des sens. ◆ **BAISE-EN-VILLE** n. m., lexicalisation de la locution *(il, elle) baise en ville* (1934), est une appellation familière pour un sac de voyage pouvant contenir ce qu'il faut pour passer la nuit hors de chez soi. ◆ Le sens érotique du verbe se retrouve enfin dans des composés comme **BAISODROME** n. m., composé plaisant (cf. *-drome*) pour «lieu réservé aux ébats amoureux».

BISER v. tr. est probablement emprunté (1866) à une forme dialectale de l'Ouest, *biser* «embrasser», laquelle est une altération du représentant du latin *basiare* sous l'influence de verbes comme *bicher* (dérivé de *bec** au sens de «baiser»). ◆ Le mot, synonyme familier de *baiser*, a eu moins de succès que son dérivé régressif ① **BISE** n. f. (1911; antérieur, cf. *bisou*), très usuel dans *faire la bise à qqn, se faire la bise, des bises*. ◆ À son tour, celui-ci a donné **BISOU** n. m. (av. 1901), dont le suffixe *-ou* est probablement l'équivalent provençal moderne de l'ancien suffixe provençal *-on* (du latin *-one*); les deux mots, *bise* et *bisou*, sont des synonymes familiers très usuels de *baiser* (surtout *bisou*, mot à la mode apr. 1960).

✳ **BAISSER** v., d'abord *baissier* (1080), est issu d'un latin populaire *°bassiare*, attesté dans les langues romanes en opposition à *°altiare* (→ hausser), dérivé de l'adjectif bas latin *bassus* (→ bas).

♦ Le verbe, employé transitivement, signifie «incliner (une partie du corps) vers le sol» et «descendre, mettre plus bas» (v. 1150, en marine), «diminuer la force, l'intensité de (son)» (v. 1175) et, par analogie, «baisser l'intensité de (une source lumineuse)». ◇ Son emploi figuré au sens de «diminuer, rendre moins fort (un sentiment)» (v. 1170) est sorti d'usage. ◇ *Se baisser*, «se rendre moins haut» (1432), est le premier emploi pronominal attesté. ◆ Parallèlement, dès le XIIe s., le verbe se construit intransitivement pour «diminuer de hauteur», «décliner» (1180-1200) et, au figuré, d'un son ou d'une lumière, «diminuer d'intensité». ◇ Depuis le XVIIe s., il s'emploie abstraitement pour «perdre de sa vigueur physique ou intellectuelle» et, en termes de commerce, en parlant d'une valeur ou d'un prix qui diminue (1695), sens dont le pendant transitif, «diminuer le prix de (une marchandise)», apparaît au XIXe s. (1835).

▶ **BAISSIÈRE** n. f. (1160-1174) a désigné une dépression de terrain, sens sorti d'usage au XVe s., mais repris dans le sens technique de «dépression retenant l'eau de pluie dans une terre labourée» (1838). Le mot désigne aussi le vin, le cidre, la bière qui reste au fond du tonneau (1307). ◆ **BAISSEMENT** n. m., substantif d'action, a exprimé d'abord la dégradation, la diminution (1165-1170) puis l'action de baisser (1539); il s'est quasiment éteint sous la concurrence du déverbal *baisse* et, surtout d'*abaissement* (ci-dessous). ◆ **BAISSE** n. f., d'abord *besse* (1250), a désigné jusqu'au XVIIe s., éliminant aux XVe-XVIe s. *baissière,* un lieu bas, souvent marécageux, sens dont procède la valeur dialectale de «lieu bas, vallon», en poitevin. ◇ Une autre acception, «action de baisser le niveau, de faire descendre à un niveau plus bas» (1577), a pris des valeurs spéciales à propos du niveau des eaux et, abstraitement, d'une température, d'une intensité sonore. ◇ Le mot s'emploie aussi en finances pour «diminution de prix, de valeur des effets cotés en Bourse» (1736), d'où la locution ***jouer à la baisse*** (1798), et, en commerce, «diminution de prix (d'une denrée ou d'une marchandise)» (1835). ◆ **BAISSER** n. m. *(le, un baisser),* anciennement *baissier* (1404), substantif tiré de l'infinitif, a désigné l'action de descendre le cours d'une rivière avant de prendre le sens de «action d'abaisser» (1606) avec lequel il se rencontre dans quelques contextes. Il est beaucoup moins courant que *lever* n. m. ◆ **BAISSIER** n. m. (1829), terme de Bourse, désigne le spéculateur qui escompte une baisse. ◆ **BAISSEUR** n. m. (1936), «personne qui baisse», est employé techniquement en peausserie pour désigner l'écharneur à la machine qui amincit les peaux.

Baisser est rapidement doublé par le préfixé **ABAISSER** v., d'abord *abaissier* (v. 1120), qui n'a pas gardé les valeurs intransitives, «descendre» (encore au XVIIe s.) et «diminuer de ton, d'intensité» (v. 1155), probablement en raison de leur double emploi avec celles du verbe simple. ◇ Ses emplois transitifs actuels apparaissent dès l'ancien français : «pencher, incliner vers le bas» (v. 1170) et, au figuré, «humilier» (v. 1155), ainsi qu'à la forme pronominale, *s'abaisser.* ◇ Ce verbe signifiait aussi «apaiser, éteindre» au propre et au figuré (1148), «rabattre une somme sur un prix» (XIIe s.) et «soumettre» (XIIe s.), sens sortis d'usage de même que «amaigrir» (XIVe s.) et «obliger à se modérer en (qqch.)» (XIVe s.), plus rares. L'emploi de *s'abaisser* en marine, à propos du vent qui se calme (1210-1230), jugé contraire au bon usage, est remplacé par *diminuer.* ◇ Le sens classique, «s'exprimer avec beaucoup ou trop de simplicité» (XVIIe s.), qui procède du sens figuré moderne, ne semble plus en usage après le XVIIIe s., bien qu'il soit répertorié par quelques dictionnaires ultérieurs. ◇ Du sens propre de «faire descendre» proviennent plusieurs acceptions techniques : *abaisser l'oiseau* (1690) se dit en fauconnerie pour «alléger la nourriture de l'oiseau, pour qu'il vole bien» ; *abaisser une branche* (1690) en horticulture «la couper près du tronc». ◇ Le mot a été repris en mathématiques dans ***abaisser une équation*** «la réduire au moindre degré dont elle est susceptible» (1751) et ***abaisser un chiffre*** (dans une opération). ◇ D'après *abaisse* (ci-dessous), il s'est spécialisé en cuisine pour «aplatir (la pâte) avec un rouleau de bois» (1751). ◆ **ABAISSEMENT** n. m., substantif d'action dérivé d'*abaisser* (apr. 1170), s'est d'abord employé au sens moral de «état de ce qui est bas et mérite la réprobation». Le sens concret est d'abord relevé en topographie, désignant l'endroit où le sol s'abaisse (XIIe-XIIIe s.) et l'état de ce qui est abaissé (XVIe s.). Cette acception générale subsiste au XVIIe s. et se répand, sans être aussi usitée que le sens figuré, mais avec des spécialisations en chirurgie (1680), algèbre (1751), astronomie (1751) et héraldique (1751). ◆ **ABAISSE** n. f., déverbal d'*abaisser* (XVe s.), entre dans le vocabulaire culinaire pour désigner la pâte amincie au rouleau. ◆ **ABAISSÉ, ÉE** est l'adjectivation (1690) du participe passé d'*abaisser* et s'emploie dans les mêmes acceptions. En outre, en blason, il qualifie une pièce de l'écu quand elle se trouve au-dessous de sa position ordinaire (1690) et, en botanique, la lèvre inférieure d'une corolle labiée quand elle forme un angle presque droit avec le tube (1845). ◆ **ABAISSEUR, EUSE** adj. et n. m. se dit en anatomie d'un muscle servant à abaisser une partie du corps (1690) et désigne un instrument qui abaisse (fin XIXe s.). ◆ **ABAISSANT, ANTE,** participe présent adjectivé, n'a que le sens moral de «qui humilie» (1845). ◆ L'élément verbal *abaisse* fournit le premier élément de **ABAISSE-LANGUE** n. m. inv. (1841) «instrument servant à abaisser la langue pour examiner la gorge».

Dès le XIIe s., *abaisser* a un préfixé en *re-* (intensif) **RABAISSER** v. tr. (v. 1160, *rabaissier*). Ce verbe est apparu avec les sens de «rendre moins élevé, moins fort» (v. 1160), et «baisser davantage, mettre à un niveau moins élevé» (v. 1175). ◇ Son emploi abstrait, dépréciatif, au sens de «ramener à un état inférieur» (1667) et de «mettre au-dessous de sa valeur réelle» remontent au XVIIe s. mais *se rabaisser* «baisser de valeur», paraît très antérieur (fin XIIe s.). ◆ Le déverbal **RABAIS** n. m., d'abord *rabbez* (1397), désigne une diminution sur le prix d'une marchandise, et s'emploie dans la locution familière ***au rabais*** (1639), y compris avec une valeur figurée, «de mauvaise qualité». Le mot est alors démotivé, senti comme séparé de son origine. ◆ **RABAISSEMENT** n. m. (v. 1500), comme le verbe, est plus usuel avec le sens figuré de «action de dénigrer» qu'avec le sens concret (1869). ◆ **RABAISSEUR, EUSE** adj. (1611) et le participe présent adjectivé **RABAISSANT, ANTE** (XXe s.) procèdent du sens moral.

Un autre préfixé est **SURBAISSER** v. tr. (1690 après *surbaissé*), terme technique d'architecture pour «donner à (un arc) une hauteur inférieure à la moitié de la largeur» puis «réduire considérablement la hauteur de (une voiture)». ◆ En sont dérivés l'adjectif **SURBAISSÉ, ÉE** (1568) et **SURBAISSEMENT** n. m. (1691), dans les mêmes emplois.

BAJOUE → JOUE

BAKCHICH n. m., d'abord écrit *bakschisch* (1828) puis *bacchich* (1858) et *bakchich* (1877), est emprunté au turc *bakšiš* «pourboire, don», lui-même du persan *bahšiš*, dérivé du verbe *bähšīdän* «donner». Le mot turc s'est répandu en arabe.

♦ Le mot, d'abord relevé dans le *Voyage en Orient* de Nerval et chez les écrivains orientalisants du XIXe s. (Th. Gautier), s'est répandu au XXe s., désignant un pourboire dans les pays d'Orient et, en général, une somme d'argent payée pour obtenir illégalement qqch., un pot de vin.

BAKÉLITE n. f. est formé (1907) avec le suffixe *-ite* sur le radical du nom de l'inventeur L. H. *Bakeland*, chimiste né en Belgique en 1863 et mort aux États-Unis en 1944.

♦ Nom de marque déposée, le mot désigne une résine synthétique imitant l'ambre, utilisée comme isolant et dans la fabrication d'objets.

▸ En est dérivé **BAKÉLISER** v. tr. (1928) «enduire de bakélite» d'où **BAKÉLISATION** n. f. (1933) et **BAKÉLISAGE** n. m., plus rare.

BAL n. m. est le déverbal (1150-1200) de l'ancien et moyen français **BALLER** (v. 1165) «danser», «remuer, se balancer» (av. 1249). Ce verbe est sorti d'usage vers la fin du XVIIe siècle. *Baller* est issu du bas latin *ballare* «danser» (saint Augustin), qui se rattache par le sens au grec *ballizein* «se trémousser, danser», mais dont la forme interdit l'hypothèse d'un emprunt direct; le mot latin est plus près de *ballein* «lancer, jeter» dont *ballizein* semble être un dérivé et un doublet secondaire (on lui attribue aussi le sens de «lancer des projectiles»). *Ballein* se rattache à une racine indoeuropéenne *°g^w eli-/°g^w lei* que l'on retrouve dans le sanskrit *udgurna-* «soulevé», le *g^w* donnant un *b* dans plusieurs langues, dont le latin.

♦ *Bal* a été synonyme de «danse» jusqu'au XVIe siècle. Par métonymie, il a pris sa valeur actuelle de «réunion dansante» (1228), s'appliquant aussi au lieu où l'on se réunit pour danser (1794). Selon les coutumes et les styles de danse mondaine ou sociale, le mot donne lieu à des syntagmes (*bal public, bal masqué, bal musette; carnet de bal*, etc.) et à des locutions parfois figurées, comme ***conduire le bal*** «mener, diriger (une action)».

▸ **BALLANT, ANTE**, participe présent adjectivé de *baller*, qualifie des bras qui pendent. Il est substantivé (*un ballant*, n. m.) pour désigner techniquement, en marine, la partie lâche d'un cordage (1687), puis aussi, plus généralement, un mouvement d'oscillation, de balancement (1835).

◈ voir **BALADIN, BALISTE, BALIVERNE, BALLADE, BALLERINE, BALLET, BAYADÈRE, BRINQUEBALER** et aussi **ACCABLER, DIABLE, EMBLÈME, PARLER, PROBLÈME.**

BALADER et dérivés → **BALLADE**

BALADIN, INE n. est probablement dérivé (av. 1545) de *ballade** avec le suffixe *-in*, peut-être par analogie avec l'ancien français *galopin** «messager, garçon de course» (XIVe s.). L'hypothèse d'un emprunt au provençal *baladin* est intéressante, étant donné le sens de «danse» de l'ancien provençal *balada* (sens non attesté pour le français *ballade*), mais elle fait difficulté en l'absence d'attestations en provençal avant Mistral (sous les formes *balarin, baladin, balandrin*).

♦ Le mot a désigné jusqu'au XVIIe s. un danseur d'intermèdes dans les théâtres ambulants, sens qui s'est définitivement éteint avec l'apparition des troupes de comédiens. ◇ Par extension, il s'est appliqué à un comédien ambulant, à un amuseur public (1547) et a pris le sens figuré de «mauvais plaisant, sot» (1680), sorti d'usage. De nos jours, il évoque le folklore sympathique des comédiens ambulants.

▸ Le dérivé **BALADINAGE** n. m. (1754), d'abord employé comme terme de chorégraphie pour désigner une danse faite de sauts, a désigné, au figuré et d'après *badinage* (→ badin), une plaisanterie sotte (v. 1750). ◇ Signalé comme néologisme en 1838 avec le sens de «métier de baladin», il est aujourd'hui sorti d'usage.

BALAFON n. m., quelquefois *balafo* (1698) est emprunté à un mot malinké (variété de mandingue, langue nigéro-sénégalaise), *balafo*, composé de *bala* «instrument de musique» et du verbe *fo* «dire, parler» et «jouer d'un instrument».

♦ Le mot, relevé au XVIIe s. comme terme exotique pour désigner le joueur de *bala*, employé par Hugo (*Bug Jargal*), s'est répandu au XXe s., grâce aux écrivains de la négritude et à la musicologie, comme nom d'un instrument à percussion africain formé de lames et de calebasses creuses formant caisse de résonance.

▸ Le mot étant devenu en français le nom de l'instrument, on en a dérivé (XXe s.) **BALAFONNIER** ou **BALAFONISTE** n. (ce dernier étant seul utilisé en français d'Afrique) pour désigner le joueur de balafon. ◇ On trouve aussi *balafongiste*, de la variante *balafong*.

BALAFRE n. f. est issu (1505) du croisement de l'ancien français *leffre* «lèvre», attesté du XIIIe au XIVe s., avec *balèvre* (→ lèvre) par analogie entre les lèvres d'une plaie et celle de la bouche. *Leffre* est lui-même emprunté à l'ancien haut allemand *leffur*, à rapprocher de l'ancien saxon *lëpur*, de l'ancien néerlandais *lepor*, qui vient d'un type germanique *°lëpas*. Ce dernier est apparenté au type *°lipjō* ou *lepjō*, à l'origine de l'allemand *Lippe* «lèvre» (→ lippe) et appartiendrait, selon Klüge, à une racine indoeuropéenne *°leb-* «pendre», que l'on a dans le sanskrit *lapsuda-* «bouc, type de barbe», et à laquelle il rattache le latin *labra* (→ lèvre).

♦ Le mot désigne une blessure de forme allongée, généralement faite par une arme tranchante, spécialement au visage, et, par métonymie, la cicatrice laissée par cette blessure. Un usage analogique (1586) correspond à «déchirure, zébrure».

▸ De *balafre* est dérivé **BALAFRÉ, ÉE** adj., d'abord *brelaffré* (av. 1507) puis *balafré* (1546) «marqué d'une balafre», substantivé comme surnom du duc de Guise au XVIe siècle. ◆ **BALAFRER** v. tr., d'abord attesté au pronominal *se balafrer* (1580), est moins courant que l'adjectif.

BALAI n. m., d'abord *balain* (v. 1170) puis *balai* (XIIIe s.), est d'origine celtique. Selon les uns, il serait emprunté au breton *balazn* «genêt», devenu par vocalisation *balain, balaen;* ces formes issues d'une métathèse de °*banatlo* en °*balatno,* seraient originaires à la fois du nord (Léonais, Trégorrois) et du sud (Vannetais) de la Bretagne. L'évolution sémantique de «genêt» à «balai» est claire, et de nombreux usages régionaux emploient *balai* pour «genêt». Les Bretons auraient été les premiers à fabriquer ces objets, puis le mot se serait étendu à toute la France, même quand les balais étaient fabriqués avec d'autres matières, suivant les ressources des régions : ainsi *balai* signifie «bouleau, tête des jeunes bouleaux» en parler tourangeau, les branches de cet arbre servant aussi à faire des balais. Cette hypothèse est appuyée par un texte du XIIIe s. *(le privilège aux Bretons)* attestant que le métier des fabricants de balais était si fréquent chez les Bretons qu'ils le considéraient comme un de leurs privilèges. Cependant, la présence de *balai* au sens de «genêt» en Berry, Bourgogne, Lyonnais, Auvergne, et dans le domaine méridional semble exclure un emprunt au breton. *Balai* pourrait être issu directement du gaulois °*banatlo,* devenu °*balatno,* puis subissant une adaptation de la finale d'après les mots latins en *-aium.* Mais la métathèse expliquée à l'intérieur du français par l'influence de l'ancien français *baloier* «s'agiter çà et là», supposerait que le mot ait signifié «balai» avant «genêt», ce qu'infirme l'ancienneté du sens de «genêt» dans les dialectes. P. Guiraud préfère voir dans *balai* le déverbal actif de *baloyer, balayer,* dérivé fréquentatif de *baller* «secouer, faire sauter» d'où «voltiger» et «faire voltiger» et, en particulier, «vanner» (→ bal). Selon lui, on partirait de l'idée de faire voler la balle du blé en le remuant avec une branche de genêt, de bruyère, etc. pour arriver, par métaphore, à celle de faire voler la poussière. Ceci n'exclut pas une influence gauloise ou celtique. Avec son sens moderne, *balai* a supplanté le représentant du latin *scopa, scoparum* n. f. pl. dont subsistent de faibles traces en ancien français (→ écouvillon), mais qui survit dans l'italien *scopa,* l'espagnol *escoba.*

♦ D'abord employé pour désigner un faisceau de branches de genêt, le mot désigne plus généralement un ustensile ménager servant à enlever la poussière, les détritus (XIIIe s.). ◇ Parmi les locutions figurées formées avec *balai,* ***rôtir le balai*** (XVIe s.) était passée du sens de «vivre dans la pauvreté, dans une condition subalterne» (qu'explique la forme *en être réduit à brûler son balai*) à celui de «mener une vie de débauche» (XVIIIe s.), peut-être par allusion aux sorcières et à leur *manche à balai.* ◇ Par analogie, *balai* a reçu des acceptions spéciales en fauconnerie et en vénerie, où il désigne la queue d'un oiseau de proie, l'extrémité de la queue d'un chien (1690), puis en botanique, en électricité (1884), en automobile *(balai d'essuie-glace)* et en musique, par analogie d'usage ou de forme. ◇ Il a pris en argot le sens de «dernière voiture d'omnibus» (1878), puis de «dernière rame de métro» (1926) [qui ramasse les voyageurs attardés], aussi dans ***voiture-balai*** en sports (1911) pour désigner la voiture qui recueille les coureurs cyclistes ayant abandonné la course. ◇ Son sens argotique, puis familier, pour «année d'âge» (XXe s.), est obscur.

▸ **BALAYETTE** n. f., diminutif de *balai,* attesté une première fois au XIIIe s. sous la forme *baliete,* a été repris à partir de 1810. La spécialisation pour «petit balai servant à nettoyer les lieux d'aisance» a induit des connotations scatologiques.

BALAYER v. tr., d'abord *balaier* (1204), puis *baloiier* (v. 1275), *balleyer* (1393), *balier,* enfin *balayer* (1611), est soit dérivé de *balai,* soit, selon l'hypothèse de P. Guiraud, le fréquentatif de *baller.* Il est en tout cas probable que les formes de l'ancien français aient subi l'influence du représentant de l'ancien verbe *balier,* d'où *baloier* attesté du XIIe s. au XVIe s., et issu du latin *ballare* «s'agiter, voltiger, se balancer» (→ bal). ◇ Le verbe signifie «nettoyer avec un balai» (v. 1275) et se dit par extension du vent, de la mer (XIIIe s.) qui dispersent tout sur leur passage. ◇ Ultérieurement, il s'applique aussi, sans idée de violence, à l'action d'une source lumineuse qui passe sur qqch. (1796) et s'emploie avec l'idée de «chasser, faire disparaître» (d'abord métaphorique, puis figurée, déb. XIXe s.). ➛ Il a servi à former **BALAYEUR, EUSE** n., d'abord *balaieor* (XIIIe s.), *balieur* (1543) et *balaieur* (1680) avant *balayeur* (1690), dont le féminin **BALAYEUSE** n. f. désigne une machine qui balaie les chaussées (d'abord *balayeuse des rues,* 1835, brevet). ➛ **BALAYURE** n. f., d'abord *balieures* au pluriel (1387-1388) avant *balayures* (1740), de sens propre et figuré (av. 1564, Calvin), désigne ce qui est balayé. ➛ **BALAYAGE** n. m., attesté une fois sous la forme *balliage* (1633) puis repris sous sa forme actuelle (1776, Supplément de *l'Encyclopédie*), concerne l'action de balayer.

BALAIS adj. m., d'abord *balois* (1228), puis *balais* (déb. XIIIe s.), est issu du latin médiéval *balagius* (1225), également attesté sous les variantes *balascius, palachius, palatius.* Ce dernier est un emprunt à l'arabe *balahš* «variété de rubis», du nom de la province perse *Balahšan,* centre de production et de commerce de cette pierre (actuellement *Badakhšan*), pays frontière entre l'Afghanistan et le Tadjikistan. Le mot arabe a fourni l'espagnol *balax, balaxo, balaja,* le portugais *balax* et l'italien *balascio.*

♦ Le mot, dans *rubis balais,* qualifie une variété de rubis de couleur rose ou rouge violacé. Son emploi en attribut et son emploi substantivé (déb. XIIIe s.) ont disparu.

BALALAÏKA n. f. est emprunté (1768) au russe *balalaïka,* nom d'un instrument de musique à cordes et à caisse triangulaire, apparu au début du XVIIIe s., et qui a remplacé la *domra* à caisse ovale. L'origine du mot est controversée : certains, invoquant les anciennes variantes *balabaïka, balaboïka,* penchent pour une étymologie ukrainienne, langue où ces formes désignent des grelots. On a aussi évoqué un rapport avec le russe *balabolka* «moulin à paroles», *balabolit'* «parler comme un moulin à paroles, avec volubilité» et avec le roumain *bălălăí, bănănăí* «bouger, balancer, osciller».

De toutes façons, il s'agit d'une formation expressive.

♦ Le mot français a conservé le sens de l'étymon.

BALANCE n. f. est un emprunt altéré (fin XIIe s.) au latin populaire °*bilancia* «balance à deux plateaux», issu du latin parlé *bilanx* (IVe s.). Ce mot est formé de *bis* «deux fois» (→ bis) et de *lanx* «plateau», en particulier «plateau de balance», dont la forme rappelle le grec *lekos, lekis* et qui pourrait être emprunté à une langue méditerranéenne; il a remplacé le mot classique pour la balance, *libra* (→ livre, niveau). L'initiale *ba-* peut s'expliquer par le changement de *-i-* en *-a-* sous l'action de *-l-* (comme dans *zelosus*; → jaloux) et peut-être aussi par l'influence de *ballant*, participe présent du verbe *baller* (→ bal), à cause du mouvement des deux plateaux de la balance (à comparer avec la locution dialectale *être en ballant* «hésiter, être indécis»).

♦ Jusqu'au XVIe s., le mot désignait un seul plateau de l'instrument, et on employait le pluriel *balances* pour désigner l'ensemble (encore chez Richelet en 1680). La valeur métaphorique ou figurée est ancienne; dans la locution ***mettre en balance*** (1160-1170), le mot implique une idée de «jugement» ou de «comparaison de deux choses opposées», également dans ***tenir la balance égale*** (XVIIe s.) et ***emporter la balance*** (1636). ◆ Avec une métonymie sur l'état résultant, *balance* exprime un état psychologique d'incertitude et s'emploie dans divers domaines techniques, à propos d'une méthode, d'un procédé permettant de mesurer et de comparer certaines données, certains phénomènes, par exemple en comptabilité, en économie politique (av. 1683, Colbert). *Balance commerciale* est dans Sismondi (1827). Le mot désigne aussi la représentation symbolique figurant le septième signe du zodiaque (1379) et la justice.

▸ Le dérivé **BALANCER** v. (v. 1165) signifie proprement «faire mouvoir de côté et d'autre», sens également assumé par l'emploi intransitif du mot et par la forme pronominale *se balancer* (1573). Il s'emploie aussi dès le XIIe s. pour «jeter, lancer avec un mouvement de balancement» (v. 1175); ce sens ancien, sorti d'usage au XIVe s., a été réactivé par le langage populaire (1821), devenu plus abstrait et équivalent à «jeter». ◇ Le sens figuré, «hésiter, mettre en balance deux partis», est apparu à la fin du XIIe s., dans l'expression *mon cœur balance*, et s'est plus largement répandu que l'emploi transitif et didactique de «mettre en équilibre, comparer» (XVIe s.), qui procède du sens propre de «peser (sur la balance)» (déb. XIIIe s.). ◇ Par extension de l'acception de «jeter», le verbe a développé au XIXe s. des sens figurés, argotiques puis familiers, «se débarrasser de» (1844), d'où «dénoncer» (1929-1934), lui-même à l'origine du déverbal *balance* «dénonciateur» et «dénonciation». ◇ La forme pronominale *se balancer* a pris dans ***se balancer de qqch., s'en balancer***, le sens familier de «s'en moquer» (1914, argot des Poilus), extension du sens concret de «se mouvoir de côté et d'autre».

Le dérivé le plus ancien du verbe est **BALANCEMENT** n. m. (1487), substantif d'action qui désigne le mouvement alternatif d'un corps de part et d'autre de son centre d'équilibre et, quelquefois, un état d'équilibre (1487). Il a quelques acceptions techniques, en danse (1690), gymnastique et ski. ◆ **BALANCINE** n. f., d'abord *ballencine* (1516), est un terme de marine désignant un cordage, spécialement celui qui soutient les extrémités d'une vergue; de là l'ancienne locution figurée *être pris dans la balancine* «être dans une situation pénible». Par extension, le mot a été repris en aéronautique (milieu XXe s.) pour désigner chacune des roulettes au bout des ailes servant de stabilisateur au sol. ◆ **BALANÇOIRE** n. f., d'abord sous la forme *balenchoeres* (1530), désigne une bascule servant à se balancer par jeu et par extension une escarpolette. ◇ Son sens figuré de «baliverne, niaiserie» et la locution ***envoyer qqn à la balançoire*** «n'en faire aucun cas» viennent du sens figuré du verbe et des valeurs de désinvolture qu'il peut impliquer; il a vieilli. ◆ **BALANCEUR** n. m. (av. 1570) a perdu au XVIIe s. son ancien sens figuré, «celui qui pèse». Du sens propre de «celui qui se balance» procède l'emploi spécial pour désigner un oiseau du Paraguay qui vole en oscillant (1838). ◇ Le sens argotique de «malfaiteur qui dénonce les autres» (1887), qui vient du sens figuré de *balancer*, «dénoncer», a été éliminé par le déverbal *balance* (ci-dessus). ◆ ① **BALANCIER** n. m. (1590) désigne concrètement une pièce mue par un mouvement de va-et-vient régulier, et qui transmet un mouvement, une force, spécialement en horlogerie (1676), en numismatique (1676), en marine (1687). ◇ Le mot a été repris en entomologie pour désigner chacun des deux appendices remplaçant les ailes postérieures des diptères parce qu'ils sont des organes d'équilibre en vol. ◆ **BALANCÉ** n. m. (déb. XIXe s.), substantivation du participe passé de *balancer*, désigne un mouvement de balancement, spécialement en chorégraphie. ◆ L'argot du milieu a fait **BALANSTIQUER** v. tr. (1882) «dénoncer», par suffixation péjorative.

② **BALANCIER** n. m., dérivé de *balance* (1292), désigne, en métrologie, une personne qui fabrique ou vend les poids, les mesures, et instruments servant à peser.

② **BALANCELLE** n. f., mot technique, désigne (1927) le plateau muni d'un crochet sur lequel on place les objets à transporter. ◇ Le mot est passé dans l'usage courant pour un siège de jardin à plusieurs places et mobile comme une balançoire (v. 1950).

◈ voir BILAN.

① **BALANCELLE** n. f. est emprunté (1823), peut-être par l'intermédiaire du provençal moderne *balancello*, au génois *barancella*, nom d'une embarcation pointue aux deux extrémités, munie d'un immense beaupré et d'un grand mât très incliné sur l'avant. Ce mot est issu du croisement des mots génois *paransella* et *bänsa* «balance». Le français *balancelle* suppose une attraction de *balance**, mais il est aussi à rapprocher du génois *balancella*, nom d'une technique de pêche qui se fait avec deux barques rapprochées desquelles on lance un filet. Le génois *paransella* est lui-même issu du napolitain *paranzello* «navire de pêche», passé dans l'italien *paranzella* et dérivé du napolitain *paranza* «quantités égales d'hommes, de choses allant par paires», employé à propos de grosses barques à voiles naviguant par paires, et du représentant du latin *paria* (→ paire).

♦ Le mot conserve le sens du mot génois.

② **BALANCELLE** → BALANCE

BALBUTIER v., d'abord *balbucier* (v. 1389) avant *balbutier* (fin XIVe s.), est emprunté au latin supposé °*balbutiare*, réfection (d'après la première personne du présent *balbutio*) de *balbutire* «bégayer, parler d'une manière obscure». Ce verbe est dérivé de *balbus* «bègue» (fréquemment attribué comme surnom), mot expressif dont d'autres langues indoeuropéennes ont des parallèles et qui présente un vocalisme -*a*- de type populaire : sanskrit *barbaraḥ* «bègue», serbe *blabetati*, russe *obólit'* «bavarder» (→ balalaïka), lituanien *blebénti* «bavarder», grec *bambainein* «claquer des dents, trembler de frayeur ou de froid» et «bégayer», et *barbaros*, qui représente une variation de forme et de sens, «parler de manière incompréhensible» (→ barbare).

♦ Le verbe, qui signifie «parler en articulant de manière peu distincte», est très rare jusqu'au XVIIe siècle. Il a une valeur figurée, «exprimer confusément (qqch.)» (av. 1784), quelquefois avec l'idée de «en être à ses débuts».

▸ L'ancien déverbal **BALBUTIE** n. f. (XVIe s.), qui désignait l'état de celui qui balbutie, a cédé la place à **BALBUTIEMENT** n. m. (1750), auquel son suffixe confère une valeur plus active et qui se dit aussi au figuré. ◆ **BALBUTIEUR, EUSE** adj. et n. (1755) est peu usité et se rencontre surtout dans le domaine littéraire et artistique avec une nuance figurée de «maladroit, confus». ◆ **BALBUTIANT, ANTE**, adjectivation du participe présent de *balbutier* (1821), qualifie proprement la personne qui balbutie, et, au figuré, une chose qui en est encore à ses débuts ou est encore informe.

◈ voir ÉBAUBI.

BALBUZARD n. m. est emprunté (1770, Buffon) à l'anglais *bald-buzzard* «busard taché de blanc», plus fréquemment appelé *osprey*. Le premier élément est l'adjectif *bald*, «chauve, nu», «marqué de blanc», du moyen anglais *balled* (XIVe s.), probablement dérivé avec le suffixe -*ed* d'un radical °*ball*-, «pièce, tache blanche», et dont le sens premier est peut-être «surface ronde brillante». Le second élément est *buzzard* (v. 1272), emprunté à l'ancien français *busart, busard** (→ buse).

♦ Cet emprunt a été introduit par Buffon pour remplacer le terme *aigle de mer*, selon lui impropre pour cet oiseau de proie qui se nourrit uniquement de poissons.

◈ voir ② BALLON.

BALCON n. m., réfection (1565) de *barcon* (1404), est emprunté à l'italien *balcone* (1310-1312) «saillie sur la façade d'un bâtiment» et par métonymie «balustrade de cette saillie» (1606-1665). Avant l'emprunt du XVIe s. par le vocabulaire de l'architecture et de la littérature de la Renaissance, l'italien *balcone* avait été adapté dans le moyen français *baucon* dans des textes italianisants (déb. XIVe s.). Le mot italien est issu du longobard °*balko*, correspondant au francique °*balco* «poutre» (→ bau).

♦ Le mot a été repris pour désigner une plateforme en saillie sur la façade d'un bâtiment et la balustrade servant d'appui sur cette saillie ou à une fenêtre (1704). Par analogie, il s'applique à la galerie qui s'étend d'une avant-scène à l'autre (1784), sens passé ensuite en italien. ◇ En marine, il désigne la galerie généralement ouverte à l'arrière des navires et, par métonymie, la rambarde arrière et avant d'un bateau de plaisance.

▸ **BALCONNET** n. m. (1926), diminutif de *balcon*, désigne la balustrade d'un balcon et par métaphore un type de soutien-gorge découvrant le haut de la poitrine. ◆ **BALCONNAGE** n. m. a été dérivé (attesté 1943) du sens technique de *balcon* en marine pour désigner l'ensemble des galeries situées à l'arrière d'un navire. ◆ **BALCONNIÈRE** n. f., probablement fait sur le modèle de *jardinière**, désigne la caisse disposée le long d'un balcon pour contenir des pots de fleurs et des plantes en terre (attesté 1974 dans les dictionnaires).

BALDAQUIN n. m., mot du moyen français (1352), également sous la forme ancienne *baldekin* (v. 1380), est emprunté à l'italien *baldacchino* «drap de soie» (XIIIe s.), auquel correspond le latin médiéval *baldekinus* (1197) et, par métonymie, «dais» (1450-1500). Ce mot est dérivé de *Baldacco*, forme toscane du nom de *Bagdad*, siège de fameuses fabriques de soieries. L'ancien français avait déjà un dérivé de l'ancien nom de *Bagdad, Baldac* ou *Baudac* (1298), le type *baldekin* (v. 1160), *baudequin* (v. 1200) pour désigner une riche étoffe de soie.

♦ Le mot a été repris avec le sens d'«ouvrage architectural en forme de dais soutenu par des colonnes et couronnant un trône, un autel». Par analogie, il se dit en ameublement d'un dais garni de tentures au-dessus d'un lit (1746), et d'un catafalque (1762).

BALEINE n. f. est emprunté (1080) au latin *ballaena, ballena* désignant un grand mammifère marin. Le mot est peut-être emprunté au grec *phallaina*, employé aussi à propos de tout animal marin monstrueux. Le mot latin est de même origine que ce mot grec. Mais ce dernier, distinct du nom homonyme du papillon de nuit (→ phalène), ne présente aucune parenté avec les noms de la baleine dans d'autres langues; il appartient à la même famille que *phallos* «pénis» (→ phallus) qui contient une racine indoeuropéenne °*bhel*- signifiant «(se) gonfler» attestée par de très nombreux mots (→ belge, bouge, enfler, fou, etc.).

♦ Le mot, d'abord employé par référence biblique au livre de Jonas, désigne alors l'animal que l'on considérait comme le plus gros des poissons (XIe-XVIIIe s.) — mais *poisson* avait un sens plus large qu'aujourd'hui — tout en connaissant ses caractères anatomiques et physiologiques, puis comme un mammifère marin. Il est mal distingué dans l'usage courant du nom d'autres grands cétacés, comme *cachalot*. ◇ La locution *rire (se tordre) comme une baleine* (*rigoler comme une baleine,* 1884) fait allusion à l'immensité de la bouche du cétacé. ◆ Par métonymie, *baleine* désigne la lame flexible et forte dont on se servait pour renforcer un tissu et qui était tirée des fanons de la baleine (1268), et par extension une tige ou une lame de métal (caoutchouc, plastique) dont on se sert pour renforcer ou tendre un tissu (1761).

▶ **BALEINIER, IÈRE** adj. et n., d'abord (fin XIVe s.) sous les formes *balenghier* et *balenier,* qualifie et désigne un navire équipé pour la pêche à la baleine et, au masculin, l'homme qui pratique cette pêche (1385), sens rares avant le XIXe siècle. ◇ Le féminin **BALEINIÈRE** (1831), après l'attestation isolée de *balyngere* (déb. XVe s.), se dit d'une embarcation légère utilisée autrefois pour harponner la baleine. ◆ **BALEINEAU** n. m., nom donné au petit de la baleine (1694), a supplanté *balenon* (1575).

BALEINÉ, ÉE adj. est attesté une fois sous la forme *balené* (1364), puis de nouveau à partir de 1741, pour qualifier un tissu garni de baleines. ◆ **BALEINER** v. tr., «garnir de baleines» (XXe s.), vient de *baleiné.*

BALEINOPTÈRE n. m., terme de zoologie, est formé (1803-1804, Lacépède) sur le latin *ballaena* avec le suffixe *-ptère* pour désigner un mammifère marin appartenant à l'ordre des Cétacés.

BALÈVRE → LÈVRE

BALÈZE

BALÈZE n. m. et adj., écrit *balès* en 1927, est emprunté au provençal *balès* «type grotesque», utilisé à Marseille comme terme d'adresse péjoratif, puis avec la valeur de «costaud, fort» (au physique et au moral). Le niçois a (1878) *balès* et la variante *balos* pour un nigaud, un imbécile (parallèlement à l'italien *balosco*).

♦ Le mot, également écrit *balaise, balaize, balèse* et *balèze,* aurait d'abord été entendu à l'école d'arts et métiers d'Angers *(mec balèze).* Il a repris la valeur intensive d'«important, énorme», également «grand, bâti en force» (1942), en parlant des humains. Il signifie aussi «difficile» *(un problème balèze)* et sert d'intensif.

BALISE

BALISE n. f. est emprunté (1475) au portugais *baliza* «dispositif de signalisation» (déb. XVe s.), dérivé mozarabe d'un bas latin °*palitium,* °*palitia* (XIIIe s. dans le domaine français) qui avait donné l'ancien français *palisse* (→ palissade), lui-même issu du latin *palus,* «pieu», dont sont issus *pal** et *pieu**. De Lisbonne, où ce dispositif de repérage du port était particulièrement important, le mot est passé en Espagne et en France. ◇ L'étymologie que propose Wartburg d'un dérivé de *bayer** par l'intermédiaire de l'adjectif *baïf,* «qui regarde attentivement», n'est guère recevable. ◇ *Balise* et ses dérivés s'emploient aussi en saisie informatique, pour «marque, signe caractérisant». ◇ Il s'emploie au figuré comme *jalon.*

♦ Ce terme de marine s'applique à l'ouvrage qui guide les navires en signalant les endroits dangereux et en indiquant la marche à suivre. Par extension, il désigne, dans la navigation fluviale, l'espace laissé libre le long du rivage pour le halage des bateaux (1751) avant d'être supplanté par la locution *chemin de halage.* ◇ Par analogie, *balise* s'applique à un dispositif de signalisation guidant les avions et, spécialement en géodésie, à une perche disposée de distance en distance sur le tracé d'une route, d'une voie de chemin de fer.

▶ **BALISER** v., d'abord altéré en *balinger* (XVe s.), est dérivé de *balise* plutôt qu'emprunté au portugais *balizar* «délimiter un campement» (1446). Il signifie «marquer avec des balises» et au figuré (XXe s.) «jalonner, ponctuer». ◆ L'usage intransitif familier, au sens de «avoir peur» (v. 1982), fait probablement allusion au visage qui «signale» l'émotion par la pâleur ou la rougeur. ◆ De *baliser* est dérivé **BALISAGE** n. m., d'abord écrit *baillisiage* (1467) en droit féodal pour l'action de baliser, de curer et d'entretenir une rivière, puis employé comme substantif d'action de *baliser* (1835). ◆ **BALISEUR, EUSE** n. et adj., surtout au masculin (1516, *balizeur*), désigne le responsable du balisage des ports maritimes et des rivières : il est rare avant le milieu du XVIIIe s. (1751).

① BALISTE

① BALISTE n. m. est emprunté (1770) au latin scientifique *balistes* n. f. (1738), adaptation du latin *ballista* «machine à lancer les projectiles», par référence à l'aiguillon de la première nageoire dorsale qui se relève brusquement pour frapper l'adversaire. Le mot latin *ballista,* également dit par métonymie du trait lancé par la baliste, est dérivé du verbe grec *ballein* «lancer» (→ bal ; arbalète et balistique).

♦ Le mot désigne un poisson plectognathe au corps couvert d'écailles et remarquable par l'éclat métallique de ses belles couleurs.

Par ailleurs le latin *ballista* avait donné par emprunt l'homonyme ② **BALISTE** (1546) désignant une machine de guerre de l'Antiquité (→ arbalète).

◈ voir BALISTIQUE.

BALISTIQUE

BALISTIQUE adj. et n. f. est emprunté (1647) au latin scientifique *ballistica* (1644, Mersenne, *Cogitata physico-mathematica*), lui-même dérivé du latin *ballista* (→ ① baliste) qui désigne une machine de guerre et, surtout, ses projectiles. Le mot est un emprunt technique à un dérivé grec °*ballistas,* de *ballizein* «jeter, lancer (des projectiles)», lui-même de *ballein* (→ bal).

♦ Le mot désigne la science de la trajectoire des projectiles (d'abord des boulets de canon) et qualifie ce qui est relatif à leur mouvement (1649). Il a évolué avec la technique (artillerie), puis la science du mouvement des corps projetés.

▶ En sont dérivés **BALISTIQUEMENT** adv. (XXe s.) et **BALISTICIEN, IENNE** n. (1907) «spécialiste de la balistique».

BALIVEAU

BALIVEAU n. m., réfection (1549) de *boiviaus* (1274), *baiviaus* (XIVe s.), est d'origine incertaine. Il est peut-être dérivé de l'ancien adjectif *baïf* «qui regarde bouche bée, étonné» (v. 1160) et, avec une nuance péjorative, «badaud» (v. 1190), dérivé de *bayer** : les baliveaux seraient originellement ceux qui attendent la coupe suivante. En donnant à *baïf* la valeur de «qui regarde attentivement», Bloch et

Wartburg font du baliveau ce qui sert de point de repère aux bûcherons dans leur travail. Le passage à la forme actuelle s'expliquerait par l'allongement de *-ai-* en *-ailli-* (*bailliveau*, Cotgrave, 1611) puis par la réduction du *l* mouillé *(ll-)* à *l*, peut-être par l'influence de *soliveau*. P. Guiraud propose de voir en *bailliveau*, *baliveau* un représentant de °*bajulivellus*, diminutif de °*balivus* «bailli», c'est-à-dire «porteur des ordres du maître», du groupe de *bajulare* «porter» (→ bailler, bailli); *baliveau* serait une prononciation normanno-picarde de *baiviaus*.

♦ Ce terme de sylviculture désigne un jeune arbre réservé dans la coupe des taillis pour qu'il puisse croître en futaie; il est quelquefois employé par métaphore avec la même valeur que *rejeton*, en parlant d'une personne.

▶ En est dérivé **BALIVAGE** n. m. (1669), «choix et marque des baliveaux».

◈ **BALIVERNE** n. f., attesté en 1464 dans *La Farce de Maistre Pierre Pathelin*, est d'origine obscure. La rapprochement avec le provençal moderne *baiuverno* «étincelle» est peu vraisemblable, ce dernier paraissant récent et d'origine inconnue. P. Guiraud propose d'en faire le déverbal de *baliverner* (1548), malgré l'attestation plus tardive du verbe; il analyse celui-ci comme le composé tautologique de *baller* (→ bal), «danser, tourner en dansant», et *verner* «tourner sur soi-même, virevolter», figurant dans les dialectes sous les formes *vergner*, *verniller* et de même origine que *virer**. Cette hypothèse peut s'appuyer sur l'emploi de *baliverner* chez Montaigne *(«ils s'en vont balivernant et traînant»)*, assimilant bavardage et sottise à une démarche chancelante, traînante et sans but.

♦ À la différence de **BALIVERNER** v., rare dans ses emplois intransitif (1548) et transitif (1845), *baliverne*, surtout au pluriel *balivernes*, est très usuel pour des propos ou écrits futiles et creux.

BALLADE n. f., d'abord altéré en *barade* (v. 1260), puis *balade* (apr. 1288) et *ballade* (XVIe s.), est emprunté à l'ancien provençal *ballada* «chanson à danse, petit poème chanté» (fin XIIe s.), dérivé avec le suffixe *-ada* de *ballar* «danser» (→ bal).

♦ Le mot a désigné une chanson à danser de structure musicale et de forme métrique variable; on l'a confondu avec le virelai sous le nom de *ballete*. C'est au XIVe s. que la ballade se constitue, avec Guillaume de Machaut, puis Eustache Deschamps, sous une forme fixée, avec trois strophes de sept à dix vers. De moins en moins chantée et encore moins dansée, elle devient un genre littéraire à forme fixe. ◇ À partir de la fin du XVIe s., sous l'influence de la Pléiade, elle est négligée dans la littérature française savante, mais elle survit sous des formes populaires. Elle se maintient surtout dans l'aire culturelle anglo-saxonne, passant d'une expression essentiellement lyrique à une tonalité épique et narrative. Pour désigner ce genre, le mot est réemprunté (1767) à l'anglais *ballad*, lui-même repris au français (XVe s.) pour désigner un type de poème populaire de thème légendaire; c'est l'époque où, en Angleterre, se multiplient les recueils de ballades anglaises et écossaises (ceux de Ramsay, 1724, Percy, 1765, puis Pinkerton, Herd, Scott). ➡ Par métonymie, *ballade* se spécialise en musique pour désigner une composition instrumentale illustrant le sujet d'un poème de même dénomination *(ballades de Chopin)*.

▶ Le dérivé **BALADER** v. (1422), qui a gardé le *-l-* unique de l'ancienne graphie *balade*, a signifié «chanter des ballades» jusqu'au XVIe siècle. ◇ Comme les jongleurs et aussi les mendiants allaient par les villes en chantant des ballades dans les carrefours, le verbe a signifié dans l'argot du XVIIe s. «aller en demandant l'aumône, en mendiant» (1628), sens qui a survécu sous des formes différentes comme *ballauder* (1634), *ballander* (1690), jusqu'au XVIIIe siècle. ➡ On est passé de là à l'emploi familier pour «marcher sans but, flâner» (1836, Vidocq), de nos jours à la forme pronominale *se balader* (1858); parallèlement, le verbe a commencé à s'employer transitivement, d'abord au sens argotique de «choisir, chercher» (1836, Vidocq), sorti d'usage, puis avec le sens familier de «promener» (1885).

➡ Son dérivé **BALADEUR, EUSE** n. et adj., attesté une première fois dans l'argot des coquillards au sens d'«escroc» (1455), a été repris en argot pour «rôdeur» (1846) puis familièrement avec le sens de «personne aimant à se balader», tandis que le féminin *baladeuse* se disait en argot d'une coureuse (1853). ◇ De nos jours, le mot s'emploie aussi à propos d'objets, désignant, au féminin, une poussette de marchand ambulant (1872), une voiture annexe ouverte sur les côtés que l'on accrochait à un tramway ordinaire (1906), une lampe électrique portative munie d'un long fil (1911). ◇ Le masculin *baladeur*, proposé comme équivalent de l'anglicisme *walkman* (1985), connaît un certain succès. ➡ Le mot est adjectivé pour qualifier une personne qui aime à se balader, quelquefois avec une valeur figurée et spécialement dans ***main baladeuse***, avec une connotation érotique. ➡ **BALADE** n. f., déverbal (1856) de *se balader*, désigne, dans l'usage familier, l'action de se promener et la promenade; il est très usuel dans la langue parlée.

◈ voir BALADIN.

BALLAST n. m. est emprunté (1375) au moyen bas allemand *ballast* «lest», attesté au XIVe s., peut-être par l'intermédiaire du moyen néerlandais (*ballast*, 1399). Le mot allemand est un terme de la Hanse emprunté aux langues nordiques à la faveur des relations entre cités marchandes de Basse Allemagne et pays nordiques riverains de la Baltique, notamment à la suite de l'établissement de la Hanse à Visby, dans l'île de Gotland, au début du XIIe s. et avec la signature du traité de Stralsund entre le Danemark et les villes hanséatiques, en 1370. L'ancien suédois (1300-1350) et l'ancien danois ont la forme *barlast*, encore en usage à côté de *ballast* en suédois moderne et en dialecte norvégien. Le nordique *barlmast* «charge inutile», est composé de *bar*, ancien norrois *berr* «nu, simple», qui appartient (avec l'anglais *bare* «nu») à un germanique commun °*bazaz*, lequel relève de l'indoeuropéen °*bhosós* qui a des représentants lituanien et slave.

Le second élément est *last,* dont un correspondant a donné *lest*.*

♦ Le mot, qui signifie «lest composé de gravier et de cailloux», rare avant le XVIIIe s., a été peu à peu évincé par *lest*.* Ses emplois modernes viennent d'un réemprunt à l'anglais *ballast,* lui-même emprunté au moyen bas allemand : le mot désigne alors le mélange de sable et de gravier maintenant les traverses d'une voie ferrée (1840, cité comme un mot anglais, puis 1841), spécialisation attestée en anglais dès 1837. ➛ En marine, il s'emploie dans l'expression **WATER-BALLAST** n. m. (1879) désignant le réservoir de plongée d'un sous-marin, par emprunt à l'anglais *water-ballast* (1878) dans lequel *water* signifie «eau» (→ water-closets).

▸ Le dérivé **BALLASTER** v. tr. a eu le sens de «lester (un navire)» (1618) ; il a été repris (1855) pour désigner l'action de répartir du ballast sur une voie de chemin de fer, produisant le substantif d'action **BALLASTAGE** n. m. (1863).
BALLASTIÈRE n. f., dérivé de *ballast* (1863), sert à nommer la carrière d'où l'on extrait les matériaux à usage de ballast.

① **BALLE** n. f. est un emprunt (1534) à l'italien *balla,* forme septentrionale pour *palla* «pelote pour le jeu de paume» et, par suite, «projectile d'arme à feu». C'est un emprunt, avec spécialisation de sens, au longobard *°balla,* du germanique *°balla* «paquet», introduit par le francique en français en gardant son sens propre (→ ② balle).

♦ Le mot, qui figure chez Rabelais dans la liste des jeux de Gargantua, désigne la petite sphère élastique dont on se sert pour jouer *(jouer à la balle).* Il a concurrencé et évincé *pelote* et *éteuf; paume* se maintenant dans le cadre de ce jeu. Tout en prenant par métonymie le sens de «coup porté avec une balle», le mot est entré dans quelques locutions figurées : ***attraper la balle au bond*** «saisir une occasion favorable avec à-propos» et ***à vous la balle*** «c'est à vous de parler», sont enregistrées en 1690 par Furetière ; *avoir la balle en main, au bon joueur la balle* (sorties d'usage) par Oudin (1640). ***Renvoyer la balle,*** «riposter», est attesté en 1719. ➛ Le sens analogique de «projectile d'arme à feu» est lui aussi dans Rabelais, appliqué d'abord à un boulet de canon (jusqu'au XVIIIe s.), puis au projectile dont on charge les armes portatives (fin XVIe s.). Ce sens a fourni des locutions figurées comme ***balle perdue*** «effort inutile» (1701) et, familièrement, ***raide comme balle*** «avec rudesse» (1896). ➛ Par métaphore de l'un ou de l'autre sens, *balle* a développé quelques sens argotiques et familiers : il a désigné la livre (1655), puis le franc (1797), surtout dans des comptes, après un nombre. ◇ Comme de nombreux noms exprimant la rondeur, il désigne la tête, le visage (1833) ; il a aussi désigné les testicules (mil. XIXe s., Flaubert). ➛ Sous l'influence de l'anglais *ball* (→ football), il a pris au XXe s. le sens de «ballon» au football, volley, basket et handball, notamment dans des locutions.

▸ Avec le sens de «projectile d'arme», *balle* a fourni le premier élément de quelques composés : **TIRE-BALLE** n. m. (v. 1560) «instrument de chirurgie pour extraire les balles» ; **PASSE-BALLES** n. m. (1701) «planche percée de trous pour calibrer des balles», sortis d'usage ; **PARE-BALLES** n. m., d'abord *paraballes* (1873) «plaque de protection contre les balles», encore usité, notamment adjectivement *(dispositif, vêtement pare-balles).*

◈ voir ② BALLE, ① BALLON, BALLOTTE, BALL-TRAP, BASKET-BALL (art. BASKET), BLACKBOULER, FOOTBALL, HANDBALL, PUNCHINGBALL (art. ② PUNCH), VOLLEY-BALL.

✳ ② **BALLE** n. f., «paquet», d'abord noté *bale* (1268), cette variante étant encore attestée en 1680, est d'étymologie discutée : l'hypothèse généralement admise en fait un emprunt au francique *°balla,* restitué d'après l'ancien haut allemand *balo,* le moyen haut allemand *balle,* l'allemand *Ballen* «paquet de marchandises» ; ces formes sont des variantes à déclinaison faible de l'allemand *Ball* «pelote, objet sphérique» (de déclinaison forte), remontant lui-même à un germanique primitif *°ball-* qui relève de la racine indoeuropéenne *°bhel-* «souffler, bouffer» (→ blaser, bogue, enfler). Sans repousser l'idée d'un croisement avec une racine germanique, P. Guiraud préfère rattacher *balle* au latin *ballare* «danser», d'où «fouler aux pieds» et «battre la terre» (→ bal).

♦ Le mot désigne un paquet de marchandises, en général enveloppé de toile pour le transport (notamment dans *balle de coton*). Selon P. Guiraud, c'est à ce mot, et non à l'homonyme ① *balle,* qu'il faut rapporter la locution ***enfant de la balle :*** elle désignerait à l'origine les membres des associations plus ou moins secrètes de marchands itinérants *(les mercerots)* par allusion à leur ballot de marchandises ; ultérieurement, elle se serait étendue au théâtre, alors profession ambulante ; l'acception technique du mot *enfant* n'étant pas comprise, elle aurait été réinterprétée avec le sens actuel de «enfant de comédien», d'où «personne née dans le métier». Cependant, l'interprétation traditionnelle (depuis Furetière, 1690) considère qu'il s'agit de l'enfant d'un maître de jeu de paume, élevé dans le métier. ◇ Par allusion au *ballot* contenant la marchandise du colporteur, *balle* a développé le sens figuré de «piètre valeur», réalisé dans la locution *de balle* (1680) ; ce sens s'est éteint.

▸ **EMBALLER** v. tr. (XIVe s.) signifie proprement «mettre en balle», d'où «mettre dans une enveloppe». Au XIXe s., il a développé divers sens figurés d'abord argotiques : dans les milieux de la police, «arrêter et emmener en voiture» (1829) et, dans celui des maquignons, «emporter, entraîner rapidement» (1862), surtout à la forme pronominale *s'emballer* (1866). Celle-ci se dit d'une personne qui se laisse enthousiasmer rapidement (1846) et d'un moteur qui prend un rythme de marche trop rapide (1900), puis, dans l'argot sportif, pour «fournir un effort maximum à l'approche du but» (1884). ➛ La dérivation est assez riche. ◇ **EMBALLEUR, EUSE** n. (1520) désigne la personne qui fait métier d'emballer et en argot un railleur qui «enveloppe» autrui par la parole (1628), sens sorti d'usage, comme celui d'«agent de police» (XIXe s.). ➛ **EMBALLAGE** n. m. (av. 1547), substantif d'action de *emballer,* désigne aussi concrètement ce qui sert à emballer (1664); d'après les sens figurés, il se dit d'une rafle de police (1891) et en argot cycliste d'une accélération brutale et désordonnée de coureurs au moment du sprint (1892). ◆ **EMBALLEMENT** n. m. (1629), plus rare que le précédent pour désigner l'action concrète d'emballer, réalise surtout le sens figuré : «fait de s'enthousiasmer à l'excès» (1877). Par analogie, il sert aussi à désigner le régime anormalement élevé d'un moteur (1888-1890). ◆ Le participe présent **EMBALLANT, ANTE** a été adjectivé, servant de synonyme familier pour «enthousiasmant» (1895). ◆ Une série préfixée en *re-*, **REMBALLER** v. tr. (1549) et **REMBALLAGE** n. m. (1842), a été créée avec une valeur itérative et ne s'emploie guère qu'au figuré pour «rentrer, annuler» ***(remballer son boniment)*** et dans *se faire remballer* (cf. *rembarrer*). ◇ Elle est concurrencée par **RÉEMBALLER** v. tr. (1876) et **RÉEMBALLAGE** n. m. (1820), préférés pour assumer un sens concret sans connotations. ◆ **DÉSEMBALLER** v. tr. (déb. XVIIe s.) signifie «enlever (une marchandise) de son emballage»; il a pour dérivé **DÉSEMBALLAGE** n. m. (1752). ◆ À partir du participe passé *emballé*, on a formé **PRÉEMBALLÉ, ÉE** (1966), qui se dit d'une marchandise, d'un produit alimentaire présenté sous emballage, longtemps avant sa consommation. ◇ **PRÉEMBALLEUSE** n. f. (1982) désigne une machine.

DÉBALLER v. tr. (1480) exprime l'idée de «sortir et étaler ce qui était dans un contenant»; il a développé lui aussi des sens figurés, notamment «exposer (ce qui était caché), s'épancher». ◆ En sont issus **DÉBALLAGE** n. m. (1671) et **DÉBALLEUR, EUSE** n. (1842), ce dernier passant du sens de «marchand ambulant vendant au déballage» au sens technique : «ouvrier qui déballe» (1949).

BALLOT n. m. (1690), anciennement *balot* (1406), désigne proprement une petite balle de marchandises. ◇ Par métaphore, probablement par l'intermédiaire de la locution ***rester planté comme un ballot***, il a pris le sens figuré et familier de «niais, imbécile» (1884). ◆ **BALLUCHON** ou **BALUCHON** n. m., dérivé (1821) de *balle* avec double suffixation *-uche* et *-on*, est un terme d'argot d'abord appliqué à un ballot de butin. Il est passé dans l'usage général à propos d'un paquet d'effets personnels (1833). ◇ Il a pris, par analogie de forme, le sens familier de «derrière» (1907), rapidement sorti d'usage.

◈ voir ② BALLON.

◈ ③ **BALLE** n. f., «pellicule de grains», est (1220) d'origine incertaine. L'existence de la forme de l'Ouest *bel, bele* (Maine-et-Loire) dont le vocalisme peut représenter un *-a-* accentué libre, d'autre part les formes *bavo, bago* attestées dans le Massif central et dont les consonnes représentent un traitement local du *-l-* entre voyelles, devenu *-v-* et *-g-*, supposent un prototype *°bela* et non *°balla*. Certains (Wartburg) attribuent à ce prototype une origine celtique : *°bala* serait une forme collective d'un gaulois *°balu*, restitué d'après plusieurs mots celtiques, signifiant «cosse, gousse», qui appartiendrait à une racine indoeuropéenne *°bh(e)l-* «gonfler, bomber, bouffer» (→ ② balle, belge, bol, enfler, fou). Dans cette hypothèse, la forme en *-a- (bale)* serait issue des dialectes du Sud-Ouest où *-a-* suivi de *-l-* demeure; d'autre part, l'ancien verbe *baler* «vanner», au figuré (v. 1160), est à rattacher à ce substantif et distinct de l'ancien français *baler* (→ baller, à bal). Quant à l'hypothèse d'un substantif verbal de l'ancien *baler, baller* «danser», elle fait difficulté du point de vue phonétique car elle ne peut rendre compte des formes dialectales *bel, bele*.

♦ C'est le nom donné en agriculture à la pellicule qui enveloppe les grains des graminées, utilisée notamment pour l'alimentation animale. Dans le langage courant, il se dit surtout à propos de l'avoine (souvent ***balle d'avoine***) dont les balles ont été préférées à la plume pour les matelas et oreillers. Par suite des nombreuses homonymies, il ne s'emploie pas seul (par ex. *balle d'orge*).

BALLER → BAL

BALLERINE n. f. est un emprunt tardif (1858) à l'italien *ballerina*, «danseuse de ballet», attesté en ce sens depuis le XVe s., lui-même dérivé de *ballare* «danser» correspondant à l'ancien verbe français *baller* (→ bal).

♦ Le mot, pour lequel on rencontre très rarement un masculin *ballerin*, «danseur de ballet», désigne par métonymie une chaussure légère et sans talon rappelant par sa forme le chausson de danse (1952).

◈ voir BALLET.

BALLET n. m. est emprunté (1598) à l'italien *balletto*, attesté depuis le XVIe s. aux sens de «petit bal, petite chorégraphie», «action scénique, danse mimée» et, par métonymie, «musique de cette danse». Le mot est le diminutif (suffixe *-etto*) de *ballo* «bal», lui-même déverbal de *ballare* «danser», correspondant au français *baller* (→ bal).

♦ *Ballet* désigne comme en italien une danse exécutée sur scène par plusieurs personnes et, par métonymie, une troupe de danseurs et la musique sur laquelle on danse le ballet. ◇ Par allusion à un scandale de mœurs, il s'emploie dans l'expression *ballets roses* (1958) pour une réunion de petites filles qui, sous un prétexte convenable inventé par des hommes âgés, satisfont leur perversion. On a formé l'expression *ballets bleus*, s'agissant de garçons. ◇ *Ballet* se dit au figuré d'une activité intense accompagnée de changements, d'échanges (v. 1950).

▸ Outre les composés **COMÉDIE-BALLET** n. f., **OPÉRA-BALLET** n. m., désignant des genres hybrides, *ballet* a servi à former **BALLETOMANE** ou **BALLETTOMANE** n., mot littéraire (1921, Stravinski) pour désigner un amateur de ballets.

◈ voir BALLERINE.

① **BALLON** n. m. est emprunté (1549) à l'italien septentrional *balone* ou *ballone*, correspondant à l'italien *pallone* «grosse balle» et dérivé avec le suffixe augmentatif *-one* de *balla, palla* (→ ① balle). Au moyen âge, la balle à jouer se disait *pelote** ou *esteuf* (surtout pour celle du jeu de paume), termes vieillis depuis le XVIe s., supplantés par *ballon* et *balle*.

♦ L'emploi du mot par Rabelais, au sens de «grosse bombe utilisée dans les feux d'artifice», reste isolé. Le sens moderne usuel de «grosse balle pour jouer» est contemporain (1557). Des sens spéciaux, par une analogie de forme, sont apparus depuis le XVIIe s. : *ballon* désigne en chimie un récipient arrondi (1690), puis dans l'usage courant un verre à boire sphérique (en apposition *verre ballon*), d'où par métonymie, son contenu *(un ballon de [vin] rouge)*. ➝ Il sert aussi de désignation usuelle pour un aérostat (1783), seul et en syntagmes, ***ballon dirigeable, ballon d'essai,*** en météorologie, aussi au figuré. ◇ Par la suite le mot est passé en médecine dans ***ballon d'oxygène*** (déb. XXe s.) qui a pris la valeur figurée de «ce qui aide à vivre, à exister», et ultérieurement *ballon d'alcootest* (v. 1960). ➝ L'acception de «bulle de bande dessinée» (v. 1950) est calquée sur l'anglo-américain *balloon,* mot anglais emprunté au XVIe s. au français ou à l'italien ; *bulle* semble plus courant.

▸ Le dérivé **BALLONNER** v. est attesté une première fois en 1584 et de nouveau à partir de 1835 pour «gonfler en forme de ballon» ; il s'emploie en médecine, intransitivement pour «se distendre, se gonfler» (1838 ; 1835, au participe passé). ➝ En sont dérivés **BALLONNEMENT** n. m. (1814) et **BALLONNÉ** n. m. (1857), substantivation du participe passé de *ballonner,* terme de danse désignant un léger saut sur une seule jambe tandis que l'autre effectue des battements de côté. ➝ **BALLONNET** n. m., diminutif de *ballon* (1874), est usuel et technique *(ballonnet de dirigeable, ballonnet d'oxygène).*
Le composé **BALLON-SONDE** n. m. (1875) désigne un ballon aérien employé comme sonde en météorologie.

② **BALLON** n. m., terme de géographie (1561), n'est pas une métaphore de ① *ballon,* malgré le sentiment linguistique commun. Il est probablement calqué sur l'allemand *Belchen,* terme de géographie désignant une montagne au sommet arrondi dans les Vosges, la Hesse et la Forêt-Noire (1550). Ce mot, interprété *Bällchen,* diminutif de *Ball* «balle» (→ ② balle) par étymologie populaire, est d'origine obscure. Selon l'hypothèse la plus communément admise, il serait à identifier avec l'allemand *Belchen* «foulque», par comparaison entre les taches blanches de neige se détachant sur le fond sombre des montagnes et la tache blanche que cet oiseau porte sur le devant de la tête. L'allemand *Belchen* pourrait alors se rattacher au germanique *°bala-,* «blanc», correspondant au grec *phalos* «brillant, éclatant» et *phalios* «noir et tacheté de blanc», mots qui se rattachent à la racine indoeuropéenne *°bhle-,* «blanc, brillant» (→ balbuzard).

♦ Le mot, d'abord employé comme toponyme pour l'actuel *Ballon d'Alsace,* est attesté comme nom commun géographique depuis 1838.

BALLOT, BALLUCHON → ② BALLE

BALLOTTE n. f., réfection (1498) de *belote* (fin XIIIe s.), *balote* (1390-1410), est emprunté à l'italien septentrional *ballotta* «petite balle» (XIIIe s.) et «boule exprimant les suffrages», correspondant à l'italien *pallotta,* diminutif de *balla* (→ ① balle).

♦ Le mot signifie «petite boule servant à voter», puis généralement «petite balle» (v. 1390-1410). Il a progressivement été remplacé par *boule.*

▸ **BALLOTTER** v., écrit *balloter* (1611), signifie «agiter fortement en divers sens, secouer» et, comme intransitif, «être secoué». ◇ Le sens figuré de «tourmenter, envoyer de l'un à l'autre» (1640) a vieilli, mais de nombreux emplois modernes impliquent une figure portant sur le sens concret. Le passif et le participe passé sont plus courants.
Malgré certains hiatus chronologiques, tous les autres dérivés du groupe procèdent de *ballotter.* ➝ **BALLOTTAGE** n. m., attesté dès 1520 sous la forme ancienne *balotaige* «vote au moyen de ballottes», a été repris pour désigner de manière plus restrictive le résultat négatif d'un premier tour de scrutin (1835). Le sens concret d'«action de secouer, de balloter» (1867) est rare. ➝ L'autre substantif d'action, **BALLOTTEMENT** n. m., d'abord écrit *balottement* n. m. (1586), s'est éloigné du sens d'«élection faite au moyen de ballottes» et a pris assez tard le sens concret de «action de secouer de part et d'autre» (1829), se distinguant de *ballottage.* ➝ **BALLOTADE** n. f. (1611) est un terme de manège désignant le saut par lequel un cheval s'enlève des quatre pieds sans ruade ; sa finale s'explique plutôt par l'analogie de mots comme *gambade* que par un emprunt à l'italien *ballottata,* qui n'est attesté dans ce sens qu'en 1681. ➝ **BALLOTTANT, ANTE,** participe présent de *ballotter,* est employé adjectivement (1836, Balzac).
BALLOTTINE n. f. (1739) désigne une pièce de viande désossée et parée en forme de «petite boule» ; on emploie le mot abusivement pour *galantine**. ◇ Il est dérivé de *ballotte* (1742), de même sens, qui a pu être senti comme dérivé de ② *balle,* mais relève plutôt de *ballotte* (ci-dessus).

BALL-TRAP n. m. est formé (1888) des mots anglais *ball* «balle» (de même origine que le français ① *balle**) et *trap* «piège» (1000), et spécialement «instrument en bois pivotant et servant à lancer la balle dans certains jeux» (1591). Il ne semble pas que l'anglais ait connu la forme *ball-trap ;* tout au plus relève-t-on à partir de 1658 *trap-ball,* nom d'un jeu anglais très apprécié depuis le XVIe s. où on lance une balle en frappant l'extrémité d'un levier de bois ; la balle étant ensuite frappée comme on tire sur la cible du ball-trap.

♦ Le mot désigne un dispositif à ressort qui projette en l'air des pigeons ou des balles d'argile servant de cibles aux chasseurs désireux de s'entraîner à tirer des oiseaux à l'envol.

BALNÉAIRE adj. est un emprunt didactique (1865) au latin *balnearius,* «du bain, relatif au bain», de *balneum* (→ bain).

♦ L'adjectif, qui signifie «qui concerne le bain, les bains», qualifie seulement ce qui est relatif aux bains de mer en tant qu'activité hygiénique, thérapeutique et surtout aujourd'hui touristique.

▶ Trois mots se rattachent à la prescription médicale du bain. ◆ Le plus ancien, **BALNÉATION** n. f., a été emprunté au XVe s. au latin *balneatio* «action de se baigner» (v. 1000), spécialisé comme terme de médecine au XIIIe siècle. ◇ Attesté isolément dans une acception générale, il a été repris en médecine au XIXe s., désignant l'administration de bains à des fins thérapeutiques, en particulier sous tel ou tel mode. ◆ **BALNÉATOIRE** adj. (1838), formé sur le radical de *balneatio,* se rapporte à la balnéation. ◆ Les éléments savants **BALNÉO-** (du latin *balneum*) et *-thérapie** ont servi à former **BALNÉOTHÉRAPIE** n. f. (1865), nom du traitement médical par l'emploi méthodique de bains ; cf. plus récemment *thalassothérapie.*

BALOURD, OURDE adj. et n., d'abord *balourt* (1482), est d'origine discutée : selon les uns, c'est la réfection du moyen français *bellourd* «épais, informe (en parlant d'une chose)» (fin XIIIe s.-déb. XIVe s.) ou *beslourd* «stupide, grossier (d'une personne)» (1460), lui-même formé sur *lourd** avec le préfixe péjoratif *bes-* (du latin *bis*) sous l'influence de l'italien. Selon les autres, ce serait un emprunt direct à l'italien, modifié d'après *lourd,* indépendamment du moyen français *bellourd.* Le mot italien évoqué est *balordo* «sot, stupide» (XIVe s.), formé du latin *bis* et de *luridus* «livide» (vivant dans l'anglais *lurid* et, avec un autre sens, dans *lourd**), ou bien emprunt au moyen français *beslourd,* hypothèse fondée sur la localisation de *balordo* en Italie du Nord et peut-être aussi la forme française *balorde* (Cotgrave).

♦ Le mot désigne et, par la suite, qualifie (1597) une personne maladroite et grossière. ◆ Substantivé en mécanique, *balourd* n. m. désigne le déséquilibre des masses d'une pièce qui n'a pas son centre de gravité sur l'axe de rotation (1909). ◇ Par extension, il est passé en argot, s'appliquant à une chose fausse (1953), tableaux, bijoux, papiers.

▶ *Balourd* a servi à former **BALOURDISE** n. f. (1640), «maladresse, faute grossière» et en général «caractère d'un balourd» (1762), et deux mots rares : **BALOURDERIE** n. f. (1777-1783), «maladresse de langage», lequel prolonge l'ancien *balorderie* (1578), emprunté à l'italien de même sens *balorderia,* et **BALOURDEMENT** adv. (1838).

BALSAMINE, BALSAMIQUE → BALSAMITE

BALSAMITE n. f., d'abord *balesamite* (XIIIe-XIVe s.), est emprunté au latin médiéval *balsamita,* donné comme pluriel neutre désignant dans les glossaires (Xe s.) la menthe aquatique et synonyme de *sisymbria.* Le mot latin est dérivé du latin *balsamum,* «suc du baumier, baume» (→ baume), lui-même repris du grec *balsamon,* qui désigne également la menthe coq. Il est probablement emprunté à une langue sémitique (hébreu *bāšām,* arabe *bašām*).

♦ Le mot désigne un genre de plante aromatique. Il est plus rare que l'adjectif qui lui correspond (ci-dessous).

▶ **BALSAMIQUE** adj. est dérivé savamment (1516) du radical du latin *balsamun* avec le suffixe *-ique.* ◇ Le mot qualifie ce qui contient du baume et, par extension, ce qui a des propriétés comparables à celles du baume (1636), spécialement en médecine, en pharmacie. ◇ Il se dit au figuré de ce qui calme, apaise (1708) et, dans le style soutenu, d'un air chargé du parfum des plantes (av. 1751, Diderot). ◆ **BALSAMIQUEMENT** adv., attesté en 1888 chez Verlaine, est littéraire et rare.

BALSAMINE n. f. est lui aussi un dérivé savant (1545) du radical du latin *balsamum,* avec le suffixe *-ine.* Il désigne une plante à tige charnue, à feuilles allongées, à fleurs de couleurs vives avec quatre pétales irréguliers, et dont les capsules éclatent dès qu'on les touche. ◆ En dérive **BALSAMINACÉES** n. f. pl. (1867), en botanique.

BALUSTRE n. m. est emprunté (1529) à l'italien *balaustro* (attesté un peu plus tard, av. 1573), dérivé de l'ancien italien *balaustra* (italien *balausta*) «fleur et fruit du grenadier» (XIVe s.) en raison de l'analogie de forme entre les piliers façonnés et cette fleur. *Balaustra* vient de l'italien *balaustio* (attesté seulement en 1550) qui représente le latin *balaustium* «fleur de grenadier sauvage» (Pline), lequel est emprunté au grec *balaustion,* d'origine inconnue ; le mot latin a été prolongé par le moyen français *balauste* (1314), *balustre* (v. 1560).

♦ Le mot a été repris comme terme d'architecture pour désigner une colonnette renflée, généralement associée à d'autres par une tablette à hauteur d'appui ; par métonymie, il s'applique à un assemblage de balustres, en particulier servant de clôture dans une église ou une chambre d'apparat. Par analogie, il s'emploie en ébénisterie pour désigner la colonnette ornant le dossier d'un siège (1680) et en technique pour un compas dont l'ouverture peut être réglée avec précision au moyen d'une tête à ressort et d'une vis antagoniste, par ellipse de *compas à balustre.*

▶ Le dénominatif **BALUSTRER** v. tr. (1546) «entourer d'une balustrade» n'est guère employé qu'au participe passé adjectivé *balustré.*

BALUSTRADE n. f. est emprunté (v. 1550) à l'italien *balaustrata,* dérivé de *balaustra.* Oudin, en 1653, donne la forme italienne *balaustrata.* ◇ Le mot, dont le suffixe indique la valeur collective, désigne une rangée de balustres portant une tablette d'appui et, par métonymie, une clôture (souvent ajourée) à hauteur d'appui le long d'un escalier, d'une terrasse, d'un pont.

BALZAN, ANE adj. m. et n. f. est emprunté (1584) au mot italien *balzano,* attesté au XIIIe s., par le latin médiéval *balzanus* adj. et au XIVe s. en toscan dans la langue littéraire. Lui-même est pris à l'ancien français *baucent* «tacheté, en parlant d'un cheval» ou peut-être à l'ancien provençal *bauçan* de même sens. Sur l'origine de ces mots d'ancien français, *bausan* (v. 1100-1130), *baucent* (v. 1165), *baucenz* (1369), plusieurs hypothèses ont été avancées : la plus sérieuse (Diez) y voit le dérivé du latin *balteus* «baudrier» (→ baudrier) au sens de «rayé comme un baudrier», mais elle ne rend pas compte du suffixe, pour lequel on doit postuler un type °*balteanus*, de *balteatus* qui aurait donné *bauçan, bauzan* en provençal et qui, après avoir été emprunté en langue d'oïl, y aurait subi une restitution de suffixe. On peut aussi évoquer le suffixe germanique *-ing*.

♦ Le mot qualifie un cheval noir ou bai qui a des taches blanches à la partie inférieure des membres. *Balzan* a aussi désigné une tache blanche au-dessus du sabot (encore chez Hugo en 1842), remplacé dans ce sens par le féminin **BALZANE** n. f. (1553).

BAMBIN, INE n. et adj., attesté isolément au XVIe s. (1575, selon Bloch et Wartburg) puis à nouveau depuis 1726, est emprunté à l'italien *bambino* «petit enfant» (av. 1527, Machiavel), d'abord employé comme terme de peinture pour une représentation de l'Enfant Jésus, puis (av. 1625) pour désigner l'Enfant Jésus lui-même. Le mot est à rattacher à la racine onomatopéique *bamb-* du langage enfantin (→ bamboche). Il est vraisemblable qu'il a été popularisé par la présence de nombreux ouvriers (maçons, etc.) italiens travaillant en France.

♦ Le mot est employé dans le langage familier, généralement dans un contexte majoratif, pour désigner un petit garçon, et, moins souvent une petite fille *(bambine)*. Il s'est appliqué péjorativement à un jeune homme sans expérience. ◇ La forme italienne *bambino*, employée quelquefois en histoire de l'art italien, a des emplois familiers pour «jeune enfant».

◈ **BAMBOCHE** n. f. serait attesté depuis 1789, si l'on en croit les titres de Mirabeau cités par Apollinaire *(Œuvres du Comte Mirabeau : Mylord Arsouille ou les Bamboches d'un gentleman)*. Le mot serait un dérivé régressif de *bambochade* — voir ci-dessous — sous l'influence de *débauche** et, peut-être aussi, de termes désignant des victuailles *(bidoche)* ou un repas *(médianoche)*, voire de formes dialectales de *noces (noches)*. L'hypothèse plus simple d'un déverbal de *bambocher* requiert une autre chronologie.

♦ Le mot s'emploie dans le langage familier avec le sens de «bombance, ripaille».

▸ Le problème étymologique se pose aussi pour **BAMBOCHER** v. intr. (1805), que l'on peut interpréter soit comme le dérivé de *bamboche*, soit comme celui de *bambochade* (par analogie avec les couples *bousculade/bousculer, rigolade/rigoler, embrassade/embrasser*) dans le cas où *bamboche* serait un déverbal. ◆ Du verbe sont dérivés **BAMBOCHEUR, EUSE** n. (v. 1814) et adj. (1833) «fêtard» et **BAMBOCHARD** n. m.

BAMBOCHADE n. f., attesté depuis 1747 selon Bloch et Wartburg, est emprunté à l'italien *bambocciata*, désignant depuis le XVIIe s. des peintures représentant des scènes rustiques animées de personnages gouailleurs et caricaturaux. Le mot italien est dérivé de *Bamboccio*, surnom donné, en raison de sa petite taille, au peintre hollandais Pieter Van Laer (mort en 1642), auteur de ce genre de peintures qu'il mit à la mode à Rome lors de son séjour en 1626-1638. *Bamboccio*, «fantoche, marionnette» (av. 1564) et «enfant grassouillet, gauche» (av. 1609), lui-même passé en français dans l'ancien *bamboche* (1680) avec les mêmes sens, est dérivé avec le suffixe péjoratif *-occio* de *bambo* «enfant» qui a pour diminutif *bambino* (→ bambin). ◇ *Bambochade* désigne un tableau ou un dessin représentant des scènes champêtres grotesques ou burlesques prises sur le vif, genre influent dans la peinture flamande, puis française avant la montée du classicisme qui imposa les «sujets nobles».

BAMBOU n. m., d'abord *bambu* (1598) cité comme mot portugais, est emprunté par le canal du néerlandais au portugais *bambu, mambu* (XVIe s.), lequel est emprunté au marathe et au guzrati, langues dravidiennes de la côte ouest de l'Inde (plutôt qu'au canara qui n'est pas une langue de navigateurs ou encore au malais qui ne possède pas la forme *mambu* et où *bambu* est probablement un emprunt plus récent au portugais). La forme *bambou*, attestée dans la *Description du premier voyage fait aux Indes orientales par les François* en 1603, est reprise sans intermédiaire.

♦ Le mot désigne une graminée arborescente cultivée dans les régions chaudes et constituée d'une tige cylindrique ligneuse. Par métonymie, il s'applique à la seule tige ligneuse, servant à différents usages (papeterie, ameublement, cuisine). ◇ La locution ***coup de bambou*** (1610, concret) a pris dans la langue familière le sens figuré d'«insolation» (1919), et s'applique à une facture trop élevée (cf. *coup de fusil*).

BAMBOULA n. m. et f. (1790), d'abord *bombalon* (1685) et *baboula* (1722), est emprunté à un mot des langues sarar et bola (Guinée portugaise) *ka-mombulon, ka-bumbulu* «tambour», la forme *bamboula* apparaissant dans une chanson haïtienne en 1757.

♦ Le mot, introduit par les relations de voyages en Guinée (La Courbe, 1685), désigne d'abord un tambour africain (cf. *tam-tam*). Cet emploi est resté isolé et le mot, prenant le genre féminin (1714, *baboua*), s'est employé par métonymie pour désigner une danse exécutée au son de cet instrument. ◇ Par extension, il s'emploie dans le contexte colonial et avec des connotations racistes, au XIXe s., à propos de toute danse de caractère violent et primitif. Par l'intermédiaire de l'argot militaire, il est devenu synonyme de «fête», surtout dans la locution ***faire la bamboula*** (1914-1918, argot des tirailleurs algériens) ; cf. *nouba*. Tous les emplois ont vieilli.

✳ **BAN** n. m. est emprunté (v. 1130) au francique °*ban* «loi dont la non-observance entraîne une peine», restitué par l'ancien haut allemand *ban* «commandement sous menace de peine, défense, juridiction» et par l'ancien norrois *ban* «défense». °*Ban* se rattache au verbe germanique °*bannan* «commander ou défendre sous menace de peine», qui lui-même appartient à la racine indoeuropéenne °*bha-* «parler» (représentée en grec et en latin, → aphasie, fable), par l'intermédiaire d'une forme de présent °*bh-en-*. L'origine francique est corroborée par le fait que le mot apparaît d'abord dans le domaine gallo-roman (ancien français et provençal) d'où il passe en ancien italien (*banno*, XIIIe s.) et en ancien espagnol (*bando*, 1300). Le francique *ban* est attesté sous la forme *bannus* ou *bannum* en latin médiéval, depuis le VIe s., pour «amende infligée à cause d'un délit contre le pouvoir public» et, postérieurement, aux divers sens relevés en français : il désigne la convocation lancée par le suzerain aux vassaux pour le servir à la guerre (v. 775), la proclamation du suzerain pour ordonner ou défendre une chose (VIIe s.), par métonymie le territoire soumis à la juridiction du suzerain (983).

♦ Le mot français, concernant les institutions féodales, désigne la convocation faite par le suzerain à ses vassaux. Par métonymie, il s'applique à l'ensemble des nobles ainsi convoqués (1573), notamment dans la locution ***convoquer le ban et l'arrière-ban*** (1573 avec le verbe *crier*) — cf. ci-dessous *arrière-ban* —, qui a pris le sens figuré de «s'adresser à tous ceux dont on peut attendre aide ou secours» (1835). ◇ Plus largement, il désigne dès le XIIe s. une proclamation faite par le suzerain dans sa juridiction pour ordonner ou défendre qqch. (v. 1165). C'est de là que viennent les locutions ***battre le ban des récoltes, des vendanges,*** encore usitées au XIXe s. pour «annoncer le jour d'ouverture des récoltes, des vendanges». ◇ Au pluriel, dans ***bans de mariage*** (1225-1250), le mot a subsisté jusqu'à nos jours en parlant de l'annonce d'un mariage futur (*publication des bans*). ◇ En glissant de la proclamation à ce qui l'annonce, on passe à «signal annonçant le ban, que ce soit au son du tambour, ou de la trompette ou des timbales» (Furetière, 1690) et, spécialement, «roulement de tambour précédant la publication d'un ordre ou la remise d'une décoration», d'où ***ouvrir, fermer le ban,*** puis à «applaudissements rythmés» (1839). ➛ Par un développement métonymique d'un autre type, *ban* désigne le territoire soumis à la juridiction d'un suzerain (1257) et le droit du seigneur, spécialement dans *four, moulin par ban* (1273) «à l'usage desquels un seigneur a le droit d'assujettir par proclamation ceux qui sont dans l'étendue de sa seigneurie» (cf. ci-dessous *banal*). Encore de nos jours, en Alsace, en Lorraine, sur les pentes des Vosges, le mot recouvre l'ensemble des terres exploitables d'une commune. ➛ Par spécialisation, l'idée dominante étant celle d'exclusion par décision d'une autorité, *ban* a pris après le moyen âge le sens d'«exil» (1547) [cf. ci-dessous *bannir*]. Cette acception s'applique à l'ancienne juridiction féodale, mais se perpétue jusqu'au XIXe s. en droit pénal pour «interdiction de séjour». Cette longévité explique probablement la vitalité de l'expression ***mettre au ban*** (1694), au figuré «déclarer indigne» (1932), et celle de ***rupture de ban*** (1780, *rupture de mon ban*) «crime commis par celui qui rentre dans le territoire interdit avant expiration de la peine», qui a pris un sens figuré : «affranchi des contraintes de son état» (1868, *en rupture de ban*). ◇ Par extension d'objet et de domaine, *ban* est employé régionalement (Suisse, Franche-Comté) pour l'interdiction d'accès à un lieu (forêts, vignes). Enfin, en Suisse romande, ***à ban*** est usuel pour «interdit d'accès».

▸ Certains dérivés et composés de *ban* sont plus usuels que lui en français contemporain. ➛ **BANLIEUE** n. f. (1185) est composé de *ban* et de *lieue** sur le modèle du latin médiéval *bannileuga* (1069), attesté à Toul puis en territoire français (1080), encore fréquent aux XIe-XIIIe s. sous les formes *bannileuca, banleuca, banleugium ;* de la même façon, le moyen haut allemand a *banmile,* de *ban* et *mile* (allemand *Meile*) «lieue», mais il est difficile d'établir si l'allemand a servi de modèle au français ou inversement. ◇ C'est un terme de féodalité désignant l'espace, d'environ une lieue, autour d'une ville, dans lequel l'autorité faisait proclamer les bans et avait juridiction. Le passage au sens actuel de «territoire et ensemble des localités environnant une grande ville» s'est fait, par extension, aux XVIIe et XVIIIe s. ; il a évolué, avec le paysage urbain, de la campagne environnante (1718) à l'ensemble des agglomérations ; l'emploi absolu, en France, concerne souvent la banlieue parisienne (*habiter en, dans la banlieue*). ◇ L'emploi figuré du mot, repéré chez La Fontaine avec une valeur ironique (1710), est peu répandu. ➛ De *banlieue* est dérivé **BANLIEUSARD, ARDE** n., d'abord qualification péjorative lancée (1889) par des conseillers municipaux de Paris aux élus des communes suburbaines (*Les Premiers Banlieusards,* par A. Faure, 1991), surtout dit de qqn qui habite la banlieue de Paris, employé aussi comme adjectif.

BANAL, ALE, AUX ou **ALS** adj., d'abord *bannel* (1247) à rapprocher du latin *bannalis* (1032), est d'abord un terme de féodalité qualifiant une personne soumise au droit d'usage fixé par le seigneur et une chose appartenant à une circonscription seigneuriale (1269). Après la disparition du régime féodal, le mot s'est maintenu comme synonyme de «communal» surtout dans *four, moulin banal* (plur. *banaux*), jusqu'au XIXe siècle. ◇ Par extension, par l'intermédiaire d'un sens non marqué qualifiant une personne qui se met à la disposition de tout le monde (1688), l'adjectif est passé au sens figuré actuel, «sans originalité, sans personnalité, à force d'être utilisé, vécu, regardé» (1798). ◇ Le sens neutre s'est toutefois maintenu dans des domaines spécialisés, en chemin de fer (*voie banale*), en mathématiques, en informatique (une *mémoire banale* enregistrant aussi bien les nombres que les adresses ou des instructions) ; cf. aussi *banalité.* ➛ **BANALEMENT** adv., d'abord *banaulment* ou *bannalment* (1289), a d'abord signifié «en utilisant le four, le moulin, le pressoir du seigneur» et «en faisant publier». ◇ Sorti d'usage au XIVe s., il a été repris au XIXe s. (av. 1845) avec son sens actuel, «ordinairement, de manière peu originale».

BANALITÉ n. f., d'abord *bannalité* (1555), correspond sémantiquement à *banal* et *banalement.* C'est un terme de féodalité désignant le droit du seigneur d'assujettir ses vassaux à l'usage d'objets lui appartenant et, par métonymie, l'étendue de territoire soumise à cette juridiction (1611). ◇ Puis, en relation avec *banal,* le mot exprime le caractère

BAN : de l'abandon à la banlieue

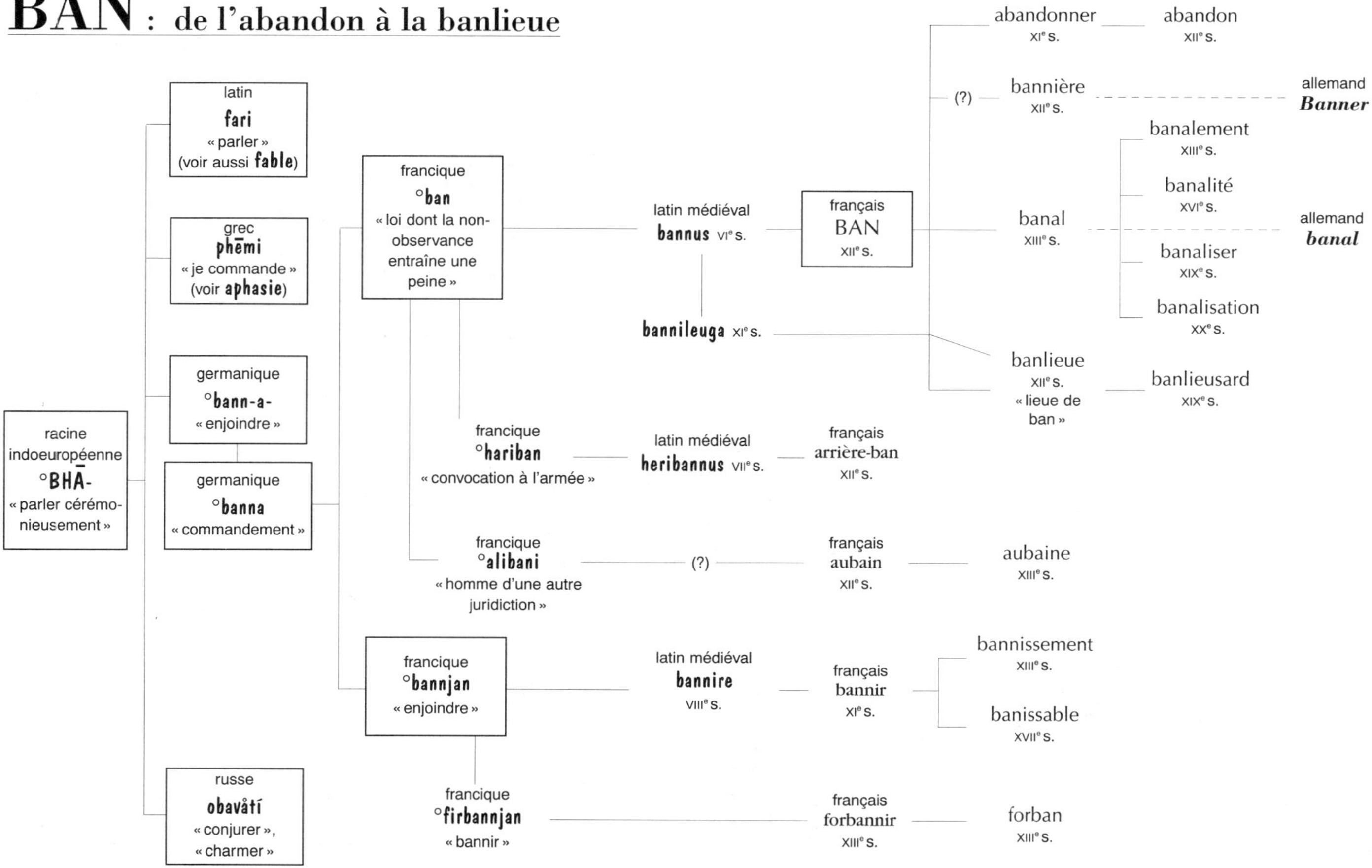

de ce qui est trop commun, sans originalité (1793) et se dit par métonymie *(une, des banalités)* d'un écrit, ou d'une parole, devenu vulgaire à force d'être répété (1828). ◇ Son emploi technique pour qualifier une locomotive non affectée à une seule équipe responsable (1934) se soustrait à la valeur péjorative.

BANALISER v. tr., proposé par Richard de Radonvilliers dans son double usage transitif et pronominal (1842), apparaît d'emblée avec le sens actuel de «rendre commun, vulgaire». Quelques emplois spéciaux, en droit et en chemin de fer avec l'idée de «faire conduire une locomotive par plusieurs équipes successives» (v. 1950), procèdent du sens non péjoratif de *banal*. ➜ Le participe passé **BANALISÉ, ÉE** adj. s'applique notamment (v. 1960) aux voitures de police non signalées comme telles. ➜ **BANALISATION** n. f. (1882) a les valeurs du verbe.

ARRIÈRE-BAN n., d'abord *riere ban* (v. 1155), *arier ban* (av. 1188) et *arriereban* (1167), est l'altération, par étymologie populaire d'après *arrière**, de l'ancien français *herban* (1101), également *araban, arban*. ◇ Ce mot désignait les prestations exigibles par le seigneur pour le rachat de l'obligation de l'ost (armée) et la convocation des arrière-vassaux (1301). ◇ Le mot est emprunté aux deux éléments franciques °*hari* «armée» (→ auberge, harangue) et °*ban*, par un composé à rapprocher de l'ancien haut allemand *heriban*, «convocation à l'armée des hommes libres en état de porter les armes». Le mot francique a été latinisé au moyen âge sous la forme *herebannus, heribannus* au sens de «amende infligée par le pouvoir public à ceux qui se dérobent au service de l'ost» (664-666), puis de «redevance en argent qui remplace les prestations en nature imposées aux domaines pour les besoins matériels de l'ost» (814-820). ➜ Ce terme de féodalité désigne le corps des arrière-vassaux ; il a développé de bonne heure le sens figuré d'«ultime recours» (v. 1250), passé au second plan au profit de celui d'«ensemble des gens ayant un lien quelconque».

◈ voir ABANDON, AUBAINE, BANNIÈRE, BANNIR, FORBAN.

BANAL → BAN

BANANE

BANANE n. f., d'abord *bannanas* (1598), puis *banane* (1602), également *bannane* au XVIIe s., est emprunté au portugais *banana* (1562), probablement d'un mot bantou de Guinée. Le fruit a été apporté d'Afrique occidentale au Brésil par les Portugais ; les Antillais ont dû emprunter le mot au portugais au cours d'escales en Afrique occidentale et celui-ci s'est vulgarisé aux Antilles à partir de 1640, date où Bouton donne le mot comme «propre aux habitants de la Martinique». Le fruit était déjà connu en français au XIIIe s. sous la dénomination *pomme* («fruit») *de paradis*.

♦ *Bannana* apparaît dans le *Premier Livre de l'histoire de la navigation aux Indes orientales par les Hollandois*, texte français écrit par un Hollandais ; la forme francisée est repérée dans la traduction française d'un ouvrage latin, lui-même traduit du portugais. Il désigne un fruit tropical oblong, généralement consommé cru lorsqu'il est mûr. En français d'Afrique et des Antilles, employé seul, il renvoie le plus souvent à la banane à cuire, appelée aussi *plantain*, la banane sucrée étant appelée *banane douce, petite banane, banane dessert, figue banane* ou même *figue*. En français d'Europe (et d'Amérique) *banane*, sans autre précision, concerne la banane douce, après mûrissage. ◇ La locution ***peau de banane*** a pris la valeur figurée de «procédé déloyal» par l'intermédiaire des phrases comparatives ou métaphoriques basées sur le caractère glissant de la peau du fruit. ◇ *Banane* est aussi employé en apposition à un nom comme adjectif de couleur (1909). ◇ Par analogie de couleur, il sert à désigner familièrement une décoration militaire (ruban jaune à liseré vert, 1917) et, par extension, toute décoration. ◇ Par analogie de forme, il se dit de divers objets (un meuble déjeté, la partie saillante verticale d'un pare-chocs), et d'une coiffure masculine consistant en une épaisse mèche gominée à l'avant du front (v. 1955).

▸ Le dérivé **BANANIER** n. m., d'abord *bannanier* (1604) avant *bananier* (1640), a éliminé l'emploi au même sens de *bannanas* (1598). ◇ Le mot s'emploie adjectivement pour «relatif aux bananes» dans la dénomination *cargo bananier* (elliptiquement *un bananier*). ➜ **BANANERAIE** n. f., plus tardif (1928), a remplacé le type antérieur **BANANERIE** n. f. (1838).

✳ BANC

✳ **BANC** n. m. est emprunté (1050) au germanique °*bank-*, mot masculin et féminin désignant un siège allongé, restitué d'après l'ancien haut allemand *banch* (allemand *Bank*). Ce mot, auquel répondent le vieil anglais *benć* (anglais *bench*), l'ancien frison *benk*, l'ancien norrois °*benkr* (islandais *bekkr*), appartient à un type germanique °*bankir*, qui figure dans plusieurs mots des langues germaniques désignant un récif, une arête (anglais *bank*, suédois *backe*). Le mot a été introduit en français par l'intermédiaire du latin populaire *bancus*, indirectement attesté au moyen âge par son dérivé *bancalis* «coussin où l'on s'assied» (VIe-IXe s.), puis en 1025 «long siège», et au sens analogique «étal de marchand» (fin XIe s.). L'hypothèse d'un emprunt au francique fait difficulté étant donné l'extension du mot dans la Romania, où ces mots sont directement empruntés au germanique (le francique n'ayant été en contact qu'avec le français).

♦ Le mot désigne un siège long et étroit où peuvent se tenir plusieurs personnes, puis un siège réservé à une certaine catégorie de personnes, notamment dans des expressions comme *banc de jugement* (1458), sortie d'usage, *banc de rameur* (1611), *banc d'église* (1718) et *banc d'œuvre* (1835, *banc de l'œuvre*) pour le siège d'église réservé aux marguilliers. L'emploi du mot dans un contexte scolaire a donné lieu, par métonymie, à la valeur d'«école, université» dans la locution ***être sur les bancs, se mettre sur les bancs*** (1611) «commencer ses études» et, spécialement, «soutenir un acte en Sorbonne». ◇ Par analogie, *banc* se dit aussi d'un bâti, d'un assemblage de montants et de traverses servant dans divers métiers, en particulier d'un étal de marchand (fin XIIe s.) et, autrefois, d'un comptoir où se faisait en public le commerce d'argent (1450-

1500), sens dont témoigne aussi *banque***. ◇ Par la suite, l'acception concrète s'emploie techniquement en verrerie (1723), en chirurgie (1751, *banc d'Hippocrate*), en passementerie (1751, *banc à ourdir*) et désigne, dans les expressions *banc d'épreuve* (1866) et *banc d'essai* (1907), un bâti servant à éprouver respectivement les armes à feu et les moteurs d'automobiles. ***Banc d'essai*** s'est répandu dans l'usage avec le sens figuré de «concours organisé à titre d'essai pour les débutants» (1927, à propos d'une épreuve cycliste), puis «examen (comparatif)». ◇ Le mot désigne aussi, depuis le XVIe s., un amas de matières formant une couche horizontale sous l'eau (1529), des valeurs analogues existant dans les langues germaniques pour les mots apparentés. Employé en ce sens en géographie, il entre dans la locution ***banc de neige*** (1722), adaptation possible de l'anglais *snow bank* «congère, amas de neige», sens fréquent (parfois critiqué) en français du Canada (→ banquise). ◇ En français général, il se dit aussi d'une troupe importante d'animaux marins de même espèce se déplaçant ensemble en formation horizontale sous l'eau (1797). ◇ En géologie, puis en physique, il signifie «couche de matières homogènes» (XIXe s.).

▶ ① **BANQUE** n. f., féminin de *banc* (1376), attesté par le latin médiéval *banca* dès le XIIIe s. (1253) pour «comptoir de marchand», désigne une sorte d'étal avec différents usages techniques répertoriés (1751). Il est employé régionalement (Normandie) pour une levée de terre servant de clôture (1549). ◇ Par le même développement que *tréteau*, il s'est spécialisé dans le domaine théâtral, désignant la boutique de forains (av. 1615), dans la locution disparue *monter en banque* «faire le baladin», analogue dans un autre registre à *monter sur les planches*. Il a développé divers emplois métonymiques, référant à la troupe de comédiens ambulants (1750) et, argotiquement, au boniment de charlatan, au propre et au figuré (1833). ◇ L'homonyme ② *banque** est pris à l'italien. ➝ ① *Banque* a pour dérivés **BANQUISTE** n. m. (1789) «saltimbanque», par extension «bonimenteur», et **BANQUISME** n. m. (1877), mot péjoratif pour l'attitude du charlatan, tous deux archaïques.

BANCAL n. m., dans un ancien emploi substantif pour une pièce d'étoffe recouvrant un banc (1426), était un emprunt à l'ancien provençal *bancal* de même sens (1240-1250), à rapprocher du latin médiéval *bancalis* (507-877). Il a disparu en français classique. ➝ L'adjectif **BANCAL, ALE, ALS** (1747), ultérieurement dérivé de *banc*, qualifie une personne (d'abord une femme) ayant les jambes tordues par comparaison avec les pieds d'un banc à tracés divergents. ◇ Par extension, il s'applique à un objet mal équilibré, en particulier lorsque celui-ci est muni de pieds (1833), et abstraitement à un raisonnement manquant de rigueur. Par analogie, il est substantivé en argot militaire à propos d'un sabre à lame courbe (1819). ➝ Il semble que **BANCROCHE** adj. et n. (v. 730) soit dérivé de *bancal* par croisement avec l'ancien adjectif *croche* «crochu» (XVe s.), désignant dans la langue familière un homme bossu, difforme, et qualifiant (av. 1739) une personne ayant les jambes tordues.

BANCELLE n. f., d'abord *bancselle* (XVe s.) puis *bancelle* (1597), est issu par soudure de *banc selle* (1479), formé de *banc* et du moyen français *selle** «siège sans dossier» (v. 1280) avec assimilation aux mots féminins en *-celle*. ◇ Le mot, qui désigne un petit banc étroit et long sans dossier, à deux ou quatre pieds, n'est plus usité que régionalement.

BANCHE n. f. (1484) est la forme féminine dialectale (correspondant à ① *banque*) de *banc*, attesté antérieurement en latin médiéval sous la forme *bancha* «étal de boucher» (1250). ◇ Le mot, qui correspond au sens analogique de *banc*, attesté un peu plus tard, désigne un fond marin de roches tendres et unies à proximité des côtes. Dans les dialectes, il s'applique à une couche calcaire disposée par bancs sous la terre arable (Saintonge), à un lit de pierres horizontal, en particulier de pierres à bâtir (Aunis), et n'est attesté de nouveau en français qu'au XVIIe siècle. ◇ Depuis 1785, il est également attesté en maçonnerie pour un panneau de coffrage employé dans la construction des murs en pisé ou en béton. ➝ Il a dans ce sens les dérivés **BANCHÉE** n. f. (1785) «contenu du moule à pisé, à béton» et **BANCHER** v. tr. «couler du pisé ou du béton à l'aide de banches» dont le participe passé *banché, ée* s'emploie adjectivement et dont vient **BANCHAGE** n. f. ; tous ces mots apparaissant dans les dictionnaires peu après 1950.

◈ voir BANCO, BANK-NOTE, ② BANQUE, BANQUEROUTE, BANQUET, BANQUETTE, SALTIMBANQUE.

BANCAL → BANC

BANCO n. m. est emprunté (1679) à l'italien *banco* «banque, établissement de crédit» (XIVe s.), de même origine que le français *banque* (→ ② banque) et spécialisé ultérieurement au jeu pour désigner la somme engagée au jeu de cartes, à certains jeux de hasard (XVIIIe s., Goldoni).

♦ Repris comme terme de finances, le mot a désigné une valeur bancaire et s'est dit spécialement, dans la locution *de banco* (1679), des monnaies ayant une valeur fixe indépendamment du change. ➝ De nos jours, par un nouvel emprunt à l'italien, il s'emploie au baccara et dans d'autres jeux pour désigner l'enjeu, surtout dans ***faire banco*** (1851) et dans l'exclamation ***banco!*** (1854) à propos d'un joueur qui tient l'enjeu contre la banque. ◇ Par métonymie, il est passé dans l'usage familier au sens de «somme gagnée par chance» (1851), également dans l'exclamation *banco!* lancée par celui qui relève un défi.

✵ ① **BANDE** n. f., d'abord *bende* (1100-1150), puis *bande* (1165-1170), est emprunté au germanique *°bindo-*, «bande, ruban», déduit de l'ancien haut allemand *bintan* (allemand moderne *Binden*), du gotique et anglo-saxon *bindan* (anglais *to bind*) et de l'ancien norrois *binda* «lier». Ce mot germanique appartient à une racine indoeuropéenne *°bhendh-* «lier», à laquelle se rattachent également le sanskrit *badhnā́mi* «je lie», et en grec et en latin, uniquement des noms : pour le premier, *peisma* «câble, cordage», *pasma* «pédoncule» ainsi que *pentheros* «parent par alliance»; pour le second *offen-*

dix, ancien terme de rituel désignant les nœuds du cordon servant à tenir le petit bâton enroulé de laine que les flamines (prêtres) portaient à la pointe de leur bonnet. L'hypothèse d'un emprunt ancien au germanique est confirmée par l'ancienneté du mot dans les langues romanes (ancien provençal *banda,* XIIe s. ; italien *benda,* XIIIe s., latin médiéval du domaine italien *binda,* XIIIe s.) ; elle est préférable à celle d'un emprunt au francique. Le terme pourrait être issu du commerce de la fourrure importée dans la Romania par des marchands romains qui auraient exercé dans les pays germaniques.

♦ Le mot s'est d'abord employé pour une pièce de métal en forme de cercle, un anneau, un cercle ou un cerceau servant à renforcer qqch. (av. 1150) ; ce sens demeure vivant en charronnerie, à propos des renforts de roue. ◇ Il s'est rapidement défini par sa forme, ne désignant plus qu'un morceau de matière souple, long et étroit servant à panser, à border, à protéger, à maintenir et à serrer (v. 1165-1170). De là, des emplois spécialisés en blason, désignant la pièce honorable qui traverse l'écu de l'angle dextre du chef à l'angle senestre de la pointe (v. 1175) ; en architecture, la barre de fer soutenant les manteaux de cheminée et une penture de porte (1676), sens disparu, de nos jours les parties plates des architraves, chambranles et les bandes de linteau. ◇ Une valeur spéciale est «côté intérieur rembourré du billard» (1740), d'où au figuré *prendre (qqn, qqch.)* ***par la bande*** «de biais, indirectement» (v. 1950), qui vient de *jouer par la bande.* ◇ L'emploi de *bande* à propos d'une partie allongée et étroite de qqch., en particulier d'un terrain, est relativement tardive (v. 1811). ◇ À partir du XIXe s., *bande* est entré dans le langage scientifique. En physique (1882), le mot s'applique à l'ensemble des fréquences comprises entre deux limites, et en mathématiques à la région d'un plan limité par deux droites parallèles. ◇ Le développement des médias lui a donné de nouveaux sens, en télécommunication ***(bande de fréquence)*** et, par analogie de forme, pour un film cinématographique, et surtout le support magnétique allongé (***bande magnétique*** ou *bande*) servant à enregistrer le son et l'image (milieu XXe s.). ◇ Le syntagme lexicalisé ***bande dessinée*** est attesté avec certitude en 1940, dans des contrats de l'agence internationale *Opera Mundi,* et aurait été employé peu après 1930 par P. Winkler. L'expression, répandue en 1949-1950, traduit l'anglais *comic strip* (1910), de *comic* «comique» (→ comique) et *strip* «bande», mot d'origine germanique. Il est familièrement abrégé en **B. D.** ou **BÉDÉ** n. f. (1966), qui a produit des dérivés : **BÉDÉPHILE** n. «amateur de bédés» (1978) et **BÉDÉISTE** (1984).

▸ Le dérivé **BANDEAU** n. m. (XVe s., av. 1463), d'abord *bendel* (v. 1100, et jusqu'au XIVe s.), désigne proprement une petite bande, en particulier le morceau d'étoffe dont on couvre les yeux d'un condamné (1482) et celui dont on ceint la tête de qqn pour le coiffer (1567). ◇ Ultérieurement, ce mot s'est spécialisé en architecture pour une plate-bande unie, en saillie autour d'une baie, porte ou fenêtre (1676). ◇ *Bandeau* s'applique aussi à une coiffure féminine divisant les cheveux au milieu de la tête et les ramenant sur les côtés (1832).

BANDER v. tr. (av. 1150) exprime l'idée de couvrir ou de renforcer avec une bande (1165-1170), de placer un bandeau sur les yeux de qqn (fin XIIe s.), sens technique devenu archaïque. ◇ Par extension de la valeur concrète «étendre, tendre» (comme on étend une bande), il a développé le sens de «tendre avec effort», d'abord à propos d'un arc ou d'une arbalète (fin XIIe s.), d'un ressort, puis aussi en parlant d'un effort physique (1580) et, par métaphore, d'un effort moral. ◇ Ces sens ont vieilli, du fait de la spécialisation érotique par laquelle le verbe, en emploi intransitif, a pris le sens familier d'«être en érection» (1587), d'où la valeur figurée «être excité» (1813), spécialement «désirer ardemment» *(bander pour)* toujours marqué érotiquement, comme ses dérivés (ci-dessous). ➛ Le verbe a servi à former plusieurs dérivés dont, très tôt, l'antonyme ① **DÉBANDER** v. tr. (fin XIIe s.), prenant, par l'intermédiaire du sens de «détendre ce qui est tendu» (1549), le sens érotique familier de «cesser d'être en érection» (1690), d'où au figuré ***sans débander*** «sans s'arrêter (de travailler, etc.)». ➛ **BANDAGE** n. m., d'abord *bandaïge* (1508), formé avec le suffixe collectif *-age,* désigne la pièce servant à bander une arbalète, puis la bande de fer entourant une roue (1521), remplacée sur les automobiles par une bande de caoutchouc plein (1895), avant l'invention des pneumatiques. ◇ Le mot est surtout courant pour ce qui sert à bander une plaie (1653). Son emploi comme substantif d'action (avec un autre suffixe *-age*) est lui aussi repéré depuis le XVIIe siècle. ➛ En est dérivé **BANDAGISTE** n. (1701), nom de la personne qui fabrique, vend des bandages chirurgicaux. ➛ Les autres dérivés de *bander,* tous tardifs, familiers ou argotiques, procèdent de son sens érotique : ce sont **BANDAISON** n. f. (1837, Flaubert) vieilli et parfois repris (G. Brassens), **BANDANT, ANTE** adj. (1920), d'abord argotique, répandu (v. 1975) au sens figuré d'«excitant» et **BANDEUR, EUSE** n., par extension «excité sexuellement».

BANDELETTE n. f. (1377), dérivé de *bande* par double suffixation diminutive en *-el* et *-ette,* désigne une petite bande ; moins spécialisé que *bandeau,* le mot a toutefois des acceptions spécialisées en architecture (1660), en décoration et en anatomie. ➛ **BANDEREAU** n. m. (1636) a désigné le cordon à l'aide duquel on porte une trompette en bandoulière.

BANDÉ, ÉE adj., enregistré par Furetière (1690), mais évidemment antérieur, s'est spécialisé en blason pour qualifier ce qui porte plusieurs bandes.

◈ voir **PLATE-BANDE.**

② **BANDE** n. f. (XVe s.), d'abord écrit *bende* (1360), est emprunté à l'ancien provençal *banda* «troupe, compagnie de gens» (fin XIVe s.), mot d'origine germanique dont la voie de pénétration est difficile à préciser : on pense à un emprunt au gotique *bandwo* «signe», attesté en latin médiéval par *bandum* «étendard, bannière» (v. 675), la forme provençale étant alors issue du neutre pluriel *banda,* pris pour un féminin. On peut également supposer un emprunt au germanique °*banda,* le mot étant an-

BANDE et CONTREBANDE

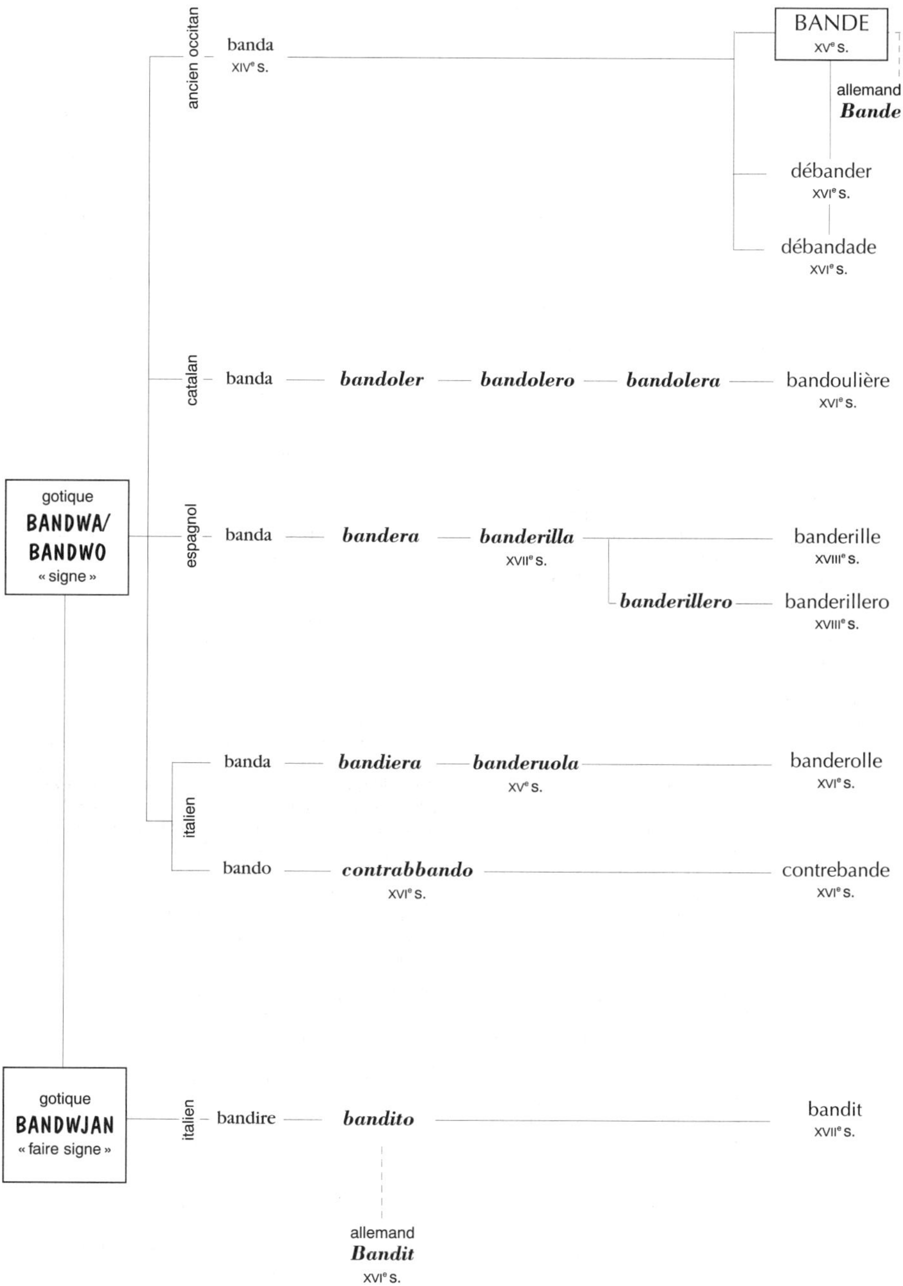

cien dans l'ensemble des langues romanes. L'évolution sémantique se fait par métonymie : du sens d'«étendard» à «troupe assemblée sous un même étendard» et à «troupe». L'hypothèse d'un emprunt au correspondant italien *banda,* attesté seulement chez Machiavel, n'est pas satisfaisante chronologiquement.

♦ Le mot s'est d'abord employé dans un contexte militaire, désignant un groupe d'hommes rangés sous une même bannière, un même chef; de là, la dénomination *chef de bande* pour un tribun militaire (av. 1597). Par analogie, *bande* a pris le sens de «parti, faction» (v. 1460), sorti d'usage, puis le sens actuel général de «réunion de personnes» (1509). Ce dernier, malgré certains emplois spéciaux (en musique, il est synonyme d'«orchestre», 1669) et certains emplois neutres, a souvent une valeur péjorative, sensible dans *bande de voleurs* (1718), *bande de maraudeurs, de brigands* (1835). De là, *bande de...* en interjection, suivi d'un nom péjoratif, et servant d'insulte. ◇ La locution ***faire bande à part*** (1601, malgré le F. e. w. qui la donne dès 1549) poursuit l'idée réalisée par l'ancienne locution *à bande* «à l'écart» (XVIe s.).

▸ De *bande* est dérivé ② **DÉBANDER** v. tr. (v. 1550), anciennement «détacher d'une troupe (une partie de ses effectifs) pour les lancer contre une autre». Toujours dans un contexte militaire, il signifie moins précisément «disperser (une troupe)» (1834), surtout à la forme pronominale. ◆ Son dérivé **DÉBANDADE** n. f. (1604) se dit d'abord d'une troupe, puis d'un groupe quelconque qui se disperse dans le désordre, notamment dans *en débandade.*

◈ voir BANDERILLE, BANDEROLE, BANDIT, BANDOULIÈRE, BANNIÈRE, BANNIR, CONTREBANDE, FORBAN.

BANDERILLE n. f. est, comme tout terme de tauromachie, emprunté (1782) à l'espagnol. L'étymon est *banderilla,* proprement «petite bannière», diminutif (1607) de *bandera* «bannière», lequel est dérivé de *banda* «étendard, bannière» (→ ② bande).

♦ Le mot désigne le dard orné de bandes de papier ou de rubans multicolores que l'on plante sur le cou du taureau après les piques.

▸ **BANDERILLERO** n. m. est emprunté (1782; *vanderillero* en 1776) en même temps que *banderille* à l'espagnol *banderillero,* «torero chargé de planter des bandelettes», de *banderilla.*

BANDEROLE n. f., d'abord *bannerolle* (1446) par attraction de *bannière*,* puis *banderolle* (1584) et *banderole* (1578), orthographe étymologique retenue, est emprunté à l'italien *banderuola* (XVe s.). Ce mot est dérivé de *bandiera* «étendard, pavois» (XIIIe s.), probablement repris de l'ancien provençal *bandiera* «bannière», lequel est dérivé, peut-être d'après le français *bannière,* de *banda* (→ ② bande). L'ancien provençal ou l'italien ont donné en français *bandière* (→ bannière).

♦ Le mot désigne une bande d'étoffe flottante terminée en double pointe que l'on arbore au sommet d'un mât, au fer d'une lance, autour d'un casque de tournoi. ◇ Par analogie, il se dit couramment pour une grande bande de tissu (XVIIIe s.) servant d'ornement et, spécialement, portant une inscription, sens précédé par celui de «liste de tarifs, sur un panneau» (dans le commerce des bois et charbons, 1672, *Ordonnance de la Ville de Paris*).

▸ **BANDEROLER** v., d'abord *banderoller,* cité comme néologisme par Mercier en 1801, «orner de banderoles», n'est guère employé.

BANDIT n. m., d'abord *bandi* (1621), puis *bandit* (1663), est emprunté à l'italien *bandito,* proprement «banni, hors-la-loi» (av. 1533) d'où «malfaiteur, vaurien» (1686). Ce mot est le participe passé substantivé de *bandire* «proclamer, proscrire», qui ne semble pas apparenté à *bannir,* mais emprunté au gotique *bandwjan,* «faire signe», dérivé de *bandwo,* «signe», autre forme de *bandwa* de même sens (→ ② bande). Pour le sens de «proscrire», l'influence de la série de *bannir** est vraisemblable.

♦ Le mot apparaît dans les relations de voyage, en référence aux malfaiteurs italiens («de la Savoye, de Piedmont, du Milanois et autres lieux») et à ceux de l'Orient. Furetière, en l'enregistrant (1690), mentionne encore le sens étymologique d'«exilé» à côté de «voleur». *Bandit* s'est répandu au XIXe s. sous l'influence de la mythologie du *bandit corse,* diffusée par des écrivains comme Mérimée. ◇ Le mot, concurrencé par des emprunts (tel *gangster*), est néanmoins resté très vivant, mais marqué, et s'emploie par extension plaisante, comme avant lui *fripon,* en parlant d'une personne malhonnête, sans scrupule, d'un enfant turbulent, etc.

▸ **BANDITISME** n. m., glosé dans la correspondance de Flaubert comme un «mot gouvernemental» (1853), a conservé le sens fort de *bandit* et est toujours en usage, surtout dans le vocabulaire administratif (*répression du grand banditisme,* etc.).

BANDONÉON n. m. est emprunté (1905) à l'allemand *Bandoneon,* terme formé à partir du nom propre de Heinrich *Band,* commerçant de Krefeld qui diffusa cet instrument de musique vers 1840. Le mot doit sa finale *-eon* à l'allemand *Orpheon* (XVIIIe s.) [→ orphéon]; quant au groupe *-on-,* c'est peut-être seulement une syllabe de renforcement.

♦ Le mot, qui, en français, a peut-être été repris de l'espagnol d'Argentine, désigne un petit accordéon à boutons utilisé d'abord dans les orchestres de tangos.

BANDOULIÈRE n. f. est emprunté (1586) et adapté du catalan *bandolera,* dérivé de *bandolero* «bandit», par allusion à la manière dont les hors-la-loi portaient leurs armes. *Bandoler,* qui a donné le moyen français *bandelier* (1466), *bandoulier* (1537) «bandit de grand chemin», vient (XIVe s.) de *bandol* ou *bando* (→ ② bande). L'hypothèse d'un emprunt du français à l'espagnol *banderola,* attesté seulement au XVIIe s. et lui-même repris au catalan, est moins satisfaisante.

♦ Le mot désigne la bande de cuir ou d'étoffe que l'on porte en écharpe de l'épaule gauche sous le bras droit et qui supporte une arme, puis tout autre objet. De nos jours, il est surtout courant dans la locution ***en bandoulière*** (bien attestée déb. XIXe s. : Stendhal, Chateaubriand, et très probablement antérieure), qui qualifie une chose portée avec une bandoulière en diagonale sur la poitrine ou dans le dos et, au figuré, d'une chose affichée de manière ostentatoire.

BANG interj. et n. m. est emprunté (1952) à l'anglais *bang* «bruit violent» (v. 1550) et, spécialement, «déflagration d'une arme à feu» (1884) ou «mouvement extrêmement rapide» (1855). Le mot est le déverbal de *to bang* «donner des coups retentissants», et dans *to bang off* «tirer un coup de fusil» (1814), terme d'origine onomatopéique, peut-être parvenu en anglais par le scandinave (ancien norrois *bang* «martèlement», *banga* «marteau»).

♦ Le mot imite le bruit d'une explosion, d'un coup de feu (1952, Jean-Luc Godard commentant un film rempli de coups de feu du réalisateur américain Samuel Fuller, *Forty Guns* «Quarante tueurs»; certainement antérieur dans les bandes dessinées). ◇ Il rend également la déflagration qui accompagne le passage du mur du son par un avion, emploi dans lequel il est substantivé, mais pour lequel l'anglais dit plutôt *(sonic) boom* que *(sonic) bang*. ◇ L'expression ***big bang***, relative à la théorie de l'origine de l'Univers, qui postule une création brutale (et non une création continue), est un emprunt autonome (1956) à l'américain *big bang* de même sens (1950), littéralement «grand boum, grande explosion». ◇ Des emplois métaphoriques sont aussi passés en français, pour «changement brutal», notamment en politique (M. Rocard, 1993).

BANJO n. m. est emprunté (1857) à l'anglo-américain *banjo*, terme du vocabulaire des chanteurs noirs désigné au XVIIIe s. (1764) sous la forme *banschaw*, puis (1774) *banjo*. Ce mot est d'origine inconnue : selon Wartburg, il serait emprunté au grec *pandoura*, lui-même sans étymologie claire, nom d'un luth à trois cordes probablement emprunté à l'Orient. Les Arabes auraient introduit ce mot en Afrique occidentale et de là il serait passé (par la traite des esclaves?) aux États-Unis. En France, le mot ne s'est répandu qu'au XXe s., avec la pénétration de la musique de jazz.

♦ Le mot désigne un instrument à cordes pincées, proche de la guitare, formé d'un long manche et d'une caisse ronde tendue de peau.

▶ **BANJOÏSTE** n. «joueur de banjo» (1924) est soit emprunté à l'anglo-américain *banjoist*, soit dérivé de *banjo*.

◈ voir peut-être MANDOLINE, MANDORE.

BANK-NOTE n., écrit *banknote* (1804) puis *bank-note* (1836), est emprunté à l'anglais *banknote* (1695), de *bank* «banque» (→ ② banque) et *note* «billet», pris à l'ancien français *note**. Le mot a d'abord désigné un billet à ordre, une traite, puis un billet de banque. Avant d'être emprunté, le terme anglais avait été calqué sous la forme *note de banque* (1789, Mirabeau).

♦ En français, le mot désigne un billet de banque, toujours dans un contexte anglais ou américain. Il a vieilli.

BANLIEUE → BAN

BANNE n. f., d'abord *bene* (1195-1200), puis *banne* (1268) et *benne* (1307), est emprunté au bas latin *benna* «chariot en osier» (fin VIIIe-déb. IXe s.), mot d'origine gauloise, à rapprocher du cymrique *bène* «voiture, charrette».

♦ Le mot désigne une charrette, un tombereau pour le transport du fumier, du charbon, puis un grand panier d'osier servant à transporter des fruits ou des légumes (1307), en particulier une hotte de vendangeur (1478). ◇ Par métonymie vers «ce qui couvre les marchandises ainsi transportées», *banne* désigne une toile tendue au-dessus d'une devanture, un auvent (1704). Dans ces différents sens, le mot se limite à un usage technique ou régional (Normandie et Lyonnais).

▶ La dérivation consiste en quelques mots d'usage technique ou régional. ➛ **BANNEAU** n. m., d'abord *beniel* (XIIIe s.), *baniel* (fin XIIIe s. en picard) puis *banneau* ou *benneau* (1690), désigne un tombereau léger en usage dans les salines ainsi qu'un petit récipient d'osier ou de bois utilisé pour le transport des fruits, notamment des raisins (aux vendanges) et des légumes (1690). ➛ **BANNETTE** n. f., d'abord *banete* (XIIIe s.) diminutif féminin de *banne*, désigne un petit panier, le plus souvent en osier ou en bois léger utilisé pour le transport des marchandises. Par analogie de fonction, il désigne un plateau de faïencerie rouennaise fabriqué aux XVIIe et XVIIIe s. (1751). ➛ **BANNETON** n. m., d'abord *baneton* (1284), autre mot pour un petit panier d'osier, s'est spécialisé en pêche à propos d'un coffre percé de trous dans lequel on conserve le poisson et en boulangerie pour le petit panier dans lequel on faisait lever le pain rond (1751), emploi avec lequel il est synonyme de *panneton*.

BENNE n. f. est une variante dialectale de *banne*, attestée à partir de 1579 et probablement originaire du nord-est de la France où existent le lorrain *bène* «manne d'osier», le wallon *benne* «grand chariot d'osier pour le transport du fumier et des marchandises». ◇ Le mot s'emploie d'abord dans un contexte rural à propos d'un tombereau tiré par des bêtes de somme. D'après les activités à dominante minière du Nord-Est, il se spécialise dans les mines et désigne le panier, bac ou véhicule servant à extraire et transporter le charbon. Ce sens, accueilli par *l'Encyclopédie* (1751) qui le signale comme un usage de la Flandre, a dû exister préalablement en patois rouchi, en lorrain, en wallon. ◇ Ensuite, le mot désigne la caisse montée sur le châssis d'un camion, la caisse de chargement d'une grue en travaux publics et, d'après la cage qui monte et descend les travailleurs dans une mine, la cabine de l'ascenseur. Cependant, il est trop déterminé par le contexte des mines et des travaux publics pour concurrencer sérieusement *cabine* dans ce dernier emploi.

◈ voir BAGNOLE.

BANNIÈRE n. f., d'abord écrit *baniere* (fin XIIe s.) puis *bannière* (1557), est probablement dérivé de *ban**, «convocation que le suzerain fait de la noblesse pour le servir à la guerre», avec le suffixe

-*ière*. Ce mot désignait peut-être à l'origine le lieu où était plantée l'enseigne, symbole du droit de ban. Le recours à l'hypothèse d'une forme supposée °*bandiere* issue du germanique occidental °*banda* «signe», correspondant au gotique *bandwa* (→ ② bande) croisé avec *bannir**, n'est pas nécessaire phonétiquement, mais semble convenir sémantiquement, encore que l'influence de la série de *bande* puisse se manifester autrement. ◇ En effet, le français a eu un mot **BANDIÈRE** n. f. (1305-1310) «pavois, étendard», «pavillon d'un bateau» (1505), encore employé dans la locution militaire ***front de bandière*** (1740) pour la ligne des étendards et drapeaux en tête d'un corps d'arrière-garde. Ce mot est soit emprunté à l'ancien provençal *bandiera* «bannière» (XIIIe s.), soit à l'italien *bandiera* (XIIIe ou déb. XIVe s.), lui-même repris de l'ancien provençal, lequel est dérivé de *banda* (→ ② bande). Le rapport sémantique *bandière-bannière* a dû créer des interférences à partir du XIVe siècle.

♦ *Bannière* est d'abord un terme de droit féodal désignant l'enseigne sous laquelle marchaient ceux qui devaient le service militaire au seigneur et, par métonymie, l'ensemble des vassaux rangés sous cette enseigne (1250-1300). Par abstraction, il a pris le sens de «symbole» (1209), «signe de ralliement» (v. 1225), réalisé plus tard dans la locution ***se ranger sous la bannière de qqn*** «se ranger dans son parti» (1835). ◇ Il se dit aussi de l'étendard que l'on porte aux processions et qui sert à distinguer une paroisse ou une confrérie (1557) : de là, la locution ironique ***(c'est) la croix et la bannière*** (1690) «beaucoup de cérémonies, d'histoires». Le mot désigne également l'étendard d'une corporation, d'une société (XVIe s.). ➛ Par analogie de forme, il se dit du pavillon de la poupe d'un vaisseau (XVIe s.) et, dans la locution technique ***voile en bannière*** (1690), décrit une voile dont les écoutes sont larguées ou cassées et qui flotte librement. ◇ *Bannière* a aussi développé des acceptions analogiques spéciales en blason (1690), en pêche, et a pris le sens familier de «pan de chemise» (1828-1829).

▸ Le terme de féodalité **BANNERET** adj. et n. m., dérivé du radical de *bannière* avec le suffixe *-eret* (1283), désignait et qualifiait le chevalier qui avait assez de vassaux pour en composer une compagnie et lever bannière.

BANNIR v. tr., d'abord *banir* (1080), est emprunté au francique °*bannjan* «proclamer, convoquer (des troupes)», à rattacher au francique °*ban* (→ ban). Le mot a été introduit en français par l'intermédiaire du latin médiéval *bannire* qui a lui-même subi l'influence du latin médiéval *bannus*. L'hypothèse d'un croisement, dans le latin médiéval, du francique °*bandjan* «faire signe» (gotique *bandwo*, → ② bande «troupe») et de °*bannjan* ne semble pas s'imposer, ni celle du gotique °*bandwjan* «faire signe, donner un signal», influencé dès le germanique par la famille de *ban**. En réalité, deux lignées sont à distinguer : celle du francique °*bannjan* d'où vient le français *bannir*, et celle du gotique et du burgonde *banwjan* «faire signe» d'où viennent l'ancien provençal *bandir* «proclamer» (XIIe s.) et «exiler» (1313), le franco-provençal *bandi* «expulser» (1538, Pays de Vaud), «proclamer», «expulser» (Valais), l'italien *bandire* «exiler» (XIIIe s.), «proclamer par ban» (XIVe s.), le catalan *bandir* «citer à comparaître en justice» (XIIIe s.) et «expulser, bannir» (1461); dans tous ces verbes romans, le sens de «condamner à l'exil» est dû à l'influence de *bannir*, et les interférences entre les deux séries sont très fortes.

♦ Le verbe, utilisé en droit féodal pour «convoquer par ban une armée» (jusqu'au XVe s.), a signifié aussi «annoncer, proclamer à son de trompe, à cri public» (v. 1155). Ce sens, sorti d'usage au XIVe s., s'était maintenu dans les dialectes de la Normandie et de Jersey avec les valeurs particulières de «crier aux enchères» (1879) et de «publier les bans de mariage». ➛ Le sens actuel de «chasser, exclure» (1204), spécialement en droit «condamner à sortir d'un lieu» (1209), a éliminé après le moyen français les autres emplois du mot. Le verbe a pris par extension le sens de «proscrire, interdire», qui relève d'un registre soutenu.

▸ **BANNISSEMENT** n. m., substantif d'action dérivé de *bannir* (déb. XIIIe s.), a suivi la même évolution sémantique : avant le XIVe s., il avait perdu sa valeur féodale de «proclamation de ban» pour ne plus se dire que de l'action d'exiler, de chasser (1283), à la fois dans le langage juridique et dans l'usage courant. ◇ Par extension, il a développé le sens abstrait de «proscription, suppression» (v. 1580), de nos jours littéraire. ➛ **BANNISSABLE** adj. «qui peut ou doit être banni» (1661, Molière) est un terme de droit pénal.

◈ voir FORBAN.

① **BANQUE** → BANC

② **BANQUE** n. f. est emprunté (1458) à l'italien *banca* «banc», spécialisé en finances pour désigner le comptoir du changeur (XIVe s.) et, par extension, l'établissement de crédit (XVe s.). Ce mot est de même origine que *banco* (→ banco) et que le français *banc*. C'est un homonyme du féminin de *banc* (→ ① banque, à banc).

♦ Le mot s'introduit à l'époque où la France, après l'Italie et les Flandres, s'initie à l'économie commerciale et financière. Sans changer fondamentalement de sens depuis l'ancien comptoir (→ banqueroute), il a évolué avec les institutions financières, les établissements devenant à partir du XIXe s. de plus en plus complexes et puissants. *Banque* a développé les sens métonymiques habituels de «bâtiment où est installée une banque», «ensemble du personnel y travaillant», collectivement «ensemble des banques» et «activité bancaire» *(être dans la banque)*. ◇ Le mot est aussi devenu un terme de jeu (1680) désignant la somme que l'un des joueurs tient devant lui pour payer ceux qui gagnent, entrant dans des locutions comme ***tenir la banque, faire sauter la banque.*** ◇ Au XXe s., il a emprunté de l'anglais *bank* le sens figuré de «réserve d'une chose mise à disposition du public», dans certains domaines (en médecine et en documentation) : l'expression ***banque du sang*** apparaît en 1948 à l'occasion de la création de la première réserve de ce type de service du docteur Quénu à l'hôpital Cochin; elle correspond à l'anglais *blood bank,* la première réserve de sang ayant été créée en 1937 à Chicago par B. Fantus au Cook County Hospital. *Banque de lait humain* (1947), à côté de *lactarium* (1949), est un calque de l'anglais *Human Milk Bank,* la première réserve de lait ayant été instituée en 1938 au Queen Charlotte's Hospital à Londres. Par analogie, on a créé *banque des os* (mai 1950), *banque d'organes, des yeux, du sperme,* etc. sur le même modèle. ◇ En documentation, l'expression ***banque de données*** (v. 1970?) est calquée de l'anglais *data bank.*

▸ **BANQUIER, IÈRE** n., étant donné sa date d'entrée en français (av. 1244), est plutôt emprunté à l'italien *banchiero* (XIIIe s.) dérivé de *banca,* que dérivé en français de *banque.* ◇ Le mot désigne le propriétaire puis le directeur, le responsable d'une banque, et toute personne qui travaille à un niveau professionnel élevé dans l'activité bancaire. Il a été repris au jeu pour désigner la personne qui tient la banque (1680). ◇ Son féminin ***banquière,*** attesté une première fois (v. 1570) au sens figuré d'«entremetteuse», a été repris pour désigner la femme d'un banquier (av. 1692) puis (XXe s.) une femme exerçant la profession de banquier. ◇ L'emploi adjectivé de *banquier* (1784) est distinct de celui de *bancaire.*

BANCAIRE adj. (déb. XIXe s.) qualifie ce qui concerne la banque et les opérations de banque. Il est devenu très courant avec le développement des opérations de banque, dans les syntagmes comme *régime, système, crédit, prêt bancaire* et surtout *chèque, compte bancaire.* ⟡ **BANCABLE** adj., terme de commerce (1877), se dit d'un effet de commerce qui remplit les conditions nécessaires pour être admis au réescompte de la Banque de France. Par extension, un papier est dit *bancable* quand il est facilement négociable et n'entraîne pas de risque de recouvrement. ⟡ **BANQUER** v. (1899) est une création argotique devenue familière pour «payer» et, au figuré, «purger une condamnation» (1926); ce dernier sens est demeuré argotique. ⟡ Un verbe préfixé est plus ancien. **DÉBANQUER** v. (1701) est un terme de jeux signifiant «priver (un joueur) des moyens de poursuivre la partie». Il a vieilli.

◈ voir **BANQUEROUTE.**

BANQUEROUTE n. f., d'abord *bancqueroute* (1466) et en deux mots *bancque rotte* (av. 1519), est emprunté à l'italien *banca-rotta* (XVe s.), littéralement «banc rompu», d'où «faillite» parce qu'on cassait symboliquement le «banc» du banquier en faillite. Ce mot est composé de *banca* (→ ② banque) et de *rotta,* participe passé féminin (→ route, raout) de *rompere* (→ rompre). Le moyen français a utilisé la locution *rompre banque* «faire faillite» au XVIe siècle.

♦ Le mot désigne une faillite financière, et en droit moderne une faillite accompagnée d'actes délictueux (se différenciant de *faillite* en ce qu'il marque l'effet de l'insolvabilité). ◇ Son emploi figuré au sens de «débâcle, échec» est ancien (av. 1519), seul et dans la locution ***faire banqueroute.***

▸ **BANQUEROUTIER, IÈRE** n. et adj., «personne qui a fait banqueroute», au propre et au figuré (surtout adjectivement), a remplacé *banqueroute* (1540) de même sens.

BANQUET n. m. est probablement un emprunt (fin XIVe s.) à l'italien *banchetto* «festin», d'abord attesté sous la forme du latin médiéval *banchectum* à Rome (1363), puis en langue vulgaire (depuis 1554). *Banchetto* serait dérivé de *banco,* de même origine que *banc**. Le développement sémantique s'expliquerait d'après la coutume germanique du banquet délibératif relatée par Tacite, où des bancs étaient probablement disposés autour des tables, à la différence des repas pris à des tables individuelles. L'hypothèse d'une origine française voyant dans *banquet* un dérivé de *ban,* «convocation, invitation», confondu avec *banc* (à la faveur des formes pourvues d'un *-s* flexionnel), s'appuie sur le sens le plus ancien, «repas d'apparat», mais n'est pas convaincante.

♦ Le mot désigne un repas d'apparat réunissant de nombreux convives; il a développé quelques acceptions spéciales, en histoire (grecque, par exemple avec *Le Banquet,* dialogue de Platon traduisant le grec *sumposion*; française, etc.) et en religion (antique, catholique). ◇ Dans un contexte moderne, le mot est lié aux célébrations familiales ou collectives (politiques, etc.). L'expression *noces et banquets* illustre ce contexte. ◇ Par métaphore poétique, il se dit d'un grand rassemblement solennel et des félicités partagées par les humains *(le banquet de la vie).*

▸ En est dérivé **BANQUETER** v. intr. (fin XIVe s.) «prendre part à un banquet» d'où «faire bonne chère». ⟡ Du verbe est dérivé **BANQUETEUR, EUSE** n. (1532, Rabelais) «personne qui a l'habitude de faire bombance».

BANQUETTE n. f. est probablement emprunté (1417) à l'ancien provençal *banqueta* «siège à plusieurs places», lui-même dérivé de l'ancien provençal *banc* (→ banc) et à rapprocher du franco-provençal *bankěta* «petit banc pour traire». Il est senti comme un dérivé de *banc.*

♦ Le mot, attesté une première fois au sens ancien de «selle» comme mot du Languedoc, se répand au XVIIe s., désignant un banc, quelquefois rembourré et recouvert, servant à s'asseoir (1681). Il s'est employé dans les locutions *faire banquette* «attendre» et, dans le vocabulaire du théâtre, ***jouer devant les banquettes*** «jouer devant une salle presque vide», encore usitée.

BANQUISE n. f. est emprunté tardivement (1773) à une langue scandinave moderne, suédois *(packis),* danois *(pakis,* v. 1170) ou norvégien *(pakkis).* Ces mots sont composés, dans chaque langue, des formes modernes qui correspondent à l'ancien norrois *pakki* (→ paquet) et à *iss* «glace» (→ iceberg, inlandsis), ce dernier appartenant à une racine germanique °*isam,* °*isaz,* qui a des répondants en indo-iranien (avestique *isav-* «glacé»). L'adaptation en français s'est faite par assimilation de la finale au suffixe *-ise* et altération de la syllabe initiale d'après *banc,* «écueil, récif», l'attraction de *banc* étant favorisée par la prononciation scandinave du *p-* initial, intermédiaire entre *p* sourd et *b* sonore. On a d'abord dit *banc de glace* (1751), parallèlement à l'anglais *field of ice* (devenu *ice field*) à la même époque.

♦ Le mot désigne un amas de glaces flottantes formant un immense banc et de là, par extension, un amas de glace flottant sur la mer (→ iceberg).

BAOBAB n. m., d'abord *bahobab* (1592), puis *baobab* (1752), est un emprunt à l'arabe *bū̆ḥibāb*, «fruit aux nombreuses graines», étymon satisfaisant des points de vue morphologique (*bahobab* étant la forme la plus ancienne), sémantique et aussi géographique, la première attestation étant localisée en Égypte.

♦ Le mot, jusqu'au milieu du XVIIIe s., a désigné le fruit ovoïde comestible d'un gros arbre de l'Afrique occidentale. Ce n'est qu'au XVIIIe s. (1757) que, par métonymie, il désigne cet arbre lui-même, le fruit étant dès lors appelé *pain de singe*. *Baobab*, d'abord terme de voyage, a été répandu avec la connaissance de l'Afrique coloniale, dans la seconde moitié du XIXe s., le baobab en pot de Tartarin de Tarascon (Daudet) illustre cette diffusion. ◇ En français d'Afrique, il se dit par extension d'un très grand arbre, quelle qu'en soit l'espèce (fromager, par exemple).

BAPTÊME n. m., d'abord *batesma* (v. 1050), francisé pour la finale et repris étymologiquement (pour le *p*) en *baptesme* (v. 1155), *baptême* (1690), est emprunté au latin chrétien *baptisma*, *baptismus*, lui-même emprunt au grec chrétien *baptizma* ou *baptismus* (Nouveau Testament), désignant le sacrement que l'Église administre, par le symbolisme de l'eau, afin d'introduire un nouveau fidèle dans la communauté chrétienne en le purifiant du péché originel. Le mot grec vient du verbe *baptizein* «administrer le sacrement chrétien», spécialisation du sens de «plonger, immerger», dérivé de *baptein* «être plongé dans», qui s'employait à propos de la trempe du fer, de la teinture des étoffes et, chez les tragiques, à propos d'une épée tachée de sang. Ce mot est rapproché de l'ancien norrois *kvefja* «plonger, étouffer».

♦ Le mot, repris comme terme liturgique chrétien, s'est étendu à l'immersion rituelle qui initie à la vie spirituelle dans d'autres religions. Il a développé d'autre part des emplois extensifs (*baptême du sang*, 1704) et métonymiques. ◇ Par extension, il s'emploie à propos de la cérémonie burlesque par laquelle on asperge d'eau de mer ceux qui passent l'équateur ou le tropique pour la première fois (1690). Il désigne aussi, d'après une valeur plus ancienne de *baptiser*, la cérémonie au cours de laquelle on bénit une cloche et on lui donne un nom (1834), et celle où l'on nomme et on lance un navire. ◇ Il glisse vers le sens figuré d'«initiation, apprentissage», dans quelques locutions usuelles comme ***baptême de l'air*** «premier voyage en avion», ***baptême du feu*** «première épreuve de combat».

▸ Les dérivés sont formés savamment sur le latin *baptisma*. ➛ **BAPTISMAL, ALE, AUX** adj. (XIIe s.), d'usage liturgique, n'est plus guère employé que dans le syntagme hérité *fonts baptismaux*; il est littéraire au sens figuré de «pur, serein» (attesté au XIXe s., notamment chez Hugo, 1877). ➛ **BAPTISME** n. m. (1863, Renan) est le nom donné à une doctrine religieuse orientale et, sous l'influence de l'anglais *baptism*, chrétienne. ➛ L'adjectif correspondant à ce dernier, **BAPTISTE**, d'abord emprunté (1751) au latin chrétien *baptista*, nom donné à Jean, «celui qui donne le baptême» et qui demeure dans *Jean (le) Baptiste*, a été repris au XIXe s. d'après l'anglais *baptist*.

ANABAPTISTE n. et adj. est emprunté (1525) avec suffixation en *-iste* au grec ecclésiastique *anabaptizein*, de *ana-** et de *baptizein*. ◇ Le mot désigne les membres d'une secte protestante qui, n'admettant pas la validité du baptême catholique administré peu après la naissance, sont soumis à un second baptême lorsqu'ils sont adultes.

BAPTISER v. tr., d'abord *baptizer* (v. 1050), est emprunté au latin ecclésiastique *baptizare*, lui-même repris du grec *baptizein*. ➛ Le mot, qui a été introduit avec une valeur liturgique, «administrer le baptême», a développé le sens de «donner un nom de baptême à (qqn)», d'où «donner un sobriquet» (XIVe s.). Par plaisanterie, il entre dans la locution figurée ***baptiser le vin*** «mêler de l'eau au vin» (1580). ◇ Par extension, il s'emploie, comme *baptême*, à propos de la cérémonie de bénédiction d'une cloche, d'un navire, au cours de laquelle on leur donne leur nom (1680). ➛ Au XIIIe s., *baptiser* a produit **BAPTISEUR** n. m., réfection de *bautizeor* (1250-1300), inusité entre le XVIe et le XVIIIe s., très rare depuis, et **REBAPTISER** v. tr. «baptiser une seconde fois». ➛ Celui-ci s'est d'abord employé dans un contexte religieux, de même que **DÉBAPTISER** v. tr. (1564) dont le sens laïc de «donner une autre dénomination à qqch.» n'est enregistré qu'en 1870.

BAPTISTÈRE n. m., réfection (1611) de *baptisterie* (1080), avec accent tonique sur la syllabe *-ster-*, puis *baptestire* (v. 1155), est emprunté au latin chrétien *baptisterium* «fonts baptismaux» et «édifice où l'on baptise». Le mot existait antérieurement au sens laïc de «piscine pour se baigner et nager» (Pline) et est emprunté du grec *baptistêrion* «salle de bain», puis en grec chrétien «lieu où l'on baptise», de *baptizein*. ➛ Le mot s'emploie surtout aujourd'hui en art pour désigner le bâtiment séparé, près d'une église, où étaient situés les fonts baptismaux.

BAPTISTAIRE adj. (1564), terme didactique formé sur le latin *baptizare*, d'après *baptistère*, se dit de ce qui constate un baptême (*registre baptistaire*), également employé comme nom masculin au sens d'«extrait de baptême».

BAQUET → ① BAC

① **BAR** n. m. est emprunté (1180-1200) au moyen néerlandais *baerse*, *barse* désignant plusieurs poissons (la perche, le bar), mot apparenté au moyen néerlandais *borstel* «poil, brosse, soie». Ce dernier, de même que l'allemand *Bürste* «brosse», est à rapprocher de l'ancien indien *bhr̥ś-ti* «pointe», remontant à la racine indoeuropéenne °*bhrsti-*, °*bhorsti-*. Le poisson est ainsi nommé en raison de ses nageoires dorsales faites de durs piquants.

♦ Le mot désigne une sorte de poisson de mer très vorace à chair très estimée ; il a été repris en héraldique pour une figure représentant un poisson en pal et un peu courbé (fin XIIIe s.). En français contemporain, le mot est en concurrence avec son synonyme régional (méridional) *loup*.

② **BAR** n. m. est l'abréviation (1857) de *bar-room* (1833) emprunt à un mot anglo-américain désignant un débit de boissons où l'on boit debout près du comptoir (depuis 1807), lequel apparaît dès 1788 sous la forme abrégée *bar*. L'anglais *bar*, d'abord (XIIe s.) *barre* «barre de bois ou de métal», est un emprunt (XIIe s.) au français *barre**. Comme *barre* en français, ce mot a de nombreux sens, désignant notamment la barre d'un comptoir, puis le comptoir (1475) et enfin le lieu où l'on boit (1592). *Room* «place» (XIVe s.), puis «pièce d'une maison» (XVe s.), vient de l'ancien anglais *rum*, emploi substantivé d'un adjectif germanique °*rumaz*, «spacieux», formé avec °*ru-*, que l'on a rapproché du latin *rus, ruris* «campagne» (→ rural).

♦ Le mot, d'abord cité dans un contexte américain — également sous la forme francisée *barre* (1853) —, s'est rapidement acclimaté ; la forme *bar* a évincé *bar-room ; bar zinc*, relevé chez Huysmans, n'a pas vécu (→ zinc). Depuis son emprunt, il connote le luxe, jusque dans la quasi-obscurité des lieux qu'il a reprise au bar américain, se distinguant ainsi de *café*. Par extension, il s'applique avant la fin du XIXe s. à tout lieu où l'on sert pareillement des boissons, dans les théâtres, les bateaux, les hôtels et même les locaux privés. Par métonymie, il désigne le comptoir lui-même (1928), par exemple dans *prendre un verre au bar, tabouret de bar*.

▸ **BARMAN** n. m. est emprunté (1873) à l'anglais *barman*, lui-même composé de *bar* (→ ② bar) et de *man* «serveur», spécialisation de «homme» (→ mannequin). Le mot est réservé au serveur d'un bar ; ce serait un abus que de l'employer pour celui qui sert dans un café : on dit *garçon de café* dans le second cas.

BARMAID n. f. est emprunté à la même époque (1861) à l'anglais *barmaid* (1658), dont *maid* «serveuse» (XIVe s.) est l'abréviation de *maiden* «fille, jeune femme», également «servante», mot d'origine germanique dont la racine se retrouve dans des désignations du garçon et du jeune homme en slave, en celtique et dans l'avestique *magu*. ◇ Le mot est assez peu usité, probablement handicapé par *maid*, beaucoup moins acclimaté en français que *man* (et même que le féminin *woman*).

◈ voir **SNACK-BAR**.

③ **BAR** n. m., attesté depuis 1914, est un mot créé en 1906 après *barie* (1889) par le physicien et météorologiste norvégien Bjerknes, d'après le grec *barus* «lourd» (→ bar-, baro-, bary-).

♦ *Bar* est le nom d'une unité de pression atmosphérique valant un million de baryes.

▸ L'adoption du mot a entraîné la formation de termes désignant des sous-multiples du bar : **MILLIBAR** n. m. (1914), le plus usuel, **CENTIBAR** n. m., **DÉCIBAR** n. m. (l'anglais a *milibar, centibar, decibar* dès 1914).

BARYE n. f. (1900), formé savamment sur le radical du grec *barus* avec le suffixe *-ie*, désigne la pression uniforme exercée sur une surface de un centimètre carré par une force égale à une dyne.

◈ voir **BARYTON, BARYUM**.

BAR-, BARO-, BARY-, premier élément de composition de mots savants, est, sous sa forme *bary-*, calqué du grec *baru-*. Celui-ci représente l'adjectif *barus* «lourd», d'où «pénible, difficile à supporter». C'est un ancien adjectif en *-us* qui appartient à une racine indoeuropéenne °*g*ʷ*er-* «lourd» que l'on retrouve dans le sanskrit *gurú*, l'avestique *gouru* (→ gourou), le gotique *kaurus*, le latin *gravis* (→ grave). En grec, *baru-* est le premier terme d'une centaine de composés dont la plupart figurent dans des textes poétiques ou techniques ; il réalise souvent une valeur métaphorique ou figurée soit qu'il s'agisse d'un son grave, soit qu'il s'agisse d'accablement, de peine.

♦ Certaines de ces formations sont passées en français soit directement (*baryphonie*, 1814), soit par dérivation sur des adjectifs grecs (*baryencéphalie, baryglossie*). Dans ces emprunts, *bary-* exprime la difficulté, la gêne.

▸ *Bary-*, en tant que variante de *bar-, baro-*, n'apparaît qu'à la fin du XIXe s. dans des composés de physique (→ bary-, art. baryte). ◇ La forme vivante de l'élément de composition est *baro-*, probablement formé sur le radical du substantif *baros* «poids, pesanteur», au figuré «poids de la souffrance, oppression, torpeur», dérivé de *barus*. ◆ Le premier composé : **BAROMÈTRE** n. m. est emprunté (1666) à l'anglais *barometer* (1665-1666, Boyle) «instrument mesurant la pression de l'atmosphère», lui-même formé du grec *baros* et *metron* (→ mètre). ◇ Il a produit **BAROMÉTRIQUE** adj. (1752 ; v. 1740 selon Wartburg). ◆ *Baromètre* a évincé **BAROSCOPE** n. m. (→ scope, -scopie), nom en anglais (1665) du premier baromètre (ce dernier étant défini comme un baroscope statique). En français, le mot a été repris pour désigner une balance permettant de démontrer le principe d'Archimède et de mesurer la perte de poids d'un corps plongé dans le gaz (1855). ◆ L'élément a pris récemment un certain essor avec le sens plus général de «pression» en biologie et en physiologie : *baresthésie* n. f., *barognosie* n. f., *barophile* adj., *barotraumatisme* n. m., *baronarcose* n. f. en témoignent.

BARAGOUIN n. m., d'abord *barragouyn* (1391) et *barragouin* (1532), est d'origine controversée : l'hypothèse la plus répandue y voit un composé des mots bretons *bara* «pain» et *gwin* «vin». Elle s'appuie sur la localisation des premières attestations dans l'ouest de la France avant que le mot ne se répandît un siècle après la réunion de la Bretagne à la France ; le contexte de l'attestation de 1391 l'oppose à *chrestien* et à *françois ;* mais le locuteur, originaire du Loiret, l'applique à un habitant de la Guyenne. On suppose qu'à l'origine, le mot a servi de sobriquet à l'encontre des Bretons, tiré de leur expression favorite, «pain, vin», entendue dans les auberges françaises que fréquentaient les pèlerins bretons. Dauzat, en faveur de cette hypothèse ingénieuse, relève le nom propre *Painvin* (Loire-Atlantique) et une chanson «*Baragouinez, guas de basse Bretagne...*». D'autres hypothèses, moins satisfaisantes, ont été proposées : le latin *Berecynthia*, nom de Cybèle, mère des dieux, célébrée par un culte orgiastique, l'ancien provençal *barganhar* «marchander» (cf. *barguigner*), une onomatopée désignant l'action de parler indistinctement et de patauger, un emprunt à l'espagnol *barahunda* «tumulte», lui-même emprunté de l'hébreu *bārūch habbā* «béni soit celui qui vient au nom du Seigneur». P. Guiraud, qui recherche des étymologies sociolinguistiquement proches et vraisemblables, évoque un composé tautologique du type *barater* «s'agiter» (→ baratter) et *gouiner*, variante de *couiner** «crier». Par ailleurs, l'initiale onomatopéique *bar-* dans *barbare* évoque étymologiquement la langue incompréhensible des étrangers.

♦ Le mot, d'abord employé comme terme d'injure xénophobe, a été repris au XVIe s. chez Rabelais qui lui donne le sens de «personne parlant un langage incompréhensible» (1532) et, par métonymie, de «langue barbare» (1532). Par extension, il est passé au sens actuel de «langage incorrect» (av. 1560).

▶ **BARAGOUINER** v. intr., d'abord attesté sous la forme de l'infinitif substantivé *barragoiner* «parler incorrect» (1578, mais antérieur ; cf. *baragouinage*), est employé comme verbe aux sens de «parler une langue étrangère que personne ne comprend» (1611) et, transitivement, «prononcer indistinctement» (1666). ◆ Il a pour dérivés **BARAGOUINAGE** n. m. (1546, Rabelais), en partie synonyme de *baragouin*, et **BARAGOUINEUR, EUSE** n. (1669, Molière), tous deux d'usage familier.

BARAKA n. f. est emprunté (1912) à un mot arabe qui signifie «bénédiction, faveur du ciel».

♦ Le mot s'emploie dans un contexte arabe et, par extension, comme un équivalent familier de «chance» *(avoir la baraka)*.

BARAQUE n. f., d'abord *barraque* (1501-1506), est emprunté, probablement par l'intermédiaire de l'ancien provençal (*baraca*, 1381, dans une charte latine de Marseille), au catalan de Valence *barraca* «petite construction primitive servant d'abri». Ce mot, attesté depuis 1249 sous la forme *barraqua* (en latin) et avant 1276 sous la forme *barraque*, est d'origine obscure ; *barraca* serait un dérivé préroman soit de °*barra* «barre transversale» (→ barre), mot commun à toutes les langues romanes, soit de °*barrum* «argile» (→ peut-être bardane, embardée, ③ barder), mot ibérique, l'argile et le bois entrant dans la construction de ces abris. P. Aalto, s'appuyant sur la ressemblance entre un type de temple babylonien et l'édifice de pierres sèches courant aux îles Baléares, propose comme étymon du mot catalan le syriaque *parakkā*, de l'assyrien *parakku* «temple, palais» ; cette hypothèse séduisante manque de fondements : le mot n'existe pas en arabe, langue qui aurait dû servir d'intermédiaire, et aucune attestation catalane ancienne de *barraca* ne se rapporte aux Baléares. L'italien *barraca* ne peut pas être à l'origine du mot français, le seul exemple antérieur au XVIIe s. étant probablement une interpolation.

♦ Le mot désigne une construction en planches servant d'abri. Il a connu deux types d'extensions dans le langage familier : il désigne péjorativement une petite maison mal bâtie, une maison où l'on est placé comme domestique (1821), puis toute maison (cf. pour la péjoration qui disparaît *godasse, bagnole*...). ◇ Dans l'argot du métier, le mot désigne la salle de spectacle d'où la locution ***casser la baraque*** «obtenir un succès à tout casser» et, à l'opposé, «faire échouer une entreprise». ◇ Il s'emploie aussi familièrement au sens figuré de *maison* «entreprise, collectivité, etc.».

▶ *Baraque* a produit ① **BARAQUER** v., d'abord *se barraquer* (XVIIe s.), probablement vivant dès la fin du XVIe s. comme l'indique *baraquement*. Le verbe a vieilli dans son triple usage transitif, intransitif et pronominal, y compris dans son emploi militaire. ◆ Le dérivé **BARAQUEMENT** n. m. (1574), «ensemble de baraques servant de logement», est employé par extension comme synonyme de *baraque*. ◆ **BARAQUÉ, ÉE** adj., étant donné son emploi récent pour qualifier, familièrement, une personne bien bâtie (XXe s.), serait plutôt dérivé de *baraque* que tiré du participe passé de *baraquer*.

② **BARAQUER** v. intr., attesté seulement en 1937 (Tharaud in *T. L. F.*), est emprunté à l'arabe *baraka* «s'agenouiller, s'accroupir», verbe tiré de la racine *brk-* signifiant «genou».

♦ Le mot, attesté assez tard par la littérature, a dû être employé au moins depuis le début du XXe s., par les troupes françaises (ou francophones) du Sud algérien (*méhariste* est attesté en 1899), à propos du dromadaire (méhari) lorsqu'il s'accroupit pour permettre au cavalier de monter en selle.

BARATIN n. m. est probablement dérivé (1911) de *barat*, encore attesté en provençal au sens de «marché, tromperie», déverbal de l'ancien *barater, bareter* «tromper» (→ baratter). Un emprunt direct au provençal *baratin* «tromperie» (1468) est moins probable.

♦ Le mot est d'abord un terme de l'argot des pickpockets désignant un portefeuille vide substitué par un complice à la place de celui que prend le voleur. ◇ Par extension, il a pris le sens abstrait de «bluff (d'homme d'affaires, de galant, de juge d'instruction)» dans l'argot des voyous et, de là, s'est répandu dans l'usage familier, ne concernant plus que l'activité de langage trompeur et séducteur. On peut comparer partiellement cette évolution à celle de *bidon* «faux».

▶ Le dénominatif **BARATINER** v. tr., d'abord employé intransitivement dans l'argot des pickpockets au sens de «refiler un portefeuille vide à la place de celui qu'on vole», a suivi la même évolution, prenant dans l'argot des voyous le sens de «bluffer» (1926), répandu dans le langage familier. ◆ Il a pour dérivé **BARATINEUR, EUSE** n. (1935), utilisé en argot du milieu au sens de «menteur» et répandu dans l'usage familier en parlant d'une personne ayant du bagou. ◇ Tous les mots de la série se sont spécialisés dans le contexte du discours trompeur destiné à séduire, par exemple érotiquement.

BARATTER v. tr., au participe passé *baraté* (déb. XVIe s.), puis *barretrer* (1596), *baretter* (1611), est d'origine incertaine. L'étymon latin °*burratare* «bluter la farine», lui-même d'origine obscure, manque de fondement. P. Guiraud propose, avec le préfixe *bar-* évoquant le va-et-vient, le latin *actitare,* fréquentatif de *agere* (→ agir) attesté au sens de «jouer souvent». Certains évoquent le scandinave *barâtta* «combat, tumulte», mais sans proposer de voie de passage. Enfin, selon Bloch et Wartburg, le verbe est dérivé de l'ancien français *barate* «confusion, agitation» (v. 1155), même mot que l'italien *baratta* «dispute», déjà chez Dante (*Enfer,* 21, 63), et que l'ancien espagnol *barata* (*Poème du Cid,* 1228). Le premier mot roman de cette série est l'ancien provençal *baratar* «agir, se conduire», qui correspond à l'ancien français *bareter* «s'agiter» et aussi «tromper» (→ baratin). Du sens d'«agir», l'ancien provençal a tiré «faire des affaires», «troquer». Ce verbe provençal viendrait du grec *prâttein* «achever, accomplir, agir», variante de *prassein* (→ pratique), avec anticipation de la voyelle tonique et passage de *p-* à *b-*, comme dans le mot qui a donné *boîte**.

♦ D'abord dans *lait baraté,* «petit lait», le mot exprime le fait d'«agiter la crème pour faire le beurre» (1596). Il n'est pas attesté entre 1611 et 1762, et a dû avoir un statut régional avant la seconde moitié du XVIIIe siècle.

► Le dérivé **BARATTE** n. f. (1549), «récipient où l'on bat la crème pour faire le beurre», est lui aussi rare avant la fin du XVIIIe siècle. ◆ **BARATTAGE** n. m. (1845) et **BARATTEUSE** n. f. (1879), nom de la machine servant à baratter, sont aussi des mots techniques, sans phraséologie ni métaphores.

◈ voir **BARATIN, DISPARATE.**

BARBACANE n. f. (v. 1160) est un emprunt d'origine incertaine, peut-être à l'arabe dialectal *b-al-baqára,* altération de l'arabe classique *bāb-al-báquara,* «porte pour les vaches», cet ouvrage protégeant une enceinte intermédiaire entre cette fortification et la muraille principale où les assiégés gardaient leur bétail. Cette étymologie, qui suppose en outre une transformation en *barbacana* sous l'influence de *barrana,* «extérieur», n'a pu être confirmée par l'archéologie. D'autres y voient un emprunt au persan *bālāhāna* «étage supérieur, terrasse sur un toit», en expliquant le passage de *-l-* au groupe *-rb-* sous l'influence de *barbe**, par l'idée de «masque». On a aussi proposé l'arabe *barbaḥ-ḵāneḥ* «rempart» (d'après l'idée de «galerie servant de rempart devant une porte») formellement très proche ; mais celui-ci ne peut signifier que «maison (*kāneḥ*) à ouverture, à écoulement», *barbah* signifiant «évier, tuyau d'aqueduc». Dans ce dernier sens, attesté en français, le mot vient très probablement du mot arabe signifiant «évier».

♦ *Barbacane* est un terme de fortification désignant un ouvrage extérieur percé de meurtrières et protégeant un point important (pont, passage, porte, route). Par métonymie, il s'applique à la meurtrière pratiquée dans le mur des forteresses. ◇ Le sens second en architecture d'«ouverture verticale et étroite dans le mur d'une terrasse pour l'écoulement des eaux» vient très probablement de *barbah-kāneh* (ci-dessus). Les acceptions : «ouverture étroite pour faciliter l'aération entre caves» et «fenêtre très étroite» exploitent aussi l'idée d'ouverture verticale.

BARBAQUE n. f., attesté dans la seconde moitié du XIXe s., est d'origine obscure. L'hypothèse d'un emprunt à l'espagnol du Mexique *barbacoa,* «gril servant à fumer la viande» (1518) qui, par métonymie, aurait servi à désigner la viande fumée, lui-même d'origine indienne (arawak), manque de fondement géographique : aucun texte ne confirme que le mot aurait été rapporté par des soldats de l'expédition militaire française au Mexique. Il serait alors apparenté à *barbecue**. L'hypothèse d'un emprunt au roumain *berbec* «mouton» convient moins bien du point de vue phonétique et n'est pas fondée historiquement. La première attestation inciterait à penser à un nom propre.

♦ Le mot, d'abord attesté en argot comme le sobriquet d'un boucher marron de la Chapelle (1873), s'emploie familièrement pour désigner la viande de boucherie de mauvaise qualité (1877-1880) et, par extension, toute viande.

BARBARE n. et adj. est emprunté (1308) au latin *barbarus,* d'abord appliqué à tous les peuples autres que les Grecs et les Romains, avec le sens d'«étranger» ; il est employé au figuré pour «rude, grossier, inculte», en particulier pour qualifier un usage incorrect de la langue ; chez les auteurs chrétiens, il équivaut à *gentilis* (→ gentil) et à *paganus* (→ païen). *Barbarus* est repris du grec *barbaros,* qui désignait les non-Grecs, mot formé sur une onomatopée évoquant le bredouillement, l'expression incompréhensible : le sanskrit *barbara* «qui bredouille», utilisé au pluriel comme désignation des peuples étrangers, se laisse bien rapprocher ; on a évoqué à tort, semble-t-il, le sumérien *bar-bar* «étranger» et le babylonien *barbaru,* car l'akkadien *barbaru* ne signifie que «loup». Comme on le voit avec le latin *balbus* (→ balbutier), l'onomatopée est d'un type bien attesté en indoeuropéen.

♦ En français, le mot désigne et qualifie, surtout au pluriel, les étrangers à la civilisation chrétienne d'Europe occidentale et à ses références antiques. Avec la Renaissance, il développe des valeurs figurées et affectives, se disant de ce qui est inculte, non civilisé (v. 1580), d'une personne rude et cruelle (1650), aussi en appellatif au XVIIe et au XVIIIe s., par exemple dans la rhétorique amoureuse. ◇ Il s'est dit spécialement d'une expression qui choque, qui heurte les règles (XVIIe s., Boileau). ◇ Le plus souvent péjoratif, il s'emploie quelquefois, notamment chez les écrivains romantiques, dans un contexte laudatif, le barbare étant considéré comme vigoureux, jeune par rapport aux décadences des civilisations raffinées. ◇ Repris en histoire, le mot s'applique aux envahisseurs venus d'Europe centrale et du Nord, en majorité germaniques, par rapport au fonds celte romanisé des Gaules. Il est alors aussi adjectif *(les invasions barbares).*

▶ Ses dérivés, apparus au XVIe s., se sont d'abord employés dans un contexte linguistique. ➜ **BARBAREMENT** adv. (1529) a signifié «d'une manière contraire aux règles de la langue» avant de prendre le sens général «d'une manière barbare, cruelle» (1615). ➜ **BARBARISER** v. tr. (1534) est d'abord intransitif en parlant d'une personne qui s'exprime de manière barbare; sorti d'usage au XVIIe s., il a été repris au XVIIIe s. avec le sens général de «rendre barbare». Il est archaïque.

BARBARISME n. m. est emprunté (1265) au latin *barbarismus,* «expression vicieuse», lui-même repris au grec *barbarismos* (Aristote). Ce dernier provient de *barbarizein* «parler, se conduire comme un barbare» d'où, en politique, «prendre le parti des barbares», c'est-à-dire des Perses, dérivé de *barbaros.* ◇ Le mot a gardé sa spécialisation linguistique.

BARBARIE n. f. est emprunté (1495) au latin *barbaria* ou *barbaries,* employé à propos de l'Italie selon l'usage des Grecs, puis de tous pays en dehors de la Grèce et de l'Italie. Comme *barbare,* il se dit par extension de la rudesse des mœurs, de la grossièreté, de la cruauté et du langage fautif. ➜ Le mot a été repris avec le sens moral de «cruauté, violence de barbare». Depuis Montaigne, il se dit de l'état d'un peuple non civilisé sous le regard d'un autre (1580). Par extension, il recouvre tout ce qui contrevient aux formes intellectuelles, esthétiques reconnues par une civilisation et de ce qui peut être taxé de grossièreté (1690).

BARBARESQUE adj. et n. est emprunté (1534) à l'italien *barbaresco* (XIVe s.), dérivé de l'adjectif *barbaro* pour qualifier ce qui se trouve chez les barbares et, par ailleurs, dérivé de *barberia* comme adjectif ethnique (→ aussi ② barbe) [*cheval barbe*]. ◇ Le mot qualifie au XVIe s. ce qui se voit, ce qui se trouve chez les barbares; disparu à l'époque classique, il est repris au XVIIIe s. (1752). ◇ Par un second emprunt à l'italien, il désigne alors, puis qualifie (1798) un habitant de la «Barbarie», c'est-à-dire l'Afrique du Nord. C'est aujourd'hui un mot d'histoire, surtout appliqué aux pirates maghrébins de la Méditerranée, du XVIe au XVIIIe siècle.

◈ voir ② BARBE, BRAVE.

✳ ① **BARBE** n. f. est emprunté (v. 1050) au latin *barba,* «poils du menton et des joues de l'homme (incluant parfois la moustache)», appliqué par extension aux poils de la mâchoire d'un animal, aux filaments de certains végétaux, et employé en locutions figurées, à propos des humains, avec une notion de vénérabilité ou d'archaïsme. Le mot a des correspondants dans la partie nord-ouest du domaine indoeuropéen, dans le vieux slave *brada* (russe *boradà*), le lituanien *barzdà,* l'ancien haut allemand *bart.*

♦ En français, la valeur du mot est à peu près identique à celle du latin : *barbe* désigne les poils du menton et, par extension, s'emploie dans la description des animaux et des plantes; dans ce dernier domaine, où il semble d'abord avoir désigné une gerbe (par exemple avec l'ancienne locution figurée ***faire barbe de paille à qqn*** «le tromper»), il connaît une certaine vitalité dans la désignation des plantes (*barbe-de-Jupiter, barbe-de-chèvre,* XVIe s.). ➜ Par analogie, le mot désigne une chose qui, par son aspect ou son emplacement, rappelle la barbe; c'est le cas en numismatique (1676), en artillerie, en astronomie, en marine, en habillement, en serrurerie et en confiserie (***barbe à papa*** [1934]) pour «filaments sucrés». ➜ Les emplois métaphoriques et figurés issus du sens dominant, «poils du menton», sont nombreux dès le moyen français dans les anciennes locutions *en barbe* «en face» (fin XVe s.), d'où *faire barbe* «résister», *bailler en barbe, mettre en barbe* «opposer», *rencontrer, trouver, voir en barbe* «avoir à lutter contre». La locution apparue à la même époque ***à la barbe de*** (XVIe s.), qui a éliminé *en la barbe de,* s'est répandue pour «en présence de qqn et malgré lui, en le narguant». ◇ *Barbe* a développé d'autres sens figurés, passant par un cheminement mal éclairci dans l'argot des imprimeurs par la locution ***prendre barbe*** «s'enivrer» (1702). ◇ La notion d'ennui, réalisée dans les expressions familières *faire la barbe* (1866) et, elliptiquement, *la barbe* (1881), procède probablement de *rébarbatif,* employé avec un sens analogue dès le XVIIe s. (cf. *raser* et ci-dessous *barber*). Cette valeur, comme l'exclamation *la barbe !,* a vieilli.

▶ La dérivation, nombreuse, est étalée sur plusieurs siècles. ➜ **BARBELÉ, ÉE** adj. et n. m. vient (v. 1120), non de *barbe,* mais de son ancien diminutif *barbel* (XIIe s.) «petite barbe» d'où «pointe, dent d'un objet», peut-être par analogie avec le latin *barbula,* «duvet de plante». ◇ Le mot qualifie une chose hérissée de pointes disposées comme les barbes d'un épi, en particulier et couramment, un fil de fer; de là, par ellipse, un emploi substantivé *(du barbelé)* pour ce type de fil de fer et, par métonymie, l'ouvrage ainsi confectionné. ➜ Par substitution de suffixe, a été formé **BARBELER** v. tr., d'abord dans un emploi métaphorique chez Verlaine (1896).

BARBIER n. m. (v. 1221) a longtemps désigné non seulement celui qui fait la barbe, mais celui qui exerçait cette fonction conjointement à celle de chirurgien *(barbier-chirurgien),* type social qui existait encore récemment en pays musulman. Le sens restreint de «celui qui fait la barbe» (v. 1230) a été plus tard supplanté par *coiffeur,* mais il subsiste en français du Canada en parlant du coiffeur pour hommes. ◇ Le mot a désigné (v. 1580) un poisson dont la nageoire est en forme d'épine tranchante. ➜ **BARBIÈRE** n. f. a servi à la fin du XIIIe s. et au XIVe s. à désigner une pièce d'armure destinée à protéger le cou et le menton; il est de nouveau répertorié dans les dictionnaires généraux du XIXe siècle.

BARBET n. m. (fin XIIIe s.) se dit d'un chien à poils longs et frisés; il a donné au XVIIe et au XVIIIe s. quelques locutions comparatives, telles *suivre qqn comme un barbet* et *être crotté comme un barbet* (1690), sorties d'usage (cf. ci-dessous ① *barbichon*). ➜ **BARBETTE** n. f., diminutif de *barbe* (1294), a vieilli, tant pour désigner une sorte de mentonnière portée par les religieuses, les femmes âgées, les veuves, qu'avec son sens littéral de «petite barbe» appliqué aussi aux animaux (1376, en fauconnerie).

BARBELURE n. f., dérivé (XIVe s.) comme *barbelé* de l'ancien diminutif *barbel* servant à désigner une aspérité disposée en barbe d'épi, est sorti d'usage au XVIe s. et a été repris au XIXe s. en technique.

BARBILLON n. m., dérivé de *barbe* avec le suffixe *-illon* (1389), a d'abord désigné une petite barbiche, un petit poil de barbe, avant de développer ses spécialisations modernes. Il ne s'est pas conservé à propos de la radicelle d'une plante (v. 1393), mais sert à désigner chacune des petites dents d'une flèche (v. 1393), et aussi une maladie de la langue des oiseaux de proie (v. 1465), ou encore un appendice charnu pendant de chaque côté du bec (v. 1465, en fauconnerie).

BARBER v. tr. apparaît relativement tard en moyen français (1397) au sens propre de «faire la barbe», sorti d'usage au profit de *raser* (XVIIIe s.). ◇ Le sens figuré, «ennuyer» (1882), d'abord argotique puis familier, procède par synonymie de l'emploi familier de *raser* sous l'influence du sens de *rébarbatif* (cf. ci-dessus *barbe*). ➛ Son participe présent **BARBANT, ANTE** adjectivé (1907) a le sens correspondant, «ennuyeux», et a été en vogue dans la première moitié du XIXe s. (cf. ci-dessous *barbifier*). *Barbant,* probablement au sens de «barbu», avait existé dans ce contexte au XVIe s. (1587, Cholières).

BARBICHE n. f., d'abord attesté au masculin, avec le sens de «petit barbet» (1694) puis de «homme barbu» (1794), a pris au féminin son sens actuel de «petite barbe» (1842). ➛ En ont été dérivés ② **BARBICHON** n. m. (1813) et **BARBICHETTE** n. f. (1913) avec le sens diminutif de «petite barbiche», ainsi que **BARBICHU, UE** adj. «qui porte une barbiche» (1927, chez Léon Daudet). ➛ **BARBILLE** n. f. (1751), autre diminutif de *barbe,* recoupe ce dernier dans son sens technique de «filaments restant parfois au flanc des monnaies».

BARBIFIER v. tr., après une attestation isolée comme intransitif au sens de «porter la barbe» (XVIIe-XVIIIe s.), a été repris au sens de «faire la barbe à (qqn)» (1752), également «se raser» à la forme pronominale (1835) où il double *barber* et est éliminé par *raser.* ◇ Comme *barber,* il a développé le sens familier d'«ennuyer» (1889). ➛ Ses dérivés **BARBIFICATION** n. f. (1892) et **BARBIFIANT, ANTE** adj. (1918 dans Proust), «ennuyeux», ont vieilli.

BARBULE n. f., emprunt savant (1838) au latin classique *barbula* dans son sens botanique, ne s'est implanté qu'avec le sens analogique de «filament implanté sur les barbes d'une plume» (1838).

BARBOUZE n. et adj. est une formation argotique (1926) avec le suffixe péjoratif *-ouse,* au sens de «barbe» et «fausse barbe», d'où «agent d'une police parallèle, des services secrets» (1961). ➛ On en a dérivé **BARBOUZERIE** n. f., mot familier et plaisant pour désigner l'ensemble des barbouzes (1965).

Le préfixé **ÉBARBER** v. tr. (XIIe-XIIIe s.) s'est éloigné du sens propre, «couper la barbe de (qqn)» pour prendre celui de «enlever les aspérités de (une chose)» (1438), d'usage technique, se spécialisant en imprimerie, en métallurgie, en horticulture. ➛ En ont été dérivés les substantifs **ÉBARBEMENT** n. m. (1691), plus souvent **ÉBARBAGE** n. m. (1765) noms d'action, **ÉBARBURE** n. f. (1755) «déchets de ce qui est ébarbé», **ÉBARBOIR** n. m. (1755) et **ÉBARBEUSE** n. f. (1873) ou **ÉBARBEUR** n. m., noms d'instruments.

SOUS-BARBE n. f. a désigné un coup porté sous le menton (1611). Il s'applique (dep. 1605) à une pièce de harnais passant sous la mâchoire, et, en marine (1687), à un cordage maintenant le beaupré pardessous.

Une série de dérivés, à la suite d'un phénomène d'aphérèse qui l'a séparée de *barbe,* a été totalement démotivée. Leur origine est ① **BARBICHON** n. m. (1587), dérivé de *barbe* avec une terminaison diminutive en *-ichon,* pour traduire le latin *barbatulus* en zoologie, nom d'un chien à longs poils frisés, également appelé *barbet.* ◇ *Barbichon* s'est également employé en ornithologie (1770-1783, Buffon) comme diminutif de *barbiche,* pour un gobemouches au bec garni de longues soies. ➛ Par aphérèse, *barbichon* a donné **BICHON** n. m. (1588), «petit barbet à longs poils soyeux». ◇ Par extension, probablement sous l'influence de *biche**, ce mot a acquis une valeur affective, s'employant familièrement à l'adresse d'un enfant (1714, *mon bichon*). ◇ Par analogie, il désigne le petit coussinet dont les chapeliers se servent pour lustrer les chapeaux (av. 1878). ➛ Son dérivé **BICHONNER** v. tr., élargissement (1725) de **BICHONNÉ, ÉE** «frisé comme le poil d'un bichon» (1690), correspond à ses différents emplois : «friser (une chevelure) comme la toison d'un bichon», familièrement «cajoler, parer avec coquetterie» (1807) et, en chapellerie, «mettre en forme et assouplir les bords d'un chapeau» (1951). ◇ À son tour, le verbe a produit **BICHONNAGE** n. m. (1782-1788).

◈ voir BARBEAU, BARBON, BARBOTER, BARBU, IMBERBE, JOUBARBE, RÉBARBATIF.

② **BARBE** adj. et n. m. est emprunté (1534) à l'italien *barbero* (1505-1530), qualificatif pour un cheval de selle oriental, lui-même dérivé de *Barberia* «la Barbarie (le Maghreb)», dérivé de *barbaro* (→ barbare).

♦ Le mot, qui a gardé son sens d'origine dans *cheval barbe,* est aussi employé substantivement (1619).

BARBEAU n. m., réfection suffixale (1549) de *barbel* (v. 1178 au pluriel, *barbiaus*), est emprunté au latin populaire °*barbellus,* issu par changement de suffixe de *barbulus,* diminutif de *barbus* «poisson». Lui-même est dérivé de *barba* (→ ① barbe) en référence aux barbillons qui garnissent sa mâchoire (→ barbu, barbue). Le mot français témoigne peut-être de l'influence de *barboter**.

♦ Le mot désigne un poisson et, par référence au sens argotique de *maquereau,* s'emploie en argot pour «souteneur» (1866).

▸ En sont dérivés **BARBILLON** n. m. (1300) «jeune barbeau» et, récemment, le terme argotique **BARBIQUET** n. m. «jeune souteneur» (1952) d'après *biquet**. ➛ **BARBE** n. m. «souteneur» est l'apocope de *barbeau,* comme *mac* de *maquereau.*

BARBECUE n. m., d'abord *barbacue* (1913), puis *barbecue* (1954; 1938 à propos d'un pique-nique aux États-Unis), est emprunté à l'anglo-américain *barbecue* n. m. (1697, anciennement *barbecu, barbacot, barbicue*), lui-même emprunté à une langue amérindienne de Haïti *barbacoa* (→ barbaque). Le mot désigne proprement les piquets de bois où l'on accroche au-dessus d'un feu de la viande à sécher ou à fumer. Il s'applique ensuite à une rôtissoire (XVIIIe s.) puis, par métonymie, à la bête rôtie en entier. Il a pris aux États-Unis le sens spécial de «pique-nique où l'on fait des viandes rôties» (1733), puis de «viande grillée, rôtie» (1947), «rôtisserie», et enfin «viande accompagnée d'une sauce dite aussi *barbecue*». Ce terme a toujours désigné, en anglais, une pratique exotique; c'est des États-Unis qu'est venue la coutume de préparer ainsi les viandes dans les pique-niques et même chez soi.

♦ En français, *barbecue* désigne le brasero et, par métonymie, la grillade faite sur cet appareil, ainsi que la réunion où l'on mange des viandes ainsi grillées (1949). Le mot, prononcé à l'anglaise ou à la française, a résisté aux critiques. Au Canada, le mot possède le sens américain particulier de «poulet rôti à la sauce barbecue», inusité en français de France, où le sémantisme du mot est assez proche de celui de *méchoui*.

BARBELÉ, ÉE → ① BARBE

BARBITURIQUE adj. et n. m. est formé (1864) de l'élément *barbitur-* tiré de l'allemand *Barbitursäure*, mot composé par Baeyer en 1863, avec *Barbitur-* d'origine obscure (le barbital, synthétisé par Fischer et Von Mering le jour de la Sainte-*Barbara*, ce qui fournirait une origine formelle, ne le fut qu'en 1903) et *säure* «acide» (→ choucroute). Le mot français a été repris par l'anglais *barbituric* (1866).

♦ Le mot s'emploie en chimie et en pharmacie pour qualifier un acide dont les dérivés sont utilisés pour la préparation d'un grand nombre de médicaments (sédatifs, somnifères). Il est substantivé (1936) et employé couramment pour désigner un médicament hypnotique dérivé de l'acide barbiturique et de ses homologues.

▸ En sont dérivés quelques termes didactiques de médecine, chimie et pharmacie : **BARBITURISME** n. m., **BARBITOMANIE** n. f., **BARBITOMANE** n. et **BARBITAL** n. m., tous attestés autour de 1950. ◇ Le terme de chimie et de pharmacie **BARBITURATE** n. m. (1898) signifie «sel ou ester de l'acide barbiturique».

BARBON n. m. est emprunté (XVIe s.) à l'italien *barbone*, lui-même dérivé de *barba* «barbe» (→ ① barbe) avec le suffixe augmentatif *-one*. Le mot italien est attesté au sens ancien de «sicaire» (av. 1535) — cf. en français moderne *barbouze* —, puis au sens littéral de «barbe, barbe fournie» (1550) et, enfin, par métonymie (déb. XVIIe s.) à propos d'une personne portant une grande barbe, avec une connotation plaisante.

♦ Le mot s'est employé familièrement pour désigner un vieillard, un vieux beau, et, dans la locution *faire le barbon*, en parlant d'un homme trop sérieux pour son âge (XVIIe s.). Courant dans l'usage classique, le mot s'applique alors à un homme vieillissant et ennuyeux par rapport aux activités galantes : le thème du barbon et de la jeune épouse alimente la comédie.

BARBOTER v. est d'origine incertaine. Un premier verbe (fin XIIe s.), signifiant «parler entre ses dents», et en usage jusqu'au XVIIIe s., pourrait être dérivé de ① *barbe* («parler dans sa barbe»), à moins qu'il n'appartienne à un radical onomatopéique *bar-* (cf. *barbare**), croisé avec *barbe* (→ ① barbe) par étymologie populaire. Avec le sens actuel de «patauger» (v. 1220) le verbe serait plutôt *borbeter*, variante de *bourbouter* attesté en même temps (v. 1220), peut-être dérivé de *bourbe**, l'altération se faisant par dissimilation, l'influence du premier *barboter* amenant à la forme actuelle (cf. aussi *barbouiller*). L'hypothèse selon laquelle le mot serait issu dans les deux sens de l'ancien français *barbeter* «fouiller dans la boue», et aussi «bredouiller», se heurte au fait que le second sens de *bourbouter, borbeter*, attesté plus tard (XIVe s.), doit correspondre à une continuation. Ainsi l'initiale *bor-* ou *bour-*, primitive au sens de «patauger», est en concurrence dès le XIIIe s. avec *bar-*, qui l'emporte au XVIe siècle. La deuxième syllabe, au début *bou-* ou *bour-*, se fixe rapidement en *bor-*. Quant au sens du premier *barboter* «bredouiller», il disparaît en français classique.

♦ Le verbe, au sens de «remuer dans l'eau ou dans la boue» (1611), serait donc une altération de l'ancien français *borbeter*. Une évolution sémantique s'est faite vers le sens, en emploi transitif, de «fouiller» (1561, repris début XIXe s.), d'où au figuré «voler, dérober» (1843), resté dans l'usage familier. ◇ Au XIXe s., le mot au sens propre a également développé des emplois techniques, se disant d'un navire qui n'avance pas (1831) et, en chimie, d'un gaz qui, en s'échappant, agite un liquide (1865). Enfin, au XXe s., par extension du sens premier, *barboter* se dit pour «s'agiter dans l'eau sans nager».

▸ Le verbe a servi à former un grand nombre de dérivés. ➛ **BARBOTE** n. f. (v. 1220), souvent *borbote* et *bourbote* à la même époque, est le déverbal de *borboter, bourboter, barboter*, peut-être influencé par *barbe* pour servir de nom à des poissons, la lotte commune et la loche. ➛ **BARBOTEMENT** n. m., écrit *barbottement* (1542), altération de *barboutement* (XIVe s.), a d'abord désigné une parole trompeuse. ◇ Au XIXe s., le nom est reformé comme substantif d'action de *barboter* dans son sens actuel, «action de patauger» (1839). ➛ **BARBOTEUR, EUSE** n. et adj., d'abord *barbouteur* (v. 1500) «personne qui parle entre ses dents», a disparu en ce sens au XVIIIe siècle. Repris comme dérivé de *barboter*, il sert à qualifier et à désigner un animal (1680), une personne (1867) qui barbote. ◇ Au XIXe s., il a pris en argot le sens de «voleur de nuit» et familièrement de «personne qui barbote, vole qqch.». ◇ Dans l'usage technique, il désigne un dispositif où l'on fait barboter un liquide, un appareil où l'on fait passer du gaz à travers un liquide (1867). ◇ Avec la valeur d'«animal qui barbote», le mot a désigné en argot (1862) le canard et Larchey fait venir de ce sens la valeur argotique de ② *barbot* (ci-dessous) par une comparaison entre le bec de canard et la main qui dérobe : cette hypothèse est fantaisiste.

① **BARBOT** n. m. (1551) a désigné un insecte pillant les ruches; cet emploi est assez obscur. Il a été repris sous l'influence de *barbeau* pour servir de nom courant à la lotte commune et à la loche franche (1810). ◇ Le sens argotique de «souteneur» (1886) est étranger aux autres emplois; ce n'est qu'une variante graphique de *barbeau.*

BARBOTAGE n. m., d'abord *barboutage* (1562), s'est employé au XVIe s., avec l'idée de liquide agité, à propos d'un breuvage, d'un remède de bonne femme. Reformé dans la seconde moitié du XIXe s., il désigne l'action de barboter dans l'eau (av. 1867), s'employant en chimie pour «passage d'un gaz dans un liquide» (1875). ◇ L'acception technique, en agriculture, de «farine ou son délayé dans l'eau et servant de boisson rafraîchissante au bétail», est une extension métonymique (av. 1863). ◇ Le sens figuré et familier du verbe a produit l'acception de «vol» (1872 chez les forçats).

BARBOTINE n. f. (1532) désignait une variété d'absinthe à pouvoir vermifuge. ◇ Le mot a été reformé (1789) en technique (céramique) pour désigner une pâte de porcelaine délayée à consistance de bouillie claire avec de l'eau servant à fixer les éléments rapportés. Par métonymie, il désigne la porcelaine ainsi fabriquée (1888).

② **BARBOT** n. m., autre déverbal («ce qui barbote»), a été reformé (1602) avec le sens de «bouillon» (dans l'expression *raves au barbot*), disparu au XIXe siècle. Comme déverbal de *barboter* «voler», équivalant à *barbotage,* le mot désigne en argot ancien l'acte de vol, de fouille dans une caisse, un logis (1862).

BARBOTEUSE n. f., ancien terme d'argot pour une femme des rues (1776), peut-être par métaphore du «ruisseau», a été repris comme terme d'habillement pour désigner un vêtement d'enfant laissant les membres libres de s'agiter (1920). ➜ **BARBOTEUX, EUSE** n. et adj. a déjà servi à désigner une espèce de canard (1838). ◇ Adjectivement, il s'applique au figuré à une peinture, à une couleur qui évoque un mélange boueux, sale (1859). ➜ **BARBOTIÈRE** n. f. (1863) désigne la mare où barbotent les canards, ainsi qu'un baquet contenant le *barbotage* des chevaux, du bétail.

◈ voir BARBOUILLER.

◈ **BARBOUILLER** v. tr. (XVe s.), également *babouiller* au XVe s., est peut-être dérivé de *barboter** au sens de «bredouiller» avec substitution de finale, d'après des verbes tels que *souiller, brouiller.* Ce dernier, ainsi que l'apparition de *barboter* «patauger», a pu faire passer le verbe au sens moderne; il correspondrait alors à un intensif de *brouiller,* à valeur expressive renforcée par les éléments phonétiques *bar-* et *bouill-.*

♦ Le verbe, en emploi intransitif, signifie d'abord «bafouiller». ◇ Depuis le début du XVIe s. il correspond à «troubler», «brouiller (un organe)» (1511), sens exploité dans les locutions ***barbouiller l'estomac, le cœur*** (1845). ◇ Au XVIe s., il avait pris le sens de «couvrir d'une substance salissante» (1550), au figuré «écrire souvent et inutilement ou mal sur...» (1580), et concrètement «enduire grossièrement et mal» (1611), d'où «mal peindre» (av. 1654). ◇ Le sens abstrait, correspondant à «embrouiller, rendre confus» (1690), aussi avec un complément désignant une personne (av. 1755), tout comme *se barbouiller,* «se charger de, s'embarrasser de» (1672), est sorti d'usage. *Se barbouiller* s'emploie en parlant d'un ciel qui se couvre de nuages, d'un temps qui se gâte (1734).

▶ **BARBOUILLEUR, EUSE** n., relevé une première fois au sens figuré de «querelleur» (v. 1480), puis au XVIe s., s'emploie dans le domaine de l'expression, à propos d'un mauvais écrivain (1532, *barbouilleur de parchemin*), et surtout d'un mauvais peintre (1611). ◇ Le sens de «bavard confus, inintelligible» (1798) semble faire renaître la valeur initiale de *barbouiller* et de *barboter* «bredouiller». ➜ **BARBOUILLAGE** n. m. (1588) désigne l'action de barbouiller et, surtout, son résultat, d'abord dans le domaine de l'écriture, du récit (à nouveau au XVIIIe s.), puis essentiellement dans celui de la peinture (1611). ➜ Le déverbal **BARBOUILLE** n. f., très postérieur (1927), double le précédent dans le langage familier avec le sens de «mauvaise peinture» et prend par extension la valeur d'«activité de l'artiste peintre ou du peintre en bâtiment».

EMBARBOUILLER v. tr., d'abord noté *embarboyller,* sert d'intensif à *barbouiller,* exprimant l'action de salir (1530) et, au figuré, de mélanger de manière confuse, *s'embarbouiller* correspondant à «s'embrouiller» (v. 1755). Les dérivés (*embarbouille* n. f., *embarbouillage, embarbouillement* n. m.) restent peu usités, et le verbe lui-même a vieilli.

DÉBARBOUILLER v. tr., d'abord écrit *desbarbouiller* (1549), signifie «laver, nettoyer», au concret et, par figure, à l'abstrait (1687). ◇ Le pronominal s'est spécialisé pour «se laver rapidement la figure», forme et sens devenus les seuls usuels. ◇ Par influence de *se débrouiller,* on a dit *se débarbouiller* (1863) pour «se tirer d'embarras», mais ce sens familier a vieilli. ➜ Le dérivé **DÉBARBOUILLETTE** n. f., courant en français du Canada, désigne le petit carré de serviette éponge servant à se laver la figure, et qui correspond à ce qu'on appelle *gant de toilette* en français européen.

BARBU, UE adj. est emprunté (1213) au latin populaire *°barbutus,* réfection par substitution de suffixe (*-utus* pour *-atus*) du latin classique *barbatus* «qui porte barbe», «qui porte des poils», et, au figuré, «ancien, périmé», dérivé de *barba* (→ ① barbe). Il est senti comme dérivé de *barbe.*

♦ *Barbu,* «qui a de la barbe», a supplanté l'ancien *barbé* (v. 1080), lui-même dérivé de *barbe.* Par extension, il qualifie un animal possédant des appendices en forme de barbe (une fois fin XIIIe s.; de nouveau 1842), plus rarement un objet pourvu de filaments (1508-1517), en particulier une comète (1690), emploi disparu, puis un végétal garni de barbes (1803). ◇ Ses premiers emplois substantivés concernent l'histoire religieuse, s'appliquant aux convers qui, dans les ordres de Grandmont et de Cîteaux, portaient toute leur barbe (1721), avant de s'appliquer à une personne quelconque portant la barbe (1801), puis à nouveau à des communautés d'hommes spécifiques, intégristes musulmans, par exemple. Concurremment à *les barbus,* le correspondant espagnol *barbudos* a été emprunté pour désigner les partisans de Fidel Castro à Cuba, qui portaient à peu près tous la barbe lorsqu'ils prirent le pouvoir.

▸ Le féminin **BARBUE** a été substantivé (1250-1300) pour désigner une espèce de poisson plat voisin du turbot. ◇ Un ancien usage argotique pour désigner la plume à écrire (1836) suppose l'ellipse de *plume* ou une métonymie.

BARCAROLE ou **BARCAROLLE** n. f. est emprunté (1764 dans Voltaire) à l'italien *barcaruola* «chant des bateliers vénitiens», lui aussi attesté depuis le XVIIIe s. et passé dans le provençal moderne *barcheruolo (barcaruollo),* le catalan et l'espagnol *barcarola.* Le mot italien est le féminin d'une forme vénitienne de *barcaiolo* «batelier, passeur», lui-même dérivé de *barca* (→ barque).

♦ Le mot désigne proprement la chanson rythmée des gondoliers vénitiens et, par extension, un air de musique instrumentale ou vocale fondé sur ce rythme ternaire, en vogue à l'époque romantique.

BARD n. m. succède (1752) aux formes anciennes *baiart, bayard, boyard* (fin XIIe s.), *bayard* et *bayart* s'étant conservés régionalement, puis *béart* (1239, jusqu'au XIVe s.) et *bar* (XVIe s.). L'influence des dérivés *(bardeur, débarder)* est probable et la forme *bard* doit être plus ancienne que ses attestations écrites connues. L'origine est controversée : l'hypothèse d'une dérivation de l'ancien français *baer, beer, bayer**, fondée sur le fait que le mot désigne une civière à claire-voie, fait difficulté car elle ne peut expliquer la forme *baiart* (*bayer* apparaît seulement au XIVe s.). L'hypothèse d'un rattachement à l'ancien français *bail* «poutre» (du latin *bajulus*), ou à un verbe *bailler** «porter» (du latin *bajulare*), fait difficulté du point de vue phonétique. L'hypothèse d'un étymon gaulois °*bagareto,* composé du latin populaire °*bagus* (à rattacher à l'indoeuropéen °*bhăghu-s,* «bras») et du suffixe collectif gaulois *-areto,* ne repose pas sur des bases solides. L'hypothèse germanique de Gamillscheg supposant une forme intermédiaire °*berard,* issue du francique °*bërhard* «porteur», à rattacher au francique °*bëran* «porter» (→ ② bière), pose une difficulté phonétique car le *r-* aurait dû produire un *l-* comme dans *peregrinum*> *pèlerin**. On a enfin supposé sans base solide que *baiart* pouvait être le dérivé de l'adjectif *bai** par assimilation du brancard avec la monture.

♦ *Bard* (ou ses formes anciennes) est un terme technique désignant une civière sans pied, parfois à claire-voie, servant au transport à bras, en particulier en horticulture et en maçonnerie. Par analogie, il désigne aussi (1239, *béart*) un chariot bas destiné au transport des grosses charges.

▸ **BARDEUR** n. m., dont le type actuel est issu (1387) par contraction de *baiardeur* (v. 1220), désigne l'ouvrier qui utilise le bard, en particulier pour le transport des pierres, et le chariot qui transporte des blocs de béton (1900). ◆ **BARDÉE** n. f. (1642) désigne, comme les noms suffixés en *-ée,* un contenu, celui du bard.

DÉBARDER v. tr. (1522), dont le sens littéral de «décharger à l'aide d'un bard, d'un chariot» est oublié, se dit pour «décharger et entreposer à quai les bois amenés par bateau ou par flottage», d'où par extension «décharger toutes sortes de marchandises». ◆ Son dérivé **DÉBARDEUR** n. m. (1528), à la différence du substantif d'action purement technique **DÉBARDEMENT** n. m. (1680), est passé dans l'usage courant, s'appliquant par métonymie à un vêtement rappelant celui des débardeurs, mis à la mode au début du XIXe s. (1845) et repris au XXe siècle.

① **BARDER** v. tr. (1751), postérieur à *débarder,* s'est employé pour «charger sur un bard», et a peut-être donné lieu à un sens argotique à l'origine de la création d'un verbe ③ *barder**. ◆ Son dérivé **BARDAGE** n. m. (1837), «transport d'objets lourds», s'est confondu avec le plus ancien *bardage* n. m. (1638) «charge d'un bard», qui était dérivé de *bard.*

BARDELLE n. f. (1808), diminutif de *bard,* est un terme technique de verrerie désignant le bras d'un banc de verrier.

BARDA n. m., d'abord noté *berdâa* (1848) puis adapté en *barda* (1863), est emprunté à l'arabe *barda'a* «bât rembourré pour un âne ou une mule», et «couverture de bât». L'usage du mot, qui fait partie d'une série d'emprunts à l'arabe d'Algérie (*toubib,* etc.), s'est répandu par l'intermédiaire des soldats français ayant servi en Afrique (→ ① barde).

♦ *Barda* désigne d'abord l'équipement du soldat (d'Afrique à l'origine) porté sur son dos. Par extension, il est passé dans l'argot des peintres (1881) et s'est répandu comme un équivalent familier de «bagage» (1883). ◇ Par le même développement métaphorique que *sac* (→ ① sac), il est passé dans l'argot pour «billet de mille francs» (1952), devenant comme *sac* une simple unité de compte après la réforme monétaire («nouveaux francs»).

BARDANE n., d'abord attesté en français d'Angleterre ou anglo-normand (v. 1250), puis en France (XVe s.), est emprunté au latin médiéval *bardana* (VIIIe-XIe s.). Ce mot est souvent considéré comme l'altération, peut-être sous l'influence de *barba* (→ ① barbe) qui désigne déjà en latin classique la partie d'une plante pouvant évoquer une barbe, de *dardana* (Ve s.), lui-même rattaché au germanique °*daroth* (→ dard). L'objection formulée contre cette hypothèse par Wartburg, parce que *bardana* et *dardana* désignaient des plantes différentes, n'est pas justifiée, ces mots étant glosés *lappa* et *personacia,* deux autres noms pouvant désigner la même plante. On a aussi supposé que *bardane* était un emploi figuré du lyonnais *bardane* «punaise», parce que les capitules de la plante s'attachent aux vêtements comme des punaises ; l'étymon serait alors le latin populaire °*barritum,* lui-même de °*barrum* «argile, boue» que l'on restitue d'après des mots romans (italien *barro,* espagnol *barro,* «boue», ancien provençal *bart* [→ baraque, ③ barder, embardée]) ; ceci ne permet pas de rendre compte des formes latines médiévales *bardana* et *dardana*. Quant à l'emprunt à l'espagnol *bardana*, il nécessite pour l'espagnol des attestations antérieures à celles dont on dispose (1555). P. Guiraud, quant à lui, pense pouvoir apparenter *bardane, barder* et *embardée* et les faire venir d'un étymon °*baritare*, «qui diverge, dont les côtés s'écartent» et «bombé, renflé», croisé avec *barde* «brancard», «bât», et surtout *bart* «boue».

♦ Le mot désigne une plante *(Lappa communis)* dont les capitules s'accrochent aux tissus et dont la racine a des vertus thérapeutiques.

✳ ① **BARDE** n. f. est emprunté (1220 mais antérieur, cf. *bardelle*) à l'arabe *barda'a*, «bât rembourré, espèce de couverture sur le dos de la bête» (→ barda).

♦ Le sens de «couverture d'âne faite de laine grossière» et celui de «selle de toile rembourrée» (v. 1260) ont été, soit directement empruntés à l'arabe lors de la première croisade, soit empruntés par le provençal, le mot étant attesté en latin médiéval du pays d'oc dès 1144 et en occitan sous les formes *bardon* (1360), *bardo* (1529), *bardel* «bât» (av. 1234). Ces acceptions ont disparu. ◇ Le sens d'«armure faite de lames de fer», pour le guerrier et surtout le cheval (v. 1460), est peut-être un développement analogique, s'il n'est pas repris à l'italien *barda* de même origine, attesté en ce sens au XVe siècle. ➛ Par analogie de forme et de destination, le mot est devenu un terme culinaire pour une fine tranche de lard dont on enveloppe les pièces de viande que l'on veut rôtir (1680) ; c'est là sa seule valeur usuelle, souvent dans le syntagme *barde de lard*.

▸ L'ancienneté de **BARDELLE** (XIe s. dans un texte judéo-français) prouve l'antériorité du mot simple. ◇ Le mot est un terme de bourrellerie, qui a désigné un bât rembourré et a été repris pour une selle plate sans arçons faite de grosse toile piquée et de bourre (1559).

② **BARDER** v. tr. (1427) a signifié «couvrir (un guerrier, un cheval) d'une armure», évoluant par analogie vers le sens de «couvrir, protéger comme par une armure» (av. 1787), au propre et au figuré, surtout vivant à la forme pronominale *se barder* et au participe passé *bardé, ée* «protégé et armé». ◇ En même temps que *barde*, il s'est spécialisé en cuisine pour «garnir une viande de bardes» (1680).

◈ Le rattachement du terme technique **BARDEAU** n. m. (1358-1359) à *barde*, couramment proposé, suppose pour *barde* le sens de «mince planche employée pour couvrir les toits» qui serait issu de celui de *barde* «selle», ce dernier impliquant une idée de minceur et d'étroitesse ; mais ce sens est hypothétique. On a aussi proposé un étymon germanique représenté par le moyen néerlandais *bert, bart* «planche, panneau, plaque de bois», mais la forme d'ancien français intermédiaire °*bard* «planche» n'est pas attestée. Or, les représentants de °*bard* dans le domaine gallo-roman ne révèlent jamais le sens «planche de bois», mais régulièrement celui de «boue», et aussi de «dalle à paver» et sont principalement issus du domaine provençal : ancien provençal *bart* «limon, boue» (→ ③ barder) et «dalle à paver», d'où le moyen français *barder* «paver». Quant à l'hypothèse d'un étymon ancien norrois *bardi*, désignant un navire, elle ne peut convenir du point de vue sémantique que pour le sens de «train de bois flotté», qui est lui-même attesté bien trop tard pour remonter à cette origine. ➛ À partir du sens initial de *bardeau* «élément de couverture des toits, formé d'une mince plaque de bois», apparaissent par métonymie quelques sens techniques désignant des objets en planchettes : petit train de bois flotté, cloison séparant deux chambres d'exploitation minière et, en typographie, une grande casse profonde (1803). ➛ Il a pour dérivé **BARDIS** n. m. (XVIe s.) «cloison en planches», spécialisé en marine à propos de la cloison destinée à empêcher l'eau d'entrer dans la partie inclinée du navire (1691), et de la séparation faite à fond de cale pour charger les grains et graines en vrac (1732).

◈ voir **BARDOT**.

② **BARDE** n. m. est emprunté (1512) au latin *bardus* «poète, chanteur» cité comme mot étranger, probablement d'origine gauloise comme semblent l'indiquer l'irlandais *bard* et le cymrique *bardd*.

♦ Repris au XVIe s. comme terme d'histoire à propos des poètes-chanteurs gaulois qui célébraient les exploits des héros, le mot s'est étendu à un poète d'inspiration héroïque ou lyrique (1836). Il a été remis à l'honneur, en référence à la culture gaélique, par les écrivains romantiques, admirateurs de la poésie d'Ossian (en réalité écrite par l'Écossais Macpherson).

▸ **BARDISME** n. m., dérivé didactique (1845), désigne l'ensemble des mythes et traditions de bardes.

◈ voir **BARDIT**.

① **BARDER** → **BARD**

② **BARDER** → ① **BARDE**

◈ ③ **BARDER** v. intr. est à l'origine un terme d'argot militaire (1889), et paraît devoir être rattaché, par une évolution obscure, à un verbe *barder*, surtout vivant dans les dialectes, en anglo-normand moderne, au sens maritime de «drosser, affaler» (1908), à Paris en parlant d'un cheval qui court vite, d'une voiture qui va de côté et d'autre (1920), dans l'Est à propos d'un véhicule dont les roues glissent de côté sans tourner (1925). Ce verbe paraît dériver d'un type °*barrum* «boue» bien représenté en provençal depuis la fin du XIIe s. (→ bardane), le sens originel étant alors «glisser comme dans la boue» (cf. *embarder ; bardeau* sous ① *barde*). Il n'est pas exclu cependant que le verbe argotique procède au moins partiellement de l'autre verbe ① *barder* «charger», dérivé de *bard**, par l'intermédiaire du sens de «être lourd, peser» en argot (1846) avec passage au sens figuré de «peiner» ; dans un exemple relevé en 1925, *la voiture barde lorsqu'elle est trop chargée, barder* «glisser» et *barder* «peser» ont pu être confondus, ce dès le XIXe siècle.

♦ Le verbe s'est employé dans l'argot des casernes à propos d'une personne qui travaille dur, qui trime, et d'une chose qui devient pénible, difficile (1894). ◇ Avec une nuance d'appréhension, de menace, il signifie aujourd'hui «devenir dangereux, prendre une tournure violente», notamment dans des formules du type *ça va barder!*, seul emploi usuel, d'ailleurs concurrencé par des synonymes très familiers (*ça va chier*, etc.).

BARDIT n. m. est emprunté (1644) au latin *barditus*, «chant de guerre des anciens peuples germaniques» (Tacite), mot germanique d'origine inconnue. Un rapprochement avec le latin *bardus* (→ ② barde) fait difficulté en raison de l'origine gauloise de ce dernier mot. L'hypothèse d'une altération de *barritus* «barrissement» (→ barrir) est peu vraisemblable étant donnée l'origine germanique de *barditus* et dans la mesure où *barritus* est attesté postérieurement (Apulée); en outre, il ne connaît guère que le sens secondaire de «cri de guerre» et se présenterait plutôt lui-même comme une altération de *barditus* d'après *barrire*.

♦ Le mot, employé par latinisme au XVIIe s. dans une traduction de Tacite, est un terme d'histoire. Son emploi pour «chant composé par des bardes» est dû à l'attraction normale de ② *barde*.

BARDOT n. m. est emprunté (1367), de même que l'italien *bardotto* «mulet» (1612) et l'espagnol *albarda* «bât», à l'arabe *barda'a* «couverture de selle» (→ barda, ① barde), peut-être par l'intermédiaire du provençal *bardo*, dont on a le dérivé *bardel* «bât» avant 1234. La finale a été adaptée avec le suffixe *-ot*. L'hypothèse selon laquelle *bardot* serait issu du provençal °*bordot*, lui-même emprunté au bas latin *burdonem* «mulet» (ayant donné l'ancien français *bordon, burdun*, «bardot», v. 1170), ne semble pas à retenir; les très rares formes du type *bordot* relevées par Wartburg (Aveyron, Die) sont plutôt des formes issues de *bardot* par assimilation vocalique.

♦ Le mot désigne techniquement l'animal hybride né de l'accouplement du cheval et de l'ânesse, couramment appelé *mulet*. Par extension, il s'emploie quelquefois à propos d'une bête de somme, et spécialement du mulet marchant en tête et portant le muletier, qui était affranchi des droits de péage, d'où l'ancienne locution figurée *passer pour bardot* «sans payer» (XVIe s.). Le sens figuré de «personne sur laquelle on se décharge, souffre-douleur» (1740) a disparu. ◇ La même idée dépréciative est réalisée dans la spécialisation technique de «papier de rebut» en typographie (1704).

BARÈME n. m. est l'emploi comme nom commun, avec altération graphique (1803), du nom propre de François *Barrême* (1640-1703), mathématicien, expert pour les comptes à la Chambre des comptes à Paris et auteur d'un ouvrage *Les Comptes-Faits du grand commerce* (1670).

♦ Le mot désigne un recueil de calculs tout faits et de tableaux numériques facilitant une consultation rapide et sûre dans des domaines précis.

BARGE → BARQUE

BARGUIGNER v. intr., attesté au XIIe s. sous plusieurs formes : *bargaignier* (v. 1165-1170), *barguaignier* (1165), *barguignier* (v. 1165), est d'origine discutée. Selon une hypothèse communément reçue, le mot, attesté en latin médiéval sous la forme *barcaniare* «faire du commerce» (IXe s.), et indirectement par son dérivé *barganaticum* (752-768) «impôt sur les marchandises», est emprunté à un verbe francique, °*borganjan*, issu du croisement de deux verbes franciques, °*borgen* (allemand *borgen* «prêter, emprunter») et °*waidanjan* (→ gagner). Le passage de *bargaignier* à *barguignier, barguigner* s'est peut-être fait par attraction de *engigner* «tromper» (XIIe s.), ancien dérivé de *engin**. Une autre hypothèse, proposée par Gamillscheg (et reprise par P. Guiraud), fait remonter les formes du latin médiéval à un °*barwaniare*, issu d'un francique °*warbanjan*, dérivé du substantif °*warb*, lequel est déduit du moyen haut allemand *warb*, «action de tourner, affaire, métier», de l'ancien danois *hrarv* «industrie, métier», et des verbes d'ancien haut allemand *hwerfan* et *hwerban* «se tourner, s'en retourner, exercer (une profession)» d'où l'allemand *werben* «rechercher»; cette hypothèse suppose la métathèse (phonétiquement régulière) de °*warbanjan* en °*barwanjan*; mais le sens de l'étymon orienterait plutôt vers l'activité du producteur que vers celle du client acheteur. L'ancien français *bargaignier* a été emprunté par l'anglais *to bargain*.

♦ Le verbe, qui signifie «marchander longuement», n'est plus guère usité à partir du XVIIIe siècle. ◇ Par référence à la longueur de certains marchandages, il a pris le sens de «hésiter» (1234), probablement dès le XIIe s. (ancien français *bargaigne*, «hésitation», v. 1195). Ce sens a survécu dans la locution ***sans barguigner*** «sans hésiter» (1400-1422).

▸ Les dérivés ont suivi le même développement de sens. ➛ **BARGUIGNEUR, EUSE** n. (XIVe s.) a cessé de se dire de celui qui marchande pour s'appliquer à celui qui hésite (1635). ➛ **BARGUIGNAGE** n. m. (1580), **BARGUIGNADE** n. f. sont passés de l'idée de «marchandage» à celle d'«hésitation» (1740). ◇ Tous sont archaïques ou ont disparu.

BARIL n. m., d'abord écrit *barril* (v. 1170) puis *baril* (déb. XIIIe s.), est l'adaptation du latin médiéval *barriclus* «petit tonneau» (v. 800), lui-même contraction d'un gallo-roman *barriculus*, probablement diminutif de °*barrica* (→ barrique). Un rapprochement avec un latin populaire °*barra* (→ barre) ne s'explique pas sémantiquement. P. Guiraud distingue deux bases qui ont pu être confondues : l'une en *barr-* (latin médiéval, espagnol et ancien provençal *barril*) apparentée à *barrique** et à *barre**, l'autre en *bar-*, postulée par *baril* et l'italien *barile*, représentant °*barus* «divergent, cagneux» avec un dérivé roman possible °*barilis* «bombé». Selon P. Guiraud, la racine °*bar-* serait la même dans *baratin, barouf, berlingot*, etc.

♦ Le mot désigne un petit tonneau et, par métonymie, son contenu. Il a récemment acquis quelques emplois techniques en marine, en astronomie, en chimie, en photographie, passant dans le vocabulaire de la métrologie pour une unité de mesure du pétrole (1913) d'après l'anglais *barrel*, lui-même repris du français au XIVe siècle.

▸ **BARILLET** n. m. (1180-1190) «petit baril», sens disparu, s'est spécialisé pour désigner un dispositif de forme cylindrique dans divers domaines techniques (1680 en horlogerie). ◇ Il est devenu courant à propos du cylindre tournant dans lequel se logent les cartouches des revolvers et des fusils à répétition.

① **BARROT** n. m. (1323), du radical de *baril,* avec un suffixe *-ot,* est un terme technique pour «baril à anchois».

BARILLAGE n. m. (1532) s'est dit en droit de l'action de faire arriver du vin en barils et dans tous les petits récipients (moins d'un huitième de muid), bouteilles, cruches. ◇ Le mot a été reformé (1845) pour «action de fabriquer des barils» et, par métonymie, «ensemble de barils».

◈ voir BARRIQUE.

BARIOLÉ, ÉE

BARIOLÉ, ÉE adj., d'abord *barrolé* (1546), *bariolé* (1617), est d'origine incertaine. On le considère traditionnellement comme le composé tautologique de deux mots d'ancien français de même sens : *barré* (XIVe s.), dérivé de *barre*,* et *riolé* (1380), de *riule* «instrument servant à régler» (XIIe s.), remontant au latin *regula* (→ règle). P. Guiraud, refusant cet étymon à la fois sémantiquement et parce qu'il est incompatible avec les formes dialectales *baricolé, braigolé, bergolé, brigolé,* y voit la forme francisée d'un mot occitan *barigola* par chute du *-g-* intervocalique. S'appuyant sur l'existence du verbe provençal moderne *baricula, baricoula, bericoula* «assembler des couleurs disparates», et «rouler», *baricoula* «parler inconsidérément», il postule un étymon roman *°bariculare* «qui est de deux couleurs opposées», «qui va d'un côté à l'autre» avec, peut-être, une influence de *varius* (→ varié).

♦ L'adjectif qualifie ce qui est peint de diverses couleurs, produisant un effet violent et de mauvais goût, et s'emploie quelquefois avec la valeur figurée de «composite».

▸ Il a pour dérivé **BARIOLER** v. tr. (1690) dont il devient en français moderne le participe passé, et qui correspond exactement à l'adjectif pour le sens. ➛ **BARIOLAGE** n. m. est antérieur au verbe (*bariolaige,* XVIe s. ; puis *barriolage,* 1694). ➛ Les dérivés tardifs **BARIOLURE** n. f. (1808) et **BARIOLIS** n. m. (1883) sont peu usités.

BARLONG, ONGUE ou BERLONG, ONGUE

BARLONG, ONGUE ou **BERLONG, ONGUE** adj. est probablement issu (fin XIIe-déb. XIIIe s.) d'un latin populaire *°bislongus,* littéralement «deux fois long», c'est-à-dire «deux fois plus long que large» et, par extension, «très long», attesté par Du Cange au XIVe s., et composé de *bis* (→ bis) et de *longus* (→ long). Les premières attestations en français font état de *beslong.* La forme *berlong* (1400), attestée jusqu'en 1741 et reprise au XIXe s., de même que la forme *barlong* (1597) aujourd'hui dominante, représentent un traitement dialectal (picard) de *s* sonorisé au contact de *l;* le *a* de *barlong* provient de l'évolution phonétique régulière de *er* + consonne.

♦ Le mot qualifie ce qui a la forme d'un quadrilatère plus long que large (il a désigné, substantivé au masculin, un tel quadrilatère, 1690). Il pallie l'absence d'un adjectif spécifique lorsqu'il est employé pour décrire un vêtement plus long d'un côté que de l'autre.

◈ voir ① BÉLON.

BARMAID, BARMAN → ② BAR

BARNUM

BARNUM n. m. est l'emploi comme nom commun (1855) du patronyme de Ph. T. *Barnum,* homme d'affaires américain (1810-1891) possédant le génie de la réclame, qui dirigea un cirque et exhiba toutes sortes de phénomènes.

♦ Le mot s'est dit d'une personne, généralement un forain, qui exhibe des phénomènes à sensation à grand renfort de publicité. ◇ Par métonymie, l'accent étant mis sur les méthodes tapageuses et d'après le sens figuré de *cirque,* il est devenu un synonyme familier de «désordre, tohu-bohu» (1915). ◇ Il s'est appliqué aussi à une grande tente de camelot (1939), rappelant la tente d'un cirque, puis à l'abri d'un vendeur de journaux.

BAROMÈTRE → BAR-

① BARON, ONNE

① **BARON, ONNE** n. est issu (Xe s.) comme titre féodal, après l'invasion de la Gaule du Nord (Ve s.), d'un francique *°baro,* d'abord *sacebaro,* employé pour désigner un fonctionnaire subordonné au comte *(Loi salique),* puis un noble du royaume (856) et un vassal issu de la noblesse (1038). *Sacebaro* est formé de l'élément *sace-,* peut-être à rattacher à l'ancien norrois *saka* «accuser, lutter», d'où «litige», «procès» (ces fonctionnaires germaniques étant surtout chargés de percevoir les amendes judiciaires), et de *baro.* Ce dernier, qui désigne proprement l'homme libre, le guerrier, se rattache à l'ancien norrois *berja* «frapper, tuer», remontant à la racine indoeuropéenne *°bher-* «couper, fendre» (→ burin, férir, forer). Ce mot, introduit dans la Romania par les mercenaires germaniques, est attesté en latin par Isidore de Séville, et employé dans la Loi salique au sens de *vir* «l'homme», opposé à *mulier* «la femme». Il est lui-même passé en ancien français (1080, *ber* cas sujet, et *baron* cas régime), désignant un homme brave, valeureux, un saint, puis l'époux (fin XIIe s.), ce dernier sens étant conservé en picard et encore répertorié aux XVIIe-XVIIIe siècles. L'espagnol *varón* «homme fort, mâle», ainsi que le portugais *varao,* ont gardé le sens ancien tandis qu'en français, le titre de noblesse l'a supplanté dans la France féodale, passant ensuite aux autres langues romanes.

♦ À l'époque féodale, *baron* a désigné un grand seigneur du royaume, puis n'importe quel noble de rang élevé, y compris l'empereur, avec une connotation de vaillance. La valeur de «grand seigneur vassal d'un souverain» survit en histoire. Il désigne aussi plus spécialement (XIIe s.) celui qui possédait une terre avec le titre de baronnie et se plaçait au-dessous du comte dans la hiérarchie nobiliaire. ◇ Depuis la Révolution, il ne désigne plus que le noble possédant ce titre *(Monsieur le baron, le baron X).* ◇ Par analogie, il se dit d'un homme puissant, important (XIXe s.), et s'applique, en argot puis familièrement, à un complice qui fait mine d'être un client et permet au meneur de jeu de tromper les véritables clients (1901). ◇ Au XXe s., la valeur historique de «haut vassal» a été reprise en politique *(les barons du gaullisme).*

▶ La dérivation s'est faite en deux temps. ◆ **BARONNAGE** n. m., réfection de *barnage* (fin XIe s.), forme fréquente en ancien français ainsi que *bernage* (encore dans Cotgrave, 1611), désigne le titre, la qualité de baron et, collectivement, l'ensemble des barons (v. 1080). ◆ **BARONNIE** n. f., d'abord écrit *baronie* (v. 1138), senti comme doublet de *baronnage* avec les sens de «ensemble des barons» et de «condition de baron» (v. 1175), ne se dit plus en histoire que de la seigneurie et terre d'un baron. Il a eu en ancien français le sens moral de «vaillance» (v. 1150). ◆ **BARONNERIE** n. f., d'abord *barunerie* (1160-1174) «assemblée des grands seigneurs» et «qualité de baron» (v. 1395), a cessé de s'employer après le XVIe s., évincé par *baronnage* et son homonyme *baronnie.* ◆ **BARONNE** n. f., féminin de *baron,* a d'abord existé comme synonyme de «femme, épouse» (v. 1300), sens demeuré rare. ◇ Il n'est enregistré que tardivement pour «femme possédant une baronnie» et «femme d'un baron» (1611). ◆ L'adjectif **BARONNIAL, ALE, AUX,** d'usage didactique (1836, *baronial*), est un terme d'histoire.

Les verbes dérivés de *baron,* d'emploi rare, apparaissent plus tard. ◆ **BARONISER** v. tr., relevé une fois au XVIIe s., repris en 1875, et **BARONIFIER** v. tr. (av. 1800) signifient, souvent par dérision, «faire baron». ◆ **BARONNER** v. tr. (1905) est un verbe argotique pour «servir de compère».

BARONNET n. m. est emprunté (1660) à l'anglais *baronet* (XIVe s.), diminutif de *baron,* lui-même emprunté à l'ancien français *barun, baron*.* Le mot anglais, proprement «jeune baron», s'est d'abord appliqué, selon Spencer, à ceux qui furent convoqués à la Chambre des lords par Edouard III, puis aux possesseurs d'un titre héréditaire créé par Jacques Ier en 1614. ◆ Le mot désigne la personne possédant ce titre de noblesse anglais, différent de celui de *baron.*

◈ ② **BARON** n. m., terme d'art culinaire (1928), est d'origine incertaine : un rattachement au titre de noblesse ① *baron* paraît très douteux ; on a évoqué un emprunt à l'anglais *baron of beef,* «gros morceau de bœuf», lui-même attesté avant 1755 et sans étymologie établie.

♦ Le mot, dans des syntagmes déterminés (surtout *baron d'agneau*), désigne une grosse pièce de viande.

BAROQUE adj. et n. m., d'abord écrit *barroque* (1531), est un emprunt technique au portugais *barroco,* d'abord *barroca* (XIIIe s.) appliqué à un rocher, à une perle irrégulière. Ce mot est d'origine obscure, probablement préromane en raison du suffixe *-ŏccu,* très répandu sur le territoire ibérique ; P. Guiraud le rattache à un gallo-roman *barus* «divergent», d'une racine *bar-* (→ baril). L'hypothèse d'un emprunt du français à l'espagnol *barrueco* semble à écarter, celui-ci n'ayant le sens de «irrégulier» (en joaillerie) que depuis 1605.

♦ En français, le mot qualifie une perle irrégulière, sens accueilli par les dictionnaires (Furetière, 1690 ; Académie, 1718) et de nos jours technique *(perle baroque).* ◇ Le développement du sens figuré, «bizarre, insolite» (1718), comparable à l'évolution de *grotesque,* suppose peut-être un croisement avec le latin médiéval *baroco.* Ce dernier, assemblage arbitraire de syllabes, a été créé au XIIIe s. par les scolastiques pour désigner une sorte de syllogisme (v. 1210-1220) : employé ensuite par moquerie par les adversaires de la scolastique (comme Montaigne), il aurait contribué à donner à *baroque* une valeur péjorative, «inutilement compliqué, bizarre». Ce sens, enregistré dans les dictionnaires depuis 1740, s'est spécialisé en histoire de l'art (1749) à propos d'un style architectural et décoratif qui s'écarte des règles de la Renaissance classique. Le mot a été substantivé pour caractériser un style : «*le baroque* en architecture est une nuance du bizarre. Il en est, si on veut, le rafinement, ou, s'il étoit possible de le dire, l'abus» (1788). Il s'est alors notamment employé à propos des architectes italiens du XVIIe s. (Guarini, Borromini), surtout chez les théoriciens partisans de l'antique et rénovateurs d'un art architectural classique, les artistes baroques en France employant l'expression «à la romaine». Le mot demeure pendant tout le XIXe s. empreint d'un jugement de valeur plutôt négatif. ◇ Emprunté par l'allemand (1759), il a d'abord dans cette langue les mêmes emplois, mais, vers la fin du XIXe s., y acquiert une autre acception, plus précise et typologique (H. Wölfflin, *Renaissance und Barock,* 1888). Ce n'est qu'au XXe s. que *baroque,* sur le même plan que *renaissance,* qualifie et désigne (comme nom masculin) non plus seulement un style, mais aussi une époque de l'art, d'abord en architecture (où l'allemand distingue nettement *baroque* [XVIe-XVIIe s.] de *rococo* [XVIIIe s.], le français utilisant *baroque* dans les deux cas), puis dans tous les arts, en musique et en littérature. Ces valeurs sont passées dans toutes les langues européennes entre 1930 et 1960. En français, on parle de *littérature,* de *musique baroque,* celle-ci faisant l'objet d'une renaissance à partir des années 1970, d'où une fréquence accrue pour les syntagmes *musicien, orchestre, instrument baroque,* etc.

▶ La dérivation est tardive : **BAROQUERIE** n. f. archaïque (1791) et **BAROQUEMENT** adv. (1882) sont rares. ◆ Les termes d'histoire de l'art et d'esthétique **BAROQUISME** n. m. (1926) et **BAROQUISTE** adj. (1936) correspondent à la vogue de *baroque* en histoire de l'art. Ils s'appliquent à l'art baroque du XVIIe s. puis aussi avec une valeur plus générale et non historique. ◆ **BAROQUISER** v. tr. (P. Morand, 1932 à la forme pronominale) est un terme d'art, comme **BAROQUISÉ, ÉE** adj. et **DÉBAROQUISER** v. tr., employé à propos des édifices anciens (romans, notamment) transformés selon l'esthétique baroque *(baroquisés)* et auxquels on redonne leur aspect primitif (par exemple en Italie du Sud : Calabre, Campanie). ◆ **BAROQUEUX, EUSE** adj. et n. s'emploie familièrement dans les milieux musicaux (v. 1980) à propos d'un musicien spécialisé dans la musique baroque.

BAROUD n. m. est emprunté (1924) à un mot chleuh (dialecte berbère du sud du Maroc), *bārūd,* «poudre explosive».

♦ Le mot, introduit par la Légion étrangère, est un terme de l'argot des casernes pour désigner le combat, la bagarre. Il entre dans la locution ***baroud d'honneur*** «dernier combat purement symbolique pour sauver l'honneur», également employée avec une valeur figurée (1936).

▶ **BAROUDER** v. intr. (1915), «combattre», est d'usage militaire, à la différence de son dérivé **BAROUDEUR** n. m. (1923), qui s'est répandu dans l'usage familier avec une connotation d'«aventurier cherchant les combats».

BAROUF ou **BAROUFLE** n. m., attesté en français depuis 1861, est d'abord en usage dans les ports méditerranéens, sous la forme *baroufa,* n. et v., «dispute» et «se quereller». Il est enregistré comme terme du sabir algérien dans le *Dictionnaire de la langue franque ou petit mauresque* imprimé à Marseille en 1830. Ce mot, probablement véhiculé par le marseillais *baroufo,* est emprunté à l'italien *baruffa* «procès, querelle confuse» (XIVe s.), lui-même passé dans le corse *baruffa* (1475) désignant la contestation judiciaire. *Baruffa* est le déverbal de *baruffare,* «se disputer, se quereller» (XIIIe s.), verbe issu du longobard *°bihrôff(j)an* déduit de l'ancien haut allemand *bihruofjan* (1136), continué par l'allemand moderne *berufen.* La forme *barouflle* s'expliquerait soit par analogie avec des termes péjoratifs comme *maroufle*,* soit par l'introduction d'un *-l-* consolidant le *-f* final. P. Guiraud voit plutôt dans le mot un composé de *bar-,* préfixe à valeur péjorative exprimant une opposition par divergence, et d'un verbe onomatopéique *roufer, roufler* exprimant une idée de «précipitation», «bagarre», «bousculade».

♦ Le mot, argotique puis familier, exprime la notion de tapage, et s'emploie surtout dans la locution ***faire du barouf;*** une variante graphique *baroufe* a été en usage au XIXe siècle.

BARQUE n. f., indirectement attesté au XIIIe s. par son dérivé *barquette* mais qui n'est relevé pour la première fois qu'au début du XIVe s., serait emprunté à l'italien *barca* (déb. XIVe s.) plutôt qu'à l'ancien provençal *barca.* Ces deux derniers, de même que le portugais *barca* (911 en latin médiéval) et l'espagnol *barca* (v. 1140), sont issus du bas latin *barca* attesté au sens de «chaloupe» vers l'an 200 dans une inscription du sud du Portugal et lui-même d'origine obscure. L'hypothèse communément reçue est celle qui, du rapprochement de *barca* et de la forme *barga* (876), déduit une base latine *°barica,* issue du grec *baris* «galiote égyptienne», lui-même emprunté à l'égyptien (néo-égyptien *brn,* copte *bari*). D'autre part, l'implantation de *barca* dans le domaine ibérique a suggéré l'hypothèse d'une origine ibérique : on a évoqué le basque *ibi, ibai* «fleuve», dans lequel *i* est l'article ibérique, le sens propre de *barca* ayant pu être «barque fluviale». ◆ L'ancien français a surtout employé **BARGE** n. f. (v. 1080), type adapté du latin médiéval *barga* et qui a été supplanté par *barque,* subsistant comme dénomination de diverses embarcations de peu d'importance.

♦ Le mot désigne un petit bateau de faible capacité et d'abord la chaloupe d'un bateau de mer. Il a donné quelques locutions figurées comme ***mener sa barque, conduire sa barque*** «se conduire» (1593), courantes à partir du XVIIe siècle. *Passer dans la barque de Charon,* «mourir», est usité dans le style noble pendant la période classique par allusion mythologique.

▶ **BARQUETTE** n. f., d'abord en apposition dans le syntagme *nef barquette* (1238) puis en emploi autonome (v. 1320), apparaît avant *barque* mais doit en être dérivé. ◇ Terme rare de marine pour «petite barque», *barquette* a développé quelques sens spéciaux par analogie de forme avec un petit bateau : «pâtisserie ovale» (1680) et récemment «petit panier utilisé pour la vente de certains fruits et légumes». ◆ **BARQUOT** n. m. (1680), diminutif de *barque,* est d'usage régional.

EMBARQUER v. tr., d'abord substantivé sous la forme *embarchier* (1418), signifie «mettre (qqch.), faire monter (qqn) à bord» (1511) et, à la forme pronominale *s'embarquer,* «monter à bord» (v. 1550). Cette dernière a bientôt développé le sens figuré de «s'engager (dans une affaire périlleuse et compliquée)» (v. 1590), auquel correspond l'emploi transitif d'«engager dans une opération, dans une affaire» (av. 1654). ◇ Ultérieurement, le mot a développé en marine le sens spécial de «laisser entrer (l'eau)» (1843), également en emploi absolu ou intransitif (1864). ◇ Par extension, il exprime le fait d'emporter avec soi, souvent avec la valeur familière de «dérober» (XXe s.), d'«arrêter» (1883) ou simplement de «faire monter choses et personnes dans un véhicule» (déb. XXe s.). ◆ **EMBARQUEMENT** n. m., substantif d'action (1533), possède seulement le sens propre, «action d'embarquer», et son extension «action de faire monter à bord». ◆ *Embarcadère** est un emprunt du XVIIe s. à l'espagnol. ◆ **REMBARQUER** v. tr. (v. 1500) et le dérivé **REMBARQUEMENT** n. m. (v. 1500) réalisent une valeur itérative.

① **DÉBARQUER** v. (1564) signifie proprement «descendre à terre marchandises et personnes» et, intransitivement, «quitter un navire» (fin XVIe s.). ◇ De là, le sens figuré, «être nouveau venu» (1692 au participe passé *débarqué*) et par extension celui de «descendre d'un moyen de transport quelconque» (1713). ◇ En procède également l'emploi transitif figuré de «écarter (un indésirable) de son poste; renvoyer» (1918). ◆ ② **DÉBARQUER** et **DÉBARQUÉ** n. m. (1771) sont la substantivation de l'infinitif et du participe passé, surtout dans l'expression ***au débarquer*** «au moment du débarquement». ◆ *Débarquer* a produit **DÉBARQUEMENT** n. m. (fin XVIe s.), qui a développé au XXe s. une valeur militaire : «fait de débarquer des troupes et du matériel pour repousser les ennemis», sens devenu usuel après le débarquement anglo-américain du 6 juin 1944 sur les côtes normandes, succédant à des opérations analogues, par exemple en Sicile. ◆ Sur le modèle d'*embarcadère*, débarquer* a produit **DÉBARCADÈRE** n. m., d'abord *débarcadour* (1687); le mot, usuel pour désigner l'emplacement aménagé dans un port ou sur une rive pour le débarquement des voyageurs et des marchandises, a été appliqué pendant un temps au quai de départ (en concurrence avec *embarcadère*) ou d'arrivée des trains de marchandises (1840), sens où il a été éliminé par *quai*.

◈ voir **BARCAROLE, EMBARCADÈRE, EMBARCATION.**

BARRACUDA n. m. est emprunté (1848) à l'anglais *barracuda*, également *barracoota, barracouta* (1678), nom d'un grand poisson vorace que l'on trouve au large des côtes américaines, lui-même probablement emprunté de l'espagnol.

♦ Le mot a gardé le sens de l'étymon.

✳ **BARRE** n. f. est issu (v. 1120) d'un latin populaire °*barra* dont l'existence est démontrée par les correspondants romans, italien, espagnol et ancien provençal, *barra*. On rapproche ce mot du gaulois °*barro-*, attesté seulement dans des noms propres (cf. la ville *Bar*) qui a dû signifier «extrémité», et que l'on reconstitue par l'irlandais *barr* «sommet», le gallois *barr* «sommet, cime», d'où «branche», comme le breton *barr-*, mais ce sens est éloigné. P. Guiraud propose de voir dans le latin populaire °*barra* un doublet du latin *vara*, «traverse de bois, bâton fourchu», de *varus* «opposé» (→ prévariquer) sans exclure un croisement avec le mot celtique °*barra*, dégageant le sens de «branche placée en travers».

♦ Le mot désigne une pièce souvent de bois, ou de métal, longue et rigide, sens qui rapproche le latin médiéval *barra* «barrière de péage» (1100) et «barrière» (XIIe s.). La première valeur de *barre* est «démarcation, séparation», que ce soit pour la barre de porte ou, en anatomie animale, pour une partie de la mâchoire du sanglier (1389) puis, de nos jours, du cheval (1678). ◇ Le mot dénomme en particulier la barrière qui sépare l'assistance des juges dans un tribunal (1542) et, par métonymie, le lieu où comparaissent les témoins (dans *à la barre*, par exemple) et où plaident les avoués à l'audience. ➝ Dans un emploi extensif où il désigne concrètement un objet allongé de grandes dimensions, il s'applique à une accumulation d'alluvions qui se forme devant l'entrée d'un estuaire (1678) et, en géologie, à une forme de relief constituant un abrupt. ➝ Avec la valeur d'«appui», il désigne la pièce de bois transversale soutenant le fond d'un fût (1610), d'où la locution technique *être à la barre* qui se dit d'un liquide qui est au niveau (1610). ◇ Outre divers emplois techniques, *barre* se dit en gymnastique (déb. XIXe s.) et en chorégraphie (1928) avec, dans le premier emploi, les syntagmes *barres parallèles* (1819), *barre fixe*. ➝ Au sens de «dispositif donnant une impulsion», *barre* désigne la pièce de bois au moyen de laquelle on actionne le gouvernail d'un navire (1678), d'où la locution métaphorique ***être à la barre*** «gouverner» (1789, Mirabeau).

Depuis le moyen français, le mot possède un certain nombre d'emplois analogiques où il désigne une forme droite et allongée ; il se dit, en blason, du trait séparant obliquement l'écu (1461) ; au pluriel *barres* désigne un jeu de course entre deux camps limités chacun par une barre tracée sur le sol (1606), sens tombé en désuétude avec le jeu *(jouer aux barres)*, mais la locution figurée ***avoir barre sur*** «avoir un avantage sur» (1606), auparavant *avoir une barre* (1554), est toujours vivante. ➝ Le mot se dit aussi d'un trait droit, en écriture *(faire des barres)* ; cf. «les barres et les ronds» de Pascal enfant. Ce sens s'applique au système de notation musicale (1771). De nos jours on parle de *code à barres* ou ***code-barres*** (v. 1975) désignant un code de prix électronique, formé de barres verticales. ➝ La locution figurée ***coup de barre*** s'applique à une addition très élevée (XXe s.) et à un accès de fatigue (1868), par l'image du coup, *barre* évoquant une arme (concrètement dans *barre de fer*) et s'appliquant en outre à une douleur interne (1846).

▶ ① **BARRER** v. tr. (1144) signifie «consolider avec une barre» et, surtout, «fermer avec une barre» (v. 1155), sens qui a donné par extension l'acception figurée d'«empêcher, faire opposition à (qqn)», en droit (1429) et dans le langage courant (XVe s.). Cette acception reste très vivante en français du Canada, où *barrer* correspond à certains emplois de *fermer* du français d'Europe. ◇ Dès le XIIIe s., la valeur analogique de «marquer d'une ou plusieurs barres» apparaît en héraldique, avant de s'étendre à «rayer (qqch.) d'un trait pour annuler» (1690). ◇ Au XIXe s., le mot passe dans le vocabulaire de la marine pour «tenir, manœuvrer la barre d'un gouvernail» (1831), avec et sans complément (1900).

Le verbe ① *barrer* a lui-même fourni plusieurs dérivés et composés. ➝ **BARRAGE** n. m. semble le premier dérivé attesté de *barrer*, une première fois sous la forme altérée *barnage* (1130-1160), avec le sens concret de «ce qui ferme un passage, une porte». Le mot a désigné en droit féodal une barrière que l'on ne pouvait franchir qu'en payant un droit de passage (1363). ◇ Sa spécialisation pour un ouvrage hydraulique barrant un cours d'eau, attestée depuis 1669, est devenue très courante, s'appliquant à des dispositifs de plus en plus complexes et importants avec l'évolution des techniques. ◇ Ultérieurement, il a développé la valeur abstraite d'«obstacle, difficulté», spécialement en psychanalyse et en psychiatrie pour traduire l'allemand *Hemmung*, et la valeur dynamique d'«action de barrer», surtout en sports (1904) et en technique militaire (1915, *tir de barrage*). ◇ Son dérivé **BARRAGISTE** n. m., nom de l'éclusier (1845), n'a pas eu de succès. ➝ **BARREMENT** n. m., substantif d'action, a d'abord (1318) le sens juridique de «moyen d'interdiction» ; il a été repris en art vétérinaire pour une opération qui consistait à barrer les veines d'un cheval ou d'un oiseau (fin XVIe s.). ◇ Disparu, le mot a été reformé comme terme de banque pour l'opération consistant à barrer un chèque (1890). ➝ ② **BARROT** n. m., «pièce de charpente» en marine (1384), a produit **BARROTER** v. tr. (1694), sorti d'usage. ➝ **BARREUR, EUSE** n. s'est dit adjectivement (1752) d'un chien dressé à devancer le gibier et à lui barrer les issues. ◇ Il a été reformé pour désigner la personne qui tient la barre du gouvernail (1855). ➝ Enfin, un composé récent de *barrer* est **BARRE-LA-ROUTE** n. m. inv. (v. 1945) pour la position perpendiculaire à la route, en parlant d'un emplacement publicitaire.

Barrer a aussi servi à former deux préfixés. ➝ **DÉBARRER** v. tr. (v. 1174) signifie «ôter la barre d'une porte», sens archaïque en français central. Il a été repris au XIXe s. avec des sens techniques, notamment pour une opération textile débarrassant un tissu de ses irrégularités (1870), avec les dérivés **DÉBARREUR, EUSE** n. et **DÉBARRAGE** n. m. (1870). ➜ **EMBARRER** v. tr., autre dérivé verbal de *barrer* (XIIe s.), s'est éteint aux sens de «enfoncer» et de «fermer avec des barres». ◇ Comme *débarrer*, il se maintient avec les sens techniques qu'il a développés tardivement, spécialement en marine. ➜ Son propre dérivé verbal **REMBARRER** v. tr. (fin XVe s.), créé avec la valeur intensive de «repousser vigoureusement», est courant avec le sens moins concret de «s'opposer à (qqn) par un refus catégorique» (1559), d'où «rejeter brutalement (après une demande)».

D'autres dérivés de *barre* sont usuels. ➜ **BARREAU** n. m. (1285) désigne une petite barre faisant partie d'un ensemble (grille, porte, etc.), le grillage d'une visière dans l'armure médiévale, puis tout ce qui peut servir de support ou de clôture, spécialement la fermeture des issues (prison, etc.). ◇ Par métonymie, le mot désigne un espace fermé par une barrière, spécialement en droit (1571) où il s'étend à la profession d'avocat elle-même (1571) et au palais de justice (1680). ◇ On en a dérivé tardivement l'adjectif **BARREAUDÉ, ÉE** (v. 1960), «muni de barreaux», pour lequel on rencontre aussi la variante *barreauté*.

BARRIÈRE n. f., d'abord *barrere* (XIVe s.), désigne un assemblage de pièces de bois, de métal, etc. fermant un passage. Le mot se dit d'abord d'une porte de ville et de l'enceinte fortifiée autour de celle-ci, des quartiers s'étendant à l'extérieur, notamment à Paris *(la barrière de Clichy)*. Dans la seconde moitié du XIXe s., le mot a pris une valeur péjorative analogue à celle de *fortification, zone (des rôdeurs de barrière)*; cet emploi a disparu. ◇ *Barrière* se dit spécialement de la clôture d'un champ (1541) et, par extension, d'un obstacle naturel qui s'oppose au passage (1668) d'où, abstraitement, d'un obstacle (1670). ◇ Avec la valeur abstraite de «limite», il s'est spécialisé en économie *(barrière douanière)* et en fiscalité *(barrière fiscale)*, ainsi qu'en physique où il désigne la limite à ne pas franchir *(barrière thermique)*; → garde-barrière (art. garder). ➜ ① **BARRETTE** n. f. «petite barre» (1412-1414) est peu attesté avant le XVIIIe s., où il reparaît dans *l'Encyclopédie* (1751) avec des sens techniques, spécialement en horlogerie. Il désigne ensuite un bijou allongé servant d'agrafe (1838) et en broderie un fil tendu reliant deux motifs recouverts d'un point de broderie (av. 1867, *points de barrette*). Il se dit ensuite d'une pince à cheveux munie d'un système de fermeture. ➜ **BARRISTE** n., dérivé tardif de *barre* (1930), est un terme de cirque et de gymnastique désignant la personne qui travaille à la barre.

◈ voir ② BAR, BARIL, BARIOLÉ, ② BARRER, BARRIQUE, EMBARGO, EMBARRASSER, SNACK-BAR.

◈ ② **BARRER** v., d'abord verbe d'argot (1866, Delvau), est d'origine incertaine : une spécialisation sémantique à partir de *barrer*, de *barre**, se comprendrait à la rigueur d'après le sens de «rayer d'un trait, biffer», d'où «finir». L'hypothèse d'un emprunt de l'arabe algérien *barrâ* «va-t'en» est attestée en français d'Afrique du Nord (A. Paraz, *Le Gala des vaches*). Si le sens de «fuir» était premier, on pourrait penser au jeu de *barres* comme origine possible.

♦ Le mot est d'abord attesté dans l'argot des marbriers de cimetière pour «abandonner son travail»; cet emploi a disparu; simultanément (1866) *se barrer* s'emploie pour «s'en aller, fuir»; cet emploi seul est demeuré vivant dans l'usage familier. ◇ L'emploi transitif de «abandonner (une femme)» est aujourd'hui inusité.

▸ Le participe passé **BARRÉ, ÉE** est employé couramment dans la locution familière récente ***être mal barré*** «mal parti», au figuré.

① **BARRETTE** → BARRE

② **BARRETTE** n. f., d'abord *barrete* (1366), est emprunté à l'ancienne forme italienne dialectale *barretta* correspondant au toscan *berretta*. Celui-ci est attesté sous la forme du latin médiéval *biretum* en 1211 à Bologne et en italien même au sens de «chapeau» (1255-1312), plus précisément de «chapeau de prélat» depuis le XVe s. sous la forme *biretta*. Le mot italien, au féminin *berretta* comme au masculin *berretto*, est emprunté à l'ancien provençal *berret* (→ béret).

♦ Le mot désigne un petit bonnet plat, spécialement un type de bonnet de feutre ou de laine foulée porté au XVe et au XVIe s., ainsi qu'un bonnet ecclésiastique à trois ou quatre cornes; de là l'expression ***recevoir la barrette*** «être nommé cardinal». ◇ Après avoir servi à désigner le chapeau de cuir que portaient les mineurs du Pas-de-Calais, il est devenu synonyme de «casque de mineur».

✳ **BARRIQUE** n. f. est emprunté (1455) à l'occitan du Sud-Ouest *barriqua*, qui n'est attesté en ancien provençal qu'en 1498. Ce mot est issu d'un type gallo-roman °*barrica*, dérivé du radical de *barre**, *baril**, dans lequel la conservation du suffixe *-ica* s'expliquerait seulement en gascon. On relève le latin médiéval *barriqua* en 1476, dans l'actuel département du Gers. *Barrique* est encore enregistré en 1549 comme un mot d'Aquitaine; l'occitan moderne a toujours *barrica*, le gascon et le béarnais ont *barrique*.

♦ Le mot désigne un gros fût, une tonne et, par métonymie, son contenu; il s'emploie dans la locution familière ***être plein comme une barrique*** (cf. *soûl*), parfois altéré en *comme une bourrique**.

▸ Le dérivé **BARRICADE** n. f. (XVIe s.) est formé avec le suffixe *-ade*, sans doute par analogie avec des mots en *-ade* empruntés de l'italien à la même époque *(gabionnade)*. ◇ Le passage du sens originel de «ensemble de barriques (utilisé comme obstacle)» au sens moderne de «obstacle, retranchement formé de l'amoncellement de divers objets» (v. 1571) est peut-être en rapport avec le moyen français *barriquer*, «fermer avec des barriques», et reste lié au sémantisme de termes issus du radical de *barre**, *barrer** (cf. latin médiéval *barrica* pour *barrium*, «enceinte, faubourg», savoyard *barricadâ*, «fermer ou consolider avec une ou plusieurs barres»). Avec ce sens, le mot n'est plus senti comme dérivé de *barrique,* mais reste associé à *barrer.* ◇ Par métonymie, le pluriel *barricades* s'emploie à propos d'un soulèvement au cours duquel ont été dressées des barricades, d'abord par allusion aux événements de la Fronde, en août 1648; de là son emploi dans la dénomination de certains événements historiques comme *la journée des barricades* (1835) et à propos de juillet 1830, *les barricades de juillet* (1842). D'où, au figuré, ***être de l'autre côté de la barricade*** «dans le camp opposé», expression que Péguy attribuait à Clemenceau. ➜ *Barricade* a principalement donné **BARRICADER** v. tr. (1588) qui signifie d'abord «fermer par des barricades». De nos jours, détaché de *barricade* et lié à *barrer,* il signifie «fermer solidement» au propre (1596, *porte barricadée*) et au figuré (1611, *se barricader*). ◇ **BARRICADEUR** n. m. (1650), «personne élevant des barricades», est dérivé du verbe et son synonyme **BARRICADIER, IÈRE** n. et adj. (1870) de *barricade;* ils sont peu usités.

BARRIR v. intr. est emprunté (1546) au latin *barrire* qui se dit de l'éléphant qui pousse son cri (fin Ier-déb. IIe s.). Ce verbe est dérivé de *barrus* «éléphant», terme d'origine indienne attesté depuis Horace et qui a dû pénétrer avec les éléphants indiens amenés pour les jeux, en concurrence avec *elephantus* (→ éléphant), mot plus ancien emprunté au grec et d'origine africaine.

♦ Le verbe signifie «pousser son cri, pour l'éléphant et le rhinocéros»; on dit aussi **BARÉTER** v. intr.

► Le dérivé **BARRISSEMENT** n. m. n'est repéré qu'en 1863 dans le *Salammbô* de Flaubert. ◇ Il a supplanté le mot plus ancien **BARRIT** n. m. (v. 1580), emprunté au latin *barritus* dérivé de *barrire.* L'attestation antérieure de *bari* (fin XIIIe s.), «chant de guerre», représente un emprunt au latin *barritus* qui, avec ce sens, est peut-être une altération de *barditus* (→ bardit).

BARTAVELLE n. f. est emprunté (1740) au provençal *bartavello,* également *bartabello,* «anneau de verrou, axe contre lequel bat le traquet d'un moulin», au figuré «personne bavarde» et spécialement «perdrix», en raison de son chant évoquant le bruit d'un loquet. Le mot provençal vient de l'ancien provençal *bertavéla* (1378), *bartavela* (1396), «pièce de verrou», d'un latin populaire °*bertabella,* attesté en latin médiéval (v. 1305) sous la forme *bartavella* «pièce de verrou». Ce mot vient lui-même du bas latin *vertibula,* «articulation, vertèbre» (IVe s.), ou d'un °*vertabella,* transformation de *vertibulum* «articulation» (→ verveux), de la famille de *vertebra* (→ vertèbre). Le traitement du *v-* initial devenant *b-* révèle un mot originaire du Sud-Ouest; effectivement il est encore recensé avec la signification de «crécelle» dans l'Atlas linguistique de la Gascogne. Du même mot latin vient le français *vertevelle**.

♦ *Bartavelle,* dont l'Académie enregistre une variante *bertavelle* en 1842, a été repris pour désigner une perdrix rouge du Midi.

BARYTE n. f. a été proposé par Lavoisier et ses collaborateurs (fin XVIIIe s.), par réfection étymologique, en remplacement de *barote,* proposé en 1782 par Guyton de Morveau. Ce dernier l'avait dérivé savamment du radical du grec *baros,* «pesanteur, poids» au propre et au figuré, substantif neutre correspondant à l'adjectif *barus* «lourd, pesant» (→ baryton) qui a lui-même servi à former le terme actuel.

♦ Le mot, terme de chimie, désigne l'oxyde de baryum.

► En dérive **BARYTINE** n. f. (1833) nom d'un sulfate de baryum naturel.
Le grec a par ailleurs fourni l'élément **BARY-**, qui entre dans la composition de quelques termes didactiques, tels **BARYMÉTRIE** n. f. (1798 in *Grand Robert*) «détermination des poids par mensuration», **BARYCENTRE** n. m., d'abord «centre de gravité» (1877) et devenu terme de mathématiques (1928), **BARYSPHÈRE** n. f. (1910) «noyau central hypothétique de la Terre» et **BARYON** n. m. (v. 1959) «particule élémentaire de masse égale ou supérieure à celle du proton», d'où **BARYONIQUE** adj.
BARYUM n. m. est emprunté sous la forme *barium* (1813), refaite en *baryum* (1824) d'après le grec, à l'anglais *barium* (1808). Ce mot a été créé en 1808 par sir Humphry Davy (1778-1829) avec le radical de l'anglais *baryta,* «protoxyde de baryum», *barytes* de même sens (1791), eux-mêmes formés du grec *barus* «lourd». *Baryum* est formé avec le suffixe *-ium* d'après *aluminium**, métal isolé et dénommé par le même savant en 1808. ◇ Ce terme de chimie désigne un corps simple appartenant aux métaux alcalino-terreux, malléable, qui décompose l'eau à la température ordinaire.

BARYTON n. m. est emprunté (1589, *barytonnant* est antérieur) au grec *barutonos,* employé en grammaire pour un mot dont la dernière syllabe est grave (IIe s. av. J.-C.) et en musique pour une voix grave (Aristote), une note grave. Ce mot est formé de *barus* «lourd», d'où au figuré «pénible» et spécialement «grave» d'un son, d'un accent. C'est un ancien adjectif en *-us* identique au sanskrit *gurú-,* avestique *gouru* (→ gourou), gotique *kaurus.* Il est apparenté au latin *gravis* (→ grave). Le second élément est *tonos* (→ ① ton).

♦ Le mot est introduit par les grammairiens de la langue grecque pour un mot qui n'a pas d'accent sur la dernière syllabe. ◇ Sa spécialisation en musique est ultérieure : il désigne aux XVIIe-XVIIIe s. une viole d'amour basse appelée aussi *viola di bordine* et une voix d'homme intermédiaire entre celle de ténor et de basse (1768), sens dominant aujourd'hui. Par extension, il se dit d'un homme ayant une telle voix et, par analogie, d'instruments à vent dont la tessiture correspond à la voix de baryton, (*saxophone baryton,* d'où un *baryton*).

► **BARYTONNER** v. intr. (1452, *barytonnant*), rare, est dérivé savamment du grec *barutonos.* ◇ **BARYTONNANT, ANTE** adj. s'est dit d'un chant en baryton et a qualifié celui qui chante sur un ton intermédiaire entre la basse et la taille (1513). Puis le verbe est employé plaisamment par Rabelais. Inusité au XVIIe et au XVIIIe s., il a été repris en 1834. Il n'a guère eu de succès, non plus que le doublet **BARY-**

TONISER v. intr. (XVe s., *barritoniser*).
◈ voir **BAR** (et **BAROMÈTRE**), **BARYTE**, **MILLE** (**MILLIBAR**), **ISO-** (**ISOBARE**).

◈ ✳ **BAS, BASSE** adj., n. m. et adv. est issu (v. 1119) du latin *bassus*, attesté comme nom de personne (cognomen) en latin classique puis, à basse époque, avec les sens de «gras, obèse» (déb. VIe s.), «de petite taille», «peu élevé» (VIIIe s.). *Bassus* est d'origine obscure, peut-être osque, les premiers porteurs du nom *Bassus, Bassa* ou *Bassius, Bassia* étant campaniens; l'hypothèse qui le rapproche du surnom grec *Bassos* est écartée par Chantraine.

♦ Le mot qualifie proprement une position spatiale ou une dimension peu élevée, ou une chose qui, par sa position, est à une faible hauteur par rapport à d'autres semblables (v. 1170, *tête basse*). Sous ce rapport, il s'emploie en géographie pour qualifier une région située à faible altitude (1548), entrant dans des dénominations aujourd'hui abandonnées en raison de la connotation péjorative attachée à *bas* comme à *inférieur* (certains noms de départements français, telle la *Loire inférieure* devenue *atlantique*), et les habitants de cette région (1548). ◇ Il s'emploie très tôt sur un plan spatial envisagé abstraitement pour décrire un degré d'intensité inférieur (v. 1170), spécialement sur l'échelle des prix et valeurs cotées (v. 1539) et sur le registre des sons, des notes de musique (1694) avec la même valeur que grave (→ aussi ② basse). ◆ Dès les premiers textes, il caractérisait, avec une valeur figurée, ce ou celui qui occupe une place peu élevée dans l'ordre de la puissance, de la hiérarchie sociale (1120), sur un plan moral, ce qui est peu estimable, vil, méprisable (déb. XIIIe s.) et, sur un plan social, ceux qui font partie des couches les plus pauvres, défavorisées et dévalorisées de la société, valeur disparue après l'Ancien Régime. Enfin, le mot caractérise les moyens d'expression, langue et style, de ces classes sociales, avec une valeur voisine de *vulgaire (genre bas; mot bas)*. ◆ Son emploi dans l'ordre temporel lui donne également les valeurs de «tardif» (1130), spécialement dans ***Bas-Empire*** (1690), et de «premier, peu avancé» (1548), dans ***bas âge***, qui a d'abord eu le sens large de «jeunesse».
Dès le milieu du XIIe s., *bas* est substantivé *(le bas)* pour désigner la partie inférieure d'un objet (v. 1155), en particulier d'un habit. ◇ Il se dit au figuré d'un état inférieur, une situation désespérée (v. 1155), valeur couramment réalisée au pluriel dans la locution ***des hauts et des bas***, que l'on relève chez Villon et qui présente une variante au singulier au XVIIe s. avant de s'imposer au XVIIIe siècle. ◇ Le *bas* avec la valeur morale de «ce qui est trivial, vil» était usuel à l'époque classique (en concurrence avec *genre bas*) et a disparu.
Les premiers emplois adverbiaux de *bas* correspondent à la locution ***en bas*** (v. 1165) au sens spatial et absolument au sens de «à voix basse» (v. 1165) et de «à un niveau inférieur» (v. 1175). ◇ Le XVIe s., qui connaissait un emploi adverbial à valeur temporelle de *bas*, a introduit le sens de «à bas prix» (1548) et la locution ***à bas*** (av. 1544), remplacée au sens concret par *en bas* et de plus en plus employée avec une valeur symbolique de destruction, de dénigrement (en exclamatif *à bas X!*, 1787), avec influence de *abattre*. ◇ L'emploi de *bas* adverbial dans un contexte musical est enregistré en 1694.

▶ *Bas* a des dérivés et constitue le premier élément de noms composés de sens concret. ◆ **BASSESSE** n. f., d'abord *bassece* (déb. XIIe s.), s'est employé jusqu'au XVIIe s. au sens spatial de «partie basse, état de ce qui est peu élevé». Son premier sens figuré, «état inférieur» (v. 1195-1200) a disparu. Depuis le XVIIe s., il se dit d'une infériorité sociale (déb. XVIIe s.) et, surtout, d'une condition morale vile (av. 1662), et, avec une valeur particularisante *(une, des bassesses)*, d'un acte méprisable (1644-1645, Corneille). Son emploi pour caractériser la grossièreté du style (1633) disparaît après le XVIIIe siècle. ◇ Malgré la polarisation des sens, le mot demeure le seul substantif de qualité de *bas*, après avoir éliminé *bassetė* (déb. XIIIe s.) et *basseur* (XIVe s.), tous deux éteints au XVIIe siècle. ◆ **BASSEMENT** adv. (1174) n'a pas repris tous les sens de *bas*. Il ne se dit plus pour «en position basse» ni pour «à voix basse». Il a échangé sa valeur morale initiale «humblement» (v. 1550) en «vilement» (1690), conformément à la connotation péjorative de l'adjectif.
① **BASSET** n. m., d'abord adjectif, signifiait littéralement «un peu bas»; l'emploi adjectif a disparu, et le mot est substantivé, désignant une sorte d'escabeau ou de tabouret de forme basse (1330), encore dans certaines régions. ◆ De son emploi pour qualifier un être vivant d'une taille médiocre (1690), reste le substantif *basset* (1606) désignant toujours aujourd'hui un chien court sur pattes. ◆ ① **BASSE** n. f., distinct du terme musical ② *basse* qui est un italianisme, est la substantivation de *bas* (1484). En marine, le mot désigne un bas-fond.
BAS n. m. (1552) vient par ellipse du terme d'habillement *bas-de-chausses* (1538), qui désignait la partie inférieure des chausses couvrant les jambes. Le mot est passé de cet ancien sens, «partie inférieure de la chausse», à «vêtement couvrant le pied et la jambe» (1575, dans *bas de soie* qui a développé quelques emplois métaphoriques). ◆ Le terme **BAS-BLEU** n. m., tiré de *bas* n. m., est un calque (av. 1786) de l'anglais *bluestoking* (1757) qui s'est d'abord appliqué à B. Stillingfleet, homme peu élégant de sa personne qui fréquentait le salon littéraire de Mrs. Montague vers 1750 et portait des chaussettes de laine bleue au lieu des bas de soie noire qui étaient de rigueur. L'appellation s'est étendue aux habitués et habituées de ce salon, puis aux femmes à prétentions littéraires, surtout au début du XIXe siècle. ◇ En français, *bas-bleu* s'est d'abord employé dans un contexte anglais, et les Anglais l'ont un temps repris au français (1801); il s'est ensuite étendu aux femmes en France même (1821) et est demeuré vivant, alors qu'il était abandonné en Angleterre. ◆ Il a même donné des dérivés **BASBLEUESQUE** adj. (1890) et **BASBLEUISME** n. m. (1867), qui sont sortis d'usage.
Bas, combiné avec un substantif, sert à former de nombreux composés. ◆ **BASSE-COUR** n. f., fait avec *cour**, désigne proprement la cour des dépendances d'une maison, par opposition à la cour principale (XIIIe s.) et par spécialisation de fonction, cette

cour lorsqu'on y élève des petits animaux et de la volaille (XIVe s.). Par métonymie *la basse-cour* désigne l'ensemble de ces animaux (1797), quelquefois étendu, par métaphore plaisante, à des gens bruyants et agités. ◇ On en a dérivé **BASSE-COURIER, IÈRE** n. (1863), mot peu répandu s'appliquant à la personne chargée des soins de la basse-cour. ➜ **BASSE-FOSSE** n. f., formé avec *fosse** (v. 1460), a désigné un cachot très profond et ne s'emploie plus guère que dans la locution ***cul-de-basse-fosse*** (1798 sans tirets) «cachot construit audessous de la basse-fosse». ➜ Le terme d'architecture **BAS-RELIEF** n. m. (1547) est, vu sa date d'apparition, probablement calqué de l'italien *bassorilievo* (av. 1555), composé de *basso* «bas» (→ basse, basson) et de *relievo*, correspondant de *relief**. ◇ Ce mot désigne un ouvrage de sculpture en faible saillie sur un fond uni, par opposition à *haut-relief*. ➜ **BAS-CÔTÉ** n. m. est d'abord un terme d'architecture désignant la voûte latérale d'une église (1676) opposé à la nef principale. Le mot s'applique aussi, couramment, à la partie latérale d'une route (1825), d'un boulevard, où les piétons peuvent marcher. ➜ L'ancien terme de musique **BAS-DESSUS** n. m. (1703), remplacé par *mezzo-soprano*, s'emploie en histoire de la musique. ➜ **BAS-MÂT** n. m. (1831) et **BAS-HAUBAN** n. m. (1869) sont deux témoignages de l'usage de *bas* en marine. ➜ D'autres composés sont traités à l'autre élément → branler *(branle-bas)*, fond, taille *(basse-taille)*, ventre *(bas-ventre)*.

SOUBASSEMENT n. m., attesté en 1358, *subassement*, est formé de la préposition *sous*, de *bas* et d'un suffixe qui rappelle le terme d'architecture italien *basamento* «base d'une colonne» (passé, par l'intermédiaire du néerlandais, dans l'anglais *basement* «fondation»), désigne la partie inférieure d'une construction sur laquelle semble reposer l'édifice. Le moyen français *soubasse* «socle» (1399) a rapidement disparu. ◇ Au XVIIe s., il passe dans le vocabulaire de l'ameublement, désignant (1604) la bande d'étoffe ou de tapisserie qui enveloppait la base du lit aux XVIe et XVIIe s., et la pièce de tapisserie que l'on plaçait devant l'appui ou l'accoudoir d'une fenêtre. ◇ Au XXe s., la géologie l'a repris à propos du socle sur lequel reposent des couches, des strates.

CONTREBAS n. m. s'employait adverbialement (v. 1382) jusqu'au XVIIe s., surtout dans un contexte architectural. Il a été substantivé pour désigner la partie située à un niveau inférieur, surtout dans la locution adverbiale ***en contrebas***, attestée isolément au XVIe s. (av. 1544) et reprise au XIXe siècle.

◈ voir BAISSER, BASCULER, ② BASSE (et BASSE-CONTRE, BASSON), BASSETTE, BAVOLET, CONTREBASSE.

BASALTE n. m. est emprunté, sous la forme *basalten* (1553), au latin *basaltem*, accusatif pour *basaltes*. Ce dernier est une forme fautive du XVIe s. pour *basanites* qui, depuis Pline, désignait un type de roche éruptive très dure. Ce mot est la transcription du grec *basanitês*, dérivé de *basanos*, «pierre de touche pour l'or» d'où, au figuré, «mise à l'épreuve» et en particulier «mise à la torture»; il est issu de l'égyptien *baḫan* qui désigne une sorte de schiste utilisé par les Égyptiens comme pierre de touche, et on suppose qu'il est passé en Grèce par la Lydie. La forme fautive empruntée au XVIe s. était déjà devenue courante lorsque l'erreur fut reconnue, de sorte qu'elle prévalut.

♦ Le mot désigne une roche éruptive noirâtre très dure.

► En sont dérivés **BASALTIQUE** adj. (1809; peut-être dès 1787, d'après Bloch et Wartburg) et **BASALTINE** n. f. (1838), nom d'un silicate naturel à base de chaux, d'aluminium, de calcium et de magnésium se présentant sous forme de cristaux disséminés dans les basaltes.

BASANE n. f., attesté dans la seconde moitié du XIIIe s., d'abord sous les formes *bazan* et *bezanne* (1150), est emprunté à l'ancien provençal *besana, basana* (XIIIe s.), lui-même pris à l'espagnol *badana*, attesté depuis le XVe s. après une première attestation sous la forme *vatana* en 1050. Le mot est repris de l'arabe *baṭāna* «doublure», correspondant à l'arabe classique *biṭāna*. Le caractère tardif des attestations d'ancien provençal et d'espagnol s'explique par le caractère technique du mot.

♦ Le mot désigne la peau de mouton tannée. Il s'est spécialisé pour la peau très souple garnissant un pantalon de cavalier. ◇ La locution populaire ***tailler une basane*** «se frapper l'intérieur de la cuisse en signe de défi injurieux» procède du sens argotique de *basane*, «peau humaine», et de la basane des culottes de cavalier, le mot étant apparu en argot militaire.

► *Basane* a produit **BASANER** v. tr. (1530) «tanner, donner au cuir la couleur de la basane» (1530), qui signifie ensuite comme *basané* «donner un teint plus foncé à la peau» (1613), en parlant de l'action du soleil. Il est beaucoup plus rare que l'adjectif. ➜ **BASANÉ, ÉE** adj., du participe passé, et attesté avant le verbe (1507), qualifie d'abord un cuir traité de manière à prendre la couleur de la basane et, par extension, ce qui présente cette couleur brune (1510), spécialement la peau humaine sous l'effet du soleil et du vent (1561). Aujourd'hui, l'adjectif qualifie une couleur de peau naturelle — à la différence de *tanné, hâlé* — et s'applique parfois à la distinction ethnique (dans la race blanche), d'où substantivement *un basané*.

BASCULER v. est, sous sa forme actuelle (1611), la réfection d'après le déverbal *bascule* de l'ancien type *baculer* (1377), encore attesté en 1750 et demeuré dans certains dialectes. C'est un composé de l'adverbe *bas** et de *cul** avec adjonction de la désinence verbale; il a été influencé pour le sens par la première syllabe de *battre** ou de *baton**, peut-être par un rapprochement erroné avec le latin *baculum* «bâton» (→ bâcler).

♦ Jusqu'au XVIe s., le mot signifiait «battre, frapper sur le derrière ou contre terre» et, par étymologie populaire, «frapper (qqn) à coups de bâton»; régionalement, il se disait encore au XIXe s. pour «battre le derrière de (qqn) avec une pelle de bois», et «frapper le derrière contre terre à plusieurs reprises». ◇ Le sens moderne, «renverser» (fin XVIe s.), a été adopté d'après *bascule*, l'élément *cul* n'étant plus ressenti (cf. *culotte, reculer*). Un usage transitif (1845) correspond au factitif *faire basculer.* ◇ Au figuré (1801) le verbe intransitif correspond à «se renverser».

▶ **BASCULE** n. f. est la réfection (1549) de l'ancien type *bacule* (1466) d'après un accord au féminin de l'adjectif *bas* dans *bassecule,* mot que l'on trouve chez Olivier de Serres. ◇ Dès les premiers textes, le mot désigne un système d'élévation utilisant le principe du levier et du contrepoids, sens réalisé d'abord en référence au dispositif du pont-levis. Il s'est répandu dans l'usage courant, où il désigne en particulier un genre de balançoire (1534) et dans les langages techniques, exprimant par métonymie un mouvement analogue à celui du levier ou du contrepoids (1694). ◇ L'expression *à bascule* correspond à *basculant (siège, chaise, cheval... à bascule).* Par analogie de fonction, *pont à bascule* se dit (1835) d'un instrument à plate-forme comportant une balance et servant à peser des objets lourds; d'où *une bascule,* dans ce sens (1862).

Les quelques autres dérivés sont très postérieurs. ◆ **BASCULEUR** n. m., terme technique (1873), désigne un appareil servant à faire basculer une berline de mine, un wagon. ◆ **BASCULEMENT** n. m., substantif d'action de *basculer* (1893, en machinerie théâtrale), est concurrencé par **BASCULAGE** n. m. (1912), employé spécialement pour un procédé d'imprimerie.

BASE n. f. (v. 1160), d'abord *basse* (déb. XIIe s.), est emprunté au latin *basis* «partie inférieure, assise», spécialisé en géométrie à propos du plan à partir duquel est établie la hauteur d'une figure, et employé dans un sens abstrait depuis le IVe siècle. Ce mot latin transcrit le grec *basis* «action de marcher», par métonymie «marche, allure» et spatialement «ce sur quoi on marche», d'où «assise d'une chose». Le mot grec appartient à une famille exprimant l'idée de «marcher» (→ acrobate, diabète) et contenant une racine indoeuropéenne à labio-vélaire initiale °*g^wem-* ou °*g^wə-* : le présent grec *bainô* «je marche, je vais» correspond d'une part au latin *venio* (→ venir) et d'autre part à des formes en *-m* comme le gotique *quiman,* le védique *ágamaù,* le lituanien *gemù* «naître»; parmi les formes nominales, *basis* répond au sanskrit *gáti-* et à la racine *-vent-* de mots latins comme *conventio* (→ ① et ② convention).

♦ Le mot désigne la partie inférieure d'un objet concret sur laquelle il peut reposer, sens courant qui a donné certains emplois techniques. ◇ Au XVIe s., il a repris au latin la spécialisation géométrique de «droite ou plan d'après laquelle on établit la hauteur d'une figure» (1549). ◇ À la même époque, il s'emploie abstraitement (souvent au masculin au XVIe s.) à propos des principes fondamentaux d'un système (1598), au point de départ d'un développement avec des applications dans les sciences (au XVIIIe s.), en économie, et au XXe s. en linguistique et en informatique. ◆ Concrètement, il s'est dit de l'élément principal d'une préparation médicamenteuse (1672). Au XVIIIe s. le mot, pris abstraitement, s'emploie aussi en alchimie et en chimie, d'abord pour des corps conçus comme situés à la base d'une hiérarchie ordonnant les substances des plus altérables (soude, potasse) aux moins altérables (or, platine); à la suite de la mise en évidence de la forte réactivité d'un acide mis en présence d'une «base» (dans ce sens), il a désigné en chimie moderne un corps capable de réagir avec un acide de manière à donner un sel et de l'eau (1808). Le concept chimique a évolué parallèlement à celui d'*acide :* depuis Brönsted et Lowry, il s'applique à une espèce chimique apte à accepter un proton d'une autre espèce (dite *acide*) et, depuis Lewis, à une espèce chimique apte à céder un doublet électronique à une autre *(acide).* ◆ *Base* a reçu une acception militaire : «territoire assurant la subsistance et la sécurité d'une armée» (1834 par métaphore), sens diffusé pendant la Première Guerre mondiale (1918). De là, *base navale, base militaire.* En alpinisme, *camp de base* correspond à la même idée générale. ◆ Au XXe s., par métaphore du sens spatial de «assise», *base* désigne le niveau le plus bas dans un groupe hiérarchisé, spécialement en politique où il se dit par métonymie pour «ensemble des militants» (1933), puis pour les fidèles en référence à la hiérarchie ecclésiastique catholique, ensuite pour l'ensemble des travailleurs considéré en tant que force sociopolitique (1968) : *la base* s'oppose alors à l'appareil d'un parti.

▶ Le dérivé **BASILAIRE** adj. (1314) présente un suffixe élargi par analogie des adjectifs du type *cimbalaire* (emprunt au latin *cymbalaris*). C'est un terme d'anatomie décrivant ce qui sert de base, appartient en particulier à la base du crâne. Par analogie, il a été repris en botanique et en entomologie. ◆ **BASÉ, ÉE** adj., altéré en *bassé* sous l'influence du féminin de l'adjectif *bas* (1401), est employé en architecture à propos de ce qui est fondé sur qqch. ◆ **BASER** v. tr. (1501) s'emploie lui aussi en architecture puis au figuré pour «fonder sur» (1787). ◇ L'acception militaire technique, «attacher à une base» (1954 au passif *être basé*), vient de *base militaire.*

BASIQUE adj., employé une première fois par Rabelais au sens de «relatif à la base d'une colonne» et accueilli en 1611 par Cotgrave, a été répandu au XIXe s. alors dérivé à nouveau de *base,* comme terme de chimie (1830) puis de minéralogie. ◆ On en a dérivé **BASICITÉ** n. f. (1838), terme de chimie (correspondant à *acidité*). ◆ Le composé **BASOPHILE** adj. (1903), de *-phile,* «qui fixe les colorants basiques», est employé en biologie. ◆ **BASAL, ALE, AUX** adj., autre adjectif (1838), qualifie ce qui concerne, constitue la base d'un organe, en zoologie et en médecine (1920-1924). ◆ En plus de ces dérivés, *base* est productif depuis le XIXe s. sous la forme de l'élément **BASI-, BASIO-, BASO-** dans les terminologies de l'anatomie, de la biologie et de la chimie.

EMBASEMENT n. m., d'abord *embassement* (v. 1380) sous l'influence de *basse,* a désigné la base d'un tabernacle, puis sous l'influence de l'italien *imbasamento,* terme d'architecture (XVe s.), a pris sa forme et son sens actuels de «soubassement» (1676). ◆ **EMBASE** n. f., terme technique pour «base (d'une pièce, d'un instrument)», a suivi le même développement : d'abord *embasse* (1554), il est modifié en *embase* (1676) d'après le radical d'*embasement*.

◈ voir **BASE-BALL.**

BASE-BALL n. m. est un emprunt (1889) à l'anglo-américain *baseball,* d'abord écrit «*bass-ball*» (entre guillemets) en 1850, puis *base-ball* (1857) et, plus souvent, *baseball.* Bien que l'on attribue à Abner Doubleday le fait d'avoir dessiné le premier terrain de base-ball et d'avoir conduit durant l'été 1839 le premier match à Cooperstow (village du sud de l'État de New York), Américains et Anglais se disputent l'origine du jeu. Le mot, formé de *ball* (→ balle) et de *base* «fondation» (XIVe s.), d'où «piquet, jalon de jeu», emprunté du français *base** ou du latin *basis,* est attesté en Angleterre dès 1744 sous la forme *baseball* dans un petit exposé des règles du jeu, livre qui connut un immense succès et fut réédité deux fois aux États-Unis (1762, à New York; 1787, à Worcester). La controverse sur l'origine du mot se double d'un débat sur l'origine du jeu que les Américains lient à leur jeu de *old cat* («vieux chat») et que les Anglais rattachent aux *rounders* (Ouest) et au *feeder* (Londres) en suggérant que les émigrants anglais l'auraient importé en Amérique. De toutes façons, il est dérivé du cricket anglais.

♦ Le mot désigne ce jeu de balle américain, sport national aux États-Unis, peu pratiqué en Europe.

BAS-FOND → **FOND**

① **BASILIC** n. m. est emprunté (1425) au bas latin *basilicum* (IVe s.), lui-même emprunt au grec *basilikon* (Aristote) «plante royale», nom donné à une plante aromatique. Ce mot est le pluriel neutre substantivé de *basilikos,* «royal», servant également à désigner le trésor royal, un onguent. La forme *bazeillecoq* (1393) serait, selon Arveiller, une adaptation d'un type provençal °*basilicó,* d'après *coq** et *ozeille, oseille** (le texte de 1393 contenant les deux noms de plantes).

♦ Le mot désigne une plante de la famille des labiées aux feuilles aromatiques.

◈ voir ② **BASILIC, BASILIQUE.**

② **BASILIC** n. m., d'abord *basilisc* (v. 1120) et *baselique* (v. 1250), est emprunté au latin *basiliscus,* nom d'un reptile fabuleux. Le mot est emprunté au grec *basiliskos,* proprement «petit roi», surtout employé pour désigner des animaux : le roitelet, une espèce de serpent (peut-être le cobra d'Égypte), et un poisson de mer non identifié. Le mot est le diminutif de *basileus* «roi» (→ ① basilic, basilique).

♦ *Basilic* apparaît dans les psautiers anglo-normands pour désigner un animal mythique, «*roi des sierpens*» (v. 1250) qui, en sifflant, ferait fuir les autres serpents et porterait sur la tête une tache en forme de diadème. Ce serpent aurait, selon les Anciens, la faculté de tuer par son seul regard (d'où la locution figurée *regard de basilic,* sortie d'usage) et, selon la Bible, serait doté d'ailes. Ultérieurement, on l'aurait identifié comme un serpent venimeux existant en Palestine et dans le désert de Cyrénaïque. ◇ Par analogie, le mot est passé en artillerie pour désigner un très gros canon, plus court que la couleuvrine (1534). ➛ Linné, d'après un sens du mot grec, l'a recréé en latin scientifique (1768, *basiliscus*) pour dénommer un saurien à crête dorsale de l'Amérique tropicale; cette dénomination, reprise par Lamarck (1809), est enregistrée depuis 1845 par les dictionnaires généraux.

BASILIQUE n. f. est emprunté (1495) au latin *basilica,* lui-même repris du grec *basilikê* (sous-entendu *stoa*) qui désigne d'abord le portique ou le siège de l'archonte-roi à Athènes. Le mot latin s'applique à un vaste édifice sur le forum romain, à la fois tribunal et centre d'affaires. Le mot grec est le féminin substantivé de l'adjectif *basilikos* «royal» (→ ① basilic), fait sur le modèle de *turannikos* «tyrannique» (→ tyran), peut-être d'abord sous la forme °*basileikos,* en remplacement de *basileios.* Cet adjectif est dérivé de *basileus,* «roi, chef, souverain», mot subsistant en grec moderne et probablement emprunté, comme *turannos* (→ tyran). Une forme mycénienne apparentée a pu cependant suggérer une origine indoeuropéenne. On ne sait pas précisément pour quelle raison *basilica* a été employé tardivement (IVe-Ve s.) pour désigner les églises chrétiennes : la *basilica* de la maison des patriciens romains a pu servir au culte ou bien l'église primitive, de plan identique, a été comparée aux grandes basiliques païennes. La fondation de la *Basilica Constantini* à Jérusalem, sur le tombeau du Christ, a joué un grand rôle dans la diffusion du mot.

♦ Le mot a été repris comme terme d'architecture religieuse pour une église chrétienne bâtie sur le plan des basiliques romaines. ◇ Le sens latin «édifice civil rectangulaire à Rome» a été réemprunté (1530). ◇ Plus couramment, le mot désigne une église privilégiée par le pape et, dans l'usage commun, une grande église (lorsqu'il ne s'agit pas d'une cathédrale).

▸ Le dérivé **BASILICAL, ALE, AUX** adj., d'abord *bazilical* (XVIe s.), s'est employé au XVIe s. au sens ancien de «de la basoche». Il a été repris beaucoup plus tard avec le sens actuel de «qui concerne une basilique» (1897), en archéologie dans *plan basilical,* désignant le plan antique rectangulaire et allongé, commun aux basiliques antiques et à certaines églises.

◈ voir ② **BASILIC, BASOCHE.**

BASIN n. m. est issu par aphérèse (1642) de l'ancien type *bombasin* (1299), également *bombasine* (1556), dont la première syllabe a probablement été confondue avec l'adjectif *bon. Bombasin* est lui-même emprunté au lombard (milanais) *bombasin (n)a,* nom d'une étoffe croisée dont la chaîne est ordinairement de fil et la trame de coton. Le mot correspond à l'italien *bombagino* «coton» (av. 1250), dérivé de *bambagia,* issu du latin médiéval *bambax* (XIe s.), transcription du grec tardif *pambax* «coton» (Xe-XIIIe s.), devenu ultérieurement par assimilation *bambux,* à rapprocher de *bombux* «ver à soie» (→ bombyx). Les formes en *bomb-* du latin médiéval et de l'italien sont influencées par le latin *bombyx.*

♦ Le mot, introduit sous la forme *bombasin* par la relation du voyage de Marco Polo, a disparu dans son sens d'emprunt. ◇ Il se dit par extension (XXe s.) d'une étoffe damassée présentant des effets de bandes longitudinales obtenus par juxtaposition d'armures de fil («effet de chaîne») et de satin («effet de trame»).

BASKET-BALL ou **BASKET** n. m. est un emprunt (1898) à l'anglo-américain *basket-ball*, nom d'un jeu inventé en 1892 par James E. Naismith, professeur de gymnastique à l'International Young Men's Christian Association du Collège de Springfield (Massachusetts). Le premier élément est l'anglais *basket*, «panier» (XIIIe s.), également attesté en ancien français, d'origine incertaine : l'hypothèse d'un rattachement au latin *bascauda*, «cuvette où l'on lave la vaisselle», donné par Martial pour un mot britonnique, mais plutôt gaulois, semble devoir être abandonnée ; le second élément est *ball*, «balle, ballon» (XIIIe s.), qui appartient à un germanique commun °*balluz* (→ balle).

♦ En français, le mot, surtout usité sous sa forme abrégée *basket* (1903), désigne un sport entre deux équipes qui doivent lancer un ballon dans le panier du camp adverse. Le calque *balle au panier* ne s'est pas implanté.

▸ L'abréviation française *basket* a donné **BASKETTEUR, EUSE** n. (1930) «joueur de basket», correspondant à l'américain *basketballer*. ➛ **BASKETS** n. m. pl. (1953), «chaussures montantes de toile ou de caoutchouc (en principe pour jouer au basket)», est devenu très courant après 1960. Le mot, quelquefois considéré comme féminin s'est aussi écrit *basquettes* (1963). ◇ Récemment, il donne lieu à quelques locutions figurées familières comme ***être bien dans ses baskets*** et surtout ***lâche-moi les baskets*** «laisse-moi tranquille».

BASOCHE n. f., d'abord attesté sous la forme latinisée *basocham* comme nom de lieu (1144 et au XIIe s.), puis en emploi isolé sous la forme *Besoiche* (déb. XIIIe s.) et indirectement au XVe s. d'après son dérivé *basochien* (1480), ne s'emploie régulièrement qu'à partir du XVIe s. (1519). Selon l'hypothèse communément reçue, il est issu du latin *basilica* (→ basilique) avec une évolution phonétique particulière, puisque la forme attendue serait °*baseuche*. Le toponyme est particulièrement attesté dans le centre et le nord-ouest de la France jusque dans l'Aisne. Dans les noms de lieux, le mot se rattache, soit au sens d'«église ou monument érigé en mémoire d'un martyre», attesté en latin chrétien et médiéval, soit à celui de «marché couvert». Il est probable que le nom commun est de même origine, mais son évolution est obscure : s'agit-il d'une reviviscence savante du sens de «tribunal» qu'avait le mot en latin classique ou de l'extension aux clercs d'une cour de justice d'un terme appliqué à l'ensemble des ecclésiastiques attachés à une église ? P. Guiraud, en se fondant sur la survivance en gallo-roman du latin *basis* (→ base), suggère que la basoche pourrait être le «siège», au double sens ecclésiastique et juridique du terme, et représenter un gallo-roman °*basocca*. Selon lui, l'emploi du mot à propos de la basilique de Saint-Martin à Tours est dû au fait que cette église était le siège épiscopal de la région ; il renvoie au développement sémantique analogue de *chaise*. Cf. aussi *cathédrale*.

♦ Le mot, employé en ancien français au sens de «basilique», dans des noms de lieux, n'est guère attesté comme nom commun. ◇ Son emploi, aujourd'hui en histoire, pour désigner la communauté des clercs du parlement de Paris apparaît à la fin du XVe siècle. En procède, par extension (1833), l'emploi familier pour «ensemble des gens de justice et de palais», en général péjoratif.

▸ En est dérivé **BASOCHIEN, IENNE** adj. et n. (1480), «qui appartient à la basoche» et substantivement «membre de la basoche» (1542), aujourd'hui archaïque ou historique.

① **BASQUE** n. f. n'a rien à voir avec le nom ethnique *Basque*, issu du latin *Vasco, -onis* dont l'accusatif *Vasconem* a donné *Gascon* (→ gascon). C'est l'altération (1532), par contamination avec *basquine** (qui, lui, est apparenté au nom de peuple), de *baste* (1351), lui-même probablement emprunté au provençal *basto* qui signifie à la fois «couture à longs points» et «plis faits à une robe pour la relever». Le provençal est en effet la seule langue romane du sud avec le catalan à avoir ce sens (l'italien *basta* n'a en effet que le sens de «faufilure», de même que l'espagnol *basta*, 1571). Cette hypothèse est préférable à celle qui fait de *baste* le continuateur direct de l'ancien français *baste* (XIe s., Gloses de Raschi), déverbal de l'ancien français *bastir* (→ bâtir). Tous ces mots remontent au germanique °*bastjan* (→ bâtir). P. Guiraud préfère voir dans *basque* un double de *bâche** qui remonte, selon lui, à °*basica*, dérivé du latin *basis* (→ base), la basque constituant la «base» du vêtement et lui conférant son aplomb ; d'après lui, il faudrait voir en *baste* le représentant de °*basitum* (→ bât) et le déverbal de *bâtir*, qu'il fait remonter à un °*basitare*.

♦ Le mot a désigné le rempli que l'on fait à une pièce d'étoffe et par métonymie la partie de l'étoffe située au-dessous de la ceinture du corsage (1532). ◇ Il est devenu, dans l'habillement moderne, le nom de la partie rapportée d'une veste qui part de la taille et descend plus ou moins bas sur les hanches. Avec ce sens plus général, il est employé dans la locution figurée ***être pendu aux basques de qqn*** (fin XVIIIe s.) «ne pas le quitter d'un pas».

② **BASQUE** adj. et n. est l'emploi comme nom commun (1578) du substantif ethnique *Basque* «habitant de la région qui s'étend de part et d'autre de la frontière occidentale franco-espagnole», attesté lui aussi en 1578. Ce terme est issu du latin *Vasco, -onis*, surtout au pluriel *Vascones*, mot recouvrant la population composite du sud-ouest de la France (Pline), employé à basse époque adjectivement, et dont l'accusatif *Vasconem* a donné *gascon**. Le passage du *v* au *b* signale probablement un emprunt à l'espagnol ou au gascon.

♦ Le mot a d'abord désigné un laquais utilisé comme coursier, les Basques, au sens large que le mot avait alors, avec une réputation d'excellents marcheurs et coureurs, étant souvent employés comme laquais aux XVIe et XVIIe s. (Richelet, en 1680, enregistre la locution *aller du pié comme un Basque,* et Furetière, en 1690, *courir comme un Basque*). ◇ Le nom ethnique a remplacé cet emploi spécialisé après l'époque classique. On rapporte la locution figurée *parler (français) comme une vache* espagnole* à un modèle non attesté *comme un Basque espagnol.* ◇ Le *basque* n. m. désigne la langue d'origine pré-indoeuropéenne parlée par les Basques (1710) et appelée dans la langue même *euskara.* Voir l'encadré ci-dessous.

▸ Le dérivé **BASQUAISE** adj. f. (XIXe s., *servante basquaise*) est spécialement employé en cuisine à propos d'un mets typique du Pays basque *(sauce, poulet basquaise),* elliptiquement pour *à la mode basquaise, à la basquaise.*

◈ voir BASQUINE.

LE BASQUE

Le basque est, avec le breton, d'origine celtique, et l'alsacien, dialecte germanique, une des trois langues non-romanes parlées sur le territoire français — et (pour le basque) espagnol. Son originalité réside dans le fait qu'il s'agit, en outre, d'une langue non-indoeuropéenne, témoin ancien des peuples présents dans cette partie du continent avant l'arrivée des Indoeuropéens (proto-Celtes) au deuxième millénaire avant notre ère. Les Basques, conscients de leur isolement linguistique, se désignent eux-mêmes par la langue qu'ils parlent : l'*Eskualdun* «Basque» est celui qui parle l'*eskuara* (ou *euskara*) «langue basque».

Le problème des origines.

Plusieurs hypothèses ont été émises quant à l'origine du basque et de sa parenté avec les autres langues.

1. Les substrats méditerranéens. Se basant sur les correspondances lexicales basco-berbéro-méditerranéo-caucasiques des différentes couches préromanes du pourtour méditerranéen, J. Hubschmidt distingue deux groupes : le groupe de substrat eurafricain (commun à l'Espagne, la France actuelle, l'Italie et le nord de l'Afrique), très ancien, et le groupe de substrat hispano-caucasique, plus récent, auquel il rattache le basque. Il conclut ainsi que le basque est le dernier vestige de deux grandes familles linguistiques pré-indoeuropéennes qui se seraient superposées en Europe occidentale : l'eurafricain et l'hispano-caucasique.

2. Le basque et les langues chamito-sémitiques. Un autre courant, dont le chef de file fut le savant allemand Schuchardt, tente d'établir (1914-1917) des relations génétiques entre le basque et les langues chamitiques (berbère, copte). Depuis, les recherches des archéologues et des préhistoriens ont conduit à réduire l'importance de l'élément africain dans la zone occidentale. Cependant, l'hispaniste Tovar (1966), menant des analyses lexicales et typologiques, signale une ressemblance certaine entre le basque et le berbère, appelant ainsi l'attention sur la possibilité d'une parenté basquo-africaine. Il conclut que le basque, bien que n'étant pas une langue africaine, appartient à une strate euro-africaine — ou plutôt euro-saharienne —, qui, à date ancienne, aurait formé une unité avec le chamito-sémitique.

3. Le basque et les langues caucasiennes. Une autre hypothèse est proposée par le linguiste et bascologue R. Lafon et par l'historien G. Dumézil. Tous deux défendent la parenté du basque avec les langues du Caucase en se basant sur des concordances lexicales et grammaticales. L'archéologie vient conforter cette hypothèse en constatant des correspondances culturelles ; l'hémotypologie — typologie effectuée à partir des groupes sanguins — apporte elle aussi des arguments en faveur de cette parenté en révélant une fréquence très élevée du groupe O et surtout du rhésus négatif. On notera toutefois qu'il est difficile d'utiliser la méthode historico-comparative pour des langues caucasiennes très mal connues, d'une part, et pour la langue basque dont les textes écrits ne remontent pas au-delà du XVIe s., d'autre part. De plus, l'hémotypologie met en évidence que les traits spécifiques cités plus haut se retrouvent également dans des régions où l'on reconnaît la présence de couches linguistiques très anciennes : Irlande, Écosse, Afrique du Nord ou... Caucase.

Cette hypothèse — reconnue aujourd'hui comme la plus probante — ne permet cependant pas de conclure à une parenté génétique incontestable entre le basque et d'autres langues. M. T. Echenique Elizondo pense que, dans le cas du basque, parler d'une parenté génétique est sinon inopérant, du moins inexact ou inadéquat. Tous s'accordent pour reconnaître qu'il s'agit d'une langue génétiquement isolée (*op. cit.*, p. 25).

Les (proto-)Basques et leurs voisins les plus proches.

Après avoir examiné les rapports que le basque pouvait entretenir avec des langues extra-européennes, nous rappellerons les relations qui lient la langue ou le peuple basque avec les anciennes ethnies qui l'entourent.

1. Celtes et Ibères. La celtisation de la Gaule et de la péninsule Ibérique (à partir de 500 av. J.-C.) a évidemment laissé des traces aussi bien lexicales que culturelles en basque et chez les Basques. On ne peut cependant établir en aucun cas une descendance directe linguistique ou ethnique entre proto-Basques et Celtes. La toponymie (étude des noms de lieu) et le témoignage des Anciens confirment que les proto-Basques occupaient une zone ibérique (moitié sud-est de la péninsule) bien distincte de la zone celtibérique (moitié nord-ouest). On a voulu voir dans le basque un vestige de l'ibère, langue non-indoeuropéenne parlée par les anciens habitants d'une partie de la péninsule Ibérique. Mais depuis que l'on sait transcrire — mais non déchiffrer — l'écriture ibérique, on peut seulement avancer que l'ibère et le basque ont en commun quelques radicaux et suffixes qui sont peut-être l'indice d'un lointain cousinage.

2. *Vascones*, Aquitains et Gascons. Les témoignages des écrivains de l'Antiquité nous renseignent sur les peuples qui habitaient la Gaule et la péninsule Ibérique avant l'arrivée des Romains. Pour la région linguistique qui nous intéresse, l'écrivain grec Strabon attribue aux *Vascones* la Navarre actuelle, ainsi que le nord de l'Aragon, la province de Huesca et l'est de l'Álava ; aux *Caristii*, la Biscaye ainsi qu'une partie de l'Álava ; aux *Berones* le reste de cette province ; enfin aux *Autrigones* le domaine qui s'étend de l'Ouest jusqu'à l'Océan. L'ethnie principale était celle des *Vascones*, nom qui est à l'origine de *basque* et de *gascon*. Les *Caristii* et les *Varduli* seraient les ancêtres des Biscayens et des Guipuzcoans, habitants des provinces que les Espagnols appellent *vascongadas* «vasconisées». Quant au côté nord des Pyrénées, Strabon affirme que les Aquitains ressemblent plus aux habitants de la péninsule Ibérique qu'aux Gaulois, et César, dans *La Guerre des Gaules*, nous dit que «le fleuve Garonne sépare les *galli* des *aquitani*», deux ethnies bien différentes, donc. Ces *Aquitant* occupent l'aire linguistique que l'on appelle aujourd'hui *Gascogne ;* la langue qu'ils parlent, langue que l'onomastique (étude des noms propres) nous permet d'entrevoir, est d'origine non-indoeuropéenne ; on a la conviction profonde qu'avant la conquête romaine, cette langue était étroitement apparentée au basque. On peut dire, en bref, que la majeure partie des Aquitains s'est laissée romaniser (Gascogne actuelle), tandis que les habitants de l'extrême Sud-Ouest sont restés fidèles à l'idiome originel (actuel Pays basque français). Ces faits expliquent l'originalité des parlers gascons par rapport aux autres dialectes occitans, en particulier languedociens. Ce n'est qu'à partir du haut moyen âge que l'on apprendra que le *Provincia Novem populania* abrite les *Vascones* ou «Gascons», tandis que le domaine qu'occupaient les *Vascones* est maintenant celui des *Navarri*, et qu'entre les deux se situe celui des *Bascli*.

Le basque.

L'aire linguistique actuelle du basque coïncide avec les limites géographiques du Pays basque. En France, il comprend le département des Pyrénées-Atlantiques avec le Labourd (ville principale : Bayonne), la Basse-Navarre (capitale : Saint-Jean-Pied-de-Port) et la Soule (capitale : Mauléon-Licharre) ; en Espagne, tout d'abord les provinces *vascongadas :* la Biscaye (capitale : Bilbao, non bascophone), l'Álava (ville principale : Vitoria) et le Guipuzcoa (ville principale : Saint-Sébastien, en basque Donostia), puis la Navarre, entièrement bascophone excepté Pampelune.

Parlé par environ 800 000 personnes, le basque — *euskara* en basque espagnol, *eskuara* en basque français — comprend huit dialectes : le biscayen, le guipuzcoan, le haut-navarrais méridional et septentrional, le bas-navarrais occidental et oriental, le labourdin et le souletin. La langue primitive était plus unifiée. La pluralité actuelle des dialectes a entraîné le choix du navarro-labourdin comme langue littéraire du côté français des Pyrénées, du guipuzcoan en Espagne. Aujourd'hui on essaie d'imposer un *euskara batua*, un basque unifié des deux côtés des Pyrénées.

Le basque est beaucoup trop éloigné du français pour que l'on puisse en donner une idée par un bref aperçu ; on se reportera à la bibliographie. Le basque a été (et est) une source d'emprunts — faible, il est vrai — pour les dialectes romans voisins, gascon et béarnais. 47 mots gascons ou béarnais d'origine basque, désignant la plupart du temps des réalités de la nature, sont enregistrés par le *Französisches Etymologisches Wörterbuch* de Walter von Wartburg. Quelques rares mots français sont d'origine basque : il s'agit d'*orignal* «élan d'Amérique» qui vient du basque *orein* «cerf» ; de *bagarre* qui, emprunté par l'occitan, viendrait du basque *batzarre* «rassemblement», par l'intermédiaire du béarnais *batsarre* ou *bacharro ;* de *bizarre* qui, emprunté à l'italien *bizarro*, viendrait lui aussi du basque *bizar* «barbe», par l'intermédiaire de l'espagnol ; enfin d'*isard* «chamois des Pyrénées», du basque °*izar-di* «chamois», sans oublier les termes relatifs au jeu de la pelote basque, tels *chistera*. L'espagnol castillan (voir : langue espagnole, encadré) est beaucoup plus riche en emprunts à l'*euskara*. On retrouve également quelques mots d'origine basque dans le français de Saint-Pierre-et-Miquelon et de Terre-Neuve, mots importés par les pêcheurs basques.

M.-J. Brochard

BIBLIOGRAPHIE

J. ALLIÈRES, *Manuel pratique de basque*, Paris, coll. Connaissance des langues, vol. XIII, 1979. — *Les Basques*, Paris, Que sais-je ?, n° 1668, 1979.

M. T. ECHENIQUE ELIZONDO, *Historia lingüística vasco-románica*, Madrid, 1987.

BASQUINE n. f., d'abord *vasquine* (1532), forme qui a coexisté jusqu'au XVIIe s. avec *basquine* (1563), est emprunté à l'espagnol *basquina*, terme d'habillement pour la seconde jupe que les femmes mettaient sur la première pour sortir. Ce mot, attesté depuis le XVe s. sous la forme *basquiña* puis *basquina* (1565), est dérivé de *basco* «natif du pays basque» (→ ② basque) avec le suffixe *-ina*. La longue coexistence des formes françaises en *v-* et en *b-* s'explique par le fait qu'en espagnol *b* et *v* se confondent dans la prononciation.

♦ Le mot désigne l'ample jupe soutenue par un cercle qui était portée par les femmes basques et espagnoles, sens devenu historique. Anciennement, il servait à désigner un corsage décolleté sans manches qui se portait sous les vêtements, mode adoptée sous François Ier (XVIe s.).

① **BASSE** → **BAS**

② **BASSE** n. f. est emprunté (1660) à l'italien *basso* (féminin *bassa*) «bas», de même origine que le français *bas**, spécialisé en musique pour désigner la partie d'un morceau la plus grave en harmonie, une corde au son grave (1561), un instrument exécutant la partie la plus grave (1640) et la plus grave des voix masculines (1643).

♦ Avant la fin du XVIIe s. le mot, homonyme du féminin de l'adjectif *bas*, désigne la partie qui fait entendre les sons les plus graves des accords dont se compose l'harmonie, la voix masculine la plus basse (1670) et l'instrument servant à jouer la partie basse (1690). En ce sens, il a donné le nom d'instrument *basse de viole* (1670), également appelé *viole de gambe*, italianisme calqué de *viola di gamba* «viole de jambe». ◇ Au XXe s., le mot s'enrichit de nouveaux emplois, référant à la contrebasse en jazz, par emprunt à l'anglais *bass*, et à la guitare basse en pop-music.

▸ De *basse* est tiré le nom d'instrumentiste **BASSISTE** n. (1838 au masculin) employé en musique classique, puis en jazz et dans les musiques populaires, comme nom de l'instrumentiste jouant de la contrebasse.

BASSE-CONTRE n. f. (1512, *bassecontre*) est calqué de l'italien *contra-basso* «voix la plus basse de l'échelle musicale» (XVIe s.). L'inversion des deux termes en français s'explique probablement par un souci d'éviter la confusion avec *contrebasse**. Le mot a désigné une voix d'homme plus grave que la voix de basse-taille et, par métonymie, le chanteur ayant cette voix (1558), la partie de chant que celui-ci exécute. Il s'opposait à *haute-contre* et à *contre-ténor*, toujours en usage.

BASSON n. m. est emprunté (1613) à l'italien *bassone* désignant un instrument de la famille du hautbois dont il est la basse. C'est le dérivé de *basso* avec le suffixe augmentatif *-one*. ➛ De *basson* est dérivé **BASSONISTE** n. (1821).

② **BASSET** n. m. reprend (av. 1866) l'italien *bassetto*, autre dérivé de *basso*, et s'emploie dans ***cor de basset*** «clarinette basse».

◈ voir CONTREBASSE.

BASSETTE n. f. est emprunté (1674) à l'italien *bassetta*, attesté depuis le XIVe s. comme nom d'un jeu de cartes ayant des ressemblances avec le pharaon et le lansquenet. Lui-même est dérivé de *basso* «bas» (→ bas), en raison des cartes basses que distribue le banquier, avec le suffixe *-etta* à valeur diminutive. L'introduction du jeu en France au XVIIe s. est attribuée à Giustiniani, noble vénitien, ambassadeur en France.

♦ Le mot et le jeu ont vieilli.

① **BASSIN** n. m., d'abord *bacin* (v. 1165) puis *bassin* (XVIe s.), est issu d'un latin populaire *°baccinus*, restitué d'après le bas latin *bacchinon* (VIe s.) «récipient creux à fond plat», de la même famille que le mot qui a donné *bac**. ◈

♦ Le mot signifie «récipient» et spécialement «récipient creux», se disant spécialement d'un ustensile de cuisine, d'un accessoire pour la toilette (1363, *bassin de barbier*), d'un ustensile utilisé lors de cérémonies religieuses ou rituelles (1360, *bassin à aumône*). ◇ Une autre valeur disparue, pour «bassin de cuivre servant de tambour», a donné naissance au verbe ② *bassiner* (ci-dessous). C'est du bassin à aumônes que procède la locution figurée *cracher au bassin* «donner de l'argent» (XVIe s.) qui a disparu ; cf. ci-dessous *bassinet*. ◇ Au XVIe s. il s'applique, par analogie, à une construction en pierre recevant l'eau (1539), sens dont procèdent des emplois techniques en maçonnerie, tannerie, pisciculture. ➛ Par analogie de forme, il se dit en anatomie de la ceinture osseuse qui forme la base du tronc (1546). ➛ En géographie, il s'applique à la région où un fleuve a son cours (XVIe s.). De ce dernier sens procèdent de nouveaux emplois, en marine pour un petit port pratiqué dans un plus grand (1683), en géologie et en hydrologie *(bassin hydrographique)*.

▸ **BASSINET** n. m., écrit *bacinet* (v. 1220) jusqu'au XVIe s., a désigné une calotte de fer que les hommes d'armes portaient sur le camail jusqu'au XVIe s., époque où il est remplacé par le morion. Le sens propre de «petit bassin» est peu usité, sauf dans la locution figurée ***cracher au bassinet*** «donner de l'argent» (XIXe s.), variante qui s'est substituée à *cracher au bassin*. ◇ Le mot a développé d'autres acceptions par analogie de forme. Il désigne plusieurs espèces de renoncules (1509), la pièce creuse de la batterie d'une arme à feu à silex (1575) et, en anatomie, une petite cavité du rein (1690).

① **BASSINER** v. tr. (fin XIVe s.), à côté de *baciner* (XVe-XVIe s.), signifie «humecter doucement (une partie du corps) pour soigner» ; en relation avec *bassinoire*, il a développé également le sens de «chauffer les draps d'un lit» (fin XVe s.). Il s'est spécialisé en boulangerie et horticulture en réalisant l'idée d'«humecter». ➛ En sont dérivés ① **BASSINOIRE** n. f. (1454, écrit *bacinouere*) «instrument pour chauffer les draps d'un lit» et «grosse montre» (av. 1861), **BASSINEMENT** n. m. (1549), substantif d'action qui a reculé au profit du synonyme **BASSINAGE** n. m. (1838), surtout usité en médecine et en horticulture (1863).

BASSINE n. f., d'abord *bachine* (1500), forme féminine de *bassin*, désigne un ustensile large et profond servant à divers usages domestiques et industriels, spécialement un récipient de cuisine destiné à faire cuire les confitures, les sirops (déb. XVIIe s.). Il est couramment employé avec la valeur métonymique de «contenu d'une bassine», **BASSINÉE** n. f. (1575) étant peu usité.

Le verbe familier ② **BASSINER** v. tr., «ennuyer (qqn) par des propos oiseux, des questions indiscrètes» (1858), vient d'un emploi dialectal de *bassiner* pour «ennuyer» (Anjou, Normandie, Moisy, en Suisse romande). Ce développement est lui-même un emploi figuré péjoratif de *bassiner*, «faire un charivari, en tapant sur des ustensiles de cuisine pour ennnuyer des jeunes mariés» (1807), dans lequel survit le moyen français *baciner*, «tambouriner» ou, par retour à l'étymologie, «frapper sur un bassin de cuivre pour faire une annonce» (1414). Ce verbe est dérivé de *bassin* qui avait acquis le sens spécial de «tambour» (déb. XIIIe s.) par analogie avec la forme d'un bassin. ➜ On en a dérivé ② **BASSINOIRE** n. f., vieilli, et ② **BASSIN** n. m., sorti d'usage (1858, Larchey), deux noms désignant une personne ennuyeuse, par calembour avec les noms d'ustensiles.

BASTE interj. est la francisation (1534) de l'exclamation italienne *basta* (déb. XVIe s.) exprimant l'indifférence, la résignation, l'impatience ou la déception et signifiant littéralement «il suffit». C'est un emploi lexicalisé de la troisième personne de l'indicatif présent de *bastare* «suffire» (XIIIe s.), lequel a été emprunté par l'ancien français *baster* v. intr. (av. 1270), «suffire, être suffisant», d'où «céder, s'arrêter de résister» (1608), encore vivant avec ce dernier sens en Suisse. *Bastare* remonte probablement à un latin populaire °*bastare*, «porter» d'où «supporter, durer» (sens attestés en ancien italien) et «fournir en suffisance». Ce mot se rattache au grec *bastazein* «soupeser», d'où «soulever», qui se disait d'un arc pesant, d'une pierre; en grec tardif, il signifie «porter», «emporter», parfois «produire» et s'emploie au figuré pour «peser, soupeser dans son esprit». P. Guiraud préfère voir dans °*bastare* le représentant d'un roman °*basitare*, dérivé du latin *basis* (→ base) au sens de «base, soubassement».

♦ Le mot, également employé sous sa forme italienne *basta* (1807), signifie «assez». Il s'est employé dans des jeux disparus pour déclarer qu'on a assez de cartes.

◈ voir BÂT, BÂTON.

BASTIDE n. f. est emprunté (1305) à l'ancien provençal *bastida*, qui désigne un ouvrage de fortification (1212-1213), une ville nouvellement bâtie, surtout en Gascogne et en Périgord sous la domination anglaise (1263), et une cabane, une hutte (1276). Ce mot, qui correspond au latin médiéval *bastida* (première moitié du XIIIe s.), est le participe passé féminin substantivé de *bastir* (→ bâtir).

♦ Le mot désigne d'abord une ville nouvellement bâtie, de plan régulier, en Gascogne et Périgord. Il a aussi désigné une fortification (1360), une forteresse, un château fort (1374). ◇ Par l'intermédiaire du sens de «hutte, cabane» (XIVe s.), qui a disparu, il a développé le sens actuel de «petite maison de campagne», surtout en français du Sud-Est (1570). Cf. ci-dessous *bastidon*.

▸ **BASTILLE** n. f. provient par substitution de suffixe de *bastide*. *Bassetille* (1370), avant *bastille* (v. 1400), est un terme d'architecture militaire désignant un ouvrage de fortification. Le mot a spécialement servi à désigner (1476) le château fort commencé à Paris sous Charles V et qui servit de prison d'État. Devenu le symbole de l'oppression et de l'arbitraire royal, la Bastille fut prise par les insurgés et détruite en 1789. ◇ Par métaphore, le mot se dit (fin XVIIIe s.) de ce qui constitue une prison, une limite morale ou intellectuelle pour l'homme. ➜ **BASTILLEUR** n. m., «celui qui embastille» (1795), s'est employé pendant la Révolution. ➜ **BASTILLÉ, ÉE** adj. (1671) dérive de *bastiller*, antérieurement *bateiller* (XIIe s., *bateillé* «fortifié»); c'est un terme d'héraldique décrivant un meuble garni de créneaux renversés vers la pointe de l'écu; il a servi sous la Révolution (1790) de synonyme à *embastillé*.

Le préfixé **EMBASTILLER** v. tr. (1429), d'abord «établir des troupes dans une bastille» sens disparu, a été reformé d'après *emprisonner* au sens d'«enfermer à la Bastille» (1717), puis en général «emprisonner» (1795). ➜ Le substantif d'action correspondant, **EMBASTILLEMENT** n. m., est apparu pendant la Révolution (av. 1794). ◇ Un sens ultérieur, «action d'entourer une ville de fortifications» (1838), n'a pas eu de succès.

BASTIDON n. m. «petite bastide, cabanon» est un emprunt (1867) au provençal *bastidoun* dérivé de *bastida*. ◇ Le mot, d'usage régional, a pour synonyme **BASTIDETTE** n. f. (Giono, 1929).

◈ voir BASTINGUE.

BASTINGUE n. f. est emprunté (1634) au provençal *bastengo*, terme de marine, féminin de *bastenc* «cordage de sparterie», lui-même dérivé du verbe *basti*, «bâtir», et aussi «tisser, tresser», notamment «empailler des chaises». Le verbe de l'ancien provençal *bastir* (→ bastide) avait lui-même le sens de «tisser» (v. 1000). L'hypothèse parfois proposée d'un emprunt du français à l'italien *bastinga* est à écarter, ce mot étant au contraire un gallicisme de la langue écrite.

♦ Le mot, qui désigne comme son étymon une toile matelassée tendue autour du plat-bord, pour se protéger des balles, est sorti d'usage avec la chose.

▸ *Bastingue* a servi à former **BASTINGUER** v. tr. (1634) «munir de bastingues», la forme pronominale *se bastinguer* «se protéger par des bastingues» prenant dans l'argot des marins le sens de «se cacher». Ce verbe a disparu, à la différence de son dérivé *bastingage*.

BASTINGAGE n. m. (1747) est d'abord un collectif désignant l'ensemble des bastingues c'est-à-dire une protection contre le feu de l'ennemi. Il s'applique ensuite au système de filets doublés de forte toile bordant un navire de guerre et auquel on suspendait les hamacs de l'équipage. ◇ Il est devenu le nom du parapet bordant le pont d'un navire de guerre, puis de tout navire, seule acception vivante, et s'emploie quelquefois par analogie pour «rambarde, parapet» (XXe s.).

BASTION n. m. est emprunté (XVe-XVIe s.), à l'italien *bastione*, attesté au sens de «fortification» en latin médiéval (1447 à Piacenza). Le mot est dérivé, avec le suffixe *-one* à valeur augmentative, de *bastia,* attesté en latin médiéval (1238, charte de l'empereur Frédéric II), participe passé féminin substantivé de *bastire* (→ bâtir) pour *bastita,* propre à l'italien septentrional. L'hypothèse selon laquelle l'italien *bastia* serait emprunté au moyen français *bastie* est moins probable, étant donné la rareté de ce mot et son attestation assez tardive en français (1429).

♦ Le mot désigne un ouvrage de fortification faisant saillie dans l'enceinte d'une place forte, et, par extension, un lieu assurant à des combattants une protection suffisante pour résister à des attaques répétées. Il s'emploie par métaphore, surtout qualifié par un adjectif ou un complément en *de,* pour ce qui défend efficacement qqch. (une abstraction).

▶ Le dérivé **BASTIONNER** v. tr. (1611) «garnir de bastions» est technique et concurrencé à partir de 1870 par un préfixé. ➛ **EMBASTIONNER** v. tr. s'est employé au sens figuré de «protéger efficacement», dans un style littéraire (XIXe s., Balzac); il est rare.

BASTON, BASTONNADE → **BÂTON**

BASTOS n. f. est l'emploi comme nom commun (1916) de *Bastos,* nom d'un fabricant de cigarettes algérois, par une comparaison entre le paquet de cigarettes et le paquet de cartouches.

♦ Le mot a d'abord servi à désigner, dans les troupes d'Afrique du Nord, un paquet de cartouches, puis a pris en argot le sens actuel de «balle (de fusil, de revolver)» (1925).

BASTRINGUE n. m. et f. (1794) est d'origine discutée, la finale *-ingue* suggérant une provenance germanique. L'étymon néerlandais *bas drinken* «boire beaucoup», où *drinken,* correspondant à l'anglais *to drink,* remonte à la racine germanique °*drenkan* (→ trinquer), fait difficulté, ce syntagme ne semblant pas usuel. L'hypothèse d'un emploi par plaisanterie à partir du terme technique *bastringue,* «machine à imprimer les toiles», proposée par Ferdinand Brunot, fait difficulté : il est au contraire probable que le mot désignait d'abord la danse tapageuse et qu'il a servi à dénommer la machine à cause du bruit qu'elle faisait. L'hypothèse de P. Guiraud, qui propose de faire de *bastringue* une variante de *bastingue* (→ bastingage) «barricade de bois», suppose des spécialisations de sens non attestées. L'ordre d'apparition des deux premiers sens pourrait n'être lié qu'au hasard des attestations.

♦ Avec l'idée de rythme bruyant, le mot désigne un air populaire de contredanse, d'où, par métonymie, un bal populaire (1800) et, par extension, un désordre bruyant (1866). ◇ Au féminin, il sert aussi (1799) à dénommer une machine à imprimer les toiles au cylindre : il semblerait que les ouvriers de la manufacture des toiles de Jouy, dirigée par Oberkampf, soient à l'origine de cette appellation pour la nouvelle machine construite par Samuel Widmer, neveu d'Oberkampf. ◇ L'idée d'«ensemble désordonné» l'emporte dans les emplois extensifs concrets et abstraits (1900), en synonymie partielle avec *bordel.*

▶ **BASTRINGUER** v. intr., d'abord au participe passé *bastringué* (1809) appliqué à une toile de Jouy imprimée à la «bastringue», a eu la valeur de «fréquenter les bals populaires» (1805).

BÂT n. m., d'abord *bast* (1265) écrit tardivement *bât* (1740), est issu d'un latin populaire °*bastum,* substantif verbal de °*bastare* «porter» (→ baste). °*Bastum* a totalement éliminé le latin classique *clitellae, -arum;* d'abord utilisé dans les régions méditerranéennes, il est ensuite remonté vers le Nord, supplantant *somme* (dans *bête de somme*), attesté dans le nord de la France depuis le XIIe s. (v. 1130) en particulier au sens de «bât» aux XIIIe et XIVe siècles.

♦ Le mot, qui désigne le dispositif que l'on attache sur le dos des bêtes pour leur faire porter une charge, s'emploie par métaphore dans la locution ***c'est là que le bât blesse*** (v. 1357, *le bast m'en blesse*) «là réside la difficulté», avec l'idée de «contrainte». ◇ La locution *cheval de bât* (1740), appliquée autrefois à un homme dépourvu d'intelligence puis à un homme chargé des grosses besognes, a disparu.

▶ Les dérivés remontent au moyen français. ➛ **BÂTIÈRE** n. f., d'abord *bastiere* (1283), a disparu au sens de «coussinet placé sous l'arçon d'une selle», gardant dans certains dialectes (Normandie, Anjou, Centre) celui de «selle rembourrée» (1555). ◇ Par analogie, il désigne en architecture un toit à deux pentes (1856). ➛ **BÂTIER** n. m., d'abord *baatier* (av. 1292), désignait autrefois le sellier spécialisé dans la fabrication et la vente du matériel d'équipement des bêtes de somme. ➛ **BÂTER** v. tr. (1549), «mettre un bât à (une bête)», s'est répandu sous la forme du participe passé adjectivé *bâté,* dans la locution figurée ***âne bâté*** en parlant d'une personne lourde d'esprit. ➛ **BÂTINE** n. f., probablement dérivé (1549) de *bât* plutôt qu'emprunté à l'italien *bastina* attesté en 1688, a désigné une selle rembourrée couverte d'une grosse toile; le mot a survécu dans certaines régions (Berry).

EMBÂTER v. tr. (XVe s.) exprime le fait de mettre son bât à une bête (d'où **EMBÂTAGE** n. m., v. 1870) tandis que **DÉBÂTER** v. tr., apparu lui aussi au XVe s., se dit de l'opération inverse.

◈ voir BASTE, BÂTON.

BATACLAN n. m., attesté depuis 1761, est d'origine obscure, probablement formé sur une onomatopée imitant le bruit d'objets qui tombent, que l'on déplace. Il semble que l'on ait d'abord eu *pataclan,* forme répandue en picard («bruit d'un corps qui tombe»), devenu *bataclan* sous l'influence de *battre**. Ceci interdit d'évoquer le latin populaire *bataculare,* d'où *bâiller* et l'onomatopée *bat-.*

♦ L'idée originelle de «bruit» s'est perdue au profit de celle d'«attirail encombrant et composite». La locution ***et tout le bataclan*** signifie «et tout le reste», de manière péjorative (cf. *et tout le bordel*).

BATAILLE n. f. est issu (1080) du bas latin *battalia* (Ve-VIe s.), altération de *battualia,* pluriel neutre attesté au sens de «combat d'escrime» (IVe s.), dérivé de *battuere* (→ battre).

♦ En français, le mot désigne le combat que se livrent deux armées ou deux individus. Par extension, il s'applique à un échange entre plusieurs antagonistes, au propre et au figuré (v. 1176). ◇ Par métonymie, il a désigné un corps de troupes (v. 1176), sens usuel jusqu'au XVIIe s., époque à laquelle il est éliminé par *armée, troupe,* etc., et dont procède la locution ***en bataille, en bataille rangée*** (1606), en parlant de l'ordre d'une armée disposée en ligne pour combattre. ◇ Le sens initial a donné quelques emplois figurés surtout dans des expressions comme ***cheval de bataille,*** au figuré «sujet favori» (cf. *cheval*), ***plan de bataille,*** et la locution ***en bataille*** dont le sémantisme initial d'«ordre» tend à s'inverser en «désordre», par exemple dans la locution ***mettre son chapeau en bataille*** (1858) et dans divers emplois (*les cheveux en bataille,* etc). ➛ On appelle *bataille* un jeu de cartes aux règles très simples et *bataille navale* un jeu de société.

▶ **BATAILLER** v. intr., d'abord *bataillier* (v. 1130) «livrer bataille, combattre», a vieilli en ce sens dès le XVIIe siècle. De nos jours, il s'emploie surtout au figuré avec l'idée de «lutter avec ardeur pour persuader» (1690), déjà en germe dans un emploi métaphorique du XIIIe s. dans un contexte de rivalité amoureuse. Plus ou moins senti comme lié à *se battre, batailler* a pris le sens second de «se bagarrer, échanger des coups». ➛ Ses dérivés, **BATAILLERIE** n. f. (1858) et **BATAILLANT, ANTE** adj. (1860), se sont peu répandus. ➛ **BATAILLEUR, EUSE** n. et adj., d'abord *batallierre* (v. 1200) et *bataillor* (1267-1268), du verbe *batailler,* a éliminé le doublet *batailleros, bataillerus* (v. 1170), dérivé de l'ancien français *bataillier* «guerrier» (v. 1200), lui-même de *bataille.* ◇ Il qualifie celui qui aime se battre puis une chose destinée à la bataille (av. 1450), sens disparu. Son emploi substantivé pour celui qui se bat (1280) a eu du mal à s'implanter; considéré comme un «vieux mot» par Trévoux mais repris par Rousseau à la fin du XVIIIe s., il reste peu usité. Repris comme adjectif, il qualifie une personne, un enfant qui aime à se battre. Cf. *bagarreur.* ➛ Son synonyme, **BATAILLARD, ARDE** adj. (1832), a disparu.

◈ voir BATAILLON, BATTELLEMENT, BATTLE-DRESS.

BATAILLON n. m. est emprunté (1543) à l'italien *battaglione* «grand escadron de soldats» (1500-1525), dérivé de *battaglia,* de même sens et de même origine que *bataille*,* avec le suffixe augmentatif *-one.* L'espagnol *batallón* (1539), emprunt à l'italien, ne peut être la source du mot français.

♦ Le mot désigne une troupe et, dans l'organisation moderne de l'armée, un corps d'infanterie composé de plusieurs compagnies : *chef de bataillon* correspond à *commandant.* ◇ L'Académie a accueilli en 1835 le sens figuré de «grand nombre, troupe», déjà attesté au XVIIe s., en le qualifiant de «familier». ◇ L'expression figurée et familière ***inconnu au bataillon,*** issue de l'appel militaire, signifie «inconnu, impossible à identifier, à retrouver».

▶ *Bataillon* a produit **BATAILLONNAIRE** n. m. (1915) et **BAT' D'AF** n. m. pl. (1885), abréviation de *bataillon d'Afrique* et terme d'argot militaire se référant aux unités disciplinaires françaises qui étaient stationnées en Afrique, appelées aussi *joyeux.*

BÂTARD, ARDE adj. et n., d'abord *bastard* (1089), *bâtard* au XVIIe s. (1680), est attesté en latin médiéval sous la forme *bastardus* (1010) dans le domaine catalan (une grande partie de la Catalogne étant incluse dans la Marche d'Espagne à l'intérieur de l'Empire franc) et comme surnom appliqué à Guillaume le Conquérant (1074-1076). *Bastardus* est d'origine obscure. L'hypothèse la plus recevable est celle d'un emprunt au germanique °*banstu-* à travers les formes propres au domaine germanique de la mer du Nord : ancien frison, ancien saxon, formes qui ont subi la chute nasale; il conviendrait alors de poser à côté de l'ancien frison *bōst* une forme à voyelle non assourdie °*bast.* Ce germanique °*banstu-,* qui aurait pu signifier «mariage avec une seconde femme de rang plus bas» (type d'union très fréquent dans la haute noblesse sous les Capétiens et les Carolingiens), appartient à la racine indoeuropéenne °*bhendh-* «lier» (→ ① bande). À ce radical aurait été ajouté le suffixe *-ard* des anthroponymes germaniques qui a développé une valeur péjorative peut-être due à la condamnation de la polygamie germanique par la morale chrétienne. V. Günther préfère expliquer *bastard* par l'ancien norrois °*bástr.* L'hypothèse de *bastard* issu du syntagme *fils, fille de bast* (XIIIe s.), littéralement «conçu ou né sur un bât», c'est-à-dire au hasard de la vie des muletiers, altéré ultérieurement en *fils de bas* par attraction du latin *bassus* (→ bas), fait difficulté car le suffixe *-ard* et les plus anciennes attestations plaident pour une origine germanique et non pas méridionale; de plus, elle paraît incompatible avec les plus anciennes attestations latines, qui sont neutres. Pour cette même raison, l'hypothèse d'un étymon germanique °*bansti* «grange» (restitué par le gotique *bansts*) ne convient pas, étant donné la position sociale des fils que les grands nobles avaient d'une seconde femme.

♦ Le mot désigne et qualifie celui qui est né hors mariage, d'abord comme anthroponyme (avec majuscule) et, de bonne heure, comme nom commun (v. 1150). Dès cette époque, il reçoit une valeur péjorative, voire insultante, sauf quand il s'agit de grandes familles, où le mot est parfois intégré au nom (*le Bâtard d'Orléans*). ◇ Par extension, il s'applique à une chose concrète ou abstraite qui est intermédiaire entre deux genres différents, a subi une transformation qui amoindrit (1265) : de là, ses emplois spéciaux en paléographie (1529, *lettre bâtarde*), en armurerie (XVIe s., *épée bâtarde*), en marine (XVIe s.), en architecture et au XXe s. en boulangerie (*pain bâtard,* d'où *un bâtard*). ◇ Par analogie, il s'applique également à un animal ou à un végétal qui tient de deux espèces (1690), un hybride.

▶ **BÂTARDISE** n. f. (av. 1560), «état de bâtard», a éliminé l'ancien français *bastardie* (v. 1155), encore vivant au XVe s., ainsi que les doublets *bastarderie*

n. f., *bastardage* n. m. et *bastardaille* n. f. propres à l'ancien français.
ABÂTARDIR v. tr. est attesté dès le XIIe s. au sens propre d'«altérer en faisant perdre les qualités de la race, d'un groupe social, d'une personne»; par extension, il se dit aussi au figuré avec l'idée d'«avilir». ➛ En est dérivé **ABÂTARDISSEMENT** n. m. (1495), employé au propre et au figuré.

◈ voir BATARDEAU.

BATARDEAU n. m. est probablement (1409) de même origine que *bâtardeau*, terme d'armurerie (1386, *couteau bastardeau*) qualifiant le petit couteau auxiliaire de la dague, ensuite substantivé. Il est dérivé du moyen français *bastard* (→ bâtard) employé spécialement à propos d'une digue considérée comme «bâtarde» par opposition à la rive naturelle, établie pour mettre à sec un endroit où l'on veut bâtir. Cette hypothèse convient mieux que celle qui propose un dérivé de *baste, bâte* «support», dérivé de *bâtir**. La graphie actuelle sans accent (1680), qui a fait suite à *bastardeau* (encore attesté en 1718), a triomphé de la forme régulière *bâtardeau* (1740).

♦ Le mot, d'usage technique, désigne un barrage provisoire établi dans le lit d'un cours d'eau afin de pouvoir exécuter à sec certains travaux. Par analogie de fonction, il désigne le caisson que l'on applique à la coque d'un navire afin de la mettre à sec et de la radouber.

① **BATAVIA** n. f. est l'emploi comme nom commun (1771) de *Batavia*, nom latin de la Hollande (297) d'après celui de la peuplade germanique *(les Bataves)* qui s'installa peu avant l'ère chrétienne à l'embouchure du Rhin et de la Meuse. Ce nom ethnique viendrait selon certains du germanique *Batawoz*, dérivé d'une racine *bat-*, «meilleur», que l'on retrouve dans l'allemand *bessere* et l'anglais *better*, et que Fick et Klüge rapprochent du sanskrit *bhadrá-s* «salutaire, bienfaisant».

♦ Le nom désigne une salade à larges feuilles gaufrées et croquantes.

► Il est distinct de ② **BATAVIA** n. m. qui a désigné un type de cigare d'Indonésie à la fin du XIXe s. et qui est l'emploi comme nom commun de celui de la ville de *Batavia*, appellation coloniale de cette possession hollandaise.

① **BATEAU** n. m., d'abord *batel* (1138), forme attestée jusqu'au XVe s., puis *bateau* (v. 1220), est le dérivé en *-ellus* de l'anglo-normand *bat* «bateau» (v. 1121-1122), terme rare, encore attesté au début du XIVe s. dans le domaine normand sous la forme du latin médiéval *battus*. L'anglo-normand, de même que l'ancien norrois *bátr*, sont empruntés au vieil et moyen anglais *bat* (anglais *boat*) qui se rattacherait à un germanique °*baito-*, peut-être apparenté à °*bit-* (→ bitte). Le suffixe du mot français a moins ici une valeur diminutive qu'il ne sert à donner du corps au monosyllabe.

♦ Le mot désigne une construction flottante destinée à la navigation, d'abord à la navigation fluviale puis en général, développant une valeur générique. Il sert de terme classificatoire en emploi déterminé, notamment dans *bateau à voiles; bateau à vapeur* (1816), calquée de l'anglo-américain *steamboat* et *steamer*, et *bateau-mouche* (1870). ➛ Le mot a pris quelques acceptions concrètes tardives, fondées sur une analogie de forme : en raison du rapport existant entre les souliers et l'eau, le pluriel *bateaux* désigne, d'abord en argot (1841), des chaussures de grande pointure. La locution ***en bateau*** est employée dans la description médicale d'un ventre creusé en longueur (1877) et dans *décolleté en bateau* (1925) d'où *décolleté bateau*. ◇ En termes de menuiserie (1841), de géologie et de travaux publics, le mot désigne une dépression allongée, par exemple celle de la bordure du trottoir aménagée pour le passage des véhicules (1881). ➛ Si dans plusieurs locutions figurées telles ***mener en bateau, monter un bateau***, il est originellement identifié à son homonyme ② *bateau*, le développement du sens figuré, «idée trop souvent utilisée, lieu commun» (1957), est obscur : un rapprochement avec ② *bateau* est vraisemblable, par l'intermédiaire de l'ancienne expression *être bateau* «être ennuyeux» (1900), laquelle procède de l'idée de «fatiguer par une plaisanterie, une affirmation trop répétée». En procède un emploi adjectif *(c'est bateau, un truc bateau)*.

► Les dérivés ont été formés sur le radical de l'ancienne forme *batel*. ➛ **BATELÉE** n. f. (XIIIe s.), désignant proprement la charge d'un bateau puis, au figuré, une multitude de gens rassemblés et inconnus (1545), est sorti d'usage. ➛ **BATELIER, IÈRE** n., d'abord *batillier* (1275) puis *batelier* (1292), dénomme la personne qui conduit un bateau, plus souvent au masculin qu'au féminin (1500-1550). Comme adjectif, il a qualifié ce qui est relatif aux bateaux (1571). ➛ ① **BATELER** v. tr., attesté une première fois en emploi intransitif pour «aller en bateau» (XIVe s.), a été repris comme verbe transitif pour «transporter par bateaux» (1704). ➛ **BATELET** n. m. (1300-1350), «petit bateau à rames», a disparu. ➛ ① **BATELAGE** n. m., «service de bateaux assurant la communication de navires entre eux» (1443), désigne ensuite (1752) le droit ou le salaire payé au batelier. ➛ ① **BATELLERIE** n. f. désigne d'abord (*batelrie*, 1390) la corporation des bateliers. ◇ Sorti d'usage, il a été repris à propos de l'ensemble des bateaux qui font le service sur les cours d'eau et l'industrie du transport fluvial (1863, Littré).
À ces dérivés s'ajoutent, au XIXe s., les quelques noms composés comptant *bateau-* comme premier élément : **BATEAU-PORTE** n. m. (1808) «caisson mobile fermant une cale de radoub, une écluse», **BATEAU-FEU** n. m. (1887) ou **BATEAU-PHARE** n. m., **BATEAU-PILOTE** n. m. (→ pilote), **BATEAU-CITERNE** n. m. (tous trois dans les dictionnaires depuis 1866), **BATEAU-POMPE** n. m. (1882) et **BATEAU-LAVOIR** n. m. (1886), appliqué comme nom propre aux ateliers d'artistes du début du XXe s., à Montmartre, où de nombreux peintres (parmi lesquels Picasso) travaillèrent.

◈ voir BOAT-PEOPLE, FERRY-BOAT, PAQUEBOT.

② **BATEAU** n. m., terme d'argot (1866), est probablement le même mot que l'ancien français *baastel, bastel* (v. 1220) probablement «marionnette» d'où «instrument d'escamoteur» et, par extension, «escamotage», dont les dérivés *bateleur** et *bateler** (ci-dessous), toujours vivants, ont pu favoriser l'émergence du mot argotique. *Bastel* est d'origine obscure, peut-être à rapprocher de l'ancien français *baiasse* «servante», issu d'un gallo-roman °*bacassa,* d'origine pré-indoeuropéenne, apparenté à l'ancien provençal *bagassa* «prostituée» (XIIe s.) d'où *bagasse* (av. 1581) : «femme de mauvaise vie». Au XIXe s., le mot est forcément interprété comme une métaphore de ① *bateau.*

♦ *Bateau* réalise l'idée de «mystification», surtout en locutions. *Poussée de bateaux* (1866), «chose vantée d'avance et trouvée inférieure à sa réputation» et «besogne ridicule et sans profit», est sorti d'usage à la différence de ***monter un bateau*** (1867), emprunté aux saltimbanques (*monter* ayant le sens d'«organiser, mettre sur pied»), mais interprété comme «être emmené dans un bateau» (→ ① bateau). Le rapport avec d'anciennes locutions comme *estre estonné du bateau, être étourdi du bateau* (XVIe-XIXe s.), antérieurement *jouer des bateaux* (XIVe-XVe s.), n'est pas clair. La variante ***mener en bateau*** (1872), où *mener* se rattache au sémantisme «promener qqn» au sens figuré de «lui donner le change», issue du croisement de *promener* avec ***monter un bateau,*** témoigne de la confusion avec ① *bateau.* Cette expression a signifié dans l'argot des voleurs «donner le change à la justice, l'égarer sur une fausse piste» (1881).

▸ **BATELEUR, EUSE** n., d'abord *batelleur* (XIIIe s.), le plus souvent *basteleur* (XIIIe s.) jusqu'au XVIe s., est dérivé de l'ancien français *baastel, bastel.* ◇ Le mot désigne une personne qui fait des tours d'adresse ou de force dans les foires et sur les places publiques ; par extension, il s'est appliqué par péjoration à un bouffon. Le mot est archaïque ou historique.
Du même *baastel, bastel* est dérivé ② **BATELER** v. tr., d'abord *basteler* (1526) «faire des tours d'adresse», aujourd'hui quasiment sorti d'usage de même que ses dérivés ② **BATELLERIE** n. f., d'abord *bastellerie* (1540), et ② **BATELAGE** n. m. (1580).

◈ **BATH** adj., relevé en 1804 chez Stendhal en emploi interjectif et depuis 1846 en emploi adjectif, est d'origine très controversée. On a évoqué un emploi comme nom commun du nom de la station anglaise *Bath,* prisée par la haute société anglaise au XVIIIe s., cette hypothèse étant la seule à rendre compte de la graphie. On a aussi proposé une apocope de l'argot *batif* «joli», attesté plus tard que l'exclamation (1837, Vidocq), et considéré comme issu de *battant* dans le syntagme *battant neuf,* qualifiant un tissu fraîchement battu, tout neuf (→ battre). On a vu aussi dans l'interjection une onomatopée exprimant l'étonnement, comme *bah!*

♦ Le mot, d'usage familier et aujourd'hui un peu vieilli, se dit de ce qui est beau, joli, bon ou agréable. L'argot l'a employé dans les locutions *faire bath* «arrêter (un voleur)» (1887) et *être bath* «être arrêté» (1887), qui correspond à *être fait, refait* (cf. pour le sens, *être bon*). ◇ Un emploi substantivé aujourd'hui éteint (1897) lui a fait désigner un papier à lettres d'excellente qualité, qui a joui d'une grande vogue à la fin du XIXe siècle.

BATHYSCAPHE n. m. a été créé en 1946 ou 1947 par le professeur A. Piccard, auteur d'un ouvrage intitulé *Au fond des mers en bathyscaphe* (1954). Le premier élément est **BATHY-** «profond» et «profondeur», existant aussi sous la variante **BATHO-**, productif aux XIXe et XXe s., surtout en océanographie et, dans une moindre mesure, en médecine et en zoologie. Il est calqué du grec *bathu-* qui figure lui-même dans près de cent composés et qui représente *bathus* «profond», qualifiant un fossé, un gouffre, un rivage, un enclos, la végétation. Cet adjectif était courant au figuré avec une idée d'abondance, de puissance, et, en grec hellénistique et de période romaine, pour indiquer la solidité du caractère. L'origine du mot est discutée, Szemerényi évoque la racine indoeuropéenne attestée dans le grec *baptein* (→ baptiser). Le second élément, *-scaphe,* est emprunté au grec *skaphê* «barque» désignant toute sorte d'objets creux : bassin, baignoire, pétrin, jatte, tombe ; il se rattache au verbe *skaptein* «creuser», d'où «creuser la terre, fouiller, sarcler» (→ scaphandre).

♦ Le mot désigne un appareil destiné à conduire des observateurs dans les grandes profondeurs sous-marines.

BATIFOLER v. intr., attesté depuis 1539-1541 ◈ et, indirectement, depuis 1532 par un dérivé (ci-dessous), est d'origine obscure. L'hypothèse la plus vraisemblable est celle d'une dérivation de l'ancien provençal *batifol* «moulin à battre les draps, l'écorce», attesté dans le domaine français en 1280 et au XVIe s. dans des textes de la Vienne, voisins du domaine occitan. On rapproche de ce mot l'ancien italien *battifol* «moulin» (XIVe s.). Cet ancien provençal *batifol* est peut-être une formation tautologique composée de formes verbales de *batre* «battre» (→ battre) et de *folar* «fouler» (→ fouler). Cependant, à cette hypothèse, proposée par P. Guiraud, s'oppose le fait que la voyelle de l'ancien provençal ne peut venir du latin °*fullare ;* en outre le sens de °*fullare* est difficilement compatible avec celui de «moulin à vent». L'influence de *follis* (→ fou) est probable.

♦ *Batifoler,* qui semble d'abord employé dans un contexte rural (Furetière signale qu'il se dit de paysans), signifie «folâtrer, gambader». Il se dit, par analogie, d'animaux et, par extension, exprime le fait de s'amuser à de petits riens (quelquefois par dépréciation).

▸ **BATIFOLAGE** n. m., d'abord écrit *batisfolagiis* (1532, Rabelais) «action de batifoler», était plus souvent péjoratif que le verbe. Il est archaïque.
⟡ **BATIFOLEUR, EUSE** n. et adj., accueilli par le dictionnaire de l'Académie en 1835, est peu répandu.

BATIK n. m. est emprunté (1845) d'un mot javanais désignant une espèce de soie peinte et signifiant littéralement «peinte, dessinée». L'anglais a le mot *batik, battik* depuis 1880.

♦ *Batik,* attesté une première fois en 1845 dans une relation de voyage en Chine, est repris et répandu, avec le procédé qu'il désigne, au moment de l'Exposition parisienne de 1900 où des danseuses javanaises eurent un grand succès. ◇ Par métonymie, le mot désigne une soie peinte à la mode javanaise et une pièce de cette étoffe, utilisée en Indonésie pour la coiffure, puis pour le procédé et l'étoffe, où que ce soit.

▸ De *batik* dérive **BATIKER** v. tr. (1928) «décorer par le procédé du batik».

BÂTIR

BÂTIR v. tr., d'abord *bastir* (av. 1105) puis *bâtir* (1680), est selon l'hypothèse la plus répandue, emprunté au francique °*bastjan,* lui-même dénominatif d'un °*basta* «fil de chanvre». Ce verbe signifierait donc proprement «traiter les fils de chanvre» et aurait développé diverses acceptions techniques en couture dont «faufiler» et «tisser», sens attesté en ancien provençal. Par analogie, il se serait appliqué à la construction d'une clôture constituée de pieux entrelacés de brindilles, procédé utilisé dans l'Europe de l'Ouest à l'époque carolingienne, spécialement dans les domaines catalan et provençal. De là, il serait devenu synonyme de «fortifier» comme semble l'indiquer le latin médiéval de Provence *bastimentum* «ouvrage fortifié, château fort» (v. 1020) et aurait pris le sens de «construire, édifier». L'explication de ce développement sémantique par cheminement de «tisser» puis par la valeur abstraite «faire, confectionner», jusqu'à «construire», est moins probable (bien qu'elle corresponde à la chronologie du mot français) ; le mot ne semble en effet autochtone ni en italien, ni en espagnol et doit vraisemblablement son extension dans la Romania à la diffusion de la civilisation carolingienne. Schuchardt dissociait les sens de «faufiler» et de «construire», faisant remonter le premier au germanique °*bastjan* et le second à un latin populaire °*bastare* «suffire» (→ baste), mais l'évolution sémantique est alors peu vraisemblable. L'ancienneté du mot dans les langues romanes et la généralité du sens moderne en construction font supposer à P. Guiraud une dérivation tardive du latin *basis* (→ base) par l'intermédiaire d'un °*basitare*>°*bastare* puis avec un changement de suffixe problématique °*bastire,* mais cette hypothèse n'est pas corroborée.

♦ L'emploi du mot comme terme de couture est attesté dès les premiers textes «judéo-français» avec le sens de «coudre à grands points», peu attesté au XIIIe s. et dont procède le sens actuel de «faufiler avant de coudre» (1530). ◇ De bonne heure (v. 1150), *bâtir* a aussi le sens de «composer, arranger, (qqch.)», d'abord suivi d'un complément désignant un inanimé abstrait. ◇ Un peu plus tard, le verbe est attesté à propos d'un ouvrage de construction (1265). Si l'on excepte un autre exemple au XIIIe s., ce sens est rare jusqu'au XVIIe siècle. ◇ Par analogie de forme, d'usage et de technique, le verbe a pris quelques acceptions spéciales en chapellerie (1680, également *bassetir*), en menuiserie (1701), en horlogerie (1752), en imprimerie et en coiffure.

▸ **BÂTIMENT** n. m., qui correspond à l'ancien provençal *bastiment* (1174), apparaît dans un texte judéo-français (1187) pour «action de construire, édifier» (au propre et au figuré), emploi vivant jusqu'au XVIIe siècle. ➛ Le sens concret, «édifice, construction», attesté lui aussi au XIIe s. (1187), l'a emporté, surtout à partir du XVIe s., s'affranchissant après le XVIIe s. de la valeur métonymique de «résultat de l'action de construire». ◇ Par métaphore, le mot est passé en marine, désignant un navire de fort tonnage (1662, Colbert). ➛ Le mot désigne aussi les industries et les métiers de la construction des édifices, d'où *peintre en bâtiment* (1835) et ***quand le bâtiment va, tout va.*** ➛ Les dérivés verbaux **REBÂTIR** v. tr. (XIIe s.) et **DÉBÂTIR** v. tr. (XIIIe s.) ont été créés dès l'ancien français, le second produisant tardivement, en couture, le substantif d'action **DÉBÂTISSAGE** n. m. (1929).

BÂTISSAGE n. m., relativement tardif (1538), est apparu avec la valeur abstraite de «formation (de l'homme)», sortie d'usage au XVIIe siècle. ◇ Il a été repris avec le sens d'«action de bâtir» (1645), sorti d'usage, puis par spécialisation technique, «action de façonner le feutre des chapeaux» en chapellerie (1753). C'est un terme courant de couture (1845). ➛ **BÂTISSE** n. f., lorsqu'il apparaît au sens d'«action de bâtir» (1636), constitue une altération du moyen français *bastissement* (1384, jusqu'au XVIe s.) lui-même dérivé du radical du participe présent de *bâtir.* ◇ Il a disparu comme substantif d'action de *bâtir,* prenant par métonymie (comme *bâtiment*) le sens concret de «partie en maçonnerie d'une construction» (1762), d'où «bâtiment de grandes dimensions» parfois avec une idée de laideur (av. 1850). ➛ **BÂTISSEUR, EUSE** n., d'abord *bastisseur* (1539), désigne la personne qui bâtit ou fait bâtir un édifice. Il est employé par dérision, note déjà Furetière (1701), puis équivaut à «mauvais architecte» (1813), valeur quasiment sortie d'usage. ➛ **BÂTISSABLE** adj. s'emploie (1866) en droit, où *terrain bâtissable* équivaut à *terrain à bâtir,* usuel.

Le participe passé de *bâtir* a été substantivé au masculin, **BÂTI** n. m. (1699), en menuiserie et en charpenterie pour un assemblage de montants et de traverses ; il s'emploie aussi en couture, désignant une couture à grands points pour assembler provisoirement les pièces d'un ouvrage (1751). ➛ *Bâti* est aussi adjectif. Le qualificatif physique ***bien bâti,*** en parlant d'une personne au corps bien fait, n'a pas été lexicalisé comme son antonyme ***mal bâti,*** qui a abouti au composé **MALBÂTI, IE** adj. et n. (av. 1493, *malbasty*), dit familièrement d'une personne mal faite.

◈ voir ① BASQUE, BASTIDE, BASTINGUE, BASTION.

BATISTE

BATISTE n. f., d'abord sous la forme picarde *batiche* (1401 en Flandre), est probablement dérivé du radical de *battre**, bien attesté en ancien français au sens d'«arçonner (la laine)». Le suffixe *-isse* (*-iche* dans le dialecte picard), est le féminin de *-eiz, -iz* (du latin *-aticius, -iticius*), fréquemment attesté dans la terminologie textile pour former des adjectifs dérivés de verbes : *bourre laniche, lanice* (de *laner,* de *laine*), *bourre tondice* (de *tondre*), *laine jettice* (de *jeter*). La forme moderne *batiste* (1590) est due à un rapprochement populaire avec le prénom *Baptiste* prononcé *Batisse;* on le voit d'après *toile de baptiste* (1536). *Batiste* est donc une forme hypercorrecte pour *batisse.* L'hypothèse traditionnelle d'une dérivation de *Baptiste,* qui aurait été le nom du premier fabricant de ce textile, ne repose sur aucune base historique.

♦ Le mot a d'abord été employé adjectivement dans *soye batiche* (1401), *thoiles batiches* (1499). Par l'intermédiaire de *toilee de baptiste* (1536), il a été substantivé (1590) pour désigner une toile fine et blanche de lin ou de chanvre; il continue de s'employer dans *batiste de soie, batiste d'Écosse,* tissus très fins imitant la batiste de lin. Par métonymie, il désigne une pièce de lingerie en cette matière.

BÂTON n. m., d'abord *bastun* (1080), *baston* (1172-1175), écrit *baton* (1440) puis *bâton* (1680), est issu d'un latin populaire *basto* (attesté ensuite en 1070), lui-même dérivé du bas latin *bastum,* «morceau de bois long et allongé» (IVe s.), qui a supplanté le mot classique *baculus* dont un diminutif a donné *bacille**. *Bastum* est probablement, comme le °*bastum* qui a donné *bât**, le substantif verbal du bas latin °*bastare* «porter» (→ baste), le bâton étant ce qui porte, ce qui soutient. La formation du dérivé *basto* dès le latin est probablement due au désir d'éviter l'homonymie entre le nom du bât et celui du bâton.

♦ Le mot désigne un long morceau de bois que l'on peut tenir à la main et faire servir à divers usages (frapper, se déplacer). Dès les premiers textes, il s'emploie à propos d'un symbole de l'autorité, du commandement (1080), comme plus tard dans ***bâton de maréchal*** (1680), au figuré, «couronnement de la carrière de qqn» (1832); le bâton du chef d'orchestre, appelé autrefois *bâton de mesure* (1771), a cédé la place à la *baguette.* Avec une fonction d'appui, de soutien physique et moral (1200-1225), le nom s'emploie dans les syntagmes ***bâton de vieillesse*** (XIIIe s., au propre et au figuré) toujours en usage et *bâton blanc* (1440), canne faite d'une branche écorcée qui symbolise l'état de mendiant, de pèlerin, d'aveugle jusqu'à nos jours où il est remplacé par *canne blanche.* ◇ Cette fonction de support est réalisée spécialement en sports, tant en ski (dès le XVIIe s., dans une relation de voyage en Laponie; repris en 1904) qu'en alpinisme (1787). ◇ Avec une fonction d'agression, de punition, *bâton* a autrefois désigné une arme en escrime (1882) et, par métonymie, ce type de sport. ◇ D'un autre usage, celui des escamoteurs, vient la locution ***tour de bâton,*** attestée chez Saint-Simon au sens figuré de «profit secret, illicite» (fin XVIIe s.) et altérée en ***retour de bâton*** «réaction imprévue en sens opposé», par amalgame avec *retour de manivelle.* Le syntagme *bâton de chaise* «montant servant à porter les chaises à porteurs» a produit la locution ***mener une vie de bâton de chaise,*** passée de l'idée de «déplacement incessant» à celle de «vie agitée, désordonnée» (1894). ◇ Par extension, le mot désigne une forme linéaire, rappelant un bâton : dès la fin du XIIIe s., il s'applique en blason à une bande verticale, emploi dans lequel on voit l'origine de l'expression ***à bâtons rompus*** (1605) : «à la façon de bâtons entremêlés» d'où «par des propos décousus», sens enregistré par Furetière (1690). Ultérieurement, la locution a pu être interprétée d'après l'acception du mot en architecture (1710), spécialement dans *bâtons rompus* (1811) «baguettes brisées servant de motif décoratif», voire par allusion à une batterie de tambour dite *à bâtons rompus* (XIXe s.). ◇ Un de ces emplois concrets est à l'origine de la locution figurée usuelle ***mettre des bâtons dans les roues*** «freiner, gêner» (1807). ◇ Également par analogie, *bâton,* après *barre**, désigne le trait que tracent des enfants qui apprennent à écrire et, dans la figuration graphique moderne de valeurs numériques, une bande représentant une donnée statistique.

▸ **BÂTONNET** n. m. (*bastonet,* v. 1130), «symbole du pouvoir», repris sous la forme *bastounet* (déb. XIIIe s.) «petit bâton», s'est spécialisé comme terme de jeu (1396); il a pris vers 1900 des acceptions spécialisées dans la description anatomique (1906) et biologique (1906). ◆ **BÂTONNER** v. tr., d'abord *bastuner* (1174), a d'abord signifié au figuré «harceler», sorti d'usage dès le XIIIe siècle. Le sens propre de «donner des coups de bâton» (déb. XIIIe s.), rare, et le sens analogique de «rayer un texte en y traçant des bâtons» (1740; cf. *barrer*), disparu, n'ont pas réussi à imposer le mot qui reste plus fréquent sous sa forme ancienne *bastonner,* probablement soutenue par *bastonnade**. ◆ De là l'argot **BASTON** n. f. «bagarre», largement diffusé après 1970, déverbal de *bastonner* ou apocope de *bastonnade* (ci-dessous). ◆ Le dérivé **BÂTONNABLE** adj. (av. 1660) s'est dit de celui qui mérite de recevoir des coups de bâton; il a disparu. ◆ **BÂTONNIER** n. m. (1200-1225) a désigné celui qui donne des coups de bâton jusqu'au XVe siècle. Il s'est spécialisé avec la valeur symbolique de *bâton* pour désigner celui qui porte le bâton d'une confrérie (1332), désignant de nos jours, depuis le XVIIe s., l'avocat élu par ses confrères pour les représenter (1680). ◇ **BÂTONNAT** n. m. «mandat de bâtonnier» en a été formé (1832) avec son sens moderne par changement de suffixe. ◆ **BÂTONNISTE** n. (1820), nom donné à celui qui combat au bâton, fait des tours d'adresse avec un bâton, est demeuré rare.

BASTONNADE n. f. est emprunté (1482), soit à l'italien *bastonata* (1348-1353), soit à l'espagnol *bastonada* (XIIIe s.), soit à l'ancien provençal *bastonada* (1343). Tous ces mots sont dérivés du correspondant du français *bâton.* Bloch et Wartburg penchent pour un emprunt à l'italien en rapprochant ce mot des termes du vocabulaire militaire emprunté à l'italien à la même époque; mais *bastonnade* ne semble pas appartenir à ce vocabulaire. ◆ Le mot désigne une volée de coups de bâton, notamment administrée par châtiment et, dans les bagnes, celui qui consistait à frapper un forçat au moyen d'une corde goudronnée (1836). ◇ Par extension, il est employé en argot à propos d'une violente bagarre (1926). Cf. ci-dessus *baston.*

BATRACIEN, IENNE n. m. et adj. est dérivé savamment (1806) d'un radical *batrac-,* tiré du grec *batrakhos* «grenouille», avec le suffixe *-ien*. Ce mot, qui a de nombreuses variantes s'expliquant par des traitements phonétiques divers, des étymologies populaires, voire l'action d'un tabou linguistique, est d'origine incertaine, peut-être à rapprocher du latin *botrax*, nom du lézard à côté de *lacertus* (→ lézard).

♦ Ce terme de classification zoologique *(les batraciens)* désigne un ordre d'animaux à sang froid, à peau nue et humide, dont le type est la grenouille et qui a parfois été inclus dans l'ordre des reptiles. ◇ Il est quelquefois employé adjectivement, avec la valeur figurée de «qui tient de la grenouille, du crapaud».

BATTELLEMENT n. m., enregistré en 1690 par Furetière, est d'origine incertaine. On l'a rapproché de l'ancien français *bataillier* «fortifier, garnir de remparts» (v. 1200), lui-même dérivé de *batailles*, emploi spécialisé du pluriel de *bataille** pour «meurtrières» (v. 1165). Cette hypothèse est consolidée par l'anglais qui atteste *battlement*, au sens de «créneaux» (1325, *batelment*), à la même époque que l'ancien *battled*, repris comme participe passé à l'ancien français *bataillier, batailler*.

♦ Le mot n'a plus de rapport avec l'architecture militaire. Il désigne aujourd'hui le double rang de tuiles à l'extrémité d'un toit par où les eaux s'écoulent.

BATTLE-DRESS n. m. est emprunté au cours de la Seconde Guerre mondiale (v. 1943) à l'anglo-américain *battle-dress*, mot alors récent (1938) désignant une tenue de combat constituée d'un blouson et d'un pantalon. Le mot est composé de *battle* «bataille», terme emprunté à l'ancien français *bataille**, et de *dress* «tenue», d'abord «façon de se conduire», déverbal de *to dress*, lequel est emprunté (XIVe s.) au français *dresser**. Dans l'armée anglaise, on a dit *fatigue-dress*, l'anglais *fatigue* (du français *fatigue*) recouvrant la corvée militaire; cette même tenue américaine, en toile, portait le nom de *denims* (→ denim).

♦ Le mot, difficile à intégrer dans le système phonétique du français, n'a eu qu'un succès relatif; on lui préfère l'expression *tenue de combat* (recommandation officielle).

✳ **BATTRE** v. est issu (1050) du latin impérial *battere* (IIe s.), de *battuere*, mot rare dans les textes mais déjà chez Plaute au sens de «frapper le visage de qqn», d'où «frapper qqch. à coups répétés» et «frapper dans une intention hostile» en parlant des gladiateurs. Le mot, peu fréquent jusqu'au VIe s., a probablement été surtout technique pour «frapper le blé» (mil. IVe s.), «la monnaie, le métal» (VIIe-VIIIe s.), sens passés dans les langues romanes. Bien qu'il rappelle des mots celtiques, son étymologie est inconnue.

♦ Le verbe s'emploie avec un complément désignant une chose au sens de «frapper à coups répétés», à la fois dans le langage courant et dans des emplois techniques, ceci dès l'ancien français. Il exprime l'action de fabriquer la monnaie en la frappant avec un marteau (1080), notamment dans ***battre monnaie*** (v. 1190), et de frapper sur un métal en forgeant (1250-1300), emploi dont viennent les locutions figurées ***battre le fer tant qu'il est chaud*** et ***battre froid à qqn*** «lui témoigner de la froideur», pour *battre le fer à froid*. Il s'emploie aussi dans ***battre le blé, le grain*** (mil. XIIIe s.). Avec l'idée supplémentaire de «frapper pour agiter, mélanger», il se dit en vénerie dans ***battre les buissons*** (v. 1155), au figuré «chercher en tous lieux» et, en parlant du gibier fatigué, *battre l'eau*. ◇ D'après ce type de locutions, il développe le sens spatial de «fouiller, parcourir», dans les locutions ***battre le pavé*** et ***battre la campagne***, surtout employées de nos jours avec un sens figuré, respectivement «marcher sans but, errer» (1606) et «déraisonner, divaguer». ◇ Une autre locution figurée, ***battre les oreilles*** «fatiguer, assourdir» (*avoir les oreilles battues*, XVe s.), indique le lien entre *battre* et la notion de bruit, de son, également réalisé par la locution ***battre le tambour***. ➛ Parallèlement, dès l'ancien français, *battre* s'emploie avec un complément désignant une personne au sens de «frapper (qqn) à coups répétés» (1165-1170); *se battre* s'emploie avec l'idée plus abstraite de «livrer combat» (1607), tandis que *battre qqn* prend, dans certains contextes, le sens d'«infliger une défaite à» (1606) au propre et au figuré; de là par métonymie *battre un record* (1882). ➛ L'emploi du mot avec un sujet désignant une chose correspond à «heurter à coups répétés» (v. 1165) et «produire, éprouver des mouvements répétés» (v. 1165, en parlant du cœur). D'où, aussi à propos du cœur, «avoir des palpitations, une accélération du rythme normal», et le sens de «s'ouvrir et se fermer en heurtant» (portes, volets). ➛ La locution ***battre son plein***, qui se dit proprement de la mer lorsqu'elle est haute, est couramment employée au sens figuré d'«être à son point culminant, à son apogée» (les deux valeurs sont attestées mil. XIXe s.).

▸ **BATTEMENT** n. m. a désigné en ancien et moyen français l'action d'infliger des coups à qqn (v. 1120). ◇ De nos jours, il se dit de choses qui battent à intervalles, d'un choc répété provoqué par des coups (1556), d'un mouvement d'allée et venue périodique et bruyant. Il signifie en particulier «action de battre des mains» (1559, *battement des mains*), «mouvement alternatif de contraction et de dilatation (du cœur)» (1669). En escrime, le mot s'applique à un coup de l'épée contre celle de l'adversaire (1686) et, en danse, à un mouvement de la jambe (1710). ◇ Par extension, il a pris le sens d'«intervalle temporel» sans doute à cause des battements d'un balancier, d'une pendule. ➛ **BATTANT, ANTE** adj. et n. m., du participe présent, a été employé adverbialement en ancien français au sens de «rapidement» (v. 1165-1170), la notion de promptitude étant issue de celle de heurt, avec des verbes de mouvement. Il reste une trace de son ancien emploi adjectif pour «frais, neuf» (v. 1165-1170) dans l'expression ***battant neuf*** (1690). ◇ Au sens passif, «que l'on bat» (apr. 1578) l'adjectif ne s'est maintenu que dans l'expression ***tambour battant*** (1690), passée du sens abstrait classique de «au vu et au su de tout le monde» (en annonçant au son du tambour) au sens moderne de «rapidement, rondement» (1833), allusion militaire à la charge. ◇ Le mot est substantivé au XIIIe s., d'abord pour désigner diverses pièces d'instruments ou de machines qui viennent battre sur une autre (v. 1279, «traquet de moulin»). Il désigne en particulier un objet qui retombe en frappant (1380), seul et dans ***battant de cloche*** (1680). ◇ Au XVIIe s., il se dit de la partie d'un panneau double mobile sur ses gonds (1680), par exemple dans *battant de porte, ouvrir à doubles battants,* et, en marine, de la longueur de la partie du pavillon qui bat librement au gré du vent (1690). ◇ Ultérieurement, l'argot en fait une désignation du cœur et, par glissement, de l'estomac (1872). ◇ Son emploi, à propos d'un sportif combatif (1907) et, par extension, d'une personnalité très combative (1967), s'explique par l'influence de l'anglais *battling* «combattant», appliqué par exemple à un boxeur. *Battling* est le participe présent de *to battle* «combattre», qui est lui-même le dénominatif de *battle,* mot emprunté à l'ancien français *bataille*.* ➜ BATTURE n. f., ancien substantif d'action de *battre* (fin XIIe s.) supplanté par *battement,* a disparu. Le mot désigne des rochers situés un peu au-dessous de la surface de l'eau (1529). ➜ BATTERIE n. f., d'abord «prix reçu pour avoir battu le grain» (1204), s'est développé ensuite selon deux valeurs du verbe : d'après *battre* le métal, il désigne l'ensemble des ustensiles en métal battu dont on se sert pour la cuisine (1294). ***Batterie de cuisine*** se dit au figuré d'un ensemble de décorations, comparées à des casseroles (1901). D'après le sens guerrier du verbe, le nom désigne une réunion de pièces d'artillerie destinées à *battre* une position ennemie (XVe s.), d'où *en batterie* (av. 1627), et par extension, les moyens employés pour arriver à ses fins (1559) et, par métonymie, une compagnie d'artillerie et son matériel (1835). Ces deux sens de base exprimant la notion commune d'«ensemble d'objets semblables» ont joué tous les deux dans l'apparition de sens dérivés, en électricité (1752), aussi *batterie d'accumulateurs,* et en psychologie (XXe s., *batterie de tests*). ◇ D'après *battre le tambour, batterie* désigne la manière de battre cet instrument (1603) et, par extension, de frapper les cordes d'une guitare (av. 1650) d'où, par métonymie, une suite de notes détachées en arpèges (av. 1788). Il signifie spécialement et par métonymie «ensemble des instruments à percussion d'un orchestre» (1936, *batterie de jazz*). ➜ BATTEUR, EUSE n. «celui, celle qui bat» est apparu au sens de «celui qui bat le blé» (1204 au figuré), puis «ouvrier chargé de battre une matière première pour la transformer» (1268-1271). Il entre dans des expressions correspondant à une locution verbale, comme ***batteur de pavé*** «celui qui parcourt les rues» (1526). ◇ De son emploi en musique, pour un percussionniste (1877, *batteur de cymbales*), procède son sens de «musicien qui joue de la batterie dans un orchestre» (1953), en rapport avec *batterie.* ◇ Son emploi dans les sports à batte, cricket, base-ball, hockey (XXe s.), est peut-être redevable à l'anglais *batter,* de *to bat* au cricket (l'anglais disait *batsman* dès 1765). ◇ *Batteur* désigne également un appareil, un mécanisme servant à battre, spécialement en agriculture au féminin *batteuse* (1860) et dans l'usage courant à propos d'un appareil ménager (1877), par exemple *batteur à œufs.* ➜ Le déverbal BATTE n. f. (XIIIe s.) a d'abord désigné une clenche de loquet, sens sorti d'usage au XIVe siècle. ◇ Il s'emploie pour «instrument servant à battre» (1471), utilisé par la blanchisseuse (1680) et dans certains jeux de balle (1752). ◇ Il sert également de substantif d'action à *battre* avec le sens technique d'«action de battre l'or» (1838); cf. ci-dessous *battée.* ➜ Un autre nom d'instrument, BATTOIR n. m. apparaît lui aussi au début du XIIIe s. sous la forme *batoier* «palette servant à battre le linge». Par l'intermédiaire d'une locution comparative ***des mains comme des battoirs*** (1755), il est employé familièrement au sens de «grosse main» (1825 en argot). ➜ BATTABLE adj. (XIIIe s.), «qui peu être battu», s'est peu répandu à la différence de son antonyme IMBATTABLE adj. (1806, *inbattable*) «qui ne peut être battu» en parlant d'une personne et, par extension, d'un record de sport (1909). ➜ BATTAGE n. m. (1329) ne réalise le sens d'«action de battre» que dans quelques spécialisations, en agriculture (jusqu'au XVe s. ; puis à partir du XVIIIe s.) et dans des domaines techniques (1847). Il faut probablement partir de la locution *battre la grosse caisse* (parades, charlatans) pour expliquer le sens familier de «publicité tapageuse, exagérée» (1866), «supercherie» en argot (1848).

D'autres dérivés apparaissent en moyen français et en français classique. ➜ BAT n. m., déverbal masculin de *battre* (1565), a eu le sens de «ce qui bat l'air, l'eau» (en parlant d'un oiseau, d'un poisson), sorti d'usage, puis a désigné par métonymie l'extrémité de la queue d'un poisson. ➜ BATTUE n. f., du participe passé féminin de *battre,* n'a conservé son ancien sens d'«action de battre, de fouiller» (XVe-XVIe s.) qu'en vénerie (1690), puis dans toutes les formes de chasse. ➜ BATTÉE n. f., d'abord *batée* (1680), est un mot technique désignant la quantité de matériau que l'on peut battre en une fois (1680, en reliure). Il sert aussi de dénomination, par opposition à *battant* (usuel), pour la partie sur laquelle bat une porte (1838). ➜ BATÉE n. f. s'est spécialisé (1863) pour le récipient dans lequel on lave les terres aurifères; cf. ci-dessus *batte.*

BATTITURE n. f. est un emprunt technique (1573) à l'italien *battitura* «coup» (XIVe s.), spécialement employé à propos des fragments incandescents qui jaillissent du métal que l'on travaille (av. 1571), dérivé de *battere* (→ battre). Le mot est le plus souvent au pluriel.

EMBATTRE v. tr., préfixé ancien (XIIe s.), signifie spécialement «entourer» (une roue, sa jante) d'un cercle de métal. ◇ Il a pour dérivé EMBATTAGE n. m. (1556).

REBATTRE v., attesté une première fois au XIIe s. puis à partir du XIVe s., réalise la valeur itérative de «battre de nouveau, à plusieurs reprises» surtout dans quelques emplois techniques (vénerie, héraldique). ◇ Il s'est répandu dans l'usage courant avec le sens figuré de «répéter inlassablement et de façon fastidieuse» (1559), notamment dans ***rebattre les oreilles à qqn*** (1713) qui tend à supplanter *battre les oreilles.* ➜ Ses dérivés sont tous techniques.

◇ **REBATTEMENT** n. m. (1690) est un terme d'héraldique désignant la répétition des pièces ou des partitions de l'écu. Il se dit en technique automobile du défaut de fonctionnement de l'échappement d'un moteur à explosion (XXe s.). ◇ Le déverbal **REBAT** n. m., que le moyen français connaissait avec le sens de «reflet (image rebattue)» (v. 1550), a été repris au XXe s. à propos d'une tournée de surveillance de douaniers (v. 1950). ◇ **REBATTOIR** n. m. (1818) désigne l'outil qui rebat les carreaux de céramique et le ciseau pour tailler des ardoises (v. 1950). ◇ **REBATTAGE** n. m., d'abord «action de polir un boulet» (1869), a pris au XXe s. divers sens techniques spécialisés. ◇ **REBATTEUSE** n. f. (v. 1950) est le nom de la machine qui donne leur forme définitive aux briques. **COURBATU, UE** adj., composé de *court* (cf. *à bras raccourcis*), se dit (mil. XIIIe s.) d'un cheval fourbu, harassé, puis d'une personne qui ressent une lassitude musculaire dans tout le corps. ◇ **COURBATURE** n. f. (1588) s'applique depuis le début du XVIIe s. aux chevaux et aux humains courbatus. Son dérivé **COURBATURER** v. tr. (1835) a produit par son participe passé un adjectif **COURBATURÉ, ÉE** (1875 dans Zola) qui concurrence *courbatu*, seul terme académique.

◈ voir ABATTRE, BATAILLE, BATIFOLER, BATISTE, BATTELLEMENT, BATTLE-DRESS, COMBATTRE, DÉBATTRE; S'ÉBATTRE, FLANC (BAT-FLANC).

BAU n. m., réfection de *balc* (v. 1200), également *baul* (1396) et *bauch* (1414) en ancien et moyen français, est issu du francique °*balk* «poutre» qui correspond à l'ancien norrois *bǫlkr* «cloison, séparation», l'anglo-saxon *balc*, l'ancien saxon et l'ancien haut allemand *balko* (allemand *Balken*). Un emprunt plus ancien au germanique est improbable, l'italien *balco* (XIVe s.) [→ balcon], et l'espagnol *bao* (XVIe s.) étant empruntés au français.

♦ Le mot était employé pour désigner une traverse de bois, en particulier la poutre d'un plafond (1396). Il s'est conservé comme terme de marine désignant la traverse d'un bâtiment qui maintient l'écartement des murailles et soutient les bordages des ponts. La locution ***de bau*** (1414) s'applique à la mesure de la largeur d'un navire.

▸ **BAUQUIÈRE** n. f. (1579) est dérivé de *bau* en marine pour désigner la ceinture intérieure d'un navire formée de pièces soutenant les baux par leur extrémité.

Bau est beaucoup moins usuel que ses dérivés verbaux préfixés, dont le lien étymologique au nom, demeuré d'ailleurs en partie obscur, n'est plus perçu.

◈ voir DÉBAUCHER, ÉBAUCHER, EMBAUCHER; BALCON.

BAUDET n. m., d'abord nom propre (1534) puis nom commun (1547), est dérivé avec le suffixe *-et* de l'adjectif ancien français *balt* (1080), *baut* (v. 1174), *baud* (v. 1178) «impudique», spécialisation du sens de base «joyeux, plein d'ardeur» qui a aussi donné la valeur péjorative de «hautain, fier, présomptueux». Cet adjectif est lui-même issu du francique °*bald* «hardi, fier», correspondant à l'anglo-saxon *beald* «courageux», ancien saxon, ancien haut allemand *bald* «hardi, vif» (anglais *bold*, allemand *bald*), moyen néerlandais *bout* (néerlandais *boud*), mots appartenant à une même racine germanique. *Baud*, encore répertorié en 1611 par Cotgrave, est sorti d'usage; il vit cependant dans un emploi spécialisé en vénerie *chien baut* (1374-1376) puis **BAUD** n. m. (1549), désignant une variété de chien courant. Le sens donné à *baudet* se comprend par le caractère d'impudicité, de sexualité exposée, traditionnellement attribué à l'âne.

♦ D'abord attesté chez Rabelais comme surnom injurieux pour un homme, *baudet* sert de dénomination familière de l'âne (1547) et s'emploie dans les locutions ***crier haro sur le baudet*** (cf. *haro*), ***être chargé comme un baudet.*** Le mot réactive sa valeur étymologique en désignant plus spécialement l'âne mâle envisagé comme étalon. ➛ Par une évolution analogue à celle de *chevalet, poutre*, etc., il est passé dans le langage technique où, après avoir désigné un lit à sangles (1653), il se dit du tréteau du scieur de bois (1676).

▸ De **BAUDOUIN** n. m., emploi comme nom commun du prénom *Baudouin*, pour désigner l'âne, on a dérivé **BAUDOUINER** v. intr. (1564) «s'accoupler», en parlant de l'âne, verbe archaïque.

◈ voir ÉBAUDIR.

BAUDRIER n. m. est très probablement l'altération (1387), par substitution de suffixe, de l'ancien français *baldrei, baudré* «large bande de cuir supportant l'épée» (v. 1160) et «ceinture de femme» (v. 1150), lui-même d'origine obscure de même que l'ancien provençal *baldrei* (1150-1200), *baudrat* (v. 1170). Le mot se rattache peut-être au latin *balteus* «bande de cuir soutenant l'épée», présumé d'origine étrusque par Varron, qui aurait été altéré en passant dans le domaine germanique. Un emprunt de l'ancien français au francique °*balterâd*, lui-même repris du latin *balteus* passé dans le domaine germanique probablement avant l'invasion franque (d'où les emprunts ancien norrois *belti*, anglo-saxon *belt*, ancien haut allemand *belz*), n'explique pas le *-d-* de *baudré*. L'hypothèse d'un emprunt de l'ancien français à l'ancien haut allemand *balderich*, attesté sous la forme *palderich* dès le XIIe s., semble à écarter, l'allemand étant probablement emprunté à l'ancien français. P. Guiraud préfère expliquer *baudrier* d'après la base *baud-* suggérant un objet gonflé : le mot serait dérivé d'un verbe °*baudrer* issu d'un latin populaire °*ballitare* «envelopper» dans lequel l'*r* est soit adventice, soit le représentant d'un dérivé °*ballitulare; baudrier* serait alors formé d'après *ventrière*, sur *badré* «ceinturon» et «partie du corps entouré par la ceinture».

♦ Le mot, d'abord employé à propos d'une lanière de cuir (servant à sonner les cloches), désigne une bande de cuir ou d'étoffe passée en écharpe et servant à porter une épée ou un sabre (XVe s.). ◇ *Baudrier d'Orion* (1690) désigne trois étoiles de la constellation d'Orion et *baudrier de Neptune* (1834) une plante.

◈ voir BAUDRUCHE.

BAUDROIE n. f., d'abord écrit *baudroy* (XVIe s.), encore *baudroye* chez Cuvier, puis *baudroie* (1751), est emprunté au provençal *baudroi,* nom d'un poisson de l'Atlantique et de la Méditerranée, remarquable par la grosseur de sa gueule et sa voracité. Le mot provençal, attesté dès 1452 sous la forme *boudron* et de nos jours sous les formes *buldroy* (1861), *baoüdroï* (1860), *baudroi* (1879), est d'origine douteuse : on l'a rapproché tantôt du germanique *°brod* «bouillon» (→ brouet), tantôt de la racine *baldr-, baudr-* de mots provençaux relatifs à la boue, allusion au fait que le poisson se tient dans les fonds vaseux. Aucune des deux hypothèses ne satisfait, et celle d'une base en *baud-* exprimant le gonflement (cf. *baudrier, baudruche*) n'est pas à écarter.

BAUDRUCHE n. f. (1752), d'abord *bodruche* (Furetière, 1690), est d'origine inconnue. Littré y voit une forme allongée de *baudrée* «vieux morceau de cuir» (→ baudrier); il cite l'hypothèse de M. Jaubert qui tire *baudruche* du mot dialectal *baudru* (Berry), employé pour qualifier une bête à cornes ventrue et il propose de faire de *baudru* une variante de *baudré* «en forme de bourse». L'hypothèse de P. Guiraud tourne autour des mêmes mots *(baudrier, baudroie)* en postulant une formation sur une base morphologique *baud-* évoquant une chose enflée, gonflée.

♦ Le mot désigne la membrane du péritoine de bœuf ou de mouton préparée en pellicule translucide et servant à divers usages, dont la fabrication d'objets gonflables. Par extension, il se dit d'une pellicule de caoutchouc, par exemple dans *ballon de baudruche,* d'où *une baudruche.* Par métaphore, il induit l'idée d'un manque de consistance, surtout dans la locution ***en baudruche.***

► Flaubert atteste l'existence de cette valeur avec l'adjectif dérivé **BAUDRUCHARD** (1860), qui n'a pas vécu.

BAUGE n. f., attesté depuis la fin du XVe s. (1482), est d'origine incertaine, peut-être variante de *bauche* (XIVe s.) et *bauke* (XIIIe s.), forme du Nord-Est : «torchis, mortier fait de terre grasse et de paille, servant à la confection des planchers, des murs de clôture et quelquefois des maisons». Selon Wartburg, ce mot se rattacherait au gaulois *°balcos,* «fort», que l'on restitue d'après l'irlandais *balc* de même sens, d'où «croûte que forme la terre séchée», sens attesté en irlandais. Un rapprochement avec *bache* «foin des marais», terme de Suisse romande, emprunt au provençal moderne *bauco, balco* «foin grossier», fait difficulté des points de vue géographique et chronologique; on serait passé de «foin» à «torchis».

♦ Le sens de «hutte en torchis» a disparu, sauf dans les dialectes. ◇ Le mot ne désigne plus que le gîte fangeux de certains animaux (1489), en particulier du sanglier (1561); de là, son emploi figuré péjoratif en parlant d'un habitat très sale (1808). ◇ En maçonnerie, d'après le sens initial, il désigne un mortier de terre grasse et de paille dont on enduit les murs extérieurs des habitations (1606), en concurrence avec *torchis.*

► Le dérivé **BAUGER** v. «se retirer dans sa bauge», en parlant du sanglier est à la fois pronominal, *se bauger* (1583), repris au XIXe s. (1834), et intransitif (XIXe s.). Au figuré, *se bauger* «se mettre à l'abri», est littéraire.

➜ **BAUGÉE** n. f. est tardif (1852) et peu usité pour «gîte d'un porc ou d'un sanglier».

BAUME n. m. (XIIIe s.), d'abord *basme* (v. 1150), forme la plus fréquente jusqu'au XVIe s., est issu du latin *balsamum* (→ balsamique), terme de botanique désignant un arbrisseau odoriférant (Pline) et, par métonymie, surtout au pluriel, la substance résineuse sécrétée par certaines plantes (Virgile). À basse époque, le mot désigne l'onguent préparé avec cette substance (VIIe s.), d'où au figuré ce qui est agréable, apaisant. Le mot latin est emprunté au grec *balsamon,* nom d'un arbre, de la résine qu'on en tire, et ultérieurement, de la menthe coq, lui-même probablement emprunté à une langue sémitique (hébreu *bāšām,* arabe *bašām*).

♦ Le mot est d'abord employé au sens d'«onguent propre à guérir les blessures», puis au figuré pour «chose agréable» (1532) et «ce qui calme, adoucit les peines» (1683). ◇ Au sens latin de «substance résineuse coulant de certains végétaux» (XIIe-XIIIe s.), le mot désigne aussi la plante (1267-1268) et, en particulier une sorte de menthe (1680); mais ces acceptions restent techniques.

► Le composé **EMBAUMER** v., anciennement *embasmer* (v. 1155), a d'abord le sens de «conserver (un cadavre)» en le traitant avec des substances balsamiques; de là, au figuré, «perpétuer l'existence de (qqch.)» (av. 1778), d'emploi littéraire. ◇ D'après *baume* «substance odoriférante», il signifie «remplir (un lieu) d'une odeur douce et agréable» (fin XIIIe s.), également en emploi absolu (1841) et avec un complément désignant l'odeur répandue (déb. XXe s.). ➜ Les dérivés du verbe, **EMBAUMEMENT** n. m., d'abord *embalsement* (XIIIe s.), et **EMBAUMEUR, EUSE** n. (1556) ne concernent que le sens funéraire.

BAUMIER n. m., d'abord *basmier* (v. 1200) a été formé sur le radical de *basme, baume* en remplacement de *balsamier* (1165-1170), lui-même dérivé savamment du radical du latin *balsamum* pour désigner l'arbre à baume. *Baumier* n'est pas attesté du XVIe au XVIIIe s., où il est réenregistré par Trévoux sous sa forme actuelle (1752).

◈ voir **BALSAMITE** (et **BALSAMIQUE, BALSAMINE**).

BAUXITE n. f., d'abord *beauxite* (1837) puis, correctement, *bauxite* (1928), est dérivé du nom des *Baux-de-Provence,* près d'Arles (Bouches-du-Rhône), où cette roche alumineuse fut découverte et analysée pour la première fois par l'ingénieur des mines F. Berthier en 1821.

♦ Le mot s'applique à un minerai d'aluminium.

BAVARD, BAVARDER → **BAVE**

BAVAROISE n. f. est l'emploi spécialisé en gastronomie du féminin *bavarois, oise* (1660), lui-même dérivé de *Bavaria,* forme médiévale de *Bavière.* Le mot désigne littéralement le pays des *Bavarii* et vient du germanique *Bai-warioz* dont le premier élément se rattache au nom de la tribu

Boii (→ bohême). Le second élément est issu du germanique °*warjan* «défendre, protéger» (→ guérir). Le sens étymologique est «pays des défenseurs et des combattants».

♦ Le mot a désigné une infusion de thé aromatisé (souvent additionné de lait) et sucrée avec du sirop de capillaire, celle-ci ayant été mise à la mode au café Procope par les princes de Bavière. ◇ Par une évolution ou une reprise inexpliquée, un entremets froid sucré et parfumé, d'abord appelé *fromage bavarois* (1828), substantivé en **BAVAROIS** n. m. (1815), s'est appelé *bavaroise de gelée* (1867). ◇ *Bavaroise* désigne aujourd'hui un entremets différent, comportant des œufs.

✳ **BAVE** n. f., réfection du XVe s. (v. 1460) d'après *baver*, de *beve* (déb. XIVe s.), continue le latin populaire °*baba*, mot onomatopéique exprimant le babil des petits enfants accompagné de salive, et appartenant lui-même à un radical expressif *bab-* évoquant le mouvement des lèvres (→ babiller, babine).

♦ Le sens de «salive», bien qu'attesté dès les premiers textes, a mis longtemps à supplanter le sens étymologique de «babil, bavardage, loquacité», dominant aux XVe et XVIe s., répertorié par Furetière en 1690 et encore par Trévoux en 1771, et toujours vivant par les dérivés (cf. ci-dessous). ◇ Par extension, le mot se dit du liquide gluant que sécrètent certains mollusques (1690) et de la salive d'autres animaux. ◇ Par métaphore et probablement par l'intermédiaire d'expressions comme *bave de crapaud*, il s'applique péjorativement à des propos médisants (1840).

▸ **BAVEUX, EUSE** adj. et n., d'abord *bavus* (déb. XIIe s.), qualifie une chose ou un être animé qui bave et, par analogie, décrit en médecine l'organe d'où suinte un liquide purulent (v. 1560). Il a développé d'autres emplois spéciaux comme *omelette baveuse* «peu cuite» (1690) ou *lettres baveuses* (1835). ◇ L'idée de babillage se réalise avec l'acception de bavard médisant (1456), sortie d'usage à la fin du XVIe s. et reprise au XIXe s., senti alors comme une extension métaphorique du sens de «qui bave»; l'argot l'a substantivé (n. m.) en parlant d'une personne qui parle beaucoup (1870), (cf. ci-dessous *bavard*), et pour désigner un journal.

BAVETTE n. f. (XIIIe s.) désigne la pièce de linge sur laquelle l'enfant peut baver et, par extension, le plastron de cuir du boyaudier (1751) et le haut d'un tablier (1767). ◇ Par analogie de fonction, il a pris quelques acceptions techniques, en architecture «bande de plomb qui recouvre les bords des chéneaux sur un toit» (1639) et, par ailleurs, «pièce destinée à recueillir ou à refouler un liquide». ◇ Par analogie de forme, il s'emploie comme dénomination d'une pièce de boucherie (1866, *bavette d'aloyau*). ◇ La valeur initiale, liée à la parole, se retrouve dans le sens de «bavardage abondant» dans la locution familière ***tailler une bavette*** (1690).

BAVER v. apparaît avec le sens de «laisser couler de la bave» (déb. XIVe s.), mais prend très vite celui de «bavarder» (v. 1450), courant au XVIe s., conservé dans les parlers régionaux et repris par l'argot (1754). ◇ Le sens d'«émettre de la bave» a donné par extension celui de «ne pas couler droit» ou «suinter» (pour un liquide) (1680) et, par métaphore et reprise de la valeur «parole médisante», celui de «médire, calomnier» (1850). ◇ *Baver de...* correspond familièrement à «éprouver visiblement (un sentiment fort, une émotion)» et ***en baver*** a eu le sens figuré d'«être ébahi» (1883), puis de «souffrir» (1915) qui l'a remplacé; mais on dit dans le premier emploi *(en) baver d'admiration. En baver des ronds de chapeaux* est attesté en 1911. ◆ Le verbe a produit des dérivés. **BAVURE** n. f., d'abord *baavure* (v. 1300), apparu au sens de «bave abondante», est resté rare jusqu'au XVIIIe s. où il a pris le sens technique de «trace laissée sur les objets moulés par les joints des pièces du moule» (1752). ◇ De là viennent les valeurs figurées de *sans bavure* «impeccablement» (1866) et récemment de *bavure (policière)* «erreur grave, voire tragique» (v. 1950). ◆ **BAVIÈRE** n. f. attesté sous la forme *bavère* (déb. XIVe s.) au sens de «bavette», disparu au XVIIe s., a désigné une pièce d'armurerie protégeant le cou et le menton (v. 1355). ◆ **BAVEUR, EUSE** n. (déb. XIVe s.) «bavard,» sorti d'usage, est repris périodiquement. ◆ Le féminin **BAVEUSE** n. f. fournit le nom régional (Provence) d'un poisson toujours couvert d'une sécrétion (1542), également appelé *bavèque, bavesque*. ◆ **BAVERIE** n. f. (v. 1450) «bavardage», est sorti d'usage au XVIIe siècle. ◆ **BAVOIR** n. m. (v. 1450) a commencé par désigner un lieu où l'on bavarde. ◇ Sorti d'usage en ce sens au XVIIe s., il a été repris avec le sens de «bavette d'enfant» (1717), où il tend à se substituer à *bavette*. ◆ *Baver* a aussi produit deux verbes suffixés. **BAVASSER** v. intr., employé depuis Montaigne au sens de «bavarder» (1584), a subi le déclin de ce contenu notionnel, dans toute la série. ◇ Il a été repris dans l'usage familier avec des dérivés récents **BAVASSON** n. m. et **BAVASSEUR, EUSE** adj. et n. «bavard». ◆ ① **BAVOCHER** v. intr. (1676) est un mot du vocabulaire de la gravure et de l'imprimerie pour «déborder sur les traits». ◇ En est dérivé **BAVOCHURE** n. f. (1680) dans les mêmes emplois. ◆ ② **BAVOCHER** v. intr., employé par Céline au sens de «bavarder» (1936), est une nouvelle création expressive sur le radical de *baver*, variante de *bavasser*. ◆ Le dérivé verbal **BAVOTER** v. (1930) concerne en particulier l'articulation informe du nourrisson accompagnée de bave.

Le sens initial de «babil» a produit **BAVARD, ARDE** n. (1532) et adj. (1559) pour désigner et qualifier une personne qui parle abondamment. Le mot est, par sa fréquence et son sens, démotivé par rapport à *bave* et *baver*. ◇ Il a quelques emplois familiers, pour «indiscret» (1577) et «avocat» (1842-1843, en argot), cf. ci-dessus *le baveux*. ◆ **BAVARDER** v. intr. (1539) signifie «parler abondamment» et s'emploie avec la valeur péjorative de «commettre une indiscrétion» (1690). Il est usuel pour «échanger des propos sans grande importance», alors sans péjoration aucune. ◇ En sont issus **BAVARDERIE** n. f. (1574), **BAVARDISE** n. f. (1562), archaïques. ◇ Un autre dérivé, **BAVARDAGE** n. m. (1746), au double sens de «propos de bavard» et d'«action de bavarder» (1798), est courant. ◇ *Bavard* et ses dérivés forment un sous-ensemble autonome.

BAVOLET n. m. est composé (1556), parallèlement au moyen français *bavoler* «voler bas» et *bavol* «vol bas», de l'adverbe *bas** et de l'ancien français *volet* «voile» et «partie flottante d'une coiffe» (déb. XIVe s.), dérivé de *voler**.

♦ Le mot, attesté une fois au XVIe s. au sens de «drapeau» (en association avec *bannière*), désigne une coiffure de paysanne emboîtant la tête et ornée d'un volant (fin XVIe s.) d'où, par métonymie, ce volant. ◇ Il a servi à désigner le tablier de côté protégeant la carrosserie d'une voiture contre les éclaboussures, peut-être par influence de *baver, bavure*.

▶ **BAVOLETTE** n. f., «paysanne portant le bavolet» et, par extension, «paysanne» (1637) est dérivé de *bavolet* par l'intermédiaire d'une variante féminine employée, semble-t-il, comme nom de coiffure (XVIe s.). Il est sorti d'usage.

BAYADÈRE n. f. et adj., d'abord écrit *balhadera* (1638) puis *balliadère* (1770) et *bayadère* (1782), est emprunté, d'abord par l'intermédiaire d'un texte néerlandais, au portugais *balhadeira* (1577), antérieurement *bailhadeyra* (1525) «danseuse professionnelle de l'Inde». Ce mot est dérivé de *balhar*, forme dialectale de *bailar* «danser» (→ baller, à bal). Le mot français est à l'origine des correspondants dans les langues européennes : allemand *Bajadere*, anglais *bayadere*, italien *baiadèra*, espagnol *bayadera*.

♦ Le mot, introduit en français dans *L'Histoire de la navigation de J. H. de Linschsten Hollandais aux Indes Orientales*, désigne anciennement une danseuse indienne et, de nos jours, une danseuse sacrée de l'Inde. Par allusion au costume de ces danseuses, il s'emploie adjectivement en apposition à un nom d'étoffe ou de vêtement à larges rayures multicolores (XIXe s.).

◈ ✻ **BAYER** et **BÉER** v. intr., d'abord *baer* (v. 1121) puis *baier* (v. 1190), *bäeir* (déb. XIIIe s.) avant *bayer* (1662), graphie distinctive par rapport à *bâiller*, est issu d'un latin tardif *batare*, attesté dans une glose du VIIIe s., verbe onomatopéique évoquant le bruit que l'on fait en ouvrant la bouche (on trouve l'onomatopée *bat* à basse époque). Le mot s'est répandu dans les parlers gallo-romans (surtout dans des dérivés) donnant l'italien *badare* «lanterner, faire attention», l'ancien provençal *badar* «rester bouche bée», en français le verbe *bâiller**, par l'intermédiaire d'un latin populaire *°bataculare*. Parmi toutes les variantes que comptait le mot en ancien et moyen français, la forme *béer* s'est maintenue jusqu'à nos jours, surtout dans les dérivés.

♦ *Bayer* signifie «ouvrir tout grand», en particulier «ouvrir la gueule» pour un animal et «ouvrir la bouche» pour un être humain (1173). ◇ De ce dernier emploi procèdent le sens abstrait d'«aspirer à, désirer ardemment» (v. 1190) et de «demeurer la bouche ouverte dans une attitude passive d'étonnement, d'admiration» (déb. XIIIe s.). Depuis le XVIIe s., souvent confondu avec *bâiller*, *bayer* a presque cessé de s'employer sauf dans la locution ***bayer aux corneilles*** (1662) «rêvasser, perdre son temps à regarder en l'air niaisement», littéralement : «en regardant une chose aussi insignifiante que l'est la corneille pour le chasseur» ou «le fruit du cornouiller pour l'amateur de fruits» car la valeur propre de *corneille* n'est pas claire ici. L'interprétation moderne de cette locution par *bâiller* la conduit vers le sens de «s'ennuyer». ◆ La forme **BÉER** v. intr., usuelle au XVIe s., mais moins usitée que *bayer* aux XVIIe et XVIIIe s., a été reprise au début du XIXe s. (Chateaubriand) et se trouve encore dans la langue littéraire, surtout à l'infinitif, au présent et à l'imparfait de l'indicatif.

▶ Si l'on excepte ③ *baie*, déverbal de l'ancien verbe *baer (bayer)*, les dérivés attestent la prédominance de la variante *béer* sur *bayer*. ◆ ③ **BAIE** n. f. (v. 1119) désigne une ouverture pratiquée dans un mur ou dans la charpente d'un édifice pour y mettre une fenêtre ; il donne lieu à des syntagmes comme *baie vitrée*. Par extension, il se rapporte à l'ouverture réservée dans la caisse d'une voiture pour la portière. ◆ **BÉANT, ANTE** adj., du participe présent de *béer* (XIIIe s.), a triomphé de *bayant*, attesté exceptionnellement dans les mêmes emplois. *Béant*, employé en ancien français au sens figuré de «qui aspire à qqch.», n'a gardé que le sens propre de «largement ouvert» (1552-1560), avec des métaphores. ◇ En est dérivé **BÉANCE** n. f. (v. 1200) dont le sens figuré de «désir, intention» a disparu au XVe s. et qui a été repris avec son sens concret, spécialement en pathologie (1865). ◇ Le mot a retrouvé récemment des valeurs métaphoriques sur le thème de l'ouverture, du vide impossible à combler. ◆ **BÉEMENT** n. m. (1285-1300) «ouverture» est sorti d'usage au début du XVIIe s. et a été repris sous la forme **BAYEMENT** n. m. (1884) à propos de l'état d'un tissu mal tendu. ◆ Il ne reste du participe passé de *baer, béer* que **BÉE** adj. f. et n. f., lequel s'emploie seulement de nos jours dans les expressions *gueule bée* et surtout ***bouche bée*** «la bouche ouverte d'étonnement, d'admiration». ◆ À son tour, *bée* a produit **ABÉE** n. f. (1444), forme agglutinée de *la bée* «ouverture donnant passage à l'eau qui tombe d'un moulin», et est entré dans la formation de *bégueule* (→ gueule).

◈ voir **BABA, BADAUD, BADIN,** ① et ② **BAIE, BÂILLER, BALISE, BALIVEAU, BÉER, BÉGUEULE, ÉBAHIR.**

BAYOU n. m., attesté sous les formes *bayouk* (1699), *baijou* (1740), est un mot français des Cajuns (Acadiens de Louisiane), emprunté du choktaw (langue indienne) *bajuk* «rivière».

♦ Le mot désigne les eaux mortes ou peu profondes et à faible courant (bras de rivières) du Bas-Mississippi et de Louisiane. Il est passé en géographie en se généralisant (1869).

BAZAR n. m., d'abord noté *bathzar* (1432) puis *bazar* (1546), souvent *bazare* au XVIe s., est emprunté au persan *bāzār* «marché public». L'idée d'un intermédiaire portugais est à exclure en raison de la localisation des premières attestations en français; le mot portugais n'est d'ailleurs attesté que depuis 1544. L'anglais *bazaar*, relevé une première fois vers 1340, a été emprunté au turc, lui-même repris du persan par un canal italien; les langues européennes ont d'ailleurs pu s'échanger le mot.

♦ Il désigne le marché public des pays orientaux. Longtemps terme «de relation» exotique, il s'est répandu au XIXe s.; par extension, probablement sur le modèle de l'anglais *bazaar* (1816, *Soho Bazaar*), il désigne un magasin où l'on vend toutes sortes d'objets (1816) : en 1823, Harmand note qu'«à l'imitation des bazars de Londres», on a établi un bazar 21 boulevard des Italiens et que deux simples magasins (19 rue Cadet et 223 Palais-Royal) se sont également donné le nom de *bazar*. ◇ Le mot ne tarde pas à s'appliquer familièrement à un ensemble d'objets plus ou moins hétéroclites (1842, d'un mobilier), à un lieu, une maison où tout est pêle-mêle (1866). ◇ Son emploi à propos d'une maison de tolérance (1841), euphémisme pour *bordel*, qui a des sens figurés analogues, et pour «lieu de travail» (lycée ou bureau; cf. *boutique*) est sorti d'usage.

▸ De *bazar* au sens figuré est dérivé **BAZARDER** v. tr., d'abord d'usage argotique écrit *basarder* au sens de «vendre à vil prix» (1846) et, par extension, «se débarrasser de qqch.» (1866). ➛ Ce verbe a donné **BAZARDAGE** n. m. (1872) plus courant que **BAZARDEMENT** n. m. (1907), et **BAZARDEUR, EUSE** n. (1883).

BAZOOKA n. m. est un emprunt (1945) à l'anglo-américain *bazooka*, employé pour la première fois pendant la Seconde Guerre mondiale pour un lance-fusées antichar mis au point par les Américains. Le mot est une spécialisation du nom d'un instrument de musique en forme de tuyau de poêle, inventé par Bob Burns en 1935. *Bazooka* est dérivé du mot argotique *bazzo* «mirliton» (1877) d'origine inconnue, peut-être du néerlandais *bazuin* «trompette».

♦ L'anglicisme existe à côté de *lance-roquettes*, terme officiel dans l'armée française.

✳ **BÉAT, BÉATE** adj., une première fois *beate* au masculin (1267-1268) puis *beat* au XVIe s., est emprunté au latin *beatus*. Ce dernier semble avoir d'abord signifié «comblé de biens, n'ayant rien à désirer», avant de prendre le sens de «riche» (appliqué à des hommes et à des choses) et, sur un plan moral, «heureux, bienheureux». Cette valeur morale a prévalu en latin ecclésiastique, où *beatus* traduit le grec *makarios* «bienheureux». *Beatus* est la forme de participe passé, traitée comme un adjectif, de *beare* «combler (les vœux de)» d'où «rendre heureux, gratifier, enrichir», mot qui paraît appartenir à la langue familière et dont l'étymologie n'est pas claire : le lien supposé avec *bonus* (→ bon) est très lâche.

♦ Le mot a été introduit en français avec sa signification chrétienne, qualifiant notamment des religieux et religieuses. Il est passé dans l'usage en se laïcisant, pour «heureux, bienheureux» (1553) mais ce sens a vieilli et, comme pour d'autres mots archaïques, s'est infléchi au XVIIe s. vers la valeur péjorative de «qui témoigne d'une satisfaction un peu niaise» (1680). ◇ La substantivation (1680) s'appliquait à une personne affectant la dévotion (1690, *faire son béat, sa béate*).

▸ Le dérivé **BÉATILLES** n. f. pl. (1492) désignait proprement les menus objets confectionnées par les religieuses «béates»; par extension, il s'est dit des ornements de la coiffure des dames (v. 1500), puis de friandises (1585), se spécialisant en cuisine pour les morceaux délicats dont on garnit les pâtés ou que l'on sert à part (1680); il est sorti d'usage. ➛ **BÉATEMENT** adv. est attesté tardivement (1860) avec la valeur familière de «avec un ravissement un peu niais».

BÉATITUDE n. f. est emprunté (1267-1268) au dérivé latin chrétien *beatitudo, -inis* «bonheur céleste», déjà attesté en latin classique (Cicéron), mais peu usité, avec le sens de «bonheur parfait». ➛ Le mot, repris en théologie, s'applique au bonheur parfait dont jouissent les élus; il n'a pas subi la même dévaluation que *béat*, et il est passé dans l'usage commun pour désigner la sérénité qu'apporte, par exemple, la contemplation (1611). Les dictionnaires du XVIIe s. ont accueilli le syntagme biblique *les huit béatitudes* (1680) par allusion aux perfections exaltées par le Christ dans le *Sermon sur la Montagne* pour accéder à la félicité. Ils enregistrent aussi l'emploi du nom comme titre honorifique donné aux évêques, puis au pape (1690), titre aujourd'hui réservé aux patriarches orientaux.

BÉATIFIER v. tr. est emprunté (1370) au latin chrétien *beatificare*, «rendre heureux», «magnifier, déclarer bienheureux» (866), de *beatus* et *facere* (→ faire). ◇ Terme religieux pour «proclamer bienheureux», le verbe est passé dans l'usage général au sens de «rendre heureux» (1565); cet emploi littéraire ou plaisant est demeuré rare. ➛ **BÉATIFICATION** n. f. est emprunté (1374) au latin médiéval *beatificatio, -onis*, «action de proclamer bienheureux» (1163-1164), du supin de *beatificare*. ◇ Le mot est essentiellement employé avec son sens religieux en dehors de quelques rares emplois métaphoriques.

BÉATIFIQUE adj. est emprunté (av. 1450) au dérivé latin *beatificus* «qui rend heureux», spécialement employé dans une perspective religieuse par les auteurs chrétiens. ➛ L'adjectif a signifié «relatif au bonheur éternel», puis a été repris pour «qui rend heureux» (fin XVe s.). Dans *vision béatifique* (1527), il correspond à «qui procure la béatitude».

BEATNIK n. est emprunté (1959, *L'Express*) à l'anglo-américain *beatnik* (1958), composé hybride de *beat* «foutu, paumé» et de *-nik*, suffixe yiddish d'origine slave indiquant le lien d'une personne à une chose, son engagement (→ refuznik, spoutnik). *Beat* lui-même est la réduction de *beaten* «battu, éreinté, épuisé», participe passé de *to beat* «battre», verbe qui, de même que ses correspondants germaniques, serait apparenté à la racine du latin *confutare, refutare* (→ réfuter).

♦ Le mot se dit d'un jeune homme ou d'une jeune fille en révolte contre la société bourgeoise, vivant d'expédients et sans domicile fixe. Il a été très employé avant de reculer au profit de *hippie* après 1968.

▸ **BEAT-GENERATION** n. f. est l'emprunt culturel (1960) de l'expression américaine *beat generation* (1952), formée de l'adjectif argotique *beat* «foutu», ou de l'élément *beat* (détaché de *beatnik*), et de *generation*, correspondant à *génération**, sur le modèle de *lost generation* «génération perdue». L'expression, réinterprétée par les adeptes d'après *beat* «rythme de jazz» ou *beat(ific)*, recouvre un mouvement de jeunes Américains révoltés, à tendance mystique, prônant le nomadisme. Elle a eu peu de succès en français. ◆ **BEAT** lui-même a fourni un adjectif et un nom invariables (v. 1966) pour tout ce qui se rapporte aux beatniks et à leur mouvement.

✻ **BEAU, BEL** (devant un nom commençant par une voyelle ou un h muet et dans quelques locutions), **BELLE** adj. et n. est issu, d'abord sous la forme *bel* (v. 881) puis *biau, beau*, du latin *bellus*. Celui-ci est un diminutif familier et ancien de *bonus* (→ bon) dont la forme la plus ancienne, encore attestée à l'époque archaïque, était *duenos, duonos*. *Bellus*, en langue classique, a surtout qualifié des femmes et des enfants avec la valeur de «mignon, joli, charmant, adorable», ne s'appliquant aux adultes que par ironie. Le rapport avec *bonus* est sensible dans certains emplois où l'adjectif signifie «en bon état», «en bonne santé», et le rapport avec *bene* (→ bien) est manifeste dans la locution impersonnelle *bellum est* et infinitif : «il est bien de». En raison de son caractère affectif, *bellus* a tendu dans la langue populaire à remplacer *pulcher* «beau» et, dans une moindre mesure, *decorus* qui exprimait la beauté décente, parée (→ décorum). L'adjectif n'est passé que dans une partie du domaine roman (italien *bello*), l'autre partie accueillant les représentants du latin *formosus* (espagnol *hermoso*, portugais *formoso*, roumain *frumos*). Dans les parlers français méridionaux, il a subi la concurrence de mots jugés plus expressifs tels que *brave, gent, gentil, poulit* (français *poli*), mais en langue d'oïl, il l'a emporté sans conteste.

♦ La parenté étymologique entre les notions de «beau», «bon» et «bien», sensible en latin, continue d'éclairer la structure sémantique de *bel, beau* en français. Dès les premiers textes, le mot qualifie ce qui plaît aux yeux, en parlant d'un être (v. 881), d'une chose (v. 980), d'un phénomène naturel (1080), d'un mouvement. Le sentiment esthétique peut être causé également par une perception auditive. Dès le Xe s., sémantiquement affaibli et indéterminé, *beau* est employé comme terme flatteur à l'adresse d'une personne estimée (v. 980), usage qui explique son rôle dans la formation de termes de parenté (*beau-père, beau-frère*, etc.). ◇ La beauté pouvant éveiller un sentiment de supériorité, d'admiration et ayant son pendant dans les qualités intellectuelles ou morales (selon la tradition platonicienne), l'adjectif s'emploie dans la sphère intellectuelle, morale et sentimentale (ces trois domaines étant attestés en 1080), ne tardant pas à développer la valeur antiphrastique de «mauvais» (v. 1155), emploi ironique resté bien vivant. ◇ Dans le langage de la haute société qui s'élabore aux XVIe et XVIIe s., *beau* acquiert la valeur de «noble, distingué, brillant» qu'il réalise notamment dans des locutions parfois ironiques elles aussi. Ainsi ***bel esprit***, d'abord appliqué de manière élogieuse à une personne cultivée, a développé en l'espace de quelques années, au milieu du XVIIe s. la signification seconde de «pédant maniéré». ◇ Très tôt, par une confusion de la qualité et de la quantité, *beau* qualifie une chose d'importance et marque l'intensité, la grandeur, le grand nombre (1080). ◆ L'affaiblissement et même la perte du contenu sémantique du mot se constatent dans des expressions figées comme ***un beau jour*** où il n'a guère qu'une valeur affective de renforcement («un jour certain» puis «un jour parmi d'autres»); c'est aussi le cas dans la locution ***à belles dents*** «avec les dents», témoin d'un type usuel en moyen français (XVIe s.) formé avec *beau* et un nom d'organe.

Le substantif *beau* (1172-1175) a développé parallèlement ses valeurs abstraites et concrètes, non sans une certaine indétermination qui, en ancien français, fait de *bel* le synonyme de «bonne volonté» et de *belle* celui de «désir». Comme nom de qualité, *le beau* a été concurrencé et supplanté par *beauté*, mais s'est spécialisé comme concept esthétique, se répandant à l'époque classique, puis au XIXe s. avec la diffusion de la philosophie esthétique allemande, en relation avec la valeur alors nouvelle du mot *art*. ◇ Le féminin substantivé ***belle***, employé au sens de «femme belle», a pris une valeur spéciale en argot, pour désigner une occasion favorable (1672) et, au jeu, pour une partie qui doit départager deux joueurs ou deux équipes.

L'emploi adverbial de *beau* est attesté dès l'ancien français avec la locution ***bel et bien*** (1285; *bien et bel, bien et beau*, jusqu'au XVIe s.). ◇ Il se développe au XVIe s., dans la locution verbale de sens adversatif ***avoir beau (faire, dire...)*** (1566 sous la forme *avoir bel à* et infinitif) et dans ***tout beau*** «doucement», surtout dit pour arrêter et calmer, et ***de plus belle*** (1570, *de plus beau*) dont le sens premier, «de nouveau», s'est nuancé en «plus fort encore». *Tout beau* «doucement», archaïque ou dialectal, s'est employé concurremment à *bellement*.

▶ Le dérivé **BELLEMENT** adv. (v. 980) ne s'est jamais bien implanté au sens de «avec beauté»; il a développé le sens intensif de *beaucoup* mais il est moins courant que *joliment*. ◆ **BEAUTÉ** n. f., d'abord *beltet* (v. 1080) dérivé de *bel* ou représentant d'un latin vulgaire °*bellitas, -atis*, désigne le caractère de ce qui est beau, en particulier d'une personne. ◇ Par métonymie, *une beauté* se dit d'une femme belle (1250-1300). ◇ À la différence de *beau*, il n'a guère développé de valeurs autres qu'esthétiques, mais on parle cependant de *beautés morales*.

EMBELLIR v. tr., d'abord *embelir* (v. 1155), *anbelir* (v. 1165-1170), composé en *en-, em-, bel* et du suffixe verbal, a eu en ancien français l'emploi intransitif de «plaire, être avenant, agréable», auquel répondaient les emplois transitifs de «donner des agréments, des chances de succès à», au figuré «justifier» (v. 1360). ◇ Ces acceptions ont disparu, et *embellir* n'a gardé que le sens de «rendre beau, plus beau» (v. 1165-1170) au propre et au figuré. ◆ En sont dérivés **EMBELLISSEMENT** n. m. (1228), spécialisé par métonymie, surtout au pluriel, pour «choses, parties embellies, améliorées», et **EMBELLIE** n. f., participe passé féminin substantivé, employé en marine avec un sens proche d'«accalmie» (1753) puis couramment avec le sens d'«éclaircie du temps» (1862).

BEAUCOUP adv. existe dès le XIIIe s. sous la forme disjointe *biau cop,* composé de *beau* et *coup**, pour désigner une grande et belle chose, avant d'être soudé en *beaucoup* (1379) et de supplanter au XVIe s. à la fois l'adverbe *beau* dans l'un de ses emplois et l'adverbe *moult.* ◆ Il exprime l'idée de grande quantité, employé avec un nom précédé d'un verbe (1379) ou associé à un nom introduit par *de* (v. 1360). Son emploi devant un adjectif positif, usuel en langue classique, vit encore régionalement (*il est beaucoup gentil,* etc., par exemple dans l'usage méridional) et se rencontre à l'occasion en littérature avec des participes passés.

Dès le XIIIe s., *beau,* pris comme terme de courtoisie, se combine avec un terme de parenté (→ famille, fille, fils, frère, maman, mère, parent, père, sœur).

Deux autres mots sont dérivés de *bel.* ◆ **BELLÂTRE** adj. et n. est attesté une première fois en 1546 chez Rabelais sous la forme *bellastre* avec le sens de «assez beau». Le sens moderne péjoratif, suscité par la valeur générale du suffixe, est accueilli par l'Académie en 1740; il correspond à «homme d'une beauté fade et convenue, qui correspond à un modèle social de séduction jugé vulgaire». ◆ **BELLOT, OTTE** adj. et n. est un autre diminutif de *bel, beau* (1552) appliqué familièrement à un enfant mignon, aimable (cf. *bébé*). Le mot, de nos jours d'usage régional, s'emploie aussi en appellatif, surtout au féminin *(ma bellotte).* Cf. aussi *belette.*

Le féminin *belle* a fourni le premier élément de quelques termes de sciences naturelles. ◆ **BELLE-DAME** n. f., enregistré par Cotgrave (1611) comme terme d'entomologie pour une sorte de papillon, est devenu l'un des noms de la belladone (1752), calque de l'italien *belladonna* (→ belladone). ◆ **BELLE-DE-NUIT** n. f. (1676) appartient, avec **BELLE-DE-JOUR** n. f. (1762), à la nomenclature populaire des plantes. Par métaphore, le premier (1776) et, par symétrie, l'autre désignent des prostituées travaillant de nuit ou de jour.

◈ voir BELETTE, BELLADONE, MIRABELLE ; BELOTE, BELVÉDÈRE, FRÈRE, SŒUR.

BEAUJOLAIS n. m. est l'emploi comme nom commun, attesté tard (1881, Huysmans), du nom géographique *Beaujolais* issu de l'adjectif latin *bellijocensis (ager),* dérivé de *Bellojocum* nom de ville (aujourd'hui *Beaujeu*). Ce dernier est composé de *bellus* «beau» et *jugum* (→ joug), au sens de «sommet», par l'acception «chaîne ou ensemble de montagnes» (comparé à un joug), et modifié d'après *jocus* «jeu».

♦ Le mot désigne le vin du Beaujolais, qui comprend plusieurs appellations (Moulin-à-vent, Chiroubles, Saint-Amour, etc.) et suscite des syntagmes comme *beaujolais village* (provenant d'une série de communes définies) ou *beaujolais nouveau,* emploi devenu usuel. ◇ Le mot a des dérivés argotiques, outre l'abréviation **BEAUJO** (attesté 1981 par écrit), dans la mesure où le beaujolais est en France l'un des symboles du vin rouge agréable et relativement peu coûteux *(un petit beaujo).*

▶ **BEAUJOLPIF** n. m. (1952, Esnault) semble un croisement de *beaujolais* et de l'argot *olpif* (1918) ou *holpif,* «beau, excellent», d'origine obscure. *Beaujol* et la resuffixation *beaujolpince* semblent venir de *beaujolpif* (le premier peut-être directement formé sur *beaujolais*).

BEAUPRÉ n. m. est, sous sa forme actuelle (1516), l'altération d'après *beau** et *pré**, du moyen français *bosprete* (1350), modifié en *bropié* (1382), pour *bouspret.* Ce dernier est emprunté au moyen anglais *bouspret,* terme de marine désignant le mât horizontal ou oblique placé à la proue d'un bâtiment à voiles. Ce mot, attesté depuis 1296 sous la forme *bowsprit,* n'est pas autochtone comme le montre l'apparition tardive de l'anglais *bow* «proue du navire» (1626) et l'hésitation entre les formes *bew-, bough-, boe-, bos-,* révélant que pour les marins anglais le rapport avec *bow* n'était pas évident. L'anglais est en fait emprunté au bas allemand *bôchsprêt,* seulement attesté en 1465 mais certainement bien antérieur, et correspondant à l'allemand moderne *Bugspriet,* de *Bug* «proue» et *Spriet* «livarde».

♦ Ce terme de marine a repris le sens du mot anglais, «mât de proue, horizontal ou oblique».

BÉBÉ n. m., malgré son attestation tardive (v. 1755), est une formation française onomatopéique et se rattache à de nombreux termes dialectaux, comme *babi* (Bas-Maine), *bibi* (Picardie, Centre, Midi), *bobée* (Reims), *babré, bobré* (Moselle). Le vocalisme est une variante de *-a-* (→ babiller, babine) peut-être sous l'influence du *be-* de *bêler** ou même de *bel** (de nombreux dialectes disent *bellot* pour l'enfant). Terme affectif interlinguistique, comparable à *papa, maman,* le mot est culturellement un anglicisme : c'est à partir du XIXe s., une francisation de l'emprunt **BABY** n. m. (1842), mot déjà cité dans Clarendon (1704), qui a eu sa vogue en France dans la seconde moitié du XIXe s. dans les milieux sociaux élevés, conjointement à *nurse.* Ce *baby,* repris à l'anglais *baby* (XIVe s., *babi*), également *babe,* est probablement issu d'une contraction du vieux mot *baban, babbon* (v. 1230), onomatopée du langage enfantin. ◇ On s'étonne qu'un mot aussi courant lié à une réalité aussi précise soit entré si tard dans l'usage ; le français disposait de *nourrisson* et de *poupon* depuis le XVIe s., de *(enfant) nouveau-né* depuis le XIIe s., mais aucun de ces mots n'est synonyme de *bébé* qui semble avoir pris une place linguistiquement vide, partiellement occupée par *enfant* (cf. J.-J. Rousseau, *Émile,* livre I). *Bébé* s'est répandu au détriment de *baby,* lequel ne reste vivant qu'en composition (ci-dessous).

♦ *Bébé* est d'abord attesté comme un terme d'affection, celui que donnait le roi Stanislas Ier (Leszczyński), lequel, chassé de son trône, émigra en France en 1736, à son nain Nicolas Ferry (1739-1764) qui eut à l'époque une grande célébrité. *Mon bébé* (1793), appellatif, s'adresse à un être cher. ◇ Le mot semble lexicalisé au sens de «petit enfant» depuis le milieu du XIXe s. (1858, Goncourt); il a d'abord désigné un jeune enfant (de moins de 10 ans), puis spécialement l'enfant en bas âge (fin XIXe s.) : le «costume de bébé», fréquemment porté dans les bals masqués («depuis une trentaine d'années», précise Larchey en 1880) l'atteste. ◇ Par métonymie, il se dit d'une poupée représentant un petit enfant (1880), emploi supplanté par *baigneur*. ◇ Quant à l'expression ***Bébé Cadum***, elle provient d'une marque déposée (→ cade). ◇ D'après l'anglais, il se dit du petit d'un animal (v. 1960), donnant lieu, sur le modèle de l'anglais, à des syntagmes composés du type *bébé-chat, bébé-girafe, bébé-phoque*. ◇ Le syntagme *bébé-éprouvette*, de nature entièrement différente, est une lexicalisation de *bébé de l'éprouvette*, attesté en 1947 chez Binet. ◇ La fréquence supérieure et les emplois différents de *baby* en anglais donnent au français *bébé*, par emprunts successifs, d'autres usages, comme l'appellatif *bébé!* adressé à une femme, qui correspond à «chérie», ou la locution (elle aussi calque de l'anglais) ***jeter le bébé avec l'eau du bain*** «se débarrasser en bloc d'un problème, sans tenir compte des éléments positifs».

▸ L'anglais *baby* (ci-dessus) entre dans des composés pris à l'anglais américain. ◆ **BABY-DOLL** n. m. (v. 1960), de *doll* «poupée», désigne une chemise de nuit féminine très courte. ◆ **BABY-SITTER** n. (1950 au masculin, puis 1953 aux deux genres), de *sitter*, de *to sit* «s'asseoir (auprès de qqn)» se dit d'une personne qui, moyennant rétribution, garde de jeunes enfants en l'absence des parents. ◇ **BABY-SITTING** n. m. (1960) se dit de la garde par un ou une baby-sitter. ◆ **BABY-FOOT** n. m., de *baby* «miniature» et *foot*, pour *foot-ball**, désigne (1951) un jeu de football de table où des joueurs de bois, montés sur des tringles mobiles, sont manipulés par deux ou quatre adversaires. ◆ **BABY-FOOD** n. m., emprunt (v. 1957) à l'américain *baby-food* «aliments (*food*) pour bébés», désigne des aliments diététiques pour nourrissons. ◆ **BABY-BOOM** n. m. est emprunté (1954) à une expression américaine, de *boom* «hausse très forte», d'abord «explosion» et *baby*. Le mot désigne une forte augmentation de la natalité. ◇ Tous ces mots sont sentis comme des anglicismes avérés, sauf peut-être *baby-foot*, plus populaire et lexicalisé.

◈ voir **PÈSE-BÉBÉ** (à **PESER**).

BE-BOP n. m. est emprunté (1948) à l'anglo-américain *be-bop* (1945) ou plus simplement *bop*, pure onomatopée évoquant un élément rythmique. Le mot recouvre un style de jazz qui commença de se développer dès 1942 à New York, parmi les jeunes musiciens (Charlie Christian, Thelonious Monk, Kenny Clarke) fréquentant le cabaret Minton's à Harlem, ainsi que chez Dizzy Gillespie et Charlie Parker du côté de la 52e rue. Ce jazz, qui atteignit son apogée en 1946, se caractérise par une mélodie librement découpée, au débit capricieux, accueillant les trouvailles virtuoses de la batterie qui viennent la troubler et la relancer.

♦ Le français, qui a aussi employé **BOP**, surtout en usage chez les musiciens, a adopté le mot et le style de musique qu'il recouvrait, en vogue en Europe après la redécouverte du jazz classique et du swing, surtout entre 1960 et 1970.

✳ **BEC** n. m. est issu (v. 1119) du latin *beccus* «bec d'oiseau», seulement attesté depuis Suétone qui l'emploie comme nom de personne sous la forme *Becco*. *Beccus* se rattache peut-être au radical celte *bacc-* «crochet» avec un changement de voyelle radicale ; il a supplanté le mot latin *rostrum* (→ rostre) qui se disait également en médecine, là où le français emploie *bec*.

♦ Le sens de «partie cornée et saillante de la bouche des oiseaux» a donné quelques locutions figurées comme ***avoir le bec dans l'eau***, altération d'un ancien *tenir le bec dans l'eau à qqn* (fin XVIe-déb. XVIIe s.), ou encore *avoir bec et ongles* puis ***se défendre bec et ongles*** «avec acharnement». Le *bec jaune* des oisillons a donné naissance à *béjaune* (ci-dessous). ◇ Par extension, *bec* a pris le sens de «bouche humaine» (1217), d'où divers sens métonymiques, comme «visage», «personne» et, en Suisse et au Québec, l'emploi familier pour «baiser» dans ***donner un bec*** (attesté 1867). Ce type d'emploi, sur lequel se greffe le sens métaphorique de «nez», est fécond en expressions relatives à la nourriture (*avoir le bec salé*) et à la parole (*prise de bec*). ◇ Par extension, le sens de base a aussi donné celui de «bouche d'un animal», en particulier «bouche de poisson» (v. 1393, *becque*). ◆ Dès le milieu du XIIe s., on rencontre les premiers emplois de *bec* pour désigner un objet pointu dont la forme évoque celle du bec de l'oiseau (v. 1150). Ce sens, réalisé dans quelques acceptions spéciales, en géographie pour une pointe de terre (1345), en anatomie, en architecture, etc., donne lieu à des noms composés, formés avec un nom d'animal comme *bec d'âne* (ci-dessous *bédane*), *bec-de-cane*, etc. (ci-dessous). ◆ Une autre valeur spécialisée (1821) concerne le brûleur d'une lampe à gaz, à l'origine comparé à un bec. De là *bec Bunsen, bec à gaz*, remplacé par *bec-de-gaz* (ci-dessous), qui peuvent avoir plusieurs valeurs.

▸ La dérivation de *bec*, notamment par le jeu des dérivés secondaires, est importante. ◆ **BECQUER** v. tr. (fin XIIe s.) est apparu sous la forme attendue *bechier* mais celle-ci, soit par influence des formes picardes, soit par réfection sur *bec*, a été supplantée par *bequer* (v. 1330). Le verbe signifiait «prendre par becquées, prendre du bec, frapper à coups de bec» ; il a quasiment cessé de s'employer après le XVIe s., sauf en fauconnerie en parlant du jeune faucon qui prend la becquée à plein bec (1690) et avec des valeurs régionales : «bégayer» et «embrasser» (Canada). ◆ **BECQUET** n. m. (2e moitié du XIIIe s.), réfection sur *bec* de l'ancienne forme *bechez* (v. 1170), signifiait «petit bec» ; il demeure vivant dans quelques emplois analogiques, fournissant un nom du brochet (1250-1300) et quelquefois du saumon, puis désignant un objet pointu. ◇ *Béchet* (1808), puis *becquet*, désigne en imprimerie un petit morceau de papier portant une correction, puis (av. 1850) un fragment de scène ajouté pendant les répétitions à une scène de théâtre. On écrit parfois *béquet*.

BÉCASSE n. f. est dérivé de *bec* (fin XIIe-déb. XIIIe s.) par allusion au long bec de cet oiseau. La bécasse étant l'un des gibiers à plumes les plus recherchés, le mot évoque souvent la chasse (cf. *Les Contes de* *la bécasse,* de Maupassant). ◇ Par analogie de forme, il s'emploie aussi pour désigner un poisson (1611), un coquillage (1752), ainsi qu'en vannerie un outil pointu (1680), en métallurgie une sonde mesurant la descente de la charge dans les hauts fourneaux (1806). ◇ Par ailleurs, depuis le début du XVIe s. (av. 1510), le mot, comme beaucoup de noms d'oiseaux, sert de désignation péjorative à l'adresse d'une femme sotte, niaise; il est aussi adjectif. La communauté d'initiale avec *bête* a pu jouer un rôle, mais *bêtasse* est très postérieur. ➛ Le nom d'oiseau a donné **BÉCASSEAU** n. m. (1537), **BÉCASSIN** n. m. (1552), remplacé par **BÉCASSON** n. m. (1564) «jeune bécasse» et, au figuré, «jeune personne sotte», et **BÉCASSINE** n. f. (1552) qui désigne un autre oiseau, voisin de la bécasse. Pour ce dernier, le sens figuré de «personne niaise» (1943) provient du prénom de l'héroïne bretonne de bandes dessinées dont les premières aventures furent publiées à partir de 1905 dans *La Semaine de Suzette,* ce nom venant lui-même de l'emploi figuré de *bécasse.*

BECQUETER v., d'abord *biqueter* (1223), verbe de parole, a signifié «critiquer» jusqu'au XVIe s. puis «tourmenter» (1590), sens isolé. ◇ De nos jours et depuis le XVe s., il signifie «mordiller, donner des coups de bec» (1451), ou encore «manger», spécialement en fauconnerie (1690) et par figure dans l'usage familier (1707), alors parfois noté *becter* (voir les dérivés). ◇ La valeur d'«embrasser» (1860), également à la forme pronominale *se becqueter,* a vieilli (cf. *bécoter,* ci-dessous). ➛ On en a dérivé les substantifs **BECQUETEUR** n. m. (1571) littéralement «celui qui donne des coups de bec», usité comme nom d'une petite hirondelle (1832), mais vieilli, **BECQUETAGE** n. m. (av. 1857), peu usité. ➛ **BECQUETANCE** n. f. (1880), également sous la forme *bectance* (1916), tiré de *becqueter* et *becter* «manger», est un synonyme argotique puis familier de «nourriture». ➛ D'après ce sens de «manger», a été formée la série préfixée **DÉBECQUETER** ou **DÉBECTER** v. tr. «vomir» (1883) sens disparu (cf. *dégueuler*), d'où au figuré «dégoûter» (1892), **DÉBÉQUETANT** ou **DÉBECTANT, ANTE** adj. (1883) «dégoûtant», **DÉBÉQUETAGE** ou **DÉBECTAGE** n. m. (1910) «vomissement, nausée», et **DÉBECTANCE** n. f. (1901). ◇ Dans cette série argotique, puis familière, seul *débectant* est usuel.

① **BÉQUILLON** ou **BECQUILLON** n. m., attesté une fois sous la forme *baikillon* «petit bec d'un objet» (v. 1300), a été reformé pour désigner le bec des jeunes oiseaux de proie (1549). Au figuré, il se dit d'une petite feuille sans largeur qui finit en pointe (1701). ➛ Il semblerait que le mot ait donné **BÉQUILLE** n. f. (1611), dont le développement sémantique et le suffixe s'expliqueraient par l'influence de *anille,* «béquille», et par comparaison entre la traverse supérieure de l'objet et le bec d'un oiseau. ◇ *Béquille* a développé par analogie de forme ou de fonction de nombreux sens techniques, en agriculture (1782), en serrurerie (1867), en navigation fluviale, en chirurgie. ◇ Il s'emploie en français du Canada pour *échasse* (attesté 1930). ➛ À son tour, il a produit ② **BÉQUILLER** v. (1656) «marcher avec des béquilles; boiter» qui a pour homonyme ① **BÉQUILLER** (1602) «attaquer, donner des coups de bec» d'où «dissiper», verbe sorti d'usage. ➛ *Béquille* a aussi pour dérivé un diminutif ② **BÉQUILLON** n. m., attesté une fois en 1768, puis avec ses divers sens techniques avant la fin du XVIIIe siècle.

BECQUÉE n. f. (1543) ou **BÉQUÉE** est la réfection de *béchie* (fin XIVe s.), forme attestée jusqu'au XVIe siècle. ◇ Le mot désigne la quantité de nourriture contenue dans le bec d'un oiseau et, par extension, se dit familièrement (1866) d'une bouchée de nourriture. *Donner la becquée* s'emploie au propre et au figuré.

Deux composés soudés apparaissent en moyen français. ➛ **BÉJAUNE** n. m. (1390-1407) résulte de la soudure de *bec jaune* (v. 1306), au figuré «niais» dans l'ancienne locution *avoir le bec jaune* (v. 1280) par allusion à la couleur du bec des très jeunes oiseaux. Il ne s'emploie plus qu'en fauconnerie. ➛ **BÉDANE** n. m., d'abord *besdane* (1596), résulte aussi d'une agglutination : il vient de *bec d'asne* (1371), déjà relevé v. 1281 sous la forme altérée *bat d'asne* «broc à eau». Dans ce composé, *asne* est l'altération de l'ancien français *ane,* «canard» (→ canard). ◇ De nos jours, le mot désigne un ciseau à bois étroit (1438) et un burin de même forme utilisé spécialement en serrurerie. ➛ D'autres composés ont conservé leur forme intégrale. ◇ **BEC-DE-CANE** n. m., de *cane* (→ canard), a désigné un clou à crochet, un outil à travailler les moulures (1881). Il se dit plus couramment de la poignée qui manœuvre une serrure de porte et, en argot (1905, Bruant), d'un pistolet. ◇ Une analogie de forme le fait désigner (1845) une variété d'aloès. ➛ **BEC-DE-CORBIN** (ou **BEC-DE-CORBEAU**) n. m. désigne (1743) un pommeau de canne sculpté en bec d'oiseau et plusieurs outils en forme de bec. ➛ Les autres composés, formés avec un nom d'oiseau, désignent soit des outils, des armes (*bec de faucon, bec de perroquet,* qui se dit aussi d'une excroissance osseuse des vertèbres), soit des plantes *(bec d'oiseau, de grue, de héron, de pigeon).* ➛ **BEC-DE-LIÈVRE** n. m., où *bec* désigne la bouche d'un animal, est employé en pathologie (1560, Paré) pour désigner une malformation congénitale de la face humaine, où la lèvre supérieure est fendue. Par métonymie, il se dit de la personne affectée de cette malformation. ➛ **BEC-DE-GAZ** n. m., au sens spécial de *bec* «brûleur d'une lampe à gaz», s'est lexicalisé pour désigner (1821) l'extrémité du brûleur, puis, vers la même époque, un lampadaire à gaz sur la voie publique. Dans ce sens, la désignation s'est conservée pour tout appareil d'éclairage public. L'expression figurée *tomber sur un bec de gaz* «sur une difficulté» a vieilli, remplacée par *tomber sur un bec.*

BLANC-BEC n. m., enregistré par Trévoux en 1752 avec son sens moderne, fait allusion au jeune homme dont la bouche n'est pas encore assombrie par la moustache; ce sens a bénéficié de celui qu'avait depuis longtemps *béjaune* (ci-dessus); *blanc-bec* est resté vivant, mais tend à vieillir, sauf dans un registre soutenu.

BÉCOT n. m., dérivé de *bec* avec le suffixe diminutif *-ot* (1787), est un équivalent familier de *baiser* (cf. ci-dessus *bec*) dont est dérivé **BÉCOTER** v. tr.

(v. 1830), synonyme familier d'*embrasser* (aussi *se bécoter*), d'où **BÉCOTEMENT** n. m. (1863), relevé chez Flaubert, **BÉCOTAGE** n. m. (1879) et **BÉCOTEUR, EUSE** adj. et n. (1887, *becquoteur*), ces trois dérivés étant peu employés.

BECFIGUE n. m. est l'adaptation (1539), à côté des formes *bequefigue* (fréquente au XVIe s.) et *beccafigue* (encore chez Furetière), de l'italien *beccafico* (déb. XVIe s.), nom d'une variété de passereau. Ce mot est composé de *becarre* «becquer», lui-même du correspondant italien de *bec**, et de *fico*, répondant au français *figue**. ◆ Le mot désigne un oiseau se nourrissant notamment de figues en automne.

BICHER v. est un terme familier d'origine dialectale (1845), correspondant à une forme dérivée du latin *beccus* «bec.» ◇ La valeur intransitive, «aller bien» (le plus souvent dans le tour impersonnel *ça biche*), vient peut-être du langage des pêcheurs où *ça biche*, «ça mord» en parlant du poisson (1867), viendrait lui-même d'emplois régionaux du type du lyonnais *se bichi* «se donner des coups de bec, se mordiller, se disputer». Mais cette valeur ne convient pas à l'emploi figuré. ◇ En revanche, *bicher* a signifié «embrasser» (1889), emploi attesté dans le centre de la France (Nivernais, Bourbonnais); il a probablement influencé la forme *biser* (→ ① baiser). ◆ On rencontre le dérivé **BICHEUR, EUSE** n. et adj. pour «celui, celle qui cajole» (1910).

◈ voir PIMBÊCHE, peut-être BÉCANE, ② BÊCHER.

◈ **BÉCANE** n. f., attesté depuis 1841, est d'origine obscure. L'hypothèse qui y voit la substantivation d'un féminin populaire (du type *géane* pour *géante*) de l'argot *bécant*, participe présent substantivé de *becquer* (→ à bec) et désignant un oiseau de basse-cour, repose sur une assimilation entre le bruit de la machine et le cri de l'oiseau; mais le mot d'argot est postérieur (1878). On peut évoquer aussi l'ancien français *ane* «canard», conservé dialectalement, l'élément *bec* s'y associant facilement. P. Guiraud voit dans *bécane* le représentant du dialectal *bicaner* «boiter» (Centre), d'où *bicane* «mauvais cheval» (Yonne), avec l'idée de «machine marchant de travers en tressautant».

♦ Le mot s'est d'abord dit d'une mauvaise locomotive et, plus généralement, d'une machine (1870), sens repris pour certaines valeurs spéciales de *machine* (par exemple «ordinateur»). ◇ L'acception dominante est cependant «bicyclette» (1888) et, par extension, «moto» (v. 1960), traduisant alors l'anglais *bike* (de *bicycle* «bicycle»).

BÉCARRE n. m., d'abord *becarre* (1425) et aussi *beaquarre* (fin XVe s.), est l'adaptation de l'italien *bequadro*, terme de musique désignant le signe placé à gauche d'une note précédemment altérée pour lui rendre sa tonalité naturelle (le terme italien n'est attesté que depuis le XVIe s.). *Bequadro* est composé de *be (b)* par référence à la notation médiévale où la lettre *b* à panse carrée, *b quadratum* ou *durum* (v. 1240) indiquait le si naturel —par opposition au *b* à panse arrondie *b rotundum* ou *b molle* (→ bémol) —, et de *quadro* «carré» (→ cadre). Le latin médiéval convient moins bien que l'italien à l'explication des formes françaises.

♦ Ce terme de musique est égalemement employé adjectivement après le nom d'une note.

BÉCASSE, BÉCASSINE → BEC

BEC DE... → BEC

BECFIGUE → BEC

BÉCHAMEL n. f., d'abord dans *turbot à la Béchamelle* (1735), puis *béchamel* (1742), est tiré du nom de Louis de *Béchamel* (1630-1703) ou de *Béchameil*, marquis de Nointel. Ce financier enrichi avait acheté l'importante charge de maître d'hôtel de Louis XIV; les mémoires apocryphes de la marquise de Créqui, fabriqués au XIXe s., attribuent l'invention de cette sauce blanche au marquis; elle fut probablement le perfectionnement d'une recette plus ancienne que son cuisinier dédia, selon la coutume, au maître d'hôtel du roi.

♦ À l'origine réduction d'un velouté fortement additionné de crème fraîche, la béchamel se prépare aujourd'hui en mouillant avec du lait bouillant un roux blanc de beurre et de farine. ◇ Le mot s'emploie aussi avec le sens figuré de «situation confuse» dans la langue familière (XXe s.), par influence probable de *mêler*, et peut-être de *tête-bêche*.

① **BÊCHER** v. tr., d'abord *beker* (fin XIIe-déb. XIIIe s.), est d'origine douteuse : il pourrait être issu d'un latin populaire °*bessicare*, dérivé du latin *bessus* «bêche», attesté en latin médiéval (IXe s.) et auquel remontent l'ancien provençal *bessa* (fin XIIIe s.), le moyen français *besse* (XVe s.) et le lorrain *basse, bosse*. L'origine de *bessus* est obscure; on y a vu une forme de °*bissus*, féminin °*bissa*, dérivé de l'adverbe latin *bis* «deux fois» (→ bis), avec le sens d'«instrument à deux points». Une origine celte est écartée pour des raisons phonétiques. L'hypothèse selon laquelle *bêche* viendrait d'un latin populaire *(pala)* °*biseca* «bêche à deux tranchants», formé à partir de *secare* «couper» (→ scier) sur le modèle de *bifidus* «fendu en deux», obligerait à dissocier du groupe *bêcher/bêche* le groupe formé par l'ancien provençal *bessa* et le moyen français *besse*. ◈

♦ Le verbe signifie «retourner (la terre) avec un instrument composé d'une large lame de fer aplatie et tranchante adaptée à un manche de bois».

▶ ① **BÊCHE** n. f., d'abord *besche* (déb. XIIe s.), déverbal de *bêcher*, désigne l'instrument au moyen duquel on bêche; par analogie, il se dit d'un insecte au corps luisant comme le fer de la bêche (1223, repris en 1740) et, en artillerie, à l'appareil en forme de bêche qui s'ajuste à la crosse d'un affût de canon de campagne (1908). ◆ Comme nom d'outil agricole, *bêche* a produit plusieurs diminutifs, **BÊCHETTE** n. f. (1823), **BÊCHON** n. m. (1823), **BÊCHELON** n. m. (1832) et **BÊCHETON** n. m. (1845), peu usités.

① **BÊCHEUR, EUSE** n., d'abord *bescheur* (1453), a cessé d'être attesté après 1611 pour être repris en 1867. ◆ ① **BÊCHAGE** n. m. (1611) ne semble pas employé jusqu'à la fin du XIXe s. (1878).

Le verbe transitif, argotique puis familier, ② **BÊCHER** (1837) est plus probablement un emploi figuré de *bêcher* qu'un dérivé des formes dialectales correspondant à *becquer,* «frapper du bec», de *bec,* selon un développement sémantique qui serait analogue à celui de *biner,* «sarcler», donnant *débiner,* «calomnier». ◇ Le verbe signifie «injurier» d'où, par affaiblissement, «mépriser, critiquer» et, de nos jours, «snober». ➛ Il a produit ② **BÊCHEUR, EUSE** n. (1833) «médisant», d'où «snob», toujours usuel. ➛ Le déverbal ② **BÊCHE** n. f. (1898), mot plus rare, désigne une moquerie, une plaisanterie. ➛ ② **BÊCHAGE** n. m. (1895) n'est pas beaucoup plus vivant.

② BÊCHER → ① BÊCHER

BECQUETER → BEC

BEDAINE n. f. est probablement (1400), après *boudaine* (XIVe s.), une altération de l'ancien français *boudine* «nombril» (fin XIIe s.) et, par métonymie, «ventre» (fin XIIIe s.). Ce mot appartient à une famille de termes expressifs (le simple *boude,* peu attesté en ancien français, s'est maintenu en Champagne) dérivés de la racine onomatopéique °*bod-* évoquant une chose boursouflée (→ boudin, bouder). L'hypothèse faisant de *boudine* une réfection de *boudaine* «panse» (correspondant au provençal *boudeno* de même sens), lui-même d'un gallo-roman °*boddena* probablement d'origine gauloise, est difficilement acceptable, la finale étant douteuse et le provençal étant emprunté au français. L'hypothèse selon laquelle *boudine, boutine* serait issu d'un gallo-roman °*buttina,* lui-même du gaulois °*butta* (répondant au cymrique *both* «partie du bouclier faisant saillie») avec le suffixe de °*pectorina,* fréquent pour désigner les parties du corps *(narine, babine, poitrine),* n'explique pas les formes en *-d-*.

♦ Le mot a aussi désigné jusqu'au XVe s. un vase à grande panse, sens encore répertorié dans les dictionnaires des XIXe et XXe s., et un gros boulet d'artillerie (1552, Rabelais). ◇ Le sens de «ventre rebondi» (XIVe s.) s'est répandu dans l'usage familier et il est resté en usage.

▸ S'il n'est pas directement formé sur *bedaine,* **BEDON** n. m. (av. 1404) appartient au même radical expressif *bod-;* le recours à l'intermédiaire d'un °*boudon,* lui-même dérivé de l'ancien français *boude* «nombril» (répertorié comme hapax par Godefroy), ne paraît pas nécessaire. ◇ Le mot a servi à désigner un gros tambour, sens sorti d'usage au XVIIe s. sauf régionalement. Par analogie, il a pris comme *bedaine* le sens de «ventre rebondi» (1462), s'appliquant par métonymie à un homme ventru et replet (1690; déjà en 1546, Rabelais, comme terme d'amitié envers qqn : *mon bedon*). ➛ De *bedon* est dérivé **BEDONNER** v. intr. qui a signifié «résonner» (1507) et «jouer d'un instrument de musique» (v. 1525), sens disparus. ◇ Il a été reformé comme intransitif pour «prendre du ventre» (1868) et, en parlant d'un vêtement, «faire paraître ventru». ➛ Le participe présent **BEDONNANT, ANTE** est adjectivé (1865) avec le sens de «ventru, replet». ➛ **BEDONNEMENT** n. m. (1878), rare, désigne le fait de prendre du ventre.

BEDONDAINE n. f., renforcement expressif de *bedon* à l'aide de l'élément *-daine* de *bedaine* selon l'alternance des refrains comme *faridondon, faridondaine,* est un doublet vieilli de *bedon* et de *bedaine* attesté au XVIe s. et de nouveau à partir du XVIIIe siècle. ◇ Bescherelle l'enregistre en 1845 avec le même sens technique que *bedaine* en artillerie, et en musique pour une sorte de cornemuse à grosse panse.

BÉDANE → BEC

BÉDÉ → BANDE

BEDEAU n. m., d'abord *bedel* (1160-1174) puis *bedeau* (XIVe s.), est issu d'un francique °*bidil* «représentant de l'ordre, officier de justice». Celui-ci correspond à l'ancien haut allemand *bitil, bitel,* moyen haut allemand *bitel* «prétendant», mais, pour le sens, est plus près de l'ancien haut allemand *butil* et de l'anglo-saxon *bydel* «héraut». Ces formes viennent d'un germanique °*budil-,* radical dérivé d'un verbe °*biud-an* qui est représenté dans le vieil anglais *beodan* (d'où, par croisement avec un autre verbe, *to bid*), l'ancien haut allemand *biotan* (allemand *bieten*) avec un développement sémantique allant de «présenter, offrir» à «annoncer, informer, proclamer» et «commander». Ce verbe appartient à la racine indoeuropéenne °*bheu-dh-* dont le sens propre doit être «être éveillé, comprendre» et à laquelle correspond le participe sanskrit *buddha-* «éveillé, illuminé» (→ bouddha). L'iranien a développé l'idée de «sentir», le baltique celle de «punir» et le germanique de «commander, ordonner». L'ancien français *bedel* représente une assimilation au suffixe latin *-ellus* (latin médiéval *bedellus,* av. 1143); par la suite, le mot français a été emprunté par d'autres langues européennes, y compris par l'anglais *beadle* (dont les formes archaïques *bedel, beadel* répondent à des acceptions spéciales) où il a supplanté le type local *bydel.*

♦ Jusqu'au XVIe s., conformément au sens de son étymon, le mot a désigné un sergent de justice opérant dans les justices subalternes. ◇ Il est passé dans l'administration de l'Église pour désigner l'employé laïque chargé du bon ordre dans une église pendant l'office et de précéder le clergé dans les processions (1530). Par analogie, on a appelé *bedeau d'université* l'huissier chargé de précéder le recteur, etc. dans les cérémonies publiques; le mot a été remplacé par *appariteur.*

① **BÉDOUIN, INE** n. et adj., d'abord noté *bedoïns* (fin XIIe s.) puis *besdouyn* (XVe s.), *bédouin,* est emprunté à l'arabe *badawīn,* pluriel *badawīy* «habitant du désert», dérivé de *badw* «désert». Le mot a d'abord été adopté dans les langues européennes sous la forme du pluriel à partir de laquelle on a formé un nouveau singulier (pour la conservation de la flexion du pluriel de mots arabes ou hébreux, cf. *assassin, chérubin, rabbin, séraphin*).

♦ Le mot désigne un Arabe nomade du désert et qualifie ce qui se rapporte à lui (XIVe s.). Par métonymie, il réfère spécialement à la langue parlée par les Arabes du désert (XVe s.). ◇ Un sens figuré et pé-

joratif, «individu brutal et grossier», est analogue à celui qu'avait connu *Arabe* dans la langue classique.
➜ Peut-être en raison du fait que le mélampyre des blés pousse de façon sauvage dans les champs de blé, ② **BÉDOUIN** n. m. désigne cette plante (1791, en Berry).

BÉER, BÉANT, BÉE → BAYER

BEFFROI n. m., d'abord *beffroy* (av. 1465), est issu par métathèse de *berfroi* (v. 1155), emprunt au francique °*bergfripu.* Ce mot correspond au moyen haut allemand *bërovrit, bërvrit,* dont le sens littéral est «préserve la paix» et qui est composé des mots correspondants à l'allemand *bergen* «sauver, mettre en sûreté» et *Frieden* «paix». Cependant, l'hypothèse d'un emprunt au moyen haut allemand fait difficulté du point de vue phonétique. Il semble qu'il faille écarter l'étymon °*bis-fridare* composé du préfixe péjoratif *be-, ber-* sur le modèle de *ex-fridare* (→ effrayer) menant à un °*berfreer* d'où proviendrait *berfroi,* littéralement «effroi, cloche servant à donner l'alarme» : les attestations d'un verbe *berfreer* manquent. La diphtongue du mot français montre que l'emprunt est assez ancien; au temps des Carolingiens, les Francs pratiquaient déjà des fortifications assez importantes.

♦ Le mot désigne d'abord la tour mobile en bois que l'on utilisait pour s'approcher des remparts sans risque et pour saper les murs dans le siège d'une ville. ◇ Il est devenu le nom d'une tour de ville servant à faire le guet et à sonner l'alarme à l'aide d'une cloche (déb. XIIIe s.), désignant aussi par métonymie cette cloche (av. 1465). ◇ Par analogie, il s'emploie en charpenterie à propos de la charpente destinée à porter une cloche et à l'isoler des murs qu'elle risquerait d'ébranler quand elle est en mouvement (1441). ◇ En français contemporain, le mot est usuel dans le nord de la France où il désigne en général une tour urbaine; dans le reste du pays, il ne s'applique à ce monument qu'en parlant de la Picardie et des Flandres.

BÉGONIA n. m., d'abord *begonia* (av. 1706), est un mot créé par le botaniste Plumier (1646-1706) en l'honneur de *Bégon,* intendant général de Saint-Domingue (Haïti) au XVIIe s., avec le suffixe scientifique *-ia.*

♦ Le mot, qui désigne une plante ornementale et sa fleur, a donné au XXe s. les locutions familières ***charrier (cherrer) dans les bégonias*** «exagérer» et ***tomber dans les bégonias*** «s'évanouir», sans que le choix du nom de cette plante soit expliqué.

▸ **BÉGONIACÉES** n. f. pl., dérivé au XVIIIe s., est un terme de classification en botanique.

BÈGUE adj. et n., d'abord *beggue, becgue* (1225) puis *bègue* (XIIIe s.), est le déverbal de l'ancien français *béguer* «bégayer» (attesté seulement au XIVe s.), emprunté au néerlandais *beggen* «bavarder» (→ béguine). Ce verbe s'est répandu au détriment de l'ancien français *bauber,* de *baube* «bègue» représentant le latin *balbus* (→ balbutier); puis il a été concurrencé et évincé par *bégayer* entre le XVIe s. et le XVIIe siècle. *Béguer* vit encore dans les parlers septentrionaux et, en français, dans ses dérivés *bègue* et *bégueter* (ci-dessous).

♦ *Bègue,* qui a lui-même éliminé l'ancien français *baube* (1256), qualifie, en particulier comme surnom, la personne qui bégaie. Au figuré, il se dit de celui qui a des difficultés à s'exprimer.

▸ **BÉGUETER** v. intr., fréquentatif de *béguer* (av. 1305) signifiant d'abord «bégayer» jusqu'au XVIe s., a pris le sens de «bêler» en parlant de la chèvre, attesté isolément au XVIe s. (1556) et repris au XIXe s. (1845). ➜ Le verbe reste rare, comme son dérivé **BÉGUÈTEMENT** n. m. (1866) ou **BÉGUETTEMENT.**
Sur *bègue* a été formé un nouveau verbe, **BÉGAYER,** d'abord *besgoier* (1416) puis *bégayer* (av. 1465), la finale *-oyer* (du latin *-izare,* grec *-izein,* devenue *-idiare* en latin populaire) devenant *-ayer.* ◇ Il signifie «parler avec un défaut de prononciation qui conduit à achopper sur une consonne et à répéter plusieurs fois la syllabe correspondante», d'abord avec une valeur assez vague équivalent souvent à *balbutier.* ◇ Il s'est dit d'un cheval qui secoue la bride en branlant la tête (XVIe s.), en termes de manège. ◇ Depuis le XVIIe s., il s'emploie au figuré pour «être maladroit dans la démarche d'un raisonnement» et aussi «répéter, se répéter». ➜ *Bégayer* a produit les dérivés **BÉGAIEMENT** n. m., d'abord *beguayement* (1538) et *bégayement* (XVIIIe s.), et **BÉGAYANT, ANTE,** participe présent adjectivé (XVe s.) qui s'emploie aussi au figuré. ➜ Ultérieurement, ont été formés **BÉGAYEUR, EUSE** n. et adj. (déb. XIXe s.) et un autre substantif d'action, **BÉGAYAGE** n. m. (XXe s.), spécialisé en psychologie.

BÉGUEULE → GUEULE

BÉGUINE n. f. (XIIIe s.) est d'origine controversée. L'hypothèse la plus fondée est celle d'une formation à partir de *begart* (av. 1236) «membre d'une communauté religieuse qui ne prononçait pas de vœux», emprunt au moyen néerlandais *beg(g)aert, bagaert;* ce mot, d'origine incertaine, est peut-être dérivé avec le suffixe *-art* du moyen néerlandais °*beggen,* «réciter, psalmodier des prières» (→ bègue), restitué par le flamand *beggelen* «bavarder à haute voix» : à l'appui de cette hypothèse, on évoque la formation du mot *Lollards* désignant des pénitents du XIVe s. en Allemagne et aux Pays-Bas et qui est issu du néerlandais *lollen* (allemand *lullen*) «chantonner, marmonner». ◇ Pour *béguine,* l'hypothèse d'une formation à partir du surnom de Lambert dit le *Bègue,* prêtre mort en 1177 et considéré comme le père du béguinage à Liège, se heurte à des difficultés historiques : en effet, ce surnom de *li Beges* est attesté postérieurement (v. 1259) et a pu être formé d'après *béguine;* en outre, un tel surnom pour un prédicateur réputé suppose une intention critique ou une allusion à un défaut corrigé, que rien ne corrobore. ◇ L'hypothèse d'une formation de *béguine* à partir de *Albigenses* «Albigeois», reposant sur le fait que les Albigeois sont en plusieurs textes appelés *béguins,* est difficile à accepter du point de vue phonétique.

♦ Le mot, d'abord dans *fausse beguine* «fausse dévote», sens qui n'est plus attesté avant Richelet (1680), désigne depuis le XIIIe s. (le mot est chez Rutebeuf) une religieuse vivant en communauté selon la règle monastique mais sans avoir prononcé ses vœux. Il désigne surtout une réalité répandue en Belgique et aux Pays-Bas, puis en France, en Allemagne et en Espagne (1250-1300).

▸ Le dérivé **BÉGUINAGE** n. m. est apparu (v. 1220) avec le sens péjoratif de «dévotion minutieuse et affectée» disparu après le XIIIe s. et repris depuis 1835. ◇ Il s'est répandu au sens local, lui aussi ancien, de «couvent de béguines» (1277), se disant par métonymie de l'ensemble d'une communauté de béguines. ➜ ① **BÉGUIN** n. m., masculin de *béguine*, désigne un adhérent masculin au mouvement des béguines, d'abord par jeu de mots et avec une nuance péjorative (av. 1236). Il a eu également le sens de «faux dévot» (d'abord en ancien provençal en 1263). ➜ Il est distinct de ② **BÉGUIN** n. m., nom donné à une coiffe que portaient les béguines (1387), étendu par analogie à une coiffe de femme et à un bonnet de très petit enfant. ➜ De ce nom est dérivé **EMBÉGUINER** v. tr. (av. 1544) «coiffer (qqn) d'un béguin», sens disparu au profit du figuré, «entêter sottement» (1593) qui a lui aussi vieilli. ➜ Ce dernier sens explique le mot argotique puis familier de ③ **BÉGUIN** n. m. (av. 1778, Rousseau) surtout employé dans ***avoir un (le) béguin pour qqn*** «être amoureux de», qui correspond à une métaphore usuelle; cf. *être coiffé de, se toquer de.* ◇ À son tour, *béguin* a donné **BÉGUINEUSE** n. f. (1935), appliqué en argot à une prostituée capable de s'amouracher.

◈ voir BÈGUE.

BÉGUM n. f., d'abord *begun* (1653) puis *begum* (1670), est emprunté à l'anglais *begun, begum* (1634) «princesse», plus particulièrement «femme de souverain en Hindoustan», lui-même pris à l'ourdou (d'origine persane) *begam.* Ce dernier est l'adaptation du turc oriental *bigim,* «princesse», féminin de *big, bik* «prince, souverain», dont la forme osmanlie (occidentale, c'est-à-dire propre à l'actuelle Turquie) a été empruntée par le mot *bey**.

♦ Le mot, nom et titre de princesse en Hindoustan, a été diffusé par le titre du roman de Jules Verne *Les Cinq Cents Millions de la Bégum* (1879), mais reste rare.

◈ **BEIGE** adj. et n., d'abord *bege* (v. 1220) et *baige* (1348), est d'origine obscure. L'hypothèse d'un emprunt à l'italien *bambagia* «coton» (→ basin, par *bombasin*) suppose la perte de l'initiale *bam-* ce qui n'est pas invraisemblable dans la mesure où beaucoup d'adjectifs de couleur sont des monosyllabes *(blanc, noir, bleu, gris, vert, rouge, jaune),* parfois à la suite d'une réduction : ainsi l'italien *bigio,* «gris beige», est issu du latin *bombyceus.* ◇ L'hypothèse selon laquelle *beige* serait issu du latin *baeticus* «de la Bétique, province du sud de l'Espagne» est recevable sémantiquement, mais fait difficulté du point de vue phonétique; de plus elle paraît difficilement conciliable avec l'aire géographique du mot, surtout attesté en Bourgogne et en Franche-Comté. ◇ P. Guiraud, en s'appuyant sur l'idée de «métissage» réalisée par *beige* dans les dialectes (*bege,* «brun roux» Poitou; «fauve», Centre; *boge,* «étoffe de fil et de laine», Vosges), pose un dérivé de *bijugus* «doublé», dérivé de *bigus* «double».

♦ Le mot qualifie et désigne *(un, le beige)* ce qui est de la couleur de la laine naturelle, gris jaunâtre. ◇ Il a été substantivé au féminin *(une beige)* pour désigner une étoffe de couleur naturelle d'abord au XIVe s. et à nouveau au XVIIIe s. (1762).

▸ De *beige* est dérivé **BEIGEASSE** adj. (v. 1950) et la variante **BEIGEÂTRE** adj. avec un autre suffixe diminutif «d'un beige terne».

BEIGNE n. f., d'abord *bigne* (fin XVe s.) et **buigne* noté *buyne* (1378), mais antérieur si *beignet* en est dérivé, est d'origine incertaine, probablement préromane; il remonterait à une base *°bu(n)nia* «souche d'arbre», dérivé collectif d'un celtique *°buno* qui se déduit du cymrique *bon* et du gaélique *bun.* Le provençal *bougno* «souche», l'italien septentrional *bugna* «bosse» et le catalan *bony,* de même sens, se rattachent aussi à *°bun(n)ia.* ◇ L'hypothèse d'un francique *°bungjan,* qui a été proposée, ne rendrait pas compte de l'extension géographique du terme en français. Si les formes en *-et* sont dérivées, une variante *bigne* doit être ancienne (XIVe s.) et *buigne* encore plus. ◈

♦ Attesté au début du XVIIe s. sous la forme *beigne,* le mot a commencé par désigner une bosse à la tête, sens considéré comme vieux au XVIIIe s. (1771). En 1807, un dictionnaire d'expressions vicieuses relève la forme dialectale *beugne* en Lorraine avec le sens de «bosse» et, par métonymie, «coup provoquant cette enflure». Ce sens, également attesté dans le parler vendômois et dans l'argot parisien où *beigne* signifie «coup, gifle», s'est répandu au XXe siècle.

▸ Malgré l'attestation plus tardive de *beigne,* il semblerait que **BEIGNET** n. m. en soit dérivé (*buignet,* XIIIe s.; *bignet,* 1314) par analogie de forme, le beignet se présentant comme une bosse de pâte frite. Cette hypothèse est corroborée par l'existence des termes simples du franco-provençal, le lyonnais *bugni,* **BUGNE** n. f., passé en français pour une spécialité culinaire de Lyon, le suisse romand *beigne* (1720), *beugne* (1757). La forme *buignet* a disparu à la fin du XVIe s., et *bigner* est attesté jusqu'au XVIIIe s., supplanté comme *bignet* par *beignet* (1605). ◇ Le sens est celui de «pâte frite enveloppant une substance alimentaire». ◇ Le sens de «coup» correspondant à *beigne,* attesté en 1640 et qui semble repris au XXe s., s'est alors développé d'après *beigne.* Si *beigne* est resté usuel pour «coup» dans la langue familière, *beignet* est plus occasionnel et stylistique.

BÉJAUNE → BEC

BÉLEMNITE n. f., attesté depuis 1751 *(Encyclopédie)* et non pas (selon *T. L. F.*) depuis 1562, est composé savamment avec le suffixe *-ite* sur le radical du grec *belemnon* «trait, javeline», en raison de la forme acérée de l'extrémité de cette pierre. *Belemnon* (qui désigne aussi la hache et se dit de la grêle) est dérivé de *belos,* «arme de jet, trait», lui-même de *ballein* «lancer» qui, par le latin, a donné *bal.*

♦ Ce terme de paléontologie désigne le fossile d'un mollusque ayant la forme d'un fer de lance et que l'on trouve dans les terrains du secondaire ; on l'appelle aussi *pierre de foudre, pierre de tonnerre.*

▶ En dérivent **BÉLEMNITIQUE** adj. «qui a trait aux bélemnites» et **BÉLEMNITOLOGIE** n. f. «étude des bélemnites», tous deux attestés en 1838.

BÊLER v. intr., d'abord écrit *beler* (v. 1155), puis *beeler* (XIIIe s.), est issu du bas latin *belare,* variante du latin *balare* (d'où l'ancien français *baler,* fin XIIIe s.) : «pousser son cri», en parlant d'un ovin, et au figuré «dire des absurdités». Le mot latin est une formation expressive dans laquelle on retrouve les consonnes *b-l* du grec *blêkhaomai,* du vieux slave *blějati,* de l'ancien haut allemand *blazan* (moyen haut allemand *blecken*) et du latin *blaterare* (→ blatérer) ; le *-l-* est fréquent dans des verbes qui indiquent un bruit. Le type *beeler,* d'où *bêler,* est une altération onomatopéique ; l'ancien infinitif *beller* (1174-1200) a été refait d'après l'indicatif tiré de la troisième personne du présent latin *balat.*

♦ Le verbe s'applique au mouton, à la brebis, à l'agneau et, par extension, à la chèvre qui crient. ◇ Dès le XIIIe s., il est employé familièrement au sens figuré de «se plaindre sur un ton niais», également en emploi transitif, sur le modèle de *dire.*

▶ **BÊLEMENT** n. m. (1539) a les mêmes valeurs.

BELETTE n. f. est dérivé (1267-1268) de *bel* (→ beau), avec le suffixe *-ette,* et signifie littéralement «belle petite (bête)» par une antiphrase propitiatoire pour détourner les méfaits de ce petit mammifère carnassier. Le même type de dénomination superstitieuse se retrouve dans le danois *den kjoenne* «la belle», le vieil anglais *fairy* «jolie», l'espagnol *comadreja,* le basque *andereder* «belle dame», le bavarois *Schöntierlein,* l'italien de Lucques *bellola,* de °*bellula* qui remonte à l'époque latine et dérive de *bellus* «beau». ◇ *Belette* a supplanté l'ancien français *mostoile, mustele* (v. 1119), du latin *mustela,* qui vit encore dans le nom de poisson *mustelle* et le terme de classification zoologique *mustélidés**, ainsi que dans les dialectes de l'Est, du Nord-Est et de nombreux patois méridionaux.

♦ Le mot désigne un petit mammifère carnassier.

BELGE adj. et n. est dérivé (1528) du latin *Belga, Belgae,* peuple celtique dont parle Jules César. *Belga* «Belge» viendrait hypothétiquement du gaulois °*volca* «rapide, actif» ou d'une racine indoeuropéenne °*bhel-,* °*bhelgh-* «enfler, gonfler», par allusion au caractère batailleur des anciens *Belgae* («enflés de colère»).

♦ Le mot est un substantif ethnique désignant les membres des tribus celtiques vivant à l'époque gallo-romaine dans une région située entre la Seine et le Rhin, divisée en Belgique première et Belgique seconde, puis les descendants de ce peuple. ◇ Le mot, également adjectivé (1823), a suivi l'histoire de la Belgique jusqu'à sa constitution en État indépendant (1830), supplantant alors officiellement l'ancien adjectif **BELGIQUE** (1583, *belgic*), emprunt savant au latin de la Renaissance *belgicus,* appliqué aux Pays-Bas du Sud, et continuation du latin classique *belgicus.*

▶ **BELGICISME** n. m. est dérivé (1811) de *Belgique* en correspondance avec des termes de linguistique comme *anglicisme, gallicisme.* Il désigne un mot ou un tour que prend le français commun parlé en Belgique (Wallonie). Il est quelquefois concurrencé par la forme **BELGISME** (1907), beaucoup plus rare. ◆ **BELGITUDE** n. f. (1984) reflète la conscience de l'identité belge.

BÉLIER n. m. est issu avec changement de suffixe (1412) de l'ancien français *belin* (v. 1178), employé également comme nom propre du mouton, déjà en latin médiéval sous la forme *belinus. Belin* est aussi un patronyme courant. On a supposé que le mot était emprunté, avec adaptation de la terminaison, au néerlandais *belhamel* «mouton conducteur du troupeau», littéralement «mouton à sonnaille», de *bel* «cloche» (correspondant à l'anglais *bell*) et *hamel* «mouton», mais *belhamel* est attesté très tard (1599), le répondant anglais de formation analogue, *belwether,* l'étant cependant en 1284. ◇ On peut plutôt penser à un emprunt avec suffixation en *-in* au moyen néerlandais *belle* «cloche» avec un développement de sens métonymique, de la cloche à l'animal, localisé en Picardie, milieu où est né le *Roman de Renart* et où la civilisation néerlandaise était dans un contact étroit avec celle de la France. Cependant le moyen néerlandais n'a pas été emprunté par le français au sens de «cloche». La même objection peut être formulée à l'encontre de l'hypothèse d'une dérivation sur le moyen néerlandais *bel,* pris au sens de «testicules», à rapprocher du néerlandais *bal* «balle, boule» dont les correspondants en diverses langues (notamment l'anglais *ball*) ont connu le même sens dérivé. ◇ L'hypothèse d'une dérivation de l'ancien français *beler* (→ bêler) offre moins de vraisemblance encore. ◇ Quoi qu'il en soit, *bélier,* s'est imposé, *belin* restant vivant dans les dialectes à l'Est et à l'Ouest ; le latin *aries,* qui avait abouti à l'ancien français *aroy,* se maintient dans des dialectes occitans (ancien provençal *aret*) ; par ailleurs, un autre type est d'origine gauloise, représenté par l'italien *montone* et le français *mouton**, qui a pris un autre sens.

♦ Le mot, d'abord attesté comme nom de personne, désigne en tant que nom commun le mâle de la brebis. ◇ Par une figure habituelle aux noms d'animaux domestiques (cf. *poutre*), il désigne une poutre de bois, d'ailleurs armée à son extrémité d'une tête de bélier en airain, et employée pour renverser les murailles des places assiégées (1531) ; de ce sens appliqué à l'Antiquité et au moyen âge provient un emploi métaphorique pour tout élément de force capable de renverser une situation, un obstacle matériel ou, par extension, moral (av. 1821, J. de Maistre) ; cet emploi a disparu. Par analogie d'utilisation avec la machine de guerre, *bélier* désigne une pièce servant à enfoncer les pieux (1660) et *bélier hydraulique* (1797-1798), une machine servant à élever l'eau, inventée par les frères Montgolfier et Argant. ◇ Par allusion aux cornes, emblème de l'époux bafoué, le mot s'est employé pour «mari trompé» (1587), sens disparu. ◇ *Le Bélier* désigne aussi une constellation zodiacale figurée par un bélier (1680) et le signe du zodiaque qui y correspond; d'où *être bélier* «né sous ce signe».

▸ L'ancien français *belin* survit dans le dérivé **BÉLINER** v. intr., attesté en 1534 (Rabelais) au sens figuré de «s'accoupler» pour des humains; le sens propre de «s'accoupler», pour le bélier et la brebis, n'est vivant que dans les dialectes. ➔ Le dérivé **BÉLINAGE** n. m., lui aussi chez Rabelais (1546, *belinaige*) avec un sens figuré, existe dans les dialectes.

◈ voir BÉLIÈRE.

BÉLIÈRE n. f., d'abord attesté sous la forme picarde *berliere* (1402) puis *bellière* (1415), est d'origine incertaine. Il semble, au vu de l'attestation d'une forme *belleria* (1282) recueillie par Du Cange, avoir d'abord été formé en latin médiéval ecclésiastique, puis passé en français. *Belleria* ne semble pas dérivé d'un type °*belle* «cloche», emprunté au moyen néerlandais (→ bélier), mais directement repris au moyen néerlandais *belle* avec le suffixe *-aria*. Le recours à l'étymon francique correspondant °*bella* ne paraît pas opportun, étant donné l'apparition relativement tardive du français. Le *-r-* de la forme *berliere* reste inexpliqué.

♦ Le mot, écrit *bélière* à l'époque classique (1701), désigne l'anneau auquel est suspendu le battant de la cloche et, par extension, l'anneau de suspension d'un objet d'église, d'une montre, d'une boucle d'oreille (1409-1410). ◇ Le sens technique de «sonnette du bélier qui conduit le troupeau» (1845) s'est fait par assimilation au féminin de *bélier*.

BÉLINOGRAPHE n. m., attesté depuis 1952 mais antérieur, peut-être dès 1907, est dérivé, à l'aide de l'élément *-graphe**, du nom de Édouard

BELGIQUE (LE FRANÇAIS DE)

La langue française en Belgique.

En Belgique francophone, c'est-à-dire picarde et wallonne, l'histoire de la langue est la même que celle de la France du Nord, malgré les spécificités historiques. Dominée par la France de 1214 (Bouvines) à 1477, date où elle passe aux Habsbourg, alliés par mariage à l'Espagne, la région sera occupée par les armées révolutionnaires françaises, intégrée à l'Empire napoléonien, puis reviendra à la Hollande (1815) avant d'acquérir son indépendance en 1839. Cette Belgique est divisée d'Ouest en Est par l'ancienne frontière romano-germanique, le pays du Nord parlant flamand, langue germanique héritée du bas francique ancien (le «francique» de ce dictionnaire) et variante du néerlandais. Le Sud emploie le français et des dialectes d'oïl, dont le principal est le wallon.

À partir du XIVe s., le français l'emporte en Belgique comme langue de culture; ainsi l'élite flamande est très francisée au XVIIIe s., à l'image des Néerlandais et des Allemands eux-mêmes. Encore au XIXe s., ce sont souvent des Flamands qui font la littérature belge en français : Verhaeren, Maeterlinck. Mais, après 1850, comme dans de nombreux pays d'Europe pour d'autres langues germaniques et slaves, une renaissance du flamand modifie les données : le pays flamand abandonne le français dans la plupart des domaines où il s'exerçait (droit, enseignement supérieur) et, en 1932, une loi divise la Belgique en trois zones linguistiques. Ces trois langues officielles sont le néerlandais, le français et l'allemand (à l'extrême est du pays). Bien que situé en zone flamande, Bruxelles est officiellement et effectivement bilingue. La proportion de francophones diminue, semble-t-il, lentement (de 46 % en 1900 à 43 % en 1963). Malgré de vives tensions entre les deux communautés, l'enseignement du français reste très actif chez les néerlandophones, alors que les francophones apprennent peu et mal le néerlandais : cette situation a été observée notamment à Bruxelles.

Le français de Belgique va d'un usage spontané oral régionalisé (wallonismes) — avec des influences flamandes parfois dénoncées vivement et qui sont surtout actives en zone de contact (Bruxelles) —, à un usage maîtrisé, écrit et oral, remarquablement proche de la norme «centrale». Ainsi, certaines tendances, comme l'influence des américanismes sur le lexique, sont communes au français de France et de Belgique. La vitalité du français de Belgique dans tous les domaines d'expression, notamment littéraire, est grande. Ses problèmes propres relèvent de l'équilibre de deux communautés culturelles à l'intérieur d'une nation : ils sont à l'évidence politiques, et non linguistiques.

A. Rey

BIBLIOGRAPHIE

H. BAETENS-BEARDSMORE, *Le Français régional de Bruxelles*, Bruxelles, Presses Universitaires, 1971.

M. DENECHERE, *Histoire de la langue française dans les Flandres*, Université de Gand, 1954.

J. PICOCHE, C. MARCHELLO-NIZIA, *Histoire de la langue française*, chap. II, Paris, Bordas, 1989.

M. PIRON, «Le français en Belgique», in *Le Français hors de France* (A. Valdman), Paris, Champion, 1979.

J. POHL, *Les Variétés régionales du français : Études belges*, Éd. de l'Université de Bruxelles, 1979.

A. VERDOODT, *Le Problème des groupes linguistiques en Belgique*, Leuven, Peeters, 1973.

Belin (1876-1963), inventeur d'un procédé permettant de transmettre par voie télégraphique des textes, photographies et dessins.

♦ Le mot désigne l'appareil inventé par l'ingénieur Belin ; il est également abrégé familièrement en **BÉLINO** n. m. (1953).

▶ En est dérivé **BÉLINOGRAPHIQUE** adj. (1929). ➛ **BÉLINOGRAMME** n. m. (1928), formé sur *Belin* avec l'élément *-gramme**, désigne le cliché, le dessin transmis par le bélinographe.

BÉLÎTRE n. m., attesté au XVe s., et une première fois sous la forme *belleudre* (1408), est emprunté avec métathèse des consonnes au moyen néerlandais *bedelare* ou au moyen bas allemand *bedeler* «mendiant, gueux», substantif correspondant au substantif allemand *Bettler.* Le type actuel en *-ître, belistre* (1460), *bélitre* (v. 1450), *bellitre* (1493), *blitre* (1506), est mal éclairci : le moyen haut allemand *betelaere* «mendiant», du groupe de l'allemand *Bettler,* ne rend pas compte de la finale française. ◇ L'étymon grec proposé *blituri* «son dépourvu de sens», d'origine onomatopéique, par l'intermédiaire du latin médiéval *blityri, blictri* (de Boèce à Albert le Grand) supposerait un emprunt en milieu d'école, ce qui n'est pas reflété par les premières attestations françaises ; en outre, il obligerait à dissocier complètement *belleudre.* ◇ P. Guiraud fait de *bélître* une forme de *balestre, balistre* «arbalète» et «arbalétrier» (du latin *ballista,* → baliste) ; le *bélître* serait un arbalétrier démobilisé, réduit à la mendicité. Ce développement est hypothétique, mais il a un écho dans l'argotique *arquin* «archer réduit à mendier».

♦ Le mot a désigné un mendiant, un gueux. Très péjoratif au XVIIe s. («gros gueux qui mandie par faineantise, & qui pourroit bien gagner sa vie», Furetière), il s'employait au figuré comme terme d'injure, souvent associé à *faquin.* De même que ce dernier, il évoque encore le XVIIe siècle.

BELLADONE n. f. est la francisation de *belladonna* (1602), emprunt à l'italien *belladonna,* attesté en botanique chez Mattioli (1500-1577) et peut-être de même origine que le latin médiéval *bladonna* (VIIIe-XIe s.), adapté en moyen français sous la forme *bladone* (XVe s.). *Belladonna* serait peut-être l'adaptation d'un mot gaulois venant des dialectes alpins qui maintiennent le groupe *-bl-,* et passé dans les dialectes du Nord qui l'évitent et ont créé la forme °*beladona ;* celle-ci a été adaptée en *belladonna* «belle dame» (de *bella,* féminin de *bello,* correspondant à *beau**, et *donna,* correspondant à *dame**) peut-être en raison du fard que les Italiens en tiraient.

♦ Le mot désigne une espèce de plante de la famille des solanées, aussi appelée *belle dame,* dont toutes les parties contiennent un poison violent. Par métonymie, il désigne le suc extrait des feuilles de cette plante et le poison qu'il contient.

▶ En sont dérivés **BELLADONÉ, ÉE** adj. (1872) et **BELLADONINE** n. f. (XXe s.), terme de chimie désignant l'alcaloïde contenu dans la belladone.

BELLIQUEUX, EUSE adj. est emprunté au XVe s. (av. 1475) au latin *bellicosus* «guerrier, vaillant», de *bellicus* «de guerre», «valeureux», lequel est dérivé de *bellum,* «guerre», dont la forme archaïque, *duellum,* a donné *duel**.

♦ Le mot qualifie une personne qui aime la guerre, une chose qui excite à la guerre (1475) et, par extension, un rapport agressif entre humains.

▶ Le dérivé **BELLIQUEUSEMENT** adv. (1611) ne s'est répandu qu'au XIXe siècle.
Le latin *bellum* et son dérivé *bellicus* ont fourni deux séries de mots. ➛ **BELLIGÉRANT, ANTE** adj. et n. est emprunté (1744, Ordonnance royale) au latin *belligerans,* participe présent de *belligerare* «faire la guerre», de *bellum* «guerre» et *gerare* «porter» (→ gérer). ◇ Le mot qualifie et désigne un État qui prend part à une guerre. Par extension, il qualifie en droit des personnes prenant part aux opérations de guerre dans l'armée régulière. Il passe dans l'usage à propos de personnes et, par métonymie, de choses abstraites, en plein conflit. ➛ **COBELLIGÉRANT** n. m. (1794, *co-*) désigne, en général au pluriel, les États qui se combattent. ➛ **BELLIGÉRANCE** n. f., mot proposé en 1845 par Richard de Radonvilliers, est entré dans l'usage en 1874. ◇ **NON-BELLIGÉRANCE** n. f. (1939-1940) et **NON-BELLIGÉRANT, ANTE** n. et adj. (v. 1939) sont apparus pendant la Seconde Guerre mondiale.
BELLICISME n. m. est dérivé savamment (1871) du radical du latin *bellicus* «qui aime la guerre», sur le modèle de *belliqueux,* avec le suffixe *-isme* (cf. *catholique-catholicisme*). Il a donné un antonyme à *pacifisme,* un peu antérieur. ◇ Le mot, appliqué d'abord à Bismarck, a été repris pour caractériser l'attitude et la doctrine des partisans de la Première Guerre mondiale (1915). ➛ **BELLICISTE** adj. et n., formé de manière analogue (1871) sur le radical de *bellicus,* a lui aussi qualifié Bismarck avant de se dire en général d'un partisan de la guerre (1908). ➛ **ANTI-BELLICISTE** adj. et n. (1936) est rare.

BELLUAIRE n. m. est un dérivé savant (1845), avec le suffixe *-aire* (latin *-arius*), du latin *bellua* «bête», mot d'origine expressive qui met souvent l'accent sur les qualités de grandeur, de férocité ou d'inintelligence, et qui est plus noble que *bestia* (→ bête).

♦ Bescherelle, qui est le premier à enregistrer le mot, le donne, sans doute inexactement, comme adjectif avec le sens de «cruel, féroce». Hugo l'emploie avec son sens propre de «gladiateur qui combattait les bêtes fauves ou entretenait les animaux du cirque» *(Les Châtiments)* et également par métaphore (1853, «*Tacite à lui seul, ce grand belluaire*»). ◇ Le mot, d'usage littéraire, est quelquefois employé à propos d'un dompteur dans un cirque ; Flaubert l'a confondu avec ① *bestiaire* (terme dont il est partiellement synonyme) au sens de «recueil de textes allégoriques sur les animaux» (1872).

BELON n. m. est l'emploi comme nom commun (1953) de *Belon* ou *Bélon,* nom d'un petit fleuve côtier de Bretagne où se trouvent des parcs à huîtres.

♦ Le mot désigne une variété d'huître plate (l'huître* véritable) et ronde, d'abord élevée dans les parcs à huîtres du Belon.

BÉLON n. m., d'abord écrit *bellon* (1551), est un terme d'origine dialectale. Il est issu de l'ancien français *beslong, belong* «de forme allongée», conservé en français moderne sous une autre variante (→ barlong, berlong).

♦ Le mot désigne un grand cuvier à pressoir où l'on met à macérer les pommes en vue de faire le cidre. Il est mentionné dans les dictionnaires de Trévoux en 1771 et de Bescherelle en 1845, ce qui montre qu'il avait dépassé l'usage dialectal (Normandie). ◇ Le dialecte champenois l'emploie aussi pour la cuve à vendange (appelée ailleurs *banne* ou *benne*) et le dialecte lorrain l'emploie à propos du chariot de vendange (1875, dans la Meuse).

◈ **BELOTE** n. f., attesté en 1926 chez Giraudoux (mais évidemment antérieur), est d'origine obscure, peut-être du nom propre de F. *Belot,* qui aurait mis au point ce jeu ou l'aurait perfectionné. P. Guiraud, pour qui ce Belot n'est qu'un «fantôme étymologique», rattache le mot à *belle**, pris au sens de «carte gagnante» dans quelques jeux de cartes et dans certaines régions (*bello* en provençal; *bèle* «atout», en Moselle; *belle* «as d'atout», en wallon; *in* Wartburg). En effet dans ce jeu, une carte mineure, le valet, bat toutes les autres dans la couleur tournée et gagne la belle. Il s'agirait alors d'une variante de *bellot* au féminin.

♦ Le nom de ce jeu de cartes entre dans l'expression *belote et rebelote,* nom d'une figure (roi et dame d'atout) annoncée par ces mots, dissociés lorsqu'on abat le roi *(belote)* puis la dame **REBELOTE,** formé avec le préfixe *re-*. De là, l'emploi figuré de *rebelote!* dans la langue familière au sens de «on remet ça!». *Belote, rebelote* est souvent complété par *dix de der* (dix points de dernière levée).

▸ De *belote* sont dérivés **BELOTER** v. intr. (1932, Céline) et **BELOTEUR, EUSE** n. (av. 1938, Giraudoux).

BELVÉDÈRE n. m. est un emprunt (1512) à l'italien *belvedere* attesté depuis le XVIe s., composé de l'adjectif *bel* correspondant au français *beau** et de *vedere* (→ voir).

♦ Le mot, qui signifie «belle vue», désigne un pavillon construit dans un lieu d'où la vue est agréable ou étendue. Par extension, il se dit d'un lieu d'où la vue est étendue, d'où l'on domine. ◆ Sa spécialisation régionale pour une plante de la famille des rosacées (1536), également reprise de l'italien *belvedere* (av. 1540), réalise la valeur différente de «beau à voir» comme l'indique une autre dénomination, *belle-à-voir.*

BÉMOL n. m., d'abord *bemoulz* (XIVe s.) puis *bémol* (1466), est l'adaptation du latin médiéval *b molle,* de *mollis* (→ mou), attesté dans le domaine italien (v. 1030) et employé en alternance avec *b rotundum* «b rond», par opposition à *b quadratum* (→ bécarre).

♦ Ce terme de musique désigne le signe d'altération en forme de b placé devant une note pour l'abaisser d'un demi-ton. La locution figurée ***mettre un bémol*** «radoucir son ton, ses manières» procède partiellement de l'identification de la finale au sens de «mou»; mais ***il y a un bémol*** «une difficulté» reprend l'idée d'«altération» contenu dans le terme musical.

▸ Le dénominatif **BÉMOLISER** v. tr. (1752), «marquer d'un ou plusieurs bémols», a développé des emplois métaphoriques avec le sens d'«adoucir»; il est archaïque au figuré.

BÉNÉDICITÉ n. m., d'abord écrit *benedicite* (XIIIe s.), est l'emprunt, avec changement de classe grammaticale, du latin *benedicite,* deuxième personne du pluriel de l'impératif du verbe *benedicere* (→ bénir), littéralement «veuillez bénir», formule qui commence une prière récitée avant le repas pour remercier Dieu des aliments qu'il donne.

♦ Il donne son nom à une courte prière catholique récitée avant le repas.

◈ voir BÉNÉDICTIN, BÉNÉDICTION, BENÊT (et BENOÎT), BÉNIR.

BÉNÉDICTIN, INE n. et adj., attesté depuis le XIIIe s. (Bloch et Wartburg) ou seulement en 1566, est dérivé en *-in* du latin *Benedictus,* nom latin de saint Benoît de Nursie qui fonda cet ordre monastique au Mont-Cassin vers 529.

♦ Le mot désigne un religieux de l'ordre de Saint-Benoît. Cet ordre connut son plus grand rayonnement vers la fin du XIIe s. et son influence s'est étendue aux domaines religieux, culturel, artistique, politique et social. Par allusion aux travaux d'érudition des bénédictins de la congrégation de Saint-Maur aux XVIIe et XVIIIe s., il est employé au figuré avec le sens d'«érudit qui se consacre à des travaux de longue haleine», en particulier dans la locution ***travail de bénédictin.***

▸ Le féminin **BÉNÉDICTINE** (1680) a servi à désigner une édition savante (1748) par abréviation de *édition bénédictine.* ◆ Le mot désigne aujourd'hui une liqueur primitivement fabriquée par les bénédictins de l'abbaye de Fécamp (1878); cf. *chartreuse.*

◈ voir BÉNÉDICITÉ, BÉNÉDICTION, BENÊT (et BENOÎT), BÉNIR.

BÉNÉDICTION n. f. est emprunté (déb. XIVe s.) au latin chrétien *benedictio, -onis* qui, avant le XIe s., désigne une grâce accordée par Dieu et, par extension, un bien, un avantage que l'on estime dû à la faveur du ciel (Xe s.), des vœux de bonheur (formulés en remerciement), un souhait solennel de bonheur auquel on accorde un caractère sacré, enfin la cérémonie liturgique faite pour rendre une chose sacrée et vénérable. Il est dérivé du radical de *benedictum,* supin de *benedicere* (→ bénir). *Bénédiction,* forme savante, a remplacé l'ancien français *beneïçun,* forme populaire attestée entre 1080 et le XVIe siècle.

♦ En français, où il est rare avant le XVIe s., *bénédiction* désigne une grâce accordée par Dieu; par extension, il se dit de tout événement heureux qui semble dû à la faveur du ciel (1680). En liturgie, il désigne l'action du prêtre qui bénit ses fidèles (1690, Furetière). ◇ Dans un contexte laïque, il s'applique à des vœux de bonheur et de prospérité (XVIe s.), particulièrement à un souhait solennel de bonheur (1606).

◈ voir **BÉNÉDICITÉ, BÉNÉDICTIN, BENÊT** (et **BENOÎT**), **BÉNIR**.

BÉNÉFICE n. m. est emprunté (1198) au latin *beneficium,* issu de la locution verbale *bene facere,* soudée plus tard, de *bene* (→ bien) et *facere* (→ faire) «faire du bien, rendre service». *Beneficium,* en latin classique, désigne un service, une faveur et spécialement une distinction officielle. Au moyen âge, c'est un terme important du vocabulaire de la féodalité; dès le latin médiéval, il désigne une donation en pleine propriété faite comme marque de bienveillance ou en guise de rémunération pour des services rendus (VIIe s.), ainsi que la chose qui a été l'objet d'une donation (v. 721) et en particulier une terre octroyée en tenure (v. 642) selon différents types de modalités et de contrats. Il s'emploie spécialement pour un ensemble de biens-fonds attachés à une église, à une dignité ecclésiastique et, par métonymie, pour cette dignité (IXe-Xe s.).

♦ Cette forme savante correspondant à *bienfait* apparaît en français avec le sens général de «grâce, privilège, avantage», qui ne subsiste que dans quelques emplois. Il s'est spécialisé en droit médiéval, désignant la fonction cléricale à laquelle est attaché un ensemble de biens-fonds (1223), sens usuel jusqu'à la Révolution et repris en français moderne dans l'expression *bénéfice ecclésiastique* pour éviter l'ambiguïté. Le mot désignait aussi une tenure concédée à un vassal en échange d'un service militaire (1300-1350). ◇ À l'époque classique, il se dit de la faveur accordée par la loi ou le souverain (1680), sens réalisé par le syntagme *bénéfice d'inventaire* (1680) dont est tirée la locution figurée ***sous bénéfice d'inventaire*** «sous condition». ◇ Sauf dans de tels emplois figurés, comme ***au bénéfice de*** «au profit de», le mot ne s'applique plus que dans un contexte commercial, qui apparaît avec l'époque classique (1690, Furetière); il correspond à «gain, profit réalisé par une personne ou une collectivité, une entreprise» et s'oppose à *déficit.*

▸ Le mot, dans son acception économique, est familièrement abrégé en **BÉNEF** n. m. (1842) et a donné le composé **SUPERBÉNÉFICE** n. m. (1951).

① **BÉNÉFICIER** adj. et n. m. est emprunté (1272) au latin médiéval *beneficiarus* (cf. ci-dessous *bénéficiaire*), employé pour qualifier et désigner le possesseur d'un bénéfice ecclésiastique (822). ◇ Le mot, repris en droit médiéval, est devenu un terme d'histoire, comme **BÉNÉFICIAL, ALE, AUX** adj., «qui concerne les bénéfices ecclésiastiques» (1369), emprunté au dérivé latin *beneficialis.*

BÉNÉFICIAIRE adj. et n. est emprunté (1609) au latin médiéval *beneficiarius* (qui existait en latin classique avec d'autres sens), terme de droit féodal et ecclésiastique dérivé de *beneficium* d'après ses sens juridiques et signifiant «par concession en bénéfice», «concédé en bénéfice», «appartenant à un bénéfice». L'adjectif apparaît en droit dans *émancipation bénéficiaire* (1609), puis à propos de l'héritier recevant une succession sous bénéfice d'inventaire (1690). ◇ Chez les historiens, l'adjectif a l'acception féodale de «possédé par concession en bénéfice» (av. 1714) et, substantivement, de «possesseur d'un bénéfice» (1748). ◇ Dans l'usage courant, d'après les valeurs de *bénéfice,* le nom désigne la personne qui jouit d'avantages divers (XIXe s.) et, au théâtre, en faveur de qui l'administration abandonne la recette d'un spectacle (1835). ◇ Au sens économique de *bénéfice,* se rattachent un nouvel emploi adjectif et un emploi substantif au sens de «personne à qui est destinée une somme d'argent» (1823). ➜ **BÉNÉFICIAIREMENT** adv. est un terme juridique (1875) limité au sens de «avec le droit de jouir du bénéfice d'inventaire».

② **BÉNÉFICIER** v. est emprunté (XIIIe s.) au latin médiéval *beneficiare* «concéder en guise de bénéfice» (VIIIe s.), spécialement «concéder en usufruit» (VIIIe s.), «munir d'un bénéfice», «investir d'un fief». Ce terme de droit féodal et ecclésiastique est formé sur *beneficium* (→ bénéfice). ➜ Le verbe a été repris en droit médiéval, avec la construction transitive latine, au sens de «pourvoir (qqn) d'un bénéfice». Par extension, il s'est employé couramment au sens d'«accorder un bienfait, une faveur à qqn» (1382). ➜ Ces emplois ont disparu et le verbe moderne vient de *bénéfice,* au sens économique. L'*Encyclopédie* accueille le verbe intransitif au sens de «réaliser un gain en espèces» (1751, à propos de l'exploitation minière); de nos jours, la construction *bénéficier de* s'est généralisée (1867) pour «jouir de, profiter de». Elle est doublée par la construction plus récente *bénéficier à* «profiter à (qqn, qqch.)» (XXe s.) avec changement de point de vue.

◈ voir **BÉNÉFIQUE**.

BÉNÉFIQUE adj. est emprunté (1532) au latin *beneficus* «bienfaisant, obligeant», formé de *bene* (→ bien) et de *-ficere,* forme de *facere* (→ faire).

♦ Le mot, employé par Rabelais avec le sens du latin *beneficus,* a été repris par les astrologues pour qualifier (1690) et désigner *(un bénéfique)* un astre favorable, par opposition à *maléfique,* antérieur dans cet emploi. Le sens aujourd'hui courant de «qui fait du bien» ne s'est répandu qu'au XXe siècle.

◈ voir **BÉNÉFICE**.

BENÊT n. et adj. m. est le doublet logique dialectal (prononciation normande *benest,* v. 1130) de *benoît* (ci-dessous), anciennement *beneeit* (v. 1130), *benëoit* (1172-1175). Celui-ci est issu du latin *benedictus,* forme à *i* bref (à côté d'une forme à *i* long dont est issu *bénit*), du participe passé de *benedicere* (→ bénir).

♦ Par un transfert sémantique connu, dû à l'interprétation courante (erronée) du passage biblique *Beati pauperes spiritu* (Matthieu, V, 3) «les pauvres en esprit sont favorisés par Dieu», *benêt* qualifie et désigne (1611) un jeune homme niais.

▸ Quant à **BENOÎT, OÎTE** adj., par une évolution sémantique différente, il est passé du sens de «béni» à celui de «bienheureux, sur qui est répandue la bénédiction divine» (1172-1175) et «consacré par des cérémonies rituelles» (v. 1190). ◇ Ce dernier sens, devenu ironique (1546), a vieilli au XVIIe s.,

menant à l'idée de «dévot, qui prend un air d'onctuosité hypocrite et niaise» (1838). De nos jours, le mot est un archaïsme littéraire.
Benoît a produit **BENOÎTE** n. f., d'abord *beneoite* (XIIe s.) puis *benoiste* (1545), nom d'une plante nommée en raison de ses vertus thérapeutiques. ◆ **BENOÎTEMENT** adv., d'abord *beneoitement* (XIVe s.) «d'une manière bénie, heureuse», a été repris en 1823 *(benoîtement)* et semble plus usuel que l'adjectif.

BÉNÉVOLE adj. et n., d'abord *benivole, bégnivole* (1282), est emprunté au latin *benevolus* «bienveillant, dévoué», littéralement «qui veut bien», de *bene* (→ bien) et *volo* «je veux» (→ vouloir).

♦ L'histoire du mot est inséparable de celle de ses doublets *bienveillant* (→ vouloir) et *bénévolent* : comme ce dernier, *bénévole* a progressivement été évincé de l'usage courant par *bienveillant*. Dans son édition de 1740, le dictionnaire de l'Académie remarque qu'«il ne se dit plus qu'en badinant et dans ces phrases, *lecteur bénévole, auditeur bénévole*»; elles sont aujourd'hui archaïques. ◇ L'adjectif a été réinterprété en «qui fait preuve de bon vouloir» (1866) et appliqué à une chose faite de manière désintéressée, sans rémunération, d'où *un, une bénévole*. Il est usuel dans ce sens, et a produit le dérivé *bénévolat*.

▶ **BÉNÉVOLAT** n. m. a été créé tardivement (1954) avec le suffixe de mots désignant une profession pour exprimer l'idée de volontariat. Il s'est moins diffusé que *bénévole*, se limitant à l'usage administratif didactique.
BÉNÉVOLENT, ENTE adj. est un emprunt (1389) au composé latin *benevolens*, de *bene* et *volens*, participe présent de *volere* «vouloir». ◇ Archaïque depuis le XVIIe s., l'adjectif, qui signifie «bienveillant» et surtout «qui marque, témoigne de la bienveillance», survit dans un usage très littéraire et par allusion au passé. ◆ **BÉNÉVOLENCE** n. f., emprunté (fin XIIe s.) au dérivé latin *benevolentia* a suivi l'évolution d'usage de *bénévolent*, supplanté par *bienveillance*.

BÉNIN, BÉNIGNE adj. est emprunté, sous l'ancienne forme épicène *benigne* (v. 1175), au latin *benignus* «d'un bon naturel», «bienveillant». Ce mot, qui s'oppose à *malignus* (→ malin), est dérivé de *bene* (→ bien). La forme masculine actuelle *bénin* (1204), refaite à partir de *benigne*, l'emporte au XVe siècle.

♦ Le sens d'emprunt, «bienveillant, enclin à l'indulgence», est devenu ironique au XVIIe s. où le mot prend la nuance de «bonasse». Dès 1690, Furetière signale qu'il ne se dit guère que des influences célestes et des remèdes bénéfiques qui agissent avec douceur (1670). ◇ Ces emplois ont disparu; de la qualification du remède, *bénin* est passé à celle de la maladie qui ne présente pas de caractère alarmant (1835, *fièvre bénigne*) et par extension il se dit d'un phénomène dénué de conséquences sérieuses (1835).

▶ Le dérivé **BÉNIGNEMENT** adv. (v. 1175), rare, a suivi la même évolution, de «bienveillamment» à «sans gravité».
BÉNIGNITÉ n. f., apparu en même temps que *benigne* et *benignement* (v. 1175), est emprunté au dérivé latin *benignitas* «bonté». ◇ Autrefois synonyme de «mansuétude», de «douceur», le mot a reçu au XIXe s. son acception moderne, d'usage didactique, de «caractère inoffensif (d'une maladie)» (attesté 1865).

BÉNI-OUI-OUI → OUI

✳ **BÉNIR** v. tr. est issu (1080) du latin *benedicere*, par amuïssement du *d*, d'abord sous la forme en trois syllabes *bénéir*. Le verbe latin est formé de *bene* (→ bien) et *dicere* (→ dire), proprement «dire du bien». Le verbe latin, construit avec le datif, a pris le sens de «louer»; en latin chrétien, il signifie «louer Dieu, lui rendre gloire»; par inversion des rôles, avec *Dieu* pour sujet, il signifie «répandre ses bienfaits sur qqn»; puis, il se dit d'un ministre de Dieu, d'un chrétien qui invoque l'assistance divine sur son prochain, en particulier au moment d'un départ, avec le sens secondaire de «saluer, dire adieu», ainsi que d'un prêtre qui appelle la protection divine sur une chose, la consacre par un acte rituel.

♦ Le verbe a repris les valeurs du latin chrétien avant la fin du XIIe s. : il se dit de Dieu qui répand sa bénédiction, du prêtre qui appelle les bienfaits de Dieu sur les hommes et, par extension, d'un laïc qui souhaite solennellement bonheur et prospérité à son prochain. ◇ Parallèlement, un psautier (v. 1120) atteste l'emploi du mot au sens de «louer et glorifier (Dieu) pour le remercier» puis d'«exalter (qqch.)» pour exprimer sa satisfaction (1150-1200). ◇ Un détournement ironique des sens laïcs a été renforcé par l'emploi péjoratif de dérivés (ci-dessous, *bénissage, bénisseur*).

▶ Le développement d'un substantif d'action dérivé de *bénir* a été entravé par la concurrence de l'emprunt latin *bénédiction** : ◆ **BÉNISSEMENT** n. m. (XIIe s.), dérivé du participe présent de *bénir*, a cessé d'être employé au XVIe s., repris au XIXe s. littérairement (1853, Flaubert); il reste rare. ◆ Il en va de même pour **BÉNISSAGE** n. m. que l'on rencontre aussi sous la plume de Flaubert (1872) et qui est vaguement péjoratif.
Le verbe avait aussi emprunté son participe passé au latin (→ benêt, benoît) au XIIe siècle. L'ancien français *benëit* (v. 1225), qui a évolué en **BÉNIT, ITE** adj. (1493), a été formé d'après le latin °*benedīctum* (*i* long), altération de la forme régulière *benedĭctum* (*i* bref) qui, par l'intermédiaire de *benëeit*, a donné *benoît*. Par amuïssement ultérieur du *t*, le *c* qui le précède ayant donné *y*, et d'après les participes passés en *-i* où le *t* n'était pas appuyé par une consonne (type *finitus-finit-fini*), il a donné **BÉNI, IE** adj. ◇ La répartition des emplois entre *bénit* et *béni*, élaborée au XVIIe s., ne s'est imposée qu'au XIXe s., *bénit* se disant de certaines choses *(pain, eau)* sur lesquelles la bénédiction du prêtre a été donnée avec les cérémonies prescrites, *béni* assumant toutes les autres significations du verbe et se disant surtout de personnes.
BÉNITIER n. m. est une réfection tardive (1680), d'après *eau bénite*, de l'ancien français *benoitier*

(1288), *benestier* (1307). Ce dernier est issu de *eubenoitier* (1281), *eaubenoitier* (1352), soudure de l'ancien français *ewe* [eau] *benëeite, benëoite* (v. 1190) avec le suffixe *-ier.* ◆ Le mot désigne le vase contenant de l'eau bénite; il a donné quelques expressions figurées d'usage familier *(grenouille de bénitier* «bigote», *diable de bénitier, pisser au bénitier).* ◇ Par analogie de forme, le mot désigne la coquille de quelques grands mollusques, d'ailleurs utilisée comme bénitier dans les églises, notamment à l'époque classique (XVIIe-XVIIIe s.).

BÉNISSABLE adj. (1569) n'est pas très usuel, mais **BÉNISSEUR, EUSE** n. et adj. (1863), surtout péjoratif, s'emploie au figuré.

◈ voir **BÉNÉDICITÉ, BÉNÉDICTIN, BÉNÉDICTION, BENÊT** (et **BENOÎT**).

BENJAMIN, INE n. est l'emploi tardif (déb. XVIIIe s.) comme nom commun de *Benjamin,* nom propre du plus jeune fils de Jacob et son préféré, dans la Bible.

♦ Le mot désignait autrefois l'enfant préféré de ses parents et, par extension, l'élève préféré d'un maître. ◇ De nos jours, il se dit du plus jeune enfant d'une famille (1808), celui-ci étant souvent le plus choyé. Par extension, il désigne le plus jeune d'un groupe, spécialement un jeune sportif appartenant à la catégorie d'âge de dix à onze ans (1969 dans les dictionnaires généraux).

BENJOIN n. m., d'abord *benjuyn* (1479) et *benioin* (1538), est emprunté au catalan *benjuí* (1430). Ce dernier est emprunté à l'arabe *lubān-ǧāwi,* «encens de Java», avec perte de la syllabe initiale *lu,* confondue avec l'article catalan *lo.* L'origine est confirmée par la localisation géographique de la première attestation dans les *Comptes du Roi René,* les rapports entre l'Aragon et le Royaume d'Anjou ayant été très étroits. Il a existé en outre une forme *bengin* (1515) de même origine arabe, entrée en France par l'intermédiaire du portugais et de l'italien. Le latin botanique *benzoe,* proposé comme étymon par Dauzat, est au contraire une latinisation de *benjoin* (→ benzine).

♦ Le mot désigne une substance résineuse aromatique à odeur vanillée et le parfum qui en est tiré. Au XVIe s., Rabelais l'utilise par jeu de mots implicite comme un composé français *(bien joint), maujoint* «mal joint» se disant alors du sexe de la femme.

BENNE → **BANNE**

BENOÎT → **BENÊT**

BENZINE n. f. est un emprunt (1833) à l'allemand *Benzin,* nom d'un corps chimique découvert et dénommé en 1833 par Mitscherlich à partir de l'élément *benz-* (ci-dessous) tiré de *benzoïque** avec le suffixe *-in* (français *-ine*) pour remplacer *bicarbure d'hydrogène,* traduction du nom donné à ce produit par Faraday, qui le découvrit en 1825.

♦ Ce terme de chimie désignait un hydrocarbure liquide, volatil, obtenu par distillation de goudrons de houille. Remplacé en ce sens par *benzène,* il est couramment employé pour désigner le mélange d'hydrocarbures vendu dans le commerce, utilisé comme détachant ou dissolvant. ◇ Le sens d'«essence», calque de l'allemand *Benzin,* est vivant en Suisse romande mais est sorti d'usage en français de France.

▸ **BENZOÏQUE** adj., qui se dit de certains corps de la série du benzène, et **BENZOATE** n. m., «sel ou ester de l'acide benzoïque», ont été formés (1787) par Guyton de Morveau en même temps que d'autres termes essentiels de la nomenclature chimique. Les deux mots dérivent du latin des botanistes *benzoe,* radical de *benzoinum* (1751), latinisation de *benjoin**. ◆ Le premier élément **BENZ-** entre dans la composition de nombreux termes de chimie où il marque la parenté avec l'acide benzoïque ou avec le benzène. ◆ Le seul devenu courant, avec *benzine,* est **BENZÈNE** n. m. (1835), nommé *Benzin* par Mitscherlich; cet hydrocarbure est un dissolvant des corps gras. ◆ Le mot, outre son dérivé **BENZÉNIQUE** adj. (1878), fournit des noms de composés pour nommer des produits utilisés dans l'industrie des colorants ou la fabrication des explosifs : **NITROBENZÈNE** n. m. (1838) ou **NITROBENZINE** n. f., formé avec *nitre**, désigne un dérivé nitré du benzène utilisé en parfumerie et dans la fabrication d'explosifs. ◆ Parmi les composés chimiques de la série du benzène, dont l'importance pour les applications industrielles fut reconnue dès le XIXe s., le plus usuel est la dénomination commerciale **BENZOL** n. m. (1840), dont dérive par exemple **BENZOLISME** n. m. (1938) en médecine. ◆ Plus récemment ont été formés **BENZÉDRINE** n. f., nom déposé (1942) d'une amphétamine, et **BENZITE** n. f. (v. 1950), nom d'un explosif puissant.

BÉOTIEN, ENNE adj. et n. est un emploi par synecdoque (1715) du nom ethnique *Béotien,* «habitant de la Béotie, province centrale de la Grèce» (1530, sous la forme du pluriel *Beociens*), dérivé de *Béotie.* Le grec *boiôtos* «de Béotie» *(Iliade,* 17, 597), est déjà attesté avec le sens péjoratif de «lourdaud» ou de «glouton»; il est dérivé de *Boiôtia,* «Béotie», que les Anciens expliquaient comme «terre à bœuf» en tirant le mot de *boôtês* (→ bœuf et beurre). C'est probablement là une étymologie populaire, et elle ne rend pas compte de la diphtongue. On en a aussi rapproché le nom de montagne *Boīon, -oros* dans le nord de l'Épire.

♦ Le mot, d'abord relevé comme adjectif chez Lesage, puis aussi employé comme substantif (1831-1832), s'emploie à propos d'une personne à l'esprit lourd, indifférente à l'art. Caractéristique de l'époque romantique, l'adjectif qualifie souvent le bourgeois, et s'oppose à *artiste.* ◇ Par extension, il se dit, moins péjorativement, d'une personne profane dans un domaine *(je suis [un] béotien en musique).*

▸ En est dérivé **BÉOTISME** n. m. (1832) «lourdeur, grossièreté de béotien», rare et qui a eu un doublet, **BÉOTIANISME** n. m. (1835), employé par Balzac.

BEQU- (**BÉQUILLE,** etc.) → **BEC**

BER ou **BERS** n. m. est une spécialisation technique de l'ancien français *bers* (*berz,* v. 1150) qui a donné *berceau***, peut-être d'origine gauloise (→ bercer).

♦ Le mot est attesté au début du XVIIe s., parallèlement à ses emplois dialectaux au sens originel (→ bercer), au sens technique de «ridelle de charrette». ◇ En marine, il désigne (av. 1805, *bert*) le support en «berceau» sur lequel repose un navire en construction et qui glisse avec lui, avant de s'en détacher, lors du lancement ; on dit aussi *berceau*.

◈ voir BERCER.

BERCAIL n. m. est issu (1535), avec changement de suffixe d'après *bétail***, de *bercal* (1379), forme normanno-picarde qui s'est imposée en France probablement par l'intermédiaire de la traduction de la Bible par Olivetan, originaire de Noyon. *Bercal* est issu d'un latin populaire *°berbicale*, dérivé du bas latin *berbex* (→ brebis). L'ancien français avait un type *bercil*, *bergil* issu (XIIe s.) d'un latin populaire *°berbecile* ou *°berbicile*, dérivé de *berbex*.

♦ Le mot a désigné le bétail, l'ensemble des brebis, valeur collective sortie d'usage au XVIIe siècle. ◇ Le sens de «bergerie» (1609), assumé jusque-là par l'ancien type *bercil* (v. 1120), est qualifié de «vieilli» par Furetière en 1690 ; cette acception évoquait la bergerie comme le point vers lequel il faut conduire les moutons. Il a donné le sens figuré de «sein de l'église où les fidèles trouvent sûreté et paix» (1690), d'après la métaphore biblique liée à celle du «pasteur» (par exemple Jean, X, 16), réalisée en latin par *ovile*, «bergerie», dérivé par l'intermédiaire de l'adjectif *ovilis* de *ovis* «brebis». ◇ Par extension, *bercail*, dès lors démotivé, s'emploie à propos de la maison, du foyer (1832) envisagé comme le toit sous lequel on retourne ; le mot s'emploie familièrement avec quelques verbes *(conduire, ramener, retourner, revenir... au bercail)*.

◈ voir BERGER.

◈ **BERCE** n. f. (1694) est d'origine controversée. L'allemand *Bartsch*, terme de l'est de l'Allemagne lui-même emprunté au polonais *barszcz*, désigne la même plante, mais fait difficulté des points de vue phonétique et géographique, étant limité à une aire très orientale. Le moyen haut allemand *berz*, *birz*, *barz* (1533) satisfait phonétiquement, mais désigne une autre plante. L'hypothèse selon laquelle le mot serait issu de *berce* «berceau» (1366) à cause de la forme de la graine n'emporte pas la conviction.

♦ *Berce* désigne une plante à fleurs blanches qui croît dans les lieux humides. Il est employé en chimie pour des essences tirées de cette plante et, par ailleurs, dans *bière de berce* nom d'une boisson très alcoolisée fabriquée en Pologne, Russie et Lituanie par la fermentation de graines et feuilles de berce (allemand *Bartsch*).

BERCER v. tr., d'abord *bercier* (1220), est dérivé de l'ancien français *bers* (v. 1150, *berz*) «berceau», lequel est issu d'un latin populaire *°bertium*, indirectement attesté par son diminutif *berciolum* (VIIIe s.) qui a donné l'ancien français *berçuel* (v. 1165). *°Bertium* serait d'origine gauloise, comme semble l'indiquer son extension géographique dans les domaines gallo-roman, catalan et portugais, où il a évincé le représentant du latin *cunae* n. f. pl. (dont le singulier *cuna* est chez Varron). Il est moins satisfaisant de considérer les substantifs romans comme des déverbaux, en prenant comme base, avec Bloch et Wartburg, un verbe latin populaire *°bertiare*, formé sur un radical celtique *°berta*, à rattacher à l'irlandais *bertaim* «je secoue, je brandis», et qui permet d'ailleurs lui aussi d'évoquer le gaulois. L'ancien français *bers* ou *bers*, progressivement évincé par *berceau*, est sorti d'usage au XVIIe s. («vieux mot», dès 1611) ; il subsiste dans les dialectes de l'Ouest, les formes *ber**, *bers* s'étant spécialisées.

♦ *Bercer* signifie «balancer dans un berceau» et, par extension, «balancer doucement». ◇ Les sens figurés apparaissent aux XVIe et XVIIe s. : au passif «être bercé de» correspond à «bien connaître, être imprégné de» (1537) ; à l'actif, *bercer*, à «tromper» (1611) notamment dans ***bercer (qqn) d'illusions***, et «apaiser, calmer» (1666) ; ils viennent de deux développements de l'idée d'engourdissement du corps et de l'esprit provoqué par le mouvement oscillant du berceau. ◇ La forme pronominale *se bercer de* est employée pour «entretenir une idée chère ou une illusion» (1667). ◇ Concrètement, *se bercer* signifie «marcher en se balançant latéralement» en termes de manège (1751).

▸ **BERCEAU** n. m. (1472) est, comme *bercer*, dérivé de l'ancien français *bers* qu'il a éliminé au XVIIe s., de même que *berçuel*. ◇ Le mot désigne le petit lit où l'on balance les enfants nouveau-nés pour les endormir. Les extensions de ce sens datent du XVIIe s. ; ***au berceau, dès le berceau*** (1600-1612, *durant le berceau*) signifie «dans le premier âge» ; de là viennent les valeurs de «début, commencement» (1659) et de «lieu d'origine (d'une personne, d'une chose)» (1680), d'emploi littéraire. ◇ Par analogie avec l'arceau du lit d'enfant, le mot a développé des sens techniques, désignant en horticulture un treillage en voûte (1538) et, en architecture, la voûte engendrée par un arc (1680, *voûte en berceau*). ◇ *Berceau de la Vierge* désigne la clématite des haies, par référence à sa végétation en berceau (1845). ◇ Par analogie avec le mouvement oscillant du lit d'enfant, le mot a pris des valeurs spéciales en typographie (1690), en gravure (1751) et en termes de mines, où il désigne la table oscillante servant de crible pour laver certains sables métallifères (XIXe s.).

Les dérivés de *bercer* sont peu nombreux. ◆ **BERCEMENT** n. m., d'abord «action de bercer» (1584), semble ne s'être répandu qu'au XIXe s. avec en outre un sens figuré et littéraire, «apaisement» (1885, Hugo). ◆ **BERCEUSE** n. f., tardif (1835), a pris la place du moyen français *berceresse* (XVe s., *bercerece* encore *bercheresse*, au XVIe s.) qui désignait la nourrice chargée de bercer l'enfant. ◇ Ce sens est sorti d'usage, le mot désignant (depuis 1838) une chanson au moyen de laquelle on endort un enfant et un siège sur lequel on peut se balancer (1867). ◆ **BERCEUR, EUSE** adj., attesté seulement au XIXe s. (1859, Lamartine), est peu usité, de même que le participe présent adjectivé **BERÇANT, ANTE** (XIXe s.) qui s'emploie cependant de manière usuelle au Canada dans ***chaise berçante*** ou **BERÇANTE** n. f. pour «chaise à bascule, berceuse» (1824), façon d'éviter l'anglicisme *rocking-chair**.

◈ voir **BER, BERCE.**

BÉRET n. m., d'abord attesté sous la forme *berret* (1819), encore attestée en 1847 puis écrit *béret* (1835), est emprunté au béarnais *berret* désignant le couvre-chef plat et sans bord porté par les paysans du pays. Ce mot est une spécialisation de sens de l'ancien provençal *beret* «bonnet» (fin XIVe s.), issu du bas latin *birrum* «capote à capuchon» (en usage dans toutes les classes de la société sous les derniers empereurs : mil. IIIe s.). Ce mot est peut-être d'origine celtique comme l'indiqueraient l'irlandais *berr*, le cymrique *byrr* «court». Le grec *birros* «courte capuche à capuchon» est probablement repris du latin.

♦ *Béret,* d'abord nom de coiffure locale (Béarn et Pays basque), désigne par extension diverses coiffures molles et plates caractérisées par leur origine qui suppose des formes spécifiques *(béret basque, béret alpin)* ou par leur fonction : *béret militaire, béret de parachutiste,* d'où *béret vert, béret rouge,* désignant les soldats eux-mêmes, par une métonymie habituelle. Cette coiffure est devenue symbolique de l'habillement du Français moyen vu par certains étrangers (Anglo-Saxons notamment).

◈ voir **BARETTE, BURNOUS.**

BERGAMOTE n. f., d'abord *berguamotte* (1536), est emprunté à l'italien *bergamotta* (XVIe s.), nom d'une variété de poire, puis (fin XVIIe-déb. XVIIIe s.) d'une espèce d'agrume. Ce mot est d'origine controversée : selon les uns, il serait emprunté au turc *beg armudi,* littéralement «poire du bey, du prince» (→ bey). Le mot se serait répandu au XVIIIe s. à la faveur de la culture de cet agrume le long de la mer Ionienne ; ce type de dénomination est corroboré par l'allemand *Fürstenbirne* «poire *(Birne)* du prince *(Fürsten)*» et le turc *Mustafa bey armudi* qui désigne une espèce de poire. Selon d'autres, *bergamotta* serait issu de *Bergama,* forme arabo-turque de *Pergamo,* ville d'Asie Mineure (→ parchemin), origine qui s'appliquerait seulement au premier sens de l'italien.

♦ Le mot désigne d'abord, comme son étymon, une espèce de poire fondante. ◇ Le nom de l'agrume (1740), indirectement attesté dès 1694 par *essence de bergamotte,* serait dû, selon Pomet *(Remarques très-curieuses,* in Arveiller) au fait que le fruit serait à l'origine greffé sur un «poirier de bergamote». ◇ Par métonymie, le mot désigne une confiserie (sucre d'orge) parfumée à la bergamote, spécialité qui aurait été créée à Nancy aux alentours de 1850 par le confiseur Jean Lillig ; ce dernier aurait introduit la bergamote, en vogue à l'époque romantique, à la demande d'un amateur de parfum. Le mot se lit depuis 1930 environ sur les boîtes de ces bonbons.

▸ De *bergamote* est dérivé **BERGAMOTIER** n. m. (1810), désignant l'arbre qui produit la variété d'agrume appelée *bergamote.*

BERGE n. f., d'abord *berche* (1380) puis *berge* (1403), est d'origine incertaine, peut-être issu d'un latin populaire °*barica* d'origine celtique, à rapprocher du cymrique *bargod* «bord». P. Guiraud postule un latin populaire °*barica* qu'il dérive, avec le sens de «côtés opposés», de la racine romane *bar-, ber-* (→ barque).

♦ D'abord appliqué au bord escarpé d'une fortification, *berge* désigne couramment le bord exhaussé d'un cours d'eau (1403) et, par métonymie, le chemin qui suit le cours d'eau. Par analogie, il se dit du bord relevé d'un chemin, d'un fossé et, par extension, d'un flanc de montagne escarpé. ➛ L'argot **BERGE** n. f. «année» est un autre mot (→ berges).

BERGER, ÈRE n., d'abord *bergier* et *berchier* (fin XIIe s.), est issu d'un latin populaire °*vervecarius,* °*verbecarius* dérivé de *vervex* (→ brebis), attesté sous la forme *birbicarius* «pâtre, pasteur» vers 600 et sous la forme *berbicarius* en 698, puis au IXe s. (Gloses de Reichenau). Le féminin est attesté au XIIIe s. sous la forme *bergiere.*

♦ Le mot désigne la personne chargée de garder les moutons et s'emploie quelquefois avec la valeur figurée de «gardien» (fin XIIe s.), spécialement de «guide spirituel» par allusion à la parabole biblique ; dans ce sens, il a été éliminé par le synonyme *pasteur.* L'ancienne connotation péjorative de «manant, homme lourd et grossier», courante en ancien français, a disparu, cédant la place au XVIIe s. à l'image littéraire du berger de poésie pastorale, évoquant la simplicité (parfois raffinée) des mœurs champêtres et la sincérité des sentiments (voir ci-dessous *bergerie*). De là l'expression ***l'heure du berger*** «moment favorable de l'amant», puis plus généralement «moment favorable, occasion» (1690). La locution contemporaine, ***la réponse du berger à la bergère*** «celle qui clôt la discussion», vient du même contexte littéraire. ◇ La spécialisation du mot en ornithologie (1838) est due au fait que l'oiseau ainsi dénommé suit les moutons. Le sens de «chien gardant les troupeaux» a donné lieu à plusieurs noms de races canines (***berger allemand,*** *berger des Pyrénées,* etc.). ◇ ① **BERGÈRE** n. f. s'emploie familièrement comme une dénomination métaphorique de l'épouse, de la maîtresse, voire de la fille facile : c'est là une allusion (XIXe s.) au personnage de la bergère amoureuse dans les ariettes pastorales du XVIIIe siècle.

▸ **BERGERIE** n. f., dérivé (fin XIIe s.) de *berger,* est à rapprocher du latin médiéval *bergaria* (1082) «endroit où logent les moutons». Le mot a désigné jusqu'au XIVe siècle l'activité du berger. De nos jours, il désigne l'endroit qui abrite les ovins (v. 1220). ◇ En littérature (et aujourd'hui en histoire littéraire), il se dit d'une poésie traitant des amours des bergers (1548), d'abord par imitation de la poésie pastorale gréco-latine. ➛ **BERGERETTE** n. f., diminutif de *bergère* désignant proprement une petite bergère (1240-1270), s'est spécialisé pour désigner un oiseau (v. 1375), emploi aujourd'hui régional. ◇ Le mot s'est appliqué à une pièce de poésie pastorale pratiquée au XVe s. et voisine du rondeau (1461). ◇ Par métonymie, il s'est dit d'une boisson faite de miel et de vin, que l'on buvait à Pâques en chantant des «bergeries», chansons de berger (XVIe s.) ; ce sens a disparu en français classique. ➜ **BERGERONNETTE** n. f., autre diminutif de *bergère* par double suffixation en *-on* et *-ette* (1240-1270), a signifié comme *bergerette* «petite bergère», sens disparu. Le mot, comme *bergerette*, mais demeuré usuel en français central, désigne un oiseau (1549; 1530, *bergieronnet*). ➜ **BERGEROT** n. m., diminutif de *berger* (XIIIe s.) au sens de «petit berger», a surtout été employé au XVIe s.; répertorié depuis 1752, il est marqué comme «régional». ➜ **BERGERON** n. m. (XIIIe s.), autre diminutif de même sens, est sorti d'usage. ➜ **BERGERADE** n. f. (1845, Bescherelle) s'est dit des tableaux de genre représentant des scènes de bergers dans le goût du XVIIIe siècle.

② **BERGÈRE** n. f. s'est spécialisé comme terme d'ameublement (1746) et de modes (1752), lié à la mode des bergers au XVIIIe s. : son emploi pour désigner un fauteuil, favorisé par celui de *duchesse*, est dû aux scènes de bergers représentées sur les tapisseries garnissant ces sièges.

◇ voir **BERCAIL**.

BERGES n. f. pl. est emprunté (1836) à *berj* «an», mot de la langue tzigane (romani), avec adaptation graphique d'après *berge*.

♦ Le mot, toujours au pluriel, est un terme argotique très usité pour exprimer les années, notamment les années de détention (1850), puis les années d'âge (1885).

BÉRI-BÉRI ou **BÉRIBÉRI** n. m., d'abord *berber* (1617) puis *Beré bere* (1701), est un emprunt au cinghalais où ce mot, attesté depuis le XVIe s., serait d'origine malaise; le portugais *berebere* (1568) a probablement servi d'intermédiaire. ◇ Sous sa forme moderne *beriberi* (1665), *béribéri* (1686), le mot français serait un nouvel emprunt au malais par l'intermédiaire du néerlandais, le mot étant attesté dans un texte latin du médecin hollandais Bontius (av. 1631). Le malais, qui possède des formes à redoublement, connaît un *biri-biri* «mouton, brebis» qui pourrait être le même mot, plusieurs textes notant la ressemblance entre la démarche d'une personne atteinte de cette maladie et celle d'un mouton.

♦ Le mot désigne une maladie caractérisée par des troubles nerveux, causée par la consommation exclusive de riz décortiqué et fréquemment observée sur les navires, interprétée de nos jours comme une carence en vitamines B.

BERLE n. f., réfection (v. 1465) de *belle* (XIIIe s.), forme isolée à rapprocher de la forme dialectale normande *bêle*, est emprunté au bas latin *berula* (Ve s., Marcus Empiricus) «variété de cresson». Celui-ci est un mot d'origine celtique à rapprocher du gallois *berwr* «cresson de fontaine». L'ancien provençal *berla* et l'espagnol *berro* «cresson» remontent au même étymon.

♦ Le mot est encore usité dans plusieurs dialectes pour diverses plantes mangées en salade et croissant dans des terrains humides.

BERLINE n. f., accueilli par le dictionnaire de l'Académie en 1718, est dérivé du nom de la ville allemande de *Berlin* où cette voiture fut construite et mise à la mode vers 1670 par un architecte du prince électeur de Brandebourg.

♦ Le mot a désigné une voiture hippomobile suspendue à quatre roues et à deux fonds. Par analogie de forme et de fonction, il s'est appliqué à une benne roulante pour transporter la houille dans les mines (1877). ◇ Comme la plupart des autres termes de carrosserie hippomobile, il s'applique à l'automobile, conduite intérieure à quatre portes et quatre glaces latérales (av. 1928).

▶ Le nom de véhicule ① **BERLINGOT** n. m. (1739) est dérivé, par attraction cocasse de ② *berlingot**, de *berlingue*, altération de *berline* probablement sous l'influence de mots issus de l'ancien haut allemand °*bretling* «petite planche» (→ brelan). Il a désigné une voiture ressemblant à une berline mais ayant un seul fond et, par extension, s'est dit d'une mauvaise voiture à cheval, passée de mode (1851). Le mot a disparu.

② **BERLINGOT** n. m., d'abord *berlinguaux* (1618), est probablement emprunté à l'italien *berlingozzo*, «macaron» (XVe s.), à rattacher à l'italien *berlengo*, «table où l'on prend les repas» (1557), de même qu'à l'italien de Romagne-Émilie *berlénc*, «galette», au toscan *berlingaccio* (à suffixe péjoratif), «jeudi gras», et au verbe *berlingare*, «se mettre à table». L'italien *berlengo* est lui-même emprunté à l'ancien français *brelenc* «table sur laquelle on joue aux dés», conservé sous la forme *brelan**. L'ancien provençal *berlingot*, également emprunté à l'italien, est attesté depuis 1511.

♦ Le mot, repris pour désigner une «pâtisserie» dans un texte traduit de l'italien, est devenu au XIXe s. le nom d'un bonbon de forme tétraédrique fait avec du sucre auquel on ajoute divers parfums. ◇ Par analogie de forme, il désigne aussi aujourd'hui un emballage utilisé pour les liquides (1948), notamment le lait. ➜ *Berlingot* a désigné en argot le membre viril (1662) par une figure obscure (s'il s'agit du même mot), puis le clitoris. De là vient la valeur argotique pour «sexe féminin» et enfin, plus répandu dans cet emploi, «pucelage» (1925).

▶ Dans ce dernier sens, il a pour dérivé régressif la forme **BERLINGUE** n. m. (1927).

BERLUE n. f., modification (1536) de *bellue* (XIIIe s.), est d'origine obscure : Diez y voyait le déverbal du moyen français *belluer* (XIVe s.), «éblouir», «tromper, duper», formé du préfixe péjoratif *bes-* (du latin *bis*) et de °*-lucare* à côté de *lucere* (→ luire), d'après les verbes latins dérivés de *lux* «lumière» (*interlucare, sublucare*). Cette hypothèse se fonde sur l'existence en ancien français de *esluer* «glisser, s'évanouir», de *erlue* «tromperie» et de *tresluer* «tromper», *treslue* (voir *F. e. w.*, article *lux*). Par une hypothèse rendant mieux compte de l'ensemble de cette famille (→ bluette), on a proposé de voir dans *berlue* le représentant d'un latin populaire °*bisluca*, forme qui serait issue à la fin de l'Empire par substitution du préfixe *bis-* à la syllabe initiale du bas latin *fanfaluca* «bulle d'air, bagatelle» (→ fanfreluche). Selon cette hypothèse, *belluer* serait dérivé de *bel-*

lue, ce qui est en accord avec la chronologie des attestations. P. Guiraud dissocie les types *bellue* et *berlue;* il renvoie le premier à *bluette** et fait du second un composé de *bar-*, préfixe exprimant la divergence et que l'on retrouverait dans *baril, barque, barguigner, barder, baratin,* etc., et d'un gallo-roman °*-lucare.* La forme *brelue* rencontrée dans les *Mémoires* de Vidocq (1828) est une altération de *berlue* par métathèse.

♦ Lorsqu'il est attesté au XIIIe s., le mot concerne une fable, un discours merveilleux et trompeur. ◇ Il réapparaît au XVIe s. en médecine, désignant un trouble de la vue déformant la réalité ou faisant percevoir des objets imaginaires (1536). Cette acception a vieilli, donnant naissance au sens figuré courant d'«impression visuelle trompeuse», surtout dans la locution familière ***avoir la berlue*** (XVIIe s.), dont la variante ancienne, *avoir la berlue pour qqn,* exprimait aussi à l'époque classique le fait d'en être ébloui, épris.

▸ Le composé **ÉBERLUER** v. tr. a eu en emploi intransitif la valeur de «être ébloui» et n'a conservé que le sens de «donner la berlue à (qqn)» (1567); il semble avoir été abandonné après 1611 avant d'être repris au XIXe s. (1841, Boiste). ◆ Le participe passé **ÉBERLUÉ, ÉE,** est adjectivé (1585) avec le sens correspondant de «qui a la berlue», au propre puis surtout au figuré.

BERME n. f., une première fois *barme* (1611), puis *berme* (1676), est emprunté au moyen néerlandais *barm* «accotement au bord d'une rivière, d'une digue, d'un rempart» (néerlandais *berme*). Ce mot est probablement apparenté à l'ancien norrois *barmr* «bord», au moyen haut allemand *brem* (allemand *Bräme, Brähme*) et à l'anglais *brim* (de cheminement obscur). Ces mots correspondent à un terme germanique °*berm-*, °*barm-*, dont le sens originel était peut-être «bord surélevé», lui-même de la racine germanique °*ber-* «porter», qui se rattache à la racine indoeuropéenne °*bher-* que l'on a dans le grec *pherein* (→ -phore), le latin *ferre* (→ -fère). L'emprunt a eu lieu à une époque où les militaires des Provinces Unies commençaient à être connus pour leur art de construire des fortifications.

♦ Relevé une première fois au sens de «berge d'une rivière», le mot s'est spécialisé (1676) comme terme de fortifications pour «chemin étroit entre le pied d'un rempart et le fossé». Par extension, il se dit aussi d'un passage entre une levée et un canal, un fossé au bord d'une route, entre la route et le talus.

◈ voir ① BERNE.

BERMUDA n. m. est emprunté (1958, P. Daninos) à l'anglo-américain *bermudas* (1953), emploi elliptique pour *Bermuda shorts,* du nom des *Bermudes,* îles touristiques de l'Atlantique situées au sud-est de la Floride où les Nord-Américains en vacances ont d'abord porté ce type de long short, volontiers bariolé.

BERNARD-L'HERMITE ou **BERNARD-L'ERMITE** n. m. inv. est probablement emprunté (1554) à l'occitan languedocien *bernat l'ermito.* Le premier élément du nom est probablement un emploi du nom propre *Bernard,* très usité comme sobriquet pour désigner différents animaux (*bernat-blanc* «héron aigrette»; *bernat-pescaire* «héron»; *bernat-pudent* «animal exhalant une mauvaise odeur»), à rapprocher également de l'emploi péjoratif de *bernard* «sot, niais». L'hypothèse d'un étymon celtique °*bern-at-os,* dérivé de °*bernis* «aqueux, marécageux» avec assimilation au suffixe latin *-atus,* est satisfaisante du point de vue sémantique pour *bernat-blanc, bernat-pescaire* «héron», mais elle n'est pas convaincante pour d'autres composés, comme *bernat-pudent.* Le qualificatif d'*ermite** est dû au fait que ce crustacé solitaire s'installe dans une coquille comme dans un ermitage.

♦ Le mot, cité comme un terme du Languedoc par Paré au XVIe s., est le synonyme commun de *pagure,* nom d'un crustacé à corps mou et fragile, qui se loge pour se protéger dans la coquille d'un gastéropode.

① **BERNE** n. f. (1676) est peut-être, comme semble l'indiquer le doublet *berme* (1728, dans un dictionnaire français-néerlandais), une extension de sens propre au français à partir du néerlandais *berm* «bord» (→ berme), avec délabialisation de l'*-m-*. On a tenté de rendre compte de l'évolution sémantique en évoquant le fait que le pavillon glisse le long du mât comme le promeneur le long d'une berge, ou que le pavillon, roulé sur lui-même, prend l'allure d'un bord, d'un ourlet. ◈

♦ Dès les premiers textes, le mot s'emploie dans la locution adverbiale ***en berne*** *(mettre le pavillon en berne)* en marine et, par métaphore, en parlant d'un drapeau signalant le deuil.

BERNER v. tr. est d'origine incertaine, probablement dérivé avec métathèse (1486) de l'ancien français *bren* «son» (→ bernique), avec une évolution sémantique menant de «vanner le blé» (1549) à «faire sauter en l'air (la personne dont on se moque)». J. Orr, s'appuyant sur le fait que le sens de «vanner» est postérieur à celui de «moquer» et donnant une interprétation scatologique très plausible de l'expression chez Rabelais, part de *bren* au sens d'«excrément» et donne à *berner* le sens primitif de «souiller d'excréments» (cf. *breneux, embrener*). ◈

♦ *Berner* a d'abord désigné l'action de se moquer de qqn, notamment en le faisant sauter sur une couverture tendue par plusieurs personnes (1508, sous la forme latine *bernare*). De nos jours, le verbe s'emploie seulement au figuré pour l'action de se jouer de qqn, de le tourner en ridicule (1611).

▸ Le déverbal ② **BERNE** n. f. (1611), «van, crible», désigne ensuite la couverture sur laquelle on fait sauter celui dont on veut se moquer (1646) et, par métonymie, cette brimade (1680). ◇ Il s'est probablement confondu avec le mot du moyen français *bergne* (1532), *berne* (1534), nom d'un manteau de femme, lui-même emprunté à l'espagnol *bernia* de même sens (1490). Ce dernier est soit issu par aphérèse de *Hibernia,* nom latin de l'Irlande où ce type de manteau est encore en usage, soit d'origine arabe. ➜ **BERNEMENT** n. m. (1661) et **BERNEUR, EUSE** adj. et n. (1664) ne se sont guère répandus.

◈ **BERNIQUE** interj. (1756), d'abord *brenicle* (1725), est d'origine obscure. L'hypothèse la plus vraisemblable est celle d'une forme normanno-picarde dérivée de *bren, bran* «partie grossière du son» (1205-1215), supplantée en ce sens par *son* au XVIIIe s. (mais conservée par l'emprunt anglais *bran*) puis «boue, lie» (déb. XIIIe s.) et «excrément» (1306), usitée comme interjection marquant le mépris (1532). Ce mot est lui-même issu d'un latin populaire °*brennus* «son», attesté sous la forme *brinna* «son, nourriture pour chien» (VIIIe-IXe s.), d'origine inconnue, sans doute préromane et peut-être gauloise (mais les correspondants dans les langues celtiques ne sont probablement pas autochtones). La métathèse *bernique* est à rapprocher des dérivés *emberniquer, déberniquer* répandus dans le nord-ouest et le centre de la France. Un croisement est possible avec d'autres interjections d'emploi similaire au XVIe s., comme *brique,* euphémisme pour *bren,* et *nique**. L'hypothèse voyant dans *bernique* le même mot que *bernicle,* «coquillage» d'où «objet sans valeur», est probablement à rejeter, de même que celle qui le rattache au nom d'un jeu de cartes connu en Picardie, le jeu de *barnik* ou *bernik* (le perdant ayant *bernique :* rien) rapproché lui-même de *bernicles* «instrument de torture» (XIIIe s.) et de *béricke* «lunettes» (→ besicles).

♦ Cette interjection familière exprimant le désappointement, courante au XVIIIe et au XIXe s., est devenue archaïque.

◈ voir **BERNER.**

BÉRYL n. m., d'abord *beril* (1125), est emprunté au latin *beryllus,* «aigue-marine», lui-même pris au grec *bêrullos.* Le mot a été introduit avec la pierre qu'il désigne à l'époque hellénistique et vient de l'Inde (prâkrit *veruliya-,* métathèse de *veluriya-*). C'est une forme dravidienne, vraisemblablement de *Vēḷur,* nom d'une ville de l'Inde méridionale ; il a été emprunté sous la forme *bêrullion* d'où a été tiré ensuite *bêrullos.* L'ancien français a déformé le mot en *bericle* (XIIe s.) en lui adjoignant la finale de l'ancien français *escabocle* «variété de grenat rouge» (→ escarboucle), variante ayant à son tour donné *besicle ;* cette variante a disparu (→ besicles).

♦ Le mot désigne une pierre précieuse, formation naturelle de béryllium et d'aluminium (c'est un métasilicate) à variétés transparentes et colorées (aigue-marine, émeraude).

▸ De *béryl* est dérivé **BÉRYLLIUM** n. m. (1838), terme de chimie désignant un métal gris d'acier, léger, toxique, reconnu en 1828 comme l'un des éléments du béryl, et utilisé plus tard comme élément d'alliage, puis comme modérateur dans les piles atomiques et fenêtres de rayons X. ➜ *Béryllium* a donné **BÉRYLLIOSE** n. f. (XXe s.), terme de médecine désignant une maladie pulmonaire provoquée par l'inhalation de poussières contenant du béryllium.

◈ voir **BÉSICLES, BRILLER.**

◈ **BESACE** n. f. est issu (v. 1200) du bas latin *bisaccia,* pluriel neutre pris comme féminin singulier (VIIe s.) de *bisaccium,* de *bis* «deux fois» (→ bis) et *saccus* (→ sac). Le provençal *biasso, beasso,* d'où procède l'occitan *biasse,* vient du même mot, par l'ancien provençal *beasa.*

♦ Le mot désigne un sac dont les extrémités forment deux poches et, par extension, un grand sac.

▸ Le dérivé **BESACIER** n. m. (1524) s'est dit familièrement de celui qui porte une besace, spécialement d'un mendiant, par allusion au fait que les mendiants et ordres mendiants portaient souvent la besace. Déjà archaïque à l'époque classique (La Fontaine l'emploie par effet stylistique), il est à peu près sorti d'usage.
Le français a lui-même formé sur *sac* le préfixé *bissac* (→ ① sac).

◈ **BESAIGUË** n. f., d'abord *besagüe* (1160) puis *biesagüe* (av. 1188), est issu du latin *(ascia) bisacuta* «(doloire) à double tranchant». *Bisacuta* est attesté comme substantif féminin en latin médiéval au sens de «hache» (IXe-Xe s.). Il est formé de *bis* «deux fois» (→ bis) et de *acutus* (→ aigu).

♦ Le mot désigne dès le XIIe s. un outil de charpentier taillant par les deux bouts, ainsi qu'une arme médiévale en forme de serpe ou de hache à deux taillants opposés, sens disparu.

BESEF adv. est emprunté (1861) à l'arabe d'Algérie *bezzāf* «en quantité», correspondant à l'arabe littéraire *biz-zāf* «beaucoup». On rencontre diverses graphies, dont *bezef, bésef* et, par exemple chez Courteline, *beseff.*

♦ Le mot, d'abord employé par les hussards d'Algérie, s'est répandu par l'intermédiaire de l'argot des soldats ayant servi en Afrique (1867) au sens de «beaucoup». Surtout usité en emploi négatif *(pas bésef),* et comme intensif dans *bono besef* «très bon», il a vieilli.

BESICLES n. f. pl., d'abord *bezicle* au singulier (1400), est l'altération du moyen français *bericle* «lunette» (1328) emploi métonymique de l'ancien français *bericle* «béryl» (→ béryl), cette pierre précieuse ayant servi à faire des verres de lunettes et de loupes, encore au XVIe siècle. Le même type d'évolution sémantique se remarque dans l'ancien espagnol *beril* (pluriel *berilles*), «lunette(s»), et l'allemand *Brille* de même sens.

♦ Le mot a d'abord été employé au singulier au sens de «lunette», tantôt au féminin, tantôt au masculin (1399). L'usage du pluriel est relevé à partir de 1555. ◇ Concurrencé par *lunettes* (→ lune) au XVIIe s., le mot est qualifié de «burlesque» (1680) puis de «familier» (Académie, 1718-1878), puis il devient archaïque ou plaisant.

▸ En dérive **BÉSICLARD, ARDE** n. familier pour «personne qui porte des lunettes», attesté dans les dictionnaires au milieu du XXe s. (1949), mais à peu près inusité (à la différence de *binoclard*).

◈ voir **BRILLER.**

◈ **BÉSIGUE** n. m., d'abord *bézigue* (1859), *bezi* (1861), puis *bésigue* (1864), est d'origine obscure, peut-être à rapprocher de l'italien *bazzica,* nom d'un jeu de cartes (XVIIe s.), attesté dès 1532 par le latin *bazeghae. Bazzica* serait soit à rattacher au verbe *bazzicare* «fréquenter», soit à *bazza* «avantage, gain», terme de jeu d'origine discutée. On peut aussi évoquer le préfixe *bis* (→ bis), le jeu dont il est question se jouant le plus souvent à deux personnes.

♦ Le mot désigne un jeu de cartes voisin du «mariage», qui fut à la mode à la fin du XIXe siècle.

✳ **BESOGNE** n. f., d'abord *bosoigne* (v. 1160), *besoigne* (v. 1165), est la réfection de *busunie* (v. 1120 selon *F. e. w.*), également *busuine, bosuigne, besonge* (v. 1155); toutes ces formes sont issues d'un francique °*bisunnia* n. f. «soin, souci», préfixé du francique °*sunnja* «souci» (→ soigner, soin). Ce dernier est attesté en latin médiéval comme terme juridique au sens de «excuse légitime alléguée par le défaillant en justice» sous les formes *sunnis* (VIe s.), *sonnis, sunnia, somnis, sonia* d'où vient l'ancien français *soigne.* Le préfixe *bi-* (→ bivouac) a d'abord exprimé la proximité et a fini par être un moyen pour renforcer le sens du mot. La formation de ce nom féminin est parallèle à celle d'un neutre °*bisunni* qui a donné *besoin* (ci-dessous).

♦ Jusqu'au XVIIe s., la structure sémantique de *besogne* coïncide avec celle de *besoin**: le mot exprime la notion de nécessité dans sa généralité et avec de nombreux contenus particuliers dont sortira le sens actuel. Il se dit de la nécessité vitale, physiologique, de la disette, de la misère (v. 1165) et s'applique à toute chose ou personne nécessaire, indispensable. ◇ Selon les domaines de l'activité humaine, *besogne* désigne spécialement la querelle, le combat guerrier et, d'autre part, les affaires, l'entreprise, d'où, aux XVIIe et XVIIIe s., les affaires commerciales (attesté 1680). ◇ Concrètement, il s'est appliqué à l'ensemble des choses employées couramment par qqn, meubles, vêtements, outils; de là, viennent ses emplois régionaux pour «ensemble des effets personnels» et, avec une inversion du sens de base, «objets inutiles, jouets». ➝ L'usage classique et moderne a restreint les valeurs de *besogne* à deux sens particuliers déjà attestés en ancien français: le premier est celui d'«acte sexuel» (1280), devenu usuel aux XVIIe et XVIIIe s. et disparu ensuite. ◇ Le second est celui de «travail exigé (par la profession ou toute autre cause)» (1268) qui, sans être archaïque, relève d'un style soutenu, sauf en locutions: ***aller vite en besogne*** (1538) «être expéditif» et au figuré être trop entreprenant» (1690); ***faire plus de bruit que de besogne*** (1618) «parler plus qu'on n'agit efficacement»; ***aimer la besogne faite*** (1611, sans article) «ne pas aimer à travailler», de nos jours moins usitée, et ***s'endormir sur la besogne*** (1718) «travailler nonchalamment». ◇ Par métonymie, le mot s'applique concrètement à un ouvrage effectué ou à faire, également dans ***vous avez fait là une belle besogne,*** souvent employé avec une intention ironique (1694).

▸ **EMBESOGNER** v. tr., d'abord au participe passé sous la forme ancienne *embesoignié* (v. 1175): «occupé, affairé», puis à l'actif (XIVe s.) «employer, occuper, engager (qqn)», n'a plus cours, sinon comme régionalisme.

BESOIN n. m. étant donné son ancienneté (1050, *bozoin*), est, plutôt que le déverbal de *besogner**, le représentant d'un francique °*bisunni* (ci-dessus). ➝ La forme *besoing* (v. 1130) est restée dominante jusqu'au XVIIe s. avant d'être supplantée par *besoin* attesté au XIIIe s. (v. 1250-v. 1280). ◇ Le mot, comme *besogne,* exprime l'idée de nécessité, d'exigence en général et avec diverses extensions spéciales: il désigne une situation pressante, un moment critique (v. 1090, *busun,* dans un texte anglo-normand), une situation de détresse (v. 1155) et spécialement d'indigence matérielle (1549). ◇ Le pluriel *les besoins* recouvre tout ce qui est nécessaire à l'homme pour vivre ou travailler (1665). Par euphémisme, ce pluriel s'applique à la nécessité physiologique d'évacuer l'urine ou les matières fécales (1743, ***faire ses besoins***). ◇ Par métonymie, le mot désigne concrètement une chose dont on ne peut se passer (1721, Montesquieu). Sur le plan psychologique, il s'applique par extension à tout sentiment portant à rechercher des satisfactions morales ou intellectuelles (1704). ◇ Dès les premiers textes, il est fécond en phraséologie courante; la locution impersonnelle ***être besoin*** (1050) «être nécessaire» est surtout employée en français moderne de manière rhétorique avec un sens atténué dans une phrase interrogative *(est-il besoin de...),* négative *(il n'est pas besoin d'ajouter...)* et en construction incise, comme le note le dictionnaire de l'Académie en 1740. ◇ La locution personnelle ***avoir besoin de*** (1080) est beaucoup plus usuelle, tant avec le sens fort, «éprouver la nécessité de, le manque de», qu'avec un sens atténué, le plus souvent à la forme négative. Une autre locution verbale formée un peu plus tard, ***faire besoin*** (v. 1390), n'est plus que d'un usage régional. La locution adverbiale ***au besoin*** (v. 1175) correspond à «en cas de nécessité, s'il le faut». ◇ Ultérieurement, la locution ***les besoins de la cause*** (d'abord au singulier, 1863) s'applique à ce qu'il est nécessaire de dire à l'appui de la cause qu'on défend.

BESOGNEUX, EUSE adj. et n., d'abord *busuinus* (1050) et *bosoignos, besoignous, bosoinus* (XIIe s.), est plutôt dérivé de *besoin(g)* que de *besogne* au sens ancien de «nécessité». ◇ Le sens propre et primitif, «qui a besoin de» et, en parlant d'une chose, «nécessaire», est sorti d'usage de même que les acceptions de «qui est dans la misère (d'une personne)» (v. 1155), encore comprise dans les textes classiques, et de «urgent, pressant» (v. 1470) complètement disparue. ◇ Le sens moderne de «qui travaille péniblement» (1852, Proudhon) témoigne d'un rattachement à *besogne,* la phonétique l'ayant détaché de *besoin.* ➝ Le dérivé **BESOGNEUSEMENT** adv. (1886), «laborieusement, avec difficulté», littéraire, correspond à ce dernier sens.

BESOGNER v., avec des formes anciennes parallèles à celles de *besogne,* d'abord *busuigner, besuigner* (v. 1120), *besoignier* (v. 1170), puis *besoigner* (v. 1275) enfin *besogner* (1636), est issu d'un francique °*bisunnjôn* «se soucier de», dérivé du substantif neutre °*bisun(n)i,* «peine, souci», qui a donné *be-*

soin. Ce verbe est parallèle à la forme simple °*sunnjôn,* correspondant au gotique *sunjon* «s'excuser» (→ soigner). ◆ Le mot a vieilli dans presque tous ses emplois, intransitifs comme transitifs : il a signifié «avoir besoin de», «être dans le besoin» (v. 1120) et, en emploi impersonnel, «falloir, être nécessaire» (v. 1267-1268). *Besogner qqn* se disait pour «forcer (qqn) à», «chercher à obtenir» et «chercher à prendre (qqch.)» en ancien français. Il se rencontre encore quelquefois avec les sens archaïques de «travailler» (v. 1265) et de «faire l'acte amoureux» (XVIe s.) en relation avec *besogne.* ◇ Le seul sens vivant est celui de «peiner, trimer», qui relève d'un style soutenu.

Les quelques dérivés attestés en moyen français, **BESOGNÉ** n. m. (v. 1490), **BESOGNEUR** n. m. (XVe s.) et **BESOGNEMENT** n. m. (XVe s.), sont sortis d'usage dès le XVIIe siècle.

◈ voir SOIGNER.

① et ② BESTIAIRE, BESTIAL, BESTIOLE → BÊTE

BEST-SELLER n. m. est un emprunt (1934) à l'anglo-américain *best-seller* (1889) désignant un des livres (de l'année, de la saison) qui ont obtenu le plus grand succès de librairie et, par métonymie, l'auteur d'un de ces livres. Le premier élément est l'anglais *best* «meilleur», du vieil anglais *betest* qui, comme de nombreuses formes des langues germaniques, appartient à une base °*batistaz,* superlatif de °*bat-,* apparenté à °*bot-* «remède, avantage». Le second élément est l'anglais *seller* «vendeur», et en anglo-américain «livre qui se vend bien», (1895), de *to sell* «vendre», du vieil anglais *sellan,* lequel est issu d'une base germanique indoeuropéenne apparentée au grec *heleîn* et, en celtique, à l'ancien irlandais *selaim* «prendre». La notion de best-seller, importante aux États-Unis du point de vue commercial et du point de vue de la popularité liée à la qualité, élément moins évident en Europe, s'est répandue dans le monde entier.

♦ Le mot est repris à la fois au sens large de «produit qui est un grand succès de vente» (une première fois en 1934, puis v. 1960) et au sens particulier de «livre ayant un grand succès de librairie» (1946), plus courant.

▸ Le même mot anglais, dans le composé (*the*) *best of* «(le) meilleur de» a été emprunté dans la langue des producteurs de disques, pour «compilation* des meilleures chansons, des plus grands succès (d'un artiste, d'un groupe)». Cet anglicisme, **BEST OF** n. m., très critiqué, s'est étendu à d'autres sélections.

① BÊTA → BÊTE

② BÊTA n. m. est l'emploi particulier (1838) du nom de la seconde lettre de l'alphabet grec, *bêta,* lequel est en grec un emprunt à la langue sémitique (araméen *bētā* «maison»).

♦ Le mot, désignant la seconde lettre de l'alphabet grec, est employé, souvent corrélativement avec *alpha,* pour désigner le second élément d'une série dans le discours didactique et scientifique. ◇ En astronomie, il désigne la deuxième étoile d'une constellation, en physique, il qualifie une particule émise par certains corps radioactifs, en chimie, il indique une deuxième variété allotropique, le deuxième isomère d'une série. ◇ Enfin, d'après l'allemand *bêta* en neurophysiologie (1930, H. Berger), il qualifie un rythme cérébral enregistré principalement par l'encéphalogramme sur les régions frontales du cerveau.

▸ L'élément **BÊTA-** jouit d'une certaine vitalité en chimie organique pour caractériser le second d'une série d'isomères, indiquer la présence d'un atome de carbone séparant deux fonctions à l'intérieur d'un composé, préciser la structure stéréochimique des sucres et stéroïdes. ◆ Plusieurs autres composés utilisent *bêta-* pour «rayons bêta», spécialement en médecine où **BÊTATHÉRAPIE** n. f. (v. 1950) concerne le traitement des tumeurs, également en sciences dans **BÊTATRON** n. m. (1940) avec *-tron;* **BÊTAGRAPHIE** n. f. (1972). ◆ Un autre élément *bêta-* représente *récepteur adrénergique bêta* et s'applique à la catégorie des nerfs responsables de presque tous les effets inhibiteurs de la stimulation sympathique. Cet élément sert à former les composés **BÊTA-ADRÉNERGIQUE** adj., **BÊTABLOQUANT, ANTE** adj., **BÊTA-INHIBITEUR, TRICE** adj., **BÊTAMIMÉTIQUE** adj., **BÊTASTIMULANT, ANTE** adj., tous enregistrés dans le *Dictionnaire des termes techniques de médecine* de Garnier et Delamare en 1972.

✱ BÊTE n. f. et adj., longtemps écrit sous la forme *beste* (1080), est emprunté au latin *bestia* «animal» (par opposition à l'homme), synonyme populaire de *belua,* lequel met l'accent sur la grandeur, la férocité ou l'inintelligence (→ belluaire). *Bestia,* plutôt réservé par les juristes et grammairiens aux animaux féroces terrestres, se dit dans la langue familière de toute espèce d'animal, sauvage ou domestique. Le mot latin est fréquent comme terme d'injure comme de nos jours en italien ; son étymologie reste inconnue. Il s'est transmis au français d'une part par voie populaire sous la forme *bīstia* (→ biche, par l'ancien français *bisse*) et d'autre part s'est maintenu sous la forme classique par voie d'emprunt, avec l'intermédiaire d'une forme °*bestie.*

♦ *Beste, bête* est un terme générique pour désigner tout être animé, l'homme excepté. Selon les contextes, et comme le latin *bestia,* il s'applique aux animaux domestiques et spécialement aux gros mammifères d'élevage, aux animaux sauvages et notamment dangereux, au gibier, aux petits animaux et notamment à certains insectes, enfin aux animaux imaginaires. Dans chaque application, des syntagmes et locutions courantes lèvent les ambiguités et désignent des catégories plus précises, voire des individus *(la bête de...).* Ainsi, au sens général, on parle de *grosse bête* (voir ci-dessous le figuré), *petite bête* — avec diverses phrases toutes faites —, pour les animaux dangereux, on a *bête sauvage, féroce, de proie* (au figuré «personne cruelle»), en ce qui concerne les animaux de la ferme *bête à cornes, bête de somme,* etc. Dans ce dernier cas, *les bêtes,* comme le latin *bestia* (cf. ci-dessous *bétail*) s'emploie absolument *(rentrer les bêtes).* ◇ Un autre emploi non qualifié concerne les animaux féroces des jeux du cirque : *être livré aux bêtes.* ◇ Dans le domaine des petits animaux, entrent des désignations spécifiques, comme *bête à bon Dieu* «coccinelle» ; certains emplois sont de nature enfantine (*petite bête* et par antiphrase *grosse bête*). Au figuré, ***chercher la petite bête*** (attesté chez Barbey d'Aurevilly) correspond à «chercher minutieusement de petits défauts». Pour les bêtes imaginaires, le mot concerne la connaissance objective et ses limites, quant aux animaux et aux monstres (cf. ci-dessous *bestiaire*), et s'emploie dans des cas précis, comme *la bête de l'Apocalypse, la bête du Gévaudan.* ◇ D'une manière générale, *bête* est plus affectif, plus populaire, plus évocateur et moins rationnel que *animal.* ◇ Dès l'ancien français (1160-1170), il s'emploie pour évoquer en l'homme le caractère instinctif, l'absence de raison, la physiologie non maîtrisée. Une phraséologie s'ensuit, par exemple la locution ***faire la bête*** opposée à *faire l'ange* par Pascal, ou la ***bête humaine,*** thème repris par les écrivains naturalistes au XIXe s. (Zola). La locution récemment mise à la mode ***comme une bête*** est devenue, semble-t-il dès le milieu du XIXe s. (H. Monnier), un intensif pour «extrêmement, avec acharnement». ◇ La valeur forte de «sauvage», «cruel» par exemple dans *bête sanguinaire* correspond au sémantisme de *bestial* (ci-dessous). ◇ Dans un autre registre, ***bête noire*** (XIXe s.), précédé par *bête d'aversion* (1689, Mme de Sévigné), s'emploie pour «personne ou chose détestée». ◇ Suivie de *à* ou *de, bête* appliqué aux humains sert à caractériser une personne par un trait quasi animal d'acharnement, d'obstination : c'est le cas de *bête à concours* (1901), *bête de travail, bête de scène,* «comédien puissamment instinctif», etc.

Bête semble s'être employé comme adjectif dès l'ancien français au sens de «stupide» (v. 1220), mais cet emploi avait disparu après l'apparition de dérivés comme *bêtement.* Réapparu au XVIIIe s. (1763, Diderot), il provient d'emplois classiques du substantif, comme attribut (*être bête,* à côté de *être une bête*). ◇ Cet adjectif, au sens de «sans intelligence», est devenu après 1760 très courant, donnant lieu à de nombreuses locutions, telles ***bête comme un âne, une oie, une cruche, un pot*** (1850, Flaubert), ***comme ses pieds*** ou encore intensives : ***bête à pleurer*** *(à faire pleurer),* ***à manger du foin.*** ◇ L'adjectif est courant au négatif : *il, elle n'est pas bête ; pas si bête !* (1782). Il se dit aussi des actions, des paroles et des comportements, parfois avec l'idée de facilité (en locution ***c'est bête comme chou***) ou par affaiblissement, pour «regrettable» *(c'est trop bête).* Des associations d'adjectifs péjoratifs, appliquées aux personnes et aux actes, ne sont pas rares ; ainsi *plus bête que méchant,* puis *bête et méchant.* ◇ *Bête* est un adjectif neutre dans une série très riche (*idiot, crétin, con, nul,* etc.) ; il a souvent une valeur affaiblie et quasi affectueuse (cf. ci-dessous *bêta*). Les dérivés français ne correspondent qu'à son sémantisme.

▶ **BÊTEMENT** adv., formé sur l'adjectif (une fois au XIVe s., puis déb. XVIIe s., 1606) semble usuel vers le milieu du XVIIIe s. (1743). ***Tout bêtement*** se dit pour «tout simplement, tout bonnement». ➜ **BÊTISE** n. f., d'abord *bestise* (XVe s. ; repris au XVIe s., av. 1520), exprime le manque d'intelligence *(la bêtise)* et *(une bêtise)* une action ou une parole stupide, sans valeur. Il désigne aussi une chose invraisemblable, une blague (1830, *c'te bêtise !*). ◇ L'emploi du mot en confiserie, d'abord pour une sorte de caramel (1918) puis pour une spécialité de Cambrai, un berlingot à la menthe (1929), s'explique plutôt par référence au sens de «bagatelle» que par allusion à une erreur de dosage dans la recette du bonbon, comme on a pu le croire. ➜ Les deux dérivés du mot, **BÊTISER** v. intr. «dire des bêtises» et **BÊTISIER** n. m. «recueil plaisant de bêtises rapportées», sont attestés en 1821, mais sont restés rares, surtout le verbe.

① **BÊTA, ASSE** adj. et n. est, sous sa forme masculine nom masculin et adjectif invariable, attesté une fois en 1584, puis repris depuis l'édition de 1762 du dictionnaire de l'Académie avec le sens de «niais». Il est quelquefois employé comme terme affectueux, à rebours du féminin *bêtasse* (av. 1867) qui a pu être influencé par le paronyme *bécasse* (→ bec). ◇ C'est de cette forme féminine qu'est dérivé **BÊTASSERIE** n. f. (1908) «sottise, ineptie».

BÊTIFIER v. est dérivé de *bête* adjectif (1777) au moyen du suffixe *-fier ;* il est littéraire en emploi transitif pour «rendre bête», plus courant comme verbe intransitif au sens de «faire la bête». ➜ En sont dérivés **BÊTIFIANT, ANTE** adj. (XIXe s.) «qui rend bête, qui abêtit», plus courant que **BÊTIFIEMENT** n. m. (XXe s.).

ABÊTIR v. tr. apparaît sous la forme *abestir* (1330-1332) au sens propre de «rendre (l'homme) semblable à la bête» et glisse progressivement (repris mil. XVIIIe s.), sous l'influence de l'adjectif *bête,* vers le sens de «rendre bête» réalisé à la forme transitive et pronominale *(s'abêtir),* quelquefois depuis le XVIIIe s. à la forme absolue mais déjà dans la langue classique, alors lié à la renonciation à la raison, et parfois dans un contexte religieux. ◇ Le moyen français a eu une forme concurrente *abester* de même sens, distincte de *abester* «mettre les chiens sur la trace du gibier» (v. 1320). ➜ *Abêtir* a produit **ABÊTISSEMENT** n. m. (1552), rare avant 1842, où il est réintroduit comme un mot nouveau, et **ABÊTISSANT, ANTE** adj. (1845) qui concurrence *bêtifiant.*

EMBÊTER v. tr. (1794) s'écarte de l'idée de bêtise et signifie «causer une vive contrariété à qqn» d'où, par extension, «causer de l'ennui à (qqn)» (1820, Stendhal), avec pour intensif familier *emmerder.* Le pronominal est usuel pour «s'ennuyer». ➜ Le dérivé **EMBÊTEMENT** n. m. se dit surtout de ce qui cause une contrariété (fin XVIIIe s.) et de l'état de celui qui a des ennuis (1842) plus qu'à l'état de celui qui s'ennuie (1842). ➜ **EMBÊTÉ, ÉE,** le participe passé de *embêter,* est adjectivé avec le double sémantisme de «contrarié» (1831) et «ennuyé» (1842). ➜ Symétriquement, le participe présent **EMBÊTANT, ANTE** est adjectivé pour qualifier ce qui contrarie (1840), d'où *l'embêtant,* substantif à valeur de neutre (1876), et ce qui ennuie (1840). ◇ Toute la série, très usuelle, était familière, mais l'est beaucoup moins depuis qu'elle est concurrencée par des termes plus marqués (*emmerder,* etc.).

Indépendamment des dérivés français, plusieurs emprunts à des dérivés latins sont sentis comme liés à *bête*. ➜ **BESTIAL, ALE, AUX** adj. est emprunté (v. 1190) au latin chrétien *bestialis* «qui tient de la bête» (IVe s.), «sauvage» (Ve s.), dérivé de *bestia*. ◇ Le mot signifie «qui assimile l'homme à la bête», impliquant généralement la violence, la cruauté ou la stupidité et l'aveuglement. Récemment, *bestial* a pris les valeurs positives d'instinct qui sont réalisées par *bête* (*comme une bête*, etc.). ➜ De *bestial* sont dérivés **BESTIALEMENT** adv. (fin XIIe s.), qui a toutes les valeurs de l'adjectif et **BESTIALISER** v. tr. (1835) «rendre bestial, avilir». ➜ **BESTIALITÉ** n. f., d'abord sous la forme semi-populaire *bestiauté* (XIIIe s.) puis sous la forme savante *bestialité* (v. 1370), est emprunté au latin médiéval *bestialitas* «caractère de ce qui est propre à la bête», de *bestialis*. ◇ Le mot désigne le caractère d'une personne qui se livre à des instincts l'assimilant à la bête. ◇ Il désigne spécialement (1680) le commerce sexuel contre nature avec un animal, autrefois englobé sous *sodomie*, et dont l'équivalent savant plus tardif est *zoophilie*.

① **BESTIAIRE** n. m. est emprunté (v. 1119) au latin médiéval *bestiarium*, attesté chez Ugutio de Pise (mort en 1210) et dérivé de *bestia*, désignant un recueil d'animaux réels ou imaginaires dont on se sert comme symboles d'une signification morale ou religieuse. ◇ Le mot apparaît dans le premier texte français du genre, celui que Philippe de Thaon écrivit pour la cour d'Angleterre. Au XIVe s., les bestiaires de chasse font prévaloir un esprit moins symbolique, plus pratique et plus scientifique. L'emploi du mot, déplacé par les sciences naturelles, est ensuite réservé au passé ; il est renouvelé par la fable classique et, plus près de nous, par J. Renard (1896, *Histoires naturelles*) et G. Apollinaire (1911, *Le Bestiaire ou Cortège d'Orphée*). ◇ Par métonymie, le mot désigne l'ensemble des animaux décrits ou évoqués par un écrivain, représentés par une œuvre d'art ou un peintre.

BESTIOLE n. f. est emprunté (v. 1170) au latin *bestiola* «petite bête, insecte», diminutif de *bestia*. Le sens est celui de «petite bête», spécialement à propos d'un insecte, mais seulement dans un usage familier et affectif. ➜ Un autre diminutif, **BESTION** n. m. «bestiole» (1520) a désigné à l'éoque classique (1690) une figure de proue qui comportait une représentation animale. Tous ses emplois ont disparu.

BÉTAIL n. m., d'abord *bestail* (XVe s.), est l'altération, par un suffixe masculin, de *bestaille* (1205), dérivé de *beste* sur le modèle de l'ancien français *aumaille* «gros bétail à cornes», lequel continue le latin *animalia*, de *animal*. ◇ Parallèlement, l'ancien français a eu le féminin collectif *bestiaille* (1213), dérivé du radical du latin *bestia* avec le sens large de «ensemble des animaux de ferme», et dont on a tiré un nom masculin *bestial* (XIIIe s., *bestiall*). Celui-ci, encore répertorié en 1611 par Cotgrave et usité de nos jours dans les dialectes du Nord-Ouest et de Normandie, a été évincé par *bétail*, probablement afin d'éviter l'homonymie avec l'adjectif *bestial**. Il s'est maintenu au pluriel *bestiaux* (ci-dessous). ◇ *Bétail* désigne l'ensemble des animaux entretenus pour la production agricole à l'exception des animaux de basse-cour ; cette valeur est voisine d'un emploi spécial de *bête* au pluriel (*les bêtes*). Le mot s'emploie au figuré, par mépris, dérision ou pitié, à propos d'une collectivité humaine (XVIIe s., La Fontaine), spécialement dans l'argot des proxénètes à propos des prostituées (1905). ➜ Le dérivé **BÉTAILLÈRE** n. f. (attesté 1953) est le nom d'un fourgon automobile servant au transport des animaux de boucherie. ➜ **BESTIAUX** n. m. pl. (XVe s.), à l'origine pluriel de *bestial* n. m. (voir ci-dessus *bétail*), se différencie de *bétail* en tant qu'il désigne l'ensemble des mêmes animaux considéré en tant que somme d'individus (distributivement, successivement) et non en tant qu'ensemble ; de là son choix dans *wagon à bestiaux*. Comme *bétail*, il est quelquefois employé péjorativement à propos d'un ensemble d'individus. ◇ Le singulier *bestiau* désigne dans l'usage rural ou plaisant le bétail, en particulier, une pièce de gros bétail et devient un synonyme familier de *bête*.

② **BESTIAIRE** n. m. est emprunté (1495) au latin *bestiarius* «gladiateur combattant contre les bêtes fauves au cirque», dérivé de *bestia*. ➜ Le mot est employé en référence aux jeux antiques ; rare avant le XVIIIe s., il subit, dans le style poétique, la concurrence de *belluaire**. ◇ Par jeu de mots paronymique avec *vestiaire*, il désigne quelquefois l'endroit où l'on parque les fauves des jeux du cirque (1883, Hugo).

◈ voir BICHE, BIQUE.

BÉTEL n. m. est emprunté, d'abord sous la forme *beteille* (1515) par l'intermédiaire de textes italiens, puis sous la forme *betel* (1572) par le latin, au portugais *betel* (1500, écrit *betele*). Ce mot est emprunté au malayalam (langue dravidienne de la côte de Malabar) *vettila*, nom d'un poivrier grimpant dont les feuilles fournissent un masticatoire tonique et astringent. C'est un composé de *veru* «simples» et de *ila* «feuille».

♦ Le mot désigne à la fois une espèce de poivrier grimpant cultivé en Inde et en Extrême-Orient et, par métonymie, le masticatoire tiré de ses feuilles, utilisé par exemple en Afrique.

① **BÉTON** n. m. est la réfection graphique (1671), par conformation à la prononciation et sous l'influence du suffixe *-on*, de l'ancien français *betun* (v. 1165). Ce mot est emprunté au latin *bitumen* «substance combustible liquide» (→ bitume) avec prononciation médiévale de la finale *-um*, *-un* (une orthographe savante, *betum*, est restituée au XVIe s.).

♦ En passant en français, le mot a pris le sens de «ciment, mortier», qui s'est répandu au détriment de l'acception de «boue, fange», plus courante en ancien français et conservée régionalement dans *betin* (Poitou, Vendée) désignant des terres de mauvaise qualité, mélangées de pierres, de cailloux. La technique moderne a conféré au mot une valeur plus précise, encore caractérisée dans des syntagmes comme *béton armé*. ◇ *Béton* a développé des emplois figurés associant les idées de «ville, environnement urbain oppressif» et «solidité, résistance». ◇ Dans les sports d'équipe, il évoque un système de défense à outrance (1943). ◇ *En béton* correspond à «solide, indestructible»; *béton* lui-même est adjectivé (1985 *idée béton*) avec la valeur intensive de «imparable, à toute épreuve» *(un argument béton).*

▶ **BÉTONNER** v. (1838), «construire avec du béton», a deux emplois figurés. Pris absolument, en football, il signifie «jouer la défense systématique» (1949). Comme transitif, il correspond à «garantir, rendre solide, assurer». ◆ En ont été dérivés **BÉTONNAGE** n. m. (1838), puis des adjectifs tirés de ses participes, **BÉTONNÉ, ÉE** (1838) et **BÉTONNANT, ANTE** (v. 1950), réalisant surtout un sens figuré *(des arguments bétonnés).* ◇ *Bétonnant* s'emploie pour «dur, violent» en parlant d'une musique pop (apr. 1970). ◆ **BÉTONNIÈRE** n. f. (1873) et **BÉTONNEUSE** n. f. (1941) se font concurrence pour désigner la machine dans laquelle on prépare le béton par malaxage des constituants.

② **BÉTON**, dans *laisse béton,* est le verlan de *tomber** dans l'expression *laisse tomber.*

BETTE ou **BLETTE** n. f., d'abord *bete* (v. 1119), puis *bette* (v. 1393), est emprunté au latin *beta* «plante potagère à feuilles larges et grosses côtes», mot pour lequel on a évoqué un rapprochement avec l'ancien haut allemand *bieza* et l'irlandais *biatuis.* La forme devenue plus courante, *blette* (1379), est empruntée au latin médiéval *bleta* (IXe-XIe s.) résultat du croisement entre le latin *beta* et le latin *blitum,* lui-même repris au grec *bliton,* d'étymologie obscure. Le type *blite* (1790) semble être un emprunt direct au latin *blitum.*

▶ **BETTERAVE** n. f. résulte de la soudure du nom composé *bette rave* (1600), de *bette* et *rave**. ◇ C'est le nom d'une plante potagère ou fourragère à racine charnue, riche en sucre. L'importance du mot s'est accrue au XIXe s., quand la fabrication industrielle du sucre, jusqu'alors provenant de la canne, a développé la culture des betteraves dans les pays tempérés, notamment le nord de la France et la Belgique (1800, *sucre de betterave*). ◆ Il a donné **BETTERAVIER, IÈRE** adj. et n. m. (1839, n.) «relatif à la betterave» et, comme nom, «producteur de betteraves à sucre».

◈ voir **BARBITURIQUE.**

BEUGLER v. est l'altération, peut-être onomatopéique (1661), de l'ancien et moyen français *bugler* «corner» (v. 1150), de l'ancien français *bugle,* «buffle, bœuf sauvage, jeune bœuf» (v. 1180), par métonymie «peau de buffle», et au figuré adjectivement «stupide». Ce mot sorti d'usage a été réemprunté de l'anglais avec une acception spécialisée (→ bugle). Il était emprunté au latin *buculus* «bouvillon», masculin tardif et très rare de *bucula,* «génisse», diminutif de *bos, bovis* (→ bœuf).

♦ D'abord employé au sens figuré «rendre un son, corner», le verbe s'emploie proprement à propos d'un bovidé qui pousse son cri (1580). ◇ De là, par analogie, il se dit d'une personne ou d'une chose qui émet un son puissant et disgracieux, et d'une personne qui hurle.

▶ À l'exception de **BEUGLEMENT** n. m., réfection (1690) de l'ancienne forme *buglement* (1539), les dérivés de *beugler* sont tardifs. ◆ Son participe présent **BEUGLANT** a été substantivé pour désigner familièrement un café-concert de mauvaise qualité (1864, n. m.), sens vieilli; **BEUGLANTE** n. f. désignant autrefois (déb. XXe s.) une chanteuse de café-concert, aujourd'hui une chanson, d'où par extension une protestation criée à tue-tête. ◆ **BEUGLARD, ARDE** adj. et n. (déb. XXe s.) s'est employé très familièrement à propos d'une personne qui ne peut s'empêcher de parler fort. ◆ On rencontre quelques exemples très rares de **BEUGLEUR** n. m. (1853), avec le même sens.

BEUR → **ARABE**

BEURRE n. m. est, sous sa forme actuelle *beurre* (XVIe s.), une variante dialectale de l'Ouest (ou de l'Est, moins vraisemblablement) pour *bure* (v. 1120) et *burres* (v. 1200). Ce mot continue le latin *bútyrum* emprunté au grec *boúturon* avec maintien de l'accentuation sur l'antépénultième (d'où le provençal *buire,* l'ancien catalan *bure*) à côté de la forme à accentuation latine *butýrum* (Venance Fortunat, Sidoine Apollinaire) à l'origine des formes à *t* conservé, l'italien *butir(r)o,* l'anglais *butter,* le néerlandais *boter,* l'allemand *butter.* Le mot grec *bouturon,* «beurre» et aussi «onguent», est le composé de genre neutre (à côté du masculin *bouturos*) de *bous* «bœuf» et «vache», répondant au latin *bos* (→ bœuf), et de *turos* «fromage (de vache)». *Turos* est indoeuropéen, car le fromage, à la différence du beurre, était connu des Indoeuropéens : par exemple, l'avestique a *tu'ri-* «lait caillé» et le moyen indien *tura-* «fromage».

♦ Le mot désigne la matière grasse alimentaire obtenue en battant la crème du lait. *Beurre salé* (1609) s'oppose à *beurre demi-sel* et, régionalement, à *beurre doux* (Bretagne). À partir du XVIe s., il s'emploie dans des locutions familières faisant allusion à la consistance du beurre : ***rentrer dedans comme dans du beurre*** (récent), ***fondre comme du beurre*** (XVIe s.). Le mot suggère une valeur «fondante», un intérêt faible, dans l'ancienne expression dépréciative *de beurre* (XVIe s.) et aujourd'hui dans ***compter pour du beurre,*** ou à l'aisance, la richesse, par opposition à *pain* dans ***promettre plus de beurre que de pain*** (1690) et dans d'autres contextes ***mettre du beurre dans les épinards*** (attesté chez Zola, *L'Assommoir*) «améliorer l'ordinaire, ou encore ***du beurre ou des canons*** (déb. XXe s.) et, récemment, ***on ne peut avoir le beurre et l'argent du beurre.*** ◇ Par analogie d'aspect, le mot a servi à désigner des composés chimiques peu consistants (1704, *beurre d'antimoine, d'arsenic*) et s'emploie encore, bien que cette appellation soit prohibée par la loi française, à propos de la substance grasse extraite de certains végétaux (1814-1820). ◇ *Beurre de...* désigne aussi une pâte formée d'une substance écrasée dans du beurre (1845, *beurre de piment;* 1807 *beurre d'anchois*). ◇ Le syntagme ***beurre frais*** qualifie traditionnellement les gants en peau claire pour homme (1815), avec une connotation ironique de solennité petite-bourgeoise aujourd'hui archaïque.

BEURRER v. tr. a remplacé *burrer* (XIIIe s.), au sens de «étendre du beurre sur», spécialement en pâtisserie «faire tremper dans du beurre» (1680). ◇ Au figuré, en peinture, il signifie «donner du corps à» (1840, Balzac in *T. L. F.*). ➜ Le participe passé **BEURRÉ, ÉE** est adjectivé (XIIIe s.) avec les sens correspondant au verbe. ◇ Il s'emploie familièrement pour «ivre» (déb. XXe s.), par paronymie avec *bourré*. De là *se beurrer* «s'enivrer». ➜ Il est substantivé et **BEURRÉ** n. m. désigne, par allusion à sa consistance, une sorte de poire fondante (1536). ➜ **BEURRÉE** n. f. (1585), pour «tartine beurrée», s'emploie de nos jours surtout dans un usage régional mais désigne familièrement un état d'ivresse *(prendre une beurrée)*, d'après *beurré* «ivre». ➜ **BEURRAGE** n. m. (1815), terme de cuisine pour «action de beurrer (un moule)», se dit au figuré de l'aspect d'une peinture «beurrée» (1883, Huysmans). ➜ **BEURRIER, IÈRE** n. et adj., d'abord *burier* (1270), a désigné la personne (1337) qui fait ou vend du beurre. ◇ Comme adjectif, il qualifie ce qui concerne le beurre (1547) et le nom désigne couramment un récipient dans lequel on conserve le beurre *(un beurrier)*. ◇ **BEURRIÈRE** n. f. a désigné en français classique celle qui vend du beurre, appelée plus tard *crémière*. ➜ **BEURREUX, EUSE** adj. (XVIe s.), qui qualifiait une chose ayant la consistance du beurre à côté du terme didactique *butyreux*, est archaïque. ➜ **BEURRERIE** n. f., «lieu de fabrication et de conservation du beurre» (1836), est d'usage plus technique que *crémerie* et *laiterie* et ne s'emploie plus pour le magasin où l'on vend du beurre.

BABEURRE n. m. (1530), composé de *bas* et de *beurre*, est un terme technique ou régional pour désigner le liquide qui reste après le barattage de la crème ; on dit aussi *lait de beurre*.

◈ voir BUTYRO- ; PETIT (PETIT-BEURRE).

BEUVERIE → BOIRE

BÉVUE → VOIR

BEY n. m., d'abord *Bay* (1423) puis *bey* (1519), les deux fois dans un nom propre, est emprunté au turc *bey*, antérieurement *beg* (→ bégum) «prince, gouverneur».

♦ Le premier emploi, comme nom autonome pour «gouverneur d'une ville, d'une province dans l'ancien Empire ottoman», est relevé en 1554.

▸ **BEYLIK** ou **BEYLICK** n. m. est emprunté sous la forme *beglic* (1624) puis *beilik* (1689) au dérivé turc *beglik, beylik* «rang ou fonction de bey», «juridiction d'un bey». ◇ Le mot désigne la province que gouvernait un bey et la charge assurée par le bey (1689), concurrement à *beylicat*. ➜ En sont dérivés **BEYLICAL, ALE, AUX** adj. (1887) «relatif au bey» et **BEYLICAT** n. m. (1922), «souveraineté du bey», qui empiète sur le sens de *beylick* «division administrative soumise à l'autorité du bey».

◈ voir BERGAMOTE.

BÉZOARD n. m. a été emprunté au XVe s., sous la forme *bezaar* et par l'intermédiaire du latin médiéval (1490), à l'arabe *bāzahr*, lui-même du persan *pādzahr* «ce qui préserve du poison». La forme moderne *bezoar* (1548), écrite *bezoard* (1581) sous l'influence du suffixe *-ard*, est elle-même empruntée, par l'intermédiaire du latin médiéval *bezoar* (1246-v. 1320), à l'arabe *bezuwār*, forme maghrébine de *bāzahr*.

♦ Le mot désigne une concrétion pierreuse qui se forme dans le corps de certains animaux et à laquelle on attribuait autrefois des vertus curatives et magiques. Elle était notamment réputée comme contrepoison. ◇ En pathologie humaine, il s'applique à un corps étranger au tube digestif.

BI- est un préfixe emprunté au latin *bi-*, particule marquant la duplication dans un grand nombre de composés anciens, formés d'après des composés grecs en *di-* (→ dichotomie, diplôme), en rhétorique, poésie et dans les langages techniques. À côté de *bi-*, l'adverbe *bis* «deux fois» (→ ① bis) a également servi, sous la forme *bis-*, de premier terme de composés. *Bi-* (anciennement *dwi-*) et *bis* (anciennement *dvis*, forme citée par Cicéron) appartiennent à la base indoeuropéenne °*dwi-* (→ deux).

♦ Avant la fin du XVIIIe s., les composés sont rares : les principaux sont *bisaïeul* [→ aïeul] (1283), *biscuit**, *biscornu**, *bidenté* (1571), *biparti* (1361). La composition n'est très productive qu'à partir de la fin du XVIIIe et du début du XIXe s., avec par exemple *bisannuel* (1788), *biloculaire* (1771), *bilobé* (1788), *bilatéral* (1804), *bipenné* (1805), *bimane* (1806). Les termes ainsi formés appartiennent principalement à des vocabulaires scientifiques (biologie, anatomie, zoologie, minéralogie, chimie, mathématiques) ou techniques. ◇ On a coutume d'opposer *bi-*, *bis-* et un second terme d'origine latine et *di-* avec un second terme d'origine grecque. En fait, les composés en *di-* ne se trouvent que dans des nomenclatures scientifiques et techniques ; il existe parfois une concurrence *di-/bi-*, mais le préfixe vivant de nos jours est *bi-*, *bis-*.

◈ voir BESACE, BESAIGUË, BÊCHER, BIAIS, BINAIRE, BINER, BINOCLE, COMBINER, etc.

BIAIS, BIAISE adj. et n. m. est d'origine incertaine, probablement emprunté (v. 1250) à l'ancien provençal *biais*, «direction oblique, détour» (XIIe s.) à partir duquel le mot paraît s'être répandu dans la Romania. L'étymologie de l'ancien provençal est controversée : l'hypothèse la plus vraisemblable est celle d'un latin populaire °*biaxius*, «qui a deux axes», de *bis* et d'un adjectif correspondant à *axis* (→ axe). On a aussi évoqué le grec *epikarsios* «oblique», qui aurait pénétré par les colonies grecques de la côte provençale par une forme avec aphérèse °*(e)bigassius*. Ce mot grec peut être apparenté, par un °*epikartos*, à *keirein*, *epikeirein* «couper, tondre», d'où «détruire» en général, lequel repose sur la même racine que le latin *caro* (→ chair).

♦ L'usage médiéval atteste seulement la locution adverbiale ***de biais*** employée spécialement en couture à propos de ce qui n'est pas coupé dans le droit fil. Le mot se répand au XVIe s. comme adjectif au sens de «oblique» (1563), d'où *le biais* n. m., et développe une valeur figurée péjorative (fin XVIe s.) sortie d'usage mais continuée par le dérivé *biaiser*.

Conjointement, la locution ***de biais, en biais*** s'emploie au propre et au figuré. ◇ Le masculin *biais,* substantivé, désigne abstraitement, avec une valeur générale, l'aspect sous lequel une chose se présente (fin XVIe s.) et au figuré, d'après l'idée de direction oblique, a le sens de «subterfuge, moyen détourné» (av. 1592). L'acception concrète de «sens de la diagonale» n'est attestée qu'au siècle suivant, en couture (1680).

▸ **BIAISER** v. intr. signifie d'abord (1402) «être de biais». Il n'a pas conservé ses anciens emplois transitifs de «traverser obliquement» et «disposer obliquement», courants au XVIe s., et a pris une valeur figurée, «user de finesse et de ruse pour éviter qqch.» (av. 1655). ➝ Le dérivé **BIAISÉ, ÉE** adj., tiré du participe passé, est usuel, alors que **BIAISEMENT** n. m. (1574) ne s'est pas répandu ni au sens concret ni au sens figuré pour «atermoiement» (fin XVIIe s.).

BIBELOT n. m. d'abord *biblot* (1427), forme encore attestée en 1611, puis *bibelot* (1432), est d'origine inconnue. On a supposé une formation par substitution du suffixe à partir de l'ancien français *beubelet* (v. 1180), lui-même dérivé d'un anglo-normand *baubel* de même sens, redoublement de *bel* (→ beau); hypothèse peu convaincante. L'origine la plus communément admise est une formation expressive sur le radical onomatopéique *bib-* évoquant de petits objets, avec le suffixe diminutif *-elot.* ◇ Cependant P. Guiraud, faisant de *bibelot* un mot des dialectes picard et wallon désignant un petit objet (de bois en général), y voit le représentant d'un °*bis-biloter,* diminutif de °*bis-biller,* «tailler en biseau», de *biller* «fendre du bois» (→ ② bille). Il associe à cette hypothèse le cas de *bijou** qui représente selon lui *bisol,* variante de *biseau** avec le même sémantisme fondamental.

♦ Le mot désigne un petit objet, souvent curieux, décoratif, et, par extension, est parfois employé en parlant de personnes, d'entités abstraites. Il est passé dans l'argot des métiers pour désigner un outil de travail (1837) et, en typographie, un travail mineur, tel que factures, adresses, étiquettes, prospectus (1874). ➝ La variante **BIMBELOT** n. m. (1549) s'est différenciée sémantiquement de *bibelot* en réalisant le sens de «petit jouet d'enfant», développant par extension celui d'«objet sans valeur, bagatelle» (1866). *Bimbelot* est sorti d'usage au XIXe s. sous la concurrence de *jouet,* mais survit dans ses dérivés (ci-dessous).

▸ Chacune des deux formes a donné lieu à une série de dérivés. ➝ *Bibelot* a produit en moyen français **BIBELOTIER, IÈRE** adj. et n. (1467) «personne qui fabrique et vend des bibelots, **BIBELOTEUR, EUSE** n. (1427, *bibelottere*) «amateur de bibelots» et **BIBELOTERIE** n. f. (1468, *biblotterie*); tous ces mots ont été repris dans la seconde moitié du XIXe s.; ils sont notamment employés par les Goncourt en pleine vogue de la collection des petits objets anciens. ➝ Apparaissent alors **BIBELOTER** v. (1845) et son substantif d'action **BIBELOTAGE** n. m. (1877) qui concernent cette activité de collectionneur, d'amateur d'art. ◇ Toute la série est devenue rare. ➝ *Bimbelot* n'a guère produit que **BIMBELOTIER, IÈRE** adj. et n. (1484), avec les variantes disparues *bimbelottier* (1530), *bimbeloquier* (1680), *bimblioquier* (1732) «fabricant de bimbelots», et **BIMBELOTERIE** n. f. (1751) pour désigner la fabrique, le commerce des petits objets plus ou moins décoratifs, de souvenirs, etc.

BIBENDUM n. m. est l'emploi (1910) du latin *bibendum,* gérondif du verbe *bibere* (→ boire), repris de la devise *Nunc est bibendum,* «c'est l'heure de boire», début d'un célèbre poème d'Horace (*Odes,* I, 37) qui chante la victoire navale d'Actium remportée par Octave (Auguste) sur Antoine et Cléopâtre, reine d'Égypte, en l'an 31 av. J.-C. Cette devise avait été utilisée par le dessinateur O'Gallop, à la fin du XIXe s., pour un projet d'affiche de la bière Gambrinus. Le dessinateur utilisa le gros personnage qu'il avait appelé *Bibendum* pour l'entreprise Michelin, formant alors son corps de pneus de caoutchouc et adaptant le gérondif latin à la devise : *«Le pneu Michelin boit l'obstacle».*

♦ Par analogie avec ce personnage publicitaire, le mot, prononcé *bibindom',* a été répandu dans l'argot des écoliers et l'argot des tranchées pour désigner un homme corpulent et poussif (souvent *un gros bibendum*). ◇ L'emploi qu'en ont fait les fantassins au sens de «viande dure» (1916), par allusion à la dureté du caoutchouc, a disparu. ◇ Comme le *bébé Cadum,* ce mot est caractéristique du début du XXe s. et a vieilli.

▸ **BIB** n. m. (v. 1970), qui désigne un canot pneumatique de survie se gonflant automatiquement, est probablement dérivé de *bibendum,* nom déposé par Michelin pour divers produits de caoutchouc (pneus, canots pneumatiques).

BIBERON n. m., formation savante, est vraisemblablement dérivé (1301) du latin ecclésiastique *biber(e)* «boisson», plutôt que du radical du latin classique *bibere* (→ boire), avec suffixe *-on* par analogie avec des mots comme *aileron, chaperon.*

♦ Le mot a d'abord eu la valeur de «bec, goulot d'un vase», sortie d'usage au XVIe siècle. Tout en développant le sens figuré de «personne qui aime boire» (XVe s.), familier et aujourd'hui vieilli, il a désigné, par métonymie, un petit récipient à bec servant à faire boire les malades (1514). ◇ Ce n'est qu'en 1835 que l'Académie accueille, avec une autre spécialisation de fonction, le sens de «récipient, petite bouteille munie d'un bec pour faire boire un enfant» qui est déjà attesté en 1777 dans des *Mémoires (...) à l'Académie des Sciences,* mais alors comme mot de spécialiste. Ce sens est devenu le plus courant, associé un peu plus tard à la *tétine* de caoutchouc, qui remplace le bec. ◇ C'est une marque de biberons, nommés d'après le patronyme *Robert* qui a fourni à la fin du XIXe s. une désignation argotique des seins *(les roberts).*

▸ **BIBERONNER** v., attesté une première fois en emploi transitif pour «donner le biberon» (1852), a eu le sens de «sucer comme un biberon» (av. 1887, intr.). ◇ Ces valeurs ont disparu et le verbe signifie familièrement «boire beaucoup» (1837), reprenant la valeur figurée de *biberon* depuis le moyen français. ◆ De là **BIBERONNEUR, EUSE** n. (XXe s.) qui se dit familièrement d'une personne buvant abondamment. ◆ **BIBERONNERIE** n. f. (1966), «local destiné à la préparation des biberons», demeure un terme technique.

◈ voir BIBINE.

BIBI n. m. et pron., d'abord attesté comme nom propre (1765), est d'origine inconnue, peut-être une onomatopée redoublée d'origine enfantine désignant une chose, une personne de petite taille, peut-être, selon P. Guiraud, de la famille de *bibelot**.

♦ Le mot était le sobriquet de personnages, par exemple de l'un des membres de *La Méduse,* société épicurienne fondée à Marseille vers 1683 et celui du roi des «Barbets» (1765). À partir du XIXe s., *bibi, mon bibi* est un nom affectueux donné familièrement à une femme par un homme (1760) et aussi à un enfant (1857), alors influencé par le paronyme *bébé**. ◇ Puis, toujours dans l'usage familier, le mot désigne un petit chapeau de femme (1832, d'après l'expression *chapeau à la bibi,* 1812). ◇ Par ailleurs, il s'emploie comme équivalent du pronom *moi* (1832). Ces deux acceptions, encore vivantes, ont néanmoins vieilli. ◇ Quant aux autres emplois argotiques de *un bibi,* «fausse clef» (1848), «couteau» (1880), ils ont disparu.

BIBICHE → BICHE

BIBINE n. f. est l'altération (1862), d'après *cantine, cuisine,* d'un radical onomatopéique *bib-,* tiré plutôt de *biberon** que directement du latin *bibere* (→ boire). La chronologie des emplois français interdit d'y voir une altération de l'italien *bibita* proprement «chose bue», qui s'applique à une boisson composée de sirop ou de jus de fruit.

♦ Ce mot, populaire puis familier, a d'abord désigné un petit cabaret de bas étage puis, surtout, une boisson de mauvaise qualité (1890) et, spécialement, une mauvaise bière.

BIBLE n. f. est emprunté (XIIe s.) au latin chrétien *biblia,* «livres sacrés» (IIIe s.), bien attesté en latin médiéval à partir du XIIe siècle. Ce mot est la transcription, interprétée comme un féminin singulier, du grec *biblia,* pluriel neutre de *biblion,* «papier à écrire, lettre, document, livre, partie d'un ouvrage», de *bublion,* dérivé de *bublos, biblos.* Ce dernier désigne d'abord le papyrus égyptien d'où, par métonymie, les fibres de papyrus utilisées pour écrire, en rouleau et en livre. L'hypothèse généralement admise selon laquelle *bublos* serait purement et simplement le nom de la ville phénicienne de Byblos, d'où le papyrus était importé, se heurte au fait que le nom phénicien de la ville *Gbl,* akkadien *Gublu,* hébreu *Gĕbal,* fournirait difficilement un emprunt *bublos.* Étant donné qu'on observe déjà chez Homère un emploi de l'adjectif *bublinos,* «en fibres de papyrus» à propos d'un câble, on peut penser qu'il a existé un nom °*bublos,* «papyrus (plante)», d'origine d'ailleurs obscure.

♦ Le mot, employé avec la majuscule, désigne le recueil des Saintes Écritures hébraïques comprenant l'Ancien Testament, auquel les chrétiens ajoutent le Nouveau Testament, et, concrètement (avec ou sans majuscule), un livre contenant le texte biblique. ◇ Par extension, il se dit à propos d'un grand livre, d'un travail important (1223), figurant au moyen âge dans les titres (XIIIe s.) donnés à des ouvrages satiriques qui passaient en revue les principaux états de la société. Il se dit d'un livre qui se consulte souvent (XVIe s., *Bible des soldats*), récemment appliqué à un ensemble de manuels d'instruction (1950, argot de l'École de l'air) et surtout à un ouvrage auquel on se fie complètement *(c'est sa bible).* Cf. *évangile.*

▸ La dérivation consiste en quelques termes didactiques. ◆ **BIBLISTE** n. (v. 1600) désigne celui qui, dans la foi chrétienne, n'admet que la Bible pour règle. ◇ Au XXe s., il s'emploie aussi pour désigner un érudit étudiant la Bible (1928), concurrençant en ce sens **BIBLICISTE** n. (1875) et **BIBLICISANT, ANTE** n. (1933), lequel suppose un verbe virtuel °*bibliciser.* ◇ *Bibliste* a servi à former **BIBLISTIQUE** n. f. (1838), «connaissance des diverses éditions de la Bible». ◆ **BIBLISME** n. m. (1874) se dit d'une imitation du style biblique et de la doctrine qui n'admet pour règle de foi que ce qui est formulé dans la Bible (1884). ◇ Ce sens est également réalisé par **BIBLICISME** n. m. (1875) qui, avec une valeur concrète *(un biblicisme),* désigne un tour stylistique fréquent dans la Bible.
BIBLIQUE adj. est emprunté tardivement (1623) au latin médiéval *biblicus,* «qui contient la Sainte Écriture» (apr. 1165), dérivé de *biblia.* ◇ L'adjectif qualifie ce qui est propre à la Bible, lui appartient, spécialement un style par lequel on imite celui de la Bible, tantôt en mauvaise part (1819) pour «style trop imagé et inintelligible», tantôt en bonne part (1835). Par extension la locution ***d'une simplicité biblique*** (1892, dans Alphonse Allais) caractérise une simplicité qui évoque la Bible (aussi dans *des mœurs bibliques,* etc.). ◆ En dérive **BIBLIQUEMENT** adv. (1923) «d'une manière biblique» et, par extension, «comme dans la Bible». ***Connaître qqn bibliquement,*** par allusion au caractère direct des récits bibliques et au sens qu'y a *connaître,* signifie «sexuellement».

◈ voir BIBLIO-, BIBLIOTHÈQUE.

BIBLI-, BIBLIO- est le premier élément de composition de substantifs, plus rarement d'adjectifs, représentant le grec *biblio-,* déjà productif, tiré de *biblion* «livre» (→ bible). Le second élément est le plus souvent d'origine grecque, plus rarement latine. Les formations les plus importantes datent du XVIIe s. (→ bibliographie) et du XVIIIe s. (→ bibliophile).

▸ L'amour des livres a en outre suscité des composés moins usités, tels **BIBLIOMANE** n. «qui a la passion des livres» (1654, Guy Patin) et **BIBLIOMANIE** n. f. *(id.),* d'où **BIBLIOMANIAQUE** adj. (1809, chez P.-L. Courier), mots devenus péjoratifs et archaïques. ◆ **BIBLIOLÂTRE** adj. et n. «personne qui vénère, adore les livres» et **BIBLIOLÂTRIE** n. f. (XIXe s.) sont rares et didactiques. ◆ D'autres termes didactiques, **BIBLIOGNOSIE** n. f. (1845), de *-gnosie;* **BIBLIOMANCIE** n. f. (1845) «divination par les livres» et **BIBLIOMANCIEN, IENNE** n. *(id.)* sont demeurés rares. ◆ L'élément productif, en français moderne, est tiré de *bibliothèque :* c'est le cas dans **BIBLIOBUS** n. m. (1930) «bus servant de bibliothèque», **BIBLIOCAR** n. m. (1970), **BIBLIOPOCHE** n. f. (1971) «bibliothèque de livres de poche», en concurrence avec *pochothèque.* ◆ En revanche, dans **BIBLIOPHAGE** adj., «mangeur, dévoreur de livres» (1955), c'est l'élément signifiant «livre» qui est en cause.

◈ voir BIBLIOGRAPHIE, BIBLIOPHILE, BIBLIOTHÈQUE.

BIBLIOGRAPHIE n. f. est une formation savante (1633), de *biblio-** et de *-graphie**.

♦ Le mot désigne un répertoire raisonné d'écrits, sur un thème ou une source, un auteur, etc. Cette acception est restée la plus usuelle, s'étendant soit à l'ouvrage contenant un tel répertoire, soit à une liste de références contenue dans un livre. ◇ Dans ce sens on emploie fréquemment au XXe s. l'abréviation **BIBLIO** n. f. (att. 1943). ◇ Depuis le XVIIIe s. (1762) *bibliographie* désigne aussi la science des documents écrits, en relation au XXe s. avec *documentation.*

► Il a pour dérivés **BIBLIOGRAPHE** n. m. (1665), d'abord «celui qui rédige une liste de références écrites, un catalogue» puis (1752) «spécialiste du livre et de la bibliographie» alors confondu avec le *paléographe,* de nos jours souvent associé à *documentaliste* (→ document), **BIBLIOGRAPHIQUE** adj. (1778) et **BIBLIOGRAPHIER** v. tr. (1901, A. Jarry) «établir la bibliographie de» et «enregistrer dans une bibliographie». ◆ **BIOBIBLIOGRAPHIE** n. f. (1899), de *bio-**, «étude qui combine la biographie et la bibliographie», est didactique comme son dérivé **BIOBIBLIOGRAPHIQUE** adj. (1937).
Une formation analogue sur *biblio-*, avec le suffixe *-logie,* est **BIBLIOLOGIE** n. f. (1802), «science générale du livre, incluant bibliographie, bibliothéconomie, etc.», dont le dérivé est **BIBLIOLOGIQUE** adj. (1867).

BIBLIOPHILE n. est attesté au XVIIIe s. (1740, de Brosses), un titre du début du XIVe s., *Le Philobiblion* de Richard de Bory, n'ayant suscité aucun vocabulaire propre. Il est formé de *biblio-** et *-phile**.

♦ Le mot désigne l'amateur de livres, et spécialement de livres rares et précieux, la notion moderne, à la fois économique et liée à la collection d'objets d'art, se dégageant au XIXe s. : *la Société des bibliophiles français* est fondée en 1820.

► C'est alors, à l'époque romantique, que sont formés les dérivés **BIBLIOPHILIE** n. f. (1845 dans un dictionnaire) et **BIBLIOPHILIQUE** adj. (repéré chez Balzac en 1835).

BIBLIOTHÈQUE n. f. est emprunté (1493) au latin *bibliotheca* «salle où sont rangés les livres», «armoire à livres» et surtout en latin médiéval «ensemble de livres». À basse époque, le mot s'applique aux Écritures Saintes. Il est emprunté au grec *bibliothêkê* «case pour un livre», «dépôt de livres», de *biblion,* «livre» (→ biblio-), et *thêkê* «coffre, boîte (où l'on dépose qqch.)» et aussi «tombe», mot fréquent comme premier élément de composition, issu de la racine de *tithenai* «poser, établir, fonder» (→ thèse).

♦ Le sens métonymique de «collection de livres» semble premier en français; en provient l'emploi du mot pour un recueil, une compilation de plusieurs ouvrages de même nature ou d'auteurs qui ont rassemblé ce qui peut se dire sur un même sujet (sens enregistré en 1690 par Furetière), point de départ de la notion éditoriale de «collection d'ouvrages publiés chez un même éditeur et présentant un caractère commun». De là vient aussi le sens de «répertoire de notices sur les écrivains», au XVIe s. (La Croix du Maine, du Verdier), puis celui de «livre contenant les catalogues des livres des bibliothèques» (1627) éliminé par d'autres mots *(catalogue, bibliographie).* De là, avec une valeur figurée, l'expression *bibliothèque vivante* (1647) à propos d'un érudit à la mémoire très étendue. ◇ Le sens spatial correspond d'abord à «armoire renfermant des livres» (fin XVIe s.) et seulement au XVIIe s. à «bâtiment, lieu où se trouvent de nombreux livres» (attesté 1690) et auquel correspondent des emplois historiques *(la bibliothèque d'Alexandrie)* et, en France, les syntagmes *Bibliothèque royale,* puis *impériale,* enfin *nationale* avant la *«Très Grande Bibliothèque» (Bibliothèque de France),* dénommée en 1990-1991, avant sa construction; dans ce sens, le moyen français atteste *bibliothécaire* (ci-dessous).

► **BIBLIOTHÉCAIRE** n. est emprunté (1374, isolément, avant *bibliothèque*) au dérivé bas latin *bibliothecarius,* «personne préposée à une bibliothèque». ◇ Après une première attestation au sens de «lieu où l'on conserve les livres», le mot est réemprunté pour désigner le responsable d'une bibliothèque (1546). ◆ Il a servi à former **SOUS-BIBLIOTHÉCAIRE** n.
Bibliothèque entre dans la composition de **BIBLIOTHÉCONOMIE** n. f. (1845), avec *économie*,* nom de la discipline groupant l'ensemble des connaissances et techniques qu'exige la gestion d'une bibliothèque. ◆ Pour l'élément *biblio-*, tiré de *bibliothèque* (→ biblio-).

BIC n. m. est une marque déposée tirée en 1960 du nom du fondateur de la firme, le baron *Bich,* prononcé *bic* en italien.

♦ Le mot, soit seul *(un bic),* soit en apposition *(une pointe bic),* désigne un stylo à bille de cette marque.

BICEPS n. m. est emprunté (v. 1560) au latin *biceps, bicipitis* «qui a deux têtes» et, au figuré, «partagé en deux», de *bis* «deux fois» (→ bi-, bis) et *caput* «tête» (→ chef).

♦ Le mot a été repris en anatomie, d'abord comme adjectif, pour qualifier un muscle ayant deux attaches à sa partie supérieure; ultérieurement, il a été substantivé comme nom d'un muscle du bras ayant cette configuration (1704). Cette acception spéciale, la valeur étymologique n'étant pas sentie, lui a donné son seul emploi courant. ◇ Par métaphore, il symbolise familièrement la force physique (1867, *avoir du biceps*).

► On a dérivé savamment l'adjectif **BICIPITAL, ALE, AUX** (1805), du radical latin *biceps, bici-*

pitis, pour décrire ce qui se rapporte au biceps, en anatomie. ◆ De l'initiale prononcée *bis-* combinée avec *costeau, costaud* «fort» (→ côte), peut-être aussi par croisement plaisant avec *biscotte* (idée de dureté ?), *biceps* au sens de «gros muscle du bras, signe de force» a pour synonyme argotique, puis familier **BISCOTEAU** n. m., surtout au pluriel (v. 1930), et aussi écrit *biscotteau, biscoto.*

◈ voir QUADRICEPS, TRICEPS.

BICHE n. f. est, sous la forme *bisse* (v. 1135) fréquente aux XIIe et XIIIe s., issu du latin populaire *bistia* «bête» (VIe s.). Ce mot vient vraisemblablement de *bestia* (→ bête), *ē* étant très souvent prononcé et écrit *i* dès l'époque tardive. La forme actuelle *biche* (v. 1155) fait difficulté : l'explication traditionnelle est d'y voir une variante normanno-picarde qui aurait gagné Paris d'où elle se serait généralisée ; cependant ces dialectes connaissaient aussi *bisse,* tandis que *biche* est ancien dans d'autres dialectes. La tradition manuscrite de Chrétien de Troyes montre que *bisse* est la forme la plus fréquente jusqu'au milieu du XIIIe s., à partir duquel *biche* se généralise dans les manuscrits picards, puis dans la langue littéraire commune. La vraie difficulté provient du traitement phonétique du groupe *-sti-* (dans *bestia, bistia*) entre voyelles qui sur tout le domaine d'oïl, picard compris, aboutit à *-is-* (*angustia* donnant *angoisse, bistia* donnant *bisse*). Aussi, a-t-on pensé que la finale *-isse,* sentie comme un suffixe, aurait été remplacée par le suffixe diminutif affectif *-iche,* produisant une opposition que l'on retrouve plus tard dans les couples *génisse/géniche, cornisse/corniche* (→ caniche, pouliche).

♦ D'abord dans *bisse salvage* avec un sens incertain, «bête», ou peut-être déjà avec le sens moderne, le mot désigne de façon certaine la femelle du cerf au milieu du XIIe s. (v. 1160). L'ancienne locution figurée *détourner la biche* signifiait «attirer les femmes» (fin XVIe s.). ◇ Le sens argotique, puis familier, de «femme entretenue», attesté au XVIIe s. (1637), se répand au XIXe s. où il concurrence le mot *lorette* avant de décliner. L'emploi familier de *ma biche* comme appellation affectueuse envers une femme (1787) se répand aussi à l'époque romantique (1838). ◇ Le syntagme descriptif ***pied de biche*** (1835) s'emploie en ébénisterie, en art dentaire, désigne un levier en acier pour soulever les portes et la pièce soutenant l'aiguille dans une machine à coudre. ◇ En français d'Afrique, *biche* s'emploie pour *antilope.*

▸ Le diminutif **BICHETTE** n. f. apparaît dans un texte picard sous la forme *bissette* (1176-1181), usuelle jusqu'au XIVe s. ; au sens de «petite biche», qui semble rare après l'ancien français, s'est ajouté un emploi familier à l'adresse d'une jeune femme (1844), aujourd'hui vieilli comme **BIBICHE** n. f. (1840), surtout appellatif au XIXe siècle. ◆ **BICHERIE** n. f. (1863) s'est employé rarement dans la seconde moitié du XIXe s. pour désigner collectivement le monde des femmes entretenues, le demi-monde.

◈ voir BIQUE.

BICHON, BICHONNER → BARBE

BICOQUE n. f. est emprunté (1576) à l'italien *bicocca.* Ce dernier peut être le toponyme *La Bicocca,* nom d'un écart de la commune de Niguarda (banlieue de Milan). Ce nom aurait été connu en France après la bataille livrée en ce lieu en 1522 et où François Ier fut battu par les Impériaux (Furetière rappelle que cette bataille est connue sous le nom de *la journée de la Bicoque*). *Bicocca* peut aussi être le même mot employé comme nom commun pour désigner un petit fort (av. 1457 ; dès 1360, en latin médiéval). Il est en tout cas d'origine obscure, peut-être apparenté au correspondant italien de *coque** ; le premier sens en français suggère «double *(bis)* coque», à moins qu'il ne s'agisse d'un homonyme.

♦ Employé au XVIe s. à propos d'une coquille d'huître, et alors inexpliqué, le mot désigne (1611) jusqu'au XVIIIe s., une place forte peu fortifiée et sans défense, valeur cohérente avec un récit de bataille perdue. ◇ Le glissement vers le sens actuel de «petite maison sans valeur», à comparer à *baraque,* est constaté en 1798 par le dictionnaire de l'Académie. ◇ Par une extension habituelle (cf. *bagnole, godasse, pinard,* etc., et, dans le même domaine, *baraque*), le mot s'applique familièrement à toute habitation, à une maison quelconque, sans péjoration.

BICORNE → CORNE

BICYCLETTE → CYCLE

BIDASSE n. m. est l'emploi comme nom commun (1900) du nom propre *Bidasse,* repris du titre d'une chanson de Polin, *Avec l'ami Bidasse,* décrivant deux troupiers du nord de la France («natifs d'Arras»). *Bidasse* s'inscrit dans la série des patronymes à consonance ridicule avec l'initiale *bid-* (cf. *bidet, bidon*) et le suffixe péjoratif *-asse.* Ainsi *bidard,* adjectif signifiant «heureux au jeu», qui serait tiré du nom d'un certain *Bidard* qui emporta le gros lot d'un tirage au sort créé à l'occasion de l'Exposition universelle de 1878, exploite des connotations similaires.

♦ *Bidasse* désigne un soldat du contingent, d'abord considéré comme un jeune paysan simple et docile.

BIDET n. m. (1534) est d'origine douteuse, probablement à rattacher à l'ancien français *bider,* «trotter» (XVe s.), lui-même d'origine incertaine : une forme *rabider,* «accourir en hâte» (déb. XIVe s.), doit être apparentée mais n'explique rien. L'hypothèse d'un emprunt à l'italien *bidetto* «petit cheval» est à écarter : l'italien est au contraire emprunté au français. P. Guiraud regroupe *bidet, bider, bide, bidasse, bidon, bidule* sous une même racine expressive *bid-,* féconde en argot, évoquant l'idée de ce qui marche de travers, échoue.

♦ Le mot, d'abord employé par Rabelais à propos d'un âne, désigne un petit cheval de selle (1564), sens de nos jours archaïque ou plaisant. ◇ Il a aussi servi à désigner (XVIe s.) un petit pistolet de poche ayant un ou plusieurs canons. ◆ Par métaphore, le nom du cheval est devenu celui d'un petit appareil sanitaire sur lequel on s'asseoit à califourchon et qui sert aux ablutions intimes (1739). De l'usage hygiénique du bidet pour les femmes, notamment dans le contexte de la prostitution, proviennent au XXe s. quelques locutions argotiques comme *chevalier du bidet* «souteneur», sortie d'usage, ***rinçure de bidet*** «avorton», terme d'injure, et, familièrement, ***eau de bidet*** «chose sans valeur».

BIDOCHE n. f. (1829) est d'origine obscure; le mot est peut-être à rattacher à *bidoche,* «engin de carton à tête de cheval» (1826), lequel est peut-être en rapport avec *bidet**, «petit cheval», altéré avec le suffixe argotique *-oche.*

♦ Le mot, d'abord entendu à l'asile des mendiants de Saint-Denis (selon Esnault), désigne une viande de mauvaise qualité et par extension une viande quelconque, dans un usage populaire puis familier. Par extension, il se dit de la chair humaine (1881, Richepin, édition augmentée de *La Chanson des Gueux*), comme *viande.*

✳ **BIDON** n. m. et adj., relevé depuis le XVIe s. (1523; une attestation du XVe s. devant probablement être écartée), est d'origine obscure. On admet généralement l'hypothèse d'un emprunt à l'ancien norrois °*bida* «récipient», qui n'est attesté que par l'islandais *bida* «baquet de lait», et le norvégien dialectal *bide* «baratte»; cet étymon, en accord avec la localisation de la première attestation (Normandie) et avec l'emploi du mot comme terme de marine jusqu'à la fin du XVIIIe s., est cependant très douteux, du fait de la date d'entrée du mot en français. L'hypothèse d'un emprunt au grec par l'intermédiaire de l'italien *bidone* fait difficulté, car ce dernier ne paraît pas attesté avant le XIXe siècle. ◇ P. Guiraud apparente *bidon* à une série de mots à base *bid-* (et *big-, bik-*), étroitement liée pour le sens, selon lui, à celle de *bar-* (→ baril) et de *bis-* (→ biseau), exprimant l'idée d'une forme, d'une démarche oblique ou de travers, d'où un mauvais fonctionnement.

♦ Le mot désigne un petit récipient portatif et fermé, fait de bois ou de métal, d'abord utilisé à bord d'un navire (encore attesté en 1771), puis dans toutes sortes de contextes. ◇ Par analogie de forme et attraction probable de *bedon,* il sert de désignation familière à un ventre rebondi (1883). ➛ Le sens aujourd'hui inusité de «drap plié de manière à gonfler, à former un ventre, et faisant illusion» (1887) explique le développement du sens familier de «bluff» (v. 1900) dont procède l'emploi adjectivé pour «faux, simulé» (1952), devenu très usuel dans la langue familière.

▸ **BIDONNER** v. (1842) a eu l'emploi intransitif de «boire avec excès». ◇ D'abord parmi les écoliers du lycée de Brest, selon Esnault, *se bidonner* (1888) a pris le sens familier de «rire», c'est-à-dire, probablement «secouer son ventre». ◇ D'après *bidon,* «bluff, boniment», le verbe transitif a développé la valeur de «tromper volontairement, illusionner» (1926). ➛ **BIDONNANT, ANTE,** le participe présent de *bidonner,* est adjectivé avec le sens de «qui provoque l'hilarité» (v. 1950) fournissant un synonyme à *marrant, poilant,* etc. ➛ **BIDE** n. m., apocope de *bidon* (1885), s'est répandu dans le langage populaire parisien puis dans toutes les provinces (1900) comme désignation familière du ventre, notamment dans *avoir du bide.* ◇ *Un bide* a pris le sens de «échec, désillusion» (1950), se disant spécialement d'un échec à la scène, d'abord dans l'argot des comédiens (1958). Ce sémantisme est distinct de celui de la tromperie, qui ne concerne que *bidon* et *bidonner.*

Bidon au sens concret, en se soudant à *ville**, a donné **BIDONVILLE** n. m. employé d'abord (1953) en parlant des agglomérations de fortune au Maroc. Ce composé a pu utiliser le sémantisme lié au nom propre *Bidon V* (cinq), donné dans les années 1930 à une étape saharienne. Ce mot, chargé d'une signification sociologique et politique très dense, signifie «groupement misérable et insalubre d'habitations de fortune, souvent à la périphérie ou dans certains quartiers des grandes villes». ➛ Il a produit les dérivés **BIDONVILLIEN, IENNE** adj., **BIDONVILLISÉ, ÉE** adj. (1970) et **BIDONVILLISATION** n. f. (v. 1970), demeurés exceptionnels.

BIDULE n. m., attesté tardivement (1940), est d'origine obscure. D'après Esnault, il serait originaire du nord de la France, peut-être de *bidoule,* «mare boueuse» (Pas-de-Calais), variante de *berdoule* (en patois rouchi) : de la notion de «boue» serait issue celle de «désordre», «complexité». En 1946, des lycéens parisiens employaient le mot, alors peu connu, en relation avec le nom de Sir Francis *Biddle,* procureur britannique au procès de Nuremberg (témoignage privé).

♦ Le mot a d'abord eu cours dans l'argot militaire pendant la Seconde Guerre au sens de «désordre», alors voisin par le sens de *bordel.* ◇ Par extension, il est passé dans l'usage courant, désignant familièrement, comme *machin, truc,* un petit objet quelconque (1944-1945), peut-être d'abord chez les élèves du lycée Saint-Louis. ◇ Il se dit spécialement du voyant lumineux d'un taxi (à Paris), en argot de métier, et aussi de la longue matraque des unités de maintien de l'ordre.

▸ Le dénominatif **BIDULER** v. tr. «se servir (d'un appareil)», d'usage familier, est attesté indirectement en 1954 par le dérivé **BIDULEUR,** «bricoleur fantaisiste», lequel n'est guère usité. ➛ Avec changement de suffixe, le verbe a donné **BIDOUILLER** v. tr., «arranger en bricolant» (1975; 1974 au p. p.) et, spécialement dans l'argot des informaticiens, «faire fonctionner avec ingéniosité». Le verbe, aussi employé métaphoriquement, est devenu usuel. ➛ Il a pour dérivés **BIDOUILLEUR, EUSE** n. (1975), également familier, et **BIDOUILLAGE** n. m (1976).

BIEF n. m., d'abord *bied* (v. 1135) et *bié* (1248) puis *bief* (1635, répandu au XXe s.), est très probablement issu, de même que ses correspondants de l'Italie septentrionale, d'un gaulois °*bedul,* «canal, fosse», restitué par le gallois *bedd,* le breton *bez* «tombe». Le *f* final de la forme actuelle représente le traitement de *-d-* final (d'abord intervocalique) dans un certain nombre de mots anciens d'origine germanique ou celtique (→ emblaver, fief; cf. le toponyme

Elbeuf, représentant le traitement du germanique *-bodu).*

♦ Le mot a désigné, jusqu'au XIVe s., le lit d'un cours d'eau. Il s'est spécialisé techniquement, désignant le canal qui amène l'eau à la roue d'un moulin (1248, *bié).* ◇ *Bief* s'est spécialisé à propos d'un canal à écluses, désignant l'intervalle compris entre deux écluses (1834, *biez).*

▶ Il a produit **SOUS-BIEF** n. m. (1871).

BIELLE n. f., d'abord dans un texte anglo-normand (1527), est d'origine inconnue. Un diminutif de °*bie,* correspondant français du provençal *biga,* «poutre étroite», s'explique mal du point de vue sémantique. L'espagnol dialectal *biela* «fourche servant à vanner le blé», attesté dans la province de Guadalajara et correspondant au castillan *bielda* de même sens, dérivé de *bielare,* fait également difficulté du point de vue sémantique. ◇ On pourrait aussi voir dans *bielle,* selon une acception ancienne, un doublet phonétique de *vielle** qui, par métonymie, aurait désigné la manivelle de l'instrument de musique : cependant les formes en *b-* de *vielle* ne sont possibles que dans les parlers du Sud-Ouest alors que le mot est d'abord attesté en français d'Angleterre. ◇ Selon P. Guiraud, *bielle* représenterait un dérivé de °*bigella,* «placée en travers, en biais», ce qui est la position de la bielle par rapport à la pièce qu'elle entraîne, mot qu'on suppose être dérivé de °*bigus* «attelé deux à deux, double».

♦ Le mot, après avoir désigné une manivelle de vielle et une manivelle de tournebroche (1566), désigne dans l'usage technique et courant la tige de métal rigide qui sert à communiquer le mouvement entre deux pièces mobiles (1684). Le système *bielle-manivelle,* qui permet la transformation d'un mouvement rectiligne alternatif (par exemple, un piston) en mouvement circulaire (roue), est plus ancien que le mot. Évoquant jusqu'au milieu du XXe s. la locomotive à vapeur, le mot s'applique souvent au moteur d'automobile *(bielle qui cogne; couler une bielle).*

▶ **BIELLETTE** n. f., diminutif tardif de *bielle* (1927), désigne une petite bielle, un levier en forme de bielle, notamment en armurerie.

BIEN adv., adj. inv. et n. m. est issu (Xe s.) du latin *bene,* adverbe correspondant à *bonus* (→ bon), fonctionnant comme le mot français en opposition à *male* (→ mal), employé dans la langue familière avec un adverbe ou un adjectif pour en renforcer simplement le sens.

♦ Les valeurs actuelles de *bien* sont présentes dès le XIe s. en ce qui concerne l'adverbe : *bien* exprime une manière satisfaisante selon les critères culturels, individuels et collectifs du temps, dans les domaines intellectuel, esthétique ou moral (v. 1050). Adverbe d'intensité, il s'emploie avec un verbe, un participe passé, puis également un adjectif (v. 1050) pour marquer un haut degré, par exemple dans *nous voilà bien!* (1671), en général ironique. ◇ Adverbe de quantité, il indique une quantité importante mais indéterminée avec un nom introduit par *de (bien des...),* et, par extension, un numéral (1174). Il sert également à renforcer une affirmation (fin Xe s.). ◇ L'usage de *bien* comme conjonction concessive (1164) a été supplanté par ***bien que*** (XIVe s.). ◇ *Bien* est entré dans plusieurs locutions courantes telles que ***fort bien,*** très à la mode aux XVIe et XVIIe s., *de bien en mieux,* qui a été supplantée au XVIIIe-XIXe s. par *de mieux en mieux;* ***bien plus*** «plus encore, beaucoup plus», ***bel et bien*** (cf. *beau).* ◇ L'emploi interjectif de *bien,* surtout dans *eh bien* au XVIIe s. (1690), entre alors dans les dictionnaires. ➛ Dans ces divers emplois, la forme *bien* est concurrencée par **BEN,** transcription attestée depuis le début du XIXe s. pour une prononciation certainement plus ancienne. Elle marque un usage rural ou familier *(ben quoi ?)* et se généralise dans la seconde moitié du XXe s. *(bon, ben...).* ➛ L'usage de *bien,* adjectif invariable, est attesté dans les textes depuis 1271. Il est resté usuel, tant comme attribut que comme épithète *(des gens bien, très bien)* surtout dans l'appréciation sociale et morale.

Le substantif *bien,* d'abord attesté dans un contexte chrétien (v. 980, *Vie de saint Léger),* recouvre la notion morale de ce qui est juste, honnête, louable *(le bien et le mal),* réalisée dans l'expression *gens de bien* qui a supplanté l'ancien emploi métonymique du pluriel *les biens* de l'ancien français. ➛ *Un bien, des biens* est défini concrètement avec la valeur de «chose matérielle susceptible d'appropriation ou effectivement possédée» (v. 1050), notamment au pluriel (1268), valeur spécialisée en économie au XIXe s., notamment par opposition à *service,* et qui s'est conservée. ◇ *Bien* a eu également la valeur plus générale de «bienfait» (1164).

▶ L'adverbe *bien* a eu pendant plusieurs siècles une grande vitalité dans la formation de substantifs, avec un second élément qui est le plus souvent un infinitif ou un participe substantivé, exceptionnellement un substantif ou un infinitif (plusieurs composés sont traités à l'autre élément : voir la liste finale).

BIENVENIR v. tr., formé de *bien* et de *venir*,* est d'abord employé à la voix passive dans ***être bien venu*** (v. 1170) avec le sens de «être bien accueilli», encore vivant dans un usage assez littéraire. ◇ Ce verbe, dont on relève quelques emplois conjugués au XVIe s., est tombé en désuétude, puis a été repris au XIXe s., enregistré par Littré (1863) selon qui il est seulement usité dans la locution ***se faire bien-venir dans/de la société,*** de style littéraire (Mallarmé, Bloy, un peu plus tard, écrivent *se faire bienvenir).* ➛ Son participe passé **BIENVENU, UE** est substantivé de bonne heure en parlant d'une personne bien accueillie et son féminin est substantivé un peu plus tard (→ venir).

BIENVEILLANT, ANTE adj., aussi *bienvoillant,* est composé (v. 1175) de *bien* et de *voillant, veillant,* participe présent ancien de *vouloir*,* d'après le latin classique *bene volens,* «qui veut du bien, favorable», substantivé pour désigner un ami dévoué. ◇ Le mot a fonctionné comme substantif en ancien français mais ne s'est maintenu que comme adjectif (1267-1268), opposé à *malveillant* ➛ **BIENVEILLANCE** n. f., d'abord *bienvoillance* (v. 1175), en a été dérivé sur le modèle du latin *benevolentia,* «disposition favorable envers qqn». Il a éliminé le type savant emprunté *benevolence, benivolence,* en usage du XIIe au XVIe siècle. ◇ L'usage courant du nom tend à faire passer la vertu morale au second plan derrière la disposition favorable dans les relations de personne à personne, en particulier de supérieur à inférieur (1680). ➜ Tiré de *bienveillant,* l'adverbe **BIENVEILLAMMENT,** proposé en 1845 par Richard de Radonvilliers, est attesté dans les textes à partir de 1866.

BIEN-PARLER n. m., de *bien* et *parler** (1557), s'emploie comme *bien-dire,* à propos de l'expression élégante et juste. Il s'est maintenu à la différence de l'adjectif *bien parlant, ante* (v. 1175), *bienparlant* (1554) qui qualifiait une personne éloquente. ➜ **BIEN-AISE** n. m. et adj., de *bien* et *aise**, est attesté une première fois en 1604 et de nouveau en 1740, mais reste rare juqu'au XIXe siècle. Qualifié de «familier» par l'Académie en 1842, il est au XXe s. de style soutenu ou littéraire pour désigner la satisfaction physique ou morale, quelquefois en emploi adjectivé. ◇ **BIENAISETÉ** n. f., mot régional que l'on rencontre chez G. Sand (1853), ne l'a pas supplanté. ➜ **BIEN-PENSANT, ANTE** adj. et n., de *bien* et *pensant,* participe présent de *penser** (1798), d'abord «qui a la pensée juste», s'est chargé au XIXe s. de la valeur péjorative de «conformiste, conventionnel dans sa pensée» avec l'idée de bonne conscience. ➜ **BIEN-ALLER** n. m. inv. (1859), de *bien* et *aller**, est un terme de vénerie désignant l'air de trompe annonçant que la chasse se passe bien. ◇ Le moyen français avait formé, avec le participe passé *allé,* le substantif *bien allée* qui signifiait «repas d'adieu», «départ», «frais de voyage». ➜ **BIEN-FONDÉ** n. m., de *bien* et du participe passé de *fonder** (1886), désigne la conformité au droit d'une cause, d'une prétention et, par extension, le caractère de ce qui a un fondement légitime. ➜ **BIEN-MANGER** n. m., de *bien* et *manger**, atteste par sa datation tardive (1933) la vitalité relative de la forme *bien* dans l'usage littéraire.

◈ voir **BÉNIN, BIENTÔT, COMBIEN, DIRE (BIEN-DISANT), ① ÊTRE (BIEN-ÊTRE), FAIRE (BIENFAIT), FOND (BIEN-FONDS), HEUR (BIENHEUREUX), SEOIR (BIENSÉANT).** Avec l'élément latin *bene-* : **BÉNÉDICITÉ, BÉNÉDICTIN, BÉNÉDICTION, BÉNÉFICE, BÉNÉVOLE.**

BIENNAL, ALE, AUX adj. et n. f. est emprunté (1550) au bas latin juridique *biennalis,* «de deux ans», de *bi-* «deux fois» (→ bi-) et *annalis* «relatif à l'année» (→ annale).

♦ Le mot, qui qualifie ce qui se renouvelle tous les deux ans, vaut pour deux ans, n'apparaît dans les dictionnaires qu'en 1762. ◇ Il est substantivé au féminin *(une biennale)* pour désigner une manifestation artistique, culturelle ayant lieu tous les deux ans (1936, à propos de la première biennale de Venise qui eut lieu en 1934).

BIENTÔT adv. résulte de la soudure (1636) de l'ancien syntagme adverbial *bien tost* (v. 1380), composé de *bien** et de *tôt**. Un texte du XVe s. atteste isolément *bientoust.*

♦ *Bien tost, bientôt* a renchéri sur le sens ancien de *tôt,* «promptement», suggérant une extrême rapidité dans l'accomplissement d'une action, et ce sans valeur de futur. Ce sens s'est maintenu dans l'usage soutenu et littéraire, par exemple dans *avoir bientôt fait de,* mais il a reculé dans l'usage courant au profit d'une autre valeur, «dans un proche avenir à partir du moment présent» (1538), accompagnant le plus souvent un verbe au futur, au conditionnel, plus rarement au passé (1643, Corneille). Avec cette valeur, il est entré dans les syntagmes adverbiaux *bientôt après,* attesté dès le XIVe s. sous la forme dissociée *bien tost apres,* mais qui n'est enregistré par les dictionnaires qu'en 1835 sous sa forme moderne. Plus familièrement et par redondance, on emploie *très bientôt.* ◇ ***À bientôt*** (1835), salutation exprimant que l'on reverra ou que l'on désire revoir sous peu la personne dont on s'éloigne, est devenu une formule de politesse usuelle.

◈ voir **AUSSITÔT, PLUTÔT, SITÔT, TANTÔT; TOAST.**

① **BIÈRE** n. f. est issu (XIe s.) du francique °*bëra* «civière» (allemand *Bahre* de même sens), déverbal de *beran* «porter», verbe qui appartient à une racine germanique °*ber-*, rattachée à la racine indoeuropéenne °*bher-* représentée par le sanskrit *bhárati,* le grec *pherein* (→ -phore), le latin *ferre* (→ -fère). L'italien *bara* vient du longobard *bâra* qui correspond, avec une autre voyelle, au francique. ◈

♦ L'évolution sémantique de ce mot reflète l'histoire sociale du mode d'ensevelissement des cadavres au moyen âge ; du Ve au VIIIe s., la coutume était en Europe occidentale et centrale d'enterrer les morts à même le sol, quelquefois sur une planche, très rarement dans un réceptacle. Originellement, *bière* désigne la civière sur laquelle on portait les malades, les blessés et spécialement les morts, et que l'on abandonnait fréquemment comme couche avec ces derniers. Quand l'usage du cercueil, d'abord réservé aux grands (cf. *sarcophage*) se répandit, *bière* commença par métonymie à désigner un cercueil de bois (fin XIIe s.). Avant le XVIe s., il abandonna à *civière* son sens étymologique de «brancard» tout en le conservant dans certains dialectes de l'Est. ◇ Le sens de «funérailles» est isolé en moyen français, mais également connu du rhéto-roman ; celui de «tombeau» (XVIe s.) disparaît au début du XVIIe siècle.

② **BIÈRE** n. f. (1429), est un emprunt d'origine germanique qui a évincé *cervoise,* d'origine gauloise, au XVe siècle. Le mot nouveau correspondait à une technique nouvelle, la bière avec houblon. Il est malaisé de déterminer si l'emprunt a été fait au moyen haut allemand *bier* ou au moyen néerlandais *bier,* les bières allemandes semblant alors fort connues et la brasserie ainsi que les cultures de houblon étant développées en Flandre et dans les Pays-Bas ; quant au mot, l'influence néerlandaise paraît cependant prépondérante. Les mots moyen haut allemand et moyen néerlandais, auxquels répond le vieil anglais *beor* (anglais *beer*), remontent au latin monastique *biber,* «boisson», substantivation de *biber,* forme tronquée de l'infinitif *bibere* (→ boire).

♦ Le mot désigne une boisson alcoolisée fermentée faite avec de l'orge germée (malt) et aromatisée avec des fleurs de houblon. Le mot entre dans des syntagmes : *bière blonde, brune, rousse, de mai,* etc. ◇ Il se dit parfois de boissons analogues, telles la *bière de mil* (usuel en français d'Afrique), la *bière d'épinette* canadienne (traduisant l'anglais *ginger beer*). ◇ La locution figurée familière ***c'est (ce n'est pas) de la petite bière*** (1790) «c'est (ce n'est pas) une chose, une personne sans importance» se rattache à l'expression *petite bière* (XVIIe s.) qui, par opposition à *forte bière,* désigne une bière faible brassée avec le grain ayant déjà servi à faire la bière.

BIFFER v. tr., d'abord au participe passé *biffé* (1676), est d'origine incertaine, probablement dérivé de l'ancien français *biffe* n. f. (v. 1220), «tissu léger, en général rayé», avec un développement sémantique analogue à celui qui mène du mot latin *cancellare* «disposer en treillis» (→ chanceler) à *canceller* «raturer». L'origine de *biffe* est discutée : l'étymon latin °*bifilis* pour °*bifīlis,* «à double fil» en parlant de la chaîne ou de la trame du tissu, dérivé du latin *bĭfilum,* «double fil», de *bis,* «double» (→ bis), et *filum* (→ fil), fait difficulté par les transformations phonétiques qu'il suppose. L'hypothèse d'un radical onomatopéique °*biff-* exprimant le gonflement des joues, d'où la moquerie, la tromperie, se heurte au fait que le tissu désigné est léger, de texture lâche mais non de qualité ordinaire et que le sens de «tromperie» n'est pas attesté pour *biffe* avant la fin du XVIe s. (Montaigne). On a aussi vu dans *biffer* le dénominatif d'un °*biffe,* «objet à deux fentes», par allusion à la pratique du Palais de justice de barrer de deux traits à la plume ou au canif les textes annulés; ce mot non attesté viendrait d'un °*bifida,* féminin substantivé de *bifidus* «fendu en deux» (→ bifide); cependant, cette hypothèse manque d'attestations.

♦ *Biffer* signifie «annuler d'un trait (ce qui est écrit)» et par métaphore «annuler, effacer, retrancher» (1584). ◇ Il a pris en orfèvrerie le sens technique de «briser officiellement les poinçons d'un maître» (1863), vieilli dès la fin du XIXe siècle.

▸ **BIFFURE** n. f., d'abord *biffeure* (1580), désigne à la fois la barre par laquelle on biffe et l'action de raturer. On n'en possède pas d'attestations entre 1611 et le XIXe s., qui l'a repris. ◆ **BIFFAGE** n. m., d'abord terme de comptabilité (1732), sert de nos jours de substantif d'action à *biffer.*
De *biffe* «tissu», conservé dans les dialectes, provient **BIFFIN** n. m., qui signifie d'abord «chiffonnier» (1836) et qui ne prend que plus tard (1878) son sens moderne de «fantassin», par comparaison du havresac de soldat avec la hotte de chiffonnier. ◆ *Biffin* a produit **BIFFE** n. f., resté en argot (1878) au sens de «corporation des chiffonniers» *(la biffe)* et passé dans l'argot militaire pour «infanterie» (1898). ◆ Du même *biffe* «chiffon», vient le mot argotique, puis familier, **BIFFETON** ou **BIFTON** n. m. (1860) «billet» et «lettre (écrite)».

◈ voir (SE) REBIFFER.

BIFIDE adj. est emprunté savamment (1772, J.-J. Rousseau) au latin *bifidus* «fendu en deux», employé en description anatomique et botanique, de *bis* «en deux» (→ bis) et du participe de *findere* «ouvrir, séparer» (→ fendre).

♦ Le mot a repris les spécialisations du mot latin : employé en botanique pour qualifier une partie de la feuille ou de la fleur fendue dans le sens de la longueur, il se dit aussi en anatomie d'un organe naturellement ou accidentellement fendu sur une partie de sa longueur (1805, Cuvier).

▸ Le latin scientifique **BIFIDUS** a été appliqué (1900, *bacteroides bifidus,* Tissier) à une bactérie (le *bifidobacterium bifidus*) et ce terme de nomenclature a été repris en 1986 (par la firme Saint-Hubert) pour désigner dans l'usage général cette bactérie utilisée industriellement comme ferment lactique, notamment dans les laits fermentés appelés couramment et abusivement *yaourts.*

BIFTECK n. m. est la francisation partielle de *beeft stek* (1735), écrit *biffteck* (1805) puis *bifteck* (1807). C'est un emprunt à l'anglais *beef-steak* (1711) «tranche de bœuf», composé de *beef* «viande de bœuf» (v. 1300), emprunté à l'ancien français *boef* (français *bœuf**), et de *steak,* «mince tranche de viande ou de poisson» (XVe s.). *Steak,* mot germanique, vient de l'ancien norrois *steik,* «être rôti».

♦ Le mot est le témoin de l'influence de l'Angleterre dans la modification des habitudes alimentaires françaises. Il désigne une tranche de bœuf grillée ou destinée à l'être. D'abord terme exotique, il s'acclimate en français de manière progressive, avec des fluctuations graphiques comme *beefstake* (1785), *bif-steak* (1791) et, après l'apparition de *bifteck, beefsteak* (1821), *beefsteack* (1830; encore en 1867), marquant la résistance à la francisation. Celle-ci s'est arrêtée à *bifteck,* l'adaptation de la finale en *bifetèque* (1899) ou *biftèque* (1939) demeurant marginale. ◇ Devenu usuel, le mot, après avoir perdu ses connotations britanniques, a développé le sens figuré de «nourriture» (1933), la locution ***gagner son bifteck*** (1939) correspondant à *gagner sa vie* (cf. *bœuf, entrecôte*); une autre locution familière, ***défendre son bifteck*** (1939), se dit pour «défendre ce qui fait vivre qqn, ses intérêts». ◇ Enfin l'argot l'emploie par une métaphore courante (cf. *marmite,* au XIXe s.), pour «prostituée» (av. 1925), celle-ci gagnant le bifteck de son protecteur.
Bifteck a vieilli, concurrencé par un nouvel anglicisme **STEAK** n. m. attesté en 1872 comme mot anglais (dès 1848 à propos d'une tranche de poisson), puis acclimaté en français (1894). Cet emprunt direct à l'anglais *steak* (ci-dessus) est passé dans l'usage notamment dans *steak au poivre, steak tartare, steak frites* et *steak salade.* En français contemporain, seul *steak* est utilisé au restaurant et en gastronomie, *bifteck* se disant plutôt chez le boucher, sans désigner un morceau précis *(un bifteck bien tendre).* ◆ Par ailleurs, *bifteck* a été abrégé en **BIF** n. m. (1920) dans l'usage très familier, mais cet emploi n'a pas pénétré la langue courante.

◈ voir ROMSTECK.

BIFURQUER v. est dérivé savamment (v. 1560) du radical du latin impérial *bifurcus,* «fourchu», de *bis* «double» (→ bis) et *furca* (→ fourche) avec la désinence verbale.

♦ Jusqu'au XIXe s. et encore chez Littré, le mot est attesté à la forme pronominale *se bifurquer,* «se diviser en deux branches». ◇ C'est seulement au XIXe s. qu'on le rencontre dans un emploi transitif d'ailleurs rare et, surtout, en emploi intransitif avec un sujet désignant une voie, un véhicule et, métaphoriquement, une personne.

▸ **BIFURCATION** n. f. est dérivé, parallèlement au verbe (v. 1560), du radical du latin impérial *bifurcus* avec le suffixe *-ation* des substantifs d'action. Le mot désigne une division en deux branches, d'abord en anatomie, puis en botanique (1752). ◇ Il passe dans l'usage courant au XIXe s. désignant l'endroit où une voie de communication se dédouble (1894 en chemins de fer). ✦ Parallèlement, il développe le sens figuré de «possibilité d'option entre deux voies», d'abord à propos de la réforme des programmes de l'enseignement secondaire en France (1852).

BIGAME adj. et n. m. est emprunté (v. 1275) au latin ecclésiastique *bigamus,* «veuf remarié», et aussi en latin médiéval «homme ayant deux femmes» (1110). Ce mot est formé, avec substitution de l'élément latin *bi-* «deux fois», sur le grec *digamos,* «adultère», «marié une seconde fois». L'élément *-gamos* vient du mot désignant l'union, le mariage (de l'homme) et, par métonymie, l'épouse, dérivé de *gamein,* «prendre femme, épouser», à rapprocher de *gambros* «gendre» (→ gamète).

♦ Le mot se dit en droit canon d'un homme qui s'est remarié ou qui a épousé une veuve puis, en droit civil, d'un homme ayant deux épouses en même temps (v. 1450).

▸ **BIGAMIE** n. f. est emprunté (1370) au latin médiéval *bigamia* «état d'un homme qui a deux épouses en même temps» (1076-1100), «remariage d'un homme» (1243-1248), de *bigamus.* ◇ Le mot exprime l'état de celui qui a contracté un second mariage, puis de celui qui a simultanément deux femmes (v. 1450). ◇ Furetière, en 1690, répertorie l'expression juridique *bigamie spirituelle* à propos du cumul de deux bénéfices ecclésiastiques incompatibles.

◈ voir MONOGAME, POLYGAME.

BIGARADE n. f. (1660), d'abord écrit *bigarrade* (1651), est emprunté au provençal moderne *bigarrado* «orange aigre» et «variété de cerise», dérivé de *bigarra* (→ bigarré). Antérieurement, le moyen français *bigarrat* (1600) est emprunté au provençal *bigarrat,* participe passé du verbe *bigarra,* qui fut substantivé au temps de la Ligue pour désigner ceux qui nageaient entre deux eaux et qu'on appelait en France *les Politiques.*

♦ Après une attestation en moyen français comme nom de l'arbre qui produit des oranges amères, le mot est repris comme nom de cette sorte d'orange (1651). ◇ Il sert aussi à désigner une poire plate d'un gris jaunâtre (1690).

▸ **BIGARADIER** n. m. (1771), d'abord *bigarradier* (1751), est le nom d'arbre correspondant.

BIGARRÉ, ÉE adj. (v. 1450) est d'origine obscure, probablement composé à l'aide du préfixe *bi-*,* «deux fois», et du moyen français *garre,* «de deux couleurs» (v. 1360), également *garré,* surtout employé pour qualifier le pelage, la robe d'une bête jusqu'au XVIe s., essentiellement attesté en Haute-Bretagne et d'origine inconnue. Un emprunt, par l'intermédiaire de l'espagnol *abigarrar,* de l'arawak de Haïti *bija,* «teinture rouge», est peu vraisemblable. L'hypothèse d'une dérivation à partir de l'espagnol *bígar(r)o* «coquillage» ou du languedocien *bigar* «frelon», fait difficulté du point de vue sémantique et chronologique.

♦ Le mot qualifie ce qui présente des couleurs ou des dessins variés plus ou moins disparates. Il s'emploie avec des acceptions spécialisées en héraldique et en minéralogie. ◇ Par extension, il se dit au figuré de ce qui est composé d'éléments variés et disparates (v. 1550-1615) ; cet emploi est littéraire.

▸ En est dérivé **BIGARRER** v. tr. (1530) «diversifier par des couleurs qui tranchent les unes sur les autres» et, au figuré, «rendre disparate» (v. 1550-1615). ✦ À son tour, ce verbe a produit **BIGARRURE** n. f. (1530) «ensemble de couleurs bigarrées», de sens propre et figuré (1548) et **BIGARREAU** n. m. (1583), nom d'une cerise bigarrée de rouge et de blanc qui correspond au provençal *bigarra* (→ bigarade) et dont est tiré **BIGARREAUTIER** n. m. (1680, *bigarrotier*).

◈ voir BIGARADE, BIZARRE.

BIGLE adj. et n. est l'altération (1471), peut-être d'après la finale de *aveugle*,* de *bigre* (1336), lui-même d'origine inconnue (sans rapport avec *bigre, bougre**). Outre qu'elle ne rend pas compte de la forme *bigre,* l'hypothèse d'un emprunt au provençal moderne *biscle* «qui louche», lequel remonte à un latin populaire °*bisoculus* (à l'origine de l'ancien français *biseuil,* «qui louche»), fait difficulté du point de vue de l'accentuation. *Biscle* proviendrait de *bisclar,* d'un latin populaire °*bisoculare,* «loucher», composé de *bis* (→ bis) et de °*oculare,* «regarder», dénominatif d'*oculus* (→ œil). C'est pourquoi *bigle* est peut-être le déverbal de *biscler* bien que ce verbe ne soit attesté qu'au XVIe siècle. ◇ P. Guiraud préfère faire de *bigle* un doublet de *bigue, bigot,* «boiteux», par l'intermédiaire d'une forme reconstruite °*bigicus,* de °*bigus,* «chevaux attelés deux à deux» ; dans ce cas, le rapport entre *bigle* et *bigler* (anciennement *biscler*) serait secondaire et d'abord sémantique.

♦ Le mot qualifie, et quelquefois désigne, une personne qui louche ; il a vieilli depuis le XIXe siècle.

▸ Le féminin **BIGLESSE** adj., fréquent au XVIIe s., par exemple chez Mme de Sévigné, est aujourd'hui inusité. ✦ **BIGLEUX, EUSE** adj. et n. (1936) «qui louche» et, par extension, «qui voit mal» (1940), mot familier et péjoratif, tend à supplanter *bigle.* ✦ **BIGLERIE** n. f. (v. 1950) s'est peu répandu.

BIGLER v., réfection moderne de *biscler* (XVIe s.) d'après *bigle,* est souvent considéré comme issu d'un latin populaire °*bisoculare* (voir ci-dessus). ◇ Le verbe a vieilli au sens de «loucher». Dans l'usage familier il s'emploie transitivement pour «regarder du coin de l'œil» (1800), avec ou sans complément, à la manière de *loucher sur* (qqch.).

BIGNONIA n. m. ou **BIGNONE** n. f. est dérivé, sous la forme latinisée *bignonia* (1694), adaptée en *bignone* (1751), du nom de Jean-Paul *Bignon* (1662-1743), prédicateur du roi et membre de l'Académie française. C'est en son honneur que Tournefort, son protégé, nomma la plante.

♦ Le mot, sous la forme latine et sous la forme adaptée, auxquelles s'ajoute la forme suffixée **BIGNONIER** n. m. (1892), désigne une liane ou un arbrisseau grimpant d'origine équatoriale, cultivé en Europe pour ses fleurs.

▶ **BIGNONIACÉES** n. f. pl. (1821) est le terme de classification botanique correspondant; il s'est imposé aux dépens de la variante *bignogniées* n. f. pl. (1842) qui a disparu des dictionnaires du XXe siècle.

BIGOPHONE n. m. est composé (1890) du patronyme *Bigot*, nom de l'inventeur de cet instrument, et de l'élément *-phone**.

♦ Le mot désigne un instrument de musique burlesque, de formes diverses, dont on joue en criant dans l'embouchure; cet emploi est archaïque. ◇ Par extension, le mot a reçu dans l'argot militaire le sens de «téléphone» (1918, chez des téléphonistes de l'armée d'Orient), étendu par métonymie à «ligne téléphonique» (1936) et concurrencé par *biniou*.

▶ **BIGOPHONER** v. tr., «téléphoner» (1965), témoigne de la vitalité de *bigophone*, équivalent malicieux de *téléphone*.

BIGORNE n. f., d'abord *bigorgne* (1386) puis *bigorne* (1389), est emprunté au latin *bicornis*, «qui a deux cornes» (→ bicorne, art. corne), probablement par l'intermédiaire de l'ancien provençal *bigorna* (provençal moderne *bigorno*), «enclume» (1403).

♦ D'abord appliqué à un bâton ferré, le mot désigne surtout des objets à deux bouts pointus, notamment (1389) une enclume dont chaque extrémité est en pointe; en peausserie, il sert à nommer la masse de bois servant à fouler les peaux mouillées (1808) et en marine, un ciseau utilisé par le calfat pour couper les clous (1831). ◇ Le mot désigne aussi un coquillage à deux pointes, d'où *bigorneau* (ci-dessous). ➛ Le sens argotique ancien de «parler argotique» (1628), par exemple dans *jaspiner bigorne* «parler argot», est à rapprocher du lyonnais *bigornu*, «contrefait, boiteux», et du moyen français *bicornu*, d'où *biscornu* (XVIe s.), «qui a une forme irrégulière» (→ corne), le jargon étant une déformation de la langue courante; il doit être antérieur au XVIIe s., le dérivé *bigornier* étant attesté dès le XVIe siècle. ➛ Le sens argotique de «police» (1901) est un emploi métonymique du sens d'«objet à deux pointes», par référence plaisante au bicorne des anciens agents de police et influence de *bigorneau*. Il est sorti d'usage. ➛ Quant aux emplois très familiers pour «bataille» (1917) puis pour «bagarre» (1925), ils procèdent du sens d'«enclume» avec la valeur de «lieu où l'on frappe fort»; cf. ci-dessous *bigorner*, dont il est peut-être le déverbal.

▶ **BIGORNEAU** n. m. désigne proprement (1423) une petite enclume de serrurier, sens archaïque. ➛ L'emploi du mot en zoologie à propos d'un petit coquillage comestible commun (1911), sens usuel, est dérivé de *bigorne* au sens de «limaçon de mer». De là, probablement, la valeur péjorative d'«imbécile» (1919). Cf. *moule*. ➛ Par allusion aux deux cornes du limaçon, le mot a pris en argot ancien le sens de «sergent de ville» (1841), réalisant avant *bigorne* la métonymie du chapeau à deux cornes pour celui qui le porte. Par extension, on a appelé *bigorneau* des soldats de marine (1861; dès 1832 sous la forme *bigreneau* dans l'argot de Polytechnique) et des fantassins de ligne (1870). ◇ Le sens disparu de «menue monnaie» (1925) s'explique probablement par analogie de forme avec le coquillage et par allusion à son peu de valeur.

BIGORNER v. (1680), verbe technique pour «battre le fer sur la bigorne» et, en peausserie, «fouler (les peaux) sur la bigorne» (1845), a quasiment disparu avec les techniques qu'il dénomme. ◇ Par une métaphore ironique, il signifie «démolir, endommager» (1917, dans l'aviation) et, d'abord dans l'argot des soldats de la Première Guerre mondiale, «tuer» (1918); de ces valeurs archaïques vient l'emploi très familier de *se bigorner* «se bagarrer» (1918). ➛ On en a dérivé **BIGORNAGE** n. m. (1928), substantif d'action d'emploi technique et très familier (1942), **BIGORNE** n. f. étant repris comme déverbal (voir ci-dessus).

① **BIGOT, OTE** adj. et n., attesté au XIIe s. (v. 1155), est d'étymologie douteuse et controversée. En s'appuyant sur un des premiers emplois du mot dans la chanson de geste *Girart de Roussillon* (v. 1180, version franco-provençale), en tant que nom propre d'un peuple apparemment du sud de la Gaule, Caseneuve au XVIIe s. y voyait un représentant de *Wisigothus*, «Visigoth» (→ wisigoth) : les relations entre les Visigoths de Toulouse, qui étaient ariens, et les Francs, qui étaient catholiques, étaient de nature à attacher au nom des Visigoths la valeur négative d'«étranger détestable», «hérétique étranger». Cependant, les romanistes modernes mettent en doute cette hypothèse, pour des raisons phonétiques et parce qu'il n'est pas avéré que la langue vulgaire ait conservé le nom *Wisigothi*. L'existence d'une forme latine médiévale *Bigothi* (Du Cange) constitue cependant un indice de l'éventuelle relation du mot au nom des Goths. Il est difficile d'établir l'existence d'un lien avec le mot espagnol *bigote* «moustache». ◇ En se fondant sur la première attestation du mot chez Wace, sous la forme *bigoz, bigos*, surnom injurieux donné aux Normands, on y a vu aussi l'adaptation de l'anglo-saxon *be gode!*, «par Dieu», juron ou invocation, probablement fréquent chez les Normands avant et après leur romanisation, mais seulement attesté en moyen anglais (*bi godd*, 1300; *be gode*, v. 1330). L'*Oxford English Dictionary* conteste cependant la légende selon laquelle Hrolf (en latin Rollo) de Normandie aurait refusé de baiser le pied de Charles le Simple en lui répondant : «*ne se, bi got*», soit en anglais, «*No, by God*» («non, par Dieu»), phrase que Charles aurait interprétée comme le nom du peuple de Rollo. Même si l'on accepte cette étymologie, il est difficile d'expliquer l'évolution sémantique en français, à moins de faire intervenir un nouvel emprunt à une autre langue germanique : moyen haut allemand *bîgot* ou moyen néerlandais *bi gode*. Le dictionnaire d'Oxford mentionne en outre le fait que le féminin *bigote* a été appliqué par la suite de manière injurieuse aux Béguines et rappelle que le premier texte où figure le mot (1598) identifie *bigot* et *bigin* ou *beguine* (→ béguine). On peut ajouter que la transcription de *by god* en *bigoth* est attestée chez Rabelais, dans un contexte maritime et dans un jargon germanisé.

♦ Le mot a été employé comme surnom infâmant des Normands jusqu'au XVIIe siècle. ◇ Son emploi actuel pour qualifier et désigner une personne qui montre une dévotion outrée date du moyen français (1425), selon une évolution de sens inconnue — sinon en faisant intervenir l'étymon germanique signifiant «par Dieu» (ci-dessus) —, mais où l'import péjoratif est clair. Le mot a eu des connotations différentes selon les époques, le féminin devenant plus courant au XIXe s. où il s'applique à un type social caricatural, développé par les attitudes anticléricales sous la IIIe République.

▸ *Bigot* a fourni les dérivés **BIGOTERIE** n. f. (v. 1450), «dévotion étroite du bigot», **BIGOTISME** n. m. (1646), «caractère, manière de penser de bigot», et **BIGOTEMENT** adv. (1836, Stendhal), les deux derniers peu usités.

② **BIGOT** n. m., attesté en 1366 dans un inventaire, est d'origine obscure. À cause de l'aire géographique des premières attestations (domaines provencal et franco-provençal), on a émis un rapprochement avec l'ancien provençal *bigos*, «pioche à deux fourchons», aussi latinisé en *bigo, -onis* (1220). On pense à une formation comparable à celle de ① *bigorne** avec le préfixe *bi-** «deux».

♦ Ce terme technique d'agriculture désigne une pioche double.

BIGOUDI n. m., attesté en 1852 dans le *Nouveau Glossaire genevois*, est d'origine obscure. Un emprunt au portugais *bigode*, «moustache», prononcé à peu près *bigódi*, est peu vraisemblable des points de vue géographique et chronologique : le français classique *bigotère* ou *bigotelle* «bourrelet destiné à rouler la moustache pour la faire friser» (1649) était emprunté à l'espagnol *bigotera*. Ce dernier vient de *bigote* «moustache», correspondant au portugais *bigode* et peut-être issu de l'ancien haut allemand *bî gote* «par Dieu» (→ ① bigot). Ce *bigotelle* aurait pu favoriser l'emprunt de *bigoudi* au portugais mais le mot, bien attesté aux XVIIe et XVIIIe s., semble sorti d'usage au XIXe siècle. Une composition de *bigue* «tordu» et *oudir*, variante de *ourdir* (Vosges, Franche-Comté), évoquée par P. Guiraud, est peu vraisemblable.

♦ Le mot désigne un petit objet cylindrique ayant d'abord eu la forme d'une tige de plomb entourée d'étoupe et recouverte de cuir, sur lequel on roule les cheveux pour les mettre en plis ou les friser. ◇ Devenu accessoire de la coiffure féminine, l'objet et son nom symbolisent le négligé *(être en bigoudis)* et entraînent un jugement social défavorable.

BIGRE → BOUGRE

BIJOU n. m., attesté en 1460 mais indirectement dès le XIVe s. par son dérivé *bijouterie*, est en général considéré comme emprunté au breton *bizou*, «anneau pour le doigt», dérivé de *biz*, «doigt», mot celtique correspondant au cymrique *byson*, au cornique *bisou*. P. Guiraud, contestant cette étymologie, propose un dérivé de *biseler* «tailler en biseau» (→ biseau) : le bijou serait proprement un objet taillé au biseau ou en biseau. Il explique la forme *bijou* comme une forme dialectale, peut-être wallonne, mais la première attestation (dans le glossaire de Gay) est bretonne, ce qui compromet gravement cette hypothèse.

♦ Au sens de «petit objet ouvragé, précieux servant de parure» correspondent des extensions spéciales et figurées : le mot se dit d'une chose, d'une construction remarquable par sa beauté ouvragée (1690), d'une personne aimable, gracieuse (1690), et s'emploie en appellatif *(mon bijou)* ; cf. *trésor*. ◇ Il a pris familièrement une valeur sexuelle, se référant au sexe de la femme (1628) [sens exploité par Diderot dans *Les Bijoux indiscrets*] et de l'homme (1750), notamment dans la locution ***les bijoux de famille*** «le pénis et les testicules». ◇ Au pluriel, *bijoux* a autrefois désigné en argot de métier les restes d'un restaurant, constituant un bénéfice pour les plongeurs (1872).

▸ **BIJOUTERIE** n. f., dès le XIVe s. sous la forme *bijoterie*, désigne d'abord l'ensemble des objets précieux servant de parure. Puis, il se dit du commerce des bijoux (1701, Furetière citant Vaugelas qui recommande *joaillerie*) et de la boutique où l'on vend des bijoux (1869, Goncourt). ◂ **BIJOUTIER, IÈRE** n. et adj. était autrefois l'adjectif qualifiant une personne qui aime les bijoux, les objets curieux (av. 1679). Ce sens n'est plus attesté après 1771, le mot s'employant au XVIIIe s. comme nom pour la personne qui fabrique des bijoux (1701). ◇ Un nouvel emploi adjectif neutre, correspond à «relatif aux bijoux» par analogie avec *horloger, ère*.

BIKINI n. m. est emprunté (1946) au nom géographique *Bikini*, nom d'un atoll du Pacifique du groupe des îles Marshall devenu célèbre par le premier essai de la bombe atomique exécuté par la marine militaire américaine en juin 1946.

♦ Le mot a été immédiatement donné en France à un costume de bain féminin très réduit, enregistré comme marque déposée le 20 juin 1946 par Louis Réard : une femme en bikini était censée faire le même effet que la bombe. Le mot a été repris par l'anglais (dès 1948 en américain, où il avait d'abord le sens d'«énorme explosion», 1947) et dans d'autres langues. Le maillot de bain qu'il désigne a été mis à la mode juste après la guerre et a fait quelque scandale au point que certains pays catholiques en ont d'abord interdit le port. Le mot, qui a vieilli, suggère l'époque 1946-1960 ou 1970.

▸ **MONOKINI** n. m., résultat d'une analyse plaisante de *bikini* en *bi-** «deux fois» et *-kini*, est un nom déposé en même temps que *bikini* (1946), mais s'est diffusé plus tard. Le mot désigne un maillot de bain «une pièce», c'est-à-dire sans soutien-gorge.

BILAN n. m. est emprunté (1584) à l'italien *bilancio* (XVIe s.), terme de banque désignant un inventaire financier; c'est le déverbal de *bilanciare* «peser, mettre en équilibre», correspondant au français *balancer**.

♦ *Bilan* est repris de l'italien comme terme de banque, à propos du tableau résumé de la comptabilité d'une entreprise; l'expression ***déposer son bilan***, appliquée à l'acte par lequel un commerçant en cessation de paiement fait connaître au tribunal de commerce sa situation active et passive, est attestée en 1798. ◇ Au XIXe s., le mot se diffuse dans l'usage général en référence à l'inventaire des éléments d'une situation (de là des emplois spécialisés en médecine, en psychologie et en physique), et prend le sens figuré de «état, résultat global» (1866).

▸ Au XXe s., bilan a produit **BILANCIEL, ELLE** adj., peut-être d'après le radical de l'italien *bilancio*, terme technique de comptabilité qualifiant ce qui est relatif à un bilan. ➝ En psychologie, il a donné **BILANISME** n. m. (1937, Ch. Odier), terme décrivant une conduite pathologique consistant à établir constamment un bilan de ses profits et pertes.

BILBOQUET n. m. est probablement, comme l'indiquent les premières formes *bille boucquet* (1534), *billeboquet* (1576), un composé dont le premier élément est l'impératif d'un verbe : celui-ci est soit °*biller*, «jouer au bâtonnet», dérivé de *bille* «bâton dont on se sert au jeu de bâtonnet» (→ ② bille «pièce de bois»), soit plus probablement le moyen français *biller*, «jeter une boule, jouer aux boules» (1375) et, par extension, «faire tourner une pièce de bois par un bout», à rattacher à ① *bille** «petite boule». Le second élément est également douteux : soit un diminutif de *bouc**, ce terme s'adressant par plaisanterie à la boule, soit un diminutif de *bouque*, «boule», à rapprocher du liégeois *bouquets*, «jeu d'osselets».

♦ Le mot désigne un jeu formé d'un petit bâton pointu dans lequel on doit enfiler une boule percée qui lui est reliée par une cordelette. Ce jeu fut très pratiqué, notamment à la Cour, à la fin du XVIe siècle. ◇ *Bilboquet* a aussi désigné une figurine lestée de plomb de sorte qu'elle se trouve toujours debout, sens auquel se rattachent la locution comparative *se tenir droit comme un bilboquet* et le sens figuré classique de «homme dont on se joue» (fin XVIIe s., Saint-Simon) qui sont sortis d'usage. ◇ L'argot des typographes l'a repris à propos d'une presse à imprimer (1843, Balzac) et aujourd'hui de menus ouvrages, sens réalisé également par *bibelot*, les deux mots ayant interféré.

BILE n. f. est emprunté (1539) au latin *bilis*, «liquide sécrété par le foie», employé au sens figuré d'«amertume, colère» par application de la théorie antique des quatre humeurs (bile jaune, bile noire, sang, pituite) et des tempéraments correspondants, développée en grec par Hippocrate. *Bilis*, concurrent de *fel* (→ fiel), qui est le mot indoeuropéen, n'a de correspondant qu'en brittonique sous des formes *bistel*, *bestl*.

♦ Le mot désigne le liquide amer, de coloration jaune ou brune, que sécrète le foie et qui s'écoule dans l'intestin au moment de la digestion. En médecine ancienne, la *bile jaune* était censée favoriser la colère (cf. étymologie de *colère*) et la *bile noire* la mélancolie (cf. *atrabile*, *mélancolie*). ◇ En dépit de l'abandon par les médecins et psychologues de la théorie des humeurs, au cours du XVIIIe s., *bile* a gardé le sens figuré de «colère» dans l'expression vieillie mais encore connue ***échauffer la bile*** (1668), et le sens de «souci» dans la locution ***se faire de la bile*** restée usuelle, notamment en emploi négatif, où *bile* se réfère à la bile noire, la tristesse (voir ci-dessous *bileux*, *se biler*). *Bile* est aujourd'hui lexicalisé pour «souci».

▸ **BILEUX, EUSE** adj., attesté une première fois en 1611 et repris en 1810, qualifie d'abord la personne qui est remplie de rancœur, qui abonde en bile. ◇ Concurrencé fortement par l'emprunt *bilieux**, il n'est guère employé que dans la locution familière ***n'être pas bileux*** «ne pas se faire de souci» (1901) qui correspond à *ne pas se faire de bile*. ➝ Le verbe pronominal **SE BILER** (1894), le plus souvent employé à la forme interrogative ou négative *(ne pas se biler)*, exprime la même idée. ➝ **BILIAIRE** adj., «qui a rapport à la bile» (1687) courant dans *vésicule biliaire*, est attesté (1926) comme nom *(un, une biliaire)*.

BILIEUX, EUSE adj. est, comme *bile*, un emprunt de la langue médicale de la Renaissance (1537) au latin *biliosus*, «relatif à la bile», de *bilis*. ◇ Le mot qualifie proprement ce qui est relatif à la bile, qui abonde en bile (1557, en parlant d'une humeur). ◇ Il a pris la valeur psychologique de «enclin à la colère» (1670) emploi vieilli avec la valeur correspondante de *bile*, et, dans l'usage courant, «enclin à la mélancolie», remplaçant le mot propre, *atrabilaire*, d'usage strictement didactique. ➝ Il a pour dérivé **BILIEUSEMENT** adv. (1866) «à la manière d'un bilieux», d'emploi rare.

ATRABILE n. f. est un emprunt (attesté chez A. Paré, v. 1575) au latin *atra bilis* «bile noire», de *ater* «noir» (→ airelle), expression qui correspond au grec *melankolia* (→ mélancolie). Dans l'ancienne médecine, il désignait l'humeur noire, et s'est employé jusqu'au début du XIXe s. ◇ Son dérivé **ATRABILAIRE** adj. (1546, Ch. Estienne) avait la valeur correspondante (encore 1808 en médecine, Cabanis), mais est resté vivant au figuré dans l'usage littéraire (fin XVIe s.) pour «bilieux, irritable», aussi comme substantif (1690).

BILINGUE → LINGUISTE

BILL n. m. est un emprunt contemporain de la «révolution» anglaise (1668) à l'anglais *bill*, lui-même emprunté à l'ancien français *bule*, *bulle**.

♦ Le mot ne s'applique qu'à l'Angleterre, désignant surtout (1698) un projet de loi, puis aussi à d'autres pays anglo-saxons. ◇ Il s'est employé au XIXe s. (1793, Mme de Staël; encore 1875, G. Nouveau) pour «lettre, papier (écrit en Angleterre)», emploi sorti d'usage.

BILLARD → ② BILLE

◈ ① **BILLE** n. f. est, selon l'hypothèse couramment admise, issu (1164) du francique °*bikkil*, «dé», attesté par le moyen haut allemand *bickel* «dé, osselet» et le néerlandais *bikkel* «osselet». P. Guiraud préfère supposer un emploi métonymique de ② *bille* «bâton recourbé» (→ billard), en passant par l'intermédiaire d'un verbe *biller* «jeter une boule au jeu de quilles» (attesté seulement aux XIVe-XVe s.). L'italien *biglia*, l'espagnol *billa* sont empruntés au français.

♦ La première attestation du mot au sens figuré de «chose sans valeur», sorti d'usage, correspond au sens concret attesté plus tard de «petite boule, petite masse sphérique» (v. 1278). Avec ce sens, le mot désigne en particulier la petite boule de verre (ou d'argile, pierre, verre, etc.) servant à des jeux d'enfants (par exemple dans *jouer aux billes, un sac de billes*), ainsi que la boule d'ivoire, puis de matière synthétique, avec laquelle on joue au billard (1611). De ces emplois en termes de jeu proviennent plusieurs locutions figurées comme *faire bille pareille* «être à égalité» (XVIe s. sous diverses formes), sortie d'usage et, de nos jours, ***bille en tête*** (attesté mil. XXe s.) «en se lançant dans l'action», par jeu métaphorique sur *la tête la première*, ***toucher sa bille*** (v. 1970) «être très compétent», métaphores du billard; ***reprendre ses billes*** fait allusion au jeu d'enfants. ➜ Par analogie, le mot se dit en argot de ce qui est en forme de bille, en particulier la tête (1883), sens aujourd'hui usuel dans le langage familier avec des locutions comme ***bille de clown.*** ➜ Dans le langage technique, le mot désigne aussi une petite boule, souvent métallique, servant à divers usages (1892), et spécialement la petite boule sur laquelle s'opèrent certaines rotations, par exemple dans ***roulement à billes,*** dispositif dont le principe fut inventé en 1869 (Suriray), mais ainsi nommé plus tard, semble-t-il. ◇ De ce sens procèdent les locutions ***stylo à bille*** (v. 1950), ***bombe à billes*** (v. 1970).

▸ **BILLEBAUDE** n. f., attesté au XVIIe s. (1676, Mme de Sévigné), est probablement composé de *bille* et du féminin de l'ancien français *baut,* «hardi», encore usuel au XVIe s. (→ baudet). Le patronyme *Billebaut* est attesté dès le XIVe siècle. ◇ L'évolution sémantique vers l'idée figurée de confusion, désordre, n'est pas claire : peut-être est-on passé de «petite boule lancée hardiment» à «hasard, confusion». De nos jours, le mot est archaïque, y compris dans la locution ***à la billebaude*** (XVIIe s., d'abord *à la billebode*), «en désordre», encore employée à la chasse, pour une partie où chacun tire à sa fantaisie et, par extension, à propos d'une «chasse» photographique où l'on photographie les animaux rencontrés (1973). ◇ Le titre d'un roman à succès d'Henri Vincenot a redonné à ce régionalisme bourguignon une certaine vitalité.

◈ voir BILBOQUET.

✳ ② **BILLE** n. f. est l'adaptation (1372) du latin médiéval *billia* (1198), antérieurement attesté au XIIe s. sous les formes du féminin *billa* et du masculin *billus.* Ce mot, de même que ses correspondants d'Italie septentrionale (Émilie, Piémont), est peut-être issu d'un gaulois °*bilia* que permettent de reconstruire l'irlandais *bile,* «tronc d'arbre», et le gaélique *bile* dont le sens est très éloigné, «petite feuille». ◇ Certains voient en ① bille, «boule», une métonymie de ce mot.

♦ En passant en français, le mot a reçu par métonymie le sens de «pièce de bois prise dans la grosseur du tronc ou de grosses branches», le pluriel *billes* désignant des quilles. L'accent étant mis sur la forme allongée (1393), le mot a été synonyme de «baguette, bâton» (1532). ◇ Ce sens, déjà vieilli au XVIIe s., subsiste dans quelques spécialisations techniques : le mot désigne une pièce de bois servant à fermer les ballots par torsion (1680), sens attesté antérieurement pour le verbe *biller* (ci-dessous), ou utilisée par les mariniers pour le halage (1690), ou servant à rouler la pâtisserie (1741). ◇ Par analogie, *bille* a pris en argot le sens d'«argent» (1579; v. 1520, selon Esnault) d'après celui de «lingot de métal»; cet emploi est sorti d'usage. ◇ Il a désigné une barre de chocolat (fin XVIIe s.), avant d'être supplanté par *barre,* se maintenant dans certaines régions (Sud-Ouest).

▸ **BILLETTE** n. f., indirectement attesté (1234) par son dérivé *billeté,* est employé en blason à propos d'une pièce en forme de rectangle. Désignant aussi un scapulaire de même forme, le mot a servi à nommer des religieux. ◇ *Billette* s'est appliqué à un bâtonnet, d'abord en fauconnerie (1304), puis à un morceau de bois de chauffage fendu et séché (1414). ◇ Il a été repris en architecture à propos des petits tronçons de tore espacés d'une moulure (1549, par le dérivé *billeté;* puis 1833).

① **BILLON** n. m., dérivé (1276-1277) de *bille* au sens de «lingot de métal», est un ancien terme de finances qui a désigné une pièce de monnaie, spécialement une monnaie de cuivre mêlée ou non d'argent et, par extension, une monnaie divisionnaire (1576). ➜ De ce sens procède ① **BILLONNER** v. (1356), d'où **BILLONNEMENT** n. m. (1401) et ① **BILLONNAGE** n. m. (v. 1450), tous relatifs à l'idée d'un trafic illégal sur les monnaies et sortis d'usage. ◇ Voir ci-dessous les homonymes ② et ③ *billon.*

BILLOT n. m., d'abord *billoc* (1354-1377), désigne un tronçon de bois court et gros dont la partie supérieure est aplanie et qui servait à appuyer la tête du condamné à la décapitation, d'où la locution figurée ***la tête sur le billot*** «même menacé de mort» (1690). ◇ Il a développé quelques emplois techniques (1577), spécialement en marine et, d'après *bille* au sens ancien de «bâton, baguette», se dit du morceau de bois attaché au cou d'un animal que l'on veut entraver (1561).

BILLARD n. m. procède (1399) de *bille* au sens de «bâton recourbé» avec influence de ② *bille,* «boule». Le mot, désignait proprement un bâton recourbé pour jouer aux jeux de billes ou de boules, plus tard remplacé par un bâton droit. Ce sens est encore vivant dans la locution figurée familière ***dévisser son billard*** «mourir» (1859). ➜ *Billard* est devenu par métonymie le nom d'un jeu spécifique (1558) où le bâton utilisé se nomme *queue.* ◇ Par métonymie, *billard* se dit de la table du jeu de billard (1680) et du local où elle est installée (1752). ◇ Il a été repris avec des valeurs métaphoriques pour «terrain plat, route facile à parcourir» (1896), d'où la locution familière ***c'est du billard*** (1914), et aussi pour «table d'opération», par exemple dans *passer sur le billard.* ◆ En dérivent **BILLARDER** v. intr. (1704), «jouer au billard», sorti d'usage, puis au figuré, «marcher en jetant la jambe latéralement» (du cheval) en manège (1751), et **BILLARDIER** n. m. (XVIIIe s.) «celui qui répare ou fabrique des billards», mot rare.

BILLER v. tr. procède de sens techniques de *bille* qui ne sont clairement attestés que plus tard : «lier» (XVe s.), «corder un ballot» (1527), «attacher une corde à la "bille" pour haler les bateaux» (1611). ◇ En boulangerie, l'emploi pour «aplatir la pâte au moyen d'un rouleau» est attesté en même temps que *bille* pour ce rouleau (1741). ◆ ② **BILLON** n. m., «pièce de bois», peut être considéré comme une création distincte de son homonyme ① *billon* dans la mesure où il vient (1513) de *bille* au sens de «baguette» ; il est spécialement employé en viticulture à propos d'un sarment taillé très court (1732). ◇ Le verbe dérivé ② **BILLONNER** v. tr. (1732), d'abord attesté en viticulture, signifie aussi «tronçonner des arbres abattus» (1892) par influence probable de *billot.* ◇ On en a dérivé ② **BILLONNAGE** n. m. (1928). ◆ Le terme d'agriculture ③ **BILLON** n. m. (1771) désigne un léger exhaussement de terre bordé par des sillons profonds ; il peut se comprendre comme un emploi métaphorique du précédent par analogie de forme avec une pièce de bois, mais semble plutôt dérivé directement de *bille* avec le suffixe *-on,* d'après *sillon* (cf. le premier sens de *sillon*). ◇ En est dérivé ③ **BILLONNER** v. tr., «labourer en billons» (1782), dont est tiré ③ **BILLONNAGE** n. m. (1835).

HABILLER v. tr. est formé (v. 1200) sur *bille* avec le préfixe *a-** (du latin *ad-*) et la désinence *-er,* et signifie initialement «préparer une bille de bois». D'abord écrit *abiller,* le verbe a pris sa graphie moderne avec *h-* (XVe s., Commynes) d'après le rapprochement fait de bonne heure avec *habile* et surtout avec *habit,* responsable d'un déplacement de sens qui sépare complètement le verbe de son étymon français. Ceci explique que le sens propre ne soit plus attesté que par quelques emplois techniques (1701, *habiller un arbre*) ou dialectaux du langage agricole, aujourd'hui compris comme des figures du sens dominant. ◆ Dès les premiers textes, le verbe réalise l'idée plus générale de «préparer, apprêter», surtout dans un contexte militaire et à la forme pronominale. On retrouve cette idée générale d'apprêt dans quelques acceptions techniques, en cuisine (v. 1450), en médecine (1456), en tannerie (1559) et en poterie (1680). ◆ Le sens usuel de «couvrir de vêtements», d'abord à la forme pronominale (déb. XVe s.) puis en emploi transitif (1456), est dû à l'influence du mot *habit* et a dû s'implanter d'autant plus aisément qu'il s'inscrivait à la suite de celui de «(s')équiper pour la guerre». C'est devenu le seul sens usuel du verbe, *s'habiller* ayant les valeurs secondaires de «se vêtir de telle manière (1478-1480)», absolument «mettre des habits de soirée, une tenue de cérémonie» (1866). ◇ *Habiller,* avec un nom d'habit pour sujet, signifie «aller plus ou moins bien, être plus ou moins seyant» (1690 ; 1866, en emploi absolu). ◇ Par analogie, le verbe a pris l'acception de «recouvrir comme un vêtement» (1463) et «arranger sous un aspect séduisant» (1665), au figuré. ◆ Le dérivé **HABILLEMENT** n. m. (1374), d'abord synonyme d'*équipement* jusqu'au XVIe s., a suivi l'évolution du verbe, désignant concrètement les vêtements (XVe s.) et fournissant un substantif d'action à *habiller* «action de fournir qqn en vêtements» (1823). ◆ La série des sens techniques de *habiller* s'exprime dans l'autre substantif d'action **HABILLAGE** n. m. (1462), «action de mettre en état (qqch.)», spécialement de préparer de la viande (1530), le cuir (1559), la poterie (1765). ◆ **HABILLEUR, EUSE** n. (1552) a conservé de la valeur initiale de *habiller* quelques sens techniques, en tannerie (1552), médecine (1584) et pêche (1770). ◇ D'après la valeur dominante du verbe, il a pris le sens plus courant de «personne qui habille qqn», apparu le dernier (1843, au féminin), surtout réalisé dans un cadre professionnel (1846, au théâtre).

Habiller a produit deux verbes préfixés. ◆ L'itératif **RHABILLER** v. tr. (1390) a signifié «remettre en état, réparer», dans l'usage technique, et «remettre un os démis», en chirurgie (v. 1575). ◇ D'après les sens modernes d'*habiller,* il signifie couramment «vêtir de nouveau» (1675), surtout au pronominal *se rhabiller* employé familièrement dans *aller se rhabiller* de *va te rhabiller !* adressé à un comédien, puis à un sportif, etc., que l'on renvoie (au vestiaire). ◆ Il a produit **RHABILLAGE** n. m. (1506-1507) et **RHABILLEMENT** n. m. (1538), mot dont les acceptions techniques ont été supplantées par le sens courant de «action de vêtir à nouveau». ◆ **RHABILLEUR, EUSE** n. (1549), ancien nom pour l'ouvrier chargé de remettre en état, s'emploie familièrement pour «rebouteux» (1575).

DÉSHABILLER v. tr. apparaît d'abord au pronominal (XVe s.) et correspond à «enlever les habits de, dévêtir». Le verbe a des connotations très différentes, selon les contextes (*déshabiller un enfant, une femme,* etc.). *Se déshabiller,* comme *s'habiller,* est très usuel (*se dévêtir* étant littéraire). ◆ Le verbe a pour dérivés **DÉSHABILLÉ** n. m., participe passé substantivé (1608) au sens de «vêtement féminin d'intérieur». ◇ L'adjectif correspond à tous les emplois du verbe, la valeur dominante étant cependant érotique, avec des extensions du genre *revue, film déshabillé(e),* «où l'on voit des femmes peu vêtues». ◆ **DÉSHABILLAGE** n. m. (1804) a lui aussi des connotations érotiques. ◆ **DÉSHABILLEUR, EUSE** n. (1891) est rare.

BILLET n. m. est le masculin (1359 ; 1357 selon Bloch et Wartburg) de l'ancien français *billette* «lettre, sauf-conduit» (1389). Celui-ci est généralement regardé comme l'altération d'après ② *bille*,* «pièce de bois», de l'ancien français *bullette,* «sceau» (1299), «attestation, certificat» (1371), diminutif de *bulle** «sceau» (→ bulletin). Cependant, P. Guiraud, qui tient cette altération pour peu vraisemblable, préfère y voir le diminitif de ② *bille** et expliquer le cheminement sémantique d'après celui qui a conduit le mot *étiquette* du bâtonnet que l'on fiche dans un objet pour en indiquer la nature au petit carré de carton ou de papier remplissant la même fonction. Une troisième hypothèse, celle d'un emprunt à l'italien *biglietto*, se heurte à l'attestation plus tardive (2e moitié XVIe s.) de ce mot, mais un usage plus ancien du mot italien n'est pas exclu.

♦ *Billet* désigne un bref message écrit réduit à l'essentiel, le développement sémantique du mot se faisant selon les emplois particuliers liés aux fonctions remplies. Ainsi, au XVIe s., le mot a désigné une lettre de cachet et aussi une formule magique. Il s'est répandu au XVIIe s., Richelet faisant déjà état dans son dictionnaire, en 1680, de sa valeur actuelle : ce sens de «courte lettre, missive» (1674) se diffuse avec la mode d'écrire de courts messages sans signature ni souscription à la place des lettres de cérémonie; d'où les expressions ***billet doux***, demeurée usuelle, *billet galant, billet amoureux* (1680). En même temps, *billet* se dit d'un avis écrit ou imprimé faisant part d'un événement tel qu'un mariage, un enterrement, emploi sorti d'usage. ◆ Investi d'une valeur d'échange, il désigne le petit imprimé donnant accès quelque part (1680, *billet pour entrer à la Comédie*); plus tard l'anglicisme *ticket* prendra une partie de ses emplois. De ce sens vient la locution figurée ***prendre un billet de parterre*** (1838) «tomber (par terre)». ◇ *Billet* se réfère également à la promesse écrite, à l'engagement de payer une somme (1680), d'où *billet d'épargne, billet de change, billet payable au porteur* (1694) et, un peu plus tard, ***billet de banque*** (2 mai 1716, *billet de la banque*, dans les lettres patentes créant la banque de Law), emploi devenu très usuel et produisant un sens spécial de *billet* au XIXe s. (par exemple dans *des gros billets, un billet de cent francs*). ◇ Enfin, ce mot désigne un papier reconnaissant ou attestant quelque chose (1690, *billet de santé*), emploi dont procède la locution familière ***je vous donne, je vous fiche mon billet que...*** «j'affirme que» (1821).

▸ **BILLETON** n. m. (1936, Céline) est un croisement de *billet* (de banque) et de *biffeton* (→ biffer), sans usage réel. ◆ **BILLETTERIE** n. f. a été créé récemment (1973) pour remplacer l'anglais *ticketting*, désignant l'ensemble des opérations relatives à l'émission et à la délivrance de billets (spectacles, etc.) et aussi un distributeur automatique de billets de banque.

◈ voir BILL.

◈ **BILLEVESÉE** n. f. (XVe s.) est de formation obscure : le second élément est l'adjectif *vesé, vezé*, «ventru», peut-être pris au sens de «gonflé», dérivé de *veze*, «cornemuse» (1532), encore attesté dans les dialectes et appartenant à la racine onomatopéique *ves-* exprimant le souffle (→ vesse). Le premier élément demeure douteux; ① *bille* semble exclu puisqu'il désigne un objet solide, qui ne peut être gonflé; une altération de *beille* «boyau», issu du latin °*botula* de *botulus* (→ boyau), présente des difficultés phonétiques : il faudrait admettre que *bille-* représente une fausse régression à partir de *beille* d'après les formes où *-eille* correspond à *-ille* (par ex. en poitevin de l'Ouest). *Bulle*, qui conviendrait sémantiquement, pose un problème phonétique.

♦ Le mot, surtout employé au pluriel dès les premiers textes, désigne une parole vide de sens, une idée creuse. Il est devenu littéraire et assez archaïque.

BIMANE → MAIN

BINAIRE adj., réfection de *binere* (1554), est emprunté au bas latin *binarius*, «composé de deux éléments» (IVe s.), substantivé en arithmétique au sens de «deux» (VIe s.). Ce mot est dérivé de *bini* (pluriel) «chaque fois deux», d'où «paire, ensemble de deux objets», distributif de *bis* «deux fois» (→ bi-, bis).

♦ L'adjectif qualifie ce qui est formé de deux éléments ou comporte deux aspects. Introduit en mathématiques, il a qualifié un nombre composé de deux unités, puis un système de numération comptant deux états définis et distincts (1704, Leibniz, *arithmétique binaire*). ◇ En musique il qualifie une mesure pouvant se partager en deux temps (1643), en chimie un corps composé de deux éléments (1816), en astronomie une étoile formée de deux astres (XXe s.). ◇ La notion de ***code binaire*** est à la base de l'informatique; dans ce contexte, *binaire* rend l'anglais *binary*.

▸ **BINARITÉ** n. f., employé en 1869 par Lautréamont comme une transposition substantivée de *deux* («*la binarité de mes bras*»), exprime en sciences la qualité de ce qui est binaire (déb. XXe s.). ◆ **BINARISME** n. m. (XXe s.) se dit en linguistique du procédé d'analyse par lequel des rapports entre les unités d'un énoncé peuvent être réduits à des rapports entre deux termes. ◆ **BINON** n. m., issu (v. 1970) de *binaire* et *électr-on*, s'emploie en informatique à propos de l'un ou l'autre des deux caractères d'un code binaire.

◈ voir BINER, BINOCLE, BIT.

BINER v. est issu (1269), peut-être par l'intermédiaire de l'ancien provençal *binar*, d'un latin populaire °*binare*, «retourner la terre une seconde fois», attesté en latin médiéval surtout au figuré (av. 1141). Le verbe est formé sur le latin *bini*, qui semble avoir perdu à basse époque sa valeur distributive et le sens de «paire, couple» pour ne plus être qu'adjectif numéral (→ binaire). Cette forme est commune aux dialectes hispaniques et galloromans. ◈

♦ Le verbe est employé en agriculture au sens de «labourer (la terre) pour la deuxième fois», en horticulture «ouvrir la surface d'un sol pour le nettoyer ou pour l'aérer» (1697). ◇ En moyen français et encore dans certains dialectes (Touraine) un autre verbe *biner* «embrasser» (1598), s'explique probablement d'après le sens «deux» de *bini*, l'idée étant «embrasser sur les deux joues» avec influence possible de *biser**, «faire une bise». ◇ L'emploi intransitif pour «célébrer deux messes le même jour, généralement dans deux églises différentes» (1680), en liturgie, est directement dérivé du radical du latin *bini* «deux».

▸ Le verbe, au sens agricole, a produit plusieurs dérivés. ◆ **BINAGE** n. m. (1311), substantif d'action, est d'abord un terme d'agriculture employé dans le cadre du droit féodal. ◇ D'après le sens liturgique de *biner*, *binage* désigne aussi le service de deux paroisses assuré par un même curé (1771). ➜ **BINOT** n. m. (1311) est d'origine dialectale, du picard *binô*, *binot*; c'est probablement le déverbal de **BINOTER** v. tr., «donner à (la terre) une seconde façon» (attesté 1356, mais antérieur; cf. *binotage*), bien attesté en picard pour «labourer superficiellement», de *biner*. Le mot désigne une petite charrue légère servant à biner; on dit aussi **BINOIR** n. m., autre dérivé de *biner*. ◇ Du verbe *binoter* dérive également **BINOTAGE** n. m., attesté dès le XIIIe s. pour l'action de biner légèrement. ➜ **BINEUR, EUSE** n. (1539), peu attesté du début du XVIIe à la fin du XIXe s. (1899), désigne l'ouvrier chargé du binage et, au féminin **BINEUSE**, la machine exécutant la même opération (1855); le masculin est rare en ce sens. ➜ ① **BINETTE** n. f. (1651), nom de l'instrument qui sert à biner, est usuel.

◈ voir **DÉBINER**.

① **BINETTE** → **BINER**

◈ ② **BINETTE** n. f., au sens de «visage» (1843), est d'origine incertaine. L'hypothèse traditionnelle d'une dérivation de *Binet*, nom d'un coiffeur de Louis XIV, fait difficulté car *binette*, «perruque à la Louis XIV», n'est pas attesté avant 1813 (une première attestation en 1791 est sujette à caution). L'hypothèse d'une aphérèse puis d'une dérivation de *trombine** au sens de «tête ridicule» (1836), proposée par Esnault, est séduisante. Celle d'une aphérèse de °*bobinette*, «figure», se heurte au fait que seul *bobine* (1846) et non *bobinette* est attesté au sens de «visage». Enfin, l'influence de la paronymie *bine-*, *bille* «tête» est vraisemblable.

♦ Le mot désigne une figure ridicule, d'abord en argot puis dans la langue familière. Il tend à veillir au profit d'autres dénominations synonymes.

BINIOU n. m., une première fois *beniou* (1799), puis écrit *bignou* (1800) et enfin *biniou* (1823), est emprunté au breton moderne *biniou* «cornemuse». Ce mot est le pluriel masculin employé au nord de la Bretagne (la partie sud employant *binieu*) de *béni* «bobine». Le moyen breton *benny* a déjà le sens de «cornemuse»; il appartient à la même racine celtique que le gallois °*bannom*, «corne», auxquels correspondent le cymrique *ban* et l'irlandais *benn*.

♦ Le mot désigne la cornemuse du folklore breton. ◇ Au figuré, il se dit en argot des musiciens (mil. XXe s.) d'un instrument à vent, surtout trompette ou cornet (1888, repris et diffusé au XXe s. en jazz), et familièrement du téléphone *(un coup de biniou)*, concurrençant alors *bigophone**.

BINOCLE n. m. est emprunté (1677) au latin scientifique *binoculus*, nom forgé à partir de *bini*, «une paire» (→ binaire), sur le modèle du latin *monoculus* (→ monocle), donné en 1645 à un télescope à deux oculaires par A. M. Schyrle de Rheita, astronome allemand *(Oculus astronomicus binoculus, sive praxis dioptrices)*. Les œuvres de ce savant furent rendues accessibles en français par le père Chérubin d'Orléans (in *T. L. F.*).

♦ Le mot, d'abord employé adjectivement pour qualifier un oculaire à deux lentilles, n'est plus usité que substantivement; il a d'abord désigné un télescope double (1677), sens où il sera supplanté par *jumelles* à la fin du XIXe siècle. ◇ Il est entré dans l'usage courant au sens de «double lorgnon à verres fixes» (1798, L. S. Mercier). Terme caractéristique de l'époque où cet instrument d'optique était à la mode (comme *lorgnon*, *binocle*), il se dit encore plaisamment au pluriel à propos de lunettes. ➜ Par remotivation du sens propre du mot latin, le mot désigne en médecine un bandage destiné à recouvrir les deux yeux (1903).

► **BINOCULAIRE** adj. apparaît aussi chez Chérubin d'Orléans (1677) composé du latin *bini* et de *oculaire** pour «qui se rapporte aux deux yeux». ◇ L'adjectif s'applique (1863) à des instruments d'optique habituellement monoculaires, par exemple *microscope binoculaire*, d'où *un binoculaire*. ➜ **BINOCLARD, ARDE** adj. et n. est dérivé tardivement (1885) de *binocle* «lunettes» et du suffixe péjoratif *-ard* pour qualifier et désigner la personne qui porte des binocles, et aujourd'hui des lunettes. Il est familier.

BINÔME n. m., d'abord *binome* (1554) puis écrit *binôme* (1798), est d'origine controversée. L'hypothèse la plus fondée est celle d'une adaptation du latin médiéval *binomium*, «quantité algébrique à deux termes», terme employé par Gérard de Crémone (1114-1187), auteur d'une traduction latine des commentaires arabes de Fadl ben Hatim an-Naizîrî sur les dix premiers livres de la Géométrie d'Euclide. *Binomium* serait composé du latin *bis* «deux fois» (→ bi-), et de *nomen* (→ nom) par traduction du grec *onoma* «nom» (→ onomatopée). L'hypothèse d'une formation à partir du préfixe *bi-** et du grec *nomos*, «part, portion» (→ -nôme), ne semble pas à retenir. Il en va de même de l'hypothèse selon laquelle le terme de mathématiques serait une transposition de l'adjectif latin médiéval *binomius*, «qui a deux noms», en parlant d'une personne, lui-même latinisation des représentants romans du latin *nomen* (→ nom).

♦ Ce terme de mathématiques désigne une expression algébrique formée par la somme ou la différence de deux termes appelés plus tard (fin XVIIe s.) *monômes*. Il est aussi employé adjectivement (1613). ◇ Il est devenu un terme de taxinomie scientifique, désignant l'ensemble des deux termes latins, le premier pour le genre, le second pour l'espèce dans la classification de Linné. ◇ Il a été repris plaisamment par l'argot des écoles à propos du condisciple avec qui on effectue des travaux pratiques en sciences (1841, à Polytechnique).

► **BINOMIAL, ALE, AUX** adj. (v. 1450) qualifie ce qui est relatif à un binôme en mathématiques, puis une nomenclature de sciences naturelles constituée de binômes.

D'après *binôme*, par substitution de *mono-* à *bi-*, on a formé **MONÔME** n. m. (1691) en mathématiques, à propos de l'expression algébrique entre les constituants de laquelle il n'y a ni signe d'addition ou de soustraction, ni signe indiquant une relation. ◇ Par allusion à la suite des termes du monôme des mathématiciens, les étudiants de l'École polytechnique ont baptisé *monôme* une file d'étudiants se tenant par les épaules et se promenant sur la voie publique (1878). ➛ **TRINÔME** n. m. (1613) désigne un polynôme à trois termes.

◈ voir **POLYNÔME**.

BIO-, élément préfixal, est un emprunt au grec *bio-*, représentant le substantif *bios* qui désigne non pas le fait de vivre, mais la manière de vivre, le mode de vie humain (quelquefois animal), d'où concrètement les moyens de vivre, les ressources, et, à époque tardive, la foule, le monde. *Bios*, qui repose sur un thème indoeuropéen °*gʷiy(e)-* est un nom-racine thématique, existant en grec conjointement à un verbe de forme *zên* (→ zoo-) et ayant de nombreux correspondants dans les autres langues indoeuropéennes (en ce qui concerne le latin, *vita, vivere* → vie, vivre). À côté de *bios*, le grec a un autre substantif *biotos*, formé avec le suffixe *-tos* et signifiant «vie» et surtout «moyens de vivre, ressources»; il est peu représenté en français sinon dans le mot archaïque *biotologie* n. f. «science traitant de ce qui est habituel dans la manière dont chacun vit» (1842).

▶ *Bio-* est peu productif avant le XIXᵉ s. : il entre cependant dans **BIOGRAPHE** n. (1693, Ménage), formé de *bio-* et de l'élément *-graphe**, à rapprocher du latin *biographus*, attesté au même sens, «auteur qui écrit la vie d'une personne», dans Du Cange. ➛ Le substantif correspondant, **BIOGRAPHIE** n. f., attesté ultérieurement (1721), est directement emprunté au grec tardif *biographia* (v. 500), tout comme l'anglais *biography*. ◇ Le mot désigne le fait d'écrire une vie et le récit d'une vie, un ouvrage portant sur la vie d'une personne et le genre littéraire que constitue ce type de récit. Ce genre, qui existe depuis l'antiquité gréco-latine (Suétone, Plutarque), est illustré en France d'abord par les vies de saints et depuis la Renaissance, d'artistes, de savants, de personnages historiques. Dénommé en Angleterre vers la fin du XVIIᵉ s. (Dryden, 1683, *biography*) et en français au XVIIIᵉ s., le genre devient encyclopédique et universel au XIXᵉ s. (1811, début de la *Biographie universelle* de L. G. Michaud) en même temps que l'intérêt se porte moins sur la rhétorique sociale et plus sur l'individu, avec le romantisme. ➛ Il a pour dérivé usuel **BIOGRAPHIQUE** adj. (1800), qui a lui-même servi à former **BIOGRAPHIQUEMENT** adv. (1876). ➛ **BIOGRAPHIER** v. tr. (1832), semble inusité.

Le préfixé en *auto-**, **AUTOBIOGRAPHIE** n. f. (1836, L. Reybaud, mais antérieur) semble emprunté à l'anglais (1809, Southey) au sens actuel; le mot a signifié aussi en français «biographie manuscrite», sens rapidement disparu. La valeur moderne, illustrée dès le XVIIIᵉ s. par les *Confessions* de Rousseau, se développe avec le romantisme. De nos jours, le genre est commenté dans la mesure où il met en cause le rapport de l'énonciateur à son énoncé, du narrateur au récit. ➛ **AUTOBIOGRAPHIQUE** adj. (1832) correspond aux connotations successives du mot.

Le sens et la fortune de l'élément *bio-* sont liés au succès du mot **BIOLOGIE** n. f. apparu en 1802 chez Lamarck en même temps que l'allemand *Biologie*, mot forgé par le naturaliste allemand G. R. Treviranus dans *Biologie oder die Philosophie der lebenden Natur* («philosophie de la nature vivante»), à partir des éléments grecs *bio-* et *-logos* (→ -logie). *Biologie* répond au besoin de nommer l'étude générale des organismes vivants, après la constitution d'une botanique et d'une zoologie scientifiques; on parlait auparavant de *physiologie générale;* le mot est en rapport avec l'importance prise par la notion d'organisation et d'organisme, avec le concept de cellule et de tissu vivants. *Biologie* a d'abord été compris comme le nom de la science générale des êtres vivants, incluant celle des plantes, des animaux et de l'homme. Lorsque les diverses branches de ce domaine d'études ont eu des noms usuels, *biologie* a désigné spécifiquement la science ayant pour objet l'étude générale des phénomènes vitaux et spécialement leur étude dans la cellule, dans l'individu et dans l'espèce (fin XIXᵉ s.). ◇ Le mot a évolué selon l'histoire du concept, passant de l'idée initiale de «science des êtres vivants», réalisée dans *biologie animale, végétale*, à celle qui s'applique aux conditions générales de la vie, au niveau de la cellule *(biologie cellulaire)* du dynamisme de la variation dans l'individu et dans l'espèce, vers la fin du XIXᵉ s., en relation avec *embryologie*, puis *génétique*, les modèles se rapprochant au milieu du XXᵉ s. des réalités physicochimiques *(biologie moléculaire)*.

L'adjectif dérivé **BIOLOGIQUE** adj. (1832) a suivi l'évolution du concept de biologie, de même que **BIOLOGISTE** n. (1832), qui a remplacé **BIOLOGUE** n. ◇ L'adjectif a servi à former l'adverbe **BIOLOGIQUEMENT** (1826). ➛ **BIOLOGISME** n. m. (1936, Sartre) s'applique à une explication sociologique ou psychologique par la biologie, souvent opposée au *culturalisme*. ◇ *Biologie* entre comme second élément dans des composés désignant des branches de la biologie (*agrobiologie, astrobiologie, radiobiologie, sociobiologie*, etc.).

Dans le premier tiers du XIXᵉ s., *bio-* sert à former des noms de sciences ou de domaines scientifiques liés à la biologie. Après **BIOMÉTRIE** n. f. (1833) «étude de la durée de la vie», sens archaïque, et **BIOMÉTRIQUE** adj. *(id.)*, apparaissent des noms de disciplines. ➛ **BIOCHIMIE** n. f. (1842) et **BIOCHIMIQUE** adj. (d'où **BIOCHIMISTE** n., 1920) correspondent à l'analyse du domaine trop extensif de la chimie. ➛ **BIODYNAMIQUE** n. f. (1838-1842), «dynamique des formes vitales», est aujourd'hui terme d'histoire des sciences. ➛ **BIONOMIE** n. f. et **BIONOMIQUE** adj. sont aussi enregistrés dans le *Complément de l'Académie* (1838-1842). ➛ À la même époque, apparaît **BIOSPHÈRE** n. f. au sens disparu de «globule supposé à l'origine de tous les corps organisés», sens archaïque, le mot étant repris (1900) pour «portion du globe — croûte superficielle et couches basses de l'atmosphère — qui abrite la totalité des organismes vivants sur la Terre». ➛ **BIOMAGNÉTISME** n. m. est attesté dès 1858. ➛ **BIOCÉNOSE** n. f. est un emprunt (1908) à l'allemand *Biokönoze* (K. A. Mœbius, 1877), du grec *koinos* «commun», mot correspondant au latin *cum* (→ co-), et se dit des populations d'êtres vivants dans une portion définie du milieu (*biotope* le concurrencera). ◆ Après **BIONOMIE** n. f. (1842), «étude des rapports des êtres vivants avec leur milieu», et **BIOGÈNE** adj., d'abord employé en botanique (1842) puis (XXe s.) pour «qui engendre ou stimule la vie», sont attestés **BIOGÉNIE** n. f. (1866), vieilli, **BIOGENÈSE** n. f. (1899) «genèse, origine de la vie», d'où **BIOGÉNÉTIQUE** adj. (1899; 1898, dans un autre sens). ◆ **BIOGÉOGRAPHIE** n. f. «géographie des phénomènes vivants» et **BIOGÉOGRAPHIQUE** adj. sont enregistrés dans les dictionnaires généraux en 1907. ◆ **BIOTHÉRAPIE** n. f., formé avec *thérapie**, «thérapeutique par des organismes vivants» (1909), a produit plus tard (v. 1950) **BIOTHÉRAPIQUE** adj. ◆ Depuis le début du XXe s., de nombreux phénomènes physiques observés chez les êtres vivants sont dénommés grâce à l'élément *bio-* : **BIOLUMINESCENCE** n. f. (1905), **BIOÉLECTRIQUE** adj. (1925), **BIOÉNERGÉTIQUE** adj. (1911) semblent bien antérieurs aux substantifs correspondants comme **BIOÉLECTRICITÉ** n. f. (v. 1970). ◆ **BIOMÉCANIQUE** n. f., qui existait déjà (1898) pour désigner ce que l'on appelle aujourd'hui *biochimie* et *biophysique*, est repris (mil. XXe s.) à propos de la science des effets extérieurs sur la cellule. ◇ **BIOPHYSIQUE** adj., emprunté à l'anglais *biophysics* (1892), est substantivé *(la biophysique)* au XXe s. (1938, Garnier et Delamare). ◆ **BIOTYPOLOGIE** n. f. (1925) concerne l'homme, alors que **BIOTYPE** n. m. est un concept de biologie générale (Johannsen). ◆ Les années 1950-1970 voient apparaître de nombreux composés désignant des disciplines nouvelles : **BIOACOUSTIQUE** n. f., **BIOASTRONAUTIQUE** n. f. (1966), **BIOCLIMATOLOGIE** n. f. (1960) avec **BIOCLIMAT** n. m. et **BIOCLIMATIQUE** adj. (1966), **BIOCYBERNÉTIQUE** n. f. (1964), **BIO-ÉLECTRONIQUE** n. f. (1970), **BIOMATHÉMATIQUE** adj. et n. f. et **BIOMATHÉMATICIEN, IENNE** n. (v. 1970), **BIOMÉDECINE** n. f. (v. 1970) d'où **BIOMÉDICAL, ALE, AUX** adj., **BIOMÉTÉOROLOGIE** n. f., **BIOPSYCHOLOGIE** n. f., **BIOPOLITIQUE** n. f., **BIOSPÉLÉOLOGIE** n. f., **BIOSYSTÉMATIQUE** n. f. qui entrent dans les dictionnaires entre 1964 et 1969. ◆ Les composés désignent aussi des opérations, comme **BIOCATALYSE** n. f. (d'où **BIOCATALYSEUR** n. m.), **BIOSYNTHÈSE** n. f. (1950) ainsi que des substances : **BIOSTIMULINE** n. f. (v. 1965). **BIOCIDE** n. m. (1966) désigne un produit destructeur de la vie. ◆ **BIOCOMPATIBLE** adj. (v. 1970) qualifie une substance tolérée par un organisme. ◆ **BIODÉGRADABLE** adj. (1966), devenu courant dans le contexte de l'écologie, qualifie une matière que les micro-organismes peuvent détruire (de là **BIODÉGRADATION** n. f., 1966). ◆ **BIOÉNERGIE** n. f. (v. 1975) devenu courant comme élément de thérapies et donnant au concept d'«énergie vitale» un essor nouveau; ◆ **BIO-INDUSTRIE** n. f. (av. 1979 in *Robert*) et **BIOTECHNOLOGIE** n. f. (1980) anglicisme probable substitué à **BIOTECHNIQUE** n. f. (d'abord «psychotechnique biologique», mil. XXe s.), sont devenus relativement usuels.

Longtemps après *biocénose* (ci-dessus) apparaissent **BIOTOPE** n. m. (1947) et **BIOMASSE** n. f. (1966 in *T. L. F.*).

Parmi les anglicismes (très nombreux) certains se confondent avec des formes composées en français. C'est le cas de **BIORYTHME** n. m., emprunté (1972) à *biorythm*. ◇ D'autres sont peu analysables, par exemple **BIONIQUE** adj. et n. f., emprunt (1958) à l'anglais *bionics*, mot-valise fait de *biology* et *electronics*.

BIOPSIE n. f. est formé (1879) de l'élément *bio-** et du grec *opsis* «vue» (→ optique). ◇ Ce mot de médecine désigne le prélèvement d'un fragment de tissu ou d'organe sur un être vivant pour analyse. Il est devenu relativement courant en tant que procédé d'examen (dépistage du cancer...). ◆ Le dérivé **BIOPSIQUE** adj. (v. 1920) est plus didactique.

Dans certains cas, l'élément *bio-* ne vaut pas pour «vie», mais pour «biologie». C'est le cas pour quelques-uns des composés signalés plus haut, et plus clairement, pour **BIO-ÉTHIQUE** adj. et n. f. (1982), qui concerne les problèmes moraux liés à la recherche biologique, génétique et médicale, ou **BIOTECHNOLOGIE** n. f. (1980) «ensemble de techniques de biologie appliquée».

BIOTIQUE adj. est un emprunt (1845) au bas latin *bioticus*, lui-même pris au grec *biôtikos* «qui permet la vie», de *bioun* «vivre». ◇ Cet adjectif, synonyme disparu de *vital*, a été repris (attesté 1966) pour qualifier des organismes vivants et ce qui permet la vie, alors opposé à *abiotique* (→ antibiotique).

-BIE, élément suffixal formé d'après la finale de *amphibie** emprunté au grec, ne se trouve que dans **AÉROBIE** adj. et n. m. (1875), d'où **ANAÉROBIE** adj. et n. m. (1863), employés à propos d'organismes vivants qui se développent dans l'air ou dans un milieu privé d'air; on en a tiré **ANAÉROBIOSE** n. f. (v. 1890) et **ANAÉROBIQUE** adj. (XXe s.). Les dates d'attestation laissent à penser que *anaérobie* a été formé (sur *an-* [*a-* privatif], *aéro-* et *-bie*) avant *aérobie*. ◆ **NÉCROBIE** n. f. (1867), d'où **NÉCROBIOTIQUE** adj. (1867), est archaïque.

◈ voir AMPHIBIE, ANTIBIOTIQUE, CÉNOBITE, MICROBE.

BIPÈDE adj. et n. est un emprunt de la Renaissance (1598) au latin *bipes, -edis*, formé de *bi-* et de *pes, pedis* (→ pied).

♦ Le mot signifie «qui marche sur deux pieds». Il est substantivé (1755) et, s'appliquant surtout à l'homme, s'emploie plaisamment pour «être humain». ◆ En équitation, *le bipède* désigne deux jambes d'un cheval.

BIQUE n. f. (1509) est un terme de la France du Nord et du domaine franco-provençal d'origine incertaine : une altération de *biche** (d'abord «bête») par croisement avec *bouc** n'est pas impossible, certains dérivés de *biche* désignant la chèvre (*bichette* «chèvre» dans le Centre). L'hypothèse qui en fait simplement un féminin de *bouc** à voyelle expressive est moins fondée. L'idée d'un radical germanique °*bik-* «pointu, saillant» qui expliquerait l'antériorité de *biquet* sur *bique*, est douteuse, l'existence d'un mot germanique °*bik*, «chèvre», n'étant pas confirmée. Il ne faut peut-être pas écarter la possibilité d'une origine onomatopéique *bik*, servant à appeler la chèvre. P. Guiraud propose de réunir *bique* et *biche* comme variantes d'un étymon unique latin *bis-*, *big-*, contesté et qui ferait de la chèvre comme de la sauterelle (parfois nommée *biche*) un animal «qui saute en biais, en zigzag».

♦ *Bique* est un mot familier ou régional pour la chèvre ; il a développé quelques emplois figurés. La locution ***crotte de bique*** désigne au figuré une chose insignifiante et le syntagme ***vieille bique*** (1830) se dit péjorativement d'une vieille femme. ***Bique et bouc*** «à la fois homosexuel passif et actif» est une expression récente (v. 1970). ◇ Par extension, le mot s'est appliqué à un vieux cheval, une rosse (1864).

▸ **BIQUET** n. m., d'abord attesté au sens de «support» (1355) puis spécialement de «trébuchet qui sert à peser l'or et l'argent» (1399), est un exemple de transposition d'une dénomination animale à celle d'instruments techniques ; cf. *poutre, bélier*... ◇ Il n'est attesté que depuis 1668 au sens propre de «petit de la bique» par une nouvelle dérivation, le féminin **BIQUETTE** (1842) désignant une petite chèvre. ◇ Le masculin sert de terme d'affection à l'égard d'un enfant, plus rarement d'un adulte (1843, Flaubert, *Correspondance*). ◆ **BICOT** n. m., «chevreau» (1892), est vieilli. Le mot a servi à traduire le nom du héros enfantin d'une bande dessinée américaine.

REBIQUER v. intr., attesté au XXe s. mais antérieur dans les dialectes, est formé de *re-** et de *biquer* ; le verbe étant dérivé de *bique* au sens métonymique de «corne», avec influence de *bec*, et employé à propos d'une pièce qui dépasse. ◇ Le dialectal *rebiquer*, «se mettre en travers (en parlant des poils)», s'est répandu dans l'usage familier en parlant de ce qui se retrousse en formant une corne, un angle (XXe s.).

BIRBE n. m. est emprunté (1836) à l'italien *birba* «coquin» (d'où *birbante*), probablt du même radical expressif que *bribe*, avec influence de *barbon* par le sens.

▸ Sorti d'usage pour «vieillard», péjoratif, il entre dans l'expression ***vieux birbe*** (1909 dans *les Pieds Nickelés*).

① **BIS** adv. est l'emprunt, enregistré seulement en 1690, du latin *bis* «deux fois» (Plaute), adverbe fréquent avec des noms de nombres cardinaux, ordinaux ou distributifs (→ bissextile). *Bis*, à côté de *bi-* (→ bi-), a servi de premier terme de composition dans des formations, soit savantes (calquées sur le grec), soit populaires. Le mot, dont Cicéron cite l'ancienne forme *dvis*, appartient à la famille de *duo* (→ deux, duo) ; il correspond au grec *dis*, à l'ancien irlandais *tvis-* et au sanskrit *dviḥ* «deux fois».

♦ *Bis*, repris avec le sens du mot latin, «deux fois», est employé spécialement en musique pour marquer la répétition d'un couplet de chant, d'une phrase musicale. ◇ Depuis le XVIIIe s., pendant un concert, un spectacle, il est employé comme exclamatif pour demander la reprise d'un morceau de musique (1762) et substantivé en ce sens (*les bis* ; puis *crier bis*). ◇ En apposition après un numéro d'ordre, il indique que celui-ci est répété une seconde fois, par exemple dans la numérotation des maisons d'une rue.

▸ Son dérivé **BISSER** v. tr. (1820) correspond d'une part à «demander à un artiste de recommencer le morceau qu'il vient d'exécuter» et, d'autre part, avec un changement de point de vue, à «répéter un morceau à la demande du public». Signalé comme «néologisme» par la plupart des dictionnaires généraux du XIXe s., attesté au p.p. dès 1801, il est devenu usuel.

◈ voir BARLONG, BÊCHER, BESACE, BESAIGUË, BESSON, BÉVUE (à VOIR), BIFIDE, BIFURQUER, BIGAME, BIGARRÉ, BIGORNE, ② BIGOT, BINAIRE, BINER, BINOCLE, BINÔME, BISCOTTE, BISCUIT, BISEAU, BLUETTE ; et aussi BÉSIGUE, BIAIS, BICOQUE, BIGLE, BISTRE.

② **BIS, BISE** adj. (1080) est d'origine contestée. L'hypothèse d'un francique °*bîsi*, «gris assombri, couvert de nuages», à rattacher au francique °*bisa* «vent du nord-est» (→ bise), est à écarter, notamment parce qu'elle ne peut rendre compte du correspondant italien *bigio*. L'hypothèse d'une transformation de l'adjectif *gris** soulève des difficultés phonétiques, de même que celle d'un emprunt à un latin populaire °*bysseus*, «étoffe de coton», dérivé du latin impérial *byssus* (Ier-IIe s.), lui-même emprunté au grec *bussos*, «tissu de lin» puis également «de coton, de soie», terme d'origine sémitique (hébreu et araméen *bûṣ*) ; cette hypothèse ne rend pas compte de l'-*s* sonore des formes gallo-romanes. La possibilité d'une formation par aphérèse du bas latin °*bombyceus*, «de soie, de la couleur de la soie», dérivé de *bombyx* (→ bombyx), fait aussi difficulté du point de vue phonétique. P. Guiraud suppose, sans autre preuve, une série de dérivés populaires du latin *bis*, «deux fois» (→ ① bis), dont un °*biseus* qui, du sens propre de «composé de deux parties», serait passé à celui de «mélangé, impur».

♦ Le mot qualifie une couleur d'un gris tirant sur le brun, en particulier un pain de qualité inférieure, de couleur gris-brun à cause du son qu'il contient. ***Pain bis*** est resté courant, mais les autres emplois ont vieilli (*étoffe bise*, etc.).

▸ **BISET** n. m., nom donné à une étoffe bise, est attesté une première fois à la fin du XIIe s., employé comme adjectif au XIIIe s. puis sorti d'usage, avant d'être reformé au XVIIIe s. (av. 1723). ◇ Par allusion à la couleur grise, *biset* est devenu le nom d'un pigeon sauvage d'un gris ardoisé (1552). ◇ Par métonymie du nom de l'étoffe, le mot a désigné un garde national qui faisait son service sans porter l'uniforme (1815). ◆ **BISAILLE** n. f. (XVIIe s.), de nos jours archaïque, désigne une farine de deuxième qualité dont on fait le pain bis, ainsi qu'un mélange de pois gris et de vesce pour nourrir la volaille. ◆ ② **BISER** v. intr. est signalé par Furetière (1690) à propos de grains qui dégénèrent en noircissant.

② **BISONNE** n. f., répertorié par l'Académie en 1835 comme nom d'une forte toile grise servant à faire des doublures, est probablement la substantivation d'un adjectif *bison, bisonne*, dérivé suffixé de *bis, bise*, avec ellipse d'un substantif comme *toile*.

◈ voir BISTRE.

BISBILLE n. f. est emprunté (1606) à l'italien *bisbiglio* «chuchotement, murmure» (1300-1350) d'où «murmures pouvant exprimer la désapprobation, la médisance, l'intérêt, la stupeur» (XVe s.). Ce mot est le déverbal de *bisbigliare* «murmurer», d'origine onomatopéique (à comparer à l'onomatopée *bzzz* évoquant en français un vol d'insecte).

♦ Le mot, recueilli dans un dictionnaire français-italien au sens général de «murmure», désigne familièrement (1752) une petite querelle pour un motif futile.

BISCORNU → CORNE ; BIGORNE

BISCOTTE n. f. est emprunté (1807) à l'italien *biscotto*, attesté depuis la première moitié du XIVe s. comme substantif, ainsi que dans le syntagme *pane biscotto* «pain cuit deux fois». Le latin médiéval *biscottum* est attesté dès 1218 à Modène, capitale de l'Émilie. Le mot italien est formé du préfixe *bis-* (→ bi-, ① bis-) «deux fois» et de *cotto*, participe passé masculin de *cuocere* «cuire», correspondant du français *cuire**.

♦ Le mot désigne d'abord, chez Grimod de la Reynière, une friandise constituée de pain au lait aromatisé recuit deux fois. C'est le sens dominant au XIXe s., où le mot (v. 1850) s'applique aussi à un aliment pour les jeunes enfants, qu'on délayait pour faire des bouillies, puis à des biscuits secs (*biscottes de Bruxelles, biscotte de Verdun*, à l'anis). Le mot s'est répandu, au XXe s., avec la fabrication industrielle de tranches d'un pain spécial séché et doré remplaçant souvent le pain dans certains régimes, et présentées en paquets.

▸ **BISCOTIN** n. m. est emprunté (1680), antérieurement à *biscotte*, à l'italien *biscottino* (XVIe s.), diminutif de *biscotto*. Le mot désigne un petit biscuit dur et craquant fabriqué dans le midi de la France.

◈ voir BISCUIT.

BISCUIT n. m., soudure de *bis cuit* (1538), est la réfection savante d'après le latin *bis* (→ bi-, ① bis) de l'ancien français *bescuit* «cuit deux fois» (v. 1112). Ce mot, comme le provençal *bescueit*, l'espagnol *bizcocho*, le portugais *biscuto* et l'italien *biscotto* (→ biscotte), vient d'un latin médiéval °*biscoctus* «deux fois cuit», substantivé par ellipse de *panis* (→ pain), de *bis* «deux fois» et *coctus*, participe passé de *coquere* (→ cuire).

♦ Le mot, souvent dans *pain biscuit* en ancien français, a désigné un pain cuit deux fois, spécialement une mince galette cuite deux fois et dont on faisait provision pour les longs voyages en mer *(biscuit de mer)*, d'où la locution figurée ***il ne faut pas s'embarquer sans biscuit*** (1587), «il ne faut pas s'engager dans une entreprise à la légère». Le successeur de ce biscuit est le *biscuit de soldat*, séché et réduit en galettes, qui remplaça le pain de munition pour les soldats en 1792, ce procédé était déjà utilisé par les légions romaines. ◇ Depuis le XVIIe s., le mot s'applique aussi à un gâteau sec fait avec des œufs, de la farine et du sucre (1660), pâtisserie dont une variété, le *biscuit sec*, est devenue au XXe s. une fabrication industrielle. L'expression ***biscuit de Savoie*** est attestée dès 1607. ◆ *Biscuit* a développé aussi des acceptions techniques, autrefois pour une fausse teinture qui ne résiste pas au débouilli (1690), de nos jours pour la pâte du potier avant que la couverte y soit appliquée (1751), et surtout pour une porcelaine blanche non émaillée, ainsi nommée (1798) non pas pour une double cuisson, mais parce que la matière, poreuse, a été comparée à du biscuit de soldat (d'après P. Larousse). ◇ De là, *un biscuit* s'est dit par métonymie pour «figurine en biscuit». ◇ Par analogie, il se dit de l'os de seiche que l'on donne aux petits oiseaux en cage pour s'aiguiser le bec (1834). ◆ Enfin, le mot a pris en argot le sens figuré de «difficulté» (1862) dont découle probablement celui de «contravention» dans l'argot des chauffeurs de taxis (1935).

▸ **BISCUITÉ, ÉE** adj. (1806, dans un contexte militaire) a qualifié un pain cuit plus longtemps que le pain ordinaire et se dit d'une porcelaine ayant subi une cuisson spéciale (1867). ◆ **BISCUITER** v. tr., d'abord au participe passé (1845, pour une tuile ; 1867, pour la porcelaine), est un terme technique pour «cuire au four une pièce de poterie pour la durcir». ◆ **BISCUITERIE** n. f. (av. 1877) est relatif à la fabrication des biscuits secs et à une branche de l'industrie de la porcelaine (1930).

◈ voir BISCOTTE.

① **BISE, BISOU** → BAISER

② **BISE** n. f. (v. 1130) est d'origine germanique : ◈ certains dialectes gallo-romans (wallon, lorrain, franco-provençal) de même que plusieurs formes du nord de l'Italie supposent clairement un prototype °*bisia*, qui a fait supposer une base commune, le germanique °*bîsjō* «vent du nord-est», à rapprocher de l'ancien saxon *bīsa*, de l'ancien haut allemand *bīsa* et du moyen haut allemand *bīse* (allemand *Bise*). Cette hypothèse paraît préférable à celle d'un emprunt direct au francique °*bîsa* ; en effet un latin médiéval *biza* «bise» est attesté dès 768 par Aetius Ister.

♦ Le mot désigne un vent froid qui souffle du nord ou du nord-est. La langue poétique classique l'a employé par métonymie pour «hiver» (cf. *autan*).

▸ **BISANT** n. m., que l'on trouve en 1925 chez Pourrat à propos d'un vent froid soufflant du nord, est probablement un dérivé de *bise*, peut-être selon un procédé analogue à celui de l'argot *brisant* «vent», issu de *brise**. ◇ Le *bisant* cité par Esnault dans Villon *(Ballades de la coquille)* pourrait être une forme de jargon pour *biseau** au sens de «coin enfoncé dans le brodequin».

BISEAU n. m. (1451) est d'origine incertaine, ◈ probablement dérivé de *biais** par l'intermédiaire d'une forme °*biaiseau* prononcée comme *bieseau* par suite du déplacement de l'accent, puis *biseau*. Une dérivation à partir de l'adverbe *bis** «deux fois» est inexplicable du point de vue morphologique, la forme attendue en roman étant *bes* ; cependant, selon P. Guiraud, les arguments sémantiques sont si forts en sa faveur que l'on devrait admettre l'existence d'un gallo-roman *bis*, résultant soit d'un °*bīs*, doublet expressif de *bĭs*, par allongement de la voyelle, soit d'un gallo-roman °*biseus* «formé de deux parties», avec fermeture de l'*-e-* ; *biseau* lui-même remonterait alors à un diminutif °*bisellus*.

♦ Le mot, d'abord attesté en orfèvrerie à propos d'un chaton taillé en biais servant à enchâsser l'émail d'un bijou, se dit de tout bord taillé obliquement (XVIe s.), notamment dans la locution adverbiale ***en biseau*** «en angle aigu». ◇ Ses emplois techniques en imprimerie et en menuiserie (Furetière en 1690) correspondent à des spécialisations du sens général usuel.

▸ **BISEAUTER** v. tr., d'abord écrit *bizotter* (1743), signifie «tailler en biseau»; par analogie, il est employé par les tricheurs avec le sens de «marquer la tranche de certaines cartes à jouer d'un signe secret» (1846), d'où le sens figuré de «truquer», aujourd'hui vieilli. ⟡ Le verbe a pour dérivés **BISEAUTÉ, ÉE** adj., **BISEAUTEUR, EUSE** n. (1852), rare, et **BISEAUTAGE** n. m. (1863).

① **BISER** → **BAISER**

② **BISER** → **BIS, BISE**

BISMUTH n. m., d'abord *bismuot* (1562) et *bissemut* (1597), *bismuth* depuis 1690, est emprunté, par le latin moderne, à l'allemand *Wismut* (1495 *in* Kluge), bas allemand *wesemode* (1497), nom d'un métal blanc jaunâtre, tendre et cassant, à structure lamellaire, connu et décrit par Paracelse en 1526 sous le nom de *wiusmat.* L'allemand a été latinisé en *bisemutum* vers 1530 par le minéralogiste allemand Agricola (1494-1555). Son étymologie est inconnue, l'hypothèse d'un emprunt à l'arabe *iṯmid,* «antimoine», manquant de fondement.

♦ Le mot a été emprunté en minéralogie pour désigner le métal décrit par le terme allemand. ◇ Par métonymie, il est employé en médecine pour nommer les sels de ce métal, utilisés notamment pour opacifier le tube digestif depuis la fin du XIXe s., et dans le traitement d'affections gastro-duodénales.

▸ La dérivation consiste en quelques termes d'usage didactique (chimie, médecine) : **BISMUTHIQUE** adj. (1838), **BISMUTHINE** n. f. (1845), **BISMUTHÉ, ÉE** adj., **BISMUTHISME** n. m. et plusieurs composés comme **BISMUTHOMANIE** n. f., **BISMUTHOTHÉRAPIE** n. f.

BISON n. m. est emprunté (1307) au latin *bison, -ontis,* nom d'un bœuf sauvage, attesté depuis le Ier s. après J.-C., chez Sénèque et Pline. Ce mot, comme le grec *bisôn,* attesté chez Pausanias au IIe s. et auquel il a servi d'intermédiaire, est emprunté à un germanique °*wisund,* °*wisand* (type de masculin fort) dont proviennent l'ancien haut allemand *wisunt, -ant, -int* (allemand *Wisent*), le vieil anglais *wesend* (l'anglais *bison* est repris d'après le latin), l'ancien norrois *visundr.* Cet étymon °*wisund* repose sur °*u̯is-onto,* dont la racine se retrouve dans des noms de personnes (moyen haut allemand *Wisent, Wirnt*) et de lieux (*Visontium,* espagnol septentrional); le mot est apparenté au vieux prussien *wis-sambrs* «aurochs». Il semble, selon Kluge, que l'animal soit nommé d'après la forte odeur musquée que sa crinière répand à l'époque du rut : la racine °*vis-* se retrouve selon lui dans le latin populaire °*vissio,* «puanteur», qui a donné le nom de la belette (→ vison), et dans le latin *visire,* «péter», dont une variante populaire a donné l'ancien français *vessir* (→ vesse). Du point de vue sémantique, le mot latin se réfère à un bœuf sauvage également nommé *bonasus* (*bona sos* en grec, chez Aristote) et *urus* chez César (→ aurochs), celui que le français appelle aujourd'hui *aurochs.*

♦ *Bison* désignait donc l'espèce de bœuf sauvage connue des Anciens et répandue en Europe, y compris en Grande-Bretagne, où *bison,* d'abord en latin au pluriel *bisontes* (1398), a ce sens. Cet animal à peu près disparu est appelé de nos jours *aurochs.* ⟡ Ultérieurement, le mot s'est appliqué (1757) au bœuf à bosse répandu en Amérique et nommé en anglais *buffalo,* d'après ses ressemblances avec l'ancienne espèce européenne. Cet emploi est seul usuel en français moderne.

▸ ① **BISONNE** n. f. (1867), «femelle du bison», est peu répandu.

BISQUE n. f., attesté depuis le début du XVIIe s., peut-être déjà chez Meslin de Saint-Gelais (mort en 1558), qui joue sur *bisque* et *bisquer* (selon le *Dictionnaire de l'Académie des Gastronomes*), est d'origine incertaine, peut-être à rapprocher du mot normand *bisque* «potage aigre», dont la dérivation du radical de *Biscaye,* nom d'une province espagnole, ne s'impose cependant pas. P. Guiraud suppose une origine méridionale et le rapproche du provençal *bisco* répertorié par Mistral sous deux entrées de son dictionnaire du provençal : *bisco* «potage» (selon lui de l'espagnol *pizca* «miette»), et *bisco* «biseau, petit morceau». Selon Guiraud, il s'agirait du même mot, à rattacher au latin *bis* (→ ① bis) par des dérivés exprimant la notion de divergence, de biais, avec le cheminement «morceau coupé, taillé en biais» d'où «potage garni d'éléments solides coupés»; il appartiendrait au même groupe que *biseau, bis, bise, bisquer, bizut, besigue, biche, bistre, bistouri* et *bistro,* mots rassemblés par Guiraud sous la même racine.

♦ Le mot désigne d'abord un potage fait de «pigeons, poulets, beatilles (petits abats), jus de mouton, et autres bons ingrediens, qu'on ne sert que sur la table des Grands Seigneurs» (Furetière). ◇ Une variante connue dès le XVIIIe s., dite *bisque de poisson,* contenant des hachis de carpes, leurs œufs et des écrevisses, est à l'origine du potage moderne qui consiste en un coulis de crustacés (dans l'Académie en 1835).

BISQUER v. intr., d'abord attesté dans une édition tardive du *Virgile travesti* de Scarron (1704-1706), et peut-être déjà dans un poème de Meslin de Saint-Gelais (cf. ci-dessus *bisque*), est d'origine obscure. Une dérivation du provençal *bisco* «mauvaise humeur, fâcherie, impatience», lui-même emprunté à une forme dialectale italienne (Émilie) *biscare,* «s'emporter», est insuffisamment appuyée. P. Guiraud, revenant à une ancienne étymologie qui faisait de *bisquer* le dérivé du dialectal *bisco* «chèvre» — sans rapport avec *bique* —, fait remonter les deux mots à un roman °*bisicare* «aller de biais, de travers», dérivé de la base *bis-*. En s'appuyant sur le sens de «chagrin, méchant» du provençal *biscaïn* «de Biscaye», on a aussi émis l'hypothèse d'une dérivation de ce radical, ce qui donnerait crédit à l'hypothèse de Wartburg citant un texte selon lequel les Biscayens avaient au XVIIe s. une mauvaise réputation.

♦ Le mot, qui signifie «enrager, éprouver du dépit», a longtemps été considéré comme «point français» (1807), «mot trivial» et «barbarisme» (1821). Il est d'emploi familier et entre dans des formules de moquerie enfantine *(bisque, bisque, rage !)*.

BISSAC → ① SAC

BISSEXTIL, ILE adj. est emprunté (1549) au bas latin *bisextillis* (IVe s.), dérivé de *bissextus*, substantivé pour désigner le jour intercalaire des années qui comptent un jour supplémentaire. Ce mot, qui signifie «deux fois sixième», est formé de *bis* «deux fois» (→ bi-, ① bis) et de *sextus* «sixième», de *sex* (→ six), parce que le jour intercalé tous les quatre ans dans le calendrier julien, placé après le 24 février, était le sixième jour avant les calendes de mars et doublait ce jour. *Bissextus* lui-même était représenté en ancien français par *bissexte* n. m. (v. 1121) et *bissêtre* (1611), réfection de l'ancien français *besistre* «événement malencontreux», ce jour étant regardé comme néfaste.

♦ L'usage a réduit le mot à l'expression ***année bissextile*** (on relève, au masculin, *ans bissestilz* en 1549). *Jour bissextil* est exceptionnel.

BISTOUILLE → BISTRO

◈ **BISTOURI** n. m., d'abord *bistorit* (1464), *bistorie* au féminin (1468) jusqu'à la fin du XVIe s., puis *bistouri* au masculin (1680), est d'origine douteuse. Il est probablement emprunté d'une forme d'italien septentrional où le suffixe *-ino* se réduit à *-i*, et qui serait une variante de l'italien *bistorino, bisturino*. Ce dernier serait une altération par changement d'initiale mal expliquée de *pistorinio*, attesté plus tard (XVIIIe s.), «de Pistoie», du latin *Pistorium*, nom de cette ville et, par métonymie, «dague, poignard (fabriqué originellement à Pistoie)» (→ pistolet). A. Paré, qui emploie ce couteau comme instrument chirurgical, hésite d'ailleurs entre les deux formes *pistolet* et *bistorie*, certainement issues d'un même mot. ◇ P. Guiraud, interprétant le mot comme le nom d'un couteau courbe, y voit le dérivé d'un adjectif °*biste* «courbe», du radical latin *bis* (voir son hypothèse sur *biseau*) croisé avec une forme de participe passé qui pourrait être *hourer* «tailler» ou *tourer* «déchirer» (*in* Godefroy).

♦ *Bistouri* a désigné un poignard, avant de se spécialiser en chirurgie (v. 1560, Paré) à propos d'un instrument en forme de couteau servant à pratiquer les incisions.

▸ Les verbes dérivés **BISTORIER** (1546, Rabelais), **BISTOURIER** (av. 1848, Chateaubriand) et **BISTOURISER** (1941, Gide) sont à peu près inusités.

BISTOURNER → TOURNER

◈ **BISTRE** n. m. et adj., attesté depuis le début du XVIe s., est d'origine incertaine. On peut le rapprocher de *bis* «gris» (→ ② bis), à condition qu'il existe des intermédiaires (P. Guiraud évoque un °*biste*) et d'expliquer la présence inattendue de l'*-r-*. Un rapprochement avec une série de mots germaniques comme l'ancien norrois *bistr* «en colère» (suédois, danois *bister* «en colère, rageur, féroce»), le néerlandais *bijster* «interdit, stupéfait», le bas allemand *biestert* «égaré» et «sombre, triste», fait difficulté quant au sens. Un rapprochement avec l'ancien français *behistre, beïstre*, variante de *besistre* (→ bissextile), s'appuie sur la réputation de jour néfaste du «jour bissextile de février» ; toutefois, cette hypothèse rend mal compte du sens moderne et manque de fondement historique.

♦ Le mot désigne une substance colorante d'un brun noirâtre, faite de suie détrempée mêlée de gomme. Il est adjectivé pour qualifier une couleur d'un brun noirâtre (v. 1570).

▸ **BISTRÉ, ÉE** adj. (1809) est synonyme de *bistre* adj. ; il se confond avec le participe passé du verbe **BISTRER** v. tr. (1835), «donner la couleur du bistre», dont dérivent **BISTRURE** n. f., «teinte bistre» (1871), et **BISTRAGE** n. m. (1890), termes rares relevés dans Goncourt.

BISTRO ou **BISTROT** n. m., d'abord *bistro* (1884) puis également *bistrot* (1892), est d'origine discutée. L'hypothèse souvent invoquée d'une adaptation du russe *bystro* «vite» dans une anecdote selon laquelle les cosaques occupant Paris en 1814 prononçaient ce mot pour être servis rapidement au cabaret, doit être écartée pour des raisons chronologiques, en l'absence d'attestations du mot pendant près de trois quarts de siècle. On a supposé aussi un rattachement au poitevin *bistraud*, «petit domestique», qui aurait désigné l'aide du marchand de vin d'où, par métonymie, le cabaretier, sens premier en français. On a aussi évoqué un rattachement à *bistingo* «cabaret» (1845), «hôtel où couchent les bohémiens» (1848) et à *bistringue*, attesté ultérieurement au Canada au sens de «cabaret» et variante de *bastringue**, tous mots d'origine obscure. P. Guiraud, partant du sens de «cabaret», propose une dérivation régressive de *bistrouille*, variante de **BISTOUILLE** n. f. (fin XIXe s.), mot familier désignant un mauvais alcool, une mauvaise boisson, et, en français de Belgique et du nord de la France, un café mêlé d'eau-de-vie (1901). L'origine de ce mot est incertaine, peut-être de *bis-** et *touiller** «mélanger deux ou plusieurs fois». Selon Guiraud, le bistro (de même que le bistingue ou bistringue) est le lieu où l'on «bistrouille», c'est-à-dire où l'on fabrique et l'on boit un mauvais vin avec un mélange de produits chimiques. Enfin, une dérivation populaire de *bistre*, pour «lieu sombre, enfumé», peut aussi être évoquée, faute de mieux. ◈

♦ Le premier sens attesté, «cabaretier» — qu'aucune hypothèse ne prend en compte —, a vieilli au profit de celui de «café, généralement petit et modeste» (1901). ◇ Le mot est devenu ensuite symbolique du petit café à la française, s'appliquant souvent, surtout à partir des années 1980, à des restaurants de style simple mais pouvant être coûteux.

▸ **BISTROTE** n. f. (1914) désigne familièrement la femme qui tient un café. ◆ **BISTROQUET** n. m.

(1926) est un mot-valise résultant de *bistro* croisé avec *troquet**; il est peut-être antérieur si on estime qu'il est supposé par *bistroqu'* «cabaretier», mot employé par Bruant (1901) qui le donne comme «vieux de vingt ans». Si cette remarque et la notation phonétique sont exactes, l'étymologie de la série devrait être reprise; mais les documents font défaut.

BIT n. m. est emprunté (1959) à l'anglo-américain *bit,* terme d'informatique désignant le chiffre binaire et l'unité élémentaire d'information. Lui-même est un mot-valise combinant *bi-,* première syllabe de *binary* (→ binaire), et *-t,* dernière lettre de *digit* «chiffre» (→ digital).

♦ Le mot, qui a gardé le sens de l'étymon, appartient au vocabulaire de l'informatique.

◈ **BITE** n. f., attesté depuis 1584, est d'origine incertaine. L'hypothèse d'un rattachement au terme de marine *bitte** ne convient pas pour le sens : la bitte de marine, à cette époque, est en général faite de poutres courtes entrecroisées; le pilier de fonte, d'allure phallique, est bien plus tardif: Littré ne mentionne en 1864 que l'assemblage de charpentes. Cependant, le sens de «poutre» a pu alimenter une métaphore, au moins dans les emplois anciens (fin XVIe s.). ◇ *Bite* peut aussi être une formation régressive à partir du verbe ancien français *abiter* «s'approcher, toucher à» (v. 1050), après croisement avec l'ancien français *habiter* (→ habiter) qui signifiait spécialement «avoir un commerce charnel avec (qqn)» (av. 1250). L'ancien français *abiter* est un terme normand dérivé de *biter à* «toucher à», attesté seulement en 1452, mais vraisemblablement antérieur, étant donné l'ancienneté de son dérivé *abiter* dans la même aire géographique. *Biter* lui-même semble emprunté à l'ancien norrois *bíta* «mordre», qui correspond au vieil anglais *bitan* (anglais *to bite*), à l'ancien saxon *bitan* (néerlandais *bijten*), à l'ancien haut allemand, au gotique *beitan*. Tous ces mots (→ ② bitter) viennent d'un terme germanique commun, °*bitan,* rattaché à une racine indoeuropéenne représentée par le sanskrit *bhidyáte* «il est fendu» et le latin *fid-, findere* «fendre» (→ fendre, fissi-, fissure). Cette hypothèse suppose l'intermédiaire d'un verbe ancien *biter* non attesté.

♦ Le mot, dont on est sans attestation entre 1611 et 1881 (peut-être par un simple effet de tabou), est un nom très familier — considéré en général comme vulgaire — pour le membre viril; on écrit aussi *bitte :* la reprise (1881) peut être causée par le changement de sens de *bitte** (d'amarrage). ◇ Il est quelquefois pris au sens figuré de «difficulté imprévue, accident» (1936, Céline); cf. *couille.* ◇ Il donne lieu à des locutions, comme ***avoir les yeux en trou de bite*** «petits, à peine fendus».

▸ **BITER** v. tr. (1864) ou **BITTER,** dérivé de *bite* sur le modèle *pine/piner,* est un mot vulgaire pour «posséder charnellement». ◇ Par extension, il a eu le même développement figuré que l'euphémisme *baiser,* exprimant l'idée de «duper, tromper, posséder» (1928; d'abord «punir», 1905). Dans l'argot scolaire, il a pris le sens de «comprendre», seulement en tournure négative *(ne rien biter),* donnant les adjectifs **BIT(T)ABLE** adj. «compréhensible» et **IMBIT(T)ABLE** adj. «incompréhensible», d'argot scolaire devenu familier.
L'argotique **BITOS** n. m. inv. «chapeau» (1926), auparavant *bitau* (1896), est peut-être apparenté à *bite.*

BITTE n. f., relevé en 1382 dans un texte de Rouen, est emprunté à l'ancien norrois *biti* «poutre transversale dans le toit d'une maison», auquel correspondent l'islandais moderne *biti,* le norvégien *bite.* Ce mot appartient à une base germanique °*bit-,* représentée en moyen haut allemand par *bizze* «piquet de bois», apparentée à la base °*bait-* que l'on trouve dans l'anglais *boat* (→ bateau).

♦ Le mot désigne en marine la pièce de bois sur laquelle s'enroulent les câbles d'amarrage d'un navire; il s'est étendu (XIXe s.) à la borne servant sur le quai à amarrer les câbles, sens qui a pu déterminer la reprise de *bite**. Le syntagme ***bitte d'amarrage*** est devenu usuel du fait de la gêne à employer le mot depuis que le mot érotique *bite* s'est répandu.

▸ ① **BITURE** n. f., dès sa première attestation dans la locution technique ***prendre biture*** (1515-1529), abandonne la graphie étymologique *bitture* (1771), très rare. C'est le nom de la partie d'une chaîne élongée sur le pont et qui file avec l'ancre lors du mouillage. ➻ ② **BITURE** n. f., «excès de boisson, de nourriture» (1835, Esnault), mot familier, est peut-être une extension de sens née dans l'argot des marins par l'intermédiaire de syntagmes tels que ***prendre une biture*** «s'en donner tout son soûl», l'arrivée au port étant l'occasion de ripailles, beuveries, etc. Cf. *bordée.* Mais on y a vu une altération de *boiture* «boisson, débauche de boisson» (XVe s.), peu attesté, lui-même du moyen français *boite* de même sens (XVe s.), du latin *bibita* (de *bibere;* → boire), ce qui pose un problème phonétique. ➻ Le nom a fourni **SE BITURER** v. pron. «s'enivrer» (1834).
BITTON n. m. (1552, Rabelais) désigne une petite bitte servant à amarrer les manœuvres sur un plateau. ➻ ① **BITTER** v. tr. (1643) se réfère à l'opération consistant à fixer le câble de l'ancre sur la tête de la bitte. L'homonymie l'a rendu archaïque.

◈ voir DÉBITER.

② **BITTER** n. m. pourrait être emprunté oralement sous l'ancienne forme *pitre* attestée de 1721 à 1771 chez Trévoux, avant réfection graphique (1834), à l'allemand *Bitter,* «liqueur apéritive à base de genièvre et de substances amères», substantivation de l'adjectif *bitter* «amer». Ce mot, qui a des correspondants dans les autres langues germaniques (anglais *bitter,* néerlandais *bitter,* gotique *baitr*), vient probablement d'une racine °*bit-* que l'on trouve dans le verbe °*bîtan* «mordre» (anglais *to bite;* → bite); le développement sémantique mène de l'idée de «coupant», «mordant» à celle de «cruel, violent» et ultérieurement à celle d'«âpre, amer». Sous sa forme actuelle, le mot français pourrait être repris au néerlandais *bitter,* également attesté comme substantif, cette liqueur étant aussi fabriquée au XIXe s. en Hollande.

♦ Le mot désigne une liqueur apéritive amère. Vieilli dans ce premier emploi, il a été à nouveau emprunté (XXe s.), cette fois à l'anglais *bitter*, pour une variété de bière blonde anglaise.

BITUME n. m. est emprunté (v. 1160, *betumoi*) au latin *bitumen, -inis*, «substance combustible liquide», mot d'origine incertaine ayant donné ① *béton*. Plusieurs arguments penchent en faveur d'un emprunt au gaulois concernant le mot latinisé *betulla* (→ bouleau) : en Gaule, le bitume était tiré du bouleau et plusieurs noms celtiques sont apparentés, comme *Bitumos, Bituno, Bitunus, Bituollus*; enfin on peut faire un rapprochement formel avec *titumen* «armoise» (mot gaulois dans Pseudo-Apulée). Le mot a d'abord eu la forme *betumoi* par adjonction du suffixe ancien français *-oi* indiquant une étendue, puis *betume* (1190) et, par l'intermédiaire du latin *bitumen* (XVIe s.), *bitume* (1575).

♦ Le mot désigne une substance minérale composée de divers hydrocarbures. ◇ Par métonymie, d'après l'utilisation de cette substance comme revêtement des chaussées, il désigne le sol lui-même, et spécialement le «trottoir», notamment comme lieu de racolage (1841).

▶ **BITUMEUX, EUSE** adj. (fin XIIIe s.) qualifie ce qui contient du bitume, qui ressemble à du bitume; il subit la concurrence du doublet savant **BITUMINEUX, EUSE** adj., emprunté (1330) au latin *bituminosus*, de *bitumen*, et, dans une moindre mesure, de **BITUMINIFÈRE** adj. (XXe s.), formé scientifiquement avec l'élément *-fère**. ◆ **BITUMÉ, ÉE** adj., dont la forme actuelle (1575) a corrigé la forme antérieure altérée et isolée *batumé* (1544) «enduit de bitume», est repris sous la forme du verbe **BITUMER** v. tr. (1840), qui remplace *bituminer* v. tr. (1611) emprunté au dérivé latin *bituminare*; en dérive **BITUMAGE** n. m. (1866). ◆ **BITUMINISER** v. tr. (1835), du radical de *bitumen*, signifie «transformer en bitume»; il a pour dérivé **BITUMINISATION** n. f. (1814); ces mots pourraient avoir été formés d'après l'anglais *to bituminize* (1751) et *bituminization* (1804).

BIVOUAC n. m., réfection (1690) de *bivoie* (1650), est emprunté à une langue germanique, probablement par l'intermédiaire des mercenaires combattant dans les armées françaises au XVIIe siècle. Ce mot pourrait être le moyen bas allemand *biwacht* «garde extraordinaire, service de garde auxiliaire», ou le suisse alémanique *beiwacht* «garde supplémentaire», qui aurait été employé à Aargau et à Zürich pour désigner une patrouille de citoyens assistant parfois les effectifs ordinaires de la vigile nocturne. Bloch et Wartburg optent plutôt pour un emprunt au néerlandais *bijwacht* (1651) «garde secondaire», par opposition à la garde principale *(hoofdwacht)*. Dans chacune de ces langues, le premier élément (*bi-*, *bei-* ou *bij-*) est une préposition marquant la proximité (→ besogne), puis les moyens ou l'instrument (cf. l'anglais *by*); il appartient à un type germanique °*bi*, probablement identique à la seconde syllabe du grec *amphi* (→ amphi-) et du latin *ambi-* (→ ambi-). Le second élément, *wacht*, désignant l'action de surveiller, de monter la garde, est dérivé d'un verbe qui appartient au type germanique °*wakaejan*, dont la racine °*wak-* représente un thème pré-germanique que l'on trouve également sous la forme °*weg-* dans les mots latins *vegere* «exciter; être actif», *vigere* «être vigoureux» (→ vigoureux), *vigil* «éveillé» (→ vigilance). Ce thème vient peut-être de l'indoeuropéen °*aweg-* représenté dans le latin *augere* «croître» (→ augmenter), le gotique *aukan* «augmenter» et, avec une extension, le grec *auxanein* «accroître, augmenter». En anglais, il se retrouve dans deux verbes : *to wake* «éveiller, être éveillé» et *to watch* «être en éveil», d'où «surveiller, regarder».

♦ Le mot, taxé de «nouveau» par Furetière (1690), est un terme de guerre qui a désigné la garde nocturne d'un camp jusqu'au XVIIIe siècle. Le sens actuel de «campement provisoire pour un rassemblement de personnes en marche» est attesté depuis 1805. ◇ Il a donné par métonymie le sens de «lieu de campement» (1835) et par extension celui de «campement d'alpinistes» (1865) ou de «campeurs».

▶ **BIVOUAQUER** v. intr. (1791), également *bivaquer* (1793), encore chez Huysmans (1906), d'après l'ancienne forme *bivac* (1755), signifie «s'installer en bivouac», pour des soldats et, par extension, des alpinistes (1886).

BIZARRE adj. est emprunté (1572; av. 1544, sous la forme *bigarre*) à l'italien *bizzaro* «coléreux» (1300-1313) puis «extravagant» (déb. XVIe s.), lui-même d'origine discutée : il ne peut être emprunté à l'espagnol *bizarro*, attesté plus tard (1526), qui est au contraire pris à l'italien et qui est à l'origine du sens de «brave» attesté en français au XVIe s.; il n'est pas non plus emprunté au basque *bizar* «barbe», qui aurait désigné métonymiquement un homme énergique. En français, la forme du mot ne s'est pas fixée tout de suite : à côté de *bigearre, bigarre*, croisement avec *bigarré** (cf. *bigearre* «diversement coloré», chez Olivier de Serres, et *bigarré* «singulier», chez Brantôme), on relève *bizarre* et *bizerre* chez E. Tabourot des Accords, dans son livre *Les Bigarrures* (1572).

♦ Le mot est d'abord employé à la fois substantivement au féminin *(une bizarre)* avec le sens d'«extravagance, singularité» et adjectivement pour qualifier une personne ou une chose singulière, étrange (av. 1544), puis capricieuse, irrégulière. Les sens d'«irritable», par italianisme, et de «brave» par hispanisme ont disparu, comme le substantif, après le XVIe siècle. ◇ Le mot s'est répandu plus tard, aussi substantivé *(le bizarre)*, donnant naissance à des locutions au XXe s. (comme le fameux ***vous avez dit bizarre ?*** du *Drôle de drame* de Carné-Prévert et qui a été souvent réemployé avec d'autres adjectifs et noms).

▶ **BIZARRERIE** n. f. «caractère de ce qui est bizarre» (1555) a évincé les doublets *bizarreté* et *bizarderie* (XVIe s.). ◆ **BIZARREMENT** adv., d'abord *biserrement* (1587), également *bijarrement* (XVIIe s.), signifie «capricieusement» puis aussi «étrangement». ◆ **BIZARROÏDE** adj. (d'abord *bizarroïd*, 1893 chez Alphonse Allais; av. 1922, Proust), composé plaisamment de *bizarre* et du suffixe

scientifique *-oïde,* a dû se répandre dans les milieux scientifiques (argot de écoles?).
La forme aberrante **BIZARDE** adj. f., faite sur le modèle des adjectifs en *-ard/-arde,* s'est employée en vénerie (probablement vers le XVIIIe s.) pour qualifier une tête de cerf dont les bois sont mal formés.

◈ **BIZUT** ou **BIZUTH** n. m., attesté en 1843 dans l'argot de Saint-Cyr, est d'origine obscure, aucune des hypothèses avancées n'étant satisfaisante. Une création à partir de *bisogne* «recrue, soldat nouveau», mot emprunté à l'espagnol et employé du milieu du XVIe au début du XVIIe s., est invraisemblable. Un emprunt au patois de Genève *bésu* «niais» et *bésule* «élève nouveau» (Esnault) semble aussi évoqué pour les besoins de la cause.

♦ D'abord terme d'argot scolaire, le mot désigne un élève de première année d'une école : après Saint-Cyr, Centrale et Normale supérieure (1896), les écoles primaires supérieures (1917), l'École supérieure d'électricité (1939), etc. Par extension, il s'emploie dans un lycée à propos d'un élève nouveau-venu dans l'établissement (1921) et, plus généralement, pour un débutant, un novice (1961). Il équivaut à *bleu.*

▸ **BIZUTER** v. tr. «brimer» et **BIZUTAGE** n. m. «série de brimades infligées au bizuth» sont dérivés de *bizut(h)* (1949, dans les dictionnaires généraux); leur vitalité est assurée par la tradition lycéenne et les rites d'initiation dans les classes préparatoires, souvent dénoncés comme humiliants, voire sadiques.

BLABLA n. m. est une onomatopée, seulement attestée à l'écrit en 1945 (1947, pour *blablabla*), mais probablement antérieure à l'oral. Elle évoque le mouvement continu des lèvres qui bavardent, se rapprochant du radical *bab-* de *babine**; un rapport avec *blaguer**, «tenir des propos ridicules, en l'air», n'est pas exclu. L'anglais *blah* est antérieur.

♦ Le mot s'emploie familièrement à propos de paroles creuses destinées à masquer le vide de la pensée et à faire impression sur l'auditeur. On l'écrit aussi *bla-bla.*

▸ **BLABLATER** v. intr. «bavarder» est apparu dans le langage étudiant.

BLACKBOULER v. tr., attesté indirectement en 1834 par le substantif *black-bull,* puis en 1837, est emprunté à l'anglais *to blackball* (1770) «voter contre l'admission d'une personne dans un club, un cercle, en plaçant une boule noire au lieu d'une boule blanche dans l'urne». Le verbe est dérivé de *blackball,* «boule de couleur noire» avec laquelle on manifestait son opposition, mot attesté seulement en 1869. Lui-même est composé de l'adjectif *black,* «noir» (v. 890), mot germanique d'origine inconnue, et de *ball* (→ balle). Après quelques hésitations orthographiques au moment de l'emprunt (Balzac écrit *blackboller,* 1836), le mot a été à moitié francisé par le remplacement de *ball* par *boule :* le mot actuel se trouve partiellement motivé en français par le verbe *bouler* (*envoyer bouler qqn* «le repousser»).

♦ Le verbe a signifié «mettre (qqn) en minorité dans un vote» puis est passé dans l'usage familier au sens de «refuser (un candidat) à un examen, coller» et par extension «évincer, repousser rudement».

▸ **BLACKBOULÉ, ÉE,** le participe passé de *blackbouler,* est employé adjectivement et substantivement (1860). ◆ **BLACKBOULAGE** n. m. (1866), substantif d'action, est peu usité.

◈ voir BLACK-OUT.

BLACK-OUT n. m. est emprunté (1941 chez Aragon; doit apparaître en 1940) à l'anglais *black-out* (1935), terme de théâtre désignant l'action d'éteindre les feux de la rampe pour augmenter l'effet de scène. Le mot anglais s'est employé dès le début de la Seconde Guerre mondiale à propos de l'obscurité totale au-dehors en vue de dépister les raids aériens nocturnes. Il est composé de *black* «noir» (→ blackbouler) et de *out* «hors de, dehors» (→ outsider), employé figurément avec l'idée de «suppression».

♦ Ce mot ne s'est pas vraiment répandu en France. Il s'emploie par allusion à Londres, pour désigner l'obscurité totale requise par la défense passive. ◇ Il a pris le sens figuré de «secret, silence gardé sur une affaire par une décision officielle» (1946), notamment en style journalistique.

BLAFARD, ARDE adj., d'abord *blaffart* (1342), *blaffard* (1549), est emprunté, avec assimilation de la première voyelle à la seconde, au moyen haut allemand *bleichvar* «pâle (couleur)». Le premier élément est l'adjectif *bleich* (ancien haut allemand *bleih,* allemand *bleich*) «pâle», qui a des correspondants dans les autres langues germaniques : ancien norrois *bleikr* «brillant, blanc», ancien saxon *blek,* vieil anglais *blac* (anglais *bleak*). Ces mots répondent à des formes verbales qui appartiennent à une base germanique °*blaik-* «blanc», laquelle se rattache à la racine indoeuropéenne °*bhel-,* °*bhleg-* «briller», représentée en latin (→ flamme, foudre) et en grec (→ flegme, phlox). Le sens de l'adjectif allemand réalise une mutation de «blanc par excès de lumière» à «blanc par défaut, pâle». Le second élément est l'adjectif *var,* de l'ancien haut allemand *faro,* dérivé d'une base germanique °*farhwa-* «coloré», qui contient *-u̯o-* comme plusieurs noms de couleur, *blau* (→ bleu), *gelb* «jaune» et *grau* «gris», de même qu'en latin *fulvus* «fauve», *helvus* «jaunâtre».

♦ Le sens moral, «amolli, affaibli», a disparu dans la seconde moitié du XVIe siècle. ◇ Seul le sens concret de «pâle, de couleur atténuée» (1549) s'est implanté, donnant lieu à d'autres transpositions abstraites avec la valeur de «triste, morne», d'où *la Blafarde,* nom argotique de la mort (1881), sorti d'usage.

▸ **BLAFARDEMENT** adv. (1575) est peu usité.

BLAGUE n. f. (1826), d'abord *blaque* (1721), est emprunté au néerlandais *blag* «gaine, enveloppe», également «dépouille, peau (surtout d'un oiseau)». Ce mot, attesté antérieurement en moyen néerlandais sous la forme *balch,* a des correspondants dans l'anglais *belly* «ventre» (vieil anglais *baelz,* puis *baeliz*), l'ancien haut allemand *balg,* l'ancien norrois *belgr* «peau, sac», le gotique *balgs* «gaine, poche». Tous ces mots remontent à un germanique °*balgi-z* «sac», proprement «chose gonflée», formé sur *belgan,* au passé *balg* «être enflé, gonflé». Ce verbe se rattache à une racine indoeuropéenne °*bhel-,* °*bhl-,* formation sans doute onomatopéique exprimant l'idée de «souffler» et de «gonfler», bien représentée en latin (→ enfler, flûte, fou, gonfler), dans les langues germaniques (→ ② balle, ② bol) et dans les langues celtiques (→ bogue, bouge, budget). ◇ La métathèse *-al->-la-* dans le passage au français s'explique par la rareté en français non savant du groupe *-lg-.*

♦ Le mot a été repris avec le sens de «petit sac dans lequel les fumeurs mettent leur tabac», souvent *blague à tabac.* ◇ Le sens de «jabot de pélican servant de sac» (1722) corrobore l'idée d'un emprunt au néerlandais plutôt qu'à un correspondant d'une autre langue germanique, car le mot a dû naître dans les milieux de la marine; ce sens est sorti d'usage. ➙ Le développement de l'acception figurée de «menterie, vantardise, mensonge pour amuser les gens» (1809) est issu de la notion de «gonflé, boursouflé», la blague à tabac semblant gonflée d'air et faire illusion (cf. *bidon,* pour une évolution comparable). Ce sens, dont les romans de Balzac montrent la diffusion dans le milieu des employés parisiens, s'est répandu dans toute la société. Il est réalisé dans les locutions courantes ***blague à part*** (1856), ***blague dans le coin*** (1861), plus populaire, et ***sans blague !*** (1870, en emploi interjectif; 1850, *sans blague aucune* «sérieusement»). Par extension, le mot sort du domaine verbal et se dit d'une action maladroite, d'une erreur commise par légèreté (mil. XXe s.).

▶ Tous les dérivés se rapportent au sens figuré. ➙ **BLAGUER** v. (1808) signifie «hâbler, dire des propos ridicules ou des mensonges», par extension «bavarder plaisamment, familièrement» (Balzac) et, avec un complément direct, «railler (qqn) sans méchanceté» (1845). ➙ En est dérivé **BLAGUEUR, EUSE** adj. et n. (1808), moins usuel au sens de «mauvais plaisant, hâbleur» qu'au sens neutre de «personne aimant dire des blagues» (1829).
On note vers 1900 les composés rares pseudo-didactiques **BLAGOLOGIE** n. f. (1898, Barrès) et **BLAGOMACHIE** n. f. (1902, Barrès), «querelle reposant sur des blagues».

BLAIR → BLAIREAU

BLAIREAU n. m., d'abord *blarel* (1312), *blariau* (1387-1391), est dérivé à l'aide du suffixe *-eau* d'un radical *blar-,* que l'on trouve dans l'ancien français *bler,* adjectif de couleur. *Bler* est attesté dans un texte du XIIIe s. où, avec *bauçant,* il qualifie la robe d'un cheval : *bauçant* est lui-même attesté dans une glose comme nom du blaireau; *blere* était encore employé au XXe s. dans le patois de Boulogne pour qualifier une vache ayant une tache blanche sur la tête. *Bler* vient d'un gaulois °*blaros* qui aurait désigné le blaireau d'après la tache blanche que cet animal porte sur la tête, mot restitué par le gaélique d'Écosse *blar* «pâle» et le gallois *blawr* «gris pâle (en parlant d'un cheval)»; ce mot a pu se fondre avec le francique °*blari* auquel correspond le néerlandais *blaar* qui qualifie une vache ayant le front taché de blanc. *Blaireau* a supplanté l'ancien français *taisson* (1247), mot dont le radical est à l'origine de *tanière**.

♦ Le mot désigne un petit mammifère carnassier, bas sur pattes, de pelage clair sur le dos et foncé sur le ventre. ➙ Par métonymie, il s'applique à un pinceau en poils de blaireau (1751), tel qu'on en utilise en peinture, pour épousseter des objets délicats et, couramment, à une brosse à savonner la barbe avant de se raser (à l'origine en poils de blaireau). ➙ En argot, *blaireau* s'est dit pour «nez» (1834), sens disparu d'où vient *blair* (ci-dessous); *nez de blaireau* «long nez» est attesté dès le XVIIe s. (1646, Scarron). ➙ Au figuré, le mot a désigné en argot militaire (1841, in Esnault) un conscrit, un bleu; il a été repris dans les années 1970 pour «personnage naïf, insignifiant, ridicule».

▶ **BLAIREAUTER** v. tr. (v. 1850), dérivé de *blaireau* pris comme terme de peinture avec un *-t-* de transition et la désinence *-er,* signifie «peindre au blaireau, de manière à ce que n'apparaissent pas les coups de pinceau». ➙ Ses dérivés **BLAIREAUTEUR, EUSE** adj. (1883) et **BLAIREAUTAGE** n. m. (1904) sont peu usités.
BLAIR n. m. (1872) est dérivé par apocope de *blaireau* «nez», par référence au museau pointu du mammifère. Dans ce sens, le mot, également attesté sous la forme *blaire* (1883), sortie d'usage, a vieilli par rapport à certains synonymes. ➙ Il a produit **BLAIRER** v. tr. (1914), synonyme familier pour «sentir» et au figuré «supporter», surtout employé à la forme négative, *ne pas blairer (qqn)* correspondant à «détester».

BLÂMER v. tr., d'abord *blasmer* (1050), est issu d'un latin populaire °*blastemare* «faire des reproches», altération du latin ecclésiastique *blasphemare* (→ blasphémer) par dissimilation de la seconde labiale plutôt que par croisement avec *aestimare* (→ estimer). L'existence de °*blastemare* est attestée par les formes romanes de même type et par une forme *blastema* pour *blasphema,* dans le latin des inscriptions de la Gaule. Le sens fort du latin ecclésiastique s'est affaibli en «réprouver publiquement» (613-658), régulièrement relevé en latin médiéval. L'italien *biasimare* est emprunté au français.

♦ Le sens de *blâmer* s'est fortement distingué de celui de son doublet savant *blasphémer :* le verbe a gardé le sens affaibli de «faire des reproches à (qqn)» (1050); en revanche, il a perdu avant le XVIIe s. le sens fort de «maudire, blasphémer» et celui de «proférer des menaces» (en emploi absolu). En droit, il a d'abord signifié «accuser» (1177), emploi sorti d'usage pour celui de «réprimander publiquement» (1690, Furetière).

▶ Le déverbal **BLÂME** n. m. (v. 1080, *blasme*) indique la désapprobation dans le domaine moral, intellectuel ou esthétique. Le mot a eu en droit le sens fort d'«accusation» (1177) qu'il a perdu, avant d'être repris d'après *blâmer* pour «réprimande publique» (1732). ➜ **BLÂMABLE** adj. (1267-1268, *blasmable*) qualifie une personne, un comportement méritant d'être désapprouvé.

BLANC, BLANCHE adj. et n. est issu (v. 950) d'un germanique °*blank* «brillant, clair», reconstruit d'après l'ancien haut allemand *blanc* «brillant, blanc», l'ancien norrois *blakkr* «pâle», le vieil anglais *blanca* substantivé pour «coursier, étalon (blanc)». L'origine du mot germanique demeure obscure : on a évoqué une forme nasalisée du germanique °*blîk-an*, «briller», restitué par l'ancien saxon *blikan*, l'ancien norrois *blíkja, blika*, lui-même considéré comme une variante de la racine °*blaik-* «blanc» (→ blafard). Cette hypothèse permet de remonter à une racine indoeuropéenne, mais elle se heurte à l'absence de formes intermédiaires de type °*blink*, °*blinch*. Le mot germanique est passé directement dans les domaines gallo-romans (ancien provençal *blanc*, XIIe s.) et italien : latin médiéval *blancus* (v. 942), italien *bianco* (XIIIe s.); l'ancien catalan *blanc* (1176) est plus probablement issu du germanique qu'emprunté à l'ancien provençal. Ainsi, l'aire géographique du mot exclut l'hypothèse d'une origine francique. Il semble que l'adjectif, comme d'autres noms de couleur de même origine (cf. *brun, fauve, gris*), ait été employé par les soldats germains pour qualifier la robe du cheval. Il a éliminé les deux adjectifs latins *albus* «d'un blanc mat» (→ albe, aube), et *candidus* «d'un blanc éclatant» (→ candide). L'anglais *blank* (v. 1325) est emprunté au français, de même que le portugais *branco* et l'espagnol *blanco*.

♦ Dès les premiers textes, *blanc* s'applique objectivement à ce qui est d'une couleur combinant toutes les fréquences du spectre et produisant une impression visuelle de clarté neutre : il qualifie notamment les vêtements et, par métonymie, les personnes qui portent des vêtements blancs (1174, *frères blancs*), diverses matières naturelles et produits fabriqués. ◇ Le sens étymologique de «brillant, luisant» (1080), usité en ancien français pour qualifier une arme, un métal, a pratiquement disparu sauf dans l'expression ***armes blanches*** (attestée en 1690) qui englobait les armes défensives ni bronzées, ni dorées, ni gravées, avant de s'appliquer (1694) aux armes à lames par opposition aux armes à feu. ◇ Par extension, le sens se déplaçant vers une valeur privative ou négative, *blanc* qualifie ce qui est incolore ou peu coloré, souvent dans des syntagmes qui s'opposent à d'autres formés avec *noir, rouge* ou *gris;* c'est le cas de ***vin blanc*** (v. 1172-1175), «vin clair fait avec des grains de raisin sans leur peau», usuel et substantivé (ci-dessous), *raisin blanc* (autrefois *vigne blanche* en Bourgogne, 1207). On trouve aussi ***viande blanche,*** opposé à *viande rouge,* ***pain blanc,*** opposé à *pain noir.* ◇ Employé comme qualificatif de la peau humaine, le mot signifie à la fois «pâle» (XIVe s., *être blanc de peur*) et spécialement «peu pigmenté» (1545), de la *race blanche* et substantivement «personne de race blanche» (ci-dessous). ➜ De bonne heure, l'adjectif se charge de la valeur symbolique de «non terni, pur» (v. 1180, en Flandres), dont procède, par un développement analogue à celui de *candide,* le sens moral d'«innocent» (v. 1456-1463, Villon ou, selon *T. L. F.,* contestant l'interprétation du texte de Villon, XVIIe s.). Il réalise la valeur négative de «manque» dans un certain nombre d'emplois, surtout dans des locutions postérieures au XVIe siècle : ***vers blanc*** (1714) est un calque de l'anglais *blank verse* «vers non rimé», employé pour la première fois (av. 1547) à propos du pentamètre iambique, vers de la poésie épique et dramatique anglaise. ◇ *Vent blanc* (XVIIIe s.) s'est dit d'un vent qui n'est pas suivi de pluie. ◇ *Voix blanche* (1836) et *chou blanc* (1835) sont enregistrés dans les dictionnaires du XIXe siècle.

Blanc est substantivé au masculin comme nom de la couleur blanche (1080). Par métonymie, il désigne la partie blanche de qqch., seul (v. 1210) et dans des syntagmes comme *blanc de l'œil* (v. 1256 au pluriel), ***blanc d'œuf*** (v. 1265), qui s'oppose à *jaune,* ***blanc de poulet*** (1534; XIVe s., *blanc de chapon*). ◇ Le nom s'est appliqué à une étoffe, un vêtement blanc (v. 1230). Collectivement en commerce, *le blanc* désigne le linge blanc (1866) et, par extension, le linge en général. ◇ Avec la même valeur privative que l'adjectif, *un blanc* désigne la partie non écrite d'un texte (1307, «marge»). ◇ ***En blanc*** se dit d'un document où certains termes essentiels sont laissés en réserve (1657) et en typographie d'un espace non écrit (1751). ◇ Par extension, le mot s'applique aussi à l'interruption momentanée d'un texte sonore ou d'un document visuel. ◇ Il désigne aussi la partie centrale de la cible (1507-1508), développant par métonymie le sens de «cible» (1540) qui ne s'est pas maintenu, et entre dans la locution *de butte en blanc* (1690), devenue ***de but en blanc,*** usitée de nos jours avec le sens figuré de «brusquement». ◇ Par une autre métonymie, il désigne aussi un pigment blanc (v. 1340, *blanc d'Espagne*), sens donnant lieu à divers emplois techniques, spécialement en cosmétique. ◇ ***Du blanc*** s'emploie familièrement depuis le XVIe s. (1553) pour «vin blanc», d'où *un coup de blanc, un petit blanc* pour «verre de vin blanc», et l'expression ***blanc de blancs*** (XXe s.) à propos d'un vin blanc fait avec du raisin blanc. ➜ Par ellipse du substantif accompagnant l'adjectif *blanc* dans certains syntagmes, il désigne une personne de race blanche (1678-1679), *les Blancs* s'employant notamment pour les personnes d'origine européenne par opposition aux autochtones d'autres races, dans le contexte colonial, aux XIXe et XXe siècles.

La locution adverbiale ***à blanc*** signifie proprement «jusqu'à devenir blanc» (XVIe s.); avec sa variante *au blanc* (XVIe s.), elle a plusieurs sens propres et figurés au XVIe s. avant de se restreindre à quelques emplois, dans ***chauffer à blanc*** (XVIe s.), jusqu'à ce que le métal chauffé, de rouge, devienne blanc, et dans ***saigner à blanc*** (1798, *jusqu'au blanc*), également employé au sens figuré de «soutirer à qqn tout son argent» (1863).

BLANCHE, féminin de *blanc,* est substantivé avec quelques sens particuliers, en notation musicale (1621), au billard pour une bille blanche, et familièrement, par abréviation de *poudre blanche*, pour désigner la cocaïne (1922); cf. *neige*.

▶ **BLANCHOYER** v. intr., réfection suffixale de *blancheier* (1080) «avoir des teintes blanches, des reflets blancs», n'est usité que par intention stylistique, de même que ses dérivés **BLANCHOYANT, ANTE** adj. (1925) et **BLANCHOIEMENT** n. m. (1928), littéraires.

BLANCHEUR n. f., d'abord *blanchiur* (v. 1120), puis *blanchor* (v. 1155) et *blancheur* (XIVe s.), désigne la couleur blanche. ◇ *Une blancheur*, dans la langue classique, désignait une marque blanche. ◇ Le mot est moins usuel que *candeur* avec le sens figuré de «pureté» (1803).

BLANCHIR v. (v. 1120) signifie au transitif «rendre blanc» et, intransitivement, «devenir blanc», spécialement en parlant des cheveux (1636). ◇ Les sens de «rendre brillant» (v. 1175) et, symétriquement, «briller, s'éclairer» (XIIe s.) sont sortis d'usage avec l'acception correspondante de *blanc*. En procèdent quelques emplois techniques relatifs à l'entretien de l'argenterie (1579), au nettoyage des métaux (1680). ◇ Le verbe réalise aussi l'idée de «rendre propre, laver (du linge)» (1288) d'où, par déplacement métonymique de l'objet, «nettoyer le linge de (qqn)» (1694), surtout au passif et au participe passé *(être logé, nourri et blanchi)*. Cf. ci-dessous *blanchisseur*, etc. ◇ Le sens figuré de «disculper» (v. 1360) et à la forme pronominale «se disculper» (1863) procède de la valeur morale de «purifier» et du sens concret de «nettoyer» que l'on retrouve dans l'usage récent de ***blanchir de l'argent*** (acquis illégalement ou même criminellement). ◇ Plusieurs sens techniques s'ordonnent à l'idée de «rendre blanc» ou de «nettoyer» : «badigeonner de chaux» (v. 1272-1309), «rendre uni, polir, préparer (une surface)» (1548-1550), en cuisine «donner une première cuisson à» (1671), en sylviculture «détacher un morceau d'écorce pour marquer (un arbre à couper)» (1751), en imprimerie «ménager le plus possible de blancs, d'interlignes dans (un texte)» (1863).

Le verbe a produit une série de dérivés. ◆ **BLANCHISSEUR, EUSE** n., après une attestation de *blanquisseur* (1399) de sens obscur, se dit de la personne qui blanchit le linge (1530), valeur devenue la plus usuelle, surtout au féminin (XVIIIe-XXe s.). ◇ Les autres sens, «ouvrier qui badigeonne les murs» (fin XVIe s.) et «ouvrier qui fait le blanchiment des toiles de lin» (1671) sont plus techniques. ◇ Le mot n'a pas conservé le sens figuré péjoratif de «hypocrite, médisant» qu'il avait au XVIe s., et a fourni un nom argotique pour l'avocat (1847), lui aussi sorti d'usage. ◆ **BLANCHISSEMENT** n. m. (1356) concernait à l'origine l'action de rendre les monnaies brillantes; il exprime de nos jours le fait de rendre blanc et, symétriquement, de devenir blanc (v. 1570). ◇ On parle au figuré du *blanchissement de l'argent* (acquis illégalement). ◆ Autre substantif d'action, **BLANCHISSAGE** n. m. a lui aussi désigné en ancien français, sous la forme *blanquissage*, l'action de polir la monnaie. Il s'emploie depuis le XVIe s. pour l'action de blanchir les murailles (1538), le linge (v. 1560), les toiles (1607) et pour l'opération consistant à raffiner le sucre (1863). Le sens le plus usuel, soutenu par *blanchisseur, euse*, est celui qui concerne le lavage du linge. ◆ **BLANCHIMENT** n. m. (1600), qui correspond à l'ancien provençal *blanquiment* «enduit blanc» (v. 1350), est soit dérivé de *blanchir* d'après des mots comme *sentiment*, soit dérivé de l'ancien français *blanchier* (v. 1050) dont ne subsistent que deux attestations. L'hypothèse qui en faisait un emprunt à l'italien *blanchimento* est infirmée par les attestations plus anciennes en ancien provençal. ◇ Ce mot désigne l'action de recouvrir d'un enduit blanc, de blanchir des toiles, de la cire (1600) et le fait de «blanchir» des légumes (1600). Au cours du XVIIe s., *blanchiment* s'étend à d'autres opérations techniques comme l'action de nettoyer l'argenterie (1680), l'opération destinée à rendre le flanc des monnaies brillant (1690) et l'affinage de la fonte, en métallurgie (1690). ◇ On parle aussi de *blanchiment* de l'argent illégalement acquis. ◆ **BLANCHISSERIE** n. f. (1671) désigne le lieu où l'on fait le blanchiment des toiles, de la cire, du linge. ◇ Il s'est surtout répandu comme désignation tardive (attestée 1932) du lieu où l'on fait le blanchissage du linge, suscitée par *blanchissage* et *blanchisseuse*. ◆ **REBLANCHIR** v. tr., après une attestation isolée au XIVe s. pour «avoir des reflets blancs», a pris le sens transitif «enduire de blanc à nouveau» (1320). Il correspond aussi aux autres sens de *blanchir*. On en a dérivé **REBLANCHISSEUR** n. m. (XVIe s.), mot rare pour «celui qui remet à neuf».

Le diminutif formé sur le féminin de l'adjectif, **BLANCHET, ETTE** adj. et n., anciennement employé pour une pièce d'argent (fin XIe s.), a désigné en ancien français diverses choses de couleur blanche, une espèce de fard (XIIe s.), un cheval blanc (fin XIIe s.), une camisole blanche (v. 1290). ◇ Adjectivé avec le sens d'«assez blanc» (v. 1210), il est quelquefois employé comme synonyme affectif de *blanc*. ◆ Le substantif masculin *blanchet* s'emploie dans quelques domaines techniques : il désigne une étamine de laine claire (1278), employée notamment en imprimerie (1680), en pharmacie pour filtrer sirops et autres liquides épais (1701). ◇ *Blanchet* ou *blanchette* se dit aussi de la mâche (1863) et a servi de nom courant à la maladie de la bouche aujourd'hui dite *muguet* (1863).

Quelques dérivés de *blanc* apparaissent en moyen français et en français classique. ◆ **BLANCHÂTRE** adj., d'abord *blanchastre* (1372), a concurrencé puis supplanté l'ancien français *blanchace* (XIIIe-XIVe s.), «qui tire sur le blanc, d'un blanc imparfait». ◆ **BLANCHEMENT** adv. (fin XIVe s.), «de manière blanche et brillante», n'est pas plus usité au concret qu'à l'abstrait, pour «proprement» (1690). ◆ **BLANCHAILLE** n. f. (1694) désigne le menu fretin utilisé comme appât, par allusion à sa couleur blanche ou, avec réactivation du sens étymologique, brillante.

L'adjectif a aussi servi à former des composés. ◆ **BLANC-MANGER** n. m. (1275-1300) désigne, d'après sa couleur, un entremets à base de lait d'amandes et autrefois une gelée de blanc de volaille. ◆ **BLANC-MANTEAU** n. m., attesté au pluriel dans le nom de *rue des Blans Mantiaus* (1292), désigne un religieux de l'ordre des servites de la Vierge, par allusion à l'habit blanc de moines mendiants établis à Paris dans le quartier du Temple au XIIIe siècle. ◆ Au XVIe s. apparaît *blanc-seing* (→ seing). ◆ **BLANC-ÉTOC** ou **-ESTOC** n. m. (1730), terme de sylviculture synonyme du syntagme *coupe blanche*, est formé de *estoc** et encore usité dans un langage technique. Il a supplanté *blanc-être*, terme dont un arrêt du 19 juillet 1723 fixait l'usage, la formation de ce dernier s'expliquant peut-être par l'idée de «jusqu'à ce que la forêt soit blanche, c'est-à-dire éclaircie» (cf. *coupe claire*). ◆ Au XVIIIe s. apparaissent *blanc-de-baleine* (→ baleine) et *blanc-bec* (→ bec). ◆ **BLANC-NEZ** n. m. (Buffon, fin XVIIIe s.) était la dénomination d'un singe africain dont le nez porte une tache blanche. ◆ **BLANCHECAILLE** n. f., formation argotique très postérieure de *blanche* et *caille** (1935), a désigné en argot une blanchisseuse.

◈ voir BLANQUETTE, SEING (BLANC-SEING); également BLITZ.

BLANDICE n. f. est emprunté (v. 1278) au latin *blanditia*, surtout utilisé au pluriel *blanditiae* «caresses, flatteries», «attraits, séductions». Ce mot est dérivé de *blandus*, «flatteur, caressant», qualifiant également la voix. Le sens premier pourrait être «à la voix caressante» et le mot pourrait être un emprunt (le cognomen *Blandus* est fréquent avec un nom gaulois) ou un mot familier expressif évoquant une parole caressante, à rapprocher de *balbus* (→ balbutier) et de *blaterare* (→ blatérer).

♦ Le mot, usuel jusqu'au XVIe s. au singulier et au pluriel avec le sens du mot latin, voit son usage reculer au XVIIe s., tandis que les mots de sa famille (*blandir, blandie, blandiement, blandissement, blandisseur*) s'éteignent. Décrit par Furetière comme terme du Palais (1690), il est vieux pour l'Académie en 1694. ◇ Il est réutilisé par la langue littéraire à partir du XIXe s., essentiellement au pluriel (Chateaubriand, puis Huysmans, Gide, etc.).

BLANQUETTE n. f. est emprunté (1600) au provençal *blanqueto*, nom donné à divers végétaux de couleur blanche, à une variété de raisin blanc cultivée dans le Tarn et par métonymie à un vin blanc fait avec ce raisin, à une variété d'olive, de poire à peau blanche, de figue blanche et ronde; le mot provençal désigne aussi une châtaigne pelée, une fricassée à la sauce blanche et sert à dénommer plusieurs plantes blanchâtres; il est dérivé de *blanc, blanco* (→ blanc).

♦ Le mot a retenu en français quelques valeurs de son étymon : il désigne une variété de vin blanc (par exemple *la blanquette de Limoux*) et la variété de raisin blanc avec lequel on le fabrique (1835), ainsi qu'une espèce de poire blanche (1611). ◇ Le sens le plus usuel semble être «ragoût de viandes blanches à la sauce blanche» (1735, *blanquette de veau*). ◆ Remotivé d'après *blanc*, le mot a servi en argot à désigner l'argenterie (1821), la monnaie blanche (1827), l'argent en général (1842), la blanchisseuse (1908, chez les marins), toutes acceptions sorties d'usage.

BLASE → BLAZE

BLASER v. tr. (v. 1650) est un mot d'origine germanique du domaine picard, comme l'indiquent le parler rouchi (Valenciennes) et le wallon *blasé* «blême ou bouffi, par l'abus de boissons alcoolisées». Un emprunt au néerlandais moderne est douteux : le moyen néerlandais a *blasen* «gonfler, enfler», mais ce sens ne s'est pas conservé dans le néerlandais moderne *blazen*, uniquement attesté au sens de «souffler» et seul susceptible d'avoir été emprunté par le français. Le verbe néerlandais, qui correspond à l'ancien haut allemand *blasan*, moyen bas allemand *blazen*, allemand *blasen*, à l'anglais *to blaze* «souffler (dans une trompette)», à l'ancien norrois *blása*, vient comme tous ces mots d'un germanique °*blaesan*, extension de la racine (→ ② balle) qui se rattache au thème indoeuropéen également représenté dans le latin *flare* «souffler» (→ enfler) et en celtique (→ ① bogue, bouge). Un emprunt du mot français au provençal *blazir* «faire faner, détériorer», lui-même d'un francique °*blâsjan* «être enflammé» (cf. moyen haut allemand *blas* «bougie, flambeau»), fait difficulté des points de vue morphologique et géographique.

♦ Le mot a signifié proprement «user par excès de liqueurs fortes», sens accueilli par l'Académie en 1740, puis sorti d'usage. ◆ Par transposition, il a pris le sens figuré actuel, «émousser les sens de (qqn) par l'abus» (1762), également au pronominal *se blaser* (1785, Sade).

▸ Le participe passé adjectivé **BLASÉ, ÉE** (1762) est plus courant que le verbe et quelquefois employé substantivement (1817). ◆ **BLASEMENT** n. m. (1835), dit de l'état d'une personne blasée et, par extension, du dégoût pour qqch., est littéraire et rare.

BLASON n. m. (1160-1185), ainsi que son correspondant en ancien provençal *blezo, blizo* «bouclier» (XIIe s.), est d'origine controversée. Certains l'ont rattaché à la famille de l'anglo-saxon *blase* (anglais *blaze*, → blazer), moyen haut allemand *blas* «torche enflammée»; le développement sémantique mènerait au sens de «gloire, éclat» (XIIIe s., chez le poète valencien J. Febrer) et à celui d'«armoiries rehaussées de couleurs peintes sur le bouclier», ou encore au sens d'«armoiries gravées sur le bouclier» par l'intermédiaire du latin médiéval *blazonare*, proprement «graver par le procédé du feu». Cependant, cette hypothèse se heurte au fait que le sens de «bouclier», largement attesté depuis le XIIe s., semble premier et que le verbe latin médiéval *blazonare* paraît tardif (XVe s.). ◇ Pour Brüch, *blason* est issu de *Blesum*, nom latin de Blois, ville réputée pour la fabrication de ses écus, par suffixation en *-inus* : le type attendu °*blésin* aurait vu sa finale altérée d'après des mots comme *pennon, gonfanon* et son radical d'après *blasmer* et *blastengier*. Cette hypothèse complexe se heurte au fait que Blois n'apparaît pas comme spécialisé au moyen âge dans la fabrication de boucliers armoriés. ◇ P. Guiraud rattache *blason* à la famille germanique du néerlandais *blazen*, anglais *to blaze*, allemand *blasen* «souffler» (→ blaser) : selon lui, le blason serait proprement un bouclier garni d'une bosse, bombé, et le mot serait apparenté à *blaser*.

♦ *Blason* a signifié jusqu'au XIVe s. «bouclier». Par métonymie, il a désigné la partie du bouclier où figurent les armoiries (XIIe s.) puis ces armoiries (XIIe s.), d'où les armoiries en général (1611). De là le sens métonymique de «noblesse» (appelé par des métaphores comme dans ***redorer son blason***) et le nom de la science des armoiries (1690), appelée savamment *héraldique*. ◇ Le sens du moyen français, «éloge ou blâme, remontrance; explication, discours, conversation» (v. 1456-1463), est sorti d'usage, sauf dans sa spécialisation en histoire littéraire pour désigner une pièce de vers à rimes plates faisant l'éloge ou la critique *(contre-blason)* d'une personne (1505), notamment du corps féminin et de ses parties, genre très pratiqué aux XVe et XVIe siècles.

▶ **BLASONNER** v. tr. (1389) signifie «peindre des armoiries sur (qqch.)» et, dans le langage didactique, «décrire, expliquer les armoiries selon les règles» (1530). ◇ Le sens figuré de «vanter, exalter» (v. 1450 comme infinitif substantivé) était déjà archaïque au XVIIe s. (Furetière); en procède, par antiphrase, celui de «railler, critiquer» (v. 1450), qualifié de «vieux» par le même Furetière (1690) mais encore vivant aux XVIIIe et XIXe s. dans le langage familier (1740), puis littéraire. ➛ Le substantif d'action, **BLASONNEMENT** n. m. (1664, Pomey), est employé en science héraldique pour la description du blason selon les règles.

◈ voir BLAZE ou BLASE.

BLASPHÈME n. m. est emprunté (fin XIIe s.) au latin chrétien *blasphemia* «parole outrageant la divinité», également employé dans les textes médiévaux avec les sens affaiblis et laïcisés de «médisance, calomnie», «accusation, inculpation» et «mauvaise réputation». Le mot est repris au grec *blasphêmia* «injure, calomnie», occasionnellement employé dans un contexte religieux au sens de «parole de mauvais augure, ne devant pas être prononcée» par opposition à *euphêmia* (→ euphémisme), d'où «parole impie» dans les textes grecs chrétiens. C'est le déverbal de *blasphêmein* «injurier, dire du mal de qqn, calomnier» et, dans les textes de la Bible des Septante, «maudire, renier»; ce mot est d'origine obscure bien que le second élément soit issu de *phêmê* «divulgation par la parole» (→ aphasie, euphémisme, prophète); le premier terme pourrait être rattaché à *blabos* «dommage, tort», sans étymologie claire. Le latin *blasphemare* a donné *blâmer** par voie populaire.

♦ Le mot, pour lequel on note une forme *blapheme* et une hésitation de genre au XVIe s., a le sens religieux de «parole impie, outrageante à l'égard de la divinité». Par extension, sans se départir de sa valeur sacrée, il se dit à propos d'une insulte, d'une imprécation.

▶ **BLASPHÉMER** v. est emprunté (fin XIIe s.) au latin chrétien *blasphemare*, employé intransitivement et transitivement, et dont une altération populaire °*blastemare* a donné l'ancien français *blastemer* d'où *blâmer**. ➛ *Blasphémer* est employé dans un contexte religieux au sens de «proférer des malédictions» et au sens vieilli d'«outrager (qqn, qqch.) par des blasphèmes» (fin XIIe s.); il connaît le même emploi extensif que le nom. ➛ **BLASPHÉMATOIRE** adj. (1532), «qui constitue un blasphème», relève d'un style soutenu mais reste vivant. ➛ L'adverbe **BLASPHÉMATOIREMENT** (XVIe s.) est très rare. ➛ **BLASPHÉMATEUR, TRICE** n. et adj., d'abord écrit *blasfemateur* (1389) et corrigé en *blasphemateur* (1531), est emprunté au latin chrétien *blasphemator* «celui qui outrage», dérivé du supin de *blasphemare*. Il a supplanté l'adaptation demi-savante *blasphemeur* au cours du XVIe s. après avoir évincé l'ancien français *blastemeor*. ◇ Le mot désigne une personne qui blasphème et qualifie ce qui a le caractère du blasphème, emploi dans lequel il double partiellement *blasphématoire*.

◈ voir BLÂMER.

-BLASTE, BLASTO-, élément savant employé en position de suffixe ou de préfixe, est tiré du grec *blastos* «bourgeon, germe, germination», dérivé de *blastanein* «pousser, bourgeonner» (en parlant de plantes, par métaphore en parlant d'enfants), verbe technique d'origine obscure.

▶ L'élément est devenu productif à partir du début du XIXe s., époque à partir de laquelle se développe la biologie générale. En 1819, A. P. de Candolle, dans sa *Théorie élémentaire de la botanique*, introduit **BLASTE** n. m., emprunté au grec *blastos;* il l'entend comme la partie d'un embryon végétal (radicule et tigelle) susceptible de se développer par la germination, sens qui évolue ensuite en se rapprochant de celui du mot grec, prenant un nouvel essor en embryologie. ◇ Le même Candolle, en 1819, utilise aussi **ÉPIBLASTE** n. m., «appendice antérieur du blaste qui le recouvre quelquefois en partie», et mentionne, avec des réserves, les créations de Wildenow : *dermoblaste* n. m., *némoblaste* n. m., *plexéoblaste* n. m., *géoblaste* n. m., *sphéroblaste* n. m. ➛ Il cite également **BLASTOPHORE** n. m. comme un terme créé par Richard pour désigner la partie de l'embryon à grosse racine qui soutient *(-phore*)* le blaste. ➛ L'élément, d'abord très productif en botanique et en biologie végétale, sert à créer des composés également en biologie animale et en zoologie, ainsi qu'en embryologie. ◇ Dans ce dernier domaine, il est notamment entré dans *blastopore* n. m. (→ pore), **BLASTOMÈRE** n. m. «cellule provenant des premières divisions de l'œuf fécondé» (1890), **BLASTULA** n. f. (1897) «stade embryonnaire caractérisé par la disposition en une couche unique de grosses cellules appelées blastomères», en relation avec *morula* et *gastrula* (mots de Haeckel).

BLATÉRER v. intr. est emprunté au XVIIe s. (av. 1681) au latin *blaterare* «bavarder, babiller» et, surtout en bas latin, «pousser son cri» en parlant du chameau et aussi de la grenouille. Le mot est un doublet de *blatire*, mot familier probablement d'origine onomatopéique que l'on a rapproché de *blandus* «flatteur, caressant» (→ blandice), et de *balbus* «bègue» (→ balbutier).

♦ *Blatérer*, repris avec le sens de «pousser son cri (du bélier, du chameau)», est attesté une fois au XVIIe s. puis de nouveau à partir de 1834; il est rare.

▶ **BLATÈREMENT** n. m. (1947, in *T. L. F.*) est presque inusité.

◈ voir DÉBLATÉRER.

BLATTE n. f. est emprunté (1534) au latin *blatta,* terme englobant divers insectes fuyant la lumière (Pline) et rongeant les étoffes et les livres, tels la teigne, la mite, le cancrelat et le sphinx tête-de-mort. À défaut d'une étymologie claire et d'une famille indoeuropéenne, on rapproche deux mots baltes, le lette *blakts* et le lituanien *blākė* «punaise».

♦ Le mot, depuis les traducteurs de textes latins jusqu'aux écrivains du XVIIe s., a été appliqué à divers insectes fuyant la lumière comme le cafard, mais aussi la mite, etc. (encore en Saintonge, la mite). ➛ Par l'intermédiaire du latin scientifique *blatta,* Mouffet au début du XVIIe s. *(Théâtre des Insectes)* puis les naturalistes de la seconde moitié du XVIIIe s. (Linné, Latreille) ont fixé son emploi actuel comme nom générique du cafard.

◈ **BLAZE** ou **BLASE** n. m. est un mot d'argot (1885) d'origine douteuse. L'hypothèse communément répandue d'une dérivation par apocope de *blason** est contestée par Cellard et Rey qui proposent au contraire de faire de *blason* au sens de «nom», seulement attesté en 1905, puis à nouveau en 1944, une suffixation (par calembour) de *blase.* Donnant à *blase* le sens de «nez» bien que cette acception apparaisse plus tard, ils en font le résultat d'un croisement entre *blair** et *nase** avec influence de l'allemand *blasen* «souffler (du nez)» (→ blason). *Faux blase* «faux nez» et, par métonymie au figuré, «personnage dissimulé» (sens usuel de *faux nez* au XIXe s.), aurait pu conduire au sens actuel de «faux nom».

♦ Le mot, d'abord attesté dans la locution *sous faux blase* (1885), désigne argotiquement le nom, en particulier le nom propre. ➛ Le sens de «nez» attesté en 1915 était, selon Esnault, «déjà répandu» : si l'on n'y voit pas le sens premier du mot, on peut passer de «nom» à «nez», avec la valeur commune de «signe d'identification».

BLAZER n. m. est emprunté à l'anglais *blazer* «veste légère de sport, de couleur vive» (1880). Ce mot, qui signifie d'abord «ce qui brille» (v. 1635, appliqué à une comète), est dérivé, avec le suffixe *-er* indiquant l'agent, de *to blaze* «flamboyer» (v. 1225). Ce verbe est dérivé de *blaze* «torche», «feu ou flamme à la lueur vive» (v. 1100), d'abord *blaese, blase* en vieil anglais et se rattachant à un type germanique °*blason* apparenté au moyen haut allemand *blas* «torche», en relation avec une série de mots germaniques appartenant à une racine *blas-, blaz-* «brillant, blanc».

♦ Le mot désigne une veste de sport en flanelle, d'abord à rayures de couleurs vives, puis unie, et ornée d'un écusson sur la poche de la poitrine. Le vêtement, qui jouit d'un prestige constant depuis la fin du XIXe s. parmi les classes aisées, évoque l'aristocratie sportive des clubs britanniques.

◈ ✳ **BLÉ** n. m., d'abord *blet* (1080) puis *blé* (1160-1174), est hérité d'un francique °*blād* «produit de la terre», que permettent de restituer le moyen néerlandais *blat* «récolte, produit de la récolte, jouissance d'un capital» et l'anglo-saxon *blēd, blœd* «produit, récolte» (1225). Ces mots remontent à une racine indoeuropéenne °*bhle-* «fleur, feuille», représentée dans le latin *flos* (→ fleur). Dans le domaine gallo-roman, le mot est attesté en latin médiéval sous la forme du pluriel collectif neutre *blada* (fin VIIe s.), «récolte, produit de la vigne», sens réalisé par le singulier *bladum* dans un texte du Roussillon (947). L'évolution de *bladum* du sens de «récolte» à celui de «céréale, blé» n'est pas encore sûre au début du IXe siècle. En revanche, ce dernier sens est certain dans une charte de l'abbaye de Cluny (v. 1100). Le mot gallo-roman a pris le sens de «céréales, blé» au Xe s. en Catalogne (967) et au XIe s., par les grandes routes alpines, en Italie du Nord (1028 à Gênes, 1054 à Milan). En ancien français, outre *blet* et *blé,* on rencontre la forme *blef,* originaire des dialectes de l'Est ; de même, à côté de *blee,* «céréales, blé» (XIIe s.), issu du latin *blada,* pluriel collectif neutre pour «céréales» (1183), on rencontre la forme *blave* (v. 1500) ; d'où, à côté de l'ancien français *embläer* «ensemencer» (1200-1210), le verbe *emblaver* (ci-dessous).

♦ En ancien français, le mot s'employait d'une façon très générale à propos de diverses céréales dont le grain sert à l'alimentation, voire à propos des légumes. Il n'était synonyme de «froment» que dans certaines régions (1248, à Compiègne). ◇ C'est probablement l'ancien sens large qui a donné par métonymie celui de «champ de céréales» (1160) conservé dans la locution figurée *être pris comme dans un blé ;* mais de nos jours, le pluriel *les blés* ne concerne que l'acception restreinte. C'est aussi au sens général que se rattache originellement le sens métonymique de «grain» (1160). Cependant, les locutions figurées ***crier famine sur un tas de blé*** et ***manger son blé en herbe*** (d'abord, *en vert*), enregistrées en 1690 par Furetière, se rapportent au sens moderne de *blé.* ◇ Avec son sens étendu, *blé* se dit en parlant de graminées distinctes du froment (1530, à propos du seigle), notamment dans ***blé noir*** «sarrasin», ***blé d'Inde*** «maïs» (1603), emploi disparu en France, mais encore usuel au Canada. ➛ L'association blé-richesse, scellée par plusieurs locutions, est réalisée par le sens argotique puis familier d'«argent» (1850), précédé par des emplois métaphoriques (1545 *in* Esnault). Dans cet emploi, *blé* est devenu un mot à la mode supplantant des synonymes tels que *fric,* dans les années 1960-1980.

▸ **EMBLAVER** v. tr. est formé (1242) de *en-* et de l'ancienne forme *blef, blav- ;* il a supplanté la variante *emblaer* (v. 1202) formée sur *blé.* C'est un terme d'agriculture qui signifie «ensemencer en blé», sens avec lequel il a à peu près éliminé le verbe simple *bléer* v. tr. (1273, *bleanz*). ➛ *Emblaver* a produit **EMBLAVURE** n. f. (1509, *emblaveures*), qui, supplantant l'ancien *ambleure* (1355) au sens de «récolte de blé», s'est fixé au sens de «terre ensemencée de blé» (1762). ◇ Le mot est resté en usage, alors que **EMBLAVEMENT** n. m. (1613) «récolte de blé» et **EMBLAVE** n. f. (1755, au pluriel), synonyme de *emblavure,* sont rares.
Emblaer, l'ancienne variante de *emblaver,* a produit **REMBLAYER** v. tr., d'abord écrit *remblaer* (1241) jusqu'au XVIIIe s. ; par une évolution sémantique parallèle à celle de *déblayer* (ci-dessous), ce verbe, qui a perdu tout rapport autre qu'historique

avec *blé*, exprime l'action d'apporter des terres, du gravois pour combler un creux ou exhausser un terrain. ◆ Le déverbal **REMBLAI** n. m. (1694) lui sert d'abord de substantif d'action; dans cet emploi, il a été remplacé par *remblayage*. ◇ *Remblai* a pris le sens concret de «terres rapportées (pour remblayer)» (1749). ◆ **REMBLAYAGE** n. m. (1845), avec sa valeur active, a remplacé *remblai*. Au sens concret de «terres rapportées», il est en concurrence avec le sens second de *remblai*. ◆ **REMBLAYEUR, EUSE** n. (1840) désigne la personne chargée de remblayer, spécialement au féminin *remblayeuse*, la machine effectuant cette opération (XXe s.).

DÉBLAYER v. tr., dérivé de *blé* avec le préfixe privatif *dé-* et la désinence *-er* sous la forme *desbleer* (1265), a perdu son sens propre de «moissonner, récolter le blé» pour un sens figuré, démotivé par rapport à *blé*, «enlever (la terre, les décombres)» (1311). ◇ La variante *desblaver, déblaver* (1311), dérivé de *blef*, n'a pas réussi à s'imposer, la symétrie de sens avec *remblayer* étant plus forte que le lien étymologique avec *emblaver*. ◇ Le sens abstrait de «débarrasser», déjà en germe dans certains emplois médiévaux (comme *desblaer une rente envers qqn* «l'acquitter», 1363) et classiques (*déblayer qqn de qqch.*, 1611), s'est répandu au XIXe s., la locution métaphorique ***déblayer le terrain*** devenant courante pour «aplanir les difficultés» (1845). ◆ **DÉBLAI** n. m., réfection (1641) de *desblée* (1265), représente le déverbal de *déblayer*. ◇ Comme *remblai*, il désigne l'action, sens où il est remplacé par *déblaiement* et *déblayage*, puis concrètement et en général au pluriel, les terres enlevées, les décombres. ◆ **DÉBLAIEMENT** n. m., d'abord *desblafviement* (1301), *desblavement* (1311), formes qui correspondent à *blef*, puis *desbleyement* (1611) avant *déblaiement* (1775, sans accent), désigne l'action d'enlever ce qui encombre, au propre et au figuré (1775). ◆ Il est concurrencé par **DÉBLAYAGE** n. m., apparu ultérieurement (1866) et surtout employé au figuré, spécialement dans l'argot du théâtre (1890) pour le fait de répéter rapidement l'essentiel d'un rôle. ◆ **DÉBLAYEUR, EUSE** adj. et n. (1901) qualifie celui ou ce qui déblaie, et désigne l'ouvrier, la machine effectuant l'opération de déblayage d'un lieu obstrué, spécialement dans les mines.

BLED n. m. est un emprunt (fin XIXe s.) des troupes françaises en Afrique du Nord à l'arabe d'Alger *blad*, qui correspond à l'arabe classique *bilād* «terrain, contrée, pays».

♦ D'abord employé en argot militaire, le mot désignait un terrain, un territoire en Afrique du Nord, puis la rase campagne (1916). ◇ Il s'est répandu dans l'usage familier à propos d'un endroit (1917), d'une petite localité isolée, sans ressources (1934). Péjoratif dans la plupart de ses emplois, il comporte parfois une valeur affective de «lieu d'origine» (1946).

▶ **BLÉDARD** n. m. (1926) désigne un indigène ou un militaire vivant dans le bled africain ou le connaissant par expérience.

BLEIME n. f., d'origine dialectale, vient (1660) du wallon *blème, blène*, lui-même emprunté au néerlandais *blein* «pustule, ampoule», déjà attesté sous la forme *bleine* en moyen néerlandais. Ce mot correspond à l'anglais *blain* (vieil anglais *blezen*), au bas allemand *bleien*, au danois *blegn*, qui permettent de reconstruire un type germanique °*blezen* (teutonique °*bleganâ*) «à l'œil chassieux». Le français a probablement été emprunté à une forme ayant subi l'altération normale de *-ne-* en *-me-*, la graphie *-eime* pourrait être le reflet de l'étymon en *-ein*.

♦ Ce terme de médecine vétérinaire désigne une meurtrissure de la sole du talon du cheval.

BLÊMIR v., d'abord *blesmir* (v. 1080), est issu du francique °*blesmjan*, lui-même altération de °*blasmjan*, à rattacher au moyen bas allemand *blas* «dégarni, faible, mince», allemand *blass*. Ce verbe francique est dérivé de °*blasmi* «couleur pâle», lequel est apparenté à l'ancien norrois *blàmi* qui semble plutôt désigner une teinte sombre, bleue.

♦ En ancien français, le verbe était inséparable de l'idée de blessure et souvent apparié à *blesser*; il signifiait «rendre pâle en blessant», d'où «blesser» au physique et au moral, avec les nuances de «faire du tort à, empiéter sur». ◇ Cet usage transitif et ce sémantisme se sont éteints au cours du XIIIe s., sauf en tant qu'archaïsme, par exemple chez Pétrus Borel au XIXe siècle. ◇ *Blêmir* s'est fixé avec le sens moderne de «pâlir» et la construction transitive (v. 1175) a été remplacée par l'usage intransitif actuel (XIIIe s.). ◇ Par extension, il exprime le processus d'affaiblissement et de corruption d'une luminosité (1867), cette notion de corruption ayant été très nette en ancien français par le sens de «flétrir (une rose)» (v. 1278).

▶ **BLÊMISSEMENT** n. m. (v. 1180) a suivi la même évolution que le verbe, passant de l'idée morale d'«action de rendre livide en offensant», avec un développement juridique vers l'idée d'offense, d'infraction, de préjudice, au sens de «fait de devenir pâle» (1564). Sa quantité syllabique semble l'avoir défavorisé par rapport à *pâleur* et réservé à l'usage soutenu, voire littéraire; le *Dictionnaire de Trévoux*, en 1771, écrit : «il n'est pas reçu; c'est dommage»; plusieurs dictionnaires généraux du XIXe s. le tiennent pour un néologisme. ◆ **BLÊMISSANT, ANTE**, adjectivation du participe présent, est prisé par les écrivains (Hugo, Chateaubriand, Verlaine).

BLÊME adj., attesté seulement au XIVe s. (1370), est devenu relativement usuel pour «très pâle» en parlant d'un objet, emploi archaïque, puis du teint, de la peau d'une personne (XVe s.), quelquefois avec la nuance de «terne, sans éclat» (1799). ◇ En parlant de l'apparence du visage, *blême* suggère le signe d'une émotion vive et désagréable (colère, peur, angoisse). ◇ Plus que *pâle*, le mot connote quelquefois un sort funeste; ainsi Malherbe désignant par *rivage blême* les bords du Styx, fleuve mythologique des Enfers.

BLENDE n. f. est un emprunt (1751) à l'allemand *Blende*, nom d'un minerai de zinc composé essentiellement de sulfure (1546). Ce mot est le déverbal de *blenden,* pris soit au sens propre d'«éblouir», par allusion aux cristaux contenus dans ce minerai, soit au sens figuré de «tromper, décevoir», car ce minerai ressemble à la galène mais ne contient pas de plomb ; on peut rapprocher les dénominations anglaises *pseudogalena* et *sphalerite,* du grec *sphaleros* «incertain, douteux». *Blenden* remonte à l'ancien haut allemand *blentan,* qui correspond à l'ancien frison *blenda,* au vieil anglais *blęndan,* à l'ancien saxon *°blendan* (moyen néerlandais *blenden*), mots remontant à un germanique *°blandjan* «aveugler», à apparenter à l'anglais *blind* «aveugle».

♦ Ce terme de minéralogie a conservé le sens de l'allemand.

▸ **PECHBLENDE** n. f. a été emprunté avant la fin du XVIIIe s. (1790) à l'allemand *Pechblende,* composé de *Pech* «poix», de même origine que le français *poix*,* et de *Blende.* Le mot désigne un minerai contenant une forte proportion d'uranium.

◈ voir **BLINDER.**

BLENNO-, élément savant, est tiré du grec *blenna* «morve, pituite» employé par les médecins (Hippocrate), le terme grec plus usuel étant *muxa* (apparenté au latin *mucus,* → mucus). *Blenna* a été rapproché de termes sanskrits signifiant «mou comme de la laine», «amollir».

♦ Le mot entre dans la formation de mots médicaux dans lesquels il indique une relation avec le mucus.

▸ **BLENNORRAGIE** n. f., d'abord écrit *blennorrhagie* (fin XVIIIe s.), désigne une maladie inflammatoire et infectieuse de la muqueuse de l'urètre nommée familièrement *chaude pisse.* ◇ La graphie moderne sans *h* (1913, Gide) est acceptée par la huitième édition du dictionnaire de l'Académie en 1932. Le mot est quelquefois abrégé familièrement en **BLENNO** n. f. (1965). ◆ On en a tiré **BLENNORRAGIQUE** adj. (1824, avec un *-h-*). ◆ **BLENNORRHÉE** n. f., également formé à la fin du XVIIIe s. avec l'élément *-rrhée*,* désigne un écoulement urétral de pus. ◆ L'élément a été productif au XIXe s. mais les connaissances médicales évoluant, un vocabulaire plus rigoureux a éliminé la plupart des termes enregistrés dans les dictionnaires du XIXe s. *(blennélytrie, blennentérie, blennisthmie, blennose, blennotorrhée, blennurétrie).* D'autre part, *blenno-* a pris, d'après *blennorragie* et *blennorrhée,* un sens dépréciatif qui ne favorise pas la création de mots, ce qui explique qu'on ne relève qu'une création nouvelle au XXe s., **BLENNORRHOÏDE** n. et adj. (1926, n.).

BLÉPHAR-, BLÉPHARI-, BLÉPHARO-, élément, est repris au grec *blepharon* (surtout au pluriel *blephara*), «paupière», employé dans quelques composés sous la forme *blepharo-.* Le mot grec, selon Benveniste, serait dérivé d'un thème *°blephar* tiré, avec aspirée expressive, de *blepein* «voir, avoir un regard», dont l'étymologie n'est pas éclaircie.

♦ L'élément entre dans la formation de substantifs, exceptionnellement d'adjectifs, scientifiques et médicaux ; il exprime la notion de «paupière» ou de «cils».

▸ Le composé le plus répandu est **BLÉPHARITE** n. f. (1824), antérieurement sous la forme latine *blepharotis* (av. 1790), qui désigne l'inflammation du bord libre des paupières. ◆ La forme *bléphari-* a été productive au XIXe s. en sciences naturelles mais ces composés ont disparu. ◆ L'élément tend à prendre la forme *bléphar(o)-* en français moderne, où il est employé en médecine : **BLÉPHARADÉNITE** n. f. (1865), de *adénite ;* **BLÉPHAROPLASTIE** n. f. (1865), **BLÉPHARO-CONJONCTIVITE** n. f. (1878), **BLÉPHAROTIC** n. m., de *tic* (v. 1950).

BLÉSER v. intr. est une réfection (v. 1220), d'après le latin, de l'ancien français *bloiseer* (XIIe s.), *blesoier* (1212-1214) «parler avec un défaut d'articulation». Le verbe est dérivé de l'ancien français *bles, blois* (attesté v. 1350 mais antérieur), «qui articule mal» d'où au figuré «qui manque de sincérité», lequel remonte au latin *blaesus* «qui confond les lettres», distingué de *balbus* «bègue» (→ balbutier). *Blaesus,* souvent employé comme surnom, était peut-être attesté en étrusque sous les formes *Plaisina, Plesnas. Blaesus,* malgré son sens, pourrait être emprunté au grec *blaisos* «qui a les pieds en dehors», «tordu», que l'on retrouve dans des termes de sens voisin désignant un défaut physique.

♦ *Bléser,* «parler avec un défaut consistant à substituer des interdentales (comme le *th* anglais) aux sifflantes», a cessé d'être employé après le XIVe siècle. Ce verbe didactique a été repris au XIXe s. (av. 1832, *Traité complet de l'art du chant*), parfois sous la forme *blaiser.*

▸ Ses dérivés sont **BLÈSEMENT** ou **BLAISEMENT** n. m. (1834) et **BLÉSITÉ** n. f. (1803), mots synonymes désignant un défaut de prononciation autrefois nommé *blessoiement* n. m. (1549), de l'ancienne forme *blesoier,* et **BLÈSE** n. (XIXe s.), d'emploi rare.

✳ **BLESSER** v. tr., d'abord *blecier* (fin XIe s.), écrit *blecer* (1080) puis *blesser* (XVe s.), est issu d'une forme gallo-romane *°blettiare* «meurtrir», qui remonte à un francique *°blettjan,* dérivé d'un substantif correspondant à l'ancien haut allemand *bleizza* «ecchymose, trace d'une blessure, cicatrice», attesté dans le composé *freobleto, frioblitto* «plaie qui s'étend». Ce substantif francique est aussi à rapprocher de l'adjectif anglo-saxon *blate* «pâle, blême» (v. 1100), vieil anglais *blát* «blême».

♦ Le sens étymologique de «meurtrir» (fin XIe s.) se rencontre jusqu'au XVe s., surtout pour l'acte consistant à meurtrir des fruits (pommes, olives) pour les faire mûrir, et aussi pour «faire une contusion à (qqn)» (1080), voire avec la simple idée de «presser», par exemple presser avec le pied en signe d'amour. Cet emploi vit encore dans les dialectes du Nord et de l'Est, notamment le liégeois *blessi* «broyer, piler», le suisse romand (Genève) *blyési* «amollir un fruit» et dans le dérivé français *blet* (ci-dessous). ◇ Le sens secondaire d'«endommager (qqch.)» (v. 1155), réalisé concrètement et abstraitement avec la nuance de «porter préjudice à (qqn)» (1080), s'est éteint au XVIe siècle. Il s'est prolongé en marine où on a dit *blesser* à propos d'un navire, pour «endommager», ceci du XVIIe au XIXe siècle. ◆ Le sens moderne de «frapper (qqn) d'un coup qui cause une lésion» apparaît de bonne heure dans un contexte guerrier (1080) et se répand rapidement, supplantant l'ancien français *nafrer, navrer* (→ navrer), lui aussi d'origine germanique ; il est également réalisé à la forme pronominale *se blesser* (v. 1175) et avec un nom de chose pour sujet (XVe s.), comme dans la locution figurée ***savoir où le bât blesse*** (XVe s.) et *frapper qqn où le bât le blesse* (1602) «au point sensible». ◇ Au figuré, le verbe signifie «toucher péniblement, atteindre désagréablement» (1176), en particulier avec un sujet désignant des paroles (v. 1130-1165), et autrefois un sentiment fort, tel que l'amour (v. 1360). ◇ Les sens secondaires, «nuire» (v. 1270), et plus encore «offenser, choquer», en parlant de choses contraires à la morale ou aux bienséances (1501-1504), qui étaient usuels à l'époque classique (*blesser la pudeur*, etc.), relèvent de nos jours d'un usage littéraire.

► Outre les adjectifs tirés des participes **BLESSÉ, ÉE** (v. 1155) et **BLESSANT, ANTE** (v. 1165), lequel ne s'emploie plus qu'au figuré, où il est usuel (*propos blessants ; être blessant* «insultant»), *blesser* a produit un premier dérivé dès le XIIe siècle. ◆ **BLESSURE** n. f., d'abord *blescëure* (v. 1155), désigne la plaie produite par un coup, puis par métaphore une atteinte morale (XIVe s.), une souffrance infligée à l'amour-propre (1538). ◆ **BLESSEMENT** n. m., d'abord *blecement* (v. 1370) chez Oresme au sens abstrait de «dommage», a été reformé au XIXe s. comme synonyme d'«infraction, violation» (1840) dans la langue juridique archaïque. Le sens concret de «blessure physique» (1394) est lui aussi sorti d'usage au XVIIe s. sous la concurrence de *blessure*. ◇ Celui de «fait de blesser moralement» est rare. ◆ **BLESSABLE** adj., attesté à quelques reprises au XVIIe s. (1603, 1611, 1628), puis de nouveau en 1893 chez P. Bourget, est demeuré rare.

BLET, BLETTE adj., réfection (v. 1295) d'après les adjectifs en *-et, -ette*, de l'ancien français *blece* «meurtri (d'un fruit)», de genre féminin, lui-même dérivé du verbe *blecier* pris au sens étymologique de «meurtrir des fruits», n'est plus senti comme étant lié à *blesser*. ◇ Le mot est d'abord attesté au féminin (le masculin *blet* apparaissant fin XIVe s.), parce que les noms des fruits en ancien français étaient presque tous de genre féminin. Employé à propos d'un fruit trop mûr et, par métaphore, d'une chose concrète ou abstraite, d'une personne (fin XIVe s.), *blet* est peu attesté avant le XVIe siècle. ◆ Il a produit **BLETTIR** ou **BLÉTIR** v. intr. (1338), de sens propre et figuré, qui a lui-même donné **BLETTISSEMENT** n. m. (1826) et **BLETTISSURE** n. f.

L'ancien adjectif *blece* s'est maintenu sous une de ses formes régionales, **BLÈCHE** adj. et n. m., originaire de Normandie. Par transposition du sens physique de «mou, gâté» sur le plan moral, le mot a désigné (1596) et qualifié une personne molle, manquant de fermeté. ◇ Ce sens a vieilli, mais l'argot a gardé le mot avec la valeur plus floue de «vilain, mauvais», spécialement l'argot des typographes (1794) pour qualifier une période improductive, sans gain d'argent, dans l'expression *faire banque blèche*, disparue avec cet emploi.

BLET, BLETTE → **BLESSER**

BLEU, BLEUE adj. et n. est issu (v. 1121), par l'intermédiaire du latin médiéval *blavus* (VIe s., Isidore de Séville), d'un francique °*blao* de même sens, reconstitué par l'ancien haut allemand *blāo, blāwīr* et d'où vient l'allemand moderne *blau*. Le mot vient d'une forme germanique °*blaewaz*, à laquelle remontent également l'ancien frison, le néerlandais *blaauw*, l'ancien norrois *blár* «bleu foncé, livide», etc. Le mot germanique est probablement apparenté aux mots latins *flavus* «blond jaune, rougeâtre», *fel* (→ fiel), *florus* «blond», adjectif de la poésie archaïque qui se rattache à une racine indoeuropéenne occidentale °*bhlē-*, °*bhlō-*. Comme pour d'autres noms de couleur (cf. *blanc, blond, gris*), la signification du mot est imprécise à l'origine et s'est précisée à mesure de ses applications. ◇ Parmi les anciennes formes, *blef* (v. 1221) est un masculin refait d'après le féminin ancien *bleve* (de °*blęwa*) ; *blo, bloe* (v. 1175) et *blou* (v. 1200) s'expliquent à partir de la forme primitive *blao* ; la forme actuelle *bleu, bleue* (XIIIe s.) provient du type °*bláwu*. L'anglais *blue* (→ blues) est emprunté au français.

♦ Le sens le plus ancien de l'adjectif semble être, soit «pâle, blanchâtre», soit «livide, bleuâtre», sens avec lequel *bleu* qualifie surtout le teint du visage et l'état d'une peau contusionnée, à mettre en parallèle avec la nuance de l'ancien espagnol *blavo* «gris-jaunâtre». Ce sens physiologique — et peut-être guerrier, s'agissant de blessures — se maintient dans la locution ***être bleu de peur*** et dans la description de certaines pathologies (1837, ***maladie bleue***) ; cf. ci-dessous *un bleu*. ◇ Le sens aujourd'hui dominant, «couleur du ciel pur, clair ou couleur analogue plus foncée», apparaît au XIIe s. (v. 1150), se fixant dans un certain nombre de syntagmes dont les plus récents sont *zone bleue* (1957), *carte bleue* (désignant une carte de crédit). ◇ Le sens du mot reste cependant indécis dans plusieurs syntagmes courants : il entretient notamment un rapport complexe avec *rouge* dans les syntagmes *vin bleu* «vin rouge de mauvaise qualité» (v. 1850), ***bifteck bleu*** «très peu cuit» (v. 1950), intensif de *saignant* et *sang* bleu*, ce dernier étant généralement considéré comme un calque de l'espagnol *sangre azul*, appliqué au sang des grandes familles castillanes qui le déclaraient exempt de «sang» maure ou juif, peut-être parce que les peaux les plus claires laissent transparaître des veines bleues ou pour des raisons plus symboliques. ◆ *Bleu* est substantivé *(le bleu)* pour désigner la couleur bleue (1180-1200), en particulier celle des vêtements, et une matière colorante bleue (1577), la locution figurée ***passer au bleu*** «faire disparaître» (1877) s'expliquant d'après le *bleu de lessive* utilisé pour blanchir le linge. ◇ *Un bleu* au sens de «marque sur la peau, ecchymose» est attesté plus tard (1863). ◇ Dès l'ancien français, *un bleu* (ou *une bleue*) désigne par métonymie une chose de couleur bleue (1254 pour un linge bleu), une personne vêtue d'un vêtement bleu ou caractérisé par un accessoire bleu : on a appelé *bleues* (1679), pour *filles bleues*, les religieuses en manteau bleu de l'un des ordres de l'Annonciade. En histoire, d'après l'uniforme, *les bleus* a désigné successivement un des corps de la maison du roi (1752), les soldats républicains (1793), les bonapartistes (1867). ◇ Par allusion au fait que les soldats d'origine populaire arrivaient souvent à la caserne en blouse bleue, *bleu* est devenu la désignation familière d'une jeune recrue (1791), sens répandu au XIXe s., avec des dérivés (cf. ci-dessous *bleusaille*), et s'est étendu à un nouvel élève dans une classe (1898) (cf. *bizuth*). ◇ L'expression ***cordon bleu,*** appliquée proprement au ruban moiré et bleu porté par les chevaliers du Saint-Esprit (1694), a désigné un chevalier du Saint-Esprit (XVIIe s.) puis, par extension, une personne qui se distingue en qqch. (1721), avant de se spécialiser plaisamment à propos d'une cuisinière très habile (1835). ➛ Une tradition remontant peut-être aux *contes bleus* «récits fabuleux» (allusion à l'ancienne ***bibliothèque bleue,*** célèbre collection de colportage constituée de romans d'aventure traditionnels, sans cesse adaptés et réécrits jusqu'à l'époque romantique), a donné ***conte bleu*** au sens péjoratif de «sornette» (seconde moitié du XVIIe s.), liant le nom à l'idée d'illusion. De là les locutions familières (avec le mot substantivé) ***en dire de bleues*** «mentir» (régionalement), ***n'y voir que du bleu*** (1837) et ***être dans le bleu*** «dans l'irréel» (1866), cette dernière évoquant les valeurs d'idéal associées à la couleur du ciel, l'azur (cf. *être dans les nuages*). *C'est bleu* «surprenant, invraisemblable», *en être bleu* «être stupéfait», notés par les dictionnaires d'argot du XIXe s. (1867), ont vieilli. ◇ Le sémantisme différent de l'expression ***en voir de bleues*** (1843), «supporter des choses désagréables», est peut-être dû à l'influence de *bleu* «marque de coup».

Au XVIIIe et au XIXe s., *bleu* devient la dénomination d'un certain nombre de choses concrètes. En cuisine, la locution ***au bleu*** (1718) s'applique à une façon de préparer les poissons d'eau douce (cf. en allemand, *Forelle blau* «truite au bleu»). *Du bleu* a désigné (comme *du vin bleu*) un vin rouge de mauvaise qualité (1851). *Le bleu* se dit d'un type de fromage à pâte persillée par des moisissures *(bleu d'Auvergne, bleu de Bresse)* différent du roquefort (1928). ◇ Le nom sert aussi régionalement à désigner certaines espèces animales (1803, un squale). Une altération du lait due à un microbe communiquant au liquide une teinte bleuâtre (1922) s'appelle aussi *le bleu.* ◇ Le mot s'applique aussi à une combinaison de travail, d'abord de couleur bleue (*un bleu*, 1945). ◇ Le féminin est substantivé dans ***la grande bleue*** «la mer» et spécialement «la Méditerranée» (1895, dans Alphonse Allais).

▶ **BLEUIR** v. (1360-1384), d'abord *blauir* (v. 1290) «devenir bleu», a absorbé l'ancien français *bloir* (1175) «devenir blême sous le coup d'une vive et soudaine émotion». L'emploi transitif pour «rendre bleu», répertorié en 1690 par Furetière, est certainement bien antérieur. ➛ Les dérivés de ce verbe apparaissent au XVIe siècle : **BLEUISSEMENT** n. m. (1838), **BLEUISSAGE** n. m. (1845), **BLEUISSURE** n. f. (1867, Goncourt) expriment respectivement le fait de devenir bleu, de rendre bleu et son résultat.

BLEUET ou **BLUET** n. m. est d'abord un adjectif (1291-1295) devenu rare après le XVIe s. et repris dans la seconde moitié du XIXe s. par les poètes (1873, Cros). ◇ Le mot s'est répandu comme substantif (1380) en botanique, à propos d'une centaurée à fleur bleue (1404) antérieurement appelée *bleuele* (1371), fournissant le nom régional de plusieurs espèces de fleurs et aussi de fruits, dont celui de l'airelle bleue, emploi usuel au Canada, qui a donné des syntagmes comme *vin de bleuets* et le dérivé **BLEUETIÈRE** n. f. «terrain à airelles» (1937).

BLEUÂTRE adj., d'abord *bleuate* (1493), puis *bleuastre* (1552) et *bleuâtre* (1669), qualifie ce qui tire sur le bleu.

Bleu redevient productif au XIXe s. avec **BLEUTER** v. tr. (1843), verbe technique, «passer légèrement au bleu», dont le participe passé adjectif **BLEUTÉ, ÉE** (répertorié en 1845 par Bescherelle sans le verbe) signifie «légèrement bleu». ➛ **BLEUTERIE** n. f. est un terme technique (1889). ➛ Rimbaud, avec **BLEUITÉ** n. f (1871) et **BLEUISON** n. f. (1871), et Montesquiou, avec **BLEUEUR** n. f. (1896), ont forgé — semble-t-il — des noms de couleur qui ne se sont pas répandus dans l'usage.

BLEUSAILLE n. f. (1865, *bleuzaille*), terme collectif pour «ensemble des bleus, des jeunes recrues», d'où **BLEUSAILLON** n. m. (XXe s.), et **BLEU-BITE** n. m. (1936) ont vu le jour dans l'argot militaire pour désigner la jeune recrue, ce dernier à l'aide de *bite* «classe militaire», peut-être par altération d'un mot régional *bisteau* «jeune apprenti» (Genève), mais rapidement senti comme étant en relation avec *bite* «pénis» (cf. *quille*).

◈ voir BAS-BLEU (art. BAS), BLUE-JEAN, BLUES.

BLIAUD ou **BLIAUT** n. m., d'abord *blialt* (1080), puis *bliaut* (v. 1150) et *bliaud* (fin XIIe s.), est un terme de l'aire gallo-romane, attesté en ancien provençal *blidal, blizal* (1181), *bliau* (XIIe s.), passé dans l'espagnol (1140), le catalan et le portugais *brial,* mais aussi le moyen haut allemand *blîal, blîant* «étoffe de soie brodée d'or», et l'anglais *blihant* «tunique, riche étoffe dont elle est tissée» (v. 1314). Son étymologie est obscure : l'hypothèse d'un étymon francique °*blîfald* «manteau de couleur écarlate», composé de °*bli-* déduit de l'ancien saxon *blî* «coloré, brillant» et de *-fald* «action de plier, pli» — cf. anglais *to fold* —, fait difficulté dans la mesure où elle ne peut expliquer l'ancien provençal *blidal.* L'étymon ancien haut allemand *bridelt,* participe passé de *bridelen, britelen* «tisser*» est à écarter, ce verbe n'étant attesté qu'en moyen haut allemand et seulement au sens de «serrer la bride», à rattacher au moyen haut allemand *brîdel* (→ bride).

♦ Le mot, employé en ancien français, est sorti d'usage avec le vêtement. ◇ Il est de nouveau attesté à partir de 1752 chez les historiens du costume, pour désigner une longue tunique de laine ou de soie portée au moyen âge par les femmes et les hommes. ◇ Son emploi régional pour une tunique de travail portée par les hommes (H. Pourrat) empiète sur l'usage du féminin *blaude* n. f. (1582 ; antérieurement *blode,* 1546, dans le canton de Vaud) et de sa variante *blaude* n. f. (1732), dans lequel on a voulu voir l'étymon de *blouse**.

BLINDER v. tr. est dérivé (1678) de *blinde* n. f. (1628), surtout employé au pluriel *blindes* (1678), terme technique d'art militaire désignant des pièces de bois qui soutiennent les fascines d'une tranchée et mettent les occupants à l'abri des projectiles de l'ennemi. Ce mot est emprunté à l'allemand *Blinde* attesté au XVIIIe s. aux sens d'«installation destinée à dissimuler un ouvrage fortifié», «renfoncement pratiqué dans un mur» et «fausse porte, fausse fenêtre». C'est le déverbal de *blenden* «rendre aveugle», à rattacher à l'adjectif *blend* «aveugle» (→ blende); cf. l'anglais *blind*. L'hypothèse selon laquelle *blinde* serait le déverbal de *blinder* est moins satisfaisante d'un point de vue chronologique.

♦ *Blinder* signifie «couvrir (un ouvrage fortifié) de blindes», sens qui est sorti d'usage avec les progrès des techniques de fortification. Par extension, il signifie «protéger de manière à amortir le choc des projectiles» (1678), spécialement «entourer (un navire, puis un véhicule) d'une cuirasse, d'une armure de plaques de métal» (1831). Le verbe est passé dans le langage technique pour «isoler (un appareil électrique) par une protection» (XXe s.). Il a pris la valeur figurée de «protéger, endurcir» (1866). ◆ Le pronominal argotique puis familier *se blinder* «s'enivrer» (1888) et le participe passé adjectivé *blindé, ée* «ivre» (1881) sont d'origine obscure ; il faut peut-être y voir une altération de *dans les brindes* «ivre», bien attesté dès le XVIIIe s., de *brinde* «toast, verre bu à la santé d'un ami».

▶ **BLINDÉ, ÉE** adj. et n. m., participe passé de *blinder*, s'emploie adjectivement avec les mêmes valeurs que le verbe. ◇ Substantivé, il désigne un véhicule blindé (1941) en concurrence avec *char, les blindés* (ou l'*arme blindée*) se disant pour «la cavalerie motorisée». ◆ **BLINDAGE** n. m. (av. 1740) assume le rôle de substantif d'action et, par métonymie, désigne concrètement les matériaux servant à blinder (1941).

BLINIS n. m. inv. est emprunté (1883, J. Verne, *Keraban le têtu*) au russe *bliny*, pluriel (accentué sur la dernière syllabe) de *blin* n. m. «petite crêpe». Le mot existe en vieux russe où il résulte, par un phénomène phonétique constaté en vieux slave, de *mlin*. Ce dernier est à l'origine le nom d'un instrument servant à moudre, employé par métonymie pour le résultat de l'opération, «ce qui est moulu», et désignant par extension ce qui a été moulu, concassé avec la farine. Il vient d'un mot slave commun formé avec le suffixe *-in-* sur le radical verbal °*ml-* «moudre», que l'on a dans le russe *molot'* «moudre». Ce radical se rattache à la racine indoeuropéenne de même sens °*mel-* «moudre, concasser», bien représentée en latin (→ meule, moudre) et en grec (→ amidon).

♦ Le mot désigne une petite crêpe épaisse de froment ou de sarrasin consommée lors du carême orthodoxe, et souvent servie avec des hors-d'œuvre dans la cuisine d'inspiration russe.

BLITZ n. m. est emprunté (v. 1940; attesté 1948) à l'anglais *blitz* (1940), mot désignant les bombardements nocturnes de Londres par l'aviation allemande au cours de l'hiver 1940-1941. Ce mot est issu par apocope de l'allemand *Blitzkrieg*, littéralement «guerre éclair», composé de *Blitz* «éclair», mot apparenté à *blank* (→ blanc), et de *Krieg* «guerre». *Blitzkrieg* est un terme de tactique militaire qui fut d'abord utilisé à propos de l'attaque de la Pologne par l'Allemagne en 1939, puis de la campagne de Belgique en 1940 ; cette tactique, exposée par le général Heinz Guderian en 1938, était basée sur l'effet de surprise, la rapidité et la supériorité en matériel : en Angleterre, elle devait précéder un débarquement qui n'a pas eu lieu.

♦ Le mot est un terme d'histoire désignant les violentes attaques aériennes déclenchées par les avions de bombardement allemands pendant la Seconde Guerre mondiale.

◈ voir BLIZZARD.

BLIZZARD n. m. est emprunté (1888) à l'anglais d'origine américaine *blizzard*, qui désigne une chose extrême dans son genre, un coup violent (1829), une réplique cinglante (1835) et spécialement une violente tempête de neige (1859). Le mot est d'origine inconnue, peut-être de l'allemand *Blitz* «éclair» (→ blitz), plus probablement de formation onomatopéique. Le sens météorologique s'est répandu dans la presse américaine lors du terrible hiver de 1880-1881.

♦ Le mot désigne une aveuglante tempête de neige accompagnée d'un froid très vif; l'équivalent français en Amérique est *poudrerie* n. f. (Canada, 1695), en ancien français *pouldrerie*, de *poudre**.

✳ **BLOC** n. m. est emprunté (1262) à un mot germanique, probablement au moyen néerlandais *bloc* (néerlandais *blok*), «tronc abattu», dont les différents sens ont pu faire l'objet d'emprunts successifs. Cette hypothèse est préférable à celle d'un emprunt au moyen bas allemand *blok* qui convient moins bien du point de vue historique. Ces mots moyen néerlandais et moyen bas allemand, qui correspondent aussi au suédois *block* et au danois *blok*, sont d'origine incertaine : certains, et notamment Jakob Grimm, les identifient au moyen néerlandais *beloc, beloke*, moyen haut allemand *bloch*, ancien haut allemand *biloh* «clôture, obstruction, endroit clos» qu'ils rattachent à °*bi-lûkan*, de *lûkan* «fermer». Kluge refuse cette identification et émet l'hypothèse d'un apparentement à la famille d'un germanique °*balkon*, °*belkon* «poutre», ayant donné l'anglais *balk*, le néerlandais *balk*, l'allemand *Balken* (→ balcon, bau, ébaucher).

♦ Employé dans les premiers textes au sens particulier de «tronc des aumônes», *bloc* ne semble acquérir qu'au début du XVe s. le sens général de «gros morceau de bois» (1404) et celui de «masse d'une matière pesante et dure» (1409). ◇ Il désigne en particulier le billot dans lequel on enserrait les pieds d'un prisonnier (XVIe s.), sens auquel on rattache, malgré l'écart chronologique, le sens métonymique de «prison» (1837) et, par extension, de «salle de police» (1861), argotique puis familier (*mettre qqn au bloc*). À partir du XVIIe s., le mot désigne le billot de plomb sur lequel le graveur pose et fixe son ouvrage (1676), la presse à l'usage du tabletier (1751), la masse de bois où l'on frappe les formes pour en détacher les pains de sucre (1751), le mandrin de bois du ciseleur (1751), le bas d'une enclume de grosse forge (1838). ◇ Dès le XVIe s., la valeur générale de «masse homogène d'éléments disparates» s'incarne dans la locution adverbiale usuelle ***en bloc*** (1530) «globalement, ensemble». ◇ *Bloc* désigne aussi un assemblage de diverses choses, principalement des marchandises (1573) puis, abstraitement, une quantité d'éléments formant un tout (1779). Concrètement, il s'applique à un ensemble de feuillets collés ensemble sur le côté et facilement détachables (1877), d'où *bloc-notes* (ci-dessous). ◇ Son emploi à propos d'un ensemble d'immeubles entre deux rues constitue un emprunt (1862) à l'anglo-américain *block*. Le mot désigne aussi un ensemble d'appareils groupés pour occuper le moins de place possible (XXe s.). ◇ En géologie, l'expression ***bloc continental*** (1928) s'applique à un ensemble de continents séparés par des mers peu profondes. ◆ Abstraitement, le mot s'emploie en politique pour «alliance étroite de partis politiques» (1889, Clemenceau, paternité contestée par Giraudoux), «alliance d'États»; il a des valeurs spéciales en économie monétaire, en mathématiques et en informatique. La locution ***faire bloc*** fait partie de la phraséologie courante (v. 1950). ◆ Bien que le sens général «action de bloquer» ne soit pas attesté, il arrive que *bloc* empiète sur l'aire sémantique de *blocage :* au billard, il désigne l'action d'immobiliser la bille d'un adversaire contre la bande (1867) et en physiologie (spécialement en cardiologie) un trouble de la transmission de l'influx nerveux, alors avec la valeur de «processus bloquant». ◇ De même, en marine, il a donné la locution adverbiale ***à bloc*** (1838), littéralement «jusqu'à blocage» d'où «au maximum». Cette locution est passée en cyclisme, en parlant d'un frein serré jusqu'au blocage de la roue (1884) et d'un boyau gonflé au maximum (1902). De là, elle s'est répandue dans le langage courant, avec le sens métaphorique d'«au maximum, à fond», seule (1904) et dans ***gonflé à bloc*** (1910).

▸ **BLOCHET** n. m., le plus ancien des dérivés de *bloc*, est son diminutif (XIVe s., *bloichet*); sa forme probablement dialectale s'est imposée au XVIIe s. au détriment de *bloquet* (1392). Le mot a eu le sens de «billot», se spécialisant pour désigner une pièce de charpente horizontale recevant l'arbalétrier et le réunissant à la sablière (1676). Il est archaïque.

BLOT n. m., variante graphique et phonétique de *bloc* (1354-1377), s'est employé à propos de la perche sur laquelle repose l'oiseau de proie. ◆ D'après le sens de *bloc* «ensemble de marchandises», il a pris le sens de «bon prix» (v. 1650) par allusion aux conditions intéressantes posées pour l'achat de grandes quantités. ◇ Réutilisé avec ce sens en argot, le mot, séparé de *bloc* par la forme et le sens, a développé les sens figurés de «sorte» (1835, *du même blot* «semblable») et de «bon compte» (1844), donnant les locutions ***ça fait mon blot*** «ça me convient» (1866) et ***avoir son blot*** «avoir son compte» (1896), employées ironiquement.

BLOQUER v. tr. exprime d'abord l'idée de fixer, de consolider qqch. à l'aide de pierraille (v. 1450), participant de la notion plus générale de «mettre en bloc, en masse». Celle-ci, exception faite de deux spécialisations techniques en maçonnerie (1694) et en imprimerie (1680), ne s'est répandue qu'au XXe s., presque uniquement avec la valeur abstraite de «mettre ensemble» (XXe s.). ◇ Le développement sémantique du verbe s'est surtout fait d'après *blocus* : il est passé dans le langage militaire au sens d'«investir (une place forte) par un blocus» (déb. XVIIe s.), signifiant par extension «arrêter, immobiliser» avec plusieurs spécialisations techniques (1721, au billard; 1905, au ballon; 1925, en boxe), puis un emploi politique (v. 1860) et économique (1867 dans *bloquer la banque* «ne pas payer les ouvriers»; 1949 dans *bloquer les crédits*). ◇ La forme pronominale *se bloquer* est employée dans un contexte concret (1899) et abstrait, notamment psychologique, comme le passif (être *bloqué*) et le participe passé **BLOQUÉ, ÉE** adj. qui s'emploie surtout à propos des personnes (en relation avec *blocage*) et de l'évolution socio-économique *(société bloquée)*. ◆ **BLOCAGE** n. m. (1547), d'abord écrit *bloccage* au sens métonymique de «massif de matériaux remplissant les vides d'un mur», en architecture, est repris comme substantif verbal de *bloquer* «empêcher», désignant le fait de bloquer une bille de billard (1845), de serrer les freins à bloc (1907). Il s'emploie aussi en économie (1945, *blocage des prix*), en description médicale et en psychologie en relation avec *être bloqué*.

DÉBLOQUER v., ancien terme militaire, s'employait intransitivement pour «se dégager d'un blocus», et transitivement pour «dégager (une place, des troupes) d'un blocus» (1611). ◇ Reformé d'après les valeurs nouvelles de *bloquer*, il prend le sens général de «dégager», d'abord attesté dans des emplois figurés (av. 1850), notamment dans l'argot des soldats où il est synonyme de «déconsigner» (1838). ◇ Les emplois concrets répondant à ceux de *bloquer* ne sont enregistrés qu'au XXe siècle. ◇ À la même époque apparaît pour l'intransitif, d'abord dans l'argot militaire (1915), le sens figuré de «déraisonner», d'usage familier et quasi-synonyme de *déconner*. ◆ Le substantif d'action **DÉBLOCAGE** n. m., de sens propre et figuré (1819), tend à s'imposer devant son concurrent **DÉBLOQUEMENT** n. m. (1838), mais seul *déblocage* sert de substantif au verbe pour «fait de déraisonner».

Bloquer a servi à former **BLOQUET** n. m. (XVIe s.), terme de dentellerie, **BLOQUETTE** n. f. (1866), nom d'un jeu consistant à jeter des billes dans un trou creusé contre un mur ou un arbre, et **BLOQUEUR, EUSE** adj. et n. m. (XXe s.) qui désigne une substance qui inhibe l'activité d'une substance organique, l'adjectif étant rare.

BLOCAILLE n. f. est directement dérivé (1549) de *bloc* pour désigner collectivement des pierres et des débris réunis en un bloc, empiétant sur le sens technique de *blocage*.

BLOC-NOTES n. m., en dépit de sa graphie initiale *block-notes* (1882), n'est pas un anglicisme, l'équivalent n'existant ni en anglais ni en anglo-américain. Il est probablement issu par réduction de *bloc de papier à notes* ou, par ellipse de *bloc à notes* (→ note) avec anglicisation graphique (peut-être commerciale) du premier élément en *block*.

◈ voir **BLOCKHAUS, BLOCUS, PLOT.**

BLOCKHAUS n. m. est emprunté (fin XVIIIe s.) à l'allemand *Blockhaus* «maison charpentée faite à l'aide de poutres et de piquets de bois», attesté comme terme de fortification en 1579. Ce mot correspond au néerlandais *blokhuis* dont une forme antérieure a donné par voie d'emprunt *blocus**; le premier élément est *Block* (→ bloc); le second *Haus* «maison» (de l'ancien et moyen haut allemand *hûs*), dont les correspondants dans les langues germaniques (anglais *house*, néerlandais *huis*, danois et suédois *hus*) ont fait émettre l'hypothèse d'un rattachement au radical verbal °*hud-* «couvrir, cacher», que l'anglais a dans *to hide* et qui remonterait à une racine indoeuropéenne représentée dans le grec *keuthein* «cacher, recouvrir».

♦ Le sens étymologique de «maison construite en troncs d'arbres», employé par Nerval dans un contexte allemand, a disparu. ◇ Le mot a ensuite désigné un ouvrage militaire défensif étayé de poutres et rondins, puis renforcé en béton armé et blindé. L'occupation allemande en France (1941-1945) lui a redonné de la vitalité par emprunt à l'allemand.

◈ voir **BLOCUS.**

BLOCUS n. m. est emprunté (1350) au moyen néerlandais *blochuus* «maison faite de madriers», «fortin», composé de *bloc* (→ bloc) et de *huus* «maison» (néerlandais *huis*), d'origine germanique (comme le *-haus* du correspondant d'origine allemande *blockhaus**). Cette hypothèse rend mieux compte que celle d'un emprunt au moyen haut allemand *blokhus* de l'aire géographique des premières attestations, dans les régions limitrophes du territoire néerlandophone, ainsi que des formes *blokehus* (1350) et *blochus* (1376) en ancien wallon; on y rencontre également les formes *bloxhus* (1380), *blocquehuys* (1485, Mons) et *blochuysse* (1584), ces deux dernières reflétant le néerlandais moderne (et flamand) *blokhuis*.

♦ Le sens de «maison de charpente», dans le nord-est de la France, a été vivant aux XIVe et XVe siècles. La spécialisation militaire, «fortin élevé par les assiégeants pour couper les communications d'une place investie» (1376), passée en français (1547), a été abandonnée au XVIIe siècle. ➜ L'accent est alors mis sur la fonction de ce fortin et le mot a pris par métonymie son sens moderne, «investissement (d'une ville, d'un port, d'une place militaire) en vue d'empêcher toute communication avec l'extérieur» (1663). ◇ L'expression ***blocus continental*** (décret daté du 21 novembre 1806) désigne le système d'exclusion par lequel Napoléon voulait interdire à l'Angleterre tout accès sur le continent européen. ◇ Par extension, *blocus* désigne abstraitement (XXe s.) l'ensemble des moyens mis en œuvre pour empêcher des relations (commerciales, économiques) normales avec d'autres nations *(blocus économique)*. Depuis le XIXe s., le mot a redonné vie au verbe *bloquer*.

◈ **BLOND, BLONDE** adj. et n., d'abord *blund* (1080) puis *blond* (1164), est d'origine incertaine. Considérant qu'il désigne une couleur de cheveux propre aux gens du Nord (les Romains ont dû s'en servir dans la description des Germains) et que de nombreux noms de couleur sont d'origine germanique (→ blanc, bleu, brun, fauve, gris), on le fait remonter, de même que l'italien *biondo* et l'ancien provençal *blon*, au germanique °*blunda-*, bien que celui-ci n'ait aucun correspondant dans les langues germaniques modernes (l'allemand *blond* étant emprunté au français par l'intermédiaire de la poésie courtoise, l'anglais *blond* étant aussi repris du français). Kluge le rapproche hypothétiquement de l'ancien indien *bradhńa* «rougeâtre». Le mot a dû être véhiculé par le latin populaire, bien qu'aucun correspondant en latin ne soit relevé avant le milieu du XIIe siècle.

♦ *Blond* désigne et qualifie (1160) une personne ayant les cheveux d'une couleur entre le doré et le châtain clair, et, par métonymie, qualifie les cheveux de cette couleur (v. 1200). Ce sens a donné quelques expressions familières, dans des emplois substantivés, comme autrefois *faire la blonde* «prendre soin de soi-même, se parer» (1564), et *blond d'Égypte* (1690), employé ironiquement à propos d'un Noir. *La blonde de qqn*, «sa petite amie» (1831), a vieilli en français d'Europe, mais est resté usuel au Canada. ◇ Par extension, *blond* se dit de ce qui est jaune-doré (1336, *pain blond*), souvent par opposition à *brun* (*bière blonde*, d'où *de la blonde*, 1882). ◇ Substantivé au féminin, le mot fournit par ailleurs une désignation métonymique d'une plante, le bouillon blanc (1561), d'une espèce de dentelle de soie (1740), d'une cigarette de tabac blond (XXe s.).

▶ Le dérivé **BLONDIR** v. (1180-1200) signifie en emploi intransitif «devenir blond» et transitivement «rendre blond» (v. 1300). *Faire blondir* (XXe s.) se dit en cuisine de l'opération consistant à faire légèrement rissoler une substance dans un corps gras. ➜ L'adjectif tiré du participe présent, **BLONDISSANT, ANTE** (1549), a vieilli.

BLONDOYER v. intr. (fin XIIe-déb. XIIIe s.) a signifié «être blond», sens disparu, puis «avoir un reflet blond» (v. 1278, en parlant du vin; XVIe s., des blés). Enregistré par les dictionnaires récents comme poétique et peu usité, il tend à disparaître de même que ses dérivés **BLONDOIEMENT** n. m., attesté une fois en 1611 et de nouveau au XIXe s., **BLONDOYANT, ANTE** adj. (v. 1278). ➜ **BLONDEUR** n. f. «qualité de ce qui est blond», attesté une fois en 1275, de nouveau en 1573, puis dans le dernier quart du XVIe s., est resté absent des dictionnaires du XVIIIe et du XIXe s. avant d'être répertorié par Bescherelle en 1845. Le mot est assez littéraire. ➜ **BLONDEMENT** adv. (1552), «avec une couleur blonde», n'a pas vécu, mais a été repris au XIXe s. (1859, Du Camp). ➜ **BLONDIN, INE** adj. et n. (1651) apparaît simultanément comme désignation figurée d'un jeune élégant courtisant les femmes et comme adjectif qualifiant celui qui a les cheveux blonds (1652). ◇ Ce dernier sens, sorti d'usage, a donné un emploi substantivé du féminin **BLONDINE** comme nom d'une variété de toile écrue (1869). ◇ Le diminutif **BLONDINET, ETTE** adj. et n. (1842-1843), plus courant, se dit d'un enfant aux cheveux blonds. ◆ **BLONDERIE** n. f. (1713) est archaïque. ◆ **BLONDASSE** adj. et n. (av. 1755), terme péjoratif, qualifie des cheveux d'une blondeur fade et les personnes qui ont ces cheveux (d'où *un, une blondasse*).

BLOODY MARY n. m., est un emprunt (v. 1945) à l'anglais *bloody Mary* «Marie la Sanglante», par jeu de mots sur le surnom donné à Marie Stuart.

♦ Il désigne un cocktail composé de vodka et de jus de tomate.

BLOOMER n. m., attesté une première fois en 1899, de nouveau à partir de 1929, est emprunté de l'anglo-américain *bloomer,* du nom de Mrs *Bloomer,* Américaine qui lança la mode du costume de sport du même nom, jupe courte sur pantalon large serré à la cheville. Ce costume féminin, conçu pour faire du vélocipède, inaugura l'apparition du pantalon dans la tenue féminine non sans scandaliser : on accusa de *bloomerism* les femmes qui adoptaient un vêtement aussi audacieux. Le mot *bloomer* ne fut pas employé pour cette tenue en France où l'on parla de *pantalon de zouave* et, par la suite, de *culottes de golf* et de *knicker-bocker.*

♦ Le mot repris en français ne conserve que l'idée d'une «culotte resserrée aux jambes» et désigne une culotte de jeune enfant, bouffante et resserrée au haut des cuisses par un élastique. ◇ Par réemprunt à l'américain, il est appliqué à une culotte estivale portée à la ville par les jeunes filles (v. 1970).

BLOQUER → BLOC

BLOTTIR (SE) v. pron., d'abord au participe passé (1552), est d'origine douteuse : l'hypothèse couramment admise est celle d'un emprunt à un bas allemand °*blotten* «écraser», avec développement métaphorique de l'idée d'«écraser» à celle de «se cacher» (cf. *se tapir*). Cet étymon a été proposé par Diez qui le déduit du haut allemand *blotzen* «écraser» dont il rapproche le moyen néerlandais *blutsen* «contusionner, meurtrir», dérivé de *bluts* «cloque, ampoule». Le changement de conjugaison s'explique par l'influence de *s'accroupir.*

♦ Le mot exprime l'idée de «se ramasser sur soi de manière à tenir le moins de place possible». L'accent étant mis sur le but, le verbe a pris le sens de «se cacher, se mettre à l'abri» (1596).

▸ Le dérivé **BLOTTISSEMENT** n. m. (1870) est peu usité.

① **BLOUSE** n. f., attesté tardivement (1788), est d'origine obscure, probablement régionale. Le rattachement à *blaude* (1732), «vêtement, ouvert par-devant, de charretier ou de paysan», lui-même variante des formes dialectales *blode* (1546, Vaud), *blaude* (1582, Dijon), et probablement forme féminine de *bliaud**, convient sémantiquement mais laisse inexpliqué le changement de *-d-* en *-z-*. Le nom latin de la ville de *Péluse (Pelusium)* qui a été mis en avant ne peut être à l'origine du mot, cette ville ayant changé de nom avant le moyen âge et ne comptant pas l'industrie textile au nombre de ses activités. ◇ P. Guiraud rend compte à la fois de ① *blouse* et de ② *blouse** (terme de billard) en partant de la variante *belouse* qu'il retrouve dans *beloce* «prunelle» et en argot «testicule»; le mot représenterait °*bullosa* «en forme de bulle», de *bulla* (→ bulle), ce qui est selon lui le cas du vêtement bouffant et de la poche de billard.

♦ Le mot désigne un vêtement de grosse toile en forme de chemise porté à l'origine par les paysans et les ouvriers. De là, par métonymie, *la blouse* désignait autrefois collectivement les ouvriers (1858-1866). ◇ Il se dit d'un vêtement de travail mis par dessus les autres pour les protéger et caractérisant surtout les professions médicales *(blouses blanches),* commerciales, plutôt que le prolétariat. ◇ Par extension, *blouse* est devenu un terme de mode désignant un corsage féminin, porté vague ou serré par une ceinture (1899).

▸ **BLOUSIER** n. m., signalé en 1852 dans le *Nouveau Glossaire genevois* comme un «terme si connu (et qui) n'est dans aucun dictionnaire», désignait un ouvrier en blouse, spécialement un insurgé de la Commune (1870), s'employant argotiquement pour «voyou» (1862). Il est sorti d'usage. ◆ **BLOUSÉ, ÉE** adj. a qualifié (1871) la personne vêtue d'une blouse. ◆ **BLOUSON** n. m. (1897) désigne proprement une courte blouse, puis un vêtement de dessus, court, d'usage d'abord sportif. Il a donné la locution ***blouson noir*** (v. 1960), employée métonymiquement à propos de jeunes délinquants vêtus de blousons de cuir noir, et sur le modèle de laquelle on a formé ***blouson doré*** «jeune délinquant issu des milieux riches» (à la mode v. 1970).
① **BLOUSER** v. intr. (1898) s'emploie en parlant d'un vêtement qui bouffe comme le fait une blouse, d'où **BLOUSANT, ANTE** adj. et n. m., terme de mode.

② **BLOUSE** n. f., terme de jeux (1600), est d'origine incertaine : un emprunt du néerlandais *bluts* «bosse, enfonçure» fait difficulté, le néerlandais ne connaissant pas cet emploi au jeu. La variante *belouse* (Richelet, 1680) incite à un rapprochement avec le moyen français *belouse* (1585) employé dans un sens érotique. P. Guiraud identifie ce mot avec ① *blouse* en les faisant remonter à un dérivé du latin *bulla* (→ bulle) désignant ce qui est en forme de bulle, en creux et en plein.

♦ Le mot a désigné au jeu de paume le creux destiné à recevoir les balles, puis le trou pratiqué aux quatre coins et au milieu d'un billard et où l'on pousse la bille (1680).

▸ ② **BLOUSER** v. tr., verbe d'abord pronominal sous l'ancienne forme *se belouzer* (1654), a signifié «mettre (la balle, la bille) dans une blouse». ◇ L'usage moderne a seulement gardé le sens figuré de «se tromper» (1680) et, transitivement, «tromper» (1798), d'abord argotique, puis usuel.

BLUE-JEAN ou **BLUE-JEANS** n. m. ou n. m. pl. est emprunté (sous la forme *blue jean,* 1954) à l'anglo-américain *blue-jeans* (fin XIXe s.; 1855 comme adjectif). Le mot est formé de *blue* (→ bleu, blues) et *jeans* «treillis, grosse toile» d'où, par métonymie, «vêtement fait avec ce tissu». *Jean(s),* très ancien en anglais, représente la transcription altérée d'après la prononciation anglaise de l'ancien français *Janne(s),* correspondant au français moderne *Gênes,* ville et port d'Italie (→ gênoise) d'où l'on importait cette toile : le moyen anglais a *Gene, Jene, Jeyne, Jayne, Jane,* puis l'anglais *Jeane* (1495), *Jeen* (v. 1524). La forme avec *-s,* la plus courante aux États-Unis, n'est donc pas un pluriel, mais le reflet de la graphie française *Jannes, Gênes.* L'hésitation en français ne vient évidemment pas d'un choix possible entre l'anglais *jean* et l'américain *jeans,* mais du fait que le *-s* est senti comme marque du pluriel, d'où la tendance à employer *blue-jean* sans *-s* au singulier. En anglais, le nom commun est une ellipse pour *Jene fustyan* (1567), *Gene fustian* (1589) «futaine de Gênes», et se rencontre à partir de 1622; il se répand au XIXe s., adjectivement (1801) pour qualifier un vêtement coupé dans cette futaine, et, par métonymie, comme nom de certains effets de toile (1879 au pluriel, à propos du costume d'un cuisinier). C'est aux États-Unis qu'il est appliqué à des pantalons de toile bleue.

♦ Le mot désigne un pantalon de forte toile bleue porté depuis la fin de la Seconde Guerre mondiale par les jeunes gens des deux sexes, puis aussi par les enfants et les moins jeunes. Les essais de francisation du mot en *bloudgine* (1954), *bloudjinnzes* (1959, Queneau), *blougines (Elle)* marquent les hésitations phonétiques et n'ont guère eu de succès.

► La forme abrégée **JEAN** N. M. ou **JEANS** n. m. pl., empruntée (1954; peut-être déjà 1947) à l'anglo-américain *jean, jeans,* concurrence *blue-jean(s),* surtout quand le pantalon n'est pas de couleur bleue (*des jeans blancs,* etc.). Par métonymie, elle désigne le tissu (1973), réactivant un sens antérieur de l'étymon anglais.

Un dérivé français **JEANNERIE** n. f. (1975), utilisant le suffixe commercial *-erie,* et prononcé à l'anglaise, désigne le magasin spécialisé dans la vente de jeans et de vêtements en jean.

BLUES n. m. est emprunté (1919) à l'anglo-américain *blues* (1912, dans le titre de morceau *Memphis Blues*), nom donné par les Noirs américains à une forme de musique caractérisée par sa structure harmonique et sa mélodie ainsi que par sa finalité sociale. Le mot est une spécialisation de sens de l'anglais *blues* (1741, *Blews;* 1807, *blues*), «mélancolie», abréviation de *blue devils,* proprement «diables *(devils)* bleus *(blue)*» (1781), *blue* étant emprunté au français *bleu**. Le blues était la musique des «idées noires», de l'attendrissement amer. ◇ L'expression *blue devils* a été à la mode en français au début du romantisme (1826), puis est sortie d'usage.

♦ *Blues,* repris avec le sens du mot américain, se dit couramment du blues lent (il ne s'emploie pas à propos du boogie-woogie, blues rapide) et surtout du blues chanté. Par réemprunt à l'anglais, il exprime familièrement l'idée de «mélancolie, humeur sombre» (1970; *avoir le blues*).

► **BLUESMAN** n. m. est un faux américanisme créé en français (1961) sur *blues* avec le suffixe *-man* (pluriel *men*) «homme» : l'anglais emploie *blues singer.*

◈ voir **BLUE-JEAN.**

BLUETTE n. f., attesté au XVIe s. (v. 1530), également *belluette* (1550), est probablement le diminutif de l'ancien français °*belue* «étincelle», attesté indirectement par l'existence de l'ancien provençal *beluga* (XIIe s.), encore usuel dans les parlers méridionaux, et par des formes de l'Italie septentrionale. Celui-ci remonte à un latin populaire °*biluca,* issu par substitution de *bi-,* forme du latin *bis* (→ bis), à la partie initiale du latin médiéval *famfaluca* attesté dans des gloses du IXe s. au sens de «bagatelle» (→ berlue, franfreluche).

♦ Le mot désigne une petite étincelle, sens disparu en dehors des dialectes de l'Ouest. ◇ Par transposition figurée, il a pris le sens de «trait vif et léger» (1797, *bluettes littéraires*) dans sa spécialisation en littérature de «petit badinage très spirituel». Il a vieilli.

► **BLUETTER** v. intr. (1801), «jeter des bluettes, de petites lueurs», n'est plus en usage.

BLUFF n. m. est emprunté (1840) à l'anglo-américain *bluff* «jeu de poker» (1838), «attitude destinée à impressionner l'adversaire au poker en lui faisant illusion» (1859). C'est le déverbal de *to bluff,* probablement emprunté au bas allemand *bluffen, blüffen* «effrayer par une attitude menaçante», ou au moyen néerlandais *bluffen* pour *buffen* (néerlandais *boffen*) «tricher aux cartes».

♦ Le mot désigne l'attitude consistant à impressionner l'adversaire en lui faisant illusion. Dans les affaires et la politique, il se dit plus généralement d'une attitude qui fait croire à l'adversaire qu'on est déterminé, puissant, dangereux (1895). Par extension, il se confond parfois avec la notion d'«esbroufe».

► **BLUFFER** v. (1884) est dérivé de *bluff* pour correspondre au verbe anglo-américain *to bluff* «faire illusion» (1839), également transitif et intransitif, spécialement au poker (1864). ◇ Le verbe signifie en français «pratiquer le bluff au poker» et, transitivement, «essayer de tromper l'adversaire» (1895). Par extension, il s'emploie dans d'autres contextes au sens général d'«essayer d'abuser» (XXe s.). ◆ *Bluffer* a donné **BLUFFAGE** n. m. (1893), rare, et **BLUFFEUR, EUSE** adj. et n. (1895), usuel.

BLUSH n. m. est un emprunt (1969) à l'anglais *blush* (v. 1340), «lueur», «apparence, aspect» (1375) puis «afflux de rougeur au visage» (1593), d'où «lueur rose» (1590) et «fard à joues». C'est le déverbal de *to blush* (v. 1340), «rougir sous l'effet de la honte ou de la modestie» (v. 1450), par extension «rosir, rougir» (1679), présent en vieil anglais sous la forme *blyscan,* glosée *rutilare* en latin, soit «rutiler». Ce verbe correspond au moyen bas allemand *bloschen,* bas allemand *blüsken,* et s'apparente au moyen néerlandais *blozen, blözen* (néerlandais *blozen*). L'histoire du mot reste cependant obscure en anglais.

♦ Le mot est passé dans l'usage publicitaire pour désigner un fard à joues sec.

◈ **BLUTER** v. tr. est la contraction (v. 1350) de l'ancien français *beluter* (fin XIIe-déb. XIIIe s., encore répertorié en 1611), issu par métathèse du type antérieur *buleter* (1170) à côté duquel existe *bureter* (v. 1190, mais antérieur comme l'indique le substantif *buretel* employé dans les Gloses de Raschi, fin XIe s.). L'étymologie est controversée : Wartburg, faisant de *buleter* le type initial, y voit un emprunt, avec influence du suffixe *-eter*, au moyen haut allemand *biuteln* «tamiser», de *biutel* «appareil criblant des matières préalablement broyées, sac à cribler» (cf. ancien haut allemand *butil*, allemand *Beutel*). Il rapproche le moyen néerlandais *buydelen* (néerlandais *builen*) et suppose que l'emprunt aurait concerné également l'outil utilisé par les Germains. Selon lui, la forme *bureter* est une déformation due à l'influence de *bure**, par allusion à la matière dont été fait l'ancien bluteau. ◇ P. Guiraud préfère faire l'économie d'un étymon germanique : selon lui, la forme initiale serait *bureter*, parallèlement à l'italien *burattare* de même sens, auquel correspond *buratto* «étoffe de laine», et elle viendrait de *bure** «étoffe de laine» par l'intermédiaire d'un diminutif *buret*. Toujours d'après Guiraud, la grande instabilité des formes (*beluter, buleter, bluter*, mais aussi *beurter, breter, bariter, bartelar*) répondrait au fait que le mot désigne une chose instable, confuse (en l'occurrence les mouvements du bluteau). L'anglais a emprunté l'ancien français sous la forme *to bolt, to boult* (v. 1200).

♦ Le verbe exprime l'action de faire passer une matière pulvérulente, en particulier la farine, par un tamis à étamine. ◇ Il a eu en moyen français les sens figurés d'«agiter», «examiner attentivement» (en locution *se beluter le cerveau*) ainsi qu'un sens érotique «coïter» (v. 1370).

▸ Les dérivés sont des termes techniques, qui exploitent la notion de «secouer». **BLUTAGE** n. m. (1611), après d'autres formes comme *belutaige* (1546, «coït»), est assez usuel. ◇ **BLUTEUR** n. m. (1539; 1268, *buleteres*), **BLUTOIR** n. m. (1690; 1315, *belutoir*) sont réservés au discours spécialisé. ◇ **BLUTERIE** n. f. (1701; 1325, *buleterie* «blutoir») «opération de tamisage» a vieilli. ◇ **BLUTEAU** n. m. (fin XIVe s., *blucteau*), après *buretel* (fin XIe s.), nom du lieu où l'on blute la farine et de l'appareil servant à bluter certaines matières, est sorti d'usage au profit de *tamis*.

BOA n. m. est emprunté (1372) au latin *boa* désignant un serpent (Pline), mot d'origine inconnue que Pline et saint Jérôme font dériver de *bos* (→ bœuf), et qui présente aussi une variante *bova*.

♦ Comme son étymon latin, le mot a dû s'appliquer à un grand serpent de l'Ancien Monde (peut-être le python) avant la découverte de l'Amérique et du reptile qui porte aujourd'hui le nom de *boa*. En ce sens, il a été reformé par Linné, par l'intermédiaire du latin scientifique. ◇ Par analogie de forme, *boa* désigne (1827) une longue fourrure que les femmes enroulaient autour de leur cou. ◇ Il a aussi désigné une sorte de vase à large panse pour le vin (1867) et une espèce de guirlande en papier. ➛ La dénomination **BOA CONSTRICTOR** n. m., avec le latin *constrictor* «plus serré» (→ constriction), s'applique souvent au boa, qui étouffe sa proie dans les replis de son corps avant de l'avaler (1754). Linné la réserve strictement (1788) à la plus grande espèce de boa, originaire du Brésil.

BOAT PEOPLE n. m. pl. est l'emprunt (attesté en mai 1979; peut-être employé dès 1975) de l'expression anglaise *boat people*, littéralement «gens des bateaux», de *boat* (→ bateau) et *people* «peuple» (→ peuple). Celle-ci a été répandue par les médias en 1979 lorsque les Cambodgiens, d'abord attaqués par le Viêt-nam, puis menacés d'extermination par les Khmers rouges, abandonnèrent massivement leur pays à la recherche d'un accueil étranger : beaucoup furent attaqués en mer par des pirates, ou repoussés par leurs voisins sans que la situation pût être réglée par les instances internationales.

♦ Le mot se dit des Cambodgiens ayant massivement abandonné leur pays en 1979 pour chercher asile à l'étranger; très vite, il s'applique à tout réfugié quittant son pays dans des conditions similaires (en août 1979, *L'Express* mentionnait «*les premiers "boat people" de l'Iran*»).

◈ voir **FERRY-BOAT, PAQUEBOT.**

BOB n. m. est l'emploi comme nom commun (1950) de *Bob*, forme hypocoristique anglo-américaine de *Robert* désignant notamment les soldats de l'infanterie légère, probablement introduit en France lors de l'entrée en guerre des troupes alliées.

♦ Le mot désigne le petit bonnet des marins américains et, par analogie, une coiffe de toile souple à bords relevés portée surtout par les enfants (1950, *bob pour baby*, dans le *Catalogue de la Belle Jardinière*). Le mot a vieilli.

BOBARD n. m., attesté v. 1900 selon Dauzat, en 1912 d'après Esnault, est probablement dérivé avec le suffixe *-ard* d'un radical onomatopéique *bob-* exprimant le mouvement des lèvres, la moue, la bêtise. Ce radical est bien attesté en ancien et en moyen français avec *boban* «vanité» (XIIe s.), *bober* «tromper» (XIIIe s.), *bobert* «présomptueux, sot» (XIIIe s.), *bobeau* «mensonge» (XVIe s.), mots qui ont survécu dans les dialectes (→ bobine, ② bobèche, bombance, bonbonne).

♦ Le mot a désigné familièrement un propos niais, une action sotte, une bêtise, sens oubliés. ◇ Il s'applique de nos jours à un conte mensonger ou fantaisiste destiné à tromper, spécialement en temps de guerre, à une fausse nouvelle.

▸ **BOBARDIER, IÈRE** n. «propagateur de faux bruits, de fausses nouvelles» (1922) a vieilli.

① **BOBÈCHE** n. f. est probablement une formation onomatopéique (1335) analogue à *bobine**, évoquant une forme enflée et en saillie, mais avec une finale *-èche* d'origine obscure, peut-être sur le modèle de *flammèche**.

♦ Le mot désigne le disque légèrement concave adapté aux chandeliers et destiné à recueillir la cire coulant des bougies. ◇ Le sens familier de «tête» (1878), sorti d'usage, est probablement dû à l'influence du dérivé *bobéchon* (ci-dessous).

▸ **BOBÉCHON** n. m., d'abord attesté avec son sens familier de «tête» (1866), s'explique peut-être par l'influence d'autres termes désignant la tête, comme *cabochon**, *bourrichon** et *bobine**. Il s'est seulement maintenu avec le sens technique de «bobèche métallique munie d'une pointe de fixation».

② **BOBÈCHE** n. m., attesté depuis 1795, est d'origine incertaine ; on peut le rapprocher pour le sens de l'ancien français *bobert* «présomptueux, insolent, orgueilleux» (v. 1220), *bobu* «sot» (v. 1360), issu du radical expressif *bob-* (→ bobard, bobine). C'est probablement de là que vient le surnom du pitre français célèbre sous l'Empire et la Restauration, Mardelard ou Mandelard (1790-apr. 1840) qui, avec son camarade Guérin dit Galimafré, fit la parade et joua au théâtre des Pigmées et aux Délassements Comiques. L'hypothèse selon laquelle le nom commun est issu du nom propre de cet acteur est infirmée par la chronologie.

♦ Le mot, si l'on en croit la chanson citée par Esnault, a d'abord été employé adjectivement au sens de «bouffon». Substantivé en ce sens, il s'emploie uniquement aujourd'hui avec la valeur péjorative de «niais, imbécile» (1836).

▸ **BOBÈCHERIE** n. f. (1861, Goncourt), «boniments, paroles de bobèche», noté comme néologisme par Guérin (1892), ne s'est pas répandu.

① **BOBINARD** → BOBINE

② **BOBINARD** n. m., attesté en argot en 1900 pour «bordel», est d'origine incertaine. On évoque une dérivation à partir de *Bobino*, surnom du pitre Saix, rival de Bobèche au début du XIXe s., célèbre pour ses facéties grossières, à l'aide du suffixe péjoratif *-ard*. La postérité a conservé *Bobino* comme nom d'un théâtre de variétés sis rue de la Gaîté, d'après le nom de la baraque, puis du théâtre dans lequel se produisait Bobino (1835-1868).

♦ Le mot est l'un des noms argotiques puis familiers de la maison de tolérance, probablement, si l'on accepte l'étymologie proposée, par comparaison avec un cabaret de second ordre, bruyant et mal famé. ◇ Il désigne quelquefois une petite brasserie (1926) et, par la même métaphore que *bordel*, un lieu où règne le désordre (1953).

▸ Il est abrégé en **BOB** (1935) puis, par substitution de suffixe ou allusion au nom du théâtre, en **BOBINO** (1945).

BOBINE n. f., attesté depuis le début du XVe s. (1410), se rattache probablement au radical onomatopéique *bob-* (→ bobard, ① bobèche, bobo, bombance), mais des dérivés anciens ont une forme en *bab-* mal expliquée. Le mot a évincé sur tout le territoire gallo-roman des représentants du mot germanique °*spola* (allemand *Spule* «bobine») d'où viennent des termes techniques anciens comme *espole, espolin, espolette, espouliner* relatifs au travail du tissage avec de petites navettes en roseau.

♦ Le mot désigne un petit cylindre à rebords servant à maintenir enroulée et à dévider une matière souple. ◇ Les extensions sont fondées sur l'analogie de forme : *bobine* désigne en électricité le cylindre creux sur lequel s'enroule un fil conducteur isolé qu'un courant électrique peut parcourir (1865) ; il se dit du tambour d'enroulement d'un câble, d'un rouleau de papier pour les impressions sur rotative, de l'élément central du moulinet de pêche à la ligne, du rouleau de pellicule (1895) ou de ruban de machine à écrire, puis d'une bande de magnétophone. ➛ Par une analogie plus lointaine (section circulaire), c'est le nom familier de la tête, du visage humain (1829, en argot), surtout avec la valeur «figure risible, ridicule» (1846). Dans ce sens, l'identité de la finale avec celle de *trombine* a pu jouer.

▸ **BOBINER** v. tr., dénominatif de *bobine* d'abord attesté sous la forme peu explicable *babiner* (1352) jusqu'au XVe s., signifie «enrouler (du fil) sur une bobine» ; il a développé différents sens techniques correspondant à ceux du nom. ➛ En sont dérivés les mots techniques **BOBINEUR, EUSE** n. (1559, *babineur*), repris au XIXe s. en technique, quand sont formés **BOBINAGE** n. m. (1809) et **BOBINOIR** n. m. (1863). ➛ L'ancien terme argotique ① **BOBINARD** n. m. (1883) désignait un commis de mercerie.
Par préfixation, ont été formés les verbes techniques **EMBOBINER** v. tr. (1876) qui s'est substitué en partie à *bobiner*, et **DÉBOBINER** v. tr. (1886), puis au XXe s., le composé itératif **REMBOBINER** v. tr., surtout employé pour les bobines de film, de magnétophone, de même que **REMBOBINAGE** n. m. (v. 1923).
BOBINEAU n. m., attesté une première fois en 1567 dans un texte d'archives du Nord, puis à nouveau au XIXe s., est un mot technique pour «petite bobine». ◇ Par analogie de forme, il a été repris en argot ancien comme désignation de la montre (1827), altéré quelquefois en *bobino* (1836) avec le suffixe populaire *-o*, et ultérieurement en *bobinot* (1900) par attraction du suffixe *-ot* ; on rencontre également les formes apocopées *bob* (1873) et *bobe* (1873). ◇ Le mot a été repris en radio (mil. XXe s.) pour «bobine de magnétophone». ➛ **BOBINETTE** n. f., diminutif de *bobine*, est attesté pour la première fois en 1696 dans le conte de Perrault *Le Petit Chaperon rouge* où il désigne la petite pièce de bois mobile maintenue par une cheville et servant à fermer les portes *(... et la bobinette cherra)*. ➛ Il est repris au XIXe s. (1842) où, par analogie de forme, il désigne un jeu de hasard pratiqué avec trois dés (1881). D'après *bobine*, il s'est dit d'un visage, d'une physionomie risible (1852). ➛ **BOBINIER, IÈRE** n. est un ancien terme technique (*Encyclopédie*, 1751) qui désigne la partie supérieure de l'ancien rouet à filet d'or. De nos jours, le mot s'emploie à propos de l'ouvrier électricien qui travaille au bobinage (1941), en concurrence avec *bobineur* (ci-dessus).

voir EMBOBELINER.

BOBO n. m. est un mot onomatopéique à radical *bob-* (→ bobard, bobine) redoublé (1440).

♦ Employé dans le langage enfantin en référence à une douleur physique, *bobo* a pris le sens figuré de «mal anodin, sans gravité» dans la langue familière, enregistré par Furetière (1690). L'usage familier lui donne le sens de «dégât, grabuge», seulement dans un contexte négatif (1866, en argot). *Maman, bobo!* a été repris récemment pour évoquer ironiquement une demande de réconfort.

BOBSLEIGH n. m., d'abord écrit *bob-sleigh* (1898), est emprunté à l'anglais *bobsleigh* (1894), antérieurement *bob-sled* (1892 en anglais, 1839 en américain), nom d'un traîneau de course articulé à plusieurs places pour glisser à grande vitesse. Le mot est composé de *to bob* «se balancer, danser» (v. 1550, peut-être 1386), formation probablement onomatopéique, et de *sledge,* puis rarement *sled,* également *sleigh* «traîneau» (XIVe s., *sled*), dont les trois formes représentent trois emprunts distincts à des mots germaniques apparentés (respectivement moyen néerlandais, moyen bas allemand et néerlandais) de la même famille que l'anglais *to slide* «glisser».

♦ Le mot, repris en sports, désigne un traîneau de compétition et, par métonymie, le sport pratiqué avec ce traîneau sur des pistes spéciales, très rapides. ◇ La forme abrégée **BOB** (1902), reprise de l'anglo-américain (1887), est plus courante.

► De *bob* est dérivé **BOBEUR** n. m. (1951), «équipier d'un bobsleigh», qui a évincé la forme plus ancienne *bobiste* (1912).

BOCAGE n. m., d'abord *boscage* (1138) en anglo-normand, graphie sortie d'usage après 1611, puis *bocage* (1538), est le dérivé dialectal de °*bosc,* forme qui a dû précéder *bos* (v. 1155), lui-même fréquent en ancien français (→ bois).

♦ Le sens propre de «lieu fourré, boisé» est sorti de l'usage courant et survit dans le style poétique (depuis 1704, Trévoux). ◇ Par métonymie, *bocage* se dit d'un type de paysage caractéristique de l'ouest de la France, formé de prés clos par des levées de terre plantées d'arbres (1732, comme nom d'un «pays» de Basse-Normandie, dans le diocèse de Lisieux). Ce type de paysage remonterait au haut moyen âge, d'après des monnaies ou les termes d'un cartulaire de Redon au IXe siècle. Vers 1850, le bocage marque son extension maximale; depuis, les progrès techniques et les remembrements ont abouti à la disparition d'assez larges secteurs de haies, même en Bretagne.

► Des deux adjectifs tirés de *bocage,* **BOCAGEUX, EUSE** (XVe s., *boscageux*) a été supplanté par **BOCAGER, ÈRE** (1584) dont le sens de «champêtre» est considéré comme poétique depuis le XVIIe s. (1690) et vieilli au XVIIIe siècle. ◇ L'acception moderne est «propre au paysage dit bocage».

BOCAL, AUX n. m. (1555), d'abord *boucal* (1532), est emprunté à l'italien *boccale* (XIVe s.), «récipient de verre», «mesure de capacité des liquides», antérieurement attesté en latin médiéval sous les formes *bocalus* (1269) et *bocale* (1389). Le mot est issu du bas latin *baucalis* «vase en terre pour rafraîchir», lui-même emprunté au grec *baukalis.* On a cherché à ce dernier, ainsi qu'à *baukalion* «vase au col étroit qui gargouille», une origine égyptienne; il est plus probable que ces deux mots familiers soient tirés de *baukalan* «endormir en berçant et en chantant», verbe familier apparenté à *bauban* «dormir», lequel appartient au langage populaire, peut-être comme mot enfantin d'harmonie imitative. Les récipients ont pu être nommés ainsi, soit par simple plaisanterie, soit en raison du bruit fait par le vase quand on le vide, peut-être comparé au fredon de la nourrice.

♦ Le mot désigne un récipient cylindrique à col très court, ordinairement à large ouverture et par métonymie son contenu; des spécialisations concernent la pharmacie et certaines conserves. ◇ Par réemprunt à l'italien, une première fois chez Montaigne (1580) puis chez Stendhal (1829), il désigne une ancienne mesure de capacité pour les liquides, en Italie. ◆ Par analogie de forme ou de fonction, il a développé divers sens concrets dans l'usage argotique dont ceux d'«estomac» (1835), «petit logement» (1844) et, dans l'argot des fantassins, «casque» (1918). ◇ Ces usages ont disparu, à la différence du sens de «tête», par exemple dans la locution ***(être) agité du bocal*** «excité», illustrée par Céline qui l'applique à Sartre dans un pamphlet. ◇ Une autre valeur figurée, «postérieur, anus» (v. 1882), parfois abrégée en *boc,* s'est employée au figuré pour «chance», comme *pot, vase* (→ bock).

BOCARD n. m., attesté au XVIIIe s. (1741, *boccard*) avec la variante *bocambre* (1751), est emprunté par voie orale au vocabulaire allemand de l'exploitation minière : *bocard* représente l'altération, d'après le suffixe *-ard,* de *Pochwerk* «moulin à écraser le minerai destiné à la fonte», composé du verbe *pochen* «frapper» (→ poker) et de *Werk* «appareil, mécanisme» (→ boulevard), terme reposant sur la même racine que l'élément grec *-urgie** et la famille de *orgue, organe.* La variante *bocambre* correspond à l'allemand *Pochhammer,* composé de *pochen* et de *Hammer* «marteau», terme germanique dont un rapprochement avec le mot vieux slave à l'origine du russe *kamen',* «pierre», suggère qu'il s'est d'abord appliqué à une arme en pierre.

♦ Le mot désigne une machine composée d'un moulin à pilons servant à broyer le minerai destiné à la fonte et à réduire certaines substances en poudre.

► La forme *bocard* a immédiatement produit **BOCARDER** v. tr. (1751), verbe dont est dérivé **BOCARDAGE** n. m. (1801) «action d'écraser le minerai au moyen du bocard».

BOCHE n. et adj., d'abord attesté dans l'expression populaire *têtes de boches* au pluriel (1862, à Metz), est soit une spécialisation de sens de la même expression signifiant «tête dure», où *boche* serait issu par aphérèse, soit de *caboche** «tête», soit de *alboche* «allemand» (av. 1870). Ce dernier représente lui-même une altération de *allemand,* d'après *tête de boche* ou d'après *-boche* devenu une espèce de suffixe argotique, en raison de son emploi dans des mots comme *rigolboche* (1860). Le mot est probablement surdéterminé.

♦ À la veille de la Première Guerre mondiale, *boche* avait concurremment les deux significations

«Allemand» et, en locution, «tête dure». La réputation de lourdauds, de brutes, attribuée aux Allemands par la propagande française des années 1910 et plus encore des années de guerre, a provoqué la fusion des deux sens. Ainsi s'explique le succès du mot (attesté en emploi indépendant depuis 1886 dans l'argot militaire) de 1914 à 1950. Puis *boche* est tombé en désuétude après la réconciliation des années 1950 entre l'Allemagne et la France. Il était déjà concurrencé par de nouveaux termes, moins péjoratifs, appliqués aux occupants allemands en 1941-1945 *(fritz, fridolin, schleu...).*

▸ **BOCHERIE** n. f. «caractère du boche», «ensemble des boches» (1914), est sorti d'usage avant la Seconde Guerre mondiale.

BOCK n. m. est emprunté (1862) à l'allemand *Bock* «bière de Bavière fortement alcoolisée», forme apocopée pour *Bockbier* (→ bière). L'origine du mot est à rechercher dans l'allemand *Einsbeckisch Bier,* formé de *Einbeck* ou *Eimbeck,* nom d'une petite ville de Basse-Saxe qui, dès le XIVe s., exporta sa célèbre bière, très riche en houblon. En Bavière, où fut introduite cette bière, le nom fut altéré en *Aimbock* ou *Oambock,* puis abrégé en *Bock* au XIXe s., la première partie du mot ayant été comprise comme l'article indéfini (*ein,* prononcé *oan, oam* en bavarois).

♦ Le sens d'emprunt, «bière de Bavière», a été supplanté par l'acception métonymique de «verre de bière à anse contenant environ un quart de litre» (1866) puis, par opposition à *demi,* «verre de bière d'une capacité moindre», dans les consommations de café. Le mot a vieilli après 1945, remplacé dans l'usage courant par *une bière, demi* restant usuel. ➛ Par analogie, *bock* est employé en médecine (av. 1914) à propos d'un récipient de métal ou de matière plastique dont on se sert pour les injections, les lavements. ➛ Le sens argotique de «chance», dans la locution ***avoir du bock*** (v. 1920), renvoie à la valeur éphémère de «cul, anus» (1901) qui l'inscrit dans la série des métaphores *avoir du bol, du pot.* À l'origine, le mot dans cet emploi a probablement été une forme abrégée de *bocal** avant d'être remotivé, graphiquement et sémantiquement, en *bock.*

BODY n. m. est un emprunt (v. 1970) à l'anglais *body* «corps», et spécialement «torse».

♦ Le mot désigne un sous-vêtement féminin collant, couvrant le torse ; il correspond, au moins dans les termes, à l'ancien *justaucorps.*

▸ Un autre emprunt comportant l'anglais *body* est **BODY-BUILDING** n. m. (att. 1983 ; le second élément est le participe présent de *to build* «construire») qui désigne une pratique de musculation destinée à remodeler le corps. On emploie aussi **BODYBUILDÉ, ÉE** adj. à finale francisée, et **BODYBUILDER** n., américanismes mal francisés.

✱ **BŒUF** n. m. est une graphie du XVIe s. (1534) de *buef* (déb. XIIe s.) puis *beuf* (v. 1450). Le mot est hérité du latin *bos, bovis,* terme générique pour le bœuf et la vache (et, en tant que tel, anciennement des deux genres). *Bos,* auquel un nominatif *bovis,* refait sur l'accusatif *bovem,* a tendu à se substituer, est un mot dialectal préféré au mot romain °*vos,* peut-être en partie parce que *bovis* évite la répétition qui aurait lieu dans °*vovis.* Le mot représente un terme indoeuropéen (grec *bous,* sanskrit *gaúḥ*) qui désignait l'animal d'espèce bovine sans acception de sexe ; le nominatif *bos* est fait sur un accusatif °*g*^{w}*ōm* conservé dans l'ombrien *bum* et qui répond au védique *gā́m,* au grec dorien *bôn,* à l'ancien saxon *kô.* Comme le troupeau se compose essentiellement de vaches, le mot a souvent pris le sens de «vache» : en germanique (par exemple, l'anglais *cow*), dans l'irlandais *bó,* le lette *gùovs,* l'arménien *kov.* En latin, au contraire, l'importance prise par *vacca* (→ vache) a déterminé une orientation différente.

♦ Le mot, sauf emploi extensif lui faisant désigner un bovin adulte, désigne le mâle de l'espèce (opposé à *vache*) adulte (opposé à *veau*) et châtré (par opposition à *taureau*). ◇ Par métonymie, il désigne la viande de l'animal, et aussi celle de la vache, de la génisse, destinée à l'alimentation (fin XIIe s.). Il entre dans des noms de préparations culinaires comme *bœuf à la mode* (1651), plus souvent *bœuf-mode, bœuf en daube, bœuf carottes,* typique des plats mijotés (d'où la locution figurée *les bœufs carottes* «les services de surveillance de la police [police des polices]», qui «font mijoter» leurs victimes). ◇ L'importance de l'élevage bovin explique la place importante du mot dans la phraséologie usuelle, avec par exemple la locution ***mettre la charrue avant les bœufs*** (1579 ; XIIIe s., dans une variante avec *char*) et des valeurs figurées exprimant l'idée d'un travail acharné et patient (1547) ou, autrefois, d'une lourdeur hébétée (1661). ➛ Par allusion à la stature de l'animal, voire au traditionnel *bœuf gras* de Carnaval, *bœuf* a été adjectivé d'abord dans l'argot de Saint-Cyr au sens de «colossal, énorme» (1861) et s'est répandu dans le langage familier. ➛ Le sens figuré d'«improvisation musicale en jazz» (1925) est peut-être une allusion au nom du célèbre cabaret parisien *Le Bœuf sur le toit,* qui fut un des premiers lieux en France où le jazz américain s'est manifesté.

▸ Les dérivés conservent la voyelle du radical latin devenue atone, ainsi que le *v.* ➛ **BOUVERIE** n. f. (1295), d'abord *boverie* (fin XIIe s.) «étable à bœufs», n'a plus cours que dans un usage technique (on a aussi dit *bouverin* et *bouvoirie*). ➛ **BOUVEAU** n. m. (XIVe s.), «jeune bœuf», a disparu au profit de **BOUVARD** n. m. (1362, *bouvart*) et surtout de **BOUVILLON** n. m. (XVe s.). ➛ **BOUVET** n. m., après avoir aussi désigné le jeune bœuf (1305), a été repris au XVIIe s. comme terme de menuiserie, désignant un rabot servant à faire des rainures, par une analogie avec les sillons tracés par le bœuf de labour. ◇ De cet emploi vient **BOUVETER** v. tr. (1876, au participe passé) dont dérive **BOUVETEUSE** n. f. (1929), nom de machine.

BOUVREUIL n. m. (1743), antérieurement *bouvreur* (1721), est probablement la contraction de °*bouvereuil,* dérivé du radical *bouv-* de *bœuf* avec le suffixe *-euil* et un élargissement en *-er-* destiné à renforcer le suffixe. ◇ Le développement sémantique s'explique par une métaphore plaisante due à la silhouette trapue de ce passereau, dialectalement appelé *bœuf* (Morbihan, Centre), *bouvard* (Anjou), *bouvreux* (Basse-Normandie). Cette hypothèse est plus satisfaisante sémantiquement que celle qui fait de *bouvreuil* un diminutif de *bouvier* (ci-dessous) avec le suffixe *-euil*, par ailleurs satisfaisante morphologiquement ; en effet, il est peu probable que le bouvreuil, essentiellement granivore, suive les bœufs de labour pour manger les vers dans les sillons, comme l'ont dit les partisans de cette hypothèse. ➜ **BOUVRIL** n. m. (1867), distinct sémantiquement de *bouverie*, désigne le lieu où l'on loge les bœufs dans les abattoirs.

BOUVIER, IÈRE n., d'abord *buvier* (1119) puis *bouvier* (v. 1230), est probablement issu, par formation demi-savante, du bas latin *bovarius* n. «marchand de bœufs» (Ve s.), dérivé de *bos, bovis*. Cette hypothèse est préférable à celle d'une réfection, d'après les dérivés de *bœuf*, de l'ancien français *boier* (1289), lui-même issu par voie orale, populaire, du latin *bo(v)arius*. ◇ Le mot désigne la personne qui garde les bovins (cf. *vacher*). Il a servi à caractériser une personne maladroite, rustre (1672). ◇ Il est employé pour désigner divers oiseaux des champs qui suivent les bœufs pour se nourrir de mouches. ➜ **BOUVIÉRADE** n. f., dérivé (1925) de *bouvier* avec le suffixe *-ade* de mots d'origine provençale comme *manade*, est employé dans le midi de la France à propos d'un repas léger pris entre bouviers.

BOVIN, INE adj. et n. m. est emprunté (v. 1121) au bas latin *bovinus* «de bœuf» (fin IVe s.), de *bos, bovis*. ◇ Le mot qualifie ce qui est propre ou relatif au bœuf. Repris au XIXe s., il prend la valeur figurée et péjorative de «lourd, bête» (1869). Par l'intermédiaire du latin scientifique *bovina*, nom pluriel neutre (1825), *bovins* désigne un ordre de ruminants cavicornes, emploi dans lequel il avait été précédé par *bouvine* n. f. au XVIe s., et qui est entré dans l'usage général *(un, des bovins)*. ➜ **BOVIDÉS** n. m. pl. est dérivé (1838) du radical du latin *bos, bovis* avec le suffixe *-idés*, par l'intermédiaire du latin scientifique *bovidae* «famille de ruminants à cornes creuses» (1827, en anglais). ◇ Le composé **OVIBOVIDÉS** n. m. pl. est rare. ➜ **BOVINÉS** n. m. pl. est dérivé savamment (1898) du radical du latin *bos, bovis* en zoologie pour une sous-famille de bovidés dont le bœuf est le type.

◈ voir BEUGLER, BEURRE, BUCCIN, BUGLE, peut-être BOA ; du grec, BOULIMIE, BUCOLIQUE ; de l'anglais, BIFTECK, BOY, COW-BOY.

BOGGIE ou **BOGIE** n. m. est emprunté (1843, *bogie*) à l'anglais *bogie*, terme dialectal du nord de l'Angleterre d'origine inconnue qui a désigné une charrette basse à quatre roues (1817), avant de se répandre comme terme technique de chemins de fer pour désigner le chariot à plate-forme supportant l'extrémité d'une locomotive ou d'un wagon et leur permettant de prendre les courbes (1844).

♦ Le mot a été repris de l'anglais, comme nombre de termes de chemins de fer. La graphie avec le second *-g-* (déb. XXe s.) pour retranscrire la prononciation anglaise et éviter le son *j* est la plus courante aujourd'hui.

◈ voir BOGHEI.

BOGHEI ou **BOGHEY** n. m. est la francisation (1796) de l'anglais *buggy* (1773), nom d'un petit cabriolet découvert à deux ou quatre roues (1773). Ce mot, d'origine obscure, est hypothétiquement apparenté à *bogie* (→ boggie). Le véhicule était répandu en Angleterre, aux États-Unis et aux Indes.

♦ Le mot a pénétré en France avec la chose, la graphie restant longtemps incertaine, entre *bockei* (1796), *boguey* (1807), *boky* (1815), *boghei* (1828), *boghet* (1838), *boguet* (1867), *boggey* (1926). On rencontre une forme abrégée *boc* au XIXe siècle.

① **BOGUE** n. f., d'abord *boggue* (1537), puis *bogue* (1555), est originaire de l'ouest de la France, surtout attesté en Bretagne, en Normandie, en Anjou et Maine. Il est probablement issu du breton *bolc'h* «cosse de lin», à rapprocher du vieil irlandais *bolg* «sac», cymrique *boly* «panse», remontant au gaulois °*bulga* «sac» (→ blague, bouge). L'hypothèse d'une origine germanique ne s'accorde pas avec l'aire géographique.

♦ Le mot désigne l'enveloppe de la châtaigne ; l'accent étant mis sur son aspect hirsute et piquant, il est employé dans la locution ***en bogue***, décrivant la posture d'un hérisson enroulé sur lui-même, et dans l'expression ***châtaigne sous bogue***, à propos d'une personne hargneuse, encore vivante dans l'usage régional (Hervé Bazin l'emploie). ◇ Par analogie de forme, le mot s'applique à une pelle servant à enlever la boue (1753).

▸ **BOGUER** v. intr. (1866) est peu usité en parlant d'un châtaignier formant les bogues de ses fruits. La forme transitive est attestée dans certains dictionnaires généraux des XIXe et XXe s. au sens de «faire mûrir (des raisins, des nèfles, des coings) sur de la paille».

② **BOGUE** n., terme d'ichtyologie (1554, *De Piscibus marinis*), est emprunté à l'ancien provençal *boga* (XIIIe s.) devenu *bogo* en provençal moderne. Lui-même est issu du latin *boca, -ae* n. f., qui est probablement un emprunt oral (fait sur l'accusatif) au grec *boax* n. m. ; les Anciens expliquent souvent le mot d'après *boê* «cri, clameur» et *boan* «crier, appeler à haute voix» parce que ce poisson est censé crier, mais il peut s'agir d'une étymologie populaire. Le mot est répandu dans les pays méditerranéens de langue romane. Son genre en français est incertain, masculin selon *T. L. F.*, féminin selon d'autres dictionnaires.

♦ Le mot désigne un poisson téléostéen à chair recherchée.

▸ Il a produit **BOGUIÈRE** n. f. (XVIe s.), nom technique et régional d'un filet utilisé en Méditerranée pour la pêche aux bogues et rougets.

③ **BOGUE** n. m. est la francisation par l'arrêté du 30 décembre 1983 (publié au *J. O.* du 19 février 1984) de *bug*, mot anglais d'origine inconnue signifiant «cafard, punaise», utilisé aux États-Unis en informatique pour désigner un défaut de conception ou de réalisation se manifestant par des anomalies de fonctionnement. Les premiers défauts de ce type auraient effectivement été causés par de petits insectes attirés par les lampes des premiers ordinateurs.

♦ Le mot a le sens de l'anglo-américain *bug*.

▸ Son dérivé **DÉBOGUER** v. tr. «éliminer les bogues» semble plus courant que le substantif. Il traduit (30 décembre 1983) l'américain *to debug*.

BOHÈME n. et adj. est emprunté (1372) au latin médiéval *Bohemus* «habitant de la Bohême», issu du latin *Boihemum* (Tacite), nom du pays des *Boïens* (*Boii* en latin), ancien peuple celtique de la Bohême et de l'Aquitaine. Ce nom de peuple appartiendrait à la racine indoeuropéenne *°bhei-* «combattre» (→ bavaroise).

♦ Le mot a désigné un habitant de la Bohême (1372), puis un membre des groupes nomades (tziganes) que l'on supposait originaires de ce pays (1400-1450), sens où il sera remplacé par *bohémien*. ◇ L'évolution vers le sens actuel s'effectue au XVIIe s. par l'intermédiaire de la locution ***vie de bohème*** et *vivre en bohème* (1659), employée à propos d'une personne menant une vie sans règle. ◇ *Bohème* reçoit son orientation définitive au XIXe s. en se liant à l'histoire du romantisme : il s'applique à la personne qui mène une vie vagabonde et hostile aux règles bourgeoises (1838, G. Sand qui l'exalte dans *La Dernière Aldini*) avec des connotations voisines de celles d'*artiste* et d'*étudiant* pendant la période romantique et post-romantique. ◇ Le féminin *la bohème* désigne le mode de vie bohème, défini par Balzac dans *Un prince de la Bohème* (1844) et, collectivement, l'ensemble des artistes menant cette vie (d'abord lié aux groupes dits du Petit Cénacle et de l'Impasse du Doyenné). L'expression *vie de bohème* a été popularisée par Henri Murger.

▸ **BOHÉMIEN, IENNE** adj. et n. (1467) a supplanté *bohème* en désignant un membre de tribus nomades (tziganes, romanis) que l'on supposait originaires de Bohême. De nos jours, le mot ne s'emploie plus dans un discours objectif sur les Tziganes ; il reste lié aux jugements du XIXe s. sur des communautés considérées comme inassimilables et étranges, voire dangereuses. ➛ Son dérivé **BOHÉMIANISME** n. m. (av. 1867, Baudelaire), qui exprime le penchant pour la vie errante et incertaine et cette vie elle-même, correspondait à *bohème* plus qu'à *bohémien*. Il est sorti d'usage.

✳ **BOIRE** v. est issu, d'abord sous les formes *bewre, beivre, boivre*, du latin *bibere* «absorber un liquide» et au figuré «s'imprégner». Ce verbe, comme le synonyme *potare* (→ poison, potable, potion) qu'il a presque entièrement supplanté, se rattache à une racine indoeuropéenne *°po-, °pi-* «absorber un liquide», représentée par le sanskrit *píbati* «il boit», l'irlandais *ibim* «je bois» et, en latin, par *bibere* avec un *b-* initial résultant de l'assimilation du *-b-* intérieur. Le grec a des présents différents selon les dialectes : *pinein, pônein* (→ symposium). En français, l'infinitif est devenu *boire* (déb. XIIIe s.) d'après *croire**, verbe dont l'indicatif présent à la troisième personne *croit* a été rapproché de *boit*. La voyelle radicale des formes faibles s'est peu à peu fermée en *u*, *nous beuvons* étant encore employé au XVIe s. à côté de *nous buvons* (1562).

♦ Le sens propre, «absorber (un liquide)», est réalisé dès les premiers textes, en particulier dans le contexte du poison (Xe s.) et dans celui de l'Eucharistie (XIIe s.). ◇ Dès avant le XIIIe s., le verbe est employé absolument avec le sens spécial de «boire de l'alcool en excès» (1180-1185). ◇ Par transposition, le verbe signifie au figuré «absorber ce qui est assimilé à un liquide qui étanche la soif» (v. 1200). Ce sens est réalisé dans une abondante phraséologie comptant *boire du petit lait* (1579, sous une autre forme) et *compte là-dessus et bois de l'eau* (1820), à propos d'une chose à ne pas croire. ◇ Par analogie, il est employé en parlant d'un objet poreux qui absorbe le liquide (v. 1550, Ronsard).

▸ La substantivation de l'infinitif, sous la forme *bewre* (Xe s.), puis *beivre* (1160) et enfin **BOIRE** n. m. (déb. XIIIe s.), était en ancien français un nom de la boisson souvent pris dans le sens de «poison» (cf. *potion/poison*) et celui de l'acte de boire. Comme la plupart des infinitifs substantivés, il a vieilli tout en se maintenant dans la locution ***en perdre le boire et le manger*** (XVIIe s.), elle-même devenue archaïque. ➛ Il a été partiellement absorbé, avec son sens concret, par un autre dérivé, **BREUVAGE** n. m., d'abord *beverage* (fin XIIe s.) qui a pris sa forme actuelle par suite d'une métathèse de *-r-*. Ce mot se distingue de *boisson* en ce qu'il se réfère surtout à une boisson ayant des vertus particulières (magiques, curatives). ◇ Il est employé au Canada à propos d'une boisson non alcoolisée, sous l'influence de l'anglais *beverage*, lui-même emprunté (XIIIe s.) à l'ancien français.

BUVÉE n. f., participe passé féminin de *boire*, substantivé, a eu en ancien français le sens de «rasade, ce qu'on boit d'un coup» (v. 1200). ◇ Il a été repris (1700) comme terme agricole à propos d'un breuvage d'eau et de farine que l'on donne aux bestiaux. Il est d'usage régional. ➛ **BUVEUR, EUSE** n. et adj., d'abord *beveors* (1170-1200) puis *buveours* (fin XIIIe s.), désigne la personne qui boit, le plus souvent, celle qui boit de l'alcool avec excès (1470, *buveur de vin*), aussi en emploi absolu (*un grand buveur*). ◇ Il s'est dit de ceux qui boivent les eaux dans une station thermale, mais cette acception a disparu. ➛ **BEUVERIE** n. f. (1174-1178), également *buverie* (1200-1235) en ancien français, est dérivé des radicaux *beuv-, buv-* de *boire*, la forme en *beuv-* l'ayant emporté aux dépens de l'autre. ◇ Le mot, qui désigne le fait de boire avec excès, a cessé d'être attesté après 1611. Il a été repris au XIXe s., où l'Académie (1842) et Littré l'enregistrent ; il est resté en usage, surtout pour «réunion où l'on boit de l'alcool avec excès, orgie de boisson», mais est assez littéraire. ➛ **BUVABLE** adj., apparu au XIIIe s. comme substantif sous la forme *beuvable* (1275) en parlant d'un buveur, a été repris comme adjectif pour qualifier ce qui peut être bu (déb. XIVe s., *bevable*) et ce qui mérite d'être bu (valeur symétrique de celle de *mangeable*, et qui correspond à «médiocre, à peine acceptable»). Il a d'ailleurs pris le sens figuré d'«acceptable», en emploi négatif. ➜ Il a produit **IMBUVABLE** adj. (1600) dont la vitalité l'emporte sur celle du simple, notamment en emploi figuré pour «inacceptable, insupportable» (1929).

BUVETTE n. f. (1534) a d'abord exprimé l'action de boire, se spécialisant ultérieurement au sens de «petite réunion où l'on boit entre amis» (1706), lui aussi sorti d'usage. ◇ Par métonymie, le mot désigne un local dans lequel on boit, d'abord le cabaret établi près des juridictions où les gens de justice allaient se restaurer (1624), sens institutionnel conservé en politique *(la buvette de l'Assemblée)*, puis en général un petit café ou un comptoir où l'on sert boissons et repas légers, emploi vieilli. ➜ L'existence de ce sens est attestée indirectement dès le XVIe s. par le dérivé **BUVETIER, IÈRE** n. «personne tenant une buvette» (1585, à proximité d'une juridiction). ➜ **BUVOTER** v. est la réfection par substitution de suffixe (av. 1564) de *buveter* (1539) «boire à petites gorgées».

Enfin un dérivé du verbe est à peu près démotivé : **BUVARD** n. m. (1828) désigne un sous-main garni d'un papier spécial non collé qui boit l'encre et une feuille de papier absorbant l'encre (1830). ➜ Son dérivé **BUVARDER** v. tr. (XXe s.), ainsi que le substantif qui en est tiré, **BUVARDAGE** n. m. (1965), sont familiers.

Parmi les composés, certains retiennent le sémantisme du verbe *boire*, parfois partiellement *(pourboire)*; un autre l'a complètement perdu.

DÉBOIRE n. m., formé de *dé-* et du substantif *boire*, a désigné l'arrière-goût désagréable que laisse une boisson (v. 1460); cet emploi a vieilli. ➜ Par transposition au figuré, il a pris son sens actuel de «déconvenue» (1559), le plus souvent au pluriel.

FOURBU, UE adj., d'abord *forbeu* (1546), est le participe passé adjectivé du moyen français *soi forboire* «boire avec excès, se fatiguer de trop boire» (1400), composé de *for(s)** et de *boire*. ➜ L'évolution sémantique vers le sens actuel, «harassé de fatigue», où le mot n'est plus senti comme lié au verbe *boire*, s'explique par l'accent mis sur le résultat (la fatigue) de l'action. Le mot s'applique spécialement à un animal, autrefois en médecine vétérinaire (1563) à un animal atteint de fourbure. ➜ Le dérivé **FOURBURE** n. f. (1611) désigne la congestion des tissus du pied du cheval, avec inflammation.

POURBOIRE n. m. résulte de la substantivation avec soudure des éléments (1740) de la proposition infinitive *pour boire* (1683, Perrault); la forme intermédiaire *pour-boire*, avec un trait d'union, est encore relevée au XIXe siècle. Le sens est «somme d'argent dont on gratifie qqn en échange d'un service rendu» et surtout «petite somme supplémentaire, par rapport à ce qui est dû, donnée pour le service» (cf. *service*).

BOIT-TOUT n. m. inv., composé de la forme verbale *boit* et de *tout** (1701), a désigné familièrement un verre dont le pied est cassé et qu'il faut donc vider entièrement. ◇ Puis le composé s'est appliqué à un puisard creusé dans un terrain humide pour l'assécher (1835) et, dans le langage populaire, à une personne qui dépense tout son argent à boire (1867). Tous les sens ont disparu. ➜ **BOIT-SANS-SOIF** n. m., autre dénomination expressive d'un ivrogne (1872; 1795 comme nom propre), est la substantivation du syntagme verbal *(qui) boit sans (avoir) soif.*

◈ voir **ABREUVER, BIBERON, BIBINE, BIÈRE, BOISSON, EMBOIRE, IMBIBER, IMBU, POISON, POTABLE, POTION.**

BOIS n. m. (v. 1080) est un mot d'origine germanique, probablement issu du francique °*bŏsk-* «buisson» que l'on peut déduire de l'ancien haut allemand et ancien saxon *busc*, attesté en toponymie dès 937 ainsi que dans le composé *brâmalbusc* «ronce» (Xe-XIe s.), et fréquemment sous la forme *busc* dans les gloses des XIIe et XIIIe siècles. Il y a correspondance avec le moyen bas allemand *busch, busk*, le moyen néerlandais *busch, bosch*, le moyen anglais *busch, busk* (d'où l'anglais *bush*). L'ancienneté du mot dans les langues germaniques exclut l'hypothèse d'un emprunt du germanique au roman. L'emprunt par le latin médiéval *boscus*, en 704 dans un diplôme de Childéric III, devient fréquent dans la première moitié du IXe s. au sens de «terrain boisé», spécialement dans l'ouest et le sud du domaine gallo-roman. Le mot gallo-roman a pénétré en Catalogne (dès 878, d'où l'espagnol *bosque*, 1493-1495) et en Italie du Nord (895). Cette filiation dans les langues romanes est en faveur d'une origine francique. L'ancien français *bos, bosc* repose sur *bŏscu*; pour expliquer le français *bois*, il semble nécessaire d'avoir recours au nominatif pluriel *bŏsci* car *boscus* aurait donné °*büis*. Le mot s'est employé en ancien français en corrélation avec *selve* (1080), représentant du latin *silva* «forêt», quelquefois dans le syntagme déterminé *selves du bois* (avec *selve* au sens secondaire de «frondaisons»); il l'a éliminé, mais reste en concurrence avec *forêt*.

♦ Le mot désigne d'abord un lieu couvert d'arbres; par rapport à *forêt*, la distinction est faite sur l'importance, *bois* étant aussi plus familier et usuel. Cette acception donne lieu à de nombreuses expressions (*au coin du bois, faire sortir le loup du bois*, etc.). ➜ Par métonymie, *bois* se dit de la végétation ligneuse et, surtout, de la matière ligneuse et compacte des arbres et de certains matériaux. En ce sens, il s'applique à deux modalités de la matière exprimée en latin à l'aide de deux mots distincts : le bois coupé non travaillé appelé en latin *lignum* (→ ligneux), et la matière travaillée (1243), en latin *materies* (→ matière, merrain). Ce dernier sens est le plus fertile en syntagmes et locutions, donnant ***en bois*** (1243, *en bosc*) et ***de bois*** (XIVe s.), par exemple dans *jambe de bois, sabre de bois* (idée d'artifice), au figuré dans ***visage de bois*** (1599), et au XXe s. dans ***gueule de bois*** «mal de tête après boire» (idée de dureté), ***chèque en bois*** («sans provisions» par l'idée d'artifice, de chose fausse), ***langue de bois*** (idée d'artifice et de rigidité). ➜ Par métonymie, *un, des bois* désigne un objet en bois, comme *bois du lit* (1426). ◇ *Bois* se dit spécialement d'une gravure sur bois (xylographie) [1866], d'un instrument à vent en bois (1922) et, en sports, le plus souvent au pluriel, des poteaux de but (1929).

Par analogie de forme et d'aspect avec les branches en bois de l'arbre, *les bois* désigne les cornes des cervidés (v. 1375); de là, par allusion à l'image populaire des cornes ornant le front des maris trompés, *le, du bois* (collectif) exprime l'idée de cocuage, dans des locutions comme *faire porter du bois à son mari*, vieillie, *il lui a poussé du bois* (1660, Molière), sortie d'usage.

▸ Les dérivés sont assez peu nombreux. ◆ **BOISER** v. tr., relativement tardif (1671), a d'abord le sens technique de «couvrir de bois» en termes de charpente et, ultérieurement, de mines (1885). ◇ Le sens de «planter en bois (un terrain)» est recueilli par Littré en 1863; il provient de *boisé* (ci-dessous). ◆ **BOISAGE** n. m. est antérieur (1610) et vient de *bois* avec le suffixe collectif *-age* (1610). Il désigne d'abord en technique le bois servant à garnir les murs (rare av. 1798) et le bois employé dans les mines pour des travaux de consolidation (av. 1788). ◇ Le sens d'«action de planter d'arbres», où il est dérivé de *boisé*, est tardif (1892) et reste rare. ◆ **BOISEMENT** n. m., relevé une fois en 1723 à propos du bois recouvrant un mur (cf. *boiserie*), a été repris pour désigner une plantation d'arbres (1823) et, comme substantif d'action de *boiser*, l'action de planter des arbres (1863). ◇ Le participe passé de *boiser*, **BOISÉ, ÉE**, est adjectivé avec le sens de «couvert d'arbres» (1690). ◆ **BOISEUX, EUSE** adj. (1680), «de la nature du bois», est un mot propre aux jardiniers, à peu près éliminé par *ligneux*. ◆ **BOISERIE** n. f. (1715) désigne un ouvrage en bois de menuiserie; le pluriel s'applique aux revêtements de menuiserie d'une maison, à l'exclusion des parquets. ◆ **BOISEUR** n. m. (1795) appartient au vocabulaire des mines.

Les composés sont plus anciens que les dérivés; ils concernent le sens collectif «ensemble des arbres». ◆ **MORT-BOIS** n. m., d'abord *mort bosc* (XIIIe s.), est le nom donné à un bois de peu de valeur, surtout en termes de foresterie, au pluriel. ◆ **SOUS-BOIS** n. m., écrit *southboys* dans sa première attestation (1333), a désigné en ancien français un bois, un taillis. ◇ Abandonné, le mot a été reformé au XIXe s. (1867 Goncourt) à propos de la végétation poussant sous les arbres d'une forêt, se disant par métonymie d'une représentation picturale de cette végétation (1893) et de la partie du bois où elle croît (1938).

Les préfixés verbaux **DÉBOISER** v. tr. (1842), souvent au passif et participe passé, **REBOISER** v. tr. (1845), sont enregistrés en même temps que les substantifs d'action correspondants, **DÉBOISEMENT** n. m. et **REBOISEMENT** n. m., par les dictionnaires généraux du XIXe siècle.

◈ voir **BOCAGE, BOQUETEAU, BOSQUET, BOUCHER, BOUQUET, BÛCHERON, BUISSON, HAUTBOIS**; cf. les éléments **LIGNI-** (du latin), **XYLO-** (du grec).

◈ **BOISSEAU** n. m., réfection (*boissel*, 1198) de *boistiel* (1188-1191), est d'origine controversée : l'hypothèse généralement admise est celle d'une dérivation de l'ancien français *boisse*, «mesure de blé, sixième partie du boisseau», attesté seulement depuis 1262 et jusqu'au XVe s. et lui-même issu d'un latin de la Gaule °*bostia*, dérivé d'un gaulois °*bosta*, «creux de la main», que l'on restitue d'après l'irlandais *boss* et le breton *boz* «paume de la main». Cette hypothèse convient bien du point de vue phonétique si l'on admet que les anciennes formes en *-st-* (latin médiéval *bustellus, boistellus, bostellus*), localisées en normand et en picard, ont subi l'influence de *boiste* (→ boîte). L'évolution sémantique est analogue à celle du provençal *ponhadièra, punhièra*, «contenu d'une poignée», pris au sens de «mesure d'un are», c'est-à-dire, surface qu'on peut ensemencer avec une poignée de graines. ◇ Selon P. Guiraud, *boisseau* représenterait plutôt un roman °*buxellus*, de *buxus*, «objet de buis» (→ buis), et du bas latin *buxa*, «boîte de buis» (VIIIe s.), qui aurait donné régulièrement *boisse* «boisseau» et l'ancien provençal *boissa*.

♦ Le mot désigne une ancienne mesure de capacité, un récipient cylindrique de contenance variable et, par métonymie, son contenu. Par analogie, il désigne dans quelques techniques un appareil cylindrique rappelant ce récipient : il s'emploie en céramique pour l'étui dans lequel on cuit les pipes de terre et d'autres objets (1694), en plomberie pour la partie conique d'un robinet dans laquelle s'emboîte la clé (1751). ◇ La locution figurée ***mettre, tenir, garder, rester sous le boisseau*** «cacher la vérité» vient des traductions de l'Évangile (1690 chez Furetière; évidemment antérieur).

▸ Les quelques dérivés sont formés sur le radical de l'ancienne forme *boissel*. ◆ **BOISSELÉE** n. f. (XIIIe s.), terme technique, signifie «contenu d'un boisseau» et s'est employé comme nom d'une mesure agraire répandue dans le centre de la France, correspondant à la portion de terre pouvant être ensemencée avec un boisseau de grains (1295). ◆ **BOISSELIER** n. m. (1338) désigne l'artisan, l'ouvrier qui fabrique des boisseaux et autres ustensiles de bois cintré; le mot est plus rare que *boissellerie*. ◆ **BOISSELAGE** n. m. (fin XIVe s.) «mesurage au boisseau» est quasiment inusité. ◆ En revanche **BOISSELLERIE** n. f., enregistré par l'*Encyclopédie* (1751), qui désigne la fabrication et le commerce d'objets en bois (à l'origine, notamment de boisseaux), est relativement usuel.

BOISSON n. f. est issu (v. 1275) du latin médiéval *bibitionem*, accusatif de *bibitio* «acte de boire» (VIIe s.), lequel est dérivé de *bibitum*, supin peu employé avant le IIIe s. de *bibere* (→ boire). ◈

♦ Le mot désigne concrètement tout liquide qui se boit, en particulier une boisson alcoolique (1611). ◆ Avec cette dernière spécialisation, il s'emploie aussi avec la valeur d'un substantif d'action pour «habitude de boire de l'alcool avec excès» (av. 1778), par exemple dans *s'adonner à la boisson, être pris de boisson*.

▸ **BOISSONNER** v. intr. (1858), mot familier avec le sens spécialisé de «boire de l'alcool», est rapidement sorti d'usage.

✳ **BOÎTE** n. f., d'abord *boiste* (v. 1150), est hérité d'un latin populaire °*buxita*, forme gallo-romane issue, par substitution de suffixe, du bas latin *buxida* (IVe-Ve s.). Ce dernier vient de l'accusatif de *buxis, -idis*, forme altérée, avec influence de *buxus* (→ buis), du latin classique *pyxis, -idis* «petite boîte, ◈

coffret». *Buxis* et *buxus* sont de même origine. *Pyxis* est emprunté au grec hellénistique *puxis* «boîte en buis» d'où «boîte» en général, dérivé de *puxos* «buis», qui est sans doute un terme d'emprunt (→ buis).

♦ Le mot a gardé le sens général d'«objet rigide servant de contenant, souvent muni d'un couvercle». S'il lui arrive encore de désigner un petit coffret à couvercle (1177), il a progressivement perdu la connotation précieuse du mot latin, échue en ancien français au diminutif *boistelette* et assumée de nos jours par *cassette, écrin, coffret. Boîte* est employé dans plusieurs syntagmes désignant la fonction, le contenant pouvant être de nature variable, mais toujours rigide, tel ***boîte aux lettres*** (1835), aboutissement de divers syntagmes descriptifs comme *boiste à porter lettres* (1352). Certains syntagmes ont une autre valeur que leurs éléments ne l'impliquent, tel ***boîte à gants,*** «espace de rangement dans une voiture, à côté du conducteur». ➛ Par analogie, *boîte* désigne un objet creux qui en contient un autre, spécialement en anatomie au XIVe s. (1314) mais antérieur (cf. ci-dessous *boiteux*), comme dans la locution ***boîte crânienne*** (1833) et en mécanique (1723, *boeste de montre*); cf. *boîtier* ci-dessous. ◇ ***Boîte noire*** (1965) désigne le dispositif d'un véhicule, surtout d'un avion, enregistrant les données nécessaires à la marche, ainsi qu'un système dont on ignore le fonctionnement interne et qui n'est connu que par ses réponses aux sollicitations extérieures. ➛ Par extension, *boîte* se dit d'une maison, d'un local, dès le XVe s. dans la locution imagée *boiste aux cailloux* «prison». Employé absolument, il s'applique de nos jours familièrement à une maison, un lieu de travail (1860), à un lycée (1868) et, dans ***boîte de nuit*** (1918), à un établissement où l'on se distrait la nuit en dansant, parfois appelé *boîte,* sans qualification *(sortir, aller en boîte).* ➛ À partir du XIXe s., le mot a pris quelques sens figurés argotiques puis familiers, dans des locutions; certaines, comme *boîte à marquer* «sergent» (1881) sont sorties d'usage, d'autres comme ***mettre en boîte*** (1910), d'après *emboîter* «se moquer de qqn» (1880), sont devenues courantes.

▶ L'ancienneté de **BOITEUX, EUSE** adj. et n. sous la forme *boistous* (1226) prouve indirectement celle de *boîte* dans son sens anatomique de «cavité d'un organe». Le mot, qui qualifie et désigne (1260) un être humain ou un animal (mammifère) atteint de claudication, a aussi signifié «courbe» (v. 1240) jusqu'au XVIe siècle. Il a développé la valeur figurée de «déséquilibré, qui manque d'harmonie» (1580), spécialement en parlant d'un ensemble visant l'équilibre (vers, en poésie 1835; composition littéraire, musicale, etc.). Il a progressivement cessé d'être perçu comme le dérivé de *boîte,* démotivation qui se lit dans l'absence d'accent circonflexe des mots de sa série. ➛ Le dénominatif **BOITER** v. intr. (1539) a évincé le plus ancien *boistoier* v. intr. (1358), lui-même dérivé du radical de *boiste, boîte.* ◇ Ce verbe a produit le substantif d'action **BOITEMENT** n. m. (1539), «fait de boiter», de nos jours concurrencé par **BOITERIE** n. f. «état de boiteux» (1803), **BOITAGE** n. m. (1961) demeurant rare; il a aussi donné le diminutif verbal **BOITAILLER** v. intr. (1858), sorti d'usage et remplacé par **BOITILLER** v. intr. (1867), courant, qui a pour dérivés **BOITILLEMENT** n. m. (1867) et **BOITILLANT, ANTE** adj. (1881).

BOÎTIER n. m. (1268-1271) a désigné un fabricant de boîtes. ➛ Il est devenu au XVIe s. un nom de contenant par une seconde formation se disant d'une boîte de chirurgie à compartiments (1596) et, en horlogerie, d'une boîte de métal renfermant le mécanisme d'une montre (1836), sens qui s'est maintenu dans l'usage courant. ➛ Il a été redérivé de *boîte* comme nom d'agent, proposé comme néologisme pour nommer l'employé des postes préposé à la levée du courrier (1801), mot ensuite éliminé par *facteur.* Il a été repris pour désigner le membre d'une assemblée parlementaire chargé de voter pour l'ensemble de son groupe en jetant les bulletins dans une boîte servant d'urne (v. 1960).

BOÎTAGE n. m. apparaît tardivement (1832) dans des *Instructions sur le service des manufactures de tabac* pour «action de mettre un produit dans une boîte». Cette acception a disparu. Par métonymie, il désigne rarement un emballage ayant la forme d'une boîte; cf. *emboîtage,* ci-dessous, qui a une valeur différente.

EMBOÎTER v. tr. apparaît (1328) avec son sens actuel : «assembler (deux pièces) en (les) faisant entrer l'une dans l'autre». Le sens propre de «mettre en boîte», postérieur (1606), ne subsiste guère que dans des spécialisations techniques, notamment en reliure (1876). ◇ Par extension, le verbe s'emploie à propos d'une chose qui en enveloppe exactement une autre (1843). ◇ La locution ***emboîter le pas*** se dit d'une personne qui suit de près une autre personne (déb. XIXe s.). ◇ Les sens figurés de «railler qqn» (1880) et «mettre en prison» (1894), d'usage populaire, formés directement d'après des sens figurés de *boîte,* sont vieillis, le premier étant remplacé par *mettre en boîte.* ➛ **EMBOÎTURE** n. f. (v. 1550) apparaît en menuiserie pour désigner l'endroit où deux choses peuvent s'ajuster l'une à l'autre. Par métonymie, le mot désigne une pièce de bois destinée à recevoir dans une rainure les extrémités d'un panneau fait de plusieurs pièces (1639) et une technique consistant à faire s'emboîter des pièces (1870); le mot demeure d'usage technique. ➛ **EMBOÎTEMENT** n. m. (1606) se dit de l'état de ce qui s'emboîte ou de ce qui est emboîté. ➛ **EMBOÎTAGE** n. m., apparu ultérieurement au sens d'«insertion d'une chose dans une autre» (1787, *Mémoires de l'Académie des sciences*), est devenu, après la recommandation du *Journal officiel* du 20 septembre 1874, le substantif d'action correspondant à un sens disparu d'*emboîter :* il a désigné l'action de mettre en boîte, et a conservé un sens spécial en reliure à propos de l'action de placer les cahiers cousus dans la couverture préparée à l'avance (1890). ◇ Par métonymie, il désigne concrètement ce qui permet la mise en boîte : enveloppe, récipient, étui; c'est là son emploi le plus usuel. ➛ **EMBOÎTÉ, ÉE** participe passé adjectivé de *emboîter,* est substantivé en chorégraphie (XXe s.) comme équivalent du syntagme *pas emboîté* (1838).

DÉBOÎTER v. tr. (v. 1550) exprime le fait de faire sortir de sa place un objet encastré dans un autre et, spécialement, de faire sortir un os de son articulation, en anatomie. ◇ Il se construit intransitivement avec le sens de «sortir d'un alignement» en parlant d'une troupe (1870), par extension «sortir d'une file de circulation» en parlant d'un véhicule, sens devenu usuel. ➛ Le substantif d'action **DÉBOÎTEMENT** n. m. (1530) est employé techniquement en anatomie, en termes militaires (1826) et pour «fait de déboîter», d'une automobile (1948).

◈ voir BOUSSOLE, BOX, BUIS, PYXIDE, RIBOUIS.

① **BOL** n. m. est emprunté (1256) au bas latin *bolus* «boulette» (IVe s.), lui-même emprunté au grec *bôlos* «motte de terre», d'où «terre» chez les poètes et «boule, lingot». Bien que le sens originel soit précis, l'étymologie de ce mot est inconnue.

♦ Le mot est d'abord employé dans *bol armenike*, refait en *bol d'Arménie* «variété d'argile utilisée comme médicament». Par métonymie, il se dit d'un remède se présentant sous la forme d'une grosse pilule ovoïde (XIVe s.). ◇ L'expression ***bol alimentaire*** (1767, Cuvier) désigne une quantité d'aliments mastiqués et déglutis en une seule fois.

▸ L'unique dérivé de ① *bol*, **BOLAIRE** adj. (1762), qualifie une terre argileuse très fine, de la nature du *bol d'Arménie*.

◈ voir influence sur BROUILLAMINI.

② **BOL** n. m. est emprunté sous la forme anglaise *bowl* (1760), francisée en *bol* (1792), à l'anglais *bowl*, «récipient hémisphérique plus large que profond», mot très ancien (v. 950). Le mot anglais, d'abord *bolla*, puis *bolle* et *bowl* d'après sa prononciation, a des correspondants germaniques dans le moyen néerlandais *bolle*, le néerlandais *bol*, l'ancien norrois *bolli*, l'ancien haut allemand *bolla* «bourgeon», «cosse ronde», «récipient sphérique». Comme tous ces mots, il appartient à une racine indoeuropéenne signifiant «enfler, être enflé», représentée, par des cheminements différents, dans *enfler*, ② *balle, belge, fou, bouge, bogue*. Selon Wartburg, le mot proviendrait en français de l'emprunt antérieur (1653) *bolle ponge*, calque du syntagme anglais *bowl of punch, bowl o'punch* «bol de punch», très courant au XVIIe s., mais il peut s'agir pour la forme simple d'un réemprunt.

♦ Jusqu'au milieu du XIXe s., les emplois de *bol* sont étroitement liés à ceux de *punch** : après *bolle-ponge*, encore répertorié en 1771, Brillat-Savarin (1826) emploie *bowl de punch* «contenu d'un bol de punch» ; *bol* jouit d'une grande vogue chez les écrivains romantiques, partiellement en hommage au conte d'Hoffman, *Le Vase d'Or*, profession de foi poétique dans lequel le bol de punch joue un rôle initiatique. ◇ Désignant un récipient exotique à usage particulier, le mot est encore mal acclimaté avant la seconde moitié du XIXe siècle. Il avait donné par métonymie le sens de «contenu d'un bol» (1760), plus tard en concurrence avec *bolée* ; par métaphore, il s'emploie dans la locution ***prendre un bol d'air*** (1909). ➛ *Bol*, comme d'autres noms de récipients *(vase, pot, bock, bocal)*, a pris en argot le sens de «cul, anus» (1872) réalisé dans la locution familière de sens figuré ***en avoir ras* le bol***, d'abord argotique, et où *bol* n'est plus compris malgré la vitalité de la variante *ras le cul*. L'acception figurée de «chance» (v. 1945), réalisée dans les locutions ***manquer de bol, avoir du bol***, correspond à cette série métaphorique sur «anus».

▸ **BOLÉE** n. f. (1885) «contenu d'un bol», ne l'emporte sur l'emploi métonymique de *bol* que dans un usage régional (notamment *bolée de cidre*) ; il double *bol* dans le syntagme *bolée d'air*.

BOLCHEVIK adj. et n. m. est emprunté (1918) au russe *bolchevik*, «partisan du bolchévisme, membre du parti bolchévique, communiste», proprement «membre de la majorité», en russe *bolchinstvo*. L'origine de ce terme d'abord «parfaitement incolore» (N. Berdiaev) remonte à 1903 au IIe congrès du P. O. S. D. R. (Parti ouvrier social-démocrate de Russie). Réuni à Bruxelles, puis contraint de siéger à Londres, ce congrès fut le point de départ de la plus grave division qu'ait connue la social-démocratie. Après le congrès, pour désigner les protagonistes des deux tendances affrontées, on nomma *bolcheviki (bolcheviks)* les partisans de la conception de Lénine, majoritaires lors du vote, et *mencheviki*, d'où **MENCHEVIKS**, n. m. pl. (1912), les minoritaires, dont le chef de file fut Martov. *Bolchevik* est dérivé de *bolche* «plus» (comparatif de supériorité de *mnogo* «beaucoup»), avec le suffixe *-ik* et la consonne euphonique *-v-*, la combinaison *e-v-ik (-evik)* étant bientôt considérée comme un suffixe. *Bolche* est le neutre de *bolchiy*, «plus grand», comparatif de supériorité de l'adjectif *bolchoi* «grand». Ce dernier, auquel répondent des formes en vieux slave, ukrainien, bulgare, serbo-croate et slovène, appartient à la même racine indoeuropéenne que le sanskrit *bála-* «force», le grec *belteros, beltiôn* «meilleur», le latin *debilis (de-bilis)* «faible» (→ débile). De *bolchevik* a été dérivé en russe avec le suffixe *-izm* (français *-isme*) le substantif *bolchevizm* dont a été tiré, sur le modèle des correspondants russes de *athéisme-athéiste*, le type *bolchevist*, resté sans lendemain mais emprunté par le français. Avant la Première Guerre mondiale, le mot russe a été traduit par *maximaliste*, compris erronément au sens de «partisan du maximum, extrémiste».

♦ En français, **BOLCHEVISTE** n. (1917-1918) s'est chargé d'une connotation péjorative ; vivant dans la littérature politique entre les deux guerres, il est sorti d'usage. *Bolchevik* désigne le partisan du bolchevisme dans l'histoire de la Russie et de l'U. R. S. S. ; par extension, il est appliqué chez certains auteurs au partisan du marxisme intégral, et, avec la connotation péjorative d'«extrémisme», au partisan du communisme. La variante graphique *bolchevick* est sortie d'usage.

▸ Le premier quart du XXe s. a vu apparaître **BOLCHEVIQUE** adj. (1917), **BOLCHEVISME** n. m. (1917-1918, Barrès) et **BOLCHÉVISER** v. tr. (1920, Proust sous la forme du participe présent adjectivé *bolchévisant*) dont on a tiré **BOLCHÉVISATION** n. f. (1924, M. Thorez). ➛ **ANTIBOLCHÉVIQUE** adj. et n. est attesté à partir de 1920 *(anti-bolchevik)*. ➛ L'abréviation familière **BOLCHO** n. m. (1966)

s'applique aux communistes français orthodoxes de tendance soviétique (par opposition aux marxistes, etc.) et a vieilli. ◆ Toute la série ne correspond plus qu'à des contextes historiques.

◈ voir **BOYARD**.

BOLDO n. m., attesté sous la forme *boldu* (1834) puis sous la graphie *boldeau* (1838) avant *boldo* (1865), est emprunté à l'espagnol d'Amérique du Sud *boldu, boldo* (1660), lui-même probablement d'origine araucane.

♦ Le mot désigne un arbre originaire du Chili dont les feuilles renferment une substance estimée pour ses propriétés toniques et laxatives.

BOLDUC n. m. est l'altération et l'emploi comme nom commun (1868) de *Bois-le-Duc*, nom français d'une ville du Brabant septentrional, en Hollande, où l'on fabriquait ce type de ruban.

♦ Le mot désigne un ruban fin, souvent de couleur vive, servant à ficeler et à parer l'emballage des petits paquets (par exemple en pâtisserie).

BOLÉRO n. m. (1812), d'abord écrit *bollero* (1803), est emprunté à l'espagnol *bolero* «danseur professionnel» et «air de danse populaire» (fin XVIIIe s. dans ces deux sens), également «chapeau rond» en Amérique centrale et «petite veste courte» à Cuba. Le mot espagnol est d'origine incertaine, soit dérivé de *vuelo* (→ vol) à cause des sauts que comporte cette danse, soit dérivé de *bola* (→ boule) par allusion au chapeau rond que portait le danseur.

♦ Le mot désigne un air de danse ou de chant espagnol à trois temps, de mouvement vif, et, par extension, une composition musicale apparentée. ◆ Par métonymie ou nouvel emprunt à l'espagnol, il a désigné un petit chapeau de femme à bords relevés (1880) et aujourd'hui une petite veste de femme, le plus souvent sans manches (1897).

BOLET n. m., *boulet* dans un glossaire latin-français (déb. XIVe s.) puis *bolet* (1505), est emprunté au latin impérial *boletus* employé le plus souvent au pluriel, qui désignait tous les champignons terrestres, comestibles ou non, concurrençant le terme générique ancien *fungus* (→ fongus). L'hypothèse de Niedermann, qui y voit un dérivé de *Boletum*, nom d'une ville d'Espagne, est plausible, les champignons se dénommant volontiers d'après des lieux où ils se trouvent en abondance.

♦ Le mot désigne une espèce de champignon charnu à pied central plein et souvent renflé en bulbe à la base, à variétés comestibles (comme le cèpe) ou vénéneuses.

▸ **BOLÉTIQUE** adj. (1811), terme de chimie, qualifie un acide que l'on peut extraire du bolet.

BOLIDE n. m. est emprunté (1548) au latin *bolis, -idis*, «météore igné en forme de trait» (Pline) et «sonde marine», lui-même emprunté au grec *bolis, -idos*, proprement «objet qu'on lance», «trait; dé et jet de dés; sonde», lequel est tiré de *bolê*, substantifs d'action de *ballein* «lancer, jeter» (→ par le latin bal). Conformément au genre des mots grec et latin, *bolide* est resté féminin au XVIe siècle.

♦ Le sens de «sonde marine» est sorti d'usage après le XVIe siècle. ◆ Celui de «météore» (1570) est entré dans l'usage courant, avant d'être concurrencé par *météorite*; il n'a plus cours de nos jours en astronomie. ◇ Par analogie, le mot désigne un véhicule atteignant une très grande vitesse (1907) et s'applique à des avions (1913), quelquefois, par dérision, à un véhicule quelconque, même lent. Le vocabulaire du ski l'a repris pour dénommer une attitude de recherche de vitesse (1969) et celui des jeux de balle à propos d'un coup imparable (1935).

BOMBANCE n. f. est, sous sa forme moderne (1530), l'altération par assimilation régressive ou sous l'influence de *bombarde** de l'ancien français *bobance* (v. 1170), également *beubance* (v. 1220). Ce mot, qui exprime l'idée de fierté, d'insolence, est à rapprocher de l'ancien français *boban* de même sens (v. 1160) dont il présente une forme suffixée en *-ance*. Il appartient probablement au radical onomatopéique *bob-* exprimant la notion de gonflement (→ bobard, ① bobèche, bobine, bobo).

♦ Le sens psychologique de «fierté, arrogance» a disparu au cours du XVIe siècle. ◇ Par l'intermédiaire de l'emploi particulier pour «grand appareil, faste» (v. 1220), le noyau sémantique s'est déplacé vers l'idée de «festin, ripaille» (1560), surtout dans la locution ***faire bombance.***

▸ **BOMBANCER** v. intr. (XVe-XVIe s.), «ripailler», est l'altération, en relation avec *bombance*, de l'ancien français *bobancier* (1176) «se vanter». Le verbe, disparu au XVIIe s., a été repris par Huysmans (1901); il est peu usité. ◆ **BOMBANCIER** n. m. (1877, Goncourt), «celui qui aime à faire bombance», est dérivé de *bombance;* par sa forme, il reprend l'ancien et le moyen français *boubancier* (v. 1170) «orgueilleux» dont le féminin est substantivé au XVIe s. *(boubanciere);* il est sorti d'usage.

② **BOMBE** n. f. est probablement le dérivé régressif de *bombance* (1881) plutôt qu'un emprunt à l'espagnol *bomba* «tâte-vin, ébriété» ou à l'italien *sbombettare* «boire à l'excès» (XVIe s.). D'abord employé par les soldats dans la locution ***partir en bombe*** (1881) — où un calembour avec ① *bombe* est probable —, il est surtout usité dans la locution ***faire la bombe*** (1890, argot des ouvriers). ◆ Ses dérivés ② **BOMBER** v. intr. «faire la noce», et ② **BOMBEUR, EUSE** n. (1910), «personne qui fait la bombe», sont rares.

BOMBARDE n. f., d'abord *bombare* (1271) puis *bombarde* (1413), est dérivé, avec le suffixe *-arde*, du latin *bombus*, emprunt ancien (déjà chez Ennius) au grec *bombos* «bourdonnement, bruit retentissant». Ce mot (qui subsiste en grec moderne) appartient à une famille exprimant les notions de tourbillonner, bourdonner, en associant étroitement le mouvement et le son; on peut en rapprocher, quoique de manière vague, de nombreux mots indoeuropéens, comme le sanskrit *bimba-* «disque, balle», des mots baltes, le vieux slave *bubenŭ* «tambour». On évoque aussi le latin *bombine* (→ bondir). Le mot français peut être rapproché du latin médiéval *bombarda* désignant un instrument à vent, au XIIe s., chez un auteur italien de Salerne.

♦ Le mot est le nom d'un instrument de musique, une variété de hautbois. Il désigne spécialement un instrument breton au son très puissant, et le plus puissant des jeux d'orgue (1721). ◆ *Bombarde* est aussi un terme d'art militaire désignant une machine de guerre servant à lancer de grosses pierres (1363) : le développement de ce sens n'est probablement pas, comme on l'a dit, un emprunt à l'italien *bombarda* (1311), qui serait au contraire repris au français. ◇ Les notions de «bruit assourdissant» et de «mouvement bourdonnant» sont vraisemblablement issues du sens initial, mais confondues avec le bruit de l'arme, lorsque, à partir du milieu du XVIIe s., le mot est associé à ① *bombe*. ◇ Par métonymie, *bombarde* désigne une ancienne galiote munie de bombardes (XVIIe s.) et, par analogie, un petit navire moderne dont la voilure rappelle celle de la galiote. ◆ Dans tous ses emplois le mot est archaïque, sauf comme terme d'histoire, mais il a produit des dérivés bien vivants.

▶ Les dérivés de *bombarde* procèdent de l'ancien terme d'artillerie. ◆ **BOMBARDIER** n. m. (1431) a désigné le servant d'une bombarde puis, au moins jusqu'en 1918, celui d'un mortier. ◇ Comme tous les mots de la série, il se rattache à ① *bombe* après l'apparition de ce mot en français (1640). Il a trouvé une nouvelle vitalité dans le domaine de l'aviation où il désigne à la fois l'avion chargé de larguer des bombes (1933), alors opposé à *chasseur* (et combiné à ce mot dans *chasseur-bombardier*), et l'aviateur qui les lance (1937). ◆ **BOMBARDER** v. tr. (1515), proprement : «attaquer en lançant des projectiles», s'est répandu du domaine militaire dans l'usage courant après l'apparition de ① *bombe*. ◇ Il correspond à «lancer des bombes sur...» et a développé les sens figurés de «harceler» et «nommer inopinément à un poste», tous deux employés par Saint-Simon (av. 1755) et marqués comme familiers ; le sens classique «envoyer (qqn)» (XVIIe s.) a probablement servi d'intermédiaire au second. ◇ Le verbe a été repris en physique nucléaire au début du XXe s. pour «projeter des particules élémentaires à grande vitesse sur des noyaux d'atomes». ◆ **BOMBARDEMENT** n. m. (1697), dérivé du verbe, désigne l'action de lancer des bombes et par extension divers projectiles et objets. ◇ Il s'applique notamment en physique au fait de lancer des particules sur une cible (1897, *bombardement moléculaire*, d'après une expression du savant anglais sir William Crookes).

Le terme de musique **BOMBARDON** n. m. est emprunté (1869) à l'italien *bombardone* (XIXe s.), dérivé de *bombarda* avec le suffixe augmentatif *-one*. Le passage en français a pu se faire directement ou par l'intermédiaire de l'allemand *Bombardone* (1814), lui-même emprunté à l'italien. ◆ Le mot désigne une contrebasse à vent, en cuivre et à pistons, aux basses très sonores qui s'utilisait dans les fanfares.

◈ voir ① BOMBE.

① **BOMBE** n. f. est emprunté (1640) à l'italien *bomba*, attesté en latin médiéval au sens de «javelot incendiaire» (v. 1452), employé ensuite pour un engin explosif (1686). Le mot est soit une formation onomatopéique indépendante, soit à rattacher au latin *bombus* «bruit retentissant» (→ bombarde).

♦ L'histoire du mot reflète celle des techniques d'artillerie ; *bombe* désignait anciennement un gros boulet creux rempli de poudre et tiré par un mortier. Le mot a attiré *bombarde* et ses dérivés *bombarder, bombardement* dans son champ sémantique. ◇ De nos jours, il désigne aussi bien un appareil explosible que fait éclater un mécanisme, un projectile sans vitesse initiale lancé par un avion, un projectile à déplacement autonome. ◇ Un explosif d'un type nouveau par fission de l'atome a été appelé ***bombe atomique*** (1945) ou ***bombe A.*** Puis le procédé de fusion d'atomes d'hydrogène dégageant plus d'énergie encore, on parle de ***bombe H*** (à *hydrogène*) ou ***thermonucléaire*** ; vient ensuite ***bombe à neutrons,*** etc. ◇ Le mot a depuis le XVIIe s. des valeurs figurées et analogiques : dès 1689, ***tomber comme une bombe*** est employé familièrement par la marquise de Sévigné à propos d'une personne, d'un événement inattendu. Avec l'idée de «grande vitesse», *bombe* correspond à certains emplois comparatifs et figurés de *bolide*. ◇ Par analogie de forme, *bombe* a désigné un gros vase sphérique (1771), avant de s'employer dans ***bombe glacée*** «glace comestible de forme ronde» (1807). ◇ En marine, on nomme ***bombe à signaux*** une boule en toile pour faire des signaux (1866), en géologie un fragment de lave renflé en son milieu (1845), en physique un récipient de métal (1883, *bombe calorimétrique*). ◇ Le mot s'applique aussi à une casquette d'équitation à calotte hémisphérique rigide (1928). Ces métaphores sur la forme ronde ont cessé d'être productives au XXe s. avec le changement de forme des explosifs appelés *bombes*. ◇ Un sens figuré récent, sous l'influence de l'anglais, exprime l'idée d'un effet brusque et très fort, par exemple dans *bombe sexuelle*, qui se dit d'une femme «ravageuse». ◆ Par analogie de fonction, le mot désigne un appareil produisant la diffusion ou la désagrégation de son contenu, à la fois dans le traitement médical (*bombe au cobalt*) et couramment, dans un emploi synonyme d'*atomiseur* (1950), par exemple dans *bombe à peinture* «pulvérisateur» (cf. ci-dessous ③ *bomber*).

▶ **BOMBÉ, ÉE** adj., littéralement «en forme de bombe», c'est-à-dire «arrondi, convexe», est enregistré en 1690 par Furetière comme un terme d'artisan pour qualifier un bois creux et courbé en arc. ◆ Il est bientôt confondu avec le participe passé adjectivé du verbe ① **BOMBER** accueilli dans la 2e édition du même dictionnaire (1701) avec le sens particulier de «faire un trait plus ou moins renflé» avant d'acquérir le sens général de «rendre convexe» et, intransitivement, «devenir convexe». ◇ Ce verbe a produit les dérivés **BOMBEMENT** n. m. (1694) «fait d'être bombé, convexe», ① **BOMBEUR** n. m. (1835), nom technique pour celui qui bombe une surface, et ① **BOMBAGE** n. m. (1863), ce dernier, dans l'un de ses emplois techniques en verrerie, servant à former le nom de l'ouvrier **BOMBAGISTE** n. m. (1878).

BOMBETTE n. f., diminutif (1769) de *bombe* spécialement dit d'une petite bombe de feu d'artifice, est sorti d'usage. ➛ Aux XIXe et XXe s., *bombe* au sens de «projectile explosif» a de nouveau produit ③ **BOMBER** v. d'abord terme d'argot signifiant «frapper, battre» (1889) et, intransitivement, «pleuvoir des obus» dans l'argot des soldats de la Première Guerre mondiale (1919). ◇ Sorti d'usage, il a été recréé, sans doute d'après *comme une bombe* «très vite», dans l'argot des cyclistes au sens intransitif d'«aller très vite» (v. 1950) passé dans l'usage familier. ➛ D'après *bombe* «atomiseur de peinture», il est formé vers mai 1968 avec le sens de «peindre, écrire (des slogans) à la bombe», produisant le substantif d'action ③ **BOMBAGE** n. m. (v. 1968) et le nom d'agent ③ **BOMBEUR** n. m.

BOMBINETTE n. f. (21-22 novembre 1964, *Libération*) est une création plaisante pour désigner, par dérision, la bombe atomique française, comparée aux engins beaucoup plus puissants fabriqués en grand nombre par les États-Unis et l'U. R. S. S.; le mot réflète les polémiques autour de la force de frappe française.

◈ voir aussi l'homonyme ② **BOMBE** (à **BOMBANCE**), **BONBONNE**.

BOMBYX n. m. est emprunté (1508-1517, *in* Godefroy) au latin *bombyx, -icis* «ver à soie» d'où, par métonymie «vêtement de soie». Ce mot est emprunté au grec *bombux, -ukos,* mot pris à une langue d'Orient et que l'on croit retrouver dans le turc osmanli *pambuk* «coton» (→ basin). Le mot est adapté en français en *bombiche, bombyce* (1564), puis *bombyx* (1593); il a été repris au XIXe s., là encore hésitant entre *bombice, bombyce* (1805, Cuvier) avant de se fixer sous la forme étymologique *bombyx* (Littré, 1863).

♦ Il désigne un genre de papillon nocturne dont l'espèce la plus connue, le *bombyx du mûrier,* a pour chenille le ver à soie.

▸ **BOMBYCIEN, IENNE** adj. et n. (1843) a servi à qualifier un type de papier soyeux fabriqué avec du coton ou des chiffons, avant d'être substantivé au pluriel comme terme de classification zoologique, comme **BOMBYCIDÉS** ou **BOMBYCIDES** n. m. pl. (XIXe s.). ➛ **BOMBYCINER** v. intr., sorti d'usage, «s'affairer dans le vide» (1858, *Journal* des Goncourt) est dû à une mauvaise transcription d'un passage de Rabelais (*Pantagruel,* chapitre 7) qui doit être lu *Chimera in vacuo bombinans,* renvoyant au latin *bombinare* «bourdonner» (→ bondir), d'où vient la forme normale **BOMBINER** v. intr. «tournoyer en bourdonnant» (mot propre à Rimbaud). Le verbe latin *bombycinare,* attesté dans le latin des Gloses, signifie «travailler la soie».

◈ ✳ ① **BON, BONNE** adj., adv. et interj., d'abord *buon* (v. 881), également *boen, buen* et *bon* en ancien français, est issu du latin *bonus* «convenable, estimable», «brave» en contexte militaire, employé fréquemment dans des formules de politesse et, familièrement, avec la valeur de «grand» (*bona pars* «une bonne partie»). Dans ces emplois, *bonus* est opposé à *malus* (→ mal) et étroitement lié à ses propres dérivés, *bene* (→ bien) et *bellus* (→ beau), avant d'en être isolé dans les langues romanes. Il remonte, par une forme archaïque *duenos, duonus,* à un °*dwenos* dont le radical °*du-* est susceptible de rapprochement avec le védique *dúvaḥ* «hommage», ce qui indiquerait un ancien emploi religieux, attesté en effet en latin dans *di boni* «dieux bienveillants».

♦ Les plus anciens emplois de l'adjectif *bon* se rangent sous la notion de «convenance» : le mot qualifie un être possédant les qualités jugées propres à sa nature, à son sexe, à son rang, à sa fonction, selon le code culturel dominant (v. 881, *buona pulcella : bonne pucelle* «vraie, vertueuse»). Dans une société imprégnée de christianisme, il s'applique à celui qui remplit convenablement ses obligations de *bon chrétien* (v. 1050). Dans cette société, féodale et guerrière, il qualifie le chevalier (av. 1250, *bon chevalier*), à la fois en référence à sa noblesse (→ débonnaire) et à sa vaillance, fonctionnant comme synonyme de «fort, courageux, preux». Sa valeur est colorée par le code courtois, tandis qu'à la même époque, la société urbaine commence à mettre l'accent sur l'idée de «judicieux, avisé, efficace», conformément à une morale plus pragmatique, celle des bourgeois et des commerçants (d'où *bon marchand,* sur un axe différent de *bon sergent* ou *bon archer* du code guerrier). ◇ *Bon* qualifie aussi un animal qui s'acquitte honorablement de sa tâche et un objet qui remplit sa fonction, témoigne de sa qualité (v. 1050). Dès le XIe s., ce sens est représenté par un grand nombre de syntagmes qualifiés, à la fois avec un nom concret (1080, *bons écus*) et avec un nom abstrait de qualité : *bon conseil, bonne foi, bonne compagnie* (av. 1250). La même notion est illustrée par ***bon sens*** (v. 1270) et ***bonne volonté*** (v. 1300) ainsi que par les tours syntaxiques *bon à* et infinitif (v. 1130-1160), *bon de* et infinitif et *bon pour* et infinitif (1250). ➛ Dès le Xe s., probablement d'après son emploi pour caractériser l'être bon par excellence, Dieu (cf. *le bon dieu**), *bon* qualifie du point de vue chrétien la personne qui fait le bien (v. 980) et, par métonymie, un acte, un sentiment inspiré par la bonté (XIe s., *bonne intention*). Cette valeur, extrêmement fertile en expressions figurées comme *bon courage* au sens de «bon cœur» ou ***bonnes grâces*** (av. 1250), est étroitement lié au précédent. Il s'en dégagera progressivement avec la laïcisation de la morale et la constitution d'une psychologie individuelle; ainsi, le syntagme ***bon cœur,*** encore employé au XVIe s. avec le sens hérité de l'ancienne morale, «cœur vaillant, fier», prend l'acception moderne de «généreux, affectueux» *(avoir bon cœur).* ◇ À la même époque, *bon* affaiblit son sens en «agréable» dans ***bon homme*** (av. 1544) et ***bonne femme*** (1611), deux expressions employées communément à l'adresse de gens âgés, d'abord par déférence puis familièrement, voire avec une pointe de condescendance (→ bonhomme, bonhomie à homme), *bonhomme* et *bonne femme* aboutissant à deux synonymes familiers, respectivement de *homme* et de *femme.* Cet affadissement sémantique vaut à l'adjectif d'être employé dans des formules de politesse *(vous êtes bien bon)* et en témoignagne d'un lien d'affection *(mon bon ami, ma bonne dame)* comme le mot *cher* aujourd'hui. ◆ Par une dérivation conduisant à une appréciation plus floue et plus subjective, *bon* correspond à ce qui procure du plaisir, de l'agrément (v. 1172-1175), valeur souvent éclairée par le contexte. Il est employé notamment dans le domaine des plaisirs de la table où l'expression ***bonne bouche*** (1606, *faire bonne bouche*) se rapporte d'abord proprement au mets odoriférant que l'on mange à la fin du repas pour se rafraîchir l'haleine, puis au meilleur morceau gardé pour la fin, également au figuré (*garder pour la bonne bouche*, enregistré par Furetière, 1690). La locution *bon comme le bon pain* (1622) joue sur les valeurs morale et concrète du mot ; elle a été modifiée, de façon elliptique, en *bon comme le pain*. ◇ Les dictionnaires des XVIe et XVIIe s. constatent une foule de figements où les notions de «convenance» et d'«agrément» sont bien affranchies du code culturel médiéval, comme *bon mot* (XVIe s.) «mot plaisant» *à bon escient, faire bon accueil, à bon marché, à bon compte, bon moyen, bon à manger, à bon droit, à bon port, de bon cœur, se donner du bon temps, en bon langage, bonne maison, bonne santé, bonne renommée, bonne réputation, bonne chère, bonne contenance, de bonne grâce, bonne cause, en bonne partie* (pour *en bonne part*), *bonne mine, bons morceaux* (1606). Outre ces syntagmes pour la plupart encore en usage, le XVIe s. et le XVIIe s. enregistrent les locutions proverbiales ***bon gré, mal gré*** (1560), ***bon sang ne peut mentir*** et *à bon entendeur ne faut* [manque] *qu'une parole* (1611), forme archaïque pour ***à bon entendeur, salut.*** Furetière (1690) note aussi *dire la bonne aventure ; bon an, mal an ; bonne fortune ; les bons comptes font les bons amis ; avoir bon pied bon œil ; être bon prince ; à quelque chose malheur est bon ; n'être bon à rien ;* toutes ces locutions sont restées usuelles et présentent déjà leur forme actuelle (*à bon chat bon rat* ayant remplacé *à bon chien bon os*, 1611). ◆ À côté de tous ces emplois, où *bon* s'oppose implicitement à *mal, mauvais* ou *méchant* (explicitement dans *bon génie, bon ange* et, autrefois, *bonne âme*, expressions attestées au XVIIe s. et ayant un contraire en *mauvais*), *bon* a reçu, peut-être d'après le latin *bonus* (et par réemprunt), une valeur purement quantitative, «important» (v. 1195), exprimant la plénitude, la mesure comble, dans les expressions *bon pas, bon feu* (1553), *bon poids* et *bonne mesure* (XVIe s.), et, avec une nuance d'intensité physique, *bon coup de poing* (av. 1664). ◇ La langue du XVIe s. illustrait cet usage par l'association redondante de *bon et gros* pour exprimer l'intensité, la quantité ; et, comme le remarque Furetière, *bon* devient alors ambivalent, augmentatif en bien comme en mal (*un bon diable*, 1690). ◇ Dans le domaine temporel, cette valeur intensive correspond à «définitif» (XVIe s., ***une bonne fois*** «une fois pour en finir» [cf. *une fois pour toutes*]), et à «tôt» dans la locution usuelle ***de bonne heure*** (1606), à ne pas confondre avec ***à la bonne heure*** «sous de bons auspices» (1606), «à propos» (1690). ◇ L'usage général de *bon* adjectif s'est donc fixé très tôt dans la langue ; il convient toutefois de noter la disparition en ancien français de l'ancienne solidarité entre *bon, beau* et *bien*, encore sensible dans l'association d'épithètes ***bel et bon*** (av. 1250 chez Chrétien de Troyes) conservé en style soutenu. ◆ L'usage de *bon* dans la formation du comparatif de supériorité (*plus bon*), encore relevé au XVIe s., a disparu au profit du comparatif synthétique *meilleur*, repris au latin.

L'emploi adverbial de *bon* (v. 1165-1170) n'a pas d'équivalent en latin où ce rôle était assumé par *bene*. Le représentant de ce dernier en français, *bien* (opposé à *mal*), s'est mieux implanté que *bon*, lequel lui a cédé la valeur de «bien, de bonne manière, heureusement», mais a conservé quelques emplois (opposé à *mauvais*). En moyen français et jusque dans l'usage classique, il a eu la valeur matérielle de «cher» dans *vendre bon, coûter bon* (encore chez Scarron) ; celle-ci s'est éteinte en laissant une trace dans l'usage très familier sous la forme rédupliquée *bonbon* (*coûter bonbon*). ◇ L'usage moderne a privilégié d'une part la valeur normative de «sérieusement, véritablement» dans ***tout de bon*** et ***pour de bon*** (en remplacement de *à bon, tout à bon*, 1611), ou encore ***à quoi bon?*** (1690) — d'où *aquoibonisme*, ci-dessous — ; et, d'autre part, une notion d'agrément. ◇ Celle-ci est réalisée dans *sentir bon* (1539) et dans *sembler bon*, utilisé dans *ce que bon lui semble* et *si bon lui semble* (1606). ◇ *Faire bon*, d'abord employé pour «promettre de payer pour soi ou pour autrui» (1606, *bon* y étant peut-être en emploi substantivé sans article), a fait fortune en construction impersonnelle : ***il fait bon*** exprime une idée d'occasion favorable, d'opportunité (1690, *il fait bon vivre*) et s'applique en particulier au climat, pour «il fait doux». ◇ *Bon* réalise la même valeur intensive que l'adjectif dans la locution ***tenir bon*** «tenir fermement, ne pas céder» (1601). Il ne reste presque plus trace de l'ancienne solidarité ***bel et bon*** (1690, *tout ceci est bel et bon*) du fait de la fortune de formules équivalentes *c'est bien beau, c'est bien joli*. ◆ Au XIXe s., l'adverbe a été déformé sous la forme **BONO** (1852) dans l'argot des soldats d'Afrique qui l'ont transmis à l'usage familier (1863) → macache (bono).

L'emploi interjectif de *bon* (enregistré en 1690) peut être considéré comme une ellipse pour *c'est bon*, et marque l'approbation ou, au contraire, le dépit, l'impatience, l'ironie, le rejet, également développé en *ah bon !* Il a pu être influencé par l'emploi exclamatif de l'adjectif dans *bon Dieu ! bonne Vierge !* (archaïque), expressions dont la valeur adjurative a été progressivement effacée par celle de juron, et qui peuvent être révélatrices si l'on considère que le mot appartient originellement au langage religieux (voir ci-dessus).

Bon, bonne a été substantivé dès le XIIe s. (1130-1160), peut-être en partie sous l'influence du latin qui employait le neutre *bonum* «le bien, un bien», son pluriel *bona* «les biens, l'avoir», et le pluriel masculin *boni*, traduisant ainsi le grec *to agathon, ta agatha, oi agathoi*. ◇ L'ancien français a plutôt réservé *bien* pour la valeur morale, philosophique et juridique correspondant au nom latin, réservant *bon* pour «ce qui fait plaisir, ce que l'on désire, le bon plaisir». Ce sens est réalisé à la fois dans sa généralité et dans sa particularité par le pluriel *les bons, des bons* (1130-1160). Dans la littérature courtoise, il se rapporte spécialement au plaisir dont un homme jouit avec une femme et aux faveurs que celle-ci accorde (XIIe s.). ◇ À la même époque, dans les romans de chevalerie, le pluriel *les bons* désigne les braves, les preux, ceux qu'on a également appelé les prudhommes, puis les personnes qui sont bonnes (v. 1225), par opposition manichéenne aux *méchants*. ◇ Avec le même affadissement que l'adjectif, ***mon bon, ma bonne*** s'est constitué en appellatif affectueux, de nos jours légèrement archaïque et familier (aussi *tout bon, toute bonne,* fréquent chez Mme de Sévigné). ➜ C'est de cet usage que s'est détaché ② **BONNE** n. f. (1708), dénomination courante de la domestique, usuelle au XIXe s. en appellatif (les enfants disaient *ma bonne* à la personne qui s'occupaient d'eux), péjorativement suffixée en **BONICHE** n. f. (1906), parfois écrit *bonniche,* terme très méprisant qui, heureusement, ne s'emploie plus guère. ◇ De *ma bonne,* terme d'adresse à une épouse, vient le redoublement **BOBONNE** n. f. (1828) terme d'affection petit bourgeois au XIXe s., puis «épouse petite bourgeoise d'âge moyen», avec une idée de vulgarité (aussi adj. : *elle fait un peu bobonne*). L'emploi pour «bonne d'enfant» (1865, About; Maupassant) a disparu.

Pour le substantif, le sens général ou collectif de «ce qui est bon, la bonne partie de qqch.» s'est affirmé relativement tard (1576) et connaît une certaine vitalité dans ***rien de bon*** (1690), ***avoir du bon*** (av. 1695; antérieurement *avoir cela de bon sur* «avoir en cela l'avantage sur», d'après *bon* «avantage, occasion favorable»). ➜ Le féminin *bonne* a mieux conservé que le masculin certains emplois elliptiques : *être en ses bonnes* (XVIe s., Rabelais), «être de bonne humeur», a disparu mais on dit encore familièrement ***l'avoir à la bonne,*** parfois *prendre à la bonne* avec l'idée d'humeur facile ou de bienveillance.

Un emploi substantivé de *bon* a cependant acquis assez d'autonomie pour être perçu comme un autre mot. ➜ ② **BON** n. m. (av. 1755), par une spécialisation financière, s'applique à une formule écrite autorisant à fournir ou à payer pour le compte de celui qui l'a signée (cf. le premier emploi de *faire bon* en 1606). ◇ Le mot désigne spécialement l'engagement souscrit par le Trésor public ou par des sociétés financières de payer une somme déterminée au détenteur du titre ou au porteur (*bon du Trésor*). ➜ En imprimerie, un ***bon à tirer*** désigne les épreuves «bonnes à tirer» et doit procéder de l'adjectif dans *épreuves bonnes à tirer* et dans la formule *bon à tirer.*

▶ *Bon* a plusieurs dérivés morphologiques. ➜ **BONNEMENT** adv. (v. 1170) a eu le sens moral de «charitablement, généreusement», mais celui-ci, qualifié de «familier» par l'Académie en 1835, a été supplanté de l'usage courant par la locution *avec bonté.* ◇ Le sens de «vraiment, véritablement» (av. 1553), autrefois usuel avec une construction négative ou interrogative, a décliné; il est qualifié de «bas» (1694) puis de «familier» (1740) et puis «vieilli» (1835). ◇ L'adverbe conserve une certaine vitalité dans ***tout bonnement*** «tout simplement».

Il est malaisé de déterminer si ② **BONASSE** adj. (XVe s.) résulte d'une évolution sémantique de *bonace** comme adjectif par transposition du calme marin au tempérament d'une personne, ou d'une suffixation de l'adjectif *bon.* On évoque aussi un emprunt à l'italien *bonaccio,* dérivé de *buono* (→ bon). ◇ Le mot a suivi le même type d'évolution que *boniface* et *bonhomme,* colorant le sens de «doux, au bon caractère» de la valeur péjorative de «trop accommodant, trop faible» (1690). ➜ En ont été dérivés **BONASSEMENT** adv. (av. 1778) et **BONASSERIE** n. f. (1840), aujourd'hui archaïques.

BONBON n. m. est enregistré par Oudin en 1640 (*du bon bon*) mais semble déjà présent dans le *Journal de Jean Héroard sur l'enfance et la jeunesse de Louis XIII* en 1604. Cette réduplication enfantine de l'adjectif *bon* pour désigner quelque chose de bon à manger est devenue la dénomination usuelle d'une petite sucrerie, d'abord à la forme partitive *du bonbon* (encore au XIXe s.). L'usage moderne (*un, des bonbons*) correspond à l'acception moderne «petite friandise sucrée et aromatisée», sauf en Belgique où le mot se dit encore pour un biscuit, un petit gâteau. ◇ Par métaphore, le mot a désigné un furoncle, une pustule (fin XIXe s.). ◇ Au pluriel *les bonbons,* est devenu une désignation familière des testicules, notamment dans l'emploi métaphorique de *casser les bonbons* «ennuyer» qui équivaut à *casser les pieds* et, avec la même valeur, *casser les couilles.* ➜ Il a pour dérivé **BONBONNIÈRE** n. f. (1777-1783) «boîte à bonbons», au figuré «petite construction précieuse et coquettement aménagée» (1817, Stendhal), et **BONBONNERIE** n. f. (1804) «fabrication des bonbons, local où l'on fait et où l'on vend les bonbons». ◇ Les emplois de **BONBONNET** n. m. (1910) «petit bonbon», et **BONBONNER** v. intr. «manger des bonbons» (1943), stylistiquement marqués, sont très rares.

BONARD ou **BONNARD, ARDE** adj. (1887), introduit par l'argot des tricheurs aux cartes, est d'origine dialectale. Le manceau *bonard* signifie «imbécile, naïf» (1859). ◇ L'adjectif s'est répandu (1900) pour qualifier une personne qui se laisse facilement duper, un naïf, manifestant un retournement péjoratif complet de *bon* dans l'argot.

La dérivation de *bon* a été particulièrement riche en préfixés et composés, ainsi qu'en emprunts (cf. les renvois ci-dessous). ➜ **ABONNIR** v. tr. est formé (XIIe s.) de *a-*, *bon* et suffixe verbal. C'est un quasi-synonyme du composé *bonifier,* qui a vieilli après l'époque classique par rapport à ce dernier, et qui est devenu rare. ◇ Il en va de même pour son dérivé **ABONNISSEMENT** n. m. (1653). ➜ Récemment, on a formé **AQUOIBONISME** n. m. (Cocteau) et **AQUOIBONISTE** adj. et n. (Gainsbourg) d'après la locution *à quoi bon,* terme à la fois littéraire et familier se rapportant à une tendance au fatalisme.

◈ voir BONACE, BONIFIER, BONNIR, BONTÉ, BONUS (à BONI), DÉBONNAIRE et aussi CHRÉTIEN (BON-CHRÉTIEN), DIEU (BONDIEUSERIE), GARÇON (BON-GARÇON), HEUR (BONHEUR), HOMME (BONHOMME), JOUR (BONJOUR), MAMAN (BONNE-MAMAN), ROGER-BONTEMPS, SOIR (BONSOIR), ① VIVRE (BON VIVANT).

BONACE n. f. est issu (déb. XIIIe s.) d'un latin populaire °*bonacia,* altération d'après l'adjectif *bonus* «bon» (→ bon, bonus à boni), du latin *malacia* «calme de la mer», considéré à tort comme dérivé de *malus* (→ mal). En réalité, *malacia* est emprunté au grec classique *malakia* «mollesse», souvent «manque d'énergie» et «facilité d'humeur», lui-même dérivé de *malakos* «mou, doux» (→ malaxer). L'ancien provençal, l'ancien catalan, l'ancien portugais, l'espagnol et l'italien *bonaccia* (déb. XIIIe s. par le latin médiéval *bonacia*) sont eux aussi directement issus du latin populaire. Étant donné l'ancienneté du mot dans l'ensemble de la Romania, cette hypothèse semble préférable à celle d'un emprunt à l'italien, non attesté d'ailleurs dans la langue littéraire avant Dante au sens de «beau temps» et avant le XIVe s. au sens de «calme de la mer». Seule la forme *bonache* (1552, Rabelais) est le reflet de l'italien.

♦ Le mot désigne l'état d'une mer très tranquille; bien que «tombé en désuétude» au XIXe s. selon Jal (en 1848), il continue d'être employé. ◇ En revanche, les sens de «beau temps sur terre» et, par métaphore, d'«état de paix morale», en moyen français, sont sortis d'usage.

▸ ① **BONASSE** adj., d'abord écrit *bonace* (1288), représentait l'emploi adjectivé de *bonace* lorsqu'il sert à qualifier une mer plate.

◈ voir **BON** (dérivés).

BONAPARTISME n. m. est dérivé (1816, sous la forme *buonapartisme*, 1815) du nom des *Bonaparte* et notamment de Napoléon.

♦ Après avoir désigné le gouvernement impérial des Bonaparte, le mot s'applique à la doctrine politique des Bonaparte, Napoléon Ier, puis Napoléon III. ◇ **BONAPARTISTE** adj. et n. semble avoir été formé précédemment (1809).

BONBONNE ou **BOMBONNE** n. f., apparu tardivement en français (1823), est emprunté au provençal *boumbouno* «dame-jeanne» (Mistral) avec substitution de suffixe *-onne* à la terminaison provençale, par attraction de *bonne*, féminin de *bon**. *Boumbouno* est dérivé avec le suffixe *-ouno* à valeur augmentative (cf. italien *-one*) du provençal *boumbo* «récipient de terre cuite rond à col très court», emprunté au français ① *bombe** de même sens (1771). La graphie étymologique *bombonne* tend à céder devant *bonbonne*, imposé par l'analogie formelle avec *bonbon*.

♦ Le mot, synonyme usuel de *dame-jeanne*, désigne un récipient bombé, souvent en verre.

◈ ✳ **BONDE** n. f., attesté au XIVe s. (1332) mais probablement antérieur (cf. ci-dessous *bondenel*, de *bondon*), est d'origine obscure : on le fait en général venir d'un gaulois °*bunda*, féminin de °*bundos*, base bien attestée dans la toponymie de l'Italie du Nord et de la Suisse romande et à laquelle correspondent le moyen irlandais *bond, bonn* «plante du pied, base, support» et le cymrique *bond* «fond». Les mots celtiques semblent se rattacher à l'indoeuropéen °*bundhos* «sol»; le provençal *bondo*, «terrain marécageux», de l'ancien provençal *bunda*, est de même origine, tandis que les formes germaniques (allemand *Spund*) sont empruntées au roman. L'hypothèse d'un étymon germanique (ancien haut allemand, moyen haut allemand *bunde*) est peu vraisemblable, étant donné que la terminologie viticole a été fournie en grande partie par le latin aux peuples germaniques; elle paraît en outre peu compatible avec la localisation du mot dans l'aire germanique (dialectes de Suisse alémanique et souabe, alsacien). L'évolution sémantique depuis «base, sol» vers «bouchon de tonneau» et «ouverture d'un étang» s'expliquerait par le fait que les bondes sont situées à la partie inférieure de ce qu'elles obstruent. P. Guiraud, contestant cette justification, postule un °*bombita*, «objet rond et renflé», participe passé féminin substantivé du bas latin *bombitare* (→ bondir), mot selon lui tombé dans l'attraction de l'étymon *bobb-*, *bomb-* désignant un objet rond (→ ① bobèche, bobine).

♦ Le mot désigne le trou pratiqué dans une douve de tonneau et, par métonymie, le bouchon permettant d'obturer ce trou. Dès son apparition, il désigne également l'ouverture de fond destinée à vider l'eau d'un étang, d'un réservoir et la pièce utilisée pour la fermer (1347). ◆ D'après son dérivé *bondon*, il a pris le sens figuré de «fromage en forme de bonde». ◇ Le mot avait pris dans l'argot des détenus les sens métonymiques de «réclusion» (1844) et de «maison centrale» (1872), sortis d'usage, probablement par allusion au sens de *bonder* «boucher», donc «enfermer» (plutôt que parce que ce fromage était consommé dans les prisons, comme on l'a dit).

▸ **BONDON** n. m., attesté indirectement par le dérivé *bondenel* (v. 1170) et lui-même à partir du XIVe s., désigne le bouchon en bois cylindrique servant à obturer la bonde du tonneau. ◇ Par analogie de forme, il désigne un fromage non fermenté fabriqué à Neufchâtel-en-Bray (1834). cf. *bonde.* ◆ Le mot a servi à former **BONDONNER** v. tr. (1571), «boucher avec un bondon» et, par changement de suffixe, **BONDARD** n. m. (1856) qui lui sert de synonyme comme nom de fromage et par métonymie, s'est employé en argot, comme *bondon*, aux sens de «détenu» et «réclusion» (1881, *aller aux bondards*).

BONDER v. tr., dérivé de *bonde*, est attesté une première fois (1483) au sens ancien de «boucher du vin» et une seconde fois (1672) en marine avec le sens de «remplir (un navire) autant qu'il est possible» qui procède de «remplir (un tonneau) jusqu'à la bonde». ◇ Il se répand au XIXe s. dans ses deux sens, son participe passé **BONDÉ, ÉE** étant adjectivé au sens de «plein, comble» (av. 1868), devenu usuel à propos des lieux publics, véhicules de transports en commun, etc.

DÉBONDER v. tr. est créé au XVe s. sur *bonde* avec le sens d'«ouvrir en retirant la bonde» et au figuré «épancher» (1580) auquel correspond un emploi pronominal (v. 1550), sorti d'usage après l'époque classique. ◇ L'emploi intransitif de «se répandre en abondance avec rapidité» (av. 1665), au propre et au figuré, tend également à disparaître. ◆ De *débonder* est dérivé le nom d'outil **DÉBONDOIR** n. m. (XXe s.) qui concurrence **TIRE-BONDE** n. m. (1836).

✳ **BONDIR** v. intr., d'abord *bundir* (1080) puis *bondir* (XIIIe s.), est issu d'un latin populaire °*bombi-* ◈

tire. Celui-ci est une variante, peut-être d'après °*tinitire*, prototype de l'ancien français *tentir* (→ retentir), du bas latin *bombitare* (IVe s.), fréquentatif du latin classique *bombire*, «bourdonner» en parlant des abeilles. Ce verbe appartient à une famille de mots expressifs calquée partiellement du grec et exprimant la notion de bourdonnement, *bombinare* (→ bombiner à bombyx), *bombilare*, *bombizare*, et le substantif *bombus* (→ bombarde).

♦ Le sens étymologique de «retentir, résonner», en emploi transitif «faire résonner», dominant en ancien et en moyen français, est sorti d'usage au cours du XVIe siècle. ➛ Le passage au sens actuel de «faire des sauts», attesté timidement au XIIIe s., s'expliquerait par un changement de registre où l'impression auditive de sons montants et descendants a dû se substituer une impression visuelle. Pour ce mot faisant partie d'un groupe ayant très anciennement associé son et mouvement (par le tournoiement de l'insecte, le tourbillonnement de la toupie), P. Guiraud invoque le moyen français *bonde* «balle de paume» qui aurait servi d'intermédiaire, *bondir* évoquant alors les mouvements de la balle après qu'elle ait frappé le mur. ◇ Par transposition, un sens figuré, «réagir sous l'empire d'une émotion», apparaît au XVIIe s. (1690) dans la locution ***le cœur bondit.*** *Bondir*, au concret comme à l'abstrait, est un intensif par rapport à *sauter*.

► **BOND** n. m., déverbal de *bondir*, d'abord employé dans la locution adverbiale *de premier bond*, «tout d'abord, dès le commencement» (av. 1430), paraît à ses débuts très lié à la pratique d'un jeu de balle : il se dit du mouvement de la balle renvoyée par le sol ou un autre obstacle (1580) donnant dès le XVIe s. plusieurs locutions figurées dont certaines, comme ***faire faux bond à qqn*** (1584), sont encore en usage. ◇ *Bond* se dit également de l'action d'un être animé qui s'élève par une brusque détente musculaire (XVIIe s.), avec une valeur intensive par rapport à *saut*.

BONDISSEMENT n. m., dérivé du radical *bondiss-* (1379) a perdu le sens de «retentissement», vivant au XIVe s., pour celui de «mouvement de ce qui bondit» (1547).

REBONDIR v. intr. a suivi une évolution analogue à celle de *bondir*. ◇ Le sens de «retentir» (v. 1160) a cédé au XVIe s. devant le sens spatial correspondant à celui qu'avait pris *bondir;* déjà en germe dans le sens ancien d'«être ébranlé» (v. 1165), il s'est répandu à partir de 1530. Appliqué surtout au mouvement spontané d'un objet élastique, le verbe se sépare alors de *bondir* par ses emplois. ◇ Par extension, il décrit, sans notion dynamique, une partie du corps présentant une éminence arrondie (1680) (cf. ci-dessous *rebondi*). Il se dit, au figuré, de ce qui reprend une nouvelle vigueur après un arrêt momentané (av. 1778). ➛ **REBONDISSEMENT** n. m. (fin XIVe s.) est employé dans les premiers textes avec le sens moderne d'«action de faire un ou plusieurs bonds», qui a éliminé celui de «retentissement» et a donné, au figuré, «action de reprendre de la vigueur» et «développement imprévu» (1922). ➛ **REBONDI, IE,** participe passé de *rebondir* est adjectivé avec son sens descriptif et statique du verbe, se disant pour «arrondi» en parlant d'une partie du corps (v. 1460). ➛ Le déverbal **REBOND** n. m. (1676) fait concurrence à *rebondissement* dans certains de ses emplois concrets, spécialement à propos d'une balle ou d'un ballon (1869). ◇ Son emploi pour «état de ce qui est rebondi» (1934) relève du style littéraire.

BONHEUR → HEUR

BONI

BONI n. m. est l'emprunt (1612) du mot latin *boni*, génitif de *bonum*, neutre de *bonus* (→ bon), tiré de l'expression *aliquid boni* «quelque chose de bon» (depuis Plaute) qui a dû être employée dans le langage juridique du moyen âge.

♦ Le mot, apparu dans un texte juridique dans l'expression latine *boni et remanet*, désigne le revenant-bon d'un compte en termes de finances, de droit, de commerce. Il a été repris pour désigner un avantage accordé à un employé sous forme d'excédent de salaire; cf. *bonus*, ci-dessous.

► **BONUS** n. m. est emprunté (1930) à l'anglais *bonus*, lui-même emprunté au latin *bonus* (→ bon), employé depuis 1773 à propos d'une somme d'argent donnée en guise de récompense ou comme rémunération supplémentaire pour services rendus et (1808) en parlant d'un bénéfice. ➛ Le mot, d'abord employé au Canada, désigne une gratification accordée par une entreprise sur le salaire d'un employé. ◇ Il est passé dans le vocabulaire des assurances pour désigner un bénéfice accordé, sur le montant de sa prime d'assurance automobile, à un conducteur n'ayant enregistré aucun accident (1970). ➛ En composition avec son antonyme *malus*, il a produit **BONUS-MALUS** n. m. (1970), nom d'un système d'assurance automobile dans lequel le montant de la prime est en rapport avec le taux d'accidents précédemment enregistré.

◈ voir BONIFIER.

BONIFIER

BONIFIER v. est probablement emprunté (v. 1445; d'après Bloch et Wartburg, sinon seulement au XVIe s., av. 1549) à l'italien *bonificare* (XVe-XVIe s.), «prospérer» et «améliorer» (XVIe s.), de la même famille que *bonificamento* «amélioration» (av. 1311). *Bonificare* est lui-même un emprunt au latin médiéval *bonificare* (1260-1270), dérivé du bas latin *bonificus*, altération du latin classique *beneficus* (→ bénéfice). ◇ En ancien français, le type *bonigier*, attesté dès 1275 au sens de «faire du bien, avoir une bonne influence», est hérité par voie populaire du latin *bonificare*, probablement bien antérieur à ses attestations du XIIIe siècle.

♦ Le verbe signifie «rendre bon ou meilleur» et, à la forme pronominale, «s'améliorer». Sa spécialisation en finances pour «donner à titre de boni» (1712) constitue probablement un nouvel emprunt à l'italien (qui l'a dès 1688) plutôt qu'une dérivation en français d'après *boni**. Le verbe, généralement transitif dans ce domaine, se rencontre plus rarement en emploi intransitif pour «faire du bénéfice».

► **BONIFICATION** n. f., qui remplace *bonifaction* (1584), exprime l'action de rendre meilleur; il s'est spécialisé comme *bonifier*, désignant en finances (1712) l'action d'accorder à titre de boni, de surplus.

◇ Repris en sports (1923, cyclisme), le mot désigne l'avantage accordé au sportif qui passe en tête au sommet d'un col ou à l'arrivée d'une étape, chiffré en minutes à retrancher du temps réel.

BONNET n. m., d'abord *bonet* (v. 1150) puis *boneta* dans un texte latin en 1184, enfin *bonnet* (1401), est d'origine douteuse : une hypothèse communément admise le rattache au latin médiéval *abonnis,* «bandeau servant de coiffure» (VIe s., également sous la forme *obbonis*), lui-même sans étymologie connue. Certains ont vu dans *abonnis* une forme dissimilée de *obbonis,* que l'on fait remonter à un francique °*obbunni,* composé de *ob* (correspondant au moyen haut allemand *obe* «en haut») et de °*bundi* «ce qui est lié» (allemand *binden* «lier», → ① bande), avec passage de *-nd-* à *-nn-;* °*obunni,* littéralement «ce qui est lié sur», correspondrait au moyen haut allemand *gebünde* «ouvrage fait de bandes, de rubans» d'où «bandeau servant de coiffure». Bien qu'attesté un peu plus tard en français, le sens premier du mot est «coiffe». ◇ P. Guiraud préfère rattacher *bonnet* à *bonne,* variante de *borne* :* il s'appuie sur un texte de la *Lex Ripuaria* assimilant le prototype gallo-roman °*botina* «tertre, élévation» au latin classique *mutulus,* qui désigne une tête de chevron en forme d'ornement et qui a donné le français *mule, mulon* puis l'emprunt *mutule* en architecture. *Mutulus* est susceptible d'être un emprunt (étrusque ?).

♦ L'acception métonymique, «étoffe servant à faire des coiffes», est sortie d'usage au XVe s. au profit du sens de «coiffure» (1184 en latin médiéval). L'importance qu'a eue cette coiffure, notamment comme symbole d'une catégorie ou d'une profession (1534), se reflète dans le grand nombre de locutions et d'expressions : *mettre la main au bonnet* «saluer» (1459), *faire qqch. sous son bonnet* «en se cachant» (1545), devenues archaïques ; ***avoir la tête près du bonnet*** «être rapide à s'emporter» (1558), ***jeter son bonnet par-dessus les moulins*** (1623), ***c'est bonnet blanc (et) blanc bonnet*** «la même chose» (1640), ***opiner du bonnet*** (1654) sont encore compris et employés, malgré la disparition des contextes initiaux. ◇ Le traditionnel ***bonnet d'âne*** s'inscrit dans la lignée des *bonnets jaunes* (XVIe s.) qui distinguaient les bouffons et des *bonnets verts* (XVIe s.) qui signalaient les débiteurs insolvables. ◇ L'ancien *bonnet rond* (XVIe s.), «coiffure des hommes de robe et des ecclésiastiques», est sorti d'usage mais *bonnet carré* (XVIe s.) désigne encore la coiffe des professeurs d'université et par métonymie ceux qui la portent dans une cérémonie. ◇ L'expression ***gros bonnet*** (1623), allusion à la coiffe de personnalités et professions influentes, s'est implantée durablement. ***Bonnet de police*** (1790) qui s'est appliqué à des coiffures militaires souples différentes du béret et ***bonnet phrygien*** toujours associé à la Révolution, remontent tous deux à la fin du XVIIIe siècle. ➜ *Bonnet* a développé quelques sens analogiques, spécialement en termes de fortification (1678, *bonnet de prêtre*), en zoologie (1690), en technique (1751) et en botanique. ➜ En outre, le mot désigne couramment chacune des poches d'un soutien-gorge (XXe s.).

▶ ① **BONNETTE** n. f. «voile d'appoint» en marine (1382) est dérivé de *bonnet* au sens ancien d'«étoffe». ◇ Il a été reformé ultérieurement d'après *bonnet* «coiffe», désignant un ouvrage de fortification (1671) et un filtre placé sur l'oculaire des instruments d'optique astronomiques (1899). ➜ **BONNETIER, IÈRE** n. (1449 ; d'après Bloch et Wartburg peut-être fin XIVe s.) désigne un fabricant ou vendeur d'articles en tricot. ◇ Le féminin **BONNETIÈRE**, par ellipse pour *armoire bonnetière,* désigne une petite armoire, à l'origine pour ranger des coiffes (attesté 1928, Mauriac). ➜ **BONNETER** v. tr. est un verbe moyen français pour «saluer, donner des marques de respect», attesté en 1550 mais probablement antérieur. Qualifié de «bas et familier» depuis 1704, il a de nos jours disparu, y compris dans l'emploi intransitif pour «opiner du bonnet» (av. 1755). ➜ Il a probablement produit, malgré l'hiatus chronologique, **BONNETEUR** n. m. (1400-1450), ancien nom appliqué à un filou qui fait assaut de civilités, de «coups de bonnet», repris en argot (1874) pour désigner celui qui tient un jeu propre à berner le client. ◇ Ce dernier, nommé par substitution de suffixe **BONNETEAU** n. m. (1708), désigne un jeu de trois cartes retournées, manipulées et dont il faut deviner la place.
BONNETERIE n. f. (XVe s.) désigne collectivement les articles en tricot ainsi que l'art, le métier du bonnetier (1718) et son magasin.
② **BONNETTE** n. f., d'abord *bonete* (XVe-XVIe s.), semble dérivé de *bonnet* «étoffe» pour désigner une sorte de bonnet ; il ne subsiste que dans l'usage régional.

BONNIR ou **BONIR** v., attesté tardivement comme mot d'argot (1811), est d'origine incertaine : la dérivation de *bon*, bonne (bonne histoire, en raconter de bonnes)* semblerait naturelle, mais manque d'attestations. P. Guiraud préfère remonter à *bon** employé pour caractériser une personne ayant en soi toutes les qualités convenables à sa destination, à l'usage que l'on veut en faire, et spécialement «dupe» (1670), puis «pris sur le fait» (*être bon* correspond dès 1809 à *être fait, refait*). Esnault, quant à lui, remonte par l'intermédiaire des saltimbanques et des comédiens, à l'italien *imbunire* qui a conservé, comme son synonyme *imbelir,* le sens de «distraire aux fins de larcin», mais aurait donné °*embonnir.*

♦ Le mot est employé en argot avec la plupart des valeurs de *dire* en emploi transitif et, plus rarement, intransitif, pour «dire, raconter» (1821).

▶ **BONISSEUR** n. m. est dérivé (1820-1840) du radical du participe présent de *bon(n)ir* et désigne le forain qui débite un boniment pour attirer le client. ➜ **BONIMENT** n. m., dérivé de *bon(n)ir* avec le suffixe *-ment* (1827), est devenu usuel ; de «propos débité par le forain pour attirer le public», il a développé le sens familier de «propos artificieux, trompeur» (1866, en politique). ➜ En est dérivé **BONIMENTER** v. intr. (1883) d'où est tiré **BONIMENTEUR** n. m. (1894), employés dans le domaine du spectacle et, plus rarement, d'une manière générale.

BONSAÏ n. m. est l'emprunt, répandu vers 1975, d'un mot japonais désignant un petit arbre intentionnellement nanifié. Le mot est attesté en anglais en 1950 dans le titre d'un ouvrage de N. Kobayashi «*Bonsai — Miniature Potted Trees*» (Bonsaï : les arbres miniatures en pot).

♦ Le mot a conservé le sens de l'étymon.

BONTÉ n. f. est issu (1080) du latin *bonitas, -atis* (accusatif *bonitatem*), nom de qualité issu de *bonus* (→ bon), désignant à la fois la qualité de ce qui est bon en soi, et la qualité morale de bienveillance envers autrui.

♦ La valeur sémantique moderne de *bonté* s'est dégagée graduellement comme celle de l'adjectif *bon** : comme nom de qualité morale, le mot s'applique dans les premiers textes à une vertu non individuelle mais sociale ; dans la société chrétienne du moyen âge, c'est un attribut divin dont l'homme est privé par le péché originel, mais dont il peut s'approcher en se consacrant au service de Dieu. Dans le contexte féodal, le mot exprime également la qualité du guerrier courageux et de haute naissance, de celui qui s'illustre par de hauts faits, sens appliqué par métonymie aux choses (cheval, écu, épée) qui contribuent à affirmer le code féodal. ◇ Une mutation s'effectue avec la courtoisie : *bonté* caractérise alors de manière plus individuelle le héros (homme et dame) tout en continuant de qualifier son appartenance aristocratique et sa valeur guerrière. ◇ Le déplacement vers le sens moral individuel, «qualité de celui qui est bon, charitable envers autrui» (déb. XIIe s.), s'opère progressivement, se reflétant dans les emplois concrets de *une* (1150-1170), *des bontés* (fin XIIe s.) pour «acte de bonté». En ancien français, ceux-ci ont le plus souvent trait à un avantage, un don accordé (v. 1180), à la faveur d'une dame, encore dans la rhétorique amoureuse classique avec une nuance plaisante : *avoir des bontés pour (un homme)*. *Une bonté* s'appliquait aussi à une redevance (1212), au produit de l'argent ou des terres, à la rente d'un capital prêté. ◇ À partir du XVIe s., le concept se laïcise, le mot gardant des échos de ses valeurs traditionnelles, par exemple dans l'interjection ***bonté divine !*** (1766), beaucoup moins énergique que *bon Dieu !* ◇ Il devient un terme de politesse voisin d'*amabilité*, en entrant par exemple dans la formule *avoir la bonté de* (1656). ➛ Parallèlement, le sens de «qualité d'excellence (d'une chose)», attesté dès l'ancien français (v. 1130), se maintient de manière marginale, alors que *bon* est usuel dans ce type d'emploi.

BONZE n. m., attesté en 1579 sous les deux formes *bonzi* et *bonze*, est emprunté au portugais *bonzo* (1545), également *bonzus, bonzius* en latin médiéval. Le mot portugais est lui-même emprunté au japonais *bonzô* ou *bonzi*. Ces deux mots correspondent au chinois *fan seng* «personne religieuse» tandis que le type sans nasale *bo-zi* est issu du chinois *fa-sze* «docteur de la loi».

♦ Le mot désigne un prêtre ou un moine bouddhiste de l'Asie du Sud-Est. Il est devenu usuel au XVIIIe s. avec les discussions sur les religions orientales. ◇ Par extension, il s'emploie au figuré et péjorativement en parlant d'un personnage officiel, d'un homme influent imbu de lui-même (attesté 1937). ➛ Par déformation de *gonze**, il est employé en argot d'abord par les étudiants de l'École polytechnique, avec le sens d'«individu» (1911).

▶ **BONZESSE** n. f. «femme bouddhiste cloîtrée» (1756, Voltaire) et **BONZERIE** n. f. «monastère de bonzes» (1845) sont archaïques.

BOOKMAKER n. m. est emprunté (1855) à l'anglais *bookmaker*, mot existant depuis le XVIe s. au sens d'«éditeur, faiseur de livres» et spécialisé (déb. XIXe s.) pour désigner celui qui, sur les champs de courses, prend les paris et les inscrit. En ce sens, il est recomposé de *book* «livre», abréviation pour *betting-book* «livre de paris», et de *maker* «celui qui fait, établit, compose». Le premier de ces mots, *book*, appartient à la famille germanique dont un représentant a donné, par emprunt, *bouquin** ; le second est dérivé de *to make* «faire», apparenté au verbe néerlandais qui est passé en français dans *maquiller**.

♦ Introduit pendant la période qui a importé l'ensemble des termes de turf anglais (fin XVIIIe-2e moitié XIXe s.), *bookmaker* désigne la personne qui prend les paris des courses de chevaux.

▶ L'abréviation **BOOK** n. m. a été reprise (1854) à l'anglais pour désigner le livre des paris. De cette acception disparue, *book* passe au statut usuel de *bookmaker* (1895).

BOOM n. m. est emprunté (1885) à l'anglo-américain *boom* (1879) «hausse rapide des prix», «relance des affaires», qui désigne aussi le bruit et l'agitation lors du soutien enthousiaste d'un candidat politique (1879). Le mot représente une spécialisation de sens de *boom* «explosion bruyante» (XVIe s.), formation onomatopéique (→ boum, ① bombe), par un déplacement de l'idée d'effet sonore à celle de soudaineté.

♦ Le sens initial de «réclame tapageuse en vue de lancer une affaire en Amérique» a disparu. ◇ Le mot est employé en termes de bourse avec le sens de «hausse brusque et forte des valeurs» (1892). Par extension, il se dit d'une phase de hausse des indices économiques, d'une période de grande prospérité (1960), d'une vente importante.

BOOMERANG n. m., d'abord écrit *bowmerang* (1857) puis *boomerang* (1863), est emprunté à l'anglais d'Australie *boomerang*, attesté en 1823 dans la *Sydney Gazette* et avec une valeur figurée en 1845. Le mot était probablement à l'origine le nom d'une ethnie de la Nouvelle-Galles du Sud (Australie) devenue par métonymie le nom d'une de ses armes : Collins, assesseur de la colonie à l'époque de sa fondation (1788), collecta un petit vocabulaire des mots de Port Jackson dans lequel *wo-mur-rāng* apparaît au nombre des «noms de massues». Un type *būmarin* désignant une arme de jet courbe est donnée dans un autre lexique et l'on trouve un exposé de l'usage de cette arme dans la *Sydney Gazette* du 23 décembre 1804. Des formes antérieures en français, comme *Womerang* (1834, Dumont d'Urville), semblent directement empruntées à une langue australienne.

♦ Le mot désigne l'arme de jet des indigènes australiens, formée d'une pièce de bois courbée qui revient à son point de départ si le but n'est pas atteint. ◇ Par métaphore ou au figuré, et d'après l'anglais, il se dit d'un acte dont les effets peuvent se retourner contre l'auteur (1959), fréquemment en apposition dans *effet boomerang* (1953) et employé dans la locution *faire boomerang*.

BOOTS → BOTTE

BOQUETEAU → BOSQUET

BORAX n. m., d'abord *borrache* (1256) et *borac* (1249-1272), puis *borax* (1611) à l'exemple de la forme latinisée, est emprunté par l'intermédiaire du latin médiéval *borax* (IXe s.) à l'arabe *būraq* (arabe du Maghreb *bauráq*), lui-même du persan *būrāh* «nitre, salpêtre». Le borax se trouve à l'état naturel en Perse, en Inde, à Ceylan et au Tibet. Les Grecs le connaissaient déjà sous le nom de *khrusokolla* (d'où *chrysocolla* en latin et *chrysocolle*), littéralement «soudure d'or», d'après une de ses utilisations.

♦ Le mot désigne un sel de sodium utilisé pour ses propriétés de fondant et de décapant (décapage des métaux, décoration de la porcelaine, ignifugeage des toiles de décors, confection de lessives).

▶ **BORATE** n. m., répertorié par Guyton de Morveau parmi les noms chimiques nouveaux (1787), est formé sur le radical de *borax* avec le suffixe *-ate* pour servir de nom générique des sels et esters des acides du corps appelé un peu plus tard *bore* (ils seront nommés *boriques*). ◆ On en a tiré **BORATÉ, ÉE** adj. «qui contient de l'acide borique» (1797, Haüy).

BORE n. m. (1809, Gay-Lussac et Thénard) est tiré de *borax* ou de *borate* par dérivation régressive. ◇ Le bore, corps simple se rapprochant du carbone, avait été découvert en octobre 1807 par sir Humphrey Davy qui lui donna en anglais le nom de *boracium* (1808), puis celui de *boron* (1812) d'après la terminaison de *carbon*, correspondant du français *carbone*. ◆ *Bore* a produit **BORIQUE** adj. (1818), lequel a supplanté l'adjectif antérieurement tiré de *borax*, *boracique* (1784), et a donné à son tour l'adjectif **BORIQUÉ, ÉE** (1878), ainsi que **BORURE** n. m. (1820) «combinaison du bore avec un corps simple», et **BORISME** n. m. (XXe s.), terme de médecine désignant une intoxication provoquée par l'ingestion de dérivés du bore.

BORBORYGME n. m. est emprunté (1564) au grec *borborugmos* «gargouillis, bruit des intestins», dérivé de *borboruzein* «gargouiller», formation de sonorité expressive sans étymologie indoeuropéenne établie.

♦ Repris par les médecins au XVIe s. avec le sens du mot grec, *borborygme* a développé le sens figuré péjoratif de «propos incompréhensibles, inarticulés».

✳ **BORD** n. m. est issu (v. 1121) du francique °*bord* que l'on restitue d'après l'ancien norrois *bord* «arête, extrémité supérieure du revêtement d'un navire», à rattacher également à l'ancien saxon, au vieil anglais, au néerlandais *boord*, à l'ancien haut allemand *bort* de même sens. Le passage du francique au français s'est fait indépendamment de celui du mot francique homonyme °*bord* «planche» dans le français *borde* (→ bordel). Les rapports entre les deux mots germaniques sont d'ailleurs obscurs et controversés : certains les rattachent tous les deux à la racine indoeuropéenne °*bhrdho-* «planche» qui correspond au radical verbal °*bheredh-* «couper», et à la racine °*bher-* (→ borgne) présente dans *forer**.

♦ Le mot français est repris en marine, pour désigner l'extrémité supérieure de chaque côté du bordage d'un navire et, par métonymie, chaque côté du navire (→ bâbord, tribord). De là plusieurs locutions comme ***bord à bord*** (av. 1307), et, plus techniques, ***être bord à quai*** (1773), ***bord sous le vent*** et ***bord de vent*** (1835). ***Virer de bord,*** plus courant, est employé au figuré pour «changer complètement de direction». ◇ Un autre emploi métonymique, avec le sens plus large de «navire», s'est montré le plus fécond en locutions : ***à bord*** (v. 1500) a été repris à propos d'autres moyens de locomotion, véhicule, avion (***monter à bord,*** etc.). Le complément de détermination *de bord, du bord* est employé spécialement dans les locutions ***journal de bord, tableau de bord, avec les moyens du bord,*** dont l'usage dépasse le contexte maritime pour correspondre à «journal, en général», «tableau des mesures attestant le fonctionnement d'une voiture, d'un avion» et au figuré «ensemble de données nécessaires à la bonne marche d'une entreprise», et — pour la troisième expression — «avec les moyens disponibles». La locution figurée ***être du même bord*** «partager les mêmes opinions, être d'accord» (XVIIe s.) vient du sens de «côté», pris avec une valeur abstraite.

Par analogie, le mot se répand dès l'ancien français comme désignation d'une extrémité délimitant une surface (v. 1160). Ce sens inspire à son tour de nombreux emplois spéciaux; «contour d'un puits, d'une fosse» (1174-1177). La locution ***être au bord*** est prise ensuite avec une valeur métaphorique et figurée (1670, *au bord du précipice*). ◇ Une autre acception, «bande de terrain longeant un cours d'eau» (av. 1307), donne lieu aux expressions ***bord de mer, bord de l'eau*** et ***au bord de la mer, un bord de mer.*** ◇ L'emploi du mot dans le domaine de l'habillement (1596) lui vaut de désigner la partie circulaire d'un chapeau (1680). C'est peut-être l'image des bords d'un chapeau par opposition au chapeau lui-même qui explique la locution familière ***sur les bords*** «un peu, plutôt».

▶ Le dérivé **BORDER** v. tr. (v. 1170) est employé en parlant d'une chose qui constitue le bord d'une autre chose et aussi d'une personne qui garnit une chose d'un bord (1271). ◇ Par extension, il signifie «placer (une chose) au bord d'une autre», en particulier dans les locutions ***border un lit*** (XIIIe s.) «assujettir les couvertures au bord du lit», et ***border une voile*** (1690) «tendre les écoutes pour raidir une voile», en marine. ➜ **BORDAGE** n. m., tiré de *border* (1476), a perdu le sens concret «ce qui borde une chose» au profit de *bordure.* ◇ Il s'est spécialisé en marine d'après *bord,* pour «chaque planche employée pour border un navire» (1573) et collectivement «ensemble de ces planches», le terme technique étant *bordé* (ci-dessous). Comme substantif d'action de *border* (1838), il est rare. ➜ **BORDURE** n. f., d'abord *bordëure* (1240), désigne ce qui garnit le bord d'une chose, fréquemment à propos d'un vêtement (XIIIe s., d'une couverture) et spécialement en blason. Il est passé dans le langage d'autres spécialités : il se dit des lignes de végétaux annuels plantés le long des allées (XVIe s.), du rang de pavés qui retiennent chacun des deux côtés d'une chaussée (1701) et en marine, d'après *border,* pour le côté intérieur d'une voile (1773). ◇ Le mot a servi à former **BORDURER** v. tr. (1801), surtout usité sous la forme du participe passé adjectivé *borduré,* et **BORDURIER, IÈRE** n. (1945), fait probablement d'après *frontalier, ière* à propos de celui qui vit à la limite entre deux régions (cf. ci-dessous *bordier*).

BORDEREAU n. m., réfection (1539) de *bourdrel* (1493-1494), est probablement dérivé de *bord,* soit parce que cette liste en forme de bande constituait le bord d'une feuille de papier, soit parce qu'à l'origine on fixait ce bordereau au bord d'une feuille d'un dossier. ➜ Le mot, qui désigne un relevé détaillé des divers articles ou pièces d'un compte, d'un dossier, est passé dans le langage de plusieurs spécialités (commerce, bourse, procédure).

BORDÉE n. f., terme de marine (1546), désigne l'espace parcouru par un navire au plus près du vent, sans virer de bord, sens dont procède la locution figurée ***courir, tirer une bordée*** «aller de cabaret en cabaret» (1833), d'abord employée à propos de marins, puis de militaires, de jeunes (cf. *virée*) avec l'idée secondaire, purement spatiale, d'«aller en zigzags, d'un bord à l'autre» ; cf. ci-dessous *bordailler.* ◇ L'ancien sens collectif de «pièces d'artillerie rangées sur chaque bord d'un vaisseau» (1690), disparu, a produit le sens métaphorique de «grande quantité, salve», surtout à propos d'injures (av. 1755). ◇ Toujours en marine, *bordée* désigne la partie de l'équipage de service à bord (1704) et, par métonymie, les hommes composant cette équipe (1835). ➜ **BORDAILLER** v. intr., d'abord *bordayer* après une attestation isolée de la forme participiale *bordoyant* en 1484, a été repris au XVIIe s. sous la forme *bordeyer* (1654), bientôt altérée en *bordayer* (1683), elle-même modifiée en *bordailler.* Le verbe s'emploie en marine pour «louvoyer à petits bords» et a vieilli à partir du XIXe siècle. ◇ Le dérivé **BORDAILLEUR** n. m. (1873) s'est employé familièrement à propos d'un homme que l'ivresse fait tituber. ➜ **BORDÉ** n. m., substantif tiré (1689) du participe passé adjectivé de *border,* désigne en couture un galon bordant un tapis, un vêtement, et en termes de marine l'ensemble des bordages.

BORDIER, IÈRE adj. et n. m. est d'abord attesté dans un dictionnaire de marine (1687) pour qualifier une mer située en bordure d'un océan et un navire qui incline de côté (parce qu'il a un bord plus fort que l'autre). ◇ Il est passé dans l'usage pour désigner, en Suisse (*un bordier,* n. m.), un riverain dont la propriété est située en bordure d'une voie (1743). ◇ Comme adjectif, il qualifie ce qui sépare deux terrains limitrophes (1873, *fossé bordier*).

➜ Dès l'ancien français, *border* a produit **DÉBORDER** v. tr. (XIIIe s.) «éloigner, retirer du bord» puis «ôter la bordure de» (1680) spécialement en marine. ◇ Le verbe, d'après *bord,* a pris dès le XIIIe s. le sens, en emploi intransitif puis aussi transitif (1636), de «se répandre par-dessus les bords», à propos d'un liquide. En procède le sens figuré de «dépasser ce qui est prévu, délimité» (1763), métaphore du fleuve outrepassant ses rives. ➜ Le substantif d'action **DÉBORDEMENT** n. m. (fin XVe s.) désigne l'action d'un liquide, d'un fleuve qui passe le bord et, par analogie, l'évacuation abondante et subite d'un liquide (1575, Paré), sens archaïque. ◇ Par transposition, il réalise au figuré le sens de «désordre, excès» (1538, le plus souvent au pluriel) et «manifestation à profusion (d'un sentiment)» (av. 1654, *débordement de*). ➜ Le déverbal **DÉBORD** n. m. (1556), éliminé par *débordement* au sens propre et figuré (1565), s'est maintenu avec la valeur métonymique de «bas-côté de la route» et dans quelques sens techniques (en chemins de fer, en couture, en numismatique).

ABORDER v. tr. (fin XIIIe s.) procède de *bord* dans son sens de «bordage d'un navire» et signifie proprement «heurter (un navire) pour l'attaquer, y monter» d'où «heurter (un navire) accidentellement» (1676). ➜ Toujours dans un contexte maritime, mais avec *bord* au sens de «rivage», *aborder à* puis *aborder (un lieu)* signifie «arriver au port» (XIVe s.). Le sens figuré «accoster (qqn)» (1549) est précédé par la locution *aborder ensemble* «avoir un commerce charnel» (1424), disparue avant l'époque classique. ◇ Avec un complément désignant une abstraction (question, sujet, situation), le verbe exprime l'idée de «commencer à s'occuper de» (1798). ➜ **ABORD** n. m. (v. 1460), déverbal d'*aborder,* n'est pas apparu dans un contexte maritime mais au figuré, pour «introduction d'une personne auprès d'une autre», et aussi «arrivée» (XVIe s.). De nos jours, il s'emploie surtout dans quelques expressions mettant l'accent sur l'apparence, le comportement de la personne rencontrée. ◇ De ce type d'emplois viennent les locutions adverbiales ***à l'abord*** (XVIe s.), ***dès l'abord*** (1643), ***de prime abord,*** qui a remplacé *de premier abord* (1575). La liaison dans *au premier abord* a suscité le préfixé plaisant ***rabord*** dans *au deuxième rabord.* ◇ Une autre locution, ***d'abord*** (1607), est devenue la plus usuelle, passant du sens littéral, «dès le premier contact» à la valeur temporelle de «dès le début» (1655) puis «en premier lieu» et «essentiellement», également dans la variante intensive ***tout d'abord*** (1690). ◇ La valeur active, en marine «action d'aborder au rivage» (1556), ne s'est imposée que dans l'emploi extensif, pour «possibilité d'avoir accès quelque part» (XVIIe s.) dans un usage soutenu. ◇ Le sens métonymique de «lieu où l'on aborde» (1556) a lui aussi vieilli, mais le pluriel ***les abords*** (d'un lieu) signifie couramment «parages, environs d'un lieu» (XVIIIe s.). ➜ **ABORDABLE** adj. (1542), d'après les sens figurés d'*aborder*, qualifie une personne accueillante (1611) et, plus couramment, des prix, des biens auxquels la majorité peut avoir accès (fin XIXe s.). ➜ Son antonyme **INABORDABLE** adj. (1611) a symétriquement les sens de «peu accueillant, revêche» (v. 1679) et, s'agissant de choses, d'«exorbitant, hors de prix» (1803 dans Grimod de La Reynière). ➜ **ABORDAGE** n. m. (1553) «fait d'arriver au port», s'est spécialisé à propos de l'action d'aborder un navire (1660), par une manœuvre intentionnelle d'attaque (d'où *à l'abordage!*) ou par une collision accidentelle (fin XVIIe s.). ◇ Son emploi figuré pour «fait d'aborder (une personne)» est senti comme une métaphore du sens précédent, dans un contexte de dispute ou de lutte amoureuse. ➜ **ABORDEUR** adj. et n. m. qualifie et désigne le navire responsable d'un abordage, par opposition au navire abordé (fin XVIIIe s.).

REBORD n. m. (1642) est le déverbal de l'ancien verbe *reborder* «border de nouveau» (1476), dérivé itératif de *border* qui n'a pas réussi à s'implanter. ◇ *Rebord* désigne un bord replié, retourné ou en saillie (1653), le bord d'une chose qui a de la profondeur (1673). Il a reçu en serrurerie un sens technique (1869). ➜ Le participe passé de l'ancien verbe **REBORDÉ, ÉE** adj. se rencontre occasionnellement dans le style littéraire, qualifiant une chose au rebord prononcé (1869).

TRANSBORDER v. tr. (1792) exprime l'action consistant à faire passer d'un bord de navire à un autre et, par extension d'un wagon, d'un camion à un autre. ◇ Le dérivé **TRANSBORDEMENT** n. m. (1792) a les valeurs correspondantes. ➜ **TRANSBORDEUR** n. m. (1878) désignait un bac (allant d'un bord à l'autre), éliminé en français de France par *ferry (boat)*. ◇ Le mot a été repris pour désigner un pont mobile sur un fleuve (1898), un bras de mer, etc. (d'où, en apposition, le célèbre *pont transbordeur* de Marseille, aujourd'hui disparu), et, en chemin de fer, le châssis servant à faire passer des wagons d'une voie à une autre (1904).

Le sens maritime de *bord*, en marine, est repris dans le composé **HORS-BORD** n. m. (1930), «petit canot automobile dont le moteur, généralement amovible, est placé en dehors de la coque». Ce mot est calqué de l'anglais *outboard*, de même sens, littéralement «situé à l'extérieur du bateau» (1823), de *board* «bord (au sens maritime)» et *out* «dehors, hors de». En français, l'emploi adjectival (*moteur hors-bord*, 1966) est soit repris à l'anglais soit formé par apposition au nom.

◈ voir **BÂBORD, TRIBORD; PLAT (PLAT-BORD).**

BORDEAUX n. est l'emploi comme nom commun (1767) de *Bordeaux*, nom d'une ville du département de la Gironde, sur la Garonne, et centre d'une grande région viticole. Le toponyme est issu du latin *Burdigala* (I[er]s.), nom probablement aquitain, formé de deux radicaux de sens obscurs : *burd* et *gala*.

♦ Par une métonymie usuelle pour les noms de spécialités régionales, *bordeaux* désigne le vin produit par les vignobles de la région de Bordeaux, désigné spécifiquement par des noms de zones, de villages et de «châteaux» producteurs. ➜ Par une autre métonymie, il est employé comme adjectif et nom de couleur, pour une teinte rouge foncé, grenat (1908).

▸ **BORDELAIS, AISE** adj. et n., relevé dès le XIIIe s. sous la forme *bordelois* (en parlant d'une monnaie), est dérivé du radical issu du latin médiéval *burdigalensis* «de Bordeaux». ◇ Le mot réalise la valeur déterminative «de Bordeaux», spécialement en cuisine où la locution adjective *à la Bordelaise* se rapporte à un assaisonnement, souvent à base de sauce au vin rouge. ◇ Le féminin **BORDELAISE** désigne un type de contenant commercial utilisé spécialement pour les vins de Bordeaux : futaille de 225 litres environ (1866), bouteille de près de 75 centilitres de forme particulière (1877). ➜ On appelle **BORDELUCHE** n. m. la variété de français régional d'Aquitaine parlée à Bordeaux ; le mot est lui-même un régionalisme.

BORDEL n. m. est le diminutif (av. 1105) de l'ancien français *bord*, attesté (provisoirement) plus tard (1172-1175) ou de *borde* «petite maison, cabane», encore enregistré en ce sens dans les dictionnaires du XVIIe, voire du XVIIIe siècle. Ce mot est hérité d'un francique °*borda*, pluriel neutre de °*bord* «planche», pris avec une valeur collective au sens de «maison de planches». Le mot francique est déduit d'après le gotique *(fotu-) baurd* «petit banc, tabouret», l'ancien norrois, l'ancien islandais *bord*, le vieil anglais, l'ancien frison, l'ancien saxon *bord*, le moyen bas allemand *bort*, «planche, table», tous substantifs neutres (→ bord, pour les rapports étymologiques entre les deux mots). Le latin médiéval *borda* n. f., en domaine poitevin, désigne (927) une tenure ; dans le domaine d'oc, l'ancien provençal *borda* signifie «métairie» (1179). À l'époque moderne, *borde* se trouve encore implanté dans le domaine provençal *(bordo)* et dans certains dialectes de l'Ouest (Anjou, Normandie), du Centre, avec le sens de «petite ferme, métairie» pris au XVIe s. probablement sous l'influence du provençal.

♦ Le sens étymologique de «maison de planches, cabane» est sorti d'usage au XVIe s., mais est encore attesté au pluriel, dans de nombreux toponymes *(Bourdeaux, Bourdeilles, Les Bordes)* désignant à l'origine des villages de cabanes et, au singulier, comme patronyme *(Laborde)*. ➜ Le sens spécialisé de «lieu de prostitution», ancien (v. 1200), l'a emporté, d'abord au pluriel *bordeaux* (v. 1300-1325, *bordiaus*) sur lequel est formé un singulier *bordeau* (1537), et *bordels* (1585, Montaigne). Cet emploi vient du fait que les prostituées, en particulier dans les ports, ne pouvaient exercer leur commerce qu'à l'écart, dans des *bordes* qui formaient un quartier réservé *(un bordeau)*. Tandis que le sens de «maison de prostitution» devient trivial, des valeurs figurées apparaissent à partir du XVIIe s. : *bordel ambulant* s'est dit à propos d'un fiacre (1718). ◇ Outre le sens initial, très vivant, mais concurrencé par divers euphémismes *(maison close, de tolérance...)*, le mot désigne en français moderne un lieu où règne le désordre, le tapage, allusion à une situation antérieure à la stricte surveillance exercée par la police sur ces établissements à partir du Ier Empire. ◇ Par extension, il se dit sans connotation de désordre, de tout ensemble d'objets considérés par rapport à son propriétaire, souvent sous la forme *tout le bordel.* ◇ Il est très fréquent comme élément de juron et d'imprécation, souvent renforcé *(bordel de Dieu, bordel de merde...),* et plus simplement comme exclamatif (comparable à *putain*) avec diverses valeurs affectives.

▶ **BORDELIER, IÈRE** n. et adj. désigne *(un bordelier)* un débauché qui hante les lieux de débauche. Le mot atteste par son ancienneté (1204) l'implantation précoce de *bordel* «lieu de prostitution». Le féminin *bordelière* (1200-1210) a désigné une prostituée. Le mot se dit aussi d'un tenancier ou d'une tenancière de maison close (v. 1274). ◇ L'adjectif correspondant semble récent; il est en tout cas très postérieur à l'adjectif moyen français *bordelier* (1534, *bourdelier*), ancien terme de coutume qui s'appliquait au droit que les seigneurs percevaient sur le revenu des fermes et métairies, dérivé de *bordel* au sens de «maison». ◆ **BORDÉLIQUE** adj. (1719) est sorti d'usage au sens de «relatif au bordel»; il a été recréé récemment (av. 1970) au figuré, pour «où règne le bordel, le désordre»; on dit aussi moins couramment **BORDÉLEUX, EUSE** adj. (v. 1960). ◆ **BORDÉLISER** v. tr. (1934) procède lui aussi du sens familier de «désordre» et signifie «mettre le désordre dans». ◆ Enfin, le français d'Afrique connaît **BORDELLE** n. f. pour «prostituée».

BORDJ n. m. est emprunté, sous la forme *bourdj* (1820) puis *bordj* (1846), à l'arabe *burg* «tour, fortin», lui-même mot européen, emprunt au bas latin *burgus* «ensemble d'habitations fortifiées» (→ bourg).

♦ Le mot est employé dans le contexte de l'Afrique du Nord à propos d'un lieu fortifié et isolé à usages divers. Il est courant en toponymie du Maghreb.

BORÉE n. m. est emprunté (XVe s.) au bas latin *boreas,* lui-même emprunté au grec *Boreas,* nom propre du vent du Nord, employé aux sens de «vent du Nord» et «nord, septentrion». L'étymologie du mot est inconnue, le rapprochement avec des termes comme le sanskrit *giri-* «montagne» étant une simple hypothèse.

♦ D'abord employé dans l'expression *vent de Borée,* le mot désigne le vent du Nord dans l'usage poétique et littéraire et, quelquefois, la personnification mythologique de ce vent (1559).

▶ **BORÉAL, ALE, AUX** adj. est emprunté (1495) au dérivé bas latin *borealis* «du nord» (IVe s.). ◆ Le mot qualifie ce qui est au nord du globe terrestre, et, dans l'usage courant, ce qui est voisin du pôle Nord, par extension ce qui appartient à l'extrême nord et spécialement un type de climat et de flore, en concurrence avec *septentrional* et *nordique.* L'emploi métaphorique au sens de «froid, glacial» est peu fréquent.

◈ voir **BOURRASQUE, HYPERBORÉE.**

◈ **BORGNE** adj. et n. (1165-1170) est d'origine obscure, peut-être issu par un dérivé °*bornius* «aux yeux crevés», d'un type prélatin °*borna* «trou, cavité», lequel se rattacherait à la racine indoeuropéenne °*bher-* «creuser, percer, couper», représentée aussi par le latin *forare* (→ forer). De nombreux toponymes du type *La Borne,* dont l'aire s'étend du Massif central au bassin moyen du Rhône, se rattacheraient à °*borna.* Le développement sémantique mènerait de la notion de «cavité» à celle de «cécité», «aveugle» étant le sens primitif de *borgne,* selon Wartburg. Cette hypothèse se heurte cependant à la chronologie connue des emplois.

♦ Il semble en effet que la première acception du mot soit «qui louche des deux yeux» et que le mot, en ancien français, soit synonyme de *louche, bigle.* ◇ Le sens actuel de «qui n'y voit que d'un œil» (v. 1180), bien attesté au XIVe s., l'a emporté, mais a été concurrencé par celui d'«aveugle», fréquent au XVIe siècle. ◇ Les emplois figurés «chétif, insuffisant, défectueux» (1534), «sombre» (1573), ont disparu, à la différence de «sombre et mal famé» (1596, *taverne borgne;* 1680, *cabaret borgne*). ◇ Par analogie, l'adjectif s'applique à une chose qui n'a qu'un orifice ou un seul élément, spécialement en anatomie (XVIe s.), en horticulture et en technique. ◇ La locution proverbiale figurée ***au royaume des aveugles, les borgnes sont rois,*** enregistrée en 1690 par Furetière, est attestée au milieu du XVIIe s. (Ch. Sorel). ◆ **BORNOYER** v. tr., réfection de *bornoier* (XIIe-XIIIe s.), *borneer* (1225), a signifié «regarder de travers» jusqu'au XVIe siècle. Il s'est spécialisé en technique avec le sens d'«examiner en tenant un œil fermé la rectitude ou l'alignement d'une chose», d'où «poser des jalons en ligne droite» (1676). ◆ **BORGNESSE** adj. et n., ancienne forme féminine de *borgne,* est encore usité quelquefois avec une intention péjorative.

BORGNON n. m. (1715-1723) a été employé adjectivement au sens de «borgne» avant d'être substantivé dans l'ancienne locution *aller à borgnon* «aller à l'aveuglette» (1810). ◇ En argot, le mot signifie «nuit» (1900). ◆ **BORGNOT** n. m., dérivé de *borgne* avec un autre suffixe pour «borgne», a été modifié en *borgnio,* en argot, servant aussi de dénomination pour la nuit (1953), d'après *borgnon.*

▶ **ÉBORGNER** v. tr., d'abord *esbornier* (v. 1180), signifie «rendre borgne», et par extension «blesser à l'œil». ◇ Ultérieurement, il a développé le sens technique de «boucher les ouvertures par où le jour entre» (1690), sorti d'usage, et en horticulture «enlever des bourgeons inutiles des arbres fruitiers» (1808). ◆ **ÉBORGNEMENT** n. m. (1600) a le sens propre de «action de rendre borgne» et de blesser à l'œil, tandis qu'**ÉBORGNAGE** n. m. (1835), est un terme technique d'horticulture.

✳ **BORNE** n. f. est issu (XIIe s.) du bas latin *bodina,* également *botina* «bloc de pierre, poteau délimitant un territoire», mot probablement d'origine gauloise, attesté sous la forme *butina* dans la première moitié du VIIe s. *(Loi Ripuaire)* puis *bodina* (831-832). En ancien français, le mot est représenté par les formes *bodne* (v. 1121), *bone* (1200-1220), *bosne* (v. 1280). *Borne* (1180-1190) est la forme picarde, dialecte où le groupe *-dn-* aboutit à *-rn-;* cette forme s'est généralisée en français moderne.

♦ L'idée de «marque servant à délimiter un territoire» a donné lieu au pluriel *bornes* «limites d'un espace», emploi vieilli ou littéraire. Le sens figuré de «limite, fin» (1200-1220) est lui aussi réalisé par le pluriel *bornes;* les locutions ***passer les bornes, n'avoir point de bornes, sans bornes,*** sont toutes accueillies en 1690 par Furetière. ◇ Comme son étymon latin, *borne* désigne aussi un bloc de pierre servant de repère (1680), s'appliquant d'abord au bloc de protection des portes et des murs, puis aussi à la ***borne kilométrique*** (1867), donnant par métonymie le sens de «kilomètre» dans le langage familier (1926), surtout après un nombre *(se taper dix bornes à pied).* ◇ Par analogie (de forme, de fonction), le mot a été repris en électricité à propos de la partie d'un appareil à laquelle on attache un fil pour le relier à un circuit extérieur (1863).

▶ **BORNER** v. tr., forme picarde (av. 1328) correspondant à *borne,* a éliminé les formes «franciennes» plus anciennes *boner* (v. 1160), *bousner* (1271). Le sens est «limiter au moyen de bornes» au propre et au figuré (1271), ce dernier aussi au pronominal *se borner à....* ◇ Le participe passé **BORNÉ, ÉE** est employé adjectivement; il est appliqué spécialement à un esprit obtus (1680) et à une personne inintelligente (av. 1755). ➜ **BORNAGE** n. m., attesté en 1299, a remplacé l'ancien français *bounage* (1260), *bonnage* (1283), antérieurement *bonagium* en latin médiéval (1208). Relevé pour la première fois dans un cartulaire, il indique le fait de planter des bornes pour marquer les limites d'une propriété. ◇ D'après *borner,* il a été refait en marine pour désigner la navigation côtière limitée (1852). ➜ Le composé **BORNE-FONTAINE** n. f. (1835) s'applique à une fontaine publique en forme de borne. **ABONNER** v. tr. (1268), précédé par une attestation du latin médiéval *abonnare* (1208), s'est fixé sous son ancienne forme, aux dépens d'un type *aborner.* En ancien français, le mot, sous les formes *aboiner, abosner, abourner, abonner,* connaît une très grande vitalité : le sens de «fixer une limite», au propre et au figuré, s'est éteint au XVIe s. pour être réservé, du moins dans son acception propre, à *aborner* v. tr., lequel tend à disparaître. Il semblerait qu'il ait insensiblement mené au sens de «se mettre près de» et, avec dépassement de la limite, «mettre en possession de, donner» et au passif «être mis en possession de». En outre, avec la notion de but, *s'abosner, s'abonner* a signifié «s'adonner à» (av. 1307) et spécialement «se jeter sur l'adversaire, en venir aux mains» (av. 1307). ➜ Seul le sens juridique de «soumettre (qqn) moyennant une convention à une redevance déterminée payée à échéance fixe», apparu au XIVe s., a subsisté, tout en connaissant une évolution parallèle à celle des institutions : parti du droit fiscal (où *forfait* a remplacé *abonnement*), il est passé au droit commercial, surtout à la forme pronominale *s'abonner* (XVIIe-XVIIIe s.). Le sens actuel le plus courant *(s'abonner à un journal, à un théâtre)* semble être une nouveauté révolutionnaire (1798). Cet emploi, surtout au passif *(être abonné à),* a donné, dans le langage familier, le sens figuré d'«avoir l'habitude régulière de». ➜ Le dérivé **ABONNEMENT** n. m. (1275) a suivi la même évolution sémantique : terme de droit féodal, il a désigné la terre produisant un revenu fixe et une convention à prix fixe pour le rachat de certaines prestations (1283), encore aux XVIIe et XVIIIe siècles. Le mot est passé dans la langue courante au XIXe s. en prenant la valeur plus générale qui correspond au verbe (1798). ◇ Le sens propre d'«action de fixer les bornes d'un chemin» (1295) a donné au XVIe s. la forme *abornement,* jusque là synonyme et de nos jours concurrencée par *bornage.* ➜ **ABONNAGE** n. m. (1332) est un ancien terme de droit féodal désignant le droit fixe payable par un tenancier à un seigneur et couvrant l'ensemble de ses redevances, ainsi que le droit de fixer les limites des tenures d'un domaine et de lever les rétributions correspondantes (1352). Après 1789, il ne subsiste plus que comme archaïsme de civilisation et terme d'histoire. ➜ *Abonner* a produit trois nouveaux dérivés au XIXe s. : le nom courant **ABONNÉ, ÉE** (v. 1850), d'abord appliqué aux journaux, aux spectacles, puis (XXe s.) à d'autres prestations *(abonné au gaz,* etc.), et les termes juridiques **ABONNABLE** adj. (1828) et **ABONNATAIRE** adj. et n., lequel désigne un entrepreneur chargé d'un marché par abonnement (1834) et qualifie ce qui est concédé par abonnement (1853). ➜ Avec son sens moderne usuel, *abonner* a aussi donné les préfixés **DÉSABONNER** v. tr. (1840), **DÉSABONNEMENT** (1856) et **RÉABONNER** v. tr. dans *se réabonner* (1786), emploi actif au XIXe s. (1845), d'où **RÉABONNEMENT** n. m. (1845).

BOSQUET n. m. est emprunté (1549) au provençal *bosquet* «petit bois» (v. 1343), diminutif de l'ancien provençal *bosc* correspondant au français *bois*.* Cette hypothèse est préférable à celle d'un emprunt à l'italien *boschetto,* attesté depuis le XIVe s. et dérivé de *bosco* (→ bois) avec le suffixe diminutif *-etto.* L'ancien français *bosket, bosquet* «petit bois» (1173) est la forme picarde de *bochet* (→ bouquet), cf. *boqueteau* (ci-dessous). L'*-s-* ne s'étant pas maintenu en picard, l'ancien français ne peut donc être considéré comme la source du français moderne *bosquet.*

♦ Le mot désigne un petit bois, un groupe d'arbres planté pour l'agrément et, par analogie, un petit groupe de plantes quelconques.

▶ **BOQUETEAU** n. m. est dérivé (1598) avec le suffixe à valeur diminutive *-el, -eau* de *boquet* «petit bois» (XIVe s.), aussi écrit *bocquet* (1470), forme normanno-picarde de l'ancien français *bosket, boschet.* ➜ Le mot, quasiment synonyme de *bosquet,* désigne un bois de petite étendue et d'origine naturelle.

◈ voir ② BOUQUET.

BOSS n. m. est emprunté (1869) à l'anglo-américain *boss,* antérieurement *base* (v. 1649), *bass* (1653), d'abord employé par les ouvriers en parlant de leur contremaître, puis généralisé à tous ceux qui emploient et donnent des ordres, également comme terme d'adresse (1839). Le mot est emprunté au néerlandais *baas* «maître», antérieurement «oncle», supposé être apparenté à l'allemand *base* «cousine» (de l'ancien haut allemand *base* «tante»). Le mot est d'abord argotique en anglais (1822).

♦ *Boss* a été utilisé en français pour parler d'un chef d'équipe d'atelier aux États-Unis et, par emprunt d'un autre sens, du chef d'un parti politique américain (1883). ◆ Il semble ne s'être répandu que vers le milieu du XXe s. pour désigner plaisamment les patrons en général, sans se départir d'une connotation américaine (on dit fréquemment *big boss* «grand patron»).

▶ Avec son sens politique, *boss* a donné **BOSSISME** n. m. (1917) qui ne s'est pas répandu.

✱ ① **BOSSE** n. f. est issu (v. 1160) d'un type latin populaire °*bottia*, postulé par l'italien *boccia* «bouton de fleur» et l'ancien provençal *bossa* «tumeur, renflement». Lui-même est d'origine obscure : P. Guiraud propose de le rattacher avec d'autres mots (*bot*, ① *botte*, ② *botte*, *boucher*, *bouchon*, *bouter*, *bouton*, *bouteille*) à un radical *bott-* désignant des objets renflés. L'hypothèse d'un étymon francique °*bottja* «pousse», dérivé du francique °*botan* «frapper, battre» (→ bouter), semble à écarter, étant donné l'existence ancienne du roumain *bot* «boule», aucun mot germanique ancien (a fortiori francique) ne figurant dans le fonds lexical roumain. Quant à l'hypothèse d'une forme °*buttia*, en rapport avec le bas latin *buttis* désignant un récipient, elle n'est à retenir que pour le franco-provençal *bosse* «fût» et le terme d'artillerie désignant une grenade incendiaire constituée d'une boule de verre emplie de poudre (1694).

♦ Dès les premiers textes, le sens de base est celui de «déformation, protubérance», celle-ci étant constatée sur le corps humain, soit comme une gibbosité naturelle (1174-1184), soit comme une enflure accidentelle due à un choc (v. 1278). Ce dernier sens a donné quelques locutions figurées dont ***souhaiter plaies et bosses*** «être d'humeur batailleuse» (1679). ◇ Par extension, *bosse* se dit d'une saillie sur une surface plane (1409-1410), sens qui a suscité un certain nombre d'emplois spéciaux : en serrurerie (1409-1410), en architecture et sculpture (1558), donnant lieu aux dénominations ***ronde-bosse*** (d'abord *bosse ronde*, 1558) et ***demi-bosse*** (1579) qui n'est connue que des spécialistes. ◇ *Bosse* est repris en arts décoratifs (orfèvrerie), en termes de jeux (d'abord au jeu de paume) et de peinture, tous emplois répertoriés en 1690 par Furetière. ◆ Le mot s'est aussi appliqué à une protubérance normale chez certains animaux, dromadaire (1690), chameau, zébu, cachalot. ◆ Les protubérances du crâne, appelées *bosses*, sont, dans la théorie de Gall (déb. XIXe s.), liées à des aptitudes; de là ***avoir la bosse de...*** «être doué pour».

▶ Les principaux dérivés sont attestés avant la fin du XIIe siècle. ◆ **BOSSU, UE** adj. et n. (v. 1170) qualifie et désigne (fin XIIIe s.) la personne qui a une bosse. Une relation entre les bossus et la chance, ainsi que la gaieté (cf. *se payer une bosse de rire*), est établie dans le folklore, plusieurs locutions, par exemple ***rire comme un bossu, gai comme un bossu,*** s'y rattachent. ◇ Le mot qualifie moins souvent un animal ayant une bosse; substantivé, il a désigné le lièvre (n. m.) et *bossue* (n. f.) la baleine, un certain coquillage, et il est encore plus rare appliqué à une chose déformée par des bosses (1231); de cet emploi vient un verbe dérivé. ◇ **BOSSUER** v. (1564) «déformer par des bosses», est d'usage technique ou littéraire. ◇ Il a lui-même pour dérivé **BOSSUAGE** n. m. (1852, Nerval). ◆ *Bossu* a donné la formation argotique **BOSCOT, OTTE** ou **BOSCO, OTE** adj. et n. (av. 1800), de nos jours vieillie.

① **BOSSER** v., d'abord attesté au participe passé adjectivé *bocié* (v. 1170), a changé sa désinence de *-ier* en *-er* et signifie proprement «présenter des bosses». ◆ Le sens argotique, puis familier de «travailler» (1878), s'explique peut-être comme une extension du sens de «se courber» attesté dans les dialectes de l'Ouest, par un développement «se courber sur un travail» d'où «travailler dur». Cependant, un emprunt à un vocabulaire spécialisé, beaux-arts (*ronde bosse*), marine (ci-dessous ② *bosser*) ne sont pas exclus, mais il faudrait pour en juger connaître les conditions sociales de la diffusion du mot. ◆ Au sens initial, le verbe a donné **BOSSAGE** n. m. (1627), terme technique de sens concret, en orfèvrerie, en menuiserie (1628) et en architecture (1640). ◆ Avec le sens familier de «travailler», le verbe a servi à former **BOSSEUR, EUSE** n. et adj. (1908) «gros travailleur».

BOSSELER v. tr. (1170-1191), autre verbe dérivé de *bosse* avec le suffixe *-eler*, rend compte du fait de déformer accidentellement par des bosses et de travailler, de sculpter en bosse (av. 1643). ◆ Ses dérivés, surtout techniques, participent essentiellement du second sens, que ce soit **BOSSELURE** n. f. (v. 1560, en orfèvrerie), **BOSSELAGE** n. m. (1718) ou **BOSSELLEMENT** n. m. (1822). ◆ **BOSSELARD** n. m. (1880), ancien terme d'argot pour le chapeau haut-de-forme, fait probablement allusion aux bosses que peut recevoir ce genre de coiffe; il pourrait venir de *bosseler* par croisement avec *bosco* «haut-de-forme» (1861), également attesté au sens de «shako» (1869), et lui-même à rapprocher de *boisseau** qui désignait ces mêmes coiffures en argot. L'étymologie de ce mot fait supposer une extension de sens de *boscot* «bossu» ou, de manière plus aventureuse, une déformation dialectale de *boisseau* (Centre, Ouest).

BOSSETTE n. f., diminutif de *bosse* (v. 1195), «petite bosse» et (1352) «ornement en ronde-bosse», semble sorti d'usage après 1611 pour être repris au XIXe s. avec une spécialisation technique, désignant également un clou d'ornement à tête ouvragée employé en tapisserie et en ébénisterie. ◆ Son dérivé, le nom d'ouvrier **BOSSETIER** n. m. (1488), employé à propos d'un cloutier et d'un verrier soufflant le verre en bosse, n'a pas été repris. ◆ **BOSSOIR** n. m. (1678), autre dérivé de *bosse* désignant la pièce saillante placée à la proue d'un navire pour manœuvrer l'ancre, a donné par analogie un nom argotique des seins (*bossoirs*, 1831), sorti d'usage.

② **BOSSE** n. f. (1516), d'origine incertaine, semble se rattacher à ① *bosse** par allusion à la forme des nœuds. C'est un terme technique de marine désignant le cordage utilisé pour saisir solidement qqch. ◆ Il a pour dérivé ② **BOSSER** v. tr. (1516) «fixer, retenir (qqch.) avec des bosses et, par extension, des chaînes».

EMBOSSER v. tr. (1752), «maintenir (un bateau) à l'ancre» au moyen de câbles et d'ancres, s'emploie aussi au pronominal *s'embosser* (1770), par extension «s'installer dans une position stable», au concret (1870) et à l'abstrait (déb. XXe s.), emploi vieilli. ➜ Le dérivé **EMBOSSAGE** n. m. (1792) se limite à l'usage technique de marine.

◈ voir **CABOCHE, CABOSSER.**

BOSTON n. m., attesté depuis 1800, précédé par *wisk bostonien* (1785), est tiré de *Boston,* nom de la ville américaine qui donna son nom à un jeu de cartes pendant le siège par les Anglais lors de la guerre d'Indépendance (1775-1776).

♦ Le nom du jeu, proche du whist, est attesté plus tôt en français qu'en anglais. ➜ Le mot désigne aussi une danse, sorte de valse lente, et sa musique, en vogue au début du XXe siècle.

▶ *Boston* a produit **BOSTONNER** v. intr. (1837), «jouer au boston», emploi sorti d'usage avec le jeu, puis «danser le boston».

◈ **BOT, BOTE** adj. (1165-1170), est d'origine incertaine, probablement apparenté au francique *bọ́t* «crapaud» (av. 1105). Les sens de «gros, émoussé» et «animal gros et court» se retrouvent dans d'autres langues romanes, et d'autre part la notion de «court, émoussé», est relevée dans diverses langues germaniques. Ces faits suggèrent à Wartburg l'hypothèse d'un étymon germanique *bŭtt* «émoussé». Cette hypothèse se heurte toutefois à la difficulté pour expliquer les formes françaises à partir du *ŭ* et au caractère contestable du sens attribué au germanique en raison de l'apparition tardive du mot français de même sens, l'adjectif *bot* «mal arrondi» (1611). Certains attribuent à l'ensemble de ces mots une origine onomatopéique, mais il serait étonnant que des formations expressives similaires se soient produites dans des aires si éloignées. L'hypothèse d'une racine °*bọ́tt* d'origine inconnue ne fait que reporter la difficulté.

♦ Le mot est attesté une première fois dans le dernier tiers du XIIe s., avec un sens incertain, soit «personne qui a le pied bot», soit «nabot», selon les éditions des manuscrits. Il est repris à partir de 1552, essentiellement dans ***pied bot.***

◈ voir ① **BOTTE, CABOTIN, SABOT ; RABOT.**

BOTANIQUE adj. et n. f. est emprunté tardivement (1611) au grec *botanikos* «qui concerne les plantes, les herbes», employé au féminin dans la dénomination *botanikê paradosis* (Dioscoride) à propos de la science des plantes. Le mot, très lié à la médecine, qualifie aussi comme nom masculin le médecin qui traite par les plantes ainsi que le remède à base de plantes. Il est dérivé de *botanê* dans son sens générique de «plante». *Botanê,* à l'origine, désigne la plante dans sa vocation nourricière, l'herbe à paître, le fourrage, à la différence de *phuton* qui a donné l'élément savant *phyto-**. Il est dérivé de *boton,* «bête d'un troupeau», qui appartient lui-même à la famille de *boskein,* «faire paître, nourrir (des animaux)», par extension «nourrir». Ce mot assez obscur a été rapproché du lituanien *gúotas* «troupeau», dans un groupe qui pourrait peut-être intégrer le nom du bœuf, *bous* (→ boulimie). Le développement du mot en grec, la date relativement tardive de l'emprunt par le français, reflètent le lent dégagement du concept scientifique moderne : l'orientation médicale, voire agronomique du concept chez les Anciens a été prolongée au moyen âge par les Arabes, les Byzantins et les Occidentaux. Ce n'est qu'à la Renaissance avec le renouveau des études classiques et, surtout, la découverte de nouvelles espèces végétales par les voyageurs, que la science en gestation commence lentement à émerger.

♦ L'adjectif qualifie ce qui se rapporte aux végétaux et à leur étude ; le nom, enregistré par Richelet (1680), désigne la science ayant pour objet l'étude des végétaux. La mutation de la définition de cette science des plantes, longtemps considérée comme une partie de la médecine et de la pharmacie (de même que *zoologie* apparaît d'abord en pharmacologie), intervient dans la seconde moitié du XVIIIe s., à la suite des encyclopédistes et des travaux du grand botaniste suédois Linné. De classificatrice, la botanique après Lamarck, de Candolle, etc. est devenue l'étude des organismes végétaux, partie essentielle de la *biologie* à côté de la *zoologie* (mot encore plus tardif).

▶ *Botanique* a produit **BOTANISTE** n. (1676, *Journal des Savants*), dont le sens reste articulé sur *botanique* n. f., **BOTANISER** v. intr. (1801), synonyme moins courant d'*herboriser,* et **BOTANIQUEMENT** adv. (1845). ➜ **BOTANOPHILE** adj. et n., introduit par Rousseau (1773, *Lettres sur la botanique*) est sorti d'usage.

① **BOTTE** n. f., d'abord *bote* (fin XIIe s.), graphie encore attestée en 1680, puis *botte* (XVIe s.), est d'origine inconnue. L'hypothèse la plus communément admise est celle d'une formation sur le radical de *bot**. Elle est appuyée par le fait que le mot désigne en ancien français une chaussure haute, grossière, couvrant une partie de la jambe, semble-t-il portée par les moines. Selon P. Guiraud, le mot conjuguerait les deux valeurs du radical *bott-* : «gonflé, émoussé» et «tronqué». Désignant une chaussure haute, le mot a pris la place de l'ancien français *huese* (→ houseau), d'origine germanique ; les Romains, d'ailleurs, ne connaissaient pas de chaussure de ce type. ◈

♦ Nom d'une chaussure montante dont la coupe a évolué selon les coutumes et les usages (*botte militaire, de cheval, de chasse, d'égoutier,* etc.), le mot entre dans de nombreuses locutions : après l'ancien français qui jurait *par ses bottes* (Renart), le XVIe et le XVIIe s. ont apporté ***y laisser ses bottes*** : «être tué» (1584), expression militaire disparue ; sont encore comprises et citées, encore qu'archaïques, ***à propos de bottes*** «sans à propos» (1636), ***graisser ses bottes*** «se préparer à partir ou à mourir» (1690). ◇ Le vocabulaire du manège a fourni les locutions ***aller à la botte*** (1680) et ***serrer la botte*** (1835), dans lesquelles *botte* est pris par métonymie pour «jambe du cavalier» ; la première est passée dans l'usage avec le sens figuré d'«être facilement mordant» (1718). ***Lécher* les bottes (de, à qqn)*** exprime la servilité (ci-dessous *lèche-bottes*). Les ***bottes de sept lieues*** du *Chat botté* (XVIIe s., Perrault) furent un symbole de vitesse. ➜ *Botte* a eu le sens de «personne très petite» (1798) d'après ***haut***

comme une botte, comme trois bottes. ◆ Avec la valeur métonymique de «pied chaussé d'une botte», *botte* est entré dans la locution ***coup de botte*** spécialement employée en sports (cf. *botter*), et dans des locutions du type ***être sous la botte de, à la botte de,*** allusion aux bottes militaires, décrivant une situation de pouvoir oppressant. ***Bruit de bottes,*** allusion aux militaires bottés, correspond à «risque de guerre». ***En avoir plein les bottes,*** être fatigué par une longue marche, a pris au figuré (1907, Henri France) la valeur de «en avoir assez». ***Être droit dans ses bottes*** signifie «avoir du courage, de la détermination» et vient sans doute du milieu de l'équitation. ◆ Par analogie d'aspect avec tel ou tel caractère de la botte, le mot a désigné en vénerie un étui allongé pour le fusil (1680), puis le large collier de cuir d'un limier et, en chirurgie, une gaine protégeant un membre fracturé.

▶ Le dérivé **BOTTER** v. tr. est attesté une fois en ancien français (av. 1225) puis en 1539, et ne s'est pas maintenu au sens de «chausser» en général. L'acception «fabriquer, vendre des bottes» (1690) a disparu aussi; celle de «mettre des bottes» est surtout réalisée à la forme pronominale *se botter* (1694). ◇ Le sens «épouser la forme du pied», en parlant d'une botte (1866) est à l'origine de l'emploi figuré et familier pour «convenir, plaire» (1856), notamment dans ***ça me botte.*** ◇ L'idée de «donner un coup de pied», attestée tardivement (1867), est surtout réalisée dans les sports de ballon (1906) concurrencée par l'anglicisme *shooter,* et dans le contexte du coup de pied : ***botter les fesses, le cul, le train à, de qqn.*** ◇ Le verbe s'emploie aussi intransitivement pour «mettre, emporter de la boue, de la neige à ses pieds» (autrefois à la forme pronominale, 1690) et, par métonymie, «être de nature à adhérer aux jambes» (1798). ◆ **BOTTÉ, ÉE,** le participe passé, est adjectivé (XVIe s.) avec le sens de «chaussé de bottes». De là, par exemple, le nom du personnage de conte de fées popularisé par Perrault, ***Le Chat botté,*** et la locution familière et vieillie *avoir l'air d'un singe botté* «être mal à l'aise» (1798). ◇ Avec le sens de «qui est frappé», il est substantivé en sports où il sert à apprécier la manière de botter d'un joueur (1908). ◆ C'est encore en sports qu'il a donné **BOTTEUR** n. m. (1924, rugby).

BOTTINE n. f. (1367) a désigné autrefois une petite botte de cuir ou de tissu, avant de céder ce sens à *botillon* et de s'appliquer à une chaussure montante fermée par des boutons (1870). Il s'emploie en orthopédie à propos d'un genre spécial de botte courte à courroies et à ressorts (1814). ◆ **BOTTINER** v. tr. (v. 1950), mot familier pour «demander de l'argent avec insistance», n'est pas bien expliqué; ce pourrait être le diminutif de *botter* au sens de «frapper» par équivalence synonymique avec *taper.* Plus vraisemblable est une dérivation de *coup de bottine,* lui-même issu de *coup de botte* «demande d'argent» (1953, Esnault, qui le rattache à *pousser la botte* [1828] où il s'agirait de ③ *botte*).

① **BOTTIER, IÈRE** n. m. et adj., après une attestation isolée fin XVe s., a été reformé au XVIIIe s. (1751), désignant le fabricant et marchand de bottes et de bottines. Ce sens spécifique s'est perdu au profit du sens plus général de «chausseur sur mesure» (1909), le mot étant adjectivé comme terme de cordonnerie pour qualifier un type de talon.

① **BOTILLON** n. m. (1863) semble avoir désigné une sorte de bottine avant de se dire d'une petite botte s'arrêtant au-dessus de la cheville (1894).

DÉBOTTER v. tr., étant donné la date précoce de son attestation (fin XIIe s.), n'est probablement pas le dérivé préfixé de *botter,* mais celui de *botte.* D'après le sens de «retirer les bottes», son participe passé *débotté* a été substantivé. ◇ **DÉBOTTÉ** n. m. désigne historiquement le moment où le roi retirait ses bottes et sert à former la locution moderne ***au débotté*** (1701) «au moment où l'on arrive», d'où «à l'improviste».

TIRE-BOTTES n. m. (1690) désigne un instrument pour mettre les bottes et aussi une planchette aidant à se débotter. ◆ **LÈCHE-BOTTES** n., mot familier dit par péjoration de celui qui flatte une personne (1901), correspond à la locution *lécher les bottes à qqn.* ◆ **DEMI-BOTTE** n. f. (1820) désigne une botte à tige plus basse.

L'anglicisme **BOOTS** n. m. pl. (1966) concurrence *bottillon* pour désigner, non des bottes courtes, mais des chaussures de ville montantes sans laçage.

◈ voir ② BOTTE, SABOT, SNOW-BOOT.

② **BOTTE** n. f. est emprunté (XIIe s.) au moyen néerlandais *bote,* «touffe, gerbe de lin», à rattacher au verbe néerlandais *boten* «battre», l'idée de base étant celle d'une quantité de végétaux battue par le fléau et liée ensemble. L'étymon bas allemand *bôte* est moins probable, étant donné la rareté des emprunts du français à cette langue et l'aire géographique des premières attestations (domaine picard). Le verbe néerlandais se rattache à un groupe germanique qui a donné au français *bouter**.

♦ Le mot, d'abord employé au figuré avec le sens de «part, paquet», désigne surtout un assemblage de végétaux de même nature dont les tiges sont liées ensemble. Par extension, il est employé à propos d'une certaine quantité d'écheveaux (soie, chanvre) assemblés et liés (1316). ◇ Le pluriel *bottes* a pris le sens général de «grande quantité (de qqch.)» (XVIe s.), acception vieillie en dehors de la locution ***(il n'y en a) pas des bottes*** «pas beaucoup». ◆ L'emploi spécial du mot dans l'argot de Polytechnique, à propos des élèves sortis dans les premiers rangs et pouvant bénéficier des carrières les plus prisées (1860), vient peut-être de ce que ces élèves formaient un ensemble, un paquet; cependant, selon certains (dont Esnault), cet emploi se rattacherait à ① *botte,* d'après l'emploi de ce mot, vers 1840-1870, pour désigner la chaussure mondaine des bals et soirées par opposition à la pantoufle, symbole de la vie bourgeoise moins «vernie». Ce double motif serait activé dans l'opposition des deux mots à l'X (cf. aussi *pantoufler*); *la botte* serait alors le groupe valorisé, d'où ***être dans la botte;*** cette explication semble moins vraisemblable que la première. ◇ Par extension, *botte* a désigné l'ensemble des deux majors et des deux «fourriers» d'une promotion de Polytechnique (1894).

▸ **BOTTELETTE** n. f., d'abord *boteleite* (1268) puis *bottelette* (1399) «petite botte», a cessé d'être attesté entre 1412 et 1838; il est peu employé.
BOTTELER v. tr., d'abord *boteler* (1328), est dérivé de *botte* par l'intermédiaire de son ancien diminutif *botel, boteau* «petite botte» (v. 1382). ◇ Le verbe, terme d'agriculture exprimant l'action de lier en bottes, a produit quelques dérivés d'usage technique tels **BOTTELAGE** n. m. (1351), **BOTTELEUR, EUSE** n. (1391) et, formés en français moderne, **BOTTELOIR** n. m. (1838), **BOTTELEUSE** n. f. (1897). ◆ Le dérivé verbal **EMBOTTELER** v. tr. (1600), «mettre en bottes», fait double usage avec *botteler*.
② **BOTTILLON** n. m. (1838) est employé en agriculture avec le même sens que *bottelette*. ◆ **BOTTELÉE** n. f. (1869) désigne un ensemble de végétaux liés en bottes et, par extension, une grande quantité d'objets divers, tout comme **BOTTÉE** n. f. (1910), encore plus tardif. ◆ ② **BOTTIER** n. m. (1894) procède de *botte* comme terme d'argot de Polytechnique pour désigner l'élève qui sort dans la botte.
◈ voir ③ BOTTE.

③ **BOTTE** n. f., terme d'escrime (1590), est emprunté à l'italien *botta*, «coup» (fin XVe s.), qui peut être considéré comme le déverbal de l'ancien italien *bottare* «frapper, secouer, battre» (1200-1300). Ce mot, peu attesté toutefois dans les textes littéraires, est emprunté à l'ancien français *boter*, devenu *bouter**.

♦ Le mot désigne un coup porté à l'adversaire avec le fleuret ou l'épée; il est courant dans des syntagmes comme *botte secrète* (aussi au figuré), *porter une, la botte*. Il s'est répandu dans l'usage courant avec le sens figuré d'«attaque vive et imprévue» (1690). ◇ *Pousser la botte* a signifié en argot «demander de l'argent»; de là peut-être *bottiner* (① botte).
◈ voir ② BOTTE.

BOTTIN n. m. est l'emploi comme nom commun (1867) du nom de Sébastien *Bottin* (1754-1853), administrateur et statisticien français, ancien moine devenu secrétaire général de préfecture sous la Révolution, et à qui l'on doit les premiers répertoires professionnels (*Annuaire statistique du Bas-Rhin* en 1797, poursuite de l'*Almanach du Commerce de Paris* de 1819 à 1853).

♦ Le mot désigne un répertoire donnant des listes de noms classés par professions et habitats; le «Bottin» initial était divisé en trois parties : Paris, Départements, Étranger. Par extension, le mot s'applique à un annuaire concernant une catégorie sociale, par exemple dans *bottin mondain*. Le mot est déposé comme marque et c'est par abus qu'on l'emploie pour «annuaire des abonnés au téléphone».

BOTULISME n. m. est dérivé savamment (1879) du radical du latin impérial *botulus* «boudin» (→ boyau), le germe de cette intoxication se développant dans les intestins. Le mot, attesté en anglais en 1878, serait un emprunt à l'allemand *Botulismus*, formé en latin scientifique.

♦ *Botulisme* désigne une intoxication alimentaire due à un microbe anaérobie qui se développe dans les charcuteries ou viandes avariées et les conserves mal stérilisées.

▸ **BOTULIQUE** adj. (1878), tiré de *botulisme*, et **BOTULINIQUE** adj. du latin scientifique *bacillus botulinus*, qualifient le bacille du botulisme.

BOUBOU n. m. est emprunté (1867) au malinké, forme du mandingue, langue nigéro-sénégalaise (groupe du Centre) où *bubu* désigne un singe et, par métonymie, sa peau.

♦ Le mot désigne un vêtement traditionnel africain, long et ample, porté par les hommes et parfois par les femmes. Il est très courant en français d'Afrique.

✳ **BOUC** n. m., d'abord *buc* (v. 1120), également *boc, bou* en ancien français, est probablement issu d'un gaulois °*bucco* que l'on déduit des langues celtiques : irlandais *bocc*, cymrique (gallois) *bwch*, breton *bouc'h*. Cette étymologie est appuyée par l'aire géographique du mot : Gaule, nord de l'Espagne et de l'Italie actuelle; on le trouve en effet dans l'ancien provençal *boc*, l'ancien catalan *boch* (1249), l'aragonais *boque*, l'italien septentrional *bucco*, le suisse romand dialectal *bouk, bok*. Elle est aussi appuyée par l'origine celtique de noms de mâles d'animaux domestiques tels que *mouton* et la disparition complète en gallo-roman du masculin latin *caper* dont le féminin *capra* a donné *chèvre**. Il n'est pas impossible que le gallo-roman °*buccus*, latin médiéval *buccus* (VIe s.), ait ultérieurement bénéficié de l'influence du francique °*buk*, de même sens, avec lequel il se serait confondu. ◆›

♦ Le mot, attesté au XIIe s. à la fois dans un psautier et dans un bestiaire (v. 1121), désigne le mâle de la chèvre; il développe dès le moyen français des valeurs figurées péjoratives, comme injure et comme désignation du mari trompé, où le folklore rejoint la tradition chrétienne. ◆ Par référence au rite du *Lévitique* (XVI) selon lequel, chaque année, la communauté d'Israël transférait symboliquement ses impuretés sur un bouc qui était lâché dans le désert, la locution ***bouc émissaire*** (du latin *caper emissarius*) est employée dans le langage religieux (1690). Par extension, elle s'est étendue à propos d'une personne sur laquelle on fait retomber les fautes des autres (av. 1755); ultérieurement, elle a fourni aux ethnologues et d'abord à Frazer (1918) le concept désignant l'ensemble des rites d'expiation dont use une communauté. ◆ Le syntagme *barbe de bouc* (1690) a été abrégé en *bouc* (1881) pour «barbe taillée en pointe» et a été substantivé en *barbe-de-bouc*, nom populaire d'une plante, espèce de *spirée*.

▸ ① **BOUQUET** n. m., diminutif de *bouc* (v. 1121) est l'ancien nom du petit bouc repris par analogie en vénerie à propos du lapin mâle (1701). ◇ Par allusion aux «barbes» de l'animal, il fournit le nom d'une grosse crevette rose (1859), sens avec lequel il a produit **BOUQUETON** n. m., nom régional d'un filet pour pêcher ces crevettes.

Le second dérivé de *bouc* est aujourd'hui complètement démotivé. ➡ ① **BOUCHER, ÈRE** n., d'abord *bochier* (1180-1190) puis *bouchier* (fin XIIe s. au féminin *bouchiere*), *boucier* (v. 1270), est en effet dérivé de *bouc* avec le suffixe *-ier* réduit ultérieurement à *-er* à cause de la palatale *ch-*. Cette dérivation, contestée par P. Guiraud, semble pourtant confirmée par la comparaison du bas latin °*buccarius* (*buchariorium* en 990) et de l'italien *beccàio* de même sens, dérivé de *bécco* «bouc», le rôle de ce personnage étant proprement, à l'origine, d'abattre le bouc. Une hypothèse selon laquelle °*buccarius* serait un croisement de *bucola*, adaptation du grec *bouthutês* «qui immole les bœufs» d'après le latin *sacricola* «prêtre qui assiste au sacrifice», et de *macellarius* «boucher», ne repose pas sur des bases solides. ◇ Reste que le bouc et en général les caprins ne constituent pas une base de nourriture carnée durant le haut moyen âge. Le sens de «personne chargée de tuer les animaux destinés à la consommation» a donné celui de «marchand de viande» (v. 1220) de par la réunion de ces deux tâches avant le XIXe s. (cf. ci-dessous *boucherie*). ◇ Dès l'ancien français, le mot a pris le sens figuré de «bourreau» (v. 1270), et, depuis l'époque classique, s'est dit d'un chirurgien maladroit (1668, La Fontaine), sens à peu près sortis d'usage. Le mot s'emploie encore pour «homme cruel et sanguinaire» (1616). ➡ **BOUCHERIE** n. f. (v. 1220, *boucerie*) désignait le lieu où l'on abattait les animaux destinés à l'alimentation (v. 1268); ce sens, glosé comme «impropre» par Nicot qui préconise *tuerie* (1606) a disparu au profit d'*abattoir**, mot récent. ◇ *Boucherie* ne désigne plus que le lieu où l'on vend la viande des bestiaux (v. 1220), avec une distinction progressive entre *boucherie, charcuterie, volailler,* qui spécialise le mot pour les viandes de bovins et de mouton, avec une extension pour *boucherie chevaline.* Un usage régional, en Suisse et au Canada, donne au mot la valeur active de «fait d'abattre, de dépecer et de traiter un animal d'élevage pour la consommation» (1764). ◇ Par figure du sens initial du mot, il signifie «carnage, massacre» (1414). ➡ ② **BOUCHER, ÈRE** adj. (1941) fournit récemment un adjectif concurrent de la locution *de boucherie,* par exemple dans *viande bouchère.*

① **BOUQUIN** n. m., d'abord *boucquin* en emploi adjectif (1544), n'est plus guère utilisé comme nom du vieux bouc. ➡ En est dérivé ① **BOUQUINER** v. intr. recueilli par Cotgrave au sens ancien d'«avoir des mœurs de bouc» et employé de nos jours en parlant du mâle de la chèvre, de la lapine, qui couvre la femelle (1655), avec le nom correspondant **BOUQUINAGE** n. m. (1700). ➡ **BOUCAGE** n. m., terme de botanique désignant une plante de la famille des Ombellifères (1701), doit sa dénomination à son odeur forte. ➡ **BOUCAUD** ou **BOUCOT** n. m., par le même cheminement sémantique que *crevette* («chevrette»), s'emploie régionalement pour «crevette grise» (XXe s.). ➡ La variante diminutive ② **BOUQUET** n. m. (1751) est entrée dans l'usage courant pour désigner de grosses crevettes roses très appréciées. ◇ *Boucaud* et *bouquet* «petit bouc» sont parallèles à *crevette* «petite chèvre», mais tout aussi démotivés.

◈ voir ② BOUCAN, BOUQUETIN.

① **BOUCAN** n. m. est emprunté (1578) au tupi *mokaém,* «gril de bois», par une variante, *bokaem, p, m* et *b* alternant souvent à l'initiale en tupi et en guarani, et la seconde syllabe de ce mot se prononçant de façon nasalisée.

♦ Ce terme de voyage désigne le gril sur lequel les Indiens d'Amérique décrits par J. de Léry *(Histoire d'un voyage fait en la terre du Brésil)* et ceux des îles Caraïbes (1666, *Dictionnaire français-caraïbe*) fument les viandes et les poissons. Par métonymie, il a désigné la cabane dans laquelle on procédait à cette opération (1666) et la viande ou le poisson fumés. ◇ Probablement d'après le dérivé *boucaner,* il a désigné un pâté de tortue cuit sous la braise (*boucan de tortue,* 1722).

▶ Le dérivé ① **BOUCANER** v. (1575) signifie d'abord «fumer (de la viande, du poisson) sur un boucan». ◇ Par extension, il est employé avec le sens de «dessécher et colorer la peau» en peausserie et dans l'usage général. Par métonymie, il signifie «aller à la chasse aux bêtes sauvages pour en avoir la viande et la fumer». ◇ D'après *boucanier* (ci-dessous), il a pris la valeur générale de «mener la vie de ces aventuriers». ➡ Outre le participe passé **BOUCANÉ, ÉE** employé adjectivement au propre (XVIe s.) et au figuré pour «hâlé, desséché», *boucaner* a produit **BOUCANERIE** n. f. (1578) «lieu où l'on boucane la viande» et **BOUCANAGE** n. m., rares sauf dans des contextes spéciaux. ➡ Un autre dérivé de *boucan,* **BOUCANIER** n. m. (1654), se disait des aventuriers coureurs de bois de Saint-Domingue qui chassaient les bœufs sauvages pour en boucaner la viande. Par extension, et peut-être sous l'influence de *boucaner* «faire le bouc» (→ ② boucan), le mot s'est appliqué aux pirates qui au XVIIe s. écumaient les mers de l'Amérique et des Antilles ainsi qu'à leurs bateaux.

② **BOUCAN** n. m., attesté relativement tard (v. 1624), est d'origine douteuse. C'est peut-être le déverbal d'un ancien verbe *boucaner* «imiter le bouc», verbe attesté de 1549 à 1663, qui eut également au XVIIIe s., le sens de «fréquenter les mauvais lieux» (1701, Furetière). Ce verbe est lui-même dérivé de *bouc**, peut-être par l'intermédiaire d'un dialectal *boucan,* «bouc», attesté dans l'Allier, le Puy-de-Dôme, la Creuse. Cette étymologie, proposée par Wartburg, est la plus vraisemblable, le bouc étant souvent pris comme le symbole de la débauche. Une évolution sémantique à l'intérieur du français, à partir de ① *boucan** «gril à fumer la viande», par le sens de «cabane où l'on fait fumer la viande», ne tient pas compte du verbe *boucaner.* Elle est soutenue par P. Guiraud qui rattache *boucan* pour le sens à *bordel, taule, cabane,* mots désignant de petites maisons rustiques faisant office de mauvais lieu. ◇ Enfin, l'hypothèse faisant remonter *boucan* au latin *Vulcanus* «Vulcain» par l'intermédiaire de l'ancien français *boucan* «enfer», emprunt à l'italien *Bulcano,* forme semi-populaire de *Vulcano* (→ volcan), manque de fondement.

♦ Le sens du mot est passé de «lieu de débauche» à «vacarme» (1797), les lieux de débauche étant souvent bruyants (cf. les sens figurés de *bordel*).

► ② **BOUCANER** v. tr. (1808) «faire du tapage à propos de qqch.» est argotique puis familier; il prolonge l'ancien verbe *boucaner*. ◆ Le féminin **BOUCANIÈRE** n. f. (av. 1741) signifiait «prostituée» au XVIIIe siècle.

BOUCHE n. f., d'abord *buce* (v. 1050), puis *boche* (v. 1150), est issu du latin *bucca* «bouche» et, au pluriel, «joues, mâchoires». Ce mot, d'origine celtique et sans correspondants hors du latin, s'est substitué dans la langue populaire à *gena* «joue», sens du roumain *bucă*, et surtout à *os* «bouche» (→ oral). Cette substitution a aussi donné naissance à l'italien *bocca*, à l'espagnol et à l'ancien provençal *boca*; elle est due à l'expressivité du mot (cf. ancien français *bec** «bouche») plutôt qu'à un effet de l'homonymie : *os, oris* «visage» a en effet disparu dès l'époque préromane.

♦ Le sens de «cavité buccale (chez l'homme et chez certains animaux)», qui est le sens de base, a donné une phraséologie abondante dans laquelle *bouche* renvoie surtout à la bouche comme siège du goût et organe de la parole. À côté de locutions sorties d'usage, comme *être fort en bouche* employée à propos d'un cheval qui n'obéit pas au mors, puis au figuré, *bonne bouche*, qui signifiait au XVIe s. «bon propos», a été absorbé par la locution ***garder pour la bonne bouche*** «pour être mangé, savouré» ou encore «pour être dit en dernier» (1578, *pour faire la bonne bouche*). ***Faire la petite bouche*** reste usuel pour «considérer avec mépris». En 1690, Furetière répertorie ***bouche cousue*** «sans parler» et ***Saint Jean bouche d'or,*** d'abord péjoratif pour «indiscret», puis «personne au franc-parler». *Bouche,* dans ***à bouche que veux-tu,*** exprime la profusion (1649) dans des expressions comme *vivre, embrasser à bouche que veux-tu*. ◇ De toutes les extensions métonymiques de *bouche,* seul le sens de «personne à nourrir» (1660) a subsisté *(avoir plusieurs bouches à nourrir)*. ◆ Par analogie, le mot désigne dès le XIIe s. l'orifice d'une cavité (v. 1150), spécialement l'embouchure d'un fleuve (fin XIIe s.), puis l'orifice d'une pièce d'artillerie (1690). Divers syntagmes, comme *bouche d'égout,* correspondent à cet emploi.

► **BOUCHÉE** n. f., réfection de *buchiee* (v. 1120), désigne la quantité d'aliments que l'on met dans la bouche en une fois, sens dont procèdent les locutions figurées ***n'en faire qu'une bouchée*** (1690), ***pour une bouchée de pain*** «pour une somme infime», ***mettre les bouchées doubles*** «redoubler d'efforts». ◇ Par métonymie, il désigne diverses pâtisseries originellement de petite taille, par exemple dans *bouchée des dames* (1810), disparu, puis ***bouchée à la reine*** (1808) «petit vol-au-vent». ◆ **BOUCHETTE** n. f., d'abord *bochete* (1160) «petite bouche mignonne», est sorti d'usage, après avoir été en vogue au XVIe siècle. ◆ **BOUCHE-À-BOUCHE** n. m. a été employé en ancien français sous la forme adverbiale *bouce a bouce* «bouche contre bouche» (1150-1200), et, par traduction du latin *ore ad os,* au sens de «face à face» (av. 1174). ◇ Il a été repris récemment comme substantif pour désigner un procédé de respiration artificielle (1956). ◆ **ARRIÈRE-BOUCHE** n. f. (1805) s'emploie en anatomie et en physiologie. ◆ **À BOUCHETON** loc. adv. est dérivé (1418) de la locution *à bouchons* par intercalation de l'infixe *-et-* (cf. *à croupetons*). Cette locution venait de *bouche* au sens de «le visage, la bouche contre terre» (XIIIe s.). La locution est encore en usage dans les dialectes bourguignon et champenois pour «à plat ventre» et, en français même, dans le vocabulaire technique de la céramique en parlant de pièces creuses posées l'une sur l'autre par leurs bords (1852); cf. *aboucher,* ci-dessous.

ABOUCHER v. tr., d'abord *abocher* (XIIIe s.), s'est employé au pronominal pour «se prosterner bouche contre terre, approcher la bouche, le visage, se pencher en avant», ceci jusqu'au début du XVIIe siècle. Employé une fois dans un contexte guerrier au sens de «se rencontrer pour un combat» (apr. 1225), le verbe actif est passé au sens de «mettre en rapport, provoquer une entrevue» (XVIIe s.) et le pronominal *s'aboucher* au sens de «s'entretenir» (XVIe s.), qui a pris une valeur péjorative au XXe siècle. ◇ Le sens de «faire communiquer bouche contre bouche», attesté dans le dictionnaire d'ancien français de Godefroy mais sans datation, a été repris au XVIIe s. dans le vocabulaire technique, en anatomie (1680) et en arts et métiers à propos de tuyaux (1690). ◇ La valeur figurée d'«aboutir, déboucher», attestée une fois à la fin du XIVe s., est reprise au XXe s. par effet stylistique. ◆ Le dérivé **ABOUCHEMENT** n. m. (XVIe s.) correspond au verbe : son sens figuré, «entretien, face à face», est devenu péjoratif dans l'usage moderne où il est littéraire et rare. ◇ Le sens propre de «jonction bouche à bouche» est attesté en anatomie (1680) et en termes de métier (1835). ◆ **ABOUCHEUR** n. m. (1860) semble un néologisme péjoratif risqué par les Goncourt en parlant d'un homme qui met en rapport des personnes afin de conclure une affaire.

① **EMBOUCHER** v. tr. est d'abord attesté au participe passé *emboukié* qualifiant un blé de qualité inférieure ou détérioré. Le verbe actif (1273) a eu en moyen français le sens figuré d'«endoctriner» (av. 1493). ◇ Il prend sa valeur moderne vers le milieu du XVIe s. : il signifie alors «mettre à la bouche l'extrémité de (un instrument à vent)» et en termes de manège «mettre le mors à sa monture» (av. 1559). ◇ D'après un des sens analogiques de *bouche,* il s'emploie aussi pour «pénétrer dans la bouche d'un fleuve» en parlant d'un bateau (av. 1674) d'où *s'emboucher* «s'engager dans une passe étroite» (1890). ◆ **EMBOUCHURE** n. f. (v. 1360) fait concurrence à *bouche* pour désigner la partie d'un cours d'eau par où les eaux se jettent dans un lac ou dans la mer. Ultérieurement, il s'est appliqué à la partie d'un récipient pour l'évacuation et la réception du liquide qu'il contient (1668), à la partie du mors dans la bouche du cheval (1690). Le mot désigne en particulier la partie d'un instrument à vent que l'on embouche (déb. XVIIIe s.), emploi usuel. ◇ Par analogie avec la rivière, il se dit de la partie d'une voie qui s'élargit avant d'aboutir à une place (1862). ◆ **EMBOUCHÉ, ÉE,** le participe passé d'*emboucher*, est adjectivé dans l'expression ***mal embouché***, qui qualifie familièrement une personne n'ayant que des paroles grossières à la bouche (1573). ◇ Ce sens coexiste avec un emploi descriptif en héraldique (1690). ➛ Un autre verbe *emboucher* (→ ② emboucher) senti comme formé avec *bouche* est en fait une altération d'un verbe dialectal *embaucher*.

DÉBOUCHER v. intr. (1640) «sortir d'un lieu resserré, apparaître brusquement» (d'une chose) se dit aussi d'un être vivant, d'un véhicule en mouvement. ◇ Par extension, il s'applique à une voie qui aboutit dans un lieu plus large, à un cours d'eau qui se déverse dans un cours d'eau plus important, dans un lac ou dans la mer (1870), correspondant ainsi à *embouchure*. Dans le domaine abstrait, *déboucher sur* signifie «aboutir à» (XXe s.). ➛ Son participe passé substantivé, **DÉBOUCHÉ** n. m. (1723), s'emploie au propre et au figuré, dès la première moitié du XVIIIe s. ; il s'applique dès l'origine au commerce.

Il convient enfin de rattacher à l'étymon latin *bucca* le substantif ② **BOUQUIN** n. m. attesté semble-t-il au XVe s. et, de manière certaine, en 1532 dans l'expression ***cornet à bouquin***. La forme du mot pose néanmoins problème et, pour expliquer le son *k*, il semble qu'une dérivation de la forme normanno-picarde de *bouche* soit préférable à un emprunt à l'italien *bocchino* «petite bouche», ce dernier n'étant employé en musique qu'au XIXe siècle. ◇ Le mot, ainsi que *cornet à bouquin*, a désigné l'embouchure d'une petite trompe de chasse et, par métonymie, une corne de chasse. Il a vieilli, y compris avec la valeur analogique d'«embouchure d'une pipe» (1833).

◈ voir BOUCHOT, BOUCLE, ③ BOUQUET, BUCCAL, ② EMBOUCHER.

BOUCHER v. tr. est dérivé (v. 1278) avec la désinence verbale de l'infinitif, de l'ancien français *bousche*, «poignée de paille, fagot», lui-même attesté seulement depuis 1461 au sens de «botte de chanvre» et dans la première moitié du XIVe s. par son dérivé *bouchon**, mais qui doit être antérieur au verbe, si cette hypothèse est exacte. *Bousche* est issu d'un latin populaire °*bosca* «broussailles, faisceau de branches», pluriel neutre qui a dû coexister avec le pluriel masculin *bosci* (→ bois).

♦ Le sens propre, «obstruer au moyen d'une poignée de paille», s'est immédiatement étendu à «fermer (un orifice) en y introduisant qqch.». L'accent est parfois mis sur la finalité de l'action, avec l'idée de «rendre impraticable en obstruant». Le sens de l'ancienne construction *boucher qqn* «lui voiler la vue, lui bander les yeux» (XVIe s.) est repris dans *boucher la vue* «empêcher de voir» (1694) qui est resté vivant. ◇ La même valeur se retrouve, mais avec une valeur concrète du verbe, dans ***se boucher les yeux*** et ***se boucher les oreilles*** (v. 1610), lesquelles rendent compte de l'état d'esprit où l'on refuse la vérité, l'évidence. ◇ La locution familière ***en boucher un coin*** (fin XIXe s.) signifie d'abord «rendre muet d'étonnement» (cf. *fermer la bouche à qqn*) avant de devenir simplement synonyme d'«étonner».

▸ **BOUCHEMENT** n. m. (1549) «action de boucher une ouverture», rare avant 1867, ne s'est pas répandu. ➛ **BOUCHURE** n. f., d'abord *boucheure* (1600) au sens concret «ce qui bouche (un trou)», s'est spécialisé à propos d'une haie morte (1701). ◇ Il vit encore dans le centre de la France avec ce sens, voisin de celui du moyen français **BOUCHETURE** n. f. «ce qui bouche un terrain», terme coutumier pour ce qui empêche les bêtes de passer (1481). ➛ **BOUCHEUR** n. m., employé adjectivement pour «obturateur» dans la description anatomique (1550, Paré) a disparu. Il a été repris pour désigner l'ouvrier chargé de fabriquer les bouchons, de procéder au bouchage des bouteilles (1867). ➛ Le féminin **BOUCHEUSE** désigne un appareil. ➛ **BOUCHOIR** n. m., d'abord *bouchouer* (1553), mot technique, désigne la plaque métallique à poignée servant à boucher l'ouverture d'un four. ➛ **BOUCHÉ, ÉE** adj., du participe passé, a développé le sens figuré de «borné, obtus» (1690, *esprit bouché*) sous l'influence d'emplois figurés voisins, mais non correspondants, du verbe. ◇ Par métonymie, il caractérise aujourd'hui familièrement une personne inintelligente (av. 1755). Il est remplacé par *bouché à l'émeri*. ➛ **BOUCHAGE** n. m., apparu tardivement avec l'acception technique et métonymique de «terre détrempée servant à fermer le trou de coulée dans les hauts fourneaux» (1751), ne semble employé que depuis le XIXe s. comme substantif d'action, «fait de boucher (une ouverture)» (1838). Dans cet emploi, il a éliminé *bouchement* (ci-dessus).

Le verbe, sous la forme *bouche-*, sert d'élément pour former des composés. ➛ **BOUCHE-TROU** n. m. lorsqu'il est attesté en 1688, désigne le dernier enfant d'une femme. ◇ Au XVIIIe s. il se dit d'un élément pictural pour masquer un vide de la composition (1765, Diderot), au théâtre, en parlant d'une pièce médiocre (1781), puis d'un acteur de second ordre qui remplit un manque (1807). ◇ Ce n'est qu'au XIXe s. qu'il s'est répandu dans l'usage général en parlant d'une chose (1829) puis d'une personne (1834) inutiles. ➛ **BOUCHE-PORES** n. m. inv. (1924) est le nom d'une préparation pour boucher les pores du bois. ➛ **BOUCHE-BOUTEILLES** n. m. inv. (1925) fait concurrence à *boucheuse*, féminin de *boucheur*.

Le verbe a aussi servi à former deux préfixés. ➛ **DÉBOUCHER** v. tr. (fin XIIIe s.) «dégager ce qui est obstrué», signifie aussi, par rapprochement avec *bouchon**, «ôter le bouchon de» (1596). ◇ *Déboucher qqn* au sens figuré de «lui ouvrir l'esprit» (1845) a disparu alors que *bouché*, dans ce contexte, est usuel. ➛ Le verbe a produit deux substantifs d'action concrets : **DÉBOUCHEMENT** n. m. (1611) et, ultérieurement, **DÉBOUCHAGE** n. m. (1870) pour «action d'ouvrir une bouteille», ainsi que **DÉBOUCHOIR** n. m., nom d'un outil de lapidaire (1754), enregistré par P. Larousse dans un sens général.

REBOUCHER v. tr., l'autre dérivé verbal de *boucher*, est attesté depuis 1412 avec le sens itératif de «boucher à nouveau» ; un sens spécial est «obturer (un puits) avec un bouchon de ciment» (1690). ➛ Le verbe a pour dérivé **REBOUCHAGE** n. m. (1836), surtout employé techniquement en peinture à propos de l'obturation d'un puits (v. 1950).

◈ voir BOUCHON (pour la deuxième acception).

BOUCHER, BOUCHERIE → BOUC

BOUCHON n. m. est dérivé (1300-1350) de l'ancien français *bousche* «poignée de paille, faisceau de branchage» (→ boucher, v.) avec le suffixe *-on*. L'homonyme relevé fin XIIIe s. chez Rutebeuf, et qui a pu être donné pour la première attestation du mot, est en réalité une variante dialectale de *buisson**.

♦ Le sens étymologique de «paquet de chanvre, poignée de foin tortillé» a disparu de l'usage courant, subsistant dans quelques emplois techniques où le mot désigne la poignée de paille servant au toilettage du cheval, ou encore un papier ou un linge tortillé et chiffonné. ◇ Par spécialisation de fonction, *bouchon* désigne le rameau de feuillages suspendu au-dessus d'une porte comme enseigne d'un cabaret (1584-1598), sens disparu, mais d'où vient l'acception métonymique de «cabaret, petit restaurant» (1701), surtout employé de nos jours à propos de Lyon *(les bouchons lyonnais)*. ◇ L'emploi de *bouchon* comme terme affectueux (1661, Molière) est issu de ce sens étymologique par une métaphore incertaine, peut-être par l'intermédiaire du dérivé *bouchonner* et par à-peu-près avec *bichon*.

Dès l'ancien français, la valeur du mot, sous l'influence du verbe apparenté *boucher**, s'est déplacée vers l'idée d'«objet servant à boucher», d'abord pour désigner la pièce de bois servant à fermer un tonneau (1397-1398) puis ce qui sert à obturer un flacon, une bouteille (1532), aujourd'hui en liège ou en matières plastiques (*bouchon*, désignant un dispositif qui pénètre dans le goulot, s'oppose à *capsule*). *Bouchon* se dit aussi de ce qui bouche accidentellement un conduit et, au figuré, d'un ensemble de véhicules engorgeant la circulation (v. 1950). ◇ Il s'est également dit d'un jeu (1828) qui consistait à abattre des bouchons de liège surmontés de pièces de monnaie avec des palets et, par analogie de forme, est devenu le nom usuel, en Provence, du cochonnet au jeu de boules. De l'un ou l'autre de ces jeux viennent les locutions figurées ***pousser le bouchon un peu loin*** «exagérer» et ***c'est plus fort que de jouer au bouchon*** «c'est très fort» (1860), désuet, tandis que ***flotter comme un bouchon*** fait allusion au liège des bouchons de bouteille.

▸ Les quelques dérivés se partagent en deux séries sémantiques. ✦ **BOUCHONNER** v. (1425) se range sous le sens étymologique de «poignée de paille»; l'ancien sens féodal, «marquer d'un bouchon de paille (un héritage saisi)», attesté une fois au XVe s., subsiste dans les coutumes de l'Orléanais. ◇ Le sens de «frotter avec un bouchon de paille» (1551) a eu pour extension figurée «couvrir (qqn) de caresses», d'usage familier (1662) [d'où *mon [petit] bouchon*, etc.]. ◇ La valeur de «chiffonner, mettre en bouchon» (1669) est sortie d'usage. ◇ Récemment, d'après *bouchon* «embouteillage», le verbe s'emploie intransitivement pour «former un bouchon» (1964). ✦ Les substantifs d'action dérivés **BOUCHONNAGE** n. m. (1843) et **BOUCHONNEMENT** n. m. (1853) signifient «pansage d'un cheval». ✦ **BOUCHONNIER, IÈRE** n. et adj. «fabricant ou vendeur de bouchons de liège» (1763), ainsi que les noms d'ustensiles **TIRE-BOUCHON** n. m. (1718), très usuel (→ tirer), **MÂCHE-BOUCHON** n. m. (1850) et **SERRE-BOUCHON** n. m. (1875), vieillis, s'ordonnent tous au sens usuel moderne de *bouchon*.

BOUCHOT n. m. est un mot originaire du Poitou, sous la forme *bouchaux* (1385), qui correspond au latin médiéval *buccaudum* (1184). *Buccaudum* est à rapprocher du latin médiéval *buccale* (de même aire géographique), «embouchure, bouche d'un étang», lui-même dérivé du latin classique *bucca* (→ bouche). La graphie *bouchot* (1681) est due à un alignement sur les mot à suffixe *-ot*.

♦ Le mot, employé dans le Poitou au sens de «vanne d'écluse», s'est spécialisé à propos d'un parc en clayonnage pour emprisonner le poisson (1681), puis d'un parc aménagé pour la culture des moules dans des conditions garantissant leur qualité (1834). ***Moules de bouchot*** puis par métonymie, *des bouchots* désigne les moules ainsi élevées, appelées en Belgique *moules parquées*.

▸ **BOUCHOTEUR, EUSE** ou **BOUCHOTTEUR, EUSE** n. (1868) désigne le mytiliculteur s'occupant de la reproduction des moules dans les bouchots.

✳ **BOUCLE** n. f. est issu (1080) du latin *buccula*, diminutif de *bucca* (→ bouche), proprement «petite joue», employé par analogie de forme au sens de «bosse de bouclier» (Tite-Live).

♦ Le sens d'emprunt, «bosse centrale d'un écu», est sorti d'usage dès le XIIIe siècle. ◇ Le développement de l'acception moderne s'est fait par métonymie, le mot désignant l'anneau situé au niveau de la bosse et servant à tenir le bouclier, puis en général un anneau muni d'ardillons et servant d'attache (1160-1190). ◇ *Boucle* a des emplois spéciaux et analogiques : «objet en forme d'anneau» (1453), «pendant d'oreille» dans ***boucle d'oreille*** (1671), «heurtoir de porte». Au figuré, le mot désigne la courbe dessinée par le tracé d'une voie, d'un cours d'eau, ou encore le cercle vertical décrit par un avion (1914); cf. *looping*. ◇ Par transposition sur un plan abstrait, il exprime l'idée d'un circuit complet avec retour à l'état initial, en général (par exemple, dans la locution, ***boucler la boucle***) et dans le cycle d'un programme informatique. ◇ Une des spécialisations concrètes, pour «mèche de cheveux recourbée» (1671), s'est détachée des autres emplois, soutenu par *bouclette* (antérieur) et *bouclé*.

▸ ① **BOUCLIER** n. m. est issu (1268) de *écu bouclier* (1080, *escu bucler*) désignant un écu garni d'une bosse centrale, avec substantivation et substitution du suffixe *-ier* à la finale originelle *-er*. Celle-ci était probablement due à un bas latin *buccularе*, dérivé de *buccula* (le substantif *bucculare* est attesté au Ve s. avec le sens de «récipient»). Parallèlement, l'ancien français a employé la forme en *-é* dérivée de *boucle* (fin XIIe s., *écu bouclé*). ✦ Employé seul, *bouclier* a pris le sens général d'«écu». Il a donné lieu à des emplois métaphoriques ou figurés, soit avec idée d'opposition notamment dans ***levée de boucliers*** (1460-1470), soit de protection, de soutien (XVIe s.), particulièrement dans la locution *faire bouclier de qqch.* (XVIe s., Calvin) «protéger», dont procède par exemple *faire à qqn un bouclier de son corps.* De là, l'expression récente ***bouclier humain***, à propos de personnes contraintes à essuyer le feu de l'ennemi, servant ainsi d'otages. ◇ Par analogie d'usage, le mot désigne un dispositif de protection (mines, physique nucléaire). ➜ ② **BOUCLIER** n. m., nom d'agent homonyme du précédent (XIIIe s.), est un mot technique employé aujourd'hui par les historiens à propos de celui qui fabriquait les boucles et anneaux de cuivre et d'archal. ➜ **BOUCLERIE** n. f. (1268-1271), «vente ou fabrication de boucles métalliques», est lui aussi sorti d'usage. ➜ **BOUCLETTE** n. f. (XIVe s.) a été dérivé de *boucle* pris dans son acception analogique pour désigner une petite boucle de laine, puis une petite boucle de cheveux. ➜ L'ancien français avait *bouclette* au sens de «petite bosse d'un bouclier» (v. 1160-1170), sorti d'usage dès le XIIIe s., et aussi de «petite boucle de métal» (1268-1271).

BOUCLER v. (1440) a d'abord le sens technique de «prendre la forme d'une bosse de bouclier» encore usité en termes de construction en parlant d'une paroi qui fait ventre. ➜ Il se répand au XVIe s., réalisant l'idée de «clore, fermer» et, abstraitement, «prendre fin» (à la forme pronominale *se boucler*) ; à la même époque, il se spécialise pour «entourer complètement par des troupes» (1556). ◇ Un autre sens concret, spécialisé, est «mettre un anneau au vagin (de la femelle d'un animal)», en zootechnie (1562). ◇ L'évolution vers l'usage moderne consiste en un changement de registre du sens de «fermer» : celui-ci est devenu familier dans des emplois extensifs où il équivaut à «mettre en prison» (1831), «fermer (une malle, un local)» (1821), ***la boucler*** [sa bouche] «se taire» (1897) de *boucler sa bavarde* (1878). ➜ Le sens de «mettre en forme de boucles, friser» (1680) en coiffure, d'où *se boucler*, a donné l'emploi intransitif correspondant de «friser» (1835). ➜ La dérivation de *boucler* consiste surtout en deux noms d'action. ◇ **BOUCLEMENT** n. m. (1658) est le terme technique usité en zootechnie à propos de l'action de mettre une boucle à une femelle. ◇ **BOUCLAGE** n. m. (1841) ne répond à *boucler* que par le sens d'«action de fermer», surtout d'usage technique (en électricité) et militaire. Au figuré et familier, il correspond à «action de terminer, de "boucler"», par exemple en termes de presse. ➜ Enfin, **BOUCLARÈS** adj. inv., formation argotique (1898) avec la finale argotique *-arès*, signifie «fermé, enfermé».

BOUDDHA

BOUDDHA n. m. est l'emploi comme nom commun (1754, *un budha*) de *Bouddha*, titre spirituel donné à Siddhârtha Gautama (né vers le VIe s. av. J.-C.), fondateur du bouddhisme. Gautama, ultérieurement surnommé *Sâkyamuni* «l'ascète *(muni)* des Sâkya» du nom de son clan, quitta sa famille à la suite d'une épreuve qui lui fit prendre conscience du caractère douloureux et permanent de la condition humaine. Il se fit alors ascète errant. Après avoir suivi l'enseignement de divers maîtres, il tenta d'atteindre lui-même la libération totale et définitive, d'abord par un ascétisme rigoureux, puis, se détournant de cette voie, par la méditation. Il atteignit ainsi l'Éveil, entrant dans la paix de l'extinction *(nirvâna)* des passions. Son titre signifie l'Éveillé, *buddha* étant le participe passé du verbe sanskrit *budh* «éveiller» et «savoir, percevoir».

♦ Le mot désigne le fondateur du bouddhisme et, par métonymie, une représentation du bouddha ou d'un bouddha, assis dans la posture du lotus et exprimant la maîtrise de soi ainsi qu'un sentiment de contemplation extatique (1886, Loti).

▸ La fin du XVIIIe s. voit la création des termes de doctrine spirituelle **BOUDDHISME** n. m. (1823) d'abord *budsdoisme* (1780) puis *budaïste*,1825, et **BOUDDHISTE** adj. et n. (1782, *bouddiste*). ➜ **BOUDDHIQUE** adj. (1830) est employé dans des syntagmes : *doctrine, temple bouddhique...* ➜ Ces mots concernent la grande religion née aux Indes, répandue dans l'Asie du Sud-Est, en Chine et au Japon, où certaines sectes ont pris une importance particulière *(bouddhisme zen*)*. ➜ **BOUDDHÉITÉ** n. f. (1930), mot fait sur le modèle de *déité*, exprime l'essence, le principe vivant du bouddhisme ; il est didactique. ➜ Un autre emprunt à la même racine sanskrite est **BODHISATTVA** n. m. (1859), de *bodhi* «sage» et *sattva* «qualité, état», désignant un sage au plus haut degré de la perfection avant l'état de *bouddha*.

BOUDER

BOUDER v. est probablement une formation onomatopéique (v. 1350) sur le radical *bod-* exprimant l'enflure, le gonflement (→ bedaine, boudin), par allusion aux lèvres gonflées de la personne qui manifeste sa mauvaise humeur. Selon Guiraud, il pourrait représenter un gallo-roman °*bullitare*, de *bulla* (→ bulle).

♦ *Bouder* signifie «prendre un air rechigné en faisant la moue», d'abord absolument, puis avec un régime transitif direct (1718). ◇ Par métaphore, il s'emploie quelquefois en parlant d'un objet qui fonctionne mal, d'une chose qui se présente mal, spécialement dans certains vocabulaires techniques, en horticulture et ostréiculture.

▸ **BOUDEUR, EUSE** adj. et n. (1680) caractérise une personne qui boude souvent et, par métonymie, ce qui exprime cette humeur. ◇ Il qualifie en ostréiculture une huître qui pousse ou verdit mal. ◇ **BOUDEUSE** n. f. (XIXe s.) désigne un fauteuil à deux places où deux personnes peuvent s'asseoir en se tournant le dos, semblant ainsi bouder. Il a pu être formé d'après *causeuse*. Le dérivé **BOUDEUSEMENT** adv. (1887) est peu usité. ➜ **BOUDERIE** n. f. (1690) exprime l'action de bouder, l'état d'une personne qui boude, et, par extension, le fait de se détourner de qqch. ◇ Par calembour ② **BOUDIN** n. m. entre dans l'expression ***faire du boudin*** (1901, Bruant) «bouder».

BOUDOIR n. m. (v. 1730), qualifié de «familier» par l'Académie dans ses éditions de 1740 et 1798, est proprement le nom d'une petite pièce élégante où la maîtresse de maison peut se retirer pour être seule en *boudant la compagnie*, ou s'entretenir avec des intimes. Le boudoir est devenu au XVIIIe s. un lieu érotique (cf. *La Philosophie dans le boudoir*, de Sade). ➝ La spécialisation du mot en pâtisserie (XIXe s.) où il désigne un genre de biscuit aux œufs, est mal expliquée ; elle fait allusion, soit au petit salon élégant, soit au mouvement arrondi des lèvres autour du biscuit, soit à la surface bombée de la pâtisserie.

① **BOUDIN** n. m. est un mot (1268-1271) d'origine obscure, peut-être onomatopéique, formé sur un radical *bod-* exprimant l'enflure (→ bouder, bedaine). P. Guiraud y voit le dérivé de *bouder* au sens de «gonfler, arrondir (les lèvres)». L'hypothèse de Salvioni, faisant remonter le français à l'italien, supposerait une attestation plus ancienne que celle dont on dispose (XVIe s.). Celle d'un étymon latin °*botellinus* qui serait dérivé de *botellus*, altération du latin classique *botulus* «boyau» (→ boyau) fait difficulté d'un point de vue phonétique.

♦ Le mot désigne une préparation culinaire faite d'un boyau rempli de sang coagulé et de graisse de porc assaisonnés ; par extension, ***boudin blanc*** se dit d'une charcuterie analogue à base de chair de volaille et de lait (1680). *Boudin antillais* semble récent. ◇ En 1690, Furetière enregistre la locution figurée ***s'en aller en eau de boudin***, «être réduit à néant», en la qualifiant de «basse», par allusion claire au «boyau» (intestin) et peut-être de manière plus cachée, à un sens ancien de *boudin* «pénis» (XVIe s.). ◇ Les extensions de sens reposent sur une analogie de forme : *boudin* se dit en architecture de la moulure semi-cylindrique entourant la base d'une colonne (1690) et ***ressort à boudin*** d'une spirale de fil métallique (1690). Le mot s'emploie ensuite en marine pour le bourrelet qui entoure un bâtiment à la hauteur du second pont (1835) et développe d'autres sens en chemin de fer, en céramique, en mines, dans l'argot de l'aviation. Communément, il s'applique à un objet cylindrique et relativement court, autrefois à un rouleau de cheveux (1798) ou de gros doigts (1867). ➝ Le sens argotique de «prostituée» (1890) repose peut-être sur une métaphore alimentaire et probablement sur un rapprochement avec *bourrin**, mais se comprend également par une analogie de forme péjorative, celle-ci étant certaine pour le sens familier de «fille mal faite» (v. 1966), abrégé en **BOUDE** n. m. (1975). ◇ Un à-peu-près familier donne à *faire du boudin* la valeur de *bouder*. → ② boudin, sous *bouder*.

▶ **BOUDINIER, IÈRE** n., après une attestation isolée à la fin du XIIIe s., a été repris (1752) pour désigner le fabricant ou marchand de boudins ; le mot est archaïque. ➝ **BOUDINIÈRE** n. f. (1669) a été formé pour désigner un petit entonnoir servant à introduire la préparation dans le boyau, en termes de charcuterie. ➝ **BOUDINADE** n. f. (1771), terme culinaire, se dit d'un morceau d'agneau farci de boudin.

BOUDINER v. tr. (1842) procède de la série des sens analogiques et figurés de *boudin*, s'employant en industrie textile et en technique, et familièrement avec l'idée de «serrer (qqn) dans ses vêtements». ◇ Son participe passé **BOUDINÉ, ÉE** a été adjectivé et substantivé, qualifiant une partie du corps ronde et épaisse, une personne serrée dans un vêtement étriqué (cf. *saucissonné*). ◇ *Boudiné*, n. m., a désigné un élégant prétentieux de la fin du XIXe s. en raison de sa veste étriquée (Richepin, fin XIXe s.). ➝ Le verbe a produit un substantif d'action technique, **BOUDINAGE** n. m. (1842), un nom d'instrument, **BOUDINEUSE** n. f. (1877) et un substantif d'action, **BOUDINEMENT** n. m. (1924), peu usité.

BOUE n. f., d'abord *boe* (attesté v. 1170 mais antérieur : cf. *embouer* ci-dessous), puis *boue* (fin XIIe s.), est issu d'un gaulois °*bawa* que l'on peut déduire du gallois *baw* «saleté, fange». Phonétiquement, *w*, gardant sa valeur de semi-voyelle bilabiale (probablement à cause de la coupe syllabique *bau-a*), s'est combiné avec le *a* pour donner *o* puis *ou* devant voyelle. Le mot ne semble pas en rapport étymologique avec *bourbe*.

♦ *Boue* désigne un mélange de terre, de poussière et d'eau. Des emplois figurés péjoratifs apparaissent dès l'ancien français (v. 1275). Ils ont inspiré quelques locutions métaphoriques, où la valeur concrète de *boue* reste prégnante, telle ***se vautrer dans la boue, traîner (qqn) dans la boue*** spécialement «en dire du mal», ***tirer qqn de la boue***, «d'une situation misérable», vieilli. ◇ Par extension, *boue* s'applique à la terre détrempée (1539), avec des spécialisations en géologie et en médecine (1835, *bains de boue*). ◇ Par analogie, il se dit de tout résidu dont la consistance rappelle celle de la boue, spécialement un pus épais en médecine ancienne (XVIe s.) et, couramment, du dépôt d'encre épaisse qui se forme au fond de l'encrier (1835). ◇ Le pluriel *boues* a reçu le sens particulier de «détritus», de nos jours sorti d'usage sauf dans des domaines techniques (*boues industrielles, radioactives*), mais à l'origine de dérivés comme *boueur, éboueur*.

▶ **BOUEUX, EUSE** adj. (1176-1181) qualifie ce qui est couvert, rempli, mêlé de boue. Il a pris le sens figuré de «grossier, sale» (1200-1225) et s'emploie spécialement en typographie à propos d'une impression dont l'encre bave ou en gravure, d'une estampe aux couleurs confuses (1762). ➝ **BOUEUR** n. m. (1563), nom donné à l'employé chargé d'enlever la boue des voies publiques et les ordures ménagères, réunit deux sens de *boue*. ➝ Il est concurrencé par la variante d'origine dialectale **BOUEUX** n. m. (1808), supplanté lui-même par *éboueur* (ci-dessous). ➝ **BOUILLASSE** n. f. semble issu (1897) du croisement de *boue* et de *bouillie** avec un suffixe péjoratif *-asse*.

EMBOUER v. tr., réfection de *enboer* (v. 1121), signifie «couvrir, salir de boue». Il a vieilli, se maintenant plus longtemps au participe passé **EMBOUÉ, ÉE** employé adjectivement. Le sens figuré de «souiller» (v. 1200) est sorti d'usage au XVIe siècle. ➝ **ÉBOUER** v. tr., plus tardif (1864, *machine à ébouer*), est un terme de ponts et chaussées dont est tiré **ÉBOUAGE** n. m. (1871), peu répandu, et surtout **ÉBOUEUR** n. m. (1870) qui a remplacé *boueur.*

GARDE-BOUE n. m. (1869) et **PARE-BOUE** n. m. (1913) sont deux noms concrets décrivant des dispositifs destinés à protéger des véhicules contre les éclaboussures de boue.

◈ voir BOUILLER (RABOUILLEUSE).

BOUÉE n. f., d'abord *boue* (1394) puis *boueez* (v. 1450), est d'origine incertaine, probablement emprunté au moyen néerlandais *boeye,* «flotteur, balise», à rattacher au francique °*baukan* «signe», correspondant au germanique °*baukna* et que l'on peut déduire du moyen néerlandais *boken,* ancien saxon *bōkan,* ancien haut allemand *bouhhan* «signe». Contrairement à l'opinion de Wartburg, il faut probablement séparer le moyen néerlandais *boeye* de son homonyme *boeye,* «chaîne, entrave, lien», lequel est emprunté à l'ancien français *buie* «lien, fer, entrave» (XIIe s.), lui-même du latin *boja* «carcan, entrave» (→ boy).

♦ Le mot désigne le morceau de bois ou de liège qui flotte au-dessus d'une ancre pour signaler l'endroit où elle est mouillée (1394), puis celui qui signale la présence d'un écueil, d'un danger (1690). ◇ Il se dit en particulier de l'équipement insubmersible qui permet de se maintenir à la surface de l'eau (1811, ***bouée de sauvetage***), donnant le sens figuré de «ce qui sauve à la dernière minute» (1878, dans la locution sortie d'usage *bouée de salut*).

① **BOUFFE** → BOUFFER

② **BOUFFE (OPÉRA)** → BOUFFON

✳ **BOUFFER** v. est une formation expressive (1160-1170) se rattachant au radical onomatopéique °*buff-,* qui évoque le gonflement et suggère plus particulièrement l'action de lâcher l'air après avoir gardé la bouche close et gonflée (→ bouffir).

♦ Le sens étymologique et médiéval, «gonfler les joues en aspirant de l'air», a progressivement décliné au XVIIe s. ; il est qualifié de «bas» par l'Académie en 1694 et considéré comme «hors d'usage» en 1718. ◇ Le sens figuré de «témoigner d'un sentiment (colère, orgueil)» (v. 1226), issu du précédent, a lui aussi disparu ; il reste cependant vivant dans un emploi passif de la variante *bouffir,* surtout dans le participe passé adjectivé *bouffi* (*être bouffi d'orgueil* → bouffir). ◆ Le sens particulier de «gonfler les joues par excès d'aliments» (1500-1550) est sorti d'usage mais a donné, par métonymie, celui de «manger goulûment», c'est-à-dire de manière à avoir les joues gonflées. Cette valeur était réalisée dès le XIIIe s. par le dérivé *bouffard* (ci-dessous) ; elle s'est répandue à partir de 1800 dans l'usage familier, devenant au XXe s. un synonyme à peine marqué de «manger», souvent caractérisé (*bien, mal bouffer,* au figuré *bouffer des briques,* etc.). Il a donné les acceptions figurées de «consommer, absorber totalement», «dominer agressivement» (1867, *vouloir tout bouffer*), également à la forme pronominale : *se bouffer le nez* «se combattre, s'agresser mutuellement». ◆ Un autre sens dérivé du sens de base, «souffler en gonflant les joues», encore usuel au XVIIe s., est sorti d'usage mais se maintient en boucherie, pour «souffler la peau d'une bête tuée avant d'écorcher» (1690). ◆ Par l'intermédiaire du participe présent adjectivé *bouffant, ante* (ci-dessous), le verbe en emploi intransitif signifie «se maintenir gonflé» à propos d'une matière légère (1530), se distinguant de *bouffir ;* ce sens s'est maintenu.

▸ La dérivation s'est partagée en deux séries, l'une s'ordonnant à l'idée de «gonfler» et à ses quelques sens dérivés, l'autre de «manger goulûment». ◆ Dans la première série, **BOUFFÉE** n. f., d'abord *bufee* (1174), désigne un souffle d'air qui arrive par intervalles, anciennement avec la valeur forte de «bourrasque», de nos jours plutôt à propos d'un souffle d'intensité modérée. ◇ Par extension, il désigne aussi une émanation intermittente de feu, de fumée (d'où peut-être *bouffarde,* ci-dessous), de son et spécialement de maladies qui ne durent pas (1690). Revenant à la valeur étymologique, il se dit d'une exhalaison qui sort de la bouche (1704). ◇ Par transposition au figuré, il indique une manifestation subite et passagère de sentiments, de disposition d'esprit (av. 1696). ◆ **BOUFFARD** n. m. «personne gloutonne» (XIIIe s.), c'est-à-dire «qui gonfle (son ventre, ses joues)», pourrait être à l'origine du développement du sens correspondant du verbe *bouffer.* Considéré comme vieux par le dictionnaire de Trévoux en 1752, ce mot ne s'est maintenu que dans le dialecte normand, comme adjectif et substantif. ◇ Il a été repris en argot avec le sens de «fumeur» (1866), sous l'influence de **BOUFFARDE** n. f. (1821) et de **BOUFFARDER** v. intr. (1821), mots familiers pour «pipe» et «fumer la pipe» en relation avec *bouffée* (de fumée). ◆ **BOUFFETTE** n. f. (1409) désignait un petit nœud bouffant de rubans employé comme ornement, spécialement dans le harnachement des chevaux et dans l'habillement. ◆ **BOUFFANT, ANTE** adj. et n., participe présent de *bouffer,* est adjectivé pour qualifier (XVe s.) un objet ou la qualité d'un objet qui bouffe. Substantivé, il désigne un nœud bouffant (1836). *Papier bouffant* et *bouffant,* n. m., se dit d'un papier non calandré, plus épais.

Dans la seconde série de dérivés, le sens dominant est «manger». ◆ **BOUFFEUR, EUSE** n. (1500-1550), «gros mangeur», est resté rare jusqu'au XIXe siècle. ◆ ① **BOUFFE** n. f., le déverbal de *bouffer,* après une attestation isolée en Bourgogne au sens de «balle d'avoine» (1363) c'est-à-dire «objet enflé», où il procède du premier sens de *bouffer,* est attesté au début du XVIIe s. pour «enflure des joues» (1611). Qualifié de «bas» à l'époque classique (1690), ce sens s'est éteint, comme le sens figuré dérivé d'«expression et ton d'une personne enflée d'orgueil et de suffisance» (av. 1696). ◇ Les sens modernes, «nourriture» et «fait de manger», correspondent à une nouvelle dérivation sur le verbe (av. 1926) et sont devenus très usuels, entrant dans des syntagmes (*on se fait une petite bouffe, la bouffe et la baise,* etc.). ◆ **BOUFFAGE** n. m., surtout employé dans l'expression familière ***bouffage de nez*** (1891), correspond au sens figuré de *bouffer* dans ***se bouffer le nez.*** ◆ **BOUFFABLE** adj. «mangeable» surtout en emploi négatif, est repéré en 1915 ;

IMBOUFFABLE adj. est l'équivalent familier de *immangeable*. ➛ **BOUFFETANCE** n. f. a été formé (v. 1930) sur le radical de *bouffer* avec le suffixe *-ance* de *bectance** pour désigner la nourriture, sans concurrencer véritablement *bouffe*, plus courant que lui depuis 1960 environ. ➛ Le dérivé **BOUFFAILLE** n. f. (1792) est à l'origine de *boustifaille**; il reste vivant régionalement.

◈ voir BOUFFIR, BOUFFON, BOUSTIFAILLE.

BOUFFIR v., attesté indirectement au XIIe s. par l'ancien participe passé adjectivé *boffi* dans *chiere* (*chère*, «face») *boffie* (1150-1200), puis au XIIIe s. (v. 1278), est soit une variante de *bouffer**, soit une formation onomatopéique parallèle sur le même radical expressif.

♦ Dès les premiers textes, *bouffir* est distinct de *bouffer*; il se dit de personnes ou de chairs enflées, grossies de manière disgracieuse. ◇ À partir du XVIe s., il est employé pour «faire gonfler et fumer (des harengs salés) à la chaleur» d'où *bouffi* (ci-dessous). ◇ La forme pronominale *se bouffir* a également le sens figuré de «gonfler d'orgueil» avec un complément introduit par *de*.

▶ **BOUFFI, IE** adj., participe passé adjectivé dès les plus anciennes attestations de cette série, a ajouté à son sens propre la valeur figurée de «plein, rempli» (1572, Ronsard), dans *bouffi de (rage, vanité)*. Il qualifie également un style ampoulé et prétentieux (Hugo). ➛ **BOUFFI** n. m. s'emploie couramment (XIXe s.) par ellipse pour *hareng bouffi* (1549) «hareng ayant séjourné quelque temps dans la saumure». ➛ **BOUFFISSURE** n. f., dérivé (1582) du participe passé de *bouffir*, désigne l'état de ce qui est bouffi, spécialement dans la description médicale (1582, *Maladies des femmes*). ◇ Il est également employé au figuré, caractérisant la vanité d'une personne ainsi que l'enflure de l'expression et du style (1690). ➛ **BOUFFISSAGE** n. m. (1873) et **BOUFFISSEUR** n. m. (1877), termes techniques, se rapportent à la préparation des harengs bouffis et à l'ouvrier chargé de leur préparation.

BOUFFON, ONNE adj. et n. est emprunté (1530) à l'italien *buffone* désignant une personne dont le rôle est de faire rire, à la Cour (1250-1300), au théâtre (Campanella, 1568-1639) et, par extension, une personne qui aime à faire rire (1483), également en emploi adjectif (1659). *Buffone* est une formation expressive sur le radical onomatopéique *buff-* exprimant le gonflement des joues et existant en français dans *bouffer**, *bouffir**; le sémantisme secondaire développé en italien est réalisé par le latin médiéval *bufo* «railleur, diseur de bons mots» (1250-1300).

♦ Le mot est repris à propos du personnage de théâtre (1530) et du personnage social chargé de divertir un grand, seul (1549) et dans *bouffon du roi* (1614), en concurrence avec *fou**. ◇ Par réemprunt à l'italien ou par extension, il désigne communément celui qui cherche à faire rire les autres (1611) et, par péjoration, celui qui fait rire à ses dépens (1694, *servir de bouffon*). ➛ De l'emploi adjectif pour «ridicule, grotesque» (1680) est tiré un emploi substantif à valeur de neutre désignant le *genre bouffon* en littérature et en art (1674, Boileau, *Art poétique*). À partir du milieu du XVIIIe s. et jusqu'à 1850 environ, le mot a concurrencé *bouffe* (ci-dessous) dans sa spécialisation lyrique; d'où ***querelle des Bouffons***, désignant la bataille musicale en 1752, née de la rivalité entre les partisans de la musique lyrique française et ceux de la musique italienne dans le style bouffe. ➛ La reprise très récente (1990?) du mot comme terme d'injure semble un réemprunt à l'italien par le français régional du Sud (Marseille, Corse?).

▶ **BOUFFONNERIE** n. f. est dérivé (1539) de *bouffon* à l'imitation de l'italien *buffoneria* (1388) «art du bouffon, spectacle qu'il donne» et «action bouffonne» (Arioste, 1474-1533). *Une, des bouffonneries* désigne une action ou une parole bouffonne et *la bouffonnerie* le caractère ou la qualité d'une personne, d'une chose bouffonne (1680). ➛ **BOUFFONNER** v. est un autre dérivé (1549) de *bouffon*, peut-être d'après l'italien *buffonare* (XIVe s.). ◇ Ce verbe d'usage littéraire signifie «dire ou faire des bouffonneries» et «chercher à impressionner» (XXe s.); il connaît, avec *bouffon*, un regain de vitalité dans le langage des jeunes avec une idée (péjorative) de «manque de sérieux». ◇ Son emploi transitif pour «railler» (1867, Baudelaire) a disparu. ➛ **BOUFFONNESQUE** adj. (1565) témoigne de la mode des adjectifs en *-esque* au XVIe s., à l'imitation de l'italien (*buffonesco*, attesté seulement en 1585). Évincé de l'usage courant par *bouffon*, il n'est plus attesté que par intention stylistique (1838, Chateaubriand). Après la vague de dérivations du XVIe s., **BOUFFONNISTE** n. m. (1754) est apparu lors de la querelle des Bouffons pour désigner un partisan des opéras bouffes italiens. Il correspond à l'italien *buffonisti* n. m. pl., lui-même traduit du français *bouffons*, employé au XVIIIe s. pour désigner les chanteurs italiens qui portèrent l'opéra bouffe à Paris. Le mot a disparu. ➛ **BOUFFONNADE** n. f. (1863, Gautier, *Le Capitaine Fracasse*) est probablement calqué sur l'italien *buffonata* (av. 1731). C'est un terme ancien de théâtre qui désigne une petite pièce jouée ou dansée relevant le plus souvent d'un comique de bas-étage. ➛ **BOUFFONNEMENT** adv., lui aussi attesté chez Gautier (1837), est demeuré rare.

② **BOUFFE** adj. et n. m., d'abord *buffe* (1791) par emprunt graphique, refait d'après la prononciation en *bouffe* (1804), est emprunté à l'italien *buffo* (féminin *buffa*), «ridicule, qui suscite le rire», employé spécialement comme terme de théâtre dans les syntagmes *opera buffa* (XVIIIe s., Goldoni, mort à Paris en 1793) et *attore buffo* ou, elliptiquement, *buffo* «acteur qui joue les rôles comiques dans l'opéra bouffe» (1720). *Buffo* est un dérivé régressif de *buffone* (→ bouffon). Étant donné le contexte de théâtre et les syntagmes attestés d'abord en français, l'hypothèse d'un emprunt au substantif féminin *buffa*, «plaisanterie», est à écarter. ➛ Le mot, d'abord attesté en emploi adjectif dans *scène-bouffe*, est un terme de théâtre lyrique qui qualifie ce qui appartient au genre léger créé en Italie au XVIIIe s. et très en vogue en France au XIXe siècle. Surtout usité dans ***opéra bouffe*** (1807), calque de l'italien *opera buffa*, il a été gêné dans son extension par l'adjectif *bouffon**. Le substantif, d'abord attesté dans le titre d'un opéra comique français, *Le Bouffe et le Tailleur*, représenté le 19 juin 1804, désigne un acteur et chanteur comique dans un opéra; cet emploi a disparu. Par métonymie, le pluriel *les Bouffes* a servi à désigner une troupe de théâtre italien à Paris et est devenu le nom du théâtre italien lui-même (1824).

◈ voir BOUFFER, BOUFFIR, REBUFFADE.

BOUGAINVILLÉE n. f. est dérivé (1809) du nom du navigateur français Louis-Antoine de *Bougainville* (1729-1811), auteur du célèbre *Voyage autour du monde* (1771). Quelques dictionnaires citent le nom scientifique *bougainvillea* et mentionnent la variante **BOUGAINVILLIER** n. m. pour nommer la plante (et non la fleur).

♦ Le mot désigne une plante grimpante ornementale à fleur jaune entourée de trois bractées roses ou violettes et, par métonymie, cette fleur.

BOUGE n. m., d'abord *buge* (v. 1190) puis *bouge* (déb. XIIIe s.), est issu du latin *bŭlga* (*u* bref) n. f., «sac de cuir», par analogie «utérus». Ce mot, selon Festus, serait un emprunt archaïque à un mot gaulois. On peut en effet restituer celui-ci d'après l'ancien irlandais *bolg, bolc* «sac» (→ blague, bogue, budget) et le faire remonter à un thème indoeuropéen *°bhel-* exprimant l'enflure (→ enfler; ① balle, ② bol; fou). P. Guiraud postule un croisement entre le mot latin et le gallo-roman *°bullica* «en forme de bulle», l'idée de «bulle» étant présente dans de nombreux emplois du mot. Le latin médiéval, avec *bulgia* (f.) et *bulgius* (m.), hésite déjà sur le genre du mot.

♦ Le sens étymologique de «sac, valise, coffre, bourse de cuir», souvent au féminin, est sorti d'usage au XVIIe s. (il vit encore dans l'italien *bolgia*, «besace, fosse», qui l'a emprunté au français). ◆ Le sens de «petite pièce arrondie servant de grenier, pièce de décharge» (v. 1200), majoritairement assumé par un mot de genre masculin mais encore quelquefois féminin jusqu'en 1690, est à l'origine de l'évolution sémantique. ◆ Celle-ci aboutit au sens de «petite chambre (pour un valet)» (1671) puis de «maison malpropre et en désordre» (1732) qui, complètement démotivé, est resté littéraire. Le mot s'est spécialisé au sens de «café, cabaret mal famé»; il est très péjoratif. ◆ Le sens métonymique de «partie renflée d'un objet, d'une partie du corps humain» (XVe s.), entendu aussi bien d'une forme concave que d'une forme convexe, a disparu sauf dans quelques acceptions techniques (à propos d'un bouclier, d'une assiette, d'un tonneau, de la courbure des baux d'un navire).

▸ Le diminutif **BOUGETTE** n. f. (fin XIIe s.), «sacoche de cuir portée en voyage», n'est plus utilisé que par les historiens. ◆ **BOUGERIE** n. f. (1807) est un mot régional (Lorraine) pour désigner le cellier, spécialement le local contenant les cuves.

◈ voir BUDGET.

BOUGER v., d'abord *bougier* (v. 1150), est issu d'un latin populaire *°bullicare*, type également postulé par les correspondants italien, catalan et provençal du mot, fréquentatif de *bullire* «bouillonner, bouillir» (→ bouillir) avec transposition au mouvement.

♦ Le verbe signifie dès l'origine «remuer» et, pour une personne, «se mouvoir»; il n'a pas évolué. Ses emplois pronominaux, non marqués dans la langue classique (Molière, Racine), relèvent aujourd'hui du langage familier *(tu te bouges?)*. ◇ L'emploi transitif, comme l'intransitif, est en concurrence avec *remuer*.

▸ **BOUGEMENT** n. m., après une première attestation au XVIe s., reparaît en 1898 dans un texte littéraire. ◇ Il est rare, de même que **BOUGEANT, ANTE** adj. (XIXe s.), tiré du participe présent, et **BOUGÉE** n. f. (XXe s.), autre substantif d'action, littéraire.

BOUGILLON adj. (1834) «personne, enfant qui bouge sans cesse», mot familier, est d'usage surtout régional. ◆ **BOUGEOTTE** n. f. (1859), surtout employé dans *avoir la bougeotte*, correspond à «agitation d'une personne qui bouge, remue sans cesse» ou au figuré «se déplace, voyage sans cesse». ◆ Le participe passé de *bouger* a été substantivé, **BOUGÉ** n. m. (v. 1950) en photographie pour «effet produit par le mouvement, le temps d'exposition étant trop long».

BOUGIE n. f. est l'emploi comme nom commun (1300) de *Bougie*, nom d'une ville d'Algérie (en arabe *Bugaya*) qui fournissait au moyen âge de grandes quantités de cire pour la fabrication des chandelles.

♦ Le mot a désigné la cire fine de *Bougie* dont on faisait des chandelles, des cierges. Par métonymie, il a pris son sens moderne (1493), sans se confondre avec *cierge* (spécialisé dans l'usage religieux) ni avec *chandelle*. À lire Furetière (1690), il apparaît que *chandelle*, mot héréditaire et plus ancien, se disait du mode d'éclairage populaire et bourgeois tandis que *bougie* désignait le mode d'éclairage aristocratique et royal à la cire fine et non au suif. Ainsi s'explique que le mot fertile en locutions a été *chandelle* et non *bougie*, alors que *bougie* a survécu à *chandelle*, employé seulement par allusion au passé. ◆ Par analogie de forme, *bougie* se dit aussi d'un instrument de chirurgie que l'on introduit dans un canal pour l'explorer et le dilater (1690); par analogie de fonction, d'un appareil d'allumage des moteurs à explosion (1888). ◇ Le mot servit naguère de nom pour l'unité d'intensité lumineuse (1922). ◆ Le sens argotique puis familier de «visage» (1890), de nos jours vieilli, s'explique probablement d'après une locution comparative du type *(être) pâle comme de la bougie*.

▸ **BOUGEOIR** n. m., d'abord noté *boujoué* (1514) puis *bougeoir* (1534), désigne un support de bougie; historiquement, il renvoie au rôle de «porte-bougie» que le roi faisait tenir à l'un de ses courtisans à son coucher. ◆ **BOUGIER** v. tr. (1596), «passer de la cire fondue sur le bord d'une étoffe pour éviter qu'elle ne s'effiloche», est un terme de couture.

BOUGNAT n. m. (1889, Macé, probablement antérieur) est un mot pseudo-auvergnat, issu avec aphérèse de *charbougna*, «charbonnier», lui-même création populaire parisienne d'après *charbonnier** par imitation ou plutôt évocation simulée des parlers occitans d'Auvergne; la finale est influencée par celle d'*Auvergnat*. Les Auvergnats étaient souvent vendeurs de charbon à Paris, avec un débit de vin associé à leur commerce.

♦ Le mot, d'usage familier, désigne proprement un marchand de charbon; ces charbonniers tenant souvent un débit de boisson, il a pris par extension le sens de «cafetier» (1927). Il vieillit.

BOUGNOUL n. m. est emprunté (1890) à un mot de la langue ouolof (Sénégal), *bou-gnoul* «noir», employé comme terme péjoratif à l'égard des Africains européanisés.

♦ Le mot, introduit par l'argot de la marine et de l'infanterie coloniale, a d'abord désigné péjorativement un individu corvéable. L'expression *train bougnoul*, relevée à Brest (1911), désignait un train servant surtout aux paysans. Le mot s'est répandu comme un terme raciste injurieux : d'abord à l'égard des Africains, des Noirs et des métis en général (1932) et, par extension, dans le langage de certains Européens, à l'égard des Maghrébins, sens devenu dominant. Il est parfois écrit *bounioul*.

▶ **BOUGNOULISER** v. (1935), employé surtout au passif et à la forme pronominale, a signifié «faire souche avec une Noire», manifestant l'importance des questions sexuelles dans l'attitude raciste, puis «rendre bougnoul», c'est-à-dire africain ou maghrébin. ◆ **BOUGNOULISATION** n. f. (v. 1970) se réfère particulièrement à l'installation de nombreux travailleurs immigrés (maghrébins) dans un lieu; par extension, il s'applique à l'assimilation de travailleurs à la situation de travailleurs immigrés (1972). Tous les mots de la série sont xénophobes et racistes.

BOUGONNER v., signalé par Cotgrave (1611) au sens d'«exécuter un ouvrage de manière malhabile, bâcler» comme «mot orléannois», semble être en effet un régionalisme : les dialectes normand et du Centre l'ont encore avec ce sens, tandis que ceux de Vendée, du Vendômois et du pays de Caux l'emploient dans des acceptions dérivées. Ce verbe est à rapprocher de l'anglais *to bungle*, attesté chez Palsgrave en 1530 sous la forme *to bongyll* glosée par *fatrouiller*, c'est-à-dire «bâcler, faire hâtivement qqch.» et «barbouiller». Une origine commune onomatopéique est vraisemblable. L'évolution sémantique de «faire» à «dire» reste inexpliquée. Un rapprochement avec le moyen français *bougon* «tronçon» qui correspond au français moderne *boujon** «outil à plomber», fait difficulté. P. Guiraud part de l'acception d'«ouvrage mal fait», commune à tous les mots dialectaux, avec l'idée d'un travail qui manque de fini, de poli ou qui présente des bosses : le groupe appartiendrait selon lui au radical expressif *bog-*, *boug-*, variante de *bod-*, *boud-* (→ bouder, boudin) exprimant qqch. de rond, mais ce raisonnement paraît ad hoc.

♦ *Bougonner*, après l'attestation isolée de 1611, est enregistré en 1798 par le dictionnaire de l'Académie avec le sens moderne de «gronder entre ses dents». Il est successivement qualifié de «populaire» puis de «très familier» (1835, Académie) et de «familier» (1845). De nos jours, son usage n'est plus marqué.

▶ **BOUGONNEUR, EUSE** n., attesté une première fois en 1611 au sens de «personne qui exécute un travail de manière malhabile», est repris depuis 1824 avec son sens actuel. ◆ **BOUGON, ONNE** adj. (1803) se dit des personnes qui bougonnent. Il est aussi substantif *(un vieux bougon, une bougonne)*. ◆ **BOUGONNEMENT** n. m. (1858) et **BOUGONNERIE** n. f. (1905), plus rare, sont apparus avec le sens moderne.

BOUGRAN n. m. est l'une des altérations (1380), après *bougherant* (av. 1150), *bougueran* (v. 1290), *bougheran* (1302), de *Boukhara*, nom d'une ville de l'Ouzbekistan d'où était importée une étoffe assez fine. Le mot, par des voies de pénétration mal connues, se retrouve dans la plupart des langues européennes entre le XIIe et le XVe s. : italien *bucherame*, espagnol *bucarán*, anglais *buckram*, catalan *bocaram*, moyen haut allemand *buggeran*, *buckeran*, moyen néerlandais *bocraen*, *bocrael*, etc. Désignant à l'origine un tissu assez délicat, le mot a désigné en Occident une toile plus grossière.

♦ Par extension de la référence orientale première, dès l'ancien français, le mot désigne couramment la toile gommée que les tailleurs placent entre le drap et la doublure de certaines parties d'un vêtement (1302), après avoir désigné une étoffe servant à confectionner des courtepointes (v. 1290).

▶ **BOUGRANER** v. tr. «rendre une toile pareille au bougran», est surtout usité au participe passé adjectivé *bougrané* (1732); le verbe actif, attesté dans les dictionnaires généraux depuis 1838, est rare, sinon virtuel.

* **BOUGRE, BOUGRESSE** n. (déb. XIIIe s.), d'abord *bogre* (1172), forme attestée jusqu'au XIVe s., est issu du latin médiéval *bulgarus* (VIe s.), lequel a donné *bulgare* par voie d'emprunt. L'évolution sémantique vient des hérésies bulgares, notamment au Xe s. les célèbres Bogomiles de tendance dualiste, ennemis de la hiérarchie ecclésiastique et niant plusieurs sacrements dont le mariage, souvent persécutés pendant tout le moyen âge dans les Balkans et dans l'Empire byzantin et taxés d'homosexualité.

♦ Jusqu'au début du XVIe s., encore chez Rabelais, le mot signifie surtout «hérétique». D'après les mœurs que l'on prêtait aux hérétiques bulgares, le mot a pris le sens d'«homosexuel(le)», d'abord isolément au féminin *bogresse* (v. 1260) puis au masculin *bougre* (v. 1450), sens répandu aux XVIe-XVIIe s. puis sorti d'usage (il est considéré comme «ancien» par l'Académie depuis l'édition de 1842). ◆ La valeur moderne d'«individu, mauvais drôle» qui existe depuis le XVIe s. (1579) est une extension du langage familier; d'abord très péjoratif, il s'est banalisé, marquant souvent en français moderne une sympathie mêlée d'indulgence, et désignant, en bonne part, un brave homme *(un bon bougre, un pauvre bougre)*. ◆ L'emploi de *bougre* comme juron populaire en apposition précédant un substantif péjoratif *(bougre de)* est attesté depuis le début du XVIIIe siècle. Avec *foutre*, c'est un des mots caractéristiques du Père Duchesne et de ses émules, pendant la Révolution, encore avec une valeur sexuelle (cf. ci-dessous l'euphémisme *bigre*). Il est aujourd'hui affaibli, par exemple dans *bougre d'idiot* «espèce d'idiot».

▶ **BOUGRERIE** n. f. (fin XIIIe s.), d'abord *bogrerie* (XIIIe s.), a d'abord eu le sens d'«hérésie» (jusqu'à la fin du XIVe s.). En rapport avec *bougre*, il a pris celui de «sodomie» (1540, Calvin), resté rare. ◇ Le sens figuré (déb. XVIIIe s.) à propos d'un excès de langage est sorti d'usage. ➜ **BOUGREMENT** adv., attesté une fois en 1583 avec le sens ancien, «à la manière des débauchés», a été repris (déb. XVIIIe s.) comme intensif familier pour «très, extrêmement» en rapport avec *bougre de...*

Un ancien sens péjoratif figuré de *bougre*, celui de «chétif, malingre» (1409), a produit le dérivé **RABOUGRIR** v. tr. (1600), tiré par préfixation de l'ancien *abougrir* «retarder, arrêter dans sa croissance» (v. 1550). ◇ Le verbe, également au pronominal *se rabougrir* (1690) et en construction intransitive (1835), donne lieu à des emplois figurés après 1850. ➜ Il a produit l'adjectif **RABOUGRI, IE** (1653) qualifiant un végétal et, par extension, une personne chétive (1653), ainsi que le substantif d'action **RABOUGRISSEMENT** n. m. (1845), au propre et au figuré (déb. XXe s.).

BIGRE n. m. (1743), de nos jours surtout usité comme interjection (1808), est une altération euphémique de *bougre* longtemps marqué comme injure sexuelle, rarement écrit en entier et noté par l'initiale (*les bé et les éf* correspondaient à «les *bougre* et les *foutre*»). ➜ *Bigre* a produit **BIGREMENT** adv. (1861) qui, comme *bougrement*, a la valeur intensive d'«extrêmement». *Bigre* et son dérivé ont vieilli.

BOUFRE interj. et n. m. (1835) est également une variante de *bougre* (d'origine dialectale) employée par euphémisme comme juron atténué, quelquefois pour marquer l'admiration. On relève son emploi substantif chez Jarry (1895) sous la graphie *bouffre* (déjà chez Balzac, 1835).

◈ voir BOUJARON.

BOUI-BOUI n. m., d'abord *bouig-bouig* (1847, Gautier), puis *bouisbouis* (1854), est d'origine incertaine, peut-être issu par redoublement expressif du mot argotique *bouis* (1807) «cloaque» et au figuré «bordel, maison de prostitution». Ce mot est lui-même d'origine douteuse, peut-être à rapprocher du bressan *boui* «local des oies et des canards», d'origine inconnue. Selon P. Guiraud, la forme décisive est l'argot *bouisse*, «fille de bas étage» (1800), qu'il interprète comme le féminin d'un mot régional ancien, *bouis*, lequel reposerait, par l'intermédiaire d'un latin populaire °*bobiceus*, sur un radical expressif *bob-* évoquant la stupidité, le bavardage (dans des mots comme *boboter* «bavarder», *bobée* «poupée» en Anjou). *Bouis bouis*, qui est attesté au sens de «marionnette», serait donc soit une formation enfantine soit, de manière moins innocente, littéralement «le bouis des bouis», à savoir «la maison des poupées, c'est-à-dire des filles». Selon Gautier, chez lequel on trouve la première attestation de *bouig-bouig*, le mot ne serait qu'«une onomatopée tirée des bredouillements du pitre et du queue-rouge qui font la parade à la porte» des petits théâtres, explication trop facile.

♦ Le mot a désigné dans le langage populaire un théâtre, un café-concert ou un cabaret de dernier ordre. ◇ Le sens de «marionnette» (1854) a disparu. ◇ Par extension, le mot s'emploie encore en parlant d'un lieu public, d'un petit bal mal famé. Il s'est dit aussi d'une mauvaise maison (cf. *bicoque*, *baraque*).

BOUILLABAISSE n. f., attesté au début du XIXe s. (1806, Stendhal, var. *bouillabaise* 1837), est un emprunt au provençal *boui-abaisso* (*boulh-abaisso* en niçois, *boulhobaisso* en languedocien, *boulh-abais* en narbonnais) désignant un potage de poissons bouillis. Le premier élément représente soit la seconde personne du singulier de l'impératif *(= bous !)*, soit la troisième personne du singulier de l'indicatif *(= il bout)* du verbe *bouie* (→ bouillir). Le second élément est la seconde personne du singulier de l'impératif du verbe *abaissa* (→ abaisser, art. baisser). Le mot signifie donc proprement soit : «bous et abaisse» (s'adressant au mets cuisiné dans la marmite), soit : «elle (la marmite) bout, abaisse-là» parce qu'il ne faut qu'un seul bouillon pour ce plat. ◇ En français, le genre et la graphie se sont fixés aux alentours de 1850, après l'abandon du type *bouille baïsse* (1835-1840), de genre masculin, repris de la forme languedocienne *boulhobasso (-baisso)*, et du type *bouille-abaisse* (1840, Mérimée) en deux mots.

♦ Le mot désigne un plat provençal de poissons bouillis et aromatisés, servi dans son bouillon avec des tranches de pain. ◇ Par extension il est employé familièrement, comme plusieurs noms de préparations culinaires complexes, avec le sens figuré de «mélange hétéroclite» (1867). ➜ Le sens péjoratif de «boue» (1901) correspond à l'influence paronymique de *boue, bouillasse*.

BOUILLER v. tr. est issu (1669) du croisement de *bouler* «agiter (un liquide)» avec des verbes comme *bouillir**, *brouiller** ou *fouiller**. *Bouler* était déjà attesté au XVe s. dans un manuscrit lorrain sous la graphie *boler*. Ce mot, issu du latin *bullire* «bouillonner, faire des bulles» (→ bouillir), est bien attesté dans les dialectes du bas-Gâtinais, Poitou, Centre et Lorraine. Cette étymologie est plus satisfaisante que l'hypothèse d'un rattachement à *boue**, difficile du point de vue morphologique.

♦ Ce verbe technique de pêche signifie «remuer l'eau avec une perche» (cf. ci-dessous *rabouiller*).

▶ ① **BOUILLE** n. f., dérivé (1669) de *bouiller* et attesté en même temps que ce verbe, désigne la perche servant à troubler l'eau afin que le poisson entre dans les filets. Il ne semble pas y avoir de rapport entre ce mot et l'ancien français *bole, boule,* «massue», attesté du XIIe au XVe s. qui est probablement le même mot que *boule**.

RABOUILLER v. tr., formé avec le préfixe composé *ra-* (*re-** et *a-* du latin *ad* marquant le mouvement vers), est un mot dialectal du Centre, attesté par écrit en 1842 dans le roman de Balzac, *La Rabouilleuse*, avec le même sens que *bouiller*. ➜ **RABOUILLEUR, EUSE** n., **RABOUILLAGE** n. m., **RABOUILLOIR** n. m. «long bâton pour rabouiller», sont également employés par Balzac dans ce roman. Ces mots, connus par cet emploi littéraire, ne se sont pas diffusés en français général.

✱ **BOUILLIR** v. est hérité (1080) du latin *bullire,* dénominatif de *bulla* (→ bulle); le verbe latin, à la première personne du présent de l'indicatif, *bullio,* présente le vocalisme en *-io* des mots désignant un bruit ou un cri, le sens premier étant : «faire boubou» d'où «bouillonner», en particulier en parlant d'une source d'eau chaude (IVe s.). Le *-l-* mouillé, régulièrement développé à l'imparfait ou au subjonctif présent, a contaminé l'infinitif et le participe passé antérieurement formés en *l-* (on trouvait en ancien français *boulir, bouli* ou *boulu;* voir ci-dessous *bouilli*). L'italien *bollire,* l'espagnol *bullir,* l'ancien provençal *bolir* remontent au même mot latin.

♦ Le sens de «jaillir» est sorti d'usage dès l'ancien français. ◇ Le verbe signifie dès le XIIe s. «s'agiter en formant des bulles sous l'influence de la chaleur» (v. 1150), en parlant d'un liquide, et par métonymie, d'un aliment cuit dans un liquide. ◇ Au figuré, il se dit d'une personne en état d'excitation (1165-1170). ◇ L'emploi transitif, correspondant au sens de «faire chauffer jusqu'à ébullition», reste peu usité; l'usage préfère le factitif *faire bouillir,* au figuré dans *avoir de quoi faire bouillir la marmite* (1584, *le pot*) «de quoi vivre».

▸ La dérivation est riche. ◆ **BOUILLIE** n. f., d'abord *boulie* (XIIe s.), est la substantivation du participe passé féminin de *bouillir* pour désigner un aliment plus ou moins épais fait de farine et de liquide bouillis ensemble. ◇ Le mot n'est plus senti comme lié à *bouillir,* au moins en français moderne, son sémantisme étant «aliment pâteux, en purée» notamment pour les enfants en bas âge. ◇ Par extension, il s'applique à tout mélange pâteux, à la fois dans l'usage général *(en bouillie)* et dans des acceptions techniques. Une transposition figurée lui donne le sens de «mélange confus», dès l'ancien français. La locution familière ***de la bouillie pour les chats*** (1768) exprime métaphoriquement l'idée d'une besogne perdue, mal faite. ◆ Il semble que le mot, par croisement avec *boue** et adjonction d'un suffixe péjoratif, ait donné **BOUILLASSE** n. f. (1897), mot familier d'abord employé par J. Rictus au sens figuré de «misère» — *purée* —, puis avec le sens propre de «boue» (déb. XXe s.).

BOUILLON n. m. (v. 1150), en ancien français également *boullon, boillon,* désigne les grosses bulles se formant dans un liquide en état d'agitation, en ébullition et cette agitation (1393), en particulier dans ***à gros bouillons.*** ◆ Dès l'ancien français, le mot désigne également l'élément liquide où l'on fait bouillir des aliments (légumes, viandes...) [XIIIe s.], aujourd'hui vivant à côté de *potage* (et de *soupe* qui a une toute autre valeur) notamment en parlant d'un *bouillon de légumes* ou *de viande.* ◆ L'évolution sémantique ultérieure procède de ces trois sens. Par analogie de forme avec la bulle, *bouillon* désigne un tortil (1360-1388), spécialement un ruban tortillé ornant un vêtement (1603) et un pli bouffant (1603), sens rejoint plus tard par *bouillonné* (ci-dessous); en technique, il sert à nommer la bulle d'air restée dans le verre (1765) ou les métaux fondus. ◇ Le nom de l'aliment liquide a donné quelques emplois figurés : dès le XVe s., le mot est employé par Villon avec une valeur voisine de celle qu'il réalise aujourd'hui dans la locution ***boire un bouillon*** (1794) «subir un échec»; cette valeur soustend l'emploi spécial en imprimerie pour «invendus d'une publication» (1843). ◇ En outre, le mot entre dans des syntagmes plus ou moins lexicalisés dont ***court-bouillon*** (1604) et au figuré, ***bouillon d'onze heures*** (1791) «breuvage empoisonné», ***bouillon de culture*** (XIXe s.) «liquide où se développent des micro-organismes, des germes», aussi au figuré «milieu favorable au développement». ◇ Par métonymie, il a servi à dénommer un type de petit restaurant populaire où l'on consommait spécialement du bouillon, cet emploi était vivant dans la seconde moitié du XIXe et au début du XXe siècle. ◆ Le dénominatif **BOUILLONNER** v., d'abord *boillonner* (v. 1215), employé proprement en parlant d'un liquide qui produit des bulles par suite d'ébullition ou de mouvement, a développé comme *bouillir* la valeur figurée de «s'agiter, être dans un état d'effervescence» (1561). ◇ D'après des sens spéciaux de *bouillon,* le verbe se dit d'une étoffe qui fait des bouillons (XVIIe s.) et, en imprimerie, d'une publication qui a de nombreux invendus (1901). ◆ Il a lui-même servi à former des dérivés : **BOUILLONNANT, ANTE** adj. (XVIe s.), surtout employé au figuré pour «en effervescence», **BOUILLONNEMENT** n. m. (1582) et, dans un second temps, les mots techniques **BOUILLONNÉ** n. m. en couture (1843) «étoffe qui fait des bouillons» et **BOUILLONNEUR, EUSE** n. (1883), nom d'ouvrier, en couture et en métallurgie.

BOUILLI, IE n. m. et adj., le participe passé de *bouillir,* est substantivé (1317) pour désigner une viande bouillie *(du bouilli)* notamment du bœuf, emploi vieilli, et s'emploie adjectivement avec le sens propre de «porté à ébullition, cuit dans de l'eau bouillante». ◇ La forme *boulu* (v. 1393), bien que condamnée par Richelet (1680), se maintient dans l'usage régional, notamment dans le nord de la France par exemple dans le dicton *café boulu* (ou *bouillu, boullu*), *café foutu.* ◆ **BOUILLITOIRE** n. m., mot technique disparu, est formé sur *bouillir* (1694) avec le suffixe *-oire* par élargissement du radical sur le modèle de *laboratoire, évaporatoire* et signifiait «liquide dans lequel on plonge un objet de cuivre à argenter». ◆ **BOUILLOIRE** n. f. qui semble dater du XVIIIe s. (il est accueilli par l'Académie en 1740) désigne un récipient métallique pansu, muni d'un bec et d'une anse, destiné à faire chauffer et bouillir de l'eau, d'abord en concurrence avec *bouillotte* (ci-dessous). ◆ **BOUILLAISON** n. f. est un nom d'action (1783) d'usage régional, relatif à la fermentation du cidre. ◆ **BOUILLISSAGE** n. m., dérivé irrégulier (1765), désigne une opération en papeterie et en sucrerie. ◇ Il a produit **BOUILLISSEUR, EUSE** n. (attesté 1923).

BOUILLEUR, EUSE n. apparaît tardivement dans les colonnes de *l'Encyclopédie méthodique* (1783) à propos d'une personne qui distille une substance alcoolisée; dans ce sens, ***bouilleur de cru*** (1851) est plus fréquent, spécialement pour «personne qui distille sa récolte pour son propre compte» (production tolérée ou interdite, pour des raisons fiscales). ◇ Le sens concret, «instrument faisant bouillir de l'eau» (1838), est technique. ➜ **BOUILLOTTE** n. f. (1788) a longtemps désigné l'instrument servant à faire bouillir l'eau, avant d'être éliminé par *bouilloire* et de s'appliquer à un récipient contenant de l'eau chaude et servant à se chauffer, à chauffer un lit (1869). ◇ Le sens métaphorique et argotique de «tête, visage» (1879) a vieilli, mais survit dans la forme apocopée ② **BOUILLE** n. f. (v. 1890), d'usage familier, surtout dans *une bonne bouille.* ◇ **BOUILLOTTERIE** n. f. «fabrique de bouillottes» (1890, Zola) est rare. ➜ **BOUILLOTTER** v. intr., formé sur le radical de *bouillir* avec le suffixe diminutif *-otter* (1799), exprime l'idée de «bouillir tout doucement». ◇ Il a produit **BOUILLOTTEMENT** n. m. (1928). ➜ **BOUILLERIE** n. f. (1836), désignant le lieu où l'on distille des liquides contenant des principes spiritueux, est employé quelquefois à propos d'une décoction possédant un pouvoir magique (1866, Hugo, entre guillemets). Il est fort peu usité. ➜ **BOUILLAGE** n. m. (av. 1866) n'assume pas le rôle de substantif d'action de *bouillir* («action de bouillir»), en dehors d'un emploi technique référant à la fermentation du vin en tonneaux.

POT-BOUILLE n. f., formé avec un déverbal de *bouillir* (1838), a désigné symboliquement l'ordinaire bourgeois d'un ménage, fournissant à Zola le titre d'un roman (1882).

ÉBOUILLANTER v. tr. a peut-être été formé (1836) sur le modèle du provençal *esbouienta, esbulhenta (esbouienta li coucoun)* : de fait, il est d'abord attesté dans un *Manuel du provençal ou les Provençalismes corrigés* et, très tôt, à propos de l'opération consistant à tremper les cocons dans l'eau bouillante pour tuer les chrysalides (1838). Le verbe est devenu usuel pour «brûler avec de l'eau bouillante». ➜ Il a pour dérivés **ÉBOUILLANTAGE** n. m. (1876) et **ÉBOUILLANTEMENT** n. m. (1912), pratiquement synonymes. ◇ Le participe passé **ÉBOUILLANTÉ, ÉE** s'emploie adjectivement (XIXe s.) aussi avec la valeur caractérisante de «rouge, comme cuit à l'eau bouillante» (1916).

◈ voir BOUILLABAISSE, ÉBULLITION; BOUILLER, BOUILLON-BLANC, TAMBOUILLE.

BOUILLON-BLANC n. m., pour le premier élément, est probablement issu (1456) du bas latin *bugillonem,* accusatif de *bugillo* (IVe s.), nom de plante dont le sens exact («molène») et l'étymologie (gauloise ?) sont inconnus. Le mot a subi l'attraction de *bouillon** en raison de l'emploi de cette plante en décoction pour ses qualités pectorales. L'épithète *blanc** a été ajouté au nom de la plante en raison de la couleur du duvet de ses feuilles.

♦ Le mot désigne une plante de la famille des Solanées, dont les fleurs jaunes sont utilisées en médecine comme pectorales et les feuilles comme émollientes.

◈ voir ① BUGLE.

BOUJARON n. m., terme de marine (1792, *boujarron*), est, sans certitude, un emprunt au provençal *boujarroun,* attesté seulement au sens de «sodomite», et qui serait issu du latin *bulgarus* (→ bougre). La métaphore, inverse de celle qui mène de *pot* à «anus», est vraisemblable.

♦ Le mot désigne un récipient de métal où l'on distribuait à l'équipage les boissons et, par métonymie, la ration quotidienne d'alcool des marins.

BOUJON n. m., une première fois *bulzun* (v. 1119) puis *boujon* (v. 1185), est issu d'un francique *°bultjo* «boulon», mot que l'on reconstitue d'après l'ancien haut allemand et le moyen haut allemand *bolz* (allemand *Bolzen*) ainsi que le moyen néerlandais *boute* (néerlandais *bout*) «boulon». En effet, l'aire géographique du mot, attesté dans le domaine gallo-roman uniquement, est en accord avec un étymon francique, et la dérivation en *-jo* confirmée par le bas latin des gloses *boltjo;* par ailleurs, la forme issue régulièrement et attendue *bousson* est elle aussi attestée dans certains dialectes, notamment le wallon.

♦ Le mot a désigné en ancien français une grosse flèche dont l'extrémité se termine par une tête ainsi qu'un tronçon. Le sens de «traverse» (1425, d'une charrette), très vivant dans les parlers régionaux en parlant d'une traverse de chaise, d'un essieu de brouette, d'un échelon, d'un bâton de râtelier, a débouché sur le sens technique du mot, «barre, traverse de fer» (1832, Hugo). ➜ Du XIVe au XVIIIe s., le mot a désigné aussi un outil à plomber et, par métonymie, la marque que l'on mettait aux étoffes dans les manufactures de draps, abondantes dans le nord de la France.

① **BOULANGER, ÈRE** n. est un terme d'origine picarde, d'abord attesté en latin médiéval sous les formes *bolengarius* (1100) et *bolengerius* (v. 1120), puis en français sous la forme *bolengier* (v. 1170) devenue *boulanger* (1299). Le mot est probablement l'élargissement, par le suffixe *-ier,* de l'ancien picard *boulenc* «celui qui fabrique des pains ronds» (fin XIIe s.), dérivé avec le suffixe *-enc,* issu du germanique *-ing* indiquant l'auteur de l'action (comme *°tisserenc* d'où *tisserand*), d'un mot francique. Ce dernier est *°bolla* «pain rond», qui peut être déduit du moyen néerlandais *bolle* «pain rond», néerlandais *bol,* de l'ancien haut allemand *bolla* (glosé *pollis* «fine farine de froment»). Ces mots germaniques seraient apparentés au latin *pollen* «fleur de farine» (→ pollen). L'hypothèse selon laquelle *bolengier* serait dérivé de l'ancien français *bolenge* «bluteau» (XIIIe s., en anglo-normand), fait difficulté des points de vue chronologique et géographique. Le mot a éliminé l'ancien français *pesteur* (du latin *pistor*), désignant proprement celui qui pétrit la pâte et l'ancien français *panetier* (dont les correspondants italien, *panattiere,* et espagnol, *panadero,* se sont maintenus).

♦ Le mot désigne celui dont le métier est de faire et de vendre le pain. Le féminin *boulangère,* comme d'autres féminins de noms de métiers (XIIIe s.), désigne à la fois celle qui fait le pain et celle qui le vend, souvent la femme du boulanger. ◇ Lors de la famine en 1789, le peuple de Paris, comptant sur le roi avait surnommé Louis XVI et Marie-Antoinette *le boulanger, la boulangère,* le dauphin étant «le petit mitron». ◆ *Boulangère* n. f. a désigné une ronde dansée sur une chanson populaire dont les premières paroles sont «la boulangère a des écus» (1837), une voiture de transport spéciale pour les boulangers (1928) et, en argot, une prostituée ayant un souteneur, par métaphore, parce qu'elle fournit «le pain quotidien» (1899); cf. *marmite.* ◆ Le mot est quasiment adjectivé pour qualifier ce qui est fait par le boulanger, vendu à la boulangerie, spécialement dans des noms de recettes de cuisine (*pommes de terre boulangère* ou *boulangères,* pour *à la boulangère*).

▶ **BOULANGERIE** n. f., d'abord *boulenguerie* (1314), encore *boulengerie* en 1611 et écrit ensuite *boulangerie* (1680), désigne l'action de fabriquer ou de vendre du pain et, par métonymie, le lieu où le pain est fait et vendu (1611). On parle de *boulangerie-pâtisserie* comme de *boulanger-pâtissier.* ◆ ② **BOULANGER** v., d'abord *boulenger* (fin XVe s.), forme attestée jusqu'en 1611, puis *boulanger* (1573), signifie «pétrir la pâte pour en faire du pain» et, en emploi absolu, «faire du pain». Ce verbe est d'usage technique. ◆ **BOULANGE** n. f., son déverbal, apparaît ultérieurement (1830) comme terme technique de meunerie, désignant le produit de la mouture du blé en son, gruau, farine. Il s'est répandu dans l'usage familier, désignant l'action de pétrir et de cuire le pain, le métier ou le commerce de boulanger, et synonyme de *boulangerie,* dans certains emplois.

✳ **BOULE** n. f., d'abord *bole* (v. 1175) puis *boule* (1330-1332), est issu par voie orale du latin *bulla,* «bulle d'air se formant à la surface de l'eau» (→ ① bulle), employé par analogie à propos de tout objet en forme de bulle : objet sphérique, tête de clou, bouton, puis sceau de métal (→ ② bulle). *Bulla* est un mot expressif évoquant une forme ronde, qui rappelle plusieurs mots dans d'autres langues et suggère une origine expressive, sinon onomatopéique.

♦ La notion de protubérance ronde, d'abord réalisée dans l'ancien sens de «massue», disparue en moyen français, et dans celle de «bulle d'un sceau» (1294) supplantée par ② *bulle*,* s'est effacée avant le XVIe siècle. ◇ Le mot a également été employé au figuré pour exprimer une quantité minime, négligeable, dans la tournure négative *mie une bole,* «pas une bulle», soit «pas la moindre chose» (1258); cf. *pas, point, mie...* ◆ Le sens général de «forme sphérique» et par métonymie d'«objet sphérique» (1330-1332) couvre aujourd'hui tout le sémantisme du mot, avec de nombreux emplois particuliers, seul ou en emploi déterminé *(boule de).* Il est en relation avec *balle* et *bille,* autres noms de sphères. Dès l'ancien français, le mot désigne spécialement une sphère de bois ou de métal utilisée par les joueurs de divers jeux et, par métonymie, le jeu lui-même. ◇ De nos jours et depuis le XVIIIe s. (1763), *la boule* désigne un jeu de hasard voisin de la roulette et, au pluriel *les boules,* un jeu de plein air très populaire dont les règles ont évolué au cours des siècles (il était à la mode au XVIIe s.) pour se fixer au XXe siècle. Dans ce sens, *boule* a produit quelques dérivés (ci-dessous, *bouliste,* etc.). Au singulier, on dit *la boule lyonnaise,* le jeu ayant plusieurs variétés régionales, parmi lequelles une variante méridionale, la *pétanque*,* s'est répandue dans l'usage général. ◇ Par ailleurs, *boule blanche, noire* évoque les boules utilisées dans les tirages au sort. ◆ *Boule* est devenu une dénomination métaphorique familière de la tête (1798), donnant avec un sens abstrait d'«intelligence» la locution ***perdre la boule*** (1819). Concrètement, ***coup de boule*** se dit d'un coup porté avec le crâne. ◆ Au sens concret, le mot est entré dans les expressions ***boule puante*** (1890), ***boule de neige*** «petite sphère de neige, utilisée comme projectile» (ci-dessous en composé lexicalisé), etc. ◆ D'après son application ancienne à un organe naturel, le pluriel *boules* a pris récemment le sens de «glandes» dans la locution familière ***avoir les boules,*** «en avoir assez, être énervé» (v. 1980), qui apparaît d'abord chez les enfants en milieu scolaire, aussi comme exclamation *(les boules!),* avec influence possible de ***être en boule,*** qui s'est dit d'abord d'un animal roulé sur lui-même pour se protéger, puis au figuré (aussi ***se mettre en boule***) pour «en colère».

▶ Parmi les dérivés, plusieurs, surtout les plus anciens, se sont détachés de *boule* par le sens et les emplois. ◆ **BOULON** n. m., d'abord *boullon* (XIIIe s.), dérivé suffixé, part de l'idée de petite masse ronde, dans un emploi métonymique et technique. Le mot désigne une pièce de fixation ou d'assemblage munie d'une tête ronde (1318-1327) et aussi une bossette ornementale. Il s'est spécialisé au premier sens pour «pièce de fixation à visser sur une tige, quelle que soit sa forme»; le point de départ, *boule,* est alors oublié. La locution figurée ***resserrer les boulons*** «assujettir fermement» est récente. ◆ Le dérivé **BOULONNER** v. (1425) a signifié «orner de bossettes» jusqu'au XVIe s. avant d'être repris au XIXe s. avec le sens technique de «fixer au moyen de boulons» (sens réalisé par **BOULONNAGE** n. m., 1855) et de développer le sens figuré et familier de «travailler» (1895). ◆ **DÉBOULONNER** v. tr., apparu avec le sens propre, «enlever des boulons» (1867), est passé dans le langage familier où, par l'expression *déboulonner une statue,* il a pris le sens de «faire perdre à (qqn) une haute réputation» (1871), «le faire descendre d'une situation élevée» (1886). ◇ Le nom d'action correspondant hésite entre **DÉBOULONNAGE** n. m. (1873) et **DÉBOULONNEMENT** n. m. (1922) avec la même valeur que le verbe, au propre et au figuré (1922). ◆ Les autres dérivés de *boulon,* **BOULONNERIE** n. f. (1866) et **BOULONNIER** n. m. (1866) appartiennent au vocabulaire technique.

BOULET n. m., diminutif masculin (1347) de *boule,* désigne d'abord un projectile sphérique d'artillerie en pierre, en métal, dont on chargeait les canons, sens avec lequel il a donné les locutions ***tirer à boulets rouges*** (1734), c'est-à-dire avec des boulets de métal chauffés au rouge, d'où au figuré «attaquer violemment», et ***arriver comme un boulet de canon*** (cf. *comme un bolide, une bombe*) [1835]. ◆ Par analogie de forme, le mot désigne la grosseur ronde que forme chez le cheval l'articulation du canon et du paturon (XVIe s.). ◇ Il se dit aussi d'un aggloméré de charbon de forme ovoïde (1776-1777) et, en général, une boule de métal attachée au pied d'un détenu (1803), sens dont procède des métaphores et un emploi figuré (1826) : *avoir un boulet au pied*, etc. ➜ Le dérivé **BOULETÉ, ÉE** adj. procède (1676) de la spécialisation du mot en médecine vétérinaire et qualifie un cheval ayant le boulet déplacé et porté en avant par suite d'un raccourcissement des tendons. ◇ Cette déformation a reçu le nom de **BOULETURE** n. f. (1861).

BOULER v. (1390) a signifié transitivement «faire rouler (qqch.) à terre d'un mouvement précipité, renverser» et, intransitivement, «tomber et rouler comme une boule» (av. 1555), sens surtout réalisé à propos d'un lapin de garenne, plus tard en concurrence avec *débouler*. ◇ Par métaphore, le mot est repris en argot de théâtre en parlant d'un acteur qui précipite son débit comme si les mots culbutaient les uns sur les autres (XIXe s.), sens avec lequel on a employé le dérivé **BOULEUR, EUSE** n. (av. 1867), disparu au XXe siècle. ◇ *Bouler qqn* «repousser» s'est répandu dans le langage familier (1854, argot des soldats) puis est sorti d'usage au bénéfice de l'intransitif, surtout dans ***envoyer qqn bouler*** «rejeter» (1843). ◇ *Bouler*, comme *embouler*, s'emploie transitivement pour «garnir de boules les extrémités des cornes (d'un taureau)». ➜ La dérivation de *bouler* est tardive mais importante si on inclut les composés verbaux aujourd'hui démotivés par l'usage (→ bouleverser, chambouler, sabouler). ➜ **ABOULER** v. (1790), formé sur *bouler* avec la préposition *à**, est d'origine dialectale et signifie proprement «rouler (comme une boule)». ◇ Il s'est répandu en argot puis dans l'usage familier pour «arriver» et en emploi transitif pour «donner, remettre», surtout à l'impératif *(aboule le fric!)*, et dans une proposition négative. ➜ On a également dit **SE RABOULER** v. pron. (1835) pour «arriver» et «revenir» (1836) en argot et familièrement; ce verbe est sorti d'usage. ➜ **DÉBOULER** v. (1793) «partir brutalement», terme de chasse, se dit comme *bouler* d'un lapin ou d'un lièvre qui détale brusquement devant un chasseur (1864), d'où la locution ***au débouler*** (av. 1870). ◇ Par extension, ce verbe indique l'idée d'arriver précipitamment (1821), en particulier d'une pierre qui roule de haut en bas (1848). ◇ Son participe passé substantivé, **DÉBOULÉ** n. m., connaît des emplois spécialisés en chasse et en chorégraphie.

Les dérivés proprement dits de *bouler* procèdent de sens techniques. ➜ **BOULAGE** n. m. indique le fait de bouler les cornes d'un bovin (1861). ➜ **BOULANT, ANTE**, le participe présent, est adjectivé dans la description géologique de roches qui se désagrègent facilement et d'une variété de pigeon pouvant gonfler son jabot en boule (d'après un sens correspondant pour le verbe, 1704).

BOULETTE n. f., autre diminutif de *boule*, signifie dès l'origine «petite boule d'une matière alimentaire» et reste motivé au sens général et spécial. ➜ La valeur figurée de «bévue, sottise» (1829), qu'on a voulu expliquer à partir des boulettes de papier confectionnées par les élèves n'est en fait pas expliquée. ➜ **BOULEUX, EUSE** adj., dérivé de *boule* d'après *boulet*, est enregistré par l'Académie dans son dictionnaire en 1718 comme qualificatif d'un cheval court et trapu, propre aux gros travaux, un cheval ayant trop travaillé étant dit *sur ses boulets*. ◇ Il s'est dit au figuré d'un homme corpulent et acharné au travail (1718).

L'expression **BOULE-DE-NEIGE** a été lexicalisée en botanique (1816) comme nom d'un arbre *(viorne obier)* dont les inflorescences rappellent des boules de neige. ◇ Ce composé a servi aussi de sobriquet ironique et raciste pour «visage d'un noir» et «noir». ① **BOULOT, OTTE** adj. apparaît tardivement (v. 1830) et qualifie familièrement une personne petite et rondelette. ➜ Le syntagme *pain boulot* (1893), antérieur dans les dialectes, par lequel on désignait un pain rond ordinaire, est peut-être à l'origine du verbe familier **BOULOTTER** v. tr. «manger» (1843), et au figuré «dépenser de l'argent» (1878). ➜ **BOULIER** n. m., nom d'un appareil de calcul formé de tringles sur lesquelles coulissent des boules, n'est pas attesté avant Littré (1863). Il a pour composé **BOULIER-COMPTEUR** n. m.

BOULISTE n. et adj. (fin XIXe s.) «joueur de boules», usuel, **BOULISME** n. m. (1935), rare, **BOULISTIQUE** adj. et n. f. «art de jouer aux boules», mot journalistique, de même que **BOULODROME** n. m. (1903) «espace aménagé pour jouer aux boules» (différent du bowling), et **BOULOMANE** n. m. (1908), rare, sont dérivés de *boule* dans le contexte du jeu de boules.

◈ voir BILLET, BOUGER, BOUILLABAISSE, BOUILLIR, BOULEVERSER, BOULINGRIN, ② BOULOT, BOWLING, ① BULLE, CHAMBOULER, ÉBULLITION, RIBOULER, SABOULER, TAMBOUILLE; peut-être BOULIN.

BOULEAU n. m. est dérivé avec le suffixe *-eau* (1516), peut-être par souci d'éviter une homonymie avec *boule*, de l'ancien français *boul, bououl* (1215). Celui-ci est issu d'un latin populaire °*betullus*, altération du latin classique *betulla*, probablement d'origine gauloise : les noms propres *Betullus, Betulo, Bitulla* sont celtiques; d'autre part, l'aire géographique de l'arbre ne s'étend pas à l'Italie. L'indoeuropéen connaissait cet arbre sous un autre nom, représenté par le sanskrit *bhūrjas*, le lituanien *béržas*, le vieux slave *brěza*, voire le latin *farnus, fraxinus* (→ frêne) et par les mots du domaine germanique : anglais *birch*, allemand *Birke*, néerlandais *berk*. Les formes romanes viendraient des types latins apparentés °*bettius* (ancien français *biez*, ancien provençal *bez*) et °*bettia* (d'où est issu notamment le nom de lieu *Besse*). Aujourd'hui, *bouleau* est dominant à côté de *boul* et *boule* (est de la France), et de types apparentés dans le Midi.

♦ Le mot désigne un arbre élancé, à écorce d'un blanc argenté, et, par métonymie, son bois.

▶ **BOULAIE** ou **BOULERAIE** n. f. apparaît sous la graphie *bouleye* (1294), puis *boulaie* (1798). La variante *bouleraie* (1838) élargit le suffixe au moyen de l'infixe *-er-*. ➜ **BOUILLARD** n. m. (1680), forme régionale de *bouleau* formée avec le suffixe *-ard*, est attestée dans les dialectes d'Anjou, de Touraine et du Centre au sens de «peuplier noir», passé en français. La similitude relative de port et de feuillage du bouleau et du peuplier peut expliquer que *bouillard* ait pu représenter l'un ou l'autre de ces arbres dans certains dialectes.

Le radical du latin *betulla* a servi à former les termes de classification botanique **BÉTULINÉES** (1838, *bétuliné*), n. f. pl., puis **BÉTULACÉES** (1838) n. f. pl. pour dénommer la famille qui comprend l'aulne et le bouleau. ◇ On rencontre aussi **BÉTULÉES** n. f. pl.

BOULEDOGUE n. m. est l'adaptation (1741) de l'anglais *bull-dog* ou *bulldog* (1500), proprement «chien-taureau», selon les uns parce que ce chien gardait les taureaux, selon les autres à cause de son encolure puissante. *Bull* «taureau» apparaît en français dans d'autres anglicismes (→ bulldozer) dont un nom de chien (→ bull-terrier). *Dog* «chien» figure par ailleurs dans *hot-dog** et dans l'emprunt *dogue**. ◇ En français, on trouve *bull-dog* à l'anglaise chez Jules Verne (1864), forme parfois abrégée en *bull*, et *bouldogue* (1845), graphie qui, si elle s'était imposée, aurait eu le mérite d'éviter une homographie avec *boule*.

♦ *Bouledogue*, emprunté comme nom de chien, a été rapidement employé avec la valeur figurée de «personne peu engageante» (1808) par allusion à l'apparence et à l'agressivité supposée de ce chien. ◇ Le sens argotique de «pistolet à canon très court» (1895, A. Daudet), de nos jours sorti d'usage, s'explique probablement par *aboyeur*, employé par métaphore avec le même sens (1844).

BOULEVARD n. m., attesté aux XIVe et XVe s. dans des textes d'origine wallonne et picarde (av. 1395), est probablement emprunté au moyen néerlandais *bolwerc* plutôt qu'au moyen haut allemand correspondant *bolwërc*, qui est la source du néerlandais ; il est possible qu'il soit parvenu au français par l'une ou l'autre voie. Dans ces deux langues, il s'agit d'un composé dont le premier terme signifie «planche», peut-être apparenté au nom de la poutre (→ bau, balcon), et le second «ouvrage» ; ce dernier appartient, par un germanique commun °*werkam*, à une racine indoeuropéenne °*werg-*, °*worg-*, «agir», bien représentée en grec (→ organe, orgie, orgue, énergie, exergue, démiurge, liturgie), et dans les langues germaniques (*werk*, anglais *work*). Le mot germanique, qui désigne proprement un ouvrage en planches, en poutres, est un terme de fortification.

♦ Le mot a été adapté en français sous les formes *bolevers* (av. 1365), *bollewerc* (1425), encore au XVIe s. *bolvert* (1509), qui, par assimilation de la finale à un suffixe français, ont donné *bollevart* (1429) et, par influence formelle de *boule*, *boulevars* (XVe s.), pour se stabiliser en *boulevard* (1559). Il désigne d'abord un ouvrage de défense consistant en un rempart fait de terre et de madriers. Il a pris le sens figuré de «ce qui protège, sauvegarde» (1509). ➙ Par suite de changement des méthodes de défense, ces deux sens ont vieilli au XVIIIe s. et, par métonymie, on est passé au sens moderne de «promenade plantée d'arbres autour d'une ville sur l'emplacement d'anciens remparts» (1803). Par extension, le mot, entièrement démotivé, désigne une large voie urbaine, souvent plantée d'arbres, en concurrence avec *avenue*, *mail*, l'idée de circularité liée autrefois aux remparts disparaissant parfois. À Paris *les boulevards* s'applique spécialement à ceux qui sont situés entre la Madeleine et la Bastille, très fréquentés par les artistes et cœur de la vie sociale au XIXe s. (av. 1842, Stendhal) ; on dit aussi ***les grands boulevards***, dans cet emploi. Par métonymie, après *le théâtre du boulevard* [du crime], au XVIIIe s. et début XIXe s. , la locution ***théâtre de boulevard*** (1867, *des boulevards*) s'applique à un genre de théâtre léger traditionnel, destiné au public bourgeois, puis petit-bourgeois et populaire de Paris et représenté à l'origine sur les grands boulevards parisiens. ◇ Dans *boulevards circulaires*, *boulevard périphérique* ou *boulevards des maréchaux* (d'après leurs noms), à Paris, la valeur initiale de voie qui entoure les villes est conservée.

▸ **BOULEVARDER** v. intr. a été usité au XVIe s. sous la forme *boullewerquer* (1510) au sens militaire de «défendre, protéger». ◇ Refait au XIXe s., lors de la vogue des grands boulevards avec le sens de «flâner sur les boulevards» (1866), il a disparu. ➙ **BOULEVARDIER, IÈRE** adj., également contemporain de la vogue des boulevards parisiens (1867), a vieilli comme désignation de la personne qui fréquente les grands boulevards mais est toujours en usage à propos du théâtre de boulevard et, par extension, de son esprit.

BOULEVERSER v. tr. (1564), une première fois *boulverser* (1557), est un composé tautologique formé des verbes *bouler*, dérivé de *boule** signifiant, «renverser, abattre» et de *verser** «renverser».

♦ Au XVIe s., le mot signifie surtout «renverser physiquement, mettre sens dessus dessous», «lancer en bas» et s'emploie intransitivement comme *bouler* et *débouler* au sens de «tomber, rouler en bas». ➙ L'usage moderne se fixe au XVIIe s. avec l'évolution du sens physique de «mettre en grand désordre par une action violente» et l'apparition de sens figurés : «modifier brutalement» (1622), «jeter (qqn) dans un grand trouble» (1656), devenu courant, aussi au participe passé adjectivé **BOULEVERSÉ, ÉE**.

▸ **BOULEVERSEMENT** n. m. (1579) suit la même évolution que le verbe. ➙ **BOULEVERSANT, ANTE**, participe présent de *bouleverser*, est adjectivé ultérieurement (1863) au sens psychologique d'«émouvant, troublant».

BOULIMIE n. f. est emprunté (1594 ; 1482 selon Bloch et Warburg) au grec *boulimia* «faim dévorante», dérivé de *boulimos*, adjectif formé de *bou-*, pour *bous*, correspondant au latin *bos* (→ bœuf) et *limos* «faim», «famine». À la suite des Anciens, les étymologistes modernes rapprochent *limos* et *loimos* «peste» comme deux formes alternantes ; en dehors du grec, on a évoqué des termes signifiant «maigre» en lituanien et en vieux slave, mais sans pouvoir établir une famille indoeuropéenne. Le sens littéral, «faim de bœuf», est à rapprocher, avec un contenu différent (la comparaison portant sur un herbivore, qui se nourrit souvent et longtemps) de l'expression populaire *faim de loup* et de la dénomination *faim canine*. L'ancien français avait *bolisme* «appétit insatiable» (1372), le moyen français *bolime* (1574-1590), évincés par l'emprunt *boulimie*.

♦ Le mot se réfère en pathologie à une sensation continuelle de faim intense, fonctionnant dès le XVIe s. en antonymie avec *anorexie.* Par extension, il est employé depuis le XIXe s. à propos d'une faim intense (1863, chez Gautier) et, au figuré, d'un désir intense de qqch. (1895, Huysmans).

▸ **BOULIMIQUE** adj. et n. (1838), qui caractérise la faim ou l'être affamé, a été un instant concurrencé par *boulimiaque.*

◈ voir BOUSTROPHÉDON, BUCOLIQUE, BUGLOSSE, BUGRANE.

BOULIN n. m., attesté depuis 1486, est d'origine obscure, mais une dérivation de *boule** est fort possible en raison de la forme ronde des trous du colombier et des pots de terre où se nichent les pigeons. Cette hypothèse trouve une confirmation morphologique dans le latin médiéval *bolinus* «boulon, petite masse ronde décorative» (→ boulon à boule), spécialisation de l'expression *ad bolinum* «relevé en bosse, ciselé».

♦ Le mot désigne un trou pratiqué dans un mur de colombier et servant de nid aux pigeons, et, par extension, la niche constituée par un pot de terre servant au même usage (1600). Par analogie de forme, le mot s'emploie en maçonnerie à propos d'un trou pratiqué dans un mur pour un support d'échafaudage (1676). ◇ Par métonymie, il désigne aussi (1676) la poutre de bois engagée dans ces trous pour supporter l'échafaudage.

BOULINE n. f., d'abord *boëline* (v. 1155), au XVIe s. *bouline* (1532), est d'origine incertaine. Un emprunt au moyen anglais *bou(e)line,* «cordage servant à tenir une voile de biais», est probable, les premières attestations étant en français d'Angleterre (anglo-normand), mais elle se heurte à la date d'apparition plus tardive du mot anglais (1295, *boweline*). Ce dernier (aujourd'hui *bowline*) est emprunté au moyen bas allemand *boline* ou au moyen néerlandais *boeglijne,* formé de *boeg,* «poupe de navire» (emprunté par l'anglais *bow*), et *lijne* «ligne», de même origine que le français *ligne**.

♦ Ce terme de marine à voile, devenu archaïque, désignait le cordage amarré par le milieu de chaque côté d'une voile carrée pour lui faire prendre le vent de côté, d'où, par métonymie, la voile ainsi placée (1606). Il a donné les locutions *vent à la bouline* (1573), devenue ***vent de bouline,*** et *aller à la bouline* «placer les voiles de sorte qu'elles reçoivent le vent de côté» (XVIe s.). ◇ Le sens secondaire de «corde tressée servant aux châtiments corporels sur les navires de guerre», reflété par la locution *courir la bouline,* «encourir ce châtiment» (1687), est aussi sorti d'usage. ◇ Le mot a été repris en alpinisme dans *nœud de bouline,* à propos du nœud que les marins nomment aujourd'hui *nœud de chaise.*

▸ **BOULINER** v., ancien terme de marine, d'abord *boliner* (1611), s'est employé intransitivement pour «naviguer avec un vent de biais». Transitivement il a signifié «haler au moyen de la bouline» (1835). ➛ En est dérivé **BOULINAGE** n. m. (1645) «navigation à la bouline», également sorti d'usage comme **BOULINIER, IÈRE** adj. et n. (1687), qui se disait autrefois d'un navire qui remonte au vent. ➛ **BOULINETTE** n. f. (1811) désignait la bouline du petit hunier.

BOULINGRIN n. m. est la francisation, d'abord en *poulingrin* (1663) puis *boulingrin* (1664), de l'anglais *bowling-green* (1646), de *bowling,* «jeu de boules» (emprunté plus tard en français → bowling), et de *green* «vert», par métonymie «pelouse», proprement «emplacement gazonné pour jouer aux boules». *Green* «vert», comme l'ancien haut allemand *gruoni* (allemand *grün*) et de nombreux mots des langues germaniques, appartient à un radical °*gro-* «pousser» qui a aussi donné à l'anglais le nom de l'herbe *(grass)* et le verbe exprimant la croissance *(to grow).*

♦ Le sens de *boulingrin* reste celui de «parterre de gazon, souvent entouré de bordures, de talus», mais le mot ne se dit plus guère qu'à propos des parcs et des jardins anciens; on joue désormais aux boules dans des allées. ◇ La locution ***taillé en boulingrin*** qualifiait, aussi au figuré, ce qui est taillé comme les arbustes bordant un boulingrin. ◇ Le mot est souvent cité comme exemple d'anglicisme traité et intégré (cf. *redingote*).

BOULON → BOULE

② **BOULOT** n. m. et adj. inv., d'abord sous la graphie *bouleau* (1881) avant *boulot* (1892), est d'origine obscure. L'hypothèse d'une dérivation du nom d'arbre *bouleau*,* par allusion au fait que le bois de cet arbre est très difficile à travailler, semble gratuite. Cependant, un emploi du nom de l'arbre dans le langage des forestiers n'est pas exclu, le bouleau poussant très vite dans tous les terrains aux confins des villages et son bois servant à fabriquer des sabots : on peut imaginer un passage de *abattre du bouleau* à *abattre du travail,* mais aucun texte n'appuie cette hypothèse. Celle d'un déverbal de *boulotter,* diminutif de *bouler* (→ boule) qui, d'après l'idée de «faire boule de neige» a eu le sens de «travailler» (1844), avant de le céder à *boulonner*,* est possible, mais cette acception semble seconde puisque *boulotter* signifiait «se laisser vivre, vivoter» (1834). De toute manière, les hypothèses ne se fondent que sur le sens moderne, «travail», qui semble second; la valeur attestée d'abord, «bagarre», permet d'évoquer *boule, bouler.*

♦ *Boulot,* d'abord employé, semble-t-il, au sens d'«action, bagarre» (en argot) s'est répandu dans l'usage familier avec le sens de «travail, emploi, métier» (1900) probablement sous l'influence de *boulotter,* remplacé par *boulonner* (voir ci-dessus). ◇ Par métonymie, il est employé en argot pour désigner un ouvrier, une ouvrière (v. 1920). ◇ L'adjectif est courant dans l'expression *il (elle) est boulot boulot* «pour lui (elle) le travail, c'est le travail».

① **BOUM** interj. et n. m. est une onomatopée (1835, Balzac) qui imite le bruit sonore de ce qui tombe ou explose.

♦ Le mot est employé comme interjection, quelquefois redoublée *(boum-boum)* et en locution *(faire* *boum).* Substantivé, il est aussi en usage dans les affaires en commerce, avec la valeur figurée de «succès brutal et retentissant» (v. 1950, mais antérieur), par confusion avec l'anglicisme *boom**. ◇ Il rend une idée d'activité fébrile, autrefois dans la locution *en plein dans le boum* (Carco), de nos jours ***en plein boum.***

▸ Son dérivé **BOUMER** v. intr. (1929 ; *boomer*, 1925), familièrement «connaître une phase d'activité et de prospérité», a subi l'influence du sens de l'anglicisme *boomer* «lancer à grand tapage par la publicité» (1905).

Le composé **BADABOUM** interj. et n. m. (1873) doit peut-être ses deux premières syllabes à l'influence de *patatras** (avec sonorisation du *p-* en *b-*) et évoque le bruit d'une chute suivie d'un roulement. ◆ On en a fait dériver **BADA** n. m. (1925), nom argotique puis familier du chapeau (qui tombe toujours en roulant sur sa tranche), mais cette origine est douteuse.

② **BOUM** → SURPRENDRE (SURBOUM)

BOUQUE n. f. est emprunté (1409) à l'ancien provençal *bouca* «bouche, ouverture» (XIIIe s.), dont la forme provençale moderne, *bouco*, est également spécialisée en marine au sens de «passe». Le mot est issu du latin *bucca* (→ bouche); l'ancien français *bouque*, attesté en 1338 au sens de «passe étroite», est le mot picard correspondant au français *bouche* dans son acception maritime.

♦ Cet ancien terme de marine signifiait «entrée d'une passe, d'un canal» et «passage entre les chambres d'un parc à poissons». Ses composés lui ont survécu.

▸ **DÉBOUQUER** v. intr. (1678) «sortir de l'embouchure d'un canal vers la haute mer», a pour dérivé **DÉBOUQUEMENT** n. m. (1694) qui lui sert de substantif d'action et, par métonymie, désigne l'extrémité d'un chenal (1694). ◆ En ce sens, il est concurrencé par l'infinitif substantivé **DÉBOUQUER** n. m. (av. 1848, Chateaubriand).

EMBOUQUER v. intr. (1694) se dit d'un bateau qui entre dans une passe. Il s'emploie aussi transitivement, le complément désignant le lieu où pénètre le bateau (1811, Chateaubriand). ◆ Son dérivé **EMBOUQUEMENT** n. (1792) désigne l'action d'emboucher et l'endroit où cette opération s'effectue, l'embouchure d'un canal.

① **BOUQUET** → BOUC

② **BOUQUET** n. m., d'abord *boucquet* (déb. XVe s.), est la forme normanno-picarde correspondant au francien *bouchet* «petit bois» (1325); une autre forme des mêmes dialectes, *boquet*, correspond au francien *boscet, boschet* (fin XIIe s.) et survit dans le dérivé *boqueteau* (→ bosquet). Ces mots sont tous des diminutifs de l'ancien français *bos, bosc*, français moderne *bois**.

♦ Le sens étymologique de «petit bois» a disparu au XIXe s. au profit des mots apparentés *bosquet** et *boqueteau, bouquet d'arbres* étant aujourd'hui compris comme une métaphore du sens usuel. ◇ Ce sens d'«assemblage de feuillages, de fleurs» (XVe s.), aussi dans *bouquet de fleurs*, a orienté tous les emplois du mot, se spécialisant en architecture ornementale (1408) et en art culinaire à propos d'une réunion de plantes aromatiques (1675), aujourd'hui dans *bouquet garni* (dep. 1803). ◇ Par analogie de forme, le mot se dit d'un ensemble de choses évoquant un bouquet de fleurs; abstraitement, il a fourni un terme de littérature désignant un recueil de poésies délicates et recherchées, d'inspiration galante (cf. aussi *guirlande*). ◇ En pyrotechnie (1798), il se dit d'un groupe de fusées particulièrement spectaculaire et tiré en dernier, sens qui a donné lieu à des emplois métaphoriques et au sens figuré de «comble», dans ***c'est le bouquet!*** (1828, Vidocq). ◇ Par analogie avec l'odeur des fleurs, il s'applique à la qualité olfactive d'un vin (1798), valeur où *nez* l'a remplacé, puis il s'emploie, par extension, à propos de son arôme, et aussi de celui d'une boisson, d'un mets. Une image nouvelle emploie *bouquet* au sens d'«ensemble d'émissions de télévision retransmises par câble ou satellite ».

▸ **BOUQUETER** v. attesté deux fois au XVe s. en architecture (1409) et généralement pour «orner de bouquets de fleurs», semble sorti d'usage. ◇ Le participe passé adjectivé, **BOUQUETÉ, ÉE,** dont on a une attestation au XVIIe s., est repris au XIXe s. avec les sens de «garni de bouquets d'arbres» (av. 1848) et se dit d'un vin qui a du bouquet (1873).

BOUQUETIÈRE n. f. (1562), dont le masculin *bouquetier* attesté en 1635 n'est pas usité, désigne celle qui fait et vend des bouquets dans les lieux publics. ◆ **BOUQUETIER, IÈRE** adj., d'abord n. m. (1600) «endroit où il y a des fleurs», désigne ensuite un vase à bouquets (1680), spécialement avec un couvercle percé d'ouvertures où l'on pique des fleurs, puis s'emploie comme adjectif. ◆ **ÉBOUQUETER** v. tr., terme technique d'arboriculture (1856), exprime l'idée de couper les bourgeons à feuilles pour conserver toute la sève aux bourgeons à fruits.

PORTE-BOUQUETS n. m. (1680), après avoir désigné un plateau, a été repris au sens de «petit vase à fleurs» (1869).

③ **BOUQUET** n. m. est la forme normanno-picarde (1485) correspondant à l'ancien français *bouchet* de même sens (1379). C'est le diminutif de *bouque* (1332, *bouke*), forme picarde de *bouche**.

♦ Ce mot de médecine vétérinaire désigne la gale qui affecte le museau du mouton.

▸ De manière analogue, la maladie a été nommée *bouquin* n. m. (v. 1560, Paré) et *noir* ou *faux museau*. ◆ Le composé **BARBOUQUET** n. m. (1701, *barbuquet*), formé avec le préfixe péjoratif *bar-* (→ barlong), subit l'influence de *barbe*, le second élément *bouquet* étant probablement assimilé à *bouc*. ◇ Le mot, qui signifiait «écorchure ou petite gale sur les lèvres», est attesté antérieurement sous des formes diverses, au sens de «coup sous le menton» (XIVe-XVe s.). Il est archaïque.

BOUQUETIN n. m. est parvenu en français à travers les dialectes alpins du franco-provençal sous les formes *boc estaign* (1240, dans un texte latin de Romans), soudé en *bukestein* (v. 1250), *bos-*

questaym (1289-1290, canton de Vaud), puis *boucastain* (1471), *bouquestain* (1509), *bouquetin* (1671). Le premier élément est assimilé à *bouc** et la forme moderne paraît être un quasi-diminutif de ce mot. Le franco-provençal est probablement adapté de l'ancien haut allemand *steinboch,* (XIIe s.), «bouc vivant dans les rochers», avec interversion des deux composants, conformément aux règles de composition des mots en français. Cette hypothèse est appuyée par les formes directement empruntées comme le «judéo-français» *estainbouc* (av. 1105), la variante *stamboucq* (1552, Rabelais) et l'italien *stambecco* (XIVe s., dès le XIIIe s. par le latin médiéval *stambicus*). Le premier élément de l'étymon est *stein* «rocher» (allemand *Stein*) qui, avec suffixe, se rattache à une racine indoeuropéenne °*steia* représentée dans le sanskrit *stíyāḥ* «eaux dormantes», le grec *stia* «petit caillou», le latin *stiria* «goutte congelée». Le second élément, *boch* (allemand *Bock*), «bouc», appartient avec ses correspondants germaniques, à un radical germanique °*bukka-*, qui représente certainement l'indoeuropéen *bhuǵnó-;* il semblerait que le celte ancien °*bukko,* postulé par l'ancien irlandais *bocc,* l'irlandais *boc* et le français *bouc**, soit lui-même emprunté au germanique.

♦ Le mot désigne un mammifère de la famille de la chèvre qui vit dans les hautes montagnes d'Europe et d'Asie.

① **BOUQUIN** → BOUC

② **BOUQUIN** → BOUCHE

③ **BOUQUIN** n. m., d'abord *boucquain* (1459) puis *bouquin* (fin XVIe s.) est emprunté à un diminutif du moyen néerlandais *boec* «livre». Ce dernier, de même que le vieil anglais *boc* (anglais *book,* → bookmaker), l'ancien haut allemand (allemand *Buch*), l'ancien norrois *bók,* remonte à un germanique °*bōks*. Celui-ci est considéré comme dérivé de °*bōkā* «hêtre», le bois de cet arbre ayant servi de matériau pour les tablettes sur lesquelles on inscrivait les runes. Les diminutifs moyen néerlandais *boecskijn, boekelkijn* (avec un suffixe que l'on retrouve dans *mannequin**) étant trop tardifs pour rendre compte de la forme française, on postule un dérivé ancien °*boeckijn*.

♦ Le sens a d'abord été celui de «vieux livre dont on fait peu cas» («vieux livre fripé et peu connu», Furetière 1690), souvent dans *vieux bouquin*. ◇ Par extension, le mot s'est dit péjorativement d'un livre moderne (1845) puis désigne en général tout livre (1866). Cet emploi familier, étendu au XXe s. à tout ce qui se lit par distraction (album de bandes dessinées, etc.) coexiste avec la valeur devenue positive de «vieux livre, livre ancien» (les *boîtes à bouquins* des *bouquinistes,* etc.).

▸ ② **BOUQUINER** (1611) a signifié «rechercher les vieux livres», sens qui subsiste dans le langage de bibliophiles. ◇ Par extension, le verbe signifie «lire de vieux livres» (1840), sens vieilli, puis en général «lire» (1884), très usuel dans l'usage familier. ◇ Le verbe a pour dérivé **BOUQUINEUR, EUSE** n. (1671) «amateur de vieux livres», puis (1928) «liseur».

➛ **BOUQUINERIE** n. f. (v. 1650), comme *bouquiniste,* n'a pas suivi l'évolution sémantique de *bouquin* et *bouquiner*. D'abord employé à propos d'un amas de vieux livres, il désigne un commerce de livres d'occasion (1800). ➛ **BOUQUINISTE** n. (1752), plus fréquent, se dit d'un marchand de vieux livres, dès les premiers emplois à propos des marchands installés le long des quais de la Seine à Paris. Il se distingue dans l'usage de *libraire d'ancien,* un peu comme *brocanteur* se distingue d'*antiquaire*.

BOURBE n. f., d'abord *borbe* (1223), puis *bourbe* (av. 1307), est d'origine inconnue, peut-être hérité du gaulois, comme le mot de sens voisin *boue* (mais l'origine gauloise supposée de *boue** serait différente). L'ancien irlandais *berbaim* «je bous», le cymrique (gallois) *bervi,* le breton *birvi* «bouillir», permettent de restituer un gaulois °*borvo* auquel se rattache le nom du dieu gaulois, *Borvo* ou *Bormo* qui préside aux sources thermales ; celui-ci est attesté dans les inscriptions de *Bourbon-Lancy* et de *Bourbonne-les-Bains,* lieux où se trouvaient des sources d'eau chaude, et dans plusieurs toponymes : *aquae bormonis* (IVe s.) pour *Bourbon-Lancy, Burbine* (VIIIe s.) pour *Bourbon-l'Archambault, Borbona* (846) pour *Bourbonne-les-Bains ;* cependant, tous ces noms renvoient à l'idée de bouillonnement, de source chaude, celle de boue ne lui étant associée que très occasionnellement («bains de boue thermale»). Le phonétisme de *borbe, bourbe* suppose un pluriel collectif °*borva,* à rapprocher du latin médiéval *borba* (1145). Après l'entrée en français, l'influence de *boue* est évidente.

♦ Le mot désigne la boue épaisse qui se dépose au fond d'une eau stagnante. ◇ Dès les premiers textes, il est employé avec la valeur figurée et péjorative de «chose vile, méprisable» demeurée d'un usage plus rare que *boue* et *fange,* tout comme le sens concret, mieux représenté dans l'usage par les dérivés.

▸ **BOURBIER** n. m. apparaît en même temps que *bourbe* sous la forme *borbier* (1223) avec la valeur figurée d'«affaire, situation difficile», «lieu impur». Il désigne concrètement un lieu creux plein de bourbe. ➛ **BOURBELIER** n. m., terme de vénerie, a désigné l'épaule du sanglier (1393) puis, de nos jours, son poitrail (1755) par allusion au fait que l'animal, se roulant dans la bourbe, laisse souvent des traces boueuses sur son pelage. ➛ **BOURBEUX, EUSE** adj. (1552) s'emploie assez couramment au propre et au figuré ; il est senti comme un renforcement de *boueux*. ➛ **BOURBILLON** n. m. (Furetière, 1690), terme médical, désigne un petit amas de pus et de tissu nécrosé au centre d'un furoncle. ◇ Il s'est dit aussi d'un petit amas de boue tel qu'il s'en forme au fond d'un encrier (av. 1755). **EMBOURBER** v. apparaît comme *bourbe* au XIIIe s. (1223) sous la forme *enborber* au pronominal et au sens figuré dans un contexte religieux. Il exprime également l'idée d'«engager (une voiture, etc.) dans un bourbier, dans la boue». ➛ Le dérivé **EMBOURBEMENT** n. m. (1611), moins fréquent, décrit surtout l'action physique et son résultat. ➛ **DÉSEMBOURBER** v. tr. redouble *débourber,* qui a disparu.

DÉBOURBER v. tr. apparaît au XVIe s. au sens propre (1564) et figuré (1594), ce dernier d'abord dans un contexte religieux, puis avec la valeur de «tirer d'un mauvais pas» (av. 1755); disparu dans l'usage général, il a reçu des spécialisations techniques en œnologie et en pêche. ➛ Son dérivé, **DÉBOURBAGE** n. m. (1838), est surtout employé techniquement.

◈ voir BARBOTER, BARBOUILLER.

BOURBON n. m. est emprunté (1907 sous la forme *bourbon whisky*) à l'anglo-américain *bourbon*, d'abord *Bourbon whiskey*, du nom du comté de *Bourbon*, dans l'État du Kentucky.

♦ Le mot désigne un whisky à base de maïs, distillé aux États-Unis.

BOURDAINE n. f. est, sous sa forme actuelle (attestée au XIVe s., après 1350), l'altération de *borzaine* (av. 1204 en ancien normand), mot des parlers de l'Ouest, *-rg-* y évoluant souvent en *-rd-* (poitevin *ardile* pour *argile*). Le mot est d'origine obscure; il est aussi attesté par le toponyme latin *Boscum de Bordena* (XIIIe s.), aujourd'hui *La Bourdaine* en Seine-Maritime. Il pourrait représenter un pré-roman °*burgena*, dérivé d'un type contenu dans le basque *burgi*, désignant une plante (l'alaterne), et qui semble autochtone en basque. P. Guiraud, partant de la vocation de la bourdaine, arbuste dont les branches servent à faire des perches, préfère évoquer un type roman (latin populaire) °*burdana* «producteur de perches» apparenté à ① *bourdon**. Selon lui, les formes *borzaine* et *bourgène* (1775) s'expliqueraient par une forme °*bourge*, doublet de *bourde* qui se déduit de *bourger* (d'un °*burdicare*) «fourgonner, tisonner, c'est-à-dire fouiller avec un bâton». Cependant, la bourdaine est anciennement identifiée comme plante médicinale, et le contexte culturel ne justifie pas cette hypothèse.

♦ Le mot désigne un arbrisseau à écorce laxative dont le bois sert à faire de la poudre de chasse; la variante *bourgène* (1775) est devenue rare.

BOURDALOU ou **BOURDALOUE** n. m. est la lexicalisation, dès 1701, de *Bourdaloue*, nom d'un prédicateur français de l'ordre des Jésuites (1632-1704) qui commença à prêcher en 1666 et connut immédiatement un vif succès, vint à Paris en 1669 et devint l'orateur qui prêcha le plus souvent devant la Cour.

♦ Le mot recouvre divers objets se rattachant tous plus ou moins à la personne du fameux prédicateur : il désigne la tresse garnie d'une boucle ou le ruban de gros-grain entourant la forme d'un chapeau (1701, féminin jusqu'en 1798) par allusion au ruban du chapeau de Bourdaloue. ➛ Il désigne également un type de pot-de-chambre de forme oblongue au fond duquel était peint un œil entouré de légendes grivoises (1762). Ce second emploi est plus obscur : on a évoqué tantôt les confidences entendues en confession par le prédicateur, tantôt une allusion ironique aux longues et pénibles attentes à l'église que les amples sermons de Bourdaloue opposaient à la satisfaction des besoins naturels. ➛ Enfin, l'usage du mot en pâtisserie pour un entremets chaud de fruits divers, dressés sur une couche de frangipane et saupoudrés de macarons écrasés, ne repose pas sur une anecdote connue.

① **BOURDE** n. f. (v. 1180) est d'origine obscure, de même que l'ancien provençal *borda* «mensonge» (1291) qui lui est probablement apparenté. On l'a rapproché du latin des gloses *burdit*, glosé par le grec *gauria*, 3e personne du singulier de *gaurian* «s'enorgueillir de qqch., faire le fier», ce verbe pouvant peut-être être rapproché de *psainein* «faire du bruit». *Burdit* aurait donc signifié «il fait du bruit pour se faire remarquer». On peut ainsi reconstruire un substantif hypothétique °*burda* qui, de «bruit pour attirer l'attention», serait passé à «vantardise». Ce °*burda* a parfois été identifé avec *burda* «chalumeau» attesté par Ausone, lui-même probablement d'origine onomatopéique. ◇ P. Guiraud fait de *bourde* une forme de *bourre** «flocon de laine, fétu de paille» et, métaphoriquement, «mensonge» en ancien français et en argot : plus précisément, il en fait le représentant d'un °*burrita*, «coquille, fétu», dérivé gallo-roman de *burra* qui a donné *bourre*.

♦ Le mot désigne une histoire inventée, en général pour abuser de la crédulité de qqn; dans ce sens, il a vieilli (cf. *blague*). ◇ Par extension, il a pris le sens de «faute, bévue» (XVIIIe s.), spécialement dans le domaine de l'expression écrite ou orale.

▸ Le dérivé ① **BOURDON** n. m. (1690) désigne spécialement en imprimerie une erreur de composition se traduisant par l'omission d'un mot ou d'un membre de phrase.

BOURDANTE n. f., qui n'est pas attesté avant le XXe s., ne peut pas être le participe présent féminin substantivé de l'ancien français *bourder* (v. 1223) disparu au XVIIe s. («vieux mot», 1704). Il semble avoir été dérivé de *bourde* d'après *gourante* (→ gourer) pour désigner en argot familier une bourde (au sens moderne). Il semble être sorti d'usage.

◈ voir CALEMBOUR; peut-être ③ BOURDON.

② **BOURDON** n. m., d'abord *burdun* (v. 1170), *bordon*, puis *bourdon* (1311), remonte à l'accusatif *burdonem* du latin *burdo, -onis* «mulet». L'existence des noms propres latins *Burdo, Burdonus, Burdonianus*, dans le domaine celtique des Gaules, appuie l'hypothèse d'une origine celtique. *Burdo*, dont le sens de «mulet» est passé dans le sicilien *burduni*, a développé, par une métaphore fréquente dans les parlers populaires (cf. *bélier, chevalet, poutre, chevron*), le sens de «support», d'où «baguette, bâton», attesté dans le latin médiéval *burdo* (XIe s.), l'italien *bordone*, le catalan *bordó*, l'espagnol *bordon*, le portugais *bordão*. C'est semble-t-il à tort que Corominas attribue au mot espagnol *bordon* un seul étymon pour «bâton de pèlerin» et «lance», les faisant dériver de *behordo* «petite lance», lui-même issu de *behordar*, verbe repris de l'ancien français *behorder* «jouter à la lance». Il est au contraire possible que le sens de «lance» soit issu en français du croisement de *bourde* «bâton de pèlerin» et d'un autre mot, l'ancien français *behort* «lance pour jouter» (1174), déverbal de *behorder* (1170-1171), issu du francique °*bihordôn* «enclore». Ce mot est dérivé du francique °*hurd* «claie», postulé par l'ancien haut allemand *hurt* (allemand *Hürde*) et correspondant au moyen bas allemand *behurden* «entourer de palissades». Le verbe ancien français signifiait donc «enclore de lices le lieu du tournoi (où l'on combat à la lance)».

♦ *Bourdon* a eu en ancien français le sens de «mulet», éteint au début du XVIe siècle. ➜ Celui de «bâton de pèlerin», aussi ancien, est encore usité comme terme d'histoire. ◇ Par analogie de forme avec le renflement de l'extrémité du bâton de pèlerin, le mot désigne en couture une ganse et un point de broderie. ◇ Le sens de «lance» (1559), qui correspondrait à une altération de *behort, behorder* (ci-dessus), sorti d'usage, a été conservé par les historiens.

▸ Avec son sens de «baguette, bâton», l'ancien français *bourde* a produit deux mots techniques de sens très spécialisé : ② **BOURDE** n. f., avec l'ancien sens de «bâton» (1381, *borde*) subsiste dans le parler régional. Le mot a été repris en marine pour désigner l'étai soutenant provisoirement un navire échoué. ➜ Son ancienne valeur, «bâton», est probablement à l'origine du diminutif **BOURDILLON** n. m. (1732), terme technique appliqué au bois de chêne refendu servant à faire des futaies, des douves de tonneaux. ➜ **BOURDONNIÈRE** n. f. (1842) désigne la pièce d'huisserie où pivote le goujon (ou *bourdonnier*) d'une porte, d'une fenêtre.

◈ voir LAMBOURDE.

③ BOURDON

③ **BOURDON** n. m. (1350), d'abord *bordon* (1210-1225), est probablement une formation onomatopéique évoquant le bruit fait par l'insecte en volant. Cette formation est peut-être déjà attestée dans le bas latin *burdo*, glosé *atticus* (à lire *attacus*) «sorte de sauterelle»; certains étymologistes ont rapproché *burde* du bas latin *burda*, «chalumeau», peut-être identique à °*burda* «mensonge» (→ ① bourde), lui-même d'origine expressive.

♦ Il est difficile de déterminer si les deux emplois, désignant un insecte (1210-1215) et un instrument de musique (v. 1280) procèdent l'une de l'autre ou s'il s'agit de deux formations onomatopéiques conjointes. Le nom de l'insecte, aujourd'hui plus usuel, a donné par métonymie une manière de nommer le bruit que font certains insectes volants et, par analogie, une rumeur (XIXe s.), sens vieilli. ◇ Le sens musical a produit la caractérisation de la basse continue de certains instruments, ainsi que le nom d'une grosse cloche à son grave. ➜ Le sens figuré et familier de «tristesse» (1915), surtout dans ***avoir le bourdon,*** est peut-être un développement métaphorique du nom de l'insecte analogue à celui de *cafard* ou du terme de musique, mais l'origine de cet emploi reste obscure.

▸ **BOURDONNER** v., d'abord *bordonner* (v. 1200), signifie «faire entendre un son grave et continu», spécialement à propos d'un insecte (1579). Dans cet emploi, le verbe est plus usuel que le substantif *bourdon.* Il est employé aussi en musique pour «faire sonner» un instrument (1606, à propos de la cornemuse), une cloche (1863); ces emplois sont techniques. En parlant de la voix humaine, le verbe signifie «chanter à bouche fermée» (av. 1696). Par extension, il caractérise la parole humaine quand elle murmure (1648). ➜ En sont dérivés **BOURDONNEMENT** n. m. (1545 en médecine : *bourdonnement d'aureilles*), **BOURDONNANT, ANTE** adj. (XVIe s.) usuels et **BOURDONNEUR, EUSE** adj. (1606; 1495, *bourdonneresse*), rare.

FAUX-BOURDON n. m. désigne (v. 1450) en histoire de la musique une forme du plain-chant et, aujourd'hui, une harmonisation de chant d'église *(chant en faux-bourdon).*

✳ BOURG

✳ **BOURG** n. m., réfection graphique (v. 1360), d'après le latin, de *burc* (1080), *borc* (1164), *bourc* (v. 1275), est issu d'un croisement entre deux mots latins homonymes et apparentés. Le premier est *burgus* n. m., «fortification, tour fortifiée, redoute», emprunt au grec *purgos,* «tour, enceinte garnie de tours», employé ultérieurement avec divers sens figurés; le mot grec, d'origine incertaine, viendrait du germanique par l'intermédiaire d'une langue balkanique (peut-être le macédonien) ou, selon d'autres étymologistes, serait emprunté à une langue indoeuropéenne d'Asie Mineure. Le mot latin, par extension, est pris comme synonyme de *castellum parvulum* «petit château» puis «petit hameau» dès 185, puis au IVe-Ve siècle. Le second mot est le bas latin *burgus* n. f. «ensemble d'habitations fortifiées» (Ve s., en toponymie, référant au *burgus Pontii Leontii,* aujourd'hui *Bourg-sur-Gironde*). Il est issu du germanique °*burg* n. f. «localité, ville fortifiée», reconstitué par une série de mots germaniques, comme l'ancien frison *burch,* le vieil anglais *burg* (d'où l'anglais *borough*), l'ancien saxon *burg* (moyen néerlandais *burch,* néerlandais *burg*), l'ancien haut allemand *buryg* (allemand *Burg*). Cette famille remonte à un radical verbal °*bergan,* «abriter, protéger», rattaché à la racine indoeuropéenne °*bhr̥gh-* «hauteur fortifiée». La confusion entre les deux mots (latin et bas latin d'origine germanique) est en rapport avec l'évolution des fortifications au haut moyen âge et avec la tendance à remplacer les tours de garde romaines qui servaient à protéger les frontières par des habitations fortifiées. De cette rencontre est issu le latin médiéval *burgus* attesté au IXe s. (837) pour désigner une petite ville, souvent centre de marché, parfois fortifiée ou close de murailles.

♦ *Bourg* a progressivement perdu la valeur de «petite ville fortifiée» pour désigner un gros village où se tiennent ordinairement les marchés. L'octroi de droits à certains bourgs, à l'époque féodale *(bourgs francs)* est à l'origine du dérivé *bourgeois* (ci-dessous). ◇ Dans les régions à l'habitat dispersé, *bourg* désigne spécialement la partie de l'agglomération regroupant les commerces, les édifices publics et un certain nombre d'habitations particulières. Moins usuel que *ville* et *village,* qui se répartissent la plupart des désignations d'agglomérations, *bourg* est en français contemporain, comme *cité,* un mot soit historique, soit administratif, sauf dans certains usages ruraux *(aller au bourg).*

▸ Le dérivé **BOURGEOIS, OISE** adj. et n. est d'abord attesté sous la forme latine médiévale *burgensis,* attestée à propos de l'habitant d'un bourg franc institué par le comte d'Anjou Foulque Nera autour d'une abbaye près de Loches (charte de 1007); puis en général à propos des habitants de la ville (v. 1066). ◇ En français, *burgeis* (v. 1080) est refait d'après *bourg* en *bourgeois* (1393). ➜ L'évolution du mot, très différente de celle de *bourg,* est étroitement liée aux contextes historiques et sociaux. Au moyen âge, *bourgeois* désigne l'habitant de villes commerçantes soustraites par des chartes de franchise à l'influence du seigneur, qu'il soit laïc ou ecclésiastique; à ce sens correspond le syntagme ***franc bourgeois*** (XIIIe s.), conservé dans des noms de rues et où *franc* signifie «exempt de charges, de redevances». ◇ Souvent synonyme de *marchand (mercator),* il implique, à partir du XIIIe s. et des premiers conflits sociaux dans les villes, une certaine aisance et la possession de droits ou de biens immeubles sur le territoire de la cité. Son développement reflète celui d'une classe sociale moyenne, intermédiaire entre les nobles et les manants *(pagenses, rustici).* L'essor économique, politique et culturel de cette couche sociale au XVIIe s. correspond sur le plan du langage au détachement du mot par rapport à son origine. Le bourgeois cesse alors d'être caractérisé par son caractère urbain et se définit (1668) par son appartenance à un groupe social, la bourgeoisie (voir ci-dessous), quelquefois avec une valeur de singulier collectif (1678-1679) déjà différenciée en *petit bourgeois* et en *gros bourgeois* (1680). ◇ On relève alors les premiers emplois péjoratifs visant en lui une personne sans goût ni culture (1635). Progressivement, le mot se définit non plus dans son opposition au noble (l'opposition originelle avec le paysan reste valable), mais à l'ouvrier, opposition socio-économique qui se manifeste clairement avec la Révolution et ses luttes d'idées (1793), et qui correspond donc bientôt à une opposition idéologique. ◇ Parallèlement, la réaction contre cette classe devient chez les romantiques le fait de l'artiste : *bourgeois* et *artiste* s'opposent, *bourgeois* devenant le symbole du conformisme, uniquement préoccupé de réussite matérielle, fermé aux valeurs esthétiques et aux évolutions. Avec les idéologies révolutionnaires, puis socialistes, le mot s'inscrit dans le vocabulaire des luttes politiques du XIXe puis du XXe siècle. ◇ En découlent des emplois dérivés, pour «patron, employeur», comme appellatif à la fin du XIXe s. et au début du XXe s., par exemple chez les cochers de fiacre. Ces emplois ont disparu. ◇ *Bourgeois,* comme *bourgeoisie,* s'emploie dans des syntagmes qualifiés à partir du moment où ce groupe est analysé en sous-groupe : *gros bourgeois* ayant disparu, ***petit-bourgeois*** s'oppose à *grand bourgeois* et, devenant dans le vocabulaire marxiste un véritable composé, s'emploie comme adjectif (mentalité *petite-bourgeoise*). Dans le contexte de la révolte étudiante, qui éclate en 1968, *bourgeois,* parfois abrégé en **BOURGE,** devient le pôle négatif du jugement social. ➜ Le féminin **BOURGEOISE** n. f., apparu avec le sens de «femme d'un bourgeois» au sens médiéval (1280), suit une évolution analogue et reçoit au XVe s. le sens particulier de «femme, épouse», notamment avec un possessif : *ma bourgeoise;* cet emploi, usité au XIXe s. est devenu populaire et archaïque. ➜ L'adjectif tiré du substantif est d'abord employé dans des syntagmes aujourd'hui sortis d'usage, *pain bourgeois, lettre bourgeoise* en typographie (1529), ***caution bourgeoise*** «solvable et facile à discuter» (1538) étant encore connu. ◇ Le sens actuel de «relatif à la bourgeoisie, au bourgeois» (depuis 1611) détermine l'évolution ultérieure de l'adjectif, le développement de ses valeurs idéologiques et caractérisantes.

Bourgeois a pour dérivé **BOURGEOISIE** n. f. qui correspond au latin médiéval *burgensia* (v. 1200) «redevance due pour la jouissance des privilèges accordés aux habitants des villes». Le mot apparaît sous la forme *bourgesie* (1240). Il a eu jusqu'au XVIIIe s. une définition féodale et économique de «qualité (juridique) d'habitant des cités», dont l'usage helvétique garde trace, *bourgeoisie* correspondant encore en Suisse à «caractère communal». Il est passé progressivement au sens collectif d'«ensemble des bourgeois» (1538), d'abord par opposition à la noblesse. Dès le XVIIe s., le mot s'applique nettement à une couche sociale non noble mais relativement privilégiée, déjà caractérisée (*bourgeoisie de robe, d'Église,* etc.). ◇ L'idée du groupe social se précisant, *bourgeoisie* est défini idéologiquement comme «groupe dominant l'économie» (XVIIIe s.) et «ensemble des membres de cette classe», développant une valeur péjorative (1839) moins nette que celle de *bourgeois.* Avec la notion de classe (surtout après Marx), le mot entre en opposition avec *prolétariat* et des expressions précisent les valeurs : *petite, moyenne, grande bourgeoisie.* ➜ Tous les dérivés ultérieurs de *bourgeois* participent de la valeur moderne caractérisante. Exception faite de l'adverbe **BOURGEOISEMENT** attesté en 1654 chez Scarron, ils apparaissent tous au XIXe s. avec une valeur sociale en général péjorative : **(S')EMBOURGEOISER** v. tr. pron. (1831) et **EMBOURGEOISEMENT** n. m. (1870) sont restés usuels; **BOURGEOISISME** n. m. (1852, Flaubert) est rare; **BOURGEOISETÉ** n. f. (1841) et **BOURGEOISERIE** n. f. (1871), tentant de cerner le caractère du bourgeois, ne s'emploient plus. ◇ **ANTI-BOURGEOIS, OISE** adj. (1869) est au contraire usuel. ➜ À l'écart de cet ensemble, **BOURGEOISIAL, ALE, AUX** adj. (1669), relevé dès le XVe s. sous la forme *bourgeoisal,* s'emploie normalement en Suisse pour «de la bourgeoisie», c'est-à-dire «communal».

▸ Un autre dérivé de *bourg,* **FAUBOURG** n. m. représente sous sa forme actuelle l'altération, par croisement avec l'adjectif *faux*,* de l'ancien français *forsborc* (v. 1200) de même sens, le faubourg ayant été conçu comme s'opposant au «vrai» bourg, comme en témoigne le latin médiéval *falsus burgus* (1380). L'ancien mot était composé de l'ancien préfixe *fors-* (du latin *foris* «dehors [sans mouvement]» → fors) et de *bourg* pour désigner ce qui est «en dehors du bourg». Il s'appliquait en effet à la partie d'une ville située hors de l'enceinte (v. 1360), sens repris par les historiens (1831), et, par extension, dès le XVe s., à l'espace habité à la périphérie d'une ville (1478). ◇ C'est avec la révolution industrielle et l'urbanisation par afflux des ouvriers que le mot acquiert ses valeurs modernes, prenant par métonymie le sens de «population ouvrière vivant à cet endroit» (1838). ◇ Il s'est conservé comme nom de certains quartiers situés autrefois hors de l'enceinte d'une grande ville (1728), sens avec lequel il a reçu au XIXe s. deux applications particulières à Paris, le *faubourg Saint-Antoine* et sa population d'artisans (av. 1850) et le *faubourg Saint-Germain*, où beaucoup de familles nobles avaient leur hôtel à partir du XVIIIe s. d'où (1865) le nom de *noble faubourg* ou *le Faubourg*. ◇ Pour la partie des grandes agglomérations situées hors des limites de la ville, c'est un autre mot d'origine féodale, *banlieue** (→ ban), qui l'a emporté au XXe s. avec d'autres connotations. ➛ Par transposition métaphorique, *faubourg* a servi à dénommer argotiquement le postérieur (1612), sens repris dans le dernier tiers du XIXe s. (1879, Huysmans). L'image est celle du quartier situé près de l'entrée de la ville. ➛ Le dérivé **FAUBOURIEN, IENNE** n. et adj. apparaît tardivement (1801, Chateaubriand) pour «habitant d'un faubourg» et «relatif aux faubourgs, à leurs habitants» (1838), spécialement à propos de Paris, avec des connotations populaires (*accent faubourien*, etc.), vieillies après 1940.

BOURGADE n. f., réfection (1446) de *borguade* (1418), est emprunté à l'ancien provençal *borgada*, «village formé de plusieurs groupes de maisons» (1392), dérivé collectif de l'ancien provençal *borc* (v. 1160), de même origine que *bourg**. Un emprunt à l'italien *borgata* de même sens, attesté depuis le XIIIe s., lui-même de *borgo*, «bourg», est moins probable. ◇ Le mot, passé en français avec le sens de l'ancien provençal, est devenu un quasi-synonyme de *bourg*, son origine provençale n'étant plus perçue et le pseudo-suffixe *-ade* n'ayant pas de valeur précise. ➛ En revanche, le dérivé **BOURGADIER** n. m. (1879, Daudet) est demeuré régional ; il est employé en Provence pour désigner l'habitant d'un bourg, d'une bourgade.

BOURGMESTRE n. m. est un terme implanté dans les aires linguistiques francophones proches de territoires de langue germanique. Il est emprunté au XIVe s. (selon les lieux) au moyen néerlandais *borgermeester* et au moyen haut allemand *burgermeister* ou *burgemeister*, titre donné aux Pays-Bas, en Belgique, Suisse et Allemagne au premier magistrat des villes dont les fonctions sont analogues à celles du maire. Le mot est composé, dans chaque langue, du mot germanique signifiant «maître», issu du latin *magister* (→ maître), et de celui qui signifie «bourgeois», dérivé du nom du *bourg*. L'hésitation de la graphie entre *bourgemaistre*, *bourmaistre* (1309), *brugemaistre* par métathèse (v. 1360), *bourghmaistre* (v. 1340), l'emprunt graphique *burgermeister* (1368), enfin *bourgmestre*, encore écrit *bourg-mestre* dans le *Dictionnaire de Trévoux* en 1752, témoigne de la variété des langues d'emprunt et de la difficulté de la francisation, faite d'après *bourg*. ➛ Le mot, en français de France, se réfère à une réalité étrangère ; mais il est usuel en français de Belgique (cf. aussi *échevin*) et de Suisse.

◈ voir **BORDJ, BURGRAVE.**

BOURGEON n. m., d'abord *burjon* (attesté 1160, mais antérieur, cf. *bourgeonner*), est issu d'un latin populaire °*burrio* (accusatif °*burrionem*), dérivé du bas latin *burra* (→ bourre) parce que, comme l'écrit Ménage, «les bourgeons des arbres ont quelque chose de velu, et qui approche de la bourre». Cette étymologie est appuyée par l'emploi du français *bourre* à propos du duvet qui recouvre les jeunes bourgeons et par des sens analogues du mot et de ses dérivés dans les dialectes. °*Burrio* par sa semi-consonne notée *i* développe un *j* (comme *diurnum*, d'où *jorn*, *jour*).

♦ Le mot désigne l'excroissance qui apparaît sur la tige ou la branche d'une plante et contient en germe les tiges, branches, feuilles, fleurs ou fruits, d'où, par spécialisation, la nouvelle pousse de la vigne (1798). ◇ Par extension, et analogiquement avec *bouton*, il a pris le sens de «bouton sur le visage» (v. 1270), de nos jours archaïque ou senti comme un emploi métaphorique plaisant (cf. *bourgeonner*, *bourgeonnant*). ◇ L'idée figurée d'élément embryonnaire s'est appliquée à une personne très inexpérimentée (1565) avant de l'être à une situation. ◇ Le mot est passé en anatomie dans l'ancienne dénomination *bourgeon charnu* (1824) puis dans *bourgeon gustatif* (av. 1948) «organe récepteur du goût, de forme ovoïde».

▶ Le dérivé **BOURGEONNER** v. intr. (v. 1121) s'emploie dès le XIIe s. au propre et au figuré pour «apparaître, commencer à se manifester» (1160). ◇ Du sens analogique ancien vient l'acception «se couvrir de boutons» (av. 1664) plus vivante que l'emploi correspondant du nom, surtout au participe passé *bourgeonné*. ➛ Le participe présent **BOURGEONNANT, ANTE** est adjectivé au figuré (*un nez bourgeonnant*). ➛ **BOURGEONNEMENT** n. m., attesté en 1600 avec son sens botanique, disparaît des dictionnaires après 1611 pour y être de nouveau accueilli en 1771 («je ne trouve ce mot dans aucun Dictionnaire. Pourquoi cela ? L'usage l'a adopté ; et s'il n'étoit pas reçu, il faudroit le recevoir parce qu'il est nécessaire», écrit le *Dictionnaire de Trévoux*). Ce nom est passé dans les vocabulaires médical et biologique.

BOURGEONNEUX, EUSE adj., dérivé de *bourgeon* (1571) «couvert de bourgeons» d'où «couvert de boutons», s'est peu répandu, le second sens étant remplacé par *bourgeonnant*.

La série constituée par le préfixé **ÉBOURGEONNER** v. tr. (1486, *esbourjonner*) et ses propres dérivés **ÉBOURGEONNEMENT** n. m. (1551, *esbourgeonnement*) et **ÉBOURGEONNAGE** n. m. (1611, *esbourjonnage*), a trait à l'action d'enlever les bourgeons superflus de la vigne ou des arbres.

BOURGUIGNON, ONNE adj. (1150-1200, *bourgengon*) est issu du bas latin *Burgundio* «Burgonde», à l'accusatif *Burgundionem* (fin Ve s.), dérivé de *Burgundiones*, lequel vient, par le germanique, d'une racine indoeuropéenne qui signifierait «haut (de taille)». Le passage, en moyen français, de la forme *borgoignon* à *borguignon*, *bourguignon*, s'explique par une dissimilation, puis par la fermeture en *i*, au contact de *gn-*, du *e* de °*borguegnon*.

♦ L'adjectif et nom signifie «de la Bourgogne». Dès les premiers emplois, il se réfère au parler régional de la Bourgogne appelé *le bourguignon* et *parler bourguignon.* ◇ Ultérieurement, à côté de ses implications ethniques et géographiques, il a pris chez les marins l'acception spéciale et inexpliquée de «bloc de glace flottant» (1752). ◇ Il a donné à la cuisine régionale le *bœuf bourguignon,* la viande étant cuite dans une sauce au vin rouge de Bourgogne (1866). ➜ En argot, probablement par l'usage des vendangeurs, le *bourguignon* signifie «le soleil» (1821).

▸ **BOURGUIGNOTE** ou **BOURGUIGNOTTE** n. f. est la substantivation d'une variante ancienne (v. 1460) de *bourguignon,* obtenue par substitution de suffixe ; le mot est employé en termes d'habillement militaire à propos d'un casque léger à crête et couvre-nuque, utilisé pour la première fois au XVe s. par les Ducs de Bourgogne et en usage jusqu'au XVIIe siècle. Par plaisanterie, il a été repris par les soldats de la guerre 1914-1918 au sens de «casque».

BOURGOGNE, nom de la province, a fourni par l'intermédiaire de *vin de Bourgogne* le nom masculin *du bourgogne* (attesté fin XVIIe s., après l'expression *vin de Bourgogne*).

BOURLINGUER v., attesté en 1831 mais, selon Jal, connu dès la fin du XVIIIe s., est d'origine obscure. Il pourrait se rattacher à un autre terme de marine, *boulingue* ou *bouringue* «voile supérieure voisine de la hune» (1509), et signifier proprement «être secoué (sur les vagues) comme une boulingue». L'étymologie de *boulingue* est elle-même inconnue. P. Guiraud propose de voir en *bourlinguer* un dérivé diminutif de *bourre** qui désigne toutes sortes de menus objets (bogue de châtaigne, coquille vide); cette hypothèse supposerait une forme ancienne *bourlingue,* avec attraction de *bouler* au sens de «rouler» (→ boule), d'après l'impression visuelle que produit la voile de hune, vue de loin. L'hypothèse qui établit un rapport avec *bouliner,* de *bouline**, est contraire à la morphologie.

♦ Ce verbe, en marine, se dit d'un navire qui avance péniblement en luttant contre le gros temps, roulant et tanguant; il a vieilli. ◇ Par extension, il est passé dans l'usage commun et familier avec le sens de «mener une vie aventureuse de voyageur» (1861). ◇ Une autre extension l'a fait employer transitivement dans l'argot des ouvriers au sens de «renvoyer (qqn)» (1878), sorti d'usage.

▸ **BOURLINGUE** n. f. (1878), déverbal, a été employé en argot au sens de «renvoi (d'un ouvrier)» et, par extension, dans la locution *être dans la bourlingue* «dans une situation précaire» (1896), emplois disparus. Le mot subsiste régionalement avec le sens de «grand voyage» (XXe s.), refait d'après *bourlinguer.* ➜ **BOURLINGUEUR, EUSE** n. et adj. (1880), d'abord mot d'argot des ouvriers pour désigner le patron (menaçant toujours de congédier l'ouvrier), sens disparu, a été repris à propos d'une personne qui voyage beaucoup, a une vie aventureuse (1896, avec l'idée de vie difficile, comme dans *routard* en français contemporain).

BOURRACHE n. f., attesté au XIIIe s. (1256, *bourrache, bourrace*) en dialecte du Hainaut français (le rouchi), est emprunté au latin médiéval *borago, borrago,* attesté depuis le XIe siècle. Le mot latin est probablement emprunté à l'arabe *'abû 'araq,* «père de la sueur», nom donné à cette plante pour ses vertus sudorifiques, et devenu *b̆'aráq* par altération populaire. D'après Arveiller, la forme *bourrache,* caractéristique des parlers du Nord, représente une adaptation du latin *borrago, -age* y étant rendu par *-ache* du fait d'une confusion habituelle entre les consonnes sourdes et les consonnes sonores correspondantes.

♦ Le mot désigne une plante médicale à grandes fleurs bleues, ayant des vertus sudorifiques et diurétiques et, par métonymie, une tisane faite avec cette plante. ◇ L'exclamation argotique disparue *de la bourrache!* correspondait à «tu me fais suer» (1867). ◇ L'emploi métonymique au sens de «cour d'assises (lieu où le prisonnier transpire beaucoup)» (1881), attesté à Paris et dans les faubourgs, a lui aussi disparu.

BOURRASQUE n. f. est probablement emprunté (1548) à l'italien *bur(r)asca, borrasca,* pluriel *borrasche* «coup de vent violent et subit» et, au figuré, «accès de colère» (XVIe s.). Ce mot est issu de *bora* «vent du Nord» (av. 1556), forme vénitienne et triestine issue du latin *boreas* de même sens (→ borée), elle-même reprise en français (*bora* 1818, Stendhal).

♦ Le mot est employé par Rabelais dans un contexte maritime, à propos d'un coup de vent impétueux et de courte durée, sens toujours courant. ◇ Le sens figuré de «mouvement de colère brusque et de peu de durée» (1594) est archaïque, mais *bourrasque* peut encore s'employer comme métaphore.

✳ ① **BOURRE** n. f., d'abord *borre* (1174-1178), puis *bourre,* est issu du bas latin *burra* «étoffe grossière à longs poils» (Ve s.), attesté dès le IVe s. avec un sens métaphorique figuré, synonyme de *nuage.* Ce mot d'origine incertaine est peut-être le féminin substantivé de l'adjectif *burrus,* «roux», emprunté au grec *purros* «rougeâtre, roux», peut-être par l'intermédiaire de l'étrusque. *Purros* semble apparenté au groupe de *pur* «feu» (→ pyro-). L'italien, l'espagnol et l'ancien provençal *borra* ont la même origine.

♦ Le mot désigne le déchet d'une fibre, surtout celle de la laine (1174-1178) et celle de la soie (1280, *bourre de soie*). Par extension, il désigne l'amas de poils provenant de la peau d'animaux à poils ras, gratté avant le tannage, utilisé pour le rembourrage d'objets et la fabrication du feutre (1268-1271) ainsi que les déchets textiles utilisés pour rembourrer des objets. ◇ Depuis le XVIIe s., il se dit en armurerie de la matière inerte (étoupe, papier) maintenant en place la charge d'une arme à feu (1618). ◇ Par analogie d'aspect et de consistance, il désigne le duvet qui recouvre les bourgeons de certains végétaux (1690, de la vigne). ◇ Au figuré, il s'est dit de ce qui sert à garnir, à remplir sans avoir de valeur (1690 en littérature); cette valeur figurée a disparu. ◇ La locution familière moderne ***de pre-***

mière bourre, «de premier ordre», peut être un emploi métaphorique de *bourre* dans le langage des tapissiers; on l'a également interprétée comme un des nombreux emplois familiers de *bourre,* déverbal de *bourrer* (ci-dessous).

▶ La dérivation est abondante. ◆ **BOURRAS** n. m., d'abord *boraz* (1125-1230), nom donné à une toile grise très grossière en étoupe de chanvre, a souffert de la concurrence de *bure**, apparenté étymologiquement. Il se maintient régionalement (sud de la France) pour «drap grossier pour le transport du foin, de la paille». ◆ **BOURRELIER, IÈRE** n., répertorié dans le *Livre des Métiers* d'Étienne Boileau (1268-1271), est formé sur l'ancien français *bourrel* «collier, harnais (rempli de bourre)», dérivé de *bourre.* ◇ Comme **BOURRELLERIE** n. f. (1268-1271), *bourrelier,* toujours compris, a perdu sa fréquence d'emploi en même temps que ce qu'il désigne disparaissait.

BOURRER v. tr., attesté en 1332 mais antérieur (cf. *bourreau**), apparaît au figuré pour «maltraiter, battre». La permanence de ce sens, passé de nos jours dans le registre familier *(bourrer de coups),* tient peut-être à sa motivation par l'idée d'«enfoncer, remplir de force (de bourre)», attestée dès le XIIIe s. pour *embourrer* et *rembourrer* (ci-dessus). ◇ Le sens propre de «remplir (qqch.) en y enfonçant de la bourre», postérieur (1519), a donné des spécialisations techniques, notamment en armurerie (1704), mais est resté rare par rapport à l'acception extensive «remplir (qqch.) aux limites de sa capacité». Ce sens correspond à la fois à des acceptions techniques (imprimerie, mines) et à des valeurs métaphoriques familières : selon le contexte et la nature de l'objet, «gaver» (concrètement et abstraitement), «essayer d'en faire accroire», par exemple dans ***bourrer le crâne, le mou de qqn*** «lui remplir le crâne de choses fausses» (1907). ◇ Une autre spécialisation populaire correspond à «avoir des rapports sexuels actifs avec (qqn)», d'où le déverbal très familier ③ **BOURRE** dans *bonne bourre!* Cette valeur érotique utilise le sémantisme du coup; cf. *ficher, foutre.* ◇ Au pronominal, *se bourrer* signifie «s'enivrer», «beaucoup manger» «remplir le ventre (d'un aliment)» (cf. *bourratif*) et «s'enrichir» (1930-1935). ◇ En construction absolue, il exprime l'idée d'aller très vite, probablement d'après l'idée de «remplir son objectif à la hâte et n'importe comment». ◆ La spécialisation de *bourrer* en vénerie, à propos d'un chien qui mord sa proie en essayant de l'attraper, est le seul sens du verbe qui procède de *bourre* «poil d'animal»; accueillie en 1694 par l'Académie, elle est probablement aussi ancienne que le moyen français *bourrasser,* de même sens (XVIe s.).

Outre *bourreau**, entièrement démotivé, *bourrer* a produit un certain nombre de dérivés. ◆ **BOURRÉE** n. f. est la substantivation du participe passé féminin (1326) et désigne ce avec quoi on «bourre» un fagot, un ensemble de menues branches. ◇ Ce sens, seulement régional aujourd'hui, motive peut-être celui de «danse du folklore auvergnat», devenue danse de cour au XVIIe s. (1604), cette danse ayant pu se faire autour d'un feu de joie; on l'a aussi expliqué d'après *bourrer* «donner des coups» par allusion aux mouvements vifs des danseurs, mais cette hypothèse est moins plausible. ◆ Une autre valeur, «donner des coups», a servi à former **BOURRADE** n. f. (1553) «coup, attaque», affaibli ensuite en «tape amicale», sens dominant et usuel du mot. ◇ L'acception figurée de «riposte, répartie verbale» (1690) a décliné au XVIIIe siècle. ◇ Le mot est passé en vénerie où, d'après un sens spécialisé de *bourrer,* il exprime le fait de mordre la proie en lui enlevant de la bourre (1690; 1581 en fauconnerie). ◇ Son dérivé **BOURRADER** v. tr., «donner des bourrades à», est tardif (1888) et peu employé. ◆ **BOURRAGE** n. m., attesté isolément, écrit *bourraige* (1465), est repris au XIXe s. et sert de substantif d'action à *bourrer,* rare en emploi concret, mais est courant familièrement dans la locution ***bourrage de crâne*** (1876). ◇ *Bourrage* s'emploie aussi en termes de mines (1838), de construction (1866), de chemins de fer (1894) et de broderie. ◆ **BOURROIR** n. m., nom d'un instrument servant à bourrer, est attesté dans le vocabulaire technique des mines (1758). ◆ **BOURREUR, EUSE** n. (1874) se partage entre l'usage technique (en argot des typographes : *bourreur de lignes*) et le langage familier (1902-1904).

Les dérivés et composés apparus au XXe s. relèvent tous du langage familier. ◆ **BOURRE-MOU** n. m. (déb XXe s.) vient de *bourrer le mou,* pour désigner des histoires trompeuses; ◆ ② **BOURRE** n. f., déverbal (déb. XXe s.), s'applique au fait de se presser, dans les locutions ***être à la bourre*** «en retard, obligé de se presser» et ***à pleine bourre*** «tout à fait» beaucoup moins usité que le précédent. ◇ Concrètement, au pluriel, *bourres* s'est dit de mensonges (1926), d'après *bourrer le crâne, le mou.* ◆ **BOURRATIF, IVE** adj. (v. 1950) qualifie un aliment qui bourre.

BOURRIER n. m. (1368) a vieilli avec tous ses sens, sauf dans les parlers régionaux : il désignait un déchet traînant par terre, spécialement les débris de paille qui se séparent du blé battu (1560). Le langage des corroyeurs en a fait un synonyme de «écharnures» (1808). ◆ **BOURRELET** n. m. (1386), dérivé de *bourre* par l'intermédiaire de l'ancien français *bourrel,* a d'abord désigné un cylindre de tissu rempli de bourre, notamment une couronne servant de base à une coiffure féminine (XIVe-XVe s.), une coiffe d'enfant destinée à protéger des chocs (1680, jusqu'au début du XXe s.), un coussinet rond pour porter une charge sur la tête (1752); ces emplois ont tous vieilli. ◇ Le sens analogique de «renflement (circulaire ou non)», en anatomie (1578), en sciences naturelles, celui de «garniture rembourrée» en aménagement intérieur (1835) sont en revanche restés usuels. ◇ Le dérivé régressif ① **BOURRELER** v. tr. (1896), rare et littéraire, signifie «former un bourrelet sur». ◆ **BOURRETTE** n. f. (1423) désigne la soie grossière qui entoure le cocon et, par métonymie, l'étoffe qu'on en fait (1589); il est sorti d'usage.

BOURRU, UE adj., d'abord dans *oiseau bourru* «fourni de plumes» (1555), décrit ce qui a la rudesse, l'apparence de la bourre, et spécialement un vin nouveau non fermenté (1584), un lait fraîchement tiré, une pierre non travaillée. ◇ Avec un nom de

BOURRE

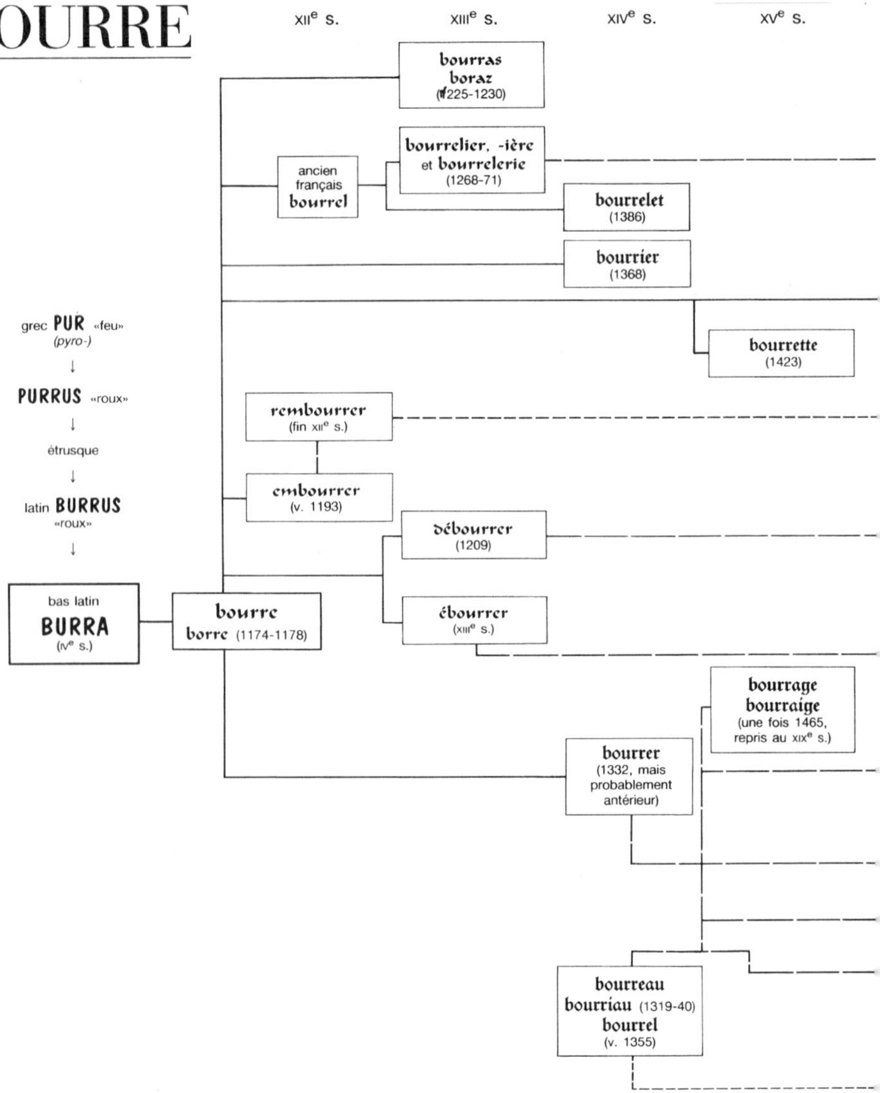

XIIe s.
XIIIe s.
XIVe s.
XVe s.
bourras boraz (1225-1230)
ancien français bourrel
bourrelier, -ière et bourrelerie (1268-71)
bourrelet (1386)
bourrier (1368)
bourrette (1423)
grec PUR «feu» (pyro-)
PURRUS «roux»
étrusque
latin BURRUS «roux»
rembourrer (fin XIIe s.)
embourrer (v. 1193)
débourrer (1209)
bas latin BURRA (IVe s.)
bourre borre (1174-1178)
ébourrer (XIIIe s.)
bourrage bourraige (une fois 1465, repris au XIXe s.)
bourrer (1332, mais probablement antérieur)
bourreau bourriau (1319-40) bourrel (v. 1355)

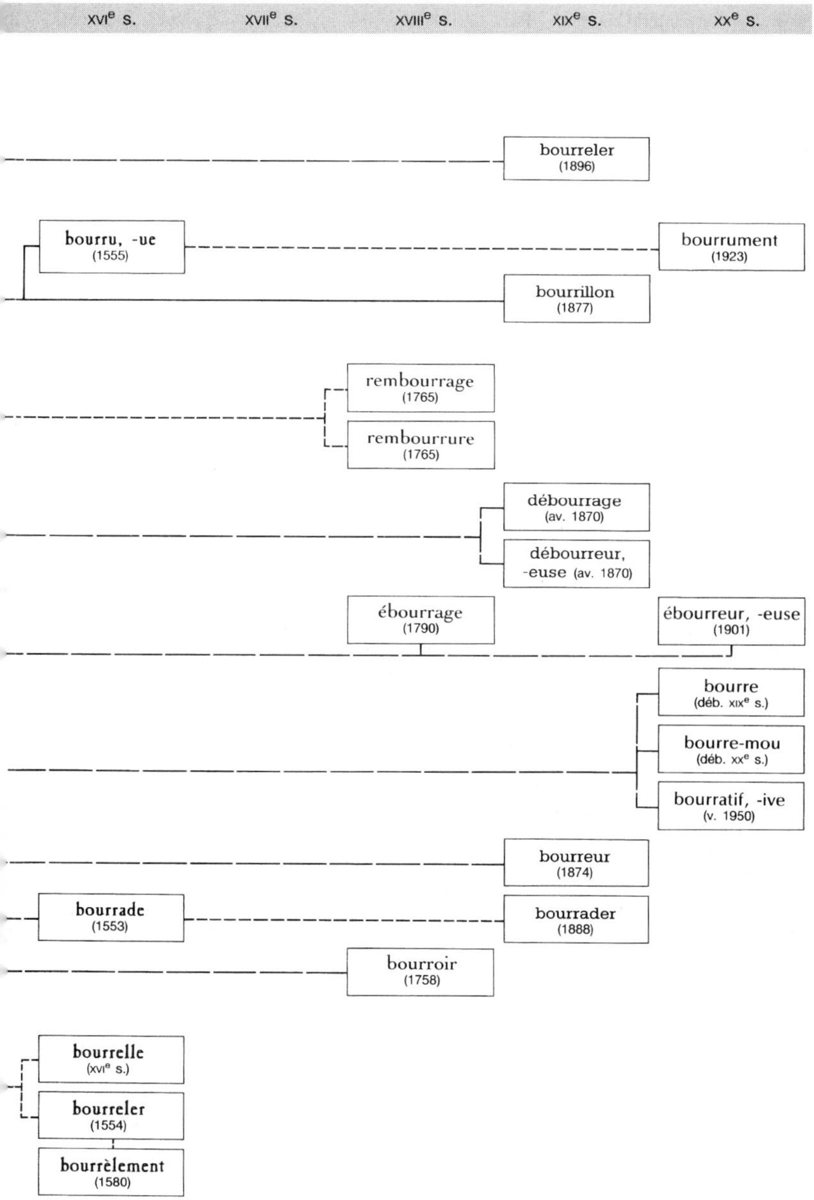

XVIe s.
XVIIe s.
XVIIIe s.
XIXe s.
XXe s.
bourreler (1896)
bourru, -ue (1555)
bourrument (1923)
bourrillon (1877)
rembourrage (1765)
rembourrure (1765)
débourrage (av. 1870)
débourreur, -euse (av. 1870)
ébourrage (1790)
ébourreur, -euse (1901)
bourre (déb. XIXe s.)
bourre-mou (déb. XXe s.)
bourratif, -ive (v. 1950)
bourreur (1874)
bourrade (1553)
bourrader (1888)
bourroir (1758)
bourrelle (XVIe s.)
bourreler (1554)
bourrèlement (1580)

personne, il s'est dit pour «vêtu de bourre». ◇ Par l'attraction étymologique de *bure**, l'expression ***moine bourru*** (XVIe s., également *moine bourré*) a désigné un être imaginaire effrayant. ◇ Un peu plus tard, le mot, déjà affaibli, s'applique à une personne peu commode, farouche (1617), sans idée de méchanceté, comme le montre son emploi substantivé dans *Le Bourru bienfaisant*, titre de la pièce de Goldoni représentée en 1771. ➜ L'adverbe **BOURRUMENT**, tardif (1923), est inusité.

Les dérivés préfixés sont les plus anciens. ➜ **EMBOURRER** v. tr. (v. 1193) a signifié «gaver» (au figuré) et «garnir de bourre (un objet)» (v. 1560). Supplanté par son propre dérivé *rembourrer*, ce verbe se maintient par le sens technique de «cacher les défauts de fabrication par un mélange de terre et de chaux», en céramique (1864). ➜ **REMBOURRER** v. tr. (fin XIIe s.) a eu le sens figuré d'«obséder (qqn), en parlant du diable». ◇ Ce sens a disparu, alors que l'acception concrète «remplir de bourre» (XIVe s.) est devenue usuelle, remplaçant *embourrer*, surtout au participe passé **REMBOURRÉ, ÉE**, adj., qui se dit par exemple des sièges. ➜ Les dérivés **REMBOURRAGE** n. m. (1765), «ce qui rembourre», est usuel, et **REMBOURRURE** n. f. (1765), plus rare.

DÉBOURRER v. tr. étant donné sa relative ancienneté (1209) paraît directement dérivé de *bourre* et non de *bourrer* (ci-dessus), lequel a pourtant influencé ultérieurement son développement sémantique. ◇ L'ancien sens figuré de *se débourrer* «se purifier» est prolongé, sans sa nuance morale, par le sens figuré de «perdre et faire perdre ses manières incultes» (1611 ; 1680 en emploi transitif). En procède en manège le sens de «donner le premier dressage à (un cheval)» (1754), encore vivant. ➜ À partir du XIVe s. (1346), comme antonyme de *bourrer* pour «débarrasser de sa bourre», le verbe peut être considéré comme un préfixé de *bourrer*, notamment en technique et, par analogie, dans le sens de «retirer le tabac du fourneau de la pipe» (1845). ➜ Comme intransitif, il a pris en argot le sens métaphorique d'«aller à la selle» (1883) peut-être emploi absolu dérivé de *débourrer sa pipe*, attesté dans ce sens. Malgré son caractère d'euphémisme, ce verbe est plus marqué comme argotique que *chier*. ➜ Les dérivés **DÉBOURRAGE** n. m. (av. 1870) et **DÉBOURREUR, EUSE** adj. et n. (av. 1870) se limitent à l'usage technique.

ÉBOURRER v. tr. (XIIIe s.), lui aussi dérivé de *bourre*, signifie «ôter la bourre», surtout en termes de tannerie. ➜ Il a produit les dérivés **ÉBOURRAGE** n. m. (1790) et **ÉBOURREUR, EUSE** n. et adj. (1901), ce dernier employé en apposition avec *batteur* en agriculture.

◈ voir BOURREAU, BURE, ÉBOURIFFÉ ; peut-être BOURGEON, BOURRICHE, REBOURS ; peut-être aussi BURLESQUE

BOURREAU n. m., *bourriau* (1319-1340), *bourrel* (v. 1355) puis *bourreau* (1550), est dérivé du verbe *bourrer*, pris au sens ancien de «maltraiter, tourmenter» (→ bourre). La formation en *-eau* est analogue à celle de l'ancien français *aideau* (de *aider*), *chemineau* (de *cheminer*). Le développement sémantique s'explique par le fait que le premier rôle du bourreau était de frapper et de torturer, comme l'attestent les emplois figurés. L'extinction du sens de *bourrer* «maltraiter» a abouti à la démotivation de *bourreau*, malgré *bourrade** et certains emplois du verbe (*bourrer les côtes*, etc.).

♦ Le mot désigne l'exécuteur des arrêts de justice chargé d'appliquer la torture (cf. *tortionnaire*) ou d'infliger la peine de mort. L'évolution ultérieure s'est faite par extension à «homme cruel, méchant» (1550), «personne qui fait souffrir» souvent opposé à *victime*. ◇ De manière hyperbolique et souvent plaisante, il se dit d'une personne venant à bout de ce qu'elle entreprend, dans *bourreau d'argent* «dépensier» (1690), ***bourreau des cœurs*** «séducteur», ***bourreau de travail*** «travailleur acharné», ces deux derniers étant demeurés très vivants. ◇ Le mot a changé de valeur avec l'évolution des peines criminelles et n'a plus d'application depuis la suppression en France de la peine de mort, en 1981. ◇ ***Bourreau d'enfants*** (XXe s.) s'applique à une personne qui fait volontairement souffrir, qui martyrise un ou des enfants. Comme les autres expressions de cette série, elle est souvent employée par plaisanterie.

▸ Le féminin **BOURRELLE** n. f. (XVIe s.) a désigné la femme chargée d'exécuter certaines peines infligées à des femmes, ainsi que la femme du bourreau. ◇ Par métaphore, il a été employé par les poètes en parlant de la cause de tourments physiques ou moraux (1555, la jalousie) et, par extension, s'est dit d'une femme cruelle. Tous ces emplois sont archaïques.

② **BOURRELER** v. tr. est dérivé (1554) de l'ancien français *bourrel* avec le double sens de «torturer physiquement» et «torturer moralement». Seule l'acception morale subsiste, surtout à la voix passive *être bourrelé* avec un complément introduit par *de* (1690, *bourrelé de remords*). ➜ Le verbe a produit **BOURRÈLEMENT** n. m. attesté en 1580 chez Montaigne et repris au XIXe s. au sens moral (1830, Stendhal), ainsi que **BOURRELEUR, EUSE** adj., synonyme recherché et archaïque de *bourreau*.

BOURRICHE n. f. (1526) est d'origine obscure : on a émis l'hypothèse d'une variante, empruntée à un parler non déterminé (peut-être picard) de *bourrache* «natte de jonc» (1765), mot attesté depuis le XIIIe s. avec des suffixes variés de caractère populaire (*bourresce, bourrouche, bourroche*, etc.). Ce mot d'origine incertaine se rattacherait à *bourre** en raison du caractère inégal et rude de ces objets faits grossièrement. P. Guiraud rappelle ainsi *bourras* «grosse toile d'étoupe, de bourre et de laine», *bourrin* «drap grossier pour porter le fourrage», et évoque le moyen français *bourrache* «flacon à collet étroit» (XVIe s.) dont le nom, selon lui, vient de ce que ce genre de flacon était habillé d'un treillis d'osier ou de paille. ◇ D'autres étymologistes évoquent une racine préromane °*burr-*, variante de *burn-*, à l'origine de nombreux mots dialectaux désignant des objets analogues, comme le poitevin *bourgne* «engin de pêche», le saintongeais *bourgne*, *bourgnon* «nasse pour prendre le poisson».

♦ Le mot désigne un long panier sans anse servant à transporter du gibier, des fruits, du poisson et, plus couramment, des huîtres. Par extension, il est employé pour nommer un petit panier servant au transport des fleurs. ➛ Par une métaphore ironique commune à d'autres noms de récipients (cf. *cafetière, carafe, tirelire, fiole*), il a pris en argot le sens de «tête» (1846), de nos jours sorti d'usage, mais qui survit dans le dérivé *bourrichon.*

▶ **BOURRICHON** n. m. (1860) est un mot d'usage familier prolongeant *bourriche* «tête», surtout dans des locutions comme ***se monter le bourrichon*** (1860), ***monter le bourrichon à qqn, se remonter le bourrichon*** (1861) «se monter la tête, se faire des illusions».

BOURRIDE n. f. est un emprunt (1735) au provençal *bourrido,* altération de *boulido* «bouilli», peut-être d'après le gascon *bourit* «bouilli», *bourri* «grumeau d'une bouillie» (Mistral).

♦ Le mot désigne un plat provençal de poissons bouillis, contenant en général de la rascasse, et servi avec un ailloli. Voisin de la bouillabaisse, la bourride s'est moins répandue en France et dans les pays francophones, et son nom est plus marqué comme régional.

BOURRIQUE n. f., d'abord écrit *bourique* et masculin (1603), puis *bourrique* au féminin (1668), est emprunté à l'espagnol *borrico* «âne» (fin XIe-déb. XIIe s.). L'origine espagnole du mot s'accorde avec le fait que l'Espagne exportait une race d'ânes, appelée plus tard race poitevine. *Borrico* remonte au latin populaire °*burricus,* altération, probablement sous l'influence de *burrus* «roux» ou de *burra* (→ bourre), du bas latin *burricus* «petit cheval». Celui-ci est probablement emprunté de même que les dénominations de sens voisin *caballus* (→ cheval), *cantherius* «cheval hongre» et *mannus* «petit cheval, poney». La description des chevaux des Barbares germains par Tacite met sur la voie d'un étymon germanique; on a même évoqué une dérivation à partir du nom d'une peuplade de Germanie.

♦ Le sens est celui d'«âne, ânesse», fréquemment assorti d'une connotation péjorative. ◇ Cette valeur fait du mot une variante aggravée de *âne,* au figuré, avec des idées de bêtise, entêtement ou méchanceté dans *faire tourner en bourrique* (1841). Le sens argotique de «dénonciateur» (1883) vient peut-être de l'expression *bourrique à Robespierre,* surnom donné par le peuple au général Hanriot, personnage incapable, souvent ivre, mais obéissant fidèlement au Comité de salut public et à Robespierre. ◇ ***Soûl comme une bourrique*** n'a sans doute pas d'autre motivation que l'altération péjorative de... *comme une barrique* (de même que *soûl comme un âne*).

▶ **BOURRIQUET** n. m. (1534), mot familier et vieilli pour désigner un âne de petite taille, a reçu plusieurs spécialisations techniques par allusion aux charges et aux travaux assumés par les ânes et par une métaphore fréquente (cf. *chevalet, chèvre*) : il désigne un tombereau (1611), une civière utilisée par les maçons pour soulever les matériaux (1680; on disait aussi *bourrique*), la boîte mobile recevant les fils et débris d'un métier à tisser. ➛ **BOURRICOT** n. m., plutôt que dérivé de *bourrique,* est réemprunté (1849) par le français d'Algérie à l'espagnol *borrico* «âne». Le mot s'emploie familièrement pour «petit âne», remplaçant alors *bourriquet;* il s'applique aussi par péjoration à une personne entêtée et bornée. ➛ **BOURRIQUER** v. intr. (1883), qui procède du sens argotique de *bourrique* «dénonciateur», a signifié «dénoncer (qqn) aux policiers». Par allusion aux mœurs lascives prêtées aux ânes (cf. *baudet*), et peut-être aussi par jeu formel sur *bourrer,* il s'est dit pour «accomplir l'acte sexuel». Il est sorti d'usage.

BOURRIN n. m. est emprunté avec transposition ironique (1903-1904) au mot dialectal *bourrin* «âne» (Vendée, Anjou, Poitou, Gâtinais, Saintonge, Touraine), lui-même issu de *bourrique* avec changement de suffixe. ◇ D'abord employé dans l'argot militaire, le mot désigne familièrement un mauvais cheval et, par métaphore en argot, un homme ou une femme portés sur les rapports sexuels (1909), alors en rapport avec *bourre, bourrer* au sens argotique et sexuel.

✳ ① **BOURSE** n. f., d'abord *borse* (v. 1150) puis *bourse* (déb. XIIIe s.), est issu du bas latin *byrsa, bursa* «cuir» (fin IVe s.), attesté en latin médiéval au sens métonymique de «sac de cuir» (v. 750), en particulier «sac destiné à recevoir de l'argent» (VIIIe-XIe s.), d'où «somme d'argent destinée à couvrir les besoins d'une communauté» (VIIe-XIIIe s.) et «pension, subvention» (XIIIe s.). Le mot est aussi spécialisé comme terme de botanique (VIIIe-XIe s.) et d'anatomie (v. 1210). Il est emprunté au grec *bursa* «peau retirée à un animal, dépouille» et, par métonymie, «outre de peau», de valeur plus restreinte que *derma* (→ derme), conservé en grec moderne avec le sens de «peau tannée». Lui-même est peut-être un terme dialectal ou un emprunt technique relativement tardif.

♦ Le sens du mot, déjà attesté par le latin médiéval *bursa, byrsa* avant le XIIIe s., s'est fixé avant le XVe siècle. *Bourse* désigne un petit sac arrondi destiné à contenir les pièces de monnaie; ce sens, en recul depuis que l'objet désigné disparaît au profit de *porte-monnaie,* survit dans des locutions comme ***bourse pleine*** (1512), ***bourse plate*** «vide» (XVIe s.), ***faire bourse à part*** (1611), ***vivre sur la bourse d'autrui*** (1680), ***ouvrir sa bourse à qqn*** (1668), ***(faire) bourse commune*** (1646), ***sans bourse délier*** (1160-1185, *borse deslier*) «sans payer», et ***la bourse ou la vie,*** sommation de bandits rançonneurs. L'idée d'argent disponible, de paiement, a certainement favorisé l'emploi de ② *bourse* (ci-dessous). ◇ Le sens métonymique de «somme d'argent allouée aux étudiants pour la durée de leurs études» est attesté depuis 1399 et a rapidement pour dérivé *boursier* (ci-dessous). ◇ Par analogie de forme, le mot désigne un petit sac ressemblant à une bourse de monnaie, en vénerie une poche placée à la sortie d'un terrier, en pêche un filet en forme de poche (1409). ➛ En anatomie, il désigne, comme en latin, l'enveloppe des testicules (v. 1278) et, en botanique, une membrane ayant la forme d'un sac, entrant alors dans des syntagmes s'appliquant à des plantes (v. 1350, ***bourse à pasteur***).

► ① **BOURSIER, IÈRE** n. et adj., réfection (1268) de *borser* (1224), a d'abord désigné l'ouvrier fabriquant des bourses, ce sens déclinant progressivement. Par extension, il désigne un trésorier (XIIIe s.), sens devenu archaïque au XVIIIe s., mais réactivé plaisamment çà et là. ◇ Par une nouvelle dérivation sur *bourse*, le mot désigne un élève, un étudiant bénéficiant d'une bourse (1430), seule acception demeurée vivante.

BOURSICOT ou **BOURSICAUT** n. m., d'abord *bourseco* (1296), est dérivé de *bourse* avec le suffixe *-aud, -aut* et un élargissement inexpliqué en *-icaud, -icaut.* ◇ Après deux attestations isolées au sens de «petite bourse (1296, v. 1509), le mot, écrit *boursicaut,* réapparaît (1835) avec la mention «familier», puis «ancien» (1845). Par métonymie, écrit *boursicot* par attraction du suffixe *-ot* (1830), il désigne familièrement un petit pécule. ◆ Son dérivé **BOURSICOTER** v. intr. (1580) «mettre de l'argent de côté» serait probablement aussi désuet s'il n'était tombé sous l'attraction sémantique de ② *bourse,* à propos de petites opérations boursières (mil. XIXe s.). ◇ De là **BOURSICOTAGE** n. m. (1864), **BOURSICOTIER, IÈRE** n. (1851) et **BOURSICOTEUR, EUSE** n. (1867), tous en rapport avec ② *bourse.*

BOURSETTE n. f. (1304), proprement «petite bourse», s'est employé jusqu'au XVIe siècle. Il se maintient régionalement pour désigner une plante, la mâche, par analogie de forme (av. 1585). ◆ **BOURSILLER** v. intr. (1548), tant avec le sens de «fournir un peu d'argent en vue d'un achat en commun» qu'avec celui de «tirer continuellement de petites sommes de sa bourse» (1597), est sorti d'usage. ◆ **BOURSEAU** n. m., créé au sens analogique de «bosse» (1611), disparu, s'est spécialisé en architecture pour «grosse moulure ronde d'une toiture d'ardoise» (XVIIe s.).

Plusieurs préfixés sont formés sur ① *bourse.* ◆ **EMBOURSER** v. tr., attesté relativement tôt sous la forme *enborser* (v. 1179) au sens de «mettre dans sa bourse», est archaïque. ◆ En revanche, son préfixé en *re-,* **REMBOURSER** v. tr. (XIIIe s.), s'est répandu, perdant le sens littéral de «remettre en sa bourse» et acquérant celui de «rendre l'argent dû», avec un complément désignant la chose due (1444) ou le destinataire de l'action (1559). ◇ Ce verbe usuel a produit les dérivés **REMBOURSEMENT** n. m. (1432) «action de rembourser», lui aussi courant, **REMBOURSABLE** adj. (1432) et, ultérieurement, le déverbal **REMBOURS** n. m. (1981), terme technique proposé en remplacement de l'anglicisme *drawback,* terme désignant le régime douanier applicable à des marchandises étrangères destinées à être réexportées, qui autorise le remboursement au moins partiel des droits de douane. ◆ **DÉBOURSER** v. tr. (XIIIe s.) «tirer de sa bourse, de sa caisse», puis «dépenser (de l'argent)» a lui-même produit, outre **DÉBOURSEMENT** n. m. (déb. XVIe s.), le déverbal **DÉBOURS** n. m. pl. (fin XVIe s.), moins fréquent, qui désigne l'argent déboursé ou avancé par qqn, surtout dans la locution ***rentrer dans ses débours.***

② **BOURSE** n. f., terme de finances (1549), est d'origine incertaine : certains y voient une extension de sens de ① *bourse* dans des locutions comme *monnaie courant en bourse* (1339), calque du latin médiéval *moneta in bursa currens* «monnaie ayant cours au moment du paiement» (1290, textes brabançons). Une autre hypothèse, transmise par Louis Guichardin dans sa *Description des Pays-Bas* (1567), veut que le mot, d'abord appliqué à un établissement bancaire de Bruges, fasse référence à une place où se trouvait la maison, ornée de trois bourses, d'une noble famille appelée *Van Der Burse* (en italien *della Borsa*) ; cette demeure servit de logis aux marchands vénitiens dès le XIVe s. et, par suite, fut un centre de réunion des commerçants (dès environ 1400) ; dans ce cas aussi, le mot viendrait de ① *bourse.* ◆ La chose elle-même a précédé le mot, puisqu'il existe dès l'Antiquité des réunions de banquiers, de commerçants, de spéculateurs. Les premières «bourses» permanentes sont apparues en Italie au XIIe s. sous le nom de *loggia* (→ loggia) ; elles étaient situées généralement à côté des maisons consulaires. La même institution se répandit ensuite, surtout à partir du XIVe s., dans les grandes villes marchandes des Flandres (Bruges, Anvers). ◇ En France, la première «bourse», alors appelée *change,* semble avoir été établie à Lyon ; elle fut la plus importante d'Europe avec celle d'Anvers au XVIe s. ; d'autres furent créées à Toulouse en 1549, à Rouen en 1566. À Paris même, la première ne fut instituée qu'au XVIIIe s. par un arrêt du conseil du 24 septembre 1724 ; établie dans l'ancien hôtel de Nevers, rue Vivienne, elle fut transférée dans l'église désaffectée des Petits-Pères en 1795, au Palais-Royal en 1809, aux Filles-Saint-Thomas en 1818 et à son emplacement actuel en 1826. ◆ Le mot français ne s'est vraiment imposé qu'au XVIIIe s. aux dépens de *change* (à Lyon) et de *place* (à Paris), désignant le lieu où se réunissent marchands ou spéculateurs, quelquefois avec une majuscule lorsqu'il s'agit d'une bourse précise. ◇ Par métonymie, le mot se dit de tout ce qui concerne ce lieu (1812), les affaires qui s'y traitent, les personnes qui le fréquentent, le mouvement des prix, alors employé seul et dans ***cours de la Bourse,*** la réunion où les cours sont établis (1823). ◇ Par extension, toujours au XIXe s., *bourse* se dit de toute organisation ressemblant à une bourse (1812) et de tout lieu où se traitent des affaires commerciales (av. 1866), quelquefois au figuré dans des emplois stylistiques comme *bourse du plaisir* (1905). ◇ Par analogie, ***Bourse du travail*** désigne (1851) le lieu où se réunissent les syndicats ouvriers afin de se concerter pour la défense de leurs intérêts. Ultérieurement, *bourse immobilière* (1967) s'applique à la réunion périodique de personnes assemblées pour conclure des opérations sur les affaires immobilières et constater leur cours. ◆ ② *bourse* a produit ② **BOURSIER, IÈRE** n. et adj., d'abord *bourcier* (1512), appliqué à une personne faisant des opérations en bourse et ultérieurement, adjectivé pour qualifier ce qui est relatif à la bourse, à ses habitués, ses opérations (1837). ◆ Enfin, ② *bourse* a influencé l'évolution sémantique de *boursicoter* (ci-dessus).

BOURSOUFLÉ, ÉE → SOUFFLER

BOUSCULER v. tr. est un composé tautologique relativement tardif (1798) de *bousser* «heurter» (1416), verbe moyen français largement attesté dans le domaine lorrain et en franco-provençal, et de *culer* «marcher à reculons» (1482). Le premier est emprunté au moyen haut allemand *bôzen* «frapper, heurter» correspondant au verbe francique à l'origine de *bouter**; le second est dérivé de *cul** et constitue aussi le second élément de *basculer**. On écartera les hypothèses faisant état de diverses altérations de l'ancien français *bouteculer* «chercher en retournant» (XIIIe s.), lui-même dénominatif de *boutecul*, d'abord attesté au XIIIe s. comme surnom insultant; ce dernier, formé de *bouter* «pousser» et *cul*, est un composé différent.

♦ Le verbe, sémantiquement proche de *culbuter**, lui aussi formé sur *cul*, exprime l'action de mettre sens dessus dessous et de pousser en tous sens. Il s'emploie spécialement dans un contexte militaire pour «battre, défaire une armée» (1833) et familièrement dans un contexte érotique avec la même valeur que *renverser*, rendue plus concrète par l'étymologie. ◇ Par transposition dans le domaine moral, il correspond à «rudoyer, maltraiter, tourmenter» (1852).

▸ En dehors de **BOUSCULADE** n. f. (1848), usuel avec tous les sens correspondant à ceux du verbe, notamment avec l'idée d'un remous de foule et, au figuré, d'une précipitation, les dérivés sont relativement peu employés. ◇ **BOUSCULEMENT** n. m. (1838) met l'accent sur le dynamisme du procès. ◇ **BOUSCULEUR, EUSE** adj. et n. (1872), rare au féminin, s'est employé dans l'expression *bousculeur de pékins*, appliquée argotiquement (1872) à l'ouvrier qui hait le bourgeois, et disparu au début du XXe siècle. ◇ À côté des participes adjectivés, on rencontre exceptionnellement chez Gide la création **BOUSCULATOIRE** adj. «qui bouscule» (1927).

BOUSE n. f., attesté depuis le début du XIIIe s., est d'étymologie incertaine. Une origine gauloise n'est pas impossible, le mot ayant des correspondants dans les domaines provençal, piémontais et ligure. Cependant, l'hypothèse qui en fait un adjectif dérivé de *boue**, mot d'origine gauloise (°*bau-osa)*, substantivé par ellipse d'un nom désignant l'excrément (cf. *crotte*, qui a les deux valeurs), fait difficulté pour la forme. L'hypothèse d'un emprunt à °*bosova*, dérivé du latin *bos* (→ bœuf), acceptable d'un point de vue phonétique, est peu vraisemblable morphologiquement, le suffixe *-osus* pouvant difficilement former un substantif désignant une matière à partir d'un nom d'animal. P. Guiraud rapproche le mot de l'ancien provençal *boza* et de formes dialectales exprimant l'idée de chose ronde : il reconstitue d'après eux un gallo-roman très hypothétique °*bobosa*, «en forme de bulle», dérivé du radical expressif °*bob-* (→ bobard, bobèche; bobine), et admet également un croisement avec °*bovosa* «de bœuf».

♦ Le mot, qui désigne l'excrément des bovins, donne lieu au syntagme usuel *bouse de vache* et à des emplois comparatifs (*s'écraser comme une bouse*, etc.).

▸ **BOUSILLER** v., dérivé de *bouse* avec le suffixe *-iller*, est attesté en 1554 mais antérieur (cf. *bousilleur, bousillage*). ◇ Le verbe signifie «construire en torchis», et a pris la valeur péjorative, vieillie, de «mal construire» (1690); il a évolué en emploi transitif vers le sens général de «mal faire, endommager» (1694) qui a rendu archaïque la valeur concrète. ◇ Par hyperbole, il est employé familièrement avec le sens de «tuer» (1897). ◆ **BOUSILLEUR, EUSE** n. (1480) a désigné le maçon chargé de construire en torchis avant de suivre le verbe et de désigner une personne qui fait mal son travail (1690). ◆ **BOUSILLAGE** n. m. (1521) est le seul mot de la série à avoir conservé le sens technique concret de «torchis», tout en développant, sous l'influence de *bousiller* et *bousilleur*, le sens familier de «bâclage d'un travail, gâchis» (av. 1722), recevant aussi par hyperbole le sens de «massacre» (1919), qui correspond à l'emploi de *bousiller* pour «tuer». ◇ L'évolution de *bousiller* et de ses dérivés est parallèle à celle de *gâcher, gâchis*, passés du vocabulaire technique de la maçonnerie à une valeur péjorative générale (cf. aussi *torcher, torchis*).

① **BOUSIN** n. m. appartient à la série technique des dérivés de *bouse* (1611) : terme de maçonnerie, il désigne la partie tendre que l'on enlève préalablement sur une pierre de taille. ◇ Il concerne également une masse de glace spongieuse remplie d'herbes, de sable et de terre (1808) et, en mines, une tourbe de mauvaise qualité (1819). Son homonyme ② *bousin* est sans rapport étymologique. ◆ **BOUSARD** n. m. (1655), écrit aussi *bouzard* jusqu'au XVIIIe s., est un terme de vénerie désignant la fiente du cerf au printemps lorsqu'elle a la consistance de la bouse de vache. ◆ **BOUSIER** n. m. (1762) dénomme un petit coléoptère d'après ses mœurs coprophages. ◆ **BOUSER** v. (1838) est employé transitivement au sens technique de «former l'aire d'une grange avec un mortier de bouse et de terre»; cf. *bousiller*. Il s'emploie absolument pour «évacuer de la bouse» en parlant des ruminants. ◆ Son dérivé, **BOUSAGE** n. m. (1838), est un terme technique ancien relatif au passage au bain de bouse des étoffes ayant reçu le mordant.

BOUSEUX, EUSE adj. et n., d'abord *bousoux* (1885), mot de l'Ouest, puis *bouseux* avec le suffixe français central, est une désignation péjorative du paysan, parmi beaucoup d'autres. ◇ Il s'est quelquefois employé adjectivement au sens de «couvert de boue, ou de bouse».

② **BOUSIN** ou **BOUZIN** n. m. est emprunté (1790) à l'anglais *bousing-(ken)* «cabaret de bas étage» (1567), composé de *bousing*, «action de boire avec excès, ivrognerie» (1527), et de *ken* «lieu de rencontre des brigands et des mendiants», mot de l'argot des voleurs. *Bousing* est le participe présent de *to bouse* «boire à l'excès, s'enivrer», de *bousen* en moyen anglais, forme apparentée au moyen néerlandais *bûsen* (néerlandais *buizen*) et au germanique *bauzen* de même sens. L'argot anglo-américain *booze*, «alcool, gnole», en est issu. L'origine du mot est douteuse : Kluge fait du verbe germanique le dénominatif de *baus* (moyen haut allemand *bûs*) «état tuméfié, bouffi», mais le mot néerlandais semble se rattacher directement à *buise*, nom d'un grand récipient à boire.

♦ Introduit par l'argot des marins, le mot a désigné une maison de prostitution et un cabaret mal famé (1794). ◇ Par une évolution métonymique analogue à celle de *boucan*, de *bordel*, il est passé au sens moderne de «tapage, tumulte» (1801).

▸ **BOUSINGOT** n. m., d'abord noté phonétiquement *bouzingo* dans une chanson des Jeunes-France *(«nous avons fait et nous ferons du bouzingo»)*, est devenu par métonymie le nom des jeunes qui, après la révolution de 1830, affichaient des opinions démocratiques (1832) par allusion au «bouzin» social qu'ils préconisaient. ◇ Le mot est devenu, par métonymie, le nom du chapeau de cuir bouilli à bords plats légèrement relevé que portaient ces jeunes gens, ainsi que les marins (1836). C'est aujourd'hui un mot d'historien. ◇ Le sens de «cabaret mal famé» (1877, Zola), synonyme de ② *bousin*, a disparu. ➛ **BOUSINGOTISME** n. m. (1850) s'est imposé pendant un temps devant **BOUSINGOTERIE** n. f. (1838), comme dénomination du mouvement Jeune-France de 1830.

BOUSINE → BUCCIN

BOUSSOLE

BOUSSOLE n. f., d'abord *bussole* (1527), puis *boussole* (1532), est emprunté à l'italien *bussola*, atteste depuis Francesco Buti (av. 1406). Le mot doit son nom au fait que l'objet repose à l'origine dans une petite boîte en bois : c'est la forme féminine de *bussolo, bossolo* «petit récipient en bois puis dans une autre matière» (Francesco da Barberino, 1264-1348), lui-même issu d'un latin populaire °*buxula*, dérivé du bas latin *buxis* (→ boîte). Historiquement, les premiers usages occidentaux de l'aiguille aimantée pour guider la navigation, pratique qui semble très ancienne en Chine, se situent à la fin du XIe s. dans le bassin méditerranéen ; son utilisation par les Arabes est attestée un siècle et demi plus tard (→ aimant). L'objet consiste d'abord en une aiguille aimantée enfilée dans un brin de paille flottant dans un peu d'eau ; l'aiguille est ensuite montée sur un pivot, puis fixée à une rose divisée en huit, puis seize et trente-deux rhumbs ; l'ensemble est enfin enfermé dans un habitacle, une boîte *(buxula)* et suspendu : selon Vidos, les fabricants italiens seraient à l'initiative de cette présentation de l'instrument au début du XIVe s., peut-être à Amalfi.

♦ Le mot succède au XVIe s., avec les variantes *bussolle, boursolle* et *buxolle*, à *magnete*, nom de la pierre d'aimant, et à *marinette* (XIIIe s., de *marin, ine*) cité par R. Estienne, ou encore *pierre marinière*. Il désigne un instrument de navigation construit d'après les propriétés que possède l'aiguille aimantée de se diriger vers les pôles magnétiques de la terre. ◇ L'usage de l'objet se répandant, il est entré dans la locution figurée ***perdre la boussole*** «être troublé, affolé», et a développé le sens figuré d'«objet, personne qui sert de guide».

▸ La dérivation se borne au mot familier **DÉBOUSSOLÉ, ÉE** adj. «désorienté» (1920), dont est dérivé **DÉBOUSSOLER** v. tr. (1961), et au mot technique **BOUSSOLIER** n. m. «fabricant de boussoles» (1955 dans les dictionnaires).

BOUSTIFAILLE

BOUSTIFAILLE n. f. est une formation expressive (1819) à partir de *bouffer** «manger gloutonnement». *Boustifaille* étant un terme dialectal d'aire très étendue, on peut imaginer un croisement entre le dérivé en *-aille, bouffaille* (1792) sur le type de *mangeaille, ripaille* et les verbes dérivés fréquentatifs °*bouffeter* (cf. *gober/gobeter, piquer/piqueter*), *bouffetifer* : de là, les substantifs *bouffetifaille, boutiffaille* (dialectes du Centre) puis, par dissimilation, *boustifaille*.

♦ Le mot, répertorié en 1819 en même temps que le verbe *boustifer* comme «barbarismes enfantés par la populace», est un synonyme de *bouffe*, à la fois aux sens de «grand festin» et de «nourriture» *(la boustiffaille)*. ➛ On trouve aussi la forme **BOUSTIFER, BOUSTIFFER** v. rare ou régional, et l'abréviation (ou déverbal de *boustifer*) **BOUSTIFE** ou **BOUSTIFFE** n. f.

▸ De *boustifaille* est dérivé **BOUSTIFAILLER** v. intr. (1866) dont est tiré **BOUSTIFAILLEUR, EUSE** n. (1892) «gros mangeur».

BOUSTROPHÉDON

BOUSTROPHÉDON n. m. est la transcription savante par les clercs de la Renaissance (XVIe s.) du grec *boustrophêdon*, adverbe signifiant littéralement «en tournant d'une ligne à l'autre comme font les bœufs d'un sillon à l'autre», d'où «en écrivant alternativement de gauche à droite puis de droite à gauche». Le mot est composé de *bous* (→ boulimie) et de *strophê* «action de tourner» (→ strophe) avec le suffixe adverbial *-don*.

♦ Ce mot désigne, comme son étymon grec, terme de paléographie, un type d'écriture primitive (Asie Mineure, Grèce) où l'on trace les lettres de gauche à droite, puis, en bout de ligne, de droite à gauche. Il a été repris en psychologie dans la description d'un mouvement alterné d'écriture et de lecture.

✳ BOUT

✳ **BOUT** n. m. est le dérivé (déverbal) du verbe *bouter** (v. 1121) ; il n'a pas gardé après l'ancien français le sens dynamique de «coup» et a perdu tout rapport ressenti avec le verbe, devenu archaïque après le XVIe siècle. Le sens moderne correspond à la valeur concrète, «extrémité d'un objet» (1180-1200), laquelle se comprend peut-être comme une métonymie analogue à celle qui motive *pousse* (de *pousser*) et *pointe* (de *pointer*) avec disparition du dynamisme (→ bouton qui conserve mieux cette valeur dynamique).

♦ Le sens d'«extrémité» a eu très tôt des applications spéciales, en marine comme dénomination de l'avant du navire (1288), de nos jours non plus seul (→ debout) mais dans les locutions ***bout au vent, bout au courant, bout à la lame*** «face à». ◇ Dans l'usage général, *bout* a donné une phraséologie abondante, riche en locutions adverbiales. ***Bout à bout*** (1268-1271), d'abord employé au même sens que l'ancienne locution *but à but*, «sans avantager, à égalité de part et d'autre», a pris, après une éclipse au XVe s., le sens d'«extrémité contre extrémité» (1573), également dans le domaine abstrait (1718). ***À tout bout de champ*** (1636), précédé par *à chaque bout de champ* (XIVe s.), *à chacun bout de champ* (1580), réalise une métaphore qui va du sens spatial au sens temporel, «sans cesse»; le contexte de sa première attestation *(ainsi que font les coqs à chacun bout de champ)* pourrait suggérer une confusion entre *champ* et *chant*. ◆ Par transposition du concret vers l'abstrait, *bout* désigne la manière dont une chose se présente, surtout dans la locution ***prendre par le bon bout*** (1468). Le mot s'applique à la limite d'un espace envisagé de manière matérielle ou métaphorique, seul et dans les locutions ***de bout en bout*** (1530), au figuré ***c'est le bout du monde*** (1619), ***être au bout du rouleau,*** etc. ◇ Il passe insensiblement à la valeur temporelle de «fin, terme» (XVe s.), réalisée dans les locutions ***venir à bout de*** (1616-1620) et qui prend un contenu psychologique dans ***être à bout,*** qui rejoint les valeurs réalisées par *à bout de force, de résistance*.

Par un développement métonymique s'intéressant à la description de l'extrémité d'un objet, *bout* désigne ce qui garnit l'extrémité de certaines choses (1538). Le sémantisme s'oriente autrement lorsque le mot s'applique au morceau qui reste d'une chose cassée, rompue (1580) qui induit l'idée de «reste, élément subsistant» ou «partie subdivisée». ◇ Avec ce dernier sens, il s'applique aussi bien à une chose que, familièrement, à une personne (1561, *petit bout d'homme*), aussi par métaphore (***bout de chou*** «petit enfant») et, ultérieurement, à une chose abstraite. Il est entré dans quelques désignations, de ***bout de chandelle*** (1680) à ***bout d'essai*** au cinéma (1919). ◇ Certaines expressions sont particulièrement courantes. C'est le cas de ***bout de bois*** «morceau de bois», dont un ancien emploi métaphorique pour «jambe» en argot, explique l'emploi familier du pluriel *bouts* dans ***mettre les bouts*** «s'en aller, s'enfuir» (1918; 1913 modifié en *mettre les bois*). ◇ Par un développement métonymique consistant à prendre la partie pour le tout, *bout* est employé en marine comme nom du cordage. ◇ Dans l'usage général, il équivaut à «petit morceau», sans aucune idée d'extrémité ni de rupture (*bout de papier, de ficelle,* etc.); ce dernier emploi est très fréquent dans l'usage parlé.

▶ **DEBOUT** adv. résulte de l'agglutination de la locution ***de bout,*** attestée en ancien français sous la forme *de bot, de but* (v. 1155) au sens temporel de «tout de suite, d'emblée», disparu en français classique. ◆ L'usage moderne s'établit à partir du XVIe s. au sens de «sur l'un des bouts», en parlant d'une personne sur ses pieds hors du lit, levée (1530), avec la valeur figurée de «en vie» (1538), et «en activité» dans la locution ***mourir debout*** (1580). ◇ Toujours en parlant d'une personne, le mot est entré dans la locution usuelle ***conte à dormir debout*** (1611) «extravagant». Il est aussi employé comme ordre, comme exclamation (1638). ◇ Par analogie, il s'applique à une chose placée sur un bout dans le sens de la hauteur (1617) et donne lieu aux locutions courantes ***mettre debout, tenir debout*** «dresser», correspondant à «être stable, en bon équilibre», d'où au figuré ***cela tient, ne tient pas debout,*** pour qualifier un argument, un raisonnement valide, de bon sens ou non. ◇ L'emploi de *debout* appliqué à un animal dressé sur ses pattes de derrière est repéré chez La Fontaine (av. 1695); il est certainement plus ancien. ◇ C'est tardivement que le mot passe dans le vocabulaire maritime en parlant d'un vent (1718) alors que *bout* connaît cette spécialisation dès l'ancien français. ◇ L'Académie enregistre en 1840 la spécialisation en droit dans ***magistrature debout,*** désignation des membres du parquet par allusion au fait qu'ils prennent la parole debout, et opposé à *magistrature assise*.

Bout a servi à former **BOUTS-RIMÉS** n. m. pl. (1649, Scudéry), désignant des rimes proposées d'avance pour faire des vers sur un sujet donné. Par métonymie, le singulier désigne la pièce de vers composée selon ce principe.

Plusieurs verbes préfixés sont formés avec *bout*. ◆ **ABOUTIR** v. intr. est composé de *a-*, *bout* et désinence verbale. Il est d'abord attesté indirectement par l'adjectif *abouti* (1250-1300), employé pour qualifier une personne opiniâtre (qui s'entête jusqu'au bout). Ce sens, à rapprocher de celui de *buté,* a rapidement disparu tandis que l'adjectif et le verbe passaient dans le langage juridique à propos d'une terre, d'un immeuble qui confine à un point donné (1319). ◇ Au XVIe s., l'adjectif et le verbe se sont répandus dans l'usage commun, au propre et au figuré (1568), ainsi que dans le langage technique en parlant d'un abcès qui vient à maturité (1538). À la même époque, on constate de nombreuses interférences entre *aboutir* et le verbe très voisin *abouter,* mais elles se résolvent au cours du XVIIe s. au profit d'*aboutir* (→ bouter). ◇ Les constructions transitive directe *aboutir qqch.* (1552) et transitive indirecte avec la préposition *en* (1559) ont également disparu avec les acceptions spéciales du verbe employées au XVIIe siècle. ◇ Au XIXe s., l'emploi absolu se répand et correspond à un sens nouveau, «arriver au bout» (1834), surtout au figuré «parvenir à un résultat, réussir» (1842). ◆ **ABOUTISSEMENT** n. m. est attesté une fois en 1265 au sens d'«action de pousser qqn à faire qqch.». Il se répand au XVIe s. avec le déclin d'*aboutement,* à la fois dans l'usage juridique (1539) et médical (1575) avec le sens spatial d'«extrémité». Le sens figuré, «fait d'obtenir un résultat, succès», semble attesté en 1611, mais ne se rencontre plus avant de reparaître chez Littré et de s'implanter avec la valeur correspondante du verbe. ◇ L'acception médicale, «commencement de suppuration d'un abcès» (1718), s'est maintenu. ◆ **ABOUTISSANT** n. m. participe présent substantivé (1508) se répand dans le langage juridique avec le sens de «limite», déjà le plus souvent dans la locution ***tenants et aboutissants*** «tout ce qui se rapporte à un dossier». ◇ En outre, du sens initial de «limite», on passe au XIXe s. à celui d'«endroit où qqch. aboutit» (1805) où *aboutissant* est généralement employé seul, probablement par recréation d'après *aboutir, aboutissement*. À partir du milieu du XIXe s. (1866), il s'emploie comme le doublet littéraire d'*aboutissement* avec le sens figuré de «résultat, conséquence».

EMBOUTIR v. tr. (1390), de *en-/em-*, *bout* et de la désinence *-ir,* est d'abord attesté au participe passé *embouti* en qualifiant un plateau métallique orné de relief; le verbe n'est enregistré qu'en 1611 avec le sens correspondant : «travailler (une plaque de métal) en martelant et en comprimant pour courber, arrondir». Par extension, ce verbe est passé dans le langage de l'architecture pour «revêtir de métal (un ornement en bois) afin de protéger de l'humidité» (1694). ◇ Il s'est répandu tardivement dans l'usage courant avec l'idée de «défoncer par un choc accidentel, cabosser» (1907). En sont tirés des dérivés techniques. ➛ **EMBOUTISSOIR** n. m., d'abord «poinçon d'acier servant à faire les têtes de clou» (1676), désigne plus tard un poinçon permettant d'emboutir une plaque de métal (1803). ➛ **EMBOUTISSEUR, EUSE** n. et adj., créé comme nom de l'ouvrier qui emboutit (1838), est surtout employé adjectivement comme qualificatif de l'ouvrier (1901) et aussi de l'outil utilisé (1901). ➛ **EMBOUTISSAGE** n. m. (1856) désigne l'action d'emboutir une plaque de métal et, par extension, un travail en relief sur une étoffe faisant ressortir les motifs de décoration (1901). ➛ **EMBOUTISSEUSE** n. f. a été créé (1901) comme dénomination d'une machine d'après sa fonction. ➛ **EMBOUTISSABLE** adj. et **EMBOUTISSABILITÉ** n. f. sont enregistrés en 1930 par les dictionnaires généraux, de même que l'emploi substantivé du participe passé *embouti* à propos d'une pièce de métal obtenue par emboutissage et d'une pièce de cuir servant de joint dans les presses et les pompes à haute pression.

Un doublet **EMBOUTER** v. tr. a été créé (1535) au sens de «garnir (l'extrémité d'un objet) d'un bout», surtout au participe passé adjectivé (1567). ➛ Il est moins usité que son dérivé régressif **EMBOUT** n. m. (1838), lequel concurrence *bout* pour «garniture que l'on met au bout d'un objet».

BOUTARGUE n. m. est, lorsqu'il apparaît de manière éphémère sous la forme *bottargue* (1441), emprunté à l'italien *bottarga* «œufs de poisson salés». La forme actuelle, *boutargue* (1534), est reprise au provençal *boutargo*, également *poutargo*. Ces mots italien et provençal sont eux-mêmes empruntés à l'arabe *butāriẖ* de même sens.

♦ Le mot désigne un mets provençal composé d'œufs de mulet pressés, salés, séchés au soleil ou fumés. On emploie aussi la forme **POUTARGUE** n. f. (1751). Ces termes restent régionaux, concurrencés par des emprunts récents, tel que *tarama* (qui désigne une préparation un peu différente).

BOUTEILLE n. f. est une modification de *botele* (1160-1170), lequel est issu du latin populaire *°buticula, butticula*, également *butella, botella*, attestés à l'époque carolingienne. C'est le diminutif du bas latin *buttis*, «récipient contenant des liquides ou des solides», largement attesté dans les textes médiévaux aux sens d'«outre» et de «tonneau». *Buttis* est d'origine douteuse : un emprunt au grec *bouttis*, «récipient en forme de cône tronqué», n'est pas impossible, mais le mot grec, comme beaucoup de noms de contenants, pourrait être lui-même un emprunt. Le sens de «récipient de verre», pour *butticula*, paraît s'être développé dans le nord de la Gaule (VIIIe-IXe s., *buticula* est expliqué par *flasca* «bouteille entourée de vannerie»; cf. la *fiasque* italienne). Puis le mot a gagné le Sud qui préférait les cruches et les outres : le catalan, l'espagnol et le portugais *botija* ont le sens de «cruche»; l'ancien provençal *botelha* signifie à la fois «cruche» et «bouteille». L'italien *bottiglia* et l'espagnol *botella* viennent du français; l'anglais *bottle* (v. 1375) également.

♦ Le mot désigne un récipient long, muni d'un goulot étroit, le plus souvent en verre, destiné à contenir et à transporter des liquides. Employé dans plusieurs contextes (*bouteille d'eau, d'huile*, etc.), le mot, dans une civilisation du vin, suggère le plus souvent les boissons alcooliques. C'est cette valeur, réalisée dans l'expression ***aimer la bouteille,*** qui alimente les locutions figurées *boucher la bouteille* «manger après avoir bu» (1640), qui a disparu, et ***prendre de la bouteille*** «commencer à vieillir», par allusion au vin vieilli après sa mise en bouteille, emploi très vivant. Au sens propre, le mot est employé dans de nombreux syntagmes (*mettre, mise en bouteille, bouteille à la mer*, etc.). L'expression ***la bouteille à la mer*** fait allusion au message de détresse enfermé dans une bouteille et lancé à la mer par des marins en perdition, des naufragés. ◇ Par métonymie, *une bouteille* désigne le contenu. ◇ Par une autre, il désigne la bulle d'air dans le verre ou le cristal et, de là, une bulle d'air formée par un liquide qui rejaillit et qui bouillonne (1690), sens sorti d'usage. ◇ Par analogie de forme, avec l'idée de renflement, il est employé en marine pour un retranchement en saillie à la poupe des anciens vaisseaux (1690); d'après la fonction de ce retranchement, le pluriel *bouteilles* sert encore dans la marine de guerre à désigner les lieux d'aisance. ◇ Le mot, dans son sens initial, est passé en physique dans l'expression ***bouteille de Leyde*** (1752, trad. Franklin), désignant un appareil construit en 1746 à Leyde, constitué d'un bocal de verre et d'une tige métallique, fonctionnant comme condensateur électrique. ◇ L'emploi du mot en apposition, dans ***vert bouteille,*** est attesté depuis 1839.

La contenance des bouteilles, comme leur forme, est variable, engendrant une terminologie; au XXe s. la bouteille de vin contient environ deux tiers de litre; on parle de ***demi-bouteille*** n. f. (1734) et, pour les grandes contenances, de *litre**, puis de *magnum** (deux bouteilles), *jéroboam**, etc. Certaines bouteilles (de vin) sont désignées par l'origine (*champenoise, bourguignonne, bordelaise*, etc.).

► ① **BOUTEILLER, BOUTILLIER** n. m. sont la réfection de *botelier* (1160) d'après *bouteille. Botelier* semble venir du latin médiéval *buticularius*, dérivé de *but(t)icula*, désignant l'un des grands officiers de Cour chargé de l'intendance du vin. Le mot, tombé en désuétude avec cette charge, est repris par les historiens. ➛ Il a donné ① **BOUTEILLERIE** n. f. (1155), à rapprocher du latin médiéval *buticularia* (XIIe s.) «charge de bouteiller». Ce mot, sorti d'usage au début du XVIe s., a été repris comme terme d'histoire (1842). ◇ Le sens général de «lieu où l'on place les bouteilles» (1180) a disparu après le XVIe s. Le mot a été repris dans l'industrie (1845) pour «atelier de mise en bouteilles». ➛ ② **BOUTEILLER** n. m., dérivé de *bouteille* (*bouteillé*, 1786), a cours en Suisse pour désigner un casier à bouteilles. ◆Les autres dérivés apparaissent au XIXe siècle. ② **BOUTEILLERIE** n. f. est recréé dans le langage du commerce (1845) pour la fabrique des bouteilles et, par extension, leur fabrication et leur commercialisation. ◆**BOUTANCHE** n. f. est une altération familière de *bouteille* (1889). ◆**BOUTEILLÉE** n. f., attesté tardivement (1954), ne concurrence pas véritablement l'emploi métonymique de *bouteille*, «contenu d'une bouteille».

EMBOUTEILLER v. tr., bien qu'attesté en 1864, est probablement antérieur à en juger par son dérivé *embouteillage;* il signifie «mettre en bouteilles». ◇ Par l'intermédiaire d'un emploi figuré, en marine, pour «enfermer (une flotte, une force ennemie) dans une impasse» (1906), le verbe a pris au début du XXe s. (attesté 1924) une valeur nouvelle, «obstruer la circulation», surtout au participe passé **EMBOUTEILLÉ, ÉE** adj. ◆Le dérivé **EMBOUTEILLAGE** n. m. (1845) a suivi le verbe dans ses emplois figurés (1907), en marine, puis pour «obstruction de la circulation», sens très courant (cf. *bouchon*). ◇ C'est dans ce sens qu'est apparu le préfixé **DÉSEMBOUTEILLER** v. tr. (1924).

VIDE-BOUTEILLES n. m. est enregistré en 1845 comme nom d'appareil; le moyen français avait déjà formé le mot au sens imagé d'«ivrogne» (1560). ◆**PORTE-BOUTEILLES** n. m. (1874), mot correspondant en français au terme régional *bouteiller*, avait eu antérieurement (1790) le sens de «rond de feutre placé sous une bouteille».

◈ voir BOUTHÉON (BOUTEILLON).

◈ ✳ **BOUTER** v. tr. est issu (fin XIe s.) du francique *°botan*, «pousser, frapper», déduit du moyen bas allemand *boten*, du vieil anglais *beatan* (anglais *to beat*), de l'ancien haut allemand *bozzan*, ancien norrois *bauta*. Tous ces mots remontent à un germanique *°bautan*, dont la racine *(bau-)* est peut-être la même que celle de *°fu-* dans le latin *refutare* (→ réfuter). L'espagnol (v. 1250), le portugais *botar* (XIVe s.), sont empruntés au français. On a aussi songé à une origine celtique, un verbe gaulois *°bota* «frapper», ayant donné un latin populaire *°bottare;* mais cette hypothèse est peu fondée.

♦ La vitalité du verbe, grande en ancien français, s'est réduite en moyen français et a disparu aux XVIIe-XVIIIe s. dans l'usage courant, sous la concurrence des synonymes. Il en reste quelques emplois archaïsants et littéraires, une allusion historique *(bouter les Anglais hors de France)* et quelques acceptions techniques. Les sens de «pousser, refouler dehors» et «frapper» (v. 1155) sont sortis de l'usage courant au XVIIe s. tout en se maintenant dans les dialectes (picard, wallon, normand, angevin) et par des extensions techniques. ◇ Le sens de «tourner au gras, épaissir» en parlant du vin (XIe s.) n'est plus réalisé que par le participe passé **BOUTÉ, ÉE** en emploi adjectivé, une première fois en ancien français (1268-1271) et de nouveau à partir de 1798. ◇ Le sens de «pousser» a survécu plus longtemps que l'acception générale en marine, en parlant du vent qui fait avancer un bateau (après 1207), en vénerie pour «lancer (les bêtes)» (v. 1230) et en architecture avec la valeur de «soutenir une poussée» (1387), d'où *arc*-boutant*. ◇ L'acception de «germer», en parlant d'une plante (1530), est sortie d'usage. ◇ Une valeur technique «nettoyer (les peaux)», apparue plus tard (1723), est due à l'influence du nom d'instrument *boutoir*. ◇ Enfin, le verbe a signifié «mettre d'une manière violente, ficher» (1144), spécialement réalisé par l'ancienne locution ***bouter le feu*** «mettre le feu» (1309); cet emploi a décliné au cours du XVIIe s. mais a donné le composé *boutefeu* (ci-dessous).

▸ La dérivation exceptionnellement abondante et riche entre le XIIe et le XVIIe s. n'a pas souffert de l'extinction du verbe sous la concurrence de *pousser, frapper, placer, mettre*. Ce fait s'explique probablement par les développements sémantiques originaux de plusieurs dérivés, dont le plus important est *bout* (→ bout, bouton; ③ botte), quelquefois en relation de voisinage et d'échange avec le groupe de *buter, but*.

Plusieurs dérivés suffixés réalisent les différentes acceptions du verbe. ◆**BOUTEROLLE** n. m., dérivé de *bouter* avec le suffixe *-olle* ou *-ole* (1202), est l'un des substantifs concrets du groupe de *bouter* affectés à la désignation de ce qui garnit l'extrémité d'une chose. D'usage plus technique que *bout* et *embout*, il désigne l'extrémité métallique d'un fourreau d'épée (1401), la garniture de la serrure qui sert de guide au bout de la tige d'une clef (1676), le poinçon armé d'une tête ronde utilisé par les graveurs et les orfèvres (1676). ◇ Le dérivé **BOUTEROLLER** v. tr., enregistré par l'*Encyclopédie* (1771), a donné le substantif d'action **BOUTEROLLAGE** n. m. (1927). ◆**BOUTIS** n. m. (v. 1360), aussi écrit *bouttis* et employé en moyen français au sens de «choc», se maintient en vénerie pour l'endroit où un sanglier fouille avec son boutoir pour chercher des racines (1564) et l'action de fouiller la terre de la sorte (1573). ◆Son féminin **BOUTISSE** adj. et n. f., d'abord *boutice* (1444), d'origine wallonne, se dit en maçonnerie d'une pierre qui s'enfonce dans le mur de manière à ne montrer que l'un de ses bouts, aussi en apposition dans *pierre boutisse*. ◆**BOUTOIR** n. m. (1361) désigne un instrument de maréchal-ferrant, de sabotier, de corroyeur que l'on pousse avec la main. ◇ Par allusion à sa fonction, il est passé en vénerie pour désigner l'extrémité de la tête du sanglier et par extension d'autres animaux, servant à fouiller dans le sol (1611). L'expression ***coup de boutoir*** s'est répandue avec l'idée d'un «coup violent» et, au figuré, d'un «trait d'humeur rude et blessant».

BOUTURE n. f. (1446), employé en moyen français au sens général de «ce qui pousse, plante», vient de *bouter* «pousser» et reste vaguement motivé à la différence de *bouton**. ◇ Le mot s'est spécialisé en horticulture comme nom de la branche d'un arbre que l'on sépare de sa tige et que l'on plante en terre (1583). ◆**BOUTURER** v. tr. (1836) et son dérivé **BOUTURAGE** n. m. (1845) ont trait à l'action de multiplier les végétaux par boutures.

BOUTADE n. f. est soit dérivé de *bouter* (1580) pris au sens figuré de «pousser une pointe», soit emprunté à son correspondant provençal *boutado*

BOUTER

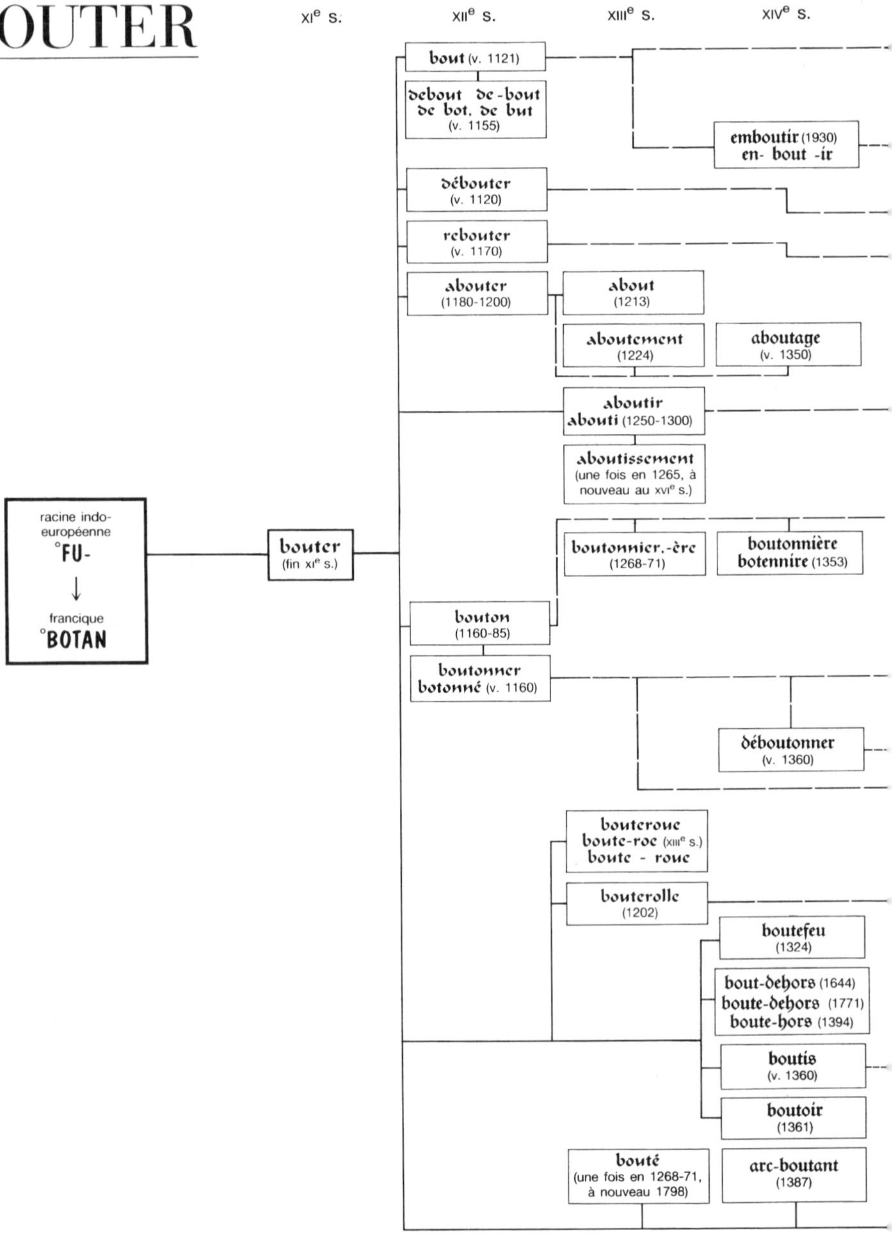

XIe s.
XIIe s.
XIIIe s.
XIVe s.
racine indo-européenne °FU-
↓
francique °BOTAN
bouter (fin XIe s.)
bout (v. 1121)
debout de-bout de bot, de but (v. 1155)
emboutir (1930) en- bout -ir
débouter (v. 1120)
rebouter (v. 1170)
abouter (1180-1200)
about (1213)
aboutement (1224)
aboutage (v. 1350)
aboutir abouti (1250-1300)
aboutissement (une fois en 1265, à nouveau au XVIe s.)
boutonnier, -ère (1268-71)
boutonnière botennire (1353)
bouton (1160-85)
boutonner botonné (v. 1160)
déboutonner (v. 1360)
bouteroue boute-roe (XIIIe s.) boute - roue
bouterolle (1202)
boutefeu (1324)
bout-dehors (1644) boute-dehors (1771) boute-hors (1394)
boutis (v. 1360)
boutoir (1361)
bouté (une fois en 1268-71, à nouveau 1798)
arc-boutant (1387)

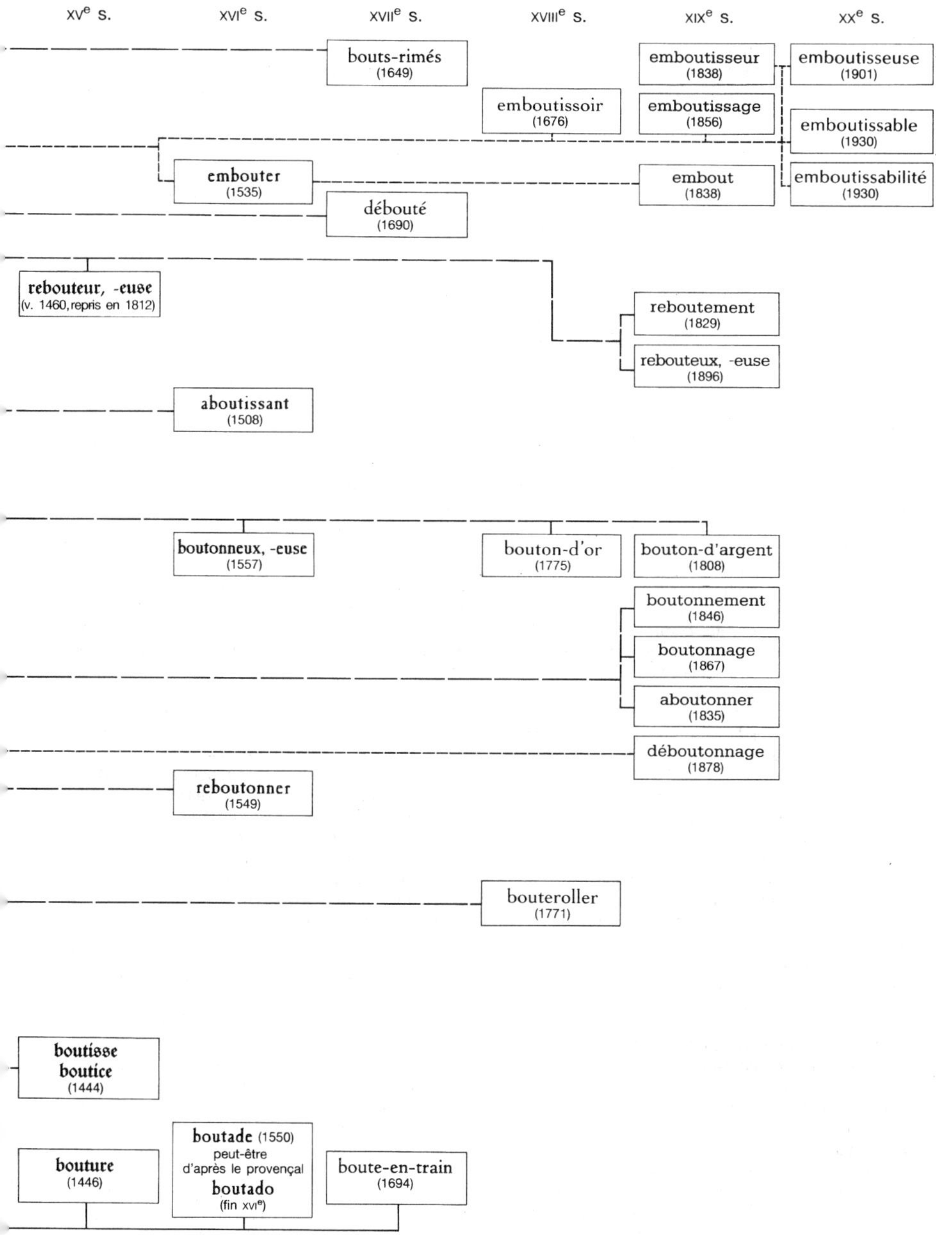
XVe s.
XVIe s.
XVIIe s.
XVIIIe s.
XIXe s.
XXe s.
bouts-rimés (1649)
emboutisseur (1838)
emboutisseuse (1901)
emboutissoir (1676)
emboutissage (1856)
emboutissable (1930)
embouter (1535)
embout (1838)
emboutissabilité (1930)
débouté (1690)
rebouteur, -euse (v. 1460, repris en 1812)
reboutement (1829)
rebouteux, -euse (1896)
aboutissant (1508)
boutonneux, -euse (1557)
bouton-d'or (1775)
bouton-d'argent (1808)
boutonnement (1846)
boutonnage (1867)
aboutonner (1835)
déboutonnage (1878)
reboutonner (1549)
bouteroller (1771)
boutisse
boutice
(1444)
boutade (1550)
peut-être
d'après le provençal
boutado
(fin XVIe)
bouture (1446)
boute-en-train (1694)

«caprice, bouderie» (fin XVIe s.). ◇ Le mot a quasiment cessé de désigner un caprice pour ne s'appliquer qu'à un trait d'esprit (1580). Il a concerné en particulier un trait de mauvaise humeur, s'appliquant à une petite pièce rimée dans laquelle l'auteur exprime son sarcasme.

Plusieurs composés demeurent en usage. ➜ **BOUTEROUE** n. f., d'abord *boute-roe* (XIIIe s.), composé de la forme verbale *boute* et de *roue**, servait à dénommer un dispositif de protection repoussant les roues des voitures : il a désigné la borne placée à cette fin aux angles d'un bâtiment (1631) et la bande de protection en fer qui remplit la même fonction sur la voie d'un pont en bois (1863). ➜ **BOUTEFEU** n. m. procède (1324) de l'ancien emploi de *bouter* dans *bouter le feu*, «mettre le feu». ◇ Le mot désigne un bâton garni à son extrémité d'une mèche pour mettre le feu à une pièce d'artillerie. Par un développement métonymique, on est passé à la personne qui met le feu (XVe s.) et, par extension, à «incendiaire» (av. 1435). ◇ De nos jours, le mot ne s'emploie qu'avec le sens figuré de «personne suscitant des querelles» (1569), «des conflits, des guerres». ➜ **BOUTE-SELLE** n. m., composé (1549) de *boute* et *selle**, désigne le signal donné avec la trompette pour avertir les cavaliers de placer la selle et de monter à cheval. ➜ **BOUTE-EN-TRAIN** n. m. et adj. inv. est enregistré en 1694 par le dictionnaire de l'Académie comme dénomination imagée d'un bijou porté en broche sur le sein, également appelé *tatez-y*. Cette acception spéciale, qui ne se retrouve plus dans les dictionnaires ultérieurs, a disparu, l'édition de 1718 de l'Académie donnant le mot sous la forme *bout-en-train* à propos d'un petit oiseau servant à faire chanter les autres, et, au figuré, à propos d'un homme qui met les autres en train. Seul ce dernier emploi est demeuré vivant. ➜ **BOUT-DEHORS** n. m. (1844) est la corruption, d'après *bout* et *dehors*, de *boute-dehors* (1771), lui-même variante de *boute-hors* (1394) qui désignait un jeu où l'on devait expulser un joueur pour prendre sa place. Il s'est employé en marine comme nom de la pièce de bois que l'on ajoute à chaque bout de vergue du grand mât et du mât de misaine et qui sert à porter les bonnettes quand le vent est faible (1690); de nos jours, il désigne l'espar horizontal à l'avant d'un bateau. ➜ La plupart des dictionnaires généraux du XIXe s. attestent également **BOUTE-LOF** ou **BOUTE-DE-LOF**, qui désigne une sorte de bout-dehors servant à tenir les armures du mât de misaine.

DÉBOUTER v. tr. (v. 1120) a enchéri sur *bouter* en signifiant «repousser, chasser», sens dont procède sa spécialisation en droit «exclure, écarter» (1283). Les dictionnaires généraux enregistrent, depuis Furetière (1690), le participe passé substantivé **DÉBOUTÉ** n. m. avec le sens de «jugement rejetant une demande ou l'exercice d'une voie de recours». ➜ **REBOUTER** v. tr. (v. 1170) a lui aussi fonctionné comme l'intensif de *bouter* au sens de «repousser, chasser». ◇ Sorti d'usage, il a été repris et remotivé en «remettre un os, un membre à sa place (c'est-à-dire "bout à bout") par des procédés empiriques» (1812) et, dans le vocabulaire technique, «faire passer les pointes d'une garniture de carde à travers le tissu de soubassement» (1813). ➜ En sont dérivés **REBOUTEMENT** n. m. (1829), rare, et **REBOUTEUX, EUSE** n. (1896) variante rurale de *rebouteur* qui s'est imposée dans le langage courant pour désigner la personne qui fait métier de guérir les fractures et foulures, sans être médecin. Cf. *guérisseur*. ◇ Le doublet **REBOUTEUR, EUSE** (1812) existait en moyen français au sens de «celui qui repousse» (v. 1460).

ABOUTER v. tr. (1180-1200) a eu de nombreux sens et une grande vitalité entre le XIIe et le XVe s., signifiant «appliquer», spécialement en droit «assigner (qqn)» (1247) et «donner pour hypothèque un bien à qqn» (1253). En emploi intransitif, il signifiait «avoir pour but» (1243), «confiner à, toucher à» (v. 1250). ◇ Après le XVIe s., où il semble avoir conservé un certain usage au sens de «confiner à», il a disparu des dictionnaires pour ne reparaître qu'au XIXe s., surtout comme terme technique : le sens de «joindre (qqn)» , attesté en ancien français (XIIIe s.), est repris en 1895 et quelquefois attesté au XXe s.; celui de «joindre bout à bout», déjà réalisé en héraldique au XVIIe s., apparaît en 1842. ◇ L'acception spécialisée, en viticulture, «tailler une vigne jusqu'au bout», vient probablement des dialectes et se rattache à l'ancien sens de «mener jusqu'au bout» où il a été éliminé par *aboutir* (→ bout). ➜ La vitalité du mot est aujourd'hui réduite, de même que celle des dérivés : **ABOUT** n. m. (1213), **ABOUTEMENT** n. m. (1224) et **ABOUTAGE** n. m. (v. 1350), fréquents en ancien français, et qui se limitent aujourd'hui pour l'essentiel à des emplois en marine et charpenterie. ➜ Le préfixé **RABOUTER** v. tr. empiète sur l'aire sémantique d'*abouter* puisque, après avoir eu le sens d'«établir une hypothèque» (1294), puis de «toucher par un bout à qqch.» (1474), il a été repris au XIXe s. pour «assembler bout à bout». Il se dit notamment de deux pièces d'étoffe (1845) et de deux morceaux de métal ajustés (1845). ◇ Son dérivé **RABOUTAGE** n. m. lui sert de nom d'action (1891); il est très rare.

◈ voir ② BOTTE «gerbe», ③ BOTTE (en escrime), BOUSCULER, BOUT, BOUTON; ARC, ARC-BOUTANT, ARC-BOUTER.

BOUTHÉON n. m. est tiré (1916) du nom de *Bouthéon*, intendant militaire inventeur de cet ustensile.

♦ Le mot désigne une marmite métallique aplatie dont le couvercle peut servir d'assiette, utilisée par les soldats en campagne depuis la Première Guerre mondiale. ◇ Par référence à la marmite dont le couvercle cache une médiocre réalité, il a pris pendant la Seconde Guerre mondiale le sens figuré de «fausse nouvelle circulant parmi les prisonniers» (1946).

▸ **BOUTEILLON** n. m. est une altération (1916, Barbusse) de ce mot sous l'influence de *bouteille*; il est alors senti comme une suffixation en *-on*, à la manière de *litre-litron*.

BOUTIQUE n. f., mot d'apparence populaire, est issu (1242) par une voie incertaine du grec *apothêkê*, «lieu de dépôt», «magasin (de vivres, d'approvisionnements)» (→ apothicaire), dérivé de *apotithenai* «déposer», «mettre de côté» et «mettre en réserve». Ce verbe est composé de *apo*, «loin de, séparé de», préposition ancienne en grec (→ apo-) et qui se retrouve dans le sanskrit *ápa*, le latin *ab* (→ à), etc., et de *tithenai* «poser» (→ taie, thèse). Cette origine étant posée, le mot est probablement passé en français par l'intermédiaire de l'ancien provençal *botiga, botica* (1314), *i* notant la prononciation de *ê* en grec tardif; l'espagnol *botica* «boutique d'apothicaire» est de même origine; en revanche, l'italien *bottega* «boutique» et l'espagnol *bodega* «cellier» ont pénétré par une autre voie. L'ancienne forme *bouticle*, attestée au XIIIe s. (encore au XVIe s. dans la langue populaire) avant *botique* (1377), *boutique*, est due au *l* de renforcement assez fréquent en ancien et moyen français entre voyelle accentuée et *-e* final dans les mots d'emprunt (*cronikle* pour *chronique*, *demoniacle* pour *démoniaque*).

♦ Le mot s'applique d'abord au lieu où un marchand expose et vend sa marchandise, allant du simple tréteau (sens encore vivant dans le milieu forain et la locution figurée ***plier boutique***) jusqu'au magasin situé au rez-de-chaussée d'une maison, avec vitrine, sens aujourd'hui dominant. ◇ Par extension, il désignait le lieu où se pratiquaient divers métiers, de la baraque de prostitution (1395) à l'atelier d'artiste et au local du médecin, du notaire : ces valeurs ont disparu. Il a aussi désigné l'atelier de l'artisan (XVIe s.) et la forge de Vulcain. ◇ De ce groupe de sens procédaient divers emplois figurés depuis le XVIe s. (av. 1564) auxquels se rattachent les emplois modernes familiers du mot pour «maison, lieu de travail» (av. 1575); cf. *baraque*. ◇ La valeur actuelle du mot est à peu près stabilisée au XVIIe s., mais il a reçu au XIXe s. des connotations humbles et archaïques avec la concurrence de *magasin* (qui signifie pourtant à l'origine «entrepôt»). De nos jours, des connotations positives et artisanales s'y ajoutent, notamment par l'usage qu'en font les grands couturiers pour les magasins de confection de luxe qu'ils exploitent. ➛ La spécialisation en pêche pour une caisse percée de trous et immergée dans laquelle on conserve le poisson vivant (1309) fait peut-être intervenir l'ancien français *boute* «tonneau».

▸ **BOUTIQUIER, IÈRE** n. et adj., réfection (1596) de *bouticlier* (1414), désigne la personne qui tient boutique, avec une valeur dépréciative, sauf en français d'Afrique. ◇ Employé comme adjectif pour qualifier ce qui est relatif aux boutiquiers, il a développé la valeur péjorative de «propre à la mentalité petite-bourgeoise commerçante». ➛ **BOUTIQUER** v. tr., enregistré comme une des *Excentricités de la langue française* (1860), est un mot familier pour «faire, fabriquer». ➛ **BOUTIQUAIRE** n. m. a été créé (1974) pour l'aéroport de Roissy avec le sens collectif d'«ensemble des boutiques d'un centre commercial», mais ne s'est guère répandu.

ARRIÈRE-BOUTIQUE n. f. (1508), nom donné à la pièce située de plain-pied en arrière de la boutique, a eu au XVIe s. le sens figuré d'«arrière-pensée» (on disait aussi *boutique en arrière*).

BOUTON n. m. est, comme *bout**, dérivé (1160-1185) de *bouter** et entretient avec ce verbe le même type de rapport sémantique que *pousse* avec *pousser* sans que ce rapport soit perçu, depuis la disparition de *bouter* dans ce sens.

♦ Le mot désigne un bourgeon de plante et, spécialement, une fleur non encore épanouie (1236). Cette acception donne lieu à des métaphores, à partir du milieu du XIXe s., du type «la femme en bouton» (Hugo). ◇ Une autre métaphore donne à *bouton* la valeur de «renflement à l'extrémité d'un fleuret (moucheté)», d'où l'expression *coup de bouton* en escrime (1885), ainsi qu'un sens technique du verbe *boutonner*. ➛ Par analogie, il s'est appliqué très tôt à une petite pièce souvent circulaire servant à fermer un vêtement (1170-1171), dégageant dès les premiers textes le sens figuré de «chose sans valeur», sorti d'usage. Cette acception, liée aux techniques du vêtement, était suffisamment courante pour que les dérivés *boutonner* et *déboutonner* apparaissent dans ce sens dès le moyen français. Certains syntagmes se sont spécialisés, comme *bouton de bottine, bouton de culotte*. L'ancien sens figuré «chose sans valeur» (ci-dessus) a été réanimé au XXe s. par le syntagme *bouton de culotte*. ◇ ***Boutons de manchette*** (1876 chez Zola) désigne un dispositif amovible dont la fonction est analogue à celle du bouton cousu. ◇ **BOUTON-PRESSION** n. m. (1909), en concurrence avec la forme *pression** n. f., désigne un système de boutonnage formé de deux parties. ➛ Par analogie avec la forme de la pièce d'habillement, *bouton* se dit d'une petite boule servant à saisir divers objets (1380), à manœuvrer une porte (1471). *Bouton électrique, bouton d'appel* et d'autres syntagmes apparaissent au début du XXe s. Certains, comme *le bouton de la radio*, ont vieilli. ◇ *Bouton de bride* «anneau de cuir permettant de resserrer les rênes d'un cheval» a donné lieu dans la langue classique à l'expression figurée ***serrer le bouton à qqn*** (Molière), qui équivaut au moderne *serrer la vis*. ➛ Une autre spécialisation, apparue en moyen français (1530), concerne une petite excroissance sur la peau, sens usuel qui donne lieu à des locutions, par exemple, familièrement, ***donner des boutons à qqn*** «lui répugner».

▸ Les dérivés de *bouton* forment un groupe important. ➛ **BOUTONNER** v. est d'abord attesté à la forme participiale *botonné* (v. 1160), en parlant d'un habit qui a des boutons. Le verbe a développé en même temps le sens de «bourgeonner» (fin XIIe s.), devenu archaïque ou rare bien que la valeur correspondante de *bouton* se maintienne, et celui de «fermer un habit par des boutons» (1344). ◇ Il s'est dit aussi de la peau qui se couvre de boutons (1542). ➛ *Boutonner* a servi à former les substantifs d'action **BOUTONNEMENT** n. m. (1846) en botanique et **BOUTONNAGE** n. m. (1867) dans l'habillement, ainsi que le préfixé **ABOUTONNER** v. tr. (1835) qui correspond à «fermer (un vêtement) au moyen de ses boutons», et relève d'un usage populaire régional. ➛ **BOUTONNIER, IÈRE** n., nom de métier pour l'ouvrier qui fait les boutons, est répertorié par É. Boileau (1268-1271) dans son *Livre des Métiers*. ➛ **BOUTONNIÈRE** n. f., d'abord altéré en *botennire* (1353), est dérivé de *boutonner*. Il a désigné une garniture faite de boutons avant de prendre la valeur de «fente faite à un vêtement pour y passer un bouton» (1596). Par analogie de forme, il est employé en chirurgie puis dans l'usage général à propos d'une incision longue et étroite (1751), et en géologie d'une dépression résultant de l'évidement d'un bombement anticlinal (v. 1953). ◇ Il a produit tardivement **BOUTONNIÉRISTE** n. (1955) comme nom d'ouvrier dans le vêtement. ➜ **BOUTONNEUX, EUSE** adj. (1557) n'est attesté qu'occasionnellement au XVIe s. au sens ancien de «bourgeonnant». Il a signifié «qui se ferme au moyen de boutons» (1571) puis a été repris (1837) avec son sens moderne de «qui a des boutons sur le visage», péjorativement. ➜ **BOUTONNERIE** n. f. (1660), dérivé de *bouton*, recouvre la fabrication et le commerce des boutons; son usage est technique.

DÉBOUTONNER v. tr. (v. 1360), de *bouton*, terme d'habillement, signifie «défaire les boutons de (un vêtement, une personne habillée)» en construction transitive et pronominale. ◇ La locution, ***rire à ventre déboutonné*** (1690), précédée par une variante déjà suggérée chez Rabelais (1532), fait allusion à l'ancien mode de fermeture des pantalons. Elle annonce la valeur figurée de «faire qqch. sans retenue, en toute liberté» à la forme pronominale *se déboutonner* (av. 1641), d'abord «parler franchement». ◇ Le mot est passé en escrime pour «enlever le bouton du fleuret afin de s'en servir comme d'une épée» (1835). ◇ Ce verbe a donné **DÉBOUTONNAGE** n. m. dont le sens figuré est attesté (1878), sans doute par hasard avant le sens propre (1904). ➜ **REBOUTONNER** v. tr., composé régulier de sens itératif, est attesté à partir de 1549.

BOUTON-D'OR n. m. (1775) et **BOUTON-D'ARGENT** n. m. (1808) utilisent *bouton* dans son sens de «fleur de forme groupée comme à l'état de bouton» pour dénommer des renoncules d'après leur couleur.

BOUTRE n. m. est un mot relativement récent, introduit entre 1833 et 1866, et probablement emprunté à l'arabe *būt*, désignant un type de bateau à voile, et lui-même emprunté au XIXe s. à l'anglais *boat* (→ bateau).

♦ Le mot désigne un petit voilier arabe élevé à l'arrière, utilisé notamment en mer Rouge pour le cabotage et la pêche des perles.

BOUVIER → BŒUF

BOUVREUIL → BŒUF

BOVARYSME n. m., d'abord *bovarisme* (1865), est formé à l'exemple de *bovaryste* adj. et n., mot dérivé par Flaubert lui-même du nom du personnage qui donne son titre au roman *Madame Bovary* (1857). Le mot, dans la correspondance de l'écrivain, se rapporte à un défenseur de Madame Bovary, par allusion au procès qui fut intenté à Flaubert pour outrage à la morale publique et religieuse et outrage aux bonnes mœurs. Dès la même année, Flaubert emploie le substantif (1857).

♦ *Bovarysme*, qui apparaît un peu plus tard sous la plume de Barbey d'Aurevilly, recouvre un concept affectif et moral inspiré par le type psychologique d'Emma Bovary. J. de Gaultier, dans un ouvrage qui a diffusé le mot (1902), le définit «comme le pouvoir qu'a l'homme de se concevoir autre qu'il n'est» et, par extension, de s'évader hors d'une réalité médiocre par un imaginaire romanesque et sentimental.

▸ L'adéquation de *bovarysme* à un type psychologique existant se mesure à l'emploi de **BOVARYSTE** pour «relatif au bovarysme» et à la création de **BOVARYQUE** adj. (1865, Barbey) et **BOVARYSER** v. intr. (1927, Larbaud) «se comporter comme Emma Bovary», mots sans lendemain.

BOVIN, INE → BŒUF

BOWLING n. m. est emprunté (1907) à l'anglais *bowling* «jeu de boules» (1535), spécialisé dans cet emploi aux États-Unis par abréviation de *bowling saloon* (1842, Dickens, *American Notes*). Le mot est le substantif verbal de *to bowl* «jouer aux boules» (1440), lui-même dérivé de *bowl* «boule» (1413), emprunt au français *boule**. Le composé *bowling green* a fourni au français le mot *boulingrin**. Le bowling, créé aux États-Unis et codifié en 1874, est un jeu aménagé dans une salle fermée, joué par allées séparées, avec divers mécanismes, et qui n'a plus grand rapport, socialement, avec le jeu de quilles. Il est répandu en France surtout après 1945, le jeu de quilles étant alors démodé.

♦ Le mot désigne à la fois le jeu de quilles à l'américaine et le lieu où l'on pratique celui-ci.

◈ voir BOULINGRIN.

BOW-WINDOW n. m., attesté isolément en 1830 et repris à partir de 1863, est emprunté à l'anglais «fenêtre [*window*] en arc [*bow*]».

♦ Le mot désigne une fenêtre en saillie par rapport au plan de la façade. Un terme équivalent est *oriel*.

① **BOX**, pluriel **BOXES** n. m. est emprunté (1777) à l'anglais *box* «boîte» (1000) qui a pris les sens particuliers de «loge de théâtre» (1609), «compartiment d'un café, d'une salle publique» (1712), «banc des jurés ou des témoins» (1822, abréviation de *jury-box, witness-box*) et «stalle d'écurie» (1846). Le mot représente probablement un latin populaire °*buxem*, forme contractée pour le bas latin *buxidem*, accusatif de *buxis* (→ boîte), plutôt qu'un emploi métonymique de *box* «buis» (931) de même origine que le français *buis**.

♦ Le sens de «loge de théâtre» (1777, au pluriel) a disparu. ◇ Par un nouvel emprunt, le mot désigne une stalle d'écurie destinée à loger un seul cheval (1839) et, par une extension propre au français, une place cloisonnée pour voiture dans un garage commun (1918). ◇ Le sens de «banc cloisonné au tribunal» (1879) est repris à l'anglais, de même que celui de «compartiment cloisonné (d'un dortoir, d'un café, d'un bureau)» (1906, dans un contexte américain à propos d'un bureau).

▸ **BOXON** n. m., d'abord *bocson* (1811), est emprunté à l'anglais populaire *boxon* «cabinet particulier de taverne», dérivé de *box* «compartiment, salon particulier dans un café» (1712). Le mot a été introduit au sens de «cabaret», de manière extensive par rapport au mot anglais. Il a évolué vers le sens moderne de «maison de tolérance» (1846), en passant par une forme *bocard* (1821). Celle-ci est obscure; c'est peut-être une forme apocopée de *bocson* avec le suffixe péjoratif *-ard*. Par la même extension que *bordel*, *boxon* signifie au figuré «désordre, fouillis».

◈ voir **BOXE**.

BOX-CALF n. m. est emprunté (1899) à l'anglo-américain *box-calf*, nom commercial tiré vers 1890 par Edward L. White (de la White Bros. & Co. dans le Massachusetts) à ce cuir de veau réputé. L'appellation vient du nom propre de Joseph *Box*, célèbre bottier londonien, et de *calf* «veau», mot d'origine germanique correspondant à l'allemand *Kalb* et au néerlandais *kalf*. La publicité de cette marque représentait, par une sorte de rébus, un veau *(calf)* dans une boîte *(box)*.

♦ Le mot désigne un cuir obtenu à partir de peaux de veaux tannées au chrome, utilisé notamment dans la confection d'empeignes et de tiges de chaussures. ◇ L'abréviation ② **BOX** est aujourd'hui plus courante (on a dit également *calf*, sorti d'usage).

BOXE n. f. est emprunté (1698) à l'anglais *box* (v. 1385, Chaucer) «soufflet, coup» puis, par spécialisation, «claque sur l'oreille ou la tempe» (v. 1440). Ce mot est d'origine inconnue : une formation expressive ou une spécialisation figurée à partir de *box* «boîte» (→ ① box) a plus de probabilité qu'une dérivation de la racine germanique représentée dans le moyen néerlandais *bōke*, *böke* (néerlandais *beuk*), le moyen haut allemand *buc* «coup». Le terme anglais pour le pugilat n'est pas *box* mais *boxing* (1711), substantif verbal de *to box*, lui-même dérivé de *box*. Ce sport fut pratiqué à poings nus et de manière très violente, en Angleterre, jusqu'en 1891 dans la semi-légalité (cf. les évocations de Hugo, pour le XVIIe s., dans *L'Homme qui rit*).

♦ Le mot est passé en français, alors écrit *box*, une première fois en 1698 (attestation contestée) puis en 1792. Il s'est répandu sous la forme francisée *boxe* (1804), d'abord en parlant de l'Angleterre, puis comme terme de sport international au début du XXe siècle. Il désigne ce sport, et par métonymie, l'action de combattre en boxe. On a appelé ***boxe française*** (1854) l'ancienne *savate*, sport analogue mais qui ajoute à l'escrime au pied celle du poing; la savate passa en Amérique vers 1848 où elle devint le *«savate-boxing»*, avant de disparaître. ◇ *Boxe*, devenu usuel, entre dans de nombreux syntagmes et est au centre d'une ample terminologie.

▶ ① **BOXER** v. est l'adaptation avec la désinence *-er* (1767) de l'anglais *to box*, «battre» (1519), dénominatif de *box* spécialisé comme terme de pugilat (1567). ◇ Le mot se dit pour «livrer un combat de boxe, pratiquer la boxe» (1772). Il est employé transitivement avec le sens de «frapper (qqn) à coups de poing» (1791), familier, et de «rencontrer (un adversaire) dans un combat de boxe» (1801). ➡ **BOXEUR, EUSE** n. est l'adaptation (1788) avec le suffixe *-eur*, prononciation française du suffixe anglais *-er*, de l'anglais *boxer* (1742), de *to box*. L'emprunt est sensible dans la persistance de la graphie *boxer* pour *boxeur* en français à la fin du XVIIIe s. (1792). ◇ Le mot désigne le sportif qui pratique la boxe; le féminin *boxeuse* (1874) reste peu usité. ➡ ② **BOXER** ou **BOXER SHORT** n. m. est emprunté (mil. XXe s.), à l'anglais *boxer shorts* ou *boxers*, «culotte de boxeur», attesté dans le dictionnaire Webster, 3e éd., mais certainement très antérieur en anglais : on trouve en effet *boxer shorts* en français en 1954. ➡ Le mot désigne une culotte de bain ou de sport pour homme, en forme de short ample, resserré par une bande élastique à la taille. La mode de ce type de short, importée des États-Unis, concurrence le slip de bains.

③ **BOXER** n. m. est emprunté (1919, *Larousse mensuel*) à l'allemand *Boxer* «boxeur», appellation transposée à une race de chiens originaires d'Allemagne en raison de sa combativité. L'allemand l'a emprunté de l'anglais *boxer*.

BOY n. m. est emprunté (1836) à l'anglais *boy* mot ancien (v. 1300) «garçon», par extension «jeune homme» (v. 1320), également «esclave» (v. 1350) et spécialement «jeune domestique indigène des voyageurs et des colons» (1669). Le mot anglais s'est employé dès le moyen âge comme terme condescendant (v. 1300) et pour désigner le membre d'une bande, d'une organisation (v. 1590) [cf. *boy-scout*, ci-dessous]. Son origine fait difficulté : l'hésitation du vocalisme des formes les plus anciennes *boie*, *bay*, *bey*, *bwey*, suggère une adaptation d'un étymon ancien français en *-ui-*; le mot pourrait remonter à l'anglo-normand °*abuié*, °*embuié*, participe passé du verbe ancien français *embuier* «enchaîner, entraver». Ce mot est issu d'un latin populaire °*imboiare*, formé de *in-* (*im-* devant *b*) et de *boia*, surtout au pluriel *boiae* «carcan, fers». Ce dernier est probablement emprunté au grec *boeiai* (sous-entendu *dorai*), «courroies de cuir de bœuf», pris ensuite pour toutes entraves ou liens, de *bous* (→ bœuf, boulimie). Le sens originel de *boy* serait donc «homme dans les fers» d'où «esclave», avant «jeune garçon». Cette reconstitution est assez fragile.

♦ Le mot est introduit une première fois avec le sens de «jeune homme» dans un contexte anglais. Le sens de «jeune domestique indigène en Extrême-Orient, en Afrique» (1843), longtemps le plus vivant en français, tend à disparaître avec l'institution; on signale dans ce sens l'emploi d'un féminin **BOYESSE** n. f. (1921) demeuré rare, sauf en français d'Afrique. ◇ Le sens de «danseur de music-hall» (1947), symétrique à l'emploi du féminin *girl*, est moins courant. ◇ Le contexte de la guerre du Viêt-nam a relancé le sens de «jeune soldat américain», par un réemprunt occasionnel, d'usage journalistique.

▶ **BOY-SCOUT** n. m. est emprunté (1910) à l'anglais *Boy Scout*, nom donné au membre de l'organisation fondée en Angleterre en 1908 par sir Robert Baden-Powell (1857-1941). Le mot signifie «garçon-éclaireur»; il est composé de *boy* et de *scout* «action d'observer, d'espionner» (1553) d'où «éclaireur»

(1555), emprunté avec altération de l'initiale à l'ancien français *escoute* (→ écoute). ◆ Le mot désigne un enfant (garçon ou fille) faisant partie d'un mouvement de scoutisme. La forme abrégée **SCOUT** n. (1923), également employée comme adjectif (1923), est plus fréquente aujourd'hui, *boy-scout* connotant ironiquement la bonne volonté naïve et idéaliste. C'est dans cette acception qu'est employée la forme plaisante *boiscout* (Boris Vian, 1950), transcrivant une prononciation francisée (comme *bois*). ◆ *Scout* a produit en français **SCOUTISME** n. m. (v. 1914, puis 1933), le mot anglais étant *scouting*. ◆ *Boy-scout* lui-même a donné **BOY-SCOUTESQUE** adj. (v. 1960), qualifiant ce qui rappelle la mentalité des boys-scouts.

◈ voir COW-BOY.

BOYARD ou **BOÏAR** n. m. est emprunté (1415) au russe *boiarin*, «seigneur», dont le pluriel *boyare* explique la forme française. *Boiarin* est issu du vieux slave *boliarin* (pluriel *boliare*) qui semble représenter une forme plus ancienne : il vient de la langue bulgare du Danube (turc) et se rencontre dès les *Dialogues* de Grégoire le Grand (v. 540-694). Il a été rapproché du vieux turc *boila* et du grec byzantin *boilas, boëlas* (Théophane), *boliades*. Un tel cheminement soulève cependant des difficultés phonétiques. Une autre hypothèse pose comme étymon le vieux turc *bai*, «célèbre, puissant», avec l'élément *-är*, au sens «personnage célèbre», et explique la forme *boliarin* comme une corruption sous l'influence de la racine vieux slave *bol-*, «grand, puissant», que l'on trouve dans le russe *bolchoï* «grand» (→ bolchevik). Les attestations les plus anciennes en français ayant trait à des réalités russes, un emprunt au russe est plus vraisemblable qu'un intermédiaire polonais ou tchèque *bojar*, forme non suffixée qui a donné le latin médiéval de Pologne *boiarus* (1470).

♦ Le mot s'est écrit *boyare* (encore en 1771), *boyar* (1575), *boïar* (1721) et, par assimilation erronée au suffixe français *-ard*, *boyard* (1721), forme aujourd'hui dominante. Il désigne un ancien seigneur gros propriétaire terrien des pays slaves, en particulier de Russie et, par extension, des provinces danubiennes d'Europe centrale. ◇ Par extension, il s'est employé familièrement au sens figuré d'«homme riche, cossu» (1932).

◈ **BOYAU** n. m. est issu (1080) du latin *botellus*, d'abord attesté à l'époque classique au sens de «petite saucisse», qui a pris, semble-t-il seulement en latin médiéval le sens d'«intestin, viscère» en parlant de l'homme (802) et de l'animal (1277), puis appliqué au domaine technique aux XIIe-XIIIe siècles. C'est le diminutif du latin classique *botulus* «boudin» (→ botulisme) sans doute d'origine non romaine (le mot latin étant *farcimen*), probablement emprunté à l'osque, ce qui n'est pas surprenant pour un terme de cuisine ; dès lors, un rapprochement avec le gotique *qiþus* «ventre» ne serait pas impossible et ébaucherait une origine indoeuropéenne.

♦ La forme attestée dans *La Chanson de Roland* est le féminin *buele*, issu d'un pluriel neutre °*botella* ; elle a été suivie par *boiel* (v. 1160) puis *boyau* (v. 1340). Le mot a évincé le représentant du latin *botulus*, *buille* (XIIe s.). Toutes ces formes désignent l'intestin des animaux en général. Comme en latin médiéval, dans des domaines techniques : le mot s'emploie ensuite par métonymie à propos d'une corde faite à partir de certains boyaux et utilisée en chirurgie, puis en musique. Cet emploi en musique est attesté dans la locution figurée et familière ***racler le boyau*** (ou ***les boyaux***) «jouer mal d'un instrument à cordes» (1623). Un autre emploi des boyaux d'animaux concerne les raquettes de tennis (XXe s.). ◇ L'emploi du mot pour désigner l'intestin de l'homme est resté usuel au pluriel avec une connotation péjorative sensible dans diverses locutions familières : *aimer qqn comme ses menus boyaux* «l'aimer beaucoup» (XVIe s.) est sorti d'usage ; ***vomir tripes et boyaux*** (1651, Scarron) se dit encore. Au singulier, *le petit boyau* s'est dit de la verge. ◆ Par analogie, *boyau* désigne une tranchée militaire qui va en serpentant et sans angles (1676), puis un passage long et peu large (1690), un conduit servant d'écoulement et, spécialement (1904), un pneumatique de vélo de course, formé d'une seule enveloppe (les pneus de tourisme ayant une chambre à air et une enveloppe extérieure).

▸ **BOYAUDIER** n. m., d'abord *boiotier* (1680) puis *boyautier* (1690), attesté jusqu'en 1740, a changé de consonne d'appui pour devenir *boyaudier* (1690). ◇ Le mot, d'usage technique, désigne l'ouvrier spécialisé dans la préparation des boyaux destinés à diverses industries. ◆ **BOYAUDERIE** n. f., dérivé (1835) du précédent, appartient également au langage technique et désigne l'industrie chargée de transformer les boyaux de certains animaux en baudruches, cordes, etc. ◆ **SE BOYAUTER** v. pron. (1901), très familier, signifie «rire très fort», «se tordre les boyaux de rire». ◆ **BOYAUDER** v. tr. est un verbe, lui aussi familier (1919), pour «étriper», sorti d'usage. ◇ L'adjectif **BOYAUDÉ, ÉE** qualifie un canon de calibre normal portant de multiples rayures et au pas très allongé (1919). Les deux mots sont peu usités.

TORD-BOYAUX n. m. (1855), procède de *boyaux* «viscères de l'homme» et désigne familièrement une eau-de-vie très forte.

◈ voir BOTULISME, ÉBOULER, ÉCRABOUILLER, TOURNEBOULER.

BOYCOTTER v. tr. est la francisation (1880) de l'anglais *to boycott* (1880), verbe formé avec le nom du capitaine Charles C. *Boycott* (1832-1897), riche propriétaire irlandais du comté de Mayo qui, refusant de baisser les loyers, fut l'objet de ce genre de quarantaine pendant l'automne 1880. Le mot s'est répandu immédiatement par voie de presse, passant dans toutes les langues européennes.

♦ Le verbe s'applique à l'action d'interdire, à un individu ou à une collectivité, par une mise en quarantaine collective, l'exercice d'une activité commerciale, puis industrielle. Il s'emploie par extension pour «interdire (une activité)».

▸ Il y a concurrence, pour le substantif d'action de *boycotter*, entre **BOYCOTTAGE** n. m. (1881), formé en français (l'américain *boycottage* lui serait emprunté), et **BOYCOTT** n. m. emprunt (1888) à l'anglais *boycott.* Le premier s'emploie surtout pour l'opération et le second pour le procédé. ◆ **BOYCOTTEUR, EUSE** n., dérivé (1881) du verbe français, n'est pas usuel.

BOY-SCOUT → BOY

BRACELET → BRAS

BRACHIAL, ALE, AUX adj. est un emprunt savant (1541) au latin *brachialis* «du bras», dérivé de *brachium* (→ bras).

♦ Le mot est employé dans la description anatomique; il est substantivé (1732) pour désigner le nerf sensitif du bras.

BRACHY- élément savant, est repris au grec *brakhu-,* lui-même employé dans une soixantaine de composés terminologiques grecs (médecine, botanique, métrique, etc.), représentant l'adjectif *brakhus* «court» (dans l'espace), «bref» (dans le temps), quelquefois «petit, sans importance». Le mot se rattache à un adjectif indoeuropéen ancien représenté notamment en sanskrit et en ancien haut allemand. Le rapprochement avec le latin *brevis* (→ bref) est moins assuré.

♦ *Brachy-* sert à former des adjectifs, souvent substantivés; il est productif en zoologie (spécialement en entomologie) pour dénommer des espèces caractérisées par la petitesse d'un organe, et en anthropologie pour désigner des variétés de types humains, tels **BRACHYCÉPHALE** adj. (1836) **BRACHYCÉPHALIE** n. f. (1859), de *-céphale,* exprimant l'idée de crâne de faible longueur, opposés à *dolichocéphale, -céphalie.*

BRACHYLOGIE n. f. est emprunté (1789) au bas latin *brachylogia,* lui-même emprunté au grec *brakhulogia* (Hippocrate) : «brièveté, concision dans le langage». ◇ Le mot dénomme l'emploi d'une expression comparativement courte, une élocution concise aboutissant parfois à l'obscurité. ◆ Le dérivé **BRACHYLOGIQUE** adj. (1838) est encore plus rare.

◈ voir **BRAS.**

BRACONNER v. tr. est dérivé (1228) de l'ancien français *bracon* désignant le chien braque (1250), mot très rare mais dont l'usage est confirmé par le correspondant ancien provençal *bracon* (v. 1300). Il est issu d'un gallo-roman °*braccone* (attesté par l'accusatif *braconem*), lui-même emprunté de très bonne heure par les soldats romains stationnés en Germanie au germanique occidental °*brakkon,* accusatif de °*brakko* «chien de chasse» (→ braque).

♦ Le mot, rare en ancien français, a eu une valeur juridique (1228) : «avoir les droits du seigneur sur une fille qui se marie» c'est-à-dire exercer le droit appelé plus tard «de cuissage». Il a signifié aussi «dresser (un chien)» (XVIe s.). ◆ Il a été repris (1718) pour «chasser sans en avoir le droit», cette reprise due à *braconnier* (ci-dessous) pouvant succéder à des emplois régionaux plus anciens, et continuer une métaphore sexuelle sur le sens féodal *(braconner sur les terres d'autrui).* D'ailleurs, le sens figuré galant de «racoler, lever (une femme)» réactive l'ancien usage médiéval du verbe.

▸ **BRACONNAGE** n. m. correspond au verbe; ancien terme de droit médiéval (1228), il a été repris avec son sens moderne (1834), quelquefois concurrencé par le déverbal **BRACONNE** n. f. d'usage dialectal.

BRACONNIER, IÈRE n. et adj., d'abord *broconnier* (v. 1178) avant *bracconier* (1655), est dérivé de l'ancien français *bracon.* ◇ Il a désigné le veneur ou valet qui s'occupait des chiens de chasse avant de se dire, dans le contexte de la chasse, d'un chasseur chassant furtivement sur les terres d'autrui (1655). *Braconner* et *braconnage* sont attestés plus tard en ce sens. *Braconnier* est abrégé familièrement en **BRACO** n. m. (XXe s.).

BRACTÉE n. f. est emprunté (1783) au latin *bractea* «feuille de métal», et surtout «feuille d'or», terme technique très probablement emprunté, comme semble l'indiquer l'hésitation sur la forme *(brattea, brattia).*

♦ Le mot a été emprunté en botanique, longtemps après *bractéole* (ci-dessous), pour désigner une formation intermédiaire entre la feuille et le pétale.

▸ Sur son radical, on a formé des termes de botanique. Les principaux sont **BRACTÉAL, ALE, AUX** adj. (1863) «propre aux bractées; situé près des bractées» et **BRACTÉEN, ENNE** adj. «des bractées».

BRACTÉOLE n. f. est emprunté dès le XVIe s. (1566) au dérivé latin *bracteola* pour désigner une formation secondaire située à la base des pédicelles d'une inflorescence composée. ◆ Il a pour dérivés **BRACTÉOLÉ, ÉE** adj. «muni de bractéoles» et **BRACTÉOLAIRE** adj.

BRACTÉATE adj., dérivé savamment (1751) du radical du latin *bractea,* est employé en numismatique pour qualifier une monnaie ou médaille formée d'une feuille mince de métal, frappée d'un seul côté. Il est aussi substantivé au féminin.

BRADER v. tr. est emprunté (v. 1440) au moyen néerlandais *braden* «rôtir», auquel correspondent l'ancien et moyen haut allemand *bratan, braten,* et l'anglo-saxon *brǣdan,* l'ancien frison *breda.* Ces mots, ainsi que le groupe de l'allemand *Brodem,* «exhalaison», et *brüten,* «couver», se rattachent à une racine indoeuropéenne °*bhre-* bien représentée en latin par des mots relatifs à l'idée de bouillonner, *fretum* «les flots», *fervere* «bouillir» (→ ferveur), *fermentum* «levain» (→ ferment). Le groupe des mots germaniques est plus éloigné par le sens que le néerlandais. Le verbe, comme le montrent les premières attestations (Flandre, Wallonie, Picardie), est parvenu en français à travers les dialectes wallon et picard.

♦ Le sens de «rôtir», d'abord attesté en français de Flandre, survit dans le liégeois *bradi* «flamber». De l'idée de «rôtir», on est passé à celle de «gâter par le feu» d'où «gaspiller, gâter», évolution similaire à celle du flamand *bradeeren* «gaspiller». Les dialectes français septentrionaux attestent ce verbe pour «gâter, ne pas tirer d'une chose tout le parti possible» (rouchi), «gaspiller» (wallon), spécialement «gaspiller le pain en le mangeant» (liégeois) et «vendre à vil prix» (liégeois, rouchi, picard). ◇ Ce dernier sens est passé en français chez les brocanteurs (1867). Par extension, le verbe s'est dit pour «se débarrasser d'une marchandise à n'importe quel prix», distinct de *solder* et proche de *liquider*, et au figuré pour «se débarrasser de (qqch.), sacrifier» (en politique).

▶ **BRADEUR, EUSE** n. f., «rôtisseur» (1421, à Lille), est emprunté au moyen néerlandais *brader* substantif, «propriétaire d'un restaurant économique», dérivé de *braden* «rôtir». ◇ Il a été repris d'après *brader* et comme son dérivé (1957) pour désigner la personne qui brade, spécialement en politique, dans le contexte de la décolonisation *(bradeur d'empire)*. ➜ **BRADERIE** n. f., attesté isolément en 1448 à Lille au sens de «rôtisserie», est emprunté au moyen néerlandais *braderie* «rôtisserie, restaurant à bon marché», tiré de *braden* «rôtir», avec le suffixe français *-erie*. ◇ Lorsqu'il réapparaît (fin XVIIIe s. ou 1834), c'est en picard et en wallon pour désigner une foire annuelle dans les villes flamandes et du Nord de la France où l'on vend certains articles à des prix inférieurs à la moyenne. Par extension, le mot, substantif d'action de *brader*, désigne une vente de marchandises à bas prix (v. 1925), en concurrence partielle avec *solde*, et se dit dans le langage politique, au figuré, d'un abandon. ➜ **BRADAGE** n. m. (v. 1960), autre dérivé de *brader*, concurrence parfois *braderie* avec le sens d'«action de vendre à vil prix».

◈ voir **BRAI, BROUIR.**

BRAGUETTE n. f. est dérivé (1534, Rabelais) avec le suffixe *-ette*, de *brague* n. f. «culotte» (1308), aujourd'hui sorti d'usage en dehors de parlers régionaux et d'emplois spéciaux archaïques, en lutherie et en histoire de la marine. Ce mot est emprunté au provençal *braya* (XIIIe s.) ou *braga* (fin XIVe s.), lequel représente le latin *braca* qui a donné le français *braie**. La spécialisation du mot en marine est probablement un emprunt à l'italien *braga* «cordage destiné à limiter le recul du canon» (1607), à rapprocher du dérivé latin médiéval *bragoto* attesté à Gênes (1495). Cette hypothèse s'appuie sur le fait que l'italien est la seule langue romane où ont coexisté les sens de «culotte» (XIIIe s.) et de «cordage», *braca* désignant un câble noué autour d'objets pour les soulever (1503-1572); du reste, le génois a fourni aux autres langues romanes de nombreux termes de marine.

♦ *Braguette,* qui a éliminé le moyen français *brayette* (1379), dérivé de *braie**, désignait au XVIe s. une partie du costume masculin, de forme triangulaire attachée au devant du haut-de-chausses et formant une poche. C'est le sens qu'il a encore au XVIe s., par exemple chez Rabelais. ◇ Le mot a suivi l'évolution du costume masculin, désignant une ouverture ménagée sur le devant d'une culotte d'homme (1680) puis d'un pantalon. La fonction originelle de cette partie du vêtement limite encore aujourd'hui l'emploi du mot pour désigner l'ouverture d'un pantalon de femme. Par métonymie, il se dit familièrement du sexe et du comportement sexuel de l'homme, sens dont procède le dérivé épisodique **BRAGUETTEUR** n. m. qui s'est dit d'un séducteur brutal (1898).

▶ **DÉBRAGUETTER** v. tr. (1535) et **REBRAGUETTER** v. tr. (1535) s'emploient familièrement pour «refermer» et «ouvrir (la braguette)», surtout à la forme pronominale.

BRAHMANE, BRÂHMANE n. m. représente, par diverses voies d'emprunt et d'adaptation, depuis 1298, le sanskrit *brāhmaṇa*. Ce mot a trois significations : il désigne les développements en prose de caractère spéculatif interprétant la liturgie, dans le Véda; il concerne également celui qui détient le *bráhman*, substance du rite, de la parole et du savoir sacrés (voir ci-dessous); enfin, et c'est en ce sens qu'il a été emprunté, il désigne un membre de la caste sacerdotale, première des castes traditionnelles en Inde. Le mot se rattache au nom du Dieu personnifié *Brahma*, premier membre de la trinité hindoue (les autres étant Vishnu et Shiva), le dieu-créateur. Il se rattache à *bráhman* (neutre, accentué sur la première syllabe), nom d'une conception impersonnelle de l'absolu, tout aussi ancienne. À l'origine, *bráhman* signifie probablement «prière» et «parole, verbe», et vient de la racine °*bhr-* «surgir». Il désigne aussi ce qui est grand et puissant et correspond au principe sur lequel repose l'univers, défini comme ce d'où viennent les créatures, ce dans quoi elles existent et ce vers quoi elles retournent. Le mot, alors au masculin et accentué sur la seconde syllabe *brahmán*, désigne le prêtre, celui qui possède cette puissance d'essence verbale ou est lié à elle; dans cette acception, il est rapproché du terme religieux latin *flamen, -inis* «flamine», titre donné au prêtre attaché au culte d'une divinité particulière; ce rapprochement pose toutefois certaines difficultés (notamment quant au *-a-* latin). ◇ En ancien français, la forme *abraiaman(t)*, employée dans le *Livre de Marco Polo*, et la forme *abramain* (av. 1307) représentent une adaptation éphémère du mot sanskrit. Les formes ultérieures *rachmane* (1532, jusqu'au XIXe s.), *brahmane* (1667) ainsi que *bramine* (v. 1540), *brahmine* (av. 1704), usuelles au XVIIIe et au début du XIXe s. aujourd'hui archaïques, sont probablement empruntées par l'intermédiaire du portugais, qui a *brahmane* (1505, antérieurement *barahamate* 1333) et *bramine* (1502). ◇ Le type *brame* (1699) représente sans doute une forme abrégée, à comparer à la forme espagnole *brama* (1585).

♦ Le mot désigne en français et dans d'autres langues d'emprunt un membre héréditaire de la caste sacerdotale en Inde. Par extension, il s'est employé dans le style littéraire avec la valeur de «sage». La forme *brahmine,* sortie d'usage au sens de «brahmane», se rencontre au féminin comme désignation de la femme d'un brahmane.

▶ **BRAHMANISME** n. m. (1801) désigne le système social et religieux de l'Inde qui a fait suite au védisme et a précédé l'hindouisme, caractérisé par la suprématie des brahmanes. ➜ En sont dérivés

BRAHMANIQUE adj. (1827) et **BRAHMANISTE** n. et adj. (1927, E. Favre).

BRAHMAN n. m. est emprunté savamment dans l'usage des orientalistes (1928) au sanskrit *bráhman* (ci-dessus).

BRAI n. m. est le déverbal (1309) de *brayer* v. tr., d'abord attesté sous la forme *broier* (1295) avant *brayer* (1382-1384) «enduire de goudron». Ce verbe est emprunté à l'ancien norrois *braeđa* «goudronner», auquel correspondent le vieil anglais *braedan*, l'ancien haut allemand *brātan* «rôtir» et d'autres mots germaniques (→ brader). Le verbe ancien norrois est à rattacher au substantif *bráđ* «goudron» (qui, d'après la chronologie attestée, n'a probablement pas donné directement *brai*) et celui-ci remonte à une racine indoeuropéenne °*bh(e)re-* «chauffer».

♦ Le mot désigne le résidu de la distillation du goudron et, par métonymie, le cuir ou la toile goudronnée qu'on met au pied du mât pour empêcher que l'eau ne le fasse pourrir (1643).

BRAIE n. f. est issu (1172-1174) du latin *braca*, usité surtout au pluriel *bracae*, avec un doublet *braces*. Le mot est probablement emprunté au gaulois, car ce n'est que par les Gaulois que les Romains, qui portaient des vêtements amples, non cousus, apprirent à connaître ce vêtement masculin, ancêtre des chausses, caleçons et culottes. D'abord ridiculisé, celui-ci fut adopté partout et le mot passa dans les langues romanes : italien *brac*, espagnol *braga*, ancien provençal *braga* ou *braya* (→ braguette).

♦ Le mot a désigné une sorte de culotte ou de caleçon porté par plusieurs peuples de l'Antiquité et en usage dans les campagnes au moyen âge ; après le remplacement des braies par les chausses, ce sens survit seulement dans les parlers normands, bretons et méridionaux. La spécialisation pour «lange, couche d'enfant» (1680) est sortie d'usage. ➔ D'autres acceptions techniques, fondées sur une analogie de fonction (protection) avec le vêtement apparaissent à partir du XVIIe s. : le mot a désigné la traverse de bois que l'on mettait sur le palier d'un moulin à vent (1694), acception d'où vient le verbe *embrayer*, le papier fort dont les typographes garnissaient la frisquette de leur presse (1771), la garniture de fer qui entourait le manche du marteau de forge (1803, écrit *brée*). ◇ De nos jours, il ne survit qu'en histoire (pour le vêtement) et comme terme de fortification, de marine et de pêche.

▶ **BRAYER** n. m., d'abord *braier* (v. 1130), a désigné la ceinture maintenant les braies, sens repris par les historiens de l'habillement. ◇ Le mot a eu plusieurs spécialisations techniques, désignant une bande de métal circulaire servant à consolider les cloches (1389), un bandage herniaire (v. 1560), le cordage dont on entoure les blocs de pierre afin de les monter mécaniquement (1678), la pièce de fer soutenant le fléau d'une balance (1680) et la ceinture sur laquelle on appuie la hampe d'une bannière (1701). Tous ces emplois sont archaïques ou rares. ➔ Enfin *embrayer** et *débrayer* viennent probablement de *braie*.

◈ voir BRAGUETTE, BRÊLER, DÉBRAILLER, DÉBRAYER (art. EMBRAYER), EMBRAYER.

BRAILLE n. m. est l'emploi comme nom commun (1927), pour *écriture* ou *alphabet Braille*, du nom de Louis *Braille* (1809-1852), professeur à l'Institution des aveugles et inventeur de ce système.

♦ Le mot désigne un système d'écriture à points saillants utilisable par les aveugles ; il s'emploie à la manière des noms de langues : *apprendre, savoir, lire le braille ; lire, livre en braille*, etc.

BRAILLER v. intr. est issu (v. 1220) d'un latin populaire °*bragulare*, dérivé d'une forme °*bragere* (→ braire). L'ancien provençal *brailar, braulhar* est formé d'une façon analogue, mais c'est le latin populaire qui rend compte du mot français.

♦ Le verbe a conservé le sens initial de «crier fort, de manière assourdissante» que *braire* a perdu, tandis qu'il a cédé à celui-ci le sens de «crier» en parlant de l'âne, encore quelquefois réalisé par retour au sens étymologique (Apollinaire).

▶ Les dérivés remontent au XVIe siècle. ➔ **BRAILLARD, ARDE** adj. et n. (1528) désigne et qualifie celui qui crie ou parle de manière assourdissante ; il se dit notamment des jeunes enfants. ➔ **BRAILLEUR, EUSE** adj. et n. (1586) est pratiquement synonyme du précédent sans être aussi courant. ➔ **BRAILLEMENT** n. m. (1590) «action de brailler» et «éclat de voix», a cessé d'être attesté après 1611 pour être repris en 1845. Le verbe et ses dérivés sont péjoratifs.

◈ voir BRUIRE.

BRAIN-TRUST n. m., d'abord écrit *Brain Trust* (1933), est emprunté à l'anglo-américain *brain-trust* (1910) «trust du cerveau». *Brain* «cerveau» correspond au moyen bas allemand *bragen, bregen*, au moyen néerlandais et néerlandais *brein*, remontant à un germanique °*bragnam* probablement apparenté au grec *brekhmós, bregmós* «haut de la tête» (encore en grec moderne) ; pour le second élément, → trust. ◇ En américain, après quelques occurrences isolées en 1910 et 1925, le mot s'est répandu à l'occasion de la réunion par le président Roosevelt d'une équipe d'intellectuels et d'hommes d'affaires pour réfléchir sur les moyens du redressement des États-Unis après la crise de 1929 ; le mot s'est banalisé quelques années plus tard (1937).

♦ Il s'emploie en français en référence à l'équipe dont s'entoura F. Roosevelt. Par extension, il se dit d'une petite équipe d'experts, de techniciens qui assiste une direction (1937) avec la connotation souvent ironique de «grand capitalisme américain».

BRAIRE v. intr. est issu (1080) d'un latin populaire °*bragere*, auquel remontent également l'ancien provençal *braire* «crier, chanter», à côté de la forme dérivée *brailar* qui correspond à *brailler**, et de quelques formes italiennes. Le mot latin se rattache peut-être à un radical expressif celtique °*brag-* représenté par les verbes gaélique *braigh-* «crépiter, craquer», ancien irlandais *braigim* ; la différence de sens est toutefois assez grande.

♦ En ancien et moyen français, le mot est synonyme de *crier ;* les deux verbes sont souvent employés en couple ; le sujet désigne une personne ou, plus rarement, un objet. ◇ L'évolution s'est faite par spécialisation à propos de l'âne (1640) ; *brailler* a suivi le chemin inverse.

▶ **BRAIEMENT** ou **BRAIMENT** n. m. (1160) a suivi la même évolution, passant du sens général de «cri», attesté jusqu'en 1606, à l'acception moderne, «cri de l'âne» (1590).

◈ voir BRAILLER, BRUINE.

✳ **BRAISE** n. f., d'abord écrit *breze* (v. 1170), est d'origine obscure, peut-être germanique. Le mot est attesté dans l'ensemble de la Romania, dès le xe s. par le latin médiéval *brasas carbones.* Il est malaisé de préciser la voie de pénétration en Gaule, car le mot, qui n'a pas existé en germanique occidental, est attesté dans le domaine nordique : norvégien et suédois *bras (-eld)* «feu pétillant», norvégien et suédois dialectal *brasa* «rôtir», danois dialectal *brase* «flamber». Pour des motifs géographiques et chronologiques, l'hypothèse d'un emprunt direct à l'ancien norrois paraît invraisemblable et on peut supposer que le radical °*bras-* a existé en gotique ; dans ce cas, il aurait été importé par les Goths. Étant donné son implantation romane précoce et son absence en germanique occidental, l'hypothèse d'un emprunt du mot au francique (zone flamande et néerlandaise actuelle) est hasardée. Le terme flamand *braze* «braise», peut-être emprunté lui-même au français, n'offre pas un appui suffisant.

♦ Le mot désigne le bois réduit par la combustion à l'état de charbon ardent. Dès les premiers textes, il est employé avec la valeur figurée de «flamme, ardeur» (1176), le plus souvent dans des locutions comme ***être chaud comme braise, être sur la braise.*** ◇ Il désigne spécialement le bois formant un charbon léger qui se rallume facilement (1396, *bresze*), utilisé par les boulangers (1718). ➜ Le sens argotique, puis familier, d'«argent, monnaie» (1783) est soit issu du sens dialectal de *braise* «miette» (lyonnais), soit issu de *braise* «charbon» par allusion à la fonction des braises, qui est de «faire bouillir la marmite» ; la métaphore est attestée pendant la Révolution par Hébert (le «Père Duchesne») qui appelait l'argent de sa subvention *«la braise accessoire pour chauffer son fourneau».*

▶ La dérivation se partage en deux séries morphologiques ; l'une utilise le radical *brais-*, l'autre le radical *bras-* avec apophonie ; à ces radicaux s'ajoute, pour le mot, le radical de l'ancien français *breze, bres-*. ➜ **BRASIER** n. m. (1130-1160) désigne proprement un feu de braises et, par extension, un grand feu, un incendie important. ◇ Il a aussi comme *feu* le sens figuré d'«ardeur, passion» (1637, Corneille), et concrètement de «fièvre» dans la locution ancienne *son corps est un brasier ardent* (1690), remplacée aujourd'hui par des emplois métaphoriques (*le brasier des sens,* etc.). ➜ **BRÉSIL** n. m. est dérivé (1168), en raison de l'analogie de couleur, de *breze,* ancienne forme de *braise,* avec le suffixe *-il* (du latin *-iculum* ou *-ilium*). Le mot, qui désigne le bois d'un arbre exotique contenant un colorant rouge, a fourni en portugais le mot *Brazil* qui a servi à nommer le pays d'Amérique du Sud dont ce bois précieux provenait, le *Brésil.* ➜ Le mot a une série de dérivés techniques : **BRÉSILLER** v. tr. «teindre avec du brésil» (1346), **BRÉSILLET** n. m. (1694) «bois de brésil médiocre», et au xixe s. **BRÉSILINE** n. f. (1838) tiré de la forme *brésil.* Comme *brésil,* ils sont archaïques. ➜ Le verbe **BRÉSILLER** (1545), «réduire en petits morceaux, effriter», est moins clair : certains y voient le dérivé par dissimilation d'une forme °*brisiller,* dérivée de *briser** et en rapprochent l'ancien provençal *brezillar* «tomber en débris, se briser» (fin xiie-déb. xiiie s.), *brezil, bresilh* «recoupe de pierre» puis «débris, criblure» (xive s.). D'autres, cependant, en font une extension de sens de *brésiller* «teindre avec du brésil», du fait que le brésil est réduit en menus morceaux pour en extraire la teinture.

BRASER v. tr. (déb. xiiie s.) a signifié «embraser, consumer» jusqu'au xvie siècle. Il s'est spécialisé au sens de «souder». ◇ Dans ce sens, il a servi à former **BRASURE** n. f. attesté une fois en moyen français (1478) au sens ancien du verbe, puis à nouveau depuis 1803, et **BRASAGE** n. m. (1866). ➜ **BRASILLER** v., d'abord attesté par le participe passé *bresilliee* (1223), signifie «faire griller sur la braise». Par extension, il est employé intransitivement pour «scintiller comme de la braise» (1613), en particulier dans la description de la mer sous le soleil ou la lune (1751). ◇ **BRASILLANT, ANTE** est adjectivé (1613) ; **BRASILLEMENT** n. m. «scintillement» (1835), se rencontre aussi avec le sens de «crépitement» par transposition de la sensation visuelle à la sensation auditive (1958). ➜ **BRAISIER** n. m. (xiiie s.), doublet de *brasier* (ci-dessus) signifiant «grand feu de charbons ardents», est sorti d'usage, y compris avec le sens technique de «huche où le boulanger met la braise quand elle est étouffée» (1701). ➜ **BRAISIÈRE** n. f. (1735), terme de cuisine, désigne une marmite dont le couvercle à bords relevés peut contenir de la braise. Le mot a aussi servi à désigner le récipient du boulanger. ➜ **BRAISER** v. tr., autre terme de cuisine (1767), signifie «faire cuire (un aliment) à feu doux, à l'abri de l'air» ; il est plus courant au participe passé adjectif **BRAISÉ, ÉE.** ➜ Il a produit **BRAISAGE** n. m. (1957). ➜ **BRAISETTE** n. f. (1836) est un mot rare pour «petite braise». ➜ Une série littéraire **BRAISILLER** v. intr. (1869), **BRAISILLANT, ANTE** adj. (1869), **BRAISILLEMENT** n. m. (1886), bien attestée dans les œuvres de Zola, fonctionne en synonymie avec celle de *brasiller.*

EMBRASER v. tr., sous la forme du participe passé adjectivé *embrasé, ée* (1130-1160) et en emploi verbal (1160), signifie proprement «mettre en feu». Il s'est surtout répandu au figuré pour «exciter, exalter» (1174-1176) ; cf. *enflammer.* Par analogie, il signifie aussi «rendre très lumineux, très chaud» (1200-1225). ➜ Le substantif d'action **EMBRASEMENT** n. m. (fin xiie s.) correspond au verbe, d'abord au figuré, puis au propre (1225-1230). ➜ **EMBRASURE** n. f., plus tardif (1522), a en revanche reçu une signification peu prévisible. Il est possible de l'expliquer en donnant au verbe le sens de «rendre très lumineux» ou de «mettre à feu par l'ouverture où pointe le canon», mais ces valeurs ne sont pas attestées. Cependant le passage d'*embrasure*, «action de mettre le feu», vers le sens d'«ouverture» en architecture militaire (1616) ne s'est pas fait de manière isolée, comme en témoigne une attestation précoce d'*embrasement* en architecture (1403). *Embrasure*, «ouverture dans un mur pour recevoir une porte, une fenêtre» (1639), s'est détaché de son origine. Il a entraîné le dédoublement du verbe *embraser* et la formation d'*ébraser*, le préfixe *é-* étant jugé plus apte à exprimer la notion d'élargissement. ◇ Le maintien d'*embrasure* au sens extensif d'«espace autour d'une fenêtre, d'une porte-fenêtre», est probablement dû au fait que le partage sémantique entre *embrasement* et lui avait déjà eu lieu.

◈ voir **BRASERO.**

BRAMER v. intr. est emprunté (1528) à l'ancien provençal *bramar* «chanter» (XIIe s.), «braire (de l'âne)», «chanter (du rossignol)», et, à propos d'un être humain, «crier» (1432), d'où «désirer ardemment». Ce verbe est issu du gotique °*bra(m)môn*, correspondant au germanique °*brammôn*, à rapprocher du moyen bas allemand *brammen* (allemand *brummen* «gronder»). Ces mots appartiennent à un groupe germanique auquel sont apparentés le moyen néerlandais et néerlandais *bremen, bremmen*, le vieil anglais *bremman* (anglais *to brim*), d'où se dégage une racine °*brem-* probablement apparentée à celle du latin *fremere* «gronder» (→ frémir), et du sanskrit *bhramaráḥ* «abeille». Étant donné l'aire géographique du verbe dans la Romania, il vient plutôt du gotique : bien représenté en occitan, en franco-provençal et dans le domaine bourguignon, il n'est parvenu dans le français du Nord qu'au XVIe s., probablement grâce à des auteurs comme Rabelais, Marot, d'Aubigné, tous largement influencés par la langue occitane.

♦ Le sens de «pousser son cri», en parlant du cerf, attesté chez Marot (1528), s'est répandu très progressivement si l'on en croit le dictionnaire de Trévoux (1704). ◇ Le sens figuré de «crier, brailler», en parlant des humains (1534), a cessé d'être attesté après 1660 pour être repris par le langage familier (attesté 1808).

► Il y a eu hésitation dans la formation d'un substantif d'action entre **BRAMEMENT** n. m. (1787) et **BRAME** n. m. (XIXe s.) plus fréquent en vénerie mais donné comme «vieux mot» par certains dictionnaires du XIXe s. (comme le *Grand Larousse*). ◆ En Suisse romande, on emploie de préférence **BRAMÉE** n. f., substantivation du participe passé féminin de *bramer*, avec un éventail de sens allant du beuglement de la vache au cri poussé par d'autres animaux, et, au figuré, du cri de douleur à la gronderie véhémente.

BRAN ou **BREN** n. m., d'abord *brent* (1205-1215), forme encore attestée dans les dictionnaires au XVIIIe s., puis *bran* (XIIIe s.), est issu d'un latin populaire °*brennus* «son», attesté sous la forme *brin(n)a* (VIIIe-IXe s.). L'origine de ce mot est obscure, sans doute préromane (biscaïen *birrin*), peut-être gauloise; cependant, les correspondants dans les langues celtiques — irlandais, gaélique *bran*, breton *brenn* — ne sont probablement pas autochtones, mais peut-être empruntés au français ou à l'anglais *bran*, lui-même repris de l'ancien français au XIIIe siècle.

♦ Le sens de «son», conservé par l'anglais *bran*, a été éliminé au XVIIIe s. par *son*, si bien que le mot ne désigne plus que la partie grossière *(bran de son)*; ainsi l'ancienne locution proverbiale *faire l'âne pour avoir du bran* (XVIe s.) est devenue ... *pour avoir du son*. ◇ Par analogie, le mot a pris le sens péjoratif de «boue, lie» attesté de manière isolée au début XIIIe puis fin XIIIe s. (av. 1300), et aussi d'«excrément» (1306). Ce dernier emploi a donné un emploi interjectif marquant le mépris (1532, Rabelais). ◇ Le mot est sorti d'usage sauf dans quelques usages régionaux, et a formé plusieurs dérivés (ci-dessous). ◇ Par analogie d'aspect avec le son, *bran de scie* (1743) a désigné la sciure.

► Le dérivé **BRENAGE** n. m., attesté en latin médiéval (*brenagium* en 1124), puis sous les formes françaises *bernage* (1306) et *brenage* (1313), est un terme de féodalité correspondant au latin médiéval *brennaticum* (845) ◆ Le mot, vivant jusqu'au XVIe s., a été repris par les historiens (1845) à propos de la redevance en son, puis en avoine et autres grains, enfin en argent, qui était due pour la nourriture des chiens du seigneur. On disait aussi *brenerie* n. f. (1280).

BRENEUX, EUSE adj. (XIVe s.) ou **BRENNEUX, EUSE** procède de *bran, bren* au sens d'«excrément» avec le sens de «souillé de matière fécale» d'où au figuré «mauvais, laid». Il se maintient dans l'usage régional, par plaisanterie. ◆ **EMBRENER** v. tr. (1532), «salir d'excréments», a développé le même sens figuré qu'*emmerder*, «embêter, ennuyer», affectionné par des écrivains modernes comme Queneau. De même que *conchier*, il est archaïque et plaisant. ◇ Son dérivé **EMBRÈNEMENT** n. m. (1676) est sorti d'usage.

◈ voir **BERNER, BERNIQUE.**

BRANCARD n. m., d'abord *brancart* (1380), puis *brancard* (1476), aussi *branquar* (1429), semble apparenté à *branche** : il est soit dérivé de la forme normande *branque* (av. 1267) avec le suffixe *-ard* (de *buvard, billard, placard, poignard*), soit emprunté au provençal *brancan, brancat, brancal* «grosse charrette» et aussi «gourdin» (XVIe s.), avec assimilation au suffixe *-ard*. Le français *brancal*, attesté de 1573 à 1642 et mentionné de nouveau par les dictionnaires du XIXe s., est emprunté au provençal. ◇ Le recours à un étymon °*brankareton* «les bras», pluriel collectif d'un mot gaulois °*branka* (latin *branca*; → branche) ne semble pas nécessaire pour rendre compte du suffixe.

♦ Le sens de «chariot» est sorti d'usage au XVIe siècle. ◆ Celui de «pièce de bois prolongeant la caisse d'une voiture et permettant d'atteler un cheval» (1429), le plus souvent au pluriel, est demeuré vivant; il est notamment réalisé dans la locution figurée ***ruer dans les brancards*** «se rebiffer». ◇ Par analogie, *brancard* désigne une barre de bois à l'avant ou à l'arrière d'un objet lourd, volumineux et servant à le transporter, sens qui explique l'évolution métonymique vers celui de «civière munie de tels bras» (1541), seul vivant en français moderne et dans les dérivés.

▶ **BRANCARDIER** n. m. (1651) désigne celui qui porte un brancard avec une spécialisation militaire répandue en 1914-1918. ◇ Le sens de «cheval mis entre les brancards d'une chaise de poste» (1863) est sorti d'usage. ➜ **BRANCARDER** v. tr. (1877) signifie «transporter qqn sur un brancard»; en est dérivé **BRANCARDAGE** n. m. (1917).

✳ **BRANCHE** n. f. est issu (v. 980) du bas latin *branca,* «patte d'un animal» (IVe s.), qui a développé dans le domaine gallo-roman le sens de «branche d'arbre», par analogie de forme (1073). Ce mot latin, au demeurant très rare, est d'origine obscure, l'hypothèse d'une origine celte, induite par son extension géographique n'ayant aucun appui dans les langues de ce groupe. *Branche* a supplanté l'ancien français *rain, ram,* représentant du latin *ramus* (→ rameau).

♦ Le mot désigne une ramification de la tige ligneuse d'un arbre et, par métonymie, le morceau de bois que forme cette ramification une fois coupée. Il est entré dans la locution *de branche en branche* (XIIIe s.) qui a eu le sens figuré de «successivement» (1387-1393) avant la métaphore ***sauter de branche en branche*** (1690) «d'un sujet à l'autre, sans lien»; cf. *du coq à l'âne.* D'autres expressions, ***s'accrocher à toutes les branches*** (XVIIe s.) et ***être comme l'oiseau sur la branche*** (1690) au figuré, s'expliquent d'elles-mêmes. ◇ Une extension tardive fait employer le mot à propos d'une ramification de végétal (av. 1704), par exemple dans *asperges en branches* (1863). ➜ Les extensions analogiques et figurées apparaissent en ancien français. *Branche* désigne la division d'une œuvre (v. 1178 pour chacun des récits dont l'ensemble compose le *Roman de Renart;* emploi toujours vivant en littérature médiévale), la division d'un objet complexe (1306), sens qui se répand surtout après 1704 dans les divers domaines de l'activité et de la pensée humaine. ➜ Concrètement, le mot désigne aussi un bois de cerf (av. 1250), par figure une voie secondaire (1293), valeur sortie d'usage, et aussi une série généalogique provenant d'une souche commune (1306). ◇ Des acceptions spécialisées pour «élément linéaire subdivisé» apparaissent en architecture (1611), en anatomie (1637) et en géométrie (1837), souvent liées à la métaphore de l'arbre. ➜ L'une d'elle, en hippologie (1872), est à l'origine de la locution figurée ***avoir de la branche*** «de la classe» (av. 1907), qui fait allusion au cheval ayant l'encolure longue et bien portée, la tête petite et le garrot bien sorti. Cette locution a profité secondairement du sens de *branche* en généalogie. ➜ L'expression familière ***(ma) vieille branche*** «(mon) vieux camarade» (1861 dans le *Journal* des Goncourt) procède de la même métaphore que *pote, poteau* (idée de soutien fidèle). Elle a vieilli.

▶ La dérivation est riche. ➜ **BRANCHU, UE** adj. (v. 1160) qualifie un végétal pourvu de grosses branches, touffues, nombreuses; ses emplois à valeur analogique ou figurés, usuels en ancien français, se sont raréfiés. ➜ **BRANCHETTE** n. f., d'abord *brancete* (fin XIIIe s.), «petite branche», est sorti d'usage au XVIIe s. (le mot ne figure plus dans les dictionnaires après 1611), puis a été repris au XVIIIe s. (il est réattesté depuis l'*Encyclopédie*). ➜ Le diminutif de sens voisin **BRANCHILLON** n. m., d'abord *brancillon* (v. 1230), «toute petite branche», semble aussi être sorti d'usage après 1611 avant d'être réattesté en 1863 par Littré.

BRANCHER v. tr. est attesté indirectement sous la forme de l'infinitif substantivé *brancer* (1300-1350) en fauconnerie, «fait de se fixer sur une branche». ◇ Il s'est répandu au XVIe s. en emploi intransitif et pronominal pour «se percher» (1510), et avec deux sens qui n'ont pas vécu : «pendre» en emploi transitif (1543) et «se diviser en branches» (1562) d'où, au figuré, «se diviser en ramifications secondaires» en généalogie (av. 1755) en relation avec *embranchement.* ◇ Le verbe est devenu usuel avec le sens de «rattacher (une conduite, une canalisation) [1863] à un circuit principal», lequel semble un peu postérieur au sens correspondant de *branchement.* ◇ De là, il a pris les sens figurés d'«orienter, diriger sur» et familièrement «mettre en communication psychique, intéresser vivement» (v. 1960). Ce dernier sens connaît une grande vogue, d'abord dans le langage des jeunes, surtout à la voix passive (cf. ci-dessous *branché*), et avec un nom de chose pour sujet. ➜ **BRANCHÉ, ÉE,** le participe passé adjectivé de *brancher,* a reçu récemment dans l'usage familier le sens figuré correspondant, «mis au courant, concerné» (1973), et a pris par extension celui de «à la mode, dans le coup» (1980, *Actuel*) avec lequel il est substantivé et déformé par le verlan en **CHÉBRAN** adj. et n.; il est concurrencé après 1980 par *câblé* (*bléca* en verlan) par la même image technique. ➜ **BRANCHEMENT** n. m. (XVIe s.), dont le sens de «pousse ligneuse des arbres» peut également correspondre à une dérivation de *branche,* est sorti d'usage avant d'être reformé au XIXe siècle. Il prend alors le sens technique et courant de «rattachement (d'une conduite, d'un circuit électrique secondaire) à l'installation principale» (1853) et se spécialise en chemins de fer pour désigner le dédoublement d'une voie par l'intermédiaire d'un aiguillage. ➜ De *brancher* vient par préfixation **DÉBRANCHER** v. tr. attesté isolément au XVIe s. au pronominal «se détacher de la branche» (avec une valeur figurée) et reformé au XIXe s. avec le sens propre de «faire descendre d'une branche». ◇ Ce verbe ne s'est répandu qu'avec les sens techniques correspondant à ceux de *brancher,* en chemins de fer (1890), et surtout en électricité (déb. XXe s.), produisant **DÉBRANCHEMENT** n. m. (1890, en chemins de fer).

BRANCHAGE n. m., formé sur *branche* avec le suffixe *-age* de *feuillage, ramage,* est d'abord attesté sous les formes *branchaige* (1453) et *branquage* (1454). Il a eu le sens de «descendance, famille» jusqu'en 1611. ◇ Le mot est devenu courant avec le sens concret d'«ensemble de branches» (1454) et a signifié par analogie «bois du cerf» (av. 1813). ➜ Avec la valeur technique d'«action de ramifier par rattachement d'éléments nouveaux à un élément principal» (1875, *Journal officiel*), il est dérivé de *brancher*. Avec ce sens, de même qu'avec celui de «fait de se diviser» (1897), il empiète sur *branchement*. ◆ **BRANCHÉE** n. f. (av. 1849) désigne ce que porte une branche.

Deux formations préfixées sont usuelles. ◆ **ÉBRANCHER** v. tr., d'abord *esbrancher* (1197), s'emploie en arboriculture avec le sens de «couper des branches». Il a développé la valeur figurée d'«enlever (ce qui est jugé superflu)», accueillie par l'Académie en 1835 dans le prolongement du sens médiéval d'«aliéner (un fief)» (v. 1283). ◇ **ÉBRANCHAGE** n. m. (XVIIe s.) et **ÉBRANCHOIR** n. m. sont employés en arboriculture. ◆ **EMBRANCHEMENT** n. m. (1494) désigne une division en plusieurs éléments secondaires, en particulier d'une voie, d'un conduit. ◇ Au figuré, il se dit de la grande division d'une classification (1805, en zoologie), sens avec lequel il a donné **SOUS-EMBRANCHEMENT** n. m. (1890). ◇ Il désigne également la division d'un arbre en plusieurs branches (1864) et le point de départ ou d'insertion d'un objet de forme analogue à une branche (1864). ◆ **EMBRANCHER** v. tr. (1773) «relier (une canalisation, une voie de communication) à une voie déjà existante», a probablement été formé d'après *brancher*, sous l'influence d'*embranchement*. Il ne peut continuer le moyen français *embrancher* (v. 1460), «suspendre aux branches», qui était depuis longtemps sorti de l'usage. La forme pronominale, *s'embrancher* (1835), a développé le sens figuré de «relier, raccorder à qqch.» (av. 1922).

◈ voir BRANCARD.

BRANCHIE n. f., surtout au pluriel *branchies*, est emprunté (1690) au latin *branchia* (pluriel *branchiae*), lui-même emprunté au grec *brankhia*, pluriel neutre désignant l'organe de respiration des poissons, et peut-être les bronches. Le mot se rattache, avec une spécialisation de sens inattendue, au groupe de *brankhos* «enrouement, angine», terme expressif et technique sans étymologie connue. Hors du grec, l'ancien irlandais *brong(a)-ide*, «enrouement», constitue un rapprochement possible. Le sens de «branchies» pourrait être dû à un rapprochement populaire avec *bronkhos* «trachée-artère» et son dérivé *bronkhia* (→ bronche).

♦ Le mot désigne l'organe respiratoire des animaux aquatiques, notamment des poissons et des batraciens.

▶ Du latin *branchia, branchiae*, plutôt que de *branchie*, est dérivé **BRANCHIAL, ALE, AUX** adj. (1770), ainsi que les termes de classification zoologique **BRANCHIOPODES** n. m. pl. (1803), de *-podes*, et **BRANCHIOSAURES** n. m. pl. (1887) par le latin scientifique *branchiosaurus*, de *-saurus* (→ sauriens).

◈ voir LAMELLIBRANCHES.

BRANDADE n. f. est emprunté (1788) au provençal *brandado* (av. 1781), participe passé substantivé de l'ancien provençal *brandar* «remuer» (fin XIIe s.), en raison du fait que les différents ingrédients entrant dans la composition du mets sont mélangés et longtemps remués avec une spatule de bois. Le verbe provençal correspond à l'ancien français *brander* «trembler, s'agiter» (1174-1183), dérivé de *brand, brant* «épée» (→ brandir).

♦ Le mot désigne une préparation de morue à l'ail, de la région de Nîmes, et, par une extension que contestent les gastronomes, une préparation de morue écrasée et de pommes de terre en purée.

BRANDE n. f., attesté indirectement par le latin médiéval *branda* (1205 en Bretagne) puis par le dérivé *brandey* «champ de bruyères» (1378), avant d'être employé sous la forme *brande* (1478), est le déverbal de l'ancien français *brander* «flamboyer, s'embraser (de l'aube, d'un rayon de lumière)» (v. 1150). Le développement de sens s'explique par le fait que la bruyère est facilement inflammable et qu'au moyen âge on brûlait les champs pour les fertiliser (opération appelée *écobuage*); il est confirmé par le latin médiéval *brandarium* (1195) dont le sens est probablement «champ destiné à être essarté par le feu».

♦ Le mot, dont l'emploi relève d'un usage régional ou didactique, désigne à la fois les bruyères et la terre infertile où elles poussent. Par métonymie, il désigne spécialement un fagot de bruyères enduit d'une substance combustible (1653).

◈ voir BRANDIR.

BRANDEBOURG n., d'abord *brandebour* (1621-1655) puis *brandebourg* (1680), est l'emploi comme nom commun du nom de la province allemande de *Brandebourg* (allemand *Brandenburg*) dont Berlin est le centre. Le mot a probablement été repris au cours de la guerre de Trente Ans, d'après un type de vêtement porté dans cette région.

♦ Il a désigné une casaque à manches longues ornée de boutons en olive reliés entre eux par des galons; en ce sens, il a été de genre féminin, probablement pour *casaque de brandebourg*. ◇ Ce sens, vivant au XVIIe et au début du XVIIIe s. (il est jugé «ancien» en 1798), a disparu au profit d'un emploi masculin, au sens métonymique de «galon en forme de boutonnière» (1752), par exemple dans *veste, vêtement à brandebourgs*.

BRANDEVIN → BRANDY

BRANDIR v. tr. est dérivé (1080) de l'ancien français *brand* qui a dû avoir le sens non attesté de «tison» et qui, par allusion au brillant de la lame, aurait pris le sens de «lame de l'épée» d'où «épée» (1080). *Brand* est issu d'un francique °*brand* «tison» (→ brandon). Les correspondants romans sont empruntés à l'ancien français ou à l'ancien provençal *brandir* (XIIe s.), ce qui confirme l'origine gallo-romane de cette famille de mots dans la Romania. Un doublet verbal *brander* a été employé en ancien français, au sens de «luire, s'embraser» et, plus rarement, «agiter en l'air». ◈

♦ Le verbe exprime en moyen français l'idée d'agiter une arme en l'air comme si on allait frapper. Le sens de «chanceler, trembler», en emploi intransitif (1080), s'est éteint dès le XIIIe s. tandis que l'emploi transitif continuait à exister en moyen français. Le verbe semble être sorti d'usage au XVIIe s. : il est estimé «vieux» par les dictionnaires de l'Académie jusqu'en 1798. ◇ *Brandir*, par retour au sens étymologique, est attesté au sens de «scintiller» (1611) mais cet emploi n'a pas eu de succès. La spécialisation technique d'«affermir deux pièces de bois l'une contre l'autre sans qu'elles soient entaillées» (1690) procède peut-être d'une analogie de forme entre l'épée et une grande cheville, celle-ci étant assujettie en frappant; elle est aussi sortie d'usage. ➛ Le mot est redevenu usuel au début du XVIIIe s. au sens initial de «dresser en l'air pour frapper» et par extension (1829) «agiter en l'air», non plus pour menacer mais pour attirer l'attention, pour montrer. Dans le contexte de la menace, le verbe s'emploie aussi au figuré (*brandir une menace*, etc.).

▸ **BRANDILLER** v. (XIIIe s.) est le seul de tous les dérivés verbaux de *brandir*, à côté de *brandeler*, *brandoyer*, *brandouiller*, à s'être maintenu, soit dans les parlers régionaux, soit dans le style littéraire. ◇ Il exprime l'idée de «ballotter, osciller» en construction intransitive, les constructions transitive (XIIIe s.) et pronominale (XVIe s.) de même sens ayant disparu. Le sens de «bercer» (1611) et celui de «scintiller» (1611) [cf. ci-dessus *brandir*] sont restés sans lendemain. ➛ Le dérivé **BRANDILLEMENT** n. m., d'abord employé au sens concret de «balançoire» (1564), puis comme substantif d'action de *brandiller* (1611), est inusité. ➛ **BRANDILLOIRE** n. f. (1572) a désigné un type de balançoire rudimentaire et, ultérieurement, une charrue sans avant-train (1838). Il est archaïque. ➛ Seul le participe présent adjectivé **BRANDILLANT, ANTE** (1879) est encore attesté, d'ailleurs rarement, dans l'usage littéraire. ➛ L'argot a formé **BRANDILLON** n. m. (1902 à Lyon; 1912 à Paris), désignation plaisante du bras par l'image du bras pendant.

BRANDISSEMENT n. m. est attesté une première fois en 1587 au sens d'«éclat», en relation avec le sens premier de l'étymon. ◇ Le sens d'«action d'élever en agitant» est attesté plus tard (1660), et repris au XIXe s. (av. 1844). Il reste rare, comme **BRANDISSEUR, EUSE** n. qui apparaît tardivement (1848) et désigne la personne qui brandit qqch. ➛ **BRANDISSAGE** n. m., lui aussi tardif, vient de *brandir* au sens technique de «calfeutrer, boucher les fentes d'un cuvelage» attesté en wallon (fin XIIIe s.) et est en relation avec *brande** «bois, copeaux, pailles servant à chauffer les navires». Il s'employait dans les mines (1885, Zola) pour «calfatage de la voûte et des soutènements d'une galerie avec de l'étoupe, de la paille».

◈ voir BRANDADE, BRANDE, BRANDON, BRANDY, BRANLER, FARANDOLE.

BRANDON n. m. est issu (1130-1140), probablement par l'intermédiaire d'un ancien français °*brant* non attesté (→ brandir), du francique °*brant* «tison», lequel a pénétré dans la Romania avec le sens dérivé de «lame de l'épée» peut-être déjà réalisé en francique. En effet, par allusion au brillant de la lame, le double sens est réalisé depuis le haut moyen âge dans les langues germaniques : ancien norrois *brandr* «embrasement, bois de chauffage» et «lame d'épée, glaive», ancien haut allemand, moyen haut allemand *brant* «tison» et «épée étincelante», moyen néerlandais *brant* «feu, bûcher» et «arme étincelante, épée», anglo-saxon *brond* «tison» et «lame d'épée», «épée». La disparition présumée du sens de «tison» en ancien français (dont l'existence semble postulée par le dérivé ancien français *brander* «luire, flamboyer», v. 1150, [→ brande]) serait due à l'ambiguïté créée par les deux acceptions.

♦ Le mot a désigné une torche de paille enflammée pour éclairer ou mettre le feu. Par métonymie, le pluriel *les brandons* a désigné le premier dimanche de Carême au cours duquel on allumait des feux et on promenait les brandons (1268; 1222, en latin médiéval, *brandones*); cet emploi a dû se maintenir jusqu'au XVIIe siècle. ◇ Au figuré, *brandon* se dit de ce qui excite (v. 1278), surtout dans les locutions littéraires *brandon de sédition* (1560), sortie d'usage, et ***brandon de (la) discorde*** (1798). ◇ Par analogie de forme, *brandon* est passé dans l'ancien vocabulaire juridique en parlant du bâton garni de paille signalant la saisie judiciaire d'une récolte (1416), bien que le sens du latin médiéval *brando* (dès 1310) soit «voile, morceau d'étoffe indiquant une saisie». On parle en droit de **SAISIE-BRANDON** n. f. «saisie mobilière des fruits et récoltes sur pied» (attesté 1806). ◇ Par extension, *brandons* concerne surtout, de nos jours, les débris échappés d'un incendie (1634-1635).

▸ **BRANDONNER** v. tr., par la date d'attestation de la forme latine médiévale *brandonnare* (1291), indique l'ancienneté du sens juridique de *brandon*. ◇ Attesté en français depuis le XIVe s. (1345), il se disait pour «signaler par des brandons une saisie juridique».

◈ voir BRANDIR.

BRANDY n. m. est emprunté (1688) à l'anglais *brandy* (1657), abréviation, à l'origine familière, de la forme composée *brand-wine* (1622), *brandwine* (v. 1650), *brandy-wine* (1652) employée jusqu'à la fin du XVIIe siècle. Ce mot est emprunté au néerlandais *brandewijn*, proprement «vin brûlé», c'est-à-dire «vin distillé», formé de *branden* «brûler, rôtir, carboniser» et «distiller», apparenté au groupe germanique d'où procède le français *brandon**, et de *wine* qui remonte, par un germanique °*winam*, au latin *vinum* (→ vin). cf. ci-dessous *brandevin*.

♦ Le mot désigne une eau-de-vie de fruit et notamment de raisin (analogue au cognac), d'origine anglaise ou d'un pays où le mot est adopté. Il est apparu sous la forme *brandi* au XVIIe et s'est répandu au XIXe s. (1821, *brandy*) dans un contexte anglais et américain.

▸ **BRANDEVIN** n. m. est emprunté au néerlandais *brandewijn* et désignait (1641) l'eau-de-vie de vin. ◇ On en avait dérivé **BRANDEVINIER, IÈRE** n. (1718) pour la personne qui fabriquait, vendait le brandevin. Le mot a disparu au XIXe siècle. ◇ Le suisse romand avait déjà antérieurement *brentenwin* (1552 en fribourgeois), mot repris de l'allemand *Branntwein*, du moyen haut allemand *brantwin* (1360), lui-même emprunt au moyen néerlandais.

◈ voir BRANDIR.

✱ **BRANLER** v., d'abord *bransler* (1080), est probablement issu par contraction de *brandeler* «vaciller, osciller» (attesté seulement v. 1175), dérivé du radical de *brandir** avec le suffixe *-eler.* L'hypothèse d'un étymon latin populaire °*brandulare* est peu vraisemblable en raison du caractère peu productif du suffixe *-ulare* à cette époque.

♦ Le sens premier, «secouer, agiter une arme», rappelle celui de *brandir* dans un contexte guerrier; il a disparu au profit du sens plus général d'«agiter, secouer une partie du corps de droite à gauche ou de haut en bas» (1546), réalisé notamment dans les locutions ***branler la tête*** (1546), ***branler le chef*** (qui a conservé cet emploi ancien de *chef* «tête»), *branler le menton,* qui a signifié au figuré «manger» (1656). ◇ Une réalisation particulière de ce sens dans la langue vulgaire correspond à «faire l'acte sexuel» (1596), sorti d'usage, et à «masturber» (av. 1585). Cette acception, devenue usuelle, aussi au pronominal (1785), a porté tort à l'usage général du mot devenu dès lors équivoque. ◇ Si l'emploi intransitif de «chanceler, osciller» (v. 1165) résiste, c'est dans des locutions figurées comme ***branler dans le manche*** «être dans une situation précaire» (1593, aussi *branler au manche*). L'emploi pronominal pour «se remuer» (v. 1285), «se balancer» (1671) a disparu, du fait de l'homonymie avec le sens de «se masturber». ➛ De cette acception érotique, vient le sens figuré de ***s'en branler*** «s'en moquer» (1953), auquel correspond l'emploi transitif pour «faire» (mil. XXe s.), par exemple dans *qu'est-ce qu'il branle ?,* par un développement analogue à celui de *s'en foutre* et *foutre.* L'idée de «balancement» et par suite d'«indifférence à l'événement, au résultat de l'action» *(s'en balancer),* a pu aussi jouer un rôle, mais secondaire, car le sens général d'action se retrouve par plusieurs métaphores portant sur une activité sexuelle *(foutre, glander). J'en ai rien à branler* correspond à *rien à foutre* (ou à *rien à secouer, à cirer*).

▸ Les dérivés de *branler* attestés avant le XVIe s. ne sont tombés dans l'attraction du sens sexuel du verbe que dans certains emplois. ➛ Le déverbal **BRANLE** n. m., d'abord employé dans la locution *prendre son branle* «se mettre en mouvement» (v. 1165-1170), sortie d'usage, réalise l'idée d'un ample mouvement d'oscillation (1250-1260). ◇ Ce sens archaïque survit dans les locutions ***se mettre en branle*** (1835), ***(être) en branle*** «en action», qui existait déjà au XVIIe s. au sens d'«être dans l'incertitude». ➛ Dès l'ancien français, *branle* est aussi le nom d'une danse ancienne où un ou deux danseurs conduisaient les autres (XIIIe s.), d'où la locution figurée *mener le branle,* aujourd'hui sortie d'usage. ➛ *Branle* s'est dit aussi pour «hamac de marin» (1678) à cause du mouvement d'oscillation. ◇ C'est de ce sens disparu que procède le composé **BRANLE-BAS** n. m. (1687). Ce mot, qui désigne proprement la manœuvre consistant à plier ou déplier les *branles* (hamacs) au moment du lever et du coucher des équipages, s'est répandu dans l'usage courant par l'intermédiaire de la locution ***branle-bas de combat*** (1835), au figuré (1832) «peur panique», puis «agitation désordonnée, bouleversement» (1863). Si *branle-bas* est démotivé et reste vivant, *branle* en emploi libre est à peu près exclu, à cause du sens érotique de *branler* (seul *en branle* reste courant).

BRANLOIRE n. f., d'abord *branlouere* (v. 1350), a désigné une balançoire rudimentaire et a pris quelques acceptions techniques, en fonderie (1694), en teinture (1838), en chasse. Le mot a vieilli à cause du sens érotique du verbe. ➛ **BRANLEMENT** n. m. (v. 1355) a désigné le mouvement de ce qui branle, une oscillation, mais ne survit que dans la locution ***branlement de tête.*** ➛ **BRANLANT, ANTE,** participe présent de *branler,* est adjectivé avec le sens propre de «chancelant» (XIVe s.) et réalise le sens figuré de «mal assuré». ◇ Si l'emploi substantivé a vieilli, au sens de «chose ou personne qui risque de tomber» (XVIIe s.), cet adjectif a paradoxalement résisté au tabou relatif qui porte sur les dérivés motivés du verbe (*château branlant,* par exemple); il est implicitement mis en relation avec *ébranler.* ➛ **BRANLEUR, EUSE** adj. et n., enregistré par Furetière en 1690 sous la graphie *bransleur,* possède déjà alors le «sens odieux et obscène» qui correspond aux emplois érotiques du verbe. Employé par les libertins de la fin du XVIIIe s. (notamment Sade), il a développé par extension et d'après le verbe le sens figuré de «personne qui ne fait rien», «paresseux» ou «fantaisiste» (déb. XXe s.). ◇ Les spécialisations techniques du féminin **BRANLEUSE** en typographie, à propos d'une machine (1930) et d'une ouvrière travaillant sur cette machine (1930), sont compromises par le sens érotique courant. ➛ À partir du XIXe s., *branler* ne produit plus que des substantifs relatifs à l'idée de «masturbation», tels **BRANLADE** n. f. (1849), disparu au XXe s., **BRANLÉE** n. f. (1936), qui a aussi le sens de «sonnerie de cloche à toute volée» (1945) et de «correction, volée de coups» (lequel réanime des valeurs anciennes du verbe), **BRANLAGE** n. m. (1936). ◇ **BRANLETTE** n. f., attesté en 1836 au sens de «manière de pêcher en secouant la ligne» puis au sens érotique (1936), est assez usuel et s'est étendu à «pratiques sexuelles autres que la pénétration» et au figuré «activités artificielles, simulées». ◇ Le verbe **BRANLOCHER** v. tr. pron. (1932) est un synonyme rare de *branler* «masturber» et au figuré «faire».

ÉBRANLER v., d'abord *esbranler* (1420), a repris certains emplois de *branler* qui étaient sortis d'usage à cause du succès du sens érotique, dont il s'est détaché. ◇ Il exprime l'idée de «faire chanceler», et spécialement dans un contexte militaire signifie «mettre en désordre (une armée)» (1671). À partir du XVIe s., *ébranler* développe diverses valeurs figurées, «mettre en péril de ruine» (1538), «troubler (qqn) dans ses convictions» (1559), «émouvoir, exciter». La forme pronominale *s'ébranler* (1553) réalise l'idée de «se mettre, être mis en mouvement». ➛ **ÉBRANLEMENT** n. m. (1503) «action d'ébranler, de s'ébranler» est assez courant. ➛ **ÉBRANLABLE** adj. (1555), de sens propre et figuré, est lui aussi apparu au XVIe s., produisant à son tour **INÉBRANLABLE** adj. (1606). Comme il arrive souvent, l'antonyme préfixé est plus courant que le simple, qualifiant une personne qui ne se laisse pas abattre, et plus couramment une personne qu'on ne peut faire changer d'opinion (1685), une chose dont on ne peut compromettre la solidité, au propre (1680) et au figuré (1654). ◇ **INÉBRANLABLEMENT** adv. (1701) et **INÉBRANLABILITÉ** n. f. (1883) prolongent la vitalité de l'adjectif dans l'usage littéraire ou didactique.

BRANLE-QUEUE n. m. (XVIᵉ s.) est formé de manière analogue à son synonyme *hoche-queue,* nom expressif de la bergeronnette. Son emploi est devenu difficile, à moins d'une allusion érotique.

BRANQUE n. m. et adj. est la spécialisation de sens (1890), sous l'influence de *braque** «étourdi, écervelé», de *branque* (1800, sous la forme fautive *branle*), ancien nom argotique de l'âne. Ce mot est d'origine obscure, peut-être à rapprocher de l'argot piémontais *branci* «âne», du provençal *branco* «traînard» et du suisse romand *branko* (Valais) «vieux cheval ou mulet hors de service», ce qui ne le rend pas plus explicable. Le développement du sens moderne conduit à évoquer sans certitude le rouchi *bonne branque* «mauvais sujet, polisson» (1834, Valenciennes), rangé par Wartburg sous l'étymon de *branche**.

♦ Le mot est un terme d'argot, d'abord appliqué à un mauvais ouvrier, puis employé familièrement (1900) à propos d'un individu original au comportement imprévisible, un peu fou. Il est aussi adjectivé (1947), mais tous les emplois ont reculé, le quasi-synonyme *braque** étant très vivant.

► **BRANQUIGNOL** n. m. et adj. m. (1899) est dérivé de *branque* avec la finale argotique *-ignol* que l'on a dans des mots comme *tartignol, croquignol,* peut-être par croisement avec *guignol**. ◆ Le mot, moins marqué que *branque,* désigne et qualifie (1935) un personnage absurde, comique. Son emploi en argot militaire au sens de «brancardier» (1914) est dû à un calembour sur *brancard**.

BRAQUE n. m. et adj., d'abord *bracque* (XVᵉ s.), puis *braque* (av. 1500), probablement antérieur *(*brache)* si l'on en juge par le dérivé *brachet* (ci-dessous), est issu d'un germanique °*brakko* «chien de chasse» que l'on peut déduire de l'ancien haut allemand *braccho,* du moyen néerlandais *bracke.* Ce mot germanique est mis en rapport par Kluge avec le latin *fragare* «sentir, exhaler» (→ flairer), tous deux relevant d'une racine indoeuropéenne °*bhrag-ros* «qui sent», le braque étant un chien qui flaire. Le passage en français (au moins pour les formes attestées) s'est fait, soit par l'intermédiaire de l'ancien provençal *brac* (XIIᵉ s.), soit par celui de l'italien *bracco* (déb. XIVᵉ s. : l'attestation un peu antérieure à 1500 provient d'une lettre au marquis de Mantoue). Les formes romanes accentuées sur le radical sont issues du nominatif germanique °*brakko* par un latin populaire °*bracco* (latin médiéval *bracco,* VIIIᵉ-IXᵉ s.), tandis que l'ancien français *bracon* (→ braconner) est issu de l'accusatif; dans le domaine gallo-roman, seul l'ancien provençal *brac* est issu du nominatif germanique; l'ancien français correspondant ne semble pas attesté, mais on peut induire son existence des dérivés *brachet* et *braconnier.*

♦ Le mot désigne un chien de chasse à poils ras et oreilles pendantes. Par l'intermédiaire de la comparaison *fou comme un braque* (1736, Marivaux), il a été adjectivé avec le sens figuré d'«un peu fou, écervelé» (1736). Cet emploi familier, renforcé par *branque* sur lequel *braque* l'a emporté, s'est répandu malgré la concurrence des nombreux mots familiers signifiant «un peu fou».

BRACHET n. m. (v. 1165) semble indiquer l'existence de *braque* dès l'ancien français, malgré le manque d'attestation. Il est à rapprocher de *bracetus, brachetus* «variété de braque» (XIIᵉ s.). Le mot, qui désigne une variété de braque, ne s'emploie plus.

◇ voir BRACONNER.

BRAQUEMART n. m. est la modification par substitution de suffixe (1411), peut-être d'après *jaquemart,* renforcée d'après *poignard,* du moyen français *bragamas* (1392). Ce mot est emprunté au moyen néerlandais *breecmes* «couperet, sarcloir, serpe», composé de *breken, braecken* «casser», mot commun aux langues germaniques non nordiques (→ broyer, brèche, breakfast) et se rattachant à la racine indoeuropéenne °*bhreg-,* °*bhrg-* représentée dans le latin *frangere* (→ fraction). Le second élément correspond à *mes* «couteau». Cette hypothèse est appuyée par l'existence de *bremas* (1463, Flandres), directement emprunté à la variante *breemes.* L'hypothèse proposée d'un étymon italien *bergamasco* «(épée) de Bergame» (→ bergamasque) est beaucoup moins plausible, étant donné l'aire géographique du mot (Flandre, Picardie).

♦ Le mot a désigné une épée courte à deux tranchants en usage aux XIVᵉ et XVᵉ s., et s'est employé au XVIᵉ s. à propos d'une arme de l'antiquité. ◆ Par métaphore, il est devenu une dénomination plaisante du membre viril (1532), emploi qui a éliminé les autres.

BRAQUER v. tr., attesté seulement au XVIᵉ s. (1546), est d'origine incertaine. Il semble cependant possible, en s'appuyant sur le doublet *brater* (1611) et sur des formes dialectales comme *braster* (Yonne), *brakhta* (Bresse), de postuler un latin populaire °*brachitare* «mettre en mouvement avec les bras», dérivé de *brachium* (→ bras) avec le suffixe fréquentatif *-itare* sur le modèle de °*movitare* (qui a donné *meute*), fréquentatif de *movere* (→ mouvoir). L'alternance *braquer/brater* est difficile à expliquer, mais des exemples analogues sont évoqués. Bloch et Wartburg explique le fait par le caractère flottant des consonnes finales à l'époque de leur chute. L'hypothèse d'une influence de *braque** n'est pas satisfaisante quant au sens, pas plus qu'un emprunt à l'italien *braccare* «flairer», de la même famille; celle d'une influence de *abraquer* ou de *embraquer,* termes de marine, fait difficulté du point de vue chronologique, ces deux mots n'étant attestés qu'en 1783 et 1687. P. Guiraud postule deux formes populaires °*brachitare* et °*brachicare,* qui seraient issues d'un verbe simple °*brachiare* (qui selon lui aurait produit *brasser*), dénominatif de *brachium.*

♦ Le mot exprime l'idée de «faire tourner (le plus souvent un chariot, un véhicule) dans une certaine direction». De nos jours, il s'emploie surtout absolument en parlant du conducteur et du véhicule *(voiture qui braque bien, mal)*. ◇ Dès le XVIe s., il signifie également «diriger (une arme) vers l'objectif» (1561). Par analogie, il correspond à «orienter un instrument d'optique vers (un objet)» (XVIIIe s.), puis «orienter le regard vers». ◇ Le sens figuré de «mettre (qqn) dans de mauvaises dispositions, dresser contre» (1798) est couramment réalisé au passif *(être braqué contre qqn)* et au pronominal *se braquer*. ◇ Le sens de «pointer une arme» a donné lieu à l'emploi absolu de *braquer* en argot, pour «mettre en joue, attaquer à main armée» (1930).

► La dérivation est peu abondante. ◆ **BRAQUEMENT** n. m. (1690) «état de ce qui est braqué» et «action de braquer» (1798) est sorti d'usage au XIXe siècle. ◆ Il tend à être remplacé par **BRAQUAGE** n. m. (1867), surtout «action de braquer les roues d'un véhicule». Le mot a pris en argot le sens d'«attaque à main armée» (1941), équivalent français de l'emprunt *hold-up*. ◆ **BRAQUEUR, EUSE** n. (1931), rare en parlant de celui qui dirige une arme ou un instrument d'optique, désigne en argot l'agresseur utilisant une arme à feu (1946) et surtout l'auteur d'un cambriolage par intimidation *(hold-up)*.

BRAQUET n. m., d'abord *bracket* (1900) puis *braquet* (1923), est généralement considéré comme la spécialisation en cyclisme du terme technique *braquet* au sens de «petit clou à ferrer les souliers» (1845). Ce mot, attesté depuis le XVIe s. comme adjectif (1566) et comme substantif (1581), est probablement la forme de Suisse romande ou de l'est de la France correspondant au féminin *broquette* «petit clou à tête plate utilisé en particulier par les tapissiers» (1565). *Broquette* est la forme normanno-picarde de *brochette* (→ broche), les formes à radical *brac-* dominant dans l'Est (mosellan *bracate* «clou à soulier», franc-comtois *braket* «petit clou»). Wartburg classe ces deux dernières formes sous l'étymon germanique °*brakko* (→ braque), justifiant l'évolution de «chien de chasse» à «objet pointu» par référence aux dents du chien, mais cette hypothèse est peu convaincante; il n'exclut cependant pas une influence réciproque des dérivés de °*brakko* et du latin *brocca* (→ broche) qui paraît plus vraisemblable. ◇ Une autre hypothèse, qui s'appuie sur la première attestation, fait du mot l'emprunt de l'anglais *bracket* dans *bottom bracket (bearing)* «palier de pédalier». L'anglais *bracket*, mot technique désignant un support, une applique, est lui-même emprunté (XVIe s.) au français *braguette**; il n'a pas les emplois français, mais l'extension est possible.

♦ Le mot désigne le nombre de dents du pignon de la roue arrière d'une bicyclette et surtout le rapport de démultiplication entre le nombre de dents du plateau de pédalier et celui des dents du pignon de la roue arrière (on dit en anglais *gear ratio*).

✻ **BRAS** n. m., d'abord *braz* (1080), est issu d'un latin *brac(c)hium*. Ce mot désigne le membre supérieur de l'homme, la patte ou la pince d'un animal, et aussi, par figure, la branche d'un arbre par rapport au tronc et la pénétration profonde de la mer à l'intérieur d'une côte. Il est employé dans la langue de l'Église comme symbole de puissance, de force (d'où un surnom du Christ : *bracchium domini* «le bras du seigneur»). C'est un emprunt au grec *brakhiôn, -onos* «membre supérieur de l'homme», «patte de l'animal»; ce dernier est probablement la substantivation de *brakhiôn*, comparatif de *brakhus* «court» (→ brachy-), comme le commentait déjà l'étymologiste latin Festus.

♦ Le sens usuel de «membre supérieur du corps humain» a donné dès les premiers textes un grand nombre d'emplois métaphoriques à partir desquels, comme pour d'autres noms d'organes, ont été créées des locutions. Celles-ci sont répertoriées en moyen français : *a brache de corps* (1465), d'où ***à bras-le-corps*** loc. adv. (1784; v. 1751, *à brasse-corps*), et surtout à partir du XVIIe s. ***gros comme le bras*** (1660) «qui s'applique à des désignations majoratives» *(appeler qqn monseigneur gros comme le bras)*, ***bras dessus bras dessous*** (1693), ***à bras ouverts*** «de manière très accueillante» (1606), ***tendre les bras*** «accueillir», ***sur les bras*** «à charge», ***demeurer les bras croisés*** «oisif, inactif», et ***à tour de bras*** «de toute sa force» puis «en agissant avec la plus grande énergie» (1587). ◆ Dès le XIIe s., *bras* désigne comme son étymon latin une division de la mer ou d'un cours d'eau (v. 1165), une pièce allongée dans un objet (1175-1180, en parlant d'une croix). ◇ Le sens de «élément d'un siège où l'on peut appuyer le bras» (par ex. dans *bras de fauteuil*) est attesté en 1606. ◆ Entre autres emplois particuliers, il est employé en marine à propos d'une manœuvre servant à orienter un espar (1606), aussi de la patte d'un animal (1611, *bras d'un scorpion*), emploi disparu, et de chaque ramification s'écartant horizontalement d'un tronc d'arbre. ◆ Le sens figuré de «force, puissance, pouvoir» se dégage en moyen français (v. 1350) en termes de mystique, de religion *(le bras séculier)* et dans le langage courant, d'où des locutions comme ***avoir le bras long*** «avoir une grande influence, de l'entregent». Dans ce sens, comme dans le suivant, *bras* se comporte comme *main* et symbolise l'action physique capable de travail. ◇ Par métonymie, *bras* désigne une personne considérée d'après le travail de ses bras, un agent, un exécutant (v. 1460), seul et dans des emplois qualifiés comme ***bras droit*** «adjoint» (av. 1794) et, familièrement, ***gros bras*** «homme fort» (XXe s.). *Main* a des emplois comparables. ◆ Par ailleurs, *bras* entre dans des expressions qui désignent un geste (***bras d'honneur***, geste de dérision obscène, 1954) ou un mouvement (***bras de fer***, courant au figuré pour «épreuve de force »).

► **BRACELET** n. m. (v. 1150), dérivé diminutif de *bras* avec le suffixe *-elet*, a désigné en ancien français un petit bras. Ce sens a disparu au profit d'extensions métonymiques qui semblent dues à l'influence du bas latin *brachialis*, emploi substantivé d'un adjectif dérivé de *bracchium*, désignant le bijou que l'on met au bras (IVe s.) et la pièce d'armure couvrant le bras (→ brassard). ◆ Le mot français, d'abord sous la forme *brachelet* (1387), est le nom de cette pièce d'armure et celui du bijou (peut-être 1394; depuis 1415 de manière certaine). Il est alors démotivé par rapport à *bras*, ne serait-ce que par sa graphie en *c-*. ◇ Au XVIIIe s., le mot est passé dans le domaine technique, à propos du manchon de métal ou de cuir protégeant le bas du bras dans certains travaux (1751). ◇ Il s'est étendu au support d'une montre que l'on porte au poignet, donnant **BRACELET-MONTRE** n. m. (1909) ou **MONTRE-BRACELET** n. f. (1935) pour rendre l'anglais *wrist-watch* de même sens. ➡ **BRASSÉE** n. f., d'abord *braciee* (v. 1178), *bracie* (XIIIe s.), autre dérivé de *bras*, a probablement subi l'influence du latin médiéval *brachiata* (829, dans le domaine occitan ; IXe s., dans le domaine germanique), pour désigner une mesure de longueur. Ce sens, le premier attesté en ancien français, a disparu au XVIIe siècle. ◇ À partir du XIIIe s., *brassée* désigne ce que les bras peuvent tenir entre eux ; seul ce sens s'est maintenu, surtout pour ce qui est cueilli. ➡ **BRASSIÈRE** n. f., d'abord écrit *braciere* (1278), a été formé avec le suffixe *-ière* qui, accolé au nom d'une partie du corps, sert à désigner la partie de l'armure ou du harnachement qui se trouve en contact avec elle (cf. *muselière, jambière, ventrière, têtière, œillère*). ◇ Le mot, vieilli dès le XVe s. comme terme d'armurerie, est passé dans le vocabulaire de l'habillement : il a désigné une sorte de camisole de femme ajustée à manches (1341), sens très courant au XVIIe s., avant de devenir le nom d'une petite chemise à manches portée par les nourrissons (1843). ◇ Le pluriel *brassières* a servi autrefois à désigner, d'après leur localisation, des lanières de cuir ou d'étoffe passant sous le bras pour porter une charge (1838). C'est un sens analogue qui est passé en anglais pour désigner ce qu'on nomme en français *soutien-gorge*. ➡ **BRASSIER** n. m. est issu (1455, Rouergue) du français régional d'Occitanie, où il est dérivé de *bras* d'après le latin médiéval *braciarius* (1155), *brasserius* (1232), l'ancien provençal *brassier* (1280), *brasers* (1314). ◇ Le mot, attesté dans les coutumiers, a désigné un tenancier non pourvu d'animaux de trait et vivant du travail de ses bras ; il est encore employé régionalement (sud-est de la France), à propos d'un ouvrier agricole payé à l'année, moitié en espèces, moitié en nature. ➡ ① **BRASSER** v. tr. résulte d'une réduction (1694, Académie) de *brassayer* (1683), enregistré par Furetière sous les formes *bracher, brasseyer* (1690). Le mot est la spécialisation en marine de l'ancien français *braçoyer, braceier, bracier* «agiter les bras» (v. 1170), «orienter les vergues avec les bras», sous l'influence du sens technique de *bras* «cordage». ◇ Un dérivé est enregistré sous la forme *brasseyage* (1771), réduite à ① **BRASSAGE** n. m. (1867). Parmi les composés préfixés, **AVANT-BRAS** n. m. est le plus ancien (1291). Le mot désigne la partie du bras (au sens courant) allant du coude au poignet. ➡ Au XXe s., *bras* sert à former les composés **APPUI-BRAS** n. m. (1933), quasi-synonyme d'*accoudoir*, et **SOUS-BRAS** n. m. (1951), ce dernier désignant familièrement la partie du vêtement sous le bras.

Une formation tirée de *bras* avec le préfixe *en (em-)* et la désinence verbale, est **EMBRASSER** v. tr., réfection (v. 1360) de *embracier* (1080) qui signifie proprement «entourer (qqch., qqn) de ses bras en le serrant» ; ce sens, le seul en usage jusqu'au XVIIe s., est toujours vivant, mais plutôt littéraire, et seulement avec un complément nom de chose *(embrasser un arbre)* ; il n'a plus cours lorsque le complément désigne une personne. ◇ En effet, par métonymie, *embrasser* a glissé vers le sens de «donner un baiser à (une personne que l'on étreint)» (XVIIe s.) puis simplement «donner un baiser» ; du fait de l'emploi érotique du verbe *baiser**, il a en fait remplacé ce verbe au cours du XIXe siècle. ◇ Les sens figurés développés dans l'intervalle procèdent tous du sens premier : dès l'ancien français, *embrasser* exprime le fait de s'attacher par choix à qqch. (v. 1130), et, avec une gamme d'emplois plus étendue aujourd'hui, de «se charger de (qqch.), prendre à cœur» (v. 1460), sens maintenu dans *embrasser le parti, les intérêts de qqn*, mais infléchi vers l'idée de «vouloir faire, entreprendre». ◇ Par transposition sur le plan visuel et intellectuel, le verbe signifie (1580) «saisir (un objet) dans toute son étendue, dans tous ses aspects» ; il a reçu simultanément le sens abstrait de «contenir dans ses limites, dans son étendue spatiale» (1580). ➡ Le dérivé **EMBRASSEMENT** n. m. (v. 1130) a d'abord signifié «fait d'étreindre dans ses bras», sens qui ne s'est conservé que dans un style littéraire archaïsant et ne s'est pas répandu avec les sens correspondants à ceux du verbe moderne ; le substantif qui correspond à *embrasser* est *baiser* n. m. Le pluriel *embrassements* «union charnelle» (1690) est sorti d'usage. ◇ L'extension réalisant l'idée «d'enlacement, d'union étroite» (av. 1848, Chateaubriand) est métaphorique du sens initial. ➡ Parmi les autres dérivés du verbe *embrasser*, apparus au XVe s., **EMBRASSE** n. f. (v. 1460) «embrassement» a disparu. ◇ Le mot a été repris comme terme d'ameublement avec la valeur concrète de «cordon, ganse servant à enserrer un rideau, une portière» (1831). ➡ **EMBRASSADE** n. f., d'abord *ambraschade* (XVe s.), est passé du sens propre, «action de serrer dans ses bras, embrassement», au sens moderne, «action de donner des baisers par amitié ou affection» ; cependant ce dérivé fait encore allusion à l'étreinte des bras, plus, semble-t-il, que le verbe. ➡ **EMBRASSEUR, EUSE** n. et adj. (1400-1450), apparu sous la forme *embracheur* n. m., au figuré, à propos de celui qui se charge d'une chose, se dit de la personne qui aime à donner des baisers à tout propos. ➡ Au XXe s., le participe passé **EMBRASSÉ, ÉE** adj. s'est spécialisé au figuré dans ***rimes embrassées***, rimes masculines et féminines disposées selon le schéma ABBA ou BAAB.

◈ voir BRACHIAL, BRACHY-, BRASSARD, BRASSE, ② BRASSER, BRETZEL.

BRASER, BRASIER → BRAISE

BRASERO n. m., d'abord *bracero* (1722), emprunt phonétique, puis *brasero* (1784), est emprunté à l'espagnol *brasero* «grand bassin de cuivre à pieds, rempli de charbons ardents, destiné au chauffage» (1529-1539). Le mot est dérivé de *brasa* (→ braise) avec le suffixe *-ero*.

♦ Repris avec le sens du mot espagnol, *brasero* a supplanté *brasier, brasière*, dérivés en français de *braise*. En français de France, il évoque plutôt un appareil sommaire de chauffage en plein air ; en français d'Afrique, un réchaud pour faire la cuisine.

BRASILLER → BRAISE

BRASSARD n. m., d'abord *brassart* (1546), puis *brassard* (av. 1630), est l'altération, par substitution de suffixe, du moyen français *brassal* (1546). Celui-ci est emprunté à l'italien *bracciale* «pièce de l'armure qui protège le bras» (XIVe s.) et «garniture que mettent au bras les joueurs de ballon» (XVIe s.), lui-même emprunté au latin impérial *brachiale* «bracelet», à côté de *brachialis* (→ bracelet, à bras). L'hypothèse d'un emprunt au correspondant provençal *brassal* (XIIIe s.) est moins satisfaisante du point de vue historique, les guerres d'Italie ayant été l'occasion de nombreux emprunts de termes militaires *(arquebusade, arsenal, attaquer, bandière, barricade, bombe...).*

♦ Le mot a été introduit comme nom de la pièce de l'armure protégeant le bras. Par analogie de fonction, et considéré en français moderne comme dérivé de *bras,* il désigne la garniture (de cuir, de bois, etc.) protégeant le bras dans certains jeux violents (1680) et certains métiers (1751). ◆ Le mot désigne aussi (1845) une bande d'étoffe portée au bras comme signe distinctif par les militaires et, par extension, dans un contexte général (1863). Ce sens est le plus usuel.

► Dérivé de *brassard,* l'adjectif **BRASSARDÉ, ÉE** «revêtu d'une armure à brassards» (av. 1747) signifie, par extension, «muni d'un brassard»; il est peu usité.

BRASSE n. f., d'abord écrit *brace* (1080), est issu du latin *brachia,* pluriel neutre de *brachium* (→ bras) employé comme collectif féminin.

♦ En ancien et moyen français, le mot désigne collectivement les deux bras, déjà dans des contextes qui mettent l'accent sur l'espace que mesure l'écartement des bras étendus, *en sa brace* signifiant «entre ses bras» (→ embrasser). ◆ Le mot a désigné (1409) une ancienne mesure de longueur correspondant au développement maximum, environ 1,60 m, des bras étendus, toujours utilisée en marine pour mesurer la longueur des cordages, la profondeur de l'eau. ◆ Il est passé dans le vocabulaire du sport où, par l'intermédiaire de l'expression *nager à la brasse* (1835), qui a disparu, il désigne une nage où l'on déploie les deux bras à la fois. La définition de l'Académie, trop large, est corrigée par Littré; puis la brasse est nettement distinguée de la nage papillon, appelée couramment ***brasse papillon*** (attesté 1953), et de la nage analogue sous l'eau, dite ***brasse coulée*** (1956). Par métonymie, *brasse* se dit de l'espace parcouru par le nageur à chaque déploiement des deux bras (1859). ◆ Le sens de «quantité d'une chose que l'on peut tenir entre les bras» en fait un synonyme rare de *brassée* (→ bras), en particulier dans le syntagme ancien *pain de brasse* à propos d'un pain si gros qu'on ne pouvait l'entourer qu'avec les deux bras.

► Par l'intermédiaire de l'ancien français *brassier* v. tr. «mesurer à la brasse» (v. 1200, *braçoier*), *brasse* a produit **BRASSIAGE** n. m. (1751), terme de marine désignant la mesure de la profondeur de l'eau évaluée en brasses.

② **BRASSEUR, EUSE** n. (1932) sert à désigner en sports le nageur de brasse; l'homonymie avec ① *brasseur* en fait un terme rare.

① **BRASSER** → BRAS

✳ ② **BRASSER** v. tr., d'abord *bracier* (v. 1175), est issu d'un latin populaire °*braciare* attesté par le latin médiéval *bratsare* (IXe s.) et dérivé de *braces,* mot signalé par Pline comme d'origine gauloise et désignant une céréale, l'épeautre. Ce sens reste incertain, car les formes celtiques correspondantes (gallois *brag,* etc.) signifient «malt». *Braces* a donné en ancien français *brai* n. m. (av. 1185) «orge broyée pour la fabrication de la bière», sorti d'usage après 1611 sauf en wallon où *brais* signifie «bière de mars». *Brasser* a subi l'influence de *bras* au point d'être senti comme son dérivé.

♦ *Brasser* signifie dès l'origine «préparer la bière en faisant macérer le malt dans l'eau à chaud» (cf. ci-dessous *brasseur, brasserie*) et par analogie «remuer en mélangeant deux substances» (1176). Le verbe s'est étendu à d'autres contextes techniques (pêche, agriculture, boulangerie) et généraux avec la valeur de «remuer». ◆ Dès les premiers textes, il a aussi le sens figuré de «tramer, ourdir, comploter» (v. 1175), disparu de l'usage mais encore répertorié par la plupart des dictionnaires. ◆ Le sens figuré moderne de «manier beaucoup d'argent, traiter des affaires» (1808, *brasser des affaires*), apparu ultérieurement, semble une métaphore du sens concret de «manier dans ses mains» (cf. ci-dessous ***brasseur d'affaires***). ◇ Un autre sens figuré correspond à «mêler et manier (de nombreux éléments)», notamment dans l'abstrait.

► **BRASSIN** n. m., d'abord *bracin* (v. 1185), est attesté au XIIIe s. sous les formes latinisées *brassamen* (1233), *brassinus* (1240), tous deux à Cambrai; ce mot originaire du nord de la France (Picardie, Wallonie) semble avoir un suffixe d'origine germanique (cf. le *-ing* anglais) à rapprocher du moyen néerlandais *brassinghe.* ◇ Le sens figuré de «complot, machination», correspondant au verbe, est sorti d'usage au XVIe siècle. ◇ Le nom est devenu au XIIIe s. un terme technique de brasserie désignant la quantité de liquide brassée en une fois (1240), puis la cuve dans laquelle on brasse la bière (1680) et son contenu. ◆ ① **BRASSEUR, EUSE** n. (v. 1250) est à rapprocher du latin médiéval *bratsator* (822), dérivé de *bratsare* (v. 815), de °*braciare.* ◇ Le mot désigne la personne qui fabrique de la bière et la vend en gros. ◇ À la suite du verbe, il a eu au XIXe s. le sens figuré de «personne qui manie des affaires» (entre 1825 et 1856), surtout dans ***brasseur d'affaires,*** mais comme *brasserie,* il est resté lié à la fabrication de la bière. ◆ ② **BRASSAGE** n. m. (1324) est à rapprocher du latin médiéval *braçagium* (1260), *brazeagium* (1311), dérivés de *braces* comme °*braciare.* ◇ Il désigne l'action de mélanger des substances (d'abord en métallurgie) et spécialement, d'après *brasser,* l'action de brasser la bière (1331). ◇ Son emploi avec le sens abstrait de «mélange, fusion» (1921) est courant en géographie humaine. ◆ **BRASSERIE** n. f. (1371) est à rapprocher d'autres dérivés latin médiéval de *braces, bratiarium* (813), *braciaria* (1033). ◇ Il s'applique dès le

XIVe s. à une fabrique de bière. ◇ Par métonymie, *brasserie* se dit depuis le XIXe s. (1844) d'un établissement dans lequel on consommait à l'origine essentiellement de la bière et qui a évolué en grand café-restaurant, le rapport avec la bière ayant le plus souvent disparu. ◇ À la différence de *brassage*, *brasseur* et *brasserie* ne sont plus sentis comme dérivés de *brasser*, mais comme des mots autonomes.

BRAVACHE n. m. et adj., écrit *bravasche* (1570) avant *bravache* (av. 1579), est emprunté à l'italien *bravaccio* ou *bravazzo* «personne arrogante» (av. 1543) et «homme de main» (1552-1553). Le mot italien est dérivé avec le suffixe augmentatif et péjoratif *-accio (-azzo)* du substantif *bravo* (→ brave). Il peut être senti comme dérivé de *brave*.

♦ C'est l'un des emprunts introduits au XVIe s. (cf. *rodomont, fanfaron, olibrius, matamore*) qui fustigent le faux brave, typé par la comédie italienne et espagnole. Son emploi, également comme adjectif, relève d'un style soutenu ou littéraire.

▸ Parmi les dérivés qu'il a immédiatement produits *(bravacher, bravachon)*, seul **BRAVACHERIE** n. f. (1594) s'est maintenu; il est peu usité.

◈ voir BRAVADE.

BRAVADE n. f. est emprunté (1547) à l'italien *bravata* «entreprise téméraire accomplie par ostentation» (1536) et «comportement provocateur» (1545). C'est le participe passé féminin substantivé de *bravare* «braver», dérivé de *bravo* (→ brave). Étant donné la faveur dont a joui le mot au XVIe s. et les emprunts faits à l'italien à la même époque *(brave*, bravoure*, bravache*)*, l'hypothèse d'un emprunt à l'espagnol *bravata* (1526) ne semble pas à retenir; d'après Corominas, celui-ci serait emprunté à l'italien. Quant à l'hypothèse d'une dérivation de *brave** avec le suffixe *-ade*, elle est peu probable pour les mêmes raisons.

♦ Le mot exprime une idée d'ostentation de bravoure. Très en vogue au XVIe s., il avait aussi la valeur favorable de «bravoure, fierté» par influence de *brave* (avec un suffixe *-ade* possible). Le mot s'employait hors du contexte guerrier pour décrire un mouvement vif, gracieux, exprimer le luxe, la magnificence, voire l'élégance, la beauté physique. Seul le sens d'emprunt s'est maintenu.

▸ **BRAVADER** v. s'est employé au XVIe s. aux sens de «montrer de l'élégance», «dominer» et, transitivement, «traiter avec hauteur». Il réapparaît au XXe s. dans un style très littéraire pour «affecter un air de bravade».

◈ voir BRAVACHE.

BRAVE adj. et n. semble emprunté (av. 1521), comme le suggère le caractère italianisant des premiers auteurs français qui emploient le mot, à l'italien *bravo* (1346-1367). Celui-ci signifie d'abord «courageux» mais aussi «arrogant» (av. 1529), «bon» (1555), également «sauvage, indompté» en parlant d'un animal (XVe s.). Le mot italien est probablement emprunté, plutôt qu'à l'espagnol *bravo*, au provençal *brau* «sauvage» (2e moitié XIe s.). Ce dernier, de même que le catalan *brau* (1284), le portugais *bravo* (1124) et l'espagnol *bravo* (1030), est probablement issu par voie populaire du latin *barbarus*, d'abord «barbare» (→ barbare), puis «sauvage, fier» en parlant des animaux (d'où l'espagnol *bravo* appliqué au taureau, et le provençal *brau* «taureau»); *barbarus* correspondait aussi à «sauvage», en parlant des plantes, et à «inculte» (du sol). L'évolution phonétique a probablement conduit de *barbarus* à °*barbru* puis, par dissimilation, °*babru*, d'où, par translation du premier *-r-*, °*brabu*. Cette évolution, proposée par J. Cornu, est généralement admise. Cependant, Menéndez Pidal, se fondant sur des formules du León où le latin *pravus* signifie «inculte» ou «sauvage», a proposé d'y voir l'étymon du mot roman, mais *pravus* représente probablement ici une fausse latinisation de *bravo*, très ancien en domaine ibérique.

♦ Le mot, dans la première attestation, a le sens de «spadassin italien», par emprunt à l'italien *bravo* «mercenaire, homme de main» (av. 1529), substantivation de l'adjectif *bravo*. Qualifié de «vieilli» par l'Académie en 1878, cette valeur avait disparu depuis longtemps au profit de la forme non francisée **BRAVO**, au pluriel *bravi* (1832), employé par extension à propos d'un homme de main, spécialement d'un maître-chanteur (1843, Balzac), puis d'un homme sans scrupules; ces emplois sont à leur tour sortis d'usage. ➝ *Brave* se répand à partir de 1535 avec un éventail de sens qui recouvre les notions italiennes de «beau», «fier, arrogant» (1541), «bon» (av. 1544), «noble» (av. 1544) et «courageux» (1549), ceci jusqu'au XVIIe s.; certains de ces emplois correspondent aux valeurs anciennes de *gentil*. ◇ Le sens de «courageux» est ensuite dominant. Cependant, l'acception de «bon, honnête avec simplicité» s'est maintenue (1704), comme celle de «beau, agréable»; elle se rencontre surtout dans certains emplois régionaux laudatifs (sud-est de la France, notamment Provence) à propos d'un animal, d'une personne, sous la double influence du provençal et de l'italien.

▸ Le dérivé **BRAVEMENT** adv. (1465), «de manière courageuse», a eu également jusqu'au XVIIe s. les sens correspondant à ceux de *brave*, «orgueilleusement», «insolemment», et aussi «excellemment», «agréablement», «luxueusement, élégamment» et, en particulier, «selon l'usage élégant, à la mode». ◇ Seule la valeur initiale a survécu en français moderne. ➝ **BRAVER** v. tr., dérivé (v. 1515) de *brave* d'après l'italien *bravare*, a signifié «humilier par son luxe», «faire belle figure par sa parure, se montrer aimable», à la forme pronominale *se braver* «se faire gloire, s'enorgueillir, se parer avec forfanterie». Seule la valeur, elle aussi ancienne, de «provoquer, défier» est restée en usage. ➝ **BRAVERIE** n. f. (1541), au sens d'«audace, bravoure ostentatoire» (1542-1559), est devenu littéraire et rare. Au XVIe s., il a été synonyme de *bravade* (1541) et a signifié «ostentation» (1542-1559), prenant par métonymie le sens concret de «parure, toilette» (av. 1555) en usage jusqu'au XVIIIe s. et encore relevé sous la plume de Chateaubriand.

◈ voir BARBARE, BRAVACHE, BRAVADE, BRAVO, BRAVOURE.

BRAVO interj. et n. m. est emprunté (1738) à l'italien *bravo* (→ brave), adjectif adressé à la personne que l'on approuve et encourage (au masculin *bravo*, au féminin *brava*, au pluriel *bravi*). Le mot est passé avec l'opéra italien en France, en Allemagne et en Angleterre (1761); il désigne d'abord les cris qui accompagnent les applaudissements.

♦ Le mot, repris comme exclamation et substantivé (1775), signifie «marque d'approbation, applaudissement»; on disait auparavant *bravoures*. Jusqu'au XIXe s., on trouve également *brava* (pour une femme) et *bravi* (pour plusieurs personnes), selon l'usage italien. Ces formes ont disparu et le pluriel *bravos* s'est imposé aux dépens du pluriel italien *bravi* (encore signalé en 1842 dans le dictionnaire de l'Académie).

▸ L'exclamation **BRAVISSIMO** (1775) est reprise de l'italien *bravissimo*, superlatif de *bravo*. Les formes *bravissima*, *bravissimi*, *bravissime* ont été abandonnées comme pour *bravo*, le superlatif n'étant d'ailleurs guère substantivé.

BRAVOURE n. f., d'abord *bravure* (1648) puis *bravoure* (1663), est emprunté à l'italien *bravura* (XVe s.), lui-même dérivé de *bravo* (→ brave). Le mot italien recouvre le sens de «bravade, arrogance», puis de «courage, audace» (1541) et «action de bravoure» (av. 1543); il est attesté plus tard comme terme de musique. L'hypothèse d'un emprunt à l'espagnol *bravura* «vaillance, courage» (XIIIe s.) convient moins bien.

♦ En français, le mot exprime d'abord la notion de vaillance, de courage et spécialement de courage militaire; *une bravoure* «acte de bravoure» (1648) ne se dit plus. ◇ Le sens de «manifestation d'approbation» (1663, surtout au pluriel), usité à l'époque classique, a disparu sous la concurrence de *bravo**. ◇ La spécialisation artistique pour «qualité d'un musicien virtuose», qui s'est maintenue dans ***air de bravoure*** (1798), est aussi un italianisme; la locution ***morceau de bravoure*** s'est étendue de la musique à la partie d'une œuvre littéraire, théâtrale, cinématographique voulue particulièrement brillante par l'auteur.

BREAK n. m. est emprunté (1830) à l'anglais *break* (également *brake*) désignant une voiture découverte à deux ou quatre roues servant au dressage des chevaux attelés (1831) et une voiture découverte à quatre roues et à bancs longitudinaux (1874). Le mot anglais est d'origine obscure, probablement apparenté à *brake* «bride, gourmette d'un cheval» (1430), plus tard «frein», dont l'étymologie est incertaine, une parenté avec le français *braquer** n'étant pas exclue.

♦ *Break* est entré en français comme nom d'une voiture à cheval, d'abord dans le contexte anglais puis dans un contexte plus général (1845). Il désigne ensuite, comme de très nombreux termes du domaine hippomobile, une carrosserie d'automobile (1900), s'appliquant plus tard à un type de carrosserie automobile en forme de fourgonnette à arrière vitré (1951). Ces emplois sont de faux anglicismes, l'anglais employant *estate-car* et l'américain *station-wagon*.

BREAKFAST n. m. est emprunté (1865) à l'anglais *breakfast* (1463) «petit déjeuner», proprement «ce qui rompt le jeûne», par la même figure que *déjeuner* (→ déjeuner). Le mot est composé de *to break* «rompre, briser», verbe dont la racine germanique se retrouve dans *braquemart**, *brèche**, *broyer**, et de *fast* «jeûne» (XIIe s.), issu de l'ancien norrois *fasta* et correspondant à un verbe *to fast*. Ce dernier relève d'un type germanique °*fastejan*, lequel est dérivé de l'adjectif °*fastuz* dont l'anglais a hérité avec *fast* «ferme», puis «rapide». Le développement sémantique du groupe de *to fast* s'est opéré à partir du sens de «tenir fermement», transposé moralement en «observer (une règle)» et spécialisé secondairement en «observer l'abstinence».

♦ Cet anglicisme correspond à la nécessité de distinguer nettement deux habitudes culturelles radicalement différentes face au premier repas de la journée. Au petit déjeuner français, relativement spartiate, parfois appelé en hôtellerie (par anglicisme) *petit déjeuner continental* (du point de vue britannique), s'oppose le breakfast anglais (et américain) : thé, toasts, jus de fruits, céréales, œufs (et bacon ou tomates, saucisses...).

◈ voir BRUNCH.

BREBIS n. f. est l'altération par métathèse (XIIIe s.) de *berbis* (XIIe s.), encore au XVIe s., qui remonte au latin populaire °*berbix* (accusatif *berbicem*, IVe s.). Ce mot est l'altération, peut-être sous l'influence de noms d'animaux comme *perdix* (→ perdrix), de *berbex, -ecis* «mouton». *Berbex* est la déformation du latin classique *vervex, -ecis*, mot d'origine obscure. Le type *vervex/berbex* a éliminé *ovicula* «femelle du mouton», dérivé de *ovis* (→ ovin, ouailles) qui ne subsiste que dans les parlers du centre, de l'ouest et du sud-ouest de la France; il a également supplanté le latin *feta* «femelle qui a enfanté», vivant dans les parlers méridionaux (ancien provençal *feda*). Le sens de «femelle du mouton», dégagé tardivement chez des auteurs d'origine gauloise, s'est développé particulièrement dans le nord de la France où le mot celtique °*multo*, de sens plus général, s'est maintenu avec le sens général de «mouton» (→ mouton).

♦ Le mot désigne la femelle du mouton; un emploi au sens de «mouton» dans le syntagme *brebis mâle* (XVIe s.) n'a pas eu de succès. ◇ Des emplois figurés correspondent à «personne douce et passive», soit, dans le symbolisme évangélique et par allusion à la parabole du Bon Pasteur, à «chrétien fidèle à son pasteur» ou, avec un qualificatif péjoratif, «mauvais chrétien» (XVIe s., Calvin, *brebis rongneuse*, qui annonce *brebis galeuse*). On notera que ***brebis galeuse*** (1690) a des équivalents en italien, allemand, anglais, danois car, outre l'origine religieuse de l'expression, commune dans tous les pays d'élevage de tradition judéo-chrétienne, les bergers ont soin d'écarter les bêtes malades du reste du troupeau.

▸ **BREBIETTE** n. f. (v. 1170) «jeune brebis» est sorti d'usage au XVIIe siècle. ◆ **BREBIAGE** n. m. (1291) est un ancien terme de féodalité désignant un droit perçu sur les ovins, les brebis étant envisagées comme reproductrices; ce terme a disparu au XVe siècle. Le mot a été repris comme terme d'histoire (1732). Il s'est conservé dans des dialectes du

Centre au sens collectif de «troupeau de brebis».
◈ voir BERCAIL, BERGER.

BRÈCHE n. f. est un mot ancien (*breche,* 1119) d'origine germanique, limité au domaine gallo-roman et probablement issu du francique °*breka* «ouverture, fracture». Celui-ci est reconstruit d'après l'ancien haut allemand *brecha,* du verbe *brechan* «rompre, briser» (allemand *brechen*), à partir duquel on restitue aussi le verbe francique °*brëkan* qui a donné *broyer**. L'ancien provençal, attesté par ses dérivés *bercar* «ébrécher» et *berch* «ébréché» (XIIe s.), est emprunté au français de même que l'italien, l'espagnol, le portugais.

♦ Le mot désigne une ouverture produite par force ou par accident à ce qui sert de clôture (*brèche d'une haie,* 1304; *brèche dans un mur,* 1419) et spécialement une ouverture dans une enceinte fortifiée (XVe s.). Cette spécialisation militaire est à l'origine de locutions figurées courantes, notamment ***(être) sur la brèche*** (1694, en emploi concret), au figuré «en pleine activité, dans le feu de l'action» (XIXe s.) et ***battre en brèche*** (1701) «attaquer (un rempart, une fortification) avec l'artillerie», employée abstraitement pour «attaquer (un argument), réfuter» (XIXe s.). ◇ Dès les premiers textes, le mot désigne aussi abstraitement une interruption, un hiatus (1119), puis le tort, le dommage fait à un bien, un patrimoine, qui aurait dû être conservé intact (XVIe s.).

▸ **BRÉCHU, UE** adj. (XXe s.) qualifie ce qui présente des brèches. Il est rare. ◂ **ÉBRÉCHER** v. tr., d'abord *esbrechier* (XIIIe s.), signifie «faire des brèches, des cassures au bord de qqch., et surtout à un instrument tranchant» et, par analogie, «casser un morceau d'une dent» (1636). La distance sémantique entre *brèche* «cassure, rupture complète» et *ébrécher* «casser le bord de (qqch.)» correspond à la démotivation relative du verbe. ◇ Dans ce sens comme dans l'emploi initial, le participe passé **ÉBRÉCHÉ, ÉE,** adjectivé, est ancien (1260; 1344, *dent ébréchée*). Il semble plus usuel que le verbe actif. ◇ Le sens métaphorique et figuré de «mettre en péril l'intégrité de, causer un tort à (qqn)» (XVIe s.) a vieilli. Celui d'«entamer (par exemple un pâté)» a disparu. ◂ *Ébrécher* a servi à former **ÉBRÈCHEMENT** n. m. (av. 1623) et **ÉBRÉCHURE** n. f. (1873).
BRÈCHE-DENT adj. est formé (XIIIe s.) de l'élément verbal *brèche-* attestant un verbe simple *brécher* employé du XVe au XVIIe s., et de *dent**. D'abord sous la forme *Brichedent,* nom propre, puis *brescheden,* adjectif (1534), le mot qualifie une personne édentée; il est sorti d'usage ou constitue un archaïsme délibéré.

BRÉCHET n. m. est l'altération (*brechet,* 1552), peut-être d'après *ébrécher* et *brécher* (→ brèche), de *bruchet* (1354-1376), *bruschet* (1385), sans doute d'origine germanique. L'étymon le plus probable est le moyen anglais *brusket* (1338), peut-être à rattacher par l'intermédiaire d'un anglo-normand supposé °*brusket,* °*brisket,* à l'ancien norrois *brjósk* «cartilage» (norvégien et danois *brusk*) avec le suffixe *-et.* Cette hypothèse convient mieux que celle d'un emprunt direct du français à l'ancien norrois (dictionnaire d'Oxford), peu vraisemblable d'un point de vue phonétique. L'étymon germanique °*brust* postulé par l'ancien haut allemand *brust* (encore en allemand moderne), «poitrine», est moins satisfaisant. ◇ Enfin, la variante *brichet* (v. 1393) pourrait être due à un second emprunt à l'anglais *brisket* (1535, *briscat*) issu de *brusket* sous l'influence de *breast,* antérieurement *breist, brist* «poitrine». ◇ Tous ces mots remontent à un germanique °*breustam,* parallèle à un radical consonantique féminin °*brusts.* Il n'y a pas de mot indoeuropéen commun pour la poitrine, mais la racine supposée °*bhrus-,* °*bhreus-* est représentée par l'ancien irlandais *brú* «abdomen, poitrine», le russe *bryúkho* «ventre».

♦ Le mot désigne la crête osseuse saillante et verticale sur la face externe du sternum de la plupart des oiseaux. Par extension, il est employé par intention stylistique et ironique pour le sternum humain.

① **BREDOUILLE** adj. et n. f. (1534, dans un sens obscur et un contexte obscène, chez Rabelais) est d'origine incertaine. Il est difficile de rapprocher *bredouille* de *bredouiller* puisque *partie bredouille, grande bredouille, gagner la partie bredouille* font à l'origine référence à un jeu particulièrement chanceux. P. Guiraud, partant du fait que la locution pourrait avoir un sens neutre, positif ou négatif selon qu'elle est appliquée au gagnant ou au perdant, explique *bredouille* comme une altération de *berdouille* «boue», ce qui ramènerait à *bredouiller** : la bredouille serait «l'enlisement», «l'embourbement» du joueur qui ne marque pas un point pendant que son adversaire chanceux fait tous les points et parcourt toutes les cases du jeu de tric-trac.

♦ Le mot, dans l'emploi qu'en fait Rabelais (*ma petite couille bredouille*), est motivé par les homophonies et il est difficile de lui attribuer une valeur négative (*bredouille* semble ici hypocoristique). L'attestation isolée de la locution ***être en bredouille*** (1611) pour «être un peu éméché» est difficile à expliquer, mais sûre : on retrouve ce sens dans le dialecte normand de Jersey (*brédouille* ou *brédouoille* «gris»). ◇ Cotgrave (1611) enregistre le mot à propos de la situation favorable d'un joueur aux cartes et au tric-trac, Richelet (1680), le précisant comme nom de la partie double que l'on marque de deux jetons (1680), distinguant *la grande brebouille* «douze jeux de suite qui emportent le double de ce qu'on avoit mis au jeu» et *la partie bredouille* «partie qui en vaut deux». ◇ Le sens moderne, s'il n'est pas premier (cf. ci-dessus Guiraud), pourrait venir du transfert du vainqueur au perdant, *mettre qqn en bredouille* correspondant à «faire une bredouille à ses dépens»; de là «mettre dans l'embarras» (1627) puis *sortir bredouille* (1704), enfin ***être bredouille*** «sans aucun résultat ou gain», notamment dans le contexte de la chasse (aussi *revenir bredouille*).

BREDOUILLER v. est peut-être la variante (1564) suffixée en *-ouiller* de l'ancien français *bredeler* «marmotter rapidement» (XIIIe s.), verbe d'un type abondamment représenté dans les parlers gallo-romans. Ce mot est probablement la variante des anciens verbes *bret(t)er* «marmonner», *bretonner* «bégayer», qu'on fait venir de *Breton*, le sens étant proprement «parler (français) comme un Breton», ceci par un développement sémantique analogue à celui de *baragouin*. Le mot remonterait dans ce cas au latin *britto* «Breton» comme *bretèche, bretteur*. Les formes en *-d-* sont peut-être dues à un nouvel emprunt du représentant de *britto* à un moment où *-t-*, devenu *-z-* en breton moderne, était parvenu à l'étape intermédiaire *-d-* (non attestée). P. Guiraud, en se fondant sur la coexistence fréquente des significations «barboter dans la boue» et «s'exprimer mal, confusément» (cf. *patauger, barboter, barbouiller*), voit dans *bredouiller* un emploi métaphorique de *berdouille* «boue», mot du Nord (→ barder), avec métathèse du groupe *-re-* en *-er-*. Cette hypothèse lui permet d'établir une parenté, absente dans les autres hypothèses, avec *bredouille**.

♦ Le verbe, qui signifie «marmonner indistinctement», est employé intransitivement et transitivement.

▶ *Bredouiller* a produit le dérivé ② **BREDOUILLE** n. «personne qui bredouille» (1694), qui ne s'est maintenu qu'en Dauphiné et en Lorraine. ◆ **BREDOUILLIS** n. m (1600) «paroles bredouillées» et **BREDOUILLARD, ARDE** adj. (1611) «qui bredouille» sont rares. ◆ **BREDOUILLEMENT** n. m. (1611) «action de bredouiller» et «bredouillis», **BREDOUILLEUR, EUSE** n. et adj. (1642) «(personne) qui bredouille», **BREDOUILLAGE** n. m. (fin XVIIe s.) et **BREDOUILLANT, ANTE** adj. (1857) sont en revanche usuels. ◆ On peut y ajouter le mot de Suisse romande, **BREDOUILLON, ONNE** n. m. et adj. «qui bredouille», «garçon bavard» (Vaud) et «qui travaille sans suite et sans soin» (1852).

✱ ① **BREF, BRÈVE** adj. et adv., réfection (1re moitié XIIIe s.) de *brief, brieve* (v. 1050), est issu du latin classique *brevis* «court, dans l'espace comme dans le temps», spécialement employé à propos de discours et d'écrits, et adjectif substantivé pour désigner une syllabe brève, par ellipse de *brevis syllaba*. Le mot est également employé avec une valeur adverbiale dans les expressions *in brevi, ad breve* (sous-entendu *tempus*), «en peu de temps», *in breve* «en peu de mots, en résumé». Bien que les Anciens l'aient déjà rapproché du grec *brakhus* (→ brachy-), il s'intègre difficilement aux mots de cette série indoeuropéenne. En français, les formes *brief, brieve* sont encore en concurrence avec *bref, brève* au XVIe s.; ces dernières l'emportent au XVIIe s., et la plupart des dictionnaires, à partir de Richelet (1680), ne mentionne plus *brief, briève* que dans le vocabulaire de la justice *(bonne et briève justice)*.

♦ Le mot a repris les valeurs du latin et qualifie essentiellement ce qui est court sur le plan temporel, et spécialement un discours, un écrit (av. 1200, *brève oraison*). La locution usuelle ***être bref*** signifie «dire vite» (fin XVe s.). ◇ La valeur spatiale de «petit» (v. 1119) est archaïque; elle n'a pas survécu à la concurrence de *court* et de *petit*. ◇ La spécialisation du mot en prosodie (1549, Du Bellay) et l'emploi substantivé du féminin *brève* (1680) pour *syllabe brève* correspondent à l'usage latin. ◇ Au sens temporel, le syntagme *nouvelle brève* a donné lieu à la substantivation une **BRÈVE** n. f., emploi courant dans les médias. De là, ***brève de comptoir*** (1987, J. M. Gourio) «histoire courte recueillie dans les cafés». ◆ L'emploi adverbial de *bref* employé seul est précédé par les locutions adverbiales *a bref, de bref, en bref* «dans peu de temps, bientôt» (1200-1250), sens disparu au XVIIe siècle. ◇ Le sens d'«en peu de mots» s'est imposé dans la locution ***en bref*** (1403), puis par ***bref*** en début de phrase (fin XVe s.); malgré les foudres de Vaugelas, ce dernier emploi s'est imposé au XVIIe s. et demeure usuel, comme ponctuation du discours («allons!, résumons, continuons», etc.), par exemple dans *enfin, bref, tout va bien* (1745).

Le composé savant **BRÉVILIGNE** adj., qui correspond à *longiligne* et apparaît en même temps (attesté 1888), est plus rare que son contraire (→ long).

▶ L'ancienne forme *brief, brieve* a servi à former deux dérivés. ◆ **BRIÈVEMENT** adv. (v. 1130) correspond à «de manière courte», notamment dans le discours (cf. *en bref*). ◆ **BRIÈVETÉ** n. f. est la réfection d'après le dérivé latin *brevitas* (v. 1265) des formes héritées *brieteit* (fin XIIe s.), *brietez* (1211-1214). La tentative de réfection en *brèveté* (1549), d'après *bref*, n'a pas eu raison de la forme ancienne, soutenue par *brièvement*. ◆ **BRÉVITÉ** n. f., emprunté ultérieurement (1819) au latin *brevitas*, est un terme technique qui désigne la valeur d'une durée d'émission d'une unité phonique.

ABRÉGER v. tr. est issu (v. 1160) du bas latin *abbreviare* «devenir plus court (avec une valeur temporelle)», puis «rendre plus court», surtout à l'époque médiévale, et «rédiger», dérivé de *brevis*. ◆ Le verbe est d'abord attesté au pronominal au sens de «raccourcir», en parlant des jours, et au sens transitif correspondant (1160). Sa spécialisation juridique, «rédiger en réduisant» (1268), s'est étendue à toute forme d'expression; au moyen âge, la concision *(brevitas)* étant une qualité stylistique prisée, *abréger* était passé au sens de «rédiger, écrire»; il fut ensuite remotivé. ◇ Le sens technique de «diminuer la valeur ou les services d'un fief» (1283) a disparu avec la féodalité et n'a plus qu'une vocation historique (1771). ◇ Au XIXe s., le développement de la grammaire et de la philologie a fait prendre au verbe le sens de «faire brève (une syllabe)», en prosodie. ◆ De tous les dérivés d'*abréger*, seul **ABRÉGÉ**, son participe passé adjectivé et substantivé au masculin, a connu une grande vitalité. Il désigne (1305) la rédaction réduite d'un écrit, d'un discours, avec une grande stabilité jusqu'à nos jours. Il entre dans la locution *en abrégé* (1680). ◇ Cependant, il n'a pas gardé le sens plus général d'«action de rendre plus court», attesté une seule fois, en 1452, et le sens particulier de «raccourcissement d'un mot» (1701), cédé au XIXe s. à *abréviation*, sauf dans *écrire en abrégé*. ◇ À partir du XVIIe s., il renvoie à une représentation en miniature (1680) et, techniquement, à une certaine réduction des touches du clavier de l'orgue. ◆ **ABRÈGEMENT** n. m. (1283) n'est le substantif d'action d'*abréger* que de manière sporadique ou spécialisée, gêné par la concurrence d'*abréviation*: on parle d'*abrè-*

gement de fief, en droit féodal puis en histoire. Le mot s'emploie aussi en linguistique à propos de la substitution d'une forme réduite à une forme pleine; dans cette dernière acception, il est, selon les théories, soit l'équivalent d'*abréviation,* soit distinct de ce terme, désignant le phénomène phonétique (et non graphique) de la réduction. ◇ Ni l'adverbe **ABRÉGÉMENT** (av. 1450), ni l'adjectif **ABRÉGEABLE** (1936, Céline), ne sont utilisés couramment.

La série a été gênée par la concurrence de celle d'**ABRÉVIATION** n. f. (1375), emprunté au latin chrétien *abbreviatio* «version abrégée d'un écrit» (IVe s.), employé par les auteurs médiévaux (v. 1200) pour désigner le procédé stylistique alors usuel du résumé (par opposition à la *dilatatio*). ◆ Le mot a été introduit en français avec le sens de «version abrégée d'un écrit», qui ne s'est pas maintenu, étant réservé à *abrégé.* ◇ Le sens général de «raccourcissement» (1452-1472, *abréviation... de nostre voyage*) est resté usuel jusqu'au XVIIe siècle. Le mot s'est spécialisé dans le domaine de l'expression écrite : *abréviation* désigne la représentation graphique plus courte d'un mot ou d'une expression; depuis la fin du XVIIIe s., il se dit en outre de l'emploi des lettres initiales d'un mot pour le désigner (1798), se substituant alors à son propre dérivé *abréviature* n. f. (1529), sorti d'usage au XIXe siècle. ◇ Au XIXe s., il passe en jurisprudence *(abréviation de délai),* en philologie, en typographie, en musique et en peinture. ◇ La répartition des emplois entre *abrègement* et *abréviation* donne plutôt au premier une valeur dynamique, au second un sens résultatif. ◆ L'adverbe qui en est dérivé, **ABRÉVIATIVEMENT,** d'abord attesté chez Fourier (1830), est usité dans le domaine de la langue puis dans d'autres contextes. ◇ Il est peu employé, de même que le participe passé adjectivé **ABRÉVIÉ, ÉE** (fin XIIe s.), témoin de l'ancien verbe *abrévier* qui avait été emprunté au latin chrétien *abbreviare* «rendre plus court un texte».

◈ voir ② BREF, BRÉVIAIRE, BRIEFING, BRIMBORION, BRIMER, BRUMAIRE, BRUME, EMBRUN.

◈ ✳ ② **BREF** n. m. est issu (1080) du latin *brevis* n. m., *breve* au neutre (depuis le VIe s.), substantivation de l'adjectif *brevis,* en parlant d'un court écrit. Le mot est abondamment attesté dans les textes médiévaux où il s'applique à un résumé, un sommaire (v. 808), une liste, un catalogue (v. 829), une charte, un mandement (v. 1038), etc. Il désigne aussi un compte domanial et, par métonymie, le revenu provenant de domaines seigneuriaux (v. 1194). À partir du XVe s., *brevis* concerne aussi un acte émanant de la chancellerie pontificale : sous Eugène IV (1431-1447), un office expédie alors rapidement sous une forme simple les lettres non soumises aux formalités exigées pour les bulles.

♦ Le mot a désigné une lettre, un message officiel (émanant d'un roi, d'un empereur), et spécialement (1557) une lettre émanant du pape ou de la Pénitencerie, plus courte que la bulle et rédigée sans préambule.

▶ **BREVET** n. m. est, sous sa forme actuelle (1223), la réfection d'après ② *bref* de l'ancien français *brievet* (1160), de *brief,* adjectif. Le mot est aujourd'hui démotivé par rapport à *bref,* adjectif et nom. ◇ En ancien et moyen français, *brevet* avait, outre le sens général de «lettre, écrit», un grand nombre d'acceptions particulières et techniques, où il a été remplacé par des mots comme *requête, placet, placard, ordonnance* de médecin, *liste, reconnaissance* de dette, *talisman* portant une formule magique, *acte* de condamnation; il s'appliquait en particulier à un acte non scellé expédié au nom du roi *(pension, bénéfice, titre)* [1316]. ◇ De nos jours, en plus de son emploi en droit à propos d'un acte notarié, il s'est spécialisé pour désigner les actes attestant une qualification, une dignité, par exemple dans *brevet d'apprentissage* (1690) ou *brevet d'invention* (1791), appelé simplement *brevet.* ◇ Le *brevet d'enseignement primaire* se nommait aussi absolument *le brevet,* emploi très courant avant la suppression de cet examen *(avoir son brevet).* ◆ De ce sens procède un emploi figuré pour «assurance, garantie» (1798, dans la locution familière ***donner, délivrer un brevet de,*** suivi d'un nom de qualité). ◆ **BREVETER** v. tr. (1751) signifie d'abord «accorder un brevet à (qqn) pour un emploi, un office». ◇ De nos jours, d'après *brevet,* le verbe s'emploie dans les domaines de l'éducation et de l'invention (dans ce dernier cas, souvent avec un complément d'objet inanimé). La valeur de *bref,* l'idée de brièveté est alors perdue, ce qui n'était pas le cas pour l'ancien dérivé *breveter* (1580) qui s'est employé pour «résumer». ◆ Le participe passé **BREVETÉ, ÉE** a été adjectivé (1835); **BREVETABLE** adj. et **BREVETABILITÉ** n. f. (1845) appartiennent au langage juridique.

BRÉHAIGNE adj., d'abord *baraine* (v. 1119) puis, par une métathèse inexpliquée, *brahaigne* (v. 1160) et *brehaigne* (déb. XIIIe s.), est d'origine obscure. L'existence de nombreuses formes romanes, qui semblent apparentées à l'idée d'infertilité, laisse supposer un radical pré-roman au sens de «stérile, infertile». Faute de documents, on peut seulement postuler un radical *bar-,* la finale *-aigne* représentant probablement le suffixe latin *-aneu (montanea>montagne);* l'*h* n'aurait qu'une valeur de séparation entre voyelles. L'hypothèse d'une origine germanique semble en contradiction avec la répartition géographique des termes. Une origine latine d'après *vorago, -inis,* «tournant d'eau, gouffre, tourbillon», fait difficulté du point de vue phonétique et sémantique. P. Guiraud postule un composé du préfixe *bar-* (qu'il voit dans *baratin, berlue, berlingot, barque, baril, bariolé,* etc.), pris dans son acception péjorative la plus large, et de la forme *-haigne,* représentée dans l'ancien français *meshaing, meshaingne* «mutiler», d'un verbe dialectal *haigner* «mordre, déchirer en mordant»; de l'idée de «mutiler», on serait passé ici à «retrancher un membre», «châtrer» (du mâle et de la femelle). Cette hypothèse cadre mal avec l'histoire des sens.

♦ Le mot, d'abord appliqué à une terre stérile, a qualifié dès l'ancien français une femme stérile jusqu'à ce qu'il soit jugé «injurieux» (1680) et qu'il devienne archaïque. Il s'emploie encore à propos de la femelle de certains animaux (jument, biche).

BRELAN n. m., d'abord *brelenc* (v. 1165), est emprunté à l'ancien haut allemand °*bretling* «petite planche» (*Brettling* «table» est un mot argotique allemand), diminutif de l'ancien haut allemand *bret* «planche» et aussi «table de jeu». Ce mot, qui correspond à l'anglo-saxon *bred*, vient de °*bretóm*, doublet de °*bordom* auquel remonte l'étymon de *borde* (→ bordel). L'italien *berlengo*, qui a donné *berlingot**, est emprunté à l'ancien français de même que l'espagnol *berlinga* «jeu de hasard». Le XVIe et le XVIIe s. ont employé une forme *berlan* (1500, *berlant*) issue de *brelan* par métathèse.

♦ Le sens d'emprunt, «petite table de jeu», est sorti d'usage au XVe siècle. ◇ L'évolution du mot consiste en métonymies : «lieu où l'on joue, maison de jeu» (1309, *beelenghe* en ancien flamand), sens disparu ; puis «jeu de hasard» (v. 1500) et spécialement «jeu de cartes dans lequel on distribue trois cartes à chaque joueur» (av. 1615). ◇ Ce dernier a donné le sens moderne de «réunion de trois cartes semblables dans la main d'un joueur» (1690), usuel dans plusieurs jeux (notamment au XXe s. au poker).

▸ Les dérivés **BRÉLANDIER, IÈRE** n. (1386, *bellandier*), «personne aimant jouer aux cartes», et **BRELANDER** v. intr. (1481) «jouer aux cartes», «fréquenter les brelans», tous deux péjoratifs, sont sortis d'usage.

◈ voir BERLINGOT.

BRÊLER, BRELLER v. tr., enregistré seulement en 1863 par Littré mais indirectement attesté par son dérivé *embraeler*, de sens analogue, dès 1309, est le dérivé de l'ancien français *brael* «ceinture» (v. 1120). C'est un dérivé de *braie**.

♦ Le verbe exprime le fait d'assembler avec des cordes les madriers aux poutrelles ou les poutrelles aux bateaux. ◇ Par extension, la technique militaire lui donne le sens de «se sangler, attacher ses ceintures» (1919) et de «harnacher».

▸ **BRELLE** n. f., quoique bien antérieur au verbe (1700), est nécessairement dérivé de *breller* par son sens de «petit train de bois flotté» : il confirmerait donc l'ancienneté de *breller*, en tout cas dans les dialectes.

◈ **BRELOQUE** n. f. est attesté depuis le milieu du XVe s. sous différentes formes : les plus anciennes, *oberlique, berluque* (1496), *brelique* (XVIe s.) et *breluque* (déb. XVIIe s.), sont peut-être des formes régressives dérivées d'*emberlucoquer*, ancien verbe à l'origine d'*emberlificoter**. La variante *byreliquoquille* (employée dans une fatrasie), qui joue en outre sur *coquille* «chose de peu de valeur», vient appuyer cette hypothèse. La forme *breloque* (1680, dans l'expression adverbiale *brelique-breloque*) est une variante due probabement à l'influence de *loque**. Une racine, à variante *barl-, brel-*, serait une extension de *bar-, ber-* exprimant un mouvement de va-et-vient.

♦ Le mot, souvent employé au pluriel, désigne un petit bijou, un colifichet que l'on attache à une chaîne ou à un bracelet, et, par extension, un petit objet sans valeur (1694). ◇ Par analogie avec le mouvement de balancement, de va-et-vient et avec le bruit, le mot a désigné une batterie de tambour qui appelait les soldats à une distribution de vivres ou faisait rompre les rangs (attesté 1808). ◇ C'est de ce sens que vient la locution figurée ***battre la breloque*** «mal fonctionner» (1791), puis «être dérangé, un peu fou» (1813). ➛ La dénomination populaire ancienne de la pendule (1836), puis de la montre, vient du mouvement du balancier.

◈ voir PIROUETTE.

BRÈME n. f., d'abord *braisme* (XIIe s.), puis *bresmes* (av. 1250), est issu d'un francique °*brahsima*, que l'on déduit de l'ancien haut allemand *brahsa, brahsia, brahsema, brahsima*, allemand *Brachsen*. Le son noté *ch-* en allemand s'est maintenu dans le suisse *brachsme* et le souabe *brachse*, mais non dans d'autres langues germaniques, comme le néerlandais *brasem*, le danois *brasen*. Tous ces mots désignent un poisson brillant ; ils viennent d'un germanique °*brehwan* «briller» qui se rattache à la racine indoeuropéenne °*bherek-* (également représentée en allemand dans le nom du bouleau, *Birke*). L'anglais *bream* est repris (v. 1386) au français. ◈

♦ Le mot désigne un poisson d'eau douce au corps large et plus plat que la carpe. *Brème de mer* désigne des poissons de mer au corps comprimé, comparés à la brème.

▸ **BRÉMETTE** n. f., d'abord *brêmotte* (1867) puis *brémette*, désigne une brème de petite taille vivant dans les eaux tranquilles.

BRÊME n. f., mot argotique d'origine obscure, attesté (1821) avant l'argot italien *bremma* «carte à jouer» et «billet de banque», a été rapporté par certains étymologistes à *brème* : cette hypothèse est peu vraisemblable, la forme (*brême, bremma*) et le sens ne s'accordant pas (la brème n'est pas un poisson «plat», mais au corps un peu comprimé). ◈

♦ Le mot désigne une carte à jouer, surtout au pluriel, et, par analogie (1846), la «carte» des prostituées.

BRETÈCHE n. f. est issu (1155) du latin médiéval *brittisca* «britannique». Ce mot est attesté dans une glose de 876-877 pour «construction surélevée», puis (906) au sens de «parapet, élément de fortification». On suppose pour cette seule raison que ce type de fortification a été importé de Grande-Bretagne et que *brittisca* est issu de *britto* «Breton» (IXe s.) [→ bredouiller, bretteur]. ◈

♦ Ce terme de fortification désignait une construction en encorbellement garnie de créneaux, parfois de mâchicoulis, propre à l'architecture médiévale. Le mot est sorti d'usage, sauf en histoire, mais subsiste dans des noms de lieux, tel *Saint-Nom-la-Bretèche*.

▸ **BRETÉCHÉ, ÉE** ou **BRETESSÉ, ÉE** adj. (1690) est le participe passé adjectivé du verbe ancien français *breteschier* «garnir de bretèches, créneler» (1382, *bretesquier* en picard). ➛ Le mot, devenu archaïque, est enregistré par Furetière (1690) comme un terme d'héraldique qualifiant ce qui est garni de bretèches (d'où, aussi, **CONTRE-BRETÉCHÉ, ÉE**).

Il est également employé par les historiens de l'architecture médiévale.

BRETELLE n. f. est emprunté (fin XIIIe s.), avec déplacement d'accent sur la seconde syllabe, à l'ancien haut allemand *brittil* «rêne, bride», probablement par la forme du pluriel *brittila*. L'ancien haut allemand correspond au moyen haut allemand *brîdel* que le français a emprunté sous la forme *bride**; il a des correspondants dans les autres langues germaniques; cf. anglais *bridle*. Ces mots sont formés avec un suffixe indiquant l'instrument, à partir de la racine germanique *°bregd-an*, extension de *°breg-*, qui exprime l'idée de «tirer rapidement, de-ci, de-là».

♦ Le mot désigne une bande de cuir ou de tissu pour porter ou soutenir qqch.; cet emploi est toujours en usage. ◇ Par spécialisation, il est passé dans le vocabulaire de l'habillement (surtout au pluriel *bretelles*) à propos des bandes de tissu ou de ruban qui retiennent certains vêtements ou sous-vêtements (1718). Il désigne aujourd'hui, soit des parties cousues au vêtement *(robe à bretelles, les bretelles d'une salopette)*, soit une pièce d'habillement masculin destinée à retenir le pantalon. C'est dans ce sens qu'il est le plus courant, donnant lieu récemment à la locution figurée ***se faire remonter les bretelles*** «malmener» (v. 1985), métaphore sur «secouer». ◇ Par analogie de forme, *bretelle* désigne une communication entre deux voix, d'abord en chemins de fer (1894) et, par extension, à propos d'une route.

BRETON, ONNE adj. et n. est un emprunt ancien (1080, *Bretuns*) au latin *Britto, -onis* «Celte de (Grande) Bretagne», à côté de la forme populaire *°brittus* (→ bretteur). Comme *Britannia*, le mot est peut-être d'origine celtique (racine *pryd* «peinture, image»). L'équivalent breton est *brezoneg*.
Le mot, comme nom, désigne d'abord les Celtes insulaires, notamment les Gallois, puis, comme en latin médiéval *Britonnes* (IXe s.), les habitants de l'Armorique celte, venus des îles. ◇ Le nom de la langue apparaît chez Marie de France (*bretans*, 1160-70), parfois dit *bas breton* (1732, Trévoux), par calque du celte (*bas* = occidental). Voir l'encadré.
Le dér. **BRETONNANT, ANTE** adj. et n., apparaît au XIIIe s. (av. 1285, Adenet) et s'applique aux habitants de Bretagne (Armorique) de langue et culture celtes. ➜ **BRITANNIQUE** adj. et n. est emprunté (1512) au latin *britannicus*, de *Britannia*, de même origine que *breton* (correspondants anglais : *Britain, british*).

◈ voir BRETÈCHE, BRETTEUR.

LE BRETON

La langue bretonne, dite breton-armoricain (dans la langue : *brezoneg*), fait partie du groupe des langues celtiques insulaires (→ celtique) de la branche brittonique, avec le gallois (pays de Galles) et le cornique (langue de Cornouailles anglaise, disparue au début du XXe siècle).
La région de France où est parlé le breton est l'Armorique, divisée pendant la période gallo-romaine en cinq «pays» ou «cités», d'Est en Ouest : les *Namnetes* (Sud) et *Redones* (Nord), les *Coriosolites*, enfin les *Veneti* (Sud) et les *Osismii* (Nord). Les villes principales prirent le nom des peuples et on reconnaît dans l'ordre Nantes, Rennes, Coseul et Vannes (la capitale des Osismii, seule, a aujourd'hui une autre dénomination : Carhaix).
Curieusement, cette région est l'une des plus pauvres en noms de lieux gaulois, probablement parce que les Gaulois, arrivés en Armorique autour de 450 avant l'ère chrétienne, la peuplèrent de manière très lâche et conservèrent les noms antérieurs. Ces noms se sont d'ailleurs perdus, pour la plupart.
C'est entre 450 et la fin du VIIe s. que les populations brittoniques, émigrant de leur île (la «grande Bretagne»), s'implantèrent en Armorique et, plus au Sud, en Galice. Les circonstances historiques de cette implantation sont très obscures : il semble que l'Armorique était alors peuplée de manière très clairsemée par des autochtones païens (selon la vie des saints qui christianisèrent la région). Le petit nombre de noms gallo-romains dans la toponymie locale atteste la faiblesse des fondations antérieures à celles des Bretons. En revanche, les innombrables *plou* «paroisse», *guic (gui-)* «bourg», puis *lan* «terre sainte, église», *tré-* (subdivision du *plou*) sont purement bretons et datent des Ve, VIe et VIIe siècles.
Cette toponymie montre que les immigrants venaient surtout du nord du pays de Galles, du Devon et de Cornouailles *(Cornovia)*. On ne sait si le gaulois était encore parlé en Armorique à l'époque de l'immigration; la faible densité de la population et son isolement incitent à penser que, au moins à l'intérieur du pays, des reliquats du celtique continental pouvaient subsister. Cependant, le lexique n'offre que très peu d'exemples de mots bretons pouvant venir du gaulois (on donne *bruz* «bruyère» et de rares autres). En revanche, l'influence du substrat gaulois, notable sur le latin populaire en voie de romanisation, est sensible sur le breton, l'éloignant de ses origines galloises ou corniques.
Grâce au christianisme, facteur essentiel d'éducation, la domination militaire et politique des chefs bretons (avec quelques résistances au début : VIe s.) s'accompagna d'une prépondérance absolue de la langue bretonne sur tout le territoire de l'Armorique, au moins à partir des IXe et

xe siècles. Mais, si la poésie celtique fleurit alors en Irlande et au pays de Galles, l'Armorique ne nous a transmis — pas plus que la Gaule — aucun témoignage littéraire avant la Renaissance, et à peu près aucun de créativité avant la période moderne. Lorsque Marie, dite «de France», écrivain anglo-normand, met en français les lais des Bretons (2e moitié du XIIe s.), certains sujets sont explicitement armoricains mais, pour la plupart, on ignore leur origine. La «matière de Bretagne», en général, est mal précisée. Ce n'est pas à dire qu'aucun barde, s'accompagnant de la harpe ou de la rote, n'ait exercé en Armorique, mais nous n'en gardons ni trace ni même allusion.

À l'époque de sa plus grande expansion, le celtique armoricain se parlait à l'ouest d'une ligne allant de la baie du Mont-Saint-Michel à l'embouchure de la Loire, laissant les emplacements de Rennes et de Nantes hors de son domaine. Langue de l'Église et du pouvoir politique, le breton n'a cependant pas recouvert, à l'est de cette zone de plus grande expansion, la langue des Gallo-Romains (dialectes romans, avec influence franque), au moins dans les classes modestes de la population. Quoi qu'il en soit, l'État breton, sur sa marche orientale, s'est laissé romaniser dès le Xe siècle. En l'absence d'autres documents, seul l'examen des noms de lieux et de personnes atteste ce recul, ainsi que l'analyse de certaines évolutions phonétiques. Après l'an 1000, on admet en général que breton et roman étaient parlés concurremment en pays aujourd'hui «gallo», c'est-à-dire entre la limite d'extrême extension de la langue bretonne et la limite attestée au début du XVIIe s. (*Histoire de Bretaigne,* Argentré, 1618), qui, sauf au Sud-Est, est voisine de la limite actuelle (de l'ouest de la baie de Saint-Brieuc, au Nord, à l'est du golfe du Morbihan, au Sud). En outre, même en Basse-Bretagne, le bilinguisme a dû être effectif dans les villes à partir des XIIe-XIIIe siècles.

La documentation médiévale du breton (appelé *vieux breton* jusqu'aux XVe-XVIe s.) est réduite à l'onomastique, faute de textes suivis, le reste du vocabulaire, proposé par J. Loth en 1884 *(Vocabulaire du vieux-breton),* étant restitué par le breton plus tardif confronté aux sources insulaires, notamment galloises. On en a probablement une vision artificielle, épurée des multiples influences romanes qui se sont exercées très tôt.

En effet, pour s'en tenir au seul lexique, le breton armoricain se sépare de ses origines par ses contacts continentaux. Son vocabulaire celtique, outre le fond commun aux langues celtiques et à d'autres familles indoeuropéennes (par exemple les noms de nombres et quelques centaines de mots usuels), comprend des éléments spécifiquement celtes et d'autres spécifiquement brittoniques (gallois, cornique), parmi lesquels figurent déjà des emprunts au latin (par exemple *diaoul* «démon», lequel, comme le gallois *diafol,* vient du latin *diabolus;* ou *bagad* «troupe, bande», latin *baca*). D'autres emprunts au latin se sont faits en vieux breton armoricain. Viennent ensuite les emprunts au roman et à l'ancien français, comprenant des mots romanisés venant soit du latin, soit du francique, soit même du gaulois (tel celui qui a donné *bragou* «culotte»; cf. *braies*). Ces emprunts concernent des réalités apportées par le milieu romanisé d'Armorique, mais aussi des notions abstraites (c'est le cas des adjectifs et de nombreux verbes) et même des outils grammaticaux (*en desped* «malgré», de *en despit; mez,* qui correspond à *mais* [latin *magis*], etc.). La morphologie, avec de nombreux suffixes, s'est elle aussi francisée. Ce flot d'emprunts a continué jusqu'à l'époque moderne.

Une autre caractéristique est la dialectalisation, claire pour le *moyen breton* (fin XIVe-mil. XVIe s.) et le *breton moderne,* époques où les textes, puis les grammaires et les dictionnaires bretons permettent d'étudier véritablement la langue. L'absence de tradition écrite, totale avant les XVIe-XVIIe s., très faible ensuite, a conduit à une variation phonétique considérable. Cette variation dépend en partie de la structure de la langue (le breton procède spontanément à de nombreuses métathèses et à des assimilations consonantiques). Les dialectes actuels du breton peuvent venir en partie des sources plurielles de la colonisation brittonique, mais ils se sont répartis et ont évolué par des causes économiques, liées aux échanges, aux routes et aux centres urbains- économiques (Carhaix, Landerneau, Morlaix, Quimper, Vannes). Ces facteurs, selon le chanoine Falc'hun (*Histoire de la langue bretonne,* 1950), ont articulé les modifications phonétiques, morphologiques et lexicales (emprunts) que l'on observe en breton moderne et que l'on connaît bien depuis l'*Atlas linguistique* entrepris en 1924 par P. Le Roux. Aussi bien, le

BRETTEUR, EUSE n. et adj. est dérivé (1653) de **BRETTE** n. f. (XVIe s.), nom d'une ancienne épée longue et étroite, issu par ellipse de *espee* (ou *lame*) *brette. Brette* est le féminin de l'ancien français *bret* adj. «breton», issu d'un latin populaire °*brittus,* tiré du latin classique *britto, -onis* de même sens (appliqué aux «Bretons» des îles [Grande-Bretagne] ou d'Armorique). La dénomination de cette épée demeure obscure.

♦ Le mot désigne encore, par référence à un contexte ancien, celui qui se bat souvent à l'épée, qui aime ferrailler. Par extension, il s'est employé en parlant de gens «qui ne vivent que des violences

découpage dialectal traditionnel, selon les diocèses, est-il approximatif et propose des frontières erronées. On peut cependant parler de quatre ensembles dialectaux homonymes des diocèses : Léon, Tréguier au Nord, Cornouaille et Vannes au Sud (en négligeant le *gaélo*, à l'ouest de Saint-Brieuc).

L'existence de ces dialectes rend difficile la normalisation d'un breton moderne et son enseignement, tout autant que le dosage entre observation du patrimoine existant et «nettoyage» historico-théorique de la langue, et notamment de son lexique. Cette situation est fréquente pour les langues menacées et minoritaires (par exemple le basque).

Le breton moderne coïncide avec la réforme linguistique proposée par Le Gonidec, auteur d'une *Grammaire celto-bretonne* (1807) et d'un dictionnaire (1821) qui restèrent d'abord inaperçus, mais retinrent un peu plus tard l'attention de Hersart de La Villemarqué dont le célèbre *Barzaz Breiz* (1839), recueil de poèmes anciens très sollicités, sinon forgés (à la manière de l'*Ossian* de MacPherson), eut néanmoins une grande influence. Après les délires étymologiques des celtisants, qui, depuis la fin du XVIIIe s., retournaient la réalité objective, assignant à l'influence celtique sur le français ce qui revenait aux emprunts vers le breton (voir ci-dessus), c'est en partie à La Villemarqué que l'on doit, après 1840-1850, la production littéraire en breton (Brizeux, Prosper Proux, de nombreux folkloristes), laquelle a continué au XXe s. avec quelques réussites notables (J.-P. Calloc'h en poésie, au début du siècle; P. J. Héliaz dans le roman, récemment).

À la fin du XXe s., cependant, la situation du breton est critique. Si le recul de la frontière breton-gallo est géographiquement faible (par rapport à 1863), la perte du breton dialectal spontané, qui disparaît avec les décès, paraît très grave. En 1952, Francis Gourvil estimait à 100 000 les bretonnants ignorant le français et à 700 000 environ les bretonnants «se servant de préférence du breton». Il pensait que 300 000 personnes se servant plutôt du français connaissaient le breton et l'utilisaient. À supposer que ces chiffres ne soient pas déjà surévalués à l'époque, il est difficile de croire que, quarante ans plus tard, subsistent beaucoup d'unilingues celtisants en Bretagne, ni beaucoup plus de 100 000 personnes (âgées) se servant moins du français que du breton. La connaissance réelle et active de la langue peut être le fait de 200 à 300 000 personnes se servant plutôt du français, évaluation absolument intuitive d'ailleurs. Certes, entretemps, on a appris du breton, quelquefois à l'école (mais les expériences sont peu nombreuses, contrariées et difficiles) et aussi à l'université. Encore faut-il noter que ce breton normalisé diffère assez nettement des dialectes spontanés.

Parmi les «langues régionales» de France, à la différence des dialectes germaniques d'Alsace et de Lorraine, du catalan et du basque, le breton, de même que les langues celtiques des îles, disparues (cornique) ou très minorisées (gallois, irlandais, malgré de grands efforts de politique linguistique de la part de l'Eire), est une langue en très grave danger de disparition effective. Ce danger est connu et évalué, mais les mesures de survie sont sans cesse compromises par l'évolution sociale de la région : d'ailleurs, la pêche et le monde rural, supports naturels du breton spontané, sont eux aussi en danger.

Depuis le XVIIIe s., alors que les dialectes celtiques étaient bien vivants, le breton est en partie une langue voulue, revendiquée, parfois rêvée. Le renouveau réel des études celtiques en Bretagne (et leur vitalité en Grande- Bretagne) ne compense pas l'évolution démographique et sociale.

Quant aux patois romans de Haute-Bretagne (le gallo), leur sort est celui des dialectes dans la moitié nord de la France. On les étudie et on assiste à leur agonie.

Reste l'existence robuste du français régional de Bretagne, caractérisé par la forte influence du substrat celte dans la phonétique et la syntaxe, plus que par des emprunts bien perçus mais assez marginaux. En définitive, c'est surtout par la revendication d'une forte identité culturelle, qui prend parfois la forme d'une revendication politique autonomiste, que s'affirme l'originalité linguistique de l'Armorique.

A. Rey

BIBLIOGRAPHIE

F. GOURVIL, *Langue et littérature bretonnes*, Paris, Que sais-je ?, n° 527, 1952.

La Bretagne linguistique, Travaux du groupe de recherches sur l'économie de la Bretagne, vol. I, Brest, 1985 (articles de Y. LE GALLO, J. LE DU, etc.).

Chanoine F. FALC'HUN, *L'Histoire de la langue bretonne d'après la géographie linguistique*, thèse, 1951.

qu'ils font en des lieux de débauche» (Furetière, 1690).

▶ **BRETTER** v. (1611, au participe passé adjectivé *bretté*) pourrait être dérivé de *brette*, par allusion à la lame dentée de l'épée. Le verbe signifie «rayer, strier avec un outil dentelé» (en architecture, orfèvrerie). ➜ Il a produit **BRETTURE** n. f. (1611), sorti d'usage comme nom d'un instrument utilisé par les tailleurs de pierre, puis pour nommer le travail accompli pour dégrossir un ouvrage de sculpture à l'aide d'un outil dentelé, *bretture* désignant l'ensemble des dents de cet outil. ➜ **BRETELER** v. tr. (1690) semble dérivé de *bretter*, au sens technique.

◈ voir **BREDOUILLER, BRETÈCHE.**

BRETZEL n. m., lorsqu'il apparaît en 1492 sous la forme *brechale,* à Neufchâtel, est emprunté au moyen haut allemand *brêzel, prêzel* par l'intermédiaire des dialectes des pays frontières, notamment l'alémanique. *Brêzel* vient de l'ancien haut allemand *brezitella, prizitella* «pâtisserie en forme de bras entrelacés», emprunt à un latin populaire *°brachitella,* diminutif de *°brachita,* dérivé de *brachium* (→ bras). Il est possible que le latin ait été véhiculé en allemand par les dialectes d'Italie du Nord (Bologne, *brazadèla;* 1250, *braçadella*) qui remontent à la variante *°brachiatella.* Le moyen français *brechale* est encore attesté en Suisse romande sous diverses formes et en dialecte romand de Moselle *(brètsèle, brestel).* Le type *brèchtel* (Delémont) est à rattacher à l'alsacien *bretstell* (1395). ◇ En français de France, la forme moderne *bretzel* a été empruntée ultérieurement (1893) à l'allemand *Brezel,* ces pâtisseries salées ayant été introduites dans les brasseries françaises pour accompagner la bière.

♦ Le mot désigne une pâtisserie légère en forme de bras entrelacés, saupoudrée de sel et, en Alsace, de cumin.

BRÉVIAIRE n. m. est emprunté (1230) au latin *breviarium,* neutre substantivé de l'adjectif *breviarius* «abrégé», dérivé de *brevis* (→ bref). *Breviarium,* employé depuis Sénèque à propos d'un abrégé, d'un écrit sommaire, s'est spécialisé à basse époque et en latin médiéval comme terme juridique et liturgique à propos d'un recueil de prescriptions.

♦ Le mot a été repris en français avec sa spécialisation liturgique de «livre contenant l'ensemble des prières par lesquelles l'Église loue Dieu chaque jour à certaines heures» (*lire son bréviaire,* etc.). Cet emploi l'a détaché de *bref.* ◇ *Bréviaire* s'est répandu avec le sens figuré d'«ouvrage, auteur servant de modèle» (1580); cf. *bible.*

◈ voir BRIMBORION.

BRIBE n. f. appartient (v. 1290), comme le verbe moyen français *briber, brimber,* à une famille de mots onomatopéiques désignant de petites choses de peu de valeur. *Briber,* qui signifie «mendier», d'après l'idée de «quêter un morceau de pain», est à l'origine de l'anglais *to bribe,* attesté depuis le XIVe s. au sens de «voler, dérober» et «corrompre, soudoyer» (XVIe s.); *bribe* a été lui aussi emprunté par l'anglais *bribe* «morceau de pain que l'on donne à un mendiant» (XVe s.) puis «chose extorquée par la menace» d'où, familièrement, «pot-de-vin», et, avec métathèse, par l'italien *birba* «malice, fraude» (XVe s.) qui a ensuite pris le sens de «gueux, vaurien». Il en va de même pour l'espagnol *brib(i)a* «vie du mendiant ou du voyou» (1599), auquel répond le verbe *bribar* «mendier»; ces valeurs ont disparu en français.

♦ Le mot français a désigné un morceau de pain, un reste de nourriture distribué aux mendiants. Par extension, il a pris son sens actuel de «petite quantité (d'aliments)» et, au pluriel, de «restes insignifiants». ◇ Il a développé un sens figuré analogue à celui de *miette,* souvent par allusion à un savoir rudimentaire.

◈ voir BRIMBALER, BRIMBORION.

BRIC-À-BRAC n. m. inv., d'abord dans la locution adverbiale *à bricq et à bracq* (1616; v. 1570, selon Wartburg), est une formation expressive composée de deux onomatopées d'origine obscure. Il est possible de repérer une matrice phonétique expressive en comparant le moyen français *en bloc et en blic* (XVe-XVIe s.) et la locution *de bric et de broc*.*

♦ La locution *à bricq et à bracq* «à tort et à travers» est sortie d'usage. L'emploi substantivé du mot est enregistré par l'Académie en 1825 sous la forme *bric à brac* comme nom de ceux qui achètent de la vieille ferraille; la forme étant stabilisée dans *mode du bric-à-brac* (1834) Le mot désigne un commerce d'objets hétéroclites et, au figuré, un lieu encombré et en désordre. Au Canada, il désigne parfois une vente-débarras.

► La mode du bric-à-brac au XIXe s. explique la floraison de dérivés éphémères comme **BRICABRACOMANIE** n. f., **BRICABRACOIS, OISE** adj. (Balzac, *Le Cousin Pons,* 1848) et **BRICABRACANT, ANTE** adj., néologisme des Goncourt (1890), également employé comme substantif (1893).

BRIC ET DE BROC (DE) loc. adv. est une formation expressive (1615) composée de deux onomatopées d'origine obscure, à rapprocher de *bric-à-brac*.*

♦ La locution signifie «d'une manière ou d'une autre», «de toute provenance, de nature diverse». On trouve la graphie *de brique et de broque* chez Balzac (1822).

BRICHETON n. m., apparu sous la forme *brigeton* (1867) puis *bricheton* (1878), est dérivé, avec le suffixe *-on,* de *brichet* «pain d'une ou deux livres que l'on fait pour les bergers» (1842), mot dialectal attesté dans l'Eure. Ce dernier est dérivé avec le suffixe *-et* de l'ancien français *briche* «morceau de pain» (1264), «forme de pain», variante de *brique*.*

♦ Le mot désigne d'abord en argot, puis familièrement, le pain et par extension la nourriture.

► Il a pour dérivé **BRICHETONNER** v. (fin XIXe s.) «manger».

BRICK → ② **BRIGANTINE**

✳ **BRICOLE** n. f., d'abord *brigole* (1360) puis *bricole* (1372), est emprunté à l'italien *briccola* «catapulte», attesté par le latin médiéval de Gênes aux XIIe-XIIIe s., et fin XIVe s. en toscan. Ce mot est probablement l'adaptation, avec substitution du suffixe italien inaccentué *-ola* au suffixe germanique *-il,* du longobard *°brihhil* «celui qui casse, qui rompt», la catapulte étant destinée à démolir les murailles. *°Brihhil* est restitué par le moyen haut allemand *brëchel* de même sens, seulement employé comme élément de composition, et lui-même dérivé du verbe *brëchen* correspondant à l'allemand *brechen* «casser» (→ broyer).

♦ Le sens de «catapulte lancée grâce au balancement d'un fléau» est sorti d'usage au XVIe s. avec la machine du même nom. ◇ À partir du XVIe s., le mot a reçu divers autres sens techniques, en référence aux cordes servant à lancer le projectile dans la catapulte : il désigne une partie du harnais (1578), une courroie ou sangle servant à porter des fardeaux, à tirer une voiture à bras (1680), seul sens ancien à être encore compris et employé. Il s'appliquait aussi à un filet de petites cordes servant à prendre les gros animaux (1601), puis à une longue ligne terminée par plusieurs amorces (1721). ➜ Par référence à la trajectoire du projectile, il s'est employé à propos d'un ricochet, d'un zigzag (1583), puis du bond de la balle de paume touchant la muraille (1611) et du coup par lequel la bille du billard touche une des bandes avant de frapper l'autre bille (1694). Une autre valeur dynamique, par allusion au mouvement de va-et-vient de la poutre de la catapulte, correspond en marine au balancement imprimé à un navire par une diminution de stabilité sous l'effet d'un excès de poids (1752). ◇ Les anciens sens figurés que *bricole* a eus en moyen français, «coup indirect», «marche hésitante», «mésaventure», «tromperie, ruse», témoignent parallèlement de l'émergence de la notion de «petite chose instable». ◇ Le sens érotique (1616), analogue à celui de *bagatelle,* ainsi que les locutions *mettre en la bricole* «tromper» (1447), *donner une bricole* (1636), *jouer d'une bricole* (1611), *n'aller que par bricoles* (1798) ont pu contribuer à vider le mot de ses contenus spécifiques, favorisant le développement du sens moderne de «petite chose sans importance, menu objet» (av. 1850), en concurrence avec *bagatelle, brimborion.* ◇ Le sens négatif d'«ennui» *(il va lui arriver des bricoles),* qui prolonge un ancien sens figuré, est compris comme «petit ennui», ironiquement.

▸ Le dérivé **BRICOLER** v. (1480) a d'abord le sens correspondant à *bricole,* «aller par-ci, par-là, en zigzag», spécialement au jeu de balle, au billard (1611) ainsi qu'en chasse et en équitation à propos d'un cheval qui passe adroitement entre les arbres, les buissons; ces acceptions spéciales ont disparu et ne sont plus comprises. ◇ Au XVIe s., en relation avec *bricole,* se développe le sens figuré de «dire des mensonges, tromper» (XVIe s.), puis de «manœuvrer (qqn) par des moyens détournés» (1634), sens eux aussi sortis d'usage. ➜ Le passage au sens moderne figuré se fait, comme pour *bricole,* au milieu du XIXe s., époque où le verbe signifie «exécuter de menues besognes» (1853), d'où transitivement «arranger ingénieusement (qqch.)» (1919), l'accent étant mis sur l'idée de manier adroitement qqch. (comme une balle). L'idée d'ingéniosité adroite, valorisée, a détaché le verbe de *bricole* «chose insignifiante». ➜ **BRICOLEUR, EUSE** n. est d'abord un terme de chasse désignant un chien qui ne suit pas droit la piste, va en zigzag (1778). ◇ Il a été reformé comme dérivé du sens moderne de *bricoler* à propos de la personne qui se livre à un travail intermittent et sans connaissances techniques (1853) et, concrètement, de celle qui se livre à de menus travaux ingénieux (1938). ➜ **BRICOLAGE** n. m. est seulement attesté depuis 1927 avec ses sens propre et figuré modernes correspondant à ceux de *bricoler* et *bricoleur,* quelquefois avec une nuance péjorative. Le mot a été appliqué par Cl. Lévi-Strauss (1962) à une création constituée par un arrangement fonctionnel d'éléments préexistants et hétéroclites («le premier aspect du bricolage est [...] de construire un système de paradigmes avec des fragments de chaînes syntagmatiques»). ◇ Par abréviation au sens concret, **BRICOLO** n. (1979) s'emploie familièrement pour «bricolage» (alors n. m.) et pour «bricoleur» et au fig. pour «travail d'amateur un peu bâclé».

BRICOLIER n. m. (1751) se disait du cheval attelé à côté de celui du brancard d'une chaise de poste, d'après le sens technique de *bricole* en bourrellerie. ◇ Depuis le XXe s. (1926), il est employé comme synonyme rare de *bricoleur,* spécialisé en argot de métier à propos d'un chauffeur de taxi travaillant *à la bricole,* c'est-à-dire chez un petit loueur (1935).

✳ **BRIDE** n. f., attesté vers 1200, est d'origine germanique. Son aire géographique primitive est la France du Nord et ses correspondants italien, espagnol, portugais et probablement ancien provençal sont empruntés au français. De ce fait, l'hypothèse la plus probable est celle d'un emprunt au moyen haut allemand *brîdel* «rêne». Ce mot correspond à l'ancien haut allemand *brittil* qui est à l'origine de *bretelle** et qui ne convient pas lui-même d'un point de vue phonétique pour *bride;* le moyen anglais *bridel* (anglais *bridle*) est un étymon moins probable, étant donné la rareté des emprunts du français à cette langue au XIIIe siècle. Une origine francique est incompatible avec l'apparition relativement tardive du mot en français.

♦ Le mot désigne la partie du harnais d'un cheval composée de courroies passées autour de la tête et du cou de l'animal pour le conduire et le guider. Cet emploi, fréquemment limité aux rênes seules, a été très fertile en locutions passées rapidement du langage de l'équitation à l'usage courant avec une application figurée. L'idée de changement d'orientation est réalisée dans *tourner la bride* (1400-1450), puis ***tourner bride*** (v. 1460), quelquefois avec le sens figuré de «se rétracter, changer d'avis». L'idée de vitesse est à la base des expressions *à bride avalée* (1532), remplacée en français moderne par ***à bride abattue*** (*avaler* n'est plus compris) et ***à toute bride*** (1559). Plusieurs locutions expriment l'idée de réfréner : *tirer sur la bride* (v. 1460), *tenir qqn sur bride* (v. 1460), sortie d'usage, *tenir la bride roide à qqn* (1466), remplacée par *tenir la bride courte, haute* et ***tenir qqn en bride*** (1538), encore comprise. ◇ Inversement, une autre série s'est organisée dès le moyen français autour de l'idée de «laisser libre cours», avec ***lâcher la bride à*** (un sentiment) [1538] et ***(tenir, laisser) la bride** sur le col* (1549), ***sur le cou.*** ◇ L'emploi indépendant de *bride,* avec la valeur figurée de «ce qui permet de maîtriser, contrôler, diriger», se dégage au XVIe s. de ces diverses locutions (v. 1580). ➜ Par analogie, le mot désigne un lien (1606), à la fois en général, par exemple dans l'habillement, et en couture (1659), en technique à propos d'un lien métallique servant à consolider ou unir des pièces (1811). ◇ Par ailleurs, le mot désigne en pathologie (1792) des adhérences (à l'intérieur d'une plaie, entre la plèvre et le poumon, d'où *section de brides,* en chirurgie).

▸ La dérivation consiste essentiellement en deux verbes. ➛ **BRIDER** v. tr., attesté une première fois au sens analogique de «tendre le fil d'une fileuse» (XIIIe s.), réapparaît ou est reformé avec le sens propre de «passer la bride à (une monture)» (1395). Il a développé en même temps que le substantif le sens figuré de «freiner, réprimer» (XVe s.) et le sens analogique de «serrer avec une bride» (av. 1630). Ce dernier s'est spécialisé en coiffure (av. 1630), en habillement (1690), en technique (1732, *brider une pierre*), en cuisine (1783, *brider une volaille*), en couture et en marine. ◇ Le *Voyage de La Pérouse* introduit son emploi avec le sens de «tirer, étirer les yeux» (1797) qui donnera naissance à *bridé* (ci-dessous). ➛ Le participe passé adjectivé **BRIDÉ, ÉE** est employé spécialement dans ***oison bridé*** «oie à laquelle on a passé une plume dans les narines afin de l'empêcher de passer le cou à travers les haies» ; l'expression, employée par Rabelais (1534) à propos d'une bête fantastique, a servi à caractériser une personne sotte et crédule (1611). Elle est archaïque. ◇ Le syntagme ***yeux bridés,*** tardif (1857), s'applique aux yeux des Asiatiques. ➛ *Brider* a produit trois substantifs de sens concrets. **BRIDURE** n. f. (1421) s'est employé au XVe s. au sens technique de «plissure produite par une trop forte tension des fils de trame» en relation avec l'emploi correspondant du verbe. Il a été repris en marine à propos du lien servant à maintenir ensemble et à serrer certains cordages (1773), puis en cuisine à propos du lien assujettissant les membres d'une volaille (1867). ◇ **BRIDON** n. m. «bride légère» (1611) est un terme d'équitation, de même que **BRIDOIR** n. m. (1701) qui désignait un morceau de linge que les dames mettaient à leur bonnet, sens disparu, puis dénomme la mentonnière du cheval (1838).

DÉBRIDER v. tr., formé sur *bride,* apparaît à la forme pronominale *se debrisder* avec le sens figuré de «se laisser aller, se déchaîner» (v. 1460), auquel correspond un emploi transitif rare et un participe passé (ci-dessous). La locution adverbiale *sans débrider* «sans interruption, d'une traite» (1534) correspond au sens de «faire, dire (qqch.) en toute hâte» (1566), emplois aujourd'hui archaïques. ◇ Le sens propre, «ôter la bride à (une monture)» (1549), précède des acceptions techniques symétriques à celles de *brider,* en chirurgie (1707), en technique (1732, *débrider une pierre*) et en cuisine dans *débrider une volaille* (1890). ➛ Le participe passé adjectivé **DÉBRIDÉ, ÉE** est employé avec les sens propre et, surtout, figuré (XVIIe s.) du verbe, pour «qui ne se contraint pas (à propos d'un sentiment)». ➛ Le verbe a produit **DÉBRIDEMENT** n. m. (1604), peu répandu en parlant de l'action d'enlever la bride d'une monture, plus fréquent avec le sens figuré de «libération des contraintes» (1659). ◇ Le mot est également employé concrètement en chirurgie (1814).

◈ voir BRETELLE.

① **BRIDGE** n. m. est emprunté (1893) à l'anglo-américain *bridge* (1894), antérieurement attesté sous la forme *biritch* (1886), glosée «whist russe», puis également sous la forme *britch* (1901) donnée comme turque. Ce jeu d'origine russe gagna Constantinople (1873), Athènes, Alexandrie, l'Angleterre (1875), puis Nice d'où il passa aux États-Unis pour revenir en France. La forme primitive anglaise *biritch* est d'origine obscure, peut-être russe ; elle a subi l'attraction de l'anglais *bridge* «pont», motivée (peut-être après coup) par le fait qu'un des joueurs prête la main, faisant pour ainsi dire le pont à son partenaire.

♦ Le mot désigne un jeu de cartes issu du whist, qui se joue à quatre avec un jeu de cinquante-deux cartes et qui, en se répandant dans la bourgeoisie française, a imposé le mot, qui a remplacé *whist.*

▸ Le français a produit directement les dérivés **BRIDGEUR, EUSE** n. (1893), attesté avant l'anglais *bridger* de même sens, et **BRIDGER** v. intr. «jouer au bridge» (1906) pour lequel l'anglais a *to play bridge.*

② **BRIDGE** n. m. est emprunté (1907) à l'anglais *bridge* «pont», employé spécialement pour une prothèse dentaire formant pont entre les dents d'appui. Le mot, qui existait déjà en vieil anglais sous la forme *bryćģ,* a des correspondants dans l'ancien saxon *bruggia,* le moyen néerlandais *brugghe* (néerlandais *brug*), l'ancien haut allemand *brucca* (allemand *Brücke*), etc. Tous ces mots viennent d'un germanique commun (non gotique) °*brugjō.* Le sens de l'ancien norrois *bryggja* «débarcadère, passage» indique que la racine °*bruw-* avait un sens plus général que celui de «pont», peut-être «voie en rondins».

♦ Le mot désigne un appareil de prothèse dentaire qui remplace les dents manquantes en prenant appui sur les autres. La traduction française *pont* n'a pu s'imposer.

BRIE n. m., repéré en 1643 dans un texte du poète Saint-Amant qui met en scène le brie et le cantal personnifiés, est issu de *Brie,* région du Bassin parisien où se fabrique ce fromage d'abord nommé *fourmage de Brie* (XVe s.).

♦ Le mot désigne un fromage à pâte molle et croûte moisie (comme le camembert) en forme de disque, fabriqué dans la Brie. On distingue le *brie de Meaux* et le *brie coulommiers* (de la ville de *Coulommiers*). ◇ ***Quart de brie*** constitue une dénomination familière pour un grand nez.

BRIEFING n. m. est emprunté (v. 1945) à l'anglais *briefing* (1910), substantif verbal de *to brief* «donner des instructions», lui-même dénominatif de *brief* «lettre officielle, note» (XIVe s.). Ce mot anglais emprunté, par l'intermédiaire de l'anglo-normand *bref,* à l'ancien français *brief* (→ ② bref), semble s'être spécialisé pendant la Seconde Guerre mondiale à propos d'une courte réunion où des aviateurs recevaient leurs dernières instructions avant une mission. Il a été introduit à la Libération avec le vocabulaire militaire anglo-américain.

♦ Cet anglicisme est employé en aviation et, par extension, dans le domaine des affaires et de l'administration, à propos d'une réunion d'information.

▸ L'antonyme **DEBRIEFING** n. m., terme international, désigne la conférence qui a lieu après la mission. ◆ **BRIEFER** v. tr. (v. 1970), «mettre au courant par un briefing», relève du langage à la mode, journalistique et publicitaire.

BRIFER, BRIFFER v. tr. est dérivé (1530) du radical onomatopéique *brf-* exprimant le bruit fait avec la bouche quand on mange gloutonnement. Ce radical est rare en dehors du domaine galloroman, si l'on excepte le sarde *briffar.* En français, il est représenté dès le XIIIe s. dans l'ancien français **BRIFAUD** n. m. (v. 1223) «glouton», encore attesté dans la plupart des dictionnaires généraux du XIXe et du XXe s., écrit *brifaud, brifaut,* autrefois *briffau,* et encore connu comme nom de chien. La graphie *brifer* (1635) coexiste avec *briffer.*

♦ Le mot, d'usage populaire, est un synonyme plus rare de *bouffer, bâfrer* (ce dernier avec une structure phonétique voisine) et signifie «manger de manière grossière», puis en général «manger». Il a vieilli.

▶ **BRIFE, BRIFFE** n. f. est accueilli en 1798 par le dictionnaire de l'Académie au sens de «gros morceau de pain», avec la mention «populaire». Par métonymie, le mot a désigné la nourriture, le repas, d'où la locution *passer chez Briffe* «manger» (1880) et sa variante *passer chez Brifmann,* toutes deux vieillies. *Briffe* n'est guère usité en français contemporain.

BRIGADE n. f. est emprunté (v. 1370) à l'italien *brigata* «troupe, bande», employé depuis le XIIIe s. à propos d'une compagnie militaire puis (XIVe s.) d'une troupe d'ouvriers travaillant ensemble. Ce mot est dérivé de *briga* «lutte, querelle» (→ brigue) et «troupe» (→ brigand), probablement par l'intermédiaire d'un verbe *brigare* ayant dû signifier «aller en troupe» et dont il représente le participe passé féminin.

♦ Le mot désigne une unité militaire placée sous l'autorité d'un chef unique et intégrée dans une unité supérieure. Un des emplois demeurés vivants est ***général de brigade.*** ◇ À la mode au XVIe s., il a fourni le nom du groupe de poètes aujourd'hui connu sous le nom de *la Pléiade.* ◇ Par extension, il est employé dans des domaines divers à partir du XIXe s. : en 1835, l'Académie enregistre *brigade de charpentiers, de calfats, de canonniers* à propos des techniciens civils travaillant dans les ports militaires. Plus récemment, le mot s'applique aux gendarmes (1835, *brigade de gendarmerie*), puis à un groupe d'ouvriers travaillant ensemble sous les ordres d'un chef (1867), servant parfois de synonyme à *équipe* dans certains corps de métiers ou administrations.

▶ La dérivation apparaît à l'époque classique. ◆ **BRIGADIER** n. m. (1640) a désigné dans certaines armées un officier supérieur ; ce sens a disparu, puis a été repris en histoire et avec la valeur spécifique de *général de brigade.* ◇ D'après *brigade de gendarmerie, brigadier* a pris la valeur de «sous-officier responsable d'une brigade», équivalant à *sergent* dans certaines armes. ◇ À la suite de *brigade,* le mot est employé dans divers domaines (marine, administration, corps de métiers). ◇ Par analogie avec le bâton du *brigadier* de police, il est employé métonymiquement pour nommer le bâton avec lequel le régisseur frappe les trois coups au théâtre (XIXe s.) ; ce sens a vieilli. ◆ Le féminin **BRIGADIÈRE** n. f. s'est employé elliptiquement pour *perruque à la brigadière* (1838), dont les cheveux étaient liés et tirés en queue, probablement parce que certains militaires portaient de telles perruques à catogan. ◆ **SOUS-BRIGADIER** n. m. (1690) est un ancien terme de hiérarchie militaire repris (1854) à propos du douanier, du gardien de la paix qui commande sous le brigadier.

EMBRIGADER v. tr. (1792, *Moniteur*) et son dérivé **EMBRIGADEMENT** n. m. (1793, *Recueil des actes du Comité de salut public*) sont apparus pendant la Révolution avec le sens de «constituer, constitution en brigade». ◇ Par extension, le verbe signifie péjorativement «faire entrer, souvent de force, dans une organisation autoritaire donnant peu d'autonomie à ses membres», sens répandu en politique à la fin du XIXe siècle. Le dérivé a pris lui aussi cette valeur et les deux mots sont en partie démotivés par rapport à *brigade.*

BRIGAND, ANDE n. est emprunté (1530) à l'italien *brigante* (fin XIIIe-déb. XIVe s.), dérivé de *briga* «compagnie, troupe» (→ brigade) et aussi «querelle, lutte» (→ brigue). *Brigante* désigne proprement celui qui fait partie d'une compagnie et, par spécialisation ou d'après d'autres sens de *briga,* un partisan, un rebelle, une personne de mauvaise vie (fin XIIIe-déb. XIVe s.).

♦ Le mot a d'abord désigné, jusqu'à la fin du XIVe s., un soldat à pied faisant partie d'une compagnie. ◇ Le développement du sens moderne péjoratif, «voleur armé» (fin XVe s.) équivalant à *bandit*,* est soit un nouvel emprunt sémantique à l'italien, soit une allusion aux dommages causés par les soldats de bandes armées se livrant au pillage. Par extension, le mot est employé en parlant d'une personne malhonnête (1718). Ces emplois sont archaïques ou historiques. ◇ Le féminin *brigande,* attesté au figuré (*brigande des cœurs d'autrui,* 1560) a été repris pour dénommer une femme faisant partie d'une bande de brigands (fin XVIIIe s.). ◇ L'emploi le plus vivant de *brigand, brigande* est la valeur affaiblie s'appliquant à un enfant turbulent ; cf. *coquin, bandit,* etc.

▶ **BRIGANDAGE** n. m. (1410) est dérivé de *brigand* avec le sens de «pillage à main armée», d'abord commis par une bande armée dans les campagnes. Par extension, il se dit de tout vol de grande envergure, d'un acte malhonnête et, plus récemment, de la grande délinquance (alors que *brigand* n'a plus cours dans ce contexte). ◇ Il a évincé son concurrent **BRIGANDERIE** n. f. (1534), repris exceptionnellement par certains auteurs (dont Hugo). ◆ **BRIGANDINE,** ① **BRIGANTINE** n. f. procède du sens premier de *brigand* «soldat», puisqu'il désigne (1411) une cuirasse dont les plaques de métal sont fixées sur du tissu ou du cuir. La forme *brigantine* (1458) restitue le *t* étymologique de l'italien *brigante* (un emprunt direct à l'italien *brigantina* ne convient pas, car ce mot n'est attesté que depuis le XVIe s.). ◇ Le dérivé **BRIGANDINIER** n. m. (1466)

n'est plus qu'un terme d'histoire médiévale. ◆ **BRIGANDER** v. (1507) signifie «agir en brigand», «ravager, piller» (1554); peu usité de nos jours en français central, il est encore employé comme transitif dans les dialectes de Suisse et de Franche-Comté avec les sens de «maltraiter, abîmer» et au pronominal *se brigander* pour «s'éreinter au travail». ◆ **BRIGANDEAU** n. m., diminutif de *brigand* (1542), précédé de la forme *brigandereau* (1539), n'est guère employé, sinon en parlant d'un enfant, avec une intention affectueuse (1784), commune à plusieurs mots désignant les malfaiteurs (cf. *bandit, coquin*); mais on dit plutôt *brigand, petit brigand* dans ce sens, en français contemporain.

◈ voir ② BRIGANTINE.

① BRIGANTINE → BRIGAND

② BRIGANTINE n. f., d'abord *brigandine* (1480), puis *brigantine* (1793), est la forme féminine de *brigandin* n. m. (v. 1360), *brigantin*, terme de marine ancienne désignant un navire à un pont, généralement un deux-mâts à voiles carrées, ultérieurement supplanté par l'anglicisme *brick* (ci-dessous) qui en est issu. *Brigandin* est emprunté à l'italien *brigantino* «petit bâtiment rapide muni de voiles et de rames» (1379), dérivé diminutif de *brigante* (→ brigand), proprement «celui qui fait partie d'une troupe, d'une compagnie», ce bateau étant un navire d'escorte.

♦ Ce terme de marine désigne aujourd'hui par métonymie la voile carrée du mât d'artimon. ◇ *Brigandine* a aussi désigné un petit navire à voiles et à rames de la Méditerranée (XVe s.).

▸ **BRICK** n. m., d'abord *bricq* (1781) et *brig* (1784), puis *brick* (1788), est emprunté à l'anglais *brig(g)* (1720). Ce terme de marine est lui-même l'apocope de *brigantine*, emprunté au XVIe s. au français *brigantin*. Le mot désigne un voilier à voilure importante sur deux mâts, muni d'une brigantine à l'arrière.

BRIGUE n. f. est emprunté (1314) à l'italien *briga* «lutte, querelle», «dispute, controverse» (XIIIe s.), lui-même d'origine obscure (→ brigade, brigand, ② brigantine).

♦ Le sens emprunté de «dispute, querelle» a été employé jusqu'au XVIe s., aussi à propos d'un débat d'idées, d'une controverse (XVIe s.). ◇ Par un développement propre au français, *brigue* a pris le sens de «manœuvre en vue d'obtenir qqch.» (1477-1483), surtout collectivement «ensemble des manœuvres employées pour triompher d'un concurrent», spécialement dans le contexte politique (enregistré par Furetière, 1690; repris ultérieurement comme terme d'antiquité romaine). ◇ La spécialisation pour «sollicitation amoureuse» (1636, Corneille), propre au style amoureux classique, riche en métaphores guerrières et politiques, est sortie d'usage. Tous les emplois du mot sont archaïques.

▸ **BRIGUER** v. tr., attesté une fois en 1498 comme intransitif pour «chercher querelle» (mais antérieur, cf. *brigueur*), est repris au XVIe siècle. ◇ Comme *brigue*, il a pris le sens de «solliciter ardemment (un honneur, une faveur, une charge)» (1542), d'abord en bonne et en mauvaise part puis péjorativement. Le mot est littéraire et assez archaïque, mais moins que *brigue*. ◆ **BRIGUEUR, EUSE** n. (1373-1377), «querelleur», est passé au XVIe s. au sens de «personne qui recherche par brigue», puis est sorti d'usage.

BRILLER v. intr. est emprunté (1559) à l'italien *brillare* «s'agiter, battre des ailes vivement» (1450-1500) et «jeter des éclats de lumière» (1500-1550), mot d'origine obscure. L'hypothèse la plus probable est celle qui, rapprochant *brillare* de l'italien *prillare* «tourner en rond, pirouetter» et de dérivés signifiant «toupie», attribue à ces verbes une origine onomatopéique, les faisant remonter à un radical °*pir(l)*- signifiant «s'agiter, tourner» (→ pirouette). Dans cette hypothèse, le sens optique s'expliquerait par le scintillement tremblant des étoiles; l'évolution serait à rapprocher de celle de l'espagnol castillan *rehilar* «trembler, se mouvoir rapidement par secousses», dont le dérivé *rielar* signifie «scintiller». L'hypothèse selon laquelle le mot italien remonterait au latin *beryllus* (→ béryl), le sens de «lancer des éclats» étant alors premier, est moins satisfaisante vue la chronologie des sens italiens et l'existence du type *prillare, pirlo*. Enfin, malgré le lien entre les deux valeurs, le sens premier pourrait être de nature expressive et le second issu de *beryllus*.

♦ L'évolution sémantique de *briller* est analogue à celle de son étymon italien, avec passage de l'idée d'agitation à celle de lumière entre le XVIe et le XVIIe siècle. Au XVIe s., *briller* signifie «s'agiter» (Ronsard) et, par transposition sur le plan psychologique, «être agité d'impatience» (1559). Il s'est employé spécialement en vénerie en parlant d'un chien qui quête bien le gibier (1583). Ces valeurs disparaissent dans la première moitié du XVIIe siècle. ◇ Le sens de «jeter des éclats», apparu lui aussi au XVIe s. (1564), l'emporte alors, donnant lieu à des emplois métaphoriques (1608) et figurés, «se manifester avec éclat» (1644), «se distinguer par une qualité particulière» (1651), avec un complément de détermination ou en emploi absolu (1671). ◇ Par extension, il est synonyme d'«exceller, réussir» (av. 1709).

▸ La dérivation a été étoffée par les dérivés du participe présent *brillant*. ◆ **BRILLEMENT** n. m., substantif d'action pour «fait de briller» et, par métonymie, «état de ce qui brille» (1564), a été abandonné au XVIIe s.; repris en 1840 par Sainte-Beuve décrivant l'éclat de la beauté féminine, il est à peu près inusité. ◆ **BRILLANT, ANTE**, participe présent de *briller*, a été adjectivé pour qualifier ce qui brille et, au figuré, une personne qui réussit, se fait remarquer, admirer (1564). ◇ Il est substantivé avec une valeur de neutre, *le brillant* exprimant la qualité de ce qui brille, au propre (1608) comme au figuré (1636). ◇ *Un brillant* désigne concrètement un diamant taillé à facettes (1671). ◇ L'adjectif a produit **BRILLAMMENT** adv. (1583). ◆ **BRILLANCE** n. f. (1928), terme de physique pour «quotient de l'intensité lumineuse diffusée par une surface éclairée», est formé d'après l'anglais *brilliancy* (1747), *bril-*

liance (1747). ◆ *Brillant*, substantif, a donné **BRILLANTER** v. tr. (1740), d'abord attesté dans sa spécialisation technique en joaillerie, puis employé pour «donner du brillant», notamment dans quelques domaines techniques (1867, pour un textile, au participe passé *brillanté*). ◆ **BRILLANTAGE** n. m. (1947), dérivé du verbe, est un substantif d'action dans des emplois purement techniques, en joaillerie, peausserie, entretien du métal. ◆ *Brillant*, adjectif, a aussi donné **BRILLANTINE** n. f. (1823), formé sur des noms d'étoffe en *-ine* comme *popeline* pour dénommer une étoffe fine et brillante doublant les vêtements. ◇ Le mot a été refait pour désigner (comme nom de marque) une pommade servant à fixer et lustrer la chevelure (1867), produisant **BRILLANTINER** v. tr. (1914, au participe passé).

BRIMBALER, BRINGUEBALER ou **BRINQUEBALER** v., d'abord *brinbaler* (1440-1442), est une formation expressive issue d'un croisement entre le latin *ballare* «sauter» (→ baller «danser» à bal) et les mots issus du radical onomatopéique *brimb-* avec l'idée de petitesse, notamment le moyen français *brimber* «mendier» (ou *briber*, → bribe), qui a pu favoriser l'idée de «vagabonder, s'agiter». ◇ Les formes *bringuebaler* (1835), *brinquebaler* (1853), apparues beaucoup plus tard, ont probablement subi l'influence de *trinqueballer* «balancer les cloches» (1534), altération de *triballer* «aller çà et là» (1532), [→ trimbaler], d'après le moyen français *triqueballe*, désignant un chariot (v. 1450) et un instrument de torture (v. 1450), lui-même d'origine obscure.

♦ *Brimbaler* a eu le sens érotique de «jouir d'une femme, copuler», encore employé par Rabelais (1546), d'après la notion du mouvement de va-et-vient. ◇ Par extension, il signifie «s'agiter» (av. 1544), décrivant en particulier le mouvement d'une cloche (av. 1577). ◇ Le français moderne réalise surtout le sens de «se balancer, osciller, secouer» dans les formes *bringuebaler, brinquebaler* (d'abord avec deux *-l-*), familières et usuelles.

▸ **BRIMBALEMENT** n. m. (1564), substantif d'action de *brimbaler* (XVIe s.), a le sens de «mise en branle»; il a cessé d'être attesté au XVIIe s., a été repris au XIXe s., puis est sorti d'usage. ◇ Il a été remplacé par les dérivés de *brinqueballer* et *bringueballer*, surtout **BRINGUEBALLEMENT** n. m. (1948). ◆ **BRIMBALE** n. f. (av. 1593) a eu d'abord le sens général d'«objet qui s'agite, grelot, clochette»; il s'est fixé au siècle suivant comme terme technique pour «levier qui sert à actionner le piston d'une pompe à eau» (1634, en marine), sens archaïque. ◆ Le participe présent **BRIMBALANT, ANTE**, remplacé au XXe s. par **BRINGUEBALANT, BRINQUEBALANT, ANTE** adj., s'est employé adjectivement pour qualifier ce qui oscille, s'agite.

BRIMBORION n. m., d'abord *breborion* (v. 1450), *briborion* (1611) nasalisé depuis le XVIe s. en *brinborion* (1532), puis écrit *brimborion* (1611), est l'altération du latin ecclésiastique *breviarium* «livre de prières» (→ bréviaire). La prononciation de la dernière syllabe est analogue à celle de *dicton** (du latin *dictum*); elle correspond à la diction française ancienne du latin. L'initiale est due à l'influence des mots de la famille expressive de *bribe**, *brimber*, dont le sémantisme a influé sur l'évolution de *brimborion*.

♦ Le sens étymologique, «prières bredouillées», a disparu au XVIe siècle. ◇ Puis le mot désigne une chose petite, insignifiante (1611), sous l'influence de mots à initiale *b-* de même sens : *bribe, babiole, bibelot*. Le pluriel *brimborions* (1644) a quelquefois une nuance de mépris (1690). ◇ Le singulier collectif, «ensemble des petites choses sans nom précis» (1690) et, au figuré, «choses vulgaires et futiles» (1857, Flaubert), est rare et affecté.

BRIMER v. tr., introduit tardivement (1826 selon Esnault, ou 1853; mais probablement antérieur; cf. *brimade*), semble d'origine dialectale; le manceau *brimer* «battre, tourmenter» semble une extension figurée du sens propre, «geler, brouir», dérivé de *brime*, et attesté dans les parlers du Nord-Ouest (bas manceau, bas gâtinais) au sens de «givre, coup de vent froid qui flétrit les fruits». *Brime* résulte probablement du croisement de *brume** avec *frimas**. Selon P. Guiraud, le développement du sens figuré de *brimer* «battre» procède de *brim* «mèche de fouet», qu'il interprète comme la forme originale de *brin** au sens de «baguette».

♦ Le mot a été introduit par l'argot militaire et scolaire (Saint-Cyr) avec le sens de «railler, berner (les nouvelles recrues)». Par extension, il s'est répandu dans l'usage commun pour «vexer, contraindre par des mesures vexatoires» (av. 1866). ◆ L'emploi du participe passé **BRIMÉ, ÉE** adj. pour qualifier un raisin marqué de taches (1838) procède directement du sens étymologique.

▸ **BRIMADE** n. f., dérivé (1818) de *brimer*, désigne l'action de brimer, une mesure de vexation infligée par les anciens aux nouveaux (1826, dans l'argot scolaire) et, au figuré, une vexation découlant d'un abus d'autorité (1900, Bergson).

BRIN n. m. (1471), d'abord écrit *brain* (v. 1393), est d'origine incertaine. L'hypothèse d'un étymon gaulois °*brinos* «baguette», se heurte au fait que ce mot n'est postulé par aucune forme dans les langues celtiques. L'étymon latin *primus* «premier» (→ prin, prime), par l'intermédiaire du provençal, fait difficulté des points de vue phonétique et sémantique. L'hypothèse de P. Guiraud, proposant d'y voir le même mot que l'ancien français *brin*, rapproché d'un ensemble de mots apparentés au scandinave *brim* «ressac» et au figuré «puissance, force», «tumulte, orgueil», est insuffisamment fondée.

♦ Le sens de base est celui de «tige fine d'une plante sortant de terre», réalisé par le mot de manière autonome et surtout dans des syntagmes (*brin de fenouil*, etc.). Le sens de «tige fine» a donné en sylviculture celui de «rejeton d'une souche restée en terre après que l'arbre ait été abattu» (1611). ◇ Au figuré, le langage familier emploie la locution métaphorique ***un beau, un joli brin de (fille),*** [1718] pour caractériser une jeune femme grande et bien faite. ◇ Par analogie, *brin* désigne une petite partie d'un tout organique, un filament délié (de chanvre ou de lin, 1471), d'où les anciennes expressions *drap de premier, de second brin* (1471), évaluant la qualité d'un drap d'après la longueur des fibres. ◇ Par extension, le mot désigne un élément, une partie longue, fine et souple, en général et dans quelques emplois techniques (électricité, pêche, mécanique). ✦ Par transposition, au figuré, il exprime l'idée d'une petite parcelle, d'une quantité infime de qqch. (1497, *brin de loyaulté*), sens conservé dans quelques expressions comme ***faire un brin de toilette, faire un brin de cour à qqn.*** La locution adverbiale ***un brin*** suivi d'un adjectif (1577), «un peu», participe de ce sens. Au figuré, *un brin* correspond à «très peu», et *pas un brin* à «pas du tout».

▶ **BRINDILLE** n. f., d'abord *brindelle* (1551), la forme actuelle resuffixée n'étant enregistrée par l'Académie qu'en 1798, est dérivé de *brin* avec intercalation d'un *-d-* d'appui d'origine obscure ; l'hypothèse d'une influence de l'ancien provençal *brondhel* «rameau, feuillée, branche» (XIIe s.) pour l'expliquer est peu fondée. ✦ Le mot réalise l'idée de «petit brin», désignant une petite branche mince et le plus souvent sèche et, par figure, comme *brin*, une petite unité de qqch., emploi rare.

◈ voir ① **BRINGUE** (peut-être).

BRINDE n. f. est probablement importé (1552) par les mercenaires allemands au XVIe s. et passé dans les langues romanes : italien *brindisi*, espagnol *brendes* (1609), catalan *brindis* et portugais *brende*, un verbe *brendar* «porter un toast» correspondant aux trois derniers. Le mot, dans chacune de ces langues, est l'adaptation de la formule allemande *bring dirs*, littéralement «je porte à toi (sous-entendu un toast)», de *bringen* «porter», de l'ancien haut allemand *bringan* et *dir* («vers») *es* («toi»). *Bringan* vient d'un germanique commun (non norrois) °*breɲgan* d'une racine °*bhreɲk-*, °*bhroɲk-*, représentée aussi en celtique, mais pas dans d'autres groupes indoeuropéens.

♦ Le mot signifie «action se porter un toast à la santé de qqn» (1554); il est considéré comme archaïque depuis le XVIIIe s. (1740). La locution familière *être dans les brindes* «être ivre» (1835) est sortie d'usage (cf. ci-dessous brindezingues). ◇ Par métonymie, *brinde* a développé le sens de «verre à boire» (1552), repris au XVIIe s. avec le sens dérivé de «vase à anses pour le vin», qui s'est peu répandu.

▶ **BRINDER** v. intr. (1588), sorti d'usage au sens de «boire avec excès», a été repris au XXe s. pour «porter un toast» mais est peu usité. Il est resté une trace dans des patronymes venus de surnoms de soldats au XVIIIe s., et qu'on rencontre au Québec, comme *Brind'amour* «qui boit à l'amour». ✦ **BRINDEZINGUE** n. et adj. est formé en argot (1756) de *brinde*, et probablement de *zingue*, forme populaire de *zinc** «comptoir du marchand de vin»; le recours à l'italien *brindisi* doit être écarté, ce mot n'étant emprunté en français qu'en 1806. ◇ *Brindezingue* est surtout employé dans la locution ***être dans les brindezingues*** «être ivre» (1756) et, adjectivement, ***être brindezingue*** «ivre» (av. 1899) et «un peu fou». Ces emplois plaisants ont vieilli.

◈ voir ② **BRINGUE**.

BRINDILLE → **BRIN**

① **BRINGUE** n. f., repéré tardivement (1738), est d'origine incertaine, probablement à rattacher à *bringue(s)* «morceau(x)», mot des dialectes normand et du Centre, à rattacher à *brin**; on comparera l'expression *bringue de femme*, employée par Balzac, avec *brin de femme, brin de fille*. Si ce rattachement satisfait du point de vue sémantique, il n'explique pas la formation du mot ; peut-être faut-il évoquer la finale populaire *-ingue* sur le modèle de *bastringue**, *fringue**, *flingue**. P. Guiraud rattache également le mot à *brin**, mais insiste sur les premiers emplois qui correspondraient à *boiter*, attesté par le jurassien *bringou* «boiteux», *bringala* «marcher en boitant» : le brin en cause pourrait être une entrave constituée par une barre ou un lien qui emprisonne les pieds de l'animal.

♦ Le mot est d'abord un terme d'argot de manège appliqué à un cheval mal bâti, employé par extension familière pour une femme, une fille dégingandée (1807). ◇ Le sens de «morceau, pièce», dans la locution *en bringues* «en pièces et morceaux» (1751) d'où au figuré «en piteux état» (1842-1843), va à l'encontre de l'hypothèse sémantique de P. Guiraud et donne au mot la valeur de «morceau rompu». Il a disparu. ◇ La locution adverbiale d'abord argotique ***à toute bringue*** «à toute allure» (1936) doit probablement autant à *bringue* au sens de «machine qui fonctionne mal» qu'à l'influence de *berzingue**, dans *à tout berzingue*.

◈ voir **EMBRINGUER**.

② **BRINGUE** n. f., d'abord *bringe* en fribourgeois (1609) puis *bringue* (1611), est originaire de Suisse romande. C'est une forme dialectale correspondant au français *brinde**. Le maintien du *-g-* étymologique s'explique par le contact avec le domaine linguistique allemand.

♦ Le sens propre de «toast porté à qqn avec obligation de boire» est sorti d'usage (1660) sous la concurrence de *brinde*. ◇ Par extension, le mot a pris ultérieurement le sens de «fête, débauche» (1901) en argot, puis dans l'usage familier, surtout dans la locution ***faire la bringue***, toujours vivante.

▶ **BRINGUER** v. tr., d'abord employé en Suisse romande au sens de «toaster» (1542) [cf. *brinder*], s'est répandu en français avec le sens familier de «faire la fête» (1928). ✦ Il a produit **BRINGUEUR, EUSE** n. (fin XIXe s.) «personne qui fait la noce».

BRIO n. m. est emprunté (1812) à l'italien *brio* «vitalité, énergie se manifestant dans la vivacité, gaîté, entrain», attesté depuis le XVIe siècle. Le mot italien est lui-même emprunté à l'espagnol *brio* «vivacité, élégance, énergie», probablement par son correspondant ancien provençal *briu* «valeur, mérite». Le mot serait issu d'un gaulois °*brivo-* ou °*brigo-*, reconstitué par l'ancien irlandais *brig* «puissance, force», le gallois *bri* «dignité, valeur».

♦ Le mot a été introduit pour caractériser la vivacité d'une pièce musicale, dans la locution adverbiale italienne *con brio* (Stendhal) et sa traduction *avec brio* (1824). ◇ Par extension, le mot exprime l'idée de «fougue, de talent brillant» (1828, dans un contexte italien), quelquefois avec une nuance péjorative, «éclat trompeur, facile».

BRIOCHE n. f. est dérivé avec le suffixe *-oche* (1404) de *brier*, forme normande de *broyer** au sens de «pétrir la pâte avec un rouleau en bois». Ce verbe vit également dans les dérivés *brie* n. f., nom de l'instrument servant à pétrir (1700) et dans l'adjectif *brié, ée* (1857) qualifiant un type de pain à pâte dense, pétrie avec cet instrument. Le participe passé féminin *briée* a été substantivé (1811) pour désigner la quantité de pâte travaillée avec la brie.

♦ *Brioche* désigne une pâtisserie à base de farine, d'œufs, de lait et de levain, de forme circulaire, formant au sommet une demi-sphère, puis de forme quelconque. ◇ Le sens figuré et familier de «bourde, bévue» (1826) serait né dans les milieux musicaux (1825) : selon une anecdote rapportée au XIXe s., il ferait allusion à la caisse d'amendes constituée par les musiciens de l'orchestre de Paris pour chaque faute commise et qui servait à acheter une brioche partagée en commun. ◇ Le sens familier de «ventre proéminent» (1926), quasi synonyme de *bedon*, fait allusion à la bosse formant la partie supérieure de la brioche traditionnelle.

▸ **BRIOCHÉ, ÉE** adj., d'abord relevé dans le vocabulaire du journalisme de mode pour décrire une calotte en forme de bosse, de brioche (1952), est surtout usité en boulangerie *(pain brioché)*.

✳ **BRIQUE** n. f., d'abord écrit *brike* (1204), *brique* (une fois au XIVe s.), *bricque* (XVe s.) puis *brique* (1508), est localisé à son origine dans le nord de la France, attesté d'ailleurs sous la forme *briche* (XIIIe s.). Il est emprunté au moyen néerlandais *bricke, brike*, étymon confirmé par l'importance des briqueteries et de l'habitat en briques aux Pays-Bas et en Flandres. Le mot est probablement à rattacher au verbe *breken* «casser en morceaux» (→ broyer; peut-être brocanter), correspondant à l'anglais *to break*, l'idée initiale de «morceau» étant d'ailleurs la première valeur en français.

♦ Le mot a désigné un palet (1204) et, de manière générale, un morceau, une miette (→ bricheton), une pièce, ceci jusqu'au XVIe siècle. ◇ Il a servi à exprimer la négation dans la locution *ne... brique* «nullement» (XIIIe s.) à comparer à *ne... mie*. *Brique* a aussi désigné en moyen français une pièce d'or (1660). ◇ Ce sens de «morceau», sorti de l'usage courant, se maintient dans plusieurs dialectes, du Centre, de l'Est et de la Suisse; il explique la locution argotique puis familière ***bouffer des briques*** (1878) «n'avoir rien à manger», qui a subi l'influence imagée de *brique* «carreau d'argile» (d'où la variante *bouffer des briques sauce caillou*). ➜ Le sens dominant, «parallélépipède d'argile durci au feu» (1292, à Tournai), a produit des extensions analogiques. Depuis le début du XVIIe s. (1611), *brique* est employé en parlant d'un matériau moulé en forme de brique *(brique de savon, de métal)*; en marine, la locution ***brique à pont*** (1867, sans doute antérieure d'après le dérivé *briquer*, ci-dessous) désigne une pierre de grès fin utilisée pour frotter le pont après lavage. ◇ Le sens familier de «liasse de billets de banque» (1926), d'où «million» (1946), réanime l'ancienne valeur de «pièce (d'argent, etc.)», mais recourt à une métaphore du même type que *pavé*. ◇ Le mot désigne couramment un récipient parallélépipédique utilisé pour certains liquides, notamment alimentaires (v. 1950). ➜ En référence à la couleur de la brique, le mot désigne une couleur rougeâtre, cuivrée, dans le syntagme *couleur de brique* (1867; 1817, *couleur brique*), puis en emploi apposé invariable *(des vestes brique)*.

▸ *Briquet* n. m., diminutif de *brique*, s'est employé en moyen français au sens originel de «morceau, petite quantité». Ce sens, maintenu dans les dialectes, survit dans quatre spécialisations dont le lien entre elles et la motivation ne sont plus perçus par le locuteur moderne. ➜ ① **BRIQUET** n. m., nom d'un petit chien de chasse (v. 1440), procède de l'idée de «petit bout», par allusion à la taille de l'animal; le mot, appellatif et nom propre, a longtemps désigné des petits chiens. Il est archaïque. ➜ ② **BRIQUET** n. m. (1735), mot qui a remplacé *fusil* dans son sens ancien de «pièce d'acier avec laquelle on bat un silex pour en tirer du feu», participe également de l'idée de «petite pièce», qui avait donné au XVIIe s. le sens technique de «charnière» (1676). ◇ L'objet primitif, dont procède la locution ***battre le briquet*** (1752), encore employée avec un sens figuré, a disparu. ◇ Le mot s'est étendu, par analogie de fonction, à un petit appareil servant à produire du feu (1809), d'abord formé d'une pierre à feu et d'amadou, aujourd'hui alimenté à l'essence ou au gaz. On parle de *briquet rechargeable*, ou *jetable* (non rechargeable). Plus ou moins luxueux, les briquets relèvent de la joaillerie *(briquet en or)* ou de la grande industrie. ➜ Un autre mot, ③ **BRIQUET** n. m. (1734), désignant un couteau à longue lame puis un sabre court et recourbé (1807), est probablement une extension de la pièce d'acier frottée contre un silex, par analogie. Il ne semble pas nécessaire d'y voir une altération de *braquet* «poignard», diminutif de *braquemart**, avec attraction de *briquet*. ➜ Enfin ④ **BRIQUET** n. m., «casse-croûte du mineur» (Zola, 1885), se rattache directement au sens de «morceau» par l'intermédiaire d'emplois anciens désignant une forme de pain (1264), un morceau de pain, maintenus dans les dialectes du Nord.

BRIQUETERIE n. f. (1407) «lieu où l'on fabrique des briques» appartient à la série des dérivés de *brique* comportant une consonne intercalaire *-t-*. Le mot a été reformé ultérieurement à deux reprises, d'après *briquet* pour désigner une fabrique d'allumettes (1863) et d'après *briquette* pour désigner l'usine où l'on fait des briquettes de chauffage (1890, *briquetterie*). ➜ **BRIQUETER** v. tr. (attesté 1418, mais antérieur; cf. *briquetage*) signifie «construire en briques» et «donner à une surface l'apparence d'un mur de briques». Reformé d'après *briquette*, il a pris le sens de «transformer en briquettes» (1928). ➜ **BRIQUETAGE** n. m. (1394) est probablement dérivé du verbe avec le sens de «construction en briques», sorti d'usage au XVIe s. et repris au XVIIIe s. (1752). Par analogie d'aspect avec la brique, il désigne l'enduit rouge ou jaune qui donne à une construction l'apparence de la brique (1718). ◇ Du sens technique récent de *briqueter* vient l'emploi en métallurgie pour «action d'agglomérer des débris métalliques en briquettes» (1927). ➜ **BRIQUETIER, IÈRE** n. (1503) désigne l'ouvrier (l'ouvrière) ou artisan qui fait des briques, et celui qui les vend. ① **BRIQUER** v. tr., dérivé de *brique* (1532), a d'abord le sens de «remplir avec des briques», éliminé par *briqueter*. ◇ Le verbe a été repris au XIXe s. avec le sens de «frotter avec la *brique à pont* pour nettoyer», d'abord argotique (1850) puis adopté comme le terme propre (1897). Il s'est répandu dans l'usage familier pour «frotter, nettoyer énergiquement» (1944). ➜ **BRIQUÉ, ÉE**, adjectif tiré du participe passé (1881), qualifie à l'origine ce qui a la couleur de la brique, sens disparu (on dit *briqueté*), puis ce qui est briqué, propre. ➜ **BRIQUAGE** n. m. (1899), d'abord écrit *bricage* (1888), se dit du nettoyage d'un navire et, par extension, d'un nettoyage énergique et complet. ➜ Il faut probablement considérer le verbe ② **BRIQUER** v. tr. (1917), «parcourir en bateau», comme une extension de sens de *briquer* «nettoyer», par allusion au mouvement de va-et-vient sur toute la surface du pont.

BRIQUETTE n. f. (1612) désigne proprement une petite brique de construction; il s'est surtout répandu avec des sens analogiques, «petite masse combustible de houille» (1835) et, en lithographie, «pierre à polir les pierres lithographiques». ◇ Sa spécialisation en métallurgie a influencé le développement de quelques dérivés de *brique*. ◇ Au figuré, la locution ***laisse tomber, c'est de la briquette*** «ça n'est pas important» réactive la valeur ancienne de *brique* «petit morceau, miette».

◈ voir BRICHE.

BRISE n. f., dont la première attestation connue (1598) est traduite du castillan, est probablement emprunté à l'espagnol *brisa* «vent du nord-est» (1504), lui-même postérieur au catalan *brisa* (XVe s.). Ce mot est d'origine obscure : on a pensé à un croisement de l'ancien provençal *bisa* (v. 1173) [→ bise] et du catalan *gris, griso* «vent ou air froid», mais ce dernier ne semble pas assez ancien. ◇ L'hypothèse selon laquelle le français *brise* serait issu du croisement de *bise* avec *briser** est satisfaisante sémantiquement, *brise* désignant à l'origine un vent violent, mais ne rend pas compte du fait que le mot est d'abord attesté dans les langues hispaniques. L'antériorité du mot dans les langues romanes (portugais *brisa*, XVIe s.; italien *brezza*, 1400-1450) par rapport aux langues germaniques (anglais *breeze*, 1565-1589; allemand *Brise*, 1726) fait écarter l'hypothèse d'un emprunt germanique au frison de l'est *brîse* «vent frais venant de la mer».

♦ Le mot a été introduit par les navigateurs à propos d'un vent d'est rencontré «aux Indes et dans toute la Torride». Au XVIIe s., la définition hésite entre «vent du nord» (1611), «tempête soufflant à l'est» (1638) et «vent frais qui vient de la terre» (1678). ◇ En français moderne, le mot, pour des raisons inconnues, désigne un vent léger et agréable, tant en marine que dans l'usage général où il devient usuel.

✳ **BRISER** v. tr. est issu (1080) d'un latin populaire *°brisiare*, postulé par l'ancien français *brisier* et par les formes italiennes. Ce verbe est probablement issu du bas latin *brisare* «fouler le raisin». L'altération s'explique peut-être par la finale des verbes comme *°quassiare* «mettre en pièces», forme dérivée du verbe classique *quassare* (→ casser) et postulée par l'ancien français *caissier* (XIIe s.). *Brisare* lui-même est d'étymologie obscure.

♦ Le verbe signifie concrètement «mettre en pièces par un choc, un coup violent», sens avec lequel, en dehors de locutions et emplois techniques en français moderne central, il a été réservé au style écrit ou soutenu par rapport au verbe usuel *casser*; il est cependant demeuré courant et neutre régionalement, et notamment au Québec. ◇ Dès l'ancien français, *briser* est employé avec le sens métaphorique de «rompre (une unité)», en particulier dans quelques locutions plus ou moins lexicalisées comme *briser la paix* (1214), *briser un vœu* (v. 1274), *briser un arrêt* (v. 1360), où il fonctionne souvent en concurrence avec *rompre*, avant de reculer. ◇ Par transposition au figuré, il signifie «supprimer de façon violente et radicale, anéantir» avec un complément qui désigne une caractéristique humaine ou une abstraction (v. 1355, *briser les courages*). Le complément peut être un nom de personne ou de partie du corps et *briser* signifie alors «accabler» (1541, *briser qqn de terreur*), valeur sortie d'usage mais dont procède celle de «harasser, éreinter» (1718), surtout fréquente au passif *(être brisé de fatigue)*. ➜ Le sens ancien de «mettre un terme à, terminer» (v. 1360) s'est spécialisé avec un complément désignant un fait de discours (1470); il a décliné après le XVIIe s. en dehors d'un emploi absolu dans ***brisons-là*** (1619) «séparons-nous, je ne veux plus vous parler», encore employé par plaisanterie ou archaïsme. ➜ Dès l'ancien français, *briser* est employé intransitivement en vénerie pour «marquer la voie d'un animal avec des branches brisées» (XIIIe s.) [cf. ci-dessous *brisée(s)*] dans les locutions techniques ***briser bas, briser haut;*** en blason avec le sens d'«avoir son écu modifié par une brisure». ➜ Dans le domaine maritime, il a d'abord signifié «échouer», à propos d'un navire (v. 1243), puis s'est dit de la mer qui déferle ou écume lorsque le vent attaque la crête de la vague (1678), en concurrence avec la forme pronominale *se briser*, plus usuelle (cf. ci-dessous *brisant*). ➜ À côté de *casser (les pieds, les couilles)*, l'usage familier récent emploie *les briser (tu nous les brises!, tu nous les brises menu)*.

▸ **BRISURE** n. f. (1150-1200) désigne souvent l'état de ce qui est brisé et la partie brisée (v. 1240), valeur concurrencée par *cassure*, plus courant. *Brisure* est encore plus rare lorsqu'il exprime l'action de rompre. Le mot est employé en blason à propos de la pièce d'armoirie qui modifie un écu pour distinguer la branche cadette de la branche aînée, la bâtarde de la légitime (1611). ◇ Il a été repris pour «fragments, matière fragmentée», par exemple dans *brisures de riz*. ➜ **BRISEMENT** n. m. (fin XIIe s.), substantif d'action de *briser*, est lui aussi rare et archaïque au concret, et littéraire au figuré (av. 1704, sur un plan psychologique), par exemple dans *bri-*

sement de cœur. ◆ **BRISEUR, EUSE** n. (fin XIIe s.) désigne la personne qui brise qqch., au propre, plus ou moins éliminé par *casseur,* et, dès les premières attestations, au figuré. Avec cette valeur figurée, il tend à se restreindre, comme *briser,* à des emplois spéciaux : *briseur d'autel* (1261), *briseur d'images* (1690) dans un contexte religieux, devenus didactiques jusqu'à *briseur de grèves* (1933, traduction de Lénine : *Que faire ?*), usuel. D'autres emplois métaphoriques sont possibles. ◆ **BRISÉE** n. f. est la substantivation (1250-1300) du féminin du participe passé de *briser,* lui-même adjectivé en **BRISÉ, ÉE,** avec la plupart des sens du verbe, par exemple dans *ligne brisée.* ◇ Le substantif, le plus souvent au pluriel, d'abord sous la forme picarde *brisïes,* est spécialisé en vénerie à propos des petites branches cassées (brisées) qu'on laisse pendre aux arbres ou qu'on sème sur le chemin pour marquer la voie de la bête. D'où la locution figurée ***aller sur les brisées de qqn*** «marcher dans son sillage», «entrer en concurrence avec lui» (1632, Corneille ; dès 1576, *venir sur les brisées...*). ◇ Par analogie, *brisées* se dit en sylviculture de branches taillées pour marquer les limites des coupes de bois (1718). ◆ **BRISABLE** adj., «qui peut être brisé» (fin XIVe s.), a cessé d'être attesté après 1611, pour être repris (1836) mais il est demeuré rare, *cassable* étant seul normal. ◆ **BRIS** n. m., déverbal de *briser* (1413), lui sert de substantif d'action ; rare dans l'usage général, il appartient au langage juridique (XVe s., *bris de prison* «évasion») et au vocabulaire de l'héraldique (1690, *bris d'huis*). ◇ Du sens métonymique de «débris d'un navire naufragé» (fin XVIe s.), il ne reste que l'expression ***droit de bris*** désignant le droit que s'arrogeaient les seigneurs de s'approprier les épaves des navires naufragés (1611). ◆ **BRISANT** n. m. est l'emploi substantivé (1529) du participe présent de *briser,* intransitif, pour désigner un écueil à fleur d'eau sur lequel la mer se brise, et, par métonymie, la crête écumeuse de la vague. Il se dit aussi d'un ouvrage artificiel destiné à briser les lames (1835). ◆ **BRISANT, ANTE** adj. qualifie un explosif dont la vitesse de détonation est très grande et la pression très élevée (1863), sens avec lequel il a produit le terme technique **BRISANCE** n. f. (v. 1950).

À partir du XVIIe s., la dérivation de *briser* ne consiste guère que dans des substantifs techniques. ◆ **BRISIS** n. m. (1676), terme d'architecture, semble indépendant de l'ancien substantif d'action *bruiseïz* (1175). ◆ **BRISOIR** n. m. (1680) est le nom d'un instrument qui servait à briser la paille ou le chanvre.

DÉBRIS n. m., seul préfixé de la série de *briser,* attesté au XVIe s. (1549), représente le déverbal d'un ancien verbe *débris(i)er, débriser,* dérivé intensif de *briser* (v. 1120) encore en usage au XVIIe siècle. Le mot a d'abord fonctionné en concurrence avec *bris, brisement* et *brisure,* comme substantif d'action exprimant le fait de détruire une chose, au propre et (1616-1620) au figuré. ◆ Ce sens, encore employé par archaïsme chez Chateaubriand, s'est éteint au profit du sens concret et courant de «morceau, ensemble de morceaux restant d'une chose brisée» (1666), à la fois au singulier et au pluriel. En sont issus quelques emplois spéciaux, à propos d'une épave (1690), de la dépouille mortelle des animaux (1794) et des hommes (1796), précédé par *les débris du corps* (XVIIe s.) à connotation péjorative. ◇ Cette valeur disparue succède à l'emploi pour «personne âgée, témoin du passé», employé sans péjoration dans l'usage classique («*Et ces deux vieux débris se consolaient entre eux*», Delille).

Les composés du verbe utilisent un élément *brise-* et un substantif ou un pronom. ◆ **BRISE-TOUT** n. m. est le premier substantif composé à partir de cette forme verbale, d'abord attesté comme nom ironique du verrier (1364, *brisetout*). ◇ Il s'est répandu avec le sens figuré de «personne maladroite qui casse tout ce qu'elle touche» (1690), quelquefois en emploi adjectivé. ◆ On rencontre également le synonyme **BRISE-FER** n. m., employé au figuré par Hugo (1862) et comme nom de personnage. Le mot s'emploie aussi comme adjectif, à propos d'une personne, d'un enfant qui casse, détruit (cf. *brise-tout*). ◆ D'autres composés désignent des objets concrets : **BRISE-VENT** n. m. (1690) «dispositif contre le vent», **BRISE-GLACE** n. m. (1704), courant pour désigner un navire spécialement équipé pour naviguer dans les glaces, **BRISE-MOTTES** n. m. (1796), **BRISE-LAMES** n. m. (v. 1818) «construction pour interrompre les vagues, jetée», **BRISE-BISE** n. m. (1898), **BRISE-JET** n. m. (1906), nom d'un dispositif adapté à un robinet pour régulariser l'écoulement, **BRISE-SOLEIL** n. m. (v. 1966). ◇ Dans le langage familier, il peut désigner des personnes : **BRISE-RAISON** n. m. (1798), archaïque, **BRISE-CŒURS** n. m. (1934) et **BRISE-MÉNAGE** n. m. (v. 1950), stylistiques et rares (on dit plutôt *un briseur de ménages*).

◈ voir **BRÉSILLER** (art. **BRÉSIL**).

BRISQUE n. f., attesté en 1752, est d'origine obscure. On a pensé à une formation régressive à partir de *briscambille, bruscambille**. Un rattachement à l'ancien français *briche* «piège», désignant aussi un jeu, ne semble pas recevable, l'*-s-* restant inexpliqué. L'hypothèse de P. Guiraud, postulant un gallo-roman °*brisicare,* du latin *brisare* (→ briser), qui aurait donné le normand *briscailler* «mettre en pièces», est trop complexe sémantiquement : on suit mal le cheminement de «pièce brisée» à *brisque* «chevron» et, par figure, «carte supérieure» ; en outre le sens de «chevron» est tardif.

♦ Le mot désigne un jeu de cartes, aussi appelé *mariage,* et la carte d'atout à ce jeu. ◇ Le développement ultérieur du sens de «galon d'un soldat rengagé» (1872) n'est pas clair ; il procède peut-être de l'acception d'«atout», l'appellation métonymique *vieille brisque* à l'adresse d'un soldat chevronné est attestée un peu plus tôt (1863). Le mot, vite oublié, ne survit que par son dérivé.

▸ **BRISCARD,** également **BRISQUARD** n. m. est dérivé (1861) de *brisque* (au sens de «chevron, ancienneté») pour désigner le soldat chevronné portant des brisques, surtout dans *un vieux brisquard.* Par extension, il s'applique à un homme ayant une longue expérience dans un domaine particulier. Il a vieilli.

BRISTOL n. m. est l'emprunt (1836) du premier élément de l'anglais *Bristol board,* littéralement «carton de Bristol», du nom d'une ville portuaire d'Angleterre où l'on fabrique du papier et du carton, et de *board* attesté au sens de «carton» depuis 1809 (→ bordel).

♦ Le mot désigne un carton de qualité supérieure employé pour le dessin et les cartes de visite. ◇ Le sens métonymique de «carte de visite» (1893) est archaïque ou évoque les usages mondains de la Belle Époque.

BRIZE n. f. est emprunté (1557) au grec *briza* «variété de seigle» en Thrace et Macédoine ; le seigle n'étant pas une céréale grecque, le mot est thrace ou macédonien.

♦ *Brize,* mot archaïque ou technique, désigne une plante herbacée aux ramifications ténues dont les épillets tremblent à la moindre brise. On rencontre aussi la graphie moins fréquente *brise.*

BROC n. m., attesté au XIVe s. (1379), est d'origine controversée. Il pourrait être d'origine grecque et son cheminement aurait été le suivant. Emprunté à l'ancien provençal *broc* (1200-1225), le mot serait issu du domaine italien (latin médiéval *broccus* à Trévise : 929, *brocca,* à Naples, 1300). Ce mot italien pourrait être emprunté au grec par l'intermédiaire de l'Exarchat de Ravenne. Deux étymons grecs ont été proposés : *prokhoos* «vase», dérivé de *prokhein* «verser», croisé avec le latin *brocchus* «proéminent, en parlant des dents» (→ broche) ; le grec *brokhis, -idos* «encrier, écritoire», attesté au milieu du Ier s., est sémantiquement moins vraisemblable. Selon d'autres étymologistes, le mot serait d'origine latine : le latin médiéval *brocus,* attesté en Saintonge (1107), a fait penser à une formation du haut moyen âge dans le domaine gallo-roman (provençal, puis français) et en Italie ; il serait issu du latin *brocchus,* le récipient étant muni d'un bec verseur qui fait saillie. *Brocchus* est donc presque certainement en cause.

♦ Le sens de «récipient à anse et bec évasé» n'a pas eu d'extension, sinon par la valeur métonymique de «contenu de ce récipient». ◇ Le statut du mot a changé vers la fin du XIXe s. et au XXe s., avec le développement de l'hygiène, le broc et la cuvette servant aux ablutions étant remplacés en milieu bourgeois par le pot à eau, puis par les installations à eau courante, rejetant *broc* dans un contexte rural. Le syntagme *broc d'eau,* aussi employé par métonymie, est plus usuel.

BROCANTER v. tr., attesté depuis 1696, est un terme d'origine obscure, peut-être germanique mais dont le cheminement est difficile à préciser. Il se rattacherait soit au néerlandais *brok* «morceau, fragment», soit à son correspondant haut allemand *Brocken,* mots apparentés au verbe signifiant «casser, mettre en morceaux» (anglais *to break,* → breakfast, brique, broyer). Du sens de «fragment» serait issu celui de «vente au détail dépareillée». La finale *-anter* est obscure : Wartburg l'attribue à une mauvaise compréhension du mot germanique lors de l'emprunt ; une influence de *marchand** ne serait pas exclue. L'attestation plus tardive de *brocante* empêche de voir dans le verbe un dérivé du substantif. Le moyen néerlandais *broken* «faire le courtier» n'est pas attesté dans ce sens. L'emprunt fait par le français moderne est précédé par le moyen néerlandais *brocke* «fragment», de l'ancien liégeois *a broke* «en détail» (1377), d'où sont dérivés l'ancien français *broqueur* «courtier» et *abrokeur* (XIIIe s.), également *abrocator* en latin médiéval (XIIIe s.). ◇ P. Guiraud, qui soutient l'hypothèse d'un emprunt au néerlandais *brok,* fait de *brocanter* un verbe qui remonterait à l'argot ancien *brocant* «bijou» (1450), *broquante* «bague» (1628) avec un autre suffixe, *broquille* «boucle d'oreille» (1821) et évoque l'ancien mot argotique *broque* «pièce de monnaie» (1596), tous mots référant à une pièce d'art, d'orfèvrerie, mais qui sont peut-être en rapport avec *broque, broche** (au moins pour certains d'entre eux).

♦ Le mot, relatif au commerce d'objets anciens et de curiosités achetés d'occasion et revendus, est employé absolument et transitivement. Il est plus rare que *brocanteur* et que *brocante.*

▸ **BROCANTEUR, EUSE** n. a peut-être été dérivé de *brocanter* (1694) sur le modèle du latin médiéval *abrocator* (XIIIe s.). Il désigne un revendeur d'objets d'occasion, quelquefois abrégé familièrement en *broco, broc.* ◆ **BROCANTERIE** n. f., apparu près d'un siècle plus tard (1767), concurrencé et éliminé par *brocante,* s'est employé pour «ensemble des brocanteurs» (1841). ◆ **BROCANTE** n. f. (1782) se dit du commerce du brocanteur et de l'action de brocanter ; il désigne aussi un petit travail d'occasion fait en plus d'un travail régulier. ◆ **BROCANTAGE** n. m. (1808), de sens plus actif que *brocante,* n'est guère employé.

① **BROCARD** n. m., d'abord écrit *brocart* (1373-1377), puis *brocard* (XVe s.), est dérivé du moyen français *broquer* «dire des paroles piquantes» (seulement attesté v. 1440). Ce verbe est une forme normanno-picarde de *brocher*,* correspondant à *broque* (→ ② brocard) pour *broche**. Il ne paraît pas nécessaire de lier ce mot au latin médiéval *brocardus* «aphorisme de droit», issu du nom propre *Brocardus,* altération de *Buchardus,* nom de *Burckard,* évêque de Worms qui fit au début du XIe s. un recueil célèbre de droit canonique. Ce mot est à l'origine d'un autre *brocard* n. m. «adage juridique» (1470).

♦ Le mot, le plus souvent au pluriel, désigne un trait piquant, une raillerie. Il est archaïque.

▸ Le dérivé **BROCARDER** v. tr. (XVe s.), aussi *se brocarder* avec une valeur réciproque (1606), signifie «railler, se moquer de» ; archaïque comme le substantif, il se maintient mieux au participe passé. ◆ On en a tiré **BROCARDEUR, EUSE** n. (1540), «celui qui lance des brocards».

② **BROCARD** n. m., d'abord *brocart* (1394), est dérivé de *broque,* forme normanno-picarde de *broche** avec le suffixe *-ard* (anciennement *-art*).

♦ Le mot est employé en vénerie à propos d'un chevreuil, daim ou cerf d'un an, l'expression *vieux brocard* s'appliquant à un animal de plus de deux ans. ◇ Au sens de «dent saillante, défense de sanglier» dans les parlers de Wallonie, *brocard* vient de *broque* au sens de «premier bois du chevreuil».

BROCART n. m. est emprunté (1519) à l'italien *broccato,* participe passé de *broccare* «brocher», lui-même dérivé de *brocco* «pointe en fer» (→ brocoli), issu du latin *broccus* (→ broche). *Broccato* est d'abord attesté dans un emploi au pluriel, *robe broccate d'oro* «vêtements brochés d'or» (XIVe s.), puis comme substantif masculin désignant une étoffe brochée (XVe s.). La forme *brocat* (1549; encore 1690 chez Furetière) est probablement antérieure; elle a été altérée en *brocart* d'après le suffixe *-ard (-art).*

♦ Le mot désigne une étoffe de soie brochée d'or, d'argent.

▸ **BROCATELLE** n. f. (av. 1590), d'abord *brocadelle* (1519), est emprunté à l'italien *brocatello* «étoffe brochée» (XIVe s.), diminutif de *broccato* (→ brocart). La forme moderne *brocatelle* (1680) vient d'une assimilation de la finale au suffixe *-elle.* ◇ Le mot désigne une étoffe brochée, faite de textiles plus ordinaires que le brocart.

◊ ✻ **BROCHE** n. f. est issu (1121; probablement antérieur, cf. *brocher*) d'un latin populaire °*brocca,* féminin pris substantivement de l'adjectif *brocchus, broccus* «proéminent, saillant, en parlant des dents» (Plaute), adjectif populaire à gémination expressive pour désigner une difformité. Le mot est sans étymologie claire; on a évoqué un hypothétique rapprochement avec l'irlandais *brocc* «blaireau».

♦ Le mot désigne une tige métallique pointue, une pointe, un éperon, notamment un ustensile de cuisine constitué d'une tige de fer pointue passée au travers d'une pièce à rôtir (1172-1175), d'où *cuire **à la broche*** et, ci-dessous, *embrocher.* ◇ Dès l'ancien français, *broche* désigne aussi une pointe de métal ou de bois, comme la cheville bouchant le trou d'un tonneau (v. 1271), une aiguille à tricoter, en français classique, la tige à l'intérieur du pêne d'une serrure lorsque la clé est creuse (1680), une tige utilisée dans les filatures (1694), puis en chirurgie (XIXe s.), ainsi que le long piton d'un anneau, en alpinisme. ◇ Par métonymie, il se dit depuis le moyen français d'un bijou muni d'une longue épingle et d'un fermoir (1332). ◇ L'emploi du pluriel *broches* en vénerie, pour désigner les défenses du sanglier et les premiers bois du chevreuil, est une réfection de *broque* (→ ① brocard) dans son sens étymologique.

▸ **BROCHER** v. tr., dérivé (1080) de *broche* (lequel est attesté un peu plus tard), est employé jusqu'en 1694 au sens de «piquer de l'éperon». Dès le XIIIe s., il s'est spécialisé en tissage, à propos de l'opération qui consiste à passer, en tissant, sur le fond uni d'une étoffe des fils qui forment un dessin. Par analogie, l'expression ***brochant sur le tout,*** attestée au XVe s. (apr. 1458), se dit en blason d'une pièce de l'écu passant d'un côté de l'écu à l'autre et recouvrant partiellement d'autres pièces; l'expression (devenue littéraire et désuète) signifie au figuré «de surcroît», à l'intérieur d'une énumération péjorative de malheurs, de défauts, de choses ou de personnes déplaisantes. ◇ *Brocher,* au sens figuré (devenu archaïque) de «faire vite, à la hâte» (1680), se rattache probablement à un usage métaphorique de l'acception ancienne, «éperonner», d'où se dégage l'idée de hâte. ◇ Le mot s'est spécialisé en ferronnerie pour «enfoncer des clous dans le sabot d'un cheval» (probablement XVe s., cf. *brochoir*), sens vieilli avec la technique désignée. ◇ En revanche, il est resté vivant en reliure pour «coudre et encoller les feuillets d'un livre» (1718); cf. *brochage, broché.* ➝ Le verbe a plusieurs dérivés. **BROCHURE** n. f., d'abord *broukure* (1377), désigne d'abord le dessin tissé sur le fond d'une étoffe *brochée.* ◇ En reliure, c'est le synonyme moins usité de *brochage* et par métonymie le nom courant d'une publication brochée de quelques pages, de quelques feuillets (1718). ➝ **BROCHOIR** n. m. (1611), d'abord *brochouer* (1443), est le nom du marteau utilisé pour ferrer les chevaux et bœufs d'attelage; le sens correspondant du verbe existait donc déjà au XVe siècle. ➝ **BROCHEUR, EUSE** n. (1680) «tricoteur» est contemporain de l'emploi de *broche* au sens d'«aiguille à tricoter». ◇ En reliure, il se dit (1751) de l'ouvrier qui s'occupe du brochage, sens suivi d'un emploi spécial en tissage. ➝ **BROCHÉ, ÉE,** participe passé employé dans *livre broché* (opposé à *relié*), a été substantivé (XVIIIe s.) pour désigner elliptiquement un tissu broché et, par métonymie, le procédé de tissage utilisé pour la fabrication de ce tissu; il n'est plus guère usité en ce sens. ➝ **BROCHAGE** n. m., dérivé tardif (1822), correspond au verbe, notamment en tissage et surtout en reliure (1835).

BROCHETTE n. f. (v. 1180), diminutif de *broche* au sens de «petite pointe acérée», est surtout usité pour désigner une petite broche servant à faire rôtir les viandes (1393) et, par métonymie, la viande ainsi rôtie : ce sens s'est diffusé après 1950, à cause de la vogue des viandes en brochettes à la mode maghrébine ou orientale (alors en concurrence avec des termes spéciaux : *chich-kebab,* etc.). ◇ En technique, le mot désigne un petit morceau de bois mince que les charpentiers des ports emploient à réparer un bordage (1783) et une petite épingle garnie de décorations (1845). ➝ Il a produit **BROCHETER** v. tr. (1705) dont l'usage correspond aux spécialisations du substantif en art culinaire et en marine (1792).

BROCHET n. m. (1268) dénomme par métaphore un poisson d'eau douce, à cause de son museau plat et pointu. L'image n'est en général plus perçue et le mot est démotivé par rapport à *broche* et à *brocher.* ◇ Par allusion à la voracité de ce poisson, il a pris en argot le sens figuré de «souteneur» (1872), aujourd'hui supplanté par *maquereau.* ➝ Son diminutif **BROCHETON** n. m. (1397) désigne un jeune brochet, le diminutif second **BROCHETONNET** n. m. (XXe s.) étant employé en pisciculture à propos de l'alevin du brochet lorsqu'il devient capable de nager seul.

Le verbe préfixé **EMBROCHER** v. tr., d'abord *embrochier* (v. 1121), se dit pour «traverser une chose avec un objet pointu», sens dont procèdent plusieurs emplois familiers et le sens culinaire «enfiler (une pièce de viande) sur une broche» (v. 1393). ◇ En électricité, il signifie «raccorder (un dispositif, un appareil) sur une ligne, un circuit existant». ◇ Le participe passé **EMBROCHÉ, ÉE** est adjectivé. ➜ **EMBROCHAGE** n. m. (fin XIXe s.) s'emploie, au sens général, en électricité et en télécommunications.

DÉBROCHER v. tr. (v. 1400, selon Bloch et Wartburg; 1578-1587) «retirer de la broche (une pièce de viande)» sert aussi d'antonyme à *brocher* en reliure (1827).

◈ voir ① BROCARD, ② BROCARD, BROCART, BROCOLI.

BROCOLI n. m. est emprunté (1560) à l'italien *broccoli*, pluriel de *broccolo* attesté au sens d'«inflorescence, pousse du chou et de certains autres légumes» (XVIe s.). C'est le diminutif, avec le suffixe *-olo*, de *brocco* «fétu piquant», de même origine que le français *broche**.

♦ Le mot désigne une variété de petit chou d'Italie. Par extension, il se dit de la jeune pousse d'un chou après l'hiver (1740). ◇ Dans certains emplois modernes, il est probablement réemprunté à l'anglo-américain, lui-même pris à l'italien, la cuisine anglo-saxonne et américaine faisant grand usage de ce légume.

◈ **BRODEQUIN** n. m. est l'altération (fin XIVe s.), sous l'influence de *broder**, de *broissequin* (1314-1316), *broisquin, brussequin*, également *brouzequin* (1476), mot d'origine inconnue. Un emprunt à l'espagnol *borcegui*, lui-même d'étymologie obscure, ne convient pas phonétiquement. Un emprunt au moyen néerlandais *brozeken* «petit soulier» est à repousser, car le mot néerlandais est tardif (fin XVIe s.) et probablement repris du moyen français. L'hypothèse de G. Francescato, qui voit à l'origine des formes romanes un croisement entre un type d'origine latine (comme *bruscum* «nœud de l'érable») et un type d'origine arabe, n'est pas assurée. L'étymon arabe proposé par Corominas et signifiant «étoffe de couleur sombre» reste à identifier.

♦ En ancien et moyen français, le mot désignait une étoffe, décrite dans plusieurs textes comme de couleur très sombre, mais quelquefois rose. Cette étoffe a servi à faire des chausses (*chausses de brodequins*, v. 1500), le mot glissant par métonymie à «chaussure couvrant le pied et une partie de la jambe» (1476). Cette chaussure, ornée et délicate, était surtout portée par les femmes et les enfants. Ce sens, qui semble sorti d'usage au XVIIe s., a été repris et semble vivant dans la première moitié du XIXe s., puis a disparu. ◇ Un autre sens concerne la chaussure haute portée dans l'Antiquité, spécialement au théâtre, par les acteurs de comédie (opposé à *cothurne*). Le pluriel *brodequins* a servi à dénommer un supplice donné en serrant les jambes et les pieds de l'accusé entre des planches (1690). ◇ L'usage moderne du mot (1894) concerne une grosse chaussure montante de marche portée en particulier par les militaires; le passage à cette nouvelle valeur, très différente des emplois antérieurs, n'est pas clair; elle doit se rattacher à l'acception antique.

BRODER v. tr., d'abord à l'infinitif substantivé *brosder* (av. 1105), est d'origine germanique, mais il est difficile de dire si l'ancien français (dont l'ancienneté est prouvée par le latin médiéval *brusdus* «broderie» (v. 840, en Bourgogne), l'ancien provençal *broydar* (XIVe s.) et leurs correspondants romans sont issus directement du germanique °*bruzdan*. Il se pourrait que l'ancien français continue le francique °*brozdôn*, tandis que l'ancien provençal et les langues hispaniques viendraient du gotique °*bruzdon* et l'ancien italien du longobard °*brustan*. Ces formes germaniques sont restituées grâce à l'ancien norrois *broddr* (du verbe *brydda*) et à l'ancien haut allemand *brort* «pointe», du verbe *brortôn* «orner, broder». ◈

♦ Le verbe signifie «orner un tissu d'un motif composé à l'aiguille et au crochet» (v. 1160). ➜ Par l'intermédiaire du sens métaphorique d'«orner, embellir» (1200-1220), il a développé un sens figuré, «amplifier, enrichir un sujet» (1690), de nos jours en emploi absolu (depuis le XXe s.), avec une valeur plaisante ou ironique. De ce sens procèdent des emplois spéciaux relatifs à l'interprétation musicale et, en argot, à la signature de reconnaissance de dettes (1887).

▸ **BRODEUR, EUSE** n. est répertorié au masculin par É. Boileau dans son *Livre des Métiers* (1267-1268), le féminin étant attesté en 1668 (il est certainement antérieur). Le mot aux deux genres désigne l'ouvrier, l'ouvrière qui brode et le féminin *brodeuse*, une machine à broder (XXe s.). ◇ Au figuré, il s'est dit «d'une personne qui enjolive la relation d'un fait» (1611), alors senti comme une corruption de *bourdeur*, dérivé de *bourde**, mais correspondant au sens figuré de *broder*. ➜ **BRODERIE** n. f. (1267-1268), *brouderie* puis *broderie* (1393), désigne à la fois le travail du brodeur et, concrètement, son ouvrage. Le sens figuré, «détail dû à l'imagination du conteur» (1690), s'est moins affirmé que le sens correspondant du verbe.

REBRODER v. tr. (XVIIe s.) se limite à un usage technique pour «garnir (un tissu) d'une seconde broderie qui se superpose à la première»; il est assez courant au participe passé.

① **BROME** n. m. est emprunté (1559) au latin *bromos* «sorte d'avoine» (Pline), lui-même pris au grec *bromos* de même sens, dérivé de *bremein* «gronder (en parlant de la mer, du tonnerre)», sans doute parce qu'on pensait que cette avoine protégeait contre les coups de foudre. *Bremein* est peut-être apparenté au latin *fremere* (→ frémir).

♦ Le mot, aujourd'hui rare, désigne une graminée utilisée comme plante fourragère.

◈ voir BRONTOSAURE.

② **BROME** n. m. est un emprunt savant (1826) au grec tardif *brômos* «puanteur, corruption». Ce mot, emprunté à basse époque par le latin *bromus*, appartient à un groupe d'origine populaire et incertaine; on a tenté d'en faire le dérivé de *brôma*, qui pourrait signifier proprement «ce que dévore le carnassier», du verbe *bibrôskein* «dévorer (en parlant du carnassier)» d'où «charogne». Le choix du mot grec se réfère à l'odeur forte et irritante de la substance chimique.

♦ Le mot désigne un métalloïde liquide très toxique dégageant des vapeurs rouges d'odeur désagréable.

▶ Les dérivés ont été formés au XIXe siècle. ➛ **BROMURE** n. m. (1828) «sel de brome», dont on a tiré un adjectif **BROMURÉ, ÉE**, s'est spécialisé en parlant du bromure de potassium employé comme sédatif. ➛ D'autres dérivés formés avec les suffixes chimiques habituels sont **BROMATE** n. m. (1838), **BROMIQUE** adj. (1838), **BROMAL** n. m. (1858); parmi les composés, on peut signaler **BROMHYDRIQUE** adj. (1845). ➛ D'après l'usage de nombreux bromures en médecine a été formé **BROMISME** n. m. (1877), relatif à l'intoxication par le brome et ses composés.

BRONCHE n. f., d'abord *bronchie* (v. 1560, Paré), puis *bronche* (1633), est emprunté au latin médiéval *bronchia,* forme de neutre pluriel prise pour un féminin singulier. Ce mot est emprunté au grec *bronkhia* «conduits prolongeant la trachée», pluriel neutre dérivé de *bronkhos* «trachée-artère», quelquefois «gorge», mais surtout d'usage médical. *Bronkhos* semble apparenté, avec nasalisation, à *broxai* «engloutir, avaler» et à la forme nominale *brokhthos* «gorge, gorgée». Le groupe est d'origine obscure, bien que l'on ait évoqué un rapprochement avec le moyen haut allemand *krage* «cou, gorge» et le moyen anglais *crawe* «gésier» qui dégagerait une racine indoeuropéenne possible.

♦ Le mot, employé le plus souvent au pluriel, désigne l'un des conduits aériens du poumon.

▶ L'adjectif **BRONCHIQUE** (v. 1560, Paré) s'est imposé aux dépens de son doublet **BRONCHIAL, ALE, AUX** adj. (1666). ➛ L'élément savant **BRONCHO-, BRONCHIO-**, représentant le grec *bronkhia,* a commencé d'être productif au XVIIe s. avec **BRONCHOTOMIE** n. f. (1617), formé avec l'élément *-tomie** pour désigner l'incision pratiquée dans la trachée-artère, le larynx ou les deux organes. ➛ Les productions se sont multipliées au XIXe s., avec **BRONCHORRÉE** n. f. (1833), **BRONCHO-PNEUMONIE** n. f. (1836), usuel, **BRONCHECTASIE** n. f. (1855) «dilatation pathologique des bronches», **BRONCHOLITHE** n. f. (1878), didactique et rare. ◇ **BRONCHOSCOPIE** n. f. (1904), **BRONCHOSCOPE** n. m. (1909), **BRONCHOGRAPHIE** n. f. (v. 1950), concernent des investigations des bronches et l'appareil qui les permet.

BRONCHITE n. f. a probablement été dérivé de *bronche* (1823) par l'intermédiaire de l'anglais *bronchitis* (1812), dans les travaux des médecins P. Franck et Bodham, désignant l'inflammation de la muqueuse de la trachée-artère et des bronches. ➛ Il a produit **BRONCHITIQUE** adj. et n. (1865), d'usage didactique, et **BRONCHITEUX, EUSE** adj. et n. (1892), devenu plus courant (aussi comme substantif) que **BRONCHITÉ, ÉE** adj. (1895).

BRONCHIOLE n. f. a été formé (1877) pour désigner la dernière ramification de l'ensemble des bronches pénétrant dans l'alvéole pulmonaire.

BRONCHER v. intr., attesté depuis 1176, est d'origine obscure, peut-être issu d'un latin populaire °*bruncare* «trébucher», lui-même d'origine incertaine : en s'appuyant sur l'italien *bronco* «souche», l'espagnol et le portugais *bronco* «grossier, rude», le catalan *esbroncar* «duper», Wartburg voit dans le verbe le dérivé d'un °*bruncus* «souche», expliqué comme le résultat du croisement de *broccus* (→ broche) et *truncus* (→ tronc). Parce que cette étymologie ne rend pas compte de la chronologie des sens en français, on a préféré indentifier ce °*bruncus* avec *bruncus* «trompe» (VIIe s.), expliquant ainsi le sens de «baisser le visage», mais non les autres. L'étymon latin populaire °*pronicare* «pencher», dérivé du latin *pronus* «penché en avant» (→ pronation), est séduisant du point de vue sémantique, mais peu satisfaisant phonétiquement, le passage anormal de *p-* à *b-* initial restant inexpliqué. Les mots apparentés *embronc* «penché en avant» et *embronchier* sont attestés dès *La Chanson de Roland* (1080), ce qui semble indiquer que *broncher* est antérieur au XIIe siècle.

♦ En ancien et en moyen français, le verbe a signifié «pencher en avant». Ce sens, attesté jusqu'au XVIe s. (Rabelais), a donné par extension celui de «s'abattre, tomber» (1547), qui a lui-même disparu à la fin du XVIIe s., et survit dans certains dialectes (on relève encore *se broncher* «plonger» chez E. de Goncourt en 1877). ◇ Le sens s'est déplacé vers «faire un faux pas», en parlant d'un cheval (1580) puis d'un être humain (1648), avec des extensions figurées «se tromper, faillir», attestées dès l'époque classique et de nos jours marquées comme littéraires. ◇ Le sens figuré de «manifester son impatience, son humeur par un geste ou une réaction» en est issu le dernier au XVIIIe s. ; il est surtout employé négativement *(sans broncher).*

▶ **BRONCHEMENT** n. m., attesté tardivement (1801) comme substantif d'action, ne s'est pas répandu.

BRONTOSAURE n. m. est emprunté (1889) au latin scientifique *brontosaurus,* mot forgé en 1879 par O.-C. Marsh. Le mot est composé du grec *brontê* «tonnerre», considéré sans doute comme une base générique pour désigner des animaux de ce type, et de *sauros* «lézard» (→ saurien). *Brontê* est dérivé de *bremein* «gronder» (en parlant du grondement sourd de la mer, du vent, etc.), employé après Homère au sujet du heurt des armes, du grondement d'une foule (→ ① brome). Le mot est une formation expressive sans étymologie sûre ; on a évoqué une parenté avec le latin *fremere* (→ frémir). *Brontê* a été envisagé comme une source possible pour le mot *bronze**.

♦ Le terme désigne un reptile dinosaurien fossile des terrains jurassiques.

◈ voir BRONZE.

BRONZE n. m. est emprunté (1511) à l'italien *bronzo* «alliage de cuivre et d'étain» (1250-1300), par métonymie «objet de cette matière» (1450), également employé au figuré avec l'idée d'insensibilité (1500-1550). Les formes médiévales relevées en Italie du Nord, telles que *bronzium* (1314, Plaisance), *brundum* (1313, Trévise), *bronzio* (1339, Venise), *bronzum* (1335, Bologne), permettent de supposer un latin médiéval °*brundium* d'origine incertaine, parfois rapproché du latin *Brindisi, Brundisium, Brundusium,* nom d'une cité fameuse pour l'industrie du bronze et déjà citée par Pline à propos de la fabrication de miroirs. Le mot latin aurait été véhiculé par le grec médiéval *brontêsion* «bronze» (VIIIe-IXe s.). Cette hypothèse est appuyée par l'exemple de *cuivre,* de formation analogue ; cependant, l'évolution phonétique n'est pas claire. ◇ L'italien médiéval °*brundium* a également été interprété comme un byzantinisme formé dans l'Exarchat de Ravenne, issu du grec tardif *bronteion* «instrument servant à imiter les bruits du tonnerre sur scène» (IIe s.), cet instrument étant constitué par un vase en cuivre dans lequel on agitait des pierres. Ce mot grec est dérivé de *brontê* «tonnerre» (→ brontosaure), le métal étant alors nommé d'après ses propriétés acoustiques. ◇ Enfin, une troisième hypothèse propose de faire de °*brundium* un emprunt au persan °*birindj* de même sens, ou plutôt à une forme arabe °*burunz* (que l'on reconstitue d'après la forme attestée *filuzz*) et qui doit remonter à une forme persane °*purung.* Cette hypothèse s'appuie sur le fait que le bronze a été importé d'Orient en Europe au XIVe s. en passant par l'Italie septentrionale (Venise ou Gênes).

♦ Le mot désigne un alliage de cuivre et d'étain. Son genre a d'abord été féminin (jusqu'au XVIIe s.), a hésité entre le féminin et le masculin (Furetière, 1690) puis s'est fixé au masculin. ◇ *Bronze* s'emploie par métonymie *(un bronze)* en parlant d'une œuvre en bronze (1694), ultérieurement dans *bronze d'art.* Le statut du mot, noble et poétique à l'époque classique, correspond à des connotations guerrières plutôt qu'industrielles. *Âge de bronze, du bronze* s'est employé en préhistoire pour caractériser les premières cultures des métaux, succédant à l'*âge de la pierre* (1883, de Mortillet). ➜ Métaphoriquement, notamment dans ***de bronze*** (1663), le mot transmet l'idée de dureté, d'impassibilité, de courage et de force. ◇ Ultérieurement, il est adjectivé (av. 1857) et substantivé (av. 1857) pour désigner une couleur rappelant celle du métal. Ce sens, qui a vieilli, survit dans les dérivés. ◇ ***Médaille de bronze,*** en sports, correspond à la troisième place (après l'or et l'argent) ; d'où *le bronze (avoir obtenu, mérité le bronze)* pour «troisième place sur le podium».

▸ Le dérivé **BRONZER** v. apparaît (1559) avec le sens technique de «recouvrir de bronze, de substances imitant la couleur du bronze», emploi vieilli avec la diffusion du figuré. ◇ Il se répand dans l'usage commun avec le sens de «faire paraître brun, sombre comme le bronze» (XVIIIe s., Voltaire), progressivement limité à l'action du soleil sur la peau, en emploi transitif et intransitif. Avec cette valeur, l'emploi moderne, valorisant pour «brunir», est assez récent (XXe s.). ◇ Le sens figuré de «rendre dur et résistant comme le bronze» (av. 1795) a disparu au cours du XIXe siècle. ➜ Tous les dérivés du verbe, même **BRONZAGE** n. m., enregistré en 1845 avec son sens technique, se rangent au XXe s. sous l'idée de «brunir au soleil» : **BRONZÉ, ÉE** adj. et n. *(les bronzés),* les mots familiers **BRONZOMANIE** n. f. (1958), **BRONZETTE** n. f. (v. 1970), et *bronze-cul* (→ cul). ➜ **BRONZEUR** n. m. (1866) est employé en technique pour «ouvrier procédant aux opérations de bronzage».

BRONZIER n. m., dérivé de *bronze* (1846), désigne techniquement l'artiste ou fabricant en bronzes d'art. ➜ **BRONZERIE** n. f. (1867, Littré) a désigné la technique du bronzeur ou du bronzier et, par métonymie, l'ensemble des œuvres d'art en bronze ; il semble archaïque.

BROSSE n. f., d'abord *broce* (1165-1170) et *broisse* (v. 1300), est d'origine obscure. L'hypothèse d'un étymon latin populaire °*bruscia* «pousse d'arbre», dérivé du latin *bruscum* «excroissance ligneuse de l'érable» (Pline), mot peut-être celtique, fait difficulté du point de vue phonétique pour le passage de *bruscum* à *bruscia ;* de plus, la forme attendue, *broisse,* si elle existe en ancien français, est relativement tardive. ◇ Une autre origine possible est °*broccia,* dérivé, par l'intermédiaire d'une forme romanisée °*broccu,* du gaulois °*wroikos* «bruyère» (→ bruyère) ; elle fait également difficulté du point de vue phonétique pour la réduction de *-oi-* à *-o-* (Corominas suppose un type °*broccius* pour rendre compte du mot castillan). P. Guiraud, afin d'expliquer la forme *broce, brosse,* reconstruit un étymon latin populaire °*broccia* qu'il explique comme le féminin substantivé d'un °*brocceus,* à partir de *broccus* «dent saillante» (→ broche). L'hypothèse d'une étymologie germanique ne semble pas à retenir. Pour le moment, l'origine latine ou gauloise paraît la plus plausible. ◇ *Brosse* a été emprunté en anglais sous la forme *brush,* à la fois dans son ancien sens de «taillis» et dans son sens d'«ustensile de toilette», donnant lieu à deux mots.

♦ En ancien et moyen français, le mot a désigné un taillis de bruyères et, par métonymie, un lieu rempli de ronces et de bruyères, un hallier. ◇ Par extension, il s'appliquait aussi à un touffu et par métaphore à une troupe en rangs compacts. Ce sens, encore réalisé au XVIIe s. par le pluriel *brosses* (1690, Furetière), ne s'est maintenu qu'en termes de foresterie (1838) et dans certains dérivés (→ brousse, art. brousser). ➜ Le sens moderne, «ustensile fait d'un assemblage de poils et servant à nettoyer ou à étendre une substance» (v. 1300), s'explique à partir de l'idée d'un ensemble de pointes hirsutes. D'usage très courant, il a donné lieu à de nombreux syntagmes usuels précisant le contexte d'utilisation de l'objet, comme ***brosse à dents*** (1751), ***brosse à cheveux*** (après *brosse à tête,* 1751), ***brosse à ongles*** (1835), ***brosse à habits.*** Sur le même modèle, ***brosse à reluire*** (à faire reluire le cuir, etc.) est employé familièrement avec le sens figuré de «flatterie impudente» (1944). ◇ Par extension, le mot désigne spécialement un type de pinceau en peinture (1680), et par métonymie la manière de peindre, d'exécuter en peinture (plus rare que *pinceau*). L'expression ***en brosse*** (1844) s'applique aux cheveux. ◇ Par analogie d'aspect, le mot désigne en zoologie la touffe de poils des jambes du cerf (1752) et la rangée de poils sur les pattes ou le torse de certains insectes, notamment destinée à recueillir le pollen.

► Avec son sens moderne, *brosse* a produit **BROSSER** v., réfection de *bruissier* (1374) et *broissier* (1450) «frotter avec une brosse». Le verbe a développé quelques emplois spéciaux : en peinture (av. 1867) et, par métaphore, dans le domaine de l'expression verbale au sens de «décrire à grands traits» (1922 in *T. L. F.*). Il a été repris comme terme de sports pour l'action de donner à la balle un effet particulier de rotation (1922). ◇ Au XIXe s., *brosser* est passé dans le langage familier avec le sens figuré de «battre, donner des coups à» (1840), entrant dans la locution ***se brosser le ventre*** (1867) d'où, elliptiquement, *se brosser* «être obligé de se passer de manger» (1892) et, par extension, «de se passer de qqch.» (d'abord *se le brosser* 1829). ➜ Ce verbe a plusieurs dérivés. ◇ **BROSSEUR, EUSE** n. est attesté une première fois en 1468 puis de nouveau au début du XIXe s. en parlant de la personne qui brosse ; le masculin a désigné familièrement, au figuré, celui qui passe la brosse à reluire (1819, dans un contexte militaire) et le domestique d'un officier (1831), sens disparu. ◇ ➜ **BROSSURE** n. f. (1732) est un terme technique de peausserie désignant la couleur appliquée à la brosse sur les peaux. ◇ **BROSSAGE** n. m. est le substantif d'action de *brosser* (1837). ◇ Le participe passé féminin de *brosser*, **BROSSÉE**, a été substantivé pour «volée de coups» (av. 1841), emploi vieilli.

BROSSIER, IÈRE adj. et n. (1597), dérivé de *brosse*, est un terme de métier désignant la personne qui fait ou vend des brosses. ➜ **BROSSERIE** n. f. (1832), «fabrication, commerce des brosses et ustensiles analogues», correspond à *brossier*.

◈ voir BROUSSAILLE, BROUSSER, BRUSHING.

BROU n. m. → BROUTER

◈ **BROUET** n. m., d'abord *broet* (XIIIe s.) puis *brouet*, est dérivé avec le suffixe *-et* de l'ancien français *breu* «bouillon» (1200-1250), mot très rare demeuré dans certains dialectes, notamment en franco-provençal (*breu*, 1520, canton de Vaud) et en liégeois (*brawe*, au figuré *tourner à brawe* «avorter»). *Breu* est à rapprocher de l'ancien provençal *bro* (XIIe s.) ; il est issu d'un germanique °*brod* «bouillon, jus» que l'on peut déduire de l'ancien norrois, de l'anglo-saxon *brot* (anglais *broth*), de l'ancien haut allemand *brod* «bouillon», et qui procède de la racine indoeuropéenne °*bhreu-*, °*bhru-* (→ brouiller). Cette origine semble plus plausible que l'emprunt en Gaule d'un mot francique (°*brod*), étant donné l'ancienneté des correspondants en Italie : après le bas latin *brodium* «bouillon» (IVe s.) et le latin médiéval *brodettum* «soupe, bouillon» (XIIIe s.), *brodialis* «liquide comme du bouillon» (XIIIe s.), l'italien a *brodo* «bouillon» depuis le XIIIe siècle. L'emprunt correspond au fait que les Germains, dont l'alimentation donne une grande place aux préparations liquides (cf. *soupe*), les ont fait connaître aux Romains.

♦ Le mot désigne un aliment semi-liquide consommé dans l'Antiquité et l'ancienne France. Furetière, en 1690, rapportant la recette du *brouet de l'accouchée*, mentionne qu'il «n'a plus d'usage que parmi le petit peuple». ◇ Dès le XVIIe s., le mot, sorti de mode en emploi neutre, prend la valeur péjorative de «mauvais ragoût, aliment médiocre et peu consistant» (1609) et il est entré dans la locution figurée *s'en aller en brouet d'andouilles* (av. 1660, Scarron), aujourd'hui disparue, à rapprocher de *s'en aller en eau de boudin*.

◈ voir ① BROUILLARD, BROUILLER, ÉBROUER, IMBROGLIO, RABROUER.

BROUETTE n. f., d'abord écrit *brouete* (1202), est le dérivé diminutif en *-ette* d'un ancien français non attesté °*beroue*, issu du bas latin *birota* «véhicule à deux roues». À côté de *birota*, de *bi-* «deux» (→ bi-) et *rota* (→ roue), le latin a eu un type °*birotium* qui est à l'origine de nombreuses formes romanes : ancien provençal *bros* «char à deux roues», italien *baroccio* «charrette, cabriolet». Le diminutif *brouette* a sans doute été formé quand le petit véhicule à deux roues est apparu.

♦ Le mot a d'abord désigné une petite charrette à deux roues qui servait au transport des personnes, et qu'un texte de 1329 décrit comme munie de brancards. Une spécialisation d'usage, le transport des marchandises (1379), et le passage à la roue unique avant le XVIIe s., époque où l'ancienne brouette à deux roues a disparu, sont à l'origine de la définition moderne du mot, «caisse munie de brancards et d'une roue». ◇ Au XVIIe s., la brouette servait au transport de certaines marchandises, notamment du tonnelet des vinaigriers. En français moderne, il concerne surtout les activités rurales, les brouettes en bois cédant la place aux brouettes en métal ou à caisse en matières plastiques, la forme traditionnelle de l'objet se modifiant un peu. ◇ À la suite d'une invention de Pascal ou de Dupin en 1669, le mot a également désigné une sorte de chaise à porteur (1690, chez Furetière). Il s'est dit ironiquement à propos d'un carrosse malpropre (1690). ◇ Au figuré le mot se dit encore d'un véhicule, d'un train lent et inconfortable.

► **BROUETTER** v. tr., d'abord écrit *broouter* (1304) puis *broueter* (v. 1360), signifie «transporter (qqch.) dans une brouette». ➜ Ce verbe doit exister au XIIIe s. puisque **BROUETTEUR, EUSE** n. (1290), d'abord *broueteire* (1270), en est dérivé. ➜ **BROUETTÉE** n. f., participe passé féminin substantivé, et **BROUETTIER** n. m., d'abord *brououtier* (v. 1350), sont devenus rares. Le dernier, d'abord synonyme de *brouetteur*, en a été distingué (Académie, 1740), désignant celui qui transporte des matériaux par opposition au *brouetteur*, qui transportait des personnes. Littré enregistre aussi le sens de «fabricant de brouettes» (1863).

BROUHAHA n. m. (1552) peut-être précédé, avec répétition et allitération, par *brou* et *bra* (*Farce du Savetier*, 1548), est d'origine discutée. ◈ L'hypothèse la plus probable semble une altération phonétique de l'hébreu *bārūkh habbā* «béni soit celui qui vient», extrait de la formule complète *bārūkh habbā beshēm adonāī* «béni soit celui qui vient au nom du Seigneur» (*Psaume* 118, 26) par laquelle les lévites accueillaient le peuple se dirigeant vers le Temple. Ces paroles, fréquemment employées dans les prières juives, auraient été déformées par ceux qui ignorent l'hébreu, langue mystérieuse dans la tradition populaire. Cette étymologie est soutenue par l'italien d'Arezzo *barrus cabá* «confusion, désordre» et par le fait que d'autres emprunts aux prières hébraïques sont attestés (italien *badanai* et *badananai* «rumeur de gens qui bavardent», de l'hébreu *be adonai* «Ah! Seigneur»).

♦ Le mot, d'abord employé comme une locution interjective attribuée au diable et destinée à inspirer la terreur, est bientôt substantivé, d'abord dans le langage des clercs (1552) où il est attesté au figuré *(faire un grand brouhaha pour un rien)*, puis avec la valeur propre de «grand bruit confus de voix» (1659, Molière) toujours usuelle. Qualifié de «familier» par l'Académie (1718 à 1932), il n'est pourtant pas marqué dans l'usage moderne.

BROUILLAMINI n. m. est l'emploi figuré (1566) de *brouillamini* désignant une terre argileuse envoyée d'Orient sous forme de petites boules employées surtout en médecine (1538). Ce mot est l'altération, sous l'influence de *brouiller**, du latin *boli armenii* «grosse pilule d'Arménie» → bol (alimentaire), employé dans les recettes médicales; l'expression latine était déjà francisée (1378) en *bouliaminy*, puis également (XVIe s.) *brularminy*, par attraction de *brûler*.

♦ Le sens technique de «terre argileuse», encore répertorié au XVIIIe s., a disparu. ◇ Il a été supplanté par le sens figuré de «désordre, confusion inextricable» (1566), rare au XVIIe s., considéré comme «burlesque» par Trévoux et probablement repris au XIXe siècle. Un sens voisin et abstrait, «intrigue, trouble», est propre au XVIe siècle. ◇ Cependant, le mot est encore attesté en emploi concret pour une drogue hétéroclite (jusqu'au début du XIXe s.) et récemment pour un mets hétérogène et lourd (1953, in *T. L. F.*). ◇ Le sens de «menstrues» (1718, encore 1867) utilise peut-être la paronymie avec *catimini**.

► L'usage courant moderne préfère le préfixé **EMBROUILLAMINI** n. m. (1688), croisement avec *embrouiller, embrouille* (→ brouiller). ◆ **DÉBROUILLAMINI** n. m. (1890), de *(se) débrouiller*, est rare.

① **BROUILLARD** n. m., d'abord *broillars* (1400-1450) puis *brouillard* (1538), est l'altération par changement de suffixe de l'ancien français *bruillas* (v. 1210), *brouillas* (1379). Ce mot, usité jusqu'au XVIIe s. et encore mentionné dans les *Dictionnaires* de Trévoux comme forme ancienne pour *brouillard*, est dérivé de *brouiller** avec le suffixe *-as* (Wartburg relève aussi la variante suffixale *bruillat* au XIIIe s.). Une influence de *brouée*, de même sens, dérivé de l'ancien français *breu* (→ brouet), est très vraisemblable.

♦ Le mot désigne un phénomène atmosphérique naturel produit par des gouttes d'eau extrêmement petites flottant dans l'air et provoquant une diffusion intense de lumière. ◇ Sous l'influence des sens figurés de *brouiller**, il est employé avec les valeurs métaphoriques et abstraites de «confusion dans la prise de conscience ou le souvenir», surtout dans des locutions du type ***être dans le brouillard;*** cf. *dans les nuages, dans la vape (vapeur).*

► **BROUILLASSER** v. intr. (1596), dérivé de l'ancien *brouillas*, s'est maintenu en dépit de la disparition du substantif correspondant avec le sens de «faire du brouillard». Il semble avoir disparu au XVIIe s. puis avoir été repris au XIXe s. (1834), peut-être par les dialectes qui l'avaient conservé et avec une valeur péjorative due à sa finale. ◆ Il a produit à son tour **BROUILLASSE** n. f. (1863) et **BROUILLASSÉ, ÉE** adj. (1893). ◇ La forme moderne *brouillard* a permis de former de nouveaux dérivés. ◆ **BROUILLARDEUX, EUSE** adj. (1860) qualifie ce qui est relatif au brouillard et, figurément, ce qui est embrouillé, confus, trouble comme dans un brouillard. ◆ **BROUILLARDÉ, ÉE** adj. fait figure de néologisme d'auteur (1848, Flaubert). ◆ **BROUILLARDER** v. intr., synonyme non péjoratif de *brouillasser*, a été formé plus tard sur *brouillard* (av. 1951).

ANTIBROUILLARD adj. inv. et n. est attesté pour la première fois en 1949 sous la forme *anti-brouillard*, qualifiant un système d'éclairage, des phares. ◆ **MICROBROUILLARD** n. m., terme de climatologie formé avec l'élément *micro-*, désigne un type de brouillard produit par la pollution (1972).

② **BROUILLARD** → **BROUILLER**

✻ **BROUILLER** v. tr. est issu (1219) d'un gallo-roman °*brodiculare*, dérivé d'un verbe °*brodicare* postulé par le dialecte italien de Bergame *brodigar* «souiller», et dérivé d'un germanique °*brod* «bouillon» (→ brouet). Cette hypothèse est la seule à rendre compte des formes anciennes du mot français à trois syllabes *(broueillier)*. L'hypothèse d'une dérivation en français de *breu, brou*, représentant en ancien français du substantif germanique (→ brouet), d'après *fouiller* et *souiller*, semble à écarter.

♦ Dès l'ancien français, le verbe est employé au figuré pour «mêler, rendre confus». Il a signifié «altérer», avant de se fixer avec le sens de «mêler en dérangeant» (1268-1271). Ce sens a disparu avec un complément d'objet concret après l'époque classique, en dehors d'un emploi spécial en cuisine, ***œufs brouillés*** (1607) et au jeu dans *brouiller les cartes* au sens propre (1611). ◇ De nos jours, le verbe signifie le plus souvent, par métaphore, «créer la confusion en supprimant un ordre», par exemple dans les locutions ***brouiller les cartes, les pistes.*** ◇ Le sens propre, «rendre trouble, confus» (1346-1407), renvoie moins, en français moderne, au sens étymologique d'altérer un liquide qu'à celui de troubler la vue (au passif, *avoir la vue brouillée*) et, par transposition, troubler une surface claire, l'état de l'atmosphère (au passif et au p. p. : *temps brouillé*), altérer la clarté d'un discours, les idées (XVe-XVIe s.). ◆ De l'idée de «semer le trouble», on est passé, avec un complément désignant une personne, à celle de «désunir, installer la discorde» (v. 1470); cet emploi est resté très vivant, aussi au pronominal et au passif (cf. le dérivé *brouille*). ◇ Le style littéraire classique en a dérivé un emploi figuré avec un complément désignant une chose, souvent une entité abstraite (1651, Corneille), mais cet emploi a disparu.

▸ **BROUILLEUR, EUSE** adj. et n. (1411) a désigné une personne qui frelate, un charlatan, avant de se dire plus généralement d'une personne qui brouille qqch., surtout dans *brouilleur de cartes, de pistes* qui correspondent à des locutions verbales. ◆ Le masculin **BROUILLEUR** s'est spécialisé techniquement (1937) comme dénomination de l'émetteur servant à troubler une émission de radio ou de télévision. ◆ **BROUILLERIE** n. f. (1418) a servi de substantif d'action à *brouiller,* exprimant l'idée de «confusion», spécialement en moyen français «trouble dans l'État» (1469), et de «mésentente entre personnes» (déb. XVIIe s.) dont l'usage tend à se restreindre au profit de *brouille.* ◇ Il a également servi à nommer une drogue composée de divers ingrédients (1528). ◆ **BROUILLEMENT** n. m., attesté sous la forme *brullemens* (1419) en même temps que le précédent, exprime l'action de mettre en désordre et celle de se disputer avec qqn. Le mot est sorti d'usage à la fin du XVIIe s.; il est parfois repris (XIXe s.), mais demeure rare. ◆ **BROUILLIS** n. m. (1450-1465) a signifié, de même que *brouillerie,* «trouble dans l'État» (v. 1460) et aussi «brouillard» (XVe s.), sens disparus avant l'époque classique. ◇ Repris au sens concret de «boisson, drogue obtenue par mélange de divers ingrédients», il a désigné un vin frelaté (1550), sens disparu, mais repris en technique pour désigner le premier produit de la distillation des vins destinés à faire l'eau-de-vie (dans les Charentes, 1877).

② **BROUILLARD, ARDE** adj. et n. m. est passé du sens initial de «manuscrit»; cf. *brouillon* (1496-1544) à la spécialisation commerciale de «livre de marchand, main courante» (1680). Il s'emploie adjectivement (1611, *papier brouillard*) pour désigner un papier non encollé qui absorbe l'encre fraîche ou laisse passer l'eau d'un liquide. ◆ ① **BROUILLON, ONNE** adj. (1549) a désigné une personne mettant le trouble dans les affaires ou entre des personnes. Puis (1580), il s'emploie comme adjectif dans ce sens aujourd'hui disparu, qualifiant plus tard une personne désordonnée, qui n'a aucun ordre (1808), valeur qui s'est conservée. ◆ Par ailleurs ② **BROUILLON** n. m. se dit d'un premier travail «brouillé» destiné à être recopié et mis au propre (1551-1630), désignant par métonymie le papier destiné à ce stade d'élaboration et s'employant au figuré avec le sens d'«ébauche, esquisse». ◇ Il a pour dérivé **BROUILLONNER** v., construit transitivement (1829) et aussi absolument (1900) avec le sens d'«écrire rapidement, ébaucher».

BROUILLE n. f. (1617), spécialisé avec le sens de «dispute», est considéré au XVIIIe s. (Trévoux) comme une «expression basse et populaire, qui ne peut se souffrir que dans la bouche d'un paysan, ou d'une personne de la lie du peuple» (1752). Il s'est pourtant répandu dans l'usage courant, à partir du début du XIXe s., aux dépens de *brouillerie.*

Avec le préfixe *em- (en-),* le verbe a servi à former dès le XIIIe s. **EMBROUILLER** v. tr. qui fonctionne comme un intensif avec la valeur de «rendre confus, compliqué» au concret, et plus souvent à l'abstrait. Le complément peut exprimer une abstraction, en particulier l'esprit, l'intelligence (av. 1573), ou une personne, comme dans la locution familière ***ni vu ni connu je t'embrouille,*** à propos d'une chose demeurée sans explication (1808). ◆ L'adjectif tiré du participe passé, **EMBROUILLÉ, ÉE,** ne s'emploie guère qu'à l'abstrait, en parlant d'une situation complexe ou rendue telle. ◆ Il a donné **EMBROUILLEMENT** n. m. (1546), substantif d'action que concurrencent les dérivés plus familiers. ◆ **EMBROUILLE** n. f. (1747), difficile à distinguer au XVIIIe s. des formes francisées d'*embroglio, imbroglio**, a connu un regain de vitalité au XXe s. (*sac d'embrouilles,* etc.). ◆ **EMBROUILLAGE** n. m. (1768), rare ou technique, a été recommandé officiellement comme terme de télécommunications au XXe s., de préférence à *brouillage.* ◆ **EMBROUILLEUR, EUSE** n. (déb. XVIIe s.), «personne qui embrouille», est lui aussi assez rare. On l'a recommandé en télécommunications pour remplacer *brouilleur.*

DÉBROUILLER v. tr. (1549), antonyme de *brouiller* et d'*embrouiller,* exprime l'idée de «rendre clair et intelligible (ce qui ne l'est pas)» et, concrètement, de «mettre en ordre (ce qui est emmêlé)» (1611). ◇ La forme pronominale *se débrouiller* s'est d'abord employée avec le sens limité de «se dégager, en parlant du temps» (av. 1648). ◇ De l'idée de débrouiller une situation vient, pour ***se débrouiller,*** le sens figuré de «voir clair dans qqch., se tirer habilement d'affaire» (1822), devenu très courant. Il est concurrencé par *démerder* (→ merde). ◆ **DÉBROUILLEUR, EUSE** n. (1648) «personne qui aide à débrouiller qqch.» est sorti d'usage. ◇ Les autres dérivés sont apparus à partir de 1850 et procèdent du sens figuré «se tirer d'affaire». ◆ **DÉBROUILLAGE** n. m. (1855), répandu par l'intermédiaire de l'armée d'Afrique, désigne l'art des expédients, tout en servant également de substantif d'action pour les emplois transitifs du verbe (1866); il a vieilli et a été remplacé par un autre dérivé. ◆ Le déverbal **DÉBROUILLE** n. f. (1855), autre terme apparu dans les milieux militaires d'Afrique, est resté courant. On parle de *système débrouille.* ◆ Un autre dérivé du verbe, **DÉBROUILLARD, ARDE** n. et adj. (1872) est encore plus usuel; il a pour dérivé **DÉBROUILLARDISE** n. f. (1937).

INDÉBROUILLABLE adj. (1764) est employé avec le même sens figuré que *inextricable;* il est rare.

◈ voir BROUET, BROUILLAMINI, ① BROUILLARD, ÉBROUER (S'), IMBROGLIO, RABROUER.

BROUIR v. tr., d'abord *bruir* (1080, *F. e. w.*), forme qui s'est maintenue avec une spécialisation technique, puis *broïr* (v. 1120) et *brouir* (XVIe s.), *brouyr* (1564), est issu d'un verbe francique °*brojan* «brûler, griller, échauder», postulé par le moyen haut allemand *brüejen* (allemand *bruhen*). Ce verbe est apparenté aux mots allemands *Brei* «bouillie», *Brodem* «vapeur chaude», *Brut* «couvée», *brüten* «couver», *braten* «cuire, rôtir» (→ brader), qui remontent à une racine indoeuropéenne °*bh(e)re-* «bouillonner». Des rapprochements avec *ébrouer, brouet, brouiller* ont été proposés (Kluge).

♦ Le sens de «brûler, griller, rôtir», spécialisé en parlant de l'action du soleil sur les plantes (v. 1120), n'a plus cours que régionalement ou didactiquement. Le mot a signifié, sous la forme *bruir* (1751), «imbiber de vapeur des étoffes que l'on veut amollir».

▸ **BROUISSURE** n. f. (1645) caractérise l'état de ce qui est broui, en parlant de bourgeons et de fleurs desséchés ; comme *brouir*, il est surtout régional. **BRUISSAGE** n. m. (1751) sert de substantif d'action à *bruir* et désigne le fait d'imbiber une étoffe de vapeur pour l'assouplir.

◈ voir **BRAI**.

BROUSSAILLE n. f., une première fois sous la forme *broçaille* (v. 1160) puis au XVIe s. *broissaille* (1559), *brossaille* (1580), s'est fixé sous la forme *broussaille* (1564). Le mot prolonge l'ancien sens de *brosser* (→ brosse). Tant par la forme que par le sens, il est alors détaché de *brosse*, dont il est le dérivé avec le suffixe *-aille*.

♦ Le mot désigne, au pluriel et au singulier collectif, une végétation touffue poussant sur les terrains incultes. Il a donné le syntagme usuel *en broussaille* (1837), décrivant l'état de cheveux ou de poils emmêlés et touffus.

▸ La dérivation du mot est plus importante que celle de *brosse*. ◆ **BROUSSAILLEUX, EUSE** adj., attesté isolément en 1611, semble repris au XIXe siècle. ◆ **BROUSSAILLER** v. (XIXe s.) «mettre en broussaille» relève du style littéraire ou soutenu. **EMBROUSSAILLER** v. (1854) est surtout employé au participe passé adjectivé **EMBROUSSAILLÉ, ÉE**, s'appliquant surtout aux cheveux. ◆ Il a pour dérivé **EMBROUSSAILLEMENT** n. m. (1895). ◆ **DÉBROUSSAILLER** v. tr. (1876) a pour dérivés **DÉBROUSSAILLEMENT** n. m. (1877) et **DÉBROUSSAILLEUR, EUSE** adj. (1877) d'où **DÉBROUSSAILLEUSE** n. f., nom de machine, usuel, puis **DÉBROUSSAILLANT, ANTE** adj. (v. 1950), surtout à propos de produits (aussi nom masculin, *un débroussaillant*).

① **BROUSSE** → **BROUSSER**

② **BROUSSE** n. f., d'abord *brosse* (1505) puis *brousse* (1579), est emprunté au provençal *broce* «lait caillé» (1434), aussi *broussa*, terme attesté en franco-provençal et dont l'aire englobe aussi la Corse (corse *brócciu*), le Val d'Aoste, le Piémont, la Ligurie ainsi que la Catalogne. Ce groupe de mots romans remonte au gotique °*brŭkja* «ce qui est brisé», dérivé du mot *gabruka* «morceau», qui repose sur la racine d'un verbe germanique signifiant «briser» (→ broyer). Cependant, certains étymologistes évoquent une base préromane °*brottiare*, considérant qu'un mot gotique est étrange dans le vocabulaire laitier des Alpes.

♦ Le mot désigne un caillé de lait de brebis ou de chèvre fabriqué en Provence. Il est très vivant régionalement.

BROUSSER v. tr., d'abord transcrit *broiscier* (1230), avant *brosser* (fin XVe s.), puis *brousser* (1555), procède, comme *broussaille**, de l'ancien sens de *brosse**.

♦ C'est un terme de chasse qui exprime l'idée de marcher à travers bois sans suivre les chemins, d'abord transitivement puis (1552) intransitivement. ◇ La forme *brosser* se rencontre encore comme variante régionale (Belgique) avec le sens figuré de «faire l'école buissonnière», en argot scolaire.

▸ ① **BROUSSE** n. f., plutôt qu'une abréviation de *broussaille*, est probablement un emprunt (1876) au provençal *brousso* «broussaille», lequel est le correspondant du français *brosse** dans son premier sens. Le mot a été répandu par les troupes coloniales, dans lesquelles les Méridionaux étaient nombreux. ◇ Le mot s'applique à une végétation d'Afrique tropicale caractérisée par des arbrisseaux épars et des broussailles. Par extension, il est employé, notamment en français d'Afrique, au sens général d'«espace situé loin des villes», par exemple dans ***aller en brousse*** «sortir de la ville ou du village». ◇ Il est transposé à une réalité française, dans son acception stricte et, familièrement, avec le sens extensif de «campagne isolée», avec une valeur comparable à celle de *bled*. ◆ **BROUSSARD** n. m. s'est répandu par l'intermédiaire de l'argot militaire (1920) à propos d'une personne vivant dans la brousse. En français d'Afrique, les Européens l'emploient en parlant d'une personne bien adaptée à la vie en brousse et les Africains avec la valeur en général péjorative de «campagnard, paysan».

✳ **BROUTER** v. tr., d'abord *broster* (1165-1170), puis *broutter* (v. 1223), est dérivé de l'ancien français *brost* n. m. (av. 1188), repris depuis le XVIe s. sous la forme *brout* et désignant une jeune pousse au printemps. La formation du verbe relève d'un procédé propre au gallo-roman, le même que dans la dérivation du latin *pilare* «ôter les poils» (de *pilus* «poil») et du français *plumer* (de *plume*). *Brost* se rattache au germanique °*brust-* «bourgeon». Gamillscheg propose pour étymon le francique °*brust* «jeune pousse» en s'appuyant sur le fait que les mots français relatifs à la pousse et au bourgeonnement remontent souvent au francique (cf. *scion*, *drageon*, *bouton*, et l'ancien français *tehir* «croître, grandir»). Cependant, l'attestation ancienne en ancien provençal et le maintien du sens originel de «bourgeon» dans les dialectes méridionaux incitent à considérer l'hypothèse d'un emprunt au gotique °*brusts*, qui n'existe pas en germanique mais semble être un emprunt slave. Le substantif francique se rattache à un verbe °*brustjan* qui se déduit de l'ancien saxon attesté *brustian* «bourgeonner», mais l'hypothèse d'un lien direct entre ce verbe et le verbe français ferait difficulté. Les mots germaniques permettent de dégager une racine °*bhrus-*, °*bhreus-* qui a notamment donné les noms de la poitrine, en anglais *(breast)*, en néerlandais *(borst)* et en allemand *(Brust)*, ainsi que les noms du ventre, en irlandais *(brú)* et en russe (*bryúkho*, «bedaine, panse»). La valeur initiale pourrait être «estomac».

♦ *Brouter* signifie «manger sur place les jeunes pousses et l'herbe» en parlant d'un mammifère herbivore. Depuis le début du XIXe s. (1803), il est employé intransitivement par métaphore, en parlant d'un rabot qui fonctionne de manière saccadée et irrégulière, puis d'un moteur, d'un mécanisme.

▸ La dérivation directe de *brouter* se limite à deux substantifs d'action et un d'agent. ➜ **BROUTEMENT** n. m. (1562), abandonné après 1660, a été repris au XIXe siècle. ➜ **BROUTAGE** n. m. (1845) se limite au sens technique de «travail défectueux d'un outil qui mord par saccades». ➜ **BROUTEUR, EUSE** adj. et n. (1571) n'est plus attesté entre 1611 et le XIXe s. et demeure rare. ➜ Un quatrième dérivé, **BROUTARD** n. m. (1867), est employé en élevage et en boucherie à propos d'un veau en âge de brouter et qui n'est plus nourri au lait.

BROUTILLE n. f. semble la réfection d'après *brout, brouter*, de *brostilles* (1329), dérivé de l'ancien français *brost* sur le modèle de *ramille*. ◇ *Broutille* «menues branches d'arbres dont on fait des fagots» (1354) a disparu, mais le sens figuré «chose inutile et sans valeur» (1598), au pluriel puis au singulier depuis le XVIIIe s. (av. 1755), reste vivant. ➜ En est dérivé un verbe **BROUTILLER** v. tr. (1879), mot parlementaire signifiant «liquider une série de petits projets de loi», d'après *broutille* «dossier, acte peu important dans un procès» (1832, Balzac).

BROU n. m., d'abord *broust* (1529), est l'un des très nombreux emplois de l'ancien substantif verbal *brout* de *brouter*, désignant notamment des plantes. ◇ Le mot a d'abord désigné la couleur extraite de l'enveloppe de la noix (XVe s.), sens métonymique procédant de celui de «enveloppe verte de la noix» (1549); il est surtout répandu dans le syntagme ***brou de noix*** (1680), notamment pour désigner une liqueur à base de noix dont le bois n'est pas encore formé, et plus couramment une teinture brune utilisée en menuiserie.

BROWNING n. m. est emprunté (1907) à l'anglo-américain *Browning*, attesté depuis 1906 comme substantif et déjà en 1905 dans *Browning revolver* (ou *pistol*) à propos d'un type de pistolet automatique à chargeur. Cette dénomination est issue du nom de l'inventeur américain de cette arme, John Moses *Browning* (1855-1926), d'Ogden, dans l'Utah.

♦ On a employé le nom propre en apposition avant la lexicalisation du mot (dès 1903), lequel évoque cependant le plus souvent un contexte américain.

BROYER v. tr., indirectement attesté par le participe passé adjectivé *breied* (v. 1100) puis sous la forme *broier* (1250-1300), enfin écrit au XVIe s. *broyer* (1538), est un terme d'origine germanique dont l'aire géographique comprend le français, l'ancien provençal, les dialectes italiens du Nord, l'espagnol et le catalan. D'après une première hypothèse, le français remonterait au francique *°brëkan* «casser, briser» qui se déduit de l'ancien haut allemand *brëhhan* (allemand *brechen*), de l'ancien saxon *brĕcan* (anglais *to break*), et de l'ancien frison *breka*. Dans cette hypothèse, le francique se serait rencontré dans le domaine occitan avec le gotique *°brikan*, donnant le terme provençal auquel seraient empruntés le catalan et l'espagnol; l'italien du Nord serait directement issu du gotique. D'après une seconde hypothèse, fondée sur des considérations phonétiques, l'ensemble des mots romans concernés dériverait du germanique *°brekan*, le passage se faisant relativement tard en français. La famille germanique se rattache à une racine indoeuropéenne *°bhreg-, °bhrg-* à laquelle appartient aussi le latin *frangere* (→ enfreindre, fraction).

♦ Le mot signifie d'abord «réduire en morceaux, en poudre ou en pâte» dans un emploi spécial en boulangerie qui s'est maintenu dans la variante régionale *brier (pain brié)* (→ bricheton, brioche). Se répandant dans l'usage général (1180-1200), le verbe est passé dans le vocabulaire d'autres spécialités techniques, comme le travail du textile (av. 1463, *broyer du chanvre*) et la préparation des couleurs en peinture. ◇ De ce dernier emploi provient la locution figurée ***broyer du noir*** «s'abandonner à des idées noires» (1756). ◇ Le verbe a développé le sens figuré de «peser lourdement sur, écraser» (1813) et «anéantir» (1835, *broyer le cœur de qqn*).

▸ Le déverbal **BROIE** n. f. (1223) s'est employé en ancien français dans l'expression *pain à broie*, désignant un *pain broyé* ou *brié*, de fine farine, que les boulangers étaient obligés de faire pour leur chef-d'œuvre avant d'être reçus maîtres. ◇ Il désigne aussi (1370) un instrument à briser la tige du chanvre, également appelé *brisoir*. Le mot est archaïque. ➜ **BROIEMENT** n. m., d'abord *broyment* (XVe s.) puis *broiemant* (1635), *broiement*, exprime l'action de broyer, au propre et au figuré, spécialement en chirurgie. ➜ **BROYEUR, EUSE** n. (1422) sert à dénommer la personne qui broie, spécialement l'ouvrier dont c'est la tâche et, au féminin ou au masculin, une machine à broyer (1562). ➜ **BROYAGE** n. m. (1838), employé par G. Sand sous la variante régionale *breyage* (1853), concurrence *broiement* comme substantif d'action de *broyer*. ➜ **BROYABLE** adj. (v. 1950) et **BROYABILITÉ** n. f. (1974), termes techniques s'appliquant à la qualité d'une substance qui peut être broyée.

◈ voir BRAQUEMART, BREAKFAST, BRÈCHE, BRICHETON, BRIOCHE, BRIQUE, BROCANTE.

BRU n. f. est issu (1160-1174) du bas latin des Balkans *brutis* «belle-fille», attesté au IIIe siècle. Ce terme de la vie familiale a été introduit par les Goths au IIIe s. lors de leur pénétration dans l'Empire romain par les Balkans et a supplanté le latin *nurus* (et sa forme populaire *°nora*) auquel remonte l'ancien provençal *nora*. *Brutis* paraît représenter le germanique ancien *°brū-ðiz* d'origine inconnue, restitué par le gotique *brūþs (bruths)* «jeune mariée», l'ancien norrois, l'ancien haut allemand *brut* (allemand *Braut*) et le vieil anglais *brȳd*, qui a donné l'anglais *bride*. Le mot germanique évoqué correspond à un radical *°brū* élargi en *-this (-ðis)*.

♦ Le mot, surtout employé en contexte juridique, tend à vieillir; on emploie plus volontiers *belle-fille*.

BRUANT → BRUIRE

BRUCELLOSE n. f. est dérivé, probablement en anglais, du radical du latin scientifique *brucella Melitensis*, nom du germe découvert par le médecin écossais David *Bruce* (1855-1931). Le germe semble avoir été isolé dès 1887, dans la rate d'un soldat des garnisons de Malte, mort de cette fièvre. *Brucellose* est attesté en anglais en 1930.

♦ Le mot, enregistré par les dictionnaires français en 1946, désigne une pathologie infectieuse des animaux (essentiellement ovins, caprins, bovins, porcins), transmise à l'homme, et également appelée *fièvre de Malte*.

BRUGNON n. m. est l'altération (1680), probablement sous l'influence de *brun**, de *brignon* (1600), emprunt à l'ancien provençal *brinhô* «variété de pêche dont la saveur rappelle la prune» (XVe s.), lui-même issu d'un latin populaire °*prunea* pour *pruna* (→ prune). Le passage de *pr-* à *br-* n'a pas été expliqué, l'hypothèse d'une forme latine °*brunum* n'étant pas fondée. L'espagnol *briñon*, récent (attesté 1884), est emprunté au provençal ou au français.

♦ Le mot est le nom d'une variété de pêche à peau lisse.

▸ Il a produit le nom d'arbre **BRUGNONIER** n. m. (1877), demeuré rare.

BRUINE n. f., d'abord *broïne* (v. 1130) puis *brüine* (1180-1200), est issu du latin *pruina* «gelée blanche, frimas» (→ pruine) avec altération sous l'influence de *bruma* (→ brume). Étant donné l'existence de correspondants italiens qui ne peuvent remonter qu'au latin, l'hypothèse d'un rattachement à *brouée* «brouillard, pluie très fine», lui-même de l'ancien français *breu* «bouillon» (→ brouet), et d'ailleurs postérieur (1316), est à écarter.

♦ À la différence de l'italien *brina* et de l'ancien provençal *bruina*, le mot n'est pas directement attesté en ancien et moyen français avec le sens de «gelée blanche», mais certains de ses dérivés semblent l'impliquer. ◇ Il a désigné une brume, un brouillard très épais, sens dont sont partis les emplois figurés exprimant l'idée de confusion, d'embarras, de querelle, d'obscurité dans une affaire. ◇ Ces sens sont sortis d'usage au XVIe s., le mot se fixant par métonymie avec la valeur de «pluie fine et froide résultant de la condensation du brouillard» (1538).

▸ **BRUINEUX, EUSE** adj. (XIIIe s.) a suivi l'évolution de *bruine* : il a signifié «brumeux, nébuleux» (au propre et au figuré), sens qu'il partageait avec *bruiné* (1547), *embruiné* (v. 1460), puis «froid et humide» (1600). Ces emplois ont disparu, puis le mot a été repris au XIXe s. pour qualifier ce qui est relatif à la bruine (1867). ◆ **BRUINER** v. (1551) a exprimé transitivement l'action de la gelée blanche qui détruit les plantes (1606) et s'est dit par analogie pour «saupoudrer de sucre glace» (1611). Sorti d'usage dans ces emplois, il a été repris comme intransitif pour «faire de la bruine» (1680). ◆ Il a produit le substantif d'action **BRUINEMENT** n. m., d'abord terme de pâtisserie «fait de recouvrir de sucre glace» (1611), puis repris avec son sens actuel «fait de bruiner» (1863), quasiment inusité.

◈ voir PRURIGO, PRURIT ; FREEZER.

BRUIR → BROUIR

✳ **BRUIRE** v. intr. est issu (1re moitié XIIe s.) d'un latin populaire °*brugere*, (*brugit*, VIIe s.) employé en parlant du cerf qui brame. Ce mot résulte du croisement de *rugire* (→ rugir), attesté surtout à basse époque, et du latin populaire °*bragere* (→ brailler, braire).

♦ Au XIIe s., le verbe exprime l'idée générale de «faire du bruit», transitivement et intransitivement, surtout en parlant d'un grand bruit. Il se dit en particulier du rugissement du lion, du mugissement du taureau (déb. XIIIe s.). Au figuré, il s'est employé au sens de «retentir», encore attesté chez quelques écrivains, et comme verbe de parole il a signifié «dire, prononcer», «chanter, célébrer». ◇ Au XVIIe s., l'usage le restreint au sens de «faire un léger bruit» (1606), exprimant les autres nuances à l'aide de la locution *faire du bruit*. Parallèlement, *bruire* se limite à l'emploi de l'infinitif auquel s'ajoute *bruissait*, troisième personne de l'imparfait de l'indicatif. Les autres personnes du verbe sont beaucoup plus rarement employées.

▸ **BRUIT** n. m., déverbal de *bruire*, est fait sur le modèle du latin °*brugitum*, participe passé neutre de °*brugere* (1138). ◇ Il a exprimé au figuré la notion d'éclat, de renommée, puis de retentissement (av. 1648), surtout dans la locution ***faire du bruit*** (av. 1648) et, à l'époque classique, ***faire grand bruit de qqch.*** (1669), archaïque mais encore comprise. ◇ Le sens propre, concernant la sensation auditive, est attesté aussi au XIIe siècle. Il correspond à «son de voix sans articulation distincte» (1155), et généralement «son, assemblage de sons» (à l'exclusion des sons musicaux, harmonieux) [1165-1170]. Cette acception est neutre et exprime, en emploi qualifié, toute l'échelle des sensations acoustiques, de la plus faible à la plus violente. ◇ D'après l'ancien emploi de *bruire* comme verbe de parole, *bruit* désigne aussi une nouvelle colportée, une rumeur (fin XIVe s.), à la fois dans l'usage général et dans certains domaines spéciaux (bourse, droit). À la différence du verbe, il a conservé cette acception. ◇ L'analyse acoustique de la distinction entre *bruit* et *son* a décidé au XVIIe s. de l'emploi de *bruit* à propos d'un phénomène acoustique dû à la superposition de vibrations non harmoniques (1690). ◆ Cette valeur correspondant à une notion scientifique a donné au XXe s. le sens de «phénomène qui se superpose à un signal et limite la transmission de l'information» (v. 1950). Dans la terminologie de la théorie de l'information, cette valeur traduit l'anglais *noise ;* de là, en linguistique et sémiotique, *bruit de canal, de code.* ◇ D'autres emplois, comme ***bruit de fond,*** sont plus spontanés en français et concernent le sens propre de *bruit*.

Bruit a lui-même plusieurs dérivés. ◆ **ÉBRUITER** v. tr. attesté en 1690, précédé par le participe passé *ébruité* dans un ancien emploi substantivé, au sens de «rumeur» (1583), a succédé à *bruire* pour «faire connaître (ce qui était caché)» et, par extension, «répandre, raconter». ◇ Le substantif d'action **ÉBRUITEMENT** n. m. est plus tardif (1857). ◆ Le verbe simple **BRUITER** v., apparu au XIXe s. (1834) comme un néologisme isolé, s'est spécialisé au XXe s. pour «produire des bruits imitant ceux de la vie, au théâtre, au cinéma, à la radio» (v. 1950). ◇ En ce sens, il est surtout représenté par ses dérivés **BRUITEUR** n. m. (1923) «spécialiste du bruitage» et **BRUITAGE** n. m. (1946). ➡ **BRUITAL, ALE, AUX** adj. (v. 1950) est un mot didactique récent pour qualifier ce qui est formé de bruits.

BRUYANT, ANTE adj., participe présent de *bruire,* écrit *bruiant* (1165-1170) jusqu'au XVIIIe s., et *bruyant* à partir du XVIe s. (1546), est employé adjectivement, qualifiant ce qui fait du bruit, la personne qui fait du bruit (1546) et, par métonymie, un endroit où il y a beaucoup de bruit (1740). ◇ Son dérivé **BRUYAMMENT** adv., d'abord écrit *bruiamment* (v. 1300, isolément) avec la variante *bruyantement* (XVIe s.) avant la forme actuelle (1787), est usuel aux sens courants de *bruyant.* ➡ Quant à **BRUYANCE** n. f., après une attestation isolée (*bruiance,* 1210-1240), il a été repris par les Goncourt (1867) comme synonyme recherché et péjoratif de *bruit.*

Le remplacement progressif des anciennes formes de l'imparfait et du participe présent en *bruy-* par des formes en *bruiss-* explique la formation de **BRUISSANT, ANTE** comme participe présent de *bruire.* Adjectivé, il a signifié *bruyant* puis, d'après l'évolution de *bruire,* «qui produit un bruit léger» (souvent assez prolongé). ◇ Il a produit à son tour le substantif d'action **BRUISSEMENT** n. m. (1495) «bruit», puis «bruit léger», suivant l'évolution de *bruire.* ➡ Des synonymes de *bruire* ont été formés à la fin du XIXe s. : **BRUISSER** v. intr. (1894) «produire un bruissement», assez littéraire, et, avec une valeur affaiblie, **BRUISSAILLER** v. intr. (1898), très rare.

BRUANT n. m. (1553) est, comme l'indique une forme antérieure *bruyan* (1370-1371), la substantivation du participe présent de *bruire* «faire du bruit» pour désigner un petit passereau nichant à terre ou près du sol. On rencontre encore quelquefois la variante dialectale *bréant* (1564). Ce mot est complétement démotivé.

BRÛLER v., d'abord *bruller* (v. 1120), est d'origine incertaine. La seconde partie du verbe représente l'ancien français *usler, uiller* (v. 1121), issu du latin *ustulare,* dérivé de *urere* «consumer par le feu». Ce verbe, peu représenté dans les langues romanes, répond au grec *euein* et au sanskrit *ósami* «je brûle». Le *br-* initial est très controversé : selon les uns, le mot français serait issu du croisement entre *usler* et l'ancien français *bruir* «brûler», d'origine francique (→ brouir). De son côté, le *br-* des formes italiennes *brustolare, abbrustolire,* etc. serait dû à un croisement avec une base méditerranéenne °*brusa* dont est issu le verbe italien *brucare* «brûler», par l'intermédiaire d'un latin populaire °*brusiare.* Selon une autre hypothèse, moins probable, le *br-* de *brûler* et celui des formes italiennes sont de même origine et on a évoqué un gaulois latinisé en °*brusiare* «brûler», très douteux faute de correspondant dans les langues celtiques. ◇ Le type latin °*bustulare,* tiré de °*combustulare,* lui-même issu par changement de préfixe de *ambustulare,* compris comme *am-bustulare* (→ buste), a le mérite de faire appel à un procédé de formation bien attesté : c'est en effet sur *amburere,* formé avec *ambi-, amb-,* interprété à tort en *am-burere,* qu'ont été formés le latin *bustum* «bûcher» (→ buste) et *comburere* «brûler» (→ combustion). Cependant, le *-r-* fait difficulté (on devrait avoir °*bûler*) : on l'a expliqué par une influence du latin *bruscum* «nœud de l'érable» (mot étranger, peut-être celtique) peu justifiable du point de vue sémantique ; on l'a aussi considéré comme résultant du dédoublement du *-l-* de *bustulare* et transformation en *r,* comme dans *fronde.* ◇ Selon P. Guiraud, le rapport de *brûler* avec l'ancien français *usler* est secondaire : *brûler* remonterait au type °*bruscitulare,* également supposé par l'italien *brustolare,* diminutif d'un °*brusciare* «flamber avec de la bruyère», du bas latin *bruscus* «fragon épineux», «bruyère» (→ brusque). Cette hypothèse est compatible avec le principal sens ancien de *brûler* qui est «écobuer, brûler les herbes, les broussailles» (cf. ci-dessous *brûlis*) ; elle manifeste la relation entre «bruyère»/«brûler» que l'on a d'autre part dans le couple *brander* «flamboyer»/*brande* «bruyère», mais elle ne repose que sur des formes reconstituées *ad hoc.*

♦ Le verbe, employé transitivement, correspond à «détruire par le feu» *(brûler qqch.)* et, intransitivement, à «être détruit par le feu» (av. 1150). Comme transitif, avec un complément nom de personne ou de partie du corps, il équivaut à «tuer ou blesser par l'effet du feu, surtout au passif (voir ci-dessous *brûlé, brûlure*) et, par extension, à «endommager (les tissus vivants) par un acide, un produit caustique». ◇ Depuis le XIIe s., il a acquis des valeurs métaphoriques ou figurées dans lesquelles le lien avec l'idée de feu s'est relâché. Dès l'ancien français, le verbe est employé par image (1200-1225) et aux sens de «dessécher» (v. 1180) et «produire une sensation ou un effet comparable à ceux du feu». Il renvoie à un état de chaleur extrême (1539) et, au figuré, à l'emprise d'un sentiment intense (1538), en particulier l'amour, le désir, l'impatience. ◇ À partir du XVIIe s., *brûler* est attesté avec le sens particulier de «consumer (une chose) par l'action du feu pour en tirer du chauffage ou de l'éclairage» (1636). Il s'emploie aussi avec une valeur symbolique issue des cultes religieux, en langue classique dans la locution *brûler de l'encens devant qqn* «l'aduler» (XVIIe s.), de nos jours dans la locution ***brûler un cierge pour qqn*** «faire une prière, des vœux pour lui». ◇ Ultérieurement, avec un nom de personne pour sujet, il acquiert plusieurs sens figurés : par référence à la rapidité du feu, il exprime l'idée de «passer sans s'arrêter à un point prévu» (1710), aujourd'hui fréquent dans ***brûler un feu rouge*** et, par métaphore, dans ***brûler les étapes, brûler la politesse.*** De là, en argot ancien, le sens de «laisser impayé» (av. 1789). La locution métaphorique ***brûler la chandelle par les deux bouts*** (1611) correspond à l'idée de dépense excessive, de surmenage, et ***brûler les planches*** «produire un effet très puissant (d'un acteur)» induit l'idée de fougue. ◇ De là viennent des emplois figurés pour «surmener» et, intransitivement, pour «se consumer». ◇ Au XIXe s., *brûler* prend le sens d'«être tout près du but» dans le contexte de certains jeux ou devinettes (1829) où le froid symbolise l'échec, et la chaleur la réussite. ➡ L'effet du feu induit le sens figuré de «démasquer, perdre, discréditer (qqn)» (1828-1829, Vidocq) et, par utilisation de la métaphore de l'arme à *feu,* le sens familier de «tuer avec une arme à feu» (1884, Maupassant), lequel a vieilli en dehors de la locution ***(se) brûler la cervelle.***

▸ **BRÛLEMENT** n. m., réfection (*brusl,* 1587) de *bruillement* (v. 1120) substantif d'action de *brûler,* demeure rare ; il est plus fréquent avec le sens métonymique de «sensation d'échauffement» (1837). ◆ **BRÛLIS** n. m., d'abord *bruelleïz* (v. 1170), désigne le défrichement par le feu et, par métonymie, l'étendue ainsi traitée. ◆ **BRÛLURE** n. f., d'abord *bruilëure* (v. 1220), *brusleure* (1538), *bruslure* (1561), exprime la détérioration causée par le feu à un objet ou à une substance et surtout la lésion causée à la peau ou à un organe par le feu et analogiquement par une substance caustique. Depuis le XVIe s. (1539), il exprime aussi une sensation de chaleur intense. ◇ Un emploi abstrait, au sens de «ravage, sensation vive et pénible» (1561), fait pendant à l'emploi correspondant du verbe. ◆ **BRÛLEUR, EUSE** n. (XIIIe s.) désigne la personne qui met le feu, le plus souvent avec un complément introduit par *de* (v. 1380). Ce sens tend à disparaître, y compris dans ses emplois figurés comme *brûleur de maisons* «vagabond» (1552), *brûleur de planches* «comédien au jeu fougueux», qui a vieilli, alors que *brûler les planches* est resté en usage. ◇ Le mot est passé dans l'usage technique au XVIIe s. comme désignation de l'ouvrier qui distille une matière (1666), sens archaïque. ◇ Il a été repris au XIXe s. pour désigner un appareil servant à brûler le gaz d'éclairage ou de chauffage (1853), ou réglant les proportions d'air et de combustible fluide avant leur entrée dans la chaudière. ◆ **BRÛLERIE** n. f., d'abord *brullerie* (1417), ne s'est pas imposé comme le substantif d'action de *brûler.* Par métonymie, c'est le nom d'un atelier de distillerie d'eau-de-vie (1783) et surtout, en français contemporain, de torréfaction du café. ◆ **BRÛLABLE** adj. (1547) assume une double valeur : «qui mérite d'être brûlé», surtout en parlant de choses de l'esprit, et, plus fréquemment, «qui peut être brûlé» (1557). ◆ **BRÛLAGE** n. m. (fin XVIe s.), substantif d'action de *brûler,* est rare avant le XIXe s. où il se répand dans des acceptions techniques, en agriculture (1836) où il est synonyme de *brûlis,* en chirurgie, en coiffure, en peinture. ◆ **BRÛLOIR** n. m. (1784) est créé avec le sens concret de «réchaud pour griller le café», avant de se dire aussi d'autres appareils et de désigner un local aménagé pour la distillation (1843), en concurrence avec *brûlerie.*

BRÛLOT n. m. (1627) a désigné aux XVIIe et XVIIIe s. un petit navire chargé de matières inflammables ou explosives destiné à enflammer un bâtiment ennemi. ◇ L'usage moderne ne le connaît plus qu'en emploi métaphorique ou figuré (1740). ◇ Quelques sens concrets sont en usage : au Canada, où le mot désigne un petit moustique dont la piqûre donne une sensation de brûlure (1696). En cuisine, *brûlot* dénomme une eau-de-vie sucrée et flambée destinée à relever un plat (1810), un mets très épicé (1719), sens archaïque. ◇ *Brûlot* sert aussi de dénomination familière pour la pipe (1845).

À BRÛLE-POURPOINT loc. adv. est composé (1648) de la forme verbale *brûle* et de *pourpoint**. ◇ La locution signifie d'abord concrètement «tout près, de manière à brûler le pourpoint», dans le contexte d'un duel au pistolet. ◇ Dès le XVIIe s., cette valeur spatiale a disparu, au profit de la valeur temporelle, «brusquement, sans préparation» à propos d'un échange verbal (1688), puis dans un contexte quelconque (av. 1755).

À partir du XVIIIe s., la dérivation de *brûler* consiste essentiellement en mots composés avec l'élément verbal *brûle-* et désignant des objets. ◆ **BRÛLE-GUEULE** n. m. «pipe à tuyau très court» (1735) a d'abord eu cours dans le langage populaire et poissard, il est aujourd'hui descriptif et plus neutre. ◇ Formés après **BRÛLE-PARFUM(S)** n. m. (1785) demeuré assez courant, **BRÛLE-TOUT** n. m. (1822) et son synonyme **BRÛLE-BOUT** n. m. (1852) désignaient des bougeoirs permettant de consumer entièrement la bougie.

La dérivation de *brûler* est complétée par les adjectifs tirés de ses participes passé et présent. ◆ **BRÛLÉ, ÉE** a dû être adjectivé tôt et a les mêmes valeurs que le verbe. Il a été substantivé pour «odeur de ce qui a brûlé» *(ça sent le brûlé).* ◇ *Un, une brûlé(e)* désigne une personne victime de brûlures graves. ◆ **BRÛLANT, ANTE** adj. (XIIe s.) s'est employé (encore au XVIIe s.) pour «enflammé, embrasé». ◇ Au figuré, il se dit pour «ardent, passionné», souvent dans des contextes métaphoriques. Au concret, l'adjectif s'emploie pour «très chaud, assez chaud pour brûler» et se dit aussi de l'atmosphère. Au figuré, *une question brûlante, un terrain brûlant* évoquent ce qui soulève les passions, peut causer les conflits et qu'il est prudent d'éviter.

◈ voir **BUSTE, COMBUSTION.**

BRUME n. f. est emprunté (1265) au latin *bruma,* «jour de l'année le plus court du solstice d'hiver» d'où «solstice d'hiver», employé par métonymie dans la langue poétique pour désigner la saison froide (l'hiver), quelquefois l'année. *Bruma* est probablement le féminin substantivé d'un ancien superlatif de *brevis* (→ bref), °*brevimus,* comme l'induit le commentaire de Varron (*dicta bruma quod brevissimus tunc dies est* «appelée la brume parce que le jour est alors le plus court»). Étant donné la grande rareté du mot dans le domaine d'oïl, l'intermédiaire de l'ancien provençal *bruma* (XIIIe s.) est très possible.

♦ Le mot a été repris au latin comme désignation de la période des jours les plus courts, c'est-à-dire l'hiver, sens concurrencé, puis éliminé par *hiver.* ◇ L'accent mis sur une caractéristique météorologique explique le glissement vers le sens de «brouillard de mer» (1562). Cet emploi en marine se répand à la fin du XVIIe s. (*in* Furetière, 1701). ◇ Par extension, le mot entre dans l'usage général à propos d'une vapeur formée par les fines gouttelettes au-dessus des eaux (1752) et un voile de brouillard peu épais. ◇ Il développe le sens métaphorique ou figuré de «ce qui empêche de voir clair» dans le domaine de la vue et de l'intellection (apr. 1850).

▸ **EMBRUMER** v. tr. apparaît sous la forme du participe passé *embrumé* avec le sens propre de «couvert de brume» (1298). ◇ Au XIXe s., il commence à s'employer au figuré pour «attrister, assombrir»

(1837) et «rendre la vue, la compréhension confuse» (1867). ◆ Ses dérivés **EMBRUMAILLER** v. tr. (1929) et **EMBRUMEMENT** n. m. (1961) se sont peu répandus.

Brume ne produit aucun dérivé durable avant le XVIIIe s., époque où le mot est devenu courant. ◆ **BRUMEUX, EUSE** adj. (1787) s'emploie au propre et au figuré (1850). ◇ Le dérivé **BRUMEUSEMENT** adv. est rare. Gracq l'emploie au figuré (1945). ◆ **BRUMAIRE** n. m. (1793) a été créé par Fabre d'Églantine (1793) avec les noms des autres mois du calendrier révolutionnaire. Grâce à la date célèbre du *18 Brumaire,* le mot est resté dans l'usage des historiens. ◆ **BRUMASSER** v. intr. et impersonnel «faire de la brume» (1837) semble directement dérivé de *brume.* ◇ **BRUMASSE** n. f., attesté récemment (1943), en est probablement le déverbal, de structure analogue à celle de *brouillasse.* ◆ **BRUMER** v. (1867) s'emploie en tournure impersonnelle *(il brume)* et, absolument, pour «faire de la brume» (un emploi métaphorique est relevé chez Proust, 1896). ◆ **BRUMAILLE** n. f., «brume légère» en général et en marine, est enregistré par Pierre Larousse en 1866. ◆ **BRUMISATEUR** n. m. et **BRUMISATION** n. f. (1970), nom d'instrument et nom d'action, concernent une technique créant de la brume artificielle, utilisée en esthétique et en dermatologie.

◈ voir BREF, BRIMER, EMBRUN.

BRUN, BRUNE adj. est issu (1080) du latin médiéval *brunus,* attesté au VIe s. chez Isidore de Séville, et au VIIIe s. dans les *Gloses de Reichenau.* C'est la latinisation d'un mot germanique, *°brūn,* probablement introduit dans la Romania par les mercenaires germaniques avec d'autres noms de couleur (cf. *blanc, bleu*), peut-être comme épithète de la robe du cheval. Le mot *°brūn* est reconstitué par l'ancien haut allemand, l'ancien saxon, l'ancien frison *brun* (d'où l'allemand *braun,* l'anglais *brown*), le moyen néerlandais *bruun* (néerlandais *bruin*), l'ancien norrois *brunn.* Tous ces mots remontent au germanique commun *°brunaz* qui signifie également «brillant, en parlant des armes», et qui a été emprunté par le lituanien *brúnas,* en slave par le tchèque *bruný,* le serbe *brun.* Une origine indoeuropéenne commune rend compte du russe dialectal *brynét', brunét',* qualifiant une chose qui a des reflets blancs, jaunâtres, grisâtres, ainsi que du grec *phrunê, phrunos* désignant le crapaud (littéralement : «le brun»). La racine indoeuropéenne *°bher-* «clair, brun», dont procèdent tous ces mots, se retrouve avec duplication dans le sanskrit *babhrús* «brun-fauve». En allemand et en anglais, les noms de l'ours *(Bären, bear)* et du castor *(Bibers, beaver)* sont des emplois substantivés de l'adjectif indoeuropéen signifiant «brun». En français même, *Brun* est le nom propre de l'ours dans le *Roman de Renart.*

♦ Le double sens de l'étymon germanique est passé en ancien français, avant de se résoudre au profit de l'épithète de couleur. L'autre valeur, «luisant, poli», appliquée aux métaux et aux armes (1080), pourrait avoir été transmise par les Normands, car elle existe en ancien norrois et en anglo-saxon ; en effet, les Scandinaves étaient des spécialistes des armes et de leur polissage. Ce sens est sorti d'usage dès le moyen âge, mais survit dans une série de dérivés techniques (cf. *brunissage,* etc.). ◆ Le sens dominant de «sombre, d'une couleur entre le roux et le noir» est lui aussi ancien (1080). La nuance de «sombre, obscur», qualifiant la nuit, la mer, une pièce (v. 1165), est sortie d'usage au XVIIe s. mais survit dans certains dérivés archaïques ou régionaux. ◆ La transposition au sens figuré de «triste, malheureux» (v. 1165), cohérente dans la description traditionnelle du mélancolique (cf. *mélancolique, noir, sombre*), est sortie d'usage depuis le XIXe s., mais a donné naissance à *rembrunir* (ci-dessous). ◆ **BRUN, BRUNE** n., substantivation de l'adjectif, désigne une personne qui a les cheveux bruns ou le teint brun *(un brun)* — d'où par plaisanterie *beau brun! —, une brune* (cf. *brunette*). ◇ *Le brun* désigne la couleur brune (1350-1375), en particulier le pigment de cette couleur utilisé en peinture (1502). ◇ Des emplois concrets, en parlant d'une bière, d'une cigarette, sont elliptiques et s'opposent à des emplois de *blond,* plus courants.

▶ **BRUNIR** v. apparaît dans *La Chanson de Roland* (1080) sous la forme du participe présent adjectivé *brunisant* «brillant, poli», sens de *brun* propre à l'ancien français. Le verbe n'a conservé que les valeurs dominantes de l'adjectif : «rendre brun» (1538) et «devenir brun» (1690). ◇ Cependant, le sens technique de «polir un métal» (1160), encore vivant, surtout au participe passé *(métal bruni)* et dans les dérivés, conserve le sens ancien de l'adjectif, sans que celui-ci soit perçu par le locuteur moderne. ◆ Les dérivés se partagent en deux séries sémantiques : le sens général est réalisé dans l'adjectif **BRUNISSANT, ANTE,** et le substantif d'action **BRUNISSEMENT** n. m. qui a perdu le sens d'«action de polir les métaux» (1589) au XVIIIe s. et signifie seulement «fait de devenir brun» (1873). ◆ En revanche, **BRUNISSEUR, EUSE** n. (1313) et adj., **BRUNISSOIR** n. m. (1401), **BRUNISSURE** n. f. (1429) et **BRUNISSAGE** n. m. (1680) concernent l'opération du polissage des métaux, exclusivement pour la plupart et, dans le cas de *brunissure,* avec l'acception secondaire de «teinture en brun» (1723). Comme pour *brunir,* ces mots ne sont plus compris étymologiquement.

BRUNET, ETTE adj. et n., diminutif de *brun,* se reconnaît dans la forme altérée *burmète* (v. 1155) en emploi substantivé pour une étoffe très fine de couleur presque noire ; cette étoffe, en usage aux XIIe et XIIIe s., est appelée *brunette* en archéologie médiévale. ◇ L'adjectif est employé pour «un peu brun» (v. 1175), substantivé pour désigner, au féminin, une jeune fille dont les cheveux tirent sur le brun (v. 1175). Ce sens, devenu archaïque, est revenu par influence de l'anglais, qui l'avait emprunté au français. ◇ Il est possible que cet emploi soit à l'origine du sens de «romance» (1752 ; XVIIe s., selon *F. e. w.*), par allusion aux jeunes héroïnes brunes et mignonnes de ces romances. Cet emploi a disparu. ◆ Le sens ancien de «sombre» s'est maintenu dans **BRUNE** n. f., emploi spécialisé de l'adjectif. Il semble que cette acception, très ancienne en argot (v. 1190, dans la locution *aller à la brune* «à la maraude»), soit ensuite passée dans l'usage général (v. 1450), surtout dans la locution ***à la brune*** (1643) qui a remplacé *sur la brune* (XVe s.). Elle est aujourd'hui régionale ou archaïque. ➜ **BRUNÂTRE** adj. (1557), formé sur *brun* adjectif avec le suffixe *-âtre,* qualifie ce qui tire sur le brun. ➜ La locution adverbiale ***à la* BRUNANTE** (1810), faite d'après le radical de *brunir* avec une terminaison analogique des participes présents, s'emploie au Canada pour servir de synonyme à *brune* «crépuscule». ◇ L'ancien français avait formé de la même façon *brunant, ante* «poli, luisant» (fin XIIe s.).

Le sens ancien de «sombre, mélancolique» se maintient dans **REMBRUNIR** v. tr. (1690), dérivé de *brun* par l'intermédiaire d'un ancien verbe *embrunir* (v. 1300) qui a lui-même coexisté avec *embruner* (v. 1167). ◇ Le verbe n'est plus usité au sens de «rendre sombre», mais *se rembrunir* reste vivant pour «prendre un air chagrin, s'attrister» (1768). ➜ En sont dérivés **REMBRUNISSEMENT** n. m. (1690) et un antonyme **SE DÉSEMBRUNIR** v. pron. «se rasséréner» (fin XIXe s.), peu usité.

BRUNCH n. m. est emprunté (v. 1970) à l'anglais des États-Unis *brunch,* mot-valise (1896) formé par l'amalgame de *breakfast* «petit déjeuner» (→ breakfast) et de *lunch* «déjeuner» (→ lunch) pour désigner un repas hybride servant à la fois de petit déjeuner et de déjeuner, consommé les jours de grasse matinée (dimanche, lendemain de fête). C'est devenu aux États-Unis la désignation d'un repas-buffet tenant lieu de lunch.

♦ Le mot, usuel en anglo-américain, a été acclimaté dans l'usage hôtelier francophone comme anglicisme de mode.

BRUSHING n. m. est emprunté (1966) à l'anglais *brushing,* mot qui signifie simplement «ébrossage» (1460) et plus souvent en anglais moderne, entre autres acceptions techniques, «nettoyage des haies». Le mot est le gérondif substantivé de *to brush* «brosser» (XVe s.), lequel est dérivé de *brush* «brosse» (XIVe s.), terme emprunté à l'ancien français *broisse, brosse**.

♦ Cet anglicisme désigne une technique de mise en plis des cheveux mouillés, coiffés à la brosse ronde tout en étant séchés au séchoir électrique. C'est un équivalent prétentieux de *brossage,* imposé par les coiffeurs.

BRUSQUE adj. est emprunté (1373) à l'italien *brusco,* substantif désignant une plante épineuse, le fragon, adjectivé au sens de «rude, non poli, âpre» à propos du vin (v. 1340) et au figuré (1300-1325). Ce mot est probablement issu, tout comme l'ancien provençal *brusc* «bruyère» (XIIe s.), du bas latin *bruscus* «fragon épineux», attesté dans les textes médiévaux (IXe s.). *Bruscus* serait issu du croisement du latin des gloses *brucus* (→ bruyère) et du latin *ruscum,* autre nom de plante ayant donné le provençal *rusc* «houx». L'hypothèse le faisant remonter à *bruscum* «nœud de l'érable», mot qui a donné *brosse**, paraît moins satisfaisante d'un point de vue sémantique mais n'est pas incompatible avec les développements de sens figurés de *brosse* et de *broussaille.*

♦ Le mot a qualifié un raisin ou un vin âpre, depuis le XIVe s. jusqu'au XVIIIe siècle. ➜ Son usage figuré pour «rapide et vif» date du XVIe s., caractérisant à la fois une personne (1549), une chose, un événement, un comportement. ◇ Cependant, sa valeur moderne s'est fixée au XVIIe s. en se dégageant de valeurs péjoratives et mélioratives comme «rude, étrange», «vif, gaillard» et «hardi, brave», courantes au XVIe siècle. Elle correspond à «rapide et sans précaution», d'une réaction, d'une personne, avec une connotation de légère rudesse.

▸ **BRUSQUEMENT** adv. (1534), qui correspond à l'italien *bruscamente* «de manière brutale» (av. 1304), sans qu'il y ait nécessairement influence de l'un sur l'autre, a eu la valeur plus générale de «rudement, grossièrement» au XVIe siècle. ◇ L'usage qui s'est imposé au XVIIe s. le fait caractériser des paroles ou un événement subit, imprévisible. ➜ **BRUSQUET, ETTE** adj. «un peu brusque» (1548), sorti d'usage à l'époque classique (absent des textes dépouillés entre 1611 et 1752), s'est surtout employé dans la locution, elle-même archaïque, *à brusquin brusquet* «à qui parle brusquement, il faut répondre encore plus brusquement»; *brusquin* y est la déformation de *brusque* ou *brusquet,* sur le modèle de locutions comme *à malin malin et demi.* ➜ **BRUSQUER** v. tr. (v. 1650) ne doit pas être identifié à son homonyme *brusquer* attesté au XVIe s. (1589, dans *brusquer la fortune* «tenter la fortune par des moyens prompts et hasardeux»), altération de *busquer**. Ce verbe est plus tardif (Bouhours, en 1692, le dit récent) et signifie «traiter (qqn) de manière rude et vive», puis «précipiter le cours des choses» (XIXe s.). Il a reçu une acception spéciale en peinture *(brusquer son trait)* et en tactique militaire. ◇ Le participe passé adjectivé **BRUSQUÉ, ÉE** se dit d'une action trop rapide, notamment en art militaire *(attaque brusquée).* ➜ **BRUSQUERIE** n. f. (1666) n'a d'abord eu que le sens d'«action, parole brusque, rude» *(une brusquerie),* avant de correspondre à «caractère de rudesse et de précipitation» *(la brusquerie).* ◇ Le mot s'est employé spécialement en critique artistique avec la nuance valorisante de «vigueur, énergie rude» (Chateaubriand, 1803).

BRUT, BRUTE adj. et adv. est emprunté (fin XIIIe-déb. XIVe s.) au latin *brutus* «lourd, pesant», d'abord et le plus souvent employé au figuré à propos d'un homme stupide, d'un animal, et devenu synonyme de *rudis* (→ rude) et de *incultus* (→ inculte) en latin médiéval. *Brutus* est un mot populaire, sans doute d'origine osque, et que l'on peut rapprocher du groupe latin de *gravis* (→ grave) et d'un mot balte. L'apparition relativement tardive du mot en français rend l'hypothèse d'un emprunt au latin classique préférable à celle d'un mot hérité du type °*bruttus,* altération de *brutus* par gémination expressive, supposé par l'italien *brutto* (alors que l'espagnol, le portugais *brutio* sont aussi des emprunts).

♦ Le sens initial, «qui représente un état primitif, peu évolué», qualifiant un nom de chose, est sorti d'usage; en sciences, *corps bruts* désignait les minéraux par opposition aux corps organisés (végétaux, animaux). ◇ Ce sens a lui aussi disparu au profit de l'acception voisine, «qui n'a pas été façonné ou élaboré par l'homme» (1416), notamment en parlant d'un produit de la nature, d'une pierre précieuse (*diamant brut*, d'où les dérivés techniques ci-dessous) et, sur un plan abstrait, dans les domaines intellectuel, économique (1751, par opposition à *net*) et artistique (***art brut***, 1944, répandu par J. Dubuffet). ◇ Par extension, le mot qualifie également un produit (vin, métal) qui résulte d'une première élaboration avant d'autres transformations (1751), et spécialement un vin non sucré (*champagne brut*, renforcé par *brut de brut*). D'un emploi en technique *(métal brut de fonderie, béton brut de décoffrage)* est issue une valeur figurée récente, pour «à l'état de projet, de brouillon».

▶ **BRUTE** n. f., d'abord substantivé au masculin sous la forme *brut* (1547) et la forme *brute* aux deux genres (1550-1560), puis au féminin *une brute* (1669), d'abord synonyme de *animal, bête*, désigne littéralement l'animal dans ce qu'il a de plus bas, de plus primitif. ◇ Par métaphore, il se dit de l'homme dans ce qu'il a de sauvage et de primitif *(brute ancestrale)*, emploi archaïque. ◇ De là, il se répand dans l'usage moderne à propos d'une personne grossière sans intelligence ni culture, guidée par ses instincts, en emploi autonome et dans les locutions ***dormir comme une brute, travailler comme une brute*** (cf. *bête*). Une autre valeur usuelle intègre le sens de *brutal*. ➜ **BRUTAGE** n. m. et **BRUTEUR** n. m. (XXe s.) sont des créations tardives, concernant l'opération consistant à dégrossir un diamant brut et l'ouvrier qui en est chargé.

BRUTAL, ALE, AUX adj. est emprunté (XIVe s.) au dérivé latin médiéval *brutalis*, dérivé de *brutus*, employé pour qualifier une personne qui est de la nature de la brute (XIe-XIIe s.) puis un inanimé (1243-1248). ◇ Le lien sémantique avec la notion d'animal, très actif à l'origine et appuyé par l'emploi substantivé de *un brutal* pour «un animal», s'affaiblit progressivement à partir du XVIIe siècle. Le mot met alors l'accent sur les caractéristiques de soudaineté, rudesse, violence, qualifiant une personne et, par métonymie, son comportement (1668), un acte. ◇ Avec une idée temporelle, *brutal* se dit de ce qui est inattendu, imprévisible. ◇ Il est substantivé à propos d'une personne violente, grossière, surtout au masculin (1672). ◇ Le nom a servi de dénomination familière pour le canon (1744) et l'eau-de-vie ou le vin ordinaire en argot (XIXe s.). ➜ Le dérivé **BRUTALEMENT** adv. (1428) correspond pour le sens à l'adjectif, de même que **BRUTALITÉ** n. f. (1539), employé à propos du caractère d'une personne, d'un inanimé (1659) et d'un acte *(une, des brutalités)* [1669]. ➜ **BRUTALISER** v. tr., outre la forme participiale *brutalisé* au sens de «rendu sauvage, bestial» (1572), s'est d'abord employé à la forme pronominale *se brutaliser* «devenir semblable à une brute» (1584), acceptions disparues. ◇ Le verbe a été repris (1794) comme transitif au sens de «traiter de façon brutale», encore usuel. ➜ D'après certains emplois de *brut, brute* et de *brutal* réalisant un retournement de la valeur péjorative de ces mots en valeur esthétique, on a formé **BRUTALISME** n. m. (1879) à propos d'une école littéraire prônant un réalisme très cru. ◇ Un siècle plus tard (v. 1965), les architectes ont réemprunté le mot à l'anglais *brutalism* (P. et A. Smithson), dérivé de brutal, en parlant d'un mouvement architectural strictement fonctionnaliste. Cet emploi est attribué par certains à un jeu de mots sur les noms des principaux animateurs du mouvement (Peter Smithson, dit *Brutus*, et sa femme Alison), par les autres à une formule de Le Corbusier préconisant le béton *brut* pour la cité radieuse de Marseille. ➜ **BRUTALISTE** n. et adj. désigne (1874) et qualifie (1892) celui ou ce qui se réclame du brutalisme en littérature. Il a été repris en architecture.

ABRUTIR v. tr., entré dans la langue au XVIe s., se rencontre dès les premiers textes (Calvin) avec les sens de «rendre (l'homme) semblable à la bête» et de «rendre lourd, épais» *(abrutir les sens)*. À la fin du XVIIe s. apparaît la forme pronominale *s'abrutir* et, seulement au début du XIXe s., l'emploi absolu (Mme de Staël). ◇ Au cours des siècles, de manière plus sensible que dans l'évolution de *brute*, le rapport avec l'animal s'estompe, de sorte qu'en français contemporain, le verbe ne suggère que certaines caractéristiques prêtées à la bête brute, hébétude, engourdissement de l'intelligence et des sens. L'allusion au substantif *une brute* est exceptionnelle : elle procède soit d'un archaïsme, soit d'une réactivation stylistique du sens étymologique. ➜ Le verbe a de nombreux dérivés. **ABRUTISSEMENT** n. m. (1588) et **ABRUTISSANT, ANTE** adj. (fin XVIIe s.) sont usuels. ◇ Plus rares, **ABRUTISSEUR, EUSE** n. (XVIIIe s.), quelquefois pris adjectivement (1842), et **ABRUTISSOIR** n. m., mot d'auteur des Goncourt (1864) analogue à *assommoir*, ont été formés sur le thème du participe présent d'*abrutir* et ont connu le même type d'évolution. ➜ Le participe passé **ABRUTI, IE**, adjectivé et substantivé (*in* Bescherelle, 1845), considéré comme familier et injurieux, est d'une grande vitalité en emploi exclamatif et comme injure *(espèce d'abruti !, bande d'abrutis !)*.

BRUYANT → BRUIRE

BRUYÈRE n. f. est issu (1174) d'un latin populaire °*brucaria*, dérivé du latin médiéval *brucus* désignant la plante et attesté dans une glose du Xe siècle. Ce mot serait issu du gaulois °*bruco*, restitué d'après l'ancien irlandais *froech*, le cymrique *grug*, le cornique *grig*, le breton *brug*, toutes formes remontant à un étymon celtique °*vroikos*. Des représentants de *brucus* survivent dans les parlers méridionaux, par exemple *bruga* qui désigne un taillis de bruyère en Gascogne. ◈

♦ Le mot a désigné proprement le terrain où poussent des plantes à petites fleurs rouge violacé. Ce sens, toujours vivant, a été supplanté dans l'usage courant par son extension métonymique comme nom de la plante (v. 1180), par un développement comparable à celui de *fougère**. ◇ À son tour, le nom de la plante désigne par métonymie la racine et, de nouveau, un lieu planté de bruyères dans ***terre de bruyère*** (1835), ***coq de bruyère***.

▶ **BRUYÉREUX, EUSE** adj. (1803) est peu employé.

◈ voir **BRUSQUE**.

BRY-, BRYO- est l'élément tiré du grec *bruon* «mousse», ou du latin *bryon* emprunté au grec. *Bruon*, terme de botanique également appliqué à des fleurs disposées en chaton et à divers végétaux, notamment certaines algues, est dérivé du verbe *bruein* «foisonner, se gonfler», enmployé notamment pour des plantes. Ce verbe n'a pas d'étymologie établie.

► L'élément est productif en botanique dans le cadre de la **BRYOLOGIE** n. f. (1838) ou «étude des mousses». ◇ Il entre dans **BRYOLOGIQUE** adj. (1838), **BRYOLOGUE** n. (v. 1850), et quelques noms de plantes comme **BRYACÉES** n. f. pl. (1845) et **BRYOPHYTES** n. f. pl. (1924). ◆ Dès le XVIe s., le mot gréco-latin a été emprunté sous la forme **BRYON** n. m. (1562, *brion*), également latinisé en *bryum* (1741), «plante cryptogame, mousse croissante surtout sur l'écorce des arbres».

BUANDERIE n. f. → **BUÉE**

BUBON n. m. est emprunté (1314) au latin médiéval *bubo, -onis* «tumeur» (VIIe s.), emprunt au grec *boubôn* «aine» et «pubis», employé par métonymie dès Hippocrate (Ve s. av. J.-C.) pour désigner les glandes de l'aine, puis ces glandes tuméfiées de manière pathologique. Ce mot est d'étymologie douteuse : on a rapproché depuis longtemps le sanskrit *gavīnī* «aines, bas-ventre» dont la structure est assez différente ; le rapprochement fait avec *bounos* «colline», lui-même d'origine inconnue, semble indiquer dès l'origine l'idée de tumeur.

♦ Le mot a été repris en pathologie, désignant une adénite inguinale, puis encore, de nos jours, la tuméfaction des ganglions lymphatiques.

► *Bubon* a servi à former **BUBONIQUE** adj. (1892), d'usage didactique, surtout employé dans ***peste bubonique***, et **BUBONEUX, EUSE** adj., d'usage littéraire pour qualifier ce qui est couvert de bubons. ◆ **BUBE** n. f., nom archaïque pour le bouton, le bubon (v. 1230), est emprunté au bas latin *bubo*. ◆ Le dérivé **BUBELETTE** n. f. (1542, Rabelais) «petite pustule», repris par Gautier, est une curiosité littéraire.

BUCCAL, ALE, AUX adj. a été dérivé savamment (1735) du latin *bucca* (→ bouche) pour servir d'adjectif à *bouche*.

► *Bucca* a aussi servi à former l'élément **BUCCO-** dans des composés savants, tels que **BUCCO-DENTAIRE** adj. (XXe s.), **BUCCO-GÉNITAL, ALE, AUX** adj. (XXe s.).

BUCCIN n. m. est emprunté (1372) au latin *buccina*, altération d'après *bucca* (→ bouche) de *bucina* «trompette», mot italique.

♦ Le mot désigne la trompette des anciens Romains, puis, d'après un sens figuré du latin *bucinum*, de *bucina*, un gros mollusque gastéropode marin et sa coquille. Dans ce sens, il s'est écrit *buxine* 1563, puis *buccine* 1698 avant *buccin* (1733).

► **BUCCINATEUR** n. m. et adj., emprunté (1549) au dérivé latin *buccinator* du verbe *buccinare* «sonner de la trompette», a été introduit au sens figuré de «panégyriste», rapidement disparu. Il désigne le joueur de buccin et, repris en médecine (1654), qualifie un muscle de la joue qui permet de tirer en arrière les commissures labiales comme pour jouer de la trompette.

L'ancien français *buisine* (v. 1080), qui représentait la forme évoluée du latin *bucina*, a lui-même été graphié *bouzine* au XVIe siècle. Le mot est sorti d'usage, mais est revenu sous la double forme **BOUSINE, BOUZINE** n. f. au XXe s. : il est alors repris au normand avec le sens de «cornemuse» (1939) et correspond à «instrument criard, machine bruyante».

✻ **BÛCHE** n. f., d'abord *busche* (v. 1130-1160), puis *buche* (1549), l'accent circonflexe étant attesté en 1669, est issu d'un latin populaire *°buska* «bois, bosquet», neutre pluriel à valeur collective devenu féminin singulier de *°buskum*. Ce mot remonterait à un germanique occidental *°busk* «baguette», considéré par Braune comme une forme de *°bosk* (→ bois). P. Guiraud rattacherait plutôt les deux familles de *bois** et de *bûche* au latin *buxus* (→ buis) par l'intermédiaire d'un adjectif roman *°buxicus*, doublet de l'adjectif classique *buxeus* «de buis». *Buska* est attesté dans le domaine gallo-roman au XIe s. au sens de «bois de chauffage».

♦ Le mot, qui a dû avoir la même valeur, «petit bois», que *bosquet* en ancien français (voir ci-dessous les dérivés), n'est attesté que pour désigner un morceau de bois de chauffage de grosseur variable. ***Bûche de Noël*** se dit du gros morceau de bois que l'on faisait traditionnellement brûler tout au long de la nuit de Noël (1690), puis d'une pâtisserie en forme de bûche consommée à cette période de l'année (v. 1920). ◇ L'ancien sens de «fétu, paille de bois», employé dans le style biblique à propos d'un corps étranger dans l'œil (1195), a été remplacé par *poutre*. ◆ *Bûche* désigne familièrement, au figuré, une personne à l'esprit lourd, inerte (1640) ; ce sens doit venir de locutions comparatives du type *ne se remuer pas plus qu'une bûche* (1690), *avoir la tête dure comme une bûche*. ◇ Le mot a aussi quelques sens analogiques : *bûche économique* (1845) désignait un combustible aggloméré ; *bûche* se dit encore de fragments infumables dans le tabac (1867). ◇ La locution familière ***ramasser une bûche*** «tomber» (1895), qui succède à la variante *aller à la bûche* (1875), est mal expliquée : elle fait peut-être allusion à l'attitude penchée du bûcheron lorsqu'il ramasse le bois ; elle est également courante avec la valeur figurée d'«échouer».

► Plusieurs dérivés préfixés montrent que *bûche* a bien eu le sens de «bois, bosquet» en ancien français. ◆ L'existence précoce de **DÉBUCHER** v. (v. 1130) au sens de «sortir d'une cachette» semble indiquer, malgré le manque d'attestation dans les textes, que *buche* désignait un bois. ◇ Le verbe, en construction intransitive et transitive (1200-1250), s'est maintenu en vénerie en parlant de l'animal qui sort de l'abri que forme le bois (1205-1250) et transitivement du chasseur qui l'en fait sortir (1636), alors comme synonyme de *débusquer*. ◆ L'infinitif a été substantivé (1740), concurrencé par l'emploi substantivé du participe passé **DÉBU-**

CHÉ *(au débucher, au débuché).* ◆ Depuis le XVIe s., *débucher* est doublé par **DÉBUSQUER** v., d'abord *desbuquer* (1556), refait sur le modèle de *embusquer.* ◇ La nouvelle forme, d'abord employée en vénerie, s'est répandue dans l'usage général pour «trouver, découvrir (une personne qui se cache)», au propre et au figuré (1640), aussi à propos de choses *(débusquer des erreurs dans un texte).* ◇ La plupart des dictionnaires attestent un substantif d'action **DÉBUSQUEMENT** n. m., rare.

L'ancien verbe **EMBÛCHER**, d'abord *esbuchier, embuschier* (v. 1150), «se tapir pour guetter» et, transitivement, «poster (qqn) aux aguets», procède lui aussi de l'ancien sens de *bûche* «bois». ◇ À la différence de *débucher,* ce verbe ne s'est maintenu que dans l'usage régional, en parlant d'une bête qui se réfugie dans un bois (A. Daudet, 1890), et à travers son dérivé. ◆ Celui-ci, **EMBÛCHE** n. f. (XIIIe s., *embusche*), a désigné une manœuvre de surprise et, par métonymie, l'endroit où on la dresse, remplaçant l'ancien français *embuschement* n. m. (v. 1155), disparu au XIVe siècle. Dans ce sens, il est remplacé par *embuscade* (ci-dessous). ◇ Ses valeurs figurées pour «stratagème déloyal pour compromettre qqn» (v. 1460), en religion «tentation du démon» (XVIe s.), sont encore vivantes. L'usage du mot s'est accru avec une valeur assez récente (1919), «difficulté, obstacle compromettant le succès d'une entreprise». Ces valeurs l'ont emporté sur les sens concrets de «cachette» (XVe s.), «buisson où la bête sauvage fait sa retraite» (1636), aujourd'hui disparus.

L'ancien français *buscier* (fin XIIe s.), qui correspond à *bosquet,* a précédé, dans le sens attesté de *bûche,* le mot moderne *bûcher* (ci-dessous). Au sens de *bûche* «morceau de bois», correspondent plusieurs dérivés suffixés. ◆ ① **BÛCHER** n. m., d'abord *buchier* (fin XIIIe s.), a d'abord la valeur collective de «tas de bois» d'où sont venus les sens modernes; par spécialisation, le mot désigne une pile de bois sur laquelle on fait brûler les cadavres et les suppliciés (av. 1630); par métonymie, il a pris le sens de «remise où l'on entrepose le bois de chauffage» (av. 1544). ◆ **BÛCHETTE** n. f., réfection (v. 1372) de *busquete* (v. 1200), *buschete* (1223), désigne un petit morceau de bois sec utilisé pour allumer ou alimenter le feu. Cf. le sens initial d'*allumette.* À la différence de *bûche,* qui n'a pas conservé le sens de «petit copeau», *bûchette* désigne couramment un petit bâtonnet de bois, autrefois dans le contexte du jeu de la courte paille (v. 1400), puis pour apprendre à compter.

② **BÛCHER** v. tr., d'abord *buskier* (1200-1206), *buscher* (1360-1370), a eu aux XIIIe et XIVe s. le sens de «frapper à la porte»; par extension, il s'est dit en général pour «frapper, heurter» (av. 1203), sens conservé régionalement et réactivé au XVIIIe s. dans l'emploi populaire pour «rosser» (v. 1790), à la forme pronominale *se bûcher* (1808), emploi aujourd'hui vieilli. ◇ L'usage moderne technique a retenu le sens propre de «travailler (le bois) à la hache» (1360), avec une transposition dans le travail de la pierre (1867). C'est de ces emplois que procède le sens figuré et familier de «travailler avec acharnement» (1852), concurrencé par *bosser* (cf. ci-dessous *bûcheur*). ◆ **BÛCHAGE** n. m. (1853) exprime l'action de couper du bois et, au figuré (1875), mais assez rarement, le fait de travailler d'arrache-pied. ◆ **BÛCHEUR, EUSE** adj. et n. (av. 1866) n'est connu qu'avec le sens figuré de «personne travaillant dur».

L'ancien français *embuscher, embuschier* v. tr. a disparu avant le XVIe s. où il a été refait d'après l'italien en *embusquer**.

◈ voir BUSC, EMBUSQUER (et EMBUSCADE).

BÛCHERON, ONNE n. est la réfection en *buscheron* (1550), puis *bûcheron* (1555, *bucheron*), sous l'influence de *bûche**, de l'ancien français *boscheron* (XIIIe s.) dérivé de *bosc, bois** avec le suffixe *-eron.*

♦ Le mot désigne la personne dont le métier est d'abattre et de débiter les arbres dans la forêt (le féminin *bûcheronne* est enregistré en 1690). Le contexte traditionnel de l'abattage des arbres à la hache a cédé la place au XXe s. à celui de l'abattage à la machine, au traitement (écorçage, etc.) et au transport mécanisés, donnant une image assez différente de la profession.

▸ **BÛCHERONNER** v. intr. (1587), «abattre des arbres, faire le travail du bûcheron», est archaïque ou encore régional, technique. ◆ Son dérivé **BÛCHERONNAGE** n. m., seulement attesté en 1947, est lui aussi technique.

BUCOLIQUE adj. et n. est emprunté (v. 1271) au latin *bucolicus* «qui concerne les bœufs ou les pâtres», spécialisé en poésie pour qualifier un poème pastoral (Ovide) et un type de césure placée après le quatrième pied de l'hexamètre, qui est alors un dactyle. Depuis Festus, le mot est substantivé au pluriel neutre *bucolica* pour désigner un poème pastoral, notamment les poèmes des maîtres du genre, Théocrite et Virgile. Le mot est emprunté au grec hellénistique *boukolikos* de même sens, dérivé de *boukolos* «bouvier», de *bous* (→ boulimie, boustrophédon, buglosse et, du latin, bœuf), et d'un second élément appartenant à la racine indoeuropéenne *°kwe-* «tourner en rond», d'où «se trouver habituellement dans», que l'on retrouve dans un grand nombre de mots latins (→ colon, culture) et grecs (→ cycle, pôle).

♦ Le substantif féminin est introduit comme nom d'un poème chantant l'amour de la campagne et peignant sous un jour idyllique la vie agreste des bouviers et des bergers (d'abord en référence aux *Églogues* de Virgile). ◇ L'adjectif, accueilli en 1611 par Cotgrave, qualifie ce qui se rapporte à la vie simple et paisible des champs telle qu'elle est évoquée dans la poésie pastorale et ce qui est relatif à la poésie pastorale. ◇ L'emploi familier, à l'époque classique, du substantif pluriel *bucoliques* pour évoquer des hardes, des papiers (1690), procède d'une métaphore ironique peu claire. L'expression argotique *ramasse tes bucoliques* (*Mémoires* de Vidocq), au sens figuré de «pas de prières, pas d'histoires», prendrait le mot au sens de «déclaration oiseuse». Ces emplois ont disparu au cours du XIXe siècle.

▸ **BUCOLIQUEMENT** adv., attesté en 1611, est repris au XIXe s. dans le langage littéraire. ◆ **BUCOLI-**

SER v. intr. appartient lui aussi au style littéraire (1881), évoquant le fait d'être tranquillement à la campagne. Il est archaïque. ➝ On rencontre chez Chateaubriand le substantif **BUCOLIASTE** n. m. «auteur de poèmes bucoliques», emprunté au grec *boukoliastês* de même sens (Théocrite), aujourd'hui inusité.

BUCRANE n. m. → **BUGRANE**

BUDGET n. m. est emprunté (1764) à l'anglais *budget* (1580), déformation orale de formes plus anciennes, *bowgette* (1432-1450), *boget* (1548), *boudget, booget.* Le mot anglais, emprunté au français *bougette* «petit sac de cuir», diminutif de *bouge** au sens ancien de «sac», a d'abord désigné un sac de voyage, une bourse, une cassette, sens encore réalisé au figuré dans des expressions comme *a budget of paradoxes, a budget of inventions.* Le sens financier (1733) vient de ce que le chancelier de l'Échiquier, en présentant son rapport annuel, était dit «*to open the budget*», c'est-à-dire «ouvrir la Bourse (pour l'année à venir)». L'expression figure d'abord dans un pamphlet intitulé *The Budget Opened* (1733) comparant le Premier ministre R. Walpole à un charlatan ouvrant une besace de remèdes miraculeux et d'attrape-nigauds ; il est passé dans l'usage anglais à partir de 1764, et immédiatement en français.

♦ Le mot, d'abord employé en parlant des finances anglaises, désigne, également dans un contexte anglais, l'état annuel des dépenses et des recettes publiques (1768). Il se répand dans l'usage français après Thermidor, malgré les critiques (1798 : «ceux de nos représentants qui se servent du mot anglais *budget* ignorent sans doute qu'il ne signifie autre chose qu'une bougette, une poche de cuir, un sac, une escarcelle»). Bien que toujours employé dans l'usage courant, il a été abandonné dans l'usage administratif (ordonnance du 2 janvier 1959) au profit de l'expression *loi de finances* (de l'année). ◇ Par extension, le mot désigne le programme de recettes et de dépenses probables d'un particulier ou d'un groupe (1801), d'une entreprise, en général et dans quelques emplois didactiques *(budget type).*

▸ Les dérivés datent des XIXe et XXe siècles. ➝ **BUDGÉTAIRE** adj. (1825, chez Balzac) qualifie ce qui se rapporte, appartient au budget de l'État et, rarement, ce qui est relatif à un budget de particulier. ➝ Il a produit **BUDGÉTAIREMENT** adv. (1872). ➝ **BUDGÉTIVORE** adj. et n. (1845), mot familier formé avec *-vore* (→ vorace), se dit ironiquement des personnes qui reçoivent un traitement de l'État, c'est-à-dire des fonctionnaires. ➝ **BUDGÉTER** v. tr. (1872) et son doublet ultérieur **BUDGÉTISER** v. tr. (1953) s'emploient en termes de finances pour «inscrire au budget, à un budget». ➝ Le second a produit **BUDGÉTISATION** n. f. (1953) ainsi que **DÉBUDGÉTISER** v. tr. (1953) et **DÉBUDGÉTISATION** n. f. (1953), relatifs au transfert de charges supportées par le budget de l'État à un organisme disposant de ressources propres.

BUÉE n. f. est en général considéré comme issu par voie orale (1219-1226) d'un gallo-roman °*bucata* «lessive», auquel remonte également l'ancien provençal *bugada* (XIIIe s.). Cette forme est le participe passé féminin substantivé d'un verbe °*bucare* «laver, faire la lessive». Des mots apparentés apparaissent également dans les langues germaniques, de sorte qu'on a proposé de faire remonter le galloroman au francique °*bûkôn,* reconstitué d'après le moyen allemand *(buken, buchen)* avec des correspondants dans le suédois *byka* et le vieil anglais °*búcian* (anglais dialectal *to buck*). Kluge, s'appuyant sur le fait que la lessive s'est faite originellement à partir de cendre de hêtre, rattache ce verbe au nom germanique du hêtre, °*bok(i)on-*, mot d'origine indoeuropéenne apparenté au grec *phêgos* «chêne» et au latin *fagus* «hêtre». ◇ P. Guiraud, contestant le rattachement des mots romans à cette famille germanique, fait de *buer* un dérivé du nom de récipient *buie* (fin XIIe-déb. XIIIe s.), puis *bue* (attesté seulement en 1484) «cruche à panse, à large panse». Il fait venir ce dernier, généralement interprété comme le représentant d'un francique °*bûka* «cruche», du latin *buca,* doublet attesté de *bucca* (→ bouche). *Buer* signifierait selon lui «couler la lessive», c'est-à-dire, «en écouler l'eau par la cannelle du cuvier» et, par métonymie, «passer le linge dans le cuvier».

♦ Le sens étymologique de «lessive» a disparu ; il est déjà considéré comme vieux par Furetière (1690), mais repris occasionnellement d'après des usages régionaux (1834, chez Balzac). ◇ Par métonymie, le mot désigne la vapeur d'eau dégagée lors du lavage du linge par une substance humide plus chaude que l'air ambiant (1387). Ce sens n'est plus attesté avant d'être repris dans le dernier quart du XVIIIe s. (1782) avec une spécialisation technique, «évaporation de l'humidité de la pâte ou du pain pendant la cuisson». Il s'est répandu dans l'usage courant au XIXe s. pour «vapeur de condensation». ◇ Par extension, le mot exprime, dans le style littéraire, une apparence dont on n'aperçoit pas distinctement les détails et, au figuré, une idée confuse, imprécise.

▸ **BUER** v. est issu (v. 1150) d'un roman °*bucare* représentant, selon les uns, un francique °*bûkôn,* selon P. Guiraud, un dérivé du latin *buca.* Le verbe a signifié «faire la lessive, laver». Cette acception, comme le sens correspondant de *buée* «lessive», a disparu ; elle est considérée comme archaïque par les dictionnaires depuis 1704. ◇ L'emploi intransitif, «dégager de la vapeur» (1320-1330), est spécialisé, comme pour *buée,* en parlant du pain qui cuit. **BUANDIER, IÈRE** n. (av. 1544) est dérivé de *buer* sur le modèle de *lavandier, lavandière.* Les formes dialectales en *-andier, -andière* dominent en franco-provençal (1561, *byandyre ;* 1658, lyonnais *buyandiri*) et dans l'ouest du domaine d'oïl (*La Bugendrie, La Béjandrye,* noms de lieux dans un document de 1642). ◇ Le mot a désigné celui, puis celle (*buandière,* 1534) qui fait la lessive. Ce sens, mentionné comme «régionalisme» (1704, Trévoux), s'est effacé devant des acceptions techniques : «ouvrier faisant le premier blanchiment des toiles» (1751) et «agent chargé du lavage du linge dans une communauté» (1835). ➝ Son dérivé **BUANDERIE** n. f. (1471) dénomme une dépendance d'habitation collective ou un établissement aménagé pour le lavage du linge. Désignant un lieu, il a survécu à *buandier,* plus lié que lui à l'activité et qui est en voie de disparition. ➜ Le dérivé **BUANDER** v. tr. (1599) n'a pas réussi à remplacer *buer* au sens de «faire la lessive».

EMBUER v. tr. est dérivé (1877, Daudet) de *buée* sur le modèle du provençal *embugar,* employé à la forme pronominale pour «boire son soûl» et «abreuver, imbiber», dérivé de *buga,* mot correspondant à *buée.* ◇ Le verbe signifie «couvrir de buée», notamment en parlant des larmes qui voilent les yeux (1877), et, par extension, «rendre confus, troublé». ➜ Son participe passé **EMBUÉ, ÉE** est employé adjectivement (1877). ➜ **DÉSEMBUER** v. tr. (v. 1950) et **DÉSEMBUAGE** n. m. (1970) ont été formés récemment pour désigner l'opération consistant à débarrasser une vitre de sa buée. Comme pour *embuer, embué,* la fréquence de ces mots a augmenté avec les techniques modernes notamment dans le contexte de l'automobile (cf. *dégivrer*).

BUFFET n. m., d'abord *bufet* (v. 1150) puis *buffet* (1268), est d'origine obscure. L'hypothèse de la dérivation de la racine onomatopéique *buff-* exprimant le bruit d'un souffle, d'un déplacement d'air (→ bouffer), est la plus plausible, mais reste vague. Cependant, les textes ne fournissent pas de description assez précise de ce meuble pour affirmer que le buffet était à l'origine, comme on l'a supposé pour justifier l'étymologie, constitué par une planche qui, lorsqu'on l'abattait, faisait un déplacement d'air. Cette hypothèse permettrait un rapprochement avec l'ancien français *buffet* «soufflet de foyer» (XIIIe s.) avec l'idée de «déplacement d'air», et avec *buffet* «coup» (v. 1170), lui-même dérivé de *buffe* «gifle violente» (v. 1200), mot considéré lui aussi comme onomatopéique. L'hypothèse d'une formation à partir de *buff-* exprimant une notion de «gonflement» parce que ce meuble serait à l'origine ventru ou, au figuré, constituerait un objet d'apparat (avec rapprochement de l'ancien français *bufoi* «orgueil, présomption») n'est pas plus documentée. En outre, le sens premier du mot (ci-dessous) ne fait que compliquer la question. Il est peu probable qu'il y ait un rapport entre *buffet* «meuble» et l'ancien français *bufet* «piquette» (Xe s.) qui a donné l'expression *vin de buffet* (XIVe s., en particulier Villon).

♦ Le mot a d'abord désigné un escabeau, sens attesté jusqu'au XVIe s. et passé dans le moyen anglais *buffet* «tabouret». ◇ Le sens de «table, dressoir, comptoir», attesté une fois en 1268 et repris en 1606 à propos d'un présentoir à vaisselle lors du repas, est lui-même sorti d'usage mais a décidé de l'orientation ultérieure du mot. ◇ Tout en se référant par métonymie à l'ensemble de la vaisselle ainsi déployée (1532), *buffet* a désigné depuis le XVIIe s. une table où l'on allait boire, se servir (1690), puis au XIXe s. la table longue sur laquelle on présentait les mets et boissons lors d'une réception (1832). ◇ À son tour, ce sens a donné lieu à divers emplois métonymiques très vivants aujourd'hui, s'appliquant à la nourriture ainsi servie, à un système de restauration où chacun se sert librement, à la pièce où est servi le buffet et à la réception elle-même. ◇ *Buffet* a désigné spécialement une table dressée, à titre onéreux, à la disposition des voyageurs de chemins de fer d'où, par extension, un système de restauration rapide dans une gare (1863). ➜ Parallèlement, l'accent étant mis sur la fonction de rangement, et non plus sur celle de déploiement, *buffet* désigne un meuble de salle à manger ou de cuisine servant à ranger la vaisselle (cf. *vaisselier*) et diverses choses nécessaires pour la table (1547). Au figuré, *danser devant le buffet* «n'avoir rien à manger» (attesté XIXe s.) qui viendrait, selon Guiraud, d'un calembour sur *fringale* et *fringaler* «danser». ◇ De ce sens, par référence à la forme du meuble, procède en musique le sens de «corps de menuiserie contenant un jeu d'orgue» (1680; 1694, *buffet d'orgue*). ➜ Le sens familier de «ventre, estomac» (1803), réalisé dans des locutions vieillies comme *avoir le buffet garni, le buffet vide* (1907), provient de la fonction du meuble. ➜ Le sens du mot en architecture, dans l'expression ***buffet d'eau*** «table de pierre supportant des coupes et des bassins en gradins» (1704), vient plutôt, par analogie de forme, de l'autre acception, «dressoir».

▶ **BUFFETIER, IÈRE** n. (1874), mot peu courant, désigne un tenancier ou gérant de buffet de gare, plus souvent la personne tenant un buffet de quai. Il s'était appliqué (1769) à un officier de bouche.

BUFFLE n. m. est emprunté (v. 1200) à l'italien *buffalo* (aujourd'hui écrit *bufalo*), nom d'une espèce de bovidé plus gros et plus massif que le bœuf (XIIIe s.), employé depuis Machiavel avec un sens figuré (1469-1527). L'animal fut introduit dans l'Italie germanique des Longobards (Lombards) au VIe s., leur roi Agilulf ayant reçu cet animal en cadeau d'un chef avar. Le mot italien est issu du bas latin *bufalus* «antilope» (IVe s.), déformation du latin classique *bubalus* qui est lui-même emprunté au grec *boubalis* «antilope d'Afrique» et, plus tard, «buffle» (VIe s.), conservé en ce sens en grec moderne. Le mot semble apparenté à *bous* (→ boulimie et, du latin, bœuf), à moins qu'il ne s'agisse d'une étymologie populaire.

♦ Le mot, qui a remplacé le plus ancien *bugle* (→ ② bugle), désigne un mammifère voisin du bœuf, animal élevé pour sa chair et son lait dans de nombreuses régions d'Asie, en Europe (Italie), en Amérique latine, spécialement un mâle de cette espèce et, par métonymie, sa peau traitée et tannée (cf. ci-dessous *buffleterie*). ◇ De là, *un buffle* «justaucorps en peau de buffle», emploi disparu. ◇ Par allusion au comportement de cet animal, il a été appliqué à une personne brutale et grossière (XVe s.); ce sens a lui aussi disparu.

▶ **BUFFLETIN** n. m. (1594) désigne un jeune buffle; par métonymie, il a désigné un justaucorps en cuir (1680). ➜ **BUFFLETERIE** n. f. (1792), qui a remplacé la forme plus ancienne *buffetrie* (1610) avec élargissement de suffixe par analogie avec des mots comme *bonneterie,* désigne la peau de buffle tannée, la méthode de chamoisage des peaux pour l'équipement militaire. ➜ Il a produit le nom d'artisan **BUFFLETIER** n. m. (1845).

Buffle a produit tardivement deux formes féminines **BUFFLONNE** n. f. (1829) et **BUFFLESSE** n. f.

(1837), avec le suffixe d'*anesse,* par exemple dans *lait de bufflesse.* ◆ **BUFFLON** n. m. (1845), «jeune buffle», est un synonyme assez rare de *buffletin.*

BUFFALO n. m. est emprunté (1796) à l'anglo-américain *bufalo,* du bas latin *bufalus* qui a donné l'italien *buffalo* d'où vient *buffle.* ◇ Cet américanisme exotique désigne le bison d'Amérique (et non pas le buffle). Très peu usité en français, le mot a eu par réemprunt une grande vogue avec le surnom de W. Cassidy, *Buffalo Bill* «Bill [William] des bisons», cet Américain ayant contribué par son adresse de tireur à l'extermination des bisons qui constituaient la principale richesse des Indiens nomades de l'Ouest américain et gênaient la conquête économique par les Blancs.

① **BUGLE** n. f., sous la forme isolée *bucle* (v. 1190), avant *bugle* (XIIIe s.), est emprunté au latin médiéval *bugula* (VIIIe-XIe s.), attesté plus tard sous les formes *bucla* et *bugla* (XIIe s.). Le mot est probablement à rapprocher du latin tardif *bugillo* (déb. Ve s.) [→ bouillon-blanc], ces deux termes semblant désigner la même plante.

♦ *Bugle* désigne une plante dont une espèce à fleurs bleues est commune dans les lieux humides et était employée autrefois comme vulnéraire.

② **BUGLE** n. m. est emprunté à l'anglais *bugle,* forme apocopée de *bugle-horn* «corne de buffle», employé pour désigner un instrument de musique à vent (v. 1300). La forme réduite au premier élément *bugle,* est attestée au sens de «cor de chasse» (v. 1340), puis de «clairon, instrument de musique militaire» (1832). Le moyen anglais *bugle* est emprunté à l'anglo-normand *bugle* «instrument de musique fait de corne de buffle» (1300-1335), même mot que l'ancien français *bugle* «jeune bœuf, bœuf sauvage, buffle» (v. 1180) et par métonymie «peau de buffle». Le français *bugle,* éliminé par l'italianisme *buffle,* est issu du latin *buculus,* masculin rare et tardif (→ beugler) à côté du féminin *bocula, bucula* «génisse», dérivé en *bu-* de *bos* (→ bœuf).

♦ *Bugle,* instrument analogue au clairon mais muni de pistons (cf. *cornet*), désigne aussi quatre types de saxhorns, instruments à vent en cuivre couramment utilisés dans les orchestres militaires et les orphéons (1845).

BUGLOSSE n. f. (XVe s.), d'abord *buglose* (1372), est emprunté au bas latin *buglosa* (Ve s.), attesté dans Pline sous la forme *buglossos.* Ce mot est la transcription du grec hellénistique *bouglôsson,* désignant une plante et un poisson, la sole. Il signifie proprement «langue de bœuf» et est formé de *bous* (→ boulimie) et de *glôssa* «langue» (→ glose).

♦ Le mot désigne une plante herbacée des lieux incultes, à fleurs généralement bleues, appelée aussi *fausse bourrache.*

BUGNE → BEIGNE

BUGRANE n. f., attesté en 1542 sous la forme altérée *bugrave* (probablement faute d'impression), serait emprunté au bas latin *bucranium* «tête de bœuf», employé par analogie comme nom de plante (Ve s.). Ce mot est la transposition du grec hellénistique *boukranion,* littéralement «tête de bœuf», de *bous* (→ boulimie) et, de *kranion* (→ crâne). Une formation à partir du latin populaire *°buculuretina,* de *buculus* «bouvillon» (→ ② bugle) et de *retinere* «arrêter» (→ retenir) [Fouché] n'est pas plausible tant que des formes en *bu-* antérieures au XVIe s. ne sont pas attestées. ◇ Avant *bugrane,* l'ancien français a eu le type *bouveraude* (1379), issu du latin populaire *°boveretina,* du latin *bos, bovis* (→ bœuf) et de *retinere,* parce que les racines de la plante arrêtent la charrue, sémantisme qui se retrouve dans la dénomination populaire *arrête-bœuf.* Les formes du type *bougrande* (XVIe s.), *bugrande* (1542) sont le résultat d'un croisement entre l'ancien français et le mot moderne.

♦ *Bugrane* désigne la plante épineuse à fleurs bleues appelée aussi *arrête-bœuf.*

▸ **BUCRANE** ou **BUCRÂNE** n. m. est un emprunt savant (1803) au grec *boukranion.* Le mot désigne en archéologie un casque antique en tête de bœuf, puis (1838) un motif ornemental sculpté représentant une tête ou un crâne de bœuf, enfin un crâne de bœuf.

BUILDING n. m. est emprunté (1895) à l'anglais *building* «bâtiment, construction» (1297), également «action de construire» (v. 1394). Le mot est le participe présent substantivé de *to build* «construire», issu du vieil anglais *°byldan,* induit par le participe passé attesté *zebyld* (v. 1150). Ce verbe est dérivé de *bold* «construction, habitation», variante de *bolt* qui s'est maintenu dans les toponymes *Newbolt, Newbould, Harbottle.* Ce mot correspond à l'ancien frison *bodel,* l'ancien saxon *bodl,* l'ancien norrois *ból,* formes germaniques remontant à la racine *°bu-* «habiter». *Building,* qui se dit en anglais de toute construction, a été retenu en français en parlant d'une très haute construction des États-Unis (cf. *gratte-ciel*). Dans une description de Londres, *building* était déjà employé, mais comme terme anglais (1770).

♦ Le mot, d'abord en contexte américain, désigne un grand immeuble moderne très haut, souvent occupé par des bureaux, parfois concurrencé par *gratte-ciel* (qui a vieilli). Il tend d'ailleurs lui aussi à vieillir en contexte français, sauf en Belgique où il se dit, avec une prononciation un peu différente de celle qui a cours en France, d'un immeuble moderne, même de taille modeste.

BUIS n. m. est issu (1160-1170) du latin *buxus* désignant un arbuste à feuilles persistantes d'un vert foncé luisant et, par métonymie, le bois de cet arbuste, et de là un objet fait avec ce bois : flûte, toupie, etc. Le mot latin est emprunté, avec une altération du *p* en *b* qui témoigne peut-être d'un intermédiaire étrusque, au grec *puxos* de même sens. *Buxus* et *puxos* pourraient aussi, selon Chantraine, être deux emprunts parallèles à une même langue, peut-être langue d'Asie Mineure, dont la racine serait la même que celle du mot arménien *boys* «plante». En français, où le type attendu est *bois* (attesté du XIIIe s. au XVe s.), la variante *buis,* chronologiquement première, résulte d'une fermeture de la première syllabe sous l'action de *y* et, peut-être, sous l'influence de *buisson;* elle peut aussi s'expliquer en partant de l'étymon *buxeus* «de buis», adjectif de *buxus.*

♦ Le mot désigne d'abord le bois jaune du buis, utilisé en ébénisterie et à diverses fins techniques, spécialement en cordonnerie (1680) pour le lissoir servant à polir les talons et le bord des semelles. ◇ Il a aussi dans l'usage courant le sens initial du latin, exploité en religion avec *buis bénit* (cf. ci-dessous *buiser*).

▶ La dérivation consiste en quelques termes de nos jours vieillis ou limités à un usage régional. ◆ **BUISER** v. tr., d'abord *bouysser* (1473) et *buisser* (1892) «garnir de rameaux de buis», rappelle l'usage rituel de la branche de buis bénite le jour des Rameaux. Il est d'usage régional, de même que **BUISSAIE** ou **BUISSIÈRE** n. f. (1507) «lieu planté de buis». ◆ **BUISSE** ou **BOUISSE** n. f. (1751) a désigné l'outil de cordonnier servant à cambrer les semelles et l'instrument avec lequel le tailleur rabat les coutures; il est sorti d'usage.

◈ voir BOÎTE, BOUSSOLE, BOX, BOXE, PYXIDE.

BUISSON n. m. est l'altération (v. 1160) de l'ancien français *boisson* (1080, *boissun;* encore au XVe s.), diminutif de *bois** signifiant «petit bois». L'altération est due à l'influence soit de °*buska,* collectif pluriel du germanique °*būsk-* (→ bûche), soit de *buis**. L'hypothèse d'une dérivation directe de *buis** est moins satisfaisante pour des raisons chronologiques, puisque la première forme du mot est *boisson* et que *bois* au sens de «buis» n'est attesté qu'au XIIIe siècle.

♦ Dès les premiers textes, le mot désigne un bouquet d'arbrisseaux sauvages et rameux. Le mot a quelques emplois spéciaux : en vénerie dans ***battre les buissons*** (1160) et ***faire buisson creux*** passés dans l'usage général au figuré, respectivement pour «rechercher un peu partout» et «ne rien trouver». ◇ Dès l'ancien français, il est employé en religion dans ***buisson ardent*** (1262-1268), allusion biblique à l'épisode du mont Horeb où les buissons s'enflamment sans se consumer quand Dieu apparaît à Moïse pour lui indiquer sa mission. En horticulture, *buisson-ardent* est devenu la dénomination d'un arbuste à baies écarlates en corymbes (1680). ◇ Par analogie, le mot s'emploie en parlant d'une touffe hirsute, spécialement dans la description d'un mets arrangé en pyramide hérissée d'épines (1739), d'où notamment *buisson d'écrevisses.*

▶ **BUISSONNEUX, EUSE** adj., dont la forme moderne (1551) est l'altération de l'ancien français *boissoneus* (v. 1175), qualifie un lieu couvert de buissons; à partir de 1866, il sert également à décrire ce qui est en forme de buisson. ◆ **BUISSONNER** v. intr., réfection (XVe s.) de *bissoner* (1379), est l'altération de l'ancien français *boissoner* (1200-1210), employé en vénerie pour «aller dans les buissons», spécialement en parlant d'un chien de chasse, synonyme *d'embuschier, embucher* (→ bûche). ◇ Le verbe, dont on n'a pas d'attestation entre 1611 et 1820, a développé au XIXe s. les sens métaphoriques de «marcher à l'aventure, en pleine nature» (1844-1864), sorti d'usage, et celui de «faire l'école buissonnière» (1853). ◇ En parlant de la végétation, le verbe signifie «prendre la forme, l'apparence d'un buisson» (1838), aussi au figuré (d'où *buissonnement*). ◆ En sont dérivés dès le moyen français **BUISSONNAGE** n. m. (v. 1450), disparu après 1611, repris exceptionnellement au XXe s., **BUISSONNEMENT** n. m. (1875), rare, et l'adjectif tiré du participe présent **BUISSONNANT, ANTE** (1898), proprement «qui buissonne», assez courant. Cet adjectif est employé par figure en paléontologie et en botanique pour caractériser un type d'évolution par ramifications nombreuses (XXe s.). ◆ **BUISSONNIER, IÈRE** adj., autrefois aussi nom féminin (*buysonniere,* 1538 «lieu couvert de buissons»), qualifie ce qui a lieu dans les buissons, spécialement dans *école buissonnière* (v. 1540) «école de campagne» d'où la locution ***faire l'école buissonnière*** (1611) «manquer la classe en allant se promener», aussi au figuré. ◇ Le sens propre, «qui séjourne dans les buissons» (1580), est archaïque mais l'adjectif s'emploie encore pour «libre, vagabond, exempt de toute entrave» (1690; 1547, comme nom).

BULBE n. m. est emprunté (XVe s.) au latin *bulbus* «oignon, partie renflée de la racine d'une plante», plus généralement «oignon comestible» et, par analogie de forme, «globe de l'œil». Le mot est un emprunt ancien au grec *bolbos* «oignon de plante», employé par métonymie pour désigner des plantes à oignon. *Bolbos* est une forme à redoublement expressif qui rappelle plusieurs termes désignant des objets ronds, dont le latin *bulla* (→ bulle).

♦ Le mot, d'abord attesté au sens de «scille marine», signifie «renflement tuberculeux et arrondi d'une plante» (1505). Il passe en anatomie en adoptant le genre masculin (1732) pour désigner d'après le latin le renflement de certains organes, en particulier le *bulbe de l'œil* (1751). Il a d'abord été exclusivement ou surtout féminin jusqu'à ce qu'au XIXe s. les dictionnaires, maintenant le féminin en botanique, recommandent le masculin en anatomie; ensuite, le masculin, qui correspond au genre de l'étymon, tend à s'imposer dans tous les cas. ◆ Par analogie avec la forme d'un bulbe de plante, il se dit d'après *bulbeux* des coupoles dans l'architecture d'Europe orientale, notamment russe, en forme d'oignon (Th. Gautier). ◇ Son emploi en marine, pour désigner le renflement de la partie inférieure de la quille, est un anglicisme repris (1897) de l'anglais *bulb,* lui-même emprunté (XVIe s.) au latin *bulbus.*

▶ La dérivation consiste en termes didactiques. ◆ Les adjectifs **BULBAIRE** (1833) et **BULBÉ, ÉE** (1957), «en forme de bulbe», le terme à valeur diminutive **BULBILLE** n. f. (1836), les termes d'horticulture **BULBICULTURE** n. f. et **BULBICULTEUR** n. m. (XXe s.) «culture des plantes à bulbe, notamment des tulipes» sont tous didactiques (botanique) ou techniques. ◆ S'y ajoutent quelques composés en **BULBO-** appartenant au vocabulaire de l'anatomie, tels **BULBO-CAVERNEUX, EUSE** adj. (1805, Cuvier), **BULBO-URÉTRAL, ALE, AUX** adj. (1842).

BULBEUX, EUSE adj. est emprunté (1545) au dérivé latin *bulbosus,* «qui constitue un bulbe» en botanique. Le mot, introduit en botanique, est employé en anatomie (1805, Cuvier) et en architecture (1854).

BULLDOZER n. m. est emprunté (1929) à l'anglo-américain *bulldozer* «engin à chenilles» (1930). Le mot est d'abord attesté à propos d'un membre d'une organisation de Blancs qui intimidaient et brutalisaient les Noirs dans le sud des États-Unis [1876]. Il est dérivé de *to bull-dose (-doze)* (1876) «intimider», formé de *bull* «taureau» (→ bull-terrier, bouledogue) et de *dose,* lui-même emprunté au français *dose**, le sens de ce mot familier étant littéralement «donner une dose de taureau».

♦ Le mot a été repris comme nom d'un engin à chenilles utilisé pour les travaux de terrassement, notamment le nivellement des sols. La graphie francisée recommandée, *bouldozeur,* ne s'est pas imposée et le remplacement de cet anglicisme par *bouteur* (→ bouter) est demeuré un vœu pieux. ◇ *Bulldozer* se dit aussi au figuré d'une personne qui renverse tout sur son passage. Sur les chantiers, le mot est abrégé en *bull* (prononcé *boul'*).

① **BULLE** n. f., d'abord *buille* (XIIIe s.), *boille* (1214), *bule* (v. 1271), enfin *bulle* (1360-1370), a été emprunté à deux reprises, en ancien français (XIIIe s.) puis au XVIe s., au latin *bulla.* Ce mot désigne en latin classique le globule d'air qui se forme à la surface de l'eau et, par extension, un objet de forme ronde : boule, tête de clou pour l'ornement des portes, bouton. Il désigne en particulier la petite boule d'or ou de cuir que les jeunes patriciens romains portaient au cou jusqu'à l'âge de dix-sept ans et dont l'usage était d'origine étrusque. À l'époque médiévale, en référence à la petite boule de métal attachée à un sceau et qui portait la matrice de ce sceau, il s'est appliqué à cet objet (VIe s.) et par métonymie à l'acte émanant de l'empereur du Saint Empire (811), puis à tout décret muni d'un sceau ou d'un cachet (v. 1130, dans le domaine anglais ; milieu XIIe s., sur le continent). ◇ *Bulla,* apparenté à *bullire* (→ bouillir) et d'origine expressive, rappelle d'autres mots indoeuropéens exprimant l'idée de protubérance ronde tels que le grec *bolbos* (→ bulbe), le lituanien *bulbė* «pomme de terre», l'arménien *boïk* «radis».

♦ Le mot s'est introduit en français avec les sens du latin médiéval «sceau de métal», «acte marqué de ce sceau» (1214). Il désigne surtout une lettre patente du pape avec le sceau de plomb, contenant ordinairement une constitution générale (1214). ◇ Furetière, en 1690, enregistre un sens historique attesté en latin au IXe s., «acte, ordonnance des empereurs d'Allemagne» *(bulle d'or),* et l'acception archéologique de «petite boule de métal portée au cou par les jeunes romains». Le sens de «clou à tête dorée utilisé pour la sellerie et les portes» (1690) semble être aussi un réemprunt au latin. ◇ Le sens usuel de «globule d'air se formant à la surface de l'eau» a été repris au latin classique pendant la Renaissance (v. 1560, Paré) ; il a donné lieu à des emplois particuliers, telle ***bulle de savon*** et à des extensions concernant un objet de forme plus ou moins sphérique. ◇ *Bulle* s'est notamment spécialisé en médecine et dans le vocabulaire de l'imprimerie où il sert de synonyme usuel à *phylactère* (v. 1860), emploi devenu usuel au milieu du XXe s. à propos des bandes dessinées. ◇ Depuis le milieu du XXe s. aussi, il s'emploie en physique *(chambre à bulles),* puis désigne en technique le domaine magnétisé minuscule, placé, et circulant en grand nombre sur un substrat plat pour constituer une mémoire de grande capacité et de faible encombrement (v. 1980). ◇ *Bulle* se dit aussi de l'enceinte stérile dans laquelle on place un enfant présentant un déficit immunitaire à sa naissance, et s'emploie figurément pour «milieu clos et protecteur». ◇ La locution familière récente ***coincer la bulle*** «ne rien faire» (entendue en 1948) vient de l'argot militaire et fait allusion à l'aboutissement du travail de mise en place de la plaque de certaines armes lourdes dont on vérifie l'horizontalité à l'aide d'un niveau (dit *niveau à bulle*) dont la bulle doit être «coincée» entre deux repères.

▸ Les dérivés directement issus de *bulle* sont peu nombreux et tardifs. ➛ **BULLEUX, EUSE** adj. a été formé (1803) pour qualifier ce qui présente des bulles, d'abord dans le vocabulaire médical, sur le modèle du latin médiéval *bullosus.* ◇ On emploie aussi ② **BULLAIRE** adj. (1865), dans ce sens. ➛ **BULLÉ, ÉE** adj. (1834) qualifie, dans d'autres domaines que *bulleux* et surtout en technique, ce qui contient, présente des bulles. ➛ ② **BULLER** v. intr. (1951) correspond dans l'usage familier à la locution *coincer la bulle* «se reposer». ➛ **BULLAGE** n. m. (v. 1950), en technique, concerne l'opération consistant à introduire du gaz dans un liquide, l'agitation d'un fluide provoquée à l'aide d'un gaz et la formation de cloques à la surface d'une couche de peinture.

② **BULLER** v. tr., terme de chancellerie (fin XIIIe s.) pour «sceller avec une bulle», est emprunté au latin médiéval *bullare.* ➛ ② **BULLAIRE** n. m., «recueil de bulles pontificales» (1690), est emprunté au latin médiéval *bullarius.* Il a également repris à celui-ci le sens de «scribe qui copie les bulles du pape», aujourd'hui disparu.

◈ voir BILLET, BOUGER, BOUILLABAISSE, BOUILLIR, BOULE, BOULEVERSER, BOULINGRIN, ② BOULOT, BOWLING, BULLETIN, CHAMBOULER, ÉBULLITION, RIBOULER, SABOULER, TAMBOUILLE.

② **BULLE** n. inv., écrit *bule* (1785), puis *bulle* (1803), est d'origine inconnue. Un rapport possible avec ① *bulle* n'est pas éclairci.

♦ Le mot est un terme d'imprimerie désignant un chiffon servant à la fabrication d'un papier jaunâtre de texture grossière et, par métonymie, ce papier (1803), souvent dans ***papier bulle.*** ◇ Le sens ancien d'«argent» (1897, *avoir du bulle*) dans l'argot des soldats parisiens s'explique peut-être comme une extension métonymique du sens de «papier», par allusion à sa couleur jaunâtre.

BULLETIN n. m. est probablement dérivé avec le suffixe *-in* (1532) de l'ancien français *bullette* «sceau» (1299), puis «certificat, attestation» (1371), encore employé au XVIe siècle. *Bullette* est le diminutif de *bulle* «sceau» (→ ① bulle). Cette hypothèse dispense de voir dans le mot français un emprunt au correspondant italien *bullettino, bollettino,* également employé à propos d'un avis, d'un ordre émanant d'une autorité (XIVe s.), d'un certificat, d'un récépissé (XVIe s.). Le mot italien a cependant contribué à l'expansion de *bulletin* au XVIe siècle.

♦ Dès les premiers textes, le mot désigne un billet faisant part d'un avis, d'un ordre émanant d'une autorité, d'une administration (d'abord dans le domaine de la santé). Cette spécialisation a décidé de l'orientation du mot, aux dépens du sens plus général de «petit écrit délivrant une information», réalisé dans l'usage moderne par *billet.* ◇ Le sens spécial de «papier indicatif d'un vote» se dégage immédiatement (1539); il ne sera enregistré qu'en 1835 par le dictionnaire de l'Académie. ◇ *Bulletin* désigne également une attestation écrite délivrée par un organisme responsable (1611) et, par métonymie, une publication enregistrant tous les actes législatifs (1793-1794, *Bulletin de lois de la République française*), puis une revue rendant compte des activités d'une société (XIXe s.).

BULL-TERRIER n. m. est emprunté (1858) à l'anglais *bull-terrier* (1848) «chien issu d'un croisement entre le bouledogue et le terrier blanc», formé de *bull-*, abréviation pour *bulldog* (→ bouledogue) et de *terrier* (XVe s.), emprunt au moyen français *chien terrier**, «chien qui fait sortir les bêtes de leur terrier» (1375).

♦ Le mot désigne une race anglaise de chien de chasse.

BULOT n. m. (1877) est un mot originaire de l'Ouest (côtes picardes, normandes) d'étymologie obscure. Sa localisation suggère un rapprochement avec l'anglais *whelk,* très anciennement et abondamment attesté sous les formes *wioloc* (v. 725), *weoloc, wiloc, wyloc,* passé en ancien français sous les formes d'ailleurs rares *welque, welche, wilque* (v. 1180, Marie de France). Ce mot correspond au moyen néerlandais *willoc,* flamand de l'Ouest *willok,* ayant donné le moyen français *willox* «escargot» (1382, nord de la France). L'attestation tardive suppose des formes dialectales antérieures; la finale en *-ot* doit être une resuffixation.

♦ *Bulot* est le nom d'un gastéropode à spirales bien marquées, appelé aussi *buccin, escargot de mer.* On trouve ce coquillage comestible sur toutes les côtes françaises.

BUNGALOW n. m., d'abord attesté sous la forme *bungaloe* (1808) puis *bungalow* (1829), est emprunté à l'anglais *bungalow* (1676, *bungale;* 1711, *bungelow*), lequel est l'adaptation du gujarātī *bangalo,* lui-même de l'hindoustani *bangla* «(maison) du Bengale». Le nom de cette province de l'Inde est dérivé de *Bang* qui, primitivement, a désigné un peuple non aryen et, plus tard, a été appliqué à son pays.

♦ Le mot désigne un type de maison indienne, basse, en bois, entourée de vérandas et, par extension, une petite maison de plain-pied, simple et légère, qui sert aujourd'hui de maison de vacances (1925).

① **BUNKER** n. m., terme de golf, est emprunté (1902) à l'anglais *bunker,* introduit tardivement pour désigner un banc (v. 1758), en particulier un banc servant de coffre, puis un coffre, une soute à charbon à bord d'un navire (1838) et, en golf, un trou garni de sable (1824). Le mot est d'origine incertaine, un rapprochement avec *bank,* «talus, banquette» (du français *banque**), fait difficulté du point de vue phonétique.

♦ Le mot désigne un trou garni de sable, au golf.

▸ ② **BUNKER** n. m., terme de fortification militaire (1942), est repris de l'allemand *Bunker,* lequel a été emprunté au XIXe s. à l'anglais *bunker* au sens d'«entrepôt à charbon» et «soute à charbon sur un navire». Par figure, le mot désigne depuis la Première Guerre mondiale un abri blindé et enterré. ◇ En français, le mot s'applique surtout aux fortifications allemandes, notamment construites pendant l'occupation de la France.

✳ **BURE** n. f. pose un problème étymologique du fait de son attestation relativement tardive (1441). L'antériorité de *burel, bureau,* attestée dès le milieu du XIIe s., a incité à expliquer *bure* par un phénomène de dérivation régressive, ce qui est peu satisfaisant. On évoque généralement un étymon latin populaire °*bura,* rendu hypothétique par l'absence de correspondants romans (l'existence de l'espagnol archaïque et du portugais *bura* manquant de fondement). Ce mot latin virtuel, lui-même d'origine obscure, pourrait être une forme secondaire du bas latin *burra,* «étoffe grossière», dont le représentant *bourre** et le dérivé *bourras* ont pu désigner des étoffes au XIIe siècle. Selon P. Guiraud, qui accepte l'hypothèse d'un croisement avec *bourre, bure* serait un emploi substantivé féminin remontant à l'adjectif latin *burrus* «roux» (d'où l'adjectif *bur* chez Rabelais), emprunt populaire ancien au grec *purros* de même sens, parfois dit d'un vêtement. *Purros* appartient au groupe de *pur* «feu» (→ pyr-).

♦ Le mot désigne une étoffe grossière de laine brune et, par métonymie, un vêtement de cette étoffe. ◇ Quelques emplois métaphoriques mettent l'accent sur la couleur ou la rugosité et, au figuré, sur l'austérité monacale.

▸ **BUREAU** n. m. d'abord *burel* (v. 1150), *buriaus* (v. 1190), étant donné la chronologie des attestations, ne peut être considéré comme le diminutif de *bure.* Il remonterait soit au même étymon que lui, le latin populaire °*bura,* soit, selon P. Guiraud, au représentant du latin *burrus.* ◆ En ancien et moyen français, le mot désigne une étoffe de laine brune grossière et, par métonymie, un vêtement de cette étoffe; ce sens, après le nouvel emploi du mot (XIVe s.), est concurrencé par celui de *bure* à partir du XIVe s. puis est sorti d'usage, se conservant dans les dialectes comme le montre au XIXe s. l'emploi dans le Berry, attesté par G. Sand en parlant d'une étoffe et adjectif de couleur *(agneau bureau).*

◇ Cette grosse étoffe servait à faire des tapis de table, spécialement pour les tables où l'on effectuait les comptes et où l'on délibérait, si bien que *bureau* a pris la valeur de «tapis de table» (1316), notamment dans la locution *mettre qqch. sur le bureau,* équivalant à *mettre qqch. sur le tapis,* qui ne serait plus comprise aujourd'hui. ➜ En effet, on est passé par métonymie de l'acception «tapis couvrant la table» à «table ainsi couverte», d'abord en parlant de celle où l'on fait des comptes (1361), puis de la table autour de laquelle on délibérait ou examinait les pièces d'un procès (XVe s. dans la locution *tenir bureau* «tenir audience»). L'abondance des valeurs de *table,* où prédominaient d'autres contenus, a conduit à désigner au XVIe s. par le mot *bureau* toute table de travail (seconde moitié du XVIe s.). ➜ Par une nouvelle extension métonymique, *bureau* désigne aussi la pièce dans laquelle est installée la table de travail (1495), spécialement le lieu où un homme d'affaires a ses papiers et où il travaille (1680). Cet emploi correspond au recul du mot *cabinet** dans ce contexte. Dans ce sens, on trouve aussi *bureau d'affaires* (1797), employé au XIXe siècle. ◇ Au XVIe s. aussi, *bureau* commence à s'appliquer également à l'établissement tout entier dans lequel travaillent des employés, spécialement à un établissement ouvert au public où s'exécute un service d'intérêt collectif (1557), sens précisé dans *bureau des mineurs, bureau des postes* (1690) puis *bureau de poste,* ***bureau de tabac*** (av. 1770, *bureau à tabac*). À cette acception devenue usuelle, *les bureaux* désignant un secteur d'activité sans cesse plus important, s'ajoute un emploi plus restrictif désignant le service assuré dans un bureau (*bureau de renseignements,* av. 1759). D'après *bureau des réclamations,* on parle plaisamment de *bureau des pleurs.* ◇ Toujours par développement métonymique, le mot est appliqué collectivement aux personnes travaillant dans un bureau (1718) et, spécialement, aux membres d'une assemblée élus par leurs collègues pour diriger des travaux (1787), puis au comité chargé d'étudier une question. *Les bureaux,* à partir de la fin du XVIIIe s., concernent en particulier l'administration, puis le secteur tertiaire, en relation avec la notion d'«employé» qui se développe au XIXe s. *(employé de bureau).* Le *deuxième bureau,* d'après l'emploi du mot pour désigner un service d'État-major, se dit d'un *bureau de renseignement* militaire.

BURALISTE n. est formé (XVIIe s.) sur le radical de *bureau,* peut-être sur le modèle de *journaliste* à côté de *journaux,* et plus généralement sur le modèle des noms d'agent en *-aliste (naturaliste, journaliste, criminaliste),* la langue ne connaissant pas le suffixe d'agent °*-eliste* en dehors de quelques dérivés de noms propres *(pantagruéliste, machiavéliste).* ◇ Le mot désigne la personne tenant un bureau de paiement, de recette, de distribution et, plus couramment, la personne tenant un bureau de tabac.

BUREAUCRATIE n. f. a été créé au XVIIIe s. avec l'élément *-cratie** par l'économiste Gournay (1712-1759) ; attesté clairement à partir de 1764, il s'est répandu sous la Révolution (1790), désignant (et dénonçant) le pouvoir politique des bureaux, l'influence excessive de l'administration et, par métonymie, l'ensemble des fonctionnaires et de leur pouvoir. ➜ Il a produit **BUREAUCRATE** n. m. et adj. (1790) dont la valeur péjorative n'a fait que se développer aux dépens du sens étymologique d'«homme haut placé dans les bureaux», et qui a produit à son tour **BUREAUCRATIQUE** adj. (1796), d'où **BUREAUCRATIQUEMENT** adv. (v. 1960) et **BUREAUCRATISER** v. tr. (1876), d'où **BUREAUCRATISATION** n. f. (1905).

BUREAUTIQUE n. f., apparu en 1976 comme nom déposé, est un mot mal formé sur une coupe syllabique de *informatique*,* désignant l'ensemble des techniques visant à automatiser et à informatiser les travaux de bureau.

BURLINGUE n. m. est une formation argotique (1877), dérivée de l'argot *burlin* (v. 1836), lui-même diminutif de *bureau.* ◇ Le mot se dit familièrement pour le lieu de travail et, par la même métaphore que *buffet,* pour le ventre.

En ancien français même, *burel* «étoffe grossière» a donné le féminin **BURELLE** n. f. (XVe s.) qui, d'après les rayures de l'étoffe en question, s'est spécialisé en héraldique pour désigner les bandes horizontales d'un écu, en nombre pair, au singulier, puis (1798) au pluriel. Le sens primitif a été repris à propos d'une étoffe de laine fine (fin XVIe s.), mais reste rare et régional (pour l'Auvergne, Henri Pourrat en 1922).

BURETTE n. f., d'abord *bivrete* (XIIIe s.), est le diminutif du substantif *buire* avec réduction phonétique. *Buire* (v. 1175) désignait une cruche en terre ou en métal à large panse utilisée pour l'eau, l'huile, le lait et, par extension, un vase à anse. Le mot, selon la majorité des étymologistes, pourrait être issu d'un francique °*būri* «récipient», du germanique °*būrja-* à rapprocher du germanique °*bur-* «cabane» (d'où un mot liégeois, emprunté par le français, *bure* «puits de mine»). Le sens de «récipient» semble pouvoir être attribué à °*būri* et °*būrja-* d'après le suisse allemand *bür* désignant encore un grand récipient en forme de cuve. Une dérivation de l'ancien français *buie* «cruche» (XIIe s.), lui-même issu du francique °*būk* «ventre» restitué par l'allemand *Bauch,* fait difficulté d'un point de vue phonétique, le *-r-* étant inexpliqué. On a aussi évoqué une base préromane °*burros* dont les représentants sont attestés, en Frioul et d'autres, préslaves, dans le nord des Balkans ; mais cette hypothèse fait difficulté du point de vue géographique.

♦ Le sens ancien de «petite cruche» ne s'est maintenu que dans la liturgie catholique pour désigner le petit vase contenant l'eau et le vin nécessaires à la célébration de la messe (1360). Par extension, *burette* désigne le petit flacon à goulot dans lequel on met l'huile ou le vinaigre (1611). En technique, il a désigné le récipient de métal utilisé par les fabricants de chandelles pour les mouler (1845) et, de nos jours, une boîte de métal à tube verseur pour injecter l'huile de graissage (1866) et un appareil cylindrique utilisé en chimie. ◇ L'emploi du pluriel *burettes* en argot puis dans le langage familier pour «testicules» (v. 1860) paraît être un emploi métaphorique du nom du flacon liturgique ; il entre dans la locution ***casser les burettes à qqn*** «l'importuner», une des nombreuses variantes de *casser les couilles.*

BURGAU n. m. désignant un coquillage (1563), notamment un coquillage des Antilles, a un correspondant en espagnol (*burgado,* 1639) et en portugais (*burgalhão,* XVIIe s.), ce qui suggère une origine exotique. Un rapport avec le patronyme *Burgaut* ou l'ancien français *burgaut,* «homme violent et stupide», ou avec le dialectal *burgaud* «frelon» (Ouest), n'est vraisemblable ni pour le sens ni pour la localisation.

♦ Le mot désigne un coquillage univalve nacré et, par métonymie, la nacre qu'il fournit (1762).

▸ **BURGAUDINE** n. f., réfection (1838) des types antérieurs *burgadine* (1654) et *burgandine* (1694), est dérivé de *burgan* (1611), variante de *burgau,* peut-être à la suite d'une confusion dans l'écriture gotique entre *u* et *n.* Le mot désigne la nacre fournie par la coquille du burgau.

BURGRAVE n. m., réfection (1482) de *bourchgrave* et *bourgrave* (1413), est emprunté au moyen haut allemand tardif *burcgrāve* «châtelain», correspondant à l'allemand *Burggraf.* Ce mot est formé de *burc* (allemand *Burg,* → bourg), «ville», «château», et de *grāve* qui remonte à l'ancien haut allemand *gravo* et a donné l'allemand moderne *Graf* «comte» (→ rhingrave). La forme *bourchgrave* (1314) semble venir du mot correspondant en moyen néerlandais, *burchgrave.*

♦ Ce terme de féodalité et d'histoire germanique désigne le commandant d'une place forte ou d'une ville, fonction puis dignité nobiliaire de certains seigneurs châtelains. Il a joui d'une grande vogue parmi les écrivains romantiques français, notamment Hugo (1826-1828, *La Chasse du burgrave* dans *Les Odes et Ballades ;* 1843, la pièce *Les Burgraves*). Par dérision (et allusion probable à la *gravité* pompeuse du personnage), le mot, après la pièce de Hugo, a servi à nommer les membres de la commission de l'Assemblée législative chargés de préparer la loi du suffrage restreint en 1850 (1852, Hugo). Dans la seconde moitié du XIXe s., il s'est employé ironiquement à propos d'un vieux barbon (1864, Labiche).

◈ **BURIN** n. m., attesté en 1420, est d'origine douteuse. L'hypothèse la plus répandue en fait un emprunt à l'italien *burino* (aujourd'hui *bulino*), lui-même issu d'un longobard °*boro* «foret», outil pour percer, appartenant à une famille germanique qui compte l'ancien haut allemand *borōn* (allemand *bohren*), l'ancien norrois *bora,* le moyen néerlandais *boren,* le vieil anglais *borian* (anglais *to bore*), «forer, percer». Ces formes permettent de dégager un germanique commun °*boron,* apparenté aux mots latins *forare* (→ forer), *ferire* (→ férir), et au grec *pharynx* (→ pharynx).

♦ Le mot désigne l'instrument en acier dont on se sert pour graver les métaux et un ciseau d'acier pour couper les métaux (1676) ; par métonymie, il se dit du graveur lui-même (1690, *un bon burin*) et de l'estampe ainsi gravée (1845). ◇ Dans d'autres domaines techniques, il désigne également un ciseau d'acier : en art dentaire (1706), en serrurerie (1740), en marine (1771).

▸ **BURINER** v. (1554) «graver au burin» s'emploie par métaphore à propos du travail stylistique d'un écrivain (1798), induisant l'idée d'«écrire avec une grande perfection» (1835), sens vieilli. Par extension à d'autres domaines techniques, il est employé en art dentaire (1706), en marine (1820). ◇ L'argot l'a repris avec le sens de «travailler ferme» (1888), acception sortie d'usage au profit de synonymes (*bûcher,* puis *bosser,* etc.). ◆ Du verbe ont été dérivés **BURINEUR, EUSE** n. (1599), nom d'ouvrier passé du domaine de la gravure à celui du travail des métaux (1877), autrefois employé familièrement pour «personne qui travaille dur» (1907), **BURINAGE** n. m. (1881), et le participe passé adjectivé **BURINÉ, ÉE** (XIXe s.), passé dans l'usage courant en parlant d'un visage, de traits marqués.

① **BURLESQUE** adj. et n. est une réfection étymologique (1666) de *bourlesque* (1594), emprunté par voie orale à l'italien *burlesco,* d'abord attesté dans *alla burlesca* (av. 1566), puis de façon autonome (av. 1584). Le mot caractérise le style d'écrivains comme Berni, Caporali, d'un comique usant d'expressions triviales pour évoquer des réalités nobles ou élevées, travestissant en farce toutes les formes d'amplification littéraires (agrandissement du sublime ou rareté du précieux). Il est dérivé de *burla* «farce», probablement emprunté à l'espagnol *burla* «plaisanterie» (1330), d'où *burlador* «trompeur» (appliqué à Don Juan de Séville). *Burla,* selon Wartburg, remonterait à un latin populaire °*burula,* diminutif de °*bura,* altération du bas latin *burra* (→ bourre, bure). Cependant, il est difficile de suivre pour *burlesque* le type de développement (du concret à l'abstrait) que l'on observe dans *baroque* et *grotesque.* L'italien *burla* a lui-même été emprunté par le français *bourle,* «mystification» (XVIe-XVIIe s.), et *burlare* par le français *se burler* «se moquer» (1578), disparu au XVIIe siècle.

♦ Le mot, apparu dans la *Satire Ménippée,* correspond entre 1640 et 1660 à la mode littéraire qu'il qualifie et désigne (*le burlesque,* 1648). Cette tendance a été défendue et illustrée par Scarron dans son *Recueil de quelques vers burlesques* (1643), son *Typhon* (1644) et surtout dans le *Virgile travesti* (dont les deux premiers chants paraissent en 1648). Cette dernière œuvre, qui restera inachevée (le huitième et dernier chant paraît en 1652), détermine à la fois une restriction et une extension du champ du mot. Apportant une ambiguïté dans la hiérarchie des genres littéraires, elle inspire la parodie d'œuvres révérées, jouant sur le contraste entre la noblesse du sujet et la «bassesse» du ton. Par ailleurs, le mot devient ensuite caractéristique de l'époque baroque du XVIIe s. (avant 1660-1670), en raison du triomphe du genre. D'où son emploi après 1670 et encore au XVIIIe s., notamment dans les dictionnaires, pour «archaïque» en parlant d'un fait de langue familier ou comique (souvent rapproché de *marotique*). ◇ Outre son emploi en histoire

LE BURGONDE

Le burgonde est une langue indoeuropéenne disparue qui forme, avec le gotique et la langue des Vandales, la famille du germanique oriental. Seules quelques inscriptions datant d'environ 600, des noms de lieux et de personnes permettent d'attester le burgonde.

Chassés par les Huns du royaume qu'ils avaient fondé autour de Worms (dans l'actuel land allemand de Rhénanie-Palatinat — cet épisode constitue par ailleurs la base historique du chant des *Niebelungen*), les Burgondes ont émigré dans l'est de la Gaule. On les trouve déjà en 443 dans la région du lac Léman. Ils forment alors un royaume qui comprend la région lyonnaise, la Savoie, la Franche-Comté et la Bourgogne. En 534, le royaume des Burgondes passe sous la domination des Rois francs. Les Burgondes donnèrent leur nom à la Bourgogne *(Burgundia)*.

On a attribué (Wartburg, *op. cit.*) la formation du domaine linguistique franco-provençal (Lyonnais, centre-est de la France et une partie de la Suisse romande) à la colonisation burgonde. Cette thèse doit être aujourd'hui nuancée. Le superstrat burgonde a certes favorisé un développement linguistique particulier dans ce domaine, mais il n'en est pas le seul responsable (thèse de Gardette, Tuaillon, Pfister, Schüle, etc.). Il est cependant incontestable que «des traces linguistiques des Burgondes dans le domaine franco-provençal existent dans le lexique, dans les noms de lieux et dans la forme médiévale des noms de personnes» (Pfister, *art. cit.*, 55).

La différence entre le gotique et le burgonde est malaisée à établir car les connaissances sur ces deux langues sont encore faibles. On ne peut donc être sûr d'une étymologie burgonde que si l'aire du mot recouvre exclusivement le domaine franco-provençal. La liste des 76 mots gallo-romans auxquels Wartburg attribue une origine burgonde dans son *Französisches Etymologisches Wörterbuch* a été réduite à une cinquantaine environ et «il ne restera probablement pas plus d'une douzaine de mots» (Pfister, *art. cit.*, 81) après examen selon des critères plus pertinents que ceux établis par Wartburg.

Le lexique du français moderne ne garde aucun élément d'origine burgonde. Seuls les parlers franco-provençaux et le français régional de cette aire conservent des traces de ce superstrat. ◈ voir FRANCIQUE, GERMANIQUES (LANGUES), GOTIQUE, LONGOBARD

M.-J. Brochard

BIBLIOGRAPHIE

M. PFISTER, «le superstrat germanique dans les langues romanes» in *Atti del XIV Congresso internazionale di linguistica et filologia romanza, Naples, 15-20 avril 1974*, Naples, 1978, I, 49-97.

Walther von WARTBURG, *La Fragmentation linguistique de la Romania*, Paris, 1967.

Ph. WOLFF, *Les Origines linguistiques de l'Europe occidentale*, Toulouse, 1982 [Association des publications de l'université de Toulouse-le-Mirail, Série A, T. 48].

littéraire, le mot s'applique à une expression, une chose, une personne d'un comique extravagant fondé sur un contraste, spécialement en parlant du cinéma comique muet américain. Voir ci-dessous ② *burlesque*.

▸ **BURLESQUEMENT** adv. «d'une manière burlesque» est enregistré par Furetière (1690).

✦ ② **BURLESQUE** n. m., désignant un spectacle de variétés alliant la caricature à un réalisme pénible et à la laideur (1930), est un emprunt à l'anglo-américain *burlesque* (1857). Celui-ci est une spécialisation de sens de l'anglais *burlesque* n. «caricature grossière et moqueuse», lui-même emprunté au français. Ce genre de spectacle s'est créé à la fin du XIXe s. aux États-Unis. Selon Paul Morand, il est d'inspiration allemande. Le *burlesque*, qui recourait notamment à un érotisme pervers (femmes obèses, âgées...), ne s'étant pas répandu dans d'autres pays, le mot ne s'emploie en français que dans un contexte américain.

BURNOUS n. m. (1839) succède à des formes aussi diverses qu'*albernoux* (1478), *albrenousse* (1507), *albornoz* (1617), *alburnous* (1826) et parallèlement *bernucium* (en latin de la Renaissance, 1556), *barnusse* (1556), *bornoz* (1686), *bournous* (1735, puis 1830). Le mot a été emprunté plusieurs fois à l'arabe *barnūs*, *burnūs*, «bonnet long, capuchon», «manteau muni d'un capuchon», par des voies différentes avec ou sans l'article arabe *al-*. L'arabe *burnus*, lui-même attesté au Xe s., est emprunté au grec tardif *birros*, «vêtement en tissu grossier, courte capote à capuchon», parfois écrit *burros*, apparenté, voire repris au latin *birrus* (→ béret, barrette). Le passage en arabe se serait fait par l'intermédiaire du syriaque. ◇ Avant son apparition en français, *burnus* avait été emprunté par les langues romanes du Sud sous diverses formes : espagnol *albornoz* (v. 1350), catalan *albernuç* avec l'article (1366), italien *brenuzio* (v. 1450). La plus ancienne forme en français, *albernoux*, semble supposer un intermédiaire ibérique comme c'est le cas pour *albornos*; les formes non agglutinées du XVIe s. *(bernucium, barnusse)* sont issues de traductions d'auteurs italiens; *bornoz* est parvenu par une transcription néerlandaise de l'arabe; enfin, les formes modernes résultent d'emprunts directs : voyages, campagne d'Égypte sous Napoléon; le mot n'est vraiment implanté en français qu'à partir de la conquête de l'Algérie.

♦ Cet emprunt désigne un manteau de laine à capuchon, sans manches, porté par les Maghrébins. Avec le sens métonymique de «travailleur indigène, au Maghreb», il est employé dans la locution ***faire suer le burnous*** «exploiter la main-d'œuvre indigène», en parlant des colons d'Afrique du Nord. ◇ Par extension, il désigne un grand manteau adopté par la mode à certaines époques (1863), en particulier un manteau (ou cape) à capuche pour les jeunes enfants.

-BUS → **OMNIBUS**, ② **AUTO** (sous AUTOMOBILE)

BUSC n. m. est probablement, en ce qui concerne les premières formes attestées au XVIe s., *buz* (1545) et *buste* (1545-1548), un emprunt à l'italien *busto*, «corset renforcé» (XIIIe-XIVe s.), mot qui a donné *buste**. La forme moderne, d'abord écrite *busq* (1547), puis *busque* (1552) encore dans l'édition de 1759 de Richelet, et enfin *busc* (1835), reprend le mot italien croisé avec *busco*, «brin, fétu», qui appartient à la même racine que le français *bûche**. Ce croisement s'explique par la nécessité de distinguer en français le mot de son homonyme *buste* et par le rapport entre les tiges ou baleines constituant le busc et le sens de «brin, fétu»; on note au XVIe s. des emplois symétriques de *busque* au sens de «buste». L'hypothèse généralement reçue d'un emprunt à l'italien *busco* est moins satisfaisante des points de vue chronologique (antériorité des formes du type *bust*) et sémantique (*busco* n'ayant que le sens de «fétu, paille»).

♦ Le mot a désigné un corset renforcé qui a connu une grande vogue au XVIe siècle. La mode de l'objet explique à cette époque l'emploi de la locution *à la buste, à la busque, au busc* avec les différentes formes du mot aux deux genres, au sens de «à la mode nouvelle». ◇ Par métonymie, *busc* est devenu le nom de la lame de baleine ou d'acier servant d'armature au corset (1835). ➙ Dans le langage technique, *busc* désigne la saillie contre laquelle viennent buter les portes d'une écluse, comparée à la courbe du *busc*. Voir ci-dessous *busqué*.

► **BUSQUÉ, ÉE** adj. (XVIe s.) est d'abord attesté substantivement au féminin à propos d'une femme portant un busc (par ellipse pour *femme busquée*), emploi supposant celui de l'adjectif au sens de «muni d'un busc». ◇ Cet emploi a disparu et le mot a été repris dans le langage technique à propos des portes d'une écluse (1751), puis d'un cheval dont la tête est arquée (1835) et, plus couramment, pour caractériser un nez aquilin (1867). ➙ Par élargissement de suffixe, *busqué* a produit le verbe **BUSQUER** v. (1718). Le verbe exprime, transitivement et pronominalement, l'action de «(se) vêtir d'un corset à busc, munir d'un busc», sens disparu, se spécialisant en couture pour désigner l'action de raccourcir une jupe en la creusant du haut de la ceinture (1845). ◇ Le verbe a suivi l'évolution de *busqué*, prenant le sens de «bomber, arquer» (1860), d'usage soutenu comme intransitif, et celui de «se fermer à angle droit» en technique. ➙ **BUSQUIÈRE** n. f. (1690), nom de la coulisse du corset dans laquelle on introduit le busc, appartient désormais au vocabulaire de l'histoire du costume.

① **BUSE** n. f. est issu par dérivation régressive (1460) de l'ancien français *buison, buson* (XIIIe s.), encore employé au XVIe s. au sens figuré de «imbécile, homme stupide». Ce mot est issu du latin *buteo, -onis* de même sens, mot ancien qui figure comme nom propre dès le IIIe s. av. J.-C., probablement d'origine onomatopéique comme le nom du hibou *bubo*, dont le dérivé *bubulare* a été emprunté par le français *bubuler*, qui se dit du hibou qui pousse son cri (1838).

♦ *Buse* dénomme un oiseau rapace diurne aux formes lourdes. ◇ Par référence à la tête figée de l'animal en train de guetter sa proie, il a développé dans le langage familier le sens figuré de «personne sotte et ignare» (1545) également en appellatif *(triple buse!)* et en emploi adjectivé.

► *Buse* s'est combiné avec *aigle** dans **BUSAIGLE** n. m. (1845), nom d'une buse dont les tarses sont entièrement empennés.

BUSARD n. m. d'abord *busart* (1174-1183), dérivé par changement de suffixe de l'ancien français *buison, buson*, désigne un oiseau rapace diurne à longues ailes et longue queue.

◈ voir **BUTOR**.

② **BUSE** n. f., attesté au XIIIe s. à Liège, est d'origine incertaine. On part généralement de l'ancien français *busel* «tuyau, conduit» (d'un instrument de musique), lui-même issu du latin *bucina* (→ buisine, art. buccin) avec un autre suffixe. Cependant, l'aire septentrionale des premières attestations du mot a suggéré à certains un étymon moyen néerlandais *buse, buyse* «tuyau»; cette hypothèse est combattue par ceux qui voient dans le mot néerlandais un emprunt au français.

♦ Le mot désigne un conduit de gros calibre, spécialement utilisé pour acheminer un fluide. Il est employé en technique dans les mines (1752), puis en construction, en travaux publics et en automobile. ◇ Par analogie d'aspect, il s'est employé familièrement dans le nord de la France pour désigner un chapeau haut de forme (cf. *tuyau de poêle*).

► On en a dérivé **BUSETTE** n. f. (1313), «canal, conduit», sorti d'usage au XVIe s. et repris (1905) en métallurgie à propos du garnissage en matières réfractaires de l'orifice d'une poche de coulée.

BUSINESS ou **BISNESS** n. m. est emprunté (1876, J. Vallès) à l'anglais *business*, mot très ancien (v. 950, *bisiznisse*) qui a signifié «anxiété, souci», «impatience, avidité» (v. 1300), puis «état de celui qui est occupé» (v. 1350) avant de désigner la tâche, le travail et aussi l'entreprise, le devoir (v. 1385). Le mot est dérivé de l'adjectif *busy* (*bisiz*, v. 1100) qui n'a de correspondants germaniques que dans l'ancien néerlandais *bezich* (néerlandais *bezig*) et le bas allemand *besig*, et dont l'origine est inconnue. En anglais, un *u* a remplacé le *i* au XVe s. mais la prononciation s'est conservée, responsable d'un rapport anormal entre la graphie et la prononciation. Le mot est venu au français par l'Amérique avec le vocabulaire des affaires «à l'américaine». On le rencontre déjà au milieu du XIXe s. dans un texte français, mais comme citation du mot américain (1854-1855, L. Deville, *Voyage dans l'Amérique septentrionale* : «*J'entends répéter autour de moi le mot sacramentel business*»).

♦ Le sens d'emprunt, «affaires, commerce, travail professionnel», tend à vieillir, de même que le sens argotique de «prostitution» (1901). Dans les emplois populaires, cet emprunt graphique se prononçait à la française *bu-zi-ness;* et, lorsqu'il était prononcé à l'anglais, était écrit *bizness.* ◇ Aujourd'hui, le mot a des emplois dérivés, désignant les objets personnels, les affaires de qqn (1918), une chose qu'on ne nomme pas (cf. *truc, machin, bidule...*). Au sens de l'étymon, il désigne le monde des affaires, du grand capitalisme (dans le syntagme repris de l'anglais *big business*). ◇ Par ailleurs, l'expression américaine *show-business,* «les affaires du spectacle», toujours prononcée à l'anglaise et abrégée en *show bizz,* a fourni un emprunt assez usuel, **SHOW-BIZ** ou **SHOWBIZ** n. m., soutenu par les emplois de *show**.

▸ **BUSINESSMAN** n. m. est emprunté conjointement à *business* (1871) à l'anglais ou plus probablement à l'anglo-américain (1832) ; l'anglais a d'abord dit *man of business* (1670), expression fournie avec *man* «homme». ◇ Le mot, prononcé à l'anglaise, désigne un homme d'affaires avec une connotation de «grand capitaliste». Hors du contexte nord-américain, il a vieilli.

BUSTE n. m. (1549), d'abord écrit *bust* (1546), est emprunté à l'italien *busto,* «partie du corps située au-dessus de la ceinture» (XIVe s.), spécialisé plus tard en sculpture. Ce mot est issu du latin *bustum* «bûcher funèbre», d'où «tombeau» et spécialement «monument funéraire orné du buste du mort», issu du verbe *amburere,* littéralement «brûler autour», avec le préfixe que l'on retrouve dans *ambiant**, *ambition** et *urere* «brûler» (→ brûler). *Bustum* provient d'une mauvaise analyse en *am-burere* au lieu de *amb-urere.*

♦ Le mot désigne la partie supérieure du corps humain située au-dessus de la ceinture, spécialement la poitrine de la femme. ◇ Par métonymie, il s'applique à la représentation plastique, le plus souvent sculptée, de cette partie du corps (1680).

▸ **BUSTIER** n. m. (déb. XXe s.) apparaît comme nom du sculpteur spécialisé dans les bustes, emploi didactique. ◇ Le mot désigne couramment un type de soutien-gorge sans bretelles (1954-1955).

◈ voir **BUSC**.

◈ ✱ **BUT** n. m., attesté à partir de 1245 mais présent dès le XIIe s. par le composé *a rebutons* (v. 1180), forme de *rebuter,* ci-dessous, est d'origine douteuse. Il est peut-être emprunté à l'ancien norrois *butr* «bûche, billot de bois», une pièce de bois ayant pu servir de cible pour le tir à l'arc. Ce mot nordique semble appartenir au même groupe germanique que le moyen haut allemand *butze* «motte» (allemand *Butzen* «trognon, chicot»), l'anglais *butt* «rondin, billot», le danois, le bas allemand *but,* le néerlandais *bot* (→ bot). L'implantation de *but* et de ses dérivés dans le domaine normand semble confirmer cette étymologie. En revanche, une source francique °*but* «souche, billot», correspondant à l'ancien norrois, ne conviendrait pas du point de vue phonétique. ◇ P. Guiraud, s'appuyant sur de nombreux échanges sémantiques entre les familles de *but* et de *bout,* préfère voir dans *but* une autre forme de *bout** qui s'expliquerait par métonymie à partir du type féminin plus ancien *butte* «endroit à atteindre» (1225).

♦ Le mot, rare avant le XVIe s., n'est guère employé en ancien français que dans la locution *but à but* «sans restriction», puis «sans avantage de part et d'autre» à propos d'un échange (1312) et d'un jeu (XVIe s.) ; cette locution a vieilli après le XVIIe siècle. ◇ *But* s'est répandu en emploi autonome à partir du XVIe s., simultanément au sens concret de «point que l'on vise» (1534), au sens extensif de «terme, point que l'on se propose d'atteindre» (1538), et au sens figuré de «fin que l'on se propose, orientation fondamentale que l'homme donne à sa vie» (1552). ◇ Des locutions apparaissent au XVIIe s. : ***de but en blanc*** (1660), qui a éliminé *de pointe en blanc* et *de blanc en blanc,* vient du tir et se dit du fait de tirer d'une butte de tir en visant directement le blanc de la cible (aujourd'hui, sans se servir d'une hausse mobile) ; l'expression s'est répandue avec le sens métaphorique de «brusquement, sans préparation». La locution ***toucher au but,*** également attestée depuis Molière (1666), a remplacé *frapper au but* (1640) qui a pris un autre sens. ◇ Des locutions tout à fait courantes et employées par les meilleurs auteurs, comme ***poursuivre un but*** (XVIIe s.), ***dans le but de, dans un but,*** «dans l'intention, avec la visée de» et ***remplir un but,*** sont devenues l'objet des critiques puristes au XIXe s. (notamment de Littré). ◇ Ultérieurement, *but,* qui n'a pas cessé d'être un terme de jeu, par exemple aux boules (1719), se dit de chacune des deux limites avant et arrière d'un terrain de jeu de ballon, surtout au pluriel (1894), peut-être pour rendre l'anglais *goal* (→ goal) ; par métonymie, il est devenu le nom du point marqué par une équipe lorsque le ballon pénètre dans les buts adverses (1895).

▸ La dérivation, qui a commencé très tôt, est riche en développements sémantiques complexes. ➛ **BUTTE** n. f., forme féminine dérivée de *but* (1225), a d'abord été confondu sémantiquement avec *but,* désignant l'endroit à atteindre dans une course, d'où, par métonymie, le point marqué où il faut viser au tir (1451) et la cible sur laquelle on tire (1530). ◇ De ce dernier sens provient la locution moderne de sens figuré ***être en butte à*** (1580, *être en bute à*) «être la cible de (vexations, quolibets, tourments)» en parlant d'une personne. ◇ Une autre extension métonymique, dans laquelle on peut voir une réactivation du sens étymologique de l'ancien norrois, correspond au sens de «petit tertre, éminence» (v. 1375), à l'origine à propos du tertre auquel on adosse une cible ; en procèdent des emplois spécialisés en horticulture (1697) et en géographie ou en géologie (dans le composé *butte-témoin*). ◇ Par allusion au tertre sur lequel on montait l'échafaud, le mot a reçu en argot le sens d'«échafaud» (1821). ➛ C'est de cet emploi que vient ② **BUTER** v. tr. (1821) «assassiner», devenu courant dans l'usage familier, alors que *butte* «mort violente», senti comme déverbal de *buter*, est sorti d'usage. ◆ **BUTTER** v. tr., d'abord *buter* (1694), est dérivé de *butte* en horticulture, signifiant «disposer de la terre en petites buttes autour d'un arbre, d'un végétal». ◇ Ce verbe a servi à former les termes techniques **BUTTAGE** n. m. (1835) et **BUTTOIR** n. m. (1835), nom d'instrument quelquefois concurrencé par **BUTTEUR** n. m. (1866).

① **BUTER** v., dérivé de *but* (1289), s'est employé en parlant d'une terre qui touche, qui aboutit à un point donné, sens attesté jusqu'au XVIIe siècle. ◇ Avec l'idée voisine de «toucher violemment à», il a développé la valeur moderne de «heurter» (1539), qui a donné à son tour le sens figuré de «se heurter à». La forme pronominale *se buter* en parlant d'une personne signifie abstraitement «se braquer» (1636). ◆ De là le participe passé adjectivé **BUTÉ, ÉE** adj. (1690) qualifiant une personne obstinée, qui refuse de changer d'attitude, puis des sentiments, comportements et opinions. ◇ La même idée de contact a suscité l'emploi technique du mot en architecture au sens de «soutenir, étayer» (1694). ◆ Le verbe, qui n'a pas produit de substantif d'action, a servi à former des dérivés en architecture, donnant **BUTÉE** n. f. (1676), passé ultérieurement (XIXe s. ?) en mécanique à propos d'un dispositif arrêtant ou limitant le mouvement d'une pièce, et **BUTANT** ou **BUTTANT** adj. m. (XVIIIe s.), synonyme exact de *boutant* (*arc-butant* doublant *arc-boutant*), mais beaucoup plus rare. ◆ L'influence de *bouter* et de ses dérivés se marque aussi dans **BUTOIR** n. m. (1790) qui n'est autre qu'une altération de *boutoir*, désignant un outil pour sculpter le bois, racler le cuir, puis une pièce servant à en arrêter une autre (1845). ◇ *Butoir* s'est spécialisé en sports, où il désigne la pièce de bois matérialisant l'extrémité antérieure du cercle d'élan dans le lancer du disque, du poids (XXe s.).

Plusieurs verbes préfixés sont eux-mêmes à l'origine de dérivés. ◆ **REBUTER** v. tr., repéré dans la locution ancienne *à rebutons* «à tort» (v. 1180), part du sens propre de «repousser du but» et a longtemps signifié «rejeter, repousser (qqch., qqn)» (1215), se disant spécialement dans l'usage classique d'une femme qui repousse l'hommage d'un galant (1680). ◇ L'usage moderne a privilégié le sens secondaire de «dégoûter, détourner (qqn) de qqch., inspirer de l'antipathie à» (v. 1450), avec un sujet désignant une chose concrète ou abstraite, puis une personne (XVIe s.). ◇ La forme pronominale *se rebuter* (1559) au sens de «se décourager», «se dégoûter» (1640) est sortie d'usage. ◆ Le déverbal **REBUT** n. m., d'abord *rebeut* (fin XVe s.), a joué le rôle de substantif d'action du verbe, exprimant jusqu'au XIXe s. l'action de repousser, de rejeter qqch. ou qqn. ◇ Depuis le XVIe s., il désigne concrètement ce qui est rejeté (1573), s'employant dans la locution ***de rebut*** (1549) pour qualifier ce qui n'a aucune valeur, spécialement une marchandise laissée de côté ou retournée au fournisseur (1731). Le mot est fréquent dans la locution verbale ***mettre au rebut*** «se débarrasser, jeter» (1690). ◇ Un sens figuré impliquant un jugement moral négatif, pour «ce qu'il y a de plus vil», se développe au XVIIe s. en parlant de personnes (1690). Cette acception marque comme péjoratif dans l'usage général tous les emplois du mot, sauf dans les usages techniques spécialisés, spécialement dans le vocabulaire de la poste, pour «objet qui n'a pu être acheminé à destination ou retourné à l'expéditeur» (*in* Académie, 1835). ◆ **REBUTANT, ANTE,** adj., tiré du participe présent de *rebuter*, qualifie (1669) ce qui ennuie, décourage, ainsi que ce qui dégoûte, et la personne qui repousse la sympathie (1690). ◆ Les dérivés **REBUTAGE** n. m. (1875) et **REBUTEUR** n. m. (1875) sont deux termes techniques relatifs au service d'une pêcherie chargée de vérifier les morues préparées et de rejeter celles qui ne seraient pas en bon état.

ABUTER v. tr. (1215-1245) a connu un sémantisme riche et varié en ancien français, les divers sens se regroupant sous l'idée de but, terme ou fin et, par ailleurs, sous l'idée de contact par une extrémité, d'assemblage. Très proche d'*abouter*, il a pris en ancien français des sens très voisins, voire identiques. Le sens premier, en emploi absolu, «toucher au but», a disparu en moyen français. Les acceptions «pousser à bout, décevoir, tromper» (1250), «fixer (une somme), régler (un compte)» (1450), «diriger vers un but, viser à» (1450), sont sorties d'usage l'une après l'autre. ◇ En français moderne, l'idée de but correspond à l'emploi du mot au jeu pour «lancer une boule, un palet (vers le but)» (1680), tandis qu'avec l'idée de bout, le verbe signifie «ajuster (deux pièces) par le bout» (1550), emploi repris dans l'usage technique (1835). ◇ Les emplois qui ne sont pas archaïques sont techniques et assez rares.

DÉBUTER v. (1547) semble avoir signifié à l'origine «déplacer» et, en termes de jeu, «écarter du but (la boule d'un autre joueur)» (1549). ◇ Cette valeur spatiale a disparu au profit d'une valeur temporelle elle aussi née dans le vocabulaire du jeu, pour «jouer le premier coup» (1640). Se détachant complètement de son origine dans la conscience langagière, *débuter* s'est identifié à *commencer*, d'abord (1649) avec un complément, emploi toujours vivant mais devenu plus rare que le tour sans complément (1665), surtout au sens de «commencer dans une carrière», notamment la carrière théâtrale (1750), d'après *faire ses débuts*, antérieur. L'emploi transitif, avec un complément, qui était devenu archaïque, a été repris au XXe s. mais il est considéré comme un synonyme abusif et incorrect de *commencer*. ◆ Le déverbal **DÉBUT** n. m. (1642), apparu en termes de jeu comme dénomination du premier coup pour décider qui jouera le premier, a connu la même extension que *débuter* vers le sens moderne très usuel de «commencement d'une chose» (1674) avec les locutions courantes ***au début, dès le début...*** ◇ Le pluriel *débuts* désigne les premiers pas dans une activité, au théâtre (1674) puis en général (1690) avec des expressions comme *faire ses débuts, des débuts prometteurs*, etc. ◆ **DÉBUTANT, ANTE** adj. et n., participe présent de *débuter*, a été adjectivé dans le domaine du spectacle (1767), puis étendu à toute per- sonne débutant dans une activité (1782). ◇ Il semble que l'emploi substantivé du féminin *débutante*, avec le sens spécial de «jeune fille qui sort pour la première fois dans le monde» (1930), soit repris de l'anglo-américain *debutante*, où il représente une spécialisation de sens du mot anglais, lui-même emprunté au français.

BUTANE → BUTYRO-

BUTÉE, BUTOIR → BUT

BUTIN n. m., attesté au XIVe s. (1350), est un emprunt d'origine germanique. Le recours à l'ancien norrois *býti* semblant impossible pour des raisons chronologiques, l'hypothèse la plus probable est un emprunt au moyen bas allemand *būte* «échange, partage» et, par métonymie, «ce qui échoit en partage»; il aurait eu lieu par les relations maritimes entre la France et les villes hanséatiques. *Būte* est à rattacher au verbe *buten*, «échanger, troquer» et «partager, répartir», lequel correspond à l'ancien norrois *býta* «échanger» et au moyen néerlandais *būten*. Ces verbes font postuler un germanique commun °*biūtian*, décomposable en deux éléments : un préfixe *bi-* (allemand *bei*), correspondant à l'anglais *by* et exprimant la notion de proximité, est probablement identique au second élément du grec *amphi-* et du latin *ambi-* (→ amphi-, ambi-); le second élément serait l'adverbe *ut* (allemand *aus*), correspondant à l'anglais *out* et indiquant un mouvement ou une position au-delà de certaines limites, à rattacher au préfixe indoeuropéen °*ud-* (→ utérus, hystérie, du grec); le verbe est formé avec la désinence *-(i)an* à l'infinitif.

♦ Le sens propre, «action de partager, de répartir», est attesté en moyen français en emploi autonome et en locutions *(mettre au butin, à butin)*, dans le contexte de la guerre et dans celui du jeu (*jouer à butin* «être de moitié au jeu avec qqn»); l'idée correspond alors à celle de *part, partage* (et de ② *pied*). ◇ Cette acception de *butin* est sortie d'usage vers la fin du XVIe s. au profit du sens concret de «part de ce qui a été pris sur l'ennemi» (v. 1440), d'où on est passé au sens moderne de «ce que l'on prend sur l'ennemi» (1530) en perdant la notion de base de «part». ◇ Par extension, *butin* est employé à propos du produit d'un vol, d'un pillage (1690) et, par transposition dans d'autres domaines, des trouvailles faites au cours de recherches intellectuelles patientes (1672). Sur le plan concret, il s'applique à la récolte des abeilles (XVIIe s.) ou à celle des fourmis.

▸ **BUTINER** v. (1350) a fortement évolué de «partager le butin» et «faire du butin sur l'ennemi» (1513) à «voler de fleur en fleur pour amasser le pollen», en parlant des abeilles (1718). Ce changement de contexte et de registre (ce sens est d'abord «poétique») a dû être favorisé par des emplois figurés constatés dès le XVIe s. (1547, Rabelais). ➛ La dérivation a suivi le même cheminement : **BUTINAGE** n. m. (1380-1382), quelquefois concurrencé par **BUTINEMENT** n. m. (1552) lorsque l'action est envisagée dans son résultat, est attesté tardivement avec son sens moderne (1901), mais **BUTINEUR, EUSE** adj. et n. (1443), ancien nom de l'officier gardant le butin, s'applique à une abeille ouvrière qui récolte le pollen (1845).

BUTOR n. m. est probablement issu (fin XIIe s.) d'un latin populaire °*buti-taurus*, composé du radical de *butio* ou *buteo*, «buse, busard» (→ ① buse), et de *taurus* (→ taureau). Cette hypothèse semble confirmée par le commentaire de Pline signalant qu'en Arles, on appelait le butor *taurus* à cause de son cri rappelant le mugissement des bœufs ou des taureaux (cf. pour un tout autre animal, *crapaud-buffle*).

♦ Le mot désigne un oiseau échassier appelé parfois *bœuf d'eau* (ce qui appuie l'hypothèse étymologique), héron des marais à plumage fauve et tacheté. ◇ Par allusion à la lourdeur des formes de l'oiseau, transposée au moral (cf. ① *buse*), il est employé au figuré à propos d'une personne grossière, indélicate (1661), emploi qui a donné lieu à un appellatif insultant courant en langue classique, devenu archaïque ou plaisant en français moderne.

▸ *Butor* a produit le féminin **BUTORDE** n. f. (1694) et **BUTORDERIE** n. f. (1754), exprimant le caractère d'une personne grossière, stupide. Comme *butor* dans ce sens, ces dérivés sont archaïques.

BUTTE n. f. → BUT

BUTYRO-, élément savant, est dérivé du radical latin *butyrum* (→ beurre) entrant dans la composition de termes de chimie et de quelques mots didactiques relatifs au beurre.

▸ Déjà au XVIe s., le radical du mot latin a servi à former **BUTYREUX, EUSE** adj. «qui a l'apparence ou les caractères du beurre» (v. 1560). ➛ L'élément **BUTYRO-** commence à être productif au XIXe s. avec l'adjectif de sens voisin **BUTYRIQUE** (1816), «relatif au beurre». Celui-ci, par la dénomination *acide butyrique* appliquée à un acide présent dans le beurre rance et la sueur, est productif à son tour sous la forme du radical **BUTYR-**. ➛ Ce radical sert à former des noms de composés chimiques, tels **BUTYRATE** n. m. «sel de l'acide butyrique» (1816) et **BUTYRINE** n. f. «corps gras présent dans le beurre» (1819). ➛ Sous la forme abrégée *but-* il entre dans **BUTYLE** n. m. (1854), nom d'un radical monovalent de formule $C_a4\ H_a9_a$, dont est dérivé **BUTÈNE** n. m. (1845) «hydrocarbure utilisé dans la fabrication du caoutchouc synthétique».

BUTANE n. m. est formé savamment (1874) avec le suffixe *-ane* de *méthane** sur le radical de *butyle*. ◇ Le mot désigne un hydrocarbure saturé, gazeux et liquéfiable employé comme combustible. *Gaz* butane* et *butane* sont usuels à propos d'un combustible gazeux en bouteilles sous pression, destiné aux usages ménagers en l'absence de gaz «de ville» ou naturel amené par conduites. ➛ *Butane* a servi à former les termes de chimie **BUTANOL** n. m. et **BUTADIÈNE** n. m. (1913), le terme technique **BUTANIER** n. m. désignant un navire destiné au transport du butane (1950), et le mot courant **BUTAGAZ** n. m., formé avec *gaz* comme nom de marque déposée pour le gaz en bouteilles (le plus souvent du butane) utilisé à des fins domestiques. Par métonymie, *butagaz* désigne le réchaud alimenté par le gaz en bouteille.

L'élément *butyro-* a également donné **BUTYROMÈTRE** n. m. (1855), «appareil mesurant le taux de matière grasse du lait».

BYSSUS n. m., d'abord *bissum* (1291-1295), puis *bysse* (1519) et *byssus* (1530), est emprunté au latin *byssus* «lin très fin». Celui-ci est pris au grec *bussos* de même sens, employé dans des textes tardifs à propos d'un tissu de soie ou de coton. *Bussos* n'est pas un mot hellénique autochtone; il est probable qu'il s'agisse d'un emprunt oriental : on a pensé à l'égyptien *w'd-t;* et surtout au sémitique comme l'induisent le phénicien *bṡ*, l'hébreu et l'araméen *būṡ*.

♦ Le mot désigne un tissu de lin très fin, très estimé, surtout dans un contexte biblique ou antique. ◇ Au XIXᵉ s., il s'emploie aussi en botanique (1805) par l'intermédiaire du latin scientifique *byssus*, utilisé par Linné en raison de l'analogie entre les fils de lin et les filaments de certains cryptogames formant des moisissures. ◇ Il a été repris en zoologie (1809) en parlant de filaments soyeux sécrétés par une glande de certains mollusques bivalves, et servant à fixer l'animal sur le rocher.

BYZANTIN, INE adj. est emprunté (1338) au bas latin *byzantinus* «de Byzance», dérivé du latin classique *Byzantium*, transcrit du grec *Buzantion*, lui-même dérivé de *Buzas, -antos*, nom du fondateur de la ville au VIIᵉ s. av. J.-C.

♦ L'ancien et le moyen français ont employé le mot substantivement, en parlant d'une monnaie de Byzance. L'adjectif semble avoir été repris plus tard pour qualifier ce qui est de Byzance, chose ou personne (attesté 1732). ◇ Le sens figuré péjoratif, «excessivement subtil» (1838), provient du jugement sévère des historiens à l'égard de l'Empire byzantin où les querelles théologiques se sont succédé presque sans interruption jusqu'au IXᵉ siècle. Le substantif s'est employé avec la même valeur de «personne versée dans les arguties subtiles» (1875); cet emploi a disparu.

▶ **BYZANTINISME** n. m. apparaît au XIXᵉ s. (1838, chez Michelet) en parlant de l'état d'un peuple où des querelles sur les sujets futiles accaparent et divisent les esprits, valeur pour laquelle un verbe *byzantiner*, formé par les Goncourt (1870), n'a pas eu de lendemain. ◇ Le mot a été repris en art à propos du style byzantin (1868).
De là, on a fait **BYZANTINISTE** n. (déb. XXᵉ s.), «spécialiste de l'art et de l'histoire de Byzance», et **BYZANTINISANT, ANTE** adj. (XXᵉ s.), «qui évoque l'art byzantin». ◆ Les composés didactiques, **BYZANTINOLOGIE** n. f. (v. 1950) et **BYZANTINOLOGUE** n. (v. 1950), désignent aussi la spécialité et le spécialiste.

C

ÇA → ① CE

ÇÀ adv. et interj., attesté en 1080, résulte de l'évolution phonétique du latin *ecce hac* (la voyelle finale de *ecce* tombant à époque prélittéraire), renforcement de l'adverbe de lieu classique *hac* «par ici» (→ hic) au moyen de *ecce* «voici» (→ ce, celui, ici), encore dans la formule religieuse ***ecce homo***).

♦ *Çà* ne prendra que tardivement l'accent le différenciant du démonstratif *ça*, contraction de *cela**. L'adverbe, employé le plus souvent en relation avec un autre adverbe jusqu'au XVIe s. *(ça devant, ça haut, ça bas)*, réalise le sens spatial de «ici», se référant à un espace proche du locuteur, à parcourir dans sa direction. Usuel jusqu'au XVIIe s., y compris seul (v. 1160) et en accompagnement d'un verbe *(viens çà !)*, il est considéré au XIXe s. comme familier et ne fait plus figure que d'archaïsme pittoresque. ◆ Il s'est maintenu dans la locution ***çà et là*** (1172-1175) «ici et là» avec une nuance de dispersion, et plus rarement ***de çà, de là, de-ci de-çà***. Son emploi à valeur temporelle dans la locution ***en çà*** (1172-1175) «jusqu'à maintenant», s'est maintenu jusqu'au XIXe s. dans la langue du Palais avant de disparaître. ◆ *Çà* interjectif (1175) servait dans la conversation à encourager, exhorter et exprimer une émotion (dans les locutions inégalement conservées ***or çà !, bon çà !, oh çà !, ah çà !***); de nos jours, il tend à être employé sans accent, étant confondu, même par les meilleurs auteurs, avec *ça*. L'expression familière *il n'y a que ça (que ça de vrai)* est attestée depuis 1783.

▸ **DEÇÀ** adv. résulte de la soudure (1170) de *de ça* (v. 1130) et signifie «de ce côté-ci», en référence à un point de repère par opposition à *delà*, seul et dans la locution ***jambe deçà, jambe delà*** «à califourchon» (1170). L'usage moderne limite son emploi aux locutions ***deçà delà*** (1262, *deça et dela*) et ***en deçà*** «de côté-ci» comme locution prépositionnelle, par exemple dans la phrase de Pascal devenue proverbiale : «vérité en deçà des Pyrénées, erreur au-delà».

◈ voir CÉANS.

CAB n. m. est emprunté (1848) à l'anglais *cab* (1827), abréviation de *cabriolet* (1789), lui-même emprunté au français *cabriolet**. *Cab* désigne à l'origine une voiture à deux roues tirée par un cheval, puis en 1834 ce type de voiture avec cocher à l'arrière, sous le nom de *hansom cab* ou *hansom* (du nom de l'inventeur anglais).

♦ Il semble que *cab* a surtout désigné le «hansom» en France, mais il s'est aussi employé, comme en Angleterre, pour des voitures à quatre roues avec le cocher à l'avant. Le cab était élégant et à la mode dans la seconde moitié du XIXe s. et le mot s'est répandu lors de l'exposition de 1889. La forme *hansom cab* s'est employée avec un renforcement de snobisme (Proust). C'est aujourd'hui un mot d'historien.

▸ On rencontre **CABBY** n. m. «conducteur de cab» (1894), de l'anglo-américain (1900), rapidement disparu.

CABALE, CABBALE, KABBALE n. f. apparaît au XVIe s. (1532, Rabelais); François Ier s'est fait exposer la kabbale dès 1519 par un franciscain et le mot a dû être employé alors. Il est emprunté à l'hébreu *qabbālā*, dérivé du verbe *qibbel* «recevoir par tradition», qui signifie littéralement «tradition», et désignait à l'origine toute tradition doctrinale (même biblique, à l'exclusion du Pentateuque) et plus particulièrement la transmission, orale puis écrite, d'enseignements concernant la pratique religieuse. C'est seulement au XIIIe s. qu'il désigne un système doctrinal particulier et ésotérique, et au XIVe s. que les penseurs de ce courant sont appelés «kabbalistes», de préférence à toute autre désignation.

♦ Le mot, écrit *cabale*, et pris par Rabelais dans l'acception large de «doctrine, tradition transmise», est enregistré par Cotgrave en 1611 dans l'acception spéciale de «interprétation juive de l'Ancien Testament à partir des vingt-deux signes de l'alphabet hébraïque». Dès le XVIe s., il désigne une science occulte dont un des objets est la communication avec les êtres surnaturels (1546), sens aujourd'hui vieilli. ◆ Parallèlement, il s'est répandu dans l'usage commun à propos des manœuvres concertées secrètement contre qqn ou qqch. (1546), s'appliquant spécialement à une coterie organisée dans une salle de spectacle pour faire échec à une pièce de théâtre ou à un acteur (XVIIe s.); par métonymie, il désigne l'association de ceux qui montent une cabale (1636). Ce sens, usuel dans la langue classique, a vieilli. ◆ La graphie *kabbale* a été introduite tardivement par les spécialistes de la mystique juive et prévaut pour le sens propre, ainsi distingué de sens figurés péjoratifs, où l'on peut voir le reflet d'une tradition antisémite.

▶ **CABALISTE** n. et adj. apparaît en 1532 chez Rabelais à propos d'une personne versée dans la tradition ésotérique juive, sens avec lequel il est plutôt écrit *kabbaliste* (1891, Huysmans). Par extension, le mot s'est appliqué au figuré à une personne ayant formé une cabale contre qqn, qqch. (1636); ce sens a vieilli puis a disparu. ◆ Son dérivé **CABALISTIQUE** adj., attesté aussi chez Rabelais (1532), qualifie proprement ce qui tient de la cabale juive, et par extension ce qui concerne une interprétation de textes et documents ésotériques accessibles aux initiés; il est devenu relativement courant avec un sens figuré analogue à celui de *hiéroglyphique*, «énigmatique, incompréhensible» (1842). On lui connaît également les graphies *cabbalistique* et *kabbalistique* (1891, Huysmans). ◆ **CABALISTIQUEMENT** adv. (av. 1834), «selon des connaissances accessibles à l'initié» et, au figuré, «de manière bizarre, mystérieuse», est demeuré littéraire et rare. ◆ **CABALISER** v. (av. 1544), «traiter par un procédé magique» et par extension «rendre difficile à comprendre» (fin XVIe s.), s'est éteint après le XVIe s.; repris en 1842, il est peu répandu. ◆ **CABALISME** n. m. a été formé au XIXe s. (1866) pour faire pendant à *cabaliste* et désigner le système de pensée et de pratiques propre à la cabale.

CABALER v. intr. (1617), «susciter un complot, intriguer», correspond au sens figuré classique; il est devenu rare après le XVIIIe siècle. On rencontre occasionnellement à la fin du XIXe siècle la forme *kabbaliser* (1884, Péladan), au sens de «s'occuper de sciences occultes». ◆ **CABALEUR, EUSE** n. (v. 1650, au f.) «comploteur», est quasiment sorti d'usage.

CABAN n. m. est emprunté (1448), probablement par l'intermédiaire du provençal *caban* (1485), au sicilien *cabbanu* «manteau épais contre la pluie». Ce mot est emprunté, avec adjonction du suffixe *-anu* analogique d'autres noms de manteaux (*palandranu*, italien *pastrano*), à l'arabe *qabā'* «tunique». Du sicilien, le mot est passé en italien *(gabbano)*, d'où il est aussi passé en espagnol (*gabán*, 1351).

♦ Le mot désigne un manteau à larges manches et à capuchon utilisé contre la pluie. Employé en marine à propos d'une capote courte de marin, à manches et à capuchon, recouverte de toile goudronnée (XVIe s.), il s'est répandu comme nom d'une longue veste de sport en gros drap croisée haut.

◈ voir GABARDINE.

CABANE n. f. est emprunté (1387) au provençal *cabana* «chaumière, petite maison» (1253), lui-même issu du bas latin *capanna* (d'origine probablement préromane ou illyrienne), attesté dans le domaine hispanique comme synonyme de *casula* «petite maison» (diminutif de *casa*, → case) par Isidore de Séville, et très fréquemment comme toponyme dans le domaine catalan à partir du IXe siècle. Il est également attesté dans le domaine italien (v. 800), utilisé par le scoliaste de Juvénal et dans la France du Nord au VIIIe s. *(Gloses de Reichenau)*.

♦ Le mot désigne une petite construction rudimentaire. Il a acquis des emplois spéciaux selon les utilisations de l'objet : «abri pour animaux» (1462) et «abri de haute montagne» (1786), sens courant en Suisse romande mais qui semble menacé en Savoie par *refuge;* au Canada, il est employé dans le syntagme ***cabane à sucre*** (1837; 1707, *cabane du sucre*) à propos d'une sucrerie d'érable artisanale. ◇ Au XXe s., il est passé en argot comme dénomination de la prison militaire (1905), puis de la prison (1925) et de la maison de tolérance (1925), rejoignant la valeur étymologique de *bordel**.

▶ **CABANER** v. a signifié, en construction intransitive, «loger dans une cabane» (1605). De nos jours, il est surtout employé en marine au sens de «renverser sens dessus dessous» (1783) et «chavirer» (1783). ◇ D'après *cabane*, «case où l'on place les vers à soie», il est employé techniquement au sens de «disposer un abri de branchage pour que le ver file son cocon» (v. 1763, au p. p.). ◇ En est tiré **CABANAGE** n. m. (1803) qui a vieilli, sauf comme désignation littéraire de la cabane (1930, Morand). ◆ **CABANEAU** n. m. (XVIIe s.) désigne spécialement en pêche la cabane des équipages des morutiers. ◆ **CABANETTE** n. f. (1635), diminutif de *cabane*, est d'usage rare ou régional, concurrencé par **CABANON** n. m. (av. 1752) qui, après avoir désigné le local où l'on enfermait les fous supposés dangereux, et le cachot obscur pour certains prisonniers, se maintient comme nom de la petite cabane (1752). En Provence, le mot se dit spécialement d'une petite maison de campagne (1867) et d'un chalet de plage. ◆ **CABANIER, IÈRE** n. (1833-1861) est un terme régional désignant dans l'ouest de la France un exploitant agricole (d'après le sens régional correspondant de *cabane*). Le féminin s'applique spécialement à une ouvrière des fromageries de Roquefort.

◈ voir CABINE, CABOULOT, CAHUTE.

① **CABARET** n. m., d'abord attesté dans l'expression *tenir kabaret* (1275), est emprunté au moyen néerlandais *cabaret* ou *caberet*, *cabret* «auberge, restaurant bon marché». Ce mot est la forme dénasalisée de *cambret* (aussi *cameret*, *camerret*) de même sens, emprunté à l'ancien picard *camberete* «petite chambre» (v. 1190), correspondant au français *chambrette* (→ chambre). La forme dénasalisée a pu être favorisée en français par l'initiale de *cabane*.

♦ Le mot, d'abord presque exclusivement attesté en picard et en wallon aux XIIIe et XIVe s., s'est répandu vers le Sud, et a progressivement perdu son sens premier (du moins en France) au profit d'autres termes synonymes. Cependant, dès le XVe s., certains cabarets sont des lieux où l'on se réunit pour boire et jouer plutôt que pour manger; ce sens semble dominer au XVIIe s. : Furetière distingue le mot de *taverne*, qui désigne un lieu où l'on s'assied à table pour manger. Après l'apparition et la concurrence de *café**, *cabaret* s'applique à des établissements modestes, populaires et de petite taille; mais *café* et ses synonymes (notamment *bistrot*) limitent de plus en plus son emploi. Dès 1842, Paul de Kock écrit : «Il n'y a plus à Paris de cabarets proprement dits, mais il y a une immense quantité de marchands de vin.» Par extension, *cabaret de nuit* s'applique à un petit établissement de spectacle où l'on consomme; cet emploi correspond au développement d'établissements de ce genre à Montmartre et Montparnasse au début du XXe s., sur le modèle de certains lieux fréquentés au XIXe s. par la bohème artistique, comme *Le Chat noir*. ➜ Par métonymie, le mot s'est appliqué à un plateau ou table utilisé pour servir le thé, le café, les liqueurs (1694, *cabaret de Chine*).

▶ **CABARETIER, IÈRE** n. (1360-1370), «tenancier d'un cabaret», est presque exclusivement attesté en picard et en wallon jusqu'au XVIe s., de même que son synonyme moyen français *cabareteur*. Courant aux XVIIe et XVIIIe s., de même que *tavernier*, encore employé au début du XXe s. en milieu rural, il est aujourd'hui hors d'usage.

② CABARET n. m. est l'altération (1535), d'après ① *cabaret**, alors usuel au sens de «lieu où l'on boit», de *bacaret* «plante dont les feuilles opposées se soudent, formant un réceptacle pour l'eau de pluie» (1541). Ce mot était dérivé, avec le suffixe *-et*, du radical du latin impérial *baccar, -aris* ou *baccaris, -is* «espèce d'immortelle», repris au grec *bakkaris* de même sens, également «asarum, asaret» et surtout «parfum tiré de l'asarum», probablement d'origine lydienne.

♦ Le mot, qui désigne une plante, s'emploie seul ou dans la locution ***cabaret des oiseaux***, qui sert notamment à motiver le mot, alors compris comme une métaphore plaisante de ① *cabaret*.

CABAS n. m., d'abord modifié en *cabar* (1364) puis *cabas* (v. 1450), est emprunté à l'ancien provençal *cabas*, attesté depuis 1353, dès 1243 sous la forme latine *cabatium* en Avignon, désignant particulièrement un panier contenant des figues ou des raisins. L'aire d'origine du mot est la péninsule Ibérique — ancien catalan *cabàs* (1249), latin médiéval *cavazo* (949), ancien portugais *cabaz* (XIVe-XVe s.), espagnol *capaço* (1331), puis *copazo, capacho* (1495) — et le domaine d'oc. Il est probablement issu du bas latin *capacium*, d'origine douteuse, peut-être dérivé de *capax* «qui contient, spacieux» (→ capacité).

♦ Le mot désigne un panier en fibres végétales servant à transporter des fruits secs — dans le premier texte : figues et raisins —, d'où au XVIe s. les syntagmes *raisin, figue de cabas*. Par extension, il désigne un panier à provision souple que l'on porte au bras. ◇ Par analogie avec la matière du sac, il s'est employé familièrement comme dénomination d'un coche de messagerie dont le corps est d'osier clissé (1771). Longtemps limité à l'usage méridional, le mot s'est généralisé au XXe siècle.

◈ voir CAGIBI.

CABESTAN n. m., d'abord *cabestant* (1382), *cabesten* (1382-1384) et *capestan* (1548), puis *cabestan* (1648), est d'origine obscure. L'hypothèse d'un emprunt au provençal *cabestan*, altération de *cabrestan* «instrument à enrouler les câbles», participe passé substantivé de *cabestrar* lui-même de *cabestre* «corde de poulie» (→ chevêtre), se heurte à un manque d'attestations anciennes de ces mots provençaux. En outre, ce verbe *cabestrar* a seulement le sens de «mettre le licou à une bête». L'hypothèse d'un emprunt à l'espagnol *cabr-estante* «appareil de levage dressé» (1518), composé du mot correspondant au français *chèvre** et d'une forme participiale tirée du représentant du latin *stare* (→ état) convient pour le sens mais un emprunt aussi ancien à l'espagnol est très peu vraisemblable.

♦ Le mot désigne un treuil à axe vertical duquel s'enroule un câble servant à tirer un fardeau.

CABILLAUD n. m., d'abord *cabellau* (v. 1250), puis *cabillau* (1278), écrit tardivement *cabillaud* (1762), est emprunté au moyen néerlandais *cab(b) eliaw* (néerlandais *kabeljauw*). Ce mot, attesté dans un document flamand sous la forme du latin médiéval *cabellauwus* (1163), est la corruption par métathèse de l'ancien néerlandais *bakeljauw* qui est lui-même considéré comme un emprunt du mot basque *bakallao*. Ce mot, correspondant à l'espagnol *bacallao*, au portugais *bacalhão* «morue», est le représentant, avec spécialisation de sens, du latin *baculum* «bâton» désignant ici un poisson allongé (→ bacille).

♦ Le mot désigne la morue fraîche.

✳ CABINE n. f., attesté depuis 1364 en ancien picard, est d'origine obscure. Le mot, par ses significations, est étroitement lié à *cabane**; d'autre part, le moyen anglais *caban*, emprunté au français *cabane*, est continué par l'anglais moderne *cab (b)in* (1530), dans tous les sens qu'il avait. Il est donc difficile de dissocier *cabine* de *cabane*. Il est possible que *cabane*, emprunté par le moyen anglais *caban* (peut-être à la faveur de la domination anglaise en Aquitaine) au sens de «abri provisoire, refuge» avec divers emplois techniques (notamment en marine), et devenu l'anglais *cab(b)in*, ait pu être réemprunté par le moyen français (picard) *cabine*. L'hypothèse selon laquelle *cabine* serait une altération de *cabane* par suffixation *-ine* est peu probable. Un étymon flamand simple, a priori vraisemblable, se heurte à l'absence d'un radical correspondant néerlandais ou flamand.

♦ L'ancien sens de «cabane où l'on se réunit pour jouer» est déjà archaïque au XVIIIe s. (1771), remplacé par le dérivé *cabinet*. ➜ La spécialisation du mot en marine pour désigner une petite chambre à bord d'un navire, d'abord sous la forme *cabain* (1530) et longtemps en concurrence avec *cabane*, viendrait du moyen anglais *caban* (1342). ◇ Par analogie, *cabine* désigne d'autres espaces clos de petites dimensions, tel le local où l'on se change avant d'aller au bain (1866), où l'on téléphone (XXe s.). ◆ Sa spécialisation en aéronautique (1908) est un anglicisme et, en ce qui concerne un habitacle spatial, un américanisme (1962), bien implanté en français avec des syntagmes usuels *(cabine de pilotage)* et aussi appliqué aux véhicules terrestres (camions, voitures...).

▶ **CABINET** n. m. est dérivé de *cabine* (1491) plutôt qu'emprunté à l'italien *gabinetto;* ce dernier semble emprunté ultérieurement (XVIe s.) au français. Le mot désigne une petite chambre retirée dépendant d'une plus grande; de ce sens conservé dans de rares emplois, tel ***cabinet noir*** «pièce obscure où l'on enfermait les enfants pour les punir», proviennent un sens analogique de «espace ombragé dans un jardin entouré d'arbrisseaux» (1536), qui n'a pas vécu, et divers emplois spéciaux correspondant aux multiples usages du lieu. Dès le XVIe s., le *cabinet* désigne un endroit où l'on se retire pour réfléchir ou travailler (1539), puis au XVIIe s. une pièce où l'on s'adonne aux études (1627), valeur conservée dans la locution ***homme de cabinet*** «homme d'étude», d'ailleurs désuète, et concurrencée puis éliminée par *bureau**. Ultérieurement, ce sens prendra une certaine expansion à propos du lieu d'exercice de certaines professions libérales (1834, *cabinet d'affaires*), sans s'appliquer longtemps à un lieu où l'on consulte des ouvrages, des journaux, *cabinet de lecture* (1835) étant concurrencé par *bibliothèque.* Dès le XVIe s. également, il s'applique à un lieu où l'on conserve des objets précieux (1542), sens qui a vieilli en dehors d'emplois spéciaux, notamment en termes de muséographie (1694, *cabinet de peintures, de tableaux, d'antiques*). ◆ Une vocation plus domestique s'affirme à partir du XVIIe s. dans l'emploi du mot comme nom usuel des lieux d'aisance (1690, seul ou dans *cabinet d'aisance*), emploi aujourd'hui dominant au pluriel, et de la pièce où l'on fait sa toilette (1751); ce sens a disparu à cause de la fréquence du mot au sens de «lieux d'aisances» remplacé par la locution ***cabinet à toilette*** (1751), puis ***cabinet de toilette.*** ◆ Par métonymie, *cabinet,* au sens de «lieu de travail, d'étude», s'applique à un ensemble de personnes travaillant autour d'une personnalité politique éminente (1606, *cabinet du Roy*); ce sens, emprunté par l'anglais (1644), nous est revenu avec sa spécialisation, en régime parlementaire, de «ensemble de ministres, secrétaires et sous-secrétaires d'État» (1708); par extension, il a donné celui de «service chargé de la préparation des affaires gouvernementales dans un ministère, une préfecture». ◆ Une autre extension métonymique, celle-là concrète, est «meuble pour ranger des objets précieux» (1528), sortie d'usage sauf dans les spécialisations techniques de «meuble en bois dans lequel est fixé le mouvement d'une horloge» et de «buffet d'orgue» (1668).

♦ **CÂBLE** n. m., (v. 1180), est une forme normanno-picarde en *ca-*, venue concurrencer le type francien en *cha-, chable* (v. 1170) et l'ayant définitivement évincé au XVIIIe s. grâce à son emploi en marine. Le mot est hérité du bas latin *capulum* (Isidore), noté *caplum* par contraction, également *cabulum, cablum.* Le *-a-* long noté *-â-* de *câble,* vient de formes du type *cheable, chaable* (XIIIe et XIVe s.), dues à un croisement avec l'ancien français *chaable* «catapulte» (→ chabler), les câbles servant à la manœuvre de cette machine.

♦ Le mot désigne un gros cordage; il se spécialise immédiatement en marine (v. 1180 en anglo-normand), désignant aussi par métonymie une mesure de distance égale à la longueur des anciens câbles (1688), plus tard éliminé par *encablure.* Par l'intermédiaire de l'argot des marins, les locutions figurées ***filer son câble*** «partir» (1850), ***filer son câble par le bout*** «mourir», ***couper le câble*** «rompre», ont eu cours dans l'usage général. ◇ L'expansion sémantique ultérieure consiste en emplois techniques en électricité (1867), télégraphie, électronique (XXe s., *câble hertzien*), architecture (1867) et passementerie. ◆ Le sens de «télégramme transmis par câble télégraphique» (1897), spontanément senti comme un emploi métonymique de «ensemble de conducteurs électriques», est en réalité issu par abréviation du composé **CÂBLOGRAMME** n. m. (1888), lui-même emprunté de l'anglo-américain *cablegram* (1868), composé par analogie apparente avec *telegram* et abrégé en *cable* depuis 1884 (en anglais). ◆ Le développement de la *télévision par câble* a donné par américanisme *(cable TV)* une valeur nouvelle à *câble* et à *câblé, câbler,* d'abord en français du Canada (v. 1970).

▶ La dérivation, essentiellement constituée de termes techniques, est relativement importante à partir du XVIIIe siècle. Auparavant, *câble* a produit le diminutif *cablel* n. m. (1404) qui s'est fixé sous les formes *cableau* n. m. (1530) et, par changement de suffixe, **CABLOT** (1553), éliminant les types parallèlement en usage *chableau* (1415), *chablot* (1676, Félibien). *Cableau, cablot* «petit câble» s'emploie en marine (1740) et en chemins de fer, à propos de l'élément de câble électrique à fort isolement qui réunit les circuits de deux véhicules.

CÂBLER v. tr. est accueilli en 1680 par Richelet avec le sens de «façonner en câble». Sous l'influence de l'anglo-américain *to cable* (1871) et par référence à *câblogramme* et *câble,* il signifie «envoyer un message par câble télégraphique» (1877). Son participe passé adjectivé **CÂBLÉ, ÉE** correspond à *câbler* en marine, passementerie, architecture et, d'après son emploi récent, en audiovisuel, s'emploie dans le jargon à la mode comme synonyme de *branché* au figuré, c'est-à-dire «au courant de la mode» (également *bléca* en verlan). ◆ **CÂBLAGE** n. m., d'abord terme de filature (1877), s'emploie comme substantif d'action et nom concret du résultat, spécialement en électricité et dans le secteur des télécommunications. ◆ **CÂBLEUR** n. m. (1955) est le nom du technicien (plus rarement au f. *câbleuse,* de la technicienne) qui effectue un montage et pose des câbles. Il se dit aussi en parlant du bûcheron qui effectue le transport du bois par câble en haute montagne. ◆ **CÂBLIÈRE** n. f. (1795) est un terme technique de marine et de pêche désignant une pierre percée pour le passage d'un câble et servant de lest pour les filets de pêche.

Au XXe s., *câble* a produit **CÂBLERIE** n. f. (1905), nom de la fabrication et de la fabrique (1928) de câbles; **CÂBLIER** n. m. et adj. (1908) se dit d'un navire chargé de la pose et de la réparation des câbles sous-marins; **CÂBLEUSE** n. f. (1913) «machine à faire les câbles». ➛ Les termes d'audiovisuel **CÂBLISTE** n. (1973), **CÂBLODISTRIBUTION** n. f. (v. 1965) et **CÂBLODISTRIBUTEUR, TRICE** n. (1982) sont liés au sens correspondant de *câble*.
ENCABLURE n. f., formé sur *câble* avec le préfixe *en-* et le suffixe *-ure* (1758), a gardé exceptionnellement l'ancien *-a-* court de *cable*. Il double *câble* dans son emploi métonymique, se référant à une ancienne mesure de longueur appliquée aux câbles des ancres et, par extension, aux mesures hydrographiques.

CABOCHE n. f. est la forme normanno-picarde (XIIIe s.) correspondant à l'ancien français *caboce* (1165-1170), lui-même d'origine douteuse. L'intermédiaire de l'ancien français *cabocer* (→ cabosser) ne semble pas nécessaire, et la date du mot en ancien français exclut un emprunt au provençal, langue où le mot est plus récent. Le second élément est *boce*, ancienne forme de *bosse**; le premier élément *ca-* est un pseudo-préfixe entrant dans la composition de nombreux mots français et dialectaux, d'origine discutée. Wartburg distingue deux types de formations : des mots en *ca-* résultant du croisement de deux mots sémantiquement voisins (procédé de composition tautologique fréquent dans la langue populaire), du type *cahute** (*cabane* + *hutte*), *cafouiller**, *cafourniau*, et des mots formés à l'aide d'un élément péjoratif et augmentatif *ca-* dégagé à partir des mots cités ci-dessus; ce second procédé vaudrait selon lui pour *caboche, caboce*, le picard *capeigner* «se prendre aux cheveux», le dialectal du Centre *cahuer* «huer». P. Guiraud regroupe un certain nombre de mots en *ca-* sous le sémantisme du «creux», faisant remonter *ca-* au latin *cavus* «creux» (→ ① cave). Étant donné le sens du mot, on s'étonne pour l'initiale que le latin *caput* ne soit pas évoqué, avec des mots qui en sont issus comme *chabot* (→ cabot).

♦ Dès les premiers textes, le mot est une dénomination familière de la tête. Par analogie de forme, il se dit d'un clou à grosse tête pour ferrer les souliers (1680) et désigne une portion de tige épaisse adhérant au pétiole d'une plante.

▸ **CABOCHON** n. m. (1400), d'abord *caboucho*n (1380), désigne une pierre précieuse de forme convexe, polie mais non taillée; il est également employé en apposition à un nom de pierre (1380). À partir du XVIIIe s. (1732), il désigne aussi un clou à tête décorée; par analogie, un motif ornemental en forme de tête de clou.
CABOCHARD, ARDE adj. (1579) qualifie un homme ou un animal qui n'en fait qu'à sa tête, impulsif; il correspond pour la formation à *têtu*. Sorti d'usage après 1606, il est encore qualifié de «vieux» par Boiste (1803), qui le reprend pourtant. Il est devenu assez usuel dans la langue familière.

CABOSSE n. f. est probablement une spécialisation de sens (1732) de l'ancien français *caboce* «tête», dont la variante picarde *caboche** s'est conservée.

♦ Le mot désigne la gousse volumineuse contenant les fèves du cacao. Par extension, il est employé dans le Midi à propos de l'épi de maïs. Désignant une protubérance qui se développe sur un arbre (en particulier dans les dialectes de Rennes, d'Ille-et-Vilaine et du Centre) et, familièrement, une bosse, il subit l'attraction de *cabosser**.

CABOSSER v. tr., d'abord *cabocier* (déb. XIVe s. ; manuscrit d'un texte du XIIe s.), est soit dérivé de l'ancien français *caboce* (→ caboche), soit composé de *boce, bosse** avec l'élément *ca-* et la désinence *-ier, -er*.

♦ Le mot, attesté une première fois au sens intransitif de «former des bosses», reparaît au XVIe s. en Suisse romande avec son sens transitif de «faire des bosses» (1570, Neuchâtel). Très vivant en Suisse, il s'est répandu en France au XIXe s., d'abord dans les dialectes franco-provençaux, en français régional (1810), puis en français général.

▸ **CABOSSAGE** n. m. (1890) et **CABOSSEMENT** n. m. (1902) se partagent la fonction de substantif d'action de *cabosser*.

voir BOSSE, CABOCHE, CABOSSE.

① **CABOT** n. m. au sens de «chien» (1821) est un mot d'origine incertaine, peut-être à rattacher au latin *caput* «tête» (→ chef) par l'intermédiaire d'une forme provençale (ancien provençal *cabotz*), elle-même désignant le têtard, et à l'origine du nom d'un poisson à grosse tête, *chabot* (1544). L'hypothèse d'une altération de *clabaud* «chien courant qui aboie» (fin XVe s.) sémantiquement recevable, fait difficulté du point de vue phonétique.

♦ Le mot est d'abord un terme d'argot, quelquefois altéré en *cabe* (1836), *cabja* (1896), *cabji* (1901). Avant son extension populaire (1860), les textes spécifient presque tous «chien de garde». Dans l'usage familier, c'est l'un des synonymes de *chien*, qui tend à vieillir (cf. *clebs, clébard* qui le remplacent souvent). ➛ L'emploi de *cabot* au sens de «caporal» dans l'argot des casernes (1881, *cabo*) se comprend comme une altération de *capo*, abréviation de *caporal**, motivée par l'expression *chien de quartier*.

voir CABUS.

② **CABOT** → CABOTIN

CABOTER v. intr., attesté depuis 1678 mais probablement antérieur comme l'indique le dérivé *caboteur*, est d'origine obscure. Une dérivation du moyen français *cabo* «cap», lui-même emprunté à l'espagnol *cabo* de même sens, fait difficulté, car *cabo* est rarement et tardivement attesté (1614-1638) alors que *caboter* devait exister avant *caboteur*, au XVIe siècle. Il peut paraître préférable de rattacher *caboter* directement à *cap** avec un passage de *p* à *b* dont on trouve maints exemples, notamment en provençal. La chronologie semble également s'opposer à une dérivation de *Cabot*, nom de deux navigateurs italiens des XVe et XVIe siècles. L'origine géographique du mot, côtes méditerranéennes ou rivage atlantique, aiderait à déterminer l'étymologie.

♦ Le mot est employé en parlant d'un navire qui longe les côtes, de port en port.

► **CABOTEUR, EUSE** n. est probablement dérivé (1542) de *caboter,* attesté plus tard. Il est difficile de l'identifier avec *Caboteur,* nom propre attesté dès 1277 («marin qui fait le cabotage»?). Le mot a désigné le marin et, de nos jours, le bateau qui fait le cabotage (1542). ➝ **CABOTIER, IÈRE** adj. et n. (1671) n'a pas réussi à s'imposer à côté de *caboteur,* mais **CABOTIÈRE** n. f. (1693) a désigné un bateau plat servant à la navigation fluviale. ➝ **CABOTAGE** n. m. (1678) désigne un type de navigation, le long des côtes et de port en port.

◈ **CABOTIN, INE** n., attesté peu après *cabotiner* (1807), est d'origine incertaine. Une lexicalisation du nom de *Cabotin,* qui aurait été un célèbre comédien ambulant à la fois directeur de théâtre et charlatan sous le règne de Louis XIII, est douteuse; l'existence de ce comédien est hypothétique, son nom n'apparaissant que tardivement (1858) et semblant évoqué (et inventé) ad hoc. On a pensé à une extension du sens du picard *cabotin* «homme de très petite taille» (à rattacher à *se caboter* «rester petit»), terme attesté à la fin du XVIIIe s. au sens de «petit sot», appartenant à l'étymon latin *caput* «tête» (→ chef). L'hypothèse d'une dérivation du radical du terme de navigation *caboter**, les acteurs ambulants (premier sens du mot) voyageant par petites étapes, est insuffisamment étayée. P. Guiraud rapproche le mot du provençal *far cabot* «faire la révérence, saluer» qui est un doublet de *capoter** «faire signe avec la tête», lui aussi de *caput.*

♦ Le sens de «comédien ambulant» a été supplanté par le sens péjoratif et familier de «mauvais acteur» (1834). Par extension, le mot s'applique à une personne qui manque de naturel, dont les attitudes et les manières sont trop théâtrales (1899).

► **CABOTINER** v. intr. signifie d'abord (1799) «exercer le métier de comédien ambulant». Il a suivi l'évolution de *cabotin,* c'est-à-dire «jouer mal, de manière emphatique» et au figuré «faire le charlatan». Son substantif d'action **CABOTINAGE** n. m. (1805) a suivi la même évolution vers le sens de «jeu, comportement affecté» (fin XIXe s.). ➝ **CABOTINISME** n. m. (1845) renchérit sur le sens moderne de *cabotinage,* en exprimant une affectation systématique. ➝ ② **CABOT, E** n. est l'abréviation familière (1847) de *cabotin* sous l'influence de *cabot**, autre mot familier et péjoratif. Il désigne un mauvais comédien emphatique (souvent : *un vieux cabot*) et au figuré un charlatan, aussi comme adjectif attribut.

CABOULOT n. m. depuis 1846 est un terme d'aire franco-provençale, attesté dans le franc-comtois *caboulo(t)* «petit réduit dans une écurie où l'on enferme un jeune animal pour le protéger contre les accidents», le bressan *caboulot* «réduit» et aussi «petit cabaret», le dialecte de Belfort *caboulot* «petite cabane, petite chambre». Il est issu du franc-comtois *boulo(t)* «petit local pour animaux» avec syllabe initiale *ca-,* due probablement à un croisement avec *cabane** (→ cahute). *Boulot* est dérivé, avec suffixe latin *-ellu* et *-ittu* donnant *-ot* (*e* entravé étant altéré en *o* dans la région bourguignonne), d'un celtique (gaulois) °*buta* «cabane, hutte» que l'on peut déduire de l'ancien irlandais *both* de même sens, du cymrique *bod* «habitation».

♦ Le mot, en dehors d'un usage régional au sens de «réduit obscur», s'est employé en argot puis dans la langue populaire à propos d'un petit café plus ou moins mal famé à clientèle régulière, avec attraction probable de *cabaret.* Il vieillit.

► **CABOULOTIÈRE** n. f. (1866), «serveuse de caboulot», sort de l'usage.

CABRER v. tr. est probablement dérivé (av. 1188) du radical de l'ancien provençal *cabra* «chèvre» (XIIIe s.) dont certains dérivés sont anciens (→ cabri). *Cabra* vient lui-même du latin *capra* (→ chèvre). Il est malaisé de voir dans *cabrer* un emprunt direct du verbe *cabrar,* celui-ci n'étant pas ancien en provençal. L'hypothèse d'un emprunt à l'espagnol *cabrearse* se heurte aussi à l'attestation très tardive de ce mot (1891).

♦ Le sens propre, «se dresser sur les pattes de derrière» en parlant d'un animal, correspond d'abord à une construction intransitive (av. 1188), sortie d'usage, puis à une construction pronominale (v. 1307-1315). Depuis le XVIIe s., le verbe s'emploie aussi transitivement (1636). Au figuré, les deux types de construction expriment l'idée de «se révolter contre» (1606), «inciter (qqn) à résister» (1627). ➝ Par extension, le mot signifie «relever la partie antérieure d'une chose», spécialement en aviation «dresser un avion verticalement au cours du vol», en emploi transitif (1908) et absolu (1928).

► À *cabrer* correspondent trois substantifs d'action. **CABREMENT** n. m. (1872), de sens propre et figuré, est partiellement concurrencé par **CABRAGE** n. m. (1886), qui décrit le mouvement d'un animal et, par extension, d'un avion. ◇ **CABRADE** n. f. (1883) semble emprunté au provençal *cabrado,* dérivé de *cabrar* «se cabrer», mais ce peut aussi être un dérivé du radical de *cabrer* avec le suffixe *-ade* (de *ruade, reculade*); peu employé à propos du mouvement de ce qui se cabre, il s'est spécialisé en artillerie à propos du bond des anciens canons au départ du coup, puis en anesthésiologie en parlant du redressement esquissé par le corps du patient au début de l'anesthésie générale. Le participe passé **CABRÉ** est substantivé (1923) pour décrire l'état, le mouvement de ce qui est cabré.

CABRI n. m., d'abord *cabrit* (1362-1394) et *cabril* (1398), puis *cabri* (1680), est emprunté à l'ancien provençal *cabrit* (fin XIIe-déb. XIIIe s.), issu du latin populaire *capritus,* attesté au VIIIe s. au sens de «bouc», lui-même du latin *capra* (→ chèvre). Le *l* de la forme *cabril* est peut-être dû à l'influence du franco-provençal *chevril, chivril* (1441, Fribourg), forme probablement issue de la confusion entre les suffixes *-ittu* et *-ile.*

♦ Le mot désigne le petit de la chèvre. En ski, il dénomme (comme *chevreuil*) une compétition, par référence à l'agilité du cabri. ◆ En français d'Afrique, le mot s'applique à une espèce de chèvre naine; cette acception s'est répandue aussi en français d'Europe.

CABRIOLE n. f., avec la variante *capriole*, est emprunté (1550) à l'italien *capriola* «femelle du chevreuil» (XIVe s.) et, par métonymie, «bond, action de sauter» (1536) et au figuré «souplesse confinant à la servilité» (1545), spécialisé aussi comme terme de manège (1585). Ce mot est issu du bas latin *capreola* «chèvre sauvage», dérivé de *capra* (→ chèvre). La forme *cabriole*, qui a évincé la forme *capriole* (également *capreole*) plus répandue au XVIe s., résulte probablement d'un croisement avec *cabrer**, *cabri**.

♦ Le sens propre de «bond folâtre» s'est spécialisé avec des valeurs plus précises en manège (1564) et en chorégraphie (1611). Le mot a pris la valeur plaisante de «chute» dans la locution familière *faire la cabriole* (1690). Le sens figuré «retournement opportun d'attitude aux dépens de la dignité» (1690) a vieilli plus encore que celui de «expression de joie», les deux sens se partageant la locution *faire la cabriole*. Plus rarement, cette locution est employée par euphémisme avec les valeurs figurées de «mourir» et «se ruiner» (1845).

▸ **CABRIOLER** v. intr. (1584) est dérivé de *cabriole* et, sous la forme *caprioler* (1585) disparue au XVIIe s., de *capriole;* un emprunt à l'italien *capriolare* se heurte au fait que ce verbe n'est pas attesté avant le XVIIIe siècle. Le mot s'emploie en parlant d'un animal, d'une personne qui fait des bonds, des culbutes et, quelquefois par métaphore, de la pensée. ◆ **CABRIOLEUR, EUSE** n. et adj. (1625), «animé qui fait des cabrioles», est à peu près inusité.

CABRIOLET n. m. (1755) réalise proprement l'idée d'une «voiture qui cabriole», par allusion aux mouvements sautillants qui l'animent, mais cette origine n'est plus sentie. ◆ Le mot désigne une voiture légère à deux roues. ◇ Par analogie avec la forme de la voiture et le mécanisme de sa capote, il désigne (déb. XIXe s.) un chapeau dont le bord s'évase par devant; à la même époque, il se dit d'un fauteuil au dossier incurvé. En argot, par référence à l'attelage du cabriolet, il a désigné une entrave, voisine des menottes (1866). ◇ Par extension, le sens de «voiture» a donné celui de «petit chariot employé dans les fonderies» (1872) et celui d'«automobile décapotable» (1928), toujours en usage.

◈ voir **CAB**.

CABUS n. m. est emprunté (XIIIe s.) à l'ancien provençal *cabus* (XIIIe s.), très rare dans la documentation écrite en raison de son caractère populaire. Lui-même est dérivé avec le suffixe *-uceu* du latin *caput* «tête» (→ chef), soit directement, soit par l'intermédiaire des dialectes de l'Italie du Nord.

♦ Le mot désigne par métaphore une variété de chou à grosse tête ronde et feuilles lisses (→ cabot, cachalot). Il s'emploie adjectivement avec la valeur de «pommé» (1393, *choulx cabus*).

CACA n. m. se rattache (1534), par l'intermédiaire du latin *cacare* «chier» (→ chier), à un mot indoeuropéen de type populaire qui a des dérivés dans les verbes irlandais *caccaim*, grec *kakkan*, russe *kakat*, allemand *kakken* et dans les noms arménien *k ·akor* «fumier» et gallois *cach* «caca».

♦ Un usage pseudo-enfantin plus ou moins marqué par la mode le fait employer à la place de *merde**, également au sens figuré de «ordure, saleté» (1690), puis (XXe s.) de «chose méprisable». Par composition, il a fourni le nom de couleur ***caca d'oie*** (1867); en 1781, la naissance du dauphin avait mis à la mode une couleur *caca dauphin* d'un «jaune orangé». ◇ Récemment, des combinaisons plaisantes, supposées reprises au langage enfantin, sont entrées dans l'usage; la plus courante est *caca boudin*. ◆ Le mot s'emploie aussi comme adjectif pour «très sale».

◈ voir **CACADE**.

CACADE n. f., d'abord *caguade* (fin XVIe s.) et *cagade* (1616-1620), refait en *cacade* (1690), sous l'influence de *caca**, est emprunté au provençal *cagado* «évacuation d'excréments» et, au figuré, «entreprise manquée, mauvais succès», de *cagar* (→ chier).

♦ Le mot, repris avec les sens propre et figuré (1589) de son étymon, taxé de «bas» (1704), se rencontre encore rarement dans l'usage littéraire.

▸ **CAGADE** n. f. a été repris au provençal au sens figuré d'«échec complet, déconfiture».

CACAHUÈTE n. f. est emprunté (1801) à l'espagnol *cacahuete* «arachide» (1750-1765), antérieurement *cacaguate* (1653) et, par emprunt graphique exact, *tlacacahuatl* (1575). Lui-même est emprunté au mot aztèque *tlacacahuatl*, de *tlalli* «terre» et *cacahuatl* (→ cacao).

♦ Le mot, qui est devenu féminin en français, désigne l'arachide grillée, est entré dans l'expression ***beurre de cacahuètes***, traduction de l'anglais *peanut butter;* on dit en français du Canada *beurre d'arachides*, et par anglicisme *beurre de pinottes (peanuts)*.

CACAO n. m. est emprunté (1532) à l'espagnol *cacao* (1535), lui-même emprunté à l'aztèque *cacahuatl*, de même sens (→ cacahuète). Ce fruit était considéré au Mexique comme l'aliment par excellence et l'arbre qui le produisait passait pour le plus beau du paradis dans la religion aztèque.

♦ En France, l'emploi du mot *cacao* fait longtemps référence aux pays d'Amérique latine, avant que la chose soit introduite par Anne d'Autriche et le breuvage mis à la mode sous la Régence, alors nommé *chocolat de santé*, d'où le nom de *cacao* donné à la poudre puis à la boisson (1903).

▸ De *cacao* dérive **CACAOYER** n. m. (1686), après des formes éphémères plus anciennes calquant le mot aztèque : *cacou* (1601-1603), *cacahuaquahuitl* (1640), *cacaotal* (1676); il est concurrencé par *cacaotier* (1698). ◇ On a dérivé de ces deux formes le féminin **CACAOYÈRE, CACAOTIÈRE** n. f. (1722), «plantation de cacaoyers». ◇ **CACAOTÉ, ÉE** adj. (1947) qualifie ce qui contient du cacao.

CACATOÈS, KAKATOÈS n. m. a été introduit au XVIIe s. par deux voies d'emprunt. La forme *cacatoua* (1606), puis *cacatois* (1663), est empruntée au portugais *cacatua* (1630), lui-même repris au malais *kakatūwa*, composé de *kaka* «corneille», ici transposé au perroquet, et *tūwa* «vieux», en raison de la longévité de ces oiseaux. Le type *kakatou* (1652), *cacatous* (1663), *cacatües* (1707), puis *kakatoes* (1760), *cacatoès* (1809) a transité par le néerlandais *kakatoe, kaketoe* (XVIIe s.), lui-même repris au malais. Le mot s'est prononcé [kakatwa] jusqu'au XIXe s. et écrit *kakatoès* jusqu'à la fin du XIXe s., encore quelquefois au XXe siècle.

♦ Le mot désigne un oiseau grimpeur de la famille des Psittacidés ou perroquets.

▸ L'ancienne forme **CACATOIS** n. m. s'est maintenue dans une spécialisation technique de «petite voile carrée» en marine (1835; 1832, *cacatoi*) par allusion au fait que cette voile est gréée au-dessus de la voile appelée *perroquet*.

CACHALOT n. m. (1694), d'abord *cachalut* (1628), est probablement emprunté, étant donné la localisation des premières attestations en français, à l'espagnol *cachalote*. L'attestation tardive de ce mot (1795) n'est peut-être pas significative. *Cachalote* serait lui-même emprunté au portugais *cachalote*, aussi *cacholote*, dérivé de *cachola* «grosse tête», mot de la famille du latin *caput* (→ chef, cabot, cabus).

♦ Le mot, qui désigne un très grand mammifère marin, figure d'abord dans des documents d'apothicaire, probablement en raison des substances extraites de la tête de l'animal. Son emploi est limité au langage didactique, ces mammifères odontocètes étant erronément (et couramment) appelés *baleines* (ces dernières sont des Mysticètes).

CACHEMIRE n. m. est l'adaptation (1671) du nom de la province de *Kashmir*, au nord-ouest de l'Inde, ou de celui de sa capitale où sont fabriqués tissus et châles.

♦ Le mot est d'abord attesté comme toponyme en parlant des tissus fabriqués dans cette région avec le duvet des chèvres du Tibet ou du Cachemire, dans les syntagmes *chale* ou *escharpe de Cachemire, tissus moëlleux de Kachemire* (1791). Il s'est lexicalisé au XIXe s., désignant d'abord par métonymie le châle (1803), puis aussi et surtout l'étoffe (1820). Par extension, il désigne un tissu de laine très fine, alors concurrencé par l'anglicisme *cashmere*, de même origine.

◈ voir CASIMIR.

◈ ✻ **CACHER** v. tr., d'abord *quachier* (XIIIe s.) attesté jusqu'au XVe s., puis *cachier* (v. 1278) et *cacher*, est issu d'un latin °*coacticare*, forme renforcée du latin *coactare* «contraindre», fréquentatif de *cogere* de même sens (→ cailler, coaguler). *Cogere* est lui-même formé de *cum* et *agere* (→ agir; acte). De *coactare* résultent les formes méridionales de type *cacha* «broyer, écraser, presser, blesser», ce sens d'«écraser» étant réalisé en ancien français par le composé *escachier* dès le XIIe siècle.

♦ Du sens de «serrer, comprimer» est venu celui de «dissimuler à la vue», attesté dès les premiers textes mais rare avant le XVIe siècle. En ce sens, *cacher* a supplanté l'ancien français *esconser*, vivace jusqu'à la fin du XVe s., encore usité en lorrain en parlant du coucher du soleil, dérivé d'*escons*, participe passé d'*escondre*. Ce verbe, issu du latin *abscondere* (→ abscons), existe dans toutes les langues romanes avec ou sans substitution de préfixe (italien *(n)ascondere*, espagnol *esconder*, ancien provençal et la majorité des parlers occitans modernes). *Cacher* a aussi supplanté *musser*, d'origine incertaine, qui survit au nord-est et en normand; il coexiste avec *celer**, d'origine latine. ➝ L'idée de «dissimulation», dont le verbe est porteur, se réalise d'abord sur le plan physique, puis abstraitement (1549) en parlant de sentiments, d'idées, d'agissements, par exemple dans la locution métaphorique ***cacher son jeu*** (1704). L'emploi pronominal (v. 1278) fournit *se cacher de qqn* «agir à son insu» (1666), qui avait aussi à l'époque classique le sens de «ne pas convenir de qqch.» (1667), dont la tournure négative moderne *ne pas s'en cacher* «manifester», garde une trace.

▸ **CACHETTE** n. f. est le féminin (1313) de *cachet* n. m., dérivé ancien de *cacher*, attesté sous la forme *quachet* (v. 1175), puis *cachet* (v. 1386) et employé jusqu'à la fin du XVIe s. comme nom du lieu où l'on se cache. ◇ *Cachette*, dont l'usage a d'abord été limité à la locution ***en cachette***, doublée en moyen français par *a cachette* (1452-1470), s'est répandu au XVIe s., supplantant *cachet* qui avait aussi ce sens, et *cache* n. f. (ci-dessous).

➝ **CACHET** n. m. s'est maintenu (1464) comme le principal représentant de l'ancien sens de *cacher* «presser» et n'est plus senti comme lié au verbe. Avec le suffixe *-et*, indice de l'objet remplissant la fonction de «presser», il désigne un petit sceau, seul et dans *cachet du roi* (1636), emploi dont procède ***lettre de cachet*** (1636). Par métonymie, il désigne d'une part la pastille de cire portant l'empreinte (av. 1630) et l'empreinte elle-même (1564). Ce dernier sens a donné par extension celui de «signe caractéristique» (1762), d'où au figuré la locution ***avoir du cachet*** «de la personnalité» (1866). ➝ Une autre extension, par laquelle *cachet* désigne spécialement la carte où l'on marque d'un tampon chaque prestation professionnelle (1733), autrefois dans le cadre des leçons particulières, est à l'origine du sens de «rétribution d'un artiste» (1898), d'où ***courir le cachet***. ➝ Le sens médical de «comprimé» (1873) est dû, non pas à une réactivation du sens étymologique, mais à une extension abusive de celui de «enveloppe de pain azyme (fermée par pression) renfermant un médicament en poudre», aujourd'hui délaissé pour *gélule, capsule*. On parle aussi de *cachet d'aspirine**, etc. ➝ *Cachet* a produit **CACHETER** v. tr. (1464) «fermer avec un cachet», spécialement employé à propos d'une bouteille (1564) et d'une enveloppe, malgré l'usage moderne des enveloppes gommées. ◇ Le verbe a donné **DÉCACHETER** v. tr. (1544), **RECACHETER** v. tr. (1544), plus rare, et, tardivement, **CACHETAGE** n. m. (1861).

CACHOT n. m. (1550) semble rapidement passé de l'idée de «lieu secret», c'est-à-dire *cache* ou *cachette*, à la désignation d'une cellule de prison basse et obscure (1627, peut-être même dès 1550). Dans ce sens, le rapport étymologique à *cacher* n'est plus senti.

CACHOTTER v. tr., dérivé diminutif de *cacher* signifiant «tenir secret» (XVIIe s., Mme de Sévigné), n'a pas réussi à s'implanter, à la différence de ses dérivés **CACHOTTIER, IÈRE** n. et adj. (1670) et **CACHOTTERIE** n. f. (1698, Bossuet), demeurés très vivants.

① **CACHE** n. f. (1561) a désigné le fait de se cacher, d'où *en cache* (av. 1559) remplacé par ***en cachette,*** et le lieu où l'on se cache, où l'on cache qqch. Son emploi n'est plus que régional. ◆ **CACHERIE** n. f. (av. 1755), «soin de cacher», n'a pas doté *cacher* du substantif d'action qui lui manque.

Le déverbal ② **CACHE** n. m. (1870) désigne concrètement un objet qui fait écran, spécialement, en terme d'imprimerie, une feuille intermédiaire évitant le décalcage (1870) et, en photographie, une feuille opaque découpée de façon à cadrer certaines parties de la pellicule impressionnée qu'on ne veut pas reproduire (1898).

CACHE-NEZ n. m. est le plus ancien des composés de la forme verbale *cache-* et d'un substantif (1536); il a perdu, au profit de *loup,* son sens primitif de «masque couvrant le visage jusqu'à la bouche» (qualifié de «vieux» par Furetière, 1690) pour reparaître comme terme d'habillement à partir de 1830, pour «écharpe». ◆ À partir du XVIIIe s., la vitalité de *cacher* en matière de dérivés consiste essentiellement en substantifs masculins composés de *cache-* et d'un substantif, désignant des objets ou instruments dont on se sert pour cacher, notamment dans les domaines de la mode, des jeux et de la technique. Il faut en excepter **CACHE-CACHE** n. m. (1722), composé d'un redoublement de la forme verbale. ◇ Au XIXe s., on voit apparaître **CACHE-TAMPON** n. m. (1835), **CACHE-MISÈRE** n. m. (1847), **CACHE-COL** n. m. (1842, reprise d'une ancienne formation employée par Rabelais comme désignation de la fraise, *col* étant pris au sens de «cou»), **CACHE-POUSSIÈRE** n. m. (1876), **CACHE-CORSET** n. m. (1899), **CACHE-SEXE** n. m. (fin XIXe s.). ◇ L'élément reste productif au XXe s., entrant dans **CACHE-FLAMME** n. m., en armement, et dans **CACHE-CŒUR** n. m.

◈ voir aussi **RADIATEUR**.

CACHET → CACHER

CACHEXIE

CACHEXIE n. f. est emprunté (1537) au bas latin *cachexia* (Ve s., Caelius Aurelianus), lui-même emprunté au grec *kakhexia* «mauvaise constitution physique» et «mauvaise disposition morale». Ce mot est dérivé de *kakhektês* «qui est mal constitué», «mal disposé», d'où «turbulent, remuant», de *kakos* «mauvais» (→ caco-) et de *ekhein* «posséder, tenir, retenir», d'où «avoir»; ce mot appartient à une racine indoeuropéenne °*segh-* qui se retrouve dans le sanskrit *sáhate* «vaincre, résister».

♦ Le mot a été introduit en médecine à propos d'un état de maigreur extrême et d'atteinte grave de l'état général.

▶ **CACHECTIQUE** adj. est emprunté en même temps (1538) au bas latin *cachecticus* (447), lui-même repris au grec *kakhektikos* «de mauvaise constitution», de *kakhektês.* ◇ Introduit comme substantif, le mot est aussi employé adjectivement en médecine (1542).

CACHOT → CACHER

CACHOTTIER, CACHOTTERIE → CACHER

CACHOU

CACHOU n. m. est emprunté (1651) au portugais *cacho* (1516), de nos jours *cachu,* probablement emprunté au tamoul *kāšu* «variété d'acacia» et, par métonymie, «substance tirée de son bois et de ses gousses». Ce mot remonte au sanskrit *kvath* «faire bouillir».

♦ Le mot désigne la substance extraite du bois et des gousses de l'*acacia catechu* des Indes, dont on fait des pastilles et que l'on emploie comme matière colorante. Par métonymie, il désigne la pastille, utilisée pour parfumer l'haleine (1680). Le mot a pris aussi une valeur adjective de «couleur brun rougeâtre de cachou» (1867).

CACIQUE

CACIQUE n. m. est emprunté (1515), d'abord par l'intermédiaire de récits de voyage italiens (*cacicco,* attesté depuis 1507), puis par l'intermédiaire de l'espagnol d'Amérique *cacique* (1492), à l'arawak (langue caraïbe des Antilles) *cacique.* Le mot italien, qui serait lui-même repris à l'espagnol, a été adapté en français sous les formes *cacichi* (pluriel), *cachic* (1525), *cacic* (1533); la forme *cacique* (1545), adaptation de l'espagnol, s'est imposée.

♦ Le mot désigne un chef de tribu chez certaines peuplades d'Amérique du Sud. Les extensions sont tardives : l'argot de l'École normale supérieure lui donne le sens de «premier d'une section» (av. 1843), le langage politique l'emploie à propos d'une personnalité influente dans son domaine (1889), spécialement dans un contexte espagnol (1928) par un nouvel emprunt à l'espagnol *cacique,* qui a pris ce sens au XIXe siècle. ◆ Un emprunt indépendant (1760, Arveiller) à l'espagnol d'Amérique latine *cacique,* pris par métaphore pour désigner un oiseau remarquable par son plumage, a fait du mot un terme d'ornithologie.

▶ **CACIQUAT** n. m., «dignité de cacique», est enregistré en 1838.

CACO-

CACO- préf. est tiré du grec *kakos* «mauvais», dit de personnes pour exprimer la mauvaise qualité, d'où la basse naissance, la lâcheté, l'incapacité, la méchanceté et, d'autre part, ce qui est mal ou mal fait (mort, destin, maladie, paroles...). *Kakos* est un mot familier et expressif, dont le radical *kak-* semble connu du vieux phrygien.

♦ *Caco-* entre dans la composition de plusieurs mots didactiques ou savants. **CACOGRAPHIE** n. f. (1554), repris au XIXe s. pour «orthographe vicieuse», signifie par métonymie «méthode d'orthographe fondée sur la correction de fautes introduites volontairement» (1809). ◆ **CACODYLE** n. m. (1842), terme de chimie, est repris à l'allemand *Kakodyl* (XIXe s.), lui-même composé sur le radical du grec *kakôdês* «qui sent mauvais» avec *ulê* «matière», d'abord «bois, forêt», d'origine inconnue. ◇ De là **CACODYLATE** n. m. (1842) «sel ou ester de l'acide *cacodylique*», employé en thérapeutique *(cacodylate de soude)*. ➛ En médecine, **CACOSMIE** n. f. (1970), fait avec le grec *osmê* «odeur», désigne la perception d'une odeur fétide réelle ou inexistante.

▸ D'autres mots sont empruntés à des composés grecs. ➛ **CACOCHYME** adj. est emprunté (1478) par le bas latin *cacochymus* au grec *kakokhumos* «qui a ou produit un mauvais suc», d'où dans la langue médicale «qui a de mauvaises humeurs», composé de *kako-* et de *khumos* «suc». Le mot, qui vaut pour les sucs naturels des végétaux et surtout des animaux, du point de vue de la saveur et de la succulence, est une forme voisine de *khulos* «jus, sève», «décoction», «suc», qui appartient à la racine de *khéein* «verser, répandre» (→ ecchymose), ayant de nombreux représentants en latin (→ fondre, futile). ➛ Le sens médical, «plein de mauvaises humeurs ; de mauvaise complexion» est sorti d'usage au XIXe s., sauf dans ***vieillard cacochyme*** «débile, faible» et employé comme attribut. ◇ Le sens figuré de «fantasque, bourru, bizarre» (1680), strictement équivalant à «de mauvaise humeur», et encore répertorié par les dictionnaires du XIXe s., est sorti d'usage. ➛ **CACOCHYMIE** n. f. est emprunté (1503), par le bas latin *cacochymia*, au grec *kakokhumia* (Galien), de *kakokhumos*. ➛ Le mot a suivi le même type d'évolution que *cacochyme :* le sens médical de «mauvais état des humeurs» a glissé vers celui de «état d'extrême faiblesse due à la vieillesse» (1835), en passe de disparaître.

CACOPHONIE n. f. est emprunté (1587) au grec *kakophônia*, substantif dérivé de *kakophônos* «qui a une voix ou un son désagréable», de *kako-* et *phônê* «voix, son» (→ phonie). ➛ Le mot est repris au sens strict de «consonance blessant l'oreille» en termes de poétique et de grammaire. Par extension, il s'est répandu à propos d'un mélange confus de voix et de bruits (1732), s'appliquant aussi par analogie à un mélange confus de choses diverses. ◇ **CACOPHONIQUE** adj. (1806) correspond au substantif.

CACOLET n. m. (1819), d'abord *cacolier* (1808), est emprunté au béarnais *cacoulet, cacolet* «siège à double dossier fixé sur une monture pour transporter des voyageurs, des blessés, des malades». Ce mot dialectal est d'origine incertaine mais pourrait venir du basque *kakoletak* «siège en bois recourbé», dérivé pluriel de *kakola* «bâton recourbé» qui serait alors à l'origine du navarrais *cacolas* «bâtons que l'on place sur les montures pour transporter des fromages», évidemment parent du béarnais *cacoulet*. P. Guiraud rattache *cacolet* à une forme verbale hypothétique °*co-acoler* «placer ensemble sur le cou», reconstituée d'après l'ancien français *acoler* «pendre qqch. à son cou» (→ acoler à col); mais on ne voit pas de raison majeure pour récuser l'origine basque du mot.

♦ Le mot désigne en français un bât composé de deux sièges à dossier; il est quelquefois employé par métonymie pour chaque élément dont se compose l'objet (1873, J. Verne). On dit *mettre, disposer en cacolet* «de chaque côté du dos de l'animal».

CACTUS n. m. est un emprunt (1627) par l'intermédiaire du latin *cactos, cactus* «cardon» (Pline), au grec *kaktos* «artichaut épineux, cardon», mot sans étymologie connue.

♦ Le mot désigne une sorte de chardon avant de prendre (1788) le sens moderne appliqué à des plantes exotiques (Afrique, Amérique) à piquants. ◇ Sous l'influence d'une chanson à la mode de J. Dutronc (1967), il s'est employé peu après au sens figuré de «épreuve, difficulté» (comme *épine, os*).

▸ Du radical de *cactus* sont dérivés **CACTÉES** n. f. pl. (1842), par l'intermédiaire d'un adjectif **CACTÉ, ÉE** (1803), **CACTACÉES** n. f. pl. (1850) et, ultérieurement, **CACTERAIE** n. f. (XXe s.), «plantation de cactus».

CADASTRE n. m. est emprunté (XVIe s.) au provençal *cathastre* (1525, *libre del cathastre*) ou *cadastre* (1527), lui-même emprunté à l'italien *catasto, catastro*, issu du vénitien *catastico* (dès 1185) «liste des citoyens possédant une propriété imposable». Le vénitien le tient du grec byzantin *katastikhon* (VIIIe-XIe s.) «compte ligne par ligne des taxes, tenu par un collecteur», composé de *kata* «de haut en bas, dans tous les sens» (→ catastrophe) et de *stikhos* «rang, ligne» (→ hémistiche).

♦ En français, où il a d'abord désigné le registre qui servait à l'assiette des tailles réelles, le mot n'est employé jusqu'au milieu du XVIIIe s. que par rapport au sud de la France. ◇ Son usage semble être devenu général grâce à Turgot, pour désigner l'arpentage et l'évaluation des propriétés imposables (1758) et de là, par métonymie, l'administration fiscale chargée de cette opération.

▸ La dérivation commence avec le sens moderne dans la seconde moitié du XVIIIe s. avec **CADASTRAL, ALE, AUX** adj. (XVIIIe s., Necker) et **CADASTRER** v. tr. (av. 1781, Turgot) «faire le cadastre, inscrire au cadastre». ◇ Du verbe sont dérivés à leur tour **CADASTREUR** n. m. (1838) et **CADASTRAGE** n. m., mot tardif (1948) qui tend à supplanter le plus ancien **CADASTRATION** n. f. (1892).

CADAVRE n. m. est emprunté (XVIe s., av. 1550 sous la forme *cadaver*) au latin *cadaver* «corps d'un homme mort» (IIIe-IIe s. av. J.-C.). Le mot, bien qu'il soit ancien et usuel, était parfois évité pour sa crudité au profit de *corpus* (→ corps) et n'a que de rares dérivés. Il est seulement représenté dans les langues romanes par des formes savantes. Il est justement rattaché par les Anciens à *cadere* «tomber», d'où «succomber» (→ cadence), avec une finale obscure.

♦ La même réticence à utiliser le mot est sensible en français, où on lui préfère *corps**, réservant *cadavre* à un contexte anatomique ou policier, voire à des emplois métaphoriques (av. 1704, d'une ville; 1741, d'un arbre). ◇ Cela n'empêche pas un certain usage familier (cf. *mort, zombie, déterré)* dans ***cadavre ambulant*** (1835) et la locution ***ça sent le cadavre*** «ça se gâte». Le ***cadavre exquis*** (1927), nom d'un jeu surréaliste, rappelle le sujet de la première phrase obtenue par composition collective et aléatoire *(le cadavre exquis boira le vin nouveau)*.

▸ Du latin *cadaver* sont dérivés **CADAVÉRIQUE** adj. (1787), surtout au sens de «qui évoque le cadavre» (XIXe s. : *un teint cadavérique*), concurrencé dans le style plus soutenu par **CADAVÉREUX, EUSE** adj. (1546), emprunt au latin *cadaverosus*, et **CADAVÉRISER (SE)** v. pron. (1830) de sens concret et abstrait.

① **CADDIE** ou **CADDY** n. m. est emprunté (1895) à l'anglais *caddie*, emprunté du français *cadet** au XVIIe s. sous la forme *cadet, caddee*, et spécialisé comme nom du garçon de golf (1857).

♦ Le mot désigne l'aide qui porte les clubs du joueur de golf, emploi qui tend à disparaître et dont la désignation est concurrencée par la forme française originelle, *cadet**.
Avec le sens de «petit chariot métallique employé dans les magasins à libre service» (1957), ② **CADDIE** est un second emprunt, plus récent, à l'anglais *caddie*, abréviation de *caddie car* qui désigne un chariot de golf à deux roues tiré par le joueur et, aux États-Unis, un petit chariot de manutention. L'emploi de *caddie* dans les magasins est donc un faux anglicisme (nom déposé en 1952) et correspond à celui de *trolley* au Royaume-Uni et de *cart* aux États-Unis.

CADE n. m. est emprunté (1518) au provençal *cade* «genévrier» (XIIIe s.), lui-même issu d'un latin des gloses d'Espagne *catanum*. L'aire géographique dans le territoire gallo-roman et l'absence de correspondant dans les langues celtiques insulaires ont fait supposer sans autre preuve un radical préceltique.

♦ Le mot désigne un genévrier méditerranéen et s'emploie, dès les premiers textes, dans le syntagme *huile de cade*, à propos du goudron extrait de cet arbuste, utilisé notamment en dermatologie vétérinaire, mais aussi humaine. ◇ C'est de *cade* que vient la marque déposée *Bébé Cadum*, en 1912, d'où l'expression aujourd'hui vieillie ***un bébé Cadum*** «un bébé nu, rose, en bonne santé».

CADEAU n. m. est emprunté (1416) à l'ancien provençal *capdel* «personnage placé en tête, capitaine» (→ cadet), lui-même issu (XIIe s.) du latin *capitellum* qui signifie proprement «petite tête, extrémité» et qui a donné *chapiteau**, diminutif de *caput* «tête» (→ chef). On est en droit de penser qu'en ancien provençal, le mot désignait déjà une grande initiale ornementale (comprenant souvent une tête de personnage) placée en tête d'un alinéa (cf. *capitale*).

♦ Le mot désigne d'abord une lettre capitale ornée (en concurrence avec *lettre cadelée*), d'où spécialement une lettre ornée de grands traits de plume pour décorer les écritures, remplir les marges, le haut et le bas des pages (1532) ; un trait de plume figuré que les maîtres d'écriture faisaient autour des exemples (1680). Par analogie, il se disait aussi des formes que l'on trace distraitement sur les cendres ou le sable (1690) et, par figure, des enjolivures inutiles dans le discours d'un avocat, d'un auteur (1690). ◆ Un déplacement de sens fondamental s'est fait au cours du XVIIe s. : d'après l'ornementation raffinée et luxueuse des lettres initiales, *cadeau* a désigné en langue classique une fête galante avec musique et banquet, offerte à une dame (1656), sens déjà décrit comme «vieilli» par Furetière en 1690. On est passé, selon Ménage, qui ne signale pas le sens de «don», des «paragraphes que font les Maîtres à écrire autour des exemples qu'ils donnent à leurs Écoliers» à *faire des cadeaux* «faire des choses spécieuses mais inutiles». De là, par extension, le mot a pris son sens actuel de «ce que l'on offre à qqn en hommage, pour faire plaisir» (1669, *cadeau nuptial*), entrant en concurrence avec *don* et *présent* dans le langage usuel. ◇ Sur la base de la locution fréquente ***faire (un) cadeau***, a été formée la locution familière ***ne pas faire de cadeaux à qqn*** «être dur avec lui, ne lui céder en rien» (v. 1930). Plus récente, la locution ***c'est pas un cadeau*** s'entend ironiquement d'une chose ou d'une personne difficile à supporter (1936, Céline : «*c'est un joli cadeau*»). ◇ Par ailleurs, banalisé, *cadeau* est entré dans le vocabulaire de la publicité, aussi en apposition (*paquet cadeau*, etc.).

▸ Depuis l'extinction de *cadeler* v. tr., *cadelure* n. f., *cadeau* n'a produit aucun dérivé avec son sens moderne, si ce n'est le verbe tardif **CADEAUTER** v. tr. (1844) «gratifier qqn de qqch.», d'usage rare et familier en dehors de l'Afrique où il est normal et courant. On trouve les variantes graphiques *cadoter, cadotter* chez Flaubert.

CADENAS n. m., d'abord *cathenat* (1529), puis avec le suffixe *-as*, *cadenas* (1540), est emprunté à l'ancien provençal *cadenat* «chaîne servant à fermer un accès» (XIIIe s.), d'où par métonymie «serrure mobile» (1453). Le mot est issu du bas latin *catenatum* de même sens (VIe s.-VIIe s., Isidore), neutre substantivé de l'adjectif *catenatus* «enchaîné» — l'arceau du cadenas étant comparé à une chaîne ou faisant fonction de chaîne — lui-même dérivé du latin *catena* (→ chaîne).

♦ Le mot désigne une sorte de serrure mobile formée d'une boîte et d'un arceau métalliques dont une extrémité s'ouvre au moyen d'une clé ; par métonymie, il a désigné un coffre fermé à l'aide de cet objet et contenant l'argenterie des rois et grands seigneurs (1551). Il a donné la locution figurée ***mettre un cadenas aux lèvres de qqn*** «l'empêcher de parler» (1779). La locution ***loi du cadenas*** (1897) s'est appliquée à une loi qui, pour empêcher les spéculations, mettait immédiatement en vigueur, par décret, les projets de loi tendant au relèvement des droits de douane sur les marchandises.

▸ Le dérivé **CADENASSER** v. tr. (1569) signifie proprement «fermer avec un cadenas» ; il s'emploie également au figuré pour «faire taire», «tenir enfermé», aussi au pronominal et au participe passé adjectivé.

◈ voir CADÈNE.

CADENCE n. f. est emprunté (fin XVe s.) à l'italien *cadenza* «conclusion», employé ensuite au sens de «rythme» en parlant de l'allure des rameurs (XVIe s.), d'un vers (XVIIe s.), d'une succession régulière de sons musicaux (XVIIe s.). Ce mot est issu d'un latin populaire °*cadentia* (sous-entendu *verba*), pluriel neutre substantivé et pris pour un féminin singulier (→ chance) du participe présent de *cadere* «tomber» (→ cadavre, choir), au sens grammatical de «se terminer», en parlant d'un mot.

♦ Dès les premières attestations, l'idée de base est celle de «rythme», d'abord en art, en chorégraphie (fin XVe s.), en prosodie (1520) et en musique (1550) où *cadence* garde aussi le sens de «terminaison, résolution d'une suite d'accords» (1680). Par extension, le mot s'applique à une répétition de sons ou de mouvements qui se succèdent régulièrement (1690, ***en cadence***) et tend même à empiéter sur certains emplois de *rythme*, notamment en parlant du rythme de travail (cf. l'expression *les cadences infernales*, à propos du travail à la chaîne). ➛ Le sens latin de «chute», emprunté au début du XVIe s. (1510) avec des extensions figurées, «décrépitude» et «conséquence, résultat», ainsi que l'acception spéciale de «terminaison d'un mot», ont disparu au XVIIe siècle.

▸ **CADENCÉ, ÉE** adj. (1597) s'est rapidement répandu pour qualifier un mouvement répété bien rythmé (notamment dans *pas cadencé*), un discours ou un style rythmé (1613). ◇ Ce n'est pas le cas du verbe **CADENCER** v. tr., plus tardif (1701), «rythmer une phrase», «régler son pas», et qui demeure rare. ◇ Le dérivé **CADENCEMENT** n. m. (1873), «mouvement bien rythmé», est lui aussi peu usité.

◈ voir CADUC, DÉCADENCE.

CADÈNE, CADENNE n. f., d'abord *catène* (déb. XIVe s.), est emprunté à l'italien *catena*, anciennement *cadena* «chaîne» (XIIIe s.-déb. XIVe s.) qui, par l'intermédiaire de la locution *in catene* «lié, enchaîné» puis «emprisonné», a pris le sens de «prison» (av. 1529). L'italien est issu du latin *catena* (→ chaîne). Après l'exemple isolé du XIVe s., *catene*, bien attesté en moyen français (XVe s.-XVIe s., jusqu'à Rabelais), est probablement un nouvel emprunt à l'italien : *mat de cathène* «fou à lier» rendait l'italien *matto da catena, pazzo da catena*. La forme actuelle *cadène* (1540) est probablement reprise à l'italien du Nord qui a conservé la forme ancienne *cadena*, génois *cadenna* «peine de la chaîne, à laquelle sont condamnés les soldats délinquants», vénitien *cadèna*; les contemporains considèrent le mot comme italien; l'hypothèse d'un emprunt au provençal *cadena* (fin XIIIe s.) est moins probable (→ cadenas).

♦ Le mot, aujourd'hui archaïque, désignait la chaîne à laquelle on attachait les forçats et, par métonymie, l'ensemble des forçats enchaînés. En marine, le mot a désigné une chaîne de fer fixée au bordage et servant à rider les haubans (1678), remplacée de nos jours par une ferrure boulonnée.

CADENETTE n. f. est dérivé (1655) du nom d'Honoré d'Albert, seigneur de *Cadenet* (Vaucluse), frère de Charles, duc de Luynes, connétable de France (1578-1621) et qui aurait été le premier à porter de longues mèches de cheveux d'un seul côté du visage. Cette étymologie figure déjà chez Ménage.

♦ Le mot désigne une longue mèche de cheveux que les hommes laissaient pendre d'un côté, sous le règne de Louis XIII. Il a ensuite désigné les tresses de cheveux entortillées de rubans, portées par certains corps de troupes au XVIIIe s. (1767), et remises à l'honneur après le 9 thermidor par les muscadins. De nos jours, il est pris quelquefois comme synonyme de *couette*.

CADET, ETTE n. et adj. est emprunté (1466) au gascon *capdet* «chef, capitaine» (XVe s.), correspondant au provençal *capdel* qui a donné *cadeau**, *-et* étant en gascon le traitement du suffixe provençal *-el*.

♦ Le sens moderne, «celui qui vient après un autre frère par ordre de naissance» attesté dès les premiers emplois (1466), vient de ce que les chefs gascons venus servir dans les armées des rois de France au XVe s. étaient souvent des fils puînés de familles nobles; en outre, la finale du mot a pu être sentie comme une sorte de diminutif. En ce sens, le mot a supplanté *puîné* au XVIIIe s. et il s'est étendu au dernier fils, à la dernière fille d'une famille (1671), s'employant également comme adjectif (1740, *branche cadette*). ➛ Par extension, il signifie «moins âgé» (sans lien de parenté, 1690) et, au figuré, «mineur, sans importance» (1812), notamment dans la locution familière ***c'est le cadet de mes soucis.*** ➛ En sport, le substantif désigne le garçon portant les clubs des joueurs de golf (1906; → caddie) et *les cadets* une catégorie de jeunes athlètes (1928). ➛ Le sens militaire de «gentilhomme qui servait comme soldat pour apprendre son métier» (1530), dont procèdent les expressions ***compagnie de cadets*** (1682), ***cadet de Gascogne*** (1812), rendu célèbre par *Les Trois Mousquetaires* de A. Dumas, s'applique à une réalité historique. De nos jours, le mot désigne un élève officier et un jeune sportif.

CADI n. m., une première fois *escaadi* (v. 1230) puis *cady* (1351) et *cadi*, est emprunté à l'arabe *(al) qāḍī*, participe actif substantivé de *qaḍā* «décider, juger» (→ alcade). Les anciennes formes *cadilesquier* (1576), *cadilesquer* (1670), *cadilesker* (1732), vivantes jusqu'au XIXe s., sont empruntées du turc *kadilasker, kadī asker* «juge de l'armée»; les variantes *cassi-ascher* (1612), *caziasquer* (1654) correspondent à d'autres formes du turc.

♦ Le mot désigne un magistrat musulman remplissant des fonctions civiles, judiciaires et religieuses, en particulier celle de juger les différends entre particuliers.

◈ voir CAÏD.

CADMIE n. f., réfection (1538) de *camie* (1400), est emprunté au latin *cadmea, cadmia*, lui-même emprunté au grec *kadmeia, kadmia* (sous-entendu *petra*) «pierre de Cadmos», parce que cette pierre, la *calamine** (dont le nom est issu d'une forme altérée de *cadmia*), se trouvait près de Thèbes, cité fondée par *Cadmos*. En ce qui concerne le nom de ce héros, en grec *Kadmos*, le rapprochement souvent répété avec *kekasnai* «exceller, briller» est douteux et l'hypothèse d'un emprunt fait par le grec est mal assurée.

♦ Le mot, au sens de «minerai de zinc naturel», a été supplanté par *calamine*. Il s'est maintenu en métallurgie comme nom de la suie verdâtre (oxyde de zinc) qui s'attache aux parois intérieures des fourneaux où l'on fond les métaux (1611).

▶ **CADMIUM** n. m. est emprunté (1817) à l'allemand *Cadmium, Kadmium*, dérivé du radical du latin *cadmia*, grec *kadmeia*, avec le suffixe scientifique *-ium*; l'appellation a été forgée par le chimiste allemand Frederic Strohmeyer (1778-1835) qui isola le premier ce métal à partir de la calamine jaune. ◆ Le mot est l'appellation donnée en chimie à un corps simple, métal blanc comme l'étain, ductile et malléable. Il s'est répandu pour désigner un pigment utilisé en peinture, d'abord dans *sulfure de cadmium* (1861), puis seul ou dans *jaune de cadmium* (1933). ◆ En sont dérivés **CADMIER** v. tr. (XXᵉ s.) et **CADMIAGE** n. m. (v. 1925), relatifs au revêtement d'une surface métallique par dépôt électrolytique de cadmium.

CADOGAN → CATOGAN

CADRAN n. m. est emprunté (fin XIIIᵉ s.) au latin classique *quadrans, -antis* «quart de l'as, soit trois onces» et, l'as étant considéré comme l'unité, «quart (d'une unité quelconque)», employé comme mesure de longueur, de poids, de temps. Le mot est dérivé, avec une fausse désinence de participe présent, du radical *quadr-* de la famille de *quattuor* (→ quatre). Le développement sémantique du mot français est dû à une réinterprétation tardive de *quadrans* par figure étymologique sous l'influence de *quadrare* «être carré» *(quadratus* → carré) pour désigner une surface plane carrée divisée en heures. Du fait de sa graphie, le mot est rapproché spontanément de *cadre*.

♦ Le mot a désigné un cercle gradué servant à mesurer la hauteur du soleil ou d'une étoile, sens disparu après le XVᵉ siècle. Puis (1340) il se dit d'une surface portant des divisions correspondant aux heures du jour et sur lesquelles le soleil projette l'ombre d'un style; dans ce sens, d'autres valeurs étant apparues, on emploie en français moderne le syntagme ***cadran solaire*** (1704; 1538 *cadran au soleil*). Par extension, l'idée de forme carrée devenant moins pertinente, il s'applique à une surface sur laquelle se déplacent les aiguilles d'une montre, d'une horloge, d'une pendule (1443). Par analogie, il désigne la surface graduée de divers appareils, notamment de mesure, tels que la boussole (av. 1589 dans la dénomination *cadran de la mer*), et ultérieurement (fin XIXᵉ s.) le téléphone. ◆ En référence aux divisions d'un appareil, il est employé en arboriculture à propos d'une série de fentes partant du centre sur les vieux arbres malades (1777). ◆ Par allusion plus générale à la forme, le plus souvent circulaire, du cadran, il s'est employé en argot comme dénomination métaphorique de la tête (1857).

▶ *Cadran* a produit les termes techniques **CADRANNERIE** n. f. (1783), «atelier où l'on fabrique des appareils de navigation à cadran», et **CADRANNURE** n. f. (1791), qui désigne la maladie des bois se manifestant par des fentes disposées en cadran.

✳ CADRE n. m., d'abord *quadre* (1354-1376), est emprunté à l'italien *quadro*, substantivation de l'adjectif *quadro* «carré» représentant du latin *quadrus* (→ carré) dérivé de *quattuor* (→ quatre). Le substantif italien est employé spécialement comme nom du carré en géométrie (déb. XIVᵉ s.), puis pour désigner une ouverture carrée, une petite fenêtre (1540), un tableau, une peinture (1584).

♦ En moyen français, le mot a désigné un quartier de lune, sens éliminé par *quartier*. Depuis le XVIᵉ s. (1549), il désigne concrètement comme en italien la bordure (carrée à l'origine) d'un tableau, d'un miroir, et un châssis fixe rectangulaire (1690, à propos du chambranle d'une porte), sens dont procèdent quelques emplois techniques, en marine à propos d'une couchette (1736), et dans divers métiers (1751, fabrication du papier; 1867, mégisserie, parcheminerie). ◆ L'idée de «délimitation» transposée sur un plan abstrait est appliquée à l'entourage qui met en valeur une personne ou la montre sous un certain jour (av. 1778), à ce qui structure une pensée, sert de matière et de plan à une œuvre (1803, Chateaubriand). Un usage contemporain, la locution ***dans le cadre de***, apparue en langage administratif, est devenu envahissant pour «dans le domaine de; en». ◆ Par métonymie du sens de «bordure d'un tableau», *cadre* a désigné le tableau lui-même, puis un registre où sont inscrits les noms des officiers et sous-officiers exerçant une fonction de commandement, d'*encadrement*. Ce sens, réalisé dans l'expression figurée ***être rayé des cadres*** (1840) «être licencié», rend compte d'un déplacement métonymique vers la désignation de personnes définies par leur fonction de direction, d'où le sens de «ensemble des officiers et sous-officiers dirigeant les soldats d'un corps de troupe» (1796), renforcé au XIXᵉ s. par les emplois parallèles de *encadrer* et *encadrement*. ◇ Par extension, *cadre* désigne l'ensemble des employés d'un rayon administratif (1840), et au XXᵉ s. *les cadres* recouvre le personnel investi dans une entreprise des fonctions de direction (1931). De là, *cadre* s'applique à une réalité socioprofessionnelle précise, opposé à *employé*, et désigne au pluriel et au singulier une personne ayant une fonction de direction ou une qualification professionnelle élevée. Outre cette valeur institutionnelle, *un cadre moyen, un cadre supérieur* et, a fortiori, *un jeune cadre dynamique*, sont devenus des clichés sociologiques dans la seconde moitié du XXᵉ siècle.

▶ Il est difficile de dire si **CADRER** v. (1539) est dérivé de *cadre** ou emprunté au latin classique *quadrare* «convenir à, être conforme à», de *quadrus*. L'attestation, légèrement antérieure, de l'expression *quadré de mesure* à propos d'une personne bien conformée (1529), semble indiquer l'emprunt, de même que l'emploi intransitif pour «s'adapter exactement au caractère d'une chose» (1539), autrefois construit avec la préposition *à* (encore av. 1704, chez Bossuet), de nos jours remplacée par la préposition *avec* (1672). L'apparition de la construction factitive ***faire cadrer qqch.*** semble tardive (1840, *faire cadrer un compte*), de même que la construction transitive plus rare avec le sens de «placer en ajustant» (1890) et celui de «délimiter, définir» (1914). Ces deux sens relèvent d'un usage stylistiquement marqué, le seul emploi courant du transitif étant celui de la photographie et du cinéma (1912). ➡ Le dérivé **CADRAGE** n. m. n'a pas vécu au sens collectif de «ensemble des cadres» (1866) où il est formé sur *cadre ;* son usage moderne correspond à celui de *cadrer* en tech nique audiovisuelle pour la mise en place de l'image (1923).➡ **CADREUR, EUSE** n. (1952), de *cadrer,* se dit de la personne qui effectue des cadrages; il a été recommandé en remplacement de l'anglicisme *cameraman* (1973).

ENCADRER v. tr. (1752) est le vrai dérivé verbal de *cadre,* avec le sens concret de «entourer d'un cadre» et les sens figurés de «pourvoir une troupe de ses officiers et sous-officiers» (1839, *cadre* est attesté antérieurement en ce sens), d'où «se tenir près de qqn pour le surveiller, le garder» (1839). Par extension, le sens propre a donné celui de «entourer d'une bordure pareille à un cadre» (1845) et la locution figurée plaisante ***ne pas pouvoir encadrer qqn*** «ne pas le sentir» (1931). ➡ Le verbe a produit **ENCADREMENT** n. m. (1756) qui exprime l'action d'encadrer un objet et, concrètement, ce qui encadre, avant de développer aussi, au XIXe s., les sens figurés correspondant à ceux du verbe : *encadrement d'une troupe,* puis *d'un personnel* se disant de l'action d'encadrer et, par métonymie, de l'ensemble des personnes qui encadrent, nommées ensuite *les cadres.* ➡ **ENCADREUR, EUSE** n. n'est attesté (1870) qu'avec le sens concret de «personne qui fait ou qui pose des cadres», avec une valeur professionnelle précise.

DÉCADRER v. tr. (1774) signifie concrètement «enlever (un objet) de son cadre» et a pris une valeur spéciale en photo, en cinéma, etc., d'après *cadrer* et ses dérivés (ci-dessus). ◇ De là **DÉCADRAGE** n. m.

CADUC, CADUQUE

CADUC, CADUQUE adj. est emprunté (1346-1407) au latin *caducus,* adjectif dérivé du radical de *cadere* «tomber» (→ choir). Le mot qualifie proprement ce qui tombe ou est près de sa chute, surtout en parlant d'une feuille, d'un fruit, d'où, au figuré, ce qui est fragile, périssable. Il est employé en droit dès Cicéron, et depuis Apulée, en médecine pour qualifier un malade épileptique qui tombe ; de là, à basse époque, l'emploi substantivé du féminin *caduca* (sous-entendu *affectio*) «épilepsie» en concurrence avec *caducitas.*

♦ Le sens concret, qualifiant ce qui tombe, est près de sa chute (1543), est devenu littéraire et archaïque. L'emploi médical de *caduque* n. f. (1356) seul, et dans *mal caduc* (1520), repris au latin, est sorti d'usage au profit de l'hellénisme *épilepsie.* ➡ Le sens figuré, «fragile, peu durable» (XVIe s.), s'est mieux conservé dans le style soutenu et le langage juridique (1690). ◇ Au début du XIXe s., l'adjectif a été réemprunté en anatomie (1803), en botanique (1803) peut-être d'après *caducité,* en zoologie, puis au XXe s. au figuré, en phonétique, d'un son qui «tombe», disparaît.

▸ **CADUCITÉ** n. f. (1479) est dérivé de *caduc* plutôt qu'emprunté au bas latin *caducitas,* qui n'a eu que le sens médical d'«épilepsie». ➡ Il désigne l'état de ce qui est près de tomber, au propre (archaïque) et au figuré (1530). ◇ Par extension, il se dit de la dégénérescence de la vieillesse (1588), s'applique en droit au caractère d'un acte qui se trouve annulé (1694) et se dit spécialement d'un organe végétal (1782) ou animal qui tombe.

◈ voir CADENCE, DÉCADENCE.

CADUCÉE

CADUCÉE n. m., d'abord *caduce* (1508-1517) puis *caducee* (XVIe s.), est emprunté au latin *caduceus, caduceum* (Cicéron), lui-même emprunté anciennement — directement ou indirectement — au grec dorien *karukeion* «bâton de héraut», variante de *kêrukeion.* Ce dernier est le neutre substantivé de l'adjectif *kêrukeios* «qui appartient au héraut», de *kêrux, -ukos* «héraut», nom du messager officiel, notamment à la guerre ou dans les relations diplomatiques, et du fonctionnaire qui convoque les assemblées, fait les proclamations, y compris dans les ventes. Le mot répond exactement au sanskrit *kārú-* «chanteur, poète» mais avec un second *k* qui peut être expressif. Les Grecs et les Romains ont fait de l'objet lui-même, une baguette sur laquelle s'enroulent deux serpents, surmontée de deux ailettes, l'attribut du héraut : il constitue un véritable sceptre que ce dernier tient de son divin patron Hermès (Mercure) et qui fait connaître à tous son autorité. Il symbolise l'équilibre par l'intégration des forces contraires d'ordre biologique ou moral, et plus spécialement, dans le mythe d'Asclépios (père des médecins), le règne spirituel sur le corps, le venin du serpent se déversant dans une vasque pour devenir remède (cf. *pharmakos* «poison» → pharmacie).

♦ Si le nom et sa signification complexe échappent souvent, le motif désigné — déjà représenté 2600 ans av. J.-C. — et son nom demeurent familiers, le premier figurant sur les devantures des pharmacies et, de nos jours, sur les pare-brise des voitures de médecins, comme symbole du corps de santé.

CAFARD

CAFARD n. m., d'abord écrit *caphar* (1512), suffixé en *-ard, -art* dans *caphard* (av. 1544), puis *caffart* (av. 1564) et *cafard* (1589), est emprunté, probablement dès le XVe s. (cf. *cafarder*), à l'arabe *kāfir* «incroyant», qui a pris le sens de «converti à une autre religion, c'est-à-dire non musulman», d'où «faux dévot», donnant également *cafre* (1616). *Kāfir* est le participe présent substantivé de *kafara* «être incroyant». La finale *-ar* a rapidement été assimilée au suffixe *-ard* à valeur péjorative.

♦ Le mot a été repris avec le sens religieux de «faux dévot», «hypocrite», à la fois en emploi substantif et adjectif, employé de manière polémique au XVIe s., notamment pendant les guerres de Religion. À partir du XVIIIe s., ce sens tend à décliner. Au XIXe s. le mot signifie «mouchard» dans le langage familier (1834), et en particulier chez les écoliers, «hypocrite et délateur, rapporteur» (cf. ci-dessous *cafarder* et dérivés). ◆ Il semble que le sens usuel de «blatte», relevé dès 1542 chez du Pinet, soit un emploi métaphorique du sens de «faux dévot», l'animal étant de couleur noire et se dérobant à la lumière (du Pinet écrivait : «*les caffars se nourrissent de ténèbres*»). Le mot est d'abord régional (Normandie, Berry) avant de se diffuser au XIXe s. en français général. ◆ Le sens figuré de «mélancolie accompagnée d'idées sombres», repéré à partir de Baudelaire (1857, *Les Fleurs du mal*), semble un emploi métaphorique du nom de l'animal, en référence à sa couleur sombre et à ses mœurs ténébreuses : un développement analogue se retrouve dans des mots évoquant la couleur noire, comme *mélancolie**, *noir, sombre, spleen**. Cet usage familier est très usuel (*avoir le cafard, coup de cafard...*).

▶ **CAFARDER** v., par la date de sa première attestation (*capharder*, 1470), incite à avancer la date de *cafard*. Le sens originel de «tenir un langage de faux dévot» a disparu, remplacé au XIXe s. par celui de «dénoncer» (1867) en argot scolaire. ◇ Sous l'influence de *cafard* «tristesse», le verbe signifie «broyer du noir» (1918). ◆ Il a produit **CAFARDAGE** n. m. (v. 1765, Rousseau) «langage d'hypocrite», de nos jours «délation», et **CAFARDEUR** adj. et n. (XIXe s.) «délateur».

CAFARDERIE n. f., présent dans les textes dès le XVe s. selon Wartburg, attesté de manière sûre en 1541 (*capharderie*), se maintient dans le style des pamphlets anti-religieux comme dénomination de la ferveur feinte. ◆ **CAFARDISE** n. f. (1551), synonyme du précédent, est très rare.

CAFARDEUX, EUSE adj. (1919), mot familier dérivé de *cafard* «tristesse», caractérise la personne ou l'attitude qui fait preuve de mélancolie, incite à la tristesse ; les formes *cafardier, cafardiser* et *cafareux* appartiennent à l'argot militaire de la première guerre et ont disparu.

CAFTER ou **CAFETER** v. est un dérivé argotique, en milieu scolaire (v. 1900), du radical de *cafard* pour «rapporter, moucharder», synonyme de *cafarder*. Par calembour, ② **CAFETIÈRE** n. f. (v. 1900) signifie «élève qui cafte, qui cafarde».

✻ **CAFÉ** n. m., mot apparu vers 1600 sous diverses formes, est emprunté au turc *qahve*, lui-même repris à l'arabe *qahwa* qui, selon Littré, désigne la boisson, non la graine, et signifierait à l'origine «liqueur apéritive». Le mot se rencontre d'abord dans le latin des savants sous la forme *caoua* (1592 Alpinus, *De Plantis Aegypti Liber*) et sous la forme *Chaonae* (1599, chez le savant hollandais Paludanus), littéralement francisée en *chaone* (1610) et donnée comme provenant des îles Maldives (au sud de Ceylan). Ces formes ne sont pas passées dans l'usage (sauf emprunt populaire de **CAOUA** n. m., 1863, par les soldats en Algérie), non plus que *cavé* (1612), *caué* (1633, *F. e. w.*), *cahvé* (1654) et *kaoah* (1637), mentionnés dans des relations de voyages en Arabie, Turquie, Perse et Syrie. La forme actuelle *café* (1665) apparaît sous les graphies *cafeh* (1651), puis *caphé* (1671 Dufour, *De l'usage du caphé, du thé et du chocolate*, ouvrage qui connut un grand retentissement). L'examen des sources de cet ouvrage donne à penser que l'auteur a noté la prononciation déjà répandue à Paris, laquelle rendait la forme turque utilisée par les Turcs de l'ambassade de Méhemet IV. L'italien des ambassadeurs vénitiens, *caveé* (1570), *caffè* (1615), a pu servir aussi d'intermédiaire. L'usage du café s'est répandu à Marseille (qui l'importait d'Égypte) dès avant 1660, puis à Paris où la suite de l'ambassadeur turc (de juillet 1669 à mai 1670) l'acclimate en en offrant à tous ses visiteurs, de sorte que la mode — que certains ont crue éphémère, comme le montre le jugement «*Racine passera, comme le café*» — s'en développe et que plusieurs boutiques en vendent à Paris, dès 1671. La forme dominante du mot hésite alors entre *café, caffé* et *caphé* ; la première l'emporte à la fin du XVIIe siècle.

♦ Le mot désigne d'abord le breuvage préparé avec les graines du caféier, généralement torréfiées, puis également la graine ou cerise (1611). Dans ce sens, le mot désigne à la fois collectivement la graine naturelle et surtout la graine grillée et torréfiée, d'où les syntagmes *grain de café, café en grains*, et aussi les graines torréfiées et moulues (*café moulu ; un paquet de café*). À mesure que le café, dans la seconde moitié du XVIIe s. et surtout au XVIIIe s., devient une boisson courante, du fait de la baisse de prix de la matière première, le mot *café*, dans ce sens, donne lieu à de nombreux syntagmes, tel ***moulin à café*** (1752). La variété accrue des provenances, du moka originel (Arabie) à l'Indonésie, puis au Brésil et à l'Afrique, correspond à un vocabulaire de plus en plus riche (mil. XXe s. : *arabica, robusta*, etc.) ; s'y ajoutent les noms de préparations instantanées (comme le nom de marque *Nescafé*), des *cafés décaféinés* (voir les composés). Dans cette acception, le mot est usuel pour désigner la matière première commercialisable. ◇ L'emploi métonymique pour désigner la plante est devenu rare, sauf collectivement (*plantation de café*), depuis l'apparition du dérivé *caféier*.

Le sens de «boisson en général chaude, préparée par infusion dans l'eau de graines torréfiées et moulues de café» est devenu très courant au XVIIIe s., réalisé dans de nombreux syntagmes : ***café au lait*** (1732 ; signifie alors aussi «café infusé dans du lait»), *café chocolaté* (1732), *café à la sultane* (1697) préparé avec l'enveloppe des graines, usage disparu à la fin du XVIIIe s., *café fort* (1732) — d'où la locution familière ***c'est un peu fort de café*** (1848) qui renforce *c'est un peu fort —, café à la crème* (av. 1850, Balzac), remplacé par ***café-crème*** (1898), ***café-filtre,*** etc. À *café au lait*, expression devenue autonome et caractérisant en France la boisson typique du petit déjeuner, devenu adjectif de couleur, pour «brun plus ou moins clair» (XIXe s., Delacroix), répond *café noir* (1867) «sans lait». Par ailleurs, le mot suscite des syntagmes courants, comme *tasse à, de café, cabaret de café, cuiller à café*. ◆ Par extension on a parlé de *café de chicorée* (1867), *de glands* (id.) pour des infusions analogues.

Des boissons ou desserts plus complexes à base de café sont nommées *café liégeois* (1959), *café irlandais,* calque de *Irish coffee* aussi employé en français. ◆ Un autre emploi concerne le parfum au café utilisé en pâtisserie *(éclair, glace... au café).*
Après avoir nommé *cabaret de cavé* (1662), puis *de café* (1662), un lieu public où l'on vendait cette boisson, appelé aussi *salle de caffé* (1694) et *salon de café,* le mot employé seul s'applique aussi par métonymie à ces lieux, dont l'existence en France est attestée d'abord à Marseille, en 1654, puis à Paris, en 1672, à la foire Saint-Germain. Mais la coutume n'est pas implantée à la fin du XVIIe s. ; Furetière note : «Il y a en Turquie des cabarets exprès pour en vendre (du caffé) comme on fait le vin en ces quartiers. À Londres, on dit qu'il y a trois mille cabarets de caffé» (1690). ◆ Au début du XVIIIe s., la vogue du café (boisson) étant renforcée par la victoire de Vienne sur les Turcs, après laquelle plusieurs nouveautés culinaires viennoises — notamment à base de café — se répandent en Europe, et l'influence anglaise jouant, *café* désigne à la fois des salons de dégustation et des lieux de rencontre (le *café de la Régence,* le *café Procope,* fondé par l'Italien Procopio) ; certains ont une fonction littéraire (on les appelle *cafés littéraires*). Le mot s'oppose à *cabaret,* au moins jusqu'au milieu du XIXe s., et correspond plutôt à ce qu'on nomme *salon de thé* en français actuel. À l'époque révolutionnaire, les cafés du Palais-Royal sont aussi des clubs politiques officieux. Vers le milieu du XIXe s., les cabarets étant mal famés et hors de mode, on parle de *marchands de vin* (Paul de Kock, 1842) ; les *cafés* comprennent les estaminets (où l'on fume), d'où *café-estaminet* (mil. XIXe s., F. Soulié), et les divans (socialement plus relevés) : on y boit surtout des consommations alcoolisées et le mot est alors détaché de son origine. Ce détachement est net lorsqu'on commence à parler des *cafés-restaurants* (1828). ◇ Un peu plus tard, les cafés sont associés à des spectacles divertissants, cet usage se traduisant par l'expression ***café chantant*** (1850), qui cédera rapidement la place à ***café-concert*** (1852, chez Nerval), d'où l'abréviation familière ***caf' conc'*** (1878), devenue archaïque et historique, allusion à l'époque 1900. Parallèlement aux *cabarets,* les *cafés* lieux de spectacle n'ont pas disparu : ***café-théâtre*** (1867, *Grand Larousse*) a été repris et diffusé récemment (v. 1965). ◆ En argot, le ***café du pauvre*** se dit des plaisirs érotiques, soulignant la fonction de distraction jouée par les cafés. ◆ Quant aux lieux de consommation de boissons, le mot *café* est devenu dans la seconde moitié du XIXe s. le plus usuel, avec ses variétés (voir ci-dessus et *café-jardin,* 1867), avec des concurrents spécialisés comme *brasserie* (mil. XIXe s.) puis au XXe s. *bar,* et de nombreux synonymes populaires, comme *mastroquet**, *bistrot**, etc. *Café* est aujourd'hui le mot le plus neutre et demeure très usuel, en concurrence avec *bistrot;* il a longtemps conservé par rapport à ses concurrents une connotation bourgeoise et urbaine ; il s'est diffusé en tous milieux au XXe siècle.
Par une autre métonymie, *café* se dit du moment où l'on prend le café, après le repas (1798). ◆ Le mot s'emploie aussi pour une couleur brun foncé (XIXe s.) ; *café clair* (1835) a disparu, remplacé par *café au lait* (ci-dessus).

▶ Les premiers dérivés concernent la préparation de la boisson et sa consommation. ◆ **CAFETIER, IÈRE** n. désignait (1680) la personne qui fait commerce de café en grains, puis s'applique au tenancier d'un café (1740). ◆ ① **CAFETIÈRE** n. f. se dit d'abord de l'instrument où l'on prépare la boisson (1690) puis du récipient où on le met pour le servir (1708). Le mot est aussi une désignation argotique, puis familière, de la tête (1880), par la même image que *pot* (et que *tête* lui-même, étymologiquement) ; cf. l'homonyme, du verbe *cafter* (→ cafard). ◆ **CAFÉIER** n. m., réfection suffixale (1791) de *cafier* (1715, attesté jusqu'en 1835), est le nom de la plante qui produit le café, auparavant désignée par le mot *café.* ◆ **CAFÉIÈRE** n. f. «exploitation, plantation de café» (1797) est peu usité, de même que **CAFÈTERIE** n. f. (1791, *caffeterie*).
Au XIXe s., apparaissent des termes de chimie et de médecine, correspondant à l'analyse récente des principes actifs du café. ◆ **CAFÉINE** n. f. (1823, *caffeine*) désigne l'alcaloïde contenu dans le café, **CAFÉONE** n. f. (1867), son principe aromatique ; **CAFÉIQUE** adj. (1891) se dit d'un acide extrait de la caféine et d'une personne intoxiquée par cet alcaloïde, **CAFÉISME** n. m. (1878) nommant cette intoxication. ◆ *Caféine* a servi à former **DÉCAFÉINER** v. tr. (1911), dont le participe passé est très courant *(café décaféiné)* aussi comme substantif, fréquemment abrégé en **DÉCA** n. m. (v. 1969).
POUSSE-CAFÉ n. m. (1842) désigne familièrement un alcool digestif pris après le café, à la fin du repas. ◆ **PAUSE-CAFÉ** n. f. se dit (1966) d'un bref arrêt d'activité au cours duquel on prend le café.
CAFÉTÉRIA n. f. est emprunté (1930) à l'anglo-américain *cafeteria,* lui-même emprunté (1839) à l'espagnol du Mexique *cafeteria* «salon de café», spécialisation de sens de *cafeteria* «boutique où l'on torréfie et vend du café», formation parallèle au français *caféterie* (→ café). En 1925, le *Glasgow Herald* du 30 juillet signale la toute récente implantation de ce type d'établissement à Paris, mais rien ne prouve que le mot soit alors employé. ◆ Le mot désigne un libre-service bon marché où l'on peut consommer du café et d'autres boissons non alcoolisées, parfois de la nourriture. ◆ L'abréviation **CAFÉT'** est courante et pourrait donner lieu à la graphie *cafette.*

CAFETAN, CAFTAN n. m., d'abord écrit *cafetan* (1537), puis également *caftan* (1546), est emprunté au turc *qaftān* «robe d'honneur», lui-même emprunté au persan *haftān* «vêtement militaire, cotte de mailles».

♦ Le mot, introduit par les relations de voyage, désigne un riche vêtement oriental en forme de longue pelisse fourrée, que les souverains offraient les jours de cérémonie aux personnages de rang élevé. Par analogie, il s'applique à une longue robe fourrée portée en Russie et en Europe centrale (1826).

CAFOUILLER v. intr., relativement tardif (av. 1740), originaire de Picardie et de Wallonie, est issu soit du croisement de *cacher** et de *fouiller**, soit de la composition du préfixe péjoratif *ca-* (interprété par Guiraud d'après le latin *cavus* «creux», → cave) et de *fouiller*.

♦ D'abord relevé dans des textes du nord de la France, ce verbe dialectal s'est répandu dans toute la France, d'abord en argot (1896), puis dans l'usage familier avec le sens de «agir de manière désordonnée et inefficace», quelquefois «parler confusément» sous l'attraction de *bafouiller*.

▸ **CAFOUILLAGE** n. m. (1901), dérivé en français, prolonge l'ancienne forme dialectale *cafouillache* (déb. XVIIIe s.), *cafouliache* (1834) qui désignait collectivement de menus objets sans importance. Substantif d'action de *cafouiller*, il est quelquefois concurrencé par les formes suffixées **CAFOUILLIS** n. m., **CAFOUILLADE** n. f., la forme à suffixe zéro **CAFOUILLE** n. f. et les types à redoublement expressif (d'après *caca*) *cacafouillage, cacafouillade, cacafouillis*. ◆ **CAFOUILLEUX, EUSE** adj. et n. (1892) coexiste avec **CAFOUILLEUR, EUSE** n. (1918), et s'emploie aussi adjectivement, spécialement dans le langage du sport. ◆ **CAFOUILLANT, ANTE** adj., participe présent de *cafouiller*, s'emploie adjectivement (1925).

CAFTER → CAFARD

CAGADE → CACADE

◈ CAGE

CAGE n. f. est issu (1160-1174) du latin *cavea*, dérivé de *cavus* «creux» (→ cave) qui, outre les sens de «cavité», «partie de théâtre réservée aux spectateurs», désigne l'enceinte où sont enfermés les animaux, en particulier les fauves et, de là, signifie «prison» au propre et au figuré. *Cavea* donne normalement *chage*, attesté comme nom propre d'une abbaye fondée en 1135 à Meaux, ou *chaye*, dans *Saint-Crépin-en-Chaye* (près de Soissons). Le mot existe partout dans les parlers gallo-romans, sauf là où le représentant de son diminutif, *geôle** s'emploie dans ce sens (Nord-Est, Suisse romande, extrême Sud-Ouest).

♦ Le mot désigne un espace clos, généralement à claire-voie, servant à tenir enfermés les animaux vivants et à les transporter, et en particulier la petite enceinte dans laquelle on enferme les oiseaux. La locution *mieux vaut être oiseau de bois que de cage* (1611) est sortie d'usage au profit de la variante *mieux vaut être oiseau de campagne qu'oiseau de cage*, qui a vieilli aussi. *Cage à poules* (1833) s'emploie au propre puis aussi au figuré, spécialement pour «aéroplane primitif». Un autre contexte concerne les animaux dangereux, d'où *la cage aux fauves, aux lions*, etc. et la locution ***tourner comme un ours en cage***. ◆ Par analogie, *cage* désigne également une loge garnie de barreaux servant de prison (av. 1317), d'où un lieu d'enfermement, également au figuré. ◆ Par extension, le mot désigne un espace clos ayant pour vocation de contenir, d'enfermer une chose (1419, en parlant du treillis dans lequel un orfèvre étale sa marchandise). Ce sens a donné des emplois techniques, en horlogerie (1690), en anatomie (1856), d'où dans la langue courante *cage thoracique*, en sciences dans le syntagme *cage de Faraday* (l'anglais *Faraday cage* est attesté en 1916). *Cage d'escalier* (1676), *cage d'ascenseur* (XXe s.) sont passés du langage technique de la construction à l'usage général.

▸ **CAGETTE** n. f. (1321), employé jusqu'au XVIe s. au sens de «petite cage», a été repris (1842) avec le sens technique de «trébuchet pour prendre les oiseaux». ◇ De nos jours, le mot n'est guère employé qu'en parlant d'un panier d'osier à claire-voie pour emballer et transporter fruits, légumes et fleurs (1928), en relation avec *cageot*. ◆ **CAGEOT** n. m., d'abord *cageau* (1467) puis, par changement de suffixe, *cajot*, tardivement écrit *cageot* (1873), a perdu au XVIe s. le sens de «petite cage» qu'il partageait avec *cagette*. Il a reçu au XIXe s. le sens technique de «petit cuvier où l'on met les foies de morue pour en extraire l'huile» (1803), aujourd'hui vieilli, et le sens moderne de «panier à claire-voie servant au transport des fruits, volailles, légumes» (1873), emploi où il n'est plus senti comme lié à son étymon. ◆ **CAGÉE** n. f. (fin XVIe s.) désigne le contenu d'une cage, surtout d'une cage à oiseaux; il s'est également employé par métaphore en parlant d'une voiture pleine de prisonniers (1848). ◆ **CAGET** n. m. (1922), réfection graphique, d'après *cage*, de *cajet* (1895), est le nom technique donné à la claie sur laquelle on met les fromages à égoutter. Il a remplacé **CAGEROTTE** n. f. (1551) sans l'éliminer.

ENCAGER v. tr. (1306) exprime l'idée d'«enfermer dans une cage», en particulier les oiseaux (1571); le sens figuré de «tenir étroitement enfermé» (XVe s.) relève d'un usage littéraire. ◆ **ENCAGEMENT** n. m. (1636) s'est spécialisé dans le vocabulaire militaire : *tirs d'encagement* (1930). ◆ **ENCAGEUR** n. m. est le nom technique de l'ouvrier qui, dans les mines, pousse les berlines dans la cage du système d'ascenseurs, ou de l'appareil qui les pousse mécaniquement.

◈ voir **CAJOLER**.

CAGIBI

CAGIBI n. m. est originaire (1911) des dialectes de l'Ouest, de *cagibi*, «hangar, appentis de décharge», *cagibit*, et les formes premières *cabagit*, *cabagetis* «méchante cabane, cahute», *cabgit* «petite maisonnette dans les champs». *Cagibi* est une métathèse de *cabigit, cabagit* «cahute», forme apocopée de *cabagitis* (dialecte d'Alençon), lui-même issu par assimilation en *i* de *cabagétis* «cahute, bicoque». Ce mot est composé du normand *cabas*, «vieux meubles, meubles encombrants», même mot que *cabas**, et d'un dérivé de *jeter**. *Cabagétis* a donné, avec une mutation du second élément sous l'influence de *ajoutis* (de *ajouter*), **CABAJOUTIS** n. m. (1833) qui s'est employé dans le langage populaire à propos d'une construction formée de parties ajoutées, disparates.

♦ *Cagibi* désigne familièrement un local de petite dimension à usage de rangement, un grand placard, une petite pièce sans fenêtre.

CAGNA

CAGNA n. f., francisation graphique (1916) de *cái-nha* (1896), est un emprunt à l'annamite *cai-nha*, composé de *cai*, numéral des choses inanimées, et de *nha* «maison, habitation, demeure».

L'hypothèse d'un emprunt au provençal *canha* «chienne» (→ cagne) est abandonnée.

♦ Le mot est un terme militaire de l'armée française en Indochine, répandu lors de la Première Guerre mondiale dans l'argot des poilus, et désignant alors un abri de tranchée généralement souterrain. Il a quelquefois pris par extension le sens de «cabane, abri» (1932, Céline), avant de devenir archaïque ou caractéristique de la guerre de 1914-1918.

✳ **CAGNE** n. f., d'abord *caingne* (v. 1180-1200), puis *caigne* (déb. XIIIe s.) et *cagne*, est emprunté à l'ancien provençal *canha* «chienne», attesté au figuré dans *puta canha* «de mauvaise race, engeance» (1213) et maintenu dans les dialectes du midi de la France au sens de «chienne». *Canha* est issu du latin populaire °*cani*, dominant dans le domaine d'Italie du Nord et en provençal, formé sur *canis* (→ chien). L'hypothèse d'un étymon italien *cagna*, «chienne» (v. 1300-1310), est moins satisfaisante étant donné l'ancienneté du français.

♦ Le mot a d'abord été employé dans l'expression péjorative calquée du provençal, *de pute cagne* «de mauvaise race» et dans *faire laide cagne* «faire mauvaise mine» (déb. XIIIe s.). ◇ Ce mot s'emploie seul au sens figuré de «femme de mauvaise vie» (1456), également comme terme d'injure (1456-1467), avant de désigner une chienne de mauvaise race (1584). Ces emplois, répandus dans toute la France (cf. ci-dessous ② *cagnard*), ont disparu et le mot n'est plus en usage qu'en français régional d'Occitanie, où, par l'intermédiaire du sens de «personne paresseuse (comme une chienne)» (1866), il a pris le sens de «paresse», notamment dans l'expression ***avoir la cagne*** (1881).

▶ ① **CAGNARD** n. m., réfection graphique (1622) de *caigniart* (1460), *caignart* (1514) puis *cagnart* (1527), originaire de la France méridionale, est dérivé de l'ancien provençal *canha*, peut-être d'abord avec le suffixe *-ale* au sens de «niche, chenil», puis avec changement de suffixe au sens étendu de «endroit retiré, abri», en référence au goût des chiens pour les recoins. ➜ En français général, le mot a désigné un réduit, un abri misérable et a servi autrefois à désigner un lieu de prostitution, un bordel (1527). ➜ Il s'est employé techniquement pour désigner un fourneau de cirier (1751) et un abri de planches ou de toiles fixé sur un pont de dunette pour protéger celui qui veille des intempéries (1792). Ces emplois ont disparu. ➜ Le sens régional de «lieu ensoleillé» (Provence, Languedoc) est en fait le produit d'une confusion entre *cagnard* «lieu retiré» et *coignart* «petite galerie abritée au coin d'un jardin» (1480) qui remonte au latin *cuneus* (→ coin).
L'adjectif homonyme ② **CAGNARD, ARDE,** attesté sous les formes *cagnar* (v. 1520), puis *caignard* (1589) mais plus ancien, est quant à lui originaire de la France du Nord — le moyen anglais *caynard* «homme paresseux» (1257), qui lui est emprunté, témoigne de son antériorité — et ne saurait donc être issu du substantif; il est directement dérivé de *cagne* avec le suffixe *-ard*. ➜ Adjectif familier pour qualifier une personne indolente, nonchalante, il est sorti d'usage, de même que ses dérivés **ACAGNARDER** v. tr. (XVIe s.), cependant conservé littérairement au pronominal et au participe passé, et **CAGNARDER** v. intr. (XVIe s.). Tous deux sont employés par Calvin au sens de «paresser», ce dernier ayant donné **CAGNARDISE** n. f. également attesté chez Calvin (1540).
① **CAGNEUX, EUSE** adj. et n., qui est resté dans l'usage général moderne, est la réfection de *coigneux* (1606), *caigneux* (1614), et dérivé de *cagne* «chienne», peut-être par allusion à la forme des pattes antérieures de l'animal. L'hypothèse d'un emprunt au provençal *cagnous* est douteuse car ce mot n'est pas attesté en ancien provençal; le rattachement à un étymon latin *cuneus* (→ coin) présente des difficultés phonétiques et l'exemple des *pieds coigneux/pieds de coing* atteste plutôt d'un croisement isolé avec *coin*. ◇ L'adjectif qualifie celui qui a les genoux tournés en dedans et aussi les genoux, les jambes qui ont cette forme. Substantivé, il signifie «personne cagneuse». ➜ Ce même mot semble être à l'origine de ② **CAGNEUX, KHÂGNEUX, EUSE** n. (1880), peut-être par allusion désobligeante de la part des élèves des classes préparatoires aux écoles scientifiques, dont Polytechnique, école militaire, envers les élèves des classes littéraires préparant à l'École normale supérieure, du fait qu'ils n'étaient pas tenus d'avoir une bonne constitution physique. On a aussi évoqué une dérivation ironique de *cagne* «paresse». La graphie *khâgneux*, dotée d'une initiale pseudo-grecque, tend à l'emporter. ➜ Par dérivation régressive, le mot a produit **CAGNE** ou **KHÂGNE** n. f. (1905) désignant la classe et, avec le préfixe *hypo-**, **HYPOKHÂGNEUX, EUSE** n. et **HYPOKHÂGNE** n. f. (1890), concernant la première année de cette préparation. Ces mots sont souvent employés parallèlement à *taupin, taupe,* qui se disaient des classes préparatoires scientifiques.

CAGNOTTE n. f. est un emprunt (1801) au provençal *cagnoto*, attesté dans l'Agenais au sens de «petite cuve utilisée pour la vendange» (1857, encore régionalement), probablement diminutif de *cagn, cagno* «chienne» (→ cagne), mot dont les dérivés ont servi à désigner divers récipients et petits objets, de même que le mot *chien** lui-même. ➜ P. Guiraud y voit °*ca-niotte*, doublet de *ca-niche* (ne pas confondre avec le nom du chien), formé avec le préfixe *ca-*, «creux» (→ cave), sur °*nidica* «nid, niche, creux» (d'où *nid** au sens de «cachette pour l'argent», 1690). ➜ L'hypothèse d'une formation sur l'ancien provençal *cana* «mesure de capacité» (→ canne) conviendrait sémantiquement, mais non des points de vue phonétique et morphologique, le provençal *cana* ayant pour diminutif *caneto, canete* «petite mesure».

♦ *Cagnotte* désigne le plateau, puis la corbeille où les joueurs mettent de l'argent dans certaines circonstances du jeu. Par métonymie du contenant pour le contenu, il désigne couramment l'argent déposé dans la corbeille (1855) d'où, selon ce principe, la somme en jeu (au loto) et l'argent économisé petit à petit. En Suisse, c'est le nom d'une société d'épargne.

CAGOT, OTE n. et adj. est emprunté (1535) à l'occitan béarnais *cagot* «lépreux blanc», attesté en 1488 comme anthroponyme et d'origine obscure, peut-être du latin *cacare* (→ chier). Le mot, qui désignait à l'origine des populations reculées des vallées pyrénéennes — peut-être à l'origine affectées de la lèpre ou d'une autre maladie —, a été appliqué par dérision aux bigots, l'analogie des finales ayant joué un rôle. En outre, le moyen français a eu les formes *cacor* (entre 1285 et 1323), puis *cagou* (1426) et *caqueux* (1474-1475) «lépreux», qui remontent peut-être à un latin populaire °*cacosus* «breneux», lui-même dérivé du latin *cacare* (→ chier) au moyen du suffixe *-osus*. Cependant, la forme *cagou*, relevée en Bretagne, est dans ce cadre géographique mal expliquée (mais le breton a *cagal*, pl. *cagalou* «crotte(s)», du radical celtique *cal-* «dur» → caillou). *Cagou* a lui-même évolué en «lieutenant du roi des mendiants» (1596) et par extension «misérable, gueux, mendiant» (1613), repris en argot comme nom du chef des voleurs.

♦ *Cagot*, attesté chez Rabelais, se dit d'un hypocrite qui affecte une religiosité excessive et d'une sincérité douteuse. Le mot est encore connu, mais il est archaïque.

▸ Les dérivés **CAGOTERIE** n. f. (v. 1598) et **CAGOTISME** n. m. (1669, Molière, *l'Imposteur (Tartuffe)*) sont archaïques et littéraires.

CAGOUILLE → **CARACOLER**

◈ **CAGOULE** n. f., d'abord *cogole* (v. 1175), puis *cagoulle* (1552), est issu du latin chrétien *cuculla* «vêtement de moine», féminin correspondant à *cucullus* «voile, capuchon couvrant la tête». Ce mot est probablement emprunté à l'illyrien ou au gaulois (qui possède un dieu *Cucullatus*). Le maintien du *c* intervocalique sous la forme *g* (au lieu de *-coule*) serait dû à l'origine méridionale du mot (zone sud-ouest de la langue d'oïl), à rapprocher de l'ancien provençal *cogola;* le passage du *o* initial à *a* s'expliquerait par dissimilation. ➛ P. Guiraud préfère y voir un composé de *ca-* «creux» (→ cave) et de *coule*, forme normalement issue de *cuculla*.

♦ Le mot désigne d'abord, comme *cuculla*, un vêtement de moine d'une seule pièce à large capuchon. Par métonymie, il s'est répandu au sens de «capuchon pointu, fermé, percé à l'endroit des yeux». On a nommé *la Cagoule* une organisation d'extrême droite active entre 1932 et 1940 (cf. ci-dessous *cagoulard*), dont les membres se masquaient d'une cagoule en certaines circonstances. ◇ Par extension du sens concret, *cagoule* désigne couramment un passe-montagne surtout porté par les enfants (XXe s.).

▸ **CAGOULARD** n. m. (1937) désigne un membre de la Cagoule, appellation courante du Comité secret d'action révolutionnaire, organisation d'extrême droite.

ENCAGOULER v. tr. est d'abord attesté au p. p. (*têtes encagoulées*, 1949).

◈ **CAHIER** n. m., d'abord *quaer* (fin XIIe s.), puis *cayer* (1283), réécrit *cahier* (1559), est issu (pour *quaer)* du pluriel distributif latin *quaterni* «par quatre, chaque fois quatre», par l'intermédiaire d'une forme °*quaternum*, devenue *quadernum* sous l'influence de *quadrum* «carré» (→ cadre), dès l'époque impériale. *Quaterni* est dérivé de *quattuor* (→ quatre); le développement sémantique se retrouve dans un autre dérivé, *quaternio* «chiffre quatre», attesté dès le IVe s. au sens de «feuille pliée en quatre pages».

♦ En dehors de son sens courant qui a rapidement perdu toute référence au chiffre quatre, le mot est employé en imprimerie pour l'ensemble des pages d'un livre fourni par une feuille pliée, coupée, numérotée (1549) : ces cahiers sont assemblés pour le brochage ou la reliure. ◇ Dès le XVIe s., le mot se spécialise, d'après la fonction de l'objet, au sens de «document énumérant des consignes, mémoire» (1559), réalisé à la fois dans le domaine administratif *(cahier des charges, des recettes)* et dans le domaine littéraire, comme titre, le plus souvent au pluriel avec une majuscule. ➛ L'emploi le plus courant aujourd'hui est celui qui correspond à «assemblage de pages blanches destinées à écrire, notamment à l'école», d'où *cahier d'écolier*.

▸ **CARNET** n. m., d'abord *quernet* (1416) puis *carnet* (1447), est dérivé, avant l'amuïssement du *n* final, de l'ancien provençal *quern* (1285), correspondant à l'ancien français *quaer* qui a donné *cahier* (ci-dessus). ➛ La valeur diminutive du mot n'a pas été immédiatement réalisée, *carnet* étant employé en moyen français à propos d'un registre d'impôts et de ce qui est dû aux autorités, sens conservé marginalement *(carnet d'agent de change, carnet de santé, d'échéance)*. ➛ Le sens courant de «petit cahier de poche» est attesté tardivement (1819) avec des syntagmes, tels *carnet de bal*, d'abord *carnet de danse* (1864), *carnet d'esquisses* (1929) (cf. l'histoire du mot *calepin**, aujourd'hui synonyme partiel). *Carnet mondain* manifeste un glissement métonymique vers l'idée de «rubrique». ➛ Par extension, le mot s'applique à un assemblage de petites feuilles ou de tickets détachables, sens réalisé dans *carnet de chèques* (1897), *carnet à souches* (1932), *carnet de timbres, de tickets* (de métro, d'autobus...), *de bons*.

◈ voir **CARILLON**.

CAHIN-CAHA loc. adv. est l'altération par changement de suffixe (1552, Rabelais) de *kahu kaha* (XVe s.), *cahu caha*, considéré comme «mot vulgaire (courant, populaire) en Touraine» par Rabelais. La locution est obscure, peut-être formation expressive, influencée par *cahot**, *cahoter**. L'hypothèse d'un étymon latin *que hinc que hac* ou *qua hinc qua hac* et *qua huc qua hac*, pour les premières formes attestées, «par-ci, par-là», est plausible du point de vue de la prononciation médiévale du latin, mais se heurte à l'absence d'attestations en latin médiéval et à la remarque de Rabelais sur l'usage de Touraine.

♦ Le mot, d'usage familier — il est considéré comme «bas et proverbial» par Furetière —, signifie «péniblement, tant bien que mal», tant concrètement, à propos d'une marche, d'une progression, qu'abstraitement *(avancer cahin-caha)*, d'une affaire.

CAHOTER v. tr. est attesté au XVIe s. (1564), mais le déverbal *cahot* est antérieur et le mot est contenu dans le composé *racahotée*, «abîmée (à force d'être rudement heurtée ?)» au XIIIe siècle. Le verbe est d'origine obscure. L'unique attestation avant le XVIe s., si elle est fiable, ne permet guère d'accepter l'hypothèse d'un étymon francique °*hottôn* «secouer», dont est dérivé le verbe francique qui a donné *hocher;* le correspondant moyen néerlandais *hotten* «secouer» est un étymon plus vraisemblable, le premier élément étant le préfixe *ca-* exprimant l'idée de «creux» (→ cave). ◆ Ni l'hypothèse d'une origine onomatopéique, ni celle d'un étymon latin °*quatottare,* fréquentatif de *quatere* «secouer» (→ casser), n'emportent la conviction.

♦ Le mot, d'usage transitif et intransitif, signifie «ballotter, secouer sur un terrain inégal», en général au cours d'un transport, quelquefois avec une valeur figurée.

▸ **CAHOT** n. m. est dérivé (v. 1460) de *cahoter* au sens de «secousse sur un terrain accidenté». Il s'emploie également avec les valeurs métonymiques de «bruit d'un véhicule cahoté» et d'«aspérité de terrain provoquant les cahots», ainsi qu'avec le sens figuré de «contrariété, obstacle». ◆ En dérive **CAHOTEUX, EUSE** adj. (1678), qualifiant un chemin, une surface inégale qui produit des cahots. ◆ **CAHOTAGE** n. m. (1694), antérieurement *cahottage* (1632), se partage avec **CAHOTEMENT** n. m. (1769) le rôle de substantif d'action de *cahoter.* ◆ **CAHOTANT, ANTE**, participe présent de *cahoter,* est adjectivé (1798), servant surtout à qualifier un nom de véhicule.

◇ voir CAHIN-CAHA.

CAHUTE n. f., d'abord *chahute* (XIIIe s.) dans un manuscrit picard où les graphies *-c-*, *-ch-*, et *-k-* sont utilisées indistinctement, puis *quahute* (XIVe s.) et enfin *cahute* (XVIe s., Calvin), est d'origine incertaine. Il est soit issu du croisement de *hutte** avec des mots comme *cabane** ou *caverne**, soit composé du préfixe *ca-* «creux» (→ cave), et de *hutte**.

♦ Le mot désigne un abri, une habitation misérable et, spécialement, une cabane grossière. Comme *bicoque,* il s'est employé familièrement pour «maison» (1850, Flaubert).

◇ voir CABOULOT.

CAÏD n. m., d'abord *caïte* (v. 1310) puis *caïd* (1694), est emprunté de l'arabe *qā'id,* «commandant, chef», participe actif substantivé de *qāda* «conduire, gouverner», apparemment sans rapport avec le verbe *qadā* «juger» (→ cadi, alcade). Antérieurement, l'ancien français a eu la forme *auquaise* (v. 1210), reprise de l'ancien espagnol *alcaide* «commandant d'une forteresse» (1076), et la variante *alcayaz* (v. 1140), empruntée à l'arabe avec agglutination de l'article.

♦ Le mot désigne proprement un notable qui, dans les pays musulmans, cumule des fonctions administratives, judiciaires et financières. ◆ Il s'est répandu au XXe s. au figuré avec le sens argotique de «personnage important» (1903), d'où «chef d'une bande de mauvais garçons» (1935), et «personnalité de chef, de dur».

▸ **CAÏDAT** n. m. (1899), «dignité de caïd», se dit figurément d'un système de hiérarchie sociale propre au milieu où les «caïds» imposent leur loi, notamment dans les prisons (v. 1970).

CAÏEU, CAYEU n. m., d'abord *cayeu* (1625-1651) puis aussi *caïeu,* est, comme l'indiquent les premières attestations, un terme normand. C'est le même mot que l'ancien français *caiel* «petit chien», dans un emploi métaphorique usuel, d'après l'idée de «rejeton» (d'animal puis de végétal), forme normanno-picarde à côté de l'ancien français *chäel* (v. 1120). Ces mots sont issus du latin *catellus* «petit chien», variante de *catulus* de même sens, également «louveteau» «lionceau», «pourceau». Le latin évoque l'ombrien *katel* de même sens et, moins nettement, l'irlandais *catt* «petit animal» et le serbe *kotiti* «faire des petits», qui appartiennent à la même famille indoeuropéenne.

♦ Ce terme de botanique désigne le petit bourgeon souterrain poussant à l'aisselle des écailles de l'oignon des plantes bulbeuses et constituant le bulbe de remplacement.

① **CAILLE** n. f. est issu (v. 1120) d'une forme latine d'origine onomatopéique *quaccola,* attestée dans les Gloses de Reichenau au VIIIe s. *(quaccola, quaccoles, quacules).* Il est vraisemblable que le néerlandais *kwakkel,* d'après lequel on a induit un francique °*kwakla,* se rattache plutôt à *quaccola,* qui semble s'être employé en milieu germanique occidental.

♦ Le mot désigne un oiseau du genre de la perdrix, au plumage brun tacheté ; il est entré dans quelques syntagmes figés ***(gras, rond, chaud comme une caille),*** comme symbole d'embonpoint, d'ardeur amoureuse, et s'emploie familièrement comme terme d'affection (mil. XIXe s.).

▸ **CAILLETEAU** n. m. (1372), dérivé de *caille* avec le suffixe *-eteau* (*-et* + *-eau*), désigne le petit de la caille ; on trouve quelquefois *caillet.*
③ **CAILLETTE** n. f. (1838) désigne une variété de pétrel dont le plumage est identique à celui de la caille, probablement en raison de la confusion entre les pétrels-tempête, de petite taille, et les cailles venant d'Angleterre par la Picardie, lors des migrations.

② **CAILLE** → CAILLER

① et ② **CAILLEBOTTE** → CAILLER

CAILLER v. tr. est issu (v. 1120) du latin classique *coagulare* (→ coaguler) «figer, épaissir». C'est un terme technique relatif à la transformation du lait en fromage, dérivé de *coagulum* «présure, lait caillé», avec une valeur active, «processus par lequel le lait caille», et au figuré «ce qui réunit, ce qui rassemble», «cause, origine». *Coagulum* est dérivé de *cogere* (→ cacher), de *co-* (→ co-) et *agere* (→ agir), «mener ensemble, rassembler», qui, dans la langue rurale, a pris la valeur de «condenser, réduire, épaissir» et «se figer (en parlant d'un liquide comme le lait)».

♦ Le verbe, construit intransitivement (et au factitif : *faire cailler le lait*), transitivement et à la forme pronominale, correspond à «(faire) prendre en caillots» en parlant du sang et du lait. Par analogie, avec un sujet nom de personne et en construction intransitive ou pronominale, il est employé familièrement avec l'idée d'«être figé par le froid» (déb. XXe s.) : ***on caille ici, on se caille.***

▸ Le dérivé **CAILLEMENT** n. m. (1478), à propos du lait, est demeuré rare. **CAILLAGE** n. m. (1867) n'est pas beaucoup plus employé. ◆ **CAILLÉ, ÉE** adj., employé à propos du lait, a été substantivé (XIVe s.) pour «lait caillé».
② **CAILLE** n. f. est plutôt le déverbal de *cailler* au figuré qu'un dérivé de l'ancien °*cail* «présure» (→ caillot) ; il ne s'emploie que dans ***l'avoir à la caille*** (1908), locution argotique pour «avoir qqch. sur l'estomac», d'où «être contrarié», et ***avoir (qqn) à la caille*** «le détester» (1910).
CAILLEBOTTER v. est un mot de l'ouest de la France (déb. XIIe s.), composé de *cailler* et d'un verbe régional *botter* «mettre en bottes», de *botte**. D'abord attesté au figuré, puis au sens concret, au participe passé (déb. XIVe s., *calebote*), il signifie «se figer en masses *(bottes)*, en caillots» ; il est sorti d'usage, sauf régionalement, mais a servi à former des dérivés. ◆ ① **CAILLEBOTTE** n. f. (1546, Rabelais) désigne une masse de lait caillé, un fromage de lait caillé ; il est archaïque ou régional. ◆ **CAILLEBOTIS** n. m. remplace *caillebottis* (1678), et désigne d'abord en marine, par analogie avec la claie sur laquelle on fait les fromages de caillé (appelée *caillebot* n. m., 1651), le treillis recouvrant une écoutille, puis un plancher amovible en treillis et (1916) un panneau de lattes servant de passage sur un sol boueux. ◆ Un autre déverbal ② **CAILLEBOTTE** n. f. désigne (1771) une plante (viorne) portant une masse de fleurs blanches, par analogie de couleur et de forme avec ① *caillebotte*. Il a pour synonyme **CAILLEBOT** n. m. (1845).
Le composé **CAILLE-LAIT** n. m. (1701) désigne une plante qui peut faire cailler le lait, et dont le nom scientifique est **GAILLET** n. m. (1786), croisement avec le latin botanique *galium*, lui-même emprunt au grec *galion*.
◈ voir **CAILLOT**.

① CAILLETTE

① **CAILLETTE** n. f. est dérivé (1393) d'un ancien français °*cail*, °*caille* avec le suffixe *-ette* à valeur diminutive (→ caillot).

♦ Le mot désigne le quatrième estomac des ruminants, en référence au fait que c'est de lui surtout que l'on retire la présure.

② CAILLETTE

② **CAILLETTE** n. f. et adj. est l'emploi comme nom commun (av. 1544) de *Caillette*, nom du célèbre bouffon de Louis XII et de François Ier, réputé bavard et léger. Dès le XVIe s., le mot est senti comme un dérivé de *caille**, ce qui est peut-être le cas du nom propre lui-même : de là, le passage du genre masculin (encore en 1611) au genre féminin.

♦ Le mot est employé familièrement en parlant d'un homme (sens disparu), puis plus souvent d'une femme (1740) frivole et loquace. Le mot est archaïque, sauf pour parler d'un type social de jeune femme légère et gaie, au XIXe siècle.

▸ **CAILLETER** v. intr. (1766), «bavarder comme une caillette», n'est plus guère usité, tout comme son dérivé **CAILLETAGE** n. m. «caquetage» (1758).

③ CAILLETTE → CAILLE

CAILLOT

CAILLOT n. m. est dérivé (v. 1560, Paré) d'un ancien français °*cail*, °*caille* «présure ou organe digestif dont on fait la présure», postulé par de nombreuses formes dialectales dont *cail* (région de Nantes) «partie du tube digestif du veau dont on fait la présure», et l'ancien provençal *cal* «lait caillé», ainsi que par le moyen français *caille* «lait caillé, petite masse de lait caillé». °*Cail*, dont le féminin a donné ① *caillette**, est hérité du latin *coagulum* «présure, lait caillé», de *cogere* «rassembler, contraindre» (→ cogiter ; cailler, coaguler).

♦ Le mot, souvent employé dès les premiers textes dans *caillot de sang*, désigne une petite masse coagulée dans le sang. Il est plus rare en parlant d'une petite masse de liquide caillé.

CAILLOU

CAILLOU n. m. est la forme normanno-picarde (v. 1278), qui a remplacé de bonne heure la forme francienne *chailos* (v. 1100) ou *chaillou* (fin XIIe s.), qui s'est employée dans presque tout l'ouest de la France comme terme maritime. Comme en francien, cette forme picarde a deux finales, *caillou* et *caillot*, ce dernier ayant disparu. Le mot est issu d'un type °*caljavò-*, «caillouteux, pierreux», dérivé du gaulois °*caljo-* «pierre». Celui-ci est reconstitué d'après *epo-calium* (dans les gloses) «sabot du cheval» (avec passage sémantique de «pierre» à «corne, sabot») et d'après divers mots celtiques, dont le gallois *caill* «testicules» (→ califourchon [à]) ; il est lui-même continué par le moyen français *chail* (1470), conservé en angevin, et le féminin *chaille*, conservé en Suisse et dans la Franche-Comté. Ce type °*caljo-* appartient à la base °*cal-* qui est à l'origine du latin *callum* «cal, durillon» (→ cal) et est représenté dans de nombreux noms de lieux, comme *Chelles* en Seine-et-Marne et *Caille* dans les Alpes-Maritimes. Le suffixe *-ávo* est à rapprocher du suffixe *-ávu* des toponymes d'oïl en *-ou* du type *Andecavu* qui a donné *Anjou*. ◇ On évoquera *galet*, *gravier* et *grève*, tous noms de minéraux naturels sans intérêt pratique (à la différence de *pierre*) d'origine prélatine ou gauloise.

♦ Le mot désigne un morceau de pierre de petite ou de moyenne dimension, dure. Le mot est demeuré très usuel en français d'Europe (alors qu'au Canada, il est concurrencé par *roche*, dans le même sens). Il a quelques emplois spéciaux, en joaillerie pour «cristal de roche roulé» (1723 ; 1762, *caillou d'Égypte*), en céramique et en géologie (1783-1788, *cailloux roulés*, *cailloux éclatés*). Tout en se prêtant à quelques emplois métaphoriques comme symbole d'obstacle (1671), de dureté insensible, alors beaucoup moins usuels que ceux de *pierre* et de *roche*, il sert de dénomination familière pour la tête (1866).

▶ **CAILLOUTEUX, EUSE** adj. est la réfection, d'après *caillou* (1829) après la disparition de *caillot* «caillou», du moyen français *cailloteux* (fin XVIe s.), qui était lui-même en concurrence avec *cailloueux* (1564 selon Wartburg). ◆ **CAILLOUTAGE** n. m. est aussi la réfection, sous l'influence de *caillou* (1694), de *caillotage* n. m. (av. 1638), dérivé de la forme *caillot;* le mot désigne un ouvrage de cailloux, un ensemble de cailloux, avec des spécialisations en maçonnerie et en céramique. ◆ **CAILLOUTIS** n. m. (1700) est dérivé de *caillou*, avec *-t-* de liaison, sur le modèle des anciens dérivés de *chaillot, caillot* «caillou». Il est employé en travaux publics pour désigner des cailloux concassés servant au revêtement des routes et repris en géologie à propos du dépôt sédimentaire de graviers et sables charrié par un glacier. ◆ **CAILLOUTER** v. tr. (1769, Turgot), qui présente la même consonne de liaison, signifie «revêtir de cailloux». ◇ Son participe passé **CAILLOUTÉ, ÉE**, adjectivé (1769), tend à se confondre avec l'adjectif *caillouté*, dérivé directement de *caillou* (1757), comme qualificatif et dénomination de la faïence fine.

CAILLASSE n. f. (1846), dérivé de *caillou* avec substitution de suffixe, désigne la pierraille. Il est employé spécialement en géologie à propos des bancs discontinus de calcaire grossier des environs de Paris.

◈ voir **CAL**.

CAÏMAN n. m., d'abord *caymane* (1584) emprunt oral, puis *caïman* (1588), est emprunté à l'espagnol *caymán* «crocodile de l'Amérique centrale et du Sud» (1530), lequel est très probablement d'origine caraïbe.

♦ Le mot, nom usuel de plusieurs animaux du genre alligator d'Amérique tropicale, est souvent employé erronément pour désigner d'autres crocodiliens, peut-être en raison de sa valeur suggestive ; il est usuel en français d'Afrique pour tous les petits crocodiliens. ◆ Par allusion plaisante à la férocité de l'animal, il désigne, dans l'argot de l'École normale, un surveillant répétiteur (1880).

CAÏQUE n. m., d'abord *caïq* (1579), puis *caïque*, mot féminin (1619) puis masculin (XVIIIe s., av. 1752), est emprunté au turc *qāyïq* désignant un bateau à rames. Il est difficile de dire si le mot a été emprunté directement ou par l'intermédiaire de l'italien (XVIe-XVIIe s.), mais l'origine de la première attestation peut faire pencher pour la première hypothèse.

♦ Le mot désigne une petite embarcation légère à voiles ou à rames, en usage dans les mers du Levant, et en particulier un esquif destiné au service d'une galère (1619), sens historique. Dans son emploi premier, le tourisme a donné au mot une certaine fréquence.

✳ **CAISSE** n. f., d'abord *quecce* (1365) puis *caisse* (1553), a été emprunté, sans doute à la faveur de rapports commerciaux entre le sud et le nord de la France, à l'ancien provençal *caissa* (XIIIe s.), du latin *capsa* «coffre à livres» puis «contenant pour denrées, fruits» (→ châsse). Les formes de latin médiéval de type *capsea* attestées au sud de la France, n'étant pas antérieures à la seconde moitié du XIVe s., sont probablement une latinisation de l'occitan.

♦ L'expansion sémantique s'est faite à partir du sens de base de «grande boîte pour emballer, transporter». Par analogie de forme, *caisse* est devenu le nom d'une espèce de tambour (1611), notamment dans le syntagme lexicalisé ***grosse caisse.*** En relation avec une spécialisation d'usage, il désigne un coffre où l'on dépose de l'argent, des valeurs (1636), sens réalisé dans la locution ***tenir la caisse*** (1690). De cette valeur procèdent des emplois métonymiques référant à la fois à l'établissement qui administre les fonds qui lui sont confiés en dépôt (1673) et aux fonds dont on dispose (1690), seul dans un syntagme comme ***caisse noire*** «fonds secrets» (1882). Ultérieurement le mot s'applique, par métonymie, au guichet des opérations de paiement-versement (1723). ◆ Du sens de base partent des acceptions techniques concernant la boîte d'un instrument de musique (1820), le baril d'un navire contenant l'eau douce (1831), la carrosserie d'une voiture à cheval (1832), puis également d'une automobile (1906). Ce sens a donné par métonymie une dénomination populaire du véhicule (1918 à propos d'un avion ; v. 1970, d'une automobile), par exemple dans une locution comme ***à fond la caisse*** «à toute allure». ◆ Par analogie, le mot est passé en anatomie, d'abord dans l'expression *caisse du tambour* (1762), supplantée par *caisse du tympan* (1832). ◇ Le mot sert aussi de dénomination métaphorique du ventre (1808), de la tête et de la poitrine (1928), dans la langue populaire, avec des locutions comme ***partir de la caisse*** «être tuberculeux».

▶ **CASSETTE** n. f. est probablement dérivé, avec le suffixe *-ette* (1348), de l'ancien français *quasse, casse*, autre forme pour *caisse*, plutôt qu'emprunté au correspondant italien *cassetta*, de *cassa* (→ ① casse). Avec l'idée de petite boîte, il s'est immédiatement spécialisé à propos d'un coffret contenant des objets précieux, donnant par métonymie le sens de «revenus royaux» dans *la cassette du Roi* (1690), expression reprise par les historiens. ◆ Le mot a pris récemment une valeur technique, désignant un petit boîtier muni de bandes magnétiques (v. 1960), avec ses dérivés **MINICASSETTE** n. f. (v. 1960, nom déposé d'une marque de cassette), **VIDÉOCASSETTE** n. f. (v. 1970). ◆ **CAISSETTE** n. f. (1569) s'est maintenu à côté de *cassette* avec le sens général de «petite caisse», rare jusqu'au XIXe siècle. ◆ **CAISSIER, IÈRE** n., attesté depuis 1611 après une première attestation sous la forme *cassier* (1585), désigne la personne qui tient la caisse. ◆ **CAISSERIE** n. f. est un dérivé technique tardif (1869), référant à l'industrie de la fabrication des caisses, et désignant concrètement l'atelier où l'on fabrique des caisses.

ENCAISSER v. tr. (1510), proprement «mettre en caisse, emballer», a reçu des acceptions spéciales en finance (1690) ; par extension, il est employé couramment pour «percevoir (une somme d'argent)» (1832). Le sens figuré et familier de «admettre, recevoir» (1867, dans la locution ***encaisser un soufflet***) est une extension du sens de «percevoir, toucher de l'argent». Au sens concret, le verbe s'emploie par ailleurs en horticulture (1740) et en topographie pour «resserrer entre deux versants abrupts» (1791), rare sauf dans l'emploi adjectivé du participe passé **ENCAISSÉ, ÉE.** ◆ Le verbe a produit le substantif d'action et d'état **ENCAISSEMENT** n. m. (1645), proprement «emballage en caisse», également employé en termes de topographie (1801) et de commerce (1832). ◇ Il a aussi donné **ENCAISSAGE** n. m. (1803), réservé au sens de «mise en caisse», spécialement en horticulture (1845). ◆ Le sens financier a fourni le terme de finance **ENCAISSE** n. f. (1845), ainsi qu'**ENCAISSABLE** adj. (1870) et **ENCAISSEUR** n. m. (1870).

DÉCAISSER v. tr. (1680) fonctionne comme antonyme d'*encaisser*, spécialement en termes de banque (1878). ◆ Il y a hésitation pour son substantif d'action entre **DÉCAISSAGE** n. m. et **DÉCAISSEMENT** n. m. (mil. XIXe s.).

◈ voir CAISSON, CASSE.

CAISSON n. m., réfection (1636) de *caixon* (1418), est emprunté à l'ancien provençal *caisson* (1375), lui-même de *caissa*, correspondant au français *caisse**. L'italien *cassone* «grosse caisse, boîte» rend compte de la forme *casson* employée au XVIe s. (av. 1559).

♦ Le mot désigne une caisse plus ou moins grande servant à divers usages techniques, notamment au transport militaire (1418) et, aux XVIIe et XVIIIe s., au transport des marchandises (1636). ◆ Il désigne le compartiment creux — en cela comparable à une caisse — d'un plafond, résultant de l'assemblage des solives ou servant à la décoration (1694). ◆ Il s'est dit de la caisse ménagée sous les sièges d'une voiture hippomobile (1787). À partir de 1832, il est employé en marine à propos de la caisse en métal ou en béton armé utilisée pour effectuer des travaux sous l'eau. Il reçoit d'autres acceptions spéciales, comme dans *caisson de décompression* et «enveloppe d'un réacteur nucléaire contenant le fluide refroidisseur». ◆ Comme *caisse*, il signifie par métaphore «thorax» et aussi «tête» ***(se faire sauter le caisson).***

◈ **CAJOLER** v. tr., d'abord *cageoller* (1579), forme attestée jusqu'en 1771, puis *cajoler* (mil. XVIe s.), est généralement considéré comme l'adaptation, sous l'influence de *cage**, du moyen français *gayoler* «caqueter, babiller comme un oiseau» (1525). Ce verbe dérive de *gaiole*, forme picarde de *geôle** «cage» (XIIe s.) avec contamination sémantique de *enjôler** «attirer dans une cage par des vocalises». Cette hypothèse semble préférable à celle qui consiste à dissocier *cajoler* «caqueter» et *cajoler* «flatter», en voyant dans le premier un dérivé du prénom *Jacques*, désignant la pie dans certains dialectes, ou une formation expressive à partir de *cacarder* «caqueter», et dans le second un croisement de *enjôler** et de *caresser**, ou de l'ancien français *jaiole* «petite cage» (→ geôle) et de *caresser*.

♦ Le sens primitif de «chanter, crier comme un oiseau», attesté jusqu'en 1675, est signalé au XVIIIe s. comme terme de fauconnerie (1752, Trévoux). Par transposition le verbe signifie «flatter par des paroles enjôleuses pour obtenir ce qu'on désire» (1585), spécialement dans un contexte galant (1637, Corneille) à l'époque classique. ◆ Depuis la fin du XVIe s. (1596), il est employé transitivement, glissant de «chercher à séduire par des paroles flatteuses» vers «entourer de prévenances», sans l'idée d'intérêt.

▸ **CAJOLEUR, EUSE** adj. et n., d'abord *cajolleuse* (1585) et *cageoleuse* (1616-1620), a eu la même évolution sémantique que le verbe, perdant au XVIIe s. le sens de «bavard» pour celui de «personne qui flatte» (1616-1620), spécialement dans le langage amoureux, et glissant à la valeur moderne de «personne qui entoure d'affection»; il est également substantivé. ◆ **CAJOLERIE** n. f. (1609-1619, François de Sales) se réfère à l'attitude par laquelle on cajole qqn, spécialement une femme ou un enfant, et se dit d'une parole, d'une manière cajoleuse *(une cajolerie)*. ◆ On emploie occasionnellement **CAJOLABLE** adj. (v. 1650) et les adjectifs **CAJOLANT, ANTE** (v. 1865), **CAJOLÉ, ÉE** (1901), tirés des participes de *cajoler*.

CAJOU → ACAJOU

CAKE n. m. est emprunté (1795) à l'anglais *cake*, désignant à l'origine un biscuit (v. 1230), et ayant pris au XVe s. le sens très général de «gâteau proche du pain, amélioré de divers ingrédients»; le sens de «gâteau moelleux aux raisins secs, fruits secs et fruits confits» correspond à une extension particulière dans *plum-cake* (1635), de *plum* «raisin sec», apparenté à *prune**, et de *cake*; le mot français est une abréviation de *plum-cake*. Le mot anglais est probablement emprunté de l'ancien norrois (d'où islandais et suédois *kaka*, danois *kage*), postulant l'existence d'un germanique *°kakâ-*; une dérivation de la même racine a donné, par l'ancien haut allemand *chuohho*, l'allemand *Kuche* «gâteau»; la racine ne peut pas être apparentée, comme on l'a supposé, à celle du latin *coquere* (→ cuire).

♦ En 1795, le mot est employé à propos de l'Angleterre et il ne semble pas que le gâteau *(plum-cake)* et le mot aient été une réalité française avant le XXe siècle. Les Canadiens francophones traduisent *plum-cake, fruit-cake*, etc. par *gâteau aux raisins, gâteau aux fruits* (ce qui n'évoque pas le cake pour un Français), parce que *cake* évoque pour eux le sens général de l'anglais.

◈ voir CAKE-WALK.

CAKE-WALK n. m. est emprunté (1895) à l'anglo-américain *cake-walk* qui désigne depuis 1879 une danse au pas assez comique; antérieurement, le mot désignait un concours organisé par les Noirs du sud des États-Unis, consistant à faire marcher des couples et à apprécier leur style, le couple gagnant obtenant un prix. En ce sens primitif, le mot vient de l'expression familière américaine *to take the cake* «décrocher la timbale» (1884), de *cake* «gâteau» (→ cake) pris au sens figuré dès le XVIe s. en anglais. *Walk* «marche» est le déverbal de *to walk* «marcher» (XIIIe s.), en vieil anglais *wealcan*, correspondant à l'ancien haut allemand °*walken*, l'ancien norrois *valka* «tourmenter, travailler, pétrir», etc., tous mots remontant à une racine germanique °*walk-*, d'origine inconnue.

♦ La danse a été introduite en Europe sous une forme très modifiée, d'abord sur la scène puis dans certains salons (1903); elle eut beaucoup de succès au début du XXe s. et Debussy composa un *Golliwog's Cake-Walk*. Le mot appartient aujourd'hui à l'histoire des coutumes.

◈ **CAL** n. m. est la réfection savante, d'après le latin (1314), de l'ancien français *chaul* (XIIIe s.), *chal*, issu par voie populaire du latin *callus* (également au neutre *callum*) «peau épaisse et dure des animaux et des plantes, durillon de l'épiderme de l'homme». Le mot, populaire, sans étymologie sûre, représente peut-être le radical °*cal* du mot gaulois à l'origine de *caillou**.

♦ Le mot désigne un épaississement et un durcissement de la peau; il a reçu en médecine le sens spécial de «soudure naturelle joignant les deux parties d'un os fracturé» (av. 1628).

► **CALLEUX, EUSE** adj., d'abord au féminin *cailleuse* (1314) puis *calleuse* (1478), est emprunté savamment au dérivé latin *callosus* «qui présente un épaississement de l'épiderme, de la peau». Le mot qualifie une peau dure et épaisse. Il s'est spécialisé en anatomie dans ***corps calleux*** (1751) «partie recouvrant les deux ventricules du cerveau».

CALLOSITÉ n. f. est emprunté, en même temps que l'adjectif *calleux*, sous la double forme *caillosité* et *callosité* (1314) au latin *callositas*, dérivé par l'intermédiaire de *callosus*, de *callus*. ◆ Le mot, employé comme synonyme de *cal*, désigne par extension un durcissement à la surface du corps (d'un animal) et d'un organe de plante.

CALAME n. m., francisation (1540) de *calamus* (1359), est emprunté au latin *calamus* «roseau» (→ chaume), lui-même emprunté au grec *kalamos*, employé par métonymie pour de nombreux objets en roseau (chalumeau, flûte, canne à pêche, flèche, instrument chirurgical, baguette d'oiseleur, natte de roseaux, roseau pour écrire). Ce mot, conservé par le grec moderne, entre dans une série de mots désignant la tige, le chaume : latin *culmus*, ancien haut allemand *halam*, allemand *Halm* «chaume, paille», russe *soloma* «paille», etc. Toutes ces formes remontent à un indoeuropéen °*koləmo-*, °*koləmā-*.

♦ Le mot apparaît sous la forme latine *calamus-aromaticus*, nom scientifique de la plante, déjà attesté en latin médiéval (v. 814), et transcrivant le grec *kalamos arômatikos*. Il est surtout employé avec l'acception métonymique de «roseau pour écrire» (1540) en paléographie, à propos de l'Antiquité classique.

◈ voir CALAMISTRER, CALMAR, CALUMET, CARAMEL, CHALUMEAU, CHAUME.

CALAMINE n. f., d'abord attesté dans l'aire normanno-picarde sous la forme *calemine* (XIIIe s.), à côté du francien *chalemine* (XIVe s.), puis refait savamment en *calamine* (1390), est une formation demi-savante à partir du latin médiéval *calamina* (v. 1100), altération obscure et ancienne du latin *cadmea* (→ cadmie).

♦ Le mot, d'usage scientifique, désigne le silicate hydraté de zinc, puis, par extension, un minerai constitué de carbonate impur, de silicate et d'oxyde de zinc. Il s'est spécialisé au XXe s., dénommant le dépôt charbonneux produit par la combustion de l'huile et du carburant d'un moteur automobile (1928-1933) et l'oxyde qui se forme à la surface des métaux soumis à une haute température au contact de l'air (1928-1933).

► L'ancien verbe *calaminer* «enduire de calamine» (1587) a été repris à la forme pronominale *se calaminer* dans sa spécialisation technique (XXe s.), produisant à son tour **CALAMINÉ, ÉE** adj. (1927) et **CALAMINAGE** n. m. (XXe s.).

CALAMINAIRE adj. est probablement un emprunt savant (fin XIVe s.) du latin médiéval *calaminaris* (av. 1161) «qui contient de la calamine».

CALAMISTRER v. tr. est dérivé savamment (v. 1375) d'après le radical du latin *calamistratus* «frisé», du substantif *calamistratum* «fer à friser». Celui-ci est sans doute formé du grec *kalamis* «petit roseau», pris par métonymie comme nom de divers instruments, de *kalamos* (→ calame) et du suffixe d'instrument *-tro*, à moins qu'il ne soit directement emprunté à un mot grec non attesté °*kalamistron*.

♦ Le verbe signifie «friser ou onduler (les cheveux)»; il tend à vieillir au XXe siècle.

► Son participe passé adjectivé **CALAMISTRÉ, ÉE** s'emploie aussi par contresens pour qualifier des cheveux, lustrés, apprêtés, la valeur originelle n'étant, le plus souvent, plus sentie.

CALAMITÉ n. f. est emprunté (déb. XIVe s.) au latin *calamitas* «fléau, désastre, ruine, malheur», spécialement «fléau qui atteint les récoltes, maladie qui frappe les tiges du blé, grêle», probablement par suite d'un rapprochement, dans la langue rustique, avec *calamus* (→ calame, chaume). Le mot est probablement dérivé d'un adjectif, comme la plupart des noms abstraits en *-tas*, et serait à rapprocher d'*incolumis* «intact, sans dommage», évidemment à décomposer en *in-*°*columis*, qui appartiendrait au groupe de *clades* «destruction, désastre» et de °*-cellere* «frapper», seulement attesté dans *percellere* «frapper violemment, renverser, bouleverser». Dans le domaine indoeuropéen, on est amené à rapprocher les mots grecs *klan* «briser», *kolos* «tronqué», *koletran* «fouler aux pieds» ainsi que des termes qui, en vieux slave et en lituanien, signifient «battre», «abattre».

♦ Le mot, d'abord employé à propos d'un dommage qui atteint qqn, désigne comme en latin un désastre, un malheur public (1490-1496), spécialement dans le domaine agricole (1554). Par hyperbole, il se dit familièrement d'une personne ou d'une chose qui cause des ennuis constants.

► Le dérivé **CALAMITER** v. tr. apparaît au XXe s. dans le langage familier où il se comporte comme un synonyme de *catastropher*.

CALAMITEUX, EUSE adj. est emprunté (XVe s.) au dérivé latin *calamitosus*, de sens à la fois passif «exposé au fléau, accablé» et actif «qui fait des ravages, pernicieux, funeste». ➛ Le mot a été emprunté aux sens du latin, en parlant d'une personne et d'une chose (av. 1544).

① **CALANDRE** n. f., attesté au XVe s. mais indirectement dès le XIVe s. par ses dérivés *calendruer* (1313, pour *calandreur*) et *calendrer* (1400), est probablement issu par assimilation vocalique d'un ancien français °*colandre*. Celui-ci serait issu d'un bas latin °*colendra*, adaptation, avec changement de genre, probablement d'après *columna* (→ colonne), du grec *kulindros* qui a donné par emprunt *cylindre**.

♦ Le mot désigne une machine composée de plusieurs cylindres, servant à lustrer les étoffes (1483), glacer les papiers et aussi, de nos jours, à fabriquer des feuilles de caoutchouc, à enduire des tissus avec des feuilles de chlorure de polyvinyle (1928). ➛ Il désigne aussi la grille décorative protégeant le radiateur d'une automobile contre les projections de gravillons (1948).

▶ **CALANDRER** v. tr., attesté en 1400 au participe passé adjectivé *calandré* «lustré avec la calandre», signifie «faire passer (une étoffe, un papier) à la calandre» (1483). ➛ En sont tirés **CALANDREUR, EUSE** n. (dès 1313), comme nom d'ouvrier, et **CALANDRAGE** n. m. (1771), usité comme substantif d'action dans le même domaine.

② **CALANDRE** n. f., d'abord *kalandre* (v. 1236), est emprunté à l'ancien provençal *calandra* «alouette» (1180-1225), lui-même issu d'un latin populaire °*calandra*, repris au grec *kalandros*, mot préhellénique ayant la même finale que *Maiandros* (→ méandre).

♦ Le mot désigne une espèce d'alouette méditerranéenne à calotte rousse et gros bec jaune.

▶ **CALANDRELLE** n. f. (1838), emprunt au latin scientifique *calandrella* (1829), diminutif de °*calandra*, désigne une petite alouette au bec fort.

CALANQUE n. f., d'abord *calangue* (1678), encore au XIXe s., puis *calanque* (1690), est emprunté au provençal *calanco* attesté par Mistral au sens de «pente rapide, ruelle étroite, crique, cale» et déjà au XIIIe s. (1268-1269), au sens de «chemin, sentier», sous la forme *calanca*. Le mot est formé sur la base préindoeuropéenne °*cala-* (variante originaire de °*cara-*) «abri de montagne» et aussi «pente raide», probablement par croisement avec *calare* (→ caler «descendre»). Le suffixe *-anca* est le même que celui d'*avalanche**.

♦ Le mot désigne, à propos de la France méditerranéenne, une crique ou une petite baie entourée de rochers.

◈ voir **CALEBASSE, CHALET**.

CALCAIRE adj. et n. est emprunté (1751) au latin *calcarius* «à chaux, qui concerne la chaux», de *calx* (→ chaux). L'anglais *calcarious* est attesté dès le XVIIe s. (1677).

♦ L'adjectif, d'abord dans *terre, pierre calcaire*, qualifie ce qui contient de la chaux et, par extension, ce qui rappelle la chaux (par sa couleur, sa consistance). Il est substantivé (*in* Acad. 1835) comme nom d'une roche composée essentiellement de carbonate de calcium. La notion, au cours du XVIIIe s., est passée de «qui peut produire de la chaux», valeur technique, à la notion chimique «qui contient du carbonate de calcium», et est devenue essentielle en géologie, liée à celle de sédiment. Buffon (1783) parle de *matière, substance calcaire* et du *genre calcaire* (opposé à *vitreux*), employant l'adjectif avec plusieurs noms de minéraux (*gravier, spath*), et par extension dans *colline calcaire*. Ce minéral était nommé *chaux carbonatée* (Haüy). Dès son apparition, le mot est employé en syntagmes : *calcaire argileux, compact, crayeux, fibreux, grossier, marneux, métamorphique, oolithique, siliceux...* (in *Dict. d'histoire naturelle*, 1845, art. *calcaire* et *carbonate*).

◈ voir **CALCIFIER, CALCINER, CALCIUM**.

CALCÉDOINE n. f., d'abord *chalcedoine* (v. 1121), puis *calcedoine* (v. 1150, sans accent) et *calcédoine*, est issu du latin *calchedonius* «de Chalcédoine», adjectif correspondant au toponyme *Calchedon (Calcedon, Chalcedon)* «ville de Bithynie sur le Bosphore, vis-à-vis de Byzance», parce que cette sorte de pierre en était originaire. Le mot latin est emprunté au grec *Khalkêdôn*, désignant à la fois la ville et la pierre précieuse.

♦ Le mot désigne, comme en latin, une pierre précieuse composée de quartz et de silice, généralement d'un blanc laiteux, comportant de nombreuses variétés.

▶ *Calcédoine* a produit **CALCÉDONIEUX, IEUSE** adj. (1798), antérieurement noté *chalcedoineux* (1690), concurrencé depuis 1835 par une forme *calcédoneux, euse*.

CALCÉOLAIRE n. f. est la francisation (1803) du latin scientifique *calceolaria* (1714-1725), nom donné à un genre de plante ornementale par Louis Feuillet. Ce mot est dérivé savamment, avec le suffixe *-aria* (→ -aire), du latin *calceolus* «chaussure, soulier», diminutif de *calceus* «soulier» (→ chausse), en raison de la forme irrégulière de la fleur de cette plante, en forme de petit soulier. Dès 1694, Tournefort, dans ses *Éléments de botanique*, emploie *calceolus* pour une plante, appelée aussi «sabot».

CALCIFIER v. tr., d'abord *calcifié* (1765 selon Larousse, puis 1838), ensuite *calcifier* (1893), est dérivé savamment du radical du latin *calx* (→ chaux) avec le suffixe *-ifié, -ifier*. Le latin médiéval a eu *calcificare* (XIIIe s.).

♦ Le verbe exprime l'idée de «convertir en carbonates calcaires» en chimie, physiologie et pathologie. **CALCIFIÉ, ÉE** adj., plus ancien, est aussi plus usuel, comme le pronominal *se calcifier*.

▶ **CALCIFICATION** n. f. est formé (1848) sur le radical de *calcifier* (le latin médiéval avait *calcificatio*). ➛ Par adjonction du préfixe *dé-*, à valeur privative, a été formé **DÉCALCIFIER** v. tr. (1878), surtout au pronominal et au participe passé, d'où est dérivé **DÉCALCIFICATION** n. f. (1911), mots qui concernent la diminution du calcium dans l'organisme et sont plus courants, de par leur usage médical, que les mots simples.

CALCIUM n. m. est dérivé savamment (1808) du radical du latin *calx, calcis* (→ chaux) avec le suffixe *-ium*. La chaux obtenue par calcination du calcaire était connue des Romains qui l'utilisaient comme mortier, alors que les Égyptiens employaient le plâtre. Le calcium ne fut découvert qu'en 1808 par Berzelius, puis Davy (celui-ci proposant la dénomination en anglais), qui électrolysèrent un mélange de chaux et de mercure et obtinrent un amalgame ; le métal massif ne fut véritablement isolé qu'en 1892 par Moissan, qui procéda à la réduction de l'iodure de calcium par le sodium. Il fallut attendre encore dix années pour que la méthode de production du calcium par électrolyse du chlorure anhydre fût mise au point. ◆ Le mot désigne un métal blanc argenté, mou, très répandu dans la nature où il existe combiné, notamment sous forme de carbonate. Il s'est répandu dans l'usage avec le sens métonymique de «produit pharmaceutique à base de calcium».

CALCÉMIE n. f., dérivé savamment (1927) du latin *calx*, avec le suffixe *-émie*, désigne la teneur du sang en calcium.

◈ voir CALCAIRE, CALCINER.

CALCINER v. tr. est emprunté (XIVe s.) au latin médiéval *calcinare* de même sens (XIIe-XIIIe s.), lui-même dérivé de *calx* (→ chaux, calcaire).

♦ Le verbe signifie proprement «soumettre à l'action du feu (les pierres calcaires) pour (les) transformer en chaux». Par extension, en construction transitive ou pronominale, il exprime le fait de soumettre un corps à une très forte température pour obtenir une combustion totale (XVIe s., B. Palissy). Dans ce sens, il a perdu sa relation étymologique avec *chaux, calcaire* et les autres mots de la série.

▸ **CALCIN** n. m., déverbal de *calciner* (1765), désigne en verrerie les débris de verre réduits en poudre par calcination et utilisés pour les émaux et, depuis 1873, le dépôt calcaire à l'intérieur des chaudières à vapeur.

CALCINATION n. f. est emprunté (1516) au latin médiéval *calcinatio* (XIIe-XIIIe s.), du supin de *calcinare*. ◆ Le mot est le substantif d'action de *calciner*.

① **CALCUL** → CALCULER

② **CALCUL** n. m. est emprunté (1540) au latin classique *calculus* «caillou», «boule pour voter», «pion, jeton», d'où «compte» (→ calculer), et spécialement en médecine «pierre que l'on a dans la vessie». Les Romains y voyaient le diminutif de *calx, calcis* (→ chaux), mais les sens sont différents et le grec *kakhlêx* «caillou de rivière» amène à se demander si *calculus* ne serait pas un mot à redoublement. Cela n'exclut pas le rapprochement avec le grec *khalix* «caillou», au pluriel «moellons», à moins que tout le groupe soit issu, par des emprunts indépendants (en grec et en latin), d'une langue méditerranéenne inconnue.

♦ Le mot a été introduit en médecine à propos de la concrétion pierreuse qui se forme dans le corps de l'homme et de l'animal. Le qualificatif «vieux et hors d'usage», qui apparaît dans le *Dictionnaire de l'Académie* en 1694 et marque l'abandon du mot au XVIIe s. (au profit de *pierre**, *gravelle*), disparaît des éditions suivantes, ce qui signale la réapparition du mot.

CALCULER v. tr. est emprunté (1372) au bas latin *calculare* «déterminer, à l'aide d'opérations sur des nombres donnés, un nombre que l'on cherche», dérivé du latin classique *calculus* «caillou» (→ ci-dessus ② calcul), pris spécialement au sens de «caillou de la table à calculer», d'où il a développé celui de «compte».

♦ Le verbe signifie «chercher, déterminer (un nombre) par une opération sur d'autres nombres». Des extensions figurées (XVe s.) correspondent au sens de «prendre des mesures en vue d'un but à atteindre» et (1671) expriment l'idée de «déterminer la probabilité d'un résultat» (1671). ◇ En emploi absolu *calculer*, comme *compter*, signifie «être économe jusqu'à l'avarice» (XVIIe s., La Fontaine).

▸ Le déverbal ① **CALCUL** n. m. (1484) correspond au verbe ; c'est le nom donné à l'opération portant sur des nombres, en mathématiques et dans ses applications courantes et techniques (1690, en astronomie, géométrie) ; il désigne aussi l'estimation d'un effet probable (1694), spécialement avec une valeur péjorative d'«intérêt». ◆ Dans la seconde moitié du XXe s., il a produit les termes de psychopathologie **ACALCULIE** n. f. «perte pathologique de la capacité à calculer» (1951), **DYSCALCULIE** n. f., fait (v. 1970) sur le modèle de *dyslexie*, pour nommer un trouble de l'apprentissage du calcul. ◆ **CALCULETTE** n. f. (v. 1970) est contemporain de la diffusion des petites calculatrices de poche.

Un autre dérivé du verbe est **CALCULABLE** adj. (1732) «qu'on peut calculer», d'où **INCALCULABLE** adj. (1779), le composé acquérant dès les premiers emplois une certaine vitalité avec le sens figuré de «considérable, illimité», à côté du sens propre, «impossible à calculer» (1797). ◇ Il a produit **INCALCULABLEMENT** adv. (1846) et **INCALCULABILITÉ** n. f. (1922).

CALCULATEUR, TRICE n. et adj. est emprunté (1546) au latin impérial *calculator*, de *calculare*. ◇ Le sens propre de «personne qui sait faire des opérations» a été supplanté dans l'usage courant par le sens figuré de «personne habile à combiner des projets, des plans» (1794, en emploi adj.), souvent péjoratif. ◇ Appliqué à une chose, le mot désigne, d'abord au masculin dans *calculateur mécanique* (1859), une machine de calcul, de nos jours utilisant des cartes ou rubans magnétiques. ◆ Le féminin **CALCULATRICE** n. f. désigne spécifiquement une machine de bureau effectuant les quatre opérations arithmétiques, ainsi qu'un ordinateur dont la fonction principale est le calcul. Les petites calculatrices de poche sont appelées *calculettes* (ci-dessus).

① **CALE** → ① CALER

✱ ② **CALE** n. f. est probablement emprunté (1611) à l'allemand *Keil* «coin, cale», peut-être par l'intermédiaire du mosellan (dialecte germanique de Moselle) *kall,* où la diphtongue a été réduite à la voyelle *a.* Le mot remonte à l'ancien haut allemand *kil,* d'une racine germanique °*kī-,* issue de la racine indoeuropéenne °*ĝēi-,* °*ĝī-* dont le sens primitif, «germer, pousser», a évolué en germanique vers le sens de «fendre».

♦ Le mot désigne un morceau de bois, de fer qu'on place sous ou contre un objet afin de le mettre d'aplomb ou de l'immobiliser. Il est employé spécialement en sport dans *cale de départ* à propos d'un butoir (1939).

▸ ② **CALER** v. tr. (1676) est probablement dérivé de *cale,* plutôt qu'emprunté au néerlandais ou à l'allemand *keilen* «enfoncer comme un coin, ficher». L'hypothèse qui identifie ce verbe avec le terme de marine homonyme ① *caler** (reposant sur la notion de «abaisser, faire descendre»), par des emplois tels que «faire descendre des tonneaux pour les mettre en place à l'aide de cales», fait difficulté; elle amènerait à voir dans *cale* le dérivé régressif de *caler.* ◆ *Caler,* d'abord employé en architecture, exprime l'idée de mettre d'aplomb au moyen de cales. Par extension, avec un nom de personne ou de partie du corps pour objet, il exprime le fait d'«installer confortablement» (1825), également au pronominal. De ce sens vient l'expression ***se caler les joues*** «bien manger» (1878) et, par ellipse, ***se les caler, se caler*** (1896), plus récemment *être calé* «avoir l'estomac bien rempli». ◆ L'idée de «rendre fixe» est réalisée dans le domaine technique (1867) avec un objet désignant une pièce ou une machine. Elle est appliquée couramment à un moteur de voiture, y compris en construction absolue. Transposée à une personne, elle glisse vers une autre valeur «être bloqué par suite d'une défaillance» au propre et au figuré.
Le participe passé **CALÉ, ÉE** adj. a pris, indépendamment de l'évolution sémantique du verbe, le sens figuré de «dans une bonne position, riche» (1782), aujourd'hui sorti d'usage, puis de «doué, savant» dans le jargon scolaire (1819) — ces deux sens évoquant par métaphore une situation solide, assurée — et, par métonymie, «difficile, ardu» en parlant d'un problème. ◆ **CALAGE** n. m. (1866), substantif d'action de *caler,* exprime l'idée de «mise en équilibre au moyen d'une ou de plusieurs cales» et, par extension, «réglage».
Dès son apparition, *caler* produit **RECALER** v. tr. (1676) avec le sens concret de «caler de nouveau». ◇ Le mot s'est répandu dans l'usage courant et familier avec le sens figuré de «refuser à un examen» (1907), par l'intermédiaire de l'idée de «remettre à sa place». ◆ **RECALAGE** n. m. (1923, Proust) correspond au verbe; **RECALÉ, ÉE** adj. et n., participe passé de *recaler,* est substantivé pour désigner la personne qui a échoué à un examen (déb. XXe s.).
DÉCALER v. tr. (1845), littéralement «ôter la cale de», a glissé vers le sens de «déplacer un peu de la position normale», aussi en emploi figuré (1929), notamment en psychologie pour exprimer un défaut d'adaptation; le verbe a aussi une valeur temporelle. ◆ **DÉCALAGE** n. m. (1845) a les mêmes emplois : spatial, temporel et abstrait, avec la valeur générale de «situation ou temps déplacé(e)», par exemple dans ***décalage horaire*** (entre deux points du globe reliés rapidement, par avion).

CALEBASSE n. f. (1572), d'abord *calebace* (1527) et *calabasse* (1542) aussi *caulebasse* (1611), est emprunté à l'espagnol *calabaza* «fruit d'un arbre d'Amérique dont l'écorce séchée sert de récipient», attesté dès le Xe s. (dep. 946, sous la forme *kalapazo;* dep. 978, sous la forme *calabaza*). L'origine de ce mot est discutée, peut-être préromane : il représenterait une dérivation à partir de la racine °*kal-* (que l'on a dans *cale* «abri naturel», *calanque*, chalet**), variante de °*kar(r)-* «abri» (représentée dans *carapace*, cheire*). ◆ Un emprunt à l'arabe *qar'a* «gourde» obligerait à faire intervenir un croisement pour expliquer la finale, par exemple avec le latin *cabas* «panier», d'abord *cavazo* en espagnol (949). L'idée d'un croisement de l'arabe *qar'a* avec le latin populaire °*cucurbacea,* °*curbacea,* altération par changement de suffixe de *cucurbita* «courge», a été abandonnée.

♦ Le mot désigne une grosse courge séchée et vidée servant de récipient, d'objet de décoration, puis aussi d'instrument de musique. Par métaphore, il s'est employé dans le langage populaire pour «tête» (1829).

▸ Le dérivé **CALEBASSIER** n. m., d'abord *calbassier* (1637), a été transposé au baobab d'Afrique occidentale avant de désigner surtout (1640) un arbrisseau d'Amérique tropicale.

◈ voir CAPARAÇON.

CALÈCHE n. f. est emprunté (1646) à l'allemand *Kalesche,* attesté dès 1604 sous la forme *kolesse,* désignant une voiture polonaise, puis *Calleche* (1636) et *calesse* (1644). L'allemand a emprunté en même temps le mot et la chose au tchèque *kolesa,* qui correspond au polonais *kolaska,* l'un et l'autre dérivés du nom de la roue dans chacune de ces langues. Les différentes graphies du mot en allemand expliquent l'hésitation entre les formes françaises *calege* (1646), *calesse* (1656) et *calèche* (1656).

♦ Le nom de cette voiture légère, attelée, munie d'une capote à soufflet, évoque aujourd'hui une réalité ancienne ou pittoresque, mais le mot reste bien connu.

▸ **CALÉCHIER** n. m. (1875) désignait un loueur de calèches ou un fabricant de ces voitures.

CALEÇON n. m., d'abord *calleson* (1563), puis *calçon* (1571) avant *caleçon* (1643), est un emprunt à l'italien *calzone* désignant un vêtement pour les hommes et les femmes, surtout employé au pluriel *calzoni,* dérivé avec le suffixe augmentatif *-one* de *calza,* correspondant au français *chausse**.

♦ Le mot français, d'abord employé à propos d'un vêtement de femme, a désigné un sous-vêtement porté autrefois par les deux sexes. Cependant dès le XVIIe s., il se dit d'une culotte portée par les hommes (1643), comme en témoigne la locution misogyne *il faut se méfier des femmes qui portent le caleçon* (1690) et sa variante *porter le caleçon* (1771), en parlant d'une femme (remplacé par *la culotte*). ◇ En français moderne le mot désigne un sous-vêtement masculin *(caleçon long, court)*. Après avoir été supplanté par le slip, le caleçon paraît actuellement revenir à la mode ; mais le mot est concurrencé par divers anglicismes.

▸ **CALEÇONNER** v. tr. (1879) «revêtir d'un caleçon» est peu usité. ◇ **CALEÇONNADE** n. f. (v. 1930) réfère péjorativement à un spectacle théâtral dans lequel évoluent des personnages peu vêtus. ◆ *Caleçon* a été modifié, par suffixation argotique sur l'initiale, en **CALECIF** (1916, faubourgs parisiens) et **CALEBAR** (1946) tous deux n. m.

CALÉFACTION n. f. (XVe s.), réfection de *calefacion* (XVIe s.), est emprunté au latin *calefactio* «action de chauffer (un bain)», spécialisé en médecine au IVe s. pour «échauffement». Le mot est dérivé du supin *(calefactum)* de *calefacere* (→ chauffer).

♦ Employé jusqu'au XVIe s. au sens médical d'«échauffement», le mot entre au XVIIe s. dans le vocabulaire de la physique (1690, Furetière), désignant le phénomène par lequel une goutte d'eau chaude, projetée sur une surface très chaude, prend un aspect sphéroïdal et ne se volatilise pas immédiatement.

▸ **CALÉFACTEUR** n. m. est dérivé (1836) du radical du latin *calefactus*, participe passé de *calefacere*. Le mot, aujourd'hui sorti d'usage, désignait un appareil permettant une cuisson économique des aliments et la conservation de l'eau chaude.

◈ **CALEMBOUR** n. m., attesté dans une lettre de Diderot à S. Volland (1er décembre 1768), est d'origine incertaine, soit dérivé régressif de *calembourdaine, calembredaine**, soit directement formé comme ce dernier de l'élément *calem-* et de *bourde** amputé de sa finale. P. Guiraud propose, entre plusieurs hypothèses, un composé du picard-wallon *calender* «dire des balivernes» (→ calembredaine) et de *bourder* «dire des bourdes».

♦ Le mot désigne un jeu d'esprit fondé sur des mots à double sens ou une équivoque de mots, phrases se prononçant de manière identique. Par extension, il se dit d'un mauvais jeu de mots (1812).

▸ En sont dérivés quelques mots rares tels **CALEMBOURDIER, IÈRE** n. (1776 comme nom propre), **CALEMBOURISTE** n. et adj. (1783 ; après *calembourdiste*, 1777), **CALEMBOURDISER** v. tr. (1842, néologisme balzacien), **CALEMBOURESQUE** adj. (1883).

◈ **CALEMBREDAINE** n. f., attesté en 1745, accueilli en 1798 par l'Académie, est de formation assez obscure : le second élément *-bredaine* semble devoir être rattaché au groupe dialectal de la famille de *bredouiller** ; la forme genevoise *calembourdaine* résulte d'un croisement avec *bourde** «parole en l'air». Le premier élément est obscur : il peut être à identifier avec le préfixe péjoratif *ca-, cal(i)-* exprimant une idée de creux, de vide (→ ① cave), dont il serait une forme nasalisée. L'hypothèse de P. Guiraud qui, rapprochant *calem-* du wallon *calauder* «bavarder» et du picard *calender* «dire des balivernes», empruntés au flamand °*kallen* «bavarder», fait difficulté des points de vue phonétique et géographique.

♦ Ce mot familier, souvent employé au pluriel, désigne un propos extravagant et vain, une plaisanterie cocasse et par extension une chose dérisoire ou absurde.

◈ voir CALEMBOUR.

CALENDES n. f. pl., d'abord *kalendes* (v. 1119) puis *calendes* (1165-1170), est emprunté au latin *calendae*, qui désignait chez les Romains le premier jour du mois, et que l'on rencontre écrit *kalendae* à partir de l'époque impériale. Le mot est dérivé de *calare* «appeler, proclamer, convoquer», verbe archaïque, employé dans des expressions de langue juridique ou religieuse (→ nomenclature), évincé de l'usage courant par *clamare* (→ clamer) et *vocare* (→ évoquer). La filiation entre *calare* et *calendae* correspond au fait que, le premier jour du mois, le pontife publiait à haute voix quel jour tomberaient les nones (le 7 en mars, mai, juillet et octobre ; le 5 les autres mois). *Calare* appartient peut-être à une série de termes indiquant des cris et des bruits, tels le grec *kelados* «bruit», le vieux slave *klakolŭ* (russe *kolokol*) «cloche», etc. et peut-être le latin *clamare* (→ clamer), avec initiale expressive *kr-, kl-*. *Calendae* s'est conservé avec des sens divers («jour de fête», «nouvel an») en celtique (brittonique *calan*, irlandais *callaind, callendoir*).

♦ Le mot, employé en histoire romaine, est passé dans l'usage courant dans la locution figurée ***remettre, renvoyer aux calendes grecques*** «jamais» (1552), calque de la locution latine *ad calendas graecas* (Suétone, qui l'attribue à Auguste), référence savante au fait que les Grecs n'avaient pas de calendes.

◈ voir CALENDRIER.

CALENDO(S) → CAMEMBERT

CALENDRIER n. m. est la réfection (peut-être av. 1307 ; 1339, *chalandrier*), par intercalation d'un *r* sans nécessité phonétique apparente, du plus ancien *kalendier* (v. 1119). Celui-ci est issu du bas latin *calendarium*, employé dès l'époque classique à propos d'un registre où étaient inscrites les dettes, dérivé de *calendae* (→ calendes) par référence au fait que l'on payait les intérêts le premier jour du mois.

♦ Le mot désigne un système de division du temps en années, mois et jours et, par métonymie, le tableau contenant les principales divisions officielles du temps. Par extension, il se dit d'une division du temps en fonction d'un programme fixé et, spécialement, un répertoire officiel d'épreuves en sport (1872), de manifestations (festivals, etc.), d'opérations à accomplir, en concurrence avec *programme, emploi du temps*, etc.

CALEPIN n. m. est un emprunt (1534) à l'italien *calepino* «dictionnaire» (fin XVIe-XVIIe s.) du nom du savant italien Ambrogio *Calepino*, religieux augustin (v. 1435-1511), dont le dictionnaire latin *Cornucopiae* («corne d'abondance») connut une très large diffusion dans toute l'Europe, avec l'adjonction de nombreuses langues.

♦ *Calepin*, anciennement «dictionnaire», a pris, malgré la grande taille des ouvrages (cf. *cahier**, *carnet*), par analogie de fonction, le sens de «recueil de renseignements» (1662) puis le sens moderne courant de «petit carnet, agenda de poche» (1803). Familièrement, ***mettez cela dans votre calepin*** (1835), par l'intermédiaire d'un emploi figuré du mot (v. 1798), signifie «souvenez-vous en». ◇ En Belgique, le mot désigne, par métonymie du contenu pour le contenant, un cartable.

① **CALER** v. est emprunté (v. 1165) à l'ancien provençal *calar* «baisser» (attesté seulement au début du XIIIe s.), spécialement «tendre les filets de pêche» (1430). Lui-même est emprunté au grec *khalan* «relâcher, détendre, se relâcher», spécialement «abaisser le mât», mot sans étymologie établie. L'hypothèse d'un emprunt de l'ancien provençal au latin *chalare, calare,* pris au grec dans le milieu des marins, convient moins bien, car le sens d'«abaisser le mât» n'est pas attesté en latin. L'hypothèse d'un emprunt du français à l'italien *calare* (XIIIe s.) ou à l'espagnol *calar* (fin XIVe s.) supposerait que ces mots soient plus anciens, mais le premier n'est pas plus problématique que l'ancien provençal.

♦ Introduit dans la langue nautique, le mot signifie «laisser aller, abaisser la voile d'une embarcation». En moyen français, avec la même idée de «descendre», il se construit intransitivement en parlant d'un bateau qui coule, s'enfonce dans l'eau (v. 1288), emploi sorti d'usage. ➜ Le verbe se répand dans l'usage général avec le sens figuré de «reculer, céder» (1524), puis est proscrit par Malherbe et marqué comme «burlesque» au XVIIe s. Mais il a continué à s'employer dans l'usage populaire; passé dans l'argot des typographes au sens de «être paresseux alors qu'il y a de la besogne» (1808), il se dit couramment pour «cesser de fonctionner, renoncer» (XXe s.), se confondant alors avec son homonyme ② *caler**, dérivé de ② *cale**.

▶ ① **CALE** n. f. (déb. XIIIe s.) est le déverbal de *caler* «descendre, s'enfoncer», les marchandises étant descendues dans cet espace; l'hypothèse d'un intermédiaire provençal *calo,* déverbal de *calar,* n'est pas impossible. Le mot, attesté dans le syntagme *fond de cale* (dont l'identification est contestée), désigne la partie la plus basse dans la partie immergée d'un navire. ◇ Il semble avoir aussi le sens d'«action d'immerger» dans l'ancien code pénal maritime, où le supplice de la *cale* consistait à suspendre un homme à bout de vergue et à le plonger («caler») plusieurs fois dans l'eau. L'emploi pour «partie en pente d'un quai» (1700), annoncé par l'acception plus générale de «lieu en talus» (1694) et sorti d'usage, relève d'un usage plus technique; le mot est encore usité en parlant du plan incliné servant à la construction, à la réparation des navires (1751). ➜ De *cale* est dérivé **CALIER** n. m. «matelot chargé du service de la cale» (1845). ➜ **CALAISON** n. f. (1730) réfère à l'enfoncement d'un navire en raison de son chargement. ➜ **CALAGE** n. m. est accueilli par Littré (1863) comme substantif d'action pour désigner le fait de baisser les voiles, les mâts; le mot signifie par suite «arrêt de la progression du navire». Dans le sens dérivé de «arrêt brusque d'un moteur», les deux verbes ① et ② *caler* sont confondus.

◈ voir ② **CALE.**

② **CALER** → ② **CALE**

CALFATER v. tr. (1382-1384) indirectement attesté dès la fin du XIIIe s. par son dérivé *callefaterie,* puis sous la forme *calafater* (déb. XIVe s.) usuelle jusqu'au XVIe s., est emprunté à l'arabe *qalfata* «rendre étanche (le pont, les bordages d'un navire)» (XIIIe s.), indirectement attesté au IXe s. par le substantif *qalafât,* surnom d'un poète cordouan du IXe siècle. Il est peut-être emprunté au bas latin °*calefare* ou °*calefectare,* déformation du latin classique *calefacere* (→ chauffer) parce qu'on chauffe du goudron pour rendre étanches les interstices des bordages du pont d'un navire. Il est improbable que le grec médiéval *kalaphatês* «calfat» (1057), *kalaphatêsis* «opération consistant à calfater» (959), ait servi d'intermédiaire entre l'arabe et les langues romanes. En tout cas, le passage du mot en français s'est fait par l'intermédiaire d'une langue méditerranéenne : italien *calafatare* (XVe s.), latin médiéval *calafatus* (1213 à Gênes) et *calafatare* (1318 à Rome), ou provençal *calafatar* (XIIIe s.).

♦ Le mot a été repris avec le sens du mot arabe en marine; par extension il exprime le fait de fermer hermétiquement, de boucher qqch.

▶ **CALFAT** n. m., d'abord *calefas* (1371), forme isolée avant *calfat* (1611), est soit le déverbal de *calfater,* soit un emprunt par l'intermédiaire de l'italien *calfato* à l'arabe *qalafâṭ.* Il désigne l'ouvrier qui calfate un navire. ➜ **CALFATEUR** n. m., autre nom d'agent dérivé de *calfater,* sous la forme *calphadeur* (1373) puis *calfateur* (1382-1384), a été éliminé par *calfat.* ➜ **CALFATAGE** n. m. (1527) a désigné concrètement l'étoupe servant à calfater, avant d'être repris avec la valeur d'un substantif d'action (1832).

CALFEUTRER v. tr., d'abord *calfestrer* (1382-1384), *galefeustrer* (1478) puis *calfeutrer* (1540), est l'altération de *calfater* avec développement d'un *r* épenthétique par croisement avec *feutre**, le feutre étant utilisé comme bourre dans le calfatage. Le mot, supplanté par *calfater* comme terme technique maritime, a survécu et s'est répandu avec le sens extensif de «rendre étanche en bouchant les fentes d'une ouverture» (1478), alors détaché de son origine. ◇ **SE CALFEUTRER** a pris au XVIIIe s. le sens figuré de «s'enfermer chaudement chez soi dans une pièce calfeutrée» (av. 1721) d'où «s'enfermer, se cloîtrer». ➜ Son substantif d'action revêt dès l'origine la double forme **CALFEUTRAGE** n. m. (1575) et **CALFEUTREMENT** n. m. (1575) et disparaît de l'usage maritime en suivant la même évolution que le verbe, au XVIIIe s. pour *calfeutrage,* au XIXe s. pour *calfeutrement.*

CALIBRE n. m. est emprunté (1478) à l'arabe *qālib, qālab* «moule où l'on verse les métaux» (IXe s.) et «forme de cordonnier», (déb. XIIe s.). L'arabe est lui-même emprunté au grec *kalopous, kalapous* «forme en bois pour fabriquer des chaussures», composé de *kalon* «bois» et de *pous* «pied». *Kalon* est apparenté à *kaiein* «brûler» qui appartiendrait au même groupe indoeuropéen que plusieurs mots baltes. L'hypothèse d'un intermédiaire italien *calibro* est très douteuse, ce mot n'étant pas attesté avant le XVIIe s.; il en va de même pour l'espagnol (1583, *calibio;* 1594, *calibre*).

♦ Le mot désigne le diamètre intérieur d'un tube, spécialement le diamètre intérieur du canon d'une arme à feu (1571). Tandis que d'après l'idée de volume, de capacité, le mot a pris le sens figuré d'«importance» (1548), familièrement dans la locution ***n'être pas du même calibre*** (1611). Le sens propre a connu une expansion métonymique au XVIIe s. : *calibre* désigne l'instrument servant à vérifier le diamètre d'une arme (1690) et par extension l'arme à feu caractérisée par l'importance de ce diamètre *(un calibre 12),* d'où en langue familière *un calibre* «une arme à feu». ◆ Le mot s'applique aussi au modèle sur lequel sont tracés les contours, les dimensions de l'objet à fabriquer (1694).

► **CALIBRER** v. tr. est d'abord attesté (1552) sous la forme du participe passé adjectivé *calibré* avec le sens de «donner le calibre, les dimensions voulues à». Depuis 1845, il signifie aussi «mesurer les dimensions de (qqch.)» et par extension «proportionner» (1819), spécialement en termes d'imprimerie «évaluer la longueur d'un texte». ◆ Le verbe a produit les dérivés **CALIBRAGE** n. m. (1838), **CALIBREUR, EUSE** n. (1845), **CALIBRATION** n. f. (1963 dans les dictionnaires) désignant en physique l'étude des variations de la réponse d'un récepteur photométrique à des flux lumineux. ◇ **CALIBRISTE** n. m. (1941) est le nom de l'ajusteur-outilleur chargé de la confection des calibres.

① **CALICE** n. m., d'abord *chalice* (v. 1180), est emprunté au latin *calix* «coupe, vase à boire» employé par extension à propos de toute espèce de récipient et spécialement à propos d'un tuyau d'aqueduc; le mot est fréquent dans la langue de l'Église pour désigner la passion du Christ, le sang du Christ et le vase sacré de l'eucharistie. Les Romains y voyaient un emprunt au grec *kulix* «coupe, vase à boire», mais en réalité le mot peut être latin, d'origine indoeuropéenne et appartenir à un ancien *°k °lik-* ayant des correspondants dans le grec *kulix* et *kalux* (→ ② calice), le sanskrit *kaláçah* «pot, coupe» et *kalikā* «bouton de fleur».

♦ Le mot est introduit avec le sens concret de «vase à boire», se spécialisant dans le vocabulaire de la liturgie. Ultérieurement, il a été réemprunté au grec comme terme d'antiquité. ◇ À partir de 1660, il est employé comme terme de mystique avec le sens figuré d'«épreuve cruelle» en référence à la passion du Christ *(le calice de la passion);* ce sens a suscité la locution métaphorique ***boire le calice jusqu'à la lie*** (1680). ◆ Le mot, comme d'autres termes religieux *(ciboire, tabernacle),* sert de juron («sacre») en français québécois.

② **CALICE** n. m. est emprunté (1575) au latin *calyx* «enveloppe de la fleur» (Pline), lui-même emprunté au grec *kalux* (Hérodote). Le mot désigne en botanique toutes sortes d'enveloppes (enveloppe des graines, des fleurs, gousse), un bouton de fleur — en poésie — et une parure féminine. Le mot fait penser à *kulix* «vase à boire» et au latin *calix* «coupe» auxquels il pourrait être apparenté (→ ① calice). L'introduction d'un *i* à la place du *y* s'explique par l'influence de ① *calice,* les deux mots étant confondus, ② *calice* étant spontanément considéré comme une métaphore de ① *calice.*

♦ Le mot désigne l'enveloppe extérieure de la fleur qui recouvre la base de la corolle et est formée de sépales. Par analogie de forme, il est employé spécialement en anatomie *(calices du rein* XIXe s., *in* Landais, 1843). En architecture, il s'applique aux feuilles sculptées dans les chapiteaux corinthiens.

► *Calice* a produit trois adjectifs relevant de la description botanique : **CALICIN, INE** (av. 1826) dont est tiré **CALICINAL, ALE, AUX** (1803), et **CALICIFORME** (1838) avec l'élément *-forme*.*

CALICOT n. m., d'abord *callicoos* (1613 ou 1663), puis *calico* (1750) et *calicot* (1808), est issu du nom de la ville de *Calicut* située sur la côte de Malabar en Inde, important centre de commerce du XVe au XVIIIe siècle. Compte tenu des données historiques et des constructions périphrastiques anglaises (1540, *kalyko cloth;* 1549, *calocowe clothe*) d'où la forme elliptique *callaga, callica* (1578), *callico* (1590), l'intermédiaire de l'anglais est très probable.

♦ Le mot, qui, avant le XIXe s., n'apparaît que dans les récits de voyage, désigne une toile de coton assez grossière et, par métonymie, une bande de cette étoffe portant une inscription. Pris quelquefois comme symbole d'une qualité inférieure, il a servi à désigner péjorativement le commis d'un magasin de nouveautés, apparaissant comme nom propre d'un personnage de vaudeville (1817) et se répandant rapidement dans l'usage (1819); ce sens s'est éteint au XXe siècle.

CALIFE n. m. (v. 1360), d'abord *califfe* (déb. XIIIe s.) et *calif* (v. 1244), est emprunté à l'arabe *ḫalīfa* «souverain musulman succédant à Mahomet», proprement «successeur», dérivé de *ḫalafa* «succéder à». L'hypothèse d'un intermédiaire espagnol est à écarter, la forme espagnole *califa* attestée plus tard (1295) étant probablement empruntée au français.

♦ Le mot désigne le souverain musulman succédant à Mahomet. Par extension, il s'est quelquefois employé à propos d'une personne ayant un certain pouvoir dans un domaine particulier. Il s'est écrit au XIXe s. *caliphe,* graphie abandonnée, et *khalife,* plus didactique.

► De *calife* sont dérivés **CALIFAT** n. m. (1560) «dignité de calife» et par extension «durée de règne d'un calife» (1863), écrit aussi *khalifat,* ainsi que **CALIFAL, ALE, AUX** adj. «relatif au calife» (1838).

◈ **CALIFOURCHON (À)** loc. adv. et n. m., d'abord *à calfourchons* (v. 1550), *callifourchons* (1611) puis *califourchon* (1690), continue l'ancien français *a caleforchies* (1262), composé de *fourche** avec un premier élément d'origine controversée. D'après Wartburg, il serait issu du breton *kall* «testicules», *fourche* concernant l'écartement des jambes; cette formation serait originaire de l'Ouest. D'après Dauzat, l'expression serait issue de ② *caler**. Une autre hypothèse analyse le mot tout entier comme une déformation d'après le préfixe *ca-*, *cali-* «creux» d'un type °*confurcus*, de *cum* «avec» (→ co-) et *furca* «fourche», d'où dérivent de nombreux toponymes de la Dordogne et du Cantal, du type *La Cafourche, La Cofourche*, désignant des carrefours, ainsi que le provençal *cafour* «enfourchure d'arbre, carrefour».

♦ Dès les premiers textes, le mot est employé dans la locution adverbiale ***à califourchon*** «dans la position d'un homme à cheval, les jambes écartées». ◇ L'emploi autonome du substantif, au sens figuré de «dada, manie» (1835) à rapprocher de *dada (enfourcher un dada)* et de *cheval de bataille*, est sorti d'usage.

◈ **CÂLINER** v., attesté depuis 1616 et probablement antérieur si l'on en juge par *câlin* (av. 1593), est d'origine incertaine. Il est généralement considéré comme emprunté au normand *caliner*, dit des animaux qui se reposent à l'ombre pendant les grandes chaleurs, dérivé avec la désinence *-er* du normand *caline* «chaleur lourde». Ce mot, qui correspond à l'ancien et moyen français *chaline*, attesté du XIIe au XIVe s., en usage dans le Poitou, est issu d'un latin populaire °*calina*, dérivé du latin *calere* «être chaud» (→ chaland). Le normand a également *caliner* «faire des éclairs de chaleur» et *calin* «éclair de chaleur». L'évolution sémantique en français, de l'idée de «chaleur» à celle de «paresse, indolence», serait analogue à celle de *chômer**; la longueur du *a* de *câliner* peut être le reflet d'une prononciation dialectale. ◇ Gamillscheg supposait que le verbe remontait à l'ancien français *chadeler* «conduire, mener qqn» (du latin *capitellare*, dérivé de *caput* «tête» → chef), par l'intermédiaire d'une forme °*cadliner* supposée d'après le normand *cadeler* «choyer, caresser» et de l'emprunt moyen anglais *to caddle* de même sens (1611); cette hypothèse fait difficulté du point de vue phonétique. ◇ Pour la même raison, il faut écarter celle de Spitzer invoquant l'étymon latin *catellus* «petit chien, petit d'animal» (cf. *canicule*). P. Guiraud explique le sens moderne d'après l'influence de l'ancien français *chael* «petit d'animal» (du latin *catellus*), mais il ne semble pas indispensable de recourir à cette influence, le passage de «réchauffer» à «cajoler» semblant assez naturel.

♦ Le verbe signifie d'abord «se tenir dans l'indolence, prendre ses aises», et encore exceptionnellement à la forme pronominale, puis aussi en construction intransitive (1740), sortie d'usage. En changeant de construction, il a changé de sens, exprimant l'idée de «dorloter, bercer de regards, paroles tendres, caressants» (1808).

▸ **CÂLIN, INE** adj., en dépit de son attestation (av. 1593), semble dérivé du verbe. Il n'est pas exclu que *calin*, au sens de «gueux, mendiant» et «niais, naïf» (1740), soit, comme le pense Guiraud, dérivé d'un autre mot, lui-même dérivé de *cale* «coquille» (→ écale). ◇ Le sens moderne de «cajoleur» apparaît au XIXe s. en même temps que l'accent circonflexe (1833), éliminant la valeur de «paresseux, trop délicat» que l'on rencontre encore chez certains écrivains du XIXe s. (Chateaubriand, Sand). ◇ L'adjectif est substantivé, désignant à la fois la personne qui aime faire des caresses ou en recevoir et, plus souvent, l'échange de caresses, surtout dans la locution ***faire (un) câlin***, employée par euphémisme (v. 1970-1980) pour un rapport sexuel. Les autres dérivés de *câliner* correspondent au sens moderne : **CÂLINERIE** n. f. (1831), **CÂLINAGE** n. m. (1837) et **CÂLINEMENT** n. m. (1889) rares, ainsi que l'adverbe **CÂLINEMENT** (1842), assez usuel.

◈ voir ACHALANDER, CALOR-, CHALAND, CHALEUR, CHAUD, CHAUFFER, ÉCHAUDER, NONCHALANT.

CALISSON n. m., attesté en 1835, accueilli par le *Dictionnaire de l'Académie* en 1838 *(calisson d'Aix)*, est emprunté au provençal *calisson*, forme dissimilée de *canisson, canissoun* «clayon», spécialement «claie ronde sur laquelle les pâtissiers portent leurs pâtisseries» d'où, par métonymie, «friandise» (1503). Le mot provençal est dérivé de *canitz* «clayon», issu du bas latin °*cannicium*, neutre substantivé de l'adjectif *cannicius* «fait de roseaux», dérivé de *canna* (→ canne). Le type *calison*, attesté une seule fois au XIIIe s. en parlant d'une friandise, est emprunté à l'ancien vénitien *calisoni* (XVe s.) auquel se rattachent le latin médiéval *calisone* (1170, Padoue), l'italien *calicione* (XVe s.), formes peut-être dérivées de *cannicio* «clayon» correspondant au provençal *canitz*; les rapports entre le mot italien et le mot provençal ne sont pas bien élucidés.

♦ Le mot désigne une sorte de confiserie provençale (aixoise) en forme de losange, faite d'amandes pilées et au dessus glacé.

CALLEUX, CALLOSITÉ → CAL

CALL GIRL → GIRL

CALLI- est emprunté pour servir de premier élément de composition signifiant «beau», au grec *kalli-*. Celui-ci est tiré, avec une géminée que l'on retrouve dans la plupart des dérivés de ce groupe, de *kalos* «beau», «utile», «en bon état», par suite passé au sens moral de «bien» (cf. la solidarité archaïque, en français de *bien, bon* et *beau*). D'où *kallos* «beauté». Le rapprochement de *kalos* avec le sanskrit *kalya-* «prêt, dispos» est hypothétique, les deux mots étant éloignés par le sens. Une variante *calo-*, faite directement sur *kalos*, est empruntée au grec tardif.

♦ Avant de devenir productif en français, *calli-* se trouve dans plusieurs termes empruntés au grec, tels **CALLIGRAPHIE** n. f. (1569) qui a donné **CALLIGRAPHIQUE** adj. (1823), **CALLIGRAPHIER** v. tr. (1844) et **CALLIGRAPHE** n. (1751). ◆ **CALLI-**

PÉDIE n. f. (1749, par le latin) est sorti d'usage. ◆ **CALLIPYGE** adj. (1786 ; *Venus Callypygis,* 1794) est relativement connu en référence au nom d'une célèbre statue grecque. Le mot est formé avec le grec *pugê* «fesse ; fessier», d'origine inconnue, malgré des rapprochements avec le sanskrit tardif *putau.* Il signifie «aux belles (ou aux grosses) fesses».

L'élément a servi à former de nombreux termes désignant dans les nomenclatures scientifiques des plantes ou des êtres vivants souvent, comme chez Linné, par l'intermédiaire du latin scientifique. ◆ Au xxe s., il est entré dans **CALLIGRAMME** n. m., néologisme d'Apollinaire (1918), créé par croisement entre *calligraphie* et *idéogramme**, d'où **CALLIGRAMMATIQUE** adj. (1036).

① **CALMAR** n. m., d'abord *calmart* (1464), *calemart* (1471-1472), puis *calamar, calmar* (1606), est emprunté, peut-être par l'intermédiaire de l'ancien provençal *calamar* (fin xiiie s.), à l'italien *calamaro* «écritoire portatif» (1300-1350). Celui-ci est une forme dialectale correspondant au toscan *calamaio* (1250-1300), issu du bas latin *calamarium,* lui-même attesté en latin médiéval pour «écritoire» (1100-1150). C'est la substantivation de l'adjectif *calamarius,* de *calamus* (→ calame), elliptiquement pour *calamaria theca* (mot grec) «boîte pour les roseaux à écrire». Étant donné la première forme et l'enracinement du mot dans le domaine italien, cette hypothèse est préférable à celle d'un emprunt direct au latin.

♦ Le mot, qui a désigné un étui pour les plumes à écrire, était sorti d'usage dès 1680.

► ② **CALMAR** n. m., d'abord *calemar* (1552), *calamar* (1606), puis *calmar* (1751), est soit issu par métonymie de ① *calmar,* en raison de la poche de liquide noirâtre de ces animaux, soit plutôt emprunté à l'italien *calamaro,* attesté en ce sens sous la forme *calamaio* (xiiie s.) puis *calamaro* (xvie s.), avec le même développement métonymique. ◆ Le mot désigne un mollusque du genre seiche, à tentacules garnis de ventouses, sécrétant un liquide noir, et notamment ses variétés comestibles, parfois à nouveau sous la forme *calamar* réempruntée à l'espagnol.

① **CALME** n. m. est emprunté (1418), probablement par l'intermédiaire d'une langue ibérique plutôt que par celui de l'italien *calma,* au grec *kauma* «chaleur brûlante» (notamment du soleil, de la fièvre, etc.), dérivé de *kaiein* «brûler, mettre le feu à», mot sans étymologie établie (→ chômer) qui ne paraît pas lié au latin *calere.* On constate que *calma* «absence de vent» est aussi ancien en italien que dans les langues ibériques (espagnol 1320-1355, portugais xve s., catalan 1496) et que ces trois langues attestent le sens étymologique de «forte chaleur». S'agissant d'un terme maritime, la langue intermédiaire a pu être le catalan, malgré l'attestation tardive dans cette langue.

♦ Dans la langue maritime, le mot seul exprime l'absence de vent, ainsi que dans ***calme plat*** (1704), passé dans l'usage courant. Par métaphore, il s'est répandu à propos de l'absence d'agitation sur un plan moral, psychologique (1671), et de l'absence de bruit, de mouvement ; emploi très usuel.

► L'adjectif ② **CALME** (1585), d'abord *carme* (1450-1500 en ancien picard), est probablement une adjectivation du substantif, évolution remarquée dans les autres langues romanes. Le mot qualifie d'abord la mer et le temps sur mer (1501-1506) avant de s'étendre à la description d'une personne ou d'une manifestation physique, psychologique, exempte de souffrance ou de nervosité (1601). ◆ De l'adjectif sont dérivés **CALMEMENT** adv. (1552), employé en parlant d'un navire, puis en général (1611), et **CALMER** v. tr. (1450-1500), terme maritime passé dans l'usage général (xvie s.) où il réfère fréquemment à l'action de diminuer l'intensité de la douleur, des mouvements de l'âme (xviiie s.). ◇ Le participe présent **CALMANT, ANTE** est adjectivé et spécialement employé en médecine pour qualifier (1726) puis, par ellipse, désigner un remède apaisant la douleur. ◇ La variante **CALMIR** v. intr. (av. 1627), d'abord en usage sur les côtes de la Manche, est passée de la langue des marins dans l'usage littéraire en parlant de la tempête, du vent, du temps qui s'apaise. ◆ Elle a produit une forme composée en *a-,* sur le modèle d'*embellie,* **ACCALMIE** n. f. (1783), terme de marine qui s'est bien implanté dans l'usage commun à propos de l'interruption momentanée d'un état d'agitation, d'une activité bruyante et violente (1866). Un doublet *accalmée* n. f., fait symétriquement (1845) sur *calmer,* n'est qu'une variante stylistique.

S'ENCALMINER v. pron. (xxe s.), annoncé dès 1856 par le participe passé adjectivé **ENCALMINÉ, ÉE,** est un autre dérivé verbal de *calme,* employé dans la langue nautique en parlant d'un bateau qui s'immobilise à l'abri par temps calme. ◆ Le participe passé connaît une variante **ACCALMINÉ, ÉE** adj. (1928), influencé par *accalmie* (ci-dessus).

CALOMNIE n. f. est emprunté (xive-xve s.) au latin *calumnia* «chicane, fausse accusation» d'abord en contexte juridique. Celui-ci vient, probablement par une forme participiale °*calumnus,* du vieux verbe déponent *calvi* «chicaner, tromper» dans la langue du droit. On a rapproché depuis longtemps le grec *kêlein* «charmer» (péjorativement «séduire, corrompre») et le gotique *holon* «calomnier» sous l'idée commune d'«enchantement par des chants et des formules».

♦ Le mot désigne une imputation mensongère contre qqn. Par métonymie, il désigne quelquefois ceux qui se livrent à cet acte (1689).

► Les mots de la famille de *calomnie* sont tous empruntés au latin : **CALOMNIER** v. tr. (1541 ; *calumpnier,* 1375) à *calumniari,* **CALOMNIATEUR, TRICE** n. (v. 1226-1250) à *calumniator* «chicaneur, faux accusateur» employé en latin chrétien pour désigner le diable et **CALOMNIEUX, EUSE** adj. (1565 ; 1312 dans l'expression *calompnieuse denunciacion*) repris au bas latin *calomniosus* «faux, trompeur» (d'un inanimé). De ce dernier est dérivé **CALOMNIEUSEMENT** adv. (av. 1380).

CALOR-, CALORI-, élément de composition scientifique, est tiré du latin *calor* «chaleur»

(→ chaleur), devenu productif en physique à la suite des travaux de Lavoisier et de Laplace au XVIIIe siècle. Ces savants reconnurent dans la chaleur une «grandeur susceptible d'accroissement et de diminution», donc accessible à la mesure.

♦ **CALORIFIQUE** adj. était déjà apparu dans le vocabulaire de la médecine (v. 1560, Paré) comme un emprunt du latin *calorificus* «qui échauffe» de *calor* et *-ficus*, de *facere* (→ faire). ◇ Il a été repris en physique (1779), se répandant au XIXe s. dans le vocabulaire de l'alimentation et de la diététique. ➝ Il a produit **CALORIFICATION** n. f. (1860), terme relatif à la production de chaleur par un corps animal.
CALORIQUE n. m. et adj. est dérivé savamment (1787) du latin *calor*, comme nom de la chaleur considérée comme un fluide pondérable dérivé du feu platonicien, selon une théorie de la fin du XVIIIe et du début du XIXe siècle. Cette acception archaïque relève de l'histoire des sciences (*calorique libre, combiné, spécifique*, chez Lavoisier, 1789). ◇ De nos jours, le mot s'emploie adjectivement (1864) pour qualifier ce qui est propre à la chaleur et, en physiologie puis en diététique, comme un synonyme courant de *calorifique*, d'où les préfixés **ACALORIQUE, HYPOCALORIQUE, HYPERCALORIQUE**, adj. devenus relativement courants avec la vogue de la diététique. ◇ En est dérivé **CALORIQUEMENT** adv. (1911).
L'élément *calori-* a servi à former une série de mots : **CALORIMÈTRE** n. m., (1789, Lavoisier) désigne un instrument qui mesure la quantité de chaleur absorbée ou dégagée lors d'une réaction chimique. ➝ **CALORIFÈRE** adj. (1807), vieilli, est devenu courant comme nom masculin, dénomination d'un appareil de chauffage en concurrence avec *chaudière**. ➝ **CALORIFIANT, ANTE** adj. est rare. ➝ **CALORIE** n. f. (entre 1819 et 1824, répandu apr. 1845), terme de physique, désigne une unité de mesure de chaleur. Le mot a été repris et est devenu très usuel avec la mode de la diététique. Il a des composés, tel **KILOCALORIE** n.f. ➝ **CALORIFUGE** adj. (1846), forgé en physique, donne lieu à des emplois techniques assez courants en qualifiant un matériau qui empêche la déperdition de chaleur. Il a produit **CALORIFUGER** v. tr. (1926) dont est tiré **CALORIFUGEABLE** adj. (1932). ➝ Au XXe s., l'élément *calori-* a servi à former **CALORISER** v. tr. (1927) «enduire (une surface métallique) d'une mince couche d'aluminium», d'où **CALORISATION** n. f. (1927).

① **CALOT** n. m., enregistré par Furetière en 1690, est un terme d'origine dialectale (notamment Centre, Ouest), dérivé avec le suffixe *-ot* du moyen français *cale* «noix» (1603), lui-même issu avec aphérèse de *écale** «brou de la noix».

♦ Le sens de «coquille de noix, noix écalée», apparu dans la langue générale au XVIIe s., dénomination enfantine et campagnarde, se limite aujourd'hui à un usage régional. Par métaphore, le mot désigne (1836) une grosse bille servant à des jeux d'enfants, sens qui a probablement servi d'intermédiaire au sens argotique d'«œil» (1846) aujourd'hui vieilli, surtout dans des locutions comme *boiter des calots* (1866) «loucher», sortie d'usage, *rouler les calots*, etc.

◈ voir ② CALOT, CALOTTE.

② **CALOT** n. m. est dérivé (1627) de l'ancien français *cale* «filet pour retenir les cheveux, coiffe» (XIIe s.) puis «bonnet» (1374), terme du nord-est du domaine gallo-roman (Champagne, Bourgogne, Franche-Comté). Ce mot est d'origine obscure, peut-être issu par métonymie de l'ancien français *écale** au sens de «brou, enveloppe extérieure de la noix» (→ ① calot, calotte).

♦ Le mot est attesté au XVIIIe s. en confiserie comme nom d'une calotte de chapeau, dans laquelle les faiseurs de dragées au moule mettaient les dragées lors de la fabrication. Il s'agit d'une spécialisation technique d'un mot dialectal. ◇ Puis il a désigné un fond de chapeau (1803), la partie supérieure et à peu près plane d'un shako (1838). Il s'est fixé dans l'usage courant comme nom d'une coiffure féminine en forme de bonnet ou de toque (1854), de la coiffure des policiers (1879), puis du «bonnet de police» du soldat (1883).

CALOTTE n. f. est emprunté (1394) à l'ancien provençal *calota* (attesté au XIIIe s. par le latin médiéval de même forme) d'origine obscure : on peut y voir un dérivé diminutif, avec le suffixe *-ota*, de l'ancien français *cale* «filet, sorte de bonnet», dérivé de l'ancien *écale** «brou, enveloppe extérieure de la noix», parce que le genre de coiffe désigné par *calotte* évoque le brou de la noix qui, à maturité, se détache de la coquille par le bas tout en y restant collé vers le haut (→ ① et ② calot). On peut aussi y voir un mot formé à partir du bas latin *calautica* (IVe s.), nom d'une coiffure féminine sans étymologie établie, avec assimilation de la finale au suffixe diminutif *-otta*.

♦ *Calotte*, «petit bonnet rond couvrant le haut du crâne», désigne spécialement la coiffe ecclésiastique, si bien que, par une métonymie irrévérencieuse, on a entendu sous ce terme le clergé (1750) et le cléricalisme, emploi répandu par l'anticléricalisme de la fin du XIXe s. ***(à bas la calotte !)***; cf. ci-dessous *calotin*. ➝ Familièrement le mot signifie «coup à la tête» (1756) comme synonyme familier de *gifle, soufflet*. ➝ Par analogie de forme, il a reçu des acceptions techniques en architecture (1690), en anatomie (1832, *calotte crânienne*) et en géographie physique *(calotte glaciaire)*.

► **CALOTIN** n. m. est apparu (1717) comme nom d'un membre du *Régiment de la Calotte*, ordre imaginaire et burlesque qui distribuait des calottes, des gifles, à tous les personnages qui prêtaient le flanc à la critique. ◇ Le mot est devenu un nom péjoratif du prêtre (1780, *calotins à la lanterne*), appliqué par extension au partisan du pouvoir temporel des prêtres (1851).
DÉCALOTTER v. (1791) exprime l'action d'ôter une calotte d'où familièrement, par métaphore, d'enlever le bouchon d'une bouteille. En construction intransitive (déb. XIXe s.) ou transitive, il a pris le sens de «découvrir le gland en faisant glisser le prépuce vers la base de la verge».
CALOTTER v. tr. (1808), d'abord avec le sens fami-

lier de «donner des coups sur la tête, gifler», est enregistré en 1845 avec son sens propre de «mettre une calotte à qqn», demeuré rare.

◈ voir ① et ② CALOT.

CALQUER v. tr. est emprunté (1642) à l'italien *calcare* «reproduire un modèle sur une surface contre laquelle il est appliqué» (1550, Vasari). Lui-même est issu du latin *calcare,* de *calx, calcis* «talon» (→ chausse, inculquer).

♦ Le mot, repris à l'italien comme terme de dessin, signifie par extension «imiter rigoureusement, reproduire» (1753), quelquefois péjorativement. ◇ À la fin du XIXe s. (1892), il est employé spécialement en linguistique avec le sens de «créer un mot par emprunt de sens ou de structure à une autre langue».

▸ **DÉCALQUER** v. tr. est dérivé (1691) de *calquer* pour servir à ce dernier de doublet sémantique. ◇ Il a produit **DÉCALQUE** n. m. (1845), concurrencé par **DÉCALCAGE** ou **DÉCALQUAGE** n. m. (1870), et **DÉCALCOMANIE** n. f., avec l'élément *-manie** (1840), mot mal formé qui désigne le procédé permettant de reporter et de faire adhérer des images sur un support lisse et surtout, par métonymie, l'image destinée à être reportée sur un support par ce procédé.

CALQUAGE n. m. (1766) désigne l'action de calquer, d'imiter et le résultat de cette action, sans réussir à concurrencer l'italianisme *calque.* ◆ **CALQUEUR, EUSE** n. (1827) désigne la personne qui fait des calques.

CALQUE n. m. a été emprunté (1762) à l'italien *calco,* attesté depuis 1587 comme terme d'art et employé depuis le XVIIIe s. avec une valeur figurée; c'est le déverbal de *calcare.* ◆ Le mot correspond au verbe quant aux sens : il désigne la copie d'un dessin et, par métonymie, le procédé par lequel on obtient ces copies ainsi que le papier translucide servant à calquer. Il assume la valeur figurée de «reproduction fidèle» (1835) et s'emploie en linguistique à propos d'un procédé de création par emprunt de sens et de structure ou traduction mot à mot (1894), emploi distinct de *emprunt.*

CALUMET n. m. est la forme normanno-picarde (1609) de *chalumeau** avec substitution du suffixe *-et* à *-eau.*

♦ Le sens de «roseau servant à faire des tuyaux de pipes» est sorti d'usage, tout en se maintenant dans des dialectes. ◇ Par métonymie, le mot est devenu la désignation de la pipe à long tuyau fumée par les Indiens d'Amérique (1732); l'imagerie traditionnelle a popularisé ce mot au XIXe s. dans des locutions comme ***fumer, offrir le calumet de la paix*** «faire la paix».

CALVADOS n. m. est tiré (1884, Zola) du toponyme *Calvados,* nom du département français (en Normandie) où se fabrique cette eau-de-vie de cidre.

▸ Il a pour abrégé courant **CALVA** n. m. (attesté par écrit en 1950).

CALVAIRE n. m., d'abord *Escalvaire* (1130-1160), et *cauvaire* (fin XIIe s.), puis *Calvaire* (1704), est emprunté au latin ecclésiastique *calvaria* dans le syntagme *calvariae locus* littéralement «lieu du crâne», de *calva* «crâne» (→ calvitie). Le mot traduit le grec *kranion* qui lui-même traduit l'araméen *gulgaltā* «crâne» et «sommet», nom de la colline en forme de crâne au nord de Jérusalem, où le Christ fut crucifié. La forme originale est également passée en grec puis en français, comme nom propre *(Golgotha).* ◇ Le moyen français a employé *calvaire* au sens de «crâne» en chirurgie (av. 1546).

♦ Le mot, d'abord employé comme nom propre dans *Mont Escalvaire,* désigne — toujours avec une majuscule — le mont où le Christ fut crucifié. Par métonymie, il désigne aussi toute représentation plastique de la passion et de la crucifixion du Christ (av. 1778), ainsi qu'une croix dressée sur une plate-forme ou à un carrefour (1704, *calvaires bretons*). ◇ Il est entré dans l'usage commun (1838) au sens figuré de «épreuve longue et douloureuse», souvent banalisé par un emploi hyperbolique.

CALVITIE n. f. est emprunté (XIVe s.) au latin *calvities* «absence de cheveux», de *calvus* (→ calvaire, chauve).

♦ Il a éliminé l'ancien français *chauvesse* et progressivement *chauveté,* signalé par Furetière (1690), qui note que «les Médecins disent plus ordinairement *calvitie*».

◈ voir CALVAIRE.

CAMAÏEU n. m. a pris sa forme actuelle, *camayeu* (1676) puis *camaïeu* (1690), après *camaü* (fin XIIe s.), *kamaheu* (v. 1250), *kamahieu* (1275). Son étymologie est obscure et les premières attestations en anglo-normand peuvent être rapprochées d'un mot latin médiéval relevé dans le domaine anglais en 1222 sous la forme *cameu.* La chronologie du mot dans les langues romanes (italien *cameo* 1295, portugais *camafeu* 1297, catalan *camafeu* 1358, espagnol *camafeo* 1375) suggère à Corominas l'hypothèse d'un emprunt du mot français par les autres langues romanes et d'une origine germanique du français. Cette hypothèse est peu vraisemblable. Une origine envisagée est le latin °*chamaephaeus (lapis)* «pierre précieuse à fond sombre», composé de *chamae-* (grec *khamai-* «à terre, au sol») et de *phaeus* (grec *phaios* «gris, sombre»), que confirmeraient les formes hispaniques en *f;* mais elle manque de fondement. L'hypothèse arabe *qamā'il,* pluriel de *qum'ūl(a)* «bourgeon», avec un développement sémantique vers «pierre précieuse», parallèle à celui du latin *gemma* (→ gemme), est mise en doute par Wartburg.

♦ Le mot désigne une pierre fine taillée formée de deux couches de même couleur, mais de tons différents. Par analogie, il se dit d'un genre de peinture imitant le bas-relief, où l'on n'emploie que le blanc et le noir (1676). Il s'est répandu dans l'usage courant dans ***en camaïeu.*** Le sens figuré péjoratif de «œuvre artistique monotone», c'est-à-dire «ton sur ton», est sorti d'usage.

◈ voir CAMÉE.

CAMAIL n. m. est emprunté (fin XIIe s.-déb. XIIIe s.) à l'ancien provençal *capmalh, capmail*

(XIIe s.) «tissu de mailles protégeant le cou et les épaules». Ce mot est le dérivé régressif d'un verbe °*capmalhar* «revêtir la tête d'une cuirasse», de *cap* «tête» (de même origine que *chef**) et de *malhar* «fabriquer des armures de mailles», attesté plus tardivement (v. 1240). Cette hypothèse est préférable du point de vue morphologique à celle d'une formation de *capmalh* à partir d'un gallo-roman °*capimaclium*, de °*capum* (→ chef) et d'un dérivé de *macula* (→ maille).

♦ D'abord terme d'habillement militaire, *camail* désignait une pièce de mailles portée sur ou sous le casque et protégeant le cou et les épaules. ◇ Il est passé dans l'habillement ecclésiastique à propos de la courte pèlerine portée par les dignitaires dans les cérémonies et par le clergé en hiver (1548), et dans l'habillement laïc pour un petit manteau sans manches, muni ou non d'un capuchon (1596). ◇ Par analogie avec le vêtement religieux, il désigne les longues plumes du cou et de la poitrine chez le coq (1922).

CAMARADE n. est emprunté (av. 1571) à l'espagnol *camarada* «chambrée» (1555), puis aussi «qui fait ou subit qqch. avec qqn» (1592), de *cámara*, correspondant du français *chambre**. L'italien *camerata* (XVIe s.) a probablement influencé la forme *camerade* attestée en français aux XVIe et XVIIe siècles.

♦ Le sens d'emprunt «chambrée de soldats», de genre féminin, est sorti d'usage au XVIIe s.; il s'est conservé en italien où le sens actuel du mot français est assumé par *compagno* (→ compagnon). ◇ Le sens de «personne qui partage le sort d'une autre» (1587) s'est dégagé dans un contexte militaire espagnol, probablement sous l'influence de *camarada*. Il s'est répandu dans l'usage, fournissant un appellatif familier aujourd'hui désuet.
Dans un contexte politique lié aux partis socialiste et communiste ainsi qu'aux syndicats ouvriers, c'est une appellation habituelle des membres du parti (en 1789, *citoyen** a joué un rôle analogue). Dans le contexte soviétique, il traduisait le russe *tovaritch*, à la fois appellatif et désignatif.

▸ **CAMARADERIE** n. f., attesté chez Mme de Sévigné (1671), exprime la relation de familiarité qui existe entre camarades. Par extension, il s'applique au type d'entente existant entre des personnes ayant des intérêts communs (fin XIXe s.). ◇ Le verbe familier **CAMARADER** v. intr. (1844) «devenir camarades», de même que les formations argotiques et populaires **CAMARO** n. m. (1846) et **CAMARLUCHE** n. m. (v. 1850), dont le suffixe représente une altération euphonique de *-muche*, sont sortis d'usage au XXe siècle.
Le terme italien **CAMERATA** est aujourd'hui familier aux mélomanes français pour être le nom d'une formation musicale *(la Camerata de Boston)*. Le sens rare de «cercle, association» évoque le nom d'un célèbre mouvement poétique et musical de la Renaissance, la *Camerata fiorentina*.

CAMARD → CAMUS

CAMBISTE n. m. est emprunté (1675) à l'italien *cambista* «banquier spécialisé dans les opérations de change» (seulement attesté au XVIIIe s. av. 1764), dérivé du radical de *cambio*, correspondant du français *change**, avec le suffixe *-ista*.

♦ Ce terme de bourse s'emploie en concurrence avec *changeur* et *agent de change*.

CAMBOUIS n. m., d'abord *cambois* (1393) puis *cambouis* (1690), est d'origine inconnue. Wartburg l'interprète comme une altération de °*camboil*, °*cambouil*, substantifs issus du verbe lyonnais *cambouillir* «bouillir à gros bouillons» dérivé de *bouillir** avec le préfixe péjoratif *ca-*, mais *cambouis* n'est pas attesté dans la même aire géographique. Pour P. Guiraud, il viendrait, au sens initial d'«amas de boue», du wallon *cabouiller* «enduire de boue», composé du pseudo-préfixe *ca-* (idée de «creux» → ① cave) nasalisé, et de *bouiller* «faire des bulles» (→ bouillir).

♦ Le mot désigne une graisse oxydée ou chargée de poussières métalliques ou terreuses quand elle a servi un certain temps à lubrifier les axes des machines.

CAMBRER v. tr. est dérivé (XIIIe s.) de l'ancien français *cambre* «courbé, replié» (1350), encore répertorié en 1611, forme normanno-picarde du francien *chambre* (1204), issu du latin *camur, camurus* «recourbé vers l'intérieur (en parlant des cornes des bœufs)». Celui-ci est un terme rare et technique, attesté depuis Virgile, peut-être emprunté à l'étrusque (hypothèse accréditée par des noms propres étrusco-latins comme *Camurius, Camuremus*).

♦ Le sens pronominal «se détourner, faire un détour» a disparu au XVIe s., tandis que le mot prenait son sens moderne courant de «courber la taille en arrière» (1530), dont procède un emploi transitif (1798, *cambrer les reins, la taille*). Le sens de «courber» a reçu quelques applications techniques depuis le XVIe s., spécialement en charpenterie, en cordonnerie (1611, au p. p.) et en reliure (1751).

▸ **CAMBRURE** n. f. (1537) désigne en général la courbure de ce qui est arqué, d'où spécialement en cordonnerie le soutien de la voûte plantaire d'un soulier (1680). Il a développé tardivement le sens de «courbure de la taille quand les reins sont portés en avant» enregistré en même temps (1867) que le sens figuré de «pose, affectation», à la mode autour de 1900. ◆ **CAMBREMENT** n. m., avec une valeur plus dynamique, exprime l'action de courber (1636), tout en empiétant sur *cambrure* pour désigner l'état de ce qui est courbé (1832). ◆ **CAMBRE** n. m. (1751), jugé superflu comme synonyme de *cambrure* a été repris dans le vocabulaire sportif pour dénommer l'espace formé par la cambrure de deux skis placés semelle contre semelle. ◆ **CAMBRAGE** n. m. est, avec le nom d'ouvrier **CAMBREUR** n. m. (1838), une création de la langue technique du XIXe s. pour l'opération consistant à donner une cambrure à un objet (1867).

CAMBRIOLEUR, EUSE n. est dérivé (1828-1829) de l'ancien mot d'argot *cambriolle* (1790), *cambriole* «chambre, petite boutique», formé à partir du provençal *cambro* «chambre» (→ cambrousse) avec le suffixe *-iole*.

♦ Le mot désigne celui qui pénètre par effraction chez qqn pour le dévaliser. La popularité du héros de Maurice Leblanc, Arsène Lupin (1914), a fait entrer dans l'usage l'expression ***gentleman-cambrioleur***, référence au mélange de mondanité et d'illégalité du personnage. Le mot, usuel, est concurrencé par *casseur*, plus moderne.

▸ *Cambriole* est aussi à l'origine de **CAMBRIOLER** v. tr. (av. 1847) d'où sont dérivés le déverbal **CAMBRIOLE** n. f. «activités du cambriolage» et «ensemble quasi corporatif des cambrioleurs», mot argotique relevé dès 1821 mais sorti d'usage, et **CAMBRIOLAGE** n. m. (1898, dans l'argot des journalistes), devenu usuel à l'égal du verbe et de *cambrioleur*.

CAMBROUSSE n. f., d'abord *cambrouse* (1821), *cambrouze* (1844) puis *cambrousse* (1866) sous l'influence de *brousse**, est emprunté au provençal *cambrousso* «bouge, cabane» de *cambra*, correspondant au français *chambre**.

♦ Le mot, d'abord attesté (1821) dans l'expression *garçon de cambrouse* «voleur de grand chemin», a développé d'une manière peu claire son sens moderne de «province» (1836), «campagne» (1844) en argot puis dans le langage familier. Ce sens serait peut-être né dans l'argot des saltimbanques à partir de celui de «baraque de forain» (à comparer à *cambrousier* «marchand forain», 1837) dans des expressions telles que *courir la cambrouse* ou par *garçon de cambrouse*, qui aurait d'abord signifié «garçon logé dans un bouge». Un croisement avec *cambuse** est vraisemblable. La finale en *-brousse* évoque en français moderne le sens figuré de *bled*.

▸ **CAMBROUSIER** n. m. (1841), d'abord *cambrouzier* (1836), a désigné en argot un voleur de campagne et un marchand forain (1837). Sans subir l'attraction graphique de *cambrousse*, il a pris le sens de «provincial, campagnard» (1841), mais est quasiment sorti de l'usage. ◆ **CAMBROUSSARD, ARDE** n. (1915) désigne familièrement le paysan, le provincial, avec une nuance péjorative.

CAMBUSE n. f. est emprunté (1773) au néerlandais *kombuis* «cuisine de navire, chaufferie», du moyen néerlandais *cabuse*, emprunt au moyen bas allemand *kabuse*, *kambuse* désignant un réduit situé sur le pont supérieur du navire, servant de cuisine et de lieu de repos (1422). L'étymologie en est obscure mais le sens de ces mots, ainsi que le bas allemand *kabuus* (1767) «cœur d'un fruit, trognon», soutient l'identification du second élément avec le nom germanique de la maison (allemand *Haus*, anglais *house*, néerlandais *huis*); l'élément initial *ka-*, *kam-* n'est pas expliqué.

♦ Terme de marine désignant la réserve contenant les vivres d'un équipage, *cambuse* s'est répandu dans l'usage comme dénomination argotique, puis familière, d'une cantine, d'un domicile (1828), d'un local quelconque (1869-1891).

① **CAME** n. f. (*camme*, 1751), est emprunté à l'allemand *Kamm* «peigne», employé spécialement comme nom d'un mécanisme permettant de réaliser une transformation de mouvement. Ce mot remonte, par le moyen haut allemand *kamp*, *kambe*, *kamme*, déjà employé techniquement à propos d'une roue dentée, à l'ancien haut allemand *chamb*. Lui-même, avec ses correspondants, dont le vieil anglais *camb* (anglais *comb*), provient d'un germanique °*Kambo-z* qui pourrait se rattacher à la même racine indoeuropéenne que le grec *gomphos* «cheville (de fer ou de bois)», peut-être à l'origine «dent», et avec le sanskrit *gambha-s* «dent».

♦ Le mot, entré en français comme terme de métallurgie, désigne une pièce destinée à transmettre et à modifier le mouvement d'un mécanisme. Il entre dans des syntagmes techniques usuels, notamment ***arbre à cames***.

② **CAME** → ② CAMELOTIER

CAMÉE n. m. est emprunté (1752) à l'italien *cameo* ou *cammeo*, attesté depuis 1295 à Rome comme nom d'une pierre fine que l'on sculpte en relief pour mettre en valeur ses couches diversement colorées. Le mot est comme *camaïeu**, qui lui est certainement apparenté, d'origine obscure. Il s'applique à une technique pratiquée par les Anciens qui l'englobaient sous la désignation plus vaste de *lithoi* en grec (→ -lithe) et de *gemma* en latin (→ gemme).

♦ L'introduction du mot en français correspond à une époque où de nombreux artistes italiens se consacraient à la gravure sur pierre fine et où, en France, l'art du camée connaissait son apogée. ◇ Par analogie, le mot a rejoint le sens de *camaïeu* (1819); il est courant, surtout au XIXe s., pour désigner un bijou de petite taille, sculpté en camaïeu.

CAMÉLÉON n. m. d'abord *cameleon* (XIIe s.) et *camelion* (1268-1271), est emprunté au latin *chamaeleon* (Sénèque), emprunt au grec *khamaileôn* (Aristote). C'est le nom d'un reptile saurien et, par analogie, d'une plante dont les feuilles ont des couleurs changeantes. Le mot signifie littéralement «lion nain, bas comme le sol»; il est formé de *leôn* «lion», apparenté au latin *leo* (→ lion), et de *khamai* «sur terre, à terre», employé comme premier terme d'une cinquantaine de composés; ce *khamai* est, dans la conception traditionnelle, l'ancien locatif ou le datif (à sens local) de °*khama*, forme disparue; c'est le degré réduit du nom de la terre représenté par *khthôn* (→ tectonique).

♦ Le mot, probablement passé en français par la Vulgate, désigne un reptile saurien analogue à un grand lézard orné d'une crête dorsale, ayant la propriété de changer de couleur. Cette caractéristique, connue dès l'Antiquité, fonde la symbolique et les emplois du mot, qui par métaphore désigne une personne qui change d'attitude, d'opinion au gré des circonstances non sans une valeur péjorative (1678-1679, La Fontaine), connotant l'irresponsabilité ou l'intérêt personnel, alors que *girouette* donne l'idée de légèreté.

▸ Les dérivés datent du XIXe s. : **CAMÉLÉONESQUE** adj., employé par Balzac (1835), qualifie une personne changeante comme peut l'être le caméléon; il sert de doublet à **CAMÉLÉONIEN, IENNE** adj. lui aussi chez Balzac (1831), substantivé au pluriel comme nom de la famille de sauriens dont le caméléon est le type. ◇ **CAMÉLÉONISME** n. m. est également attesté au figuré chez Balzac (1850).

CAMÉLIA n. m. est une création de Linné, qui baptisa cet arbuste en latin scientifique *camellia* (1764) en hommage à G. J. *Kamel,* jésuite morave, botaniste de la fin du XVIIe siècle. La forme latine explique la francisation en *camellie* (1819) et la préférence longtemps accordée à *camellia* (Littré, Larousse encyclopédique), avant que *camélia* (1829) ne s'impose définitivement.

♦ Le nom de l'arbuste est devenu par métonymie celui de la fleur; il évoque irrésistiblement l'héroïne du roman d'A. Dumas, *La Dame aux camélias* dont le succès fut amplifié par les adaptations cinématographiques et théâtrales et que R. Barthes analyse comme une mythologie petite-bourgeoise de l'amour.

CAMÉLIDÉS → CHAMEAU

CAMELINE → CAMOMILLE

① **CAMELOT** n. m. est emprunté, sous la forme *camelos* (1168), à l'arabe *ḫamlāt,* pluriel de *ḫamla* «peluche de laine» avec substitution du suffixe *-ot* à la finale arabe *-at:* les formes en *cha-,* très anciennes, indiquent probablement un rapprochement avec *chameau,* le camelot étant fabriqué de poils de chèvre ou de chameau. L'hypothèse d'un étymon grec formé de *mêlôtê* «peau de mouton» (lui-même du groupe de *mêlon* «mouton, chèvre»), et de *kamêlos* «chameau» (→ chameau) fait difficulté du point de vue géographique, l'étoffe ayant été fabriquée en Orient et importée en Occident en même temps que le nom.

♦ Le mot désigne une grosse étoffe faite originellement de poils de chameau puis de poils de chèvre seuls.

▸ Par substitution de suffixe, il a donné **CAMELIN** n. m. (1244), encore employé par les historiens du moyen âge en parlant d'une étoffe de poils de chameau ou de chèvre mêlés de laine ou de soie. ◇ ① **CAMELOTER** (v. 1530) a disparu au sens ancien de «façonner grossièrement comme on fait de l'étoffe dite camelot»; il est tombé dans l'attraction de ② *camelotier** et de ② *camelot.* ① **CAMELOTIER** n. m. désigne couramment jusqu'au déb. du XIXe s. le tisserand qui fabriquait du camelot (à côté de termes comme *étaminier*). Le mot a dû être éliminé par la valeur péjorative de ② *camelotier.*

② **CAMELOTIER, IÈRE** n., d'abord *camelottier* (1612), est la forme altérée, d'après ① *camelot*,* de *coesmelotier,* ancien terme d'argot désignant un mercier, un marchand (1596). Lui-même est dérivé, avec une double suffixation en *-elot* et *-ier,* du moyen français *coesme* «gros mercier» (1596), mot d'origine incertaine. Sainéan le rapproche du terme dialectal *couème* «niais, sot, poltron» d'après une association d'idées particulière au jargon: le mercier aurait simulé la niaiserie pour mieux attraper les dupes. Dauzat préfère procéder au rapprochement de *coesme* et de l'ancien français *caïmand* «mendiant» (→ quémander), hypothèse phonétiquement peu vraisemblable.

♦ Jusqu'au XIXe s., le mot a désigné un voleur, un trafiquant sans scrupules (1612), spécialement, dans le parler lyonnais, un contrebandier (1723). D'après son dérivé *camelote,* il a pris en argot puis dans le langage familier ses sens modernes de «marchand» (v. 1821), «fabricant de marchandises de pacotille» lesquels peuvent être rapportés au verbe ① *cameloter* (→ ① camelot).

▸ **CAMELOTE** n. f. est en effet probablement dérivé avec apocope de *camelotier,* dans l'expression ***reliure à la camelote*** dite d'une reliure bon marché (1751). Avant la fin du XVIIIe s., il a pris en argot les sens modernes de «butin, marchandise illicite» (1790), puis de «marchandise bon marché et de piètre qualité» (1800); par extension, il a immédiatement pris le sens de «marchandise» en général (1800) avec une valeur dépréciative ou familière. ◆ À son tour, il a donné ② **CAMELOTER** v. intr. (v. 1821), d'abord d'usage argotique pour «marchander», entré dans le langage familier avec le sens de «fabriquer de mauvaises marchandises» (1845); le verbe signifie aussi «vendre sur la voie publique» (1849). Il se confond plus ou moins avec son homonyme dérivé de ① *camelot*. Camelote* a donné par apocope la forme argotique ② **CAME** n. f. (1883) d'abord relevée à propos de bijoux volés et employée de manière plus générale à propos de toute marchandise illicite (1925), spécialement la drogue. Il désigne comme *camelote* une marchandise sans valeur (1899, mais plus ancien selon Esnault). ◆ Le sens de «drogue» est à l'origine de **SE CAMER** v. pron. (1953 [trans. 1952]) «se droguer», dont le participe passé **CAMÉ, ÉE** est employé comme adjectif et comme substantif (att. 1971).
Le verbe ② *cameloter* a pour déverbal ② **CAMELOT** n. m. (1821) «marchand ambulant qui vend des articles de pacotille». Il a pris ensuite (1888) le sens de «vendeur de journaux à la criée», d'où procède l'expression ***camelots du roi*** (1910) désignant les jeunes militants royalistes qui, au départ, diffusaient les feuilles de cette tendance, et notamment l'Action française (dep. 1917).

CAMEMBERT n. m. est le nom donné (1867; *camemberg* [sic], 1862 [D. D. L.]) à un fromage fabriqué pour la première fois à la fin du XVIIIe s. par Marie Fontaine, fermière de la commune de *Camembert* (Orne).

♦ Le fromage s'est attaché une image populaire devenant un symbole de la francité. ◇ Par analogie de forme, le mot désigne une demi-bobine de papier dans l'argot des imprimeurs et (v. 1970) une représentation visuelle, un schéma en forme de cercle ou de demi-cercle découpé en parts destiné à visualiser des proportions.

▸ De l'initiale de *camembert,* avec resuffixation argotique, on a formé **CAMEMBJI** n. m., altéré en *calendji,* peut-être d'après *caler.* ◇ Quant au synonyme populaire **CALENDO, CALENDOS** (*s* prononcé), attesté en 1934, sa forme est obscure, le rapprochement avec des mots régionaux rattachés à *calendes* ne convainc pas ; en revanche une influence de *caler* «emplir le ventre», est possible.

CAMÉRA n. f. est emprunté (1838) à l'anglais *camera*, lui-même emprunt spécialisé dans le vocabulaire de l'optique, au XVIIe s., du latin *camera* qui a donné *chambre**. Le mot anglais apparaît en 1668 dans l'expression latine *camera obscura* «chambre noire», empruntée à Johannes Kepler (1571-1630) qui l'applique à une boîte (dont les dimensions pouvaient aller jusqu'à la taille d'une salle) utilisée pour former des images à partir d'un simple trou ou d'une lentille, selon un principe connu depuis l'Antiquité (Aristote). Symétriquement à *camera obscura*, l'anglais employait l'expression *camera lucida* «chambre claire» (1668), qui servit à nommer l'instrument mis au point par William Hyde Wollaston (1766-1828), formé d'un petit prisme à quatre faces qui réfléchissait les objets sur le papier du dessinateur. De l'optique, le mot anglais, abrégé en *camera* (1727-1751), passa dans le vocabulaire de la photographie (1840) et désigna l'appareil de photo mis au point par Louis Daguerre en France et W. Fox Talbot en Angleterre.

♦ Le mot est apparu en français dans l'expression *camera lucida*, dénommant un procédé optique aujourd'hui abandonné ; il s'est aussi employé pour *camera obscura* «chambre noire» (*caméra*, 1891 *l'Amateur photographe*). Le sens moderne de «appareil de prises de vues photographiques animées sur film», qui a évolué avec la technique en «appareil de prises de vues cinématographiques» (1900), est réemprunté à l'anglo-américain *movie camera*, formé avec *movie* «film de cinéma», issu par réduction du syntagme *moving picture* «image mobile», de *to move* «bouger», de même origine que *mouvoir**. Ce sens a supplanté celui d'«appareil de photo» (1894), correspondant à l'usage courant de l'anglo-américain *camera*.

▸ **CAMÉRAMAN** n. m. est emprunté (1919) à l'anglais *cameraman* (1908), proprement «homme à la caméra», de *camera* et *man* «homme». Le français tend à préférer à l'anglicisme le terme français *opérateur* et, notamment en télévision, celui de *cadreur* (1952). L'introduction du féminin *camerawoman* n'a pas rencontré de succès.

◈ voir VÉRITÉ (CAMÉRA-VÉRITÉ).

CAMÉRISTE n. f. est l'altération (1741), probablement sous l'influence de l'italien *camerista*, de *camariste* (1740-1755), emprunté à l'espagnol *camarista* «dame de la chambre d'une princesse» (1693), de *cámara* (→ chambre). Jusqu'au XIXe s., le français a également employé **CAMÉRIÈRE** n. f. (1665-1670), forme acclimatée de *camerera* (1598-1633), lui-même emprunté à l'espagnol *camarera* (1206) «dame d'honneur d'une princesse» et correspondant au français *chambrière*, de *cámara*.

♦ Le mot se réfère à une réalité historique espagnole. Par extension, il a désigné une femme de chambre dans un milieu socialement élevé.

CAMERLINGUE n. m., attesté sous la forme adaptée *camerlin* (1418), avant *camerlingue* (1572), est emprunté à l'italien *camerlingo* (XIVe s.), lui-même issu du germanique *kamerling*, lequel correspond au français *chambellan**.

♦ Le mot est le titre du cardinal qui administre les affaires temporelles de l'Église pendant la vacance du Saint-Siège.

CAMION n. m. (1352, également *chamion*) est d'origine incertaine : un rattachement au radical du verbe provençal *caminar* «cheminer» (→ chemin) est peu satisfaisant d'un point de vue morphologique, de même qu'un rattachement au bas latin *chamulcus* «chariot bas», emprunté au grec *khamoulkos* de même sens. P. Guiraud, du fait que les acceptions techniques du mot tournent autour d'une idée de «petitesse» («petit chariot», «petite épingle», «vase à délayer le badigeon») y voit ingénieusement, mais sans preuves, une forme de *chamion, chat-mion* «petit chat». Ces valeurs techniques peuvent correspondre à une autre origine. ◈

♦ Le mot a désigné autrefois une espèce de charrette, spécialement un petit véhicule sans roue dans lequel les vinaigriers de Paris traînaient leur lie (1564), une charrette pour le transport de marchandises (1690) et une voiture à quatre roues pour transporter de lourdes charges (1751). ◇ Depuis 1915, il désigne un gros véhicule automobile qui remplit la même fonction, d'abord dans le syntagme *camion-auto*, puis seul et en emploi spécifié, du type *camion-citerne, camion-benne*. ◇ L'expression familière ***beau comme un camion*** figure chez René Fallet (1955).

▸ **CAMIONNEUR** n. m., attesté dès 1554 selon Bloch et Wartburg, depuis 1819 selon les autres sources, désignait autrefois un cheval de trait pour la charrette appelée *camion*. De nos jours, il désigne un conducteur ou propriétaire de camion (XXe s.). Cette acception, qui doit être à peu près contemporaine de *camionnage*, est réservée à l'artisan qui possède au moins un camion ; le conducteur étant appelé *chauffeur* ou *routier*. ➛ **CAMIONNAGE** n. m. (15 décembre 1820) a été fait sur le modèle de *voiturage* pour désigner le transport par camion, d'abord hippomobile puis automobile. ➛ **CAMIONNER** v. tr. (1829) «transporter par camion» a connu un glissement de sens analogue en rapport avec l'évolution du référent.
CAMIONNETTE n. f. (1917 ; fin XIXe s. selon Bloch et Wartburg), fait d'après *voiturette*, désigne un petit camion automobile rapide et léger.

CAMISARD n. m. et adj. est dérivé (1688) avec le suffixe péjoratif *-ard* du languedocien *camiso* (→ chemise). Cette dénomination des Calvinistes cévenols, qui se rebellèrent après la révocation de l'édit de Nantes (1685), fait référence à la chemise blanche qui leur servait à se reconnaître lors de leurs attaques nocturnes. Au XIVe s., d'après Mistral, *Lou Camisard* aurait été le surnom d'un condottiere provençal qui ravagea les Basses-Alpes.

♦ Le mot est un terme d'histoire.

CAMISOLE n. f. (1578), d'abord *camizolle* (1547), est emprunté au provençal *camisola* (1524), diminutif de *camisa* «chemise» (→ chemise), plutôt qu'à l'italien correspondant *camiciola*, de *camicia*.

♦ Le mot a désigné un vêtement à manches porté par les hommes sur la chemise et un vêtement de nuit féminin (1849). Ces sens ont régressé au profit du sens spécialisé, et heureusement archaïque dans son acception propre, de «vêtement de contention que l'on passe aux malades agités» (1832, ***camisole de force***), de là on dit familièrement ***être bon pour la camisole*** pour «être complètement fou».

▸ CAMISOLER v. tr. (1867) «mettre la camisole à qqn» et son dérivé CAMISOLAGE n. m. (1949, H. Bazin) sont tombés en désuétude avec cette pratique psychiatrique, remplacée par une chimiothérapie (on parle de *camisole chimique*) elle aussi critiquée.

CAMOMILLE n. f. est emprunté (1365) au latin médiéval *camomilla* (IXe-Xe s.), adaptation du latin impérial *chamaemelon* qui a donné un autre terme de botanique : *cameline* (ci-dessous) et qui est emprunté au grec *khamaimêlon*. Celui-ci signifie littéralement «pomme» *(mêlon)* «à terre» *(khamai)* [→ melon, caméléon], le parfum de la camomille évoquant pour les Grecs celui des pommes.

♦ Le mot désigne une plante connue pour ses vertus fébrifuges et digestives et, par métonymie, l'infusion que l'on en fait.

▸ CAMELINE n. f., d'abord écrit *kameline* (1275), est emprunté au bas latin *chamaemelina (herba)*, féminin substantivé de l'adjectif *chamaemelinus*, formé sur *chamaemelon* (ci-dessus). Le latin médiéval emploie également *oleum chamaemelinum* (déb. Ve s.) et *oleum camelinum* (XIIe s.). ◆ Le mot désigne une plante ressemblant à la camomille (1393) dont on tirait une huile siccative utilisée en peinture et dans la fabrication des savons; dès les premiers textes, il s'emploie en cuisine dans *sauce cameline*, peut-être parce que l'huile de cameline entrait dans cette recette.

CAMOUFLER v. tr., attesté tardivement (1836; 1821 à la forme pronominale), ne serait pas, comme on l'a cru, emprunté à l'italien *camuffare* «travestir, rendre méconnaissable» (fin XIIIe-déb. XIVe s.), «tromper» (XVe s.), mais formé sur le radical de *camouflet**, la notion de «dissimulation» étant issue de celle de «fumée».

♦ Le mot, d'abord argotique, signifie «déguiser» et «falsifier» (1878, par exemple une boisson). Il est employé spécialement au théâtre et depuis la Première Guerre mondiale dans la technique militaire (1916), avec des emplois figurés.

▸ CAMOUFLAGE n. m. (1887) a pris les valeurs successives du verbe avant la fin de la Première Guerre mondiale. Il est alors spécialisé pour «technique de dissimulation militaire», et employé au figuré.

CAMOUFLET n. m. est, sous sa forme actuelle (1611), une modification, sous l'influence du pseudo-préfixe péjoratif *ca-*, de *chaumouflet* (1611), agglutination de *chault moufflet* (XVe s.). Celui-ci est composé de *chault*, ancienne forme de *chaud** et de *mouflet*, interprété au sens de «souffle» d'après le wallon *moufler* «enfler les joues», dérivé de *moufle* «gros visage aux traits épais (aux joues gonflées comme pour souffler)» (1536 en Normandie). *Moufle* est emprunté à l'allemand *Muffel* (→ mufle).

♦ De fait, *camouflet* désignait autrefois une fumée épaisse soufflée malicieusement au nez de qqn avec un cornet de papier enflammé. Peut-être par l'intermédiaire d'un sens de «pet» (1545), le mot a pris le sens moderne figuré de «vexation, affront» (1680), qualifié de familier depuis 1718. ◇ Par métonymie, le sens propre a donné en argot l'acception concrète de «objet dégageant de la fumée, chandelier, chandelle» (1836), également réalisé par la forme abrégée CAMOUFLE n. f. (1821). La plaisanterie a inspiré une technique d'intimidation militaire ancienne, consistant à souffler de la fumée sur l'adversaire pour l'étouffer (1752) et, par analogie avec le cornet de papier du farceur, le sens de «mine creusée pour détruire une galerie souterraine adverse» (1863).

◈ voir CAMOUFLER.

CAMP n. m., d'abord *can* (v. 1450) puis *camp* (fin XVe s.), est probablement, plutôt qu'un emprunt à l'italien *campo* (XIIIe s., terme militaire), la forme normanno-picarde de *champ** (→ campagne/champagne) pris dans son acception militaire.

♦ Attesté tout d'abord dans le syntagme *lit de can*, il désigne (fin XVe s.) le terrain sur lequel une armée s'établit d'où, par métonymie, le corps armé ainsi établi. Des expressions courantes sont originellement liées à ce contexte : ***camp volant*** (1548) qui a pris une valeur figurée de «vie instable» (1833), ou ***lever le camp*** (1671) devenu familièrement ***ficher**** et ***foutre* le camp*** (1836; abstraitement, depuis 1870 : ***tout fout le camp***). Par analogie, le mot désigne l'ensemble des installations nécessaires à une formation militaire aérienne (1921). ◆ Le syntagme ***camp de concentration*** est un calque de l'anglais *concentration camp*, employé d'abord pendant la guerre des Boers, en Afrique du Sud. Le mot s'est répandu en Europe (en Angleterre; en France, ainsi nommé dès 1916) pour un camp regroupant des populations étrangères présumées hostiles. L'usage courant qui en est fait depuis 1945 s'applique aux *camps d'extermination* nazis; on dit aussi très explicitement *camp de la mort*. L'expression ***camp de travail***, compris au sens de «travail forcé», est dans Romain Rolland (1916). ◆ Le sens ancien du pluriel *les camps*, «les armées», est périmé par l'acception moderne qui fait référence à un système policier forçant des personnes à vivre dans des conditions collectives inhumaines (selon le contexte : *camp de travail, de redressement*). ◆ Par analogie avec la notion de «groupe qui en combat un autre», *camp* s'emploie dans les domaines de la politique (1813), des jeux et sports (1875, par ex. ***marquer contre son camp***) et dans un conflit intellectuel (locutions ***être dans un camp, changer de camp***, 1904). ◆ Il arrive que, sans valeur militaire ou politique, le mot désigne un terrain aménagé pour camper (→ camping) ou un terrain réunissant une collectivité *(camp de jeunesse, de vacances)* d'où la locution *feu* de camp.*

► **CAMPER** v., relevé dans un texte de 1288 au sens de «placer» comme un dérivé dialectal (picard) de *camp* «champ», apparaît au XVe s. pour «établir des troupes dans un camp» (1465). Par extension, il entre dans l'usage avec le sens intransitif de «s'installer provisoirement» (1677). ◇ Par l'intermédiaire d'une spécialisation en escrime (1680) qui n'a pas vécu, la forme pronominale *se camper* s'est répandue dans le langage familier avec le sens de «prendre une posture plus ou moins hardie» (1690). ◇ Le sens transitif de «placer, poser brusquement», qui réactive le sens primitif, a connu une certaine vitalité au XVIIIe s., avec la locution ***camper là qqn*** «le planter là» (1789) et au XXe siècle. De nos jours, en dehors des locutions figurées ***camper un récit, un personnage,*** le verbe se limite à un usage régional. ◇ D'abord employé dans le contexte de l'alpinisme (1889), le sens intransitif pour «coucher sous la tente» s'est répandu (1936), devenant l'emploi dominant; dans ce sens, le substantif d'action est l'anglicisme *camping**.

Le moyen français *escamper* (v. 1360) a été supplanté par **DÉCAMPER** v. intr. (1516, *descamper*), ne survivant que dans son dérivé *escampette*. Décamper* lui-même, d'abord au sens militaire de «lever le camp», est passé dans l'usage avec le sens figuré et familier de «partir lestement» (1667). ◇ Son dérivé **DÉCAMPEMENT** n. m. (1611) est peu usité. ◆ **CAMPEMENT** n. m. (1584) s'est en revanche bien répandu, moins comme substantif d'action de *camper* qu'avec les acceptions métonymiques concrètes de «lieu» et «matériel nécessaire à l'installation d'un camp» d'abord militaire, puis d'une expédition, enfin dans le contexte touristique du *camping**. ◆ **CAMPEUR, EUSE** n. (1913), très tardif, procède du sens sportif et touristique de *camper* et de *camping.*

◈ voir CAMPING.

CAMPAGNE n. f., d'abord *campaigne* (1536), est la forme provençale ou, plus probablement, normanno-picarde correspondant à l'ancien français *champaigne, champagne** «vaste étendue de pays plat», qu'elle a progressivement éliminé en ce sens. Le mot vient du bas latin *campania* (VIe s.), pluriel neutre substantivé et pris comme un féminin singulier de l'adjectif bas latin *campaneus* «de la plaine, champêtre», dérivé de *campus* (→ camp, champ).

♦ Longtemps, la campagne se définit essentiellement par sa platitude et son terrain découvert, donc dans le voisinage très étroit de *plaine*:* la campagne par excellence est d'ailleurs la Beauce ou la *Champagne.* La campagne s'oppose à la mer, mais surtout à la montagne, réactivant l'opposition latine *campus-mons.* ◇ L'expression ***rase campagne*** apparaît (1671) au moment où le mot commence à désigner spécialement les champs et terres cultivées (sens aujourd'hui archaïque) et où se dessine l'opposition *campagne-ville* (déjà présente en latin). En tant que désignation d'un milieu non urbanisé, le mot, d'abord connoté négativement dans le discours des gens de la ville, a pris des valeurs positives avec le préromantisme (Rousseau). Dans un monde contemporain très urbanisé, il est synonyme de détente *(maison de campagne),* d'authenticité, de naturel *(pain, pâté de campagne).* ◆ *Campagne* a également pris de bonne heure (sous l'influence de l'italien *campagna*) le sens de «terrain d'opération militaire», d'abord attesté (1587) dans l'expression ***se mettre en campagne*** «sur le pied de guerre». ◇ Depuis le XVIIe s. (1671), il signifie «état de guerre, combats», «expédition» (les *campagnes d'Italie*), sens ayant donné un emploi figuré (1836, dans la locution ***plan de campagne***). ◆ Par analogie, le mot est employé dans divers domaines au sens de «période d'action, de propagande» (1798), de *campagne parlementaire* (1813) à *campagne électorale* ou *publicitaire* (XXe s.).

► Le dérivé **CAMPAGNARD, ARDE** adj. et n., d'abord *campaignard* (1611) «qui vit à la campagne» et «que l'on trouve à la campagne», a parfois, dès ses premiers emplois (1654, *sentir le campagnard*), une valeur péjorative de rusticité.

◈ voir CAMPAGNOL, CHAMPIGNON.

CAMPAGNOL n. m. est l'adaptation par Buffon (1758) de l'adjectif italien *campagnoli,* au pluriel, appliqué aux rats qui vivent à la campagne (1637), dérivé de *campagna* (→ campagne, champagne). *Campagnoli* avait été présenté à tort par les naturalistes J. Th. Klein en 1751 et M. J. Brisson en 1756, sources de Buffon, comme le nom italien du rat des champs.

♦ Le mot désigne un petit mammifère rongeur, au corps plus ramassé que celui du rat, à queue courte et velue.

CAMPANE → CAMPANULE

CAMPANILE n. m., d'abord *campanil* (1586) puis *campanile* (1732), est emprunté à l'italien *campanile* «clocher», employé par métonymie à propos de la tour bâtie dans le voisinage d'une église et servant de clocher (XIVe s.), ce dès 978 dans le latin médiéval *campanile.* Le mot italien est dérivé de *campana* «cloche», du latin *campana* (→ campanule).

♦ Le mot désigne, dans un contexte italien, la tour bâtie à proximité de l'église et servant de clocher. Par analogie de fonction, il a donné son nom à un petit clocher à jour élevé au-dessus d'un édifice et contenant une cloche (1787).

◈ voir CAMPANULE.

CAMPANULE n. f. est emprunté (1694) au latin médiéval *campanula,* proprement «petite cloche», spécialisé en botanique aux VIIIe-IXe s., diminutif du bas latin *campana* «peson, balance romaine» et «cloche». Ce dernier est à l'origine un neutre pluriel dont l'étymologie n'a pas été établie; il est représenté en espagnol et en italien *(campana)* mais son représentant français **CAMPANE** n. f. (v. 1174) a été éliminé définitivement au XVIIe s. par le mot celtique *cloche,* subsistant seulement dans les parlers méridionaux et dans le vocabulaire des arts (architecture, ébénisterie, mode).

♦ Le mot désigne une plante herbacée dont les fleurs sont en forme de clochettes (cf. *clochette*).

▸ La dérivation consiste en **CAMPANULÉ, ÉE** adj. (1778) «en forme de clochette», employé en description botanique et architecturale (1884), et **CAMPANULACÉES** n. f. pl. (1809), nom d'une famille de plantes dont la campanule est le type.

◈ voir **CAMPANILE**.

CAMPHRE n. m. est emprunté (XIIIe s.) au latin médiéval *camphora* «substance blanche d'odeur caractéristique extraite d'un arbre de la famille des Lauracées» (XIIe s.), attesté depuis le IXe s. sous la forme non nasalisée *cafora*. Le mot est emprunté, en même temps que le produit, à l'arabe *ḳāfūr*, avec un déplacement de l'accent sur la première syllabe. *Ḳāfūr* note lui-même le vieux perse *kāpūr* d'origine sanskrite (prakrit *kappūram*, sanskrit *karpūram*). Les emprunts romans se répartissent entre formes nasalisées (en provençal, italien, espagnol, portugais) et formes non nasalisées (ancien français *cafour* [XIIIe s.], ancien italien *cafúra*).

♦ Le mot désigne la substance extraite du camphrier, utilisée notamment comme antimite et en médecine comme antispasmodique et énergétique. Par extension, il est employé à propos d'une substance extraite de divers végétaux, ayant des propriétés analogues, et il a servi en argot à désigner l'eau-de-vie (1876).

▸ **CAMPHRÉ, ÉE** adj. (1564) et **CAMPHRER** v. tr. (1564), dont la forme pronominale a eu le sens de «s'enivrer» (av. 1854), datent du XVIe siècle. ◆ **CAMPHRIER** n. m., nom de l'arbre dont on extrait le camphre, est attesté dans l'*Encyclopédie* en 1751. ◆ L'élément **CAMPHO-**, tiré du radical de *camphre*, a servi à former quelques termes de chimie, notamment au XIXe s. (*camphoroïde* adj., 1845), et de botanique (*camphorine* n. f., 1865).

CAMPING n. m. est l'adaptation (1905) d'un mot anglais qui signifie d'abord «action de loger dans des tentes au cours d'une guerre, d'une expédition», «campement» (1572) avant de prendre son sens moderne (fin XIXe s.). Les Anglais furent les premiers à pratiquer cette activité liée à l'avènement du scoutisme. *Camping*, en anglais, est le substantif verbal de *to camp*, lui-même emprunté (1543) au français *camper**.

♦ Le mot désigne l'activité qui consiste à vivre en plein air sous la tente ou dans une caravane; par métonymie, il désigne le terrain aménagé pour pratiquer cette activité (en anglais *camping place*). On trouve aussi ***terrain de camping***. Plusieurs syntagmes (***camping sauvage***, au sens actif; *un camping aménagé*, au sens concret, etc.) sont en usage.

▸ **CAMPING-CAR** n. m. (1974) est un faux anglicisme composé de *camping* et de l'anglais *car* «voiture, véhicule» (→ car). Le mot a évincé les formations voisines **AUTO-CAMPING** n. m. et **VOITURE-CAMPING** n. f. (1969), ainsi que **CAMPING** n. m. (1952 dans ce sens).

CAMPING-GAZ n. m. (v. 1960) est un nom de marque déposée formé de *camping* et de *gaz**, désignant un petit réchaud portatif à gaz butane pour le camping.

◈ **CAMUS, USE** adj., attesté comme surnom (1221), puis comme adjectif (fin XIIe-déb. XIIIe s.), est d'origine discutée. Il est probablement dérivé, à travers l'ancien provençal *camus* pris au sens figuré de «niais» (XIIe s.), d'un gaulois °*kamusio* formé à l'aide d'un suffixe *-usio*, fréquent dans les anthroponymes, sur le radical °*kam-* «courbe» attesté en celtique. Cette hypothèse, qui suppose pour expliquer le *k-* initial un intermédiaire provençal, permet de rendre compte de l'antériorité de celui-ci. On a également proposé une formation sur l'ancien °*mus* «museau» (→ museau) avec le préfixe péjoratif *ca-*. P. Guiraud rattache *camus* à l'étymon latin *camus* «muselière», du grec dorien *kamos*, à côté de *kêmos* (lui-même sans étymologie), plus précisément à un doublet roman °*camoceus, camuseus*, tiré de l'adjectif *cameusis* «muselé».

♦ Le mot qualifie et désigne une personne ayant le nez court et aplati ainsi que ce nez. Par extrapolation sur l'expression prêtée à un visage au nez écrasé, il a développé le sens de «penaud, désappointé» (1410) dans lequel on peut voir réactivée la valeur péjorative du préfixe *ca-*, et qui est aujourd'hui archaïque.

▸ Sur *camus* a été formé, par substitution de suffixe, **CAMARD, ARDE** adj. et n. (1534), de même sens. Substantivé (1584), il a fourni au féminin *camarde*, dénomination métaphorique de la mort (1653), par allusion au squelette dont le nez, réduit à une arête osseuse, semble aplati.

CANAILLE n. f. et adj. est emprunté (v. 1470) à l'italien *canaglia* (XIIIe-XIVe s.) «troupe de chiens», dérivé avec un suffixe péjoratif de *cane* «chien», du latin *canis* (→ chien).

♦ *Canaille*, employé comme désignation péjorative du «bas peuple», a remplacé son correspondant français *chienaille, chenaille* (av. 1195), encore usité au XVIe siècle. Le sens moderne de «personne malhonnête, méprisable» (1639) est aujourd'hui d'un usage soutenu, le mot étant surtout employé sur le ton de la gronderie affectueuse envers un petit enfant (cf. *polisson, fripon*). L'adjectif (1867) est généralement invariable, encore senti comme une adjectivation elliptique du nom.

▸ **ENCANAILLER** v. tr., composé parasynthétique, est surtout employé à la forme pronominale *s'encanailler* (1660), avec le sens de «frayer avec le bas peuple», d'où «fréquenter des gens de mœurs douteuses». Le sens de «perdre sa qualité, devenir méprisable» (1663) appartient à l'usage classique. De nos jours, les signes de transgression sociale s'étant déplacés, le mot est généralement employé par plaisanterie. ◆ **CANAILLOCRATIE** n. f. est une formation révolutionnaire plaisante (1793), d'après *aristocratie* et *démocratie*. ◇ **CANAILLERIE** n. f. (1821), d'un usage soutenu, et **CANAILLEMENT** adv. (1870) sont rares.

CANAILLOU n. m. «petite canaille» (1957) est un emprunt à l'occitan.

CANADA (LE FRANÇAIS AU) → **QUÉBEC** (encadré).

CANADIEN, IENNE adj. et n., est tiré au XVIe s. du toponyme *Canada*, mot amérindien (huron) signifiant «village», nom donné par Jacques Cartier à la Nouvelle France en 1535. ◆ Le mot signifie «du Canada» et «habitant, originaire du Canada», spécialt en tant que pays fédéral. → aussi Québécois.

▶ **CANADIENNE** n. f. désigne en français de France (1928) un long canot à pagaie, une veste doublée et (1934) un type de tente (d'abord appelée *tente canadienne,* 1929).

CANAL, AUX n. m. est emprunté (av. 1150) au latin *canalis,* dérivé de *canna* (→ canne). Le mot était employé depuis Plaute à propos du caniveau se déversant dans la *Cloaca Maxima* à Rome et, depuis César, à propos de toute conduite d'eau. Il avait développé un sens figuré (Pline) et plusieurs acceptions analogiques de nature technique, en anatomie («trachée-artère») et en architecture («filet creusé dans la volute ionique»).

♦ Le mot a été introduit en géographie à propos du bras ou du lit d'un cours d'eau, sens en voie d'extinction sauf lorsqu'il s'applique à un bras de mer resserré entre deux rivages (1549). Il s'est répandu dans l'usage courant en parlant d'un cours d'eau artificiel, surtout lorsqu'il est navigable (1538), par exemple dans *grand canal* (1606, *canal de Venise*). Au XVIe et au XVIIe s., il a repris les sens techniques connus du latin *canalis* en architecture (1538) et en anatomie (av. 1680), s'étendant à un conduit d'écoulement pour les eaux (1690) et acquérant le sens figuré de «moyen, voie d'accès» (1679, Mme de Sévigné). Ultérieurement, il devient un terme de description botanique (1813), puis anatomique (*canal cholédoque,* etc.). ◆ Récemment, sous l'influence de l'anglais *channel* — lui-même repris d'une forme ancienne de *chenal** —, il est passé dans le langage de la communication pour l'ensemble des moyens sensoriels par lesquels une information est transmise, et dans celui de l'audiovisuel à propos du domaine de fréquence occupé par une émission de télévision (exemple : *Canal plus*), normalement nommé en français *chaîne.* ◆ L'emploi du mot en économie *(canal de distribution)* rend l'anglais *channel,* mais peut être aussi une métaphore interne au français.

▶ **CANALISER** v. tr., attesté une première fois en 1585 au sens de «enfermer comme dans un canal», a été repris au XIXe s. avec ceux d'«ouvrir des canaux dans un pays» (1829), et «rendre (un cours d'eau) navigable en convertissant en canal» (1842). Le verbe s'est répandu dans l'usage avec le sens figuré de «diriger dans une voie, un sens déterminé» (1838). Il a donné immédiatement ses quelques dérivés. ◆ **CANALISATION** n. f. lui sert de substantif d'action (1823) et désigne concrètement l'ensemble des conduits destinés au transport des fluides, par exemple le gaz de ville (1829, surtout au pluriel). ◇ **CANALISATEUR, TRICE** adj. et n. (1831) et **CANALISABLE** adj. (1836) s'emploient au propre et au figuré.

CANAPÉ n. m. est l'altération avec changement de sens (1648) de l'ancien *conopé* (v. 1180) «rideau de lit» encore utilisé en histoire ancienne au sens de «moustiquaire», du latin *conopeum, conopium,* proprement «moustiquaire», d'où «sorte de lit entouré d'une moustiquaire», emprunt au grec tardif de même sens *kônôpeôn, kônôpion,* dérivé de *kônôps, -ôpos* «moustique». *Kônôps,* dont l'origine est discutée, est peut-être un emprunt à un mot égyptien signifiant «mouche».

♦ Le meuble que l'on connaît est mis à la mode comme le sofa (→ sofa) au XVIIe siècle. Le XIXe s. a créé par combinaison *canapé-lit* (1867), antérieurement *lit-canapé* (1857). ◆ Par analogie de forme, on appelle *canapé* (1787) une préparation de pain, etc. sur laquelle repose un mets *(canapé de caviar, œufs sur canapé).*

CANARD n. m. est un sobriquet expressif dérivé (1199) du même radical onomatopéique que l'ancien verbe *caner* «caqueter» (1204). Il est formé avec un suffixe *-art, -ard* d'après *malard* (v. 1200), la plus ancienne désignation du canard mâle (→ mâle). L'hypothèse d'une dérivation de *cane** (ci-dessous) qui serait en ce cas issu du croisement entre l'ancien français *ane** (v. 1175) et le radical de l'ancien verbe *caner,* semble moins probable du point de vue chronologique.

♦ Le mot, d'abord donné en surnom à un homme réputé bavard, caqueteur, est devenu au XIIIe s. le nom du volatile, probablement pour lever l'ambiguïté existant entre l'ancien nom *ane** et celui d'un autre animal domestique, l'*âne.* À moins d'une détermination, par exemple *canard sauvage, canard* renvoie surtout à l'oiseau domestique destiné à l'alimentation humaine. Les particularités physiques du palmipède, son comportement ont inspiré plusieurs locutions familières, de ***mouillé comme un canard*** (1696) à ***marcher en canard*** «en boitant, en penchant alternativement d'un côté puis de l'autre». Prenant place à côté de ***canard boiteux*** (calque de l'anglais selon l'abbé Féraud, 1787, citant Beaumarchais), l'expression ***vilain petit canard*** fait directement allusion au titre d'un conte d'Andersen. ***Froid de canard*** «froid intense» vient de ce que les vols de canards sauvages ont lieu lors des grands froids. ◆ Le sens figuré archaïque de «fausse nouvelle lancée dans la presse» (v. 1750), issu d'une expression d'origine inconnue ***bailler un canard à moitié*** «tromper» (1584), a donné lieu par extension à celui de «journal de peu de valeur» puis «journal quelconque» (*le Canard enchaîné,* nom d'un journal satirique). ◆ Familièrement, *canard* désigne une fausse note (1834) par allusion au cri peu harmonieux du palmipède (on dit aussi *couac*). ◆ *Canard* se dit aussi (1840) d'un morceau de sucre «trempé» (comme un canard) dans le café.

▶ Par dérivation régressive, *canard* a produit **CANE** n. f. (XVe s. ; 1355, *quanes*) «femelle du canard», dans lequel est sensible l'influence de l'ancien mot *ane.* L'expression figurée *faire la cane* «fuir» (XVIe s.) peut concerner un autre mot. De *cane* vient le nom du petit de la cane, nommé ① **CANETTE** n. f. (1461) d'où, par changement de suffixe, **CANETON** n. m. (v. 1600 ; 1530, *caneton*). La réputation de poltronnerie attachée à l'animal (cf. *poule, autruche*) a peut-être suscité ① **CANER** v. intr. (1821) «se dégonfler» (on disait déjà *faire la cane* aux XVIe-XVIIe s.). L'influence de ① *caler* est probable.

➡ **CANARDEAU** n. m. est relevé une fois en 1547 et repris depuis 1820.

CANARDER v. tr. (1578) signifie familièrement «tirer d'un lieu couvert» (comme dans la chasse aux canards).

Pris au sens de «mauvais cheval» — ayant probablement motivé la locution ***ne pas casser trois pattes à un canard***, peut-être par déformation de *cagnard* (→ cagne) — *cane* ou *canard* a servi à former, avec un suffixe péjoratif, **CANASSON** n. m. «mauvais cheval» (1866).

◈ voir ① et ② CANCAN, CANICHE.

CANARI

CANARI n. m., d'abord *canarin* sous l'influence de *serin** (en usage de 1576 à 1851), est emprunté à l'espagnol *canario* (1582-1583), lui-même métonymie du nom du pays d'origine de l'oiseau, les îles *Canaries*. Celles-ci devraient leur nom (latin *Canarias*) au fait que le roi numide Juba II y aurait rencontré des chiens gigantesques (latin *canis* [→ chien]).

♦ Le mot désigne un serin de couleur jaune vif, et, par métonymie, s'emploie comme adjectif de couleur (seul ou dans ***jaune canari***).

CANASSON → CANARD

① CANCAN

① **CANCAN** n. m. (mil. XVIIe s., av. 1641), d'abord *quanquan* (1554), graphie encore relevée en 1821 par figure étymologique, puis *quanquam* (1584), est l'emprunt, francisé d'après l'ancienne prononciation, de la conjonction latine *quamquam*. Celle-ci, issue de *quam* (→ que) par réduplication, s'employait souvent, avec son sens de «quoique, de toute manière, pourtant», dans les disputes d'école.

♦ En passant en français, le mot a pris par métonymie le sens de «harangue universitaire», par exemple dans *quanquan de collège*. Avant la fin du XVIe s., son origine n'étant plus sentie, il a reçu la valeur expressive de «grand bruit autour d'une chose qui ne le mérite pas» dans la locution *faire quanquam* (1584). Au XVIIe s., quand le mot est entré dans l'usage courant, il s'est rattaché au verbe *cancaner**, d'après lequel il a pris le sens de «médisance» (1821, *journal des quanquans*).

▶ ① **CANCANER** v. intr. (1654) semble avoir été créé, non pas d'après *cancan*, mais d'après une onomatopée homonyme évoquant le cri du canard et de certaines volailles (→ canard) et d'après *cane*, *cancan*, nom enfantin du canard. Il s'est surtout répandu à partir du XIXe s. avec l'idée de «médire» (1829), produisant **CANCANAGE** n. m. «médisance» (1834). ◇ À la même époque sont apparus **CANCANIER, IÈRE** adj. et n. (1834) et **CANCANNERIE** n. f. (1836), ce dernier plus rare.

② CANCAN

② **CANCAN** n. m. est formé (1829), par réduplication du radical *can-*, du radical de *canard** et de *cancaner*, par comparaison de la danse en question avec la démarche du volatile.

♦ Le mot désigne une danse tapageuse et excentrique en vogue dans les bals populaires des années 1830-1840. À la Belle Époque, la danse exécutée dans les cabarets de Montmartre a particulièrement séduit les anglophones qui l'ont baptisée ***French-cancan***, à moins que ce nom ne soit une création publicitaire pour cette clientèle. Ce nom lui est resté en français (1935).

▶ ② **CANCANER** v. intr. (1838) «danser le cancan» a été éliminé pour son homonymie avec ① *cancaner**.

CANCER

CANCER n. m. vient (1372) du latin *cancer, cancri* (→ cancre, chancre, crabe) qui traduit, en en reprenant les sens, le grec *karkinos* «crabe», «chancre», également «pinces», «paire de compas». Les deux mots appartiennent, avec le grec *karkaros* «dur» et le sanskrit *karkaṭa* «crabe», à une même racine indoeuropéenne.

♦ Le mot a été introduit comme nom d'un signe du zodiaque. Le sens médical de «tumeur maligne» (1478) a donné un emploi figuré (av. 1755) et s'est spécialisé (fin XIXe s.) pour désigner le néoplasme. Puis, l'idée de «tumeur» n'étant plus essentielle, le mot a désigné tout état pathologique caractérisé par des lésions résultant d'une prolifération cellulaire non contrôlée par l'organisme *(cancer des os, du sang)*. Le cancer est à ce point considéré comme le fléau, la maladie du XXe s. par excellence (comme l'était la *peste* au moyen âge), que des journalistes ont récemment défini le *sida* comme *le cancer du XXIe siècle*.

▶ Les dérivés procèdent du sens médical. ◇ **CANCÉREUX, EUSE** adj. et n. est emprunté (1743) du bas latin *cancerosus* «atteint par une tumeur maligne», dérivé de *cancer*. ◇ Le mot, employé également comme substantif (1845), a produit **ANTICANCÉREUX, EUSE** adj. (1777).

CANCÉRISATION n. f., antérieur à **CANCÉRISER** v. tr. puisqu'il apparaît dès 1865, ne se répand cependant qu'après 1920, lorsque l'on commence à relever **CANCÉRISÉ, ÉE** adj. (1920-1924) puis **CANCÉRISANT, ANTE** adj. (1936), avant la forme pronominale **SE CANCÉRISER** (1965). ➡ Plusieurs composés en **CANCÉRI-**, **CANCÉRO-** sont créés à partir de 1920 : **CANCÉROLOGUE** n. (1920-1924), spécialiste du cancer; **CANCÉROLOGIE** n. f., **CANCÉRIGÈNE** adj. (1920-1924), **CANCÉROSE** n. f. (1929).

CANCRE n. m., attesté une fois au XIIIe s. puis à partir de 1552, est emprunté comme *cancer** au latin *cancer, cancri* «crabe» (→ crabe). ➡ Le sens propre de «crabe tourteau», encore relevé chez Bernardin de Saint-Pierre, est sorti d'usage au profit d'extensions métaphoriques diversement motivées. ◇ En référence à la démarche lente et difficile du crabe, le mot est entré dans l'argot scolaire à propos d'un élève nul (1662). ◇ Les sens de «pauvre diable» (1651, La Fontaine), «homme méprisable pour sa rapacité» (1740, par allusion aux pinces du crabe) sont sortis d'usage. ➡ **CANCRERIE** n. f. (1885) désigne familièrement la nullité d'un élève; à la différence de *cancre*, il a vieilli au profit de synonymes.

◈ voir CHANCRE ; CANCRELAT.

CANCRELAT

CANCRELAT n. m. est la réfection, sous l'influence de *cancre** (1775, *cancrelas*), du plus ancien *cackerlac* (1704). Celui-ci est emprunté au néerlandais *kakkerlak* «blatte d'Amérique», lui-même originaire d'Amérique du Sud (par l'espagnol) ou d'Espagne et attesté depuis 1675 (mais antérieur, à en juger par le bas allemand attesté dès 1524).

♦ Le mot désigne un insecte qui infeste les navires et les denrées alimentaires. Par métaphore, il désigne péjorativement une personne sournoise, répugnante, envahissante, avec une valeur voisine de celle de *cloporte*.

CANDÉLABRE n. m., d'abord *chandelabre* (XIe s.), est emprunté (XIIIe s.) au latin *candelabrum*, dérivé de *candela* (→ chandelle).

♦ Nom donné à un grand chandelier à plusieurs branches, *candélabre* a aussi désigné un dispositif d'éclairage des voies publiques avant d'être supplanté par *lampadaire*. Par analogie de forme, il s'emploie en architecture à propos d'un motif ornemental (1694) et en arboriculture (1867) pour une taille d'arbre ou d'arbuste.

CANDEUR n. f. est emprunté (1330-1334) au latin *candor* «blancheur éclatante», «éclat», appliqué au domaine moral au sens de «pureté, probité». Le mot est dérivé du verbe *candere* «être enflammé, brûler», de là «être chauffé à blanc», puis «être d'une blancheur éclatante». Ce verbe d'état a son pendant dans le verbe d'action *candere* attesté dans plusieurs composés (→ incendier). On en a rapproché le grec *kandaros* «charbon de bois», le sanskrit *candráḥ* «brillant», ainsi que des mots celtiques.

♦ Le sens propre de «blancheur, clarté» s'est effacé au XVIIe s. devant le sens figuré et moral de «pureté» (1546) appliqué à une langue puis à l'âme (1558), quelquefois avec une valeur ironique de «naïveté un peu niaise». Le sens originel (présent dans l'ancien provençal *candor*) survit comme archaïsme littéraire *(la candeur de l'aube)*.

⟐ voir CANDÉLABRE, CANDIDAT, CANDIDE, CHANDELEUR, CHANDELIER, CHANDELLE, ENCENSER, INCANDESCENT, INCENDIE.

CANDI adj. m. est emprunté (1256) à l'arabe *qandī*, adjectif de *qand, qanda* «sucre de canne» (Xe s.). Ce mot est originaire de l'Inde, à rapprocher du sanskrit *khaṇḍa* «morceau» et «sucre en morceaux cristallisés», du verbe *khaṇḍ* «briser». Il ne paraît pas nécessaire pour des raisons chronologiques d'avoir recours à l'intermédiaire de l'italien *zucchero candi*.

♦ Le mot, presque exclusivement employé dès les premiers textes dans le syntagme ***sucre candi***, qualifie le sucre qui, après dépuration et liquéfaction, s'est cristallisé.

▸ **CANDIR** v. (1595) exprime l'idée de se cristalliser, en parlant du sucre, et, construit transitivement, de revêtir d'une couche de sucre candi. ◆ De là l'emploi substantivé du participe passé **CANDI**, au pluriel, pour désigner des fruits candis (1723). ◇ **CANDISATION** n. f., mentionné par la plupart des dictionnaires des XIXe et XXe s., est un mot technique rare.

CANDIDAT, ATE n. est emprunté (1284) au latin *candidatus*, dérivé de *candidus* (→ candide), dont le sens propre, «vêtu de blanc», se rencontre seulement à l'époque impériale. À l'époque classique, *candidatus* est spécialisé comme substantif, désignant celui qui brigue une fonction (parce qu'il revêt pour cela la toge blanche, *toga candida*).

♦ Le mot, introduit comme terme d'histoire romaine (soldat d'élite), désigne depuis 1546 le postulant à une place, à un titre et spécialement la personne qui se présente à un examen ou à un concours (1718, pour les étudiants postulant au doctorat). L'usage du féminin *candidate* est encore flottant aujourd'hui et l'on dit en français de France — mais pas au Québec — *elle est candidat aux élections*.

▸ **CANDIDATURE** n. f. (1816), «action de se porter candidat», sert spécialement en Belgique à désigner le premier cycle d'études universitaires comprenant deux ou trois ans, au terme duquel on est *candidat*.

⟐ voir CANDEUR, CANDIDE.

CANDIDE adj. est emprunté (XVe s.) au latin *candidus* «éclatant (de la neige, des astres)», employé abondamment au figuré avec les valeurs de «heureux, favorable», de «loyal» et aussi «limpide (d'un présage, du style)». Il est dérivé de *candere* «être éclatant» (→ candeur).

♦ Le mot a modelé son évolution sémantique sur celle de *candeur* : le sens propre «éclatant» a disparu au XVIIe s. au profit du sens figuré de «bon, bienveillant» (1549), en particulier «spontané, sincère» (1611), devenu archaïque après le XVIIIe siècle. ◇ Depuis le XVIIe s., *candide* qualifie une personne naïve et pure, souvent avec une nuance péjorative, «innocent par inexpérience» (1668).

▸ **CANDIDEMENT** adv. (1561) signifie dès les premiers emplois : «sincèrement», d'où «avec bienveillance» (1611), puis «naïvement».

⟐ voir CANDEUR, CANDIDAT.

CANE → CANARD

CANER v. intr., attesté au XIXe s. (1821) au sens argotique de «céder, lâcher pied», est probablement en rapport avec *faire la cane* (XVIe s.), de même sens, mais dont le rapport avec *cane** est obscur.

♦ Le verbe est devenu familier dès le milieu du XIXe s. ; il a vieilli. Par son sens, il s'est rapproché de *canner*, lui aussi argotique.

⟐ voir ② CANNER.

CANETILLE ou **CANNETILLE** n. f., d'abord *canetille* (1535), écrit avec deux *n* (1547) d'après *canne**, est emprunté à l'espagnol *cañutillo* «fil de métal retordu servant à des travaux de broderie» (1492). Il est dérivé de *cañuto* «tuyau», lui-même dérivé, par l'intermédiaire du mozarabe *qannût* de même sens, du latin *canna* «roseau» (→ canne).

♦ Le mot désigne un fil de métal utilisé en broderie pour la composition de fleurs artificielles. En musique, il désigne un fil de laiton argenté entouré en spirale sur un boyau pour former les grosses cordes de violons, violoncelles et contrebasses.

▸ **CANNETILLER** v. tr., «orner de cannetilles», apparaît au milieu du XVIe s. (av. 1571).

① **CANETTE** → **CANE** (art. CANARD)

② **CANETTE** ou **CANNETTE** n. f., d'abord *canete* (E. Boileau, 1267-1268), puis *cannette* (1407), est emprunté au dialecte de Gênes *cannetta* «petite bobine de fil», diminutif de *canna* (→ canne); cette origine est confirmée par les premiers emplois du mot en français qui concernent le fil d'or et d'argent fabriqué à Gênes et importé pour servir à l'ornementation des habits aux XIVe-XVe siècles.

♦ Le mot, d'abord relevé dans l'emploi métonymique *soie canete* «soie plate et simple tissée au moyen d'une petite bobine», désigne normalement une petite bobine sur laquelle est enroulé le fil dans la navette d'un métier à tisser, puis également d'une machine à coudre. Il a dû être assez vite senti comme un dérivé de *canne** (cf. ③ *cannette*).

▸ Les dérivés **CANETER** ou **CANNETER** v. intr. (XIXe s.) «enrouler du fil sur une cannette»; **CANETIER** ou **CANNETIER, IÈRE** n., surtout employé au féminin comme nom d'ouvrière et de machine (1867), et **CANETAGE** ou **CANNETAGE** n. m. (1948) sont des termes techniques.

CANEVAS n. m. est issu (1509) du croisement de l'ancien français *chenevas, chanevas* «fait de toile», d'où «grosse toile» (XIe s. en judéo-français), avec l'ancien picard *canevach* (1281, attesté jusqu'en 1539). Tous deux sont les dérivés suffixaux du radical *c(h)anev-* du latin médiéval *canapus* (→ chanvre).

♦ À partir du sens de base, «grosse toile écrue», le mot s'est spécialisé, désignant une grosse toile servant de support aux ouvrages de tapisserie (1584). De là, le sens figuré «ébauche d'une œuvre littéraire» (av. 1630), «musicale» (1680), «dramatique» (1832), en concurrence avec *esquisse, schéma*... ◇ Par ailleurs, des emplois métonymiques mettant l'accent sur le dessin de la broderie sur toile (1798), la broderie elle-même (1867).

▸ **CANEVASSER** v. tr., «quadriller comme d'un canevas» (1936), est peu usité.

CANGUE n. f. est emprunté (1687) au portugais *canga* «carcan» (1640; *ganga*, 1635), lequel est probablement formé à partir des mots chinois *K'ang* «portant sur les épaules» et *hia*, nom de cet instrument de torture. L'étymon gaulois *canga* «joug» ou le celtique °*cambica* «bois courbe», dérivé de *cambos* «courbe», ne conviennent évidemment pas, les plus anciennes attestations portugaises ne désignant que l'instrument de torture d'Extrême-Orient.

♦ Le mot se réfère à un ancien instrument punitif extrême-oriental où l'on enserrait la tête du condamné pour l'exposer, utilisé notamment dans la Chine ancienne et, par métonymie, désigne le supplice infligé avec cet instrument.

CANICHE n. m. est le dérivé inattendu (1743) de *cane** avec *-iche*, suffixe probablement dialectal (correspondant à *-isse*) entrant dans la construction de mots familiers auxquels il confère une valeur affective (→ bourriche, potiche). Le chien a été ainsi nommé parce que, comme les canes et les canards, il va volontiers à l'eau.

♦ Le mot désigne un chien de la race des barbets, à poils frisés et généralement très fidèle *(suivre qqn comme un caniche)*.

CANICULE n. f. est emprunté (fin XVe s.) au latin *canicula*, diminutif de *canis* «chien» (→ chien; canin). Le mot latin, signifiant littéralement «petite chienne», est employé depuis Varron comme terme d'astrologie désignant Sirius, l'étoile principale de la constellation du grand Chien, d'après le grec *kuôn, kunos* «chien» (→ cynique).

♦ Le sens de «chienne» est un latinisme qui n'a pas vécu. ◇ Le mot s'est spécialisé en astronomie (1539, *constellation de la Canicule*). Par métonymie, il s'est dit de la période de chaleur pendant laquelle cette étoile se lève et se couche en même temps que le soleil (1660). Par extension, il s'est répandu au sens de « très forte chaleur», son origine étant oubliée, et la première syllabe pouvant évoquer celle du latin *calor*.

▸ **CANICULAIRE** adj. (1478) est emprunté au bas latin *canicularis* «de la canicule», de *canicula*. Il a suivi l'évolution de *canicule* et se dit assez couramment d'une chaleur extrême.

CANIDÉS → **CHIEN**

CANIF n. m., indirectement attesté par son ancien diminutif *canivet* (apr. 1150; encore en 1690), puis lui-même sous la forme *quenif* (1441), *canif* (1611), est probablement issu de l'ancien bas francique °*knif*, reconstitué d'après l'ancien nordique *knîfr* «couteau», d'où l'anglo-saxon tardif *cnif* et de là l'anglais *knife* «couteau». Cette famille germanique est d'origine obscure.

♦ Avant de désigner un couteau de poche à lame repliable, *canif* a longtemps désigné un petit morceau d'acier tranchant muni d'un manche et servant à tailler les plumes d'oie. Il est passé dans le langage technique pour désigner (1752, *knif*, peut-être par réemprunt à l'anglais) un outil de graveur sur bois. ◇ *Canif* entre (1808) dans la locution populaire figurée ***donner des coups de canif dans le contrat*** «commettre une infidélité conjugale».

CANIN, INE adj. et n. f. est emprunté (v. 1390) au latin *caninus* «relatif au chien», employé spécialement en anatomie, appliqué aux dents pointues, très saillantes chez le chien. Il est dérivé de *canis* (→ chien). Le type savant a évincé l'ancien français *chienin* (XIIe s.), *chenin*.

♦ Le mot qualifie ce qui est propre, relatif au chien. ◇ Il s'est spécialisé et, par ellipse de *dent canine*, le féminin **CANINE** est substantivé (1541) comme nom des dents pointues, entre les incisives et les prémolaires.

◈ voir CANICULE.

CANISSE ou **CANNISSE** n. f. est emprunté (1600, sous sa double graphie) au provençal *canisso* «claie de canne, natte de roseaux sur laquelle on élève les vers à soie et où l'on fait sécher les fruits». Ce mot, qui n'est pas attesté dans les dictionnaires avant Mistral, est issu, de même que l'espagnol *canizo* et l'italien *canniccio* de même sens (XIVe s.), du bas latin *cannicius*, de *canna* (→ canne).

♦ Ce mot régional du sud-est de la France, surtout employé au pluriel, désigne — récemment en français central — un roseau souple et résistant fendu en deux et dont on fait des claies ou des rideaux protecteurs.

▸ **CANNISSIER** n. m. (1859) désigne le vannier qui travaille spécialement les canisses.

◈ voir CANIVEAU.

CANIVEAU n. m. (1694) est d'origine incertaine : une formation avec le préfixe *ca-* sur *niveau** ou un rattachement à la famille de *canif** sont peu probables. Deux attestations de la forme *caniseau* (1453, 1502) avec le même sens appuient l'hypothèse d'un rattachement au latin *canna* «roseau» par l'intermédiaire de °*cannicius* (→ canisse) et, pour *caniveau*, par l'intermédiaire d'un type °*canabellum*, variante du bas latin *canabula* «canal de drainage». Cette hypothèse pose des problèmes phonétiques.

♦ Le mot a désigné la pierre creusée en rigole pour l'écoulement de l'eau puis, couramment par extension (1867), une bordure pavée le long du trottoir et la dépression qu'elle borde.

CANNABIS → CHANVRE

◈ **CANNE** n. f., d'abord attesté sous la forme *chane* (v. 1160) puis *canne* (1180-1190), est issu du latin *canna* «roseau», emprunté au grec *kanna* (→ ② canon) qui a connu de nombreux sens techniques tels que «tuyau d'instrument de musique», «mesure de longueur» (IIe s.), puis «bec verseur de forme allongée» désignant aussi des récipients (VIe s.) ; son dérivé *kanôn*, à l'origine de ② *canon*, a aussi des valeurs techniques. Une partie des acceptions a dû passer en français par l'intermédiaire du provençal *cana* qui les possède avant lui. Le mot latin, transmis aux domaines ibérique et italien, s'est aussi transmis aux langues germaniques au sens de «pot» (allemand *Kanne*).

♦ Le sens de «cruche de forme allongée» est passé le premier en français, mais s'est éteint au XVe s., comme les extensions métonymiques «contenu d'une cruche» (v. 1180) et «mesure pour les liquides» (1286). Cette acception s'est maintenue dans les dialectes de l'Ouest, du Nord-Ouest, en Bourgogne, en franco-provençal et en français même, dans certains dérivés. ◇ Divers sens secondaires, issus de la valeur initiale du latin, «roseau», d'où «tube creux», sont bien représentés en ancien français, par exemple «hampe de lance» (1180-1190), «colonne vertébrale» (XIIe s., en ancien picard), «trachée-artère» (1380), tous sortis de l'usage, comme le nom d'une mesure de longueur (av. 1266). ◇ Le sens originel de «roseau» (v. 1250) s'est implanté durablement, notamment dans le syntagme ***canne à sucre*** (1721 ; d'abord *canne de sucre*, v. 1560) et la variante abandonnée *canne de Provence* (1845). De ce sens vient *sucre de canne*. Par métonymie, *canne* a désigné le bois des roseaux dont on fait des flûtes et des meubles (1305). ➛ Un usage particulier du bois (à l'origine de *roseau*) a promu le sens de «bâton léger sur lequel on s'appuie en marchant» (1596), devenu le sens dominant du mot. La locution familière ***casser sa canne*** «rompre son ban» (1852) puis «mourir» (cf. *casser sa pipe*) a vieilli ; le second sens est en rapport avec le verbe argotique ② *canner*. ◇ Selon les usages particuliers de l'objet, on emploie les syntagmes lexicalisés *canne-épée* (1867, *canne à épée*), *canne-fusil* (1867). ➛ Par analogie, le mot sert à nommer une gaule portant une ligne de pêche, notamment dans ***canne à pêche*** (1636) et, techniquement, la sarbacane du souffleur de verre (1704). C'est aussi la dénomination du bâton flexible utilisé pour un sport de combat proche de l'escrime (1882) et un club de golf (1933). ➛ Parallèlement, il a pris par métaphore le sens familier de «jambe» (av. 1885), surtout au pluriel *cannes*.

▸ Le diminutif ① **CANNELLE** n. f., outre sa spécialisation en botanique par un cheminement mal éclairci (ci-dessous), semble exister de bonne heure comme l'indique le dérivé *canneler*, attesté v. 1100. Il désignait un petit tube, un petit tuyau et de nos jours, dans l'usage technique, un petit robinet adapté à une cuve, à un tonneau (1496). ◇ Le dérivé **CANNELER** v. tr., d'abord *caneler* (v. 1100), exprime l'idée de «munir de petits sillons circulaires», sens qui s'est affirmé en architecture en relation avec l'italianisme *cannelure** (1545). ◇ Par analogie, le participe passé **CANNELÉ, ÉE** est employé adjectivement dans la description d'une étoffe de soie couverte de saillies parallèles (1751), après avoir servi à décrire une pièce de blason dont les bords présentent des nodosités suivant une ligne régulière (1690).

③ **CANNETTE** n. f., d'abord *kanette* (XIIIe s.) puis *cannette* (1723), souvent écrit *canette* (1723), s'est souvent trouvé en concurrence avec l'autre diminutif de *canne*, ② *cannelle*. L'ancien sens de «vase, récipient», éteint au XVIIe s., a été ranimé spécialement, en parlant d'une petite bouteille mince et longue pour la bière (1723), les jus de fruits, etc. ◇ En français du Canada, sous l'influence de l'anglais *can* «boîte de conserve (pour les liquides)», *cannette* désigne ce type de récipient. ➛ Le mot a été reformé (1867), d'après un autre sens technique de *canne*, à propos d'un rouleau de papier couvert de poudre séchée servant à mettre le feu dans le trou des mines et des roches ; dans ce sens, le sémantisme est très proche de celui de l'homonyme ② *canette** (ou *cannette*).

① **CANNER** v. tr. (1613) a signifié «mesurer à la canne», sens disparu lorsque *canne* a cessé d'être employé comme nom de mesure de longueur ; le verbe a pris le sens de «garnir de canne» (1867), dont procèdent ses dérivés **CANNAGE** n. m. (1872, *Journal officiel*) et **CANNEUR, EUSE** n. (1877).

② **CANNELLE** n. f., d'abord *canele* (av. 1150), est le diminutif de *canne** «tuyau» parce qu'en séchant, cette écorce se roule sous la forme de petits tuyaux. Cet emploi existe dans la plupart des langues romanes sans qu'il soit possible de déterminer son cheminement; le latin médiéval *cannella* ne semble pas attesté en ce sens avant le XIIe siècle. L'intermédiaire du portugais est probablement à écarter, le Portugal ne semblant pas avoir pratiqué l'importation des épices aux XII-XIIIe siècles. L'intermédiaire du provençal ou de l'italien est vraisemblable. ◆ Le mot, désignant l'écorce aromatique d'un arbre, a donné son nom à une couleur (1728). Une ancienne locution *mettre en cannelle* «réduire en morceaux» (1619), d'où «ruiner», subsiste en Suisse avec ***avoir les jambes en cannelle*** «être fourbu».

CANNELIER n. m. est un terme créé par les voyageurs ou traducteurs des relations de voyages aux Antilles, d'abord employé adjectivement dans *arbre cannelier* (1575), puis substantivé (1645); il s'est répandu au XVIIIe siècle.

◈ voir CALISSON, CANAL, CANETILLE, ② CANETTE, CANISSE, CANNELLONI, CANNELURE, ① et ② CANON, CAÑON, CANULE.

◈ **CANNEBERGE** n. f., attesté en 1665, est d'origine inconnue. On peut avancer l'hypothèse d'une adaptation de l'anglais *cranberry* (XVIIe s.) ou de l'allemand *Kranbeere,* bas allemand *kranebere,* d'après les mots *canne* et *berge,* cette variété d'airelle poussant dans les marais. Le mot allemand auquel l'anglais a été emprunté par les colons d'Amérique est composé de *Kran* «grue», de même origine que le français *grue**, et de *Beere* «baie», terme ayant des correspondants dans toutes les langues germaniques (anglais *berry*) et reposant peut-être sur la même racine que le vieil anglais *basu* «rouge». Le nom de la plante signifierait littéralement «baie de la grue».

♦ Le mot désigne l'airelle des marais, plante dont les baies sont utilisées, surtout au nord de l'Europe et aux États-Unis, dans la confection de sirops et de confitures, ainsi qu'en cuisine.

CANNELLONI n. m. pl. est emprunté (1918, chez Apollinaire) à l'italien *cannelloni,* attesté comme terme de cuisine avant 1859, forme plurielle de *cannellone* «tube de grande dimension» (XVIe s.). Ce mot est un augmentatif en *-one* de *cannello* «petit tuyau», qui est lui-même le diminutif de *canna* «canne, roseau, tuyau» (→ canne).

♦ Le mot désigne un carré de pâte rempli de farce et roulé puis, industriellement, une grosse pâte alimentaire en forme de tube que l'on remplit de farce.

CANNELURE n. f., d'abord *canneleüre* (1545) puis *cannelure* (1547), est l'adaptation de l'italien *cannellatura* «moulure, rainure» (1561), dérivé de *cannelato* «cannelé», correspondant au français *cannelé* (→ canne). Cette origine est appuyée par l'existence de la forme empruntée *cannelature* (1545).

♦ Le mot, introduit en architecture, a reçu par analogie quelques acceptions techniques en botanique et en technique.

② **CANNER** v. tr. argotique (1829, Vidocq) est en rapport avec *canne,* soit par l'expression *jouer des cannes* «des jambes», c'est-à-dire «fuir, partir», soit par *casser sa canne* (attesté plus tard, cependant); → canne. *Caner** «renoncer, céder», autre verbe, s'est confondu avec *canner.*

♦ Le verbe signifie «mourir».

CANNETILLE → CANETILLE

② **CANNETTE** → ② CANETTE

CANNIBALE n. et adj. est emprunté, par l'intermédiaire de textes italiens (1515-1525) puis latins (1532), à l'espagnol *caníbal* (1492, Colomb). Celui-ci est emprunté à l'arawak *caniba* désignant les Indiens Caraïbes des Antilles; *caniba* serait une variante de la forme en *car-* qui a donné *caraïbe,* et dont le sens serait d'abord «sage, brave, fort», appliqué à cette ethnie dans sa langue.

♦ Le mot, d'abord appliqué aux anthropophages — ou supposés tels — des Antilles, prend rapidement une valeur générale (1532 chez Rabelais) sans distinction d'origine. ◆ Par extension, nom et adjectif s'emploient par hyperbole au sens de «cruel, sauvage» (XVIIIe s.).

▸ Le nom a produit **CANNIBALISME** n. m. (1797) et **CANNIBALESQUE** adj. (1862). ◇ Les récents **CANNIBALISER** v. tr. et **CANNIBALISATION** n. f. (v. 1969) sont deux anglicismes respectivement empruntés à *to cannibalize* (1943) et *cannibalization* (1947), de *cannibal,* nés dans le vocabulaire de l'aviation vers la fin de la guerre par métaphore de l'alimentation d'une espèce animale qui se nourrit d'individus de la même espèce. ◆ En français, ces mots concernent d'abord, comme en anglais, la réparation d'objets avec des pièces en bon état d'un objet de même type hors d'usage dans l'armée, puis, dans le commerce, l'élimination involontaire d'un objet ancien sur le marché en le remplaçant par un autre. Dans ce domaine, *se cannibaliser,* c'est, avec une valeur péjorative, «se faire concurrence à soi-même».

CANOË n. m., attesté en 1867 dans le contexte d'un sport américain, est emprunté à l'anglais *canoe* (1719; *canoa,* 1555) qui provient, via l'espagnol, de l'arawak (langue indienne) des Bahamas *canoa.* Un emprunt direct au haïtien nous a valu la forme *canoe* (1519), mais celle-ci a été acclimatée en *canot**.

♦ Le mot désigne un bateau léger et portatif, mû à la pagaie. Par métonymie, il se réfère au sport pratiqué avec ce type de bateau.

▸ **CANOÉISTE** n. est la francisation (1887) de l'anglais *canoeist* (1865), de *canoe.* ◇ Il a suscité la formation de **CANOÉISME** n. m. (1948).

CANOË-KAYAK n. m. (v. 1950) est composé de *kayak* (→ kayak).

◈ voir CANOT.

① **CANON** n. m. recouvre deux formations distinctes. La plus ancienne, *cannon* (1282), est dérivée de *canne**; elle est concurrencée au XIVe s. par *canon,* terme d'artillerie emprunté à l'italien *cannone* (attesté seulement en 1585 dans ce sens, mais antérieur), augmentatif du latin *canna* (→ canne).

♦ Le mot réalise l'idée de base de «gros tube». Il a désigné une bobine de fil (cf. *canette)*, un tuyau de fontaine (1448), le corps d'une seringue (1611), la partie d'une serrure qui reçoit la clé (1676), ainsi que la partie forée de la clé (1690). Depuis le XVIe s., *canon* a désigné (1578) la parure que l'on attachait au bas des chausses, mode répandue au XVIIe s., où la richesse et l'ornementation des canons étaient une marque d'élégance; on trouve souvent le mot chez Molière, employé avec une certaine dérision. Enfin, il a désigné une mesure de capacité pour les liquides (voir ci-dessous). Ces acceptions se sont développées à partir du dérivé français. ➝ L'italianisme, terme d'artillerie (1338), est devenu plus courant et a remodelé le sémantisme du mot, avec une phraséologie propre : *poudre à canon* (1548), au figuré ***chair à canon*** (Napoléon, selon Chateaubriand) «troupes vouées à la mort». Les canons symbolisent une politique belliqueuse, l'armée (par exemple dans l'opposition : *du beurre ou des canons*). ➝ Le mot désigne aussi, au croisement des deux sens, le tube qui dirige le projectile dans les armes à feu (1569) : *le canon d'un fusil.*

Par un ancien sens métaphorique de «mesure de capacité pour le vin» (1596), *canon* a pris le sens argotique, puis populaire de «verre de vin rouge» (peut-être par influence de *coup de rouge*, évoquant *coup de canon*). ◇ Le langage à la mode en a fait un intensif ***(c'est canon !)*** qui, après avoir vieilli, est redevenu à la mode dans *une fille canon*, d'où *un canon*, avec une influence sémantique possible de ② *canon* (esthétique).

▸ Les dérivés se rapportent tous au domaine de l'artillerie. **CANONNIER** n. m. (1382) a désigné un fabricant de canons jusqu'au XVIe s. et s'est maintenu comme nom de celui qui sert une pièce de canon (1383).

CANONNIÈRE n. f. et adj. (1424), d'abord *kannonire* (1415-1416), a désigné une meurtrière pour canons; de nos jours, il désigne et qualifie un navire léger à fond plat armé de canons (1834). ◇ Par analogie, le mot désigne un petit tuyau consistant en un bâton de sureau creux dans lequel un piston chasse, par la compression de l'air, des tampons (av. 1634).

CANONNER v. tr. (1534) exprime l'idée de tirer au canon sur..., et s'emploie spécialement en marine pour «enrouler (une voile) en forme de canon, de tube» (1829). ➝ **CANONNAGE** n. m. (1771) est dérivé du verbe.

CANONNADE n. f. (1552) serait emprunté à l'italien *cannonata*, dérivé avec le suffixe *-ata* de *cannone*, mot attesté depuis 1518, plutôt qu'issu de *canon*. ➝ Il désigne la décharge simultanée ou successive de plusieurs coups de canons.

② **CANON** n. m., d'abord attesté par la forme *cane* «règle religieuse» (v. 1119) puis *canon* au XIIIe s. (1259), est emprunté au latin *canon*, employé avec le sens concret de «tuyau de bois dans une machine hydraulique» et surtout avec le sens figuré de «modèle, règle» en art, dans la langue administrative et juridique, puis en religion où il désigne l'ensemble des livres sacrés, un décret concernant la discipline ecclésiastique et la partie centrale de la messe. Le latin *canon* est emprunté au grec *kanôn* qui, à partir du sens de «baguette droite», a développé le même type de sémantisme que *règle*; lui-même est probablement dérivé de *kanna* «roseau, baguette de jonc», repris par le latin *canna* (→ canne). *Kanna* est d'origine sémitique (akkadien *qanu*, punique *qn'*, hébreu *qanē*).

♦ Le mot est repris dans sa spécialisation juridique et ecclésiastique de «règle, loi», qui a donné lieu à un emploi adjectivé dans *droit canon* (v. 1511). Par métonymie, il désigne spécialement la partie essentielle de la messe contenant les paroles de la Consécration (1295) d'où, concrètement, le tableau mobile placé au milieu de l'autel avec les paroles du canon (1550). Il désigne aussi une liste de livres sacrés faisant foi, le catalogue des saints (v. 1350) [cf. ci-dessous *canoniser*], celui des livres sacrés (1690) de la religion chrétienne et, par extension, d'autres religions (bouddhisme, par ex.). ➝ La spécialisation administrative de «redevance, loyer» (1587), reprise en droit coutumier, est sortie d'usage. ➝ Avec le sens de «ensemble de règles», *canon* est passé dans le domaine musical, s'appliquant à une écriture en contrepoint plus simple que la fugue (1690). ◇ Dans le vocabulaire de la statuaire (1814, en référence aux sculpteurs grecs), puis de l'esthétique, il se dit des règles de proportion qui fondent la beauté, dans un système culturel donné.

▸ En dehors de **CANONIAL, ALE, AUX** adj. (v. 1165), «conforme à la règle», et de **CANONISTE** n. m. (déb. XVe s.), «homme d'Église spécialiste du droit canon», les mots de la famille sont directement repris au latin.

CANONIQUE adj. et n. f. est emprunté (1250) au latin *canonicus* «conforme aux règles, régulier», spécialement employé en musique et, chez les auteurs chrétiens, à propos des textes sacrés et des règles ecclésiastiques. Le mot latin est emprunté au dérivé grec *kanonikos* «relatif aux règles», spécialisé en musique, grammaire et astronomie, substantivé en se référant à la logique dans la philosophie d'Épicure. ➝ Après une attestation isolée comme nom désignant un droit que l'on payait aux évêques en Orient, le mot est repris adjectivement avec le sens de «conforme aux canons de l'Église» (1321). ◇ L'expression ***âge canonique*** s'appliquait à l'âge requis pour exercer certaines fonctions ecclésiastiques, notamment la fonction de domestique féminin d'un homme d'Église (1783); l'expression est entrée dans l'usage général à propos d'un âge plus que respectable, alors qu'il s'agissait à l'origine de l'âge mûr (quarante ans). ◇ Des spécialisations techniques en art et en mathématiques, ainsi que l'emploi du féminin substantivé en histoire de la philosophie, en référence à la logique d'Épicure (1847), ont été repris au grec. **CANONIQUEMENT** adv. (1374) et **CANONICITÉ** n. f., attesté chez Bossuet (av. 1704) avec le sens de «reconnaissance officielle fixant l'appartenance d'un livre au canon des livres inspirés», sont dérivés de *canonique.*

CANONISER v. tr., d'abord sous la forme *canonisier* (XIIIe s.), en usage jusqu'au XVe s., puis *canoniser* (v. 1360, avec deux *n*), est emprunté au latin ecclésiastique *canonizare* «mettre au nombre des livres canoniques» (IVe s.) et, à l'époque médiévale, «mettre dans le catalogue des saints» (XIIe s.). Ce verbe est emprunté au grec *canonizein* «mesurer, régler», puis «prescrire une règle» (VIe s.), de *kanôn*. Le verbe concerne le fait, pour l'Église catholique, de reconnaître un personnage (souvent déjà un «bienheureux») comme saint ou sainte. Un sens extensif «louer, glorifier» a disparu. ➜ En droit canon, il signifie aussi «déclarer (un texte) conforme aux canons de l'Église» (1495). ➜ En sont dérivés **CANONISATION** n. f. (fin XIIIe s.), attesté dès le XIIIe s. sous la forme latine *canonizatio*, et **CANONISABLE** adj. (1601) dont le sens extensif «louable» a disparu à côté du sens religieux «digne d'être canonisé» (attesté tard, 1867, mais certainement antérieur).

◈ voir CANNE, CANONICAT, CHANOINE.

CAÑON ou **CANYON** n. m., d'abord écrit *cagnon* (1859) et *canon* (1877) puis *cañon* (1883) et *canyon* (1888), est emprunté, par l'intermédiaire de l'anglo-américain attesté sous les mêmes formes, surtout *canyon*, à l'espagnol *cañon* (1834), appliqué par les hispanophones du Nouveau-Mexique à un type de relief caractéristique de la sierra Nevada, des Rocheuses et des plateaux de l'ouest des États-Unis. Ce mot est généralement considéré comme le dérivé augmentatif de *caña* (→ canne) signifiant proprement «gros tube, gros tuyau»; cependant, l'ancienne forme *callón* (1560-1575) conduit Corominas à y voir plutôt un dérivé de *calle* «chemin étroit», «route», du latin *callis* «piste de troupeaux, sentier tracé par les animaux», mot technique très ancien sans étymologie établie.

♦ Le mot désigne un type de relief en ravin étroit creusé par un cours d'eau dans une chaîne de montagnes. Par extension, il est employé en océanographie pour une longue dépression sous-marine formant une vallée à versants escarpés (1949).

CANONICAT n. m. est emprunté (1611) au latin médiéval ecclésiastique *canonicatus* «bénéfice de chanoine» (XIIe s.), dérivé de *canonicus* (→ chanoine).

♦ Le mot, avec son sens de «bénéfice, dignité de chanoine», a évincé l'ancien *chanoinie* (XIIe s.), dérivé de *chanoine*. Par extension, il s'est employé au sens figuré de «sinécure, place lucrative peu fatigante» (1798), sorti d'usage.

CANOPE adj. et n. m. (1828 dans Champollion), est tiré du nom de la ville de Basse-Égypte (latin *Canopus*, grec *Kanôbos*) où l'on employait dans le culte du dieu Osiris des vases en terre ayant un couvercle surmonté d'une figure humaine.

♦ Le mot désigne et qualifie ce type de vase funéraire égyptien et, par analogie, étrusque.

CANOT n. m. est la réfection graphique, à l'aide du suffixe *-ot* (1599), de *canoe* (1519), emprunt à l'espagnol *canoa* (1492), lui-même emprunté à une langue indienne des Bahamas, l'arawak (→ canoë).

♦ Le sens d'emprunt, concernant une pirogue indienne, a disparu au XVIIIe s., sauf au Canada, où le mot conserve les valeurs que possède *canoe* en français de France, de Belgique et de Suisse. En Europe, *canot* désigne, par adaptation culturelle (1677) et en concurrence partielle avec *barque*, de petites embarcations à rames, à voile ou à moteur, avec des syntagmes déterminés *(canot de plaisance, canot de sauvetage, canot pneumatique)*. Les contextes d'emplois sont souvent maritimes et le mot, dans l'usage des marins, notamment en Bretagne, est souvent du féminin, se prononçant avec le *t* sonore.

▸ **CANOTIER** n. m. semble un dérivé indépendant de l'ancien *canautier* (XVIe-XVIIe s.) qui désignait l'occupant d'un *canot* au sens initial. Repris au XIXe s. (1837), le mot désigne l'amateur de canot de plaisance. ◇ Ce sens a vieilli, mais le mot se maintient au sens métonymique de «chapeau de paille à bords étroits et fond plat» (1903, Colette), ce chapeau ayant été à la mode chez les amateurs de ce sport. Par métonymie, *canotier* a désigné dans les années 1900 les porteurs de ce chapeau, avec l'idée de loisir élégant.

CANOTER v. intr., «pratiquer la promenade en canot, en barque» (1858), et son dérivé probable **CANOTAGE** n. m., dont l'attestation en 1843 laisse présumer l'emploi antérieur du verbe, bien que caractéristiques des loisirs de la seconde moitié du XIXe s. et de la Belle Époque, sont restés en usage.

CANTABILE adv., adj. et n. m. est emprunté (1757) à l'italien *cantabile* «facile à chanter, mélodieux, musical» (XVIe s.), substantivé comme terme de musique. Le mot, qui correspond au français *chantable*, est emprunté au bas latin *cantabilis* «digne d'être célébré», pris au sens de «destiné à être chanté, semblable à un chant», dérivé de *cantare* (→ chanter).

♦ Le mot, d'abord repéré comme nom, puis en emplois adjectif (1803), notamment dans *moderato cantabile*, et adverbial, désigne en musique un mouvement lent et expressif, souvent empreint de mélancolie.

CANTAL n. m., attesté en 1643 dans le titre d'un poème de Saint-Amant, est tiré du nom d'un massif volcanique et d'une région d'Auvergne où se fabrique ce fromage à pâte ferme et à croûte dure. Le nom de la région remonterait à une racine préceltique °*canto* «pierre, rocher», attestée par le basque *cantal* «pierre».

CANTALOUP n. m. (1791), d'abord *cantaloupe* (1775), est issu d'un nom de lieu, probablement *Cantalupo*, nom d'une localité située près de Rome où cette variété de melon était cultivée. Cependant, le substantif étant inconnu en italien, on a aussi invoqué *Cantaloup* dans l'Hérault.

♦ Le mot désigne une variété de melon rond à côtes saillantes et chair orange très sucrée.

CANTATE n. f. est emprunté (1703) à l'italien *cantata* (fin XVIe s.), participe passé passif substantivé, au féminin, de *cantare* (→ chanter), mot formé comme ceux qui ont donné *sonate* et *toccata*.

♦ Le mot désigne un poème lyrique destiné à être mis en musique et chanté et, plus couramment, une pièce vocale, religieuse ou profane, composée de récitatifs, d'airs et de duos (les *Cantates* de Bach).

CANTATRICE n. f. est emprunté (1746) à l'italien *cantatrice* (XIIIe s.) «chanteuse», spécialisé au sens de «artiste lyrique». Le mot italien est emprunté au latin *cantatrix* (comme son masculin *cantatore* l'est à *cantator*) «chanteuse» et aussi «magicienne», du verbe *cantare* (→ chanter).

♦ Le mot, introduit en parlant des chanteuses italiennes, désigne aujourd'hui toute artiste lyrique, virtuose du chant.

CANTHARIDE n. f. est emprunté (1314) au grec *kantharis, -idos* «scarabée» (probablement la *cantharis vesicatoria* utilisée en médecine), également nom de poisson et de plante. Ce mot, transcrit dans le latin *cantharis* (Pline), est dérivé de *kantharos* «scarabée», appliqué notamment au bousier, terme qui a développé de nombreux sens figurés : «coupe à boire», «barque», «sorte de poisson». L'origine du mot est obscure : un rapprochement avec le nom de l'âne, *kanthôn*, a été proposé mais ce peut être aussi un terme de substrat.

♦ Le mot, désignant un coléoptère vert doré, a été introduit en médecine où, par métonymie, il désigne une préparation officinale à base de cantharides séchées et pulvérisées (1575). En référence aux vertus aphrodisiaques de cette préparation, le mot a été employé par métaphore au sens d'«allumeuse» (1911).

► En dehors de **CANTHARIDIEN, IENNE** adj. et n. (1838), dont le masculin pluriel a servi à dénommer une famille de coléoptères, les dérivés se rapportent à l'usage officinal de la *cantharide* : **CANTHARIDINE** n. f. (1832), **CANTHARIDER** v. tr. (1892), «saupoudrer de cantharide», et le participe passé **CANTHARIDÉ, ÉE** qui s'est employé adjectivement avec le sens de «leste, érotique» (1896), sorti d'usage.

CANTILÈNE n. f. est emprunté (apr. 1477) au latin *cantilena* «petit chant, refrain, air rebattu» et «chant, chanson». Ce mot est dérivé de *cantilare* «fredonner, chanter», diminutif de *canere* «chanter» (→ chanter). Le correspondant italien du mot, *cantilena*, attesté dès le XIVe s. au sens de «chant, psalmodie» et depuis le XVe s. au sens de «mélodie monotone», a pu exercer une influence ou servir d'intermédiaire.

♦ Le mot a désigné un chant profane d'un genre simple, parfois opposé au *motet*, chant religieux. Il a dénommé un type de littérature musicale médiévale consistant en un chant monodique en langue romane, dérivant des séquences en latin (ces cantilènes, par exemple celle de sainte Eulalie [881], ont été ainsi désignées plus tard). ◇ Par extension, il a été repris au XIXe s. à propos d'une chanson, d'une romance simple et monotone (1817, Stendhal, dans un contexte italien).

CANTINE n. f. est emprunté (1680) à l'italien *cantina* «cave, cellier» (apr. 1250), dérivé de *canto* «angle» d'où «coin retiré, débarras» (→ canton, ② chant).

♦ Le mot désigne d'abord un petit coffre utilisé dans l'armée pour transporter des bouteilles, puis une malle d'officier (1877) d'où, couramment, une malle solide, souvent en métal. ◇ Parallèlement, la valeur étymologique locale s'est développée, d'abord à propos d'un magasin fournissant les troupes en tabac (1720), puis en vin, en bière (1740). De là, par extension, le mot a développé son sens moderne de «lieu où l'on sert à boire et à manger pour une collectivité» (1845), d'où *cantine scolaire* (familièrement *cantoche*) et *cantine d'entreprise* (auquel on préfère parfois le titre de *restaurant*). *Cantine* se dit familièrement d'un lieu public où l'on mange régulièrement *(c'est sa cantine)*.

► **CANTINIER, IÈRE** n. et adj. (1762) s'est employé comme nom, surtout féminin, jusqu'en 1914-1918 au sens de «personne qui suit les troupes en campagne pour leur vendre boisson et nourriture» : il survit par des chansons et allusions historiques. ◇ Son emploi au sens général de «personne qui tient une cantine» est sorti d'usage de même que son emploi adjectivé pour qualifier ce ou celui qui porte la cantine (1825).

CANTIQUE n. m., d'abord *cantike* (v. 1130), est emprunté au latin *canticum*, de *cantus* (→ chant), qui désigne lui-même un chant, spécialement la partie chantée d'une comédie et, en latin ecclésiastique, un chant religieux.

♦ Le mot appartient au vocabulaire religieux au sens de «chant d'action de grâces», réalisé par excellence dans *Le Cantique des cantiques* (1614), traduction littérale de la Vulgate rendant le génitif superlatif hébraïque (la traduction normale serait «le grand poème», «le chant suprême»). ◇ Par métaphore, le mot a été repris (1532) comme titre de poèmes exaltant une chose ou une personne.

CANTON n. m. est emprunté (mil. XIIIe s.) à l'ancien provençal *canton* «coin, bord» (av. 1218), dérivé de *can* «côté, bord» (→ ② chant).

♦ Le sens originel de «coin, quartier», sorti d'usage, survit en blason où le mot désigne (1275) le quartier de l'écu. La valeur générale de «région, vaste espace» a été usuelle jusqu'au XIXe s., époque où le mot se spécialise pour désigner une portion de territoire réservée à un usage, à une exploitation, en foresterie (1835), dans les chemins de fer (1867). Sous l'influence de l'italien du Nord *cantone*, passé du sens premier de «coin» à celui de «portion de territoire» (dès 1000) puis utilisé par les marchands et les ambassadeurs italiens venus à Fribourg, le mot a été adopté par les chancelleries fribourgeoise (1467) et genevoise pour désigner chacun des États de la Confédération helvétique. ◇ Beaucoup plus tard, depuis 1775 (Turgot) et le décret républicain du 22 XII 1789, *canton* désigne en France une division administrative regroupant plusieurs communes.

► Les dérivés s'ordonnent aux différents sens de *canton*. L'ancien sens est réalisé dans ① **CANTONNER** v. (1352-1358) «se fixer, s'établir quelque part», spécialisé dans le domaine militaire au sens de «s'établir, faire séjourner les troupes» et en emploi courant, à la forme pronominale, «demeurer enfermé quelque part», au figuré (XVIIe s., Bossuet) «se renfermer (en soi-même, dans ses études)». ◆ Son dérivé **CANTONNEMENT** n. m. (XVIIIe s.), lui aussi spécialisé comme terme militaire (1752), désigne l'action de faire séjourner des troupes et par métonymie le lieu, les bâtiments où elles séjournent, camp ou caserne.

Le sens étymologique se rencontre à l'origine dans **CANTONADE** n. f. (1455, «angle de maison»), emprunt à l'ancien provençal *cantonada* «angle». Réservé depuis 1694 au domaine théâtral, ce mot a désigné les côtés de la scène où sont assis les spectateurs privilégiés, puis les coulisses; valeur réalisée dans la locution courante ***à la cantonade*** (1752) : celle-ci, entrée dans l'usage commun pour «sans s'adresser à qqn en particulier», était à l'origine une indication scénique demandant de s'adresser à qqn supposé être dans les coulisses.

CANTONNIÈRE n. f. (XVIe s.), dérivé de *canton*, s'ordonne lui aussi au sens étymologique de «coin», désignant ce qui garnit, renforce les coins d'une chose, spécialement en ameublement (1603) et en imprimerie. ◆ **CANTONNIER** n. m., relevé au XVIIe s. au sens argotique ancien de «prisonnier» d'après *canton* «prison», a été repris au XIXe s., d'après *canton* «portion de voie à entretenir». Il désigne l'ouvrier chargé de l'entretien des routes ou de celui des voies de chemin de fer.

Un autre verbe ② **CANTONNER** v. tr. est dérivé (1690) du sens héraldique de *canton*, pour «garnir dans un canton de l'écu».

Enfin, **CANTONAL, ALE, AUX** adj. (1817) se rattache au sens de «division administrative» dans le contexte français *(route cantonale)* et, en Suisse, de «État de la Confédération», alors opposé à *fédéral*. Dans le premier sens attesté, le syntagme *élections cantonales* a été substantivé en *les cantonales*.

◈ voir CANTINE, ② CHANT.

CANULAR → CANULE

CANULE n. f. est emprunté (1314) au latin *cannula* «petit roseau», diminutif de *canna* (→ canne).

♦ Le sens du latin a disparu au profit du sens analogique et spécialisé de «petit tuyau formant l'extrémité d'une seringue, d'un instrument de chirurgie» (XVe s.).

▸ Par allusion au désagrément, à la fois humiliant et comique, lié à l'emploi de cet objet, comme *clystère*, a été formé un verbe **CANULER** v. tr. (1830) «ennuyer, importuner» qui, en retour, a valu à *canule*, alors déverbal, le sens argotique (1903) de «personne importune», aujourd'hui désuet. ◆ Les normaliens de la rue d'Ulm ont formé sur le radical de *canuler* le mot pseudo-latin **CANULARIUM** n. m. (1885), abrégé en **CANULAR** n. m. (1913) pour désigner une sorte de bizutage. Le mot est devenu courant au sens plus large de «blague, mystification plaisante» (1957). ◇ Il a pour dérivé **CANULARESQUE** adj. (v. 1930, une fois en 1895).

◈ **CANUT, USE** n. (1831) est d'origine obscure. P. Guiraud le rapproche de l'ancien provençal *canut* (1397) «taffetassier», apparenté au verbe *canuzir* «lustrer le taffetas par blanchiment». Il peut être également dérivé de *canne* au sens de «bobine de fil» comme dans ② *cannette* ou, moins probablement, emprunté au latin *canutus* «blanc, brillant, argenté», dérivé de *canus* (→ chenu), hypothèse morphologiquement valable mais sémantiquement discutable.

♦ Le mot, qui désigne l'ouvrier des manufactures de soie à Lyon, est d'abord strictement régional. Il s'est diffusé avec la révolte des canuts en novembre 1831. Le féminin irrégulier *canuse* (1867, adj.; 1928, n.) est formé sur *canus*, altération de *canut*. ◇ L'expression ***cervelle de canut*** désigne régionalement un fromage blanc frais.

CAOUA → CAFÉ

CAOUTCHOUC n. m. est emprunté (1736, La Condamine), comme l'espagnol *caucho* (1653), à une langue indienne du Pérou difficile à déterminer. Le mot et la chose, celle-ci ayant été décrite en latin par Pierre Martyr (*De arbo novo*, 1525), furent répandus en France et de là en Europe par La Condamine, à la suite de sa mission astronomique en Amérique du Sud. C'est ce savant qui rapporta que l'arbre était appelé *hévé* (1751) [→ hévéa] et que les Indiens Mayas nommaient la résine qu'ils en tiraient *cahutchu*, prononcé *caoutchou* (le *c* final, de l'espagnol, n'est pas expliqué). À la même époque, un autre Français, François Fresneau, observe à la Guyane française l'arbre à caoutchouc, appelé dans cette région *seringa* parce que les Portugais fabriquaient avec le latex des pompes ou seringues. Le mot indien *cahutchu* s'analyse en «arbre qui pleure», allusion à la sécrétion du latex. Le mot français est parfois en concurrence — cela est cependant bien plus net en anglais ou en italien — avec *gomme** «produit des arbres d'Arabie».

♦ En français le mot, dès le XVIIIe s., désigne aussi la substance élastique tirée de la plante, qui est aussi appelée *arbre, liane à caoutchouc*, puis *caoutchouc* (écrit *-oue* in *Encyclopédie*, 1765). Au XVIIIe s., le mot est rare et d'orthographe indécise : l'*Encyclopédie* écrit *caoutchouc* (1765, s.v. *résine*) et *résine caoutchoue* (s.v. *seringue*); la substance est encore une curiosité exotique. Importée en Europe, analysée par les chimistes (Faraday, 1826), elle devient vers 1830-1840 une matière première industrielle : on en faisait des gommes à effacer, des balles, puis des bouchons; on en fait des tissus, une solution pour imperméabiliser les étoffes (procédé inventé par Mackintosh, 1823), des tubes et tuyaux élastiques (in *Encyclopédie Didot*, 1847). Les emplois industriels se multiplièrent ensuite, par exemple avec l'industrie du pneumatique et l'invention de la vulcanisation (Goodyear, 1839). En conséquence, la production du latex de culture, inaugurée en 1889 à Singapour, augmenta rapidement en Extrême-Orient, au détriment de la récolte naturelle au Brésil (*caoutchouc sylvestre* ou *sauvage*). À partir de 1936, les produits de synthèse (*Buna* en Allemagne, puis divers polymères appelés couramment *caoutchouc synthétique, artificiel*) s'ajoutent à cette production. Aujourd'hui, l'industrie du caoutchouc est

une industrie chimique complexe et le mot désigne à la fois la substance élastique naturelle *(latex)* et la matière première industrielle, quelle qu'en soit la provenance.
Des syntagmes désignent plusieurs matières à base de caoutchouc : *caoutchouc Mousse* (marque déposée) est usuel. Par métonymie, le mot s'applique à l'industrie qui produit cette substance. ◇ Il est par ailleurs employé comme symbole de l'élasticité ***(des jambes en caoutchouc).*** Une autre métonymie en fait le nom d'objets en caoutchouc — fil, bande, en concurrence avec *élastique,* chaussure (1867) —, ou imperméabilisés par une couche de cette substance («vêtement imperméable», sens vieilli). ◇ *Caoutchouc* désigne aussi une plante ornementale à latex *(Ficus elastica).*

► Les dérivés sont **CAOUTCHOUTER** v. tr. (1844, écrit *caoutchoucter*), **CAOUTCHOUTEUX, EUSE** adj. (1909) et **CAOUTCHOUTIER, IÈRE** n. m. et adj. (1892) avec substitution au *c* (non prononcé en français) d'un *t,* par analogie avec les dérivés des mots en *-ou.* Ce dernier désigne l'ouvrier travaillant le caoutchouc, la plante qui produit le caoutchouc (1899) et, adjectivé, qualifie ce qui est propre au caoutchouc (1936) ou qui produit la substance *(industrie caoutchoutière).*

CAP n. m. a été emprunté à diverses reprises (fin IXe s. ; fin XIVe s. ; XVIe s.) avec différents sens, à l'ancien provençal *cap* «tête» (950-1000), employé dans la locution *de cap a ped, de cap en ped* et signifiant au figuré «celui qui dirige» (déb. XIIIe s.) et spécialement «promontoire, extrémité» (XIVe s.). *Cap* est le correspondant du français *chef**, issu comme lui du latin *caput.*

♦ Le sens de «tête», employé comme provençalisme, est sorti d'usage, sauf dans la locution usuelle ***de pied en cap*** (v. 1360) «des pieds à la tête» et dans deux locutions techniques : ***cap-de-mouton*** (1573), en marine «pièce de bois plate et circulaire percée de trous», provient d'une comparaison avec la tête décharnée d'un mouton (du temps où cette pièce était de forme ovale) ; ***cap de more*** (1688), à comparer à *cabesse de moro* en ancien béarnais (1376-1378), est un terme hippique dénommant un cheval rouan dont la tête et les extrémités sont noires. Le sens figuré de «celui qui est à la tête» (1544) a été éliminé par *chef**. ◆ *Cap* s'est mieux implanté en géographie pour désigner un promontoire (v. 1392), passant dans l'usage, avec une valeur figurée, par exemple dans ***franchir, passer un cap*** «franchir une étape décisive». ◇ En marine, le mot s'applique à la direction de l'avant, de la «tête» du navire, vers un point quelconque (1529), donnant des locutions employées plus tard au figuré comme ***mettre (le) cap sur.*** Par transposition, il se dit en aéronautique de l'angle que forme la route suivie par l'avion et la direction du Nord (XXe s.).

► *Cap,* avec le sens de «promontoire», a donné les termes de marine **ENCAPER** v. intr. (1694) «passer entre deux caps» et ② **DÉCAPER** v. intr. (1755) «manœuvrer en vue de s'éloigner d'un ou plusieurs caps» ; tous deux ont vieilli.

◈ voir CABOTER.

CAPABLE adj., réfection (1488) de *capavle* (v. 1350), est emprunté au latin chrétien *capabilis* «qui peut contenir» (IIe s.), au figuré «qui peut comprendre, intelligent», également employé au sens passif de «qui peut être contenu» (Ve s.). Le mot, qui a évincé *capax* (→ capacité), est dérivé de *capere* «prendre», «recevoir» (→ capter, chasser).

♦ Dès les premiers textes, le mot possède le sens moderne de «qui est en état de faire qqch.» en parlant d'une personne, puis d'une chose (1538). Il donne la locution courante ***capable de tout,*** enregistrée par Furetière, dans son sens littéral et, déjà, avec le sens figuré de «qui peut se porter aux dernières extrémités» (1690). ◆ En emploi absolu, le mot est synonyme de «compétent, habile» (1507), se chargeant même, à l'époque classique, d'une valeur péjorative, «qui présume trop de ses capacités» (1656, en emploi substantivé, *un capable*). ◆ Le sens étymologique, qualifiant ce qui peut contenir qqch., a été repris au latin dans des emplois figurés (1488) et concrets (1529) ; il a disparu au XVIIIe s., à l'exception d'une acception spécialisée en mathématiques (1751, *segment capable, arc capable*).

► **INCAPABLE** adj. et n. est probablement préfixé (1464) de *capable* plutôt qu'emprunté au latin chrétien *incapabilis* «insaisissable, incompréhensible, qu'on ne peut saisir, contenir, non susceptible de», formé de *in-* et *capabilis.* ◇ Le mot a été introduit dans l'acception juridique de «inapte à jouir d'un droit ou à l'exercer», également substantif depuis le Code civil (1803). Au XVIe s., l'adjectif qualifie celui ou ce qui n'est pas en état de faire qqch. (1517), spécialement la personne qui est dans l'impossibilité morale de faire qqch. de mal (1580). Le sens étymologique de «qui ne peut contenir, non susceptible de» (1541) ne s'est pas maintenu. ◆ Depuis 1718, *incapable* est également employé absolument à propos d'une personne sans talent, sans aptitude, sens qui a donné un emploi substantivé usuel (1821).
CAPABLEMENT adv., repris au XVIIe s. après une première attestation en 1565, et **INCAPABLEMENT** adv. (1871) sont demeurés rares.

◈ voir CAPACITÉ.

CAPACITÉ n. f. est emprunté (1314) au latin *capacitas* «faculté de contenir» (d'où concrètement «réceptacle») et «aptitude à». Le mot est dérivé de *capax* «qui peut contenir», «digne de, habile à», évincé à basse époque par *capabilis* (→ capable) et repris exceptionnellement dans *capace* (1857). Le mot est dérivé de *capere* «prendre», «recevoir» (→ capter, chasser).

♦ Le sens concret de *capacité* «propriété de contenir une certaine quantité de matière» s'est maintenu, alors qu'il s'est perdu dans *capable,* et a été consolidé par de nombreux emplois techniques, spécialement en électricité (1890), en physiologie (1928), en botanique (1928). ◇ Dès le XIVe s., le mot a commencé à s'employer au figuré pour l'aptitude à comprendre ou à faire qqch. (v. 1350), le talent (XIVe s.) ; dans le vocabulaire juridique (1690) il a le sens d'«aptitude légale». Par métonymie, il a donné son nom à un diplôme délivré après deux ans d'étude : *capacité en droit* (1867).

▸ **INCAPACITÉ** n. f. (1534) est simultanément défini dans son acception juridique et comme l'état d'une personne inapte (1544). Il n'a pas développé de sens concret répondant à celui de *capacité*. ◆ **CAPACITAIRE** adj. et n. m. (1834) qualifie ce à qui appartient une certaine capacité légale, en particulier dans l'expression *suffrage capacitaire* (1949) «droit de vote accordé selon le niveau d'instruction». ◇ Il désigne un étudiant en capacité ou titulaire de ce diplôme (1906).

CAPARAÇON n. m. (1518-1525), d'abord *capparasson* (1498), est emprunté à l'ancien espagnol *caparaçon* (XVe s.), correspondant à l'espagnol moderne *caparazón* et désignant un équipement ornemental ou protecteur destiné aux chevaux. Ce mot est soit dérivé de *capa* (→ cape), soit issu avec métathèse sous l'influence de *capa* d'un préroman °*karapp*, à l'origine de *carapace** et appartenant au radical °*kar(r)-*, variante de °*kal-* «écale, abri» (→ calebasse). L'hypothèse d'un emprunt au provençal moderne *caparassoun* ne convient pas chronologiquement, ce mot étant probablement repris au français.

♦ Le mot désigne un harnais d'ornement dont on équipait les chevaux lors de cérémonies solennelles. Par analogie, il est employé dans le style littéraire à propos de la housse plus ou moins bigarrée que l'on met sur les chevaux pour les garantir du froid, de la pluie, des insectes.

▸ **CAPARAÇONNER** v. tr., d'abord orthographié *caparassonner* (1546) encore quelquefois fin XVIIIe s., signifie proprement «couvrir un cheval d'un caparaçon». Par extension, il est devenu relativement courant avec le sens de «revêtir (une personne, une chose) de manière décorative et lourde» et a signifié au pronominal «se déguiser, s'habiller d'une manière peu ordinaire». ◇ La forme altérée *carapaçonner* est due à l'influence de *carapace*.

CAPE n. f., d'abord *cappe* (v. 1460) puis *cape* (1671), est emprunté au provençal *capa* «manteau à capuchon» (1200), cet emprunt s'étant confondu avec l'ancien français *cape*, forme normanno-picarde de *chape**.

♦ Le vêtement étant sujet aux fluctuations de la mode, le mot a été déclaré vieilli au XVIIe s. (Furetière, 1690) sauf dans le sens particulier de «pièce d'étoffe que les femmes se mettaient sur la tête pour se déguiser ou se protéger des intempéries» (→ capuchon). La locution figurée ***rire sous cape*** qui apparaît à cette époque (1671) est la modification du type ancien *sous chape* «secrètement» (encore chez Molière). ◇ Quant à l'expression moderne ***de cape et d'épée*** (XIXe s.) qui qualifie un récit d'aventures du temps passé , elle fait référence aux attributs de militaires sans revenus : on disait *n'avoir que la cape et l'épée* pour «être sans fortune», souvent avec une idée d'esbroufe. ◆ En Normandie, *cape* s'est spécialisé au sens de «grande voile», d'où ***mettre son navire à la cape*** (1484) «dériver en baissant la voilure», et s'est maintenu dans plusieurs expressions techniques.

▸ Le dérivé ① **CAPOT** n. m., d'abord *chappot* (1541), «sorte de cape», n'a conservé ce sens, proche de celui de *capote*, qu'au Canada. Ailleurs, il s'est immédiatement spécialisé dans le vocabulaire maritime pour la valeur «couverture d'écoutille» (repris à partir de 1819) d'où est issu, par analogie de fonction, le sens moderne de «partie métallique protégeant le moteur d'un véhicule» (fin XIXe s.).
Son féminin **CAPOTE** n. f. (1688) a développé des emplois parallèles et bien distincts. Le premier sens est «grand manteau ample et lourd», spécialement employé dans l'armée (1832). ◇ Au figuré, ***capote anglaise*** (1836) puis *capote* désigne le condom, préservatif masculin. ◇ En outre, *capote* désigne techniquement la couverture mobile et souple de certains véhicules (1839). ◇ Ce sens a produit **DÉCAPOTER** v. tr. (1829), apparu à propos de l'automobile, lorsque celle-ci devient souvent fermée d'un toit, d'où **DÉCAPOTABLE** adj. et n. (1927) et ① **CAPOTER** v. tr. (1877), peu usité à cause de l'homonymie avec ② *capoter* «se renverser».
Cape est aussi à l'origine d'un surprenant composé : ① **DÉCAPER** v. tr. (1742 ; au XVIe s., *déschaper* «ôter la chape»). Par extension du sens strict «mettre à nu une surface en ôtant la couverture de dépôts, sels, corps gras, etc.», le mot signifie couramment «nettoyer en frottant». On le rencontre avec un sens figuré récent «supprimer, enlever (des habitudes gênantes)» tout comme son participe **DÉCAPANT, ANTE** adj. et n. m. (XXe s., 1945 au fig.). ◆ **DÉCAPEMENT** n. m. (1693), autrefois «blanchiment d'un cuir», puis «fait d'être débarrassé de ses impuretés» (1885), **DÉCAPAGE** n. m. (1768) et **DÉCAPEUSE** n. f. (1931) se cantonnent à leur sens technique.

◈ voir CAPARAÇON, CAPELINE, CAPILOTADE, ② CAPOT, CAPUCE, CAPUCHE.

CAPELINE n. f. est emprunté (1367) à l'ancien provençal *capelina* «casque, chapeau de fer» (1294, en latin médiéval, Carcassonne), lui-même dérivé de *capa* (→ cape). Un emprunt à l'italien *cappellina* est moins probable.

♦ Le mot a commencé par désigner une pièce de l'armure pour la tête (1367) puis une coiffure richement ornée, en étoffe (1386), et une large coiffure féminine à calotte retombant sur les épaules (1635), avant de prendre le sens moderne (1907) de «chapeau de femme à bords larges et souples». L'emprunt au provençal n'étant plus ressenti, le mot est tenu pour un dérivé sémantiquement aberrant de *cape*.

CAPHARNAÜM n. m., attesté une fois en 1649 et repris en 1833, est l'emploi comme nom commun du toponyme biblique *Capharnaüm*, nom d'une ville de Galilée (identifiée à Tell-Ḥūm) où Jésus, assailli par une foule hétéroclite de malades faisant appel à son pouvoir guérisseur, accomplit de nouveaux miracles. Ce nom vient de l'araméen, où il signifie «village de Nahum» (nom propre)».

♦ Le mot, après une mention au XVIIe s. au sens ancien de «prison», a été repris chez Balzac (qui l'apprécie fort, comme d'autres romantiques) pour désigner familièrement un lieu renfermant un pêle-mêle d'objets en désordre et par métonymie un amas de ces objets.

CAPILLAIRE adj. est emprunté (1314) au latin impérial *capillaris* «relatif aux cheveux», spécialement employé à basse époque en botanique *(capillaris herba)*, dérivé de *capillus* «cheveu» (→ cheveu).

♦ Le mot, introduit en anatomie avec le sens étroit de «fin comme un cheveu», s'emploie en anatomie dans *vaisseaux capillaires* (1732), par ellipse : *les capillaires,* valeur passée en chimie et en physique *(vaisseaux capillaires)*, avant de reprendre le sens général du latin (1842). Depuis, il est très employé dans le commerce et la publicité de la coiffure. ◇ Un nouvel emprunt au latin en a fait le nom de certaines fougères ressemblant à des cheveux (1579, Paré).

▸ **CAPILLARITÉ** n. f. (1820), dérivé de la forme latine du radical de *capillaire,* est employé spécialement (1832) pour désigner un phénomène physique par lequel un liquide tend à monter le long d'un tube capillaire ou au travers d'un tube poreux.
L'élément *capill-* entre dans la formation de nombreux termes scientifiques concernant les soins de la chevelure, comme **CAPILLICULTURE** n. f. (v. 1960) et **CAPILLICULTEUR, TRICE** n.

CAPILOTADE n. f., d'abord *capilotaste* (1542) puis *capilotade* (1555), est emprunté, probablement par l'intermédiaire de l'italien et du catalan, à l'espagnol *capirotada* «préparation à base d'herbes, d'œufs, d'ail, etc. destinée à recouvrir d'autres mets» (av. 1343). Ce mot est dérivé par métaphore de *capirote* «capuchon», lui-même emprunté au gascon *capirot,* dérivé de *capa* «manteau» (→ cape) avec les suffixes *-ariu* et *-ottu* et réduction gascone de *-ier* à *-ir.* ◇ Le mot *cabirotade* que l'on trouve chez Rabelais au sens de «grillade de chevreau» est dérivé du gascon *cabirot* «chevreau» et n'a pas de rapport étymologique avec son homonyme.

♦ Le mot est emprunté en cuisine pour désigner une sauce épaisse à base de viande finement hachée. Dès le XVIIe s., il s'emploie au figuré à propos d'une personne ou d'une chose mise en pièces (1610), surtout dans la locution ***(mettre) en capilotade.***

CAPITAINE n. m. a été emprunté (1288) au bas latin *capitaneus* «important, qui domine», spécialisé par la suite en parlant d'une lettre, d'une ligne initiale (cf. *capitale*) et substantivé au sens de «chef militaire», dérivé de *caput* «tête» (→ chef) avec le suffixe *-aneus.* L'aboutissement régulier en ancien français est °*chatain,* attesté sous la forme *chastain* avec un *s* purement graphique. L'ancien français a eu aussi la forme demi-savante *chevetain* (XIIe s.) et *capitain* (1360-1370), refait d'après le latin médiéval. Les formes à suffixe *-aigne, -aine (chastaigne, cataigne, chevetaigne, chataine, cataine, chevetaine, capitaine)* résultent d'un traitement différent du même suffixe latin *-aneus.* Le mot a été adapté par l'anglais *captain;* les Allemands l'ont seulement repris dans la hiérarchie navale, le traduisant dans l'armée de terre par *Hauptmann* (*Haupt* correspondant au latin *caput*).

♦ *Capitaine* désigne couramment l'officier commandant une compagnie et, par analogie de fonction, le commandant d'un navire dans la marine, d'abord militaire (1540), puis commerciale (1723). Dans l'usage littéraire, il a gardé le sens général de «chef militaire». ◆ Sous l'Ancien Régime, le mot désignait également le gouverneur de la résidence royale (1590) et l'officier qui s'occupait de la chasse (1671), dignités abolies en 1789. Depuis 1902, il est appliqué par analogie au chef d'une équipe sportive.
Le français a adapté en **CAPITAN** n. m. l'italien *capitano* (XIIe s., issu d'une variante °*capitanus* de *capitaneus*), éphémèrement dans son sens militaire (av. 1514) puis pour désigner un fanfaron ridicule (1637) inspiré du personnage de la commedia dell'arte portant ce nom. Cette acception figurée a disparu, *capitan* étant remplacé par *matamore.*

▸ De *capitaine* sont dérivés **CAPITAINERIE** n. f. (1339), mot archaïque dans l'armée et qui désigne aujourd'hui les bureaux du «capitaine» d'un port, et **CAPITAINAT** n. m. (1924), dont la variante *capitanat* (1926) est formée sur le radical latin.

✳ **CAPITAL, ALE, AUX** adj. et n. est emprunté (v. 1200) au latin *capitalis* «de la tête», dérivé de *caput* «tête» (→ chef). Rare au figuré pour «qui se trouve en tête, domine», sens plutôt réalisé par *capitaneus* (→ capitaine), le mot est spécialisé dans la langue du droit avec la valeur de «qui peut coûter la tête, mortel». Il est substantivé au sens imagé de «partie supérieure» (→ chapiteau), notamment pour désigner l'en-tête d'un livre, le chapitre (→ chapitre), puis à basse époque la partie essentielle d'une chose.

♦ Tous les sens du mot latin sont repris par l'adjectif français *capital.* Le sens propre de «relatif à la tête» (v. 1200) s'est seulement maintenu avec l'acception juridique de «qui peut coûter la tête à qqn» (v. 1255) dans l'expression ***peine capitale*** (XIIIe s.). En procède un emploi figuré usuel avec le sens d'«important, essentiel» (1389). ◇ La notion de «qui est à la tête de qqch.» s'impose seulement dans *ville capitale* (1416) et *lettre capitale* (1548), tous les deux évincés par les emplois substantivés qui en procèdent (respectivement 1509 et 1567). ◆ Depuis 1567, un emploi substantivé du masculin *capital* est attesté en économie et destiné — sans jeu de mot — à faire fortune : il est soit né directement en français, soit emprunté, par l'intermédiaire des banquiers italiens, à l'italien *capitale* «partie principale d'un bien financier, par rapport aux intérêts qu'il produit» (XIIIe s.). Le *capital* correspond d'abord à «partie principale d'une dette» (par opposition à *intérêt**) puis «d'une rente»; le mot évince l'ancien doublet populaire *chatel* «patrimoine» et «biens mobiliers en bétail» (→ cheptel). Depuis 1606, il désigne également «la somme que l'on fait valoir dans une entreprise» (→ fonds) et depuis 1767, au pluriel *capitaux,* «l'ensemble des sommes en circulation, des valeurs disponibles». Le XIXe s. y ajoute, en économie politique, le sens de «richesse considérée comme moyen de production» (1830; analysé par Marx, dans son ouvrage en allemand, *Das Kapital,* 1867) par opposition à *travail**, et, par métonymie, «ceux qui, dans la société, possèdent ces richesses» (1848), s'opposant alors à *prolétariat* (voir ci-dessous les dérivés). Couramment, on entend par *capital* la fortune possédée, au propre comme au figuré, lorsqu'on parle de *capital intellectuel.*

▶ **CAPITALEMENT** adv., d'abord *capitalment* (v. 1355), a eu le sens juridique de «relatif à la peine capitale»; son autre sens, «au plus haut point, absolument» (1580), réalisé dès 1090 par l'ancien provençal *capitalmen,* s'est éteint en dehors d'emplois stylistiques.

Les autres dérivés procèdent du sens économique de *capital.* **CAPITALISME** n. m. (1753) a d'abord signifié l'état de la personne qui possède des richesses; sa définition moderne, historiquement liée à la révolution industrielle, apparaît au milieu du XIXe s.; dès 1842, Richard de Radonvilliers propose le mot pour «système de capitalisation». Il se répand dans la seconde moitié du XIXe s. à la fois en français et pour ses correspondants allemand et anglais. Dans cette acception, il est probablement dérivé de *capitaliste* par substitution de suffixe et signifie d'abord «puissance du capital et des capitalistes» (P. Larousse, qui cite Proudhon). Il se répand par Pierre Leroux (1848), Blanqui (1869) et l'opposition *capitalisme-travail* s'exprime alors. Ensuite le concept, fortement marqué par la critique marxiste, se clive en deux; politiquement, *capitalisme* définit un régime socio-économique où le capital n'appartient pas à ceux dont le travail produit les richesses mais à un nombre restreint de capitalistes, ces détenteurs de capitaux contrôlant le pouvoir politique; économiquement, le terme s'applique à toute économie où une grande masse de biens capitalisés est affectée à la production; on peut alors parler de *capitalisme d'État* et le mot s'applique à toute société industrielle en développement. Le mot donne lieu à des syntagmes usuels, *capitalisme privé, d'État, libéral,* et à des métonymies, pour «régime, économie capitaliste», «ensemble des capitalistes et des forces qu'ils contrôlent»; l'opposition *capitalisme* (souvent associé à *libéralisme*) *-socialisme,* très forte au début du XXe s. et plus encore entre 1945 et 1980 environ, tend aujourd'hui à s'atténuer.

CAPITALISTE n. et adj. (1755) a suivi le même type d'évolution : il a désigné une personne riche, en possession d'un capital (1759), d'abord en usage «à Paris et dans quelques villes de France» (1790), quelquefois dès cette époque avec une valeur péjorative : on le définit par «homme au cœur d'airain qui n'a que des affections métalliques». ◇ La valeur moderne, «personne qui possède un capital et le fait produire», est enregistrée dès 1798 en ce qui concerne le substantif et, pour l'adjectif, au XIXe s. (1832, *banquier capitaliste*). Le mot acquiert ensuite le sens de «partisan du régime capitaliste» (1869). ➜ *Capitaliste* a produit **CAPITALISTIQUE** adj. (1872), le terme de politique **ANTICAPITALISTE** adj. (1845 Proudhon) et **PROCAPITALISTE** adj., rare. ➜ **CAPITALISER** v. (v. 1770) appartient au vocabulaire économique avec les sens de «convertir en capital» et «évaluer la valeur de (un capital)» (1863). Parallèlement, le verbe est passé dans l'usage pour «amasser de l'argent, des richesses» (1831), surtout réalisé en emploi absolu, au propre comme au figuré. ◇ Du verbe sont dérivés **CAPITALISATION** n. f. (1829) et **CAPITALISABLE** adj., proposé en 1842 par Richard de Radonvilliers.

CAPITATION n. f. est emprunté (1584) au bas latin *capitatio,* nom d'un impôt introduit dans l'Empire romain sous Dioclétien consistant en un impôt foncier puis également (IVe s.) en une taxe sur le travail, établie par groupe de trois hommes ou quatre femmes formant chacun un *caput.* Le mot est dérivé de *caput* «tête» dans ce sens abstrait (→ chef).

♦ Le mot a désigné un impôt féodal puis un impôt extraordinaire de guerre créé par Louis XIV en 1695, supprimé en 1698 et rétabli en 1701 de manière permanente; il pesait sur tous les sujets pour une somme fixe avant d'être mieux proportionné à la fortune de chacun et de devenir un simple impôt annexe de la *taille.* Il a été supprimé avec d'autres impôts de l'Ancien Régime sous la Révolution.

CAPITEUX, EUSE adj., attesté jusqu'en 1740 sous la forme *capitoux* (fin XIVe s.), est emprunté à l'italien *capitoso* «obstiné». Ce mot, attesté sous la forme *capitosus* en latin médiéval (1171), est dérivé du latin *caput* «tête» (→ chef).

♦ Le sens du mot s'est déplacé de l'idée d'«obstiné» (cf. *têtu, entêté*) au sens moderne de «qui excite les sens», attesté une première fois au XVIe s. (v. 1588) en parlant d'une femme, repris au XIXe s. à propos d'un parfum, d'un alcool, et aussi d'une femme. Le rapport à l'étymologie («qui monte à la tête») ne s'y est jamais perdu, le mot ayant été synonyme d'*entêté,* puis d'*entêtant.*

CAPITON n. m. est emprunté (1386) à l'italien *capitone* «fil de soie de grosseur irrégulière, renflement dans un fil de soie» (fin XIIIe-mil. XIVe s.). Lui-même est dérivé, avec le suffixe augmentatif *-one,* du radical *capit-* du latin *caput, -itis* «tête» (→ chef), le sens propre de «grosse tête» faisant allusion aux renflements du fil.

♦ *Capiton* est un terme de tapisserie désignant une bourre de soie qu'on employait surtout pour le rembourrage des sièges. Par métonymie, il désigne chacune des divisions formées par la piqûre dans un siège rembourré et piqué (1857).

▶ **CAPITONNER** v. tr. a existé aux XVIe et XVIIe s. sous la forme pronominale *se capitonner* «se couvrir la tête» (1546). Repris en 1842, il signifie aujourd'hui «rembourrer un siège» et plus généralement «garnir confortablement» (comme ferait un *capiton*). Par métaphore, son participe passé s'applique adjectivement à une personne bien en chair (1861; d'abord argotique). ➜ Du verbe est dérivé **CAPITONNAGE** n. m. (1871).

CAPITOUL n. m., d'abord *capitoux* (1389) puis *capitoul* (1513), est emprunté à l'ancien provençal *capitol,* issu par ellipse de l'expression languedocienne °*senhor de Capitol,* ce dernier terme étant attesté au sens de «assemblée municipale» (1221 pour Montauban). Il est issu du latin médiéval *capitulum* (→ capitulaire), dérivé diminutif de *caput* «tête» (→ chef), employé d'abord à propos d'une assemblée de moines ou de chanoines réguliers (IXe s.) et dès 1158 en parlant des officiers municipaux de Toulouse (indirectement par *capitularii*).

♦ Le mot s'applique au titre porté par les magistrats de Toulouse au moyen âge et jusqu'à la Révolution.

▶ **CAPITOULAT** n. m., réfection du XVIIe s. (av. 1626) de *capitolat* (1567), forme attestée jusqu'au XVIIe s., est l'adaptation du latin médiéval *capitulatus,* attesté au sens de «charge de capitoul de Toulouse» aux XIIIe et XIVe siècles. C'est un dérivé de *capitulum.* ◆ Le mot désigne la charge de capitoul à Toulouse et, par métonymie, la circonscription territoriale régie par un capitoul (av. 1626), le temps pendant lequel durait cette fonction, et l'ensemble des capitouls.

CAPITULAIRE adj., d'abord *capitulere* (XIIIe s.) puis *capitulaire* (1486), est emprunté au latin médiéval *capitularis* «qui se rapporte au chapitre d'un couvent» (fin XIe s.), dérivé de *capitulum* «chapitre, assemblée de moines» (IXe s.), mot qui, dans un contexte laïque, a donné *capitoul*.*

♦ Ce terme de droit canonique qualifie ce qui se rapporte à un chapitre de chanoines, de religieux, spécialement dans *acte* (av. 1680), *lettre* (1838) et *salle capitulaire* (1843).

▶ **CAPITULAIREMENT** adv. «en chapitre» (une fois en 1403, *capitulerement*), repris à partir de 1611, est rare.

CAPITULE n. m. est emprunté (1721) au latin *capitulum,* diminutif de *caput* «tête» (→ chef), et s'est employé à basse époque à propos d'un chapitre, un article (surtout de la Bible) et, par métonymie, à propos de la lecture d'un chapitre de l'Écriture pendant l'office divin.

♦ Le mot a été repris simultanément comme terme de liturgie (1721) et, par retour au latin classique, en botanique pour désigner une inflorescence composée de fleurs nombreuses et serrées (1732).

CAPITULER v. intr. est emprunté (1370) au latin médiéval *capitulare* «énumérer, faire un rapport point par point» (778) et «stipuler dans une convention, convenir» (XVe s.), dérivé du latin classique *capitulum* «article», de *caput* «tête» (→ chef) qui a donné les termes religieux *capitule** et *capitulaire*.*

♦ Le sens ancien de «diviser en parties» s'est perdu au XVIIe s. au profit de celui de «convenir d'un accord, d'un traité» (1540). ◇ Celui-ci s'est immédiatement spécialisé dans le domaine militaire (XVIe s.) où il a d'abord exprimé l'idée de traiter des conditions de reddition, puis de se rendre à l'ennemi (1751). Le sens métaphorique, «abandonner une position intransigeante» (av. 1696), est devenu «renoncer».

▶ L'idée de «lâcheté» s'attachant au fait de «se rendre», le mot a produit, par suffixation péjorative, le dérivé **CAPITULARD, ARDE** n. m. et adj. (1871) «partisan de la reddition», d'abord dans le contexte de la guerre de 1870.

CAPITULATION n. f. est emprunté (av. 1528) au latin médiéval *capitulatio* «convention» (XVe s.), déjà attesté en bas latin au sens de «récapitulation», et dérivé du supin de *capitulare, capitulatum.* ◆ Le mot, introduit au sens de «convention, pacte, accord», l'a conservé dans le vocabulaire du droit international (av. 1591) et dans certains emplois historiques. La spécialisation militaire pour «convention qui règle les conditions auxquelles se rend une place» (1636) s'est imposée comme le sens le plus courant. Il s'en est dégagé un sens figuré «abandon d'une position intransigeante» (1713), puis «renonciation».

◈ voir **RÉCAPITULATION, RÉCAPITULER.**

CAPON, ONNE n., attesté depuis 1628, est probablement à considérer comme la forme provençale ou normanno-picarde correspondant à *chapon*.* Ses rapports avec le fourbesque (ancien argot italien) *accaponi* «mendiants couverts de fausses plaies» (1628) sont mal élucidés.

♦ Le sens argotique de «faux mendiant coupeur de bourse» puis «jeune fripon» (1690) est interprété par allusion aux ergots du chapon, mais cette image ne convainc pas; comme pour l'argot italien, l'idée dominante semble être celle de tromperie. ◇ La reprise du mot au sens moderne de «lâche, poltron» (1808) et, en argot scolaire, d'«élève qui dénonce ses camarades» (1808), ferait référence à la couardise prêtée au chapon, animal châtré (cf. le sens de l'anglo-américain *chicken*). Le sens ancien de «prêteur dans une maison de jeu» (1713) est obscur. Le mot est archaïque ou régional.

▶ **CAPONNER** v. (1704), apparu dans l'argot des écoliers pour «tromper ses camarades», s'est employé familièrement avec les sens de «dénoncer» (1808) et, transitivement, «flatter, flagorner» (1845); il est sorti d'usage. ◇ **CAPONNERIE** n. f. (1852) et **CAPONNADE** n. f. (XXe s.) ont parfois cours dans un style littéraire avec le sens de «poltronnerie».

CAPONNIÈRE n. f. est emprunté (1671) à l'italien *cap(p)oniera,* attesté comme terme militaire au XVIIe s.; les rapports avec le correspondant espagnol *caponera,* de même sens au XVIIe s., sont difficiles à établir. Le mot est issu, par métaphore, du sens de «cage où l'on engraisse les chapons», attesté au XIVe s. par la forme latine médiévale *caponaria,* de *cappone* (→ chapon).

♦ Le mot désigne, en termes de fortification, un chemin établi dans le fossé à sec d'une place forte pour communiquer d'un ouvrage à l'autre. Il a été repris en technique (chemins de fer) comme nom de la niche aménagée dans la paroi d'un tunnel pour s'abriter au passage d'un train (1905, in *T. L. F.*).

CAPORAL, AUX n. m. (av. 1520) fait partie de la vague d'emprunts de termes militaires italiens (comme *colonel, cavalier, bataillon, fantassin, infanterie*) dus, au XVIe s., à la nécessité technique du remplacement de l'ancienne chevalerie médiévale par une cavalerie purement militaire. Il est l'adaptation de l'italien *caporale,* proprement «principal», substantivé comme terme militaire (XIVe s.), dérivé de *capo* «tête» (→ chef).

♦ Vague au départ, et proche de celui des mots de même famille *chef*, capitaine*,* le sens de *caporal* s'est précisé (av. 1571) en «militaire ayant le grade le moins élevé» (le *caporal-chef* lui étant immédiatement supérieur). L'appellation de *Petit Caporal* fut donnée à Napoléon par les soldats d'Italie : ils avaient décidé de lui donner un nouveau grade à chacune de ses victoires, en commençant par le plus humble, qui lui resta. ◇ Concurremment avec le syntagme *tabac de caporal* (1841), *caporal* (1833) désigne un tabac ordinaire mais supérieur au *tabac de troupe**.

▸ Le mot, avec une idée d'«autorité mesquine et tatillonne», a produit les dérivés **CAPORALISER** v. tr., d'abord intransitivement (1829) puis transitivement (1866), et **CAPORALISME** n. m. (1852, Hugo, dans *Napoléon le Petit,* qui stigmatise Napoléon III).

① CAPOT, ① CAPOTER → CAPE

② **CAPOT** adj. et n., attesté en 1619, est d'origine inconnue, peut-être en rapport avec une série de verbes dialectaux de l'ouest de la France, *caper, se caper, s'acaper* «se cacher, se renfrogner», eux-mêmes dérivés de *cape.* Mais ce rapport avec ① *capot* n'est pas certain.

♦ Le mot s'est employé en jeux de cartes pour qualifier la personne qui n'a fait aucune levée. Puis, il a pris le sens d'«humilié» (1690). ◇ Le mot a été pris par l'allemand *kaputt* «vaincu» (1652) d'où «tué». Ce mot a été réemprunté par le français (1718), sans doute à l'occasion de la guerre de Trente Ans. ➛ **KAPOUT,** aussi écrit **CAPOUT,** s'est dit des personnes tuées, vaincues et de choses détruites.

② **CAPOTER** v. tr. est formé (1792) sur le terme de marine ① *capot* n. m., uniquement employé (1689) dans ***faire capot*** «chavirer» (d'un navire). Cette expression vient elle-même soit du terme de jeu ② *capot* (→ cape), soit d'une altération du provençal *far caboto* «saluer, faire la révérence», peut-être par une forme provençale intermédiaire °*far capota* «plonger la tête en avant» où *capota* est dérivé de *cap* «tête» (→ cabotin, cap). Sa relative fréquence a causé l'élimination de l'homonyme ① *capoter* «mettre une capote à» (→ cape).

♦ *Capoter,* terme de marine, s'est répandu aux dépens de la locution ***faire capot.*** ◇ Par extension, il est employé en parlant d'une automobile (1907), d'un avion (1928) qui se renverse, se retourne, et au figuré avec le sens d'«échouer» *(l'entreprise a capoté).*

▸ **CAPOTAGE** n. m. (1907) se dit d'un véhicule et (1928) d'un avion.

CAPPUCCINO → CAPUCIN

CÂPRE n. f., d'abord *capre* (1474) puis *câpre* (1762) pour noter l'allongement du *a,* est emprunté à l'italien *cappero* (1340) accentué sur la première syllabe, et désignant à la fois l'arbre et son bouton, issu du latin impérial de même sens *capparis.* Ce mot est emprunté au grec *kapparis* (encore en grec moderne), lui-même pris à une langue indéterminée.

♦ Le mot désigne le bouton à fleur du câprier confit dans le vinaigre. Par analogie de couleur avec le bouton brun olivâtre, il est employé aux Antilles à propos d'une personne métissée de noir et de mulâtre (1842 au féminin *capresse,* sans accent).

▸ L'ancien nom de l'arbre, *cappier* (1517), a été refait correctement en **CÂPRIER** n. m. (1562). *Câpre* a donné le nom d'une grosse variété de fraise, **CÂPRON** n. m. (1462) en référence à sa saveur aigre. On en a dérivé **CÂPRONIER** ou **CÂPRONNIER** n. m. (1796), nom d'une variété de fraisier très cultivée avant l'apparition des fraisiers à gros fruits hybrides.

CAPRICANT → CAPRIN

CAPRICE n. m. est l'adaptation (1558) de l'italien *capriccio,* dérivé de *capo* «tête» (→ chef) par une forme *caporiccio* «tête frisée, hérissée», qui a signifié «frisson d'horreur, de peur» (XIIIe s.) — peut-être parce que les cheveux se dressent sur la tête sous l'effet de la peur — avant de prendre au XVIe s. le sens de «désir soudain et bizarre qui monte à la tête» (cf. *capiteux*), «idée fantasque», et de devenir un terme d'esthétique. Cette évolution de sens témoigne d'une influence probable du latin *caper* «bouc» (→ chèvre).

♦ *Caprice* recouvre à la fois la disposition d'esprit à des changements fréquents *(le caprice)* et l'effet de cette disposition *(un caprice, les caprices d'un enfant).* En l'absence de verbe correspondant, on emploie la locution ***faire un caprice,*** mais ***avoir un caprice*** s'entend spécialement au sens d'«avoir une amourette passagère». ◇ Considéré négativement par l'idéologie classique qui y voit un dérèglement d'esprit (1690), le *caprice* est valorisé à l'époque romantique qui remet à l'honneur l'acception esthétique du mot entendu comme «œuvre d'art inspirée par le génie et s'écartant des règles ordinaires», idée qui était déjà au cœur de l'art baroque (XVIe-XVIIe s.) et qui commande des termes d'art comme *arabesque, grotesque, baroque.* La forme italienne a été reprise telle quelle dans le domaine musical où **CAPRICCIO** n. m. (v. 1800) désigne une pièce pleine de fantaisie, et parfois d'inspiration folklorique (le *Capriccio italien* de Tchaïkovski).

▸ **CAPRICIEUX, EUSE** adj. (1584) est l'adaptation de l'italien *capriccioso* «qui a des lubies ; personne à l'imagination riche et étrange» (XVIe s.), de *capriccio.* ➛ L'adjectif est usuel en parlant des personnes, notamment d'enfants, et des actes. En art, il correspond au sens spécial de *caprice.* Il a produit **CAPRICIEUSEMENT** adv. (1612).

◈ voir **CAPRICANT** (art. **CAPRIN**).

CAPRICORNE n. m. est emprunté (1115-1130) au latin *capricornus,* de *caper* «bouc» (→ chèvre) et *cornu* (→ corne), formé sur le modèle du grec *aigokereus* «aux cornes de chèvre», de *aix, aigos* «chèvre» et *keras* «corne» (→ kératine). Ce terme désigne un animal fabuleux à tête et corps de chèvre, à queue de poisson, placé par Jupiter au ciel sous la forme de la constellation du même nom.

♦ Le mot, introduit comme terme d'astronomie *(tropique du Capricorne)* et d'astrologie, a été repris ultérieurement par les zoologistes pour servir de nom à un insecte à cornes (1753) et à une race d'antilope d'Asie (1803).

CAPRIN, INE adj. est emprunté (v. 1250) au latin *caprinus,* dérivé de *capra* (→ chèvre).

♦ Le mot a été repris pour servir d'adjectif à *chèvre* dans le langage didactique.

▸ Le radical latin a servi à la formation savante du terme générique **CAPRINÉS** n. m. pl. en zoologie (1907 dans les dictionnaires) ainsi que de **CAPRICANT, ANTE** adj., réfection tardive de *caprisant* (1589) d'après le *c* de *caprice* et la structure d'adjectifs comme *mordicant, vésicant.* Ce mot, utilisé dans le langage soutenu au sens propre de «qui procède par bonds saccadés», a pris, par rapprochement avec *capricieux,* le sens figuré de «fantasque» (1862).

CAPSULE n. f., d'abord *casule* (1478) puis *capsule* (1532), est emprunté au latin *capsula* «petit coffret», employé spécialement en anatomie à l'époque médiévale (1110-1120). Ce mot est le diminutif de *capsa* «boîte, caisse» (→ caisse, châsse).

♦ Le mot est introduit en anatomie pour désigner l'enveloppe ligamenteuse de certains organes; en botanique, il dénomme l'enveloppe renfermant les graines de certaines plantes. ◇ Le sens plus général d'«objet creusé en forme de boîte» (1611) donnera lieu à divers emplois techniques, en chimie (1690), en armurerie (1834, «amorce») et en pharmacie (1863). Le sens courant, «enveloppe métallique recouvrant le bouchon et le goulot d'une bouteille», est employé depuis le milieu du XIXe s. (cf. *capsuler*).

▸ Le dérivé **CAPSULAIRE** adj. (1690) correspond aux emplois du substantif en anatomie et en botanique. ◆ Sur **CAPSULER** v. tr., «munir d'une capsule le goulot d'une bouteille» (1845), ou sur *capsule* même, a été formé le composé plus courant **DÉCAPSULER** v. tr. (1929), d'où **DÉCAPSULEUR** n. m. (1929).

CAPTER v. tr. est emprunté (XVe s.) au latin *captare* «chercher à saisir» d'où «faire la chasse à, convoiter», dérivé itératif de *capere* «prendre», conservé uniquement dans ses dérivés (→ chasser) et lui-même évincé par *prehendere* (→ prendre).

♦ Le mot est d'abord employé au sens figuré de «gagner d'une manière insinuante» dans l'expression *capter la bénévolence,* calquée du latin *captare benevolentiam* et modifiée en *capter la bienveillance.* Déclaré vieilli par Furetière en 1690, il semble toutefois reprendre vie au XVIIIe s., élargissant la sphère de ses emplois (1762, *capter les suffrages*). C'est probablement dès cette époque (malgré le défaut d'attestation avant 1845) qu'il est employé en droit. ◆ C'est aussi au XIXe s. que *capter* prend la valeur concrète et technique de «recueillir les eaux d'une ou plusieurs sources au moyen de tranchées, d'aqueducs» (1863), dont viennent par extension celles de «recueillir une source d'énergie» (→ capture) et, au XXe s., «intercepter un message, une émission» dans le contexte des techniques audiovisuelles. ◆ Un sens figuré et familier récent est «comprendre, piger».

▸ *Capter* n'a donné directement que **CAPTAGE** n. m., enregistré en 1863 par Littré et surtout employé dans le domaine technique, et **CAPTABLE** adj. (av. 1958). ◆ Au XXe s. apparaît un dérivé savant du radical latin de *captare,* **CAPTATIF, IVE** adj. (1946), employé en psychologie pour caractériser un sujet qui cherche à accaparer autrui. ◇ Ce mot a pour dérivé **CAPTATIVITÉ** n. f. (1951).

CAPTATION n. f. est emprunté (XIVe s.) au dérivé latin *captatio* «action de chercher à saisir», surtout employé dans des syntagmes lexicalisés comme *captatio verborum* (Cicéron) «chicane de mots», *benevolentiae captatio* «manœuvres faites pour conquérir les bonnes grâces de qqn» et, en droit, *captatio testamenti.* ◆ Les significations du mot français sont, comme en latin, caractérisées par une prédominance des emplois figurés. D'abord attesté occasionnellement dans le contexte de la rhétorique antique puis dans l'expression calquée du latin *captation de benivolence* (1520), le mot s'est répandu à partir du XVIIIe s. où il a reçu son acception juridique (1752). ◇ Le sens concret (1934), correspondant à celui de *capter,* ne réussit pas à concurrencer *captage,* recommandé officiellement, même dans son extension en techniques audiovisuelles, où la nominalisation de *capter une émission, un programme* n'est pas usuelle. ◆ **CAPTATOIRE** adj. (1771) appartient au langage juridique.

CAPTATEUR, TRICE n., emprunt (1606) au dérivé latin *captator* employé (Horace) en contexte juridique, est peu usité sauf dans *captateur d'héritage, de succession,* en dépit de quelques emplois métaphoriques d'ordre littéraire.

CAPTEUR, EUSE adj. et n. est emprunté (1777-1783) au dérivé bas latin *captor* «celui qui prend» (saint Augustin). ◇ Ce sens d'emprunt a vieilli en dehors d'acceptions spécialisées en marine, à propos d'un navire qui s'empare d'un autre (1783), usage isolé par rapport à *capter* et à *captation,* et en droit (1842, *capteur de la succession*). ◇ Au XXe s., le mot a été repris comme nom d'un dispositif permettant de détecter un phénomène physique sous la forme d'un signal (v. 1960) et permettant d'emmagasiner de l'énergie solaire pour produire de l'énergie thermique. Cette acception technique semble avoir éliminé les autres.

◈ voir CAPTIEUX, CAPTIF et CAPTIVER, CAPTURE.

CAPTIEUX, IEUSE adj., d'abord écrit *capcieux* (1389), est emprunté au latin *captiosus* «trompeur», substantivé au neutre pluriel *captiosa* pour désigner les sophismes. Ce mot est dérivé de *captio,* substantif d'action de *capere* (→ captif, captation, chasser), spécialisé dans le sens péjoratif de «duperie, sophisme».

♦ Le mot, avec le sens du latin, relève en français d'un usage soutenu. Il tend à vieillir comme qualificatif d'un nom de personne.

▸ **CAPTIEUSEMENT** adv. (XIVe s.) est didactique et rare.

CAPTIF, IVE adj. et n. est emprunté (1450) au latin *captivus,* dérivé du supin de *capere* «prendre» (→ capter, chasser). Le mot qualifie et désigne le prisonnier; depuis Sénèque, il est également employé avec la valeur morale de «prisonnier de passions»; celle-ci est fréquente chez les auteurs chrétiens en parlant de l'homme prisonnier du péché, spécialement chez saint Augustin, à propos de celui qui, prisonnier de Satan, ne peut se libérer par ses propres forces parce que la grâce lui manque. Ce développement explique l'évolution du mot vers la valeur psychologique de «malheureux, misérable» (IVe s.).

♦ L'hétérogénéité sémantique du mot latin est résolue dès l'ancien français : *captif* hérite du sens de «prisonnier» tandis que son doublet de formation populaire, *chétif**, se spécialise au sens de «malheureux, à plaindre». Perdant sa valeur chrétienne, *captif* a seulement conservé le sens figuré «asservi moralement à qqn» (1488) et spécialement «dominé par ses passions» (1671). ◇ Au XIXe s. (1845), le mot a été repris pour qualifier des choses maintenues immobiles *(ballon captif)* et au XXe s. des particules intégrées à un système atomique ou nucléaire (opposé à *libre*).

▸ **CAPTIVITÉ** n. f. est emprunté (XIIIe s.) au latin *captivitas* «état de celui qui est prisonnier», de *captivus.* ◇ Il a éliminé l'ancien français *chaitiveté* de même sens, de formation populaire et signifié «état de captif», servant dès lors de substantif d'état à *prisonnier*, notamment dans le contexte de la guerre.
CAPTIVER v. tr. est emprunté (XVe s.) au dérivé bas latin *captivare* (IIIe-IVe s.) «faire prisonnier», au figuré «accaparer l'esprit», également «ruiner, dévaster» et «s'approprier une terre inculte». ◇ Le verbe, employé en moyen français comme pronominal pour «se soumettre», disparu au XVIIe s., et comme transitif pour «faire captif» (1488), a supplanté l'ancien doublet populaire *chaitiver* (XIIIe s.) mais a lui-même décliné au profit de *capturer**. ◇ Le sens figuré de «impressionner favorablement, séduire» (av. 1559) a alors pris son essor, consommant la séparation sémantique de *captiver* et de *captif, captivité.* La construction du verbe avec un nom de personne pour sujet et un nom de chose pour objet *(captiver l'attention),* relativement proche de *capter**, est de nos jours stylistiquement marquée. Le verbe ne s'emploie plus guère qu'avec un nom de personne pour complément.
Le participe présent **CAPTIVANT, ANTE,** adjectivé (1842, proposition de Richard de Radonvilliers) au sens de «fascinant», est courant; il est en concurrence partielle avec d'autres adjectifs (*passionnant*, etc.).

◈ voir CHÉTIF.

CAPTURE n. f. est emprunté (1406) au latin *captura*, substantif d'action de *capere* (→ capter), «action de prendre», d'où par métonymie «prise (à la chasse, à la pêche)» et aussi «gain d'un mendiant», «salaire». En latin médiéval, le mot s'applique à une prise de corps (1064-1065).

♦ En français, le sens de «prise de butin» est sorti d'usage, sinon dans le contexte spécial de la marine corsaire (1787) et de la saisie douanière (1740). La valeur concrète de «prise» qui en découle par métonymie est surtout réalisée dans ces domaines, ainsi qu'en pêche et en chasse. ◇ À partir du XVIe s., le mot désigne juridiquement et couramment l'arrestation d'une personne. ◇ Sous l'influence de *capter**, il désigne techniquement (attesté 1873) l'action de capter une vapeur, un gaz (en physique) et un fleuve (en géographie fluviale). La physique atomique utilise le mot assez couramment, en relation avec *captif**, pour désigner le processus par lequel une particule s'intègre à un système (atome, noyau).

▸ **CAPTURER** v. tr. (XVIe s.) «appréhender, arrêter (qqn)» s'est également employé en marine (1835), en relation avec *capture,* et, d'une manière générale, dans le contexte de la guerre. D'après *capter* et *capture,* le verbe s'emploie aussi en physique.

CAPUCE n. m., d'abord *capuzze* (1600) puis *capuce* (1618), est emprunté à l'italien *capuccio,* attesté dès le XIIIe s. sous la forme dialectale *capuzzo* (d'où *capuzze*), puis sous les formes *capucio* (déb. XIVe s.), *cappuccia* (XIVe s.), et dérivé de *cappa* (→ cape).

♦ Le mot est immédiatement distinct de *capuche** et de *capuchon**, ne désignant que le capuchon taillé en pointe que portent certains moines (→ capucin).

▸ ① **CAPUCINE** n. f. est dérivé (1694) de *capuce* par allusion à la forme en capuchon de la fleur. Le mot désigne une plante herbacée, à fleurs de couleur vive, et cette fleur. Il fournit un nom de couleur (1798) et s'emploie dans une ronde enfantine *(«dansons la capucine»)* pour des raisons obscures (image des robes qui forment «capuche» lorsqu'on s'accroupit à la fin de la ronde?). ◇ Par analogie, le mot est passé dans le vocabulaire de l'armement à propos de chacun des trois anneaux de métal reliant le canon et le bois d'une arme à feu (1829), donnant lieu à des locutions figurées, *être enfoncé jusqu'à la troisième capucine, être gris jusqu'à la troisième capucine* (1867), aujourd'hui disparues.

◈ voir CAPUCHE, CAPUCIN.

CAPUCHE n. f. est une variante régionale du Nord (1507, en picard) de *capuce* ou *capuchon,* dérivé de *cape** et *-uche.* Le moyen français a eu avec le même sens la série *capeluche* (1594), *capeluce, capeluchon* (XVIe s.).

♦ Le mot, d'abord régional, s'est maintenu dans de rares dictionnaires dialectaux du Nord avec l'indication «archaïque»; il est signalé dans plusieurs régions comme un terme incorrect pour *capuce* ou *capuchon.* Il s'est diffusé en français central au milieu du XIXe s., avant d'être enregistré par Littré (1863) comme nom d'une coiffe de femme en forme de capuchon se prolongeant sous forme de pèlerine. De nos jours, il se dit d'un petit capuchon de poche ou amovible pour protéger des intempéries.

▸ **CAPUCHON** n. m., attesté depuis 1542, peut-être dès le début du XVe s. (selon Dauzat), n'est pas emprunté à l'italien *cappuccione,* attesté tard, mais probablement dérivé de *capuche* avec le suffixe *-on,* peut-être sous l'influence du correspondant italien *cappuccio,* dérivé de *cappa* (→ cape), d'abord *capucio* (déb. XIVe s.), *cappuccia* (XIVe s.) et dès le XIIIe s. par la variante dialectale *capuzzo.* Les variantes françaises du XVIe s., *capputtion* (1551), *capussion* (1552), *capuçon* (1574), semblent témoigner d'une telle influence. ◆ Le mot désigne la partie supérieure d'un vêtement en forme de bonnet ; à partir du XVIIIe s., il a reçu diverses acceptions spéciales par analogie de forme avec le vêtement : en botanique il dénomme (1762) le prolongement en forme de sac des pétales et sépales de certaines plantes, en marine (1783) la coiffe goudronnée qui couvre les haubans, en technique la garniture de tôle sur un tuyau de cheminée. Au XXe s., il désigne couramment la pièce filetée fermant et protégeant un stylo.

CAPUCHONNER v. tr. (1575) a été supplanté par le préfixé **ENCAPUCHONNER** v. tr. (1571), repris au XIXe s. avec le sens de «couvrir d'un capuchon». En chemin de fer, le verbe s'est dit de l'opération consistant à fermer un capuchon de cheminée de locomotive (1861). ◆ **DÉCAPUCHONNER** v. tr. fait suite (1611) au type *descapluchonner* (1566) ; il est beaucoup plus rare qu'*encapuchonner*.

◈ voir CAPUCE.

CAPUCIN, INE n., d'abord écrit *capussin* (1542), est emprunté à l'italien *cappuccino* (XIVe s.), proprement «qui porte un capuchon», employé spécialement pour désigner le membre d'une branche d'un ordre franciscain (XVIe s.) en raison du vêtement à grand capuchon porté par ces religieux. Ceux-ci constituent une congrégation de l'ordre des Frères mineurs, érigée par bulle le 3 juillet 1528 et autorisée en 1574 à s'installer au-delà des monts. *Cappuccino* est dérivé de *capuccio* «capuchon», lui-même emprunté par le français *capuce**.

♦ Le mot, attesté au XVIe s. sous la double forme *capucin, capuchin* (v. 1580), désigne le religieux et, au féminin ② **CAPUCINE** (1622), la religieuse de cet ordre ; il est quelquefois employé adjectivement (1585). La réputation de dévotion naïve attachée à ces moines a inspiré l'expression *à la capucine* «avec une dévotion excessive» ; leur barbe non taillée a donné lieu à la locution *parler comme un capucin* «du nez». *Barbe-de-capucin* désigne une salade blanche (1863).

▶ **CAPUCINADE** n. f. (1724) désigne un sermon naïvement moralisateur comme ceux que les capucins avaient la réputation de faire. Il est sorti d'usage, comme **CAPUCINIÈRE** n. f. (1762), mot familier désignant au XVIIIe et au début du XIXe s. une maison de capucins et, au figuré, une maison très dévote.

Le mot italien **CAPPUCCINO** n. m. est passé en français (1937) avec son sens spécialisé de «café au lait mousseux» par allusion à la couleur marron beige de la robe des capucins.

① **CAPUCINE** → CAPUCE

② **CAPUCINE** → CAPUCIN

◈ **CAQUE** n. f. est d'origine incertaine, probablement emprunté (v. 1264) à l'ancien norrois *kaggi, kaggr, kakki* «tonneau», que l'on trouve dans le composé *vinkaggr* «petit tonneau de vin». Bien que le mot français ait été rapproché de *caquer* dès le milieu du XIVe s., l'hypothèse d'une dérivation régressive de ce verbe se heurte à des difficultés chronologiques. L'hypothèse d'un emprunt au moyen néerlandais *kaak*, trop tardif, est écartée.

♦ Le mot désigne le baril où on empile les harengs salés ; par extension un tonneau servant à entreposer du vernis (1389), du vin (1405-1449), de la poudre (v. 1430), de la poix (1606), du suif fondu (1832). Par analogie de forme, il s'est appliqué au fourneau des ciriers qui évoque une barrique (1730). Ces techniques ayant pour la plupart disparu, le mot est archaïque, sauf à propos des harengs, par des syntagmes *(harengs en caque)* et des locutions ***(être serrés comme des harengs en caque)*** et un proverbe ***(la caque sent toujours le hareng)*** «on se ressent toujours de ses origines». ◇ Le genre du mot, longtemps hésitant (surtout masculin au XVIIe s.), est fixé au féminin depuis l'édition de 1718 du *Dictionnaire de l'Académie*.

▶ **CAQUETTE** n. f. (1677), «baquet dans l'eau duquel les marchands gardent le poisson vivant», a disparu.

CAQUELON n. m. est l'adaptation, par l'intermédiaire du territoire de Belfort, d'un terme de Suisse romande (XVIIIe s.). Celui-ci est dérivé, avec le suffixe *-on*, de *kakel* que l'on trouve attesté dans le canton de Neuchâtel au XVe s. au sens de «brique vernissée». C'est un emprunt au mot dialectal alémanique de Suisse *Kakel* «casserole de terre», aussi alsacien. Ce mot correspond à l'allemand *Kachel*, de l'ancien haut allemand *chachala* «pot de terre», lui-même représentant un latin populaire *°cac(c)ulus*, variante de *caccabus*, emprunt au grec *kakkabos* «marmite, chaudron». Ce mot, qui subsiste en grec moderne, est probablement un emprunt mais sa source est inconnue.

♦ Le mot, surtout usité en Suisse romande et, en France, dans le domaine franco-provençal (Savoie, etc.), désigne une marmite en terre utilisée pour la fondue.

CAQUER v. tr. est emprunté (1340) au moyen néerlandais *caken* «faire une incision dans la branchie gauche des harengs pour enlever une partie des viscères» (néerlandais moderne *kaken*). Ce mot est dérivé de *kaak* (néerlandais *cake*) «mâchoire, joue, ouïe, branchie» dont l'origine est obscure. L'opinion souvent avancée selon laquelle ce procédé aurait été inventé en 1384 par Willem Beukelszonn, citoyen de Biervliet, est en contradiction avec le fait que le moyen français *caqueharenc* «hareng préparé» est attesté dès 1332 et lui-même emprunté au moyen néerlandais *caecharine*.

♦ Le mot, d'abord attesté dans le syntagme *harens cakés*, se dit de l'action de couper les ouïes des harengs et de les saler pour les empiler dans des tonneaux. Vers le milieu du XIVe s., le mot a été rapproché de *caque**, glissant vers l'idée de «mettre en baril les harengs ainsi préparés». ◇ Par analogie, ce sens a donné celui de «mettre en baril (de la poudre, du salpêtre, du suif fondu)» (1832), les barils étant nommés *caques*.

▸ **ENCAQUER** v. tr. (v. 1600) partage avec *caquer* le sens de «mettre (des harengs) en caque». Il s'est employé au figuré pour «entasser (des personnes, des choses) dans un espace restreint» (1718) sans s'imposer. Il a produit **ENCAQUEMENT** n. m. (1772) et **ENCAQUEUR, EUSE** n. (1781).

CAQUAGE n. m. a été formé (1730) pour servir de substantif d'action à *caquer*, **CAQUEUR** n. m. (1723) désignant celui qui prépare les harengs avant de les mettre en caque. Il a été reformé comme nom d'instrument pour le couteau servant à caquer les harengs (1863). ◇ **CAQÛRE** n. f. (av. 1877), mot technique et rare, désigne les débris de harengs provenant du caquage et employés comme engrais.

CAQUETER v. intr., indirectement attesté dès 1320 par *caqueteresse* «femme bavarde», puis à partir du XVe s., est dérivé du radical onomatopéique *kak-* évoquant le piaillement de certains oiseaux. Cf. par exemple le latin *cacillare* «caqueter» et *cacabare* «crier (de la perdrix)», adaptation du grec *kakabizein*.

♦ Le mot est d'abord employé au sens de «bavarder», avec une nuance péjorative (1450), avant de se dire également de certains oiseaux (fin XVe s.), spécialement de la poule qui glousse au moment de pondre (1690).

▸ En sont dérivés **CAQUET** n. m. (1450) «bavardage indiscret, importun» d'où l'expression ***rabattre*** (XVe s.), ***rabaisser le caquet de qqn*** (1539), les synonymes **CAQUETERIE** n. f. (1418), **CAQUETAGE** n. m. (1556), également appliqué aux gloussements de la poule (1842), et **CAQUÈTEMENT** n. m. (1572, *caquettement*). ◆ **CAQUETEUR, EUSE** n. et adj. (1507) caractérise une personne qui bavarde de manière intempestive. ◆ **CAQUETOIRE** n. f. (1522) a désigné un type de siège à dossier haut, commode pour la conversation.

◈ ① **CAR** conj. de coordination est issu du latin classique *quare*, littéralement «par quelle», de *qua*, ablatif du pronom relatif féminin (→ qui) et de *re*, ablatif de *res* «chose» (→ rien). Le mot sert d'adverbe interrogatif («pourquoi») et d'adverbe causal («c'est pourquoi»). Son usage comme interrogatif est à l'origine d'un emploi comme conjonction de coordination, répandu en latin populaire, supplantant le latin *nam* dans les langues romanes. L'ancien français a eu également les formes *quar* (1050) et *quer* (1050), également issues du latin *quare*, selon qu'il est atone ou tonique ; l'hypothèse, pour *quer*, d'un croisement avec *que* ne semble pas nécessaire.

♦ L'usage du mot comme conjonction de coordination exprimant la causalité, attesté dès les premiers textes, est le seul qui se soit maintenu en français moderne. ◇ L'emploi de *car* comme adverbe causal au sens de «c'est pourquoi, en conséquence» (1050) a disparu au XVIe s. ; de même que la particule introduisant un ordre avec l'impératif (1050), un souhait avec le subjonctif (1050). L'usage de *car* comme conjonction de subordination, d'abord dans l'ancienne locution *pour ce car* (v. 1120), synonyme de *pour ce que*, puis de manière autonome (1167-1170), a disparu au XVIe s. au profit de *parce que*. ◇ Un syntagme comme *la raison est car* (1295), encore en usage au XVIIe s., est à l'origine des critiques formulées par Malherbe contre *car*, auxquelles répondirent les plaidoyers de Vaugelas et de Voiture. ◇ L'emploi substantivé du mot commence à se rencontrer au XVIIe s. dans l'ancienne expression *sans ni et sans car* «sans condition» (1616-1620).

② **CAR** n. m. est emprunté (1873) à l'anglo-américain *car* «véhicule sur rails» (1830), lui-même spécialisation de l'anglais *car* «voiture» (XIVe s.) emprunté au français *char** sous la forme normanno-picarde *car*.

♦ Le sens de «voiture de tramway, matériel roulant», seulement attesté dans un contexte anglo-américain, ne s'est pas maintenu. Au Canada *char* a servi à rendre le mot américain au sens de «voiture». L'acception moderne usuelle de «grand véhicule pour transporter des passagers» (1928) est issue d'une abréviation d'*autocar* (1910), emprunt à l'anglais *autocar* (1895) [→ auto-], qui ne signifiait en anglais que «automobile».

◈ voir **CAR-FERRY** (art. **FERRY**).

CARABE n. m. est emprunté (1668), probablement par l'intermédiaire du latin scientifique *carabus*, attesté ultérieurement comme nom d'un coléoptère (1735, Linné), au latin *carabus*. Ce mot, qui désigne un crustacé du genre langouste, est emprunté au grec *karabos*, employé aussi métaphoriquement à propos d'un bateau léger (→ caravelle), également comme nom d'un scarabée cornu (Aristote) et qui est à l'origine de *scarabée**. *Karabos* est un terme méditerranéen certainement emprunté, comme le suggère l'alpha long initial en grec attique.

♦ Le mot désigne un insecte coléoptère carnivore, notamment dans *carabe doré*.

▸ En est dérivé **CARABIQUE** adj. «qui ressemble à un carabe», substantivé au pluriel comme terme de classification zoologique (1838), puis sorti d'usage.

◈ voir **SCARABÉE**.

CARABIN n. m., apparu au XVIe s. (1583-1590) pour désigner un soldat de cavalerie légère, est d'origine incertaine. Ce mot serait peut-être une altération du moyen français *(e)scarrabin* «ensevelisseur des pestiférés» (1521), mot du domaine occitan qui appartient probablement à la famille de *escarbot*, nom d'un insecte fouillant la terre, le fumier (→ scarabée).

♦ L'expression *carabin de Saint-Côme* s'appliquait (1650) à un chirurgien. L'évolution sémantique s'expliquerait par la réputation des soldats dits *carabins* de faire rapidement passer leurs victimes de vie à trépas, réputation ironiquement partagée par les chirurgiens de cette époque (peut-être ressemblaient-ils également à des soldats, enrôlés sous la bannière de saint Côme, leur patron). Le mot s'est diffusé au sens d'«étudiant en médecine» (1803).

▸ De *carabin* est issu **CARABINER** v. tr. (1611) «tirailler à la manière des carabins», qui a disparu mais dont le participe passé **CARABINÉ, ÉE** s'est séparé et adjectivé (1687) d'abord pour qualifier une brise marine violente, intermittente — comme le feu des carabins — puis en général au sens de «très fort, intense» (1836) et, ironiquement, de «très fort en son genre, remarquable», le plus souvent en parlant d'une chose pénible *(un rhume carabiné).*

CARABINE n. f. (1611), d'abord *charabine* (fin XVIe s.), désigne proprement l'arme des carabins, soit primitivement une petite arquebuse puis (1694) une arme à feu légère à canon rayé, sens demeuré usuel et donnant lieu à syntagmes *(tir à la carabine).*

CARABINIER n. m. (1634) est dérivé de *carabine* au sens de «cavalier armé d'une carabine». Il s'est appliqué au soldat d'un corps de cavalerie et au grenadier de l'infanterie légère armé d'une carabine (1835). ◇ Au sens de «gendarme italien» (1846), le mot est emprunté à l'italien *carabiniere* «du corps de policiers fondé en 1814», mot lui-même dû au français. Celui de «douanier espagnol» (1906) est emprunté au mot espagnol de même sens (XIXe s. ; «soldat armé d'une carabine» au XVIIIe s.), également emprunté du français *carabine.*

CARACAL n. m. semble emprunté (1750) de l'espagnol *caracal,* lui-même d'origine orientale probablement, comme l'indique une forme *karacoulac* attestée en français dans une relation de voyage (1664), du turc *qara qûlâq.* Celui-ci signifie littéralement «oreilles noires» comme les dénominations de l'animal en arabe et en persan (d'où «chat aux oreilles noires»).

♦ Le mot désigne une variété de lynx vivant en Afrique et dans le sud de l'Asie.

CARACO n. m., attesté depuis août 1774, est d'origine incertaine : un emprunt à l'hispano-américain *caracol,* proprement «coquille d'escargot» (→ caracoler), qui désigne au Mexique une sorte de blouse de femme, n'est pas exclu bien que ce sens, difficile à expliquer à partir d'«escargot», puisse être aussi bien dérivé du français. P. Guiraud y voit une forme provençale de *caracon,* doublet de *caraquin* (1690), forme ancienne de *casaquin* (→ casaque). Un rapprochement avec le turc *karaki, keriki* «manteau large à manches» est douteux.

♦ Le mot désigne un corsage féminin porté ample sur une jupe froncée. Il est passé du langage de la mode à un usage régional évoquant le passé, avant d'être repris (v. 1960-1970 ?) à propos d'un sous-vêtement féminin couvrant le buste.

CARACOLER v. intr. est dérivé de *caracol* n. m. ou *caracole* n. f. (av. 1598) «escargot» ; le mot s'est spécialisé en manège à propos d'une succession de voltes ou demi-voltes (1611) et en architecture pour un escalier en colimaçon (1675). Lui-même est emprunté à l'espagnol *caracol,* proprement «escargot» (1400), également employé en équitation (1604) et en architecture (XVIe s.). Ce mot est d'origine incertaine, peut-être issu par métathèse de *cacalaou, cagarol* (cf. le mot régional **CAGOUILLE** n. f. «escargot»), attesté dans les dialectes du sud-est et du sud-ouest de la France et lui-même issu du croisement entre le latin *conchylium* «coquille» (→ conchylio-) et le grec *kakhlêx* «petit caillou du lit d'une rivière», d'origine probablement onomatopéique. On a aussi évoqué un dérivé de la racine préromane °*kar-* «coquille, écale» qui est à l'origine de *carapace**.

♦ Le verbe procède de *caracole* en équitation et décrit un cheval, par métonymie son cavalier, qui exécute une succession de voltes et demi-voltes. Par extension, il est entré dans l'usage courant au sens de «aller à cheval de manière vive» puis de «courir en sautant, gambader», par la même évolution que *cabrioler.* Au figuré, une expression courante est ***caracoler en tête*** *(en tête des sondages,* etc.) «être largement en tête, sans effort», notamment en politique.

▸ **CARACOLANT, ANTE** est l'adjectivation du participe présent (XXe s.). ➛ **CARACOLADE** n. f. (1850) et **CARACOLEMENT** n. m. (1877) correspondent au verbe, mais sont rares.

CARACTÈRE n. m., d'abord *calateres* au pluriel (v. 1100), puis *karactere* (1274) et *carathere* (1372), est emprunté au latin *character* attesté depuis Varron, «manière d'être propre à un style», puis «manière d'être, comportement» (IVe s.), également avec une valeur plus concrète «marque appliquée à un animal au fer rouge» (Ier s.), «marque d'un poids ou d'une monnaie» (IIIe s.), «signe de l'écriture» (fin IVe-déb. Ve s.) et, chez les auteurs chrétiens, «marque sacramentelle du baptême» (saint Augustin). Le mot latin est emprunté au grec *kharaktêr* qui, à partir du sens propre de «graveur» (spécialement «graveur de monnaies»), a pris par métonymie le sens de «signe gravé, empreinte, marque» et développé les valeurs abstraites et psychologiques passées en latin. Le mot est dérivé du verbe *kharassein* «aiguiser», au figuré «exciter», également «entailler, inciser», «inscrire», mot technique sans étymologie indoeuropéenne établie, peut-être à rapprocher du lituanien *žeriù* «gratter» (d'une racine commune °*gher-*). En français, le type savant a supplanté l'ancien français *caracte, characte* (XIIe s.), employé jusqu'au XVe s. au sens de «marque, signe», spécialement «charme, sortilège magique» et «signe d'écriture».

♦ Le mot apparaît en judéochrétien au sens spécialisé de «signe magique» dont procèdent, par métonymie, ceux de «charme, sortilège» (1471) et, jusqu'à la langue classique, «talisman portant un signe magique» (XVIe s.), tous éteints aujourd'hui. Dans une autre acception concrète, *caractère* désigne une empreinte (1274), une image sur un sceau (1372), sens qui annoncent la valeur moderne de «signe d'écriture» (1550). Celle-ci connaît une grande expansion avec l'imprimerie et par extension donne immédiatement l'acception de «signe conventionnel dont on se sert dans certaines sciences» (1567). ➛ Parallèlement, le mot est repris du latin chrétien dans sa spécialisation «marque spirituelle et ineffaçable qu'impriment les sacrements» (1389-1392). Il connaît une grande expansion au XVIIe s. lorsqu'il commence à désigner abstraitement le caractère distinctif d'une chose (1662, d'un sentiment). Ce sens prépare des emplois spéciaux dans les sciences de la nature (1704, en botanique) puis en sciences humaines ; en même temps, il donne lieu à un emploi dans le commentaire artistique, en peinture (1699) et en musique (1798, absolt). ➛ Par une spécialisation importante, il est défini comme l'ensemble de traits dominants de la physionomie morale d'un homme (av. 1662, Pascal, *bon, mauvais caractère*). Il désigne en particulier la manière d'être morale (1686, Bossuet) d'où, par métonymie, les personnes envisagées sous l'angle de leur personnalité (1757, *les grands caractères*). Le siècle classique, qui est celui des moralistes, l'applique à la peinture des sentiments, des passions, des idées, des personnes dans un texte (Molière), le mot au pluriel servant de titre pour des œuvres littéraires (*Les Caractères*, La Bruyère). Ultérieurement, l'expression *pièce de caractère* (1751, Voltaire) est forgée pour un type de pièces se consacrant à l'analyse d'un caractère type. En emploi partitif, l'accent est mis sur la valeur d'«énergie, force d'une personne» (1736), par exemple dans *avoir du caractère, force de caractère*. Par une extension analogique, le mot est appliqué à la personnalité d'une collectivité, d'un pays (1748). La classification moderne des types de caractères psychologiques a été nommée *caractérologie* (ci-dessous).

▸ *Caractère* n'a directement produit en français que le mot tardif et d'usage didactique **CARACTÉRIEL, IELLE** adj. et n., attesté en 1841 et répandu au XXe s. dans le cadre de la psychologie du comportement ; il est substantivé en médecine (1951) pour désigner une personne présentant des troubles du comportement. ◇ En est dérivé **CARACTÉRIELLEMENT** adv. (1969, dans les dict.).

CARACTÉRISER v. tr. semble emprunté (1512) au grec *kharakterizein* «marquer d'une empreinte, d'un signe distinctif» (de *kharaktêr*), peut-être par l'intermédiaire du latin médiéval *characterizare* «faire connaître, signaler» (IXe s.). ◇ Le sens concret, «marquer d'un signe, d'une empreinte», avec la spécialisation «marquer d'un signe magique» (av. 1550), est rapidement sorti d'usage. Au XVIIe s. le mot a pris son sens moderne de «mettre en évidence le véritable trait distinctif d'une personne, d'une chose» (1680), également réalisé au pronominal *se caractériser* (1787). ➛ Le participe passé **CARACTÉRISÉ, ÉE** est adjectivé de bonne heure avec le sens de «bien déterminé, évident» en qualifiant une chose (av. 1653, *injures caractérisées*) et une personne (av. 1784). ➛ Le participe présent **CARACTÉRISANT, ANTE** adj. (1669) signifiait «qui confère un caractère propre». Il a disparu au profit de *caractéristique* (ci-dessous) sauf en linguistique où certaines terminologies l'emploient comme substantif. ➛ **CARACTÉRISATION** n. f. (1840) renvoie au fait et à la manière de caractériser, spécialement en linguistique. ➛ **CARACTÉRISABLE** adj. (1935) est didactique.

CARACTÉRISTIQUE n. f. et adj., emprunt (1550) au grec *kharakteristikos* «qui sert à distinguer», dérivé de *kharaktêr*, s'est introduit comme substantif en grammaire pour nommer l'élément qui dénote le temps d'un verbe, la formation d'un mot, sens qui donne lieu à un emploi adjectivé (1694). ◇ Au XVIIIe s., le nom reçoit une autre acception technique en mathématiques (1751) et le sens courant de «ce qui caractérise une chose» (1779), sur lesquels se greffent des emplois adjectivés. ◇ **CARACTÉRISTIQUEMENT** adv. est attesté en 1791.

CARACTÉROLOGIE n. f., d'abord *caractériologie* (1909) repris et diffusé sous la forme *caractérologie* (1945), est un emprunt à l'allemand *Charakterologie* (1867), lui-même formé sur les éléments grecs *kharaktêr* et *-logos* (→ -logie) ; l'anglais a lui aussi repris *characterology* (1903) à l'allemand. ◇ Le mot désigne une branche de la psychologie ayant pour objet l'étude du caractère et des types de caractères. ➛ En sont dérivés **CARACTÉROLOGIQUE** adj. (1945) et **CARACTÉROLOGUE** n. (1946, Mounier).

CARAFE n. f., d'abord *caraffe* (1558), est emprunté à l'italien *caraffa* (fin XVe s.) de même sens et d'origine obscure : le mot est peut-être emprunté à l'arabe du Maghreb *qarrafa* «bouteille très ventrue, pot à boire» ; cette hypothèse se heurtant toutefois au fait que l'espagnol *garrafa* est attesté bien après l'italien en 1570.

♦ Le mot, d'abord employé au figuré dans l'expression *vieille Caraffe*, désignant par calembour le pape Paul IV, Gian Pietro Carafa (qui régna de 1555 à 1559), est attesté depuis 1642 au sens propre. Il semble favoriser les emplois familiers, comme la locution ***rester en carafe*** (populaire, 1896) «rester court (d'un orateur)» d'où «rester en plan», qui vient probablement du sens argotique de *carafe* «bouche» (l'orateur restant bouche bée), tout comme ***fouetter de la carafe*** «avoir mauvaise haleine» (1878) ; cf. *goulot*. Toujours en argot, il désigne la tête (1901) avec une idée de bêtise *(quelle carafe !)* commune à d'autres noms de récipients *(gourde, cruche)*.

▸ Au sens de «petite carafe», **CARAFON** n. m., d'abord *garafon* (1677) puis *carafon* (1700), est bien dérivé de *carafe*, mais le sens classique de «grande carafe placée dans un seau garni de glace pour rafraîchir une boisson» laisse supposer un emprunt sémantique à l'italien *caraffone*, augmentatif (XVIe s.) de *caraffa*. Ni ce sens, ni son extension métonymique pour «seau de glace» (1771) n'ont vécu.

CARAMBOLER v., d'abord écrit *caramboller* (v. 1790), est dérivé de *carambole* n. f. (1610), d'abord *carambolas* (1602), terme de botanique désignant un fruit orangé et sphérique. Le mot est emprunté au portugais *carambola* (1563), probablement emprunté lui-même au marathe (langue de l'Inde) *karambal*. Par analogie de forme, *carambole* a désigné la boule de billard (1792), peut-être par emprunt à l'espagnol *carambola* (1578), lui-même repris comme terme de botanique au portugais et employé, à cause de la couleur du fruit, pour désigner les billes de billard (déb. XVIIe s.).

♦ *Caramboler*, terme de billard, signifie «toucher du même coup deux billes avec la sienne» (1792). Dès les premières attestations, il est employé au sens figuré de «heurter» en construction transitive, notamment en parlant de véhicules (dans *se caramboler*). ◇ Il a reçu en argot, par la métaphore courante du coup, le sens de «posséder sexuellement» (1881); on trouve aussi *se faire caramboler* (1877).

► À côté du nom d'arbre **CARAMBOLIER** n. m. (1783), dérivé du nom du fruit, *caramboler* a produit **CARAMBOLAGE** n. m. (1812) qui correspond au verbe, s'appliquant au billard puis à des heurts de véhicules, notamment des heurts déclenchés en série.

Les mots d'argot **CARAMBOUILLAGE** n. m. (1900), **CARAMBOUILLE** n. f. (1918) et **CARAMBOUILLER** v. tr. (1928), relatifs à l'escroquerie consistant à revendre au plus vite une marchandise que l'on n'a pas payée, représentent des altérations de *carambole,* dans la locution argotique ***vol à la carambole*** (1878) «vol à l'étalage», par comparaison entre le mouvement des boules de billard et celui des marchandises passant de complice en complice. La finale s'explique probablement par celle de *fripouille*, fouiller*, tripatouiller*.*

CARAMEL n. m. est emprunté (1680), via l'espagnol *caramel* ou *caramelo* (1601), au portugais *caramelo* qui, outre son sens culinaire, signifie «glaçon» (XVIe s.). Ce mot est probablement issu du bas latin *calamellus* (→ chalumeau), diminutif de *calamus* «roseau» (→ calame), à cause de l'analogie de forme entre le sucre durci, la stalactite de glace et la tige de roseau.

♦ Le mot désigne la substance obtenue en chauffant le sucre, utilisée comme remède contre le rhume avant de devenir matière première pour la confiserie, d'où par métonymie le sens de «bonbon» apparu au XIXe s. *(caramel mou).* Il a également fourni un nom de couleur.

► **CARAMÉLISER** v. (1825, *se caraméliser* à propos du suc des viandes) signifie «transformer en caramel»; il a produit **CARAMÉLISATION** n. f. (1832) et **CARAMÉLISÉ, ÉE** adj.

CARAMÉLÉ, ÉE adj. est l'adjectif tiré (1877) de **CARAMÉLER** v. tr. (1735), évincé par *caraméliser;* il signifie «qui a l'apparence, la couleur ou le goût du caramel».

CARAPACE n. f. est emprunté (1688) à l'espagnol *carapacho* de même sens (XVIe s.), quelquefois altéré en *caparacho,* peut-être d'après *capa* «manteau» (→ cape), d'origine incertaine : il serait dérivé du préroman *°karapp-* issu de la racine *°kar(r)-* «écale» dont la variante *°kal-* est à l'origine de l'espagnol *galapago* «tortue» (→ calebasse). On a aussi proposé d'y voir une métathèse du provençal *caparasso* «sorte de manteau» (→ caparaçon).

♦ Le mot a longtemps désigné le plastron de la tortue avant de s'appliquer par extension au test dur qui recouvre tout ou partie du corps de certains animaux. Accueilli en 1835 par le *Dictionnaire de l'Académie,* il s'est répandu tardivement dans l'usage commun avec des emplois analogiques et figurés (1874).

◈ **CARAPATER** v. intr., d'abord *carapatter* (1867), est d'origine incertaine, peut-être composé du radical de l'argot *se carrer* «se cacher» (1835), lui-même dérivé du moyen français *carre* «coin» (XVe s.), déverbal de *carrer** «donner une forme carrée», et de *patte** avec la désinence *-er.* P. Guiraud préfère le rattacher à l'argot *carapata, carapate, carapatin* n. m. (1850) «marinier d'eau douce» et «fantassin de ligne» (1878), habituellement considérés comme dérivés du verbe, et à la locution adverbiale *de carre, en carre* «de côté, de travers», la finale étant à rapprocher de *patte,* en tout état de cause. Le cheminement sémantique partirait de l'idée de «se sauver, s'enfuir sans être vu» vers l'idée de «courir».

♦ Le mot est d'abord employé à la forme pronominale *se carapater* «s'enfuir, se sauver, jouer des pattes», puis intransitivement «se sauver» d'où «courir». Un sens du pronominal, «se cacher» (1878), a disparu.

CARAT n. m., également *quarais* (1360), *caras* (1367) en moyen français, est emprunté (1355) à l'italien *carato* (1278 à Venise), déjà en latin médiéval *caratus* (1264), emprunté lui-même à l'arabe *qīrāṭ* «graine de caroubier» et «petit poids» (24e partie du denier à La Mecque). Le mot arabe, comme le bas latin correspondant *ceratium,* est emprunté au grec *keration* «petite corne, antenne de langouste» d'où «petit poids» et «fruit du caroubier». Ce mot est dérivé de *keras* «corne» (→ kératine).

♦ Terme d'orfèvrerie désignant l'unité de poids employée pour l'estimation des pierres, de l'or, *carat* a donné lieu à des locutions familières : ***à vingt-quatre carats*** «parfait», souvent ironique, fait allusion à la quantité de carats contenue par l'or absolument pur, d'où ***trente-six carats*** «au-delà du possible». ◇ En argot, le terme est l'un des nombreux synonymes d'*année* (1901), rare employé isolément, plus courant dans des locutions, le ***dernier carat*** étant «la dernière limite» et ***prendre du carat*** (1930) signifiant «prendre de l'âge».

CARAVANE n. f., d'abord *carvane* (v. 1195; *caravana* en latin médiéval, 1160) puis *caravane* (1657), a été emprunté à la faveur des croisades, par l'intermédiaire de l'arabe, au persan *kārwān* «file de chameaux, troupe de voyageurs» (→ caravansérail).

♦ Le mot, qui désigne une file de voyageurs (presque toujours en contexte oriental), est employé par extension à propos d'une troupe de gens allant de compagnie (1657), d'animaux se déplaçant en groupe. ➔ Le sens de «véhicule équipé pour servir de logement» (1930) est emprunté à l'anglais *caravan,* lui-même pris au français et attesté au sens de «voiture couverte servant de transport des voyageurs» (1674), puis de «roulotte de forains» (1824) et enfin de «roulotte de plaisance» (1886). En ce sens, le mot est distinct de *roulotte* en France mais se confond avec lui au Québec.

► **CARAVANIER, IÈRE** adj. et n. désigne celui qui conduit les bêtes de somme dans une caravane (1613). ◇ Au XXe s., il est adjectivé (1911) et, sous l'influence de l'anglicisme *caravane,* prend le sens de «adepte du caravaning» (1960).

CARAVANING n. m. est emprunté (1932, *caravanning*) d'un mot anglais (1885) issu de *caravan.* Critiqué, il doit son succès à l'influence de l'anglicisme de sens voisin *camping*.

CARAVANSÉRAIL n. m., d'abord *carvansera* (1432), puis au XVIIe s. *caravasserail* (1606) et *caravansérail* (1673), d'après *sérail**, est emprunté au persan *kārwān-sarāy* «abri pour voyageurs en Orient». Le mot est composé de *kārwān* (→ caravane) et de *sarāy* «palais, grande maison, cour» (→ sérail).

♦ Importé par les relations de voyages en Orient, *caravansérail* désigne un vaste enclos entouré de corps de bâtiment où le voyageur en Orient trouve un abri. Par extension, il est employé à propos d'un lieu fréquenté par un grand nombre d'étrangers (1807, Mme de Staël) et d'un lieu agité.

CARAVELLE n. f., d'abord *caruelle* (1438), *carvelle* (1462) puis *caravelle* (1495-1496), est emprunté au portugais *caravela* «bateau léger à quatre mâts», depuis 1255 «bateau de pêche», également «bateau équipé pour les voyages outre-mer» (1447). Lui-même est le diminutif de *caravo* emprunté au latin tardif *carabus* «barque recouverte de peaux» (VIe s.), issu par métaphore de *carabus* «langouste» (→ carabe). Philippe le Bon avait fait construire la première caravelle française par des Portugais à Sluis (ouest de la Hollande) en 1438-1440.

♦ La caravelle fut essentiellement le bateau des grandes découvertes aux XVe-XVIe s. et le mot évoque encore cette époque, notamment les trois navires de la première expédition de Colomb. ◇ Son nom a été donné à un avion à réaction moyen-courrier français en service dans les années 1950-1970.

CARBONE n. m. est emprunté (1787) au latin *carbo, carbonis* «charbon de bois, produit de la combustion», terme technique ayant donné *charbon** par voie non savante. Le rapprochement du gotique *hauri* «charbon» et du vieux slave *hyrr* «feu» (permettant de supposer une origine indoeuropéenne) est lointain et n'explique pas le *b*.

♦ Le mot dénomme un corps simple métalloïde très répandu dans la nature à l'état combiné et qui se trouve dans tous les corps vivants. Le syntagme *carbone 14* (XXe s.) réfère spécialement à un isotope radioactif du carbone présent dans tous les tissus vivants et utilisé pour la datation des matériaux archéologiques et géologiques. ◆ Le composé ***papier carbone*** (1914), elliptiquement *carbone*, est calqué sur l'anglais *carbon paper* (1895) pour désigner un papier chargé d'une couche de couleur et destiné à obtenir des doubles.

▸ Les principaux dérivés datent de la fin du XVIIIe s. : G. de Morveau enregistre dès 1787 **CARBONÉ, ÉE** adj., **CARBONIQUE** adj. et **CARBONATE** n. m., lequel a donné **CARBONATÉ, ÉE** adj. (1801) et **CARBONATER** v. tr. (1845), qui a lui-même produit **CARBONATATION** n. f. (1874) et **CARBONATEUR** n. m. (1886).

BICARBONATE n. m. (1825) «carbonate double» (avec *bi-** «deux fois») est devenu usuel du fait de l'usage pharmaceutique du *bicarbonate de soude* (absolument *bicarbonate*). ◇ Un autre préfixé est **HYDROCARBONÉ, ÉE** adj. (1834).

D'usage moins technique, **CARBONISER** v. tr. (1803) est probablement plus ancien puisque **CARBONISATION** n. f. est attesté chez Lavoisier en 1789. Tous deux se sont répandus en parlant de l'action de modifier ou de détruire par le feu (1825 en cuisine), d'où un emploi familier pour «brûler» ou «cuire à l'excès», en synonymie avec *brûler, cramer*.

CARBONIFÈRE adj. (1838), substantivé en géologie pour désigner une époque de la fin de l'ère primaire où se sont formés de grands bassins houillers, et **CARBONEUX, EUSE** adj. datent du XIXe siècle.

◈ voir CARBURE.

CARBURE n. m. est dérivé savamment (1787) du radical de *carbone** avec le suffixe *-ure*.

♦ Boiste, en 1803, enregistrait le mot sous un double genre, le féminin se référant à la combinaison du carbone non oxygéné avec différentes bases et le masculin désignant concrètement un tel composé binaire. Le masculin s'est imposé, passant dans l'usage pour désigner spécialement le *carbure de calcium* utilisé dans les lampes (*lampes à carbure*). ◆ Il est même passé en argot comme désignation métaphorique de l'argent.

▸ *Carbure* a produit la plupart de ses dérivés dans la première moitié du XIXe siècle. ◆ **CARBURÉ, ÉE** adj. (1823) annonce la formation ultérieure de **CARBURER** v. (1853) dont le sens transitif de «combiner (un métal) avec du carbone», en métallurgie, tend à être supplanté par des emplois intransitifs secondaires : le mot est employé en parlant d'un moteur qui effectue le mélange gazeux nécessaire à son bon fonctionnement. Par extension, il est passé dans l'usage familier (1920, sports) au sens d'«aller (bien, mal)» et de «fonctionner». *Carburer à* (suivi d'un nom de boisson alcoolisée) s'entend spécialement pour «boire habituellement (cette boisson)». ◆ Le participe présent **CARBURANT** adj. et n. m. (1857) est substantivé (1899) au sens de «combustible utilisé dans un moteur», d'où **SUPERCARBURANT** n. m. (1931), abrégé familièrement (1956) en *super**.

CARBURATION n. f. (1866) et **CARBURATEUR, TRICE** adj. et n. (1866) sont également devenus courants, ce dernier à cause de l'utilisation de ce dispositif dans les moteurs d'automobiles. ◆ **BICARBURE** n. m. (1825) appartient aujourd'hui à une terminologie chimique périmée. ◆ **HYDROCARBURE** n. m. (1829), d'abord *hydro*-carbure*, désigne un composé qui contient seulement de l'hydrogène et du carbone. Le mot est devenu usuel avec l'importance économique prise, depuis l'avènement du moteur à essence, par la série des hydrocarbures comprenant le pétrole et les huiles lourdes. ◆ **DÉCARBURER** v. tr. (1839) «enlever à (un métal) le carbure qu'il contient», de même que ses dérivés **DÉCARBURATION** n. f. (1834), **DÉCARBURANT, ANTE** adj. et n. (v. 1870) et **DÉCARBURATEUR, TRICE** adj. (XXe s.), relèvent d'un usage plus strictement technique.

CARCAJOU n. m., d'abord *carcajoux,* forme unique au singulier et au pluriel (1703), puis *carcajou* (1710, au pluriel *carcajous*), est un mot du français du Canada, emprunté au dialecte des Montagnais, tribu des Algonquins du Nord-Est.

♦ Ce nom d'une espèce de blaireau du Labrador s'emploie régionalement (Canada) avec la valeur figurée de «personne rusée et féroce» d'après des caractéristiques de l'animal, déjà décrites au XVIIIe s. (Trévoux, 1771).

CARCAN n. m., réfection (1172-1174) de *charcanz* (1100-1150), représente le latin médiéval *carcan(n)um* (IXe s.), également attesté dans le domaine anglais aux XIIe et XIIIe s. et d'origine inconnue. La répartition des formes *charcan/carchan* ne permet pas d'attribuer aux unes et aux autres une origine géographique précise; les formes en *cha-* sont peut-être dues à une hyperfrancisation à partir des formes en *ca-* considérées comme normandes et picardes. Un rattachement à l'ancien haut allemand *querca* «gorge, cou» et spécialement à l'ancien norrois *kverkband* «mentonnière, jugulaire», de *kverk* «gorge» et *band* «lien» (→ bande), fait difficulté des points de vue chronologique et phonétique. L'étymon arabe *ḫalḫal* «anneau de la cheville», déjà éloigné phonétiquement, est peu vraisemblable du point de vue géographique, le mot n'étant pas attesté en provençal mais dans la partie nord du domaine d'oïl.

♦ Le mot désigne un collier de fer servant à attacher un condamné au pilori, puis par extension le collier de fer porté par les forçats (1867). Une analogie de forme est à l'origine d'emplois spécialisés en bijouterie pour désigner un collier (1468), emploi disparu, et en élevage un collier de bois mis au cou d'animaux pour les empêcher de passer à travers les haies (1832). ◇ Du sens de base vient un emploi abstrait comparable à celui de *joug,* par exemple dans *le carcan de la discipline* (attesté fin XIXe s., in *T. L. F.*).

CARCASSE n. f., relativement tardif (1556), est d'origine obscure. Il vient peut-être de l'ancien nom masculin *charcois* (1188) «ossements» et par extension «corps», d'origine inconnue. Son rapprochement avec *carquois* est très hypothétique et peu vraisemblable. P. Guiraud propose un rapprochement avec le normanno-picard *carquier* «charger, transporter» (→ carcan), la carcasse étant proprement «ce qui charrie, transporte le corps», mais l'hypothèse est gratuite.

♦ Le mot, qui désigne d'abord les ossements, puis le corps mort d'un animal, d'un homme, est passé dans le vocabulaire alimentaire à propos de ce qui reste du corps de la volaille privé de ses cuisses et de ses ailes (1680, *carcasse de poulet*). Par extension, il désigne familièrement une personne décharnée (1680) et en général un corps humain (1696). ◇ Techniquement, il est employé pour désigner la charpente d'un navire (1704) et d'autres objets (immeuble, parapluie), seul le contexte indiquant s'ils sont considérés comme structures préalables ou comme débris, ruines.

▸ Soit par l'intermédiaire d'un dérivé peu courant et populaire **CARCASSER** v. intr. (en 1894, «avoir des accès de toux violents secouant toute la carcasse»), soit plutôt par une formation «parasynthétique» (premier élément de composition et suffixe verbal), on a formé le composé familier **DÉCARCASSER** v. tr. (1821), surtout à la forme pronominale *se décarcasser* dès les premières attestations, avec le sens figuré de «se démener».

CARCÉRAL, ALE, AUX adj. est dérivé savamment (1959) du radical du latin *carcer* «prison» (→ incarcérer). Le bas latin avait déjà formé *carceralis* «propre à la prison» (VIe s.).

♦ La formation du mot comble une lacune due à l'absence d'adjectif dérivé de *prison.* Souvent omis dans les dictionnaires généraux de la seconde moitié du XXe s., *carcéral* a acquis une réelle vitalité depuis la discussion sur le régime pénitentiaire à l'occasion des incidents survenus dans certaines prisons vers 1973.

▸ Contrastant avec la vitalité de *carcéral* et de *incarcérer*,* **CHARTRE** n. f. (v. 980, *cartre*), héritier du latin *carcer,* a été progressivement évincé par *prison.* Furetière, signalant la locution *tenir qqn en chartre privée* «l'emprisonner dans un lieu autre que la prison publique», qualifie le mot de «vieux» (1690).

◈ voir INCARCÉRER.

CARDAMINE n. f. est emprunté (1545), peut-être par l'intermédiaire de la forme latinisée *cardamine* (408), au grec *kardaminê* (Ier s.), nom d'une plante herbacée de la famille des Crucifères désignant aussi le cresson de fontaines, et dérivé de *kardamon* «cresson alénois» (→ cardamome).

♦ Le mot, assez rare, conserve le sens de l'étymon.

CARDAMOME n. f., d'abord *cardemome* (v. 1170) puis *cardamome* (1210-1223), est emprunté au latin *cardamomum* (Pline). Lui-même est repris au grec tardif *kardamômon* «plante aromatique d'origine orientale», composé (avec superposition syllabique) de *kardamon* «cresson alénois», mot probablement emprunté, et de *amômon* «plante aromatique d'origine extrême-orientale», mot lui aussi emprunté et qui a donné *amome*.*

♦ Le mot désigne une plante du genre amome dont les fruits de même nom renferment des graines au goût poivré.

◈ voir CARDAMINE.

CARDE n. f. est un terme originaire des dialectes du Nord (XIIIe s.) issu d'un type latin °*carda,* pluriel neutre collectif tiré du latin *carduus* «chardon» (→ chardon), l'objet désigné étant fait de plusieurs têtes de chardon. Il pourrait aussi être le déverbal de *carder*.* Cette origine picarde est confirmée par la géographie des premières attestations et par l'importance de l'industrie drapière en Flandre, au moyen âge. L'hypothèse d'un emprunt au provençal *carda* «chardon», déverbal de *cardar* «démêler les fibres textiles à l'aide de têtes de chardon», est infirmée pour des raisons géographiques et historiques, tout comme celle d'un emprunt à l'italien *cardo*.

♦ Le sens du mot a évolué avec les techniques de peignage des fibres textiles : longtemps employé à propos de la tête épineuse du chardon à foulon servant à cet usage (encore en 1601), il désigne aujourd'hui une brosse garnie de pointes métalliques recourbées (1366) et une machine (1835). ◆ Le sens de «côte comestible des feuilles de certaines plantes comme la poirée ou l'artichaut-cardon» (1536) correspond à un homonyme apparenté, emprunté au provençal *cardo* de même sens (pourtant seulement attesté depuis Mistral), issu du latin *carduus* par l'intermédiaire d'une forme gallo-romane °*carda*. Par métonymie, *carde* est employé pour désigner la plante elle-même, la blette.

► **CARDER** v. tr., d'abord *karder* dans le nord de la France (XIIIe s.), signifie «démêler les fibres textiles» d'où, par métonymie, avec changement de nom d'objet, «nettoyer (un tissu) de ses poils trop longs ou trop courts». Il donne lieu à quelques emplois métaphoriques, tantôt poétiques (1783-1784, *carder les nuages*) tantôt populaires (1899, ***carder le poil à qqn*** «battre» [cf. les emplois figurés de *frotter, savonner,* etc.]). ◇ Le participe passé **CARDÉ, ÉE** est adjectivé (1394) et, elliptiquement, substantivé au féminin (1680) puis au masculin (1899) en parlant d'un tissu de laine dont les fibres, démêlées grossièrement, ne sont pas rectilignes. ◆ **CARDEUR, EUSE** n. (1337), nom d'ouvrier, sert à nommer au féminin une machine à carder (1876); **CARDERIE** n. f. (1358), ancien nom de la laine cardée, a reculé comme substantif d'action (1397) au profit de **CARDAGE** n. m. (1404), lent à s'imposer avant le XVIIIe siècle. *Carderie* s'est maintenu au sens local pour «endroit où a lieu le cardage» (1827). **CARDÈRE** n. f. (1775), qui désigne une sorte de chardon autrefois utilisé pour le cardage, se rattache probablement à la famille de *chardon*, carde** bien que sa formation soit obscure : ce peut être une formation savante, due aux botanistes du XVIIIe s. à partir du latin *carduus* avec une finale mal éclaircie; ou plutôt un emprunt au provençal *cardayro* de même sens, attesté dans la Creuse, la Dordogne, la Corrèze, et dérivé de *cardar* «carder» (XIVe s.) avec le suffixe *-ayro* (du latin *-ator*).

CARDIAQUE adj. et n. est emprunté (1372) au latin *cardiacus* «malade de l'estomac» puis (IVe-Ve s.) «relatif au cœur», employé spécialement comme nom et adjectif au sens de «malade du cœur» (Ve s.). Ce mot est emprunté au grec tardif *kardiakos* «relatif à l'estomac, au cœur», dérivé de *kardia* au double sens de «cœur» et «estomac», à rattacher à une racine indoeuropéenne °*kērd* (→ cœur).

♦ Le mot a repris au latin les sens relatifs au cœur. Il est substantivé comme nom d'un remède pour le cœur (1590), sens vieilli, et pour désigner une personne atteinte d'une maladie de cœur (1892).

► Du grec *kardia* ont été tirés l'élément préfixal *cardia-, cardio-* ainsi que l'élément suffixal *-carde, -cardie* indiquant une relation avec le cœur.
CARDIA-, CARDIO-, quoique assez utilisé au XIXe s. en histoire naturelle, a perdu sa vitalité dans ce domaine au XXe siècle. En revanche, il ne cesse de prendre une importance croissante, en relation avec les progrès de la médecine du cœur; en médecine, les composés les plus usuels sont **CARDIOLOGIE** n. f. (1832; après *cardialogie*, 1762), **CARDIOLOGUE** n. (1920-1924), abrégé en **CARDIO** n. (1979), **CARDIOPATHIE** n. f. (1858), **CARDIOGRAMME** n. m. (1929). Il peut lui arriver d'occuper une position médiane (*électrocardiogramme* n. m. [→ électrique]).
L'élément final **-CARDE, -CARDIE** n'a pas autant de vitalité et se limite également à des termes du vocabulaire scientifique (en médecine et, avec le sens de «en forme de cœur», en zoologie).

⟐ voir **PÉRICARDE; CARDIOTONIQUE** (art. **TON**).

CARDIGAN n. m. est emprunté (1928) à un mot anglais attesté depuis 1868, tiré du nom du comte de *Cardigan* (1797-1868) connu pour ses exploits au cours de la guerre de Crimée, qui semble cependant avoir porté ce que l'on appelle en français un *gilet*.
◆ La mode du cardigan, veste de laine tricotée, boutonnée par devant, se répandit pour les femmes après la guerre.

① **CARDINAL, ALE, AUX** adj. est emprunté (1279) au latin *cardinalis* dérivé de *cardo, -inis* «gond», «charnière», «pivot», «pôle (nord, sud)» puis «point cardinal» et «tournant, point principal», terme technique d'étymologie inconnue. L'adjectif, qui signifie proprement «qui sert de pivot», est également attesté au sens figuré de «autour duquel tout tourne» dans les syntagmes *cardinales venti* «vents cardinaux» (fin IVe s.), *cardinales numeri* «nombres cardinaux» (déb. VIe s.), *cardinales virtutes* «vertus cardinales» (379).

♦ Le sens figuré de «principal» est réalisé dans l'expression *vertus cardinales* qui désigne les quatre vertus chrétiennes considérées comme fondamentales dans les rapports des hommes entre eux. Il l'est ultérieurement dans *autel cardinal*, attesté en 1845 comme terme d'histoire ecclésiastique. ◇ Le sens géographique est introduit dès l'ancien français, d'abord dans le syntagme *vent cardinal* (1290) qui procède par métonymie de l'expression postérieurement attestée *point cardinal* (1680), devenue usuelle, pour désigner le nord, le sud, l'est et l'ouest. L'acception du mot en arithmétique, dans *nombre cardinal*, opposé à *ordinal*, est attestée depuis 1680. En dehors de ces emplois calqués sur le latin, le mot a développé une spécialisation en embryologie, qualifiant les veines du corps de l'embryon, au nombre de quatre (1865).

► ② **CARDINAL, AUX** n. m., d'abord *chardenal* (1172-1174), forme demi-savante attestée jusqu'au XIVe s., puis *cardinal* (1230-1250), est emprunté au latin ecclésiastique *cardinalis*, spécialisation figurée de l'adjectif classique (→ cardinal), employé pour qualifier certains dignitaires ecclésiastiques, spécialement un prêtre affecté d'une manière permanente à une église déterminée (VIe s.) ou un évêque «suburbicaire» (768-772). *Cardinalis* est substantivé au sens de «prélat choisi par le pape» (fin VIIIe s.). ◆ *Cardinal* désigne en français un dignitaire ecclésiastique chargé d'élire et d'assister le pape dans le gouvernement des affaires de l'Église. Il a donné la locution descriptive ***à la cardinale*** (1534) et a reçu plusieurs acceptions analogiques par allusion à la couleur rouge de la robe du prélat : certaines sont sorties d'usage comme la désignation imagée de la décapitation (1534, *faire cardinal*) ou cette désignation euphémique des menstrues (1580, *avoir son cardinal*). ◇ Celles qui se sont imposées désignent des animaux de couleur rouge (un oiseau d'Amérique, 1694 ; un papillon diurne, 1809) ou des plantes (un glaïeul à fleurs rouges, 1832). ➛ Le dérivé **CARDINALISER** v. tr., d'abord écrit *cardinalizer* (1534), a dès le XVIe s. à la fois le sens figuré de «rendre rouge», vieilli en dehors d'emplois spéciaux et plaisants, et le sens propre de «faire cardinal» (1596).

CARDINALAT n. m. est emprunté (1508) au latin médiéval *cardinalatus* «dignité de cardinal» (av. 1115), de *cardinalis*.

CARDINALICE adj. est emprunté (1829) à l'italien *cardinalizio* «relatif aux cardinaux, à l'état de cardinal» (av. 1606), de *cardinale*, correspondant au français *cardinal** avec le suffixe *-izio*.

◈ voir CHARNIÈRE.

CARDON n. m. est la forme picarde de *chardon**, employée en ancien français comme nom de la tête de chardon utilisée pour carder la laine. Avec son sens moderne, le mot a été emprunté (1507) à l'ancien provençal *cardo(n)*, attesté dans la seconde moitié du XIIIe s., lui-même issu du latin *cardo* (→ chardon).

♦ Le mot désigne une plante potagère du même genre que l'artichaut.

◈ voir CARDE.

◈ **CARÊME** n. m., d'abord *quaresme* (1119), est issu du latin populaire °*quaresima*, altération du latin classique *quadragesima* «quarantième» (→ quatre) dans sa spécialisation chrétienne de «quarantième jour (avant Pâques)», par ellipse pour *quadragesima dies*, d'après le grec ecclésiastique *tessarakostê (hêmera)*.

♦ Le mot, dont le genre est resté indécis jusqu'au XVIe s., désigne la période de 46 jours de jeûne et d'abstinence entre mardi gras et Pâques. Par extension, il est employé en Afrique du Nord pour désigner le ramadan, son correspondant dans la religion musulmane. Par métonymie, il désigne le jeûne (1541), l'ensemble des sermons (av. 1622) faits pendant cette période. Il entre dans plusieurs expressions familières, ironiques comme ***amoureux de carême*** (1535), ***saint de carême*** (fin XVIe s.), ***face de carême*** (1668) «face amaigrie», ***tomber comme mars en carême*** «arriver inévitablement» (XIVe s.) et inversement ***arriver comme marée en carême*** «arriver fort à propos» (1762).

► **CARÊME-PRENANT** n. m., d'abord dans le syntagme *feste caren-pernent* (fin XIIe s.), est composé de *carême* et du participe présent de *prendre**, *prenant*, au sens de «qui s'engage dans». Le mot désigne strictement les trois jours de réjouissances précédant le début du carême. Familièrement, il désigne une personne grotesquement accoutrée (1670, *Le Bourgeois gentilhomme*) par allusion aux masques qui courent les rues pendant ces trois jours.

MI-CARÊME n. f. (1264), composé de *mi-** «demi» et de *carême*, désigne le vingt-troisième jour après le mercredi des Cendres.

CARENCE n. f. est emprunté (v. 1450) au bas latin *carentia* «indigence, privation» (IIe-IVe s.), de *carere* «ne pas avoir, manquer de». Le mot est sans étymologie connue, comme d'ordinaire pour le sens de «manquer» dans les langues indoeuropéennes.

♦ D'abord employé avec la nuance ancienne de «besoin», le mot a affirmé son sens moderne de «manque absolu, insuffisance» (XVe s.), spécialement en droit (1611, *carence de biens*, en parlant d'une succession), puis ultérieurement en médecine (*carence alimentaire*, v. 1920), et en psychologie de l'enfance au sens de «manque affectif». Il se réfère en particulier à l'état d'une personne, d'une institution qui se dérobe devant ses obligations (1910).

► **CARENCER** v. tr. (1920-1924, sous la forme du p. p. dans le syntagme *régime carencé*) et **CARENTIEL, IELLE** adj. (1955) s'emploient surtout dans leur acception médicale.

CARÈNE n. f., d'abord *carenne* (1246), est emprunté, par le biais du latin médiéval *carena*, à l'ancien génois *carena* «partie immergée de la coque d'un bateau lorsqu'il est chargé». Ce mot représente le latin *carina*, proprement «demi-coquille de noix», spécialisé par analogie de forme au sens de «coque de bateau», ceci dès les premières attestations, d'où par métonymie «vaisseau». Le mot latin, sans étymologie sûre, rappelle le grec *karuon* «noix» (→ caryo-) et le sanskrit *karakaḥ* «noix de coco» qui suggèrent l'idée première de la coque. Le français a aussi emprunté directement au latin le type *carine* (déb. XIVe s.), vivant jusqu'au XVIIe s. et repris très momentanément en botanique (1753). Le type *carene* (1552) est pris à l'italien *carena* (XVe s.), mot génois.

♦ Le mot, d'abord employé de manière isolée pour «quille d'un navire», désigne plus généralement la coque immergée. Une extension métonymique lui a valu en poésie le sens de «navire». Il a été transposé en aéronautique à propos de l'enveloppe d'un ballon dirigeable (1904). ➛ Par analogie de forme, il désigne en botanique la pièce formée par les deux pétales inférieurs des fleurs de papilionacées (1753) et en zoologie le bréchet des oiseaux. ◇ Il a été transposé en aéronautique à propos de l'enveloppe d'un ballon dirigeable (1904).

► **CARÉNER** v. tr. (1643) signifie d'abord «nettoyer la carène de (un navire)» ; par analogie, il a reçu l'acception technique de «donner un profil aérodynamique à (une carrosserie)» (XXe s.). ◇ En est dérivé le substantif d'action **CARÉNAGE** n. m., d'abord écrit *cranage* (1640), qui, par métonymie, désigne le lieu où l'on carène les bâtiments (1678). Par analogie, le mot s'emploie à propos de la carrosserie aérodynamique d'une automobile (XXe s.). ◇ Le participe passé **CARÉNÉ, ÉE** est adjectivé avec les sens du verbe.

CARESSE n. f., d'abord *charesse* (1534) puis *caresse* (1545), est emprunté à l'italien *carezza*, dérivé de *caro, cara* «cher» (→ cher).

♦ L'histoire du mot en français est celle d'une spécialisation de sens : aux XVIe et XVIIe s., il recouvre l'idée d'une démonstration d'affection, de reconnaissance dans diverses circonstances de la vie, aussi bien par les gestes que par la parole. Il désigne aussi des flatteries verbales (1616). De nos jours, il évoque essentiellement la sensualité érotique (1606) — l'idée d'une *caresse amicale* est archaïque — parfois avec des connotations nettement sexuelles, en outre limitée aux attouchements de la main, alors qu'il incluait anciennement les baisers.

► **CARESSER** v. tr., attesté un siècle avant le nom (1450), est emprunté à l'italien *carezzare* «chérir», dérivé de *carezza*. ◇ Le verbe a évolué, à partir du XVIe s., comme le nom ; sa valeur première est voisine de *cajoler*, avec parfois une nuance péjorative pour «flatter, courtiser» (1538). ➜ Sans valeur affective, ils sont employés avec une idée d'«effleurement» *(se caresser la barbe)* notamment au figuré (1671, pour le nom ; 1777, pour le verbe). Le verbe s'emploie également avec un complément de sens psychologique (1736) au sens d'«entretenir complaisamment» *(caresser un projet)*. En emploi concret, il a pris, comme *caresse*, une valeur érotique.
Du verbe sont dérivés **CARESSANT, ANTE** adj. (1642), spécialisé avec la valeur psychologique de «tendre, affectueux, avec des manifestations physiques», et **CARESSEUR, EUSE** adj. et n. (1566), passé du sens de «qui aime bien qqn et témoigne de son affection», devenu archaïque, à «qui a l'habitude de caresser» (1857).

CARET n. m. est emprunté directement (1640) à une langue indienne caraïbe ; l'espagnol, qui n'a pas servi d'intermédiaire pour le français *caret*, est à l'origine de la forme *car(r)ey* réempruntée au XVIIIe siècle. Le français et l'espagnol *carey* ne peuvent être empruntés au malais, comme on l'a cru, en raison de la localisation géographique des premières attestations : c'est au contraire le mot caraïbe qui aurait été apporté aux Philippines par les Espagnols.

♦ Le mot désigne une tortue des mers du Sud recherchée pour ses œufs au goût délicat et fournissant une belle écaille.

CAREX n. m. est écrit une fois *caret* lors d'une tentative isolée de francisation du latin (1778), puis *careiche* (1803) avec une finale inexpliquée, peut-être sous l'influence de son synonyme populaire *laîche*, et enfin *carex* (1805, traduction de Linné). ◇ Le mot est emprunté au latin *carex* «laîche, herbe des marais», peut-être en rapport avec *carduus* (→ carde, chardon).

♦ Le mot désigne une plante de la famille des Cypéracées qui croît dans les sols marécageux et sablonneux.

CARGAISON n. f., d'abord *carquaison* (1554) puis *cargaison* (1611), est emprunté à l'ancien gascon *cargueson* (1516), dérivé de l'ancien provençal *cargar* «charger (un navire)» (1177), de même origine que *charger**.

♦ Ce terme de marine est employé familièrement au sens de «grande quantité», comme *collection, provision*.

◈ voir CARGO.

CARGO n. m. est issu par abréviation (1907) de *cargo-boat* (1887), emprunté tel quel à l'anglais *cargo-boat* «navire de charge» (1859). Le premier élément est *cargo* «charge, fret» (1657), emprunté à l'espagnol *cargo*, déverbal de *cargar* «charger» (→ cargaison, charger). Le second est *boat* (→ bateau).

♦ Le mot, nom d'un navire de commerce servant au transport des marchandises, a servi à former **AVION-CARGO** n. m. (1948).

CARGUER v. tr., apparu tardivement (1611), est emprunté par l'intermédiaire d'une langue méditerranéenne au latin tardif *carricare* (→ charger). L'ancien provençal *cargar* ne semble pas attesté dans ce sens ; l'espagnol *cargar* «serrer les voiles» n'a pas été repéré avant 1732, mais on le trouve depuis le XVIe s. au sens de «enfler les voiles (en parlant du vent)» ; le catalan *carregar de veles* «déployer toutes les voiles (d'un bateau)», attesté depuis 1450-1490, conviendrait mieux. ◇ Les emplois de *carguer* «attaquer en chargeant» et *cargue* «charge militaire» dans le français du XVIe s. sont des emprunts à l'italien du Nord *cargare* et *carga*.

♦ Le mot, d'abord employé au sens de «pencher sur le côté» en parlant d'un bateau, a pris sous l'influence de son dérivé *cargue* le sens de «replier et amarrer (les voiles) contre les vergues ou le mât» (1690).

► Dès le XVIIe s., *carguer* a produit **CARGUE** n. f. (1634), «cordage servant à carguer les voiles», et **CARGUEUR** n. m. qui a perdu son sens classique de «poulie pour amener et guinder le perroquet» (1678) et a été reformé au sens de «matelot chargé de carguer les voiles».

◈ voir CARGAISON, CARGO.

CARI, CARRY, CURRY n. m., sous la première forme attestée *caril* (1602) dans la traduction d'une adaptation latine d'un texte portugais (1563), est emprunté par le portugais au kanara (langue dravidienne du sud de l'Inde) *karil*, forme très voisine du tamoul *kari* «sauce, condiment pour assaisonner le riz». Au XVIIe s. le français doit les formes *carril* (1610) et *cary* (1688) à la traduction de relations de voyages néerlandaises. Il les conserve avec un certain flottement graphique (*carri*, 1708 ; *carry*). La forme *curry*, qui l'emporte au XXe s. et élimine les variantes anciennes, est empruntée à l'anglais *curry* de même origine, qui succède à *carriel* (1598) puis *carree* (1681), *currey* (1747), *curry-powder* (1810).

♦ Le mot, d'abord cité dans les ouvrages scientifiques de botanique et de droguerie, puis de géographie, désigne un condiment indien fait de piment, safran, poivre et autres épices pulvérisées. Par métonymie, il désigne le mets composé de viande (ou poisson, légume) préparé avec ce condiment, qu'il soit ou non accompagné de riz. Le mot désigne alors des préparations différentes, selon qu'il s'agit de cuisine indienne ou de cuisine extrême-orientale (Chine, Corée, Japon).

CARIATIDE n. f., d'abord *caryatide* (1546, avec majuscule) puis *cariatide* (1550), est emprunté, peut-être par l'intermédiaire de l'italien *cariatide* (XVIe s.), au latin impérial *caryatides,* féminin pluriel emprunté au grec *karuatides,* proprement «femmes de *Karues*» (bourg du Péloponnèse). D'après Vitruve, les femmes de cette ville, emmenées comme captives après la destruction de Karyes (qui avait soutenu les Perses durant les guerres médiques), servirent de modèles aux statues; toutefois, pour des raisons archéologiques et historiques, il semble plutôt que ce terme désigne des jeunes filles qui célébraient le culte d'Artémis *Karuatis,* ainsi nommée en raison du temple où on l'honorait à Karyes.

♦ Le mot désigne une statue de femme, plus rarement d'homme, tenant lieu de colonne ou de pilastre. Par référence à l'immobilité de la statue, il se dit quelquefois au figuré d'une femme postée à l'entrée d'un lieu (souvent avec une valeur péjorative).

CARIBOU n. m. est emprunté (1609) à un mot de l'algonquin du Nord dont l'origine est le micmac (autre langue indienne) *kálibu, xalibú* «renne du Canada». L'Académie a supprimé en 1878 la forme *cariboux* admise jusque-là.

♦ Le mot désigne un renne du Canada dont la chair est comestible et, par métonymie, une mousse dont cet animal est très friand.

CARICATURE n. f. est emprunté (1740) à l'italien *caricatura,* dérivé du participe passé de *caricare* «charger» (→ charger) au propre et au figuré, littéralement «action de charger», depuis le XVIIe s. «portrait ridicule en raison de l'exagération des traits».

♦ Le mot, d'abord employé en parlant d'une représentation grotesque par le dessin ou la peinture, s'étend aux images déformées, outrées, de la réalité dans la littérature (av. 1784, Diderot) et généralement à la déformation outrée d'une chose. ◇ Par métonymie, il est employé en parlant d'une personne laide et ridiculement accoutrée (1808).

▶ La première moitié du XIXe s., qui a vu apparaître **CARICATURER** v. tr. (1801), **CARICATURISTE** n. (1803), **CARICATURAL, ALE, AUX** adj. (1842), d'où **CARICATURALEMENT** adv. (1845), est aussi l'époque où la caricature politique s'est épanouie sous les plumes de Daumier, de Gavarni, etc. Au XXe s., à l'idée initiale de charge, de portrait-charge, se substitue celle de dessin d'humour, le mot *caricature* devenant moins courant. *Caricatural* a pris des valeurs figurées assez usuelles, «qui déforme, rend ridicule».

CARIE n. f. est emprunté (1537) au latin *caries* «pourriture» d'abord en parlant du bois des arbres puis de toute espèce de vétusté, mauvais goût de vins et fruits vieux, état ruineux. *Caries* est probablement l'élargissement d'une racine de sens voisin qui apparaît dans plusieurs langues indoeuropéennes, par exemple dans le grec *keraizein* «ruiner».

♦ Le mot désigne une lésion des tissus osseux et, plus couramment, du tissu dentaire. Par extension ou réemprunt à un sens du mot latin, il est employé en botanique à propos de maladies des arbres ou des plantes (1611).

▶ **CARIER** v. tr., précédé par la forme de participe passé **CARIÉ, IÉE** (*carrié,* av. 1544), est attesté avant 1590 et signifie «atteindre par la carie». L'emploi le plus usuel concerne les dents. ◆ **CARIEUX, IEUSE** adj. (1546) se rapporte spécialement à la carie dentaire, de même que les quelques termes formés savamment avec l'élément préfixant **CARIO-** au XXe s. : **CARIOGÈNE** adj., **CARIOGENÈSE** n. f.

◈ voir CARROUSEL.

CARILLON n. m., resuffixation (1345) écrite *quarrillon* au XIIIe s. (av. 1240) de *carenon* (1178) et *quaregnon* (1190), est issu d'un latin populaire °*quadrinionem,* altération — d'après des mots commençant par *quadri-* — du bas latin *quaternio* attesté dans la Vulgate pour désigner un groupe de quatre soldats et, au Ve s., un cahier de quatre feuillets (→ cahier), ainsi que d'autres ensembles en forme de carré ou formés de quatre objets.

♦ Le mot, d'abord dans *sonner a carenon* «sonner alternativement (de quatre cloches)», désigne proprement un ensemble de quatre cloches, accordées à différents tons, et par métonymie la sonnerie vive et gaie de ces cloches (1345); par extension, il s'applique à d'autres genres de sonnerie, notamment une sonnette à plusieurs tons. Par analogie, *le carillon d'une horloge* (1752) désigne le système de sonnerie. ◇ Cette spécialisation fort ancienne a évincé l'emploi du mot, en ancien français, pour désigner un parchemin plié en quatre (1190). Toutefois, le sens étymologique de «carré» subsiste dans l'expression technique *fer de carillon* (1676), «tige de fer carrée», encore attestée dans certains dictionnaires.

▶ **CARILLONNER** v. (XVe s.), «sonner en carillon», a pris par extension le sens de «sonner, tinter» (1648, dans un emploi transitif). Il a reçu l'acception figurée de «proclamer bruyamment une nouvelle» (1648). ◇ Le participe passé est usuel dans ***fête carillonnée*** «grande fête catholique».
Ce verbe a pour dérivés **CARILLONNEUR** n. m. «sonneur» (1601), surtout connu par une chanson populaire, **CARILLONNANT, ANTE** adj. (1653) et **CARILLONNEMENT** n. m. (1890), rare.

CARITATIF → CHARITÉ

CARLIN n. m., attesté en 1800, passe pour venir de *Carlin,* surnom français de l'acteur italien *Carlo* Bestinazzi (1713-1783) qui connut une grande vogue à Paris dans le rôle d'Arlequin. L'acception nouvelle viendrait d'une comparaison plaisante entre le museau de ce petit dogue et le masque noir d'Arlequin porté par cet acteur.

♦ Le mot désigne un petit chien d'agrément ressemblant à un dogue, au museau noir et écrasé. Par allusion au museau caractéristique de l'animal, il a donné quelques emplois comparatifs *(nez de carlin)* et figurés, sortis d'usage dans la seconde partie du XIXe siècle. ◇ Un féminin *carline* était employé au XIXe s. en argot comme surnom de la mort, avec le même développement sémantique que *camarde, camuse.*

CARLINGUE n. f., d'abord *calengue* (1382) puis *carlingue* (1573), est emprunté à l'ancien nordique *kerling* «femme» qui a pris par métaphore sexuelle le sens technique («pièce femelle») de «contrequille d'un navire où vient s'implanter le mât» (en islandais, *kerling* est un terme de marine et, en suédois dialectal, *kärring* signifie «chevalet où l'on plante une torche de résine»). *Kerling,* qui a souvent la valeur péjorative de «vieille femme», est le féminin de *karl* «homme, mâle». Celui-ci correspond à l'ancien haut allemand *charal, karl,* d'origine germanique, qui subsiste dans le prénom *Karl.* Celui-ci, latinisé en *Carolus,* a donné *Charles.*

♦ Le mot, repris comme terme de marine, désigne aussi par extension une pièce de charpente parallèle à la quille et renforçant la carène. Le vocabulaire de l'aéronautique l'a repris à propos de la partie du fuselage où prend place le pilote (1928), seul sens usuel aujourd'hui. ◇ Un café de Paris, nommé *la Carlingue,* ayant sous l'occupation allemande la fréquentation de membres de la Gestapo, *Carlingue* a désigné en argot cette organisation policière nazie.

▸ *Carlingue* a donné **CARLINGAGE** n. m. (1892), au sens collectif de «ensemble des pièces constituant les carlingues métalliques», et **CARLINGUIER** n. m. (1942), nom d'ouvrier chargé de monter les carlingues d'avion.

CARMAGNOLE n. f., d'abord attesté dans le Dauphiné (1660) sous la forme *carmagniôla* «jaquette de cérémonie des paysans» et en Savoie pour une veste portée par les ouvriers piémontais (XVIIe s.), est une formation dialectale à partir du nom de la ville italienne de *Carmagnola,* en Toscane.

♦ Cette veste étroite à revers et à plusieurs rangées de boutons fut introduite en France avec le mot (1791) par un jacobin et adoptée par les révolutionnaires. Le sens de «ronde chantée par les révolutionnaires» (immédiatement évoqué par la chanson *Dansons la carmagnole*) en serait une extension; l'expression ***faire danser la carmagnole,*** ayant le sens de «infliger une correction», a pris par euphémisme celui de «guillotiner». Ce passage de «danse» à «correction» est normal (cf. *une danse,* au figuré). L'hypothèse de P. Guiraud, qui rattache le mot à un provençal *carmena, charmena* «carder» d'où «se crêper le chignon, châtier», cette ronde étant justement destinée à «étriller les aristocrates», semble donc inutile. ◇ Le mot, pris au masculin (d'abord écrit *carmagnol*) et au féminin, désignait par métonymie (1793) un républicain affiché, un sans-culotte ou une républicaine.

CARME n. m. est le dérivé régressif (av. 1307) de *carmel.* Ce mot, désignant un des quatre ordres mendiants voué à la solitude et à l'apostolat — rendu célèbre par Thérèse d'Avila avant 1582 —, doit son nom (1156, *Notre-Dame du Mont-Carmel*) au nom d'un mont d'Israël dont il est question dans la Bible à propos du prophète Elie et où fut fondé au XIIe s. le monastère qui porte son nom.

♦ Le mot seul et, spécialement, dans *carmes déchaussés* (1680), désigne un religieux appartenant à l'ordre du Carmel. ◆ Par allusion à la blancheur de la robe de ces religieux, il est devenu en argot le nom de la miche de pain blanc (1628). Par analogie avec la forme ronde de la miche ou par le même développement que *blanc* «argent», il a pris, toujours en argot, le sens de «argent, monnaie» (1841), archaïque, alors que le dérivé **CARMER** v. «payer» (1867) est encore connu.

▸ **CARMÉLITE** adj. et n. (1317-1318) est lui aussi dérivé de *carmel* avec le suffixe *-ite.* Au XVIe s., saint François de Sales et d'Aubigné ont employé la variante *carmeline,* à rapprocher du latin médiéval *carmelini* «frères du Carmel» (1340) qui, selon Du Cange, était employé pour *Carmelitae. Carmélite* s'est répandu à partir du XVIIe s. pour désigner une religieuse appartenant à l'ordre du Carmel. **CARMÉLITAIN, AINE** adj. est (1610) dérivé de *carmel,* avec le suffixe *-ain* élargi en *-itain* sous l'influence de *carmélite,* ou emprunté au latin tardif *carmelitanus* (1507). ◆ D'abord usité pour «carme» en emploi substantivé, il est repris à partir de 1910 comme adjectif.

CARMIN n. et adj. inv., d'abord *charmin* (v. 1165) avant *carmin,* est d'origine incertaine, peut-être du croisement de l'arabe *qirmiz* «cochenille» et du latin *minium* «vermillon» (→ minium), bien qu'un latin médiéval °*carminium* ne soit pas attesté; on a au contraire *carmin* (v. 1100). Aussi a-t-on proposé d'y voir le dérivé en *-in* de l'ancien °*carme,* emprunté à l'espagnol *carmez* (Xe s.), lui-même pris, via l'hispano-arabe *qármaz,* à l'arabe *qirmiz.*

♦ Le mot désigne une matière colorante rouge tirée à l'origine de la cochenille. Par métonymie, il s'applique à la couleur rouge de cette matière et s'emploie couramment comme adjectif de couleur (1779).

▸ **CARMINÉ, ÉE** adj. (1784) «de la couleur du carmin» se rencontre dans la description littéraire. **CARMINER** v. tr. (1838) «convertir en carmin», d'où «peindre avec du carmin», est technique.

CARMINATIF, IVE adj. est emprunté (XVe s.) au latin médiéval *carminativus,* employé pour qualifier une plante propre à favoriser l'expulsion des gaz intestinaux (1256-1260). Lui-même est dérivé du latin classique *carminare* «carder de la laine» qui, en latin médiéval, avait pris le sens de «disperser en grattant» et de là, dans le domaine médical, «purifier en éliminant». *Carminare,* dérivé de *carmen* «carde», est passé en français dans *charmer** (*carmen* donnant parallèlement *charme**) avec un développement sémantique très particulier, le sens technique du latin étant assumé par *carder, carde.*

♦ *Carminatif,* terme de pharmacie, qualifie une plante, un remède propre à faire expulser les gaz intestinaux; il est substantivé au masculin comme dénomination d'un tel remède (1792).

CARNAGE n. m. serait la forme normanno-picarde (1220-1226) de *charnage* (apr. 1150), lui-même dérivé, avec le suffixe *-age,* de l'ancien français *charn,* forme archaïque de *chair**.

♦ Le mot s'employait en ancien français comme synonyme de *chair,* tant dans la locution religieuse *prendre carnage* «s'incarner, en parlant du Christ» (apr. 1150) qu'au sens de «chair que mangent les animaux» (1546), lequel s'est maintenu jusqu'au XVIIIe siècle. ➛ Le sens spécialisé par métonymie de «période de l'année pendant laquelle on a le droit de manger de la viande» (1220-1226) en a fait un antonyme de *carême* avant que ce sens ne soit réservé à son doublet *charnage,* attesté en même temps. Ces emplois ont disparu en moyen français. ➛ Cette répartition sémantique tient probablement à l'émergence et au développement pour *carnage* du sens moderne de «massacre, tuerie» (v. 1250), d'abord assumé par *charnaige* puis réservé à *carnage* (1564). Ce sens peut être dû à l'influence du provençal *carnatge* (XIIIe s.) et non à l'italien *carnaggio* qui prend cette valeur plus tard (XVIIIe-XIXe s.). Par extension, *carnage* a le sens familier de «destruction, ravage».

CARNASSIER, IÈRE adj. et n., d'abord *carnacier* (1501), est emprunté au provençal *carnacier, carnassier* «bourreau» (déb. XIVe s., sens répandu dans les dialectes franco-provençaux), lui-même de l'ancien provençal *carn* (→ chair).

♦ Le mot qualifie celui qui se nourrit de chair, en particulier certains animaux (1578, *tigre carnacier*). Employé dès les premiers textes dans une acception métaphorique, il a très vite acquis la valeur figurée de «cruel, féroce» (1583), très littéraire. ◇ Il est substantivé en zoologie (1805, au pluriel où il désigne la classe des animaux se nourrissant de chair crue [→ carnivore]), cependant que l'adjectif qualifie, spécialement dans la description de l'anatomie animale, la molaire qui prédomine sur les autres chez ces animaux (1844, *dent carnassière*), quelquefois en emploi substantivé.

▶ **CARNASSIÈRE** n. f., d'abord *carnacière* (1743) puis *carnassière* (1752), est emprunté au provençal *carnassiero* «gibecière du chasseur», attesté dès 1642 sous la forme *carnassière* en franco-provençal dans le canton de Fribourg, et dérivé de *carn* (→ chair). ◇ Le mot désigne le sac où le chasseur place le gibier tué.

CARNATION n. f. est l'adaptation (XVe s.) de l'italien *carnagione,* dérivé par suffixation *-agione* (du latin *-atione*) de *carne** «viande» (→ chair), «aspect, couleur de la peau» (XIVe s.) spécialisé en peinture au XVIe siècle. Cette hypothèse est préférable à celle d'un emprunt au latin médiéval *carnatio* qui a seulement le sens médical, «obésité».

♦ Le mot semble avoir été d'abord employé comme terme de peinture et de blason (1690). Il semble s'être répandu ultérieurement, restant toutefois d'un usage soutenu, pour désigner la couleur naturelle de la peau (dans la race blanche), notamment lorsqu'elle est rosée et saine.

CARNAVAL n. m., d'abord *carneval* (1549) puis *carnaval,* est emprunté à l'italien *carnevalo* (XIIIe s.) qui est une altération — peut-être favorisée par le latin *natale* «Noël» — du latin médiéval *carnelevare* (965, dans le Latium) bien attesté en Italie du Nord au XIIe siècle. Ce mot est composé de *carne* «viande» (→ chair) et de *levare* (→ lever) soit au sens d'«ôter» (cf. le type italien concurrent *carne laxare* et pour le sens l'anglais *breakfast* «petit déjeuner», «qui rompt le jeûne»), soit par altération plaisante des formules *jejunium levare* «soutenir un jeûne» ou *jejunium levare de carne* «s'abstenir de viande». Une attestation de 1268 chez Godefroy *(quarnivalle)* est très douteuse; le mot ne semble se répandre hors de l'Italie que peu avant le XVIe s. (espagnol *carnaval* 1495; *carnivalia* 1544 aux Pays-Bas).

♦ Le sens premier du mot a donc pu être «entrée en carême» (cf. *carême-prenant),* puis «veille de l'entrée en carême», caractérisée par des ripailles, licences et divertissements (comme pour le mardi gras). L'accent étant mis sur ces réjouissances rituelles, il a reçu par métonymie le sens de «fête donnée lors de cette période» (1549). ◇ Par allusion à la figure symbolique et grotesque promenée dans les rues à cette occasion, il s'est employé ironiquement à propos d'une personne à l'accoutrement ridicule.

▶ **CARNAVALESQUE** adj. (1845, Gautier) est emprunté à l'italien *carnavalesco, carnevalesco* (XIVe s.), dérivé de *carnevalo.* Le mot, qui signifie «du carnaval», est employé spécialement en ethnologie et, depuis la diffusion des écrits du critique littéraire M. Bakhtine, en sémiologie pour caractériser les récits et styles d'opposition «dialogique» dans le rire satirique.

CARNE n. f. est emprunté (1835) au normand de même sens *carne,* qui est soit le collectif de l'ancien normand *carn* «viande», correspondant à l'ancien français *char(n)* (→ chair), soit une forme apocopée (tronquée de sa dernière syllabe), récente et argotique, de *carnage**: à preuve l'attestation de *carnage* en lorrain au sens de «mauvaise viande» (1807).

♦ La vaste extension géographique de *carne* au XIXe s. s'explique par sa diffusion à partir de l'argot parisien. Par extension, le mot désigne populairement la chair humaine (1873). C'est l'une des désignations péjoratives d'une femme de mauvaise vie (1842) (→ charogne) et d'un cheval de mauvaise allure (1867).

CARNÉ, ÉE adj. est dérivé savamment (1669) du radical *carn-* du latin *caro, carnis* «chair» (→ chair).

♦ Le mot semble avoir été créé à deux reprises, avec chaque fois un sens différent : en emploi littéraire (notamment en parlant des fleurs) avec le sens de «qui tire sur la couleur de la chair» (1669) et didactiquement (1889) avec celui de «qui consiste en viandes» comme dans *régime carné.*

CARNET → CAHIER

CARNIVORE adj. et n. est emprunté (1556) au latin *carnivorus* «qui se nourrit de chair», composé du radical *carn-,* de *caro* (Pline) «chair» (→ chair), et du radical de *vorare* «dévorer» (→ dévorer, vorace).

♦ Le mot est attesté une fois au XVIe s. dans le syntagme *bestes carnivores;* il est repris en 1751 dans l'*Encyclopédie* comme terme de zoologie, à la fois comme adjectif et comme substantif, qualifiant et désignant un ordre de mammifères. Il s'est appliqué également à certains poissons et insectes, dans une terminologie aujourd'hui sortie d'usage (1814), mais par analogie est employé en botanique (v. 1838) dans *plantes carnivores.* Avec une valeur humoristique, il caractérise un homme au régime fortement carné (1851) et, au figuré (très littéraire), dont le comportement est cruel.

CARONCULE n. f. est emprunté (v. 1560) au latin *caruncula* (Cicéron) «petit morceau de chair», déjà employé par Varron mais dans un sens mal éclairci, diminutif de *caro, carnis* (→ chair).

♦ Ce terme d'anatomie désigne une petite excroissance de chair non pathologique. Au XIXe s., il a été repris à propos de l'excroissance de chair sur le front et à la gorge de certains oiseaux (1805, Cuvier) et en botanique à propos de l'excroissance de certaines graines (1808).

▶ **CARONCULÉ, ÉE** adj., employé par Cuvier comme substantif (1805), qualifie un animal, une graine pourvu de caroncules. Il est concurrencé par **CARONCULEUX, EUSE** adj. (1824) en anatomie humaine et animale.

CAROTIDE n. f. et adj. est emprunté (1541) au grec *karôtides* (pluriel) «les artères de l'aorte» (IIe s.). Ce mot est dérivé, d'après la croyance que ces artères causaient l'apoplexie, de *karoun* «endormir, engourdir, faire perdre connaissance», le sujet désignant l'action du vin, une odeur... Ce verbe, proprement «avoir la tête lourde», est dérivé du nom de la tête *kara* (→ chère, charivari).

♦ Le mot, dans *artère carotide* (1541) et en emploi substantivé (1611), désigne chacune des branches de l'aorte qui portent le sang aux différentes parties de la tête.

▶ **CAROTIDIEN, IENNE** adj. (1805, Cuvier) décrit ce qui est relatif aux carotides.

CAROTTE n. f., d'abord *garroite* (1393), puis *carote* (1538) et *carotte* (1564), est emprunté au latin *carota,* lui-même emprunt tardif et populaire au grec *karôton,* l'un des deux noms de la carotte — avec *staphulinos,* dérivé de *staphulê* «raisin» (→ staphylo-) — peut-être apparenté à *kara* «tête» (→ chère).

♦ L'expansion sémantique du mot est tardive et limitée à quelques emplois figurés et analogiques. Utilisé essentiellement pour désigner la racine comestible et non la plante entière, *carotte* entre dans la phraséologie avec l'ancienne locution *ne vivre que de carottes* (1694) «mesquinement», puis ***les carottes sont cuites*** «c'est fini», que l'on trouvait antérieurement sous la forme *avoir ses carottes cuites* (1878) «être mourant». L'expression ***la carotte et le bâton*** (d'où ***politique de la carotte***) est récente (1966) et viendrait de l'anglais. ➝ Par analogie avec la forme de la racine, on désigne par *carotte* un rouleau de feuilles de tabac (*carotte de tabac,* 1723) d'où l'enseigne rouge des bureaux de tabac français. Toujours par analogie de forme dans le vocabulaire technique, *carotte* désigne un échantillon cylindrique tiré du sol (1890). ◇ Par allusion à la teinte orangée de la racine, il fournit un adjectif de couleur (1846) notamment pour qualifier des cheveux (1858), seul ou dans ***poil de carotte,*** expression diffusée par le livre de Jules Renard *Poil de carotte* (1894). Par allusion à la prudente lenteur avec laquelle on tire les longues carottes du sol, ***tirer la carotte à qqn*** signifie, dans l'argot de la police (1784), «tirer les vers du nez». ***Tirer une carotte*** (1831) a plus particulièrement le sens de «soutirer un peu d'argent» et, dans l'argot des casernes, «simuler pour obtenir une exemption de service». De là l'emploi de *carotte* à propos d'un avantage accordé pour obtenir la confiance d'une catégorie de subordonnés (1966).

▶ Les principaux dérivés utilisent les valeurs figurées. **CAROTTER** v. s'emploie d'abord (1732) au jeu pour «jouer petit, mesquinement», sens repris en terme de Bourse pour «jouer peu» (1835, Balzac) et qui semble provenir d'expressions comme *ne vivre que de carottes* (ci-dessus). Le verbe a disparu dans ces emplois; il s'est mieux maintenu à l'intransitif pour «escroquer (qqn)» (v. 1840) et «escroquer (de l'argent) à qqn» (1842). Dans l'argot des casernes, il avait pris le sens de *tirer une carotte.* ➝ De là **CAROTTIER, IÈRE** n. et adj. (1718) et **CAROTTEUR, EUSE** n. (1752) et parfois adjectif.
CAROTÈNE n. f., réfection (1924) de *carottine* (1846), désigne le pigment orangé abondant dans la racine de la carotte. Il a servi à former **CAROTÉNOÏDE** n. m. (v. 1950).

CAROUBE n. f., d'abord *quaroble* (v. 1195), *carouble* (XVe s.) puis *caroube* (1512), est emprunté au latin médiéval °*carubia* (attesté sous la forme *karabe* avant le XIe s.). Lui-même est emprunté à l'arabe *ḵarrūba* «fruit comestible d'une espèce d'arbre méditerranéen». L'identification avec *carroige* (v. 1150) — rapproché de la forme *carrouge* en 1539 — est contestée par l'éditeur Régnier qui y voit un représentant du latin *quadruvium* au sens de «réunion d'amis, conversation».

♦ Le mot désigne la gousse longue et épaisse à pulpe comestible du caroubier, utilisée pour remplacer le cacao dans certaines recettes diététiques et comme stabilisant dans la préparation des glaces. La variante *carouge* s'est maintenue à côté de *caroube* comme nom de l'arbre (1606) et, par métonymie, de son bois (1845).

▸ **CAROUBIER** n. m., d'abord *carroubier* (1553), est le nom de l'arbre ; par métonymie, il désigne une couleur rouge sombre rappelant celle de ce bois.

CARPACCIO n. m. est un emprunt culinaire récent (v. 1980) à l'italien *carpaccio* «plat de fines lamelles de bœuf cru assaisonnées d'huile d'olive, de poivre et d'un filet de citron». Celui-ci est la lexicalisation du nom du peintre vénitien *Carpaccio* (v. 1455-1525/6), célèbre pour son coloris *(rouge Carpaccio)*, par une comparaison entre les lamelles de viande crue et les draperies rouges du peintre.

♦ Le mot s'est répandu dans les années 1980, au menu des restaurants italiens (de cuisine vénitienne) et des restaurants soucieux de nouvelle cuisine (d'où *carpaccio de thon*, etc.).

① **CARPE** n. f. est issu (1268-1271) du bas latin *carpa* qui, désignant un gros poisson du Danube, est probablement emprunté à une langue d'Europe orientale, peut-être par l'intermédiaire du gotique (on trouve *karpo* en ancien haut allemand).

♦ Désignant un gros poisson d'eau douce, le mot donne lieu à une phraséologie relativement abondante. Concrètement, le poisson étant apprécié, il entre dans des désignations de plats, par exemple la *carpe farcie* des communautés juives. ◇ Il sert à former des locutions dépréciatives ***faire des yeux de carpe pâmée*** ou ***frite*** (v. 1740, *faire la carpe pâmée*), ***être ignorant (sot, niais) comme une carpe, bâiller comme une carpe, s'ennuyer comme une carpe*** et ***être muet comme une carpe*** (toutes enregistrées en 1867, la dernière dès 1612). ◇ Par analogie, on appelle ***saut de carpe*** (1828 ; 1611, *saut de la carpe*) ou ***saut carpé*** (1959) un saut où l'on se rétablit sur les pieds d'une détente, étant couché sur le dos.

▸ Les dérivés **CARPEAU** n. m. (XIVe s.), antérieurement *cuerpeau* (v. 1270), et **CARPILLON** n. m. (1579), tous deux «jeune carpe», ainsi que **CARPICULTURE** n. f. (1929) et **CARPICULTEUR, TRICE** n. (XXe s.) sont d'usage techniques.

② **CARPE** n. m. est emprunté (1546) au grec *karpos* «jointure de la main et du bras, poignet», mot conservé en grec moderne et que l'on a rapproché d'un verbe germanique signifiant «tourner» (ancien haut allemand *hwerban, hwerfan*).

♦ Le mot désigne en anatomie la partie articulaire constituant le poignet, formée de huit os courts disposés en deux rangées composées chacune de quatre os.

▸ On en a dérivé **CARPIEN, IENNE** adj. «relatif au carpe» (1805, Cuvier) et plusieurs termes d'anatomie en ① **CARPO-** (**CARPO-CARPIEN, IENNE** adj. ; **CARPO-PHALANGIEN, IENNE, CARPO-ULNAIRE** adj.).

MÉTACARPE n. m., lui aussi attesté en 1546, est emprunté au composé grec *metakarpion*, terme d'anatomie désignant la partie du squelette de la main comprise entre le poignet et les doigts, composé de *méta-** et de *karpos*. Le mot a gardé le sens du grec, enrichissant la terminologie anatomique de **MÉTACARPIEN, IENNE** adj., d'abord enregistré par le dictionnaire de Trévoux (1752) comme substantif masculin pour «muscle entre le gros ligament transversal du carpe et la face interne du quatrième os du métacarpe», puis employé adjectivement (1811) pour chacun des cinq os du métacarpe. ◆ L'élément **MÉTACARPO-**, combiné à *phalangien**, a servi à former **MÉTACARPO-PHALANGIEN, IENNE** adj. (1867) pour «qui unit le métacarpe et les phalanges».

-CARPE, ② **CARPO-** élément formateur, est emprunté au grec *karpos* «fruit» dit des fruits de la terre, céréales, récoltes, mais également de raisins, olives, et employé au sens figuré de «profit, avantage». Ce mot est à rapprocher du latin *carpere* «cueillir» (→ charpie), ainsi que de l'ancien haut allemand *herbis* «automne (meilleur mois de la cueillette)», et de l'anglais *harvest* «automne» d'où «récolte» ; avec un vocalisme *e*, on peut évoquer le lituanien *kerpù* «couper avec des ciseaux», ébauchant ainsi une série indoeuropéenne.

♦ Le premier terme connu en français est l'emprunt *péricarpe** (1556). Sur le modèle de tels emprunts, ② *carp(o)-* a servi à former des substantifs et des adjectifs en botanique (environ une centaine), l'élément *-carpe* ayant pour sa part servi à en former plus de deux cents en botanique (noms de plantes caractérisées par leur fruit, de parties anatomiques des fruits).

CARPETTE n. f. est un anglicisme ancien (1582), adapté de l'anglais *carpet* (*carpette*, 1415 ; *karpeta* en latin médiéval, 1345) «tapis de table, de sol». Le mot anglais est repris de l'ancien français *carpite* «tissu épais servant à faire des vêtements d'apparat, à couvrir des meubles» (1180-1200), lui-même emprunté à l'italien *carpita* «tissu à longs poils pour recouvrir les meubles» (XIIIe s. ; *carpita* en latin médiéval, 1177). Celui-ci est issu du latin populaire °*carpita (vestis)*, du latin classique *carpta*, participe passé de *carpere* «déchirer, lacérer, découper» (→ charpie).

♦ Le mot, d'abord employé à propos d'une tenture, d'un tissu d'ameublement, a longtemps été utilisé au pluriel, *carpettes*, au sens de «gros drap rayé servant de tapis, d'emballage». ◇ Le sens moderne est «petit tapis mobile couvrant une partie de pièce» (1863), d'où la locution figurée ***lécher la carpette*** et l'emploi métaphorique à propos d'une personne qui s'aplatit servilement (XXe s.) : ***c'est une (vraie) carpette.***

▸ **CARPETTIER** n. m. (1909) est un mot technique désignant le tisseur spécialisé dans le tissage mécanique des tapis, carpettes, moquettes.

CARQUOIS n. m., d'abord *carcois* (1296) puis *carquois* (av. 1328), est l'altération, peut-être par fausse régression savante, de *carqais* (1213), *carquais* (1430). Ce type est la corruption de l'ancien français *tarchais* (v. 1170), *tarquais* (1466). Le passage de *car-* à *tar-* a pu être favorisé par la forme *carcois*, en ancien français «carcasse». *Tarquais* est emprunté au grec médiéval *tarkasion* (dans la mesure où celui-ci existait au XIIe s. ou auparavant), lui-même emprunté au persan *tīrkaš* «étui à flèches» (Xe s.), formé de *tīr* «flèche» et de *keš* «qui porte».

♦ Le mot désigne un étui à flèches. L'ancienne locution figurée *vider son carquois* signifiait «lancer tous les traits de satire qu'on peut» (XVIIIe s.). Par analogie de forme et de fonction, il désigne un étui oblong destiné à recevoir des objets allongés.

CARRÉ, ÉE adj. est issu (v. 1121) du latin *quadratus*, participe passé de *quadrare* (→ carrer) «à la section carrée», «qui forme un angle droit» et au figuré «fort, largement développé». Le verbe est dérivé de *quadrus* «carré».

♦ Le sens du mot dans les premiers textes, «largement développé, fort» en parlant d'un inanimé, annonce le sens moral de «ferme, au caractère nettement tranché» (1671) à propos d'un animé, également réalisé en syntagmes comme *tête carrée* «forte tête» (1774) et *bon sens carré* (1844). Le sens propre «à la section carrée» (1170) donne lieu à des emplois techniques en mathématiques — *mètre carré, racine carrée* (1690) — et, avec une valeur approximative «en forme de quadrilatère», à des emplois courants : *bonnet carré* (1601), *menton carré*, etc. La valeur «qui est à angle droit» (1694) s'emploie à propos d'une écriture (l'écriture hébraïque, av. 1869) et dans le domaine de la marine où les *voiles carrées* (1831) sont celles qui se fixent aux vergues installées en croix. ➛ Le nom masculin **CARRÉ**, plus tardif (fin XVe s., *quarré*), est soit une substantivation de l'adjectif, soit un emprunt à la forme neutre *(quadratum)* du participe passé latin. Il apparaît en géométrie dans *en quarré* «formant un quadrilatère», d'où *quarré* (1538) par opposition à *cercle**. ◇ Par analogie de forme, dans le langage courant comme dans l'usage technique, le mot désigne divers types d'objets : en horticulture (1548, *carré de tulipes*), en boucherie (1679, *carré de mouton*), en anatomie (1707, «muscle de forme carrée»), en technique militaire (après d'autres emplois, «troupe disposée pour faire face des quatre côtés», 1823), dans la marine (1828) pour une chambre servant de salon et de salle à manger aux officiers et dans l'habillement pour un foulard de forme carrée (1832). Récemment, il est devenu un nom de fromage (1962, *carré de l'Est*). ◇ Par référence au calcul de la surface d'un carré, il prend en mathématiques le sens de «produit d'un nombre multiplié par lui-même» (1694) et se répand dans l'argot des classes préparatoires à propos d'un élève en deuxième année de préparation (1873), par opposition à *cube**. ◇ Dans certains jeux (poker), on appelle *carré* (1929) la réunion de quatre cartes semblables. La locution ***au carré*** s'utilise à propos d'une coupe de cheveux où les cheveux donnent l'impression d'être à la même longueur (par opposition à *en dégradé**) et familièrement dans ***mettre la tête au carré*** «faire une grosse tête», c'est-à-dire «défigurer».

▶ **CARRÉMENT** adv., d'abord *quarreement* (XIIIe s.), signifie proprement «à angle droit». Il s'est répandu tardivement avec le sens figuré de «sans détour» (1832), «d'aplomb, solidement» (1842-1843), connoté comme légèrement familier. Le mot est à la mode en français contemporain pour «vraiment, complètement» et comme adverbe de phrase.

CARRÉE n. f. est la substantivation du féminin de l'adjectif (XIIIe s.), autrefois à propos d'une ardoise des carrières d'Anjou, de nos jours dans quelques emplois techniques limités (1768, en musique). L'argot familier a répandu la valeur de «chambre», qui reprend celle de *carré* en marine.

◈ voir CARREAU, CARRER, QUADRI-.

CARREAU n. m., d'abord *quarrel* (v. 1080), *quarel* (1160) puis *carreau* (XIIe s.), est issu d'un latin tardif °*quadrellus*, diminutif de *quadrus* «carré» (→ carrer), représenté par le latin médiéval *quadrellus* «projectile d'arbalète» (v. 578), «mesure agraire de superficie» (v. 868) et «dalle de pavement» (XIIIe s.).

♦ Le mot réalise d'abord l'idée d'«objet à section rectangulaire ou carrée» dans un emploi très particulier, aujourd'hui disparu, celui de «trait d'arbalète au fer de section carrée». Il est réalisé techniquement dans la langue des métiers à propos du gros fer à repasser des tailleurs (1611) et de la grosse lime du serrurier (1676). ➛ Dès 1160, il désigne un pavé plat fait de terre cuite, de pierre dont on pave un sol ou une paroi et de là, par métonymie (v. 1330), toute la surface ainsi dallée. Ce sens reste vivant dans *carreau des Halles* (1723) «endroit où les marchands déposent leurs étalages de fruits et de légumes à Paris», *carreau du Temple* «partie du marché du Temple où l'on débat des prix des vêtements»; *carreau de mine* (1867) «endroit où les mineurs déposent les produits extraits» et, dans la phraséologie familière, avec une locution comme ***étendre, laisser qqn sur le carreau*** (1600) «laisser qqn à terre comme mort ou blessé». ➛ Par analogie de forme, *carreau* désigne le rectangle de verre à vitre (1318) d'où, métonymiquement, la vitre elle-même, plaisamment le monocle (1838) et aujourd'hui les lunettes. ◇ La valeur diminutive de «petit carré» (XIe s.) n'est plus réalisée que dans certains emplois, en parlant d'une planche d'un jardin potager (1513), du motif d'un tissu (1690, *étoffe à petits carreaux*) et, par métonymie, d'une série de cartes dont la marque distinctive est un carreau rouge (1594), emploi issu de l'acception «trait d'arbalète» (les couleurs sont des «armes»). L'expression courante ***se tenir à carreau*** «sur ses gardes» (1863, *se garder à carreau*) est issue d'un dicton aux cartes, fondé sur une consonance : ***qui se garde à carreau n'est jamais capot.*** Techniquement, *carreau* se dit d'un dessin, d'un quadrillage porté sur un croquis pour en faire une reproduction sur support quadrillé à une autre échelle.

▶ Les dérivés sont formés sur l'ancien *quarel* : **CARRELER** v. tr. (fin XIIe s., par son p. p. *quarelé* «fait de pierres de taille dessinant des carreaux») signifie «dessiner des carreaux» (1307, *quarreler*) [→ quadriller] et couramment (1392) «paver avec des carreaux». ➛ Du verbe ont été dérivés **CARRELURE** n. f. (1401), **CARRELEUR** n. m. (1463; 1430 au sens de «savetier») et **CARRELAGE** n. m. (1690; 1611, *quarrelage*), spécialisé pour «sol carrelé». ➜ *Quarel* a fourni un diminutif, **CARRELET** n. m., d'abord écrit *quarlet* (1360) avant *carrelet* (1393), qui, par analogie de forme avec celle d'un carreau, désigne un poisson plat, un filet carré (1694) utilisé pour prendre les poissons et également les petits oiseaux (1811), et techniquement des objets à quatre ou plusieurs pans (1561). En Suisse, le mot possède le sens très ancien de «petit carré, cube» *(carrelets de pain)*.

CARROYAGE n. m. est dérivé (1917) d'un verbe rare et mal attesté **CARROYER** v. tr. (seulement en 1950) formé sur le radical de *carreau*. Ces mots techniques sont des synonymes spécialisés de *quadriller, quadrillage* en topographie et en dessin (notamment à propos des cartes militaires).

CARREFOUR n. m., d'abord *quarefoz* (v. 1110) puis *carrefour* (XIIIe s.), est hérité de l'adjectif bas latin *quadrifurcus*, littéralement «qui a quatre fourches», de *quadri-* (→ quadri-) et de *furcus* (→ fourche), postérieurement substantivé en «lieu où se croisent quatre chemins».

♦ Le mot désigne l'endroit où se croisent plusieurs chemins. Au XIXe s., par un rappel de la symbolique antique des carrefours — notamment le jeune Hercule placé au carrefour de la vertu et du vice —, il désigne abstraitement une conjoncture où l'on doit choisir entre diverses voies (***être au carrefour de sa vie,*** 1835, Balzac). Par analogie, en mettant l'accent sur la pluralité, il désigne un lieu de confrontation d'idées, de cultures de tendances diverses, d'où spécialement une réunion d'échange d'idées, d'informations *(carrefour des métiers, de l'informatique,* etc.).

CARRER v. tr. est issu (1180-1200) du latin *quadrare* «équarrir», «former un carré» d'où, au figuré, «parfaire» et absolument «former un tout harmonieux», «cadrer, être exact», dérivé de *quadrus* «carré» (→ cadre).

♦ Le mot, introduit avec le sens de «rendre carré, donner une section carrée», a partiellement suivi l'évolution de *carré,* passant en mathématiques avec le sens de *élever au carré* (1549) et développant un sens figuré «caractériser très nettement». Sa forme pronominale *se carrer* (1606) subit l'influence de *carrure* «largeur du dos d'une personne» et signifie «prendre une attitude satisfaite, d'importance», donnant la locution ***se carrer dans*** (1831) «s'installer confortablement», au propre comme au figuré *(se carrer dans ses habitudes).* ◇ Le sens argotique «se cacher» (1844; 1835, *carrer* «cacher»), puis «se sauver» (1866) vient probablement du dérivé *carre.*

▸ **CARRE** n. f., déverbal de *carrer,* s'est assimilé l'ancien français *querre* (fin XIIe s.), directement issu du latin *quadrus.* Le mot possède plusieurs sens concrets issus par métonymie de l'idée de «forme carrée» : il a désigné un coin de heaume, une facette de pierre précieuse (v. 1271), l'arête courant le long d'un fer de lance (1213). ◇ De nos jours, il désigne le bout d'un soulier se terminant à angles droits (1710) et l'arête de la semelle d'un ski (1904), d'un patin à glace. ◇ Par métonymie de l'ancien sens de «carrure» (XVe s.), il se dit encore de la largeur d'un habit au niveau des épaules (1690, *care d'un habit*), mais a été supplanté par *carrure* (→ ci-dessous). Avec l'idée de «mise en carré», d'où «doublage», il signifie — dans le vocabulaire des jeux — «doublage de la mise» (1819). ➜ *Carre* a produit **CONTRECARRE** n. (v. 1460), d'abord considéré comme masculin puis féminin au XVIe s., avant d'être repris indifféremment aux deux genres au XXe siècle. Le sens d'«opposition», présent dès l'origine, procéderait de l'idée qu'un objet carré est plus facile à ranger qu'un objet rond, d'où *contrecarre* à propos de ce qui résiste, fait obstacle. Le mot a disparu après 1636 pour être repris dans l'argot moderne au sens de «pépin, tuile» (1952), alors déverbal probable de *contrecarrer.* ➜ **CONTRECARRER** v. tr., d'abord attesté en emploi participial dans *homme contrecarré* (1541), est généralement considéré comme le dénominatif de *contrecarre ;* P. Guiraud préfère le rattacher à *carre* au sens de «carrure» (XVe s.) et à *se carrer* «redresser les épaules, être arrogant», avec le sens de «se placer face à son adversaire pour le défier». Ce verbe est beaucoup plus fréquent que *contrecarre* en français contemporain et son participe **CONTRECARRÉ, ÉE** est adjectivé.

CARRURE n. f. (v. 1190) a progressivement supplanté *carre* au sens de «largeur de dos (d'une personne)», s'appliquant par métonymie à la largeur du dos d'un habit (1680). Le sens plus général de «forme carrée» (1225-1230), rare avant le XIXe s. où Hugo l'emploie à propos de Notre-Dame de Paris (1832) n'a pas fait fortune. ◇ Les emplois concrets ont déporté l'accent sur l'idée d'une «forme ample, large» (1844, *carrure des épaules;* 1886, *carrure du menton,* emploi rare) et le mot a reçu le même type de valeur figurée qu'*envergure,* connotant la vigueur (1843), la force assurée (1851-1862, *carrure d'esprit*).

voir CARAPATER.

① **CARRIÈRE** n. f. est emprunté (1534) — plutôt qu'à l'ancien provençal *carreira* «chemin» (XIIe s.) — à l'italien *carriera* «chemin de chars» (XIIIe s.) et «course rapide d'un cheval» (déb. XVIe s.), lequel est probablement emprunté à l'ancien provençal *carreira, carriera* (ce suffixe n'étant pas autochtone en italien). Ce dernier, de même que l'ancien français *char(r)ière,* l'ancien picard *car(r)iere, quarriere* «chemin de chars» (XIIe s.), est issu du latin populaire *(via) carriara,* adjectif substantivé par ellipse du nom, dérivé de *carrus* (→ char).

♦ L'évolution de ce mot le mène du domaine de l'équitation à celui des activités professionnelles : il désigne l'espace où l'on fait courir les chevaux (le champ de course), la locution ***donner carrière à*** signifiant proprement «lâcher la bride» (1542-1549) avant de passer dans l'usage avec le sens de «laisser le champ libre» (1611). Par extension, il s'attache l'idée d'un espace à parcourir, désigne spécialement la trajectoire d'un astre (av. 1630) et, de manière plus abstraite, la voie où l'on s'engage dans la vie (1671), deux sens aujourd'hui marqués. ◇ L'évolution se fait rapidement en «profession qui présente des étapes» (av. 1680) avec l'extension métonymique habituelle de «temps pendant lequel on exerce une profession» (1694). Absolument et avec une majuscule, il désigne elliptiquement la carrière diplomatique.

▸ Les dérivés se rapportent à l'acception professionnelle de *carrière**. ➝ **CARRIÉRISME** n. m. (1908) semble formé en français (l'anglais *careerism* n'étant attesté qu'en 1933), mais **CARRIÉRISTE** n. et adj. (1909) est une francisation d'après *carrière* de l'anglais *careerist* (1910), dérivé de *career* au même sens. Le mot, critiqué par les puristes, a pris place à côté d'*arriviste**.

② **CARRIÈRE** n. f., d'abord écrit *quarriere* (v. 1170), est issu d'un latin populaire °*quadraria* (attesté par le latin médiéval, 823) dérivé du bas latin *quadrus* (sous-entendu *lapis*) «pierre de taille», proprement «pierre carrée» (→ cadre, carrer). Le sens étymologique est passé dans l'ancien provençal *cayre* «pierre carrée, moellon».

♦ En passant en français, le mot s'est partiellement démotivé, désignant le lieu d'où l'on tire, en les taillant, les pierres de construction. Il est entré dans le même champ sémantique que *mine*, tout site d'extraction à ciel ouvert étant nommé *carrière*.

CARRIOLE n. f., d'abord (1587) écrit *cariole* et peut-être repéré dès le XIIIe s., est emprunté soit à l'ancien provençal *carriola* «brouette», dérivé de *carri* «chariot» (1460), lui-même issu du bas latin °*carreum*, variante de *carrus* «char» (→ char), soit à l'italien *carriola* (XIe s., en latin médiéval) «civière» (XIVe s.), «petit lit à roulettes» (XVe s.) et «brouette» (XVIe s.), lequel vient du provençal.

♦ Le mot, peut-être employé au XIIIe s. au sens figuré de «grande quantité», désigne une petite charrette campagnarde grossièrement suspendue pour les marchandises, les hommes, en particulier les voyageurs. Au Canada, il désigne une voiture à cheval montée sur patins (1721). Il est employé péjorativement pour une vieille voiture (1867), y compris (XXe s.) une vieille automobile.

CARROSSE n. m., attesté (1575) au féminin, avec la variante *carroche* (1574), est emprunté à l'italien *carrozza* n. f. (XVIe s.), adaptation toscane de *carossa*, issu avec une adaptation phonétique septentrionale du type *caroccia* (d'où en français *carroche*) dérivé avec suffixe *-occio, -a* de *carro* (→ char).

♦ Le mot désigne une voiture luxueuse suspendue, à quatre roues, et partage un temps l'emploi mythologique de *char* (on parle du *carrosse du soleil*). Symbole de luxe, il entre dans l'expression ***rouler carrosse*** «mener un grand train de vie», reliquat de *avoir de quoi faire rouler un carrosse* (1694). La langue classique appelait un homme grossier et brutal ***un cheval de carrosse*** (1670) parce qu'il fallait un cheval gros et fort pour tracter un carrosse. On parle aujourd'hui de ***cinquième roue du carrosse*** pour une personne sans utilité.

▸ Les dérivés du mot restent vivants pour avoir évolué avec l'histoire des véhicules : **CARROSSIER** n. m. (1589) a désigné un cocher puis celui qui fait des carrosses (1677) et en vend (1723). ◇ De nos jours, le mot désigne un spécialiste de la carrosserie automobile (1898 ; 1929, dans l'industrie de luxe). **CARROSSERIE** n. f., dit autrefois d'une entreprise fabriquant des carrosses (1833), a pris le sens de «caisse d'une voiture» (1863) et surtout «caisse d'une automobile» (1899). De là, il s'applique à la fabrication, à l'industrie de ces caisses, et de tout ce qui ne concerne ni le moteur, ni les mécanismes. ◇ Il est passé dans l'argot et, de là, dans l'usage familier, à propos de la conformation physique d'une personne (XXe s.). ➝ **CARROSSABLE** adj. (1825) signifie «où peuvent rouler les véhicules, en particulier les automobiles». ➝ **CARROSSER** v. tr. (1863 ; 1828, *carrossé*) est passé de «transporter en carrosse» à «munir un véhicule d'une carrosserie» (1929). ◇ Son participe passé **CARROSSÉ, ÉE** s'emploie adjectivement, au figuré dans l'usage familier comme qualificatif physique (en emploi déterminé par un adverbe). ➝ **CARROSSAGE** n. m. (1873), d'abord «action de carrosser», puis «manière dont la carrosserie est construite», décrit aussi l'inclinaison de la fusée d'essieu d'une roue de voiture.

CARROUSEL n. m., d'abord *carrouselles* (1596) puis *carrousel* (1620), est emprunté au napolitain *carusello* (1580) [italien *carosello*], nom d'un jeu d'origine mauresque introduit par les Espagnols à Naples au XVIe siècle. Ce mot est un emploi spécialisé de *carus(i)ello* «tire-lire en forme de tête» par allusion aux balles de craie en forme de tête que se lançaient deux troupes de cavaliers. *Carus(i)ello* est dérivé de *caruso* «tête rasée» qui représente le latin *carosius* «carié» et «teigneux», de *caries* (→ carie). Le redoublement du *r* en français est dû à un rapprochement avec *carrosse**, par l'idée commune d'«usage du cheval».

♦ Le mot, d'abord employé en référence à une pratique espagnole, désigne une parade, un tournoi où des quadrilles de cavaliers se livrent à des jeux, des évolutions. Par métonymie, il désigne (1740) le lieu où se déroule un carrousel (la *place du Carrousel* à Paris). ◇ Par analogie avec les carrousels équestres, il a pris le sens de «manège de chevaux de bois» (1870) en Belgique et en Suisse et, au figuré, celui de «succession rapide (d'impressions, d'objets mobiles)» (cf. *ronde, valse*).

CARROYER → CARREAU

CARRURE → CARRER

CARTABLE n. m. est hérité (1635) du latin *charta* (→ charte, carte) avec un suffixe obscur : l'hypothèse couramment reçue est celle d'un emprunt au latin médiéval monastique *cartabulum* (avec suffixe indiquant la contenance), attesté en 1368 dans le domaine italien au sens de «registre», mais elle se heurte à l'apparition tardive du mot en français et à sa rareté en latin médiéval. On a également proposé un emprunt à l'espagnol *cartapel* (1612) «ensemble de feuilles volantes», hypothèse peu satisfaisante d'un point de vue phonétique et historique.

♦ Le mot a désigné un registre, puis un grand portefeuille, un grand buvard de bureau tenant lieu de sous-main, un carton à dessin (1810), emploi critiqué au XIXe siècle. ◇ Ce n'est que tardivement qu'il a désigné le sac en cuir dans lequel les écoliers mettent leurs affaires (v. 1900, dans les dictionnaires), concurrencé dans ce sens par *carton.*

CARTE n. f. est emprunté (1393) au latin *charta* «feuille de papier» puis «feuille écrite, lettre, registres publics, documents écrits». Ce mot, qui a donné *charte** par une autre voie, est un emprunt ancien et latinisé au grec *khartês* «rouleau de papyrus», mot d'origine inconnue. On a souvent pensé — à cause de la provenance du papyrus — à un emprunt égyptien, mais sans réussir à s'appuyer sur aucun argument linguistique. *Khartês* a fourni une importante série en grec moderne avec *khartês* «carte géographique», *kharti* «papier, carte à jouer».

♦ Le mot apparaît dans le vocabulaire des jeux, domaine qui lui offrira, par une assimilation métaphorique de la partie de cartes et de la vie humaine, plusieurs emplois figurés en locutions : ***brouiller les cartes*** (XVIIe s.), ***château de cartes*** (1690, «petite maison peu solide» d'où *s'écrouler comme...*), ***les dessous de cartes*** (1675), ***jouer cartes sur table*** (1832), ***jouer sa dernière carte*** (1848) puis ***jouer la carte de...*** L'usage des cartes à des fins divinatoires a produit la locution ***tirer les cartes*** (1811). ◇ Le sens second de «carton» (XVe s.), menacé par *carton**, se maintient dans quelques emplois, notamment dans la locution ***donner carte blanche*** (1549, *bailler la carte blanche*). ◇ La diversité des usages de ce rectangle de papier fort portant une inscription a donné lieu à de nombreux emplois spéciaux, par exemple en restauration (1803) pour «liste des plats disponibles», — distinct de *menu* en ce que la carte permet tous les choix, d'où la locution ***à la carte*** (1813) —, dans les syntagmes *carte d'identité* (1789), *de visite* (1811), *d'électeur* (1836, *carte électorale*), *de séjour* (1948). De la carte délivrée par la police aux prostituées qu'elle contrôlait, vient l'expression *en carte* (cf. ci-dessous *encarter*). Le mot est utilisé dans la correspondance avec la ***carte postale*** (1877; d'abord *carte-poste* 1780 et *carte,* 1825, en emploi absolu). ***Carte-lettre*** n. f. (1886) est considéré comme un mot composé. *Carte* reste productif avec *carte perforée* (1963), en informatique et ***carte de crédit*** (1969), calque de l'anglais *credit card,* récemment *carte électronique, à puce.* ➛ Depuis l'époque des grandes découvertes (1532), *carte* est un terme de géographie, précisé en *carte maritime* (1680), *carte marine, carte astronomique* (1740), etc. Sur le même principe, les salons précieux du XVIIe s. mirent à la mode la *Carte du Tendre* (1654-1660, Mlle de Scudéry), dont les sites symbolisent les phases de l'amour.

► **ENCARTER** v. tr. (1642) est employé techniquement, quelquefois en concurrence avec *encartonner,* pour «introduire (une carte, un cahier) entre les feuillets d'un livre», «placer entre des feuilles (du carton)» et «fixer sur des cartes, des cartons»; il a reçu le sens juridique spécial de «inscrire (une prostituée) sur les registres de la police» (1845) en relation avec l'expression *femme en carte.* ➛ Il a produit le déverbal de sens concret **ENCART** n. m. (1810) «papier que l'on place entre deux feuillets» d'où «feuille volante, petit cahier inséré dans une brochure» (1930), le substantif d'action **ENCARTAGE** n. m. (1810) et le nom d'ouvrier **ENCARTEUR** (XIXe s.), dont le féminin **ENCARTEUSE** désigne une machine pour encarter les boutons (1890).

CARTERIE n. f. (1850), «fabrication de cartes à jouer», a donné récemment son nom à un magasin de cartes postales, de cartes de vœux. **CARTER** v. tr. (XXe s.) est employé en mercerie pour «enrouler (des fils) ou présenter (des boutons) sur une carte».

À partir du XIXe s., **CARTO-**, élément tiré de *carte,* devient productif avec **CARTOMANCIE** n. f. (1803), **CARTOGRAPHIE** n. f. (1838; dès 1832, *chartographie*), **CARTOGRAPHIQUE** adj. (1832).

◈ voir ② ÉCARTER.

CARTEL n. m. est emprunté (1527) à l'italien *cartello* (XVIe s.) «avis de provocation», également «placard, avis», diminutif de *carta,* du latin *charta* (→ carte).

♦ Le sens de «lettre de défi», de «provocation en duel» (d'abord *cartel de la deffianche;* v. 1570, *cartel de deffi*) est devenu un terme historique après 1626, date de la loi interdisant les duels. ➛ Par référence à la forme d'une carte, le mot est passé dans le langage des arts décoratifs (1572) comme dénomination d'une sorte de cartouche. Par analogie, il désigne un encadrement décoratif sculpté entourant un objet, particulièrement une horloge, sens demeuré vivant dans la dénomination *pendule à cartel* (av. 1759) d'où *un cartel* désignant ce type d'horloge. ◇ Le mot est repassé dans le langage des échanges d'hostilités à propos d'une convention écrite entre deux chefs d'armée pour la rançon, l'échange de prisonniers (1704), sens disparu au XXe siècle. ➛ Son emploi en économie politique (1906) est un emprunt à l'allemand *Kartell* (lui-même repris au moyen français *cartel* au sens de «défi en combat singulier», 1664), employé pour la première fois en 1879 par un député libéral au Reichstag, Eugen Richter, pour désigner un groupe de producteurs de l'industrie métallurgique. Par analogie, on a appliqué le mot à une alliance politique, d'abord à propos de l'Allemagne (1890), puis de la France (1924) dans *cartel des gauches,* désignant le groupement électoral qui en 1922 comprenait les socialistes, les radicaux-socialistes et les membres de la gauche radicale.

► Les dérivés datent du XXe s. : le sens politique a produit **CARTELLISTE** adj. (1934); le sens économique **CARTELLISATION** n. f. (1931), sur lequel on a formé l'antonyme **DÉCARTELLISATION** n. f., attesté en 1945.

CARTILAGE n. m., d'abord écrit *cartillage* (1314), est emprunté au latin *cartilago,* mot technique et sans étymologie claire, désignant le tissu conjonctif ainsi que la pulpe de certains fruits.

♦ Le mot a été repris dans son acception anatomique.

▸ **CARTILAGINEUX, EUSE** adj. (1314) est emprunté au latin *cartilaginosus*, de *cartilago*. Il signifie «qui est de la nature des cartilages».

CARTON n. m. est emprunté (v. 1500) à l'italien *cartone*, dérivé avec le suffixe augmentatif *-one* de *carta* «papier», du latin *charta* (→ carte) attesté au XVIe s. au sens général et comme terme de peinture, puis avec une valeur figurée depuis le XVIIe s. *(di cartone)*.

♦ *Carton* empiète familièrement sur certains emplois de *carte*, notamment comme synonyme de *carte de visite* et de *carte à jouer* (dans des expressions comme ***battre, manier, tripoter le carton***), et lui est complémentaire en cartographie où il désigne une carte figurant sur la même feuille et souvent à une échelle plus lisible. ➛ *Carton* seul a conservé le sens de «feuille épaisse» autrefois partagé par *carte*, et se spécialise par métonymie (1611) en «boîte de cette matière» *(carton à chapeaux, à chaussures)* et (1800) en «portefeuille de dessins» *(carton à dessins)*. *Carton*, «feuille épaisse», donne lieu à des emplois spéciaux : *carton dur, isolant, carton bristol, carton ondulé* (courant) et à des composés, **CARTON-PIERRE** (1801-1802), et surtout **CARTON-PÂTE** (1860) devenu usuel par métaphore pour «factice», «qui ressemble à un décor». ➛ *Carton* désigne aussi (1641) un dessin en grand qui sert de modèle à une peinture murale. Dans le domaine du tir, il se dit de la cible (en carton), d'où la locution ***faire un carton*** «tirer sur qqn avec succès» et «remporter une victoire éclatante». ➛ Familièrement, c'est un synonyme de *cartable (d'écolier)*. ➛ Par allusion aux figures et accessoires factices du théâtre, il entre dans les syntagmes *en carton, de carton* au sens figuré de «faux, factice» (av. 1755, chez Saint-Simon *roi de carton*). Ces emplois préparent ceux de *carton-pâte* (ci-dessus).

▸ **CARTONNIER, IÈRE** adj. et n. m. (1680), «artisan du carton», a reçu, au féminin pluriel **CARTONNIÈRES** (1752), un sens spécial en entomologie, se disant de guêpes qui construisent leur nid avec une substance rappelant le carton. ◇ Par métonymie, *cartonnier* se dit d'un meuble destiné au rangement de cartons (1832).

CARTONNER v. (1751), «garnir de carton» et «rendre cartonneux», a pris (1866) en emploi intransitif le sens familier de «jouer aux cartes», «marquer beaucoup de points au tir» d'où, par métaphore, «atteindre son but dans une action, une offensive»; *ça cartonne* sous-entendant d'une action qu'elle cause des dommages (d'abord au football). ➛ Le verbe a produit **CARTONNAGE** n. m. (1785) et **CARTONNEUR, EUSE** n. (1834). ➛ **CARTONNERIE** n. f. (1751) désigne une fabrique de carton. **CARTONNEUX, EUSE** adj., dérivé de *carton*, comme *cartonnerie* (1876), se dit de ce qui ressemble au carton.

① **CARTOUCHE** n. m. (1611), d'abord *cartoche* (1546), est emprunté à l'italien *cartoccio* «cornet de papier», employé spécialement en architecture pour un ornement en forme de carte (XVIe s.). Le mot est dérivé avec le suffixe *-occio* (→ ② cartouche), de *carta*, du latin *charta* (→ carte).

♦ Le mot, repris en sculpture, a reçu une acception spéciale en égyptologie et, par extension, s'emploie simplement à propos de la partie d'une carte, d'un plan où sont inscrits la légende, des commentaires (1690).

② **CARTOUCHE** n. f. est emprunté (1571) avec changement de genre (1591) à l'italien *cartoccio*, terme d'art militaire et de pyrotechnie depuis le XIVe s., diminutif de *carta* «papier» (→ cartouche). Le féminin *cartuccia* «petit morceau de papier» (XVIe s.) est un emprunt sémantique au français.

♦ Le sens de «papier enroulé contenant la charge» (pour diverses armes à feu) a donné la locution figurée ***brûler ses dernières cartouches*** «épuiser ses dernières ressources». ◇ Par analogie (de forme, d'usage), le mot désigne une boîte en carton contenant des matières inflammables, pièces d'artifice d'où, par extension, un emballage contenant plusieurs paquets de cigarettes et un petit étui ayant en réserve un produit.

▸ En sont dérivés **CARTOUCHIÈRE** n. f. (1846), antérieurement *cartouchere* (1840) et autrefois *cartouchier* n. m. (1752), «sacoche ou ceinture où l'on met des cartouches», ainsi que **CARTOUCHERIE** n. f. (1872) «usine où l'on fabrique des cartouches».

CARTULAIRE n. m. est emprunté (1340) au latin médiéval *chartularium* «recueil d'actes» (v. 1227), lui-même de *charta* (→ charte). On note d'autre part un bas latin *chartularius* «fonctionnaire, préparé aux registres des armées» (354) puis, plus généralement, «notaire» (VIe s.).

♦ Le mot, repris comme terme de diplomatie pour désigner un recueil d'actes, et plus spécialement de formules pour dresser des actes, désigne le registre contenant les titres de propriété ou les privilèges temporels d'une église ou d'un monastère.

CARVI n. m., attesté à deux reprises sous les formes *caroi* (1256) et *careuin* (1256), puis de nouveau sous la forme *carvi* (1360), est emprunté au latin médiéval *carvi* (v. 1080). Ce mot est soit formé sur le bas latin *carvita* de même sens, soit pris à l'arabe *karwyā*, lequel est emprunté, par l'intermédiaire du syriaque, au grec *karon, karo* «cumin des prés». Il serait lui-même dérivé, par allusion à la forme de la graine, de *kar* «pou» ou encore de *kara* «tête» (→ chère).

♦ Le mot désigne une plante produisant de petits fruits aromatiques *(graines de carvi)* et ces fruits.

CARYO - est l'élément préfixal tiré du grec *karuon* «noix» (surtout celle du noyer), «noyau», mot sans étymologie connue dont un dérivé a donné *carène**; on a tenté d'y retrouver une racine °*qar*- «dur».

♦ L'élément sert à former des mots dans le domaine de la biologie et des sciences naturelles où, notamment en botanique et en zoologie, il connaît une certaine vitalité.

▸ Le composé le plus ancien, **CARYOPHYLLÉ, ÉE** adj. et n. f. pl., est emprunté (1615), par l'intermédiaire d'une forme transitoire *caryophyllate*

(XVIIe s.), au latin botanique *caryophyllata*, lui-même formé d'après le grec *karuophullon* «bouton séché de la girofle, clou de la girofle» (cf. *girofle*), de *karuo-* et *-phullon* «feuille» (→ -phylle). ◆ Le mot décrit des fleurs à cinq pétales à onglet allongé ; il est substantivé au féminin pluriel *(caryophyllées)* comme terme de classification botanique.

① **CAS** n. m., d'abord écrit *quas* (v. 1220) puis *cas* (1300), est emprunté au latin *casus*, participe passé substantivé de *cadere* «tomber» (→ choir) qui, signifiant proprement «fait de tomber, chute», désigne par euphémisme la mort et signifie «ce qui arrive ; hasard», notamment avec une valeur défavorable, «accident fâcheux, malheur».

♦ Le mot, avec le sens général de «ce qui arrive», entre en moyen français dans des locutions, dont plusieurs se sont maintenues en langue moderne comme ***en tout cas*** (av. 1404), ***en aucun cas*** (av. 1545) En revanche, *par hasard* a remplacé l'ancien *par cas* (1300) et le moderne ***au cas où*** (1890) a évincé *au cas que* (av. 1404 ; *ou calz que*, 1353) et *en cas que* (1354), ce dernier continué dans la locution prépositionnelle ***en cas de***, d'ailleurs préconisée par Bouhours (1673) avec un substantif. La valeur défavorable du latin se réalise encore dans les compléments les plus fréquents du mot *(en cas de malheur, de décès, de besoin, de guerre)*, mais une locution du type ***c'est le cas de le dire*** marque au contraire l'opportunité. ◆ Très tôt (1261), *cas* a pris également le sens général de «affaire, besogne» (un *grand cas* étant [v. 1539] une affaire importante), lequel s'est perdu sauf dans les locutions ***faire cas de*** (1537), ***faire grand cas, peu de cas de*** (1587), mais s'est conservé en domaines spécialisés : en droit (1283), le mot désigne un délit, une affaire *(soumettre un cas)* voire jusqu'en 1694 un crime (*cas pendable* se rencontre encore au figuré). L'Ancien Régime désignait par *cas privilégiés* (1549) et *cas royaux* (1611) des délits que pouvaient seules juger certaines juridictions. ◇ En religion, ***cas de conscience*** (1606) désigne une difficulté soulevant un débat de conscience (→ casuistique), d'où le sens courant de «scrupule». ◆ *Cas* est aussi employé en mathématiques *(cas limite)* et en médecine (av. 1778) où il recouvre l'état et l'évolution d'un patient *(cas de tuberculose, cas bénin)* et désigne par métonymie le sujet lui-même, souvent dans une acception psychologique. ◇ L'expression ***cas d'école*** désigne une situation théorique étudiée de manière plus ou moins académique. ***Cas de figure***, répandu dans les années 1970, vient du raisonnement géométrique, et s'applique à une hypothèse envisagée parmi d'autres (terme à la mode, remplaçant parfois *cas* employé seul). ◇ On dit familièrement *c'est un cas !* (1883) «c'est un phénomène !». ◇ Sans valeur familière, on parle de *cas social* pour une personne dont la situation critique est justiciable de l'assistance de la société.

▸ **EN-CAS** ou **ENCAS** n. m. (1798) résulte elliptiquement du syntagme *objet prévu en cas de besoin* et s'applique à une chose, une personne mise en réserve en cas d'imprévu, d'abord dans le langage familier. Il est surtout courant à propos d'un repas léger tenu prêt à toute heure, d'un mets que l'on peut servir immédiatement (1835), d'une ombrelle pouvant également servir de parapluie (1863 ; 1821, **EN-TOUT-CAS** n. m.).

① **CASUEL, ELLE** adj. (1370), «fortuit, dû au hasard», est emprunté au latin *casualis* au sens tardif (Ve s.) de «accidentel». Le mot, utilisé en droit, est substantivé (1669) au sens de «profit qui peut s'ajouter à un fixe dans un emploi», spécialement pour les honoraires donnés au curé par les fidèles lors des baptêmes, mariages, etc.

② **CAS** n. m., d'abord *case* au féminin (XIIIe s.), encore au XVIe s., puis *cas* (XIVe s.), est emprunté au latin *casus* (→ ① cas) pris spécialement pour traduire le grec *ptôsis* «chute», d'où «déclinaison» en grammaire.

♦ Le mot désigne chacune des formes dont l'ensemble constitue la déclinaison dans les langues flexionnelles.

▸ ② **CASUEL, ELLE** adj. a été emprunté (v. 1850) au latin *casualis* «relatif aux déclinaisons» (Varron), spécialisation du sens de «accidentel» (→ ① casuel).

CASANIER, IÈRE adj., réfection (1557) de *casenier* (1315), est emprunté à l'italien *casaniere* «prêteur d'argent» (v. 1447-1464), dérivé de *casana* qui, en Italie du Nord (XIIIe s., Lucques), désigne la boutique du prêteur. Le mot italien serait issu, avec influence de *casa* «maison» (→ case), du vénitien *casnà* «monceau de deniers». Ce dernier est emprunté au turc *hazne* «trésor», de l'arabe *ḫazana*, pluriel de *ḫāzin* «trésor».

♦ Le mot a servi à désigner un prêteur d'argent italien installé en France. L'évolution vers le sens moderne «qui reste volontiers chez soi» (1552) — uniquement en emploi adjectif — s'expliquerait par l'obligation des prêteurs italiens de résider en un lieu précis. Elle provient aussi (et peut-être surtout) d'une remotivation sur *case** «maison», sens fréquent au XVIe s. ; ainsi en témoignent *gentilhommes casaniers* «du pays, autochtones» et *casaner* «rester à la maison». Le mot s'est assorti d'une valeur péjorative dès le XVIIe s., Furetière le définissant comme nom d'un poltron, d'un fainéant, qui ne sort point de sa case. ◇ En français moderne, *casanier* n'est plus aussi nettement péjoratif et se dit d'une personne qui fuit la vie de société et reste volontiers chez elle.

CASAQUE n. f., attesté depuis 1413, également *hazaque* (1509), est d'origine obscure, probablement emprunté au turc *quzzāk* «aventurier, nomade, vagabond» ou *ḳazaḳ*, nom donné à un peuple turc de la côte septentrionale de la mer Noire (les Kazakhs), constitué en un corps de chevaliers légers par les Polonais au XIVe s., et appliqué ensuite par métonymie à leur vêtement. L'hypothèse d'un emprunt au persan *qazāgand* ou *kažāgand* «jaquette», par apocope de *-and* considéré comme suffixe, est moins plausible.

♦ Le mot a désigné en moyen français un vêtement masculin de dessus à larges manches puis, dans l'armée (1534), un uniforme porté sur l'armure et, spécialement au XVIIe s., le manteau des mousquetaires. Ce contexte explique la locution ***tourner casaque*** (XVIIe s.) «fuir», devenue l'équivalent d'expressions du type *retourner sa veste**. ◇ Après s'être appliqué au XIXe s. à un manteau de femme, le mot n'est plus utilisé que pour la veste du jockey (1846) et parfois la blouse du chirurgien.

▶ Son dérivé **CASAQUIN** n. m. (1546, *cazaquin*), «petite casaque masculine», entre avec un emploi métonymique en locution familière ***tomber sur le casaquin*** «rouer de coups».

CASBAH n. f., une première fois *alcassabe* avec agglutination de l'article arabe (1735), puis *casauba* (1830), pris à l'arabe classique, a été réemprunté sous la forme *casbah* (1836), est emprunté à l'arabe maghrébin *qăṣbăh* «forteresse». Ce dernier correspond à l'arabe classique *qăsăbăh*, mot dérivé du verbe *qăsăbăh* «couper, retrancher». Le mot s'est définitivement implanté après la conquête de l'Algérie entre 1840 et 1870.

♦ Le mot désigne le palais et la citadelle du souverain en Afrique du Nord et, par extension, les parties hautes et fortifiées d'une ville arabe. ◇ Il a été repris dans le langage populaire avec le sens de «maison, baraque» (1879), recevant dans l'argot des soldats celui de «maison close» (1916), spécialement «pièce où l'on choisit les filles» (1929); ces valeurs ont disparu.

① **CASCADE** n. f. est emprunté (1640) à l'italien *cascata*, participe passé féminin substantivé de *cascare* «tomber» (→ ① casquer), désignant un éboulement de pierres, de lave (XVe s.) puis aussi (XVIe s.) une chute d'eau.

▶ Le mot désigne une chute d'eau et au figuré une chute, une culbute (1648), sens qui réactive la valeur étymologique sans réussir à l'imposer. Les extensions modernes procèdent concrètement (XIXe s.) et abstraitement *(cascade de rire)* du sens de «chute d'eau». ◇ ***En cascade*** loc. adv. caractérise une forme ou un mouvement de chute interrompue ou ondoyante.

▶ ① **CASCADER** v. intr., attesté une première fois en 1771, est repris (1860) au théâtre pour «faire ou dire des folies, insérer des facéties dans un texte», sens qu'il doit à un ancien sens de *cascade*, «saillie bouffonne au théâtre». Par extension, il est employé au sens de «faire de grosses plaisanteries» (av. 1867), usage familier disparu. ◇ De nos jours, le verbe exprime un mouvement qui tombe en cascade (1867), spécialement dans le langage sportif. ➜ Son dérivé **CASCADEUR, EUSE** adj. et n. (1859) a suivi la même évolution; terme de théâtre, il est passé dans le domaine de l'acrobatie (1898) et de la doublure cinématographique, rejoignant le sens ancien de *cascade* «culbute», peut-être par influence de l'italien. ◇ De là un verbe ② **CASCADER** et son déverbal ② **CASCADE** n. f. «tournage de scènes dangereuses» ; «activités de cascadeur».

◈ voir ① CASQUER.

CASE n. f. est emprunté (v. 1278) au latin *casa*, mot populaire d'origine inconnue. Cependant, le *s* entre voyelles fait supposer un emprunt ou un mot pré-indoeuropéen qui aurait désigné une habitation rudimentaire — hutte ou cabane de pâtre — puis une ferme. *Casa* a supplanté *domus* «maison» (cf. *dôme*) dans les langues romanes : l'espagnol et l'italien *casa* signifient «maison».

♦ L'évolution s'est faite par emprunts successifs. Au sens de «petite maison», *case* a été supplanté par *maison** (du latin *mansio*), mais *casa* a laissé des traces dans la préposition *chez** et dans des noms de lieux (*la Chaise-Dieu* «la maison de Dieu», dont *chaise* «siège» est seulement homonyme). ➜ Le sens particulier de «maison en Afrique» (1637) est un emprunt au portugais *casa* «maison» utilisé en Afrique de l'Ouest, la diffusion du mot ayant été probablement favorisée par l'espagnol *casa*, également employé aux Antilles. ➜ L'acception usuelle de «carré ou rectangle délimité sur une surface» (1650 au jeu de trictrac) est empruntée à l'espagnol *casa* «maison» et spécialement «compartiment d'un jeu d'échecs» (1611). Par analogie, le nom est passé à divers types de compartiments concrets (dans un meuble) et de divisions abstraites : imaginant le cerveau divisé en petites cases, on dit familièrement ***il lui manque une case*** «il est anormal».

▶ **CASER** v. tr., attesté une fois en 1562 au sens de «loger (qqch.)», est repris en 1683 comme terme de jeu pour «mettre deux dames dans une case au trictrac». Il se répand au XVIIIe s., glissant vers le sens familier de «ranger (qqch.) à sa place» (1796) et «trouver un emploi à (qqn)» (1820), la forme pronominale *se caser* prenant le sens de «s'établir» (1798), «se placer dans une maison pour y exercer sa profession» (1832) et aussi «trouver à se marier». ➜ Le participe passé **CASÉ, ÉE** est adjectivé avec les sens correspondants, propre et figuré. ➜ **CASEMENT** n. m. (1866) ne s'est pas répandu.

◈ voir CASANIER, CASIER, CASINO, CHASUBLE.

CASÉEUX, EUSE adj., longtemps *caseux* (1599, encore en 1840), puis *caséeux* (av. 1788) par adaptation plus étroite du latin, est dérivé savamment du radical du latin *caseus* «fromage». Ce mot, sans étymologie établie, a été évincé en français par *fromage* (de *forme*) mais survit dans les autres langues romanes (italien *cacio*, espagnol *queso*) et dans les langues germaniques (allemand *Käse*, néerlandais *kaas*, anglais *cheese*).

♦ Le mot sert d'adjectif didactique à *fromage*, spécialement en chimie où il signifie aussi «formé de caséine», depuis l'introduction de *caséine*. Il sert, en médecine, à décrire un type de nécrose caractérisée par la production d'un pus jaunâtre et granuleux (Laennec).

▶ **CASÉINE** n. f. est dérivé savamment (1832) du radical du latin *caseus*, avec le suffixe *-ine*, pour désigner la substance protéique formant la base des fromages.

Il a produit les termes techniques **CASÉINERIE** n. f. (1907), «usine où l'on extrait du petit lait la caséine» et «industrie de la caséine», et **CASÉINIER, IÈRE** adj. et n. (XXe s.), ainsi que le terme de chimie **CASÉINATE** n. m. (1927), «dérivé métallique de la caséine».

CASÉIFIER v. tr. (1906), attesté après le nom **CASÉIFICATION** n. f. (1871), est comme lui dérivé savamment du latin *caseus*. Tous deux sont relatifs au processus de coagulation du lait avec production de caséine et s'emploient spécialement en médecine à propos de la formation d'une dégénérescence caséeuse.

◈ voir CASIER.

CASEMATE n. f. est emprunté (1539) à l'italien *casamatta* (Machiavel), anciennement *camata* (à Modène), terme de fortification d'origine obscure. Certains y voient un représentant, introduit par jeu de mots dans l'argot des soldats, du grec *khasma* (pluriel *khasmata*) «gouffre, ouverture, bouche béante». Ce mot est apparenté à *khainein* «s'ouvrir, s'entrouvrir», «ouvrir la gueule», «être bouche bée», ayant des correspondants dans d'autres langues indoeuropéennes. D'autres ont reconnu dans le mot, au moins sous sa seconde forme, le composé de *casa* «maison» (→ case) et d'un second élément obscur, peut-être *matta*, féminin de *matto* «fou», lui-même d'origine incertaine (un rapport avec le latin *mattus* «ivre» étant très contesté). *Chasmate* (1546), employé par Rabelais au sens de «fossé», est directement emprunté au grec.

♦ Le mot désigne le réduit d'un fort, généralement souterrain, à l'épreuve des bombes et des obus, spécialement un logement blindé contenant un canon sur le flanc d'un navire de guerre.

▸ **CASEMATER** v. tr., attesté une fois en 1578 en emploi figuré, est repris avec son sens propre, «munir de casemates», au début du XIXe s. (attesté 1838).

CASERNE n. f. est emprunté (av. 1547) à l'ancien provençal *cazerna, quazerna* «groupe de quatre personnes» (fin XIIIe s.), issu du bas latin °*quaderna*, altération de *quaterna*, pluriel neutre de *quaterni* «quatre chaque fois» (→ cahier). P. Guiraud préfère voir dans le mot provençal un dérivé de *casa* «maison» (→ case) sur le modèle de *taverne**.

♦ Le mot, «abri pour les soldats (à l'origine quatre) de garde sur les remparts», a pris son sens moderne de «bâtiment pour loger des troupes» (1680) sur l'initiative royale de faire créer par Vauban des logements pour les soldats, jusque-là installés chez l'habitant. ◇ Par référence à l'architecture de ces logements, le mot est employé pour désigner un type d'immeuble peu plaisant et, par référence à la discipline qui y règne, un établissement scolaire rigoriste.

▸ **CASERNER** v. tr. (1718) signifie proprement «loger dans une caserne» et par extension «enfermer, soumettre au régime de l'internat». ◆ Son dérivé **CASERNEMENT** n. m. (1800) est surtout usité avec un sens concret collectif : «ensemble des bâtiments d'une caserne». ◆ **CASERNIER, IÈRE** adj. (1838) a désigné le gardien ou concierge d'une caserne (sens disparu) et qualifie (1876) ce qui est relatif à la caserne.

ENCASERNER v. tr. (1832 ; 1790 au p. p.) exprime à la fois le fait de mettre dans une caserne et, au figuré, de soumettre à une discipline quasi militaire. ◇ Il a produit **ENCASERNEMENT** n. m. (1899), très rare.

CASHER, CAWCHER, CÂCHÈRE adj., accueilli par les lexicographes sous les graphies *cawsher* (1867, P. Larousse) ou *casher* (1929), est emprunté à l'hébreu *kāšēr*. Ce mot est employé dans l'Ancien Testament au sens de «qui convient, propre à», d'un verbe signifiant «convenir», dans Esther, VIII, 5 (*«si la chose convient au roi»*) et dans L'Ecclésiaste, X, 10 (*«il y a profit à exercer comme il convient la sagesse»*), XI, 6 (*«car tu ne sais pas, de l'une ou l'autre activité, celle qui convient»*). Ultérieurement, le mot est employé dans la littérature rabbinique au sens de «régulier, autorisé par la loi», en opposition à *pasul* et *terefah*, «qui n'est pas conforme, interdit». Employé par extension dans le Halakah, il est passé dans l'usage courant, un verbe *kāšēren* étant formé pour exprimer le procédé, l'action qui rend la nourriture ou les ustensiles de cuisine propres à l'usage prescrit. Ainsi, le mot s'applique à l'acte de laver les plats lors de la Pâque, de les immerger dans un bain rituel lorsqu'ils ont été achetés par un non-juif et surtout à la préparation rituelle de la viande. Il sert également à qualifier, dans un contexte religieux, ce qui est correctement écrit, filé, construit, et s'applique aux témoins autorisés à témoigner en accord avec la jurisprudence talmudique. Récemment, il a pris dans l'usage courant des pays anglo-saxons le sens de «conforme à la loi».

♦ Le mot, qui semble avoir été introduit en français par les milieux juifs de Lorraine (selon P. Larousse), qualifie ce qui est conforme aux prescriptions religieuses dans la religion juive, notamment en parlant de la chair des animaux et, par extension, de tout aliment. On parle de *viande casher*, de *boucher* et de *boucherie casher*, etc. De nombreuses graphies ont été employées.

CASIER n. m. est à l'origine (v. 1225, en picard) le masculin créé d'après l'ancien français *chasiere* n. f. «panier où l'on fait sécher le fromage», attesté comme nom de personne depuis le XIIe s. (av. 1137) puis au XIIIe s. comme nom commun. *Chasiere* est issu par abréviation d'un syntagme où l'adjectif *casearia* (féminin), dérivé de *caseus* «fromage» (→ caséeux), était précédé d'un substantif féminin tel que le latin *forma* «moule à fromage» (→ forme) ou *sporta* «panier, corbeille». L'adjectif *casearius, -a* est attesté par Ulpien dans *taberna casearia*, «cabane où l'on prépare le fromage» ; en latin médiéval, *casearia* est substantivé comme nom du lieu où l'on fabrique et conserve le fromage (1198). L'hypothèse consistant à faire remonter directement le masculin *chasier, casier* à un syntagme latin composé d'un substantif masculin et de *casearius* est moins convaincante, parce que les noms masculins désignant des paniers, des corbeilles concernent plutôt le transport des denrées. L'évolution de l'ancien français vers le français *casier* est le résultat d'une contamination morphologique et sémantique avec *case**.

♦ Le sens étymologique «panier où l'on fait sécher le fromage» («vieux» depuis Trévoux, 1752) s'est effacé derrière le sens plus vague de «panier» (1268 sous la forme *chasier*). ◇ Ce sens, lui aussi disparu, a favorisé l'assimilation du mot à un dérivé de *case** (1275), parfois avec une valeur collective («ensemble de cases»). L'idée de «compartiment», de «rangement» s'est dégagée dans certains emplois d'abord très isolés (spécialement en ameublement, 1450) et répandus aux XVIIIe et XIXe siècles. Quasiment synonyme de *case*, le mot a développé le même type de sens figuré, «catégorie abstraite servant à classer» (1853). ◆ ***Casier judiciaire*** (1860) désigne le répertoire officiel consignant par fiches les condamnations pénales de chaque personne ; de là *casier vierge* «sans condamnation» et absolument *avoir un casier* «un casier judiciaire portant des condamnations».

CASIMIR n. m., une première fois *casinir* (1686) puis *casimir* (1790), est emprunté, avec altération d'après le nom de personne *Casimir*, à l'anglais *cassimer* «étoffe de laine légère» (1774). Ce mot est issu du nom de la province de Cachemire, attesté au XVIIe s. (1665) sous la forme *Cassimer* (→ cachemire). L'hypothèse d'un emprunt à l'anglais *kerseymere* «tissu de fine laine» (1798), corruption de la forme anglaise *cassimere* sous l'influence du nom de la ville de *Kersey* (dans le Suffolk), n'est pas à retenir pour des raisons chronologiques.

♦ Le mot désigne un drap léger fait de laine croisée ou de coton, de dessins et de couleurs variés, qui fut surtout à la mode pendant la première moitié du XIXe siècle.

CASINO n. m. est emprunté tel quel (1740) à l'italien *casino*, diminutif de *casa* (→ case) «maison» (littéralement «petite maison»), attesté au sens de «maison de campagne ; maison de prostitution» (XVIe s.), puis (XVIIe s.) «maison de jeu». Le mot désigne ensuite un établissement de luxe comprenant une maison de jeu dans une station thermale, par emprunt sémantique au français comme le montre l'attestation *casinò* (avec accentuation sur la finale comme en français). La forme francisée *casin* (1772) n'a pas eu de succès.

♦ Le mot, repris au sens de «maison de plaisance», a pris par spécialisation son sens moderne, «établissement public dans les stations thermales et balnéaires, avec salles de réunions, de spectacles *(Casino de Paris)* et de jeux» (1812). Le style architectural de ce genre d'établissement s'est fixé à partir du Second Empire, repris sous la IIIe République : palais grandioses, analogues aux grands hôtels, célébrant les divertissements du capitalisme international.

▶ Le dérivé familier **CASINOTIER** n. m. (v. 1980) désigne l'exploitant d'un casino.

CASOAR n. m., lorsqu'il apparaît pour la première fois sous la forme *quessaoüarroé* (1665) dans le récit d'un voyage à Londres, est emprunté à l'anglais *cassawarway* (1611), forme primitive de *cassowary* (1690), nom d'un grand oiseau coureur de la Nouvelle-Guinée et d'Australie dont la tête est surmontée d'une sorte de casque doré. Lui-même est emprunté à *kasuwāri* ou *kasuāri*, mot d'une langue de cette zone qui n'appartient pas au domaine malayo-polynésien de la Nouvelle-Guinée occidentale ou des Moluques. La forme française actuelle *casoar* (1733), annoncée par *casouard* (1677), est empruntée par l'intermédiaire du latin des naturalistes hollandais, *casoaris* (1631).

♦ Le mot, désignant un grand oiseau d'Australie voisin de l'autruche, est passé dans l'argot des élèves de Saint-Cyr au milieu du XIXe s. pour désigner le plumet rouge et blanc ornant le shako de la grande tenue (inauguré le 24 août 1855). Par métonymie, il désigne le shako lui-même.

CASQUE n. m., dernier venu (av. 1578) dans le domaine des coiffes militaires, après le *heaume* médiéval et les *salade, armet* et *morion* (XVe s., aujourd'hui termes d'archéologie), est le terme qui, de tous, a eu la fortune la plus durable. Comme les deux derniers, *casque* est emprunté à l'espagnol. *Casco* (v. 1140) «armure de tête», également «crâne» (v. 1295) et «tesson» (v. 1495) est le déverbal de *cascar* «briser» (ce qui suppose que la valeur initiale est «tesson, débris»). *Cascar* est issu d'un latin populaire °*quassicare*, de *quassare* (→ casser).

♦ Le mot désigne une armure de tête. Les extensions de sens, peu nombreuses, consistent en emplois analogiques et métaphoriques. Le sens familier de «crâne, tête» (1690) est surtout réalisé en locutions aujourd'hui archaïques : ***en avoir dans le casque*** (1690), ***s'en donner dans le casque*** (1863) «s'enivrer». De là *avoir le casque, se réveiller avec le casque* «avec une migraine due à la boisson» (cf. *gueule de bois*). ◇ Par analogie, *casque* désigne un ornement extérieur de l'écu qui se place en cimier (1690) et reçoit des acceptions figurées en botanique (1771), en zoologie (1895) et en géologie. Par métaphore, il désigne un type de coiffure féminine (*un casque de cheveux;* cf. *Casque d'or*, surnom d'une femme à la chevelure blonde, v. 1900). ◇ Par extension du premier sens, *casque* dénomme au XXe siècle des couvre-chefs de protection *(casque de moto, casque intégral, casque de chantier...)* ou des dispositifs couvrant la tête *(casque sèche-cheveux)*.

▶ **CASQUÉ, ÉE** adj. (1734) qualifie la personne qui est coiffée d'un casque. ◆ **CASQUETTE** n. f. (1817) est d'emblée un terme d'habillement et s'applique à une coiffure à visière emboîtant bien la tête, très répandue dans les années 1830 et devenue le symbole de la condition ouvrière et de certains gradés militaires. Le mot, ne désignant que des coiffures en matières assez souples, a toujours été détaché par le sens de *casque*. ◇ Par métonymie, ***en avoir ras la casquette*** qui correspond à *ras le bol*, emploie le mot pour «tête». ◇ La loc. fam. *vas-y, allons-y casquette!* est attestée en 1911. ◇ Au figuré, *avoir deux, plusieurs casquettes* se dit pour «plusieurs fonctions». ◆ *Casquette* a servi à former **CASQUETTER** v. tr. (1850), **CASQUETTIER, IÈRE** n. (1867) et **CASQUETTERIE** n. f. (XXe s.) «fabricant», et «fabrication de casquettes». ◆ ② **CASQUER** v. tr., dérivé de *casque* ou de *casqué*, est attesté seulement depuis 1883.

① **CASQUER** v. est emprunté (1835) à l'italien du Nord et du Centre *cascare* «tomber» (XIVe s.) [→ cascade], plus récemment *cascarci* (XVIIIe s.) «tomber dans le panneau». Celui-ci est issu du bas latin °*cassicare*, fait sur le radical de *casus* (→ cas), participe passé du verbe *cadere* «tomber» (→ choir).

♦ Le mot, d'abord argotique puis familier, signifie «tomber dans le panneau», spécialement en payant d'avance, d'où «payer» (1844) au propre et au figuré, en construction intransitive, puis transitive (1867).

▸ **CASQUEUR, EUSE** n. (fin XIXe s.) désigne une personne qui paie ; il est peu employé.

② CASQUER, CASQUETTE → CASQUE

CASSATION → CASSER

① **CASSE** n. m. est emprunté (1675) à l'italien *cassa,* correspondant au français *caisse**, qui, à partir du sens de «caisse» (XIIIe-XIVe s.), a pris diverses acceptions techniques dont celle de «meuble divisé en petites cases contenant les caractères typographiques» en imprimerie.

♦ Le mot, passé en français comme terme technique d'imprimerie, a donné les locutions ***haut de casse, bas de casse,*** employées par métonymie pour désigner des types de caractères d'après leur emplacement dans le meuble, en l'espèce des capitales (ou majuscules) et des minuscules.

▸ *Casse* a donné au vocabulaire de l'imprimerie les noms concrets **CASSEAU** n. m. (1723) «compartiment spécial destiné à conserver le trop-plein des caractères», et **CASSIER** n. m. (1797), «armoire de rangement des casses».

CASSETIN n. m. est emprunté (1552) à l'italien *cassettino,* dérivé avec double suffixation diminutive en *-etto* et *-ino* de *cassa* (→ caisse), et employé à la fois au sens de «cassette» et dans une spécialisation en imprimerie (XVIe s.). ◆ *Cassetin,* repris au sens de «petit casier», est surtout utilisé avec ses acceptions techniques en imprimerie (1611) et en métallurgie, en parlant du réservoir recevant le métal en fusion (1863).

② **CASSE** n. f., d'abord *cassee* (1256) puis *cassie* (1365), repris sous la forme régressive *casse* (av. 1382), est emprunté au latin *cassia,* également attesté à basse époque sous la variante *casia.* Ce mot est emprunté au grec *kasia, kassia* «plante aromatique, arbre à cannelle», lui-même emprunté à une langue orientale, l'étymon étant apparenté à l'hébreu *qaṣī'ā.*

♦ Le mot désigne une longue gousse de légumineuse dont la pulpe a des propriétés laxatives et, par métonymie, cette pulpe. La casse fut un remède important (souvent associée au *séné*) dans la médecine ancienne, jusqu'au XVIIIe siècle.

▸ **CASSIER** n. m. (1512) désigne l'arbre qui produit la casse.

◈ voir ① CASSIS.

✱ **CASSER** v., d'abord écrit *quasser* (1080) puis *casser* (1160), est issu du bas latin *quassare* «agiter fortement, briser» (→ casque). Celui-ci est dérivé du participe passé *quassus* pris au sens fort de «brisé (à force de secousses)» du classique *quatere* «secouer», surtout réservé à l'usage poétique à l'époque impériale (la prose lui préférant des composés). Ce mot n'a pas d'étymologie claire, le rapprochement avec le grec *passein* «répandre» étant très fragile sémantiquement.

♦ Le sens de «briser, mettre en morceaux» (également «déchirer» au XVIe s.) est à la fois usuel et technique en agriculture où *casser la terre* (1690) signifie «lui donner le premier labour». Le verbe a fait fortune en emploi familier dans d'innombrables locutions : d'après le sens ancien de «manger» (1561), on dit ***casser la croûte*** «manger un morceau» (1798) par allusion à l'acte de briser le pain. En emploi concret, ce verbe est devenu plus courant que *briser* (sauf en français québécois) ; il a pris récemment des valeurs extensives pour «détruire (un ensemble concret)». ◆ Avec une idée de parole ou d'action violente, déjà réalisée dans ***en casser*** «en dire» (1585), ***casser du sucre sur le dos de qqn*** (1866) signifie «cancaner». ◇ Une même idée d'intensité se retrouve dans ***à tout casser*** (av. 1866), ***ça ne casse rien, ça ne casse pas trois pattes à un canard,*** etc. ◇ Plus nombreuses encore sont les locutions formées avec un nom d'organe qui procèdent du sens archaïque de «rompre les os» (XIIe s.). Dès 1450, l'idée figurée d'«importuner» était réalisée par l'ancienne locution *casser la cervelle,* avant de passer dans ***casser les oreilles, les pieds*** (1890) et autres variantes vulgaires (***casser le cul, les couilles,*** etc.), ***casser la tête*** réalisant plutôt une idée d'«assourdissement». À la forme pronominale, ***se casser la tête*** (1677) exprime une autre nuance, d'ordre intellectuel : «se fatiguer l'esprit». ***Se casser le cou, le nez*** (1740 ; ce dernier étant plus fréquent au sens dérivé de «trouver porte close» depuis 1834), ***se casser les reins*** (1929) évoquent une idée d'échec, tandis que ***casser les bras*** (1825), ***casser les jambes*** (1827) expriment le découragement. ◇ En revanche, elliptiquement, ***se la casser*** (la jambe) [1835] signifie «s'enfuir» et a fait fortune, populairement, dans ***se casser*** «s'en aller» (1908). Un autre sens archaïque, «blesser, affaiblir», vit peut-être dans certains emplois au passif *(être cassé par l'âge)* et au participe passé (*voix cassée,* av. 1592). ◇ Le sens abstrait juridique «annuler» (XIIIe s.) s'est probablement développé à la faveur de la rencontre du latin *quassare* et du latin juridique *cassare* «annuler, casser» (408), dérivé de l'adjectif *cassus* «vide, vain» (cf. ci-dessous *cassation*). ◇ Il a suscité des emplois spéciaux : *casser un privilège* (1511), *casser un testament* (1549) et, avec un complément animé, il a reçu le sens de «dégrader (un officier)» (fin XVe s.) d'où «destituer (qqn) de ses fonctions» (1690 ; 1549, *casser qqn aux gages*). Le sens de «cambrioler qqn», en argot (1951), est une extension métonymique de celui de «fracturer (un coffre)» (1790) dans l'argot des voleurs (cf. ci-dessous *casseur*).

▸ Le verbe a de nombreux dérivés. ◆ **CASSEMENT** n. m., d'abord *quassement* (XIIIe s.), est apparu dans un contexte biblique au sens figuré de «fléau» ; le sens propre «action de casser, de briser» (1389-1392) a reculé dès le XVIe s. et n'a été repris qu'au XIXe s. sans se répandre. Le mot s'est centré sur une acception technique en arboriculture (1765). ◆ **CASSON** n. m. (1328-1342) «sucre brut» s'est étendu à d'autres substances brisées ou concassées : morceau de cacao (1803), rognure provenant des glaces mal faites (1838). ◇ Le premier de ces sens vit également dans **CASSONADE** n. f. (1574) qui est probablement emprunté à l'ancien provençal *cassonada* (1476), annoncé par le latin médiéval *cassonata* (1389, à Marseille). Ce mot a un regain d'usage au XXe s., en gastronomie. ➜ **CASSURE** n. f. (1333, *casseure*) désigne le résultat de l'action de briser; d'abord appliqué à une fracture de membre, il a reçu plusieurs acceptions techniques, en métallurgie (1701), en géologie (1831). Le sens figuré de «rupture» paraît plus récent. ➜ **CASSATION** n. f. (1413) procède du sens juridique de *casser* et désigne le fait d'annuler un acte, un jugement, surtout par métonymie la décision rendue par le tribunal, dans les locutions *se pourvoir en cassation* (1690, *se pourvoir par cassation*), *tribunal de cassation* (1790), ***cour de cassation*** (1804). Le sens «action de priver d'un emploi», attesté une première fois (av. 1614), ne s'est pas répandu, le mot étant repris au XIXe s. au sens militaire d'«action de dégrader». ➜ ② **CASSIS** n. m. (1488) désigne une rigole pavée ou une pente en travers d'une route et, par extension, une dépression brutale dans une route. À la différence des autres dérivés du verbe, il n'y est plus rattaché spontanément. ➜ **CASSABLE** adj. (XVe s.), sorti d'usage après 1637 et repris au XIXe s. (Littré, 1863), s'est moins répandu que le composé **INCASSABLE** adj. (1801) qui s'emploie par extension pour «qui se casse moins facilement» *(verre incassable)*. ➜ **CASSANT, ANTE** est tiré (1538) du participe présent du verbe au sens de «qui se casse facilement ». Un sens figuré (1815, *manières cassantes*) correspond à «dur, impérieux» et est comparable à *tranchant*. Le sens de «fatigant» (1947) provient de *se casser la tête* ou d'expressions analogues.

CASSEUR, EUSE adj. et n. (1588), «personne qui frappe fort pour casser», a disparu après 1611 pour être repris au XIXe s. en parlant d'une personne qui casse (1832), spécialement qui casse beaucoup par maladresse (1838), également en emploi adjectivé (1842). Par extension, il est appliqué au figuré à une personne violente ou vigoureuse, dans des locutions : *casseur de raquettes* (1808), *casseur de vitres* (1835), et en argot à un cambrioleur (1841; une fois en 1628 dans le jargon, *casseur de Hanes*). Il a produit **ANTICASSEUR(S)** adj. apparu dans le climat politique de l'après 1968 (loi du 8 juin 1970, abrogée en 1981), *casseur* se disant en même temps pour «personne qui commet des dégradations au cours de manifestations».

Le déverbal **CASSE** n. f. (1640) a perdu au profit de *cassation* son ancien sens militaire (d'abord dans *donner de la casse aux soldats*, puis absolument, 1740). Il ne s'est implanté comme substantif d'action de *casser* que dans le langage populaire (1821), spécialement au masculin avec la valeur de «cambriolage» en argot (1899). Il a reçu des acceptions spéciales en commerce («dépeçage d'objets», 1935) et en œnologie pour «dégradation d'un vin» (1906).

La dérivation est enrichie à partir du XVIe s. de substantifs composés avec l'élément verbal **CASSE-** : **CASSE-NOIX** n. m., apparu comme terme d'ornithologie (1564), est devenu un nom d'instrument (1611), de sens très voisin de **CASSE-NOISETTE(S)** n. m. (1680). ➜ **CASSE-TÊTE** n. m., d'abord *casseteste* «vin qui monte à la tête» (1690), a évolué d'une part vers le sens concret d'«arme» (1756) et d'autre part vers le sens figuré moderne de «travail qui demande une grande application» (1706), donnant son nom à un jeu de patience complexe (1829) qui a relancé les emplois métaphoriques (1833, Balzac, *casse-tête chinois*). D'après la locution *casser la tête,* il a pris le sens de «grand bruit assourdissant» (1803). ➜ **CASSE-COU** n. m. (1718), de même que la variante vulgaire **CASSE-GUEULE** n. m. (1808), désigne à la fois un endroit dangereux — sens où il a remplacé *brise-cou* (1690) — et une personne téméraire (1835). Il est passé dans le vocabulaire des jeux comme interjection pour prévenir le joueur au colin-maillard (1808), se répandant dans l'usage (av. 1869). *Casse-gueule* a été repris comme adjectif pour «dangereux». ➜ **CASSE-CROÛTE** n. m. (1803) a perdu son sens d'«instrument pour casser les croûtes de pain dur» et pris (1898) le sens moderne de «petit repas sommaire» qu'il partage avec la variante **CASSE-GRAINE** n. m. (1940). ➜ **CASSE-PIPE** n. m. (fin XIXe s.) «tir forain» est passé dans l'argot militaire au sens de «zone de combat de première ligne très exposée» (1918), soit par métaphore, soit d'après la locution *casser sa pipe* ou, plus probablement, d'après *casse-gueule* «assaut», *pipe* étant pris au sens de «tête». ➜ **CASSE-PIED(S)** n. m. et adj. (1948) se dit familièrement d'une personne importune et correspond au syntagme verbal *casser les pieds à qqn*, aussi les variantes *casse-couilles, -burnes*, etc.

◈ voir CASSE-TRAME (art. TRAME).

CASSEROLE n. f. est dérivé par suffixation diminutive (1583) de *casse* (1341), «récipient en forme de cuillère» (synonyme de *casserole* en Suisse), lui-même emprunté à l'ancien provençal *cassa* (1327), peut-être «grande cuillère» et (1349) «récipient». Ce mot, différent de ① *casse* et ② *casse*, représente le latin médiéval *cattia* «creuset» (VIIe-VIIIe s.) et «cuillère à pot» (XIIe s.) issu par dissimilation du premier *i* de °*ciattia* du grec *kuathos* «coupe, vase pour puiser», dérivé de *kuar* «trou», «cavité», qui est un terme indoeuropéen.

♦ Le mot désigne un ustensile de cuisine cylindrique servant à la cuisson. Par l'intermédiaire de la locution culinaire ***à la casserole*** (pour divers mets ainsi cuisinés), il donne la locution familière ***passer à la casserole*** (1906) — par allusion aux volailles que l'on tue pour les faire cuire — «être mis dans une mauvaise posture» et spécialement «subir des violences sexuelles». ◇ Les extensions de sens sont des emplois métaphoriques familiers fondés sur une analogie de forme — «casque de combat» (1916), «projecteur» —, ou de résonance : «piano de mauvaise qualité» (1931), d'où *chanter comme une casserole.* ◇ En argot, le mot sert à désigner un mouchard.

▶ Sur le sens propre du mot, on a formé **CASSEROLÉE** n. f. (1838), concurrencé par l'emploi métonymique de *casserole,* et **CASSEROLIER** n. m. (XXe s.), terme usuel en Suisse pour désigner le marmiton chargé de l'entretien de la batterie de cuisine dans un restaurant.

◈ voir CASSOLETTE, CASSOULET.

CASSETTE → CAISSE

① **CASSIS** n. m., attesté au milieu du XVIe s. (1552, selon Bloch et Wartburg; 1561), est d'origine obscure. On a évoqué une transposition du latin *cassia* (→ ② casse), le cassis ayant les mêmes vertus médicinales que la casse ; cependant, le *-s* final reste inexpliqué. A. de Candolle, dans son livre sur *L'Origine des plantes cultivées,* dit ne pas l'avoir trouvé dans les livres de botanique avant le milieu du XVIIIe s., et ne pas connaître, sur plus de quarante dénominations vulgaires de la plante dans différentes langues et patois, un seul nom analogue. Cependant, Buchoz, dans son *Dictionnaire des plantes* (1770) appelle la plante le *cassis* ou *cassetier des Poitevins,* ce qui appuie l'étymologie de *cassis* par ② *casse.*

♦ Le mot désigne d'abord une plante, glosé «poivre d'Espagne» par Wartburg dans l'attestation de 1561, en référence aux anciens noms, *poivrier* et *groseillier noir,* qu'il a remplacés. Les attestations se rapportant au fruit sont beaucoup plus tardives (1860) mais la boisson faite avec le fruit est appelée *cassis* en 1808. Il semble pourtant qu'on ait commencé à cultiver la plante en jardin dès le moyen âge, bien que la plupart des auteurs du XVIe s. n'en parlent pas et qu'on lise, dans l'*Histoire de la vie privée des Français* par Legrand d'Aussy (1782, vol. 1, p. 232) que «le cassis n'est guère cultivé que depuis une quarantaine d'années». Selon cet auteur, l'engouement pour la plante et son fruit serait dû à une brochure intitulée *Culture du cassis,* leur attribuant toutes sortes de vertus. Quant à la liqueur, appelée d'abord *ratafia* puis *cassis,* sa nature n'était pas clairement connue, puisque le Grand Dictionnaire de P. Larousse déclare qu'on fabriquait des liqueurs de ce genre estimées à Cassis. ◇ Par métaphore, l'argot puis la langue populaire en a fait un nom de la tête (1907) comme de beaucoup de noms de fruits sphériques, *citron, poire, pomme, fraise.*

► La formation d'un nom spécifique pour le végétal, CASSISSIER n. m., est tardive (1907-1909).

② CASSIS → CASSER

CASSOLETTE n. f., d'abord *cassollette* (1529), puis *cassolette* (1561), est, plutôt qu'un emprunt à l'ancien provençal *casoleta* ou à l'espagnol *cazoleta,* le diminutif de l'ancien français *cassole* «petit récipient» (déb. XIVe s.), lui-même dérivé diminutif du nom de récipient *casse* (comme *casserole**).

♦ Le mot, qui désigne un petit récipient de métal (souvent précieux) dans lequel on fait brûler des parfums, s'est appliqué à un petit récipient utilisé pour cuire un mets au feu et le servir à table (1929) et, par métonymie, au plat ainsi cuit.

CASSONADE → CASSER

CASSOULET n. m., attesté récemment en français (1897), est emprunté à un mot languedocien ancien désignant un plat cuit au four. Celui-ci est le diminutif de *cassolo* «terrine», d'où «mets que l'on cuit dans une terrine», lui-même diminutif de *casso* «poëlon», correspondant masculin de l'ancien provençal *cassa,* à l'origine du français *casse* (→ casserole, cassolette).

♦ Le mot désigne un ragoût de haricots blancs — d'abord de fèves —, de charcuterie et de viande (notamment d'oie), préparé dans le sud-ouest de la France, avec deux recettes principales à Toulouse et à Castelnaudary. Le mot désigne aussi un plat en conserve à base de haricots blancs et de charcuterie, et qui évoque vaguement la recette régionale *(boîte de cassoulet).*

CASTAGNETTE n. f., d'abord *cascagnettes* (1585) puis *castaignettes* (1606) avant *castagnettes* (1607), est emprunté à l'espagnol *castañetas* (1571) «petit instrument de musique espagnol», diminutif de *castaña* «châtaigne» (→ châtaigne) à cause de la forme et de la couleur de cet instrument.

♦ Le mot, surtout employé au pluriel, a gardé le sens de l'espagnol.

CASTE n. f. est emprunté (1615), tout comme ses correspondants européens, au portugais *casta* «race», d'abord à propos des animaux (XVe s.) puis «classe de la société hindoue» (1516), d'origine discutée. L'hypothèse d'une substantivation de l'adjectif *casta,* féminin de *casto* «pur» (→ chaste), ne rend pas compte du sens apparu d'abord en portugais et dans les autres langues ibériques (catalan *casta* «race» au XVe s., espagnol *casta* «race» et «procréation, reproduction», déb. XVe s.). Se fondant sur ce sens originel des langues ibériques, Corominas propose un étymon gotique °*kasts* à l'origine de l'anglais *to cast* «jeter».

♦ Le sens de «race» (à propos des Portugais de race pure) cède rapidement la place à celui de «classe de la société hindoue» (1659 ; encore aujourd'hui bien que les castes aient été théoriquement abolies par Gandhi). Par analogie, *caste* a été appliqué à la société française au sens de «classe» (1789, Siéyès), péjorativement «classe élevée caractérisée par son esprit d'exclusion» *(préjugé de caste).*

CASTEL n. m. est emprunté (déb. XVIIIe s.) au provençal *castel* (Xe s.), de même sens et de même origine que le français *château** (*chastel* en ancien français), d'autres emplois pouvant venir par archaïsme de l'ancienne forme normanno-picarde *castel.*

♦ Le mot désigne un château fort, dans un style littéraire évocateur et, généralement par hyperbole ou ironiquement, une vieille demeure seigneuriale, un manoir.

► CASTELET n. m. est emprunté (1872) au provençal *castelet,* diminutif de *castel,* proprement «petit château» (déb. XIIIe s.), correspondant à l'ancien français *chastelet* (v. 1150), *châtelet.* ➛ Employé par A. Daudet à propos d'un petit château en province, le mot a été dérivé directement de *castel* pour désigner, par analogie de forme, un petit théâtre de marionnettes (1907).

CASTOR n. m. est emprunté (v. 1121) au latin *castor,* doublet sémantique de *fiber,* calqué sur le grec *kastôr.* Ce mot, d'abord attesté comme anthroponyme en mycénien, paraît formé avec le suffixe d'agent *-tôr* sur le radical de *kekasthai* «exceller, briller», verbe que l'on rapproche du sanskrit *śāśaduḥ* «exceller, se distinguer». Le nom de *Kastôr,* proprement «celui qui brille, se surpasse», a été donné au héros *Castor*, fils de Léda et frère de Pollux; il est devenu l'appellatif puis le nom de l'animal à cause de sa sécrétion utilisée dans les affections de l'utérus, le dioscure *Castor* étant le protecteur des femmes. En français, *castor* a supplanté l'ancien *bièvre* (XIIe s.), issu de *beber*, variante celtique de *fiber*, encore attesté comme toponyme; il s'agit là d'un mot très ancien signifiant «brun» et utilisé en indoeuropéen pour désigner le castor (sanskrit *babhrúh* «brun» et «mangouste»).

♦ Le nom de l'animal, mammifère rongeur qui vit en troupe en milieu aquatique et qui est notoire pour ses activités de constructeur, est devenu, par métonymie, celui d'un objet en fourrure de castor et, dans l'argot des libertins (1695), le surnom de celle que l'on nommera plus tard une demi-mondaine. Ce sens donne naissance à ① **DEMI-CASTOR** n. m. (1784) «fille galante», opposé à *castor fin*. *Demi-castor* s'employait encore au début du XXe s. (le mot est dans *Le Temps retrouvé*, de Proust). ◇ Un autre ② **DEMI-CASTOR** n. m. (1690) désignait (XVIIe-XVIIIe s.) un tissu feutré comportant du poil de castor et un chapeau fait de ce feutre. ◇ Dans les années 1950, *castors* a servi à désigner un groupe de personnes associées pour construire elles-mêmes leurs logements, par analogie avec le comportement bâtisseur du castor.

▸ **CASTORÉUM** n. m., emprunt ancien (XIIIe s.) au latin médiéval *castoreum*, désigne la sécrétion de l'animal. ◆ **CASTORINE** n. f. (1802) est le nom d'une étoffe en poils de castor et en laine et **CASTORETTE** n. f. (1925) une peau traitée pour évoquer la fourrure de castor.

CASTRAT n. m. est emprunté (1749) à l'italien *castrato*, participe passé de *castrare* (→ châtrer), employé comme adjectif en médecine vétérinaire (fin XIIIe s.) et comme substantif (XVIIe s.) à propos d'un chanteur castré dans son enfance pour conserver son timbre de soprano. Cette pratique s'était répandue en Italie dès la basse Antiquité, ainsi que dans la péninsule Ibérique. Les femmes n'étant pas autorisées à chanter à l'église, les castrats furent admis dans les chapelles au XVIe s., puis connurent de grands succès dans le théâtre lyrique, notamment au XVIIIe siècle. Après l'interdiction de la castration par le pape Clément XIV (1769-1774), ils disparurent progressivement de la scène. Dès 1556, on trouve le mot gascon *castrat (mouton castrat)*, de l'ancien provençal *castrat* (XIVe s.).

♦ Le mot, «individu mâle qui a subi la castration; eunuque», n'est employé que dans le contexte musical italien.

CASTRER v. tr. est emprunté très tardivement (1906) au latin *castrare* «couper, émonder» d'où, au propre et au figuré, «amputer» (→ châtrer). Les attestations de *castrer* en ancien français (v. 1285), en moyen français (1401) puis en 1600 sont des formes normandes, picardes ou encore méridionales de *châtrer**.

♦ Le mot est employé comme doublet de *châtrer* en chirurgie et en médecine vétérinaire. Il partage avec lui le sens figuré de «tronquer, mutiler (une œuvre)».

▸ **CASTRATION** n. f. est emprunté (1380) au dérivé latin *castratio* de même sens (aussi «tonture») de *castratum*, supin de *castrare*. ◇ Le mot s'est implanté solidement dans le langage médical dès le moyen français, empêchant toutes les tentatives pour dériver un substantif d'action de *châtrer**. Le sens figuré est tardif (1866) et exceptionnel, à la différence de l'acception psychanalytique freudienne (élaborée en allemand en 1908), relativement vulgarisée. ◇ Le préfixé **AUTOCASTRATION** n. f. est attesté en 1926.

CASTRATEUR, TRICE n. et adj. (v. 1930) fait partie, encore plus que *castration*, de ces termes psychanalytiques passés dans l'usage courant *(mère, attitude castratrice)*.

◈ voir CASTRAT, ENCASTRER.

CASUISTE n. est probablement — vu la notoriété des casuistes espagnols aux XVIe-XVIIe s. : Molinar, Suarez, Sánchez, Escobar... — emprunté (1613) à l'espagnol *casuísta* (1616, très probablement antérieur), dérivé savamment du radical latin scolastique *casus* «cas de conscience» (av. 1596) avec le suffixe *-ista* (→ cas).

♦ Le mot désigne un théologien chargé de résoudre les cas de conscience. Par extension, il se dit péjorativement d'une personne aimant à justifier par des arguments subtils ses fautes ou celles d'autrui (1703).

▸ Les dérivés tardifs sont **CASUISTIQUE** n. f. (1829) d'usage didactique et, avec une valeur figurée négative, soutenu, et le péjoratif **CASUISME** n. m. (1843) «attitude hypocrite des casuistes», mot didactique et rare.

CATACLYSME n. m., d'abord *cataclisme* (1553), est emprunté au latin *cataclysmos* «déluge» et au figuré «destruction», lui-même pris au grec *kataklusmos* «inondation», déverbal de *katakluzein* «inonder». Ce dernier vient de *kata-* (→ catastrophe) et *kluzein* «baigner (dans l'eau)», «verser (de l'eau)» (→ clystère), terme en rapport avec le latin *cloaca* (→ cloaque).

♦ Le mot, d'abord employé avec une valeur figurée, désigne un grand bouleversement causé par un phénomène naturel destructeur. ◆ Par extension, il exprime l'idée d'un «profond bouleversement (social, économique, psychologique)» (1845) et s'emploie plaisamment à propos d'une personne causant de grands troubles.

▸ En est dérivé **CATACLYSMIQUE** adj. (1863) en géologie et dans l'usage général.

CATACOMBE n. f., d'abord *cathacombes* (1250-1300) puis *cathacumbe* (XVe s.) avant *catacombes* (1690), est emprunté au latin ecclésiastique *catacumba* (souvent au pluriel *catacumbae*) «cimetière souterrain», à propos des premières sépultures chrétiennes creusées à Rome, jusqu'au règne de Constantin et à sa conversion au christianisme. Le mot, primitivement employé comme nom d'un cimetière situé non loin de la voie Appienne, est composé du grec *kata-* «en bas» (→ catastrophe) et du latin chrétien *tumba* (→ tombe); on rencontre en effet *catatumbas* au VIe s. et la dissimilation est probablement due à l'influence de *cumbere* «être couché» ou de *cumba* (→ combe).

♦ Le mot est employé dans le contexte de l'histoire chrétienne et, par extension, à propos d'autres cimetières souterrains, spécialement à propos des carrières de Paris transformées, à la fin du XVIIIe s., en dépôts d'ossements enlevés aux cimetières désaffectés (surtout celui des Saints-Innocents). ◇ Par métaphore, il est parfois pris au sens de «labyrinthe, dédale».

▶ **CATACOMBAL, ALE, AUX** adj. (1886) qualifie ce qui est propre aux catacombes, s'y rapporte.

CATAFALQUE n. m. est emprunté à l'italien *catafalco* (XVIe s.), issu d'un latin populaire °*catafalicum* qui, par une autre voie, a donné *échafaud**.

♦ Le mot a conservé le sens de son étymon italien : «construction en estrade dressée au milieu d'un lieu de culte ou d'une maison pour recevoir le cercueil pendant la cérémonie funèbre». Au figuré, il se dit d'un monument, d'un meuble massif et sinistre (attesté XXe s.).

CATALEPSIE n. f., réfection (v. 1580) de *catalepse* (1507), est emprunté au bas latin médical *catale(m)psia* (Ve s.), lui-même emprunté au grec *katalêpsis*, proprement «action de saisir, prise» d'où, en langue médicale, «attaque, paralysie», de *katalambanein* «s'emparer de». Ce mot est composé de *kata-* (→ catastrophe) et de *lambanein* «prendre», d'un radical °*labh-* permettant un rapprochement avec le sanskrit *lábhate* «saisir» et quelques appellatifs baltiques.

♦ Le mot, employé en pathologie pour désigner une paralysie observée dans certains états hypnotiques et schizophréniques, est entré dans l'usage commun avec l'expression *tomber en catalepsie*, employée dans un sens extensif dans le vocabulaire de l'hypnotisme, du spiritisme.

▶ **CATALEPTIQUE** adj. (av. 1742) est emprunté au bas latin médical *catale(m)pticus*, lui-même emprunté au grec *katalêptikos* (→ épilepsie) du même radical grec.

CATALOGUE n. m. est emprunté (v. 1265) au bas latin *catalogus* «énumération, liste» (IVe s.), emprunté au grec de même sens *katalogos*, de *katalegein* «inscrire sur une liste, enrôler», proprement «nommer l'un après l'autre», composé de *kata* «de haut en bas» (→ catastrophe) et de *legein* «rassembler», «dire», apparenté au latin *legere* (→ lire).

♦ Le sens, «liste indicative des pièces composant une collection, énumération», a donné par extension et spécialisation celui de «brochure présentant en détail les articles proposés par un commerçant, un grand magasin». Il a également donné le sens figuré de «liste d'éléments» d'où les locutions ***rayer de son catalogue*** (1863), ***faire le catalogue*** (1867).

▶ **CATALOGUER** v. tr., donné comme néologisme par Mercier en 1801, «classer, enregistrer sur une liste», s'est répandu dans l'usage avec le sens figuré péjoratif de «classer d'après un jugement péremptoire, qualifier» (d'un objet, de qqn) [1902]. ◆ Il a produit **CATALOGAGE** n. m. (1928) employé aux deux sens de même que le couple **CATALOGABLE** adj., **INCATALOGABLE** adj., qui semble récent. ◇ **CATALOGUEUR** n. m., proposé par Mercier en 1801, ne s'est pas répandu.

CATALPA n. m. est emprunté (1771) à l'anglais *catalpa*, nom d'un arbre découvert en 1726 en Caroline par le naturaliste anglais Mark Catesby qui atteste le mot en 1731-1748. Le nom de l'arbre est repris à une langue amérindienne de Caroline.

CATALYSE n. f. est l'adaptation (1836, Berzelius) du grec *katalusis* «dissolution (d'un gouvernement, etc.)», «décomposition». Ce mot est dérivé de *kataluein* «dissoudre», composé de *kata-* (→ catastrophe) et de *luein* «délier, détruire, dissoudre», mot à rapprocher de la famille du latin *luere* «dégager» (cf. les composés en *-soudre*) et de formes diverses en gotique et, lointainement, en sanskrit. Le mot grec a été choisi par le chimiste suédois Jöns Jacob Berzelius (1779-1848) en 1836 et il est parvenu en français peut-être par l'intermédiaire de l'anglais (1836, Berzelius) ou de l'allemand.

♦ Le mot est employé en chimie à propos de la modification de la vitesse d'une réaction chimique sous l'influence d'une substance capable de déclencher cette réaction, sans subir elle-même d'altération.

▶ Le mot a produit **CATALYSER** v. tr. (1838) qui, avec son dérivé **CATALYSEUR** n. m. (1884), s'est répandu dans l'usage avec un sens figuré «déclencher un effet», proche de celui du terme de chimie *précipiter**.

CATALYTIQUE adj., introduit par Berzelius en même temps que *catalyse* (1836), est emprunté au grec *katalutikos* «propre à dissoudre». L'anglais *catalytic* (1836) a pu servir d'intermédiaire. ◆ Le mot qualifie ce qui est propre à la catalyse, l'entraîne.

CATAMARAN n. m., d'abord *catamaron* (1699) et *catimaron, cantimaron* (1702), est emprunté au tamoul *kattumaram* qui désigne une embarcation, un radeau fait de troncs assemblés. Le mot vient de *katta* «lier» et *maram* «bois». La forme *catamaran*, plus récente (1907), est probablement reprise à l'anglais qui l'a depuis 1697.

♦ Le mot, d'abord lié à une réalité indienne de la côte de Coromandel, est devenu, par extension, le nom d'une embarcation à voiles ayant deux coques parallèles réunies par une armature rigide. Par analogie, il se rapporte à la disposition parallèle des deux flotteurs du train d'amerrissage des hydravions.

▶ *Catamaran* a servi, avec une coupe syllabique qui correspond d'ailleurs à la morphologie, mais avec un élément sémantiquement absurde, à former **TRIMARAN** n. m. (1958) avec le préfixe *tri-* «trois». Le mot désigne un bateau à trois coques réunies transversalement par une armature rigide.

CATAPLASME n. m., d'abord *cathaplasme* (1390), est emprunté au latin *cataplasma*, emprunt

(Suite p. 652)

CATALAN (LA LANGUE CATALANE)

Le catalan, langue sœur de l'occitan, est la deuxième langue parlée en Espagne (plus de six millions de locuteurs); il partage avec l'espagnol le statut de langue officielle en Catalogne, aux îles Baléares et au Pays valencien. Dans la principauté d'Andorre, il est la seule langue officielle; on le parle aussi en France dans le département des Pyrénées-Orientales (Perpignan), ainsi qu'en Italie dans une petite région au nord-ouest de la Sardaigne (l'Alguer). «Langue-pont» (Badia i Margarit) entre l'hispano-roman et le gallo-roman, le catalan détient une position centrale au sein des langues romanes : à travers des périodes d'apogée, de décadence puis de renaissance, son évolution a été marquée par de nombreux échanges avec les langues voisines.

1. Les origines du catalan. Tout comme les autres langues romanes de la péninsule Ibérique, le catalan est issu de l'évolution du latin importé en Hispanie dès le IIe s. avant notre ère. Ce latin des soldats, des colons et des administrateurs romains est influencé par le grec et le germanique, mais aussi par les langues autochtones de la péninsule (basque, celtibère). À la suite de la chute de l'Empire romain, les différentes variétés régionales de latin se retrouvent isolées, et la fragmentation linguistique du domaine latinophone, déjà en gestation, est précipitée. C'est à cette époque que se crée le proto-catalan. Les envahisseurs germaniques laissent leur marque dans le latin populaire des différentes régions de la Romania. En Catalogne, ce sont tout d'abord les Wisigoths qui s'implantent (Ve-VIe s.), puis les Francs (VIIIe-IXe s.); l'influence linguistique de ces derniers sera de loin inférieure à celle qu'ils exerceront sur le proto-français dans le nord de la Gaule. On peut citer comme exemples de germanismes en catalan *alberg* (du gotique °*haribaírgo*) qui correspond au français *auberge*, *espiar* (du gotique °*spaihôn*) qui correspond au français *épier*, *ganivet* (du gotique *knif*; cf. l'anglais *knife*, le français *canif*), *orgull* (du gotique °*urgoli*) qui correspond au français *orgueil*, etc. À l'arrivée des Arabes dans la péninsule (déb. VIIIe s.), le latin parlé dans le nord-ouest de l'Hispanie est déjà un dialecte marqué par un ensemble de caractéristiques phonétiques, grammaticales et lexicales qui donneront naissance un jour à une langue romane à part entière, originale dans ses choix : le catalan partage avec l'espagnol et le portugais un bon nombre de types lexicaux (catalan *germà*, espagnol *hermano*, portugais *irmaõ*, face à l'occitan *fraire*, au français *frère*, à l'italien *fratello*; catalan *més*, espagnol *más*, portugais *mais*, face à l'occitan et au français *plus*, à l'italien *più*), d'autres avec l'occitan, s'opposant alors à l'espagnol et au portugais; (catalan, occitan *parlar*, français *parler*, italien *parlare*, face à l'espagnol *hablar*, au portugais *falar*; catalan, occitan *trobar*, français *trouver*, italien *trovare*, face à l'espagnol *hallar*, au portugais *achar*; catalan, occitan *voler*, français *vouloir*, italien *volere*, face à l'espagnol et au portugais *querer*; catalan *llit*, occitan *liet*, français *lit*, face à l'espagnol et au portugais *cama*, etc.). La romanisation plus ou moins profonde sera à l'origine de la future différenciation dialectale du catalan (occidental et oriental), mais il s'agit d'une langue très unitaire, peu dialectalisée. Le catalan fut moins influencé par l'arabe que l'espagnol et le portugais, mais plus que l'occitan ou le français; à l'intérieur du domaine catalanophone, l'influence de l'arabe — limitée au vocabulaire — fut plus faible dans la vieille Catalogne (Barcelone fut reconquise par Charlemagne en 801), que dans la nouvelle Catalogne (Tortosa, Lleida, Tarragona), occupée par les Arabes jusqu'au XIIe siècle. Quant au Pays valencien et à Mallorque, des contacts avec l'arabe jusqu'au début du XVIIe s. (expulsion des Maures en 1609) en ont fait les régions les plus «arabisées» du domaine catalan. Quelques exemples d'arabismes en catalan : *catifa* «coussin» (de l'arabe *qaṭîfa*,), *safata* «plateau» (de l'arabe *safaṭ*), *quitrà* «goudron» (de l'arabe *qiṭràn*), etc.

2. L'époque médiévale (XIIIe-XVe s.). Au moyen âge, le catalan connaît une forte production littéraire. Le plus vieux document linguistique écrit en catalan qui nous soit parvenu date de la seconde moitié du XIIe s. (*Llibre jutge*, code des lois wisigothiques). Au XIIIe s., quelques publications voient le jour en catalan, mais c'est surtout avec Ramón Llull (1235-1315) que la langue connaît ses premiers monuments écrits. Ce grand érudit rédige en catalan un nombre impressionnant d'ouvrages (*Ars Magna, Blanquerna*), qui abordent plusieurs thèmes et illustrent divers genres littéraires. Il introduit un grand nombre de latinismes dans la langue et crée un modèle pour la prose littéraire, scientifique et philosophique en catalan, domaines jusqu'alors réservés au latin. À la même époque, la langue administrative se développe et atteint assez rapidement unité et stabilité. Seule la langue poétique fait exception à la règle : au moyen âge, les poètes catalans écrivent surtout en occitan (aussi appelé *ancien provençal*), la langue des troubadours, très prestigieuse à l'époque. La proche parenté de l'occitan avec le catalan favorise son emploi massif en domaine cata-lanophone. Le catalan emprunte alors plusieurs mots à l'occitan, dont certains survivront : *ambaixada* «ambassade» (de l'occitan *ambaissada*), *capatàs* «contre-maître» (de l'occitan *captàs*), *faisà* «faisan» (de l'occitan *faisan*), *eina* «outil» (de l'occitan *aizina*), etc. Néanmoins, une poésie catalane «déprovençalisée» verra peu à peu le jour au XVe siècle. À cet âge d'or littéraire correspond l'extension géographique maximale des possessions politiques catalanes, qui embrassent au XIVe s. la Corse, la Sardaigne, la Sicile et une partie du Péloponnèse. Au début du XVe s., des consulats catalans émaillent tout le pourtour méditerranéen.

3. La décadence (XVIe-XVIIIe **s.**). Les circonstances historiques (1412, arrivée d'une dynastie castillane, les Trastámaras, au trône de Catalogne; 1469, union des couronnes de Castille et d'Aragon par le mariage des futurs *Reyes Católicos*) préparent le terrain à une prise de pouvoir grandissante des Castillans sur la scène politique et culturelle de la péninsule; le déclin politique de la Catalogne, conjugué à l'ascension prodigieuse de la littérature castillane (le Siècle d'Or; → espagnol), relègue le catalan au second plan : pendant trois siècles, il cède la place au latin (dans l'enseignement) et au castillan (dans la littérature, à la Cour, puis jusque dans l'administration). Il reste cependant la langue du peuple, dans sa grande majorité unilingue, et en général celle des échanges informels et oraux; l'élite est bilingue mais réserve le castillan aux emplois formels, ainsi qu'aux échanges avec le reste de la péninsule. La relégation du catalan aux registres familiers et populaires favorise sa dialectalisation ou, à tout le moins, la perte du sentiment d'unité linguistique chez ses locuteurs, qui encore aujourd'hui affirment parler le valencien, le *mallorquí*, le *menorquí*, etc. malgré l'opinion unanime des linguistes, selon lesquels il ne s'agit que de variétés géographiques peu différenciées d'une seule et même langue. À la suite de la guerre de Succession (1705-1714) en Espagne, la défaite de Barcelone entraîne des conséquences néfastes pour le catalan : toutes les lois et institutions des pays catalans sont abolies, et le catalan est interdit dans toutes les manifestations de la vie publique — école, Église, gouvernement, etc. L'usage écrit de la langue, déjà moribond, est menacé de disparition pure et simple. Cependant, le catalan survit comme seule et unique langue véhiculaire dans la plus grande partie de la population, surtout en Catalogne proprement dite. À Valence, les élites sont déjà passablement castillanisées. Cette période coïncide avec un mouvement de forte croissance économique; les Catalans, peuple industrieux et commerçant, trouvent leur compte à faire partie de l'État espagnol, et les revendications linguistiques ne sont pas à l'ordre du jour. Pendant cette période de décadence, le catalan importe un grand nombre de mots espagnols, dont plusieurs ont fait souche dans la langue : *apoiar* «appuyer» (espagnol *apoyar*), *carinyós* «affectueux» (espagnol *cariñoso*), *els demés* «les autres» (espagnol *los demás*), *senzill* «simple» (espagnol *sencillo*), etc. De nombreux mots français seront alors aussi intégrés au vocabulaire du catalan, soit par voie directe, soit à travers l'occitan ou l'espagnol : *mallot* (emprunt au français *maillot*), *moaré* (français *moiré*), *xal* (français *châle*), *beixamel* (français *béchamel*), *detall* (français *détail*), *xampany* (français *champagne*), *equipatge* (français *équipage*), etc.

4. La renaissance (XIXe **s.**). Au début du XIXe s., le statut de langue dominée qui a caractérisé le catalan pendant trois siècles semble irréversible et repose sur un large consensus social. Les langues vernaculaires n'ont guère la cote à une époque où les idéologies universalistes, libéralistes et anti-féodales tiennent le haut du pavé dans les milieux intellectuels; en outre, l'expansion du commerce avec l'Amérique latine ne peut qu'encourager l'usage de l'espagnol castillan dans les situations formelles de caractère administratif ou commercial. Pendant les guerres napoléoniennes (1808-1814), la France cherche à faire reculer ses frontières méridionales jusqu'à l'Èbre; dans le but de courtiser les Catalans, on déclare leur langue co-officielle avec le français. Sans résultats concrets immédiats, cette mesure a cependant pour effet de réveiller un nationalisme linguistique depuis longtemps endormi. C'est l'avènement du romantisme qui déclenche un véritable engouement pour la langue vernaculaire, doublé d'un intérêt retrouvé pour le catalan et l'occitan de l'âge d'or des troubadours. Peu à peu, on assiste à une prise de conscience chez les intellectuels progressistes, qui engendre une véritable renaissance culturelle catalane : l'émulation des modèles médiévaux permet d'abord à la poésie de renaître de ses cendres, puis suivront le théâtre, la presse, le roman, et même une certaine prose scientifique. La révolution industrielle marque profondément la Catalogne au XIXe s. mais ne touche guère le reste de la péninsule, ce qui favorise un sentiment protectionniste chez les Catalans, qui reprennent conscience de leur statut de groupe à part au sein de l'ensemble politique espagnol. L'industrialisation engendre une classe de travailleurs, puis de bourgeois; à la fin du siècle, les idéologies socialistes réclament pour le catalan, langue des travailleurs, un statut plus conforme aux aspirations des masses laborieuses. Quant à la petite et moyenne bourgeoisie, elle jouera un rôle très important dans le maintien et la défense de la langue : contrairement aux élites collaboratrices et bilingues, elle reste massivement unilingue et cherche à redonner au catalan un prestige social depuis longtemps perdu. Un nouveau courant culturel, le modernisme, succède à la Renaissance et consolide les acquis : il vise à une modernisation de la culture catalane et se veut tout à la fois nationaliste (revendication d'une littérature nationale autonome embrassant tous les genres) et universaliste (désir d'ouverture sur le monde).

5. Normalisation et planification linguistiques. La réintégration du catalan dans la sphère de l'écrit entraîne chez les usagers le besoin d'une norme, d'une autorité qui guide l'usage et favorise l'enseignement et la diffusion de la langue. En 1906, un *Primer Congrés international de Llengua Catalana* se tient à Barcelone (le second ne devait avoir lieu que quatre-vingt ans plus tard); en 1907, on fonde l'*Institut d'Estudis Catalans*, dont les pouvoirs sont ceux d'une académie. Une partie importante du travail de normalisation linguistique interne accompli à l'institut est l'œuvre d'un homme, Pompeu Fabra (1868-1948); on donnera même à ce processus le nom de *reforma fabriana*. En 1913, l'institut publie *Les Normes Ortogràfiques*, qui mettent fin à l'anarchie jusque-là dominante. La nouvelle orthographe, basée partiellement sur la tradition, mais aussi sur des principes phonologiques et étymologiques, reçoit un accueil enthousiaste. En 1918, la *Gramàtica Catalana* de Pompeu Fabra est publiée par l'institut et obtient un statut officiel et normatif. Finalement, en 1932 paraît son *Diccionari General de la Llengua Catalana*, qui par sa conception (contemporain et normatif) s'oppose au monumental *Diccionari Català-Valencià-Balear* (10 vol., 1930-1962) d'Antoni M. Alcover et Francesc de B. Moll, à visée historique et plus exhaustive (il inclut, entre autres, archaïsmes et dialectalismes).

6. Le catalan au XXe siècle. Le travail de standardisation effectué sur la langue dans le premier tiers du siècle s'accompagne d'une grande vitalité de son emploi à tous les niveaux. Le nationalisme catalan, très organisé politiquement au tournant du siècle, voit dans la langue un paramètre essentiel de la nationalité. En 1901, on assiste au triomphe électoral de la «Ligue régionaliste», suivi en 1907 par l'élection d'un parti encore plus revendicatif face au gouvernement central, la «Solidarité catalane». C'est à cette époque que sont élaborées les premières ébauches en vue d'une normalisation législative de l'emploi du catalan dans la vie publique. En même temps, une école littéraire et artistique appelée le *Noucentisme* (de *noucents* «neuf cents», en référence aux années 1900) fait son apparition et contribue à redonner au catalan un statut de langue littéraire; mais son influence auprès des masses est très réduite.

De 1923 à 1930, la dictature de Primo de Rivera règne sur l'Espagne; la position anti-régionaliste du gouvernement central exacerbe le sentiment nationaliste catalan, qui atteint des sommets. C'est dans ces circonstances que les républicains remportent les élections municipales en avril 1931, ce qui devait conduire à la République; en août de la même année, 90 % de la population se prononce en faveur de l'état d'autonomie pour la Catalogne lors d'un plébiscite. Le catalan y devient langue officielle; il est introduit dans l'administration publique, l'enseignement et les médias. Des postes de radio entièrement catalanophones sont mis en opération. Le nombre de quotidiens publiés en catalan augmente sensiblement; dans les régions, plusieurs journaux anciennement rédigés en espagnol passent au catalan. Dans l'enseignement, le catalan devient langue seconde obligatoire pour les hispanophones, et l'espagnol langue seconde obligatoire pour les catalanophones. Au Pays valencien et aux Baléares, des avant-projets d'autonomie sont rédigés.

Tout ce processus de normalisation est violemment interrompu avec l'instauration de la dictature franquiste, à la suite de la Guerre civile (1936-1939). L'usage de toute langue autre que l'espagnol est interdit par le régime de Franco, qui abolit le statut d'autonomie de la *Generalitat de Catalunya*. Le catalan est proscrit à tous les niveaux de l'administration publique, de l'enseignement, de l'Église, des médias, et même dans l'entreprise privée. La télévision fait son entrée en 1959 et réussit à elle seule une «castillanisation» plus complète que ne l'avaient pu faire l'école et la presse réunies. À cet ensemble de circonstances défavorables pour la survie de la langue s'ajoute l'immigration massive de travailleurs hispanophones, originaires de régions économiquement défavorisées et qui viennent chercher du travail dans une Catalogne qui connaît une forte expansion industrielle dans les années 1960. Dans les grands centres urbains ils constituent près de 50 % de la population, et pour la première fois de leur histoire les Catalans n'arrivent pas à assimiler linguistiquement les nouveaux arrivants. Peu à peu, le régime s'adoucit. Une résistance s'organise, qui connaîtra malgré la censure une certaine expression artistique — on pense en particulier à la *Nova Canço Catalana* (Lluis Llach, Joan Manuel Serrat), née dans les années 1960 et qui connaîtra son épanouissement dans les années 1970.

En 1975 Franco meurt, laissant le sort du pays entre les mains du jeune Juan Carlos de Bourbon, sacré roi, et qui aura tôt fait de transformer l'Espagne en monarchie constitutionnelle. En 1977, la *Generalitat de Catalunya*, expression de l'autonomie gouvernementale de la Catalogne, est rétablie. Le département de la Culture met sur pied en 1980 une Direction générale de politique linguistique, chargée de mener à bien la normalisation linguistique, externe et interne, de l'usage du catalan. La «castillanisation» poussée du catalan actuel, ainsi que des conflits linguistiques entre catalanopones et hispanophones sont les principaux problèmes que doivent affronter les planificateurs linguistiques. Près de 95 % des adultes nés en Catalogne dominent l'emploi oral du catalan, mais ce pourcentage tombe à 60 % si l'on considère l'ensemble de la population avec de nombreux hispanophones installés en Catalogne. Cependant, 80 % et plus en ont au moins une connaissance passive. Le bilinguisme dans l'affichage public, l'existence d'une chaîne catalane de télévision, la présence massive du catalan aux côtés du castillan dans la presse et à la radio contribuent à la connaissance, à tout le moins passive, du catalan chez les immigrants. Les jeunes générations qui apprennent désormais le catalan à l'école, comme langue première ou langue seconde, auront de la langue standard une meilleure connaissance que leurs aînés, et la situation actuelle est peut-être plus favorable que jamais pour le catalan (on parle d'une Seconde Renaissance) ; mais l'influence du castillan ne cessera jamais de constituer pour le catalan, comme pour le galicien ou le basque, une réalité avec laquelle il faut composer.

A. Thibault

BIBLIOGRAPHIE

G. COLON, *El léxico catalán en la Romania*, Madrid, 1976.

J. COROMINES, *El que s'ha de saber de la llengua catalana*, Palma de Mallorca, 1982 (2e éd.).

C. DUARTE, A. MASSIP, *Sintesi d'Història de la llenga catalana*, Barcelona, 1984 (5e éd.).

Lexicon der Romanistischen Linguistik (L. R. L), édité par Günter Holtus, Michael Metzeltin et Christian Schmitt, vol. V, 2 : «L'occitan, le catalan», Tübingen, 1991.

savant au grec *kataplasma* «emplâtre», employé en médecine (Hippocrate), de *kata-* (→ catastrophe) et de *plasma* «ce qui est façonné» (→ plasma), du verbe *plassein* (→ plastique).

♦ Employé strictement en médecine et en horticulture (dans les soins des arbres), le mot a reçu une valeur figurée dans la locution ***un cataplasme sur une jambe de bois*** «une mesure inefficace», et comme désignation familière (1732) d'un aliment indigeste, épais, ou d'un épais paquet (de billets, de feuilles).

CATAPULTE n. f. est emprunté (v. 1355) au latin *catapulta*, lui-même pris au grec *katapaltês* «engin de guerre», de *kata-* (→ catastrophe) et d'une forme dérivée du verbe *pallein* «brandir, secouer», terme encore vivant en grec moderne au sens de «vibrer». L'étymologie de ce verbe est discutée, mais il est sans doute apparenté au latin *pellere* «pousser» (*pulsum* au supin → pulsation).

♦ Ayant longtemps désigné une ancienne pièce d'artillerie servant à lancer des projectiles, le mot s'applique aussi à l'engin de propulsion d'un avion ou d'un hydravion sur un navire de guerre (1927).

▶ **CATAPULTER** v. tr., de formation récente (déb. XXe s.), a le sens général de «lancer très loin» et le sens figuré de «placer brusquement (qqn) à un poste de haute responsabilité». ◇ En revanche, ses dérivés **CATAPULTAGE** n. m. (déb. XXe s.) et **CATAPULTABLE** adj. (1951) sont surtout employés en aéronautique militaire.

CATARACTE n. f. a fait l'objet de deux emprunts, sémantiquement distincts, en moyen français (v. 1340 et 1479), au latin *cataracta*. Celui-ci est attesté depuis l'époque impériale au sens de «chute d'eau», d'abord en parlant du Nil ; à basse époque (VIe s.), il a reçu une spécialisation médicale, désignant une affection de la vue, soit par l'image de la chute d'eau, soit de la porte qui s'abat, le malade ayant l'impression d'une porte qui s'abat devant son œil. Le mot latin est emprunté au grec *katarraktês* qui désigne des êtres, des choses qui s'abaissent ou tombent plus ou moins brusquement : oiseau de mer fondant sur sa proie et, plus tard, chute d'eau, herse d'un pont ou d'une porte, écluse. C'est un composé de *kata-* «de haut en bas» (→ catastrophe) et d'un dérivé de *rhêgnunai* «briser, faire éclater» que l'on rapproche de verbes signifiant «briser, arracher» dans des langues indoeuropéennes, notamment le lituanien et le vieux slave.

♦ Le mot a été introduit avec sa spécialisation médicale. ◇ Il a été repris au latin dans l'expression biblique ***cataractes du ciel*** (1479), calquée du latin chrétien *cataractae caeli* «les écluses du ciel» à propos du déluge. Le sens de «chute d'eau violente sur le cours d'un fleuve» n'apparaît qu'au XVIe s. (1549) donnant par extension celui de «trombes de pluie» (1803) et quelques emplois figurés en parlant des larmes, de la lumière, exprimant une profusion soudaine, comme *cascade*, vis-à-vis duquel il joue le rôle d'intensif.

▶ Le terme médical a produit **CATARACTÉ, ÉE** adj. (1752) «affecté de la cataracte».

CATARRHE n. m. est emprunté (v. 1370) au bas latin médical *catarrhus* (fin IVe-Ve s.), lui-même repris au grec *katarroos, katarrous* dans sa spécialisation au sens de «rhume» (depuis Hippocrate). Ce mot, employé plus généralement pour «flux d'humeurs», est la substantivation d'un adjectif signifiant littéralement «qui coule vers le bas», de *katarrein* «couler d'en haut», «découler», «tomber», composé de *kata-* (→ catastrophe) et de *rhein* «couler» (→ -rrhée). Le mot a eu les formes *cathar* (fin XIVe s.), *quaterre* (1491) et *caterre* au XVIe s., la forme moderne étymologique triomphant tardivement.

♦ Ce terme médical, «inflammation d'une muqueuse suivie d'un écoulement», a connu un grand succès et est passé dans la langue commune dès le XVe s. avec le sens de «flux d'humeurs peccantes qui s'écoule par le nez, supposé provenir du cerveau». Au XIXe s., cette étiologie, d'où provient *rhume de cerveau* (encore usuel), étant abandonnée, *catarrhe* devient un terme général pour énoncer toute espèce d'inflammation muqueuse, précisée par une épithète : *catarrhe convulsif* «coqueluche», *guttural* «angine», *intestinal* «entérite», *nasal* «rhinite», *oculaire* «conjonctivite», *de l'oreille* «otite», *pulmonaire* «bronchite», *urétral* «urétrite», *vaginal* «leucorrhée», *vésical* «cystite». Au début du XXe s. on appelait encore la bronchite capillaire *catarrhe suffocant;* ce terme est aujourd'hui limité à l'histoire médicale.

▶ Le dérivé **CATARRHAL, ALE, AUX** adj. (1503) a vieilli avec *catarrhe.*

CATARRHEUX, EUSE adj. et n. est emprunté (1478) au dérivé bas latin *catarrhosus* et a été usuel pour «sujet au catarrhe», en particulier pour qualifier un vieillard.

CATASTROPHE n. f. est emprunté (1552) au latin *catastropha,* du grec *katastrophê* «bouleversement, fin, dénouement» et, tardivement, au théâtre, «dénouement de l'intrigue» d'où le sens correspondant pour le latin *catastropha* (IVe s.). Le grec est formé sur *strophê* «action de tourner, volte, évolution» (→ strophe) avec l'élément *kata-* qui a joué un grand rôle en composition (→ cataclysme, etc. à l'ordre alphabétique) avec les valeurs de «vers le bas», «en réponse à», «en concordance avec», «contre», également avec l'idée d'atteindre, de revenir et pour exprimer l'achèvement de l'action. Cet élément est tiré d'un emploi adverbial et prépositionnel de *kata* «vers, conformément à», «du haut de», «vers le bas» (encore en grec moderne). Cette forme, corroborée par le hittite et les langues celtiques, est peut-être indoeuropéenne.

♦ Le mot a été repris avec le sens du latin, «fin, dénouement, conclusion», les emplois dans la vie (en parlant d'une maladie, d'un événement) étant souvent sentis au XVIe s. et au XVIIe s. comme des métaphores du sens théâtral. Le dénouement souvent sanglant des tragédies classiques l'infléchit négativement en «événement fâcheux», renforcé en «funeste et malheureux» (1690). C'est de là que provient le sens moderne courant de «désastre brusque et effroyable», spécialement à propos d'un accident causant de nombreuses victimes *(catastrophe aérienne)* ou d'un événement lourd de conséquences pour la collectivité *(catastrophe économique).* Son usage tend à être fréquemment hyperbolique, tant dans l'interjection *catastrophe!* que dans la locution ***en catastrophe*** «en risquant le tout pour le tout» ou «de façon bâclée». La langue familière l'abrège en **CATA** n. f. *(c'est la cata!)* ◆ Sa spécialisation en mathématiques, où la *théorie des catastrophes* (1972, René Thom) désigne l'analyse de situations entraînant des modifications de la stabilité morphologique d'un objet, réactive le sens étymologique de «bouleversement».

▶ La dérivation est tardive. **CATASTROPHIQUE** adj., enregistré en 1845 comme mot nouveau, s'est répandu au XXe s., à la fois dans ses emplois hyperboliques familiers et dans sa spécialisation scientifique stricte *(point catastrophique).* ◆ **CATASTROPHISME** n. m., également donné comme nouveau en 1845, a eu une vocation plus didactique, autrefois en géologie et, de nos jours, en politique, peut-être d'après son correspondant anglais *catastrophism,* comme l'indique le contexte de son emploi en 1896. ◆ **CATASTROPHER** v. tr. (1896) relève d'un usage oral ou familier, de même que l'adjectif tiré de son participe passé **CATASTROPHÉ, ÉE** (XXe s.) «consterné comme par une catastrophe», usuel.

CATATONIE n. f., relevé la même année (1888) que son correspondant anglais *katatonie,* est emprunté à l'allemand *Katatonie* (1874). Ce mot, introduit par le médecin allemand K. Kahlbaum dans ses descriptions cliniques de la démence précoce, est formé savamment à partir des éléments grecs *kata-* «en dessous» (→ catastrophe) et *tonos* «tension» (→ ton, tonus), comme contraire de *hypertonie.*

♦ Le mot se réfère en psychologie à une forme de schizophrénie caractérisée par des périodes de passivité et de négativisme alternant avec des excitations soudaines; cet emploi a quelque peu vieilli. Par extension, il est employé dans le style littéraire pour décrire l'état d'une personne totalement immobile et inactive.

▶ **CATATONIQUE** adj. et n. (1903) lui sert d'adjectif et s'emploie substantivement pour désigner un malade atteint de catatonie.

CATCH n. m. est issu (1919), par réduction à son premier élément, de l'appellation *catch as catch can* (1899), elle-même empruntée à l'anglais *catch-as-catch-can,* nom d'un style de lutte introduit dans le Lancashire en 1752 et où la plupart des prises sont autorisées. Cette appellation, attestée en 1889, est issue de la locution *catch as catch can* (1764), anciennement *catch that catch may* (1617), littéralement «attrape comme tu peux». Cette expression est formée avec *catch,* impératif de *to catch* «saisir, attraper» (v. 1205), verbe emprunté à l'ancienne forme picarde *cachier* correspondant au francien *chacier, chassier* (→ chasser). Les auxiliaires modaux *may* et *can* expriment la possibilité.

♦ Le mot et le sport qu'il désigne se sont répandus peu avant la Seconde Guerre mondiale, sous l'influence de la pratique de cette lutte aux États-Unis. Sa mode doit beaucoup à la retransmission des matchs à la télévision, le catch relevant plus aujourd'hui du spectacle que du sport.

▶ **CATCHEUR, EUSE** n. (1924) et **CATCHER** v. intr. (1952) sont dérivés de *catch.*

CATÉCHISME n. m., réfection savante (attestée 1610, mais antérieure cf. *catéchiser*) de *cathezime* (1374), *catecisme* (XIVe s.), est emprunté au latin ecclésiastique *catechismus,* attesté depuis saint Augustin au sens de «instruction religieuse» et, par métonymie, «livre d'instruction religieuse», les premières formes reproduisant la graphie *cathecismus* du latin médiéval. Le mot calque un type grec °*katêkhismos,* substantif d'action de *katêkhizein* «instruire oralement», lequel est le dérivé factitif de *katêkhein* «résonner» et «inculquer, instruire oralement». Ce verbe est composé de *kata-* «vers le bas, complètement» (→ catastrophe) et de *êkhein* «résonner, sonner» (→ écho); il est seulement attesté dans le Nouveau Testament, son dérivé étant introduit plus tard avec une acception didactique dans la langue ecclésiastique.

♦ Le mot désigne l'enseignement oral de la doctrine et de la morale chrétiennes et, par métonymie, le livre contenant cet enseignement (1636). ◇ Dans la seconde moitié du XVIIIe s. apparaissent une extension de nature didactique, en parlant de l'exposition abrégée d'une science (1773), avec le même développement figuré que *credo* (1778), et la valeur péjorative de «leçon destinée à endoctriner» (1762). ◇ Le mot désigne aussi par métonymie (1832) une assemblée d'enfants réunis pour recevoir l'instruction religieuse, la classe, l'enseignement organisé de la doctrine chrétienne, avec l'abréviation scolaire *le caté.*

► **CATÉCHISER** v. tr., d'abord *cathezizier* (1374) et *catheciser* (1566) refait en *catéchiser* (1583), est emprunté au latin chrétien *catechizare* (lui-même pris au grec), attesté depuis saint Augustin au sens d'«instruire», spécialement «instruire lors de l'adhésion au christianisme». ◆ Le mot a suivi le même type d'évolution que *catéchisme,* développant, par extension du sens propre «instruire dans la religion chrétienne», la valeur figurée «endoctriner» (fin XVIe s.), «tâcher de persuader (qqn) de qqch.» (1694), emploi de nos jours familier. ◆ En sont dérivés, outre un emploi adjectivé et substantivé du participe passé **CATÉCHISÉ, ÉE, CATÉCHISEUR, EUSE** n. (1584) et **CATÉCHISATION** n. f. (1787).

CATÉCHUMÈNE n., d'abord *cathecumin* (1374), puis *cathecumène* (1610), *catécumène* (1680) et *catéchumène* (une fois en 1578, puis XIXe s.), est emprunté au latin chrétien *catechumenus* (saint Jérôme), lui-même calqué du grec *katêkhoumenos* «celui qui a reçu l'instruction religieuse en vue du baptême», participe moyen-passif de *katêkhein.* ◇ Le mot désigne proprement la personne qui reçoit l'enseignement religieux pour se préparer au baptême et a pris le sens figuré d'«aspirant à une initiation» (1844). ◆ Il a produit **CATÉCHUMÉNAT** n. m. (av. 1733) et **CATÉCHUMÉNIE** n. f. (1732) «maison ou lieu où l'on instruisait les catéchumènes» et «galerie des catéchumènes dans une église», terme didactique sorti d'usage.

CATÉCHISTE n. est emprunté (1578) au latin chrétien *catechista* «personne chargée d'enseigner la religion chrétienne» (saint Jérôme), lui-même pris au grec *katêkhistês.* Le mot, comme son dérivé **CATÉCHISTIQUE** adj. (1752), est didactique, avec des emplois figurés rares très littéraires.

CATÉGORIE n. f. est emprunté (1564) au bas latin *categoria* (IIIe s.-IVe s.), pris au grec *katêgoria* «accusation» et, chez Aristote, «qualité attribuée à un objet, attribut». Ce mot est dérivé de *katêgorein* qui signifie à la fois «parler contre, accuser, blâmer» et «énoncer, signifier, affirmer» spécialement dans la logique aristotélicienne. Lui-même est composé de *kata-* «contre» (→ catastrophe) et de *agoreuein* «parler dans une assemblée, en public», «déclarer, proclamer», de *agora* (→ agora).

♦ Passé en français comme terme de logique aristotélicienne, le mot fera fortune dans le vocabulaire philosophique, notamment dans le système kantien (1801) où il désigne un concept fondamental de l'entendement. ◇ Il s'était répandu dans l'usage courant (1668) à propos d'une classe d'objets ou de personnes de même nature, comme dans *catégorie socio-professionnelle,* en sports *(champion toutes catégories)* et en alimentation (1855 en boucherie, *morceau de veau de seconde catégorie*), sans perdre pour autant sa vocation scientifique : on parle de *théorie des catégories* en mathématiques (v. 1950) et de *catégories grammaticales, logiques,* etc. en linguistique.

► Les dérivés directs sont apparus dans le langage didactique moderne : **CATÉGORISER** v. tr. (1845), «classer par catégories» (en logique, linguistique), a donné à son tour **CATÉGORISATION** n. f. (1853) et **CATÉGORISABLE** adj. (1919). ◇ **CATÉGORIEL, IELLE** adj. (1929), est quelquefois concurrencé par **CATÉGORIAL, IALE, IAUX** adj. (dès 1945, Merleau-Ponty), et qualifie ce qui est relatif aux catégories en philosophie et dans quelques vocabulaires didactiques (linguistique, psychologie).

CATÉGORIQUE adj. est emprunté (1495) au bas latin *categoricus* (fin IIIe s.-déb. IVe s.), lui-même pris au grec *katêgorikos* «affirmatif» (Aristote). ◆ Repris dans un emploi substantivé qui ne s'est pas maintenu, le mot qualifie ce qui se rapporte aux catégories (1542) en philosophie, spécialement en référence au système d'Aristote, puis à Kant (1838, *impératif catégorique*), et par extension dans l'usage didactique. ◇ Dès le XVIe s. (1552) l'adjectif s'utilisait dans l'usage commun avec le sens d'«absolu, clair et précis», développant progressivement la valeur accessoire de «tranchant, qui ne souffre pas l'objection», quelquefois péjorative.

CATÉGORIQUEMENT adv. (1552) correspond aux sens courants de l'adjectif, notamment «de manière tranchante».

CATHARE n. et adj. est emprunté au XVIIe s. (1688 chez Bossuet) au latin médiéval *catharus,* relevé pour la première fois au XIIe s. dans un acte de Nicolas, évêque de Cambrai (1164-1167), qui enregistre la condamnation portée par les évêques de Cologne, Trèves et Liège entre 1151 et 1156 contre un clerc, Jonas, «convaincu de l'hérésie des cathares». Il est également employé en Allemagne au XIIe s. par Eckbert, abbé de Schönau qui, dans ses *Sermones adversus catharos* (*Sermons contre les cathares,* 1163), leur reproche d'avoir eux-mêmes assumé cette appellation de «purs». Le mot est en effet emprunté au grec *katharos* «pur», «propre», dit concrètement du grain vanné, et employé au sens moral, la pureté religieuse se trouvant d'ailleurs associée à la propreté du corps ; par la suite, le mot gréco-latin a été employé par Eusèbe, saint Basile, saint Grégoire de Nazianze pour désigner différentes sectes. Ce mot, qui subsiste en grec moderne, est sans étymologie connue, bien que l'on puisse supposer un ancien neutre °*kathar* ou °*kothar.*

♦ Le mot, qui a pris place aux côtés de l'appellation plus générale et plus fréquente *hereticus* dès le latin médiéval, désigne et qualifie les hérétiques dualistes qui se manifestèrent en Occident dans la seconde moitié du XIIe siècle. Il s'est surtout appliqué aux hérétiques de la région d'Albi, persécutés et exterminés ensuite *(croisades contre les albigeois)*. Voir *Albigeois*.

▸ **CATHARISME** n. m., terme d'histoire des religions, n'est attesté qu'au XXe s. et désigne la doctrine religieuse des cathares.

◈ voir **CATHARSIS, CATIN, CHARRÉE.**

CATHARSIS n. f., d'abord francisé en *catharsie* (1865) puis, par retour à la forme grecque (1874, en grec dans le texte), *catharsis* (1897), est emprunté au grec *katharsis*. Ce mot, qui signifie «purification, évacuation», recouvre un concept élaboré en médecine par Hippocrate pour qui la bonne répartition des humeurs, clef de la santé, exige le dégorgement d'une humeur surabondante. Il est repris par Aristote (*Politique*, VIII, 1340 a) à propos des effets éducatifs de la musique, et aussi (*Poétique*, 1449 b, 27-28) à propos de la visée du mécanisme tragique; le concept est influencé par les rites purificatoires religieux et la philosophie pythagoricienne. Le mot est dérivé de *katharein* «nettoyer, purifier, purger», de *katharos* «propre, pur», de sens propre et moral ou religieux (→ cathare).

♦ Le mot a été introduit avec son sens médical, probablement d'après *cathartique* (ci-dessous), sans s'imposer. Bien que la notion qu'il recouvre au théâtre ait été débattue sous le nom de *purgation* dès la Renaissance par les commentateurs d'Aristote et, au XVIIe s., dans les traités de poétique et les essais sur la tragédie (par ex. : Corneille, *Discours de la tragédie*, 1660), le mot n'est attesté qu'en 1874 (à propos de Lessing) et répandu en français à partir de 1897 (E. Weil, *Études sur le drame antique*). L'anglais *catharsis* (1803), lui aussi repris en médecine, a été défini comme terme de poétique à partir de 1867. ◇ Au XXe s., le mot est repris en psychanalyse.

▸ **CATHARTIQUE** adj. et n., d'abord *catartique* (1598), est emprunté au grec *kathartikos* «qui purifie», employé spécialement en médecine par Hippocrate et en parlant de la musique par Aristote. C'est un dérivé de *kathartês* «purificateur», du groupe de *katharein*. ◆ Le mot s'est maintenu dans son acception médicale, employé comme substantif (pour un purgatif) et comme adjectif (1614). Après *catharsis* (ci-dessus), il a été repris (1905) en philosophie, en psychanalyse et en poétique.

CATHÉDRAL, ALE, AUX adj. et n. f. est emprunté (v. 1180) au latin chrétien *cathedralis* (IVe s.) «de la chaire de Rome», attesté en latin médiéval dans les syntagmes *canonici cathedrales* (845-1280), *ecclesia cathedralis* (936-973), *sedes cathedralis* (1158-1160) à propos de chanoines, d'une église, d'un siège. Le mot est dérivé de *cathedra*, nom d'un siège, spécialement appliqué à un trône royal, un siège d'évêque (avec des extensions métonymiques «dignité épiscopale» et «église épiscopale»), une chaire de professeur. *Cathedra* est un emprunt au grec *kathedra* «siège, banc» qui, à date tardive, a développé les mêmes acceptions spéciales. Lui-même appartient à une racine indoeuropéenne °*sed-* «asseoir, placer» qui est représentée en latin dans *sedere* (→ seoir).

♦ L'adjectif n'est guère employé que dans les syntagmes calqués du latin *yglise cathedrale* (v. 1180), *chanoine cathedral* (av. 1307), *siège cathedral* (v. 1360). Par ellipse d'*église*, il est substantivé en **CATHÉDRALE** n. f. au XVIIe s. (28 juin 1666, *Journal des savants*) pour «église où se trouve le siège de l'évêque», en particulier dans *cathédrale de Paris* à propos de Notre-Dame (1680). Historiquement, la floraison des cathédrales date du XIIe s., illustrant la renaissance des villes et, au XIIIe s., l'alliance du pouvoir spirituel et du pouvoir royal se dégageant des féodalités : c'est par elles et pour elles que s'affirme le style gothique. ◇ L'engouement romantique pour le moyen âge (1830-1840) inspire la *reliure à la cathédrale* et le *style à la cathédrale*, dit aussi *style troubadour*.

CATHODE n. f. est emprunté (1838) à l'anglais *cathode* (1834), mot formé par Faraday, qui introduisit également *électrolyse, électrolyte, électrode* et *anode* ainsi que *ion*. Il représente l'adaptation du grec *kathodos*, littéralement «descente» (à la fois «chemin pour descendre» et «action de descendre»), de *kata-* «vers le bas» (→ catastrophe) et de *odos* «route, chemin», «voie, méthode» (→ prosodie).

♦ Le mot désigne, dans l'électrolyse, l'électrode reliée au pôle négatif du courant et par laquelle sortent les électrons. Il est employé en électronique à propos de l'électrode de potentiel négatif, source émettrice d'électrons.

▸ **CATHODIQUE** adj. (1897) qualifie ce qui est relatif à la cathode ou est émis par elle, en physique et en électronique *(tube cathodique)*. ◇ L'élément **CATHODO-** a donné quelques composés (**CATHODOLUMINESCENCE** n. f., **CATHODOPHONE**).

CATHOLIQUE adj. et n., d'abord *chatoliche* (XIIIe s.), puis *catholicque* (déb. XIVe s.) et *catholique* (av. 1603), est emprunté au latin chrétien *catholicus*, lui-même emprunté au grec ecclésiastique *katholikê ekklêsia* «église universelle» (Clément d'Alexandrie), de *katholikos* «général, universel», dérivé de l'adverbe *katholon* «en général», de *holos* «tout entier» (→ holocauste, hologramme). Étant donné l'intention de diffusion universelle de l'Église fondée par le Christ, le mot latin a pris le sens d'«orthodoxe» (apr. 207), le nom *catholicus* servant à opposer, chez saint Augustin, les chrétiens aux hérétiques réunis en sectes.

♦ Le mot désigne et qualifie ce ou celui qui appartient à l'Église romaine. Par allusion à la réputation de fermeté de la doctrine catholique, il a donné l'expression orale ***pas (très) catholique*** (1840 chez Mérimée) «peu conforme à la morale, à la norme». ◇ Le sens étymologique d'«universel», réactivé dans le domaine technique, a donné lieu à quelques emplois spéciaux en astronomie, chimie et médecine anciennes (av. 1603).

▸ **CATHOLIQUEMENT** adv. (XIVe s.) «universellement, à propos de l'Église romaine», a vieilli au profit de *chrétiennement;* **CATHOLICITÉ** n. f. (1578), «conformité à la doctrine catholique» et par métonymie «ensemble des catholiques», est un mot di-

dactique, alors que **CATHOLICISME** n. m. (1598), synonyme rare de *catholicité*, est devenu courant après sa reprise pendant la Révolution (1794) pour désigner l'Église catholique. ➜ **CATHOLICISER** v. tr. (XVIIIe s., Voltaire), qui succède à *catholiser* (fin XVIe s.), est demeuré rare par rapport à *christianiser;* de ce verbe a été cependant dérivé **CATHOLICISANT, ANTE** adj. (1875) qualifiant des opinions religieuses proches du catholicisme. ◇ Par composition **ANTICATHOLIQUE** adj. et n. (1827) et **NÉOCATHOLIQUE** adj. et n. (1833) servent surtout à désigner des mouvements historiques précis. **ANTICATHOLICISME** n. m., est attesté en 1896.
Enfin, l'abréviation **CATHO** désigne d'abord (1920) comme nom féminin un établissement d'enseignement supérieur catholique (pour *faculté, université catholique*), puis est repris comme adjectif et nom (1968) pour «catholique pratiquant ou convaincu», dans les séries des abrègements en *-o* s'appliquant aux opinions.

CATIMINI (EN) loc. adv. est d'origine incertaine (1370). On a évoqué une dérivation de sens du moyen français *catimini* «menstrues» (XVIe s.) emprunté au grec *katamênia* de même sens (Hippocrate), pluriel neutre substantivé de *katamênios* «de chaque mois», de *kata-* (→ catastrophe) et de *mên* «lune», «mois» (→ mois). Cette étymologie se heurtant à des difficultés chronologiques, car le sens moderne est attesté longtemps avant celui de «menstrues», on peut envisager l'hypothèse voyant dans *catimini* un mot d'origine picarde, composé de *cate* «chatte» (→ chat) et de *mini*, de la racine *min* désignant le chat (→ minou, minette) : cette étymologie alignerait le mot sur des formations de type *chattemite** ou *marmite** avec la même idée d'hypocrisie, selon un préjugé traditionnel envers le chat. En outre, une influence de l'ancien verbe *catir**, du latin °*coactire*, a pu se faire sentir. On trouve en effet en ancien français *faire le catinus* «l'hypocrite» (XIIIe s.) et des locutions dialectales de sens analogue, *en catimuchon* (de *mucher, musser* «cacher»), *en catifaillons* «sans bruit». Dans ce cas, le *catimini* s'interpréterait comme «en se dissimulant hypocritement, comme fait le chat». *Catir*, comme *cate* «chatte», appartient au domaine picard.

♦ Le mot, d'abord dans la locution ***faire le catimini*** puis de nos jours ***en catimini*** (v. 1360), exprime l'idée de «secrètement, discrètement». Il est quelquefois employé comme nom à propos d'une manière d'agir dissimulée, secrète.

CATIN n. f. (mil. XVIe s.) est le diminutif affectueux («hypocoristique») de *Catherine* (on rencontre encore des filles du nom de *Catinette* ou *Catiche* dans l'est de la France) formé par apocope et suffixation en *-in*. *Catherine* est issu du latin *Catharina*, nom d'une sainte, vierge et martyre, décapitée en 307, du grec mystique *Katharina*, dérivé de *katharos* «pur» (→ cathare, catharsis).

♦ Le sens péjoratif de «femme de mauvaises mœurs, prostituée» (1547, Marot) a éliminé les anciens emplois. Au XVIIIe s., le mot désignait aussi une poupée, sens conservé au Canada. L'évolution s'expliquerait par une assimilation entre la fille de campagne ou la servante, à laquelle ce nom était donné, et la fille facile, évolution que le sens de «poupée» au XVIIIe s. n'a pu que favoriser.

CATION → **ION**

CATIR v. tr. est issu (XIIe s.) d'un latin populaire °*coactire*, dérivé du supin *coactum* du latin classique *cogere* «rassembler», «condenser», d'où «presser, serrer» et aussi «contraindre, dissimuler» (d'où «hypocrite» pour *coactus* → catimini), mot dont certains dérivés verbaux sont à l'origine des doublets *cailler**, *coaguler** et, avec un autre développement sémantique, de *cacher**.

♦ Le sens de «cacher» est sorti d'usage au XVe s. sous la concurrence de *cacher** mais vit encore dans certains dialectes à la forme pronominale. Il est revenu en français, méconnaissable dans l'anglicisme *squatter**. ◇ La valeur de «frapper, heurter» (XIIIe s.), «enfoncer» (v. 1250, en picard) a elle aussi disparu au profit d'une spécialisation technique : «donner le lustre à une étoffe en la pressant et en la frappant» (1606), d'où *cati*, adjectivé, et d'autres dérivés (ci-dessous). Par analogie, le mot a reçu une autre acception technique en orfèvrerie : «appliquer de l'or sur les filets d'une pièce à dorer» (1751).

▶ La dérivation consiste en quelques termes techniques. **CATI** n. m. (1694), **CATISSEUR, EUSE** adj. et n. (1723), **CATISSOIRE** n. m. (1751, nom d'instrument archaïque) et **CATISSAGE** n. m. (1838).
Le préfixé **DÉCATIR** v. tr., enregistré dans *l'Encyclopédie* (1753) pour «démêler le poil d'une peau destinée à la fabrication de chapeaux», signifie «enlever l'apprêt et le brillant de (un tissu)» (1812). ◇ C'est le seul mot de la série à être passé dans l'usage commun avec le sens figuré familier de «perdre de sa fraîcheur, de sa force» en parlant d'une personne, surtout réalisé au pronominal et au passif *être décati*, d'où au XIXe s. le participe passé adjectivé **DÉCATI, IE** adj., «usé, marqué par l'âge», devenu usuel avec une connotation très péjorative. ➜ Ses dérivés **DÉCATISSAGE** n. m. (1828), **DÉCATISSEUR, EUSE** adj. et n. (1832), **DÉCATISSURE** n. f. (1888) et **DÉCATISSEMENT** n. m. (1889) connaissent surtout un emploi technique.

CATOGAN ou **CADOGAN** n. m. est emprunté (1768) à l'anglais *cadogan* puis *catogan*, du nom du comte de *Cadogan*, mort en 1726, qui aurait lancé la mode de cette coiffure.

♦ Le mot, sous sa double forme *catogan* (1768) et, moins courante, *cadogan* (1772), désigne une façon d'attacher les cheveux sur la nuque avec un nœud ou un ruban. Cette coiffure, d'abord masculine, succéda aux perruques «à marteaux» sous Louis XV. Pendant la période où les hommes ont porté les cheveux courts, elle est devenue l'apanage des femmes (notamment vers 1936-1942). Elle revient à la mode vers 1980, chez les femmes élégantes et parfois chez les hommes d'un certain style (artistes, publicité, mode).

CAT(T)LEYA n. m., d'abord francisé en *cattleye* (1845) puis relatinisé en *cattleya* (1893), par alignement sur d'autres noms de fleurs, est l'adaptation du latin scientifique *cattleya.* C'est le nom donné par le botaniste anglais John Lindley (1799-1865) à un genre d'orchidées en hommage au botaniste anglais W. *Cattley* (1828, en anglais).

♦ Ce nom de plante éveille chez les lecteurs de Proust la locution métaphorique ***faire catleya,*** employée par Swann et Odette pour «faire l'amour» *(Un amour de Swann).*

CAUCHEMAR n. m., d'abord *cauquemare* (v. 1375), puis *cauchemare* (1564) avant *cauchemar* (1677), est un mot d'origine picarde. Son premier élément *cauche* est une forme verbale de *cauchier* «presser» qui résulte probablement d'un croisement entre l'ancien *chauchier* «fouler, presser» (apr. 1150) et la forme picarde correspondante *cauquier,* du latin *calcare* (→ côcher). Le second élément est l'ancien picard *mare* (v. 1290), emprunté au moyen néerlandais *mare (maer)* «fantôme provoquant de mauvais rêves». Ce dernier correspond à l'anglo-saxon *mare* «spectre» (d'où l'anglais *nightmare* «cauchemar», proprement «spectre nocturne»), à l'ancien haut allemand *mara,* à l'ancien norrois *mara,* formes remontant à un germanique °*maron-,* apparenté au slave (polonais *mora,* tchèque *mŭra* de même sens).

♦ Le mot est d'abord le doublet sémantique d'*incube** au sens de «suffocation, oppression nocturne». Ce malaise étant souvent imputé à l'action des sorcières, il a désigné, par métonymie, une sorcière (sous la forme *cauquemaire,* 1440-1442), un homme qui donne des cauchemars (1718), sens réactivé inconsciemment dans l'emploi figuré moderne pour «personne qui importune jusqu'à l'obsession» (1835), perçu comme une extension du sens actuel dominant de «rêve pénible ou angoissant» (1833).

▶ De *cauchemar* dérivent **CAUCHEMARDER** v. intr. (1840) d'où **CAUCHEMARDANT, ANTE** adj. (1928) et **CAUCHEMARDESQUE** adj. (1902), réfection de *cauchemaresque* (1881) par alignement sur le modèle de *cauchemarder* avec *d* d'après des mots comme *bavard-bavarder* pour «effroyable, digne d'un cauchemar».

CAUDAL, ALE, AUX adj. est dérivé savamment (1800) du radical du latin *cauda** (→ queue) avec le suffixe *-al.*

♦ Cet adjectif didactique signifie «relatif à la queue», d'abord chez Lacépède à propos des poissons *(nageoires caudales).*

CAUSE n. f. est emprunté (v. 1120) au latin *causa,* d'origine inconnue (prélatin ou terme emprunté) et dont il est par conséquent difficile de déterminer le sens originel. Si le sens juridique «intérêts d'une partie dans un procès, affaire judiciaire» paraît antique (d'après ses composés, → excuser, accuser, récuser), il semble que celui de «motif» soit plus ancien encore (cf. l'ablatif *causa* pris au sens de «à cause de»). En pénétrant dans le domaine du droit, *causa* s'est spécialisé au sens de «procès», sur le modèle du grec *aitia* qu'il traduit aussi dans la langue grammaticale et dans celle de la médecine, où le sens de «maladie, infirmité» a dû être influencé par l'acception pour «cas de réforme» dans le langage militaire. Souvent accompagné de *res* «faits de la cause d'un procès, affaire» (→ rien), il en a pris insensiblement le sens et, par affaiblissement continu, s'est substitué à *res* «chose» (italien *cosa,* français *chose**).

♦ Les deux sens du latin classique ont fait fortune en français : le sens juridique, d'abord réalisé dans l'ancienne locution *faire la cause de* «assumer l'affaire de», a inspiré de nombreuses locutions passées dans l'usage commun : ***être, mettre en cause*** (1718), ***donner gain de cause*** (1796), ***en désespoir de cause*** (v. 1820), etc. ◇ D'après un autre sens latin, «intérêts particuliers d'une personne», le mot (1465, *Pathelin*) est passé dans l'usage courant en parlant d'un intérêt général, enrichissant la phraséologie de ***cause perdue*** (fin XVe s.), ***prendre fait et cause*** (XVIIIe s.), ***faire cause commune*** (1787), ***les besoins de la cause*** (av. 1850). ➡ Le sens de «motif, raison» (v. 1170) est introduit comme latinisme, reprenant le sens de *causa* «motif», spécialement entendu en philosophie comme «la raison première» chez les stoïciens et à propos de Dieu chez les auteurs chrétiens (tel saint Augustin). Le sens courant s'est implanté le premier, fournissant plusieurs locutions verbales — ***être cause de*** (1174), très courant, ***avoir pour cause*** — et prépositionnelles : ***à cause de*** (1348), ***pour cause de*** (1803). ◇ L'acception philosophique (v. 1370, Oresme), introduite en parlant de Dieu et débattue au XVIe s. (1541, *cause efficiente*), est demeurée didactique, en histoire de la philosophie et en théologie.

▶ Le dérivé ① **CAUSER** v. tr. (v. 1271) est rare avant le XVIe s. avec le sens de «produire, être la cause de». En ancien et en moyen français, le verbe a surtout signifié «amener (qqn) à faire qqch.» et «alléguer, donner (qqch.) comme cause», «justifier, fonder, motiver», également «mettre en cause» et, à la forme pronominale, «s'occasionner, avoir lieu». ➡ La dérivation, probablement gênée par le groupe de ② *causer** «bavarder», se limite à **CAUSATEUR, TRICE** adj. (1829) et **CAUSATION** n. f. (1829), deux termes du langage philosophique employés par V. Cousin, le premier succédant aux adjectifs moyen français *causatif* et *causeur.*

CAUSAL, ALE, AUX adj. est emprunté (XVe s.) au latin impérial *causalis,* terme de grammaire employé dans les textes chrétiens au sens de «qui contient en germe qqch., qui est la cause de qqch.». Le mot, attesté une première fois dans *causal de (qqch.)* «cause de», se répand à partir du XVIe s., à la fois comme terme de grammaire (*proposition causale,* 1680) et de philosophie. ➡ Il a servi à former **CAUSALISME** n. m. (1864), d'où **CAUSALISTE** adj. (XXe s.), et **CAUSALEMENT** adv. (1907), tous d'usage didactique.

CAUSALITÉ n. f. est emprunté (1375) au dérivé bas latin *causalitas* attesté de manière isolée au sens philosophique «rapport, relation avec la cause» (IVe s.) en contexte religieux, puis répandu en ancien et moyen français pour «faculté de produire un effet, action» (1243-1248) et «rapport causal» (1248-1256). ➡ Le mot, introduit dans la philosophie médiévale au sens de «recherche de la cause première» et employé au XVIe s. au sens de «faculté de produire un effet, action» (1527), s'est répandu au XVIIIe s. (1752, *causalité morale, causalité physique*). Son emploi en philosophie kantienne (1801) est la traduction de l'allemand *Causalität* (1787, Kant, *Critique de la raison pure*).

① **CAUSER** → CAUSE

② **CAUSER** v. intr. est emprunté (1174) au latin *causari* «plaider, disputer», «alléguer, débattre des arguments» et «faire des objections pour gagner du temps», de *causa* (→ cause). La forme *causatus* de sens passif (Tertullien) suppose une forme *causare*, attestée au VIe s. (Cassiodore). Le doublet populaire *choser* «blâmer» (v. 1125) s'est maintenu dans le normand *causer* «blâmer».

♦ Attesté une première fois au sens juridique de «faire comparaître qqn en justice pour qu'il s'explique», le mot a eu en ancien et moyen français le sens de «raisonner, expliquer» en emploi pronominal (v. 1265) et en construction transitive (XIVe s.). ◇ Le sens moderne de «bavarder» (1572) est une extension propre au français de l'idée de discussion, implicite au sens de «plaider». De bonne heure, ce sens est infléchi négativement en «se moquer» (XVIe s.) d'où «parler en mal de qqn» (1662) et, encore aujourd'hui, «jaser, parler de façon indiscrète» (1690). La construction *causer à* est proscrite par les auteurs classiques au profit de *causer avec*. De nos jours, l'emploi du mot connote souvent, par rapport à *parler*, un manque d'éducation ou un usage régional.

▸ Les dérivés sont, à la différence du verbe, d'usage général. ➛ **CAUSEUR, EUSE** adj. désigne et qualifie la personne qui aime à parler en société, spécialement dans la langue classique et jusqu'au XIXe s. celle qui bavarde avec indiscrétion, voire malveillance (1690). Au contraire, les emplois modernes sont plutôt laudatifs *(un brillant causeur)*. ➛ **CAUSERIE** n. f. (1545), plutôt péjoratif au XVIe s. au sens de «bavardage», appartient de nos jours à l'usage familier et se dit, par métonymie, d'un exposé oral fait sur un ton de familiarité et de simplicité. ➛ **CAUSANT, ANTE** adj. (1676) «qui aime à parler», est senti de nos jours comme familier. Il est plus courant au négatif *(il n'est pas causant)*.
CAUSEUSE n. f. désigne l'un de ces meubles (1787), notamment des sièges, qui tirent leur nom de leur destination.
CAUSETTE n. f., apparu dans les dialectes (1790, Saint-Omer; 1807, Lorraine), est passé dans le langage familier au XIXe s. *(faire un brin de causette)*.
CAUSAILLER v. intr. (1838) et **CAUSOTER** v. intr. (1863) enchérissent sur la notion de parole familière qui caractérise *causer*, mais ne se sont pas implantés.

CAUSSE n. est emprunté (1791) au provençal *causse* «plateau calcaire» (Rouergue, Lozère), anciennement attesté sous la forme *cauze* (v. 1166). Ce mot remonte à la base pré-indoeuropéenne °*cal (a)*- «pierre, rocher» (→ caillou, calanque, cale), élargie en °*kal-s-*, °*kalso*.

♦ Le mot est d'abord décrit dans une encyclopédie agricole comme le nom que l'on donne en Rouergue, à un canton principalement destiné au froment et qui est plus ou moins élevé au-dessus des vallons, et, sous la forme *caussi*, comme le nom donné à Vabres, à une terre blanche et calcaire. Il désigne un plateau calcaire, dans le centre et le sud de la France, puis en géographie, dans un lieu quelconque. ◇ Le féminin est employé dans le midi de la France en parlant de la marne calcaire utilisée pour amender les terres argileuses.

▸ **CAUSSENARD, ARDE** adj. (1890) est emprunté au cévenol *caussenard* (aveyronnais *coussenard*, languedocien *caoussinar*), lui-même dérivé de *causse* avec *-n-* pour éviter l'hiatus. Le mot qualifie celui qui habite les Causses, ce qui se rapporte aux Causses, spécialement, en agriculture, une espèce de mouton acclimaté aux pâturages maigres de cette zone.

CAUSTIQUE adj. et n. est emprunté en moyen français (1370-1478) au latin *causticus* «brûlant, corrosif» pris, comme nom et adjectif, au grec *kaustikos* «combustible» et «brûlé par la fièvre, brûlant», de *kausis* «brûlure, cautérisation», dérivé de *kaiein* «brûler, cautériser» (→ cautère), mot d'origine indoeuropéenne, mais sans étymologie établie.

♦ Introduit en médecine pour qualifier ce qui désorganise, corrode les tissus animaux et végétaux, emploi avec lequel il est substantivé (1690), le mot est passé dans l'usage avec le sens figuré de «mordant, corrosif» (1690). ➛ Le féminin est substantivé en physique (1751) comme nom de la courbe sur laquelle concourent les rayons successivement réfléchis ou rompus par une surface. Ce nom a été donné à ces rayons parce qu'ils sont les plus ardents.

▸ Le dérivé **CAUSTICITÉ** n. f. (1738) est d'abord attesté avec son sens figuré de «critique mordante» avant d'être également un terme de chimie (1771). ➛ **CAUSTIFIER** v. tr. (av. 1844), mot didactique, correspond au sens concret de *caustique*. ➛ **CAUSTIQUEMENT** adv. (1863) est employé dans le style littéraire avec le sens figuré pour «de manière cinglante, mordante».

◈ voir **ENCAUSTIQUE**.

CAUTÈLE n. f. est emprunté (v. 1278) au latin *cautela* «prudence, précaution», synonyme partiel de *cautio* et comme lui dérivé du verbe *cavere* «être sur ses gardes, prendre garde, se défier», d'origine probablement indoeuropéenne (→ caution). L'adjectif *cautus* avait donné l'ancien français *caut, caute* employé jusqu'au début du XVIIe siècle.

♦ *Cautèle*, usuel en ancien et moyen français, désigne la ruse, un comportement prudent destiné à tromper ou à obtenir un avantage sur qqn. De là (fin XIIIe s.) le sens de «précaution, réserve», qui n'est pas toujours péjoratif, comme le montre l'usage du mot en droit canonique dans *absolution à cautèle* «sous condition», seul emploi du mot encore vivant à l'époque classique (Furetière, 1690). ◇ Le sens de «prudence rusée» réapparaît dans la littérature du

XIXe s. comme allusion probable au français dialectal et rural (Balzac, *Les Paysans,* Flaubert à propos de la Normandie); le mot ne se maintient que dans un usage très littéraire.

▸ Le dérivé **CAUTELEUX, EUSE** adj., réfection (v. 1360) de *cautileus* (fin XIIIe s.), signifie à «qui manifeste une prudence mêlée de ruse». Ce sens, qui correspond à «habile et rusé», a disparu après l'époque classique au profit de la valeur péjorative de «sournois, hypocrite», développée au début du XIXe s. avec la réapparition de *cautèle* (ci-dessus). ◇ **CAUTELEUSEMENT** adv. (1860), peu usité, correspond au sens moderne de l'adjectif.

CAUTÈRE n. m. est emprunté (fin XIIIe s.) soit au latin *cauterium* (Ier s.) «fer à brûler un tissu organique», lui-même emprunté au grec tardif de même sens *kautêrion,* de *kaiein* «brûler» (→ caustique), soit au bas latin *cauter,* calque du grec *kautêr, -êros* «fer brûlant» et «escarre», de *kaiein.*

♦ Le mot désigne le fer brûlant ou l'agent chimique qui brûle les tissus; par métonymie, il se dit de la plaie résultant de l'application du fer brûlant (1635). Il a développé comme *cataplasme* le sens figuré de «remède» dans la langue familière ***(cautère sur une jambe de bois)*** «remède inopérant».

▸ **CAUTÉRISER** v. tr. (1314, *cauterisier*) est emprunté au bas latin médical *cauterizare* (IVe s.), employé au figuré en latin chrétien par saint Irénée dans *cauteriata conscientia.* Lui-même est emprunté au grec tardif *kautêriazein* «marquer avec le fer chaud», dérivé de *kautêr.* ◆ Le français, repris en médecine, a reçu le sens figuré de «brûler, rendre insensible», d'abord dans *conscience cautérisée* (XVIe s., Calvin) calqué du latin; cet emploi a disparu.
CAUTÉRISATION n. f. est emprunté à la même époque (1314) au latin médiéval *cauterisatio* (XIe s.), de *cauterizare,* pour désigner l'action de cautériser, en médecine.

CAUTION n. f., réfection graphique (1535) de *caucion* (v. 1260), est emprunté au latin *cautio* «prudence, précaution» et, concrètement, «garantie», de *cavere* «prendre garde», «se garantir de ou contre», «veiller à, sur» (→ cautèle). Ce verbe peut être rapproché du grec *koein* «remarquer, comprendre», *thuoskoos* «qui observe le sacrifice», du vieux saxon *skawōn* de l'ancien haut allemand *scouwōn* «observer», du sanskrit *ā-kuvate* «il a l'intention de», *kaviḥ* «sage, voyant», etc.

♦ Un partage sémantique a immédiatement réservé à *précaution** la valeur générale de «prudence» et spécialisé *caution* au sens juridique de «garantie» d'où, par métonymie, «personne se portant garante» (1535). Il a donné quelques locutions passées dans l'usage : ***caution bourgeoise*** (1539) «garantie suffisante», ***sous caution, être sujet à caution*** (av. 1615), au figuré «être douteux», et *être caution que* «répondre de» (1660), sortie d'usage.

▸ Le dérivé **CAUTIONNER** v. tr. est d'abord employé comme pronominal réciproque pour «se garantir mutuellement» (1334), puis comme transitif pour «fournir une caution pour (qqn)» (1391). ◇ En français classique, le verbe s'est répandu dans l'usage général avec un sens extensif (1655) «répondre de qqn, puis d'une chose abstraite en l'approuvant» *(cautionner une politique).* ◆ En sont tirés **CAUTIONNEMENT** n. m. (1535), d'abord attesté dans un coutumier puis repris au XIXe s. (1804, Code civil), et **CAUTIONNABLE** adj. (1842).

CAVALCADE n. f., d'origine italienne comme maint terme militaire et équestre, est emprunté (1349) à l'italien du Nord *cavalcata* «course à cheval de plusieurs personnes» (XIVe s.) et «cérémonial par lequel on va à cheval accueillir un grand personnage» (1565). Ce mot est dérivé de *cavalcare* «chevaucher», de *cavallo* «cheval» (→ cavale, cavalier).

♦ Le sens d'emprunt, «promenade à cheval faite par plusieurs personnes réunies», a vieilli, de même que le sens second de «marche en grand apparat d'une troupe de personnes accompagnant un grand personnage» (1680). Dans l'usage moderne, l'accent est surtout mis sur le nombre et l'animation, avec l'acception «chevauchée animée, bruyante». Par extension, le mot est synonyme de «course désordonnée» (1883) dans le langage populaire et familier.

▸ **CAVALCADER** v. intr. (1824) exprime l'idée de «chevaucher en groupe animé», puis de «courir en troupe et bruyamment».

① **CAVALE** n. f. est emprunté (1552), plutôt qu'au provençal *cavalo* «jument», seulement attesté v. 1628, à l'italien *cavalla* (1340), du bas latin *caballa* «jument», dérivé féminin de *caballus* (→ cheval), paradigme ayant supplanté les représentants de *equus, equa* (→ équestre).

♦ Le mot, doublet poétique de *jument**, est devenu, par métaphore, une désignation populaire pour une grande femme mal bâtie, sens sorti d'usage.

▸ Le dérivé **CAVALER** v. intr. (1575), «poursuivre» et «aller à cheval» (1611), a été repris au XIXe s. dans l'usage populaire (1821) au sens de «courir, filer», spécialement «courir après une femme» et (1888) «mener une vie désordonnée», parfois, par renforcement de *courir** (1878), «ennuyer» *(il me, il nous cavale).* ◆ Le déverbal ② **CAVALE** n. f. (1829), d'abord argotique puis familier, désigne la fuite et l'évasion (1833), d'abord dans l'argot des malfaiteurs et de la police, puis (2e moitié XXe s.) grâce à la presse, dans l'usage général, le roman d'Albertine Sarrazin, *La Cavale,* au titre allégorique, ayant stimulé cette évolution. ◆ **CAVALEUR, EUSE** n. (1901) est spécialisé au sens de «coureur de filles» (au féminin *cavaleuse,* «coureuse de garçons»).

CAVALIER, IÈRE n. est emprunté (v. 1460) à l'italien *cavaliere,* anciennement *cavalliere, caval(l)iero* (déb. XIIe s.) «gentilhomme servant à cheval», possédant tous les sens pris par le français, et lui-même emprunté à l'ancien provençal *cavalier* (XIIe s.) [→ chevalier].

♦ Le mot a progressivement évincé *chevalier* dans la plupart de ses emplois, ce dernier correspondant alors à d'autres acceptions. Le sens de «gentilhomme servant à cheval» s'est maintenu à propos d'un militaire servant dans la cavalerie. ◇ En revanche, l'extension du mot à «homme d'épée» (av. 1578) est déjà vieillie au XVIIe s., où *cavalier* devient un titre de politesse pour un homme du monde (1611) et désigne bientôt celui qui accompagne une dame en société (1688), danse avec elle (1690), celle-ci étant plus tard nommée *cavalière* (v. 1900). L'expression *cavalier servant* n'a eu qu'un temps, ne réussissant pas à supplanter *chevalier servant*. La locution ***faire cavalier seul*** «agir seul» vient d'une figure de danse, au quadrille, où l'homme dansait seul. ◇ Le sens littéral d'«homme monté à cheval» (1611) est usuel et a donné lieu, par métonymie, à des emplois spéciaux au jeu d'échecs (1752) et en papeterie, où il désigne un papier comportant à l'origine un cavalier en filigrane (1832). Dans l'armée, le mot signifie «homme ou officier de cavalerie». ➛ Par analogie de forme ou de position — «à cheval» —, le mot s'applique à des objets métalliques (1890), à un type d'engin de manutention enjambant la charge à déplacer (XXe s.). ➛ Par ailleurs, ***cavalier, ière*** s'emploie comme adjectif (1923) par exemple dans *piste cavalière* «pour les cavaliers».

▸ **CAVALERIE** n. f. est emprunté (1308) à l'italien *cavalleria* (XIIIe s.), de *cavalliere*, pour remplacer dans certains de ses emplois *chevalerie**, qui répondait à une autre notion. Le mot s'est spécialisé dans le contexte militaire, désignant collectivement l'ensemble des troupes servant à cheval, l'un des corps de l'armée comprenant uniquement, à l'origine, des troupes à cheval (1546), aujourd'hui des véhicules blindés. ◇ Le sens ultérieur, «ensemble des chevaux d'une entreprise» (1866), a disparu avec l'essor de l'automobile qui a détrôné la traction hippomobile. ➛ L'expression argotique puis familière *papiers, chèques de cavalerie* (1935), «faits par complaisance pour couvrir une opération», est obscure ; l'idée d'une allusion à l'audace d'une charge de cavalerie ne convainc pas. ***C'est de la grosse cavalerie***, des objets sans grande valeur, une chose banale et sans finesse, est attesté au XIXe s. (après 1850).

CAVALIÈREMENT adv. (1614), dérivé de l'adjectif, a suivi une évolution analogue, de «généreusement» à «de manière impertinente» (1642).

CAVATINE n. f. est emprunté (1768) à l'italien *cavatina* (XVIIIe s.), diminutif de *cavata*, participe passé féminin substantivé de *cavare* «creuser» (→ caver) d'où «enlever, arracher». *Cavata* est lui-même employé en musique à propos de l'émission de la voix, du fait de tirer avec art des sons d'un instrument. *Cavatina* désigne en italien un petit arioso, placé à la fin d'un récitatif et, dans les opéras et oratorios, un court passage confié à un soliste qui ressemble à un air, mais dont la mélodie, plus simple, ne comporte pas de *da capo*.

♦ Le mot a été introduit en musique avec les sens du mot italien ; par analogie, il sert à caractériser une œuvre d'inspiration douce.

① **CAVE** adj. est emprunté (v. 1170) au latin *cavus* «creux», usité de tout temps, à rapprocher du groupe du grec *koilos* «creux», «qui se trouve dans un creux, vide», *kôos* «creux, caverne, prison», *kôthôn* «grande coupe ouverte et plate», *kuar* «trou, chas d'une aiguille», «orifice de l'oreille».

♦ Le mot, qui exprime la notion de «creux, enfoncé», n'est guère employé que pour qualifier une partie du corps, un organe (*yeux caves*, XIVe s.), spécialement en anatomie dans *veine cave* (1538). ◇ Il a reçu en astronomie la spécialisation «qui n'est pas plein», qualifiant une année, un mois lunaire (1708), la lune (1751), emplois sortis d'usage.

◈ voir ② CAVE, CAVERNE, CAVITÉ.

② **CAVE** n. f. est emprunté (v. 1170) au bas latin *cava* «fossé» (VIe s.), employé en latin médiéval sous la forme *cavea* aux sens de «cellier» (1058), «puits de mine» et «boîte». Ce mot est le substantif féminin issu du pluriel neutre *cava, -orum* «trous, parties creuses» (inusité au singulier *cavum*) de l'adjectif *cavus* «creux» (→ ① cave).

♦ Le sens général de «creux, cavité, caverne» et le sens spécialisé de «fosse, caveau funèbre», usuels jusqu'au XVIe s., ont disparu au profit de mots du même groupe (→ caverne, cavité) et du dérivé *caveau*. ◇ *Cave* s'est spécialisé comme appellation du lieu souterrain où l'on conserve d'ordinaire provisions et vin (v. 1250 de manière incertaine, puis 1360-1370). Par analogie de fonction, le mot désigne la boîte servant à transporter des vins, liqueurs (1669) et, autrefois, des parfums. Par métonymie, il désigne collectivement l'ensemble des vins d'une cave (1798). Par une autre métonymie, il se dit d'une bougie mince, roulée sur elle-même, dont on se sert pour descendre à la cave (1802). Par extension, il se dit d'un local souterrain aménagé en cabaret, dancing, sens apparu après la libération de la France (1945), d'abord à Paris (Quartier latin et surtout Saint-Germain-des-Prés).

▸ **CAVEAU** n. m., diminutif de *cave* (1250-1300), est d'abord attesté sous la forme *caviau* caractéristique du picard, de l'ouest et du sud-ouest de la Champagne, voire de Paris. Littéralement «petite cave», sens surtout vivant dans sa spécialisation «cabaret, théâtre de chansonniers» (av. 1867) après avoir désigné au XVIIIe s. les cafés des gens de lettres (1729), le mot désigne couramment depuis le XVIe s. une sépulture souterraine (1517, dans une église).

CAVISTE n. (av. 1790) désigne la personne chargée de l'approvisionnement et de l'entretien de la cave en vins et l'employé qui pourvoit à la boisson des hôtes. Il est également en usage à propos de l'ouvrier viticole chargé de la fabrication des vins.

ENCAVER v. tr. (1295), «mettre en cave (une boisson)», a produit les dérivés **ENCAVEUR** n. m. (1571), **ENCAVEMENT** n. m. (1635), ce dernier concurrencé en Suisse par la forme **ENCAVAGE** n. m., notamment en œnologie.

◈ voir CAGE, CAVER.

③ et ④ **CAVE** → CAVER

CAVEÇON n. m., d'abord *cavezzon* (av. 1583), puis *caveçon* (av. 1615), est emprunté à l'italien *cavezzone* (XVIe s.), dérivé avec suffixe augmentatif *-one* de *cavezza* «bride», issu d'un latin populaire °*capitia* «ce qu'on met autour de la tête», forme issue de *capitium* (→ chevet).

♦ Ce terme de manège désigne un appareil de dressage composé d'une têtière, d'une sous-gorge et d'une bande métallique enserrant le nez de l'animal. Avec la valeur figurée de «mortification», il est entré dans la locution *mettre un caveçon à qqn* (av. 1615), puis ***donner un coup de caveçon à qqn*** «rabattre son orgueil, le mortifier». ◇ Il a été repris comme nom d'une muselière pour les agneaux en sevrage (1867).

CAVEÇONNER v. tr. se rencontre exceptionnellement au propre et au figuré, où le mot est attesté en 1626 (A. Regourd, *l'Art de caveçonner les ministres protestants*), le sens même étant le même que *donner des coups de caveçon.*

CAVER v. est emprunté (1642) à l'italien *cavare,* représentant du latin *cavare,* de *cavus* (→ ① cave), et signifiant «creuser, extraire» (XIVe s.) d'où, spécialement, «retirer de sa poche, débourser, dépenser» (XVIe s.).

♦ Le mot a été introduit au jeu au sens de «miser», la locution *caver au plus fort* passant dans l'usage familier avec le sens figuré «exagérer, porter à l'extrême» (1743), à côté de *caver au plus bas* (1863), *caver au pire* «voir les choses au pire»; ces expressions ont disparu. À la forme pronominale, *se caver* est employé absolument pour «miser» (1834). ◇ Le mot a reçu en argot le sens transitif de «tromper» (1896), peu usité.

▸ ③ **CAVE** n. f., d'abord attesté dans la locution ancienne ***faire cave*** (XVIe s., du Fail), semble inusité avant le XVIIe s., où il est enregistré avec son sens de «mise» (1690).

DÉCAVER v. tr. (1829) signifie «gagner toute la cave d'un joueur» et à la forme pronominale *se décaver* «perdre sa cave» (1834); en sont dérivés **DÉCAVÉ, ÉE** adj. (1870), adjectivation du participe passé signifiant «ruiné», et **DÉCAVAGE** n. m. (1929), beaucoup plus rare. ◆ Avec un autre préfixe, **SE RECAVER** v. pron. (1875) exprime le fait de remplacer l'argent qu'on a perdu en misant une seconde fois.

Il est probable que ④ **CAVE** n. m. (1882), mot d'argot désignant l'homme fait pour être dupé d'où, par extension, le niais, l'imbécile (1901), en général «homme qui n'est pas du milieu», soit dérivé de *caver* au sens ancien de «tromper au jeu» par l'intermédiaire du participe passé substantivé *cavé* «homme naïf» (1835), définitivement éteint après 1914. L'hypothèse d'une origine méridionale — par rapprochement avec le provençal *cavec* «chevêche, chouette», employé adjectivement au sens de «sot» — pose des difficultés phonétiques. ◆ *Cave* a donné **CAVETTE** n. f. (1926), appellatif pour une femme qui n'est pas du milieu.

CAVERNE n. f. est emprunté (XIIe s.) au latin *caverna* «terrier, tanière», également employé à propos de la cale d'un navire et comme terme de description anatomique pour un orifice (du nez, des oreilles), dérivé de *cavus* «creux» (→ ① cave). Le *ca-* de *cahute** y est peut-être apparenté.

♦ Le mot désigne couramment une cavité naturelle creusée dans la roche; les extensions de sens se limitent à quelques emplois spéciaux et figurés; la locution ***caverne d'Ali Baba*** «accumulation hétéroclite de choses précieuses» est une allusion littéraire à un conte fameux des *Mille et Une Nuits* bien connu depuis la célèbre traduction de Galland. ◆ La spécialisation de «creux», en anatomie (1546), n'a pas vécu mais le mot a été repris en pathologie à propos de l'excavation pulmonaire qui se forme après évacuation du pus d'un abcès ou d'un tissu nécrosé (1863).

▸ **CAVERNEUX, EUSE** adj., emprunté (fin XIIIe s.-déb. XIVe s.) au latin *cavernosus* «percé de trous», de *caverna,* s'est éloigné de ce sens pour se spécialiser en anatomie (1546), notamment dans la description pathologique des poumons et dans *corps caverneux* (de la verge). Il s'est répandu avec le sens analogique de «qui évoque une caverne», décrivant une forme et un bruit ayant une profonde résonance (1835, *voix caverneuse*). ◆ Il a produit **CAVERNOSITÉ** n. f., d'abord attesté dans sa spécialisation en anatomie (1546), sorti d'usage, et **CAVERNEUSEMENT** adv. (1888) «d'une voix caverneuse», rare. ◆ Le composé **CAVERNICOLE** adj. et n. (1874), formé sur *caverne* avec le suffixe *-cole**, qualifie et, elliptiquement, désigne en sciences naturelles des végétaux, des animaux vivant sous terre. Par extension, il se dit aussi de ce qui concerne la vie dans les cavernes.

CAVIAR n. m., d'abord *cavyaire* (1432) puis *caviat* (1552) — encore en 1771 — et *caviar* (1553), aussi *cavial* (seule forme signalée par Furetière, 1690), est emprunté au vénitien *caviaro* (1585) auquel correspond l'italien *caviale* (XIVe s.) qui a donné, à l'époque classique, le type *cavial* (1660). Les mots italien et vénitien sont eux-mêmes empruntés au turc *kavyar* et non au russe (qui dit *ikra*), alors que le mets a été importé ensuite de Russie : *l'Encyclopédie* (1751) donne la forme *caviari sckari* qui (avec une fausse coupe) témoigne du nom commercial donné «en Russie» à ce mets.

♦ Le mot désigne une préparation culinaire à base d'œufs d'esturgeon et par extension d'autres poissons. Le mot, d'abord terme exotique de relation, est mentionné avant la fin du XIXe s., surtout à cause de la consommation du caviar en Italie, puis en Allemagne. C'est au tournant du siècle que le caviar devient en France un mets de luxe, très onéreux, développant une symbolique où il est fréquemment associé au champagne, au foie gras, etc. Quant au sens, il est normalisé en commerce où le mot ne s'applique qu'aux œufs d'esturgeon (avec plusieurs types : *beluga, sevruga,* etc.) parfois pressés (*caviar pressé,* on disait au XIXe s. *compact*). Mais on l'emploie aussi plus largement, comme le russe *ikra,* dans *caviar rouge* «œufs de saumon», etc.; cet emploi est illégal commercialement, en France. ◇ Le mot est employé avec une valeur figurée comme symbole du luxe et d'une certaine classe sociale (le récent *la gauche caviar*). ◆ Par métonymie, il a reçu le sens de «tache noire servant à rendre certains passages d'un écrit indéchiffrables», par allusion à un procédé de censure pratiqué en Russie sous Nicolas Ier, (1877); il s'emploie aussi comme qualificatif de couleur (1935). ◆ Par analogie d'aspect (petits grains), le mot désigne en cuisine des préparations écrasées *(caviar d'aubergines)* : cet emploi semble récent.

► **CAVIARDER** v. tr. (1907) est un terme d'argot journalistique employé dans le contexte de la Russie de Nicolas Ier, puis en général pour «cacher ou supprimer, censurer» (1922). ◇ **CAVIARDAGE** n. m. (déb. XXe s.) lui sert de substantif d'action.

CAVITÉ n. f. réfection par emprunt (1545) de *caveté* (XIIIe s.), de l'adjectif *cave,* est emprunté au bas latin *cavitas* (fin IVe s.) «creux», de *cavus* (→ ① cave).

♦ Le mot désigne un creux à l'intérieur d'un corps solide, spécialement, en anatomie, un espace creux dans le corps ou dans un organe (1680), d'où, en pathologie, un creux pathologique (dans l'estomac, le poumon) [1866].

► On en a dérivé **CAVITAIRE** adj. (1838) en médecine et en pathologie.

① **CE, C'** pron. démonstratif neutre est d'abord attesté sous la forme *czo* (v. 881), puis *ce* (1050), et résulte de l'évolution du bas latin *°(ec)c(e) hoc,* forme renforcée qui a fini par remplacer le démonstratif simple *hoc* «ceci» (→ çà, ici). Celui-ci — démonstratif de la première personne et, par suite, de l'objet le plus proche du locuteur — est composé (comme *iste* et *ille* auxquels il s'oppose, → ce, celui, il) d'un démonstratif archaïque *ho* à rattacher à l'indoeuropéen, renforcé par la particule *-c.*

♦ *Ce,* à mesure qu'il est devenu inaccentué, a été remplacé par *cela* (voir ci-dessous), sauf dans des tours syntaxiques plus ou moins archaïques et des locutions : il est employé avec un verbe qui est le plus souvent *être* et, en langage soutenu, *sembler* (on trouve encore *ce semble* au XVIIe s.), *paraître, rester, devoir, pouvoir, devenir* (à partir des IXe et Xe s.). On rencontre la tournure interrogative ***est-ce*** depuis 1080 et ***c'est*** introduisant une relative ou une conjonctive (1050), ou mettant en relief un élément ou un membre de phrase. Devant un attribut, *c'est* est concurrencé par *il** en langage soutenu. ***C'est à... de*** (1512) est employé au sens de «il appartient à». ➝ *C'est* entre dans des locutions explicatives, comme ***c'est-à-dire*** (1306, traduction du latin *id est*), ***c'est que*** (1863); des locutions adversatives : ***si ce n'est*** (1450), écartant une opinion, ***ce n'est pas que*** (1742). D'autres marquent l'intention : ***c'est pour*** (av. 1510). ***Ce que*** (av. 1710) est utilisé familièrement comme locution exclamative *(ce que tu es drôle!).* *Ce* subsiste dans d'anciennes tournures : ***ce faisant, ce faire*** (1450), pour résumer ce qui vient d'être dit — dans ***et ce*** (XIIIe s.; Xe s., *et cio*), aujourd'hui ***sur ce***—, et comme sujet d'un verbe, dans ***ce me semble*** (1450; remplaçant *ce samble,* XIIIe s., encore au XVIIe siècle.).

► *Ce* a pour composés les pronoms démonstratifs neutres **CECI** et **CELA** : *ceci* (XIIIe s., au moyen de l'adverbe *ci**) renvoyait à ce qui a été énoncé (on emploie encore l'expression ***ceci dit***) avant de céder cet emploi à *cela* dans l'usage moderne; depuis le XVIe s. (1552), il annonce ce qui va suivre. Il est employé avec *cela* pour désigner deux choses plus ou moins déterminées (fin XVe s.), pour distinguer deux choses différentes (1740) et, en opposition à *cela,* pour désigner la chose la plus proche du locuteur. ◇ Quant au pronom *cela* (XIIIe s., *çoula*; de *ce* et *là**), il exprime souvent ce qui a été déjà dit, il entre dans les tours ***comment cela?*** (1835) et ***comme cela*** (av. 1696).

Par contraction, *cela* a produit **ÇA** (XVIIe s.), d'abord réservé à l'usage oral, puis usuel même à l'écrit, et dans diverses expressions, ***comme ça*** (1782), après *coume ça* (1642), ***comment ça*** (1855), ***avec tout ça, qu'est-ce que c'est que ça,*** en langue parlée (noté *kekcékça?* par Hugo dans *Les Misérables,* faisant parler Gavroche). ➝ ***Ça*** a été substantivé en psychanalyse calquant (1946) l'allemand *Es,* pronom neutre par lequel Freud désigne la partie du psychisme d'où viennent les impulsions instinctives correspondant aux besoins primitifs (*Das Ich und das Es,* 1923, d'abord traduit sous le titre *Le Moi et le Soi* en 1948, retraduit en 1965 *Le Moi et le Ça).*

② **CE (CET, CETTE, CES)** adj. démonstratif est hérité (842) du paradigme du démonstratif latin *ecce isti,* forme renforcée en *ecce* «voici» (→ ecce homo) dans la conversation, puis à basse époque, du paradigme simple de *iste* «celui-ci, ce, cet». *Iste* est employé comme pronom et adjectif de la seconde personne, parce qu'il renvoie généralement à une personne, à un objet dont un interlocuteur a parlé ou auquel on s'adresse; il a acquis en droit la nuance péjorative de «la personne dont tu parles ou que tu défends (et qui est méprisable)», sens qui s'est répandu dans la langue courante. Le mot *iste* se compose d'une particule préposée *is-* et d'un démonstratif *-te,* formation comparable à celle des deux autres démonstratifs personnels *hic,* qui se dit de l'objet présent et concerne le locuteur (→ çà, ce, ici), et *ille,* désignant l'objet éloigné ou la «troisième personne» (→ il, le, lui). Le système démonstratif latin était très complexe, comptant en outre *is,* pronom anaphorique ou de renvoi, *idem* (→ idem), pronom d'identité, et *ipse,* pronom adversatif, utilisés en combinaison. Vers le VIe s., s'est établi un système simplifié : *iste, ipse* et *ille,* après disparition de *is* (trop bref) remplacé par *hic,* lui-même éliminé par *iste* (seul le neutre *hoc* subsistant, → ce). L'ancien français — peut-être sous l'influence du système francique — ne retient du latin tardif que deux démonstratifs : *ce* et *celui,* qui correspondent à l'opposition entre proximité (sphères du locuteur et de l'allocuteur) et éloignement (sphère de la 3e personne, non présente). ➝ Le système de l'ancien français est le suivant : au singulier et au masculin, cas sujet *cist* (de *°[ec]ce ĭstī*); cas régime-accusatif *cest* (de *°[ec]ce ĭstŭ*); cas régime-datif *cestui* (de *°[ec]ce istui*); au féminin cas sujet et cas régime-accusatif *ceste* (de *°[ec]ce ĭsta*) et cas régime-datif *cesti* (de *°[ec]ce istaei*); au pluriel et au masculin, cas sujet *cist* (de *°[ec]ce ĭsti*) et cas régime unique *cez>ces* (de *°[ec]ce ĭstos*); au féminin pluriel, cas sujet et cas régime confondus *cestes* (de *°[ec]ce ĭstas*) ou *ces,* puis *ces* (de *°[ec]ce ĭstos*).

♦ En ancien français, toutes les formes sont fléchies et susceptibles d'un double emploi, adjectif et pronom. L'évolution qui mène au système moderne est tout aussi compliquée : *ce* (XIIe s.) résulte de la réduction de l'ancien *cest* devant consonne, les formes «régime» (complément) se substituant aux formes sujet (fin XIIIe s.); la distinction proximité-éloignement tombe entre 1350 et 1500 — étant donné la fréquence des formes indifférenciées *ce/ces* —, relayée par l'emploi des adverbes *ci** et *là**. ➜ Enfin, le système moderne impose une distinction grammaticale entre pronom et adjectif, réservant *ce, cet, cette, ces* au rôle d'adjectifs (acquis au XVIe s.), tandis que *celui*, celle, ceux, celles* s'attachent celui de pronoms (*celui* comme adjectif est exceptionnel au XVIIe s.), également précisés par les particules adverbiales *-ci, -là*.

CÉANS adv. (1140, *çaenz*) est formé de *çà* et de l'ancien français *enz* «dedans», issu du latin *intus* (→ intérieur).

♦ Le mot s'est employé jusqu'au XVIIIe s. (encore au XIXe s. régionalement) pour «ici, à l'intérieur (de la maison, etc.)». Il s'est maintenu dans des syntagmes comme ***le maître, la maîtresse de céans,*** avec une nuance de plaisanterie.

CECI, CELA → ① CE

CÉCITÉ n. f. est emprunté (1223) au latin *caecitas* «perte de la vue» et, au figuré, «aveuglement de l'esprit», dérivé de l'adjectif *caecus* «aveugle», objectivement «invisible», «où l'on ne voit pas» et «secret», «bouché, sans issue», employé en poésie à propos de sensations autres que visuelles, peut-être à l'imitation du grec *tuphlos*. Le mot, qui présente un vocalisme radical *a* et un suffixe *-ko-* comme d'autres adjectifs désignant des infirmités, a des correspondants (irlandais *caech*, gallois *coeg*, gotique *haihs*) mais au sens de «borgne». Il a eu un représentant français *cieu, ciu* «aveugle, obscur» qui a coexisté dans l'ancienne langue avec deux autres mots d'origine latine : *orb* (de *orbus* «privé de», puis [IIe s.] «aveugle») et le mot actuel *aveugle**, qui a triomphé définitivement au XVIe siècle.

♦ Le mot, qui conserve les valeurs du mot latin, le sens figuré de «aveuglement de l'esprit» (1374) étant marqué comme littéraire, s'est maintenu à côté d'*aveuglement* qui, en français moderne, le concurrence uniquement avec son sens abstrait.

▶ Il reste une trace de *caecus* — si l'on excepte le prénom *Cécile*, du nom d'une sainte *Caecula*, dérivé de son diminutif *caeculus* «myope» — dans le composé (mal formé) **CÉCOGRAPHIE** n. f. (XXe s.) de *caecus* et de *-graphie*, «méthode d'écriture pour les non-voyants».

CÉDER v. tr. et intr. est emprunté (1377) au latin *cedere*, originellement «marcher, aller», souvent avec la nuance de «se retirer» (peut-être employé par litote dans la langue militaire par opposition à *stare* → être, station), d'où «être inférieur à», «faire concession, concéder» moins fréquent que le composé *concedere* en ce sens. L'étymologie du mot n'est pas claire, mais il pourrait être apparenté à *cadere* «tomber» (→ choir).

♦ Le sens «s'affaisser sous une pression» (d'un objet) semble avoir été abandonné à l'époque classique et repris à partir de 1798. Avec un sujet désignant un animé, le sens de «renoncer à» s'est fait jour au XVIe s., d'abord en construction prépositionnelle (1511, *céder à*), puis en construction transitive dans un cadre juridique (1534) avec la valeur de «céder un droit», «abandonner une propriété à». ◇ Avec une notion spatiale, le mot signifie «laisser la place à» (1537) et, avec une idée de compétition, «ne plus résister, s'effacer devant une puissance supérieure» (v. 1580), spécialement dans le domaine militaire. Il se répand dans l'usage au XVIIe s., donnant les locutions ***céder le pas à qqn*** (1671) et, avec une valeur figurée, ***le céder à qqn, ne le céder en rien à qqn*** (1671) «être inférieur, ne pas être inférieur», cette dernière aujourd'hui archaïque ou littéraire. ◇ Il prend en même temps le sens figuré de «se soumettre» en construction absolue (1673) et le sens concret de «abandonner qqch. à qqn pour un temps» (1690). Au XIXe s., se développe la valeur spéciale de «s'abandonner à un homme» en parlant d'une femme (1890). La locution figurée ***céder le haut du pavé, le pavé*** «laisser la première place», est attestée av. 1866.

▶ Exception faite de **CÉDANT, ANTE** adj. participe présent substantivé au masculin avec le sens juridique de «personne qui transfère son droit» (1673), la dérivation directe de *céder* est inexistante.

CESSION n. f. a été emprunté (1266-1267) au latin juridique *cessio* «action de céder», du supin *cessum* de *cedere*, pour fournir un substantif d'action en droit (commercial, international). ◇ Il a produit à son tour **CESSIONNAIRE** n. (1520) qui a perdu le sens primitif de «personne qui fait cession» pour le sens de «personne à qui l'on fait une cession» (1675).

CESSIBLE adj., formé en droit (1607) sur le radical du supin latin, qualifie ce qui peut être cédé; d'où **CESSIBILITÉ** n. f. (1845) et l'antonyme **INCESSIBLE** adj. (1576) d'où **INCESSIBILITÉ** n. f. (1819).

◈ voir ACCÉDER, CESSER, CONCÉDER, DÉCÉDER, EXCÉDER, INTERCÉDER, PRÉCÉDER, PROCÉDER, RÉTROCÉDER, SUCCÉDER.

CEDEX n. m. est l'acronyme (1966) de *Courrier d'Entreprise à Distribution EXceptionnelle*.

♦ Le mot, surtout d'usage écrit sur les adresses, désigne en France un système de distribution postale qui permet aux entreprises d'avoir leur courrier très tôt le matin (à charge pour elles de les faire prendre au bureau de poste).

CÉDILLE n. f., enregistré sous la forme altérée *cerille* en 1611, puis *cédille* (1654-1655), est emprunté à l'espagnol *cerilla* (1492) puis *cedilla* (1558), proprement «petit z» (interprété ensuite comme «petit c» à cause de la forme du signe), diminutif de *zeda*, emprunté au latin *zeta*. Lui-même est emprunté au grec *zêta* «sixième lettre de l'alphabet grec», emprunté au sémitique (hébreu *zajit*, araméen *zētā*).

♦ Le mot désigne un signe graphique, introduit en 1531 dans l'imprimerie par G. Tory, et qui transforme le *c* dur [k] devant *a, o, u, ou* en [s].

CÉDRAT n. m., d'abord *cedriac* (1600) puis *cédrat* (1680), est emprunté à l'italien *cedrato* (XVIIe s.) «fruit plus gros que le citron» et (av. 1708) «arbre portant un tel fruit». *Cedrato* est dérivé, avec une valeur superlative, de *cedro* «citron» (1250-1300). Lui-même est issu du latin *citrus* désignant deux arbres très différents, le thuya d'une part et le citronnier, le cédratier de l'autre. Ce mot n'est pas emprunté directement au grec *kedros* (→ cèdre) qui désigne le cèdre, le genévrier et dont le composé en *-mêlon* «fruit» (→ melon), *kedromêlon*, sert à désigner le cédrat en concurrence avec *kitrion* (→ citron). Le grec et le latin, peuvent être des emprunts à une langue non indoeuropéenne, le latin peut-être par un intermédiaire étrusque : le fruit fut introduit en Grèce après les conquêtes d'Alexandre (IVe s. av. J.-C.); il était tellement estimé pour sa beauté et ses propriétés médicales que l'on a vu dans les pommes d'or des Hespérides des cédrats.

♦ Le mot français semble s'être répandu à partir du provençal comme l'indique la glose «*Cedriac [espece de limon] ainsi appelé en Provence*». Il a d'abord désigné l'arbre, le fruit étant appelé *cèdre* (1545), par emprunt à l'italien *cedro*, jusqu'au XVIIIe s., dans *aigre de cèdre* «liqueur à base de jus de cédrat et d'eau-de-vie». ◇ *Cédrat* s'emploie essentiellement de nos jours comme nom du fruit (1723) et, par métonymie, de l'essence tirée de ce fruit (1809).

▸ **CÉDRATIER** n. m. (1823) désigne l'arbre.

CÈDRE n. m. est emprunté (v. 1120) au latin *cedrus*, lui-même pris au grec *kedros* «cèdre» et «genévrier», mot toujours vivant en grec moderne. L'étymologie en est obscure, le rapprochement habituellement fait avec le nom balte du genévrier *kadagỹs* n'étant satisfaisant que pour la première syllabe.

♦ Le mot désigne un conifère de grande taille et, par métonymie, son bois utilisé en ébénisterie, menuiserie et construction navale.

▸ Son dérivé **CÉDRAIE** n. f. (déb. XXe s.), rare, désigne une plantation de cèdres.

CÉDULE n. f. est emprunté (fin XIIe s.) au bas latin *scedula* «petite feuille de papier», également écrit *schedula* en latin médiéval, diminutif de *sceda* (ultérieurement *scheda*) «feuillet, page». Ce mot est d'origine inconnue : sur la base de la graphie *scida* (Cicéron), on a pensé le rattacher à *scindere* «fendre, séparer» (→ scinder) mais cette formation étant sans autre exemple, il vaut mieux voir dans cette leçon une graphie seconde sous l'influence du grec *skhizein* «séparer» (→ schizophrène) et du latin *scindere*. *Schedula* est passé dans la plupart des langues romanes et germaniques : provençal *cedula*, *cedola*, espagnol *cédula*, portugais *cedula*, italien *cedola*, moyen haut allemand *zedele*, *zetele* (allemand *Zettel*), moyen néerlandais *cedule* (néerlandais *cedel*), suédois *sedel*, danois *seddel*, islandais *seðill*. Du français, il est passé dans l'anglais *schedule* (1397, *sedule*), «horaire».

♦ Le mot français apparaît dans le langage juridique à propos d'un billet consignant un engagement, une reconnaissance de dette (1314). La plupart de ses emplois sont sortis d'usage, en dehors des expressions juridiques *cédule de citation*, *cédule hypothécaire* et, en droit fiscal, du sens «feuillet utilisé pour la déclaration d'impôt par catégories d'origine» (XXe s., av. 1949).

▸ **CÉDULAIRE** adj., cité en 1796 comme néologisme, a qualifié en droit fiscal ce qui est relatif aux cédules, spécialement (en France) un type d'impôt, supprimé en 1948, qui n'atteignait qu'une catégorie de revenus.

CEINDRE v. tr. est issu (v. 1050) du latin *cingere* «entourer, envelopper» et techniquement «écorcer», également «retrousser par une ceinture», sens repris par son dérivé *succingere* (→ succinct). *Cingere* est un terme technique, probablement indoeuropéen, dont on rapproche le sanskrit *kañcate* «il lie», *kañcukah* «cuirasse, camisole», *kāñcī* «ceinture», le lituanien *kinkýti* «atteler (une bête)», en supposant une alternance *k/g* en fin de racine.

♦ Le mot, d'abord attesté dans l'expression *espede ceindre* «revêtir l'épée» et à la forme pronominale (v. 1165), exprime l'idée d'«entourer une chose d'une autre». Il possède une valeur solennelle, que n'ont pas ses synonymes *entourer**, *ceinturer**, et entre dans des locutions où le geste physique a une portée symbolique, le complément désignant soit une partie du corps, ***ceindre ses reins*** (1853), signifiant «se préparer à la guerre», soit un objet noble : ***ceindre la tiare*** (1691) «devenir pape», ***ceindre le diadème*** (1740) «devenir roi» et, dans un contexte moderne, ***ceindre l'écharpe (municipale)*** «devenir maire». ◇ Le langage soutenu l'emploie également au sens d'«encercler un espace» (1165) et spécialement «entourer une ville de remparts» (1582).

▸ Il est probable que son participe passé adjectivé **CEINT, EINTE** a été gêné par son homonymie avec *saint, ainte**, car on lui préfère *entouré* ou *cerné*. Il a en tout cas perdu son ancien emploi substantivé comme terme de fortification (1211-1214) au profit du composé *enceinte* (→ enceindre).

◈ voir CEINTURE, CINGLER, CINTRE, ENCEINDRE, ENCEINTE, SANGLE.

CEINTURE n. f., d'abord écrit *ceingture* (déb. XIIe s.), puis *ceinture* (v. 1175), est issu du latin impérial *cinctura*, dérivé rare de *cinctus* «action de ceindre» et «ceinture» (masculine, par opposition à *cingillum* «petite ceinture féminine»), du verbe *cingere* (→ ceindre).

♦ Le mot, qui désigne une bande de matière souple destinée à serrer la taille, entre dans quelques locutions dont ***se serrer la ceinture*** «se priver» et, proverbialement, ***bonne renommée vaut mieux que ceinture dorée*** «remplie d'or», qui rappelle la locution archaïque *avoir de l'or dans sa ceinture* par allusion culturelle au fait que la ceinture était aussi une bourse longue ceinte autour des reins. ◇ L'expansion sémantique du mot commence en moyen français avec le sens analogique de «pourtour» (1415), vivant dans quelques acceptions spécialisées et en parlant de l'enceinte d'une ville (1676). On parle encore à Paris de *Petite Ceinture*

CELER
Du recel à l'eucalyptus

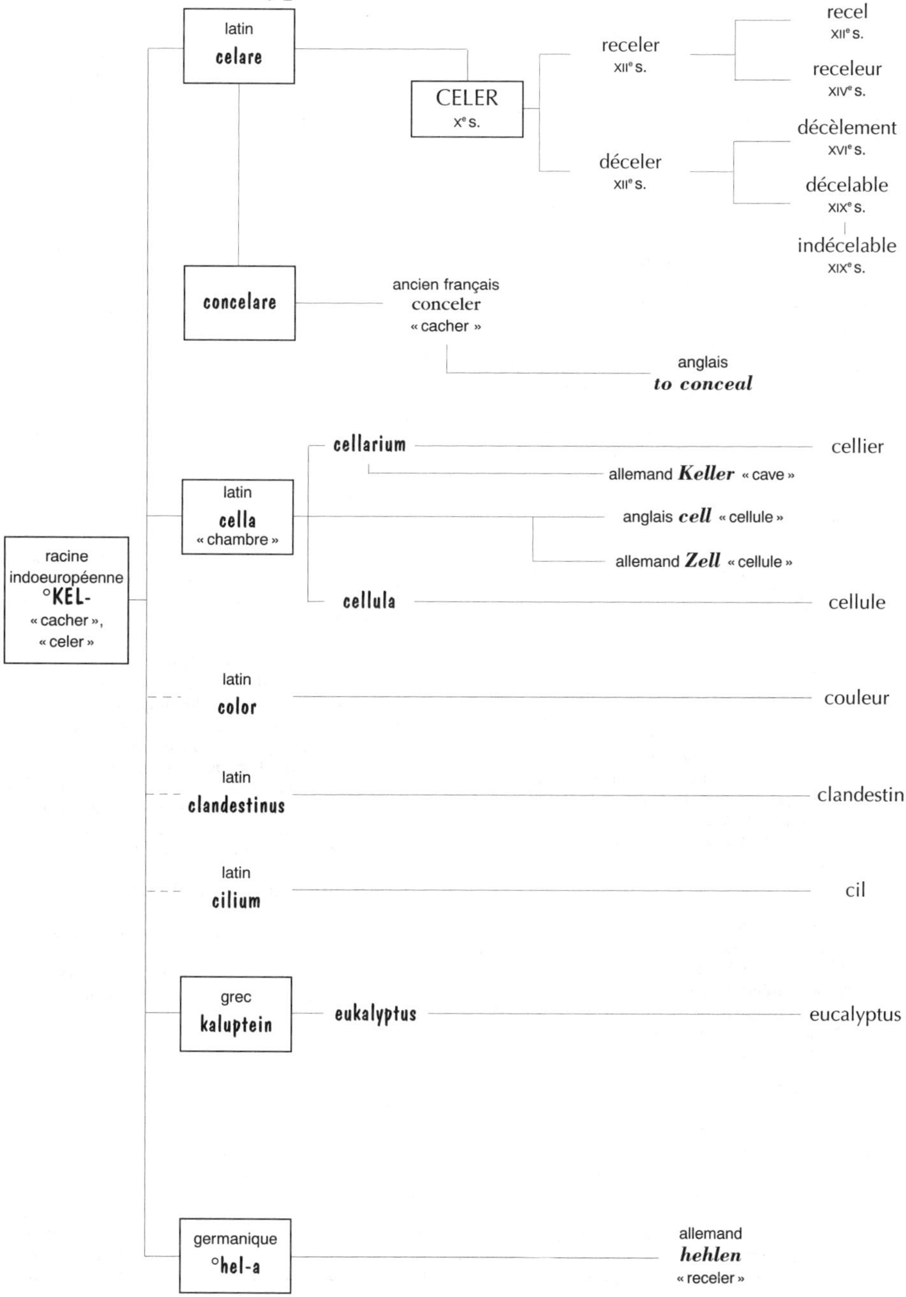

(P. C.), appellation pour la ligne d'autobus (autrefois de chemins de fer) desservant le tour de Paris. ◇ Par métonymie, le terme d'habillement désigne la partie du corps où se place la ceinture, surtout dans des expressions désignant un niveau ***(avoir de l'eau jusqu'à la ceinture)***. Par une métonymie seconde, il désigne une prise de combat consistant à étreindre son adversaire à la taille (1898). ◇ Quelques emplois déterminés s'appliquent à des objets qui s'attachent comme une ceinture *(ceinture de sécurité)*. De l'usage d'un tel dispositif en avion, en voiture, viennent des emplois de type : ***attachez vos ceintures***, «préparez-vous au départ». ◇ Par ailleurs, des ceintures peuvent avoir une valeur symbolique telles celles que portent les judokas, *ceinture noire* désignant par métonymie la personne qui a droit à cette distinction.

► **CEINTURER** v. tr., d'abord *ceincturer* (1549), rare entre 1636 et 1866, s'est répandu dans la seconde moitié du XIXe siècle. Du sens propre procède la valeur analogique de «entourer de ses bras comme d'une ceinture» (1859), le plus souvent avec l'intention de neutraliser.

CEINTURON n. m. (1579) conserve la valeur augmentative du suffixe *-on*, désignant une grosse ceinture, notamment dans l'uniforme militaire. ➛ Il a servi à former **CEINTURONNIER** n. m. (1800), nom d'ouvrier désignant celui qui fait ceintures et ceinturons.

CÉLADON n. m. est tiré (1617) du nom d'un personnage de *l'Astrée*, roman pastoral d'Honoré d'Urfé (1607), amant délicat et passionné dont le costume de berger était agrémenté de rubans verts. Le nom de ce héros est repris par allusion littéraire au latin *Celadon*, nom d'un guerrier dans les *Métamorphoses* d'Ovide. Le mot latin est calqué du grec *Keladôn*, proprement «le retentissant», employé comme nom d'un fleuve, substantivation de l'adjectif de même forme dérivé de *kelados* «bruit, clameur» dit de gens qui se battent, se disputent, de cris, de la lyre. Ce mot, avec une suffixation en *-dos* que l'on retrouve dans des termes de sens voisin, peut se rattacher à *kelaruzein* «bruire», *kelôr* «cri, voix» et, hors du grec, au latin *calare* «appeler», *clamare* (→ clamer).

♦ En référence à la couleur des rubans du costume du berger Céladon dans *l'Astrée*, le mot exprime une nuance de vert tendre, comme adjectif et substantif, s'employant par métonymie comme nom d'une porcelaine de cette couleur. ◇ En référence au tempérament du héros, le mot a désigné familièrement, souvent par ironie, un amoureux fidèle, sentimental (1686).

CÉLÈBRE adj. est emprunté (1532) au latin *celeber* «nombreux, en grand nombre», surtout en parlant d'un lieu, «fréquenté» (souvent joint à *frequens* dont il est synonyme, → fréquent). Le mot s'est employé notamment à propos des jours de fête religieuse attirant une grande affluence et, de là, par l'intermédiaire d'emplois du verbe *(celebrare sacra, celebrare aliquid, aliquem)*, a développé le sens de «fameux, vanté», «illustre», surtout en poésie et peu fréquent avant l'époque impériale. La formation du mot rappelle celle de *funebris* (→ funèbre); le rapprochement avec le grec *kelomai* «je pousse, j'excite» est incertain.

♦ Le sens d'emprunt, «solennel, éclatant», «somptueux», a décliné après le XVIIe s.; il est encore mentionné dans le dictionnaire de Trévoux en 1771. Le sens moderne, «dont le nom est partout vanté», serait attesté dès 1532 (Rabelais) selon certains, mais n'entre véritablement dans l'usage qu'au XVIIe s. (1636), quelquefois en mauvaise part *(tristement célèbre)*.

► La dérivation directe se limite à **CÉLÉBRISSIME** adj., mot tardif (XXe s.), d'emploi ironique ou familier.

CÉLÉBRER v. tr. est un emprunt précoce au latin classique *celebrare* (de *celeber*) «visiter en foule» puis «fêter solennellement (un jour, un rite, une fête)», impliquant l'idée d'une participation nombreuse et d'une assemblée solennelle. C'est la première valeur du mot (1119) d'où, par héritage du latin d'église, «célébrer la messe» (1174; en emploi absolu, 1299). De bonne heure, il signifie également «marquer un événement par une cérémonie» (1160) et «honorer qqn, le louer publiquement» (v. 1160) d'où «faire l'éloge de qqn, qqch.» *(célébrer la mémoire de qqn)*.

CÉLÉBRATION n. f. est emprunté (v. 1175) au latin classique *celebratio* «solennité, action de célébrer», spécialement en latin chrétien «action de célébrer la messe» (Ve s.). ➛ Le mot désigne l'action de célébrer une cérémonie, une fête, d'abord en parlant du Christ au moment de la Passion.

CÉLÉBRITÉ n. f. est emprunté (XIVe s.) au latin *celebritas* «cérémonie solennelle» et «caractère de ce qui est vanté». ➛ Le mot est d'abord le doublet sémantique de *célébration*, jusqu'à la fin du XVIe siècle. ◇ Il s'en distingue ensuite en gardant uniquement le sens de «qualité de ce qui est connu» (1508-1517) qui, lorsqu'il est appliqué à un lieu, réactive la valeur étymologique «qualité de ce qui est très fréquenté». Les sens de «solennité» (1680) et «caractère de ce qui est fréquenté» (1548) ont disparu. ◇ Par métonymie, le mot désigne une personne célèbre (1831), surtout au pluriel.

CELER v. tr. est hérité (v. 980) du latin *celare* «cacher», mot ancien et usuel appartenant à une racine indoeuropéenne *°kel-*, représentée dans un grand nombre de mots latins (→ cellule, cil, clandestin, couleur, occulte) et dans le celtique *celim* «je cache», l'ancien haut allemand *helan* «cacher», l'ancien islandais *háll* «rusé», en grec même, sous la forme élargie *kaluptein* «couvrir, cacher».

♦ Le mot, qui signifie «tenir caché, dissimuler», a pâti de la concurrence de *cacher* dans l'usage courant et fonctionne de nos jours comme son doublet stylistiquement noble et archaïque.

► Les préfixés sont beaucoup plus vivants que le verbe simple. ➛ **RECELER** v. tr. (v. 1170), composé préfixal de *celer*, a évolué vers le sens de «détenir» dans l'usage courant et la langue juridique (1398); en est sorti le sens figuré de «posséder (une qualité, un vice)» (1680). ➛ Il a pour déverbal **RECEL** n. m. (1180), ancien synonyme de «secret», qui a pris le sens local concret de «cachette» (v. 1460) et reçu son sens courant, «fait de conserver illégalement un bien volé», dans le cadre du droit pénal (1810, Code pénal). ◆ **RECELEUR, EUSE** n. (1324) a suivi la même évolution vers une spécialisation juridique. **DÉCELER** v. tr. (1188), «dévoiler ce qui est caché», est surtout répandu avec le sens figuré de «être l'indice de, faire connaître» (1564). ◆ Il a donné **DÉCÈLEMENT** n. m. (1546), substantif d'action peu usité, et **DÉCELABLE** adj. (1897), auquel répond un antonyme **INDÉCELABLE** adj. repéré antérieurement (1833).

CÉLERI n. m., d'abord *scellerin* (1419) puis *seleris* (1651), est emprunté au lombard *seleri* (forme au pluriel correspondant au toscan *sèdano*) issu du bas latin *selinon* «persil», «céleri», calqué sur le grec *selinon*, terme encore usité en grec moderne dont on ignore s'il est autochtone ou emprunté. Le dérivé de ce dernier, *Sélinous*, est un toponyme attesté en Sicile *(Sélinonte)* et, avec un autre suffixe en mycénien, proprement «lieu riche en céleri».

♦ Le mot désigne une plante dont deux variétés sont cultivées, l'une pour ses pétioles, l'autre pour ses racines. La première est dite *céleri en branches*, l'autre *céleri-rave* (attesté 1782). Par métonymie, le mot désigne ces parties comestibles : *salade de céleri, céleri rémoulade.*

CÉLÉRITÉ n. f. est emprunté (1358) au latin classique *celeritas* «rapidité (du corps, de l'esprit, etc.)», de *celer* «prompt, rapide, hâtif», usuel mais plus rare en bas latin, qui a fourni en français l'adjectif rare **CÉLÈRE** (1520 comme latinisme; puis fin XVIIIe s.). *Celer* évoque, pour le sens, le grec *kelês* «cheval de course, bateau de course», dérivé en *-êt-* d'un thème verbal (*kellein* «mettre en mouvement»), et le sanskrit *kălayati* «pousser».

♦ Le mot, avec le sens de «promptitude dans l'exécution», appartient à l'usage littéraire ou écrit. Il est passé dans le langage scientifique (1751) pour désigner la vitesse d'un corps en mouvement, la vitesse de propagation d'une onde.

▸ Du radical du latin *celer* est tiré, avec l'élément *-fère* du latin *ferre*, **CÉLÉRIFÈRE** n. m., nom (1794) d'une voiture publique rapide, repris pour désigner un cycle à deux roues mû par la pression des pieds sur le sol, ancêtre de la bicyclette, à la mode sous le Directoire, comme la *draisienne.*

CÉLESTE adj. est emprunté (v. 1050) au latin *caelestis* «du ciel», «qui se rapporte aux dieux», au figuré «excellent, exquis», employé par les auteurs chrétiens (depuis saint Hilaire) au sens de «venant de Dieu, divin» et substantivé comme appellatif de Dieu et, au pluriel, des cieux ou des bienheureux. Il est dérivé de *caelum* (→ ciel).

♦ Le mot est introduit avec sa valeur religieuse, d'abord dans l'expression *seignour céleste*, en parlant de Dieu. Il s'implante dans le vocabulaire mystique avec des mots comme *époux, pain, lumière.* Jusqu'au XVIIe s., il est substantivé au sens d'«ange». ◇ Par une extension hyperbolique (1534), il qualifie toute chose ou personne présentant des caractères de la perfection surnaturelle. ◆ Spécialement, en vertu de la qualité de l'empereur de Chine, considéré comme d'essence divine, l'ancienne Chine reçut le nom de ***Céleste Empire*** et les Chinois l'appellation familière *les Célestes.* ◇ Le sens littéral neutre de «relatif au ciel» (1534, Rabelais) a bientôt été réservé au style poétique, sauf dans ***voûte céleste*** «firmament».

▸ **CÉLESTEMENT** adv. (1544) n'a cours que dans le style littéraire et poétique.

CÉLESTA n. m., mot créé par Auguste Mustel (1886), à partir de l'adj. *céleste*, désigne l'instrument à percussion et à clavier, de son cristallin, dont Mustel était l'inventeur.

◈ voir CÉLESTIN.

CÉLESTIN, INE n. m. et adj. d'abord attesté en latin médiéval ecclésiastique (av. 1434, *caelestinus*) puis en français (1547, mais probablement antérieur), est tiré du nom propre de *Célestin* que prit le fondateur de cet ordre monastique lorsqu'il fut élu pape, sous le nom de *Célestin V*, en 1294. *Célestin* est issu de *Céleste*, autre nom de saint, du latin *caelestius* «qui appartient au ciel» (→ céleste).

♦ Le mot désigne le moine d'un ancien ordre religieux rattaché à l'ordre de saint Benoît, autorisé en 1263 par le pape Urbain IV, officiellement approuvé en 1274 par Grégoire X puis en 1294 par Célestin V. Cet ordre se développa principalement en Italie où il se maintint jusqu'à l'occupation napoléonienne (1807-1810); il fut introduit en France sous Philippe le Bel dès 1300, établissant ses premiers prieurés dans les forêts d'Orléans, Compiègne et son premier monastère à Paris en 1352. Déjà amoindri au XVIIe s. et au XVIIIe s., il fut définitivement ruiné sous la Révolution. ◇ L'adjectif que l'on tiré de *célestin* (1547) est entré dans la locution ***à la célestine,*** spécialement employé en gastronomie au XIXe s. (1853, *omelette à la célestine*).

CÉLIBAT n. m. est emprunté (1549) au latin *caelibatus* de même sens (depuis Sénèque), dérivé de l'adjectif *caelebs* «célibataire» en parlant des hommes, des animaux, des plantes et, par métonymie, des choses. Ce mot a une physionomie de type populaire à diphtongue en *a;* on a tenté de le rapprocher du sanskrit *kévalaḥ* «particulier à, seul, entier» et du vieux slave *cĕglŭ* «seul», sans parvenir à expliquer ses relations.

♦ Le mot, d'abord employé dans un contexte religieux en parlant des prêtres, désigne l'état de celui qui n'est pas marié. Par euphémisme, il est employé à propos d'une période de chasteté à l'intérieur du mariage (1845).

▸ **CÉLIBATAIRE** adj. et n., dérivé tardif (1711), qualifie et désigne la personne qui vit dans le célibat, en concurrence avec les expressions usuelles *vieux garçon* et *vieille fille*, familières et, pour la seconde, péjorative. Le mot, fournissant un contraire à *marié*, est devenu usuel. Il s'emploie en apposition dans *mère-célibataire* (1961), désignation remplaçant *fille-mère* considéré comme péjoratif. ◇ Par une métaphore inattendue, on appelle *électron, nucléon célibataire*, dans un atome, celui qui n'est pas apparié.

CELLIER n. m. est emprunté (déb. XIIe s.) au bas latin *cellarium* «garde-manger, office». Celui-ci est dérivé de *cella* «petite chambre», également «magasin», «chapelle d'un temple» (d'où *cella, celle* en archéologie), spécialement en latin chrétien «cellule de moine» (→ cellule). Ce mot est apparenté, avec une idée accessoire de cachette, de retraite, au verbe *celere* (→ celer) sans que l'on puisse expliquer sa géminée, peut-être expressive ou dialectale.

♦ Seul le sens de «chambre à provisions» est passé en français. Par extension, le mot est employé à propos d'une pièce fraîche où l'on conserve vin et denrées.

▶ **CELLÉRIER, IÈRE** n. (v. 1175), «religieux préposé au soin du cellier dans un couvent», représente le latin chrétien *cellarius, cellerarius* «économe responsable du *cellarium*». Il a vieilli au profit de termes généraux comme *économe, intendant.*

CELLOPHANE n. f., mot employé en français av. 1924 («la cellophane est un dérivé de la cellulose, fabriquée en France sous forme de feuilles transparentes...», Ch. Fabry, *Société française de physique,* 4 avril 1924), est un terme forgé par le Suisse J. E. Brandenberger qui mit au point en 1911 la machine pour sa fabrication continue. Le mot est composé du radical de *cellulose**, de la voyelle de liaison *o* et de l'élément suffixal *-phane* «qui paraît» (→ diaphane). Il est difficile de déterminer si le français a emprunté le mot à l'allemand ou à l'anglais, où ce nom de marque déposée existe dès 1912.

♦ Le mot, devenu usuel, désigne une pellicule transparente obtenue à partir de la cellulose et de la viscose et employée notamment pour le conditionnement des produits alimentaires et médicamenteux.

✳ **CELLULE** n. f. est emprunté (1429, selon Bloch et Wartburg) au latin *cellula,* diminutif de *cella* «chambre» (→ cellier). *Cellula* «petite chambre» a pris à basse époque le sens de «loge de prisonnier» (av. 410) et, dans les textes chrétiens, celui de «demeure individuelle d'un moine», s'employant également par humilité à propos d'un petit monastère, d'une église ou chapelle privée, sens assumé aussi par *cella* d'où viennent les noms de lieux *La Celle, La Selle.* Il a reçu en latin médiéval des acceptions techniques en anatomie (1110-1120) et en botanique (1256-1260).

♦ Le mot est introduit comme nom de la chambre d'un religieux dans un monastère, puis du logement clos réservé aux cardinaux réunis en conclave (1690). Les extensions hors du domaine religieux sont plus récentes, à propos d'une petite pièce où l'on enferme séparément les prisonniers (1801), les malades dans un établissement psychiatrique. ◆ Par analogie, avec l'idée d'une structure close, et d'après le latin médiéval, le mot reçoit plusieurs acceptions techniques : en anatomie, il désigne une petite cavité qui se trouve dans certains organes des animaux (1503), — valeur qui annonce de loin les emplois du XIXe s. en biologie —, ou encore dans des productions naturelles comme les ruches. ◇ L'acception biologique du mot apparaît en botanique, même si Dutrochet (1824) compare déjà la «cellule» végétale à des formations analogues dans les tissus animaux. Cette métaphore est ancienne en botanique, que ce soit en latin savant, en anglais (Hooke, 1665, à propos du liège ; Grew, 1682, qui parle de *cells* et de *bladders* «vessies»), puis en français, en concurrence avec *vésicule* et parfois en rapport avec la métaphore trompeuse de l'éponge (voir ce mot). Au XVIIIe s. (*cellules adipeuses,* in *Encyclopédie,* 1752), le mot ne désigne que de petites formations creuses, ou supposées telles, appartenant au tissu dit *cellulaire* (expression usuelle en anatomie depuis le milieu du XVIIIe s.). Mais après les années 1820, avec Dutrochet, Turpin et sa *cellule intégrante* formant le végétal le plus simple, après les travaux en allemand de Schleiden (1838), surtout de Schwann (1839 ; trad. française, 1842) la *cellule,* dans une théorie cellulaire généralisée, est conçue non plus comme une «petite loge», une vésicule, mais comme formée d'une paroi, d'une *masse de la cellule* et d'un noyau (Littré-Robin, 1855, qui défendent l'emploi du mot même s'il ne s'agit pas d'une cavité). La théorie s'étend alors aux êtres vivants unicellulaires (von Siebold, 1845), mais il faut attendre 1938 pour que Dubos découvre le noyau des microbes, montrant qu'il s'agit aussi de cellules et plus tard aux tissus nerveux (Kölliker découvre le neurone en 1889). Vers 1855 (Remak, puis Virchow), le terme informe l'histologie et l'embryologie (*omnis cellula e cellula,* Virchow), usage qui se développera plus tard avec la génétique, puis suscite une discipline nouvelle, la *cytologie**. L'analyse interne de la cellule et de ses organites se développe après 1875 (Strasburger) ; elle prend plus d'importance au XXe s. selon des modèles de plus en plus complexes, en relation avec la génétique (connaissance du noyau), la microscopie électronique et jusqu'à la biologie moléculaire. Ces connaissances donnent au terme *cellule* des contenus renouvelés, la signification du mot restant la même (cf. des cas analogues pour *atome, particule, gène...*). Sur le plan lexical, un vocabulaire complexe est subordonné à *cellule* et divers syntagmes, formés avec ce mot ou avec l'adjectif *cellulaire,* deviennent usuels.
En relation de métaphore avec cet emploi scientifique, le mot entre, avec une valeur abstraite, dans le vocabulaire de la sociologie (1883, *cellule sociale*). En politique (1920, *Congrès de Tours*), il désigne l'unité de base d'un parti (communiste ou socialiste). Cette valeur d'«unité élémentaire combinable avec d'autres identiques» se réalise aussi en musique (1930), par exemple dans *cellule rythmique,* et pour désigner un petit groupe de travail, de réflexion. ◆ Enfin, en emploi concret, *cellule* désigne en aviation (1904) l'ensemble des structures de l'aile et du fuselage, et en physique un appareil logé dans une enceinte fermée (*cellule photo-électrique,* 1910).

▶ **CELLULAIRE** adj., formé en anatomie à propos de «tissus» vivants présentant de petites cavités (1740), est demeuré dans le vocabulaire scientifique avec des emplois nouveaux liés à l'embryologie : *substance cellulaire* (1776, *Encyclopédie, Suppl.*)

membrane cellulaire (1780, *Encyclopédie, Tables*), en relation avec *cellulosité* (ci-dessous). Au XIXe s., l'adjectif a suivi l'évolution de *cellule* et signifie «relatif à la cellule» (1835) d'abord en botanique, puis «composé de cellules» d'après la définition moderne en biologie. On parle aussi, abstraitement, de *théorie cellulaire*, avant la cytologie. ◇ Au XIXe s. l'adjectif passe dans l'usage courant en s'appliquant au domaine de l'habitat, notamment carcéral (1842), donnant quelques syntagmes (1845, *voiture cellulaire*) et des emplois substantivés désignant soit la mise en cellule, soit le prisonnier en cellule.

La dérivation de *cellulaire* est riche en termes de biologie avec **CELLULAIREMENT** adv. (1862) et les nombreux composés préfixés, tels **UNICELLULAIRE** adj. (1838, en botanique), **MONOCELLULAIRE** adj. (1874), **MULTICELLULAIRE** adj. (1865), décrivant des organismes d'après le nombre (ou le fonctionnement) de leurs cellules.

CELLULEUX, EUSE adj. (1740) s'est employé en botanique et en anatomie pour qualifier ce qui est divisé en cellules.

CELLULOSE n. f. est dérivé (1840) de *cellule*, avec le suffixe *-ose*, comme appellation d'une matière constitutive essentielle de la paroi cellulaire des végétaux. ◆ Cette formation semble indépendante de **CELLULOSITÉ** n. f. (1735) «caractère des tissus vivants formés de cellules (au sens ancien)», mot archaïque dès le début du XIXe siècle. Le mot a reçu des acceptions techniques (spécialement en papeterie) et est passé en biochimie. ◆ À son tour, il a donné **CELLULOSIQUE** adj. (1878) et les préfixés **NITROCELLULOSE** n. f. (1898) et **ACÉTOCELLULOSE** n. f. (1928) en chimie.

CELLULITE n. f. (1873) désigne en médecine une inflammation du tissu conjonctif cellulaire d'où, couramment, le gonflement du tissu conjonctif sous-cutané. ◆ En sont dérivés **CELLULITIQUE** adj. (1952) et **ANTICELLULITE** adj. inv. (v. 1950).

◈ voir CELLOPHANE, CELLULOÏD, CYTO-.

CELLULOÏD

CELLULOÏD n. m. est emprunté (1877) à l'anglo-américain *celluloïd* (1871), lui-même dérivé, à l'aide du suffixe *-oïd*, de *cellulose* (1835), emprunt au français *cellulose**, et qui existait déjà en anglais comme adjectif (1753). Le mot est formé d'après le latin scientifique *cellulosus*, dérivé de *cellula* (→ cellule). *Celluloïd* désigne une matière élaborée en 1870 aux États-Unis par les frères Hyatt et brevetée en 1871 pour l'usage des prothèses dentaires.

♦ Le celluloïd a été vu comme un substitut de l'ivoire (qualifié d'*ivoire factice*, 1877), employé dans la fabrication des boules de billard, peignes, bouts de pipe, placages en ébénisterie, jouets. Le mot est abrégé familièrement en *cellulo* (1929).

◈ voir CELLOPHANE.

CELTE

CELTE n. et adj., attesté dans les dictionnaires en 1732 (Trévoux) mais antérieur (cf. *celtique*) est un emprunt au latin *Celtae*, qui, comme le grec *Keltai*, viendrait d'une racine gauloise peut-être apparenté à *gal*, *gala* «grave, fort».

♦ Le mot au pluriel désigne le groupe de peuples indoeuropéens originaires d'Allemagne orientale et de régions voisines d'Europe centrale, qui s'établiront en Europe occidentale lors des Ier et IIe millénaires avant l'ère chrétienne, notamment en Gaule (→ gaulois), dans une partie de l'Espagne et en Grande-Bretagne.

CELTIQUE

CELTIQUE adj. et n. (1704 ; forme attesté en anglais dès 1656 [Blount]) qualifie ce qui a rapport aux Celtes, notamment les langues indoeuropéennes parlées par les Celtes, aussi *le celtique* n. m., comprenant le gaulois, le celtibère et les langues gaéliques (irlandais, mannois, gallois). Voir l'encadré ci-après.

▸ **CELTISME** n. m. (fin XIXe s) précédé par *celticisme* (1763) se dit des caractères propres aux Celtes et spécialement de la tendance à faire prévaloir les éléments celtes (dans une culture, une langue). ◆ **CELTOMANE** n. et adj. (1838) qualifie et désigne ceux qui font preuve de celtisme. De là **CELTOMANIE** n. f. ◆ **CELTISANT, ANTE** adj. et n. qualifie et désigne (1866) les spécialistes des langues et des civilisations celtes. ◆ *Celte* sert aussi d'élément de composition, par exemple dans **CELTIBÈRE** adj. et n. (1732) emprunt au latin tardif *celtiber*, de *Celtae* et *iber* «ibérien» et qui concerne les peuples issus des Celtes habitant la péninsule Ibérique dans l'Antiquité, au sud des Gaulois. *Celtibère* n. m. désigne la langue de ces peuples. ◆ **CELTO-BRETON, ONNE** adj. (1821) s'est dit pour «breton en tant que celte» (cf. *breton, bretonnant*).

CELUI, CELLE, CEUX, CELLES ◈

CELUI, CELLE, CEUX, CELLES pron. dém. est issu (v. 881) du paradigme latin de *ecce illi* «(voilà) celui-là», de *ecce* «voici» (→ ecce homo) employé en renforcement du démonstratif *ille* «celui-là, celà, lui, elle» (→ il, le, lui). À la suite de la simplification du lourd système des démonstratifs latins (→ ce, ceci...), *ecce illi* et ses formes fléchies sont passés en ancien français, marquant une notion d'éloignement (sphère de la 3e personne, non présente), par opposition aux représentants de *ecce iste* (→ ce). Le système complet de l'ancien français comporte, au singulier et au masculin le cas sujet *cil* (de °*[ec]ce īllī*), le cas régime accusatif *cel* (de °*[ec]ce īllŭ*) et le cas régime datif *celui* (de °*[ec]ce illui*) ; au féminin, le cas sujet *celle* (de °*[ec]ce īlla*), le cas régime accusatif et datif *celi* (de °*[ec]ce illaei*) ; au pluriel, le cas sujet masculin est *cil* (de °*[ec]ce īllī*) et le cas régime, toutes fonctions confondues, *ceus*, puis *ceux* (de °*[ec]ce īllos*) ; les formes féminines correspondantes se réduisent à *celles* (de °*[ec]ce īllas*). Seules les formes *celui, celle, ceux* et *celles* ont survécu.

♦ En ancien français, les formes de ce démonstratif sont susceptibles d'être employées comme adjectifs et comme pronoms, à l'exception de *cel*, presque toujours adjectif, et de *celui*, surtout pronom. À leur côté, on rencontre (XIVe s.) des formes renforcées de type *icil*. La spécialisation de ces formes comme pronoms semble se placer entre le milieu du XIVe s. et la fin du XVe s. (bien qu'on relève occasionnellement *celui* adjectif, encore au XVIIe s.). Liée à la disparition dans le système adjectif de l'ancienne opposition proximité-éloignement, la distinction entre les formes *cestui* et *celui*, *ceste* et

CELTIQUE (LES LANGUES CELTIQUES)

Groupe de langues constituant une branche des langues indoeuropéennes, et séparée en deux rameaux : celtique continental et celtique insulaire. Le celtique continental, comprenant à notre connaissance le gaulois* et le «celtibère» a entièrement disparu. Le celtique insulaire, parlé par les populations celtes installées en «Bretagne» (aujourd'hui Grande-Bretagne), se subdivise en **gaélique** et **brittonique.** Les parlers gaéliques subsistent encore dans l'île de Man (manxois), en Irlande **(irlandais)** et dans les hautes terres d'Écosse. Le brittonique comprend le **cornique** (Cornouailles), le **gallois** ou cymrique (Pays de Galles) et le **breton.**

Un point particulier concerne la variété du celtique attestée en France. Le **breton** est encore parlé en Bretagne, où il est connu sous deux formes normalisées depuis les années 1920 : l'une de Vannes au sud (davantage marquée par l'influence du français), et l'autre des diocèses de Cornouaille, Léon et Tréguier (Finistère et Côtes-d'Armor). Le breton a beaucoup reculé devant le français, bien qu'il soit maintenant reconnu sur le plan universitaire ; ainsi, les villes de la zone bretonnante sont linguistiquement françaises. Quoique présent sur le continent, le breton se rattache au celtique insulaire, et à sa variété brittonique : à date plus ancienne les divergences entre le breton et le cornique (attesté dans la péninsule de Cornouailles, au sud-ouest de la Grande-Bretagne) tiennent essentiellement à l'origine des mots d'emprunts, français dans le premier cas, anglais dans le second ; pour le reste, les deux langues sont très semblables, et l'on utilise le cornique pour reconstituer la préhistoire du breton.

On ne peut exclure en théorie que le parler celtique continental **(gaulois)** survivait encore dans cette partie excentrée de la Gaule lors de l'arrivée des colons brittoniques (à partir du ve s. de notre ère) ; mais rien ne suggère une influence gauloise sur le breton. En français, les seuls vestiges du celtique parlé en Gaule peuvent s'observer dans le vocabulaire, et de façon très limitée. Tout d'abord, il y a quelques mots gaulois empruntés par le latin à une date assez haute, et qui se retrouvent ultérieurement en français : notamment, les noms de véhicules de transport : par exemple *carrus* «chariot à quatre roues», cf. *char ;* de ces éléments, il faut distinguer le substrat gaulois propre au français. Après la conquête de la Gaule, un certain nombre de mots gaulois, concernant la vie rurale, sont entrés dans le gallo-roman, mais il en reste fort peu en français.

◈ voir INDOEUROPÉEN.

G.-J. Pinault

BIBLIOGRAPHIE

M. LEJEUNE, *Recueil des inscriptions gauloises,* Paris, C. N. R. S., en cours de parution depuis 1984.

H. LEWIS, H. PEDERSEN, *A Concise Comparative Celtic Grammar,* Göttingen, Vandenhoeck & Ruprecht, 1974 (3e éd. ; 1re éd., 1937).

cele, cestes et *celes* s'est affaiblie, concurrencée par l'emploi des adverbes *ci* et *là* dans *celui-ci* et *celui-là.* D'autre part, la langue connaissait depuis l'ancien français les pronoms déterminatifs *cil qui* et *cil de,* ce qui explique qu'elle dispose dès le milieu du XIVe s. de *celui qui, cele qui, ceus qui, celes qui.* Le système moderne est accompli au XVIIe s. et ne sera plus modifié.

CÉMENT n. m. est le doublet de *ciment*,* emprunté (1573) au latin *caementum* «pierre, moellon» et, à basse époque, «ciment, boue» (Vulgate).

♦ Le mot a été introduit dans la langue technique pour nommer une matière qui, portée à très haute température, modifie les propriétés d'un métal. ◇ Il a été repris en médecine dentaire pour désigner le tissu minéralisé engainant les racines des dents (1805).

▸ Le terme de chimie a produit **CÉMENTER** v. tr. (1675) qui a lui-même servi à former **CÉMENTATION** n. f. (1578, alors écrit *cimentation* sous l'influence de *ciment*), **CÉMENTATOIRE** adj. (1751) et **CÉMENTITE** n. f. (fin XIXe s.), nom donné au carbure de fer contenu dans les aciers cémentés et les fontes blanches.

CÉNACLE n. m. est emprunté (v. 1200) au latin *cenaculum* «salle à manger», surtout employé (du fait de l'usage de *cenatio, cenatorium* et *triclinium* en ce sens) à propos de la salle située à l'étage — place originelle de la salle à manger —, de la chambre haute. *Cenaculum* est dérivé de *cena* (→ cène).

♦ Le mot est passé en français par l'intermédiaire de la Vulgate, désignant une chambre haute servant dans l'Antiquité de salle à manger et de salle de réunion, spécialement, d'après le latin chrétien, la salle haute où Jésus-Christ, entouré de ses apôtres, institua l'Eucharistie, celle où ses disciples et quelques intimes se réunirent après son ascension. ◇ Par extension, le mot a été choisi par les écrivains romantiques (1829, Sainte-Beuve, *Joseph Delorme*) pour désigner une coterie littéraire ou artistique. De là, il a souvent une valeur péjorative de «cercle fermé».

▸ **CÉNACULAIRE** adj., «propre à un cénacle», est employé exceptionnellement (1905).

CENDRE n. f. est issu (XIe s.) du latin classique *cinis, cineris* (parfois féminin chez les poètes, peut-être d'après le grec *konis* «poussière») «centre, résidu de combustion», en particulier «restes des morts brûlés sur le bûcher», d'où «dépouille mortelle» et «mort, néant». Le sémantisme du mot s'est enrichi en latin chrétien, la Vulgate l'employant à la fois comme signe de deuil, de pénitence, notamment dans l'expression *cineri et sacco* «(vêtu) de toile grossière et (couvert) de cendres», et, par allusion à sa légèreté, sa fragilité, comme symbole du néant humain, sur le même plan que *poussière** : «*L'homme n'est que poussière et cendre.*» (Ecclésiaste, XVII, 31). Le seul rapprochement connu est celui du grec *konis* «poussière», encore le vocalisme ne concorde-t-il pas.

♦ Le mot désignant le résidu pulvérulent d'une matière consumée est entré de bonne heure dans l'expression ***en cendre*** (1160, cf. latin *in cinerem*) et s'emploie parfois au pluriel *(cendres volcaniques, radioactives)*. Celui-ci désigne spécialement (fin XIIe s.) les restes d'un corps incinéré, d'où la dépouille mortelle (av. 1560) et, au figuré, les restes, le souvenir (av. 1577, *cendres du passé.*) ◇ Le mot s'est spécialisé en religion (XIIIe s.) comme symbole de mortification, de deuil ou de pénitence, l'expression ***le sac et la cendre*** faisant référence à la coutume hébraïque (ci-dessus). Des cendres sont aussi utilisées dans la liturgie catholique comme symbole de la dissolution du corps (déb. XIIIe s.) : le prêtre trace une croix avec, sur le front des fidèles le premier jour du carême *(mercredi des Cendres)*, en rappel de la condition humaine et du devoir de pénitence.

▸ **CENDREUX, EUSE** adj. (1210-1216) qualifie ce qui a la couleur de la cendre et ce qui contient de la cendre ou en est couvert (XVIe s.). On rencontre dans une chanson de croisades de Thibaud de Champagne un emploi substantivé de *cendrous* au sens de «lâche». Le même mot au féminin est attesté dans quelques dictionnaires comme vieilli et péjoratif pour une femme qui ne quitte pas le foyer.

CENDRÉE n. f. (1200-1220), ancien nom des cendres du foyer, désigne spécialement le petit plomb utilisé à la chasse (1680). Il a en sport le sens de «mâchefer finement pilé recouvrant la piste d'un stade» (1924, Montherlant).

CENDRIER n. m., relevé v. 1180 avec un sens obscur, probablement symbolique («monde de misère»?), est probablement dérivé de *cendre* par calque du latin *cinerarius* «semblable à la cendre» (→ cinéraire), attesté notamment dans des inscriptions funéraires comme substantif neutre, au sens de «caveau mortuaire» (IIe s.). ◆ Le mot a désigné le linge où l'on met les cendres pour la lessive (av. 1236) et, d'après le latin, une urne cinéraire (fin XVIe s., encore chez Chateaubriand). De nos jours, il désigne la partie du fourneau où tombent les cendres (1611), au XIXe s. dans une locomotive à vapeur et, couramment, le récipient où les fumeurs font tomber la cendre de tabac (d'abord *cendrier de fumeur*, 1890).

CENDRÉ, ÉE adj. (1314) concurrence *cendreux* au sens de «qui a l'apparence de la cendre», spécialement en astronomie où il se dit de la lumière faible dont brille la partie de la Lune qui n'est pas éclairée par le Soleil (1817, Stendhal). ◇ Un verbe **CENDRER** v. tr. (1588), «donner la couleur de la cendre à (qqch.)» puis aussi «recouvrir de cendrée», a confondu avec lui son participe passé adjectivé (1635).

Par allusion à l'héroïne du conte de Perrault, **CENDRILLON** (1697), qui travaille près de l'âtre, ce mot a qualifié comme adjectif (1796), et de nos jours désigne comme nom (1808), celle qui est chargée des travaux pénibles de la maison, quelquefois avec la valeur péjorative de «servante pauvre, humiliée ; souillon».

① **-CÈNE** → **MIOCÈNE, PLIOCÈNE**

② **CÈNE** n. f. est emprunté (fin Xe s.) au latin *cena*, non au sens classique de «dîner, souper» (toutefois repris dans le domaine franco-provençal au XIIe s.), mais au sens chrétien (Vulgate) de «repas où le Seigneur se donna lui-même en nourriture à ses disciples, la veille de sa mort» et de «communion». *Cena* repose sur une forme ancienne *cesna*, elle-même de °*kersna* (à en juger par l'osque *kersnu* ; l'ombrien *šesna*). On a avancé l'hypothèse de son rattachement à la racine indoeuropéenne °*kert-* (→ décortiquer, écorce) par un développement sémantique analogue à celui de *caro* «morceau» d'où «viande» (→ chair) et du grec *daïs* «festin» en face de *daïzein* «partager».

♦ Repris en religion pour désigner le repas du soir de Jésus la veille de sa passion, le mot a développé en liturgie le sens de «communion commémorant l'eucharistie» (XIIIe s.), notamment en parlant du rite protestant. Par métonymie, il désigne une œuvre d'art représentant le repas du Christ (attesté 1704).

◈ voir **CÉNACLE**.

CÉNOBITE n. m., d'abord écrit *cenobite* (XIIIe s.), est emprunté au latin chrétien *coenobita* attesté depuis le IVe s. (saint Augustin) au sens de «moine vivant en communauté». Le mot est issu de *coenobium* «communauté, monastère», lui-même emprunté au grec tardif *koinobion* «vie en communauté» d'où «monastère». Ce mot est composé de *koinos* «commun, public», adjectif conservé en grec moderne et appartenant à une racine indoeuropéenne, peut-être la même que celle du latin *cum* «avec» (→ co-). Son second élément est *bios* «vie» (→ bio-).

♦ Terme de religion appliqué à un moine vivant en communauté, *cénobite* a reçu par extension le sens figuré de «personne austère, comme retirée du monde» ; l'opposition moine en communauté-ermite s'étant perdue.

CÉNOTAPHE n. m. est emprunté (1501) au latin *cenotaphium* (Ier s.), lui-même emprunté au grec *kenotaphion* (Xénophon) «tombeau vide à la mémoire d'un mort enterré ailleurs ou sans sépulture». Le premier élément de ce mot est *kenos* «vide», qu'on rapproche de l'arménien *sin* de même sens, lequel permet, malgré l'absence d'un adjectif indoeuropéen reconstituable, de poser une racine indoeuropéenne °*ken-*. Le second élément est *taphos* «cérémonie funèbre» et «tombe» (→ épitaphe), nom d'action dérivé de *thaptein* «ensevelir, enterrer» toujours employé pour des cérémonies funèbres et même parfois pour la crémation. Ce mot appartient à un radical °*thaph-* dont le sens originel était probablement «creuser»; il peut être rapproché de l'arménien *damb-an, damb-aran* «fosse, sépulture», permettant de poser une racine indoeuropéenne °*dhṃbh-*.

♦ Le mot a gardé le sens du grec; il est didactique.

CENS n. m. est emprunté (v. 1190) au latin *census,* dérivé (déverbal) de *censere* «évaluer le rôle et la fortune de chacun, recenser» (→ censé). *Census* désigne en latin classique l'estimation des biens des citoyens et le recensement de ceux-ci dans les différentes classes; à basse époque, il désigne l'impôt calculé d'après cette estimation (IIe s.), puis plus précisément (av. 306) la redevance due sur des terres. À époque médiévale, il est spécialisé en droit féodal au sens de «redevance due par le tenancier pour sa tenure en bénéfice» (fin VIe s.).

♦ Le mot français apparaît dans le sens féodal : «redevance due au propriétaire d'une terre». Après l'abolition de la féodalité, il est repris comme terme d'histoire romaine (1732). Sous la Restauration (1830), il se dit de la quotité d'imposition nécessaire pour être électeur ou éligible — la *Constitution de 1791* parlant, elle, d'une *contribution** — jusqu'au rétablissement du suffrage universel et à la disparition du système *censitaire* en France, en 1848.

▶ **CENSIER, IÈRE** adj. est un terme de droit féodal qualifiant celui qui doit payer le cens (v. 1190) et à qui on doit le cens (1239), spécialement le registre où sont inscrites les contributions du cens (1380).

CENSITAIRE adj. et n. est formé (1718) sur le latin *censitus,* participe passé de *censere* employé comme adjectif, attesté à l'époque mérovingienne pour «astreint au paiement d'un cens», et comme substantif désignant l'homme devant payer le cens (Xe s.); lui-même emprunté par le français *censite* (1752). ◆ Le mot est enregistré comme terme d'histoire féodale, puis employé dans le cadre de la définition de l'électeur payant le cens (*suffrage censitaire,* 1838).

CENSUEL, ELLE est emprunté (1266) au latin *censualis, censalis* «relatif au recensement des citoyens et de leurs richesses» (IIe s.) puis, à l'époque médiévale, «relatif à un tribut» et, plus particulièrement, «soumis à une redevance» en parlant d'une terre (VIe-IXe s.), de *census.* ◆ Le mot qualifie ce qui est relatif au *cens.*

◈ voir CENSÉ (et CENSEUR, CENSURE), RECENSER.

CENSÉ, ÉE adj. (1611) est le participe passé employé comme adjectif de l'ancien verbe **CENSER** «penser, réputer, croire» et «réfléchir, aviser», encore au XVIe s. «compter, réputer», «censurer, réformer». Ce mot est le représentant du latin *censere* «évaluer la fortune, le rang» (→ cens) qui, par extension, avait pris la valeur figurée de «estimer, juger». Comme d'autres termes de caractère religieux ou juridique, il se rattache à une racine verbale indoeuropéenne °*kens-* «proclamer solennellement» (en sanskrit *sams* «louer, prononcer l'éloge de», notamment «réciter les hymnes védiques»).

♦ Seul survivant du paradigme de l'ancien verbe *censer, censé* a eu le sens de «classé, rangé dans une catégorie, répertorié, estimé, évalué». Il n'a gardé que celui de «réputé, supposé» (1690), suivi d'un verbe à l'infinitif, comme dans l'adage ***nul n'est censé ignorer la loi,*** ou d'un adjectif.

▶ **CENSÉMENT** adv. (1852) signifie «selon ce que les apparences permettent de penser»; son emploi actuel relève de l'hypercorrection — le sens populaire correspondant, «à peu de choses près» (XIXe s.), a en effet disparu.

CENSEUR n. m. est emprunté au latin *censor,* dérivé de *censere* (voir ci-dessus), terme juridique signifiant «magistrat chargé d'établir le cens», d'où, en référence à la fonction de surveillance, «critique» (dès Cicéron). ◆ Le mot, introduit comme terme d'antiquité romaine, et qui peut alors passer pour un dérivé de *cens**, a également repris au latin le sens figuré de «celui qui critique autrui» (XVIe s.), souvent avec une valeur péjorative. Cette fonction étant érigée en rôle officiel, le mot désigne la personne chargée de veiller à la conformité des discours et des publications (1671, *censeur de livres*), aujourd'hui en France dans le domaine cinématographique. ◆ Dans les établissements scolaires, il a désigné l'élève choisi par le Régent pour l'aider à maintenir l'ordre (1732), devenant ensuite de 1802 aux années 1970 le titre et l'appellation du fonctionnaire chargé du contrôle des études et de la discipline dans un lycée.

CENSORIAL, ALE, AUX adj. a été dérivé savamment (1760) du radical du latin *censorius,* peut-être d'après l'anglais *censorial* (1592, en parlant d'une personne). ◆ **CENSORAT** n. m. a été fait sur le même radical (1878).

CENSURE n. f. est emprunté (1387) au latin *censura* (de *censor*) «charge, dignité de censeur», puis «jugement, examen» et, en latin chrétien, «rigueur» (IIe s., *censura divina*). ◆ Employé d'abord au sens concret de «mesure disciplinaire prise par l'Église contre un de ses membres», le mot désigne la condamnation d'une pensée, d'une doctrine par l'Église (1656, Pascal). Tout en reprenant au latin son acception spécialisée en histoire romaine (1690), il s'étend, au XVIIIe s., à la vie de la société, désignant la sanction prise dans une assemblée contre un de ses membres (av. 1791) et le contrôle officiel des publications (1790). ◇ Le sens figuré du mot est spécialement réalisé en psychanalyse (1902) par emprunt à l'allemand *Zensur,* employé par Freud dès 1897 (lettre à W. Flies) à propos de l'instance de refoulement des éléments de la vie psychique non tolérés par la société, les parents, etc. ◆ *Censure* a pour dérivé **CENSURER** v. tr. (1518), d'abord employé en religion, spécialement chez Pascal (1656), aussi dans l'usage général (1585). Le sens aujourd'hui le plus courant, comme pour *censure,* concerne le contrôle et la suppression des écrits pour des raisons politiques et policières; il est attesté sous la Restauration (1835). ◇ Le verbe a servi à former **CENSURABLE** adj. (1656).

CENT n. et adj. est hérité (fin Xe s.) du latin *centum* «cent» et, par extension, «un grand nombre», mot ayant des correspondants dans le sanskrit *çatám,* le vieux slave *sŭto,* le lituanien *šim̃tas,* l'irlandais *cet,* le gotique *hunda-* (allemand *hundert,* anglais *hundred*) et le grec *he-katon* (→ hécatombe).

♦ Le mot, adjectif numéral cardinal, a pris par extension (1050) la valeur indéterminée de «un grand nombre», surtout dans des locutions ***(faire les cent pas, les quatre cents coups...).*** ◇ Il s'emploie également (1243) comme ordinal en concurrence avec *centième,* seul ou en composition d'un plus grand chiffre. ➛ Il est substantivé (1080) avec une valeur floue de «centaine» dans l'expression *a mille et a cent* (qui préfigure la forme moderne ***des mille et des cents***), mais cet emploi a décliné après un article indéterminé (1274-1276, *un cent*). Le substantif sert à indiquer le nombre cent (1458). ◇ Précédé d'un nombre cardinal, il sert à calculer un rapport entre deux grandeurs dénombrables, la locution ***pour cent*** (1538) remplaçant dans cet emploi *sur le cent* (XIIIe s.). La locution figurée ***à cent pour cent*** «entièrement» (1924) calque l'américain *one hundred per cent.*

▶ **CENTIME** n. m. est dérivé de *cent* (décret de la Convention nationale du 24 août 1793) sur le modèle de *décime* (→ dix), proprement «centième partie du franc»; il fonctionne en alternance avec *sou* dans des expressions familières au sens de «somme infime».

POURCENTAGE n. m. (1872), après *percentage* (1842), a été dérivé de **POURCENT, POUR-CENT** n. m. (1845), «proportion d'une grandeur pour cent unités», et l'a éliminé, spécialement avec une valeur économique. Par extension, il est synonyme de *proportion* (1906).

Le préfixe **CENTI-**, tiré savamment du radical latin de *centum,* sert à former des noms désignant la centième partie d'une unité dans le système métrique : **CENTIGRAMME** n. m. (1795), **CENTILITRE** n. m. (1800), **CENTIGRADE** n. m. (1811), notamment dans *degré centigrade* (cf. *litre, gramme, grade*).

D'autres mots sont directement repris au latin : **CENTIÈME** n. m. (1170) vient de *centesimus,* adjectif substantivé par ellipse de *centesima (pars).* ◇ **CENTÉSIMAL, ALE, AUX** adj. (1804), dérivé savant du latin *centesimus,* signifie «dont les parties sont des centièmes». Il s'emploie couramment en médecine homéopathique.

CENTURIE n. f. est emprunté (XIIe s.) au latin *centuria,* dérivé à la formation peu claire de *centum* désignant un groupe de cent cavaliers, puis une division de cent citoyens. On attribue ce mot à Servius Tullius, il est peut-être d'origine étrusque, d'après Festus. Le nombre en a fluctué de sorte que *centuria* n'a plus eu avec *centum* qu'un rapport étymologique. ◇ Le mot est repris en français comme terme d'histoire romaine dans son acception administrative, puis militaire (1284). ➛ **CENTURION** n. m., emprunté au latin *centurio,* désigne (fin XIIe s.) l'officier qui commandait une centurie chez les Romains. ◇ Le mot s'est diffusé en français dans le contexte évangélique.

CENTUPLE n. m. et adj. est emprunté (v. 1370) au latin chrétien *centuplus,* adjectif tiré de *centum* et de *plicare* (→ plier), également substantivé au neutre *centuplum* «grandeur cent fois plus grande». ➛ Il est employé comme adjectif et (1643) comme substantif, notamment dans la locution adverbiale ***rendre au centuple*** (dès Corneille) par allusion biblique à Matthieu, XIX, 29. ➛ En est dérivé **CENTUPLER** v. tr. (av. 1560) qui a évincé *centuplier* (1542), forme reprise au latin chrétien *centuplicare* (IVe s., peut-être dès le début du IIIe s.), du latin classique *centuplex* «centuple».

CENTON n. m. est emprunté (1570) au latin *cento* «morceau d'étoffe ou vêtement rapiécé», spécialisé au sens figuré de «pièce composée de vers ou fragments de vers d'origines diverses» (IVe s.), et dérivé de *centum.* ➛ Le mot a été introduit en littérature et étendu à une pièce musicale formée de morceaux divers.

CENTILE n. m., enregistré en 1960, semble emprunté à l'anglais *centile,* issu par aphérèse de *percentile,* lui-même dérivé de *per cent,* traduction de l'expression française *pour cent,* avec une finale *-ile* sur le modèle de *bissextile* ou de *quartile,* et attesté depuis 1885. ➛ Le mot est employé en statistique pour désigner la centième partie d'une population ou d'un échantillon, classée suivant sa valeur.

◈ voir CENTAINE, CENTENAIRE.

CENTAINE n. f. est hérité (v. 1170) du bas latin *centena,* attesté au début du VIIe s. comme terme militaire pour une centaine d'hommes. Ce mot est le féminin substantivé de l'adjectif *centenus,* d'abord attesté au pluriel comme distributif au sens de «chacun ou chacune cent» (Caton) puis au sens de l'adjectif cardinal *centum* (→ cent) et déjà substantivé au féminin au IVe s. pour la dignité ou la fonction de centurion.

♦ Le mot signifie «cent unités» ou, par extension, «environ cent unités». Son sens temporel, «période de cent ans» (fin XVIe s.), ne s'est pas maintenu mais on peut peut-être y rattacher l'emploi de *la centaine* avec le sens de «cent ans d'âge» (1762). ➛ Quant au terme technique ancien *centaine,* attesté en ancien normand sous la forme *chaintaine* (1280), puis *centaine* (1680) «brin liant ensemble les fils d'un écheveau», il représente probablement une spécialisation : on suppose que le terme a d'abord désigné le fil d'un écheveau enroulé sur cent tours, puis l'extrémité du fil de cet écheveau. De là *mêler la centaine* «embrouiller» (XIIIe s.), à rapprocher de *perdre la centaine* «s'embrouiller», attesté au XIXe siècle.

CENTAURE n. m., d'abord *centaurus* (fin XIIe-déb. XIIIe s.) puis dès la même époque *centaure,* est emprunté au latin *centaurus,* adaptation du grec *kentauros* qui désigne d'abord des génies de la montagne et de la forêt dans la région des monts Pélion et Ossa en Thessalie, êtres réputés barbares et grossiers (Homère) et connus pour leur combat avec les Lapithes. Par suite, il désigne des monstres mi-hommes mi-chevaux et, avec ce sens, une constellation de l'hémisphère austral (IVe s. av. J.-C.). L'origine du mot est obscure : le rapprochement fait par Dumézil avec le sanskrit *Gandharvá-* doit être abandonné, tout comme l'hypothèse d'un mot reposant sur *kentein* «piquer» et *aura* «air».

♦ Le mot a été repris comme terme de mythologie et, ultérieurement, en astronomie comme nom d'une constellation (1732).

▶ **CENTAURESSE** n. f. (1838) a éliminé la forme *centaurelle* (1732).

CENTAURÉE n. f. est emprunté (déb. XIVe s.) au latin *centaurea*, proprement «plante du centaure», forme féminine parallèle au substantif neutre plus courant *centaureum* (Virgile). Celui-ci est emprunté au grec *kentaureion*, dérivé de *kentauros*, la tradition voulant que la plante ait été découverte par le centaure Chiron, précepteur de Télémaque. ◆ Le mot désigne une plante de la famille des Composées dont les fleurs et les racines ont des propriétés médicinales.

CENTENAIRE adj. et n. est emprunté (1370-1371) au latin *centenarius* «de cent, qui contient cent», spécialisé depuis saint Jérôme en parlant de l'âge et substantivé dans la Vulgate (Genèse, XVII, 17), dérivé de *centum* (→ cent) par son distributif *centenus*.

♦ Le sens général, «qui contient cent», a disparu mais *nombre centenaire* est encore rappelé dans Littré. Aujourd'hui, le mot qualifie (1539) et désigne (1778) une personne qui a cent ans ; le substantif est également affecté (1785) à la désignation d'un anniversaire revenant tous les cent ans.

▶ Dans ce dernier sens, le mot a des préfixés **BICENTENAIRE** adj. et n. m. (1855) «deux fois centenaire» et (1964) «anniversaire d'un événement ayant eu lieu deux cents ans auparavant», **TRICENTENAINE** adj. et n. m. (1922).

✳ **CENTRE** n. m. est emprunté (v. 1278) au latin *centrum* «pointe du compas», plus généralement «centre d'un cercle, d'une sphère» et par extension «milieu d'un ensemble, circulaire ou non». Lui-même est emprunté au grec *kentron* «aiguillon» qui, depuis Euclide, a en géométrie la valeur de «centre d'une circonférence», deux sens que le mot conserve en grec moderne. *Kentron* est dérivé du verbe *kentein* «aiguillonner, piquer, percer» (dans le vocabulaire médical ou militaire). Ce mot ne peut être rapproché que de formes nominales dispersées comme l'ancien haut allemand *hantag* «pointu», dérivé d'un germanique commun et le lette *sīts* «épieu de chasse». En revanche, des mots celtiques comme le gallois *cethr* «clou», l'irlandais *cinteir* sont pris au latin *centrum*.

♦ Comme d'autres termes de géométrie, *centre* oscille entre une définition rigoureuse et géométrique de «point intérieur situé à égale distance de tous les points d'une circonférence ou de la surface d'une sphère» (1529) et une acception courante approximative de «milieu» (XIVe s., *centre du monde*). Sur un plan figuré, il s'est développé en stratégie militaire (1690) ◇ En politique, *centre* vient s'ajouter (1822) à *droite* et *gauche*, par référence à la disposition des bancs des assemblées, avec plus tard des précisions du type *centre droit, centre gauche*. De là les dérivés *centrisme* et *centriste* (ci-dessous). ◇ Qualifié, il réalise l'idée d'un point de convergence ou de rayonnement, tant sur un plan concret en parlant d'un lieu *(centre commercial)*, d'une ville *(Paris, centre de la mode)*, que sur un plan abstrait, d'abord en parlant de Dieu puis d'une personne (1691, *être le centre de* «l'animateur de»), quelquefois par ironie (1856, *se regarder comme le centre du monde*). ◇ Dans le domaine de la physique mécanique, il désigne le point d'application de la résultante des forces (1680, ***centre de (la) gravité***; 1751, *centre d'attribution, d'oscillation*) ; en anatomie (1845, ***centre nerveux***) une partie reliée aux divers organes par les nerfs.
Par métonymie du centre d'un terrain de sports, et emprunt à l'anglais *centre half*, ***demi-centre*** (1924), ***avant-centre*** (1900 ; → avant) désignent des joueurs, dans un sport d'équipe.

▶ En est dérivé le verbe **CENTRER** v. tr. (1699), terme d'optique passé en mécanique (1832), et en sport (1924), ayant développé la valeur abstraite de «réunir, orienter vers» (1927). ◆ Le verbe a donné **CENTRAGE** n. m. (1834) et **CENTRATION** n. f. (1876), ce dernier se prêtant surtout à des emplois didactiques en philosophie, psychologie. ◆ **CENTREUR** n. m. désigne (1842) le dispositif de centrage pour les machines-outils.
CONCENTRER v. tr. (1611), préfixé verbal en *con-**, signifie «faire converger vers un même point», spécialement en termes militaires (1823). ◇ Il signifie en chimie «augmenter la richesse de (une solution) en éliminant ou en réduisant la partie aqueuse» (1772, au p. p. *acide concentré*). Depuis le XVIIIe s., il est employé au figuré avec le sens de «appliquer avec force (son intelligence) sur un objet unique» (1754), celui-ci ayant éliminé la valeur distincte de «refouler en soi» (1753). ◇ L'adjectif **CONCENTRÉ, ÉE** tiré de son participe passé (1762, *solution concentrée ;* au XXe s., notamment *lait concentré*), s'emploie tant au concret qu'à l'abstrait *(un esprit concentré)*. ◇ Il est aussi substantivé *(du concentré de tomates)*. ◆ **CONCENTRATION** n. f. (1732) s'est d'abord dit, probablement d'après l'anglais *concentration* (1674), du mélange intime de deux substances (jusqu'à la fin du XVIIIe s.), spécialisé en chimie (1762) et, de là, dans l'usage courant avec l'idée de «accroissement de l'intensité» (1831, Balzac). ◇ Parallèlement, il désigne l'idée de réunir en un centre (1751), spécialement en politique (1804, *concentration de pouvoir*) et en économie (1840, *concentration de capitaux*), ainsi qu'en termes militaires (1855). L'expression ***camp de concentration*** (→ camp) désigne d'abord un camp où l'on «concentre» des personnes que l'on surveille. L'emploi en allemand par euphémisme par les nazis a fait de ce syntagme un synonyme de *camp d'extermination*. ◇ Avec ce dernier sens, le mot a produit **CONCENTRATIONNAIRE** adj. (1945, D. Rousset, *L'Univers concentrationnaire*). ◆ **CONCENTRATEUR** n. m. et adj., lui aussi dérivé (1845) de *concentrer*, a des acceptions techniques en technologie, informatique et télécommunication. ◆ **DÉCONCENTRER** v. tr. (1835) se partage entre son sens administratif de «transférer les pouvoirs, les activités dans d'autres centres» et le sens figuré pronominal de «cesser de concentrer son attention sur qqch.». ◇ Le substantif d'action **DÉCONCENTRATION** n. f. (1907) possède les sens correspondants. *Se déconcentrer* est l'antonyme de *se concentrer*.

DÉCENTRER v. tr. (1841) signifie «déplacer le centre de», spécialement avec des acceptions techniques concrètes, en optique et en technologie, et au figuré «éloigner de soi le centre d'intérêt de (qqch.)». ◆ Il a servi à former trois substantifs d'action : **DÉCENTRATION** n. f. (1857), **DÉCENTRAGE** n. m. (1876) et **DÉCENTREMENT** n. m. (1907).

RECENTRER v. tr. est d'abord (1902) un terme de sports, resté vivant; il s'emploie aussi en politique pour «replacer vers le centre» et au figuré pour «recadrer» *(recentrer le débat).* ◆ **RECENTRAGE** n. m. s'emploie aussi en sport (1924) et en politique (attesté 1979).

Centre a produit d'autres dérivés en politique avec **CENTRISTE** n. et adj. (1918 adj. et n. à propos de la Russie; après 1920 en France) et **CENTRISME** n. m. (1936).

CENTRAL, ALE, AUX adj. et n. est emprunté (1377) au latin *centralis* «placé au centre», lui-même de *centrum.* ◆ Le mot qualifie comme en latin ce qui est placé au centre d'un cercle, d'une sphère et, par extension, d'un milieu donné, spécialement en géographie (av. 1820, *terres centrales*). Il est également employé dans les mêmes domaines que *centre* avec une valeur abstraite (1787), spécialement en politique en relation avec *centraliser* (ci-dessous), pendant et depuis la Révolution (av. 1793, *pouvoir central*). ◇ Le syntagme ***école centrale*** (1812) a d'abord désigné une institution créée par la Convention en 1795 et qui cesse d'exister lorsqu'apparaît en 1802 le lycée. Il se maintient pour désigner l'*École centrale des arts et manufactures* (1853), donnant lieu à des emplois elliptiques familiers au masculin (1879, «élève de l'École centrale», sorti d'usage) et au féminin *(l'École).* ◇ Un autre syntagme, *maison centrale* (1827), désigne un établissement pénitenciaire, de là l'emploi elliptique du masculin *central* «détenu d'une prison» (1878, en argot), disparu et le féminin ***centrale,*** n. f. pour «prison centrale». ◆ Le masculin *central* est également substantivé pour l'organe et, par extension, l'organisme recevant et transmettant des communications (1883), seul ou dans *central téléphonique* (1928). Le féminin **CENTRALE** n. f. désigne une usine productrice d'électricité (1927, *centrale électrique*) et un organisme centralisant des opérations, des activités, spécialement un groupement national de syndicats (1956 chez de Gaulle).

Central a produit des dérivés dans plusieurs contextes : **CENTRALEMENT** adv. (av. 1582); pendant la Révolution la série **CENTRALISER** v. tr. (1790), **CENTRALISATION** n. f. (1794), suivis par **CENTRALISATEUR, TRICE** adj. et n. (1815 comme n. m.; 1838), **CENTRALISME** n. m. (1842) employé après 1960 en politique dans ***centralisme démocratique*** (concept communiste apparu en 1918), **CENTRALISTE** n. et adj. (1845) et, par préfixation, **DÉCENTRALISER** v. tr. (1827), **DÉCENTRALISATION** n. f. (av. 1829) et **DÉCENTRALISATEUR, TRICE** adj. et n. (1845). Tous ces mots font référence à l'équilibre entre le pouvoir exécutif unique de l'État (appelé *pouvoir central* sous la Révolution, ci-dessus) et les institutions locales. Un mot du même registre *centralité* (1793, Danton) a disparu. ◆ **CENTRALIEN, IENNE** n. et adj. est dérivé (1909) de *centrale* «école centrale» pour désigner et qualifier les élèves de cette école.

-CENTRIQUE a fourni le second élément de quelques termes didactiques comme **CONCENTRIQUE** adj. (XIVe s., Oresme; *concentricus* est attesté en latin médiéval) ou, plus tard, *égocentrique*.* ◆ Récemment, avec **CENTRISME**, il a servi à former des mots critiquant le point de vue (centre) dominant en sciences humaines : **ETHNOCENTRISME** n. m. (1956) et **ETHNOCENTRIQUE** adj. (1968), ainsi que **PHALLOCENTRIQUE** adj. (v. 1965), **EUROPÉOCENTRISME** n. m., etc.

ÉPICENTRE n. m. a été formé en géophysique (1890-1902) avec l'élément *épi-**. Plusieurs siècles auparavant, le moyen français avait formé *episcentre* (1460-1461) à partir de *épicycle**. ◇ Le mot, qui désigne la zone de l'écorce terrestre la plus violemment atteinte par des secousses telluriques, a pris par transposition figurée la valeur de «point de départ, foyer» (1946). ◆ On en a dérivé **ÉPICENTRAL, ALE, AUX** adj. (1943).

◈ voir CENTRIFUGE, ÉGOCENTRIQUE, EXCENTRIQUE.

CENTRIFUGE

CENTRIFUGE adj. et n. adapte (1700) une création de Newton en latin scientifique *centrifuga* (1687), de *centrum* (→ centre) et *fuga* «fuite» (cf. la famille de *fuir*).

♦ Le mot, d'abord employé en physique *(force centrifuge),* a été repris dans diverses disciplines : botanique (1863), linguistique, physiologie. ◇ Substantivé au masculin, il désigne une machine écrémeuse (1895).

▶ En est dérivé **CENTRIFUGER** v. tr. (1871) qui a lui-même produit **CENTRIFUGEUR, EUSE** n., substantivé pour un appareil de laboratoire ainsi qu'un appareil ménager. ◆ L'antonyme de *centrifuge* est **CENTRIPÈTE** adj., transcription (1700) du latin scientifique *centripeta* créé par Newton (1687), de *centrum* et *petere* «chercher à atteindre» (→ pétition). Employé dans les mêmes domaines que le précédent, il n'a pas fourni de dérivés.

CENTURIE, CENTURION → CENT

CEP

CEP n. m. est hérité (av. 1100) du latin *cippus,* mot de formation populaire à gémination expressive, «poteau, borne», en particulier «borne funéraire» et militairement «pieu enfoncé dans le sol pour empêcher la progression de l'ennemi».

♦ Le sens d'«entrave», attesté en judéo-français, d'où par extension «chaînes d'un prisonnier», déjà archaïque au XVIIe s., s'est éteint. Le mot sert d'appellation pour une pièce de bois sur laquelle est assujetti le soc de la charrue (1386). Il est passé dans l'usage courant avec le sens de «pied de vigne, bois de la vigne» (déb. XIe s.), aussi ***cep de vigne.***

▶ **CÉPÉE** n. f. (v. 1180) désigne une réunion de jeunes tiges partant de la souche d'un arbre coupé à ras de terre, sens tombé en désuétude après 1611. Par extension métonymique, le mot désigne un taillis d'un à deux ans (v. 1635).

CÉPAGE n. m. procède de *cep* en viticulture et désigne (1573) un plant de vigne cultivée, spécialement une variété de plants donnant un certain type de vin (1867), valeur usuelle, chaque vin étant caractérisé par un terrain, un cépage et une vinification.

◈ voir CÈPE.

CERCLE. Les métaphores du cercle : la géométrie, le mouvement et la scène

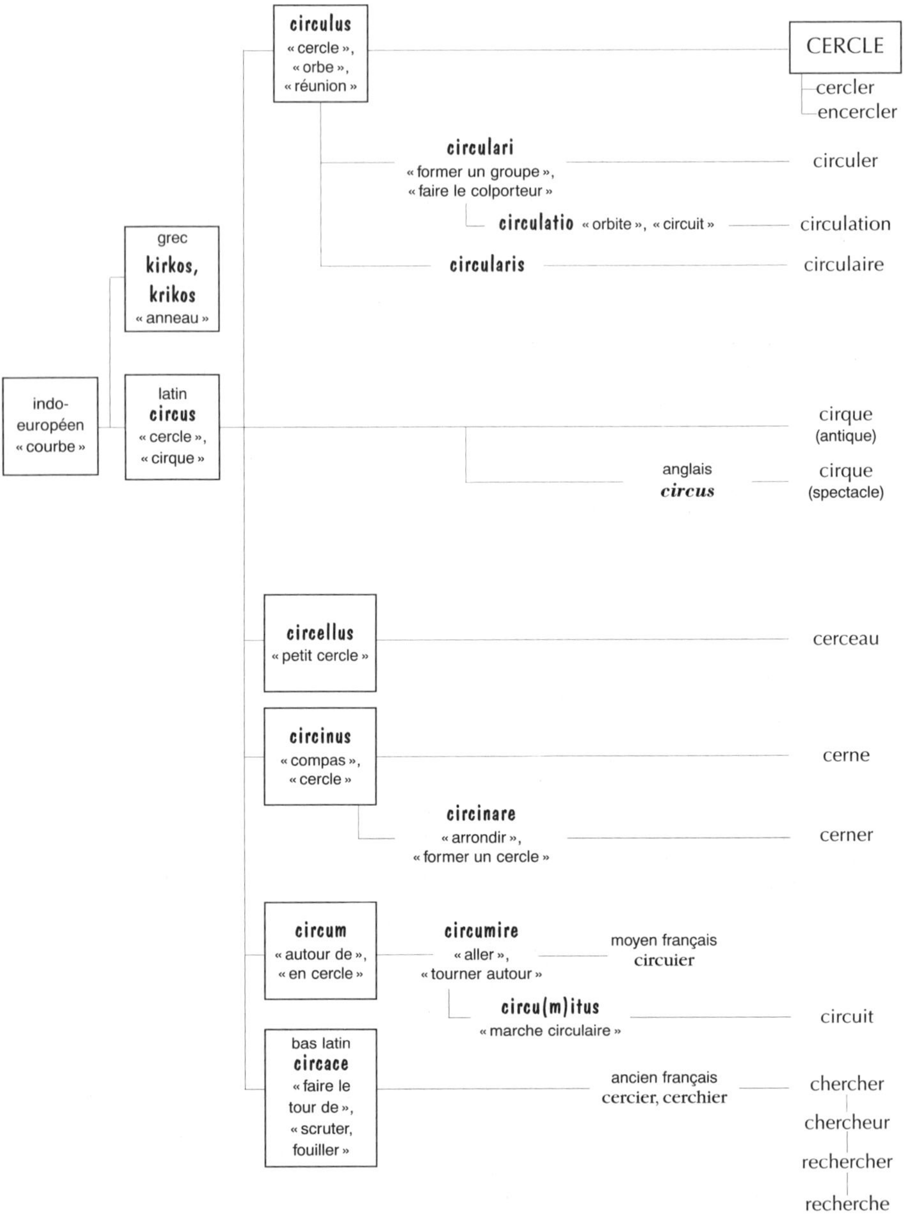

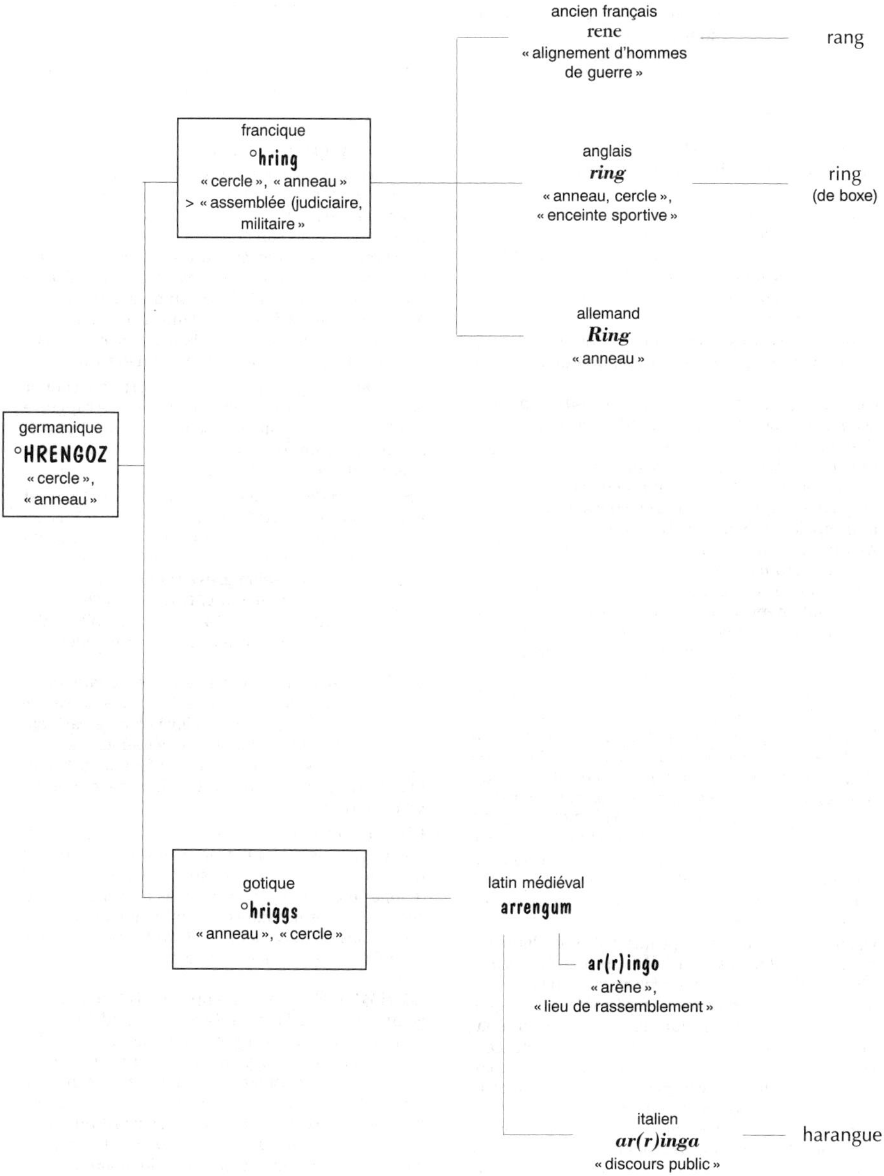
germanique
°HRENGOZ
« cercle »,
« anneau »
francique
°hring
« cercle », « anneau »
> « assemblée (judiciaire, militaire »
ancien français
rene
« alignement d'hommes de guerre »
rang
anglais
ring
« anneau, cercle »,
« enceinte sportive »
ring
(de boxe)
allemand
Ring
« anneau »
gotique
°hriggs
« anneau », « cercle »
latin médiéval
arrengum
ar(r)ingo
« arène »,
« lieu de rassemblement »
italien
ar(r)inga
« discours public »
harangue

CÈPE n. m. est un emprunt (1798) au gascon *cep* (du latin *cippus,* → cep) «tronc», nom donné par métaphore à ces champignons gros et courts, d'un grand usage en cuisine.

♦ D'abord régional, le mot s'est répandu dans tout le domaine francophone d'Europe, dépassant même *bolet,* son synonyme botanique, mais s'employant exclusivement pour le commerce et l'alimentation.

CEPENDANT → PENDANT

CÉPHAL-, CÉPHALÉ, -CÉPHALIE, -CÉPHALIQUE, entrant comme premier ou second élément dans la formation de termes de sciences naturelles et de médecine, représentent le grec *kephalê* «tête», à rattacher à des mots indoeuropéens des langues germaniques signifiant «crâne» (vieil haut allemand *gebal*) ou «faîte» (gotique *gibla*), pour lesquels on pose une racine commune *°ghebh(e)l.*

▸ Les composés les plus usuels sont des emprunts à des formations grecques par l'intermédiaire du latin.

CÉPHALIQUE adj. est emprunté (1314) au bas latin *cephalicus* «qui concerne la tête», «spécifique à la tête» en parlant d'un remède, rare avant l'époque médiévale, pris au grec *kephalikos.* Le mot, repris en anatomie, est employé en médecine et a développé des emplois spéciaux en conchyliologie et en anthropologie *(indice céphalique).*

ACÉPHALE adj. et n. est emprunté (1375) au bas latin *acephalus* (déb. IIe s.), employé en métrique pour qualifier un vers au commencement tronqué, puis également à propos de clercs non soumis à l'autorité épiscopale. Comme terme d'histoire naturelle, il est repris (XIIIe s.) au latin médiéval *acephalus,* emprunt au grec *akephalos.* ◆ Le mot signifie «sans tête» et au figuré «sans chef». Il est employé substantivement comme surnom donné à la secte monophysite des Eutychiens (1518). Le nom désigne aussi une personne sans tête, décapitée (1527). ◇ Il a reçu une acception spéciale en entomologie (1799, *insectes acéphales*) et, par extension, en botanique. ◆ Il a pour dérivés **ACÉPHALÉ, ÉE** adj. (1809, Lamarck) et **ACÉPHALIE** n. f. (1823), tous deux en zoologie, ainsi qu'un grand nombre de composés en *acéphalo-* en tératologie.

BICÉPHALE adj. (1829) signifie «à deux têtes» (→ bi-).

CÉPHALÉE n. f. est emprunté (1570) au latin *cephalaea* «mal de tête», lui-même repris au grec *kephalaia,* tiré de l'adjectif *kephalaios* «qui concerne la tête». ◆ Le mot désigne un mal de tête chronique.

ENCÉPHALE n. m. et adj. (1700) est emprunté au grec *enkephalos* «qui est dans la tête», d'où «cervelle, cerveau». ◆ Le mot a désigné, et en emploi adjectif qualifie, un ver parasite logeant dans la tête. ◇ Son emploi moderne en anatomie, comme appellation de l'ensemble des centres nerveux contenus dans la boîte crânienne des vertébrés, est attesté depuis 1806. Le mot est quelquefois repris dans la langue littéraire comme synonyme de *cerveau.* ◆ *Encéphale* a produit **ENCÉPHALITE** n. f. (1752; *encéphalithe,* 1806), qui a désigné une pierre imitant le cerveau humain avant d'être reformé avec le suffixe *-ite* (latin *-itis*), au sens médical d'«inflammation de l'encéphale» (1806), ainsi qu'**ENCÉPHALIQUE** adj. (1771). ◆ Le second élément **-ENCÉPHALE** entre dans plusieurs composés en médecine : **DIENCÉPHALE, MÉSENCÉPHALE.** ◇ Le premier élément **ENCÉPHALO-** sert notamment à former **ENCÉPHALOGRAMME** n. m. (1946), **ENCÉPHALOGRAPHIE** n. f. (1927), d'où *électroencéphalographie, -gramme* (→ électro-, art. électrique).

CÉRAMIQUE adj. et n. f. est un emprunt tardif (1806) au grec *keramikos* «d'argile», de *keramos* «terre à potier» qui, par métonymie, désigne divers objets en terre (jarre, tuile, toit); *keramos* est un terme technique sans étymologie établie. Le rapprochement du latin *cremare* «brûler» (→ cramer, crémation) semble contredit par le fait que la céramique est cuite, non brûlée. On a également évoqué le lituanien *kárštas* «brûlant», le gotique *haúri* «charbon», l'ancien haut allemand *herd* «foyer», mais le mot peut également être un emprunt.

♦ *Céramique* a pour premier sens «art de façonner et de cuire l'argile» et, comme en grec, se rapporte à la fois à l'art du tuilier et au métier d'art. Par métonymie, le mot désigne la matière obtenue après cuisson et les objets de cette matière.

▸ Sur son radical, a été formé **CÉRAMISTE** n. et adj. (1836). ◆ **CÉRAME** n. m., emprunt (1751) au grec *keramos* au sens de «poterie», a désigné un vase grec en terre cuite. ◇ Comme adjectif, il entre dans l'expression ***grès cérame*** «utilisé en céramique». ◆ **CÉRAMOGRAPHIE** n. f. (1866) et **CÉRAMOLOGIE** n. f. (av. 1974) qui l'a remplacé, désignent l'étude archéologique des céramiques.

CÉRAT n. m. est emprunté (1538) au latin *ceratum,* participe passé neutre substantivé de *cerare* «frotter avec de la cire», employé comme variante de *cerotum,* lequel rend le grec *kêrôtê* «onguent de cire et d'huile». Ce dernier est le féminin substantivé de l'adjectif *kêrôtos* «mêlé de cire», dérivé de *kêros* «cire» (→ céruse, cire).

♦ Le mot, introduit par les médecins de la Renaissance, s'emploie en pharmacie et en cosmétologie pour désigner une préparation à base de cire et d'huile; il a vieilli. Les propriétés de l'onguent varient selon les substances qu'on y ajoute, d'où les syntagmes *cérat de blanc de baleine, de saturne* (à base d'acétate de plomb), *à la rose.*

CERBÈRE n. m. est emprunté (1576), par l'intermédiaire du latin *Cerberus,* au grec *Kerberos,* nom du chien à trois têtes qui gardait la porte des Enfers. Le caractère monstrueux de l'animal et le fait que son nom est attesté depuis Hésiode invitent à voir dans ce mot un emprunt oriental. Cependant, le rapprochement avec le sanskrit *karbará-, śárvara-* (à côté de la variante *śabála-*) «tacheté, bigarré», appliqué aux deux chiens du monde souterrain, n'est pas établi.

♦ Par extension du sens mythologique, *cerbère* a pris dès le XVIe s. une signification figurée familière (on trouve chez Rabelais les adjectifs *cerbericque, cerberin*) de «gardien intraitable», reprise par La Fontaine (1668), notamment à propos d'un portier rébarbatif (1690), valeur répandue au XIXe s., mais demeurée littéraire.

CERCEAU → CERCLE

◈ **CERCLE** n. m. est issu (v. 1160) du latin *circulus*, diminutif devenu partiellement concurrent de *circus* (→ cirque, cerne) «réunion de personnes», «objet circulaire», «cercle de tonneau», également employé en astronomie, géographie et géométrie.

♦ *Cercle* garde les valeurs sémantiques du latin. Dès les premiers textes il désigne à la fois une surface plane limitée par une courbe dont tous les points sont à égale distance du centre (d'où, selon l'ancienne conception, le disque de la Terre) et un objet circulaire, en l'occurrence la couronne de métal entourant la calotte d'un heaume, puis le cerceau dont on entoure les tonneaux (1185-1188). En géométrie, il désigne la circonférence d'une figure circulaire (1265-1268). Au XVIIe s., il qualifie un objet de forme circulaire (1606) tel que le halo de la Lune. ◇ Il devient courant à propos d'un groupe de personnes dans un salon (1653), servant d'appellation à un club réuni dans un but particulier (1764). ◇ Au sens initial, il reçoit en logique le sens de «vice d'un argument qui suppose le principe qu'il doit prouver» (1690), valeur conservée dans l'expression courante ***cercle vicieux*** (1798). ◇ L'expression ***quadrature du cercle*** (1690), issue d'un emploi du mot en géométrie, est elle aussi employée couramment au sens figuré de «chose impossible à prouver» (1690).

▶ **CERCLÉ, ÉE** adj. (1160) est employé comme qualificatif d'un heaume, d'un tonneau (1690 en héraldique). ◆ **CERCLER** v. tr. (XVIe s., av. 1544) exprime l'action de disposer qqch. en cercle. Il se répand au XVIIIe s., recevant une acception technique «entourer (un tonneau) de cercles pour le consolider» (1723). Le sens extensif de «se disposer autour» (1862) a cédé au composé *encercler*. ◆ *Cercler* a produit **CERCLAGE** n. m. (1819).

ENCERCLER v. tr., apparu lui-même longtemps après **ENCERCLÉ** adj. (v. 1165, comme qualificatif d'un heaume), exprime l'idée d'«entourer (une chose) d'un cercle» (av. 1598) et «entourer à la manière d'un cercle». Il semble rare av. la seconde moitié du XIXe siècle. Il a reçu, par calque de l'allemand *einkresen*, le sens de «entourer (un État) d'un cercle d'alliances dirigées contre lui» (1914) et la spécialisation militaire «cerner l'ennemi de tous côtés» (1916). ◆ **ENCERCLEMENT** n. m., «ce qui entoure» (1578), a reçu au XXe s. les sens correspondant au verbe en géopolitique (1909), puis en art militaire (1929).

DEMI-CERCLE n. m. (1538), lexicalisation de *demy cercle* (v. 1327) puis *demi cercle*, désigne une moitié de cercle délimitée par un diamètre. *Demi-circulaire* lui correspond (→ circulaire).

CERCEAU n. m. est issu (v. 1121) du bas latin *circellus* «petit cercle», un des trois diminutifs de *circus* «cercle» (→ cirque) avec *circulus* et *circinus* (→ cerne). ◆ En français, le mot a toujours eu un sens concret et plus ou moins technique : après avoir signifié en ancien français «anneau, cercle décrit par un mouvement de révolution», il désigne un cercle de bois ou de métal en tonnellerie (v. 1200, *cercel*), en broderie, puis à propos du cirque et du jeu (1835, pour le cercle que l'on pousse avec un bâton), il s'applique aussi au cercle arrondissant les jupons et crinolines (1860). ◆ Il désigne également un demi-cercle, celui de l'axe formé par les plumes des ailes d'un oiseau (1393), en particulier l'extrémité des grandes ailes d'un oiseau de proie, l'arceau qui supporte la bâche d'une voiture (XVe s.), le joug servant à porter des seaux d'eau (1680).

◈ voir CIRCULAIRE.

CERCUEIL n. m. est issu (v. 1050, *sarqueu*), avec une forte réduction phonétique, du grec *sarkophagos* qui, par voie savante, a donné *sarcophage** et qui est formé de *sarx, sarkos* «chair, viande» et de *phagein* (→ -phage). Le mot manque aux autres langues romanes; il a des correspondants dans les langues germaniques (allemand *Sarg*). *Sarx*, terme important chez les médecins et dans l'idéologie chrétienne, a été rapproché depuis longtemps d'un verbe avestique signifiant «couper» et appartenant à une racine indoeuropéenne °*twerk-*. *Sarx* signifierait alors «part», «morceau de viande», comme le latin *caro* (→ chair). Une autre hypothèse, ingénieuse mais discutable, se fonde sur le fait que la racine signifie souvent, en avestique, «fixer, donner une forme à» et donne à *sarx* le sens de «ce qui donne sa forme à un être, notamment à un homme». ◆ Le type ancien français est *sarqueu* (1050), *sarcou* (1080), *sarcu* (v. 1155), *serqeu* (1298), encore *sarqueux* au XIVe s. (Froissart). La réfection en *-euil*, menant aux formes *sercueil* (v. 1165), *sarcueuil* (XIVe s.), ensuite écrit *cercueil* (1547), est due à la formation d'un singulier analogique par suite d'une confusion d'après l'ancienne déclinaison : singulier *-euil, -eul* pluriel *-eux* (encore dans *aïeul-aïeux*); c'est du pluriel *sarqueus* qu'on a tiré *sarcueil*, doté d'un pluriel analogique en *-euils*. Le mot a plusieurs concurrents : *bière** dans le Centre, les termes anciens *châsse** dans l'Ouest et *caisse* (de mort)* dans le midi de la France, voire des représentants de l'arabe *tâboūt* dans le Sud-Ouest.

♦ Le mot, qui signifie «long coffre dans lequel on dépose le corps mort avant de l'ensevelir», partage avec *tombe* quelques emplois en locutions figurées ***(avoir un pied dans le cercueil).***

CÉRÉALE n. f. et adj. f. est emprunté (v. 1550) à l'adjectif latin *cerealis*, adjectif de *Ceres, Cereris*, ancien neutre substantivé qui désigne la Croissance (→ croître, créer, de même racine indoeuropéenne °*k(e)re* «semence»). C'est aussi le nom de la déesse des Moissons. Aussi l'adjectif oscille-t-il entre les sens de «relatif à Cérès» et, par métonymie, «relatif au blé».

♦ L'adjectif *céréal* a eu au XVIe s. le sens de «relatif à Cérès», le substantif féminin pluriel *les céréales* désignant (1704) les fêtes en l'honneur de la déesse. ◇ Pendant la Révolution, l'adjectif s'applique aux plantes qui ont des grains farineux servant à la nourriture (1792), mais cet emploi reste rare. Seule la substantivation (*les céréales,* 1835) est véritablement vivante. Par métonymie, le mot est employé pour les grains comestibles seuls et, sous l'influence de l'anglais *cereal,* désigne les flocons de céréales consommés au petit déjeuner (pétales de maïs, en anglais *cornflakes,* etc.).

▸ Le composé didactique **CÉRÉALICULTURE** n. f. est récent (1929), tout comme l'adjectif **CÉRÉALIER, IÈRE** (1951), substantivé pour désigner les producteurs de céréales.

CÉRÉBRAL, ALE, AUX

CÉRÉBRAL, ALE, AUX adj. est formé (av. 1615; peut-être 1560 d'après Dauzat) par suffixation sur le radical du latin *cerebrum* (→ cerveau).

♦ Le mot, qui signifie «relatif au cerveau», est passé dans le langage médical (1829). À la même époque (1825), il est entré dans l'usage courant, concernant moins le cerveau que l'intelligence; il qualifie spécialement une personne dont toute l'activité semble limitée à l'intellect (1853). ◆ La phonétique le ramène à son sens étymologique, en lui faisant qualifier un son moitié nasal moitié palatal qui semble venir du cerveau (1838).

▸ **CÉRÉBRALEMENT** adv. (1857) a le double sens correspondant à celui de l'adjectif. ◆ **CÉRÉBRALISATION** n. f. (1867) est dérivé du verbe rare **CÉRÉBRALISER** v. tr., lui-même (1867) de *cérébral* en phonétique. ◆ **CÉRÉBRALITÉ** n. f. (1892) exprime l'activité intellectuelle et le caractère propre à une personne intellectuelle. ◆ Le substantif désignant l'activité du cerveau est l'anglicisme **CÉRÉBRATION** n. f. (1873), emprunté à l'anglais *cerebration* (1853), dérivé savant du radical du latin *cerebrum,* employé en psychologie. ◆ L'élément **CÉRÉBRI-, CÉRÉBRO-** est productif dans le vocabulaire médical, avec des termes comme **CÉRÉBRO-SPINAL, ALE, AUX** adj. «relatif au cerveau et à la moelle épinière» (1845), **CÉRÉBROÏDE** adj. (1878), **CÉRÉBROSIDE** n. m. (1905), **CÉRÉBRIFORME** adj. (1965), **CÉRÉBRO-SCOPIE** n. f. (1970).

CÉRÉMONIE

CÉRÉMONIE n. f. est un emprunt ancien (1226-1250) au latin *caerimonia,* mot désignant le culte, la vénération religieuse d'où, au pluriel, les observances rituelles, sens développé en latin chrétien. Les Anciens le font venir du nom de la ville étrusque *Caere* par un °*caerimo* étrusque, mais sans preuve sûre.

♦ Le mot est introduit au pluriel avec le sens religieux de «formes d'apparat qui accompagnent la célébration d'un culte, d'une fête». Il se laïcise à propos d'une solennité se déroulant suivant un plan prévu (av. 1370), l'accent étant mis sur l'apparat qui l'accompagne (1404), par exemple dans ***maître de cérémonie*** (1595). De là, il prend, dans le cadre des relations sociales, le sens de «marques conventionnelles de déférence» (av. 1500), souvent connoté péjorativement *(faire des cérémonies).*

▸ Trois adjectifs se rattachent à *cérémonie :* les dérivés **CÉRÉMONIEL, ELLE** (1374), «qui observe les fêtes réglées», et **CÉRÉMONIEUX, EUSE** (1458), «qui respecte les règles traditionnelles de la civilité» (aujourd'hui péjoratif) et «plein de cérémonie» (1468), d'où **CÉRÉMONIEUSEMENT** adv. (1782). ◆ Le troisième, **CÉRÉMONIAL, ALE, AUX** (1374, *cérimonial,* refait d'après *cérémonie*), est emprunté au dérivé bas latin *caerimonialis* (IVe s.) «relatif à la célébration du culte», substantivé au pluriel neutre au sens de «culte divin». ◇ Le mot a été repris comme adjectif au sens du latin. Depuis le XVIIe s., *cérémonial* est surtout employé comme n. m., par reprise du latin, pour «livre contenant les règles du culte catholique» (1636), puis «ensemble des cérémonies de ce culte» et laïquement (1740) «ensemble de formalités dans les solennités ou les relations sociales».

CERF

CERF n. m. est issu (1080) du latin *cervus,* dont le féminin *cerva* a été supplanté en français par *biche**. Le nom indoeuropéen du cerf était °*elen-* (vieux slavon *jelenĭ,* grec *elaphos,* → élan), mais, le nom du grand gibier étant frappé d'interdiction magique, on lui substitua l'épithète «cornu» (*elaphos keraos* en grec, *hiotr* en vieil islandais), sens du latin *cervus,* à rattacher à la racine de *cornu* (→ corne).

♦ Le mot désigne un mammifère ruminant ongulé, spécialement son mâle adulte, et les représentations (héraldiques, symboliques) de l'animal.

▸ Le radical latin a servi à former **CERVIDÉ** n. m. (1886), terme de zoologie. ◆ *Cerf* est entré dans **CERF-VOLANT** n. m. (1611), nom d'un gros coléoptère dont les mandibules dentelées évoquent les bois du cerf. ◇ Le nom homonyme du jeu (1669) est d'origine obscure : une hypothèse analyse *cerf-* comme une altération de *serpe* issu de *serps,* attesté dès le latin chrétien pour *serpens* (→ serpent). Cette appellation *serpent-volant* ferait allusion aux nombreux textes et légendes au sujet de serpents et dragons volants (déjà dans la Bible : Isaïe, XXX, 6 ; encore au XVIIIe s.) et aurait été appliquée par métaphore au *cerf-volant* artificiel en jouet. Cette hypothèse est appuyée par les noms du cerf-volant dans différentes langues où ils font penser à un oiseau, un serpent ou un dragon volant, selon un usage très répandu, notamment en Chine. ◆ On rencontre **CERVOLISTE** n. dérivé mal formé (XXe s.) pour «amateur de cerf-volant».

CERFEUIL

CERFEUIL n. m. d'abord *cerfoiz* (XIIe s.), *cerfuel* (v. 1200) puis *cerfeuil,* est issu du latin de même sens *caerefolium,* latinisation de *chaerephyllum* emprunté au grec °*khairephullon* (déduit à partir du latin). Ce mot est composé de *khairein* «se réjouir», «être joyeux», «aimer à» (→ charisme) [encore en grec moderne], que l'on rapproche de nombreux mots dans les langues indoeuropéennes : sanskrit *háryati* «désirer, aimer, avoir plaisir à», latin *hortari* (dont les composés se retrouvent dans *cohorte**, *exhorter**), ancien haut allemand *ger* «désirant», *gerōn* «désirer», arménien *jir* «don». Le second élément est *phullon* «feuille» (→ -phylle) traduit par le latin *folium,* lequel est à l'origine de l'ancien français *feuil,* éliminé — sauf dans *cerfeuil* — par *feuille**, du neutre pluriel *folia.*

♦ Le nom de la plante signifie donc littéralement «feuille de la joie», en référence aux vertus d'une de ses variétés les plus communes. Le *cerfeuil* fait partie des fines herbes.

CERISE n. f. est issu (1190) d'un latin populaire °*ceresia*, neutre pluriel pris pour un féminin singulier, du bas latin *ceresium* (VIe s.), variante apophonique de *cerasium* (qui a donné l'allemand *Kirsch*). Mot et fruit auraient été rapportés à Rome par le célèbre gourmet Lucullus après sa campagne contre Mithridate : *cerasium* est emprunté au grec *kerasion*, dérivé de *kerasos* «cerisier», mot qui vient peut-être d'une langue d'Asie Mineure, l'arbre étant originaire de la région du Pont-Euxin.

♦ Le mot désigne le petit fruit rond, rouge ou blanchâtre du cerisier, et qualifie d'autres petits fruits ronds, notamment le fruit du caféier, en français d'Afrique. Il est assez fréquent comme nom d'une nuance de rouge (1792). ➛ En argot, où il est une dénomination de la tête, il a le sens figuré de «malchance» (→ guigne).

▸ En sont tirés **CERISIER** n. m. (1165), **CERISETTE** n. f. (1310) diminutif disparu, repris avec les sens de «cerise séchée» (1863) et «boisson rafraîchissante à base de cerise» (1907), et **CERISAIE** n. f. (1397, *cherisoie*) «plantation, verger de cerisiers».

◈ voir **MERISE**.

CERNE n. m. est issu (1119) du latin *circinus* «compas, cerceau», diminutif de *circus* (→ cercle, cirque).

♦ Le sens de «cercle» s'appliquait spécialement à la magie, à propos du cercle tracé sur le sol (1230, encore au XVIIe s.); il a disparu au profit de *cercle*. ◇ *Cerne* s'est restreint au sens de «marque circulaire autour de certains objets» (1354-1377), autour des yeux, de la Lune (1458), d'une plaie (1694). Il désigne aussi un anneau circulaire sur un fût coupé en travers (1820), en concurrence avec *cercle*. Son emploi pour une tache circulaire sur une étoffe est attesté depuis le milieu du XIXe s. (1867).

▸ *Cerne* a donné directement **CERNURE** n. f., d'abord *cerneure* (1562), repris au XIXe s. avec le sens de «cerne de fatigue autour des yeux» (1863) et comme synonyme littéraire de *cerne* dans d'autres emplois.

CERNER v. tr. est issu (v. 1225) du latin *circinare* «parcourir en formant un cercle, arrondir», de *circinus*. ➛ Le mot signifie «entourer», spécialement en arboriculture «creuser un fossé autour d'un arbre» (1273) et «pratiquer une incision circulaire» (av. 1328), d'où «sortir (des noix) de la coque» (1403). Ultérieurement, il a reçu d'autres acceptions, dont la plus courante est militaire «entourer (l'ennemi)» (1798), les autres demeurant d'emploi technique, en chirurgie (1867), en arts graphiques (1858); de là, il s'est répandu dans l'usage commun avec le sens figuré de «faire le tour de (qqch., qqn)» (1897). ➛ Son participe passé **CERNÉ, ÉE** est adjectivé avec les sens correspondants, et s'emploie couramment dans *yeux cernés* (1694); il est substantivé au féminin en peinture (1863) et au masculin en céramique (1922).

CERNEAU n. m. (fin XIIIe s.), d'abord *cerniaux*, procède de l'ancien sens du verbe. Il désigne la noix à demi-mûre tirée de sa coque et, par extension, tout fruit huileux tiré de sa coque et encore vert.

CERTAIN, AINE adj. et pron. indéf., d'abord *certan* (v. 1160), puis *certain* (v. 1200), est issu d'un latin populaire °*certanus*, représenté également dans l'ancien provençal *certan* «sûr, sincère» (XIIe s.), l'ancien espagnol et l'ancien italien *certano*, et qui est dérivé du latin classique *certus* (→ certes) «sûr, fixé», participe passé adjectivé de *cernere* «discerner, décider» (→ discerner). *Certus* a donné l'ancien français *cert*, supplanté par *certain*.

♦ Le mot signifie «sûr, convaincu» en parlant d'une personne, et «assuré, indéniable» (1200), «bien établi» (1373) en parlant d'une chose. Épithète antéposée à un nom de personne (1283), il exprime une ignorance affectée, parfois méprisante *(un certain X...)* et, plus généralement, devant tout nom, une indétermination *(un certain âge)*. Il est considéré comme adjectif indéfini devant un nom sans article où il a un sens voisin de *quelques*. ◇ Cela lui vaut d'être employé comme pronom (une fois en 1634, à nouveau 1863). ◇ Il n'a pratiquement pas conservé ses anciens emplois substantivés (1374) pour «caractère de ce qui est sûr» et «ce qui est sûr» (1567), sauf en termes de Bourse et de change (1738).

▸ Le dérivé **CERTAINEMENT** adv. (v. 1165) est très courant avec le sens secondaire de «assurément» en renfort d'une affirmation.

Le préfixé **INCERTAIN, AINE** adj. (1329) a été formé sur *certain* d'après le latin *incertus* «qui n'est pas précis, pas fixé, sur quoi on n'a pas de certitude», substantivé au neutre *incertum* «ce qui n'est pas sûr». Le mot français qualifie ce qui n'est pas fixé à l'avance, ce qui n'est pas sûr (1501), dont le résultat est douteux (1531), dont la nature n'est pas nette, claire (1556). ◇ Il s'applique également à une personne qui est dans l'ignorance au sujet de qqch. (fin XIVe s.) ou qui, par tempérament, manque de détermination (1555), en emploi absolu ou avec un complément (*incertain de*, 1564). ◇ Il est substantivé depuis le XVIe s. (1559).

CERTITUDE n. f. est emprunté au dérivé bas latin *certitudo* «caractère de ce qui est sûr, conviction», spécialement en latin chrétien «conviction chrétienne». ◇ Il est d'abord attesté dans son sens objectif (1375) puis subjectif (1462). ➛ Par composition, il a servi à former **INCERTITUDE** n. f. (1495-1496) «caractère de ce qui n'est pas assuré», également «caractère de ce qui est imprévisible» (1557) et *(une certitude)* «chose incertaine mal connue» (1636). Il désigne aussi l'état d'une personne qui doute (1538). ◇ Le mot est spécialisé en physique dans *principe d'incertitude* (1934), énoncé en 1927 par Heisenberg (1901-1976).

◈ voir **CERTIFICAT**.

CERTES adv. est issu (1050) d'un latin populaire °*certas*, accusatif féminin pluriel de *certus* (→ certain, certificat) ayant remplacé, avec une valeur adverbiale d'affirmation, l'adverbe classique *certo* «certainement», ablatif de *certus*. Ce dernier est le participe passé de *cernere* (→ décerner, discerner). °*Certas* a pu être formé d'après *primas*, d'où vient l'ancien français *primes* «premièrement».

♦ Jusqu'au XVIe s., le mot est usuel et possède plusieurs nuances, «sérieusement, fixement, attentivement»... Il s'emploie dans des locutions comme *à certes, pour certes,* également *à droites certes* «dans le même sens», qui ont disparu. Au XVIe s., on y a vu à ce point une exclamation habituelle des Huguenots qu'on l'a employée par métonymie au sens de «Huguenot». Considéré comme vieillissant, il s'est maintenu dans une valeur affirmative et concessive. Son emploi est aujourd'hui surtout affecté, à l'oral.

CERTIFICAT n. m. est emprunté (1380) au latin médiéval °*certificatum,* participe passé neutre substantivé du latin chrétien *certificare* (→ certifier).

♦ Le mot, qui désigne un document écrit attestant un fait, est souvent déterminé, selon la fonction du document *(certificat médical, de carence).* Par extension, il s'emploie aussi avec le sens figuré de «garantie, assurance» (1660). Il s'est spécialisé dans le système scolaire et universitaire, pour l'acte attestant la réussite à un examen, un concours (1836), mais tend à vieillir au profit d'autres dénominations (*brevet,* etc.).

▸ *Certificat* est familièrement abrégé en **CERTIF** n. m. (1917).

CERTIFIER v. tr., d'abord *certefier* (1172-1174), est emprunté au latin chrétien *certificare* (de *certus* «certain» et *facere* «faire») «confirmer, assurer qqn» et, en latin médiéval, «confirmer, attester (qqch.)» (843-856). Le mot signifie couramment «affirmer», d'où spécialement en droit «garantir par un acte» (1690). ◆ Son participe passé **CERTIFIÉ, ÉE** est adjectivé avec les valeurs correspondantes. Il est substantivé en droit (*certifié conforme,* 1932) et dans l'enseignement où *certifié, ée,* après avoir désigné la personne qui est munie d'un certificat (1930), s'applique surtout au titulaire du certificat d'aptitude au professorat d'enseignement secondaire ou C. A. P. E. S. (v. 1950).

CERTIFICATION n. f. est emprunté (1310) au latin médiéval *certificatio* «assurance, confirmation» (739-791) et, après avoir eu cours en moyen français, a été repris en langage juridique. En technique, il représente un anglicisme. ◆ **CERTIFICATEUR** n. m. est emprunté (1611) au latin médiéval °*certificator* «celui qui certifie», de *certificare,* pour servir de nom d'agent dans le langage juridique.

CÉRULÉEN, ÉENNE adj. est dérivé (1797, Chateaubriand) de *cérulé, ée* adjectif (1550), mot rare de la description littéraire signifiant «d'un bleu vif, d'un bleu d'azur», usité jusqu'au début du XVIIe s. et repris au XIXe s. (Bernardin de Saint-Pierre, 1814; Chateaubriand). Ce mot est emprunté au latin *coeruleus* «bleu comme le ciel», probablement dérivé en *-ulus* (on rencontre la forme *caerulus*) et *-eus* de *caelum* (→ ciel) avec dissimilation en *-r-* du premier *-l-*.

♦ *Céruléen* appartient, comme son étymon, au style littéraire avec le sens de «bleu intense, bleu sombre», quelquefois au figuré, «qui a un caractère céleste».

CÉRUMEN n. m. est emprunté (1726, selon Bloch et Wartburg) au latin médiéval *caerumen* (1275) dérivé du latin *cera* (→ cire).

♦ Le mot désigne la substance grasse, jaune, secrétée par les glandes sébacées du conduit auditif externe de l'oreille.

▸ **CÉRUMINEUX, EUSE** adj. (1735), «qui est de la nature du cérumen», est peu usité.

CÉRUSE n. f. est emprunté au latin *cerussa,* nom d'un carbonate basique de plomb employé comme fard. On a supposé pour ce mot l'étymon grec °*kêroussa* (de °*kêroessa*), lui-même apparenté au nom de la cire, *kêros. Kêros* est lié au latin *cera* (→ cire), avec l'idée d'un enduit.

♦ Le mot désigne le carbonate de plomb, et plus particulièrement, la substance blanche que l'on fabrique avec ce composé chimique, utilisée autrefois comme fard et en peinture *(blanc de céruse),* mais dont l'emploi est interdit depuis le début du XXe s. à cause de sa toxicité. ◇ Par métonymie, certains écrivains (Huysmans, 1903) en font un adjectif de couleur recherché pour «blanc» (dès 1797, Chateaubriand parle de *jour céruséen* [de la Lune]).

▸ **CÉRUSITE** n. f. (1878) «carbonate de plomb à l'état naturel», a probablement été fait à l'imitation de l'anglais *cerusit* (1850) ou de l'allemand, car le nom en a été inventé en 1845 par le géologue allemand Haidinger. ◆ **CÉRUSAGE** n. m., mot récent (1962 dans les dictionnaires), recouvre une technique d'ébénisterie consistant à remplir les pores de certains bois d'une matière dure, dont la couleur tranche avec celle du bois.

CERVEAU n. m. est issu du latin *cerebellum* «petite cervelle», diminutif de *cerebrum* «cerveau» (→ cérébral). Ce mot désigne surtout le siège de l'intelligence et aussi des sentiments comme la colère; il a des correspondants indoeuropéens dans le sanskrit *çírah* «tête», le vieil islandais *hiarni,* l'ancien haut allemand *hirni* «cerveau», le grec *kara* «tête, face» (→ chère) et *keras* «corne» (→ kéra-), qui supposent une racine commune.

♦ *Cervel* (1080), puis *cerveau (cerveaus, cerviaus),* désigne à la fois la substance cérébrale (sens actuel de *cervelle*) et l'intérieur de la tête, siège de la pensée, de l'intelligence (1175). De là, par métonymie, *un cerveau* «une personne très intelligente» (1586). ◇ Le concept anatomique qui correspond au mot *cerveau* dépend de Galien, puis de Vésale (1543) et au XVIIe s. de T. Willis (*cerebri anatome,* 1664); la description est déjà détaillée et complexe au début du XIXe s. (Bichat). C'est à cette époque que l'on étudie la *physiologie du cerveau,* puis, après les erreurs de Gall, et surtout avec Broca, les localisations fonctionnelles *(localisations cérébrales).* Ainsi les considérations philosophiques des XVIIe et XVIIIe siècles sur les rapports entre le cerveau et la pensée, et le langage, trouvent un support scientifique, notamment après les travaux de Fritsch et Hirtzig, vers 1870 (localisations fonctionnelles), et la découverte de l'électricité cérébrale (Caton, 1875; puis Hans Berger, 1902-1929). Suivent les études portant sur les structures fines du cerveau, sur la microphysiologie cérébrale, sur le cortex, sur les mécanismes comportementaux et le sommeil, qui font du cerveau un objet central de recherches fondant une nouvelle étape des sciences cognitives et humaines en même temps que de la biologie. ➜ Par métaphore, *cerveau* désigne un organe central de direction (1808), et une personne qui dirige un groupe d'action *(c'est le cerveau de l'opération).* L'expression *cerveau électronique* (1954) fut un temps à la mode pour désigner l'ordinateur.

► Le dérivé **CERVELET** n. m. (1611), proprement «petit cerveau», a un sens précis en anatomie où il est défini comme «la partie de derrière du cerveau» (Furetière). ◇ Le mot s'est employé au figuré (v. 1840) avec la valeur péjorative de «petite intelligence».

ÉCERVELÉ, ÉE adj. est issu (XIIIe s., *escervelé*) de l'ancien verbe préfixé *escerveler* (v. 1155) qui signifiait «casser la tête et faire jaillir la cervelle», puis figurément (v. 1305) «troubler l'entendement de (qqn)», et qui est sorti d'usage avant le XVIIe siècle. ◇ *Écervelé* n'a conservé que le sens figuré «qui manque de cervelle, d'entendement; déraisonnable».

Un autre verbe préfixé **DÉCERVELER** v. tr. a eu (XIIIe s.) le même sens que **ÉCERVELER**, avant de sortir d'usage. Il a été repris plaisamment par A. Jarry (1888) dans *Ubu roi* au sens concret initial (la *machine à décerveler*). ◇ Le mot comme son participe passé adjectivé **DÉCERVELÉ, ÉE** et son dérivé **DÉCERVELAGE** n. m. n'est guère employé que par référence à Jarry.

CERVELLE n. f. (1080) représente *cerebella,* pluriel neutre de *cerebellum* pris pour un féminin singulier. ➜ Le mot désigne la substance du cerveau; il est d'abord synonyme de *cervel* (ci-dessus, *cerveau*), y compris au sens figuré de «raison» (1223), mais se spécialise ensuite avec une connotation diminutive péjorative (***avoir une cervelle d'oiseau,*** au négatif, ***tête sans cervelle***). À la différence de *cerveau* et de *cervelet,* ce n'est pas un terme scientifique; au concret, il ne s'emploie normalement qu'à propos des animaux, notamment en cuisine (1690).

◈ voir CERVELAS, CERVICAL.

CERVELAS

CERVELAS n. m., d'abord *cervelat* (1552, Rabelais), est emprunté à l'italien *cervellato-a* (XVIe s.), adaptation de l'ancien milanais *zervelada,* à rattacher à l'italien *cervello* issu du latin *cerebellum* (→ cerveau), cette grosse saucisse courte étant à l'origine faite de chair et de cervelle de porc. La substitution de la finale *-as* à *-at* s'explique par l'attraction de mots comme *cadenas**.

♦ Le mot désigne un gros saucisson cuit. ◇ Au XVIIe s., il s'est dit, par analogie, d'un instrument de musique à vent, court et renflé (1845).

CERVICAL, ALE, AUX

CERVICAL, ALE, AUX adj. est un dérivé savant (v. 1560, Paré) du radical du latin *cervix* «cou, nuque», mot dont les grammairiens recommandent l'usage au pluriel *cervices,* mais dont le singulier est fréquent. Par métonymie, la nuque étant la partie du corps sur laquelle on porte des fardeaux, le mot est employé dans la langue de l'Église pour traduire le grec *trakhêlos* «cou, nuque», avec le sens de «confiance en soi, audace». Il entre dans la catégorie des noms de parties du corps terminés en *-ix* et présente un élargissement en *u (v)* du thème de *cerebrum* (→ cerveau) auquel il appartient.

♦ L'adjectif qualifie en anatomie ce qui se rapporte à la partie postérieure du cou et par extension au cou en général (la *trachée cervicale* est antérieure); il est substantivé pour désigner le muscle cervical (1805). ◇ Selon une autre correspondance, il exprime ce qui se rapporte au «col» de l'utérus (1865), au «collet» d'une dent.

► L'élément **CERVICI-, CERVICO-** a servi, et sert encore, dans la formation d'adjectifs et d'adjectifs substantivés en anatomie *(cervico-dorsal, cervico-brachial, cervico-facial),* y compris avec deux autres spécialisations *(cervico-utérin, cervico-lamellaire)* [→ cervico-occipital, art. occiput].

CERVOISE

CERVOISE n. f., d'abord *cerveise* (av. 1175) puis *cervoise* (1177-1180), est issu du latin impérial *cervesia,* mot d'origine gauloise (peut-être de la même racine que le grec de même sens *korma*) que connaît toute la zone romane. ◈

♦ La cervoise, boisson fermentée bue dans l'Antiquité et par les Gaulois, connaît une grande vogue au moyen âge, où l'on nomme par métonymie *cervoise* les débits de cette boisson. Avec l'apparition de la bière (voir ce mot), au XVe s., le mot devient un terme d'histoire.

CÉSARIENNE

CÉSARIENNE adj. et n. f. est tiré (av. 1585) de *César,* surnom de la gens Julia en usage depuis le prêteur *Sextus Julius Caesar* en 208 av. J.-C., porté par *Caïus Julius Caesar,* général et homme d'État romain (101-44 av. J.-C.), nom pris ensuite par les empereurs romains en mémoire de Jules César. L'origine du surnom est contestée : les Latins le ramènent soit à *caesaries* «chevelure (longue et abondante)», soit à *caesus,* participe passé de *caedere* «tailler, couper» (→ césure, ciseau) en l'interprétant comme «tiré du sein de sa mère par excision», d'où la formation de *césarienne.* Cependant, il s'agit là probablement d'une étymologie populaire. *Caesar* peut être un mot étrusque. Le nom propre, devenu synonyme d'«empereur», est passé en germanique (gotique *kaisar* → kaiser) et de là en vieux slave *česarĭ* «tsar» (→ tsar).

♦ Repris comme adjectif dans les manuels d'obstétrique de la Renaissance *(De l'enfantement caesarien),* le mot est entré dans *section césarienne* (1611), *opération césarienne.* Par ellipse du substantif, il a été substantivé *(une césarienne).*

► **CÉSARISER** v. tr., attesté au XVIe s. au sens de «agir comme César» (v. 1590), a été reformé en obstétrique pour «pratiquer une césarienne sur (une femme)» (mil. XXe s.).

CESSER

CESSER v. est issu (1050) du latin *cessare,* fréquentatif de *cedere* au sens de «s'en aller, se retirer» (→ céder), signifiant à la fois «s'arrêter, se reposer, rester inactif», «tarder» et «faire défaut». ◈

♦ Les anciennes acceptions, héritées du latin, ont disparu au XVIe siècle. Le mot a conservé le sens de «s'interrompre», présent dès les premiers emplois (*ne cesser de,* 1050; *faire cesser,* v. 1360). Aujourd'hui, l'emploi transitif de *cesser,* régi par un sujet animé, perd du terrain par rapport à *arrêter** et *finir**, plus usuels.

▸ Le déverbal **CESSE** n. f. (v. 1155) «fin» est employé dès l'ancien français sans déterminant dans quelques tours locutifs comme *ne prendre cesse,* sorti d'usage, et ***sans cesse*** (v. 1450), ***n'avoir de cesse que*** (v. 1199, *n'avoir ni fin ni cesse*). Il s'est maintenu dans ces quelques emplois sans déterminant. ➛ **CESSANT, ANTE** est peu usité comme adjectif, sinon dans la locution ***toute affaire cessante*** (av. 1666). ➛ Il a produit un antonyme plus répandu **INCESSANT, ANTE** adj. (1552), qui qualifie ce qui ne s'arrête pas, ne s'interrompt pas; de là un emploi pour «continuel» *(des cris incessants).* ➛ **INCESSAMMENT** adv. est la francisation, par alignement sur les adverbes en *-ment* (1358), du bas latin *incessanter* «sans s'arrêter» de *incessans,* plutôt que le dérivé de *incessant,* plus tardif. ◇ Le mot, qui correspond à «sans cesse», a pris par extension le sens de «sans délai, sous peu» (1671), devenu son emploi le plus usuel.
CESSATION n. f. est emprunté (v. 1370) au latin *cessatio* «lenteur, retard» puis «arrêt (de qqch.)» (IIe s.). Le mot, repris comme substantif d'action de *cesser,* ne s'est pas répandu dans l'usage courant; il appartient à un registre soutenu ou au langage administratif et juridique.
Le composé **CESSEZ-LE-FEU** n. m. (1945, d'un ordre militaire) a peut-être subi l'influence de l'anglais *cease-fire.*

CESTE n. m. est emprunté (XVe s.) au latin *caestus* (surtout au pluriel) «courroie garnie de plomb» utilisée par les pugilistes. Les Anciens tenaient ce mot pour le dérivé de *caedere* «couper» (→ ciseau) mais cette formation n'irait pas sans difficulté, outre que le ceste ne sert ni à couper, ni à tailler. Il s'agit peut-être d'un emprunt du latin, mais sa source n'est pas connue.

♦ Ce terme d'antiquité s'applique aussi par métonymie au combat pratiqué avec le ceste, acception également reprise au latin.

CÉSURE n. f. est emprunté (1537) au latin impérial *caesura* «coupure, taille», spécialisé en métrique depuis le IVe s., de *caesum,* supin de *caedere* «couper» (→ césarienne, ciseau).

♦ Le mot est spécialisé en métrique française puis également (1680) en métrique antique. Par analogie, il désigne un repos dans une phrase musicale. Le style littéraire l'utilise parfois au sens de «suspension» (de parole).

CÉTACÉ, ÉE n. m. et adj. d'abord *cetacée* (1542 ; encore en 1771), puis *cétacé* (1611), est d'origine incertaine, probablement issu d'une forme latine *cetacea* (seulement attestée au XVIIIe s., av. 1779) dérivée de *cetus* «cétacé, thon». Celui-ci est un emprunt latinisé au grec *kêtos* «monstre marin», qui désigne tout animal énorme vivant dans l'eau (baleine, crocodile, hippopotame). *Kêtos,* dont l'étymologie est inconnue, a pris chez Aristote le sens de «cétacé» qu'il conserve en grec moderne.

♦ On emploie d'abord l'expression *poisson cetacée* pour désigner les «tiburons», «orques», «physetères» (baleines et cachalots), les «narvals», etc., le concept de poisson correspondant alors à «animal marin de forme fuselée». Le mot est substantivé dès le XVIe s. (1556) pour désigner ce genre de «poissons». ◇ La valeur moderne du substantif correspond à la constitution d'un ordre placé à la fin du XVIIIe s. parmi les mammifères (Cuvier, Lamarck).

CÉTOINE n. f. est emprunté (1790) au latin des naturalistes *cetonia* (1775, Fabricius), lui-même d'origine inconnue. Pierre Guiraud propose l'étymon savant *ceton,* variante de *seton* «crin, soie», du latin *seta* (→ soie); d'autres évoquent une formation irrégulière sur le grec *kêtos* «monstre marin» (→ cétacé), que le sens du mot n'autorise guère.

♦ Le mot désigne un insecte coléoptère dont une espèce *(cétoine dorée)* vit en France dans les fleurs.

CÉTONE → ACÉTONE

CHABLER v. tr. (1386), d'abord attesté au participe passé sous la forme *ca-* (*bosc cablé,* 1251), est dérivé de l'ancien français *chaable,* issu du latin populaire *catabola* (→ câble) du grec *kata* (→ catapulte) et *ballein* «lancer».

♦ Ce verbe, devenu d'usage régional, signifie d'abord «abattre, faire tomber» et spécialement «gauler» *(chabler des noix).* ◇ Il a pris au XIXe s. (1863) une valeur figurée et familière «frapper, battre», aussi comme intransitif, «barder» *(ça va chabler).*

▸ Son dérivé ① **CHABLIS** n. m., d'abord adjectif (1600 *bois chablis*), désigne le bois, les arbres abattus par le vent.

◈ voir ② CHABLIS.

② **CHABLIS** n. m. est la réduction métonymique (1789; *Chably* 1718) de l'expression *vin de Chablis,* beaucoup plus ancienne (v. 1223 *vin de Chablies*), formée avec le nom d'une localité de l'Yonne, en Bourgogne, centre de la région de production de ce vin blanc sec réputé. Le nom vient de ① *chablis,* désignant un lieu où le bois est fréquemment abattu par le vent.

◈ voir CHABLER.

CHABROL, CHABROT → CHÈVRE

CHACAL n. m., d'abord *ciacale,* graphie italienne, (1646), *schakal* (1655), *chacale* (1676) puis *chacal* (1686), est emprunté au turc *çakal,* lui-même emprunté au persan *šikāl* qui le tient du sanskrit *sṛgālá* «le hurleur». Le nom grec de l'animal était *thôs,* repris par le latin *thos,* mot d'origine obscure pour lequel on a posé hypothétiquement «le dévoreur» en le rapprochant de *toinê, thôsthai* «festin offert». Le mot est attesté en anglais depuis 1603 sous la forme *jackalles* et dans un texte latin en 1631 sous la forme *Iackals'* d'où des formes françaises *iachals, iackal* (1663) et *jachal* chez Furetière (1690).

♦ Le mot désigne un animal carnivore (en Afrique, en Orient), se nourrissant surtout de cadavres, et au figuré un homme au comportement sournois et impitoyable.

CHACONNE n. f. est emprunté, sous la forme *chacone* (1619) à l'espagnol *chacone* (1592), nom d'une danse populaire à trois temps, très animée et accompagnée de castagnettes, souvent tenue pour originaire du Mexique mais en fait européenne, et probablement venue du Portugal, où *chacota* est ancien. Le mot reposerait sur l'onomatopée *tchak* imitant le bruit des castagnettes.

♦ La danse populaire a évolué au XVIIe s. en danse de cour au tempo plus lent et c'est pour désigner celle-ci, très en vogue aux XVIIe et XVIIIe s., que le mot s'est répandu en français et dans d'autres langues. Par métonymie, il inclut l'air sur lequel on danse la chaconne (1674) et se rapporte à la pièce instrumentale ou vocale inspirée de cette danse. Composée pour elle-même ou intégrée dans une *suite* (de danses) ou une *partita*, la chaconne figure dans les ballets du temps de Louis XIII, les opéras de Lully; sa structure (variations sur un thème de quatre mesures répété à la basse) a inspiré Rameau *(Dardanus)*, Bach, puis Beethoven et Brahms.

CHACUN, UNE pron. indéf., d'abord *cascune* (v. 1050) puis *chacun* (XIIe s.), est issu du latin populaire *cascúnum*, issu par croisement de *quisque (unus)* «chaque (un)», de *quisque*, du groupe de *quis* (→ qui), et de *catúnum*, contraction de *(unus) cata unum*, littéralement «un à un». *Catúnum*, formé de *cata* emprunté au grec *kata* (→ catastrophe) et de *unus* (→ un), a donné *cadhun* (XIe s.), *chaün*, supplanté par *chacun*.

♦ Le mot est employé comme adjectif jusqu'au XVIIe s. (1668, La Fontaine), avant d'être condamné par Vaugelas et définitivement remplacé par *chaque*. Il conserve sa fonction de pronom (1080). ◇ De ses anciens emplois ne demeurent que les expressions ***chacun avec sa chacune*** (av. 1250) et ***tout un chacun***, archaïsmes passés dans la langue familière.

▸ **CHAQUE** adj. indéf., d'abord écrit *chasque* (v. 1176), est dérivé de *chacun* par analogie avec *quelque/quelqu'un*. Il devient usuel au XVe s., se substituant progressivement à *chacun*, adjectif. Il tend à usurper la place de *chacun* dans un emploi irrégulier de la langue commerciale *(vingt francs chaque)*, condamné par les puristes.

CHACUNIÈRE n. f. s'emploie plaisamment par archaïsme littéraire, toujours en relation avec *chacun* ou *chaque*, dans des locutions comme ***chacun s'en va dans sa chacunière*** (1532, Rabelais) «chez soi».

CHAFOUIN, INE → FOUINE

① **CHAGRIN** → CHAGRINER

② **CHAGRIN** n. m. est l'altération (1655), sous l'influence de ① *chagrin* (de *chagriner**) de *sagrin*, attesté de manière isolée dans *peau de sagrin* (fin XVIe s.), également *chagrain* au XVIIe siècle. Le mot est emprunté au turc *ṣaġrï* «croupe d'un animal» désignant par métonymie la peau.

♦ Le mot, seul et surtout dans ***peau de chagrin***, désigne une espèce de cuir grenu, préparé avec la peau de la croupe du mulet ou de l'âne, du cheval, et utilisée en maroquinerie de luxe et en reliure. ◇ *Peau de chagrin* est passé dans l'usage *(se rétrécir, diminuer comme une peau de chagrin)* par allusion au roman de Balzac *la Peau de chagrin* (1831). La mythologie balzacienne de la peau qui rétrécit a pu rencontrer des valeurs latentes dans *chagrin, chagriner** (cf. dans les dialectes *se regrigner* «se rider, se réduire par dessiccation», «froncer, rider»).

CHAGRINER v. tr. attesté depuis 1424 est, comme l'indique la forme *chagrigner* au XVIe s., composé sur l'ancien verbe *grigner* (fin XIIe s.) «grincer des dents, faire la grimace, être maussade». Ce verbe, bien implanté dans les dialectes et repris au XIXe s. avec des sens techniques «se crisper (d'une étoffe)», «se refuser à la division des labours (d'une terre forte)», est d'origine germanique. Il est issu du francique °*grînan*, correspondant à l'ancien haut allemand *grennan* (moyen haut allemand *grennen*), ancien norrois *grenja*, vieil anglais *grennian* (anglais *to grin*). Ces mots se rattachent à un verbe germanique °*granjan*, peut-être apparenté à °*granâ* «moustache». La syllabe initiale *cha-* est obscure : si elle représente *chat**, *chagriner* signifierait proprement : «se lamenter comme les chats» (à poser en parallèle à l'allemand *Katzenjammer* «malaise causé par l'excès de boisson», de *Katz* «chat», et *katzbalgen* «se battre comme les chats»).

♦ Le mot est d'abord attesté à la forme pronominale *se chagriner*, puis transitivement (1539). L'étymologie proposée permettrait d'expliquer pourquoi il a concerné jusqu'au XVIIe s. à la fois un état de tristesse et un état de mauvaise humeur (avec les valeurs «importuner», «se fâcher»). De nos jours, la valeur de «rendre triste», liée à *chagrin*, l'a emporté.

▸ ① **CHAGRIN, INE** adj., probablement déverbal (1389) de *chagriner* malgré le léger hiatus chronologique, qualifie la personne qui ressent une peine avec amertume. Curieusement, il se maintient mieux au sens de «grognon, contrarié» dans le style littéraire *(un esprit chagrin)*. ➛ Le mot est substantivé (*le chagrin*, 1450), recouvrant un état de tristesse profonde mêlée d'amertume et, autrefois également, de «méchanceté, rudesse» (v. 1541), «ennui, lassitude» (v. 1541), encore en langue classique. Seule la première valeur a persisté.

◈ voir ② CHAGRIN.

CHAHUTER v. tr., attesté tardivement (1821), est d'origine obscure, peut-être expressive et dialectale (les dialectes du Centre possèdent un *cahuer* «huer», *cahuler, cahuter* «crier de douleur» en parlant du chien). Le second élément serait une modification de *huer**, sous l'influence de verbes de type *bahuter**; le premier proviendrait d'un rapprochement avec *chat***-huant* : en effet, toujours dans le Centre, *chavouner* — littéralement «imiter le cri du chat-huant (en se servant d'un appeau nommé *chavon*)» — signifie «proférer des cris contre une personne qui fuit, huer» et *chahuanner* «poursuivre de cris». Pour P. Guiraud, il s'agirait plutôt d'une forme de *chuter** «faire tomber», d'où *chahut(e)*, forme dialectale de *cheüte, chute* correspondant à *chaer*, variante provençale de *choir**.

♦ Le mot est rapidement passé de «danser une danse tapageuse; le chahut» au sens moderne de «faire du tapage» (1837), nuancé en «manifester bruyamment contre un orateur, un professeur», parfois «taquiner, bousculer» (1893), et aussi «tanguer» (d'un bateau).

▶ Le déverbal **CHAHUT** n. m. (1821) a désigné une danse populaire excentrique et bruyante à la mode entre 1830 et 1850, qui a donné naissance à une danse de scène voisine du cancan, à la fin du XIXe siècle. ◇ Il a suivi la même évolution (1837) que le verbe en «tapage» et «manifestation bruyante contre un professeur» (1895, Polytechnique). ➡ **CHAHUTEUR, EUSE** n. et adj. (1837) désigne et qualifie un tapageur, spécialement un écolier qui chahute (1879, Vallès).

CHAI n. m. est une forme de *quai** propre à l'Ouest (Poitou), attestée par écrit en moyen français (1482, *chaiz*, refait en *chai* au singulier, 1611). L'origine gauloise de *chai* et *quai* est contestée par Guiraud, qui y voit le latin *caius* «barreau».

♦ Le mot désigne un cellier en rez-de-chaussée, différent de la cave, notamment lorsqu'il s'agit de l'entrepôt des vins et alcools en fûts, chez le producteur. *Maître de chai* désigne le spécialiste qui veille à l'entretien de ces produits.

CHAÎNE n. f. est issu (1080) du latin *catena*, de sens propre et figuré, par l'évolution phonétique normale de *k-* à *kj-* puis *tj-*, *tch-*, enfin *ch-* comme dans *chien, chose*, et amuïssement du *t* entre voyelles (par *chadeine, chaiene*), d'où *chaiene* (1080) puis *chaisne*. *Catena*, forme passée dans toutes les langues romanes (→ cadenas, cadène) et d'autres (germaniques, celtiques), est d'origine inconnue.

♦ Le mot, signifiant «lien composé de maillons», est utilisé dès les premiers textes, en parlant des liens d'un prisonnier, puis d'un galérien (av. 1683), devenant le symbole de l'asservissement et fournissant de nombreuses locutions littéraires (***vivre dans les chaînes***, 1600). Par affaiblissement, il exprime tout lien de dépendance, sociale ou affective. Il a reçu dans le domaine technique le sens d'«élément d'un système de traction» (1684). ➡ Un autre axe de signification réalise par analogie l'idée d'une succession d'anneaux, d'une continuité : tel est le cas dans le vocabulaire du textile (1268, le fil de *chaîne* s'opposant au fil de *trame*), de la géographie (1653, *chaîne de montagnes*), de l'anatomie (1805), et plus récemment de la biologie alimentaire *(chaîne alimentaire)*. ◇ Tel est aussi le cas, ultérieurement en électronique, où *chaîne* s'applique à un ensemble d'appareils assurant la transmission des signaux. En télévision, le mot concerne l'ensemble d'émetteurs diffusant un même programme (→ canal). ◇ Dans l'industrie *chaîne* désigne figurément les différents postes de travail conduisant les uns aux autres (1863) : ce sens a donné l'expression ***travail à la chaîne***, devenue en général péjorative. Il appartient aussi (v. 1955) au langage commercial *(chaîne de vente)*. ◇ La même idée préside abstraitement à la locution ***en chaîne*** (exemple : *réaction en chaîne*, d'abord en physique atomique) et à l'emploi du mot en parlant d'une suite de personnes assemblées dans un but d'entraide (1797).

▶ En sont dérivés **CHAÎNETTE** n. f. (v. 1180, *chaanette*), **CHAÎNON** n. m. (1390; v. 1200, «corde de pendaison») également employé au figuré (déb. XVIIe s.). ➡ *Chaîne* a aussi produit trois noms d'agents spécialisés : **CHAÎNIER** n. m. (1795) en bijouterie et dans le domaine technique, **CHAÎNEUR** n. m. (1836) «arpenteur qui mesure à la chaîne» et **CHAÎNISTE** n. m. (1853) «ouvrier bijoutier qui fait des chaînes en métal précieux».

CHAÎNER v. tr., après une attestation isolée (av. 1380) au sens de «enchaîner», a été repris avec des sens techniques au XIXe s. (architecture, arpentage). Il est loin d'avoir eu la fortune des préfixés verbaux de *chaîne*.

ENCHAÎNER v. tr. (1080) signifie «charger de chaînes» et métaphoriquement (1640) «asservir, réduire en dépendance forcée». Par figure, il se dit pour «unir par succession ou lien logique» (1636), notamment au pronominal. ◇ Le participe passé **ENCHAÎNÉ, ÉE** est adjectivé au propre et par métaphore, parfois par allusion à son contraire, *déchaîné* (cf. le titre du journal satirique, *le Canard enchaîné*). ➡ Le dérivé **ENCHAÎNEMENT** n. m., d'abord au sens de «chaîne» (1386), a été repris comme nom d'action (1611), s'employant surtout au figuré (av. 1678) pour «succession de choses, d'événements liés» *(un enchaînement de circonstances)*. La valeur concrète *(l'enchaînement des prisonniers)* est rare et semble récente (1864).

DÉCHAÎNER v. tr. (fin XIIe s.) signifie d'abord «détacher les chaînes de», puis (XVIe s.) «délivrer d'une sujétion». ◇ *Déchaîner* s'est surtout répandu avec le sens figuré de «se laisser aller à ses passions de manière débridée», réalisé par son participe passé **DÉCHAÎNÉ, ÉE** adj. (v. 1460, *déchaisné*). ➡ Le substantif d'action **DÉCHAÎNEMENT** n. m. (1671) correspond au verbe.

CHAIR n. f., d'abord *car* (1050) et *char* (v. 1165), *charn* et enfin *chair* (XVe s.), résulte de l'évolution phonétique du latin *carnem*, accusatif de *caro, carnis* (→ carnage, carnassier, carnation, carnaval, carne, carnivore, caroncule). Ce mot, qui appartient à la racine indoeuropéenne *°(s)ker* «couper, partager», a dû signifier d'abord «morceau de viande» par allusion aux bêtes découpées lors des sacrifices et des repas des guerriers, puis «viande» et «chair» depuis Sénèque, par opposition à «esprit» *(animus)*. Ce dernier sens, très fréquent en latin chrétien, a donné par métonymie celui de «nature humaine» (Vulgate, Rom. VIII, 1), «monde d'ici-bas» et «Dieu incarné».

♦ Le mot français désigne d'abord l'ensemble des muscles du corps humain, la locution ***homme de chair*** (1080) exprimant l'idée d'être vivant, humain, et annonçant des formes modernes voisines *(être de chair)* et la locution ***en chair et en os***. Il désigne l'aspect de la peau (XIIe s.), notamment en peinture,

CHAIR

Carne, acharnement, charcuterie

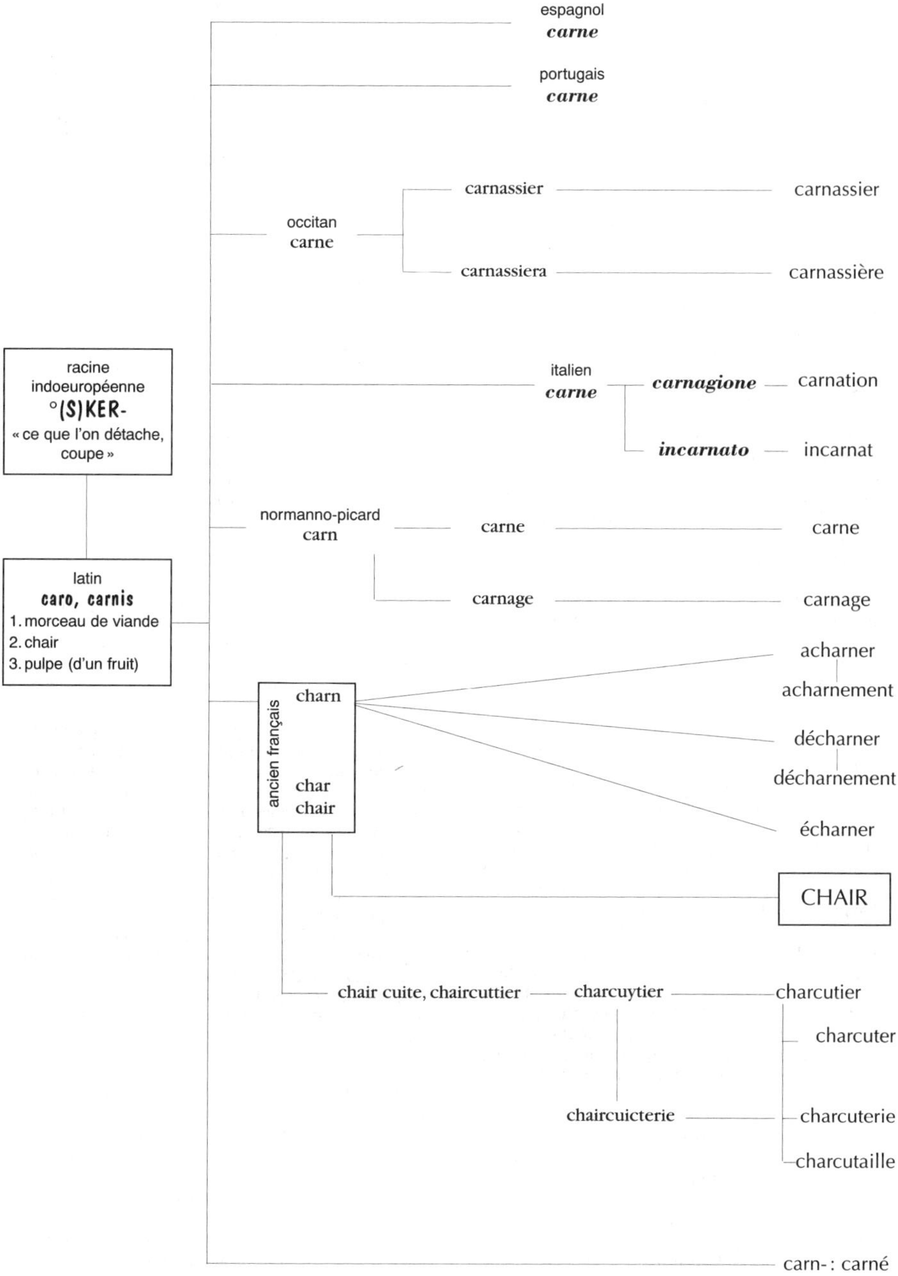

donnant son nom à une couleur (1875). Très tôt (1080), *chair* s'oppose à *esprit**, *âme**, sous l'influence de la tradition chrétienne, et draine de nombreuses réminiscences bibliques : lien de parenté (1165, par allusion à l'expression ***chair de la chair,*** Genèse), et surtout condition terrestre de l'homme, dans une conception dévalorisante (cf. *matière*). ◇ Depuis le XIe s., le mot réfère à la chair comestible des animaux, notamment des animaux à sang chaud interdits par l'Église en certaines occasions (d'où l'opposition ancienne entre *chair* et *poisson*, et la locution ***ni chair ni poisson,*** au figuré «sans caractère»). La collision formelle *chair* (succédant à l'ancien français *char* par suite de l'hésitation entre *ar* ou *er* dans la prononciation devant consonne) et *chère** a entraîné la raréfaction d'emploi du mot en ce sens au profit de *viande**. Il subsiste dans *chair à pâté, à saucisse.*

► Les dérivés directs sont formés sur l'ancienne forme *charn.* ➞ **CHARNAGE** n. m. (v. 1225) est un terme religieux désignant la période pendant laquelle il est permis de manger de la viande. Malgré son rapport avec *carême,* auquel il s'opposait, il est sorti d'usage.

ACHARNER v. tr. est d'abord attesté au participe passé **ACHARNÉ, ÉE** déjà (v. 1170) avec le sens figuré «qui s'attaque violemment à (qqn, qqch.)» dont procèdent les sens voisins «attaché passionnément à» (1240-1280) dans le domaine des sentiments et «excité, irrité» (1409). ◇ Le sens concret, plus tardif et moins courant, apparaît dans le vocabulaire de la vénerie en parlant de chiens auxquels on a donné le goût de la chair (1352-1361) et, pour le pronominal *s'acharner* (1394), avec la même valeur. Cet emploi a vieilli, de même que le sens «garnir de chair, de viande» (XVIe s., Ronsard) pour le verbe actif. ➞ Le substantif d'action **ACHARNEMENT** n. m. est enregistré par Cotgrave (1611) dans sa double acception : les sens propres, en vénerie, «action de donner le goût du sang aux chiens» et «action de garnir de chair le leurre», ne sont déjà plus attestés au-delà du XVIIe s., où s'emploie encore l'acception dérivée, «ardeur d'un animal qui s'attache à sa proie» (1680). ◇ Le sens figuré «fureur au combat» (1611), d'où «animosité opiniâtre» (1664), est de nos jours le seul usage vivant du mot. ◇ Il est réalisé en argot par la forme abrégée **ACHAR,** surtout dans l'expression ***d'antor et d'achar, d'achar et de vif*** «par force».

DÉCHARNER v. tr. en revanche, d'abord au participe passé *descarné* (v. 1200) puis à l'infinitif (v. 1280), est surtout employé au sens propre «dégarnir de chair» avec l'idée de «maigreur extrême». Le sens figuré «enlever toute étoffe, toute ampleur» (1671) concerne surtout la qualification d'un style littéraire. ➞ **DÉCHARNEMENT** n. m., dérivé tardif (1845), exprime l'état de ce qui est décharné.

CHARNEL, ELLE adj. est issu (v. 980) du latin chrétien *carnalis* «de la chair, corporel, physique» (Tertullien), spécialement «des sens» (par opposition à *spiritalis*), «impur» (saint Jérôme). Il est dérivé de *caro.* ➞ Le mot qualifie ce qui est de chair, se rapporte à la chair, spécialement dans sa signification religieuse «qui appartient au domaine de la matière, des instincts» (v. 980). Le sens spécial «relatif à l'instinct sexuel» (v. 1170) dépend lui aussi de l'héritage culturel biblique. ➞ **CHARNELLEMENT** adv. (1130-1140) en est dérivé avec les mêmes valeurs pour traduire le latin chrétien *carnaliter* de même sens. ➞ **CHARNALITÉ** n. f. (fin XIIe-déb. XIIIe s.), du latin chrétien *carnalitas,* est sorti d'usage.

CHARNU, UE adj. est issu (v. 1200) du latin populaire °*carnutus,* dérivé de *caro,* postulé par l'ancien provençal *carnut* (1350-1400), l'italien *carnuto* (XIVe s.), l'espagnol *carnudo* (fin XVe s.). ➞ Le mot qualifie ce qui est bien fourni de chair, musclé et, par analogie, un fruit dont la pulpe est épaisse (1542).

CHARNEUX, EUSE adj. est issu (v. 1314) du latin *carnosus* «de chair» (Ier s.) ou dérivé de *charn.* Ce mot de médecine ancienne a été éliminé par *charnu.*

ÉCHARNER v. tr. (XIVe s.) «décharner» s'est spécialisé techniquement pour l'opération qui consiste à nettoyer une peau de ses chairs en vue du corroyage. ➞ Le nom de cette opération, **ÉCHARNAGE** n. m. ou **ÉCHARNEMENT** n. m. est enregistré en 1790 dans l'*Encyclopédie méthodique.*

◈ voir CARNAGE, CARNASSIER, CARNATION, CARNE, CARNIVORE, CHARCUTIER, CHARNIER, CHAROGNE, INCARNER.

CHAIRE n. f., d'abord *chaere* (1100-1150, peut-être XIe s.), résulte de l'évolution phonétique régulière du latin *cathedra.* Lui-même est emprunté au grec *kathedra* «siège, banc, position assise, gîte, inaction», également «postérieur, base», en grec tardif «chaire de professeur» et «trône». *Kathedra* est dérivé de *hedra* «siège, séjour, emplacement», parfois «fait de s'asseoir» et «immobilité, session d'une assemblée, partie du corps sur laquelle on s'assied». Ce mot est une formation archaïque, sans correspondant dans les langues indoeuropéennes, apparentée au verbe *ezomai* «s'asseoir», «rester inactif», d'une racine °*sed-* de même sens, également représentée en latin (→ seoir).

♦ Le mot a désigné jusqu'au XVIIe s. un siège à dossier avant de céder ce sens à *chaise**. Il a conservé plus longtemps ce sens dans certains dialectes, notamment de l'Ouest et du Centre. ◇ Il s'est spécialisé au sens de «siège honorifique», désignant à la fois un trône (v. 1170), le siège de grands personnages au moyen âge et à la Renaissance et le siège élevé d'où parle un professeur (v. 1278); par métonymie, ce dernier sens a donné celui de «charge d'un professeur dans une université» (1680, *chaire de droit*). ➞ À l'Église, le mot désigne la tribune d'où les prêtres et les prédicateurs prennent la parole (v. 1460, *chaire de vérité*) et, avec le même développement métonymique, la charge de prédicateur et, dans certains emplois, la prédication (1694, *éloquence de la chaire*).

◈ voir CATHÉDRALE, CHAISE.

CHAISE n. f., d'abord *chaeze* (1420; peut-être 1380 selon *F. e. w.*), résulte de *chaire** par assibilation (transformation en une sifflante) dialectale du *r* intervocalique, phénomène localisé au centre et au sud-est du domaine d'oïl, perceptible à Paris au XVe s. (on disait alors *pèze* pour *père*) et maintenu exceptionnellement (→ bésicle pour *béricle*).

♦ Les deux mots, *chaire et chaise,* ont coexisté jusqu'au XVIIe s. pour désigner les mêmes objets avant que *chaise* ne serve pour les sièges d'usage courant, cela après que l'expression *chaise à bras* ne s'efface devant *fauteuil**, et que la chaise perde l'importance qu'elle avait dans l'étiquette au XVIIe s. (étant réservée aux princes du sang) et qu'elle ne remplace, à l'instigation de Richelieu, le banc à table. Le mot a fourni la locution ***être entre deux chaises*** (1845; depuis avec des variantes familières). ➛ Plusieurs syntagmes désignent des sièges très différents par la forme ou la fonction de la chaise proprement dite. Ainsi *chaise portative* (1556) puis ***chaise à porteurs*** (1690, *à porteur*), *chaise roulante* (1668), véhicules appelés aussi *chaise* en français classique; ***chaise percée*** (1470) et, pour des sièges normaux, ***chaise longue*** (1710) désignation d'un siège individuel pour s'étendre, répandue avec la vogue des loisirs balnéaires (XXe s.) pour désigner un fauteuil de toile pliant, ou encore ***chaise berçante*** (Canada), équivalent français de *rocking-chair*.

▸ **CHAISIER, IÈRE** n. (1781) a désigné un loueur de chaises à porteurs et, au féminin (1838), désigne celle qui loue des chaises dans un lieu public (église, parc). Il désigne aussi un fabricant de chaises (1820).

① **CHALAND** n. m., d'abord *caland* (1080) puis *chaland* (v. 1160), est emprunté au grec byzantin *khelandion* (IXe-Xe s.) à une époque où la marine byzantine était toute puissante en Méditerranée.

♦ Le mot désigne un grand bateau plat pour le transport des marchandises.

▸ **CHALANDAGE** n. m., dérivé tardif (1933), désigne le transport par chalands. Il a été fait sur le modèle de *halage, remorquage,* mais il n'existe pas de verbe correspondant.

② **CHALAND, ANDE** n., d'abord écrit *chalant* (1174), *chaulant* (1250-1300), *chalan* (XIVe s.), comme la variante *caulant* (XIIIe s.), est le participe présent substantivé de l'ancien verbe impersonnel **CHALOIR**, fort ancien (IXe s., *chielt* «il importe») vieilli après 1690 et conservé dans l'expression désuète ***peu me (m'en) chaut*** «peu m'importe» et indirectement dans *nonchalant.* Issu du latin *calere* «être chaud» (→ chaud), il a pris le sens figuré de «être sur des charbons, s'inquiéter», d'où «importer». La forme actuelle *chaland* s'explique par substitution du suffixe *-and.*

♦ Signifiant strictement «celui qui s'inquiète pour, qui trouve intérêt à», le mot a eu en ancien français le sens d'«ami protecteur», d'où «compagnon, ami» (1250-1300), voire «amoureux» (1771). Il désignait également le compagnon exerçant le même métier qu'un autre (fin XIIIe s.) et la personne charitable faisant des dons en espèces ou en nature (XIVe s.). ◇ Cette polysémie s'est résolue à un seul sens : «personne qui achète habituellement chez le même marchand» (1548, Rabelais avec le double sens de «coquin» et «client»). Le mot tend à vieillir, d'autant que le composé *achalandé** n'est plus compris.

▸ **CHALANDISE** n. f. (1267) «entente, accointance» est sorti d'usage dans la seconde moitié du XIVe siècle. Il a été repris au sens de «affluence d'amateurs, de clients» (1566), lui aussi disparu au XVIIe siècle. ◇ Le sens commercial moderne «ensemble d'achats effectués par une population en un point précis» (mil. XXe s.) est demeuré technique.

◈ voir ACHALANDÉ, NONCHALANT.

CHALCO- est l'élément de composition tiré du grec *khalko-*, de *khalkos* «cuivre» (encore en grec moderne), «bronze» et, par métonymie, «armes ou instruments en bronze», «monnaie de cuivre», «tablette en bronze». L'étymologie du mot est obscure : la technique de l'utilisation du cuivre et de la fabrication du bronze, alliage de cuivre et d'étain, remonte très haut dans le bassin égéen et doit avoir une origine proche-orientale en liaison partielle avec Chypre (nommée *Alasia* à haute époque) et ses mines de cuivre. La dénomination commune au cuivre et au bronze se retrouve dans le groupe partiellement indoeuropéen (mais non attestée en grec) du latin *ais* (→ airain), sanskrit *áyas,* gotique *aiz.* On a cherché à rapprocher *khalkos* de quelques noms du fer comme le russe *železo,* le lituanien *geležis.* On a aussi songé à une notion fondamentale de couleur rouge en rapprochant *kalkhi* «murex, pourpre». Enfin on a évoqué un emprunt d'une langue orientale non déterminée, araméen, sumérien ou phénicien.

▸ *Chalco-* est d'abord entré dans la formation de **CHALCOGRAPHIE** n. f., mot attesté en 1617 sous la forme *calcographie,* au sens large de «gravure sur métal» et surtout employé par métonymie au sens de «local où l'on grave et imprime ces gravures», «collection de planches gravées» (1868). ◇ En sont tirés **CHALCOGRAPHE** n. (XVIIe s.) et **CHALCOGRAPHIQUE** adj. (XVIIIe s.). ➛ Avec le sens de «cuivre» et, plus rarement, de «métal», il entre dans quelques termes de minéralogie : **CHALCOPYRITE** n. f. (1753), **CHALCOSINE** n. f. (1832), **CHALCOLITE** n. f. (1832); **CHALCOGÈNES** n. m. pl., terme de chimie proposé en 1940 et admis en 1957 pour désigner les éléments de la 6e colonne du tableau périodique.

CHÂLE n. m. Cet emprunt à l'hindi de même sens, *shāl*, d'origine persane, s'est fixé sous sa graphie actuelle (1670) après avoir été transcrit *chalou* (1663), *scial* (1665), *schal* (1791), emplois isolés, puis *schawl* (1793) sous l'influence de l'anglais *schawl* (1662), qui a contribué à répandre le mot dans la première moitié du XIXe siècle.

♦ Le mot, d'abord terme exotique de relation, entre dans l'usage courant comme anglicisme de mode au début du XIXe s. (surtout écrit *schall; châle* l'emporte après 1860). L'allusion, obligatoire au début, à un style décoratif oriental d'inspiration persane, s'est peu à peu affaiblie.

CHALET n. m. est un mot originaire de Suisse romande comme le montre la localisation de ses premières attestations sous les formes *chaletus,* latinisée (1328, Vaud), *chaleis* (pluriel 1379, Valais) et *chaslet* (1408, Fribourg). Il se rattache à la base pré-indoeuropéenne °*cala* «lieu abrité», «abri de montagne» (→ calanque, cale), avec suffixe *-ĭttu.*

♦ Le mot désigne d'abord l'habitation du personnel d'un alpage en Suisse puis également en France (1723). Il est popularisé par *La Nouvelle Héloïse* de Rousseau (1761) et, par extension, désigne un type d'habitation champêtre (1833), notamment typique de la région alpine. Au Canada, il se dit d'une maison de campagne au bord d'un lac, d'une rivière. ◇ Il désigne également de petits abris de plage et, par euphémisme, d'anciennes toilettes publiques (*chalet de nécessité, d'aisance,* 1884).

CHALEUR n. f., d'abord *chalur* (v. 1120), est issu du latin *calor* (à l'accusatif *calorem*) «chaleur (au physique et au moral)», mot roman et celtique dérivé de *calere* «être chaud, ardent», verbe qui est à l'origine de l'ancien *chaloir* (→ chaland).

♦ *Chaleur* et *chaud** s'opposent de manière dissymétrique à *froid**. Le premier désigne l'état d'une matière à température élevée et la sensation de chaud (1220); *les chaleurs* désignant (1606) le moment de l'année où il fait chaud. ◇ Depuis le XIVe s. (1387-1391) il se réfère spécialement, de manière métonymique, à la saison des amours chez les animaux et à l'état des animaux en rut (1561, ***en chaleur***). ◇ Son sens figuré de «vitalité, ardeur» (1549) pouvait, à l'époque classique, se rapporter à des passions violentes (emportement, haine); de nos jours, il induit plutôt une manifestation d'affection (cf. *chaleureux*). Il s'est spécialement employé en art (1779, *chaleur d'exécution*). ◇ Le concept scientifique s'est précisé à partir du XVIIe et du XVIIIe s. Il donne lieu à des précisions : *chaleur latente, chaleur spécifique* (1789).

▸ **CHALEUREUX, EUSE** adj., après une première attestation au sens figuré (*paroles chaleureuses,* 1398), est employé en moyen français comme qualificatif d'un temps chaud (v. 1360, *saison callereuse;* fin XVe s., *temps chaleureux*). ◇ Le sens figuré a définitivement supplanté le sens propre au XVIIe siècle. **CHALEUREUSEMENT** adv., d'abord *chaloureusement* (v. 1360), employé en moyen français au sens actuel de «précipitamment», a mis longtemps à s'imposer; qualifié de «vieilli» par le dictionnaire de Trévoux (1771), il a été remis en usage au XIXe siècle.

CHÂLIT n. m., d'abord *chäelit* (1160), puis *chaelit* (1174) et *châlit* (1740), est issu du latin populaire °*catalectus*. Celui-ci serait, plutôt que le composé de *cata* (du grec *kata* «de haut en bas» → catastrophe et de *lectus* → lit), le résultat du croisement de *catasta* «estrade exposant les esclaves à vendre» et «lit de supplice, sorte de gril» avec le même *lectus*. Ce *catasta* est lui-même soit un hybride gréco-latin de *kata* et *-sta*, de *stare* «se tenir» (→ station), soit l'emprunt du grec *katastasis*, de *kata* et *stasis* (→ stase).

♦ Le mot, dont seul l'élément *-lit* est encore compris, est un terme technique ayant désigné le lit de parade d'un mort, avant d'être supplanté par *catafalque*, et appliqué par suite à un bois de lit (1174). Il était archaïque au XVIIe s., comme le remarque Richelet en 1680, mais a été repris, notamment dans le contexte militaire.

CHALLENGE n. m., une première fois sous la forme francisée et composée *challinge-coupe* (1857 in Höffler), puis *challenge cup* (1876), elliptiquement *challenge* (1884), est emprunté à l'anglais *challenge* dans sa spécialisation sportive, alors associé à *cup*, mot de même origine que le français *coupe**. *Challenge,* anciennement «accusation» (XIIIe s.), puis «récusation» et «sommation» en droit, et «défi», est emprunté (sous les formes *calenge, chalenge*) à l'ancien français *calenge, chalenge* «accusation» (XIe s.) et «défi» (XIIe s.), lequel est dérivé du verbe *chalengier,* ancien représentant, disparu au XVIIe s., du latin *calumniare* (→ calomnie).

♦ Cet anglicisme a donc réintroduit un mot d'ancien français, avec une spécialisation sportive, pour «épreuve dans laquelle le vainqueur obtient un prix, un titre, jusqu'à ce qu'un vainqueur nouveau l'en dépossède» et «prix de cette épreuve». Il s'est répandu avec le sens général de «défi», au figuré.

▸ **CHALLENGER** n. m. est emprunté (1896) à l'anglais *challenger* «accusateur» (XIIIe s.), puis «celui qui lance un défi» (XVIe s.). Le mot, qui renoue à plusieurs siècles de distance avec l'ancien français *chalengeur,* doublet de *calomniateur,* appartient surtout au vocabulaire des journalistes sportifs et (1964) politiques. Il peut être francisé en *challengeur.* ◆ *Challenger* v. tr. (1915), francisation de l'anglais *to challenge,* reprend, après quatre siècles, l'ancien français *chalengier;* cependant, il est moins usité que les autres mots de la même série.

CHALOIR → ② CHALAND

CHALOUPE n. f., d'abord *chaloppe* (1522) puis *chaloupe* (XVIe s.), est d'origine controversée. Une première hypothèse en fait un emploi figuré du dialectal *chalope* (moyen français *chaloppe,* attesté 1678) «coquille de noix» issu par abrègement (aphérèse) de l'ancien français °*eschalope* (1224) de même sens, formé sur *eschale* (→ écale) avec la finale de *enveloppe**. Une seconde hypothèse, moins probable, en fait un emprunt au néerlandais *sloep* «embarcation» de *sluipen* «glisser». Cette hypothèse se heurte au caractère tardif du mot néerlandais (1598) et à l'origine française de la plupart des termes germaniques de la série : allemand *Chaloupe* (1648), anglais *shallop* (1578). Le rapport du mot français avec l'ancien gascon *calup* est obscur et, s'il existe, excluerait un emprunt au néerlandais.

♦ Le mot désigne une petite embarcation plate au service d'un navire. Le mot est plus courant au Québec, où il peut désigner toute barque. ◇ Par analogie avec le mouvement de celle-ci, il a pris en argot le sens figuré de «danse échevelée» (1845); cf. ci-dessous *chalouper* et *chaloupé.*

▸ **CHALOUPIER** n. m. (1828-1829) est d'abord un terme de l'argot du bagne ayant désigné un forçat chargé de faire la toilette des nouveaux venus, peut-être parce que ces hommes étaient choisis parmi ceux qui étaient affectés aux chaloupes. Depuis 1838, il s'emploie avec le sens normal de «matelot de chaloupe».

CHALOUPER v. intr. (1858) procède de *chaloupe,* nom de danse, pour exprimer le fait de danser la chaloupe et, par extension et retour au sens propre du substantif, de tanguer comme une chaloupe en mer. ◆ Son participe passé **CHALOUPÉ, ÉE** est adjectivé (1907, *valse chaloupée*) et, elliptiquement, substantivé au féminin comme appellation d'une danse, valse ou cancan (1910), *chaloupe* au sens de «danse» étant sorti d'usage.

CHALUMEAU n. m., d'abord *chalemel* (v. 1120), est issu du bas latin *calamellus*, diminutif de *calamus* «roseau» (→ calame), lequel a désigné également la branche creuse d'un candélabre (Vulgate), un pipeau (Vᵉ s.), une pipette pour le vin eucharistique.

♦ En français, le sens initial de «roseau» a été éliminé par des spécialisations du latin *calamus*, notamment en musique où il désigne une flûte de berger (1165-1170), le tube sonore de la musette (1680) et, par métonymie, le registre grave de la clarinette (1832). ◆ Par analogie, le mot désigne un tuyau de métal destiné à canaliser les vapeurs d'un parfum (v. 1160), à aspirer le vin (1530), spécialement dans un usage liturgique (1625), et le tuyau servant à diriger un souffle d'air sur une flamme pour la rendre plus intense (1680), de nos jours à produire une flamme d'une température élevée à l'aide d'un jet de gaz *(chalumeau oxhydrique)*. ◇ Le sens de «petite branche enduite de glu pour attraper les oiseaux à la chasse» (1832) était déjà une acception du latin *calamus*.

▶ La dérivation est quasiment inexistante, l'ancien *chalemeler* «jouer du chalumeau» (XIIᵉ s.) survivant à peine dans *chalumer*. ◇ **CHALUMEUR-COUPEUR** n. m. (1955) désigne l'ouvrier qui découpe les métaux au chalumeau ; c'est un dérivé de *chalumeau*.

CHALUT n. m., une fois en 1753 et de nouveau à partir de 1815, est d'origine obscure, probablement dialectale — de l'Ouest et des côtes normandes (Bayeux) — à rapprocher de *chalon* «grand filet traîné entre deux bateaux sur les rivières». Ce mot lui-même est obscur (le moyen français *chalon* «bateau» étant plus probablement une forme de *chaland**). P. Guiraud propose de voir dans *chal-* l'élément de *chaloupe**, de *chale, eschale* (→ écale), mais le sémantisme paraît s'y opposer.

♦ Le mot désigne un grand filet de pêche remorqué. Il entre dans de nombreux syntagmes techniques *(chalut de fond, pélagique...)* ou non *(pêche au chalut)*.

▶ **CHALUTER** v. intr. «traîner le chalut» (1845) a donné **CHALUTABLE** adj. (1853) et **CHALUTAGE** n. m. (1909). ◆ **CHALUTIER** n. m. (1866, Hugo, *les Travailleurs de la mer*) est quelquefois employé comme adjectif *(chalutier, ière)*. Le substantif est usuel et donne lieu à plusieurs syntagmes techniques ; il désigne aussi le pêcheur au chalut.

CHAMADE n. f., d'abord *chiamade* (1570), puis aussitôt *chamade* (v. 1570), est emprunté à l'italien du Nord *ciamada* (prononcé *tcha-*), participe passé substantivé du verbe *ciamà* «appeler» correspondant au toscan *chiamata*, de *chiamare*, du latin *clamare* (→ clamer). L'hypothèse d'un emprunt au portugais *chamada*, de même sens et de même origine, est moins satisfaisante historiquement, étant donné le grand nombre de termes militaires repris à l'italien par le français.

♦ Ce mot, qui n'est plus guère employé que dans l'expression ***battre la chamade*** au figuré (XIXᵉ s.) «battre très fort» (du cœur), appartient originellement au vocabulaire militaire où il désigne une batterie de tambour et une sonnerie de trompettes annonçant le désir de parlementer.

CHAMAILLER v. tr. et pron., attesté au début du XIVᵉ s. (1307-1315), résulte très probablement du croisement de deux anciens verbes de sens voisin. Le premier est *chapier* (1080) «tailler en pièces, frapper en combattant», issu d'un latin °*cappulare*, «couper» dérivé de °*cappare*, lui-même de °*cappo* (→ chapon). Le second est *maillier* (v. 1175) «donner des coups», de *mail**.

♦ Ce verbe familier, d'abord utilisé en contexte guerrier en construction intransitive, puis transitive et pronominale (1540), est passé sous cette forme dans l'usage commun pour «se disputer au sujet de futilités» (1694 ; 1690, en construction absolue).

▶ **CHAMAILLIS** n. m. (1541), sorti de l'usage dès le XVIIIᵉ s. avec son sens militaire, s'est employé à propos d'une querelle confuse accompagnée de tapage (av. 1755). ◆ Le déverbal **CHAMAILLE** n. f. (XVIᵉ s.) a suivi le même type d'évolution de «combat», sens disparu au cours du XVIIᵉ s., à «dispute» (1866). ◆ **CHAMAILLEUR, EUSE** adj. et n. (1571), autrefois «qui combat», a été abandonné au XVIIᵉ s. et repris pour «qui aime à se disputer» (1857-1863). ◆ **CHAMAILLERIE** n. f. (av. 1689, Mᵐᵉ de Sévigné) reste le plus courant des dérivés substantifs au sens de «dispute».

CHAMAN ou **SHAMAN** n. m., d'abord *schaman* (1699) puis *chaman* (1791), également *shaman*, sous l'influence de l'anglais *shaman* (1698), est emprunté, par le russe *chaman'*, aux langues de Sibérie (toungouse *šaman*). Dans les autres langues du centre et du nord de l'Asie, les termes correspondants sont le yakoute *ojun*, le mongol *bügä, bögä* et *udagan* auquel répondent le bouriate *udayan*, le yakoute *udoyan* «la femme chamane», ainsi que le turco-tatar *kam*. On a essayé d'expliquer le terme toungouse par le pâli *çramana, samaṇo* «ascète», ancien indien *çramanas* «ascète bouddhiste», mais cette étymologie est controversée.

♦ Le mot, introduit par les relations de voyage, désigne le prêtre de certaines ethnies de l'Asie centrale et septentrionale, spécialiste d'une fonction donnée dans l'extase, exerçant des fonctions de devin et de guérisseur. Par extension, il est employé à propos d'un prêtre-sorcier que l'on rencontre dans d'autres sociétés des autres continents (Amérique du Nord, Indonésie, Océanie), devenant un terme important en histoire des religions, comme *chamanisme*.

▶ Les dérivés appartiennent à l'usage didactique (ethnologie, étude des religions) : **CHAMANISME** n. m. (1801, dans une traduction du russe) et **CHA-**

MANISTE adj. et n. (1866), d'où **CHAMANISTIQUE** adj. (1936), sont assez usuels; **CHAMANIQUE** adj. (1957) et **CHAMANISER** v. tr. (1972), didactiques et rares.

CHAMARRER v. tr., attesté au XVIe s. (1557; voire 1530, selon F. e. w.), est dérivé du substantif féminin **CHAMARRE**, d'abord *samarre* (1447) puis *chamarre* (1490). Ce mot désigne un ample vêtement porté aux XVe et XVIe s., confectionné avec des bandes de tissus alternés, et bordé de galons. Par extension, il désigne un ornement destiné à enrichir un vêtement. Il est emprunté à l'espagnol *zamarra* «vêtement de berger en peau de mouton» (v. 1330), du basque de même sens *zammar, zamarra* également «toison de mouton», ou de son correspondant ibérique. L'origine de ces types est mal éclaircie : un emprunt au turc *samur* «zibeline» ou à l'arabe *sammur* (vraisemblable géographiquement) est peu probable des points de vue phonétique (passage du *u* au *a*) et sémantique, les plus anciennes formes romanes désignant un vêtement de berger grossier et non une peau précieuse.

♦ *Chamarrer* est un verbe d'habillement signifiant «rehausser d'ornements somptueux». Son extension péjorative «surcharger d'ornements de mauvais goût, criards» a pris de l'importance, donnant le sens figuré de «gâter par une surcharge d'ornements hétéroclites»

► Outre le participe passé adjectivé **CHAMARRÉ, ÉE** adj., *chamarrer* a produit **CHAMARRURE** n. f. (1595) et, ultérieurement, le substantif d'action **CHAMARRAGE** n. m. (1828), peu usité.

◈ voir SIMARRE.

◈ **CHAMBARDER** v. tr. est l'altération (1881) de *chamberder, chamberter* (1847) d'origine obscure. L'hypothèse que proposent Bloch et Wartburg d'une formation à partir des termes dialectaux *chambe* (pour *jambe**) ou ② *chant* «côté» avec *barder** «glisser», n'est pas sûre. L'étymologie ancienne de *champartir* «jouir du droit de champart», de *champart* (→ champ), qui a pu signifier «endommager» n'est pas étayée. Par ailleurs la forme *chamberter* n'est pas prise en compte.

♦ Le mot se serait introduit par l'argot des marins pour «briser, renverser, abattre». De là, il s'est répandu dans le langage familier avec le sens de «mettre sens dessus dessous» (1881), dans un contexte concret, puis abstrait (1901).

► En sont dérivés **CHAMBARDEMENT** n. m. (1855, argot militaire; puis 1881, en politique), son synonyme **CHAMBARD** n. m. (1888 dans l'argot de Polytechnique au sens de «chahut») et **CHAMBARDEUR, EUSE** n. et adj. (1886).

◈ voir CHAMBOULER.

CHAMBELLAN n. m. est l'aboutissement (1559), par les formes *cambrelenc* (v. 1050), *chamberlent* (1150-1170), *chamberlan* (fin XIIe s.), *chambellanc* (1221), *chambellen* (1285), du francique °*kamerling*, proprement «personnage préposé au service de la chambre», reconstitué d'après l'ancien haut allemand *kamarling* (→ camerlingue). Le mot germanique est formé sur *kamara*, adaptation du latin *camera* (→ caméra, chambre), les Germains ne semblant pas avoir connu la division de l'habitation en pièces et n'ayant pas eu à leur disposition de terme équivalent. Le suffixe *-ling*, commun aux langues germaniques, sert à former des noms de personnes; il signifie «concernées par». En tout cas, un emprunt du français ou du latin médiéval à la cour des rois francs est plus probable qu'un emprunt antérieur au germanique (avant le Ve s.) à travers la langue des esclaves.

♦ Le mot désigne le gentilhomme de la cour qui assurait le service de la chambre d'un prince, le *grand chambellan* se rapportant au plus élevé en dignité, chargé du service de la chambre d'un roi ou d'un empereur. Ultérieurement, il est appliqué à un dignitaire de l'administration royale ou pontificale.

► **CHAMBELLAGE** n. m., précédé par le latin médiéval *chamberlagium* (1370) et lui-même sous la forme *cambrelage* (1387) avant *chambellage* (1412), recouvre, en termes de féodalité, le droit en argent versé par les vassaux au chambellan d'un seigneur ou d'un roi lors de la prestation d'hommage. Depuis l'ordonnance de Philippe III en 1272, tout vassal du roi décédé devait, en faisant hommage à son successeur, acquitter une certaine somme au grand chambellan de France et autres chambellans du roi. ◆ On rencontre chez Stendhal le dérivé **CHAMBELLANISME** n. m. (1800-1842) à propos d'un genre littéraire selon lequel un familier consigne par écrit les conversations qu'il a eues avec un grand homme (par exemple Eckermann et Goethe). Le mot n'a pas vécu.

◈ voir CAMERLINGUE.

CHAMBOULER v., attesté au début du XIXe s. (1807), est d'origine douteuse : c'est un mot d'origine dialectale (mosellan et meusien), composé pour le second élément du verbe *bouler**. Pour le premier, on peut penser à ② *chant** «face étroite d'un objet» ou à un croisement avec *chanceler** (→ chambranle). En revanche, les hypothèses le rattachant au latin *gamba* ou au franco-provençal *chambe* «jambe» (→ chambarder) se heurtent au fait qu'au lorrain *jambe* correspond déjà le dérivé *jambouler*. ◈

♦ Si le sens de «chanceler, tituber comme un homme ivre» est premier comme l'indique la chronologie des attestations, l'emploi transitif pour «bouleverser, mettre sens dessus dessous» (1915), au propre et au figuré (1916), semble dû à l'influence de *chambarder*.

► En est dérivé **CHAMBOULEMENT** n. m. (XXe s.).

CHAMBRANLE n. m., d'abord *chambranlle* (1389) puis *chambranle* (1518), est l'altération, sous l'influence de *branler**, de l'ancien *chambrande* (1313). Ce mot est issu du latin *camerandus*, gérondif substantivé de *camerare* «construire en forme de voûte», lui-même de *camera* (→ chambre). L'hypothèse d'une altération du moyen français *chambril* «lattis, lambris», du latin *camerare*, fait difficulté des points de vue phonétique, car il ne peut expli- ◈

quer la forme initiale, et géographique : *chambril* est emprunté au limousin, alors que *chambrande* et *chambranle* appartiennent au nord du domaine d'oïl.

♦ Le mot désigne le cadre qui borde une porte, une fenêtre, une cheminée.

CHAMBRE n. f., d'abord *cambra, cambre* (1050) puis *chambre* (XIIe s.), est issu du latin *camera,* emprunt au grec *kamara,* mot technique dont l'origine est obscure ; il désigne divers objets couverts par une voûte (tombe, bateau, voiture ouverte). Le mot latin, transmis directement en italien, signifie surtout à basse époque «pièce (notamment pour dormir)» et au moyen âge (1191) «endroit où l'on juge».

♦ Le mot, introduit avec la valeur de «pièce», en particulier «pièce où l'on dort», désigne, lorsqu'il est employé avec majuscule la pièce où dort un grand, roi ou prince, sous l'Ancien Régime : de là vient, d'après l'italien *camera,* la locution ***musique de chambre*** (1855), d'abord *musique de la chambre* (1690) «du petit coucher du roi». ◇ Par extension, le mot évolue vers le sens de «domicile, logement» dans quelques emplois comme ***chambre meublée, en chambre*** (1303 «chez soi», d'un artisan ou ouvrier) et entre dans des syntagmes désignant des domestiques attachés au service personnel : ***valet, fille de chambre*** (XVIIe s. ; 1576, *homme de chambre*). Un sens ancien indéterminé, «pièce d'habitation» (conservé en Suisse) s'entend encore lorsqu'on précise ***chambre à coucher*** et s'est maintenu dans le vocabulaire de la marine dans ***chambre de chauffe*** (1866), ***chambre des cartes, chambre des machines.*** ◇ De là, le mot a étendu ses sens en conservant l'idée seulement de «pièce, salle», sans la fonction d'habitation : c'est le cas dans des syntagmes modernes, comme ***chambre froide*** (1930), ***chambre de sûreté, chambre à gaz*** (1951, calqué de l'anglais). ◆ Dans le vocabulaire des institutions, l'emploi extensif est nettement plus ancien : la première attestation remonte à 1388 en ancien picard à propos de la section d'une cour ou d'un tribunal. Le mot entre ainsi dans les syntagmes *chambre de justice* (1680), ***Chambre des communes*** (1789, sous l'influence de l'anglais *chamber of Commons*), ***Chambre des pairs*** dans un contexte anglais (1797), ***Chambre des députés*** (1814), etc. Par métonymie, il désigne les assemblées elles-mêmes, s'occupant de la discipline et des intérêts d'un corps (1631, ***Chambre de commerce ;*** 1697, *Chambre syndicale*). ◆ Dans le domaine technique, c'est l'idée d'un contenant, d'une enceinte fermée qui prime : dans l'armée (1414 ; 1671, «cavité recevant les explosifs»), en optique *chambre close* (1690), puis *chambre noire, chambre claire* (→ caméra), en technique avec ***chambre à air*** (1891). ◇ Le mot désigne aussi une cavité naturelle d'organismes animaux et végétaux en anatomie (1637, Descartes *chambre de l'œil*) et en botanique (av. 1892, *chambre pollinique*).

▶ La dérivation de *chambre* a d'abord donné des appellations pour les officiers de la chambre. ◆ **CHAMBRIER** n. m. (fin XIIe s., *chamberier*) a suivi le développement sémantique du bas latin *camerarius* et de *camararius* «dignitaire de la cour qui s'occupait du trésor royal» (VIe s.), «trésorier d'une abbaye». Le mot a désigné jusqu'au XVIe s. le grand officier de la couronne chargé de l'intendance de la chambre du roi et de la garde du trésor royal. Il s'est également employé pour «officier claustral», dans quelques monastères (XIIIe s.). ◆ **CHAMBRIÈRE** n. f., d'abord *chamberiere* (1165-1170) «fille de chambre», a souffert de la concurrence de *femme de chambre* et des emprunts *camérière*, camériste**. Il s'est maintenu comme appellation pour divers objets qui aident (comme *servante, valet*...), en terme de manège (1678), en marine, en parlant du support d'une charrette (1803).

CHAMBRETTE n. f. (1174, *chambrete*) «petite chambre», a reçu une valeur affective familière. ◆ **CHAMBRÉE** n. f. (1377) a désigné une mesure pour les fourrages, d'après l'idée de «contenant, enceinte» attesté un peu plus tard pour *chambre.* ◇ Il a été reformé au sens dominant de *chambre,* avec la valeur collective d'«ensemble de personnes partageant la même chambre» (1539), spécialement dans un contexte militaire, le mot général étant *dortoir.* L'ancienne extension, «ensemble des spectateurs remplissant une salle d'opéra, de réunion» (1690) et «recette de la représentation» (1680), s'est éteinte au XVIIIe siècle.

CHAMBRER v. (1678) n'a pas gardé le sens de «loger ensemble» qu'il a eu à l'époque classique. Son sens transitif «tenir (qqn) enfermé par violence» (1762) se maintient surtout dans un emploi figuré pour «endoctriner, circonvenir» et par extension «railler, se moquer» (1926). ◇ L'emploi du mot en œnologie (1907) est d'origine régionale (Bourgogne, Suisse romande) ; il signifie «mettre à la température de la pièce où l'on boit» (par opposition à celle de la cave) et se réalise couramment au pronominal et au participe adjectivé **CHAMBRÉ, ÉE** adj., opposé à *frappé, frais.*

De *chambre* dans *musique de chambre* (ci-dessus) a été tiré **CHAMBRISTE** n. désignant un musicien (1902).

◈ voir **CAMÉRA, CAMERLINGUE, CHAMBELLAN, CHAMBRANLE.**

CHAMEAU n. m., d'abord *cameil* (1080, encore au XIVe s.), puis *chameil* (v. 1121) et *chameau* (XIe s.), est issu du latin *camelus.* Ce mot est un emprunt au grec *kamelos,* lui-même emprunté à une langue sémitique occidentale (cf. hébreu *gāmāl,* araméen *gamlā,* et le nom de la lettre grecque *gamma*).

♦ En dehors de son emploi strict en zoologie, le mot englobe, en français courant, l'espèce dromadaire. ◇ Au début du XIXe s., il s'emploie (ainsi que *dromadaire*) comme terme d'insulte à l'égard d'une femme (1828), d'abord au sens de «putain» (métaphore de la «monture»), puis de «personne hargneuse», par oubli du premier emploi (cf. l'évolution de *vache**). ◆ La bosse de l'animal a donné lieu à des sens techniques («caisson à air» 1722, du néerlandais *kameel ;* appellation métaphorique donnée à un bâtiment inventé en 1691 par Meeuwes Bakker).

▶ **CHAMELLE** n. f. semble repris au XIXe s., après que l'ancien français ait eu *cameille, chameille* (v. 1160) et que le XVIe et le XVIIe s. aient employé *cha-*

meau femelle. ➔ **CHAMELIER** n. m. (v. 1430) est probablement emprunté au bas latin *camelarius* «conducteur d'une caravane, chargé du soin des chameaux», de *camelus.* ➔ **CHAMELON** n. m. (1845) ou *chamelet* (1877) désigne le petit du chameau ou du dromadaire.

CAMÉLIDÉS n. m. pl., terme de classification zoologique (1867) «famille de mammifères à laquelle appartient le chameau», est formé sur le radical du latin *camelus.*

CHAMOIS n. m., d'abord *camois* (1164-1174) puis *chamois* (1220-1230), est issu, par le bas latin de Gaule *camox* (attesté au Ve s.) d'un préroman °*kamōke,* mot essentiellement alpestre désignant cet animal. Les formes latinisées du domaine franco-provençal *chamosius* (1272 en Savoie), *chamessius* (1389-1390, à Chamonix), le latin médiéval *chamos* (Cognomen, Hautes Alpes 1135), l'ancien dauphinois *chamos,* l'ancien provençal *chamos* (av. 1244) remonteraient à un type °*kamŭsso.*

♦ D'abord attesté au sens métonymique d'«objet en peau de chamois», le mot est en français moderne exclusivement le nom de l'animal, et l'usage est tenu de préciser *peau de chamois* (1387) là où la langue classique, par métonymie, disait *un chamois* (v. 1610). Par métonymie, il désigne une couleur jaune clair rappelant la robe de l'animal (1690) et s'emploie comme adjectif (1818, *gilet chamois*). ◇ L'agilité de l'animal sur les pentes montagneuses a fait donner ce nom (1933) à une épreuve de ski.

▸ **CHAMOISER** v. tr., d'abord *chamoissier* (1165-1170) puis *camoisser* (1393) en ancien et moyen français, a eu le sens de «meurtrier», qui procède du sens technique de «apprêter une peau de chamois» (1393, mais antérieur) par allusion aux opérations effectuées (cf. *carder le poil,* etc.). ➔ Il a été repris sous sa forme moderne (1780) avec ce sens technique, produisant **CHAMOISEUR** n. m. (1723), **CHAMOISERIE** n. f. (1723) et **CHAMOISAGE** n. m. (1866). ◇ **CHAMOISINE** n. f. (1952) est un terme récent désignant un petit torchon de flanelle duveteux de couleur jaune servant à l'entretien des meubles vernis et carrosseries automobiles.

CHAMP n. m., d'abord *camp* (1080) à côté de *champ* (1080), est issu du latin *campus,* (→ camp, campagne), mot probablement autochtone (d'une ancienne langue d'Italie?) désignant originellement la plaine, par opposition à *mons* «la montagne». Cédant ce sens géographique au mot *plana* (→ plaine), il s'est spécialisé aux sens de «plaine cultivée», «terrain d'opérations militaires», «domaine d'action» (au propre et au figuré) et «campagne», par opposition à *urbs* «la ville», tous sens repris par le français.

♦ Le mot est passé en français pour désigner une étendue de terrain propre à la culture et une étendue propre au combat, seul puis dans le syntagme déterminé *champ de la bataille* (av. 1283) contracté en ***champ de bataille*** (XIVe s.). ➔ Au sens de «campagne» (XIIIe s.), lentement concurrencé par *campagne*,* il est surtout employé au pluriel (*les champs,* 1539) et dans quelques syntagmes caractéristiques (*aux champs, le rat des champs,* par allusion à la fable de La Fontaine). ◇ De nombreux emplois modernes réalisent l'idée plus générale d'une étendue plate à usage déterminé, notamment en syntagmes ***(champ de foire),*** héritant aussi des anciens sens militaires du mot *(champ de mines, de tir).* ➔ Le sens figuré s'est développé à partir du XVIe s., à la fois en locutions (***sur-le-champ,*** 1538; ***à tout bout de champ,*** 1611 sous une forme légèrement différente) et en emploi autonome au sens de «domaine d'action». Ce dernier a reçu en technique l'acception restreinte de «secteur délimité» réalisée dès le XIIIe s. en héraldique et qui a fait fortune en optique (1753), désignant à la fois le secteur dont tous les points sont vus dans un instrument, la portion d'image enregistrée par l'œil *(champ visuel)* ou, récemment, par la caméra (1911; d'où *hors-champ, contrechamp,* 1929). ◇ Au cours du XXe s., le mot est entré dans d'autres vocabulaires scientifiques : anatomie, physique avec *champ magnétique* (1854), *électrique* (1881), *champ de force* (1881), etc., mathématiques, linguistique avec *champ sémantique* traduit de l'allemand *Feld* (J. Trier), *champ lexical,* sociologie, etc.

▸ *Champ* a produit directement **CHAMPI** ou **CHAMPIS, ISE** n. (1390), «enfant trouvé dans les champs», mot sorti de l'usage général après le XVIe s. et qui n'a survécu que dans les parlers régionaux, notamment du Berry (G. Sand, *François le Champi*). ➔ L'emploi de *champ* en héraldique a produit **CHAMPÉ, ÉE** adj. (1611, *champé d'azur*), mot rare, et **CHAMPLEVÉ** adj. (1877) qui est le participe passé de l'ancien verbe *champlever* (1753), composé de *champ* et *lever** «enlever». Ce mot désigne un procédé d'incrustation des émaux et, par métonymie (*un champlevé,* n. m.), une pierre émaillée par ce procédé (1907). ➔ Par l'intermédiaire d'un préfixé verbal, *échampir* peu usité, *champ* a aussi donné **RÉCHAMPIR** ou **RECHAMPIR** v. tr. (1676), mot technique exprimant le fait de détacher du fond (du champ) des moulures, des ornements et, par extension, orner par ce procédé. ◇ Le verbe a lui-même donné **RÉCHAMPISSAGE** ou **RECHAMPISSAGE** n. m. (1692) «action de réchampir» et «résultat de cette action».

CHAMPÊTRE adj., d'abord *champestre* (XIe s.), est issu de l'adjectif latin *campester* «de plaine», «qui se trouve, vit dans la plaine, à la campagne», de *campus.* Le mot qualifie ce qui se rapporte aux champs, qui habite ou vit à la campagne (1267-1268), et signifie aussi «qui a pour cadre la campagne» (1567) d'où «qui l'évoque» (1690, *airs champestres*). Il a reçu une acception spéciale en mythologie (1544, *dieux champestres*) et en langage administratif, notamment dans le composé ***garde champêtre*** (1819).

CHAMPART n. m. est emprunté (1270) au latin médiéval *campartum* (1032-1035), composé du latin *campus* «champ» et de *pars* (→ part). Ce terme de droit féodal désigne la part du produit des champs due par le paysan tenancier au seigneur possédant la terre. ◇ Devenu terme historique depuis l'abolition des droits féodaux, il est passé en agriculture à propos du mélange de céréales semées ensemble pour la nourriture des animaux (1866).

voir CHAMPAGNE, CHAMPION.

CHAMPAGNE n. m. est issu (1695) par ellipse de *vin de Champagne*, nom de la province où l'on prépare ce vin, lui-même du bas latin *campania* «plaine» (→ campagne), féminin substantivé de l'adjectif *campanius* «de plaine» de *campus* (→ camp, champ), nom commun spécialisé en toponymie (bas latin *Campania Remensis* [de Reims], VIe s.).

♦ Le mot désigne le vin blanc que l'on prépare en Champagne, notamment depuis qu'il est rendu mousseux par le procédé naturel de dom Pérignon (1638-1715) utilisant la seconde fermentation du vin; il semble que le nom de *champagne* (et non plus *vin de Champagne*) coïncide avec ce procédé qui rendit ce vin célèbre. ◇ *Champagne* s'est dit, par métonymie, d'une couleur jaune très pâle rappelant celle de ce vin (1905). ◇ Par extension, le mot désigne parfois abusivement des vins mousseux préparés selon la méthode champenoise, mais fabriqués ailleurs qu'en Champagne (Californie, Australie, Crimée); cet emploi est illégal en France. ◇ Il est abrégé familièrement en *champ'* ou *champe* (1857).

▶ **CHAMPAGNISER** v. tr. (1839) exprime le fait de traiter les vins blancs de Champagne de manière à les rendre mousseux naturellement. ◆ Il a produit **CHAMPAGNISATION** n. f. (1878).

CHAMPART, CHAMPÊTRE → CHAMP

CHAMPI → CHAMP

CHAMPIGNON n. m. est issu (1398), par substitution de suffixe de l'ancien français *champignuel*, d'abord *canpegneus* (v. 1200) puis *champineul* (v. 1350), issus du latin populaire °*campaniolus*, littéralement «(produit) de la campagne» (de *campania*, → campagne, champagne) qui, en gallo-roman, a supplanté le représentant du latin *fungus* «champignon» (italien *fungo*).

♦ *Champignon* désigne un végétal sans feuilles, formé le plus souvent d'un pied surmonté d'un «chapeau», qui pousse rapidement surtout dans les lieux humides. Dans ce sens courant, le mot donne lieu à de nombreux syntagmes *(champignon des bois, des prés...)* et un vaste vocabulaire s'y rattache, de nombreuses espèces étant consommées, d'autres étant toxiques, voire mortelles *(champignons vénéneux)*. *Champignon de couche*, dit *de Paris*, l'agaric champêtre, est cultivé sur couches (c'est dans ce sens précis que l'allemand a emprunté le mot *Champignon*). Le mot, dans ce sens usuel, a inspiré quelques expressions figurées par référence à la naissance et à la croissance rapide du champignon : ***pousser comme un champignon*** (1690), ***venir en une nuit comme un champignon*** et ***ville champignon*** (1911). ◇ Par analogie de forme, il a reçu un certain nombre de sens concrets, désignant en pathologie un renflement spongieux (1636), une mèche de bougie qui brûle mal (1636), une vasque en forme de champignon renversé (1694), un support pour perruques (1771). Couramment, il désigne aussi un type de nuage provoqué par une explosion atomique *(champignon atomique)* et, familièrement, la pédale de l'accélérateur (1931), d'où ***appuyer sur le champignon*** «accélérer». Tous ces emplois font référence au végétal nommé *champignon* depuis le XIVe s. et notamment à sa forme caractéristique (pied et chapeau), à sa pousse rapide, etc. ◆ Depuis le XIXe s., le mot s'applique progressivement à tous les végétaux «cryptogames» (mot attesté en 1771) cellulaires, nommés *thallophytes* vers 1880, et formant un immense embranchement comprenant des formes unicellulaires (*champignons microscopiques :* moisissures, levures) ou filamenteuses. Lexicalement, le développement du préfixe *mycéto-* (*mycétologue*, 1834), puis *myco-** (*mycologie*, 1842), du grec *mukês* «champignon», correspond à la constitution de ce concept botanique : la langue anglaise a d'ailleurs deux mots : *mushroom* pour la notion traditionnelle et le latinisme *fungi* pour le concept scientifique. En français, l'ambiguïté est levée par le contexte, encore que certains champignons comestibles et recherchés, comme la truffe, ne soient pas appelés couramment *champignons;* en outre, les thallophytes unicellulaires et filamenteuses ne reçoivent ce nom qu'en sciences.

▶ Les dérivés ne concernent que le sens courant et plus spécialement le champignon comestible. **CHAMPIGNONNIÈRE** n. f. (1694) désigne le terreau puis le lieu où l'on fait pousser des champignons, et notamment les *champignons* dits *de Paris*. ◆ **CHAMPIGNONNISTE** n. (1835) s'applique au cultivateur de champignons. ◆ **CHAMPIGNONNEUX, EUSE** adj. (1876), «où poussent les champignons», est rare.

CHAMPION, IONNE n., d'abord *campiun* (1080) puis *champion* (v. 1150), est issu, par le latin médiéval *campio* (643), du germanique °*kampjo* «combattant dans un duel judiciaire», attesté par l'ancien haut allemand *chempfo, chempfjo*, le moyen haut allemand *kempfe*, l'anglo-saxon *cempa*, l'ancien norrois *kappi* «combattant». Ces mots viennent du germanique *Kamp* «lieu du combat», emprunté au latin *campus* (→ champ) par les mercenaires germaniques. L'hypothèse d'une origine francique semble à écarter étant donné l'apparition relativement tardive du mot dans le domaine franc (IXe s.).

♦ Le mot conserve sa valeur étymologique désignant celui qui combat en champ clos pour défendre une cause, et par extension (1552) celui qui combat pour une cause. Le sens propre a disparu — il était déjà limité au XVIIe s. au style burlesque —, mais non le sens figuré (1560) de «défenseur d'une cause». ◆ Le sens moderne provient du langage des sports (1855), probablement sous l'influence de l'anglais *champion* (1840) signifiant «athlète remportant la première place en compétition»; par extension, il désigne un athlète de grande valeur d'où, familièrement, une personne excellant dans un domaine, notamment une personne ayant remporté une compétition dans quelque domaine que ce soit. Le langage populaire l'utilise comme adjectif et comme interjection *(champion!)*.

▶ Parallèlement **CHAMPIONNE** n. f. (1558), «femme qui soutient un combat contre qqn», a reçu le sens figuré de «femme hardie» (1803) et une spé-

cialisation en sport (1922, *championne à la course*). ➜ **CHAMPIONNAT** n. m. (1859) désigne une rencontre sportive officielle à l'issue de laquelle le vainqueur est proclamé *champion* puis, par extension, toute compétition où un champion est désigné (*championnat d'échecs*, etc.); ce sens, comme l'emploi correspondant de *champion* et *championne*, bénéficie de la vogue des jeux à classement, par exemple à la télévision.
SUPERCHAMPION n. m. (mil. XXe s.) tente de rendre l'italien *campionissimo*.

CHAMPLEVÉ → **CHAMP**

CHANCE n. f., d'abord *chaance* (v. 1175), *caanche* (1200), est issu de l'évolution du latin *cadentia* (→ cadence), participe présent pluriel neutre de *cadere* «tomber» (→ choir) pris pour un féminin, proprement «action de tomber», spécialement employé en latin au jeu des osselets.

♦ Le mot désigne le hasard qui peut faire réussir ou échouer une entreprise. D'abord neutre (*bonne chance; male* [mauvaise] *chance*) comme *heur**, *succès** ou *fortune**, il prend dès l'ancien français un sens favorable au singulier en s'opposant à son composé *malchance*, mais garde au pluriel (1762) le sens neutre de «possibilités de se produire par hasard» ***(il y a des chances que...)***. ◇ Sa spécialisation au jeu «chute des dés» (1200) a disparu, sauf dans quelques locutions aujourd'hui mal comprises comme ***jouer sa chance, donner la chance*** «jeter les dés le premier».

▸ **CHANCEUX, EUSE** adj. et n. est relativement tardif (1606). ◇ Son doublet populaire **CHANÇARD, ARDE** adj. (1859) est fait sur le modèle de *veinard*.
MALCHANCE n. f., d'abord *malechaance* (v. 1250) et *mal(e)këanche* (fin XIIIe s.), est composé de l'ancien adjectif *mal* au féminin (→ mal) et de *chance*. Le mot semble sorti de l'usage dès le XIVe s. et repris au XIXe s. (1867), époque à laquelle est dérivé **MALCHANCEUX, EUSE** adj. (1876), d'après *chanceux*.

CHANCEL, CHANCEAU n. m. est issu (v. 1130) du latin chrétien *cancellus* «grille, treillis placé devant l'autel des holocaustes» et «balustrade séparant le chœur de la nef», spécialisation du sens classique «balustrade» (au pluriel *cancelli*, le singulier étant très tardif). Le mot est dérivé de *cancri* «barreaux, treillis», attesté seulement dans les gloses et remplacé par son diminutif (sans doute pour éviter la confusion avec *cancer*) [→ chanceler].

♦ Le mot désigne la balustrade ou grille placée dans une église autour du chœur ou du sanctuaire, et, par métonymie, la partie du chœur ainsi isolée. Par analogie, il se rapporte au lieu fermé d'une grille où l'on déposait le sceau de l'État (1740).

◈ voir CHANCELER, CHANCELIER.

CHANCELER v. intr., modification (1130-1160) de *canceler* (1080), est issu du latin impérial *cancellare* «disposer en treillis» puis «barrer, biffer». Celui-ci est dérivé du pluriel *cancelli* «grille, treillis» (→ chancel, chancelier), diminutif de *cancri* «barreaux», forme dissimilée de *carcer* «barrière, prison» (→ carcéral, incarcérer). Le mot se rattache à la racine indoeuropéenne *°karkr-*, *°kankr-* «objet fait de matériaux entrelacés» (dont le rapport avec la racine de la série *cancer, chancre*, etc. n'est pas connu). En latin populaire, le verbe, déjà employé par Pline en parlant des bras repliés, croisés, comparés au treillis d'un grillage, a dû signifier aussi «faire des zigzags», par comparaison avec les angles d'un treillis ou d'une rature.

♦ Dès les premières attestations, le verbe a le sens de «ne pas tenir sur ses jambes»; par métaphore il est employé au sens d'«hésiter» (de l'assurance, de la mémoire, v. 1275).

▸ De *chanceler* sont dérivés **CHANCELANT, ANTE** adj. (XIIe s.) et **CHANCELLEMENT** n. m. (XIVe s.), mot rare.

CHANCELIER n. m. est issu (1050) du bas latin *cancellarius*, dérivé de *cancelli* (→ chancel) littéralement «préposé à la grille», qui désignait l'appariteur placé près de la barrière séparant la cour de justice du public puis l'huissier (IVe s.) et le greffier (354), le chef de la chancellerie royale carolingienne (769) et le fonctionnaire d'une abbaye (1125), d'une université (XIIIe s.) ayant le même rôle.

♦ Le mot a repris en ancien français les sens du latin médiéval, «chef de la chancellerie pontificale», «premier officier de la couronne en ce qui regarde la justice, garde du sceau royal» (1174), «ecclésiastique ayant les sceaux du chapitre» (XIIIe s.), «premier fonctionnaire d'une université» (v. 1278). Il s'est dit de celui qui est chargé de garder les sceaux dans un consultat (1690). Dans certains pays germaniques (Allemagne, Autriche), le mot correspondant à *chancelier* est le titre de Premier ministre, et en Angleterre, *chancellor*, traduit en français par *chancelier de l'échiquier*, désigne le ministre des Finances. ➜ Le féminin **CHANCELIÈRE** (1762) est réservé à la femme du chancelier. ◇ Par allusion probable aux habitudes douillettes des chanoines ou des hauts magistrats, le mot avait désigné au préalable (1611) un sac fourré pour tenir les pieds au chaud.

▸ **CHANCELLERIE** n. f. (1174) désigne la charge de chancelier, le lieu où l'on scelle certains actes (1680) et, par métonymie, le personnel employé à la chancellerie (1690).

CHANCRE n. m., d'abord *cancre* (1150-1200) puis *chancre* (1200-1250), est issu d'un bas latin *cancrus* (VIe s.), déformation du latin *cancer* «écrevisse, crabe», «constellation du cancer», spécialement en médecine «tumeur» et, dans les gloses, «pince, forceps». Ce mot, qui a repris tous les sens du grec *karkinos* — lequel appartient à la même racine —, a donné par voie savante *cancer** et *cancre**.

♦ Le mot a d'abord désigné un petit ulcère ayant tendance à ronger les parties environnantes, puis une ulcération cutanée ou muqueuse, à l'origine de maladies infectieuses. La locution ***manger comme un chancre*** «dévorer» correspond à un sens figuré (av. 1755). ➜ Le mot a été repris en botanique à propos de la maladie qui ronge l'écorce et le bois de certains arbres et s'est spécialisé en pathologie humaine à propos d'une maladie vénérienne *(chancre mou, chancre syphilitique)*.

▸ **CHANCREUX, EUSE** adj. (1314) lui sert d'adjectif en pathologie humaine et végétale (1717). ◆ **CHANCRELLE** n. f. (1878) désigne spécifiquement une maladie vénérienne, également appelée *chancre simple* ou *chancre mou*. ◇ Il a produit à son tour **CHANCRELLEUX, EUSE** adj. (1878) «atteint de chancrelle».

CHANDAIL n. m. est l'abréviation populaire (1894) de *marchand d'ail*, nom donné aux ouvriers s'occupant du marché aux légumes aux Halles de Paris et par métonymie, au tricot qu'ils portaient. Le nom fut repris par le fabricant de ce tricot, Gamard (à Amiens) qui l'avait d'abord appelé *Gam(e) sou* en utilisant le début de son nom et l'initiale phonétique de *sweater*, mot anglais désignant un vêtement analogue (→ sweater).

CHANDELEUR n. f., resuffixation (1262) de *chandelur* (v. 1119), est issu par ellipse de l'expression latine *festa °candelorum*, pour *festa candelarum* «fête des chandelles» (→ chandelle), sous l'influence de *festa cereorum* «fête des cierges» (→ cierge), les deux mots étant souvent associés. La fête tire en effet son nom des cierges bénis portés en procession.

♦ Le mot désigne la fête catholique, célébrée le 2 février, en l'honneur de la présentation de Jésus au Temple et de la purification de la Vierge. Il évoque dans l'usage courant certaines réjouissances profanes, notamment la confection de crêpes.

CHANDELLE n. f., d'abord *chandeile* (v. 1119), *chandele* (av. 1220) puis *chandelle* avec substitution de suffixe, est issu du bas latin de même sens *candela*, de *candere* «brûler, être enflammé» issu d'un radical latin *cand-* (→ candélabre, candeur, candide, encens, incendie).

♦ Le mot désigne un petit cylindre de matière combustible utilisé autrefois pour l'éclairage. Si l'objet est tombé en désuétude, surtout après la diffusion de la *bougie**, de nombreuses locutions encore usitées témoignent de son ancienne importance utilitaire : ***se brûler à la chandelle*** (XVe s.), ***le jeu n'en vaut pas la chandelle*** (av. 1592), ***devoir une fière chandelle à qqn*** (1648), ***tenir la chandelle*** (1835) [→ aussi bout]. Il a reçu, par analogie (forme, verticalité, aspect), quelques sens comme «morve coulant d'une narine» (1578) et «position verticale» (1900, ***en chandelle***) ou «coup vertical» dans un jeu de balle.

▸ **CHANDELIER** n. m. (1160), «support recevant les chandelles», sens conservé, l'objet étant souvent précieux, en termes d'antiquaire, a développé quelques sens techniques par analogie de fonction (1694, en marine) et reçu au figuré, par l'intermédiaire de la locution *tenir la chandelle*, le sens de «personne qui autorise et protège une aventure amoureuse» (1840 Musset, *Le Chandelier*).

◈ voir CHANDELEUR.

① **CHANFREIN** n. m., d'abord *chanfrain* (fin XIIe s.), est d'origine obscure et controversée, bien que le second élément soit identifié avec *frein**. L'hypothèse d'une dérivation régressive de *chafresner* «arrêter, dompter», attesté une seule fois au XIIIe s. à côté de *anchifrené* «asservi» (v. 1278), et composé de *caput* (→ chef) et de *frenare* (→ frein) ne permet pas d'expliquer la nasalisation. Le recours à l'influence de ② *chanfrein* ou de *chanfreindre* est à écarter pour des raisons chronologiques. Quant à l'étymon bas latin *camus* «muselière», il se heurte au fait que ce mot ne semble pas représenté dans le domaine gallo-roman.

♦ Le mot désigne la pièce de fer qui couvre le devant de la tête d'un cheval de guerre. Devenu archaïque, ce sens a été remplacé par celui, métonymique, de «partie de la tête du cheval et de certains mammifères à tête allongée comprise entre le front et les naseaux» (1678).

② **CHANFREIN** n. m. est le déverbal (XVe s.) de l'ancien verbe *chanfraindre* «tailler en demi-biseau» (1321), composé de ② *chant** et de *fraindre* «briser, détruire» (1080), verbe sorti d'usage puis repris dans la spécialisation technique de «diminuer le volume» en parlant d'un phénomène qui touche les céréales engrangées. *Fraindre* représente le latin *frangere* «briser, rompre» (→ fraction, fracture) et présente lui-même, ainsi que son participe passé substantivé au féminin *frainte* (XIIe s.), repris par la langue technique au sens de «déchet», «perte» (1877), une variante graphique *freindre, freinte*.

♦ *Chanfrein* désigne la petite surface oblique obtenue en abattant l'arête vive d'une pierre, d'une pièce de bois ou de métal.

▸ On en a dérivé **CHANFREINER** v. tr., d'abord *chanfrainer* «couper de biais» (1676, Félibien).

CHANGER v. pron. est issu (1160; premier tiers du XIIe s., en franco-provençal) du latin tardif *cambiare* (également *cambire*) «échanger, troquer», terme du vocabulaire commercial, probablement emprunté au gaulois.

♦ Le mot a progressivement évincé *muer* (du latin *mutare*). Avant la fin du XIIe s., il exprime le fait de rendre autre, de modifier, d'où la construction *changer en* (v. 1580) et, à la forme pronominale, «se transformer» (v. 1175), intransitivement «devenir différent» (1172-1175). Avec un complément désignant aussi un inanimé, il signifie «remplacer (une chose) par une autre de même nature» (1155), souvent construit avec *de : changer de* (1580), avec un nom abstrait *(changer d'avis)*. ◆ La spécialisation économique «changer les monnaies en cours contre des valeurs équivalentes» (1155) réactive le sens étymologique du latin. Le sens de «changer de vêtement» (1798) conduit à *changer un enfant* (1798), équivalant à *changer le linge d'un enfant*.

▸ La dérivation est précoce. C'est le cas de **CHANGEABLE** adj. (XIIe s., avec la valeur active de «changeant», d'où «sujet au changement» v. 1250). ◆ **CHANGEMENT** n. m. (v. 1120, *cangement*) signifie en général «action de changer», avec des spécialisations. ◆ **CHANGEUR, EUSE** adj. et n. (XIIe s., *cangeeur*) signifie «personne qui change de l'argent». ◆ **CHANGE** n. m. (XIIe s.) recouvre la notion de «troc, échange» (en locution ***gagner au change,*** 1740). ◇ Dès le XIIe s., il reçoit en vénerie le sens de «direction vers un autre cerf que le cerf lancé» (v. 1160), à l'origine d'emplois figurés immédiats ayant donné les locutions courantes ***prendre le change*** (1645), ***donner le change*** (1654). ◇ Sous l'influence de l'italien *cambio* et du latin médiéval *cambium* «échange» (756) et «table de changeur» (1141-1142), il s'est spécialisé en finance, désignant d'abord la table du changeur (v. 1200), puis l'opération de conversion d'une monnaie, entrant dans des syntagmes comme ***lettre de change*** (1690), ***agent de change*** (1718). Récemment, d'après l'emploi courant du verbe au sens de «changer de linge, de vêtements», il désigne la couche-culotte jetable du bébé (v. 1980).

RECHANGER v. tr. (v. 1160) a perdu son sens intransitif, «se modifier», au profit du simple. Il s'est maintenu comme transitif pour «changer de nouveau» (fin XIIe s.). ➝ Son déverbal ① **RECHANGE** n. m. (v. 1468) «remplacement d'un objet par un autre» est surtout usité dans la locution adjective ***de rechange*** (1732), appliquée à des objets concrets, puis abstraits (1875). ➝ Il est distinct de son homonyme ② **RECHANGE** n. m., terme de finance formé directement sur *change* (déb. XVIIe s.), et désignant l'opération effectuée par le porteur d'une lettre de change impayée tirant un nouvel effet sur son débiteur.

INCHANGEABLE adj. (1554), **INCHANGÉ, ÉE** adj. (1794) ont été formés avec le préfixe privatif *in-*.

INTERCHANGEABLE adj. (1870) est probablement emprunté à l'anglais *interchangeable* (XVe s., *enterchaungeable*), lequel représente un emprunt à l'ancien français *entrechanjable* (1200), disparu en moyen français.

◈ voir CAMBISTE, ÉCHANGER.

CHANLATTE → LATTE

CHANOINE

◈ **CHANOINE** n. m., d'abord *canonie* (1080), *chanuine* (v. 1121) puis *chanoine* (v. 1165), est issu du latin chrétien *canonicus* (→ canonique), adjectif exprimant ce qui est conforme aux règles de l'Église, spécialement «conforme à la règle d'un ordre religieux» (IVe-Ve s.), puis ce qui appartient régulièrement à un diocèse, à une église. *Canonicus* est substantivé comme appellation d'un clerc appartenant régulièrement au clergé d'une église (IVe s.) puis à son chapitre (VIIIe s.).

♦ Le mot désigne un dignitaire ecclésiastique faisant partie du chapitre d'une église et jouissant parfois d'une prébende, d'où proverbialement, par allusion à ces privilèges, ***vivre comme un chanoine*** (1704), ***gras comme un chanoine,*** etc. Le mot désigne aussi un religieux vivant en communauté sous l'autorité d'une règle et destiné au service d'une église particulière.

▸ En sont dérivés **CHANOINIE** n. f., d'abord *chanonie* (v. 1175), supplanté par *canonicat*;* **CHANOINESSE** n. f., d'abord *channonnesse* (1264), et **CHANOINERIE** n. f. (XIVe s.), «ensemble des chanoines, ce qui se rapporte aux chanoines», abandonné au XVIIe s. et repris en 1832 (Hugo).

CHANSON

◈ **CHANSON** n. f., d'abord *chançun* (1080), est issu du latin archaïque et post-classique *cantio* (accusatif *cantionem*) «chant» (d'un humain, d'un instrument), du supin *(cantum)* de *canere* «chanter» (→ chanter).

♦ Le mot, à l'origine «pièce en vers destinée à être chantée» et «poésie» (XIIe s.), désigne de manière générale une composition chantée, divisée en couplets d'où, par métonymie, le texte ou la mélodie qui l'accompagne. Une expression comme *chanson de geste*, qui désigne aujourd'hui en histoire littéraire un texte, manifeste l'union indissoluble de la poésie médiévale et de l'oralité. *Chanson* a développé des sens figurés plus ou moins péjoratifs, évoquant une parole en l'air (XVIe s., *chansons* au pluriel), des propos rebattus qui reviennent comme un refrain (1608). Par extension, il est employé à propos du chant des oiseaux ou d'un bruit agréable à l'oreille (1802), du son d'un instrument de musique (1837, de la flûte). ➝ Au sens propre de «paroles à chanter» et «air chanté, poésie chantée», le mot est attesté dès le XIe s. avant *chant* lui-même. Ses valeurs ont évolué avec les époques ; avant le XVe s., la chanson se confond avec la poésie et la musique vocale, puis cette valeur, développée au XVIe s. avec Pierre Attaingnant (chansons nouvelles mises en musique..., 1528), Janequin, Marot, Baïf, se double d'un contenu plus spontané, populaire, puis au XVIIIe s., à partir du *Caveau* de Piron, Collé et Crébillon (v. 1740-1760), correspond à un genre reconnu. Celui-ci aura un immense succès avec le nouveau *Caveau* (1805-1815) et sera illustré par Désaugiers et Béranger. L'intérêt des écrivains pour la chanson (*les Chansons des rues et des bois* de Hugo, 1859-1865) tend à l'isoler par rapport à la chanson «populaire» qui entre à nouveau en politique (Eugène Pottier, Pierre Dupont). Mais la grande mutation du genre correspond à l'organisation du spectacle de «variétés», au café-concert, puis à l'apparition d'auteurs-chanteurs à partir du Second Empire et surtout après 1880, époque à la fois des premières vedettes de la chanson et des chansonniers. Au XXe s., la radio (T. S. F.), le cinéma, le disque, en un mot la diffusion de masse fait entrer la chanson dans son âge moderne, où il faut préciser la nature de l'objet : *chanson populaire, folklorique, chanson enfantine, chanson à boire, chanson* employé seul désignant le genre moderne le plus répandu, à condition qu'un texte identifiable y soit chanté (on ne parle pas de chanson pour le rock).

▸ **CHANSONNETTE** n. f., d'abord *chancenete* (v. 1175) et *chanconete* (XIIIe s.), désigne une petite chanson sur un sujet léger. ➝ **CHANSONNIER** n. m. (XIVe s.) s'applique d'abord à un recueil de chansons, sens qui se répand au XVIIIe s. (*La Clé des chansonniers,* 1717). ◇ Appliqué à une personne, anciennement comme adjectif au sens de «qui aime chanter» (1571), il a désigné un compositeur de chansons (fin XVIIe s.) puis un artiste qui interprète des chansons, le plus souvent satiriques, dans un cabaret (1862) ; ce sens fait suite à la spécialisation du verbe *chansonner* (ci-dessous). ➝ **CHANSONNER** v. tr. (1584) a rapidement perdu le sens de «jouer d'un instrument de musique» ; il a été repris au XVIIIe s. avec celui de «faire des chansons contre (qqn)» (1734) dans un contexte satirique. ➛ **CHANSONNAGE** n. m. lui sert exceptionnellement de substantif d'action (1848, Michelet).

② **CHANT** ou ② **CHAMP** n. m. est issu (v. 1155) du latin *canthus* «bande de fer qui entoure la roue», mot probablement d'origine celtique (gauloise) (plutôt qu'espagnole ou africaine, comme le dit Quintilien).

♦ Le mot est technique et désigne la face la moins large d'un objet parallélépipédique. On rencontre aussi *can* ou *cant* (charpente, marine).

◈ voir ② CHANFREIN, CHANTOURNER.

CHANTER v. est issu (v. 980) du latin *cantare*, forme intensive qui a très tôt concurrencé le verbe simple *canere* sans que la nuance intensive soit toujours sensible, et s'est spécialisé au sens de «chanter», passant dans toutes les langues romanes. *Canere* est un terme de la langue augurale et magique dont les formules sont des mélopées rythmées. Employé à propos des devins et des poètes, il a pris le sens de «célébrer les exploits d'un personnage» ou aussi «prédire». Le mot, hors de l'italo-celtique, n'a de correspondants que dans des formes nominales, en germanique le nom du coq (gotique *hana*), en grec l'épithète du coq *ei kanos* «qui chante de bonne heure» et *kanakhê* «bruit».

♦ Le mot, d'abord dans un contexte liturgique, signifie «célébrer avec des chants», notion qui se maintient jusqu'à nous, s'affranchissant parfois de l'idée de «chant» (av. 1528) et qui, par extension, s'affaiblit en «glorifier» (1796, *chanter victoire*). Le sens usuel de «faire entendre un chant», présent dès les premiers textes (v. 980, *chanter la messe*), est réalisé en constructions transitive et intransitive (v. 1050), également avec un sujet désignant un oiseau (1100-1150) ou un instrument de musique (v. 1265). L'expansion s'est faite vers les sens figurés de «dire, raconter» (1165-1170) et, au XVIIe s., «obtenir des aveux» d'où ***faire chanter qqn*** (1640), et «parler avec des inflexions rappelant le chant» (1690). Ultérieurement, le mot reçoit le sens figuré de «convenir, plaire» (1847). ◇ La locution ***faire chanter qqn*** a été reformée au sens de «extorquer de l'argent à qqn par la ruse ou par la force» (1808), peut-être par allusion ironique aux cris de l'interrogé qui avoue (cf. ci-dessous *chantage* et *maître chanteur*).

▸ *Chanter*, indépendamment des autres emprunts de la famille de *cantus* (→ chanson, ci-dessous chant) a servi à former plusieurs dérivés réguliers. ➛ **CHANTABLE** adj. (déb. XIIe s., *cantable;* forme moderne déb. XVe s.) «qui peut être chanté», n'a guère varié de sens. ➛ **CHANTANT, ANTE,** adj. tiré du participe présent (1281), se dit des personnes (par exemple *le Fou chantant*, surnom de Charles Trenet), d'un air qui se prête au chant, est synonyme de *mélodieux*, en parlant d'une voix, d'une langue, et s'est spécialisé dans cet emploi avec *basse chantante. Café chantant* «où se produisent des chanteurs» (milieu XIXe s.) a été supplanté par *café-concert* (→ café). ➛ **CHANTONNER** v. tr. (1538) signifie «chanter à mi-voix» et s'emploie parfois au figuré; il a pour dérivé **CHANTONNEMENT** n. m. (1834, Sand). ➛ **CHANTAGE** n. m. est dérivé (1836, Vidocq) au sens spécial et figuré de *faire chanter* (qqn).

Parmi les verbes préfixés, **RECHANTER** v. tr. (1487) «chanter de nouveau» et aussi (1573) «célébrer de nouveau», est peu usité. ➛ En revanche, ① **DÉCHANTER** v. intr. (v. 1223), formé plaisamment sur *chanter* au figuré pour «se lamenter, se plaindre», a été reformé au XVIIe s. (1663, Molière) au sens de «changer de ton, en rabattre» et a pris en français moderne la valeur de «perdre ses illusions». ➛ **CHANTEUR** n. (XIIe s., *chantur*) est issu de l'accusatif latin *cantorem (cantor)* et *cantatorem (cantator)*. Son féminin **CHANTEUSE,** (1680), précédé par *chanteresse*, l'est aujourd'hui par *cantatrice** dans le domaine du chant lyrique. ◇ Le composé **MAÎTRE CHANTEUR** (1837) est lié à *faire chanter* et à *chantage;* la forme semble calquée (1840) de l'allemand *Meistersinger* «poète musicien allemand, aux XIVe-XVIe siècles». ◇ Comme adjectif, *chanteur* se dit aussi des oiseaux (1805, Cuvier), sens précédé par l'application du nom à un type d'oiseau (1732).

➛ Le nominatif latin *cantor* a produit **CHANTRE** n. m. (1227), d'abord synonyme de *chanteur* puis réservé à un chanteur religieux et au figuré — suivi de la préposition *de* — à un poète lyrique ou épique (littéraire).

① **CHANT** n. m. est issu (v. 1120) du latin *cantus*, de *canere*. Le mot désigne l'émission de sons musicaux par la voix humaine, en relation avec le verbe *chanter*, dont il est le substantif d'action; *un chant, des chants* désigne les sons émis par une personne et, par analogie, un instrument (1857), un animal, oiseau (fin XIIIe s.), insecte, avec des expressions figurées comme ***le chant du cygne*** (1640, remplaçant *l'hymne du cigne*, 1611). Le mot s'est spécialisé à propos d'une composition musicale destinée à la voix, dans un contexte différent de *chanson*, plus sérieux (*chant d'Église*, etc.) ou plus savant. Il désigne aussi (1541) le genre musical et toute forme particulière de musique vocale (*chant grégorien, chant choral*, etc.), ainsi que la technique et l'art de la musique vocale *(l'art du chant; école de chant)*. ◇ Enfin, l'accent étant mis non plus sur la musique mais sur les paroles, *chant* désigne un poème lyrique (par exemple *chant royal* 1521, Marot) ou une division d'un poème (1644, *les Douze Chants de l'Énéide*); au pluriel, *les chants* s'est dit pour «la poésie lyrique». ➛ Sur *chant* est formé le terme technique **DÉCHANT** n. m. «composition à deux voix, chant principal (→ plain: plain-chant) et *contre-chant*» (v. 1175), d'où ② **DÉCHANTER** (v. 1223) rendu archaïque par ① *déchanter* (ci-dessus). ➛ **CONTRE-CHANT** n. m. (1578) désigne une mélodie en contrepoint avec un chant principal.

◈ voir CANTATE, CANTATRICE, CANTIQUE, CHANSON, ENCHANTER.

CHANTERELLE n. f. est l'adaptation (1752) du latin des botanistes *cantharella*, littéralement «petite coupe» à cause de la forme du chapeau du champignon. Ce mot est le diminutif du latin *can-*

tharus «sorte de coupe», lui-même du grec *kantharos* (→ canthare, cantharide).

♦ Le mot désigne un champignon comestible, également appelé *girolle*.

CHANTIER n. m. résulte, sous les formes *gantier* (v. 1202), *cantier* (1249), localisées dans le Nord, puis *chantier*, de l'évolution phonétique du latin *cantherius*. Ce mot, proprement «cheval hongre, mauvais cheval de charge», a reçu par une métaphore fréquente (cf. *poutre, chèvre)* les sens techniques de «chevron», «support auquel on fixe la vigne». Il rappelle le grec *kanthôn* «baudet» et, comme lui, est probablement emprunté.

♦ Le mot réalise le sens de «support», désignant en particulier les pièces de bois sur lesquelles on place les tonneaux (1261), la cale supportant l'objet que l'on veut façonner (1611), d'où l'expression ***mettre en chantier*** «commencer (un travail)» (1753) par métaphore de la construction d'un navire soutenu par un bloc de bois (1690). ◆ Dans l'usage moderne, le mot désigne le lieu où sont entassés des matériaux (1553, du bois; par métonymie du sens antérieur d'«entassement de matériaux», 1400), prenant dans la seconde moitié du XVIIe s. (1680) le sens moderne, demeuré usuel, d'«atelier en plein air», «lieu où l'on construit un bâtiment», «où on le démolit» *(chantier de construction, de démolition)*, «où l'on effectue divers travaux» (construction ou réfection de voies, etc.). L'idée de «grand travail en progression» qu'il implique alors fait que la locution ***mettre en chantier*** est remotivée et que le mot s'emploie pour «grande entreprise matérielle». Ce sens a été utilisé dans diverses expressions, comme en 1940 les *Chantiers de jeunesse*, organisme créé sous le régime de Vichy pour soumettre les jeunes à un travail éducatif obligatoire (1940-1944).

CHANTOURNER → TOURNER

CHANTRE → CHANTER

CHANVRE n. m., d'abord *chenvre* (1089), *chanve* (1172-1175) puis *chanvre* (1268-1271), est issu d'une forme altérée du latin *cannabis* n. f., lui-même calqué sur le grec *kannabis* «plante textile», emprunt pour lequel on a proposé une origine thrace ou scythe ou babylonienne (sumérien *kunibu*). Quoi qu'il en soit, le mot latin «doit être emprunté au grec» (Chantraine); le terme germanique (ancien haut allemand *hanaf*) est probablement pris au latin. Le caractère emprunté du mot grec suggère une implantation relativement tardive du chanvre en Europe, ce qui est important dans l'histoire des techniques : selon A. G. Haudricourt «la corde de chanvre a donc été absente lors de la formation des techniques européennes; on n'a connu que les liens d'osier ou de paille» (in *Les Pieds sur terre*).

♦ Le mot désigne une plante textile et, par métonymie, le textile produit avec les fibres de la tige de cette plante (1690). Son importance était grande au moyen âge et localement jusqu'au XIXe siècle. ◇ Aujourd'hui, *chanvre indien* ou le type emprunté savamment, *cannabis* n. m. (1846), désigne la plante de la même famille produisant un stupéfiant.

▸ Les principaux dérivés sont des mots techniques : **CHANVRIER** n. m. (1283), **CHANVRIÈRE** n. f. (1429) et **CHANVREUR** n. m. (1855). ◆ *Chanvrière* lui-même est moins usité que **CHENEVIÈRE** n. f. (1226, *chanevière, canebière* dans le Sud-Est d'où le nom d'une célèbre avenue marseillaise), «champ où croît le chanvre», issu d'un latin populaire °*canaparia*.
Le nom de la graine du chanvre **CHÈNEVIS** n. m. (1205-1250) est hérité d'un latin populaire °*canaputium*. ◆ **CHÈNEVOTTE** n. f., d'abord *chenevotte* (1461-1462) dérivé du radical de *chènevis, chenevieu*, désigne la partie ligneuse du chanvre, utilisée pour la production de *cellulose*.

◈ voir CANEVAS.

CHAOS n. m. est emprunté (1377) au latin *chaos* «état de confusion ayant précédé l'organisation du monde» (Virgile), employé au figuré à basse époque (IVe s., Marcus Victorinus) et utilisé par les pères de l'Église (IVe s., Lactance) pour désigner le premier état de la terre avant l'intervention créatrice de Dieu. *Chaos* traduisait le mot hébreu connu en français sous la forme *tohu-bohu**. *Chaos* est emprunté au grec *khaos* de même sens, désignant dans la mythologie le premier état de l'univers avant la naissance des dieux, puis aussi l'espace infini, le gouffre, l'abîme (encore en grec moderne). Le mot serait à rapprocher de l'allemand *Gaumen* «palais (de la bouche)», ancien haut allemand *goumo* et, en grec même, du groupe de *khainein* «s'ouvrir, ouvrir la bouche, béer»; ces mots appartenant à la racine indoeuropéenne °*ghen-*, °*ghei-* qui exprime la notion de «vide, manque».

♦ Le mot désigne l'état de confusion des éléments avant l'organisation du monde, dans les cosmogonies antique et chrétienne. Par extension, il exprime un état de grande confusion (fin XVIe s., Desportes), développant une acception spécialisée en politique (1756, Voltaire) et, concrètement, le sens d'«amas, amoncellement de blocs naturels, de roches» (1796).

▸ **CHAOTIQUE** adj., dérivé de *chaos* avec intercalation de la consonne de soutien *t*, est d'abord employé (1838) dans des contextes didactiques; il ne se répand que vers 1890. ◆ Il a servi à former **CHAOTIQUEMENT** adv. (1928), peu usité et qui ne s'emploie guère, comme *chaotique*, qu'abstraitement.

◈ voir GAZ.

CHAPARDER v. tr. introduit par l'argot des zouaves d'Algérie (1859), est d'origine inconnue, peut-être de *chapar* «voler» en sabir algérien ou de *cape*, par l'ancien picard *caper* «prendre», ou l'ancien provençal *-acapa* «dérober». L'hypothèse d'une formation verbale à partir de *chat-pard**, nom donné au tigre sur le modèle de *léopard**, n'emporte pas la conviction.

♦ Le mot s'est répandu dans l'usage familier avec le sens de «commettre de petits vols, généralement d'objets».

▸ **CHAPARDERIE** n. f. (1863), son doublet plus courant **CHAPARDAGE** n. m. (1871) et **CHAPARDEUR, EUSE** adj. et n. (1859) sont apparus immédiatement et sont familiers, comme le verbe.

CHAPE n. f., d'abord *cape* (1050) puis *chape* (v. 1131), est issu du bas latin *cappa* «capuchon» et «manteau à capuchon» (VIIe s.), en particulier «vêtement de moine» (av. 850). *Cappa* a donné *cape** par voie savante et intermédiaire provençal.

♦ Le mot ne s'est pas immédiatement distingué de *cape,* désignant jusqu'au XVIIe s. divers manteaux amples sans manches. Il a gardé la spécialisation religieuse de «manteau d'ecclésiastique» (1250-1300), sens encore sensible dans l'expression ***chape de plomb,*** nom d'un ancien instrument de torture passé dans l'usage avec une valeur figurée. ◇ Ce sens s'est effacé devant des valeurs techniques de «revêtement» en maçonnerie (1403), «couvercle bombé» (1690), emploi disparu, «pièce honorable de l'écu constituée de deux triangles» en blason (1690).

▸ **CHAPERON** n. m. (v. 1131), diminutif de *chape,* a désigné une coiffure à bourrelet, terminée par une queue, que portaient les hommes et les femmes au moyen âge. Ce sens est conservé dans l'expression ***(petit) chaperon rouge,*** par référence au conte de Perrault (1697) où une petite fille coiffée d'un chaperon rouge est ainsi nommée. ◇ Par extension, le mot a reçu le sens figuré de «personne servant de duègne à une jeune fille» (1690), par allusion à la décence et à la protection qu'implique la coiffure. Comme *chape,* il a développé l'acception technique de «revêtement» (en construction, horlogerie). ➛ **CHAPERONNER** v. tr. (1174-1176), rarement attesté en ancien français et seulement au participe passé, n'exprime plus de nos jours l'idée de «coiffer d'un chaperon» (1596), sinon dans une spécialisation en fauconnerie (av. 1614), mais celle de «accompagner (une jeune personne) pour la protéger et la surveiller» (1835), d'après le sens déjà ancien de *chaperon.* ◇ Il a produit **CHAPERONNAGE** n. m. (1867) et les préfixés verbaux **ENCHAPERONNER** v. tr. (v. 1160), **DÉCHAPERONNER** v. tr. (1465), sortis d'usage.

◈ voir CHAPEAU, CHAPELLE, ÉCHAPPER.

CHAPEAU n. m., d'abord *chapel* (v. 1130) puis *chapeau* (v. 1225), est issu du bas latin *capellus,* diminutif de *cappa* (→ cape, chape), attesté au sens de «coiffe» (av. 833) et, au figuré, de «couvercle» (XIIIe s.).

♦ Le mot est en premier lieu le terme générique des coiffures masculines et féminines, et en particulier le nom de la coiffure du cardinal (1288), généralement assortie d'un qualificatif *(rouge, vermeil).* L'objet symbolique dans les relations sociales (cf. *être couvert*), est devenu au XIXe s. un signe d'appartenance sociale à la bourgeoisie, par opposition à *casquette**; les femmes sans chapeaux hors de chez elles («en cheveux») étant réprouvées. La phraséologie produite avec *chapeau* consiste en locutions dont plusieurs transposent au figuré des marques concrètes de respect : ***ôter, tirer son chapeau*** (1585) et ***chapeau bas*** (1694, elliptiquement ***chapeau !***). L'argot emploie ***travailler du chapeau*** (1935) «déraisonner» en donnant à *chapeau* le sens métonymique de «tête». L'expression ***porter le chapeau*** (1928) «être tenu pour responsable d'une faute» procède de l'idée de «coiffer qqn» pour en médire (XVIIe s.) et de ***servir de chapeau*** «couvrir», c'est-à-dire assumer la responsabilité. ➛ Par analogie de forme ou de destination, le mot a divers emplois techniques, notamment en construction (1414), en botanique (1809, en parlant des champignons), en mécanique (1867; d'où ***sur les chapeaux de roues,*** 1928 «à toute allure»). Dans l'argot des journalistes, il se dit d'un court texte précédant un article ou un écrit (1907).

▸ Presque tous les dérivés du mot sont formés sur son ancienne forme *chapel.* ➛ **CHAPELET** n. m. (v. 1200) a d'abord désigné une couronne de fleurs; par analogie entre la couronne de roses dont on ornait la tête de la Vierge (cf. *rosaire)* et le collier de grains enfilés, il s'est spécialisé en «objet de dévotion catholique» (1390), entrant dans les locutions ***dire son chapelet*** (1597), ***débiter son chapelet*** (av. 1655), remplaçant l'ancien français *patenôtre* (de *pater noster*). Par analogie, il réalise l'idée d'une «suite d'éléments semblables» (v. 1560) en médecine, architecture (1676), comme terme de manège (1680), en hydraulique (1685) et couramment, au propre (1675) et au figuré *(chapelet d'injures).* ➛ **CHAPELIER, IÈRE** n. et adj. (fin XIIe s.), appellation ancienne de la personne qui tressait des couronnes de fleurs (encore en 1614), désigne de nos jours celle qui fabrique des chapeaux (v. 1268). Il s'est employé adjectivement comme épithète de *malle* à propos d'une malle contenant robes et chapeaux (1877).

CHAPELLE n. f., d'abord écrit *chapele* (1080), est issu du latin populaire *capella,* diminutif de *cappa* «manteau à capuchon» (→ cape, chape), attesté en latin médiéval (679) pour désigner le manteau de saint Martin, relique conservée à la cour des rois francs. Par extension, *capella* en vint à désigner le trésor des reliques royales et l'oratoire du Palais-Royal abritant ce trésor (788). De là, le mot s'applique d'une part à l'oratoire rattaché à un domaine privé, église non pourvue des pleins droits paroissiaux (801-810) d'où «bénéfice attaché à cette église» (av. 842) et, d'autre part, à la chancellerie (794) et enfin, aux objets de culte, les vases liturgiques (811), les clercs chargés du culte au Palais-Royal (972).

♦ Le mot français a d'abord désigné le sanctuaire du palais d'un souverain (en l'occurrence, du palais de Charlemagne à Aix). Il désigne dès l'ancien français un lieu de culte dans une demeure particulière et une petite église secondaire non pourvue des pleins droits paroissiaux (déb. XIIe s.), ainsi que la partie adjacente d'une église, où se trouve un autel secondaire (1405). Par métonymie, il se dit de l'ensemble des objets du culte servant à célébrer la messe (1328), et, autrefois, d'un bénéfice ecclésiastique (v. 1461). L'expression ***chapelle ardente*** désigne une chapelle «où brûlent des cierges» (av. 1558). Ultérieurement, d'après le sens de «groupe d'ecclésiastiques desservant une chapelle» (1527), le mot a pris le sens de «groupe de musiciens et de chanteurs sous la direction d'un *maître de* *chapelle»* (1549). Le sens figuré «groupe de personnes désirant rester entre elles» (1870) est souvent péjoratif ***(esprit de chapelle)***. ➛ Parallèlement, dès le moyen français, il a développé des sens techniques fondés sur une analogie de forme avec la voûte d'une chapelle : «voûte d'un four de boulangerie» (1332), «couvercle d'un alambic» (1392). En marine, l'expression ***faire chapelle*** (1643) s'explique par la forme voûtée des voiles sous l'action du vent.

▸ Le dérivé **CHAPELAIN** n. m., d'abord *chapelein* (v. 1155), a vieilli au sens de «celui qui a la charge d'une chapelle et en est bénéficiaire». Il désigne spécialement (1170) le prêtre desservant une chapelle autonome. Il a pu être influencé par le latin médiéval *capellanus* (741) «clerc attaché à une cour seigneuriale ou desservant une chapelle» et «clerc attaché à la chapelle royale, gardien des reliques» (742, en emploi adjectif).
A CAPPELLA a été emprunté en musique (1859) à l'italien *a cappella* «à chapelle», pour un chant interprété sans accompagnement instrumental.

CHAPELET → **CHAPEAU**

CHAPELURE n. f., réfection (1611) de *chappeleure* (v. 1393), est formé par suffixation sur le radical de l'ancien verbe *chappeler, chapeler* v. tr., d'abord *capler* (1080) et *chapler* «frapper rudement en combattant, tailler en pièces», maintenu au sens de «taillader», «frapper» dans les parlers gallo-romains de l'Est, et repris au XIXe s. dans l'usage régional et familier. Le mot signifie spécialement «réduire en miettes la croûte du pain» (1393). Il est issu d'un bas latin °*cappulare*, attesté sous la forme *capulare* «découper un mets, une nourriture» (VIe s.), lui-même dérivé du bas latin °*cappare* de même sens, probablement du latin populaire °*cappo* (→ chapon). Un rattachement de °*cappare* au germanique °*kappan* ou *kappôn* «fendre» semble à écarter ; le néerlandais *kappen* «couper», néerlandais *capen* (d'où haut allemand *kappen*) sont au contraire d'origine romane.

♦ Le mot désigne la croûte de pain séchée, émiettée ou râpée, utilisée dans les préparations culinaires dites *panées*.

CHAPERON → **CHAPE**

CHAPITEAU n. m., d'abord *chapitel* (v. 1160) puis *chapiteau*, est issu du latin *capitellum*, diminutif de *caput* «tête» (→ chef), «extrémité», employé à basse époque comme terme d'architecture «partie élargie, ornementale, au sommet d'une colonne», devançant en ce sens *capitulum* (→ chapitre).

♦ Le mot désigne la partie supérieure d'une colonne, d'un pilastre ou d'une ante en architecture, et, l'accent étant mis sur son ornementation *(chapiteau roman, gothique)*, il se dit aussi des ornements formant un couronnement et (1690) de la corniche d'un meuble. ➛ Le sens de «petit couvercle», «couverture», extension du précédent ou retour à l'étymologie du mot latin, est réalisé dans quelques emplois techniques (chimie, art militaire ancien) et en parlant de la tente d'un cirque (1905), *sous le chapiteau* signifiant «au cirque».

CHAPITRE n. m., d'abord *chapitle* (v. 1119) et *capitre* (v. 1190), est issu du latin *capitulum*, diminutif de *caput* «tête» (→ chef), littéralement «petite tête», en particulier à basse époque «partie (essentielle) d'un écrit» et, par métonymie, en latin médiéval, «réunion de chanoines au début de laquelle on lisait un chapitre de la règle», puis «salle capitulaire».

♦ Le mot désigne une partie d'un texte, d'où, par une extension figurée, (1671), un sujet particulier (***sur le chapitre de...***, etc.). Dès le XIIe s., il a repris au latin médiéval le sens spécialisé «passage de l'Écriture lu dans un office» (v. 1190). ➛ Le mot a repris au latin le sens de «lieu où se réunissent les chanoines d'une cathédrale», «assemblée de ces chanoines» (1174-1176). De là, par l'intermédiaire d'une variante ancienne *avoir plus grande voix en chapitre* (av. 1544), l'expression figurée ***avoir voix au chapitre*** (1798) «avoir autorité pour se faire entendre».

▸ **CHAPITRER** v. tr., d'abord *capitrer* (1440-1442), littéralement «réprimander (un religieux) en plein chapitre», s'est rapidement répandu dans l'usage au sens général de «faire des remontrances» (v. 1460). ◇ Les dictionnaires généraux récents attestent le sens (rare) de «diviser un écrit en chapitres», d'après *chapitre* «partie d'un écrit».

CHAPON n. m., d'abord écrit *chiapun* (av. 1150), graphie isolée, puis *chapon* (v. 1175), est hérité du bas latin de même sens °*cappo*, variante à géminée expressive de *capo, -onis*, également *capus* (un peu antérieurement, Varron). Ce mot est probablement à rattacher à la racine indoeuropéenne °*(s)kap-* «couper avec un instrument tranchant» : il y a correspondance avec le grec *koptein* «frapper, couper», *kopis* «couteau», le lituanien *kapóti* «hacher menu», le slave *kopati* «creuser» ; le rapprochement est plus compliqué avec le persan *šikāfad* «il fend», *kāfad* «il creuse, il fend».

♦ Le mot désigne un coq châtré, engraissé spécialement pour la consommation. ◇ Par analogie, il désigne une jeune pousse de vigne qui ne produit pas encore de raisin (1425), d'abord en Suisse romande et dans la partie lyonnaise du domaine franco-provençal, puis en Bourgogne (1611). ◇ Le sens «morceau de pain trempé dans un bouillon gras et servi sur un potage maigre» (1690) et «croûte de pain frottée d'ail dans la salade» (1787) s'explique soit par une image ironique, ce bon morceau tenant lieu de chapon pour le pauvre, soit en relation avec l'ancien *chap(e)ler*, de même origine (→ chapelure) «rogner la croûte».

▸ Le dérivé **CHAPONNER** v. tr. (XIIIe s.), «châtrer un jeune coq pour l'engraisser», a quelquefois le sens plus général de «castrer (un animal)» (v. 1275).

◈ voir **CAPON**.

① **CHAR** n. m. est issu (1172-1174) du latin *carrus*, emprunté au gaulois comme d'autres noms de véhicules par les Romains sédentaires (→ carpentum à *charpente*). *Carrus* désignait un type de grand chariot utilisé par les conquérants gaulois (IVe s. av. J.-C.) pour transporter leurs bagages et entourer leur camp, la nuit.

♦ Le mot s'est éloigné de son sens premier, assez général, par diverses spécialisations : «voiture à deux roues utilisée par les Anciens lors des jeux» (1538), «voiture décorée portant les masques de Carnaval» (1636) et «voiture riche et légère» (1648). Déterminé, *char* désigne au contraire un type de voiture rustique (*char à bœufs, char à bancs,* 1764) et, en contexte militaire, une voiture blindée (1917, *char d'assaut*) en concurrence avec l'anglicisme *tank**. ◇ Au Canada, par anglicisme (→ car), il a encore parfois le sens de «voiture» (1826), «voiture automobile».

▶ **CHARRETTE** n. f., d'abord *carette* (1080), s'est spécialisé au sens de «voiture à deux roues et brancard, d'usage rustique». Par allusion à la coutume des élèves d'architecture qui, le jour de l'exposition, chargeaient leurs projets dans une charrette tirée par le plus jeune, il a pris le sens argotique scolaire de «travail intensif en prévision d'un retard possible dans l'exécution d'un projet». ➛ À son tour, ce mot a donné **CHARRETÉE** n. f., d'abord *caretede* (1086), et **CHARRETIER, IÈRE** adj. et n. (1172-1175), nom d'un conducteur de charrette ayant souvent une connotation péjorative ***(jurer comme un charretier)***, employé adjectivement et qualifiant les voies par où peuvent passer les charrettes (fin XIIe s.). ➛ **CHARRETER** v. tr. et **CHARRETON** n. m., qui figurent tous deux dans l'œuvre de Chrétien de Troyes, *Le Chevalier à la charrette* (1172-1175), sont vieillis ou rarement employés ; *charreton* étant encore d'usage rural.

CHARRIER v. (1080), d'abord *carier*, signifie «transporter dans un chariot, un char». Par extension, il a glissé vers une valeur différente : «entraîner dans son cours» (1600). ➛ Son sens argotique, puis familier, de «duper, tromper» (1837 ; *charriage* ci-dessous, 1835), est soit une extension métaphorique comparable au sens pris par l'expression *mener en bateau*, soit (selon Guiraud) issu de *charrer* «tourmenter en paroles», attesté dans les parlers de Normandie et de même origine que le provençal *charra* (→ charabia, charade), par croisement avec *charrier* au sens de «tourmenter» en moyen français (v. 1460), sens encore vivant au Canada avec celui de «pourchasser». ➛ Le verbe a produit **CHARRIAGE** n. m. (1240), spécialement employé en géologie (1886), notamment dans *nappe de charriage*, d'après un emploi déjà attesté en minéralogie en 1760. ◇ Le sens argotique de «vol où l'on utilise la mystification» (1835) correspond à l'emploi correspondant de *charrier*. ➛ Le diminutif de *charriage*, ② **CHAR** ou **CHARRE** n. m. (1881), «bluff» en argot, est compris comme un emploi métaphorique de ① *char* (dans la locution ***arrête ton char !***).

CHARIOT n. m. (1285), d'abord également *charriot*, orthographe proposée par analogie avec les autres mots de la série en 1990, désigne un type de véhicule à quatre roues tiré par des chevaux ou des bœufs. Par analogie, le mot désigne un jouet d'enfant (1680, *chariot d'enfant*) et une constellation (1611). Par analogie de fonction, il désigne une pièce mobile encastrée dans un mécanisme (1638), dans divers domaines techniques (bâtiment, technologie, bureautique, tissage).

CHARRIEUR, IEUSE adj. et n., après une attestation isolée au XVIe s. au sens de «celui qui conduit la charrue», est repris au XIXe s. en argot (1834) au sens de *charrier* «mystifier». Au sens de «conducteur, transporteur» (1867), il est quasi inusité.

CHARROYER v. tr. (v. 1225) réalise des sens propres voisins de ceux de *charrier*, sans être aussi répandu, de même que ses dérivés **CHARROI** n. m. (v. 1150, dans le titre d'une chanson de geste, *Le Charroi de Nîmes*) «chariot», «convoi, train» (v. 1200) et «action de transporter» (1398), et **CHARROYEUR** n. m. (1866).

CHARRON n. (1268) est l'appellation du constructeur et réparateur des véhicules à traction animale. ➛ En est dérivé **CHARRONNER** v., qui a produit **CHARRONNERIE** n. f. (1295, *caronnerie*) et **CHARRONNAGE** n. m. (1690), termes de métier.

◈ voir CAR, CARGO, CARICATURE, CARRIÈRE, CARRIOLE, CARROSSE, CHARGER, CHARRUE.

CHARABIA n. m., d'origine incertaine, est probablement dérivé (1802) du provençal *charrá* «faire conversation», issu d'un radical onomatopéique *tcharr-* «bruit confus de paroles» élargi par une finale exprimant l'embarras, le bégaiement (→ charade, charivari, charlatan). Le premier élément incite à rapprocher *charabia* du lyonnais *charabarat* «marché aux chevaux», dont le second élément représente l'ancien français *barat* «tromperie, tumulte» (→ baratin). ◈

♦ *Charabia* a été appliqué (comme *baragouin** et *bredouille** l'est aux Bretons) comme sobriquet ethnique aux Auvergnats (XIXe s. av. 1835, le sens des premières attestations n'étant pas clair) à cause de leur prononciation palatisée du *s*, interprétée à tort par les Parisiens comme un *ch-*. Par généralisation, il a pris le sens moderne (1838) de «langage incompréhensible, à cause de son incorrection ou de son caractère hyper-spécialisé».

▶ **CHARABIAÏSER** v. intr. (1859), repris par Queneau (1959), **CHARABIER** v. intr. (1873) et **CHARABIATER** v. intr. (1891), dérivés expressifs pour «parler en charabia», sont peu usités.

CHARADE n. f. est d'origine incertaine, probablement emprunté (1770) au provençal *charrado* «causerie, conversation», dérivé de *charrá* «converser, babiller» (→ charabia, charivari, charlatan), mot onomatopéique apparenté à l'italien *ciarlare* «jaser». ◈

♦ Le mot, dans sa première attestation, est glosé comme un terme régional (Languedoc) signifiant à l'origine «discours propre à tuer le temps». Très vite, il s'est spécialisé (1777) pour désigner un jeu de langage, où les syllabes successives d'un mot (le *tout*) sont suggérées par les définitions d'homonymes monosyllabiques (le *premier*, le *second*), développant par extension le sens figuré de «chose bizarre, incompréhensible» (1835, Balzac, *La Fille aux yeux d'or*).

CHARANÇON n. m., attesté en 1370 selon Bloch et Wartburg, puis *charenson* (1465), *charenton* (1508), *charanton* (1546) et *charanson* (1611), *charançon* (1678), est d'origine controversée. L'éty- ◈

mon préférable semble être un gaulois °*karantionos*, dérivé par double suffixation (*-nt-* et *-n-*) du radical gaulois °*ker-*, °*kar-* désignant le cerf (voir ce mot), utilisé pour un insecte (→ cerf-volant). On a aussi proposé une dérivation de l'ancien français supposé °*charenz*, issu du participe présent substantivé du verbe latin °*carire* «ronger», lui-même issu de *caries* (→ carie), dont les dérivés désignent de petits insectes rongeurs.

♦ Le mot est le nom courant de petits coléoptères nuisibles qui s'attaquent notamment aux graines de céréales.

▸ **CHARANÇONNÉ, ÉE** adj., dont la forme moderne (1835) est la reprise de l'ancien *charansonné* enregistré par Cotgrave (1611), qualifie une denrée attaquée par les charançons.

CHARBON n. m. est issu (v. 1120) du latin *carbo* «charbon de bois, ce qui résulte de la combustion» et, dans les textes médiévaux, «charbon à usage graphique», «charbon de terre». Par voie savante, le mot a donné le terme de chimie *carbone**.

♦ Le mot désigne le résultat de la combustion du bois, utilisé comme source d'énergie. Dans *charbon de terre* (1251) ou seul, il a désigné une roche formée surtout de carbone non cristallisé, mélangé à d'autres minéraux, avant d'être supplanté par *houille** au XIXe siècle. ◇ Pris au sens de «morceau, parcelle de charbon incandescent», il est entré dans quelques expressions figurées, dont ***être sur des charbons ardents*** qui fait allusion à l'ancienne ordalie médiévale. ◇ Par analogie de production, le mot désigne le résidu de la combustion incomplète d'une matière autre que le bois, en particulier d'un aliment (v. 1200). ◇ Au XVIe s., il est repris en médecine (v. 1560) comme appellation d'une maladie infectieuse, par emprunt au latin de basse époque *carbo* qui avait pris ce sens par analogie de couleur; il désigne spécialement une maladie des végétaux (1701) et des animaux (1792). ◇ Nom d'un produit industriel constitué essentiellement de carbone, il passe dans le langage des arts graphiques, ce produit servant à dessiner (1635), et de la chimie et pharmacie (1821, *charbon animal*), à propos d'un produit obtenu par la calcination d'os, utilisé comme décolorant et anti-infectieux. Il est repris en physique pour un sous-produit de la distillation de la houille, très bon conducteur d'électricité (1888), et aux éléments techniques utilisant ce conducteur.

▸ **CHARBONNER** v. tr. (v. 1190, «noircir avec du charbon (ou autrement)», signifie ensuite (1549) «dessiner au charbon, au fusain» et aussi (1830) «carboniser», sens archaïque. Comme intransitif, il correspond à «se réduire en charbon, sans flamber» et a pris une valeur technique (1911) «se ravitailler, en charbon (d'un navire)». ◇ **CHARBONNÉ, ÉE** est adjectivé (1842 ; 1732 à propos de la maladie des végétaux). ◇ **CHARBONNAGE** n. m. (1379, *carbonnage*) «action de charbonner», s'est diffusé au sens métonymique, «exploitation de la houille» (fin XIVe s.). ◇ **CHARBONNERIE** n. f. (1590; 1521, *carbonnerie*), **CHARBONNEUX, EUSE** adj. (v. 1610) sont techniques ou littéraires.

CHARBONNIER, IÈRE adj. et n. (fin XIIIe s.; fin XIIe s., *carboner*) est issu du latin *carbonarius*, dérivé de *carbo*. Qualificatif d'animaux divers de couleur noire (fin XIIIe s.), il est substantivé au féminin en ornithologie comme nom d'une mésange (1778) et comme nom d'un champignon à chapeau noir (aussi *russule charbonnière*). ➛ En histoire, il a traduit l'italien *carbonaro* «membre d'une société secrète révolutionnaire au XIXe s.», ses membres se réunissant dans les cabanes des charbonniers en Calabre et dans les Abruzzes; mais on emploie aujourd'hui en français le mot italien (→ carbonaro). *Charbonnerie* a désigné (1838) le carbonarisme.

CHARCUTIER, IÈRE n., d'abord *chaircuttier* (1464), forme encore employée par Rousseau en 1762, puis *charcuytier* (1484), *charcutier* (1680), est dérivé, avec le suffixe caractéristique des noms de métiers, de *chair** *cuite**.

♦ Progressivement, le mot, qui désigne la personne qui fait commerce de viande et de préparations de porc, tôt distingué de *boucher*, a été démotivé jusqu'à ne plus être analysé par le locuteur moderne. Par métaphore, il a reçu assez récemment le sens péjoratif de «chirurgien maladroit et brutal» (1866), plus généralement «personne qui saccage un travail».

▸ **CHARCUTERIE** n. f., d'abord *chaircuicterie* (1549) forme usuelle jusqu'en 1671, désigne l'établissement du charcutier, sa profession et, avec une valeur collective, les produits alimentaires à base de chair de porc, de veau, de gibier (1802). ◇ En ce sens, il est altéré populairement en **CHARCUTAILLE** n. f. (1939), mot probablement construit sur le modèle de *cochonnaille* et suggérant les idées d'abondance et de variété. L'apocope **CHARCUTE** n. f. est également dans l'usage familier. **CHARCUTER** v. tr. (fin XVIe s.) contient dès l'origine l'idée de maladresse, d'action grossière, «couper maladroitement (la viande)», qui explique que très tôt il a développé le sens de «tailler inconsidérément ou froidement dans les chairs vives de qqn», à propos d'un mauvais chirurgien (1690).

CHARDON n. m. est issu, sous la forme *cardun* (1086) puis *chardon* (1200), du bas latin *cardo*, forme altérée du latin impérial *carduus* «chardon, artichaut», lequel est à l'origine de *carde** et des dérivés *carder**, *cardage** (cette opération textile se faisant à l'origine avec des têtes de chardon) et de *cardon**, par le provençal *cardoun* désignant un légume.

♦ Le mot, qui désigne proprement une plante de la famille des Composées, s'est étendu à l'appellation de plusieurs plantes du même type. ◇ Par analogie d'aspect, il a donné son nom à la pointe en fer destinée à empêcher d'escalader un mur, une grille (XVIe s.) et a reçu quelques acceptions techniques (serrurerie, textile).

▸ **CHARDONNERET** n. m. (1479), nom d'un petit oiseau friand de graines de chardon, est probablement la forme altérée d'un type °*chardonerez*. L'ancien français avait de nombreux termes pour désigner cet oiseau, tous dérivés de *chardon* (*char-*

donneriaus, 1225-1230; *chardonnail,* etc.). ◆ Le synonyme **CARDALINE**, usité surtout en Provence, est emprunté (1838) au provençal *cardalino,* diminutif en *-ino* d'un représentant du bas latin *cardella,* du bas latin *cardellus,* latin impérial *carduelis,* de *carduus.* **CHARDONNETTE** n. f. (1530) désigne une espèce d'artichaut sauvage dont la fleur sert à faire cailler le lait. ◆ **CHARDONNER** v. tr. (1583) s'emploie quelquefois comme synonyme de *carder.*

✱ **CHARGER** v. tr., d'abord *carger* (1080), *chargier* (1160-1174), également *chergier* (1299), puis *charger* (v. 1150), est issu du bas latin de même sens *carricare,* syncopé en *carcare,* dérivé de *carrus* «chariot» (→ char) proprement «mettre qqch. dans un chariot».

♦ Le mot a toujours conservé l'idée de «mettre sur» tout en diversifiant ses sens selon le contexte et la nature concrète ou abstraite de son complément. Il a gardé la visée primitive d'un transport à effectuer (sur une bête de somme, un navire, puis un véhicule) jusque dans le sens moderne familier de «prendre un client en charge» (1929, d'un cocher, d'un taxi) et dans l'acception très particulière de *charger une lettre,* plus courante au participe passé adjectivé : *lettre chargée* (cf. ci-dessous *chargement*). ◇ Il signifie également (1564) «munir (une arme à feu) de ce qui est nécessaire au tir» et, par extension, s'est appliqué à d'autres objets (pipe, appareil photographique, stylo) au sens de «garnir». La même métaphore en électricité (1751) donne lieu à *charge* (électrique), voir ci-dessous. ◇ En plusieurs emplois, dont les premiers sont antérieurs au XIIIe s., il s'ajoute au verbe l'idée d'une abondance excessive, au figuré dans *une nourriture qui charge estomac* (1611), plus souvent confiée à *surcharger.* ◇ Dans un contexte militaire, il a pris le sens d'«attaquer violemment» (1195, avec complément ou absolument). ◆ Dès l'ancien français, il a développé des valeurs abstraites (XIIe s.) «accuser qqn» (fin XIIe s.), plus précisément en droit «aggraver les chefs d'accusation», d'où, psychologiquement, «exagérer les défauts de (qqn) pour le ridiculiser» (av. 1704) [cf. *caricature* et ci-dessous *charge*]. ◇ Avec une valeur neutre, il a le sens de «confier une fonction, une mission à (qqn)», dès le milieu du XIIe s. dans une construction disparue, remplacée par *charger qqn de qqch.* (1538). La forme pronominale *se charger* assume les sens de «prendre une charge à transporter» et abstraitement «prendre la responsabilité, la conduite d'une chose».

▶ **CHARGE** n. f. (1170), d'abord *carge* (v. 1130), désigne la chose qui pèse sur, ce que peut porter un homme ou un animal, un véhicule, un bâtiment puis, abstraitement, ce qui constitue un effort imposé (v. 1170, *être à charge*). Du sens concret procèdent des extensions en art militaire (1564, *charges de poudre à canon*) et en électricité pour «action de se charger d'électricité» (1752, trad. Franklin) puis «quantité d'électricité dont un corps est chargé», d'où *charge positive, négative.* ◇ Du sens figuré procèdent diverses acceptions : «redevance» (1226), «fonction, mission» (v. 1225), spécialement en droit «responsabilité publique» (1580) et «fait qui pèse à l'encontre d'un accusé» (1437) d'où ***témoin à charge.*** ◇ Ultérieurement, le mot reçoit le sens de «caricature» (1680), spécialement en littérature (1753) avec des syntagmes comme *portrait charge.* ◇ La valeur active, «action de charger», est d'abord et surtout réalisée dans un contexte militaire comme dérivé du verbe *charger* «attaquer» (1540), d'où au figuré ***revenir à la charge,*** (1690) ; elle est plus rare dans son acception concrète (1690).

CHARGEMENT n. m., qui n'a pas survécu au sens figuré d'«obligation» attesté une fois en 1253, a été repris au XVIIe s. comme substantif d'action concret de *charger* (1694), désignant aussi, par métonymie, l'ensemble des choses chargées, la cargaison (1694). Au XIXe s., il est passé dans l'usage technique, désignant l'action de charger, de garnir une arme à feu (1874), un four (1890), une caméra (1946). ◇ Avec une valeur spéciale, le mot désigne le traitement applicable aux lettres, boîtes que les expéditeurs veulent assurer contre les risques de perte, de spoliation (1835) d'où, par métonymie, l'objet ainsi traité (1906).

CHARGEUR, EUSE n., d'abord *chargeeur* (1332), désigne la personne qui charge des marchandises et, dès 1495 — laissant entendre que le sens correspondant du verbe existait déjà — celui qui charge l'arme à feu. ◇ La première valeur a été reprise dans le nom d'une compagnie française de transports maritimes, les *Chargeurs réunis.* ◇ Le mot a reçu, avec la valeur de «dispositif permettant d'approvisionner divers appareils», différents sens concrets (1890). Le féminin est surtout employé comme nom de la machine assurant le chargement ou le transport de charges diverses (1899).

Le participe passé de *charger* a été substantivé pour désigner la personne chargée d'un cours d'enseignement supérieur : **CHARGÉ, ÉE DE COURS** n. (1866, au masculin).

DÉCHARGER v. tr., à rapprocher du bas latin *discaregare* au VIe s. (de *discarricare*), signifie proprement «ôter le chargement» (v. 1080), le complément d'objet désignant soit la bête de somme, le lieu, la personne supportant la charge (1130-1160), soit l'objet que l'on déplace (XIIIe s.). Dès l'ancien français, il reçoit des sens figurés tournant autour de l'idée de «libérer, soulager», spécialement d'une obligation (v. 1220), d'une accusation en justice (v. 1283), d'une dette (1287), d'un problème de conscience (v. 1360), ou d'un sentiment, dans les syntagmes ***décharger son cœur*** (1508), ***sa bile, sa colère*** (1538). ◇ Les acceptions techniques spécialisées apparaissent en moyen français avec *décharger une arme* «tirer» (1477), puis «ôter la charge de (une arme à feu)» (1680). La forme pronominale *se décharger* (1559) s'applique à un liquide ou un cours d'eau qui se déverse d'où, par métonymie, à un tissu qui déteint (1680). ◇ *Décharger* lui-même acquiert d'autres acceptions en typographie (1794), marine (1694), électricité (1808). ◇ Il a aussi la valeur érotique d'«éjaculer». ◆ Il a produit la dérivation habituelle : **DÉCHARGEMENT** n. m. (1272) et surtout **DÉCHARGE** n. f. (1306), qui a pris de nombreuses valeurs techniques notamment en électricité (1752, trad. Franklin) et, dès le XIVe s., le sens figuré de «délivrance», servent de substantifs d'action. ◆ **DÉCHARGEUR** n. m. (1241) lui fournit un nom d'agent, ouvrier ou (1811) machine, aujourd'hui archaïque. ◆ **DÉCHARGEOIR** n. m. (1548-1550) désigne le conduit par lequel s'écoule le trop-plein d'un réservoir, d'un étang, sens avec lequel il a supplanté le moyen français *deschargeur* (1419) et imité l'ancien provençal *descarguador* (v. 1200). Depuis 1680, il est également attesté comme nom du cylindre autour duquel le tisserand roule la toile.

RECHARGER v. tr., d'abord *rechargier* (v. 1160), a échangé son ancienne valeur intensive «ajouter à la charge» pour une valeur itérative «charger de nouveau» (v. 1268), avec la plupart des sens concrets du simple, y compris avec celui de «diriger une nouvelle charge contre l'ennemi» (1564) d'où, au figuré, «insister, faire une nouvelle démarche» (1564), aujourd'hui éliminé par ***revenir à la charge*** (1564). ◆ **RECHARGEMENT** n. m. (XVe s.), après une attestation isolée *(requierquement),* est repris au XIXe s. comme substantif d'action (1835). ◆ **RECHARGE** n. f. (1433) a eu les sens «charge, mission donnée à qqn» et «action de revenir à la charge» (1587), sortis d'usage. ◇ Il s'est spécialisé comme appellation concrète de ce qui permet d'approvisionner de nouveau un appareil (1611).

SURCHARGER v. tr., d'abord *sorchacier* (déb. XIIIe s.), avant *surcharger* (XVIe s.), exprime l'idée de «charger à l'excès» au propre (*surcharger l'estomac*, 1588, Montaigne), puis dans un contexte esthétique (1623, à propos d'ornements), puis aussi au figuré, spécialement dans un jugement esthétique (1746, du style). ◇ Il se dit pour «charger d'impôts à l'excès» (1624). ◇ Au XIXe s., ce verbe reçoit le sens de «recouvrir une chose par une autre» (1832), dans quelques domaines précis, rédaction d'un écrit, typographie (1933), peinture (1962). ◆ **SURCHARGE** n. f. (déb. XIVe, puis XVIe s.) assume à la fois la valeur de «nouvelle charge, surplus de poids» et celle de «charge excessive» (déb. XVIe s.), quelquefois au figuré (1738, Voltaire), spécialement dans le domaine artistique (1788). Il désigne aussi une chose qui en recouvre une autre, en parlant d'un mot (1636), d'une impression typographique sur un timbre-poste (1933), d'une partie peinte par-dessus une autre dans un tableau (attesté 1964 dans les dictionnaires généraux).

◈ voir CARGAISON, CARGO, CARGUE, CARICATURE.

CHARISME n. m. est la francisation savante et tardive (1879) du grec chrétien *kharisma* «don, faveur, grâce d'origine divine» (Philon), attesté depuis saint Paul au sens précis de la théologie catholique, «don surnaturel accordé à un croyant ou à un groupe de croyants pour le bien de la communauté». Le mot est dérivé de *kharizein* «être agréable à qqn, faire plaisir, être complaisant, pardonner» et, au passif, «être agréable». Ce verbe est apparenté à *kharis* «grâce», avec les spécialisations «beauté», «gloire», à la fois «faveur de qui accorde» et «reconnaissance de qui reçoit», concrètement «faveur», en particulier «faveurs érotiques». Ce substantif abstrait, très ancien, est très probablement un déverbatif de *khairein* «se réjouir, être heureux, aimer» (→ cerfeuil); il n'a pas de correspondant exact mais, avec un autre vocalisme, on en rapproche l'arménien ancien *jir* (moderne *jirk*) «don, grâce».

♦ Attesté dans *l'Histoire des origines du christianisme* (Renan), *charisme* est un terme de théologie catholique. Il est passé dans le domaine de la sociologie politique avec le sens d'«autorité, fascination irrésistible qu'exerce un homme sur un groupe humain» (v. 1960).

▶ **CHARISMATIQUE** adj. (1928), dérivé de *charisme* d'après le grec °*kharismatikos,* et d'autres adjectifs en *-ique (pragmatique),* qualifie ce qui est relatif aux charismes et, en sociologie politique, celui qui est doué d'un pouvoir de fascination. ◇ Son dérivé **CHARISMATISME** n. m. (1957) est strictement un terme de théologie.

CHARITÉ n. f., d'abord *caritet* (v. 980), puis *charité* (v. 1170), est la francisation du latin *caritas, -tatis,* dérivé de l'adjectif *carus* (→ cher), à la fois «cherté, prix élevé» et figurément «tendresse, amour, affection». Dans la langue de l'Église, *caritas* a servi à traduire le grec *agapê* (cf. *agape)* «amour» qui désigne en grec chrétien la plus haute des trois vertus théologales, l'amour de Dieu et du prochain en vue de Dieu. Le sens concret de «don, aumône» est attesté depuis le IIIe s., et celui de «repas de bienfaisance» depuis le VIe siècle.

♦ Le mot est passé en français comme nom de la vertu théologale, l'amour de Dieu et du prochain ainsi que l'amour parfait qui est en Dieu. Au XIIe s., il commence à désigner à la fois l'attitude ou le sentiment de générosité envers les pauvres (v. 1175) et, concrètement *(une charité),* un don, une aumône (1172-1176), précisément un repas offert aux voyageurs dans les monastères (1160-1174). Le proverbe ***charité bien ordonnée commence par soi-même*** est le calque maladroit d'une locution du latin médiéval, peu conforme à l'esprit de charité évangélique. ◇ Du sens moral viennent également les noms des ordres religieux *Frères de la charité* (v. 1550), *Sœurs de la charité* (1688) et, par métonymie, les noms des hôpitaux desservis par ces ordres (1694). D'autres syntagmes, *dames de charité* (1835; après *dames de la charité,* 1688), *bureau de charité* (1770), *bal, vente de charité* expriment diverses manifestations de la charité dans la vie sociale. Désignant un sentiment de bonté, de bienfaisance (1662), il est surtout vivant dans la locution ***avoir la charité de...*** où il s'affaiblit.

▶ Le dérivé **CHARITABLE** adj. qualifie la personne qui a de la charité envers son prochain (1172-1175) et, par métonymie, un acte manifestant ce sentiment (1250-1300), quelquefois avec une nuance ironique *(mensonge charitable).* Son dérivé **CHARITABLEMENT** adv. (v. 1300) a le même sémantisme.

CARITATIF, IVE adj., emprunté (déb. XIVe s.) au latin médiéval *caritativus,* est resté rare à côté de *charitable.* Abandonné après 1611, signalé en 1838 par l'Académie avec la mention «vieux», il ne s'est répandu qu'au XXe s. dans la terminologie des mouvements catholiques d'action charitable. Cette acception est probablement empruntée à l'anglais *caritative* (1884), d'abord employé en économie politique.

CHARIVARI n. m., d'abord *chalivali* (1316) puis *charivari* (v. 1370), est d'origine incertaine, peut-être issu du bas latin *caribaria,* attesté dans une traduction d'Oribase (VIe-VIIe s.), et calqué du grec *karêbaria* «lourdeur de tête, mal de tête» (de *kara* «tête» → chère, et *-baria,* de *barus* «lourd» → baryton), formation expressive apparentée au provençal *charrar (charabia)* et au lyonnais *charabarat* «bruit sauvage». L'hypothèse d'une origine sémitique, hébreu *ḥaverim,* pluriel collectif de *ḥaver* «personne appartenant à une communauté israélite» par allusion aux célébrations bruyantes de certains événements, demanderait à être approfondie, notamment du point de vue historique. Un rattachement à l'ancien français *harer* «exciter les chiens», terme de chasse (→ haret) fait difficulté, en l'absence d'une attestation du type °*harivari.* Cependant, *hari,* cri pour faire marcher les bêtes, et *hari-hari* exprimant la moquerie (XIIIe s.), ont pu contribuer au maintien du premier *i* de *charivari.* L'hypothèse d'une formation tautologique de *charrier* «tourmenter» (en moyen français) et *varier,* apparenté au provençal *varai* «remue-ménage», est peu fondée, notamment pour le premier élément.

♦ Le sens de «tapage accompagnant un remariage ou un mariage mal assorti» (encore connu des ethnologues) s'est étendu à celui de «tapage, chahut» (XVe s.), en particulier en parlant d'une musique discordante (1690).

▶ Les dérivés **CHARIVARISER** v. (1706), **CHARIVARIQUE** adj. (1839) et **CHARIVARESQUE** adj. (1872), ce dernier formé sur le nom d'un journal satirique de l'époque, sont peu usités.

CHARLATAN n. m. est emprunté (1572) à l'italien de même sens *ciarlatano* (XVe s.), lequel est issu du croisement de *cerretano,* littéralement «habitant de Cerreto», d'où au figuré «crieur sur les marchés», «bonimenteur, marchand de drogues», — Cerreto est le nom d'un village près de Spolète dont les habitants vendaient souvent des drogues sur les marchés —, et de *ciarlare* «bavarder», formation expressive correspondant au provençal *charrá* (→ charabia, charade).

♦ Le mot désigne un bateleur, souvent péjorativement un vendeur ambulant qui débitait des drogues sur les marchés et arrachait les dents d'où, par extension, tout imposteur exploitant la crédulité publique (1668). Il n'a pas cette valeur négative en français d'Afrique, où il désigne celui qui a des pouvoirs de devin.

▶ En sont dérivés **CHARLATANERIE** n. f. (1575); **CHARLATANER** v. (1578) «faire le charlatan», archaïque; **CHARLATANESQUE** adj. (av. 1598) et, relativement plus courant, **CHARLATANISME** n. m. (1736), «attitude du charlatan», au propre et au figuré.

CHARLEMAGNE (FAIRE) loc. v. est formé (v. 1800, Vidocq) du nom de l'empereur *Charlemagne* par allusion au fait que celui-ci était resté en possession de toutes ses conquêtes à la fin de sa vie. Le roi de cœur, dans le jeu de cartes moderne, portant le nom de *Charlemagne* (parfois seulement *Charles*), l'allusion à ce personnage se comprend mieux sans que l'on puisse affirmer que l'expression soit issue d'un coup du jeu permettant de gagner la partie avec le roi de cœur : l'expression apparaît d'abord au jeu de la bouillotte, sorte de brelan dont les règles ne laissent pas prévoir de coup particulier à l'aide du roi de cœur.

♦ L'expression s'emploie au jeu avec le sens «se retirer vainqueur sans offrir de revanche à ses adversaires».

CHARLESTON n. m. est emprunté (1925) à l'anglo-américain *charleston* (v. 1923), nom d'une ville de la Caroline du Sud, donné par les Noirs américains à une danse.

♦ En 1925, la *Revue nègre* du théâtre des Champs-Élysées présente pour la première fois cette danse où l'on agite les jambes sur le côté en serrant les genoux. Elle connut un grand succès en Europe dans les années 1920, donnant son nom à un style de robe *(robe charleston).* Le mot désigne aussi la musique sur laquelle cette danse se dansait.

① **CHARLOTTE** n. f. est issu (1804) du prénom féminin *Charlotte,* pour des raisons inconnues. L'hypothèse d'une dénomination en l'honneur de la reine d'Angleterre *Charlotte,* épouse de George III, manque de preuves suffisantes. Toutefois, le mot est attesté en anglais dès 1796.

♦ Le mot désigne un entremets fait de marmelade de pommes (et, par la suite, d'autres fruits) entourée de tranches de pain grillé et frit, puis de biscuits.

② **CHARLOTTE** n. f. est emprunté (1905) au prénom de *Charlotte* Corday, célèbre pour avoir assassiné Marat et qui portait cette coiffure à bords froncés, garnie de rubans et de dentelles.

♦ Le mot désigne cette coiffure féminine.

① **CHARME** n. m. est issu (v. 1160) du latin *carmen, -inis,* (→ carminatif) apparu dans la langue religieuse et juridique au sens de «formule rythmée, notamment magique» et entré en langue littéraire au sens élargi de «chant». Le mot est apparenté à *canere* (→ chanter) peut-être par dissimilation d'une forme °*canmen.*

♦ L'histoire du mot en français est celle d'un affadissement progressif du sens initial de «formule magique» et, par métonymie de l'effet pour la cause, de «puissance magique», ou par extension d'«objet magique» (XVIe s.). Cette valeur forte s'est en partie conservée dans les locutions ***sous le charme, état de charme*** (dans l'hypnose), ***se porter comme un charme*** (comme sous l'effet d'un charme bénéfique) et dans l'emploi poétique, pour «influence vague, mystérieure» *(le charme est rompu).* Tout en se spécialisant favorablement, *charme* s'est banalisé en «attrait, qualité qui a le pouvoir de plaire» (XVIIe s.), notamment dans le vocabulaire de la séduction, depuis *les charmes* (1578, *amoureux charmes)* qui désignaient en langue classique les attraits physiques d'une femme, jusqu'à ***avoir, faire du charme*** (1817) et à ***... de charme.*** ◆ Le mot est passé en physique (1964) pour rendre l'anglais *charm* et désigner une propriété des quarks et particules qui détermine leur comportement (d'où *particule charmée*).

▸ Ses dérivés présentent la même évolution, l'usage jouant parfois de l'ambiguïté entre le sens fort et le sens courant : **CHARMER** v. tr. (v. 1150), «soumettre à une opération magique», a glissé au XVIe s. vers les sens modernes «plaire, séduire» (1560) et, avec un complément abstrait, «apaiser, calmer» (1560, *charmer l'ennui des ans*). ◆ Son participe présent **CHARMANT, ANTE** est adjectivé (1550), d'abord au sens magique puis au sens courant de «qui séduit, plaît beaucoup» (1629-1630), affaibli en français moderne en «très agréable, séduisant», d'une personne — notamment dans l'expression empruntée aux contes de fées, *le Prince charmant* — et, par extension, d'un comportement. ◆ **CHARMEUR, EUSE** n. et adj., d'abord au féminin sous la forme ancienne *charmeresse* (1279, avec un *n*), encore utilisée par Chateaubriand et G. Sand, désignait proprement la personne qui pratique la magie, valeur forte conservée dans *charmeur de serpents*. La mutation vers les valeurs modernes de «celui qui séduit, fascine» (1560, adj. ; 1624, n.) a amorcé l'affaiblissement en «personne aimable, adorable», cependant plus fort que *charmant*.

② CHARME n. m.

② **CHARME** n. m. est issu (v. 1170), du latin *carpinus*, nom d'arbre présentant la même finale que *fraxinus* (→ frêne), *taxus* «if», *sappinus* (→ sapin). L'italien *carpino* et l'espagnol *carpe* remontent au même étymon.

♦ Le mot désigne un arbre à bois dur et blanc, très répandu en France.

▸ **CHARMAIE** ou **CHARMOIE** n. f., d'abord attesté comme toponyme (1257, *la Charmoye*) puis nom commun (1611), désigne un lieu planté de charmes. ◇ Il subit la concurrence de **CHARMERAIE** n. f. (1938).

CHARMILLE n. f. (1669) a désigné une plantation, une pépinière de jeunes charmes, puis a pris le sens moderne, «allée, haie, palissade, tonnelle de charmes» (1732) et, par extension, «berceau de verdure ou de fleurs» (XIXe s.).

CHARNEL → CHAIR

CHARNIER n. m.

CHARNIER n. m. est issu (1080) du latin *carnarium* «croc à suspendre la viande, garde-manger», attesté dans les textes médiévaux au sens d'«ossuaire» (VIIIe s.), dérivé de *caro, carnis* (→ chair).

♦ Le sens d'«endroit où l'on met les morts», passé le premier en français, s'est affirmé comme dominant. Par extension, le mot signifie «endroit où s'amoncellent de nombreux cadavres» (av. 1848), avec des emplois métaphoriques. Parallèlement, le sens d'«endroit, récipient où l'on conserve la viande» (1174-1191) a décliné. ◇ Par métonymie, le mot a désigné en marine une barrique contenant une réserve d'eau douce, sens dans lequel l'ancienne idée de «garde-manger de chair animale» s'est effacée.

CHARNIÈRE n. f.

CHARNIÈRE n. f., d'abord *carnière* (XIIe s.), est probablement dérivé de l'ancien substantif *charne*, attesté au début du XIIe s. sous la forme anglo-normande *carne* «pivot, pilier», lui-même issu du latin *cardo, -inis*, mot technique signifiant «gond, pivot, pôle», «point cardinal» (→ cardinal) et, au figuré, «point essentiel».

♦ Le mot, d'abord employé dans le nord-est du domaine d'oïl (Picardie, Wallonie), désigne une attache articulée et connaît de nombreux sens techniques, en anatomie (v. 1560 ; 1611, *charnière du genou*), en reliure («articulation des plats et du dos de la reliure») pour désigner l'articulation des valves d'un coquillage et un outil de graveur de pierre (1676). ◇ À date plus récente, il est employé au sens figuré de «point délicat et primordial, de jonction» d'abord en stratégie militaire puis dans d'autres domaines abstraits et, en apposition (1936), dans *date, époque charnière*.

CHAROGNE n. f.

CHAROGNE n. f. est issu (v. 1119) d'un latin populaire °*caronia*, probablement dérivé de *caro* (→ chair). Un étymon identique, issu par dissimilation de °*carionia* dérivé de *caries* «pourriture» (→ carie), fait difficulté du point de vue morphologique.

♦ Le mot désigne la chair de cadavre, la viande avariée (avec une valeur nettement plus péjorative que *carne**) et, par métonymie, un cadavre d'homme, d'animal en décomposition (1154-1173). Le mot est entré en poésie avec Baudelaire. ◇ Familièrement, il désigne de manière injurieuse un homme vil, ignoble (1606).

▸ Si l'on excepte **CHAROGNEUX, EUSE** adj. (v. 1500), d'usage rare et littéraire, la dérivation est tardive : **CHAROGNERIE** n. f. (1861) a le sens figuré péjoratif de «caractère d'une personne infecte moralement» ; **CHAROGNER** v. intr. (1883) procède des deux sens de *charogne*, tout comme **CHAROGNARD** n. m. (1894), dont le sens figuré est attesté un peu avant le sens propre «oiseau de proie se nourrissant de cadavres, vautour» (1899) ou «animal sauvage se nourrissant de cadavres».

CHARPENTE n. f.

CHARPENTE n. f., d'abord *charpante* (1563), est soit tiré de l'ancien français *charpent* «stature du corps» d'où «corps» (v. 1119) soit, étant donné que *charpent* ne semble pas attesté après le XIIIe s., tiré de *charpenter*. L'ancien français *charpent* est issu du latin *carpentum* «chariot à deux roues» d'origine gauloise (ce chariot étant constitué par un assemblage de pièces de bois).

♦ À partir du sens d'«assemblage de bois servant de structure à une construction», le mot est aussi employé au sens d'«ossature du corps» et, au sens abstrait, de «structure» (1726, *la charpente d'un sermon*).

▸ **CHARPENTER** v. tr., antérieur à *charpente* (1172-1175), est soit dérivé de l'ancien français *charpent*, soit issu d'un latin vulgaire °*carpentare*, dérivé de *carpentum* ; plus probablement encore, il pourrait être dérivé du radical de *charpentier*, comme *charcuter* de *charcutier*. ◇ Le verbe exprime l'action de tailler et assembler du bois pour une construction et, par une extension figurée, «taillader, malmener» (v. 1200); sens aujourd'hui disparu. Par analogie, il est employé en parlant d'une œuvre abstraite (discours, écrit) avec le sens de «construire» (déb. XIVe s., dans un contexte religieux; de nouveau au XIXe s.).

CHARPENTIER n. m., d'abord *carpentier* (1174-1176), est issu du latin *carpentarius,* dérivé de *carpentum,* «relatif aux voitures», substantivé comme appellation du charron et, dans les textes tardifs, de l'artisan qui façonne les bois et les assemble (V^e-VIe s.). L'évolution sémantique est confirmée par le composé *carrocarpentarius* attesté dans les gloses du IXe et du Xe s.; *carro-* de *carrum* (→ char) serait inutile si le mot avait gardé le sens premier. ◆ Le mot désigne l'artisan travaillant le bois et possède quelques emplois métaphoriques dans le domaine de la création artistique et littéraire. Le féminin *charpentière* (1278, *carpentière*) ne s'est pas maintenu.

CHARPIE

CHARPIE n. f., étant donné sa datation relativement tardive (v. 1300), est probablement la substantivation du participe passé *charpi* au féminin, de *charpir* (XIe s.) «démêler de la laine à la main» et (XIIIe s.) «déchirer, mettre en pièces», plutôt que la continuation du bas latin *carpia,* attesté comme terme de médecine au IIIe s. (Oribase) et dont la formation, à partir de *carpere,* est obscure. *Charpir* est quant à lui issu d'un latin tardif °*carpire,* modification par changement de conjugaison de *carpere* «cueillir, arracher, lacérer», employé spécialement en parlant de la laine que l'on file (dès Catulle), également au figuré «choisir» et «jouir de, goûter». Ce mot est rapproché de l'ancien haut allemand *herbist* et du vieil anglais *haerfest* (anglais *harvest*), du grec *karpos* «fruit» (→ -carpe, carpo-).

♦ Le sens médical, «amas de fils permettant de faire des pansements», a vieilli du fait de l'usage de *gaze* et de *coton;* le mot est surtout vivant, avec une idée de «menus morceaux» (1300, en art culinaire), dans la locution figurée ***en charpie*** précédée des verbes *mettre, réduire, s'en aller.*

▸ Le verbe **CHARPIR,** vieilli et rare, a toutefois produit *écharper**.

◈ voir CARPETTE, ÉCHARPER.

CHARRÉE

CHARRÉE n. f. d'abord *carrée* (v. 1280), est dérivé, de même que l'ancien provençal, d'un terme simple *(carre, charre ?)* attesté par le limousin *chadro.* Ce mot est issu du bas latin *cathara* (sous-entendu *aqua*) «(eau) propre, qui purifie», attesté au VIe s. dans une traduction d'Oribase. L'adjectif est emprunté du grec *katharos* «pur, propre, sans tache» (→ cathare, catharsis). L'usage des cendres dans l'eau de lavage du linge, connu des Grecs et des Romains, ainsi que le mot, ont pu se répandre à partir des colonies grecques du sud de la Gaule.

♦ Le mot désigne la cendre de bois employée pour la lessive et dont le résidu est utilisé pour l'amendement des sols et la fabrication de certains verres.

CHARRIER → CHAR

CHARROI → CHAR

CHARRUE

CHARRUE n. f. est issu (1180-1200) du latin *carruca,* dérivé de *carrus* «chariot» (→ char, charger), qui a d'abord désigné un type de char luxueux, un carrosse puis simplement une voiture quelconque à deux roues (fin IIe-déb. IIIe s.). Le mot s'est spécialisé en Gaule au IXe s. pour désigner l'instrument de travail agricole, lui aussi à deux roues, importé par les Francs, distinguant ainsi cette innovation technique de l'instrument de labour sans roues des Romains, et supplantant le représentant latin *aratrum* qui a donné *araire.**

♦ Le mot, désignant l'instrument de travail agricole à traction animale ou mécanique destiné au labour, a donné quelques locutions figurées. Toutes sont vieillies à l'exception de ***atteler (mettre) la charrue avant les bœufs*** (d'abord : *devant les bœufs,* 1675) «faire les choses dans un mauvais ordre», réfection d'une ancienne variante en usage aux XVe et XVIe siècles.

▸ **CHARRUER** v. (1339) a été éliminé par *labourer.* Son dérivé **CHARRUAGE** n. m. (XIIIe s.), d'abord «étendue de terre de labour» puis aussi «action de labourer» (1907), est demeuré rare.

CHARTE

CHARTE n. f. est l'altération (av. 1338) par dissimilation ou d'après le latin *charta,* de *chartre* (1050). Ce dernier est issu du latin classique *chartula* «petit écrit» et, en bas latin et latin médiéval «acte, document». Ce mot est le diminutif de *carta* ou *charta,* emprunt ancien au grec *khartês* (→ carte, pancarte et, par l'italien, → carton, cartouche, cartel) «feuille de papyrus préparée pour l'écriture», par métonymie «lettre, écrit» puis (au pluriel) «acte, document d'archive».

♦ Tout au long du moyen âge, le mot a désigné un titre de propriété, de vente, de privilège octroyé. C'est en ce sens qu'il est encore utilisé dans *École nationale des chartes,* école fondée en 1821 et préparant des spécialistes des documents anciens. ◇ Il s'est spécialisé au sens d'«ensemble des lois constitutionnelles établies par un souverain» (1771) en parlant de la *Grande Charte* d'Angleterre établie en 1215 (en anglais *chart*) ou de la *charte constitutionnelle* de la Restauration (1814). Par extension, il désigne tout ensemble de principes fondamentaux d'une institution officielle (d'un syndicat, des Nations unies), parfois avec la valeur figurée de «règle essentielle» (1826).

▸ Le mot a produit **CHARTE-PARTIE** n. f. (1372, *chartre partie*), formé avec le participe passé de *partir** et qui désigne un acte constatant un contrat d'affrètement : les deux expéditions de l'acte, faites sur la même feuille, étaient ensuite séparées quand le notaire coupait le document en deux, de manière à éviter toute falsification. ◆ L'ancienne forme *chartre* demeure dans le dérivé **CHARTRIER** n. m. (1370) «dépôt ou recueil des chartes» et (1690) «gardien des chartes». Bien que formé en français, ce mot a subi l'influence du latin médiéval *chartularium* (972-980) de sens concret, et de *chartularius* «archiviste» (dès 354).

CHARTISTE n. (av. 1824) a été créé en politique, d'après la charte de 1814, au sens de «partisan de la charte», sous l'influence de l'anglais *chartist;* il est devenu également un terme d'histoire anglaise (1845), avant de désigner aussi l'élève de l'École des chartes (1899). ➛ **CHARTISME** n. m. (1846), terme d'histoire anglaise, est l'adaptation de l'anglais *chartism*, nom d'un mouvement réformiste (1838-1848), dérivé de *(People) Chartes*, nom donné au document réformiste publié le 8 mai 1838.

◈ voir **CARTULAIRE, CHARTE-PROGRAMME***.

CHARTER n. m. est un emprunt (v. 1950) à l'anglais *charter*, de *to charter* «affréter, noliser».

♦ Le mot désigne un véhicule collectif et surtout un avion loué en entier, pour garantir son occupation totale (et des prix plus bas). En apposition, on emploie *vol, billet charter*. ◇ Dans le contexte de l'expulsion d'immigrés en situation irrégulière, le mot a reçu des connotations policières en général péjoratives (*la politique des charters*, etc.).

CHARTREUSE n. f., d'abord *chartrouse* (v. 1200), est issu du toponyme *Grande-Chartreuse*, lieu près de Grenoble où saint Bruno fonda en 1084 le premier monastère de cet ordre. Ce nom, en latin médiéval *Cartousia* (XIe s.), d'où *cartuseria* (XIIIe s.) puis *cartusia*, semble correspondre à *cato-* ou *caturissium*, peut-être à rattacher à *Caturiges*, nom d'une ethnie gauloise, du gaulois *catu* «combat» et *riges*, pluriel de *rix* «roi» (cf. *Vercingétorix*).

♦ Le nom, qui désigne un couvent de chartreux, toujours construit en un lieu solitaire, a été donné par métonymie à la liqueur fabriquée dans ses murs (1857). Dès 1755, il était employé comme terme d'art culinaire (*lotte à la chartreuse*) à propos d'un mélange de légumes.

► **CHARTREUX, EUSE** n. et adj., d'abord *chartrous* (1330) «moine d'une chartreuse», est aussi devenu le nom d'une race de chat à poil gris (1723) parce que les chartreux ont été les premiers à élever ces chats.

CHARYBDE n. m., d'abord *Caribdis* (v. 1278) et *Caryde* (1552), est emprunté, par l'intermédiaire du latin, au grec *Kharubdis*, nom d'un monstre marin et d'un dangereux tourbillon situé dans le détroit de Messine près des côtes de la Sicile. *Kharubdis* est un nom mythique sans étymologie connue, souvent associé à *Skulla*, nom d'un autre monstre marin, désignant un écueil sur lequel se brisaient les navires en voulant éviter le tourbillon *Kharubdis*. *Skulla* appartient, comme le pensaient déjà les Anciens, au groupe de *skulax* «jeune chien», également attesté comme anthroponyme, terme expressif que l'on a rapproché, avec un autre vocalisme, du lituanien *skalīkas* «chien de chasse aboyant» et *kalẽ* «chienne». Meillet rapproche plutôt de *Kharubdis* l'arménien *çul* «jeune taureau» dont le sens diffère, à moins que le radical indoeuropéen, très hypothétique, n'ait correspondu à «jeune animal».

♦ Le mot, apparu comme nom propre, est exclusivement employé dans l'expression proverbiale ***tomber de Charybde en Scylla*** (d'abord *de Scylle en Caryde*, 1552) «tomber dans un mal plus grand que celui auquel on voulait échapper».

CHAS n. m., d'abord *chäas* (déb. XIIIe s.), puis *cas* (XIIIe s.) et *chas*, est d'origine incertaine, peut-être à rapprocher, comme l'ancien français *chas* «corps de bâtiment» et l'ancien provençal *cas* «caisson, ballot» (1467), du latin *capsus* «caisse d'une voiture, cage» (→ caisse, châsse), par le sens de «bulle» (IIe s.) qui aurait permis de dégager l'idée d'un petit objet creux, puis d'une cavité. La forme *chäas* (deux syllabes), dans deux attestations au XIIIe s., reste inexpliquée. Un étymon °*cavaceum*, adjectif substantivé au neutre, dérivé de *cavum* «creux, cavité» (→ cave), ne peut être retenu car il n'explique ni le provençal *cas*, ni le français *cas*, le *v* placé entre deux *a* ayant dû régulièrement se maintenir.

♦ Le mot désigne le trou percé à l'extrémité d'une aiguille à coudre. L'expression proverbiale ***passer par le chas d'une aiguille*** fait référence à une phrase de l'Évangile devenue proverbiale, selon laquelle «il est plus aisé pour un chameau de passer par le trou (chas) d'une aiguille que pour un riche d'entrer dans le royaume de Dieu» (Matthieu, XIX, 24).

① **CHÂSSE** n. f., d'abord *casse*, forme normande (v. 1150), puis *châsse* (1680), est issu du latin *capsa* (→ caisse, chas) dans son sens spécialisé en latin médiéval «coffret richement travaillé renfermant une relique» (v. 720).

♦ Le mot, terme d'art religieux désignant un grand coffret renfermant les reliques d'un saint, a évincé son ancien synonyme *fiertre*. Il est entré dans la locution ironique ***être paré comme une châsse*** (1718, *être doré comme une châsse*) à propos d'une personne somptueusement habillée. Il a développé des sens techniques : «manche d'un couteau pliant» (1184) et «cadre maintenant une pièce en place» (v. 1375), ce dernier concurrencé par le dérivé *châssis*. Par extension, *châsse* s'emploie en bijouterie en parlant d'une cage de verre protégeant un objet précieux (1285).

► **CHÂSSIS** n. m., d'abord *chasiz* (v. 1160), a d'emblée le sens technique de «cadre d'une fenêtre». Par extension, il désigne le cadre sur lequel on fixe une toile pour peindre (1372), un cadre de bois maintenant toile, papier, verre... (1535) et, par métonymie, l'ensemble formé par le cadre et la surface encadrée. À partir du XVIe s., toujours avec l'idée de «cadre», il prend divers sens spéciaux, en menuiserie (1532), imprimerie (1611), architecture (1694), horticulture (1694), théâtre (1753, à propos des décors), photographie (1866). ➛ Dans la seconde moitié du XIXe s., il commence à désigner l'armature métallique supportant le moteur, la carrosserie d'un véhicule, d'abord en parlant d'une locomotive (1866) puis d'une automobile (1888). De là le sens métaphorique de «silhouette, conformation du corps féminin» (1929), par exemple dans *un beau châssis*. ◇ La valeur métaphorique d'«œil» (1803) fait allusion à la fenêtre encadrée ; elle est populaire ou familière ; elle est à la source du dérivé régressif ② **CHÂSSE** n. m. (1833), quelquefois employé au féminin.

ENCHÂSSER v. tr., d'abord *encasser* (v. 1120), précède dans les textes l'emploi de *châsse* en orfèvrerie; il exprime l'action de loger des pierres précieuses dans une monture. Il correspond aussi au sens religieux du substantif et s'emploie au sens figuré d'«intercaler, insérer une phrase, un son», dans l'usage littéraire. ◆ **ENCHÂSSEMENT** n. m., d'abord *enchacement* (1385), présente le sens concret de «châssis, cadre», issu par métonymie de celui de «action d'enchâsser», enregistré en 1611. ◇ *Enchâsser* et *enchâssement*, par calque de l'anglais, s'emploient en linguistique formelle. ◆ **ENCHÂSSURE** n. f., d'abord *enchasseure* (fin XIVe s.), avec une vocation plus concrète, désigne le support dans lequel une chose est enchâssée et, quelquefois, la manière dont elle l'est.

CHASSELAS n. m., d'abord *chasselat* (1673), puis *chacelas* (1680) et, conformément à la graphie moderne du nom propre, *chasselas* (1718), est tiré du toponyme *Chasselas*, commune de Saône-et-Loire, proche de Mâcon, où fut d'abord cultivé ce cépage pour la production de raisin de table.

♦ Le mot désigne une variété de raisin de table estimée pour la délicatesse de sa chair et, par métonymie, un vin blanc issu du cépage de même nom.

CHASSEPOT n. m. est tiré (1866) du nom de l'armurier français A. *Chassepot* (1833-1886) à qui l'on doit l'invention de ce fusil de guerre à aiguille utilisé de 1866 à 1874.

CHASSER v., d'abord *chacier* (1130-1160), *cachier* et *cassier* (deux formes attestées en ancien picard, XIIIe s.), prolonge un bas latin °*captiare* qui a progressivement éliminé le latin *venari* «poursuivre les animaux» (→ vénerie, veneur). °*Captiare*, avec une spécialisation de sens à rapprocher de *captiosus* (→ captieux) et employé dans une lettre du prêtre africain Stéphane au sens de «relatif à la chasse» (XIe s.), est une forme parallèle de *captare* (→ capter), fréquentatif de *capere* (→ capable, capacité) signifiant «chercher à prendre, à saisir», «convoiter» et «capter».

♦ Le verbe exprime l'idée de «poursuivre les animaux pour les tuer ou les capturer» en emploi transitif et absolu (av. 1188); les valeurs particulières du verbe découlent de celles qu'a prises dans l'histoire la notion de chasse (ci-dessous). Par extension, dès le XIIe s., il signifie «pousser en avant (une personne)» (v. 1160), «faire avancer devant soi (un animal)» (1172-1175). ◇ Avec l'idée supplémentaire d'un contact brutal, ce verbe a eu le sens technique de «frapper violemment (une chose) pour la faire entrer dans une autre» (fin XIIe s.) dont procède la locution figurée ***un clou chasse l'autre*** (1690), comprise aujourd'hui d'après un autre sens usuel de *chasser*, «pousser dehors» (1172-1174). Ce dernier a donné, après le moyen âge, le sens figuré de «priver d'un emploi» (1576) et, à partir du XIXe s., le sens abstrait de «dissiper» *(chasser les soucis, les illusions)*. ◆ Au XVIIe s., le verbe commence à s'employer intransitivement en marine, en parlant d'un navire poussé dans une certaine direction (1678, *chasser sur ses ancres* ou *chasser* absolument), et en typographie, à propos d'un caractère qui occupe plus d'espace que prévu (1688). ◇ Par extension du sens premier, il est appliqué aux nuages poussés par le vent (1797), emploi qui est à l'origine du belgicisme «venter, souffler», puis aussi, techniquement, à une figure de danse (1835), d'abord au participe passé substantivé *chassé* (1752), et à une automobile qui patine par manque d'adhérence au sol (1929), plus particulièrement à ses roues (1954). Le groupe des sens intransitifs du verbe est quasiment détaché de celui des sens transitifs, comme *chasse d'eau* l'est de *chasse à courre*.

▶ **CHASSE** n. f., d'abord *chace* (1167-1170), a exprimé une idée de «chevauchée rapide», dans l'ancienne expression *a chace* «à bride abattue» (1167-1170), et a pris rapidement le sens usuel de «poursuite des animaux» (v. 1175) et plus généralement de «poursuite» (v. 1175). On ne parlera de ***chasse à l'homme*** qu'au XIXe s. (Balzac, 1841), mais un texte du XVe s. se référait déjà à la poursuite en mer avec la locution ***donner la chasse.*** De là à *escadrille de chasse* (1931), *avion de chasse* (1936) et, par métonymie, *chasse* (1937, *la chasse ennemie*), en aviation, il n'y avait qu'un pas, de nature technique et non linguistique. ◇ Dans son sens initial et dominant, le nom, comme le verbe, désigne une réalité sociale qui a changé. Phénomène archaïque, la chasse est, dans notre civilisation, d'abord liée à la société féodale. Elle est passée du rôle de pourvoyeuse de viande fraîche à celui de sport pour la classe dominante. Puis, avec l'apparition et surtout la diffusion des armes à feu, elle s'est modifié et démocratisée : dans le monde du fusil, de la carabine et du *permis de chasse*, la poursuite de gibier pratiquée sans tir, avec chevaux et chiens, doit recevoir une désignation spécifique. C'est ce qui explique la survivance de *vénerie** et le maintien du syntagme ***chasse à courre*** (→ courre). Les syntagmes *chasse à tir*, *chasse au fusil*, utiles lorsque *chasse* faisait d'abord penser à la vénerie, sont aujourd'hui vieillis ou administratifs : on dit *chasse*, sans plus. ◇ Par métonymie, le mot a reçu plusieurs valeurs : «gibier pris» (1635), «ensemble des chasseurs et de leur équipage» (1690) et «terre où l'on chasse» (1690); il désigne aussi l'air de musique qui reproduit les airs utilisés dans les chasses à courre (1635). ◆ Aux sens techniques du verbe correspondent des sens dont le plus usuel est «écoulement rapide d'un liquide» (1549), notamment dans l'expression ***chasse d'eau*** (1901), apparue sans doute avec les «cabinets à l'anglaise».

CHASSEUR, EUSE n., d'abord *chaceür* (déb. XIIe s.), a désigné un cheval de course, par opposition au palefroi. Jusqu'au XVIIe s., le mot sert essentiellement à désigner celui qui s'adonne à la chasse, valeur qui a évolué avec l'histoire de la chasse. Par extension, il s'applique à la personne qui cherche à se procurer qqch. avec ardeur (1835), entrant dans des expressions dont certaines calquent une expression anglaise avec *hunter (chasseur de primes, chasseur de sorcières)*. ◇ Par l'intermédiaire du sens de «domestique occupé à chasser pour son maître» (1718), il a désigné un valet en livrée de chasse (1787 Laclos), puis un domestique en livrée attaché à un hôtel, un restaurant (1890). ◇ En relation avec l'emploi de *chasser* et *chasse* dans le domaine militaire (marine, aviation), le mot est devenu le nom d'une compagnie militaire instituée en 1670, d'abord à pied puis à cheval (1743), la dénomination étant adoptée pendant la Révolution (1793). Il est passé en marine (1831) et dans l'aviation (1937). ◇ L'emploi du mot en cuisine *(lapin chasseur)*, sémantiquement bizarre, est métonymique pour «lapin préparé avec une *sauce chasseur*», d'abord réservée à un produit de la chasse. ✦ Le féminin *chasseuse* (1551), relativement rare dans une activité traditionnellement virile, n'a pas éliminé le doublet **CHASSERESSE** n. et adj. f. (av. 1305), maintenu dans l'usage poétique et dans l'expression *Diane chasseresse.*

La forme verbale *(il, elle) chasse* connaît, dès l'ancien français, une grande vitalité dans la formation de substantifs (en général masculins) dans la langue de la technique et le langage populaire, de **CHASSE-MARÉE** n. m. (1260, *cacemaree* comme anthroponyme) à **CHASSE-MOUCHES** n. m. (1555) et à **CHASSE-NEIGE** n. m. (1834). ✦ **CHASSÉ-CROISÉ** n. m., formé (1839) avec deux participes passés substantivés, est probablement à l'origine un terme de chorégraphie, même si la chronologie des attestations donne d'abord le sens figuré, puis le sens technique en danse (1863).

POURCHASSER v. tr. (1080), d'abord en emploi pronominal au sens ancien de «s'évertuer à», fonctionne comme le doublet intensif de *chasser* avec le sens figuré de «chercher à obtenir» (v. 1140) et le sens propre «poursuivre avec acharnement» (mil. XIIe s. ou apr. 1250). ◇ Son dérivé **POURCHASSEUR, EUSE** n. (XIIIe s.) est rare. ◇ Quant au déverbal **POURCHAS** n. m. «peine, effort» (v. 1140), il ne s'emploie plus que par archaïsme pour l'action de poursuivre, en particulier, le fait de rechercher les faveurs d'une femme (1534).

◈ voir CATCH.

CHASSIE n. f., d'abord *chacide* (v. 1100) puis *chacie* (XIIIe s.) et *chassie*, est probablement issu d'un latin vulgaire °*caccita*, dérivé du radical de *cacare* (→ chier) avec réduplication expressive de la consonne et finale d'après *pituita* (→ pituite). °*Caccita* est attesté sous la forme *cacida* notée entre les mots *scabiosus* «galeux» (→ scabieuse) et *pituita* dans les *Notes tironiennes.* Le recours au grec *kakkê* «excrément» ou au gaulois °*caccos* pour expliquer le radical redoublé °*cacc-* ne semble pas nécessaire.

♦ Le mot désigne l'humeur onctueuse et jaunâtre sécrétée sur le bord de la paupière; il est assez rare.

► **CHASSIEUX, EUSE** adj., d'abord *chacios* (v. 1125) puis *chacieux* (1342), peut-être formé d'après le latin tardif *cacidosus*, qualifie la personne qui a de la chassie, ainsi que les yeux.

CHASTE adj. est issu, par voie demi-savante (1130-1140), du latin religieux *castus* «qui se conforme aux règles et aux rites» (correspondant au sanskrit *çiṣṭaḥ* «éduqué, bien dressé» (→ peut-être caste). Sous l'influence de *castus*, participe passé de *carere* «manquer de» (→ carence) avec lequel il s'est confondu, produisant une forme *cassus*, il a pris le sens second de «pur, exempt de» et, absolument, «exempt de fautes et d'impuretés» d'où «vertueux, pur» (par opposition à *incestus* → inceste).

♦ Le mot, passé en français par l'intermédiaire des auteurs chrétiens, qualifie une personne pure, vertueuse, sens aujourd'hui dominant mais rare à l'époque classique. Il qualifie aussi une chose (fin XIIe-déb. XIIIe s.) concrète ou abstraite, avec une valeur symbolique (1552, *chaste feu*) et, spécialement dans le domaine littéraire (av. 1676) et artistique, une représentation.

► L'adjectif a pour dérivé **CHASTEMENT** adv. (v. 1135). ✦ **CHASTETÉ** n. f. (1180), emprunt savant au dérivé latin *castitas* «pureté», d'abord employé en parlant des vestales, et repris par les auteurs chrétiens, a éliminé l'ancien français *chastée* (v. 1121) encore attesté au XVe s., adaptation demi-savante du même mot latin correspondant à *chaste.* ◇ *Chasteté* désigne la pudicité, en particulier l'abstinence des plaisirs de la chair prescrite en religion (1656-1657, Pascal). Sa spécialisation dans le domaine artistique apparaît chez les théoriciens du classicisme (av. 1654).

◈ voir CHÂTIER.

CHASUBLE n. f. est issu (1175) du bas latin *casubula* d'où *casubla*, d'origine controversée, probablement altération du bas latin *casula* «manteau à capuchon» puis (IXe s.) «vêtement enveloppant sans manches». Celui-ci est un emploi figuré de *casula* «petite cabane», diminutif de *casa* (→ case). L'hypothèse d'un étymon bas latin °*casupula* «cabane à toit arrondi», issu du croisement de *casula* et de *capula* «petite cuve» (→ coupole), pose des problèmes sémantiques.

♦ Le mot désigne un vêtement sacerdotal et, par extension, un type de vêtement féminin enveloppant (1893), en apposition dans *robe chasuble, manteau chasuble.*

CHAT n. m. est issu (v. 1175) du latin tardif *cattus* ou *gattus* (IVe s.) lequel a remplacé *feles* (→ félin) et vient probablement d'une langue africaine (le berbère et le nubien ont des termes proches). Le latin paraît à l'origine des noms romans (italien *gatto*) mais aussi celtiques (anglais *cat*), germaniques (allemand *Katz*) et slaves (russe *kot*).

♦ C'est à la fois le nom de l'espèce zoologique et couramment celui d'un petit animal domestique, en particulier celui du mâle de l'espèce, à côté du féminin *chatte*, d'abord *chate* (1200-1250). ◇ Il a inspiré de nombreuses locutions, surtout au masculin (alors que les mêmes, en italien, sont réparties entre le masculin et le féminin) parfois en opposition à *chien**, *rat** ou *souris**. On peut citer ***ne pas trouver un chat*** (av. 1778) «ne trouver personne», puis ***(il n'y a) pas un chat, avoir un chat dans la gorge*** (1835). Certaines méritent un éclaircissement : ***écrire comme un chat*** (1853) se comprend à partir du jeu de mots paronymique sur *griffe/greffe* et de *greffier**, nom argotique moderne du chat; ***donner sa langue au chat*** est une atténuation de *jeter sa langue (à manger) aux chiens*, féroce automutilation symbolique. Le mot sert aussi d'appellatif affectueux (1672, *mon petit chat,* Sévigné) et donne son nom à plus d'un jeu de poursuite (1852, *chat perché*). ◆ Il a reçu plusieurs sens spécialisés fondés sur une analogie avec la forme d'une partie du corps de l'animal ou avec sa démarche souple. Il désigne une sorte d'instrument muni de griffes que l'on introduisait autrefois dans une bouche à feu pour s'assurer qu'il n'y avait pas de dépression (1704). ***Chat à neuf queues*** sert d'appellation du martinet (1845), par calque de l'anglais *cat o'nine tails.* ◇ Le sens argotique «sexe de la femme», assumé tant par le masculin (XVIIIe s.) que par le féminin *chatte,* également sous la forme argotique *chagatte* (v. 1950), est probablement dû à une rencontre homonymique avec *chas** «trou, fente». ◆ Le mot sert de désignation en botanique, minéralogie, zoologie *(poisson-chat),* chorégraphie (*saut de chat,* 1611 puis 1931) et météorologie (*queue de chat* «petit nuage blanc allongé»).

▶ En sont dérivés **CHATIÈRE** n. f. (v. 1278) et ② **CHATON** n. m. (1261) qui, par analogie d'aspect avec la queue d'un jeune chat (forme, douceur), est aussi un terme de botanique (1531). ◆ Avec une idée figurée de douceur insinuante, le féminin a produit **CHATTERIE** n. f. (1558), spécialt «caresse» (1845) et **CHATTEMITE** n. f. (1295) de *chatte* et de *mite,* ancien nom populaire du chat, appellation familière pour une personne affectant des manières doucereuses et hypocrites pour tromper qqn.

Chat est aussi à l'origine de **CHATOYER** v. intr. (1742), d'après l'image des reflets de l'œil du chat dans l'obscurité, d'où **CHATOYANT, ANTE** adj. (1760), et **CHATOIEMENT** n. m., d'abord *chatoyement* (av. 1788). Ces trois mots sont démotivés en français moderne.

◈ voir CHAFOUIN, CHAGRIN, CHAT-HUANT et aussi CHATPARD.

CHÂTAIGNE n. f., d'abord *chastaigne* (1180), est issu du latin *castanea* désignant à la fois l'arbre et le fruit, mot qui a passé dans les langues romanes, ainsi qu'en germanique et en celtique. Le latin est lui-même un emprunt au grec *kastanea,* de *kastana* (m. pl.) «châtaignier», mot probablement originaire d'Asie Mineure, également emprunté en arménien (*kask, kaskeni* «châtaignier»).

♦ Le mot français désigne seulement le fruit et par analogie, en emploi qualifié ou déterminé, d'autres fruits (1561, *chastaigne d'eau*) et, par analogie d'aspect avec la bogue, l'oursin appelé (1564) *chastaigne de mer.* ◇ Le langage populaire l'utilise au sens figuré de «coup de poing» (1866; déjà en 1635, au sens de «coup sur les doigts») de même que sa variante méridionale *castagne** (cf. aussi *marron*).

▶ Le dérivé **CHÂTAIGNIER** n. m. a d'abord eu les formes *chastenier* (v. 1100, encore en 1560), *chastaignier* (v. 1165) et *castegnier* (1370, en ancien normand). Le mot désigne l'arbre et, par métonymie, son bois, pour *bois de châtaignier* (1694). ◇ *Une châtaignier,* au féminin (1697), est une ellipse pour *pomme de châtaignier* (1571) désignant une pomme rougeâtre de chair farineuse.

CHÂTAIN, AINE adj., d'abord *chastaigne* (fin XIIe-déb. XIIIe s.) en emploi adjectif puis *châtain* (av. 1345, *chastain*) et *châtaine* (1839, Balzac), qualifie ce qui est couleur de châtaigne. L'adjectif, s'appliquant surtout aux cheveux qui ne sont ni blonds, ni bruns, est substantivé pour désigner une personne aux cheveux de cette couleur (1704) et le coloris de la châtaigne elle-même.

CHÂTAIGNERAIE n. f., d'abord *chastaigneraye* (1538), désigne un terrain couvert de châtaigniers. ◆ **CHÂTAIGNER** v. (1927) constitue un synonyme rare de *castagner** «se battre», d'usage familier.

① **CHÂTEAU** n. m., d'abord *castel* en ancien provençal (fin Xe s.), puis *chastel* (1080) et *château* d'après le pluriel *chastaus* (1174), est issu du latin *castellum* «forteresse», «château d'eau» et, en latin médiéval «citadelle» «ville fortifiée, oppidum» (VIIIe s.); il est passé dans de nombreuses langues européennes (italien *castello,* espagnol *castillo,* portugais *castelo,* anglais *castle*). *Castellum* est dérivé, par suffixation diminutive de *castrum* «retranchement, lieu fortifié» (d'abord en parlant d'une propriété gardée ou retranchée). Ce mot est apparenté à *castrare* (→ castrer, châtrer) «couper, émonder», avec l'idée d'une séparation. Au vocalisme près, *castrum* est à rapprocher du sanskrit *çastrám* «instrument tranchant», à côté de *çásati* «il coupe».

♦ Le sens du mot a évolué avec l'histoire de la bâtisse qui, au moyen âge, consistait en une forteresse quelconque, mais le syntagme ***château fort*** date seulement de l'époque de la mode médiévale (1835). À la Renaissance, le *château* changea de fonction et d'architecture. L'idée de «grande et belle demeure» prévaut alors, d'où le sens d'«habitation royale» (1606), qui a fait du mot un synonyme de *palais,* désignant aussi une importante demeure de plaisance à la campagne. ◇ L'expression ***châteaux en Espagne,*** déjà attestée en moyen français, a connu un grand succès, supplantant des variantes localisées en d'autres lieux (*en Albanie,* pour Albion, etc.). ***Château de cartes*** (1651) est une modernisation de *château de carte** (1690 «de carton»), qui au XVIIe s. désignait une bicoque ou une chose sans valeur. ◇ Dès l'ancien français, le mot a reçu des sens techniques spécialisés en marine («structure élevée sur un bâtiment», 1165-1170), en blason (v. 1275). Ultérieurement, il est entré dans le syntagme ***château d'eau*** (1704) «bâtiment surélevé destiné à fournir l'eau sous pression».

▶ L'ancienne forme *chastel, chatel* a donné le diminutif **CHÂTELET** n. m. (1155) : à Paris, le *Grand Châtelet,* après avoir gardé le Grand Pont, servit de prison.

CHÂTELAIN, AINE n. (v. 1155) est issu du dérivé latin *castellanus* «celui qui habite dans un château fort et le défend» (IIe s.) puis à époque médiévale «celui qui est préposé à la garde d'un château» (1002-1024), ce fonctionnaire ayant un rang dans la hiérarchie seigneuriale. *Châtelain* désigne celui à qui la possession d'un château confère un certain rang dans la hiérarchie féodale et, au féminin *châtelaine,* d'abord *chastelaine,* son épouse (v. 1170). Historiquement, il évolue en «seigneur d'un château et de son territoire» (av. 1309), «juge officiant à la place du seigneur» (1636). Ces sens ne demeurent que comme archaïsmes de civilisation, le mot référant de nos jours au propriétaire d'un château de plaisance et à sa femme (1840). L'adjectif de même forme (1611) correspond au latin *castellanus* «relatif au château». ➜ **CHÂTELLENIE** n. f. (XIIe s.), terme de droit féodal, désigne la seigneurie ou juridiction d'un châtelain.

◈ voir **CASTEL**.

② **CHÂTEAU** → **CHATEAUBRIAND**

CHATEAUBRIAND, CHÂTEAUBRIANT n. m., d'abord écrit *châteaubriant* (1865) puis également *chateaubriand* (1866), est d'origine incertaine. Les uns, défenseurs de la graphie *châteaubriant*, en font un nom commun tiré du nom de la ville de *Châteaubriant* (Loire-Atlantique), située dans un important centre d'élevage. Les autres y voient le nom de l'écrivain François René de *Chateaubriand*, parce que l'invention de cette préparation serait due à son cuisinier Montmireil. Les premiers emplois connus ne permettent pas de trancher.

♦ Le mot désigne une tranche épaisse de filet de bœuf grillée, servie avec des pommes de terre soufflées et une béarnaise ou une sauce chateaubriand (sauce brune). Il est couramment abrégé (1920) en ② *château (un château saignant).*

CHAT-HUANT n. m., d'abord *chahuan* (v. 1278) puis *chat-huant* (fin XIVe s.), est la réinterprétation, d'après le cri et la forme de la tête de cet oiseau, en *chat* huant* «chat qui hue» du verbe *huer** «crier (des oiseaux de nuit)», d'un type attesté sous la forme *javan* dans les *Gloses de Rashi* (v. 1100). Ce mot est lui-même issu du bas latin *cavannus* (Ve s.), d'origine gauloise, à rattacher à la même racine *°kaw-* que *chouette**, *chouan**, *chahut**.

♦ Le mot désigne un oiseau de proie de la famille des Nocturnes.

CHÂTIER v. tr., d'abord *castier* (v. 980) puis *chastier* (1160-1174), est issu du latin *castigare* qui a dû signifier «essayer d'instruire» d'où «corriger, réprimander», attesté en latin chrétien au sens réfléchi de «se mortifier». Le mot est dérivé de *castus* (→ chaste) au sens de «conforme aux règles».

♦ Le verbe, pour «réprimander, blâmer», relève de l'usage soutenu, surtout avec le sens spécial, introduit par la langue classique, de «épurer son style» (1661). Il est plus courant avec la valeur forte de «punir, corriger sévèrement» (1160-1174), mais seule la locution proverbiale ***qui aime bien châtie bien*** (1350-1400) est usuelle. ◇ Le sens spécialisé, dans un contexte religieux, «se mortifier, se flageller» et avec un complément «mortifier» (v. 1121), appartient également à l'usage très soutenu.

▸ En sont dérivés **CHÂTIMENT** n. m. (v. 1170, *chastiement*), synonyme soutenu de *punition* mais plus courant que *châtier*, surtout en contexte religieux, et parfois connu par allusion littéraire (*Crime et Châtiment*, de Dostoïevski), et, moins usuel, **CHÂTIEUR, EUSE** n. (av. 1755).

① **CHATON** n. m., d'abord *chastun* (1160-1170), est issu du francique *°kasto* «boîte, caisse» (reconstitué d'après l'ancien haut allemand *kasto*, l'allemand *Kasten* et le néerlandais *kast* «coffre»). La spécialisation en joaillerie se serait faite en français : en effet, dans ce domaine, c'est plutôt le germanique qui a emprunté au latin (→ gemme). Les correspondants romans étant pris au français, l'étymon germanique occidental est moins probable que le francique. P. Guiraud préfère supposer un dérivé du latin *capsa* «châsse» (→ caisse, capsule, châsse) qui aurait été démotivé par suite de son homonymie avec ② *chaton*, de *chat*.

♦ Le mot désigne la partie saillante d'une bague où est enchâssée une pierre précieuse et, par métonymie, cette pierre précieuse (1780). Par analogie d'aspect, il a reçu des sens techniques spécialisés en anatomie (1611, *chaton de l'œil*) et en botanique où il désigne l'enveloppe verte de la noisette (1704), la partie du gland dans laquelle il se trouve enchâssé ; dans ce sens, il n'interfère pas avec l'homonyme ② *chaton*.

② **CHATON** → **CHAT**

CHATOUILLER v. tr., (XVe s.) forme en *ch-* et réfection suffixale en *-ouiller* de *catellier* (v. 1220), *catoillier* (1414), est d'origine incertaine, probablement onomatopéique : en effet plusieurs langues européennes expriment cette même notion par la succession des consonnes *k-t-l* avec voyelle initiale *a* (italien ; provençal *catilha, gatilha*) et dans les langues germaniques, avec voyelle radicale *i* (ancien norrois *kitla*, ancien haut allemand *kizzilon*, moyen haut allemand *kitzeln*). En français, le type moderne *chatouiller* a prévalu. Dans les formes non dialectales en *ca-*, la force expressive de l'onomatopée se serait maintenue empêchant le développement régulier *k* ou *ch*. Cette évolution montre d'ailleurs l'ancienneté du mot et fait écarter l'hypothèse d'un emprunt au bas allemand ou au néerlandais *katelen* de même sens. Une dérivation directe de *chat* (et des formes issues de *cattus*) est seulement à évoquer comme étymologie seconde, populaire.

♦ Le mot a signifié «provoquer des tressaillements», avec une valeur neutre dont semble procéder le sens figuré «exciter» (1414). Le sens s'est infléchi dès le XVe s. vers l'indication d'une sensation agréable (XVe s.), au propre comme au figuré ; la langue classique lui a ajouté la valeur figurée de «flatter par d'aimables propos ou attitudes» (av. 1625, Malherbe).

▸ **CHATOUILLEUX, EUSE** adj., d'abord en picard *catillose* (XIIIe s.) et en normand *catoilleus* (1370) puis *chatoilleus* (XIVe s.), *chatouilleux* (fin XVe s., *chatoulleux*), a qualifié d'abord de manière neutre une personne sensible, d'où, avec la préposition *à*, sensible à, enclin à (fin XVe s.). Il a évolué comme le verbe vers l'idée de «sensible à des démangeaisons agréables» (v. 1370) tout en gardant au figuré la valeur de «susceptible» et, d'une chose, «qui peut éveiller la susceptibilité» (av. 1564).

CHATOUILLEMENT n. m. (v. 1390), d'abord en picard *catoullement*, la forme actuelle étant attestée depuis 1580, assume une fonction de substantif d'action et désigne également le résultat de l'action, une sensation agréable (1580), mais aussi quelquefois désagréable (1801). ➜ **CHATOUILLEUR, EUSE** adj. et n. de sens actif, après une attestation isolée en 1636, semble repris assez tard dans le XIXe s. (1886). ➜ **CHATOUILLE** n. f., déverbal de *chatouiller*, est un synonyme familier (1787) de *chatouillement*, surtout employé au pluriel. ➜ **CHATOUILLIS** n. m. (1891) exprime, lui aussi dans la langue familière, la notion d'un léger chatouillement.

CHATOYER → CHAT

CHAT-PARD n. m., d'abord *chatpard* en un mot (1690), graphie employée par Hugo (1823), puis *chat-pard* (1704), est composé de *chat** et de *pard*, ancien nom de la panthère (v. 1390) supplanté par *panthère* et qui ne survit qu'en composition (→ léopard et l'ancien *chameau-pard* qui désignait la girafe). *Pard* est lui-même l'adaptation du latin *pardus* apparenté au grec *pardalis* «panthère, léopard», la forme synonyme *pardos* étant probablement reprise au latin. Le mot, dont le suffixe *-alis* n'est pas éclairci, est un emprunt oriental dont on a rapproché le persan *palang* et des formes iraniennes (auxquelles est emprunté le terme sanskrit *pṛdāku-*). Le mot latin a donné l'ancien haut allemand *pardo*, le russe *pardus*.

♦ Le mot désigne un félin à pelage fauve taché de noir.

CHÂTRER v. tr., d'abord *chastrer* (1121), est le doublet populaire correspondant au type savant *castrer**; il est issu du latin *castrare* «rendre impuissant (un homme, un animal)», «élaguer (des arbres)» et, au figuré, «atténuer, affaiblir».

♦ Outre son sens usuel de «rendre un mâle (généralement un animal) impropre à la reproduction en le mutilant», le verbe est employé en horticulture (1562) et, par métaphore, au sens de «mutiler, amoindrir» (d'un abstrait, d'une œuvre littéraire; 1690, au participe passé *livre châtré*).

▸ **CHÂTREUR** n. m. (1585), d'abord sous la forme picarde *castreur* (1416), désigne proprement celui qui a pour métier de châtrer les animaux et, au figuré, celui qui mutile (1659).

◈ voir CASTRAT.

CHATTEMITE → CHAT

CHAUD, AUDE adj. et n., d'abord écrit *chaut* et *chaud* (1080), est issu du latin de même sens *caldus* ou *calidus* (au propre et au figuré), mot panroman (italien *caldo*, espagnol *caliente*) et celtique (irlandais *caót*), dérivé de *calere* (→ chaloir art. chaland).

♦ Le mot s'oppose à *froid** dans la plupart de ses emplois : il qualifie proprement un corps qui a une température élevée ou (1170) qui a gardé une température naturelle ou transmise, notamment en parlant de plats cuisinés ou d'une partie du corps (d'où, au figuré, *chaudes larmes* 1165). ◇ La nuance temporelle de «récent» (1243), beaucoup plus fréquemment confiée à *frais**, subsiste dans quelques expressions (1243, *une chaude nouvelle* annonçant ***une nouvelle toute chaude***). ◇ Utilisé de bonne heure au figuré (1165), d'abord comme épithète de la colère, puis aussi et surtout avec la valeur d'«ardent, sensuel», il présente encore l'idée d'«emportement» en langue classique ***(avoir la tête chaude)*** et plus souvent aujourd'hui d'«enthousiasme» ***(n'être pas chaud pour...)***. ◇ Il lui arrive de traduire les nuances de «fort, épicé», de l'anglais *hot* «chaud», dans quelques expressions comme *quartier chaud* ou, en contexte politico-social *point chaud, printemps chaud*. ➜ Comme *froid*, l'adjectif est substantivé de bonne heure (1080) : de son ancien emploi au sens de «chaleur» demeurent de nombreuses tournures lexicalisées : ***avoir, faire chaud, au chaud, à chaud*** (par extension en parlant d'une opération chirurgicale, 1906). Au figuré, il entre dans l'expression ***ne faire ni chaud ni froid*** (v. 1236, dans un ordre différent). ◇ Le féminin (av. 1511) est peu utilisé, sinon avec une valeur temporelle dans la locution ***à la chaude*** «sur le champ», à propos du degré de température nécessaire pour travailler certaines matières (1611) et régionalement ou familièrement comme appellation métonymique d'une flambée *(faire une chaude)*.

▸ **CHAUDEMENT** adv. (1172-1174) est employé au propre (dès les premiers textes, *chaudement vêtu*) et, au figuré, avec une double valeur affective (1380-1388) et, plus rarement, temporelle (1544).

CHAUDE-PISSE n. f. (XIIIe s.) (→ pisser), doublé ultérieurement par **CHAUDE-LANCE** (1837), est un terme populaire pour la blennorragie.

➜ **CHAUD-FROID** adj. et n. (1808), qualifie et désigne ce qui associe de faibles et fortes températures spécialement, en cuisine, un plat de volaille ou de gibier préparé à chaud et servi froid.

◈ voir ACHALANDER, CÂLIN, CALORIE, CHALOIR (art. ② CHALAND), CHAUDIÈRE, CHAUFFER, ① ÉCHAUDER, NONCHALANT.

CHAUDIÈRE n. f., réfection (v. 1230), peut-être d'après *chaud*, de *jaldiere* (v. 1100), *caldiere* (v. 1120), est issu du bas latin *caldaria* ou *calidaria* «chaudron», pluriel pris comme féminin singulier du neutre *calidarium* «étuve, chaudron», de l'adjectif *calidarius* «chaud, chauffé», dérivé de *calidus, caldus* (→ chaud).

♦ Le mot a longtemps désigné un grand récipient de métal pour faire cuire, chauffer ou bouillir (v. 1120) avant que ne s'impose le sens moderne courant d'«appareil transformant l'eau en vapeur» (v. 1831), quelquefois dans *chaudière à vapeur* (1835). ◇ Une trace de son sens ancien demeure au Canada, où il désigne un seau métallique.

▸ L'ancien sens de *chaudière* se retrouve dans le dérivé **CHAUDRON** n. m., formé avec suffixe *-eron* (v. 1150) d'où longtemps la graphie *chauderon*. Le mot désigne un récipient plus petit que l'ancienne chaudière, destiné aux usages domestiques et à la fabrication de certains produits, spécialement le baquet dans lequel on prépare les boyaux pour faire les cordes à musique (1753). ➜ Les dérivés, à part **CHAUDRONNÉE** n. f. (1473) qui partage avec *chaudron* le sens de «contenu d'un chaudron», et qui est archaïque, sont des termes de métier : **CHAUDRONNIER, IÈRE** n. (1277), **CHAUDRON-**

NERIE n. f. (1611), dont le sens moderne «fabrication de récipients en métal» (1680) a éliminé celui de «mets cuit dans un chaudron», évinçant le plus ancien *chauderonnie* (1408).

✳ **CHAUFFER** v. est issu (v. 1150) d'un latin populaire °*calefare,* abréviation de *calefacere* «rendre chaud» (Plaute) et au figuré «exciter» (→ caléfaction, calfater), composé de *calere* «être chaud» (→ chaloir, art. chaland) et de *facere* (→ faire).

♦ En construction intransitive, le verbe signifie «devenir chaud», d'où quelquefois, en parlant d'un appareil, «devenir excessivement chaud et risquer un grippage» (1906). ◇ Ses premiers emplois figurés datent du XVIIe s. (en locutions ***le bain chauffe***) et se développent au XIXe s. (d'abord argotiquement ***ça va chauffer,*** 1830) avec une valeur péjorative. ◇ Également transitif dès les premiers textes (1176), *chauffer* reprend les sens latins dès le XIIe s., au propre et au figuré. La valeur figurée pour «attaquer vivement qqn par des raisonnements et des plaisanteries» (1798), passe à *échauffer* sauf dans quelques locutions familières *(chauffer les oreilles).* ◇ À la forme pronominale, *se chauffer* (XIIIe s.) a surtout le sens propre de «recevoir l'action de la chaleur» (avec un complément ou absolument, avec le sens de «chauffer son logement»). Il entre dans la locution ***montrer de quel bois on se chauffe*** (1585) «montrer de quoi l'on est capable».

► *Chauffer* a de nombreux dérivés. ◆ **CHAUFFAGE** n. m. est d'abord attesté sous la forme latinisée *chaufagium* (1202), peut-être à l'exemple du latin médiéval *calefagium* (1145) avec le même sens : «approvisionnement en bois de chauffage», spécialement dans l'expression ancienne *droit de chauffage* (1611). Il sert de substantif d'action et d'appellation des installations qui chauffent, avec des syntagmes courants comme *chauffage central, individuel, urbain; au gaz, électrique; appareil de chauffage...* ◆ **CHAUFFAGISTE** n. m. a été tardivement formé (v. 1970) pour désigner le spécialiste du chauffage central.

CHAUFFE n. f. (XIVe s.), déverbal de *chauffer,* après une attestation isolée au sens de «combustible», a été réintroduit dans l'usage technique au XVIIIe s. pour «foyer d'un fourneau de fonderie» (1701) et «opération de distillation» (1783), puis aussi (XIXe s.) «opération relative au fonctionnement d'un appareil de chauffage» dans *surface de chauffe* (1838), *chambre de chauffe* (1876).

CHAUFFERIE n. f. (1334), rare avec le sens d'«action de chauffer», s'est répandu à partir du XVIIIe s. avec la valeur technique concrète de «fourneau, forge où l'on travaille le fer» (1723). Il est plus usuel avec le sens de «local où se produit la chaleur» notamment dans un navire, une usine, un immeuble (1873).

CHAUFFERETTE n. f., d'abord *chauferete* (1379), est issu de *chauffer* par l'intermédiaire du moyen français *chaufete* (1360) avec substitution de suffixe. Il désigne un petit ustensile destiné à chauffer une partie du corps ou un objet et, spécialement au Canada, un appareil de chauffage dans une voiture.

CHAUFFEUR, EUSE n. (1680), proprement «personne qui s'occupe du feu d'une forge, d'un fourneau, d'une chaudière», est entré dans le vocabulaire des chemins de fer (1834) : par assimilation entre les fonctions de chauffeur d'une locomotive à vapeur et de conducteur. ◇ Bien qu'il s'agisse de deux fonctions différentes, le mot a glissé vers le sens usuel de «conducteur d'un véhicule automobile» (1896), sens avec lequel il a produit le mot familier **CHAUFFARD** n. m. (1898), de suffixe et de sens péjoratifs, et a été doté d'un féminin resté rare (1898). ◇ *Chauffeur* fut le nom (attesté 1797) donné à des malfaiteurs qui torturaient leurs victimes en leur brûlant les pieds, pour leur faire révéler la cachette de leur magot. On parle aussi de *chauffage* et de *chauffer,* dans cette acception. ◆ **CHAUFFEUSE** n. f. existait déjà comme terme d'ameublement pour désigner un siège bas, permettant de se chauffer au coin du feu (1830).

CHAUFFOIR n. m. (1680), anciennement employé pour la pièce commune de certains établissements où l'on peut se chauffer, a pris par métonymie le sens d'«appareil qui chauffe» (1690, d'un linge chauffé pour tenir chaud).

Le participe présent de *chauffer,* adjectivé en **CHAUFFANT, ANTE,** sert à qualifier des dispositifs produisant de la chaleur, telle *couverture chauffante.*

L'élément verbal **CHAUFFE-** est entré dans de nombreux substantifs composés, de sens concrets tels **CHAUFFE-DOUX** n. m. (1831), **CHAUFFE-ASSIETTES** n. m. (1835), **CHAUFFE-PLATS** n. m. (1890), **CHAUFFE-BAIN** n. m. (1899), **CHAUFFE-EAU** n. m. (1902), **CHAUFFE-BIBERON** n. m. (1926).

Par préfixation, *chauffer* a servi à former **RÉCHAUFFER** v. tr. (v. 1190), lequel a perdu son sens intransitif de «redevenir chaud» pour le sens transitif correspondant «chauffer (ce qui est refroidi ou froid)» (XIIIe s.). Par extension, il exprime l'idée de «donner de la chaleur à (un être, une chose)» (1273) et reçoit, au XVIIe s., des valeurs figurées (1671), d'abord dans la locution ***réchauffer un serpent dans son sein*** «élever ou aider un ingrat» (1662). ◇ La forme pronominale *se réchauffer,* attestée depuis 1661 au figuré pour «devenir plus ardent», signifie depuis le XVIIIe s. au sens concret «redevenir plus chaud, en parlant de l'air» (1740), puis «redonner de la chaleur à son corps» (1798) et, à nouveau au figuré, «se réconforter moralement» (1932). ◆ Le verbe a produit les dérivés **RÉCHAUFFÉ, ÉE** adj. (XIIIe s.) dont le sens familier de «rebattu, sans originalité» (1671) a donné lieu à un emploi substantivé (fin XVIIe s.) : *c'est du réchauffé;* **RÉCHAUFFEMENT** n. m. (1611), dont le sens concret général «action de se réchauffer» est attesté bien plus tard (1962) que divers sens spéciaux; **RÉCHAUFFANT, ANTE** adj. (1808) et **RÉCHAUFFAGE** n. m. (1842), enregistré dès le début du XIXe s. avec des sens aujourd'hui oubliés. ◆ **RÉCHAUD** n. m., plus surprenant par sa forme (*reschauld,* 1549; *réchaud,* XVIIe s.), est la réfection, d'après *chaud**, d'une forme non attestée °*réchauf,* déverbal de *réchauffer.* ◇ Le mot désigne concrètement un ustensile de cuisine, un petit fourneau portatif (1664) et, en horticulture, un amas de fumier destiné à réchauffer les plantes autour desquelles il est disposé (1869).

SURCHAUFFER v. (1694) est d'abord un terme de métallurgie, comme **SURCHAUFFURE** n. f. (1676); ce dernier est un mot technique désignant le défaut présenté par l'acier ou le fer surchauffé, devenu archaïque et supplanté par *pailles.* Le verbe, d'usage courant en technique, puis dans la langue courante (mil. XIXe s.), exprime l'idée d'un excès de chaleur et, au figuré, d'un état d'agitation extrême (av. 1892; 1873 au p.p.). ➛ Ses dérivés, **SURCHAUFFÉ, ÉE** adj. (1835), **SURCHAUFFAGE** n. m. (1877), **SURCHAUFFE** n. f. (1875), participent du sens physique, le déverbal réalisant aussi en économie l'idée d'un phénomène caractérisé par l'augmentation de la demande solvable de biens de consommation, plus rapide que l'accroissement du produit national brut (1963, dans les dictionnaires généraux).

◈ voir **ÉCHAUFFER.**

CHAUFOUR → CHAUX

CHAULER → CHAUX

CHAUME

CHAUME n. m. est issu (1195), par une forme tardive °*calmus,* du latin classique *calamus* «roseau» puis «tige d'une plante», fréquemment en parlant de céréales (Pline). *Calamus* est un emprunt ancien au grec de même sens *kalamos,* qui a fini par éliminer le terme latin *(h)arundo* (→ calame).

♦ Le mot est surtout employé au pluriel pour les blés en tiges (1195) et, avec une valeur collective, pour désigner la paille couvrant le toit des maisons rurales (v. 1278), appelées plus tard *chaumières* (ci-dessous). Il est ainsi pris, notamment au sens métonymique «maison», comme emblème de la condition modeste (1651-1652) ou rustique (XVIIIe s.).

▸ *Chaume* a produit quelques dérivés relatifs au travail agricole comme **CHAUMER** v. (1355) «couper le chaume d'un champ», ultérieurement **CHAUMET** n. m. (1863), nom d'outil, et **CHAUMIER** n. m. (1863), nom d'ouvrier. ➛ Dans l'intervalle, il a produit **CHAUMINE** n. f., ancien adjectif (1486) substantivé (1606), pour désigner une petite maison à toit de chaume. ➛ Celui-ci a été absorbé par **CHAUMIÈRE** n. f. (1666), désignant d'abord une petite maison rurale couverte d'un toit en chaume, puis pris au XVIIIe s. comme symbole des charmes de la vie rurale, loin de l'immoralité des villes (d'où des locutions comme *pleurer dans les chaumières* et le titre de la publication *La Veillée des chaumières*), sens encore actif au début du XXe s. Les maisons couvertes en chaume disparaissant ou devenant de coûteuses fantaisies, le mot, démotivé ou remotivé, a perdu ces connotations ou acquis une valeur ironique.

CHAUSSE

CHAUSSE n. f. d'abord écrit *chauce* (v. 1150), est issu d'un latin populaire °*calcea,* attesté à l'époque médiévale (800), féminin tiré du latin *calceus,* mot désignant une chaussure d'abord portée par les rois et les patriciens, et probablement d'origine étrusque. *Calceus* est dérivé de *calx* «talon», «pied (d'un mât, d'une échelle)» dont l'origine pourrait être étrusque, les autres relations avec des langues indoeuropéennes, comme le lituanien *kulnìs* «talon», le bulgare *kŭlka* «hanche», étant assez lointaines. °*Calcea* a évolué de bonne heure vers le sens de «guêtre couvrant à la fois le pied et la jambe», également attesté par l'italien *calza* et l'espagnol *calza* «bas», vêtement d'origine gauloise qui reparut après l'invasion franque : dès le VIe s. en effet, les Francs adoptèrent certaines parties du costume du peuple vaincu, remplaçant par les chausses les braies, qu'ils avaient importées.

♦ *Chausse,* au singulier mais surtout au pluriel (XIIe s.), a désigné des jambières, sorte de pantalons collants en drap ou en laine qui furent, jusqu'à l'avènement de la culotte, le vêtement masculin normal, en Occident, de la partie inférieure du corps. Ce vêtement, qui tenait lieu à la fois de bas et de culotte, était divisé en ***bas-de-chausses*** (1538), expression qui est à l'origine du terme d'habillement *bas**, et ***haut-de-chausses*** (1546). L'apparition de ces deux expressions au XVIe s. correspond au vieillissement du mot employé seul, à la suite de l'évolution de l'habillement masculin. Cependant, l'importance du vêtement se reflète encore aux XVIIe-XVIIIe s. dans une phraséologie abondante : *tirer ses chausses* «partir» (1611), *porter les chausses,* ancienne variante de *porter la culotte* (1656), *n'avoir pas de chausses* «être en panne» (1694), *faire dans ses chausses* «avoir peur» (1798), toutes quasiment sorties d'usage. Une sorte particulière de chausses, le *chausses de mailles,* formait au moyen âge le complément de l'armure à haubert avant l'usage des cuissards, platines et «grèves» et l'adoption de l'armure à cuirasse vers la fin du XIIIe siècle.

◇ Le singulier *chausse* a connu une évolution sémantique plus riche par extension analogique : le mot désigne un filtre (XIVe s.), également appelé *chausse d'Hippocrate* (1552, *chausse d'Hippocras*) par les pharmaciens. Il est passé dans le langage de la construction comme dénomination (*chausse d'aisance;* d'abord *causse de l'aysement,* XVIe s.) du conduit des latrines, emploi disparu. Enfin, après avoir désigné un type d'ornement (v. 1250), il se dit d'une pièce d'étoffe que les membres de l'Université portent sur l'épaule gauche dans les cérémonies (1740) et que l'on nomme aussi *chaperon.* De nos jours, *chausse* a vieilli dans tous ses emplois.

Le diminutif **CHAUSSETTE** n. f., d'abord *chalcette* (v. 1150), *cauchette* en picard (1282), puis *chaucette* (fin XVe s.) «bas s'arrêtant à mi-jambe», est au contraire resté très vivant, malgré la concurrence de mots récents, comme *socquette.* ➛ Il a produit à son tour **CHAUSSETIER** n. m. (1337, *cauchetier*) qui, après avoir supplanté **CHAUSSIER** n. m. (1268-1271), est sorti d'usage, et **CHAUSSET(T)ERIE** n. f. (1347), mot sorti d'usage avant sa reprise au début du XIXe s. (1832, Hugo).

CHAUSSON n. m. (apr. 1150) a désigné des espèces de chaussettes portées sous le soulier, avant de devenir le nom de chaussures souples que l'on porte généralement chez soi (1832). ◇ Dès 1627, il désigne des souliers plats et légers pour jouer à la paume ou faire de l'escrime, devenant par métonymie (1844) le nom d'une variété de lutte où les coups de pied sont permis (cf. *savate*). ◇ Par analogie d'aspect, le mot désigne une préparation de pâte renfermant des fruits, une compote (1783), notamment dans l'expression *chausson aux pommes*. ➡ Il a produit **CHAUSSONNIER** n. m. (1841) et **CHAUSSONNERIE** n. f. (1869), termes de métier aujourd'hui archaïques, et un verbe **CHAUSSONNER** «donner des coups de pieds» (1869) qui a disparu.

◈ voir CALEÇON, CHAUSSÉE, CHAUSSER.

CHAUSSÉE n. f., d'abord *chauciee* (v. 1155), *chaucie* (1309), est issu d'un latin populaire °*calciata* (946), substantivation d'un adjectif féminin par ellipse du syntagme °*calciata via*. °*Calciata* pourrait dériver de *calx* «chaux» (→ chaux), les Romains ayant utilisé le mortier de chaux pour certaines substructions de routes, notamment en terrain marécageux; le mot aurait été étendu à toutes sortes de routes. L'hypothèse d'une dérivation de *calx* «talon» (→ chausse, chausser), à travers un latin vulgaire *calcia* (Ve s.), s'appuie sur un document catalan de 988 définissant la chaussée comme une route formée de morceaux de pierres tassés, foulés (avec le talon); elle est cependant moins probable.

♦ Appliqué à désigner la partie centrale d'une route où roulent les voitures, d'où *les **Ponts et Chaussées*** (XVIIIe s.), administration chargée de la construction et de l'entretien des voies, le mot désigne aussi (1309) une levée de terre retenant l'eau d'un cours d'eau et pouvant servir de chemin de passage. ◇ Par analogie, il s'applique encore au pignon portant l'aiguille des minutes en horlogerie (1752) et à un écueil sous-marin affleurant l'eau.

▶ **REZ-DE-CHAUSSÉE** n. m. (1450) est formé avec *rez*, ancien doublet de *ras** utilisé jusqu'à l'époque classique dans des locutions prépositionnelles (*rez pied, rez terre* 1495). Le mot a désigné la surface d'un terrain situé de niveau avec une chaussée, une rue, avant de prendre, par métonymie, la valeur moderne de «partie d'une maison au ras du sol» (1548), servant à désigner un appartement, un logement ainsi situé (1835).

CHAUSSER v. tr., d'abord *calcer* (1080) puis *chaucier* (v. 1155), est issu, comme l'italien *calzare* et l'espagnol *calzar*, du latin *calceare* «mettre des chaussures», de *calceus* «soulier», mot dont une forme féminine a donné *chausse**.

♦ Le verbe exprime l'acte de mettre à ses pieds des chaussures, des éperons. Il s'emploie en constructions transitive et pronominale (v. 1175). Le complément désigne l'objet ainsi ajusté ou, par métonymie, une partie du corps (1080), la personne (v. 1155) à laquelle on l'ajuste. Dans ce dernier cas, il revêt secondairement les valeurs d'«aller bien ou mal, en parlant d'une chaussure» (v. 1225) et de «fournir en chaussures» (1611). Par extension, il exprime le fait de mettre des lunettes (1552). Il se prête à un emploi métaphorique, équivalant à «concevoir, mettre dans son esprit» (1566) et qui a disparu. ◇ Par analogie, il est employé en horticulture au sens d'«entourer de terre le pied de (un végétal)» (1690), sens toujours vivant.

▶ Le dérivé en *-ure* **CHAUSSURE** n. f., d'abord *chaucëure* (v. 1175), s'est immédiatement fixé au sens concret de «ce qui sert à envelopper le pied», entrant avec une valeur figurée dans la locution ***chaussure à son pied*** (1611). Malgré la concurrence de *soulier* et de termes spécifiques, *chaussure* est resté le mot générique usuel, d'où par métonymie au singulier le sens de «fabrication, industrie, commerce des chaussures». ➡ **CHAUSSAGE** n. m. (1435) fournit dès le XVe s. un substantif d'action spécialisé en horticulture. ➡ **CHAUSSE-PIED** n. m., composé (1549) de la forme verbale *chausse* et de *pied**, désigne concrètement une lame facilitant l'introduction du pied dans une chaussure; à l'époque classique, il s'est employé avec la valeur figurée de «ce qui facilite qqch.» (1610).

DÉCHAUSSER v. tr. a, dès ses premières attestations sous la forme *desjalcier* (v. 1100), le sens spécial de «détacher (les dents) des gencives», qui procède par analogie de celui d'«enlever ses chaussures» (v. 1160) et s'emploie surtout au participe passé *(dents déchaussées)*; il est également employé en horticulture (v. 1230) pour «dégager le pied de (un arbre, un végétal)». ➡ Son dérivé **DÉCHAUSSAGE** n. m. (1390), après s'être référé, dans le folklore, à ce qu'une jeune mariée donnait aux jeunes garçons le jour de ses noces pour boire, est passé en horticulture d'après *chaussage* (1838). ➡ **DÉCHAUSSOIR** n. m., d'abord *deschaussouers* (1471), fournit un nom d'outil en agriculture et (v. 1560) en chirurgie dentaire. ➡ **DÉCHAUSSEMENT** n. m. (1538), bien que de sens plus général, tend à s'employer surtout en agriculture (1671) et en médecine dentaire. ➡ **ENCHAUSSER** v. tr. (1752) concurrence *chausser* en agriculture.

◈ voir CALEÇON, CALQUE, CHAUSSE.

CHAUSSE-TRAP(P)E n. f. est la réfection (1430), par remotivation d'après *chausser** et *trappe**, de l'ancien français *canketrepe* (v. 1180), *chauchetrepe* (av. 1220), lui-même fréquemment altéré, notamment en *caude treppe*. Ce mot, déjà attesté en latin médiéval par la forme *calcatripa* «chardon» (IXe s.), est composé de l'ancien français *chauchier* «fouler», hérité du latin *calcare* (→ cauchemar) et de *treper*, soit au sens de «fouler aux pieds, marcher sur», soit de «sauter» (→ trépigner); il signifie donc littéralement «foule, marche dessus».

♦ La chronologie et l'extension géographique des attestations du mot, d'abord repéré en picard, montrent l'antériorité du sens «plante commune aux fleurs ornées d'épines» (à rapprocher du sens du latin médiéval). ◇ Le développement du sens de «pièce de fer munie de pointes» (1284) est vraisemblablement, comme l'indique une glose («tribles, c'est à dire chardons, kanketreppes»), un calque sémantique du latin *tribulus*, lui-même du grec *tribolos*, dit à la fois d'un engin à trois pointes et, en botanique, d'une plante piquante. L'apparition du sens de «piège pour prendre les animaux sauvages» (1320-1350) s'explique partiellement par l'attraction de *trappe* «piège». Les hésitations graphiques entre *chausse-trape* et *chausse-trappe* reflètent la perte de conscience de l'histoire du mot.

CHAUT (peu me chaut) → ② **CHALAND**

CHAUVE adj., d'abord *chals* (v. 1160) devenu *chauve* (apr. 1250) par généralisation de la forme féminine, est hérité du latin *calvus* «dégarni de cheveux» (→ calvitie) employé par analogie pour qualifier une sorte de noix et de vigne. Le mot est rapproché du sanskrit *kulvaḥ* et de l'avestique *kaurva-* «chauve», mais aussi, avec un *kh-* populaire, du sanskrit *khalatiḥ* de même sens.

♦ Le mot, comme son étymon latin, qualifie une partie du corps, une personne et, par analogie, des espèces végétales et animales qui ne sont pas couvertes de cheveux, de poils, alors qu'elles devraient normalement l'être.

CHAUVE-SOURIS → SOURIS

CHAUVIN, INE adj. et n. est tiré (1843) du nom de (Nicolas) *Chauvin,* type du soldat patriote naïvement exalté de l'Empire, mis en scène par Cogniard *(la Cocarde tricolore)* puis par Scribe. Le nom correspond moins à un personnage réel qu'à une tradition narrative.

♦ D'abord attesté avec la valeur positive de «soldat valeureux», le mot a évolué vers sa valeur négative actuelle, «qui manifeste un patriotisme, un nationalisme fanatique».

▶ En sont tirés **CHAUVINISME** n. m. (1832) et **CHAUVINISTE** n. et adj. (1859), doublet de *chauvin,* influencé par l'anglais *chauvinist,* lui-même emprunté au français mais qui en a étendu le sens, *male chauvinist* équivalant à *phallocrate.*

CHAUX n. f. est issu (v. 1155) du latin *calx, calcis* (→ calcaire), mot probablement emprunté au grec *khalix* «caillou», «pierre à chaux», à moins que les deux mots ne soient des emprunts indépendants à une langue méditerranéenne non déterminée.

▶ La dérivation consiste en quelques termes techniques : **CHAULER** v. tr. (1372), «traiter avec de la chaux», s'est imposé au XIXe s. au détriment des types *chauter* (1762), *chauder* (1785). En est dérivé le substantif d'action **CHAULAGE** n. m. (1764) ainsi que le préfixé verbal ② **ÉCHAUDER** v. tr. (1783) «enduire d'un lait de chaux», et «faire macérer dans du lait de chaux», aujourd'hui vieilli, tout comme son dérivé **ÉCHAUDAGE** n. m. (1846), sans doute à cause de l'homonymie avec le dérivé de *chaud.* ◆ **CHAUFOUR** n. m., d'abord *cauffor* (1248) et *chauffour* (1311), formé de *chaux* et *four*,* désigne proprement un four à chaux et, par extension, le magasin où l'on entrepose le bois et la pierre à chaux destinés à ce four. ◇ En est dérivé **CHAUFOURNIER** n. m., mot dont la forme actuelle (XVIe s.), qui a remplacé *caufornier* (1200), a subi l'influence de l'ancien français *fournier* «boulanger» ; le mot désigne celui qui travaille dans un four à chaux et qui est également appelé **CHAULIER** n. m. (1610), par dérivation de *chaux.*

voir **ÉCHAUFFOURÉE**.

CHAVIRER v. est tiré (1687) du provençal *capvira, cavira* «(se) tourner la tête en bas, (se) retourner», soit par francisation, soit plutôt par l'intermédiaire de dialectes d'oc, limitrophes du domaine d'oïl ou du domaine franco-provençal où *c + a* produit *cha.* Le mot provençal est lui-même composé de *cap* «tête» (→ cap) et de *vira* «tourner» (→ virer).

♦ Le mot a été introduit dans le vocabulaire de la marine au sens de «se retourner», en parlant d'une embarcation. ◇ Par extension, il exprime le fait d'une personne qui chancelle (1830), d'une chose qui vacille, en particulier d'un œil qui se révulse. Dès 1835, il est employé au figuré avec l'idée d'«aller à sa ruine». ◇ Des emplois transitifs correspondants se sont développés parallèlement, en marine (1701) puis dans l'usage général (1859).

▶ Les substantifs d'action **CHAVIREMENT** n. m. (1838) et **CHAVIRAGE** n. m. (1839), qui s'emploient indifféremment, ne sont pas usuels.

CHÈCHE → CHÉCHIA

CHÉCHIA n. f., une première fois *chachie* (1575) puis, au XIXe s., *chachia* (1845), *chéchia* (1855) est emprunté à l'arabe *šāšiyya,* mot attesté depuis Ibn Battûta et *Les Mille et Une Nuits,* désignant au Maghreb, et autrefois en Égypte, la calotte que l'on pose sur la tête et autour de laquelle on roule une pièce d'étoffe, de manière à former un turban. Le mot est dérivé de *šāš* «pièce d'étoffe roulée autour de la calotte», lui-même introduit en français sous les formes *seisse* (1657), *sesse* (1676), puis *chech* (1918) et enfin **CHÈCHE** n. m., tiré de l'ancien nom de la ville de Tachkent où l'on fabriquait de telles coiffures dès le IXe siècle. ◇ La forme moderne *chéchia* ainsi que l'italien *cicia* (XIXe s.) sont dus à l'imāla, phénomène phonétique que l'on rencontre dans plusieurs dialectes arabes (hispano-arabe, notamment), consistant en la prononciation *e* ou *i* du *a.*

♦ D'abord mot exotique et rare, *chéchia* s'est répandu en français après la conquête de l'Algérie (mil. XIXe s.), désignant aussi erronément des coiffures analogues, comme le *fez.*

CHEF n. m., d'abord *chieef* (v. 881), *chief* puis *chef,* est issu d'un latin populaire °*capum* (attesté au déb. VIIe s.), forme altérée du latin classique *caput.* Ce mot, qui désigne la tête des hommes et des animaux, a repris certaines acceptions du grec *kephalê* (→ céphal-), s'employant souvent dans des sens dérivés ou imagés pour désigner la personne tout entière (avec la notion accessoire de vie), notamment dans les énumérations et recensements. Il désigne aussi le sommet, la cime d'une chose, la pointe (dans une acception géographique de «cap») ; il s'applique à la source — au propre et au figuré —, à ce qui gouverne. En grammaire, il désigne la forme principale d'un mot (nominatif, première personne d'un verbe). Le mot, anciennement écrit *kaput,* est sans doute un terme populaire qui a remplacé, comme presque partout, le nom indoeuropéen de la tête dont *cerebrum* (→ cerveau) garde la trace. *Caput* n'est d'ailleurs pas isolé, mais à rapprocher du germanique (vieil anglais *hafud,* anglais *head*) et du sanskrit *kapucchalam* «chignon», *kapālam* «crâne», «tesson» (cf. l'évolution de *tête*), rapprochements prouvant que le *-ut* de *caput* n'est pas essentiel.

(Suite p. 724)

CHEF :

CAPUT et ses représentants dans les langues romanes

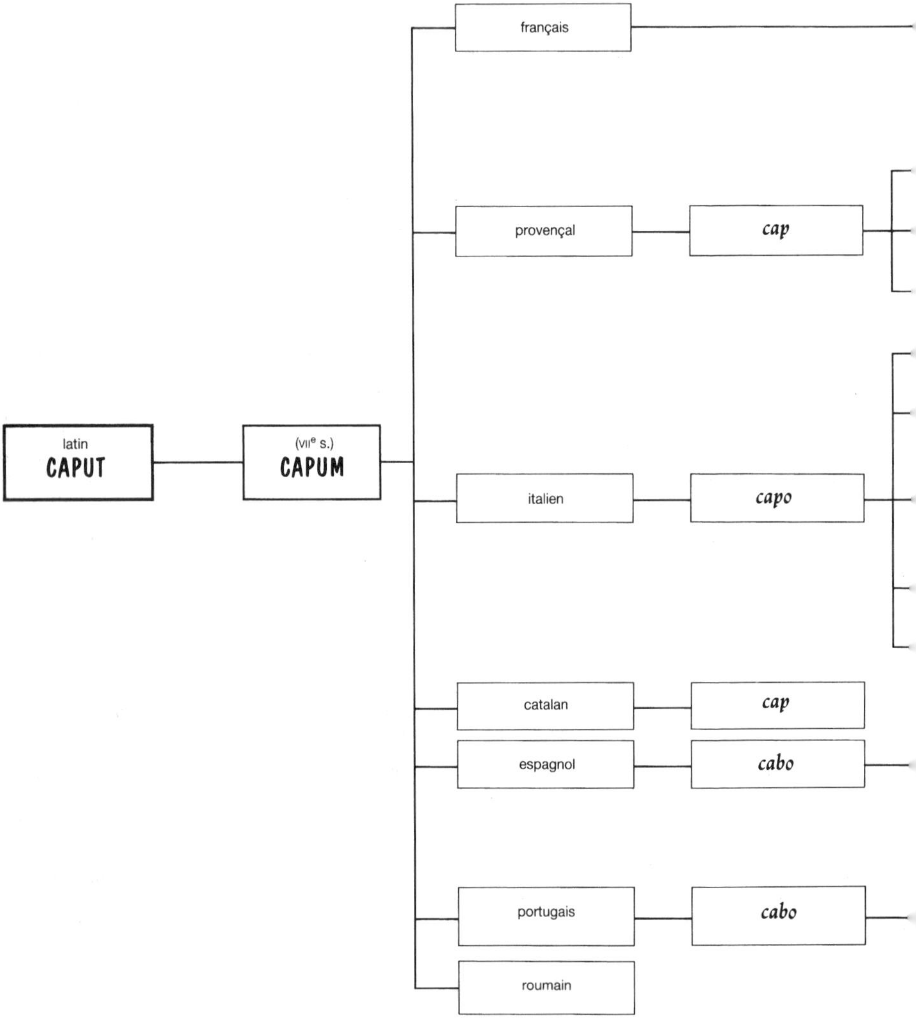

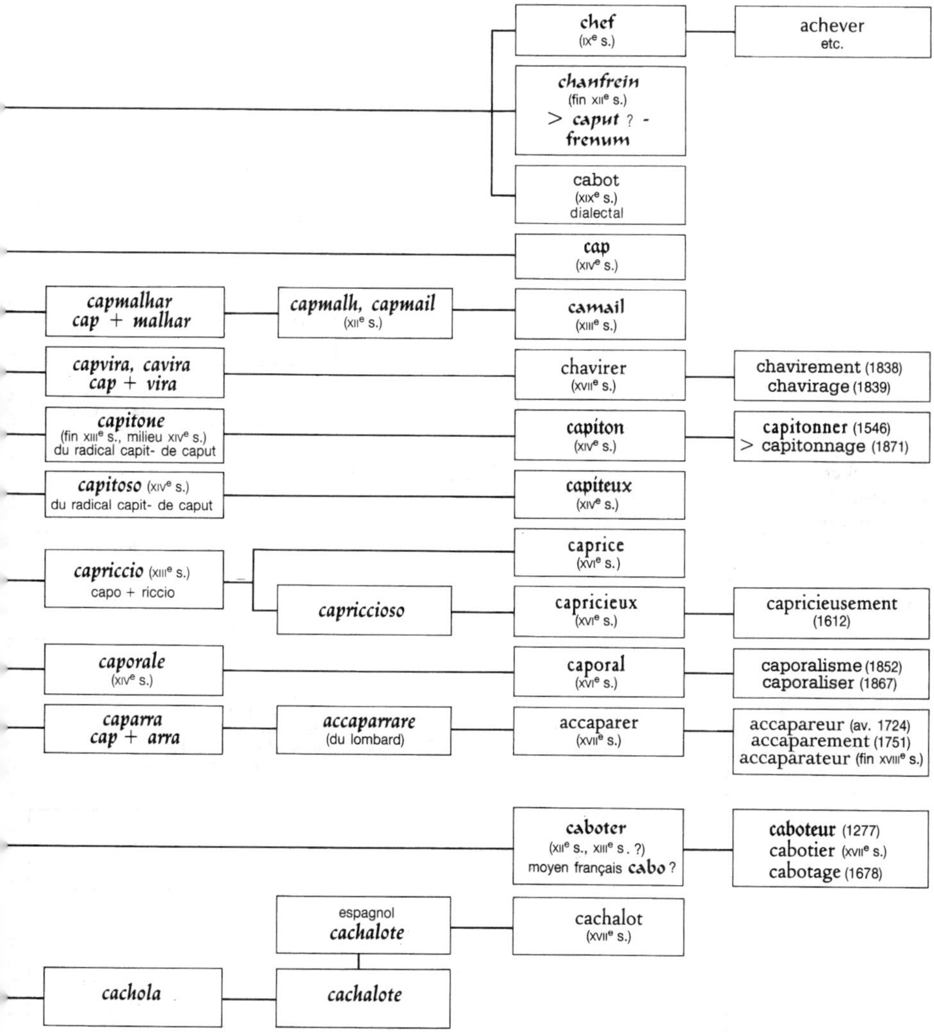

chef (IXe s.)
achever etc.
chanfrein (fin XIIe s.) > caput ? - frenum
cabot (XIXe s.) dialectal
cap (XIVe s.)
capmalhar cap + malhar
capmalh, capmail (XIIe s.)
camail (XIIIe s.)
capvira, cavira cap + vira
chavirer (XVIIe s.)
chavirement (1838) chavirage (1839)
capitone (fin XIIIe s., milieu XIVe s.) du radical capit- de caput
capiton (XIVe s.)
capitonner (1546) > capitonnage (1871)
capitoso (XIVe s.) du radical capit- de caput
capiteux (XIVe s.)
capriccio (XIIIe s.) capo + riccio
caprice (XVIe s.)
capriccioso
capricieux (XVIe s.)
capricieusement (1612)
caporale (XIVe s.)
caporal (XVIe s.)
caporalisme (1852) caporaliser (1867)
caparra cap + arra
accaparrare (du lombard)
accaparer (XVIIe s.)
accapareur (av. 1724) accaparement (1751) accaparateur (fin XVIIIe s.)
caboter (XIIe s., XIIIe s. ?) moyen français cabo ?
caboteur (1277) cabotier (XVIIe s.) cabotage (1678)
espagnol cachalote
cachalot (XVIIe s.)
cachola
cachalote

CHEF :
évolution sémantique et dérivés

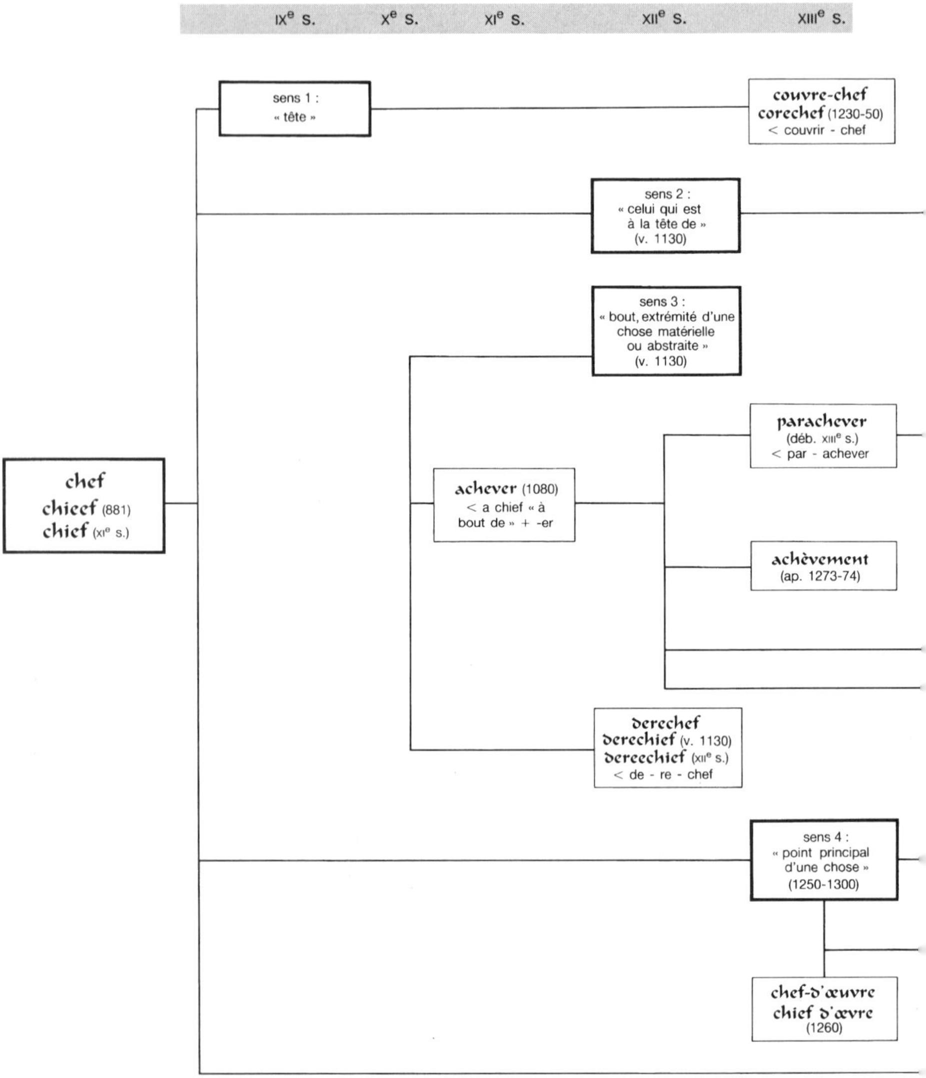

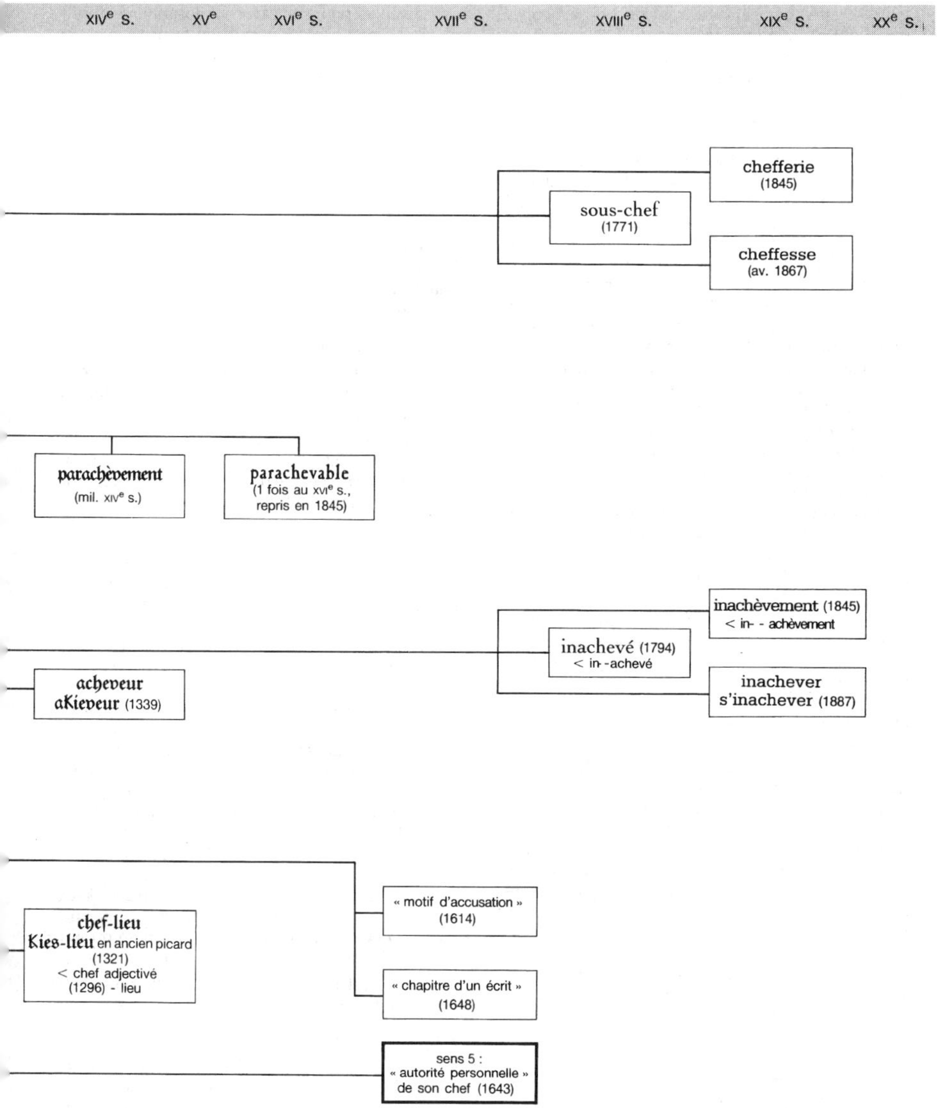

XIVe s.
XVe
XVIe s.
XVIIe s.
XVIIIe s.
XIXe s.
XXe s.
chefferie (1845)
sous-chef (1771)
cheffesse (av. 1867)
parachèvement (mil. XIVe s.)
parachevable (1 fois au XVIe s., repris en 1845)
inachèvement (1845) < in- - achèvement
inachevé (1794) < in- -achevé
inachever s'inachever (1887)
acheveur aKieveur (1339)
chef-lieu Kies-lieu en ancien picard (1321) < chef adjectivé (1296) - lieu
« motif d'accusation » (1614)
« chapitre d'un écrit » (1648)
sens 5 : « autorité personnelle » de son chef (1643)

♦ Le sens propre de «tête», attesté le premier, a été concurrencé de bonne heure par *tête**; au XVIIe s., il est vieilli et ne subsiste que dans le composé **COUVRE-CHEF** n. m. (XIIe s., «étoffe couvrant la tête»). ◇ *Chef* a cédé la place aux sens imagés du latin, attestés dès l'ancien français, en particulier «celui qui est à la tête de qqch.» (v. 1172), employé dans divers contextes (armée, politique, famille, vie professionnelle) parfois en syntagmes, tels ***chef d'État, chef de cabinet*** (comme titre), ***chef d'orchestre*** (1813), ***chef de famille, chef de cuisine*** (1740, absolument *chef*), parfois en apposition dans des grades militaires ***(adjudant-chef)*** et dans la locution ***en chef.*** Ce sens, également appliqué au fondateur d'une institution (1530), a donné un emploi en appellatif et, familièrement, à propos d'une personne remarquable dans son domaine, ou autoritaire. ➙ Le mot possède aussi des sens plus spécialisés issus du latin : celui de «bout, extrémité», dans le vocabulaire textile (1130, d'une étoffe), et dans **DERECHEF** adv. (1138, *de rechief*), terme soutenu pour *à nouveau;* celui d'«élément, point principal» (apr. 1250), juridiquement (***chef d'accusation,*** 1614), et dans un registre soutenu ***(au premier chef).*** Une autre locution formée avec *chef* mobilise l'idée abstraite d'«autorité» et celle de «personne» : c'est ***de son propre chef*** (1643, *de son chef*) qui appartient au même registre soutenu.
MÉCHEF n. m. est formé (v. 1165) de *mé- (mes-)* et chef. Le mot a longtemps signifié «malheur, événement fâcheux». Sorti d'usage en français classique, il est parfois réemployé par archaïsme littéraire, parfois avec l'idée de «mauvaise action».

▸ *Chef* a peu de dérivés, d'ailleurs tardifs. **CHEFFERIE** n. f. (1845) s'applique au sens ethnologique de *chef* appliqué au détenteur du pouvoir traditionnel, notamment dans les sociétés africaines. ➙ **CHEFFESSE** n. f., tentative pour donner un féminin à *chef* (av. 1867), n'a pas eu de succès, alors que *la chef* (XXe s.) reçoit des applications spéciales. ➙ Les composés sont plus anciens. **CHEF-LIEU** n. m. désigne d'abord (1257) une place forte plus importante que d'autres; le mot est repris au XVIIIe s. (1752) et reçoit une valeur administrative particulière en France *(chef-lieu de canton).* ➙ **CHEF-D'ŒUVRE** n. m. (1268, *chief d'œuvre*) «œuvre capitale et difficile d'un compagnon en vue d'obtenir la maîtrise dans une corporation», s'emploie abondamment au figuré depuis 1508. ➙ **SOUS-CHEF** n. m. (1771) correspond à des emplois spéciaux de *chef.*

◈ voir **ACHEVER, BICEPS, CADEAU, CADET, CAP, CAPITAINE, CAPITAL, CAPITULER, CHAPITEAU, CHAPITRE, CHEFTAINE, CHEPTEL, CHEVET, DÉCAPITER, OCCIPUT, PRÉCIPITER.**

CHEFTAINE n. f. est l'adaptation (apr. 1916), avec assimilation de *-ain* à un suffixe féminin, de l'anglais *chieftain* qui, avant d'être un terme de scoutisme (1916), signifie (XIVe s.) «capitaine», «chef d'une branche de clan écossais». Lui-même est la réfection, d'après *chief* (→ chef), de l'ancien *chevetaine* (XIIIe s.) emprunté à l'ancien français *chevetaigne* «capitaine», du latin *capitaneus* (→ capitaine).

♦ Le mot désigne la jeune fille responsable d'un groupe de scouts.

CHEIK(H) n. m. est emprunté (1309) à l'arabe *šayḫ* «vieillard», employé à propos d'un homme âgé respecté pour son savoir philosophique et religieux. Le mot a été introduit en français sous les formes isolées *seik* (1309), *schet* (1568), *cheque* (1598). À partir du XVIIe s., la graphie varie entre *cheik* (1631), *scheik* (1676), quelquefois *sheik* (1725), *cheick* (1798) et enfin *cheikh* (1838).

♦ Le mot désigne un chef de tribu arabe; il est quelquefois employé avec sa valeur étymologique d'«homme respecté pour son âge, son savoir», s'agissant d'un contexte arabe.

CHELEM n. m., d'abord *schlem* (1773) puis *chelem* (1785), est l'adaptation, sous une forme évoquant plus ou moins l'arabe, de l'anglais *slam* (1621), nom d'un jeu de cartes, puis de la réunion de toutes les levées dans les mains des deux joueurs associés (1660). L'origine de *slam* est inconnue; c'est peut-être l'abréviation de l'ancien mot *slampant* (1577) «mauvais tour», lui-même d'étymologie et de forme douteuses.

♦ Le mot s'est répandu en français parmi les joueurs de whist, puis de bridge. ◇ Par extension, ***grand chelem*** est entré dans l'usage avec le sens figuré de «série complète de victoires» (sport, politique).

CHÉLIDOINE n. f., d'abord *celidoine* (v. 1120), refait savamment en *chelidoine* (1538) d'après la forme latine, est emprunté au latin *chelidonia.* Ce dernier est la substantivation du féminin de l'adjectif *chelidonius* «de l'hirondelle», employé spécialement dans les syntagmes *chelidonia herba* et *chelidonia gemma* «plante et pierre de l'hirondelle». Le premier correspond à l'ancienne croyance selon laquelle l'hirondelle se servait de cette plante pour guérir ses petits; la seconde expression est due au fait qu'on croyait que cette pierre se trouvait dans l'estomac de l'oiseau. *Chelidonius* est l'adaptation du grec *khelidonion,* dérivé de *khelidôn* «hirondelle». L'origine de ce mot est obscure, mais le suffixe *-dôn* de noms d'animaux inciterait à un rapprochement avec le latin *hirondo* (→ hirondelle); dans une autre direction, on a évoqué le grec *kiklê* «grive» avec redoublement d'une racine germanique °*ghel-* «crier» identifiée dans le nom du rossignol (allemand *Nachtigall,* anglais *nightingale*).

♦ Le mot s'est introduit en minéralogie puis a été repris en botanique (v. 1268).

CHÉLONÉE n. f. est dérivé savamment avec le suffixe *-ée* (1800) du grec *khelônê* «tortue terrestre ou marine», formation parallèle au nom de la tortue terrestre *khelus.* Un rapprochement évident avec le slave °*želū* conduit à poser l'existence d'un nom partiellement indoeuropéen de la tortue, à rattacher selon certains à la racine °*ghel-* «jaune, vert» (→ chlore).

♦ Le mot désigne une grande tortue de mer aux membres conformés en nageoires.

► Du radical de *chélonée* est dérivé **CHÉLONIEN, IENNE** adj. d'où **CHÉLONIENS** n. m. pl. (1800), terme de classification zoologique pour l'ordre de reptiles dont le type est la tortue.

✱ **CHEMIN** n. m. est issu (1080) d'un latin populaire °*camminus,* sans attestation avant *camino* (qui se trouve au VIIe s., av. 680, dans un texte d'Espagne). Celui-ci est un mot celtique maintenu dans les langues romanes (italien *cammino,* espagnol *camino,* portugais *caminho*), le gaulois s'étant conservé plus longtemps dans les campagnes et les relations locales.

♦ Désignant concrètement une voie tracée dans la campagne, par opposition à *rue**, *chemin* est différemment qualifié selon le type de voie décrite : ainsi, *grand chemin* (cf. ***voleur de grand chemin***) désignait une voie très fréquentée. Lorsqu'il est déterminé, le mot change souvent d'acception, désignant un espace formant voie : c'est le cas dans ***chemin de ronde*** (1676) ou dans ***chemin de fer*** (1784), traduction de l'anglais *railway* lui-même emprunté en 1823, date de la mise en service de la ligne de Saint-Étienne (→ aussi ferroviaire). ◇ Dès le XIIe s., *chemin* prend, comme *route,* le sens plus abstrait de «direction» (1150) d'où ***se mettre en chemin*** (1538) et, surtout, de «distance à parcourir» (1498, ***à mi-chemin, chemin faisant***). Il désigne aussi (1343) l'espace parcouru par un corps en mouvement *(se frayer un chemin).* ◇ Depuis le XIVe s., il présente, en de nombreux emplois plus ou moins lexicalisés, un sens figuré ou métaphorique fondé sur l'assimilation du déroulement de la vie à un chemin à parcourir ***(le chemin de la vie).*** Le plus souvent, les locutions réalisent une idée de progression vers un but ***(aller, faire son chemin)*** ou mobilisent l'opposition symbolique de la ligne droite (***droit chemin,*** v. 1360 → droit) et de la ligne courbe ou de la voie anormale ***(chemin de traverse).***

► **CHEMINER** v. intr. (v. 1165-1170), «marcher, faire du chemin», s'est maintenu jusqu'à aujourd'hui malgré son vieillissement («un peu vieux» Richelet, 1680); il a notamment développé la valeur figurée de «faire des progrès» (1693) et une spécialisation militaire, «progresser vers les positions ennemies par des travaux d'approche» (1863). ➛ Il a produit **CHEMINEMENT** n. m. (v. 1288), de sens propre et figuré (v. 1460), qui a reçu des acceptions techniques en tactique militaire (1845) et en topographie (1899).

CHEMINEAU n. m. Par une dérivation fondée sur le syntagme *chemin de fer,* le mot désigne l'ouvrier des voies ferrées, le plus souvent en référence à des ouvriers terrassiers itinérants (1868, *Diloy le chemineau,* ouvrage de la comtesse de Ségur, qui écrit dès 1867 à un correspondant : « on appelle chemineaux les ouvriers ambulants qui travaillent aux chemins de fer »). Du fait que *chemineau* s'applique aussi au vagabond qui erre par les chemins, un nouveau dérivé, **CHEMINOT** n. m. a été formé pour « travailleur des chemins de fer ». Après l'attestation du féminin *cheminaude* (1896), analogique des mots en *-aud, -aude,* les deux formes ne se trouvent plus qu'au masculin.

ACHEMINER v. tr. paraît, vu son ancienneté (1080), dériver directement de *chemin* et non de *cheminer.* Au sens propre de «diriger vers un lieu», réalisé à la forme pronominale et en construction transitive (fin XIIe s.), s'est ajouté au XVIIe s. un sens figuré. ◇ Le verbe est entré dans le vocabulaire du manège par son participe passé, **ACHEMINÉ, ÉE,** employé adjectivement pour qualifier un cheval presque dressé, «rompu» (1690). ➛ Le substantif d'action **ACHEMINEMENT** n. m. (1454) est quasiment sorti de l'usage avec son sens propre du XVIIIe s. à la fin du XIXe s., lorsqu'il a été repris à propos du courrier, des paquets, pour «fait de transporter à sa destination». Le mot s'est implanté plus facilement avec son sens figuré «progression dans une voie d'accès» (1555).

CHEMINEAU, CHEMINOT → CHEMIN

CHEMINÉE n. f. est issu (v. 1170) du bas latin *caminata,* ellipse de *camera caminata* «salle munie d'une cheminée» (584) d'où «cheminée» (IXe s.). Celui-ci est le participe passé féminin de *caminare* «construire en forme de four», «creuser en forme de cheminée». Ce verbe est dérivé de *caminus* «fourneau, âtre» qui traduit le grec *kaminos* «four, fourneau», mot d'étymologie inconnue, encore vivant en grec moderne. *Caminus* a disparu, au profit de *caminata,* à cause de son homonymie avec *camminus* (→ chemin), l'influence de ce dernier expliquant le maintien du *i* atone dans *cheminée.*

♦ Passé en français au sens de «pièce munie d'une cheminée», encore relevé au XVIIIe s., *cheminée* s'est restreint dès l'ancien français (fin XIIe s.) au sens moderne, désignant soit tout le dispositif, soit une de ses parties (âtre, encadrement de l'âtre ou partie visible sur le toit qui évacue la fumée). De ce dernier sens participent divers emplois désignant des conduits de dégagement ou d'aération (1832), notamment ceux d'une usine (1857). Par analogie de forme, le mot désigne divers conduits naturels (1649, *cheminée volcanique*), spécialement en alpinisme (1868) et divers conduits et orifices de dégagement (1690, «petit cylindre adapté à un tuyau d'orgue»; 1829, «verre de lampe à pétrole»).

CHEMISE n. f., d'abord *chamisae* (v. 980), est issu du bas latin *camisia* apparu au IVe s. avec le vêtement porté à même la peau, qu'il désigne. Le mot a pris par extension le sens d'«enveloppe» (XIIe s.). Ce pourrait être un emprunt gaulois ou germanique.

♦ *Chemise* désigne un vêtement de jour masculin et un vêtement de nuit (alors déterminé : *chemise de nuit*), porté par les hommes jusqu'au début du XXe s. et par les femmes. Par référence au port d'une chemise caractéristique dans certaines formations paramilitaires, il est employé au XXe s. par métonymie pour désigner les membres de celles-ci (*chemises noires* «fascistes», *chemises brunes* «hitlériennes», etc.). ◇ Dès le XVIe s., il entre en de nombreuses locutions figurées, exploitant l'idée d'un vêtement que l'on change souvent (***changer d'avis comme de chemise,*** 1791), d'un vêtement intime (***être comme cul et chemise,*** sous une forme légèrement différente en 1808) ou essentiel **(vendre sa [dernière] chemise).** Signe social comme tout vêtement, il a produit la locution ***en bras de chemise,*** induisant à l'origine une idée de «négligé», par opposition au port conventionnel et bourgeois de la veste. ◇ Au XVIIIe s., il a reçu les sens analogiques de «couverture cartonnée» (1752), usuel, et en technique de «revêtement de protection» (1753, de l'intérieur d'un haut fourneau), sens repris à propos des moteurs à explosion.

▸ **CHEMISETTE** n. f., «petite chemise» (v. 1220), a désigné également le devant d'une chemise, généralement de linge fin (1845) et, dans la mode féminine, une sorte de col orné de broderie ou de dentelle (1845). ➛ **CHEMISIER, IÈRE** n. a été repris au XIXe s. après avoir désigné, au féminin, une marchande de toile (1596). Le mot, réintroduit comme adjectif, désigne au XIXe s. celui, celle qui fait ou vend des chemises. ◇ Le masculin a reçu (1902) le sens de «corsage». ➛ **CHEMISER** v. tr. (1838) et le plus ancien **ENCHEMISER** v. tr. (1611, rarement av. XIXe s.) procèdent, notamment le premier, de *chemise* pris dans ses sens techniques. ➛ **CHEMISERIE** n. f. (1845) correspond au sens moderne de *chemisier.*

◈ voir CAMISARD, CAMISOLE.

CHENAL, AUX n. m. est la réfection (v. 1225), d'après *canal**, de l'ancien français *chanel, chenel* (v. 1112). Celui-ci est issu du latin *canalis,* l'un des nombreux dérivés de *canna* «roseau» (→ canne), désignant par extension un conduit d'eau.

♦ Le mot désigne d'abord le lit d'un fleuve dans sa partie navigable et partage avec *canal* l'idée d'un passage resserré donnant accès à un port ou permettant de naviguer près des côtes, entre des îles (1483). Par analogie, il désigne également une gouttière (1475).

▸ Le diminutif **CHÉNEAU** n. m., d'abord écrit *chesneau* (1459), est probablement l'altération de la forme dialectale *cheneau,* sous l'influence de *chêne**, parce que le petit canal qu'il désigne, conduisant les eaux à la gouttière, sur un toit, était fait à l'origine de chêne creusé. ➛ **CHENALER** v. intr., dérivé de la forme moderne *chenal* (1674), réalise l'idée de «naviguer en suivant les sinuosités d'un chenal».

◈ voir CANAL.

CHENAPAN n. m., d'abord sous les formes *snaphaine* (6 juillet 1551) et *snaphan* (1568), est emprunté au néerlandais *snaphaan* (moyen néerlandais *snaphaen*) «voleur de grand chemin». Ce mot est emprunté à l'allemand *Schnapphahn* (1494, «voleur de grand chemin monté à cheval»), qui passera lui-même en français pendant les guerres du XVIIe s. sous la forme *schnaphan* (1694), refaite d'après la prononciation en *chenapan* (1739). Le mot allemand est composé d'une forme du verbe *schnappen* «attraper», à l'impératif *schnapp.* Ce verbe vient du moyen haut allemand *snappen,* dont la racine est probablement apparentée à celle du moyen haut allemand *snaben* de même sens et pourrait évoquer le bruit des mâchoires qui se referment. Le second élément est *Hahn* «coq», de l'ancien haut allemand *hano,* à rattacher à un radical germanique °*hanan-* (d'où l'anglais *hen* «poule») apparenté au latin *canere* «chanter» (→ chanter). Au sens propre de «coq», *Hahn,* complément du verbe, serait une allusion au vagabond qui fait main basse sur la volaille ; au sens figuré de «gaillard» (XVIe s.), il serait devenu le sujet du verbe.

♦ Le mot a désigné un voleur de grand chemin et, spécialement à propos des armées d'Allemagne, un type de pillard s'attachant au parti qui est en campagne. Comme plusieurs mots de l'ancien vocabulaire de la marginalité, il s'est affaibli au sens plaisant de «mauvais garçon», «enfant turbulent, garnement».

CHÊNE n. m., d'abord écrit *chaisne, chesne* (v. 1100), est probablement l'altération précoce de l'ancien type *chasne* (v. 1100), sous l'influence de *fraisne, frêne*. Chasne* est issu d'un latin populaire °*cassanus* attesté sous la forme *casnus* à époque médiévale (866), probablement d'origine gauloise ou prégauloise, certains y voyant le représentant gaulois du grec *kastanos* (→ châtaigne). Le nom latin du chêne, *quercus,* n'a pas pénétré en Gaule parce que cet arbre saint du druidisme a gardé le nom indigène *casnus;* il s'est seulement conservé en sarde *(kerku)* et en italien (*quercia,* de *quercea*). De nos jours, *chêne* est le seul mot des parlers septentrionaux, mais il est concurrencé, dans ceux du Midi, notamment par *garric* au sud du Massif Central et dans le Languedoc (→ garrigue et aussi rouvre, yeuse).

♦ Comme tous les noms d'arbres, le mot désigne à la fois l'arbre — seul ou en emploi déterminé : *chêne vert* (1600), *chêne-liège* (1793) — et, par métonymie, son bois (v. 1225). *Feuille de chêne,* motif décoratif, évoque en France le képi des généraux. Le chêne étant le symbole de la force, la comparaison *comme un chêne* est vivante.

▸ **CHÊNAIE** n. f., d'abord *chesnoie* (1240), encore quelquefois *chesnaie* (1600), a éliminé le type parallèle *chaisnoi,* masculin, issu d'un latin médiéval *casnetum* (508). Le mot désigne une plantation ou un ensemble de chênes. ➛ **CHÊNEAU** n. m., d'abord attesté sous la forme picarde *kaisniel* (1323) avant *chesneau* (1551), a supplanté son doublet **CHÊNETEAU** n. m. (1544), encore vivant régionalement, pour désigner un jeune chêne, dans l'usage didactique. ➛ Le paronyme *chéneau* (de *chenal**) a pris sa forme moderne sous l'influence de *chêne.*

CHENET → CHIEN

CHÈNEVIS → CHANVRE

CHENIL → CHIEN

CHENILLE n. f. (1214) représente le même mot latin que *canicule*;* il est issu par voie populaire de *canicula* «petite chienne» (de *cana* «chienne»), qui aurait pris en français le sens de «larve du papillon», par analogie de forme avec la tête d'une petite chienne. P. Guiraud, s'appuyant sur *chenillée,* nom de diverses fleurs en forme de coupe, et sur l'emploi de *chenille* pour désigner des espèces d'escargots de mer, voit en *canicula* un autre mot : la forme dissimilée de °*calicula*, d'après *caliculum* «coupe, calice», dérivé de *calyx* (→ calice).

♦ *Chenille*, outre son sens propre «larve des lépidoptères», souvent utilisé rhétoriquement par opposition à *papillon*, a pris le sens figuré de «personne repoussante» (1690), vieilli malgré la permanence des connotations de laideur, et des sens analogiques spécialisés dans la passementerie (1680) et l'automobile (1922), peut-être pour ce dernier par calque de l'anglais de même sens *caterpillar* (1913), lui-même passé en français.

▸ **CHENILLÈRE** n. f., d'abord *chenilliere* (déb. XVIIe s.), est resté rare pour désigner un nid de chenilles. ◆ **CHENILLETTE** n. f., après avoir eu en ancien français le sens de «petite chenille» (XIIIe s.), a été repris en botanique (1783) pour une plante dont la gousse, roulée sur elle-même, évoque une chenille. ◇ Il a reçu (1951) le sens de «petit véhicule sur chenilles».

ÉCHENILLER v. tr., d'abord *escheniller* (XIVe s.), signifie «éliminer les chenilles de (un végétal, un lieu)» ; il n'a pas conservé son sens figuré «se débarrasser de» (1843, Balzac). ◆ En sont tirés le nom d'instrument **ÉCHENILLOIR** n. m. (1700) et le nom d'action **ÉCHENILLAGE** n. m. (1783). La série est employée à propos de la récolte des chenilles ou autres larves, pratiquée par des ethnies tropicales de chasseurs-cueilleurs (Afrique, Amérique).

CHENU, UE adj., d'abord *canu* (1050) devenu *chenu* (v. 1175), est issu du latin *canutus* qui serait peut-être attesté une fois comme qualificatif de poisson par Plaute puis au sens de «blanchi» (en parlant de cheveux) à époque médiévale, peut-être dès le VIe siècle. Ce mot est dérivé de l'ancien adjectif poétique *canus* «blanc» (surtout appliqué aux cheveux et beaucoup moins général que *albus* (→ aube) et *candidus* (→ candide), et au figuré «vénérable». Un dérivé a donné par emprunt le mot didactique *canitie** n. f. ◇ *Canus* semble être un adjectif radical à vocalisme populaire *a* de l'indo-européen occidental qui aurait été élargi par des suffixes variés (ancien haut allemand *hasan* «brillant, joli», *haso* «gris», ancien islandais *hǫss*).

♦ Le mot, qui signifie «blanc de vieillesse» (en parlant des cheveux) et, par analogie, «dégarni» (XIIIe s.), appartient à l'usage littéraire. Il a été appliqué argotiquement au vin, au sens de «bonifié par le temps» (1628), d'où quelques usages vieillis de *chenu, du chenu* dans le même registre avec une idée de «bonne qualité».

▸ **CHENÛMENT, CHENUEMENT** adv. est une création argotique (1725), exprimant au figuré l'idée de «parfaitement bien» ; cet emploi a disparu au XXe siècle.

CHEPTEL n. m. est la réfection tardive (1762), avec *p* étymologique en principe non prononcé, de l'ancien français *chetel*. Ce dernier est lui-même l'altération, d'après *chef** au sens de «principal» dans des locutions juridiques *(chef-lieu, chef sens)*, de *chatel* (v. 1100) «bien, propriété». *Chatel* continue le latin *capitale* «ce qui fait l'essentiel d'un bien» (IXe s.), «bétail», substantivation de l'adjectif *capitalis* «de la tête» et au figuré «principal» (→ capital).

♦ Le mot *chatel, chetel* est introduit en droit au sens général de «bien, patrimoine», lequel sort de l'usage au XVe siècle. Il laisse place à l'acception plus restrictive de «bétail considéré comme un capital» (v. 1260). La locution *à chetel*, **À CHEPTEL** (1466), s'applique à un type de contrat de bail convenu sur l'entretien du bétail. De là *cheptel* désigne ce type de contrat et, par une nouvelle métonymie, le bétail concerné (1804, Code civil). Par analogie, les expressions juridiques *cheptel mort* (1863) et *cheptel vif* s'appliquent aux bâtiments et instruments de travail donnés à bail avec le bétail, et au bétail lui-même. Le passage du mot dans l'usage courant, au sens d'«ensemble du bétail» sans implications juridiques, mais avec l'idée de capital présente dès l'origine, est seulement constaté en 1929 par les dictionnaires généraux.

CHÈQUE n. m., d'abord *check* (1788) francisé en *chèque* (av. 1863), est emprunté à l'anglais *check*, graphie surtout en usage aux États-Unis, ou *cheque* (dès 1706, *checque*), signifie «écrit par lequel une personne donne ordre de prélèvement sur son crédit». Ce mot est une spécialisation de sens de *check* «arrêt, échec», «contrôle, vérification» d'où, concrètement, «talon, souche, marque de contrôle». Il continue le moyen anglais *chek, chak*, lui-même issu par abréviation de °*eschek*, °*eschak*, emprunté à l'ancien français *eschec* (→ échec).

♦ Le procédé des chèques bancaires s'est répandu en France au XIXe siècle. En dehors de *chèque barré* (1863, une première fois en 1858), la plupart des syntagmes formés avec ce mot : *chèque postal* (1918), *chèque de voyage* (1953, traduction de l'anglais *traveller check*), *chèque-restaurant* (1963) sont apparus au XXe siècle. Par ailleurs, au sens le plus usuel de «chèque bancaire», le mot entre dans de nombreux syntagmes, comme *chèque sans provision* (familièrement : *chèque en bois*), *carnet de chèques*, etc.

▸ De *chèque* ont été dérivés **CHÉQUIER** n. m. (1877), qui correspond au syntagme *carnet de chèques*, et **CHÉQUARD** n. m. (1893), terme historique appliqué à un politicien accusé d'avoir accepté de l'argent, lors de l'affaire du canal de Panamá.

✳ **CHER, ÈRE** adj. et adv. est issu (v. 980) du latin *carus* au double sens de «chéri, aimé» et «précieux, coûteux», mot passé dans les langues romanes (italien, espagnol, portugais *caro*) et ayant des correspondants dans les langues celtiques (irlandais *carac* «ami») et germaniques (ancien haut allemand *huora* «fille publique»).

♦ Les deux sens du latin sont passés en français (v. 980) ; celui d'«aimé» en antéposition au nom, en fonction attribut et dans des formules de politesse (1050, *cher fils*), celui de «coûteux» surtout en postposition et en fonction attribut. Dans ce sens, faute d'un mot antonyme, on emploie *pas cher* (en concurrence avec *bon marché**) pour «qui coûte peu». ◇ Avec ce sens, *cher* est employé adverbialement (1080) avec une valeur qui, dès les premiers emplois, est souvent abstraite ou imagée, par exemple dans *vendre cher* (1080), *coûter cher* (1538), *payer cher* (1538) et, familièrement, *faire payer cher* (1718).

▶ **CHÈREMENT** adv. (1080) correspond aux deux sens de l'adjectif mais s'est surtout implanté avec le sens affectif et en emplois figurés. ➜ **CHÉRIR** v. tr. (v. 1155), abandonné au XVIe s. au sens de «flatter, honorer», a conservé le sens d'«aimer tendrement» (v. 1155) et, avec un complément désignant une chose, «attacher un grand prix à (qqch.)» (1580), d'où «tenir beaucoup à, se complaire dans» (1641-1642). Le participe passé **CHÉRI, IE** a été adjectivé (1669) et, ultérieurement, substantivé (1830-1833), recevant dans la langue familière la valeur d'«amant(e)» (av. 1857). C'est notamment un appellatif amoureux, employé seul ou avec le possessif. ➜ Le verbe a lui-même pour dérivé **CHÉRISSABLE** adj. (1559), peu usité.

Par préfixation, *chérir* a donné **ENCHÉRIR** v. (1172-1174), qui a perdu l'ancien sens affectif d'«élever en dignité» pour ne garder que celui de «rendre (qqch.) plus cher» (v. 1195) et, en construction intransitive, «devenir plus cher». ◇ Le dérivé de ce verbe, **ENCHÉRISSEMENT** n. m. (1213) a la portée générale de «hausse des prix». ➜ D'autres dérivés de *enchérir* se sont détachés sémantiquement par spécialisation. C'est le cas de **ENCHÈRE** n. f. (1259), surtout employé au pluriel pour désigner une opération de vente où le prix est fixé par propositions successives et montantes des participants. Le syntagme ***vente aux enchères*** est synonyme de *les enchères*, mot autour duquel gravite un vocabulaire spécial (*commissaire-priseur, adjudication*, etc.). ➜ **ENCHÉRISSEUR** n. m., proprement «personne qui enchérit» (1325), s'est rattaché à la valeur spéciale de *enchères*.

Enchérir a aussi servi à former par préfixation **RENCHÉRIR** v. (v. 1175) qui a vieilli dans l'emploi transitif de «rendre plus cher», conservant toutefois la valeur intransitive correspondante de «devenir plus cher» (v. 1360). Pris lui aussi comme terme de vente aux enchères (v. 1350), il a reçu, par une extension figurée, le sens d'«aller plus loin qu'un autre en actes ou en paroles» (déb. XVIIe s.). ➜ Ses dérivés sont **RENCHÉRISSEMENT** n. m. (v. 1283), **RENCHÉRISSEUR** n. m. (v. 1350) de sens concret, mots rares, et **RENCHÉRI, IE** adj. et n. (déb. XVe s.) dit au figuré d'une personne dédaigneuse, difficile à contenter, notamment dans *faire le renchéri, la renchérie*. Ce mot a vieilli au cours du XIXe siècle. ➜ Le composé intensif **SURENCHÉRIR** v., relativement tardif (mil. XVIe s.) et rare avant 1690, est morphologiquement le dérivé de **SURENCHÈRE** n. f. (1569), formé directement sur *enchère*. Ces termes de droit commercial se sont répandus tardivement dans l'usage avec leur sens figuré (1900) qui se substitue au sens figuré de *renchérir*, lui-même devenu archaïque. *Surenchérir* s'emploie intransitivement pour «devenir plus cher» (1841, Balzac). **SURENCHÉRISSEMENT** n. m. (1792) et **SURENCHÉRISSEUR** n. m. (1804), dérivés du verbe, relèvent de son sens économique.

Au XIXe s., *cher* a produit les dérivés populaires : **CHÉROT** adj. m. et adv. (1883) «coûteux» et **CHERRER** v. (av. 1883), ce dernier ayant eu le sens de «battre, maltraiter» d'après *cher* au sens figuré de «rude» et ayant pris, par l'intermédiaire de l'idée de «forcer la dépense» (1919), le sens figuré de «exagérer» (1915) avant de se confondre avec *charrier**.

CHERTÉ n. f. (Xe s.), adapté du latin *caritas* (→ charité), d'après *cher*, a perdu son sens affectif pour ne plus correspondre qu'à la valeur économique de *cher*, avec le sens de «caractère, état de ce qui est cher» (1210-1220), attesté indirectement par un emploi métonymique dès le milieu du XIIe siècle.

◈ voir CARESSE, CHARITÉ.

CHERCHER v. tr. est la modification, par assimilation (1468), de *cercier* (1080), *cerchier* (v. 1172), encore *cercher* au XVIIe s., issu du bas latin *circare*. Le mot, qui signifie «faire le tour de, parcourir pour examiner» (IVe s.) puis «fouiller, scruter» (IXe-XIe s.), est formé sur la préposition *circa* «autour de», de *circus* «cercle, cirque» (→ cirque). *Chercher* a supplanté le verbe *quérir** ou *querre* et s'est répandu dans les parlers septentrionaux au détriment de son concurrent qui n'a guère de vitalité qu'en wallon et en lorrain. Il s'est implanté également dans les parlers méridionaux (ancien provençal *cercar*), dans l'italien *cercare*, l'espagnol *cercar* «entourer». L'anglais *to search* est repris à l'ancien français *cercher, sercher*.

♦ *Chercher*, «parcourir en tous sens» puis «essayer de découvrir qqch., qqn» (1210), a parfois gardé une notion de déplacement dans certains de ses emplois concrets, jusque dans *aller, venir chercher* (XVIIe s.). Avec une valeur abstraite (1538), il signifie «essayer de trouver mentalement (une idée, un souvenir)», en mettant l'accent sur l'effort de la démarche, dans la construction *chercher à* (XVIIe s.) et *chercher à ce que* (1549). ◇ Plus particulièrement, il induit l'idée d'un gain dans ***chercher femme*** (1538), ***chercher un emploi*** (1694), voire celle d'un résultat inévitable (XVIe s.) au sens de «s'exposer à un danger» ***(tu l'as cherché !)***. S'y ajoute une valeur agressive dans ***chercher querelle*** (1592) et, familièrement, ***chercher (qqn)***, par exemple dans la phrase de menace ***si tu me cherches, tu me trouves !*** ◇ L'usage populaire dit (1945) ***ça va chercher dans les (mille francs)*** au sens d'«atteindre».

▶ **CHERCHEUR, EUSE** n. et adj., d'abord *cercheur* (1538), l'unique dérivé du verbe par suffixation, est d'abord un nom puis aussi, tardivement, un adjectif (XIXe s.). En emploi absolu, il a pris la valeur de «scientifique adonné à des recherches spécialisées» (1829), cet emploi spécial étant en rapport avec *recherche* et non avec les verbes *chercher* et *rechercher*, plus généraux. ➜ Le composé **RECHERCHER** v. tr. (1636 ; 1080, *recercher*) redouble les emplois du simple avec une valeur intensive, se bornant rarement au sens itératif de «chercher une nouvelle fois» (XVIIe s.), tout comme **RECHERCHÉ, ÉE**, l'adjectif tiré de son participe passé (1580), qui a le sens (parfois péjoratif) de «raffiné, étudié» et prend plus tard celui de «rare» (v. 1750). ◇ Le déverbal

RECHERCHE n. f. (1508) se spécialise au début du XVIIIe s., en sciences, et devient par la suite institutionnel (*Centre national de la recherche scientifique* ou *C. N. R. S.*, *ministère de la Recherche*, en France).

CHÈRE n. f. est issu (1080) du bas latin *cara* «visage» (peut-être attesté dès le VIe s.), lui-même emprunté au grec *kara* «tête». On admet généralement que le mot grec est apparenté à *keras* «corne» (→ kératine) et au latin *cornu* (→ corne).

♦ Le français n'étant pas en peine de dénominations pour le visage (cf. *visage, figure, face, mine, minois*), le sens héréditaire de «visage» a décliné avant le XVIe s., se maintenant plus longtemps dans quelques locutions du type *faire bonne (mauvaise) chère à qqn* (v. 1200) «bon (mauvais) visage», c'est-à-dire «bon (mauvais) accueil». ◆ De l'idée d'«accueil», on est passé par métonymie à celle de «repas qui le traduit» (1282); par extension, le mot a pris le sens général de «repas, nourriture», évolution favorisée par l'homonymie de *chair* «nourriture, viande» : la locution ***faire bonne chère*** (v. 1345), totalement détachée de son origine à partir de l'époque classique, exprime l'idée de «faire un bon repas»; dans ce sens, elle est restée vivante, seulement sous la forme *bonne chère.*

CHÉRUBIN n. m. est emprunté (1080), par l'intermédiaire du latin chrétien *cherubim,* considéré dans la Vulgate tantôt comme singulier tantôt comme le pluriel de *cherub,* à l'hébreu *kerūb* (pluriel *kerubim*) «sorte d'ange». Ce mot est issu de l'akkadien *karūbu* «gracieux», *kirūbu* «propice». C'est la forme *cherubim* (parfois *cherubin,* apr. 207) qui est à la base des mots romans, comme l'italien *cherubino,* l'espagnol *querubin,* le portugais *querubin, cherubin,* et du français. Une distinction, conforme à la morphologie hébraïque, a été faite avec les formes *cherub* (1295) et *cherubim* (chez Hugo *kéroubims,* 1866) opposant le singulier au pluriel, mais elle est restée limitée à l'usage savant.

♦ Le mot désigne un ange chargé notamment d'assurer la tâche de gardien (dans la religion hébraïque) et un ange du second rang de la première hiérarchie, dont les attributs sont la connaissance et la sagesse (dans la religion chrétienne). Par métonymie, il désigne la représentation de cet ange par une tête d'enfant ailé (v. 1576). ◇ Dès le XVe s., par référence à la représentation traditionnelle de l'ange, il est employé familièrement à propos d'un jeune enfant ou d'une personne au visage rose et poupin, notamment en locutions (v. 1576, *rouge comme un chérubin*). Il donne lieu à un terme d'affection à l'adresse d'un enfant (1808) et, par référence au personnage de *Chérubin* dans *Le Mariage de Figaro* de Beaumarchais, s'applique à un adolescent gracieux et aimant (XIXe s.).

▶ Un féminin **CHÉRUBINE** n. f. (1809) a été formé comme terme d'affection, mais a rapidement vieilli.

CHESTER n. m. dans l'expression *fromage de Chester* (1714-1726) puis en emploi autonome (1845), est emprunté à l'anglais *Chester,* elliptiquement *Chester cheese. Chester* y est le nom de la capitale du comté de Cheschire, où l'on fabrique un fromage réputé. L'anglais dit plus souvent *cheschire,* mot qui n'a eu qu'un succès limité en français (malgré l'introduction de *fromage de Cheschire*) au début du XVIIIe s. (1714-1726).

CHÉTIF, IVE adj. est issu, par les formes *caitin* (v. 980), *caitif* (1080), *chaitif* (v. 1150) et *chétif,* d'un latin populaire °*cactivus,* croisement du latin *captivus* «prisonnier» (→ captif) et d'un gaulois °*cactos* que l'on déduit de l'irlandais *cacht* «serviteur» et du breton *caez. Captivus,* utilisé par Sénèque sur un plan moral pour qualifier l'homme prisonnier d'une passion et par les auteurs chrétiens pour l'homme captif du péché, a pris chez saint Augustin la nuance de «misérable» (d'où l'italien *cattivo* «mauvais, méchant».)

♦ Le mot, en ancien français, fonctionne comme doublet de *captif* au double sens de «prisonnier» et de «malheureux, misérable» (1080). C'est cette valeur, conservée dialectalement dans le domaine picard, que l'on retrouve dans **CH'TIMI** n. et adj. «pauvre (chétif) moi», désignant plaisamment les gens du nord de la France (répandu en français général vers 1914). Par transposition sur le plan physique, *chétif* a pris le sens de «malingre, de faible constitution» (1150, rare avant le XVIIe s.).

▶ Les dérivés **CHÉTIVETÉ** n. f. (v. 1120, *caitiveted*) et **CHÉTIVEMENT** adv. (XIIIe s., *chativement*) ont suivi l'évolution de l'adjectif; le premier est archaïque, le second littéraire.

✻ **CHEVAL, AUX** n. m. est issu (1080) du latin *caballus,* désignation populaire d'abord péjorative, qui s'appliquait à un cheval hongre et à un mauvais cheval, et s'est généralisée, éliminant le latin classique *equus* (→ équestre, équitation). Son étymologie est obscure : on suppose à *caballus* une origine gauloise (celtique) ou balkanique, mais certains étymologistes proposent, comme pour *hongre* qui correspond à *Hongrois,* un nom ethnique qui se serait répandu dans toute l'Europe. À partir du français *cheval,* un traitement phonétique populaire a donné *choval* et le mot québécois *joual**.

♦ Le mot désigne un mammifère équidé, utilisé comme monture, et en particulier le mâle, par opposition à *jument** (1195), et, par métonymie (1873), la viande de l'animal *(du cheval).* L'immense rôle du cheval dans la civilisation jusqu'au XIXe s. s'évalue dans la langue au nombre de termes spécialisés (*coursier, destrier,* etc.), de noms de couleurs *(alezan, bai, pie),* d'appellations dépréciatives *(rosse, bidet, canasson)* que la notion a suscités, sans compter les locutions où figure le mot *cheval.* Celles qui avaient un sens abstrait se sont conservées : ainsi la locution adjectivale et adverbiale ***à cheval*** (v. 1165) au sens concret «à califourchon», a développé le sens moral de «très strict» : ***à cheval sur les principes*** (1835); on peut citer encore ***monter sur ses grands chevaux*** (av. 1592) ou ***cheval de bataille*** (1690). ◆ Appliqué à un homme, le mot réalise une idée physique de robustesse, de grossièreté ou de grande taille. La locution ***de cheval*** implique une idée de force brutale dans *médecine de cheval* (1690) ou *fièvre de cheval* (1798). ◆ Le mot possède en outre plusieurs emplois analogiques, désignant des représentations plus ou moins sommaires de l'animal, *cheval de bois* (1556, au pluriel ***les chevaux de bois*** «manège»), *cheval d'arçons**. Il a une acception technique dans *cheval vapeur**, inspiré de l'anglais *horse power,* et dans *cheval fiscal* (d'une automobile, utilisé par les noms de modèles : par ex. la ***deux-chevaux*** Citroën, abrégé en *deuch', deuche* (1975).

▶ Le dérivé diminutif **CHEVALET** n. m. est passé du sens propre de «petit cheval» (1285) au sens analogique de «support» (1429), selon une figure qui met en rapport les animaux quadrupèdes et des dispositifs techniques (cf. *poutre, chèvre*...), spécialement appliqué à un instrument de torture (1559), et au XVIIe s. au support de la toile sur laquelle travaille un peintre (1680), d'où *peinture de chevalet.*
CHEVALER v. a lui aussi perdu son sens propre «monter à cheval» pour exprimer l'idée de «étayer un travail de maçonnerie» (1676), produisant le substantif d'action **CHEVALEMENT** n. m. (1694), qui est resté vivant en technique. Le verbe doit à *chevalet* son autre sens technique «se servir d'un chevalet» (1723).
Empruntés au latin, **CHEVALIN, INE** adj. (1119) représente *caballinus,* et **CHEVALIER** n. m. (1080, *chevaler*) *caballarius.* Le premier sert à qualifier ce qui évoque l'apparence physique du cheval *(un visage chevalin).* ◇ Le second, au contraire, s'est essentiellement imposé au sens qu'il a pris dans la société féodale, «membre de l'ordre de la chevalerie», son image étant élaborée et idéalisée à travers les romans (voir ci-dessous) et la littérature courtoise (d'où *chevalier servant*) [→ cavalier]. ◇ En est dérivé le féminin **CHEVALIÈRE** n. f. (1821), elliptique pour *bague à la chevalière* (1820) qui se réfère aux initiales ou armoiries que porte un chaton. ➜ **CHEVALERIE** n. f., d'abord «exploit digne d'un chevalier» (1080), désigne l'état, la qualité du chevalier (1165-1170) d'où, collectivement, l'ensemble des chevaliers (1155) et l'institution. Il exprime lui aussi une notion essentielle de l'époque féodale, concernant la noblesse sur deux plans, militaire et religieux. La conception de la chevalerie cherchait à moraliser la hiérarchie féodale et la hiérarchie établie par la vassalité. Le mot, avec un décalage historique, passe de la réalité à la littérature avec les *romans de chevalerie,* rédigés aux XVe-XVIe s. d'après les aventures des chansons de geste et des romans courtois, et lus jusqu'au début du XIXe s. dans la Bibliothèque bleue. ➜ **CHEVALERESQUE** adj. (1642) est emprunté à l'italien *cavalleresco,* dérivé de *cavaliere* (→ cavalier), attesté depuis le XVIe siècle. Le mot, supplantant l'ancien français *chevalereux* (1080), encore enregistré en 1752, mais archaïque dès les XVe-XVIe s., est passé dans l'usage courant au sens moral de «généreux, désintéressé», par allusion aux qualités prêtées au chevalier.
Le composé **CHEVAU-LÉGERS** n. m. pl. (fin XVe s.) désigne un corps de cavalerie servant de garde au souverain. Le mot est aujourd'hui un terme d'histoire.

◈ voir CAVALCADE, CAVALE, CAVALIER, CHEVAUCHER, JOUAL.

CHEVAUCHER v. tr., intr. et pron., d'abord *chevalchier* (1080) puis *chevaucher,* est issu du verbe bas latin *caballicare* «monter un cheval, voyager à cheval» (VIe s.), en latin médiéval «s'acquitter d'un service à cheval» (VIIIe-IXe s.), et dérivé de *caballus* (→ cheval).

◆ Le verbe, au sens d'«aller à cheval», absolument ou avec un complément (monture ou pays parcouru), s'est réservé à l'usage littéraire comme doublet noble de *cavaler* (→ cavale) et de *monter à cheval.* Considéré comme archaïque au XVIIe s., il a été remis en honneur par les ballades romantiques évoquant le moyen âge. Son sens analogique «monter un animal comme un cheval» (1080), «être à califourchon sur» (XIIIe s.) est resté vivant, ainsi que celui de «se recouvrir partiellement» (1690, de deux choses, souvent en construction pronominale).

▶ **CHEVAUCHÉE** n. f., d'abord attesté (v. 1175) au sens métonymique de «troupe à cheval», est sorti de l'usage au XVIe s. avant d'être repris au XIXe siècle; il est resté vivant, en concurrence avec *cavalcade.* Le sens d'«expédition militaire à cheval» (XIIe s.) a donné, par glissement, celui de «course, promenade à cheval» (XIIIe s.). Le sens féodal, «service à cheval dû par un vassal» (1240, *cevacie* en wallon), lié aux notions et aux mots *chevalerie, chevalier,* est passé dans le vocabulaire historique. La locution *a chevauchons* (v. 1225) a disparu, supplantée au XVIIe s. par *à califourchon.* ➜ **CHEVAUCHEUR, EUSE** n. (XIIIe s., *chevaucheer*) est sorti de l'usage au XVIe siècle; Furetière le qualifie de «creux mot»; il a été remis en honneur par la langue littéraire, surtout chez les romantiques (1832, Hugo) en même temps que *chevaucher* (ci-dessus). ➜ **CHEVAUCHEMENT** n. m. (XVe s.), qui a perdu sa vitalité au sens propre d'«action d'aller à cheval», a été repris en parlant de la position de deux objets empiétant l'un sur l'autre (1814). ◇ **CHEVAUCHAGE** n. m. (1847) s'est limité à une acception technique en imprimerie.

CHEVÊCHE n. f., d'abord *chevoiche* (fin XIIIe s.), *chevesse* (1530) puis *chevêche* (1556), est d'origine incertaine : il vient probablement du bas latin *cavannus* qui a donné, par déformation, *chat-huant**, avec peut-être une suffixation en *-ecca,* correspondant à la finale *-êche.*

◆ Le mot désigne une petite chouette à tête plate; on lui connaît les variantes régionales *chevestre, chavoche.*

CHEVET n. m., d'abord *chevez* (v. 1174) puis, par substitution de suffixe, *chevet* (v. 1450), est issu du latin *capitium.* Ce mot, dérivé de *caput* «tête» (→ chef), est d'abord un terme d'habillement qui désigne un corsage féminin se passant par la tête, à l'encolure d'une tunique; à l'époque médiévale, il a pris par extension les sens de «tête de lit» (881) et de «partie d'une église, à la tête de la nef» (1060).

◆ Le mot est d'abord un terme d'ameublement, employé à propos du traversin destiné à soutenir la tête. Ce sens a disparu au profit de celui de «tête du lit» (v. 1450) qui a inspiré une phraséologie : *au chevet de qqn* (v. 1450), *livre de chevet* (1828). ◇ Le sens de «partie de l'église à la tête de la nef» est attesté à partir du XIIIe siècle. ◇ Par analogie de fonction ou de destination, le mot est passé dans quelques vocabulaires techniques, désignant la garniture de plomb que l'on met au bord des cheneaux (1694) et, en minéralogie, le lit d'un filon (1842).

CHEVÊTRE n. m. est issu (XIe s.) du latin *capistrum* «harnais de tête, muselière», puis «licol, lien, courroie», mot panroman dont on ne sait s'il se rattache à *caput* «tête» (→ chef) ou à *capere* «prendre» (→ capter).

♦ Le sens de «licou, muselière» est sorti d'usage, remplacé par *licou;* il est considéré comme «vieux» depuis le XVIIIe s. *(Encyclopédie).* Par analogie, le mot se rapporte à une pièce de bois dans laquelle s'emboîtent des solives (1280-1290). ◇ Au XVIIIe s., il est passé en chirurgie pour désigner le bandage qui maintient la mâchoire inférieure en cas de luxation ou de fracture (1741).

◈ voir CABESTAN, ENCHEVÊTRER.

CHEVEU n. m., d'abord *chevel* (1050) puis *cheveu* (XVe s.), est issu du latin *capillus* «cheveu, poil» et, collectivement, «chevelure», par analogie «filament des plantes». Ce mot, d'usage courant à côté de *coma* (→ comète) et de *crinis* (→ crin), est sans étymologie sûre, les rapprochements faits avec *caput* «tête» (→ chef) et *pilus* (→ poil) restant douteux.

♦ Le sens usuel, «poil poussant sur le crâne de l'homme», a produit la locution ***en cheveux*** (XVe s.) «sans coiffe», qui fait allusion à un temps où le port du chapeau était de mise; elle s'est employée au XIXe s. en parlant des femmes du peuple, par opposition aux bourgeoises et aristocrates. Comme les dénominations d'autres parties du corps, le mot est entré dans des expressions figurées, notamment avec une idée de «ténuité» ***(il s'en est fallu d'un cheveu)*** ou de «finesse» : ***couper les cheveux en quatre,*** en remplacement de *fendre un cheveu en deux* (1690). En outre, une abondante phraséologie s'est développée au sens propre, par exemple ***coupe de cheveux*** (1822), et des emplois figurés sont apparus au XIXe s. dans la langue populaire, comme ***se prendre aux cheveux*** «se battre», ***se faire des cheveux*** «du souci» (allusion elliptique aux cheveux blancs), ***avoir mal aux cheveux*** (1875) «mal au crâne pour avoir trop bu», ***il y a un cheveu*** «un ennui» (1866). ➛ Il a pris quelques sens analogiques, désignant des végétaux de forme capillaire, tant dans le langage de la botanique (1556) que par figure poétique (av. 1560), des fêlures dans une faïence, des vermicelles fins *(cheveux d'ange).*

► Dès le XIe s., de l'ancienne forme *chevel,* est dérivé **ÉCHEVELÉ, ÉE** adj. (1050, *eschevelede*), élargi en **ÉCHEVELER** v. tr. (1181-1190) «mettre la chevelure de (qqn) en désordre». Ce sens, qui a évincé une autre valeur «priver de ses cheveux» (1611), réalisée occasionnellement chez certains écrivains (Hugo), a donné au figuré celui de «prendre une allure effrénée» surtout assumé par l'adjectif *échevelé* (XIXe s.). ➛ Tandis que le simple **CHEVELER** v. tr. (XIIe s.) s'est éteint en moyen français, **DÉCHEVELER** v. tr. (v. 1155) «décoiffer», a eu du mal à s'implanter en raison de sa synonymie avec *écheveler;* dès le XVIe s., son participe passé *déchevelé* était employé adjectivement au sens figuré de «licencieux, désordonné» (1586). ➛ **CHEVELU, UE** adj. (1174-1187), «garni de cheveux», est employé par analogie en parlant de végétaux (XVIe s.) et, en astronomie, d'astres (1606), par exemple dans l'ancienne expression redondante *comette chevelue* (1680) «comète diamétralement opposée au soleil et dont la chevelure est éclairée». Le syntagme *cuir chevelu* est attesté depuis 1814.

CHEVELURE n. f. (1080) ne semble pas dérivé directement de *chevel* et serait issu du bas latin *capillatura* «arrangement des cheveux». ◇ Nom collectif pour l'ensemble des cheveux, il est employé par analogie en parlant du feuillage (1680, en poésie) et en astronomie (1680).

◈ voir CAPILLAIRE.

CHEVILLE n. f. est issu (v. 1160) du latin populaire °*cavicula,* °*cavicla,* forme dissimilée du latin classique *clavicula* (→ clavicule), attesté d'abord au sens de «vrille de la vigne» puis comme synonyme de *clavis* «clé», spécialisé en anatomie en latin médiéval (XIIIe s.).

♦ Le mot a développé le sens anatomique (v. 1165) et des sens concrets techniques tournant autour de l'idée d'une «tige de bois, de métal» pour assembler (v. 1160) ou accrocher (v. 1200). Ce sens a donné des emplois spécialisés, notamment en musique (1599) et, au figuré, en métrique (av. 1628, Malherbe). Le syntagme ***cheville ouvrière,*** désignant concrètement la pièce d'assemblage qui tient le timon d'une voiture (1635), a pris le sens figuré de «personne jouant un rôle essentiel» (1700).

► Tous les dérivés procèdent du sens de «tige» : **CHEVILLER** v. tr. (1155), «garnir de chevilles», a développé au XVIIe s. un sens figuré général «unir de façon indissoluble», surtout dans l'expression ***avoir l'âme chevillée au corps*** (1690), et un sens figuré spécialisé en poétique (av. 1628, Malherbe). ➛ **CHEVILLETTE** n. f. (1276-1277), employé jusqu'en moyen français au sens anatomique de «petite cheville», s'est spécialisé en charpenterie (1275-1285), mais n'est plus guère connu que par un passage du *Petit Chaperon rouge,* conte de Perrault. ➛ **CHEVILLON** n. m. (XIIIe s.) a, quant à lui, perdu le sens de «petite cheville de bois» pour être repris comme terme technique des tourneurs sur bois et des ourdisseurs (1680). ➛ Plus tardifs, **CHEVILLER** ou **CHEVILLIER** n. m. (1832) appartient au vocabulaire de la musique. ➛ **CHEVILLARD** n. m., formé d'après un autre sens technique de *cheville* «crochet de boucherie», désigne (1863) le boucher en gros ou demi-gros (qui vend à la cheville).

CHEVIOT(T)E n. f. est dérivé (1872, *Journal officiel*) de *cheviot* n. m. (1856), nom d'une race de moutons anglais tiré du nom des monts *Cheviot,* chaîne de montagnes située entre l'Angleterre et l'Écosse. L'anglais a le même mot *cheviots* (au pluriel) pour désigner les moutons des monts Cheviot (1841), elliptiquement pour *Cheviot sheep* (1815) et les étoffes de laine de ces moutons (1883).

♦ Le mot désigne la laine du mouton cheviot et, par métonymie, le tissu léger et souple fait avec cette laine.

✳ CHÈVRE n. f., d'abord *chievre* (v. 1119) puis *chèvre* (XVIe s.), continue le latin *capra,* de même sens, également passé dans l'italien *capra,* l'espagnol et le portugais *cabra. Capra* est le féminin de *caper* «bouc», à l'origine «bouc châtré» (selon Varron), mot rapproché de l'ancien islandais *hafr* «bouc», irlandais *caera* «mouton».

♦ Le mot, qui désigne aussi bien l'espèce que spécialement la femelle, a inspiré dès l'ancien français plusieurs locutions figurées, dont ***devenir chèvre*** (1675), par référence au caractère entêté de l'animal (cf. *bisquer*), et ***ménager la chèvre et le chou*** (1672). ◇ Il a des emplois métonymiques attendus en peausserie et crémerie (*un chèvre* pour *fromage de chèvre*) et, par analogie, désigne techniquement un appareil de levage, dont la forme évoque la tête et l'échine d'une chèvre (1611), et un levier métallique (apposition *pied-de-chèvre*). Ces valeurs correspondent au rapport fréquent entre animal quadrupède et dispositif technique (cf. *chevalet*).

► Le mot a de nombreux dérivés. **CHEVREAU** n. m., d'abord *cheverel* (v. 1170) , désigne le petit de la chèvre et, par métonymie, la peau de chevreau (ou de chèvre) tannée (1841). Son ancienne variante *chevrot* a donné **CHEVROTIN** n. m. (1277, *chivrotin*), mot rare dont le sens de «petit du chevreuil» est à l'origine du dérivé **CHEVROTINE** n. f. (1697), nom donné au plomb pour tuer le chevreuil. ◆ De *chevrot* sont également dérivés **CHEVROTER** v. (1566), plus rarement *chevreter* (1573), «mettre bas, de la chèvre» et, au figuré, «parler d'une voix tremblotante» (1706), et le terme de zoologie **CHEVROTAIN** n. m. (fin XVIIIe s.). ◇ À son tour, *chevroter* a produit **CHEVROTEMENT** n. m. (1542), dit proprement du bêlement de la chèvre et, au figuré, d'une façon de parler ou de chanter (1768).
CHEVRETTE n. f. (v. 1285), anciennement employé comme nom d'un instrument de musique médiéval en peau de chèvre — sens repris dans certaines régions d'Occitanie sous la forme *cabrette* —, désigne une petite chèvre (v. 1450) et, par analogie de comportement, une crevette (1551) [→ crevette]. Il interfère avec le groupe de *chevreuil* quand il désigne la femelle de cet animal (1611).
Le mot technique **CHEVRON** n. m. (v. 1210; v. 1150, *kievron*) vient d'un latin vulgaire °*caprione,* dérivé d'un latin populaire °*capreus,* lui-même formé d'après *capreolus* «jeune chevreuil» et «support, chevron» (→ chevreuil) et *caprea* «chèvre sauvage». ◇ Le mot, d'emploi technique, désigne une pièce de bois utilisée en toiture d'où, par analogie de forme et couramment, un galon militaire en V renversé (1771) et une figure en V dans l'habillement (XXe s., *veste à chevrons*) ou comme ornement. ◆ En est dérivé, par l'intermédiaire de **CHEVRONNER** v. tr. (1260), l'adjectif **CHEVRONNÉ, ÉE** (XIIIe s.) qui a développé le sens figuré moderne de «expérimenté» d'après le sens de «qui a des galons d'ancienneté» (1837).
CHEVRIER, IÈRE n. (1241) continue le dérivé latin *caprarius* «gardien de chèvres».
CHABROL ou **CHABROT** n. m., attesté en français général au XIXe s. (1876), est un emprunt à l'occitan de l'Ouest *fa* [faire] *chabroù, beire* [boire] *a chabro,* de *chabro,* issu du latin *capreolus,* de *capra* et qui correspond à *chevreau.* ◇ Le mot, régional mais connu hors du Sud-Ouest, s'est spécialisé pour «action de verser du vin dans un reste de bouillon, de soupe», «ce mélange» et «fait de le boire à même l'assiette» *(faire chabrot).*

◈ voir CABRER, CABRI, CABRIOLE, CAPRICE, CAPRICORNE, CAPRIN, CHÈVREFEUILLE, CHEVREUIL, CREVETTE.

CHÈVREFEUILLE n. m., d'abord *chievrefeuil* (v. 1180), devenu *chèvrefeuille* (1680) parallèlement au remplacement de l'ancien *feuil* (→ cerfeuil) par *feuille**, est issu du bas latin *caprifolium.* Ce mot, littéralement «feuille de chèvre», est composé de *capra* (→ chèvre) et de *folim* «feuille», et désigne un arbrisseau ornemental (VIIe s.) puis le troène (Xe s.).

♦ Le mot français n'a conservé que le premier sens du latin. L'arbrisseau à feuilles volubiles, aux fleurs parfumées et ornementales, avait au moyen âge une valeur symbolique.

CHEVREUIL n. m. est issu (av. 1150) du latin *capreolus,* qui désigne à la fois le chevreuil et le chamois puis, en raison d'une ressemblance avec les cornes du chevreuil, une binette ainsi que les vrilles de la vigne. Ce mot est dérivé de *caprea* qui désigne un animal semblable à la chèvre et qui est dérivé de *capra* (→ chèvre). La forme ancienne *chevrol, chevreul* (v. 1268) a été remplacée par *chevreuil* (1680), forme analogique de mots en *-euil,* comme *écureuil, deuil,* d'après le pluriel *chevrieus.*

♦ Seul le sens de «mammifère de la famille des cervidés» est passé en français, donnant par métonymie celui de «sonnerie de trompe pour la chasse à courre du chevreuil» (1922). Au Canada, le mot a été appliqué à une espèce américaine, le cerf de Virginie (1699), et ce sens est resté usuel. Le sens de «pampre» ou «vrille de vigne», réalisé en moyen français par le féminin *chevrolle,* s'est maintenu dans certains dialectes, et c'est à lui que correspondent en botanique les adjectifs **CAPRÉOLÉ, ÉE** (1803), **CAPRÉOLAIRE** (1832).

► **CHEVRILLARD** n. m. «petit cheveuil» (1739) est probablement la déformation, d'après le moyen français *chevrille* «chevreau femelle» (1596), d'une forme supposée °*chevreuillard,* dérivée de *chevreuil.*

CHEVRON → CHÈVRE

CHEVROTINE → CHÈVRE

CHEWING-GUM n. m. est emprunté (1898) à l'anglo-américain *chewing gum,* attesté le 25 octobre 1850 dans le *Chicago Daily Democrat* qui le salue comme une préparation nouvelle de gomme d'épicéa *(«Chewing gum! A new and superior preparation of Spruce Gum!»).* Le mot, littéralement «gomme à mastiquer, pour la mastication», est formé sur le modèle de *Spruce Gum* et, avant celui-ci, de *chewing Tobacco* (1789) «tabac à chiquer». Il est composé de *gum,* emprunté (XIVe s.) au français *gomme**, et de *chewing,* substantif verbal (v. 1000) de *to chew* «mâcher, chiquer» (v. 1000), mot appartenant à un germanique occidental °*kewwan.*

Ce dernier est indoeuropéen et s'apparente au vieux slave *žĭvati* «mâcher», à l'arménien *kiv* et au latin *gingiva* (→ gencive).

♦ Le mot a été introduit en français comme nom féminin (encore en 1926); il a rapidement adopté le genre masculin (1903) et le tiret (1906), et s'est imposé face à l'expression *gomme à mâcher* ou à *gomme*, qui n'est passée dans l'usage qu'en français québécois.

CHEZ prép., d'abord *chiés* (1130-1160) puis *chez*, est issu du latin *casa* «maison» (→ case) avec un traitement irrégulier de la finale s'expliquant par la position du mot qui précède toujours la tonique. Il n'est pas nécessaire de passer par une forme *casus* (croisement de *casa* avec d'autres noms de la maison, *domus* ou *mansus*), ni de recourir à une formation à partir de *enchiés*, non attesté avant le début du XIIIe siècle. Le picard et le wallon ont des locutions formées avec *maison (à notre maison)* d'où est tiré une préposition *mon*.

♦ Le mot, qui signifie strictement «dans la demeure de», a pris par extension les sens de «dans le pays de» (1680), «parmi un groupe de personnes» (1694) et, avec une valeur temporelle, «du temps de» (1694). La valeur figurée, «dans l'œuvre de» (1580), condamnée par Vaugelas, s'est répandue et reste très vivante; en revanche, celle de «dans l'esprit de, dans l'intimité de» (av. 1592) a disparu. Dès l'ancien français, *chez* est employé dans la locution prépositionnelle ***de chez*** (1195) «de la maison de». Il a servi, ultérieurement, à former les substantifs *chez-soi, chez-moi*, etc. (1690), désignant l'endroit où l'on vit, avec une connotation affective analogue à celle de *home* en anglais.

CHIADER → CHIER

CHIALER v. intr., mot populaire attesté tardivement (1844), est d'origine douteuse, peut-être à rattacher au moyen français *chiau* «petit chien» (1552) dont la forme moderne est *chiot**, avec influence probable d'une locution comme *chier des yeux* «pleurer» (1616). On pense également à l'influence de verbes onomatopéiques d'aire wallonne, du type *tschûler, choûler* «pleurer».

♦ D'abord employé à propos d'un chien qui crie, le mot a son sens actuel de «pleurer» en 1847. D'usage argotique à l'origine, il est aujourd'hui à peine familier, mais reste péjoratif.

▸ En a été tiré **CHIALEUR, EUSE** adj. et n. (1883).

CHIANTI n. m., attesté en français en 1791 pour *vin de Chianti*, est le nom d'une région de Toscane, près de Sienne.

♦ Le mot s'applique au vin rouge de qualité récolté dans la région délimitée de Toscane portant ce nom.

CHIASME n. m. est emprunté (1538) au grec *khiasmos* «disposition en forme de croix», spécialement en rhétorique «disposition d'une période en quatre membres croisés» (IIe s.) et, en chirurgie, «incision en forme de croix». *Khiasmos* sert dans tous ses sens de substantif verbal à *khiazein* «entrecroiser», formé sur *khi*, nom de la lettre grecque en forme de croix *(X)*, transcrite *kh* en français.

♦ Le mot, employé de manière isolée au XVIe s. pour désigner la lettre grecque, a été repris au XIXe s. pour le signe en forme de X indiquant, en marge d'un manuscrit, un passage désapprouvé (1838) et comme nom d'une figure de rhétorique (1838). ◆ Un sens médical du mot grec a été emprunté au XIXe s. sous la forme savante *chiasmos* (1821) avant de se fixer sous la forme du latin scientifique *chiasma* (1865), après hésitation entre celle-ci et *chiasme* (1863); il concerne notamment le croisement des «bandelettes optiques».

CHIC n. m. et adj., d'introduction tardive (1793), est d'origine incertaine, peut-être emprunté, par l'alsacien, à l'allemand *Schick*, proprement «façon, manière, bon ordre», attesté en Allemagne du Sud et en Suisse alémanique au sens de «convenance, habileté, savoir-faire». *Schick* est le déverbal de *schicken*, proprement «faire que qqch. arrive» d'où «arranger, préparer», lui-même apparenté à *geschehen* «se produire, avoir lieu» d'une racine germanique *°skĕh-* que l'on rapproche du vieux slave *skakati* «bondir, jaillir». Selon une autre hypothèse, *chic* serait le dérivé d'un verbe dialectal *chiquer* «donner un petit coup» (Lorraine, Wallonie), apparenté à *chicaner** et de formation onomatopéique. Les premières attestations ne permettent pas de trancher entre ces deux hypothèses.

♦ Le mot, d'abord relevé dans le langage poissard au sens d'«aisance, air dégagé», est enregistré par Boiste en 1803 (sous une graphie *chique*) au sens de «subtilité, finesse». Il fait fortune dans l'argot des ateliers de peintres pour exprimer une certaine facilité, une vigueur rapide dans le maniement du pinceau et du crayon (1833). Sacré mot à la mode chez les artistes de la Jeune France, il développe parallèlement le sens de «désinvolture élégante, cachet original auquel le vulgaire ne peut accéder» (1835), se plaçant dans le voisinage sémantique de *galbe**, terme à la mode dans les ateliers et qu'il a évincé. Il s'implante dans la phraséologie (1832, ***attraper le chic***; 1842, ***avoir le chic***) et s'emploie adjectivement (1842, *chique*). ◇ Sa migration dans le domaine de l'élégance et de la mode est consacrée par l'expression récente ***bon chic bon genre*** (1970), abrégée familièrement en ***B. C. B. G.*** et qualifiant, puis désignant ironiquement une personne, souvent un jeune, d'apparence bourgeoise et d'élégance traditionnelle. ◇ Dernier avatar, il a pris le sens de «sympathique», «brave» *(chic type)* et s'emploie comme interjection *(chic!)* marquant le plaisir, cédant aujourd'hui du terrain à d'autres interjections en vogue *(super, génial)*, mais réanimé par le dérivé familier **CHICOS** (*s* prononcé).

▸ Les dérivés ont moins bien résisté. ② **CHIQUER** v. tr. (1823) est à l'origine un terme de peintre signifiant «peindre avec habileté» (1845, *chiquer bien un tableau*). Il est devenu dépréciatif, connotant une habileté artificielle, et de là est passé dans l'usage populaire (1846) avec l'idée de «feindre, mentir, faire de l'esbroufe», idée exprimée aujourd'hui par *frimer**. ◆ Le participe passé **CHIQUÉ** a été substantivé au masculin (1837) et a très vite adopté la nuance défavorable d'«affectation», passée dans l'usage (1872, *faire des chiqués*). Employé également comme adjectif (1839), il a connu la même mutation de sens avant de sortir de l'usage, sauf dans *c'est du chiqué* ou *chiqué!* dénonçant un comportement affecté et trompeur.

CHICANER v. tr., intr. et pron. d'origine incertaine (1461) est probablement issu du croisement de *ricaner** (pour la finale) et du radical onomatopéique *tchikk-* exprimant la petitesse (→ chic, chiche, chichi, chicot), l'idée première du verbe étant «se disputer pour des vétilles». P. Guiraud y voit plutôt le fréquentatif du verbe expressif *chiquer* «donner un petit coup», le doublet de *chicoter, chicailler*, avec un suffixe *-ener* altéré en *-aner* sous l'influence de *hagner* «mordre, critiquer».

♦ *Chicaner* est d'abord un terme juridique signifiant «poursuivre en justice» d'où, spécialement «soulever des difficultés pour embrouiller une affaire judiciaire» (1606), nuance aujourd'hui perdue. Il est passé dans l'usage commun avec le sens de «quereller sur une petite chose» (v. 1657) et (comme pronominal réciproque) «se chamailler».

▸ Le déverbal **CHICANE** n. f. (1582) est non seulement un terme de procédure, élargi au sens de «querelle» et employé pour désigner péjorativement le milieu juridique (1675; av. 1664, *gens de chicane*), mais aussi un terme de jeu (de mail) qui réalise soit l'idée d'un petit coup, soit (XXe s. particulièrement en ski, 1931) celle d'un tracé tortueux (*en chicane* : «en zigzag») comme celui d'une procédure embrouillée. ◇ Un développement original de *chicane* et *chicaner*, en français québécois, correspond à l'idée de «tracasser, ennuyer».
Du verbe ont également été tirés en moyen français les adjectifs **CHICANEUR, EUSE** (v. 1460), **CHICANIER, IÈRE** (av. 1573) ainsi que **CHICANERIE** n. f. (XVe s., *chiquanerie*). La satire des milieux de procédure a rendu ces mots très vivants aux XVIe (Rabelais), XVIIe (Racine, Furetière, Molière) et XVIIIe siècles. ◆ Par substitution de suffixe, on a tiré de *chicaner* le doublet sémantique ① **CHICOTER** v. intr. (1583, *chiquoter*) «débattre, discuter sur des vétilles». Ce verbe a rencontré un homonyme formé sur le radical *tchikk-* exprimant un petit craquement et référant à l'idée de «marmotter comme une souris» (1829), «crier, de la souris» (1845).

① **CHICHE** adj. et interj. (1165-1170) est d'étymologie incertaine, probablement dérivé du radical onomatopéique *tchitch-* exprimant l'idée de «petitesse» (→ chichi). Cette hypothèse est préférable à un emprunt au bas grec des gloses *kikkos* «un rien», emprunté au latin *ciccum* «membrane fine (celle de la grenade)» d'où «chose de rien», et lui-même d'origine inconnue.

♦ Le mot qualifie une personne qui regarde à la dépense d'où, au figuré, qui n'est pas prodigue (1538, *chiche de*). Par métonymie, il qualifie une chose qui témoigne de cet esprit d'avarice (1732), ou qui est peu abondante (1798, *moisson chiche*).

▸ *Chiche* a produit **CHICHETÉ** n. f. (1050), **CHICHERIE** n. f., à peu près inusités, et **CHICHEMENT** adv. (1539), relativement rare de nos jours.
Il semblerait que l'interjection familière ③ **CHICHE!** (1866) soit un emploi particulier de l'adjectif *chiche*, probablement par abréviation de la locution ***ne pas être chiche de faire qqch.*** (1830) «ne pas être capable de faire qqch.». L'emploi adjectif attribut : *il, elle est (serait...) chiche de* (suivi de l'infinitif) «capable de», relève de la même évolution probable, mais il se pourrait aussi que cet emploi soit d'origine différente.

② **CHICHE** adj. dans *pois chiche* (1244), serait l'altération influencée par ① *chiche* de l'ancien français *cice* n. m. (cependant attesté v. 1256), emprunté au latin *cicer* de même sens, à l'origine du surnom *Cicero* (→ cicérone). Ce mot rappelle d'une part le vieux prussien *keckers* «pois», de l'autre, l'arménien *sisèrn* «pois chiche» dont les gutturales ne concordent pas. Pour P. Guiraud, les deux mots ① et ② *chiche* viendraient du latin *ciccum* «zeste, fragment de peau» et «objet sans valeur», ce légume, souvent donné aux animaux, ayant une faible valeur.

♦ ***Pois chiche*** désigne la graine comestible d'une plante méditerranéenne *(Cicer arietinum)*, d'un autre genre botanique que le pois *(pisum)*.

CHICHE-KÉBAB n. m. est emprunté (1907) au turc *şiş kebap*, composé de *şiş* «broche, brochette» (lui-même de l'arabe *šīš* de même sens), et de *kebap* «morceaux de viande grillée», repris de l'arabe *kabāb*. Antérieurement le français a emprunté à l'arabe *kébab* n. m. par des relations de voyage (1743, *kab-ab*), l'anglais ayant *cabob* dès 1690.

♦ Le mot désigne un plat oriental de brochettes de viande rôties à feu vif, souvent très épicées.

CHICHI n. m. (1886) est probablement une forme enfantine à redoublement (comme *bobo, bibi*), issue du radical onomatopéique *tchitch-* exprimant l'idée de «petitesse» (→ chicaner, chicot). Il peut se rattacher plus précisément à ① *chiche** dont il aurait pour fonction de puériliser et de minimiser la valeur.

♦ Généralement employé dans la locution ***faire des chichis*** (à l'origine *faire du chichi*, 1886) «faire des manières», il est passé dans le vocabulaire des modistes et des couturières (1897) pour désigner des boucles de cheveux postiches, puis des fanfreluches.

▸ À l'idée de «manières affectées et prétentieuses» se raccordent **CHICHITER** v. intr. (XXe s.), rapidement vieilli, et **CHICHITEUX, EUSE** adj. (1920), ce dernier courant, formés avec un *t* de liaison.

CHICORÉE n. f., d'abord *cikoré* (XIIIe s.) et *cicoree* (v. 1370), puis *chicorée* (1528) sous l'influence de la prononciation de l'italien *cicoria* (av. 1250), est emprunté au latin médiéval *cicorea, cicoria* (VIIe s.). Ce mot est emprunté au grec *kikhoria*, forme de neutre pluriel du singulier *kikhorion* (d'où le latin classique *cichoreum*), de même sens, sans origine connue.

♦ Nom de plante, *chicorée* est employé par métonymie (1792) pour désigner la racine torréfiée et la boisson qu'on prépare avec elle et qui est comparable au café, qu'elle remplace traditionnellement dans le nord de la France, ou encore les feuilles que l'on mange en salade.

▸ **CHICON** n. m. (1651) est probablement dérivé par fausse régression de *chicorée* pour désigner la laitue romaine ; le mot est employé dans le nord de la France, en Belgique comme nom du légume appelé *endive* en français central. ◆ **CHICORACÉ, ÉE** adj., formé sur *chicorée* avec le suffixe botanique *-acé* (1698), qualifie et désigne comme nom féminin, surtout au pluriel *chicoracées* (1835), les plantes d'une sous-famille des composées, comprenant notamment la chicorée.

CHICOT n. m., réfection (1581) de *cicot* (1553), également *chiquot* en 1611, est formé sur le radical onomat. *tchikk-*, exprimant l'idée de «petitesse» (→ chic, chicaner, ① chiche, chichi, chiquenaude), avec le suffixe *-ot*.

♦ Le mot désigne un reste de branche ou de tronc, d'un arbre coupé ou arraché et, par extension, un petit morceau de bois (1690). Par analogie, il désigne familièrement un reste de dent cassée ou cariée (1611), fournissant par métonymie une désignation populaire de la dent. Le sens général «reste (d'une chose rompue)» (1800), réalisé notamment dans le syntagme *un chicot de pain* (1869), a disparu.

▸ ② **CHICOTER** v. tr., d'abord noté *chiquoter* (1611) parallèlement à *chicoter* (XVIIe s.), exprime l'idée de «couper de manière à laisser un chicot, déchiqueter». Il s'est répandu en langue populaire au XIXe s. (1851, *chicoter le cou*) avant de disparaître.

CHICOTE n. f. est emprunté (1840) au portugais *chicote* «natte de cheveux» (XVIIIe s.) puis «fouet à lanières nouées» (1813), mot probablement emprunté, de même que l'espagnol *chicote* «extrémité d'un cordage» puis, en Amérique, «fouet», au français *chicot*.

CHICOTIN n. m. est l'altération (par attraction de *chicot* ?) de *cicotrin* (1478), *cicotin* (XVe s.), pour *socotrin*, du nom de l'île de *Socotra*.

♦ Le mot désignait le suc et la poudre de goût très amer extrait d'un aloès et de la coloquinte. Seule l'expression ***amer comme (du) chicotin*** est restée en usage.

CHIEN, IENNE n., d'abord *chen* (1080) puis *chien* (1195-1200), est issu du latin *canis* (et *canes*) «chien, chienne», employé aussi comme terme d'injure. Ce mot s'est substitué à un ancien thème terminé par *n* (comme le grec *kuôn*) qui a été éliminé en raison de son caractère anomal. *Canis* se rattache au groupe indoeuropéen du grec *kûon* (→ cynégétique, cynique), avec un vocalisme difficile à expliquer.

♦ Le mot, nom de l'animal domestique par excellence, a inspiré de nombreuses locutions, quelquefois par opposition à *loup*, nom de l'animal sauvage le plus semblable (***heure entre chien et loup***, av. 1250) ou à *chat*, autre animal domestique très familier. Le syntagme ***de chien*** (1552) comprend toujours une idée de difficulté, de peine (*mener une **vie de chien***) par allusion aux mauvais traitements supportés par l'animal et à son infériorisation par rapport à l'homme. ◆ Dès l'ancien français (1195-1200, comme adjectif; 1223, comme nom) *chien* prend d'ailleurs un sens figuré fortement péjoratif, appliqué à un homme, parfois avec des valeurs spéciales, comme «avare» (1829), ou, au féminin, à une femme avec une référence de réprobation sexuelle. En revanche, dire d'une femme qu'elle a ***du chien*** (1866) c'est exprimer une idée de charme racé. Au XIXe s., *chien* est passé dans l'argot des journalistes (1874) où il est entré dans l'expression ***chiens écrasés*** (1881) «rubrique de faits divers». ◆ Parallèlement, il a développé, depuis le XIIIe s. dans des syntagmes, des sens analogiques (av. 1250, *chien de mer* «petit requin»). Par allusion à une attitude coutumière de l'animal, le mot est devenu un terme technique pour la pièce coudée de certaines armes à feu (av. 1630), repassant dans l'usage courant dans la locution ***dormir en chien de fusil*** (1866) ; d'autres acceptions techniques sont enregistrées en 1704.

▸ **CHIENNAILLE** n. f. (1174-1177) désigne une troupe de chiens, très tôt avec une valeur péjorative figurée (av. 1195), partagée par son doublet *canaille**. ◆ **CHIENNERIE** n. f. (v. 1210), «groupe nombreux de chiens», a lui aussi reçu des acceptions figurées péjoratives, s'appliquant à un comportement dégradant (v. 1460), souvent sexuel, et, familièrement, à l'idée d'«avarice» (1669), également réalisée dans l'ancienne langue par *chienneté*. ◆ *Chien* est entré en composition dans **CHIENDENT** n. m., d'abord toponyme (1340) selon un mode inhabituel en français, là où l'on attendrait °*dent de chien* (comme on a *dent de lion*). Le mot continue peut-être un type latin médiéval °*canis dente*, de même que l'ancien français *chevauqueue*, désignant un végétal, la prêle, continuait le latin *caballi coda* «queue de cheval». Attesté depuis 1559, *chiendent* a reçu le sens figuré de «complication, embarras» par allusion à la difficulté à extirper cette plante d'un terrain (1690). ◆ **CHIEN-LOUP** n. m. (1775) est le calque de l'anglais *wolf-dog*, formé avec *wolf* «loup» et *dog* «chien», «variété de chien employée pour la chasse au loup» (1652) puis «race de chien obtenue par croisement d'un loup et d'un chien domestique» (1736). ◆ **CHIEN-CHIEN** n. m. (1875) est issu de *chien* par redoublement affectif de sa syllabe. ◆ **CHENET** n. m. (1287) est un diminutif ancien de *chien*, ces pièces figurant à l'origine des chiens accroupis. ◇ Le mot désigne les pièces métalliques jumelles placées perpendiculairement au fond d'une cheminée et sur lesquelles on peut disposer les bûches. Le mot symbolisait le coin du feu (*les pieds sur les chenets* : bien au chaud). ◆ **CHIEN-ASSIS** n. m. (1841), comme *chien de fusil*, est un terme technique tiré d'une observation de l'attitude du chien : il désigne en architecture un type de fenêtre pratiqué dans une toiture.

CHENIL n. m. (1387) est issu du latin populaire °*canile,* mot formé sur *canis* d'après des mots comme *bovide, caprile, ovide.* ➜ Au sens de «lieu où sont enfermés les chiens de chasse», puis aussi «lieu où l'on garde des chiens» en général (1676), le mot a développé le sens péjoratif attendu de «logement sale» (1694) et, en français de Suisse, (prononcé *chni*) «désordre», «situation embrouillée et mauvaise» (cf. *bordel*). ◇ Le sens moderne courant de «lieu où l'on héberge des chiens contre paiement et où l'on élève des chiens de chasse», ne semble attesté qu'au milieu du XXe siècle.

⟐ voir CAGNE, CAGNOTTE, CANAILLE, CANARI, CANICULE, CANIN, CHENILLE, REQUIN, également CHIOT.

CHIENDENT → CHIEN
CHIENLIT → CHIER

✳ CHIER

CHIER v. est issu (1202) de même que ses correspondants régionaux (et moins triviaux) *caquer* et (par l'ancien provençal *cagar*) *caguer,* du latin classique *cacare* «évacuer des excréments» (→ caca, cagot).

♦ Surtout intransitif sauf dans quelques expressions pittoresques, le verbe a pris de nombreux sens métaphoriques comme «avoir peur», «en baver» ***(en chier)*** et, en construction factitive très courante ***(se) faire chier*** «(s')embêter» (cf. *emmerder*). Une autre image aboutit au même sens avec ***envoyer chier qqn*** (dès 1649, *in* P. Enckell) ou l'injonction : *va chier* et encore dans ***c'est à chier*** «horrible, ennuyeux ou très mauvais», qui semble récent mais *à chier dessus* est relevé en 1742. *C'est nul à chier* est récent (v. 1985). ◇ Participe passé adjectivé **CHIÉ, ÉE** y ajoute le sens mélioratif de «réussi» ***(il est chié !*** et, dès 1534, ***c'est bien chié*** «c'est bien dit»), peut-être en renouant avec le symbolisme traditionnellement favorable de l'excrément.

▶ En dehors de quelques dérivés formés sur le sens propre, la majorité réalise l'idée figurée d'«ennui», certains autres présentant des dérivations de sens importantes. Dès le XVIe s., *chier* produit **CHIERIE** n. f. dont le sens propre «défécation» a été supplanté par le sens figuré «ennui». ➜ **CHIENLIT** n. m. et f. (1534), composé de la forme verbale *chie,* de *en** et *lit**, a eu le sens propre de «celui qui chie au lit». Par extension, il a désigné un personnage de carnaval (1740) d'où, au féminin, une mascarade débridée, développant le sens moderne de «pagaille, désordre», popularisé par un mot historique du général de Gaulle à propos de mai 68. Presque entièrement démotivé, il conserve un lien avec l'idée étymologique de «défécation» dans le sens populaire «morceau de chemise dépassant de la fente postérieure de la culotte d'un enfant» (1866).
CHIASSE n. f. (1578) est demeuré aussi marqué comme trivial que le verbe ; le nom s'est spécialisé pour désigner la diarrhée, avec les mêmes métaphores que *colique, trouille,* concernant la peur. ➜ **CHIURE** n. f. (1642, *chieüre*) ne désigne que des excréments d'insectes (*chiure de mouche* est courant) ; le mot est moins marqué que *chier* et *chiasse.* ➜ **CHIARD** n. m., «jeune enfant», est d'abord attesté comme adjectif (v. 1530, *peur chiarde*), repris fin XIXe s. pour qualifier une personne (1894).
➜ **CHIEUR, EUSE** n. n'est guère attesté au sens concret (1887, Zola) ; le mot ne s'est répandu que comme dérivé (anormal) du figuré *faire chier* pour «personne ennuyeuse», comme équivalent plus fort de *emmerdeur.* ➜ **CHIANT, ANTE** adj. (1920) a été formé dans le même champ sémantique pour «ennuyeux» avec la double valeur «lassant» et «pénible», comme le dérivé irrégulier **CHIATIQUE** adj.
Autre nom de la défécation, attesté au XIXe s. (Goncourt) après le sens figuré, ① **CHIADE** n. f. désigne dès 1835 dans l'argot de Saint-Cyr une brimade consistant à pousser la victime contre un mur. Esnault fait venir le mot de *ça chie dur* «ça va fort», mais une métaphore plus directe est concevable. ➜ De *chiade* vient **CHIADER** v. tr. qui a pris (1863) la valeur de «travailler dur», alors sans doute dérivé de l'emploi figuré de *chier* «aller fort» ; de là ② **CHIADE** n. f., déverbal pour «gros travail», **CHIADEUR, EUSE** n. (1878), et **CHIADÉ, ÉE** adj. (1829) «difficile» et aussi «bien fait ; travaillé avec soin». Toute la série a vieilli.
CHIOTTE n. f., dérivé (1885) de *chier,* s'emploie au pluriel pour «cabinets (d'aisance)» ; l'emploi au singulier (XXe s.) entraîne parfois le passage au masculin. Courant dans l'usage familier, le mot s'emploie dans l'exclamation *aux chiottes!* pour conspuer et au figuré pour «ennui, désagrément (qui fait chier)». ◇ Le sens argotique «automobile» (1918) est probablement issu de *chignole**.
Le composé **CONCHIER** v. tr. (XIIe s.) issu du latin *concacare,* signifie «souiller d'excrément» et correspond au figuré à *emmerder.*

⟐ voir CHIALER.

CHIFFE

CHIFFE n. f., enregistré en 1611 mais indirectement attesté dès 1564 par le normand *chifetier,* est l'altération — d'après *chiffre** pris au sens médiéval de «chose nulle» (cf. *zéro)* — de l'ancien *chipe* «chiffon» (1306). Ce terme (→ chiper), demeuré en usage dans le Nord-Ouest, est emprunté au moyen anglais *chip* «petit morceau, copeau» (1300), déverbal de *to chip* «tailler en petits morceaux» (→ chips).

♦ Les sens concrets de *chiffe* «morceau d'étoffe usée», «de mauvaise qualité» (1710) ou «étoffe froissée» (d'où *chiffonner*) sont passés à son dérivé *chiffon, chiffe* ne conservant en français moderne que la valeur figurée et péjorative de «personne sans caractère» (1798) dans les syntagmes ***chiffe molle, mou comme une chiffe.***

▶ **CHIFFON** n. m. (1609) a accaparé dès le XVIIe s. les sens concrets de *chiffe* «pièce de tissu froissée», «lambeau de vieille étoffe» (1611). Employé par extension à propos d'un morceau de papier plus ou moins sale et froissé (1752), il est devenu un terme technique de papeterie, inversant sa valeur négative en «papier de luxe fait exclusivement avec du chiffon de tissu» (et non pas de la pâte à papier mécanique). Au figuré, ***chiffon de papier*** désigne (1752) un document que l'on méprise ou néglige. ➜ Au pluriel, *chiffons* se dit familièrement des vêtements et parures féminines (cf. *fripe*). ➜ *Chiffon* a produit plusieurs dérivés : **CHIFFONNIER, IÈRE** n. (1640), «personne qui ramasse et vend de vieux chiffons», **CHIFFONNER** v. tr. (1673 ; 1657, «lutiner une femme») au figuré «tracasser» (XVIIIe s.), d'où l'adjectif **CHIFFONNÉ, ÉE** employé au propre, par analogie et au figuré, pour «ennuyé» et de là **CHIFFONNAGE** n. m. (1835; en 1740, au figuré), **CHIFFONNEMENT** n. m. (1845) et le terme culinaire **CHIFFONNADE** n. f. (1750, *chifonade*). Au sens concret, *chiffonner* a produit par figure une autre acception de *chiffonné, ée*, «aux traits fatigués cf. *fripé*», d'un visage (XVIIIe s.). ➛ *Chiffonnière* n. f. (1759), puis **CHIFFONNIER** n. m. (1800) désigne un meuble de rangement à tiroirs; ce sens vient de la valeur figurée de *chiffons* «vêtements, robes, parures féminines».

◈ voir CHIPER, CHIPETTE, CHIPOTER, CHIPS.

CHIFFRE n. m., d'abord écrit *chifre* (1220), est emprunté, par le latin médiéval *cifra* «zéro», à l'arabe *ṣifr* «vide» puis «zéro», calque du sanskrit *śūnya* de même sens. Le zéro (→ zéro) est une innovation du système numérique arabe décimal, les autres «chiffres arabes» ayant leur équivalent dans le système numérique latin *(chiffres romains)*. Le mot fait partie de la série des grandes notions mathématiques qui sont passées par l'arabe (→ algèbre, algorithme). Le passage de l'initiale latine *c-* à *ch-* s'expliquerait (plutôt que par l'influence de l'italien *cifra*) par le picard, les villes industrielles du Nord ayant été les premières à adopter le système numérique arabe.

♦ D'abord attesté au sens étymologique de «zéro» et au sens figuré correspondant de «personne, chose sans valeur», tous deux supplantés par *zéro**, le mot en est venu à désigner toutes les figures du système numérique (1485), tout signe servant à représenter les nombres et (1832) le nombre lui-même. D'après l'usage des chiffres dans la tradition ésotérique et cabalistique (notamment le zéro, doué d'un pouvoir magique), il a aussi pris au singulier *(le chiffre)* le sens d'«écriture secrète», «code» (1497-1498), s'appliquant par métonymie aux règles permettant son décodage. Avec l'idée de «représentation conventionnelle en signes», il s'est spécialisé en broderie (1529, «initiales») et en musique (1741).

▸ Les divers sens du nom sont repris par **CHIFFRER** v. tr. (1515), «calculer» et «coder un message» (1574), par extension «compter, évaluer» (1834); ils se reflètent dans les dérivés du verbe : **CHIFFREUR** n. m. (1529, *chyfreux*), **CHIFFRAGE** n. m. (1853) et **CHIFFRABLE** adj. (1875). ◇ Cependant, seule l'idée d'«écriture secrète» est réalisée par **CHIFFREMENT** n. m. (déb. XVIIe s.), mot technique.
Avec la même valeur, mais d'un usage plus général, le préfixé **DÉCHIFFRER** v. tr. (v. 1467), «lire, comprendre (ce qui est chiffré)» d'où (1671) «parvenir à lire (un texte difficile à lire, mal écrit, etc.)», est appliqué aussi à une partition musicale (1761) et, au figuré, à tout ce qui est obscur, caché, difficile à interpréter. ➛ De là **DÉCHIFFREUR, EUSE** n. (1529), qui correspond surtout au sens premier du verbe, **DÉCHIFFREMENT** n. m. (1553), et **DÉCHIFFRAGE** n. m. (1881) «action de déchiffrer», dans divers sens du verbe, le second s'appliquant notamment à la musique (1900). ➛ **DÉCHIFFRABLE** adj. (1609) apparaît au sens premier de *déchiffrer*, mais s'emploie aussi avec les autres valeurs du verbe. ◇ Il est moins usuel que le préfixé antonyme **INDÉCHIFFRABLE** adj. (1846), qui s'applique à tout ce qu'il est impossible de déchiffrer, de comprendre.

CHIGNOLE n. f., d'abord écrit *chignolle* (*Encyclopédie*, 1753), est la forme normanno-picarde de l'ancien français *ceoingnole* (v. 1190) «trébuchet pour prendre les animaux» et «dévidoir» (1410). Ce mot continue un bas latin °*ciconiola*, diminutif de *ciconia* (→ cigogne), terme désignant chez Columelle un instrument servant à mesurer la profondeur d'un sillon, et chez Isidore de Séville la bascule d'un puits, par allusion à la forme du cou d'une cigogne, suggérant une tige, une manivelle.

♦ Terme technique désignant un dévidoir de passementerie, *chignole* s'est étendu en argot de métier, puis familièrement, à un appareil, une machine qui tourne ou qui fait tourner (1870, en métallurgie), une manivelle. Par métonymie, il désigne une voiture à bras (1895), puis (1901) d'autres véhicules, notamment une automobile. Le sens de «vilebrequin, perceuse» (1919) s'est diffusé dans l'usage courant.

▸ **CHIGNOLER** v., repéré dès le XVIIe s. à Rouen au sens figuré de «vaciller», est passé dans l'argot parisien au sens de «courir les rues» (1894), mais a disparu. ➛ **CHIGNOLEUR** n. m. (1905), a pris d'après *chignole* le sens argotique de «perceur de coffre utilisant une chignole électrique» chez les cambrioleurs (1925).

CHIGNON n. m. est la réfection (1559), d'après *tigne, tignon* (→ teigne) de l'ancien français *chäengnon* (fin XIIe s.), *chagnon* (XIIIe s.), encore utilisé par G. Sand comme régionalisme. Le mot est hérité d'un bas latin °*catenio* «chaîne, lien», dérivé de *catena* (→ chaîne). Le développement sémantique mènerait au sens français de «nuque» soit par référence à la chaîne des vertèbres, soit plus probablement, par métonymie du sens de «carcan, chaîne au cou du prisonnier».

♦ En français même, le mot a eu le sens de «nuque» jusqu'au XVIIe siècle; puis il a pris celui de «masse de cheveux relevés sur la nuque» (1725), peut-être sous l'influence de *tignon* «partie des cheveux qui est derrière la tête» (v. 1500). Le mot dans ce sens entre dans des locutions calquées sur celles de *cheveu* : ***se crêper le chignon*** «se battre».

CHIITE adj. et n. est un emprunt (*schiite* 1697, d'Herbelot; *schyste* v. 1765, Diderot), d'abord sous la forme *schai* (1653), puis *schiah* (1697, Herbelot) à l'arabe, dérivé de *siy' i* «membre d'un parti, sectateur».

♦ Le mot s'applique aux musulmans partisans d'Ali, et s'oppose à *sunnite* (→ sunna). L'islam iranien est majoritairement chiite. — On écrit aussi *chi'ite, shi'ite*.

CHIMÈRE n. f. est emprunté (v. 1220) au latin *chimaera*, lui-même pris, comme terme de mythologie, au grec *khimaira*, désignant à la fois une jeune chèvre, âgée d'un an à sa première mise bas, et une créature mythologique composite, de forme variable mais avec un corps ou une tête de chèvre.

Ce mot, avec le terme apparenté *kimaros* «chevreau», pourrait appartenir à un groupe indoeuropéen; il est ancien dans le vocabulaire de l'élevage. Il est rapproché des suédois et norvégien dialectaux *gimber* «brebis n'ayant pas encore mis bas» et du latin *bimus, trimus, quadrimus* appliqué au bétail de deux, trois, quatre ans.

♦ Terme de mythologie, le mot a développé dès les premiers textes le sens figuré d'«insensé» en emploi adjectif (v. 1220). Il est resté sans autres exemples avant le XVIe s., lorsque *chimère* a commencé à désigner une création imaginaire de l'esprit (1538), plus tard appuyé par le dérivé *chimérique*. ◇ Par analogie, il désigne un poisson d'aspect étrange (1800). En biologie, à la suite des travaux de Winkler (1907) en botanique, et de Spemann (1921) en embryologie animale, il désigne tout organisme créé par manipulation de tissus génétiquement différents.

► **CHIMÉRIQUE** adj. (1580) procède du sens figuré de *chimère*, qualifiant ce qui n'a pas d'existence réelle et une personne qui croit en des chimères (1669). ◇ En est dérivé **CHIMÉRIQUEMENT** adv. (1662). ◆ On rencontre exceptionnellement **CHIMÉRISME** n. m. et **CHIMÉRISTE** adj. et n.

CHIMIE n. f. est l'adaptation (1356) du latin médiéval *chimia, chymia* (XIIIe s.) «art de transformer les métaux», doublet morphologique et sémantique de *alchimia* (→ alchimie), cette forme ayant transité par l'arabe avec soudure de l'article *al* (→ alcool, algèbre). L'origine de *chimia* est controversée: la graphie avec *y*, en français *chymie* (1554, encore au XVIIIe s.), avait incité à un rapprochement étymologique avec le grec *khumeia, khuma* «fusion», indiquant le caractère métallurgique des pratiques antiques. Mais cette hypothèse est en général abandonnée. Un emprunt au grec tardif *khêmeia* «magie noire», lui-même formé sur l'égyptien *km* «noir», est plus plausible. *L'Encyclopédie de l'Islam* rappelle en outre la parenté sémantique entre *al-kīmi yā* et *al-īksir*, mot qui a donné *élixir** : selon al-Safadi, *kīmiyā* serait d'origine hébraïque et signifierait que cette science vient de Dieu vivant, alors que dans le corpus alchimique de Jābir ibn Hayyān, *al-īksir* est aussi conçu comme une émanation de l'esprit divin. On peut enfin rappeler que les alchimistes grecs, au IVe s., évoquaient un fondateur mythique du nom de *Chémès, Chimès*, altération probable de l'hébreu *chemesch* «soleil».

♦ D'abord attesté en 1356 dans un emploi obscur, le mot a désigné, sans être d'abord nettement distingué d'*alchimie* (ceci encore au XVIIe s.), la science de la constitution des divers corps. À partir du XVIIe s., l'alchimie s'efface progressivement devant la chimie, les expériences se dépouillant de valeurs symboliques et d'intentions magiques et leurs résultats devenant accessibles aux non-initiés: la chimie se constitue comme science de la transformation de la matière, surtout à partir du XVIIIe s. et notamment de Lavoisier. La loi de conservation de la masse ouvre la voie à l'analyse et, comme conséquence directe, à la distinction corps simple/corps composé. Elle mène à l'établissement des lois pondérales des combinaisons et conduit, dès le début du XIXe s., à l'établissement de listes de nombres proportionnels. Le prodigieux développement de la chimie au XIXe s. culmine avec la détermination des masses atomiques (cf. *atome*). ◇ La chimie se développe alors en branches distinctes, dénommées par des syntagmes (*chimie minérale, chimie organique*, etc.) et par des composés (ci-dessous). ◇ Le mot, parallèlement, a pris le sens figuré de «transformation profonde et secrète», proche de celui d'*alchimie*.

► Dès le XVIe s. apparaissent **CHIMISTE** n. (1548) et **CHIMIQUE** adj. (1587), ce dernier étant plutôt emprunté au latin médiéval *chemicus, chimicus* «qui concerne l'art de transformer les métaux» (XIIe-XIIIe s.), que directement dérivé de *chimie*. Ces deux mots suivent l'évolution de la notion de chimie, passant des manipulations symboliques et hermétiques du XVIe s. et encore des XVIIe-XVIIIe s., par la mesure, à l'analyse des constituants de la matière. ◇ De l'adjectif est dérivé **CHIMIQUEMENT** adv., attesté une première fois en 1610 et repris en 1832. Un grand nombre de composés en *chimio-* et *-chimie* a vu jour à partir du XIXe s. parmi lesquels **CHIMIOTHÉRAPIE** n. f. (1911), **CHIMIOSYNTHÈSE** n. f. (v. 1950; d'abord en allemand, Pfeffer déb. XXe s.), et les noms préfixés des branches de la chimie comme **ÉLECTROCHIMIE** n. f. (1826), **BIOCHIMIE** (1864), **AGROCHIMIE** (1960), **PÉTROLOCHIMIE**, recommandation officielle peu suivie pour **PÉTROCHIMIE** (v. 1965) «chimie du pétrole». Tous ont donné des adjectifs en *-ique* et des noms de spécialistes en *-iste*.

CHIMIORÉCEPTEUR → **RÉCEPTION**

CHIMPANZÉ n. m. est emprunté (1738) à un mot d'une langue bantoue du groupe Kongo, parlée au Zaïre, au Congo, en Angola, au Gabon et généralement transcrit *kimpanzi* ou *chimpanzi*. Le mot a été adapté en français sous les formes *quimpezé* (1738), *chimpanrée* (1756), *champanzee* (1766), par emprunt à l'anglais *chimpanzee* (1738), et au XIXe s. *chimpansé* (1803), *chimpanzée* (1838), *chimpanzé* (1845). Il a supplanté l'appellation *troglodyte* employée par Geoffroy Saint-Hilaire, en référence aux Anciens qui l'avaient appliquée à une race d'«hommes sauvages» qui étaient probablement des singes.

♦ Le mot désigne un singe supérieur anthropoïde, probablement le plus développé intellectuellement, en dehors des hominidés.

CHINCHILLA n. m. (1789) d'abord adapté en *chincille* (1598) et transcrit en *chinçilla* (1640), est un emprunt à l'espagnol *chinchilla* attesté depuis 1590, lui-même emprunté à l'aymara (1612), langue indienne parlée au Pérou. L'hypothèse d'une dérivation, en espagnol, de *chinche* «punaise» se heurte au fait que ce mot, issu du latin *cimex*, n'est pas attesté avant 1714; elle n'est aucunement nécessaire.

♦ Ce nom d'un rongeur d'Amérique du Sud au pelage soyeux, très fourni, a été introduit par les voyageurs mais, jusqu'au XVIIIe s., l'animal n'a été connu que par ses peaux expédiées en Europe. Par métonymie, il désigne la fourrure très prisée de l'animal. Une nouvelle métonymie, au sens de «couleur grise de la fourrure du chinchilla», a connu une certaine faveur au XIXe s. (Balzac, Goncourt).

① **CHINER** v. tr., enregistré dans l'*Encyclopédie* (1753) qui donne à la fois le verbe, le participe passé adjectivé et l'infinitif substantivé, est tiré du nom propre *Chine,* ces étoffes ayant été créées sur le modèle de tissus importés de Chine. Dès 1723, le *Dictionnaire universel de commerce* faisait état d'un *point de la Chine* en parlant d'une broderie sur canevas de couleurs différentes. La forme la plus usuelle en français moderne est l'adjectif **CHINÉ, ÉE.**

▸ De *chiner* sont dérivés ① **CHINAGE** n. m. (1753), puis **CHINURE** n. f. (1819), et ① **CHINEUR** n. m. (1866), mot technique.

② **CHINER** v., d'origine douteuse (1844), est probablement l'altération par aphérèse de *échiner* (→ échine) «fatiguer les reins», le terme semblant venir du langage des colporteurs dont le fardeau pesait sur l'échine. Selon P. Guiraud, cette parenté est avérée par *chine,* forme dialectale d'*échine* en Wallonie et en Lorraine où le *es-* initial est souvent caduc.

♦ D'abord argotique, le mot signifie «acheter et revendre de lieu en lieu» en parlant du colporteur, du brocanteur, puis aussi «chercher des occasions», en parlant de l'amateur de brocante. Il s'est appliqué spécialement au fait d'aller au domicile de qqn sous le prétexte de vendre de petits objets, en réalité pour mendier (1866). ◇ Le sens transitif de «critiquer, railler» (1878) se comprendrait lui aussi d'après un emploi figuré de *échiner* «maltraiter par des propos» ou procéderait de l'idée de «marchander en disputant».

▸ *Chiner* a produit ② **CHINEUR, EUSE** n. (1847, Balzac), ② **CHINAGE** n. m. (1873) «colportage» et «moquerie, raillerie» (1883), ainsi que **CHINE** n. f. «commerce ambulant», dans *faire la chine* (1873), *aller à la chine* (1878) et, en emploi général, aussi pour «ensemble, milieu des chineurs».

CHINOIS, OISE n. et adj. qui semble succéder à *chinese* (1602), est dérivé de *Chine,* adaptation du nom indien *Tsinstan* «pays de Tsin» par référence à la première dynastie panchinoise au IIIe s. av. J.-C. — le nom chinois étant *Chung-Kuo* «pays du milieu».

♦ Adjectif et substantif ethnique, nom de la langue parlée en Chine, *chinois* a développé (surtout au XIXe s.) quelques sens figurés liés à la place de ce pays dans l'imaginaire français, notamment avec des connotations de raffinement cruel ***(supplice chinois),*** de subtilité intellectuelle ou de bizarrerie. ***Du chinois*** désigne au figuré un langage incompréhensible (1790), référence à l'écriture (cf. *c'est de l'hébreu). Un chinois* s'applique à un homme bizarre ou qui subtilise à l'excès (1820). ◇ Le nom a reçu les sens concrets de «petite orange verte conservée dans l'eau-de-vie» (1845) et de «petite passoire fine» (XXe s.) par allusion à la forme du chapeau chinois.

▸ *Chinois* a produit **CHINOISERIE** n. f. (1836, Balzac), «objet dans le goût chinois», contemporain de la vogue décorative des motifs chinois en Europe, et, au figuré, «bizarrerie» (1845), et **CHINOISER** v. (1841, Balzac) «rendre chinois» et, familièrement, «être pointilleux». ◆ **CHINETOQUE** n. et adj. (1918) est une déformation raciste de *chinois* apparue dans l'argot des marins, avec un élément *-toque* évoquant la bizarrerie (→ toqué).

◈ voir ① CHINER.

CHINTZ n. m., d'abord *chint* (1730) puis *chints, chintz* (1877), est emprunté au hindi *chīnt,* antérieurement *chite* lui-même du sanskrit *chitra* «diapré, bariolé». La forme française actuelle est reprise à l'anglais où *chint* (1614), lui-même emprunté au hindi, a été évincé par le pluriel *chints,* plus fréquent. Celui-ci a cessé d'être perçu comme un pluriel et s'est orthographié *chince, chinse, chintz,* etc.

♦ Le mot désigne un tissu de toile de coton imprimé, glacé, pour l'ameublement, originellement issu des Indes (calicot peint de fleurs).

CHIOT n. m., d'abord *chiaux* (1552) puis *chiot* (1611), est une forme d'origine dialectale (notamment Ouest et Centre), correspondant à l'ancien français *chael* (XIIe s.). Ce dernier est issu du latin *catellus,* également *catulus* «petit d'un animal», pris spécialement pour désigner le petit chien, et rattaché de ce fait à *canis* (→ chien). On a pensé au groupe à consonne géminée intérieure de l'irlandais *catt,* qui désigne un petit animal, et à des mots évoquant l'idée de «jeune animal» comme le serbe *kotiti* «faire des petits».

♦ Le mot a mis longtemps à s'imposer (fin XIXe s.) avant d'être assimilé à la famille de *chien,* dont le dérivé *chiennot* n'est quasiment pas utilisé.

◈ voir CHIALER (hypothèse).

CHIOTTE → CHIER

CHIOURME n. f., d'abord *chourme* (déb. XIVe s.) puis *chiourme* (1631) et *chiorme* (1544), *ciourme* (av. 1600), est emprunté à l'italien *ciurma* «équipage d'une galère» (av. 1350) — en italien moderne «équipage (d'un navire)», au figuré «clique». Ce mot est issu, par l'intermédiaire de l'ancien génois *ciusma* (v. 1275) du bas latin *celeusma* «chant réglant le mouvement des rameurs», calqué sur le grec *keleusma* (au sens propre «ordre»), de *keleuein* «commander». Ce verbe appartient à la même racine que *kellein* «mettre en mouvement» mais seulement à propos des navires, «faire aborder, aborder», et *kelomai* «pousser à, inviter à, ordonner». Hors du grec, on a rapproché le latin *celer* «rapide» (→ célérité) et le sanskrit *kălayati* «pousser», pour évoquer une famille indoeuropéenne.

♦ Introduit en français dans l'argot des galériens pour désigner l'équipage d'une galère, le mot s'est répandu dans l'argot du bagne pour «ensemble des bagnards». Par métonymie, il désigne l'ensemble des gardiens et aussi un gardien (1896).

▸ *Chiourme* est surtout vivant dans le composé **GARDE-CHIOURME** n. m. (1814; dès le XVIIIe s. selon Brunot), passé de l'univers du bagne à l'évocation d'une surveillance brutale.

CHIPER v. tr. est d'origine incertaine (1759), probablement dérivé, avec la désinence *-er,* de *chipe* «petit morceau, rognure d'étoffe», mot ancien (1306) demeuré en usage dans le Nord-Ouest. Il est emprunté au moyen anglais *chip* «petit morceau» (→ chips). Le sens propre de *chiper* serait «dérober un petit morceau, un objet de peu de valeur». Une origine à partir de *acciper* (1597), mot familier et régional pour «prendre», emprunté — par les milieux scolaires — au latin *accipere* «prendre», est moins probable.

♦ Le mot signifie familièrement «voler un objet de peu de valeur» et, avec un complément animé, «prendre sur le fait, arrêter» (1885), sens proche de celui du paronyme *choper* (→ chopper). Par extension et avec influence probable de *choper,* il exprime au figuré l'idée de «séduire» (1885), surtout au passif (1891), et de «s'éprendre», à la forme pronominale *se chiper pour qqn* (1901). Encore compris, le mot a vieilli au XXe s., sauf au sens initial de «dérober», notamment dans le discours enfantin.

► En sont dérivés **CHIPEUR, EUSE** adj. et n. (1828-1829) et **CHIPERIE** n. f. (1855), à peu près sortis d'usage.

◈ voir **CHIPIE.**

CHIPIE n. f., d'abord *chipi* (1821), est d'origine douteuse, peut-être issu de la contraction de *chiper** et de *pie**, cet oiseau ayant mauvaise réputation. Il est à rapprocher des régionaux *chipe* «femme pingre» (Champagne, Bas-Maine) et *gripie* «mégère», de *griper* «attraper» et de *pie.* P. Guiraud y voit plutôt le déverbal de °*chipier* «vétiller», doublet de *chipoter* (→ chiffe) mais le sens est assez différent.

♦ Le mot, d'abord dans la locution ***faire sa chipie*** (*sa chipi,* 1821), désigne familièrement une fille ou femme méchante, difficile à vivre. Il a changé de connotation, s'appliquant plutôt en français contemporain à une femme jeune pouvant être jolie, élégante, ce qui n'était pas le cas au XIXe siècle.

CHIPOLATA n. f. est emprunté (1742) à l'italien *cipollata* «mets à base d'oignons», dérivé avec le suffixe *-ata* de *cipolla* «oignon», lui-même issu du latin *caepulla* qui a donné *ciboule** en français.

♦ Le mot a désigné un ragoût à l'oignon et aux ciboules de l'ancienne cuisine italienne, puis une garniture de viande, composée de marrons, de carottes, d'oignons et de petites saucisses (1866). ◇ De ce dernier sens, il a pris par métonymie, le sens de «petite saucisse courte» (renfermant primitivement de la ciboule) employée dans ces garnitures (1866), d'où par figure argotique l'acception de «membre viril».

CHIPOTER v., d'abord *chipotrer* (1458) puis *chipotter* (1561), *chipoter* est dérivé, avec le suffixe diminutif *-oter,* de l'ancien français *chipe* «chiffon» (1306), mot d'origine germanique sorti de l'usage mais qui survit dans plusieurs dérivés (→ chiffe, chiper, chipie) et dans l'anglicisme *chips**.

♦ Les sens figurés, «tourmenter, contrarier» et, avec l'idée diminutive liée au suffixe, «vétiller, discuter sur des riens» (1561), précèdent le sens propre de «manger par petits morceaux» (1704). Ces deux valeurs sont restées vivantes.

► Les dérivés **CHIPOTEUR, EUSE** adj. et n. (1585), **CHIPOTERIE** n. f. (1618-1625), **CHIPOTAGE** n. m. (1617) ont connu le même type de développement sémantique ; *chipoteur* a cependant eu du mal à s'imposer avant le XIXe s., concurrencé par **CHIPOTIER, IÈRE** (1701), tombé en désuétude au XXe s., et par **CHIPOTEUX, EUSE**, enregistré par Guérin (1892) et disparu.

CHIPS n. f. pl. est le pluriel généralisé par l'usage (1920, Morand) de *chip* (1911), lui-même emprunté à l'anglais *chip* (1873), surtout employé au pluriel *chips* comme abréviation pour *potato chips* (1859, *chips of potatoes*). Ce mot est composé de *potato* «pomme de terre» (→ patate) et de *chip* «copeau, flocon, éclat» (v. 1300), spécialisé au sens culinaire de «petit morceau de toutes sortes d'aliments», surtout dans des syntagmes déterminés : *orange chip, chocolate chip. Chip,* qui a été emprunté par le moyen français *chipe* (→ chiffe, chiper, chipie, chipoter), représente un vieil anglais °*cipp, ćyp* «poutre» et correspond à l'ancien saxon *kip* «poteau, pieu», *kipa* «douve» (d'où le néerlandais *kip* «age d'une charrue»), l'ancien haut allemand *chipfa* «douve» (allemand dialectal *Kipf, Kipfe*), l'ancien norrois *keppr* «brindille, bâtonnet».

♦ Le genre, le nombre et le sens du mot ont évolué en français : l'emploi du singulier, d'abord en apposition dans *pommes chip* (1911 ; 1919, *pommes* «chip») et seul (*un chip,* 1919 ; *une chip,* 1961), a régressé devant le pluriel. De masculin qu'il était, le mot est devenu féminin (1961) adoptant le genre de *pomme.* Enfin, le sens étymologique, «pomme de terre frite» (l'anglais dit *crisp* pour les chips), s'est perdu, accaparé par *frite,* au profit de «mince rondelle de pomme de terre frite» clairement attesté en 1919 et réalisé également par l'anglo-américain *chip* (les frites s'appelant *French fries*). Le mot s'est vraiment répandu vers 1950 lorsque la consommation des chips de fabrication industrielle est devenue internationale.

◈ voir **CHIFFE.**

CHIQUE n. f., mot apparu relativement tard (1792), est d'origine incertaine, probablement dérivé d'un radical onomatopéique °*tchikk-* exprimant la petitesse (→ chicane, chicot) ou le bruit fait en mâchant, peut-être par l'intermédiaire du verbe *chiquer,* aussi tardivement attesté (1792). P. Guiraud, contestant cette hypothèse onomatopéique pour le groupe *(chic, chicane, chiche, chichi, chicot, chiquenaude)* voit précisément dans *chique* un emprunt dialectal au provençal *chico* «morceau» ou au normand *chique* «morceau de pain», du latin *cicca,* de *ciccum* «zeste», «objet sans valeur».

♦ Le sens initial de «morceau de tabac destiné à être mâché» est devenu archaïque quand l'habitude de mâcher du tabac s'est perdue. Aussi les locutions figurées encore vivantes ne sont-elles pas interprétées clairement. C'est le cas pour ***poser sa***

chique (1833) «se taire», plus généralement «cesser une activité», et en argot «déféquer», ***couper la chique*** (av. 1865) «interloquer», ***avaler sa chique*** (1894) «mourir» et dans la comparaison ***mou comme une chique*** (→ chiffe). Le sens ancien de «morceau de pain» (1808) est soit une analogie (forme, consistance), soit un avatar du sens étymologique «morceau». Celui de «fluxion dentaire» (1901) fait référence à la joue gonflée comme par une chique.

▶ ① **CHIQUER** v. «mâcher du tabac» est attesté en même temps que *chique* (1792), et il se pourrait que ce dernier en soit le déverbal ; son étymologie pose les mêmes problèmes que celle du nom. Le sens initial semble avoir mieux résisté que celui de *chique ;* le *tabac à chiquer* s'est d'ailleurs encore diffusé en milieu rural tard dans le XIXe s., alors que l'on ne prisait plus et que l'on fumait (d'abord la pipe, le cigare) depuis longtemps (cf. *tabac*). Un sens analogique populaire «manger» (1798) correspond au sémantisme de *mâcher.* ◆ Le verbe a pour dérivé **CHIQUEUR, EUSE** n. (1793) «personne qui chique du tabac».

CHIQUENAUDE n. f., d'abord écrit *chicquenode* (1530), *chicquenaude* (1532), est d'origine incertaine : peut-être dérivé, avec sa finale d'après *baguenaude** «gousse qui en éclatant laisse partir ses grains en tous sens», d'un radical onomatopéique *tchikk-* exprimant la petitesse ou un petit bruit sec. L'existence de ce radical est contestée par P. Guiraud qui postule, pour tout le groupe de *chic*, chicane*, chiche*, chichi*, chicot*, chique*,* un étymon roman, du latin *ciccum* «petite membrane» d'où «fragment». Selon lui, *chiquenaude* serait dérivé de *chiquer* «donner un petit coup» (→ chic) sur le modèle de *piquenote, pichenette*, croquignole*,* par double suffixation diminutive *-ine + -aude.*

♦ Le mot désigne un léger coup donné par la brusque détente du doigt médian. Au figuré, dans quelques emplois, il se dit pour «petite impulsion (qui déclenche un effet)».

▶ **CHIQUENAUDER** v. tr. (1599 ; repris 1803), moins utilisé que la locution *donner une chiquenaude,* est sorti d'usage.

CHIQUETER → DÉCHIQUETER

CHIRO- est un élément de composition tiré du grec *kheir* «main», «poing», «bras», au figuré «action, force», par métonymie «poignée, troupe», employé avec des valeurs techniques diverses et dans l'onomastique. Ce nom de la main est bien attesté dans plusieurs domaines de l'indoeuropéen : hittite *keššar,* arménien *jeṙn.*

▶ **CHIROGRAPHE** n. m., d'abord *cyrografe* (v. 1172) puis *chirographe* (XIIIe s.), est emprunté au latin *chirographum* «écriture» et «engagement signé, acte reçu», lui-même pris au grec de même sens *kheirographon,* de *kheiro-* et *graphon* (→ graphe). Le mot désigne, dans le langage de la diplomatie et du droit, un document écrit ou signé de la main de son auteur. ◆ Il a produit **CHIROGRAPHIER** v. tr. (1877), refait d'après des dérivés du type de *dactylographier* alors qu'il existait en ancien et moyen français *cirographier, chirografer.*

CHIROMANCIE n. f., d'abord *cyromancie* (fin XIVe-déb. XVe s.), est emprunté au latin médiéval *chiromanteia,* attesté dans le domaine anglais, formé du grec *kheiro-* et de *mantia* «art de lire l'avenir» (→ -mancie). ◆ Le mot, qui signifie «divination à l'aide des lignes de la main», a produit **CHIROMANCIEN, IENNE** n. (1546, *chiromantien*), dont le féminin a supporté la concurrence de **CHIROMANTIDE** n. f. (1896), sorti d'usage.

◆ L'élément *chiro-* a directement produit en français **CHIROLOGIE** n. f. (1755) «expression par le mouvement des doigts» puis «étude des rapports entre la main et la personnalité» (1941), sens déjà assumé par **CHIROGNOMONIE** n. f. (1843), formé sur *physiognomonie** par substitution de *chiro-* à *physio-.*

◈ voir CHIRURGIE.

CHIRURGIE n. f., d'abord *cirurgie* (v. 1175) puis *chirurgie* (v. 1560), est emprunté au latin *chirurgia,* emprunt au grec *kheirourgia,* de *kheir* «main» (→ chiro-) et d'un suffixe correspondant à *ergon* «travail, activité» (→ démiurge, liturgie) qui a pris chez Hippocrate le sens de «pratique chirurgicale, opération».

♦ L'héritage de l'Antiquité, retrouvé au moyen âge, a longtemps été contrarié par la tradition chrétienne : l'homme médiéval pour qui la maladie est une épreuve dont Dieu (ou Satan) est le maître, s'adresse à l'alchimiste ou à l'astrologue. La chirurgie, ramenée au rang de pratique barbare, est condamnée par le concile de Tours (1163) avec la dissection des cadavres. La petite chirurgie est alors l'œuvre des barbiers ou chirurgiens-barbiers, ce qui explique que le vocabulaire de la discipline se développe en langue vulgaire, alors que la médecine s'exprime en latin (voir l'encadré Médecine et chirurgie). La chirurgie profite des progrès des disciplines paramédicales (anatomie, physiologie) du XVIe s. et s'impose au XVIIIe s. comme une pratique indépendante, cependant tenue en échec dans les opérations complexes par la suppuration. Les découvertes successives de l'anesthésie (1846), de l'antisepsie (1867) et de l'asepsie (1886), puis un grand nombre de découvertes au XXe s. mènent à la chirurgie moderne.

▶ **CHIRURGIEN, IENNE** n., d'abord *cirurgien* (1172-1175), est le seul dérivé direct de *chirurgie,* entré ultérieurement dans le syntagme *chirurgien dentiste* (1728).

CHIRURGICAL, ALE, AUX adj. (fin XIVe s., *cirurgical*) est emprunté à un latin médiéval °*chirurgicalis,* dérivé de *chirurgicus,* transcription du grec *kheirourgikos* et qui avait donné **CHIRURGIQUE** adj. (1547), de nos jours supplanté par *chirurgical.* ◇ Un adverbe **CHIRURGICALEMENT** (1844) en a été tiré.

Le préfixé **NEUROCHIRURGIE** n. f. (1932 écrit avec un tiret, *neuro-*) s'applique surtout à la chirurgie du cerveau. Il a entraîné **NEUROCHIRURGIEN, ENNE** n. (1952 dans *Sciences et Avenir*).

CHISTERA n. m. ou f. est emprunté (1907), de même que l'espagnol *chistera,* au basque *xistera* «panier», spécialement «gant d'osier du joueur de pelote basque». Lui-même est emprunté au latin *cistella* «petite corbeille», diminutif de *cista* «panier», lequel est emprunté au grec *kistê*, probablement d'une langue non hellénique indéterminée (on a évoqué le hittite *kištu-*).

♦ Le mot a été repris comme terme de jeu de la pelote basque.

CHLAMYDE n. f., d'abord *clamide* (av. 1502), est emprunté au latin *chlamys, -idis* «manteau luxueux», lui-même emprunté au grec *khlamus*. Ce mot désigne une pèlerine faisant partie de la tenue de voyage, portée spécialement par les militaires, vêtement caractéristique des Thessaliens et des éphèbes athéniens. Il appartient à un groupe de mots comportant *khlaina* «manteau, vêtement de dessus», *khlanis* «vêtement léger», et qu'on ne peut réduire à l'unité.

♦ Ce terme d'antiquité désigne le manteau, retenu au cou par une agrafe, qui était en usage chez les Grecs et les Romains.

CHLEU ou **CHLEUH** adj. et n., d'abord *Chellouh* (1866) puis *chleuh* (1891), est emprunté à l'arabe du Maroc *šelḥ*, dans sa forme du pluriel *šlöḥ*, nom d'une tribu du Maroc, *šölḥa* étant le nom de sa langue.

♦ Le mot a été introduit une première fois didactiquement pour qualifier ce qui se rapporte aux populations berbères du Maroc occidental, à leur langue. Au cours de la Première Guerre mondiale, il a été repris par des soldats combattant au Maroc, comme désignation d'un soldat des troupes territoriales, et introduit en France vers 1933. D'abord appliqué dans l'est de la France à un frontalier parlant une autre langue que le français — comtois ou alsacien — (1936), il s'est spécialisé au sens de «personne allemande ou de langue allemande» (1939) et spécialement, dans le contexte de la Seconde Guerre mondiale, «soldat allemand» (1940).

CHLORE n. m. est l'adaptation (1814) du grec *khlôros* qualifiant la couleur verte ou jaune clair (des moissons non mûres, du miel, d'une personne malade ou effrayée), puis ce qui est «frais, récent (du bois, du fromage, des larmes, du sang)». Le sens original du mot serait soit «liquide, humide» avec évolution en «jeune, vivant» d'où «vert», couleur de la végétation, et enfin «jaunâtre, pâle», soit moins probablement «luisant». *Chlore* appartient à un important groupe indoeuropéen dont la signification première est mal définie, d'une racine °*ghel-*, également représentée dans le latin *helus* ou *olus* «légume, herbe potagère» (→ chélonée). Le corps chimique a été découvert dès 1774 par le Suédois C. W. Scheele qui lui donna le nom d'*acide muriatique déphlogistiqué* (c'est-à-dire contenant de l'oxygène). Ce n'est qu'après de longues discussions entre Gay-Lussac, L. T. Thenard et Humphry Davy qu'il fut défini comme un élément auquel Davy donna le nom de *chlorine* ou *chloric gas* en anglais (novembre 1810), puis *chlore* en français, à cause de sa couleur.

♦ Le mot désigne un métalloïde gazeux jaune verdâtre, d'odeur suffocante. Celui-ci fut utilisé comme gaz de combat pendant la Première Guerre mondiale puis dans la fabrication de la soude et de nombreux produits (solvants, plastiques, insecticides, agents frigorifiques).

▸ Sitôt nommé, *chlore* a produit **CHLORURE** n. m. (1815), **CHLORATE** n. m. (1816, Gay-Lussac), **CHLORAL** n. m. (1831, Liebig), avec les suffixes chimiques normalisés après Lavoisier et des composés. ◇ Plusieurs composés ont un nom formé avec *per-*, par ex. **PERCHLORURE** n. m. ◆ **CHLORHYDRIQUE** adj. (1834, *chlorohydrique*) de *hydr-* et *-ique* qualifie un acide. ◆ **CHLOROFORME** n. m. (13 janvier 1834, J. B. Dumas), avec *form(yl)e*, radical de l'*acide formique*, désigne un liquide dérivé du méthane, utilisé comme anesthésique, le mot étant devenu assez usuel dans cet emploi. ◇ De là **CHLOROFORMER** v. tr. (1856), qui a survécu à la concurrence d'une variante *chloroformiser* (1847). ◆ L'élément **CHLORO-** est devenu productif dans la formation de mots de chimie, où il indique la présence de chlore.

CHLOROPHYLLE n. f. est composé (1817) des éléments savants tirés du grec *khlôros* «vert» et de *phullon* «feuille» (→ -phylle). Le mot a été proposé par Pelletier et Caventou pour désigner les pigments verts des feuilles. Environ trente ans plus tard, leur parenté chimique avec les pigments sanguins fut soupçonnée, puis la diversité des chlorophylles reconnue. Au début du XXe s., des travaux en révélèrent la structure et permirent d'en réaliser la synthèse en laboratoire. ◆ Le mot, passé dans l'usage courant pour désigner la chlorophylle des végétaux, a produit **CHLOROPHYLLIEN, IENNE** adj. (1874, *Journal officiel*).

CHOC → CHOQUER

CHOCHOTTE → ② COCOTTE

CHOCOLAT n. m., d'abord *chocolate* (1598), forme encore répertoriée en 1740, puis *chocolat* (1659), est emprunté à l'espagnol *chocolate* (1590), attesté dès 1580 sous la forme *chocolatl*. Lui-même est emprunté à un mot nahuatl du Mexique dont la formation est difficilement analysable, à l'exception du suffixe *-atl* «eau». Les Européens ont pu confondre ce mot avec le mexicain *cacauatl* ou son altération moderne *cocoa* (→ cacao).

♦ La diffusion du mot français et la consommation de la substance (d'abord comme boisson, puis comme pâte) ont probablement été favorisées par le mariage de Louis XIV avec l'infante d'Espagne. ◇ Par métonymie, *un chocolat* désigne aussi un bonbon au chocolat (1901) et *chocolat* une couleur brune orangée. Le mot donne lieu à plusieurs syntagmes usuels : *chocolat noir, amer* (selon la teneur en cacao) opposé à *chocolat au lait ; ...au chocolat* (avec des noms de pâtisseries, crèmes, glaces), etc. ◆ D'après le nom d'un des clowns *Foottit et Chocolat*, on a dit *faire le chocolat* «le naïf» (1886), puis ***être chocolat*** «être frustré dans son attente» (→ marron).

▸ En sont dérivés **CHOCOLATIÈRE** n. f. (1671), **CHOCOLATIER, IÈRE** n. (1694), **CHOCOLATÉ, ÉE** adj. (1771) et **CHOCOLATERIE** n. f. (1867).

CHOCOTTE n. f., d'abord attesté en argot (1878), est d'origine obscure et discutée : on y a vu une variante de *chicot** dans les sens de «fragment de dent», «reste de chose rompue», avec une influence de mots de la famille de *choc**.

♦ Le mot a été employé dans l'argot des chiffonniers pour «os gras, recueilli pour la revente». Il s'est répandu avec celui de «dent» (1907, peut-être 1882, selon Esnault). Le développement menant à la locution familière ***avoir les chocottes*** «avoir peur» (1914-1918 dans l'argot des soldats) se comprend d'après l'idée de «claquer des dents»; cependant, on a aussi évoqué à son propos une racine onomatopéique *tšok- (tchok)*, d'ailleurs difficile à séparer de *šǫkê* «frisson», *chòkè* «claquer des dents», voire même de *choc** «ébranlement nerveux».

▸ **CHOCOTTER** v. intr. connaît le même glissement de «claquer des dents» à «trembler de peur» (1936, Céline).

CHOÉPHORE n. m. est un emprunt savant (1838) au grec *khoêphoros* «porteur de libations», connu notamment par le titre d'une tragédie d'Eschyle *ai Khoêphoroi (Les Choéphores)*, en référence aux femmes qui déposent des offrandes sur la tombe d'Agamemnon et qui forment le chœur. Le mot est composé de *khoê* «libation», mot du groupe de *kheein* «verser, répandre», lequel appartient à une racine indoeuropéenne bien identifiée °*ghew-* (→ fond) dont les représentants ont souvent trait au sacrifice, et de *-phoros* «qui porte» (voir, par exemple, *phosphore*).

♦ Ce terme d'antiquité grecque est surtout connu comme titre de l'œuvre d'Eschyle.

CHŒUR n. m., d'abord *cuer* (v. 1120) écrit aussi *quer* (v. 1150), puis *chore* et *chœur* (1568), est l'adaptation faite à différentes époques du latin *chorus*, lui-même emprunté au grec *khôros*. Ce mot désigne la danse, le groupe de danseurs et le lieu où l'on danse; il réfère spécialement au groupe de choreutes qui présente et commente l'action dans la tragédie, et se dit figurément de groupes d'hommes, de divinités, d'animaux ou même de choses; enfin, il désigne le chant choral. Il est difficile de déterminer si la notion de groupe de danseurs est première ou seconde par rapport à celle d'emplacement réservé à la danse. Si l'on part de la notion de lieu, ce qui paraît confirmé dialectalement et dans les plus anciens composés, et que l'on envisage l'espace de danse comme dégagé, vide, on sera enclin à rapprocher le mot de *khôros* «emplacement». Si l'on envisage l'espace de danse comme un lieu circonscrit, clos, on le rapprochera de *khortos* «enceinte, cour» et par là même d'une racine indoeuropéenne °*gher-* «contenir» et «tenir», en rappelant des mots apparentés : le latin *hortus* «jardin» (→ horticulture), le gotique *gards* «maison, cour» (anglais *yard* et *garden*), le russe *gorod* «ville», le sanskrit *gṛhá-* «maison» et divers toponymes. Le latin *chorus*, dans les textes chrétiens, a désigné ceux qui, pendant les offices, chantent dans la partie de l'église située autour de l'autel et, par métonymie, cette partie de l'église (sens attesté déb. IXe s.).

♦ Le mot est introduit en français au XIIe s. dans la langue religieuse; il désigne à la fois une hiérarchie d'anges, *cuers des apostles* (v. 1120) par analogie avec *cuers des angeles* (v. 1223), et un groupe de personnes chantant des chants religieux (v. 1120), spécialement dans ***enfant de chœur*** (1530; 1350, *enfant du cuer*). ◇ D'autre part, il a le sens spatial de «partie d'une église où est placé l'autel, autour duquel les clercs chantent la messe» (v. 1150). ◇ À la Renaissance, il est repris comme terme de théâtre antique (1568) et moderne (1568). Par métonymie, il désigne ce que chante un chœur en musique (1704). Par extension, il s'applique à un bruit d'ensemble (1846), à un groupe de personnes liées par une attitude commune ou un but commun (1869), notamment dans la locution ***en chœur*** (1869)

CHORISTE n. est emprunté (1359) au latin chrétien *chorista*, dérivé de *chorus*. ◇ Le mot désigne le membre d'un chœur antique et une personne qui chante dans un chœur.

◇ voir **CHORAL, CHORÉGRAPHIE, CHORUS.**

✳ **CHOIR** v. intr., d'abord à la forme conjuguée *cadit* «il tombe» (v. 980) puis *cheoir* (1050), est issu du latin *cadere* «tomber» (→ cadence, caduc, ① cas, ① casquer, chance).

♦ En ancien et moyen français, le mot a signifié «tomber» au propre et au figuré (1080), recevant secondairement d'autres valeurs : «encourir» (XIIIe s.), «échoir» (XIVe s.), «aboutir à» (1369). L'irrégularité de sa conjugaison l'a fait abandonner peu à peu au profit de *tomber* : il ne subsiste guère qu'à l'infinitif et à la 3e personne du présent de l'indicatif, le sens propre étant archaïque ou plaisant, sauf dans *laisser choir*, variante stylistique vivante de *laisser tomber* au figuré.

▸ **CHUTE** n. f. est la réfection (v. 1360), d'après les formes de participe passé féminin *cheüe, chue*, issues du latin °*caduta* (d'où l'italien *caduta*), de l'ancien français *cheoite* «fait de tomber» (anciennement *chaaite, chaete*), substantivation d'un féminin de partipe passé issu d'une forme analogique °*cadecta* en latin vulgaire. ◆ Le mot, substantif d'action de *choir*, a continué d'exercer ce rôle vis-à-vis de *tomber* et il est demeuré aussi vivant que ce verbe; outre le sens propre de «tomber», il a reçu de nombreuses acceptions à partir du XVIe s. : «fait de se détacher de son support naturel» dans *chute des cheveux* (1534), *chute des feuilles* (1690, pris poétiquement au sens d'«automne»), «de s'écrouler» (av. 1558), «d'être en pente» pour un cours d'eau (XVIe s.), «de tomber brusquement» pour l'eau (1671, *chute d'eau*), «de se terminer» en parlant du dos (*chute des reins*, fin XVIIe s.), «de baisser brutalement» (de la température, de la tension, 1929). ◇ À partir du XVIe s., il est également employé avec une valeur figurée, exprimant l'effondrement d'un pays, d'un régime (1587), le fait de tomber dans la déchéance (1680), de perdre son succès (1690). Il se spécialise techniquement en rhétorique, où il dénomme concrètement le dernier membre d'un période (av. 1654) (→ cadence) et, par analogie passe en musique, dénommant la fin harmonieuse d'une période (1690). ◇ Au XXe s., le sens propre a lui aussi donné lieu à un emploi métonymique concret *(une,* *des chutes)* au sens de «déchet (de drap, de tissu, de sciage)».

Le dérivé **CHUTER** v. intr. (1823) est venu concurrencer tardivement *tomber* dans certains de ses emplois : «faire une chute» et, en termes de spectacle, jeu et sport, «subir un échec» (1828, au théâtre).

RECHUTE n. f. (1475), senti de nos jours comme le dérivé itératif de *chute*, est historiquement le participe passé féminin substantivé de l'ancien verbe *rechoir* v. intr. (XIIe s., *recheoir*), supplanté par *retomber*. ◇ Comme *chute*, *rechute* s'est imposé en face de la forme *recheoite* «récolte», et s'est maintenu comme substantif d'action des sens figurés de *retomber :* il exprime notamment le fait de retomber dans le péché, le vice, l'erreur, après avoir voulu s'amender ou se corriger, et aussi le fait de retomber malade. ➛ En ce sens, il a servi à former **RECHUTER** v. intr. (1845), enregistré antérieurement par Cotgrave en 1611 au sens général de «tomber de nouveau».

PARACHUTE n. m. est le composé de *para-** et de *chute* (1784), formé sur le modèle de *parapluie**, *parasol**, pour désigner un dispositif expérimenté en 1785 par l'aéronaute Blanchard. Le mot a été repris et diffusé au XXe s. avec l'aviation; l'aérostation l'employait au XIXe siècle. Remotivé en «objet empêchant une chute», le mot désigne aussi, techniquement, une pièce d'horlogerie empêchant que l'axe du balancier ne ressente les chocs violents qui pourraient le rompre (1832) et le dispositif de sécurité permettant d'arrêter la chute accidentelle de la benne dans un puits de mine (1858). ➛ De *parachute* au sens courant a été dérivé **PARACHUTISTE** n. (1903), pour un sportif et (1941) un soldat sautant en parachute (ce dernier également appelé **PARA** n. m. 1944). ◇ **PARACHUTER** v. tr. (1945) «faire sauter ou envoyer en parachute» signifie au figuré «envoyer, désigner brusquement (qqn) dans un lieu éloigné» (1962). ◇ Il a pour dérivé **PARACHUTAGE** n. m. (1944). ◇ **PARACHUTISME** n. m. (1959), dérivé de *parachut(iste)*, s'emploie pour «sport, technique du saut en parachute».

◈ voir CHANCE, DÉCHOIR, ÉCHOIR, MÉCHANT.

◈ **CHOISIR** v., d'abord *coisir* (1050) puis *choisir*, est issu, de même que l'ancien provençal *causir* (v. 1070), du gotique *kausjan* «goûter, examiner, éprouver» (d'où l'allemand *kiesen* et l'anglais *to choose* «choisir»). Le mot appartient à la même racine indoeuropéenne que le latin *gustare* (→ goûter) et le sanskrit *joṣáyate* «il prend plaisir à».

♦ Le sens ancien, «distinguer par la vue, voir distinctement» (d'où *choisir de l'œil* «apercevoir», bien attesté au XVIe s.), s'est éteint au XVIIe s., sauf en Suisse romande. Il a été éliminé par le sens de «prendre de préférence» (1177-1179), avec lequel le mot a supplanté dans l'usage courant au XVIIe s. son doublet d'origine latine *élire**. ◇ Le participe passé adjectivé **CHOISI, IE** (XVIIe s.) présente aussi l'acception classique de «bon, excellent» (1664) dans quelques syntagmes du registre soutenu *(mets, termes choisis)*.

▸ Cette nuance est très vivante dans les emplois du déverbal **CHOIX** n. m. (1155, *chois*) qui, outre les sens de «action, liberté de choisir» et, concrètement (XVIIe s.), «ensemble de choses entre lesquelles choisir», désigne particulièrement un ensemble de choses sélectionnées pour leur qualité (→ sélection), voire la fine fleur d'une marchandise (1675). De là, la locution ***de choix*** (1834), synonyme usuel de *choisi*, décliné dans une gamme allant de ***de premier choix*** à ***de dernier choix*** et, par hyperbole, ***de surchoix*** (1816). ◇ **SURCHOIX** est adj. pour «de premier choix» (1816) et aussi n. m. (1851).

CHOLÉRA n. m., d'abord *cholere* (1546), est le doublet étymologique de *colère* :* il est emprunté au latin impérial *cholera* «maladie venant de la bile», lui-même emprunté au grec *kholera*, désignant diverses maladies digestives dont le choléra proprement dit *(kholera hugra)*. Les Anciens proposaient déjà pour ce terme deux étymologies : une dérivation soit de *kholades* «intestins» (→ côlon), soit de *kholê* «bile» (→ colère, mélancolie), la bile pouvant être abondante dans les défécations des malades.

♦ La gravité du choléra, maladie épidémique souvent mortelle, a fait mettre le mot au rang de *peste** ***(choisir entre la peste et le choléra)***, lui conférant la même valeur symbolique de «fléau mortel» et, plaisamment, de «personne insupportable».

▸ **CHOLÉRIQUE** adj. (1806) a été emprunté au latin *cholericus*, lui-même repris au dérivé grec *kholerikos* «relatif au choléra, malade atteint du choléra». L'ancien français avait déjà les formes *colerike*, *colorique* (v. 1256) avec le sens du bas latin «bilieux, soumis à l'influence de la bile», par rapprochement du mot avec *kholê* «bile» (→ colérique). ➛ Du radical de *choléra* sont dérivés au XIXe s. les termes de médecine **CHOLÉRINE** n. f. (1831), «forme atténuée de choléra, avec forte diarrhée», et **CHOLÉRIFORME** adj. (1844), «qui a l'apparence du choléra».

CHOLESTÉROL n. m. est la réfection par Berthelot (1859), par substitution du suffixe *-ol* au suffixe *-ine*, de *cholestérine*, mot proposé quelques années plus tôt par Chevreul (1815). Ces termes nomment une substance découverte en 1775 par Conradi dans les calculs biliaires et confondue par Fourcroy avec le blanc de baleine. Chevreul le premier la reconnut pour une substance distincte, en fit l'analyse, en étudia les principales propriétés et la nomma à l'aide des mots grecs *kholê* «bile» (→ colère) et *stereos* «solide» (→ stéréo), d'après sa consistance et sa localisation dans la bile.

♦ Le mot désigne une substance grasse de la classe des stérols, se présentant sous forme de cristaux blancs nacrés, contenue dans les liquides et les cellules de l'organisme. Il est devenu courant au XXe s., l'excès de l'un des cholestérols étant combattu par la médecine au moyen d'un régime diététique.

▸ **CHOLESTER-** sert de premier élément à quelques composés en médecine : **CHOLESTÉROLÉMIE** n. f., après *cholestérinémie* (1878), **CHOLESTÉATOME** n. m., etc.

Par ailleurs, l'élément formé de *stéréo-* et de *-ol* dans plusieurs noms de composés chimiques (*zoo-*

stérol, etc.), dont le plus usuel est *cholestérol*, est devenu autonome sous la forme **STÉROL** n. m. (1913) désignant un alcool polycyclique répandu dans les organismes végétaux et animaux ; ce terme s'est répandu dans la langue de la chimie après 1930. ➛ De *stérol* est tiré **STÉROÏDE** n. f. (1936) désignant un composé organique comprenant les stérols, des alcaloïdes, les hormones sexuelles, etc. ◇ De là **STÉROÏDIEN, IENNE** adj., «relatif à la thérapeutique par les stéroïdes», et **STÉROÏDIQUE** adj. (v. 1970), parfois synonyme de **STÉROLIQUE** adj. dérivé de *stérol* (mil. XXe s.), par exemple dans *noyau stérolique* ou *stéroïdique*. ➛ *Stéroïde* a servi à former des composés, dont **CORTICOSTÉROÏDE** (mil. XXe s.) de *cortico* (→ cortex), nom d'une hormone produite par le cortex de la glande surrénale.

CHÔMER

CHÔMER v., d'abord *se chomer* (v. 1150), écrit *chomer* (v. 1175) puis *chômer* (XIIIe s.), est issu du bas latin *caumare* «se reposer pendant la forte chaleur», qui s'est employé spécialement en parlant des travailleurs ruraux (VIe s.). Le verbe vient du latin chrétien *cauma* «forte chaleur», emprunté au grec de même sens *kauma* (→ calme).

♦ Le mot, dont le sens étymologique s'est maintenu dans les dialectes à propos des bestiaux («cesser de brouter par forte chaleur et se reposer à l'ombre»), a d'abord exprimé l'idée de «rester immobile», aussi à la forme pronominale *se chomer*, et celle de «rester inactif». Cette dernière a été réalisée par litote dans l'ancienne locution *ne pas chomer de* «ne pas cesser de» (v. 1175), *chômer* se spécialisant au XIIIe s. au sens de «ne pas travailler». L'accent étant mis sur la raison de cette inactivité, *chômer* a pris plusieurs valeurs très différentes, «s'arrêter de travailler les jours fériés» (1455) d'où ***jours chômés*** (1690), «ne pas pouvoir fonctionner, travailler» (1333, à propos d'un moulin détérioré) et enfin «ne pas avoir de travail» (XIIIe s.), sens devenu dominant au XIXe s. en même temps que *chômage* prenait sa valeur moderne. ◇ D'autres sens, vivants en moyen français, «manquer, être privé de», «rester dans un lieu», «cesser de», ont disparu.

▸ **CHÔMAGE** n. m. (XIIIe s.) est, comme le verbe, un témoin de l'histoire sociale : le sens de «fait de ne pas travailler» est ancien (XIIIe s.) et devance les acceptions voisines, «fait de rester improductif» (XIIIe s.), «temps pendant lequel qqch. cesse de fonctionner» (1690), spécialement «temps des basses eaux pendant lequel on cure les canaux» (1835). ◇ Ce mot est devenu au XIXe s. important en économie et en politique, avec la valeur d'«absence de travail salarié pour ceux qui en ont besoin», subjectivement ou objectivement, individuellement *(être en, au chômage)* et collectivement, comme une entité néfaste *(lutter contre le chômage)*, gérée économiquement et socialement *(toucher le chômage)*. ➛ Tandis que **CHÔMABLE** adj. (XVIe s., *feste chommable*) réalise le sens neutre «où l'on ne travaille pas» par opposition à *ouvrable*, **CHÔMEUR, EUSE** n., beaucoup plus tardif (1876), se rapporte à la personne réduite au chômage, devenue un type socio-économique au XXe siècle. Il est probable que les valeurs modernes de *chômer* et de *chômage* se soient répandues à peu près quand *chômeur* apparaît, dans le mouvement du vocabulaire sociopolitique, après les révolutions de 1848.

CHOPE

CHOPE n. f. est emprunté (1845) à l'alsacien *schoppe* «verre à bière», correspondant au moyen bas allemand *shope* (1425), *schopen* «puisoir de brasseur» qui a donné *chopine**. Le substantif est apparenté à un verbe germanique dont le sens originel est «créer» et qui s'est spécialisé en «puiser, tirer» ; ce type est représenté dans l'ancien norrois *skepja* «créer», le moyen néerlandais *sceppen*, l'ancien haut allemand *sçepfen*, le moyen haut allemand *schępfen*, l'allemand *schöpfen*. Le mot alsacien, de genre masculin, a été introduit à Paris par les brasseries alsaciennes et est devenu féminin sous l'influence de *chopine*.

♦ *Chope* désigne un récipient généralement cylindrique, destiné à boire la bière.

◈ voir CHOPINE, ÉCOPE.

CHOPER → CHOPPER

CHOPINE

CHOPINE n. f. est emprunté (XIIe s.) au moyen bas allemand *shope* (1425), *schopen* «puisoir de brasseur» (→ chope), avec une finale mal expliquée. En effet, l'allemand *Schoppen*, seulement attesté en 1650 et qui appartient aux parlers de l'ouest du domaine allemand, est lui-même emprunté au type *chopène* des dialectes français du Nord et de l'Est (picard *chopeine*, liégeois *sopène*, lorrain *chopène*) ; ces formes continuent *schopen*, et *chopine* doit en être l'altération.

♦ Le mot a désigné une mesure de capacité d'environ un demi-litre pour les liquides, spécialement le vin, et, par métonymie, la quantité de vin contenue dans cette mesure (v. 1278). Par extension, il désigne couramment une mesure d'un demi-litre et, par métonymie dans quelques locutions, le vin, un «coup à boire», sens qui reste vivant en milieu rural *(payer une chopine)*, à côté de *canon*. L'ancienne locution de jeu *n'avoir ni tierce ni chopine* (1863) est peut-être due à une substitution synonymique de *chopine* à *quarte*, à la fois terme de mesure, pour un quart de muid, et terme de jeu, pour une série de quatre cartes consécutives.

▸ **CHOPINER** v. intr. a dès le XVe s. (*choppiner*, 1482) le sens familier de «boire du vin en excès». Le verbe équivaut aux locutions ***mettre pinte sur chopine, boire chopine sur chopine.***

CHOPPER

CHOPPER v. intr., d'abord *çoper* (v. 1175), *chouper* (1235) puis *chopper* (1316-1328, une fois au XIIIe s.) est d'origine incertaine. Comme l'italien *zoppo* «boiteux», l'espagnol et le portugais *zopo*, *zoupo* «estropié, boiteux», il est probablement issu d'un radical onomatopéique *tsopp-* exprimant le bruit caractéristique d'une démarche boiteuse. Le passage en ancien français du son initial *s* à *ch* est peut-être dû à l'influence de *choquer** et à un souci d'expressivité. Il semble difficile de retenir l'hypothèse d'une formation à partir du latin *cloppus* «estropié» ou du latin *suppus* «tête en bas» qui suppose de trop grandes transformations du radical.

♦ Le mot signifie concrètement «trébucher, faire un faux pas» et, au figuré, «être arrêté par une difficulté» (XIIIe s.) d'où «se tromper lourdement» (1541); il a commencé à vieillir dès le XVIIe siècle. Son emploi avec un nom d'objet pour sujet, au sens de «présenter une défectuosité» (fin XIXe s.), est un archaïsme littéraire.

► *Chopper* a été évincé par son composé précoce **ACHOPPER** v. intr., attesté dès le XIe s. sous la forme *açoper*, elle-même modifiée en *achouper* (XIIIe s.), *achoper* (1376). Celui-ci lui a repris le sens concret, «heurter du pied, trébucher», mais s'est surtout implanté dans l'usage avec le sens figuré de «se heurter à une difficulté» en emploi transitif (XIIIe s.), disparu, puis intransitif et pronominal. ◆ Le substantif d'action **ACHOPPEMENT** n. m., d'abord *açopement* (1215-1230) puis *achoppement* (av. 1564), réalise d'abord le sens figuré de «ce qui fait obstacle à qqch.», de nos jours réservé à la locution ***pierre d'achoppement,*** inusitée au sens propre de «pierre sur laquelle on trébuche». Employé seul, le nom exprime l'action de buter du pied contre une chose (1363), surtout à partir du XIXe s. avec une valeur figurée.

CHOPER v. tr., verbe argotique puis familier, attesté en 1800, semble une altération de *chopper*. ***Se faire choper*** «se faire prendre, attraper» semble être l'équivalent de *prendre une chute, prendre une gamelle* et du verbe *tomber* au figuré. ◇ Le sens spécial de «voler (prendre pour dérober)» a pu être renforcé par l'existence de *chiper* et a donné **CHOPEUR** n. m., «chapardeur» (1928), mot populaire resté rare.

◈ **CHOQUER** v. tr., d'abord *chuquier* (av. 1250) et *çuker* (XIIIe s.) en picard, est d'origine incertaine, probablement germanique. Cependant, un emprunt au moyen néerlandais ou au moyen bas allemand *schocken* «heurter, donner un coup» fait difficulté du point de vue chronologique. Il convient peut-être de poser une formation onomatopéique sur le radical *tchok-* évoquant un bruit.

♦ Très progressivement supplanté par *heurter** et *buter** au sens concret de «heurter, frapper», *choquer* s'est spécialisé au sens figuré d'«aller contre les principes de qqn, contre les bienséances» (av. 1621) et «produire une impression — visuelle, auditive — désagréable». D'après l'anglais *to shock,* il a regagné un nouveau sens propre, celui de «faire subir un traumatisme» (surtout au passif : *en rester choqué,* av. 1940).

► **CHOC** n. m., dérivé du verbe, (1521) exprime l'idée d'un affrontement violent de personnes ou de choses, spécialement dans un contexte guerrier, et, physiquement, celle d'une rencontre violente entre deux corps (av. 1570). Dès le XVIe s., il a le sens figuré d'«affrontement» dans la locution ***soutenir le choc*** (1549) et, par extension, exprime un événement fâcheux frappant qqn (1690), spécialement une épreuve pour sa santé (1740). Le sens spécialisé «traumatisme» (1865; 1892, *choc nerveux*) est, comme le prouvent les anciennes graphies, *shock chirurgical* (1896), *shock abdominal opératoire* (1897), un emprunt didactique à l'anglais *shock,* lui-même emprunté au français (1705) *choc,* et employé dès 1804 en médecine. Le mot, notamment dans la locution ***de choc*** (1685, dans un contexte militaire), est passé dans le langage de la publicité et des médias *(image-choc)* au XXe siècle (cf. le slogan *chic et choc*). ◆ Avec divers sens, il a fourni le second élément de plusieurs composés : **ANTICHOC** adj. (1907), **PARE-CHOCS** n. m. (1925, *pare-à-chocs,* 1862 en chemins de fer), **ÉLECTROCHOC** n. m. (1938) [→ à électrique].

Choquer a deux autres dérivés. ◆ **CHOQUANT, ANTE** adj. (1650), adjectivation du participe présent de *choquer,* qualifie au figuré ce qui heurte la sensibilité, les convenances, quelquefois concurrencé par l'anglicisme plaisant **SHOCKING** adj. et interj. (1842). ◆ **CHOQUABLE** adj. (1866), d'usage plus rare, qualifie une personne prompte à s'offusquer.

ENTRECHOQUER v. (1550), d'usage transitif et pronominal, est quasiment le seul mot du groupe de *choquer,* avec *choc,* à réaliser le sens propre de «heurter, se heurter l'un à l'autre». ◆ En sont dérivés **ENTRECHOC** n. m. (fin XVIe s.) et **ENTRECHOQUEMENT** n. m. (1587), mots rares, qui lui servent de substantifs d'action.

◈ voir CHOCOTTES (hypothèse).

CHORAL, ALE, AUX adj. et n., d'abord *coral* (1331), est emprunté au latin médiéval *choralis* «qui appartient au chœur d'une église» (v. 1100) «destiné aux chants liturgiques» (v. 1100), dérivé de *chorus* (→ chœur, chorus).

♦ Le mot, attesté une première fois en ancien wallon dans *clers coraux* «clercs attachés au service du chœur d'une église», n'est pas employé en ancien français où la forme courante est *chorial,* n. (1335) et adj. (1506), dérivé de *chœur. Choral* figure en 1743 dans le *Dictionnaire de Trévoux* qui donne le pluriel *choraux* «enfants de chœur» comme un ancien mot. Sa diffusion au XIXe s. en musique (1836) est due à l'allemand *Choral* «hymne, chant» (XVIe s.), elliptique pour *Choral Gesang* «chant du chœur», calque du latin médiéval *cantus choralis.* L'adjectif *choral* se répand (1845) pour qualifier ce qui a trait au chant vocal d'un groupe, tandis que le substantif masculin, après avoir désigné l'ensemble des chantres d'une église (1866), puis une société chorale (1901), est évincé avec ce dernier sens par **CHORALE** n. f. (1910), elliptique pour *société chorale.*

CHORÉGRAPHIE n. f. a été formé (1701, aussi *choréographie,* 1768) à partir du grec *khoreia* «danse», dérivé de *khoros* (→ chœur) qui avait également le sens de «danse» à côté de ceux de «groupe de danseurs», «chœur» et «lieu où l'on danse». Le mot est composé sur le modèle de mots didactiques en *-graphie**.

♦ Dans le titre de l'ouvrage *La Chorégraphie ou l'art d'écrire la danse par caractères, figures et signes démonstratifs* (1701), il désigne la méthode de transcription des pas et figures de la danse. Ce sens s'est reporté sur *notation* (en syntagme *notation chorégraphique*), *chorégraphie* se répandant au XIXe s. avec les sens d'«art de composer des ballets, d'en régler les pas et les figures» et de «art de la danse» ou «système, ensemble de styles de danse» (1851, in *T. L. F.*).

▸ **CHORÉGRAPHIQUE** adj. (1786), dont on a dérivé **CHORÉGRAPHIQUEMENT** adv. (1863), a suivi la même évolution sémantique, l'adjectif prenant au XIXe s. la valeur de «relatif à la danse» en général, alors qu'il ne concernait que les notations au XIXe siècle. ➜ Quant à **CHORÉGRAPHE** n. (1786), d'abord employé adjectivement dans le syntagme *académicien chorégraphe*, il désigne la personne qui crée, ordonne et règle les pas et les figures des ballets. L'ambiguïté de *chorégraphie* a incité Serge Lifar à forger *choréauteur* n. m., qui ne s'est pas imposé, pour remplacer *chorégraphe*.

CHORIZO n. m. est emprunté (1840) à l'espagnol *chorizo*, nom d'une saucisse espagnole très épicée. L'emprunt parallèle du mot en anglais est contemporain (1846).

♦ Le mot, mentionné par Théophile Gautier dans son *Voyage en Espagne («un saucisson nommé chorizo, bourré de poivre, de piment et d'autres épices»)*, ne s'est introduit qu'au XXe s., — surtout après 1945 — avec les contacts touristiques et l'immigration espagnole en France.

CHORUS n. m. est l'emprunt (XVIe s.) du latin *chorus* «chœur» (→ chœur), passé dès le XIVe s. en ancien provençal pour «accord de toutes les voix».

♦ Le mot s'est d'abord appliqué au chœur de la tragédie antique, puis à la reprise en chœur, à l'unisson, d'un chant, d'un refrain (1672), prenant par extension la valeur de «clameur unanime» (1718). Supplanté par *chœur*, il garde une certaine vitalité avec celle-ci dans l'expression figurée *faire chorus* «joindre sa voix à celle des autres pour faire entendre une opinion». ➜ Le XXe s. l'a repris à l'anglais *chorus*, spécialisé en jazz pour désigner la partie principale d'un thème, sur laquelle on improvise et, par extension, un solo improvisé.

CHOSE n. f., d'abord *cosa* (842), *cose* (881) puis *chiose* (v. 1125), *chose* (v. 1174), est issu du latin *causa* (→ cause) qui, au contact de *res* (→ rien) avec lequel il était souvent employé dans le langage juridique, a reçu les sens d'«affaire» et, plus largement à basse époque, de «chose» (d'où aussi l'italien *cosa*).

♦ Le sens attesté le premier en français est celui de «réalité plus ou moins déterminée par un contexte», parfois avec une acception philosophique pour s'opposer tantôt à *apparence*, tantôt à *idée* ou à *mot*. *Chose* traduit également (v. 1355) le latin *res publica* dans l'expression *chose publique* (→ république). ◇ Son sémantisme flou l'a rendu très tôt apte à rendre des termes divers selon le contexte : ainsi, dès le XIIe s., il est employé par euphémisme pour désigner l'acte sexuel ou l'organe sexuel. Au XVIe s., il développe le sens courant de «réalité matérielle non vivante» (par opposition à *personne**) et d'«objet non spécifié» (par opposition à *objet**), servant aussi à désigner une personne dont le nom échappe (→ plus familièrement machin, truc). ◇ Au pluriel, il englobe tout ce qui a lieu, se fait (alors voisin de *circonstance** ou d'*action**), ce dont il est question entre les locuteurs (dans *c'est la même chose*) et ce que l'on dit, comme dans la formule de politesse ***bien des choses (à qqn)*** [1786]. ◇ Dès l'ancien français, il a fourni plusieurs locutions très usuelles : ***pas grand-chose*** (XIIe s.) substantivée familièrement à propos d'une personne qui ne mérite pas d'être estimée *(c'est un, une pas grand-chose)*, ***peu de chose*** (v. 1174), ***autre chose*** (v. 1200), ***de choses et d'autres*** (v. 1200) et ***quelque chose*** (v. 1300) qui a supplanté l'ancien français *auques*, issu du latin *aliquia* avec modification de la finale. ◇ Enfin, depuis le XVIIIe s., il se rencontre en emploi adjectival avec une idée de malaise vague : ***être tout chose*** (1739).

▸ Si l'on excepte les dérivés vieillis que sont le diminutif **CHOSETTE** n. f., d'abord *cosette* (av. 1250), et le verbe **CHOSER** v. tr. (XVIe s., dans un sens érotique ; 1866, «s'occuper de») encore régional, *chose* a fourni une série de mots didactiques forgés par la philosophie comme **CHOSISME** n. m. (1936) et, chez Sartre, **CHOSIFIER** v. tr. (1943) et **CHOSIFICATION** n. f., équivalents expressifs de *réifier, réification*.

CHOTT n. m. est un emprunt (1846) à l'arabe algérien.

♦ Le mot désigne un lac salé, dans les zones subsahariennes du Maghreb.

CHOU n. m., d'abord *chol* à côté de *chou* (v. 1175), est issu du latin *caulis* «tige des plantes» et par développement métonymique «chou», mot qui peut aussi désigner des objets en forme de tige. C'est un terme indoeuropéen qui a des correspondants dans le grec de même sens *kaulos* ainsi que dans diverses langues de ce groupe : le lituanien *kaúlas* «jambe», le prussien *kaulan* «jambe», l'irlandais *cuaille* «pieu» ; (cf. aussi l'anglais *cauliflower* «chou-fleur», l'allemand *Kohl* «chou»).

♦ Légume commun et vivace, cultivé partout, comme en témoignent les diverses dénominations *cabus* en wallon, *jote* dans l'Ouest, *cholet* dans les parlers picard et méridionaux, le chou a inspiré plusieurs locutions comme ***faire ses choux gras***, qui est passé de «se goberger» (XVe s.) au sens plus abstrait de «faire de grands profits» (XVIIe s.). ◇ Par analogie de forme avec la plante, *chou* s'est appliqué à une pâtisserie (1549), par exemple dans *chou à la crème*, à un nœud de ruban (1694) et il fournit, comme bien des noms de fruits et de légumes, une désignation argotique de la tête (1894). ◇ La locution familière ***dans les choux*** (1865) «dans l'embarras, en difficulté», s'est appliquée spécialement à des typographes craignant un manque à gagner (1881), à des comédiens (1886), à des lycéens (1928) et à des sportifs éliminés d'une compétition (1910) ; elle est à comparer avec l'allemand *in Kraute gehen* «aller en herbe» et avec l'italien *andare a ingrassare i cavoli* «aller engraisser les choux» qui a trait à l'inhumation.

▸ L'adjectif et appellatif affectueux **CHOU** (**CHOUTE** au féminin) [1752], redoublé en **CHOUCHOU, OUTE** (1780 ; d'où **CHOUCHOUTER** v. tr., 1842), est soit dérivé de *chou*, soit, pour P. Guiraud, dérivé de *chouer*, forme ancienne de *choyer*. (→ ② chouette, choyer). ◇ ***Chouchou*** n. m. désigne

(v. 1990) un petit tube de tissu froncé, pour serrer une mèche de cheveux, une queue de cheval, etc. *Chou* entre en composition dans **CHOU-FLEUR** n. m. (1611) adaptation de l'italien *cavol(o)fiore* (fin XVIe s.) et dans **CHOU-RAVE** n. m. (XVIe s.).

◈ voir CHOUCROUTE.

CHOUAN n. m. est tiré (1793) de *Jean Chouan*, surnom de Jean Cottereau, l'un des principaux chefs des insurgés de l'Ouest contre la Révolution française ; ses deux frères et lui-même, d'abord contrebandiers dans la région de Laval, furent ainsi nommés parce qu'ils imitaient le cri du hibou en signe de ralliement. *Chouan* est en effet une forme de l'Ouest (Ille-et-Vilaine) désignant le hibou, par réfection, d'après *chouette**, de l'ancien français *choan* (→ chat-huant) apparenté à *choe* (→ chouette).

♦ Le mot désigne un paysan insurgé des provinces de l'Ouest luttant contre la Révolution, entre 1791 et 1799.

▸ Avec ses dérivés **CHOUANNER** v. intr. (1795 ; 1794, *chouanné*) et **CHOUANNERIE** n. f. (1794), il appartient au vocabulaire historique légué par la Révolution. ◇ Le féminin **CHOUANNE** (1894) est rare.

CHOUCAS n. m., d'abord *choucquas* (1530) puis *choucas* (1557), est d'origine obscure, probablement onomatopéique, ce qui expliquerait la forme insolite de la terminaison. Il est à rapprocher de l'ancien provençal *caucala* «corneille», du provençal moderne *chouca*, verbe exprimant le cri du hibou, de l'anglais *chough* «choucas», du moyen néerlandais *cauwe*, néerlandais *kauw*. Les formes germaniques procèdent d'un type francique °*kâwa* qui est également à l'origine de l'ancien français *choë*, *choue* (→ ① chouette), de l'ancien picard *cauwe*, *cave*.

♦ Le mot désigne l'espèce la plus petite du genre corbeau.

◈ voir CHAT-HUANT, CHOUETTE.

CHOUCHOU → CHOU

CHOUCROUTE n. f., d'abord *chou-croute* (1768) puis *choucroute* (1786), est l'altération fautive, d'après *chou** et *croûte**, de la forme notée antérieurement *surcrute* en suisse romand (1699, Neuchâtel), puis *surcote* (1739). Celle-ci est empruntée à l'alsacien *sûrkrût* correspondant à l'allemand *Sauerkraut*, mot signifiant littéralement «herbe aigre», de *sauer* «aigre» (→ sur) et de *Kraut* «herbe». Ce dernier, par l'ancien haut allemand, moyen haut allemand *krût*, correspond au moyen néerlandais *cruut*, néerlandais *kruid* «légume» ; ce sont des mots dont la racine germanique est à rattacher de celle du grec *bruon* «chaton, fleurs disposées en chaton», nom de certaines algues, mousses et lichens (→ embryon).

♦ Le mot désigne une préparation de chou émincé ayant fermenté dans une saumure aromatisée, et le plat à base de ce chou, cuit et garni, notamment sous sa forme alsacienne comportant diverses charcuteries. Par analogie d'aspect, il a désigné une coiffure gonflée, en vogue dans les années 1960. La consistance du plat explique la locution familière ***pédaler dans la choucroute*** «agir de manière inefficace» (cf. *semoule*).

① **CHOUETTE** n. f., d'abord *chouate* (fin XIIIe s.), *chüette* (1370) puis *chouette* (1546), est issu du croisement de l'ancien français *çuete*, *suete* (v. 1100), probablement d'origine onomatopéique (de même que l'italien *civetta*), et de l'ancien français *choe* (v. 1100), terme d'aire picarde. Ce dernier est issu du francique °*kawa* (→ choucas), que l'on peut déduire du moyen néerlandais *couwe*, norvégien *kaie*, suédois *kaja*, et qui serait également issu d'une onomatopée évoquant le cri de l'animal (→ chat-huant, chevêche).

♦ Le mot désigne une espèce de rapace nocturne qui se distingue du hibou par l'absence d'aigrettes de plumes de chaque côté de la tête. L'expression ***vieille chouette*** (1885), à propos d'une femme âgée désagréable, semble inspirée du nom de *la Chouette*, horrible mégère, personnage d'un roman d'Eugène Sue, *Les Mystères de Paris*.

▸ L'adjectif familier ② **CHOUETTE** (v. 1825), «bon, agréable, parfait», est d'origine obscure. Ce pourrait être un emploi figuré du nom de l'oiseau qui passe traditionnellement pour un animal coquet (*Ma femme sera coincte et jolie comme une belle petite chouette*, 1546, chez Rabelais), comme l'italien *civetta* «chouette» et «coquette, femme légère» (XVe s.). P. Guiraud préfère y voir le dérivé de *choueter* «flatter, caresser», diminutif de *chouer* ancienne forme de *choyer**. Selon lui, la tradition de la chouette animal coquet ne reposerait que sur la proximité phonétique des deux mots.

◈ voir CHOUAN, CHOUCAS.

CHOUIA, CHOUÏA, CHOUYA adv. est emprunté (1866) à l'arabe maghrébin *šuya* «un peu», correspondant à l'arabe classique *šuwayya* de même sens, diminutif de *šay* «chose, quelque chose».

♦ Le mot a été introduit par les soldats français du Maghreb avec deux valeurs : la première, «doucement», réalisée en emploi interjectif (1866), voire exclamatif (1881) avec redoublement en *chouia-chouia* (1881), ne s'est pas maintenue. Celle de «petite quantité, un peu» (av. 1870), vivante dans l'usage familier, a donné lieu à un renversement de sens en «grosse quantité» (par réinterprétation de *petit chouia* «petite quantité»), dans la locution ***pas chouia*** «pas beaucoup».

CHOW-CHOW n. m. est emprunté (1933) à l'anglais *chow-chow* (1886), également abrégé en *chow* (1900 ; dès 1889, *chow-dog*). Ce mot est emprunté au pidgin-english (jargon anglo-chinois) où il désigne un chien domestique chinois également engraissé pour être mangé, désigné en chinois par une métonymie du nom du lieu dont il est originaire et, populairement, par une expression différente signifiant «poil mêlé, mélangé». Tel serait probablement le sens de *chow-chow*, attesté antérieurement en anglais comme adjectif (1845), au sens de «mélangé, mixte», et comme nom, au sens de «mélange, mixture» (1850).

♦ La race de chiens que le mot désigne fut introduite en Europe à la fin du XIXe siècle.

CHOYER v. tr., indirectement attesté par son composé *rechoier* (av. 1250), puis sous la forme *chuer* (1225-1230) avant *choyer* (1379), est d'origine incertaine : on a proposé un étymon gallo-roman °*cavicare*, °*caucare*, forme intensive du latin *cavere* «prendre garde, avoir soin de, veiller sur» (→ caution), mais il fait difficulté pour expliquer la forme *chuer*. On y a aussi vu une formation expressive obscure, ou un dérivé ancien *choe* «chouette», en raison de l'attitude maternelle de cet oiseau (→ chouette). P. Guiraud, partant des anciennes formes *suer, chuer, chouer*, a fait du mot le correspondant du wallon *chouer* «essuyer» qui vient du latin *exsucare* (→ essuyer) : une personne choyée serait littéralement une personne «essuyée», sens qu'il retrouve dans *chou** «gentil» et ② *chouette** «beau, bon».

♦ Le mot exprime le fait de caresser qqn, de l'entourer de soins attentifs. Par transposition au figuré, il correspond à «entretenir complaisamment (une idée, un état)» (1852).

◈ voir BICHONNER.

CHRÊME n. m. est la réfection savante (1541, *chresme*) de *cresme* (1130-1140), exceptionnellement noté *crisme* (1215). Le mot est issu du latin chrétien *chrisma* «onction postbaptismale, huile consacrée», avec *ĭ* bref (postulé par *cresme*), au lieu du *ī* long attendu, conformément à son étymon. *Chrisma* est emprunté au grec *khrisma* «onguent, parfum, onction», dérivé de *khrein* «frotter, oindre, enduire», mot d'origine obscure (les rapprochements avec des mots du domaine indoeuropéen sont vagues) dont plusieurs dérivés ont connu une grande extension dans le vocabulaire chrétien, d'abord en latin (→ chrétien, christ).

♦ Ce terme de liturgie, plus employé dans le syntagme *le saint chrême*, désigne l'huile consacrée dont l'emploi pour les onctions est caractéristique de certains sacrements.

▸ Les dérivés **CHRÉMEAU** n. m. (v. 1175) «bonnet dont on coiffe l'enfant baptisé», enregistré par Larousse en 1869 dans le cadre de la confirmation, et **CHRÉMATISÉ, ÉE** adj. (1913) sont strictement didactiques.

◈ voir CHRÉTIEN, CHRIST.

CHRÉTIEN, IENNE adj. et n. est l'adaptation, d'abord en *christian* (842), *cristiien* (881), *crestien* (1174-1187), du latin *christianus* (dès 64, sous Néron) «disciple du Christ», dérivé irrégulier de *Christus* «Christ», emprunté au grec *khristos* «oint» (→ christ).

♦ Le mot qualifie et désigne (1050) une personne qui professe la religion du Christ et qualifie ce qui est relatif au christianisme (881). Par extension, il a reçu la valeur générale de «homme, femme» (1174-1187).

▸ **CHRÉTIENTÉ** n. f., d'abord *christïentét* (1050) puis *crestïantez* (1165-1170), est dérivé de *chrétien* d'après le latin chrétien *christianitas* (IVe s.) «christianisme, ensemble des chrétiens». Le mot a progressivement cédé son sens à *christianisme*, pour désigner les nations chrétiennes (1165-1170) et, spécialement, une communauté chrétienne en pays non chrétien. ◆ **CHRÉTIENNEMENT** adv. (1546) a eu le sens figuré de «clairement» dans *parler (plus) chrétiennement* (1566).
Chrétien est entré en composition dans le nom d'une variété de poire, **BONCHRÉTIEN** (XVe s.), peut-être d'après le latin médiéval °*(poma) panchresta*, du grec *pankhrêstos* «(fruit) utile à tout», par confusion. ◇ Au XXe s. apparaissent les termes de politique **DÉMOCRATE-CHRÉTIEN, IENNE** adj. et n. (1901), **DÉMOCRATIE-CHRÉTIENNE** n. f. et **SOCIAL-CHRÉTIEN** adj. et n. (1945) [→ social à société].

◈ voir CHRIST, CHRISTIANISME, CRÉTIN.

CHRISME n. m. est l'adaptation (1819) du latin savant *chrismon* (1681), réfection hellénisante du latin médiéval *crismon* «monogramme du Christ» (v. 1050). Ce dernier est la contraction du bas latin *chresimon* (milieu VIe s., Cassiodore), littéralement «ce qui est utile, profitable», employé pour désigner un sigle formé d'un *khi* grec *(X)* surmonté d'un *rho* grec *(P)*, représenté ☧. Ce signe utilise les deux premières lettres de ce mot dans l'alphabet grec ; il se notait en marge d'un manuscrit pour signaler un passage remarquable. Le mot est emprunté au grec où il est le neutre substantivé de l'adjectif *khrêsimos* «utile, profitable» (encore en grec moderne), employé pour qualifier celui en qui ou ce en quoi on cherche et trouve secours. *Khrêsimos* appartient à un ensemble de mots reposant sur la base *khrês-* et concernant la prédiction (*krêsmos* «oracle», *khrêstês* «diseur d'oracles») et à des mots se rapportant à la notion d'«usage» (*khrêstos* «utile» d'où «excellent, de valeur»). Cette base est d'origine incertaine. On évoque parfois un rattachement à la racine du latin *hortari* (→ exhorter).

♦ Le mot désigne le monogramme du Christ, car il correspond aux deux premières lettres du nom grec du Christ (*X* et *P*).

▸ On a relevé le dérivé **CHRISMAL, ALE, AUX** adj. «marqué du chrisme» chez un écrivain de la fin du XIXe s. (1893). Il ne s'est pas répandu.

CHRIST n. m. est l'emploi comme nom commun (1680) du nom propre *Christ* (881), emprunté au latin *Christus* (dès 100, Tacite). Ce mot est emprunté au grec *Khristos* employé spécialement dans le Nouveau Testament comme titre décerné à Jésus en raison de son intronisation royale lors de sa résurrection (Ac, II, 36), puis chez les pères de l'Église comme nom propre (sans article). Le mot grec est un adjectif verbal signifiant «propre à l'onction», «oint», servant dans l'Ancien Testament à traduire l'hébreu *māšīaḥ* (→ messie) désignant le roi, oint de Yahvé et, en un sens prophétique, le roi idéal attendu dans l'avenir. Il est dérivé de *khriein* «frotter, enduire, oindre d'huile (après le bain, pour les funérailles, pour une consécration)» et, en parlant d'un objet, «teinter» (→ chrême). Ce mot est d'origine inconnue.

♦ Employé comme nom commun, *christ* désigne une représentation de Jésus-Christ en iconographie. Il est également employé, dans la tradition judaïque, en parlant d'un envoyé de Dieu oint pour sauver le peuple.

▶ De *christ* ont été dérivés quelques termes du vocabulaire didactique : **CHRISTOLOGIE** n. f. (1836), **CHRISTOPHANIE** n. f. (1845), **CHRISTOLÂTRIE** n. f. (1846, Proudhon), aujourd'hui quasi inusités, et **CHRISTIQUE** adj. (av. 1892), p.-ê. emprunté à l'anglais *christic* (1874).

ANTÉCHRIST n. m., d'abord *antecrist* (1085-1110), est emprunté au latin chrétien *antechristus*, réfection de *antichristus* (d'où la forme *antichrist*, chez Rabelais), par substitution de *ante* «avant» (→ anté-) à *anti* (→ anti-), le mot passant du sens «adversaire du Christ» à celui de «précurseur du Christ». Le latin traduit le grec *antikhristos*, employé au pluriel dans les Épîtres de Jean à propos des chrétiens qui se détachent de la communauté parce qu'ils se refusent à admettre la pleine divinité du Christ ou la réalité de son incarnation. Diverses représentations, de l'ancienne eschatologie juive à la pensée des pères de l'Église, ont modelé différents personnages mythiques d'antéchrists individuels, historiques (l'Empire romain). ◆ Le mot, d'abord relevé avec l'acception péjorative populaire de «méchant homme», est attesté parallèlement au XIIe s. avec ses acceptions didactiques «adversaire du Christ, apostat» (fin XIIe s.) et «esprit du mal devant apparaître à la fin des temps» (1170-1200).

◈ voir CHRÉTIEN, CHRISTIANISME.

CHRISTIANISME n. m., attesté en ancien limousin sous la forme *crestianesme* (v. 1250) correspondant à un ancien français °*crestianisme*, a été repris au XVIe s. (attesté 1585) sous la graphie savante moderne. Il est emprunté au latin chrétien *christianismus* qui est pris au grec *khristianismos* (v. 250, Clément d'Alexandrie) «religion chrétienne fondée sur la personne et la parole de Jésus-Christ», de *khristianos* (→ chrétien).

♦ Le mot, repris avec le sens du mot latin, a produit l'antonyme **ANTICHRISTIANISME** n. m. (1593) «attitude hostile au christianisme».

▶ **CHRISTIANISER** v. tr. est emprunté (1575) au latin chrétien *christianizare* «professer la religion chrétienne, être chrétien», verbe intransitif dérivé de *christianus* (→ chrétien). ◆ Introduit au XVIe s. au sens intransitif de «devenir chrétien, pratiquer le christianisme», le mot s'est immédiatement converti au sens transitif moderne de «rendre chrétien» (1588).

Christianiser a produit très tard **CHRISTIANISATION** n. f. (1843), dont le correspondant anglais *christianization* est attesté en 1833. ◆ En revanche, son antonyme **DÉCHRISTIANISER** v. tr. a une longue histoire. Formé sur le radical *christian-* de *chrétien** et attesté sous la forme *descristianes* en 1174, il a été réintroduit sous sa forme actuelle pendant la Révolution française (1792), en pleine Terreur, dans le contexte de la lutte contre la religion de l'Ancien Régime. ◇ Après une longue éclipse, le verbe connaît un regain de faveur avec ses dérivés **DÉCHRISTIANISATION** n. f. (1876) et **DÉCHRISTIANISATEUR, TRICE** n. (1907).

✳ **CHROME** n. m., d'abord écrit *crome* (1562), est emprunté, par l'intermédiaire du latin *chroma*, au grec *khrôma* «couleur du corps», «couleur» en général, puis aussi spécialement «couleur du style, figure» en rhétorique, et «modulation, mélodie, air», «composition musicale où l'on procède par demi-tons». *Khrôma* est dérivé de *khrôs* «surface du corps humain, peau, chair» et, par métonymie, «teint, carnation» et «couleur»; le mot est d'origine inconnue.

♦ Les deux sens techniques du grec repris successivement, «dièse» en musique (cf. *chromatique*), puis «figure de rhétorique» (1753), ne se sont pas maintenus. ◇ Le mot s'est implanté en chimie à partir de 1797, proposé par Haüy comme dénomination d'un métal blanc grisâtre, brillant et dur. Par métonymie, il s'est répandu dans l'usage au XXe s. avec le sens d'«accessoire en métal chromé» *(les chromes d'une voiture)*.

▶ *Chrome* a produit quelques termes de chimie tels **CHROMIQUE** adj. (1797) et **CHROMATE** n. m. (1797), d'où **CHROMATÉ, ÉE** adj. (1808), et le verbe **CHROMER** v. tr. (1927) «recouvrir d'une couche de chrome», «tanner aux sels de chrome», dont sont dérivés **CHROMISATION** n. f. (1924) et **CHROMAGE** n. m. (1927), mots techniques, à la différence de **CHROMÉ, ÉE** adj., usuel. ◆ Le grec *khrôma* a fourni avec **CHROMO-**, **-CHROME**, **-CHROMIE**, qui concernent la notion de couleur, des éléments de composés savants, tels **CHROMOLITHOGRAPHIE** n. f. (1837), abrégé en **CHROMO** (1872, abusivement au masculin), répandu pour «image en couleurs d'un goût populaire, naïf».

Les termes du vocabulaire musical **CHROMATIQUE** adj. (v. 1360) «qui procède par demi-tons successifs» et ① **CHROMATISME** n. m. (1899) sont empruntés à des dérivés de *khrôma* au sens spécialisé de «ton musical», «genre de composition où l'on procède par demi-tons». ◇ Dans le même sémantisme, des composés ont été formés, tels **ACHROMATIQUE** adj. (1764), qui qualifie un système optique dont la réponse est indépendante des radiations incidentes et aussi (1898) une formation biologique rebelle à la coloration, **ACHROMATISME** n. m. (1816) «état d'un système optique achromatique», **ACHROMATOPSIE** n. f. (1845; de *-opsie*) «non perception des couleurs»; **DICHROÏSME** n. m. (1821, écrit *dy-*) et **DICHROÏQUE** adj. (1858) qui caractérisent les substances à coloration variable selon les conditions d'observation; **MONOCHROMATIQUE** adj. (1838) «d'une seule fréquence de radiation», scientifisation de **MONOCHROME** adj. (1765) emprunt au grec *monokhromos* «d'une seule couleur»; **PANCHROMATIQUE** adj. (1896), mot de photographie, «sensible à toutes les couleurs du spectre», abrégé en **PANCHRO** adj. (1955).

Un homonyme ② **CHROMATISME** n. m. a été emprunté dans le domaine médical (1829) au grec *khrômatismos* «action de colorer». Il s'est répandu en optique et en peinture.

CHROMOSOME n. m. (fin XIXe s.) est un emprunt à une formation scientifique allemande (par Waldeyer en 1888), tiré du grec *khrômo-* et *-sôma* «corps» (→ soma), les chromosomes, supports des gènes, absorbant électivement certaines matières colorantes. ◇ Le mot a produit **CHROMOSOMIQUE** adj. (1931), plus rarement doublé par **CHROMOSOMIEN, IENNE** adj. ◇ De nos jours, le sens scientifique de *chromosome* n'est plus lié à la notion de couleur, pas plus que *chrome* en chimie ou que la récente **CHROMODYNAMIQUE** n. f., emprunt à l'anglais où *color* «couleur» représente un caractère arbitrairement désigné des constituants ultimes de la matière.

CHRONIQUE n. f. est la réfection savante, d'après le latin (1536), des formes *queronique* (1213, peut-être 1138), *cronike* (1243), empruntées au latin *chronica*. Celui-ci est emprunté au grec *khronika* «annales, recueils de faits historiques présentés chronologiquement», forme de neutre pluriel de l'adjectif *khronikos* substantivé par ellipse d'un nom comme *biblia* «les livres» (→ biblio-). Ce mot, «qui concerne le temps ou une période de temps», est dérivé de *khronos* «temps» (→ chrono-).

♦ Ce nom, employé à la fois au singulier et au pluriel (ce dernier étant un rappel de son ancien statut de pluriel en grec et en latin), désigne un type de recueil de faits historiques rapportés dans l'ordre de leur succession (cf. *mémoires*, avec une nuance différente). La *chronique* est par excellence la forme de l'histoire pour le moyen âge, d'abord écrite en latin, puis en langue vulgaire, vers ou prose. Après la première d'entre elles, qui porte seulement le titre *Estoire des Angles* (1138-1140) «Histoire des Anglais», elles se multiplient à partir des XIIe-XIIIe s. (Robert de Clari, Geoffroy de Villehardouin, Joinville, Froissart) pour décliner au XVe s., époque à laquelle Commynes dit faire œuvre de mémorialiste (→ mémoires), anticipant sur l'avènement de l'esprit critique et de l'histoire au XVIe siècle. ◇ Au XVIIe s., le mot prend un sens élargi, «ensemble de nouvelles vraies ou fausses qui se propagent en général oralement» dans *chronique scandaleuse* (1690). Ce sens, orienté vers la médisance, le ragot, est entré dans la phraséologie courante avec l'expression ***défrayer la chronique.*** ◇ C'est seulement au XIXe s. que *chronique* commence à s'appliquer à un article de journal (1812), — puis, au XXe s., à une émission de radio, de télévision — consacrée à certaines nouvelles (*chronique littéraire* 1834, *théâtrale, politique*) et à leur commentaire.

► **CHRONIQUER** v. intr. (v. 1350) a suivi les étapes de l'évolution de *chronique* : le sens de «rédiger sous forme de chronique» a été éliminé par le sens mondain de «écrire, publier des nouvelles défavorables sur qqn» (XVIe s.), à son tour rendu archaïque et supplanté par une autre acception : «écrire des chroniques pour un journal» (1874). ➛ **CHRONIQUEUR, EUSE** n. (XIVe s.), dérivé du verbe, a suivi la même évolution sémantique depuis «auteur d'une chronique historique» jusqu'à son sens actuel en journalisme (1811).

CHRONIQUE adj. est emprunté (1314) au bas latin *chronicus*, spécialisé dans le vocabulaire médical (par exemple *ulcère chronique*), du grec *khronikos*. Par extension, il est employé dans un contexte fâcheux, avec une idée de longue durée (*chômage chronique*). ➛ En sont tirés **CHRONIQUEMENT** adv. (1835 ; XIVe s., en astronomie) et le terme didactique **CHRONICITÉ** n. f. (1835), en médecine.

◈ voir **ANACHRONISME, CHRONO-, SYNCHRONE.**

CHRONO- est un élément préfixant tiré du grec *khronos* «temps» (par opposition à *kairos*, qui marque l'instant précis, délimité, et à *aiôn*, l'éternité). Défini par Platon comme «une représentation mobile de l'éternité», le *khronos* est en outre mesurable et divisible ; déterminé, il désigne usuellement le temps qui s'écoule, une durée définie, tout laps de temps, et s'emploie aussi comme nom d'unité rythmique, notamment au pluriel, dans le domaine musical et métrique. Il subsiste en grec moderne au pluriel neutre *khronia* avec le sens d'«années». L'étymologie est inconnue, malgré diverses tentatives de rattachement à l'une ou l'autre des racines indoeuropéennes °*gher-* «saisir, tenir, contenir», ou l'hypothèse d'un rapprochement avec le terme avestique *zrvan-* «temps, durée».

♦ En français, *chrono-* est essentiellement employé pour former des adjectifs et substantifs relevant du domaine scientifique. En histoire naturelle, il a surtout été vivant au XIXe siècle ; en revanche, il conserve au XXe s. sa vitalité en médecine, physique et technique, en relation avec les progrès effectués dans la mesure du temps, et, en psychologie, avec ceux d'une meilleure connaissance des affections mentales dans lesquelles la notion de temps joue un rôle.

► *-chrone* fonctionne aussi comme base nominale d'un certain nombre de composés du type *synchrone** adj., base elle-même élargie ou suivie d'un suffixe (*-ie, -ique, -isme*) ; elle est souvent précédée d'un préfixe ou d'un élément préfixal tiré du grec (préposition, préfixe, adjectif, verbe).

Parmi les composés passés dans l'usage, **CHRONOMÈTRE** n. m. (1701), ancien terme de musique supplanté par *métronome*, s'est spécialisé (1753) en horlogerie pour désigner un appareil servant à mesurer le temps avec exactitude. Le mot est devenu usuel, abrégé familièrement en **CHRONO** (1937), surtout dans le langage sportif où il prend aussi le sens de «temps chronométré» et, couramment, dans des expressions du type *n (km/h)chrono*, en parlant d'une vitesse mesurée grâce au chronomètre. ➛ Il a produit **CHRONOMÉTRER** v. tr. (1896) — d'où sont issus **CHRONOMÉTRAGE** n. m. (1907), **CHRONOMÉTREUR, EUSE** n. (1892) — et **CHRONOMÉTRIE** n. f. (1899), «fabrique de chronomètres». Ce dernier a été formé didactiquement avec les éléments *chrono-* et *-métrie** dès 1838 avec le sens de «science de la mesure du temps».

CHRONOLOGIE n. f. (1579) a d'abord été formé en latin du XVIe s. (*chronologia*, 1532) avec les éléments *chrono-* et *-logia* (→ -logie). Le sens de «historiographie procédant selon l'ordre d'apparition historique des événements» est sorti de l'usage au XVIIIe s. au profit du sens spécialisé de «science auxiliaire de l'histoire qui établit les dates des événements» (1680). Par extension, le mot recouvre simplement la date et l'ordre des événements (1803) et, par métonymie, un ensemble d'activités accomplies ou à accomplir dans un laps de temps déterminé (1820, Michelet). ➛ Le radical de *chronologie* a immédiatement produit **CHRONOLOGISTE** n. m. (1560), ancien synonyme de *historien, chroniqueur,* passé au sens d'«historien s'occupant de l'étude de la chronologie» (1637). ◇ Un concurrent **CHRONOLOGUE** n. m. (1605) se rencontre exceptionnellement. ➛ **CHRONOLOGIQUE** adj. (1584, *histoire chronologique*), devenu usuel au sens d'«inscrit dans un temps mesurable, dans une successivité», a donné ultérieurement **CHRONOLOGIQUEMENT** adv. (1829, Cousin).

◈ voir **ANACHRONISME, CHRONIQUE, SYNCHRONE.**

CHRYSALIDE n. f. est emprunté (1593) au latin impérial *chrysalis, -idis,* transcription du grec *khrusallis* «chrysalide» et aussi «hanneton». Ce mot est dérivé, par allusion aux reflets dorés de certaines nymphes, de *khrusos* «or». Ce dernier, employé comme premier élément de nombreux composés, est un emprunt au sémitique (akkadien *ḫurāṣu,* ougarien *ḥrṣ,* hébreu *ḥārus*), le phénicien *ḥrṣ* étant le modèle le plus vraisemblable. L'indoeuropéen a dû avoir pour l'or un nom ancien, représenté dans le latin *aurum* (→ or), mais remplacé par des formes issues de la racine °*ghel-* «avoir un éclat jaune» (→ chlore, colère) sur une grande partie du domaine.

♦ Le mot désigne la nymphe des lépidoptères dont l'état est intermédiaire entre celui de chenille et celui de papillon. Il est employé par métonymie pour l'enveloppe de la nymphe (1701) et, par métaphore, en parlant du développement d'un jeune adulte (1866) ***(sortir de sa chrysalide).***

◈ voir **CHRYSANTHÈME.**

CHRYSANTHÈME n. m. est l'emprunt, sous la forme *chrysantemon* (1543) adaptée ultérieurement en *chrysanthème* (1755), du latin impérial *chrysanthemum,* qui transcrit le grec *khrusanthemon.* Celui-ci, littéralement «fleur d'or», est composé de *khrusos* «or» (→ chrysalide) et d'*anthemon* «fleur», formation parallèle à *anthos* (→ anthologie), les premiers spécimens connus de cette fleur étant jaunes.

♦ Le mot désigne une plante ornementale (Composacées), ainsi que sa fleur, à pétales rayonnants. Cette disposition a fait du chrysanthème le symbole solaire de la maison impériale japonaise, associé au Japon, comme en Chine, aux notions de plénitude et d'immortalité.

CHTONIEN, IENNE adj. est dérivé savamment (1819) du radical du grec *khthonios* «souterrain», surtout employé dans une acception religieuse et presque uniquement dans la langue poétique. Le mot est dérivé de *khthôn,* nom archaïque de la terre et de sa surface, anciennement senti comme la face extérieure du monde des puissances souterraines et des morts et, par là, comme ce monde, lui-même opposé au ciel. Ce mot, presque toujours poétique, repose sur un ancien thème en °*m-* et correspond au sanskrit *ḳsámyaḥ* «terrestre», au gallois *dyn* «homme» et, avec une dérivation en *l,* au latin *humilis,* de *humus* «terre» (→ humus).

♦ Le mot s'emploie pour qualifier les divinités infernales d'origine souterraine dans la mythologie grecque (par opposition à *ouranien**).

◈ voir **AUTOCHTONE.**

CHUCHOTER v. est une variante (enregistrée par Cotgrave en 1611) du plus ancien *chucheter* v. intr. (XIVe s.) qui, supplanté au sens de «parler à voix basse», s'est maintenu pour exprimer le cri du moineau (1752). Ce verbe est formé sur l'onomatopée *chu-* suggérant un murmure, un sifflement assourdi (→ chuinter, chut).

♦ *Chuchoter,* rare avant le début du XVIIIe s. (1718), revêt parfois, comme d'autres verbes de parole (cf. *bavarder, jaser,* etc.) une connotation péjorative de médisance et s'emploie, par analogie, au sens de «bruire indistinctement».

► La dérivation apparaît au XVIIIe s. avec **CHUCHOTEUR, EUSE** n. et adj. (1718), variante du plus ancien *chucheteur* (1690), **CHUCHOTERIE** n. f. (1718), **CHUCHOTEMENT** n. m. (1759) et **CHUCHOTAGE** n. m. (1782); seul *chuchotement* étant courant. ◇ **CHUCHOTIS** n. m. a été formé ultérieurement (1895) sur le modèle de *gazouillis.*

CHUINTER v. intr. est une formation expressive sur la base onomatopéique *chu-* suggérant un murmure, un sifflement assourdi (→ chuchoter, chut). Le mot semble introduit par Court de Gébelin : «Ce mot, inconnu jusqu'à nous, peint si parfaitement la prononciation du *ch,* que nous n'avons pu nous refuser à en enrichir la langue» (1776).

♦ *Chuinter* est employé à propos de la chouette qui pousse son cri, de la parole humaine et de choses (liquides, gaz, par exemple).

► En sont dérivés **CHUINTANT, ANTE** adj. (1819), surtout utilisé en phonétique pour qualifier certaines consonnes, et **CHUINTEMENT** n. m. (1873).

CHUT interj. est une formation onomatopéique (v. 1100) à partir d'une base *chu-* qui se retrouve dans plusieurs mots suggérant un murmure ou un sifflement assourdi (→ chuchoter, chuinter).

♦ Après une première attestation dans les *Gloses de Raschi,* le mot n'est relevé qu'au XVIe siècle.

► Son dérivé **CHUTER** v. (1834), «crier, faire chut» et, transitivement, «accueillir par des chuts», n'a pas eu de succès, sans doute à cause de l'homonymie avec le dérivé de *chute* (→ choir).

CHUTE → **CHOIR**

CHUTNEY n. m. est emprunté (1964) à l'anglais *chutney,* également *chutnee,* d'abord *chatna* (1813) qui est une adaptation du hindi *chatni* «condiment constitué d'une sorte de confiture de fruits, d'herbes, de piments et d'épices».

♦ Le mot s'est peu répandu en dehors du cercle des voyageurs, puis des amateurs de cuisine indienne qui utilisent ce condiment. Dans ce domaine, il a été réemprunté à l'anglais, les restaurants indiens de Londres ayant été les premiers en Europe.

CHYLE n. m. (*chile*, v. 1360) est emprunté au latin médical *chylus*, pris au grec *khulos* «jus», «sève», «suc», de même origine que *khumos* → chyme, probablement du verbe *khêo* «je verse».

♦ Le mot, d'après la valeur prise par le mot grec chez Galien, désigne le liquide résultant de la transformation des aliments dans l'intestin, et absorbé par les vaisseaux lymphatiques.

▶ Il a pour dérivés **CHYLEUX, EUSE** adj. (1546), **CHYLIFÈRE** adj. (1665) qualifiant les vaisseaux lymphatiques transportant le chyle, et **CHYLIFICATION** n. f. (attesté 1932) «formation du chyle».

CHYME n. m., une première fois *chime* (XVe s.) puis *chyme* (1559), est emprunté au bas latin médical *chymus* «suc de l'estomac» (IIIe s., Serenus Sammonicus). Lui-même est emprunté au grec *khumos* «suc», mot valant pour les sucs des végétaux et surtout des animaux (→ chyle), et pour «humeur» (→ cacochyme).

♦ Après une attestation isolée au sens de «suc d'un fruit», le mot a été réintroduit avec son sens technique de «bouillie produite par la première élaboration des aliments dans l'estomac», en physiologie (1559).

① **CI** adv. est issu (Xe s.) du latin *ecce* («voici») *hic* («ici»).

♦ Employé en droit pour *ici*, par ex. dans *ci-gît* (v. 1170) [→ gésir], *ci* a eu la valeur temporelle de «maintenant» (mil. XIIe s.), disparue au XVIIIe s. ◇ Le mot a survécu comme particule devant quelques prépositions (*après*, v. 1170 ; *contre* XVIIe s.) et devant des participes passés (*cy inclus*, *cy joint*, 1690). ◇ L'emploi substantif (*une ci*, *une ça*, 1844, Sue) est très familier.

◈ voir DEVANT, SOUS (DESSOUS).

② **CI** correspond à *ceci*, mais vient peut-être de *ça* par changement vocalique (cf. *ceci cela*).

◈ voir ① CE (CECI et ÇA).

CIAO interj. Emprunt (v. 1950) à l'italien du Nord, du vénitien *sc'iao* pour *sciavo* «esclave», employé comme *serviteur* l'est en français. ◇ La variante **TCHAO** (*chao*, Camus 1957) est phonétique.

♦ Le mot, qui semble venir d'un argot, s'est répandu pour *salut !* (de départ).

CIBISTE → CITÉ

CIBLE n. f., d'abord *sible* (1671) puis *cible* (1693), est emprunté au suisse romand *schibe* (1434, ancien fribourgeois) et *siba* (1476, ancien fribourgeois) «but pour le tir à l'arc». Ce mot est l'adaptation de l'alémanique *schîbe*, correspondant à l'allemand *Scheibe* «disque, carreau» et «cible», ancien haut allemand *sciba*, moyen haut allemand *schībe* et moyen bas allemand *schīve*. La série est à rattacher à un groupe appartenant à une racine germanique °*skĕi-* «couper, tailler». Le type français présente un *l* parasite et le type *cibe*, noté par Boiste, ne s'est pas imposé.

♦ Le mot est parvenu dans le lyonnais en raison du renom des fêtes de tir suisses ou à la faveur de fêtes données en commun par des villes suisses et françaises et, de là, s'est répandu en français. Il est aussi employé au figuré (av. 1850, Balzac) dans quelques expressions du type ***servir de cible, être la cible de.*** ◇ Plus récemment, il est entré dans le vocabulaire de la physique et dans le langage publicitaire au sens d'«objectif visé, partie du public à atteindre». En traduction, on appelle *langue cible*, d'après l'anglais *target language*, la langue dans laquelle un texte doit être traduit.

▶ **CIBARRE** n. m. «marqueur à la cible» (1728), formé sur l'ancienne forme *cibe* avec un suffixe patois, et **CIBLERIE** n. f. (1866) «emplacement pour les cibles», «abri pour les marqueurs», ne sont guère usités, sinon régionalement. ◆ Le dérivé le plus vivant de *cible* est **CIBLER** v. tr. (1896), proprement «viser comme sur une cible», repris dans le langage des publicitaires (v. 1970) et très employé au participe passé adjectivé : *publicité bien, mal ciblée*, ainsi que le dérivé **CIBLAGE** n. m.

CIBOIRE n. m., d'abord *civoire* (v. 1160), refait savamment en *ciboire* (1288), est emprunté au latin *ciborium* «coupe ayant la forme d'une gousse de la fève d'Égypte», employé spécialement dans la langue de l'Église chrétienne au sens de «dais surmontant l'autel d'une basilique ou la sépulture d'un saint». *Ciborium* est emprunté au grec *kibôrion* «péricarpe, fleur ou fruit du nénuphar égyptien», d'où «coupe» et «tombe» (grec moderne *kibouri*), emprunt probable à un mot égyptien.

♦ Le mot a été repris comme terme d'archéologie chrétienne au sens du latin ecclésiastique. Ce sens, dont l'ancien français avait tiré, par extension, celui de «voûte, toiture voûtée» (v. 1160), a été repris par le type savant **CIBORIUM** au XIXe s. (v. 1850). ◇ *Ciboire* n'a gardé que l'acception seconde de «vase liturgique en forme de calice couvert, renfermant l'eucharistie» (1382). ◇ Le mot a servi en français québécois dans le riche répertoire des «sacres», comme *tabernacle* ou *hostie*.

CIBOULE n. f., d'abord *cibole* en ancien picard (v. 1230), est emprunté au provençal *cebula* (av. 1350), lui-même issu du bas latin *caepulla*, *cepulla*, diminutif de *caepa* «oignon» (→ cive, art. civet).

♦ D'abord attesté en picard au sens analogique de «partie renflée d'une massue», le mot désigne une plante servant de condiment (1288). Par analogie avec la forme du bulbe de la plante, il est passé en argot et de là dans le langage familier au sens de «tête» (1867), sans réussir à s'implanter, alors que le dérivé *ciboulot* accaparait cette valeur.

▶ **CIBOULETTE** n. f. (1486, *ciboulete*) désigne une plante voisine de la ciboule. En français central, il est plus usuel que *ciboule*. ◆ **CIBOULOT** n. m., autre diminutif de *ciboule* (1883), a été formé avec le sens analogique de «tête» en argot, puis dans l'usage familier, probablement sous l'influence de *boule*;* il a supplanté *ciboule* au même sens.

◈ voir **CHIPOLATA.**

CICATRICE n. f. est emprunté (1314) au latin *cicatrix* (depuis Plaute) de sens physique et moral, d'étymologie inconnue.

♦ Le mot désigne la marque laissée par une blessure puis aussi, au figuré, la trace causée par une souffrance morale, un dégât (1585). Le sens physique a donné des emplois techniques en botanique et en géologie.

▸ Le seul dérivé direct est **CICATRICIEL, IELLE** adj. (1845), terme du langage médical.

CICATRISER v. est emprunté (1314) au latin médiéval *cicatrizare* (XIIe s.) de *cicatrix;* il a produit **CICATRISATION** n. f. (1314), **CICATRISABLE** adj. (1845; une fois au XVe s.) d'où **INCICATRISABLE** adj. (1771), et **CICATRISANT, ANTE** adj. (XVe s.).

CICATRICULE n. f., emprunt (1501) au latin *cicatricula,* diminutif de *cicatrix,* a eu le sens propre de «petite cicatrice». Il a été repris en biologie (1743) comme dénomination du disque germinatif de l'œuf.

CICERONE n. m. est emprunté (1739) à l'italien *cicerone* «guide appointé pour présenter les particularités touristiques d'un site» (XVIIIe s.), emploi par antonomase de *Cicerone,* du nom du grand orateur latin Marcus Tullius *Cicero,* par allusion plaisante à la verbosité des guides romains. Le nom de l'orateur latin est un sobriquet tiré de *cicer* «pois chiche» (→ ② chiche).

♦ Le mot est passé en français avec les *Lettres familières sur l'Italie,* du président De Brosses qui emploie le pluriel italien *ciceroni* (aujourd'hui francisé en *cicerones, cicérones*) et le singulier *cicerone* dans la locution ***faire le cicerone.*** Le sens propre, également réalisé au XVIIIe s. par la forme française *cicéron* (Voltaire), tend à vieillir.

▸ Le nom de l'orateur latin *Cicéron* a donné lieu à un emploi plaisant au sens d'«orateur éloquent» (1792), dans la rhétorique révolutionnaire, puis chez des écrivains comme Queneau. ◆ Les dérivés stylistiques **CICÉRONAGE** n. m. «propos grandiloquents» (1855, Goncourt), **CICÉRONNERIE** n. f., **CICÉRONISER** v. intr. (1908) et **CICÉRONER** v. intr. (1867, Goncourt) sont à peu près inusités.

CICUTAIRE, CICUTINE → CIGUË

-CIDE, élément final, est emprunté au latin *-cida* (nom d'agent) et *-cidum* nom d'action, de la racine verbale *caedere* «tuer» → par ex. occire.

◈ voir ① et ② **FRATRICIDE, HOMICIDE, INFANTICIDE, INSECTICIDE (à INSECTE), PARRICIDE, PESTICIDE, RÉGICIDE, SUICIDE.**

CIDRE n. m., d'abord *sizre* (v. 1120) puis *cidre* (1130-1140), est issu du latin chrétien de la Vulgate (et des auteurs chrétiens) *sicera* «boisson fermentée» (en grec, parallèlement, *sikera*), transcription de l'hébreu *šēkār* «liqueur empoisonnante, liqueur forte» (Ancien Testament). Ce mot est dérivé du verbe *šākar* «boire à l'excès jusqu'au malaise». La forme *sicera* a dû être altérée en °*cisera* comme l'indique l'attestation de *cisera* en latin médiéval au XIIe siècle; le développement du *d* est un phénomène phonétique analogue à l'évolution menant de *Lazarus* à *ladre**.

♦ Le sens biblique, «liqueur forte», reste limité aux traductions de la Bible. Dès le XIIe s., le mot est relevé au sens spécialisé de «boisson fermentée faite avec du jus de pommes» (1130-1140) qui a dû se développer en Basse-Normandie (vallées de Risle et de la Touque) et, de là, gagner toute la France. Cependant, la vogue de la boisson ne semble pas s'être répandue immédiatement. Par extension, *cidre* a désigné des boissons faites avec le jus fermenté d'autres fruits (poires, 1575) ; cf. *poiré.*

CIEL, CIEUX ou **CIELS** n. m. est hérité (v. 881) du latin *caelum* (écrit à basse époque *celum, coelum*) «voûte céleste, séjour de la divinité» et, techniquement, «voûte, voussure». L'origine du mot est incertaine; on évoque un rattachement à *caedere* «couper» (→ césure), le ciel étant «découpé» en régions qu'observe la science des augures ou en zones que parcourent les astres. Le développement du pluriel *caeli,* d'origines biblique et chrétienne (rare auparavant), est fait sur l'hébreu *chamayîm* (pl.); cf. le pluriel du grec *ouranos* (→ ouranien).

♦ Les trois sens du latin — «séjour de la divinité», «voûte céleste» et «plafond» — ont été repris en français. Le premier l'a été dans une perspective chrétienne, désignant, au singulier, et au pluriel *cieux,* le lieu de séjour de Dieu et des âmes après la mort, par opposition à *terre* ou à *enfer* (cf. *terre, enfer*). Il en est sorti, par métonymie, le sens de «divinité» réalisé depuis l'époque classique dans l'interjection **ciel!** (1604), ***juste ciel!,*** diverses formules de politesse, souhait et supplication et quelques locutions ***(aide-toi, le ciel t'aidera).*** ◇ Depuis 1050, le mot possède aussi le sens latin de «voûte céleste», à la fois dans une perspective cosmique, astrologique et au sens courant de «partie du ciel visible, limitée par l'horizon». Il est diversement qualifié selon son aspect météorologique *(ciel bas, lourd, serein)* et a fourni l'adjectif de couleur *bleu ciel* (1844) par allusion à la couleur pâle d'un ciel dégagé. Avec ce sens, il entre dans de nombreuses locutions où la référence atmosphérique n'est pas toujours affranchie de connotations cosmologiques et religieuses (ambiguïté que ne connaît pas l'anglais avec ses deux noms : *sky, heaven*). ◇ Enfin, *ciel* est passé par analogie — et peut-être par réemprunt au latin — dans le vocabulaire technique, désignant le châssis au-dessus d'un lit à baldaquin (apr. 1350, d'une table) et la voûte d'une carrière (1676, *les ciels d'une carrière*), spécialement dans l'expression *carrière à ciel ouvert,* d'où est tirée la locution courante ***à ciel ouvert.***

▸ *Ciel* entre dans le composé *arc-en-ciel* (→ arc), qui a remplacé l'ancien type *arc del ciel* (1150-1170).

◈ voir **CÉLESTE.**

CIERGE n. m., d'abord *cirge* (v. 1119) puis *cierge* (v. 1165), est hérité du latin *cereus* «bougie», forme masculine substantivée de l'adjectif *cereus* «de cire», dérivé de *cera* (→ cire). Demeuré en contact avec le latin liturgique, le mot français présente un développement phonétique particulier, peut-être à rapprocher de *vierge**.

♦ Le mot désigne une chandelle de cire de forme effilée utilisée dans les cérémonies et les rites chrétiens. ◇ Par analogie de forme, il est passé en botanique comme dénomination d'une plante d'Amérique tropicale, cactée dont la tige anguleuse peut atteindre quinze mètres (1694).

▸ **CIERGIER** n. m., d'abord *siergier* (1480) puis *ciergier* (1495-1496) «marchand, fabricant de cierges», est un mot technique.

CIGALE n. f., d'abord *sigalle* (v. 1450) puis *cigale* (XVIe s.), est emprunté au provençal *cigala* (av. 1250, *singala;* 1470, *cigala*), de même sens. Ce mot est issu, avec un changement de suffixe mal éclairci, du latin impérial *cicada,* mot d'origine méditerranéenne que l'on explique par l'onomatopée du bruissement de l'insecte.

♦ Nom d'un insecte méditerranéen, le mot a pris le sens figuré de «personne imprévoyante», d'après la fable de La Fontaine *la Cigale et la Fourmi.* Le type de la cigale créé par le poète est à rapprocher de l'emploi du mot au sens figuré de «mauvais poète» (av. 1613)et de la locution péjorative ***ferrer les cigales***«perdre son temps en futilités» (XVIe s., Rabelais).

▸ **CIGALON** n. m. (XVIe s.) «petit de la cigale» connote un usage régional (provençal), ainsi que **CIGALIÈRE** n. f. (1876) «lieu inculte où abondent les cigales».

◈ voir peut-être **CIGARE.**

CIGARE n. m., donné sous la forme exotique *cigarro* (1688, dans le contexte de Cuba) puis francisé en *cigare* (1770), est emprunté à l'espagnol *cigarro* (v. 1610) «petit cylindre de feuilles de tabac», d'origine incertaine. Le mot est soit emprunté au maya *zicar* «fumer», soit tiré, avec passage au masculin, de *cigarra* «cigale» (→ cigale) par analogie de forme et de couleur; en faveur de cette seconde hypothèse, on évoque la forme *cigale* (pour *cigâre*), attestée entre 1722 et 1771. *Cigare* a parfois été féminin (Chateaubriand), notamment dans le sud-est de la France.

♦ Le mot désigne un petit cylindre formé de feuilles de tabac enroulées autour d'autres feuilles, entières ou en morceaux, grossièrement hachées. Par analogie, il désigne en pharmacie des cylindres de feuilles de belladone ou d'eucalyptus.

▸ **CIGARETTE** n. f. (1830), dérivé diminutif de *cigare,* a supplanté *cigarito* et *cigarret;* d'abord employé avec un sens qui semble être «étui à cigares» (1830), il désigne ensuite (1831, Balzac) un petit cigare cylindrique (qui sera appelé plus tard *cigarillo*) dans le contexte de l'Amérique latine. Le mot, d'abord rare, se diffuse entre 1840 et 1860 avec la fabrication des petits cylindres de tabac haché, enfermés dans une feuille de papier mince, roulés à la main ou fabriqués industriellement. Ce mode de consommation du tabac fumé étant devenu le plus usuel, le mot, devenu plus fréquent que *cigare,* donne lieu à divers syntagmes *(cigarette blonde, brune, anglaise, américaine, à filtre...; paquet, cartouche de cigarettes...)* et à de nombreux synonymes populaires (**CIBICHE** n. f. [1881, *sibiche* 1879] par apocope de *cigarette, clope**...). ◆ **CIGARIÈRE** n. f. (1869) désigne l'ouvrière qui fabrique les cigares.

CIGARILLO n. m., d'abord *cigarille* (1866) puis *cigarillo* (1929), est emprunté à l'espagnol *cigarrillo* «petit cigare» (fin XVIIIe s.), diminutif de *cigarro.*

CIGOGNE n. f. est emprunté (v. 1100) à l'ancien provençal *cegonha* avec influence du latin *ciconia* désignant l'oiseau et, par analogie de forme, un appareil à puiser l'eau, fait d'une longue perche montée sur pivot. Le mot latin est d'étymologie incertaine, peut-être emprunté à une langue méditerranéenne ou à l'étrusque, peut-être à rapprocher du groupe de *canere* (→ chanter) qui a donné en allemand le nom du coq *(Hahn). Cigogne* a évincé l'ancien français *soigne* (d'abord °*ceoigne*) représentant populaire du latin.

♦ Le sens technique analogique de «tuyau de cuir pour tirer l'eau du puits» et le sens courant du mot, «oiseau échassier au bec rouge et droit» (1113), sont apparus en même temps. On notera que l'importance culturelle de l'oiseau — notamment en Alsace — est plus grande, par les légendes et récits (il est censé, dans les contes pour enfants, apporter les bébés à leurs parents), que sa réalité objective en Europe francophone, alors qu'il est très courant au Maghreb.

▸ De *cigogne* est dérivé **CIGOGNEAU** n. m. «petit de la cigogne» (1555), antérieurement *cegnoignal* (1174-1178), demeuré rare.

Le radical du latin *ciconia* a servi à former le terme de classification zoologique **CICONIIDÉE** n. m. pl. qui a succédé à *ciconinés* (1846).

◈ voir **GIGOGNE.**

CIGUË n. f., d'abord *ceguë* (v. 1210), puis *siguë* (v. 1265) et enfin *ciguë* (1611), est la réfection semi-savante, d'après le latin, de l'ancien français *cëue* (1180-1190), conservé dans le normand *chue.* Ce mot est issu par évolution phonétique du latin *cicuta,* de même sens, d'origine incertaine (le mot grec est *kôneion*). Ernout-Meillet observent une constellation de noms d'espèces végétales et animales, renfermant une cellule *k-voyelle-k* à l'initiale : *cicada* (→ cigale), *ciconia* (→ cigogne), *cucumis* «concombre», *cicer* «pois chiche» (→ ② chiche, cicerone).

♦ Le mot désigne une plante de la famille des ombellifères dont certaines variétés sont vénéneuses, d'où, par métonymie, le poison extrait de cette plante et que les Athéniens faisaient boire à leurs condamnés. Le souvenir de Socrate, ainsi condamné, reste attaché au mot.

▸ Le radical du latin *cicuta* a servi à former savamment **CICUTAIRE** n. f. (1555), nom d'une plante nommée aussi *ciguë vireuse,* et **CICUTINE** n. f. (1836), d'abord *cicutin* (1824), nom donné par le chimiste anglais Braude à l'alcaloïde de la grande ciguë.

CIL n. m. est emprunté (1174-1178) au latin impérial *cilium* «paupière» puis «poil de la paupière». Celui-ci appartient à un radical °*k°liyo-* observable dans l'ancien haut allemand *hulla* «enveloppe», allongement de la racine indoeuropéenne °*kel-* «cacher», bien représentée en latin (→ celer, cellule, clandestin, couleur, occulte) et en grec (→ apocalypse, eucalyptus).

♦ Le mot, qui n'a gardé du latin que le sens de «poil des paupières», a développé le même type d'acceptions analogiques que *poil* ou *cheveu*, désignant en botanique les poils bordant certaines parties des plantes et aussi les filaments d'organismes unicellulaires (1805).

► **CILLER** v. (v. 1121), rare au sens propre, «s'ouvrir et se fermer successivement» en parlant de l'œil, est souvent employé à la forme négative avec le sens figuré de «ne pas réagir» (1559, *regarder sans ciller*). ◇ Le sens transitif technique de «coudre les paupières d'un oiseau de proie pour le dresser» (XIIIe s.), maintenu en vénerie, réactive la valeur étymologique du latin *cilium* «paupière». ➛ Le composé **DÉCILLER** ou **DESSILLER** v. (XIIIe s.), formé en fauconnerie, n'est guère répandu qu'au sens figuré de «faire retrouver sa lucidité à qqn» (1552), également réalisé à la forme pronominale (av. 1560). ➛ L'adjectif correspondant à *cil*, **CILIAIRE** (1665), formé savamment sur le radical du latin *cilium*, relève d'un usage didactique.

◈ voir **SOURCIL**.

CILICE n. m. est emprunté (apr. 1250) au latin *cilicium*, nom d'une étoffe grossière en poil de chèvre qui se fabriquait en Cilicie, région de la Turquie au sud-est de l'Anatolie, en latin *Cilicia*. Le mot est employé spécialement dans la Vulgate pour désigner l'étoffe de crin portée à même la peau par mortification.

♦ Introduit en français dans les traductions de la Bible (Maccabées), le mot a reçu une acception abstraite, «cause de tourment», dans le style littéraire.

CIMAISE ou **CYMAISE** n. f., d'abord *cimesse* (v. 1160), corrigé d'après le latin en *cymaise* (1606), forme hypercorrecte encore employée au XXe s. mais évincée par *cimaise*, est emprunté au latin *cymatium*. Ce dernier est un emprunt technique au grec *kumation*, terme d'architecture désignant la partie courbe d'un chapiteau, lui-même dérivé de *kuma* «gonflement, enflure» d'où «vague, vague de la mer» (→ cime).

♦ Le mot désigne la moulure au sommet d'une corniche et, par analogie, en menuiserie la boiserie à moulure placée à hauteur d'appui sur les murs d'une pièce. Son emploi en peinture pour «moulure à hauteur d'appui sur laquelle on place la première rangée des tableaux d'une exposition», a spécialisé le mot dans ce contexte et donné, dans quelques locutions, le sens figuré de «place de choix à hauteur de vue».

CIME n. f., d'abord *cyme* (v. 1175) puis *cime* (fin XIIe s.), est issu du latin *cyma* «bourgeon tendre du chou et autres légumes», employé à l'époque médiévale au sens de «pointe d'un arbre» et «sommet d'une colline». *Cyma* est emprunté au grec *kuma* «gonflement, enflure», employé au sens de «vague» (surtout au pluriel) et aussi, par rapprochement avec le verbe apparenté *kuein* «être enceinte, porter dans son sein», au sens de «fœtus, embryon» et «bourgeon». Ce terme est à rattacher à une racine indoeuropéenne signifiant «gonfler» que l'on retrouve peut-être dans le latin *cumulus* (→ cumulus) et, plus nettement, le sanskrit *śuáyati* «être fort, devenir fort»; Pokorny rattache à cette racine, en grec, l'ensemble disparate de *kurios* «souverain», *kuar* «trou d'une aiguille» (le creux étant une notion symétrique du plein).

♦ Le mot n'a retenu que le sens du latin médiéval, «partie la plus élevée (d'un objet, montagne, arbre)». Il a développé dès l'ancien français le sens figuré de «degré le plus haut, paroxysme» (fin XIIe s.) dans les domaines intellectuel, moral, religieux, avec des connotations nobles.

► ① **CIMIER** n. m., d'abord *chimier* (v. 1200), s'est progressivement différencié de *cime* dont il partageait en ancien français le sens de «partie haute». Par l'intermédiaire du latin médiéval *cimerium*, attesté au sens de «crête» au XIIIe s. et comme terme de blason dans le domaine italien en 1389, il s'est spécialisé dans le vocabulaire du costume (1611, *se mettre le cymié sur la tête*) et de l'héraldique où il désigne l'ornement extérieur placé sur le timbre du casque qui surmonte l'écu (1665-1666). ➛ Il est plus difficile de rattacher à *cime* l'homonyme ② **CIMIER** n. m. (v. 1160), terme de vénerie et plus tard de boucherie (1611) désignant le morceau de la croupe du cerf, du chevreuil, du daim et, par extension, du bœuf. Une dérivation de *cime* reste possible, la croupe étant l'extrémité légèrement surélevée du corps de l'animal; un emprunt au moyen haut allemand *zimere* «croupe» se heurte à la chronologie (attestation v. 1220).

◈ voir **CIMAISE**.

CIMENT n. m. est issu (1165-1170) du latin *caementum* «pierre de taille, marbre taillé» puis, à basse époque, «mortier dans lequel on incorporait des éclats de marbre», dérivé de *caedere* «tailler, couper» (→ césure et aussi ciseau, décisif et décider, précis, etc.). La forme en *ci-*, à côté de *cément**, suppose un traitement du *oe* latin classique en °*cĕmentum*.

♦ Le mot, repris comme terme de construction (1680) avec des emplois spécialisés en géologie et chirurgie dentaire, désigne par extension toute pâte servant de lien. Depuis la fin du XVIe s., il est attesté avec le sens métaphorique de «ce qui unit, relie» et présente accessoirement une idée de solidité que l'on retrouve dans les locutions ***bâti à chaux et à ciment, dur comme du ciment.***

► En dehors de **CIMENTER** v. tr. (1287), de sens propre et figuré (1595), et de son substantif d'action **CIMENTATION** n. f., attesté une fois au XVIe s. et proposé au XIXe s. par Richard de Radonvilliers (1845), les dérivés se rapportent au domaine du bâtiment : **CIMENTIER** n. m. (fin XVe s., *cymentier*), **CI-**

MENTAGE n. m. et **CIMENTAIRE** adj. (1877); **CIMENTERIE** n. f. (1953), plus courant.

◈ voir CÉMENT.

CIMETERRE n. m. est emprunté (v. 1450) à l'italien *scimitarra* (XVe s.), également attesté dans les anciens textes sous la forme *cimitara*. On a pensé à une origine turque mais sans trouver dans cette langue l'étymon souhaité. Le persan *šamšir* «épée», dont une forme antérieure a donné le grec *sampsêra*, également *samseira* «épée orientale d'apparat», convient pour le sens mais fait difficulté pour la forme : il faudrait supposer un intermédiaire turc et la dissimilation des deux consonnes, voire l'influence d'un autre mot non identifié, pour expliquer le *t*. Par rapport à l'italien, l'initiale *cime-*, et non *cimi-*, peut correspondre à l'influence de *cime, cimetière*.

♦ Le mot désigne un sabre oriental dont la lame courbe à un seul tranchant s'élargit vers son extrémité.

CIMETIÈRE n. m., d'abord *cimetire* (v. 1155) puis *cimetiere* (XIIIe s.), est emprunté au latin chrétien *cimiterium*, altération de *coemeterium*, lui-même emprunté au grec *koimêtêrion* «dortoir» et, dans les textes chrétiens, «lieu où reposent les morts». Le mot grec est issu de *koiman* «se coucher pour dormir», dérivé de *keisthai* «être couché, placé», d'origine indoeuropéenne et à rattacher au sanskrit *śete*, hittite *kitta*.

♦ Le mot a plusieurs formes en ancien français et s'emploie aussi au féminin. *Cimetière*, au masculin, s'est généralisé au XVIe s., mais la forme *cimentière* a survécu ensuite dans l'Ouest. Il a éliminé *aître**, sauf en wallon et en lorrain, lequel continuait le latin *atrium* «cour» et signifiait au moyen âge, «parvis, terrain devant l'église». En effet, autrefois établis dans les villes auprès des églises, les cimetières ont été désaffectés au XVIIIe s. et construits en périphérie, sous la forme de grands jardins; dans d'autres cultures chrétiennes, ils sont restés des dépendances des églises (cf. anglais *churchyard*, littéralement «cour de l'église»). À partir du XVIe s. (1513), le mot se rencontre parfois avec la valeur figurée de «lieu où meurent beaucoup de gens». ◇ Récemment, il a commencé à s'appliquer à un lieu où l'on rassemble des choses hors d'usage, par exemple dans *cimetière de voitures, cimetière radioactif* (1964).

CINABRE n. m., une première fois sous la forme *cenobre* (XIIIe s.), puis *sinabre* (1394) et *cinabre* (1552), est emprunté au latin *cinnabaris*. Lui-même est emprunté au grec *kinnabari* «substance d'où est tiré le vermillon» soit minéral (bisulfure de mercure), soit végétal (garance), mot d'origine orientale, probablement persane. La graphie *cinnabre* (1606), réfection étymologique, ne s'est pas imposée.

♦ Le mot ne désigne en français que le bisulfure de mercure utilisé pour la fabrication du vermillon et, par métonymie, le rouge vermillon (1552) dans quelques emplois littéraires ou techniques.

▸ **CINABRIN, INE** adj. (1553), «de la couleur du cinabre», a été employé par les poètes de la Pléiade comme épithète poétique pour les lèvres, le teint. ◇ Il a été repris sous la forme **CINABARIN, INE** (1838), par réminiscence du grec *kinnabarinos*, mais est demeuré littéraire et rare.

CINÉMA n. m. est l'abréviation courante et généralisée de **CINÉMATOGRAPHE**, mot composé par les frères Lumière (1892, comme nom propre) à partir du grec *kinêma* «mouvement», de *kinein* «mettre en mouvement, mouvoir», à rattacher à une racine indoeuropéenne °*ki-*, °*kei-* (→ kinésithérapie), qui a également donné le latin *citus* «rapide» (→ citer), et *-graphe** «qui transcrit».

♦ Le mot désigne l'appareil inventé par les frères Lumière pour reproduire le mouvement par une suite de photographies. La forme abrégée *cinéma* est immédiate (1893), ce qui montre la popularisation rapide du procédé (phénomène analogue pour *métropolitain-métro*). En dehors de ce sens historique, *cinématographe* a été supplanté par *cinéma* aux sens métonymiques : «art de réaliser des films» (Cocteau et Bresson continuant d'utiliser la forme longue pour insister sur la signification artistique du procédé), et «salle où l'on projette des films» *(un cinéma)* et «projection». ◇ *Cinéma* lui-même, demeuré usuel dans toutes ces acceptions, a été abrégé en **CINÉ** (1905) dans l'usage familier, mais ce mot est devenu désuet, comme le suffixé populaire **CINOCHE** (1935). ◇ *Cinéma* entre dans de nombreux syntagmes. Il a inspiré la locution familière ***se faire du cinéma*** et, avec une autre nuance, ***faire du cinéma***, équivalent de *jouer la comédie* avec une valeur péjorative d'«artifice».

▸ Sur *cinématographe* ont été formés **CINÉMATOGRAPHIE** n. f. (1895) et l'adjectif plus usuel **CINÉMATOGRAPHIQUE** (1896). ◆ De l'élément initial *ciné* ont été dérivés **CINÉPHILE** n. (1912), **CINÉPHILIE** n. f., **CINÉ-CLUB** n. m. (1920) et **CINÉROMAN** n. m. (1918). ◆ Sur *cinéma* ont été formés par composition **CINÉMATHÈQUE** n. f. (1921), avec *-thèque**, **CINÉMASCOPE** n. m. (1953), emprunt à l'anglais et nom d'une marque déposée américaine, «procédé de projection sur écran large» (→ -scope, -scopie). ◆ **CINÉASTE** n. (1921 comme pseudonyme, puis 1922) est emprunté à l'italien *cineasta* ou formé avec la finale de mots d'origine grecque comme *dynaste, gymnaste*.

◈ voir CINÉMATIQUE.

CINÉMATIQUE adj. et n. f. est un emprunt scientifique (Ampère, 1834)) au grec *kinêmatikos*, dérivé de *kinêma* «mouvement» (→ cinématographe, art. cinéma).

♦ Le mot, comme adjectif, qualifie ce qui concerne le mouvement des corps matériels et leur étude. Substantivé, il désigne la partie de la mécanique qui étudie les mouvements.

① **CINÉRAIRE** adj. est un emprunt tardif (1732) au bas latin *cinerarius* «relatif à la cendre (des morts)» (VIe s.), substantivé au neutre *cinerarium* pour désigner le lieu où l'on conservait les cendres des morts, et, chez les auteurs chrétiens, au pluriel *cinerarii* «ceux qui vénèrent les cendres des martyrs», désignation méprisante des chrétiens par les païens. *Cinerarius* est dérivé de *cinis, eris* (→ cendre).

♦ Le mot s'emploie presque exclusivement pour qualifier le nom d'un vase *(urne, amphore)* contenant les cendres d'un mort.

► ② **CINÉRAIRE** n. f. est la francisation (1807) du latin botanique *cineraria* (1778, Lamarck, enregistré par Boiste en 1803), lui-même emprunté à l'adjectif latin au féminin, le dessous des feuilles de cette plante étant d'un gris cendré. ◇ Le mot désigne une plante aux petites fleurs groupées en capitules et au feuillage argenté.

CINÉTIQUE adj. et n. f. est un emprunt au grec *kinêtikos,* dérivé de *kinêtos* «mobile», de *kinein* «mouvoir» (→ cinéma, cinématique).

♦ L'adjectif correspond à «qui a le mouvement pour principe» (ex. : *énergie cinétique*). On parle (1920) aussi d'*art cinétique.* ◇ Comme n. f., *cinétique* s'emploie en chimie et en physique.

① **CINGLER** v. tr. (fin XIIe s.), également *singler* jusqu'au XVIIIe s., est à rattacher à *sangle*;* cependant, le vocalisme initial est difficile à expliquer : on évoque soit une altération de *sangler** au sens de «frapper» par modification expressive de la voyelle tonique (cf. *tinter* pour le même changement vocalique), soit un emprunt à une forme locale du même verbe comme l'ancien provençal *cinglar,* le wallon *cingler* «fouetter, de la pluie» à Mons.

♦ *Cingler* a progressivement éliminé *sangler* au sens de «frapper avec une baguette flexible»; par analogie, il est également employé en parlant d'un élément naturel (pluie, vent, neige, av. 1526). Ultérieurement, il a reçu des acceptions techniques en métallurgie (1757) et en construction (1765), toutes deux enregistrées dans l'*Encyclopédie.* Dans l'usage commun, il a développé un sens figuré, «atteindre qqn dans sa sensibilité par des paroles blessantes» (1844, dans un emploi comparatif chez Balzac).

► **CINGLANT, ANTE** adj., issu (v. 1375, *chinglant*) du participe présent au sens propre passif de «flexible», a pris le sens actif «qui fouette» et s'est surtout répandu au sens figuré «qui vexe» (av. 1850). ◆ **CINGLEMENT** n. m., après une attestation isolée sous la forme *singlement* (fin XVIe s.), a été repris au XIXe s. (1836) mais est demeuré rare. ◆ **CINGLON** n. m., d'abord *singlon* (av. 1799) «coup de fouet», est quasiment sorti d'usage. ◆ **CINGLAGE** n. m. (1827) et **CINGLEUR** n. m. (1866, *marteaux-cingleurs*) sont des créations du langage technique de la métallurgie. ◆ **CINGLÉ, ÉE** adj. et n., emploi argotique du participe passé de *cingler* au sens de «ivre» (1836), a évolué vers son sens actuel de «fou» (1925), à rapprocher de *tapé, frappé, sonné,* comme variante («fouetté») d'un sémantisme fréquent pour exprimer la folie, à savoir «qui a reçu un, des coups».

② **CINGLER** v. intr. est la réfection (XIIIe s.), sous l'influence de ① *cingler,* de l'ancien français *sigler* (1080) «faire voile», lequel est emprunté à l'ancien norrois *sigla* «faire voile vers». Ce mot, avec ses correspondants, le moyen néerlandais *zeghelen, zeilen* (néerlandais *zeilen*), le moyen haut allemand *sigelen, segelen* (allemand *segeln*) et le vieil anglais *siglan* (anglais *to sail*), appartient à un type germanique °*segljan.* Celui-ci est le dérivé d'un °*seglom* «voile», d'origine discutée, rapportée par certains à la racine indoeuropéenne °*segh-* «avoir, conquérir» de sens trop général et éloigné, par d'autres à la racine °*sek-* «couper» (→ scier).

♦ Ce verbe de marine signifie «faire voile vers».

► En est dérivé **CINGLAGE** n. m., d'abord *singlage* (1340), terme de coutume désignant le loyer des gens de mer, passé au sens de «sillage d'un navire» puis sorti d'usage; la dérivation de ce verbe étant de toutes façons gênée par le verbe homonyme ① *cingler.*

CINQ adj. et n. inv., d'abord *cinc* (1080), remonte, comme l'italien *cinque,* l'espagnol *cinco,* au latin vulgaire *cinque,* forme dissimilée du latin classique *quinque.* Ce mot appartient à un nom indoeuropéen en *p-* initial et *k^w-* intérieur (grec *pente,* sanskrit *pañca*) passé en italo-celtique avec assimilation du *p-* au *k^w-* (irlandais *cóic*).

♦ Le mot fait office d'adjectif numéral cardinal; ultérieurement, il est substantivé aux sens de «chiffre cinq» (1690) et de «nombre entier cinq» (1694), puis également employé comme adjectif ordinal (1835). Il a servi à former le nom composé *cinq à sept* n. m. (1833) «réunion, rencontre de dix-sept à dix-neuf heures», souvent avec des connotations galantes, et a donné l'expression familière ***en cinq sec*** «en cinq coups», au jeu (1875), puis «rapidement» (1888).

► **CINQUIÈME** adj. et n., dérivé de *cinq* (1165-1170), a supplanté *quint** adj. (XIIe s.), comme ordinal, sauf dans la désignation traditionnelle du roi d'Espagne *Charles Quint.* ◇ De *cinquième* est dérivé **CINQUIÈMEMENT** adv. (1550). ◆ **CINQUANTE** adj. et n. (1080) vient du latin des inscriptions *cinquaginta,* issu par dissimilation du classique *quinquaginta.* ◇ Le mot est employé comme nom et comme ordinal (1835) et a produit à son tour l'ordinal **CINQUANTIÈME** adj. et n., **CINQUANTAINE** n. f. (1220) et, d'après *centenaire,* **CINQUANTENAIRE** adj. et n. (1775), surtout utilisé comme nom au sens de «cinquantième anniversaire» (1872).

◈ voir QUINQUAGÉNAIRE et tous les mots sur la base *quin-, quinqu-.* cf. aussi *pent- (pentecôte),* d'origine grecque.

CINTRER v. tr., attesté indirectement par le participe passé adjectivé *chintré* en wallon (1349) puis sous la forme *cyntrer* (1455), remonte à un latin populaire °*cincturare* «entourer», dérivé du latin impérial *cinctura* (→ ceinture).

♦ Le mot a été introduit en architecture pour «bâtir en arc de cercle, en arceau» d'où, par extension, «rendre concave ou convexe» (1892). Le sens étymologique de «ceinturer» a fait résurgence dans le domaine de l'habillement où *cintrer un vêtement* (1611) signifie l'«ajuster à la taille, à la ceinture». ◇ Par synonymie avec *se tordre, se gondoler,* le pronominal *se cintrer* a pris dans le langage argotique le sens de «se tordre de rire» (av. 1901), sorti d'usage.

▸ **CINTRE** n. m., indirectement attesté par l'ancien diminutif *cintreel* (v. 1260) qui implique aussi l'existence du verbe *cintrer* dès le XIIIe s., est lui-même repéré en 1300 en architecture. Il désigne une voûte, d'où le syntagme ***plein cintre*** (1676). En construction, il s'applique pour l'échafaudage en forme d'arc de cercle permettant de construire arcades et voûtes (1549). ◇ Par analogie, *cintre* désigne au théâtre la partie supérieure de la cage de scène où l'on remonte les décors (1753) d'où, par métonymie, les loges du rang le plus élevé et les spectateurs qui les occupent. ◇ Le sens courant de «léger support destiné à recevoir un vêtement» (1900) procède du terme de construction, avec influence de l'emploi de *cintrer* en couture.

CINTRÉ, ÉE p. p. adj. de *cintrer* (1349) qualifie ce qui est incurvé en forme de cintre, à la fois en architecture, en blason (1690) et en parlant d'un vêtement (1819, d'un chapeau). Il est passé dans la langue populaire avec le sens de «fou» (XXe s.) par synonymie avec *tordu*. ◆ Les autres dérivés de *cintrer*, **CINTRAGE** n. m. (1694), en marine puis en technique (1869), et **CINTREUSE** n. f., nom de machine (1927), appartiennent au domaine technique.

◆ **DÉCINTRER** v. tr. (1680) exprime le fait d'enlever les cintres, en construction.

CIRCON-, CIRCUM- est un élément préfixal emprunté au latin *circum*, accusatif de *circus* «cercle» (→ cirque), employé anciennement comme préposition avec le sens propre de «en cercle, autour de».

♦ *Circum*, qui ne traduit que le sens concret de la préposition grecque *peri* (→ péri-) — le sens figuré «relativement à, à propos de» étant réservé à *circa* —, est employé dans de nombreux juxtaposés verbaux, souvent calqués du grec, de sens propre et figuré (→ circoncire, circonférence, circonflexe, circonlocution, circonscrire, circonspect, circonstance, circonvenir). En français même, il se combine à un adjectif ou à un substantif, le plus souvent sous la forme savante *circum-*, décrivant la situation autour du lieu ou de l'objet caractérisé par cet adjectif ou l'action, la qualité exprimées par ce substantif.

CIRCONCIRE v. tr., d'abord *circumcis* au participe passé (v. 1120) puis *circuncire* à l'infinitif (1170), est un emprunt adapté au latin *circumcidere*. Celui-ci, composé de *circum* «autour» (→ circon-) et de *-cidere*, de *caedere* «couper» (→ ciseau), signifie «couper autour». Il a d'abord été employé en jardinage au sens de «rogner, tailler» et a reçu en rhétorique le sens figuré de «réduire, supprimer». À l'époque chrétienne, il s'est spécialisé pour désigner l'opération rituelle d'excision du prépuce dans la religion hébraïque.

♦ Le mot, passé en français dans les textes religieux et les traductions de la Bible, signifie «enlever rituellement le prépuce de l'enfant mâle». Le sens figuré de «corriger, amender» (1351), déjà réalisé dans l'expression biblique *circoncire le cœur de qqn* (v. 1235), ne s'est pas répandu en dehors du langage mystique.

▸ **CIRCONCIS, ISE**, le participe passé de *circoncire*, est employé adjectivement (1170) et substantivement (1604), notamment comme équivalent de «juif» ou de «musulman» (1604) et les religions juive et musulmane prescrivant la circoncision.

CIRCONCISION n. f., d'abord *circumcisiun* (1170), est emprunté au latin chrétien *circumcisio* «excision du prépuce» et, au figuré, «vraie foi, foi nouvelle», spécialement dans le syntagme *circumcisio cordis* «purification du cœur, morale». Le mot, qui désigne l'excision du prépuce, a été plus long que le verbe à se répandre dans le langage mystique avec le sens figuré de «purification morale»; après une attestation de *circoncision de pensée* (1258), le syntagme, emprunté au latin *circoncision de cœur*, reparaît dans les *Pensées* de Pascal (v. 1660). Il a disparu dans ce sens.

INCIRCONCIS, ISE adj. est emprunté, d'abord au figuré (*cœur incirconcis*, XVe s.), au latin religieux *incirconcisus*, préfixé antonyme de *circoncisus*. Il signifie «non circoncis» et, depuis le XVIe s. (1541, Calvin), «qui n'appartient pas à la religion juive». Le sens figuré, «pécheur, personne qui refuse la circoncision du cœur», s'est employé aux XVIIe et XVIIIe s. dans la langue religieuse. ◆ **INCIRCONCISION** n. f., emprunt (1530) au latin *incirconcisio*, est demeuré plus rare dans la langue classique que *incirconcis*, puis est sorti d'usage.

CIRCONFÉRENCE n. f. est emprunté (1267) au latin impérial *circumferentia* «cercle», de *circumferre* «mouvoir circulairement, faire le tour de», composé de *circum* «autour» (→ circon-) et de *ferre* «porter» (→ -fère).

♦ Le mot, introduit en géométrie comme dénomination de la courbe qui limite la surface d'un cercle ou d'une sphère (v. 1275), s'est répandu dans l'usage au XVIIe siècle. Il désigne le pourtour d'un lieu (1680), d'un corps (1690) et la surface délimitée s'étendant autour d'un point (déb. XVIIIe s.).

▸ **CIRCONFÉRENTIEL, IELLE** adj. (1858), réintroduit après une première attestation de la forme *circonferencial* (v. 1390) à l'imitation du latin médiéval *circumferentialis* (fin XIIe s.), est d'usage scientifique ou technique.

CIRCONFLEXE adj. et n. m., d'abord *circunflect* (1529) puis *circonflexe* (1550), est emprunté au bas latin *circumflexus* (sous-entendu *accentus*), tiré du participe passé de *circumflectere* «décrire une courbe» en parlant des chars dans l'arène, spécialisé en grammaire au sens de «prononcer une syllabe longue». Ce verbe est composé de *circum* (→ circon-) et de *flectere* «courber, ployer» (→ fléchir). Le substantif latin a servi à rendre le grec *perispômenê (prosôdia)*, lui-même dérivé du verbe *perispan* qui désigne l'action de modifier brusquement la tension d'une corde pour faire entendre deux sons de suite.

♦ Le mot est d'abord employé pour désigner un signe d'accentuation grec (῀) puis, par analogie (1559-1574), le signe français (^) qui apparaît à la Renaissance pour marquer l'allongement de certaines voyelles (*as-*, *es-* seront remplacés par *â-*, *ê-*). Il est parfois employé par plaisanterie pour qualifier des objets en forme d'accent circonflexe (1654). En anatomie, il est substantivé au masculin et au féminin (1805) pour dénommer des vaisseaux et des veines au trajet sinueux.

▸ **CIRCONFLEXION** n. f., «forme en accent circonflexe» (1922), est littéraire et rare.

CIRCONLOCUTION n. f., d'abord *circonlocuciom* (XIIIe s.), est emprunté au latin *circumlocutio* «détour de langage», de *circum* «autour» (→ circon-) et *locutio* (→ locution), et calque le grec tardif *periphrasis* (→ périphrase).

♦ Le mot désigne les détours de langage visant à masquer la pensée ou à adoucir ce que l'on veut dire. Il concurrence *circuit** (aujourd'hui archaïque en ce sens) et *circonvolution**.

CIRCONSCRIRE v. tr. est emprunté (v. 1370), avec adaptation, au latin *circumscribere* «tracer un cercle autour» d'où «enclore, limiter, borner», de *circum* «autour» (→ circon-) et *scribere* (→ écrire).

♦ Le verbe est introduit avec le sens abstrait de «définir les limites de» (en philosophie). ◇ Le sens concret «limiter un espace par une ligne» a été repris à la Renaissance (1550) et spécialisé en géométrie (1690). De l'acception médicale (1792, *tumeur circonscrite*) procède, par métaphore, le sens d'«empêcher (une chose néfaste) de se propager» (1790). Le sens administratif de «délimiter (un territoire)», correspondant à *circonscription*, est attesté au XIXe s. (1835).

▸ **CIRCONSCRIPTION** n. f. a été emprunté avant le verbe (fin XIIe s.), au dérivé latin *circumscriptio* «cercle tracé, corps limité, borne». Le mot désigne ce qui délimite l'étendue d'un corps et, spécialement en géométrie, l'action de circonscrire une figure à une autre (1690). Aux divers sens correspondant à ceux du verbe, il ajoute celui de «division territoriale» (av. 1835, Académie), spécialisé en «division électorale» (seul ou en emploi qualifié par *électorale*).

CIRCONSCRIPTIBLE adj. a été dérivé (v. 1400) du radical du latin *circumscriptus*, participe passé de *circumscribere* avec le suffixe *-ible*, probablement d'après le latin médiéval *circumscriptibilis* (v. 1150). ◆ Le mot, employé au XVe s. sous la forme *circunscriptible*, a été repris au XIXe s. après une proposition de Richard de Radonvilliers (1845).

CIRCONSPECT, ECTE adj., d'abord *circunspect* (v. 1282), est emprunté au latin impérial *circumspectus* «prudent, réfléchi», participe passé adjectivé de *circumspicere*, proprement «regarder (→ spectacle) autour» (→ circon-).

♦ Le mot qualifie une personne et, par métonymie, un comportement (1572, *prudence circonspecte*) faisant preuve de prudence.

▸ **CIRCONSPECTION** n. f. est emprunté en même temps que l'adjectif (av. 1250) au latin *circumspectio*, du supin de *circumspicere*, pour désigner une attitude de retenue prudente.

CIRCONSTANCE n. f. est emprunté (v. 1220) au latin *circumstantia* «action d'entourer» et, au figuré, «situation, occasion», substantivation du participe présent au pluriel neutre, pris pour un féminin, de *circumstare*, littéralement «se tenir autour», de *circum* (→ circon-) et *stare* (→ état).

♦ Le sens concret, «ce qui est autour», réalisé dans l'expression juridique *circonstances et dépendances* (1345), «parties d'immeubles accompagnant l'habitation principale», est sorti d'usage au XVIe siècle. ◇ Le mot s'est alors limité (1265) à son sens figuré de «particularité accompagnant un événement», souvent réalisé au pluriel *circonstances*, spécialement dans un contexte juridique *(circonstances atténuantes)* et en rhétorique (1863). ◇ Par extension, l'accent étant mis sur l'adéquation d'un fait et d'un moment donnés, il a pris le sens de «conjoncture, occasion» (1668), devenu le plus usuel et donnant lieu à la locution adverbiale ***de circonstance*** «en rapport avec une occasion particulière» (1809).

▸ **CIRCONSTANCIÉ, ÉE** adj. (v. 1460), «exposé avec toutes les circonstances» (d'une chronique, d'un récit), a glissé vers le sens plus vague de «très détaillé». Il s'est confondu avec le participe passé du verbe **CIRCONSTANCIER** v. tr. (1586), formé ultérieurement. ◆ **CIRCONSTANCIEL, IELLE** adj. (1747) exprime, en relation avec deux autres sens du verbe, une notion grammaticale «qui exprime une circonstance» et, dans l'usage général, une relation de fait «qui dépend des circonstances» (1801).

CIRCONVENIR v. tr., d'abord *circunvenir* (v. 1355) puis *circonvenir* (v. 1370), est emprunté au latin *circumvenire*. Ce verbe signifie proprement «venir (→ venir) autour (→ circon-)» d'où «entourer, cerner» et, au figuré, «assiéger, opprimer» et «abuser (qqn) en l'entourant d'artifices».

♦ Le sens propre, «entourer de tous côtés», a vieilli après l'époque classique. Le sens figuré, pris au latin en même temps que le sens propre «séduire, tromper par des ruses et des artifices» (v. 1370), s'est maintenu dans le registre soutenu, spécialement avec la nuance de «se concilier une personne par des manœuvres habiles».

▸ Le participe passé **CIRCONVENU, UE** est employé adjectivement au sens, légèrement péjoratif, de «séduit». ◇ **CIRCONVENTION** n. f. (1269), ni **CIRCONVENTEUR** n. m. (1570), empruntés au latin, et ont disparu.

CIRCONVOLUTION n. f. est un emprunt (XIIIe s.) au latin *circumvolutio*, variante de *circumvolutatio*, de *circum* «autour» et *volutatio*, dérivé de *volvere* «rouler» (→ dévolu, révolu, révolution, volute, voûte).

♦ Le mot, au sens propre d'«enroulement autour d'un point central», est demeuré très didactique ; il s'est spécialisé en anatomie *(les circonvolutions intestinales, cérébrales)*. Au figuré, il s'est employé pour «paroles complexes et détournées», quasi synonyme de *circonlocution**.

CIRCUIT n. m., d'abord *circuite* au féminin (v. 1220), forme encore en usage au XVe s., puis *cir-*

cuit (1257), est emprunté au latin *circuitus* «action de faire le tour; marche circulaire», d'où concrètement «enceinte» et, au figuré, «circonlocution». Le mot est dérivé de *circuire* de *circum* «autour» (→ circon-) et *ire* «aller» (cf. *errer* et le futur d'*aller, irai*...), «aller autour, parcourir», verbe dont le représentant moyen français *circuier* (v. 1350) a été définitivement supplanté au XVIIe s. par *circuler**.

♦ Désignant d'abord le chemin à parcourir pour faire le tour d'un lieu, le mot s'applique à un chemin courbe et sinueux (1543), autrefois également avec une valeur figurée (1560), elle aussi latine, qui en faisait le synonyme de *circonlocution, périphrase.* Au XXe s., s'est ajoutée l'idée d'un parcours organisé, au terme duquel on revient au point de départ, en particulier en sport (en course automobile [1902] et en tourisme [1932]). Le mot a aussi pénétré le langage technique comme dénomination d'une suite ininterrompue de conducteurs électriques (XIXe s.; 1865 dans les dictionnaires), repassant dans l'usage commun sous forme de métaphore (***être hors circuit*** «ne plus être impliqué»); il désigne également un ensemble de tuyauteries assurant l'écoulement d'un fluide *(circuit de refroidissement).* L'acception technique d'électricité et de magnétisme (1854) est devenue usuelle et a évolué avec le développement de l'électronique : *circuits imprimés,* etc. ◇ Enfin, par analogie, *circuit* est entré dans le vocabulaire de l'économie, désignant une succession d'opérations qui reviennent au point de départ (*circuit de distribution, circuit parallèle,* v. 1970).

▸ La dérivation consiste en deux composés techniques. ◆ **COURT-CIRCUIT** n. m. (1858), terme d'électricité bientôt entré dans l'usage courant, signifie aussi au sens figuré «voie plus courte que la normale» (1933). ◇ Il a produit **COURT-CIRCUITER** v. tr. (1917) au propre et au figuré (1953). ◆ **MICROCIRCUIT** n. m. (1961) désigne, en électronique, un circuit électrique imprimé et miniaturisé (→ micro-).

CIRCULAIRE adj. et n. f., d'abord écrit *circulere* (v. 1265), puis *circulaire* (1314), est emprunté au bas latin *circularis* «qui décrit un cercle», spécialisé en mathématiques où *circularis numerus* désigne un nombre carré. *Circularis* est dérivé de *circulus* (→ cercle). En ancien français, *circulaire* a supplanté les types *circuler* (XIIIe s.) et *circulier* (v. 1278), ce dernier probablement issu d'une forme à suffixe *-arius* (alternant parfois avec *-arus* dès le latin).

♦ Le mot, introduit par le langage didactique, qualifie ce qui décrit un cercle (v. 1265, *mouvements circulaires*), ce qui a la forme d'un cercle (1314, en description anatomique). À partir du XVIIe s., il s'emploie abstraitement en logique pour qualifier un raisonnement (1678, *argument circulaire*), puis dans d'autres domaines, reprenant la spécialisation mathématique du mot en latin (1753, *nombre circulaire*), usage disparu et remplacé par d'autres emplois (algèbre, trigonométrie). Une autre métaphore concerne un type de délire nommé *folie circulaire* (1869). L'emploi de l'adjectif en parlant d'un chemin, d'une rue qui se déploie autour d'un lieu est attesté à partir de 1846. ◇ Sous l'influence de *circuler,* le mot a développé au XVIIe s. le sens de «qui circule de main en main» (1654, *lettre circulaire,* La Rochefoucauld). Cet emploi a débouché sur la substantivation ***une circulaire*** (1787) dans le langage administratif et courant. En médecine, après avoir désigné l'os en forme d'anneau sur lequel est tendue la membrane dans l'oreille des enfants (1732), le mot s'emploie au pluriel *(les circulaires du cordon)* à propos des enroulements du cordon ombilical autour du cou du fœtus pendant la grossesse.

▸ **CIRCULAIREMENT** adv. dont la forme actuelle (1377) a remplacé *circulierement* (1314) correspond à «de façon circulaire» au propre et au figuré et, dans la description spatiale, à «en forme de courbe». ◆ **CIRCULARITÉ** n. f. dont la forme savante (XVIe s.) a pu être modelée sur le latin médiéval *circularitas* (1248-1256) n'est pratiquement pas attesté (une seconde fois en 1740) avant 1866. ◆ **SEMI-CIRCULAIRE** adj., introduit (1314) dans la description anatomique, alterne avec **DEMI-CIRCULAIRE** adj. (1690), d'abord en anatomie puis dans un emploi moins restrictif (1832). Les deux adjectifs correspondent au substantif *demi-cercle* (→ cercle).

CIRCULER v. intr. est emprunté (v. 1361) au latin *circulari* «former groupe», «faire le colporteur, le charlatan» d'où «aller de côté et d'autre», de *circulus* (→ cercle). La forme *circulare,* à côté de *circulari,* est uniquement transitive.

♦ Le sens de «décrire un mouvement circulaire, faire le tour de qqch.» (1361) est sorti d'usage au profit de sens particuliers ou figurés qui se sont développés à partir du XVIIe s. : *circuler* signifie «passer dans un circuit» (1680), d'abord en anatomie en parlant du sang, après la découverte de Harvey, puis de tout fluide. Depuis le XVIIIe s., il exprime l'action de «passer de mains en mains» en parlant de choses, spécialement de biens, capitaux, marchandises, dans un contexte économique (1718). Appliqué à des choses abstraites (idées, nouvelles), il signifie «se répandre, se propager» (av. 1778) et appliqué à une personne, à un être vivant, «aller d'un lieu à l'autre, se déplacer» (1782), sens développé à propos des véhicules.

▸ **CIRCULATOIRE** adj. est probablement dérivé (1549) de *circuler* et non pas emprunté au bas latin *circulatorius* qui a seulement le sens de «charlatanesque», de *circulator* «charlatan qui rassemble les badauds». ◇ Le mot a été employé en chimie jusqu'au XIXe s. avec le sens de «qui sert à faire la distillation». Le sens de «relatif à la circulation du sang», apparu tard (1805), est devenu son sens dominant.

CIRCULATION n. f. est emprunté (v. 1371) au latin *circulatio* «orbite, circuit d'un astre», de *circulari.* Il est possible que le substantif latin ait été confondu à basse époque avec *circumlatio,* nom d'action de *circumferre* (→ circonférence), employé pour «action de porter, de conduire autour» et «action de se mouvoir en cercle». ◆ Introduit en français au sens de «mouvement circulaire», le mot a développé la plupart de ses sens au XVIIe siècle. Il est passé, en parlant du mouvement circulaire des choses concrètes, d'un fluide, en technique (1611), en biologie végétale (1690), en astronomie (Bossuet), en économie financière (1694). En anatomie, *circulation (du sang)* est repris (av. 1660, Pascal) au latin *circulatio,* employé par Harvey, son découvreur, dès 1628. Parallèlement, le mot s'est répandu dans l'usage général avec le sens abstrait d'«action d'être propagé (d'idées, de nouvelles)» (XVIIe s.). Son emploi postérieur à propos du mouvement des véhicules (1829) est concurrencé par l'anglicisme récent *trafic**, mais reste très vivant, avec des syntagmes (*agent, accident de la circulation,* etc.).

CIRE n. f. continue (1080) le latin *cera* «cire», en particulier «cire à cacheter», par métonymie «tablette à écrire, page», «statue de cire» et «peinture encaustique». Ce mot, analogue au grec *kêros* (→ cérat, céruse), serait emprunté parallèlement dans les deux langues à une source non déterminée.

♦ Le mot désigne une substance grasse produite par les abeilles et par certains végétaux, utilisée pour la fabrication de cachets (1080), surtout ensuite dans l'expression *cire à cacheter.* Quelques locutions, dès l'ancien français, exploitent les caractéristiques de cette substance, sa couleur jaune (déb. XIIIe s.) puis sa consistance malléable (XVIe s.-XVIIe s.) qui donne lieu à l'époque classique à des métaphores exploitées en philosophie (Descartes). Au XVIIIe s., le nom s'est étendu à des substances analogues puis au XIXe s., à des préparations à base de cire pour l'entretien du cuir, des parquets (1835). ◇ Par analogie, il sert à désigner la sécrétion jaunâtre des oreilles (1573). Celle-ci est nommée proprement **CÉRUMEN** n. m. (XVIIIe s.), mot du latin médiéval dérivé de *cera,* et, en zoologie, la membrane molle qui recouvre la base du bec des oiseaux (1284).

▸ **CIRER** v. tr. (fin XIIe s.) «enduire de cire» a pris, sous l'influence du sens concret de son dérivé *cirage,* le sens d'«enduire de cirage» (1680). ◇ Son participe passé **CIRÉ, ÉE,** adjectivé de bonne heure comme qualificatif d'un nom d'objet (1180), en particulier dans ***toile cirée*** (XIIIe s.), a été substantivé (1906) comme dénomination d'un imperméable de marin. ◆ **CIRAGE** n. m., substantif d'action de *cirer* (1557), a pris par métonymie un sens concret plus particulier que celui de *cire,* désignant la composition servant à nettoyer et à lustrer le cuir (1680). ◇ Il est passé dans l'usage populaire où, par synonymie avec *noir,* il signifie «ivresse» (1915), spécialement dans la locution ***être dans le cirage*** (1930), reprise dans l'argot des aviateurs au sens de «ne rien voir» d'où «être en difficulté» (1935) et «en péril de défaite» en sport (1945, football). Ainsi, *cirage* s'est éloigné par le sens de *cire,* «substance qui fait briller». ◆ **CIREUR, EUSE** n. (1837) désigne, lorsqu'il n'est pas déterminé, la personne qui cire les chaussures (d'abord *cireur de bottes*). ◇ Le féminin, plus rare en ce sens, désigne une femme qui cire les parquets (1866, *cireuse de parquets*) et une machine qui accomplit cette tâche (1953, *cireuse électrique*). ◆ **CIREUX, EUSE** adj. est dérivé (1561) de *cire,* sur le modèle du latin *cerosus* «riche en cire», et qualifie ce qui a la consistance, l'aspect ou la couleur de la cire; il a cessé d'être employé au XVIIe s. pour être repris dans la seconde moitié du XIXe s. (1856, Goncourt).

CIRON n. m., d'abord *seiron* (v. 1100), *cirun* (v. 1200) puis *ciron,* est emprunté au francique °*seuro* que l'on déduit à partir du moyen néerlandais *siere* (*zier,* en langue moderne) et du moyen bas allemand *sūre,* ancien haut allemand *suiro.*

♦ Le nom de ce très petit insecte, qui se développe dans les vésicules de gale de l'homme, la farine et le fromage, a été rendu fameux par le fragment 72 des *Pensées* de Pascal, qui le prend comme symbole de l'extrême petitesse, mais le mot a été abandonné par la zoologie et a vieilli. Il en va de même du sens métonymique «pustule que le ciron provoque sur la peau» (v. 1278) et du sens métaphorique «être humain d'une extrême faiblesse» (1869), d'ailleurs très littéraire.

CIRQUE n. m. est emprunté (v. 1355) au latin *circus* «cercle» qui, supplanté en ce sens par son dérivé *circulus* (→ cercle), s'est spécialisé au sens d'«enceinte circulaire où on célèbre les jeux». *Circus* est emprunté au grec *kirkos,* forme secondaire pour *krikos* «anneau, bague, cerceau», terme technique appartenant à une racine indoeuropéenne °*(s)qer-* «courber» (→ courbe).

♦ Le mot a été repris comme terme d'histoire romaine. Par analogie de forme, il a reçu le sens géographique de «plaine circulaire dans un massif montagneux» (fin XVIIIe s., pour le *cirque de Gavarnie*). ◇ Le sens courant, en spectacle, est apparu au début du XIXe s., avec le développement de ce divertissement, entraînant de nombreuses connotations et tout un vocabulaire propre (*chapiteau, clown,* etc.). Il a donné la valeur figurée de «désordre tumultueux» (1946) où il est le synonyme familier et partiel de *scène, cinéma* et aussi de *bordel.* ◇ Par métonymies successives, à côté de *un, des cirques,* «lieu de spectacle» et «entreprise qui le donne», *le cirque* désigne le genre spectaculaire lui-même, la profession, les techniques et l'art concernés, sur le même plan que *théâtre, cinéma* ou *music-hall.*

voir CERCEAU, CERNE, CHERCHER, CIRCULER.

CIRRHOSE n. f. a été dérivé savamment (1819, Laennec) du radical du grec *kirros* «fauve, orange», mot d'origine obscure, avec le suffixe *-ose**. Le mot, déjà attesté en 1805 selon le *Larousse de la langue française,* serait une création de Laennec (1781-1826), médecin français qui étudia cette maladie caractérisée par une production granuleuse de couleur rousse dans le foie.

♦ Le mot désigne une affection du foie qui empêche les fonctions de l'organe et qui est souvent due à l'alcoolisme chronique, d'où les connotations du mot. Par extension, il est employé avec un déterminant en parlant de la sclérose diffuse de certains organes.

▸ **CIRRHOTIQUE** adj. et n. (1892), au lieu de la forme attendue °*cirrhosique,* qualifie et désigne

(1904) une personne atteinte de cirrhose, dans le langage médical (alors que *cirrhose* est courant).

CIRRUS n. m. est un emprunt didactique, en météorologie (1830), au latin *cirrus* «boucle de cheveux, frange», mot populaire d'étymologie inconnue, d'après la forme de ces nuages.

♦ Le mot désigne un nuage haut et léger en forme de boucle ou de filament.

▸ Dès 1830, *Le Résumé complet de météorologie* de C. Bailly de Merlieux atteste également les noms composés **CIRROCUMULUS** n. m. et **CIRROSTRATUS** n. m., formés par combinaison de l'élément *cirro-* (de *cirrus*) et des noms de nuages *cumulus, stratus* (→ strate).

CISALPIN → ALPES, CITÉRIEUR

CISEAU n. m. est issu au XIIe s. (1155-1160) du latin °*cisellum,* altération, d'après les dérivés en *-cidere* de *caedere* «trancher, couper» *(occisus, incisus),* de °*caesellum.* Celui-ci est formé sur le radical *caes-* du participe passé ou d'une forme fréquentative *(°caesare)* de *caedere;* son suffixe *-ellum* se serait substitué à un pluriel ancien *-ulum* (→ sangle). *Caedere,* passé en français par ses nombreux composés et dérivés, n'a pas de correspondant exact hors du latin; il est tentant de le rapprocher de *cadere* (→ choir), sans certitude, et d'autres formes populaires comme le sanskrit *khidáti* «il déchire», le grec *skhizein* «fendre» (→ schizophrénie), le latin *scindere* (→ scinder). Mais une famille indoeuropéenne reste hypothétique.

♦ Le mot apparaît d'abord au singulier pour désigner un outil d'acier servant à travailler le bois, le fer, la pierre, grâce à son extrémité tranchante; ce sens technique, resté vivant, a donné des emplois métonymiques pour le sculpteur, l'ouvrier utilisant cet outil (1690) et la manière de sculpter (1718).
Le pluriel a servi à nommer un instrument à deux lames réunies en leur milieu par un pivot (1178, *un ciseau*); il a concurrencé et éliminé au XVIe s. *force (s), forcette(s),* représentant du latin *forfex,* mot distinct de *forceps,* qui désignait un type d'instrument en U utilisé pour tondre les moutons, tailler les arbres; cet instrument était beaucoup moins précis que les ciseaux modernes qui furent perfectionnés par les anneaux dès le moyen âge. ◇ Par analogie, le mot décrit une certaine disposition des voiles d'un bateau (1831, *voiles en ciseaux*) et un mouvement croisé des jambes dans certains exercices physiques (1934, en danse; en saut).

▸ **CISELER** v. tr. (déb. XIIIe s.) signifie d'abord «travailler avec le ciseau», sens à l'origine d'emplois techniques en sculpture et en orfèvrerie, et, par transposition, au figuré «travailler minutieusement» (1835), en art. Le sens, correspondant au pluriel *ciseaux,* «couper avec des ciseaux» (1611), est appliqué spécialement en art culinaire (1831) et en viticulture (1876). ◆ Les dérivés du verbe procèdent de son sens «travailler au ciseau» au propre et au figuré. Ce sont **CISELURE** n. f. (1307), **CISELEUR** n. m. (fin XVIe s., adjectivement) et **CISELÉ, ÉE** adj. ◆ **CISELAGE** n. m. (1611) et son quasi-synonyme **CISÈLEMENT** ou **CISELLEMENT** n. m. (1637) se sont maintenus en prenant au XIXe s., sous l'influence du verbe, la spécialisation en viticulture d'«action de couper avec des ciseaux les grains atrophiés» (1876, *cisellement des grappes*). ◆ **CISELET** n. m. (1491) désigne un petit ciseau utilisé pour le travail du bois, du métal.

① **CISAILLE** n. f. est issu (1214) d'un latin populaire °*cisacula* «instrument pour couper», altération de °*caesacula,* neutre pluriel collectif devenu féminin singulier, de °*caesaculum,* lui-même dérivé du même radical *caes-* que °*caesellum* qui a donné *ciseau* (ci-dessus). ◇ Le mot a pris place à côté de *ciseau* avec un sens très voisin, au singulier comme au pluriel (av. 1285, *cisailles de barbier*); la différenciation s'est opérée par celle des domaines d'application technique des deux instruments, distingués également par leur taille; la terminaison en *-aille* jouant le rôle d'un quasi-augmentatif. ◆ La séparation est très nette entre *ciseler* et le dénominatif de *cisaille,* **CISAILLER** v. tr. (1450) «couper avec une ou des cisailles», dont les sens figurés procèdent de l'idée de «couper grossièrement», voire «déchiqueter» et aussi «rompre, interrompre», spécialement en termes militaires. ◇ Malgré le décalage chronologique, il est tentant de considérer ② **CISAILLE** n. f. (1324), «rognure de métal», comme le déverbal de *cisailler,* lequel a également produit les noms d'action, **CISAILLEMENT** n. m. (1635) et **CISAILLAGE** n. m. (v. 1950), ce dernier avec la valeur technique d'«action de cisailler (une feuille de métal) selon un tracé donné».

CISTE n. m., attesté (1572) après l'orthographe étymologique *cisthe* (1557), est emprunté au latin *cisthos,* lui-même emprunté au grec *kisthos,* nom d'un arbrisseau à fleurs blanches ou roses des régions méditerranéennes, probablement mot d'emprunt mais d'origine inconnue.

♦ Le mot français a conservé le sens de l'étymon.

CISTERCIEN, IENNE adj. et n. est emprunté (1447) au latin médiéval *cisterciensis* (av. 1134, *Usus antiquiores ordinis cisterciensis*), dérivé de *Cistercium* «Cîteaux», nom d'un hameau situé non loin de Beaune, en Côte-d'Or. Saint Robert de Molesme y fonda en 1098 une abbaye appelée «le nouveau monastère» pour vivre intégralement la règle de saint Benoît, trop souvent détournée de son esprit : retour à la simplicité dans la vie quotidienne, le culte et l'art, rupture avec le monde dans la tradition des Pères du désert, pauvreté, silence et travail manuel. Après des débuts difficiles, Cîteaux a connu, avec l'arrivée de saint Bernard et de ses trente compagnons, en 1111, une période de prospérité qui lui permit de fonder quatre abbayes — La Ferté (1113), Pontigny (1114), Clairvaux (dont saint Bernard était l'abbé) et Morimond — et d'essaimer en couvrant l'Europe de nombreuses filiales. Au cours des siècles, l'ordre s'est scindé en deux familles encore très florissantes : le saint ordre de Cîteaux (ou commune observance) et l'ordre des Cisterciens (ou stricte observance); cf. *trappiste.*

◆ L'adjectif, aussi substantivé, qualifie ce qui concerne l'ordre de Cîteaux, et notamment, l'art roman très simple préconisé par son fondateur.

CISTRE n. m. résulte du croisement (1559) de deux noms d'instruments de musique. Le premier est le moyen français *citre, cithre* (av. 1566), de genre féminin, nom d'une variété de cithare des Anciens, représentant le latin *cithara* (→ cithare, guitare). Le second est le moyen français *sistre* (1527), emprunté au latin *sistrum*, lui-même repris au grec *seistron* (ayant donné le type *setrion* en judéo-français) «instrument à percussion fait de baguettes sonores, utilisé notamment dans le culte d'Isis» (→ sistre).

♦ Le mot, qui a adopté le genre masculin de son homonyme *sistre*, est plus proche par le sens de *citre, cithare*, désignant un instrument à cordes pincées, à table ovoïde ou piriforme et à fond plat, employé aux XVIe et XVIIe siècles.

CITADELLE n. f. est emprunté (1495) à l'italien *cittadella* «petite cité» (av. 1363) diminutif de *cittade*, forme ancienne de *città* «ville» (→ cité, citadin).

♦ Terme de fortification désignant la forteresse destinée à protéger une ville, *citadelle* est appliqué, par métonymie, à la ville fortifiée et spécialement à une forteresse servant de prison. Depuis le XVIIe s., il connaît le même type d'emploi figuré que *forteresse* (1685, *servir de citadelle; citadelle assiégée*).

CITADIN, INE n. et adj. est emprunté (déb. XIVe s.) à l'italien *cittadino* «habitant de la cité» (déb. XIIIe s.), dérivé de *cittade*, forme ancienne de *città* (→ cité, citadelle).

♦ Avec le sens d'«habitant de la cité», *citadin* est synonyme de *bourgeois* et de *citoyen* jusqu'au XVIIe s., date à laquelle *citoyen* se spécialise en politique et *bourgeois* dans le vocabulaire social. Depuis, *citadin* subit lui-même, dans son emploi adjectif, la concurrence d'*urbain* et il a perdu son antonyme *contadin* (de l'italien *contadino* «paysan») qui s'est employé aux XVIe-XVIIe siècles. ◆ Le féminin *citadine*, elliptiquement pour *voiture citadine*, a désigné une voiture de place en usage dans les grandes villes (1830); le mot a vieilli et disparu dans la seconde moitié du siècle.

◈ voir CITÉ, CITOYEN.

◈ **CITÉ** n. f., d'abord *ciutat* (v. 980), *ciptet* (1050) puis *cité* (1080), est issu du latin *civitas*. Ce mot a eu le sens abstrait de «condition de citoyen», «droit de cité»; par métonymie, il s'est appliqué à l'ensemble des citoyens et, par suite, au siège d'un gouvernement. Il a ainsi désigné la ville en tant que corps politique, l'État, traduisant le grec *polis* (→ police, politique). Il est ensuite devenu le nom donné concrètement à la ville en général, se substituant à basse époque à *urbs* (→ urbain) et à *oppidum* (→ oppidum) et passant dans les langues romanes: italien *città*, espagnol *ciudad*, portugais *cidade*. *Civitas* est dérivé de *civis* «membre libre d'une cité à laquelle il appartient par son origine ou par adoption» (→ civil, civique).

♦ Le mot, dès l'ancien français, a été concurrencé par *ville**, de sorte qu'au XIVe s., il ne désigne plus que la partie la plus ancienne de la ville (v. 1360): on en garde trace dans *l'île de la Cité* à Paris et dans l'emprunt anglais *City*, appliqué à la partie centrale de Londres. Par analogie avec ce noyau urbain généralement entouré d'une enceinte, *cité* désigne aujourd'hui une agglomération habitée tirant son unité d'une situation (1829) ou de sa destination pour un groupe particulier de personnes, dans les locutions ***cité ouvrière*** (1878), ***cité jardin*** (1904), ***cité universitaire...*** ◇ À partir du XVe s., le mot a renoué avec la vocation politique de *civitas* dans quelques emplois particuliers: en histoire antique et médiévale (v. 1460), dans l'expression ***avoir (le) droit de cité*** (1829) «avoir titre à figurer», d'après les anciens privilèges accordés aux membres de la cité, les *bourgeois*, et chaque fois que l'on désigne l'État sous son aspect juridico-politique. C'est d'ailleurs le terme utilisé par la tradition du récit utopiste pour désigner la société idéale (av. 1360) et la communauté catholique (la ***cité céleste***, 1690). La distinction entre *ville* et *cité* peut impliquer aussi pour ce dernier terme l'idée de «grand centre urbain», renforcée par l'anglais *city*.

▸ **CITOYEN, ENNE** n., dérivé de *cité* sous la forme *citeain* (1154-1173) et refait en *citoien* (apr. 1250) par confusion entre les suffixes *-ain* et *-ien*, est pendant tout le moyen âge et jusqu'au XVIIe s., le doublet sémantique de l'italianisme *citadin** «habitant d'une ville». ◇ Au XVIIe s., il s'est spécialisé dans le vocabulaire politique au sens de «membre d'une communauté politique organisée», d'abord par référence au modèle civique ancien et aux concepts romains de *civis, civitas*. C'est dans ce contexte que l'on rencontre déjà au XVIIe s. (Voiture) l'expression *citoyen du monde*, reprise au XXe siècle. ◇ Le mot s'est acclimaté dans le vocabulaire des institutions françaises (1751), répandu par les philosophes, notamment Rousseau, puis par la Révolution de 1789, à la suite de laquelle le mot fut adopté comme titre et appellatif pour remplacer *monsieur, madame* (1790). Il a conservé de l'usage révolutionnaire, en partie à cause d'emplois célèbres et cités *(aux armes, citoyens!)*, un contenu affectif fort, lié à l'idée de *patrie* et *patriote*, et souvent retourné par ironie. Parallèlement à sa spécialisation politique, il est passé dans le langage familier avec le sens, légèrement péjoratif, d'«individu» (1694), aujourd'hui fortement en recul au profit de *type*, mais encore vivant dans des locutions ***(un drôle de citoyen)***. ◇ Son emploi adjectif (1174-1178) a vieilli sous la concurrence de *citadin*. ◆ De *citoyen* ont été tirés **CONCITOYEN, IENNE** n. (1580), forme moderne pour l'ancien français *concitein* (1290), lui-même modelé sur le latin tardif *concivis*, d'où **CONCITOYENNETÉ** n. f. (1845). ◆ **CITOYENNETÉ** n. f., dérivé de *citoyen* à la veille de la Révolution (1783), a d'abord les mêmes connotations patriotiques que *citoyen*, mais est devenu au XIXe s. un terme juridique, affectivement neutre.

Le mot anglais, correspondant à *citoyen*, *citizen* a été repris dans **CITIZEN BAND** n. f., emprunt altéré (1971) de l'anglo-américain *citizen's band* «bande de fréquence radio réservée à des communications privées». Cet anglicisme, surtout abrégé en **C. B.**, qui a donné le dérivé **CIBISTE** n. (1980)

d'après la prononciation anglaise de *C.B.*, concerne les radioamateurs. La francisation en *bande publique* n'est utilisée qu'au Québec.

CITER v. est emprunté (XIIIe s.-XIVe s.) au latin *citare*, usité à l'époque républicaine dans la langue politique et juridique au sens de «convoquer (le Sénat), convoquer en justice» d'où «invoquer le témoignage de (qqn)» et de là «mentionner». C'est surtout à l'époque impériale que le verbe a le sens étymologique de «mettre en mouvement», «exciter, provoquer» et, dans la langue rustique, «pousser, produire». C'est la forme fréquentative généralisée de *ciere, cire* «mettre en mouvement» d'où «faire venir, appeler, invoquer». *Ciere, cire* vient d'une racine indoeuropéenne exprimant le mouvement (→ cinéma, kinésithérapie, du grec), représentée dans le sanskrit *cyávate* «il se met en mouvement», l'arménien *ču* «départ» et *čogay* «je suis allé».

♦ Après un emploi isolé au sens de «pousser (qqn) à faire qqch.», repris au latin (cf. *inciter*), le mot est employé en droit (XIVe s.) au sens de «sommer de comparaître en justice», en locution ***citer en justice.*** ◇ C'est seulement au XVIIe s. qu'il reprend au latin son sens courant de «mentionner les paroles, les écrits d'un auteur à l'appui» (av. 1618). En procède celui de «signaler à l'attention pour ses qualités» (1704), de nos jours dans la locution ***citer en exemple.*** ◇ Il reste une trace du sens étymologique dans le vocabulaire de la tauromachie, où *citer la bête* (1903), de l'espagnol *citar* de même origine, signifie «l'appeler à soi».

▸ **CITABLE** adj. (v. 1290), **CITATEUR, TRICE** n. (1696) ou **CITEUR** (av. 1688) et le composé **PRÉCITÉ, E** adj. (1829) sont formés en français.

CITATION n. f. (v. 1355) est emprunté au latin *citatio*, formé sur le supin de *citare* au sens de «proclamation», «action de convoquer en justice». ◆ Le mot, introduit dans le langage juridique avec le sens d'«action de citer en justice», d'où «assignation» (1567), s'est répandu dans la rhétorique et dans l'usage courant au sens de «passage rapporté d'un auteur» (d'où un syntagme comme *fin de citation*). ◇ En relation avec une spécialisation de *citer*, il est employé dans le domaine militaire au sens de «mention honorable d'un militaire» (1790).

◈ voir EXCITER, INCITER, RÉCITAL, RÉCITER, RESSUSCITER, SUSCITER.

CITÉRIEUR, EURE adj. est l'emprunt didactique (av. 1505) du latin *citerior* «qui est plus en deçà», employé en géographie dans l'appellation *Gallia citerior* «la Lombardie» parce que cette région, où s'établirent les Celtes à partir du IVe s. av. J.-C., était située en deçà des Alpes par rapport aux Romains. Le mot signifiait aussi «plus rapproché», dans le temps et dans la sphère des choses intimes. *Citerior* est le superlatif de *citer* «qui est en deçà», adjectif dérivé de la préposition *cis* «en deçà», «avant dans le temps» et «dans la limite de», terme surtout en usage chez les historiens et les juristes ainsi que dans quelques composés dont *cisalpinus* «en deçà des Alpes» d'où l'emprunt *cisalpin, ine* adjectif (1596) (→ alpes). *Cis* appartient à un groupe de démonstratifs indiquant l'objet rapproché dans différentes langues indoeuropéennes : gotique *hi-*, vieux slave *sĭ*, arménien *kāš* «ici».

♦ Le mot s'est moins répandu que son antonyme *ultérieur*. À la différence de ce dernier, il est surtout employé avec une valeur géographique *(Espagne citérieure)* et non temporelle.

CITERNE n. f., d'abord *cisterne* (v. 1170), graphie en usage jusqu'au XVIIe s., puis *citerne* (v. 1300), est l'adaptation du latin *cisterna* «réservoir pour recueillir l'eau», dérivé technique de *cista* «panier d'osier», «coffre», «corbeille religieuse». Ce mot, emprunté au grec *kistê* «corbeille» (→ chistera), lui-même probablement emprunté, aurait été introduit à Rome par l'Étrurie où ce type de corbeille sacrée était très fréquent.

♦ Désignant d'abord le réservoir des eaux de pluie, le mot s'est étendu à des cuves contenant d'autres liquides que l'eau, dénommant par métonymie un petit navire portant de l'eau douce aux bâtiments (1783). Il s'emploie aussi comme second élément de composés (1881), du type ***camion-citerne, cargo-citerne.*** ◇ Par analogie, il est passé en anatomie comme désignation de parties du corps considérées comme des réservoirs de fluides lymphatiques (1752), spécialement dans *citerne de Pecquet* (1814).

▸ **CITERNEAU** n. m., d'abord *cisterneau* (1694), diminutif de *citerne*, désigne un petit réservoir communiquant avec une citerne et où les eaux pluviales s'écoulent et se filtrent; il est demeuré technique.

CITHARE n. f. est emprunté (v. 1370) au latin *cithara*, lui-même emprunt au grec *kithara* nom d'un instrument à cordes proche de la lyre, perfectionné par Terpandre qui lui aurait donné sept cordes. Le mot, qui subsiste en grec moderne, n'a pas d'étymologie connue, mais un emprunt oriental est probable. Au XIIIe s., on rencontre une forme *kitaire*, empruntée à l'espagnol *quitarra*, lui-même de l'arabe *qītāra* (→ guitare).

♦ Le mot désigne un instrument à cordes de l'antiquité, forme perfectionnée de la lyre. Par extension, il s'applique à tout instrument à cordes sans manche et, spécialement, à un instrument d'Europe centrale à caisse trapézoïdale.

▸ **CITHARISTE** n. est emprunté (1220, *cistariste*) au latin *citharista*, lequel transcrit le grec *kitharistês* «joueur de cithare». Le mot semble s'être appliqué aussi au joueur de harpe au moyen âge avant de se restreindre au seul joueur de cithare, valeur attestée au XVIe s. puis de nouveau au XIXe s. (1838). ◆ Il est distinct de **CITHARÈDE** n. (1562), emprunt isolé puis diffusé à partir de 1838, du latin *citharoedus*, transcription du grec *kitharǫ̂do*, composé de *khitara* et de *aoidos* «chanteur» (→ aède).

Le radical du latin *cithara* a servi de base pour la formation de **CITOLE** n. f. (v. 1200), nom d'un instrument de musique à corps allongé et manche très court dont on pinçait les cordes avec le plectre au moyen âge, également attesté en ancien espagnol (*citola*, 1220-1250) et en ancien provençal (*cithola*, av. 1350).

◈ voir CISTRE, GUITARE.

CITOYEN → CITÉ

CITRON n. m. est emprunté (XIIIe s.), soit au bas latin *citrum* «fruit du cédratier», lui-même du latin classique *citrus* désignant à la fois le thuya (en grec *thuia* ou *kedros*, → cèdre) et le cédratier, soit au latin médiéval *citrus* qui avait acquis par métonymie le sens de «fruit du cédratier» (XIe s.). Ce mot latin, qui a donc servi à désigner deux arbres tout à fait différents, n'est pas emprunté directement au grec *kedros* qui désigne d'ailleurs le cèdre (→ cèdre) et le genévrier, tout en se différenciant de *thuia* (→ thuya), mais dont le dérivé *kedromêlon* désigne le cédrat. Les mots latin et grec pourraient être des emprunts parallèles à une langue non déterminée. À son tour, le grec a emprunté le mot latin, sous la forme *kitrion* «cédratier» (IIe s.) et «cédrat», et a formé *kitromêlon* pour nommer spécifiquement le fruit.

♦ Le mot désigne le fruit du citronnier ; par métonymie, il est employé comme adjectif de couleur, en apposition (1680) et en comparaison, à propos d'un teint maladif (1795, ***jaune comme un citron***). ◇ La locution ***presser le citron,*** au figuré «exploiter entièrement» (1835, Balzac), s'est employée à la forme pronominale ***se presser le citron*** «se torturer les méninges», d'après le sens argotique puis familier de *citron* «tête» (1878). Une analogie de forme plus précise fait du mot un synonyme de *grenade offensive,* dans l'argot militaire.

▸ De *citron* sont issus **CITRONNIER** n. m. (1486), **CITRONNÉ, ÉE** adj. (1621), **CITRONNADE** n. f. (1856), passé de «jus de citron» à «boisson parfumée au goût de citron», et le composé **PRESSE-CITRON** n. m. (1877). ◆ Citronnelle n. f. (1601) désigne plusieurs plantes, notamment une armoise à odeur citronnée et (1704) une liqueur parfumée aux zestes de citron. ◆ Le terme latin *citrus* sert de dénomination scientifique à tous les arbres à agrumes. ◇ Son radical a servi à former des termes de chimie : **CITRIQUE** adj. (1782), **CITRATE** n. m. (1782).

CITRIN, INE adj. est un emprunt ancien (v. 1150) au latin médiéval *citrinus* «qui a la couleur du citron» (VIIe s.-VIIIe s.), substantivé pour désigner plusieurs matières de couleur citron. Le mot qualifie ce qui rappelle la couleur du citron et son féminin **CITRINE,** substantivé (fin XIIe s.), une pierre semi-précieuse de couleur jaune.

⟐ voir CÉDRAT, CITROUILLE.

CITROUILLE n. f. est l'altération (1675), par analogie avec les mots français en *-ouille,* de *citrole* (1256). Celui-ci, étant donné l'origine des premières attestations en français et en latin, est un emprunt au latin médiéval du domaine italien *citrolus* (1178), *citrul(l)us* (1176-1187), latinisations de l'italien du Sud *citrulo,* correspondant au type toscan *citriulo* (XIVe s.). Ce dernier est le dérivé en *-eolus (-iulo)* du bas latin *citrium* «variété de citrouille», issu du latin *citrus* (→ citron) d'après la couleur jaune de cette citrouille.

♦ Le mot désigne une plante potagère dont le fruit jaune orangé est de forme sphérique ou oblongue. ◇ Il a pris dans l'usage populaire la valeur figurée péjorative de «personne épaisse, grossière et ridicule» (1675, d'une femme ; 1713, en général) et, comme d'autres noms de fruits renflés, est devenu une dénomination argotique puis familière de la tête.

CIVET n. m. est la réfection, par substitution de suffixe (1636) de l'ancien français *civé* (apr. 1250). Lui-même est dérivé de **CIVE** n. f., antérieurement *chive* (fin XIIe s.), nom d'une plante à racines bulbeuses employée dans la salade et dans les ragoûts, principalement ceux de gibier. ◇ Ce mot est, avec son diminutif **CIVETTE** n. f. (1549), un nom régional de la *ciboule* et est hérité du latin *caepa, cepa* «oignon», terme emprunté d'origine inconnue.

♦ Le mot désigne un ragoût de lièvre, lapin ou chevreuil dont les morceaux sont sautés, mouillés de vin rouge et assaisonnés de cives et d'oignons. Par extension, il désigne un tel ragoût préparé avec un gibier à plume, une volaille, un poisson. Aujourd'hui, le civet connote plutôt le vin rouge que l'assaisonnement impliqué par l'étymologie du mot.

① **CIVETTE** n. f. (1542), d'abord *cyvete* (1401), est emprunté, probablement par l'intermédiaire du catalan *civetta* «substance odorante sécrétée par les glandes d'un animal d'Afrique ou de l'Inde», à l'arabe *zabād.* Ce mot désigne l'écume et la substance écumeuse à forte odeur de musc que sécrète un animal et, par abréviation de *qaṭṭ az-zabād* «chat à civette», cet animal lui-même. L'intermédiaire de l'italien *zibetto* (XVe s.), nom de genre masculin, est moins probable. L'ancien français a eu une forme isolée *zabadec* (1249-1272), empruntée de l'arabe par l'intermédiaire d'une traduction latine.

♦ Le mot, introduit au XIIIe s. à propos de l'animal, s'est surtout répandu comme nom de la substance odorante qu'il sécrète (1401), laquelle fut longtemps objet d'un commerce considérable avec l'Inde et l'Afrique par l'intermédiaire de Venise et d'Alexandrie. On en tirait un liquide employé en pharmacie et en parfumerie, d'où l'emploi métonymique du mot au sens de «parfum» (1542). De nos jours, la consommation de cette substance par ces deux industries a beaucoup diminué au profit de substances moins coûteuses, obtenues par synthèse.

② **CIVETTE** → CIVET

CIVIÈRE n. f. (XIIIe s.) est d'origine douteuse. ⟐ Une origine latine populaire °*cibaria* «véhicule servant au transport des provisions» fait difficulté des points de vue phonétique, ne pouvant expliquer certaines formes romanes, et sémantique, la civière semblant d'abord destinée au transport du fumier. °*Cibaria* est la substantivation du féminin de l'adjectif *cibarius* dérivé de *cibus* «sac à provisions», «provisions» et, par suite, «nourriture», mot dont l'étymologie n'est pas éclaircie.

♦ Le mot désigne un appareil muni de brancards, destiné à transporter des fardeaux (fumier, grosses pierres) puis, en particulier, des blessés, acception aujourd'hui dominante.

CIVIL, ILE adj. et n. est emprunté (1290) au latin *civilis* «relatif au citoyen, à ses droits, à son existence». Ce mot est employé en droit où il tend à remplacer son synonyme *civicus* (→ civique), s'opposant à la fois à *criminalis* (→ criminel) et à *militaris* (→ militaire). En philosophie politique, *civilis* traduit le grec *politikos* (→ politique) dans sa double acception de «social» et «sociable, civilisé»; de cette dernière procède, à basse époque, le sens moral «doux, affable» (souvent jumelé à *humanus*). *Civilis* est dérivé de *civis* (anciennement *ceivis*) «membre libre d'une cité», «citoyen libre» par opposition à *hostis* «étranger, hôte», qui désigne aussi l'ennemi (→ hostile, hôte). *Civis* appartient à une famille indoeuropéenne qui a des représentants en germanique (ancien haut allemand *hīwo* «mari», *hīwa* «épouse»), baltique et slave (lituanien *šeimà*, vieux slave *sěmĭja* «famille»).

♦ *Civil* a été introduit en droit, où l'adjectif qualifie ce qui concerne les citoyens en tant que particuliers, notamment par opposition à *criminel* (*cause civile*, 1290) et à *militaire*; il y a donné un certain nombre d'expressions dont ***droit civil*** (fin XIIIe s.) qui s'opposera à *droit public*, ***partie civile*** (1611), *requête civile*. ◇ Le sens général «qui concerne le citoyen, les rapports entre citoyens» (1330) est surtout vivant dans des expressions comme *mort civile* (1330), *société civile*, *guerre* civile*, *état* civil* (1773-1774), *liste civile* (1791), *année civile*; il est pris spécialement par opposition à *militaire* (1718) ou à *religieux, ecclésiastique*. ◇ Quant au sens «qui observe les usages de la bonne société, civilisé» (v. 1460), usuel en français classique, il tend à décliner soit au profit de *civilisé*, malgré le soutien de *civilité*, soit au profit de *poli, bien élevé*. ◆ La substantivation du masculin *civil* (1835) sert à désigner un homme qui n'est ni militaire ni religieux, la première opposition étant la plus courante, *le civil* désignant aussi l'état non militaire, surtout dans des expressions comme ***en civil*** (opposé à *en uniforme*), ***dans le civil*** *(dans la vie civile)*.

▸ **CIVILEMENT** adv., dérivé de *civil* dans sa double acception, générale (v. 1370) et juridique (1381), a reçu le sens de «conformément aux usages» (1606) dans la langue classique, d'après la valeur sociale de *civil* (dès le XVe s.) et de *civilité* (un demi-siècle plus tôt que l'adv.), mais cette valeur a perdu de sa vitalité au XIXe siècle. ◆ **CIVILISER** v. tr., d'abord au participe passé *civilisé* (1568), a tendu à glisser du sens de «rendre civil, plus apte à la vie en société» (encore à la forme pronominale *se civiliser*) à celui de «faire passer (une collectivité humaine) à un état de plus haut développement matériel, intellectuel, social» : cette mutation de sens, liée à l'apparition de la valeur moderne de *civilisation*, s'inscrit dans l'évolution de la pensée anthropologique au XVIIIe s., non sans un certain ethnocentrisme (1791, Volney opposant *l'homme civilisé* à l'*anthropophage*). ◇ Le sens juridique, «porter (un procès) devant un tribunal civil» (fin XVIe s.), déjà déclaré vieilli au XIXe s., n'a pas résisté à la nouvelle orientation du mot. ◇ Celle-ci se retrouve dans les dérivés du verbe. ◆ **CIVILISATION** n. f. (1721), sans conserver son acception technique en jurisprudence, a été défini au XVIIIe s. comme ce qui rend les individus plus aptes à la vie en société (1757, Mirabeau) et surtout comme le processus historique de progrès (on dira plus tard *évolution*) matériel, social et culturel (1760, Mirabeau), ainsi que le résultat de ce processus, soit un état social considéré comme avancé. Par métonymie, le mot désigne aussi une société caractérisée par son degré d'avancement (1767, Mirabeau), emploi avec lequel le pluriel tend à l'emporter à partir du XIXe siècle. ◇ L'accent étant mis sur le degré de perfection atteint, le nom est employé absolument avec le sens de «caractère civilisé, état social avancé» (1767); il tend à entrer aujourd'hui en concurrence avec *culture**, plus neutre et relatif, et qui répond mieux aux besoins d'une description d'intention objective. ◆ **CIVILISABLE** adj. (fin XVIIIe s.), d'où **INCIVILISABLE** adj. (1831), et **CIVILISATEUR, TRICE** adj. (1829) ont suivi de peu *civilisation* au sens positif et ont été très utilisés comme alibis moral et social dans le cadre des colonisations.

CIVILITÉ n. f. a été emprunté (v. 1370) au dérivé latin impérial *civilitas* «sociabilité, courtoisie», à basse époque «ensemble des citoyens» et «cité», de *civilis*. ◇ Le mot n'a pas gardé le sens philosophique de «communauté organisée» (Oresme) après le XVe siècle. Il a été repris avec le sens d'«observation des règles du savoir-vivre qui régissent la vie en société» (apr. 1550), entrant par exemple dans les titres des *Traités de civilité puérile* (pour les enfants) *et honnête*, écrits au XVIe s. et au XVIIe s. et qui concernent le savoir-vivre.

INCIVIL, ILE adj. est emprunté (av. 1382) au latin impérial *incivilis* «violent, brutal», dérivé du sens moral de *civilis*. Le mot s'est appliqué à une personne manquant de savoir-vivre, de sociabilité, parallèlement au sens correspondant de *civil*, d'où son emploi métonymique plus vivant pour qualifier un comportement humain (1549); ces emplois ont vieilli comme ceux de *civil*. ◇ *Incivil* a été reformé sur *civil* au sens juridique de «contraire aux lois qui s'imposent aux citoyens» (1456), sans parvenir à s'imposer. ◇ Son dérivé **INCIVILEMENT** adv. (1462) est, plus nettement encore que l'adjectif, d'usage littéraire. ◆ **INCIVILITÉ** n. f. (1408), peut-être emprunté au latin tardif *incivilitas* «violence, brutalité» ou tiré de *incivil* d'après *civilité*, s'est d'abord employé au sens didactique de «ce qui est contraire aux lois civiles». Ce sens n'a pas vécu, de même que celui de «manque de courtoisie» (1566) précédé par le sens concret d'«action, parole incorrecte» (1426), éliminé par *impolitesse*.

CIVIQUE adj. est emprunté (1504) au latin *civicus* «du citoyen» et «de la cité», dérivé de *civis* «citoyen», et déjà employé en concurrence avec l'autre adjectif de *civis*, *civilis* (→ civil).

♦ Emprunté dans le latinisme *couronne civique* (1504), calqué sur le latin *civica corona* qui désignait une couronne en feuilles de chêne, décernée chez les Romains à celui qui avait sauvé la vie à un citoyen, le mot a pris à la veille de la Révolution avant 1781 son sens moderne de «relatif au citoyen», spécialement avec la valeur appréciative de «caractéristique d'un bon citoyen» *(vertu civique)*. Ses emplois sont dès lors liés à ceux de *citoyen* et détachés de ceux de *civil* et de ses dérivés.

▸ En ont été dérivés **CIVISME** n. m. (1770) et, par préfixation, les antonymes **ANTICIVIQUE** adj. (1789), **ANTICIVISME** n. m. (1791), ainsi que **INCIVIQUE** adj. (1794), **INCIVISME** n. m. (1790). Toute la série s'est développée, comme *citoyen*, par le discours prérévolutionnaire et révolutionnaire.

CLABAUD n. m., d'abord *Clabault*, nom propre de chien (v. 1450), est d'origine incertaine : la dérivation d'un radical expressif *klab-*, déduit de l'existence du néerlandais *klabaard* «crécelle» et «bavard», est peu sûre car le mot néerlandais est rare et obscur. On évoque une dérivation d'un °*claber* qui serait une variante régionale de *clapper** et dont l'existence est soutenue par le picard *clabet* «crécelle» (1388), mais ce dernier peut être lié au mot néerlandais évoqué plus haut.

♦ Le mot est employé comme nom commun comme dénomination d'une espèce de chien qui aboie fortement (1501), sens devenu archaïque. Par extension, il est employé au figuré à propos d'une personne qui crie beaucoup sans motif (1718). Par allusion aux oreilles pendantes de ce chien, il a caractérisé une coiffure, un chapeau à bords pendants (1680), mais il a vieilli dans tous ses emplois.

▸ **CLABAUDER** v. (av. 1500), «aboyer fort», s'est répandu dans la langue figurée pour «médire» (1611), «crier à tort et à travers», notamment dans la construction *clabauder contre qqn* (1648) ; le verbe reste plus vivant que *clabaud*, mais dans un usage limité, en général littéraire. ◆ Les dérivés du verbe sont apparus entre le XVIe s. et le XVIIe s. : **CLABAUDEUR, EUSE** adj. (1554), **CLABAUDAGE** n. m. (1567) et **CLABAUDERIE** n. f. (1611) sont devenus eux aussi archaïques.

CLAC → **CLAQUER**

CLAFOUTI(S) n. m. est un régionalisme (attesté 1864, mais ancien) du Centre (Limousin, Berry) passé (1866) dans la langue commune. Il est issu du croisement d'un dérivé en *-eïz* de *foutre** «mettre, ficher» et de l'ancien français *claufir*, du latin *clavo figere* «fixer avec un clou» (→ fixer, clou), attesté dans les *Passions* médiévales au sens de «fixer avec des clous (le Christ sur la croix)» (v. 980) et conservé dans les dialectes avec celui de «clouter, recouvrir d'objets semblables aux clous» (ici, les cerises).

♦ Le mot désigne un entremets que l'on fait cuire au four après y avoir ajouté des cerises ou, par extension, d'autres fruits.

CLAIE n. f., d'abord *cleide* (v. 1100) en judéo-français, puis *cleie* (v. 1155) et enfin *claie* (1306), vient du gaulois *cleta*, attesté en latin médiéval sous la forme *clida* au sens de «treillage de bois où l'on déposait le cadavre d'un supplicié ou de la victime d'un meurtre» (VIIe s.).

♦ Le mot désigne, plus généralement que son étymon, un treillis d'osier à claire-voie tendu sur un support de bois. Parmi ses nombreux sens particuliers en relation avec les divers usages de l'objet, celui d'«échelle de charpente sur laquelle on traînait la victime d'un duel» (1690) réactive le sens étymologique du latin. La locution figurée de style soutenu *traîner qqn sur la claie* «le traiter publiquement de manière infâmante», n'est plus guère connue.

▸ La dérivation consiste en quelques termes techniques : le diminutif **CLAYON** n. m. (1642 ; v. 1300 *cloon*) dont est tiré **CLAYONNAGE** n. m. (1694) et **CLAYONNER** v. tr. (1845) ; **CLAYÈRE** n. f. (1856) «parc à huîtres» est demeuré technique mais **CLAYETTE** n. f. (1863) s'est répandu avec le sens d'«emballage léger à claire-voie pour le transport de denrées périssables», et, récemment, de «support à claire-voie, dans un réfrigérateur».

✳ **CLAIR, CLAIRE** adj., adv. et n. d'abord *clar* (Xe s.), *cler* (1050) puis *clair* (XIVe s.), est issu du latin *clarus*. Ce mot, apparenté à *calare* «appeler» (→ intercaler, nomenclature) et à *clamare* (→ clamer), voire à *classis* (→ classe), a dû d'abord s'appliquer à la voix et aux sons avant d'être étendu aux sensations de la vue («brillant») puis, au figuré, aux choses de l'esprit et même aux individus et aux choses avec la valeur de «illustre, glorieux, brillant».

♦ L'étymologie du mot explique la quasi-simultanéité, en ancien français, des sens auditif, «éclatant par sa sonorité», et visuel (1080). Sur le plan de la sensation visuelle, l'adjectif a d'abord renvoyé à une notion de luminosité, de brillance qu'il ne conserve guère que dans *sang clair* (1080), *jour clair* (1080) ; on parlait aussi d'*armes claires* (1080, *helme clair*) ; cf. *arme blanche**. Il est appliqué à un fluide avec la nuance de «limpide, transparent» (v. 1250), d'après l'idée de ce qui laisse passer la lumière d'où, en parlant d'un bois, «peu touffu, clairsemé» (v. 1174), repris essentiellement par les dérivés *clairsemé, clairière* (ci-dessous). ◇ Fortement associé au jour, à la lumière, il est employé en ancien français avec une valeur de «pur», «beau». Cette transposition sur un plan abstrait en fait, dans le domaine intellectuel, le qualificatif de ce qui est évident, compréhensible (fin XIIe s.) et, appliqué à une personne, de qui comprend aisément (fin XIIe s.) ; de là, par métonymie, *style clair* (1680), *esprit clair* (1690). Récemment, la langue familière a retrouvé l'ancienne signification psychologique en l'appliquant à une personne aux intentions louches ou incompréhensibles et douteuses *(ne pas être clair)*. ◇ Le sens latin d'«illustre, brillant», encore attesté au XVIe s., ne vit plus que dans les prénoms démotivés *Claire, Clara*. ◇ Dans le domaine visuel, *clair* a glissé vers le sens courant de «faiblement coloré» (1690), l'opposition *clair-foncé* se substituant par affaiblissement à l'opposition *clair-obscur*. ◆ L'emploi adverbial (1080) est surtout vivant dans quelques expressions comme *voir clair, semer clair* (→ clairsemer), *chanter clair* (d'où le nom du coq *Chantecler*), concurrencé par l'adverbe *clairement*. ◆ L'emploi substantivé ***le clair***, a reculé devant *clarté*, mais se maintient dans quelques syntagmes usuels : ***le plus clair de*** (1585), ***au clair*** (XVIe s.) dans

tirer au clair (1803), ***au clair de*** «à la clarté de», ou ***clair de lune*** (1611).

▸ Tous les sens de *clair* sont représentés dans ses nombreux dérivés. ◆ **CLAIRET, ETTE** n. et adj. a absorbé l'ancien type *claré* vers 1150, lui-même issu du latin médiéval *claratum* «vin de liqueur fait avec du miel et des épices» (xe s.), dérivé de *clarus* qui était spécialement appliqué à des liqueurs. Par substitution du suffixe *-etum* à *-atum* qui donne *claretum* dès le xie s., le mot est devenu *claret* (xiiie s.), ultérieurement modifié en *cleret, clairet* sous l'influence de *clair.* ◇ Le substantif désigne encore de nos jours un vin rouge léger (1509) par ellipse pour *vin clairet* (fin xive s.) — d'où l'anglais *claret* appliqué au bordeaux — et, en joaillerie, une pierre de couleur très pâle. L'adjectif (xiiie s.) qualifie ce qui est clair sur le plan de la sensation visuelle et, plus rarement, auditive (av. 1250, *clerete voix*), mais il est devenu archaïque. Son féminin *clairette* a été substantivé elliptiquement pour *eau clairette* désignant une liqueur (1601), d'abord sous la forme *clairete* (1800), puis *clarette* (1829) et enfin *clairette* (1838), désignant un vin mousseux (1829) et, par métonymie, un cépage blanc (1838).

CLAIREMENT adv. (v. 1174) s'est spécialisé dès l'ancien français avec ses sens abstraits de «distinctement» et «avec évidence» (xiiie s.) sur le plan de l'audition et de l'intellection.

CLAIRVOYANT, ANTE adj., composé de *clair* et du participe présent de *voir* sous la forme ancienne *cler-veant* (v. 1121), a progressivement perdu son sens propre, «qui a la vue perçante», au profit du sens figuré «perspicace» (1174, dans un contexte religieux). ◆ **CLAIRVOYANCE** n. f. a été composé sur son modèle avec l'adverbe *clair* et *voyance* (1580, *clervoyance*), sous l'infuence de *voyance* il s'applique à la divination. ◇ Les antonymes **INCLAIRVOYANT, TE** adj. (1874) et **INCLAIRVOYANCE** n. f. (av. 1877) sont peu usités.

CLAIRSEMÉ, ÉE adj., formé de l'adverbe *clair* et de *semé** par soudure de *cler semé* (apr. 1150), signifie «rare», sens avec lequel il a supplanté *clair.* ◆ Par substitution de désinence, il a produit **CLAIRSEMER** v. tr. (1574-1590) «parsemer en espaçant», surtout employé à la forme pronominale.

CLAIRON n. m., d'abord *cleron* (v. 1270), procède de *clair* «sonore»; rare avant le xvie s., le mot désigne un instrument à vent, un cuivre au son clair et strident sans pistons (ce qui l'oppose à *trompette*), et ne produisant que des harmoniques. Il s'est spécialisé comme désignation d'un instrument militaire. ◆ En est dérivé **CLAIRONNER** v. (1559), de sens propre et figuré dès 1578, peu employé avant la fin du xixe s. (1873, Rimbaud), et dont le participe passé féminin *claironnée* est substantivé (av. 1892) chez A. Daudet pour «bruit évoquant un clairon». ◆ **CLARINE** n. f. est la forme féminine (1579-1599) de *clarin,* ancien nom qui a désigné un clairon (v. 1310), puis une clochette à son clair (1370), avant d'être évincé respectivement par *clairon* et *clarine.* Il est lui-même la substantivation de l'ancien adjectif *clarin* (v. 1220) «sonore, clair en parlant d'un cor».

CLAIRIÈRE n. f. (av. 1573) désigne proprement un endroit plus ou moins dégarni d'arbres dans une forêt, quelquefois précisé techniquement en **PRÉ-CLAIRIÈRE** n. m. (1922), **CHAMP-CLAIRIÈRE** n. m. (1958).

CLAIR-OBSCUR n. m., d'abord sous la forme italienne *chiar obscuro* (1596), puis sous la forme francisée actuelle (1668) précédée par *le clair et l'obscur* (1655), emprunte l'italien *chiaroscuro* (fin xve s.-déb.-xvie s., Léonard de Vinci), terme de peinture désignant l'art de distribuer des nuances de lumière contrastant avec un fond d'ombre. Ce terme technique de peinture est passé dans l'usage soutenu et littéraire avec des valeurs figurées.

Le xviiie s. a vu l'apparition de dérivés plus techniques, **CLAIRE** n. f. (av. 1708), désignant un bassin où l'on élève certaines huîtres, d'où *huîtres de claires* puis *des claires,* pour ces huîtres; **CLAIRÉE** n. f. (1753) «sucre clarifié» et «réservoir de saline» (1765) et **CLAIRCE** n. f. (1790), déverbal de **CLAIRCER** v. tr., bien que ce verbe soit seulement enregistré en 1842, et synonyme de *clairée* en parlant du sucre clarifié.

CLARTÉ n. f., d'abord *claritet* (v. 980), *clartet* (1080) puis *clarté* (1538), est emprunté au latin *claritas* «éclat» au propre et au figuré, de *clarus.* ◇ Le sens concret est, dès le xiiie s., suivi d'un sens figuré, «caractère de ce qui est illustre» (1268), sorti d'usage. Le sens abstrait actuel, «qualité de ce qui est intelligible» (1580), se répand à l'époque classique, donnant un emploi particulier du pluriel *clartés* avec les valeurs de «vérité lumineuse» (1643) et surtout de «connaissance» (1672). Cet emploi, aujourd'hui archaïque, se rencontre encore en référence à des textes classiques comme *Les Femmes savantes* de Molière : «*Je consens qu'une femme ait des clartés de tout.*»

CLARIFIER v. tr., emprunté (av. 1200) au latin *clarificare,* proprement «rendre clair», de *clarus* et *-ficare,* a signifié «rendre illustre» en ancien français et surtout au xvie s. où cet emploi se répand. Ce sens a été évincé par celui de «rendre compréhensible» (1391). Le sens concret renvoie essentiellement à une opération technique (1530, *clarifier le miel*). ◆ **CLARIFICATION** n. f. sert de nom d'action à ce verbe avec une valeur abstraite (1474) et concrète (1690, *clarification d'un sirop*).

◈ voir CLARINETTE, DÉCLARER, ÉCLAIR, ÉCLAIRCIR.

CLAMER

CLAMER v. tr. est issu (1080) du latin *clamare* «pousser des cris, crier, proclamer» et, en latin médiéval, «faire appel à une autorité judiciaire» (viiie-ixe s.), mot ancien et usuel dont la forme évoque un nom qui aurait été évincé par *clamor. Clamare* correspond au grec *kalein* «appeler», à l'ancien haut allemand *hellan* «résonner»; il se rattache à un vaste ensemble de mots à initiale *kr-, kl-* exprimant des bruits : en latin même, *calare* «appeler» (→ intercaler, nomenclature), *clarus* (→ clair) et *classis* (→ classe), en grec *kelados* «bruit», en vieux slave *klakolŭ* (russe *kolokol* «cloche»).

♦ En ancien français, *clamer* signifiait «appeler (qqn)» notamment «par son nom», sens qu'il a conservé régionalement (en Champagne) et qui vit dans son correspondant italien *chiamare.* Il avait le sens de «proclamer publiquement» (1080) et celui de «revendiquer», parfois «exiger» (1131), tous deux en contexte juridique d'où *clamer quitte une chose* (1080) «la céder sans retour». ◇ Le sens de «crier, s'écrier» (XIIIe s.), en emploi transitif ou absolu, plus rare en ancien français et très rare au XVIIe s., a été repris dans la seconde moitié du XIXe s. avec une connotation littéraire (1874), peut-être sous l'influence du provençal.

▸ **CLAMEUR** n. f., d'abord *clamor* (1050), est issu du latin *clamor* (à l'accusatif *clamorem*) «cri», spécialement «acclamation» et «plainte» (souvent avec une valeur collective) et, à époque médiévale, «plainte en justice». *Clamor* est dérivé de *clamare.* Le mot a évincé l'ancien dérivé de *clamer, claim, clain,* répertorié jusqu'au XIXe s. dans des expressions juridiques. ➛ Le sens de «cri bruyant, prolongé» s'est maintenu spécialement au pluriel avec la valeur de «cri tumultueux d'improbation» (XVe s.), le singulier collectif *(la clameur publique)* étant devenu archaïque. En revanche, la spécialisation juridique de «plainte en justice» (v. 1175), encore attestée au XIXe s. en droit coutumier dans *clameur de haro* (1583) «sommation de comparaître devant le juge», est sortie d'usage.

◈ voir **ACCLAMER, CHAMADE, DÉCLAMER, EXCLAMER, PROCLAMER, RÉCLAMER.**

CLAMPIN → CLOPIN-CLOPANT

◈ CLAMSER, CLAMECER

CLAMSER, CLAMECER v. intr., identifié sous les formes *krapser* (1867), *crapser* (1867) dans l'argot des ouvriers, *cramser* (1878) dans celui des croquemorts, puis *crampser* (1883) chez les typographes et enfin *clamser* (1888) chez les soldats, est d'origine incertaine. La diversité des formes suggère une origine onomatopéique sur un radical alterné *kla-* ou *kra-* (→ claquer, craquer). Esnault conçoit une dérivation multiforme à partir de °*crampecer* «être pris de crampes» de *crampe*;* mais les premières formes non nasales en *crap-* font alors difficulté. En tout état de cause, la finale reste inexpliquée.

♦ Le verbe est synonyme de «mourir» en argot puis dans la langue populaire.

CLAN

CLAN n. m. est emprunté (1746) à l'anglais *clan* (v. 1425) «groupe social issu d'un même ancêtre en Écosse» d'où «tribu», puis aussi par extension «groupe, association» (XVIe s.). Lui-même est emprunté à l'ancien gaélique *clann* «race, famille» qui ne serait autre que le représentant, avec une altération de *p* en *c* propre au gaélique, du latin *planta* «plant, rejeton» (→ plante). L'emprunt direct du français aux langues celtiques, écossais ou irlandais, est moins probable.

♦ Le mot a été introduit à propos d'une réalité écossaise ou irlandaise. Il a repris à l'anglais le sens courant de «coterie, petit groupe uni par une communauté de goûts, d'idées» (1808), quelquefois avec une valeur péjorative (en politique, en parlant de malfaiteurs), et, depuis le milieu du XVIIIe s., sert à décrire un groupe ethnique, en ethnologie.

▸ La dérivation consiste en quelques termes didactiques d'ethnologie : **CLANIQUE** adj. (1935), **MATRICLAN** n. m. et **PATRICLAN** n. m. (XXe s.).

CLANDESTIN, INE

CLANDESTIN, INE adj. est emprunté (av. 1380) au latin *clandestinus,* ancien adjectif (Plaute) formé sur le modèle d'*intestinus* (→ intestin) dont il est voisin par le sens, étant apparenté à *celare* «cacher» (→ celer).

♦ Le mot qualifie ce qui se fait en cachette, une personne qui vit en marge des lois par nécessité. Il est substantivé avec deux sens spéciaux, en parlant d'un résistant pendant la Seconde Guerre mondiale, puis d'un immigré ayant passé illégalement une frontière, emploi où il est aussi adjectif *(travailleurs, immigrés clandestins).*

▸ De *clandestin* sont dérivés **CLANDESTINEMENT** adv. (1398), **CLANDESTINITÉ** n. f. (fin XVIe s.), appliqué spécialement à la Résistance française, belge, etc. en 1941-1945 et à des situations analogues. ◇ L'abréviation argotique **CLANDÉ** n. m. est appliquée (1948) à une maison de prostitution clandestine ou (1953) à un tripot clandestin.

CLAPET → CLAPPER

CLAPIER

CLAPIER n. m., dès 1210 *clapier* en franco-provençal, puis *glapier* (1365) en Bourgogne et *clapier* dans plusieurs régions (1395), est un terme alpin largement attesté dans la toponymie de tout le domaine franco-provençal et provençal pour désigner un terrain pierreux. Dans les mêmes domaines, le mot s'employait comme substantif aux sens de «tas de pierres, éboulis» (1058, *claperius* en latin médiéval à Marseille) et *garenne* (1212, *claperius,* encore à Marseille). Il est dérivé de *clap* «tas de pierres» (v. 1250) qui, de même que ses correspondants d'Italie du Nord, est issu d'un radical préroman °*klappo-* «roche, pierre», se rattachant lui-même à une racine verbale °*klapf-* «fendre».

♦ Le mot a désigné les petits trous creusés dans une garenne par les lapins d'où, au XVIe s., le sens de «cavité souterraine». Ce sens a été concurrencé et éliminé par son extension «cabane où on élève les lapins» (1365, en Bourgogne). Par allusion à la sexualité des lapins, *clapier* a désigné au figuré un lieu de débauche (1395) avant de se dire, par allusion aux conditions de vie des lapins en clapier, d'un lieu insalubre, sale où l'on est entassé. Toujours d'après l'idée de «milieu sale», *clapier* est passé en pathologie avec le sens de «foyer d'infection, abcès d'où le pus s'écoule difficilement» (1707). ◇ Le sens étymologique, «éboulis, tas de pierres» (1456, dans le Lyonnais) est encore employé régionalement et dans le vocabulaire géographique.

▸ Le verbe ① **SE CLAPIR** v. pron., «se blottir, en parlant du lapin» (1718), appartient à la même base préromane que *clapier,* avec un sens propre qui serait «s'enfouir sous les pierres comme le font les lapins de garenne». L'attraction de *clapier* explique que le verbe exprimant le cri du lapin soit ② **CLAPIR** v. intr. (1701), altération de *glapir*.* L'un et l'autre mots sont rares.

CLAPOTER → CLAPPER

CLAPPER

CLAPPER v. intr. est formé (v. 1288) sur un radical onomatopéique *klapp-* soit directement, soit moins probablement à travers une langue germanique. Ce radical est en effet représenté dans le néerlandais et le bas allemand *klappen*, l'anglais *to clap* «claquer».

♦ Le sens de «frapper» est sorti d'usage vers les XVe-XVIe s., tout en restant vivant dans divers dialectes. Si l'on excepte une attestation isolée au XVIe s. au sens d'«aboyer», le mot n'a été repris qu'au XIXe s. avec le sens de «produire un bruit sec avec la langue» (1834). Par extension, il est quelquefois employé pour «faire entendre un bruit sec» (1866), en parlant d'une chose.

▶ Le dérivé **CLAPET** n. m. (1516), relativement démotivé, a immédiatement pris son sens concret d'«élément en partie mobile adapté à un orifice pour permettre ou empêcher le passage d'un fluide»; par analogie, il désigne un petit volet mobile et, par allusion aux mouvements de la langue ou de la bouche qui s'ouvre et se ferme en parlant, le sens étant à la fois métaphorique et lié aux emplois modernes de *clapper*, il est employé dans l'usage populaire au sens de «bouche», seul et dans l'expression ***boîte à clapet*** (1907). La notion de «bruit» est sensible dans le sens métonymique de «bavardage intempestif». ➜ **CLAPPEMENT** n. m. (1831, *clapement*) sert de substantif d'action à *clapper;* on rencontre chez Giono **CLAPPÉE** n. f., néologisme ou régionalisme désignant la quantité de liquide que l'on peut avaler avec un clappement (1929).

Le même radical *klapp-* sert de base au groupe de **CLAPOTER** v. intr. (1611) attesté une fois avec le sens de «frapper sur qqch. avec la main» et repris avec le sens moderne «se heurter (de petites vagues)» (1833), dont procèdent, malgré de légers décalages chronologiques **CLAPOTEUX, EUSE** adj. (1730), quasiment éliminé par **CLAPOTANT, ANTE** (1866), **CLAPOTAGE** n. m. (1777), **CLAPOTIS** n. m. (1792), **CLAPOTEMENT** n. m. (1832), ces trois noms étant assez usuels, et **CLAPOT** n. m. (1888), demeuré rare.

✳ **CLAQUE** n. f. est dérivé (1306) de l'onomatopée *klakk-* exprimant un bruit sec, bref et assez fort, d'où l'interjection *clac*.

♦ Le mot, par glissement métonymique de l'idée de «bruit» à celle de «processus produisant un bruit», désigne un coup retentissant frappé du plat de la main (cf. gifle). ◇ Le sens de «chapeau haut de forme à ressorts» (1750), évoquant de nos jours un temps révolu et un apparat de cérémonie, fait référence à l'utilisation de ce chapeau haut de forme lorsqu'il est ouvert, et qui se déploie ou s'aplatit en claquant. ◇ Quelques sens familiers se sont développés au XIXe s. : rapproché du verbe expressif *claquer*, *claque* lui sert de déverbal, indiquant des applaudissements et surtout, par métonymie, l'ensemble des personnes payées pour applaudir un spectacle (1801). Cet emploi a vieilli avec l'usage qu'il désigne, mais donne lieu à des emplois figurés littéraires. ◇ La locution ***en avoir sa claque*** (1867), d'abord en référence à une personne ayant trop bu ou trop mangé, puis avec une signification générale (1877), peut être rapprochée de *claque* «coup» par l'intermédiaire de l'idée d'«accablement» ou plutôt du verbe *claquer*, par *être claqué* «exténué». ◇ Quant au sens argotique de «maison de tolérance» (1883) d'où «maison de jeu» (1886), réalisé par *claque* au masculin, il peut être rapproché de *claquer* «dépenser de l'argent» et de *claqueur* «souteneur» (1828), ainsi que de *claque-dent* et *claque-bosse* (1880), deux autres dénominations pour la maison de jeu (mais non de prostitution); *claque* «bordel» reste mal expliqué. ➜ Reste aussi à élucider le pluriel *claques* dans la locution familière courante ***prendre ses cliques et ses claques*** (1830) : il correspond peut-être à un emploi concret de *claques* en cordonnerie (1743) pour désigner des sandales que l'on attachait avec des cordons pardessus les souliers afin de les protéger des intempéries; ce sens, dont procède celui de «partie d'une chaussure recouvrant l'avant-pied» (1890), est remotivé d'après l'onomatopée *klakk-;* il est en usage au Canada, où ce type de couvre-chaussures en caoutchouc est usuel.

▶ **CLAC** interj., attesté au XVe s. (v. 1480, *faire clac*, est resté usuel, de même que *clic* en composé dans *clic-clac*.

CLAQUER v. (1508), formé sur la même base onomatopéique *klakk-*, exprime l'idée de produire un bruit sec et éclatant, puis, en particulier, de donner une claque (1648) et, familièrement, par l'intermédiaire de l'idée de *claquer dans ses mains* «applaudir», d'applaudir une pièce, un acteur (1732). ◇ Le mot a développé au XIXe s. quelques sens figurés, procédant de l'idée de «rompre en faisant un bruit sec» dans le langage populaire; celui de «manger gloutonnement» (1848), sorti d'usage, a produit par métaphore celui de «dépenser tout son argent» (1861), toujours très vivant dans l'usage familier. ◇ Les sens de «mourir» (1859, absolument), «être épuisé» (au passif, 1892) et spécialement, en sport, «se déchirer un muscle» (à la forme pronominale, 1902) participent également de l'idée de «rompre» appliquée à l'être humain, probablement par celle d'«éclater» comme un ballon trop gonflé, en relation avec le sémantisme de *crever**. ◇ L'expression ***claquer du bec*** (1902) correspond à «avoir faim».

L'antériorité de **CLAQUET** n. m. (1460-1470), par rapport au verbe *claquer*, ne devrait pas empêcher d'y voir un déverbal, peut-être celui du diminutif **CLAQUETER** v. intr. (1530). *Claquet* désigne une petite latte, sur la trémie d'un moulin, qui bat continuellement. ➜ Le dérivé **CLAQUETTE** n. f. (1539) s'est appliqué à un instrument articulé pour faire du bruit, comme la crécelle, mais en faisant claquer deux pièces. Le mot a été pris pour désigner au cinéma un dispositif formé de deux planchettes solidaires d'un tableau qui permet de synchroniser son et image au début d'une séquence filmée (1934). Le pluriel *claquettes*, désignant des lames métalliques placées sous les semelles des chaussures, s'applique à une danse pratiquée avec ce genre de semelles.

CLAQUEMENT n. m. (1552) sert de nom d'action à *claquer* dans ses emplois concrets avec des spécialisations en cardiologie et en pathologie sportive (probablement v. 1900, cf. *claquage*). ➜ **CLAQUEUR** n. m. (1781) «applaudisseur à gages» a vieilli en dehors d'emplois stylistiques péjoratifs (XIXe s.) et n'a pas d'emplois figurés, à la différence de *claque* n. f.

➛ **CLAQUAGE** n. m. (1901) fournit un substantif d'action spécifique à *claquer* en médecine sportive. La productivité de *claquer* doit beaucoup à l'utilisation de l'élément préfixant *claque-* dans la formation de substantifs. **CLAQUEMURER** v. tr. (1644) est le dérivé d'un ancien *claquemur,* dans *jouer à claquemur,* jeu d'enfant (1660) consistant probablement à enserrer un joueur si étroitement qu'il se heurte aux bornes qui le cernent. De là le sens du verbe, «emprisonner (qqn) dans une enceinte très étroite», qui a vieilli au profit d'extensions, «enfermer», «cacher». ➛ La vitalité de l'élément *claque-* a été importante dans les domaines de l'argot et de la langue expressive *(claque-faim, claque-soif, claque-patins).*

CLAQUETTE → CLAQUER

CLARIFIER → CLAIR

CLARINE → CLAIR

CLARINETTE n. f. est probablement dérivé (1753), avec suffixe *-ette,* du provençal *clarin* «hautbois» (1508), de *clar* «clair, en parlant d'un son». Une autre origine possible, avec une valeur diminutive, par dérivation de *clarine* «clochette à son clair au cou des animaux» (→ clair), est moins probable.

♦ Le mot désigne un instrument à vent, à bec et à anche. Par métonymie, il s'applique à la personne qui joue de cet instrument (1786), plus tard en concurrence avec *clarinettiste.* Par analogie, il est passé en argot où il a désigné un fusil (1808, infanterie).

▸ Le dérivé **CLARINETTISTE** n. (1834) a éliminé l'emploi métonymique au sens de «personne qui joue de cet instrument».

CLASSE n. f. est emprunté (XIVe s.) au latin *classis* qui a dû signifier proprement «appel» et qui, par métonymie, a désigné d'une part les différentes divisions de citoyens susceptibles d'être appelées sous les armes et, d'autre part, la troupe ainsi convoquée. *Exercitus* ayant accaparé le sens spécial d'«armée de terre», le mot s'est spécialisé au sens de «flotte». Les Anciens le rattachaient à *calare* «appeler» (→ intercalaire, nomenclature), mais l'évolution est difficile à expliquer ; d'autre part, les mots en *-ssis* sont rares en latin et il pourrait s'agir d'un emprunt technique à l'étrusque.

♦ Le mot a été introduit en histoire romaine à propos de l'ensemble des citoyens répartis en catégories selon le cens. Un nouvel emprunt au latin lui a donné le sens de «flotte» (1559), lequel ne s'est pas maintenu, mais a déterminé un des axes de développement du mot : par l'intermédiaire de la valeur de «conscription navale» (1673), le mot s'est étendu, avec la conscription et l'armée populaire instaurées par la Révolution, système largement utilisé par Bonaparte, à l'ensemble des effectifs devant être appelés sous les drapeaux la même année (1798). ◇ Par métonymie, *classe* a pris en argot militaire le sens d'«exercices» (réalisé au pluriel, 1833), surtout dans la locution ***faire ses classes*** (1900) et, par l'intermédiaire de l'acception de «contingent libérable» (1877), le sens de «fin de service, libération» (1888), réalisé autrefois dans l'expression *c'est classe* «c'est fini» d'où «c'est assez» et aujourd'hui dans ***vive la classe !*** et expressions analogues (cf. *quille*). ➛ Parallèlement à ces emplois dans le domaine militaire, le mot s'est spécialisé dès le XVIe s. dans le domaine éducatif, désignant l'ensemble des élèves faisant les mêmes études (1549) avec les extensions métonymiques normales, «enseignement dispensé à un groupe d'élèves» (1611) et «lieu où se donne cet enseignement» (1680). ➛ La notion abstraite de «catégorie définie par un critère» a déterminé le sens de «division par catégories spécifiques d'êtres ou d'éléments» (1690), fécond dans la taxinomie des sciences, en botanique (1694), démographie, linguistique, minéralogie et zoologie. L'emploi en mathématiques (1903), plus abstrait encore, est en relation avec celui du mot *ensemble.* ◇ *Classe,* dans le domaine social (1758, Quesnay), a fait fortune, spécialisé au XIXe s. dans la pensée des idéologues socialistes *(lutte de classes).* ➛ L'idée de position hiérarchique supérieure a été introduite assez tard (1680), peut-être sous l'influence de *classique** dont l'étymon latin *classicus* avait développé le sens «de premier ordre» : elle est d'abord réalisée à propos des écrivains de première importance puis, par extension, à propos de personnes ou de choses considérées sous l'angle de leur importance, notamment avec un nombre ordinal (1789, *prince de seconde classe*). L'expression familière ***avoir de la classe,*** «avoir de la valeur» (1916), a d'abord été employée par les éleveurs avant de passer dans l'usage général avec le sens d'«avoir de l'élégance» (1937), et de rejaillir dans ***c'est classe*** ou ***class*** (1979), adjectif à la mode.

▸ La notion de classe en sciences naturelles a suscité **SOUS-CLASSE** n. f. (1809) et **SUPERCLASSE** n. f. (attesté XXe s.).

Les dérivés proprement dits de *classe* sont apparus relativement tard à partir du XVIIIe siècle. ➛ **CLASSER** v. tr. (1756) exprime l'idée de «répartir par catégories», «ranger dans une catégorie» (1770) et, par extension, «répartir selon un certain ordre» (1777). De son emploi technique, en droit, avec le sens de «ranger définitivement (un dossier)», d'où «considérer (une cause) comme réglé» (1892), provient le sens de *c'est classé* «c'est terminé» et, en parlant de qqn, *être classé* «être étiqueté définitivement» (1900). Sans précision, *classer qqn* (plus rarement *qqch.*) et *se classer* sont employés avec la valeur spéciale de «mettre, être dans les meilleurs» (1877, en hippisme). ➛ *Classer* a servi à former des dérivés usuels. **CLASSEMENT** n. m., qui apparaît peu avant la Révolution (1784), désigne d'abord le fait de répartir les marins selon des classes, puis (av. 1789, Beaumarchais) en général l'action de classer. Il s'emploie ensuite au figuré (1834, Balzac à propos des vins) pour «répartition hiérarchique». ➛ **CLASSEUR** n. m., «objet servant à classer» (1811) spécialement «dossier» et «meuble», s'est parfois appliqué (1902, Barrès) à une personne qui classe qqch. ➛ **CLASSABLE** adj., qui semble tardif (1888, Verlaine), qualifie tout ce qui peut être classé. ◇ L'antonyme préfixé **INCLASSABLE** adj., formé directement sur *classer,* lui est antérieur (1845).

Par préfixation, le verbe *classer* a servi à former **DÉCLASSER** v. tr. (1813) dont le participe passé **DÉCLASSÉ, ÉE** est surtout employé avec le sens de «tombé dans une classe sociale inférieure» (1834). ◆ **RECLASSER** v. tr. (1875) d'où **RECLASSEMENT** n. m. (XIXe s.), et les récents **SURCLASSER** v. tr. (1895; 1899 au p.p.) et **INTERCLASSER** v. tr. (XXe s.) participent de l'idée de «ranger par catégories» mais *reclasser* et surtout *surclasser* y ajoutent l'idée de hiérarchie. *Surclasser* est devenu usuel pour «être supérieur à» (1928). ◇ **SURCLASSEMENT** n. m. (1875) a des emplois spéciaux en sport, en fiscalité, en tourisme, de même que *surclasser* «faire passer dans la classe supérieure». ◇ **INTERCLASSE** n. m. (v. 1950) a été formé de *inter** et *classe** pris avec le sens de «cours».

D'après un latin °*classificare*, de *classis* et *facere* (→ faire), la langue du XVIe s. avait déjà tiré **CLASSIFIER** v. tr. (déb. XVIe s.) qui s'est maintenu comme synonyme technique de *classer*, surtout à partir du XIXe s. (1824, *la manie de classifier*). ◆ Le verbe a lui-même produit **CLASSIFICATION** n. f. (1780), synonyme partiel de *classement*, distinct par les domaines d'emploi et proche du terme scientifique *taxinomie*, **CLASSIFICATEUR, TRICE** adj. et n. (1783) et **CLASSIFICATOIRE** adj. (1874).

◈ voir GLAS.

CLASSIQUE adj. et n. est emprunté (1548) au latin *classicus*, adjectif correspondant à *classis* (→ classe) au sens de «de première classe», parmi les cinq classes entre lesquelles les citoyens romains étaient répartis d'après leur fortune. Au IIe s., Aulu-Gelle recommande de s'adresser aux *classici (cives)*, non aux *proletarii* (→ prolétaire) pour connaître le bon usage en fait de langue; de là le sens de *classici (scriptores)* «écrivains de première valeur».

♦ Le mot a été introduit avec cette spécialisation d'Aulu-Gelle par Thomas Sébillet dans son *Art poétique français*. Par la suite, sont dits *classiques* les écrivains qui font autorité, considérés comme des modèles à imiter (1611) et, par conséquent, dignes d'être étudiés en classe (1680). Sous la plume de Voltaire et de l'*Encyclopédie* (1753), le mot qualifie les auteurs français du siècle de Louis XIV qui, par opposition aux baroques (ainsi nommés beaucoup plus tard), ont élaboré un art de mesure, de raison, en prônant le respect et l'imitation des Anciens. C'est cette notion de respect de la tradition donnée comme modèle qui sous-tend les usages postérieurs du mot. Il s'est appliqué au XIXe s. aux tenants de l'imitation antique, par opposition aux *romantiques* (1810, Mme de Staël) et, par extension, à un art qui respecte les valeurs esthétiques du XVIIe s. (1835). Parallèlement, le mot s'étend à la musique qui relève de la grande tradition occidentale (1768, Rousseau). ◇ Par extension, il passe dans l'usage commun au XIXe s., qualifiant avec une nuance péjorative ce qui ne s'écarte pas des règles établies (av. 1826), tandis qu'il prend familièrement, par une dévaluation de son sens originel «qui fait autorité», le sens de «ordinaire, normal» (1809). Les emplois du substantif correspondent aux divers emplois de l'adjectif. S'y ajoute, en sport, l'emploi du féminin *une classique*, par ellipse d'*épreuve* (1896).

▸ Si **CLASSIQUEMENT** adv. (1809) est d'usage courant, le substantif correspondant, **CLASSICISME** n. m. (1817, Stendhal) est un terme d'esthétique dénommant le caractère des œuvres qui se réfèrent à l'art antique, puis également à celui du XVIIe siècle. Il s'est répandu à propos de ce qui est harmonieux, équilibré, respectueux des normes établies en esthétique et dans le domaine intellectuel ou moral (1875). ◆ **NÉO-CLASSIQUE** adj. et n. m. (1861; 1902 en peinture) et **NÉO-CLASSICISME** n. m. (1905) se réfèrent spécialement en histoire de l'art à un mouvement artistique survenu en Europe entre 1750 et 1830; par extension, ils sont employés à propos d'un ressourcement à une inspiration antique ou se réclamant de l'esthétique du XVIIe siècle. ◇ **PRÉ-CLASSIQUE** et **POST-CLASSIQUE** adj. sont didactiques; ils s'appliquent à la langue et à la littérature françaises par rapport à la tradition classique.

-CLASTE → ICONOCLASTE (voir art. ICÔNE)

CLAUDICATION n. f. est emprunté (fin XIIIe s.) au latin *claudicatio* «action de boiter», nom d'action correspondant à *claudicare* (forme intensive de *claudere*) «boiter», de *claudus* «boiteux». Cet adjectif, dont le vocalisme en *a* et le suffixe *-dus* rappellent *tardus* «lent» (→ tard) et le grec *bradus* de même sens, a été supplanté par *cloppus* (→ clocher, clopin-clopant) et ne subsiste que dans le nom propre *Claude*.

♦ Le mot est le terme médical correspondant au mot usuel *boiterie**.

▸ L'adjectif **CLAUDICANT, ANTE** (1495), emprunté au participe présent latin *claudicans*, a cessé d'être employé au XVIe s.; il a été repris dans la langue littéraire au XIXe siècle. Le verbe **CLAUDIQUER** v. intr., formé au début du XVIe s. (1507-1508) sur *claudicant*, a lui aussi été repris, après une attestation isolée au XVIe s., par la langue littéraire de la fin du XIXe s. (v. 1880, Huysmans); c'est un doublet savant de *boiter*.

CLAUSE n. f. est emprunté (1172-1174) au latin médiéval *clausa* «membre de phrase», substantivation du participe passé féminin de *claudere* (→ clore), attesté comme terme de rhétorique par Cicéron pour «terminer (une phrase) par une clausule» avec influence sémantique de *clausula* (*clausule*, ci-dessous). Un emprunt sous une forme abrégée à *clausula* est possible mais moins probable.

♦ Le sens de «fin de vers, de ligne» a vieilli dès le XIVe s. ainsi que son extension, «conclusion, sentence» (v. 1278). L'usage moderne du mot en droit, «disposition particulière d'un acte» (1463), s'est peut-être répandu à partir du provençal *clauza* (1275), le sud de la France étant pays de droit écrit. Parmi différentes expressions juridiques ***clause de style***, «formule insérée dans un texte de manière habituelle», est passé dans l'usage avec le sens figuré de «formule sans signification précise».

▸ **CLAUSULE** n. f., d'abord *clausele* (1323), emprunté au latin *clausula*, diminutif de *clausa* utilisé en rhétorique puis, à basse époque, en droit, a suivi l'évolution inverse de celle de *clause*. Introduit au sens juridique, il a été définitivement supplanté par *clause* au XVIe siècle. Il a alors repris sa spécialisation en métrique, «fin de phrase, de sentence ou de vers» (1552, Rabelais). Il est passé en musique pour désigner l'étendue de chaque ton ou mode, du grave à l'aigu.

CLAUSTRAL, ALE, AUX adj. est emprunté (1394) au latin médiéval *claustralis* «propre au cloître», dérivé du latin classique *claustrum* (→ cloître).

♦ Le mot, qui signifie proprement «relatif au cloître et à la vie monacale», a pris par extension le sens de «qui rappelle le cloître par son ascétisme».

► **CLAUSTRER** v. tr., noté par Richard de Radonvilliers comme un mot nouveau en 1845, a probablement existé dès le XVIIIe s., où il est indirectement attesté par son dérivé **CLAUSTRATION** n. f. (1791). Le verbe et le nom d'action et d'état réalisent les mêmes valeurs que l'adjectif et *claustrer* fonctionne partiellement comme doublet de *cloîtrer*. Le verbe et son dérivé s'emploient figurément en psychologie *(sentiment de claustration, claustration volontaire)* avec une valeur plus large.
L'élément **CLAUSTRO-**, tiré de *claustrer*, a servi à former **CLAUSTROPHOBIE** n. f. (1879) et **CLAUSTROPHOBE** n. et adj. (1904) à l'aide des éléments *-phobie**, *-phobe**.

CLAVEAU n. m., d'abord *clavel* «goupille» (v. 1160) est issu du latin *clavellus*, diminutif de *clavis* → clé.

♦ Le mot, depuis le XIVe s. (1380) désigne une pierre taillée en oblique pour construire les arcs, voûtes, linteaux.

CLAVECIN n. m., d'abord *clavessin* (1611) puis *clavecin* (1680), est l'adaptation, avec apocope de la dernière syllabe, du latin médiéval *clavicymbalum*, composé de *clavis* (→ clé) et de *cymbalum* (→ cymbale). Ce mot, attesté sous la forme *clavicembalum* en 1397 puis sous la forme *clavicymbalum* en 1404 chez le poète allemand Eberhard von Cersne, a donné le moyen français *clavycimbale* (1447), qui a rapidement disparu.

♦ *Clavecin* désigne un instrument de musique à cordes pincées qui a été supplanté vers 1800 par le pianoforte (→ piano) avant d'être remis en honneur, pour interpréter la musique ancienne, au XXe siècle.

► **CLAVECINISTE** n. est attesté depuis 1695. Depuis les années 1920-1930, il se réapplique à un instrumentiste contemporain, le clavecin, qui n'était plus joué depuis le début du XIXe s., ayant réapparu au XXe s., avec tout le vocabulaire technique de la facture et un certain vocabulaire musical.
CLAVICORDE n. m. est emprunté (1776) au latin moderne *clavicordium* (1514), composé du latin *clavis* et de *cordium*, de *corda* (→ corde), pour désigner le premier instrument à clavier à cordes frappées, ancêtre du pianoforte.

CLAVICULE n. f. est emprunté (1541) au latin *clavicula* (→ cheville), diminutif de *clavis* (→ clef), signifiant proprement «petite clef», passé par analogie de fonction dans le vocabulaire anatomique en latin médiéval (1230-1252).

♦ Il est repris en anatomie comme dénomination de l'os long reliant l'acromion au sternum.

► Le mot a produit immédiatement **CLAVICULAIRE** adj. (1572, Paré) et, ultérieurement, **CLAVICULÉ, ÉE** adj. «pourvu de clavicules» (1805, Cuvier).

CLAVIER → CLÉ

CLEBS n. m., d'abord *cleb* (1863) puis *clèbs* (1884; puis 1898), est emprunté à l'arabe maghrébin *klab* (arabe classique *kilāb*), pluriel de *kelb* (arabe classique *kalb*) «chien». Selon Esnault, la forme *clèbs, clebs* ne serait pas une erreur sur le nombre du mot mais représenterait *clébard* (malgré l'attestation tardive de ce dernier), apocopé en *clèb's* d'où *clebs*.

♦ Le mot, introduit par les soldats d'Afrique et répandu dans l'usage familier, désigne un chien. Le sens de «caporal» (1914) qu'il a pris dans l'argot des poilus, est dérivé par paronymie de *cabot** «chien» et «caporal».

► **CLÉBARD** n. m. (1934), probablement fait sur *cleb, clebs* avec le suffixe *-ard*, constitue un doublet de *clebs*.

✳ **CLEF** ou **CLÉ** n. f. est issu, d'abord sous la forme *clef* (1080), du latin *clavis* «clef, loquet, barre», également employé avec un sens figuré très présent chez les auteurs chrétiens. À l'origine, le mot était synonyme de *clavus* (→ clou), car la serrure primitive consistait en un clou ou une cheville passé dans un anneau; la différenciation sémantique des deux mots a accompagné des innovations techniques. Le mot pourrait être apparenté ou emprunté au grec *klaïs*; en tout cas, il appartient à un groupe de mots techniques à base *clau-* exprimant l'idée de «fermeture» (→ clore, clou), et ses dérivés sont bien latins (→ cheville, clavicule, conclave). La graphie *clé* (v. 1121) est due à la réfection d'un singulier sur l'ancien pluriel *clez, cles* (1130-1140), d'où le *f* étymologique (du *v* latin) avait disparu.

♦ Le sens concret courant a donné une phraséologie usuelle avec ***à clef, sous clef*** (av. 1441), plus récemment ***clés en main*** (1902), et de nombreux emplois imagés (1317, ***clef des champs***). ◇ Dès le XIIe s., le mot réalise aussi le sens figuré, repris au latin, de «ce qui explique, donne accès à» (v. 1121), tant avec une valeur technique en parlant d'une formule permettant de calculer les fêtes mobiles, puis aussi d'un code permettant de déchiffrer un texte (1690), qu'avec une valeur générale (1181-1190, *clef d'amour*). ◇ Du sens figuré procèdent deux spécialisations en stratégie militaire (1268) et en musique (av. 1407) : la première a donné, en apposition après un substantif, des emplois métaphoriques récents relativement courants du type *position-clef, poste-clef, idée-clef* avec la valeur de «décisif, essentiel»; la seconde est à l'origine de l'expression familière ***à la clef*** (1872), d'après la notation musicale où *clé* désigne depuis le moyen français (av. 1407) un signe précisant le nom de la note placée sur une ligne de la portée, dans les syntagmes *clé de sol* et *clé de fa*. La même valeur de «signe» se retrouve dans le sens d'«élément d'un caractère chinois», servant à analyser et à classer les caractères. ◇ Du sens concret procède un certain nombre de valeurs techniques, concernant des instruments servant à ouvrir et à fermer, à serrer et à desserrer, à tendre et à détendre : *clef-clé,* après avoir désigné un instrument pour tendre la corde d'une arbalète (1266-1267), est passé en architecture (1250-1300, *clef de la voûte* puis *clef de voûte*), en mécanique (1401) pour un outil (d'où *clé anglaise,* 1898), en charpenterie et menuiserie (1611), en musique pour le mécanisme de commande des trous réglant l'arrivée d'air dans les instruments à vent (1680, *clef de viole*). Ultérieurement, le mot désigne aussi une prise en lutte, en judo, consistant à immobiliser l'adversaire (1906).

▸ La dérivation en français se borne aux composés **PORTE-CLEFS** ou **PORTE-CLÉS** n. m. (1510) passé du sens de «gardien de prison» à son sens moderne de «dispositif servant à retenir plusieurs clés» (1835) et **DEMI-CLEF** n. f. (1694), nom d'un nœud marin.
Du radical de *clavis* est dérivé **CLAVIER** n. m. (av. 1175), employé jusqu'au XVIe s. au sens de «gardien des clefs», sens historique repris par certains dictionnaires depuis 1704. ◇ D'après la valeur collective de «ensemble des clefs», attestée au XIIIe s., le mot désigne en musique l'ensemble des touches de certains instruments (1419) et on parle ensuite d'*instruments à clavier* à propos de l'orgue, du clavecin puis du piano, de certains accordéons, etc. Par métonymie, *clavier* a pris le sens de «étendue, portée d'un instrument» (1788), passant par extension dans l'usage commun avec une valeur abstraite, «ensemble des possibilités (d'une personne)». Par analogie de son sens concret en musique, il s'applique à l'ensemble des touches d'instruments graphiques (1857), de la machine à écrire à la Linotype, puis au terminal d'un ordinateur. ◇ Un autre sens concret apparu en moyen français, celui d'«anneau servant à porter les clefs» (1580), a été supplanté par *porte-clefs.* ➛ *Clavier* a produit **CLAVISTE** n. (XIXe s.), nom technique pour la personne chargée de la composition d'un texte sur un clavier de Linotype, puis (v. 1970) d'ordinateur.

◈ voir CHEVILLE, CLAVEAU, CLAVECIN, CLAVICULE, CONCLAVE, ENCLAVE.

CLÉMATITE n. f., d'abord *clématide* (1559) puis *clématite* (1572), témoigne par l'hésitation de sa forme au XVIe s. d'un double emprunt au latin *clematis, -idis* et au latin *clematitis, -idis.* Les formes latines sont elles-mêmes reprises à deux mots grecs : d'une part *klêmatis,* nom de la branche de vigne, également employé pour diverses plantes comme le liseron et la clématite, d'autre part *klêmatitis* (avec un suffixe féminin *-itis*), plus spécialement «clématite, aristoloche». Les deux mots sont dérivés de *klêma* «sarment de vigne, jeune pousse», également nom de la renouée des oiseaux et d'une euphorbe. *Klêma* lui-même appartient à la famille de *klaein* «briser, casser», dont plusieurs dérivés se rapportent à la taille de la vigne et des arbres, aux rameaux et aux pousses (→ clone). D'autres mots grecs, plus éloignés par le sens, peuvent être rattachés à la même racine, par exemple *klados* «branche, rameau», *klêros* «objet tiré au sort (pierre, morceau de bois, etc.)» d'où «tirage au sort», et *kolos* «sans cornes, tronqué». Hors du grec, on évoque le lituanien *kali, kalti* «forger, marteler», le vieux slave *klati* «piquer, fendre», la famille du latin °*cellere* «frapper» que l'on retrouve dans le composé *percellere* «frapper violemment» d'où «ruiner, détruire», et dans *calamitas* (→ calamité).

♦ *Clématite* n'a gardé qu'un sens du grec et du latin, celui de «plante sarmenteuse (renonculacée) possédant de nombreuses variétés, cultivées ou sauvages».

CLÉMENT, ENTE adj., d'abord *clemenz* (1213), est l'adaptation du latin *clemens,* mot ayant deux sens ; le sens concret «en pente douce», «qui s'infléchit doucement», est rare et se trouve seulement sous l'Empire, peut-être par image ; par métonymie, il a donné un emploi poétique pour «qui coule doucement» (d'un fluide, du vent) ; le sens abstrait et moral de «doux, indulgent» (attesté depuis Plaute) est en revanche usuel et bien attesté jusque chez les auteurs chrétiens. La formation du mot est obscure, peut-être sur *mens* «esprit» (→ mental) avec une flexion identique à celle de *vehemens* (→ véhément), de sens opposé, ce qui tendrait à faire du sens physique un développement secondaire de nature savante dû au rapprochement de *clinere* (→ incliner).

♦ Le mot qualifie comme en latin une personne en position d'autorité qui fait preuve d'indulgence et accorde le pardon des fautes commises. Le sens figuré de «doux et propice» (1842) s'est développé tardivement, notamment à propos du temps. Sauf dans ce dernier emploi, l'adjectif est aujourd'hui propre à l'usage soutenu et devient archaïque.

▸ **CLÉMENCE** n. f. est emprunté, une première fois sous la forme latine *clementia* (881) puis sous la forme francisée (1268), au latin *clementia* «indulgence», adopté en ce sens par les auteurs chrétiens, notamment en parlant de Dieu. Le mot, repris avec son sens moral, a pris sur le tard le sens de «douceur (du temps)» (1893). ➛ L'antonyme **INCLÉMENT, ENTE** adj. (1546), emprunté au latin *inclemens,* a perdu le sens fort du latin «sévère» et n'a plus guère cours qu'en emploi littéraire, en parlant des conditions atmosphériques (1801) dans un sens voisin de *rigoureux.* ➛ **INCLÉMENCE** n. f., emprunté (1521) au latin *inclementia,* a joui d'une certaine faveur dans la langue littéraire classique. Le sens figuré, relevé dans la poésie du XVIIe s. («Le nom est beau et poétique.» Bouhours, 1676) est devenu archaïque.

CLÉMENTINE n. f. est dérivé (1929), avec le suffixe *-ine* de *mandarine**, du nom du père *Clément* (du latin *Clementius,* dérivé de *clemens* → clément), moine agrumiculteur qui obtint ce fruit en

Oranie, vers 1902, en croisant un mandarinier et un oranger amer.

▶ Du nom du fruit est dérivé le nom de l'arbre **CLÉMENTINIER** n. m. (attesté en 1947).

✷ **CLENCHE** n. f., indirectement attesté par le verbe dérivé *aclencier* «fermer à la clenche» (v. 1200), puis sous la forme picarde *clence* (1240-1280) et enfin *clanche* (1441), est un terme du nord et du nord-est de la France et de Belgique. Il est probablement issu d'un francique °*klinka*, restitué d'après le moyen bas allemand *klinke* et le moyen néerlandais *clinke* «pièce d'un loquet consistant en un levier», d'origine onomatopéique, à rapprocher de la formation française *clique*, «loquet» de *cliquer**, et du wallon *cliche*, «loquet» (→ clicher, dérivés).

♦ Le mot désigne la pièce du loquet qu'on lève et qu'on abaisse sur le mentonnet pour ouvrir une porte. En France, il est demeuré technique. Par métonymie, il est employé en Belgique au sens de «poignée de porte».

▶ *Clenche* est surtout vivant dans ses préfixés verbaux, aujourd'hui détachés et démotivés. ◆ **DÉCLENCHER** v. tr. s'est répandu depuis la Normandie, où il est attesté sous la forme *déclanquer* (1625-1655), peut-être précédée par d'autres formes (ci-dessous), avant d'être enregistré dans le dictionnaire de Trévoux en 1732. De sens propre «ouvrir une porte en levant la clenche», il signifie par extension «mettre en route (un mécanisme)» (1877) et de là, par figure, «provoquer brusquement (un phénomène)» (1899). ◆ Parmi les dérivés de *déclencher*, **DÉCLENCHE** n. f., attesté en normand sous la forme *desclinque* dès 1382, pose un problème de chronologie : il faudrait supposer que le verbe existait dès le XIVe s. en normand sous une forme °*desclinquer*, à moins que la première attestation ne soit issue de *clin** comme le terme de marine *déclinquer* (→ déglinguer). *Déclenche* désigne un appareil ou un élément servant à séparer deux pièces pour permettre à l'une d'elles de jouer. ◇ Le rôle de nom d'action est réservé à **DÉCLENCHEMENT** n. m. (1863), usuel au sens de «mise en route d'un mécanisme» puis avec les mêmes valeurs modernes que *déclencher*. ◇ **DÉCLENCHEUR** n. m. (1929) désigne la pièce qui déclenche le fonctionnement d'un mécanisme.

ENCLENCHER v. tr. (1870), «faire fonctionner un mécanisme en rendant les pièces solidaires», a reçu sous l'influence de *déclencher* le sens figuré de «faire commencer (un processus)» (1964). ◆ **ENCLENCHEMENT** n. m. (1864) rejoint lui aussi *déclenchement* avec son sens figuré ; par métonymie, il désigne concrètement un dispositif qui en enclenche un autre (1890). ◇ Le déverbal **ENCLENCHE** n. f. (1870), d'usage technique, désigne l'entaille ménagée dans une pièce en mouvement et dans laquelle pénètre le bouton d'une autre pièce que la première doit entraîner.

CLEPSYDRE n. f., d'abord *clepsedre* (1377) et *clepsidre* (1566), puis *clepsydre* (1611) par conformation étymologique à la graphie latine, est emprunté au latin *clepsydra*. Ce dernier est emprunté au grec *klepsudra* «horloge à eau pour marquer un temps accordé aux orateurs», littéralement «qui retient, vole l'eau», de *kleptein* «voler» (→ kleptomane) et de *hudôr* «eau» (→ hydro-).

♦ Le mot désigne un appareil qui servait à mesurer le temps par écoulement régulier d'eau d'un vase dans un autre. Sa fonction, analogue à celle du sablier, n'a pas donné lieu à métaphore et le mot demeure un terme technique d'antiquité.

CLEPTOMANE → **KLEPTOMANE**

CLERC n. m., d'abord *clerjes* (v. 980) puis *clerc* (1050), est issu du latin chrétien *clericus* «membre du clergé», puis en latin médiéval «lettré» (fin XIe s.-déb. XIIe s.), les membres du clergé étant quasiment les seuls à savoir lire et écrire. Il est emprunté au grec *klêrikos* de même sens, dérivé de *klerôs* (lui-même emprunté par le latin chrétien *clerus*) «héritage, lot tiré au sort», «charge, fonction religieuse» et surtout, dans le vocabulaire des chrétiens, «clergé». La spécialisation religieuse met donc l'accent sur la désignation par le sort pour exercer une fonction (Actes des Apôtres, I, 26) ; on a aussi évoqué le fait que le mot traduit l'hébreu *na' ălāh* par lequel Dieu se désigne comme l'unique «héritage» des Lévites, tribu sacerdotale d'Israël à qui, pour cette raison, n'a pas été attribué de territoire comme aux autres tribus. *Klêros* peut désigner originellement l'objet tiré au sort et évoque un mot celtique qui signifie «pierre, morceau de bois», attesté par l'ancien irlandais *clār*, le gallois *claur* ; mais cette origine est hypothétique.

♦ Le mot désigne celui qui est entré dans l'état ecclésiastique, qui a reçu des ordres sacrés. Par allusion au fait que la culture lettrée a été transmise par les clercs, il désigne un intellectuel, de nos jours dans la langue littéraire ou par référence à l'ouvrage de Julien Benda, *La Trahison des clercs* (1927), dans un débat critique sur le rôle des intellectuels. ◇ Il s'est spécialisé en droit dans le domaine de la procédure, comme appellation d'un employé travaillant dans l'étude d'un officier public ou ministériel (1275), souvent en emploi déterminé : ***clerc de notaire***, courant, *clerc de procureur*, etc.

▶ **CLERGÉ** n. m., d'abord *clergiez* (au pluriel v. 1120), est l'adaptation du latin chrétien *clericatus* «état de clerc» et, collectivement, «ensemble des clercs» (1056), de *clericus*. ◇ Il est passé en français avec cette valeur collective et a influé sur les règles de formation des dérivés de *clerc* : *clerçon* (1130-1150) «jeune séminariste» et «enfant de chœur» (v. 1350) a été modifié en **CLERGEON** n. m. (1545). ◇ **CLERGIE** n. f. (1155) a été directement dérivé de *clerc* avec le *g* de *clergé* pour désigner le savoir digne d'un clerc et la condition d'ecclésiastique. Les deux mots ont régressé dans l'usage et ne s'emploient guère qu'en allusion au passé.

CLÉRICAL, ALE, AUX adj. est emprunté (1374) au latin chrétien *clericalis* «relatif au clergé» et, en ce sens, a évincé les mots hérités *clergil* (v. 1150) et *clerjal* (v. 1240) ; il a développé au XIXe s. le sens de «favorable au clergé, à son influence» (1815) avec une valeur péjorative renforcée avec l'apparition d'*anticlérical*. ➛ Le débat sur l'action du clergé dans la vie politique française est à l'origine des dérivés **CLÉRICALISER** v. tr. (1873), **CLÉRICALISME** n. m. (1855, cité comme néologisme et attribué à des journalistes belges) et surtout **ANTICLÉRICAL, ALE, AUX** adj. (1866), d'où **ANTICLÉRICALISME** n. m. (1869, écrit avec un trait d'union). Ces mots, ainsi que le concept auquel ils correspondent, ont eu une grande importance dans le contexte de la lutte entre tradition chrétienne et républicanisme laïc, à la fin du XIXe s. et au XXe siècle.

CLÉRICATURE n. f. est emprunté (1429) au latin médiéval *clericatura*, «dignité de clerc» (1174), et désigne la condition des ecclésiastiques. Il exprime également (1781) l'état ou la condition des clercs de notaire ou d'officier ministériel, quelquefois avec une valeur métonymique «ensemble de ces officiers».

① **CLICHER** v. tr., introduit tardivement (1803), est d'origine incertaine, peut-être d'une onomatopée *klitch-* exprimant le bruit de la matrice s'abattant sur le métal en fusion. L'étymon moyen allemand *klitsch* «masse molle», lui-même d'origine onomatopéique, quoique moins probable, n'est pas à écarter.

♦ Ce terme technique de typographie signifie «fabriquer l'empreinte d'une forme en y coulant un métal fusible permettant d'obtenir une planche solide». Au cours du XIXe s., il a pris le sens figuré de «copier, décalquer» (1866), l'accent étant mis soit sur le caractère définitif de l'image fixée, soit sur le caractère de copie sans originalité.

▸ Le verbe est d'un moindre usage que son participe passé substantivé **CLICHÉ** n. m. (1809), terme de typographie quasiment éliminé par le sens qu'il a pris en photographie, «image négative obtenue à la chambre noire» (1865). Le sens figuré de «phrase ou idée rebattue» (1869, *Le Figaro*, cité par P. Larousse) procède du sens initial en typographie; sa vitalité se mesure au nouveau type d'emplois qu'il connaît en apposition à un substantif: *phrase, discours cliché*. ➛ Du terme de typographie sont également dérivés **CLICHAGE** n. m. (1809), **CLICHEUR** n. et adj. m. (1835) et **CLICHERIE** n. f. (1866). Les deux premiers sont passés dans le vocabulaire technique des mines, d'après le wallon *cliche* «loquet», d'origine onomatopéique (→ cliquer) et à rapprocher de *clenche**.

Au même ensemble expressif se rattache le verbe homonyme ② **CLICHER** v. intr. (1836), terme de phonétique évoquant l'idée de prononcer de façon défectueuse les sifflantes ou les chuintantes, d'où le substantif d'action **CLICHEMENT** n. m. (1838).

CLIENT, CLIENTE n. (1437), d'abord sous la forme dérivée *clienton* (1345), est emprunté au latin *cliens*, terme politique qui désignait le plébéien se plaçant sous la protection d'un patricien appelé *patronus* (→ patron). Le mot latin désignait aussi un individu ou un peuple vassal chez les Celtes; à basse époque, il avait pris le sens de «vassal» et de «personne de la domesticité du maître» (XIe s.). Son origine est inconnue, peut-être étrusque; on a aussi supposé qu'il serait le participe d'un thème racine du groupe de *clinare* (→ incliner).

♦ Le mot désigne d'abord la personne qui confie ses intérêts à un homme de loi puis aussi, par extension, à un patricien (1845). Le XVIe s. a réintroduit par emprunt le sens politique de «personne se mettant sous la protection d'un grand, moyennant son aide» (1538), spécialement en histoire romaine (1543). L'idée de rétribution a pris le pas sur celle de protection jusqu'à l'éliminer dans le sens commercial moderne (1826; XXe s., en économie); tout au plus *client* connote-t-il encore une idée de «fidélité» (1832) dans *être client* (chez un commerçant), *être un bon client*. En ce sens, le mot a évincé *pratique* et *chaland*. Notons que, historiquement à Rome, c'était le *patronus* qui se fournissait chez ses protégés, les *clientes*; et c'est pourquoi l'anglais désigne encore par *patron* (à côté de *customer*) le client.

▸ **CLIENTÈLE** n. f. est emprunté (1352) au latin *clientela* «état de client» et «ensemble des clients d'un *patronus*», employé à l'époque médiévale au sens de «vassalité, ensemble des vassaux» (1021-1024), «ensemble des domestiques d'un seigneur» (1136) et aussi «ensemble des amis» (671-709). ➛ Le mot a suivi la même évolution que *client*, prenant au XIXe s. son sens commercial: «ensemble des clients d'un commerçant ou d'un établissement auquel ils sont souvent fidèles» (1832). Cependant, son emploi dans le domaine juridique et, dans une certaine mesure, médical, mobilise la connotation étymologique de protection. Plus nettement encore, l'emploi du mot en politique, à propos des partisans d'un parti, d'un homme politique, réactive le sens d'«ensemble de ceux qui sont soumis à la protection d'un puissant» (1516). ➛ De là **CLIENTÉLISME** n. m. (mil. XXe s. att. 1972), mot péjoratif pour «pratiques politiques de relations personnelles intéressées».

CLIGNER v., d'abord *clignier* (1155), *clingnier* (v. 1175), *clinier* (v. 1180), est d'origine incertaine, peut-être d'un latin vulgaire °*cludiniare*, de °*cludinare* «fermer à demi les yeux», lui-même dérivé de *cludere*, variante de *claudere* (→ clore). L'évolution *ui>i* s'expliquerait par l'influence de mots issus de *clinare* (→ incliner) ou plus probablement de *guigner**. Sans exclure un croisement avec une forme °*cludicare* (reconstituée d'après le provençal *clucar*), P. Guiraud préfère rattacher *cligner* à °*cliniare*, altération de *clinare* «abaisser», l'idée d'un abaissement momentané étant plus juste ici que celle d'une fermeture.

♦ Le verbe, d'abord employé dans l'ancienne construction *clignier à qqn* «lui faire signe en clignant des yeux», n'est guère employé qu'en parlant des yeux, des paupières, plutôt en construction intransitive (1180, *clinier de l'uiel*) que transitive (1175, *clingnier les iauz*). Par analogie, il est employé à propos d'une source lumineuse qui s'allume et s'éteint par intermittence (1873).

▸ Le diminutif **CLIGNOTER** v., d'abord *cluneiter* (apr. 1250) et *clingneter* (XIIIe s.), a été repris et répandu à la fin du XVe s. sous sa forme actuelle. Le mot, qui assume le rôle de doublet fréquentatif de *cligner*, a lui aussi développé le sens analogique de «scintiller» en parlant d'une source lumineuse (1869). ➝ **CLIGNOTEMENT** n. m. (1546) lui sert de nom d'action, y compris dans un emploi analogique (1823, au figuré *clignotement de l'existence*). ➝ **CLIGNOTANT, ANTE** p. prés. a été adjectivé puis substantivé (v. 1950) par ellipse pour le syntagme *feu clignotant*, là où le français de Belgique emploie **CLIGNOTEUR** n. m. (1948). ◇ *Clignotant* n. m. est passé en économie avec le sens figuré de «signal de dépassement d'une valeur qui annonce un danger» (1965).

CLIGNEMENT n. m., autre dérivé de *cligner*, d'abord *cloignement* (fin XIIIe s.-déb. XIVe s.) et *clinement* (v. 1320), s'est répandu à partir du XVIe s. où, sous sa forme actuelle (1578), il exprime le mouvement rapide de la paupière. Par analogie, il se dit pour «fait de s'allumer et de s'éteindre alternativement», en parlant d'une source lumineuse (1921).

CLIN n. m. (v. 1450 *cling d'œil*), déverbal de *cligner*, est uniquement employé dans le syntagme lexicalisé ***clin d'œil.*** Le sens de «mouvement d'un œil qui cligne» a été pris comme étalon d'un laps de temps très court (v. 1530) et comme symbole d'un signe d'intelligence, au propre et au figuré, quelquefois en apposition à un substantif.

CLIMAT n. m. est emprunté (v. 1278) au latin *clima* «inclinaison de la calotte céleste» d'où «partie du ciel», par extension «latitude», «région, contrée», mot désignant spécialement les quatre points cardinaux. Le mot latin est le calque du grec hellénistique *klima*, proprement «inclinaison» (conservé en grec moderne avec le sens actuel), de *klinein* «pencher, incliner, coucher», mot ayant des correspondants dans plusieurs langues indoeuropéennes, dont le latin *clinare* (→ incliner) et le grec *klinein* (→ clinique).

♦ Jusqu'au XVIIIe s., l'usage du mot en français est proche de l'emploi extensif du grec et du latin : *climat* désigne une zone terrestre déterminée par des facteurs géographiques comme sa situation par rapport aux corps célestes, et considérée sous l'angle des conditions atmosphériques (v. 1314). Plus généralement, il a le sens de «région» (fin XIVe s.) voire, par extension, de «pays» (av. 1558), sens aujourd'hui archaïque ou littéraire. Ainsi, la théorie des climats , essentielle dans les sciences sociales du XVIIIe s., est géographique et non pas météorologique. Au XVIe s., il prend également le sens abstrait de «manière d'être, disposition», transposition sur le plan psychologique du sens étymologique «inclinaison». Enfin, jusqu'au XVIIe s., il s'est appliqué à une ancienne mesure agraire, sens hérité du bas latin. ➝ Sa définition moderne en géographie pour désigner l'ensemble des conditions atmosphériques et météorologiques d'un lieu (1789, Mme de Staël) a fait passer la notion de lieu derrière celle d'atmosphère ; à son tour, elle a donné un emploi métonymique, «région où règne un climat donné», qui s'est confondu avec le sens ancien, d'où ses connotations archaïques et littéraires. ◇ Par le même type d'extension figurée qu'*atmosphère* et probablement sous l'influence du verbe *acclimater*, *climat* se dit aussi d'une ambiance morale (av. 1869) et d'un ensemble de conditions, spécialement en politique (v. 1940).

▸ La dérivation est tardive. Le premier mot formé, **ACCLIMATER** v. tr. (1775, Buffon), procède encore du sens général de «milieu considéré sous l'angle de ses conditions biologiques». Introduit en biologie, il a rapidement pris un sens figuré : «accoutumer à de nouvelles conditions de pensée, de vie» (1782), lequel a dû favoriser l'émergence du sens figuré de *climat* au XIXe siècle. ➝ Les dérivés du verbe sont d'un usage plus didactique, tant **ACCLIMATEMENT** n. m. (1801, proposé par S. Mercier comme néologisme), en partie évincé par **ACCLIMATATION** n. f. (1832) dans des syntagmes comme *jardin, parc* (zoologique) *d'acclimatation*, que **ACCLIMATABLE** adj. (1845) et **ACCLIMATEUR** n. m. (1862).

CLIMATOLOGIE n. f. (1834), avec ses dérivés **CLIMATOLOGIQUE** adj. (1838), **CLIMATOLOGUE** (1952) ou **CLIMATOLOGISTE** n. (v. 1950), signale l'étude des climats comme objet de science à côté de *météorologie*. ➝ **CLIMATIQUE** adj. (v. 1870-1880), apparu après l'anglais *climatic* (av. 1828) «relatif au climat», a supplanté *climatorial*, signalé et condamné par Littré, et *climatérique* (ci-dessous). Avec le sens spécial de «qui jouit d'un climat bienfaisant» (1912, *station climatique*), il a produit **CLIMATISME** n. m., relevé en mars 1947 lors des *États généraux du thermalisme et du climatisme*. ➝ **CLIMATISER** v. tr. (av. 1935) et **CLIMATISATION** n. f. (v. 1920) puis **CLIMATISEUR** n. m. (1955) sont apparus en relation avec les techniques dites, par anglicisme, de *conditionnement d'air*. Ainsi l'expression figurée *air conditioned nightmare*, appliquée à la vie américaine, a été traduite par *cauchemar climatisé*. ◇ L'abréviation **CLIM** n. f. (1985) est courante pour *climatisation*.

CLIMATÉRIQUE adj. et n. f., emprunt savant (1554) au dérivé grec *klimaktêrikos*, de *klimaktêr* «échelon, degré», se dit des années de la vie humaine échelonnées selon les multiples de 7 et de 9 (49e, 63e année dite *grande climatérique*) et, par extension, d'une période critique de la vie. Repris (1812) comme adjectif de *climat*, le mot, critiqué par Littré, a été éliminé dans ce sens. ➝ **CLIMATÈRE** n. m., emprunt (1546) au latin *climacter*, lui-même emprunté au grec *klimaktêr*, dérivé de *klima* (ci-dessus), désigne une étape critique de la vie humaine. Le mot est encore plus rare et didactique que *climatérique*.

Le préfixé **MICROCLIMAT** n. m. (1943) s'applique au climat d'une zone restreinte, lorsqu'il est différent de celui de la région.

CLIN (D'ŒIL) → CLIGNER

CLINIQUE adj. et n. f. est emprunté (1586) au latin *clinicus*, adjectif également employé sous la forme substantivée *clinice* «médecine exercée près du lit d'un malade». Les mots latins sont calqués sur le grec *klinikos* «qui concerne le lit», substantivé au masculin à propos du médecin qui examine le malade au lit et au féminin *klinikê (tekhnê)* «médecine exercée au chevet du malade». *Klinikos* est dérivé de *klinê* «lit», lui-même de *klinein* «pencher, incliner» (→ climat, incliner).

♦ Au début du XVIIe s., l'adjectif qualifie la personne qui, étant malade, garde le lit, et le substantif, parallèlement, désigne la médecine pratiquée au chevet du malade (1626). Ce sens est passé à l'adjectif, dans *médecine clinique* (1696) et *examen* ou *signe clinique* avec la valeur de «qui s'établit d'après l'observation directe du malade et non par la théorie». ◇ Le substantif a pris son sens moderne au XIXe s., désignant l'enseignement donné par un professeur près du lit des malades (1808) d'où, par métonymie, l'emploi de *une clinique* pour l'établissement où est donné cet enseignement (1814), dans *chef de clinique*, et, surtout, du point de vue du patient, l'établissement où le malade reçoit des soins (1890), sens devenu très courant en France avec la répartition entre *hôpital* (public) et *clinique* (privée).

▶ Les dérivés appartiennent au vocabulaire didactique élaboré au XIXe siècle. **CLINICIEN, IENNE** adj. et n. (1838) se dit du médecin, **CLINIQUEMENT** adv. (1852) signifie «par l'examen clinique» et «du point de vue clinique, médical», et **CLINICAT** n. m. (1866) «fonction de chef de clinique».

POLYCLINIQUE n. f. (1864), «clinique soignant plusieurs (→ poly-*) types de malade», procède du sens le plus courant de *clinique* n. f. et est plus ou moins confondu avec **POLICLINIQUE** n. f. , littéralement «clinique de la ville» (du grec *polis* «cité», → police).

CLINQUANT, ANTE adj. et n. m. est une variante nasalisée (1454, *clincant*) de *cliquant* (1306), participe présent adjectivé de *cliquer** «produire un son clair et métallique».

♦ Dès le XVe s., par un transfert substituant la représentation visuelle à la sensation auditive, observé dans *clicquant* «brillant» (XVe s.), le mot désigne une lamelle d'or ou d'argent utilisée dans l'ornement d'habit. ◇ Par l'intermédiaire de la distinction *vrai clinquant-faux clinquant*, ce dernier syntagme désignant un métal simplement doré ou argenté, il a pris au XVIIe s. le sens dépréciatif de «mauvaise imitation de métaux précieux» (1680). Par transposition au figuré, il est passé dans l'usage général à propos d'un éclat faux, tapageur et trompeur (1677). Ce sens péjoratif, aujourd'hui dominant, est réalisé à son tour par l'adjectif (1844).

◈ voir QUINCAILLIER.

① **CLIP** n. m. est emprunté (1932) à l'anglo-américain *clip* «bijou muni d'un fermoir à ressort», sens spécialisé de l'anglais *clip* (v. 1470) «pince, agrafe». Ce mot est le déverbal de *to clip*, du vieil anglais *clyppan* (v. 825) «étreindre, encercler», ayant développé de nombreuses acceptions techniques. Ce dernier se rattache à un germanique °*kluppjan* qui a des correspondants, en dehors des langues germaniques, dans le vieux slave *razglobiti* «presser», le lituanien *glóbti* «embrasser», et doit donc être indoeuropéen.

♦ Le mot a été lancé avec la mode des broches montées sur pince dans les années 1930. Il a été repris dans le vocabulaire technique de la médecine pour désigner une agrafe chirurgicale.

▶ Avec sa spécialisation technique, il a donné **CLIPPER** v. tr. (v. 1950) «serrer, tenir avec des clips». ◇ Une variante **CLIPER**, *se cliper* a fait son apparition dans le style journalistique (1989) au sens de «(se) fixer comme par un clip».

② **CLIP** n. m. est emprunté (v. 1980?; attesté 1983) à l'anglo-américain *clip* ou également *videoclip*, spécialisation, née de la rencontre de la musique rock et de la technique vidéo, du sens «extrait de film» (1958). Ce dernier est un emploi particulier du sens de «coupure, extrait» (1830), *clip* désignant d'abord les ciseaux, les cisailles (1681, pour la laine des moutons) et exprimant l'action de couper, de tailler (1825). Ce nom est le déverbal de *to clip* «couper aux ciseaux, tondre la laine», apparu sous la forme *clippen* (v. 1200) dans le nord de l'Angleterre, probablement de l'ancien norrois *klippa* (d'où norvégien, suédois *klippa*, danois *klippe*). Ce mot est probablement d'origine onomatopéique, avec transfert de la notion primitive de «faire un bruit sec», attestée par le bas allemand *klippen*, à celle d'«action produisant un bruit sec, par exemple en maniant des cisailles».

♦ Le mot, d'abord et surtout employé dans les syntagmes *clip vidéo* et *vidéoclip*, désigne un court film vidéo utilisant des effets spéciaux et réalisé pour promouvoir une chanson, un groupe musical. Il s'est rapidement diffusé par la télévision, investissant le style journalistique dans des domaines autres que la musique *(clip politique)*, également en apposition et en emploi adjectif (1987), par exemple dans *esthétique clip*.

◈ voir CLIPPER.

CLIPPER n. m. est emprunté (1835) à l'anglo-américain *clipper*, nom d'un voilier de fort tonnage à vitesse élevée et aux formes minces, créé spécialement à Baltimore pour le commerce du thé et du coton. C'est une spécialisation, par allusion au fait que ce voilier fend les flots (1823) de *clipper*, nom d'agent (v. 1330) correspondant à *to clip* «tondre, couper» (→ ② clip), employé au figuré pour «couper court» d'où «battre rapidement des ailes» et «se mouvoir rapidement, filer» (1838).

♦ Le mot, tant avec son sens d'emprunt qu'avec ses extensions, «canot de plaisance de forme effilée» (1854) et, par analogie, «avion de transport transocéanique» (1939), est d'un usage technique et a vieilli lorsqu'il ne s'agit pas d'évoquer le passé.

✳ **CLIQUER** v. intr. est formé (1306) sur le radical expressif *klikk-* évoquant un bruit sec (→ clinquant). D'après les dérivés, ce verbe devait être employé dès le début du XIIIe siècle. Son radical existe sous des variantes vocaliques (→ claque) et consonantiques (→ clapper, clapoter), y compris dans d'autres langues, notamment germaniques (→ ② clip).

♦ Le verbe, signifiant «émettre un bruit sec», n'était plus employé, sinon régionalement ou par archaïsme, mais a produit une importante dérivation. ◇ Il a été repris par anglicisme (de *to click*, du même radical) en informatique.

▶ Dès le XIIIe s., plusieurs dérivés apparaissent qui sont demeurés dans l'usage. ◆ **CLIQUETTE** n. f.

(v. 1230, *clikete*) désigne un petit instrument à percussion utilisé par les lépreux au moyen âge pour signaler leur présence (cf. *crécelle*) puis par les marchands ambulants et les musiciens, ainsi qu'un instrument utilisé lors des offices liturgiques. Concurrencé par *claquette*, le mot est employé par les pêcheurs à propos d'une pierre trouée servant à lester leurs filets (1723) et, dans certaines régions, à propos du petit levier servant à fixer une persienne. ◆ Le masculin **CLIQUET** n. m. (v. 1280), apparu sous la forme *clicet* dans l'ancienne locution *tout de clicet* «sur le champ», et employé en ancien français au sens de «clenche» (v. 1290), a pris au XVIIIe s. deux sens techniques, désignant une petite pièce empêchant une roue de tourner en arrière (1752) et, par allusion au bruit sec du ressort, le système de fermoir d'un bracelet (1771). ◆ **CLIQUETER** v. intr., d'abord *cliketer* (v. 1230), diminutif de *cliquer*, signifiait «agiter une cliquette de lépreux» et, par extension, «produire un petit bruit sec, bref, léger et aigu souvent répété». ◆ En sont dérivés **CLIQUETIS** n. m. (apr. 1250, *cliketis*) dont le sens propre «succession de bruits métalliques, secs et brefs» a donné la valeur figurée de «bruit de mots» (1752), **CLIQUÈTEMENT** ou **CLIQUETTEMENT** n. m. (XVe s.), dont l'usage s'est raréfié à partir du XVIIe s., et l'adjectif **CLIQUETANT, ANTE** (1555), tiré du participe présent.

CLIQUE n. f., apparu à l'époque classique (1694) avec le sens abstrait de «société fermée de gens», est probablement le déverbal de *cliquer* «retentir», par allusion aux rumeurs et intrigues qui caractérisent ces coteries : il ne semble pas nécessaire d'en faire une transposition de sens de l'ancien français *clique* «loquet» par allusion au caractère fermé de ces cercles. Quoi qu'il en soit, ce nom est détaché et démotivé par rapport aux autres mots de la série. La valeur péjorative du mot s'est affirmée en politique où *clique* désigne un groupe d'intérêts peu estimable. ◆ Le sens concret, «ensemble des clairons et des sonneries d'une troupe» (1863), est une réactivation de la valeur onomatopéique du radical.

Le préfixé verbal **DÉCLIQUER** v. tr. (v. 1225) serait dérivé de l'ancien français *clique* «loquet», «détente», avec le préfixe *des-*, *dé-* et une désinence verbale. Archaïque ou sorti d'usage aux sens de «décocher, envoyer des armes de trait», «asséner (un coup)» (fin XIVe s.), par figure «faire entendre, faire résonner» (1330-1332) et «faire connaître, avouer» (1360-1370), il a pris, sous l'influence de son déverbal *déclic*, le sens de «déclencher le mécanisme d'un canon» (fin XIVe s.). ◆ Le déverbal **DÉCLIC** n. m., après une attestation isolée dans *déclic de langue* (v. 1510) avec l'idée de «bavarder, caqueter», toujours virtuelle dans ce groupe de mots, est repris au XVIIe s. avec le sens concret de «crochet ou ressort dont le jeu met un mécanisme en action» (1699). Il a développé par métonymie les sens de «jeu, mouvement de cette pièce» (1838) et de «bruit ainsi produit» (1896). Par métaphore, il est employé abstraitement dans le domaine du comportement humain pour «cause qui déclenche une réaction».

CLITORIS n. m. est emprunté (1611) au grec *kleitoris*, terme d'anatomie féminine. Ce mot, qui présente la finale rare *-toris*, est une forme créée plus ou moins arbitrairement, rapprochée par Chantraine de *klein* «fermer», dénominatif de *kleis* «barre, verrou», «clef», auquel le latin *clavis* (→ clef) pourrait être emprunté.

♦ Le mot, désignant l'organe érectile situé à la jonction supérieure des grandes lèvres de la vulve, s'est répandu dans l'usage, quelquefois sous les abréviations argotiques et familières *clito* (1972), antérieurement *cli-cli* (1953) et, d'après l'anglais, *clit.*

▶ **CLITORIDIEN, IENNE** adj. (1764) «relatif au clitoris» a évincé *clitorien, ienne* (1824) et s'est répandu avec le sens spécial de «dont la sexualité clitoridienne est développée», également substantivé au féminin. ◆ **CLITORIDECTOMIE** n. f., composé avec *-ectomie* «ablation», désigne (mil. XXe s.) l'excision du clitoris.

CLIVER v. tr., d'abord attesté au participe passé *clivé* chez le médecin bourguignon F. Bretin (1582) et repris au XVIIIe s. (1723), est emprunté au néerlandais *klieven* «fendre», la Hollande possédant depuis le XIVe s. une industrie diamantaire florissante. Le mot néerlandais, antérieurement *clieven, clûven*, correspond à l'anglais *to cleave* et à l'allemand *klieben*, au suédois *klyfva* et au danois *klöve*. Ces mots appartiennent à un radical germanique °*kleub-*, °*klaub-* qui se rattache lui-même à une racine indoeuropéenne °*gleubh-* représentée dans le grec *gluphein* «couper au couteau», «creuser en taillant» (→ -glyphe).

♦ Le mot est introduit au XVIIIe s. comme terme de minéralogie avec le sens de «fendre un minerai cristallisé dans le sens de ses couches lamellaires». Il est passé dans l'usage soutenu avec le sens figuré de «scinder (un tout) en parties» (XXe s.).

▶ **CLIVAGE** n. m., enregistré par l'*Encyclopédie* (1753) comme terme de diamantaire, a été repris en médecine et en biologie. Par figure, il exprime (1932) la faculté, le fait de pouvoir être scindé en différentes parties, spécialement en psychanalyse (*clivage du moi*). ◇ **CLIVABLE** adj. (1838) et **CLIVEUR** n. m. (1892) se bornent à un usage technique, en minéralogie et en chirurgie.

CLOAQUE n. m. est emprunté (v. 1355) au latin *cloaca* «égout» — le grand égout de Rome s'appelait la *cloaca maxima* — quelquefois au figuré «ventre» (→ cataclysme). Le mot se rattache très probablement à une racine °*kleu-* représentée par le grec *kluzein* «baigner, rincer», l'ancien haut allemand *hlūtar* «pur, propre» et, en celtique, le gallois *clir* «propre».

♦ Repris avec le sens de «réceptacle pour les eaux sales et les immondices», le mot a pris par extension le sens péjoratif de «chose sale, endroit sale» (1569) et dès le XVIe s. avec la valeur figurée de «corruption, souillure». ◇ Par analogie, il est employé en anatomie animale comme dénomination de la poche située à l'extrémité du tube intestinal, chez certains vertébrés inférieurs (1746-1748).

▶ **CLOACAL, ALE, AUX** adj. (1838) est un terme didactique d'anatomie animale.

✻ ① **CLOCHE** n. f. est hérité (av. 1150) du bas latin *clocca*, attesté en 550 dans le domaine anglais et importé sur le continent par les moines irlandais évangélisateurs de l'Europe. Le mot, formé sur une racine celtique (ancien irlandais *cloc* de même sens), doit correspondre à une onomatopée apparentée à *klak-*, *klik-*. Il a remplacé le représentant du latin *campana* dans les parlers du Nord et dans plusieurs régions du Sud (→ campanile, campanule).

♦ Nom d'un instrument à percussion important dans la culture par son usage religieux, *cloche* a donné plusieurs locutions usuelles ***(sonner les cloches)***, notamment de sens figuré ***(son de cloche)***. ◇ Par analogie de forme, le mot désigne divers objets creux qui recouvrent, protègent (1538), en particulier une coupe de forme hémisphérique que l'on met sur les melons et autres plantes fragiles (1675), et dans ***cloche à fromage*** (XIXe s.) un couvercle sous lequel on place le fromage. D'autres emplois particuliers d'ordre technique (1678, ***cloche à plongeur***) ou courant tel le sens «chapeau évasé sur les bords» (1904) aussi ***chapeau cloche***, sont demeurés vivants. Par comparaison, *cloche* fait son entrée dans le *Dictionnaire comique* de Leroux (1718), appliqué à des gens indécis, à qui l'on fait dire ce que l'on veut, qui fait allusion au mouvement de va-et-vient et à l'idée de *balancer* «hésiter». Telle pourrait être l'origine du sens argotique puis familier de «personne stupide et incapable» (1872), à rapprocher de l'expression ***avoir la cloche fêlée*** «être fou» où *cloche* a le sens de «tête» (1819). Cependant, certains rapportent le sens de «personne incapable» à l'homonyme *cloche*, déverbal de *clocher**.

▸ ② **CLOCHER** n. m., d'abord *clochier* (1160-1170), dérivé de *cloche* d'après le latin médiéval *cloccarium* (v. 800), désigne, avec un sens local, la partie élevée d'une église qui contient les cloches. Par une métonymie référant au fait que le clocher est l'emblème par excellence du village, du bourg, il a inspiré la locution ***esprit de clocher*** «esprit attaché exclusivement à ce qui concerne son milieu local». **CLOCHETTE** n. f., d'abord *clochete* (déb. XIIIe s.), réalise le sens propre de «petite cloche» et, par analogie, fournit une dénomination pour plusieurs espèces de fleurs dont la corolle évoque une petite cloche (1611). ◆ Son dérivé verbal **CLOCHETER** v. intr. (fin XIIIe s.) a eu en ancien et moyen français le sens de «sonner, en parlant de la cloche», «faire tinter une clochette» (1379); sa reprise en 1853 (G. Sand) n'a pas suffi à diffuser le mot. ◇ Son dérivé **CLOCHETEUR** n. m., d'abord *cloqueteur* (1326) a désigné le sonneur qui autrefois précédait le convoi funèbre en agitant une clochette. Le mot, sorti d'usage et repris au XIXe s., s'applique quelquefois au mannequin d'horlogerie qui vient aux heures frapper un timbre (1863, Gautier). ◆ *Clochette* a également servi de base pour former **CLOCHETON** n. m. (v. 1700), bien que le sens de ce mot, «petit clocher», en fasse sémantiquement le diminutif de *clocher*. ◇ À son tour *clocheton* a donné **CLOCHETONNÉ, ÉE** adj. (1859) à la description architecturale et littéraire.

② **CLOCHER** v. (1547), «annoncer à son de cloche», et son dérivé **CLOCHEMENT** n. m. (1637) n'ont pas réussi à s'implanter, peut-être gênés par l'existence du verbe homonyme ① *clocher**.

◈ voir CLOQUE.

② CLOCHE → ① CLOCHER

✻ ① **CLOCHER** v. intr., réfection (v. 1200-1220) de *clocier* (v. 1120), *clochier* (v. 1170-1175), est issu d'un latin populaire °*cloppicare* «boiter», dérivé de *cloppus* «boiteux» qui a tendu à remplacer *claudus* (→ claudication). Le mot contient la gémination expressive caractéristique des adjectifs marquant une difformité (*lippus* «chassieux») et la même consonne initiale que son synonyme *claudus*.

♦ Ce verbe, signifiant «boiter», a été gêné par la concurrence de *boîter*. Il s'est surtout répandu avec un sens figuré : «être défectueux» (v. 1200-1220). Il est passé dans l'usage familier, surtout comme impersonnel.

▸ En sont dérivés **CLOCHEMENT** n. m. (1363) et **CLOCHE-PIED (À)** loc. adv. et n. m. (v. 1400), et par suffixation péjorative : **CLOCHARD, ARDE** n. (1895) qui s'est mis à désigner un type social important de marginal des grandes villes, notamment Paris. *Clochard* est quelquefois modifié en **CLODO** ou **CLODOT** (1926), peut-être avec l'élément *-dot* de *cradot*. ◆ Le mot a produit le déverbal ② **CLOCHE** n. f. (1898), de ***être à la cloche*** (1882) désignant à la fois un clochard et, collectivement, l'ensemble des clochards. ◆ Dans la seconde moitié du XXe s., *clochard* a servi à former **CLOCHARDISER** v. tr. (1957) et **CLOCHARDISATION** n. f. (1957) la symbolique du clochard, assez folklorique, étant passée à l'évocation d'un sous-prolétariat. Par ailleurs, on a évoqué le déverbal ② *cloche* pour expliquer le sens figuré de ① *cloche* «personne incapable».

◈ voir CLOPIN-CLOPANT.

② CLOCHER → ① CLOCHE

CLOISON n. f. est issu (v. 1170-1180) d'un latin populaire °*clausio* «fermeture», formé sur *clausus*, participe passé de *claudere* (→ clore).

♦ Le sens d'«enceinte», spécialement «enceinte fortifiée», est propre à l'ancien et au moyen français. Encore répertorié en 1611, il a disparu au profit du sens de «paroi légère séparant deux pièces» (1534). ◇ Par analogie, le mot est passé dans le langage de la description didactique (anatomie, biologie) pour «ce qui divise naturellement une cavité» (1732). Il a développé les mêmes valeurs figurées que *barrière*.

▸ Le nom a servi à former plusieurs dérivés. ◇ **CLOISONNÉ, ÉE** adj. (1752), **CLOISONNER** v. tr. (1803), d'où **CLOISONNEMENT** n. m. (1845), et le didactique **CLOISONNISME** n. m. (v. 1950) «style pictural où les zones de couleurs sont cernées, comme chez Gauguin». ◆ Le préfixe *dé-* a servi à former **DÉCLOISONNER** v. tr. (1963), d'où **DÉCLOISONNEMENT** n. m. (1963), employés en architecture et abstraitement.

CLOÎTRE n. m., d'abord *cloistre* (v. 1100), *clostre* (v. 1165), est issu du latin *claustrum* (surtout au pluriel *claustra*), de *claudere* (→ clore) qui signifie «verrou, barrière» puis, par métonymie, «lieu clos», et s'est spécialisé en latin chrétien en «enclos de monastère», désignant parfois le monastère lui-même. L'évolution *-o->-oi-* est probablement due à l'influence de *cloison**, la forme régulière étant *clostre* (→ clôture, art. clore*).

♦ Le mot a été introduit avec sa spécialisation chrétienne, désignant à la fois la partie du monastère interdite au profane, spécialement la partie d'une maison religieuse constituée de galeries couvertes à colonnes autour d'une cour intérieure (v. 1100), et, par métonymie, le monastère lui-même (XIIIe s.). Une autre métonymie de nature abstraite lui donne la valeur de «fait de vivre reclus».

► Le dérivé **CLOÎTRIER, IÈRE** n. et adj., d'abord *cloistrer* (1170-1180) puis *cloistrier* (1181-1187) «religieux cloîtré», n'est plus employé que par archaïsme littéraire (Huysmans). ◇ Le dénominatif **CLOÎTRER** v. tr. (1623), «faire entrer qqn dans un couvent fermé», possède aussi la valeur figurée de «enfermer, mettre à l'écart» (notamment à la forme pronominale : *se cloîtrer*).

◈ voir CLAUSTRAL, CLAUSTRATION, CLAUSTRER.

CLONE n. m. est emprunté (1953) à l'anglais *clon* (1903) puis *clone* (1905, C. L. Pollard), emprunt en botanique au grec *klôn* «jeune branche, rameau», «pousse». Ce dernier est probablement la contraction d'un °*klaôn*, dérivé de *klaein* «briser, casser», terme apparenté à *klados* «branche, rameau», au centre d'une famille de mots relatifs à la taille de la vigne; hors du grec, on rassemble des formes verbales indoeuropéennes de structure et de sens différents : lituanien *kálti* «forger, marteler», vieux slave *klati* «piquer, fendre», latin *percellere* «frapper violemment».

♦ Le mot se rapporte en biologie à un mode de descendance par multiplication végétative ou parthénogenèse. Par métonymie, il désigne l'individu ainsi obtenu, sens qui a essaimé dans l'usage figuré, en particulier dans le contexte de la science-fiction et en informatique, par réemprunts à l'anglo-américain. ◇ L'obtention effective de clones animaux après 1990 (vaches, brebis...), alors que le clonage est une pratique ancienne en botanique, a donné au mot et à ses dérivés une importance majeure dans le débat sur la bio-éthique (problème du *clonage humain*).

► *Clone* a produit **CLONAL, ALE, AUX** adj. (1961) et **CLONER** v. tr. (seulement attesté en 1979 mais antérieur), ce dernier pour traduire l'anglais *to clone* (1959). ◇ Le verbe et son dérivé **CLONAGE** n. m. (1970) se sont répandus hors de leur acception scientifique à propos d'un mode de reproduction par stricte conformation à un modèle.

◈ voir les mots en *-clase, -claste* (au premier élément), CLÉMATITE.

CLOPE → CIGARE

CLOPIN-CLOPANT loc. adv. est une formation attestée à l'époque classique (1668, La Fontaine) du type *cahin-caha, couci-couça* avec l'ancien français *clopin* «boiteux» (1267-1268), demeuré en jersiais sous la forme *cliopin*, dérivé de l'ancien français *clop*, représentant du latin *cloppus* «boiteux» (→ clocher). Le second élément est le participe présent *clopant* du moyen français *cloper* (1534), du même *clop*.

♦ D'abord «en boitant, en tirant la jambe», le mot signifie par extension «dans un état souffreteux», au figuré «de manière indécise».

► Si *clop* a disparu, son dérivé verbal est resté vivant. **CLOPINER** v. intr., d'abord *clopigner* (1155) puis *clopiner* (1330-1332), dérivé de l'ancien *clop*, a supplanté le verbe *cloper*, moins expressif. ◇ Il a produit **CLOPINEMENT** n. m. (1877) et **CLOPINARD** n. m. (1947), formé par la même image et avec le même suffixe que *clochard*, auquel il sert de synonyme plus rare. ➛ **CLAMPIN** n. m. (fin XVIIe s., *clanpin*) est l'altération de *clopin*, peut-être sous l'influence d'un mot comme *lambin** dont il a repris (1832) le sens de «lent, paresseux», spécialisé dans l'argot militaire en «traînard» (1833).

◈ voir ÉCLOPER.

CLOPORTE n. m. est d'origine incertaine (XIIIe s.), probablement composé de *clore** et de *porte**, littéralement «celui qui clôt sa porte», par allusion à l'habitude qu'a ce petit crustacé isopode de s'enrouler sur lui-même dès qu'on le touche (cf. *bernard-l'hermite*). Une altération d'un type °*croteporque*, littéralement «porc de grotte», que l'on peut déduire du provençal *porquet de crota* «cloporte», se heurte au fait que seule la forme *cloporte* est enregistrée dès l'ancien français.

♦ *Cloporte* a donné quelques emplois métaphoriques péjoratifs se référant au comportement rampant de l'animal et à sa viscosité. Par jeu de mots sur sa fonction ou par allusion à l'obscurité de sa loge, il est devenu une désignation populaire du concierge (1880).

CLOQUE n. f., attesté tardivement (1750), est la forme normanno-picarde de *cloche** qui, en picard, signifie spécialement «espèce d'ampoule qui se forme sur l'eau quand il pleut».

♦ Le mot est apparu en arboriculture à propos de la boursouflure qui s'attaque aux feuilles du pêcher. Par analogie, il est passé dans le vocabulaire technique des verriers et fabricants de porcelaine pour désigner une boursouflure dans le verre ou l'émail (1848). Il s'est répandu tardivement avec le sens d'«ampoule sur la peau», d'abord populaire (1866) avant d'évincer *cloche*, attesté en ce sens depuis 1640. Par la métaphore du gonflement (cf. *avoir le ballon*), il est passé en argot dans la locution ***(mettre, être) en cloque*** «enceinte» (1901).

► **CLOQUER** v. tr., précédé par la forme adjectivée **CLOQUÉ, ÉE** (1832) confondue ultérieurement avec son participe passé, est un terme technique exprimant l'idée de «boursoufler» et «se couvrir de cloques», en arboriculture et en peinture. *Cloqué* se dit aussi d'un tissu, d'un papier. ➛ **CLOQUAGE** n. m. (1866) est surtout dit de l'apparition d'une boursouflure dans une couche de peinture.

✳ **CLORE** v. tr. est issu (av. 1150) du latin *claudere* «fermer», mot appartenant à la famille de *clavis* «clef» (→ clef) et *clavus* «cheville» (→ clou), à base *clau-*, ensemble de formes dont la parenté est douteuse, et que l'on a rapproché du vieux slave *ključĭ* «clef».

♦ Le mot, très usuel en ancien et moyen français, au sens propre et au sens figuré de «se terminer» (1405, *se clore*), a été presque entièrement éliminé par *fermer**, probablement en raison de l'homonymie de certaines de ses formes avec celles de *clouer*. Le sens spécial, «entourer d'une enceinte» (av. 1150), a été supplanté par les dérivés *enclore* et *clôturer*. Certains correspondants (anglais *to close*, italien *chiudere*) sont restés usuels.

▸ À la différence de *clore*, les dérivés se sont bien maintenus : **CLOS, CLOSE** p. p. a été adjectivé (1130) et est entré dans quelques syntagmes à valeur figurée (***à la nuit close, maison close,*** euphémisme pour *bordel*, 1931). De bonne heure, le masculin *clos* a été substantivé (v. 1150), probablement d'après le latin médiéval *clausum* (721), participe passé neutre substantivé de *claudere*, pour désigner un terrain cultivé clos de haies. ◆ **CLOSIER, IÈRE** n. (1225-1230) «gardien d'un clos», peut-être tiré de *clos* d'après le latin médiéval *closarius*, attesté dans les pays de Loire au sens de «métayer» (fin XIe-déb. XIIe s.), est sorti d'usage, tout comme le diminutif **CLOSEAU** n. m. (1309), d'abord *closel*, formé à l'image du latin médiéval *clausellus* (864) «petit clos». ◆ Seul **CLOSERIE** n. f. (1449, *clouserie*), «petit clos contenant une maison d'habitation», est encore employé spécialement dans l'Ouest en parlant d'une exploitation rurale sans bœufs de labour. Il reste une trace de l'ancien sens de «jardin consacré à des amusements publics» en usage à Paris au XIXe s., par exemple dans *Closerie des lilas*, nom d'un célèbre café parisien.

CLÔTURE n. f., d'abord *closture* (v. 1155), continue le bas latin *clausura* «extrémité» (IVe s.), «action de fermer», «instrument pour fermer» (Ve s.), lui-même dérivé du participe passé de *claudere*. *Closture* correspond à un type °*clausitura*, d'après les verbes à participe passé en *-itus*, au lieu de *clausus*, et suffixe *-ura*. ◇ Le mot a supplanté l'ancien type *closure* (XIIe s.), se répandant avec le sens concret d'«enceinte» et avec le sens figuré «action de mettre un terme à qqch.» (1415), dans le langage administratif et juridique. D'une spécialisation en architecture religieuse, «enceinte d'un monastère» (1344), proviennent des emplois métonymiques : «partie d'un couvent interdite aux laïcs» et «obligation dans laquelle sont les religieux de ne pas sortir du monastère». ◆ Le dérivé **CLÔTURER** v. tr. (1787), apparu simultanément avec le sens figuré et le sens propre (1795), tend, trop souvent au goût de l'Académie, à remplacer *clore* dans des expressions comme *clôturer un débat, une séance, un congrès*.

De tous les préfixés verbaux de *clore*, seul **FORCLORE** v. tr. (v. 1120, *forsclore*) a été formé en français, de l'ancienne préposition *fors** (938-950, *foers*) «hors de, dehors», et de *clore*. Le mot a été supplanté par *exclure* (d'une formation latine comparable, de *ex-* et *claudere*), mais s'est maintenu avec sa spécialisation juridique : «enlever à (qqn) la possibilité de faire un acte ou d'agir en justice après l'expiration d'un délai» (1466). ◆ Son nom d'action **FORCLUSION** n. f., formé (1446) d'après *exclusion*, est un terme de droit réintroduit en psychanalyse par Jacques Lacan pour traduire l'allemand *Verwerfung* «rejet», employé par Freud en relation avec la psychose ; le mot concerne le rejet primordial d'un «signifiant» fondamental hors de l'univers symbolique du sujet. Ce mécanisme, distinct du refoulement, serait à l'origine de la psychose.

ENCLORE v. tr. (1050) continue le latin populaire °*inclaudere*, réfection d'après *claudere* du latin classique *includere* (→ inclure) «enfermer». ◆ Le verbe, employé au propre et, dans le style soutenu, au figuré, a servi à former deux noms : **ENCLOS** n. m. (1283) «espace entouré d'une clôture» et, d'après *clôture*, **ENCLÔTURE** n. f. (av. 1250, *enclostrure*) «action d'enclore» et, concrètement, «ce qui sert de clôture», ce dernier beaucoup plus rare. ◆ **ENCLOSURE** n. f. est un anglicisme repris (1804) à l'anglais *enclosure* (1538) «action d'enclore», spécialisé comme terme de course (XIXe s.) et lui-même emprunté à l'ancien français *enclosure* n. f. (1270), dérivé d'*enclos* sorti d'usage. Repris en turf, le mot est aussi employé en géographie à propos d'une parcelle de terrain enclose de haies ou de murs, en Angleterre.

◇ voir CLAUSE, CLAUSTRAL, CLIGNER, CLOISON, CLOÎTRE, CLOVISSE, CLUSE, CONCLURE, ÉCLORE, ÉCLUSE, EXCLURE, INCLURE, OCCLUSION, PERCLUS, RECLUS.

CLOU n. m. est issu (1080) du latin *clavus* «cheville (de bois puis de fer)» et est employé avec divers sens techniques dans la langue nautique, médicale («bouton, cor»), agricole («nœud dans les arbres»). Le mot appartient à une famille de termes techniques assez obscure à radical *clau-* (→ clef, clore).

♦ Passé en français avec le sens de «petite tige métallique à tête servant à fixer, à décorer», le mot a pris dès le XIIe s. les sens analogiques de «furoncle» (1170) puis de «bouton floral en forme de clou» dans ***clou de girofle*** (1225-1230). ◆ Il a connu un grand développement dans la langue populaire et argotique du XIXe s. : le sens de «mont-de-piété» (1823) vient de ce qu'on y suspendait les objets mis en gage à des clous, son emploi argotique pour «prison» (1835) repose sur l'idée d'«enchaînement, immobilité» par comparaison implicite avec la fonction du clou. ◇ Avec une valeur dépréciative, il désigne un objet usagé (1865), une mauvaise bicyclette (1898, d'où *biclou* «bicyclette»), un mauvais véhicule (1908) et, en locution ***des clous,*** «rien». ◇ Le sens réalisé dans ***clou du spectacle*** (1878) fait exception, l'idée étant peut-être que l'objet suspendu au clou attire l'attention.

▸ Du nom ont été dérivés deux verbes avec leurs dérivés : **CLOUER** v. tr., d'abord *cloer* (1170-1185) qui a aussi le sens figuré de «réduire (qqn) à l'immobilité» (1680), et **CLOUTER** v. tr., d'abord *cluter* (v. 1290) qui, d'après la fonction décorative du clou, signifie «garnir de clous». La forme du mot suppose une dérivation, non de *clou*, mais de son diminutif *clouet* (v. 1205), *clauet* en ancien wallon, avec conctraction de *clouet-* en *clout-*. Le participe passé *clouté,* parmi ses emplois adjectifs, est lexicalisé dans ***passage clouté*** (1932), nom d'un passage réservé aux piétons et marqué par deux lignes parallèles de larges têtes de clous sur la chaussée (procédé plus tard remplacé par des bandes). ➛ **CLOUTERIE** n. f., d'abord *claueterie* (1202) en ancien wallon, et **CLOUTIER** n. m. (1228) sont deux termes de métier dérivés du diminutif *clouet,* sorti d'usage. ➛ L'influence de ce groupe de dérivés en *t-* a fait reformer l'ancien français *clouyère* n. f. (1382-1384) en **CLOUTIÈRE** (1676), mot technique désignant une pièce qui sert à former les têtes des clous et, avec une autre valeur accordée au suffixe, une boîte à compartiments pour ranger les clous (1771).

ENCLOUER v. tr., d'abord *enclöer* (fin XIIe s.), a vieilli dans l'usage général au profit de *clouer,* mais s'est maintenu dans des spécialisations techniques, en médecine vétérinaire pour «blesser un cheval avec un clou en le ferrant» (v. 1205), en artillerie pour «mettre (un canon) hors d'usage en faisant pénétrer dans la lumière un gros clou d'acier» (1461-1466). ➛ **ENCLOUURE** n. f., encore vivant avec le sens figuré de «difficulté, épine» (1174-1175, *encloëure*), désigne la blessure du cheval encloué (1600, *encloueure*). ➛ **ENCLOUAGE** n. m., enregistré dans l'*Encyclopédie* (1755), constitue le nom d'action dans les deux spécialisations.

CLOVISSE n. f. enregistré une première fois sous la forme *clouïsse* (1611), puis repris sous la forme *clovis* (1838) modifiée en *clovisse* (1846), est emprunté au provençal *clauvisso* «petit mollusque comestible à coque bivalve». Ce mot est une altération (XVIIe s.) de *clausisso* (XVIIe s.) dérivé de *claus,* participe passé de *claure,* correspondant du français *clore*.*

♦ Le mot, noté par Cotgrave comme marseillais, est un nom régional (Provence) de la palourde.

CLOWN n. m., d'abord *claune,* forme citée comme la «prononciation exacte du mot anglais» (1817), puis *clown* (1823), est emprunté à l'anglais *clown.* Ce mot, apparu au XVIe s. sous les formes *cloyne, cloine* (1563), puis *clowne* (1567) et *cloune* (1570) d'où *clown,* a de nombreux correspondants dans les langues germaniques : frison *klönne, klünne* «homme rustique, pataud», *klündj* «lourdaud», islandais *klunni* «balourd», néerlandais *kleun* n. f. «fille robuste» et *kloen* n. m. donné comme équivalent de l'anglais *clown* en 1766. On est donc en présence d'un mot germanique. Celui-ci, signifiant originellement «motte de terre, masse, morceau», s'est appliqué par métaphore à une personne balourde, mal dégrossie. Certains, à la suite de Ben Jonson, ont vu dans *clown* le représentant du latin *colonus* «habitant» (→ colon), mais cette hypothèse manque de fondement. Le mot anglais a d'abord désigné un paysan et, avec une valeur péjorative, un rustre (1565). Avant la fin du XVIe s., il est passé dans le vocabulaire du théâtre comique où, par extension, il a évolué de «bouffon campagnard» en «bouffon quelconque» (chez Shakespeare) et, ultérieurement, «personnage comique de la pantomime ou du cirque» (XVIIIe s.).

♦ Le mot est attesté en français dans un ouvrage sur le cirque de M. Franconi comme nom d'un comique équestre, mais il ne s'impose pas immédiatement à côté de *grotesque* et *paillasse,* termes en usage pour désigner le bouffon du cirque. Il semble que ce soit Jean-Baptiste Auriol (1806-1881) qui ait assuré au clown sa primauté parmi les comiques de la piste (sauteurs, polichinelles, mimes) et l'ait acclimaté après 1830, muni du costume conforme à la tradition du bouffon anglais. Le personnage s'élabore avec l'apport des clowns britanniques sur la scène française et l'apparition du nouveau type, l'auguste (→ auguste), englobé par l'usage courant sous le même terme que le véritable clown, dit *clown blanc.* ◇ Par extension, le mot se répand dans l'usage avec le sens de «personnage qui fait rire» (1858), notamment dans ***faire le clown.***

▸ **CLOWNERIE** n. f. (1842), d'abord avec l'ancien sens collectif «ensemble de clowns», désigne des actes, des manières de clown (1853). ➛ **CLOWNESQUE** adj. (1878) qualifie ce qui est propre au clown et, par extension, évoque le comportement d'un clown. ➛ **CLOWNESSE** n. f. (1884) n'a pas réussi à s'imposer devant *femme-clown* après les années 1900 où il connut une certaine vogue. ➛ **CLOWNISME** n. m. et **CLOWNIQUE** adj. servirent à Charcot et aux médecins de la fin du XIXe s. à décrire la crise d'hystérie, mais ont disparu.

CLUB n. m. recouvre deux mots distincts empruntés l'un au XVIIIe s., le second à la fin du XIXe s. au même terme anglais *club.* Celui-ci, d'abord *clubbe, clobbe* (v. 1205), est issu de l'ancien norrois *klubba* (d'où suédois *klubba, klubb,* norvégien et danois *klubbe, klub*), issu par assimilation de *klumba* «massue, bâton». La racine à laquelle appartient ce mot est la même que celle de l'anglais *clump* «massif, bouquet d'arbres» ; certains l'ont rattachée à la racine indoeuropéenne représentée en latin dans *globus* (→ globe) avec l'idée d'une masse compacte. Le mot anglais désigne une massue, un gourdin et, par spécialisation de fonction, un bâton utilisé dans divers jeux de balle, en particulier au golf (v. 1450). Le développement du sens de «réunion de personnes» (1648) serait né de celui de «masse, agrégat» (1450), peut-être d'après le verbe *to club* attesté depuis le XVIIe s. au sens de «mettre ensemble, agréger, regrouper» d'où «mettre en association».

♦ Le mot est introduit en 1698 pour décrire une société anglaise qui se réunit périodiquement pour boire et discuter. Il est encore rare en France au XVIIIe s. pour désigner ce type de groupement (1724-1731, *club de l'Entresol*) et se répand avant la période révolutionnaire (1774) avec le sens spécifique de «société politique» passé dans l'histoire (par ex. le *club des Jacobins*). Il se répand au XIXe s. en parlant d'un cercle où se réunissent des gens qui ont des buts communs, surtout dans le domaine sportif. ◇ Un réemprunt à l'anglais a fourni le sens métonymique de «large et profond fauteuil de cuir» (1934), seul et surtout en apposition à *fauteuil* (1953), en référence à un type de siège confortable répandu dans les clubs anglais. ◇ Ultérieurement, d'autres composés tel *club sandwich* (1903 aux États-Unis) sont passés en français (également *cravate club* pour une cravate à rayures obliques). ➛ Le second emprunt de *club* est le terme de sport (1882) qui désigne une canne utilisée au polo puis surtout au golf.

▸ Seul le sens d'«association» a produit des dérivés et surtout des composés. Dès la période révolutionnaire, il a donné **CLUBISTE** n. (1784) et **ANTICLUBISTE** (1793), **CLUBIQUE** adj., **CLUBICULE** n. m., **CLUBINER** v. intr., **CLUBINOMANIE** n. f., **CLUBOCRATIE** n. f., **CLUBOCRATE** n., **CLUBOMANIE** n. f. (tous en 1793). La plupart se sont éteints avec l'institution politique révolutionnaire. ◇ Le développement du club, comme institution dans le domaine des loisirs au XIXe s., a donné les composés vivants **AUTOMOBILE-CLUB** n. pr., **AÉRO-CLUB** n. m. (1903), **TENNIS-CLUB** n. m. (1934), **CINÉ-CLUB** n. m. (1920), etc.

◈ voir NIGHT-CLUB.

CLUSE n. f. est issu (1538) du latin médiéval *clusa* «col, gorge, défilé», attesté du VIe s. au milieu du XIe s., participe passé féminin substantivé du latin *cludere* «fermer», forme parallèle à *claudere* (→ clore).

♦ Jusqu'au XIXe s., le mot est uniquement d'usage régional (Alpes) au sens de «défilé». En 1832, il est repris par J. Thurmann *(Essai sur les soulèvements jurassiques du Porrentruy)* d'après les toponymes jurassiens pour dénommer une rupture géologique transversale caractéristique du Jura.

▸ La variante régionale **CLUE** n. f. (1956) est quelquefois employée à propos d'une cluse en canyon (Provence).

◈ voir ÉCLUSE.

CLYSTÈRE n. m., d'abord *clistere* (1256) puis *clystere* (1478), est emprunté au latin impérial *clyster*, lui-même repris au grec *klustêr*, terme médical désignant un lavement et, par métonymie, la seringue servant à pratiquer cette injection. Le mot est dérivé de *kluzein* «baigner (en parlant de la mer qui baigne la côte)», «verser de l'eau pour nettoyer, rincer» (→ clystère) et, au passif, «se répandre, être lavé», lui-même apparenté au latin *cloaca* (→ cloaque, égout), au verbe *cluare* cité par Pline comme synonyme de *purgare* (→ purger), ainsi qu'à des formes germaniques et celtiques.

♦ Depuis son remplacement par *lavement*, le mot appartient à la médecine ancienne et à l'histoire de la médecine. Avec le sens métonymique de «seringue», il a été immortalisé par Molière qui en a fait l'attribut du médecin de ses comédies.

▸ Du radical de *kluzein* ont été dérivés deux noms d'instruments servant à administrer des lavements : **CLYSOIR** n. m. (1834) et **CLYSOPOMPE** n. m. (1836), ce dernier avec *pompe**, qui se réfèrent également à une pratique médicale ancienne.

CO- est le préfixe tiré de la préposition latine *cum* et du préverbe correspondant *com-*, *con-* et *co-* (suivant la nature du phonème suivant). *Cum* signifie «avec» ; souvent joint à des adverbes marquant l'égalité ou la simultanéité, il marque lui-même l'idée temporelle de «simultanéité», le moyen ou les circonstances qui accompagnent l'action. Avec certaines expressions, le sens est proche de celui de *contra* (→ contre), le partenaire étant aussi l'adversaire (à la guerre, dans une compétition). Employé comme préverbe, *cum* marque la réunion concrète, et souvent, sert seulement à modifier l'aspect du verbe, indiquant que le procès arrive à son terme (*conficere* signifiant «achever», à côté de *facere* «faire») ; cette nuance a eu tendance à s'affaiblir et la forme préfixée à se substituer sans valeur spéciale à la forme simple. *Cum* a été conservé dans les langues romanes (italien *con*, espagnol *con*, portugais *com*, roumain *cu*), sauf en français (→ avec). Il a des correspondants dans les parlers italiques (osque *com*, *con*, ombrien *cum*) et les dialectes celtiques (gaulois, vieil irlandais *com-*, *co-*, gallois *cyf-*, *cyn-*, *cy-*) mais tout rapprochement en dehors de ce domaine demeure hypothétique : le védique *kám*, le vieux slave *kŭ* se construisent seulement avec le datif pour indiquer la destination.

♦ En français même, où il figure dans d'innombrables emprunts, le préfixe est formateur de nombreux mots dont la liste reste ouverte, principalement de substantifs désignant souvent des personnes, d'adjectifs ou de participes passés, plus rarement de verbes. Il est notamment très productif dans les domaines du droit, de la politique et dans le vocabulaire exprimant un état, une condition, une fonction, un métier.
Les composés se trouvent, soit à l'ordre alphabétique, soit au second élément.

COAGULER v. est emprunté, d'abord sous la forme participiale *coagulé* (av. 1300), au latin *coagulare* «figer en masse plus ou moins solide» en parlant du lait puis, en latin médiéval, du sang, également à l'origine du doublet non savant *cailler**.

♦ Le mot a été introduit par les médecins du moyen âge à la fois en parlant du lait *(froumage coaugulé)* et du sang (1314). Ultérieurement (XIXe s.), il a pris la valeur figurée de «faire prendre, cristalliser».

▸ Du verbe sont issus au XIXe s. **COAGULANT, ANTE** adj. et n. m., adjectivation (1827) et substantivation (1845) du participe présent, et **COAGULATEUR, TRICE** adj. (1854). ◇ **ANTICOAGULANT, ANTE** adj. (1896) et n. m. s'applique à ce qui retarde ou empêche la coagulation du sang. ➛ **COAGULATION** n. f., antérieur (XIVe s.), est un emprunt au latin impérial *coagulatio*, substantif d'action dérivé du supin de *coagulare*. ➛ **COAGULUM** n. m., d'abord francisé en *coagule* (1610), est emprunté au latin *coagulum* «présure». Il a été relatinisé (1700) avec le sens de «masse coagulée», fonctionnant comme un doublet de *caillé*, *caillot*.

COALESCENCE → COALITION

COALITION n. f., attesté au XVIe s. (1544), est soit emprunté au latin médiéval *coalitio* «réunion» (VIIe s.), soit formé avec le suffixe *-ition* sur le radical du latin *coalitum*, supin de *coalescere*. Ce verbe, signifiant étymologiquement «grandir ensemble» d'où «s'unir en croissant», est composé de *co-* «avec» (→ co-) et de *alescere* «se nourrir» d'où «grandir», inchoatif de *alere* «nourrir» au propre et au figuré (→ haut).

♦ Après une attestation isolée au XVIe s. au sens de «réunion, croissance», dans un contexte théologique, le mot a été repris au XVIIIe siècle. Il est alors emprunté (1718) au langage politique anglais (*coalition of parties,* 1715) où il est une spécialisation du sens de «réunion» (1612). D'abord employé dans un contexte anglais à propos des whigs et des tories, puis franco-anglais (1776), il s'est acclimaté en politique française. La spécialisation d'«entente entre ouvriers ou entre patrons dans un but professionnel ou économique» (1836) est sortie d'usage au profit d'autres termes comme *syndicat.* Le sens concret d'«agrégation de plusieurs substances» en physique (1753) puis, par métaphore, dans le style littéraire du XIXe s., est également sorti d'usage. La valeur la plus active est diplomatique et concerne les alliances dans un conflit, notamment dans des circonstances historiques précises (les *coalitions* successives contre Napoléon).

▸ **COALISER** v. tr. a été tiré de *coalition* avec le suffixe *-iser* (1790, Mme de Staël) et a produit à son tour **COALISATION** n. f. (1791), resté rare, et **COALISEUR, EUSE** adj. (1904). ◇ Le participe passé **COALISÉ, ÉE** a été adjectivé et substantivé, notamment en diplomatie où il a fréquemment, comme le verbe, une valeur péjorative.

COALESCENCE n. f., formé savamment en médecine (1537) sur le radical du latin *coalescere* «s'unir», est employé spécialement en parlant des éléments formant un mot et des lèvres d'une plaie en voie de cicatrisation. Le mot a est passé avec les deux spécialisations du verbe latin, en médecine et en phonétique (1548). Il est passé en chimie pour dénommer le phénomène de réunion de particules en suspension. ◇ Le nom a pour dérivé l'adjectif didactique **COALESCENT, ENTE** (1850).

COASSER v. intr., d'abord *coacer* (1554), est emprunté au latin *coaxare,* lui-même formé à partir du grec *koax,* onomatopée du cri de la grenouille.

♦ Le verbe s'emploie, pour «crier», en parlant de la grenouille et du crapaud et a développé le sens figuré péjoratif d'«émettre des sons, des propos désagréables» (av. 1720).

▸ **COASSEMENT** n. m., d'abord écrit *croaxement* (1600) et *coässement* (1677), sert de nom d'action à *coasser,* au propre puis (1832, Hugo) au figuré.

COBALT n. m. est emprunté (av. 1564) à l'allemand *Kobalt, Kobolt* «minerai gris clair» (1526, Paracelse), tiré de *Kobold,* nom propre d'un lutin malicieux hantant les anciennes mines et qui avait la réputation de voler le minerai d'argent pour le remplacer par ce minerai, alors jugé inutilisable. Cette étymologie, comparable à celle de *nickel**, est cohérente avec l'ancienne représentation germanique du monde souterrain comme séjour d'esprits malfaisants, tels les Nibelungen.

♦ Le mot désigne d'abord un minerai gris clair, utilisé en particulier dans la fabrication d'aciers spéciaux et de colorants, le plus souvent bleus (d'où le syntagme ***bleu de cobalt***). Le mot sert ensuite (mil. XVIIIe s.) à désigner le métal extrait de ce minerai, isolé dès 1733 par le chimiste suédois Brand, avec de nombreux syntagmes chimiques et des composés. Les thérapeutiques au cobalt radioactif donnent lieu à des expressions comme *bombe au cobalt.*

▸ Le mot a produit depuis le milieu du XIXe s. quelques termes de minéralogie et de chimie : **COBALTIQUE** adj. (1845), **COBALTEUX, EUSE** adj. (1868, Wurtz), des noms de minéraux comme **COBALTINE** n. f. (1868, Wurtz) ou **COBALTITE** n. f. (XXe s.), et des composés : **COBALTHÉRAPIE** ou **COBALTOTHÉRAPIE** n. f.

Le nom allemand **KOBOLD** a lui-même été emprunté comme nom d'un lutin germanique, introduit en 1835 par Nerval dans sa traduction du *Faust* de Goethe. Antérieurement, on rencontre les formes *cobolde* et *coballes* dans *Les IV Livres des spectres* (édition de 1586) et *kobalde* (1671), donné comme mot islandais.

◈ voir GOBELIN.

COBAYE n. m. est la francisation (1820) du latin scientifique *(cavia) cobaya* (1760, Buffon), probablement emprunté au tupi *sabúya* par l'intermédiaire du portugais *cobaya* (1643 en latin moderne), d'abord écrit *çabuyâ* (encore en 1795).

♦ Nom d'un petit mammifère rongeur, le mot a pris, par allusion à l'utilisation de ce mammifère en laboratoire, le sens figuré de «sujet d'expérience» (XXe s.).

COBRA n. m. est issu, par abréviation (1866), de la dénomination *cobra capel* (1587) et *cobra de capelo* (1701), empruntée au portugais *cobra de capel, de capello,* proprement «couleuvre à capuchon», parce que la peau du cobra forme sur sa tête une sorte de capuchon. *Cobra,* qui signifie en effet «couleuvre», est issu (XIVe s.) d'un latin populaire °*cŏlŏbra* pour *cŏlŭbra* (→ couleuvre); *capello* «capuchon» représente le bas latin *cappellus* (→ chapeau).

♦ Le mot désigne un grand serpent venimeux du genre naja, dont le cou se gonfle lorsqu'il est irrité.

COCA n. m. est emprunté (1558) à l'espagnol *coca* (v. 1550), lui-même emprunté à l'aymara, langue indienne du Pérou où le mot semble majoratif et désignerait la plante par excellence. La coca, arbrisseau poussant dans les vallées humides des Andes, était dès la plus haute Antiquité la plante sacrée des Incas.

♦ Le mot désigne l'arbuste andin et, par métonymie, sa feuille que les Indiens mâchent pour son action stimulante (1598), puis la substance extraite de ces feuilles.

▸ De *coca* est dérivé **COCAÏNE** n. f. (1856, La Châtre), nom d'un alcaloïde extrait des feuilles de la coca et découvert par M. Niemann, pris par métonymie pour désigner la substance préparée à partir de cet alcaloïde, à usage médical ou utilisée comme stupéfiant. ◇ Le mot est abrégé familièrement, dans le langage des trafiquants et de leurs clients, en *coco* (1922), vieilli, *coca* et ② **COKE** n. f. (dès 1908 en anglais, aux États-Unis). ➛ À la fin du XIXe s., *cocaïne* a produit une série de termes didactiques : **COCAÏNOMANIE** n. f. (1886), **COCAÏNOMANE** n. (1886) qui a perdu son sens premier de «médecin soignant par la cocaïne» pour celui de «personne intoxiquée à la cocaïne» (1905), **COCAÏNIQUE** adj. (1891), **COCAÏNISATION** n. f. (1896) et **COCAÏNISER** v. intr. (1911), **COCAÏNISME** n. m. (1897).

COCA-COLA n. m. est emprunté (1928, traduction de *Manhattan Transfer* de J. Dos Passos) à l'anglo-américain *Coca-Cola*, nom de marque déposée aux États-Unis en 1886 et répandue dès 1887. Le nom est composé de *coca* et de *cola* (→ cola) en référence aux ingrédients entrant initialement dans sa formule. Cette boisson s'est répandue massivement dans presque tous les pays après la Seconde Guerre mondiale, les occurrences du mot se multipliant à partir des années 1940 en français. Symbole du mode de vie américain, le Coca-Cola a été adopté en France et répandu après 1950. Il est abrégé couramment en **COCA** (1966) et **COKE**, réemprunt à l'anglo-américain où cette forme est attestée dès 1909.

COCAGNE

COCAGNE n. m., attesté depuis le milieu du XIIIe s., est d'origine discutée. Les rapports de ce mot — qui est à l'origine de l'italien *cuccagna* (XIVe s.), de l'espagnol *cucaña* (XVIIe s.), de l'anglais *cokaygne, cockaigne* (déb. XIVe s.) — avec le moyen français *cocagne* «pastel en pâte» (1463, *quoquaigne*) sont obscurs. Le moyen français est lui-même emprunté au provençal *cocanha, coucagno* de même sens. Il est notable que la culture du pastel engendra une grande prospérité dans le Haut-Languedoc. Le provençal est lui-même d'origine douteuse, rapproché par certains du provençal *coca* «coque» (v. 1350) [→ coque] ou du provençal de même forme *coca* «gâteau» (1391, *coga*), lui-même d'étymologie incertaine, peut-être préromane. On a aussi évoqué, sans parvenir à la conviction, l'étymon germanique °*kōka* d'origine onomatopéique (allemand *Kuchen*, anglais *cake* «gâteau» → cake), le pays de Cocagne étant proprement le pays des friandises. L'intermédiaire aurait été soit le moyen bas allemand *kokenje*, soit un °*kokania* formé sur le modèle de *Germania* «Germanie». Le moyen néerlandais *cockaenge* «pays des merveilles», de *coek* «gâteau», semble confirmer une hypothèse de ce genre.

♦ Le mot est apparu comme le nom d'un pays imaginaire où tout est riant et en abondance (*pays de cocagne*, 1533). Employé anciennement au sens de «fête, réjouissance», «cause de réjouissances», le mot survit dans ***mât de cocagne*** ou pour connoter une abondance facile.

COCAÏNE → COCA

COCARD, COQUARD, COQUART

n. m., enregistré dans un dictionnaire d'argot en 1867, est d'origine douteuse, probablement dérivé, avec le suffixe péjoratif *-ard*, de *coque** d'après l'idée d'«objet rond et globuleux» également illustrée dans *coquar, cocard, quoquart* «œuf» (→ coco «œuf») et, dans l'argot, *coquillard* «œuf».

♦ Le mot est une désignation argotique de l'œil, surtout employée à propos d'un œil tuméfié (1883), spécialisation à mettre en relation d'une part avec ***œil à la coque*** et *coque* «coup, contusion» et, d'autre part, avec *cocarde** désignant un œil tuméfié et une gifle.

✳ COCARDE

COCARDE n. f., d'abord *coquarde* (1468) puis *cocarde* (1552), est le féminin substantivé de l'adjectif moyen français *coquard, arde* «sot, vaniteux» (av. 1350), dérivé de *coq**, avec le suffixe péjoratif *-ard*, d'après un caractère communément prêté à l'animal *(faire le coq, coq de village)*.

♦ Le mot, d'abord dans *coiffée à la cocarde, bonnet à la cocarde* (1532), a désigné une coiffe ornée de plumes de coq ou de rubans ressemblant à une crête de coq redressée. Il s'est spécialisé dans la décoration militaire (1732), désignant un nœud de ruban porté sur leur coiffure par les soldats, de couleur différente selon leur corps. Sous la Révolution, la cocarde devient un insigne identique marquant le ralliement à un parti politique (1789), selon sa couleur (*cocarde blanche* royaliste, *cocarde tricolore, nationale* des révolutionnaires). Par analogie, il a désigné l'ornement en forme de ruban ou de rosace sur le chapeau des femmes (1835). Il se dit en tauromachie de la rosace placée sur le front de l'animal. ➛ Probablement par attraction de *coque**, il a pris en argot le sens de «tête» (1858), exprimant, par métaphore, l'ivresse dans ***avoir sa cocarde*** «avoir le vin qui monte à la tête» (1861), à rapprocher de *avoir son panache, son pompon, son aigrette* qui évoquent tous le visage rubicond et la «tête prise» des buveurs.

▸ De *cocarde* ont été dérivés, au XIXe s., **COCARDEAU** n. m. (1843) nom régional de la giroflée, **COCARDIER, IÈRE** n. et adj. (1858) «qui porte la cocarde», surtout employé avec une valeur figurée : «d'un patriotisme exacerbé» (1881), en emploi substantif puis aussi adjectif (1896), et **COCARDER** v. tr. «orner d'une cocarde», sorti d'usage, puis, d'après le sens métaphorique d'*avoir sa cocarde, se cocarder* (1877) pour «se soûler».

COCASSE adj. est une formation, par dérivation de sens et substitution de suffixe (1742), sur le moyen français *coquard* «vaniteux, fat» qui a pris le sens de «d'une étrangeté bouffonne». ➛ Il a produit **COCASSERIE** n. f. (1836) et **COCASSEMENT** adv. (1894).

COCCINELLE

COCCINELLE n. f. est l'adaptation (1754) du latin scientifique *coccinella* (1740, Linné) formé sur le latin impérial *coccinus* «écarlate», calque du grec *kokkinos* «insecte donnant une teinture écarlate» (la cochenille) d'où «écarlate», mot encore vivant en grec moderne. *Kokkinos* est dérivé de *kokkos* «noyau, pépin d'un fruit», lui-même conservé au sens de «graine» en grec moderne (→ coque).

♦ Le mot dénomme un insecte à élytres bombés, rouges à points noirs, communément appelé *bête à bon Dieu* et, localement, *vache à Dieu, cheval de la Vierge* ou *Catherinette.* ◇ Par analogie de forme, il a servi de dénomination familière pour une voiture populaire de la marque allemande *Volkswagen* (1968; p.-ê. calque de l'allem. *Käfer* «coléoptère» [Bernet-Rézeau; INALF]).

COCCYX n. m. est emprunté (1541) au grec *kokkux* «coucou», employé spécialement en anatomie comme dénomination du petit os triangulaire terminant le bas de la colonne vertébrale en raison de sa ressemblance avec le bec d'un coucou. Le mot, conservé en grec moderne, est dérivé de *kokku,* cri du coucou qui repose sur une onomatopée, et semble être dissimilé de °*kuku.* On observe des formes analogues dans plusieurs langues: sanskrit *kokilá* «coucou», latin *cuculus,* français *coucou*,* qui correspondent à une matrice onomatopéique évoquant le cri répétitif de l'oiseau.

♦ Le mot, employé en anatomie, est passé dans l'usage où l'expression *tomber sur le coccyx* fournit un équivalent euphémistique de *tomber sur le derrière.*

► En est dérivé l'adjectif didactique **COCCYGIEN, IENNE** (1753).

① **COCHE** n. f. (1176) est d'origine obscure, peut-être d'un latin vulgaire °*cocca* que l'on peut aussi déduire de l'italien *cócca* «entaille (sur une flèche)» (XIVe s.) et du provençal *encocar* «encocher» (av. 1250). D'après Corominas, il pourrait s'agir d'un radical préroman. Un rattachement au latin *coccum* «excroissance (sur une plante)» d'où, par analogie, «cran au bout d'une flèche» est assez peu satisfaisant. L'hypothèse de P. Guiraud, postulant un latin vulgaire °*codica,* d'après *codex* «souche», d'où «morceau de bois sur lequel on fait des entailles pour tenir un compte» (→ code) et, par métonymie, «entaille», n'est pas appuyée sur des preuves.

♦ Le mot désigne une entaille faite dans un corps solide, en particulier une arbalète, une flèche et, par analogie, une entaille servant notamment de signe pour des comptes. Il se fait rare en dehors des dialectes et patois.

► ① **COCHER** v. tr. (1305-1310), proprement «faire une entaille», ne vit plus guère qu'avec l'extension analogique de «marquer d'un repère, d'un trait».
Au sens propre, le verbe a été éliminé par le préfixé **ENCOCHER** v. tr. (1160) dont le déverbal **ENCOCHE** n. f. (1542), qui a lui-même évincé *coche* de l'usage, est devenu usuel, notammant pour désigner une entaille dans un mécanisme (serrurerie, armurerie, etc.). Le mot a aussi un emploi technique en géomorphologie.
DÉCOCHER v. tr. (v. 1175), dès les premiers textes, a été employé avec le sens figuré de «se lancer, se propulser», d'abord intransitivement puis à la forme pronominale, de «lancer un trait, une flèche», allusion à la *coche* servant à arrêter la corde quand on bande l'arbalète et à celle qui maintient la flèche de l'arc. Une métaphore courante, assimilant la parole à une arme, a donné au verbe le sens de «lancer (une critique, une pointe)» (1648). ◇ Des acceptions techniques (textile, fonderie) se sont greffées sur le sens propre, produisant les noms d'action **DÉCOCHEMENT** n. m. (1556) et **DÉCOCHAGE** n. m. (1929) «démoulage».

② **COCHE** n. m., d'abord *koge* (1243) puis *coche* (1249), est un terme d'aire gallo-romane attesté dans les domaines d'oïl (Picardie, Normandie) et d'oc (XIVe s.). Les rapports entre les représentants romans, français, provençal, catalan *coca* (XIIIe s.), italien *coca* (XIVe s.) et les représentants germaniques, moyen néerlandais *cogge, cocge,* néerlandais *kogge,* moyen bas allemand *kogge* «navire de commerce de la Hanse», sont obscurs: le mot a probablement été véhiculé à partir du domaine germanique à la faveur du commerce hanséatique et des croisades. Une hypothèse voit dans le type primitif ancien français *koge* l'emprunt d'un prototype ancien frison °*kogge,* attesté indirectement dans *cogsculd* (949). Celui-ci, étant donné son ancienneté, est considéré par certains comme autochtone mais rattaché par les autres à un mot roman: latin vulgaire °*cocca,* peut-être de *conqua* «coquillage» (→ conche). Une autre hypothèse fait de l'ancien français *coche* la forme primitive qui serait issue d'un bas latin *caudica,* désignant une embarcation, et qui aurait été altérée en *coge, cogge* sous l'influence du néerlandais; les vocables germaniques seraient eux-mêmes issus du représentant gallo-roman du bas latin. Le mot, féminin jusqu'au XVIIe s., est devenu masculin sous l'influence de ③ *coche** «voiture».

♦ Le mot désigne un chaland halé par des chevaux qui servait au transport des voyageurs d'une ville à l'autre, surtout dans le syntagme ***coche d'eau,*** rendu nécessaire pour lever l'ambiguïté par rapport à ③ *coche.*

③ **COCHE** n. m. est emprunté (1545) soit au hongrois *kocsi* «grande voiture couverte» dérivé de *Kocs,* nom d'un relais de poste sur la route entre Vienne et Pest (1495, *curriferdekoch* en latin médiéval), soit, mais l'hypothèse est moins vraisemblable, au tchèque *koczi* (1440). Il aurait pénétré en France à la fois par l'intermédiaire du vénitien *cochio* (d'où la réfection toscane *cocchio,* XVIe s.) et de l'allemand *Kutsche* (XVIe s.), féminin, ce qui expliquerait l'hésitation entre les deux genres. Dans le cas d'un seul intermédiaire vénitien, le féminin s'expliquerait par l'influence de ② *coche* «bateau de transport», d'abord féminin.

♦ Le nom de cette grande voiture publique, tirée par des chevaux et réservée aux gens moins fortunés (les autres ayant leur carrosse personnel), a vieilli quand le véhicule a été remplacé par la *diligence.* Il s'est pourtant maintenu dans des locutions: ***manquer, rater le coche*** «manquer une occasion» et ***faire la mouche du coche*** «s'agiter inutilement», par référence à la fable de La Fontaine où une mouche prétend aider «six forts chevaux» épuisés à tirer un coche.

► ② **COCHER** n. m. (1560) se dit de tout conducteur de voitures hippomobiles transportant des personnes. ◆ **COCHÈRE** adj. f., dérivé de *coche* (1611) avec le suffixe *-ier, -ière* réduit à *-er, -ère* après *-ch-,* s'emploie exclusivement avec *porte*. ***Porte cochère*** se dit d'une porte dont les dimensions permettent l'entrée d'un coche puis d'une voiture, carrosse, de nos jours automobile, dans la cour d'une maison. Il est demeuré usuel.

④ **COCHE** → COCHON

COCHENILLE n. f. est emprunté (1578), d'abord sous la forme *cossenille* (1567) modifiée d'après *cosse,* à l'espagnol *cochinilla* (1555) «principe colorant fourni par un insecte vivant sur un cactus, le nopal» et «insecte dont on extrait ce principe» (XVIe s.). Ce mot est probablement la transposition de sens de *cochinilla* «cloporte» (1611) à cause d'une certaine ressemblance entre cet animal et la cochenille femelle. *Cochinilla* est un diminutif de *cochino* (→ cochon) par transposition du nom d'un animal d'élevage familier à un petit animal, comme c'est aussi le cas pour *crevette,* bien que la choronologie des sens ne soit pas accordée. L'hypothèse du grec *konkhulion* «coquille», par le biais de l'espagnol, et celle du latin vulgaire °*coccinilla,* dérivé de *coccum* «cochenille» (précisément), sont moins recevables formellement.

♦ Le mot désigne en français l'insecte et surtout le principe colorant qui en est tiré.

▸ **COCHENILLER** v. (1671), «teindre avec la cochenille» d'où **COCHENILLAGE** n. m. (1723) «bain de teinture préparé avec la cochenille», appartiennent également à l'usage technique ancien.

① **COCHER** → ① COCHE

② **COCHER** → ③ COCHE

COCHÈRE → ③ COCHE

✻ **COCHON** n. m. est d'origine obscure (1091), peut-être issu, avec suffixe *-on,* de l'onomatopée *koš-kōs (coch-)* exprimant le grognement de l'animal et servant à l'appeler. La proposition d'un étymon bas latin *cutio, -onis* «cloporte» fait difficulté des points de vue phonétique et sémantique, la dénomination du cloporte *(cochon de saint Antoine)* étant plus facilement issue de celle du porc que l'inverse (→ cochenille).

♦ Le mot, d'abord attesté comme nom propre, désigne seulement le jeune porc en ancien français (v. 1278) — se distinguant ainsi de *porc** — avant de prendre par extension le sens de «porc adulte» (1611). ◇ Le sens figuré de «personnage grossier, physiquement ou moralement» (fin XVIIe s.) est surtout réalisé par des locutions comparatives du type ***...comme un cochon,*** et pris en charge par l'adjectif **COCHON, ONNE** (1611) qui dénote à la fois la saleté physique et un comportement sexuel réprouvé, aussi en parlant de choses (par ex. *cinéma cochon* «pornographique»). Cette valeur est assumée aussi par le nom, pour «personne très sale» et «personne salace, obscène, etc.», souvent en appellatif injurieux. Le féminin s'emploie plus souvent pour la saleté *(petite cochonne!),* le masculin avec les deux valeurs, distinguées par le contexte (*petit cochon!* s'opposant à *vieux cochon!*). Dans ces emplois, *cochon* est en concurrence avec *porc.*

▸ En ancien français, *cochon* a produit **COCHONNET** n. m. (XIIIe s.) dont le sens de «cochon de lait» a été repris par *porcelet,* et qui garde des sens analogiques réalisant l'idée d'une petite boule ronde, désignant couramment une petite boule servant de but au jeu de boules (1542).

④ **COCHE** n. f., d'abord *coiche* (XIVe s.), a vieilli au profit de *truie* comme dénomination de la femelle du cochon.

① **COCHONNER** v. intr. signifie (1403) «mettre bas, en parlant de la truie». Le verbe est rare dans ce sens, à cause de l'homonyme figuré et transitif (ci-dessous). ◆ **COCHONNÉE** n. f. (1642), «portée d'une truie», correspond à ce verbe; comme lui, il est rare.

COCHONNAILLE n. f. (1788), mot familier, désigne, en général au pluriel, des charcuteries, avec une connotation aujourd'hui positive d'abondance et de saveur; le mot est usuel dans la restauration simple, rurale.

Les valeurs figurées et péjoratives de *cochon* ont produit depuis le début du XIXe s. plusieurs dérivés.

② **COCHONNER** v. tr. signifie (1808) «salir» et surtout «faire salement (qqch.)». ◆ **COCHONNERIE** n. f. est plus ancien (1688) au sens d'«action indécente, obscène»; le sens propre, «élevage des porcs» (fin XVIIe s., Vauban), n'a pas vécu. Le mot, qui s'est surtout répandu au XIXe s., est rare au sens de «malpropreté», mais usuel pour «petite chose sale», et alors fréquent en antiphrase *(c'est bon, ces petites cochonneries !).* ◇ Il est doublé plaisamment par un dérivé irrégulier de *cochon,* d'après la finale de *méchanceté* et avec influence de *saleté :* **COCHONCETÉ** n. f. (1878) «caractère sale ou obscène» et aussi «cochonnerie». ◆ **COCHONNEMENT** adv. (1834) et **COCHONNIER** n. m. (1890) ont disparu de l'usage.

COCKER n. m. est emprunté (1863) à l'anglais *cocker* (déb. XIXe s.) «race de chien qui chasse la bécasse» *(woodcock),* de *cocking* «chasse à la bécasse» (XVIIe s.), lui-même dérivé de *cock* «coq» (→ coq) ou de son composé *woodcock,* littéralement «coq des bois» d'où «bécasse».

♦ Le mot désigne un petit chien de chasse de la race des épagneuls, apprécié comme animal de compagnie.

COCKNEY n. a été emprunté (1750) à l'anglais *cockney,* antérieurement *cokeney, cokenay,* de *cock* (→ coq) et *-ey* altération de *egg* «œuf», proprement «œuf de coq». Le mot a d'abord été un nom enfantin pour l'œuf de poule (XIVe s.), comme *coco** en français. Il est devenu une désignation affective pour l'enfant choyé; puis il a désigné un homosexuel, un mignon (XVIe s.) et enfin un habitant natif de Londres : le citadin efféminé étant opposé au robuste paysan (fin XVIe s.). Cette appellation péjorative, probablement extérieure, a été reprise par les Londoniens et s'est appliquée aux gens du peuple, dans la métropole, notamment caractérisés par leurs manières et leur langage.

♦ Le français a repris le mot, répandu au XIXe s., pour une personne née à Londres mais en mettant l'accent sur l'aspect populaire (de façon comparable à *titi, Parigot*) et, surtout, sur la manière de parler. De là, par métonymie, l'emploi de *cockney* pour la langue, y compris comme adjectif *(parler cockney, accent cockney).*

COCKPIT n. m. est emprunté (1878) à l'anglais *cockpit,* mot désignant à l'origine une arène de combats de coqs (XVIe s.) et composé de *cock* (→ coq) et de *pit* «trou, fossé». Ce dernier remonte, par un représentant germanique, au latin *puteus* qui a donné le français *puits**. *Cockpit* est passé en anglais dans le domaine de la marine à propos de la partie du faux pont réservée aux jeunes officiers où l'on soignait les blessés pendant les combats (1706); puis il a désigné la partie creuse (en forme de fosse) d'une embarcation où l'on s'assied (seulement attesté en 1887). L'extension au domaine de l'aviation (1915) a été facilitée par le fait que l'habitacle des avions était originellement à ciel ouvert, comme dans les embarcations légères.

♦ Le mot apparaît en français en 1878 dans la revue *Le Yacht,* désignant le creux dans le pont d'un navire de plaisance. Son emploi en aviation (v. 1939) résiste à la concurrence de l'équivalent *poste de pilotage* proposé pour le remplacer (1959, *Défense de la langue française*).

COCKTAIL n. m. est emprunté (1755, puis 1836) à l'anglais *cocktail,* formé de *cock* (→ coq) et de *tail* «queue», qui a d'abord désigné un cheval auquel on a coupé un muscle de la queue de façon à ce qu'elle se redresse comme celle d'un coq (av. 1800). Cette opération, appelée en français *anglaiser,* n'étant jamais pratiquée sur des chevaux de pure race, le mot en est venu à désigner un cheval de course bâtard (1808) puis, par analogie, un homme de noblesse incertaine (1854). L'idée de bâtardise a donné celle de «mélange» et le sens de «boisson alcoolisée composée de substances différentes» apparaît aux États-Unis dès 1806.

♦ Le mot, d'abord attesté isolément chez l'abbé Prévost, grand traducteur de l'anglais, au sens d'«homme abâtardi», n'a retenu de l'anglais que l'acception de «boisson composée d'un mélange de substances», attestée en 1836 mais surtout diffusée au XXe siècle. Par extension, il désigne diverses mixtures (au propre et au figuré) et s'emploie aussi pour une «réunion où l'on boit», sens typiquement français pour *cocktail-party.* ◇ L'appellation *cocktail Molotov* (1939) semble finlandaise; elle vient du nom de l'homme politique russe V. Mikhaïlovitch Scriabine, dit *Molotov,* vice-président du Comité de défense nationale de l'U.R.S.S. pendant la Seconde Guerre mondiale, et désigne un projectile artisanal (bouteille renfermant un mélange très combustible) utilisé au combat.

① **COCO** n. m. employé seul (1555) puis dans *noix de coco* (1610), est emprunté, par l'intermédiaire de l'italien et de l'espagnol, au portugais *coco* (1330), lequel serait issu, par métaphore (d'après l'aspect hirsute de la noix) de *coco* «croque-mitaine». Il s'agit probablement d'une métaphore de l'ibéro-roman *coco,* désignation de divers fruits ronds, de même origine que *coque**. On a dit *coche* (coque) en moyen français (1325).

♦ Le mot désigne un fruit exotique en forme de grosse noix ovoïde brunâtre renfermant un liquide sucré et blanchâtre *(lait de coco).* ◇ Son emploi à propos d'une boisson à la réglisse et au citron (1775; populaire jusqu'au XXe s.) est une extension du sens d'«eau-de-vie» (1718), parce que l'on fabriquait de l'eau-de-vie avec le suc vineux tiré des racines du jeune cocotier. ◇ Par analogie de forme, *coco* est une désignation familière de la tête (1847) et de l'estomac.

▶ **COCOTIER** n. m. (1677) est la réfection, avec consonne d'appui, de l'ancien *cocoyer* (1709) à côté de *coquier* (1601), d'après le portugais *coquoeiro.* Le mot a produit **COCOTERAIE** n. f. (1929). ◆ **COCOSE** n. f. (1929), fait avec le suffixe de chimie organique *-ose,* désigne la graisse extraite de l'amande du coco, couramment appelée *végétaline.*

② **COCO** n. m., attesté en 1863 mais certainement plus ancien, est une formation expressive qui représente probablement un redoublement onomatopéique (d'après le cri de la poule) de *coque** «coquille d'œuf, œuf». Il appartient, avec *cocotte** «poule» et *cocard**, à un groupe de mots expressifs représentés dans les langues romanes (italien *cocco* «œuf», XIVe s.).

♦ Le mot est employé par les adultes en s'adressant à de jeunes enfants pour désigner l'œuf de poule. Le sens dépréciatif de «vilain personnage» (1792), parfois sous la forme *joli coco,* est probablement, en dépit de l'écart chronologique, un emploi antiphrastique de *coco* qui sert familièrement à s'adresser aux enfants (1808), puis à des adultes (appellatif à la mode, par ex. dans les milieux de la télévision, de la publicité, vers 1970). Cet emploi est en rapport avec celui de *cocotte* au féminin et *coco* correspond alors plus au sémantisme de «poulet» (cf. *ma poule, mon poulet*) que d'«œuf».

③ **COCO** n. → COMMUNISTE

④ **COCO** n. f. → COCAÏNE (art. COCA)

COCON n. m., d'abord *coucon* (1600, jusqu'à 1752) puis *coccon* (1653), est un emprunt au provençal *coucoun* «coque d'un œuf» et «enveloppe où une chenille, notamment de ver à soie magnan, se transforme en chrysalide», dérivé de *coco* «coque, coquille», de même origine que *coque**.

♦ Le mot désigne l'enveloppe soyeuse que filent les chenilles de certains Lépidoptères et, par extension, celle d'autres animaux (araignées). Par métaphore, il est pris avec une idée de «douceur protectrice» ***(se retirer dans son cocon)*** qui a fait la fortune, plus récemment, de l'anglicisme **COCOONING** n. m. (v. 1988), lui-même dérivé d'un verbe tiré de *cocoon,* emprunté (XVIIe s.) à *cocon.* ◆ Le langage populaire a fait de *cocon* une désignation de la tête, aujourd'hui archaïque, par attraction paronymique de ② *coco**.

COCORICO → COQ

① **COCOTTE** n. f. est issu (1807), par changement de suffixe (et influence de l'homonyme), du moyen français *cocasse, coquasse* (1542; encore dans les parlers du Morvan et de l'Yonne), nom de divers récipients, qui est soit l'altération de l'ancien *coquemar* (1280) «bouilloire à anse», soit à rattacher à *coque* «coquille» (→ coque).

♦ Le mot désigne une petite marmite en fonte servant à faire mijoter les mets, employé en construction d'apposition avec valeur de complément circonstanciel *(poulet-cocotte). Cocotte-minute,* nom de marque déposée (XXe s.), est synonyme d'*autocuiseur.*

② **COCOTTE** n. f. est un mot expressif (1789) formé sur l'onomatopée du cri de la poule *(cotcot!),* déjà représentée en latin (→ coq), utilisé dans différentes acceptions selon un rapport direct avec le sens de «poule», par analogie de forme et allusion au cri, à l'aspect, à la peau, à la crête de l'animal, à des qualités ou défauts attribués à la poule.

♦ Le premier sens, «femme de mœurs légères», se greffe sur la valeur hypocoristique du terme comme nom enfantin de la poule (1808) et s'emploie en concurrence avec *poule,* aussi en appellatif (*ma cocotte,* aujourd'hui mis en rapport avec *mon coco*). Très usuel au XIXe s. et au début du XXe s., il tend à vieillir à partir des années 30. ◇ Par analogie de forme, le mot est employé à propos d'un pliage en papier (1842), surtout dans *cocotte en papier.*

▸ Le sens de «femme aux mœurs légères» a produit les dérivés éphémères **COCOTTERIE** n. f. (1866), **COCOTTISME** n. m. (1878) ainsi, probablement, que le verbe **COCOTTER** v. intr. (1900) «sentir fort», d'après ***sentir la cocotte*** «sentir le parfum fort et médiocre des femmes légères»; la forme disparue *gogoter* (1881) pourrait toutefois orienter sur une autre piste; peut-être une altération de *gogue, goguenots* «fosse d'aisances». Dans ce cas, l'allusion au parfum des cocottes serait une remotivation *a posteriori.*
L'influence de *cocotte,* peut-être celle de *chouchou* pour le sens, est très probable sur **CHOCHOTTE** n. f. et adj. (1901), appellation et désignation familières d'un homme efféminé, puis d'un homosexuel. Cependant, le mot est probablement surtout expressif, évoquant un chuchotement affecté.

COCU, E n. et adj. m. est, comme le montre la forme primitive *kuku* (av. 1350) «cri du coucou pour insulter les amants», une variante de *coucou*,* dont l'étymon latin possède, dès l'époque classique, le sens figuré d'«imbécile» et de «galant niais» : le coucou doit son ancienne réputation d'infidélité au fait que, ne prenant pas en charge sa progéniture, il n'éprouve pas le besoin de vivre en couple comme d'autres oiseaux. Cette interprétation rationnelle recouvre un procédé désignatif courant dans les folklores où les chants d'oiseaux, représentés par une suite de syllabes onomatopéiques ou signifiantes («mimologiques»), désignent les oiseaux eux-mêmes et leur «message». Le passage de *kuku* à *cocu* — par l'intermédiaire de *coquehu* (fin XIVe-déb. XVe s.), peut-être lié au verbe *huer* — semble s'être fait d'après *coq*,* plusieurs mots lui étant apparentés signifiant «niais» ou «galant, débauché». Le mot désigne populairement celui dont la femme manque à la fidélité conjugale. Il a donné un terme d'injure sans contenu précis et un emploi adjectif avec le sens de «dupé, berné». ◇ Avec la valeur initiale, «trompé par son conjoint», l'adjectif s'emploie parfois au féminin.

▸ En ont été dérivés **COCUAGE** n. m. (1513, *coqulaige;* 1546, *coquage*) et **COCUFIER** v. tr., attesté pour la première fois chez Molière (1660).

CODA n. f. est emprunté comme terme de musique (1838) à l'italien *coda,* littéralement «queue», de même origine que le français *queue*,* attesté comme terme musical par S. de Brossard.

♦ Le mot désigne la période musicale vive et brillante qui termine un morceau. En chorégraphie, il désigne la troisième et dernière partie d'un pas de deux. Par analogie, il s'applique à la partie terminale d'un récit.

CODE n. m. est emprunté (1236) au latin *caudex, codex* qui, du sens initial de «tronc d'arbre», a pris par métonymie celui de «tablette (d'écorce?) pour écrire» et, par extension, «livre». Il s'est spécialisé dans le sens de «livre de comptes» et, dans la langue du droit, dans celui de «recueil de lois». Son étymologie est inconnue, bien que le suffixe soit identifié comme celui de *vertex* «cime d'un arbre».

♦ Le mot a été introduit en droit comme nom d'un recueil de lois et de règlements. Par extension, il désigne un système de préceptes et de prescriptions *(code de l'honneur).* Par analogie, il désigne également (1866) un recueil de conventions constituant un ensemble de signes *(code télégraphique, code secret)* [cf. *chiffre*] et, dans un langage scientifique, un système de concordance entre deux ensembles de signes, notamment en linguistique (av. 1916, Saussure), en cybernétique et informatique (d'après l'anglais *code*), en biologie *(code génétique). Code* est alors voisin de *système* ; il s'oppose à *message* comme *système* à *réalisation.* ◇ L'appellation spéciale *feux de code* (1941) désigne les phares de puissance réduite prescrits par le *code de la route,* ce dernier ayant été créé par un décret du 31 décembre 1922. ◆ Le mot latin **CODEX** est lui-même employé (1651) pour un recueil de formules pharmaceutiques approuvées par la Faculté.

▸ La dérivation de *code* date des XIXe et XXe s. : d'après le sens juridique, il a donné **CODIFIER** v. tr. (av. 1831) d'où **CODIFICATION** n. f. (1819), et, d'après sa valeur scientifique, **CODER** v. tr. (mil. XXe s.) d'où **DÉCODER** v. tr. (1959), d'après l'anglais *to decode* dont sont issus **DÉCODAGE** n. m. (1959), **DÉCODEUR** n. m. (1968). ◇ Cette série, en théorie de l'information et en sémiotique, correspond à l'idée de déchiffrage, de compréhension des messages par connaissance ou découverte de leur code. ◇ *Décoder* et ses dérivés ont des antonymes formés avec le préfixe *en-* : **ENCODER** v. tr. (v. 1960), «constituer (des informations) selon un code», d'où **ENCODAGE** n. m. et **ENCODEUR** n. m. (v. 1960).

CODICILLE n. m. est emprunté au bas latin *codicillus* «tablette à écrire» d'où «lettre, mémoire, petit livre» et, spécialement en droit, «écrit complétant un testament», «clause ajoutée à un écrit». *Codicille* a repris le sens juridique du mot latin et son extension.

CODÉINE n. f. a été formé savamment par le chimiste français Robiquet (1832) sur le grec *kôdeia* «tête de pavot» d'où «bulbe de plante», mot d'origine inexpliquée, avec le suffixe *-ine.*

♦ Le mot désigne un alcaloïde à propriétés narcotiques extrait de l'opium ou préparé par synthèse à partir de la morphine et utilisé comme sédatif de la toux.

▸ **CODÉTHYLINE** n. f., formé (1890) par croisement de *codéine* et de *éthyle** avec le suffixe *-ine,* désigne un homologue de la codéine préparé à partir de la morphine.

COEFFICIENT → EFFICIENT

COERCIBLE adj. est dérivé (1766) du radical de l'ancien verbe *coercer* v. tr., d'abord *cohercer* (av. 1380), employé en moyen français au sens de «réprimer» et repris au XVIIIe s. par Lavoisier en chimie et en physique. Ce mot est emprunté au latin *coercere* «contenir, réprimer», composé de *cum* «avec» (→ co-) et de *arcere* «contenir, écarter» (→ exercer, autarcie).

♦ Introduit dans le vocabulaire de la physique pour qualifier ce qui peut être comprimé, le mot est passé dans l'usage littéraire avec le sens figuré de «qui peut être maîtrisé» (en expressions négatives ou restrictives). Il est plus rare que son dérivé préfixé.

▸ Ce dernier, **INCOERCIBLE** adj. (1767), est d'usage didactique ou littéraire pour «impossible à réprimer». ◇ De même, son dérivé **INCOERCIBILITÉ** n. f. (1814), malgré son caractère très didactique, semble moins rare que **COERCIBILITÉ** n. f. (1838).

COERCITION n. f., réfection (1586) de *cohercion* (1255), est emprunté au latin *coercitio* et, pour la forme médiévale, à son altération à basse époque en *coercio* «contrainte, répression». Le mot est le substantif d'action dérivé du supin *coercitum* de *coercere.* ◇ Ce nom a été repris avec le sens d'«action de contraindre qqn à accomplir son devoir» en droit.

COERCITIF, IVE adj. a été dérivé savamment (1559) du radical du latin *coercitum* avec le suffixe *-if* pour servir d'adjectif à *coercition,* peut-être d'après le latin médiéval *coercitiva potentia* (XIIIe s.) «pouvoir de coercition». À la différence de *coercible* et de *incoercible,* il ne s'emploie qu'au figuré à propos de «contrainte, surtout sociale ou administrative». À son tour, il a produit **COERCITIVITÉ** n. f. (v. 1950), rare, et **INCOERCITIF, IVE** adj. antonyme de *coercitif.*

✱ **CŒUR** n. m. *quor* (v.1050), *quer* (1080), *cuer* et *coer* en ancien français, puis *cœur,* est issu du latin *cor, cordis* (accus. *cordem*) «organe central de la circulation sanguine» et, par un symbolisme culturel ailleurs assumé par le foie, «siège des émotions, des passions, de la pensée, de l'intelligence, de la mémoire et de la volonté». Le mot se rattache, comme le grec *kardia,* à une racine indoeuropéenne *°k'erd-* représentée dans l'ensemble des langues congénères : allemand *Herz,* anglais *heart,* russe *sierdse,* gallois *craidd,* védique *h°rdáḥ.*

♦ Le mot désigne l'organe central de la circulation sanguine et, par extension, s'emploie pour la région de la poitrine (XIIe s.) et de l'estomac (XIIIe s.), notamment la zone épigastrique (XIIIe s.) dans les locutions ***mal au cœur,*** au figuré ***dire tout ce qu'on a sur le cœur*** (1508) et, par un jeu de mots avec le jeu de cartes : *coucher du cœur sur le carreau* «vomir» (1633), sorti d'usage. ◆ Par analogie de localisation, il désigne depuis le XIIIe s. la partie centrale d'une chose et, par analogie de forme (XVIe s.), divers objets évoquant la représentation conventionnelle d'un cœur, spécialement aux cartes à jouer (1585). ◆ Comme chez les Anciens, le mot est pris dès les premiers textes avec des valeurs métaphoriques. ◇ Celle de «siège des émotions, de l'amour et, en général, de l'affectivité» est la plus vivante. Par métonymie, il désigne même la personne chérie (1170), celle que l'on veut séduire ***(bourreau des cœurs)*** ou qui cherche à séduire (***joli cœur,*** 1863). ◇ La locution comparative ***jolie comme un cœur*** est attestée fin XVIIIe s. (1786). ◆ Les autres valeurs demeurent diversement vivantes en locutions. Celle de «siège de la volonté» vit dans les locutions ***avoir à cœur de*** (déb. XIVe s.), ***de tout cœur,*** variante de la forme ancienne *de son cuer* (v. 1162), ***de gaieté de cœur*** (1579), ***à contre-cœur*** (1579). ◇ Celle de «siège des sentiments moraux», de «force d'âme, courage» (1080) — cf. ci-dessus *courage* — ne s'est guère conservée que dans la devise ***à cœur vaillant rien d'impossible*** (1508, prise par Jacques *Cœur*), et celle de «siège des qualités de caractère», propre à l'idéologie aristocratique, est tombée en désuétude. ◇ Celle de «siège de l'intelligence» (1130-1140) a disparu et s'est soit limitée à «intuition» (v. 1190, *c'est mon cœur qui me le dit*), soit prise dans une opposition religieuse ou philosophique à *raison,* comme chez Pascal. La locution usuelle ***par cœur*** (v. 1200) est un vestige du sens large ancien «siège de la mémoire».

▸ **COURAGE** n.m., réfection irrégulière (XIIIe s.) de *curage* 1050, est formé de *cuer, cœur* et du suffixe *-age.* Le mot a été synonyme de *cœur* dans tous ses emplois figurés jusqu'au XVIIe siècle. À cette époque-là, il jouissait même de la vogue du suffixe *-age* qui le faisait préférer à *cœur* (comme *herbage, ombrage* à *herbe, ombre*). Sa spécialisation actuelle a dû être prise d'abord par *courageux* (ci-dessous). *Courage* a une valeur très générale en ancien et moyen français jusqu'au XVIIe s. ; il désigne, avec ses variantes anciennes *(corage, couraige...),* d'abord une tension psychique, intention ou désir, plus ou moins vive et ardente ; ces valeurs restent vivantes dans certains dérivés *(encourager, décourager)* ; puis la force d'âme, la vertu morale dans quelque domaine que ce soit, et plus spécialement les qualités de caractère réservées à une élite, alors synonyme de *cœur,* au figuré. *En son courage* s'est dit pour «dans son cœur, en soi-même» ; *j'ay libre le* *courage*, écrit encore Ronsard. ◇ La spécialisation pour «force d'âme devant le danger» est ancienne et semble plus nette dans le dérivé *corajos, courageux;* elle se répand dans la langue classique au détriment des autres emplois qu'elle élimine, à l'exception du sens d'«énergie» (pour un travail, une activité), encore usuel *(manquer de courage pour...)* comme l'acception de «dureté de cœur» *(je n'ai pas le courage de l'abandonner).* Le mot sert aussi d'interjection d'encouragement, au moins depuis le XVIe s. (Montaigne).

Le dérivé **COURAGEUX, EUSE** adj. (1160, *corajos*) se dit des personnes et des actes pleins de courage, aux divers sens du mot, mais surtout pour «qui méprise le danger». Cependant, la valeur «qui a de l'énergie» est encore vivante comme, régionalement, celle de «travailleur». ➜ *Courageux* a servi à former **COURAGEUSEMENT** adv. (1213, *corajeusement*) qui a les mêmes acceptions.

Les préfixés verbaux attestent les valeurs anciennes de *courage*. **DÉCOURAGER** v. tr. (*descoragier*, 1165-1170) signifie «enlever la force d'âme à (qqn)», d'où «rendre (qqn) sans énergie», et surtout «sans désir, sans envie pour qqch.». Le pronominal et le participe passé sont usuels. ➜ Le dérivé **DÉCOURAGEMENT** n. m. (*descoragement*, fin XIIe s.) s'applique plutôt à l'état d'une personne découragée qu'à un processus. ➜ **DÉCOURAGEANT, ANTE** adj., tiré (1763) du participe présent du verbe et parallèle à *encourageant* (ci-dessous), qualifie les choses et les personnes qui découragent, déçoivent sans jamais s'améliorer.

ENCOURAGER v. tr. (1155, *encuragier de...*) signifie «donner de l'énergie, de la force d'âme à (qqn)» et spécialement «stimuler pour faire qqch. de précis», sens où la construction *encourager qqn à* + infinitif (1636) est usuelle. Le verbe s'est spécialisé au XVIIIe s. (av. 1778) avec une valeur sociale au sens de «favoriser, aider par des récompenses, de l'argent». ➜ Le dérivé **ENCOURAGEMENT** n. m. (*encoraigement*, déb. XIIIe s.) a d'abord eu le sens très fort de «colère, indignation de la personne remplie de 'courage'». Cette valeur a disparu quand le mot s'est imposé au XVIe s. (1564) comme substantif d'action de *encourager*. Par métonymie, *un encouragement* désigne (1764) un acte ou une parole qui encourage. ➜ **ENCOURAGEANT, ANTE** adj. (1707) se dit de ce qui est propre à encourager.

Cœur, avec le sens d'«estomac», a produit **ÉCŒURER** v. tr. (1640), annoncé par *esqueuré* (1611), au sens ancien de «très amaigri, affaibli». Le verbe, considéré comme vulgaire à l'époque classique, s'est répandu au XIXe s. (attesté 1864) au sens de «dégoûter» et aussi d'«indigner en provoquant un dégoût moral», puis de «démoraliser» (sans dégoût), par exemple par une réussite trop facile ou impossible à égaler. Cette valeur s'est spécialisée en sport (1924, Montherlant) dans *écœurer l'adversaire*. Le participe passé **ÉCŒURÉ, ÉE** est adjectivé. ➜ **ÉCŒURANT, ANTE** adj., d'abord physiologique (mil. XIXe s., Raspail; 1846, Baudelaire), s'emploie aussi au moral. Cet usage, fréquent au Québec, y a fourni le dérivé **ÉCŒURANTERIE** n. f. «action écœurante». ➜ **ÉCŒUREMENT** n. m. (1863, Flaubert) a les mêmes valeurs que *écœurer*.

Cœur a également fourni le second élément de quelques composés métaphoriques comme **CRÈVE-CŒUR** n. m. (XIIe s.), **ACCROCHE-CŒUR** n. m. (1837), **HAUT-LE-CŒUR** n. m. (1857). ◇ L'un deux, **SANS-CŒUR** n. m. (1808) a d'abord eu le sens de «paresseux sans amour-propre, à qui aucune remontrance ne fait impression». Il a été réinterprété en «homme sans sensibilité» (1830, H. Monnier).

◈ voir **ACCORD, CARDIAQUE, CONCORDE, CORDIAL, DISCORDE, MISÉRICORDE, RANCŒUR.**

COFFRE n. m. est issu (v. 1165) du latin impérial *cophinus* «corbeille» (→ couffin), transcription du grec *kophinos*, mot technique sans étymologie connue. Le sens de «caisse, coffre» est apparu en latin médiéval.

♦ Tandis que le sens de «corbeille» est passé dans l'italien *cofano* et l'espagnol *cuebano*, il s'est perdu en français, où le mot désigne un meuble en forme de caisse. Désignant une pièce maîtresse du mobilier au moyen âge, il a reçu différentes spécialisations correspondant à ses fonctions : «caisse où l'on range de l'argent, des choses précieuses» (1291; d'où *coffre-fort*, 1543), «espace aménagé pour le rangement à l'arrière d'une voiture» (1690) puis «d'une automobile» (fin XIXe s.). ➜ Par analogie de forme, il est passé en anatomie comme dénomination du tronc d'un animal (1561) puis aussi de l'homme. Cette dénomination s'est étendue à l'usage familier, voire argotique, pour «estomac» (dès 1636, *coffre naturel*). De là ***avoir du coffre***, «du souffle», en parlant d'un chanteur, et aussi au figuré.

▸ Le diminutif **COFFRET** n. m. (déb. XIVe s.) désigne un petit coffre destiné à serrer des objets précieux ou, par analogie, un emballage luxueux; seuls quelques emplois techniques modernes lui donnent une stricte valeur diminutive. ➜ D'un ancien sens figuré de *coffre* «prison» est dérivé **COFFRER** v. tr. (1562), «mettre en prison» d'usage populaire. Le sens de «mettre dans un coffre» (1544, *coffré*) a disparu au XVIIe siècle. ◇ Une valeur technique correspond à l'usage du nom en construction pour «dispositif en bois contenant un matériau de construction». ➜ Le verbe est à l'origine des dérivés **COFFRAGE** n. m. (1838), **DÉCOFFRER** v. tr. (1948), **DÉCOFFRAGE** n. m. (1948). ➜ **ENCOFFRER** v., «mettre en coffre» (1382) et, par extension, «emprisonner» (1590), est directement dérivé de *coffre*.

COGITER v. est emprunté (1450) au latin *cogitare* «penser, méditer» de *cum* «avec» (→ co-) et de *agitare* (→ agiter), le sens propre étant «agiter ensemble des pensées».

♦ Le mot, après avoir servi de synonyme à *penser, méditer* dans la langue philosophique, est devenu archaïque. Il a retrouvé un certain usage (1853, Flaubert) dans le sens ironique de «réfléchir de façon laborieuse, souvent inefficace».

▸ **COGITATION** n. f., emprunt (v. 1150, *cogitatiun*) du latin *cogitatio* «action de penser, de réfléchir», a suivi la même évolution que *cogiter* : ancien terme de la langue philosophique, il a été repris ironiquement par les romantiques (1833, Petrus Borel). ◆ **COGITO**, première personne du présent de l'indicatif du verbe latin *cogitare*, continue d'être employé en philosophie (1834), par allusion à la phrase de Descartes *Cogito ergo sum* «je pense donc je suis» (*Discours de la méthode*, IVe partie, traduction latine de 1644) qui constitue le premier principe de sa philosophie. Substantivé en référence à l'argument cartésien, *le cogito* exprime l'expérience fondamentale du sujet pensant (1880, Flaubert).

COGNAC n. m. est issu, par ellipse puis emploi comme nom commun (1806) du syntagme *eau-de-vie de Coignac* (1710), du nom d'une ville de Charente où cette eau-de-vie est fabriquée avec les vins blancs de la région. La précocité des attestations en anglais de *Conyack Brandy* (1687) et *Coniac* (1755) s'explique par l'ancienneté du commerce de l'eau-de-vie avec l'Angleterre, favorisé par la situation géographique de Cognac, non loin d'un port d'embarquement. Les deux principales maisons de commerce ayant été fondées par un originaire de Jersey (Martell) et par un Irlandais (Hennessy), la correspondance et la comptabilité s'y sont faites en langue anglaise, et la diffusion du mot, donc sa désignation, semble plus tardive en France.

COGNASSIER → COING

COGNÉE n. f., d'abord *cuignee* (1080), *coigniee* (v. 1160), *coignee*, est issu du latin médiéval *cuneata*, substantivation (déb. IXe s.) par ellipse de l'adjectif féminin *cuneata* (sous-entendu *ascia*) «hache dont la section est en forme de coin», de *cuneus* (→ coin).

♦ Le mot désigne la hache utilisée par les bûcherons et les charpentiers. Il a donné la locution proverbiale ***jeter le manche après la cognée*** (1548) «renoncer par lassitude ou désespoir».

◈ voir COGNER.

◈ **COGNER** v., attesté à la fin du XIe s., est soit dérivé de *coin*, soit issu du latin impérial *cuneare* «serrer avec un coin», de *cuneus* (→ coin).

♦ Les sens anciens de «coincer» et de «marquer la monnaie» sont sortis de l'usage; celui d'«enfoncer en frappant» (XIIIe s.), en construction transitive, subsiste seulement dans la locution ***se cogner la tête contre les murs*** et, populairement, dans *cogner qqn* «le rosser». Le verbe est plus vivant en construction prépositionnelle (avec *contre, sur*) ou absolue. ◇ En argot, *cogner* s'emploie intransitivement pour «puer, sentir mauvais» (1913) par la métaphore du coup qui frappe le nez. ◇ Au pronominal, par synonymie avec *se taper, se cogner qqch.*, qui a signifié «s'en passer» (1900), signifie aujourd'hui «se l'offrir, se l'envoyer» (1914). ◇ Du sens de «frapper», on est passé en sport (boxe) à celui de «vaincre» (1926).

▸ Si l'on excepte **COGNEMENT** n. m., tardif (av. 1907) et peu usité, *cogner* n'a donné que des termes d'argot : le déverbal populaire *un* **COGNE** n. m. (1800) désigne, d'abord dans le contexte brutal de la répression, un agent de police. Il est à peu près démotivé.

◆ **COGNAGE** n. m. (fin XIXe s.) et **COGNERIE** n. f. (1883) ont désigné la bagarre. ◆ **COGNEUR** n. m. reprend différents sens argotiques : «batteur de cartes» (1883), «emprunteur» (1901), «boxeur» (1920).

◈ voir COGNÉE.

COGNITION n. f. est emprunté (XIVe s. *connission*) au lat. *cognitio*, dérivé du supin de *cognoscere* (→ connaître). Le mot est resté didactique et avait vieilli pour désigner les techniques de connaissance et la connaissance en général; la reprise de *cognitif* (ci-dessous) l'a remis en usage.

COGNITIF, IVE adj. est un dérivé savant du supin de *cognoscere*, attesté isolément au XIVe s. (v. 1370), repris au XVIe s. (1541) au sens général «de la connaissance». Le mot s'est répandu au XXe s. sous l'influence de l'anglais *cognitive*, lui-même apparu au XVIe s., repris en sciences au XIXe s., et appliqué au XXe s. (v. 1960-1970) à l'étude de la connaissance, d'où *psychologie, science cognitive*, d'après les syntagmes anglais. ◆ De là **COGNITIVISME** n. m. et **COGNITIVISTE** n. (1985) «spécialiste en sciences cognitives».

COHABITATION → HABITER

COHÉRENT, ENTE adj. est emprunté (1539) au latin *cohaerens*, participe présent de *cohaerere* «être soudé, attaché ensemble» (au propre et au figuré). Ce verbe est composé de *cum* «avec, ensemble» (→ co-) et de *haerere* «être fixé à, être arrêté» (→ adhérer, hésiter).

♦ Le mot se trouve chez J. Canappe pour qualifier en anatomie ce qui est attaché à qqch. Il a été repris avec son sens abstrait usuel (1798, *raisonnement cohérent*), le sens concret se réalisant seulement à titre de spécialisation scientifique (physique : *faisceau cohérent;* 1858 géologie).

▸ De *cohérent* sont dérivés **INCOHÉRENT, ENTE** adj. (1751), usuel au sens abstrait, rare en physique (1858 en optique) à cause de la fréquence du figuré, et **COHÉRER** v. intr. (1897), verbe didactique assez rare. ◆ **COHÉRENCE** n. f. (1524), emprunté au dérivé latin *coherentia*, a connu la même évolution que l'adjectif et partage certains emplois avec *cohésion*. ◇ Il a pour antonyme **INCOHÉRENCE** n. f. (1775).

COHÉSION n. f. est dérivé savamment (1740), peut-être sur le modèle du latin médiéval *cohaesio* «proximité, contact» (845-868), du radical du latin *cohaesum*, supin de *cohaerere* «être attaché ensemble» (ci-dessus *cohérent*). Le mot a été forgé pour désigner la force par laquelle les molécules des corps adhèrent entre elles. ◇ Il s'est répandu au XIXe s. avec le sens figuré d'«union, unité» (1823), fonctionnant en quasi-synonymie avec son doublet *cohérence**, et indiquant le caractère de solidité d'un lien logique. Il s'applique aussi à un groupe humain dans l'action *(la cohésion d'une équipe, d'un gouvernement)*. ◆ **INCOHÉSION** n. f. (1787) est sorti d'usage. ◆ **COHÉSIONNER** v. tr., signalé comme «néologisme» en 1842, ne s'est pas répandu. ◆ **COHÉSIF, IVE** adj. (av. 1866) est d'un usage didactique. ◆ Enfin **DÉCOHÉSION** n. f. (mil. XXe s.) est didactique.

COHORTE n. f. est emprunté (1213) au latin *cohors, -tis* «unité de l'armée romaine». Il s'agit là d'une spécialisation, à partir de l'idée de «division du camp», du sens premier de ce composé de *hortus* «jardin» (→ horticole) qui signifiait «enclos, parc à bétail, basse-cour» (→ cour).

♦ Emprunté comme terme d'antiquité romaine, le mot est passé dans l'usage, dans le langage familier, à propos d'un groupe de personnes (av. 1350) et, dans le style littéraire, d'un groupe de gens armés (1539).

COHUE n. f., déjà attesté par la transcription latine médiévale *cohua* (Vendée, 1232; Loire-Atlantique, 1235; Normandie, 1218), est emprunté (1278) au breton *koc'hu, koc'hui* «halle». Ce mot, à rapprocher du cymrique pour «agitation, tumulte» (de *chwyf* «mouvement»), est ancien, attesté dès le moyen breton pour «agitation, réunion tumultueuse».

♦ Le sens de «halle», attesté dans les chartes et les cartulaires médiévaux, est sorti d'usage. Son extension métonymique, «assemblée de justice (se tenant dans la halle)» (1318), fait aujourd'hui figure de sens historique. L'autre extension métonymique, «marché, foire», s'est également éteinte, sauf emploi littéraire. ◇ Le mot s'est répandu en français général avec le sens d'«assemblée bruyante» (1638), peut-être repris au breton, d'où «bousculade, bruit confus» (av. 1660), et surtout de «désordre de la foule; foule en désordre, qui se bouscule».

◈ **COI, COITE** adj., d'abord *quei* (1080), puis *coi* (v. 1170), est issu d'un latin vulgaire °*quetus*, déformation du latin *quietus* (→ quiet).

♦ Le mot, le plus ancien des adjectifs exprimant l'idée de «tranquillité», était usuel en ancien et moyen français. Il n'est vraiment usité aujourd'hui que dans les locutions ***rester, demeurer coi.*** ◇ Le féminin *coite*, réfection (1798) de l'ancien type *coie* d'après *droit, droite*, est quasiment inusité.

✳ **COIFFE** n. f. est issu (1080) du bas latin de même sens *cofia*, mot d'emprunt obscur, peut-être d'un germanique °*kufia* «casque».

♦ Le mot a d'abord désigné la partie du camail qui habillait le crâne des hommes de guerre au moyen âge; par extension, il désigne un bonnet porté par les hommes (apr. 1225) ou par les femmes (1260). Par métonymie, il se restreint à la doublure qui garnit un chapeau (1680), au foulard que les femmes mettent sur leurs cheveux pour sortir, sens abandonné. ◇ De nos jours, il est surtout employé à propos de coiffures féminines régionales et avec quelques acceptions spéciales procédant de l'idée de «ce qui couvre, enveloppe». ◇ Il désigne aussi le mésentère de certains animaux (1354-1376), la partie des membranes recouvrant la tête du fœtus lors de l'expulsion (1690), la membrane enveloppant l'extrémité des jeunes racines (1704). ◇ En reliure il s'applique à l'«extrémité supérieure du dos».

▸ **COIFFER** v. tr. (v. 1280) signifie «mettre (qqch.) sur la tête de qqn» avec un objet désignant une personne ou une chose (1538). Dès l'ancien français, il exprime également l'idée d'arranger la chevelure au moyen d'un peigne, d'une brosse (apr. 1250). ◇ Du sens de *coiffe* en anatomie, est dérivé l'emploi de *coiffé* dans l'expression ***être né coiffé*** (1549) «avoir de la chance». ◇ Un sens figuré, «séduire qqn en lui mettant une idée en tête», a suscité l'expression ***être coiffé, se coiffer de*** «s'enticher de» (1599). ◇ Le verbe a reçu récemment en sport le sens de «dépasser d'une tête à l'arrivée d'une course» (1906) d'où, par extension (1954), «être à la tête de» (cf. *chapeauter*). ◆ *Coiffer* a produit plusieurs dérivés. **COIFFURE** n. f., d'abord *coeffeure* (av. 1528) «ce qui sert à coiffer la tête» et (1538) «ce qui sert à couvrir la tête», désigne également la manière dont les cheveux sont coiffés ou arrangés (1694, *coiffure à boucles*). ◇ Son emploi comme nom d'action (1866, *art de la coiffure*) en fait un concurrent partiel, avec une idée d'art, de métier (correspondant à *coiffeur*) de **COIFFAGE** n. m. (1849), surtout dialectal (Centre, Anjou, franco-provençal). ◆ **COIFFEUR, EUSE** n. (1669) désigne la personne ayant pour métier d'arranger les cheveux. Le mot n'a pas au XVIIe s. le statut professionnel que conserve *barbier*, mais il est plus valorisant : le *coeffeur* va à domicile coiffer les dames qui vont sortir, se rendre à un bal, etc. ◇ Le féminin *coiffeuse* désigne à la fois une femme qui fait le métier de coiffeur et (1919) un meuble devant lequel les femmes se coiffent, se maquillent, etc.
Coiffer a servi à former les verbes préfixés **DÉCOIFFER** v. tr. (XIIIe s.) et **RECOIFFER** v. tr. (1555). Le premier signifie à la fois «enlever la coiffure de», d'où «enlever un couvercle, etc.», et «déranger les cheveux de (qqn)». En emploi absolu, il a récemment reçu l'acception figurée de «exciter, déranger agréablement», notamment à propos de publicité, après avoir reçu la valeur de «déranger» *(ça me décoiffe)* qui a vieilli. Aux sens propres, le pronominal et le participe passé sont usuels. ◇ Les dérivés **DÉCOIFFAGE** n. m. (1891) et **DÉCOIFFEMENT** n. m. (1671) sont rares.

◈ voir **COLIFICHET, KEFFIEH.**

✳ **COIN** n. m. est issu du latin *cuneus* «objet servant à fendre le bois ou à serrer des assemblages», dit par extension de tout objet ayant la même forme, spécialement en latin médiéval de l'empreinte gravée en creux servant à frapper la monnaie (1099). C'est un terme technique d'ouvrier et de bûcheron (à côté de *angulus*, qui a donné *angle*), peut-être emprunté par voie étrusque à l'adjectif grec *gônios* «angulaire», tiré de *gônia* angle» (→ -gone dans *pentagone, octogone*, etc.). ◈

♦ Le mot a gardé le sens technique primitif du latin, qui concerne le coin du bûcheron (v. 1179), et a repris au latin médiéval celui de «cachet pour frapper la monnaie» (1164-1185) dont procède le nom du poinçon sur les pièces d'orfèvrerie (1690). ◇ Le mot a aussi gardé le sens de «triangle plein» (v. 1160) qu'il avait en latin et qui se réalise dans le *coin d'une maison, de la rue* (1312); mais on est aussi passé, selon la définition plus large de «point d'intersection de deux ou trois lignes», à celui d'«angle creux»; ainsi dans ***le coin du feu*** (1671), annoncé par *coin des tisons* (1567), et dans la description du visage humain, *coin de l'œil* (1530), d'où ***du coin de l'œil***, «en regardant obliquement», *coin de la bouche* (1704). ◇ Le sens du mot a largement débordé celui d'«angle» : il désigne une portion d'espace restreinte et en général reculée (1549) dans un espace habité, puis l'angle extérieur d'un objet (1831, *coin d'une page de journal*). ◇ L'accent est spécialement mis sur l'idée du lieu dérobé au regard dans l'expression euphémistique ***aller au petit coin*** «cabinet». ◇ Le sens concret d'«objet en forme de coin» est vivant à partir du XVIe s. *(coin de beurre)* mais d'une expansion limitée. Le XVIIe s. enregistre des acceptions techniques en reliure (1680), le mot désignant une pièce garnissant les angles d'un livre et (1690) un instrument pour serrer ou assujettir des documents.

▶ **COINCER** v. tr., relativement tardif (*coinser*, 1773), réalise en technique le sens propre de «fixer, assujettir avec des coins». Il s'est répandu dans l'usage commun au XIXe s. avec l'idée d'«empêcher de bouger, mettre dans l'impossibilité de se déplacer» (av. 1857). Il a fait fortune avec un nom de personne, d'animé pour objet, notamment dans la langue familière en emploi figuré (1922) où il équivaut à «embarrasser, arrêter dans son action», valeur usuelle du passif et au participe passé. ◆ Son substantif d'action **COINCEMENT** n. m. (1888-1890) désigne un processus de blocage dans une pièce mécanique. ◆ En revanche, **DÉCOINCER** v. tr. (1859), d'où **DÉCOINCEMENT** n. m. (1870) et **DÉCOINÇAGE** n. m. (1930), ont pris dans l'usage familier une valeur psychologique : pour le verbe, «enlever à (qqn) son inhibition» (XXe s., att. 1974).

ENCOIGNER v. tr. (v. 1278), «pousser dans un coin», est tombé en désuétude, supplanté au XVIe s. par son intensif **RENCOIGNER** v. tr., lui-même sorti d'usage, sauf régionalement, surtout au pronominal et comme participe passé. ◆ Le dérivé **ENCOIGNURE** n. f. (1507) s'est maintenu, désignant un type particulier de coin étriqué *(encoignure d'une porte)* et une forme en coin caractéristique de l'angle d'une baie.

Coin a également donné le terme technique **ÉCOINÇON** n. m. (XIVe s.) en architecture et l'intensif **RECOIN** n. m. (1549), mot usuel qui met lui aussi l'accent sur l'aspect reculé et restreint de la portion d'espace désignée.

On a vu dans le terme de jeux de cartes **COINCHER** v. intr. (1928, *manille coinchée*), équivalent régional de *contrer* (à la belote et à la manille), une forme normanno-picarde de *coincer* au sens argotique de «duper, faire obstacle», mais cette hypothèse est discutée.

◈ voir COGNÉE, COGNER, QUIGNON.

COINCER → COIN

COÏNCIDER

COÏNCIDER v. intr. est emprunté (v. 1370) au latin médiéval *coincidere* «tomber ensemble en un même point», de *cum* (→ co-) et de *incidere* «tomber dans, sur», «arriver, se produire» (→ incident).

♦ Le mot est introduit dans l'usage didactique à propos de réalités abstraites, intellectuelles qui s'accordent. Au XVIIIe s., il entre dans le vocabulaire de la géométrie avec la valeur de «s'ajuster en tout point, en parlant de lignes, de surfaces» (1753) et passe dans l'usage général avec la valeur temporelle de «se produire en même temps» (1794).

▶ **COÏNCIDENCE** n. f., d'abord *coïcidance* (1464), est emprunté au latin médiéval *coincidentia*, pluriel neutre substantivé, devenu féminin singulier, du participe présent de *coincidere*. L'évolution du mot est analogue à celle du verbe, de l'emploi didactique de «similitude intellectuelle», à la spécialisation spatiale en géométrie (1753) et au sens temporel usuel (1791). ◆ **COÏNCIDENT, ENTE** adj. est emprunté (1534) au latin médiéval *coincidens*. Ses emplois correspondent à ceux de *coïncidence*.

COING

COING n. m. est issu, par l'intermédiaire de *codoin* (v. 1100), puis *cooing* (v. 1170), du latin impérial *cotoneum* (elliptiquement pour *cotoneum malum*). Le mot latin est probablement la déformation (le mot ayant été transmis par les Étrusques) du pluriel grec *kudonia mêla* «coings», littéralement «fruits de Cydonia», ville de Crète. Cette expression grecque est un arrangement à partir de *kodu-malom*, mot le plus anciennement attesté pour désigner le coing, et emprunt à une langue d'Asie Mineure. Le latin est aussi à l'origine de l'italien *cotogno* et du vieux russe *gdunja*, et le français a été emprunté par l'anglais *quince*.

♦ Ce nom de fruit comestible entre dans la même locution comparative que *citron* en parlant du teint jaune de qqn.

▶ Le dérivé **COGNASSE** n. f. (1561), altération de *coignasse* (1534), a servi à former le nom d'arbre **COGNASSIER** n. m. (1571; 1558, *coignassier*) qui, à la différence de *cognasse*, est resté en usage.

COÏT

COÏT n. m., d'abord *cohit* (1304) puis *coït* (1575), est emprunté au latin *coitus* «action de se joindre, de se réunir», «conjonction», pris dans son sens tardif d'«accouplement». *Coitus* est dérivé de *coire*, de *cum* «avec» (→ co-) et de *ire* (→ aller), proprement «aller ensemble», d'où «se rassembler», «se réunir pour délibérer» et «s'allier».

♦ Le mot a été repris avec le sens d'«accouplement» en parlant d'animaux puis également d'humains (XVe s.).

▶ Le dénominatif **COÏTER** v. intr. (1859, Flaubert) est didactique.

① COKE

① COKE n. m., d'abord *coucke* (1758) et *coak* (1797), puis, par retour à la graphie anglaise, *coke* (1816), est emprunté à l'anglais *coke* (1669), primitivement *coak*, *cowke* et *coke*, tantôt nom de matière, tantôt, au pluriel, désignant les morceaux. Le mot semble être une variante de *colke* «centre, cœur» (XIVe s.), le coke constituant le cœur du morceau de houille brûlé ou ce qui en reste.

♦ Le mot est passé en France avec l'emprunt de procédés au début de la grande métallurgie qui s'est d'abord développée en Angleterre. La graphie est restée incertaine au XVIIIe siècle.

▶ *Coke* a produit des dérivés techniques à la fin du XIXe s. et au début du XXe s., dont **COKERIE** n. f

(1882), peut-être emprunté à l'anglais *cokery;* **COKÉFIER** v. tr. (1911) «transformer en coke», **COKÉFIABLE** adj. (1923), **COKÉFACTION** n. f. (1923). ◇ **COKING** n. m., emprunté à l'anglais, a été réemprunté dans l'industrie du pétrole où l'équivalent proposé est *cokage*, «craquage en vue d'obtenir un coke de pétrole».

② COKE → COCA

✳ COL

COL n. m. est issu du latin *collum* et représente le singulier de ce nom, dont *cou* est le cas régime au pluriel (→ cou). Par la suite, *col* et *cou* sont devenus de simples variantes phonétiques.

♦ Les deux formes *col* et *cou* se sont employées indifféremment jusqu'au XVIIe s. : *col* a désigné la partie du corps de l'homme qui unit la tête au tronc et (1174-1177) cette même partie chez l'animal, deux sens qu'il ne réalise plus que par archaïsme ou pour des raisons d'euphonie. ◇ Depuis, *col* s'est confiné dans des contextes évoquant l'habillement et s'est spécialisé dans quelques sens analogiques : à partir du XIIe s., il désigne la partie du vêtement qui entoure le cou (1177-1180), sens de création romane, puisque le costume romain laissait le cou absolument libre. Aujourd'hui, il désigne plusieurs types d'entourages du cou, à l'aide d'un déterminant : *col de dentelle* (1838), *col marin* (1881); par métonymie, il s'applique à des personnes caractérisées (par la couleur de leur col), ***col bleu*** «marin de l'État» et également «ouvrier de l'industrie», par opposition à ***col blanc*** (1937) «employé de bureau», d'après l'anglais *white collar.* ◇ *Col* désigne par analogie (comme *cou*) la partie étroite, rétrécie d'un récipient (v. 1350). Avec ce sens, il s'est spécialisé en anatomie (1478, *col de la vessie*, puis *col vésical, col utérin*). ➜ Le sens imagé de «dépression formant passage entre deux sommets montagneux» (1635, *col de montagne*) a éliminé peu à peu les anciens termes *port, pas* (qui se disait d'un passage difficile) et *détroit*, qui ont tous pris et gardé d'autres sens.

▸ Les dérivés de *col* et de *cou* ont tous été formés, pour des raisons morphologiques et phonétiques (présence de la consonne *l*), sur la forme *col.* ➜ Le diminutif **COLLET** n. m. (fin XIe s.) «petit cou» est encore utilisé au sens de «cou» pour désigner la partie d'une bête de boucherie comprise entre la tête et les épaules. ◇ Par métonymie, le mot désigne (1547) le nœud coulant employé par les braconniers pour prendre les animaux au cou et, techniquement, la partie en saillie autour d'un objet circulaire. ◇ Il ne conserve son ancien sens de «partie du vêtement entourant le cou» (1280) que dans les locutions ***collet monté*** (adj.) «qui affecte l'austérité» et ***au collet*** «au cou, au col» *(mettre la main au collet).* ➜ Son dérivé **COLLETER** v. (1580, *coleter*) «saisir au collet» est surtout employé à la forme pronominale au sens de «s'empoigner, s'affronter», au propre et au figuré (*se colleter avec...*). ◇ On en a tiré **COLLETAGE** n. m. (1874) et *colletin,* qui a donné *coltin**.
Col entre, avec le sens ancien («cou»), dans les composés **COL-DE-CYGNE** n. m. (1832, «robinet à double courbe») et **COL-VERT, COLVERT** n. m. (1611, *cou-vert*), nom du canard sauvage commun. Par préfixation et suffixation, il a produit **ENCOLURE** n. f. (1580 ; en 1554, «isthme»), employé à propos d'un animal, notamment le cheval, d'où son sens de «mesure de longueur en course hippique» dans *gagner d'une encolure* (1855). *Encolure* se dit aussi du cou humain considéré selon sa force, sa grosseur (1611) et s'emploie comme terme d'habillement (1829).
➜ **LICOL, LICOU** n. m. est composé du verbe *lier* et de *col* (1333), puis de *cou* (1677). Il désigne le lien passé autour du cou des bêtes de somme (équidés) pour les mener et, au figuré (XVIIIe s., Saint-Simon), un lien qui assujettit.
Col est aussi à l'origine de composés verbaux. **ACCOLER** v. tr. (v. 1050), «jeter les bras autour du cou de (qqn) pour embrasser», est surtout vivant au sens de «lier, joindre, réunir (des choses) de manière qu'elles se touchent» (en emplois techniques XVe s., ou figurés). ➜ Le dérivé **ACCOLADE** n. f. (déb. XVIe s.), «fait de mettre les bras autour du cou», est encore employé en ce sens à propos des cérémonies officielles. Au début du XVIIIe s. (av. 1718), il a pris le sens de «signe à double courbure servant à réunir plusieurs lignes» et en musique (1768) «plusieurs portées»; en ce sens, il a produit un verbe rare **ACCOLADER** v. tr. (1845). ◇ Le verbe *accoler* a eu d'autres dérivés : **ACCOLEMENT** n. m. (1213) qui signifie en ancien et moyen français «étreinte», a été reformé (1842) pour «rapprochement de deux choses», de style littéraire. ◇ **ACCOLURE** n. f. (1743) et **ACCOLAGE** n. m. (1732), ce dernier employé notamment en viticulture, demeurent des termes techniques. ➜ Le préfixé **RACOLER** v. tr. (XIIe s.), «embrasser de nouveau», a été repris vers 1750 au sens particulier d'«enrôler par force ou par ruse, en dépit du principe de l'engagement volontaire» et a reçu son sens moderne par glissement dans un contexte commercial (1794) et, ultérieurement, de la prostitution. ◇ Ses dérivés **RACOLEUR, EUSE** adj. (v. 1747) et **RACOLAGE** n. m. (v. 1747) ont suivi la même évolution et s'emploient parfois au figuré *(un discours racoleur).*
DÉCOLLETER v. tr. a remplacé au XVIIIe s. (1762), d'abord au participe passé **DÉCOLLETÉ, ÉE** (1700), l'ancien français *escoleter.* ◇ Le verbe signifie aussi «couper le cou de (qqn)», emploi rare, et «couper autour de (une pièce mince)», valeur que l'on retrouve dans le syntagme *tour à décolleter* et dans le dérivé technique **DÉCOLLETAGE** n. m. ◇ **DÉCOLLETÉ** a été substantivé (1899) au sens de «découpe d'un vêtement (féminin) dégageant la base du cou», qui donne lieu à des emplois en termes de mode *(grand, petit décolleté).*

◈ voir COLIS, COLLIER, COLPORTER, COLTIN, COU, DÉCOLLATION, TORTICOLIS.

COLA

COLA n. m. est l'emprunt (1610), par diverses voies successives, d'un mot d'un dialecte d'Afrique occidentale. En effet, il est souligné et pourvu d'une majuscule dans la traduction française de l'adaptation en latin (1599) d'un texte néerlandais (1596), lui-même traduit de l'italien (1591), lequel texte italien reprend les écrits du Portugais Duarte Lopez. Une forme *Colla* (1680), francisée en *colles* au pluriel (1688), a été employée au XVIIe s.; Boiste enregistre la variante graphique *Kola* en 1829.

♦ Le mot désigne un arbre d'Afrique occidentale fournissant une graine nommée *noix de cola* et, par métonymie, cette noix et la substance qu'on en extrait. Il apparaît dans les relations de voyages, puis en géographie (1637) et en droguerie (1698); de là, il passe dans l'usage général (1752, Trévoux).

◈ voir COCA-COLA (art. COCA).

COLBACK n. m. est une altération (fin XVIIIe s.) probablement d'après *col*, de *kalpack* (1573), *kalepak* (1653), emprunt au turc *qalpāq* «bonnet de fourrure».

♦ Le mot désigne une ancienne coiffure militaire, un bonnet de fourrure garni à sa partie supérieure d'une poche en drap. ◇ Mal compris, le mot, sous l'influence de *col*, désigne familièrement (1900) le collet, par ex. dans *attraper par le colback*.

COLCHIQUE n. m., d'abord *colchicum*, *colchicon* dans une *Histoire des plantes* (1545), francisé en *colchique* (1628), est emprunté au latin du XVIe s. *colchicum*, transcription du grec *kolkhikon*. Ce nom de plante signifie proprement «herbe de Colchide», pays de la magicienne et empoisonneuse Médée, en référence au caractère vénéneux du colchique. C'est le neutre substantivé de l'adjectif *kolkhikos* «de Colchide», tiré du toponyme *kolkhis*. L'emploi du féminin (1680) se rencontre chez certains auteurs.

▸ De *colchique* est dérivé **COLCHICINE** n. f. (1838), d'un mot allemand formé par les chimistes allemands Geiger et Herse sur le radical du latin botanique *colchicum* pour désigner l'alcaloïde extrait des graines de colchique.

COLD-CREAM n. m. est emprunté (1827) à l'anglais *cold cream* (déb. XVIIIe s.), nom donné à une crème de beauté faite de blanc de baleine, de cire blanche, d'huile d'amandes douces et d'eau de rose. Le mot est formé de *cream*, emprunt au français *crème**, et de *cold* «froid», à cause du caractère rafraîchissant de cette crème. *Cold* vient du vieil anglais *cald* qui correspond à l'ancien saxon *cald* (néerlandais *koud*, allemand *kalt*) et à l'ancien norrois *kaldr*; tous ces mots viennent d'un mot germanique °*kaldaz* «gelé» dérivé, avec un suffixe de participe passé, de °*kal-*, à rattacher à une racine indoeuropéenne °*gol-*, variante de °*gel-* (→ gel).

♦ Ce mot a été très employé en français au XIXe s. sans se franciser complètement; il l'est moins aujourd'hui.

-COLE, élément de suffixation, est emprunté au latin *-cola*, lui-même issu, avec les différents sens du verbe, de *colere* qui signifie conjointement, dès les plus anciens textes, «habiter» et «cultiver», les deux notions étant connexes pour la population rurale qui dominait dans la Rome archaïque. *Colere* présente une spécialisation du sens de la racine indoeuropéenne °*k^wel-* attestée dans les langues congénères avec le sens de «se mouvoir, se trouver habituellement dans» et «tourner en rond». En latin même, ce sens est représenté par *colus* «quenouille» (→ quenouille); en grec dans *kuklos* «cercle» (→ cycle), *polein* «tourner» et *polos* «pivot» (→ pôle, poulie), tandis que l'élément *-kolos* indique la personne qui s'occupe habituellement de qqch. (→ bucolique). Les autres langues du groupe ont surtout les formes nominales de la racine signifiant «cercle, roue» : vieil islandais *huel*, vieux slave *kolo*, vieil anglais *hweohl* (anglais *wheel*), sanskrit *cakrāḥ*. Le verbe latin a également développé une spécialisation rituelle, exprimant le plaisir qu'une divinité éprouve à se trouver dans un lieu et à le protéger et, réciproquement, les honneurs rendus à cette divinité par les habitants du lieu (→ culte).

♦ *-cole* garde les principales significations du latin : il sert à former des adjectifs dont le correspondant est un composé du substantif *-culture** avec le sens de «qui concerne la culture de» (→ agricole, arboricole, horticole). Il forme des adjectifs et substantifs désignant des personnes avec le sens de «qui habite dans, qui fréquente». Enfin, il forme des adjectifs et des substantifs désignant des personnes célébrant un culte, avec le sens de «qui honore, vénère, rend un culte à; adorateur de», dans les domaines théologique, liturgique ou mythologique; il comporte alors parfois une valeur péjorative héritée de l'usage qu'en a fait Rabelais *(sorbonicole)*. Le suffixe est surtout vivant dans les domaines de la botanique et de la zoologie, pour décrire l'environnement de la faune et de la flore; il se développe avec le progrès des cultures, des industries et des sciences de la vie organique. L'emploi de *-cole* dans la formation de noms de personnes est moins vivant; il existait déjà en bas latin *(agricola, deicola, viticola, regnicola)*. Cependant, au XXe s., le suffixe peut s'adjoindre à un radical français : il est productif *(alpicole, osiéricole, rizicole, truiticole)*.

COLÉOPTÈRE n. m. est l'adaptation (1754) du latin scientifique *coleoptera*, nom de cette classe d'insectes chez Linné (1735), emprunt au grec *koleopteros* «aux ailes couvertes d'une sorte de fourreau». Ce mot est formé de *koleon* «fourreau, étui», mot d'origine incertaine, peut-être emprunté à une langue méditerranéenne, et de *pteron* «aile» (→ ptéro-).

♦ Le mot désigne un insecte dont les deux ailes peuvent se replier sous deux étuis.

COLÈRE n. f. est emprunté (v. 1265) au latin impérial *cholera* «maladie bilieuse, bile» (→ choléra) puis, à basse époque, «colère», lui-même emprunté au grec *kholera*.

♦ Le sens de «bile» a disparu au XVIe siècle. Le sens moderne d'«état affectif violent» (1416) reste d'abord dépendant de l'idée de «bile», la colère étant tenue pour un échauffement de la bile et couramment appelée *chaude chole* «bile chaude» et *cholère*. *Colère* rompt avec cette conception humorale au XVIIe s., avec l'élimination de la graphie *cholère*, et supplante dans l'usage courant *ire* et *courroux*, usuels en ancien et moyen français. Avec la valeur littéraire et biblique de «déchaînement violent» (1560), il fonctionne encore au XVIe s. et au XVIIe s. comme doublet de *ire*, traduisant le latin *ira* dans *jour de colère (dies irae)*. ◆ L'adjectif *colère*

(1505) «emporté par la colère», employé par les écrivains classiques au sens de «qui se met souvent en colère» et, par métonymie, «qui marque la colère» (1762), n'est plus après 1920 que régional ou archaïsant.

▸ **COLÉRIQUE** adj., emprunté (déb. XIIIe s.) au latin impérial *cholericus*, est passé, comme *colère*, de la physiologie des humeurs et du sens de «bilieux» (cf. *atrabilaire*) à la psychologie et à son sens moderne (v. 1370); c'est aujourd'hui le terme employé en caractérologie.

COLÉRER v. (1541), «mettre en colère» et «se mettre en colère», est sorti de l'usage dès le XVIIe siècle. ◆ Seul son antonyme **DÉCOLÉRER** v. intr., attesté une fois au XVIe s. et repris au XIXe s., est relativement usuel en phrases négatives. ◆ **ENCOLÉRER** v. (1836) est archaïque ou régional.

COLÉREUX, EUSE adj. (1574), estimé vulgaire au XVIIe s., a été repris au XIXe s. comme adjectif usuel, quelquefois substantivé (1900). Il est très usuel pour qualifier et désigner une personne portée aux accès de colère. ◆ Son dérivé **COLÉREUSEMENT** adv. (1863) est surtout littéraire ou didactique.

COLIBACILLE → BACILLE

COLIBRI n. m., d'abord *colibry* (1640), est d'origine obscure : malgré la localisation de premières attestations qui concernent l'Amérique centrale insulaire, il ne semble pas autochtone en caraïbe. On a proposé une dérivation de l'occitan *colobro, colubro* (→ couleuvre), en raison des subits accès de colère de cet oiseau qui aurait été assimilé à la méchanceté supposée du serpent. L'hypothèse est envisageable, le mot ayant été véhiculé aux Antilles par les colons français, mais elle fait difficulté phonétiquement et sémantiquement.

♦ Le mot désigne un oiseau tropical de l'ordre des passereaux, remarquable par sa petite taille et son plumage éclatant.

COLIFICHET n. m. est l'altération (1640) du moyen français *coeffichier* (1458), mot de sens obscur paraissant désigner un accessoire de coiffure, probablement composé de *coeffe* (forme ancienne de *coiffe**) et de *ficher**, proprement «accessoire que l'on fichait sur la coiffe». L'altération semble due à l'attraction de *coller** pour l'initiale et d'*affiquet* pour la finale.

♦ Le mot désigne un petit objet de fantaisie sans grande valeur, en particulier à l'époque classique un ornement de papier collé sur du bois, du velours (1690). Par analogie et référence au peu de poids ou à la petitesse, le mot s'est appliqué à un biscuit très léger donné aux oiseaux (1803). Il est passé dans le langage technique à propos du support de cuisson pour les poteries, conçu pour que le point de contact soit le plus léger possible (1828).

COLIMAÇON n. m., d'abord *colimasson* (1529), est l'altération, sous l'influence de *coque**, du normanno-picard *calimachon*, lequel est composé de *écale** et *limaçon**; l'ancien normand *caillemasson* (1390) était composé d'*écaille* et de *limaçon*.

♦ Le mot au sens d'«escargot» a souffert de la concurrence de *limaçon*; en revanche, il a supplanté ce dernier dans l'acception de «spirale», analogie avec la forme de la coquille de l'animal. Ce sens est courant dans l'expression ***en colimaçon*** (1829, *escalier en colimaçon*); cet emploi a engendré un nouvel usage du mot, elliptique pour «escalier en spirale» (1928).

▸ Le dérivé **COLIMAÇONNER** v. intr. «avoir la forme d'une spirale» (1892) ne s'est pas répandu.

COLIN n. m. est issu (fin XIVe-déb. XVe s.), par réfection du second élément, du néerlandais *koolvis* ou de l'anglais *coalfish*, littéralement «poisson charbon» à cause de la couleur de son dos. Dans l'une et l'autre langue, le mot est composé du nom germanique du charbon, d'un °*kolam*, °*kolon* que certains rapprochent du sanskrit *jval* «lueur», et du nom germanique du poisson, °*fiskaz* apparenté au latin *piscis* (→ poisson). *Colin* peut aussi être dérivé, avec suffixation en *-in*, du moyen français de même sens *cole* (fin XIVe s.), emprunté au néerlandais *kole*, forme abrégée de *kolvis*. Dans le premier cas, l'influence formelle du prénom *Colin* (→ colin-maillard) est vraisemblable.

♦ Le mot est resté propre au nord de la France; le même poisson porte d'autres noms, parmi lesquels *merlu* dans la zone occitane.

COLIN-MAILLARD n. m. est composé (1534, Rabelais) de deux noms propres : *Colin*, variante de *Colas*, diminutif de *Nicolas*, souvent employée par péjoration (dans *se moquer comme de colin-tampon*), et *Maillard*, nom propre usuel, proprement «l'homme au maillet». Cet élément peut être également dérivé de *mail** dans l'hypothèse où le joueur aveugle chercherait ses partenaires avec un bâton *(maillet)*.

♦ Le mot a d'abord désigné le joueur aux yeux bandés chargé d'attraper et d'identifier un autre joueur. Par métonymie, il est devenu le nom du jeu.

COLIN-TAMPON n. m. est formé (1578) du nom propre *Colin* (→ colin-maillard) et de *tampon** employé par plaisanterie pour *tambour** et peut-être par référence à la corpulence des soldats suisses.

♦ Le nom, d'abord donné aux soldats suisses, a désigné le tambour de ces soldats et, par métonymie, une ancienne batterie de tambour des régiments suisses (v. 1600). Il ne vit plus que dans la locution ***se soucier, se moquer de qqch. comme de colin-tampon*** (1695) «n'en faire aucun cas» dont l'origine est inconnue, le mot lui-même n'étant plus compris.

COLIQUE n. f. est emprunté (v. 1250) au latin médiéval *colica* (XIIe s.), issu par ellipse du bas latin *colica passio* (→ passion) «maladie du côlon». *Colica* est le féminin de l'adjectif *colicus*, lui-même emprunté au grec médical tardif *kôlikos* «qui souffre de la colique», de *kôlon* (→ côlon).

♦ Le mot désigne une douleur violente du côlon et, plus généralement, de la cavité abdominale. Par extension, il est employé couramment au sens de «diarrhée», entrant dans l'expression ***avoir la colique*** avec l'idée figurée de «grande peur» (1852), par une métaphore courante (cf. *trouille*). Une autre extension concerne en médecine des douleurs analogues, sans rapport avec le côlon *(coliques néphrétiques, coliques hépatiques).*

▸ *Colique* a produit **COLIQUEUX, EUSE** adj. (1579), «de la nature de la colique» et (1580) «sujet à la colique», et **COLIQUARD** n. m. (déb. XXe s.), formé populairement avec le suffixe péjoratif *-ard,* au sens de «poltron».
COLIQUE adj. (1475) a été repris à l'adjectif latin dans *colique passion,* calqué du latin et sorti de l'usage au XVIIe siècle. Le mot a conquis son autonomie au XVIIIe s., qualifiant une veine et une artère du côlon.
COLITE n. f., formé en latin savant *(colitis)* puis passé en français (1824), est devenu assez courant comme dénomination d'une inflammation du côlon, du fait des connotations familières ou scatologiques de *colique.*

COLIS n. m. est emprunté (1723) à l'italien *colli,* pluriel de *collo* «chargement que l'on porte sur le cou», sens issu par métonymie de celui de «cou» (→ cou).

♦ Le mot, d'abord attesté comme terme de négoce en usage à Lyon, s'est répandu en France par Marseille (1785) et Lyon. Il désigne un objet emballé en vue de son transport, donnant lieu à des syntagmes comme *colis postal* (1880). ◇ Le sens figuré de «personne encombrante», dans le langage familier, n'a pas suffi à assurer à *colis* le chemin métaphorique de *ballot**.

COLLABORER v. intr. est un emprunt tardif (1830) au bas latin *collaborare* «travailler avec qqn», de *cum* (→ co-) «avec» et de *laborare* «travailler» (→ labourer).

♦ Repris avec le sens propre de «travailler avec», le mot a développé, sous l'occupation allemande de 1940-1945, la valeur particulière de «coopérer avec l'ennemi» en emploi absolu (v. 1940).

▸ **COLLABORATION** n. f., antérieur au verbe, est emprunté (1753) au latin médiéval *collaboratio* dit, en droit, de la possession acquise par les époux par un travail commun (821). Le mot est dérivé de *collaborare* au sens tardif de «travailler en commun pour gagner des bénéfices» (VIIe s.). *Collaboration* a été introduit en jurisprudence à propos des travaux communs de l'époux et de l'épouse, puis s'est répandu au sens d'«action de travailler en commun» (1829), recevant sous l'occupation allemande la spécialisation politique (1940) avec laquelle il a produit **COLLABORATIONNISTE** adj. et n. (1941), péjoratif pour «partisan de la collaboration» et aussi adjectif. ➛ **COLLABORATEUR, TRICE** n., dérivé directement (1755) du radical du verbe latin *collaborare,* désigne la personne qui travaille avec qqn. Sa spécialisation politique liée à l'occupation allemande (v. 1940) a donné lieu à l'abréviation **COLLABO** n. (v. 1940). Cette valeur n'a pas évincé le sens neutre de «personne travaillant avec une autre» (1867).

COLLAGÈNE → COLLE

COLLATÉRAL, ALE, AUX adj. est emprunté (v. 1275) au latin médiéval *collateralis* «qui se trouve à côté de» (v. 1100), substantivé au sens de «parent en ligne directe» (fin XIe s.), de *cum* «avec» (→ co-) et de *lateralis* (→ latéral).

♦ Le mot a été repris en droit, désignant et qualifiant un parent indirect d'où (1522) *ligne collatérale.* ◇ L'adjectif a reçu plusieurs acceptions spéciales avec la valeur de «situé de côté, par rapport à autre chose» (déb. XIVe s.), en architecture religieuse (1526), usage où il est substantivé en parlant des bas-côtés d'une église (1740), en anatomie (v. 1560) et en géographie (1740, *points collatéraux*).

▸ **COLLATÉRALEMENT** adv., relevé une première fois au sens isolé de «côte à côte» (1585), a été repris au XVIIe s. dans un contexte juridique relatif à la parenté (1628); il s'est répandu au XIXe s. (1835). ➛ **COLLATÉRALITÉ** n. f., lui aussi attesté une première fois en 1611, est repris comme nom de qualité correspondant à *collatéral* et figure dans Littré (1863).

COLLATION n. f. est emprunté (v. 1200) à plusieurs reprises et avec diverses acceptions, au latin *collatio,* substantif d'action formé sur *collatum,* supin de *conferre* «échanger des propos, s'entretenir avec» (→ conférer). *Collatio* a eu en latin classique le sens de «comparaison, confrontation» d'où en bas latin celui de «comparaison, confrontation de textes». Il a signifié aussi à basse époque «action de conférer (une dignité, un honneur)» et, en latin médiéval, «action de conférer un bénéfice» (1167). En latin chrétien, il a désigné une réunion de moines, un entretien et, par l'intermédiaire du sens de «conférence lue le soir au cours du repas dans les monastères» (d'où le titre *Collationes,* œuvre de Cassien, 426-429), a pris celui de «repas du soir dans un monastère» (813).

♦ Introduit par la traduction de l'ouvrage de Cassien, le mot a désigné les entretiens et conférences du soir dans les monastères et le repas des moines (XIIIe s.). Par extension, il est employé en parlant d'un repas léger pris le soir (1453), spécialement le repas léger fait par les catholiques en période de jeûne (1580). L'aire d'emploi du mot a régressé au profit de *goûter, pique-nique, souper, en-cas* ou *réveillon,* dont il était à peu près synonyme au XVIIe siècle. Il correspondait alors particulièrement au repas de fruits fait le soir d'un jour de jeûne ou aux confitures que l'on prenait au coucher avec un doigt de vin. ➛ Au sens d'«action de conférer un bénéfice, un office», *collation* appartient à un usage vieilli ou historique. Par extension, le mot exprime le fait de conférer un grade universitaire, un titre de capacité (1808). ➛ Le sens du latin classique a été repris au XIIIe s., *collation* désignant la comparaison d'une chose à une autre jusqu'au XVIe siècle; mais la spécialisation pour «action de comparer des textes» (1375), s'est maintenue.

▸ **COLLATIONNER** v. tr. (1345) a gardé le sens de «comparer une copie avec l'original afin de s'assurer de sa conformité» et reçu une acception spéciale en imprimerie (1851) : «vérification des épreuves par comparaison avec le manuscrit». ◇ En ce sens, il a produit **COLLATIONNEMENT** n. m. (1861) et **COLLATIONNEUR** n. m. (v. 1950). ◇ Son autre sens, «faire un repas léger» (1549), a vieilli.

COLLE n. f. est emprunté (1268, *cole*), par l'intermédiaire d'un latin vulgaire °*colla*, au grec *kolla* «gomme, colle», que l'on rapproche de termes indoeuropéens (vieux slave *kleiji*, russe *klej* «colle»).

♦ Le mot désigne une substance qui fait adhérer deux surfaces l'une à l'autre et, par extension, toute matière visqueuse qui adhère. D'après l'idée de «chose qui englue», il a pris divers sens figurés et familiers à connotations péjoratives : «mensonge, faux-semblant» (1455, dans l'argot des Coquillards) puis «chose ennuyeuse, personne dont on ne peut se défaire», notamment dans ***colle de pâte,*** n. et adj. et dans ***pot de colle.*** ◇ L'argot scolaire, au XXe s., lui a donné trois sens : «exercice d'interrogation» (v. 1842), «question embarrassante» et, depuis 1880, «punition retenue», tous probablement motivés comme déverbaux de *coller.* Il en va de même de *colle* dans la locution familière ***vivre à la colle*** «en concubinage» (1880).

▸ **COLLER** v. tr. (1320), «faire adhérer au moyen de colle», a précédé *colle* dans le développement de sens figurés. Dès le XVIe s., il exprime le fait de «rester fixé sur qqch.» (Ronsard) et celui de «mettre, placer» (1585), deux sens passés dans l'usage familier. Au XIXe s., il se dit pour «priver de congé» dans l'argot de polytechnique (v. 1855), d'après l'idée de *coller au piquet* (1828), et par ailleurs de «se mettre en concubinage» (1878, *se coller*). Il y ajoute l'idée de «s'infliger qqch. de pénible» et, d'après l'idée d'une adhérence réussie, le sens de «bien aller, marcher» (1906) : *ça colle, ça ne colle pas.* ➛ En ont été dérivés **COLLAGE** n. m., **COLLEUR, EUSE** n. (tous deux en 1544), ce dernier passant dans l'argot scolaire des classes préparatoires et le féminin servant à dénommer un instrument (XXe s.). ➛ Le participe présent **COLLANT, ANTE** a été adjectivé (1572), puis spécialisé comme terme d'habillement (1812 comme adj. ; n. m. v. 1880) pour désigner un maillot. Le sens courant de «sous-vêtement» s'est imposé entre 1950 et 1970, le *collant* féminin remplaçant progressivement la gaine et les jarretelles avec des bas. ◇ Le participe présent féminin *une collante* a été substantivé (v. 1930) dans le jargon scolaire pour désigner une convocation à un examen, d'après le sens de *coller* «recaler».

Sur *coller,* ont été formés les composés : **RECOLLER** v. tr. (1382) «coller de nouveau», spécialement en médecine (1579), a développé au XIXe s. le sens familier de «mettre qqch. ou qqn dans, sur» (1874). Il a pour dérivés les substantifs d'action **RECOLLEMENT** n. m. (1834) et **RECOLLAGE** n. m. (1894). ➛ **DÉCOLLER** v. tr. (1382) a pris en emploi intransitif (v. 1910), comme son dérivé **DÉCOLLAGE** n. m. (1847), le sens métaphorique de «quitter le sol, pour un avion» (v. 1910), rapidement débarrassé de sa connotation familière première. Une autre métaphore fait qu'on parle du *décollage de l'économie* (1961). ◇ Sans métaphore, *décoller* a également produit **DÉCOLLEMENT** n. m. (1635) et **DÉCOLLABLE** adj. (1912), postérieur à **INDÉCOLLABLE** adj. (1845). ◇ **ENCOLLER** v. tr. est formé (1324) de *en-, colle* et suffixe verbal, pour «enduire de colle» et, par extension, traiter (le papier) par un apprêt. Il a pour dérivé **ENCOLLAGE** n. f. (1771), et **ENCOLLEUR, EUSE** n. (1832), *encolleuse* n. f. (1873) désignant la machine à encoller. ➛ Le terme de biochimie **COLLAGÈNE** adj. et n. m. (→ gène) est attesté depuis 1867 pour qualifier et désigner une substance produisant de la colle ou de la gélatine, spécialement la protéine constituant l'essentiel de la substance intercellulaire du tissu conjonctif. ➛ **AUTOCOLLANT, ANTE** adj. et n. m. (1971) qualifie et désigne ce qui adhère de soi-même à une surface. Ce mot est usuel pour désigner les motifs que l'on peut coller sur diverses surfaces ; il traduit souvent l'anglais *sticker.*

◈ voir COLLODION, COLLOÏDE.

COLLECTE n. f., d'abord *collete* (av. 1250), est emprunté au latin *collecta,* participe passé féminin substantivé de *colligere* «rassembler, recueillir» (à l'origine de *cueillir** et de *colliger**). Le nom a désigné l'écot, la quote-part en latin classique et a pris, en latin chrétien, le sens de «quête, réunion des fidèles».

♦ Le sens liturgique de «courte prière lue entre le Gloria et l'Épître», attesté dès les premiers textes, vient de ce qu'avant la procession, le prêtre récitait une prière au nom de toute l'église : *oratio ad collectam.* Au sens de «levée des impositions» (1395), le mot a éliminé l'ancien *coillotte, cueillote,* qui venait d'un sens spécialisé de *cueillir* «percevoir, quêter» ; le sens usuel, «action de recueillir des dons», est apparu au XVIIe siècle. ◇ D'après une autre destination, il désigne aussi l'action de ramasser des produits pour les traiter *(collecte des ordures).*

▸ **COLLECTER** v. tr., d'abord au passif «être assujetti à une contribution» (1320), exprime l'action de recueillir de l'argent, des dons (1774). La forme pronominale *se collecter* est employée en pathologie à propos d'un liquide organique qui s'amasse dans une cavité du corps et y produit un certain effet (1924). ➛ **COLLECTEUR, TRICE** adj. et n., emprunté au bas latin *collector,* est apparu en 1315. En emploi adjectif, il a reçu quelques sens techniques (1862) par exemple dans *égout collecteur* (aussi substantivé). ➛ **COLLECTIF, IVE** adj. (XIIIe s.) représente avec les mêmes sens le latin *collectivus* «qui groupe, rassemble», également terme grammatical. Depuis 1802, l'adjectif est substantivé au masculin et désigne, spécialement dans *collectif budgétaire,* l'ensemble des dispositions d'un projet de loi de finances. ◇ Par influence du russe, *un collectif* (1901) désigne aussi un groupe de travail, puis un groupe d'action. ◇ En ont été dérivés **COLLECTIVEMENT** adv. (1568), **COLLECTIVITÉ** n. f. (1836). ➛ **COLLECTIVISME** n. m. est probablement forgé par C. Pecqueur en 1839 ; il était précédé par *collectisme* n. m. (Saint-Simon, 1802), les deux mots étant opposés à *individualisme.* ◇ *Collectivisme* reste rare avant 1869 (congrès de la Ire Internationale) où apparaît **COLLECTIVISTE** adj. et n. ➛ **COLLECTIVISER** v. tr. semble plus tardif (fin

XIXe s.). ◇ Il a pour dérivé **COLLECTIVISATION** n. f. (1871), ce qui implique pour le verbe des emplois probables à cette époque.

COLLECTION n. f. est emprunté au latin *collectio* «action de réunir», «ce qui est recueilli ensemble», employé comme terme de médecine à époque impériale; c'est d'abord au sens médical d'«amas de pus» (1300) que le mot français est attesté. Il passe dans l'usage général au sens de «cueillette des fruits» (1371), que lui dispute *cueillette*, et, au XVIIe s., désigne une compilation et ce que l'on nommerait aujourd'hui une *anthologie*. ◇ Son sens moderne de «réunion d'objets ayant un intérêt esthétique, historique ou scientifique» est plus tardif (v. 1775). Depuis, le mot a pris aussi les sens particuliers d'«ensemble de publications formant une unité» et d'«ensemble de modèles de couture présentés en même temps». ◇ Le sens de «réunion d'objets d'art» a produit **COLLECTIONNER** v. tr. (1840), d'où on a tiré **COLLECTIONNEUR, EUSE** adj. et n. (1828) mot usuel, et **COLLECTIONNABLE** adj. (1939), rare.

COLLÈGE n. m. est emprunté (v. 1308) au latin *collegium* «ensemble, corps (de magistrats, de prêtres)» et, au moyen âge, «communauté de laïcs ou de religieux». Le mot, apparenté à *collega* (→ collègue), est dérivé de *lex* (→ loi).

♦ *Collège* désigne un corps de personnes revêtues de la même dignité, spécialement dans le cadre d'une confrérie religieuse (v. 1308). Ultérieurement dans un contexte juridique, il se dit de l'ensemble des électeurs appartenant à une même circonscription ou à une même catégorie, convoqués en vue d'une élection, seul ou dans *collège électoral* (1812). ◇ La spécialisation de *collège* dans le domaine de l'éducation lui vaut le sens local de «lieu pour enseigner lettres et sciences» (1462). De là son emploi dans les noms *Collège royal* (1610) puis *Collège de France* (1795), dénominations successives d'un établissement fondé par François Ier. De là également quelques emplois figurés comme *sentir le collège* «prendre un air pédant» (1678) et, ultérieurement, le sens usuel d'«établissement du premier cycle du second degré» (1848), le mot prenant des valeurs variables selon les systèmes pédagogiques successifs et les lieux (Belgique, Canada, France).

▸ **COLLÉGIAL, IALE, IAUX** adj. (1350) est emprunté au dérivé bas latin *collegialis* «qui appartient à une communauté, un collège», spécialement dans *collegialis aedes* «maison du collège des chanoines» (av. 1183). ◇ Le mot réalise le sens de «relatif à un collège de chanoines». Le sens de «relatif à un collège d'enseignement secondaire» (XIXe s.) n'a pas réussi à s'implanter, tandis que la première acception donnait lieu, par extension, à une valeur politique, «où le pouvoir de décision appartient à un conseil restreint». ◆ **COLLÉGIEN, IENNE** adj. et n. (1743) se rattache à *collège* comme terme d'éducation et a suivi son évolution.

COLLÈGUE n. est emprunté (av. 1520) au latin *collega* «celui qui exerce la même charge dans une magistrature», «compagnon, camarade». Ce mot latin, comme *collegium* (→ collège), se rattache à *lex* (→ loi), peut-être par son dérivé *legere* (→ léguer), le collègue étant celui qui a reçu, en commun avec un ou plusieurs autres, un pouvoir.

♦ Le mot désigne une personne qui est revêtue de la même charge ou de la même fonction que d'autres, à l'intérieur d'une institution publique ou privée. Le sens de «camarade de jeu, de plaisir» (1872, Daudet), appartenant à l'usage familier, semble s'être développé sous l'influence du provençal, en français de Marseille et de sa région, où il est aussi un appellatif amical.

COLLERETTE → COLLIER

COLLETER → COL

COLLEY n. m. est emprunté (1877) à l'anglais *colley*, variante de *collie, colly* «chien de berger écossais», attesté depuis 1651, peut-être même déjà au XIVe s., comme nom propre de chien, sous la forme *Colle*. L'origine de ce mot, dans lequel on a cru reconnaître un dérivé de *coal* «charbon» (→ colin) à cause des taches foncées de certains de ces chiens, est incertaine. L'hypothèse d'une origine gaélique, à partir de *cuilean* «chien» et de *cuilidh* «chien errant», semble la plus sûre.

♦ Le mot est passé en français sous les trois formes anglaises; *collie* (1877, J. Verne), *colley* (1898) et *colly* (1922), mais semble s'être stabilisé en *colley*.

COLLIER n. m., attesté en ancien français sous deux formes concurrentes jusqu'au XVe s., *coler* (1160-1190) et *colier* (1268), est issu du latin *collare* et, pour la forme qui a prévalu, d'une altération en *collarium* (Ve s.). *Collare* est dérivé de *collum* (→ cou), le collier étant ce qui entoure le cou.

♦ Le collier n'avait à l'origine qu'une fonction utilitaire, désignant l'objet que l'on passe au cou d'un animal et (1268) une partie du harnais (d'où l'expression ***donner un coup de collier***). Les métaphores d'origine rurale, du type *attelage, collier, joug*..., ont d'ailleurs développé des valeurs différentes. ◇ Le sens de «bijou» apparaît en 1389, d'après une mode nouvellement introduite de Byzance, sans continuité avec les *torques* des Anciens. Il désigne à la fois une distinction honorifique des hommes (chevaliers, ordres militaires) et une parure de femme qui devint surtout fréquente à partir du XVe s., avec la découverte de la taille du diamant. ◇ Par analogie, *collier* désigne aussi une partie de couleur différente autour du cou de certains animaux (1694), une pièce de boucherie (1690, *collier de bœuf*), une marque circulaire au cou *(collier de Vénus)* ou une barbe rejoignant les cheveux aux tempes (en apposition : *barbe collier*).

▸ Un dérivé, sur la forme ancienne *coler, coller*, **COLLERETTE** n. f. est attesté depuis 1309; il concerne le vocabulaire de l'habillement et non celui de la joaillerie.

COLLIGER v. tr. est emprunté (1539) au latin *colligere* «recueillir» (→ cueillir) d'où également «inférer, conclure».

♦ Emprunt du langage didactique, ce verbe exprime l'idée de «rassembler, recueillir» avec des extensions dans le domaine de l'activité intellectuelle ou scientifique. Le sens de «déduire, inférer» (1548), repris en logique au latin, n'a pas vécu.

▶ **COLLIGEUR** n. m. (1866), «celui qui collige», ne s'est pas répandu.

COLLIGATION n. f. est emprunté (1313) au dérivé latin *colligatio* «lien, liaison» au propre et au figuré. ◇ Le mot a eu le sens concret d'«alliance, ligue entre personnes» et s'est maintenu avec celui d'«action d'unir, d'enchaîner» dans le domaine intellectuel. ◇ Sous l'influence de l'anglais *colligation*, employé comme terme de logique inductive par Whewell (1837), il désigne une opération réunissant en une conception synthétique unique un ensemble de faits séparément observés.

COLLIMATEUR n. m. est dérivé, par substitution de suffixe (1862), du substantif d'action plus rare *collimation* n. f. (1646) «action d'orienter un instrument de visée». Ce mot est l'adaptation du latin scientifique *collineatio* (1672), lui-même dérivé du latin classique *collineare* «viser», d'après une leçon fautive de certains manuscrits (Cicéron, Aulu-Gelle, Apulée) *collimare. Collineare*, proprement «ajuster ou viser en droite ligne», est composé de *cum* (→ co-) et de *linea* (→ ligne) avec la désinence verbale.

♦ Le mot désigne un instrument permettant le pointage précis d'une arme ou d'une lunette, d'où familièrement ***avoir qqn dans le collimateur*** «le surveiller, l'avoir à l'œil», emploi usuel qui rend familier ce terme scientifique. ◇ Il désigne spécialement un instrument d'optique produisant un faisceau de rayons parallèles.

COLLINE n. f. est emprunté (1555), probablement par l'italien *collina* (XVe s.), au bas latin *collina*. Ce dernier est le substantif issu par ellipse de *collina (loca)* «lieu en forme de butte», *collinus* étant l'adjectif correspondant au nom latin de la colline, *collis*. Ce dernier se rattache à la racine indoeuropéenne qui est également représentée dans le lituanien *kálnas*, l'anglais *hill*, le grec *kolônê*, le russe *kholm* «colline».

♦ Le mot signifie «relief de faible hauteur».

▶ Il a donné **COLLINETTE** n. f. (1596-1614), peu attesté avant 1872 et resté rare ou régional, et **COLLINAIRE** adj. (1838) «où il y a des collines», didactique.

COLLISION n. f. est emprunté (fin XIVe s.) au latin *collisio* «choc, heurt», nom rare formé d'après le supin de *collidere* «heurter, entrechoquer». Ce verbe est composé de *cum* (→ co-) «avec» et de *laedere* «frapper, blesser, faire outrage à» (→ léser), dont il a repris les valeurs physiques.

♦ *Collision* désigne un choc entre deux corps en mouvement. Il a reçu de nombreuses valeurs figurées, spécialement en musique et en linguistique ainsi qu'en physique nucléaire, pour «choc entre particules».

COLLODION n. m. est l'adaptation (1850) du latin scientifique *collodium*, formé sur le grec *kollôdês* «collant, visqueux», dérivé de *kolla* (→ colle), peut-être par l'intermédiaire de l'anglais *collodion* (1851), également latinisé en *collodium*.

♦ Le mot, d'abord relevé dans un *Traité pratique de photographie sur papier et sur verre*, désigne une solution de nitrocellulose dans de l'éther alcoolisé, se changeant en une fine pellicule par évaporation, utilisée essentiellement en photographie et en chirurgie.

COLLOÏDE n. m. et adj. est emprunté (1845) à l'anglais *colloïd*, terme dont la formation, à partir du grec *kolla* (→ colle) et de *eidos* «forme» (→ -oïde), est attribuée au chimiste anglais T. Graham. Ce dernier lui a donné sa valeur moderne en chimie par opposition à *cristalloid*. Toutefois, la chronologie des attestations en anglais, où le mot existe en médecine (1847) avant d'être employé en chimie (1861), laisse supposer que Graham a précisé le terme, mais n'en est pas l'inventeur.

♦ En français aussi, la chronologie des attestations signale l'antériorité du terme de médecine. *Colloïde* qualifie d'abord un cancer, une tumeur caractérisée par des sécrétions gélatineuses. ◇ Il est employé en chimie presque en même temps qu'en anglais pour désigner (1863, au pluriel), par opposition à *cristalloïde*, une substance constituée de fines particules portant chacune une charge électrique de même signe et en suspension dans un milieu. En ce sens, il est quelquefois employé adjectivement, en concurrence avec *colloïdal*.

▶ **COLLOÏDAL, ALE, AUX** adj. (1855, Littré-Robin) est emprunté à l'anglais *colloidal*, seulement attesté en 1861 dans un texte du chimiste T. Graham. Il qualifie ce qui se présente sous la forme d'un colloïde. Chez quelques écrivains (Claudel), le mot se prête à un emploi figuré pour «gluant, englué». ◆ La dérivation se poursuit au XXe s. avec **COLLOÏDALITÉ** n. f. (1929) et des composés scientifiques en **COLLOÏD(O)-**.

COLLOQUE n. m. est emprunté (1495) au latin *colloquium* «entretien, discussion, entrevue», dérivé de *colloqui* «parler avec», de *cum* (→ co-) «avec» et de *loqui* «parler» (→ loquace).

♦ Le sens général de «conversation, dialogue» (encore dans le titre du poème de Verlaine, *Colloque sentimental*) est sorti d'usage, sauf avec la valeur ironique d'«entretien mystérieux». ◇ Le sens moderne, «réunion de spécialistes invités à confronter leurs points de vue», est récent (XXe s.), les colloques médiévaux étant des entretiens à deux ou plusieurs personnes sur une question de doctrine religieuse. Le mot se trouve en concurrence avec *congrès* et, par anglicisme, *conférence*, mots qui désignent des réunions plus nombreuses.

▶ ② **COLLOQUER** v. intr. est emprunté (v. 1520) au latin *colloqui ;* en dehors d'une attestation isolée au XVIe s., il semble inusité avant 1850 et reste peu répandu.

① **COLLOQUER** v. tr. est emprunté (XIIe s.) au latin *collocare* «placer, disposer» (→ coucher), spécialement «marier une jeune fille».

♦ Le sens propre, «placer, disposer», a vieilli sous la concurrence du verbe usuel *placer*. Celui de «placer une jeune fille en la mariant» (1530) ne se rencontre plus qu'avec une valeur ironique. Seul le sens juridique, «placer des créanciers sur une liste dans l'ordre suivant lequel ils doivent être payés sur la vente judiciaire d'un bien appartenant à leur débiteur» (1690), assure la vitalité du mot.

► **COLLOCATION** n. f., emprunté indépendamment (XIVe s.) au dérivé latin *collocatio* «disposition», a été attesté une première fois au sens de «demeure, endroit où l'on s'établit». Repris au XVIe s. avec le sens de «disposition, situation», il a reçu quelques acceptions didactiques en philosophie et en linguistique pour «fait d'être réalisé simultanément». Le sens actif, «action de disposer» (1411), est réalisé en droit en relation avec le sens correspondant de *colloquer*.

② COLLOQUER → COLLOQUE

COLLUSION n. f. est emprunté (1321) au latin *collusio* «entente frauduleuse, secrète, dérivé de *collusum*, supin de *colludere*, de *cum* «avec» (→ co-) et de *ludere* «jouer» (→ ludique) proprement «jouer ensemble», «s'entendre» et, avec péjoration, «s'entendre frauduleusement».

♦ Le mot est un emprunt de la langue juridique signifiant «entente secrète entre personnes pour nuire à un tiers». Il s'est répandu dans l'usage général à propos d'un accord secret pour nuire à quelqu'un.

► **COLLUSOIRE** adj. en a été dérivé (1311) sur le modèle de divers termes juridiques en *-oire*, tels *accessoire, commissoire*.

COLLUTOIRE n. m. est formé savamment (1803, d'abord *collutatoire*, 1739) sur le radical du latin *collutum*, supin du verbe *colluere* «laver, nettoyer, arroser», composé de *cum* (→ co-) et *luere*, variante de *lavare* (→ laver).

♦ Le mot désigne un médicament à action locale, généralement semi-liquide, appliqué en badigeonnage des muqueuses de la bouche ou du pharynx.

COLLYRE n. m. est emprunté (fin XIIe-déb. XIIIe s., *collire*) au latin *collyrium* désignant un onguent, surtout pour les yeux. Le mot latin est emprunté au grec *kollurion*, diminutif de *kollura*, mot d'origine obscure, qui désigne une sorte de petit pain rond non levé. Le grec moderne possède à la fois *kollurio* en pharmacie et *koulloura* «pain en couronne», «bouée».

♦ Le mot désigne un médicament utilisé dans le traitement des affections des yeux et par extension un produit de beauté pour les yeux.

COLMATER v. tr. est dérivé (1820) de l'ancien substantif *colmate* (1820), adaptation de l'italien *colmata* (XVe-XVIe s.), le colmatage ayant pris naissance en Toscane en 1781 par un arrêté du grand-duc. Le nom italien est le participe passé féminin substantivé de *colmare* «combler», lui-même dénominatif de *colmo* «comble», dérivé du latin *culmen* «sommet, soutien» (→ comble, culminer).

♦ Le verbe exprime l'opération consistant à exhausser un terrain bas ou marécageux en y faisant déposer des matières terreuses par les eaux naturelles. ◇ Par extension, il est usuel avec le sens de «boucher hermétiquement» et, au figuré, en technique militaire, «établir la continuité d'un front en y faisant parvenir des renforts», ceci par la métaphore de *colmater une brèche*.

► **COLMATAGE** n. m. (1845) sert de substantif d'action au verbe dans ses différents emplois, spécialement en forage et en technique militaire.

COLOMBAGE → COLONNE

COLOMBE n. f., d'abord *columbe* (v. 1120), est issu du latin de même sens *columba*. La comparaison de *columba* et du vieux slave *golọbí* «pigeon» incite à voir dans le radical *kol-, gol-* la désignation d'une couleur : le russe a en effet *golubj* «colombe» à côté de *goluboj* «bleu», le grec connaît *kolumbos* «petit grèbe» à côté de *kelainos* «sombre». Le masculin latin *columbus* est à l'origine de l'ancien français *colomb, coulon*, nom du mâle, employé du IXe au XVIIe s. et qui ne subsiste qu'à l'état de nom propre ou de toponyme.

♦ Le symbolisme biblique de la colombe, qui l'associe à la douceur de l'épouse (Cantique des cantiques) et au Saint-Esprit, ainsi que les qualités traditionnellement prêtées à l'oiseau, sont à l'origine des valeurs figurées de «paix», «douceur» et «pureté» (1689, Racine en parlant de jeunes filles).

► Le diminutif **COLOMBELLE** n. f. (v. 1250) est littéraire. ◆ **COLOMBIER** n. m., d'abord *columbier* (v. 1121), est issu du latin *columbarium* «endroit où l'on élève des pigeons». Le mot souffre de la concurrence de *pigeonnier*, plus usuel. ◆ ① **COLOMBIN, INE** adj. et n. est emprunté (v. 1227) au latin *columbinus* «du pigeon, de la colombe», dérivé de *columba*. L'adjectif est rare, même avec le sens de «gris pigeon» (1575-1584) concurrencé et supplanté (1771) par *gorge de pigeon* désignant cette nuance. ◇ Par ellipse pour *fiente colombine*, le féminin est employé substantivement avec le sens large de «fiente d'oiseaux de basse-cour» (→ ② colombin).
COLOMBARIUM n. m. est calqué (XVIIIe s.) du latin *columbarium* en parlant de l'édifice d'un cimetière où l'on place les urnes cinéraires, sens qu'avait déjà le mot latin.

① COLOMBIN → COLOMBE

② **COLOMBIN** n. m., attesté tardivement (1844) est d'origine obscure. Si l'on admet que le mot a été créé dans le langage de la poterie et de la céramique, il pourrait être dérivé de *colombe* «poutre de colombage» (→ colonne) avec suffixe *-in*, comme dans *boudin* qui a un sens analogue, et le sens propre serait «rouleau, moulure à la base d'une colonne». Il pourrait aussi procéder de *colombe** par une métaphore zoomorphe, à rapprocher de représentants du latin *columbus* désignant des petits pains allongés, et de *pigeon** au sens de «poignée de plâtre pétri» (1694).

♦ Ce terme technique de poterie désigne un long rouleau de pâte molle servant à fabriquer certaines poteries sans employer le tour. ◇ Le sens argotique d'«étron, fiente de cheval, de chien» (1867, chez les comédiens) est une métaphore favorisée par l'homonymie avec *colombine (fiente colombine)*, de *colombe*.

✳ ① **COLON** n. m. est emprunté (v. 1310) au latin *colonus* «cultivateur, métayer, fermier» et «habitant d'une colonie», très usité en latin médiéval pour désigner le tenancier d'une terre. *Colonus* est dérivé de *colere* «cultiver» (→ -cole).

♦ Le sens de «tenancier d'une terre», repris au latin médiéval, s'est employé jusqu'au XVIIe s. et survit dans la langue juridique, où *colon partiaire* (1748) est un calque du latin *colonus partiarius*. Le mot a été repris au XIVe s. comme terme d'histoire antique (v. 1355) à propos de la personne qui habite une ville nouvelle fondée par une cité (Grèce) ou par Rome. ◇ Cette valeur s'étend à la Renaissance à la réalité contemporaine, *colon* désignant ensuite (1663) une personne habitant et exploitant ce qui vient d'être nommé *colonie* (voir ci-dessous). Depuis lors, hors du contexte juridique, le mot a suivi l'évolution de sens de *colonie*, mais a perdu de son importance. ◇ Il a été repris d'après d'autres valeurs de *colonie*, par exemple pour «enfant d'une colonie de vacances» (1911), «d'une colonie pénitentiaire».

▶ De *colon* ont été dérivés le terme de droit **COLONAGE** n. m. (1800) et le terme d'histoire **COLONAT** n. m. (1838), qui a repris le sens du bas latin juridique *colonatus* «état d'agriculteur attaché à la terre, à Rome».

COLONIE n. f. est un emprunt (1308) au dérivé latin *colonia* «propriété rurale», mais aussi «établissement de Romains dans une région contrôlée par Rome». L'idée de «groupe de population» liée à ce dernier sens conduit au sens de «groupe d'animaux vivant dans un lieu», d'abord à propos de l'essaimage des abeilles. ◇ *Colonie* est introduit en français pour désigner un territoire dominé et administré par un pouvoir étranger, sens précisé au XVIIe s., puis un groupe de personnes allant peupler et exploiter un tel territoire (1635). Le mot s'applique alors à la fois à l'Antiquité, par calque du latin, et aux temps modernes : Furetière en 1690 évoque Batavia et Québec, mais c'est alors l'idée de migration et de peuplement qui domine. Ainsi, pendant la Révolution, on parle de *colonie* pour désigner les groupes d'émigrés vivant dans le même lieu d'accueil (1792), sens à l'origine d'un emploi moderne, «groupe de personnes originaires d'un lieu et vivant dans un autre» *(la colonie brésilienne de Paris)*. L'extension à un groupe d'animaux, déjà observée en latin, est reprise au XVIIIe s. en français (1767, Buffon). ◇ Le concept évolue fortement au XVIIIe s., avec les analyses des philosophes quant à l'histoire des conquêtes de l'Europe (*l'Encyclopédie*, Raynal) ; l'idée d'exploitation économique vient alors au premier plan : alors apparaissent plusieurs dérivés : *colonial, coloniser*, etc., tandis que l'histoire contemporaine s'articule fréquemment au phénomène colonial : recul de l'Espagne et du Portugal, conflits entre la France ou la Hollande et la Grande-Bretagne, au profit de celle-ci, contrainte cependant de reculer en Amérique avec l'Indépendance des États-Unis. En français, le mot change de connotations au XIXe s., après les échecs devant la concurrence britannique aux Indes et au Canada, les abandons (Bonaparte vend la Louisiane) et ensuite avec la politique d'expansion française au Maghreb puis en Afrique noire ; pendant toute l'époque de l'«Empire français», *la colonie* ou *les colonies* désigne l'ensemble des possessions de la France outre-mer et évoque un milieu exotique valorisé ou dévalorisé, tandis que la réalité juridique des colonies est moins souvent évoquée. Avec le Congo, la Belgique participe — en français — à ce même processus. Mais ce n'est que vers la fin du XIXe s. que *colonie*, après la critique marxienne, dépend d'un système qui va être appelé le *colonialisme* (ci-dessous). ◆ Parallèlement, la valeur ancienne de «groupe humain» est reprise avec *colonie pénitentiaire* (1859) qui utilise les connotations juridiques de *colon*, puis avec ***colonie de vacances*** (1907) qui remplace un calque de l'allemand, *colonie d'enfants* (1897), parfois abrégé familièrement en **COLO** n. f. (XXe s. attesté en 1966).

Dérivé de *colonie*, **COLONIAL, ALE, AUX** adj. (1776) signifie «qui se rapporte aux colonies» et évolue suivant les valeurs successives de son étymon. Les emplois de l'adjectif anglais *colonial*, contemporain (1776), l'ont influencé. Plusieurs syntagmes utilisent au XIXe et au XXe s. les diverses connotations de *colonie*, depuis le droit international *(pacte colonial)* jusqu'à l'économie *(denrées coloniales)*, l'armée *(troupes coloniales)* et le climat *(casque colonial)*. Ces emplois ont vieilli avec la disparition des colonies, comme les substantivations, au masculin pour «militaire des troupes coloniales», puis «habitant des colonies», *colon* étant rare en ce sens, au féminin *la coloniale* pour «armée coloniale». ◆ Un autre dérivé, **COLONISTE** n. (1776), n'a pas vécu.

Dès la fin du XVIIIe s., d'autres dérivés étaient apparus. Ils eurent une évolution sémantique parallèle à celle de *colonie*. **COLONISER** v. tr. (1790) est la traduction de l'anglais *to colonize* (1622), dérivé de *colony*, le correspondant de *colonie*. ◇ Il a produit **COLONISATION** n. f. (1769), peut-être d'après l'anglais *colonization*, **COLONISATEUR, TRICE** n. (1835) et, plus récemment, **COLONISÉ, ÉE** adj. et n. Ces semi-emprunts marquent, depuis la fin du XVIIIe s., la prépondérance britannique dans l'histoire des empires coloniaux. ◆ La fin du XIXe s. et la critique, notamment marxiste, du système colonial se développant, apparaissent deux dérivés de *colonial*, **COLONIALISME** n. m. (1902), d'abord assez neutre pour «système d'expansion coloniale», comme **COLONIALISTE** adj. et n. (attesté en 1903 chez Péguy), et rapidement entraîné dans les luttes d'idées, comme l'indique **ANTICOLONIALISTE** adj. et n. (1903) et **ANTICOLONIALISME** (1903), après *anticolonial* (1790). ◇ Ces mots sont liés à *impérialisme, impérialiste* et évoluent vers un concept plus large : on parle ainsi de *colonialisme économique*, quasi synonyme de *néo-colonialisme* (ci-dessous). ◇ Enfin, la période historique du colonialisme prenant fin, sur le plan institutionnel sinon économique (on parlera alors de **NÉO-COLONIA-**

LISME n. m., composé forgé v. 1960), on voit apparaître les composés qui désignent la liquidation de ce système : **DÉCOLONISER** v. tr. (1963), précédé par **DÉCOLONISATION** n. f. (1952).

◈ voir CLOWN

② COLON → COLONEL

CÔLON n. m. est emprunté (1314) au latin impérial *colon,* hellénisme, du grec d'origine inconnue *kolon* «gros intestin» (→ colique, colite). Le mot grec *kôlon* (avec oméga) signifiant «membre», notamment «jambes», «pattes», et le latin *culus* ont transformé *kolon* en *kôlon* en grec tardif.

♦ Le mot désigne la portion moyenne du gros intestin entre le caecum et le rectum.

COLONEL n. m., d'abord *coulonnel* (1534) puis *colonel* (1556), est emprunté à l'italien de même sens *colonnello,* proprement «chef d'une colonne de soldats» (av. 1543), dérivé de *colonna* (→ colonne). La forme *coronel,* d'abord *couronnel, couronnal* au XVIe et au début du XVIIe s., n'est probablement pas due à l'influence de l'espagnol *coronel;* elle correspond plutôt au même phénomène phonétique qui faisait dire *mérancolie* pour *mélancolie* et *pillure* pour *pillule.*

♦ Le mot désigne un grade d'officier supérieur dans l'armée, correspondant au commandement d'un régiment. Par extension il s'est employé, souvent par ironie, à propos d'une personne qui fait preuve d'autorité, également comme adjectif dans *compagnie colonnelle* (1558) «compagnie d'un régiment commandée par un *colonel général*».

▸ Le féminin **COLONELLE** n. f. (apr. 1578) a d'abord désigné une compagnie colonelle, sens historique depuis 1835. ◇ Il désigne aujourd'hui la femme d'un colonel (1689), puis une femme ayant le grade de colonel. ➛ **LIEUTENANT-COLONEL** n. m. (1669), d'où *lieutenant-colonelle* (1831), est un nom de grade militaire, immédiatement inférieur à *colonel.*
② **COLON** n. m., abréviation de *colonel* dans l'argot militaire (1890), s'est employé par extension dans *mon colon !,* appellatif admiratif et ironique.

COLONIAL, COLONIE, COLONISER... → ① COLON

COLONNE n. f., d'abord *columne* (v. 1120) puis *colonne* (déb. XIIIe s.), est emprunté au latin *columna* désignant aussi bien un élément de soutien dans une construction qu'un monument isolé, ainsi qu'un élément de forme tubulaire (nuées, feu), et employé au sens figuré de «soutien». Le mot doit probablement être rattaché à *columen* «sommet» (→ culminer) et à *cellere* (→ exceller). L'italien *colonna,* de même origine, a influencé le français.

♦ D'abord employé par métaphore en parlant d'un élément ou d'une suite d'éléments de forme étirée et verticale *(colonne de nuées),* le mot est également employé en architecture à propos d'une pièce cylindrique servant de support (v. 1170) et d'une construction cylindrique isolée (déb. XIIIe s.). ◇ Des emplois figurés réalisant l'idée de «soutien moral» apparaissent au XVIe siècle. À partir du XVIIe s., le mot désigne, par analogie, un texte présenté sous la forme d'une bande verticale (av. 1615), d'où une partie d'un journal (1811) et, au pluriel *les colonnes,* le journal lui-même. Cet emploi est à l'origine de l'expression courante ***cinq colonnes à la (page) une*** «nouvelle de première importance». ◇ *Colonne* est passé dans le vocabulaire de la tactique militaire (1680) et dans celui de l'anatomie, où ***colonne vertébrale*** (1797) a supplanté *colonne épinière* (1797), disparu. ◇ Du sens militaire, lié à *colonel* par l'étymologie, vient l'appellation ***cinquième colonne*** «services secrets d'espionnage ennemi sur un territoire», traduite de l'espagnol, où une cinquième «colonne» soutenait, de l'intérieur, les quatre colonnes franquistes qui attaquèrent Madrid en 1936.

▸ Le terme de charpente **COLOMBAGE** n. m. (1340) est le dérivé de **COLOMBE** n. f. «solive de charpente» (1334), lequel est un doublet de *colonne* attesté sous la forme *columbe* en 1080 : le *b* y résulte du désir de noter la prononciation latinisante et très artificielle (du groupe *-mn-* de *columna* «colonne»). ➛ **COLONNETTE** n. f., «petite colonne» (XVIe s.), est assez usuel, mais un peu technique. ➛ **COLONNADE** n. f., «rangée ornementale de colonnes», est la réfection, par changement de suffixe (1694) de *colonnate* (1675), dont la finale était due à l'influence de l'italien *colonnata* «suite de colonnes» (XVIIe s.), auparavant *colonnato* (XVIe s.). ➛ **COLONNAIRE** adj. est emprunté, sous la forme *columpnaire* (v. 1380-1390) puis *colomnaire* (1556) avant de s'établir sous la forme actuelle (1838), au dérivé bas latin *columnaris* «en forme de colonne».

◈ voir CALANDRE.

COLOPHANE n. f. est emprunté (XIIIe-XIVe s.) au latin impérial *colophonia,* substantivation de l'adjectif féminin dans *resina colophonia* «résine de Colophon». Le mot est emprunté au grec *kolophônia,* dérivé du nom de la ville d'Asie Mineure *Colophon (Kolophôn).* L'ancien français hésitait déjà, dans la transcription du mot, entre *colofonia, colophonie* et *colofonie;* le moyen français connaît *colophone* (1579) et *colofaigne* (1580). Le changement de la finale aboutissant à *colophane* (1704), difficile à expliquer, est peut-être dû à l'influence de *diaphane** en raison de l'aspect de cette résine.

♦ Le mot désigne une sorte de résine également dénommée *arcanson.*

◈ voir COLOPHON.

COLOPHON n. m. est l'emprunt didactique tardif (1888) du grec *kolophôn,* proprement «sommet, faîte» et au figuré «couronnement, achèvement», employé en grec byzantin à propos de la formule finale où le copiste donne des explications sur sa copie et son nom. Le mot évoque *kolônê* (→ colline) sans que le détail soit éclairci; le fait qu'il soit un toponyme en Asie Mineure (→ colophane) a conduit à supposer une origine étrangère.

♦ Le mot a été repris avec sa spécialisation technique de «note finale d'un manuscrit ou d'un incunable».

COLOQUINTE n. f., d'abord *coloquintide* (v. 1300) puis *coloquinte* (1372), est emprunté au bas latin *coloquinthis,* altération du latin impérial *colocynthis,* lui-même emprunté au grec *kolokunthos* «gourde, calebasse» désignant le fruit d'une cucurbitacée, et passé en grec moderne sous la forme *kolokuthi* «courgette». Le suffixe de *kolokunthos* indique que le mot n'est pas d'origine grecque ; selon Athénée (IIe s.), la courge viendrait de l'Inde.

♦ Nom d'une plante de la famille des Cucurbitacées, le mot est employé usuellement pour le fruit de cette plante. ◇ Par analogie, il désigne argotiquement la tête (1809), notamment dans ***taper sur la coloquinte*** (du soleil, par exemple).

COLORER v. tr. est un dérivé ancien de *couleur* (au p.p. *colorad,* av. 1140, et *culuree,* au fém.), influencé par le latin *colorare,* dér. de *color.*

♦ Le verbe signifie «donner une couleur, une teinte à», et au figuré (XIIIe s.) «donner une belle apparence» ; d'où le sens d'«orner, embellir» (1549) qui a disparu.

▶ Parmi les dérivés, **COLORANT, ANTE** adj. (1690) et n. m., usuel pour «substance colorante» et **COLORATION** n. f. (1370) sont les plus courants. ◇ **COLORABLE** adj. apparaît en chimie (1873, Würtz).

COLORIS n. m. est emprunté, avec changement de suffixe (1675), à l'italien *colorito,* attesté comme terme de peinture chez Léonard de Vinci (fin XVe s.). Ce mot est le participe passé masculin substantivé de *colorire* «colorer», dérivé de *colore* (→ couleur).

♦ Le mot a été introduit à côté de *couleur** comme terme de peinture, avec des extensions métaphoriques en littérature et en musique. Il recoupe les emplois de *couleur* en parlant du visage et des fruits.

▶ **COLORIER** v. tr. (1550) a produit **COLORIAGE** n. m. (1830), nom d'action employé par métonymie pour une activité picturale non artistique et son résultat (*album de coloriage; les coloriages* d'un enfant). ➡ Au contraire, **COLORISTE** n. (av. 1668), dérivé du radical de *coloris,* ne se dit que d'un artiste, d'un peintre, en opposition à *graphiste, dessinateur.*
Le dérivé du verbe italien, *coloratura* «coloration» (av. 1600), a été emprunté dans sa spécialisation musicale, par l'intermédiaire de l'allemand *Koloratur,* par le français **COLORATURE** n. f. (1919) «musique ornée de vocalises». ➡ On en a tiré **COLORATUR, URE** adj. et n. (v. 1950), qui qualifie un chanteur, une chanteuse pratiquant la colorature *(soprano colorature).*

COLOSSE n. m., d'abord écrit *collosse* (XVe s.) est emprunté au latin impérial *colossus* «statue gigantesque», employé à propos du colosse de Rhodes. Le mot latin est lui-même emprunté au grec *kolossos* qui, originellement, était l'un des noms de la statue, sans considération de taille, s'appliquant à toute statue de forme humaine, souvent aux jambes étroites collées, utilisée notamment à Cyrène pour représenter un absent dans un acte rituel. Le mot, à forte valeur religieuse, est probablement un emprunt méditerranéen, peut-être celui d'un nom de lieu. La spécialisation de «grande statue» avec laquelle il est passé dans les autres langues est due aux dimensions de l'Apollon de Rhodes, érigé en 292 av. J.-C.

♦ Le mot a été introduit au sens de «statue géante» en référence au colosse de Rhodes. Par extension, il a pris le sens de «géant» (1654), puis également la valeur figurée de «chose ou personne aux dimensions et au pouvoir gigantesques» (av. 1628, *colosse d'orgueil*). ◇ L'expression ***colosse aux pieds d'argile*** fait référence à la statue apparue en songe au roi Nabuchodonosor dans la Bible (Daniel 2, V, 31-45).

▶ **COLOSSAL, ALE, AUX** adj. (av. 1596) qualifie ce qui a des dimensions, des proportions extraordinaires, au propre et au figuré. La graphie *kolossal* fait allusion à ses emplois en allemand, comiques en français du fait des différences d'usages et de valeurs figurées. ➡ **COLOSSALEMENT** adv. est attesté depuis 1833.

COLPORTER v. tr. est l'altération (1539), d'après l'ancienne expression ***porter à col*** «porter à son cou, sur le dos» (XIIIe-XIVe s.), de l'ancien *comporter** «porter qqch. ou qqn», spécialement «transporter pour vendre». Ce dernier est issu du latin *comportare* «porter *(portare)* diverses choses ensemble *(cum, com-)*» dans sa spécialisation commerciale.

♦ Le sens de «porter (sur les épaules) un mort en terre» est sorti d'usage ; il en reste une trace au XVIIIe s. dans l'expression *colporter en grève.* Le sens moderne est enregistré en 1690. En procède le sens péjoratif de «transmettre une nouvelle, des propos à plusieurs personnes» (1798).

▶ **COLPORTEUR, EUSE** n., d'abord attesté comme adjectif (1388) puis comme nom (1389), semble l'altération du plus ancien *comporteur* (XIIIe s.) «marchand ambulant», d'après l'expression *porteur à col* (1363), elle-même modifiée en *col-porteur* (XVIe s.) avant de disparaître.
COLPORTAGE n.m. n'est attesté que depuis 1723. On appelle *littérature de colportage* les ouvrages diffusés par les colporteurs entre le XVIe et le XIXe s., notamment les romans populaires de la «Bibliothèque bleue». Le colportage, depuis le moyen âge jusqu'au développement des transports modernes, dans la seconde moitié du XIXe s., a joué un rôle économique et socioculturel très important. Avec le déclin de cette activité depuis la fin du XIXe s., le mot est devenu archaïque ou historique.

COLT n. m. est emprunté (1859) à l'anglo-américain *Colt's fire-arms* ou *Colt's revolver* «arme à feu de Colt» (1846), par ellipse *Colt's* (1852). L'inventeur de cette arme à feu est Samuel *Colt* (1814-1862) dont le brevet d'invention date de 1835.

♦ Le français a eu *pistolet de Colt* (1859) et *revolver Colt* (1864, J. Verne), *revolver de Colt* (1867), avant d'employer absolument *colt* (1895). Le mot s'est répandu avec l'imagerie de la conquête de l'Ouest américain diffusée par les récits puis par les films (westerns).

COLTIN n. m., d'abord *colletin* (1577) puis *coltin* (1836), est dérivé de *collet* (→ col, cou) et a désigné un pourpoint masculin, souvent en cuir, à la mode au XVIe s. et au début du XVIIe siècle.

♦ Le mot continue à s'employer comme référence historique (1740). Par analogie de forme, il a désigné le gilet porté par les forts des Halles (1866) et, par métonymie, le chapeau de cuir de certains portefaix, dont les larges bords protègent le cou et les épaules. Par référence au travail de force, il a reçu le sens figuré de «force» en argot (1836) puis, avec un changement de valeur, celui de «travail pénible» (1954).

▸ Son dérivé **COLTINER** v. tr. (1790), d'abord *colletiner* (1725), est introduit par l'argot au sens d'«arrêter», d'après l'idée de «saisir par le coltin, le collet». ◇ Celle-ci a cédé la place à l'idée de «porter sur le coltin», d'où «porter (un objet lourd, encombrant)» (1835), aussi en construction pronominale (1915), d'où au figuré «faire un travail pénible». ◇ On en a dérivé **COLTINEUR, EUSE** n. (1824, *colle-*) et **COLTINAGE** n. m. (1878).

COLVERT → COL

COLZA n. m. est l'adaptation, en *colzat* (1664) puis *colza* (1762), du néerlandais de même sens *koolzaad*, proprement «graine *(zaad)* de chou *(kool)*». Cette origine est confirmée par l'importance de la culture du colza dans les Flandres et les Pays-Bas, ainsi que par la présence du mot en picard. *Kool* est le correspondant de *chou**; *zaad* appartient à un ensemble germanique (allemand *Saat*, anglais *seed*), et qui procède d'une racine représentée en latin dans *serere* (→ semer).

♦ Le mot désigne une plante fourragère dont les graines fournissent de l'huile *(huile de colza)*.

COMA n. m. est emprunté (1658) au grec *kôma, -atos* «sommeil profond», pris au sens médical (depuis Hippocrate) d'«état léthargique», et passé dans le vocabulaire européen de la médecine. *Kôma* est d'origine obscure. Les différents rapprochements proposés (notamment avec *keisthai* «être couché») restent à l'état d'hypothèse.

♦ Le mot a pris une valeur plus précise avec les progrès de la neurophysiologie et sert alors à former des syntagmes *(coma profond, coma prolongé, être dans le coma...)*.

▸ **COMATEUX, EUSE** adj. (1616), dérivé de *coma* d'après le grec *kôma, -atos,* qualifie ce qui est propre au coma, qui annonce le coma, la personne qui est dans le coma, sens où il est aussi substantivé.

COMBATTRE v., d'abord *cumbatre* (1080), est issu d'un latin populaire °*combattere,* altération du bas latin *combattuere* «(se) battre avec» (Ve s.), de *cum, com-* (→ co-) et de *battuere* (→ battre).

♦ Le verbe exprime l'idée de lutter concrètement contre qqn, de nos jours en construction transitive indirecte (1080) ou directe (XIVe s.), en ancien français, également à la forme pronominale. Depuis le XVIIe s., il est aussi employé avec la valeur figurée de «se mesurer avec qqn» (1636), «lutter contre une chose» (1636). Le sens de «rivaliser avec qqn» (1740) est sorti d'usage, mais d'autres métaphores ont élargi les contextes (*combattre l'inflation,* etc.).

▸ **COMBATTANT, ANTE** adj. et n. est l'emploi adjectivé et substantivé (1080) du participe présent de *combattre,* en parlant d'un guerrier et, par extension, de celui qui se bat avec d'autres (1680). Il s'est spécialisé en histoire, désignant l'assistant d'un chevalier dans un tournoi (1718), et en zoologie (1775) pour dénommer des animaux, notamment un échassier au caractère très combatif.
Le déverbal **COMBAT** n. m. est attesté depuis 1538 au propre et au figuré et est employé en parlant d'un sport depuis 1549. ◆ **COMBATIF, IVE** adj., dérivé du radical de *combattre,* est seulement attesté depuis 1893, après **COMBATIVITÉ** n. f. (1818). Ces deux mots — dont la graphie est anormale — caractérisent un caractère, un comportement, une personne doués d'agressivité.

COMBE n. f. est issu (fin XIIe s.) du gaulois °*cumba* «vallée», attesté par la toponymie (également sous les formes *Comps, Cons, Combs*) et par ses correspondants celtiques.

♦ Le sens de «vallée» a vieilli au XVIIe s. par rapport au mot usuel *vallée.* Le mot a été remis en honneur au XVIIIe s., notamment par J.-J. Rousseau, pour désigner une petite vallée encaissée du Jura. La géologie l'entend dans une acception précise de «dépression longue et étroite formée par l'érosion dans l'axe d'un anticlinal».

COMBIEN adv. interrog. et exclam., d'abord sous les formes *cumben* (av. 1120) et *cumbien* (1130-1160), est composé des adverbes *com* (forme ancienne de *comme**) et *bien**.

♦ Dès l'ancien français, le mot est employé absolument ou devant un substantif pour en déterminer ou en demander la quantité, spécialement s'agissant du temps (v. 1155), emploi précisé par l'expression *combien de temps,* ou de l'argent (v. 1190), toujours en usage absolument *(c'est combien?)*. ◇ Combien s'emploie aussi, dès le XIIe s., devant un verbe et, depuis le XVIe s., devant un adjectif ou un adverbe, avec une valeur intensive (notamment en exclamation). L'ancienne locution conjonctive ***combien que*** (1175) «quoique» s'est maintenue jusqu'au XVIIe s., et jusqu'au XVIIIe s. quand la concessive exprimait une notion d'intensité ou de quantité. ◇ Le substantif *combien,* relevé au XVIe s. dans l'ancienne locution *se mettre sur le combien* «débattre des conditions», est usuel dans deux emplois de la langue parlée moderne, qui l'utilise pour *quantième* (ainsi que **COMBIENTIÈME** adj. et n. (1934), parfois *combienième,* dérivés spontanés et récents) et dans une interrogation portant sur la fréquence *(tous les combien?)*.

COMBINER v. tr. est emprunté (fin XIIIe s.) au bas latin *combinare* «unir deux choses ensemble», de *cum, com-* (→ co-) et de *bini* «par deux, paire» (→ binaire).

♦ L'ancien sens intransitif, «être à deux», s'est effacé au cours du moyen âge au profit du sens transitif actuel «assembler deux ou plusieurs éléments» (v. 1370), concernant un assemblage dans un ordre déterminé, puis aussi, par extension, un assemblage d'éléments variés (1690). Le XVIIIe s. a vu la spécialisation du mot en chimie (1762) et son usage s'étendre à des objets abstraits tels que preuves, incidents, raisonnements (1740). ◇ À la même époque, l'accent étant mis sur le but de l'opération, *combiner* a reçu, avec un objet désignant une entreprise, une réalisation complexe, la valeur d'«organiser minutieusement» (av. 1789), parfois avec une valeur négative *(combiner un mauvais coup).*

▸ Les dérivés de *combiner* ne sont pas antérieurs au XVIIIe siècle. **COMBINÉ, ÉE** adj. apparaît dans un contexte militaire (1752). ◇ Le mot est repris comme nom masculin pour désigner un appareil téléphonique combinant micro et récepteur (1905) et, plus tard, un vêtement (1960). Ce nom désigne en sport une épreuve complexe (1924), notamment en ski, en parachutisme. ◆ **COMBINATEUR, TRICE** adj. et n. m. (av. 1741) est sorti d'usage, mais a été repris en électricité pour désigner un appareil de commutation effectuant des combinaisons de circuits. ◆ **COMBINATOIRE** adj. et n. f. est apparu (1732) pour qualifier et désigner ce qui met en œuvre des combinaisons d'éléments, surtout en mathématiques, en logique *(logique combinatoire),* en linguistique.

COMBINARD, ARDE adj. et n. est dérivé (1920), avec le suffixe péjoratif *-ard,* de *combiner* «organiser à son profit», d'après *combinaison, combine.*

COMBINAISON n. f. est l'altération (1669) de l'ancien *combination,* lui-même emprunté au bas latin *combinatio* «association de deux choses». ◇ Son sens particulier de «sous-vêtement d'une seule pièce» (1895) est dû à l'anglais *combination (garment)* [1884]. Depuis 1920, il sert aussi à désigner un vêtement de travail ou de combat d'une seule pièce. ◇ L'abréviation familière **COMBINE** n. f. (fin XIXe s.) assume le double sens de «moyen astucieux» et de «combinaison (vêtement)».

COMBINAT n. m. (1935) est probablement l'adaptation du russe *kombinat,* formé sur le correspondant russe du verbe *combiner, kombinirovat',* pour désigner dans l'ancienne U.R.S.S. le groupement de firmes ou centres industriels ayant des activités complémentaires.

Enfin, *combinaison* et *combine* sont doublés par l'italianisme **COMBINAZIONE** n. f. au sens de «manœuvres compliquées et intéressées».

① **COMBLE** n. m. est issu, d'abord sous la forme *cumble* (v. 1160), du latin *cumulus* «tas, quantité qui dépasse la mesure», au figuré «surplus» et «couronnement, apogée», sens auquel il est synonyme de *culmen* (→ culminer), mot auquel le sens de «sommet, faîte» semble emprunté. *Cumulus* a pris par extension le sens de «amas, levée de terre entre deux sillons», souvent en association avec *tumulus* (→ tumulus).

♦ Rare au sens concret de «surcroît d'une mesure», *comble* est surtout vivant au sens abstrait de «maximum, degré le plus haut» (apr. 1150), dans la locution ***le comble de*** et (dès 1160) dans *a cumble* «excessivement, outre mesure». Dans ces valeurs ***(c'est le comble, un comble!),*** le mot présente uniquement une valeur péjorative. ◇ D'un emploi tardif de *cumulus* à la place de *culmen* «faîte, sommet», il tient le sens concret de «construction surmontant un édifice et en supportant le toit» (1260). ◇ Plus couramment, au singulier ou au pluriel, il désigne la partie la plus haute d'un bâtiment (1811), *loger sous les combles* signifiant «loger sous les toits». Cette acception a fourni la locution ***de fond en comble*** (1680), réfection de *de comble en fons* (XVIe s., av. 1574), dont la formation rappelle *de la cave au grenier* et qui a pris rapidement le sens figuré de «complètement» (1589). L'emploi figuré du mot, au sens de «plus haut point», propre au style littéraire, n'est pas très distinct de celui de «mesure remplie».

◈ voir COLMATER, COMBLER, CUMULER, CUMULUS.

② **COMBLE** → **COMBLER**

COMBLER v. tr. est issu (v. 1150) du latin *cumulare* (→ cumuler) «entasser, accumuler», «remplir en entassant» et «fournir (qqn) en abondance», lui-même dérivé de *cumulus* (→ comble).

♦ Le sens propre, «remplir (une mesure, un récipient) jusque par-dessus bord», a vieilli et s'est mieux maintenu dans un emploi figuré de la locution ***combler la mesure*** (v. 1583-1590). ◇ Dès l'ancien français, le mot exprime l'idée figurée de «donner en profusion (qqch.)» dans le participe passé adjectivé *comblé* (1165-1170), l'emploi correspondant du verbe n'étant attesté qu'en 1564 dans sa contruction actuelle *combler qqn de.* Le sens propre concerne le fait de remplir entièrement (et non par-dessus bord) une cavité, en emploi pronominal (apr. 1250) et transitif (1441), emploi étendu plus tard à un récipient.

▸ ② **COMBLE** adj. (v. 1200), «rempli jusqu'au bord», a cédé son emploi figuré, attesté dès les premiers textes, au participe passé adjectivé **COMBLÉ.** De nos jours, il est surtout usuel au sens hyperbolique de «plein à craquer» (1817) en parlant d'un espace clos, salle, moyen de transport collectif. ◇ Par analogie, le syntagme *pied comble* (1393) désigne en médecine vétérinaire un sabot dont la sole porte seule à l'appui. ◆ **COMBLEMENT** n. m. (1515) est le substantif d'action de *combler.*

COMBUSTION n. f. est emprunté (v. 1180) au bas latin *combustio* «action de brûler par le feu», dérivé de *comburere* «brûler complètement», verbe composé de *cum, com-* (→ co-) et de *urere,* qu'il a tendu à supplanter. Ce mot, peu représenté dans les langues romanes, a des correspondants en grec, en sanskrit et dans quelques formes nominales germaniques et doit donc se rattacher à une racine indoeuropéenne.

♦ Le sens d'«incendie» a cédé la place à celui d'«action de brûler complètement» (1625), didactique ou littéraire, spécialement en chimie en parlant de la combinaison d'un corps avec l'oxygène (1753). ◇ Le sens figuré de «désordre, effervescence» (1559) appartient au style soutenu.

▶ **COMBUSTIBLE** adj. et n., dérivé (XVe s.) du radical de *combustion*, qualifie ce qui a la propriété de brûler, spécialement en chimie, et, au figuré, ce qui est prompt à s'enflammer (1762, Rousseau). ◇ Substantivé (1793), il désigne une substance qui a la propriété d'entrer en combustion et de dégager de la chaleur utilisable. Il est alors très courant, connotant ce qui est nécessaire à un fonctionnement. ➜ Le mot a servi à former **INCOMBUSTIBLE** adj. (1361 ; rare av. le XVIIIe s.) et **COMBUSTIBILITÉ** n. f. (XVIe s.).

COMBURANT, ANTE adj. et n. m. est le participe présent adjectivé de l'ancien français *comburir* «brûler entièrement» (av. 950), lequel représente, avec changement de désinence, le latin *comburere*. ➜ Un autre représentant du verbe latin, **COMBURER** v. tr. (1416-1422), a été employé en moyen français à la voix passive puis, au XVIe s., en constructions transitive et intransitive ; il a été repris au XIXe s. en chimie (1866) et dans la langue littéraire par latinisme. ➜ *Comburant* est attesté une seule fois en ancien français (av. 1314), qualifiant ce qui a pour effet de brûler, dans un contexte médical. Il est réintroduit en chimie (1789, Lavoisier), par emprunt au participe présent latin *comburens*, à propos d'un corps qui, en se combinant à un autre corps, permet la combustion de celui-ci. Le mot, à la différence de *combustible*, est demeuré didactique.

◈ voir BUSTE.

COMÉDIE

COMÉDIE n. f. est emprunté au latin *comoedia* «pièce de théâtre» et «genre théâtral» (en particulier comique), lui-même du grec *kômôdia*. Celui-ci est dérivé, par *kômôdos* «chanteur dans une fête», de *kômos* qui désignait une procession burlesque lors des fêtes dionysiaques et qui pourrait, au sens premier de «troupe», se rattacher à la racine indoeuropéenne °*kei-*.

♦ D'abord employé par Oresme dans une traduction du latin, la *Politique* d'Aristote (1370), *comédie* n'entre dans l'usage que par traduction de l'italien et du latin publié en Italie (1536, *les six comédies de Térence*, Octavien de Saint-Gelais). Le mot est adopté lorsque du Bellay écrit la *Défense et Illustration*, en 1549. Il a souvent le sens général de «pièce de théâtre (sans considération de genre)», usuel au XVIIe siècle. On a gardé trace de cette valeur générale avec le sens spatial de «théâtre» (XVIIe s.), par exemple dans *Comédie-Française*, et au sens figuré de «spectacle», puis «attitude feinte» *(jouer la comédie)*. Le sens plus précis de «pièce divertissante représentant des personnages de moyenne et basse condition» est apparu en 1552 (Jodelle), par opposition à *tragédie*, puis aussi à *drame*. ◇ Depuis le XVIIe s., *comédie* désigne le genre théâtral comique et entre dans nombre de syntagmes figés désignant des genres particuliers (récemment, *comédie musicale*, aussi au cinéma) et de composés (→ tragicomédie, à tragédie) ou d'emprunts (→ commedia dell'arte).

▶ Le dérivé **COMÉDIEN, IENNE** adj. et n. (v. 1500, *comediain*) est attesté avec le sens figuré de «personne qui feint» depuis 1673 et employé comme adjectif depuis 1687. À la différence de *comédie*, il a conservé au sens propre, dans un usage un peu snob ou professionnel, la valeur large d'«acteur de théâtre ou de cinéma».

◈ voir COMÉDIE-BALLET*, COMIQUE.

COMÉDON

COMÉDON n. m. est l'adaptation, par transposition métaphorique (1858), du latin *comedo, -onis* «mangeur», de *comedere* «manger» (→ comestible), cette matière sébacée étant réputée «manger» la peau.

♦ Ce terme est le synonyme du mot usuel *point noir*.

▶ Le composé **TIRE-COMÉDON** n. m. date du XXe siècle.

COMESTIBLE

COMESTIBLE adj. et n. est emprunté (XVe s.) au latin médiéval *comestibilis* «qui peut être mangé par l'homme» (IXe s.), également substantif (1217), dérivé de *comestum*, supin de *comedere* «manger». Ce dernier est la forme renforcée de *esse* «manger», d'une racine indoeuropéenne °*ed-* «mâcher», à laquelle se rattachent l'anglais *to eat*, le russe *estj*, l'allemand *essen*. Le verbe latin, concurrencé par les formes *mandere* et *manducare* plus régulières (→ manducation, manger), s'est maintenu en espagnol et en portugais *(comer)*.

♦ L'adjectif est usuel ; le substantif qui en est tiré (1501, pluriel), rare jusqu'au XVIIIe s., subit la concurrence du mot courant *aliment ;* son emploi dans les enseignes de magasins a régressé au profit d'*alimentation*.

◈ voir COMÉDON.

COMÈTE

COMÈTE n. f. est emprunté (v. 1140) au latin *cometes*, lui-même emprunté au grec *komêtês* «comète», proprement «chevelu», adjectif substantivé dérivé de *komê* «chevelure», la comète apparaissant, avec sa traînée lumineuse, comme un astre chevelu. *Komê* est d'origine obscure.

♦ Le mot est d'abord lié à des valeurs symboliques : l'astre, d'apparition et d'aspect irréguliers, entraîne depuis l'Antiquité des sentiments de crainte et suscite les mauvais présages. L'année où l'on observe une comète très lumineuse (appelée *année de la comète*) est censée être exceptionnelle. En 1742, l'apparition de la *comète de Halley*, très lumineuse, donna lieu à une *mode à la comète*. Ce même phénomène donne naissance au jeu de cartes dit *comète*, par allusion à une longue suite de cartes comparées à la «queue» de l'astre (métaphore qui tend à se substituer à «chevelure»), et, en 1811, à des crus fameux dits *vins de la comète*. L'expression figurée ***tirer des plans sur la comète*** est attestée depuis 1896. ◇ Par analogie, ce nom a reçu des acceptions spéciales en héraldique (1690), en passementerie où il désigne un ruban étroit satiné (1800) et en reliure où il dénomme une tranchefile artificielle (1896).

▶ Le dérivé **COMÉTAIRE** adj., attesté depuis 1749 (Buffon), reste d'usage très didactique.

COMICE n. m. est emprunté (v. 1355) au latin *comitium* «endroit où le peuple se réunissait en assemblée à Rome» et, au pluriel *comitia*, «assemblée générale du peuple romain». Le mot est une formation indépendante expliquée par °*com-* (→ co-) avec un suffixe inspiré du verbe *ire* «aller» (→ aller). Il fait partie du groupe de *comes* (→ conte), *comitas* (→ comité).

♦ Introduit par Bersuire comme terme d'antiquité romaine, le mot a servi, sous la Révolution (1789, Sieyès), à désigner la réunion des électeurs pour nommer les membres des assemblées délibérantes. Le sens vivant de «réunion de cultivateurs d'une région pour travailler au perfectionnement de l'agriculture» est attesté depuis 1760; son importance au XIXe s. est illustrée dans le célèbre épisode des *comices agricoles* de *Madame Bovary* (1857).

▸ L'adjectif **COMITIAL, IALE, IAUX** a été introduit lui aussi par Bersuire (v. 1355) par emprunt au latin *comitialis* «relatif aux comices», spécialement dans les syntagmes *dies comitialis* et, en médecine, *morbus comitialis* «épilepsie». Il est didactique et peu usité. L'ancienne expression *mal comitial* «épilepsie» (1576), calquée du latin, vient de ce que l'on ajournait les comices, à Rome, quand qqn y était frappé d'épilepsie.

COMIQUE adj. et n. a été emprunté au XIVe s. au latin *comicus* «relatif au théâtre», spécialement «relatif à la comédie», lui-même emprunté au grec *kômikos* de même sens, dérivé de *kômos* (→ comédie).

♦ Le sens d'emprunt, «relatif au théâtre» et «qui écrit du théâtre», a vieilli : il était usuel au XVIIe s. où le *Roman comique* de Scarron décrit la vie d'une troupe de comédiens. Il a été éliminé par l'acception restreinte de «relatif à la comédie». Par métonymie, le nom *un, le comique* désigne à la fois un auteur de comédie (1580), un acteur dont le rôle suscite le rire (1680) et le genre ou style théâtral qui s'y emploie (1669). ◇ Pris par extension hors du contexte artistique, il signifie «ce qui prête à rire» et est adjectivé depuis 1680. Il est devenu un quasi-synonyme de *amusant, drôle* et, resubstantivé, signifie «personnage risible, peu sérieux».

◈ voir COMÉDIE.

COMITÉ n. m., d'abord écrit *committé* (1652) puis *comité* (1710), est la francisation de l'anglais *committee*, lui-même soit issu de *to commit* au sens de «confier», soit emprunté directement à l'ancien participe passé français de *commettre* : committé*. Le mot anglais a d'abord été employé en droit au sens de «commis» (1495) puis en politique au sens de «réunion d'un petit nombre de gens choisis pour délibérer d'une question» (1621), d'où «ce petit groupe choisi».

♦ Le mot anglais a pénétré en français avec ce dernier sens, voisin de celui de *commission*, de même origine, mais d'abord réservé à un contexte anglais. Il s'est répandu au XVIIIe s. sous la Révolution, entrant dans de nombreux syntagmes (*Comité de salut public*, 1792). La perte malencontreuse des deux *m* fait qu'on ne le rattache plus à sa famille d'origine (*commis, commission, commissaire...*), ce qui ne l'empêche pas de s'appliquer à de nouveaux domaines, au théâtre (*comité de lecture*, 1835, ensuite dans l'édition), dans les entreprises (*comité d'entreprise*, 1945) et d'avoir un sens figuré usuel de «petit groupe» (*en petit comité*), apparu en même temps que l'emploi politique (1710).

▸ **SOUS-COMITÉ** n. m., attesté à partir de 1793, reste administratif.

✳ **COMMANDER** v. est issu (v. 980) du latin °*commandare*, réfection, d'après *mandare* «charger, confier» (→ mander), du latin *commendare* «confier» et «charger», et aussi «commander». Le mot est formé de *cum* (→ co-) et de *mandare* (→ mander).

♦ Le verbe a perdu au XVIe s. le sens de «confier», et celui de «recommander», passé à ce préfixé (ci-dessous). Seule l'acception d'«ordonner» (v. 980) s'est développée, modulée selon la construction : transitivement, le verbe est employé spécialement en contexte militaire depuis le XVIe s. au sens latin de «diriger, donner des ordres à» (1573), puis aussi «dominer (un lieu)» (1653). ◇ Son sens commercial de «demander la livraison de (une marchandise)» est attesté depuis 1675 et renforcé par le dérivé *commande*. En construction intransitive, *commander* régit seulement la préposition *à* (et non plus *sur*, attestée par l'usage classique); depuis le XVIe s. (1564), il se construit avec un nom de membre physique ou de sentiment pour complément, au sens de «maîtriser».

▸ **COMMANDEMENT** n. m., «action de donner un ou des ordres» et «ordre donné» (1050), s'est spécialisé en terme militaire («ordre», d'où ***à mon commandement...***), «pouvoir du commandant» (déb. XVIIe s.) et en théologie (v. 1175, *les commandementz Dei* [→ de Dieu]). Une valeur juridique, «ordre de payer», apparaît au XVIe s. (1549). ◆ **COMMANDEUR** n. m. (1260; 1160, *commandere* «chef») désigne historiquement le chevalier d'un ordre militaire pourvu d'une **COMMANDERIE** n. f. (1387).

Le déverbal **COMMANDE** n. f. (1213) a éliminé son doublet masculin *command* n. m. (1050), spécialisé en droit (1262). *Commande* a eu la valeur concrète de «chose confiée à qqn» d'après l'ancien sens du verbe et de son étymon latin. ◇ Il s'est maintenu en droit commercial, mais a changé de sens (1680) pour désigner l'ordre de fournir une marchandise moyennant paiement, selon le sens récemment pris par le verbe et correspondant aux nécessités de la terminologie du commerce, activité en extension à cette époque. Le langage usuel utilise le mot en un sens vague, proche de *commandement* «ordre», surtout dans des locutions ***sur commande*** «à la demande» ou ***de commande*** «prescrit» (1671). Le participe présent a été substantivé en **COMMANDANT** n. m. (1661) «chef d'un parti» puis (1674) «chef militaire». Dans l'organisation moderne de l'armée, *commandant* s'est spécialisé pour désigner le chef de bataillon, supérieur à l'officier dit *commandant de compagnie* (au sens général de *commandant*) dont le grade est celui de *capitaine**.

◇ En revanche, dans la marine, *commandant* désigne simplement celui qui commande, l'officier responsable d'un navire.

Par préfixation, *commander* a servi à former deux verbes usuels. ➛ **RECOMMANDER** v. tr. apparaît (fin Xᵉ s.) dans un sens intensif, «livrer (une personne) à qqn» où *commander* correspond à un sens du latin. Dès le XIIᵉ s. (v. 1174), le verbe signifie «désigner, indiquer à l'attention, souvent en soulignant les mérites, les qualités», d'où «vanter les qualités de (qqn, qqch.)» (1280) et, avec un sujet nom de chose, «rendre (qqn) digne d'estime» (v. 1370), d'où *se recommander par* (une qualité) [1588]. *Se recommander à qqn* (v. 1280) correspond à «demander sa bienveillance». *Se recommander de qqn* (1611) signifie «invoquer son appui». ◇ Par ailleurs, depuis le XIᵉ s. (1080), le verbe correspond à «demander avec insistance à qqn», d'où «conseiller de» avec *de* et l'infinitif. Il s'est spécialisé dans le vocabulaire des postes (1893) pour «faire poster avec des garanties de remise au destinataire», surtout au participe passé adjectivé *(lettre recommandée)* et substantivé *(un recommandé)*. ➛ Le dérivé **RECOMMANDATION** n. f. (1150), substantif d'action, désigne aussi les paroles qui recommandent qqn ou qqch., et un avis, un conseil (1340). En droit, il s'est spécialisé pour un «acte d'opposition à la mise en liberté d'un créancier» (1690), valeur cohérente avec l'emploi le plus ancien du verbe et qui a disparu. Le mot désigne aussi (1904) la procédure par laquelle on recommande un envoi postal. ➛ **RECOMMANDABLE** adj. (1450) qualifie ce qui est digne d'être recommandé, estimé, notamment en emploi négatif *(peu, pas très recommandable)* en parlant des personnes. ➛ **RECOMMANDATAIRE** n. m., terme de droit (1803), concernait la contrainte par corps.

DÉCOMMANDER v. tr. a été formé en ancien français (v. 1330) au sens d'«annuler (un ordre)», qui a disparu. Sorti d'usage depuis l'époque classique, le verbe a été reformé au XIXᵉ s. (1832) pour «annuler une commande», en commerce, puis «annuler ou différer (une invitation)» et «annuler l'invitation de (qqn)», d'où *se décommander*. ➛ Le dérivé **DÉCOMMANDE** n. f. (v. 1900) est rare.

COMMANDITE n. f. est emprunté (1673), avec fausse coupe et agglutination de l'article, à l'italien *accomandita*, attesté au XVIᵉ s. (av. 1571), terme de commerce plus ancien, au moins en latin médiéval *accomanditum* (1326). Le mot est le participe passé de *accomandare* «confier», dérivé préfixé de *comandare*, qui correspond à *commander*. ◇ Ce nom désigne une société commerciale comprenant des associés gestionnaires, responsables solidairement et personnellement et, d'autre part, un ou plusieurs bailleurs de fonds, ainsi que la forme d'une telle société, par exemple dans *société en commandite*. ➛ Le dérivé **COMMANDITER** v. tr. est d'abord attesté (1809) au participe passé *commandité*, plus ou moins suscité par *commanditaire*, puis à l'actif (1836); il signifie «pourvoir en capitaux» et plus couramment «financer (une entreprise)», «pourvoir en capitaux (une personne)» et, familièrement (1874), «entretenir (une maîtresse)», sens archaïque. ➛ Un autre dérivé **COMMANDITAIRE** n. est antérieur (1752) et signifie «bailleur de fonds» dans une commandite, terme technique diffusé avec la valeur plus générale de «personne qui finance».

◈ voir COMMANDO.

COMMANDO n. m. est emprunté (1902) à l'anglais *commando*, employé depuis 1824 pour désigner une unité tactique de l'armée boer d'Afrique du Sud, pendant la guerre contre l'expédition britannique (1899-1902). Par extension, le mot anglais a désigné une petite troupe de militaires entraînés en vue d'une mission précise et difficile. Il est emprunté à l'afrikaans, qui le tient du portugais *comando* «commandement» (de *commandar* [→ commander]), mot qui désignait une petite troupe de Portugais exécutant des expéditions parmi les populations indigènes.

♦ Le mot a été introduit au sens originel, «corps de troupe d'une centaine d'hommes dans les armées des Boers». Pendant la Seconde Guerre mondiale, il a été réemprunté à l'anglais par l'intermédiaire des armées alliées, anglaise et américaine, en parlant d'un petit groupe de choc entraîné pour exécuter une mission dangereuse (1945). Par extension, il s'applique (1914) à un petit groupe d'intervention.

COMME adv. et conj. est issu dès le IXᵉ s. du latin *quomodo*, adverbe de manière composé de l'ablatif de l'adjectif *quis* (→ chacun, quidam) et de *modus* (→ mode), employé chez les auteurs classiques pour introduire une interrogation directe ou indirecte, une exclamation, pour «de quelle manière», et pour introduire une relative au sens de «ainsi que, de la manière dont...». Dès le Iᵉʳ s., *quomodo* concurrence *ut* (→ ut), *velut*, *sicut* puis, en langue populaire, peut introduire un complément en apposition. De l'emploi comparatif procède, par une comparaison d'égalité appliquée à un rapport de simultanéité, l'emploi temporel et, de ce dernier, l'emploi causal. En effet, *quomodo* causal exprime une situation d'où dérive un fait qui n'existerait pas sans elle et cela peut-être dès Quintilien. La forme française primitive *cum*, *com* est directement issue de *quomodo* par l'intermédiaire de formes tardives *comodo*, *como*, attestées dans les inscriptions. *Cume*, *come* est dû soit à l'analogie de mots comme *or*, *ore*; *encor*, *encore*; *onc*, *onque*, soit plutôt à l'adjonction d'un *e*, du latin *et* (→ et) dans *quomodo et* : cette dernière hypothèse est seule capable d'expliquer l'italien *come*.

♦ Le mot possède la plupart de ses fonctions, par héritage de la syntaxe latine, avant le XIIᵉ siècle. Il a longtemps servi d'adverbe de manière introduisant une interrogation directe (v. 980) et indirecte (v. 980) avant de vieillir, d'être proscrit par Vaugelas et d'être supplanté vers la fin du XVIIᵉ s. par *comment*. La langue moderne a gardé une trace de cet emploi dans les locutions adverbiales ***Dieu sait comme, il faut voir comme.*** ◇ *Comme* s'est en revanche bien maintenu comme adverbe d'intensité en emploi exclamatif (v. 1080) et en modifiant le sens d'un adjectif ou d'un substantif attribut (v. 980). ◇ Il est également très précoce comme conjonction et adverbe exprimant la comparaison (842), introduisant notamment une comparative hypothétique (v. 881), souvent en association avec *si* (1165-1170). Son emploi introduisant le second membre d'une comparaison (v. 1080), encore toléré par Vaugelas, disparaît au XVIIIe siècle. ◇ *Comme* exprime aussi la manière (v. 980), spécialement dans les locutions ***comme qui dirait*** «en quelque sorte» (1559 ; av. 1421, *comme nous dirions*) et ***comme quoi*** (1466) qui a d'abord signifié «comment» et «disant que» avant de prendre un sens causal, «d'où il s'ensuit que». ◇ L'emploi de *comme* avec une valeur temporelle est lui aussi très ancien (v. 980). Il n'en va pas de même de son emploi causal, relevé dans le *Roman de la Rose* (v. 1278), mais rare avant le XVe siècle. ◇ ***Comme ci*** (→ ② ci) ***comme ça*** «à peu près» a pu provoquer la formation de *couci-couça**.

▶ **COMMENT** adv. (1080), composé de l'ancienne forme *com, cum* avec le suffixe *-ment,* a longtemps concurrencé *comme* dans l'interrogation directe et indirecte avant de le supplanter (voir ci-dessus). L'ancienne locution conjonctive ***comment que*** (v. 1080) a elle-même été remplacée par *de quelque façon que.* L'emploi de *comment* seul pour exprimer l'étonnement est attesté au XIIe s. (v. 1175). ◇ Plusieurs interrogations de politesse utilisent l'adverbe : *comment va ?* (XIVe s.) est aujourd'hui familier ; *comment ça va-t'il, ça va-t'y ?* (1749), *comment ça va ?* (1845, Flaubert) à côté de *comment allez-vous ? comment tu vas ?, vas-tu ?* ◇ Quelques emplois substantivés (v. 1500) se rencontrent, essentiellement dans des constructions lexicalisées (*le pourquoi et le comment, le quand et le comment*).

◈ voir COMBIEN.

COMMEDIA DELL'ARTE

COMMEDIA DELL'ARTE n. f. est l'emprunt, au début du XVIIe s., d'un mot italien apparu au XVIe s., qui signifie «comédie de fantaisie» (→ art, comédie) par une valeur spécialisée de *arte* «art», parce que les acteurs de ce genre théâtral improvisaient sur un canevas fixé.

♦ Très populaire en France au XVIIe s., la *commedia dell'arte* a été progressivement naturalisée en *comédie italienne,* et ses trouvailles intégrées par des auteurs de comédie (Molière). Le mot connaît en français un regain de faveur, avec les expériences théâtrales de la seconde moitié du XXe siècle.

COMMÉMORER

COMMÉMORER v. tr. est emprunté (XIVe s.) au latin *commemorare* «mentionner, rappeler, évoquer», de *cum, com-* (→ co-) et de *memorare* (→ mémorable).

♦ Le verbe, introduit par Bersuire avec son sens moderne «marquer par une cérémonie le souvenir de (qqn, qqch.)», demeure un latinisme rare et sort d'usage, avant d'être repris pendant la période révolutionnaire et post-révolutionnaire (1797, Chateaubriand), en partie d'après *commémoration* et *commémoratif* (ci-dessous).

▶ **COMMÉMORATION** n. f. (XIIIe s.), emprunté au dérivé latin *commemoratio* avec son sens chrétien de «cérémonie en souvenir d'un saint ou d'un événement religieux», est attesté avec un sens plus général depuis 1581 mais demeure essentiellement un terme de religion, avant de se diffuser avec *commémorer,* pendant la Révolution. ➜ Son doublet religieux de même origine, **COMMÉMORAISON** n. f. est attesté depuis 1671 (une première fois en 1386). ➜ **COMMÉMORATIF, IVE** adj., d'abord religieux (1598), est sorti d'usage puis a été repris au XVIIIe s. comme terme de médecine (1741) et comme terme religieux (1771). Il correspond aussi au sens général du verbe (1808), après sa reprise pendant la Révolution.

COMMENCER

COMMENCER v. est issu (Xe s.) du latin populaire °*cominitiare,* de *cum* (→ co-) et de *initiare* (→ initier) qui, du sens d'«initier», est passé à basse époque (IVe s.) à celui de «débuter». Cette évolution correspond au vieillissement de *incipere* «commencer» (d'où le roumain *incep*). ◈

♦ Repris avec le sens de «débuter», le mot est employé transitivement (*commencer qqch.*) et avec des prépositions (*à*, 1080 ; *de*, 1580 ; *par*, 1601). La distinction entre *commencer de* (action qui dure) et *commencer à* (action ponctuelle) s'est effacée au XVIIe s., malgré Vaugelas. Le verbe tolérait autrefois un complément animé ; ainsi, *commencer un chien* signifiait «entreprendre son dressage». L'emploi avec un sujet inanimé est généralement intransitif (av. 1317). La grande fréquence du verbe, comme antonyme de *finir,* résiste à la concurrence de *débuter.*

▶ Le dérivé **COMMENCEMENT** n. m. (1119) est aussi usuel que le verbe et demeure l'antonyme normal de *fin,* en concurrence avec *début.* Dans la phraséologie, *au commencement* est courant, *le commencement de la fin* familier. *Les commencements* se dit spécialement (1538) des premières leçons, des rudiments. ➜ **COMMENÇANT, ANTE** adj. (1470) est substantivé en parlant des personnes, mais subit la concurrence de *débutant.*

Formé par préfixation, **RECOMMENCER** v. tr. (1080, *recomencer*), aussi *recommencier* en ancien français (XIIe s.), signifie «reprendre au début», puis (v. 1283) «commencer de nouveau (ce que l'on avait interrompu ou rejeté)». L'emploi intransitif, le plus ancien, correspond à «exister, se produire de nouveau (d'un processus interrompu)», puis (1670) «avoir un nouveau commencement (du temps, du jour qui se lève...)», moins usuel. ➜ Le verbe a pour dérivé **RECOMMENCEMENT** n. m. (1546), assez littéraire, et **RECOMMENÇANT, ANTE** adj. (XIXe s. ; av. 1848, Chateaubriand).

COMMENSAL, ALE, AUX

COMMENSAL, ALE, AUX n., surtout au pluriel (1418) est, en français, le seul représentant (à travers son composé en *cum* [→ co-] *commensalis* «compagnon de table») du latin *mensa* «table», évincé par le représentant de *tabula* (→ table) mais conservé dans l'espagnol et le portugais *mesa* et dans le roumain *masa.* À l'origine, *mensa* a dû désigner un gâteau sacré, rond, découpé en quartiers et sur lequel on disposait les offrandes aux dieux. En passant dans la langue commune, il aurait pris le sens de «support pour les aliments» puis «table» et, par suite, «repas». L'origine du mot est inconnue, le rapport avec *metiri* (→ mesure, mesurer), souvent avancé, étant incertain.

♦ Le mot qualifie et, comme nom (1420), désigne la personne qui mange à la même table. Il est entré dans l'expression *commensal de la maison* (1679, La Fontaine), aujourd'hui archaïque, et est très littéraire dans tous ses emplois.

▸ **COMMENSALITÉ** n. f. (1549), nom de qualité, est quasiment inusité, à la différence de **COMMENSALISME** n. m. (1874), terme de biologie désignant le partage des mêmes aliments par deux organismes d'espèces différentes.

COMMENSURABLE adj. est emprunté (v. 1370) au bas latin *commensurabilis* «de mesure égale, commune» (en arithmétique, VIe s.), du latin *commetiri* «mesurer, mesurer ensemble, confronter», lui-même de *cum* (→ co-) et de *metiri* (→ mesurer).

♦ L'adjectif est introduit au sens didactique du latin, en parlant d'une grandeur mathématique. Par extension, il qualifie une grandeur quelconque qui peut être comparée à une autre par l'emploi d'une unité de mesure commune.

▸ **COMMENSURABILITÉ** n. f., d'abord *commensurableté* (v. 1370), d'après le latin médiéval *commensurabilitas* (XIIIe s.), et **COMMENSURATION** n. f., emprunté (v. 1380) au bas latin *commensuratio* «égalité de mesure» (VIe s.), se limitent à un usage didactique. ◆ En revanche, **INCOMMENSURABLE** adj., lui-même repris (v. 1370) au bas latin *incommensurabilis*, terme de mathématiques, s'est mieux répandu dans l'usage général. D'après l'idée de «non mesurable», il a rejoint la sphère des emplois hyperboliques d'*infini*, exprimant ce qui est infini ou très grand (1768), substantivé avec une valeur de neutre (1810, Mme de Staël). Il a par ailleurs gardé son emploi scientifique de «qui n'est pas commensurable». ◆ **INCOMMENSURABILITÉ** n. f., emprunté (v. 1370) au dérivé du latin médiéval *incommensurabilitas* (v. 1267), relève d'un usage plus didactique.

COMMENT → COMME

COMMENTER v. tr. est emprunté (1314) au latin *commentari* «méditer, appliquer sa pensée à qqch.», puis «expliquer, interpréter des écrits» (époque impériale), de *cum, com-* (→ co-) et de *mens, mentis* «esprit» (→ mental).

♦ Le mot a été repris avec la seconde acception du latin, d'abord au participe passé. À l'époque classique, il a reçu la valeur péjorative de «interpréter malignement» (1675), puis a repris une valeur neutre, en relation avec *commentaire*.

▸ **COMMENTAIRE** n. m., emprunté (1485) au latin *commentarius* «recueil de notes, compte rendu» (de *commentari*), a d'abord eu le sens de «mémoires», au pluriel encore dans des titres d'écrits. Son sens moderne, «texte qui glose, explique un autre texte», est attesté depuis 1675. Sa valeur péjorative classique a laissé une trace dans l'usage familier, avec des locutions comme ***sans commentaire !*** ◆ **COMMENTATEUR, TRICE** n., emprunt au dérivé bas latin *commentator*, est introduit (v. 1370) par les clercs ; le mot, très rare, ne se répand qu'au début du XVIIe s. (1611). Il a reçu, dans le contexte journalistique, le sens de «journaliste chargé de commenter des nouvelles, un reportage» (1904).

COMMERCE n. m., d'abord *commerque* (v. 1370), est emprunté au latin *commercium* «négoce, lieu où se fait un échange économique, droit de commercer», par extension «relations humaines» et spécialement «relations charnelles». Le mot est composé de *cum* (→ co-) et de *merx, mercis* «marchandise» (→ marchand).

♦ Apparu au sens général de «vente de marchandises», le mot désigne aussi, par métonymie, le monde commercial (1798) et *(un, des commerces)* une entreprise commerciale (1812). ◇ Le sens abstrait de «relation réciproque», apparu au XVIe s. (1540) et usuel au XVIIe s., spécialement à propos de la manière de se conduire en société (fin XVIIe s., *être d'un commerce aisé*), est sorti d'usage, sauf dans les locutions ***être d'un commerce (agréable)*** «d'une fréquentation (agréable)» et ***avoir commerce avec*** (1665) au sens particulier d'«avoir des relations charnelles», ces emplois étant devenus archaïques. ◇ L'importance grandissante du mot, l'évolution de ses connotations, sont liées aux développements de l'histoire économique et soulignées par l'apparition et l'évolution des dérivés.

▸ **COMMERCER** v. intr., d'abord *commerser* (1405) «faire du commerce», a complètement perdu le sens d'«avoir des relations avec autrui», très postérieur (1748, Buffon). ◆ Son participe présent a été substantivé en **COMMERÇANT, ANTE** a été substantivé (v. 1695), devenu très courant pour qualifier une catégorie professionnelle, d'où son emploi adjectif (1756), quelquefois avec la valeur de «qui a le sens du commerce, des affaires» (XXe s.). ◆ **COMMERCIAL, ALE, AUX** adj. (1749), outre son emploi neutre, a développé une valeur péjorative dans le domaine artistique ou littéraire (1927-1930) ; l'adjectif s'est répandu au sens propre au XIXe s. (avec de nombreux syntagmes : *droit commercial, études commerciales...*) où il a produit les dérivés **COMMERCIALEMENT** adv. (1829) et **COMMERCIALISER** v. tr. (1872 ; une première fois en 1845). ◇ Ce verbe a servi à former **COMMERCIALISATION** n. f. (1904 ; une fois en 1845) et **COMMERCIALISABLE** adj. (1955).

COMMÈRE n. f. est emprunté (v. 1175), avec adaptation d'après *mère*, au latin chrétien *commater*, proprement «marraine avec», de *cum* «avec» (→ co-) et de *mater* «mère», et «marraine» en latin chrétien (→ mère).

♦ Le mot a suivi une évolution analogue à celle de *compère**. Le sens de «marraine» a disparu au profit d'extensions. Certaines, comme «mère, nourrice» (XVIe s.), n'ont pas vécu. Seul le sens de «personne bavarde qui colporte les nouvelles» (XIVe s.), développé à partir d'un emploi comme appellatif amical (fin XIIIe s.), a fait fortune. ◇ Le mot s'est même (à la différence de *compère*) étendu à une personne de l'autre sexe, manifestant dans tous les cas le jugement négatif sur le bavardage des femmes, l'un des thèmes antiféministes les plus anciens dans la culture médiévale bourgeoise.

▸ **COMMÉRAGE** n. m., d'abord *commeraige* (1546) «baptême», a suivi l'évolution de *commère :* lorsqu'il reparaît au XVIIIe s. (1761, Diderot), il désigne un bavardage futile, malveillant. ◆ **COMMÉRER** v. intr., enregistré une première fois en 1611 par Cotgrave avec un sens disparu, est repris en 1823 avec le sens de «faire des commérages», qui est sorti d'usage.

COMMETTRE

COMMETTRE v. tr. est emprunté (v. 1216) au latin *committere,* littéralement «mettre ensemble», de *cum* «avec» (→ co-) et de *mittere* (→ mettre), d'où «mettre aux prises», «donner à exécuter, confier» et «mettre à exécution, se rendre coupable de qqch.».

♦ Après une attestation isolée au sens ancien de «mettre en vente», le mot est employé en droit (v. 1260) et prend le sens de «charger (qqn) de faire qqch.» à partir du domaine picard (fin XIIIe s.). Ce sens a survécu dans la langue didactique ou littéraire tandis que le sens concret correspondant, «confier qqch. à qqn» (1310-1314), surtout classique, est sorti d'usage. ◇ Dès le XIVe s., *commettre* signifie couramment «accomplir, se rendre coupable de» (v. 1370, *commettre adultère*). Le sens de «mettre aux prises (deux personnes), exposer mal à propos» (fin XVIe s.) a décliné sous la concurrence de *compromettre,* bien que la langue littéraire continue d'employer la forme pronominale *se commettre avec qqn* (av. 1654) avec le même sens que *se compromettre.* ◇ Le sens littéral de «mettre ensemble» (1597) s'est maintenu comme terme technique de cordier pour «réunir par torsion (les éléments qui composent un cordage)» (1752).

▸ **COMMIS** n. m. est le participe passé substantivé (1369) du verbe. Le sens de «personne chargée d'une fonction» est surtout actif dans des spécialisations dans la marine, l'administration et le commerce (1675). Le sens général de «fonctionnaire» a donné lieu à l'expression *premier commis,* et a été reprise au XIXe s. dans ***les grands commis de l'État,*** «les hauts fonctionnaires». ◇ Le composé **COMMIS VOYAGEUR** (1792), usuel au XIXe s. — et aujourd'hui supplanté par *voyageur, représentant de commerce* —, est entré dans quelques locutions figurées péjoratives ***(humour, esprit de commis voyageur).*** Le féminin **COMMISE** (1931) se rencontre dans le sud de la France au sens de «vendeuse».

COMMETTANT, participe présent de *commettre,* est lui aussi substantivé au masculin (1563) pour désigner le marchand qui confie le soin de ses affaires à un commissionnaire, celui qui confie son mandat à un député ou un commissaire (1749). Le sens familier de «personne qui charge qqn de menues commissions» (1863) a vieilli.

◈ voir COMITÉ, COMMISSAIRE, COMMISSION.

COMMINATOIRE

COMMINATOIRE adj. est emprunté au XVIe s. (av. 1520) au latin médiéval *comminatorius* «menaçant» (XIIIe s.), de *comminatus,* participe passé de *comminari* «menacer», de *cum* (→ co-) et de *minari* «menacer» (→ mener).

♦ Ce terme juridique est employé dans la langue soutenue avec le sens de «menaçant, intimidant» *(paroles comminatoires,* dès la première attestation).

▸ **COMMINATION** n. f., emprunt au latin classique *comminatio,* d'abord attesté dans un contexte liturgique (v. 1150), a été repris au XVIIIe s. comme nom d'une figure de rhétorique. ◆ **COMMINER** v. tr., emprunté (1480) au latin *comminari* avec le sens de «menacer», était sorti d'usage à l'époque classique. Bien que repris en 1752 par Trévoux en parlant de l'*excommunication comminatoire,* il n'est guère usité que dans la langue juridique belge *(comminer une peine).*

COMMIS → COMMETTRE

COMMISÉRATION

COMMISÉRATION n. f. est emprunté (1552) au latin *commiseratio* «action d'exciter la pitié», spécialement en rhétorique «appel à la pitié de l'auditeur» (Cicéron). Ce mot est dérivé du supin de *commiserari,* lui-même de *cum* (→ co-) et de *miserari* «plaindre, s'apitoyer» (→ misère).

♦ Le mot désigne, dans un style très soutenu, le sentiment qui fait prendre part ou intérêt à la misère d'autrui. L'emploi du pluriel *commisérations,* pour «paroles de compassion», et rare et parfois péjoratif.

COMMISSAIRE

COMMISSAIRE n. m. est emprunté (1310) au latin médiéval *commissarius* «exécuteur testamentaire» (1242), «personne chargée d'une mission» (1309), dérivé de *committere* (→ commettre).

♦ Le mot dénomme celui à qui l'on commet une charge, une fonction plus ou moins temporaire. Au XVIe s., il désigne aussi le titulaire d'une charge permanente (1538), soit différents fonctionnaires politiques, militaires et, de nos jours, couramment, un magistrat de l'ordre judiciaire chargé de faire régner l'ordre public et de mener l'enquête en cas d'infraction *(commissaire de police).* Depuis le XIXe s., le mot concerne spécialement la personne chargée de veiller à l'organisation et au déroulement d'une manifestation (bal, exposition...) [1845]. ◇ Sous l'influence de *commission**, il désigne aussi le membre d'une commission (1866).

▸ Son dérivé **COMMISSARIAT** n. m. (1752), «fonction, dignité de commissaire», est usuel au sens métonymique de «bureau d'un commissaire de police», avec une valeur locale présente dès les premières attestations, et fréquent pour désigner des postes administratifs importants. ◆ **COMMISSAIRE-PRISEUR** n. m. (1753, dans *huissier-commissaire-priseur*) formé avec *priseur* (XIIIe s.), nom de métier dérivé de *priser**, et aujourd'hui disparu, désigne l'officier chargé de l'estimation et de la vente publique des objets mobiliers.

COMMISSION

COMMISSION n. f. est emprunté (XIIIe s.) au latin *commissio,* formé à partir du supin de *committere* (→ commettre) «action de mettre en contact» et, en latin chrétien, «action de commettre une faute» et «réunion d'hommes».

♦ Le mot a immédiatement le sens de «charge, mission», par attraction de *commettre* «confier une charge à» ; ce sens est spécialement réalisé en droit (*commission rogatoire* sous une variante en 1690), en marine (1723) et dans l'armée à propos du brevet conférant un grade militaire (1801-1805). ◇ C'est par métonymie qu'il s'applique à la rétribution versée dans une opération de courtage et qu'il désigne la charge de faire des achats pour qqn (1690), surtout au pluriel *commissions,* puis les emplettes effectuées (1794). ◇ Comme nom d'action de *commettre, commission* a eu le sens d'«exécution» (1311) d'après *commettre une peine* «l'infliger» (v. 1360). De même, le sens de «faute» (1656), réalisé dès le XVIe s. dans le vocabulaire théologique dans *pécher en commission* (1587), par opposition à *pécher en omission,* est sorti d'usage. ◇ La valeur métonymique, «réunion de personnes chargées d'un objet précis», bien que réalisée en bas latin, n'a été reprise dans la langue des institutions qu'au XVIIIe s. (av. 1755, Montesquieu); elle s'est rapidement répandue en droit et dans l'usage commun, par le biais de la politique et de l'administration.

▸ De ce sens vient **SOUS-COMMISSION** n. f. (1871).

COMMISSIONNER v. (1462) est resté rare avant la fin du XVIIIe s. où il a pris le sens de «donner commission d'acheter ou de vendre» (1792) et repris celui d'«autoriser par ordre» (1802) qu'il avait eu en moyen français. ◆ **COMMISSIONNAIRE** n. m., d'abord *commissionere* (1506), désigne la personne à laquelle une mission est confiée, spécialement un professionnel du courtage (1583). Le sens de «personne que l'on charge d'emplettes» (1708) est rare.

COMMISSURE n. f. est emprunté (1314) au latin *commissura,* participe passé féminin substantivé de *committere* «joindre ensemble» (→ commettre), au sens général de «jonction de deux choses» et, spécialement en anatomie, «suture des os du crâne».

♦ Le mot a été introduit en anatomie en parlant de la suture des os du crâne, sens répandu au début du XVIIe s. (1611) et étendu à la zone de jonction de deux formations anatomiques. Il est devenu courant dans l'expression *commissure des lèvres* (1736). ◇ Par analogie, il a été repris par le langage technique de l'architecture (1568) en parlant du joint entre deux pierres superposées; ce sens, qualifié de «vieux» en 1752, se maintient jusqu'à nos jours.

▸ L'adjectif anatomique **COMMISSURAL, ALE, AUX** adj. est attesté depuis 1846.

COMMODE adj. est emprunté (1475) au latin *commodus,* proprement «qui est de bonne mesure» d'où «approprié, opportun» et «accommodant, bienveillant» (d'une personne). Le mot est formé de *cum* (→ co-) et de *modus* (→ mode).

♦ L'adjectif qualifie une chose particulièrement bien adaptée à l'usage qu'on en fait, autrefois également une chose avantageuse, profitable (v. 1580). L'emploi à propos des personnes a vieilli. L'adjectif a d'abord qualifié une personne aisée, riche (1603), sens vieillissant au XVIIe s., puis (1654) une personne d'un caractère facile et doux, et enfin complaisant, nuance qui apparaît au milieu du siècle (1656). Cette dernière valeur psychologique survit dans des emplois négatifs : *il, elle n'est pas commode* «autoritaire, impérieux» (d'un supérieur, le plus souvent). Une spécialisation morale concernait la personne s'accommodant de l'inconduite d'une autre (1661), sens évincé plus tard par *complaisant.* Ainsi, on a dit *une commode* pour celle qui cachait l'inconduite d'une autre femme. ◆ Le mot a été repris comme nom féminin *(une commode)* pour désigner (1708) un meuble de rangement plus petit et plus léger que ses prédécesseurs, comme ceux qui furent créés en 1690 pour la chambre du roi. Ce sens est toujours vivant, mais s'est démotivé et détaché par rapport à l'adjectif, entrant dans la série des *armoires, bahuts,* etc. avec les *secrétaires* et autres petits meubles.

▸ **COMMODÉMENT** adv. (1544) est le seul dérivé direct de *commode.* ◆ **COMMODITÉ** n. f. est emprunté (1409) au dérivé latin *commoditas* «convenance, facilité, opportunité». Le mot indique la qualité d'une chose qui satisfait pleinement aux services qu'on en attend; par métonymie, il a désigné l'occasion favorable de faire qqch. (1553), parfois avec la nuance péjorative de «trop grande facilité». ◇ Le pluriel *commodités* a exprimé l'idée d'«aisance matérielle» (av. 1558) avant de s'orienter vers celle d'«agréments, aises» (1601). Le syntagme *commodités de la conversation* (1659), dénomination des fauteuils dans le langage des précieux, est resté connu grâce à Molière ; *chaise de commodité* (1673), puis *commodités* (1677) s'est employé jusqu'au XIXe s. comme dénomination euphémistique des cabinets. ◇ De nos jours, un emploi courant du mot traduit l'anglais *utilities* «aménagements de la maison destinés à rendre la vie plus agréable».

Dans la série des préfixés en *in-,* **INCOMMODITÉ** n. f. apparaît le premier (1389), emprunté au latin *incommoditas* «désavantage, tort, dommage». Le sens d'«immondices», assumé par le pluriel et à mettre en rapport avec celui de «lieux d'aisances» (à Lyon) qui correspondait au sens de *commodités,* mais changeait de perspective, est sorti d'usage. ◇ Le mot ne s'emploie plus qu'au singulier avec le sens de «gêne, désagrément» (1549), autrefois aussi avec les valeurs de «gêne pécuniaire» (1608), «malaise physique» (1616). ◆ Cette configuration de sens le rapproche du verbe **INCOMMODER** v. tr. (av. 1473), emprunté au dérivé latin *incommodare* «être à charge, gêner, incommoder» et spécialement employé à propos d'un état de gêne, de malaise physique ou moral (1596).

En revanche, **INCOMMODE** adj., emprunt ultérieur (1534) du latin *incommodus* «fâcheux, importun, désagréable» (de choses et de personnes), n'a gardé que le sens de «peu commode, peu pratique à l'usage» (1547). Les anciens sens de «dommageable» et «fâcheux», en parlant d'une chose (1546), d'une personne (1588), n'ont pas vécu. ◆ Le mot a évincé *discommode* (1580) mais subit la concurrence du synonyme **MALCOMMODE** adj., plus spécialement employé dans les parlers régionaux à propos du caractère de qqn.

◈ voir ACCOMMODER.

COMMODORE n. m. est l'emprunt (1760, Voltaire) de l'anglais *commodore,* d'abord *commandore* (1695), adaptation du néerlandais *kommandeur,* moyen néerlandais *commandoor,* titre de dignitaire peut-être emprunté du français *commandeur.*

♦ Le mot a été repris avec la spécialisation maritime du mot anglais pour «capitaine de vaisseau commandant une division navale» dans les marines britannique, américaine et néerlandaise. Cette spécialisation s'est faite en anglais, d'où en néerlandais *commodore,* par emprunt à l'anglais.

COMMOTION n. f., d'abord *commotium* (v. 1120) puis *commocion* (1130-1140), le *t* étant réintroduit au XVIe s., est emprunté au latin *commotio* «secousse physique» et au figuré «agitation de l'âme», composé de *cum, com-* (→ co-) et de *motio* (→ motion).

♦ Le mot a gardé les valeurs latines avec plusieurs spécialisations du sens concret en pathologie (XVe s.) et en physique (1753, *commotion électrique*).

▸ Il a produit deux dérivés modernes : **COMMOTIONNER** v. tr. (1875), plus courant au participe passé, et l'adjectif médical **COMMOTIONNEL, ELLE** (1915).

COMMUER v. tr. est emprunté (1365) au latin *commutare* «changer entièrement», composé de *cum* (→ co-) et de *mutare* «changer» (→ muer, muter). Le verbe, doublet de l'autre emprunt *commuter**, a été francisé d'après *muer**.

♦ Introduit au sens général de «transformer», le mot a restreint son usage au domaine juridique (1467, *commuer le criminel en civil*) où il réalise une idée de «transformation avec amoindrissement» (1548, *commuer une peine*).

▸ Le mot n'a produit que le dérivé **COMMUABLE** adj. (1483), partageant avec *commuter,* qui n'est pas employé en droit, ceux de ses dérivés juridiques.

✳ **COMMUN, UNE** adj. et n. est un mot héréditaire très ancien (842) qui continue le latin *communis* «qui appartient à plusieurs» d'où, au figuré, «qui est accessible à tous, avenant», à basse époque «médiocre, vulgaire», voire «impur» chez les auteurs chrétiens. Le mot latin est formé de *cum* «avec» (→ co-) et de *munis* «qui accomplit sa charge», apparenté à *munus* «charge» et «présent». La racine de ces mots est °*mei-* «changer, échanger»; elle se retrouve dans des termes indoeuropéens désignant des échanges réglés par l'usage, souvent avec une valeur juridique (→ muer, muter, migrer).

♦ Le premier sens passé en français, «relatif au plus grand nombre», est réalisé dans les syntagmes lexicalisés ***droit commun*** (1283), ***sens commun*** (1690) et, comme nom, dans ***le commun des mortels*** (1172-1174, *le comun des janz*). ◇ Dès 1160, apparaît aussi le sens d'«ordinaire», également réalisé par le substantif longtemps pris pour désigner le peuple, le vulgaire (v. 1160) avec une valeur dépréciative qui se retrouve dans ***homme du commun*** (1636) et même dans ***hors du commun, au-dessus du commun*** (1690). Cette valeur tend à colorer des emplois neutres où *commun* a seulement le sens de «répandu, courant» (XIIIe s.). Le sens collectif de «qui s'applique à tous les éléments d'un groupe» (v. 1050) est réalisé dans plusieurs syntagmes du type ***vie commune*** (XIIIe s.), ***d'un commun accord*** (1248, par une variante), ***en commun*** (déb. XIIe s.), et spécialisé en grammaire (XIIIe s.) et en mathématiques (***dénominateur commun,*** XVIe s.). Il était aussi réalisé dans ***lieu commun*** «passage d'une œuvre applicable à un sujet général» (1595; le latin *locus,* dans cet emploi, calquait le grec *topos*) avant que celui-ci ne tombe dans l'attraction du sens péjoratif, «ordinaire, rebattu» (1718) et ne désigne une banalité du langage. Toujours en ce sens, il a donné les locutions usuelles ***être commun à*** (1175), ***n'avoir rien de commun avec*** (1580). ➛ ***Les communs,*** pluriel substantivé (1704), dénomme les bâtiments d'un château servant de cuisines, écuries, etc.

▸ ① **COMMUNAL, ALE, AUX** adj., d'abord *cumunel* (1080) puis *comunal* (v. 1170), a d'abord eu le sens de «général», senti comme un doublet superflu de *commun**. Il est tombé de bonne heure sous l'attraction de *commune**, par emprunt sémantique et morphologique au latin *communalis* (→ commune). ➛ Au sens ancien, *communal* a donné l'adverbe **COMMUNALEMENT** (1866), d'abord *cumunalment* (1160-1174), éliminé au XVe s. au profit de la forme **COMMUNÉMENT** (XVIe s.), refaite sur *communelment* (XIIIe s.) ; *communément* est devenu usuel pour «couramment, normalement».

COMMUNAUTÉ n. f., d'abord *comunalté* (av. 1280), est la réfection de l'ancien *communité* (v. 1130) «participation en commun», «groupe ayant un lien en commun», lui-même emprunté au latin *communitas.* ➛ Le mot désigne un ensemble de personnes et, abstraitement, l'état de ce qui est commun à plusieurs personnes (1344), sens spécialisé en droit civil (av. 1508). Appliqué à des personnes, il désigne en particulier une collectivité religieuse (1538) et, depuis peu, s'emploie avec des spécialisations administratives *(communauté urbaine).* ➛ Il a pour dérivé **COMMUNAUTAIRE** adj. (1842), d'où **COMMUNAUTARISME** n. m. (1951).

De *commun* est aussi dérivé un important groupe de termes idéologiques. ➛ D'après J. Grandjonc, qui a fait l'histoire du mot à ses débuts, **COMMUNISTE** adj. et n., attesté dès 1706 comme adjectif pour «qui a le souci du bien commun», a signifié, aussi comme nom, «membre d'une communauté»; ce sens existe au XVIIIe s. et pendant la Révolution, parfois en concurrence avec *communier* n. m. (XIVe s.); il entre dans les dictionnaires avec Landais (1834). La valeur idéologique, «partisan de la communauté des biens», apparaît chez un correspondant de Restif, d'Hupay de Fuveau (1785, *auteur communiste*). Babeuf, en 1793, emploie *communautistes* (et *Égaux*), et Restif lui-même *communiste* (*Monsieur Nicolas,* VII, 14, 1797). Rare ensuite, le mot réapparaît chez divers auteurs, dont Lamennais (1832); il est parfois synonyme de *radical* (1835) et on trouve *républicain communiste* (1839). En 1840, le premier banquet communiste (juillet 1840) diffuse le mot; le syntagme *parti communiste,* désignant un simple groupe d'opinion, apparaît alors, et Cabet en fait son étendard. Le mot, comme adjectif et nom, est alors usuel chez les théoriciens sociaux, tels Proudhon. Le rapport avec les emplois politisés de *commune**, en 1789 puis en 1870, est évident. L'évolution sémantique ultérieure est celle de *communisme*. ◆ **COMMUNISME** n. m. apparaît isolément à la fin du XVIIIe s. ; employé en allemand à propos de la Révolution française, *Kommunismus* (Riedel, 1794) semble isolé. Restif définit *communisme* dans *Monsieur Nicolas* (VIII) en 1797, sur le même plan que *monarchisme* ou *anarchisme*. Le mot reste inusité avant 1840 et le banquet communiste de Belleville (ci-dessus) ; il est alors bien attesté, notamment chez Cabet, qui l'emploie avec *babouvisme*, et chez Pierre Leroux (1841). ◇ Dès lors, *communiste* et *communisme* évoluent ensemble : intellectuellement, ils sont colorés par le marxisme puis par le léninisme, et se définissent par rapport à *socialiste, socialisme*. En politique active, ils dépendent de l'apparition d'un *parti communiste*, des rapports entre ses membres et les partis de gauche*, puis d'une opposition nommée (l'adj. et nom **ANTICOMMUNISTE**, apparu en 1842, évolue parallèlement) ; **ANTICOMMUNISME** n. m. n'est attesté qu'en 1936, époque où le *communisme* devient un courant politique très important en France, avec le Front populaire. ◇ La révolution russe de 1917 modifie profondément la situation, notamment sur le plan du vocabulaire. ◆ **COMMUNISER** v. tr. apparaît en 1919 (le dérivé **COMMUNISATION** n. f. est attesté en 1922). ◇ Les composés les plus récents **EUROCOMMUNISTE** n. et adj. (v. 1975) et **EUROCOMMUNISME** n. m. traduisent des tendances d'indépendance par rapport à l'ex-U. R. S. S. Après 1980-1990 et l'effondrement idéologique et matériel des pays se réclamant du léninisme, le mot perd de son actualité. ◆ Avec une connotation péjorative, la première syllabe de *communiste* a produit, **COCO** n. et adj.

◈ voir COMMUNE.

COMMUNAUTÉ → COMMUN

◈ COMMUNE

COMMUNE n. f., d'abord *cumune* (v. 1138), *comune* (1155), est hérité d'un latin populaire *communia* «communauté de gens», pluriel neutre substantivé de *communis* (→ commun).

♦ Le mot a été considéré comme un féminin singulier désignant une association des bourgeois d'une ville, d'abord formée dans une situation exceptionnelle (XIe s.), puis l'association urbaine devenue institutionnelle et la communauté des habitants d'une ville de commune (1126-1127) et, par métonymie, le territoire d'une telle ville (1136). Tout au long du moyen âge, il s'est rapporté à une ville ou à un bourg affranchi du joug féodal et placé sous l'administration de bourgeois organisés (1155), désignant, par métonymie, ce corps de bourgeois. ◆ Au XVIIe s., il a été repris, dans l'expression *Chambre des communes* (1690), à l'anglais *Commons* dans *House of Commons* (1621), désignation de la chambre basse du Parlement anglais. Dans celle-ci, *common*, emprunté au français *commune*, désignait le peuple par opposition à la noblesse (sens à comparer à celui de l'ancien français *commune* «ensemble du peuple», dans les premiers textes), puis les représentants du peuple au Parlement (v. 1415). ◆ Le mot a connu une nouvelle extension pendant la Révolution (1789) : nom d'une circonscription administrative instituée par décret, il s'est appliqué à la municipalité de Paris (1790) et a spécialement désigné le mouvement insurrectionnel né dans la nuit du 9 au 10 août 1792. Il a été repris, en hommage à celui-ci, comme nom du gouvernement insurrectionnel français installé à Paris après la révolution du 18 mars 1871 et renversé le 27 mai suivant. Déjà, le terme figurait le 31 octobre 1870 lors d'une réunion des officiers de la garde nationale.

► Le seul dérivé direct de *commune* est **COMMUNARD, ARDE** adj. et n. (1871), terme d'histoire, d'abord péjoratif, lié à l'insurrection de mars 1871 dont il désigne les partisans.

② **COMMUNAL, ALE, AUX** adj. et n. (1208, *cuminel*) est emprunté au latin *communalis* dans ses significations médiévales relatives à l'évolution de *communia*. Le mot, rattaché à *commune*, qualifie ce qui est propre à la commune, substantivé pour désigner les terrains qui appartiennent à la commune, d'abord au singulier (v. 1315), puis au pluriel *les communaux* (1690) correspondant à l'adjectif dans *prés, bois communaux*. ◇ Au féminin, l'***école communale*** a donné *la communale* (XXe s.). ◆ Le dérivé **COMMUNALISTE** adj. et n. (1752) correspond spécialement aux sens de *commune* comme désignation d'un membre d'une communauté religieuse et (1871) pour «partisan de la Commune de Paris».

COMMUNIER

COMMUNIER v. intr. est emprunté (v. 980), avec traitement de la finale, au latin *communicare* (→ communiquer), d'après sa spécialisation chrétienne «avoir part», notamment «avoir part au sang et au corps du Seigneur dans l'eucharistie» et «participer en intention avec l'ensemble des fidèles».

♦ Introduit comme terme de liturgie, le verbe exprime l'idée de «recevoir le sacrement de l'eucharistie», à la forme pronominale (fin XIIe-déb. XIIIe s.) et antérieurement en emploi transitif avec la valeur de «donner le sacrement». Par extension, il signifie «être en union spirituelle ou affective avec», d'abord dans le contexte religieux (1690, *communier en esprit*) puis laïque (1849).

► **COMMUNION** n. f., emprunté (1150-1200) au bas latin *communio* «mise en commun», spécialement «communauté chrétienne» , «sainte communion» et «hostie consacrée», a suivi la même évolution. Introduit avec un sens religieux, «union des chrétiens» et «sacrement de l'eucharistie», il désigne par métonymie (1680) la fête familiale donnée à l'occasion d'une ***première communion*** (dite *privée* ou *solennelle*). Il s'est répandu dans l'usage commun avec la valeur d'«accord profond entre des personnes, avec le monde extérieur» (XIXe s.), fortement colorée de résonances chrétiennes, notamment dans l'héritage du panthéisme romantique. ◇ Le sens de «communauté de biens» n'a eu qu'une brève existence aux XVIe et XVIIe siècles. ◆ **COMMUNIANT, ANTE**, participe présent de *communier*, est adjectivé et substantivé (1531) à propos de qui reçoit la communion eucharistique; l'expression ***premier communiant*** est employée figurément, par une métaphore analogue à celle de *boy scout,* pour «personne naïve, candide».

✱ **COMMUNIQUER** v. tr. et intr. a été emprunté (v. 1370) au latin *communicare,* d'abord «avoir part, partager» (→ communier), puis «être en relation avec», de *cum, com-* (→ co-) et de °*municus,* dérivé supposé de *munus* «fonction, charge» (→ commun).

♦ Avec l'idée de «partage», le verbe a d'abord eu le sens de «participer à qqch.». Il l'a perdu pour celui d'«être en rapport mutuel, en communion avec qqn» (v. 1370). À partir du XVIe s., il connaît une nouvelle extension dans la construction transitive directe, signifiant «transmettre» (*communiquer une nouvelle,* 1548), «propager (une maladie)» (1585), «faire partager (un sentiment, une qualité)» (XVIIe s.). ◇ Il reçoit une spécialisation technique en physique (1647, trad. Descartes [du lat.]), le complément désignant la chaleur, le mouvement. ◇ Il est employé également en parlant de lieux qui sont en relation l'un avec l'autre (1681).

▸ La dérivation directe se limite aux participes. **COMMUNICANT, ANTE** adj. s'emploie en physique dans *tubes* (v. 1750) puis *vases communicants* et dans l'usage général *(pièces communicantes).* ◆ **COMMUNIQUÉ, ÉE** adj. est employé dans *article communiqué* (1816), éliminé par la substantivation **COMMUNIQUÉ** n. m. (1853), dans un contexte journalistique.

COMMUNICATIF, IVE adj. est emprunté (1282) au bas latin *communicativus* «propre à communiquer»; employé jusqu'au XVIe s. avec le sens de «libéral», il qualifie de nos jours un tempérament expansif (fin XVe s.), un état physique ou affectif qui se communique facilement (1690, *un mal communicatif*). ◆ **COMMUNICABLE** adj., attesté lui-même au XIVe s. et indirectement au XIIIe s. par son dérivé **COMMUNICABILITÉ** n. f. (1282), a servi de doublet à l'ancien adjectif *communicatif* qualifiant une personne libérale, sociable («qui communique avec ses semblables»). Il a seulement gardé le sens passif de «qui peut être communiqué» (XVIe s.) et développé la valeur spéciale de «qui peut être relié par un moyen de communication» (1690, en parlant de fleuves). ◆ **INCOMMUNICABLE** adj. (1470), du latin *incommunicabilis,* et **INCOMMUNICABILITÉ** n. f. (1802) sont en rapport d'antonymie avec les mots simples.

COMMUNICATION n. f. est emprunté (fin XIIIe-déb. XIVe s.) au dérivé latin *communicatio* «mise en commun, échange de propos, action de faire part». ◆ Il a été introduit en français avec le sens général de «manière d'être ensemble» et envisagé dès l'ancien français comme un mode privilégié de relations sociales (v. 1370). Son expansion s'est faite avec le sens métonymique de «chose communiquée» (1507) et diverses acceptions spéciales dans les vocabulaires théologique (av. 1662, *communication avec Dieu*), juridique, médical, physique (1746, *de l'électricité*; 1753, *communication du mouvement*). ◇ Le mot, comme le verbe *communiquer,* a connu un essor particulier dans le domaine de la publicité et des médias *(techniques de communication),* alors influencé par l'anglais *communication.* Avec un autre anglicisme, *relations publiques,* il donne à la stimulation des marchés, domaine assumé successivement par *réclame* et *publicité,* une expression plus noble. Dans l'entreprise, le mot concerne aussi la transmission d'information entre services. ◆ La diversification des moyens techniques par lesquels on communique a donné naissance à plusieurs composés: **INTERCOMMUNICATION** n. f. (1867), **TÉLÉCOMMUNICATION** n. f. (1904), mot qui s'est répandu dans les années 1960 et 1970, alors couramment abrégé en **TÉLÉCOM,** ou encore **RADIOCOMMUNICATION** n. f. (1922). ◆ L'antonyme **INCOMMUNICATION** n. f. (1786), de sens plus général, est demeuré très rare.

COMMUNICATEUR, TRICE adj. et n. m. a été emprunté (1531) au latin chrétien *communicator* «celui qui communique». Repris avec la spécialisation de «celui qui sait participer, met les biens en commun», propre au XVIe s., il s'est employé dans la rhétorique religieuse à propos de la personne qui transmet les grâces divines (Bossuet). Son usage moderne date du XIXe s. et s'est fait sous l'influence de *communiquer,* y compris dans sa spécialisation technique *communicateur de mouvement* (1866). Récemment, le mot s'est appliqué à un personnage, d'abord politique, qui «communique» bien avec le public et avec ses interlocuteurs.

COMMUNISME → COMMUN

COMMUTER v. tr. est un emprunt assez tardif (1614) au latin *commutare* «changer entièrement», de *cum, com-* (→ co-) et de *mutare* (→ muter) qui avait déjà donné par francisation *commuer**.

♦ Malgré une attestation isolée (1614) où il n'est qu'une variante de *commuer,* le verbe n'entre dans l'usage qu'au XIXe s., d'abord en droit (par ex. chez Michelet, 1837) et rare, puis, sans doute d'après *commutation,* au XXe s., en mathématiques, physique et linguistique. Sa reprise doit beaucoup à la vitalité technique de *commutation, commutateur.*

▸ **COMMUTATION** n. f., beaucoup plus ancien que le verbe, est emprunté (v. 1120) au dérivé latin *commutatio* «changement, mutation», spécialement en rhétorique «reversion, répétition de mots dans un ordre inverse». Employé en ancien français comme synonyme de *mutation,* le mot s'est spécialisé en français moderne dans quelques emplois techniques. Il est employé en droit (1680, *commutation de peine*) comme substantif d'action de *commuer.* En phonétique, il désigne la substitution d'un phonème à un autre (1789) avant de recevoir en linguistique moderne (1939, Hjemslev) sa valeur de «remplacement d'un élément par un autre, appartenant à la même classe, de manière à obtenir un autre système, analogue et différent». Au XXe s. également, il reçoit des acceptions spéciales en mathématiques, en électricité (1924) et en télécommunications *(commutation des circuits téléphoniques).* ◆ **COMMUTATIF, IVE** adj. semble formé par Oresme (v. 1370) sur le latin *commutare* ou sur *commutatio;* il est repris en mathématiques (1905, Poincaré); d'où **COMMUTATIVITÉ** n. f., (1907, Hamelin), puis en linguistique, après *commutation*. ◆ **COMMUTABLE** adj., doublet de *commuable* et emprunt juridique au dérivé latin *commutabilis* (mil. XVIe s.), a été repris au XXe s. comme dérivé de *commuter* dans d'autres domaines. ◆ Tous ces mots sont des termes uniquement didactiques et scientifiques, à la différence de **COMMUTATEUR** n. m. (1839) «appareil servant à interrompre (cf. *interrupteur*), rétablir, inverser... le courant électrique», passé dans la langue courante.

COMPACT, ACTE adj. est emprunté (1377) au latin *compactus* «bien assemblé, dont les parties se tiennent», participe passé adjectivé de *compingere* «assembler en serrant», de *cum* (→ co-) et de *pangere* «ficher, enfoncer» (→ impact). Le verbe *pangere* procède d'une racine indoeuropéenne °*pag-*, °*pak-* «fixer», également représentée en français (→ page, paix, payer, pays, pelle...).

♦ Le mot a conservé le sens du latin, qualifiant un objet puis aussi, au figuré, un ensemble de personnes et de choses (1796, *corps politique compact*). Entre autres emplois spécialisés (anatomie, mécanique, cristallographie), il est appliqué, en imprimerie, à une édition contenant beaucoup de matière sous un petit volume (1835). La spécialisation en ***disque compact*** (1982), calque de l'anglais *Compact Disc* abrégé en *CD*, a donné à l'adjectif, substantivé en *un compact*, une vitalité nouvelle.

▸ **COMPACITÉ** n. f. est le dérivé irrégulier de *compact* (1762), fait sur le modèle de noms de qualité en *-ité* (*efficacité, opacité*). ◆ **COMPACTER** v. tr. «rendre plus compact» (1938), d'où sont tirés **COMPACTAGE** n. m. (1952) et **COMPACTEUR** n. m. (v. 1950), terme technique.

COMPAGNIE n. f., d'abord *cumpainie* (v. 1050), *cumpagnie* (1080), *compaignie* (v. 1175), est soit le dérivé en *-ie* de l'ancien *compain* (→ compagnon, copain), soit la réfection de l'ancienne forme *compaigne, compaignie* (v. 1050) issue du latin populaire °*compania*, de *companio* (→ compagnon).

♦ Le mot désigne le fait d'être auprès d'une personne, sens réalisé dans plusieurs locutions usuelles comme ***tenir compagnie*** (v. 1175), ***fausser compagnie*** (1540), ***... de compagnie*** (*animal, dame*, etc.). ◇ De bonne heure, il a pris par métonymie le sens de «réunion volontaire, souvent organisée, de personnes» (v. 1050), spécialement dans l'armée (1080) : en procèdent une spécialisation pour «unité sous les ordres d'un capitaine» (1585) et une spécialisation dans la police, sous l'abréviation courante *C. R. S. (Compagnies républicaines de sécurité)*, depuis 1945. ◇ Dès l'ancien français, le mot désigne une association de personnes rassemblées par des objectifs, des statuts communs (1283), en particulier dans le domaine commercial (1562), idéologique et religieux (av. 1655, *Compagnie de Jésus*), théâtral (1706). L'abréviation *et Cie*, désignant les associés non cités, est aujourd'hui employée familièrement (de même que son équivalent anglais *and C^o*). ◇ Par extension, *compagnie* se réfère à une bande d'animaux vivant en groupe (1559), spécialement en vénerie et en chasse au fusil (*une compagnie de perdreaux*).

COMPAGNON n. m. continue l'ancien cas régime médiéval *cumpagnun* (1020), représentant de l'accusatif bas latin *companionem* qui s'est maintenu à côté de l'ancien cas sujet *cumpainz* (1080) [→ copain], lui-même issu du nominatif latin *companio*. Ce mot, composé de *cum* «avec» (→ co-) et de *panis* (→ pain), serait le calque d'un mot gotique du langage militaire apporté par les Germains des armées du Bas-Empire : *gahlaiba*, de *ga* «avec» et *hlaifs* «pain» (→ lord), composé correspondant à l'ancien haut allemand *ga-leipo* (VIIIe-IXe s.). Ce terme a dû coexister à l'origine avec *contubernalis* «camarade de tente» qui a peut-être favorisé le procédé du calque avec *com-* initial.

♦ Le mot a progressivement perdu l'ancien sens, «celui qui vit et partage ses activités avec qqn», au profit de noms plus précis (*condisciple, commensal, collègue*) ; de nos jours, il est surtout employé à propos de la personne qui accompagne qqn (1549), notamment (1568) dans la locution ***compagnon de*** suivie d'un terme psychologique (*détresse, infortune*), quelquefois en parlant d'un objet avec une valeur affective (1535). ◇ L'ancienne acception spéciale, «ouvrier ayant terminé son apprentissage» (1455), s'est maintenue dans certaines professions artisanales pour un ouvrier qualifié et, comme grade, dans la franc-maçonnerie (1866).

▸ **COMPAGNONNAGE** n. m. (1719) et **COMPAGNONNIQUE** adj. (déb. XXe s.) sont des termes relatifs aux associations ouvrières de compagnons, très actives sous l'Ancien Régime. ◆ Le féminin **COMPAGNE** n. f. (av. 1200, *compangne*) a été formé sur l'ancien cas sujet *compain*. Plus nettement que *compagnon*, il est vivant, dans le registre soutenu, au sens de «celle qui partage l'idéal, les épreuves, la vie d'un homme» (1568). La multiplication des couples non mariés a donné à *compagne* une valeur de remplacement par rapport à *femme* («épouse»), à *concubine*, administratif et peu euphonique, et à *amie*, familier et trop vague.

◈ voir ACCOMPAGNER, COPAIN.

COMPARAÎTRE v. intr. est la réfection (XIVe s.), d'après *paraître**, de l'ancien français **COMPAROIR**. Ce verbe est emprunté (XIIIe s.) au latin médiéval juridique *cumparere* (v. 1188), spécialisation du sens classique «se montrer, apparaître», et a pris sa désinence *-oir* à l'ancien *paroir* (→ paraître).

♦ Le verbe a été repris avec son acception juridique, «se présenter devant l'autorité judiciaire». En sont issus des emplois analogiques et figurés.

▸ **COMPARUTION** n. f., d'abord *comparucion* (1453), a été formé sur le participe passé *comparu* pour servir de substantif d'action à *comparaître* dans l'usage juridique.

COMPARER v. tr., d'abord *cumparer* (v. 1120), est emprunté au latin *comparare* «apparier», d'où «assimiler» et «confronter», de *compar* «égal, pareil» (composé en *com-* [→ co-], synonyme de *par, paris* [→ pareil]).

♦ Le verbe signifie «rapprocher (des objets de nature différente) pour en dégager un rapport d'égalité» et «examiner les rapports de ressemblance et de dissemblance entre (des personnes, des choses)» (v. 1225). De ce dernier sens procèdent quelques emplois spéciaux en droit (1718, *comparer des écritures*) et en sciences de la nature, domaine où le participe passé **COMPARÉ, ÉE** est adjectivé, d'abord dans *anatomie comparée* (1805, Cuvier). À cet emploi se sont ajoutés de nombreux syntagmes dans des domaines de connaissance variés : *droit comparé, littérature comparée*, etc. (voir ci-dessous *comparatisme*).

▸ **COMPARATIF, IVE** adj. est emprunté (1290) au latin *comparativus*, du supin de *comparare*. ◇ Il qualifie ce qui contient ou établit une comparaison, notamment en grammaire, la forme des adjectifs qui expriment supériorité *(plus)*, infériorité *(moins)* ou égalité *(aussi)*. Il est aussi substantivé *(le comparatif et le superlatif)*. ◆ **COMPARATIVEMENT** adv. (1556) équivaut à «par comparaison, en comparant».

On a tiré du radical latin le moderne et didactique **COMPARATEUR** n. m. (1821), nom d'un instrument de physique servant à comparer les longueurs de deux règles. ◆ **COMPARAISON** n. f., emprunt francisé au latin *comparatio*, est attesté depuis 1174 et spécialisé depuis 1268 comme terme de rhétorique. ◆ **COMPARABLE** adj., emprunté (v. 1225) au latin *comparabilis*, a produit à son tour le mot didactique **COMPARABILITÉ** n. f. (1832). ◆ **INCOMPARABLE** adj. a été emprunté (v. 1200) au dérivé latin *incomparabilis* et a pris dans l'usage commun le sens hyperbolique de «magnifique, hors du commun» (fin XVe s.). ◇ En est dérivé **INCOMPARABLEMENT** adv. (v. 1200), relativement courant, surtout dans l'emploi hyperbolique pour «beaucoup». ◆ C'est de l'expression formée avec le participe passé de *comparer, littérature comparée*, et de syntagmes analogues, que viennent **COMPARATISME** n. m. (v. 1900) et **COMPARATISTE** n. (v. 1900) dans le domaine des études littéraires comparées, et aussi du droit.

COMPARSE n. est emprunté (1669) à l'italien *comparsa*, d'abord «apparition» (fin XVIe-déb. XVIIe s.), «action de figurer dans un carrousel» (1650-1700) et «figurant muet dans une pièce de théâtre» (1681). Lui-même est le participe passé féminin substantivé de *comparire*, de même origine que le français *comparaître** sous sa forme ancienne *comparoir*.

♦ Le sens d'emprunt est celui de «participation à un carrousel» (à rapprocher de *comparution*), alors nom féminin, sorti d'usage après le développement des autres acceptions. ◇ En effet, *les comparses* désigne par métonymie les personnes figurant dans le carrousel (v. 1740) et, depuis 1798 (au masculin ou au féminin), un personnage muet dans une pièce de théâtre. Cette dernière valeur a produit le sens courant de «personnage de second plan», par référence à une activité collective *(comparse de)*, ou absolument, «personnage sans personnalité, effacé».

COMPARTIMENT n. m., emprunt (1542) faisant partie de la vague d'italianismes du XVIe s., est l'adaptation de l'italien *compartimento* «division d'une surface par des lignes régulières» (1348) et «ensemble de lignes formant un motif décoratif» (XVIe s., Palladio en architecture, Caro en parlant des jardins). Le mot est dérivé de *compartire* «partager, diviser», du bas latin *compartiri*, proprement «partager avec», de *cum* «avec, ensemble» (→ co-) et de *partiri* (→ partir).

♦ Les deux sens repris à l'italien, «ensemble de lignes formant un motif décoratif» et «division d'une surface en lignes régulières» (1546), ont disparu, et seul le sémantisme du second s'est conservé. Le mot, par métonymie, a désigné la division intérieure d'un meuble (1749). Par extension, il est appliqué à un habitacle (1797), spécialement à la division d'une voiture de voyageurs de chemin de fer (1855, Ampère). Ce dernier emploi est appelé à reculer avec la multiplication, après 1970, des voitures de voyageurs non subdivisées. Le mot a en outre des emplois abstraits.

▸ Le dénominatif **COMPARTIMENTER** v. tr. (1892), «diviser en compartiments», a reçu une acception spéciale en topographie et développé des emplois métaphoriques. ◇ Son dérivé **COMPARTIMENTAGE** n. m. (1892) est concurrencé par **COMPARTIMENTATION** n. f. (1935) comme substantif d'action, mais l'emporte pour l'emploi métonymique de «façon dont qqch. est compartimenté».

COMPAS → COMPASSER

COMPASSER v. tr. est issu (1130-1140) d'un bas latin °*compassare* «mesurer avec le pas», de *cum* «avec» (→ co-) et *passus* (→ pas).

♦ Le sens du verbe s'est rapidement restreint, de «ordonner d'une manière régulière» à «mesurer exactement» et, sous l'influence de son déverbal *compas*, «mesurer au compas». De là, des spécialisations en reliure (1680), en marine (1690, *compasser une carte*) et, au XVIIIe s., en termes de mines (1704, *compasser les feux*). ◇ Le sens figuré de «régler minutieusement» (apr. 1433), d'où «étudier ses paroles, son attitude, son maintien» (av. 1544), ne survit que dans l'usage littéraire du participe passé adjectivé **COMPASSÉ, ÉE** «raide, affecté» (1690), courant à propos des personnes et des comportements.

▸ Le déverbal **COMPAS** n. m., d'abord *cumpas* (déb. XIIe s.), a perdu son ancienne valeur dynamique de «mesure» pour désigner un instrument de mesure, se spécialisant rapidement pour dénommer un instrument formé de deux tiges articulées, destiné à tracer des cercles parfaits. La locution figurée ***avoir le compas dans l'œil*** (1740) signifie «estimer, apprécier (des distances) avec exactitude». Par analogie, *compas* désigne (XIIe s.) d'autres instruments de mesure professionnels (1676) et, par figure familière, la paire de jambes (1829). *Compas de mer* «boussole marine» (1575) est peut-être un emprunt sémantique à l'anglais *compass*, attesté en ce sens dès le XVe s., avec un cheminement de sens qui se comprend d'après la forme circulaire de la boussole et sa fonction (évolution qui aurait eu lieu en italien dès les XIIIe-

XIVe s.). ◆ **COMPASSEMENT** n. m. (1180-1190), autre dérivé de *compasser*, assume à la fois le sens concret, «action de mesurer avec un compas», et le sens figuré, «maintien raide et affecté» (av. 1755), correspondant à l'adjectif *compassé;* dans l'une et l'autre acception, il est peu employé.

COMPASSION → COMPATIR

COMPATIBLE adj. est emprunté (1447) au latin médiéval *compatibilis* (1384) «susceptible de s'accorder avec» (en parlant d'un bénéfice ecclésiastique), adjectif dérivé du radical de *compati* «souffrir avec» (→ compatir) pris au sens tardif d'«être susceptible d'exister avec», d'après *pati* «admettre, permettre» (→ passion).

♦ En dehors de l'usage courant où il est très souvent utilisé sous forme négative ou restrictive *(pas, peu compatible avec)*, le mot est employé spécialement en sciences (mathématiques, informatique, médecine). La langue classique l'a utilisé à propos de personnes pouvant vivre en harmonie avec d'autres (1587), de caractères harmonieusement accordés (1675).

▸ **COMPATIBILITÉ** n. f., dérivé sur le modèle du latin, exprime le caractère des choses compatibles entre elles (v. 1570), de psychologies qui s'accordent (1586).

INCOMPATIBLE adj. est repris (1370), avant l'emprunt de *compatible* semble-t-il (1370), à un latin médiéval °*incompatibilis*. Il est introduit par la langue didactique pour qualifier une chose ne pouvant exister simultanément avec une autre, un caractère (v. 1460) et, en droit, une fonction (1549). Chez Buffon, il qualifie spécialement des animaux ne pouvant s'accoupler. ◆ Son dérivé **INCOMPATIBILITÉ** n. f. (fin XVe s.) apparaît en droit pour nommer l'impossibilité légale par une même personne d'exercer certaines fonctions. Il est passé dans l'usage général pour désigner le fait que deux choses ne peuvent exister ensemble (v. 1580) et l'antipathie entre deux caractères (1644). Parmi ses emplois spéciaux, il se dit, en pharmacie, du caractère opposé de deux médicaments mélangés (1866).

◈ voir COMPATIR.

COMPATIR v. tr. ind., d'abord *compatizer* (v. 1630), par croisement avec le français *sympathiser* (en moyen français *sympathizer*), puis *compatir* (1635), est emprunté au bas latin *compati*, littéralement «souffrir avec», de *cum* «avec» (→ co-) et *pati* (→ pâtir).

♦ Le mot a éliminé un doublet moyen français *compatir* (1541) «se concilier, être compatible», formé sur *compatible**. Il exprime le fait de «prendre part à la souffrance d'autrui» et se construit avec un complément désignant soit la personne en question, soit le sentiment qu'elle éprouve.

▸ Son participe présent **COMPATISSANT, ANTE** est employé comme adjectif depuis 1692. ◆ **COMPASSION** n. f. a été emprunté dès le XIIe s. (v. 1155) au latin chrétien *compassio*, dérivé de *compati*. Le mot désigne le sentiment qui incline à partager les souffrances d'autrui, sens avec lequel il correspond à l'hellénisme *sympathie**. À la différence de ce dernier, il continuer de réaliser l'idée de «douleur» que *passion*, du moins dans l'usage commun, a perdue. Le mot a donné, par métonymie, le sens religieux et archaïque de «fête célébrée en mémoire des douleurs de la Vierge» (1771, *Compassion de la Sainte Vierge*). ◇ Il s'est imposé et a éliminé les noms dérivés de *compatir*, **COMPATISSEMENT** n. m. (1649; puis 1884) et **COMPATISSANCE** n. f. (1792). ◆ Son dérivé **COMPASSIONNER (SE)** v. pron. (1569) «éprouver de la compassion», employé au XVIe s., est à nouveau utilisé occasionnellement au XIXe s. par archaïsme littéraire.

COMPENSER v. tr., d'abord attesté sous la forme *compensar* dans le Dauphiné (déb. XIIIe s.) puis sous la forme *compenser* (1277), est emprunté au latin *compensare* «mettre en balance, contrebalancer», composé de *cum, com-* (→ co-) et de *pensare* (→ penser, peser).

♦ Le verbe a d'abord le sens latin d'«équilibrer», spécialisé en droit et en finance (fin XIVe s., *compenser les dépenses*). L'accent étant mis sur la façon d'obtenir l'équilibre en introduisant un effet opposé, il a pris son acception moderne (1277), laquelle a donné lieu à divers emplois techniques (fin XIXe s.), spécialement en médecine (1877) et en psychologie (1913) et psychanalyse.

▸ Les dérivés directs de *compenser* sont tardifs. **COMPENSATOIRE** adj. (1823) prolonge sémantiquement le bas latin *compensativus* «qui compense», emprunté au XIXe s. sous la forme **COMPENSATIF** (1842-1845). Il s'est spécialisé en finance *(montants compensatoires)* et en phonétique (1933; dès 1876, *compensatif*). ◆ **COMPENSÉ, ÉE** adj., tiré du participe passé du verbe, qualifie spécialement, dans un tout autre domaine, des chaussures dont les semelles font corps avec le talon (1953).

COMPENSATION n. f., d'abord sous la forme *compensacio* dans le Dauphiné (déb. XIIIe s.), est emprunté au latin *compensatio* «balance, équilibre», spécialement en commerce. ◇ Le mot a été introduit avec le sens général d'«action, fait de compenser», courant sur le plan moral (XVIIe s.), et spécialisé en droit (1690), en technique (*pendule de compensation*, 1803), en sciences, en bourse (1863) et en finance (*Caisse de compensation*, 1930). ◆ L'adjectif et nom **COMPENSATEUR, TRICE**, dérivé du verbe avec le *t* de *compensation*, apparaît (1789) au sens de «ce qui fournit une compensation morale» et a été repris en technique (1829, adj., *pendule compensateur;* n. m., 1832); divers systèmes de «compensation» (correction) ont reçu ce nom.

DÉCOMPENSER v. intr. (v. 1950), précédé par **DÉCOMPENSATION** n. f. (1926), est un terme de physiologie et de psychanalyse désignant la faillite des mécanismes de compensation.

SURCOMPENSÉ, ÉE adj., formé au milieu du XIXe s. (1842), a été repris en psychologie (1946) d'après **SURCOMPENSATION** n. f. (1946) «conduite qui compense à l'excès une infériorité».

◈ **COMPÈRE** n. m., d'abord *conpere* (1174-1177), est issu du latin ecclésiastique *compater* «parrain», mot parallèle à *commater* (→ commère), de *cum* (→ co-) et *pater* (→ père), proprement «père avec».

♦ L'évolution du mot est parallèle à celle de *commère* : l'ancien terme de parenté cède la place au terme d'amitié (fin XIIe s.) et au sens courant de «ami, camarade, complice» (1594). Le mot est archaïque ou plaisant; ses valeurs, généralement positives, contrastent avec celles de *commère.*

▸ Le dérivé **COMPÉRAGE** n. m., d'abord *conparage* (1174-1177), a désigné un lien spirituel entre les parents de l'enfant baptisé et le parrain. Une attestation isolée au XVIe s. dans un contexte de tromperie (v. 1534) annonce une reprise au sens de «complicité douteuse» (1718, *tout se fait par compérage*); cette acception a disparu au profit de *copinage.* ◆ Le nom d'oiseau **COMPÈRE-LORIOT** n. m. (1564) est d'origine très discutée. On a notamment émis l'hypothèse que le terme, véhiculé du Midi vers le Nord par la vallée du Rhône, résulterait de l'allongement, au moyen de *compère**, d'une forme lyonnaise *pirgloryoe, pirloryo,* interprétée °*père loriot,* et remontant à deux mots grecs de Marseille : *purros* «rouge feu» (→ pyro-) et *khlôriôn* (→ loriot). ◇ En français même, le développement du sens d'«orgelet» (1838) a probablement eu lieu dans le nord de la France par parallélisme avec *loriot* qui possède également les deux sens en rouchi (patois du Nord) et qui résulterait de l'évolution convergente du latin *aureolus* (→ loriot) et *hordeolus* (→ orgelet), avec agglutination de l'article défini.

COMPÉTENT, ENTE adj. est un emprunt du XIIIe s. (v. 1240) au latin juridique *competens,* participe présent du verbe *competere* qui sera emprunté un peu plus tard (ci-dessous). *Competere* signifie «tendre vers un même point» et, au figuré, «convenir à, appartenir à», et spécialement en droit «appartenir en vertu d'un droit»; le verbe est formé de *cum* «avec» (→ co-) et de *petere* «chercher à obtenir» (→ pétition).

♦ *Compétent* a eu le sens général du verbe latin «convenable, approprié», mais le plus souvent en contexte juridique, s'appliquant notamment à une instance judiciaire (1480) en relation avec *compétence,* alors néologisme. De là, une nouvelle généralisation pour «capable par ses connaissances et son expérience» (1680).

▸ Son dérivé **COMPÉTEMMENT** adv. (1314), occasionnellement concurrencé par *compétentement* chez les auteurs décadents de la fin du XIXe s., est archaïque dès le XVIIe siècle. ◆ **COMPÉTENCE** n. f., emprunté (v. 1460) au bas latin *competentia* «proportion, juste rapport», a suivi la même évolution, de l'emploi juridique spécialisé (1596) à l'emploi général pour «capacité due au savoir, à l'expérience» (1690), ce dernier donnant lieu à métonymie pour «personne compétente» (1903, au pluriel). Son emploi récent en linguistique (v. 1960) vient de l'anglais *competence* (de même origine) que N. Chomsky a intégré à sa terminologie, en opposition à *performance.* ◇ Le sens de «rivalité, concurrence» (1585), qui s'était développé sous la pression du verbe latin *competere* «chercher à atteindre concurremment», a été supplanté par le terme apparenté *compétition** et a disparu. ◆ Les contraires préfixés **INCOMPÉTENT, ENTE** adj. et **INCOMPÉTENCE** n. f. sont apparus au XVIe s.; ils ont aujourd'hui une double valeur, juridique et courante. ◆ Le verbe **COMPÉTER**, emprunté (v. 1370) au latin *competere* (ci-dessus), s'est employé en moyen français au sens de «appartenir à, revenir à (qqn)» (XVIe s.) et «être conforme à» (1541). Il s'est maintenu plus longtemps dans la langue du droit, spécialement avec le sens d'«être de la compétence d'un tribunal» (1798), mais ne s'est pas répandu en partie à cause de la paronymie avec *péter.*

◈ voir **COMPÉTITION.**

COMPÉTITION n. f. est emprunté (1759) à l'anglais *competition* «rivalité», spécialement dans le domaine du commerce et de la politique, lui-même emprunté (XVIIe s.) au bas latin *competitio* «accord, candidature rivale», de *competere* (→ compéter).

♦ Le français a repris le mot avec le sens anglais de «rivalité», spécialisé dans le domaine sportif (où l'anglais emploie *challenge*) à la fin du XIXe siècle.

▸ **COMPÉTITIF, IVE** adj., «relatif à la compétition» (1907), a été formé sous l'influence de l'anglais *competitive* (1829, dans le domaine économique). Il doit probablement à ce dernier sa spécialisation en économie (1954). ◇ Il a produit **COMPÉTITIVITÉ** n. f. (1960), devenu courant dans le contexte du capitalisme libéral qui place les notions de compétition et de défi (souvent nommées par un nouvel anglicisme *challenge**) au centre de sa symbolique.

COMPILER v. tr. est emprunté (v. 1265) au latin *compilare,* de *cum, com-* (→ co-) et *pilare* «piller qqch., dépouiller qqn» (→ piller) et, en latin médiéval (VIIIe s.), «écrire, composer». Le développement de ce sens se comprend dans le cadre d'une époque où la prétention à l'originalité n'avait pas cours, pour des raisons esthétiques et socio-culturelles, s'agissant de retrouver et de transmettre des informations perdues.

♦ Le mot signifie «composer un recueil à partir d'extraits de divers auteurs», souvent avec une valeur péjorative (1758) depuis que s'est dégagée la notion moderne de création artistique. Par réemprunt à l'anglais *to compile,* lui-même emprunté (XIVe s.) au français et qui a la valeur non péjorative de «rédiger (un ouvrage de référence, par ex. un dictionnaire)», *compiler* a parfois cette valeur, ainsi que l'acception technique propre à l'informatique de «transformer en code binaire», par un nouvel anglicisme.

▸ **COMPILATION** n. f. (1230-1250) et **COMPILATEUR, TRICE** n. (1425), respectivement empruntés aux dérivés latins *compilatio* et *compilator,* ont suivi l'évolution du verbe et, en informatique, calquent l'anglais *compilation, compiler.* ◇ *Compilation,* abrégé en **COMPILE** n. f. (1990), est réemprunté à l'anglo-américain pour «sélection d'enregistrements sur disque».

COMPLAINTE n. f. est le participe passé féminin substantivé (v. 1175) de l'ancien verbe *complaindre* (v. 1150) «plaindre» et, à la forme pronominale, «se plaindre», disparu au XVIe ou au XVIIe s. (il est réputé «vieux» en 1680). Ce mot est issu d'un latin vulgaire °*complangere,* de *cum* (→ co-) et *plangere* (→ plaindre).

♦ Le mot a concurrencé et évincé son doublet masculin *complaint* (v. 1100); son sens général de «plainte», avec sa spécialisation «plainte en justice» (1174-1177), a disparu au profit de *plainte. Complainte* a pris et conservé une spécialisation esthétique, désignant une pièce poétique (1266-1268, Rutebeuf) puis, dans la même tradition et beaucoup plus tard, une chanson populaire à déroulement tragique ayant pour thème les faits et gestes d'un personnage légendaire (1880).

COMPLAIRE v. tr. ind. est emprunté (v. 1120), avec adaptation d'après *plaire,* au latin *complacere* «plaire» puis, à l'époque chrétienne, «se plaire à, mettre ses complaisances en», de *cum* (→ co-) et *placere* (→ plaire).

♦ L'emploi transitif indirect du verbe *(complaire à),* avec le sens de «s'accommoder au goût de qqn pour lui plaire» et, en parlant de choses, «être agréable à qqn» (1551), s'est maintenu dans la langue littéraire. Seule la forme pronominale *se complaire à* (1556) ou *dans, en* (1580), est demeurée courante.

▸ Comme le verbe, les dérivés expriment l'idée de «trouver son plaisir dans qqch.», quelquefois avec une connotation péjorative de vanité ou de faiblesse. **COMPLAISANT, ANTE** adj. (1556) présente cette connotation à partir du XVIIe s., quelquefois en emploi substantivé (1666) aujourd'hui disparu. ◇ En est dérivé **COMPLAISAMMENT** adv. (1680). ➛ **COMPLAISANCE** n. f. (v. 1370) est emprunté au latin chrétien *complacentia* «volonté de plaire». Il désigne un acte destiné à complaire (v. 1370) et plus souvent l'action de se complaire à qqch. (1616). Il exprime aussi le caractère d'une personne complaisante envers elle-même (1635). Le sens noble d'«amour divin» (1681, Bossuet), en style biblique, est demeuré rare avant de disparaître, l'ensemble des usages demeurant péjoratifs, dans des expressions comme *billet **de complaisance*** (1845), ou mondains (1845, *par complaisance, avoir la complaisance de*).

COMPLÉMENT n. m. est emprunté (1308) au latin *complementum* «ce qui complète», de *complere* «remplir entièrement, achever» (→ complet).

♦ Le sens abstrait et actif de «réalisation, accomplissement», quelquefois avec la valeur de «perfection», a été évincé par le sens concret, «ce qui complète qqch.» (1347). Celui-ci a donné des acceptions spéciales en géométrie (1690), astronomie (1732) et musique (1732). ◇ En grammaire, le terme, introduit par du Marsais (entre 1720 et 1750) pour dégager la grammaire française du modèle latin, où l'on parlait de *régime,* assume une notion ancienne, exprimée par des termes comme *objet.* L'usage figuré du mot réactive la valeur d'«accomplissement» dans l'expression *complément de béatitude* (1732), en théologie, et dans certains emplois littéraires (1829).

▸ **COMPLÉMENTAIRE** adj. (1791), «qui constitue le complément d'une chose», a reçu plusieurs acceptions spéciales. Pendant la Révolution, il a servi à qualifier les jours qui complétaient le calendrier républicain dont les mois n'étaient que de trente jours (1795). L'adjectif, souvent d'après les emplois de *complément,* s'est spécialisé en grammaire (1803), en géométrie (1863), en arithmétique (1869), en optique (1816, *couleurs complémentaires*) et, de là, en peinture. ➛ *Complémentaire* a produit quelques dérivés didactiques : **COMPLÉMENTAIREMENT** adv. (1903), **COMPLÉMENTARITÉ** n. f. (1907) et **COMPLÉMENTER** v. tr., d'abord employé par fantaisie chez Verlaine (1891), puis de manière terminologique en mathématiques, comme son dérivé **COMPLÉMENTATION** n. f. (1914).

COMPLET, ÈTE adj. et n. est emprunté (v. 1300) au latin *completus,* participe passé adjectivé de *complere* «remplir complètement» d'où «achever», de *cum* (→ co-) et *plere* (→ emplir).

♦ Le mot, rare avant le XVIIe s., qualifie ce à quoi il ne manque aucune des parties nécessaires, spécialement un aliment, un organisme. Au figuré, il caractérise une personne possédant tous les traits de son genre sans exception (XVIe s.), parfois en mauvaise part (av. 1691, *fou complet*). ◇ Substantivé depuis 1740, il entre dans la locution ***au grand complet*** (1823) et fournit, par ellipse d'*habit complet,* le nom d'un vêtement masculin (1874). Ce sens a vieilli, tant sous sa forme simple que dans *complet-veston ;* on emploie surtout *costume.*

▸ **COMPLÈTEMENT** adv. (apr. 1250), longtemps considéré comme burlesque ou badin, ne s'est répandu qu'au XVIIIe s. puis est devenu très courant, avec des valeurs affaiblies comme «vraiment, tout à fait», s'employant aussi absolument, en réponse. ➛ Le dénominatif **COMPLÉTER** v. tr., «rendre complet» (1733), a donné à son tour le nom d'action didactique **COMPLÉTION** n. f. (1954; 1930, au Canada), probablement d'après l'anglais *completion* «achèvement, accomplissement» (XVIIe s.), à mettre en rapport avec le bas latin théologique et juridique *completio.* ➛ **COMPLÉTUDE** n. f. est également récent (1928) et a dû être suscité par *incomplétude* (ci-dessous). ➛ **COMPLÉTIF, IVE** adj. a été emprunté (1503) au bas latin *completivus* «qui complète», spécialement employé en philosophie et en grammaire. ◇ Usité au XVIe s., puis abandonné, le mot a été repris comme terme de grammaire (1789) pour qualifier ce qui a la fonction syntaxique d'un complément; il est substantivé au féminin dans *une* (proposition) *complétive.*

INCOMPLET, ÈTE adj. est emprunté (XVe s.) une première fois au bas latin *incompletus,* «non accompli», au sens d'«inachevé». Il a été repris en 1747 comme composé de *complet.* Il est usuel. ◇ Son dérivé **INCOMPLÈTEMENT** adv. (1503) a lui-même cessé d'être usité avant la fin du XVIIIe s.; **INCOMPLÉTUDE** n. f., tardif (1903), semble antérieur à *complétude* et s'emploie didactiquement.

◈ voir COMPLÉMENT.

COMPLEXE adj. et n. m. est emprunté (XIVe s.) au latin *complexus* «fait d'éléments imbriqués», participe passé adjectivé de *complecti* «embrasser, comprendre», de *cum, com-* (→ co-) et *plectere* «plier, entrelacer» (→ plier).

♦ Attesté une première fois dans un contexte obscur *(Complexion est sans complexe)*, le mot est repris au XVIe s. comme adjectif pour qualifier ce qui est composé de divers éléments hétérogènes *(complexe querelle)*. Il reçoit des acceptions spéciales en logique (1652) et mathématiques *(nombre complexe)* et, ultérieurement, tend abusivement dans l'usage commun à se rapprocher de *compliqué*. ◇ Substantivé au sens d'«ensemble» (1781) en physiologie, où il traduit le latin *complexus* employé concurremment (1703), il passe en chimie et en économie (1918). ◇ Son emploi spécial en psychanalyse est un calque de l'allemand *Komplex*, terme d'abord utilisé par le physiologiste J. Breuer dans ses *Études sur l'hystérie* (1895) puis par C. G. Jung et S. Freud (1909-1910), la psychanalyse freudienne le diffusant, notamment dans *complexe d'Œdipe, complexe d'infériorité*, etc. Ce sens s'est vulgarisé en «sentiment d'infériorité» (1930) dans *faire des complexes* (1960).

► **COMPLEXITÉ** n. f. fournit tardivement (1755) le nom d'état correspondant à *complexe*. ◇ Ultérieurement celui-ci a servi à former **COMPLEXIF, IVE** adj. (1872), terme de botanique qui a supplanté *complectif*, formé (1838) sur le radical du latin *complecti* et jugé «barbare» par Littré. ◆ Au XXe s., **COMPLEXIFIER** v. tr. (1951), d'où **COMPLEXIFICATION** n. f. (1955), correspondent au sens général de l'adjectif *complexe*, alors que l'emploi du nom en psychanalyse et son usage vulgarisé suscitent **COMPLEXÉ, ÉE** adj. (1960), **COMPLEXER** v. tr. (v. 1962), d'où **DÉCOMPLEXER** v. tr. (1962).

◈ voir COMPLEXION, COMPLICE.

COMPLEXION n. f., d'abord *complexiun* (v. 1120), est emprunté au latin *complexio* «assemblage d'éléments divers», dérivé de *complexus* (→ complexe), puis, à basse époque et en latin médiéval, «tempérament».

♦ Introduit avec cette spécialisation, le mot s'est éloigné de *complexe**. Il désigne le tempérament physique de l'être humain mais non le tempérament moral, malgré une tentative en moyen français (XVe-XVIe s.). Ce sens moral était probablement antérieur, si l'on en juge par l'emploi de **COMPLEXIONNÉ, ÉE** chez Oresme (v. 1370), «qui a un certain caractère (complexion) moral, psychologique».

COMPLICE adj. et n., d'abord *complisse* (1327), est emprunté au bas latin *complex, -icis* «uni, associé», substantivé chez les auteurs chrétiens à propos de celui qui s'associe à qqn pour commettre un méfait. Le mot est dérivé du supin de *complecti* «enlacer étroitement» (→ complément, complexe), verbe formé de *cum* (→ co-) et de *plectere* «entrelacer»; *plicare*, forme intensive sans le *t* suffixal, a donné *plier**.

♦ Repris avec la spécialisation péjorative, le mot est resté plus rare avec le sens neutre de «compagnon, ami» (v. 1460).

► **COMPLICITÉ** n. f. (1420), «participation à une action répréhensible», prend aussi, plus souvent que *complice*, le sens d'«accord profond, tacite, entre deux êtres», connoté favorablement. *Complice* et *complicité*, au sens péjoratif, correspondent à une notion précise en droit pénal.

COMPLIES n. f. pl. est l'adaptation (v. 1120), d'après l'ancien français *complir* (→ accomplir), du latin chrétien *completa* (sous-entendu *hora*), au pluriel *completae (horae)*, «heure qui complète, achève l'office», substantivation de *completa*, participe passé féminin de *completus* (→ complet).

♦ Ce terme de liturgie catholique, qui désigne l'heure canoniale portant l'office divin à son achèvement, a d'abord été employé au singulier. Le pluriel (XIIIe s.) s'est généralisé au XVe s. par alignement sur *vêpres, matines, laudes*.

COMPLIMENT n. m. est emprunté (1604) à l'italien *cumplimento* «acte, expression d'hommage» (1578-1594), lui-même emprunté à l'espagnol *cumplimiento* «abondance» (XIIIe s.). Celui-ci est issu de *cumplir* (du latin *complere* → accomplir), dans l'expression *cumplir con alguien* «accomplir les politesses requises envers qqn».

♦ Le mot, d'abord appliqué à un acte, la visite de courtoisie faite à un personnage officiel, désigne ensuite des paroles élogieuses adressées à qqn en diverses occasions (1608). D'un très grand usage social à l'époque classique et jusqu'au XIXe s., le mot a perdu en importance avec la simplification du code de la politesse. En témoigne son emploi ironique *(débiter un, son compliment)*.

► Du dérivé **COMPLIMENTER** v. tr., présenté en 1634 comme un néologisme, vient **COMPLIMENTEUR, EUSE** adj. (1623), dont l'emploi substantivé (1657-1690) est devenu archaïque.

COMPLIQUER v. tr. est emprunté, d'abord au participe **COMPLIQUÉ, ÉE** (XIVe-XVe s.) au latin *complicare*, proprement «plier en enroulant» d'où, au figuré, la notion d'embarras *(complica notio* «idée confuse»). Le verbe est formé de *cum* (→ co-) et de *plicare* (→ plier).

♦ Jusqu'au XVIIe s., seul *compliqué* est attesté. Le verbe apparaît une première fois dans son acception littérale, «replier, enrouler», à la fin du XVIIe s. avant de prendre son sens actuel, «rendre complexe, difficile à comprendre», à la forme pronominale et transitive (1797). De nos jours, il a pris un emploi pronominal indirect *(se compliquer la vie)*.

► **COMPLICATION** n. f., emprunté (v. 1370) au dérivé bas latin *complicatio* avec le sens d'«assemblage de choses différentes», a surtout été employé dans le domaine médical en parlant d'un ensemble compliqué. Le sens général, «caractère de ce qui est compliqué» (1794), a donné un emploi métonymique particulier *(une, des complications)*, très vivant en pathologie avec le sens d'«aggravation secondaire».

◈ **COMPLOT** n. m. (fin XIIe s.) est d'origine incertaine : P. Guiraud voit dans son radical un représentant de *pelot, pelote** avec chute de l'*e* atone entre *p* et *l* (comme dans l'anglais *plot* «complot»). La pelote étant primitivement constituée d'une boule de cordelettes très serrées recouverte de peau, un verbe °*com-peloter,* selon Guiraud, aurait pu signifier «mettre ensemble de petits bouts de corde en les serrant autour de l'un d'eux» : ces trois éléments de sens, «assemblage», «serré» et «recouvert», donc «caché», sont bien réalisés dans *complot.*

♦ Le sens concret de «foule compacte» a disparu au profit du sens abstrait, «accord, intelligence entre plusieurs personnes» (1180-1190), rapidement spécialisé avec la valeur moderne de «conjuration» (1213-1214).

▸ C'est le cas de **COMPLOTER** v. tr. (1450) et de son dérivé **COMPLOTEUR** n. m., attesté au féminin *comploteuse* (1571), puis au masculin (1580), et rare avant le XIXe siècle. Si le substantif peut encore avoir sa valeur forte, ses dérivés sont le plus souvent employés avec un sens affaibli ou plaisant d'entente dissimulée pour un motif social ou affectif (cf. faire une *surprise** à qqn).

COMPONCTION n. f., d'abord *compunction* (v. 1120), est emprunté au bas latin *compunctio,* proprement «piqûre», «douleur poignante» dans le vocabulaire médical, employé par les auteurs chrétiens au sens moral de «douleur, amertume» et «douleur de l'âme causée par le sentiment du péché». *Compunctio* est le substantif d'action formé sur le supin *(compunctum)* de *compungere,* verbe composé de *cum* (→ co-) et de *pungere* «piquer, tourmenter» (→ poindre).

♦ Le mot a été introduit avec son sens religieux de «douleur, amertume» (en style biblique *vin de la componction*) et, en termes de piété, «sentiment de contrition à l'idée d'avoir offensé Dieu» (fin XIIe s.). ◇ Il s'est répandu dans la langue littéraire (1745, *avec componction*) en parlant d'une attitude de contrition affichée, en général affectée ou ostentatoire ; même avec ces connotations péjoratives, le mot a vieilli, perdant sa valeur étymologique au profit d'une autre valeur, non moins péjorative, «piété affectée, douceur mielleuse».

COMPORTER v. tr. est emprunté (fin XIIe s.) au latin *comportare* «porter, transporter», «réunir dans un lieu, amasser», de *cum* (→ co-) et *portare* (→ porter).

♦ Le sens concret de «porter dans ses bras», encore attesté au XVIIe s., a disparu au profit du verbe simple *porter.* Le développement des sens a obéi à la même logique que celui des sens figurés de *porter :* passant aux valeurs de «porter en soi, contenir, inclure» (v. 1450) et au pronominal *se comporter* «agir de telle manière envers qqn». Le sens de «rendre possible» et, sur le plan affectif, «souffrir la possibilité, supporter» (av. 1550), s'est éteint, mais fait encore l'objet d'emplois stylistiques chez certains écrivains aux XIXe et XXe siècles.

▸ **COMPORTEMENT** n. m. procède (apr. 1450) de l'emploi pronominal du verbe : il désigne couramment la manière d'agir, pour un être animé et, quelquefois, pour une chose ; cet emploi, courant au XVIe s., a été repris au XXe s. dans le domaine de la physique. Le mot a été réintroduit dans la langue de la psychologie par Piéron (1908) comme équivalent de l'anglo-américain *behavior.* ◆ Il y a produit **COMPORTEMENTAL, ALE, AUX** adj. (1949), correspondant à l'anglo-américain *behavioral* dont il a adopté la finale.

✱ **COMPOSER** v. tr. et intr. est l'adaptation (v. 1120), d'après *poser*,* du latin *componere,* de *cum* «avec» (→ co-) et *ponere* (→ pondre), littéralement «placer, poser ensemble», d'où «faire un tout avec des éléments divers», «mettre en ordre», «régler un différend» et «convenir d'une chose».

♦ Le verbe est apparu avec le sens d'«assembler des éléments en un tout», d'abord dans un contexte abstrait sorti d'usage en emploi général, mais très vivant dans des contextes particuliers, en parlant d'une œuvre écrite (XIVe s.), musicale (1508) et aussi, concrètement, d'un assemblage typographique (1531). Dans ces deux emplois, il a acquis une autonomie renforcée par l'usage fréquent de *compositeur,* alors que sur le plan de la création littéraire, il est fortement concurrencé par *écrire* (soutenu par *écrivain).* ◇ Par extension, *composer* exprime le fait d'«élaborer une apparence, se donner une contenance» (1559, *composer son visage).* ◇ Employé absolument, il concerne surtout l'exercice scolaire consistant à faire un devoir de mise en ordre et de synthèse dans un temps limité (1690). ◆ Le sens intransitif de «traiter, négocier» (1354-1376) est un emprunt sémantique au latin, passé du langage de la diplomatie (fin XVe s., *composer avec l'ennemi*) au langage courant où il appartient à l'usage soutenu (fin XVIIIe s., *composer avec les préjugés*).

▸ **COMPOSÉ, ÉE** son participe passé adjectivé et substantivé, a pris des sens spécialisés dans plusieurs sciences dont la grammaire (1549), la biologie (1701), l'arithmétique (1721, *nombre composé*) et la chimie (1721) où il a d'abord désigné ce que l'on appelle aujourd'hui une *combinaison,* avant de s'opposer à un *corps simple.* ◇ La botanique en a fait un terme générique par substantivation de *(fleurs) composées* (1815, *Composées*) avant de le refaire en **COMPOSACÉES** n. f. pl. au XXe siècle. ◇ **SURCOMPOSÉ, ÉE** adj. s'emploie en grammaire (av. 1723), à propos des temps verbaux, et en botanique (1797). ◆ L'adjectif **COMPOSANT, ANTE** tiré du participe présent *(éléments composants),* a été substantivé au masculin (XVIIIe s.), plus tard spécialisé en technique *(composants électroniques),* et aussi au féminin **COMPOSANTE** n. f. avec des valeurs spécialisées (1811 en mécanique, Lagrange).
Sur *composer* dans son emploi spécial en typographie, ont été formés **COMPOSEUSE** n. f. (1866) et, par composition, **PHOTOCOMPOSEUSE** n. f. (av. 1966) qui correspond à *photocomposition* (ci-dessous).

COMPOSITION n. f. est emprunté (v. 1155) au dérivé latin *compositio* (de *positio,* dérivé du supin de *ponere*) «fait de mettre ensemble» d'où «préparation de qqch.», «création d'une œuvre, d'un ouvrage

littéraire», «disposition, agencement» et «accord». ◇ Les sens du latin se retrouvent en français où le mot désigne l'action de former un tout en assemblant des éléments, spécialement en typographie (1531) et en grammaire (1579), puis également en physique (1682, *composition des mouvements* ; 1844, *des vitesses* [Coriolis] ; 1753, *composition des forces*). À partir du XVIe s., il est employé dans le domaine de la création artistique, notamment littéraire (1548), avec diverses extensions métonymiques. Il est repris en musique (1680), d'après *compositeur*. ◇ Parallèlement, le sens de «négociation» (XIIIe s.) passe du vocabulaire de la diplomatie à celui des relations humaines où il a donné la locution ***de bonne composition*** (1691) «de caractère facile». ◇ Par préfixation, le sens typographique a suscité **PHOTOCOMPOSITION** n. f. «composition photographique», par exemple dans *photocomposition programmée par ordinateur*.
Quant à **COMPOSITE** adj. (1361), il est emprunté au participe passé latin *compositus* (de *componere*), au sens propre «formé d'éléments divers». Il l'a gardé en architecture (1545) mais, dans l'usage courant, a fréquemment une connotation péjorative de «disparate».
COMPOSITEUR, TRICE n. (1274), emprunt au latin *compositor*, n'a pas gardé son sens d'emprunt, «celui qui règle un différend», concurrencé par *négociateur, arbitre,* sinon dans le syntagme juridique *amiable compositeur*. Il s'est dit de l'auteur d'un ouvrage (1406), emploi qui recule et disparaît (au XVIIe s.) lorsque le mot s'est imposé en musique. Aujourd'hui, en effet, *compositeur* se partage entre sa spécialisation musicale (1549), qui est entrée dans l'usage courant, et sa spécialisation technique en imprimerie (1513).
Parmi les composés préfixés, **DÉCOMPOSER** v. tr., formé au XVIe s. (1541), s'applique spécialement aux sciences, chimie, mathématiques (1754), physique (1810). Dans l'usage général, il a le sens d'«altérer profondément» (1690) et, aux pronominal et participe passé, s'applique aux traits du visage (1818). ➝ Le dérivé **DÉCOMPOSITION** n. f. (1694) reprend la plupart de ces valeurs et s'applique fréquemment à la putréfaction des matières organiques. ➝ Alors que les mots préfixés en *dé-* ne correspondent plus aux valeurs dominantes de *composer* (on emploie *défaire,* récemment *déconstruire*), **RECOMPOSER** v. tr. (1548), d'où **RECOMPOSITION** n. f. (1762), conservent le sémantisme des mots simples.

◈ voir COMPOSTEUR, COMPOTE.

COMPOST → COMPOTE

COMPOSTEUR n. m. et adj. m. est l'adaptation, d'après la prononciation (1672) de l'italien *compositore,* correspondant au français *compositeur** (→ composer), employé comme terme de typographie (av. 1643).

♦ Le mot désigne l'ouvrier imprimeur qui assemble les lettres sur la forme et l'instrument sur lequel il effectue cette opération (1680). Seul le nom de l'instrument s'est maintenu. Par analogie, *composteur* s'applique à un appareil utilisé pour marquer, numéroter, dater, perforer (1890).

▸ Avec ce dernier sens, il a produit ① **COMPOSTER** v. tr. (1922) dont on a tiré **COMPOSTAGE** n. m. (1969), souvent appliqués au contrôle des billets (par perforation, etc.).

COMPOTE n. f., d'abord *composte* (v. 1100), est emprunté au latin °*composita* «mets composé de plusieurs éléments», participe passé passif substantivé, au féminin, de *componere* «composer» (→ composer, composite).

♦ Le mot désigne un mets «composite», composé de plusieurs aliments, soit du poisson, de la viande confits dans le vinaigre, soit des fruits confits au vin, au sucre ou au miel. ◇ L'usage moderne a privilégié le sens de «fruits écrasés ou coupés et sucrés» (distinct de *confiture*) aux dépens de l'ancien ragoût salé (sauf en gastronomie où l'on parle encore de *compote de lapereau*). ◇ Par analogie de consistance, d'aspect avec le premier sens, *compote* est entré dans la locution familière ***avoir les jambes en compote*** (fin XVe s.) puis, généralement, ***en compote*** «écrasé».

▸ *Compote* a pour dérivé direct **COMPOTIER** n. m. (1733, écrit *compoptier*), nom d'un plat creux dans lequel on sert des compotes et autres desserts.
L'ancien adjectif *compost, oste* «mêlé, composé» (XIIIe s.), représentant le participe passé adjectivé latin *compositus,* a été substantivé en **COMPOST** n. m. et spécialisé en agriculture comme nom d'un engrais composé d'un mélange de fumier et de détritus (XIIIe s.). ◇ Ce terme, resté bien vivant dans sa zone d'origine, en Normandie, alors qu'on attendrait normalement *compôt,* a connu une nouvelle extension au XVIIIe s. sous l'influence de l'anglais *compost,* lui-même emprunté à l'ancien normand et attesté sous la forme latinisée *compostus* au XIIIe s., puis dans les textes anglais, au XVIe siècle. ➝ La prononciation maintenue du *s* de *compost* a conduit à la forme ② **COMPOSTER** v. tr., depuis l'ancien normand (1374) et l'anglo-normand (1350), tandis que le normand évoluait parallèlement en *compôter*. Le verbe a suivi la même extension que le nom au XVIIIe siècle. La distinction phonétique s'est maintenue en partie à cause du mot *compote*.

COMPRENDRE v. tr., d'abord *cumprendre* (v. 1120), est emprunté au latin *comprendere,* forme contractée du latin classique *comprehendere,* proprement «saisir ensemble» et, intellectuellement, «saisir par l'intelligence, la pensée». Ce verbe est formé de *cum* «avec» (→ co-) et de *prehendere* (→ prendre).

♦ Le sens physique de «saisir, prendre, envahir» a fait du mot un doublet sémantique de *prendre* jusqu'au XVIe s., quelquefois employé avec la valeur très violente de «empoigner, happer». ◇ Cet emploi a progressivement reculé au profit du sens d'«englober, embrasser en un tout» (fin XIIe s.) et de celui de «concevoir, saisir par l'intelligence» (fin XIIe-déb. XIIIe s.). Ce dernier s'est imposé plus lentement (il est rare jusqu'au XVe s.), évinçant à partir du XVIIe s. *entendre* de l'usage courant en ce sens. ➝ Par extension, *comprendre* a reçu le sens aujourd'hui dominant de «saisir intuitivement l'essence de (qqn), approuver le bien-fondé de ses motivations», auquel se rattachent certains dérivés.

▸ À côté de *compréhension* (ci-dessous), *comprendre* a produit un nom moderne familier, décliné régionalement en **COMPRENURE** n. f. (Bourgogne, Est), **COMPRENETTE** n. f. (1896, à Paris) et **COMPRENOIRE** n. f. (1926, dans le Nord et l'Ouest). ◆ Le composé antonyme de son participe passé adjectivé, **INCOMPRIS, ISE** adj. (v. 1450), est également courant depuis 1831 dans une acception affective, «qui n'est pas reconnu dans sa personnalité», due à l'influence de *compréhension ;* il est également substantivé.

COMPRÉHENSIBLE adj. (av. 1375) et **INCOMPRÉHENSIBLE** adj. (1377) sont des emprunts aux mots latins *comprehensibilis* et *incomprehensibilis. Incompréhensible* s'est répandu avec la valeur affaiblie de «difficile à expliquer» (1689).

COMPRÉHENSIONn. f. est emprunté (1372) au latin *comprehensio* «action de saisir ensemble» d'où «action de saisir par l'intelligence», dérivé du supin de *comprehendere* (voir *comprendre,* ci-dessus). Longtemps réservé à l'usage didactique, le mot s'est répandu au XVIIIe siècle. Au XIXe s., il a développé une spécialisation psychologique et morale, «qualité d'un être capable de comprendre autrui». ◆ Ce sens psychologique a produit l'antonyme **INCOMPRÉHENSION** n. f. (1960). ◇ Le composé **INTERCOMPRÉHENSION** n. f. est attesté depuis 1913 (en contexte linguistique). ◆ **COMPRÉHENSIF, IVE** adj. (1501), emprunté pour la forme au latin médiéval *comprehensivus* «collectif» (en grammaire), s'est aligné pour ses sens sur *comprendre.* Employé au XVIe s. dans les syntagmes *vertu comprehensive* et *comprehensive veue* (1552), il a été repris au XIXe s. (1821), surtout dans l'acception psychologique correspondant à *compréhension.* ◆ Il a servi à former **COMPRÉHENSIVITÉ** n. f. (1834), nom de qualité d'usage didactique et rare, **COMPRÉHENSIVEMENT** adv. (1951) et l'antonyme **INCOMPRÉHENSIF, IVE** adj. (1835).

COMPRESSER v. tr. est emprunté (1314 ; probablement antérieur (cf. *compresse,* ci-dessous) au bas latin *compressare,* forme fréquentative de *comprimere* (→ comprimer) au sens de «comprimer à plusieurs reprises».

♦ Le verbe, qui signifie «serrer fortement», ne s'est jamais bien implanté. Repris sporadiquement au XVIe s. puis fin XVIIIe s., il a été gêné par la concurrence de *comprimer.* Il a été repris au XXe s. avec le sens de «tasser» sous l'influence de *presser,* mais cet emploi est contesté.

▸ Malgré l'important hiatus chronologique qui sépare les deux mots, **COMPRESSE** n. f. est en général considéré comme le déverbal (v. 1159) de *compresser.* En témoigne l'ancien sens d'«action de presser, de serrer», disparu à la fin du moyen âge au profit du sens concret, «linge plié que l'on applique sur une plaie» (1539), issu par métonymie du précédent. ◆ *Compresser,* au sens le plus récent, a pour préfixé antonyme **DÉCOMPRESSER** v. tr. (1966), équivalent de *décomprimer,* qui possède en propre le sens de «relâcher sa tension nerveuse» en emploi absolu. ◇ L'absence d'autres dérivés s'explique par la présence de plusieurs mots, empruntés aux dérivés latins de *comprimere,* communs à *comprimer* et à *compresser.*

COMPRIMER v. tr. est emprunté (1314) au latin *comprimere* «serrer, presser, retenir», de *cum* (→ co-) et *premere* (→ presser).

♦ Le mot a été repris avec le sens du latin dans un contexte médical et technique. Il a bientôt développé ou repris au latin le sens figuré de «réduire, réprimer», réalisé spécialement dans un contexte politique (av. 1380, *comprimer les mouvements du peuple*) ; ce sens a disparu au XIXe siècle.

▸ Son participe passé **COMPRIMÉ, ÉE** employé adjectivement dès le XIVe s. au sens concret, d'où, par exemple, *air comprimé,* a été substantivé (1897) pour désigner une pastille pharmaceutique en poudre comprimée (en concurrence avec *cachet,* employé à tort). ◇ Les mots directement issus du verbe sont le dérivé **COMPRIMABLE** adj. (1845), synonyme du mot savant *compressible* (ci-dessous), et le préfixé **DÉCOMPRIMER** v. tr. (1845), employé en sciences, en médecine, et auquel correspond comme substantif d'action *décompression.* Ce verbe a pour équivalent récent *décompresser* (→ presser).

COMPRESSION n. f. (1314) a été emprunté au bas latin *compressio* «action de comprimer, répression», formé sur le supin de *comprimere.* Repris avec son sens concret en médecine et employé spécialement en physique (1580, Palissy), le mot a vieilli au sens figuré de «contrainte», supplanté par *répression.* Cependant, il est usuel dans un contexte économique contemporain, au sens de «réduction» (de personnel, de dépenses). ◇ Il a servi à former par préfixation **DÉCOMPRESSION** n. f. (1868), utilisé spécialement en physique et en médecine. ◆ **COMPRESSIF, IVE** adj., de sens actif (1478), a été emprunté au latin médiéval *compressivus.* ◆ **COMPRESSIBLE** adj., de sens passif, est formé savamment (1648) sur le radical du latin *compressus,* participe passé de *comprimere.* ◇ Les trois dérivés de ce mot, **INCOMPRESSIBLE** adj., **COMPRESSIBILITÉ** n. f. et **INCOMPRESSIBILITÉ** n. f., sont enregistrés en même temps (1680). Tous ont des valeurs concrètes, techniques et un emploi figuré *(dépenses incompressibles).*

COMPRESSEUR n. m., dérivé savamment (1808) du radical du latin *compressus,* a d'abord nommé un muscle avant de se spécialiser comme nom d'instrument en chirurgie (1824) et en mécanique, couramment dans *rouleau compresseur* (1878). ◇ Il est employé avec la valeur d'un adjectif au sens propre et au sens figuré (1842).

◈ voir COMPRESSER.

COMPROMETTRE v. tr. est emprunté (1283) au latin juridique *compromittere,* littéralement «promettre avec» d'où «s'engager mutuellement à soumettre un différend à l'arbitrage d'un tiers». Le verbe est formé de *cum* (→ co-) et de *promittere* (→ promettre).

♦ Le verbe a été employé absolument avec le sens juridique apparu en latin médiéval, aujourd'hui sorti d'usage. Il avait développé un sens figuré, «se soumettre à» (1580), que l'on rencontre chez Montaigne, mais qui s'est peu répandu, même au XVIe siècle. Le sens d'«exposer à un danger» s'est dégagé au XVIIe s., d'abord dans l'ancienne construction indirecte *compromettre qqn de qqch.* (1636), puis à la forme pronominale (1680) et en construction directe (1690). ◇ *Se compromettre* et, par suite, *compromettre* s'entendent spécialement comme «donner à penser que l'on a une liaison avec une femme et l'exposer à ruiner sa réputation» (1837-1838). Avec l'évolution des mœurs, cette acception s'emploie aujourd'hui de manière très atténuée, voire par plaisanterie.

▶ *Compromettre* a produit **COMPROMISSION** n. f. (1787) «action de transiger avec ses principes», mot rare, repris en 1842 par Richard de Radonvilliers, et qui désigne l'action de compromettre qqn ou de se compromettre, d'où, par métonymie, un acte, une parole par lesquels on se compromet (1860). ◆ **COMPROMETTANT, ANTE** adj., tiré du participe présent de *compromettre* (1842), est en revanche usuel. ◆ **COMPROMIS** n. m. est emprunté (1243) au latin juridique *compromissum* «appel à la sentence d'un arbitre», participe passé substantivé, au neutre, de *compromittere.* ◇ Le mot s'emploie en droit, tant avec le sens d'emprunt qu'avec celui d'«engagement réciproque» (1461), éliminant de l'usage l'ancien français *compromission* (1262), luimême emprunté au latin médiéval *compromissio* «convention d'arbitrage» (1178). *Compromis* s'est répandu avec le sens d'«accord obtenu par concessions mutuelles» (1611), rare avant le XIXe s. (1863) et qui a développé une valeur péjorative.

❶ ✳ **COMPTER** v. est une réfection étymologique (v. 1348) de *cunter* (1080), *conter* (1172-1175), issu du latin *computare* «calculer, comprendre dans un compte, faire les comptes» (→ comput) d'où «faire entrer en ligne de compte», «mettre au nombre de, considérer comme». Le mot a eu tendance à supplanter dans ce sens le verbe simple *putare* qui avait une double valeur technique, «émonder, élaguer les arbres» et «apurer un compte», d'où «calculer, juger» (→ putatif). En moyen français, la graphie étymologique *compter,* fréquente à partir du XVe s., a permis d'opérer un partage sémantique entre *compter* et *conter**.

♦ Le sens de «calculer», attesté le premier, est réalisé en constructions intransitive et transitive (v. 1120); en procèdent les expressions *compter les jours* (1172-1175) et ***à compter du*** «à partir du» (1348). Au XVIIe s., apparaissent d'une part le sens particulier d'«être chiche de» (1680, *compter les morceaux*) et d'autre part l'emploi du verbe en parlant du temps imparti (1669). ◇ Dès l'ancien français, *compter* possède d'autres sens attestés en latin : il exprime l'idée de «comprendre qqn dans un dénombrement» (1115-1130), à laquelle se rattache, par extension métonymique, celle de «avoir, pouvoir justifier de» (1778) dans *compter plusieurs années de service.* ◆ On s'éloigne de l'idée de calcul avec le sens de «considérer comme» (1172-1175), réalisé avec un attribut (v. 1306), et dans les locutions ***tout bien compté*** (1562) «tout bien considéré» et ***sans compter que,*** plus tardive (1835). ◇ De l'idée de «considérer» découle logiquement celle de «faire cas de», réalisée en ancien français dans des formules négatives (v. 1280), puis dans la langue classique en emploi affirmatif (1674, Corneille), avant de l'être en emploi intransitif (av. 1703) dans l'usage moderne *(ça compte, ça ne compte pas pour lui).* C'est dans ce sens que le verbe figure dans des expressions de dénigrement ou d'insignifiance ***compter pour rien*** (1820), puis ***compter pour du beurre.*** Il signifie aussi «être considéré comme» (1863, *compter parmi les hommes les plus habiles de sa profession).* ◇ Dès le XIIe s., le verbe semble correspondre à «avoir l'intention de», mais cette valeur n'est clairement attestée qu'à partir de l'époque classique (1685). ***Compter avec qqn*** (av. 1483) a d'abord signifié «régler ses affaires avec qqn» avant de prendre, par extension, le sens de «tenir compte de qqn, de qqch.» (av. 1758) qu'il a conservé. ◇ Enfin ***compter sur*** «se fier à» est enregistré par Richelet (1680).

▶ Les nombreux dérivés ont généralement trait à l'idée de «calculer», si l'on excepte les préfixés verbaux qui ont des extensions figurées. ◆ **COMPTEUR, EUSE** adj. et n. m., d'abord *conteor* (1213), est dérivé de *compter* et non issu du latin *computator* «calculateur», attesté au sens figuré de «juge» en latin chrétien et de «trésorier» au moyen âge (1253). Le mot français, proprement «personne qui compte», désigne surtout un instrument servant à compter, à mesurer, d'abord en horlogerie (1752), puis en astronomie (1832 ; créé par M. Breguet en 1819) et, de nos jours, dans divers domaines techniques et scientifiques, entrant notamment (XXe s.) dans *compteur à gaz, compteur électrique* (1882), d'où *relever les compteurs,* au figuré «faire le point» et «récolter l'argent gagné par une prostituée». ◆ **COMPTOIR** n. m. d'abord *comptoer* n. m. (1345), précédé par le latin médiéval *computorium* «table où l'on fait les comptes» (1274), apparaît avec le sens demeuré courant de «table où les commerçants servent les clients et se font payer». Il a reçu des extensions désignant un bureau général de commerce aux Indes puis dans d'autres pays d'outre-mer (1687), et la succursale d'une banque (1835), entrant dans des noms d'établissements financiers.

COMPTANT, le participe présent, a été adjectivé (v. 1264-1265, *deniers contens*) avec le sens passif de «payé sur le champ», prenant dans des locutions comme ***payer comptant*** (v. 1450) une valeur adverbiale. Au figuré, ***prendre pour argent comptant*** (1594, *donner pour...*) signifie «considérer comme exact, valable (des affirmations)». De son ancien emploi substantivé (1465-1510) reste l'expression ***au comptant.*** ◆ **COMPTABLE** adj. (1349) signifie d'abord «qu'on peut compter», puis (XVe s.) «qui a des comptes à rendre» et au figuré «responsable» *(être comptable de...).* L'adjectif sera reformé au XVIIIe s. pour «de la comptabilité». Pour *agent comptable,* expression qui avait supplanté *agent compteur,* l'adjectif est substantivé au XVe s. (1461), devenant au XVIe s. le nom d'une profession organisée (au XXe s., *comptables, chefs comptables, experts comptables).* ◇ C'est dans ce sens qu'il a produit **COMPTABILITÉ** n. f. (1579) «technique et science des comptes, selon les règles du calcul économique et financier», et par métonymie «ensemble de comptes ainsi établis» *(la comptabilité d'une entreprise, de l'État)*. L'importance de *comptabilité* est devenue considérable tant pour désigner l'activité des comptes que la théorie des calculs financiers et l'ensemble des comptes d'une entreprise, d'un domaine économique, d'une nation. L'enseignement et la diffusion de la discipline lui valent d'être abrégé familièrement en **COMPTA** n. f. ◇ De *comptable* viennent aussi **COMPTABILISER** v. tr. (1900), d'où **COMPTABILISATION** n. f. (1952), **COMPTABILISABLE** adj. (1950); **COMPTABLEMENT** adv. (mil. XXe s.). ➜ **COMPTAGE** n. m., d'abord *comptaige* (1415) dans un ancien emploi juridique, ne s'est pas imposé comme nom d'action de *compter* «calculer». Repris comme tel à la fin du XVIIIe s. (av. 1778, Voltaire), il s'est spécialisé dans le langage scientifique (1797, chimie). ➜ **COMPTINE** n. f. «formule récitée» est le dérivé le plus tardif de *compter* (1922), malgré l'ancienneté de la pratique qu'il désigne dans les jeux d'enfants.

COMPTE n. m., d'abord *cunte* (v. 1080), *conte* (1165-1170) puis *compte* (fin XIIIe s.) par différenciation sémantique avec *conte**, est issu du latin *computus* «compte, calcul» (→ comput). ➜ Le mot apparaît au sens actif de «calcul (d'une quantité)» et désigne très tôt, par métonymie, le résultat du calcul, la quantité dénombrée (1165-1170). C'est de ce sens que découle une phraséologie usuelle très abondante qui est représentée par ***à ce compte*** «de ce point de vue» (1165-1170), ***en fin de compte*** (v. 1350), ***à bon compte*** (fin XVe s.), ***être loin du compte*** (1572), ***au bout du compte*** (1595), ***trouver son compte*** (1549; 1634, au figuré), ***avoir son compte*** (1634; 1675, par antiphrase), ***régler ses comptes avec qqn*** (av. 1704), ***donner son compte à qqn*** (1798) et ***son compte est bon*** (1835). ◇ Le sens d'«état détaillé des recettes et des dépenses» (v. 1155) a donné lui aussi de nombreuses locutions figurées dès l'apparition du mot, avec ***rendre compte de*** (v. 1155) et absolument ***rendre compte*** (fin XIIIe s.), ***demander des comptes*** (1283), ***tenir compte de qqn ou qqch.*** (1220-1225), ***se rendre compte de qqch.*** (av. 1710). ◇ Le sens propre lui-même (1231) vit dans *Chambre des comptes* (1309), *Cour des comptes* et dans des locutions comme ***à compte*** (1740) «à valoir» ou ***compte courant*** (1675), les locutions figurées ***prendre sur son compte*** (1663) et ***pour son propre compte*** (1678) impliquant une idée de «profit» dans un cas, de «responsabilité» dans l'autre.

L'élément verbal **COMPTE-** a fourni le premier terme de plus d'un composé du type **COMPTE-GOUTTES** n. m. (av. 1850) tandis que le substantif *compte* entre dans les composés **COMPTE RENDU** n. m. (1483; 1845, sous sa forme lexicalisée) et, avec soudure, **ACOMPTE** n. m. (1740), «paiement partiel à valoir sur le montant d'une somme due», qui résulte de la réunion de *à compte*. *Acompte* n'est pas une graphie moderne pour l'ancien français *aconte* «compte» (XIIe s.) qui a disparu à la fin du XVIe siècle.

Compter a produit trois préfixés verbaux qui se sont inégalement maintenus. ➜ **MÉCOMPTER** v. tr. (v. 1155), littéralement «mal compter», surtout utilisé à la forme pronominale *se mécompter* au figuré «se tromper dans ses espérances» (1456), a disparu et ne survit que dans le déverbal **MÉCOMPTE** n. m. (XIIIe s.), «espérance déçue» (avec l'idée d'une «erreur de prévision»). ➜ **DÉCOMPTER** v. tr. (1266) «retrancher d'un compte», s'il n'a pas totalement disparu, est moins répandu que le déverbal **DÉCOMPTE** n. m. (1263, dans l'ancienne locution figurée ***sans descont*** «sans relâche»). *Décompte* a pris par extension le sens de «dénombrement des éléments constitutifs d'un ensemble» (av. 1799). ➜ Quant à *escompter**, *escompte*, ce sont des emprunts à des mots italiens.

◈ voir COMPUT, ESCOMPTER.

COMPULSER v. tr. est emprunté (XVIe s.) au latin *compulsare* «donner des coups, pousser fort», au figuré «se heurter», spécialisé à l'époque juridique dans la langue du droit. Ce mot est le fréquentatif de *compellere* (supin *compulsum*) «pousser ensemble», «obliger», de *com-* (→ co-) et *pellere*, dont un dérivé a donné *pousser**.

♦ Le verbe a signifié «contraindre, obliger», avant de se spécialiser dans un sens juridique, «exiger la communication de documents chez un officier public» (av. 1588). Celui-ci s'est effacé derrière son extension métonymique, «prendre connaissance des documents déposés», laquelle a donné le sens courant de «consulter, examiner des documents» (attesté 1800).

▸ Ce sens courant du verbe est probablement vivant dès le XVIIIe s., si l'on en juge par ses dérivés **COMPULSEUR** n. m. (1768) et **COMPULSATION** n. f. (1787). ➜ **COMPULSION** n. f. est emprunté (1298) au bas latin *compulsio* «contrainte, sommation juridique, mise en demeure de payer». Le sens général de «contrainte» est attesté sporadiquement en ancien français, puis au XVIe s., avant d'être repris au XIXe s. et de connaître une nouvelle extension figurée dans le vocabulaire psychanalytique, d'après l'anglais *compulsion* et sous l'influence de *pulsion**. ◇ Le sens d'«action de consulter des documents» (1760) a disparu; il correspondait à *compulsation*. ➜ **COMPULSIF, IVE** adj. (1584) a suivi la même évolution, se spécialisant en psychanalyse et en psychologie (1929) comme traduction de l'anglais *compulsive*. À la manière de *complexe*, il a bénéficié de la vogue de la psychanalyse. ➜ **COMPULSIONNEL, ELLE** adj. (déb. XXe s.) et **COMPULSIVEMENT** adv. (1929) s'emploient en psychanalyse.

COMPUT n. m. est le doublet savant de *compte**, emprunté (1584) au bas latin *computus* «calcul, compte», de *computare* (→ compter). Une forme voisine, *compotus*, a donné l'ancien français *cumpoz* (v. 1119) attesté jusqu'au XVIe s. sous la forme *compost* (1267), laquelle est due à l'attraction étymologique de *compost* (→ compote) qui représente un dérivé de *componere* (→ composer).

♦ *Comput* désigne en religion l'ensemble des calculs visant à l'établissement du calendrier des fêtes mobiles et, par extension, l'ensemble des règles permettant de déterminer une date.

▸ En est dérivé **COMPUTISTE** n. (1611), «personne travaillant à l'établissement du calendrier des fêtes mobiles». ➛ **COMPUTATION** n. f. (1413) et **COMPUTER** v. (1595), respectivement empruntés au latin *computatio* «calcul» et *computare,* ont trait à la mesure, à l'évaluation du temps. En dehors de cet emploi très spécialisé, ces deux mots ont disparu; l'emploi de *computation* en droit et en économie, à propos d'un mode de calcul, correspond très probablement à un anglicisme. ➛ En effet, la série correspondante, en anglais, est courante et a donné la dénomination de la machine à calculer, puis à traiter l'information : le mot anglais *computer,* issu (XVIIe s.) de *to compute* «calculer», lui-même du français *computer.* Ce nom a d'abord désigné celui qui calcule, avant de désigner au XXe s. une machine à calculer électronique et de passer sporadiquement en français, parfois adapté en *computeur; ordinateur** l'a le plus souvent évincé.

COMTE n. m., d'abord transcrit *compte,* ancien cas régime masculin (v. 980), puis *contes,* est issu du latin classique *comes, -itis* «celui qui va avec», de *cum* (→ co-) et *ire* «aller» (→ aller). Le mot correspond à *comitem,* le cas sujet *comes* ayant donné en ancien français *cuens, cons* (v. 1050), plus tard éliminé par *comte.* La notion de «marche», présente dans *comes,* a disparu dans l'usage pour le sens large de «compagnon» (généralement, auprès d'un supérieur). À époque impériale, le *comes* fut officiellement attaché à l'empereur et chargé de différentes fonctions publiques, parfois militaires (v. 390). Sous les Mérovingiens et les Carolingiens, le mot désigna le titre donné à de hauts dignitaires, notamment les *comes palatii* «dignitaires du palais». Avec l'affaiblissement du pouvoir royal à partir du IXe s., il s'est appliqué à celui qui possède un comté. *Comes* est à l'origine de l'italien *conte,* de l'espagnol *conde* et du français *comte.*

♦ Le mot a désigné pendant le haut moyen âge un haut dignitaire du royaume qui a souvent reçu du roi un commandement civil ou militaire (par ex. le maire du palais). *Comte* et *baron** sont les principaux titres pour les grands vassaux. *Comte* a repris la valeur de «haut dignitaire proche de l'empereur», dans le contexte du Bas-Empire romain, en histoire romaine (v. 1050). Sa définition féodale, «celui qui possède un comté» (déb. XIIe s.), s'est modifiée, *comte* n'étant plus, progressivement, que le titre de noblesse de celui qui se situe entre le marquis et le vicomte. ◇ Des sens argotiques de «niais» (1872) et «compère d'un jeu truqué» (1878), il ne reste plus trace, le second étant remplacé par *baron.*

► **COMTESSE** n. f., d'abord *cuntesse* (1080), est dérivé de *comte* avec le suffixe *-esse* d'*abbesse,* d'après le latin médiéval *comitissa* «femme ou veuve d'un comte» (VIe s.) et «femme qui a la charge d'un comté» (1028), aujourd'hui «qui a le titre». ➛ **COMTAL, ALE, AUX** adj., d'abord *contal* (1216), semble avoir été formé sur le modèle du latin médiéval *comitalis* «qui concerne la fonction de comte» (675) et «qui appartient au comte» (898). ➛ **COMTÉ** n. m., d'abord *cunté* (déb. XIIe s.) peut-être d'après le latin médiéval *comitatus* «territoire administré par un comte» (779), également «cour de justice» (v. 980), a été introduit au sens ancien de «cour de justice sous la responsabilité d'un shérif ou d'un vicomte», dans le contexte anglais. ◇ Son sens féodal de «territoire soumis à l'autorité d'un comte» (v. 1155) a évolué historiquement en «territoire conférant à son possesseur le titre de comte». ➛ Depuis la fin du XVIIIe s., par emprunt à l'anglais *county* (1411), lui-même emprunté à l'ancien français, il désigne une circonscription administrative des pays de langue anglaise (1792 au Canada; 1845 en Angleterre). ◇ Le flottement du genre en ancien et moyen français, peut-être dû à l'influence de noms abstraits en *-té (bonté, charité),* a laissé une trace dans le toponyme *Franche-Comté,* dont est tiré le nom de fromage **COMTÉ** n. m. ➛ **COMTAT** n. m. est emprunté (XIVe s.) à l'ancien provençal *comtat* «comté» (1136-1150). Le mot, appliqué à des grands comtés de Provence *(comtat Venaissin, comtat d'Avignon),* a supplanté dans cet emploi *comté,* nom sous lequel le comtat Venaissin se trouve encore désigné au début du XIXe s. (1806). Le mot provençal est issu du latin médiéval *comitatus.* **VICOMTE** n. m. est emprunté (1080) au latin médiéval *vicecomes,* formé avec *vice-* (→ vice-); **VICOMTESSE** n. f. (XIIe s.) a les mêmes valeurs que *comtesse,* par rapport au titre (épouse et titulaire).

◈ voir CONCOMITANT.

CON n. m. est hérité (v. 1195-1200) du latin *cunnus,* attesté chez les satiriques et dans des graffitis comme désignation du sexe de la femme : c'est un mot d'origine obscure, apparenté au grec *kusthos,* au persan *kun* et peut-être à *culus* (→ cul).

♦ Ce mot bref et malsonnant offre pour l'histoire du lexique un intérêt remarquable : son ancienneté, son origine latine, sa double valeur, ses nombreux dérivés et composés, enfin le tabou qui l'efface de la plupart des recueils de mots et des études linguistiques, du XVIIe s. jusqu'à une époque récente, tous ces éléments requièrent une mise au point. ◇ Courant du XIIe jusqu'au milieu du XVIIe s. dans la prose et la poésie «libres», il donne lieu à de nombreux dérivés et à d'innombrables jeux de mots, rendus aisés par la fréquence de la syllabe *con-* (souvent issue du latin *cum*) en français. Dans le *Moyen de parvenir* de Béroalde de Verville (1610), l'auteur décline ainsi *connaut, connasse, connin* (homonyme de *connin* ou *connil* «lapin», du latin *cunniculus,* apparemment sans rapport avec *cunnus*). ➛ Rare à partir du milieu du XVIIe s. et jusqu'à la seconde moitié du XIXe s., époque où il est souvent déguisé en *noc,* abrégé ou épelé, *con* redevient alors courant, avec son sens initial, mais surtout avec la valeur figurée d'«imbécile», d'abord (1780) comme nom, puis comme adjectif (v. 1830, chez Stendhal, Mérimée). Ce changement de sens n'est pas clair; on peut y déceler des comparaisons désobligeantes pour la virilité (*faire qqch. comme un con,* attesté fin XVIIIe s.), mais aussi l'influence de *conart, connart,* ancien mot où *cornard* (→ corne) et une dérivation de *con* avaient pu se confondre; cependant *con,* qui a eu en moyen français des emplois métonymiques appliqués aux femmes, n'était jamais injurieux. Cet emploi non érotique est parallèle à ceux de *cul, couillon,* et à celui du verbe *foutre.* Le mot donne lieu, en ce sens, à une abondante phraséologie (***con comme la lune, à la con,*** adv., etc.).

► Le mot a produit une série de dérivés. Le plus ancien est **CONNARD** n. m. (XIVe s.), peut-être identifié dès 1280 dans la leçon *conart,* mais qui semble alors un croisement de *cornart* et de *con* (ci-dessus); le féminin **CONNASSE** est la désignation péjorative du sexe de la femme (1610) et signifie au figuré «femme bête» (v. 1810, en parlant de la femme honnête et de la prostituée inexperte). ◆ **CONNERIE** n. f. (1845, Flaubert), **CONNE** n. f. (1872), **CONNEAU** n. m. (av. 1896), **CONNEMENT** adv. (1953) concernent le sens figuré seul. Le premier est extrêmement courant dans l'usage familier pour «bêtise, imbécillité», tant comme nom de ce défaut que pour désigner une action («*Quelle connerie, la guerre*», J. Prévert), une parole inepte et, par affaiblissement, une chose insignifiante, à la manière de *bêtise.*

DÉCONNER v. intr. continue, quant à la forme (1833), un ancien verbe érotique (1655) signifiant «sortir du vagin, en parlant de la verge». Par son sens actuel, il se rattache à la série des dérivés de sens figuré et est aussi usuel que *connerie.* L'expression courante ***sans déconner*** «sérieusement», est abrégée oralement en ***sans dec'*** (1978 par écrit). ◇ *Déconner* a donné à son tour **DÉCONNAGE** n. m. et le plaisant **DÉCONOPHONE** n. m. «discours inepte» (XXe s.), d'après *téléphone.* ◆ **DUCON,** pseudo-nom propre, est lui aussi courant.

CON - préfixe. Voir à l'ordre alphabétique et au second élément.

CONCASSER v. tr., d'abord écrit *conquaisser* (XIIIe s.), *conquasser* (1393), est emprunté au latin *conquassare* «secouer fortement» d'où «briser, casser», de *cum* (→ co-) et de *quassare* (→ casser).

♦ D'abord attesté à la forme pronominale au sens général de «se briser», le verbe exprime (1393) l'idée de «réduire en petits fragments des matières dures et sèches».

► Il a produit **CONCASSEMENT** n. m. (XVIe s.), **CONCASSAGE** n. m. (1845) et **CONCASSEUR** n. m., d'abord employé avec une valeur métaphorique (1838, Stendhal), plus souvent usité dans un contexte technique (1848) à propos d'une machine utilisée dans les travaux publics et en agriculture.

CONCATÉNATION n. f. est emprunté (1390) au bas latin *concatenatio* «enchaînement», surtout au sens abstrait de «liaison, suite temporelle ou logique», désignant quelquefois par métaphore une paralysie intellectuelle. Le mot est dérivé du supin *(concatenatum)* de *concatenare* «enchaîner», composé tardif de *cum* (→ co-) et de *catenare* «attacher avec des chaînes», de *catena* (→ chaîne).

♦ Le mot a été repris au sens concret de «liaison de plusieurs parties du corps humain». Seule la valeur abstraite d'«enchaînement» s'est implantée (1504-1509) dans quelques acceptions spéciales, en philosophie, en rhétorique, en grammaire et en logique, au XXe siècle.

► Dans ce dernier sens, le verbe **CONCATÉNER** v. tr. double savamment *enchaîner,* au figuré.

CONCAVE adj. est emprunté (1314) au latin *concavus* «creux et rond», employé en antonyme de *convexus* (→ convexe) et formé de *cum* (→ co-) et de *cavus* (→ ① cave).

♦ Le mot qualifie une surface dont la partie courbe est en creux (spécialement, en optique, un miroir, une lentille) et, par extension, un objet dont la surface présente une partie irrégulièrement creuse. Il est passé de la langue scientifique à un usage plus général.

► **CONCAVITÉ** n. f., emprunté en même temps (1314) au dérivé bas latin *concavitas,* lui sert de nom d'état dans tous ses emplois. ◆ **BICONCAVE** adj. (1803, Haüy) s'emploie en optique.

CONCÉDER v. tr. est emprunté (XIIIe s.) au latin *concedere,* de *cum* et *cedere* (→ céder).

♦ Il signifie «accorder comme une faveur», puis «donner raison à qqn sur (un point)» (1531), et s'est spécialisé en sport (1937, *concéder un but*).

CONCENTRER → CENTRE

CONCEPT n. m. est emprunté (1404) au latin *conceptus* «action de contenir», avec son sens chrétien abstrait de «pensée, conception». Le mot est le participe passé substantivé de *concipere* (→ concevoir).

♦ À la différence d'*idée,* qui appartient au langage commun, *concept* «idée générale» est un terme technique ou d'usage didactique. Son acception philosophique date de 1606 (Descartes), mais ce qu'on peut appeler le «concept de concept» doit beaucoup, dans son usage contemporain, à Kant qui en a fait un schéma dynamique pour la pensée, et non plus une configuration statique. Les termes *idée générale, concept* et *notion* dépendent, dans leurs emplois, des domaines (philosophie, sémantique, terminologie) et des différentes théories.

► Le terme philosophique **CONCEPTUEL, ELLE** adj. (v. 1845) vient de *concept* ou d'un latin scolastique °*conceptualis,* sur le modèle de *spiritualis* (→ spirituel). Dans *art conceptuel* (v. 1969), il s'agit d'un anglicisme *(conceptual art)* appliqué à une forme d'art qui privilégie l'idée artistique au détriment de son apparence spécifique. ◆ L'adjectif a produit les termes de philosophie **CONCEPTUALISME** n. m. (1832), **CONCEPTUALISTE** adj. et n. m. (1832), **CONCEPTUALITÉ** n. f. (XXe s.), **CONCEPTUALISER** v. tr. (1920), d'où ont été tirés **CONCEPTUALISABLE** adj. (1923) et **CONCEPTUALISATION** n. f. (1936).

◈ voir CONCEPTION, CONCETTI.

CONCEPTION n. f. est emprunté (1140-1150) au latin *conceptio,* de *conceptere* (→ concevoir), «action de contenir» d'où physiquement «fécondation, action de former un enfant en soi» et, en latin chrétien, «fait de comprendre, idée».

♦ Introduit avec son sens physiologique, le mot est d'abord employé dans un contexte religieux, en parlant de la Vierge (XIIIe s., *la conception nostre dame;* puis *Immaculée Conception*), d'où par métonymie le sens de «fête catholique en l'honneur de l'Immaculée Conception» (1680). ◆ Le sens intellectuel de «faculté de concevoir» (1315) et, par métonymie, «résultat de cette action» (1549) maintient souvent le lien apparent entre création physique et mentale. À la différence de *concept*, le mot n'est pas un terme technique de philosophie.

▸ **CONCEPTIONNEL, ELLE** adj. est un adjectif rare attesté depuis 1877 et évoquant le latin *conceptionalis* «relatif à la conception». ◇ **ANTI-CONCEPTIONNEL, ELLE** adj. (1905) a été en partie éliminé par *contraceptif*.

◈ voir CONCEPT.

CONCERNER v. tr. est emprunté (1385) au bas latin *concernere* «cribler ensemble, mêler» et «voir, considérer l'ensemble de qqch.» d'où, en latin médiéval scolastique, «mettre en rapport». Ce verbe latin serait, selon Ernout-Meillet, dérivé de *concretus* (→ concret) et rapproché à tort de *cernere* «à cause de *discretus*», de *discernere*. Il se rattacherait donc à la famille de *crescere* «croître», et non à celle de *cernere* (→ décerner, discerner).

♦ L'usage moderne est instauré dès le moyen français, la locution prépositionnelle ***en ce qui (pour ce qui) concerne*** étant enregistrée en 1690. ◇ L'emploi de la voix passive, *être concerné* «être touché, intéressé, visé» (XVIIIe s.), très critiqué, s'est néanmoins répandu sous l'influence de l'anglais *to be concerned* «être intéressé, touché» (XVIIe s., pour les personnes; XVIIIe s., pour les choses) et par une transformation assez naturelle de *cela me concerne* à *je suis concerné* (par cela).

▸ Le participe présent a fourni la préposition **CONCERNANT** (1596), mais aucun autre dérivé ne s'est maintenu.

◈ voir CROÎTRE; CONCERTER.

CONCERT n. m. est emprunté (1608) à l'italien *concerto* (XVIe s.) «accord» et, spécialement en musique, «accord et ensemble des voix et instruments», déverbal de *concertare* (→ concerter).

♦ La spécialisation musicale de «groupe d'instruments de musique jouant ensemble» est devenue le sens normal en français moderne, surtout dans ses extensions métonymiques de «séance musicale» (XIXe s.), «lieu où se tient cette séance» et «ensemble de musiciens faisant partie de ce groupe». Par extension, le mot s'applique à un ensemble de bruits simultanés. ◇ L'acception «cours public, conférence» (av. 1615) ne s'est pas maintenue, tandis que le sens général d'«entente, accord» (1632), repris en même temps à l'italien, ne subsiste que dans les expressions ***de concert*** (1657-1661) et *concert de louanges*.

▸ *Concert*, avec son sens musical, a donné **CONCERTISTE** n. (1834) et **CAFÉ-CONCERT** n. m. (1852), d'où *caf'conc'* (→ café).

L'italien **CONCERTO** n. m. a été emprunté graphiquement tel quel (1739) au sens de «composition musicale à plusieurs parties instrumentales», avant de prendre le sens de «composition de forme sonate pour orchestre et instrument soliste». Le pluriel a été francisé.

◈ voir CONCERTER.

CONCERTER v. tr. est probablement un emprunt du moyen français (1476-1477) à l'italien *concertare*, attesté au XIVe s. au sens de «projeter qqch. en commun», et lui-même emprunté au latin chrétien *concertare* «agir dans un but commun». En latin classique, ce verbe signifiait «rivaliser»; il est composé de *cum* (→ co-) et de *certare*, «débattre» et «lutter, combattre, rivaliser», forme itérative de *cernere* (→ certain, décerner, discerner).

♦ Le verbe apparaît en français avec la valeur du latin chrétien et de l'italien, qui s'est maintenue jusqu'au français contemporain, surtout à la forme pronominale *se concerter* (1646). ◇ L'emploi musical, «jouer ensemble harmonieusement» (1623), correspond probablement à un réemprunt à l'italien, qui succède à l'emprunt de *concert**; il a vieilli, puis a disparu, sauf sous la forme du participe présent **CONCERTANT, ANTE** adj., notamment dans *parties concertantes* (1690).

▸ Le dérivé **CONCERTATION** n. f., «fait de se concerter», semble récent (1963, dans les dictionnaires); il est devenu usuel en politique, dans les affaires sociales. ◇ Le moyen français *concertation* «lutte d'athlètes antiques», correspond à un sens de *certare* «lutter».

Par préfixation, *concerter* a servi à former **DÉCONCERTER** v. tr. (fin XVe s.) qui signifie d'abord «déranger un accord entre personnes, troubler la bonne entente», encore vivant avec la nuance de «déjouer» dans un usage très littéraire. ◇ Au XVIIe s. (v. 1671), le verbe prend la valeur de «faire perdre contenance à (qqn)», qu'il a conservée. ◆ Ses participes ont servi à former deux adjectifs usuels dans ce sens. **DÉCONCERTÉ, ÉE** adj. et **DÉCONCERTANT, ANTE** adj. sont devenus au XIXe s. relativement plus courants que le verbe, surtout le second, devenu un quasi-synonyme de *bizarre, étrange*.

◈ voir CONCERT.

CONCESSION → CÉDER

CONCETTI n. m. pl. est l'emprunt tel quel (av. 1721) de la forme plurielle de l'italien *concetto* «concept» (av. 1321), spécialisé en rhétorique à propos d'une figure de style ingénieuse et subtile (XVIe s.). *Concetto* est le correspondant italien de *concept**. Le même développement de sens a conduit le mot anglais *conceit*, influencé par *concetto*, à abandonner l'idée de «pensée, conception» pour celle de «trait d'esprit», «vanité».

♦ Le mot, très littéraire, désigne des expressions subtiles et affectées que l'on rencontre dans une œuvre ou une conversation. On peut trouver, beaucoup plus rarement, le singulier *concetto*.

CONCEVOIR v. tr. est issu (v. 1119) du latin *concipere*, proprement «contenir entièrement» d'où «former en soi (un enfant)», «former (une idée)» et «assembler (des mots) en formule». Ce verbe est composé de *cum* (→ co-) et de *capere* «attraper, contenir» (→ capter, chasser).

♦ Le mot a été introduit pour «former un enfant en soi» et simultanément avec le sens intellectuel de «se représenter par la pensée» (v. 1119). Ce dernier a donné, par extension et transposition au domaine affectif, le sens d'«éprouver un sentiment» (fin XIIe-

XIIIe s.), devenu archaïque. ◇ Par métonymie, l'accent étant mis sur le produit ou le résultat de l'activité d'abstraction, il a aussi l'acception de «former dans son esprit, dans son imagination» (fin XIIe s.). Repris ultérieurement au verbe latin, le sens d'«exprimer en certains termes, rédiger» (1538) ne s'est pas répandu.

▸ *Concevoir* a produit **CONCEVABLE** adj., attesté une fois en 1547 et repris à partir de 1647; celui-ci a donné **INCONCEVABLE** adj. (1584), lequel est devenu relativement courant en passant d'un sens strict, «non concevable», à une valeur affaiblie, «extravagant» ou «inacceptable». ➛ Le participe passé **CONÇU**, très usuel, a produit le composé **PRÉCONÇU, UE** adj. (1640), notamment dans *idée préconçue,* souvent avec la valeur péjorative de «préjugé».

◈ voir CONCEPT, CONCEPTION, CONCETTI.

CONCHE n. f. est issu (v. 1100) du latin *concha* «coquillage» et «récipient en forme de coquillage», employé dans les textes médiévaux au sens de «canal, bassin en forme de coquille» (1157). Le mot latin est l'adaptation du grec *konkhê* «coquillage», lui-même appliqué, par analogie de forme, à toutes sortes d'objets, sens conservé en grec moderne, y compris sous la forme *konkhos,* spécialisée en parlant de la cavité de l'œil. *Konkhê* correspond au sanskrit *śáṅkhá-* «coquille» de façon très nette.

♦ Le mot a été introduit avec la spécialisation de «bassin, auge», demeurée dans de nombreux dialectes. Il a perdu le sens de «coquille d'huître» (1267), encore répertorié au XVIIe siècle. ◇ Au XVe s., il désigne le canal de dérivation d'un marais salant (1471), puis le second bassin d'un marais salant dans lequel l'eau de mer s'évapore (1580); ce sens, de même que celui d'«anse marine» (1484), est encore vivant régionalement.

◈ voir CONQUE, COQUILLE.

CONCIERGE n., d'abord *cumcerge* (1195) puis *concierge* (v. 1220), est probablement hérité du latin médiéval *consergius* (1106 et 1190), altération d'un latin populaire °*conservius* sous l'influence de *serviens* (→ sergent). Il représenterait le latin classique *conservus* «compagnon d'esclavage», de *cum* «avec» (→ co-) et *servus* «esclave» (→ serf).

♦ Anciennement, le concierge était celui qui avait la charge d'un château, édifice officiel ou bâtiment public, en cela distinct du *portier* qui gardait un bâtiment public ou une maison particulière. ◇ *Concierge* a absorbé *portier* et pris son sens moderne au début du XIXe s. ou peu avant (attesté v. 1804), très fréquemment au féminin, les appartements bourgeois étant, depuis la seconde moitié du XVIIIe s., gardés par des *portières.* ◇ Depuis le milieu du XXe s., il est concurrencé par *gardien,* d'autant qu'il souffre de ses valeurs figurées très vivantes de «bavard» et de «personne sans éducation», et d'un champ sémantique péjoratif (cf. *pipelet,* etc.).

▸ **CONCIERGERIE** n. f. (1328; 1201, en latin médiéval, *conciergeria*), «charge» et «logement de concierge», désigne spécialement la prison attenante au Palais de Justice de Paris (1400-1417) car celle-ci était à l'origine le logement du concierge du palais. Au Québec, le mot concerne un immeuble d'habitation.

CONCILE n. m., d'abord *cuncilie* (v. 1120) puis *cuncile* (av. 1150), *concile* (v. 1260), est emprunté au latin *concilium* «convocation» et «assemblée délibérante», puis en latin chrétien «assemblée de plusieurs églises», «réunion d'évêques». Le mot est issu, sous la forme archaïque °*con-kalium,* du verbe, lui aussi archaïque, *calare* «clamer, convoquer» (→ clamer, intercaler, nomenclature).

♦ L'ancien français a employé *concile* au sens d'«assemblée» dans toutes les significations de ce mot; il lui a même donné la valeur dérivée de «conversation, relations entre personnes» (v. 1360) et celle de «diffusion d'une nouvelle» *(faire concile d'une chose).* ◇ L'usage moderne n'a retenu que la spécialisation religieuse, «assemblée d'évêques présidée par le pape» (v. 1260) — différent de *conclave* — et son extension métonymique, «décrets adoptés par cette assemblée ecclésiastique», toujours au pluriel (1690). ◇ Le langage familier, en employant le mot à propos d'une assemblée délibérative de personnes, renoue involontairement avec l'usage ancien, avec influence de *conciliabule.*

▸ **CONCILIABULE** n. m. est emprunté (1549) au dérivé latin *conciliabulum* «lieu de réunion», employé par métonymie chez les auteurs chrétiens au sens de «concile de schismatiques» et, péjorativement, «réunion». ➛ Le mot a été repris à l'époque de la Réforme pour désigner une assemblée de prélats schismatiques ou convoqués illégalement (Calvin). Avant la fin du XVIe s., il s'est répandu dans l'usage général pour désigner une réunion secrète de personnes pouvant avoir des intentions malfaisantes (1594), puis a désigné par métonymie des entretiens occultes et répétés à voix basse (au pluriel), emploi où il demeure vivant; il est alors senti comme légèrement familier.

◈ voir CONCILIER.

CONCILIER v. tr. est emprunté (1174-1176) au latin *conciliare* «assembler, réunir» et, d'après *concilium* (→ concile) et *conciliabulum* (→ conciliabule, à concile) «concilier, se concilier», «procurer, acheter, acquérir»; en effet, on se réunissait dans ces assemblées pour conclure des affaires, traiter des marchés, terminer des différends, former des alliances. Ce verbe est dérivé de *concilium* (→ concile).

♦ Le mot a été employé jusqu'au XVIe s. avec le sens de «remettre en accord (des personnes brouillées)», absorbé ensuite par son composé *réconcilier.* ◇ Il s'est maintenu avec la nuance plus littéraire de «mettre d'accord (des gens d'intérêts divergents)» (1549). Par analogie, il est employé avec un objet désignant une pluralité de choses abstraites pour «accorder des choses qui paraissent incompatibles» (1647). Le sens d'«obtenir pour soi la faveur de qqn», qui correspond au verbe transitif au XVIe s. (1508-1517), n'est plus vivant qu'au pronominal (*se concilier qqn,* dep. 1680).

De *concilier* sont directement dérivés **CONCILIABLE** adj. (1536), noté une seule fois au XVIe s. au sens actif ancien de «qui gagne les cœurs, passionné» puis repris (1776) avec le sens moderne, **INCONCILIABLE** adj. (1752) et **CONCILIANT, ANTE** adj. (XVIIe s., par ex. 1679, Sévigné) qui assume une valeur voisine d'*accommodant*. ◆ **CONCILIATION** n. f. et **CONCILIATEUR, TRICE** adj. sont deux emprunts (fin XIVe s.), respectivement au latin *conciliatio* et *conciliator*.

RÉCONCILIER v. tr. (v. 1170) est emprunté au latin *reconciliare* «remettre en état, rétablir» et «remettre en accord des personnes brouillées». Seul ce second sens (attesté en français en 1253) s'est maintenu, supplantant le sens religieux dominant en ancien français, «faire la paix de l'homme avec Dieu». ◆ **RÉCONCILIATION** n. f. (XIIIe s.), emprunté avec une valeur religieuse au dérivé latin *reconciliatio*, a pris son sens moderne au XIVe s. (v. 1350). ◇ Alors que *concilier* et ses dérivés concernent une relation logique ou fonctionnelle, *réconcilier* et son dérivé ne se disent que des personnes et ont un contenu psychologique. ◇ Celui-ci accapare **RÉCONCILIATEUR** n. m. (v. 1350), **IRRÉCONCILIABLE** adj. (1559) et **IRRÉCONCILIÉ, ÉE** adj. (1794).

CONCIS, ISE adj. est emprunté (1553) au latin *concisus*, participe passé adjectivé et substantivé au neutre pluriel *concisa* «courts membres de phrases», de *concidere* «couper en morceaux». Ce verbe est l'un des composés en *-cidere* de *caedere* «couper» (→ inciser).

♦ Seule l'idée de «brièveté dans le langage» a été reprise par le français (*sentences brèves concises*, 1553), liée à celle de moyens stylistiques, d'économie expressive.

▸ **CONCISION** n. f. a été emprunté (1488) au latin *concisio* «action de couper», tardivement «syncope, apocope dans un mot». ◆ Le mot, attesté avant *concis* et distinct par le sens, puisqu'il conserve l'emploi latin, a d'abord désigné une suppression, une coupure dans un mot, avant de prendre son sens moderne sous l'influence de *concis* (1706).

CONCITOYEN → CITÉ

CONCLAVE n. m. est emprunté (v. 1360) au latin *conclave*, proprement «pièce fermant à clef», de *cum* «avec» (→ co-) et *clavis* (→ clef). Le mot latin a désigné la chambre à coucher, la salle à manger, l'enclos pour garder les animaux (étable, volière); en latin médiéval, la sacristie (v. 813) et la clôture claustrale (v. 813-814), puis l'appartement du Vatican où les cardinaux élisent le souverain pontife (XIIIe s.).

♦ Le mot a été repris au sens métonymique d'«assemblée de hauts dignitaires», qui procède de celui de «lieu de réunion fermé» (v. 1460). Il s'est implanté avec la spécialisation religieuse, peut-être relayée par l'italien, «appartement du Vatican où les cardinaux élisent le pontife». Le sens métonymique, «assemblée de cardinaux convoqués dans ce but», est d'abord attesté en ancien provençal (XIVe s., *conclau*). ◇ Le sens général de «pièce fermant à clef» a eu cours au XVIe s. par latinisme, mais avait disparu au XVIIe siècle.

CONCLURE v. est emprunté (v. 1120) au latin *concludere* «fermer, enfermer» puis au figuré «finir, donner une conclusion», «déduire», «résoudre» (*concludere pacem* «faire la paix», en latin chrétien). Le mot est formé de *cum* (→ co-) et de *claudere* (→ clore).

♦ Le sens propre d'«enfermer», encore réalisé au XVIe s. dans un emploi figuré («enfermer dans un raisonnement»), est sorti d'usage avant le XVIIe siècle. Il a été supplanté par la valeur abstraite d'«établir ce qui résulte de développements et d'arguments antérieurs» (v. 1260). ◇ Celle-ci l'a emporté sur un autre sens, «décider de, en fonction de tel ou tel élément» (XVe s.) et s'est établi en emploi transitif direct et indirect (*conclure à;* 1549, *que, de*), et en emploi absolu (1690). ◇ Le verbe a aussi repris la valeur latine de «négocier pour mettre fin» (1513, *conclure une alliance, une paix* puis *un marché*). ◇ L'acception de «démontrer», avec un sujet désignant une chose (av. 1662, Pascal), appartient à l'usage classique.

▸ Le participe présent **CONCLUANT**, adjectivé au XVIe s. (1587), possède la valeur de «qui prouve indubitablement», souvenir du sens de *conclure* «démontrer indubitablement». ◆ **CONCLUSIF, IVE** adj., emprunté (v. 1460) au latin scolastique *conclusivus*, s'est maintenu en musique (*accord conclusif*) et dans l'usage didactique. ◆ **CONCLUSION** n. f. (v. 1260), emprunté au latin *conclusio*, reprend tous les sens du verbe. Son pluriel est employé spécialement dans le langage juridique (1453). De par son emploi fréquent dans l'enseignement et dans la rhétorique quotidienne, il est plus usuel que les autres mots de la famille.

CONCOCTION n. f. est emprunté (1528) au latin *concoctio* «digestion», dérivé du supin (*concoctum*) de *concoquere* «cuire ensemble», surtout «digérer» et, par métaphore, «résoudre, réfléchir». Ce verbe est formé de *cum* (→ co-) et de *coquere* (→ cuire).

♦ Le mot a été repris avec le sens de «digestion», avant d'être éliminé par *digestion*. Quelques emplois au sens de «cuisson des aliments» se rencontrent au XIXe s. chez des auteurs comme Brillat-Savarin (1825) et Balzac (1847, *concoctionné* «cuit»).

▸ Bien qu'il soit archaïque, le mot a produit le dénominatif **CONCOCTER** v. tr. (1950, Queneau), usuel dans la langue orale avec le sens de «mijoter, cuisiner» au propre et au figuré pour «préparer un projet complexe» (1959, Queneau).

◈ voir DÉCOCTION.

CONCOMBRE n. m., d'abord *komkobre* (v. 1100, dans un manuscrit du XIIIe s.) puis *cocombre* et *concombre* (1256), est d'origine incertaine, probablement emprunté au provençal *cogombre* (XIVe s.), lui-même issu du latin *cucumis, -eris*, mot d'origine méditerranéenne. Le second *k* s'est maintenu par redoublement expressif, la nasalisation du premier *o* provenant d'une «harmonisation». La forme *cocombre* a dominé jusqu'au XVIIe s. (encore 1688, M. Buffet).

♦ Le mot désigne à la fois la plante et son fruit, consommé cru et développé et parfois vinaigré (*concombres à la russe*, analogues aux cornichons, concombres plus jeunes). Des emplois métaphoriques exploitent l'idée de «chose insipide, indigeste», peut-être par allusion à la nature indigeste du concombre et à son goût assez neutre.

CONCOMITANT, ANTE adj. est emprunté (1503) au bas latin ecclésiastique *concomitans*, participe présent de *concomitari* «accompagner», de *cum, com-* «avec» (→ co-) et *comes, comitis* «compagnon» (→ comte).

♦ Le mot exprime, dans l'usage didactique, la qualité de ce qui accompagne un fait, se produit en même temps que lui. Il a reçu des acceptions spécialisées en théologie (1690, *grâce concomitante*), acoustique (1845) et psychologie.

▸ **CONCOMITANCE** n. f. est emprunté (1377) au latin médiéval *concomitancia* «coexistence de deux choses» (1267), du participe présent *concomitans*. Il a gardé le sens du latin (son extension pour «accompagnement» [1547] n'a pas vécu) et a développé une acception religieuse (1680), *par concomitance*, exprimant la coexistence indivise du corps et du sang du Christ dans l'eucharistie.

CONCORDER v. intr. est emprunté (v. 1160) au latin *concordare* «vivre en bonne intelligence» (en parlant de personnes) et «être en accord» (en parlant de choses), dérivé de l'adjectif *concors*, littéralement «uni de cœur», de *cum, con-* (→ co-) et *cors* (→ cœur).

♦ Le verbe a exprimé le fait d'être d'accord en parlant de personnes, avant d'être supplanté en ce sens par *s'accorder*. Ce verbe l'a également remplacé en parlant d'instruments de musique qui sont en accord (1513). ◇ *Concorder* se dit aujourd'hui de choses qui ont une conformité de nature propre à faire tendre au même but, spécialement des textes qui présentent des similitudes, se correspondent (1780).

▸ **CONCORDE** n. f. est emprunté (v. 1125) au latin *concordia* «accord, harmonie». Le mot a cédé sa spécialisation musicale à *accord*, exprimant le rapport existant entre personnes ayant la même disposition de cœur et d'esprit (v. 1155). Il doit ses emplois personnifiés au latin *Concordia*, nom d'une divinité. ➛ **CONCORDANCE** n. f., lui-même emprunté (v. 1160) au latin médiéval *concordantia* «accord, harmonie» (v. 793), a perdu sa spécialisation musicale. Il s'est différencié de *concorde*, exprimant une conformité entre faits, ou entre choses, et recevant des spécialisations techniques en exégèse, où il désigne le classement des citations bibliques (1564), et, par extension, en grammaire (1690) puis en géologie et en physique. ➛ **CONCORDAT** n. m. est emprunté (1452) au latin médiéval *concordatum*, participe passé neutre substantivé de *concordare*. Le mot désigne un acte de conciliation entre deux parties adverses, un accord, notamment dans ses deux spécialisations en droit ecclésiastique (1772) et en commerce (1787). ◇ Il a produit l'adjectif **CONCORDATAIRE** (1838), employé par les historiens en parlant des partisans du Concordat de 1801, et en droit commercial (1863).

⊕ voir DISCORDE.

CONCOURIR v. tr. ind. et intr. est emprunté (1530) au latin *concurrere*, de *cum* (→ co-) et *currere* (→ courir), qui signifie littéralement «courir en un même point», d'où «se joindre, coïncider», en latin impérial juridique «briguer la même chose», et «être du même avis» en latin chrétien. Le mot, qui doit sa désinence à l'attraction de *courir*, a éliminé les anciennes formes *concurre* «se rencontrer» (1335) et *concurrer* «s'accorder» (XVIe s.).

♦ Le verbe réalise d'abord l'idée concrète de «se présenter en même temps au même endroit» et, par transposition du spatial au temporel, «coïncider dans le temps» (1681). À cette notion de rencontre s'est ajoutée celle de participation et contribution, réalisée dans l'usage juridique pour «faire valoir ses droits à égalité de chance avec autrui» (1558), et dans l'usage courant pour «tendre à un même effet» (1636). La notion de «rencontre» a donné un emploi spécial en géométrie (1753) en parlant de lignes qui convergent. ◇ Elle s'est modifiée, sous l'influence de *concours*, en «participer à une compétition» (→ concurrent). Son participe présent *concourant* a été adjectivé comme terme de géométrie (1753).

▸ **CONCOURS** n. m. est emprunté (1360-1370), avec francisation d'après *cours*, au latin *concursus* «affluence vers le même point», «rencontre», «prétentions rivales» et, dans le langage juridique médiéval, «aide» (déb. VIIIe s.). Ce sens médiéval, repris le premier, a disparu dès l'ancien français sous la double concurrence de *secours* et de *recours*. ➛ Le mot a conformé ses sens à ceux du verbe : il n'a pas gardé la valeur spatiale «rencontre de plusieurs personnes à un même endroit» (1572), s'appliquant exclusivement à des choses (XVIe s.), notamment en géométrie (1753), et avec une transposition temporelle (1835, *concours de circonstances*). ◇ La notion de rencontre a donné deux extensions divergentes en parlant de personnes : «action de coopérer» (1644) et «action d'entrer en compétition pour obtenir qqch.» (1660), d'où «examen scolaire» et «épreuve sportive», lorsque la sélection se fait par ordre d'excellence, et non pas selon un critère extérieur (cf. *examen*).

⊕ voir CONCURRENT.

CONCRET, ÈTE adj. et n. est emprunté (1508-1517) au latin *concretus* «qui a pris une consistance solide, fort, épais», participe passé de *concrescere* «croître par agglomération», de *cum* (→ co-) et *crescere* (→ croître).

♦ Le sens d'emprunt, «de consistance solide, épaisse», ne survit plus que dans l'emploi substantivé en parfumerie *(un concret de jasmin)*, d'usage technique. Son sens moderne de «tangible, réel», par opposition à *abstrait*, est attesté depuis le XVIIe s. dans l'usage philosophique et courant. *Musique concrète* (1949) se dit d'un courant musical défini par l'utilisation d'éléments préexistants empruntés à des matériaux sonores enregistrés. En l'absence d'un nom courant dérivé, on emploie aussi l'adjectif comme substantif *(le concret et l'abstrait)*.

▸ L'adverbe **CONCRÈTEMENT** est seulement attesté depuis 1927; il a été précédé par *concrétive-*

ment (XVe s.). ◆ De *concret,* on a tiré trois verbes plus ou moins synonymes et inégalement vivants. **CONCRÉTER** v. tr. (1817, fin XVIIIe s.) a eu le sens de «rendre solide, durcir», spécialement à la forme pronominale. Il s'est mieux maintenu dans le style littéraire avec le sens de «faire prendre corps à (une chose)», y compris à la forme pronominale (1846). **CONCRAIRE** v. tr., dérivé (1801) avec la finale d'*abstraire* pour lui faire pendant, s'est employé en logique et en grammaire, puis a disparu. ◇ Le seul verbe resté vivant est **CONCRÉTISER** v. tr. (1890), «rendre effectif, pratique», d'où **CONCRÉTISATION** n. f. (1848 dans Michelet).
Le sens latin s'est maintenu dans **CONCRÉTION** n. f. (1537), emprunt à *concretio* «agrégat», surtout d'usage scientifique (chimie, géologie, médecine). ◆ Les termes de botanique **CONCRESCENCE** n. f. (1884) et **CONCRESCENT, ENTE** adj. (av. 1929), qui ont trait à une croissance commune avec soudure de deux éléments, sont empruntés au participe présent latin. ◆ En psychologie, on a donné le nom de **CONCRÉTUDE** n. f. (1951, d'après l'anglais *concreteness*) à l'inaptitude mentale à élaborer des idées sans recours à des données concrètes.

CONCUBIN, INE n. et adj. est emprunté, au féminin (1213), au latin *concubina,* dérivé de *concumbere* «se coucher avec (qqn)», de *cum* «avec» (→ co-) et *cumbere,* variante nasalisée de *cubare* «être couché» (→ couver).

♦ *Concubine* désigne une femme qui vit avec un homme sans être mariée avec lui et, en termes d'antiquité romaine (Bas-Empire), une épouse légitime de condition inférieure à celle de son mari (1721). Le masculin *concubin* (XIVe s.), fait sur le féminin, a eu du mal à s'imposer. Il a éliminé le moyen français *concubin,* repris au XVIe s. au latin *concubinus* «compagnon de lit» au sens d'«homosexuel». ◇ Bien que moralement neutre, le mot moderne reste cantonné à un usage juridique ou plaisant. Paradoxalement, le développement du concubinage par rapport au mariage, après 1950, en France, ne coïncide pas avec une plus grande extension du mot, considéré comme plaisant ou disgracieux, et *concubin, ine* est souvent remplacé par *compagnon, compagne, ami, amie,* etc., sinon par *mari* et *femme,* utilisés de manière extra-juridique.

▸ Il en va de même du dérivé **CONCUBINER** v. tr. ind. (1507). ◇ **CONCUBINAT** n. m., emprunté (av. 1598) au latin *concubinatus,* a été synonyme de *concubinage* avant de se spécialiser essentiellement comme terme d'antiquité romaine (1845).
CONCUBINAGE n. m., attesté avant le verbe (1377), doit être formé sur *concubin.* Il désigne l'état de concubin ou de concubine, notamment dans *vivre en concubinage* (sans être mariés) ou *concubinage notoire.* Son statut juridique a changé avec la reconnaissance de cette situation depuis 1950; mais l'usage courant l'emploie peu.

CONCUPISCENCE n. f. est emprunté (1268) au latin chrétien *concupiscentia* «désir ardent, convoitise», nom formé sur le participe présent du verbe classique *concupiscere* «être pris de l'envie de». Celui-ci est formé de *cum, con-* (→ co-) et de *cupiscere,* de *cupere* «désirer» (souvent d'un désir violent et sensuel) [→ cupide].

♦ En contexte théologique, *concupiscence* peut s'entendre en bien comme en mal de l'aspiration qui pousse l'homme à désirer les biens naturels et surnaturels mais, dans l'usage commun, il a presque toujours la valeur péjorative de «penchant aux plaisirs des sens». Après l'époque classique, ce dernier usage est de plus en plus marqué comme plaisant.

▸ Il en va de même pour **CONCUPISCENT, ENTE** adj. (av. 1544), emprunt du latin *concupiscens,* alors que **CONCUPISCER** v. tr. (1896) est quasi inusité. ◆ **CONCUPISCIBLE** adj. (1268), emprunt au latin chrétien *concupiscibilis,* relève de l'usage scolastique. ◆ On notera que tous les mots de cette série ont donné lieu à plaisanterie et jugements de rejet, du fait de l'accumulation de ce qu'on appelait au XIXe s. les «syllabes sales».

CONCURRENT, ENTE adj. et n. est emprunté (1119) au latin *concurrens,* participe présent de *concurrere* (→ concourir), proprement «courir de manière à aller vers le même point», «se rejoindre», puis employé en droit pour «prétendre à la même chose en même temps» avec l'idée de compétition, d'affrontement.

♦ Le mot a été introduit avec la valeur très particulière, en astronomie, de «qui s'ajoute aux cinquante-deux semaines de l'année pour faire concorder année civile et année solaire» *(jour concurrent).* C'est alors un emprunt au latin scientifique (v. 1370, Oresme, *cause concurrente*), de nos jours limité à l'usage didactique. ◇ L'idée moderne de «rival» se dégage au XVIe s., le mot étant substantivé au sens de «compétiteur» (1549). Son emploi dans le domaine de la galanterie amoureuse (pour «rival») a été supplanté par le développement des usages du mot en contexte économique (1615), à la fois comme adjectif et comme substantif (1692). Un emploi général s'est développé au XIXe s. dans les domaines de la politique, de la vie scolaire et des sports (1855).

▸ Tandis que **CONCURREMMENT** adv. (1596) s'emploie surtout abstraitement, avec une valeur temporelle et logique, **CONCURRENCE** n. f. (v. 1370, Oresme) a suivi l'évolution complexe de *concurrent :* l'idée de «rencontre, convergence de deux éléments» s'est maintenue dans quelques emplois didactiques en droit (1690) et en liturgie (1690, *concurrence d'offices*). La langue courante ne la connaît guère que dans la locution ***jusqu'à concurrence de*** (1740; dès 1559, *jusqu'à la concurrence de*). ◇ L'usage moderne s'appuie sur la notion de «rivalité», concurrencé et supplanté par *rivalité* lorsqu'il s'agit de personnes poursuivant un même but (1559), *concurrence* lui est préféré dans le contexte d'un concours (→ concours) et, surtout, dans un contexte économique (d'où *concurrence déloyale, libre concurrence*). Si, en ce domaine, la première attestation du mot est relevée en 1648, ce n'est que dans la seconde partie du XVIIIe s. que les économistes ont véritablement commencé à décrire le mécanisme économique de la concurrence : ce fut l'œuvre des physiocrates, comme Quesnay et l'abbé Baudeau, la diffusion en traduction de l'essai décisif d'Adam Smith (*Recherches sur la nature et les causes de la richesse des nations,* 1776) et les réformes économiques de Turgot (libre circulation des grains, suppression des corporations, etc.). ◆ *Concurrence* a produit **CONCURRENCER** v. tr. (1868) et l'adjectif **CONCURRENTIEL, IELLE** (1872), devenu usuel en économie puis dans l'usage général, et parfois employé abusivement pour *compétitif* (lequel ajoute au fait objectif l'idée d'une capacité à survivre et prospérer dans une situation de concurrence).

CONCUSSION n. f. est emprunté (v. 1300) au latin impérial *concussio* «violente secousse» au physique et au moral d'où, par spécialisation, «exaction par voie de force, extorsion», surtout en parlant des exactions commises par les soldats. Ce mot est dérivé du supin *(concussum)* de *concutere* «secouer violemment», en droit «terroriser», composé d'aspect déterminé en *cum* (→ co-) de *quatere* «secouer» (→ casser), lui-même réduit à un usage poétique à l'époque impériale.

♦ Le mot a été repris par le vocabulaire médical au sens physique de «coup, ébranlement». L'usage moderne n'a conservé que le sens juridique de «malversation d'un fonctionnaire» (1588).

► En ce sens, le mot a produit **CONCUSSIONNAIRE** adj. et n. (1559), «personne coupable de malversation», mot rare.

CONDAMNER v. tr. est la réfection (XIVe s.), par attraction de *damner**, de l'ancien français *condemner,* lui-même emprunté (v. 980) au latin *condemnare,* déjà altéré en *condam(p)nare* dans les gloses. Ce verbe, composé d'aspect déterminé en *cum* (→ co-) de *damnare* (→ damner), signifie «déclarer coupable et soumettre à une peine», «blâmer (qqch.)»; à basse époque, il prend le sens de «rendre inutilisable» (*condemnare terram* dans la loi salique) et, dans le latin chrétien, fonctionne comme doublet de *damnare.*

♦ L'emploi du participe passé dans *piez condemnets,* «pied blessé» (v. 980), semble procéder du sens de «rendre inutilisable», répandu à partir du XIVe s. (v. 1360) en parlant d'une ouverture, d'un lieu et, en marine, d'un vaisseau (20 juillet 1678). ◇ Le sens général de «blâmer» apparaît en droit pénal (v. 1120). Par extension, le mot est employé en médecine, surtout au passif (av. 1577), en parlant d'un malade, spécialement avec la valeur d'«être incurable» (av. 1704), puis à propos d'un écrit déclaré non conforme au dogme (1669, Pascal). Par une nouvelle extension de sens, on passe à l'idée de «forcer (qqn) à faire qqch. de pénible» (1578), dans *condamner qqn à...* L'emploi du verbe avec un sujet désignant une chose est attesté ultérieurement (1810, Chateaubriand, «*les apparences me condamnaient*»). Enfin, *condamner* s'emploie pour «rendre (un passage) impraticable».

► Le participe passé **CONDAMNÉ, ÉE** a été adjectivé très tôt (v. 980), puis substantivé (v. 1753). Il est parfois employé elliptiquement pour *condamné à mort.* ◆ Sur *condamner* ont été formés **CONDAMNABLE** adj. (1404) et le terme juridique **CONDAMNATOIRE** adj. (1559), réfection de *condemnatoire* (XVe s.).

CONDAMNATION n. f. (1536) est la réfection, d'après *damner, damnation* (parallèle à celle du verbe), de l'ancien *condempnation* (XIIIe s.), qui représentait le bas latin *condemnatio* «sentence, peine», puis aussi «blâme». *Condamnation* possède aussi ce sens figuré depuis 1541 et s'emploie dans le contexte d'une maladie incurable (1862, septembre). Il correspond à tous les sens du verbe, y compris au sens concret «dispositif permettant de bloquer une serrure» (1961). ◆ Au verbe et au nom correspondent les composés **RECONDAMNER** v. tr. (1611) et **RECONDAMNATION** n. f., à valeur itérative.

CONDENSER v. tr., d'abord *condanser* (1314), est emprunté au latin *condensare* «presser, rendre compact (certaines substances, marc des raisins, fromage)», composé de *cum* (→ co-) et de *densare,* verbe rare et tardif dérivé de *densus* (→ dense).

♦ Le mot, introduit en médecine avec le sens de «rendre plus dense (un corps)», est longtemps resté un terme d'usage scientifique, ultérieurement spécialisé en physique (1796) pour «passer de l'état gazeux à l'état liquide» (forme pronominale). Par extension figurée de son sens propre, il s'est répandu au XIXe s. avec le sens de «réduire, ramasser (l'expression, la pensée)» (1827, Hugo).

► Le verbe a donné, dans le langage scientifique, **CONDENSATEUR** n. m., enregistré en 1753 dans l'*Encyclopédie* comme nom de l'appareil dans lequel on opère la condensation des gaz; le mot a gagné le vocabulaire de l'électricité (1808) puis celui de l'optique (1924) où il désigne un dispositif faisant converger les rayons lumineux. ◆ **CONDENSEUR** n. m. (1796) est l'adaptation de l'anglais *condenser,* de *to condense,* terme choisi par l'ingénieur écossais J. Watt (1736-1819) qui inventa en 1765 un appareil dans lequel se produit la condensation d'un gaz ou d'une vapeur. ◆ **CONDENSÉ, ÉE,** le participe passé du verbe, a été adjectivé dans des emplois scientifiques (physique, chimie), mais s'est répandu avec le sens figuré de «concis, resserré» en parlant de l'expression écrite ou orale des idées (XIXe s.); il a été substantivé avec une valeur de neutre (1838, Stendhal, «*le condensé de Montesquieu*»), avec la valeur concrète de «morceau de prose concise».

CONDENSATION n. f., d'abord *condempsacion* (v. 1370), est emprunté au bas latin *condensatio* «action de rendre plus dense», formé sur le supin de *condensare.* ◆ Il correspond aux sens didactiques de *condenser* en physique, chimie et (1808) électricité. Au XIXe s., il est passé dans l'usage commun avec le sens figuré de «concentration (de l'expression, de différents éléments)» (1834) et s'est appliqué à un processus de rassemblement de population (1839-1842, A. Comte). ◇ En psychanalyse, le mot s'applique au mécanisme psychique par lequel une représentation inconsciente condense des éléments d'une série de représentations, pour traduire l'allemand de même sens *Verdichtung* (1900, Freud, *L'Interprétation des rêves*).

CONDESCENDRE v. intr. est emprunté (v. 1350) au latin chrétien *condescendere* «se mettre au niveau de, à la portée de», de *cum* (→ co-) et *descendere* (→ descendre).

♦ Jusqu'au XIXe s., ce verbe a eu différentes valeurs non péjoratives : «se laisser fléchir par» jusqu'au XVe s., «reconnaître, adhérer, consentir» à la forme pronominale au XVIe s., «supporter avec bonté (les faiblesses de qqn)» (v. 1580), et au XVIIIe s., «accéder aux volontés d'autrui» avec une idée d'indulgence. ◇ C'est seulement depuis le milieu du XIXe s. (1866, *Journal* d'Amiel) qu'il est attesté avec sa valeur moderne de «daigner accepter», avec une idée péjorative de mépris dû au sentiment de supériorité. Ce sens dérive de celui qu'avaient pris les dérivés.

▶ Le participe présent adjectivé, **CONDESCENDANT, ANTE** (XIVe s.), d'abord synonyme partiel d'*indulgent*, a pris le sens actuel de «dédaigneux», devenant nettement plus courant que le verbe. ➜ Son dérivé **CONDESCENDANCE** n. f. (1609), d'abord pris en bonne part pour «complaisance indulgente par laquelle on s'abaisse au niveau d'autrui», a reçu la valeur aujourd'hui archaïque de «complaisance coupable» (1826) qui a contribué à imposer sa connotation péjorative, puis le sens actuel d'«air faussement protecteur, méprisant» (1832), plus tard suivi par le verbe.

CONDIMENT n. m. est emprunté (fin XIIe s.) au latin *condimentum* «plante destinée à assaisonner» et, au figuré, «ce qui donne de l'attrait à qqch.». Ce mot est dérivé de *condire* «assaisonner, relever» (au propre et au figuré), terme technique et usuel sans étymologie établie.

♦ Le sens propre culinaire et la valeur métaphorique (XIIIe s.) ont été repris simultanément au latin.

▶ **CONDIMENTAIRE** adj. est enregistré par Littré (1863) avec un sens objectif, «qui a la propriété des substances employées comme condiments». ➜ **CONDIMENTER** v. tr., de sens propre et figuré, est employé par Laforgue (1885) et Bloy (1886), par métaphore ; il s'est peu répandu.

CONDITION n. f. est emprunté au XIIe s. (1154-1173) au latin *condicio* (également *conditio* à basse époque). Celui-ci est composé de *cum* (→ co-) et de *dicio* «formule de commandement» d'où «autorité», terme juridique appartenant à une large famille de mots (droit, religion) issus de la racine °*deik-*, °*dik-* «montrer» (→ dire). *Condicio* désigne une formule d'entente entre deux personnes et, plus généralement, un arrangement, un pacte. De là, il a acquis par métonymie le sens de «situation résultant d'un pacte», d'où «situation» en général. Par suite d'un emploi spécial de l'expression *humana condicio* «condition humaine», il a pris le sens particulier d'«esclavage».

♦ Le mot apparaît avec le sens juridique de «clause, obligation dont dépend la validité ou la réalisation d'une convention, d'un contrat» : c'est à ce sens que se rattachent, avec une idée de «circonstance obligatoire», les locutions devenues usuelles ***à condition de*** (1787), ***condition sine qua non*** (1704) «condition sans laquelle une chose est impossible», et ***sous condition.*** ◇ La valeur sociale du nom s'est dégagée au XIIIe s., à propos de la place dans la société, du rang (1270-1285), là où on tend aujourd'hui à employer *classe* ou *situation*. En ce sens, d'abord attaché comme en latin à l'état de domesticité (1288) [on disait encore ***être en condition chez qqn*** «être à son service» au début du XXe s.], il est devenu une désignation de l'état noble (1474) dans les expressions *personne de condition* (1627), *dame de condition* (1647), propres à l'Ancien Régime. ◇ Le sens plus général de «situation, état» (en parlant des humains) date aussi du XIIIe s. (v. 1278) mais l'acception philosophique se développe relativement tard (av. 1703, *la condition humaine*). ◇ Le mot est souvent employé au pluriel pour indiquer l'ensemble des caractéristiques d'une chose : on parle ainsi de *conditions de vie* (1893, au singulier). ◇ Le sens plus spécifique de «qualité d'un objet, d'une personne en fonction de sa destination», enregistré en 1690, est notamment réalisé dans les locutions ***être en bonne condition*** ou ***dans de bonnes conditions. Mettre en condition,*** employé depuis 1872 dans le domaine des sports, en parlant d'un cheval puis (1924) d'un athlète, réalise aussi, transposé sur le plan psychologique, l'idée de «préparer l'esprit de qqn à qqch.» (1965).

▶ Le dérivé **CONDITIONNER** v. tr. (v. 1278) correspond aux emplois d'aspect déterminé du nom et exprime le fait de soumettre à certaines conditions. Sa spécialisation philosophique, d'abord sous la forme du participe passé substantivé à valeur de neutre (*le conditionné*, 1823) puis aussi en construction transitive (1883, *conditionner des phénomènes*), est un calque de l'allemand *das Bedingte* (1781, Kant). Il semble être passé en français par l'intermédiaire de l'anglais *the conditioned*, antérieurement calqué sur l'allemand par le philosophe anglais William Hamilton (1788-1856) qui l'emploie en 1829. Ce sens a donné par extension celui de «déterminer le comportement de (qqn)», en parlant d'événements, de circonstances (1900), emploi controversé en français, mais répandu au XXe siècle. Sa spécialisation en psychologie du comportement, dans le syntagme ***réflexe conditionné,*** est probablement calquée de l'anglais (1915, *conditioned reflex*, peut-être antérieurement dans une traduction des travaux du physiologiste russe Pavlov [1849-1936], connus et publiés dès 1903). ➜ Le sens juridique de «conclure une convention, convenir» (v. 1360) est sorti d'usage au XVIe siècle. En revanche, celui de «préparer (une chose) en lui donnant les qualités requises», attesté dès 1611 en parlant d'une marchandise, a connu une certaine extension en agriculture et en industrie textile (1769), et surtout dans la commercialisation de produits alimentaires (1949), en même temps que *conditionnement*. ➜ Son participe passé adjectivé **CONDITIONNÉ, ÉE** (1394) entre en particulier dans le syntagme ***air conditionné*** par traduction de l'anglais *air-conditioned* (concurrencé par *climatisé*). ◇ Il a pour dérivé l'antonyme **INCONDITIONNÉ, ÉE** adj. (1794), d'usage philosophique, peut-être d'après l'allemand *unbedingt* (1781, Kant) ou l'anglais *unconditioned*.

CONDITIONNEMENT n. m. (1845), d'usage technique et didactique, se partage dès le XIXe s. entre le sens de «traitement de certains produits selon certaines normes» (1845, en textile; 1929, en agriculture céréalière), répandu (mil. XXe s.) à propos de la présentation des produits commerciaux, et celui d'«action de conditionner» (1863) en philosophie, d'où par métonymie «fait d'être conditionné, déterminé» (1864). Ce dernier sens a connu une certaine expansion au XXe s. en sports et en psychologie (1935), passé de là dans l'usage commun, notamment à travers la critique des déterminismes socioculturels. ➜ **CONDITIONNEUR, EUSE** n. s'est employé (1887) en argot à propos du domestique qui vole dans la maison où il travaille, à la fois d'après le sens de *condition* «état de domestique» et par une métaphore du type *arranger, assaisonner.* ◇ *Conditionneur* n. m. s'est répandu au XXe s. comme nom d'agent et d'outil affectés au conditionnement du fourrage, des marchandises, d'après l'anglais *conditioner,* mot attesté dès 1909 à propos d'un appareil utilisé pour mettre le grain en condition, puis d'un appareil fournissant l'air «conditionné». Dans ce sens, il est concurrencé par *climatiseur.*

CONDITIONNEL, ELLE adj. (av. 1400) est emprunté au dérivé bas latin *condicionalis;* comme lui, il est employé techniquement en droit et (av. 1546) en grammaire. ➜ On en a tiré **CONDITIONNELLEMENT** adv. (XIVe s.) et l'antonyme **INCONDITIONNEL, ELLE** adj. (1777), formé à l'exemple de l'anglais *unconditional.* Vers 1945, *inconditionnel* a pris, en parlant d'une personne, le sens de «qui est partisan (de qqn) en toutes circonstances», surtout dans un contexte politique (en parlant des partisans sans restriction de De Gaulle), et a été substantivé (v. 1960) pour s'étendre à d'autres domaines. ◇ **INCONDITIONNELLEMENT** adv. est attesté depuis 1845.

CONDOLÉANCE n. f. est dérivé (av. 1475), d'après *doléance**, de l'ancien français *condoloir* (1279), «s'affliger avec», encore usité à l'infinitif pronominal au XVIIe siècle. Ce verbe était issu du latin chrétien *condolere* de même sens, de *cum* «avec» (→ co-) et *dolere* «souffrir» (→ dolent).

♦ Le mot était couramment employé en moyen français dans la locution ***avoir condoléance.*** Au XVIe s., il est concurrencé par *condolence,* sorti d'usage au XVIIe s., où on trouve *compliment de condoléance.* L'usage moderne l'emploie généralement au pluriel, après un certain nombre de verbes *(faire, adresser, envoyer ses condoléances).*

▶ Ni l'adjectif **CONDOLÉANT, ANTE** (1782) ni le verbe récent **CONDOLÉANCER** v. tr. (1921, Proust) ne se sont imposés dans l'usage courant.

CONDOM n. m. est emprunté (1795) à l'anglais *condom,* attesté depuis le début du XVIIIe s. sous les formes *condum* (v. 1706?), *condon* (1708), *cundum* (1744), «préservatif masculin». L'hypothèse communément répandue selon laquelle la chose aurait pris le nom de son inventeur est problématique, aucun médecin du nom de Condom ou Conton n'ayant été retrouvé au XVIIIe siècle. P. Larousse recueille toutefois l'anecdote selon laquelle cet hygiéniste aurait dû changer de nom «pour dépister ses ennemis», tant son invention lui aurait valu «une réprobation universelle».

♦ Le mot a reculé sous la concurrence de *capote anglaise* d'une part et de *préservatif* — mot neutre — de l'autre.

CONDOMINIUM n. m. est emprunté (1866) à l'anglais *condominium,* terme de droit international désignant l'autorité souveraine exercée en commun par deux ou plusieurs États sur un même pays (v. 1714). Le mot est un emprunt au latin, où il est composé savamment de *cum* «avec, ensemble» (→ co-) et du latin médiéval *dominium* «autorité, suzeraineté féodale», attesté en 1289 (document gascon) et utilisé dans plusieurs traités juridiques des XVIIe et XVIIIe s. (1682, domaine allemand). *Dominium* se rattache à *dominus* «maître, souverain» (→ dom, domaine) et a été emprunté par l'anglais *(dominion).*

♦ Ce terme d'histoire a été réemprunté outre-Atlantique à l'anglais des États-Unis et désigne en français du Canada ce que l'on nomme *copropriété* en France.

CONDOR n. m., cité en 1598 comme mot espagnol au pluriel *condores,* puis mentionné en 1633 dans une traduction de l'espagnol, est emprunté à l'espagnol *condor* (1554). Lui-même est emprunté au quichua *kuntur,* cette langue indienne du Pérou ayant fourni (par l'intermédiaire de l'espagnol) d'autres noms d'animaux de la région des Andes (cf. *alpaga, lama, puma, vigogne*). Certains, de manière hypothétique, font provenir *kuntur* des mots *kunkur eder* qui exprimeraient l'odeur désagréable exhalée par l'oiseau.

♦ Le mot désigne un grand vautour d'Amérique au plumage noir (Andes, Californie); il est acclimaté en français dès 1640. Par métonymie, il a désigné une ancienne pièce d'or du Chili, de Colombie et de l'Équateur, à l'effigie d'un condor.

CONDOTTIERE n. m. est emprunté (1770) à l'italien *condottiere* «chef de mercenaires» (av. 1350), dérivé de *condotta* «action de conduire des troupes», proprement «conduite», ce mot étant le participe passé substantivé au féminin de *condurre* (→ conduire). Le sens correspond à celui de *duce,* de *führer.*

♦ Le mot, d'abord *condottieri* au pluriel italien, est un terme d'histoire désignant un chef de mercenaires ou de partisans dans l'Italie du moyen âge et de la Renaissance. Par extension, il est appliqué à un soldat de fortune, un mercenaire (1835, Balzac parle plaisamment de *condottieri matrimoniaux* à propos de deux notaires) et fournit une désignation de l'aventurier (1836, Balzac encore, à propos de Rastignac).

V. Jankélévitch a introduit **CONDOTTIÉRISME** n. m. dans son analyse de Don Juan (1957, *Le Je-ne-sais-quoi et le Presque-rien*) pour exprimer «la forme spécifiquement italienne du style aventureux».

◈ ✳ **CONDUIRE** v. tr., d'abord attesté sous l'ancienne forme conjugée *conducent* (v. 980), troisième personne du pluriel de l'indicatif présent, est hérité du latin *conducere*. Ce mot, composé de *cum* (→ co-) et de *ducere* «mener avec, ensemble» (→ duc), a tendu à supplanter *ducere* dont il a absorbé les sens dérivés, «tirer à soi», «mener, diriger», au propre et au figuré.

♦ Le mot a achevé en ancien français de supplanter l'ancien verbe *duire*, issu du latin *ducere*, avec le sens propre de «faire aller avec soi, dans un même lieu» (v. 980). Celui-ci, selon le contexte, est modulé en «accompagner» (1080), «accompagner, escorter pour mettre en sûreté» (1172-1175), le français moderne retenant surtout la valeur générale. L'expression *conduire (une femme) à l'église*, bien que tardive (1829), renoue avec le latin médiéval *conducere (uxorem)* «prendre pour épouse» (v. 1194). ◇ Dès l'ancien français, l'extension des sens s'est faite, comme en latin, par la valorisation de l'idée d'«orientation» aux dépens de celle d'«accompagnement» : *conduire* exprime l'idée de «pousser (qqn) à certains actes» (1080), de «mener une chose» et, surtout à la voix passive, d'«être mené» (v. 1175, *par amors conduit*). ◇ Un développement abstrait réalise l'idée de «diriger, en étant à la tête de», d'abord en droit (1372 ; 1479, *conduire un procès*) et dans l'usage administratif (1474), puis également en musique (1845, *conduire un chœur*), d'où absolument *conduire*, en concurrence avec *diriger*. ➜ La spécialisation pour «diriger (un véhicule)» est attestée en 1690 *(conduire un attelage)* et l'emploi absolu du verbe se répand au XIXe s. (1846 ; dès 1836, dans un emploi métaphorique chez Stendhal), le verbe devenant très courant avec l'automobile (cf. ci-dessous *conducteur, conduite*). ◇ La spécialisation littéraire, à propos de la maîtrise d'un récit, remonte elle aussi à l'époque classique (1677, Mme de Sévigné). Des spécialisations plus techniques du sens propre se développent ultérieurement, en physique (1851), en technique et en mathématiques. Dès le XIIIe s., *se conduire* exprime l'idée de «se comporter (de telle ou telle manière)», surtout dans *bien, mal se conduire*.

▸ Le participe passé *conduit* a pu être substantivé sous l'influence du latin médiéval *conductus* (1086, au neutre substantivé *conductum ;* puis au masculin, 1248-1249). **CONDUIT** n. m. désigne une canalisation (v. 1175) et, par analogie, un canal de l'organisme (v. 1225). ◇ Il s'est spécialisé en musique (1218-1225) comme nom d'un motet d'église, puis de notes de liaison, de mesures insérées entre les diverses entrées d'un morceau. ◇ Son sens de «conduite, protection, escorte» ne survit que dans le syntagme ***sauf-conduit*** (→ sauf). L'expansion du mot a été gênée par la vitalité du féminin. ➜ Ce dernier, **CONDUITE** n. f. (XIIIe s.), sert de substantif d'action à *conduire* dans ses principaux sens : «action d'escorter», «action de diriger» (1465), «art de mener un récit, un ouvrage» (1530), «action de mener une entreprise, un dessein» (1465), «manière de se comporter» (1680) et, très tard, «action de mener un véhicule» (1928) probablement d'après *conducteur* (ci-dessous). ◇ Certains emplois concrets du mot, en référence à une canalisation (av. 1628), ont concurrencé *conduit ;* toutefois *conduite* a abandonné à ce dernier la spécialisation anatomique de «canal» (av. 1590). ➜ L'antonyme **INCONDUITE** n. f. (1693) correspond uniquement à «manière incorrecte de se comporter» et se trouve concurrencé en français de Belgique par **MÉCONDUITE** n. f. auquel correspond **SE MÉCONDUIRE.** v. pron.

Le nom d'agent **CONDUCTEUR, TRICE** n. (apr. 1350, *conductour*) est la réfection, d'après le latin, de l'ancien français *conduiteur, conduitor* (v. 1243), issu du latin *conductor* qui, à basse époque, avait supplanté le simple *ductor*. ◇ Le mot sert de nom d'agent à *conduire* dans ses sens figurés et, de nos jours, surtout au sens propre : il s'est répandu à propos de celui qui conduit des animaux (1559) et, couramment, un véhicule (au XIXe s., une diligence), notamment une automobile (1898, H. Farman), emploi qui paraît antérieur à celui de *conduite*, dans ce contexte. ◇ *Conducteur* était passé dans le vocabulaire de la physique au XVIIIe s., notamment en électricité (1749), calque probable de l'anglais *conductor* (1745, W. Watson ; déjà 1737, pour le dispositif destiné à transmettre le courant, sens diffusé par B. Franklin). C'est dans ce sens que le mot a été adjectivé (1805), au propre puis au figuré dans l'expression ***fil conducteur*** (1824), «principe qu'il faut suivre». ◇ **SEMI-CONDUCTEUR, TRICE** adj. (1897 ; précédé par *demi-conducteur*, 1803) a été substantivé pour désigner un élément dont la conductibilité électrique, intermédiaire entre celle des métaux (conducteurs) et celle des isolants (non conducteurs) possède des propriétés qu'on peut faire varier. D'importantes applications en électronique ont fait entrer le mot dans l'usage courant (v. 1945). ➜ Les termes de physique **CONDUCTION** n. f. (1830), **CONDUCTIBLE** adj. (1832) et **CONDUCTIBILITÉ** n. f. (1808) ont été formés sur le radical du supin latin *conductum ;* antérieurement, l'ancien français avait emprunté au dérivé latin *conductio* le substantif **CONDUCTION** n. f. (1253-1289). ➜ Les termes d'électricité **CONDUCTANCE** n. f. (1893) et **CONDUCTIVITÉ** n. f. (1907) ont été empruntés aux mots anglais *conductance* (1885) et *conductivity* (1837), eux-mêmes formés sur le latin *conductum*. ◇ **SUPRACONDUCTEUR, TRICE** adj. et n. (1913 adj. ; 1914 n. m. *Revue générale des sc.*), **SUPRACONDUCTION** n. f. (mil. XXe s.), **SUPRACONDUCTIBILITÉ** n. f. (1923), **SUPRACONDUCTIVITÉ** n. f. (1927) sont aussi des anglicismes. Ils concernent le phénomène par lequel certains métaux et alliages ont une résistivité qui s'abaisse et devient quasi nulle à basse température. *Supraconductor*, en anglais, traduisait le néerlandais *suprageleider* (H. K. Ownes, 1913).

RECONDUIRE v. tr. (XIVe s.) a été emprunté au latin juridique *reconducere* avec le même sens itératif de «renouveler (un bail)» et le sens général et courant de «raccompagner», peu attesté entre 1675 et 1802. Le mot, dans l'usage juridique et administratif, s'applique aux mesures d'expulsion prises à l'encontre d'immigrés en situation irrégulière (1996). Le dérivé **RECONDUITE** n. f. s'emploie dans le même contexte *(reconduite à la frontière)*. ◇ **RECONDUCTION** n. f. (XVIe s.) est un emprunt au dérivé latin *reconductio,* au sens juridique de «renouvellement». ◇ L'adjectif **RECONDUCTIBLE** correspond à *reconduction.*

ÉCONDUIRE v. tr. (1485) est l'altération, sous l'influence de *conduire,* de l'ancien verbe *escondire* (1050) «s'excuser» (à la forme pronominale) et (1170) «repousser, refuser», attesté jusqu'en moyen français. Celui-ci représentait le bas latin *(se) excondicere* «s'excuser», «réfuter une accusation», de *ex* (→ é-) et de *condicere* «convenir de», composé de *dicere* (→ dire). ◆ Senti comme un dérivé de *conduire,* le mot a pris dès le moyen français le sens de «conduire hors de (un lieu)» et spécialement de «repousser (qqn), renvoyer, ne pas accéder aux demandes». Un sens technique (1876) est «conduire (de l'eau) hors d'un lieu».

◈ voir CONDOTTIERE.

CONDYLE n. m. est un emprunt savant des médecins (1538) au latin *condylus,* lui-même pris au grec *kondulos* «articulation». ◆ Le mot désigne une saillie articulaire arrondie (d'un os, d'un appendice).

▶ **CONDYLOME** n. m. est pris (1560) au latin *condyloma,* de même origine, pour désigner une petite tumeur inflammatoire de la muqueuse génitale ou anale.

CÔNE n. m. est emprunté (1552) au latin *conus,* lui-même emprunté au grec *kônos* «pomme de pin», d'où «figure conique» (en géométrie) que l'on rapproche traditionnellement (mais sans certitude) du sanskrit *śāṇa-* «pierre à aiguiser» et du latin *cos* de même sens.

♦ Repris comme nom d'une figure géométrique, dont la base est un cercle et le sommet un point, et de cette forme dans l'usage courant, le mot a reçu plusieurs acceptions spécialisées, en astronomie (av. 1690), en botanique (1753), en technique (1753), en géologie (1796; 1797 à propos d'un volcan) et en zoologie (1803).

▶ **CONIQUE** adj. (1624) est un emprunt à l'adjectif grec tardif *kônikos,* tiré de *kônos.* Il a été substantivé au féminin par le mathématicien Desargues (av. 1640) pour désigner une courbe formée par la section d'un cône par tout plan ne contenant pas le sommet de ce cône.

Quant à **CONIFÈRE** adj. et n., il est emprunté (1523) au latin *conifer,* de *conus* et de l'élément *-fer* (→ -fère), tiré de *ferre* «porter». ◇ Le mot qualifie et (1789) désigne un arbre qui porte des fruits de forme conique. Tout en correspondant à une classe botanique, il s'est répandu dans l'usage courant, le groupe d'arbres concerné (comprenant les pins, sapins, etc.) ayant des caractéristiques évidentes (feuillage persistant, zones d'altitude...) bien que les fruits ou *cônes* portent d'autres noms courants (*pommes de pin,* etc.).

CONFECTION n. f. est emprunté (v. 1155) au latin *confectio,* dérivé du supin de *conficere* «achever» (→ confire), au sens propre d'«action de faire entièrement» et, plus généralement, «action d'effectuer», d'où spécialement, en bas latin, «préparation pharmaceutique».

♦ Le mot a été introduit avec la spécialisation du mot latin, désignant une préparation, une mixture magique ou pharmaceutique. Ce sens a été évincé par le sens général, «action d'effectuer entièrement» (1290, *confection de lettres*), qui a progressivement glissé vers «action de préparer, de mettre au point». ◇ Au XIXe s., il a reçu sa spécialisation courante «industrie des vêtements fabriqués en série», par opposition à ceux fabriqués sur mesure (1854, *boutique de confections;* 1855, *un tailleur de confection*). Il tend à reculer au profit de *prêt-à-porter* et s'oppose à *sur mesure.*

▶ Le dénominatif **CONFECTIONNER** v. tr. est attesté pour la première fois en 1598 en pharmacie mais n'a été repris qu'au XVIIIe s. au sens général de «fabriquer». Depuis 1801, il est employé en parlant d'un vêtement. ◆ Le dérivé **CONFECTIONNEUR, EUSE** n. (1830) est surtout employé avec cette spécialisation.

CONFÉDÉRER → **FÉDÉRER**

CONFÉRER v. est emprunté (v. 1370) au latin *conferre,* de *cum* (→ co-) et *ferre* «porter» (→ -fère), calque du grec *sunpherein* (cf. *-phare*). Proprement «porter ensemble ou au même point», le verbe a de nombreux sens dérivés : «contribuer à», «réunir», «transporter», «attribuer à», «mettre (des propos) en commun» d'où «raconter».

♦ Le mot, apparu dans une expression traduisant littéralement le latin *honores conferre* «accorder les honneurs», exprime l'idée d'accorder une dignité, un honneur, un privilège en vertu d'une autorité dont on est investi. Il signifie en particulier «accorder un rôle, un pouvoir» (1482, *conférer un office*). De ce sens, on passe à un emploi religieux *(conférer un sacrement)* et, avec Chateaubriand, à l'emploi pour «accorder, donner une qualité» (avec pour sujet : *la religion*). À la fin du XIXe s., le verbe s'emploie plus généralement dans ce sens avec un sujet inanimé abstrait (Durkheim in *T. L. F.*), puis concret (XXe s.); ces emplois *(conférer à... une qualité, un caractère)* reflètent l'influence de l'anglais *to confer,* employé dans cette acception depuis 1600, dans le contexte religieux. ◇ Le sens didactique repris du latin, «comparer» (1370-1380, traduction d'Ovide), ne s'est guère maintenu que dans «rapprocher des textes pour comparer» (1616-1620), essentiellement dans la notation *conférez,* usuellement abrégée — comme le latin *confer* — en *cf.* ◆ Le sens intransitif que le verbe avait pris sous l'influence de *conférence,* «s'entretenir de qqch., converser» (v. 1460) et que l'on a dans le titre d'un livre des *Essais* de Montaigne — *«De l'art de conférer»* — ne vit plus que dans des emplois stylistiques.

▶ **CONFÉRENCE** n. f. est emprunté (1464; et non pas 1346, fautif) au latin médiéval *conferentia* «confrontation, réunion» (Isidore, VIe-VIIe s.), participe présent pluriel neutre pris pour un féminin singulier. ◇ Le mot, repris à propos d'une discussion de plusieurs personnes sur un sujet, continue à désigner des entretiens traitant de questions importantes en diplomatie (*conférence pour une paix,* 1635). L'autre sens didactique de «comparaison de textes», né dans les milieux lettrés (1504), a disparu après son extension à une comparaison de différents objets (costumes). Le mot s'applique ensuite à un exposé fait en public par une seule personne pour servir de base à une étude en commun (1680, dans un contexte théologique) : concurrencé en ce sens par *communication*, plus technique, il est surtout employé en parlant de l'exposé seul, en particulier dans un cadre scolaire, au sens de «leçon» (1752). Il y a fourni le titre universitaire de ***maître de conférences*** (1845). Depuis 1952, la presse a répandu l'expression ***conférence de presse***. ➡ Le dérivé **CONFÉRENCIER, IÈRE** n. (1752) désignait une personne président une conférence ecclésiastique, avant de prendre son sens moderne (1859, en religion ; 1866, en général). ◇ On a forgé plaisamment un verbe **CONFÉRENCER** (1879, Flaubert) qui a prolongé l'ancien sens de *conférer* «s'entretenir avec», sans parvenir à l'imposer dans l'usage. ◇ Le composé **TÉLÉCONFÉRENCE** n. f. (1962) désigne une discussion à distance, par télécommunications.

CONFESSER v. tr. est dérivé (1172-1175) de l'ancien français *(estre) cunfes* «avouer ses péchés» (1080), lui-même issu du latin *confessus* «qui avoue», participe passé de *confiteri* «reconnaître, avouer», pris dans son sens chrétien «avouer ses péchés (à Dieu, à un prêtre)». La première personne du présent de ce verbe, **CONFITEOR**, n. m., est employée comme terme de liturgie catholique depuis 1205, *confiteor* «j'avoue (mon péché)» étant le premier mot de la formule de confession du rituel chrétien (av. 743). *Confiteri* est le composé d'aspect déterminé en *cum* (→ co-) de *fateri* «reconnaître une faute» (qui serait postérieur car le nom d'agent *fat-* n'est normal qu'en second terme de composés), issu de *fari* «parler», à rattacher à une racine indoeuropéenne °*bha-* «parler» (→ fable).

♦ Le verbe exprime l'idée d'«avouer ses péchés» à la forme pronominale (1172-1175) et en emploi transitif (v. 1278) ; il exprime réciproquement le fait d'«entendre une confession» en parlant d'un prêtre (déb. XIIIe s.). Depuis 1564, il a également le sens de «déclarer publiquement une croyance religieuse». ◇ Par extension, il est passé dans l'usage laïc, retrouvant la valeur latine primitive, «reconnaître» (v. 1278), sans jamais s'affranchir de ses résonances chrétiennes.

▶ Le déverbal **CONFESSE** n. f. (v. 1175) ne s'emploie au sens de «confession» qu'après les prépositions *à* et *de*, et sans déterminant.

CONFESSION n. f. est emprunté (v. 980) au dérivé latin chrétien *confessio* «aveu de ses péchés», «profession de foi», spécialisation du sens classique d'«aveu». ◇ Le mot désigne l'aveu de ses péchés à Dieu, à un prêtre et, par extension, l'aveu d'une faute quelconque (v. 1265, *la confession du malfaiteur*). Les protestants du temps de la Réforme ont introduit le sens, repris au latin, de «profession de foi» (1537). Au singulier comme au pluriel, il s'est employé comme titre d'ouvrage, par référence aux *Confessions* de saint Augustin (Ve s.), superposant acceptions laïque et chrétienne. ➡ On a formé dessus **CONFESSIONNAL, AUX** n. m. (1633) «petit édifice où un prêtre reçoit les fidèles en confession», issu par ellipse d'un emploi adjectif antérieur (1610-1613) qui n'a pas vécu. Par analogie de forme, le mot a désigné l'un des oreillons adaptés à un fauteuil pour y appuyer la tête (1700), puis un fauteuil ainsi équipé (1720). ◇ Le dérivé **CONFESSIONNEL, ELLE** adj. (1863), qui ne concerne que le sens de «croyance religieuse», peut s'opposer à *laïc*.

CONFESSEUR n. m., d'abord *confessour* (v. 1155) et *confessor* (1195-1200), est emprunté au latin chrétien *confessor* «celui qui professe la foi chrétienne», mot désignant d'abord un martyr, puis celui qui s'est affirmé le témoin du Christ par une sainte vie ; à l'époque médiévale, il s'est appliqué au prêtre qui reçoit la confession d'un croyant (v. 827). ➡ Le mot français, introduit en liturgie pour désigner un saint non martyr, désigne couramment le prêtre qui entend la confession du pécheur, le directeur de conscience de qqn, et, par extension, celui qui reçoit des confidences.

CONFETTI n. m., mot mentionné dans la *Correspondance* de Stendhal comme italianisme (1841), est emprunté à l'italien *confetti* «bonbons, sucreries» (XIIIe s.), pris au sens de «petites boulettes de plâtre qu'on se lance lors du carnaval» dans *confetti di gesso* (av. 1827), l'italien utilisant le pluriel de *coriandolo* (→ coriandre) là où le français emploie *confetti*. L'italien *confetti* est le pluriel de *confetto*, issu du participe passé latin *confectus* «préparé» et correspondant au français *confit**. Il a fourni le mot russe *konfieta* «bonbon», l'allemand *Konfekt* «confitures, sucreries, dragées» étant directement issu du latin *confectus*.

♦ Le mot a désigné les boulettes de plâtre qu'on se lançait au cours du carnaval, avant de désigner les rondelles de papier coloré qui les ont remplacées (1894). Il n'est plus du tout rattaché à son origine.

CONFIANCE → **CONFIER**

CONFIDENCE n. f. est emprunté (v. 1370) au latin *confidentia* (par ailleurs adapté en *confiance**) «confiance, assurance» d'où aussi, par péjoration, «outrecuidance», de *confidere* (→ confier).

♦ *Confidence* a eu jusqu'au XVIIe s. le sens de «confiance intime (entre amis)», conservé par l'anglais *confidence*, lui-même emprunté à l'ancien français. ◇ Concurrencé et éliminé par *confiance** en ce sens, il a pris alors son sens moderne de «communication d'une chose sous le sceau du secret» (1647), notamment après les verbes *faire, échanger (une, des confidences), mettre dans (la confidence)*, correspondant alors pour le sens à *confier*.

▶ **CONFIDENT, ENTE** n., d'abord *confedens* (v. 1450) puis *confident* (1555-1559), est emprunté à l'italien *confidente* (XIVe s.) «sûr, fidèle», «qui reçoit les confidences de qqn» et «confiant», lui-même emprunté au participe présent latin *confidens* de *confidere*. ◇ Le mot a été employé comme adjectif, aux sens de «confiant», «en qui l'on peut avoir confiance» (vieillis au XVIIe s.) et aussi «confidentiel». ◇ L'usage moderne en a fait le nom de la personne à qui l'on confie ses pensées intimes (av. 1630). Dans le théâtre classique, il désignait spécialement le personnage secondaire qui reçoit les confidences du héros. ➡ L'adverbe *confidenment* (XIIIe s.), «avec assurance», a été refait en **CONFIDEMMENT** (v. 1661). ➡ De *confidence* a été dérivé **CONFIDENTIEL, IELLE** adj. (1775), lequel évoque par sa forme le latin médiéval *confidentialis* «audacieux, plein d'assurance» (v. 1318). Il a pour dérivé **CONFIDENTIELLEMENT** adv. (1775). À la différence de *confidence* et de *confident* qui restent littéraires et de connotation psychologique, *confidentiel* est employé en termes administratifs, comme une variante atténuée de *secret.* ➡ De même, le mot didactique **CONFIDENTIALITÉ** n. f., qui concerne le domaine administratif (avec les systèmes informatisés), est entré récemment dans l'usage français (att. 1970), par calque de l'anglais *confidentiality,* de *confidential* «confidentiel».

CONFIER v. tr. est la réfection (1357), par attraction de *fier**, du plus ancien *confider* (v. 1300) qu'il a éliminé av. 1600 (→ confiance/confidence). Le verbe a été emprunté au latin *confidere,* de *cum* (→ co-) et *fidere* (→ fier) «mettre sa confiance dans (qqn, qqch.)».

♦ C'est au XVIIe s. que *confier* s'est détaché du sens latin «mettre sa confiance dans qqn» pour prendre l'acception moderne de «remettre qqn ou qqch. à la garde de (qqn auquel on se fie)» (1601). En procède le sens figuré de «livrer à l'action, à l'influence de qqch.» (1753). ◇ En corrélation avec *confidence, confier* a pris (mil. XVIIe s.) le sens de «communiquer qqch. à qqn sous le sceau du secret», également à la forme pronominale (1680).

▶ L'adjectif **CONFIANT, ANTE** (XIVe s., *confient*), tiré du participe présent, n'a pas suivi l'évolution du verbe; il est resté vivant pour «qui a confiance» et, par métonymie, «qui exprime la confiance» (1810); il n'a pas gardé la nuance de «présomptueux» (1740). ➡ Il forme un couple avec **CONFIANCE** n. f., d'abord *confience* (XIIIe s.), emprunté au latin classique *confidentia* (→ confidence) et adapté d'après le vocalisme de l'ancien français *fiance,* de *fier* (→ ① fier). ◇ Le mot, autrefois doublet de *confidence,* désigne le fait de croire avec assurance, de se fier à qqn ou à qqch. Par rapport à *foi,* il est laïc et psychologique; il a plus d'analogie avec *espérance* et implique un sentiment de sécurité. Au début du XVIIe s. (1611), il a pris la nuance d'«assurance», notamment dans ***confiance en soi.***

CONFIGURER v. tr., attesté depuis le XIIIe s. (XIIe s., selon Bloch et Wartburg), a été emprunté au latin impérial *configurare,* de *cum* (→ co-) et *figurare* (→ figurer), «donner une forme, modeler» et, en latin chrétien, «façonner à l'image de».

♦ Le mot a été introduit avec le sens religieux de «façonner à la ressemblance de, rendre semblable à», encore dans les sermons de Bossuet au XVIIe siècle. Le sens laïc, «donner une forme» (1798), est archaïque.

▶ Le nom correspondant, **CONFIGURATION** n. f., est relativement plus courant. Il a été emprunté au XIIIe s. au dérivé latin chrétien *configuratio,* «action de façonner à la ressemblance de», et s'est fixé (v. 1370) avec le sens métonymique de «forme extérieure». ◇ Depuis, il s'est répandu au sens large de «figure, aspect» et s'est aussi spécialisé en sciences, par exemple chimie, astronomie, géométrie, sciences sociales, avec le sens de «disposition relative d'éléments», très voisin de celui de *structure.* ➡ Les dérivés **CONFIGURATIF, IVE** adj. (1869, Lautréamont) et **CONFIGURATIONNEL, ELLE** adj. (XXe s.) sont très didactiques.

CONFINS n. m. pl. est emprunté (v. 1308) au latin *confinium,* pluriel *confinia,* substantif neutre issu de l'adjectif *confinis* «contigu, voisin», de *cum* (→ co-) et *finis* (→ fin). *Confinium* signifiait «limite commune à des champs, à des territoires» d'où, par métonymie, «voisinage» et, au figuré, «état intermédiaire».

♦ Le mot désigne proprement une partie de terres situées à l'extrémité, à la frontière; il a pris par extension le sens de «bout, espace éloigné», et a repris au latin le sens figuré de «passage intermédiaire entre deux situations» et de «point extrême» (XVIIe s.).

▶ **CONFINER** v., d'abord écrit *confinner* au sens ancien d'«enfermer» (v. 1225-1230), réalise l'idée voisine de «forcer (qqn) à rester dans un espace limité» (1477) et, avec un sujet désignant un objet inanimé, de «borner, limiter (qqch.) à» (fin XVIIIe s.). La forme pronominale *se confiner,* d'abord employée pour «être proche par la parenté» (1466), correspond ensuite à «se limiter à un espace restreint» avec des emplois figurés. ◇ Dès le moyen français, le verbe signifie aussi «être situé sur les confins de» (1468), «être contigu à». En procède un emploi pour «être très proche de». ➡ **CONFINEMENT** n. m., après une première attestation au sens de «terrain confiné» (1481), est devenu le nom d'action de *confiner.* Il participe surtout de l'idée d'«enfermement», d'abord dans le contexte pénal de l'emprisonnement (1579), puis dans celui de l'isolement d'un captif (XIXe s.). De nos jours, il indique surtout le fait d'enfermer et d'être enfermé dans certaines limites, concrètes ou, surtout, abstraites. ➡ **CONFINÉ, ÉE** p. p. est adjectivé avec les différentes valeurs du verbe, en particulier dans *air confiné* (1880-1884).

✳ **CONFIRE** v. tr. est issu (v. 1176) du latin *conficere,* dérivé d'aspect déterminé en *cum* (→ co-) de *facere* (→ faire), littéralement «faire entièrement, achever» d'où «réaliser, façonner, élaborer»; le *i* est dû au participe passé *confit,* du latin *confectus.*

♦ Le mot a eu en ancien français le sens général de «préparer» (par ex. une potion), encore attesté au début du XVIIe siècle. Il en reste la trace en tannerie, où *confire* s'applique à une étape de préparation des peaux, plongées dans un bain de macération. Progressivement, il s'est restreint à la préparation des aliments et, plus spécialement, des fruits (1226), la préparation passant au second plan derrière la conservation et le mode spécifique de la préparation (XIVe s., *confire au miel*).

▶ Le participe passé **CONFIT, ITE** a été substantivé en peausserie, en parlant du bain de macération des peaux pendant le chamoisage (v. 1268). ◇ Il s'est répandu dans son acception culinaire de «viande cuite et conservée dans sa propre graisse» (1867), à partir du Sud-Ouest. Bien que l'adjectif tiré du participe passé ait toutes les valeurs du verbe, y compris celle de «pénétré de» (1538, *confit en*), il évoque couramment le sucré, du fait du syntagme lexicalisé ***fruits confits.*** On entend parfois par là des fruits parfaitement mûris dans leur suc sur l'arbre (dans le Midi) [XVIIe s.], et surtout des fruits préparés dans le sucre.

CONFITURE n. f. a désigné, depuis ses premiers emplois (fin XIIIe s.) et jusqu'au milieu du XIXe s., des aliments confits dans le sucre — fruits au sirop, pâtes de fruits, fruits confits et fruits cuits dans du sucre — avant de se limiter à cette dernière préparation et de se distinguer de *compote.* Par analogie d'aspect, il a fourni la locution familière ***en confiture*** (1866) ; cf. *bouillie, compote, marmelade.* ◆ Il a donné **CONFITURIER, IÈRE** n. (1584), «personne faisant les confitures», qui a suivi l'évolution de *confiture.* ◇ Au masculin le mot a désigné (1760) un meuble puis un récipient où l'on met des confitures. ◆ **CONFITURERIE** n. f. (1823) a pâti de la concurrence de *confiserie* tout en se maintenant pour désigner la préparation des confitures et le local où on les fait.

CONFISEUR, EUSE n., dérivé du participe présent *confissant* (d'où la graphie primitive *confisseur,* 1600), a concurrencé puis évincé *confiturier* dont il était synonyme, désignant toutefois plutôt l'artisan que le commerçant. Progressivement, il s'est détaché de son origine pour désigner la personne ou l'entreprise qui fabrique et vend des sucreries (bonbons, chocolats). ◆ **CONFISERIE** n. f. (1753) a suivi la même évolution. Désignant la fabrication des produits confits au sucre, le mot a reçu les extensions métonymiques normales, «magasin» et, surtout au pluriel, «produit ou ensemble des produits de la confiserie» (av. 1866).

C'est au sens général du latin que se rattache l'ancien verbe **DÉCONFIRE** v. tr. (1080) «défaire un ennemi», qui s'est seulement maintenu dans son participe passé adjectivé **DÉCONFIT, ITE** «battu, défait» (XIIIe s.) et dans **DÉCONFITURE** n. f. (XIIe s.), «défaite» et spécialement «faillite». Cette série est complètement détachée, par le sens et les emplois, de *confire* et de ses dérivés, sauf si l'on tient compte de la nuance comique de *déconfiture,* causée par la paronymie.

◈ voir CONFETTI.

CONFIRMER

CONFIRMER v. tr. est emprunté (v. 980) au latin *confirmare,* de *cum* (→ co-) et *firmus* «stable» (→ ferme), «affermir, rendre plus stable», «certifier, garantir», spécialisé comme terme de liturgie chez les auteurs chrétiens.

♦ *Confermer,* fréquent jusqu'au XVIe s., a été éliminé par la forme refaite savamment sur le latin. Le mot a été introduit (Xe s.) dans l'expression *confirmer qqn en vérité* «lui donner l'assurance qu'il est dans la vérité», réalisant l'idée de «rendre (une chose, une personne) plus assurée». ◇ Cependant, en parlant d'une personne (v. 1120), il s'est restreint à un usage soutenu et à la spécialisation liturgique reprise au latin ecclésiastique (v. 1174). En parlant d'une chose, le mot s'est d'abord employé dans un contexte juridique ou officiel (v. 1174) avec la valeur de «ratifier» ; il s'est répandu pour «établir avec plus de certitude», fréquemment au pronominal (1680, *la nouvelle se confirme*) et au passif.

▸ **CONFIRMATEUR, TRICE** adj. et n. (fin XVe s.), peu attesté aux XVIIe et XVIIIe s., a été repris artificiellement par les dictionnaires au XIXe siècle. **CONFIRMATOIRE** adj. (1863) se limite lui-même à un usage didactique ; l'adjectif le plus courant étant **CONFIRMÉ, ÉE,** tiré du participe passé du verbe, avec ses différentes valeurs. ◆ **CONFIRMATION** n. f., emprunté, sous la forme francisée *confermeison* (v. 1174), au latin *confirmatio,* exprime l'action de ratifier un acte, de fonder avec plus de certitude la réalité d'une chose. ◇ Moins courant en parlant d'une personne, il a repris sa spécialisation théologique de «sacrement dans la grâce et la foi du baptême» (1541, Calvin) au latin chrétien (Ve s.). De là, le sens de «cérémonie où les enfants sont confirmés dans la grâce du baptême». ◆ **CONFIRMATIF, IVE** adj. (1473), emprunt au latin médiéval juridique *confirmativus* (1116), est restreint à un emploi didactique juridique.

◈ voir INFIRMER.

CONFISQUER

CONFISQUER v. tr. est emprunté (1331) au latin impérial *confiscare,* de *cum* (→ co-) et *fiscus* (→ fisc), littéralement «faire entrer dans le trésor impérial».

♦ Le mot, jusqu'au XVIe s., était uniquement employé dans le contexte juridique d'une saisie officielle d'un bien pour l'attribuer au fisc ou à des particuliers. Il s'est répandu avec le sens large d'«accaparer une chose» (1585), «une personne», notamment pour «retirer provisoirement (qqch.)», par exemple à un enfant.

▸ Son dérivé **CONFISCABLE** adj. (1481) et **CONFISCATION** n. f. (1380 ; 1358, *confiscacion*), emprunté au latin *confiscatio,* ont gardé un usage plus spécialisé.

CONFITURE → CONFIRE

CONFLAGRATION

CONFLAGRATION n. f. est emprunté (v. 1375) au latin *conflagratio* «incendie, embrasement», nom d'action dérivé à basse époque du latin impérial *conflagrare.* Le verbe est le composé d'aspect déterminé en *cum* (→ co-) de *flagrare* «flamber, brûler, être enflammé», au propre et au figuré (→ flagrant).

♦ Le mot, d'usage littéraire, a repris le sens propre de «grand incendie, embrasement», fonctionnant comme un doublet à valeur intensive de *déflagration.* Son emploi figuré, à propos d'un cataclysme, d'un grand bouleversement dévastateur, date de l'époque révolutionnaire (av. 1791, Mirabeau) et a trouvé des applications avec les guerres mondiales, par influence paronymique de *conflit.*

CONFLIT

CONFLIT n. m. est emprunté (fin XIIe-déb. XIIIe s.) au latin impérial *conflictus* «choc, lutte, combat» au propre et au figuré. Curieusement, c'est le participe passé latin d'usage rare qui est passé en français, mais pas le verbe *confligere* «heurter, combattre», à la différence d'autres composés de l'archaïque *fligere* «battre» (→ affliger, infliger).

♦ Le mot, signifiant «action d'être aux prises, combat physique», a vieilli lorsqu'il concerne un affrontement entre personnes ; il s'est maintenu en parlant d'une lutte armée entre peuples, États, servant d'euphémisme pour *guerre*. Son extension dans le domaine de l'opposition morale (dès les premiers textes), d'abord à propos d'un combat intérieur, s'élargit à partir du XVIIe s. aux relations avec autrui. ◇ Il faudra la spécialisation du mot en psychanalyse (1949, *liquidation d'un conflit*) pour que se retrouve l'idée de «violent dualisme intérieur». Le XVIIe s. avait situé l'antagonisme sur le plan abstrait entre forces intellectuelles, morales, affectives, sociales (1686) et l'a placé sur le terrain du droit (av. 1680, *conflit de juridiction*).

▸ L'adjectif moderne **CONFLICTUEL, ELLE** (1958 chez Lévi-Strauss), dérivé savant du radical latin, appartient à l'usage didactique (psychologique, social) tout en étant relativement courant.

CONFLUER v. intr. est emprunté (v. 1317-1340) au latin *confluere*, de *cum* «avec» (→ co-) et *fluere* «couler» (→ flux), littéralement «couler ensemble (de deux cours d'eau)» et, par métaphore, «affluer, arriver en foule».

♦ Le mot a été repris avec le sens métaphorique d'«arriver en nombre sur un même lieu», sens repris à partir de 1848 mais demeuré rare, face à *affluer*. Depuis 1835, il est aussi employé comme terme de géographie fluviale.

▸ **CONFLUENT** n. m. a été emprunté deux fois au participe présent latin *confluens* : comme nom en 1511, avec le sens demeuré vivant de «lieu où deux cours d'eau se rejoignent», et comme adjectif **CONFLUENT, ENTE** en 1734, alors d'usage didactique (notamment en médecine, en parlant du point de rencontre de deux vaisseaux, de conduits qui se rejoignent) ou très littéraire. ◆ **CONFLUENCE** n. f. (v. 1460) a été emprunté au dérivé bas latin *confluentia* «afflux de sang» (chez Macrobe) et, en latin médiéval, «affluence de personnes» (Xe s.). ◇ Le mot a signifié «apport massif», sens où *affluence* l'a remplacé. Sorti d'usage dès le XVIe s., il a été repris d'après *confluent* avec le sens de «jonction de cours d'eau» (1638), concurrençant *confluent* lorsqu'il est employé par métonymie avec une valeur locale. Par métaphore, il exprime une idée de convergence, dans l'usage littéraire. ◇ Il a été repris en pathologie en parlant d'un rassemblement de pustules ou taches dans les maladies éruptives de la peau (1896).

◈ voir AFFLUER.

CONFONDRE v. tr., d'abord *cunfundre* (v. 1080), est emprunté au latin *confundere*, de *cum* (→ co-) et *fundere* «répandre» (→ fondre), proprement «verser avec» d'où «mêler», «rendre confus, troubler» et, en latin chrétien, «humilier, couvrir de honte».

♦ Le développement sémantique de *confondre* est lié à celui de *confusion* (→ confus), attesté lui aussi en 1080. Le sens propre, «anéantir, détruire (un adversaire)», d'abord dans un contexte guerrier, est sorti d'usage avant les XVe-XVIe siècles. Le sens psychologique de «troubler en déconcertant» (v. 1160), très vivant au XVIIe s., y compris à la forme pronominale *se confondre* «s'embrouiller», «s'humilier», est plus limité dans l'usage moderne : on y parle surtout de ***confondre un coupable*** ou de ***se confondre en excuses.*** Au XVIe s., le sens latin de «mêler, fondre ensemble» (1538), dont découle celui de «prendre une chose pour une autre» (v. 1580, Montaigne), résulte d'un nouvel emprunt savant. Devenu plus courant que les valeurs anciennes du verbe, il les a rendues quelque peu archaïques.

▸ L'adjectif **CONFONDU, UE**, tiré du participe passé, a perdu l'ancien sens fort de «fatigué, fourbu, détruit, ravagé» au profit de la valeur morale de «troublé, démasqué». ◇ Le participe présent adjectivé **CONFONDANT, ANTE** (1845) réalise le sens psychologique, avec une idée de «stupéfaction» plus active aujourd'hui que dans le verbe.

CONFORMER v. tr. est emprunté (1190) au latin *conformare*, de *cum* (→ co-) et *formare* (→ former), «donner une forme définitive à» et, au figuré, «adapter, modeler».

♦ Outre les valeurs du latin, le verbe a pris le sens figuré de «mettre en accord, en harmonie avec», également au pronominal réfléchi (1204, *soi conformer à*, puis *se conformer*).

▸ Le mot n'a guère produit en français que l'adjectif, tiré du participe passé, **CONFORMÉ, ÉE**, surtout employé comme qualificatif physique du corps (1740, *bien, mal conformé*) et le nom technique **CONFORMATEUR** n. m. (1611), désignant un appareil de chapelier servant à prendre les mesures de la tête (1845). ◆ **CONFORME** adj. est emprunté (1372) au bas latin *conformis* «semblable» ; il a en outre pris le sens de «en accord avec» (v. 1460), seul ou avec un complément prépositionnel *(à)* ; il a reçu des acceptions techniques en mathématiques et en topographie. ◇ Il a pour dérivé **CONFORMÉMENT** *(à)* adv., attesté depuis 1503. ◆ **CONFORMITÉ** n. f. est emprunté (v. 1370) au dérivé bas latin *conformitas* «ressemblance, imitation». Il exprime la qualité de ce qui est identique ou en accord avec qqch. ou qqn, donnant la locution prépositionnelle ***en conformité de*** (1665), puis ***en conformité avec.*** Un sens particulier, «état de soumission» (av. 1662, Pascal), a vieilli. ◆ **NON-CONFORMITÉ** n. f. a été emprunté (1704) à l'anglais *non-conformity* (1618), *nonconformity*, terme de religion antonyme de *conformity* qui désigne la conformité de croyance et de rites avec la doctrine et les règles de l'église d'Angleterre. Cette valeur religieuse a disparu.
CONFORMATION n. f. est emprunté (1575) au dérivé latin *conformatio* «forme, disposition, arrangement, adaptation». Il s'est immédiatement spécialisé en science, à propos de la disposition des parties d'un corps animé, d'un organe (cf. *configuration*). Il a été repris en chimie, à propos de la di-

versité des formes que peut prendre une molécule soumise au principe de la libre rotation autour des liaisons interatomiques simples, produisant en ce sens **CONFORMATIONNEL, ELLE** adj. (1964), formé sur le modèle de nombreux anglicismes en *-onal.*

CONFORMISTE n. et adj. est l'adaptation (1666) de l'anglais *conformist,* attesté depuis 1634 à propos de celui qui se conforme aux doctrines et aux rites de l'Église anglicane, dérivé de *to conform,* lui-même emprunté au verbe français. ◇ Introduit dans le contexte de l'Église anglicane, le mot a pris, par l'intermédiaire de l'antonyme **NON-CONFORMISTE** adj. et n., repris à l'anglais *non-conformist* (1619), *nonconformist,* comme terme d'histoire religieuse anglaise (1791), le sens extensif et courant de «qui se conforme passivement aux coutumes, aux usages établis» (déb. XXe s.). Cette valeur était déjà réalisée dans la première moitié du XIXe s. par *non-conformiste* (v. 1830), mais ne s'est imposée qu'au début du XXe s., produisant **CONFORMISME** n. m. (1904), **NON-CONFORMISME** n. m. (1877) et, plus récemment, **ANTI-CONFORMISTE** n. et adj. et **ANTI-CONFORMISME** n. m. (tous deux v. 1950), aujourd'hui écrits *anticonformisme, -iste.*

✳ CONFORTER

CONFORTER v. tr. est emprunté (v. 980) au latin chrétien *confortare* «renforcer» et «consoler, réconforter», également employé dans le domaine médical, de *cum* (→ co-) et *fortis* (→ fort).

♦ Le verbe, après une attestation isolée au sens d'«encourager (qqn) à faire qqch.», effet d'une confusion entre *confortare* et *cohortari,* s'est employé en ancien français au sens de «soutenir moralement» (v. 1050) avant de sortir d'usage au XVIe ou au XVIIe s. sous la concurrence de *réconforter.* ◇ Il a été repris récemment avec les sens de «donner des forces à (un régime, une thèse)» et «raffermir (qqn) dans sa position» (v. 1970) qui bénéficient d'une grande vogue dans le discours politique ou journalistique. L'origine d'un tel regain est obscure : réfection régressive à partir de *réconforter,* influence (peu probable) de l'anglais *to comfort,* allusion vague à l'ancien français ; l'effet est une recherche d'élégance rapidement tournée à la prétention.

▸ **CONFORT** n. m., le déverbal (v. 1050) de *conforter,* est lui aussi sorti d'usage, plus tard semble-t-il que *conforter.* Richelet (1680) le dit «vieilli» au sens moral de «consolation, soutien». ◆ Sa reprise, dans un sens tout différent (il s'agit d'un autre mot, en fait), date du XIXe s. et d'un emprunt (1815) à l'anglais *comfort,* lui-même emprunté (v. 1225) à l'ancien français *confort.* Le mot anglais, tout en conservant le sens moral, en était venu à désigner un état de bien-être physique et matériel (1814), et, par métonymie, les conditions objectives nécessaires à cet état (1848). Il a pénétré en français sous la double graphie *confort/comfort* (résolue v. 1850 au profit de *confort*) et s'est surtout répandu avec le sens objectif, d'abord en concurrence avec *le confortable.* Cet emploi a connu un grand succès en raison de la nouveauté du concept auquel il renvoyait. Le confort est longtemps resté, dans l'esprit des Français, un des éléments de la civilisation britannique (cf. aussi *cosy*).

CONFORTABLE adj. est emprunté (1786) à l'anglais *comfortable* «fortifiant, consolant, secourable» (v. 1400), après que celui-ci eut glissé vers les sens de «où l'on se sent à l'aise» (1769) et, pour les personnes, «qui est à l'aise» (1770). Il s'agit là aussi d'une réactivation d'un mot français, l'anglais ayant emprunté *comfortable* à l'ancien adjectif verbal *confortable* «qui conforte» (v. 1120), encore employé dans son ancien sens chez Joseph de Maistre (1806-1807). ◇ Le français a repris à l'anglais les emplois avec des noms de choses, alors que les emplois où le nom désigne un animé ne se sont jamais répandus et font aujourd'hui figure d'abus. Comme substantif, *le confortable* (1788) a été éliminé par *le confort* (ci-dessus). ◆ Le dérivé **CONFORTABLEMENT** adv. (1817 ; av. 1750, selon Dauzat) s'emploie, par extension, avec la valeur de «largement» (1872), comme *à l'aise.* ◆ **CONFORTABILITÉ** n. f. (1826), création française en dépit des apparences, et **CONFORTABILISME** n. m., qu'on lit dans le *Traité de la vie élégante* de Balzac (1830), témoignent de l'engouement suscité par ce concept d'importation anglaise sous la Restauration.

INCONFORTABLE adj., fait (1865) sur *confortable* d'après l'anglais *uncomfortable,* lui-même employé par Flaubert (1851) et **INCONFORT** n. m., création française (1896) correspondant à l'anglais *discomfort,* se sont bien répandus, de même que l'adverbe correspondant **INCONFORTABLEMENT** (XXe s.). ◆ L'ancien sens moral de *conforter, confort, confortable* et **CONFORTATIF, IVE** adj. et n. m., terme de médecine (fin XIIe-déb. XIIIe s.) emprunté au bas latin *confortativus* «fortifiant», ne subsiste que dans la série des composés en *re-.*

RÉCONFORTER v. tr. est une réfection du XVIIe s. de *reconforter,* employé au sens moral et (fin XIIe s.) physique pour «redonner des forces». Ces deux valeurs sont passées en français moderne, l'acception morale glissant vers l'idée de consolation, de soutien dans l'adversité ou devant la lassitude. ◆ Le déverbal **RÉCONFORT** n. m. (v. 1175, *reconfort*) s'est spécialisé au sens moral, où il correspond à «soutien, consolation» alors que **RÉCONFORTANT, ANTE** adj. (*reconfortant,* 1430), vieilli au sens physique où il était aussi substantivé (*remontant* l'a plus ou moins remplacé), s'est diffusé au sens moral, semble-t-il tardivement (1875).

CONFRATERNEL → FRATERNEL

CONFRÉRIE

CONFRÉRIE n. f. est la réfection (av. 1260), sous l'influence de *frère**, de *confrarie* (v. 1190), lequel continue le latin médiéval *confratria* (IXe s.) «association de laïques se proposant, sous un patronage religieux, un but charitable». Celui-ci est peut-être calque du grec *phratria* (→ phratrie) à l'origine de l'ancien nom *frérie* (déb. XIIIe s.).

♦ Distinctes des congrégations, les confréries apparurent au XIIIe s., contemporaines de la fondation des grands ordres mendiants. Il s'en développa de tous genres, les plus considérables étant celles des pénitents. Elles furent abolies par la loi du 18 août 1792 et leurs biens mis en vente, mais elles reparurent au XIXe s., tolérées sans avoir été rétablies par un acte législatif ou administratif. Dès le XIIIe s. (v. 1260), on classe parmi les confréries les corporations d'arts et métiers.

▶ **CONFRÈRE** n. m. (v. 1260) est le dérivé régressif de *confrérie*, sur le modèle de *frère*, ou le représentant du latin médiéval *confrater*, de *frater* (→ frère). Contrairement à *confrérie*, ce n'est pas seulement un terme historique désignant les membres des confréries, mais un mot courant au sens de «personne appartenant au même corps, à la même société». Il est notamment employé dans les professions libérales (avocats, médecins). S'il a normalement pour féminin *consœur* (→ sœur), il est parfois employé lui-même en parlant de femmes, au masculin ou au féminin. Aux XVe et XVIe s., on disait *confréresse* pour les membres des confréries religieuses et professionnelles. ➛ On a formé le substantif didactique **CONFRATERNITÉ** n. f. (1283) d'après *fraternité**, peut-être sous l'influence du latin médiéval *confraternitas* «confrérie» (XIe s.) et «corporation de marchands» (1267). Le mot est moins solidaire de *confrérie* et de *confrère* que de *fraternité*, désignant les relations unissant des confrères et surtout, par extension, des personnes ayant des conditions ou des situations analogues. ➛ Quant à *confraternel*, il est formé sur *fraternel* (→ fraternel).

CONFRONTER

CONFRONTER v. tr. est emprunté (1344) au latin juridique médiéval *confrontare* (1289 en Gascogne) «confiner à», composé de *cum* (→ co-) et de *frons* «le front» (→ front).

♦ Le verbe signifie d'abord, comme en latin, «confiner, être situé auprès», puis (1371) «déterminer les limites de (un terrain)», sens encore répertorié en 1878 et qui ne s'est maintenu que dans certains parlers régionaux. De là, on est passé par métaphore et influence de *confrontation*, déjà employé figurément en ancien français, au sens de «déterminer par un face-à-face» et au sens moderne de «comparer» (1538). Celui-ci comprend souvent une idée d'opposition, de conflit (XVIe s.), déjà en germe dans la spécialisation du mot en droit pénal (1585, *confronter des témoins*).

▶ **CONFRONTATION** n. f. a été emprunté (1341) au dérivé latin médiéval *confrontatio* «partie limitrophe de deux propriétés» (1080), sens disparu au XVIe s., puis au figuré «collationnement de deux choses en vue d'une comparaison» (XIIIe s.). ◇ Il est passé en droit pénal (1585, *confrontation de témoins*) et dans l'usage courant (1690) avec l'idée moderne de «mise en présence pour apprécier par comparaison, face-à-face avec affrontement». ◇ Il semble avoir empêché le développement du dérivé **CONFRONTEMENT** n. m. (XVIe s.), nom d'action tiré de *confronter*.

CONFUS, USE

CONFUS, USE adj., d'abord *cunfus* (v. 1120), est emprunté au latin *confusus*, participe passé de *confundere* (→ confondre).

♦ Le mot est d'abord attesté avec le sens psychologique de «embarrassé, couvert de honte», dont la valeur tend à se dévaluer (1640), le mot entrant dans des formules de politesse. Le sens fort de «perdu, tué, ruiné» (v. 1180) a décliné au XVe s. comme le sens correspondant de *confondre*. *Confus* qualifie aussi une chose dont les éléments sont mêlés (1292) et, par extension, qui n'est claire ni pour les sens (1549), ni pour l'intellect (1671).

▶ En est dérivé **CONFUSÉMENT** adv. (1573), réfection de la forme plus ancienne *confusement* (1213).

CONFUSION n. f., d'abord *confusiun* (1080), est emprunté au dérivé latin *confusio* «désordre, trouble», chez les auteurs chrétiens, «honte» et «destruction» (→ confondre). Ce dernier sens semble dû à un calque du grec *sunkhusis* «action de verser ensemble, mélange» et, au figuré, «confusion, trouble de l'esprit», «destruction». ➛ Le sens de «destruction» (1080) est rapidement sorti d'usage, laissant le mot exprimer l'idée de «trouble» (fin XIIe-déb. XIIIe s.) dans le domaine de la pensée, et de «honte» (v. 1120) dans celui des affects. Cette valeur a eu tendance à s'atténuer comme le montre la locution ***à la confusion de qqn*** (apr. 1550), souvent pure clause de style. Cependant, les emplois affaiblis du mot, par exemple pour nommer un manque de clarté dans les idées (1691), coexistent avec des emplois où il conserve sa force : on n'est pas loin, dans l'emploi qu'en fait la psychiatrie (1895, *confusion mentale*), de l'ancienne notion de chaos (av. 1250), elle-même souvent relative à l'épisode biblique de la tour de Babel (XIIIe s., *confusio dels lengatges* en ancien provençal). L'influence de *confondre* est sensible quand le nom signifie «fait de prendre deux choses l'une pour l'autre» (1668) et, en droit politique, «fait de réunir deux responsabilités en une seule» (1690). ➛ En sont dérivés quelques termes d'usage didactique : **CONFUSIONNISME** n. m. (1907 chez Péguy) et, en psychiatrie, **CONFUSIONNEL, ELLE** adj. (1900) et le composé **CONFUSO-ONIRIQUE** adj. (v. 1960). ➛ **CONFUSIONNER** v. tr. (1823), «rendre qqn honteux, plein de confusion», a disparu, senti comme un doublet de *confondre*.

CONGÉ

CONGÉ n. m., réfection de *cumgiet* (v. 980), puis *congiet* (v. 1050), *conged* (v. 1130), est l'aboutissement de l'évolution phonétique du latin *commĕātŭs*, par °*comyadu*, °*condjiado*. Ce *commĕātŭs* est le dérivé de *commeare* «se mettre en marche, voyager», composé de *meare* «circuler, passer», verbe poétique et postclassique peu fréquent, à rattacher à la même racine que *migrare* et *mutare* (→ migrer, muer, muter). Employé comme nom d'action, *commĕātŭs* avait reçu, par métonymie, plusieurs sens concrets, «transport de marchandises», «convoi de vivres militaires». C'est dans la langue militaire que, par l'intermédiaire du sens d'«ordre de marche, de transport», il a pris celui de «permission de partir».

♦ Le sens d'«autorisation de s'en aller» est réalisé dans les locutions relativement usuelles ***prendre congé*** (1050), ***donner congé*** (1265-1266). Le sens général d'«autorisation» (v. 1130), employé notamment dans le contexte d'une permission de mariage donnée par les parents, s'est maintenu dans l'usage régional. Le mot est passé dans le domaine de la vie professionnelle — où *donner congé* (1265-

1266) peut signifier par euphémisme «renvoyer» — et de l'activité militaire. Si, dans le cadre de la fonction publique, *vacances* est le terme usuel, *congé* est le terme utilisé par la juridiction du travail, notamment dans ***congés payés*** (depuis 1936), locution chargée de connotations sociales et employée péjorativement — de 1936 à 1950 environ — par les milieux conservateurs pour désigner les travailleurs bénéficiaires de ces avantages. Le langage juridique a repris le sens latin d'«autorisation de transport des marchandises» (1602). ◇ Le sens d'«adoucissement» (1676), en architecture, est un emprunt sémantique indépendant du latin *commĕātŭs* pris concrètement au sens de «passage».

▸ **CONGÉDIER** v. tr. (1409) est probablement la transformation, sous l'influence de l'italien *congedo* «congé» (lui-même emprunté au français), de l'ancien et moyen français *congeer, congeier* (XIIe-XVe s.), dérivé de *congé*. Le verbe italien *congedare* peut difficilement être tenu pour source, en raison de sa date tardive (fin XVIIe-déb. XVIIIe s.). ◇ *Congédier*, à la différence de *congé*, réalise toujours l'idée péjorative de «chasser, renvoyer», en particulier d'un travail. ➛ **CONGÉDIEMENT** n. m. est attesté depuis 1842 dans ce sens de «renvoi». ➛ **CONGÉDIABLE** adj. (1869) a remplacé l'ancien *congéable* (1570), formé sur *congeer* et encore utilisé en droit.

CONGELER (et dérivés) → **GELER**

CONGÉNÈRE adj. et n. est emprunté (v. 1562) au latin *congener*, adjectif attesté chez Pline, composé de *cum* (→ co-) et de *genus* (→ genre) et qui signifie littéralement «de la même espèce».

♦ L'emploi adjectif du mot tend à vieillir, tant dans ses emplois didactiques en anatomie (v. 1562), en biologie (1732), en chimie (1879) que dans ses emplois figurés (XIXe s.) réalisant l'idée «d'une origine commune» sur le plan des idées, des arts, du langage. L'emploi substantif, introduit en biologie, connaît un certain succès dans l'usage commun, avec une valeur péjorative plaisante : «personne de la même espèce».

CONGÈRE n. f. n'est apparu en français qu'en 1866, mais est très antérieur dans les dialectes (wallon, franco-provençal et occitan). Il continue le latin *congeries* ou la variante *congeria* «amas, tas» (en particulier de bois), dérivé de *congerere* «amonceler, entasser», de *cum* (→ co-) et *gerere* (→ gérer).

♦ Le mot désigne, d'abord régionalement, un amas de neige formé par le vent. Il est supplanté au Canada par *banc de neige* qui traduit l'anglais *bank* (→ banquise). En France, il s'est répandu, à partir de la Savoie, et avec la vogue des sports d'hiver dans les régions alpines.

◈ voir **CONGESTION**.

CONGESTION n. f. est emprunté (v. 1370) au latin *congestio* «accumulation, amas», dérivé (d'après son supin *congestum*) de *congerere* «entasser, amasser», de *cum* (→ co-) et *gerere* (→ gérer, congère).

♦ Le mot a été introduit avec son acception médicale d'«afflux de sang dans les vaisseaux» puis, plus particulièrement en pathologie, par exemple dans *congestion pulmonaire, congestion cérébrale* (1837).

▸ Les mots de la même famille sont apparus au cours du XIXe siècle. **CONGESTIONNER** v. tr. (1833), **CONGESTIONNEL, ELLE** adj. (1847), aujourd'hui supplanté par **CONGESTIF, IVE** adj. (1853). ➛ *Congestionner* et son composé **DÉCONGESTIONNER** v. tr. (1874) sont courants en parlant de la rougeur d'un visage, alors souvent au pronominal et au participe passé adjectivé *congestionné*. Ils sont aussi employés par métaphore en parlant d'une circulation trop dense de personnes et de véhicules, dans le même registre que la métaphore *bouchon*.

CONGLOMÉRER v. tr., d'abord attesté au participe passé *congloméré* (1672), est emprunté au latin *conglomerare* «mettre en peloton, entasser, accumuler». Ce mot est composé de *cum* (→ co-) et de *glomerare* «mettre en boule», dénominatif de *glomus* «peloton, boule». Ce mot, quasi-synonyme de *globus* (→ globe), appartient à la même famille que *gleba* (→ glèbe), *gluten* (→ gluten), *glus* (→ glu). Le vieil islandais *klina* «enduire», l'ancien haut allemand *klenan*, le russe *glina* «argile», etc. sont des formes apparentées.

♦ *Conglomérer*, proprement «réunir en masse compacte», est employé métaphoriquement comme quasi-synonyme d'*agglomérer* et d'*agglutiner*.

▸ **CONGLOMÉRAT** n. m. (1818), dérivé savamment du radical du verbe latin, apparaît en minéralogie et en géologie à propos de la réunion en masse compacte de substances minérales. Il se dit par extension (1865) d'un amas de matière et d'une réunion compacte de choses ou de personnes. ◇ Récemment (1968), il a emprunté à l'américain *conglomerate* son sens économique de «réunion d'entreprises différentes détenue par un même groupe financier». ➛ **CONGLOMÉRATION** n. f. (1829) concurrence *conglomérat* avec son sens concret et sert de nom d'action (1838). Il est rare.

CONGRATULER v. tr. est emprunté (av. 1356) au latin *congratulari* «présenter ses félicitations» et «se féliciter», de *cum* (→ co-) et *gratulari* «rendre grâce aux dieux, remercier», lui-même dérivé de *gratus* «agréable, favori» (→ gré).

♦ Le verbe, après un emploi isolé au sens intransitif, «se réjouir avec qqn», a été repris au XVIe s. avec le sens de «féliciter» (1546 ; dès 1543, dans un emploi indirect, *congratuler à*, propre au XVIe s.). Par rapport au terme usuel *féliciter*, son usage est souvent marqué d'un certain archaïsme (déjà noté en 1798) ou d'une intention plaisante, ce qui n'est pas le cas de l'anglais *to congratulate*, terme usuel.

▸ Cette même nuance archaïque ou plaisante se retrouve dans les dérivés **CONGRATULANT, ANTE** adj. (1668), **CONGRATULATEUR, TRICE** n. et adj. (1832), ainsi que dans

CONGRATULATION n. f., emprunt du XVe s. (1417-1435) au dérivé latin *congratulatio*.

CONGRE n. m., d'abord *congreis* (v. 1180) puis *congre* (XIIIe s.), est probablement issu, peut-être par le provençal *congre*, du bas latin *congrus*. Le mot est un doublet du type classique *conger*, primitivement *gonger*, emprunté au grec *gongros*, nom de ce poisson employé métaphoriquement en botanique et en médecine (d'après la rondeur ou la voracité du congre). L'étymologie de *gongros* est difficile et a fait l'objet de plusieurs hypothèses : ce peut être soit un emprunt méditerranéen, soit une formation populaire apparentée à *gongulos* «rond», soit — selon l'étymologie que donnaient les Anciens —, un terme apparenté à *gangraina* (→ gangrène) et à *gran* «dévorer», en raison de la voracité de l'animal.

♦ Le mot, comme son étymon, désigne un poisson de mer cylindrique.

CONGRÉGATION n. f., d'abord noté *congregatiun* (v. 1120), est emprunté au latin *congregatio* «réunion, assemblée», spécialement «communauté religieuse» en latin médiéval, dérivé de *congregare* (sporadiquement repris en français par *congréger*, 1611 ; XIXe s.). Ce verbe est formé de *cum* (→ co-) et de *gregare* «réunir en troupeau» à époque impériale, verbe issu de *grex, gregis* «réunion d'animaux ou d'hommes de la même espèce» (→ grégaire).

♦ Le sens général de «rassemblement, réunion» a disparu depuis le XVIIe s., sinon dans l'expression biblique *congrégation des eaux* (Genèse, I, 10), calque du latin de la Vulgate. ◇ Le mot s'est maintenu avec des acceptions restreintes dans le domaine religieux et politique : il désigne une communauté religieuse (av. 1622) et une commission de cardinaux chargée de questions relatives à l'administration de l'Église (av. 1630). Par extension, il s'applique à une confrérie de laïques qui s'exercent à la piété et à la charité (1680). ◇ En emploi absolu avec la majuscule, il se réfère spécialement à une association religieuse fondée sous la Restauration (en 1814), à laquelle on prêta des menées subversives (1827). Certains emplois du mot, à propos d'un petit clan ayant un esprit de chapelle, se souviennent de cette association. Le sens, rare, de «paroisse, assemblée des fidèles» (1801) est un emprunt à l'anglo-américain *congregation* (1526-1534), spécialisation de sens d'un mot repris (v. 1374) du français.

▸ **CONGRÉGANISTE** adj. et n. est dérivé (1680) du radical de *congrégation* avec un infixe *-an-*, probablement sur le modèle de *organiste, humaniste, botaniste*. ◇ Le mot désigne un membre d'une confrérie religieuse et qualifie ce qui s'y rapporte (déb. XIXe s.). Sous la Restauration, il a désigné (1830) un membre ou un partisan de la «Congrégation». ➛ En ce sens, il a produit **CONGRÉGANISME** n. m. (1835, Lamartine), «manière de penser et d'agir des partisans de la Congrégation», mot sorti de l'usage. ◇ **CONGRÉGATIONISTE** n., «membre de la Congrégation» (1842, Stendhal), recoupe l'emploi de *congréganiste* en histoire. ➛ **CONGRÉGATIONALISTE** n. (1838) est emprunté à l'anglais *congregationalist* (1692) «membre ou partisan du système non-conformiste, en Angleterre». Il a remplacé *congrégational, aux* n. emprunté un peu plus tôt (1752) à l'anglais *congregational*, adjectif (1642) et nom (1653).

CONGRÈS n. m. est emprunté (XVIe s.) au latin *congressus* «action de se rencontrer» d'où «union sexuelle» et «entrevue, réunion», dérivé de *congredi* «se rencontrer», de *cum* (→ co-) et *gradi* «marcher», de *gradus* «pas» (→ grade).

♦ Le mot a été introduit au sens d'«union charnelle», propre aux XVIe et XVIIe s. et à l'origine de la spécialisation juridique ancienne d'«épreuve légale destinée à constater l'impuissance du mari (avec le témoignage d'une *matrone* ou sage-femme), cas invoqué pour annuler un mariage». Ce sens tomba quand l'épreuve fut abolie, en 1677. ◇ À partir du début du XVIIe s. (1611), le mot a trait à une réunion de personnes et, bientôt, reçoit sa spécialisation politique et diplomatique (1692). Par extension, il désigne une réunion de spécialistes pour se communiquer leurs études sur un sujet (1797). ◇ Le sens de «parlement américain» est un emprunt (1774) à l'anglo-américain *congress* (1774), spécialisation du mot, lui-même emprunté au latin *congressus*.

▸ **CONGRESSISTE** n. (1866) désigne celui qui participe à un congrès, dans toutes les acceptions du mot.

CONGRU, UE adj. est emprunté (1282) au latin *congruus* «conforme, convenable, juste, correct». Le mot est dérivé de *congruere*, composé de *cum* (→ co-) et d'un simple non attesté °*gruere* apparenté à *ruere* (→ ruer), qui signifie «se rencontrer» d'où, abstraitement, «être d'accord, convenir».

♦ Le mot, ainsi que la plupart de ses dérivés, est quasiment sorti de l'usage sauf dans quelques syntagmes figés : en théologie, on parle de *grâce congrue* (av. 1715) d'après saint Augustin et, en géométrie, de *nombres congrus* (av. 1863), sens emprunté au latin moderne *congruus* (1801, chez le mathématicien allemand K. F. Gauss). ◇ L'un de ces syntagmes, ***portion congrue*** (av. 1615) du latin médiéval *portio congrua* (1215) est devenu courant avec le sens de «ressources à peine suffisantes pour survivre» ; il désignait, sous l'Ancien Régime, la pension annuelle — calculée au plus juste — que versait le titulaire d'un bénéfice au prêtre qui remplissait sa charge.

▸ **CONGRUITÉ** n. f. (v. 1370) et **CONGRÛMENT** adv. (v. 1370) ne se rencontrent plus que dans l'usage littéraire et, pour le nom, dans sa spécialisation théologique (1688). Celle-ci est également réalisée dans les termes didactiques **CONGRUISTE** adj. et n. (1714) et **CONGRUISME** n. m. (1753). ➛ **CONGRUENT, ENTE** adj. (1507-1519), emprunté au latin *congruens* «qui convient», participe présent de *congruere*, et le substantif correspondant **CONGRUENCE** n. f. (1374), emprunté au latin *congruentia*, ont été repris en mathématiques au milieu du XIXe s., d'après *congru*.

L'antonyme **INCONGRU, UE** adj. (v. 1370), emprunté au latin *incongruus* «inconvenant, absurde, inconséquent», s'est mieux répandu que *congru* dans la langue courante. Il exprime la qualité de ce qui n'est pas convenable, qui heurte les usages, la bienséance, avec un glissement vers l'idée d'absurdité, de chose surprenante. Ses emplois particuliers, en parlant de ce qui est contraire aux normes grammaticales, et d'une personne qui manque de savoir-vivre (1659), ont vieilli. ◇ Il a produit **INCONGRÛMENT** adv. (1377), limité à un usage littéraire. ➜ **INCONGRUITÉ** n. f. (v. 1501) a été repris au bas latin *incongruitas* «défaut de convenance», en grammaire «proposition où le verbe est impersonnel» et aussi «faute». Par extension, il désigne une action ou une parole déplacée, inconvenante (1585) et, plus généralement, le caractère de ce qui est déplacé, ne convient pas au regard des circonstances (1666), sens correspondant à *incongru*.

CONIFÈRE → CÔNE

CONJECTURE n. f. est emprunté (v. 1246) au latin *conjectura*, utilisé dans la langue augurale et en rhétorique. Ce mot est dérivé de *conjicere*, de *cum* (→ co-) et *jacere* (→ jeter), littéralement «jeter ensemble» d'où, parmi d'autres sens figurés, «combiner dans l'esprit, présumer», spécialement dans la langue augurale.

♦ Repris avec le sens figuré d'«idée fondée sur une probabilité, une apparence», le mot s'est détaché progressivement de la magie pour passer dans les vocabulaires de la logique et de la politique. D'usage didactique, il est cependant courant dans quelques constructions ***(se perdre en vaines conjectures)***, avec une valeur péjorative d'«idée creuse».

▸ **CONJECTURER** v. tr. est emprunté (XIIIe s.) au bas latin *conjecturare*, verbe tardif formé sur *conjectura* en remplacement du classique *conjicere*. Il est peu courant, de même que son dérivé **CONJECTURABLE** adj. (1580; repris v. 1886). ➜ **CONJECTURAL, ALE, AUX** adj., d'abord *conjetural* (fin XIIIe s.) emprunt au latin *conjecturalis*, est attesté une fois en ancien français et repris au XVIe s. (1521). Il relève de l'usage didactique, spécialement en logique et en archéologie des textes *(critique conjecturale)*. ◇ **CONJECTURALEMENT** adv. (1488) est d'un usage aussi restreint que l'adjectif.

CONJOINDRE v. tr. est issu (v. 1160) du latin *conjungere* «joindre» et spécialement «unir par le mariage» (→ conjuguer), formé de *cum* (→ co-) et de *jungere* (→ joindre).

♦ Ce verbe signifie en ancien français «unir, assembler» et, en moyen français (v. 1355), «unir par le mariage». Il semble avoir toujours été didactique et a vieilli aux XVIIIe et XIXe s., sauf dans le discours littéraire. *Se conjoindre* «se marier» est archaïque ou plaisant.

▸ Le participe passé **CONJOINT, OINTE** est adjectivé dès le XIIe s. (v. 1177), acquérant au XVIIe s. des valeurs spéciales en droit, à propos de personnes ayant des obligations ou des droits communs (1690), en botanique (1690), etc. Il s'est répandu en emploi substantivé avec le sens d'«époux» (1342), surtout au masculin et au pluriel dans un style administratif ou juridique. Son féminin **CONJOINTE**, bien qu'admis par l'Académie, est limité à un emploi plaisant. ➜ **CONJOINTEMENT** adv. (1254) «de manière conjointe», procède du sens général de *conjoint*, devenu rare pour l'adjectif alors que l'adverbe est assez courant. ➜ **CONJOINTER** v., création plaisante à la forme pronominale *se conjointer* «vivre maritalement» (XXe s.), manifeste l'archaïsme du synonyme *conjoindre*.

◈ voir CONJONCTIF, CONJONCTION.

CONJONCTIF, IVE adj., d'abord sous la forme adaptée *conjointif* (1372), puis *conjunctif* (XIVe s.), *conjonctif*, est emprunté au bas latin *conjunctivus* «qui sert à lier», spécialement en grammaire (*conjunctiva particula* «conjonction», *conjunctivus modus*, d'où elliptiquement *conjunctivus*, «le subjonctif»), formé sur le supin de *conjungere* (→ conjoindre, conjuguer).

♦ Le mot, demeuré rare avec le sens de «qui sert à lier», s'est spécialisé en grammaire : dès le XIVe s., le masculin substantivé désigne le subjonctif lorsqu'il se trouve dans une subordonnée commençant par une conjonction ou une locution conjonctive. L'adjectif fournit de nombreuses dénominations grammaticales inégalement maintenues, dont *conjonctive* et *particule conjonctive* (1680), remplacées par *conjonction**, *locution conjonctive*, concurrencée par *locution conjonctionnelle*, *pronom conjonctif*, supplanté par *pronom relatif*. ◇ D'autre part, le mot s'est spécialisé en physiologie dès 1372, qualifiant ce qui sert à unir des parties organiques, en particulier dans *toile conjonctive* qui a donné le terme d'anatomie **CONJONCTIVE** n. f. attesté à la même époque chez Guy de Chauliac. Le syntagme ***tissu conjonctif***, appliqué de manière générale au tissu cellulaire, est enregistré en 1863.

▸ *Conjonctive* a produit au XIXe s. **CONJONCTIVITE** n. f. (1832), «inflammation de la conjonctive», d'usage relativement courant, et **CONJONCTIVAL, ALE, AUX** adj., didactique (1845).

◈ voir CONJOINDRE, CONJONCTION.

CONJONCTION n. f. est emprunté (v. 1160, *conjoncïon*) au latin *conjunctio* «réunion», employé spécialement en astronomie et, à basse époque, en grammaire, dérivé du supin de *conjungere* (→ conjuguer).

♦ Le sens général de «union, réunion» était vivant en ancien français où, comme *congrès*, le mot désignait en particulier l'union charnelle (v. 1200). L'usage moderne n'a retenu que des emplois spécialisés en astronomie et astrologie (v. 1270), puis en grammaire (XIVe s.) désignant une partie du discours qui sert à lier deux mots ou groupes de mots ***(conjonction de coordination, de subordination)***, éliminant en ce sens l'emploi substantivé de *conjonctive** à l'époque classique.

▸ Le radical du latin *conjunctio* a servi à former en électricité, d'après *disjoncteur*, le dérivé **CONJONCTEUR** n. m. (1882) et le composé **CONJONCTEUR-DISJONCTEUR** n. m. (1868), noms de dispositifs permettant, dans un cas, d'établir des connexions sur un circuit dès que la tension est suffisante, dans l'autre, de couper le circuit en cas d'insuffisance ou d'excès de tension.

CONJONCTURE n. f. est la réfection (av. 1475), d'après le latin *conjunctus* (→ conjoint), de l'ancien français *conjointure* (v. 1170) «récit agencé selon les règles de l'art d'écrire», lui-même dérivé de *conjoint* (→ conjoindre). Le latin médiéval °*conjunctura* est hypothétique.

♦ Le sens général de «situation résultant d'un concours de circonstances» est encore vivant (souvent qualifié : *mauvaise conjoncture*) dans le registre soutenu. ◇ Cependant, la plupart des emplois modernes du mot se rattache à la spécialisation récente (1937) de «situation économique, financière (d'un pays, d'une entreprise) à un moment donné», avec une extension à toute situation collective, et en opposition à *structure*.

▸ Le sens économique a produit **CONJONCTUREL, ELLE** adj. (1955; *conjonctural* dès 1926) et **CONJONCTURISTE** n. (1953), nom du spécialiste qui analyse les éléments d'une situation économique.

CONJUGAL → ci-dessous **CONJUGUER**

CONJUGUER v. tr. est emprunté (1572) au latin *conjugare*, de *cum* (→ co-) et *jugare* «unir, attacher (la vigne)», forme durative en *a* correspondant à *jungere* (→ joindre). C'est pourquoi *conjugare* «unir ensemble, marier» fonctionne comme doublet de *conjungere* (→ conjoindre) et que les deux verbes français qui en sont issus présentent des valeurs communes (en grammaire, en parlant du mariage), distribuées dans leurs dérivés.

♦ Le verbe a été repris en grammaire au XVIe s., d'après *conjugaison*. Le sens général, «joindre, associer, réunir» (1596), s'est maintenu dans la langue soutenue *(conjuguer ses efforts)*. ◇ L'idée «conjugale» latine s'est conservée plaisamment à la forme pronominale *se conjuguer*, d'après **CONJUGO** (1670), première personne du présent du verbe latin, tiré de la formule du mariage religieux et employé au sens de «mariage» (1694).

▸ Le participe passé **CONJUGUÉ, ÉE** a été adjectivé au sens ancien de «marié», avant d'être employé avec des valeurs techniques (1690), en grammaire, en botanique (1753, *feuilles conjuguées*) où le féminin pluriel *conjuguées* est substantivé (1803). ➛ **CONJUGABLE** adj. (1829) et son composé **INCONJUGABLE** adj. (1875) s'emploient essentiellement en grammaire.

CONJUGAISON n. f. (1236, *conjugacion*) est emprunté — avec adaptation du suffixe — au latin *conjugatio* «union charnelle» avec la spécialisation grammaticale qu'il avait prise en bas latin. Surtout courant dans ce domaine, il a reçu des acceptions spécialisées en anatomie (1546, *conjugaison des nerfs*) et en biologie (1886) où il désigne l'union de deux organismes unicellulaires aboutissant à une régénérescence. Sa valeur générale de substantif d'action, pour «action de joindre, de réunir», tardive (1814), est relativement peu courante.

CONJUGAL, ALE, AUX adj. est emprunté (v. 1282) au latin *conjugalis*, adjectif correspondant à *conjux* «époux, épouse», équivalent poétique de *maritus* (→ mari) et, au féminin, de *uxor*. ◇ Le mot qualifie ce qui est relatif aux liens du mariage, avec des emplois particuliers dans le domaine de la vie affective, morale, du comportement, et une spécialisation juridique *(devoir, lien conjugal)*. ➛ En sont dérivés **CONJUGALEMENT** adv. (1588, Montaigne) et **CONJUGALITÉ** n. f. (1846), ce dernier didactique. ➛ **EXTRACONJUGAL, ALE, AUX** adj. (1825) s'applique aux relations (sexuelles) hors mariage.

CONJURER v. est emprunté (v. 980) au latin *conjurare*, de *cum* «avec» (→ co-) et *jurare* (→ jurer), proprement «jurer ensemble» d'où «se liguer, conspirer» et, à basse époque, «supplier, adjurer sous l'invocation de qqch. de sacré, de Dieu».

♦ Le mot, à partir de cette idée initiale d'«exhorter une puissance sacrée», est passé au sens de «prononcer des paroles magiques sur (qqn, qqch.), pour obtenir un effet précis» (fin XIIe s.) et, de là, au sens moderne d'«écarter (un danger) par des pratiques magiques» (1397), généralisé à la fin du XVIe s. en «détourner, éviter (une menace, un péril)». ◇ En marge de cette évolution, *conjurer* a conservé son sens de «supplier» dans la construction ***conjurer qqn de faire qqch.*** ◇ À la fin du XVe s., le verbe a réemprunté au latin le sens de «comploter, conspirer» en construction intransitive ou pronominale (1544), autrefois également en construction transitive.

▸ Les mots de la même famille se distribuent généralement entre l'idée de «prière» et celle de «complot». Le participe passé substantivé **CONJURÉ, ÉE** n. (1213) signifie «membre d'un complot», et l'adjectif de formation savante **CONJURATOIRE** (1891) «destiné à écarter le mal». ◇ Vaugelas recommande, pour éviter l'ambiguïté, de réserver **CONJURATEUR, TRICE** n., emprunté (1344) au latin médiéval *conjurator* «celui qui s'engage par serment» (VIIe s.) et «conspirateur» (v. 1250), au seul sens de «personne qui écarte un danger par des pratiques religieuses» (fin XVe s.) et d'utiliser *conjuré* pour l'autre sens.

CONJURATION n. f. est emprunté (1160-1174) au dérivé latin *conjuratio* «alliance, complot», employé au moyen âge au sens d'«adjuration» et «formule magique». ◇ Le mot a supplanté l'ancien français *conjuroison*, dérivé de *conjurer* (1160), et a gardé les valeurs du latin; cependant, le sens de «formule magique pour combattre les influences maléfiques» (fin XIIe s.), spécialement «exorciser» (1690), s'est moins répandu que celui de «complot contre le pouvoir établi» (1470) qui procède de l'ancien sens, «serment» (1160-1174), sous l'influence de *conjurer* et qui est soutenu par *conjuré* (ci-dessus). Par extension, il s'applique à l'action concertée de plusieurs personnes contre qqch. ou qqn (1559).

CONNAÎTRE v. tr., d'abord *conoistre* (v. 1050) est issu du latin *cognoscere*, devenu *conoscere* dans une partie de la Romania sous l'influence de *noscere* (→ gnose) dont il est le composé d'aspect déterminé en *cum* (→ co-). Comme lui, il signifie «apprendre, prendre connaissance de» avec une valeur inchoative commune à tous les verbes latins en *-scere* (cf. *naître*). Cependant, au parfait et au participe passé, il réalise (logiquement) l'idée accomplie de «savoir» avec laquelle il est passé en français. Il signifie en particulier «reconnaître» et «avoir un commerce charnel avec».

♦ Participant de l'idée générale de «savoir», le sens de «retrouver en qqch. ce que l'on savait déjà», encore attesté au XVIIe s., a été abandonné, car il causait des ambiguïtés, et a été supplanté depuis par *reconnaître*. Le sens secondaire de «reconnaître la supériorité de» (1080) a été absorbé également par *reconnaître* mais a été repris, à plusieurs siècles d'intervalle, dans la construction *ne connaître que...* «n'admettre que» (1835). En revanche, l'idée de «distinguer une chose d'une autre» (fin XIIe s.) est définitivement assumée par *reconnaître*. ◇ La valeur de «savoir que qqch., qqn existe; avoir une idée de qqch., de qqn» (v. 1050) s'est imposée comme l'emploi le plus courant du verbe. La spécialisation «avoir une relation charnelle avec» (1170, *connaître une femme*) relève du style biblique (Livre des Rois), devenant en français contemporain archaïque ou plaisante. ◇ Depuis le XIIe s. (1160), *connaître* signifie particulièrement «avoir dans l'esprit en tant qu'objet de pensée analysé», doublet, quelquefois emphatique, de *savoir* (ce dernier s'appliquant surtout aux choses concrètes), la forme pronominale *se connaître* «savoir s'apprécier» (v. 1230) ayant une grande fortune philosophique par référence à l'inscription grecque du temple de Delphes — *gnôthi seauton*, ***connais-toi toi-même*** — dont Socrate fit, selon la tradition, sa devise. Une spécialisation, «être compétent en», était réalisée par la construction *se connaître à* (1268), supplantée par ***se connaître en*** (1268) et, plus souvent par référence au contexte, ***s'y connaître.*** La langue juridique privilégie la construction *connaître de* (1549) «être compétent pour juger», devenue archaïque mais donnant naissance à la locution demeurée usuelle *en connaissance de cause*. *Connaître* a aussi dès l'ancien français (1175) une valeur moins intellectuelle (dans ***connaître la faim***) proche de «avoir vécu, ressenti».

▶ **CONNAISSANCE** n. f., d'abord sous la forme *conoisance* (1080) dérivée du participe présent du verbe, est à la fois employé dans le domaine du savoir (au singulier, comme [1595] au pluriel), en droit (1283) et dans le cadre des relations sociales (1495) : par figure métonymique, *une connaissance* y désigne une personne que l'on connaît sans intimité (1628; repris au XVIIIe s.). La locution ***faire connaissance avec qqn*** (XIXe s.) reprend la valeur inchoative du verbe latin; elle est employée également au figuré. Par extension, le sens intellectuel a parfois une valeur plus technique : «expérience, habileté, compétence» (1491). ◇ Dans les locutions ***perdre connaissance, tomber sans connaissance*** (1650), le mot réalise un sens très particulier, «lucidité», qui lui est spécifique et correspond à «état de celui qui a le sentiment de son existence» (av. 1650). ◆ **CONNAISSEMENT** n. m. (v. 1170), ancien rival de *connaissance* jusqu'au XIVe s., a été repris avec une spécialisation technique de «contrat par lequel une compagnie de transports maritimes atteste qu'elle a reçu des marchandises à bord d'un bateau» (1643, sous l'ancienne graphie *cognoissement*). ◆ **CONNAISSEUR, EUSE** n., d'abord *connoisseor* (v. 1170), participe du sens de *connaître* «être compétent en», se rangeant entre les termes voisins *spécialiste* et *amateur*. ◆ **CONNAISSABLE** adj. (v. 1220), longtemps doublet de *reconnaissable*, n'a conservé que le sens de «qui peut être connu», réalisé dans un contexte philosophico-littéraire.

Le préfixé verbal **MÉCONNAÎTRE** v. tr., d'abord *mesconoistre* (v. 1160), a signifié «ne pas reconnaître qqn, ne pas l'identifier» et, par extension, «désavouer» (1200). Il tient son sens moderne de l'époque classique, surtout vivant grâce au participe passé adjectivé **MÉCONNU, UE.** ◇ Le sens premier s'est toutefois maintenu dans le dérivé **MÉCONNAISSABLE** adj. (XIIIe s.) «impossible ou difficile à identifier» (sous l'effet d'une transformation en bien ou en mal). ◆ **MÉCONNAISSANCE** n. f., d'abord *mesconoisance* (v. 1175), réalise proprement l'idée d'une mauvaise connaissance mais exprime également, dans la langue soutenue, l'idée de méconnaître (1470). Le sens d'«ingratitude, manque de reconnaissance» s'est perdu, mais le mot conserve une certaine vitalité à la différence de l'ancien participe présent adjectivé *méconnaissant, ante*.

INCONNU, UE adj. et n., d'abord *incongneu* (XIVe s.), continue le latin *incognitus* «non encore examiné, non encore connu». ◇ L'expression ***illustre inconnu***, en général ironique, désigne surtout un inconnu qui a des prétentions à la célébrité. À sa suite, on a formé **INCONNAISSABLE** adj. (1393) et **INCONNAISSANCE** n. f. (av. 1400, au sens ancien d'«ingratitude»), dont la diffusion s'est faite lentement.

INCOGNITO adv. et n. est un italianisme (1581) repris au représentant italien du latin *incognitus*; il procède du sens ancien de *connaître* «identifier».

◈ voir RECONNAÎTRE (et RECONNAISSANCE).

CONNECTER → CONNEXE

CONNÉTABLE

CONNÉTABLE n. m., d'abord *conestable* (v. 1155) et *connestable* (1281), est issu, avec changement du *m* en *n* par dissimilation avec *b*, du bas latin *comes stabuli*, composé de *comes* «personne attachée à une fonction, dignitaire» (→ comte) et du génitif de *stabulum* «étable» (→ étable). Le mot désigne d'abord le grand écuyer (IVe s.) puis un officier domestique de la cour royale des Carolingiens (807).

♦ Le mot désigne un officier, placé à l'origine sous l'autorité du sénéchal et ayant charge de la cavalerie, dont l'importance n'a cessé de croître depuis le VIIIe siècle. Dans l'armée féodale *(ost)* où le service militaire découle d'une obligation née du lien personnel qu'est la vassalité, le connétable ne peut être le chef, mais joue le rôle de conseiller militaire du roi : le commandement d'un corps d'armée lui est souvent confié, ce qu'exprime le titre de *connestable de France* «chef des armées du roi» (v. 1281). Il lui arrive d'exercer des fonctions d'administration locale analogues à celles du gouverneur, notamment dans des provinces ayant une importance militaire particulière, et certains connétables en viennent à jouer un rôle politique au XIVe et au XVe siècle. Richelieu ne reconduit pas la charge de connétable en 1626, si bien que la plus haute fonction militaire demeure alors celle de maréchal ; Napoléon Ier la ressuscite en 1804 pour son frère Louis *(grand connétable)* et le maréchal Berthier *(vice-connétable)*.

CONNEXE adj. est emprunté (1290) au latin impérial *conexus* ou *connexus* «qui forme une continuité avec», participe passé adjectivé de *conectere, connectere* «attacher ensemble», composé de *cum* (→ co-) et de *nectere* «enlacer, nouer, lier» (un composé de sens voisin, *adnectere* est à l'origine d'*annexer**).

♦ *Connexe* est essentiellement employé avec une valeur abstraite «qui est en relation avec», sauf en botanique (1834) où il est d'ailleurs peu utilisé.

▸ Le mot n'a guère produit que le substantif didactique **CONNEXITÉ** n. f. (1410). ◆ **CONNEXION** n. f. est emprunté (1338) au latin *con(n)exio* «lien, enchaînement», et correspond à la valeur abstraite du verbe ; il a reçu des spécialisations d'emploi en anatomie (1546, *connexion des vertèbres*) et en électricité. ◇ Il a subi l'influence de l'anglais *connection* dans le sens de «contacts secrets» ; c'est alors un pur emprunt (la *French Connection*).
À la fin du XVIIIe s. sont apparus le verbe **CONNECTER** v. tr. (1780), représentant le latin *connectere*, et ses dérivés **CONNECTIF, IVE** adj. (1799) et **CONNECTEUR** n. m. (1799). Ce dernier est entré au XIXe s. dans les vocabulaires techniques de l'électricité, de l'aviation, des télécommunications et de la linguistique. ◆ Les composés antonymiques de *connecter* et *connexion*, apparus au XXe s., sont des anglicismes, les dérivés anglais de *connectere* couvrant une aire d'emploi beaucoup plus importante que leurs correspondants français : **DÉCONNECTER** v. tr. (1943) est probablement emprunté à *to disconnect ;* depuis 1968, il est employé au sens figuré de «séparer» dont procède, dans le langage à la mode, l'emploi de *déconnecté* pour «qui n'est pas au courant, pas dans le coup». ◇ **DÉCONNEXION** n. f. (1954 ; 1951, *déconnection*) est aussi emprunté à l'anglais *deconnection*.

CONNIVENCE n. f. est emprunté (1539) au bas latin *coniventia* «indulgence», formé sur le participe présent de *conivere*, d'abord «serrer les paupières», «fermer les yeux», d'où au figuré «être indulgent» et, surtout sous l'Empire, «être d'accord». Ce mot est apparenté au latin *nictare* «cligner des yeux, clignoter» et, comme lui, aurait eu à l'origine le sens d'«appuyer» : il appartiendrait à une racine indoeuropéenne représentée dans les langues germaniques (ancien haut allemand *hnigan*).

♦ *Connivence* a longtemps exprimé — ainsi que le verbe aujourd'hui inusité *conniver* (av. 1577) — l'idée d'«indulgence coupable». Il s'est orienté vers le sens actuel d'«intelligence secrète, accord tacite» (1798) et a en partie perdu sa valeur péjorative. Tout comme *complicité*, il peut aujourd'hui indiquer une qualité psychologique d'«entente spontanée» *(être de connivence, sourire de connivence)*.

▸ L'adjectif **CONNIVENT, ENTE** (av. 1593), emprunté à *conivens*, le participe présent latin, est apparu avec le sens de «qui feint d'ignorer une faute», sorti d'usage. À la différence du verbe et du nom, il a reçu des acceptions techniques en anatomie (1753) et en botanique (1803), avec un sens qui procède de l'idée physique exprimée en latin : «serrer en rapprochant». Son emploi avec le sens figuré de «qui est de connivence», d'après *connivence*, n'est attesté que de façon sporadique.

CONNOTER v. tr. est emprunté (v. 1530) au latin scolastique *connotare*, attesté dans le domaine anglais depuis le XIIe s. et passé en anglais chez Duns Scott et Guillaume d'Occam (XIIIe-XIVe s.), qui ont contribué à répandre le verbe *to connote*. Le mot, composé de *cum* «avec» (→ co-) et de *notare* (→ noter), signifie proprement «noter avec» et s'emploie spécialement en logique pour le fait de renvoyer aux caractères essentiels d'un ensemble d'objets désignés par un terme.

♦ Le mot est attesté de manière isolée au XVIe s. comme terme de logique scolastique. Il a été repris au XIXe s. (1877), sans doute d'après les emplois correspondants de *connotation*, sous l'influence de l'anglais *to connote* attesté comme terme de logique chez J. Stuart Mill, dans une opposition entre *denotation* et *connotation ;* il exprime le fait d'indiquer, en même temps que l'idée principale, une idée seconde qui s'y rattache. En linguistique (1933, Bloomfield), l'anglais *to connote* se dit du fait d'évoquer, en plus d'un sens stable, une signification dépendant du contexte situationnel. Les deux emplois sont passés en français.

▸ Du verbe est dérivé **CONNOTATEUR** n. m. (1964), répandu par Roland Barthes *(Éléments de sémiologie)* à propos d'un signe appartenant à un système dénoté et fonctionnant comme signifiant du système connoté correspondant, selon un système imaginé par Louis Hjelmslev.
CONNOTATION n. f. est emprunté (1660) au latin scolastique *connotatio* «indication seconde, signification seconde» (dans le domaine anglais v. 1200). Le mot apparaît chez les auteurs de la *Grammaire de Port-Royal*, avec le sens de «propriété d'un terme de faire connaître en même temps que son objet certains attributs du sujet», lequel est aujourd'hui réservé à l'histoire des sciences. Il est repris à l'anglais *connotation*, employé par le logicien J. S. Mill (traduit en français en 1866), pour désigner les traits de signification intrinsèques d'un mot qui renvoient à des attributs seconds par opposition aux traits principaux. Plus récemment, il a été repris aux linguistes américains (1954, Hjelmslev en français) pour désigner des traits de signification qui relèvent du contexte particulier de l'emploi d'un mot. ◆ **CONNOTATIF, IVE** adj. a été introduit lui aussi en français dans la traduction de J. S. Mill (1866), l'anglais *connotative* étant lui-même emprunté au latin scolastique *connotativus* (XIVe s. Guillaume d'Occam, dans le domaine anglais). ◇ Les emplois du mot aux XIXe et XXe s. correspondent, en logique puis en sémiologie (1954, Hjelmslev), aux spécialisations du terme anglais.

CONOPÉE n. m. est emprunté (v. 1180) au latin *conopeum* «pavillon, tenture», spécialisé dans les textes liturgiques médiévaux où il apparaît sous les formes *canopum* (v. 1250), *canapium* (1518), *canapeum, canopeum,* désignant le voile qui enveloppe le tabernacle contenant l'eucharistie. Ce mot est emprunté au grec *kônôpeion* «moustiquaire», dérivé de *kônôps* «moustique» (encore en grec moderne), terme d'origine incertaine, peut-être égyptienne.

♦ Le mot a été introduit une première fois pour désigner une sorte de rideau de lit, de moustiquaire en usage dans l'Antiquité, sens enregistré dans les dictionnaires jusqu'au XXe siècle. ◇ Il a repris au XIXe s. la spécialisation liturgique de «voile recouvrant le tabernacle» (1887).

◈ voir **CANAPÉ.**

CONQUE n. f. est le doublet savant de *conche**, emprunté (1375), par l'intermédiaire du latin classique *concha,* au grec *konkhê* «grand coquillage, coquille», utilisé pour divers objets en forme de coquille. *Konkhê* est à rapprocher de *kokhlos,* nom de petits coquillages, qui a donné le latin *cochlea* (→ ① cosse, cuiller); il a un correspondant exact dans le sanskrit *sánkhá-* «coquille».

♦ Le mot, en dehors de son sens de «grande coquille de mollusque bivalve», est employé, par métonymie, en mythologie où il désigne la trompe des dieux marins, et, par analogie, en architecture et en anatomie (1690, *conque de l'oreille*).

◈ voir **COQUILLE.**

CONQUÉRIR v. tr. est la réfection (XIVe s.), sous l'influence de *quérir**, de l'ancien verbe *conquerre* (1080), encore attesté à la fin du XVIe siècle. Celui-ci est issu du bas latin °*conquaerere,* lequel est la réfection d'après *quaerere* (→ chercher) du latin classique *conquirere,* de *cum* (→ co-) et *quaerere* «rechercher de tous côtés, être en quête de», verbe ayant continué à vivre dans l'ancien italien *conquidere* (italien moderne *conquistare*).

♦ Le verbe, employé dans le vocabulaire de la guerre, signifie «prendre par les armes, par la force». En procèdent une extension courante, «obtenir en luttant», et un emploi métaphorique dans le vocabulaire amoureux, «séduire, charmer» (v. 1230). Il a longtemps été doublé par *conquêter* (1155; de *conquête*), vieilli à partir du milieu du XVIIe s. (repris au XXe s. par Montherlant).

▸ **CONQUÉRANT, ANTE** adj. et n. (1160), participe présent adjectivé et substantivé de *conquérir,* est, dans son acception militaire, dominé par le modèle d'Alexandre le Grand. ◆ Son synonyme moins usuel, **CONQUÉREUR** n. m., d'abord *conquereor* (apr. 1250, *Roman d'Alexandre*) puis *conquereur* (apr. 1260), permet d'éviter les connotations de «victorieux» et «prétentieux» attachées à *conquérant* au figuré *(un air conquérant).* ◆ Son correspondant espagnol **CONQUISTADOR** (1571) apparaît en français sous la plume de G. Sand comme surnom de Jacques Ier et s'est répandu (v. 1885) pour désigner les aventuriers espagnols (Cortés, Pizarro), partis au XVIe s. à la conquête de l'Amérique du Sud; ses emplois métaphoriques recoupent ceux de *conquérant.*

CONQUÊT n. m., d'abord *cunquest* (1155), est hérité d'un latin populaire °*conquaesitus,* participe passé de °*conquaerere.* Le mot a désigné la conquête jusqu'au XVIe s., avant d'être supplanté par son doublet féminin. Une spécialisation juridique, «biens acquis par les époux» (1283), a été éliminé par *acquêts.* ◆ **CONQUÊTE** n. f. (v. 1160), d'un latin populaire °*conquaesita,* remplit le rôle de substantif d'action de *conquérir.* Également courant dans les vocabulaires guerrier et amoureux (1636, Corneille), il est employé familièrement, par métonymie (1637), en parlant d'une personne conquise, séduite *(faire des conquêtes, sa dernière conquête)* et, en général, d'un territoire conquis, d'une chose prise par action militaire (dès le XIIIe s.).

RECONQUÉRIR v. tr. est la réfection (fin XVe s.) de *reconquerre* (XIIe s.) [voir ci-dessus *conquerre*]. Il signifie «reprendre par conquête» et (v. 1175) «conquérir de nouveau». Le participe **RECONQUIS, ISE** est adjectivé en ancien français (1273). ◇ **RECONQUÊTE** n. f. (mil XVIe s., *-queste*) succède à *reconquest* n. m. (Froissart), dérivé de *reconquester* (v. 1275). Il désigne une nouvelle conquête ou une reprise par conquête et s'applique en histoire (1908) à la reprise de l'Espagne islamisée par les royaumes chrétiens, du XIe au XIIIe siècle. On emploie aussi le mot espagnol **RECONQUISTA** n. f.

CONQUISTADOR → **CONQUÉRIR**

CONSACRER v. tr. est la réfection immédiate (1155), sous l'influence de *sacrer**, de l'ancien verbe *cunsecrer, consecrer* (1121), emprunté au latin *consecrare,* de *cum* (→ co-) et *sacrare* (→ sacrer). Le verbe latin signifiait «rendre sacré en dédiant aux dieux», «reconnaître un caractère sacré à (une chose)», et s'est appliqué en langue chrétienne au sacrement de l'eucharistie.

♦ Le mot a été repris avec le sens de «dédier à Dieu», spécialement en liturgie pour l'eucharistie, *consacrer le pain et le vin* (1536), et absolument *consacrer.* Il s'est répandu dans l'usage laïc au XVIe s. avec le sens de «destiner, dévouer (qqch.) de manière exclusive» (1578), également à la forme pronominale *se consacrer* (1680). L'idée de «rendre sacré» est réalisée dans ce contexte laïc avec la nuance de «rendre honorable, respectable» (1641). ◇ Par glissement vers l'idée de «sanctionner», le mot a pris le sens de «ratifier, confirmer» (1669, Racine), dont procèdent *consacrer une expression, un mot consacré par l'usage.*

▸ Le participe présent **CONSACRANT** a été adjectivé (1690) dans une acception religieuse et substantivé par ellipse de *(prêtre) consacrant.* ◆ Il a pour doublet **CONSÉCRATEUR** n. m. (1568), représentant du latin chrétien *consecrator* et employé très rarement au figuré (1845).

CONSÉCRATION n. f. est emprunté (apr. 1150) au dérivé latin *consecratio* «action de consacrer aux dieux, de mettre au rang des dieux», spécialement à l'époque chrétienne «eucharistie». ◇ Le nom, comme le verbe, est d'abord employé avec une valeur religieuse, liturgique, à propos de l'acte par lequel le prêtre opère la transubstantiation au cours de la messe (1309). À la différence du verbe, ce n'est, semble-t-il, qu'au XIXe s. qu'il se répand dans l'usage avec les sens de «confirmation, ratification» (1820) et «affectation à une fin déterminée, souvent exclusive» (1823).

CONSANGUIN, INE adj., d'abord n. m. (1282) est emprunté au latin *consanguineus*, de *cum* et *sanguis* → sang.

♦ Il qualifie une personne apparentée du côté paternel, puis des personnes ayant un ascendant commun.

▸ **CONSANGUINITÉ** n. f. est un emprunt (1277) au dérivé latin *consanguinitas*.

CONSCIENCE n. f. est emprunté (v. 1165) au latin *conscientia*, dérivé de *conscire*, de *cum* «avec» (→ co-) et *scire* «savoir» (→ science), proprement «savoir en commun». *Conscientia* désigne donc la connaissance partagée avec qqn (correspondant au grec *suneidêsis*), oscillant entre les valeurs de «confidence» et «connivence». Appliqué à la connaissance de soi-même, il a pris un sens moral.

♦ Le mot a été repris avec sa valeur morale, «connaissance intuitive du bien et du mal», la seule qu'il connaisse avant le XVIIe siècle. Il la réalise dans des locutions comme ***bonne conscience*** (1230), dont le sens a été affaibli par l'usage, ***en conscience*** (1306, *en leur conscience*, vieilli sauf dans ***en leur âme et conscience***), ***cas de conscience*** (1609). Le mot insiste parfois sur la faculté morale en tant que pouvoir, droit d'agir selon ce jugement (av. 1559, *liberté de conscience*). Il exprime collectivement l'ensemble des opinions morales d'une société (1721, *conscience publique*). ◇ Certains emplois classiques gardent une trace de l'ancienne localisation de la conscience dans l'estomac (lui-même souvent assimilé à la poitrine) car, dit Furetière, on se frappe l'estomac dans le repentir, le remords; tel est le cas de la locution *mettre la main à la conscience* (1673, Molière), qui renvoie à un geste culturel, et de *(se) mettre un verre de vin sur la conscience* (1690). ◇ Le mot désigne plus particulièrement le sens moral appliqué aux obligations religieuses et professionnelles : on parle alors de ***conscience professionnelle*** et, en imprimerie, d'un ***travail en conscience*** (1723). ◆ Le sens de «faculté qu'a l'homme d'appréhender sa propre réalité» a été amené par la réflexion des philosophes classiques (1676, Malebranche) et a fait du mot un concept philosophique. Dans ce domaine, le terme français est l'héritier indirect du grec *suneidêsis*, direct du latin *conscientia*, en emploi antique et moderne. Le passage de la valeur morale à la valeur psychologique ou métaphysique de réflexivité a été préparé par l'emploi métonymique de *conscience* pour «être conscient», au XVIe s., par exemple chez Calvin (selon É. Balibar). L'apport de l'anglais, qui distingue avec Locke (que Coste traduit en français à la fin du XVIIe s.) trois concepts, *conscience, consciousness* et *self-consciousness*; celui de l'allemand *Bewusstein*, mot de Wolf (1719), d'où *Selbstbewusstein* chez Kant, puis Hegel, ont marqué l'emploi de *conscience* dans la philosophie française depuis Maine de Biran (1811). ◇ Le concept est passé dans l'usage commun au XVIIIe s. (par ex. 1762, Rousseau) pour désigner la connaissance immédiate, plus ou moins intuitive, d'une chose à l'intérieur ou à l'extérieur de soi, fournissant les locutions usuelles ***avoir, prendre conscience de.*** ◇ Le XIXe s. (Hegel, Marx) a critiqué la transparence du concept, faisant de la conscience non pas une première certitude naïve, mais le fruit d'une médiation : c'est en ce sens qu'il faut entendre ***prise de conscience, conscience de classe,*** traductions françaises d'expressions allemandes. Au début du XXe s., Freud élabore la théorie psychanalytique en poursuivant la critique de ce concept tel que l'entend la psychologie et en refusant de limiter le champ du psychisme à la conscience.

▸ **CONSCIENCIEUX, IEUSE** adj. (1527) procède de *conscience*, entendu comme la notion morale, dans ses applications pratiques, en particulier professionnelles. ◇ En est dérivé **CONSCIENCIEUSEMENT** adv. (1585), qui tend à être employé à propos d'un soin, d'un scrupule excessif.

CONSCIENT, ENTE adj. (1754), emprunté au latin *consciens*, participe présent de *conscire*, se rattache aux sens intellectuel et psychologique du nom, de même que ses dérivés **CONSCIEMMENT** adv. (1830, Lamartine) et **CONSCIENTISER** v. tr., équivalent récent (1977) de *faire prendre conscience*.

À *conscience* et *conscient* correspondent les antonymes **INCONSCIENCE** n. f. (1794) et **INCONSCIENT, ENTE** adj. (1820). Ceux-ci réalisent une idée d'«absence de jugement dans un acte» (dep. 1830) et, en psychologie, de «caractère des phénomènes échappant à la conscience». ◇ La psychanalyse freudienne emploie les adjectifs substantivés *conscient* et surtout **INCONSCIENT** n. m., ainsi que **PRÉCONSCIENT**, en se référant au système psychique élaboré par Freud (notamment dans sa première topique, ultérieurement restructurée à partir de 1920) en *moi, ça* et *surmoi, inconscient* — en allemand *Unbewuste* — servant alors surtout, sous sa forme adjective, de qualificatif pour le *ça*. Le concept d'*inconscient collectif* revient à Jung. ◇ *Inconscient* a donné **INCONSCIEMMENT** adv. (1862). ◆ **SUBCONSCIENT** n. m. (1890) et **SUBCONSCIENCE** n. f. (1894) tendent à vieillir.

CONSCRIT adj. et n. m. est emprunté (v. 1355) au latin *conscriptus*, spécialement au pluriel dans les expressions *patres conscripti, milites conscripti* à propos des sénateurs et des militaires enrôlés. Le mot est le participe passé de *conscribere*, de *cum* (→ co-) et *scribere* (→ écrire) «composer, rédiger», spécialisé dans la langue du droit au sens d'«inscrire sur les listes», d'où «enrôler» (les soldats, les légions, etc.).

♦ Le mot est introduit par Bersuire comme terme d'histoire romaine dans l'expression calquée du latin *pères conscrits* «membres du Sénat à Rome», qui fut employée au figuré en parlant d'un personnage important dans la vie politique. ◇ Le sens courant de «jeune homme inscrit sur les rôles de l'armée en vue d'accomplir son service militaire» (2 juin 1789, comme adj.) coïncide avec la création de la conscription militaire sous la Révolution.

▸ En 1789 apparaît en effet **CONSCRIPTION** n. f., emprunt au latin *conscriptio* «rédaction, mémoire», qui prend son sens, en relation avec *conscrit,* lors de l'institution de ce système de levée annuelle de jeunes gens astreints au service militaire. Création révolutionnaire, la conscription correspondait au remplacement du militaire subordonné à son souverain, par le soldat citoyen, émanation de la Nation. Établie sous une forme encore archaïque par la Constituante en 1789, elle est instituée sous le Directoire (en 1798) par la loi Jourdan. Au cours du XIXe s., elle est adoptée par la plupart des pays d'Europe qui l'ont d'abord rejetée pour son caractère révolutionnaire. Depuis la fin de la Seconde Guerre : la France a adopté un système qui tend à être sélectif. Le terme est resté dans la langue usuelle en s'appliquant aux nouvelles recrues ou *conscrits* (avec toutes les connotations du «bleu»), mais il n'est plus employé officiellement, sinon dans son acception historique.

CONSÉCRATION → CONSACRER

CONSÉCUTIF, IVE adj. est l'adaptation (1474, probablement antérieur, voir *consécutivement*) du latin médiéval *consecutivus* (v. 1160), dérivé savant à partir du radical du latin *consecutus,* participe passé de *consequi* «suivre, venir après» (→ conséquent).

♦ Le mot, usuel au pluriel *(trois ans consécutifs),* est employé au singulier en logique (1509, *effet consecutif*) et en grammaire. La construction *consécutif à* — ou plus rarement *consécutif de* — exprime (1845) le rapport logique d'un effet à une cause.

▸ Le nom correspondant, **CONSÉCUTION** n. f. (XIVe s.), est emprunté au latin *consecutio* «enchaînement, suite», dérivé du supin de *consequi;* il n'a pas conservé le sens de «conséquence» au-delà du XVIe s., se spécialisant comme expression du rapport entre antécédent et conséquent, dans les vocabulaires de la logique, de la philosophie (1716, Leibniz), de l'astronomie (1752, *mois de consécution*), de la linguistique. ✦ L'adverbe **CONSÉCUTIVEMENT** est attesté depuis 1373.

CONSEIL n. m. est issu (v. 980) du latin *consilium,* d'abord employé dans la langue juridique pour «endroit où l'on délibère», par métonymie «consultation, délibération», et passé dans la langue commune au sens de «projet, dessein» et notamment «dessein mûri et réfléchi», d'où «bon avis, sagesse, prévoyance». *Consilium* est dérivé de *consulere* (→ consulter).

♦ Le mot apparaît avec le sens d'«avis que l'on donne à qqn sur ce qu'il doit faire», dont participe la locution proverbiale ***la nuit porte conseil*** (1611). Ce sens a reçu une spécialisation dans la langue religieuse (1690, *Les Conseils évangéliques*) qui l'oppose à *précepte.* ◇ Un autre sens hérité du latin, «dessein mûrement réfléchi» (v. 980), avait lui aussi reçu une spécialisation dans l'usage théologique, désignant (au pluriel) les desseins de Dieu (1536), et avait signifié par métonymie «sagesse, principes qui dirigent une personne dans la vie» (1686, Bossuet). ◇ Un autre emploi métonymique, «personne qui porte conseil, donne des conseils» (fin XIIe s.), a disparu au profit de *conseiller,* mais s'est maintenu dans certaines professions juridiques (*conseil fiscal* et, dans des titres, *ingénieur-conseil*) ; cf. *consultant.* ◇ Le sens de «réunion de gens qui délibèrent, délibération» (1080) connaît depuis l'ancien français une grande vitalité dans la dénomination d'institutions, héritées pour certaines de l'Ancien Régime (***conseil d'État,*** XVIe s.) ou de la période révolutionnaire (***conseil municipal,*** 1790), apparues plus récemment pour d'autres : ***conseil général*** (1871), ***conseil régional*** (1972), propres à l'usage du français en France, ou ***conseil de l'Europe*** (1979). À l'emprunt *soviet* correspond le syntagme *conseil ouvrier.*

▸ **CONSEILLER** v. tr. est issu (v. 1050) du latin populaire °*consiliare,* altération de *consiliari* «délibérer, donner un avis», dérivé de *consilium.* Apparu en français pour «parler en secret avec qqn», valeur propre à l'ancien et au moyen français, le mot correspond à l'usage de *conseil* au sens de «avis» : il a dès 1080 le sens de «guider qqn dans sa conduite» et (1170) celui d'«indiquer qqch. à qqn». ✦ Son antonyme **DÉCONSEILLER** v. tr. (1050, au participe passé au sens de «désemparé») est attesté depuis 1175 avec son sens actuel, «recommander d'éviter». ✦ **CONSEILLER, ÈRE** n., issu très anciennement (881) du latin *consiliarius,* désigne spécifiquement une personne qui donne des conseils puis également, dans un contexte institutionnel (1340), une personne qui siège dans un conseil. ◇ Il a éliminé son ancien doublet **CONSEILLEUR, EUSE** (v. 1200, *consilleors*), dérivé du verbe *conseiller,* qui a cependant été choisi (pour l'assonance qu'il offrait) dans le proverbe ***les conseilleurs ne sont pas les payeurs*** (1807).

CONSENSUS n. m. est l'emprunt, par la langue didactique du XIXe s. (1824), du latin *consensus* «accord», dérivé de *consentire* (→ consentir) «être d'un même sentiment, être d'accord». Le XVIe s. avait emprunté le mot sous la forme francisée *consens.*

♦ Ce latinisme a été repris en physiologie, désignant l'interdépendance d'organes dans l'accomplissement de fonctions vitales, sens où il a remplacé l'ancien terme *sympathie.* Il s'est répandu (1858) avec le sens d'«accord» à partir des travaux de sociologie (A. Comte, puis E. Durkheim) concernant l'intégration et l'interprétation de tous les aspects de la réalité sociale dans un tout *(consensus social).* ◇ Il est à la mode dans le vocabulaire politique (v. 1970) au sens de «accord social conforme aux vœux de la majorité», puis «opinion d'une forte majorité» dans *un large consensus.*

▸ **CONSENSUEL, ELLE** adj. (1838), dérivé savamment du radical du latin *consensus,* relève d'un usage didactique en droit (1838, *contrat consensuel* «fait par le seul consentement des parties engagées») et en physiologie *(réflexe consensuel).* Il a suivi *consensus* dans le vocabulaire politique à la mode.

CONSENTIR v. tr. est un emprunt très ancien (v. 980) au latin *consentire* «être d'accord avec», de *cum* (→ co-) et *sentire* (→ sentir) pris au sens d'«être d'un même sentiment».

♦ Le verbe exprime l'idée d'«être en accord, se conformer à» d'où, plus concrètement, «accorder, donner son accord (à qqch.)», d'abord en construction transitive, et spécialement dans la langue du droit (1690). Contrairement à l'usage ancien ou classique qui l'employait avec un nom d'objet (concret ou abstrait), l'usage moderne l'emploie surtout à la voix passive en mettant en relief le destinataire. Dès l'ancien français, *consentir* est également employé absolument (v. 1160-1174), avec une complétive introduite par *que* (1155) et la préposition *à* (XIIIe s.), *consentir de* étant sorti d'usage.

▸ **CONSENTEMENT** n. m., attesté au XIIe s. (apr. 1150), «action d'acquiescer à qqch.», a reçu des valeurs spéciales dans les domaines moral, intellectuel et dans le contexte du mariage. Par figure étymologique, il a été employé au XVIe s. au sens de «concordance d'opinions» (1541, Calvin). ➜ **CONSENTANT, ANTE**, le participe présent du verbe, a été adjectivé (XIIe s.) au sens général, et aussi avec la valeur de «qui accepte une relation amoureuse, sexuelle» (au féminin). Il a eu en ancien français les valeurs spéciales de «complice» (XIIe s.) et «bienveillant» (XIIIe s.).

◈ voir CONSENSUS.

CONSÉQUENT, ENTE adj. est emprunté (1308) au latin *consequens* «qui suit», spécialement dans le domaine du raisonnement, participe présent de *consequi*, de *cum* (→ co-) et *sequi* «suivre», employé avec une valeur temporelle ou logique (→ séquence). Le représentant populaire de ce verbe, *consuivre* (v. 980), a disparu au XVIe siècle.

♦ Le mot exprime ce qui suit logiquement; par métonymie, il qualifie une personne qui agit, raisonne avec justesse, selon la logique (av. 1680). Son emploi au sens familier de «considérable» (1780) procède de l'idée de ce qui est susceptible de produire de l'effet par sa valeur et son étendue; cet emploi négligé, populaire, est condamné par Littré comme un barbarisme, mais n'en est pas moins fréquent. ◇ L'adjectif est substantivé en parlant du second terme d'un rapport, dont le premier est l'antécédent : ce sens, courant dans la locution adverbiale ***par conséquent*** (1370), est surtout réalisé dans quelques spécialisations techniques : grammaire (1680), mathématiques (1718) et, pour le féminin, musique (1690) en parlant de la seconde partie d'une fugue.

▸ De *conséquent* ont été dérivés **CONSÉQUEMMENT** adv. (1559; 1379, «successivement») et l'antonyme **INCONSÉQUENT, ENTE** adj. (1551, XVIIIe s.) surtout avec une valeur morale en parlant d'une personne et de sa conduite (1835).

CONSÉQUENCE n. f. (1253) est emprunté au latin *consequentia*, formé d'après *consequens*, «suite, succession» et, à basse époque, «lien d'arguments dans une conclusion». Le mot est d'usage courant, désignant une suite qui entraîne un fait, une action. Ce sens a donné les locutions ***tirer à conséquence*** (1253, *trere a consequence*), ***être de grande conséquence*** (1539), ***être sans conséquence*** (1636). Les deux dernières infléchissent le sens du mot vers l'idée d'«importance», également exprimée à l'époque classique dans les expressions *homme de conséquence* (1644), *homme sans conséquence* (1694). C'est probablement cette valeur, insistante aux XVIe et XVIIe s., qui a déterminé le développement du sens controversé de l'adjectif *conséquent* (ci-dessus). ◇ Le mot a aussi des emplois didactiques, désignant le lien logique dans le raisonnement (v. 1278), spécialement en grammaire et dans la locution ***en conséquence de*** (1681). Il est repassé dans l'usage général à propos d'événements qui procèdent d'un autre. ➜ L'antonyme **INCONSÉQUENCE** n. f. (1538) correspond au sens dominant de *inconséquent*, glissant vers le sens moral d'«attitude illogique; comportement déraisonnable» (1750), surtout à propos d'une légèreté féminine (1835).

◈ voir CONSÉCUTIF.

✳ **CONSERVER** v. tr. est emprunté (dès les *Serments de Strasbourg*, 842) au latin *conservare*, composé d'aspect déterminé en *cum* (→ co-) de *servare* dont il reprend les sens, «sauver, garder, préserver». Ce verbe, représenté en français par ses composés (→ observer, préserver, réserver), se rattache à *servus* «esclave» (→ serf).

♦ L'histoire du verbe s'est constituée par la différenciation des sens de *conserver* et de ceux des composés apparentés : l'emploi pour «tenir un serment», attesté dans les *Serments de Strasbourg*, est sorti d'usage au profit d'*observer*. Le sens moderne de «garder soigneusement» (déb. XVe s.) a occasionné l'emploi de *conserver qqn de qqch.* (XVIe s.) «protéger, sauvegarder», réservé depuis le XVIIe s. à *préserver*. Le verbe s'est répandu avec la valeur particulière de «garder en bon état, garder intact», en parlant d'une personne du point de vue de sa santé (1530), d'une chose abstraite *(conserver son honneur)* ou concrète *(conserver des fruits)*.

▸ Le déverbal **CONSERVE** n. f. (1359), employé dès les premières attestations dans le domaine alimentaire *(concherve de citron)*, semble indiquer que le verbe connaissait le sens correspondant dès le XIVe siècle. Référant à la fois à l'opération et, par métonymie, au procédé employé, à la substance ainsi conservée, le mot a évolué d'une notion large englobant tous les aliments préparés pour être conservés (viandes séchées, salées, fumées, conserves de fruits du type confiture*), au sens actuel restrictif de «denrée alimentaire stérilisée et conservée», lié à l'évolution des techniques (et notamment à l'appertisation). Ce sens a fourni les locutions ***de conserve*** et ***en conserve***, appliquées à un aliment. ➜ Au XVIe s., d'après *conserver* «naviguer en gardant à vue», le mot désignait un navire qui en escorte un autre pour le protéger (1552). La locution technique ***naviguer de conserve*** (1559), «suivre la même route», est entrée dans l'usage courant avec ***de conserve*** «de compagnie, ensemble». ◆ On ne rencontre plus guère *conserves* (au pluriel) pour désigner des lunettes colorées (1680, encore au XIXe s.) d'après leur fonction qui est de protéger (conserver) la vue. ◆ *Conserve* a lui-même pour dérivés, dans le domaine alimentaire, **CONSERVERIE** n. f. (1942) et **CONSERVEUR, EUSE** n. (1950), désignant l'entrepreneur, l'entreprise et l'ouvrier qui fabriquent les conserves.

CONSERVATION n. f., emprunté (1364) au dérivé latin *conservatio*, reprend tous les sens du verbe *conserver* avec la valeur d'«action de conserver» et, par métonymie (1721), «état de ce qui est conservé», d'où *bonne, mauvaise conservation.* ◇ D'après *conservateur,* le mot s'emploie aussi pour «charge de conservateur» (1671), spécialement en droit dans *conservation des hypothèques* (1804).

① **CONSERVATOIRE** adj. (v. 1370), «destiné à maintenir qqch. ou qqn dans le même état», est surtout affecté à des emplois spéciaux en droit (1567; 1769, *actes conservatoires*), et dans le domaine sociopolitique. ◆ **CONSERVABLE** adj. (1508-1517) correspond au sens passif de «qui peut être conservé». ◆ **CONSERVATIF, IVE** adj., emprunté (XVe s.) au dérivé bas latin *conservativus* «qui conserve», a fourni un synonyme à ① *conservatoire,* puis en politique à *conservateur.* Il est sorti d'usage dans ces deux emplois.

② **CONSERVATOIRE** n. m. (1778; une fois en 1714, au sens d'«hospice») est emprunté à l'italien *conservatorio,* substantivation de l'adjectif correspondant au français ① *conservatoire,* qui désigne depuis le XVIe s. des écoles de musique à Naples, Venise et Palerme, avec l'idée du maintien de la tradition (et du niveau) dans un art. En France, le *Conservatoire de musique et de déclamation* est une institution fondée en 1789 pour maintenir la tradition des arts dramatique et musical. Le même esprit inspire la création du *Conservatoire national des arts et métiers* en 1794 (cf. *arts* et métiers*), qui reprend toutefois un ancien projet, déjà esquissé par une exposition payante de machines en 1683 et, au XVIIIe s., par la collection d'outils et de machines de Vaucanson, destinée à éduquer les ouvriers.

CONSERVATEUR, TRICE adj. et n. est emprunté (1283), peut-être sous l'influence de l'ancien provençal *conservador* (1261), au latin *conservator.* Celui-ci, dérivé de *conservare* «conserver, respecter, sauver», est attesté plusieurs fois chez Cicéron et dans des inscriptions, dans un contexte politique *(conservator rei publicae, patriae, urbis, imperii, libertatis);* il servait aussi d'épithète pour certains dieux au sens de «sauveur». Le latin médiéval en a fait un titre juridique désignant le procureur, le délégué (1244). ◇ Le mot est d'abord attesté dans les coutumiers comme désignation et titre de celui qui est chargé de maintenir un droit, un privilège. Ce sens a disparu, mais une spécialisation fournit (fin XVe s.) le titre d'un préposé à la garde d'une chose, d'un patrimoine (musée, bibliothèque, eaux et forêts...). ◆ À l'époque révolutionnaire, le mot est appliqué à celui qui tend à préserver l'ordre social existant (1794), et passe dans le domaine de la vie politique (1815, *esprit conservateur,* B. Constant). Cette orientation a été renforcée par un emploi en contexte anglais (1846, traduction de B. Disraeli) où il calque l'anglais *conservative,* attesté depuis 1830 pour désigner le parti *Tory* appelé *Conservative party.* L'anglais est lui-même emprunté au français *conservatif* (ci-dessus). ◆ En marge de la spécialisation administrative et politique du mot se sont développés des emplois en majorité didactiques, réalisant l'idée de «qui conserve intact», notamment à propos d'un produit dans l'industrie agro-alimentaire (1903). ◆ **CONSERVATISME** n. m., apparu dans un contexte politique (1851, traduction du russe de A. Herzen), est employé dans sa spécialisation en politique anglaise pour traduire l'anglais *conservatism* (1835). ◆ **CONSERVATISTE** n. (1876) n'a pas réussi à s'imposer face à *conservateur.*

CONSIDÉRER v. tr. est emprunté au XIIIe s. (1241-1257) au latin *considerare,* formé de *cum* (→ co-) et de *sidus, sideris,* mot qui désigne (surtout au pluriel) les étoiles en constellations (→ sidéral, sidérer), par opposition à *stella* (→ étoile) qui désigne l'étoile isolée. *Considerare* doit être un ancien verbe de la langue augurale ou marine, comme *contemplari* (→ contempler), laïcisé dans la langue courante au sens de «regarder attentivement, réfléchir à». En ancien français, *considérer* a supplanté l'ancien doublet populaire *consirer* «réfléchir».

♦ Le mot a été introduit avec la double acception du latin courant, physique et intellectuelle. Dans de nombreux emplois, il réalise par extension le sens de «estimer, juger» avec une surbordonnée complétive (attesté av. 1511). De l'idée de «juger», on passe aisément à «faire cas de» (1643), développement comparable à celui d'*estimer.* La construction attributive *considérer comme* est enregistrée tardivement (1835).

▶ **CONSIDÉRATION** n. f. (XIIe s.) représente le latin *consideratio* «examen attentif» (des yeux, de l'esprit) puis aussi «égard, estime». Quasiment inusité dans son acception physique, il tend également à perdre son acception intellectuelle au profit d'*examen, attention,* sauf dans la locution ***prendre en considération,*** qui reste usuelle. Il a mieux résisté au sens plus restreint d'«observation, réflexion» fournissant, au pluriel, le titre d'essais spéculatifs (XVIIIe s., Montesquieu). Le sens particulier de «motif, raison prise en compte pour agir» (XVe s.) s'est maintenu dans la locution ***en considération de*** et dans l'expression ***rentrer dans des considérations.*** D'après un sens apparu en latin tardif, il signifie dès 1310 «estime envers qqn». Ce sens, très vivant (après les verbes *jouir de, être en,* etc., dans les formules de politesse) a été repris au XVIIe s. par le verbe. ◆ L'antonyme **INCONSIDÉRATION** n. f. (1488, du bas latin *inconsideratio*) est peu usité à la différence de **DÉCONSIDÉRATION** n. f. (1792), formé d'après **DÉCONSIDÉRER** v. tr. (1790), «faire perdre son estime à qqn», surtout employé au participe passé.

RECONSIDÉRER v. tr. «considérer de nouveau» (1312) a eu un regain d'usage au XXe s. pour «réexaminer (une question)».

CONSIDÉRÉ, ÉE a dû être adjectivé assez tôt, puisque son dérivé **CONSIDÉRÉMENT** adv. se trouve avant la fin du XIVe s. (1392); il est sorti d'usage. *Considéré* est demeuré rare au sens de «qui mérite le respect par son caractère réfléchi» et s'emploie surtout pour «digne de respect, de considération». ◆ L'antonyme **INCONSIDÉRÉ, ÉE** adj., emprunté (fin XVe s.) au latin *inconsideratus* «irréfléchi», a conservé cette valeur morale, se détachant du sens moderne de *considéré*. ◇ Le dérivé **INCONSIDÉRÉMENT** adv. (déb. XVIe s.) est solidaire de l'adjectif.

CONSIDÉRABLE adj. signifie d'abord (1547) «qui mérite d'être considéré, pris en compte». C'est au XVIIe s. qu'il reçoit par extension la valeur d'«important, très grand», éliminant peu à peu le sens premier; les quelques emplois modernes qui relèvent de ce sens littéral sont sentis comme une spécialisation de l'acception moderne. ◇ Il en va de même pour le dérivé **CONSIDÉRABLEMENT** adv. (1675).

Le participe présent **CONSIDÉRANT** a été substantivé au masculin dans la langue du droit (1792) au sens de «réflexion motivant un décret, une loi»; c'est une lexicalisation de la formule verbale ***considérant que...***, utilisée dans les exposés de motifs.

CONSIGNER v. tr. est emprunté (1345) au latin *consignare*, de *cum* (→ co-) et *signare* (→ signer). Le mot, proprement «marquer d'un signe, d'un sceau», a pris les sens dérivés de «rapporter dans un document avec les caractères de l'authenticité» et, à basse époque, «céder, livrer par un don» (VIe s.).

♦ Le sens de la première attestation, «délimiter par une borne», a disparu. Les diverses valeurs développées par le verbe se regroupent sous l'idée d'«enregistrer (qqch.) dans certaines conditions», à commencer par celle de «remettre de l'argent sous garantie» (1402). Transposé dans un contexte commercial, *consigner* désigne l'opération par laquelle on facture (un objet) en s'engageant à le reprendre en le remboursant, d'où le sens courant (1907) de «déposer (un objet) en dépôt (dans une gare)». ◇ Avec la même idée d'«enregistrer», mais en parlant d'une information, il a repris (1690) le sens latin de «rapporter par écrit avec les caractères de l'authenticité» (surtout dans une pièce officielle). ◇ Avec un complément désignant un être animé, le verbe signifie (1467) «maintenir prisonnier par mesure d'ordre, de punition», sens réintroduit au XVIIIe s. (1743) dans un contexte militaire, plus tard scolaire (il tend à être supplanté dans ce dernier par le familier *coller*). Par extension de l'idée d'«empêcher de sortir», il a pris le sens d'«empêcher d'entrer, d'accéder» : alors concurrencé par *interdire* et *fermer*, il est sorti de l'usage courant sauf dans la construction *consigner sa porte* et à propos de mesures militaires.

▶ De *consigner* ont été dérivés **CONSIGNATION** n. f. (1396, *concination*) qui a pris certaines des valeurs du verbe, avec le sémantisme d'action que n'a pas *consigne*. ◇ **CONSIGNATAIRE** n. m. (1690) et **CONSIGNATEUR, TRICE** n. (1846) sont d'usage didactique. ◆ Le déverbal **CONSIGNE** n. f. (av. 1522, *consine*) a d'abord désigné ce qui est déposé par écrit, le témoignage. Il a été repris au XVIIe s. comme dénomination de l'agent chargé de surveiller le mouvement des personnes et des marchandises. De nos jours, il s'emploie en contexte militaire à propos d'une défense de sortir par mesure punitive (dep. 1803) puis en contexte scolaire et, plus couramment, à propos du service chargé de la garde de certains objets déposés dans une gare, etc. (1866; dans un port, 1848). ◇ *Consigne*, *consignation* et le verbe *consigner* (surtout au passif) sont récemment devenus des termes de commerce relatifs aux emballages que l'on peut rendre vides contre un remboursement.

CONSISTER v. intr. est emprunté (XVe s.) au latin *consistere*. Celui-ci est composé de *cum* «ensemble» (→ co-) et de *sistere* «(se) mettre, (s') arrêter», lui-même dérivé de *stare* (→ état, station). De «se tenir ensemble», il est passé à «se maintenir, se tenir de manière solide», tendant à se confondre avec *constare* (→ constant) «s'arrêter» et «être constitué par, se composer de».

♦ D'abord employé au sens physique ancien de «se maintenir dans un certain état», *consister* a reçu au XVIe s. le sens figuré de «résider en», autrefois construit avec la préposition *à* (1541).

▶ Son dérivé **CONSISTANCE** n. f. (1370), d'abord synonyme de «matière», est attesté depuis 1580 au sens d'«état de ce qui est ferme, solide», d'abord avec la valeur d'«immobilité, stabilité», puis en parlant d'une chose abstraite (1671, rumeur, sentiment). Son emploi à propos de l'état de fermeté d'un corps matériel est enregistré en 1690.

CONSISTANT, ANTE adj., provenant (1560) du participe présent de *consister*, a repris les emplois du verbe. ◇ En logique, il a emprunté (1955) le sens de l'anglais *consistent* «conséquent, logique», sens vivant depuis le XVIIIe s., répandu au XXe s. en logique et en épistémologie des sciences humaines; cette valeur est didactique et concurrencée par *cohérent*. ◇ À partir de l'idée de «solide», *consistant* a pris le sens familier de «important, copieux» (en parlant d'une nourriture). ◆ Le nom et l'adjectif ont produit, avec le préfixe privatif *in-*, les antonymes **INCONSISTANCE** n. f. (1738) et **INCONSISTANT, ANTE** adj. (1544; repris au XVIIIe s.), probablement d'après l'anglais *inconsistency* (XVIIe s.) et *inconsistent* (XVIIe s.). Ces deux mots sont les contraires de *consistance* et *consistant*, y compris au sens logique (v. 1960), mais jamais avec la valeur familière récente.

CONSISTOIRE n. m. est emprunté (1174-1176, *consistorie*) au bas latin *consistorium* «lieu de réunion» pour désigner l'assemblée des cardinaux présidée par le pape. Par extension, il renvoie à un conseil des ministres du culte protestant (1596) ou israélite. ◇ Il a pour dérivé **CONSISTORIAL, ALE, AUX** adj. (1472) dans ces deux spécialisations, en droit catholique et (1569) protestant ou israélite.

CONSOLE n. f. (1565) est généralement considéré comme l'abréviation de *consolateur* (1554) au sens technique de «figure d'homme soutenant une corniche servant d'accoudoir dans les stalles d'église», cette figure étant censée consoler d'être debout (cf. *miséricorde*). P. Guiraud y voit plutôt un déverbal de *consoler*, avec une régression du sens abstrait vers le sens concret, régression également présente dans l'italien dialectal *consolo* «banquet funèbre». On peut aussi évoquer une influence des deux premières syllabes de *consolider.*

♦ Le mot est apparu en architecture à propos d'une moulure saillante en forme de volute ou de S et qui sert de support. Il s'est surtout répandu dans l'acception métonymique qu'il a reçue en termes de mobilier : dans la première moitié du XVIIe s., il s'applique à une petite table aux pieds en volutes, très en vogue sous Louis XV et Louis XVI, et demeurée une coquetterie de l'ameublement au XIXe siècle. ◇ Par analogie de forme, il a reçu d'autres acceptions en musique, où il désigne la partie supérieure de la harpe en forme de S, et, depuis le milieu du XXe s., en informatique et technique de l'enregistrement, où il désigne un pupitre de commande.

CONSOLER v. tr. est emprunté (XIIIe s.) au latin *consolari,* composé d'aspect déterminé en *cum* (→ co-) de *solari* «soulager, réconforter», auquel il est préféré en prose classique. *Solari* peut appartenir à la même racine que le grec *ilaskomai* «je me rends favorable, j'apaise», mais les formes grecques sont elles-mêmes en partie obscures ; le sens du gotique *sels* «bon» est très éloigné.

♦ Le mot a conservé le sens du latin, «apporter un réconfort moral».

▶ **CONSOLANT, ANTE** adj. est tiré (1470) du participe présent. ➙ **CONSOLATION** n. f., d'abord *consolaciun* (v. 1050), est emprunté au latin *consolatio* «action de consoler, de soulager», «atténuation d'une peine morale». Le mot français désigne, par métonymie, la façon de se consoler et, par l'intermédiaire de l'ancien sens de «réjouissance» (v. 1360), un sujet de joie (1771, *c'est une grande consolation que de*). Il a reçu quelques sens concrets au jeu (1835, *fiche de consolation*) et en sport (1885, *prix de consolation*). ➙ **CONSOLATEUR, TRICE** adj. et n. est emprunté (déb. XIVe s.) au latin *consolator,* employé spécialement à l'époque chrétienne pour désigner le Paraclet, l'Esprit saint. Passé en français avec cette signification religieuse, le mot s'est répandu avec le sens courant de «personne qui console». ➙ **CONSOLABLE** adj. (v. 1450) est emprunté au latin classique *consolabilis* «qui peut être consolé», puis en bas latin «qui console». Cette valeur est passée en français avant de disparaître au XVIIe s. au profit du sens passif actuel (1647). ➙ **INCONSOLABLE** adj. (av. 1504), emprunté au latin *inconsolabilis,* lui sert d'antonyme et est devenu plus fréquent que le simple ; il a produit **INCONSOLABLEMENT** adv. (1488). ◇ L'exemple de cette formation en *in-* a inspiré **INCONSOLÉ, ÉE** adj. (1500) sur le participe passé *consolé,* et qui peut être substantivé («le veuf, l'inconsolé», Nerval).

◈ voir CONSOLE.

CONSOLIDER v. tr., réfection (1314) de *consolder* (XIIIe s.), est emprunté au latin *consolidare,* composé d'aspect déterminé en *cum* (→ co-) de *solidare* «rendre ferme», de *solidus* (→ solide). *Consolidare* signifie proprement «rendre plus ferme» et, à partir de l'époque chrétienne, se rencontre au figuré ; il a reçu des spécialisations en médecine et, à basse époque, en droit.

♦ La forme ancienne *consolder* est influencée par l'ancien français *solder,* variante de *souder**. Le verbe a été introduit avec la spécialisation médicale de «cicatriser en rapprochant les bords d'une plaie ou les os». L'idée de «réunir, rapprocher» est également réalisée en droit où *consolider l'usufruit avec la propriété* (XVIe s.) c'est «les réunir sur la même tête». Le sens de «rendre plus solide, plus stable» est d'abord attesté au figuré (fin XVe s.). — Son emploi concret, aujourd'hui courant dans le domaine du bâtiment, pourtant attesté dès 1548, n'est pas relevé en 1690 par Furetière. Au XVIIIe s. est apparue l'expression *annuités consolidées* (1768), traduction de l'anglais *consolidated annuities.* Depuis 1835, le participe passé adjectivé est employé comme nom, au pluriel *consolidés,* pour désigner les fonds publics de la dette d'Angleterre. *Consolider* lui-même se dit en finance pour «convertir» (1789, *consolider une dette*).

▶ Les dérivés français datent tous du XIXe s. : **CONSOLIDEMENT** n. m. (1839), **CONSOLIDANT, ANTE** adj. (1839), **CONSOLIDABLE** adj. (1842) et **CONSOLIDATIF, IVE** adj. (1845) sont rares. ➙ **CONSOLIDATION** n. f. est emprunté (1314) au bas latin *consolidatio,* terme de médecine et de droit. Repris au XIVe s. dans ces deux spécialités (1345, en droit), le mot s'est répandu dans l'usage général au XVIIe s. avec un sens abstrait (1694) qui n'est suivi par un emploi au sens propre qu'un siècle plus tard (av. 1788, Buffon). ◇ L'emploi du mot en finance (1789, *consolidation de la dette*) est peut-être un emprunt sémantique à l'anglais *consolidation* attesté depuis 1785 dans cet emploi.

◈ voir CONSOUDE.

CONSOMMER v. tr., d'abord *consummer* (v. 1120), puis *consommer* (v. 1570) d'après *somme**, est emprunté au latin *consummare,* de *cum* «avec» (→ co-) et *summa* (→ somme), littéralement «faire le total de» d'où, en langue classique, «accomplir, mener à son terme, à son achèvement». En latin chrétien, une confusion décisive a eu lieu entre *consumere* (→ consumer) et *consummare,* devenu synonyme de *perdere* «perdre» et *destruere* «détruire» ; elle a été favorisée par la contiguïté existant entre les idées de «mener à sa fin» et «détruire», notamment dans le contexte de la parousie chrétienne où l'achèvement des temps coïncide précisément avec la fin du monde. Ainsi s'expliquent non seulement la graphie et les sens initiaux de *consommer* mais une longue hésitation sémantique entre *consommer* et *consumer* jusqu'au milieu du XVIIe s., après la clarification du domaine de chaque verbe par Vaugelas (1647) et leur fixation par l'Académie française (en 1705).

♦ Le sens étymologique de «accomplir, parfaire» (fin XIIe s.), très vivant au XVIIe s. (on y emploie *se consommer* au sens de «se perfectionner»), a décliné depuis et s'est restreint à certaines locutions, telle ***consommer le mariage*** (1588), et à l'usage adjectif du participe passé (voir ci-dessous). ◇ Le sens dominant de *consommer* lui vient de sa confusion très ancienne avec *consumer :* c'est celui de «faire disparaître par l'usage» (1580), notamment en parlant de denrées et de sources d'énergie, quelquefois au figuré. Par spécialisation familière, le verbe se dit pour «boire une consommation dans un café», en emploi absolu (1844) cf. *consommation.*

▸ **CONSOMMÉ, ÉE** p. p. est employé adjectivement avec le sens de «parfait en son genre» (v. 1570), en parlant d'une personne, d'une chose (1668, *art consommé*). ◇ La même évolution sémantique aboutit de façon explicable à l'emploi très spécialisé du substantif **CONSOMMÉ** n. m. (1590) «bouillon concentré où tout le suc de la viande est passé». ◆ **CONSOMMABLE** adj. (1580) a pris son sens moderne tardivement (1758) et produit l'antonyme **INCONSOMMABLE** adj. (1840).
Deux mots de la même famille, *consommateur* et *consommation* ont développé de manière très active une spécialisation économique. **CONSOMMATION** n. f., d'abord *consummaciun* (v. 1120), est emprunté au latin *consummatio* «accomplissement, achèvement, perfection» d'où, chez les auteurs chrétiens, «achèvement des temps, fin du monde». Le mot, repris avec le sens du latin, d'usage littéraire en dehors de l'expression ***consommation du mariage*** (1680), a suivi l'évolution de *consommer.* ◇ Sous l'influence du verbe, il a commencé à désigner l'usage que l'on fait d'une chose pour satisfaire ses besoins (1580, B. Palissy, *consommation de bois*), se spécialisant en économie dès le XVIIe s. (av. 1657, Fontenelle, *consommation immense*). Cet emploi s'est précisé au XIXe s. et ce n'est qu'après 1945 que sont apparus, dans le contexte de l'économie capitaliste, les syntagmes *société de consommation, biens de consommation,* etc. ◇ Le succès de cet emploi, articulé avec celui de *production,* se marque par les composés apparus au XXe s. : **SOUS-CONSOMMATION** n. f. (1926), **AUTO-CONSOMMATION** n. f. (1952), **SURCONSOMMATION** n. f. (1955). ◇ Le sens métonymique de «ce que l'on consomme» est restreint au langage de la restauration (1837) pour «boisson consommée au café». ◆ **CONSOMMATEUR, TRICE** n. et adj. (1525), emprunté au latin chrétien *consummator,* a suivi la même évolution, passant du langage théologique à l'usage courant en économie (1745) sous l'influence de *consommer* et de *consommation,* comme nom et comme adjectif. Il est employé spécialement à propos du client qui prend une consommation dans un café, un restaurant (1836). ◇ Récemment, avec le développement de la revendication pour la défense des intérêts du consommateur, sont apparus **CONSUMÉRISME** n. m. et **CONSUMÉRISTE** n. (1972), d'après l'anglo-américain *consumerism* (Ralph Nader) de *to consume* «consommer», de même origine. En 1975, *consumérisme* a été francisé en **CONSOMMATEURISME** n. m. ◇ **CONSOMMATIQUE** n. f., mal formé avec l'élément final *-tique,* parfois employé comme synonyme de *consumérisme,* est apparu en 1975 pour désigner l'ensemble des recherches ayant trait à la consommation.

◈ voir CONSOMPTION.

CONSOMPTION n. f. est emprunté (v. 1275) au latin *consumptio,* nom formé sur le supin de *consumere* (→ consumer), désignant l'action d'employer, d'épuiser et, à époque chrétienne, d'anéantir, de détruire.

♦ Le sens de «destruction», propre au style biblique (Job, XXX, 24), a été abandonné sauf dans sa spécialisation liturgique relative à l'eucharistie (1666, *consomption des espèces*). À partir du XVIIe s., le mot, senti comme le nom correspondant à *consumer* — alors lui-même confondu avec *consommer* —, s'emploie aux deux sens d'«action de brûler», «d'être brûlé» (1694) et, jusqu'au XVIIIe s., de «utiliser en détruisant» (1617), cf. *consommer.* Son sens moderne médical, «affaiblissement et amaigrissement accompagnant de graves maladies, notamment la tuberculose», est attesté depuis 1656 (une première fois en 1599). Il n'est pas indifférent, quand on sait l'importance de cette maladie dans la littérature anglaise, de noter que dès le XIVe s., *consumptio* était attesté dans le domaine anglais au sens de «maladie de langueur». Souvent employé pour désigner la tuberculose, il est, de même que *phtisie,* sorti de l'usage à la fin du XIXe s., éliminé par *tuberculose.*

▸ **CONSOMPTIF, IVE** adj., d'abord *consumptif* (1314), est dérivé savamment du radical du latin *consumptus,* participe passé de *consumere* ou emprunté au latin médiéval *consumptivus* (av. 1150) «qui détruit», au figuré. Le mot a été introduit en médecine pour qualifier ce qui absorbe les humeurs du corps humain et ce dont la vertu caustique détruit les chairs, les excroissances (1672). Ces sens ont vieilli puis disparu. Le mot s'est maintenu au XIXe s. comme qualificatif d'une personne atteinte de consomption (1808), avant d'être abandonné au profit de *tuberculeux.*

CONSONANCE → CONSONNE

CONSONNE n. f. est emprunté (1529) au latin impérial *consona,* mot de la langue des grammairiens qui est le féminin substantivé de l'adjectif *consonus,* proprement «dont le son se joint» (sous-entendu «à celui de la voyelle»), issu de *consonare* «produire ensemble un son», de *cum* «avec» (→ co-) et *sonus* (→ son).

♦ *Consonne* a concurrencé et éliminé les doublets plus anciens *consonant* (XIIIe-XVIe s.) et *consonante* (1546-1771), empruntés tous deux au latin impérial des grammairiens *consonans,* participe présent de *consonare.* Il a également perdu son ancien emploi adjectif (1694, *lettre consonne*).

▸ À la fin du XIXe s., le mot a produit les dérivés **CONSONANTIQUE** adj., (1872) d'après l'allemand, et **CONSONANTISME** n. m. (1872) «système des consonnes d'une langue», termes de linguistique qui s'opposent à *vocalique* et *vocalisme.*
D'autres mots du même groupe latin ont été empruntés par la langue musicale ou rhétorique : **CONSONANCE** n. f., d'abord *consonancie* (v. 1150) puis *consonance* (1268), représente le dérivé latin *consonantia,* littéralement «production de sons ensemble» d'où «identité du son final de deux ou plusieurs mots» et «affinité entre des sons». Il est employé très tôt en rhétorique (1150), puis en musique

(1377). ◆ **CONSONANT, ANTE** adj. (v. 1165) représente le latin *consonans,* participe présent adjectivé de *consonare,* et s'emploie lui aussi en rhétorique et (1377) en musique. ◆ **CONSONER** v. intr. (v. 1228) représente le verbe latin. Il n'a pas gardé le sens de «dire, raconter» au-delà du XIIIe siècle. Le sens figuré, «aller de pair, s'accorder» (v. 1455) a vieilli au XVIIe s. et, bien que repris par Bernardin de Saint-Pierre (av. 1814), il demeure très archaïque. Seul le sens musical, «former un accord admis» (1853), développé à partir de *consonance,* conserve une certaine vitalité.

CONSORT adj. et n. m. est emprunté (v. 1370) au latin *consors,* proprement «qui partage le même sort», de *cum* (→ co-) et *sors* (→ sort), déjà employé à l'époque classique pour celui qui possède conjointement qqch. avec qqn, celui ou ceux qui possèdent en commun.

♦ Le mot a été employé au féminin *consorte* jusqu'à la fin du XVIe s. au sens de «compagne, épouse». Le masculin seul s'est maintenu, généralement au pluriel (1392), avec la valeur péjorative de «comparse». Il s'est spécialisé dans la langue juridique en parlant de ceux dont les terres se touchent (1606) et, en général, de ceux qui ont un intérêt commun dans une affaire (1635). ◇ L'emploi le plus vivant est celui qui traduit (1669) l'anglais *Queen-consort* (1634) «époux de la reine», où *consort* représente l'ancien français. *Prince consort* s'applique à l'époux non couronné d'un souverain régnant d'où, par métaphore, à l'époux d'une femme possédant une renommée, supérieure à la sienne; c'est le seul emploi vivant du mot.

CONSORTIUM n. m. est probablement un emprunt à l'allemand *Konsortium* (XVIIe s.), pris au latin *consortium* «association».

♦ Le mot désigne en économie un groupement (non institutionnel) d'entreprises ou de banques.

► L'adj. dérivé **CONSORTIAL, AUX** (1876) est rare.

CONSOUDE n. f., d'abord *consoldre* (XIIe s.) puis *consoude* (v. 1265), est hérité du bas latin *consolida* «plante de la famille des bourraches», de *consolidare* (→ consolider).

♦ La plante doit son nom à la réputation qu'avait l'une de ses espèces, la *grande consoude* ou *consoude officinale,* de consolider les chairs. On l'utilise aujourd'hui comme astringent.

CONSPIRER v. tr. ind. est emprunté (fin XIIe s.) au latin *conspirare* «être d'accord», «se liguer secrètement», «s'entendre contre». Celui-ci est, de tous les composés de *spirare* «souffler» (→ aspirer, expirer, inspirer, soupirer), le seul à avoir uniquement un sens abstrait, moral, et l'on ne dispose d'aucune attestation du sens littéral de «souffler avec».

♦ Le verbe, qui signifie «s'entendre, préparer (une action le plus souvent mauvaise)», est employé intransitivement. Il tolère aussi depuis 1390, une construction transitive (moins usitée). Un emploi absolu est enregistré en 1694. ◇ Par extension, il perd l'idée d'«hostilité», exprimant le fait de «contribuer à, s'accorder à» (v. 1580) avec un sujet désignant plusieurs choses ou, plus rarement, plusieurs personnes; cette valeur, fréquente dans l'usage classique, est littéraire.

► D'après le latin médiéval *conspirator* (v. 1190), *conspirer* a produit **CONSPIRATEUR, TRICE** n. et adj. (1302) «personne qui a machiné un forfait» et (1574) «personne qui se ligue avec d'autres». ◆ **CONSPIRATION** n. f. (v. 1165) est emprunté au latin classique *conspiratio* «accord» et surtout, en mauvaise part, «complot». D'abord employé en parlant d'un complot* politique, *conspiration* est également employé (1673) à propos d'une cabale dirigée contre une personne. Son autre sens de «concours de forces vers un même but» (1561) est archaïque.

CONSPUER v. tr. est emprunté (1530) au latin *conspuere,* composé d'aspect déterminé en *cum* (→ co-) de *spuere* «cracher». Ce dernier a des correspondants dans les langues indoeuropéennes: vieux slave *plĭvati* «cracher», sanskrit *sth'īvati* «il crache», gotique *speiwan* «cracher», vieil islandais *spýja,* grec *ptuein* «cracher» (→ -ptysie). Cette variété de formes dans une racine expressive, comportant des valeurs actives avec une efficacité quasi magique, exclut la restitution d'un original indoeuropéen. Le crachat ayant dans la croyance populaire une valeur symbolique, *conspuere* «couvrir de crachats», équivaut à «mépriser».

♦ *Conspuer,* à la différence de *compisser, conchier,* a seulement le sens symbolique de «huer, bafouer», notamment une personne publique, un acteur; seuls certains emplois métaphoriques et littéraires utilisent la valeur étymologique de «cracher sur» (Bloy, Gide).

CONSTANT, ANTE adj. est emprunté (v. 1265) au latin *constans* «ferme, qui ne se laisse pas ébranler». Cet adjectif, appliqué à une chose ou à une personne, a fourni un nom propre donné notamment à des martyrs chrétiens (*Constantius,* IIe s.). Il est le participe présent de *constare,* de *cum* «ensemble» (→ co-) et *stare* (→ état, station) «être d'aplomb», «se tenir debout» et «consister» (→ consister), employé à la forme impersonnelle *constat* «il est établi que» (→ constater). Ce verbe a lui-même été représenté en français par *conster* (av. 1475), aujourd'hui archaïque, spécialement dans la formule juridique *il conste que* (1546), concurrencée par *il est constant que.* Il s'est perpétué dans *coûter*.*

♦ *Constant,* ainsi que les mots de la même famille, a subi un glissement de sens : de l'idée de «ferme, résolu, inébranlable au sein des épreuves», il est passé à celle de «persévérant, fidèle», en particulier dans le domaine du sentiment amoureux. Appliqué à des choses abstraites (v. 1393, *constant courage*), il est entré dans la formule impersonnelle ***il est constant que*** (1660), calque du latin *constat* «il est certain, établi que», devenue archaïque. ◇ Il signifie surtout, aujourd'hui, «qui dure; ininterrompu» (Pascal), parfois par une extension abusive «très fréquent». ◇ Le féminin **CONSTANTE** est substantivé en sciences — opposé à *variable* — par ex. dans *constante solaire* (1832).

▸ De *constant* est dérivé **CONSTAMMENT** adv., d'abord *constanment* (1414), qui a insensiblement glissé de «avec fermeté» à «continuellement» (1690), voire «sans cesse» au XXe s., par l'intermédiaire de «avec persévérance». Le sens de «de manière certaine, indubitablement» (1690), correspondant à l'emploi de la forme impersonnelle *il est constant que,* est vieilli dès le XIXe siècle.

CONSTANCE n. f. (v. 1220), emprunté au latin *constantia,* a presque perdu le sens latin chrétien de «fermeté d'âme» (1265), mais a conservé celui de «permanence, persévérance» (v. 1220), l'appliquant à l'action et aux sentiments, en particulier amoureux (XVIIe s.). Il a même été étendu à l'idée de «patience» (dans *avoir la constance de supporter qqn*). Contrairement à l'adjectif, le substantif réserve le sens de «caractère durable» à un usage didactique. ➝ Les antonymes **INCONSTANT, ANTE** adj. et n. (1265) et **INCONSTANCE** n. f. (v. 1220) sont empruntés aux dérivés latins *inconstans* et *inconstantia* avec une idée de mutabilité, d'instabilité. ◇ Appliqués à un être ou à une chose (1538), ils se sont spécialisés au XVIe s. dans le domaine des sentiments amoureux, et on a employé *inconstance* avec la valeur concrète d'«acte d'infidélité», par exemple dans le titre de la pièce de Marivaux *La Double Inconstance* (1723), là où l'usage moderne préfère *infidélité :* le couple *constance-inconstance,* lié à une idéologie baroque et classique de l'amour, est démodé depuis le XIXe siècle. ➝ **INCONSTAMMENT** adv. (1521) est archaïque.

CONSTATER v. tr. est relativement récent, même si l'on a tout lieu — en se fondant sur le dérivé *constatation* — de penser qu'il est antérieur à sa première attestation connue (1726). Il est formé à partir du latin *constat* «il est certain, établi que», troisième personne impersonnelle de *constare* «établir», qui est passé en français dans la formule juridique *il conste que* (calque du latin *constat*) et dans *constant,* son participe présent adjectivé, ainsi que dans *coûter**.

♦ Le mot réalise l'idée d'un établissement de la vérité par expérience directe, à la fois dans le langage juridique, où il exprime le fait de consigner par écrit ce qui a été établi, et dans l'usage commun, où il fonctionne comme synonyme de *se rendre compte.*

▸ **CONSTATATION** n. f. est attesté isolément au XVIe s. (1586), mais ne semble d'usage normal qu'à partir du XIXe s. (1844), alors par dérivation de *constater* (ci-dessus). Substantif d'action de ce verbe, il désigne surtout, par métonymie, le fait constaté. ➝ **CONSTAT** n. m. est un emprunt tardif (1890) à l'impersonnel latin *constat,* auparavant rendu par *il conste que* puis par *il est constant que* (→ constant); il se rattache à *constater,* par rapport auquel il joue le rôle de déverbal, passant d'un usage juridique *(procès-verbal de) constat)* à la langue commune (*un constat d'échec,* etc.). ➝ **CONSTATABLE** adj., attesté pour la première fois en 1845, a été repris au début du XXe siècle. ➝ **CONSTATEUR** n. m. (1900), «celui qui fait des constats», se dit aussi d'un appareil enregistrant les horaires d'arrivée des pigeons voyageurs.

◈ voir **CONSISTER.**

CONSTELLATION n. f., d'abord écrit *contellacion* (v. 1278) puis *constellation* (1538), est emprunté au bas latin *constellatio* «position respective des astres», terme employé par les astrologues, composé de *cum* (→ co-) et de *stella* (→ étoile).

♦ Le mot signifie «position respective des astres» et, par métonymie, «groupe d'étoiles formant une figure» (1538). Il est employé par métaphore en parlant d'un groupe d'objets brillants, de personnes remarquables (1845) — cf. *Pléiade* — et, par analogie, d'un ensemble de choses abstraites liées entre elles.

▸ Son dérivé **CONSTELLER** v. tr. est apparu beaucoup plus tard dans la langue poétique (1838, Lamartine) au sens de «parsemer d'étoiles». Il est lui aussi employé au sens métaphorique de «parsemer (une chose) de points brillants» (1866). ➝ Il a été précédé dans cet emploi par l'adjectif **CONSTELLÉ, ÉE.** Ce dernier (1519), dérivé du radical de *constellation* ou emprunté au latin *constellatus,* est d'abord attesté chez un auteur du XVIe s. dans un sens obscur, «aérien», «répandu dans le ciel», «stellaire», avant d'être repris au sens de «garni d'étoiles» (1752), probablement sous l'influence de l'italien *costellato,* de même origine.

CONSTERNER v. tr. est emprunté (v. 1355) au latin *consternare* «effaroucher, épouvanter, bouleverser». Celui-ci est composé de *cum* (→ co-) et de °*sternare,* forme intensive de *sternere* «étendre, coucher, couvrir», issu de la racine indoeuropéenne °*ster-* «étendre» (→ estrade, strate, stratège). *Sternere* a distribué l'idée d'«abattre» entre *consternere,* pour la valeur physique, et *consternare,* pour la valeur morale.

♦ *Consterner,* rare avant le XVIIe s., possède encore en langue classique le sens fort du latin. Il s'est progressivement affadi en «abattre moralement». Quelques rares emplois réalisent le sens physique de «abattre, terrasser (un ennemi)» entre 1642 et 1734, par emprunt au doublet latin *consternere.*

▸ **CONSTERNATION** n. f. est emprunté (v. 1355) au dérivé latin *consternatio* avec le sens particulier de «mutinerie, sédition» issu de celui de «bouleversement». ◇ Il a pris son sens moderne d'«abattement moral» au début du XVIe s. (1508-1517), mais celui-ci est resté rare avant le XVIIe siècle. ➝ **CONSTERNANT, ANTE** adj., participe présent de *consterner,* est employé comme adjectif depuis 1845. Tous les mots de cette série se sont affaiblis mais gardent une valeur plus forte que les dérivés d'*étonner* (d'abord «frapper comme le tonnerre») et d'*ennuyer**.

CONSTIPER v. tr. est emprunté (XIVe s.) au latin *constipare* «serrer, presser, entasser» (également pronominal), employé spécialement dans la langue médicale par opposition à *laxare* (→ laxatif). *Constipare* est le composé d'aspect déterminé en *cum* (→ co-) de *stipare* «rendre raide, compact» d'où «serrer, bourrer», lequel appartient à une série indoeuropéenne également représentée dans le lituanien *stimpù, stìpti* «se raidir», le vieil anglais *stif* (anglais *stiff*) «raide», le grec *steibein* «fouler, endurcir en foulant» (→ stipuler).

♦ Le mot s'est spécialisé dans son acception médicale. Par transposition au moral, il s'emploie également dans la langue moderne avec le sens de «rendre anxieux, embarrasser», d'ailleurs rare.

▸ Le participe passé **CONSTIPÉ, ÉE** a fourni un adjectif (fin XIVe s., *ventre constipé*) devenu courant, souvent substantivé *(les constipés),* et beaucoup plus usuel que le verbe en emploi métaphorique, pour «qui se retient, est incapable de donner, de s'exprimer». ➛ **CONSTIPANT, ANTE** adj. (1843) n'est guère employé qu'au sens physiologique.
CONSTIPATION n. f. (fin XIIIe s.) est emprunté au latin *constipatio* «action de resserrer» d'où «concentration, resserrement, par exemple de l'armée», spécialisé dans la langue médicale aux IVe-Ve siècles. Le mot français a repris le sens physiologique du latin médical et correspond à «fait d'être constipé».

✳ **CONSTITUER** v. tr. est emprunté (XIIIe s.) au latin *constituere,* de *cum* (→ co-) et *statuere* (→ statuer), littéralement «mettre debout», d'où au figuré «établir (qqn) dans une situation légale», «instituer (qqch.)», «fonder». Au passif, le verbe signifie «être bien conformé physiquement» et, plus généralement, «être composé de».

♦ L'emploi pronominal pour «prendre rang, s'établir dans une cité» est sorti d'usage mais annonce le développement du sens général de «mettre, établir» (v. 1370) et sa spécialisation juridique, «établir (qqn) dans une situation légale, à un poste de responsabilité» (1475), sens avec lequel le mot est proche de l'autre composé *instituer.* Il est réalisé dans quelques locutions verbales pronominales dont ***se constituer prisonnier*** (1795). C'est encore dans la langue du droit que la construction *constituer qqch. à qqn* est apparue (1549) au sens de «créer qqch. à l'intention de qqn». Dans la langue classique, l'emploi du verbe était même étendu à l'usage commun pour «confier une responsabilité à qqn». ◇ Le sens courant de «contribuer à former un tout» ou «former l'essence de» (selon que le sujet est au pluriel ou au singulier) est enregistré par Furetière (1690). En procède logiquement, malgré le décalage chronologique, celui de «créer, organiser» (1611), lequel a fait fortune à partir de la fin du XVIIIe s. dans un contexte politique (1791), à propos des institutions de la France révolutionnaire (voir les dérivés); cet emploi vient de celui de *constitution* (ci-dessous).

▸ Les dérivés de *constituer* se distribuent comme lui entre le vocabulaire juridique et le lexique courant. ➛ Le participe présent **CONSTITUANT** a été substantivé (1476) avec le sens de «celui qui confère un droit», tout en assumant, en emploi adjectivé, le sens courant de «entrant dans la composition de» (1572). ➛ Son féminin **CONSTITUANTE** a été substantivé en 1789 par ellipse d'*Assemblée constituante,* dénomination adoptée le 9 juillet 1789, en remplacement de celle d'*Assemblée nationale** (17 juin 1789, Sieyès), après que les députés du tiers état eurent juré de ne pas se séparer avant d'avoir donné une constitution au royaume (serment du Jeu de paume, 20 juin 1789). ◇ Le participe passé **CONSTITUÉ, ÉE** se partage, dans ses emplois adjectifs, entre le sens de «disposé, organisé» (1690, en parlant de la constitution physique de l'homme) et sa spécialisation dans le vocabulaire des institutions : depuis 1789, il y qualifie ce qui est établi en vertu de lois, d'une constitution, dans le syntagme *corps constitué.* ➛ **CONSTITUTIF, IVE** adj. (1488), dérivé savant de *constituer* avec le sens juridique de «qui établit légalement», a repris au bas latin *constitutivus* le sens de «qui constitue une chose», introduit par le vocabulaire médical (1550).
CONSTITUTION n. f., d'abord *constituciun* (v. 1160), est emprunté au dérivé latin *constitutio* «état, situation, disposition générale; loi politique». En plus de son acception juridique, il a pris le sens de «création, organisation (en parlant alors de la création du monde)» et (1549) le sens courant de «manière dont une chose complexe est composée». ◇ Il se définit notamment dans le cadre des institutions religieuses comme l'ensemble des lois, des préceptes transmis par la tradition (1564), puis également, dans le cadre des institutions civiques (1683), comme l'ensemble des textes déterminant la forme du gouvernement d'un pays. Cependant, l'Ancien Régime ne connaît pas de constitution au sens moderne du mot : les *Lois fondamentales,* coutumières et non écrites définissent les institutions gouvernementales mais non pas le statut politique de la nation française. La première Constitution, au sens moderne, est l'œuvre de l'Assemblée constituante en 1791. ◇ Spécialement, on entend par ***Constitution civile du clergé*** l'organisation du clergé français décrétée par la loi du 12 juillet 1790. ➛ *Constitution* a produit **CONSTITUTIONNEL, ELLE** adj. et n. (1729, comme nom signifiant «partisan de la Bulle») au sens religieux de *constitution.* Employé comme adjectif (1765), ce mot a notamment développé une acception physiologique et, d'après l'anglais *constitutional* (1730), une acception politique (1775) qui a suivi l'histoire révolutionnaire et postrévolutionnaire du nom *constitution.* ◇ À son tour, l'adjectif a produit une importante série de dérivés en ce domaine : **INCONSTITUTIONNEL, ELLE** adj. (1775, probablement d'après l'anglais), **INCONSTITUTIONNELLEMENT** adv. (1783), **ANTICONSTITUTIONNEL, ELLE** adj. (1769) et **ANTICONSTITUTIONNELLEMENT** adv. (1803) rendu célèbre par sa réputation (d'ailleurs relative et arbitraire) de plus long mot de la langue française. ➛ On peut citer aussi **CONSTITUTIONNALITÉ** n. f. (1797), **CONSTITUTIONNALISER** v. tr. (1830), **CONSTITUTIONNALISME** n. m. (1828) et **CONSTITUTIONNALISTE** n. m. (1845), ces deux derniers passés du vocabulaire politique à celui de la psychologie.
Par préfixation, *constituer* est à la base de **RECONSTITUER** v. tr. (1534; repris en 1790), notamment employé au sens de «rétablir dans son état

originel, dans sa forme ancienne» (1890) et, au figuré, «faire revivre par l'évocation». ◆ Ce dernier verbe a produit le nom et adjectif **RECONSTITUANT, ANTE** (1845), spécialisé dans le langage médical, et **RECONSTITUTION** n. f. (1734) employé en médecine, en droit criminel, en archéologie et en parlant d'une évocation historique.

CONSTRICTION n. f. est emprunté (1314) au bas latin *constrictio* «action de resserrer», très fréquent en contexte médical. C'est un dérivé du supin de *constringere* (→ contraindre), composé de *cum* (→ co-) et de *stringere* «serrer, étreindre, presser, contracter» (→ strict).

♦ Le mot a été introduit en médecine avec le sens de «compression», opposé à *dilatation*. Il s'est répandu en physiologie et en pathologie, y compris en physiologie animale et en médecine vétérinaire. Sous l'influence de *constrictive*, il est passé en phonétique à propos d'un resserrement du conduit vocal. Certains écrivains (Bloy, Gracq) s'en servent comme d'un synonyme de *compression* pour évoquer une sensation subjective de serrement des tempes, du cœur, de la poitrine.

▶ **CONSTRICTIF, IVE** adj. et n. f., emprunt médical (1363) au bas latin *constrictivus* «qui a la propriété de resserrer», lui-même fréquent en contexte médical, a reçu un sens spécial en phonétique (1929). ◆ **CONSTRICTEUR** adj. et n. m. est dérivé savamment (av. 1718) du radical de *constrictum*, supin de *constringere*, pour nommer un muscle dont la contraction exerce une compression sur un organe. On le rencontre comme second élément de quelques composés, tels *bronchoconstricteur, vaso-constricteur*. ◇ Dès le XVIIIe s., il a été repris en zoologie où, soit sous la forme *constrictor* du latin scientifique (1754), soit sous la forme francisée *constricteur* (1845, au pluriel), il désigne un grand serpent qui étouffe sa proie dans ses anneaux (surtout dans *boa constrictor*, emprunt [1869] au latin zoologique).

CONSTRUIRE v. tr. est emprunté (XIIIe s.) au latin *construere* «entasser par couches avec ordre, ranger», et aussi «empiler, édifier» (au propre et au figuré, spécialement dans un contexte grammatical). Ce verbe est composé de *cum* (→ co-) et de *struere*, mot de sens analogue dont le radical *stru-* est peut-être une forme de la racine indoeuropéenne °*ster-* «étendre» (→ estrade, strate; consterner, prosterner) : de là l'idée initiale d'«entasser par couches».

♦ Le mot est introduit en grammaire en emploi pronominal, puis également transitif (av. 1530, *construire une phrase*). Depuis 1466, il est employé au sens courant de «bâtir, édifier» (au propre et, d'abord, au figuré), «structurer». Depuis le XVIIe s. (chez Furetière en 1690), il s'utilise spécialement en géométrie en parlant de l'élaboration d'une figure.

▶ **CONSTRUCTION** n. f. (1130) est emprunté au latin *constructio*, formé d'après le supin de *construere*. Il possède tous les sens du verbe, y compris sa spécialisation en grammaire (1225-1250), et s'emploie couramment, par métonymie, au sens de «chose construite» (1635, au propre et au figuré) et notamment sert de générique pour *maison, immeuble*, etc. ◆ **CONSTRUCTIF, IVE** adj. (1487; rare av. 1863) représente le latin *constructivus*. Cet adjectif a pris une valeur figurée, proche de *positif*. ◇ Il a fourni la base de **CONSTRUCTIVITÉ** n. f. (1840) et des termes d'histoire de l'art **CONSTRUCTIVISME** n. m. et **CONSTRUCTIVISTE** adj. et n. (1925). Ceux-ci ont d'abord été appliqués à un mouvement artistique russe, né sous l'impulsion des sculpteurs Tatline et Gabo entre 1913 et 1920, et visant à donner à la civilisation du XXe siècle une nouvelle logique plastique, fondée sur la valorisation de la structure. ◆ **CONSTRUCTEUR, TRICE** n., emprunté (XIVe s.) au latin *constructor*, s'est répandu dans la seconde moitié du XVIIe s., essentiellement avec un sens concret, recouvrant les notions d'«architecte», «maçon», «promoteur immobilier». ◆ **CONSTRUCTIBLE** adj., attesté isolément au XVe s. (1487) et alors emprunté au bas latin *constructibilis*, a été reformé au XIXe s. (1863); **CONSTRUCTIBILITÉ** n. f. (1863) en est dérivé. Ces mots sont usuels en administration et urbanisme.

RECONSTRUIRE v. tr. (1549) s'applique aux bâtiments détruits, au figuré (av. 1790) à une fortune, une organisation et, en sciences (XIXe s.) à une réalité disparue. Au verbe correspond un nom d'action **RECONSTRUCTION** n. f. (1728), devenu usuel en sciences pour «reconstitution», notamment en linguistique historique, et un nom d'agent **RECONSTRUCTEUR, TRICE**, aussi adjectif (1868, chez Daudet), ce dernier ayant une application récente en politique. ◆ **DÉCONSTRUIRE** v. tr. (1798) et le dérivé **DÉCONSTRUCTION** n. f. (1845) ont pris en philosophie une valeur spéciale avec Jacques Derrida pour «analyser critiquement (un système) en défaisant ses éléments».

◈ voir DÉTRUIRE, INSTRUIRE.

CONSUBSTANTIEL, IELLE adj. est emprunté (av. 1405) au latin ecclésiastique *consubstantialis* «qui est de même substance», notamment en parlant du Fils par rapport au Père, et du Christ par rapport à l'humanité. Le mot est formé de *cum* «avec» (→ co-) et de *substantia* (→ substance) avec un suffixe d'adjectif.

♦ *Consubstantiel*, introduit en théologie, a reçu, par extension dans l'usage littéraire, le sens de «naturellement uni ou intégré à» (XIVe s., puis 1580).

▶ Il a produit **CONSUBSTANTIELLEMENT** adv. (1690). ◆ **CONSUBSTANTIALITÉ** n. f. (XIIIe s.) est emprunté au latin ecclésiastique *consubstantialitas* «unité, identité de substance» (en parlant des personnes de la Trinité). ◆ Quant à **CONSUBSTANTIATION** n. f. (1567), adaptation du latin du XVIe s. *consubstantiatio*, c'est un terme forgé par les luthériens au sens de «présence réelle du corps et du sang du Christ dans le pain et le vin de l'eucharistie», par opposition à *transsubstantiation*. Le latin chrétien possédait *consubstantiatio* (VIe s.) à propos du mélange des substances divine et humaine dans le Christ. Ces deux noms, moins que l'adjectif, sont employés dans le style littéraire avec une valeur figurée.

CONSUL n. m. est un emprunt, d'abord sous les formes francisées *concile* (1213), *console* (v. 1268) puis sous la forme savante *consul* (v. 1370), au latin *consul*. Ce mot, probablement déverbal de *consulere* (→ consulter), désignait un magistrat romain puis, à l'époque médiévale, un conseiller du roi (IXe s.), un comte (Xe s.), le chef élu d'une colonie marchande (1182) et le magistrat élu d'une municipalité, notamment en Italie (1088). La forme ancienne *concile* est probablement l'effet d'une confusion avec *concilium* (→ concile).

♦ Le mot a été emprunté comme terme d'histoire romaine, désignant un magistrat élu par le peuple pour un an, qui exerçait le pouvoir suprême avec un collègue sous la République, ne conservant qu'un titre honorifique sous l'Empire. ◇ Dès la fin du XIIIe s., le titre de *consul* (alors *conseuz*) était appliqué aux membres des conseils des villes méridionales qui bénéficiaient de l'autonomie municipale (à Toulouse, on les appelait les *capitouls*). Le succès de l'institution consulaire moderne fut très grand en raison de la représentation de principe de toutes les catégories sociales et de son système collégial. ◇ Sous l'Ancien Régime, les municipalités ayant perdu la plupart de leurs pouvoirs, les consuls, moins nombreux, ne conservent guère que des fonctions de justice : depuis le XVIe s. (1563), on appelle *consuls* certains juges des tribunaux de commerce, recrutés parmi d'anciens officiers municipaux. ◇ En 1799, le titre est donné aux trois magistrats auxquels la Constitution de l'an VIII confie le gouvernement (1799-1804). Le *Premier consul*, Napoléon Bonaparte, a confisqué le titre avec le pouvoir. ➜ Enfin, le terme désigne, en diplomatie, des officiers destinés à défendre les intérêts français à l'étranger, notamment dans les ports et grandes cités commerçantes (XIIIe s.); ce sens s'est précisé dans la diplomatie moderne en «agent appartenant au corps consulaire», distinct du corps diplomatique.

▶ *Consul* a pour composé **VICE-CONSUL** n. m. (1591), d'où **VICE-CONSULAT** n. m. (1718), toujours employé en diplomatie.

CONSULAT n. m., d'abord *consolat* (1246), *consolet* (v. 1268), refait savamment en *consulat* (v. 1355), est emprunté au dérivé latin *consulatus* «charge, dignité de consul romain», attesté à l'époque médiévale au sens de «charge d'un magistrat municipal dans les villes du midi de la France et en Italie». ◇ Le mot a suivi l'évolution de sens de *consul*, passant de l'institution médiévale et romaine (v. 1268) au langage diplomatique (1690) et à la dénomination du régime politique établi en France par la Constitution de l'an VIII (1799). ➜ **CONSULAIRE** adj., emprunté (v. 1295) au dérivé latin *consularis*, a connu le même type d'évolution, mais avec quelque retard : son emploi dans le domaine de la diplomatie est seulement attesté en 1803. ◇ Il a pour dérivé **CONSULAIREMENT** adv. (1690). ➜ Le composé **PROCONSUL** n. m., emprunté à date ancienne (1140) au latin *proconsul* avec son sens d'origine, a développé au XXe s. le sens figuré de «personne exerçant un pouvoir despotique», par une extension analogue à celle de *dictateur*.

CONSULTER v. est emprunté (1410) au latin *consultare* «délibérer» et «interroger, prendre conseil», fréquentatif de *consulere* (→ conseil, consul), mot d'origine obscure.

♦ Jusqu'au XVIe s., *consulter* est employé aux sens de «délibérer de qqch.» *(consulter de qqch.)* et de «conférer sur un sujet» (1468, *consulter qqch.*); ses acceptions modernes sont apparues au XVIe s. : en constructions absolue et (1585) transitive «prendre conseil de qqn» (1549), «donner des consultations» en parlant d'un homme de loi, d'un médecin (1549), et «regarder (un texte) pour y trouver un renseignement» (1585). Le verbe est archaïque en construction intransitive aux sens d'«examiner un cas en en discutant» et de «s'interroger soi-même, hésiter», l'un et l'autre très fréquents au XVIIe s.; seule la spécialisation médicale du premier, «examiner un cas médical à plusieurs médecins», s'est maintenue dans l'usage moderne.

▶ **CONSULTEUR** n. m. (1458) a probablement été dérivé du verbe d'après le latin *consultor* «conseiller», du supin de *consulere*. Il a perdu le sens général de «conseiller» pour se spécialiser en termes de religion à propos d'un théologien qualifié, chargé par le pape d'étudier à fond certaines questions. ➜ **CONSULTANT, ANTE** adj. tiré (1584) du participe présent, a été substantivé dès le XVIe s., d'abord au sens (1636) de «personne demandant une consultation» puis de «personne qui consulte un médecin». Le verbe *consulter* ayant, comme *apprendre*, les deux valeurs complémentaires de «donner» et «requérir» (des informations), *consultant* est surtout pris au sens de «conseiller», avec une fortune particulière, récemment, dans les titres de professions libérales : *consultant éditorial, consultant financier,* etc. (cf. *conseil*). ➜ ① **CONSULTE** n. f., le déverbal de *consulter* (1583), a gardé son sens de «consultation» dans l'usage régional et la langue populaire. Il a pour composé *senatus-consulte*. ➜ Au XVIIe s., *consulter* a produit **CONSULTATIF, IVE** adj. (1608), d'usage juridique, qualifiant ce qui a pouvoir et qualité d'émettre des avis, mais non de décider ou de voter, et **CONSULTABLE** adj. (1660) auquel correspond un antonyme **INCONSULTABLE** adj. qui semble récent.

CONSULTATION n. f. (v. 1355, *consultacion*) est emprunté au latin *consultatio*, de *consultare* avec le sens de «délibération à plusieurs», surtout de nos jours en médecine (1625). ◇ Comme pour le verbe, les sens modernes courants se sont dégagés au XVIe s., le mot désignant le fait de prendre avis de qqn (1538) et de regarder une documentation (1580). Au XVIIe s., il s'est spécialisé en droit (1636) en parlant de l'avis motivé donné par un homme de loi. Il est aujourd'hui plus courant pour «examen d'un malade par un médecin». ➜ ② **CONSULTE** n. f. (1708), «conseil collectif du pape», est emprunté en ce sens à l'italien *(sacra) consulta* (1588), déverbal de *consultare* «consulter». Après avoir désigné une assemblée judiciaire en Suisse et en Italie, il désigne en Corse une large assemblée réunie pour débattre d'un problème important.

CONSUMER v. tr. est emprunté (v. 1120-1150) au latin *consumere,* composé d'aspect déterminé, en *cum* (→ co-), de *sumere* «prendre pour soi», «se charger de», lui-même contraction d'un °*sus(e) mere.* Ce dernier est formé à partir du verbe *emere* «prendre, acheter» (→ somptueux). *Consumere,* littéralement «prendre entièrement», signifie plus particulièrement «consommer, épuiser, dépenser» (→ consommer) et, pris en mauvaise part, «détruire, notamment par le feu».

♦ Le verbe français est longtemps resté dépendant de tous les sens latins : depuis le XIIe s., il signifie «épuiser les forces de (qqn)» et «détruire progressivement (une chose)» quel que soit l'agent. Au XVIe s., il prend le sens latin de «dissiper, épuiser» (1538), en parlant d'un bien ou d'une nourriture, et s'emploie (sans connotation négative) au sens d'«accomplir», de sorte qu'il est synonyme de *consommer** jusque dans la seconde moitié du XVIIIe siècle. Depuis, il s'est restreint au sens de «détruire entièrement sous l'action du feu» (1546), si bien que toute trace d'un sens antérieur est sentie comme un emploi métaphorique de celui-ci.

► Les dérivés, peu nombreux, sont d'usage littéraire. **CONSUMABLE** adj., attesté au XIVe s., reparaît en 1842 sans se répandre. ◆ **CONSUMATION** n. f., après une attestation isolée au XVe s. en association avec *consomption**, a longtemps interféré avec *consommation* (dès le XVe s., *consoumacion dou mariaige*). ◇ Il a été repris par Georges Bataille (1943, *L'Expérience intérieure*) pour ses valeurs étymologiques de «dépense», «excès», outre celle de «destruction violente».

CONSUMÉRISME → CONSOMMER

CONTACT n. m. enregistré en 1611, peut-être attesté en 1586, est un emprunt relativement tardif au latin *contactus,* nom issu du participe passé de *contingere* «toucher» (→ contingent), composé d'aspect déterminé, en *cum* (→ co-) de *tangere,* de même sens (→ tangible). *Contactus* et *contagio* (→ contagion), issus du même verbe, désignent à la fois le toucher en général et le toucher infectieux en particulier.

♦ *Contact* n'a repris que le sens général. Concurrencé par l'emploi substantivé de l'infinitif *toucher,* plus ancien, il est longtemps marqué par un usage didactique, en géométrie avec *point de contact* (1753), en géologie, chimie, photographie. Deux des emplois spécialisés, pris à l'anglais *contact,* sont entrés dans l'usage courant : au XXe s., *contact électrique* (absolument *contact*) et ***lentilles de contact*** (v. 1950), calque de l'anglais *contact lenses.* ◆ Le sens figuré de «relation entre personnes» est apparu au début du XIXe s. (1802, de Bonald), probablement lui aussi d'après l'anglais *contact;* il s'est répandu au XXe s., avec le développement des techniques de communication et des sciences humaines (anthropologie, psychologie), et a donné lieu à un sens métonymique (*un contact :* «la personne en contact»). *Contact* entre dans les locutions usuelles ***en contact avec, au contact de*** et accompagne fréquemment les verbes *mettre, perdre, garder, prendre,* certaines constructions s'étant d'abord répandues dans un contexte militaire.

► **CONTACTER** v. tr., proposé par Richard de Radonvilliers (1842) comme un enrichissement de la langue française, doit à l'influence de l'anglais *to contact* la valeur effective de «se mettre en relation avec qqn». Malgré les critiques des puristes, il s'est répandu vers 1940, produisant le dérivé itératif **RECONTACTER** v. tr. (XXe s.). ◆ **CONTACTEUR** n. m. est un terme technique désignant (1927) l'appareil établissant un contact électrique.

CONTAGION n. f. est emprunté (1375) au latin *contagio,* de *cum* (→ co-) et d'un dérivé du radical de *tangere* «toucher» (→ tangible). *Contagio* est synonyme de *contactus* (→ contact), mot de même signification étymologique, avec le sens général de «toucher, attouchement» et la valeur spéciale de «contact infectieux». Contrairement à ce qui s'est produit en français, c'est *contagio,* avec ses valeurs figurées (surtout négatives) qui est le plus abstrait.

♦ Le mot, apparu avec la valeur morale d'«influence pernicieuse», est attesté avec son sens médical au XVIe s. (1538); par spécialisation et métonymie, il servit même (1596) à désigner la maladie contagieuse par excellence, la peste. ◇ Par extension, il a développé l'acception figurée de «transmission involontaire, influence» sans valeur péjorative, par exemple dans le domaine de l'inspiration en art ou dans celui des influences, en sciences humaines, cf. *contamination,* en linguistique.

► Son dérivé verbal **CONTAGIONNER** v. tr. (1845) n'a pas concurrencé *contaminer,* pas plus que ses dérivés **CONTAGIONNEMENT** n. m. (1918) et **CONTAGIONNANT, ANTE** adj. (1925) de loin moins employés que *contagion* et *contagieux.* ◆ **CONTAGIEUX, EUSE** adj., emprunté (v. 1300) au latin *contagiosus* avec sa spécialisation médicale, a reçu le sens figuré de «qui se communique spontanément» (1665). ◇ On en a dérivé **CONTAGIEUSEMENT** adv. (déb. XVIIe s.). ◆ Quant à **CONTAGIOSITÉ** n. f. (1425), formé savamment sur le radical du latin *contagiosus,* il a disparu au XVIe s. pour être réintroduit au milieu du XIXe s. (1863).

CONTAMINER v. tr. est emprunté (1215) au latin *contaminare,* proprement «entrer en contact avec», essentiellement attesté avec la valeur péjorative de «souiller par contact», plus généralement «souiller» (au physique et au moral). La langue littéraire l'emploie au sens spécial de «rendre méconnaissable en mélangeant». Le mot, formé avec le préverbe *cum* (→ co-), a été rattaché par les Latins à *tangere* «toucher» (→ tangible). Il suppose un °*taminare* qui, à son tour, postule un °*tamen,* «fait de toucher, contact impur», lequel pourrait être un ancien terme du vocabulaire religieux.

♦ Le mot est un terme religieux passé dans la langue médicale. Le sens initial de «souiller par un contact impur» est sorti d'usage au XVIIe s. et est qualifié de «vieux» par Furetière (1690). ◇ Il a été repris en médecine (1863), se répandant dans le langage courant au détriment de *contagionner.* Les connotations péjoratives, liées au contexte de la pathologie, ont coloré le sens figuré, «changer la nature de qqch., altérer».

▸ **CONTAMINATEUR, TRICE** adj. et n. m. (1561), autrefois appliqué à la personne qui endommage, se dit surtout de l'agent de transmission d'une maladie vénérienne. ◆ **CONTAMINABLE** adj., lui aussi employé au XVIe s. avec un autre sens, qualifie (1863) ce qui peut être contaminé.

CONTAMINATION n. f., emprunté par la langue biblique (v. 1350) au latin chrétien *contaminatio*, a suivi l'évolution du verbe et pris son sens médical moderne vers 1866. Par analogie, il a été repris en linguistique (1890-1906, Meyer-Lübke) à propos de l'influence exercée par une forme linguistique sur une autre (sans connotation négative).

CONTE → CONTER

CONTEMPLER v. tr. est emprunté (fin XIIIe s.) au latin *contemplari* (simultanément *contemplare*) au double sens de «regarder attentivement» et «considérer par la pensée». Ce verbe a eu le même développement sémantique que *considerare* qui a donné *considérer** : à l'origine, terme de la langue augurale — il est composé de *cum* (→ co-) et de *templum* au sens ancien de «espace carré délimité dans le ciel et sur terre par l'augure, pour interpréter des présages» (→ temple) —, il s'est laïcisé en passant dans l'usage commun.

♦ *Contempler* et *considérer*, quasi synonymes en latin, se sont différenciés en français : *contempler* est plus fréquent au sens physique de «regarder en s'absorbant dans la vue de l'objet» ; au sens abstrait (v. 1450), il réalise une idée de «méditation» absente dans *considérer*.

▸ Les mots de la même famille présentent une spécialisation mystique héritée du latin chrétien : **CONTEMPLATION** n. f. (v. 1174) est emprunté au dérivé latin *contemplatio* «action de considérer attentivement par les yeux et la pensée», spécialement «Dieu et les choses divines» dans les textes chrétiens. Ce nom, substantif d'action de *contempler*, s'est spécialisé dans les domaines intellectuel (v. 1278) et religieux, voire mystique (v. 1223, *sainte contemplation*). ◆ L'adjectif correspondant, **CONTEMPLATIF, IVE** (v. 1170) est emprunté au latin *contemplativus* «spéculatif» et, chez les auteurs chrétiens, «mystique». Il est spécialement employé dans le domaine abstrait de la méditation intellectuelle (philosophie, psychologie) et religieuse. Il a repris au latin chrétien son emploi substantivé en parlant d'un religieux dévoué à la contemplation (XIIIe s.), et a produit l'adverbe rare **CONTEMPLATIVEMENT** (XIIIe s.). ◆ **CONTEMPLATEUR, TRICE** n., emprunt (v. 1355) au dérivé latin *contemplator*, a éliminé son doublet populaire *contemplor* (fin XIIe s.). Il a perdu ses anciens emplois adjectifs au profit de *contemplatif*.

CONTEMPORAIN, AINE adj. et n. est emprunté (v. 1460) au bas latin *contemporaneus*, de *cum* «avec» (→ co-) et *tempus* (→ temps), avec son sens propre de «qui est du même temps, de la même époque».

♦ Le mot, qui a gardé le sens du latin, se construit avec les prépositions *de* et *à*, ou absolument, par référence au contexte *(art contemporain)* ; il prend alors une valeur intensive par rapport à *moderne*, supposant la simultanéité avec l'expérience de celui qui parle. Son emploi substantivé, «personne qui vit en même temps (que l'énonciateur)», a supplanté le moyen français *contemporané* (1575) et s'est répandu au XVIIIe siècle.

▸ Le dérivé **CONTEMPORANÉITÉ** n. f. (1798), d'usage didactique, a servi à exprimer l'état actuel en art et en littérature, envisagé sous le rapport de ce qui le caractérise. Il a ainsi concurrencé *modernité*. De nos jours, il est surtout employé à propos de la simultanéité de deux faits.

CONTEMPTEUR, TRICE adj. et n. est emprunté (1449) au latin *contemptor* «qui dédaigne, qui méprise», dérivé du supin de *contemnere* «mépriser, tenir pour négligeable». Ce verbe est le composé d'aspect déterminé en *cum* (→ co-), attesté depuis Plaute et très employé, de *temnere* «mépriser», lui-même rare et d'usage poétique. Aucun des rapprochements tentés, par exemple avec le grec *temnein* «couper», ne repose sur une base solide.

♦ L'adjectif, au sens de «dédaigneux, dénigreur», condamné par Vaugelas (1647) et l'Académie française (1705), s'est relativement bien maintenu dans la langue soutenue.

▸ Il en va tout autrement des mots de la même famille, **CONTEMNER** v. tr. (v. 1350, *contempner*), **CONTEMPTIBLE** adj. (v. 1282, *contentible*) et **CONTEMPTION** n. f. (av. 1539), tous empruntés à des mots latins, et qui sont rares puis abandonnés dans la langue classique. Ils ont été repris, très rarement et dans un style littéraire, par certains auteurs de la fin du XIXe s. (Goncourt, Péladan) et du XXe s. (Gide, Jouhandeau).

CONTENIR v. tr. et pron. est emprunté (1050) au latin *continere*, de *cum* (→ co-) et *tenere* (→ tenir), littéralement «maintenir ensemble», d'où «embrasser, enfermer en soi» et, en particulier, «réprimer, refréner».

♦ Le verbe a été employé à la forme pronominale au sens de «se comporter, avoir telle attitude», demeuré dans le dérivé *contenance*. Dans le domaine du comportement, *se contenir* s'est restreint à la signification de «s'empêcher de ressentir, d'exprimer quelque sentiment vif» (1080), notamment dans *avoir du mal à se contenir* (1548) «à contrôler un débordement d'émotion, de colère». ◇ Ce sens psychologique a rejoint l'idée générale de «renfermer en soi» (XIIe s.), réalisée concrètement pour «avoir une certaine capacité» (1530) et, abstraitement en parlant des idées, du signifié d'un document avec la valeur restrictive de «se retenir» (1538). ◇ Le sens étymologique a été réalisé en moyen français, intransitivement pour «former un tout cohérent» et transitivement avec le sens de «maintenir unis» (v. 1560).

▸ Le dérivé verbal **CONTENANCE** n. f. (1080) est apparu au sens de «manière de se conduire, de se comporter» et l'a gardé, contrairement à *contenir*, surtout dans les locutions du type ***par contenance***

(XIIe s.), ***perdre contenance*** (XIIIe s.), ***garder bonne contenance,*** etc. En revanche, il ne reste presque plus rien d'anciens emplois métonymiques référant à divers objets (manchon, miroir...) servant à donner une contenance. ◆ C'est à ce sens que se rattache, par l'intermédiaire d'un verbe *contenancer* (XVIe s.) qui n'a pas vécu, la série préfixée **DÉCONTENANCÉ, ÉE** adj. (1549), **DÉCONTENANCER** v. tr. (1651, à la forme pronominale) et, plus rarement, **DÉCONTENANCEMENT** n. m. (1676), mots qui concernent le fait de faire perdre son assurance à qqn, de le mettre mal à l'aise, ainsi que cet état. ◆ *Contenance* a cependant acquis le sens concret de «capacité d'un objet» : autrefois appliqué à une surface (XIIIe s.), il s'est maintenu couramment en parlant d'un récipient (XVIIe s.).

CONTENANT, le participe présent, a d'abord été substantivé (1080) avec la signification psychologique de *contenance.* Il n'a gardé que le sens concret de «objet qui contient, récipient» (XVIe s.). ◆ **CONTENU,** le participe passé, a lui aussi été substantivé au féminin (XIIIe s.) avec un sens psychologique. Il l'a perdu pour désigner, au masculin (1243), la teneur d'un acte juridique et, plus concrètement, ce que contient un récipient (1541). Depuis la fin du XIXe s., il a renforcé son emploi dans les disciplines concernant l'interprétation des textes et des messages, à commencer par la critique littéraire traditionnelle, fondée sur l'opposition contestée *forme-contenu* (cf. *fond*). La psychanalyse freudienne parle, pour l'interprétation du rêve, de *contenu manifeste* et de *contenu latent,* et la linguistique emploie *contenu* dans l'analyse sémantique (en particulier dans la théorie de Hjelmslev, opposé à *expression*).

Un nom plus spécialisé **CONTENEUR** n. m. a été formé récemment (1956) pour remplacer l'anglicisme de même origine **CONTAINER** n. m. «grand contenant pour le transport des marchandises» (1932). ◇ Dans le même souci de francisation, les dérivés et composés de *container,* apparus entre 1965 et 1970, ont été remplacés par des correspondants dérivés de *conteneur* après 1970 : **CONTENEURISER** v. tr. ; **PORTE-CONTENEURS** adj. et n., etc.

◈ voir CONTENT, ① et ② CONTINENT, CONTINUER.

CONTENT

CONTENT adj. est emprunté (XIIIe s.) au latin *contentus,* participe passé adjectivé de *continere* «renfermer en soi, contenir, satisfaire» (→ contenir). Le mot, littéralement «qui se contient», signifie, avec un complément à l'ablatif instrumental ou une proposition subordonnée, «qui se satisfait de».

♦ Tel est le premier sens de *content :* «qui n'a pas besoin d'autre chose, qui est comblé». Si l'usage moderne insiste davantage sur l'idée de joie paisible qui accompagne cette satisfaction des désirs, l'ancien sens — encore dominant dans la langue classique — s'est maintenu dans la locution ***avoir (tout) son content*** (fin XVe s.) «être comblé, avoir assez» où l'adjectif est substantivé.

▶ Ce sens s'est conservé dans le dérivé **CONTENTER** v. tr. (1314, *contemter*) «donner satisfaction», qui signifiait aussi «payer» (1463) jusqu'au XVIIIe siècle. À la forme pronominale, *se contenter de* (1559) peut s'employer sans aucune idée de «satisfaction», avec l'idée très restrictive de «se borner, se limiter à». ◆ Le dérivé **CONTENTEMENT** n. m. (v. 1460) se rattache en partie à *contenter* au sens de «satisfaction d'une prétention» (notamment dans ***donner, obtenir contentement***), en partie à *content* au sens moderne de «plaisir, joie» : il est alors marqué comme régional ou recherché. ◇ D'après le témoignage des dictionnaires, ce mot a eu au XVIIIe s. le sens métonymique concret de «gros nœud ornant le décolleté d'une robe» *(parfait contentement).*

L'antonyme de *content,* **MÉCONTENT, ENTE** adj. et n. (1501) a été substantivé avant 1655 ; il est souvent employé au pluriel au sens particulier de «ceux qui ne sont pas satisfaits d'une politique». Il a éliminé le plus ancien **MALCONTENT, ENTE** adj. (XIIIe s.), encore attesté dans les parlers régionaux ou, substantivé, comme terme d'histoire désignant un membre du parti catholique qui prônait la tolérance lors de la Saint-Barthélemy (av. 1678). ◆ *Mécontent* a produit **MÉCONTENTER** v. tr., d'abord *mescontenter* (XIVe s.) d'où **MÉCONTENTEMENT** n. m. (1528), deux mots qui se sont largement répandus dans la langue contemporaine, devenant plus courants que *contenter* et *contentement,* relativement littéraires.

CONTENTIEUX, IEUSE

CONTENTIEUX, IEUSE adj. et n. m. d'abord *contemptieux* (1257) par influence des dérivés de *contemnere* (→ contempteur), est emprunté au latin impérial *contentiosus* «chicaneur, prompt à la querelle» et, en parlant d'une action, «processif, de discussion». Lui-même est dérivé de *contentio,* déverbal de *contendere,* composé d'aspect déterminé en *cum* (→ co-) de *tendere* (→ tendre) qui, à partir du sens propre «tendre avec force, entièrement», a développé la valeur de «lutter».

♦ *Contentieux* s'est progressivement restreint à l'usage juridique, où il s'oppose à *gracieux*,* avec le sens de «sujet à querelle, à procès». Il s'employait autrefois à propos d'une personne aimant les procès, les litiges (v. 1370) et de son tempérament. ◇ Il a été substantivé (1797) pour désigner l'ensemble des litiges susceptibles d'être traités par les tribunaux. Par métonymie, il se réfère au service (d'une entreprise) chargé d'étudier les différends (avec ou sans recours au tribunal).

▶ **CONTENTIEUSEMENT** adv. (v. 1333), «avec dispute, avec contention», est vieilli. ◆ **CONTENTION** n. f. (v. 1180), emprunté au latin *contentio* «tension, effort» d'où «lutte, rivalité, conflit», a évincé l'ancien doublet populaire *contençun* (1080), employé dans un contexte général dans la locution *par contençun* «en rivalisant d'ardeur». Introduit au sens général de «lutte», le mot s'est spécialisé en droit avec le sens de «chicane, lutte, querelle» (1208), encore fréquent chez Chateaubriand (par archaïsme ?) mais éliminé ensuite par le substantif *contentieux.* L'idée de «tension», réactivée au XIVe s. à propos d'un effort intellectuel, a donné le seul sens vivant (1585, *contention d'esprit*) dans l'usage didactique ou dans la langue littéraire. En procède la spécialisation médicale de «tension, fait de serrer, de maintenir» (1771).

CONTER v. tr., emprunt francisé (1080), précédé par l'ancien provençal *comptar* (v. 980), se confond à l'origine avec *compter**. Les deux verbes continuent le latin *computare* «calculer», attesté dans les textes médiévaux au sens de «narrer, relater» (906) : le lien entre ces deux notions, souvent confondues dans la mentalité médiévale, est l'idée commune d'«énumérer, dresser la liste de».

♦ Ultérieurement, les deux notions ont été distinguées et, après une période de flottement qui ne prend vraiment fin qu'au XVIIe s., le sens de «calculer» a été réservé à *compter*, orthographié d'après le mot latin. À partir du sens général de «relater en énumérant des faits, des événements réels», que l'on rencontre encore dans quelques parlers régionaux et dans la langue littéraire, *conter* s'est spécialisé (fin XVIe s.) en «dire des choses fausses à dessein de tromper», surtout réalisé dans les locutions ***en conter de belles*** (1595), ***en conter*** (1606) et, avec une idée de séduction, ***en conter à une femme*** (1637), et aussi ***conter fleurette*** (1667). Le sens de «dire une histoire imaginaire pour divertir» (1671, La Fontaine) tend, au moins dans l'usage parlé moderne, à être assumé par la forme composée (ci-dessous *raconter*).

▶ **CONTE** n. m. (v. 1130-1140), déverbal de *conter*, a longtemps désigné la narration de choses vraies (encore au XXe s. chez des écrivains archaïsants). Au XVIe et au XVIIe s., en relation avec le verbe, il prend l'acception péjorative de «récit fait pour abuser» (1538), et est fortement concurrencé depuis par *histoire*. ◇ Le sens moderne de «récit inventé» apparaît nettement au XVIIe s., mais déjà en ancien français (avant 1200), le récit nommé *conte* répondait à une fonction de distraction. Le mot ne fait alors que désigner une réalité beaucoup plus ancienne, expression d'une tradition orale multiséculaire (le «conte populaire»). Il en va de même du ***conte de fées***, locution relativement récente correspondant à l'adaptation «mondaine», d'une réalité ancienne, très en vogue à la fin du XVIIe s. (Perrault, Mme d'Aulnoy, Mme de Murat). ➜ **CONTEUR, EUSE** n. et adj., d'abord *cunteür* (1155), est apparu avec le sens de «personne qui dit ou écrit des récits pour divertir», déjà impliqué dans le domaine de la fiction. ◇ Le mot s'est spécialisé pour désigner l'auteur-interprète de contes populaires, traditionnels, à côté du sens littéraire, où le conte est une variété de nouvelle. *Conteur* s'est appliqué également (1538) à celui qui raconte des histoires auxquelles on ne peut prêter foi, spécialement à un galant au XVIIe s. (av. 1695) d'où la locution ***conteur de fleurettes*** (1782). ◇ L'adjectif qualifie (1800) une personne qui aime conter, raconter.
RACONTER v. tr. (XIIe s.), formé du préverbe à valeur itérative *re-* et de l'ancien français *aconter* (XIIe s.), doublet préfixé de *conter* aux sens de «calculer» et de «narrer», a surtout signifié «recalculer» jusqu'au XVIe s., à la différence de son ancien dérivé **RACONTEMENT** n. m. qui correspondait à «récit». ◇ Le sens moderne du verbe, déjà acquis au XIIe s., s'est établi au XVIIe s., sans aucune valeur itérative (celle-ci étant échue à un *reconter* qui n'a pas vécu). Le verbe, dont le champ sémantique va de «narrer» à «décrire, dépeindre», est aussi employé à la forme pronominale, depuis le XVIIIe s., et au sens péjoratif de «dire à la légère, de mauvaise foi» (1877). Sa fréquence a contribué au recul de *conter* dans l'usage courant. ➜ Parmi ses anciens dérivés se sont maintenus **RACONTEUR, EUSE** n. (v. 1462 ; *raconteor*, fin XIIe s.) et **RACONTABLE** adj. (fin XIIe s.). ◇ Celui-ci a produit l'antonyme **INRACONTABLE** adj. (1797), parfois **IRRACONTABLE** adj. (1717) chez les auteurs soucieux de régularité morphologique. ➜ Au XIXe s. est apparu, d'après le verbe, le nom péjoratif **RACONTAR** n. m. (1853) «récit médisant et faux», précédé par **RACONTAGE** n. m. (1845) aujourd'hui désuet.

CONTESTER v. tr. est emprunté (1338), peut-être par l'ancien provençal *contestar* (1140), au latin juridique *contestari*. Celui-ci, formé de *cum* (→ co-) et de *testari* «témoigner» (de *testis* «témoin» → test), signifie proprement «plaider en produisant des témoins des deux parties», d'où «commencer un débat judiciaire». La signification juridique du verbe latin est passée dans l'ancien et moyen français *litiscontester* «engager un procès» (XIVe s.), calquée sur le latin juridique *litem contestari*.

♦ *Contester*, apparu avec le sens de «refuser à qqn le droit de prétendre disposer d'une chose», a pris par extension le sens plus courant de «mettre en doute, en discussion» (1540), en construction absolue ou transitive. ◇ Depuis les événements de mai 1968, l'emploi absolu, qui pouvait avoir autrefois la valeur de «discuter» (1540), tend à être entendu avec le sens fort de «mettre en question l'ordre établi».

▶ Les dérivés datent pour la plupart des XVIe et XVIIe siècles. ➜ Le déverbal **CONTESTE** n. f. (1584), d'abord attesté dans le domaine suisse, a désigné un débat, une dispute ; réputé «vieux» dès 1694, il ne s'est maintenu que dans la locution ***sans conteste*** (1656) «sans contradiction», plus rarement ***hors de conteste***. ➜ Au XVIIe s. sont apparus **CONTESTÉ, ÉE** adj. et **CONTESTABLE** adj. (1611) auxquels correspondent **INCONTESTÉ, ÉE** adj. (1650) et **INCONTESTABLE** adj. (1611), ce dernier plus employé que son contraire et qui a la valeur positive de «sûr, certain» (cf. *indiscutable*). ◇ L'adverbe dérivé **INCONTESTABLEMENT** (1660) est notablement plus répandu que **CONTESTABLEMENT** adv. (1611). ➜ Deux dérivés sont contemporains des événements de mai 1968 : **CONTESTATEUR, TRICE** adj. et n., après une attestation à titre de proposition chez Richard de Radonvilliers (1842), s'est en effet diffusé en 1968 et, peu auparavant, en emploi adjectif (1966). ◇ **CONTESTATAIRE** adj. et n. a fait son apparition dans la presse en juin 1968 ; il est demeuré courant.
CONTESTATION n. f. est emprunté (1411), probablement par l'ancien provençal, attesté dès la fin du XIIIe s., au bas latin juridique *(litis) contestatio* «ouverture d'un procès par appel des témoins», à l'origine du moyen français *liti(s) contestation* (XIVe-XVIe s.). ◇ Introduit comme terme de procédure, le mot s'est répandu dans l'usage courant (1479) et connaît une nouvelle vitalité depuis 1968, formant alors une série cohérente avec *contester* et *contestataire*.

CONTEXTE n. m. est emprunté (1539) au latin *contextus* «assemblage, réunion», spécialement «ensemble des relations organisées entre les éléments significatifs d'un discours». Le mot est dérivé de *contexere,* proprement «ourdir, entrelacer», d'où «assembler, rattacher», de *cum* (→ co-) et *texere* (→ tisser).

♦ Le mot est essentiellement employé en parlant d'un fait de langage, autrefois en droit à propos du texte d'un acte public ou sous seing privé (1754) et au XXe s. en linguistique à propos de l'environnement d'une unité de discours. ◇ Depuis 1869, à la suite d'une traduction de l'allemand *Context* au sens qu'il a dans la *Critique de la raison pure* (Kant), il se dit aussi d'un ensemble de circonstances dans lesquelles s'insère un fait. Cet emploi, critiqué par les puristes, s'est répandu (1920) et est devenu très fréquent vers 1960, notamment dans la presse écrite et parlée (*le contexte politique, social,* etc.).

▸ Le dérivé **CONTEXTUEL, ELLE** adj. (1963) appartient au vocabulaire de la linguistique.

CONTEXTURE n. f. «organisation des parties d'un tout complexe», est soit le dérivé savant du latin *contextus,* soit le dérivé de *contexte* par attraction de *texture** (1552; peut-être XIVe s.). Il a perdu son ancien emploi, pour «organisation de la personnalité, du caractère», et tend à être supplanté par *structure** en parlant d'un ouvrage de l'esprit. Il a désigné aussi une structure matérielle et celle d'un texte, d'un discours (1690). Il est surtout employé en parlant d'un tissu (1754).

CONTIGU, UË adj. est emprunté (v. 1377) au latin *contiguus* «qui touche à» (au sens spatial et, à basse époque, temporel), dérivé de *contingere,* de *cum* (→ co-) et *tangere* «toucher» (→ tangible), «atteindre» et «toucher à, être en relation avec» (→ contagion, contingent).

♦ Le mot a repris au latin la valeur spatiale de «qui touche à, voisin». Depuis 1790, il est également employé avec une valeur abstraite dans les domaines temporel et relationnel. À partir du XIXe s., le sens spatial a été repris dans les vocabulaires scientifiques (en biologie, géologie, physique et informatique).

▸ Le nom qui lui correspond, **CONTIGUÏTÉ** n. f. est emprunté (XVe s.) au dérivé bas latin *contiguitas.* Rare avant le milieu du XVIIe s. (1674), il a suivi la même évolution que *contigu.*

① **CONTINENT, ENTE** adj. est emprunté (v. 1160) au latin classique *continens* «joint à», «continu» (→ ② continent) et moralement «sobre, tempérant», spécialement «abstinent» chez les auteurs chrétiens (IIIe s.). L'adjectif latin est le participe présent de *continere* «maintenir lié» et, moralement, «réprimer, refréner» (→ contenir).

♦ Le mot a été repris avec sa spécialisation religieuse, «qui s'abstient de rapports sexuels ; chaste». Il est difficile de déterminer si le sens figuré de «sobre, tempérant» en est l'extension ou est une réactivation d'un sens figuré latin antérieur. ◇ Le vocabulaire médical l'a repris (v. 1560, *fieire continente*) au latin *continens* «continu, ininterrompu», mais ce sens, rare avant 1756, a vieilli.

▸ **CONTINENCE** n. f. (fin XIIe s.) est emprunté au latin *continentia* «contiguïté», «contenu, contenance» et «modération», avec sa spécialisation chrétienne d'«abstinence de rapports charnels» (IIIe s.). ➛ Les antonymes **INCONTINENT, ENTE** adj. (v. 1350) et **INCONTINENCE** n. f. (XIIe s.) sont empruntés respectivement aux mots latins *incontinens* et *incontinentia,* à la fois avec l'idée morale d'«incapacité à restreindre ses désirs» et le sens physique d'«incapacité à retenir l'urine». ➛ L'adverbe **INCONTINENT** (XIIIe s.), «sur le champ», est issu de la formule juridique latine *in continenti* (sous-entendu *tempore*) «dans le temps qui suit immédiatement», de *continens* au sens temporel de «suivant».

② **CONTINENT** n. m. est emprunté (1532) au latin *continens,* participe présent adjectivé (→ ① continent) de *continere* (→ contenir), pris au sens de «maintenir, continuer». *Continens* a été substantivé par ellipse de *continens (terra)* «terre ferme qui se tient».

♦ Le mot, signifiant «grande étendue de terre limitée par un ou plusieurs océans», désigne aussi couramment une partie du monde. On oppose ainsi, depuis le XVIIe s., *l'Ancien Continent* (Europe et Afrique) au *Nouveau Continent* (les deux Amériques). C'est le XVIIe s. qui a défini *continent,* non seulement par opposition à *océan,* mais aussi à *île* (1665) : en ce sens, l'Angleterre est considéré comme le continent par rapport à l'Irlande, la France par rapport à la Corse, etc. Depuis le XVIIIe s. (attesté 1735), le terme s'applique à l'Europe par rapport aux îles Britanniques, peut-être par emprunt à l'anglais *continent* (1590, en ce sens).

▸ C'est de ce dernier sens que procède l'adjectif **CONTINENTAL, ALE, AUX** (1773), probablement calqué sur l'anglais *continental :* on en a une trace dans le terme d'histoire *blocus continental* et, récemment, dans *petit déjeuner continental,* parfois opposé au *breakfast (anglais) ;* motivé en anglais d'Angleterre, cette expression perd sa valeur première en anglais des États-Unis, où elle est usuelle, et bien entendu en français, où elle appartient au vocabulaire de l'hôtellerie. ◇ Depuis 1781, *continental* est l'adjectif de *continent* en géographie et en climatologie, pour qualifier le climat propre à ces grandes étendues, par opposition à *océanique.* ◇ Il est substantivé pour désigner l'habitant du continent, par opposition à *insulaire.* ➛ En ont été dérivés le substantif didactique **CONTINENTALITÉ** n. f. (v. 1950) et les composés **INTERCONTINENTAL, ALE, AUX** adj. (1867) et **TRANSCONTINENTAL, ALE, AUX** adj. (1872). ➛ **SOUS-CONTINENT** n. m., attesté en 1965 dans les dictionnaires, semble postérieur à *sous-continental, aux* adj. (1893). Le nom s'applique à une zone géographique importante et différenciée, faisant partie d'un continent (par ex. l'Inde).

CONTINGENT, ENTE adj. et n. m. est emprunté (1370) au latin impérial *contingens,* participe présent de *contingere,* proprement «toucher, atteindre» (→ contigu) et spécialement «arriver par hasard», d'où «échoir en partage». En bas latin, *contingens* est spécialisé en philosophie et substantivé au sens de «ce qui peut être ou ne pas être», traduisant le grec *to endekhomenon.*

♦ L'adjectif est apparu avec le sens de «qui arrive, mais pas nécessairement», développant une spécialisation philosophique et le sens courant de «non essentiel». Au XVe s., il s'est spécialisé en droit avec le sens de «qui échoit à» (1459) et a été substantivé (1509) comme dénomination de la part qui échoit à qqn (celle-ci étant fonction de multiples facteurs en partie imprévisibles). ◇ Au XVIIe s., ***le contingent*** n. m. est passé dans l'usage commun, en parlant de la part que chacun apporte à une œuvre commune et, en particulier, du nombre des soldats d'une même tranche d'âge appelés en même temps sous les drapeaux (1690). ◇ Le XXe s. a vu s'étendre l'emploi du mot au droit commercial international, pour désigner la quantité de denrées dont l'importation ou l'exportation est autorisée pour une durée donnée (1922), emploi concurrencé par *quota.*

▸ Au XXe s., *contingent* a servi à former **CONTINGENTER** v. tr. (1922), terme d'économie exprimant le fait de limiter par une mesure administrative la quantité d'un produit qui pourra être importée, exportée ou distribuée. ◇ Celui-ci a produit à son tour **CONTINGENTEMENT** n. m. (1922) et **CONTINGENTAIRE** adj. sur le modèle d'autres adjectifs en *-aire* utilisés en économie.

CONTINGENCE n. f. est emprunté (1340) au bas latin *contingentia,* terme de philosophie. Le mot, repris dans cette acception philosophique, est passé dans l'usage courant relativement tard (1896), désignant, surtout au pluriel *(des contingences),* des événements fortuits, imprévisibles. Son acception spéciale en mathématiques, dans *angle de contingence* (1704), relève du sens propre du latin *contingere* «qui atteint, qui touche à».

CONTINUER v. est un emprunt ancien (1154-1173) au latin *continuare* «prolonger dans l'espace, joindre de manière à former un tout sans interruption», «faire succéder dans le temps», «poursuivre ce qui est entrepris» et «prolonger» *(continuare magistratum).* Le mot est dérivé du supin de *continere* (→ contenir).

♦ Le verbe est d'abord employé dans le domaine de la durée temporelle, exprimant le fait de poursuivre (une action entreprise) et, absolument, de durer (v. 1370). Le sens spécial de «prolonger (qqn) dans ses fonctions» (1467) décline après le XVIIIe siècle. Le mot exprime aussi, avec l'idée d'interruption, le fait de reprendre une tâche interrompue, laissée inachevée (1690). ◇ À partir de 1611, il est attesté avec une valeur spatiale, le sujet pouvant être un nom de chose ou le nom de la personne qui entreprend de prolonger un objet dans l'espace (1690).

▸ Sur le radical de *continuer* est formé **CONTINUATEUR, TRICE** n. (1579). Les autres mots du même groupe sont directement empruntés au latin. ◇ **CONTINU, UE** (v. 1306; après *contenu,* fin XIIIe s.) représente *continuus,* participe passé adjectivé de *continere* (→ contenir). Il est employé sur le plan spatial et temporel, spécialement dans *fièvre continue* (1306) et, en musique, dans *basse continue* (av. 1690). ◇ Il est à l'origine de **CONTINÛMENT** adv. (1302, *continuement*), de **CONTINUITÉ** n. f. (v. 1380) et de **CONTINUEL, ELLE** adj. (v. 1160) réservé à la seule valeur temporelle. Cet adjectif courant, passé de sa valeur stricte à celle de «sans cesse répété», a servi à former l'adverbe **CONTINUELLEMENT** (1393; 1160, *continuelement*) de valeur moins active que *continûment.* ◆ **CONTINUATION** n. f. (1331; 1283, en droit dans *continuacion de jour* «remise d'une cause à l'audience suivante de la même assise») est emprunté au latin classique *continuatio* «succession ininterrompue» dans l'espace et dans le temps. Depuis 1370, *continuation* signifie particulièrement «fait de durer, prolongation». ◇ L'emploi général comme substantif de *continuer* donne lieu à l'expression encourageante : *bonne continuation.* ◆ Au XXe s., la langue didactique a repris **CONTINUUM** n. m. (1905) au latin, les mathématiciens employant à basse époque (IVe-Ve s.) *continuus* par opposition à *discretus.* Le mot recouvre le concept d'un espace ininterrompu, intégrant spécialement, en philosophie, une dimension temporelle (1935, *le continuum espace-temps*).

La série des antonymes préfixés par *dis-* représente une série du latin médiéval : **DISCONTINU, UE** adj. (v. 1370) est emprunté à *discontinuus* (1250); il a servi à former **DISCONTINUITÉ** n. f. vers 1751 (le latin médiéval avait déjà *discontinuitas,* 1233). ◆ **DISCONTINUER** v. intr. et tr. (1393; 1314, *descontinuer,* «inciser» médicalement) est emprunté à *discontinuare* «interrompre» (1267), et la locution ***sans discontinuer*** correspond à «continûment». ◇ Le verbe a d'abord eu le sens concret de «diviser, inciser» en médecine, avant de prendre la valeur de «cesser, ne pas continuer de», littéraire en emploi transitif, plus courant en intransitif, par exemple dans ***sans discontinuer.*** ◇ **DISCONTINUATION** n. f. (1377) est l'adaptation du dérivé latin médiéval *discontinuatio* (1233).

CONTONDANT → CONTUSION

CONTORSION n. f. est emprunté (XIVe s.) au latin *contorsio,* graphie tardive du classique *contortio* «action de tourner», «entortillement» (notamment en parlant d'une expression obscure). Celui-ci est formé sur le radical du supin *contortum* de *contorquere,* composé d'aspect déterminé en *cum* (→ co-) de *torquere* «tourner» (→ tordre).

♦ Le mot, apparu dans le syntagme *contorsion de nerfs,* a désigné un mouvement violent de torsion, en parlant d'un être humain, et, à l'époque classique, une déformation par torsion (au propre, 1611, et au figuré, 1664). Il est surtout vivant au sens figuré d'«attitude outrée et affectée» (1666), le sens physique étant lui-même réalisé avec la même idée d'excès, en parlant d'une attitude acrobatique au cirque.

▸ **SE CONTORSIONNER** v. pron. (1771), «affecter une attitude outrée», est tombé dans l'attraction de *contorsion* au cirque (XIXe s.). ◇ C'est à celle-ci que se rattache **CONTORSIONNISTE** n. (av. 1867), désignant l'acrobate qui effectue des exercices acrobatiques de souplesse.

CONTOURNER v. tr., attesté au XIVe s. sous la forme *contorner* (1311), mais certainement vivant dès le XIIIe s. comme l'indique son déverbal *contour* (v. 1200), est issu d'un latin populaire *contornare*, attesté seulement au VIIIe s., de *cum* (→ co-) et *tornare* (→ tourner).

♦ Le mot, en ancien et moyen français, a signifié «être située (d'une terre)» (1311) et «tourner, se tourner vers ou contre (un homme, une chose)» (1360 et jusqu'au XVIIe s.). Le sens concret, «entourer de ses bras, embrasser» (1512), s'est perdu mais annonce l'extension moderne pour «faire le tour de» (1761, dans un contexte d'agression ennemie). ◇ Celui de «déformer en courbant» (1548) est surtout vivant dans son participe passé adjectivé **CONTOURNÉ, ÉE** (1605, «dirigé vers»), appliqué à des formes artistiques compliquées et employé au sens figuré péjoratif de «tarabiscoté, inutilement compliqué» (1803). ◇ Le sens artistique de *contourner* «tracer les contours de (une figure)» (1651) serait repris à l'italien *contornare*, de même origine.

► **CONTOUR** n. m. (v. 1200), déverbal régressif de *contourner*, est passé du sens d'«enceinte» à celui de «détour» (1548), qui ne s'est pas maintenu, puis à celui de «ligne délimitant une surface» (1651) en art, d'après l'italien *contorno*. C'est à cet emploi que se rattachent les emplois techniques du mot en géométrie, sylviculture, optique, art militaire, médecine et acoustique. Sous l'influence de *contourné*, *contour* désigne également l'aspect de ce qui est contourné, en forme de courbe complexe, spécialement, au figuré, l'aspect d'une chose abstraite compliquée. ◆ **CONTOURNEMENT** n. m. (1544), de valeur plus dynamique, désigne l'action de contourner une chose, au propre et au figuré. ◆ **INCONTOURNABLE** adj., non attesté au sens prévisible de «que l'on ne peut pas contourner», s'est imposé (v. 1980) dans le langage journalistique et le jargon à la mode avec le sens figuré d'«inévitable, obligatoire».

CONTRACEPTION n. f. est emprunté (1929) à l'anglais *contraception* (1886), formation anormale d'après *contra-* (→ contre) et *-ception*, de *conception* (→ conception).

♦ Le mot désigne les mesures visant à empêcher la conception d'un enfant lors des rapports sexuels. La lutte en faveur de la contraception se développa dans les années 1920 en Angleterre et seulement vers 1960 en France : le mot s'est diffusé à cette époque, éliminant l'anglicisme *birth control* (1933), traduit par *contrôle des naissances*. Cependant, la pratique de la limitation des naissances est très antérieure à l'apparition de ces mots : aux XVIIIe et XIXe s., il s'agissait encore d'une pratique empirique bien que l'on commençât, au XIXe s., à mettre au point des procédés mécaniques de contraception (cf. *condom, préservatif*). La limitation des naissances préconisée par Malthus se fonde, elle, sur la chasteté du couple. La technique contraceptive s'est véritablement développée au XXe s. avec l'industrie chimique et l'industrialisation du caoutchouc, puis, après 1920, avec la mise au point d'une méthode fondée sur l'observation du cycle féminin (cf. *pilule*).

► **CONTRACEPTIF, IVE** adj., emprunté (v. 1955) à l'anglais *contraceptive* (1891), a en partie éliminé *anticonceptionnel*. Substantivé au masculin, il désigne tout dispositif de contraception. ◆ **CONTRACEPTEUR, TRICE** adj., «qui pratique la contraception» (1961), est peu répandu.

① **CONTRACTER** v. tr. est dérivé savamment (1370) du latin *contractus* n. m. «resserrement» (→ ② contracter) avec la spécialisation juridique d'«accord, convention». Lui-même est dérivé du participe passé de *contrahere*, de *cum* (→ co-) et *trahere* «tirer» (→ traction, traire), proprement «tirer ensemble», d'où «faire venir à soi (une maladie, un mariage, des dettes)» et aussi «réduire, serrer» et «avoir des liens serrés avec qqn».

♦ Le verbe a été introduit en droit avec le sens de «prendre un engagement vis-à-vis de qqn» (d'où *contracter mariage*, 1559). À partir de 1572, il reprend le sens latin de «faire venir à soi» dans le même type de contextes abstraits, avec les syntagmes *contracter une maladie, des dettes* (1675), *contracter une mauvaise habitude* (1680).

► Son participe présent **CONTRACTANT, ANTE** est employé comme adjectif (1472). ◇ Il pour préfixé **COCONTRACTANT, ANTE**, adj. et n. (XVIe s.) «personnes qui sont ensemble parties à un même contrat».

CONTRAT n. m., d'abord *contract* (1370), est emprunté au bas latin juridique *contractus* «convention, pacte, accord», dérivé de *contrahere* «prendre engagement» (ci-dessus *contracter*). La forme savante a évincé la forme plus populaire *contraut* (1254), encore relevée au XVIe siècle. ◇ Le mot, qui désigne l'accord de deux ou plusieurs volontés en vue de créer une obligation, est souvent accompagné d'un adjectif ou d'un complément de détermination précisant la nature du contrat (*contrat de mariage*, 1672). Employé par métonymie pour désigner l'acte écrit enregistrant le contrat, il entre dans la locution figurée ***donner des coups de canif dans le contrat*** (1877). ◇ Par analogie, l'expression ***contrat social***, qui semble créée par J.-J. Rousseau (1762), sert à désigner la convention (implicite) entre gouvernants et gouvernés, membres d'une même société (cf. *pacte*) ; très employée au XVIIIe s., elle fait aujourd'hui allusion à Rousseau. ◇ Un calque probable de l'anglo-américain a donné à *contrat* le sens spécial d'«engagement pris par un tueur à gages d'assassiner quelqu'un» ; par métonymie, le mot désigne la victime.

QUASI-CONTRAT n. m. est l'emprunt juridique (1675) du latin *quasi contractus*, de *quasi* (→ quasi) et *contractus*.

CONTRACTUEL, ELLE adj. (1596) est dérivé du latin *contractus*. Depuis 1953, le substantif est couramment employé en France par ellipse d'*agent contractuel* «qui coopère avec un service public». Substantivé, il désigne plus spécialement (1959) l'agent de police chargé de relever les infractions aux règles de stationnement. ◇ **CONTRACTUELLEMENT** adv. (1838) est d'usage juridique.

② **CONTRACTER** v. tr. est le doublet étymologique de ① *contracter*, formé ultérieurement

(1732) sur le radical du latin *contractus* «resserré, réduit», spécialement en grammaire et en rhétorique ainsi que pour qualifier l'âme, le cœur. Le mot a été créé sous l'influence de *contraction* (ci-dessous).

♦ Le mot exprime l'idée concrète de «diminuer de volume» (également à la forme pronominale). Il concerne spécialement le resserrement d'un muscle (1732) et, par extension, la crispation des traits du visage (1824, *visage contracté*), des cordes vocales. Par transposition du physique au moral, il exprime le fait d'être crispé, tendu nerveusement (XIXe s.). ◇ Il est passé en physique et en chimie pour «diminuer de volume par rapprochement des molécules», en parlant de corps solides ou gazeux (av. 1752). Il a repris la spécialisation grammaticale (1835) déjà connue en latin.

▸ Les dérivés français de *contracter* sont tardifs et peu nombreux; il correspondent à l'idée de «tension des muscles, des traits» et à la tension morale ou psychologique que celle-ci exprime : **CONTRACTÉ, ÉE** adj. (1824); **DÉCONTRACTER** v. tr. (1860), employé en médecine et par extension avec le sens psychologique de «détendre» (1936); **DÉCONTRACTÉ, ÉE** adj., devenu très usuel avec le sens psychologique de «détendu, insouciant» (1955).

CONTRACTION n. f. (XVe s.) succède à la forme francisée *contraicion* (1256) et est emprunté au dérivé latin *contractio* «action de resserrer» et «état résultant d'un resserrement», employé en physiologie, en grammaire et au sens moral d'«anxiété, trouble». ◇ Le mot, outre ses nombreux emplois en physiologie, est utilisé par extension (1813) au sujet de la tension des traits du visage et (1823) d'une crispation de tout l'individu. Dès 1560, il a repris au latin sa spécialisation en grammaire. ➜ Son antonyme **DÉCONTRACTION** n. f. (1892) est tombé dans l'attraction de *décontracter, décontracté*, exprimant l'aisance, la détente. ➜ Au XVIIIe s. sont apparus les termes de physiologie **CONTRACTILE** adj. (av. 1755), dérivé savant de *contractus*, et **CONTRACTILITÉ** n. f. (1735).

CONTRACTURE n. f. (1611) est emprunté au latin *contractura*, dérivé de *contractus*, terme d'architecture et, à basse époque, de pathologie. D'abord synonyme de *contraction*, le mot s'est distingué en reprenant au latin ses spécialisations en architecture (1676) et en pathologie (1808). L'ancien français avait déjà formé *contraiture* «contraction des nerfs» à partir de *contrait* «paralysé» (1150), lui-même issu du latin *contractus* (→ contrefait). ➜ Au XIXe s., *contracture* a produit **CONTRACTURER** v. tr. (1837), verbe employé en pathologie et (1845) en architecture.

CONTRADICTEUR, CONTRADICTION → CONTREDIRE

◈ CONTRAINDRE v. tr. est issu (v. 1120) du latin *constringere* «lier ensemble», «enchaîner» et, au figuré, «réprimer, contenir». Le mot est composé de *cum* «ensemble» (→ co-) et de *stringere* «serrer, presser» (→ strict).

♦ *Contraindre* a longtemps eu le sens physique de «peser sur, presser, serrer», Furetière parlant encore, en 1690, de gens *contraints* dans leurs vêtements ou leurs chaussures ajustés. ◇ La signification abstraite, aujourd'hui dominante, s'est dégagée dès le XIIe s. à la forme pronominale pour «empêcher (qqn) de suivre son penchant naturel, obliger à se gêner» (v. 1174). ◇ Elle a régressé mais demeure relativement répandue dans le participe passé adjectivé **CONTRAINT, AINTE** (XIVe s.) «gêné, mal à l'aise». ◇ L'usage a privilégié pour le verbe le sens d'«obliger (qqn) à agir contre sa volonté» (1253), spécialisé en droit pour «obliger (qqn) par voie de droit, par justice» (1283).

▸ **CONTRAINTE** n. f., substantif issu (XIIe s.) du participe passé féminin de *contraindre*, a suivi l'évolution du verbe; il a perdu le sens physique de «gêne dans des vêtements trop étroits», ainsi que celui de «retenue, gêne» (encore dans quelques emplois comme la locution ***sans contrainte***, 1263), pour ne plus signifier que «action de contraindre qqn à agir contre sa volonté; obligation» (XIIe s.), avec des spécialisations en droit, comme *contrainte par corps*. ➜ **CONTRAIGNANT, ANTE** adj. (1265, *contreignant*) et l'adjectif juridique **CONTRAIGNABLE** (1382) procèdent du sens moderne du verbe.

◈ voir CONSTRICTION.

CONTRAIRE adj. et n. m. est emprunté (1080) au latin *contrarius* «en face de, du côté opposé» d'où «ennemi, hostile» et «en contradiction avec», dérivé de *contra* (→ contre).

♦ En ancien et moyen français, le substantif désignait un tort, un dommage infligé à qqn (1080). L'usage moderne a privilégié la notion d'opposition aux dépens de celle d'hostilité, et l'adjectif signifie «qui présente l'opposition la plus radicale» (1160-1174). L'usage soutenu y ajoute parfois l'idée d'une chose qui, en s'opposant, gêne le cours d'une chose (*vent contraire*, v. 1167). ◇ Le mot est substantivé, entrant dans la phraséologie usuelle avec ***tout le contraire*** (v. 1175), ***au contraire*** (v. 1370) «d'une manière radicalement différente» puis «inversement» (1495), et ***au contraire de*** (v. 1450).

▸ **CONTRAIREMENT** adv. (XVe s.) a cessé d'être employé au XVIIe s. et a été repris au début du XIXe s. avec la locution ***contrairement à*** (1821). ➜ **CONTRARIER** v. tr. est emprunté (1080) au dérivé bas latin *contrariare* avec le sens de «s'opposer verbalement; contredire». D'abord construit intransitivement au sens de «s'opposer par la parole, se quereller», il s'est généralisé en emploi transitif pour «aller contre qqch., qqn» d'après *contraire* (1150). Il est surtout usuel avec la valeur psychologique (v. 1775) de «causer du dépit, du mécontentement à (qqn)». ◇ Ses participes ont été adjectivés en **CONTRARIÉ, ÉE** et **CONTRARIANT, ANTE** (1361) avec les divers sens du verbe. ➜ **CONTRARIÉTÉ** n. f. (v. 1170) est un emprunt au bas latin *contrarietas* «opposition», «choses contraires», «contraste», «dommage». Apparu au pluriel avec le sens de «choses contraires» (en parlant du chaud et du froid), il a longtemps exprimé, au singulier, l'opposition de deux choses contraires, avant d'être supplanté par *antinomie* et *contradiction*. Si on le rencontre parfois pour «ce qui contrarie le cours des choses» (av. 1200), il est surtout réservé par l'usage moderne (dep. 1793) au sens psychologique de «déplaisir causé par une opposition», puis de «déplaisir» en général.

A CONTRARIO loc. adv. et adj. est un emprunt, attesté tardivement (1792), au latin scolastique, où l'expression signifie «par la raison des contraires». ◇ Elle s'emploie à propos d'un raisonnement qui, à partir d'une opposition dans les hypothèses, conclut à une opposition dans les conséquences. Passé dans l'usage général, *a contrario* s'emploie pour «dans l'hypothèse du contraire».

CONTRALTO → ALTO

CONTRARIER → CONTRAIRE

CONTRASTER v. tr. et intr. est la réfection (1541), sous l'influence de l'italien *contrastare* (av. 1250) «contredire, contester», de l'ancien et moyen français *contrester* (1080-1660) «résister». Ce verbe est, comme le mot italien, issu du bas latin *contrastare*, de *contra* (→ contre) et *stare* «se tenir», «s'opposer» (→ station).

♦ *Contraster* avait au XVIe s. le sens fort de «lutter contre» (en construction transitive ou avec la préposition *à*). Il a pris au XVIIe s. la valeur plus faible de «s'opposer d'une manière tranchée» (surtout en parlant de choses) à partir de son emploi dans le domaine pictural (1669), probablement d'après l'italien. Sa construction indirecte avec la préposition *avec* (1740) est aujourd'hui la plus courante.

▶ Du verbe ont été tirés les adjectifs **CONTRASTÉ, ÉE** (1669, en art) et **CONTRASTANT, ANTE** (1787). ◆ Le nom correspondant **CONTRASTE** n. m. a suivi la même évolution. C'est la réfection (1580), d'après l'italien *contrasto* (XIVe s.) «discussion», de l'ancien et moyen français *contrest* «querelle, contestation» (XIIIe s.), déverbal régressif de *contrester* (ci-dessus). Employé anciennement pour «contestation, discussion», il a acquis son sens moderne d'après son emploi en art (1669) sous l'influence de l'italien *contrasto*, attesté dans ce sens depuis 1519. Tout comme le clair-obscur (cf. *clair-obscur*), le contraste, décrit par Furetière comme «la plus grande beauté d'un tableau», est très prisé au XVIIe siècle. On le goûte particulièrement dans la variété des attitudes et des positions des figures dans un tableau. ◇ L'usage moderne du mot, peut-être sous l'influence de sa spécialisation en optique au XIXe s., semble plutôt privilégier une opposition de nature chromatique ou lumineuse. Il est également utilisé en médecine et, d'après l'anglais *contrast*, en linguistique. ◆ **CONTRASTIF, IVE** adj. (v. 1970), terme de linguistique, est emprunté à l'anglo-américain *contrastive* (1949 en ce sens) du verbe *to contrast*, de même origine.

CONTRAT → ① CONTRACTER

CONTRAVENTION n. f. est dérivé savamment (av. 1418; dès le XIe s., d'après Bloch et Wartburg) du radical du latin *contravenire*, littéralement «venir contre», lui-même à l'origine du verbe juridique *contrevenir* (1331) «agir contre les prescriptions d'un règlement», quelquefois employé au sens figuré, pour «aller à l'encontre de».

♦ Le mot, qui signifie proprement «action de s'opposer (à ce qui est admis)», s'est progressivement limité à sa spécialisation juridique (1579) «fait de contrevenir à la loi». ◇ Au XXe s., il est entré dans l'usage commun avec le sens métonymique d'«amende punissant une infraction», surtout dans le domaine de la circulation automobile : d'abord probablement employé par l'agent de l'ordre qui constate l'infraction *(vous êtes en contravention)*, il a été repris pour désigner l'amende et le document portant le procès-verbal. Par jeu de mots, on l'appelle familièrement *contredanse* (1901).

▶ **CONTRAVENTIONNEL, ELLE** adj., d'abord *contreventionnel* (1796), est d'usage juridique, par exemple dans *délit contraventionnel* (1876). ◆ **CONTREVENIR** v. tr. ind. (1351), emprunté au latin médiéval *contravenire*, signifie «agir à l'encontre de (une prescription, une obligation)». Il a produit **CONTREVENANT, ANTE** adj. par substantivation du participe présent (1516). ◇ Lui-même a donné **CONTREVENANCE** n. f. (1571), «infraction» repris en 1955.

CONTRE prép., adv., préf. et n., dès 842 sous la forme latine *contra*, puis *cuntre* (1080) et *contre* (v. 1170), est issu du latin *contra* adverbe et préposition «en face de, vis-à-vis», «au contraire de», «en sens contraire de», «par opposition à». *Contra* a des correspondants dans les langues indoeuropéennes (gotique, italique) et présente un suffixe marquant l'opposition de deux notions (également dans *extra*), d'ailleurs employé en indo-iranien (sanskrit *átra* «ici», *tátra* «là») dans une indication de lieu.

♦ Dès le XIe s., le mot est attesté avec trois sens différents qui se sont maintenus jusqu'à aujourd'hui. Une idée de contact, de proximité est réalisée par la préposition (1080, *contre terre*) et l'adverbe (en composition *là-contre, ci-contre, tout contre*). On en rapprochera l'usage de la préposition en franco-provençal (Suisse, etc.) avec le sens de «vers, en direction de» (dans l'espace et dans le temps). ◇ Une seconde idée, proportion, comparaison, apparaît (1080) dans une formule du type ***cent contre un.*** En procèdent les sens de «à la place de» (v. 1174) et «en échange de» (1323). ◇ Enfin, l'idée dominante est celle d'une opposition, aussi bien avec une valeur offensive, attestée dès 842, en particulier après quelques verbes de combat, au propre et au figuré, qu'avec une valeur défensive (1160-1174), dans des constructions du type *se protéger contre* (*contre-*, préfixe, fonctionne alors comme doublet de *para-*). ◇ Comme *contraire*, le mot assume l'idée spatiale (v. 1174) d'une direction contraire à qqch., spécialement en parlant d'un élément naturel (v. 1174, *contre le vent*), dans la locution ***contre vents et marées,*** de sens propre (1606) et figuré. La même idée est réalisée sur un plan abstrait dans des syntagmes du type ***contre nature*** (av. 1550), ***contre toute espérance*** (1560), ***contre tout espoir,*** et dans la locution adverbiale courante ***par contre*** (mil. XVIe s.,

Calvin), critiquée par les puristes (qui recommandent *en revanche* ou *au contraire*). Avec une nuance plus morale, «en dépit de», *contre* entre dans ***aller contre*** (v. 1450), ***faire contre mauvaise fortune bon cœur*** (1561) et ***envers et contre tous*** (av. 1615). ◆ Quelques emplois substantivés opposent le mot à *pour* ***(peser le pour et le contre)***; cette substantivation est employée spécialement en musique à propos d'une voix d'alto qui fait harmonie «contre» une autre (XVe s.), sens absorbé par les composés *basse-contre, haute-contre* (alors que *contre-ténor** utilise la préposition), en vénerie, en sports (XVIIe s. en escrime) et en jeux (1906 au billard, aux cartes), alors en relation avec le verbe *contrer.*

▶ Il est impossible de recenser tous les composés auxquels **CONTRE-** sert de premier élément, à l'exemple de *contra-* en latin. Ils apparaissent en nombre au XIIe s., avec une nette prédominance des composés verbaux ou déverbaux. Cette tendance se poursuit avec la même intensité jusqu'au XVIe siècle. À partir du XVIIe s. s'amorce la tendance moderne à former surtout des composés substantifs. D'un point de vue sémantique, c'est également au XVIIe s. que, parallèlement aux composés où *contre-* exprime une idée de «riposte», d'«opposition», s'affirme un type de composés où *contre-* signifie «redoublement» ou «répétition». Il n'y a guère de mots en *contre-* formés sur une base adjective, et cela même avant que ne se pose la question d'une éventuelle concurrence avec *anti-*, apparu au XVIe siècle. ◇ D'un point de vue graphique, l'orthographe de ces composés manque de cohérence : les traditions typographiques, du XVIIe au XXe s., ont imposé largement l'habitude du trait d'union, contrariant ainsi un usage plus ancien où les éléments étaient soudés, et parfois libres. Depuis 1878, la lexicographie a adopté une attitude plus normative, soudant de nombreux termes usuels (il en ira de même, en 1932, pour de nombreux termes techniques). Depuis la commission de réforme pour l'orthographe (Beslais), la soudure systématique des mots, dont le second élément est à initiale consonantique, a été recommandée. ◆ Le seul dérivé de *contre* est le verbe **CONTRER** v. tr. (1838), terme de jeux de cartes puis de sports passé dans l'usage avec le sens figuré (1933) de «riposter» (XXe s.). ◇ **SURCONTRER** v. tr. (1913) s'emploie au bridge pour «contrer le contre de (l'adversaire)», d'où **SURCONTRE** n. m. (1933).

◈ voir CONTRÉE, ENCONTRE, MALENCONTREUX, RENCONTRER; les composés en *contre-* figurent à l'autre élément.

CONTREBANDE n. f. est l'adaptation (1512), avec changement de genre par attraction de *bande**, de l'italien *contrabbando,* n. m. Ce mot, employé depuis le début du XVIe s. dans la locution *di contrabbando* «sans payer de tribut», est composé de *contra* (→ contre) et de *bando* (→ ban); il désigne donc proprement l'infraction commise contre les défenses publiées par ban.

♦ Le mot concerne le commerce frauduleux pratiqué en infraction aux lois d'un pays et, par métonymie, la marchandise donnant lieu à ce trafic. Les connotations ont évolué, en fonction des interdits sur le commerce international et de la police des frontières. Par extension, il se réfère à une activité secrète et illicite, avec la locution adverbiale ***en contrebande*** et la locution adjective ***de contrebande.***

▶ **CONTREBANDIER, IÈRE** n. et adj., attesté depuis 1715, qualifie et désigne ceux qui pratiquent la contrebande, et correspond dans l'usage non juridique à un type social plus ou moins codé, opposé aux douaniers, aux gendarmes, et souvent valorisé.

CONTREBASSE n. f. est emprunté (1509) à l'italien *contrabbasso* (XVIe s.), nom donné à la voix la plus basse de l'échelle musicale et à un gros instrument à cordes de la famille des violons. Le mot est formé de *contra* (→ contre) et *basso* «basse» (→ bas).

♦ Le mot a d'abord désigné la partie d'un morceau de musique faisant entendre les sons les plus graves et (1512) une voix de basse grave. Ces sens ont décliné, le second au profit de la dénomination *basse-contre* (1512), elle-même en recul au profit de *basse profonde.* ◇ Il faut attendre le XVIIIe s. pour voir apparaître le nom de l'instrument à cordes et archets, la contrebasse ayant été apportée d'Italie et introduite à l'Opéra de Paris par Montéclair en 1700 (le mot est attesté dans ce sens en 1740). ◇ Depuis, d'autres familles d'instruments possèdent leur contrebasse, notamment les orgues et les cuivres (1904, *trombone-contrebasse;* 1906, *contrebasse*).

▶ Le nom d'instrumentiste **CONTREBASSISTE** n., qui a remplacé *contre-basse* (1821), est enregistré par l'Académie en 1838; il est concurrencé par *bassiste,* qui correspond à l'emploi préférentiel de *basse* pour «contrebasse» en jazz et dans les musiques populaires d'origine anglo-américaine.

CONTRECARRER → CARRER

CONTREDIRE v. tr. est l'adaptation d'après *dire* (v. 881) du latin *contradicere,* de *contra* (→ contre) et *dicere* (→ dire), littéralement «parler contre qqn ou qqch.», d'où «s'opposer à».

♦ Le verbe a eu en ancien et moyen français le sens général de «s'opposer à, refuser, empêcher» (encore au XVIe s.). Il s'est restreint à un fait verbal, exprimant le fait d'opposer à une affirmation une opinion contraire (1165-1170). En ce sens, il est employé également à la forme pronominale (XVe s.). ◇ Par extension, il est employé en dehors d'un contexte verbal au sens de «aller à l'encontre de, démentir» et, spécialement en droit, «opposer des pièces à celles de la partie adverse» (1549).

▶ *Contredire* a produit deux noms relativement peu usités, par substantivation de ses participes : **CONTREDIT** n. m. (v. 1170) est réservé soit au domaine juridique, soit au style littéraire (1541) au sens d'«affirmation que l'on oppose à ce qui a été dit». Il est toutefois usuel dans la locution ***sans contredit*** «assurément» (v. 1170). ◇ **CONTREDISANT, ANTE** (v. 1450) est quasiment revenu à un emploi adjectif dans le langage juridique (1690).

CONTRADICTION n. f., d'abord *contradictiün* (v. 1120), est emprunté au latin impérial *contradic-*

tio «action de parler contre» (à l'école, au tribunal), «incompatibilité logique» et, chez les auteurs chrétiens, «insulte, différend». Le mot a glissé de «action de parler contre, critique» à «action de s'opposer à une affirmation» (1541), produisant au XVIe s. le syntagme lexicalisé ***esprit de contradiction.*** Parallèlement, l'usage didactique a repris au latin le sens spécial de «relation existant entre deux notions incompatibles» (v. 1370), lequel est prolongé dans l'usage courant par celui d'«absurdité, invraisemblance». ◆ **CONTRADICTEUR** n. m., représentant savant (v. 1350) du latin *contradictor* (surtout juridique), a éliminé la forme francisée *contreditor* (v. 1180).

CONTRADICTOIRE adj., emprunté (v. 1360) au latin *contradictorius,* correspond aux divers sens du verbe, courant et juridique (1680). ◇ À l'exemple du latin, *contradictoriae (oppositiones)* «propositions contradictoires», il est substantivé en logique (1679), en parlant de termes qui s'excluent logiquement et, en linguistique, en parlant des couples de mots identiques dont l'un est syntaxiquement nié (il est alors employé par rapport à *contraire*). ◆ Il a produit **CONTRADICTOIREMENT** adv. (1538), usuel en droit et comme terme didactique.

◈ **CONTRÉE** n. f., d'abord *cuntretha, cuntrede* (v. 1050), puis *contree* (1080), est hérité d'un latin vulgaire °*contrata,* substantivé par ellipse pour *contrata regio* «pays situé en face (de celui qui le regarde)». *Contrata* est le féminin d'un adjectif dérivé de *contra* (→ contre) «en face de».

♦ Le mot désigne une étendue de terrain de taille variable (allant des parages à la région ou au pays tout entier). Il a vieilli.

CONTREFAIRE → FAIRE
CONTREFORT → FORT

CONTREPARTIE → ① PARTIE

CONTREPÈTERIE n. f. est dérivé (v. 1582) du moyen français *contrepeter* (1466) «rendre un son pour un autre, équivoquer» d'où «contrefaire». Ce verbe, selon Bloch et Wartburg, serait composé de *contre** et de *péter**, mais P. Guiraud préfère voir dans l'élément *-péter* une variante de *piéter* (de *pied**) : *contrepéter* signifie, selon lui, proprement «prendre le contre-pied de» (de là, la locution angevine *à la contrepétasse* «à l'envers»). Au XVIe s., le nom savant de la contrepèterie était d'ailleurs *antistrophe* (du grec : «se retourner contre»); c'est bien ce qu'est la contrepèterie, où l'interversion de deux sons (voyelles ou consonnes), entre deux mots, transforme le sens d'une phrase, en général vers l'obscénité et la scatologie (d'où l'interprétation par *pet,* qui a dû jouer très tôt).

♦ Le mot désigne une permutation de sons, lettres, syllabes dans un énoncé de manière à obtenir un autre énoncé de sens cocasse.

▸ **CONTREPET** n. m., dérivé régressif (1947) de *contrepèterie,* serait à interpréter, selon Guiraud, comme un *contrepied.* Le mot désigne la technique des contrepèteries.

CONTREPIED → PIED
CONTREPOIDS → POIDS
CONTREPOINT → POINT
CONTRESENS → SENS
CONTREVENIR → CONTRAVENTION
CONTREVENT → VENT

CONTRIBUER v. tr. ind. est emprunté (1340; dès 1309, selon Bloch et Wartburg) au latin impérial juridique *contribuere* «apporter sa part», composé de *cum* (→ co-) et *tribuere,* dérivé de *tribus* (→ tribu) au sens propre «répartir entre les tribus», spécialisé en parlant de la répartition de l'impôt.

♦ Le mot, construit avec un complément en *à,* exprime le fait de payer sa part d'une dépense ou d'une charge commune. Par extension, il signifie «avoir part à un certain résultat» (v. 1580). La construction transitive directe, usuelle en moyen français au sens de «donner, faire parvenir» (1460) et employée jusqu'au XVIIe s. au sens «apporter pour sa part» (apparu au XVIe s.), est sortie de l'usage.

▸ L'ancienne signification juridico-économique s'est mieux maintenue dans les dérivés. **CONTRIBUABLE** n., autrefois adjectif (1401), est devenu très courant dans la langue moderne pour «personne assujettie à l'impôt» (1581). ◆ **CONTRIBUTIF, IVE** adj. (1594) est demeuré didactique, ainsi que le terme juridique **CONTRIBUTOIRE** adj. (1441, du latin *contributum*), d'où est tiré **CONTRIBUTOIREMENT** adv. (1804).

CONTRIBUTION n. f., emprunté (1317) au dérivé latin *contributio,* désigne à la fois la part à payer d'un impôt, d'un prélèvement fait par l'ennemi en temps de guerre et, au figuré (1580), la collaboration à une œuvre commune. ◇ Le sens explicite d'«impôt» est ancien (XIVe s., Oresme) mais ne se substitue à *imposition, taille,* etc. qu'au XVIIIe s. *Les contributions,* «les impôts», se répand sous la Révolution (*contributions directes, indirectes,* sont dans le dict. de l'Académie en 1835). La métonymie pour «administration fiscale» a été précédée par l'expression *Contributions publiques,* nom du ministère des Finances en 1790. ◇ Avec sa valeur la plus générale, le mot, depuis 1905, désigne spécialement, dans les titres d'ouvrages, une étude complémentaire sur un sujet. ◇ La locution ***mettre à contribution*** (1671), relative à la levée d'un tribut de guerre, a connu la même extension que le substantif.

◈ voir ATTRIBUER, DISTRIBUER, RÉTRIBUER.

CONTRISTER → TRISTE

CONTRIT, ITE adj. est emprunté (v. 1174) au bas latin *contritus,* participe passé adjectivé du latin classique *conterere* «broyer» d'où, au figuré, «user, consumer» au physique et au moral. Le verbe est le composé d'aspect déterminé en *cum* (→ co-) de *terere* «frotter pour polir, de manière à user» (→ térébrant). *Contritus,* «usé, banal», s'est spécialisé en latin ecclésiastique au sens moral d'«accablé à l'idée d'avoir péché».

♦ Apparu avec le sens religieux latin, le mot s'est laïcisé avec le sens de «qui regrette une erreur commise» (v. 1360). Par métonymie, il qualifie une attitude, une voix, une physionomie exprimant le repentir (av. 1695; de nouveau 1830).

► Le nom correspondant **CONTRITION** n. f. (v. 1120) a d'abord été emprunté au bas latin *contritio* avec son sens étymologique d'«action de broyer, de détruire», disparu au XVIe siècle. Il a repris (v. 1200) sa spécialisation ecclésiastique de «regret d'avoir péché» et s'est laïcisé (1393) pour «remords, repentir».

CONTRÔLE n. m. est formé (1367) de *contre** et de *rôle** au sens juridique de «registre», pour remplacer *contrerole,* écrit (1242) *contrerooulle* emprunt au latin médiéval *contrarotulus* (1242), de *contra* et *rotulus* (→ rôle). La forme moderne (1422, *controlle;* 1611, *controle;* XVIIIe s. avec accent) résulte d'une superposition syllabique — observable aussi dans *idolâtre* — et a éliminé *contre-rôle* vers 1732.

♦ Le mot désigne proprement un registre (rôle) tenu en double, l'un servant à vérifier l'autre (d'où *contre*). Le français moderne garde trace de cet ancien sens dans le terme militaire *contrôle* (1802) «état nominatif des personnes qui appartiennent à un corps». ◇ D'après la fonction de vérification du registre, le mot a pris, par métonymie, son sens moderne de «vérification» (d'actes, de droits, de documents) [1419]. ◇ Par extension, il s'est répandu dans l'usage général avec le sens figuré de «surveillance» (v. 1580). Par métonymie, il désigne le moyen d'opérer une vérification en orfèvrerie, soit le poinçon appliqué sur tous les ouvrages d'or et d'argent avant leur mise en vente (1771); il s'applique parfois au lieu où s'opère une vérification (1835, en parlant des billets de théâtre) et à l'ensemble des contrôleurs de l'administration (1845). ◆ Sous l'influence de l'anglais *control,* il est employé à propos de la vérification du bon fonctionnement d'un appareil. Cette influence est responsable du second sens de *contrôle,* apparu au XXe s., «maîtrise de soi-même» (de l'anglais *self-control*) et «maîtrise de qqch.». ◇ **SELF-CONTROL** n. m. est lui-même passé dans l'usage courant (1883) où, critiqué, il subit la rivalité de *sang-froid.* ◇ L'anglais **BIRTH-CONTROL** (1914), parfois utilisé en français, a été traduit en *contrôle des naissances* (1933) avant d'être supplanté par *contraception.*

► Le dérivé **CONTRÔLER** v. tr., précédé par le latin médiéval *contrarotulare* (1298), a suivi l'évolution graphique du nom, de *contre roller* (v. 1310) à *controoler* (1446) et enfin à *contrôler* (1563; 1740, avec accent). ◇ Le sens premier, «vérifier des comptes au moyen d'un second registre», a disparu au profit du sens aujourd'hui courant (1437) «soumettre à une vérification». En procèdent une extension figurée pour «vérifier, critiquer» (1541) et une spécialisation en orfèvrerie (1740). ◇ La valeur de «maîtriser, dominer», attestée en 1662 (Pascal), a été reprise au XXe s., notamment dans *se contrôler* (1910) et dans *contrôler ses nerfs* (1915). ◇ L'influence de l'anglais se fait sentir sur les sens «avoir sous sa surveillance» (1895) et «être en mesure de déclencher, d'arrêter, de régler (un phénomène, un processus)». ◆ Du verbe sont dérivés les adjectifs **CONTRÔLÉ, ÉE** p. p. et **CONTRÔLABLE** (1900). ◇ Ils ont été précédés par les préfixés en *in-*, **INCONTRÔLÉ, ÉE** adj. (1794) et **INCONTRÔLABLE** adj. (1819; une fois en 1614, sous la forme archaïque *inconterrolable*), ce dernier employé depuis 1926 au sens de «que l'on ne peut maîtriser» d'après l'anglais *uncontrolable.*
Le verbe a aussi produit de bonne heure **CONTRÔLEUR, EUSE** n., d'abord *countreroullour* (1292) et *contrerollour* (v. 1310; forme encore attestée en 1660), puis *controlleur* (1320). Le mot a été précédé, comme *contrôle* et *contrôler,* d'une forme latine médiévale *contrulator* (v. 1290). ◇ Son évolution l'a mené de «personne qui tient un registre» à «personne chargée d'une vérification», réalisé dans certains titres (1379, *contrôleur général*). Aussi employé adjectivement (1400), il a reçu le sens figuré de «personne qui surveille de façon malveillante» (v. 1460).

CONTROVERSE n. f., d'abord *controversie* (1236), forme encore attestée en 1637, puis *controverse* (1285), est emprunté au latin *controversia* «discussion, débat» et, dans une discussion juridique, «litige», dérivé de *controversus,* de *contra* (→ contre) et *versus* «tourné» (→ vers, prép.), littéralement «tourné vis-à-vis» d'où «discuté».

♦ Le mot désigne une discussion argumentée, une contestation sur une opinion et, par métonymie, l'ensemble des éléments contradictoires du débat. Il s'est spécialisé en théologie en parlant d'un débat sur les points litigieux de la doctrine (1636).

► Le dérivé **CONTROVERSISTE** n. m. (1630), créé en théologie, réalise aussi le sens général de «personne habile à débattre» (1843), vieilli et remplacé par l'anglicisme *débatteur (debater).* ◆ **CONTROVERSER** v. tr. (1579), emprunté au latin *controversari,* s'emploie surtout à la voix passive, en général et dans sa spécialisation religieuse (1610).

CONTUMACE n. f. est emprunté (1268) au latin *contumacia* «entêtement» (des animaux, des hommes), «fierté» (en bonne comme en mauvaise part). *Contumacia* est lui-même dérivé de l'adjectif *contumax* «fier, obstiné», ancien terme de la langue rurale appliqué à un animal, étendu aux êtres humains et spécialisé dans le langage juridique au sens de «réfractaire», *contumacia* s'appliquant spécialement à l'absence obstinée d'un prévenu. Les Anciens rapprochaient *contumax* soit de *contemnere* «mépriser» (→ contempteur), soit de *tumere* «gonfler (sous l'effet de l'orgueil)» (→ tumeur).

♦ Le mot, introduit simultanément au sens de «désobéissance» et au sens juridique de «non-comparution du prévenu devant le tribunal», n'a gardé que ce dernier après le XVIIe siècle. La locution ***par contumace*** (1536) «en l'absence de l'accusé» employée dans la procédure, donne lieu à un emploi métaphorique dans le style littéraire.

► **CONTUMAX, CONTUMACE** adj., réfection de *contumaus* (XIIIe s.), est emprunté au latin *contu-*

max. Il a pris la forme en *-ax* par conformation au latin et la forme en *-ace* par adaptation. Le sens psychologique, «opiniâtre, rebelle», a disparu au XVIIe siècle. Le sens juridique de «qui a refusé de comparaître en justice» (1381) est appuyé sur *contumace* n. f.

CONTUSION n. f. est emprunté (1314) au latin *contusio* «action de meurtrir, de broyer», formé sur le supin *contusum* de *contundere* «frapper, écraser, meurtrir», composé d'aspect déterminé en *cum* (→ co-) de *tundere.* Ce verbe, qui signifie «battre à coups répétés avec un instrument non tranchant» d'où «écraser», appartient à une racine *°(s)teu-* «heurter» qui apparaît dans le sanskrit *tudáti* «il heurte», le gotique *stauta* «je heurte», le grec *tuptein,* le latin *stupere* (→ stupeur), *stuprum* (→ stupre).

♦ *Contusion,* apparu comme terme de chirurgie, est entré dans l'usage courant au sens métonymique de «lésion provoquée par un choc, sans déchirure de la peau» d'où «impression de coup reçu».

▸ Le nom a produit le verbe **CONTUSIONNER** v. tr. (1819), déjà annoncé par **CONTUSIONNÉ, ÉE** adj. (1672), et le terme médical **CONTUSIF, IVE** adj. (1835). ◆ **CONTUS, USE** adj., emprunté (1503) au latin *contusus,* s'est maintenu à côté des précédents dans la langue médicale. ◆ Le français possédait déjà **CONTONDRE** v. tr. (v. 1430), représentant du latin *contundere,* utilisé aux XVe-XVIe s. et repris au XIXe s., mais peu usité. ◇ Son participe présent adjectivé **CONTONDANT, ANTE** (1503) est employé dans *arme contondante, objet contondant,* à propos d'un outil ou d'une arme qui meurtrit sans couper.

CONVAINCRE v. tr. est emprunté (v. 1174), avec adaptation d'après *vaincre,* au latin *convincere,* de *cum* (→ co-) et *vincere* (→ vaincre), juridiquement «prouver la culpabilité de» et «dénoncer (une faute, une erreur)», «prouver victorieusement contre qqn que».

♦ Le mot a été introduit en procédure dans la construction *convaincre qqn de qqch.* (par latinisme), «amener qqn à reconnaître sa culpabilité». Son emploi figuré au sens de «dénoncer (qqch.)» (1541, Calvin) est sorti d'usage et le verbe s'est orienté vers l'idée d'«amener (qqn) à reconnaître qqch. comme vrai» (1657, Pascal, *De l'art de persuader*).

▸ Au XVIIe s., les participes présent et passé du verbe ont été adjectivés, **CONVAINCANT, ANTE** (1633, 1618 écrit *convainquant*) avec une valeur active, **CONVAINCU, UE** (1677) avec une valeur passive. Sous l'influence de *conviction, convaincu* est employé spécialement (1823) au sens de «plein de la conviction d'une chose» *(air convaincu),* parfois substantivé *(prêcher un convaincu;* cf. *converti*).

CONVICTION n. f. est emprunté (1579) au latin chrétien *convictio* «démonstration convaincante» et «fait d'être convaincu», dérivé du supin *(convictum)* de *convincere.* ◇ Le mot a d'abord été employé, en relation avec l'ancien sens de *convaincre,* dans le domaine juridique au sens d'«action de prouver la culpabilité de qqn» (1579) et «preuve de culpabilité» (1623). Il est passé dans l'usage général avec le sens de «certitude, assurance» (1688), resté vivant et réalisé au pluriel dans le domaine des opinions politiques, des croyances religieuses (v. 1860). ◇ Il reste une trace de son ancien sens juridique dans la locution ***pièce à conviction*** (1825; en remplacement de *pièce de conviction,* 1790), qui n'est plus analysé.

CONVALESCENCE n. f. est emprunté (1355) au bas latin *convalescentia,* dérivé de *convalescens,* participe présent du verbe classique *convalescere* «prendre des forces», d'où «guérir». Celui-ci est le composé d'aspect déterminé en *cum* (→ co-) de *valere* «être fort» et, par suite, «être bien portant» (→ valétudinaire, valoir).

♦ Le mot a signifié jusqu'au XVIe s. «bonne santé». Il s'est fixé avec son sens actuel de «période de transition entre la fin d'une maladie et le retour à la santé» (1455), par retour au sens du latin. Par extension, il est quelquefois employé dans le langage soutenu au sens métaphorique de «période d'amélioration après un mal».

▸ **CONVALESCENT, ENTE** adj. et n., emprunté (XVe s.) au latin *convalescens,* a été employé de façon isolée en moyen français; il a été repris et répandu au XVIIe s. comme nom (1690) et comme adjectif (1628), aussi métaphoriquement.

CONVECTION n. f. est dérivé (1877) du latin *convectum,* de *cum* et supin du verbe *vehere* «transporter» → véhicule.

♦ Ce mot de physique désigne le mouvement d'un fluide, dû à une variation de température et, en météorologie (1926), le mouvement vertical d'une masse d'air.

▸ À partir du radical ont été formés **CONVECTIF, IVE** adj. (1911) et **CONVECTEUR** n. m. (1901, H. Poincaré, au sens général), appliqué plus tard (1959) à des appareils de chauffage.

CONVENIR v. tr. ind. est issu (1050) du latin *convenire,* de *cum* (→ co-) et *venire* (→ venir). À côté de son sens propre de «venir ensemble, se réunir» (conservé dans ① *convention**), le verbe a développé le sens abstrait de «s'entendre avec, tomber d'accord sur» (d'où l'emploi de la forme impersonnelle *convenit ut* pour «il est convenu que»).

♦ Le verbe a repris au latin l'emploi de la forme impersonnelle *il convient* «il est expédient que». Dès le XIIe s., il signifie «être approprié à, convenable pour» (v. 1120) et, spécialement en emploi absolu, «être conforme aux usages». ◇ Construit avec un nom de personne, il tend à passer de «être approprié à la situation de qqn» à «être agréable ou utile à», avec une notion d'agrément, réalisée jusque dans l'emploi de *se convenir* en parlant de deux personnes éprises (1762), nuance disparue aujourd'hui. ◇ Au XIIIe s. est apparu le sens de «reconnaître la vérité de, tomber d'accord sur» et, avec un sujet au pluriel, «s'accorder sur» (complément introduit par *de*). Dans ces deux sens, la règle traditionnelle qui commande l'emploi de l'auxiliaire *être* souffre de très nombreuses entorses, y compris à l'écrit. Un sens ultérieur (1538), «correspondre à, concorder» (en parlant de deux choses), n'a pas vécu. ◇ Quant au sens propre latin, «s'assembler, se réunir» (1283), malgré la spécialisation juridique, «faire comparaître en justice» (1432) et le soutien de ① *convention*, il s'est éteint à l'époque classique.

▶ **CONVENANCE** n. f. (fin XIIe s.) est dérivé de l'ancien français *co(n)-venant* «entente mutuelle sur un certain sujet, accord», participe présent substantivé de *convenir*. Il est formé avec un suffixe *-ance*, d'après le latin *convenientia* «accord parfait, harmonie». Apparu avec le sens ancien de «pacte» (attesté jusqu'en 1688), *convenance* a acquis (1504) celui de «conformité entre deux choses», fortement concurrencé depuis par *concordance* et *correspondance*. La locution ***mariage de convenance*** (1798) se rattache originellement à cette acception mais elle est aujourd'hui tombée dans l'attraction du sens moderne dominant, «fait de se conformer aux usages» (1740), qui a une extension métonymique en «règle du bon usage» (1762, *les convenances*). L'idée de «ce qui est approprié à qqn» se maintient encore dans la locution ***à la convenance de*** (v. 1790), «à la commodité particulière de», et l'expression ***convenance personnelle***. ➛ Le mot s'est doté de deux antonymes, **DISCONVENANCE** n. f. (1488) et **INCONVENANCE** n. f. (1573), qui se partagent entre l'expression de ce qui ne convient pas et, surtout, celle de ce qui est contraire aux usages.

CONVENABLE adj. (v. 1160), proprement «qui convient» et, en parlant d'un homme, «qui convient à sa mission, accompli» (v. 1170), a reçu à l'époque classique le sens moral de «conforme à la bienséance» (1611), qualifiant aussi une personne «comme il faut» (1803). Par affaiblissement du sens initial au XXe s. l'adjectif qualifie ce qui est acceptable *(un repas, un film convenable)*, par la même extension que *correct* et *décent*. ◇ Le dérivé **CONVENABLEMENT** adv. (fin XIIIe s.) est aujourd'hui fréquent avec le sens affaibli de l'adjectif *(manger, être logé... convenablement)*. ◇ L'antonyme préfixé **INCONVENABLE** adj. (1381) a vieilli et a été éliminé (déb. XIXe s.) par *inconvenant* (ci-dessous). ➛ **CONVENANT**, le participe présent adjectivé (v. 1275), a lui aussi régressé au profit de *convenable*, avant d'être réintroduit en droit (1640) comme substantif, par emprunt à l'anglais *covenant* «accord, alliance», lui-même repris de l'ancien substantif français de même sens (v. 1150). Cette acception a disparu elle aussi sauf dans l'expression ***bail à convenant*** (1845, en Bretagne). ◇ Son antonyme **INCONVENANT, ANTE** adj. (1790) est devenu courant et a supplanté le doublet **DISCONVENANT, ANTE** adj., formé sur la participe présent de **DISCONVENIR** v. tr. ind. (1561), représentant le latin *disconvenire*. ➛ **CONVENU, UE** adj. (1483), adjectivation du participe passé, signifie «assigné par un accord»; il a développé d'après *conventions* la valeur morale péjorative (v. 1890) de «conforme aux conventions, artificiel» qui le rapproche de *conventionnel*. ◇ Son ancien emploi substantivé au féminin, **CONVENUE** «situation, affaire» (XIIIe s.), spécialement «bonne fortune, profit» (1530), a disparu alors que son contraire **DÉCONVENUE** n. f. (v. 1170), «malheur, insuccès», vieilli au XVIIe s., a été repris avec la valeur affaiblie de «désappointement» (1822, Stendhal), demeurée très vivante.

◈ voir ① et ② CONVENTION, COUVENT, INCONVÉNIENT.

CONVENTICULE n. m. est emprunté (1384) au latin *conventiculum* «petite réunion», souvent péjoratif, diminutif de *conventus* «assemblée, réunion» (→ couvent).

♦ Le mot, qui a gardé le sens et la valeur péjorative du mot latin, est peu répandu. Par ironie, il a été appliqué au XIXe s. à un petit groupe obscur d'hommes de lettres et d'artistes (1826, Balzac).

① **CONVENTION** n. f., d'abord *convencion* (1456-1467), est emprunté au latin *conventio*, dérivé du supin de *convenire* (→ convenir) avec le sens propre d'«assemblée» (cf. ② *convention*, pour l'autre valeur du latin).

♦ Le mot, introduit au sens latin d'«assemblée», n'a pas réussi à s'imposer durablement au-delà du XVIe siècle. ◇ Il a été repris en 1688 en politique anglaise comme calque de l'anglais *Convention* «assemblée extraordinaire du Parlement anglais» (1660), mot de même origine. Il désigne en politique américaine une assemblée chargée d'établir une constitution (1777) d'après l'anglo-américain *convention* (1720). ◇ Ces deux emplois ont préparé son acclimatation en politique française au début de la Révolution (1789). Il désigne alors l'Assemblée qui a dirigé la France de 1792 à 1795 (décret du 10 août 1792). ◇ Un nouvel emprunt à l'anglo-américain concerne le congrès d'un parti américain en vue de désigner un candidat à la présidence et à la vice-présidence (1866). Ce sens tend à être appliqué par américanisme à la vie politique d'autres pays, et parfois de la France.

▶ ① **CONVENTIONNEL, ELLE** adj. et n. m. est apparu sous la Révolution (1792) pour qualifier ce qui se rapporte à la Convention nationale et désigner un membre de la Convention nationale (1795). À la différence de *convention*, ce mot est resté un terme d'histoire.

② **CONVENTION** n. f., d'abord *convencion* (av. 1350; 1268, d'après Bloch et Wartburg), est emprunté au latin *conventio, -onis* (→ aussi ① convention) au sens d'«accord de plusieurs parties sur un sujet précis».

♦ Le sens latin, passé en français, a connu une grande fortune dans le langage juridique et courant, notamment dans l'administration, la diplomatie et les accords internationaux *(Convention de Genève)*, les conditions de travail *(convention collective)*. Par métonymie, il désigne une clause dans un accord (1804). ◇ Le mot, à partir du XVIIIe s., se rencontre dans l'usage courant à propos de ce qui résulte d'un accord réciproque (av. 1703), par opposition à ce qui est naturel. En ce sens, on nomme *conventions* (au pluriel) ce qu'il est convenu de penser ou de faire dans une société donnée (cf. *convenances*), souvent avec une nuance péjorative, et on emploie la locution adjective ***de convention*** (1761).

◇ La philosophie et la science l'emploient spécialement au sens de «principe choisi pour la commodité d'une description».

▶ De *convention* dérivent directement **CONVENTIONNÉ, ÉE** adj. (1558) «qui a conclu une convention», repris au XXe s. en France à propos d'un médecin lié par un accord avec la Sécurité sociale (1952), et **CONVENTIONNEMENT** n. m. (1958), dans le même contexte. ➜ ② **CONVENTIONNEL, ELLE** adj. est emprunté (1453) au dérivé bas latin *conventionalis,* «résultant d'un accord réciproque» en droit. Il a suivi la même évolution que *convention,* passant de l'usage strictement juridique à l'usage général, pour «admis par l'usage en vertu de conventions» (1762, Rousseau), d'où par extension «habituel dans une société, un milieu donnés» et, péjorativement, «banal». Son emploi dans *armement conventionnel* est emprunté (1955) à l'anglais *conventional* «habituel, accoutumé», qui a reçu après la Seconde Guerre mondiale la valeur spéciale de «non atomique» (1952). ◇ De l'adjectif sont dérivés **CONVENTIONNELLEMENT** adv. (1636), au XXe s., **CONVENTIONNALITÉ** n. f. (1908) et les termes philosophiques **CONVENTIONNALISTE** adj., «qui considère la connaissance comme résultant de conventions», et **CONVENTIONNALISME** n. m. (av. 1922).

CONVENTUEL → COUVENT

CONVERGENT, ENTE adj. est l'adaptation (v. 1626) du latin scientifique *convergens* (1611, J. Kepler) «qui se dirige vers un point unique». Celui-ci est l'adjectivation du participe présent du bas latin *convergere* «se réunir en venant de plusieurs points», de *cum* «avec» (→ co-) et *vergere* «incliner, pencher vers, être sur son déclin». Ce verbe, qui semble surtout appartenir à la langue écrite (la langue parlée préférant *clinare*), est sans étymologie connue.

♦ Introduit en physique et employé dans la langue scientifique avec le sens de «qui tend vers un point unique» *(rayons convergents),* puis également «qui a la propriété de faire tendre vers un point les rayons lumineux» (1814, *lentilles convergentes*), le mot est passé dans l'usage général avec une valeur concrète et (1812) abstraite.

▶ **CONVERGENCE** n. f. (1671, en physique) présente la même évolution : adaptation du latin scientifique *convergentia* (1611, J. Kepler), il est entré dans l'usage courant (1816) puis, au XXe s., dans le langage des sciences naturelles et des sciences humaines (linguistique). Il est usuel au sens abstrait de «rencontre de causes, d'opinions, etc.», par opposition à *divergence.* ➜ **CONVERGER** v. tr., emprunté (1720) au bas latin *convergere,* se partage lui aussi entre sa spécialisation scientifique et son emploi courant (1803). ➜ Dans tous leurs sens, ces mots ont un antonyme préfixé en *di-* (→ divergent).

CONVERS → CONVERTIR

CONVERSER v. intr. est emprunté (v. 1050) au latin impérial *conversari,* proprement «se tourner *(versari)* vers» d'où «vivre avec, fréquenter, séjourner», composé de *cum* (→ co-) et de *versari,* forme fréquentative à valeur réfléchie de *vertere* «tourner» (→ verser, version).

♦ Le sens de «demeurer, vivre quelque part» et celui de «fréquenter qqn» (XIIe s.) étaient usuels en ancien et moyen français et sont attestés jusqu'au XVIIe siècle. ◇ Le verbe exprimait aussi l'idée de «circuler, aller et venir sur une même rivière, dans un même pays» (XIVe s.) et d'«avoir un commerce charnel avec qqn». Dans l'ordre du comportement, il était synonyme de *se conduire* (1545). ➜ Son sens actuel, «échanger des propos avec» (1690), s'est dégagé sous l'influence de *conversation,* en même temps que celui de «monologuer, dialoguer mentalement avec» (attesté aussi en 1690).

▶ Le participe présent adjectivé **CONVERSANT, ANTE** adj. (v. 1850) est resté rare.

CONVERSATION n. f. (v. 1160) est emprunté au latin impérial *conversatio* (de *conversari*) «fréquentation, commerce, intimité». Jusqu'au XVIIe s., le mot signifie «genre de vie, conduite» et «relation», s'appliquant, dans l'ancien droit, à la relation adultère (1845, *être surpris en conversation criminelle*). ➜ Cependant, dès 1537, il possède aussi le sens d'«échange de propos familiers», qui s'imposera. Généralement familière, la conversation a aussi été conçue par les précieux du XVIIe s. comme un genre littéraire noble, au sens d'«entretien savant». De là, l'emploi du verbe *converser* dans ce sens (ci-dessus). Depuis, le mot désigne spécialement un entretien entre personnes responsables, en petit comité et souvent à huis clos (notamment en diplomatie). Par métonymie, il concerne (1718) la manière de parler de qqn et ce qu'il dit (familièrement : ***avoir de la conversation***), ainsi qu'une assemblée de gens qui conversent. ◇ Par d'autres métonymies très spécialisées, le mot s'applique aussi à une pâtisserie, originellement dégustée dans les salons où l'on conversait, et, en art, à des tableaux de genre représentant une assemblée de gens qui bavardent, probablement d'après l'anglais *conversation piece.* ➜ D'après *conversation,* on a formé **CONVERSATIONNISTE** n. (1836), mot littéraire, et le familier **CONVERSATIONNER** v. tr. (1936, Céline). ➜ **CONVERSATIONNEL, ELLE** adj. (1902), rare au sens de «relatif à la conversation», est entré vers 1970 dans le langage de l'informatique, d'après l'anglais *conversational mode* «mode d'utilisation de l'ordinateur dans lequel l'utilisateur dialogue avec la machine» ; il y est substantivé (par ellipse de *mode*).

CONVERTIR v. tr. est emprunté très anciennement (av. 950) au latin *convertere,* composé d'aspect déterminé en *cum* (→ co-) de *vertere* «tourner» (→ version), «tourner, faire se tourner, changer entièrement» et spécialement en latin chrétien «ramener à de meilleurs sentiments, remettre sur la bonne voie».

♦ Le mot a été introduit avec le sens religieux d'«amener qqn à une religion», également (1080) à la forme pronominale. Par extension, il signifie «ramener qqn à une foi considérée comme vraie» (fin XIIe s.) et, laïquement, «rallier, faire adhérer à une opinion» (1458). ◇ Le sens concret, «changer une chose en une autre», apparu de bonne heure (v. 1120), tend à vieillir, excepté en parlant d'argent, d'une rente (1690), et en termes de logique (1690), de finances, de mathématiques (1872, *convertir une fraction*).

► Le participe passé **CONVERTI, IE**, substantivé (av. 1300) en parlant d'une personne amenée à une religion, est employé spécialement sous la Révolution pour désigner le nouvel adhérent à un parti ; au figuré, on emploie au XVIIIe s. (av. 1778) la locution ***prêcher un converti***. ◆ La plupart des dérivés se rattachent au sens concret du verbe : **CONVERTISSEMENT** n. m. (XIIIe s.) est strictement d'usage financier et **CONVERTISSEUR** n. m. (1530, formé sur le participe présent), «personne opérant des conversions religieuses», a changé d'emploi quand le mot s'est appliqué (fin XIXe s.) à des appareils techniques, en mécanique, meunerie, électricité, et en métallurgie où on parle aussi de **CONVERTISSAGE** n. m. (1929). ◆ L'adjectif dérivé **CONVERTISSABLE** (1390), attesté aux deux sens, et son antonyme **INCONVERTISSABLE** (1752) sont fortement concurrencés par les adjectifs **CONVERTIBLE** (1285, du latin *convertibilis*) et **INCONVERTIBLE** (1546, du latin *inconvertibilis*). Apparu en français avec le sens pris en latin chrétien, *convertible* est employé spécialement en logique (1370), en finance et en musique. Récemment, d'après l'anglais *convertible*, il qualifie un meuble (lit, etc.) que l'on peut transformer pour un autre usage. ◇ Son dérivé **CONVERTIBILITÉ** n. f. (1265 ; repris 1845) se rattache à sa spécialisation financière.

CONVERSION n. f. est emprunté (v. 1170) au dérivé latin *conversio* «action de se tourner, mouvement circulaire» et, spécialement, chez les auteurs chrétiens, «action de se tourner vers Dieu», «retour à la vraie foi» ; c'est également un terme de logique grammaticale. ◇ Le mot a eu en ancien français le sens d'«habitation» par confusion avec l'ancien sens de *conversation*. Il a également été introduit avec une spécialisation religieuse, laïcisée en «changement d'opinion» (av. 1752) ◇ Tout comme le verbe, il n'est plus guère employé au sens concret de «transformation d'une chose en une autre» (v. 1330 ; repris 1611) sinon dans quelques spécialisations apparues au XVIIe s. : en mathématiques (1636), logique (1662), finance et droit (1690). ◇ Le sens physique étymologique, «action de se retourner» (XIIe s. ; repris XIVe s.), n'est guère réalisé qu'en tactique militaire à propos d'un mouvement tournant circulaire. ◇ Il a produit en ce sens le verbe intransitif **CONVERSER** (1835). ◇ Par analogie, *conversion* s'est étendu ultérieurement au domaine de la navigation et du ski, désignant le demi-tour effectué sur place par un skieur. Au XXe s., il a été repris en psychanalyse dans la description de la somatisation d'un conflit psychique avec une valeur symbolique. Le terme religieux **CONVERS, ERSE** n. et adj. est emprunté (v. 1165) au latin chrétien *conversus* «converti», spécialement «celui qui s'est retiré du monde pour mener une vie plus religieuse» et «religieux, moine» (506), issu du participe passé de *convertere*. ◆ Par préfixation, on a fait **RECONVERTIR** v. tr. (1611), utilisé avec le sens religieux et repris au XXe s. en économie, et **RECONVERSION** n. f. (1874), lui aussi utilisé dans un contexte économique (dep. 1945).

CONVEXE adj. est emprunté (v. 1370) au latin *convexus* «courbe, bombé» (dep. Cicéron), souvent appliqué au ciel. Cet adjectif en *cum* «avec» (→ co-) est dérivé d'un °*vexus*, peut-être à rapprocher de *vexare* (→ vexer) malgré la grande différence de sens.

♦ *Convexe*, antonyme de *concave*, est employé spécialement en géométrie (*polyèdre convexe*, 1765).

► Il a produit le préfixé **BICONVEXE** adj. (1766 *bi-convexe*, d'Alembert) et fourni le premier élément des composés **CONVEXO-CONCAVE** et **CONVEXO-CONVEXE**. ◆ **CONVEXITÉ** n. f. est emprunté (1450) au latin impérial *convexitas*, dérivé de *convexus*.

CONVIER v. tr., d'abord *cunveer* (1125), *cunvier* (1160-1174), est issu du bas latin °*convitare* (XIe s., latin médiéval) «inviter à un repas, à une réunion». Lui-même résulte probablement du croisement de *invitare* (→ inviter) et de °*convivium* «festin» (→ convive).

♦ Le verbe signifie proprement «inviter à un repas» et, par extension, «à une réunion», et a reçu comme *inviter* un sens figuré, «inciter qqn à faire qqch.» (1160-1174), l'usage moderne imposant la construction *convier à* au lieu de l'ancienne, *convier de*. Celui-ci, au XVIIe s., a mis fin à l'emploi de la forme pronominale, *se convier de/à* «s'offrir à, se proposer de», et à *convier* n. m., substantivé au sens de «repas de fête».

► Le participe passé **CONVIÉ, ÉE** a été adjectivé et substantivé (1580) au sens d'«invité» sans connaître une expansion comparable à celle d'*invité* et surpassé par l'emprunt *convive*.

CONVIVE n. est emprunté (XVe s.) au latin *conviva* «invité d'un repas», dérivé de *convivere* «vivre ensemble» d'où «manger ensemble», de *cum* (→ co-) et *vivere* (→ vivre).

♦ Après un essai d'introduction au XVe s., *convive* s'est installé au XVIIe s. après la disparition de son homonyme *convive* «festin» (1165), emprunté au latin *convivium* «repas, festin» (→ convier).

► **CONVIVIAL, ALE, AUX** adj., d'abord *convival* (1612), est emprunté au latin impérial *convivalis*, *convivialis*, issu de *conviva*. ◇ Il s'est répandu sous l'influence de l'anglais *convivial*, de même origine, et a pris récemment, d'après *convivialité*, des connotations mélioratives que n'avait pas son emploi traditionnel. ◆ **CONVIVIALITÉ** n. f., apparu en 1816 dans un récit de voyage en Angleterre, est emprunté à l'anglais *conviviality* «goût des réunions et festins», dérivé de *convivial*. Il a été repris en 1973, dans la traduction d'un texte en anglais d'Ivan Illitch, au sens d'«ensemble des rapports entre personnes au sein de la société ou entre les personnes et leur environnement social, considérés comme autonomes et créateurs». *Convivial* et *convivialité* sont spécialement employés en informatique, en parlant d'un système informatique d'accès facile ; il s'agit alors d'un américanisme. ➝ **CONVIVIAT** n. m. (1825, Brillat-Savarin), «qualité de convive», resté à l'écart de la vogue de *convivial, convivialité,* a vieilli.

CONVOI → CONVOYER

◈ **CONVOITER** v. tr., d'abord *convoitier* (v. 1280), *convetier* (1289), est la réfection, par confusion de la première syllabe avec le préfixe *con-* (du *cum* latin) du plus ancien *coveiter* (av. 1155). Ce verbe est lui-même issu, par évolution phonétique, du bas latin °*cupidietare* «désirer ardemment», dérivé de °*cupidietas,* forme altérée — sur le modèle de noms abstraits comme *anxietas, medietas* — du classique *cupiditas* (→ cupidité).

♦ Le mot ne s'est pas éloigné du sens initial de «désirer avec avidité». Bien que qualifié de «vieux» en 1680, il s'est maintenu dans l'usage courant.

▸ En ont été dérivés **CONVOITISE** n. f. (v. 1150, *coveitise*), courant avec la même valeur péjorative que *convoiter,* **CONVOITEUR, EUSE** adj. et n., réfection (XVIe s.) de l'ancien français *covoitiere* (av. 1257), et demeuré rare. ◇ Ce mot a eu du mal à s'imposer : il a été repris au XVIe s. puis au XIXe s., mais a toutefois doublé l'adjectif **CONVOITEUX, EUSE,** d'abord *coveitus* (v. 1155) encore employé dans le style littéraire, probablement issu (vu l'existence de l'ancien provençal *cobeitos,* fin XIIe s.) d'un latin médiéval °*cupidietosus.* ◇ *Convoiteur* et *convoitise* ont conservé l'idée générale latine de «désir ardent» (avec une péjoration), tandis que les mots apparentés *cupide* et *cupidité* sont entrés dans l'usage commun avec la spécialisation de «désir de richesses, d'argent» déjà réalisée par les étymons latins.

◈ voir CONCUPISCENT, CUPIDE, CUPIDON.

CONVOLER v. intr. est emprunté (1417) au bas latin juridique *convolare* «se remarier», dans la formule *convolare ad secondas nuptias* «se marier une seconde fois» (VIe s., Code Justinien). Le sens en est proprement «voler ensemble», de *cum* «avec» (→ co-) et *volare* (→ voler).

♦ Le mot a été repris dans son acception juridique (*convoler aux secondes noces* traduisant littéralement la locution latine). Il n'est plus employé que plaisamment, dans la locution ***convoler en justes noces,*** et absolument *convoler* (1673, Molière), au sens de «se marier». ◇ Une remotivation, au sens de «se rendre en toute hâte quelque part» (1510) d'où, abstraitement, «passer à autre chose» (1636), est archaïque.

▸ Ni **CONVOLANT**, substantivation du participe présent (av. 1614), ni **CONVOL** n. m., déverbal désignant l'action de contracter un second mariage, ne se sont répandus.

CONVOQUER v. tr. est emprunté (v. 1355) au latin *convocare* «appeler, réunir ; faire venir à soi», de *cum* (→ co-) et *vocare* «nommer, appeler», lui-même dérivé de *vox* (→ voix).

♦ Le verbe, au sens propre, signifie «appeler à se réunir de manière impérative». Il a été repris au XIXe s. pour «inviter à venir près de soi» sans idée d'ordre ni d'autorité (1835). La langue littéraire l'utilise aussi, par retour au sens latin, au sens de «rassembler des choses abstraites» et, sous l'influence probable d'*invoquer,* de «faire intervenir (un thème, une idée) dans une œuvre» (XXe s.).

▸ Le dérivé français **CONVOCATEUR, TRICE** adj. et n. (av. 1755) est rare, sauf en emploi adjectif (1900) réservé au style administratif.

CONVOCATION n. f. est emprunté (1341) au latin *convocatio,* formé sur le supin de *convocare,* signifiant proprement «action de convoquer» ; il est plus courant dans le contexte écrit (*lettre de convocation,* 1693) et au sens métonymique de «feuille, acte par lequel on est convoqué» (1899).

CONVOYER v. tr., d'abord *conveier* (v. 1130-1160), est issu d'un latin populaire °*conviare,* de *cum* «avec» (→ co-) et du bas latin *viare* «faire route», lui-même dérivé de *via* (→ voie). ◈

♦ L'aire d'emploi du verbe s'est restreinte. Le sens propre de «conduire, accompagner» s'est limité à «escorter pour protéger un convoi militaire» (v. 1360). En ancien et moyen français, *convoyer* s'employait également dans les expressions *convoyer une lance* (dans un tournoi) et *convoyer des yeux* «suivre des yeux». Il avait aussi le sens figuré de «diriger, s'occuper de».

▸ Le déverbal **CONVOI** n. m. (v. 1165, *conveiz*), «fait d'accompagner qqn, qqch.», s'est également limité à certains emplois particuliers. Après avoir désigné un cortège (de grand personnage, de noces), il s'est restreint au transport d'un défunt à l'église et au cimetière (1538, surtout *convoi funèbre*). ◇ Plus couramment, il désigne (1680) l'ensemble des véhicules militaires ou des navires qui font route sous la protection d'une escorte armée. Par analogie, il se dit aussi (1825) de la suite de véhicules roulant ensemble sur une voie ferrée, alors synonyme de *train,* puis (1877) de tout groupe (véhicules, puis personnes) qui s'achemine vers une destination. ➝ **CONVOYEUR, EUSE** n. et adj., d'abord *conveiëor* (v. 1195) «celui qui accompagne, qui escorte», s'applique spécialement à un navire d'escorte (1777), puis à l'agent chargé de surveiller un transport de marchandises, matériel ou personnes (1907). Il désigne aussi (v. 1950) un transporteur automatique, tel un tapis roulant.

CONVULSER v. tr. et pron. est dérivé (1578) du radical du latin *convulsus* «arraché d'un bloc, ébranlé», spécialisé en médecine pour «pris de spasmes, contracté». Lui-même est le participe passé de *convellere,* composé d'aspect déterminé en *cum* (→ co-) de *vellere* «arracher, extirper, tirer». Ce mot appartient à une racine indoeuropéenne °*wel-* que l'on retrouve dans le gotique *wilwa* «pillard, rapine», un mot arménien signifiant «toison de laine», et peut-être dans le latin *lana* (→ laine).

♦ Le verbe est repris en médecine où, sous la forme du participe passé adjectivé *convulsé,* il s'applique à une personne contractée par des spasmes. Il est surtout fréquent à la forme pronominale (1808) en parlant d'une personne et, dans le style littéraire, en emploi métaphorique (1869).

▸ **CONVULSÉ, ÉE** a été aussi substantivé (v. 1877) au sens de «personne qui semble agitée de convulsions», à l'époque du développement de l'observation clinique de l'hystérie.

CONVULSION n. f. est emprunté (1538) au dérivé latin impérial *convulsio* avec sa spécialisation médicale de «crampe»; il est entré dans l'usage courant (av. 1654) désignant un mouvement violent et désordonné, prenant, au pluriel *convulsions*, la valeur figurée d'«agitation, trouble» (1661), spécialement en parlant des troubles politiques et sociaux qui agitent un État (1756). ◆ *Convulsion* a pour dérivé **CONVULSIONNER** v. intr. (1783), lequel est à l'origine de l'adjectif **CONVULSIONNAIRE** (1732), substantivé depuis 1754, et désignant alors les jansénistes fanatiques pris de convulsions sur la tombe du diacre Pâris (mort en 1727) au cimetière Saint-Médard à Paris.

CONVULSIF, IVE adj., formé sur le radical de *convulsion*, est plus ancien (1546) et reprend tous les sens du verbe. ◆ Il est à l'origine de **CONVULSIVEMENT** adv. (1803) et des termes médicaux **CONVULSIVANT, ANTE** adj. puis n. m. (1865), **ANTICONVULSIVANT, ANTE** adj. et n. m. (av. 1960) et **CONVULSIVOTHÉRAPIE** n. f. (1932).

COOL adj., n. m. inv. est un emprunt graphique et phonétique (1952) à l'anglais *cool*, anciennement *col* (v. 1000) «frais», appliqué à des personnes au sens de «calme, tempéré» (v. 1440) et «froid» (1593), à propos du caractère. Ce mot, qui correspond au moyen néerlandais *kol* (néerlandais *koel*), vient d'un germanique *°koluz*, dérivé de la racine *°kol-*, *°kal-* que l'on retrouve dans l'anglais *cold* «froid» et qui est d'origine indoeuropéenne (→ gel). Aux États-Unis, *cool* s'est spécialisé dans le vocabulaire du jazz par opposition à *hot* «chaud», en parlant d'un jazz calme, détendu (en 1947, Charlie Parker enregistra un disque intitulé *Cool Blues*).

♦ Le mot a été introduit par le vocabulaire musical en parlant d'une tendance nouvelle du jazz, succédant au bop, lancée par Miles Davis; *cool* est d'abord adjectif, puis (1954) nom. ◇ Par extension ou réemprunt, il est appliqué aux personnes et aux attitudes (v. 1970), emploi massivement répandu dans l'usage général, notamment chez les jeunes où il concurrence *relax (cool, Raoul !)*. L'expression *baba*-cool* est plus récente. ◇ Dans l'usage familier, à partir des années 1970-80, l'adj. *cool* s'emploie pour «agréable, bon, excellent», perdant tout rapport sémantique avec sa source anglo-saxonne.

COOLIE n., d'abord sous les formes *colles* (1638), *colys* (1668), *coulis* (1791) au pluriel, est d'origine incertaine : on peut l'identifier avec le bas gujrati et le marathe *kūli*, nom d'une peuplade du nord de Bombay dont les membres, paysans, pauvres, étaient réputés pillards. Les Portugais, qui attestent le mot dès 1554 comme ethnique, et dès 1581 au sens de «portefaix», l'ont véhiculé au sud de l'Inde et en Chine, parages où il a peut-être été emprunté par l'anglais (1609, comme nom ethnique; 1638, comme nom commun). La forme initiale *colles* (1638) est portugaise, les autres ont probablement été empruntées par l'intermédiaire de l'anglais *coolie*, emprunté au XIXe s. par écrit (1857).

♦ D'abord attesté comme nom d'une caste de la région de Gudjerat, à l'ouest de l'Inde, le mot, employé au sens de «porteur, travailleur chinois ou indien», peut aussi s'appliquer à une femme; il reste lié au colonialisme.

COOPÉRER v. intr. est emprunté (1470) au latin chrétien *cooperari* «faire qqch. conjointement avec qqn» (en parlant de Dieu, de la prière), composé de *cum* (→ co-) et de *operari*, forme déponente de *operare* (→ opérer).

♦ Le mot est introduit en théologie avec le sens de «répondre à l'action de la grâce par un effort personnel», d'abord au participe présent dans *grâce coopérante* «grâce qui se joint à l'effort personnel». Il est passé dans l'usage commun au sens laïc d'«opérer conjointement avec qqn» (1525).

▸ Son participe présent adjectivé **COOPÉRANT, ANTE**, apparu avant le verbe dans un contexte théologique, a été récemment substantivé (v. 1960) dans le cadre de la coopération économique et culturelle entre États : il est ainsi très courant en français d'Afrique. ◆ **COOPÉRATION** n. f. (av. 1435) a été emprunté comme terme de théologie au dérivé latin chrétien *cooperatio* «part prise à une œuvre commune» (en parlant de Dieu). ◇ Entré, comme le verbe, dans l'usage courant (1488), il a pris ultérieurement (1828) sa spécialisation économique par calque de l'anglais *cooperation*. Ce dernier est un terme employé par le réformateur Robert Owen (1771-1858) pour désigner sa méthode de gestion des entreprises, fondée sur la répartition du profit en fonction de la participation de chacun. Depuis 1965, le mot s'entend aussi de la politique par laquelle un pays apporte sa contribution au développement d'un autre pays, souvent décolonisé. ◆ **COOPÉRATIF, IVE** adj. est emprunté (1550) au bas latin *cooperativus*. Attesté une première fois en médecine dans le syntagme *cause coopérative* au sens ancien de «secondaire», il a été repris (1829) en économie politique, lors de la diffusion en France des idées de Robert Owen, par calque de l'anglais *cooperative* (1821). Son sens plus récent de «qui est prêt à donner sa contribution» (v. 1964) est également un anglicisme. ◇ Le féminin **COOPÉRATIVE** a été substantivé (1901) par ellipse de *société coopérative*, syntagme déjà ancien (1838), à l'exemple du modèle anglo-américain. Fondée en 1810 par R. Rapp à Harmonie (Indiana), la première coopérative fut rachetée en 1824 par R. Owen, parti aux États-Unis après l'échec de ses projets de «villages de coopération» en Angleterre (1817). En France, les entreprises coopératives sont apparues dans l'ambiance et sous l'influence du socialisme associationniste et parfois du christianisme social. La première *coopérative de production* a été fondée en 1834 par quatre ouvriers de Paris : l'Association chrétienne des bijoutiers en doré. Le mot et la notion se sont étendus à l'agriculture, au commerce. ◇ Sur le radical de *coopératif*, a été formé le terme économique **COOPÉRATISME** n. m. (1870) et, plus récemment, l'adjectif féminin a fourni **COOPÉRATIVEMENT** adv. (v. 1950). ◆ **COOPÉRATEUR, TRICE** n. et adj. (1516) est emprunté au latin tardif *cooperator* «personne agissant et travaillant avec une autre». Lui aussi introduit en théologie, notamment par la Réforme (1541, *coopérateur de Dieu*, Calvin), il s'est répandu au XIXe s. avec un sens général et s'est spécialisé au XXe s. en économie (1928), sous l'influence de l'anglais *cooperator* (1828-1830, époque de la publication, par l'économiste anglais W. King, du mensuel *The Cooperator* propageant les idées de R. Owen).

COOPTATION n. f. est emprunté (1639) au latin *cooptatio* «élection pour compléter un collège», dérivé de *cooptare* «choisir pour compléter un corps, un collège», de *cum* (→ co-) et *optare* (→ opter).

♦ Le mot est passé de l'idée d'«admission exceptionnelle d'un membre» à l'idée moderne (fin XIXe s.) de «nomination d'un nouveau membre par ceux qui font déjà partie du groupe».

▸ De *cooptation* a été dérivé **COOPTATIF, IVE** adj. (v. 1950).

COOPTER v. tr. est emprunté (av. 1721) au latin *cooptare;* son évolution est la même que celle de *cooptation.*

COORDINATION n. f. est emprunté (1361) au bas latin *coordinatio* «arrangement, agencement logique des parties d'un tout», de *cum* «ensemble» (→ co-) et *ordinatio* «mise en ordre», lui-même dérivé du supin de *ordinare* (→ ordonner).

♦ Le mot, qui désigne l'agencement des parties d'un tout selon un plan logique pour une fin donnée, est rare avant le milieu du XVIIIe s. (1762). Au XIXe s., il entre spécialement dans les syntagmes *coordination des mouvements* (1822) et, en grammaire, ***conjonction de coordination*** (1888).

▸ En ont été dérivés **INCOORDINATION** n. f. (1867), le terme de chimie **COORDINANCE** n. f. (1963; *coordinence,* 1953) et **COORDONNATEUR, TRICE** adj. (1863). Ce dernier, utilisé comme adjectif (1878) puis comme nom (av. 1892) en médecine, en parlant du système nerveux, est également employé en parlant d'une personne en termes administratifs ou politiques. ◇ On emploie aussi **COORDINATEUR, TRICE**, d'après le radical latin, tout en réservant à *coordonnateur* un sens plus fort, probablement sous l'influence du double sens d'*ordonner,* «mettre en ordre» et «donner des ordres».

COORDONNER v. tr. résulte de la soudure de *co-ordonner* (1771), composé de *co-** et d'*ordonner**, d'après *coordination.* Le verbe signifie «disposer des éléments en vue d'une fin» et, spécialement en grammaire, «relier à l'aide d'un mot coordonnant». ➝ Son participe passé adjectivé **COORDONNÉ, ÉE** est particulièrement pris, depuis 1967, comme synonyme d'*assorti* et substantivé, au pluriel, au sens de «tenue vestimentaire d'éléments assortis». ◇ L'antonyme **INCOORDONNÉ, ÉE** adj. (1882) est littéraire.

Le nom féminin **COORDONNÉES**, attesté dès 1754 comme terme de géométrie, est directement composé sur *ordonné(e).* Par analogie, il est employé en astronomie, géographie, et dans l'argot des grandes écoles, au sens d'«éléments permettant de situer précisément qqch., qqn». Ce sens est passé dans l'usage familier avant de devenir courant pour «éléments, adresse, téléphone, etc. permettant de retrouver, de joindre qqn» (mil. XXe s.).

COPAIN n. est la forme dénasalisée (1838) de l'ancien et moyen français *compain* (→ compagnon), déjà relevé après 1450 (Molinet) sous la forme *coppin.* Un exemple isolé (1708), avec un sens peu explicable, «homme grand, sot et niais», ne représente peut-être pas le même mot. La graphie actuelle s'est imposée définitivement au XXe s. au détriment de la forme *compaing* (1883), *compain* (1919).

♦ Le mot est un terme du registre familier désignant un bon camarade, avec une nuance affective qui le situe entre le simple camarade et l'ami. Il est parfois pris avec une idée péjorative de «complice» *(les copains et les coquins).* Il fournit (1895), comme *petit ami,* une désignation euphémistique d'«amoureux», «amant» mais, par ailleurs, s'oppose à *amoureux* dans la locution ***en copain.*** Il est employé comme adjectif attribut après des verbes d'état (notamment dans ***être copain-copain***).

▸ En sont dérivés le féminin **COPINE** (av. 1883), qui signifie aussi «petite amie, maîtresse», et également «homosexuel» dans l'usage des homosexuels (un dérivé péjoratif **COPAILLE** n. f. est à l'origine de *lope**), et, au XXe s., **COPINER** v. intr. (1774, répandu au XXe s. : 1928). ◇ *Copiner* est à l'origine de **COPINERIE** n. f. (1936) et **COPINAGE** n. m. (1960). Ces mots sont parfois employés par péjoration, en particulier en parlant de certains usages complaisants dans la presse *(spécial copinage).*

-COPE → SYNCOPE

COPEAU n. m. est attesté sous sa forme moderne seulement depuis 1680, après *coispel, cospel* (1170-1180) et *coipel* (1213), puis *coipeau* (1637; encore en usage dans le domaine normand). *Cospel* et *coispel* viennent probablement de formes diminutives en *-ellus* du latin *cuspis* «extrémité d'un objet pointu» pour le premier, et d'un collectif °*cuspia* pour le second. *Cuspis,* employé à propos de lances, d'épieux, est probablement un terme emprunté, comme beaucoup de noms d'armes.

♦ En français, on est passé du sens initial de «garniture à l'extrémité de l'étui d'un couteau», sorti d'usage au XVe s., au sens moderne d'«éclat de bois» attesté simultanément (1170-1180). La locution vieillie ***vin de copeaux*** «vin nouveau dans lequel on fait tremper des copeaux pour l'éclaircir», est attestée depuis 1600. ◇ Plus tard, *copeau* a pris quelques significations argotiques, par analogie de forme («langue», «crachat», 1880) et de valeur («chose insignifiante», dans l'argot des taxis «petite course», 1935).

COPIE n. f. est emprunté (XIIIe s.) au latin *copia* «abondance» (→ copieux) qui, au sens médiéval de «reproduction d'un écrit» (v. 1219), serait le déverbal du verbe dérivé *copiare* «reproduire (un écrit)» (v. 1330), à partir de l'idée de transcrire en quantité, multiplier. Cette hypothèse suppose que ce verbe ait existé au moins au début du XIIIe siècle.

♦ Le sens du latin classique, «grande quantité», encore attesté par Cotgrave (1611), est propre à l'ancien et au moyen français. Il a été éliminé par le sens du latin médiéval, «reproduction d'un écrit» (apr. 1250). Au XVIIe s., ce dernier a reçu une spécialisation en imprimerie, désignant le texte définitif destiné à la composition (1623); le mot s'est alors employé pour désigner la reproduction d'une œuvre d'art (1636) et, glissant de l'idée de «reproduction» à celle d'«imitation», l'imitation d'une œuvre littéraire (1690, *pâle copie*) s'appliquant par extension à une personne ressemblant à une autre par ses traits ou son attitude (av. 1680, La Rochefoucauld). ◇ Sa spécialisation scolaire pour «devoir qu'un élève remet à son professeur» (1828) a entraîné l'extension métonymique de «papier destiné à la rédaction» (1863). ◇ Son emploi, en parlant de l'exemplaire d'un film (1915), est peut-être né sous l'influence de l'anglais *copy* qui a en général le sens d'«exemplaire (d'un livre, etc.)», acception qui a existé en français pour *copie* (1666), mais ne s'est pas implantée. ◇ L'expression familière ***être en mal de copie***, dite d'un journaliste en manque de sujets d'articles, est attestée en 1918.

▸ **COPIER** v. tr. est emprunté (1339) au latin médiéval *copiare* «reproduire un écrit». Comme *copie*, il a connu une grande expansion au XVIIe s. pour «reproduire (une œuvre d'art)» (1636) et pour «imiter la nature» (1694), dans la théorie classique de l'imitation *(mimesis)*, ou «l'œuvre d'autrui» (1658), «les manières de qqn» (1656). Sa spécialisation scolaire (1863) réalise la valeur péjorative quelquefois attachée au mot, ici avec une idée de «fraude». ➛ **COPIEUR, EUSE** n. et adj. (av. 1488, *coppieur*) a eu en moyen français le sens de «moqueur, railleur», sorti d'usage au XVIe s., d'après les emplois correspondants de *coppier* «contrefaire par moquerie» et *coppieux* «moqueur, railleur», d'abord propres à l'Anjou puis répandus chez les écrivains comme Rabelais et d'Aubigné. Il a été repris péjorativement à propos de la personne qui copie servilement l'œuvre d'autrui (1884) et de l'élève qui copie frauduleusement (1953 dans les dictionnaires français; 1926 en Suisse romande), ses emplois neutres, notamment à propos d'une machine à reproduire les textes, sont rares et postérieurs. ➛ **COPISTE** n. (apr. 1450), «celui qui reproduit un écrit», tend, depuis l'invention de l'imprimerie, à prendre la même valeur péjorative, désignant l'imitateur d'autrui, le plagiaire (1644, Poussin).

RECOPIER v. tr. (1362), signifiant «copier une seconde fois» et plus souvent (1809) «réécrire, copier sa propre écriture» *(recopier au propre)*, a produit **RECOPIAGE** n. m. et **RECOPIEUR, EUSE** n. et adj. au XXe s., surtout en contexte scolaire. ➛ Les autres composés préfixés, **PHOTOCOPIER** v. tr. (1907; répandu v. 1960), **POLYCOPIER** v. tr. (1923) et **AUTOCOPIER** v. tr. (1922), sont contemporains de la grande expansion des techniques de reproduction. ◇ Ils ont été formés à la suite des composés de *-copie*, **PHOTOCOPIE** n. f. (1894), **POLYCOPIE** n. f. (1890) et **AUTOCOPIE** n. f. (1917), et ont donné à leur tour les noms d'appareils **PHOTOCOPIEUR, EUSE** n. (1966), **POLYCOPIEUSE** n. f. et **AUTOCOPIEUSE** n. f. (XXe s.).

L'anglicisme **COPYRIGHT** n. m. (1830) reprend l'anglais *copyright* (1767), littéralement «droit de copie», probablement d'après son emploi dans la terminologie américaine de l'édition (attesté 1788).

COPIEUX, EUSE adj. est emprunté (1365) au latin *copiosus* «riche, abondant en qqch.», employé au figuré en parlant d'un style, dérivé de *copia* «abondance, ressource, secours», spécialement (au pluriel) «forces militaires». *Copia* (→ copie) est dérivé de °*cops*, °*copis* (uniquement attesté à l'accusatif et à l'ablatif singulier) «abondamment fourni de, riche», lui-même rare et détrôné par le dérivé *copiosus*. °*Cops* est dérivé de *ops, opis* «abondance, richesses», «aide, assistance» (→ opulent), mot supplanté par *copia*.

♦ L'histoire du mot est celle d'une restriction de sens et d'usage. Seul le sens d'«abondant» s'est maintenu, sa spécialisation péjorative de «prolixe» (1549) ayant disparu. Le sens psychologique de «généreux» (notion liée à l'abondance) et l'emploi du mot avec un complément de détermination introduit par *de, en*, sont sortis d'usage.

▸ Outre **COPIOSITÉ** n. f., qui n'a pas vécu, *copieux* a produit **COPIEUSEMENT** adv. (XIVe s.), utilisé au propre et au figuré avec la valeur d'«intensément» (après des verbes exprimant l'ennui).

COPRAH n. m. est emprunté (1602) au portugais *copra* (1563), à son tour emprunté au malayalam (langue dravidienne du sud de l'Inde) *koppara*. Après la forme latinisée *copra* (1602, traduction de la version latine d'un texte portugais) et la forme francisée *copre* (de 1845 à 1892), c'est *coprah* (1869), sous l'influence de l'anglo-indien *coprah*, qui s'est imposé en français.

♦ Le mot désigne l'amande desséchée de la noix de coco, employée en pâtisserie et dont on extrait une huile pour l'alimentation, la fabrication du savon.

COPRIN → COPRO-

COPRO- est un élément préfixant tiré du grec *kopros* «excrément, fumier, étable». Ce mot, apparenté au mot de sens voisin *skôr*, génitif *skatos* (→ scato-), est le dérivé thématique d'un neutre indoeuropéen en °*r/n* conservé dans le sanskrit *śákr̥t, śakn-áḥ* et, probablement, le lituanien *šìkti* «déféquer».

▸ **COPROPHAGE** adj. et n. m. pl. est soit composé (fin XVIIIe s.) avec cet élément et l'élément *-phage**, soit emprunté directement au grec *koprophagos* «qui se nourrit d'excréments». ◇ En est dérivé **COPROPHAGIE** n. f. (1884), employé à propos des mœurs de certains insectes et d'une tendance pathologique humaine.

COPROLITHE n. m., composé (1845) avec l'élément *-lithe**, est employé en paléontologie pour désigner les excréments pétrifiés d'animaux fossiles et, en médecine (1929), à propos de matières fécales présentant des concrétions pierreuses.

COPROLOGIE n. f., formé (1842) avec *-logie**, dénomme l'étude des matières fécales en médecine et dans l'industrie des engrais.

COPROMANIE n. f., formé (1895) avec *-manie**, est un autre terme de psychopathologie humaine, quelquefois employé par métaphore pour caractériser le style d'un écrivain (L. Daudet l'emploie à propos de Zola, Goffin à propos de L. Bloy, de même que Claudel use de *stercoraire* à propos du roman policier).
COPROLALIE n. f. est formé (1885) de *copro-* et *-lalie*, du grec *lallein* «parler», pour désigner une tendance pathologique à la parole ordurière.
COPRIN n. m. est directement emprunté (1820) au grec *koprinos*, «qui vit dans les excréments», pour désigner un champignon comestible à feuillets noirs qui pousse sur des excréments, des matières organiques en décomposition.

COPULE n. f. est emprunté (1482) au latin classique *copula* «lien, union», spécialement «liaison de mots» et, en latin chrétien, «lien moral», «union dans le mariage», (→ couple) issu par composition d'un °*co-apula* dérivé en *cum* «avec» (→ co-) de *apere* «attacher» (→ apte).

♦ Le mot a eu le sens d'«accouplement charnel» qu'il a cédé à *copulation*. ◇ Il s'est spécialisé (1752) en logique linguistique en parlant du verbe d'un jugement exprimant une relation entre le sujet et le prédicat et d'un mot qui lie le sujet et le prédicat.

▶ Les autres mots du même groupe, si l'on excepte le terme de grammaire **COPULATIF, IVE** adj. (1370; XIVe s., en grammaire), emprunté au latin chrétien grammatical *copulativus*, ont tous trait à l'idée d'«union charnelle». ◆ **COPULER** v. intr. (1450) est emprunté à *copulare*, «s'unir charnellement» (chez les auteurs chrétiens), et **COPULATION** n. f. (1342) au dérivé latin *copulatio* pris au sens chrétien d'«union charnelle».

✳ ① **COQ** n. m., attesté dans le *Bestiaire* de Philippe de Thaon (v. 1121), est d'origine incertaine. On le considère classiquement comme une formation onomatopéique, attestée dès le VIe s. en bas latin sous la forme *coccus*. Mais l'onomatopée est plutôt celle du cri de la poule (→ coque), le latin ayant *cocococo* (Pétrone) pour le cri du mâle (cf. *cocorico*). P. Guiraud y voit plutôt un mot picard et anglo-normand, probablement issu du germanique *cocke* «tas» et croisé avec le latin *coccum* «couleur écarlate» (→ coccinelle, coque).

♦ *Coq* a supplanté l'ancien français *jal*, représentant du mot usuel latin *gallus*, qui s'est maintenu dans d'autres langues romanes (espagnol, italien *gallo*) [→ gallinacé], ainsi que des formes masculines correspondant à *poule*, tel *pouil* (dans *fier comme un pouil*, devenu par confusion ...comme un *pou*). ◇ Le sens premier, «mâle de la poule de basse-cour», a été étendu à d'autres mâles de gallinacés ou d'oiseaux : *cocq bruerece* (1317, en wallon) d'où *coq de bruyère, coq d'Inde* (→ dindon), *coq de roche*, etc. Quant au mâle de la poule, il est, sur le plan culinaire, moins utilisé que le poulet* (voir aussi *coquelet*, ci-dessous) mais donne lieu à des recettes spécifiques (*coq au vin*, notamment). ◇ Le mot a développé de nombreux emplois par comparaison avec l'un des attributs de l'oiseau : forme, couleur, cri, comportement. Il désigne en particulier toute représentation imagée de l'animal, du ***coq gaulois,*** emblème national de la France, par un jeu de mots latins sur *gallus* «gaulois» et *gallus* «coq», au ***coq du clocher,*** girouette formée par un coq représenté de profil. Il entre dans des comparaisons ***(rouge comme un coq),*** des locutions (***être comme un coq en pâte,*** 1672, avec un sens douteux, aujourd'hui «être bien traité, mener une vie douillette»), et des dénominations ironiques : ainsi, un homme se donnant des airs d'importance se voit taxer de *coq*, et plus précisément de ***coq de village*** (1549). La plupart de ces emplois sont péjoratifs, en référence à l'instinct de domination virile du coq. ◇ *Coq* a aussi reçu quelques sens spécialisés : il est employé en botanique (1393), où il donne son nom à une plante aromatique, probablement par déformation de l'ancien français *cost* (1150). Il est également employé en horlogerie (1641) pour un pont de balancier. ◇ Depuis 1924, il est employé en boxe dans ***poids coq,*** qui a remplacé l'anglicisme plus ancien *poids bantam*.

▶ Comme nom d'animal, le mot a produit les noms du jeune coq **COCHET** n. m. (déb. XIIIe s.), **COCHELET** n. m. (variante régionale du précédent) et, plus récemment (1790), **COQUELET** n. m.. Ce dernier est surtout utilisé à propos de l'animal destiné à être mangé; usuel dans la restauration, il y est plus valorisé que *poulet* et ne désigne pas toujours ce qu'il devrait, à savoir le jeune coq non châtré. ◆ **COQUARD** n. m., d'abord *quoquart* (v. 1300), est l'ancien nom du vieux coq, spécialisé aujourd'hui en «oiseau issu du croisement du faisan et de la poule». ◆ Le nom du coq demi-châtré est **COCÂTRE** ou **COQUÂTRE** n. m. (1450, comme adjectif; 1690, comme nom avec son sens moderne). ◆ Pour désigner le cri du coq, on a formé sur *coq* l'onomatopée **COQUERICO** (1547, *coquerycoq;* av. 1550, *coquelicoq*) refaite au XIXe s. en **COCORICO** (1862). ◇ *Coquerico* a servi à former le verbe **COQUERIQUER** v. intr. (1771; 1625, *coqueliquer*) avec la variante ancienne *coqueliner* (1752; 1611, autre sens), auxquels s'ajoute **COQUETER** v. intr., dès le XVIe s., «caqueter, de la poule», directement dérivé de *coq*.
Coq a aussi produit deux noms de métiers : le désuet **COQUETIER** n. m. «marchand d'œufs et de volailles en gros» (1307; aussi *coquassier*, 1546) et un nom plus récent, apparu dans le nord de la France, **COQUELEUX** n. m. (1876) refait en **COQUELEUR** (1935), «éleveur de coqs de combat».
D'autres dérivés font référence au comportement de l'animal et s'appliquent aux personnes : il s'agit de **COQUEBIN** n. m. (1425, *coquebert; cokebert,* au XIIIe s.) «jeune garçon naïf et niais», qui empiète sur les emplois figurés de *coquelet* et de *coquard*. ◇ **COQUET, ETTE** adj. et n., est un diminutif beaucoup plus courant de *coq*. Ce dérivé est enregistré en 1611 au féminin (**COQUETTE** n. f.) pour désigner une femme bavarde, une commère polissonne; son masculin *coquet* est attesté peu après (1643, Scarron) à propos d'un homme qui cherche à plaire, à séduire. Depuis, le mot a été utilisé au féminin (du XVIIe au XIXe s.) avec le sens péjoratif de «femme intrigante et frivole»; au théâtre, on appe-

lait spécialement ***coquette*** ou ***grande coquette*** le principal rôle féminin de séductrice et d'intrigante dans les comédies de caractère (Célimène dans *Le Misanthrope* et Elmire dans *Tartuffe* de Molière, Rosine dans les pièces de Beaumarchais). Au XVIIIe s., on appelait aussi *la coquette* la «mouche» que les élégantes se fixaient sur la lèvre. Dès 1643 (Scarron), le mot, adjectivé, qualifie celui ou celle qui cherche à plaire. ◇ Le sens moderne de *coquet,* «séduisant par sa mise, élégant» est apparu vers 1743; par métonymie, il qualifie un lieu, un objet et, par une extension analogue à celle de *joli, beau,* il prend la valeur intensive d'«important» *(somme coquette).* ◇ Il a lui-même produit **COQUETTEMENT** adv. (1770), **COQUETER** v. intr. (1611), «se pavaner, comme le coq parmi les poules» puis (1638) «faire des coquetteries, flirter» (aujourd'hui vieilli ou littéraire) et **COQUETTERIE** n. f. (1651). Ce mot est passé du sens de «souci de se faire valoir pour plaire notamment aux personnes de l'autre sexe» (1651) au sens plus courant de «goût de plaire par ses vêtements, sa mise» (1672). ➛ *Coq,* dans ses acceptions techniques, a produit le terme de botanique **COQUERET** n. m. (1545), d'après la couleur rouge de ce fruit (→ coquerelle, à coque), et son homonyme le terme d'horlogerie **COQUERET** n. m. (1804, à Neuchâtel). ➛ Quant à **COQUELOURDE** n. f., «anémone pulsatille» (1539), mot qui avait désigné en ancien français une personne niaise (1328) ainsi qu'un gobelet (XVe s.), il est difficile de dire s'il se rattache à *coq* ou à *coque* (pour *cloque**, à cause des variantes *herbe aux cloques, cloquelourde*). ➛ Le composé **COQ-À-L'ÂNE** n. m. est apparu au XVIe s. et vient de la locution *saillir du coq à l'âne* (1370), refaite au XVe s. en ***sauter du coq à l'âne.*** Au XVIe s., on a donné ce nom (1536) à une épître satirique et burlesque dont l'invention est attribuée à Marot (1531, *Épistre du Coq en l'Asne*).

◈ voir COQUECIGRUE, COQUELICOT.

② **COQ** n. m. est emprunté (1671) au néerlandais *kok* «cuisinier», à l'époque de la suprématie de la navigation hollandaise. Comme le français *queux* (1080, *cous;* XIIe s., *queu*), *kok* est issu du latin *cocus,* altération tardive de *coquus* «cuisinier», dérivé de *coquere* (→ cuire).

♦ *Coq* désigne le cuisinier à bord d'un bateau. À la différence de l'anglais *cook,* de l'allemand *Koch* et de l'italien *cuoco,* le mot et son doublet synonyme *queux* sont quasiment inusités (sauf plaisamment dans *maître-queux*) depuis la généralisation de *cuisinier.*

▸ **COQUERIE** n. f. (1831), dérivé de *coq* peut-être sous l'influence de l'anglais *cookery* «lieu où l'on cuisine» (XVIe s.), est un mot technique pour la cuisine aménagée dans un port, qui permet aux coqs de cuisiner pour l'équipage.

◈ **COQUE** n. f. (v. 1278) est d'origine obscure. L'hypothèse la plus communément admise est celle d'une évolution sémantique du latin impérial *coccum* qui désigne le kermès, cochenille parasite des rameaux de certains arbres, formant une petite excroissance globuleuse ressemblant à une graine; par analogie avec celle-ci, le mot aurait servi à désigner divers objets arrondis (→ coccinelle). Une seconde hypothèse fait venir *coque* du latin *cocca,* attesté au XIe s. au sens de «coupelle, vase hémisphérique» et considéré comme une altération graphique de *concha* (→ conque). Enfin, il ne faut pas exclure l'hypothèse d'une formation expressive selon laquelle *coque* serait l'onomatopée enfantine du cri de la poule et aurait servi à l'origine à désigner l'œuf (→ aussi ① coq).

♦ Le mot, désignation de l'enveloppe rigide de certains fruits (noisettes, etc.), s'est bientôt étendu à l'enveloppe calcaire de l'œuf (1306). L'usage a longtemps hésité entre *coque* et *coquille : coquille**, en parlant de l'œuf et des fruits, s'est imposé mais *coque* reste obligatoire dans ***œuf à la coque*** et possible dans ***coque de noix*** au sens figuré de «chose sans valeur», «petit bateau». ◇ Au début du XIVe s., le mot s'applique à un coquillage marin mais le contexte ne permet pas de dire s'il s'agit du coquillage que nous nommons encore ainsi (1751; peut-être 1611). ◇ Plusieurs sens analogiques sont apparus au XIXe s., notamment en habillement où *coque* désigne un ornement de vêtement ou de chapeau constitué de plusieurs nœuds (1828) et, en coiffure, une boucle de cheveux formée en coque (1832). ◇ À la même époque (1834), *coque* s'emploie à propos de la carcasse d'un navire, puis, par extension au XXe s., de celle d'autres véhicules : l'avion (1929) et l'automobile (1951), avec les composés *monocoque, multicoque.*

▸ **COQUETIER** n. m. (1524), avec intercalation d'un *t* d'après les suffixés dans lesquels le *t* appartient au radical, a évincé les formes légèrement plus anciennes *coquatière, cocatière* et la forme féminine *coquetière* (1558). Le mot désigne l'ustensile de table servant à manger les œufs à la coque et, par analogie, une chose ayant la même forme. ➛ **COQUETIÈRE** n. f. a été reformé (1786) pour désigner l'ustensile servant à cuire les œufs à la coque, et **COQUETIER** a été recréé au XXe s. avec le sens de «pêcheur de coquillages appelés coques». ➛ **COQUERELLE** n. f. (1600) se rattache peut-être en partie à *coq* comme terme de botanique (→ coqueret), mais procède certainement de *coque* pour son sens de «noisette dans sa capsule verte» auquel se rattache son emploi en héraldique (1673) pour une figure représentant trois noisettes dans leur capsule. ➛ Enfin, *coque* a fourni le second élément de plusieurs composés en botanique (*dicoque, tricoque, tétracoque, multicoque,* etc.).

◈ voir COCARD, COCON, COQUECIGRUE.

COQUECIGRUE n. f., apparu en 1532 chez Rabelais (au pluriel *coques cigrues*) qui l'emploie aussi dans *Gargantua* (1534) dans la locution ***à la venue des coquecigrues*** «jamais», est d'origine obscure. On y reconnaît peut-être les noms d'animaux *coq, grue,* voire le *ci-* de *cigogne.* Selon P. Guiraud, il viendrait de *coque* au sens de «coquille, objet sans valeur», synonyme du latin *ciccum* «pellicule de grenade, zeste» d'où «rien», et, pour la finale, de l'ancien français *gruer* «attendre» : une coquecigrue serait proprement «l'attente de rien». L'hypothèse d'une adaptation du latin médiéval *coccygna,* représentant le terme de botanique du latin classique ◈

coccygia désignant un arbre, n'est étayée par aucun fait précis.

♦ Le mot a désigné un oiseau imaginaire monstrueux. Comme *chimère*, il a reçu le sens figuré de «illusion, fantasme» d'où, spécialement, «baliverne» (avec une extension métonymique pour «personne qui raconte des sottises»). Il relève d'un usage archaïsant ou burlesque.

COQUELICOT n. m., d'abord *coquelicoq* (1545), *coquelicoz* (au pluriel, 1547), est la variante de l'ancien français *coquerico* qui est lui-même l'ancienne forme de *cocorico*, l'onomatopée du cri du coq. *Coquerico*, d'abord utilisé pour désigner le coq (1339) a aussi servi à désigner la fleur rouge des champs (XVIe s.) pour sa ressemblance avec une crête de coq.

♦ Le mot a repris et gardé le sens de «fleur rouge vif» qu'avait *coquerico*. Par comparaison ou métonymie, il est employé pour des objets caractérisés par leur rougeur, en particulier les joues et, en argot ancien, un œil poché par un coup de poing.

COQUELUCHE n. f. (1414) est d'origine obscure : on ne peut guère y voir une altération d'après *capuche** de l'ancien *coquille*, indirectement attesté au sens de «coiffe» par son dérivé *coquillier* (du XIIIe au XVIe s.), compte tenu de l'origine et de la date d'apparition de *capuche*. Il est cependant possible que *coqueluche* soit formé d'après *coque** ou *coquille**, mais au terme d'un processus inexpliqué.

♦ Le passage du sens ancien, «sorte de capuchon», au sens moderne de «maladie infectieuse caractérisée par un rhume, des maux de tête et par une toux tenace» (av. 1453) n'est pas plus clair que l'étymologie du mot : d'après les premiers témoignages, on peut supposer que le nom de la maladie lui vient de ce qu'elle s'en prend directement à la tête et que de nombreux malades se couvraient d'un capuchon, ou bien la sentaient lourde et chaude comme s'ils avaient porté un capuchon. En tout cas, une étymologie populaire est intervenue, appelant cette sorte de toux *chant du coq*. Quant à déterminer s'il s'agit bien, dès 1453, de la maladie infectieuse infantile que nous nommons *coqueluche* (clairement définie en 1792), cela n'est pas établi. Il semble que Richelet (1680) décrive bien la maladie moderne, alors également appelée *quinte*. ◇ À partir de 1625, le mot a développé le sens figuré de «personne dont tout le monde s'éprend» dans ***être la coqueluche de...*** (on disait aussi *prendre la coqueluche pour qqn* «en être amoureux»), sens où *coqueluche* signifie «capuchon» et qui procède du même emploi métaphorique que *être coiffé, toqué de* (cf. *coiffe, toque*).

▸ L'ancien sens de *coqueluche* s'est prolongé dans **COQUELUCHON** n. m. (fin XVe s.) «petit capuchon», quelquefois employé, après une description métaphorique de Buffon, à propos des plumes recouvrant la tête des oiseaux (fin XVIIIe s.). ◆ Le sens médical a produit **COQUELUCHEUX, EUSE** adj. et n. (1869), «atteint de la coqueluche».

COQUERET → coq

COQUET → coq

COQUILLE n. f., d'abord *corquille* (v. 1170) puis *coquille* (1267-1268), est issu d'un latin vulgaire °*conchilia*, neutre pluriel pris comme féminin du latin classique *conchylium* «coquillage» et «pourpre» en particulier. Le mot est emprunté au grec de même sens *konkhulion*, diminutif de *konkhê* (→ conque), et croisé avec le latin *coccum* (→ coque).

♦ Apparu avec l'ancien sens figuré de «chose sans valeur», *coquille* désigne proprement (1267-1268) un mollusque et sa coque. La dénomination particulière ***coquille Saint-Jacques*** s'explique par le fait que les pèlerins allant à Saint-Jacques-de-Compostelle fixaient une valve de ce coquillage à leur manteau et à leur chapeau (usage imité par ceux de Saint-Michel et par les *coquillards* [voir plus loin]). Comme *conque*, *coquille* désigne par métonymie le motif ornemental et architectural représentant une coquille. Par l'intermédiaire de locutions comme ***en coquille***, il s'est étendu à tout objet de forme analogue (1376 ; dès 1362, en latin médiéval *coquilhia*) et, par métonymie, à un mets servi dans une coquille ou dans un récipient creux portant ce nom. ◇ Moins par analogie de forme que de destination, *coquille* désigne un appareil de protection du bas-ventre dans les sports de combat. ◇ Dans le règne naturel, l'appellation s'est étendue à d'autres animaux que les mollusques (1393), puis, par confusion avec *coque**, aux œufs (1393) et aux enveloppes dures de certains fruits : il y est de moins en moins concurrencé par *coque*, qu'il a quasiment éliminé. ◆ Le sens figuré inattendu de «faute d'imprimerie» (1723) s'expliquerait soit par l'ancienne locution (1350) *vendre ses coquilles* «tromper» (en vendant des choses sans valeur), soit par allusion aux fausses coquilles Saint-Jacques de prétendus pèlerins ou, encore, à la forme de certaines lettres retournées ; aucune de ces explications n'est sûre.

▸ **COQUILLETTE** n. f. (fin XIIIe s.), employé en ancien français au sens de «petite coquille», a été repris (déb. XXe s.) à propos de pâtes en forme de petites coquilles creuses. ◆ Avec un autre suffixe, on a formé ① **COQUILLARD** n. m. (1455, *coquillar*). Historiquement, le mot désignait un mendiant qui se faisait passer pour un pèlerin de Saint-Jacques en fixant des coquilles à son vêtement. C'est peut-être là l'origine du nom donné aux malfaiteurs (XVe s.) appartenant à une bande ayant ses apprentis, son maître et son chef, nommé *Roi de la Coquille*. Entre autres méfaits, les coquillards mettaient en gage des bijoux truqués, c'est pourquoi on a aussi voulu voir dans leur nom un dérivé de *coquille* au sens de «chose fausse, tromperie». ◇ Un homonyme ② **COQUILLARD**, ancien nom de l'œil en argot (encore dans ***se tamponner le coquillard***, 1878), serait issu par métaphore de *coquille*. L'argotier Rigaud en fait une variante de *cocart-cocard* et certaines hypothèses le rattachent à d'anciens sens obscènes de *coquille* «membre viril» et «sexe de la femme». ◆ **COQUILLIER, IÈRE** adj. (1571), «en forme de coquille», assume également les sens de «qui contient des coquilles» (1752) et «qui concerne les coquillages comestibles». Il est substantivé au masculin pour une collection de coquilles (1743). ◆ **COQUILLAGE** n. m. (1573) fait défaut à sa vocation de collectif pour désigner, tout comme *coquille,* des mollusques (et par métonymie sa chair comestible) et la coquille seule, employée à des fins d'ornement. Il est devenu plus usuel que *coquille,* dans cet emploi. ◆ **COQUILLART** n. et adj. (1723) est le nom donné en géologie à un calcaire renfermant des coquilles fossiles. ◆ Le verbe **COQUILLER** v. intr. s'est dit (1845) d'un tissu formant des boursouflures, puis du pain, le mot demeurant technique. ◇ **COQUILLÉ, ÉE** adj. (XIXe s.) se dit seulement d'un tissu.

◈ voir COQUELUCHE.

COQUIN, INE n. et adj., apparu au XIIe s. comme nom (1174-1191) est d'origine obscure : il est en effet difficile d'envisager comme étymon l'adjectif latin *coquinus* «de la cuisine» qui aurait été substantivé au sens de «marmiton». Cette hypothèse est pourtant recevable d'un point de vue sémantique si l'on pense que l'ancien français *cuistron, coistron* désignait à la fois un marmiton et, par péjoration, un bâtard, mais elle ne repose que sur une attestation isolée de *coquinus* en un sens péjoratif (Plaute); en outre, le nom médiéval *coquinus* «mendiant» semble une latinisation du français. D'un point de vue morphologique, il faut ajouter que *coquin* supposerait une formation demi-savante, peu en accord avec les formations toutes populaires des mots français issus de dérivés du latin *coquere* (→ cuire). L'hypothèse soutenue par Wartburg d'une dérivation de *coq** fait difficulté d'un point de vue sémantique, et celle de *coque** pris pour *coquille** au sens de «mendiant, coquillard» pose un problème de chronologie.

♦ Quoi qu'il en soit, *coquin* est utilisé tout au long du moyen âge pour désigner un gueux, un mendiant, quelqu'un de très basse condition. Au XVIe s., toujours selon l'idée dominante d'une extrême pauvreté, il est employé au figuré pour désigner qqn ou qqch. qui manque de tout, ne possède rien en propre. Dès le XVIe s. (1548), il est aussi employé comme simple dépréciatif *(coquins de vieillards!)* et avec le sens moderne affadi de «celui qui a commis une petite faute, espiègle» (dans ***petit coquin,*** v. 1550). Ce sens semble avoir disparu de l'usage classique et avoir été repris au XXe siècle. ◇ Le XVIIe s. développe une conception différente du coquin, qui cesse de se caractériser par sa condition sociale pour se définir par des actions viles, infâmes (1611). Le passage de l'idée d'extrême pauvreté, de mendicité à celle de malfaisance est aussi réalisé par *truand**. *Coquin* fonctionne alors comme synonyme de *poltron* ou de *libertin,* et, au féminin, de *garce* avec des connotations érotiques (1611). Il entre dans la construction ***coquin de,*** servant à qualifier ce qui est jugé malicieux, avec une idée soit de séduction, soit de tromperie. Le sud de la France l'utilise en particulier dans la locution ***coquin de sort!,*** qui semble avoir vieilli. ◆ L'emploi adjectif de *coquin,* apparu vers 1547, suit l'évolution sémantique du nom : du sens premier de «digne d'un gueux», il passe dès le XVIe s. aux sens modernes de «enclin à la sexualité» (1548) et simplement «espiègle, malicieux» (v. 1550). ◇ En ce sens, le féminin *coquine* possède, plus que le masculin, une connotation d'«enjôleuse» sous l'influence de son emploi substantif, et par attraction de *coquette.*

▶ **COQUINERIE** n. f. (1330-1332) est passé de l'ancien sens de «mendicité» au sens moderne de «malice, fourberie» (1578) avec des connotations de tromperie ou de libertinage érotique. On rencontre parfois **COQUINISME** n. m., quasi-synonyme, de valeur plus active. **COQUINEMENT** adv. (1576) et **COQUINET, ETTE** n. (1761) sont peu usités.
Le composé **ACOQUINER** v. tr. (1530), de *a-* et *-coquin,* a eu, dans l'usage classique, le sens de «donner de mauvaises habitudes à qqn» (en construction transitive). L'usage moderne emploie surtout la forme pronominale, non plus au sens ancien de «vivre en concubinage», mais de «se lier à une personne peu recommandable» (1690). Ses dérivés **ACOQUINANT, ANTE** adj. (1762) et **ACOQUINEMENT** n. m. (1858 dans Richard de Radonvilliers) sont tombés en désuétude.

COR n. m., d'abord *corn* (1080), est issu du même mot latin que *corne**, mais celui-ci provient de *corna,* singulier collectif, réduction de *cornua,* pluriel neutre de *cornu,* alors que *corn* (plus tard *cor*) est issu du singulier individuel *cornu* «corne», d'où «objet en corne, en forme de corne», spécialement «corne du pied des animaux» et «instrument de musique à vent». La différenciation de sens s'est effacée, et *corne* et *cor* se sont trouvés en concurrence (cf. pour le même type de phénomène, *feuille* et *feuil* qui n'a survécu que dans *cerfeuil*).

♦ *Cor* a été supplanté par *corne* au sens de «corne d'animal». Cependant, la langue de la chasse, qui offre des archaïsmes remarquables, l'a conservé pour désigner les andouillers du cerf dans l'expression ***cerf dix cors,*** utilisée pour déterminer l'âge de l'animal (six ans, en l'occurrence). ◇ Le mot s'est en revanche maintenu au sens d'«instrument de musique» : il apparaît dans la *Chanson de Roland* pour désigner l'olifant de Roland, taillé en forme de corne et dans une «corne» (défense d'éléphant). Dans le vocabulaire de la chasse à courre, il a été éliminé par *trompe (de chasse),* mais la langue courante n'emploie guère que l'expression ***cor de chasse.*** De cet emploi vient l'expression usuelle ***à cor et à cris*** «à grand bruit». On notera l'emploi parallèle de *corne** pour des instruments qui servent de moyens d'appel. Dans des syntagmes, le mot désigne en outre plusieurs instruments de musique classique : ***cor d'harmonie*** (en *ut*), ***cor chromatique*** (en *fa*), appelé simplement *cor* dans les orchestres. ◇ ***Cor anglais*** ne désigne pas un cuivre mais un hautbois alto; il correspond à l'anglais *English horn* (1838), terme qui s'oppose à *French horn* «cor d'harmonie» et à l'italien *corno inglese;* l'origine de *cor anglais,* enregistré par Bescherelle (1845), n'est pas élucidée. ◆ Si la métonymie désignant la matière des cornes d'animaux s'est portée en général sur *corne, cor* est resté comme dénomination des indurations qui affectent les pieds (1575). Au total, *cor,* hors trois sens isolés, a été largement supplanté par *corne*.

◈ voir **CORON.**

CORAIL, AUX n. m., d'abord *coral* (av. 1150), puis *courail* (1328) avant *corail* (1416), est issu du bas latin *corallum*, altération du classique *corallium*. Ce dernier est un emprunt au grec *korallion* (également *kouralion* et *kôrallion*), mot lui-même probablement emprunté. On a proposé d'y voir une dérivation de *korê alos* «fille de la mer», par calque sémantique d'une expression indienne analogue ou bien un emprunt sémitique, sur la base du mot hébreu *gôrāl* «petite pierre». La forme française actuelle en *-ail* est une réfection de l'ancien *coral* à partir du pluriel en *-aux*, qui ne l'emportera définitivement qu'au XVIIIe siècle.

♦ Le mot désigne un organisme marin des mers chaudes qui sécrète un squelette calcaire arborescent, longtemps assimilé à tort à un végétal, et surtout, par métonymie, la matière calcaire qu'il sécrète, employée en bijouterie. Il est aussi employé (1549) comme nom de couleur, spécialement dans ***serpent corail***, elliptiquement *corail* (1775).

▶ Il a servi à former **CORAILLEUR, EUSE** adj. et n. (1679), «personne qui pêche le corail» et (1869) «bateau utilisé pour la pêche au corail», par ellipse de *navire corailleur* (1829). ◆ L'ancienne forme *coral* est à la base de l'adjectif littéraire **CORALLIN, INE** (1509), «rouge corail», et de **CORALLIEN, IENNE** adj. (1866), «formé de coraux». ◆ **CORALLINE** n. f. (1567), qui désigne une algue marine rouge à concrétion calcaire, est l'adaptation du latin scientifique *corallina* (1536), dérivé savant de *corallum*. Il est passé en chimie comme dénomination d'une substance colorante rouge (1835). ◆ **CORALINE** n. f. (1694) est un autre nom de bateau affecté à la pêche au corail.

CORAN n. m. est emprunté (XIVe s.) à l'arabe *qur'ān* «lecture», spécialement «la lecture par excellence, soit le livre sacré de l'Islam». Le mot est dérivé d'un verbe *qara'a* signifiant «lire, réciter». Le moyen français a eu la forme *alchoran* et *alcoran* (fin XVe s.), avec soudure de *al-* qui représente l'article arabe (→ alchimie, alcool, algèbre), peut-être d'après l'espagnol *alcoran* (XIIIe s.). Par suppression de *al-*, le XVIIe s. a introduit la forme moderne *koran* (1657) puis *coran*.

♦ Le mot désigne le livre sacré des musulmans. Par le même type d'extension figurée que *bible*, mais dans une moindre mesure, il est employé littérairement au sens de «livre de chevet, code moral ou religieux».

▶ **CORANIQUE** adj. a été refait à partir de *coran* (1877, Renan), longtemps après l'abandon du moyen français *alcoranique* (1575).

CORBEAU n. m., d'abord *corbiaus* (XIIe s.), est issu par voie orale d'un latin populaire °*corbellus*, diminutif d'un °*corbus* lui-même à l'origine de l'ancien français *corp*, au pluriel *cors* (v. 1120), que *corbeau* a évincé. Ce °*corbus* pourrait être une variante dialectale du latin classique *corvus* (qui a donné l'italien *corvo*, le portugais *corvo*, le castillan *cuervo*) et aurait été importé en Gaule par des colons originaires des régions d'Italie où l'on relève ce passage de *-rv-* à *-rb-* (Toscane). *Corvus*, de même origine expressive que *cornix* (→ corneille), désigne en latin non seulement l'oiseau mais, par analogie de couleur, un poisson noir et, par analogie avec le bec de l'oiseau, un scalpel et une machine de guerre en forme de grappin.

♦ Le mot, non pas en ornithologie mais dans la langue commune, désigne plusieurs oiseaux de la même famille (*freux, corneille*, etc.), le grand corbeau étant devenu très rare en France aujourd'hui. ◇ Par analogie avec le bec de l'oiseau, il désigne (1230) en architecture une grosse pierre faisant saillie sur un mur et destinée à supporter une partie qui dépasse, dite *encorbellement* (ci-dessous). Par latinisme (1567, en antiquités romaines), il se dit aussi d'un grappin d'abordage utilisé autrefois sur les galères. ◇ Au XIXe s., le symbolisme de l'oiseau se chargeant de valeurs négatives (oiseau noir, de mauvais augure), il a reçu dans la langue populaire plusieurs significations péjoratives : il désigne un prêtre (1845), un croque-mort, voire un homme sans scrupule acharné au gain (1882) et, spécialement (XXe s.), un auteur de lettres ou coups de téléphone anonymes.

▶ L'ancien synonyme de *corbeau*, **CORBIN** n. m. (XIIe s.), hérité de l'adjectif latin *corvinus* «du corbeau», a seulement survécu comme terme technique dans *bec de corbin* et comme adjectif, pour qualifier un nez ou un bec. ◇ Son féminin **CORBINE** n. f. (XVIIIe s., Buffon) a désigné la corneille dans certaines régions. ◆ Le petit du corbeau est appelé **CORBILLAT** n. m. (XVIe s.) ou **CORBILLOT** (d'usage rare). D'après l'ancienne forme de *corbeau, corbel*, pris comme terme d'architecture, on a formé *encorbellement**.

◈ voir **CORMORAN, ENCORBELLEMENT.**

CORBEILLE n. f. est issu (v. 1160) du bas latin *corbicula* «panier léger en rotin», diminutif de *corbis* «panier», lequel appartient à une série de mots d'origine méditerranéenne désignant des objets tressés, notamment d'usage agricole.

♦ Le mot désigne un panier léger et, par une métonymie courante pour les noms de contenants, son contenu. On appelle ainsi ***corbeille de mariage*** (1762) l'ensemble des cadeaux offerts par le fiancé à sa future épouse (à l'origine disposés dans une corbeille). ◇ Par analogie de forme, *corbeille* est devenu un terme d'architecture (1690), pour la forme génératrice du chapiteau autour de laquelle se groupent les ornements, et d'horticulture (1798), pour un massif de fleurs. Au XIXe s., il a développé d'autres acceptions analogiques, désignant, à la Bourse, l'espace circulaire entouré d'une balustrade réservé aux agents de change (1855) et, au théâtre, le balcon situé immédiatement au-dessus de l'orchestre (1883). Il a aussi fourni deux noms de fleurs (1829, ***corbeille d'or***; 1867, ***corbeille d'argent***).

▶ En a été dérivé **CORBILLON** n. m. (XIIIe s., *corbeillon*) «petite corbeille» puis «jeu de société où, à la question *Que met-on dans mon corbillon ?*, les joueurs doivent répondre par une rime en *-on*» (1663).

◈ voir **CORVETTE.**

CORBILLARD n. m., d'abord *corbillaz* (1549) au pluriel, puis *corbillard* (1688), est composé de *Corbeil,* nom d'une ville au confluent de la Seine et de l'Essonne, et du suffixe *-at,* refait ultérieurement en *-ard.*

♦ Le corbillard doit son nom au fait qu'il est à l'origine le coche d'eau qui fait le service entre Corbeil et Paris. Par dérivation, le mot a pris ironiquement le sens de «carrosse bourgeois» (1690) et a été employé au XVIIIe s. avec le sens de «carrosse transportant la suite des princes» (1718). ◇ Le sens moderne (1778) «voiture transportant un cercueil» serait une nouvelle dérivation assez inattendue; J. Cellard préfère recourir à une autre formation, variante de *corbillat* «petit corbeau» (→ corbeau), le corbeau étant un symbole funèbre. Un sens figuré de *corbeau,* évoqué à propos du XVIIe s., «personne chargée d'enlever les cadavres des pestiférés», a pu jouer un rôle.

CORBIN → **CORBEAU**

CORDE n. f., francisation (v. 1130) de *corda* (v. 980), est emprunté au latin *chorda,* lui-même emprunté au grec *khordê* qui pourrait venir, sous une forme initiale °*khorodê,* syncopée en *khordê,* du hittite *karad-* «intestins». Le mot grec a le même sens au pluriel et a été employé au singulier au sens de «saucisse, boudin» d'où, par métonymie, «corde d'un instrument de musique (en boyau)». Il est passé en latin avec ce sens technique avant de devenir, à basse époque, le synonyme de *funis* «corde» (→ funambule, funiculaire) et de le supplanter, en s'étendant de la corde en boyau à celle en chanvre. C'est ainsi que *corde* a remplacé l'ancien français *fun* qui n'est plus répertorié que dans les termes de marine *fune, funer.*

♦ Le développement du mot a suivi l'extension des emplois de la chose. Dès le XIIe s., *corde* est attesté au sens de «lien qu'on passe au cou du pendu» (v. 1175), donnant lieu (1612) au sens métonymique de «supplice de la potence» *(mériter la corde).* Le mot désigne aussi la corde servant à bander un arc (v. 1165) et compte de nombreux emplois en sports et jeux : ainsi, il sert à désigner (1538) le fil sur lequel travaillent les funambules, sens auquel se rattache la locution figurée ***danser sur la corde*** (1694). Au XIXe s., il entre dans la locution ***corde à sauter*** (1837) et, dans le domaine du sport hippique, désigne la corde qui limite la piste où courent les chevaux (1855). Étendu à d'autres sports de course, ce sens a fourni des locutions figurées du type ***tenir la corde*** (1869), puis a gagné les domaines de l'alpinisme (1868) — cf. ci-dessous *cordée* — et de la boxe (1904). *Corde* est employé techniquement par certaines professions : par les bûcherons pour la mesure d'un volume régulier de bois (1350, en région liégeoise), par les drapiers (1675; 1828, dans la locution ***usé jusqu'à la corde***), et par les pêcheurs (1754) pour désigner la ligne de fond. ◆ Très tôt, *corde* a repris au latin le sens de «boyau utilisé en musique» (déb. XIIe s.) dont procède l'emploi métonymique du pluriel *les cordes* «instruments à cordes frottées dans un orchestre» (1903), essentiellement les violons, altos, violoncelles et contrebasses. ◇ Ce même sens a donné, par métaphore, celui (1797) de «ce qui est sensible, vibre émotivement», réalisé dans le syntagme ***corde sensible.*** Par analogie, *corde* a été repris en anatomie dans *cordes vocales* (1805, Cuvier) et a reçu, par métonymie, le sens de «son que rendent les cordes vocales», entrant dans la locution figurée ***ce n'est pas dans mes cordes,*** «ce n'est pas de ma compétence», qui n'est plus comprise comme musicale. ◇ Toujours au XIXe s., en anatomie, il désigne un ligament musculaire, entrant aussi dans *corde dorsale* (fin XIXe s., parfois *chorde dorsale,* par calque du latin scientifique *chorda dorsalis*) «cordon cellulaire des vertébrés primitifs».

▶ La dérivation, relativement abondante, est riche en substantifs désignant des cordes de différentes grosseurs, matières et destinations, et d'abord d'un verbe. ◆ **CORDER** v. tr. (1165-1170), «tresser avec des cordes» et «tordre en cordes», exprime également l'idée de «lier avec des cordes» (v. 1200) et, spécialement, «mesurer du drap à la corde» (1265), sens aujourd'hui disparu. ◇ On en a dérivé **CORDAGE** n. m., d'abord *cordaige* (1265) qui, de nom d'action, a acquis une valeur collective puis celle de «câble» (1358-1359), fonctionnant alors comme augmentatif de *corde.* ◆ **CORDEUR** n. m. (1538) se rapporte à la mesure du bois à la corde. ◆ Par préfixation, *corder* a donné **DÉCORDER** v. tr. (XIIe s.), repris en alpinisme au XIXe s. *(se décorder,* 1869); **ENCORDER** v. tr. (XIIe s.), «mettre en corde», repris en alpinisme d'après *cordée* (*s'encorder,* v. pron., 1895; d'abord *encordé, ée* p. p. adj. 1869) et **RECORDER** v. tr. (v. 1300). ◆ Avant la fin du XIIe s., *corde* a produit les diminutifs **CORDEAU** n. m., d'abord *cordel* (v. 1165) et **CORDELLE** n. f. (v. 1180), ce dernier ayant à peu près disparu en laissant un dérivé **CORDELETTE** n. f. (1213). ◆ *Cordel* a aussi eu pour dérivés **CORDELIER** n. m. (1249), «moine franciscain portant une cordelière à trois nœuds», et **CORDELIÈRE** n. f. (fin XVe s.), d'abord réservé à la ceinture en corde formant plusieurs nœuds que portaient ces franciscains, puis à un gros cordon. Le mot s'emploie aussi en blason (*in* Furetière, 1690).

CORDON n. m. (v. 1170) désigne une corde mince, faite d'une matière autre que le chanvre; le mot compte plusieurs emplois spéciaux *(cordons d'une bourse, cordon d'une sonnette)* et s'est étendu au large ruban qui sert d'insigne honorifique (1671). C'est à ce sens que se rattache originellement ***cordon bleu*** «cuisinière experte» (1814). ◇ Comme *corde, cordon* compte quelques emplois en anatomie (1688), dont le syntagme usuel *cordon ombilical* (1754). Par analogie de forme, il désigne aussi diverses choses alignées, ou de fines bandes allongées dans toutes sortes de domaines. ◇ Il est lui-même à l'origine de **CORDONNER** v. tr. (v. 1210) et **CORDONNET** n. m. (1515) «petit cordon» ou «petite tresse», puis aussi (1754), «fil spécial pour broder, faire les boutonnières».

CORDÉE n. f. (1481, «ce qui peut être entouré d'une corde»), s'est répandu dans l'usage courant au sens de «groupe de grimpeurs attachés par une corde» (1886).

◈ voir CORDILLÈRE, GOURDIN, MONOCORDE.

CORDIAL, IALE, IAUX adj. et n. est emprunté (1314) au latin médiéval *cordialis* «relatif au cœur» (v. 1210), «qui a des qualités de cœur» (v. 1320), dérivé du latin classique *cor, cordis* (→ cœur).

♦ Le sens objectif et médical, «relatif au cœur», est sorti de l'usage, sinon avec la valeur de «qui fortifie le cœur», substantivé (1495) comme nom d'une potion qui fortifie le cœur. ◇ L'adjectif est usuel avec le sens psychologique de «qui a des qualités de cœur» (v. 1450). Il exprime une idée de chaleur, de vivacité et, quelquefois, s'entend par antiphrase *(haine cordiale).*

▸ En ont été dérivés **CORDIALEMENT** adv. (1393, *cordïalement*) et **CORDIALITÉ** n. f. (1450) qui ont suivi l'évolution de sens de l'adjectif, le premier étant devenu courant dans les formules épistolaires, peut-être par calque de l'anglo-américain *cordially (cordialement vôtre).*

CORDILLÈRE n. f., d'abord francisé en *cordelière* (1611), puis *cordillière* (1801) et *cordillère* (1838), est emprunté à l'espagnol *cordillera* «chaîne de montagnes» (1601). Ce dernier est dérivé de *cuerda* «corde», employé ici métaphoriquement (→ corde). La première forme française (*cordeliere de montagnes,* 1611) est une adaptation du mot espagnol d'après *cordelière* «ceinture, cordon tressé».

♦ Le mot est courant, généralement avec une majuscule, en parlant d'une chaîne de montagnes en pays de langue espagnole ; avec une minuscule, il est parfois employé dans la description d'un relief quelconque.

CORDONNIER n. m., d'abord *cordoennier* (déb. XIIIe s.), puis *cordonnier* (v. 1255), est dérivé de *cordouan* (1168 ; av. 1150, *cordoan*) «cuir de Cordoue», lui-même emprunté à l'espagnol mozarabe de même sens *cordobán,* de *Córdoba* «Cordoue», ville célèbre pour le travail du cuir apporté par les Arabes. L'altération que l'on note entre la forme attestée en latin médiéval *corduanarius* (1100) et la forme actuelle *cordonnier* s'explique par l'influence de *cordon**.

♦ *Cordonnier* a concurrencé et supplanté l'ancien français *sueur* (encore au XVe s.), représentant du latin *sutor* «cordonnier», ainsi que *corvoisier, corveisier,* dérivé de *corvois,* premier nom du cuir de Cordoue adapté du latin *cordubensis. Corveisier* aurait cédé la place à *cordonnier* parce que, d'abord appliqué exclusivement aux artisans qui fabriquaient des souliers neufs, ou de luxe, il a été usurpé par ceux qui réparaient les vieux souliers. On aurait ainsi ressenti le besoin d'un nouveau nom pour ceux qui fabriquaient les souliers neufs : ce fut pendant très longtemps la fonction du cordonnier car, jusqu'au XVIIIe s., le travail de réparation était l'œuvre des *savetiers* (cf. *savate*). On garde une trace de l'ancien sens de *cordonnier* dans le proverbe ***les cordonniers sont toujours les plus mal chaussés.*** ◇ La situation s'est modifiée au XXe s. avec la fabrication industrielle des chaussures : le cordonnier s'est uniquement vu confier les travaux de réparation, le passage au sens moderne se lisant dans l'état intermédiaire *cordonnier de réparation* (1926) ; ceux qui désirent à présent des chaussures sur mesure s'adressent à un *bottier* (→ botte). Les anciens noms de profession *corvoisier* et *sueur* survivent comme noms de famille, avec *Corvisart* (Lorraine), *Courvoisier* (Franche-Comté), *Crouvoisier* (Moselle) et, d'autre part, *Sutter* (Mulhouse), *Sueur, Lesueur, Suire* (anciens cas régime et cas sujet, surtout Nord-Ouest) et, dans le domaine occitan, *Sudour* (Sud-Ouest) et l'ancien cas sujet *Sudre.*

▸ **CORDONNERIE** n. f. (1532) est la réfection de l'ancien *cordouannerie* (1236), dérivé du radical de *cordouannier.*

CORIACE adj. (1549), d'abord écrit *corias* (1531), est probablement emprunté au bas latin *coriaceus* «de cuir», mot qui, par l'italien *corazza,* a donné le français *cuirasse**. Il est dérivé de *corium* (→ cuir).

♦ Du sens initial, «souple, flexible» en référence à la souplesse du cuir en lanières, on est passé au sens moderne de «dur, résistant» par référence à un autre caractère du cuir (cf. *cuirasse*). Employé surtout pour qualifier un aliment (en particulier la viande), le mot est également employé au sens figuré de «tenace, inflexible», parfois «avare» (1694).

▸ En sont dérivés **CORIACEMENT** adv., **CORIACITÉ** n. f. (1844 ; une fois *coriaceté,* au XVIe s.), tous deux rares.

CORIANDRE n. f. est emprunté (XIIIe s.) au latin *coriandrum,* lui-même emprunté au grec *koriannon,* parfois abrégé en *korion ;* on a évoqué un rapprochement avec *koris* «punaise», d'après l'idée d'odeur forte, mais la neutralisation de l'idée de mauvaise odeur est peu vraisemblable : le mot grec est probablement d'origine méditerranéenne.

♦ Le mot désigne à la fois la plante et, par métonymie, sa graine utilisée comme condiment.

CORINTHIEN, IENNE adj. et n. est dérivé (v. 1530) du nom français de la cité grecque de *Corinthe.*

♦ Le mot s'applique spécialt à un ordre d'architecture caractérisé par un chapiteau (dit aussi *corinthien*) orné de deux rangs de feuilles d'acanthe et de volutes.

CORMORAN n. m. est la réfection, en *cormorant* (1379) puis *cormoran* (1550), de l'ancienne forme *cormareg* ou *cormareng* attestée au XIIe s. : le passage du *a* au *o* s'expliquerait par une assimilation progressive avec le *o* de la première syllabe ou bien (moins vraisemblablement) par l'influence du breton *mor* «mer» et du nom breton du cormoran : *mor-vran,* littéralement «corbeau de mer». *Cormareg* ou *cormareng,* «corbeau de mer», est probablement composé de l'ancien français *corp* «corbeau» (→ corbeau) et de l'adjectif °*mareng* «marin», également attesté par le régional *pie marange* (Ouest).

Cet adjectif est issu du latin *mare* (→ mer) avec le suffixe *-enc,* adaptant le germanique *-ing.* Dès le VIIe s., dans les *Gloses de Reichenau,* on relève un *corvum marinum, marinum* étant la latinisation du germanique *maring.*

♦ Le mot désigne un oiseau aquatique. Par analogie, il s'applique quelquefois à un être humain, par évocation du cou replié et de la tête dans les épaules, et aussi de l'activité du pêcheur, souvent avec une valeur péjorative (Huysmans emploie *cormoran de Meaux,* d'après *aigle de Meaux* désignant Bossuet).

CORNAC n. m., d'abord *Cornaca* (1637) puis *cornac* (1685), est emprunté au portugais *cornaca* (1612). Ce dernier est emprunté à une langue indienne, probablement au cinghalais *kūrawanāyaka* (restitué d'après *cournakeas,* chez un voyageur hollandais du XVIIe s.), proprement «dompteur d'éléphants».

♦ Le mot désigne, comme son étymon, un conducteur d'éléphants et a développé le sens figuré de «guide, personne qui introduit» dans la langue familière (1833).

▸ En ce sens, il a produit le verbe familier **CORNAQUER** v. tr. (1857), «servir de guide à qqn».

CORNALINE → CORNE

✳ **CORNE** n. f. est issu (v. 1121) du bas latin *corna,* altération de *cornua,* pluriel neutre pris comme singulier féminin de *cornu.* Ce mot, qui est à l'origine de *cor*,* se rattache à une racine indoeuropéenne *°kor-, °ker-* désignant des objets protubérants. On la retrouve en latin dans *cervus* (→ cerf) et *cerebrum* (→ cerveau), en grec dans *kara* (→ chère), *kranion* (→ crâne) et *keras* (→ kératine).

♦ Le mot, proprement «excroissance dure de certains animaux», a connu une expansion de type analogique, symbolique et métonymique. Il a été employé en parlant d'êtres imaginaires, à commencer par le diable et la licorne (→ licorne), et s'est étendu aux bois des cerfs, aux pédicules des limaçons (v. 1330) et aux appendices d'insectes. Certains syntagmes ont reçu une valeur figurée spéciale, tel ***corne de gazelle*** (mil. XXe s.), nom d'une pâtisserie orientale. ◇ Symbole de puissance (en particulier virile), la corne a été prise par dérision comme l'attribut imaginaire des maris trompés : l'emploi du mot en ce sens apparaît au pluriel au XVe siècle. (cf. ci-dessous ① *cornard*). ➛ Très tôt (v. 1195), *corne* a aussi désigné les angles saillants présentés par un objet (*cornes de mitre, de lune,* 1265) et le pli fait au coin d'un papier. ➛ Par figure, il désigne aussi des objets faits à l'origine d'une corne évidée : ainsi, l'expression ***corne d'abondance*** (1559) traduit-elle le latin *cornucopia* (→ copieux), renouant avec le symbolisme de fertilité et de richesse dont la corne est porteuse depuis une très haute Antiquité grecque. ◇ Par la même métonymie, le mot désigne aussi un instrument servant à avertir (→ cor) et, de là, un ancien avertisseur d'automobile. ◇ Par une autre figure métonymique, il désigne la substance tirée de la corne (1340) et, par suite, un objet fait de corne (*corne à chaussure,* 1827).

▸ Beaucoup plus vivant que son ancien concurrent *cor,* il a produit de nombreux substantifs dans ses différents sens, certains d'entre eux (*cornichon,* par ex.) étant démotivés.

CORNER v. tr. apparaît (1080) au sens de «sonner du cor», puis est employé extensivement pour «produire un son analogue», spécialement (déb. XXe s.) en parlant d'une trompe d'automobile, sens disparu au profit de *klaxonner.* Le verbe signifie aussi, d'une chose, «émettre un bruit prolongé, assez sourd», valeur déjà courante à l'époque classique (*les oreilles me cornent,* Molière). ◇ Un autre sens de *corne* donne lieu à *corner* «plier, faire un pli à» (1829). ➛ Le verbe, dans sa valeur acoustique, a produit **CORNEUR** n. m. (1185) et deux noms d'action, **CORNAGE** n. m. (1394) et **CORNEMENT** n. m. (1549). Le premier a désigné l'action de sonner du cor, puis le son du cor et, par analogie, un son analogue, spécialement (1791) un râle que les chevaux et les ânes poussifs font entendre en respirant, puis (1814) un bruit analogue chez l'homme, par exemple en cas de diphtérie. De là, l'emploi de *corner* (attesté 1835) et de *corneur* (1835) à propos des chevaux atteints de cornage. ◇ *Corner* dans ce sens a servi à former ② **CORNARD, ARDE** adj. (1834).

Le composé **CORNEMUSER** v. tr. est formé (v. 1223) des verbes *corner* «sonner du cor, de la trompe» et *muser* «jouer de la musette» (→ musette). Il est sorti d'usage, mais son dérivé **CORNEMUSE** n. f. (v. 1300) reste bien vivant, alors que *musette* a vieilli. Le mot sert à traduire l'anglais *bagpipe* et désigne surtout l'instrument des Écossais, la cornemuse bretonne étant appelée *biniou.*

De *corne,* au sens d'«angle saillant», provient **CORNIER, IÈRE** adj. (fin XIIe s.) qualifiant ce qui forme un angle, un coin saillant, spécialement en construction, en menuiserie (mobilier) et (1690) à propos d'un arbre choisi pour marquer la borne, l'angle d'une coupe de bois. ➛ **CORNIÈRE** n. f. (1170) a le sens d'«angle», se substituant à cette valeur de *corne* dans divers emplois techniques, en construction, en ébénisterie — où il peut passer comme la substantivation de l'adjectif *cornier* —, ainsi qu'en marine et en imprimerie.

Le diminutif **CORNET** n. m. (déb. XIIIe s.) concerne des objets en forme de corne, notamment destinés à produire des sons (cf. *cor* et ci-dessus *corne*). De ce sens procèdent des syntagmes en musique moderne, dont ***cornet à pistons*** (1826) désignant un instrument (cuivre) analogue à la trompette, mais plus court, appelé aussi *cornet,* absolument. ***Cornet acoustique,*** désignant un instrument qui recueille et amplifie les sons, a été précédé par l'expression *cornet pour un sourd* (1660), disparue. ◇ *Cornet* désigne aussi par analogie de forme un contenant, par exemple dans *cornet à surprise* ou *cornet de glace.* Depuis le moyen français (1483), *cornet* désigne aussi une pâtisserie. ◇ Le mot est usuel dans ce sens en Suisse et en Savoie, où il s'emploie là où le français central utilise *sachet, pochette.* ➛ *Cornet,* en musique, a pour dérivé **CORNETTISTE** n. (1866), «joueur de cornet (à pistons)». ➛ Un composé préfixé, **ENCORNET** n. m. (1611) est l'un des noms régionaux du calmar, animal dont le corps forme une sorte de cornet; *cornet* s'est d'ailleurs employé dans ce sens (dep. 1562).

Le diminutif féminin de *corne*, **CORNETTE** n. f. (XIIIe s., apr. 1250) a désigné des coiffures féminines à pointes (cornes), notamment des coiffes traditionnelles et, depuis le XVIIe s., la coiffe des religieuses de l'ordre de Saint Vincent-de-Paul. ◇ Au début du XVIe s., le mot acquiert une spécialisation militaire, désignant l'étendard en pointe d'une compagnie de cavalerie (av. 1514) et, par métonymie, le porte-étendard (1578). ◇ Plus généralement, le mot désigne des petites cornes et des formations végétales en forme de cornes.

Un troisième diminutif de *corne* est ① **CORNICHON** n. m., d'abord attesté (1547) dans le nom d'un jeu, *cornichon va devant*, consistant à courir en ramassant des objets au passage. Le sens du mot, «petite corne», est rapidement dégagé en emploi érotique (1549). ◇ Cette valeur a disparu et le mot s'est répandu au sens de «petit concombre» (1654) auquel on a tendance à rattacher les sens figurés familiers de «niais» (1808), lequel peut aussi être fondé sur les valeurs péjoratives de *cornard*, *cornu*, et d'«aspirant à Saint-Cyr» (1858), ce dernier étant peut-être motivé par la métaphore désignant l'école militaire par *le bocal*.

D'autres dérivés peuvent être répartis selon les principales acceptions de *corne*. La matière donne lieu à **CORNÉ, ÉE** adj. et à **CORNALINE** n. f., d'abord *corneline* (v. 1250). Le mot désigne une pierre, présentant des zones rougeâtres et brunes, d'une transparence cornée. ➜ Le sens initial est à la base de **CORNADE** n. f., emprunt (1652, Scarron) à l'espagnol *cornada* «coup de corne donné par une vache, un taureau», qui a vieilli. ➜ Le même sens, avec une métaphore culturelle qui donne à la corne des animaux une valeur ironique, signalant symboliquement l'homme trompé, se retrouve dans ① **CORNARD** n. m., réfection suffixale (avec *-ard* péjoratif) [1608] de *cornair* (v. 1278), d'abord «niais» puis (1600) «cocu» (→ corniaud, cornu).

Quant à *corne*, «instrument produisant des sons», il a servi de base à **CORNISTE** n. (1821) qui s'applique au joueur de cor d'harmonie et peut être considéré, au moins sémantiquement, comme un dérivé de *cor* avec une nasale de liaison.

Corne est aussi à l'origine de mots préfixés, parmi lesquels des verbes. **ÉCORNER** v. tr., formé de *é-*, *corne* et suffixe verbal (v. 1200), a signifié «priver (un animal) de ses cornes», sens disparu au profit de *décorner*. ◇ D'après la valeur de *corne*, «angle saillant», il se dit depuis le début du XVIIe s. (v. 1611) pour «endommager la partie saillante, le coin de (un objet, une page)», s'opposant en ce sens à *décorner* (1759); il est parfois pris au sens figuré de «réduire, entamer». ➜ En ont été tirés **ÉCORNURE** n. f. (1694) «éclat de chose écornée» et (1846) «partie d'une chose entamée», ainsi qu'**ÉCORNAGE** n. m. (1866) qui a supplanté *écorne* (1566). ➜ Par composition, *écorner*, pris au sens d'«amputer de ses cornes», a produit **ÉCORNIFLER** v. tr. (v. 1441) à l'aide du moyen français *nifler* (→ renifler) et peut-être du moyen français *rifler* «piller». Familier aux sens de «se procurer (un bon repas, de l'argent) aux dépens d'autrui» et d'«érafler», *écornifler* est plutôt littéraire au sens figuré d'«endommager, porter atteinte à». ◇ En ont été tirés **ÉCORNIFLEUR, EUSE** n. (1537), **ÉCORNIFLERIE** n. f. (1573) et **ÉCORNIFLURE** n. f. (1855).

ENCORNER v. tr. (1250), formé sur *en-* et *corne* «garnir de cornes», a pris le sens figuré familier de «rendre cocu» à la fin du XVIe siècle. ◇ Il signifie également «frapper à coups de corne» (1530) en parlant d'un animal, notamment d'un taureau. ➜ **ENCORNURE** n. f. (1611) désigne l'implantation des cornes d'un animal.

Il faut distinguer deux verbes *décorner*. Le premier, ① **DÉCORNER**, est formé (XVIe s.) sur *dé-*, *corne* et suffixe verbal, et signifie «enlever les cornes de (un animal)». Il est à peu près sorti d'usage, sauf dans la locution ***un vent à décorner les bœufs*** «un vent très violent». Un verbe homonyme, ② **DÉCORNER**, est formé de *dé-* et de *corner* et signifie «remettre à plat ce qui était corné, plié».

RACORNIR v., formé avec le préfixe *re-*, *corne* et la finale des verbes du second groupe, est d'abord attesté (v. 1330) au figuré pour «rendre insensible, sec», avant de s'employer concrètement (1611) pour «rendre dur (comme de la corne)», avec l'idée de dessèchement, de vieillissement. ◇ Comme ses dérivés, **RACORNI, IE** adj. (v. 1330) et **RACORNISSEMENT** n. m. (1743), ce verbe suggère souvent à la fois un processus physique et psychologique.

UNICORNE adj. (v. 1120, comme nom féminin), **BICORNE** adj. (1302) et **TRICORNE** adj. (1836) sont des emprunts faits au latin. Le premier, substantivé, a désigné la licorne et le narval. Le second et le troisième s'appliquent aux cornes d'un chapeau, et sont substantivés pour «chapeau à deux, à trois cornes».

Corne a pour composé plaisant **CORNECUL** adj. qui signifie en argot de l'École polytechnique (1936) «beau, admirable» puis, l'ironie étant supprimée, «absurde, ridicule» en argot militaire. G. Esnault a relevé v. 1901 l'expression *vent de cornecul* «vent fort», en argot de marine, et le rattache au breton *kornaouk* «le cornu», appliqué au vent d'Ouest. Le rapport des deux emplois est obscur. ➜ A. Jarry avait forgé (1888) **CORNEGIDOUILLE**, juron plaisant d'Ubu, sur *corne* et *gidouille* «bedaine».

◈ voir CORNÉE, CORNER, CORNIAUD, CORNU, CORON, LICORNE.

CORNED-BEEF n. m. est un emprunt (1716) à l'anglais *corned beef*, littéralement «bœuf conservé avec du sel» (à côté des expressions *corned pork*, *corned meat*). *Corned* (XVIe s.), «en grains», est dérivé de *corn* «grain (de sel, de sable, de céréale)» (→ cornflakes); *beef* «viande de bœuf», antérieurement *boef*, est emprunté à l'anglo-normand, ancien français *boef*, *buef* (→ bœuf).

♦ Le mot est entré en français sous la forme *corn'd-beef*, devenue *corn-beef* au XIXe siècle. Il s'est surtout répandu entre les deux guerres, de 1914 à 1939, le *corned-beef* étant la viande du soldat, remplacé argotiquement — surtout en 1914-1918 — par *singe*.

CORNÉE n. f. est emprunté (1314) au latin médiéval *cornea* (sous entendu *tunica*) [1267], terme d'anatomie signifiant littéralement «tunique cornée», *cornea* étant le féminin de l'adjectif *corneus*, dérivé de *cornu* (→ corne).

♦ L'usage du substantif (1314) s'est imposé, éliminant la traduction littérale du latin *tunique cornée*. Le mot désigne la partie antérieure, transparente, du globe oculaire d'après sa forme de calotte sphérique un peu saillante.

▶ L'adjectif **CORNÉEN, ENNE** (1890), «relatif à la cornée», a quasiment éliminé **CORNÉAL, ALE, AUX** adj., enregistré quelques années auparavant (1865). *Cornéen* est employé, par exemple, dans *verre cornéen*.

◈ **CORNEILLE** n. f. est issu (1174-1187) du bas latin °*cornicula*, altération phonétique du latin classique *cornicula* «petite corneille», diminutif de *cornix*. Celui-ci appartient avec *corvus* (→ corbeau), nom d'un autre oiseau prophétique chez les Anciens, à un groupe de mots expressifs reposant sur une base *kor-* (avec de grandes variantes d'une langue à l'autre) : on a ainsi *korônê* «corneille» (→ couronne) et *korax* «corbeau» en grec, *kāravaḥ* «corneille (oiseau poussant le cri *ka*)» en sanskrit, *kruk* en polonais, *soróka* en russe, etc.

♦ *Corneille* a éliminé *cornille*, représentant du latin classique qui se maintient dans les parlers de l'Ouest, du Centre et de la Bourgogne et comme nom de famille (originellement, comme sobriquet donné aux bavards). L'emploi de *corneille* dans la locution ***bayer aux corneilles*** (→ bayer) s'éclaire peut-être par sa variante *bayer comme une corneille qui abat des noix*, l'animal étant pris comme symbole de maladresse et d'impuissance. Dans l'usage classique, on surnommait *corneille d'Ésope* (ou *d'Horace*) l'écrivain qui en plagiait un autre, en référence à la fable d'Ésope et d'Horace selon laquelle la corneille se parait des plumes des autres oiseaux (l'usage moderne dit *se parer des plumes du paon*).

▶ Au XIXe s., sont apparus les deux dérivés de *corneille* désignant les petits de l'oiseau : **CORNEILLARD** n. m., pour le petit de la corneille noire et du choucas (1842), et **CORNEILLON** n. m. (1863) pour celui de la corneille ou corbeau freux, mots rarement usités.

◈ voir CORNICHE.

CORNEMUSE → CORNE

CORNER n. m. est emprunté (1889) à l'anglais *corner* «coin» (XIIIe s.), lui-même emprunté à l'anglonormand *corner*, de l'ancien français *cornier* issu du latin tardif *cornarium* «coin» (v. 1150), lui-même dérivé de *cornu* «pointe, angle saillant» (→ corne). Le mot anglais a été repris dans deux spécialisations : la première s'applique à une association de spéculateurs afin d'accaparer une denrée en provoquant artificiellement la hausse de son prix ; elle est née aux États-Unis (1853), d'après l'expression *to drive into a corner* «acculer». La seconde est l'abréviation de *corner-kick* (1887) «coup de coin», dans les jeux de ballon.

♦ Le mot, bien qu'introduit avec son acception économique, s'est surtout répandu en football (1897). Il y désigne un coup tiré du coin du terrain et accordé par l'équipe adverse lorsqu'un de ses joueurs a envoyé le ballon derrière la ligne de but ; par métonymie, il désigne la faute qui fait bénéficier du *corner*.

CORNFLAKES n. m. pl. est emprunté (1963) à l'anglo-américain *cornflakes* (1908), nom d'une céréale communément servie au breakfast, consistant en pétales de maïs grillés et croustillants. Le mot signifie proprement «flocons de maïs». *Corn*, de l'ancien anglais *corn* «grain» (→ corned-beef) et «maïs», a des correspondants (*korn*) en ancien frison, ancien saxon, ancien norrois et ancien haut allemand. On suppose un germanique commun °*kurnam*, qui selon les étymologistes anglo-saxons se rattache à un nom indoeuropéen °*grnóm* «particule usée ou mûrie», substantivation du participe passé d'un verbe à racine °*gṛ-*, °*ger-* «s'user, mûrir, vieillir», laquelle est également représentée dans le latin *granum* (→ grain), le grec *gerôn* «vieil homme» (→ géronte). Quant à *flake*, «flocon, pétale» (XIVe s.), il a des correspondants dans les langues nordiques, le norvégien *flak* «flocon», le suédois *isflak* «morceau de glace flottante».

♦ Le mot est plus connu en français depuis quelques années avec l'adoption croissante des céréales au petit déjeuner.

CORNIAUD n. m. a succédé (1845, *corniau*), ◈ par changement de suffixe, à une autre forme *corneau* (1655), elle-même d'origine obscure. Apparu avec le sens de «chien bâtard», le mot pourrait être dérivé de *corne** pris au sens de «coin» (le chien bâtard étant le chien né au coin de la rue). Son suffixe *-eau*, sous la variante dialectale *-iau*, a été refait (1929) sous l'influence de *-aud*.

♦ Le mot, qui désigne un chien mâtiné, est également employé en apposition (1845) avec une valeur adjective. Quant au sens figuré de «niais, imbécile» (1949), il est peu probable qu'il soit une dérivation du premier. Il serait plutôt issu, par substitution de suffixe, de *cornier* «dupe, niais» (1455), lui-même dérivé, avec un autre suffixe, de *cornard*, d'abord noté *cornair* (v. 1270), proprement «homme qui porte les cornes» (→ corne) d'où «niais, mari trompé».

▶ Le féminin **CORNIAUDE** semble récent.

CORNICHE n. f. est emprunté (1524) à l'italien ◈ *cornice*, employé en architecture depuis la première moitié du XIVe s. et à propos d'un étroit gradin horizontal dans une paroi rocheuse (1315). L'origine de ce mot est controversée : une première hypothèse y voit le représentant du latin *cornix* (→ corneille) avec un déplacement métaphorique comparable à celui de *corbeau* et, en grec, de *korônê* «corneille», «extrémité recourbée». Une seconde hypothèse part du grec *korônis* (dérivé de *korônê*) «recourbé», substantivé pour désigner le signe courbe tracé à la fin d'un écrit et une corniche. Le moyen français *coronice* relevé au XVIe s. serait directement repris au grec.

♦ Le mot s'est introduit en architecture; par analogie de forme, il s'emploie en architecture intérieure et en menuiserie (1690) pour une bordure saillante ornant le haut d'un ouvrage. ◇ Ultérieurement, il s'applique à une saillie naturelle de roche dure courant le long d'une pente (1796). De là *route de la corniche* (1869, en parlant de la route menant de Nice à Gênes) puis *route de corniche* (1890), et *en corniche*, qui désignent une route à flanc de montagne. ◇ En marine, *corniche* se dit d'une pièce de bois sculptée appliquée en dehors de la lisse d'hourdi (1869).

▸ Le diminutif ② **CORNICHON** n. m. (1803), gêné par la vitalité de son homonyme dérivé de *corne*, n'a pas eu d'avenir.

CORNICHON → **CORNE**

CORNOUILLE n. f., d'abord *cornolles* (1229-1252), *cornoylle* (av. 1350), *cornoille* (1538) resuffixé en *cornouille* (1680), est dérivé, avec un suffixe diminutif (latin *-ŭlla*) du latin *cornum* «fruit d'un petit arbre des haies, à bois dur, dont une espèce porte des fruits rouges comestibles». Ce mot est lui-même dérivé de *cornus*, nom d'arbre apparenté au grec *kranos* de même sens et au lituanien *Kirnis* «dieu protecteur des cerisiers», sans doute d'une racine indoeuropéenne °*ker-/kor-* désignant un objet dur (→ corne). L'arbre était connu à date ancienne en Italie et on en a trouvé trace dans les palafittes de Suisse.

♦ Le mot désigne le fruit oblong du cornouiller, spécialement celui de l'espèce commune, rougeâtre et comestible, à saveur aigrelette.

▸ **CORNOUILLER** n. m. a été dérivé du nom du fruit, d'abord sous la forme *corgnollier* (1300-1320), puis sous sa forme actuelle (1680). On employait sans doute auparavant *cornouille*, par métonymie.

◈ **CORNU, UE** adj. est issu (v. 1150) du latin *cornutus*, adjectif correspondant au nom *cornu* (→ corne).

♦ Comme *corne*, le mot, qui qualifie ce qui a des angles saillants, des cornes (fin XIIe s.), est employé en parlant d'animaux, d'êtres mythologiques (diable, satyre) et avec quelques sens figurés. ◇ De manière symbolique et d'après les emplois de *corne** (1608), il est appliqué à un mari trompé, cocu, comme ① *cornard*. ◇ Par une autre métaphore, plus claire, il a eu dans l'usage classique la valeur de «bizarre, extravagant» par analogie avec le syntagme *argument cornu* «faux» (car il est question de cornes dans l'argument type et, surtout, la forme en corne apporte l'idée d'irrégularité, de torsion). Toujours au XVIIe s., on appelait *lune cornue* ce que l'usage moderne nomme *croissant de lune*.

▸ *Cornu* a produit, par substantivation de son féminin, **CORNUE** n. f. (1575) «alambic terminé en pointe». Par analogie de fonction avec l'alambic, le mot désigne techniquement (1874) la partie d'un four où est réduite la matière traitée.
Le composé **BISCORNU, UE** adj. (1694) est la réfection, d'après le latin *bis* «deux fois» (→ bis), du plus ancien *bicornu* (1571), calque morphologique et sémantique, d'après *cornu*, de *bicorne* «qui a deux cornes» (→ corne). ◇ *Biscornu* a rapidement perdu la notion contenue dans son préfixe pour prendre le sens figuré d'«anguleux, irrégulier» (1580), prenant ensuite le sens moderne de «bizarre, extravagant» avec lequel il a éliminé *cornu*.

COROLLAIRE n. m., réfection de *correllaire* (1372), est emprunté au latin *corollarium* «petite couronne» et, au figuré, «don, supplément», parce que l'on donnait une petite couronne comme gratification, notamment aux acteurs (cf. *lauréat, laurier*). À basse époque, *corollarium* s'est spécialisé en logique au sens de «conséquence supplémentaire». Le mot est dérivé de *corolla* «petite couronne» (→ corolle), mais la variante ancienne *correlaire* et l'évolution de sens suggèrent des interférences avec *corrélation*.

♦ Le terme a été introduit en logique par Oresme, désignant un argument nouveau produit à l'appui d'une affirmation précédente. Ce sens a disparu au profit de «proposition découlant à titre de conséquence immédiate d'une autre déjà démontrée» (1611). Par extension, *corollaire* s'est répandu dans l'usage soutenu avec le sens de «conséquence, suite naturelle» (1788); il y est quelquefois employé en apposition avec une valeur adjective.

▸ En a été dérivé l'adverbe **COROLLAIREMENT** (1884), terme de logique, qui avait été employé par Petrus Borel au sens de «de manière à former une corolle» (1831).

COROLLE n. f. est la francisation (1756) du latin scientifique *corolla* (1740, Linné). Lui-même est emprunté au latin classique *corolla* «petite couronne, feston de fleurs, guirlande», diminutif de *corona* (→ couronne).

♦ Ce terme de botanique, assez répandu dans l'usage commun, entre dans la locution ***en corolle***, employée quelquefois par métaphore (dans la description d'une robe et, plus techniquement, en travaux publics : *déversoir en corolle*).

◈ voir **COROLLAIRE**.

CORON n. m. est probablement dérivé (v. 1200) de l'ancien français *cor* (→ cor) ou *corn* «extrémité, coin» (v. 1180), sens conservé en français moderne par *corne**.

♦ En ancien français, *coron* est propre aux dialectes du Nord (picard et flamand) où il désigne l'extrémité, la «corne», d'un bâtiment (jusqu'au début du XVIe s.). On le rencontre encore, aux XIXe et XXe s., en liégeois et en wallon au sens d'«extrémité» (d'un fil, d'une rue). ◇ Toujours dans le nord de la France et en Belgique, il a pris le sens de «bout restant d'une étoffe», puis, partant de «bout d'une rue», de «quartier ouvrier d'une localité industrielle» parce que ces quartiers sont situés en bout de rue, hors de l'agglomération. Les sens de «maison d'habitation de mineurs» (1877) et, collectivement, «groupe de maisons de mineurs» se sont répandus en français général par l'intermédiaire du roman de Zola, *Germinal* (1885). Par extension, au XXe s., on a parfois appliqué le nom à des habitations ouvrières toutes construites sur le même modèle.

CORONAIRE, CORONAL → COURONNE

CORPORATION n. f. est probablement emprunté (1530) à l'anglais *corporation*, d'abord «fait de former corps» (XVe s.), par métonymie ensemble de personnes organisées en corps», et spécialement «personne morale créée par une charte», puis au XVIe s. «compagnie de commerce». Le mot anglais est emprunté au latin médiéval *corporatio* (1142, dans *corporatio civitatis*), formé sur le supin du latin médiéval *corporari* «se former en corps», du latin classique *corpus* (→ corps).

♦ Le mot apparaît en français dans Palsgrave (1530) pour désigner des institutions anglaises et ce n'est qu'au XVIIIe s. qu'on commence à l'employer à propos des Français, souvent au sens très général de «corps à statut juridique», mais déjà en l'appliquant aux métiers. Il se répand au XIXe s. et ne devient un terme d'histoire qu'à la fin du XIXe s. et au XXe siècle. Il est inconnu au XVIIe s., et n'a pas été contemporain du système des corporations, liquidé par la Révolution : on utilisait alors *corps de métier, métier, maîtrise jurande* et *communauté*. Comme *artisanat*, le mot est donc anachronique par rapport à ce qu'il désigne. Les corporations sont apparues au XIe s. (sous forme d'associations de marchands) et se sont multipliées aux XIIe et XIIIe s., recevant leurs premiers statuts et privilèges. Ces statuts définissent généralement la composition des métiers en catégories hiérarchisées (cf. *maître, apprenti, valet*). Le déclin des villes ne les empêche pas de se multiplier et de prospérer aux XVIe et XVIIe s. dans le cadre national monarchique, mais dès la fin du XVIe s., on leur reproche toutes sortes d'abus. Au XVIIIe s., sous l'influence des physiocrates, Turgot les condamne et les abolit par l'édit du 5 février 1776. La Révolution et l'essor du capitalisme balaient, au nom de la liberté d'entreprise, ce qui reste du système en France, puis dans le reste de l'Europe. ◇ Appliqué à l'Angleterre, *corporation* désigne une communauté d'habitants créée par charte royale et jouissant des mêmes droits qu'un particulier (1734). On a gardé le mot en contexte français pour désigner l'organisme social que constitue l'ensemble des personnes exerçant une même profession.

▸ Son radical a servi à former **CORPORATIF, IVE** adj. (av. 1837, Fourier), **CORPORATISME** n. m. (1911, Jaurès) et **CORPORATISTE** adj. (v. 1930), ces deux derniers termes économiques employés couramment pour «attitude d'esprit de corps professionnel».

✳ **CORPS** n. m. est issu (v. 881) du latin *corpus*, mot appartenant à un groupe obscur, peut-être élargissement d'un thème en °*krp*- attesté en indo-iranien. Dès l'origine, *corpus* est pris dans l'opposition «corps-âme», opposé à *anima* ou *animus*, et désigne non seulement l'organisme vivant, mais aussi le corps inanimé, le cadavre (peut-être par traduction du grec *sôma*, → somatiser), ainsi que tout objet pris dans sa matérialité, toute substance matérielle. Par métaphore, il est employé à propos de choses composées de parties (comme le corps est formé du tronc, de la tête et des membres), en particulier dans la vie politique, en parlant d'une assemblée, d'une «corporation».

♦ Tous ces sens sont repris ou développés par *corps*, apparu au sens d'«organisme vivant». Le français, dans le contexte d'une culture catholique, saisit immédiatement le mot dans son opposition à *esprit* et à *âme* (locution ***corps et âme***), non sans une dépréciation sensible dans des locutions du type ***diable au corps, faire folie de son corps*** (v. 1260) d'où vient tardivement ***femme folle de son corps*** (1863). ◇ *Corps* s'applique aussi au corps humain après la mort, spécialement dans un contexte religieux (v. 1050), réalisant un transfert symbolique avec ***corps glorieux*** (1524), ainsi qu'au corps pris comme objet de l'anatomie ou considéré sous son aspect extérieur. ◇ Par le procédé métonymique qui consiste à exprimer la partie par le tout, il désigne parfois seulement le tronc (v. 1080) et la partie du vêtement qui recouvre le tronc (v. 1170) [cf. ci-dessous *corset, corsage, corselet*]. ◇ Par le procédé inverse qui exprime le tout par la partie, il est employé avec le sens d'«individu, personne» (v. 1050, dans de nombreuses locutions comme ***à corps perdu*** (1580), ***garde du corps*** (1549) et, dans un contexte d'abord juridique, ***à son corps défendant*** (1613; sous une autre forme, 1220), ***prise de corps*** (1283). ➛ Selon le même développement que le latin *corpus, corps* désigne un objet matériel, dans des emplois particuliers : ***corps céleste*** (1220); *corps estrange* (1561), devenu ***corps étranger*** (1680) et, depuis 1580, avec une valeur générale. ◇ Plusieurs emplois spécialisés sont apparus depuis en chimie (1585, *corps simple* — redéfini par la chimie moderne, cf. *élément*), en marine *(corps flottant)* ainsi qu'en droit avec ***corps du délit*** (1824; 1754, *corps de délit*), expression calquée du latin *corpus delicti* «chose qui constitue et forme la preuve du délit». ➛ Par analogie avec *corps* «tronc» et par opposition à *membre(s)*, le mot désigne également (XIIIe s.) la partie principale d'une chose matérielle. Son emploi dans le vocabulaire de la marine au sens de «partie principale du navire, coque» est à l'origine d'une locution figurée où le sens de *corps* est généralement mal interprété : ***couler corps et biens.*** ◇ D'autres emplois spéciaux sont apparus dès le XIIIe s. : *corps de la maison*, puis en architecture ***corps de bâtiment***, et, plus techniquement, à propos d'un meuble, d'un organe, d'un arbre et d'une lettre, ***le corps d'une lettre*** désignant le trait principal qui dessine une lettre, en typographie (1528) et en calligraphie (1694). ➛ Par une autre analogie, le mot exprime la consistance de certains objets : on l'emploie en parlant d'une teinture (1580), d'un vin (1680, ***avoir du corps***), d'un aliment ou d'un tissu, et, plus abstraitement (av. 1715), dans des locutions comme ***donner du corps, prendre corps, faire corps.*** ➛ Enfin, le sens collectif et figuré du latin, «groupe formant un ensemble organisé», a été repris par *corps* (fin XIIIe s.) dans *un corps de lois* (→ corpus) et témoigne d'une grande fécondité, à côté d'un mot apparenté, *corporation**; sur le plan des institutions, il entre dans *corps politique* (1585) et dans plusieurs syntagmes apparus pendant la période révolutionnaire : *corps constitués* (1789, Sieyès), *corps électoral* (1790), *corps social* (1792).

◇ Il est employé dans l'armée pour désigner un groupe de soldats (1469) et dans ***corps de garde*** (1579) pris avec diverses acceptions métonymiques; ainsi, le XVIIe s. stigmatise l'esprit des corps de garde avec la locution ***plaisanterie de corps de garde*** (1694). En référence à ces emplois est apparue la locution ***esprit de corps*** (1771). ◇ Depuis le XIXe s., *corps* est appliqué couramment à un groupe organisé du point de vue professionnel : *corps diplomatique* (1817), *corps médical* (1834), *corps enseignant* (1806), *corps de ballet* (1835). ◆ Par une spécialisation abstraite, il est entré dans le domaine des mathématiques au XXe s. pour désigner un ensemble muni de deux lois internes de composition (1903).

▸ *Corps* a produit trois dérivés qui ont tous trait à son sens particulier de «partie de l'habillement au-dessus de la ceinture» et sont formés sur l'ancienne forme *cors.* ◆ **CORSAGE** n. m., suffixé en *-age* (v. 1150), a d'abord désigné, comme l'ancien français *cors, corps,* le tronc et notamment le buste de la femme; ce sens a disparu et le mot signifie en français moderne, depuis le XVIIIe s. (1778), «vêtement féminin couvrant le buste», sens assumé en ancien et moyen français par *corset.* ◆ **CORSET** n. m., d'abord attesté sous la forme latininée *corsetus* (1239) désignant un vêtement masculin couvrant le haut du corps — la forme française étant aussi attestée pour «cotte de mailles» (1294) —, s'est spécialisé pour un vêtement de femme (XIIIe s.). Sa valeur moderne, «vêtement féminin de dessous, baleiné, serrant la taille et le haut du corps» (1789, semble rare avant 1821), correspond à un stade de l'histoire de la mode, avec de fortes connotations dans la seconde moitié du XIXe et le début du XXe s., donnant naissance à des emplois métaphoriques et figurés pour «ce qui opprime, contraint» (cf. ci-dessous *corseté*). Le corset, aussi accessoire masculin autour de 1900, a cessé d'être une référence culturelle quand il a disparu de la mode et s'est cantonné aux usages orthopédiques (*corset orthopédique,* depuis 1824), ce qui correspond à la revendication de liberté d'allures et de liberté féminine, c'est-à-dire dans les années 1920. ◆ Le dérivé **CORSETIER, IÈRE** n. (1842, *corsetière*) a vieilli avec *corset.* ◆ **CORSETER** v. tr. (1842), «mettre un corset à», s'emploie encore littérairement au figuré, surtout au participe passé **CORSETÉ, ÉE** adj. avec l'idée de «contrainte et raideur» *(un style corseté).* ◆ Un autre dérivé de *cors,* **CORSELET** n. m. (apr. 1250) a d'abord signifié proprement «petit corps d'enfant»; il s'est maintenu avec ses trois sens spécialisés, en armure (1562), en costume folklorique (1539) et, par image, en entomologie (1546) où il désigne le thorax de certains insectes.

CORSER v. tr. (1572), d'abord altéré en *courser* (mil. XVe s., 1455-1456), signifiait en moyen français «saisir à bras le corps», sens où il est sorti d'usage. Le mot a été repris au XIXe s. (Scribe, v. 1860-1870, *in* P. Larousse), d'après une valeur spéciale de *corps* «consistance», pour «donner du corps à; rendre plus fort (le vin), plus savoureux, etc.» et, au figuré, «intensifier, rendre plus fort». ◆ Ces emplois semblent tributaires de ceux de **CORSÉ, ÉE** adj., d'usage régional pour une valeur proche de celle de *corpulent* (ci-dessous), «qui a un corps robuste» (attesté 1819), et employé dès 1830 dans *repas corsé* «consistant» et au figuré (*une érudition corsée,* 1830, Balzac), puis au sens de «relevé, fort» (*sauce corsée,* 1838), aujourd'hui surtout dans *vin corsé* (depuis 1770 [D.D.L.]), et au figuré (1846), par exemple dans *histoire corsée* «scabreuse». On est aussi passé de l'idée étymologique, «qui a un corps robuste», à celle de «fort, relevé» puis «de haut goût».

La forme moderne *corps,* employée en architecture *(corps de logis),* a donné naissance à deux composés, **ARRIÈRE-CORPS** (1546) et **AVANT-CORPS** n. m. (1658). ◇ Ultérieurement, elle a servi à faire **ANTICORPS** n. m. (1901) en médecine et biologie, d'après la valeur de *corps* en chimie.

Les autres mots, historiquement rattachés à *corps,* sont empruntés à des dérivés du latin *corpus;* c'est le cas de **CORPOREL, ELLE** adj. (1160), emprunté au latin classique *corporalis* «qui possède un corps» et «qui se rapporte au corps». En est dérivé **CORPORELLEMENT** adv. (fin XVe s.; 1180, *corporeilment*). ◆ D'autres dérivés du latin chrétien font référence à la dualité du Christ, à la fois homme avec un corps et esprit divin. ◇ Le latin chrétien *corporale,* dérivé de *corpus, corporis,* est représenté par le terme de liturgie catholique **CORPORAL** n. m. (déb. XIIIe s.) «linge consacré représentant le suaire du Christ et recevant les fragments de l'hostie». ◆ **CORPORALITÉ** n.f. est emprunté (1495) au latin chrétien *corporalitas* (IIIe s.) «nature corporelle, matérialité», mais il souffre de la concurrence du doublet **CORPORÉITÉ** n. f. (1482), lui-même emprunté au latin médiéval *corporeitas* (1250).

CORPUSCULE n. m. (1495) est emprunté au latin *corpusculum* «atome», avec le sens de «petit corps humain chétif» pris en latin impérial. Il l'a conservé jusqu'en 1673, avant d'être repris comme terme de philosophie (à côté d'*atome*), d'anatomie en parlant d'un élément de très petite dimension (1749) et, depuis 1905, comme terme de physique, domaine où il a pris une importance extrême (cf. *atome*) avec son dérivé **CORPUSCULAIRE** adj., formé en philosophie (1721) et repris en physique (1906), notamment dans *théorie* puis *physique corpusculaire.*

CORPORIFIER v. tr. (1651) a été formé savamment en chimie sur le radical du latin *corpus* pour «amener (un corps fluide) à l'état de corps solide». Il tend à être abandonné au profit de **CORPORISER** v. tr. (1704) qui lui dispute également le sens plus large de «donner un corps à (ce qui n'en a pas)» (1790). Ces deux verbes sont archaïques en sciences. *Corporifier* semble toutefois conserver le sens théologique de «attribuer un corps à (un être spirituel)» (1762). ◆ Les noms d'action **CORPORIFICATION** n. f. (1690) et **CORPORISATION** (1701) sont eux aussi archaïques.

L'adjectif régional **CORPORÉ, ÉE** (1785), «bâti» et spécialement «bien bâti», est emprunté soit au latin *corporatus* «qui a un corps», en bas latin «corpulent», participe passé de *corporare,* soit au latin classique *corporeus,* de même sens. Son usage est borné aux parlers de l'Ouest et du Centre, à la Champagne et à la Lorraine.

Une importante série de mots préfixés en *in-* a été empruntée au latin. **INCORPOREL, ELLE** adj.

(v. 1160), emprunté au latin *incorporalis,* qualifie ce qui n'a pas de corps, dans un contexte religieux, puis philosophique et enfin en parapsychologie. ➜ **INCORPORALITÉ** n. f., emprunt (1372) au dérivé latin chrétien *incorporalitas,* a les mêmes valeurs.

INCORPORER v. tr. (1411 ; fin XIIe s., *encorporer*), emprunt au latin *incorporare* avec *in-* au sens de «vers», «dans», a pris ses sens modernes à partir du XVe s. : «enrôler (un homme) dans un bataillon», «faire entrer comme partie d'un tout» et (1495) «unir une matière à une autre» (1686, à la forme pronominale). ➜ **INCORPORATION** n. f. (déb. XVe s., en contexte religieux) est emprunté au bas latin *incorporatio* «action d'incorporer» et en latin chrétien «incarnation», formé sur le supin de *incorporare.* Son sens courant, «action de faire entrer une substance dans une autre», est apparu avant 1690 et son sens particulier d'«inscription sur les contrôles militaires» avec l'institution de la conscription (attesté 1835) ; «inscription de soldats dans un nouveau régiment» (1771 Trévoux). ➜ Un composé en *re-* à valeur itérative, **RÉINCORPORER** v. tr. est attesté en 1319 sous la forme *rencorporer* et en 1600 sous la forme moderne pour «réincarner». Il a été reformé sur *incorporer* au sens militaire (1771).

◈ voir CORPORATION, CORPULENT, CORPUS.

CORPULENT, ENTE adj. est emprunté (av. 1380, Bersuire) au latin *corpulentus* «gros (d'animaux, de personnes)», dérivé de *corpus* (→ corps).

♦ Le mot a gardé le sens du latin et éliminé l'ancien français *corporu,* autre dérivé (1155) de *corpus* par le participe passé du verbe *corporare, corporatus.* D'abord employé pour «gros», à propos d'un animal, d'un objet, il ne se dit plus que d'une personne avec une idée d'excès (1492).

▸ Le nom correspondant, **CORPULENCE** n. f. (av. 1350) est emprunté au latin *corpulentia,* d'abord avec le sens de «dimension, taille (d'un objet, d'un animal)», attesté jusqu'en 1593, puis avec le sens moderne de «grandeur et grosseur (du corps humain)» (1410). L'usage moderne a surtout retenu l'idée de grosseur, revenant à la valeur du latin classique.

CORPUS n. m. est l'emprunt tel quel (fin XIIe s., *corpus Dei*) du latin *corpus* par ailleurs passé en français sous la forme *cors, corps*.*

♦ Le mot a longtemps eu le seul sens d'«hostie» (attesté par la lexicographie jusqu'au XVIIIe s.) dans les expressions *corpus Dei, corpus Domini* (1206), calquées du latin chrétien. Il a été repris en droit au XIXe s. dans *corpus juris* (1863) «collection du droit romain», calque d'une expression du latin classique. Par généralisation du sens qu'il a dans cet emploi, il désigne un recueil de pièces et documents concernant une même discipline et, par analogie, un répertoire scientifique. Il est spécialisé en linguistique au sens d'«ensemble d'énoncés servant de base à l'analyse» (1961). Le pluriel latin *corpora* est d'usage didactique.

CORPUSCULE → CORPS

CORRECT, ECTE adj. est emprunté (1512) au latin *correctus* «qui a été corrigé, amélioré», participe passé adjectivé de *corrigere* (→ corriger).

♦ Le premier sens de *correct,* général et didactique, correspond à «conforme aux règles fixées dans un domaine donné». Au XVIIe s. s'y ajoute le sens particulier de «conforme aux usages, aux bonnes mœurs (en parlant de qqn, de son comportement)» (av. 1696), en référence à une norme sociale exprimée en termes de *convenance* et *bienséance.* Ultérieurement (1830), *correct* est appliqué concrètement au vêtement *(tenue correcte).* ◇ Au XVIIIe s., il développe à la fois le sens de «conforme aux règles», dans le domaine de l'art (av. 1776) et, toujours dans celui de la vie sociale, celui de «conforme à la morale» (av. 1755). Ce dernier, dans des syntagmes comme *un jeune homme correct* (1836), *une maison correcte* (1829), a parfois la même valeur péjorative que *convenable, honnête.* ◇ ***Politiquement correct,*** calque de l'anglo-américain *politically correct,* qualifie ce qui respecte certains principes de morale sociale (notamment dans l'expression par le langage, entraînant tabous et euphémismes). Aussi n. m., *le politiquement correct.*

▸ De *correct* est dérivé **CORRECTEMENT** adv. (1402) qui a supplanté l'emploi adverbial de l'adjectif. ➜ L'antonyme préfixé **INCORRECT, ECTE** adj. (1421) possède, inversés, tous les sens de *correct* mais est surtout usuel au sens de «grossier, impoli» (1564). ◇ L'antonyme de l'adverbe, **INCORRECTEMENT**, est attesté depuis 1538.

CORRECTION n. f. (XIIIe s.) est emprunté au latin *correctio* «action de corriger, de redresser qqn, qqch.», dérivé de *corrigere.* Il possède tous les sens de l'adjectif *correct* mais privilégie — comme déjà le latin — le sens de «réprimande, peine en compensation d'une faute» dans le domaine religieux, à propos de la vie privée et dans le domaine juridique. On connaît encore l'expression ***maison de correction*** (1718), bien que la dénomination ait été remplacée successivement par *colonie pénitentiaire* (1850) et *centre d'éducation surveillée.* Le mot est couramment employé à propos d'une peine exemplaire infligée par décision personnelle, notamment d'un châtiment corporel infligé à un enfant, d'où le sens extensif de «fait de battre» *(infliger une correction à l'adversaire).* Comme pour le verbe *corriger,* le sens physique implique alors la volonté de punir, puis de dominer, de battre et non plus l'idée d'améliorer. ◇ Au sens d'«action de corriger (un texte)», on parle de *correction d'épreuves. Correction* désigne le travail de correcteur et *correction automatique* la substitution de formes lexicales graphiquement correctes aux formes fautives par un programme informatique. ➜ En revanche, l'antonyme **INCORRECTION** n. f. (1512, «faute d'usage de la langue») privilégie l'idée de «ce qui est contraire aux usages du savoir-vivre» (1587, rare avant la fin du XIXe s.), idée particularisée dans *commettre une incorrection* (XXe s.). ➜ *Correction* est à l'origine de plusieurs termes de droit pénal formés sur son dérivé **CORRECTIONNEL, ELLE** adj. (1454), substantivé au féminin *(la correctionnelle)* par ellipse de *tribunal de police correctionnelle,*

CORRECTIONNELLEMENT adv. (1791), **CORRECTIONNALISER** v. tr. (1829) et **CORRECTIONNALISATION** n. f. (1968) font référence à la valeur juridique précise de *correctionnel*, «relatif aux actes que la loi qualifie de *délits*». ➝ Pris au sens particulier d'«évaluation d'un devoir en corrigeant ses fautes», *correction* a produit le composé **AUTO-CORRECTION** n. f. (v. 1950).

CORRECTEUR, TRICE n. et adj., d'abord *corrector* (1275), est emprunté au dérivé latin *corrector* «celui qui corrige, réforme qqch. ou qqn, censeur» avec le sens chrétien de «supérieur d'un ordre religieux». Il a vieilli pour «personne qui corrige en punissant» (av. 1350) et s'emploie surtout pour «personne qui corrige en relevant les fautes», dans le domaine de l'imprimerie (1531), désignant une fonction et une profession, et dans le cadre des examens (1907) où il est synonyme d'*examinateur*. Il désigne également, techniquement, un dispositif ou une substance (on rencontre alors aussi *Corrector*, nom d'une marque déposée) qui accomplit la correction. ◇ Depuis 1911, il est employé comme adjectif *(verres correcteurs)*. ➝ L'adjectif **CORRECTIF, IVE** (1371) est emprunté au dérivé bas latin de même sens *correctivus*; il est employé comme nom depuis 1559, d'abord en médecine puis (1680) avec un sens général.

CORRÉLATION n. f. est emprunté (1412-1432) au bas latin *correlatio* (VIIIe s.), «relation mutuelle», de *cum* (→ co-) et *relatio* (→ relation).

♦ Le mot est attesté une première fois en rhétorique, défini comme «élément mis en codicille par cahiers, sujet discuté entre clercs». ➝ Il est repris tardivement (1718), d'après le latin philosophique, avec son sens moderne de «rapport unissant deux choses, deux notions, deux termes dont l'un appelle logiquement l'autre» (en philosophie, puis couramment). Il est employé spécialement en grammaire pour la fonction des termes corrélatifs (1890).

▸ Au XXe s., sont apparus trois dérivés didactiques: **CORRÉLAT** n. m. (1949, chez Ricœur) par dérivation régressive, **CORRÉLATIONNEL, ELLE** adj. (v. 1950) et **CORRÉLER** v. tr. (1963), ce dernier d'après l'anglais *to correlate* en statistiques pour combler l'absence d'un verbe correspondant à *corrélation*. ➝ **CORRÉLATIF, IVE** adj. (XIVe s.; substantivé au XVIIe s., av. 1690) est probablement emprunté au latin médiéval *correlativus* (1240), substantivé au neutre en *correlativum* (1292). Depuis le XVIIIe s., il est employé en grammaire (*propositions corrélatives*, av. 1756, Dumarsais). ◇ En est issu **CORRÉLATIVEMENT** adv. (1653).

CORRESPONDRE v. est emprunté (1330-1332 *correspondant;* 1380 pour le verbe) au latin médiéval *correspondere* «s'harmoniser, concorder» (1236), «payer de retour» (v. 1300) et, avec la préposition *de*, «rendre compte de» (v. 1290). Lui-même est composé de *cum* «avec» (→ co-) et de *respondere* (→ répondre).

♦ La plupart des formes attestées en moyen français et en français classique concernent le participe présent *correspondant*. ◇ Jusqu'au XVIIe s., le verbe (1380) et son participe présent adjectivé (1332) sont seulement utilisés en construction transitive indirecte, avec le sens de «être en rapport de conformité avec». De là, pour le participe présent, une spécialisation en géométrie (1762) dans *angles correspondants*. ◇ Depuis 1690, *correspondre* est employé également en construction intransitive et pronominale pour «avoir une communication avec», à propos de deux objets ou de deux lieux et (1795, soit longtemps après *correspondant*) de deux personnes; il signifie alors «avoir des relations, communiquer» (par lettres si la personne est éloignée, par signes si elle est empêchée de parole). En relation avec *correspondant* substantivé (ci-dessous), le verbe s'emploie spécialement pour «envoyer des articles à un journal». Il se dit pour «coïncider par les horaires», en parlant de deux moyens de transport (1874).

▸ **CORRESPONDANT, ANTE** p. pr., adjectivé dès 1330 (voir ci-dessus), est substantivé (1615) au sens de «personne avec qui l'on entretient des relations par lettres». Dès 1694, il est enregistré dans sa spécialisation de «personne qui renseigne par lettres sur les pays étrangers où il séjourne», appliqué plus tard à un journaliste qui envoie ses articles à un journal depuis l'étranger. ➝ De son radical est dérivé **CORRESPONDANCE** n. f. (XIVe s.) au sens courant de «rapport de conformité, d'analogie (à propos d'inanimés)». C'est à ce sens que se rattache l'emploi du pluriel *correspondances* chez des écrivains romantiques et post-romantiques (Nerval, Balzac, et surtout Baudelaire, Rimbaud). Plusieurs emplois particuliers apparus au XVIe s., notamment «accord d'idées, de sentiments» (1564) et «rapport de communication entre personnes» (1580), ont décliné après la période classique. ◇ Le sens usuel de «relation par écrit entre deux personnes» (1675) a pris de l'importance avec son extension métonymique pour «lettres constituant cette correspondance». ◇ Sous l'influence de *correspondant*, le mot est employé dans un contexte journalistique depuis 1832. ◇ Il a vieilli au sens de «communication entre plusieurs lieux» (1670) mais s'est spécialisé en transports à propos d'une concordance d'horaires entre trains (1829) et d'une relation commode entre deux moyens de transport (1843). Par métonymie, il désigne également le moyen de transport assurant cette correspondance, et un changement de ligne opéré en cours de trajet sur un réseau. ➝ En est dérivé **CORRESPONDANCIER, IÈRE** n., «employé chargé de la correspondance dans une administration, une entreprise» (v. 1900).

CORRIDA n. f., attesté par la traduction française d'un voyage en Espagne écrit en anglais (1804, *Voyage en Espagne*, Fisher), est emprunté à l'espagnol *corrida*. Ce mot, dérivé de *correr* (→ courir), signifie proprement «course» (1492) d'où spécialement «course de taureaux» par abréviation de *corrida de toros*.

♦ Née en Espagne, la corrida, affiliée aux très anciens sacrifices et combats de taureaux des pays méditerranéens, Crète minoenne notamment, a commencé à prendre les formes qu'on lui connaît au XVIIIe s., dans une petite cité montagnarde d'Andalousie, Ronda. Tout au long du XIXe s., elle s'amplifie et s'affine, ajoutant la beauté du geste, une certaine lenteur hiératique à la vigueur et à la symbolique du combat. Avant même d'être introduite en Amérique latine, elle pénètre en France sous le Second Empire, sous l'influence de l'impératrice Eugénie de Montijo qui en raffole. Elle s'implante à Bayonne, Nîmes et Arles mais, après avoir longtemps défrayé la chronique, elle n'est vraiment reconnue qu'au XXe s., le mot perdant alors son aspect d'emprunt pittoresque. Le vocabulaire de la corrida, lié aux mots de la famille de *taureau** (*tauromachie*, etc.), est formé d'emprunts à l'espagnol. ➜ Par extension, *corrida* est employé familièrement (comme *cirque*) au sens de «dispute violente, animée» (1902) et «bousculade, désordre, agitation».

CORRIDOR n. m. est emprunté (1611) à l'ancien italien *corridore* (en italien moderne *corridoio*) pris au sens de «passage étroit entre un local et un autre» (déb. XVIe s.). Le mot, proprement «lieu où l'on court», est dérivé du verbe *correre* (→ courir).

♦ *Corridor* est d'abord un terme de fortification, désignant un passage couvert établi derrière des murailles. Peu après, il se répand dans l'usage courant à propos d'un couloir dans un appartement, une maison (1636). Au XIXe et au début du XXe s., il est parfois altéré populairement en *colidor*. Il fonctionne comme synonyme de *couloir*, y compris dans ses emplois géographiques.

CORRIGER v. tr. est un emprunt ancien (v. 1268-1271) au latin *corrigere* «redresser» au propre et au figuré, d'où «réformer, améliorer (un défaut, une erreur, un écrit)», composé d'aspect déterminé en *cum* (→ co-) de *regere* «diriger en droite ligne» (→ régir).

♦ Comme le verbe latin, *corriger* reçoit ses différentes valeurs en fonction du complément qu'il introduit et du contexte : en parlant d'un texte, il signifie «relever les fautes, les erreurs» d'où spécialement «lire pour éliminer les fautes typographiques» (1694), «évaluer un devoir en en relevant les fautes» (1680). En parlant plus généralement d'une action, d'une parole, il exprime le fait de ramener à un juste milieu en exerçant une action contraire (1575) et, plus couramment, de rendre plus exact, rectifier (1797). ◇ Avec un complément désignant un être animé (homme, animal), il assume à la fois un sens physique, proche de «battre», et moral (1285) pour «rendre meilleur, atténuer ou éliminer les défauts de (qqn)». Ces deux valeurs ont divergé au point que la première, physique, n'implique plus aucune visée d'amélioration mais le désir de nuire, de dominer, de «battre». Il en va de même pour *correction**. ◇ Corriger s'emploie alors aussi à la forme pronominale (1654-1655, *se corriger de quelque vice*).

▸ Le participe passé **CORRIGÉ, ÉE** est employé comme adjectif (1478) et comme nom masculin par ellipse de *devoir corrigé* (1834). ➜ De *corriger* sont dérivés les adjectifs **CORRIGIBLE** (1444) et **CORRIGEABLE** (fin XVIe s.), l'un comme l'autre peu employés à la différence de l'antonyme **INCORRIGIBLE** adj. emprunté antérieurement (1334) au latin *incorrigibilis* et employé tant à propos d'une chose que d'une personne (v. 1350). **INCORRIGIBILITÉ** n. f. (v. 1500), d'usage didactique, est rare.

◈ voir CORRECT (et CORRECTION).

CORROBORER v. tr. est emprunté (1389) au latin *corroborare* «donner force à, confirmer» (au physique et au figuré), lui-même composé d'aspect déterminé en *cum* (→ co-), de *roborare* «renforcer», dénominatif de *robur, robor* «force» (→ roboratif, robuste).

♦ Le verbe, apparu avec le sens figuré de «confirmer» dans un contexte juridique, est surtout employé dans les domaines de la vie intellectuelle, du travail et du droit (notamment à la voix passive). Son sens physique de «fortifier» (1530) a disparu de l'usage moderne.

▸ Le sens physique s'est mieux maintenu dans le participe présent adjectivé et substantivé **CORROBORANT, ANTE** (1860), employé à la fois dans le domaine médical, par ellipse de *remède corroborant* (1530), et abstraitement. ➜ **CORROBORATION** n. f. (1286) est emprunté au dérivé latin *corroboratio*. ➜ **CORROBORATIF, IVE** adj. (1628), formé savamment sur le supin *corroboratum* de *corroborare*, a décliné dans son acception médicale. Il assume le sens général de «qui sert à confirmer, à renforcer», employé spécialement en linguistique arabe, à propos d'une classe de noms qui se construisent en apposition pour renforcer le sens du mot qu'ils accompagnent.

CORRODER v. tr. est emprunté (1314) au latin *corrodere*, composé d'aspect déterminé en *cum* (→ co-), de *rodere* (→ ronger).

♦ Par extension de son emploi didactique pour «ronger, détruire progressivement par une action chimique» (1314), *corroder* a reçu le sens figuré de «détruire par une action lente et insidieuse (d'un sentiment, d'une entité morale)» (1756).

▸ Le participe présent **CORRODANT, ANTE** était anciennement employé comme substantif pour désigner une substance au pouvoir rongeur, mais son emploi adjectif est limité par l'existence d'un adjectif de sens plus actif, **CORROSIF, IVE** (XIIIe s.), dérivé savant du radical de *corrosum*, supin de *corrodere*. *Corrosif* est employé dès l'origine en médecine, où il est substantivé à propos d'une substance qui corrode (1314). Il est passé dans l'usage général avec la valeur figurée de «mauvais, nuisible» (1468), puis «qui ronge, mordant» (d'un sentiment, d'un vice et, couramment, d'une critique, de l'humour). ➜ **CORROSION** n. f. est emprunté (v. 1300) au bas latin *corrosio* «action de ronger, morsure», formé sur le supin de *corrodere*. Introduit en médecine, il a reçu d'autres acceptions spécialisées. Son emploi figuré (1756) correspondant à *corrosif* est beaucoup plus rare.

CORROMPRE v. tr. est emprunté (1160-1174) au latin *corrumpere*, composé d'aspect déterminé en *cum* (→ co-) de *rumpere* (→ rompre), signifiant «détruire, anéantir» et «détériorer, gâter» (physiquement et moralement).

♦ Le mot a eu le sens particulier de «séduire, débaucher (une femme)», aujourd'hui vieilli. La plupart de ses emplois concrets hérités du latin sont sentis comme marqués dans l'usage moderne, que ce soit «altérer en décomposant» (1216, dans une ancienne construction intransitive équivalant à notre usage de la forme pronominale) ou, en technique, «modifier la forme ou la substance (d'un matériau)» (1672). ◇ L'ancien sens figuré spécialisé, «trahir, déformer un texte» (v. 1170), a disparu, mais le mot est resté usuel avec le sens moral d'«altérer (ce qui est sain, honnête)» (v. 1174) et surtout d'«amener (qqn) à agir contre sa conscience, son devoir (avec des dons, des promesses)» (1283).

▶ Le participe passé **CORROMPU, UE** est employé comme adjectif avec les mêmes sens que le verbe, surtout dans le domaine moral. Les autres mots du même groupe (si l'on excepte le terme régional **CORROMPERIE** n. f. «saloperie») sont empruntés à des dérivés latins. ➝ **CORRUPTEUR, TRICE** adj. et n. (1531) représente *corruptor;* du sens originel de «celui qui séduit», il passe (1561) au sens de «personne qui altère, détruit» et, encore ultérieurement, au sens moral moderne (1767, comme adjectif). ➝ **CORRUPTIBLE** adj. (1267-1268) est emprunté au bas latin et latin chrétien *corruptibilis* «corrompu» (de choses, de personnes), tandis que le nom didactique correspondant, **CORRUPTIBILITÉ** n. f. (1492), est emprunté au latin *corruptibilitas.* ➝ L'antonyme **INCORRUPTIBLE** adj. (v. 1350), représentant le latin *incorruptibilis,* est plus vivant que le simple. Attesté depuis le XVIIe s. avec son sens moral moderne, il est substantivé et, sous la Révolution, donné comme surnom à Robespierre et comme titre à un journal révolutionnaire (1790). ◇ Traduisant l'anglais *untouchable* dans un feuilleton télévisé, le nom s'applique à une police et à des policiers que l'on ne peut corrompre. ➝ L'adjectif à valeur active **CORRUPTIF, IVE** (v. 1385), emprunté au latin tardif *corruptivus,* est peu usité, fortement concurrencé par *corrupteur.*

CORRUPTION n. f. (v. 1130), emprunté au latin *corruptio,* s'est, comme le verbe, spécialisé dans le domaine de la vie morale (1373). Le sens concret (v. 1170), sans sortir de l'usage, a vieilli avec ses extensions métonymiques pour «état de ce qui est corrompu» et «charogne». C'est la famille de *pourrir* qui tend à remplacer celle de *corrompre,* dans ces contextes. La philosophie s'est servie de *corruption* pour rendre le concept grec de *phthora* (opposé à celui de *genesis,* → genèse), désignant l'événement par lequel une chose cesse d'être telle qu'on puisse encore la désigner par le même nom. ➝ Son antonyme **INCORRUPTION** n. f. (v. 1170), calqué sur le latin chrétien *incorruptio* «durée éternelle, inaltérabilité», a vieilli.

◈ voir COURROUCER.

◈ **CORROYER** v. tr. (1674), d'abord *courroyer* (1538), est la modification de *conreer* (v. 1050), issu du latin populaire °*conredare,* lequel est l'adaptation du gotique *garedan* «apprêter, parer» (→ arroi) introduit par les mercenaires germaniques qui servaient dans l'armée romaine. Le passage de *conr-* à *corr-* s'est fait par assimilation d'après les formes toniques.

♦ Le sens primitif de «parer, apprêter» (par ex. le corps d'un défunt) a disparu et s'est spécialisé dans quelques domaines techniques : dès l'ancien français, le verbe s'emploie en peausserie pour «transformer le cuir après le tannage en lui donnant le dernier apprêt» (1165-1180). ◇ En construction, il se dit pour «pétrir, malaxer (une matière) et en faire un enduit» (1580), en métallurgie pour «battre et souder à chaud (un métal)» (1674), en menuiserie pour «raboter». Seul l'emploi en peausserie est connu dans l'usage général.

▶ Le déverbal **CORROI** n. m. a connu l'évolution de la forme *conrei* (1130-1140), *conroi* puis *corroi* et le passage du sens général de «soin» (dans l'ancienne locution *prendre conroi de qqn*) aux spécialisations techniques en peausserie (1290-1300) et en construction pour désigner un enduit, spécialement un lit de glaise ou, aujourd'hui, de béton imperméable dont on revêt le fond d'un bassin, d'un réservoir (déb. XVIe s.). ➝ **CORROIERIE** n. f., d'abord *courroierie* (1247) et **CORROYEUR** n. m., aboutissement de *coureere* (v. 1260), désignent respectivement la technique et l'ouvrier assurant l'ensemble des opérations de finissage du cuir brut. ➝ Le substantif d'action **CORROYAGE** n. m., d'abord *courreage* (1432), s'est également étendu du domaine de la peausserie, où il se substitue souvent à *corroi,* à ceux de la métallurgie (1761) et du travail du bois.

CORSAIRE n. m., d'abord *cursaire* (1443) par latinisme, puis *corsaire* (1477), est emprunté, probablement par l'intermédiaire de l'ancien provençal de même sens *corsari* (déb. XIVe s.), à l'italien *corsaro* (1315, Dante, *Purgatoire*). Ce dernier est issu du bas latin *cursarius,* dérivé de *cursus* (→ cours, course). La variante *coursaire,* francisée, est attestée du XVe au début du XVIIe siècle.

♦ Le mot désigne celui qui pratique la «course» soit, en droit maritime, la capture des vaisseaux marchands ennemis. Ce phénomène, probablement ancien, a atteint son apogée entre 1577 (bataille de Lépante) et 1713-1720 (après le traité d'Utrecht) sur les rivages de l'Occident européen. Il disparaît définitivement au XIXe s., le Surcouf de la période napoléonienne étant une survivance. Par métonymie, *corsaire* désigne aussi un bateau armé par des particuliers et autorisé par le gouvernement à poursuivre les vaisseaux marchands ennemis, d'abord sous la forme adjective *(gallée) coursaire* (1470) et, par ellipse du nom, *corsaire* (déb. XVIIe s., *coursaire*). Le mot a été repris pendant la Seconde Guerre mondiale pour le navire chargé d'attaquer la flotte marchande de l'ennemi. ◇ Après la fin des opérations de course, le mot entre dans le domaine des récits d'aventures maritimes ; il connote souvent, d'après ces récits, les chasses au trésor et les abordages dans les mers du Sud, plus ou moins confondu avec *flibustier* et *pirate,* lesquels concernent pourtant des réalités historiques très différentes. ◇ Depuis la fin de la Seconde Guerre (1945), il est employé dans le vocabulaire de la mode, apposé avec une valeur adjective dans ***pantalon corsaire*** «pantalon court qui s'arrête sous le genou» (tel qu'en portaient les corsaires), substantivé en *un corsaire*.

CORSAGE, CORSER, CORSET → CORPS

CORSO n. m. est un emprunt (1807) à l'italien *corso*, qui correspond au français *cours** au sens d'«avenue».

♦ Le mot a désigné une avenue (par ex. chez Balzac, *La Maison Nucingen*, 1838), puis (1848, A. Dumas) un défilé de chars, au cours d'une fête, d'un carnaval (*corso fleuri*, etc.).

CORTÈGE n. m. est emprunté (1622) à l'italien *corteggio* «suite de personnes qui en accompagnent une autre au cours d'une cérémonie» (1600), lui-même déverbal de *corteggiare* (apr. 1350) «accompagner un personnage important pour lui rendre hommage», de *corte* (→ cour, courtisan, de l'italien).

♦ *Cortège*, emprunté au sens du mot italien, est aussi employé en parlant de tout groupe de personnes marchant en file, sans intention d'honorer (1674). ◇ Au figuré, il se dit d'un ensemble d'entités se trouvant dans un rapport de contiguïté (1755), spécialement en physique (*cortège d'électrons*, mil. XXe s.) et en musique (*cortège d'harmoniques*).

▸ Le dénominatif **CORTÉGER** v. tr. (v. 1650, par *cortégé*) reste rare et d'usage littéraire (Chateaubriand utilise ses participes présent et passé substantivés).

CORTEX n. m. est un emprunt scientifique (1896) au latin *cortex* «écorce», mot qui appartient à un groupe indoeuropéen en comprenant le vieux slave *kratŭkŭ* «court», *črěsti* «couper», et le sanskrit *kṛ̥ttiḥ* «peau». L'idée est celle de la chose séparée, enlevée, telle la peau des animaux, l'écorce des arbres.

♦ Le mot désigne en anatomie une partie externe, périphérique et notamment (*cortex cérébral*, absolument *cortex*) celle du cerveau.

▸ **CORTICAL, AUX** adj., formation savante de la Renaissance (fin XVe s.) sur le latin *cortex*, signifie d'abord «de l'écorce». Il a été repris au sens anatomique, d'après *cortex* (probablement fin XIXe s.). ◇ De là **SOUS-CORTICAL, ALE, AUX** adj. (1830 en géol.) aujourd'hui courant en anatomie.
CORTICO-, élément tiré du latin *cortex*, a été précédé par *cortici-* dans **CORTICICOLE** adj. (1846),

CORSE (SITUATION LINGUISTIQUE)

La Corse, île formant un département français à statut particulier (1982), est en situation typique de «diglossie». Celle-ci est déséquilibrée. En effet, à l'usage traditionnel du français central qui sert de référence aux usages régionaux de cette langue en Corse — caractérisés par une phonétique et des éléments lexicaux spécifiques — ne correspond aucune référence sociale admise — celle que le toscan pourrait jouer — aux parlers spontanés qui forment la «langue corse».
L'ensemble dialectal corse fait clairement partie du plus grand ensemble des dialectes italiens du Centre et du Sud, distincts du sarde et comme lui issu du latin : son phonétisme est méridional («sud-italique»). Un dialecte ancien, peut-être apparenté au sarde, a pu exister en Corse, mais il a été recouvert par des parlers de nature toscane (variété occidentale de Pise). Ce caractère pisan du corse se retrouve dans les parlers locaux et dans la forme véhiculaire répandue dans toute l'île. L'influence sur la langue écrite et officielle de la variété d'italien employé par la république de Gênes a été remplacée après 1768 par l'introduction du français, longtemps contrariée par la présence de l'italien.
À côté de l'italien, le corse se manifeste par écrit en 1817, puis au milieu du XIXe s. ; longtemps après la littérature, l'enseignement du corse devint une réalité dans les années 1970. Cette période fut nommée *riacquistu* («réacquisition»). Cependant, l'application concrète de ces intentions a pu être vivement critiquée. On peut penser avec P. Marchetti, par exemple, qu'un enseignement efficace du corse supposerait (comme ce fut le cas en catalan, en basque) un travail de normalisation portant sur des dialectes en passe de devenir patois et sur les formes écrites du corse, aboutissant à une grammaire et à un dictionnaire acceptables par tous. Ce travail supposerait la maîtrise du point de référence que constitue le toscan : or, l'enseignement de l'italien en Corse est très insuffisant. Étant donné que l'omniprésence du français, l'immigration de non-corsophones, la baisse démographique des autochtones menace de l'extérieur cet ensemble dialectal, on peut craindre «un état de contact linguistique où le corse succombe» (P. Marchetti). En outre, l'influence lexicale et phonétique du français sur les parlers corses semble importante.
Transformer cette diglossie, où les parlers menacés deviennent plus l'objet d'une symbolique volontariste que d'une «réacquisition» effective, en un vrai bilinguisme, reste cependant possible.

BIBLIOGRAPHIE

G. ROHLFS, *Historisches Grammatik der Italienische Sprache und ihren Mundarten* [Grammaire historique de la langue italienne et de ses dialectes], 1954.

P. MARCHETTI, *La Corsophonie, un idiome à la mer*, Albatros, 1989. — «Corse, le problème de la langue», in *Commentaires*, n° 56, Paris, Julliard, 1992.

«qui vit dans l'écorce des arbres», et concerne soit le cortex cérébral, soit le cortex des glandes surrénales. ◇ Après **CORTICIPÈTE** adj. (1916), avec la forme ancienne *cortici-*, apparaissent **CORTICO-MÉDULLAIRE** adj. (1925), puis **CORTICO-SURRÉNALE** n. et adj. f. (1938) qui qualifie et désigne la périphérie (cortex) de la glande surrénale et les hormones qu'elle sécrète, d'où **CORTICOÏDES** n. m. pl. (1956 dans les dictionnaires), **CORTICOTROPHIQUE** adj. (anglais *corticotrophic*, 1934) et **CORTICOTROPHINE** n. f. (anglais *corticotrophin*, 1932), **CORTICOTHÉRAPIE** n. f. (1959 dans les dictionnaires), **CORTICOSTÉROÏDE** (→ cholestérol, d'où *stérol* et *stéroïde*).

CORTISONE n. f. est emprunté (1950) à l'anglo-américain *cortisone*, mot forgé en 1936 par le biochimiste E. C. Kendall et le médecin Ph. S. Hench de la Mayo Clinic, Minnesota, pour dénommer une hormone sécrétée par le cortex surrénal et utilisée en thérapeutique pour ses propriétés anti-inflammatoires et antiallergiques. Le mot est l'abréviation de la dénomination scientifique *corticosterone* ou *corticosteron (corti[co]s[ter]one)*, le nom complet en chimie étant *17 hydroxy-11 dehydrocortico-sterone*. ➜ **CORTICOSTÉRONE** n. f. est l'adaptation de l'allemand *Corticosteron* (1936, Reichstein *et alii*), formé de l'élément *cortico-*, tiré du latin *cortex* (→ écorce), de l'élément *-ster[ol]* (→ cholestérol, stérol) et du suffixe chimique *-one*. L'importance de la découverte de cette hormone en thérapeutique se reflète dans l'adoption du mot dans de nombreuses langues, dont le français, et dans la création de composés en *-cortisone (hydrocortisone)*, de **CORTICOSURRÉNAL, ALE, AUX** adj. (1950) et du dérivé **CORTISONIQUE** adj. (1965).

CORUSCANT, ANTE adj., d'abord *corruscant* (XIVe s.) puis *coruscant* (1507), est emprunté au latin *coruscans*, participe présent de *coruscare* qui se dit des animaux qui se heurtent de la tête et signifie aussi «étinceler, briller» et, transitivement, «brandir». Le verbe correspond à l'adjectif *coruscus* «qui s'entrechoque», aussi appliqué aux astres, à l'éclair pour «scintillant, étincelant». La racine de ces mots correspondrait à celle du grec *skairein* «sauter en tous sens, danser», rapproché de l'ancien haut allemand *scêron* «être pétulant», moyen bas allemand *scheren* «se hâter, courir» et de diverses formes nominales en germanique, en baltique et en slave.

♦ Le mot a été repris avec le sens visuel de «scintillant, étincelant». Il est tombé en désuétude après le XVIe s. avant d'être signalé au XIXe s. avec la mention «mot de Rabelais» (1842), puis d'entrer dans la langue littéraire (1882; 1875 comme nom, chez Goncourt).

▸ **CORUSCATION** n. f., d'abord *corruscation* (fin XIIIe-déb. XIVe s.) puis également *coruscacion* (1343), emprunté au dérivé bas latin *coruscatio* qui désigne l'action d'étinceler, la fulguration, a suivi la même évolution. Il a été repris par la langue littéraire de la fin du XIXe s. (Huysmans, 1884).

CORVÉE n. f. est issu (v. 1170), avec la variante *corovée* (XIIe s.), du bas latin *corrogata* (sous-entendu *opera*) «(travail) obligatoire dû au seigneur», à l'origine (861) «service consistant dans le labourage des terres de la réserve seigneuriale». *Corrogata* est le participe passé adjectivé au féminin de *corrogare* «solliciter, inviter», composé d'aspect déterminé en *cum* (→ co-) de *rogare* «demander» (→ rogatoire). Aux VIIIe-IXe s., on relève une forme contractée *corvada*, qui a pu donner la forme française actuelle.

♦ Le mot est un terme de droit ancien qui désigne le travail gratuit que les serfs devaient au seigneur et dont l'origine remonte probablement au Bas-Empire. Jusqu'à son abolition dans la nuit du 4 août 1789, le système de la corvée est essentiel au mode d'exploitation seigneurial et religieux dont la production est fondée sur la petite exploitation paysanne. À partir du XVe s. (v. 1460), *corvée* exprime aussi, au figuré, l'idée d'une tâche ingrate, pénible. Depuis l'abolition des corvées, il est employé pour désigner certaines tâches dont se chargent à tour de rôle les membres d'une communauté (1835, dans l'armée). ◇ Au Canada, il a le sens de «travail collectif et gratuit fourni à un voisin pour l'aider».

▸ **CORVÉABLE** adj. (1594) est emprunté au latin médiéval *corveabilis* (1426), dérivé de *corvea* (1265) «corvée», forme parallèle à *corvada*. Après l'abolition des corvées, il ne s'emploie que dans la locution figurée ***taillable et corvéable à merci*** *(à miséricorde)* d'origine juridique.

CORVETTE n. f., attesté depuis 1476, pose un problème de formation : il est, pour les uns, directement adapté, avec le suffixe *-ette*, du moyen néerlandais *corver* «bateau chasseur», lui-même dérivé de *corf*, proprement «panier», spécialisé pour désigner un sac à pêche et, en marine, un bateau de pêche. *Corf* lui-même se rattache, comme l'ancien haut allemand *churb*, *chorp*, au latin *corbis* «panier en osier en forme de pyramide ou de cône» (→ corbeille) qui a pour dérivé *corbita*, désignant un navire de transport. Selon une autre hypothèse, *corvette* serait, malgré l'hiatus chronologique dû au manque de dépouillement de textes techniques, dérivé avec le suffixe *-ette* du français *corve* «bateau de pêche», seulement attesté en 1709 mais relevé sous la forme *corbe* en 1520 (Flandre et Hollande). Celui-ci représenterait le moyen néerlandais *corf*. Cette hypothèse est soutenue par *corvot* (1476) et *corbette* (1694), petit bateau ostendais qui surveillait les pêcheurs sur la côte normande.

♦ Le mot désigne un bateau relativement léger affecté à des missions de reconnaissance et, spécialement, un bâtiment de guerre de taille intermédiaire entre la frégate et le brick. À partir de 1750, la corvette prend de plus grandes proportions et devient vaisseau de ligne ; en 1773, elle sert déjà de navire-école. *Capitaine de corvette* est un grade de la marine qui correspond à celui de *commandant* dans l'armée de terre. ➜ *Corvette* désigne aujourd'hui un petit bâtiment d'escorte et spécialement de lutte contre les sous-marins.

CORYPHÉE n. m. est emprunté (1556) au latin *coryphaeus*, lui-même pris au grec *koruphaios* «qui occupe le sommet, la première place», d'où «chef» et, en particulier, «chef du chœur au théâtre». Ce terme est dérivé de *koruphê* «sommet, extrémité», à rapprocher d'autres mots grecs désignant une extrémité (souvent bombée), tels *korus* «casque», *korunê* «bulbe (d'une plante)» et, hypothèse plus douteuse, *keras* «corne» (→ kéra-).

♦ Le mot a été repris au sens général de «celui qui tient la première place dans un parti, une société». Il s'est limité ensuite à la spécialisation (1578) de «chef de chœur dans le théâtre antique», surtout répandue à partir du XVIIe s. (1691, Racine, préface d'*Athalie*). Par analogie, il désigne celui qui, dans l'opéra moderne, donne l'attaque aux choristes (1754) et, en danse, le chef du ballet. Les emplois métaphoriques au sens de «chef» sont didactiques et rares, mais on se souvient que les thuriféraires de Staline l'appelaient *coryphée du socialisme*.

CORYZA n. m. latinisation (1655) de *korze* (XIe s.) puis *corise* (v. 1370), est emprunté au bas latin *coryza* «écoulement nasal, rhume», lui-même adapté du grec *koruza*, maintenu en grec moderne et rapproché de mots désignant l'écoulement du nez dans d'autres langues indoeuropéennes, anglo-saxon *hrot*, ancien haut allemand *(h)roz*.

♦ Le mot est employé en médecine et en médecine vétérinaire pour une inflammation de la muqueuse nasale, appelée couramment *rhume de cerveau*.

COSAQUE n. et adj. est un emprunt à l'ukrainien *Kozak*, passé en français par le polonais, et originaire du türk.

♦ Cet ethnique concerne une population de nomades guerriers du S.-E. de la Russie et de l'Ukraine (Dniepr, Don), puis (1606) des cavaliers de ce peuple dans l'armée russe. Répandu après les guerres du Ier Empire, le mot s'est employé au XIXe s. comme n. et adj., pour «brutal, violent» (cf. *hussard*).

COSINUS → ② SINUS

COSMÉTIQUE adj. et n., une première fois *commatique* (1363), repris sous sa forme moderne au XVIe s. (1555), est emprunté au grec *kosmêtikos*, adjectif dérivé de *kosmos* (→ cosmos) dans son sens d'«ornement». *Kosmêtikos*, «apte à orner, propre au soin de la parure», est également substantivé en *kosmêtikê* (sous-entendu *tekhnê*) «art de la parure, de la toilette».

♦ Le mot, relevé une fois chez les médecins médiévaux, est repris au XVIe s. en emploi adjectif pour «ornemental». Il est substantivé avec l'idée de «ce qui entretient la beauté, embellit la peau, les cheveux», désignant, d'abord au masculin, un tel produit, en particulier au XIXe s. une pommade qui fixe les cheveux et les moustaches. ◇ Le féminin substantivé (1754, *Encyclopédie*) désigne la partie de l'hygiène traitant de l'usage des cosmétiques.

▸ Dans cet emploi, le mot est concurrencé par le composé scientifique **COSMÉTOLOGIE** n. f. (v. 1845) dont on a tiré **COSMÉTOLOGUE** n. (1896). ◆ De *cosmétique* ont été dérivés le verbe rare **COSMÉTIQUER** v. tr. (1876), «enduire de cosmétique», et le nom de métier **COSMÉTICIEN, IENNE** n. (v. 1950).

COSMIQUE → COSMOS

COSMONAUTE → COSMOS

COSMOPOLITE adj. et n. est emprunté (1560) au grec *kosmopolitês*, proprement «citoyen du monde», de *kosmos* (→ cosmos) et *politês* «citoyen» (→ police).

♦ Le mot a longtemps gardé le sens de «personne qui se déclare citoyen du monde». L'usage moderne l'emploie surtout adjectivement (1784), spécialement en botanique pour une espèce largement répartie puis couramment (1825) pour ce qui subit, comprend les influences de divers pays, les personnes qui s'accommodent de tous les pays, de mœurs nationales variées (1831, mais antérieur). Retenant cette valeur mais y ajoutant le concept originel d'internationalisme, le mot a été utilisé par la droite politique (Barrès, Maurras) en opposition péjorative à *nationaliste*.

▸ **COSMOPOLITISME** n. m. (1823), évinçant **COSMOPOLISME** n. m. (1739) «doctrine cosmopolite», évoque plutôt un mode de vie brillant emprunté à diverses sociétés internationales, avant d'être employé péjorativement, en opposition à *nationalisme*, pour caractériser l'attitude de l'élite internationale, non sans connotations xénophobes et antisémites, sur le thème de la ploutocratie bancaire (fin XIXe s., notamment). Ces valeurs péjoratives tendent à disparaître.

① **COSMOS** n. m. est emprunté (1847), par l'intermédiaire de l'allemand *Kosmos*, au grec *kosmos* exprimant originellement une idée d'ordre, de mise en ordre, diversement réalisée dans les sens d'«ornement», «forme, organisation d'une chose», notamment avec des valeurs militaires, politiques («organisation», «constitution») et, moralement, au sens de «gloire, honneur». D'autre part, par le même processus observé pour le latin *mundus* (→ monde), *kosmos* désigne, chez les philosophes, l'ordre du monde, l'univers et, en grec tardif, le monde habité, les humains. L'origine du mot est obscure ; malgré la difficulté phonétique, le rapprochement le moins improbable concerne le latin *censere* «être d'avis, conseiller» (→ censeur), le sanskrit *çáṃsati* «il récite».

♦ Seul le sens d'«univers» a été repris par le français, d'abord dans la traduction de l'ouvrage de Humboldt, *Essai d'une description physique du monde*. ◇ Depuis 1959, d'après le russe de même origine *kosmos*, *cosmos* désigne l'espace extraterrestre où se déplacent les engins spatiaux.
Un autre sens du mot grec, «ornement», est la base du terme de botanique ② **COSMOS** (1838), nom d'une plante ornementale, d'abord formé en latin scientifique par le botaniste espagnol A. J. Cavanilles (1745-1804).

▸ ① *Cosmos* a fourni, avec *cosmo-*, le premier élément de nombreux composés savants. Les plus anciens, **COSMOGRAPHIE** n. f. (1512), **COSMOLO-**

GIE n. f. (1582), par le latin scientifique *cosmologia*, et **COSMOGONIE** n. f. (1595), sont introduits au XVIe s., par emprunt à des composés grecs. ◆ D'autres composés sont apparus en nombre au XXe s., tels **COSMOBIOLOGIE** n. f. (XXe s.), **COSMOTELLURIQUE** adj. (1928), **COSMOVISION** n. f. (XXe s.), **COSMOGENÈSE** n. f. (1955). ◆ **COSMONAUTE** n. (1934), **COSMODROME** n. m. (1961) et **COSMONEF** n. f. (1963) ont été formés sous l'influence du russe, *cosmonaute* étant employé pour les expériences soviétiques et concurrencé par *astronaute, spationaute* dans les autres cas.

L'adjectif correspondant à *cosmos*, **COSMIQUE**, est plus ancien. Il est emprunté (v. 1380) au dérivé grec *kosmikos*. Terme d'astronomie, il a reçu dans le style littéraire, le sens figuré hyperbolique de «universel, hors des normes terrestres» (1862, Hugo, *amour cosmique*). ◆ En sont dérivés **COSMIQUEMENT** adv. (v. 1380), les termes didactiques **COSMICITÉ** n. f. (1957) et **COSMICIEN** n. m. Ce dernier s'est employé v. 1900 à propos des physiciens qui, étudiant les rayons cosmiques, abordaient le domaine subatomique (on parlera plus tard d'*atomistes* et de physiciens *nucléaires*). Le mot a été repris (attesté 1964) au sens tout différent de «spécialiste de l'astronautique (du «cosmos»), de l'astrophysique».

◈ voir COSMÉTIQUE, COSMOPOLITE, MACROCOSME, MICROCOSME.

② COSMOS → ① COSMOS

COSSARD, ARDE adj. et n., terme familier d'introduction tardive (1898, *Almanach du Père Peinard*), est probablement dérivé de *cossu* (→ cosse) par changement de suffixe, le cossu étant suffisamment riche pour se permettre de ne pas travailler et d'être fainéant.

▶ ② **COSSE** n. f. «paresse» (1900) est probablement le dérivé régressif de *cossard* sur le modèle de *flemme* qui provient de *flemmard*. Selon Esnault, il serait plutôt dérivé de **COSSON** n. m. (v. 1100, *kuçun*) «coléoptère vivant sous l'écorce de certains arbres», de nombreux noms d'insectes exprimant la paresse ou l'inactivité (*bourdon, cafard, grelot*) mais cette hypothèse n'est pas appuyée sur un usage figuré de *cosson* au XIXe siècle. *Cosson* est hérité d'un bas latin °*cossone*, dérivé du latin impérial *cossus* «ver du bois», mot sans étymologie connue.

◈ ① **COSSE** n. f. d'abord *kuss* (fin XIe s.) puis *cosse* (v. 1225), est d'origine douteuse, probablement d'un bas latin °*coccia*, forme altérée de *cochlea* ou *coclea* (→ cuiller) «colimaçon» et «objet en forme de colimaçon». Ce dernier est emprunté, avec changement de genre, au nom grec de même sens *kokhlias*, dérivé de *kokhlos*, nom de coquillages gastéropodes marins qui se rattacherait lui-même à *konkhê* (→ conche, conque). P. Guiraud voit plutôt dans *cosse* le représentant d'un gallo-roman °*costeus* dérivé de *costa* «côté, flanc» (→ côte).

♦ Le mot désigne l'enveloppe contenant les graines des légumineuses et, par extension, d'autres végétaux comme la châtaigne, le genêt, l'ajonc (fin XIVe s.). Son emploi comme dénomination d'un anneau métallique en marine (1552) serait un emprunt distinct au néerlandais *kous*, lui-même emprunté à l'ancien picard *cause*, correspondant à *chausse** «bas». ◆ L'évolution est obscure ; on a proposé d'expliquer le sens technique d'après l'idée que l'anneau «chausse» le cordage qui y passe. Toutefois la coexistence en *cosse* de deux homographes d'origine différente n'est pas certaine, la métaphore passant de l'enveloppe des graines à l'anneau de protection paraissant au moins aussi naturelle. ◇ D'ailleurs le mot réalise d'autres sens techniques fondés sur l'idée d'objet enveloppant ; il désigne la couche supérieure d'une carrière (1751) et, en électricité, la pièce métallique en forme d'anneau, fixée à l'extrémité d'un fil électrique et qui, serrée à une borne, permet la connexion de l'un avec l'autre (1925).

▶ **COSSU, UE** adj. (1378) apparaît avec son sens figuré usuel de «riche» dès la première attestation. Le sens propre, «qui a beaucoup de cosses», est attesté ultérieurement (1580) et s'est moins bien maintenu que le sens figuré, repris après 1718, et étendu par métonymie à une chose qui indique la richesse (1830). ◆ L'ancien diminutif **COSSETTE** n. f. (fin XVe s.) «petite cosse», sorti d'usage au XVIe s., a été repris au XIXe s. avec le sens technique de «lamelle de betterave à sucre» (av. 1869).

Sur le sens propre de *cosse*, on a formé le composé **ÉCOSSER** v. tr., «ôter la cosse» (1200), usuel en contexte culinaire *(écosser des petits pois)*, d'où **ÉCOSSEUR, EUSE** n. (1560) et l'adjectif **ÉCOSSÉ, ÉE**, tiré du participe passé.

② COSSE → COSSARD

COSTAUD → CÔTE

COSTUME n. m., d'abord *coustume* (1641) puis *costume* (1662), est une spécialisation de *coutume**, par emprunt à l'italien *costume* «coutume» (1260), employé avec le sens restreint de «manière de marquer les différences d'âge, de condition, d'époque, des personnages» (XVIe s.).

♦ Le mot apparaît en français comme terme d'art (*Correspondance* de N. Poussin) avec un sens voisin de «couleur locale», et est encore vivant dans cet emploi vers 1850 (Balzac, Delacroix...) avant d'être supplanté par *couleur locale*. ◇ Au XVIIIe s., l'une des caractéristiques les plus immédiatement perceptibles d'un groupe social étant sa manière de s'habiller, on passe au sens de «manière de s'habiller conforme à la condition sociale, à l'époque» (1747) et, par métonymie, à «ensemble des vêtements (d'une personne)» (1777, *costume de théâtre*). Le mot s'insère alors dans le champ sémantique de *vêtement, habit*. ◇ Le sens usuel de «vêtement masculin formé d'une veste, d'un pantalon et parfois d'un gilet taillés dans le même tissu» est apparu au XIXe s., avec la généralisation de ce type de vêtement en tissu sombre, comme habit du bourgeois (d'inspiration anglaise).

▶ À la fin du XVIIIe s., apparaissent les dérivés **COSTUMIER, IÈRE** n. (1799) et **(SE) COSTUMER** v. tr. pron. (1787), d'abord attesté au participe passé adjectivé **COSTUMÉ**. Ces mots ne sont pas relatifs au costume considéré comme manière de s'habiller, mais en tant qu'habillement de circonstance (théâtre, bal). ◆ Le mot familier **COSTARD** n. m. (1926) est dérivé du radical de *costume* par ajout du suffixe *-ard*. D'abord attesté en argot pour «habit du forçat», il s'est généralisé pour désigner le complet bourgeois (1928), avec des connotations positives.

COSY adj. et n. m. est emprunté (1902) à l'adjectif anglais *cosy* ou *cozy*, d'abord *colsie* (1709), «douillet», mot d'origine inconnue, probablement originaire du nord de l'Angleterre, peut-être scandinave. Le mot anglais est également employé comme nom pour désigner un canapé de coin (XIXe s.) et un couvre-théière.

♦ Le mot s'est introduit en français dans deux acceptions : le syntagme *tea causey* [sic] (*Femina*, 1.III, 1902), de l'anglais *tea-cosy* «couvre-théière», ne s'est pas répandu en dehors de milieux anglophiles adeptes des rites du thé anglais. ◆ En revanche *cosy-corner* (*L'Illustration*, 3.V, 1902), littéralement «coin douillet, confortable», d'abord traduit en *siège de coin*, désigne l'encoignure meublée d'un divan accompagné d'une étagère et, par métonymie, le divan et l'étagère placés dans cette encoignure (v. 1922). La forme composée, non attestée en anglais, tend ensuite à être remplacée par *cosy* (1946), qui a joui d'une certaine vogue entre les deux guerres, désignant aussi l'endroit d'un studio où l'on couchait. Après 1950, le mot paraît désuet. ◇ L'emploi de l'adjectif *cosy* (1910), au sens de «confortable, douillet», anglicisme d'occasion, semble avoir repris un certain usage après 1980, dans des milieux limités.

COTE n. f., d'abord écrit *quote* (1390), est emprunté au latin médiéval *quota*, substantivation pour *quota-pars* «part qui revient à chacun» (XIIIe s.), féminin de l'adjectif *quotus* (→ quota). Celui-ci, qui signifie, «en quel nombre» (dans une énumération, un partage), est dérivé de *quot* «combien» (→ quotidien), qui appartient à la même racine indoeuropéenne que le groupe de l'interrogatif indéfini *quis, quae, quod* (→ que).

♦ *Cote* est introduit en droit fiscal avec le sens de «part imposée à chaque contribuable», également réalisé par le composé *quote-part* (XIVe s., *quote-partie*) calqué du latin. Au XVIIe s., il a pris le sens de «lettre ou chiffre qui sert de marque» (av. 1615), peut-être d'après le chiffre exprimant la part de chaque contribuable qui était porté en face de son nom sur les registres. ◇ De là, il a développé par analogie plusieurs sens au cours du XVIIIe siècle : en géographie, il désigne le chiffre indiquant un niveau (en topographie) (1755), entrant dans la locution ***cote d'alerte*** qui, à l'origine, désigne le niveau d'un cours d'eau au-delà duquel commence l'inondation, et qui est devenue usuelle avec une valeur figurée. Il est utilisé techniquement pour le chiffre indiquant une dimension dans un plan d'architecte, une machine (1799). ◇ Depuis 1784 (Necker), il désigne également la constatation officielle du prix des cours, notamment en Bourse avec quelques extensions métonymiques. Par analogie, il se dit du cours officieux de marchandises (d'occasion). D'après l'idée de «valeur», il est entré dans l'usage courant au sens de «note» (particulièrement : «note mise à un devoir»), fournissant les locutions ***cote d'amour, cote de popularité*** et, familièrement ***avoir la cote.***

▸ De *cote* ont été tirés deux verbes. Le premier est **COTER** v. tr. (XVe s.) qui reprend tous les sens du nom et est à l'origine de dérivés spécialisés, tels **COTATION** n. f. (1527, *quottation*), employé dans les domaines techniques de la documentation et de la Bourse (1929), **COTABLE** adj. (av. 1866 ; 1606, «qui mérite d'être noté») et **COTEUR** n. m. (1891), en finance. ◆ *Coter* a un préfixé spécialisé en finance, **SURCOTER** v. tr. (déb. XXe s.), qui a développé également un sens figuré (1923) et produit le déverbal **SURCOTE** n. f. (v. 1950).
L'autre dérivé verbal de *cote*, **COTISER** v. intr. (1513), a perdu son sens premier d'«imposer une quote-part», sauf au Canada ; il est employé pour «payer volontairement sa part, dans une dépense collective» (1549), d'abord à la forme pronominale et, depuis 1877, en construction indirecte *cotiser à*. ◆ En sont issus **COTISATION** n. f. (1515) et **COTISANT, ANTE** (1948), participe présent adjectivé et substantivé, devenus très courants comme l'emploi correspondant du verbe, avec le développement des assurances puis de la Sécurité sociale.
DÉCOTE n. f. (1953) est l'antonyme correspondant à *cote* dans sa spécialisation financière.

✳ **CÔTE** n. f., d'abord *coste* (XIe s.), continue le latin *costa*, qui désigne à la fois le côté et l'os de la cage thoracique. Par analogie, le mot désigne les saillies ou nervures de certains végétaux ; à basse époque, il dénomme le rivage marin et le flanc de la colline, par la même transposition métaphorique que *flanc*. Son origine n'est pas connue ; on évoque un rapprochement avec le vieux slave *kosti* «os», lui-même inséparable du groupe du latin *os* (→ os), du sanskrit *ásthi*.

♦ Le mot est introduit en anatomie au sens très général de «côté», disparu sauf dans ***côte à côte*** (1160-1185), et dans le sens précis d'«os de la cage thoracique». S'agissant des animaux de boucherie, le mot s'emploie à propos des bovins *(côte de bœuf, de veau)*, à la différence de *côtelette* (ci-dessous). ◇ Il a repris au latin le sens analogique de «longue saillie à la surface des fruits et légumes» (v. 1250, *côtes de laitues*), s'étendant par analogie aux saillies séparant certains motifs d'architecture (1676). ◆ Parallèlement, dès le XIIe s., *côte* a repris du latin le sens de «pente d'une colline» (1160-1185), appliqué spécialement à un versant de colline planté de vignes ; par métonymie, il désigne le vin qu'on y récolte, notamment dans *côtes-du-rhône*. ◆ Le sens de «rivage» (1502, en gascon) est encore plus usuel et constitue un véritable homonyme.

▸ Chacun des sens du mot est lié à un ou deux dérivés spécifiques. **CÔTOYER** v. tr. (v. 1131), d'abord *costeier*, signifie proprement «aller côte à côte avec qqn». Il dépend donc de *côte* «côté», même s'il est surtout répandu avec les sens de «aller le long de» (XIIe s.), «être en contact (avec qqn)» (1606) et, au figuré, «être tout proche de qqch. sans y atteindre» (1845, *côtoyer le ridicule*). Cet ensemble de sens a absorbé celui d'«aller le long des côtes» (XIIe s.), en parlant d'un navire ou d'une personne, sens qui a vieilli mais dont le pouvoir métaphorique est sensible dans les autres emplois. ➜ En revanche, le préfixé verbal **ACCOSTER** v. tr., proprement «placer côte à côte, aborder, approcher» (XIIe s.), tout en développant par extension le sens péjoratif d'«aborder (qqn)» (1573), notamment à propos d'une prostituée dans la rue (1866), est tombé dans l'attraction de *côte* «rivage», s'appliquant à un navire qui s'approche du rivage (1402), cf. *arriver*. Cependant, ses autres emplois en marine, «aborder un autre bâtiment pour l'attaquer» (av. 1600) et «se placer à côté d'un navire» (1694), procèdent bien du sens de «côté». Du point de vue morphologique, il semble que le *s*, normalement amuï dans *accoter*, a été réintroduit au XVIe s. sous l'influence de l'italien *accostare* ou du provençal *acostar*. ◇ Les dérivés **ACCOSTABLE** adj. (XVIe s.), **ACCOSTE** n. f. (1845) et **ACCOSTAGE** n. m. (1872) «fait d'accoster», sont rares.

COTEAU n. m., d'abord *costels* au pluriel (v. 1160), puis *costal* (XIIe s.), *couteau* (1599) et *coteau* (1611), bien que démotivé graphiquement par l'absence d'accent circonflexe, se rattache à *côte* «pente d'une colline». Employé pour une petite colline, il est, comme *côte*, spécialement associé à la culture du vignoble (1564).

CÔTELÉ, ÉE adj. (XIIe s.) vient de *côte* «nervure», qualifiant moins souvent un végétal que, par analogie, une arme, un outil pourvu d'arêtes en métal longues et aiguës puis également un tissu *(velours côtelé)*. ➜ **CÔTIÈRE, COSTIÈRE** n. f. (v. 1170), qui s'est maintenu avec deux graphies, se partage entre deux sens : d'abord employé au pluriel pour les côtes de la mer, il est resté en géographie la dénomination du versant d'une montagne (av. 1200), cf. *côte* et *coteau*, passant en horticulture pour désigner une planche de jardinage à bonne exposition, où l'on cultive les primeurs (1690). ➜ D'autre part, le mot a été synonyme de *côté* jusqu'au XVIIIe s. et en a gardé des spécialisations techniques : il est employé en construction pour un encadrement de pierres en saillie autour d'un four, d'une cheminée (1757) et, au théâtre, pour une rainure ou une trappe servant à faire passer les décors dans le plancher de la scène (1869). ➜ L'adjectif **CÔTIER, IÈRE** (v. 1250) est d'abord dérivé de *coste* au sens de «côté», au figuré pour «parent en ligne collatérale». Le sens moderne de «relatif au littoral» (1376) vient de *côte* «rivage».

CÔTELETTE n. f., d'abord *costelette* (v. 1393) n'a pas de valeur diminutive générale ; le mot s'est immédiatement spécialisé en boucherie à propos d'une côte de porc, de mouton (plus petites, en effet, que les *côtes* de bœuf) destinée à la consommation. Ultérieurement, le mot a reçu quelques emplois imagés dans l'usage populaire, désignant des favoris (1869) et entrant dans les expressions *manger des côtelettes* «être comblé d'applaudissements» (1869), *côtelette de vache* «morceau de fromage» (1869), toutes deux oubliées, et, en argot, ***pisser une côtelette*** «accoucher». ➜ **ENTRECÔTE** n. f. (1746), considéré comme masculin jusqu'au XXe s., appartient lui aussi au domaine de la boucherie.

COSTAUD, AUDE adj. et n. (fin XVIIIe s., Restif) s'est longtemps écrit *costeau*, d'où *costel* (1846), avant de changer de suffixe sous l'influence d'adjectifs en *-aud*, le *s* s'expliquant peut-être par une influence occitane (provençal *costo* «côte»). Le mot signifie proprement «qui a une forte cage thoracique», comme *costatus* en latin (Varron) ; il a évolué vers le sens de «vigoureux». D'usage populaire ou familier, il a servi de dénomination argotique pour le souteneur (1846), revêtant des valeurs de «fort», «intelligent», «coriace».

COSTAL, AUX adj. est un terme médical emprunté savamment (v. 1560) au latin médical tardif *costalis*. ➜ En sont tirés **INTERCOSTAL, ALE, AUX** adj. (1536), **SUBCOSTAL, ALE, AUX** adj. (v. 1560).

◈ voir CÔTÉ.

CÔTÉ

CÔTÉ n. m. est issu (1080) d'un latin populaire °*costatum*, restitué par ses aboutissements en espagnol, italien, et lui-même dérivé de *costa* «côte» et «côté» (→ côte). Cette forme est d'autant plus sûre que l'adjectif *costatus* s'est employé en latin classique (Varron) pour désigner un bœuf «à bonnes côtes», c'est-à-dire «fort» (cf. l'évolution de *costaud*, → côte). Le latin classique utilisait *latus* (→ lé) dont le représentant ancien français *lez* a été éliminé par *côté* au XVe s. et dont un dérivé a donné *latéral*.

♦ Le mot a d'abord désigné la partie latérale de la cage thoracique et, par extension métonymique, celle du corps humain entier (1080). Ce sens, vivant jusqu'au XVIIe s., s'est maintenu dans l'expression ***point de côté*** «douleur (piqûre) au côté». ◇ Dès le XIIIe s. le mot désigne la partie latérale d'une chose (v. 1260, Rutebeuf, au figuré), à la fois dans l'usage commun et en géométrie (XIIIe s.). ◇ L'accent quelquefois mis sur la partie d'une chose par opposition à d'autres parties (v. 1360), a motivé le développement des sens figurés : «ensemble de personnes par opposition à d'autres, parti» (1409) et, le côté d'une chose étant ce qui se présente au regard, «aspect» (1664, chez La Rochefoucauld). Diverses valeurs sont réalisées dans les locutions usuelles ***du côté de***, «dans la direction de», illustrée par Proust *(Du côté de chez Swann)*, ***à côté*** (1580), ***à côté de*** (1690), ***regarder de côté*** (1690) et ***laisser de côté*** (1787, Féraud), cette dernière exprimant à la fois l'abandon et la mise en réserve.

CÔTELETTE → CÔTE

COTERIE

COTERIE n. f. (1376), précédé par le latin médiéval *coteria* (1255), de *coterius* (ci-dessous), est le dérivé en *-erie* (suffixe exprimant le lieu où s'exerce un droit, une action) du radical de *cotier* au XIIIe s. (v. 1283), après la forme latine *coterius* (1086) «tenancier d'une petite tenure rurale», adjectivé pour qualifier un cens payé pour cette tenure. *Cotier* et sa latinisation viennent de l'ancien français °*cote* «cabane» que l'on restitue d'après des toponymes normands (*Vaucottes, Caudecottes, Brocottes*, etc. et d'après le dérivé *cotin* «maisonnette»). °*Cote* représente le francique °*kot* «cabane» et le correspondant ancien nordique de même forme (→ aussi cottage).

♦ Le mot a désigné une tenure rurale modeste (1376, *terre tenue en coterie*), sens limité aux coutumiers picards. Par métonymie, il a pris le sens collectif d'«association de paysans tenant d'un même seigneur une tenure roturière» (1611). ◇ Le mot se diffuse au milieu du XVIIe s., désignant alors une réunion de personnes soutenant ensemble leurs intérêts (1660), prenant une valeur péjorative de «petit groupe, clique» (1808). Il continue néanmoins à désigner parallèlement, sans péjoration, une association de personnes qui se fréquentent familièrement sur la base de goûts, d'intérêts communs (ainsi, le salon Verdurin, chez Proust, s'appelle *la petite coterie*).

COTHURNE n. m. est un emprunt (av. 1502) au latin *cothurnus*, lequel est pris au grec *kothornos* «chaussure haute à lanières lacées par devant», spécialement «chaussure de ce type à semelle de bois très épaisse donnant un port majestueux aux acteurs tragiques». Ce mot, d'origine incertaine, pourrait être un emprunt lydien.

♦ Le mot a été introduit dans le vocabulaire des antiquités gréco-romaines avec sa double valeur. Par métonymie, il s'applique au ruban fermant un soulier féminin montant jusqu'au mollet (1839) et, à son tour, à ce genre de chaussure (1921).

▸ **COTHURNÉ, ÉE** adj., «chaussé de cothurnes», a servi d'équivalent à *tragique* (en parlant d'un poète) par la même métonymie que la locution *chausser, prendre le cothurne* «composer ou jouer des tragédies». Il est resté didactique et rare.

COTILLON → COTTE

COTISER → COTE

COTON n. m., d'abord noté *cotun* (v. 1160), est emprunté à l'arabe *quṭun*, de même sens. Sa trajectoire suit celle de la culture de la plante : de l'Orient à la Sicile et à l'Italie (italien *cotone* et latin médiéval *cutto, cuttonis* à Gênes, en 1156), à l'Andalousie musulmane puis à l'Espagne entière (espagnol *algodón* avec l'article arabe *al*).

♦ Le mot désigne le duvet végétal soyeux entourant les graines du cotonnier puis, par métonymie, le fil, l'étoffe qu'on en tire (v. 1165) et, beaucoup plus tard seulement (1680), la plante qui produit ce textile (voir plus loin *cotonnier*). Par extension, *coton* s'applique au duvet d'autres plantes» (1574) et, par analogie d'aspect, à un nuage brumeux (1916, dans l'argot des soldats). ◇ La phraséologie figurée compte ***être élevé dans du coton*** (1671), ***jambes en coton*** (1839 ; également *guibolles de coton*, 1877), ***filer un mauvais coton*** (1846). Cette dernière expression, avec l'idée de «fils emmêlés» et celle de «brouillard», rend compte de ***c'est coton*** «c'est difficile», où *coton* est employé quasi adjectivement (1830), d'abord en argot.

▸ **COTONNIER, IÈRE** adj. est d'abord adjectif dans *arbre cotonnier* (1542) et, par ellipse, a abouti au substantif **COTONNIER** (1694), lequel a absorbé le sens de *coton* «plante textile». ◇ L'adjectif a été reformé (av. 1850), à l'époque de l'industrialisation, au sens général «du coton» *(l'industrie cotonnière)*.

COTONNEUX, EUSE adj. (1552) prend vite ses valeurs figurées de «mou» (1611), puis «qui ressemble à du coton» (1801).

COTONNADE n. f. est d'abord (1615) un terme de médecine pour «mèche de coton, charpie» ; son sens actuel apparaît avec le début de l'industrie textile (1771).

Les composés **COTON-POUDRE** et **FULMICOTON** n. m. désignant un explosif sont, sans doute par le hasard des attestations, tous deux datés de 1847.

CÔTOYER → CÔTE

COTTAGE n. m. est emprunté (1754) à l'anglais *cottage*, désignant d'abord une tenure, une petite maison de paysan (XIIIe s.) puis également une petite maison de campagne. Ce mot, attesté dès le XIIe s. en latin médiéval *(cotagium)*, est probablement un terme formé en ancien normand : on relève *cotagium* à Rouen en 1219. Il s'agit du dérivé en *-agium (-age)* de *cot* «cabane, abri», issu du germanique °*kot* (→ coterie).

♦ Le mot, apparu dans l'*Encyclopédie* de Diderot pour désigner une réalité anglaise, s'est acclimaté et appliqué à une petite maison de campagne, confortable et même raffinée, en France, toujours avec allusion au style anglais (1842). Au Canada, il désigne au contraire toute maison de campagne un peu grande (opposé au *bungalow*, plus fruste, et à *chalet*), par emprunt à l'américain qui a adapté le mot anglais aux réalités locales.

COTTE n. f. est issu (v. 1155) du francique °*kotta* que l'on peut déduire de l'ancien haut allemand *kozzo* n. m., *kozza* n. f. «manteau de laine», formes auxquelles correspond le latin médiéval *cottus, cotte, cotta* dans le domaine germanique. P. Guiraud émet l'hypothèse d'un rapprochement de *cotte* avec l'ancien français *cote* «peau (d'un animal, d'un fruit)», d'origine provençale ou italienne, issu d'un roman °*cutita*, du latin *cutis* «peau» (→ cuti, cutané, couenne).

♦ Au moyen âge, le mot désigne une sorte de tunique portée par les hommes et les femmes et particulièrement un vêtement du chevalier, du guerrier : le mot, dans ce contexte, a donné les expressions ***cotte d'armes*** (v. 1240 ; 1212, *cote a armer*) «casaque qui se mettait sur la cuirasse» et ***cotte de mailles*** (1526, *copte de maille*) «armure défensive en mailles, anneaux de fer». L'usage de cette armure, bien antérieur à l'attestation écrite de l'expression qui, au XVIe s., est de nature historique, a été introduit à la fin du haut moyen âge (ainsi dans la broderie de Bayeux) et s'est généralisé après 1150. Le mot a également désigné (1539) une jupe courte, plissée à la taille (encore aujourd'hui dans les parlers de l'Est) et, par extension, un vêtement de travail (1877, *cotte d'ouvrier*).

▸ En sont dérivés **COTTERON** n. m. (v. 1365) «veste courte sans manches des paysans médiévaux», «petite jupe courte et étroite», spécialement «cotillon de laine porté par les paysannes de la Flandre», et le composé **COTTE-HARDIE** (v. 1250), terme historique désignant un court vêtement de dessus porté par les deux sexes du XIVe au XVIe siècle. ➜ Seul le dérivé **COTILLON** n. m. (1461) est encore vivant pour n'être pas resté strictement un terme d'habillement : traditionnellement, il désigne une jupe de dessous portée par les femmes du peuple (encore dans les parlers méridionaux) ; de là, par l'intermédiaire de l'expression *trousseur de cotillons,* il a pris le sens de «femme» et «ensemble des femmes» (1718) dans le contexte galant de la locution ***courir le cotillon.*** ◇ Peu après 1700, il est devenu par métonymie le nom d'une danse que l'on dansait avec le cotillon relevé, produisant au XIXe s. **COTILLONNER** v. intr. (av. 1866) et **COTILLONNEUR, EUSE** n. (1864), aujourd'hui vieillis. Appliqué en particulier à la danse collective, la farandole qui avait lieu à la fin du bal, *cotillon* a pris son sens moderne de «réunion accompagnée de danses et de jeux» (à l'occasion d'une fête, notamment la Saint-Sylvestre). Il est parfois employé elliptiquement pour *accessoires de cotillon.*

◈ voir REDINGOTE.

COTYLÉDON n. m., d'abord sous la forme *cotillidones* (1314) puis, conformément au grec, *cotylédons* (1534) au pluriel, est emprunté au grec *kotulêdôn* «creux, cavité», employé spécialement à propos des suçoirs du poulpe et, en anatomie, de la cavité de l'articulation de la hanche (Aristote) et des vaisseaux à l'orifice de l'utérus (Hippocrate). Ce mot est dérivé de *kotulê* «creux», usuellement «jatte, coupe», spécialement «mesure de capacité», employé par métaphore en anatomie. Son origine est obscure, soit emprunt, soit terme apparenté au nom de la tête, au dorien *kottis,* lui-même sans étymologie connue, ou encore au slave (tchèque *kotlati se* «devenir creux»).

♦ Le mot a été introduit en anatomie en parlant des lobes du parenchyme placentaire (d'où le syntagme *cotylédons de la matrice,* 1534), sens disparu. ◇ Au XVIIIe s., il a été repris en botanique à propos de l'expansion latérale de l'embryon végétal qui contient des réserves nutritives pour le premier développement de la plante (1786, chez Bernardin de Saint-Pierre).

▸ Les dérivés se rapportent à la botanique : ce sont, dès la fin du XVIIIe s., les termes de classification **DICOTYLÉDONE** adj. et n. f. pl. (1783) et **MONOCOTYLÉDONE** adj. et n. f. pl. (1787), caractérisant les végétaux d'après leur nombre de cotylédons, puis, au XIXe s., les adjectifs **COTYLÉDONÉ, ÉE** (1829), d'où **DICOTYLÉDONÉ, ÉE** adj. et n. m. pl. (1862).

◈ **COU** n. m. est originellement (v. 1170) l'ancien cas régime (complément) pluriel de *col*, cous.* Le mot est issu du latin de même sens *collus,* devenu *collum,* peut-être par attraction du genre neutre de plusieurs noms désignant des parties du corps. *Collus* est lui-même issu de *°kol-so-s* qu'il faut, soit rattacher au groupe de la racine indoeuropéenne *°kel-* «en haut» (→ exceller), soit plus probablement à celui de *°kʷel-* «tourner» (→ quenouille).

♦ La répartition des sens entre *cou* et *col* a conservé à *cou* son sens anatomique, «partie du corps qui relie la tête au tronc (surtout chez l'homme)». Il entre dans plusieurs locutions dont ***jusqu'au cou*** (v. 1360) et, au figuré, ***se jeter au cou de qqn*** (1644). ***La bride sur le cou*** (av. 1650) concerne évidemment le cou du cheval. ➜ Au figuré le mot désigne la partie étroite et allongée d'une bouteille (1690), en concurrence avec *col.*

▸ Il entre comme premier élément dans quelques noms d'oiseaux composés, tels **COU-TORS** (et *torcou,* 1555) et **COU-ROUGE** (1767), éliminés respectivement par *torcol** et *rouge-gorge*,* ainsi que **COU COUPÉ** (1829). ◇ Par analogie, il est utilisé, toujours à propos d'une partie du corps, dans **COU-DE-PIED** (av. 1250 ; v. 1172, *col del pié*). ◇ *Cou* fournit aussi le premier élément de noms de végétaux (*cou de chameau,* 1732 ; *cou-de-cigogne,* 1832). Tous les dérivés du mot sont formés sur *col*,* pris en général avec son ancien sens de «cou». ➜ **BRISE-COU** n. m. (1690) «lieu dangereux» a été remplacé par *casse*-cou.* ➜ **LICOU** n. m. → **COL** (licol).

◈ voir CASSER (CASSE-COU).

COUARD → QUEUE

✳ **COUCHER** v., d'abord *coulcher, couchier* (1772), est l'aboutissement de *colcer* (v. 1050), *culcer* (1080), issu du latin *collocare,* de *cum* (→ co-) et *locare* (→ louer). Ce verbe latin, qui signifie généralement «placer, disposer», a pris tardivement, à partir du sens particulier de «placer horizontalement», le sens de «mettre au lit» et «se mettre au lit» (à la forme pronominale *se collocare*). ◈

♦ Le mot est apparu à la forme pronominale *se colcer avec* «partager le lit de qqn» (1050), sans les connotations sexuelles que développera l'emploi familier de *coucher avec* (v. 1539), prolongées ultérieurement par l'emploi absolu de *coucher.* ◇ Dès 1080, *se coucher* est attesté avec le sens usuel de «se mettre au lit» et, en construction transitive, *coucher qqn* «mettre au lit». Ce n'est qu'au XIXe s. qu'on trouve l'expression ***allez vous coucher!*** (1835), employée par désinvolture pour «laissez-moi tranquille». ◇ Dès 1080, le verbe est employé par métaphore en parlant du soleil qui disparaît à l'horizon (cf. *couchant*) et, par extension, au sens d'«étendre» («s'étendre» à la forme pronominale), parfois, dans le contexte d'un combat, «terrasser l'adversaire» (v. 1305). ◇ Le verbe, en ancien français, reçoit le sens figuré de «consigner par écrit» (v. 1283) qui annonce d'autres emplois à venir avec l'idée de «rapprocher de la position horizontale». Celle-ci est réalisée dans la locution ***coucher un fusil en joue*** «le disposer horizontalement contre sa joue» d'où, par transfert de complément, ***coucher qqn en joue*** (1649) «le viser». La même idée se retrouve dans les syntagmes ***coucher une plante*** (1538), ***coucher de l'argent*** au jeu (av. 1400) et, probablement d'après *couche,* ***coucher ses couleurs,*** en peinture (1573).

▸ *Coucher* a produit de très nombreux dérivés : lui-même a été substantivé dès le XIIe s. sous la forme *couchier* (v. 1165) au sens d'«action de coucher quelque part, d'assurer son gîte à qqn» ***(le vivre et le coucher).*** ◇ C'est au XIIIe s. que **COUCHER** n. m. a pris son sens moderne de «moment de se mettre au lit» (par opposition à *lever*) et au XVIe s. qu'il a commencé à être appliqué au soleil, la locution ***coucher de soleil*** étant appliquée également à une représentation picturale de ce motif. Par métonymie, l'accent porte parfois sur la façon dont on est couché (1694) ou ce sur quoi on couche. ◆ Le féminin **COUCHÉE** (XIVe s.) lui sert quelquefois de variante régionale.

Le déverbal **COUCHE** n. f., d'abord *culche* (v. 1170), a désigné le lit avant d'avoir au XVIIe s. la réputation de mot burlesque (1680) ou poétique (1694). ◇ Au XVIe s., on commence à parler de *la couche (des bébés)* [1505, *coucque*], emploi prolongé aujourd'hui par le pluriel *(les couches)* et par le moderne **COUCHE-CULOTTE** (1929). ◆ *Couche* s'est spécialisé (1552) au sens d'«alitement de la femme qui accouche» dans les locutions ***être en couche*** (1552), surtout au pluriel *les couches,* par exemple dans ***relever de couches*** «se rétablir» et enfin ***fausse couche*** (1671) «avortement spontané» et, par une métonymie injurieuse, «avorton». ◆ Toujours au XVIe s., d'après un ancien sens technique, «assemblage de plusieurs objets réunis, couchés ensemble (draps, cuirs)» (1268), *couche* a pris en horticulture le sens de «carré de fumier mêlé à de la terre pour favoriser la croissance de certaines plantes» (1529; d'où *champignons de couche,* 1838). ◇ Par extension, il désigne une étendue uniforme de substance sur un espace donné (1580), spécialement en géologie (1580), climatologie (1783), anatomie, et dans le bâtiment. ◇ Il a alors pour composé **SOUS-COUCHE** n. f. (1871 en géol.; 1941 à propos de la neige; mil. XXe s. en techn.). ◇ Pris avec une valeur figurée, il entre dans la locution populaire ***en avoir une couche*** (de bêtise) «être bête» (dep. 1883), et désigne un ensemble de personnes ayant des caractères communs dans les syntagmes *couches sociales* (1830), *couche d'âge,* etc. ◆ Le diminutif **COUCHETTE** n. f. (1374) se rattache uniquement à l'idée de «lit» : il désigne un petit lit et surtout un lit étroit dans un bateau (1882), puis un train (1908), d'où le composé **AUTO-COUCHETTE** n. f. (1965).

Le radical du verbe *coucher* a aussi servi à former **COUCHEUR, EUSE** n. (v. 1534), surtout dans le syntagme ***mauvais coucheur*** (1823) «celui qui empêche ses compagnons de dormir» et, au figuré, «personne qui a mauvais caractère». Le mot correspond aussi (1723) aux spécialisations techniques du verbe, notamment en papeterie (1752) et en broderie (1863).

◆ **COUCHAGE** n. m. (1657, puis 1838) désigne à la fois l'action de coucher et (1838) l'ensemble des objets servant à se coucher (***sac de couchage*** est passé du contexte militaire à celui des loisirs). Aux XVIIIe et XIXe s., le mot a reçu des acceptions techniques (1723, en industrie textile; 1808, en horticulture, également en papeterie et en imprimerie). ◇ Son usage populaire, au sens de «commerce sexuel» (v. 1931), en fait le synonyme de **COUCHERIE** n. f. (1760), dont c'est le sens dominant. Il vient du sens spécial de *coucher avec qqn.* ◆ Aux XVIIe et XVIIIe s. sont apparus plusieurs dérivés techniques : **COUCHOIR** n. m. (1680), **COUCHIS** n. m. (1694), **COUCHURE** n. f. (1751) et **COUCHÉ** n. m. en papeterie, par ellipse de *papier couché,* en concurrence avec *glacé.* ◆ À la même époque (1628), le participe présent **COUCHANT** commence à être substantivé, elliptiquement pour *soleil couchant* (1155), en parlant du lieu où le soleil se couche et opposé à *levant.*

À partir du début du XIXe s., l'élément verbal *couche-* fournit plusieurs composés : le technique **COUCHE-POINT** n. m. (1808) et les familiers **COUCHE-TÔT** (1870), auquel correspond **COUCHE-TARD** n. attesté récemment (1971) et plus rarement **COUCHE-DEHORS** (1881).

Les préfixés verbaux de *coucher* remontent à l'ancien français; dès le XIIe s., **RECOUCHER** v. tr., plus fréquent au pronominal *se recoucher.*

Avec le préfixe *a-*, **ACCOUCHER** v. intr. (v. 1160) signifie d'abord «se coucher, s'aliter», encore au XVIe siècle. Le sens moderne de ce verbe est issu de l'ancien sens spécialisé «s'aliter pour mettre un enfant au monde», puis «mettre un enfant au monde». *Accoucher* a ainsi supplanté l'ancien *gésir* (XIe s.) «être étendu», dans *gésir d'un enfant* (XIIe s.) et son composé *agésir* (→ gésine, gésir). La construction transitive exprime l'idée d'aider (une femme) à accoucher (1671). Le verbe, dans sa double construction, réalise aussi le sens figuré de «produire par l'esprit» (1674). ◆ **ACCOUCHEMENT** n. m. (v. 1190) a connu la même évolution : si, dès sa première attestation, il a son sens moderne (par lequel il évincera *gésine*), il est employé jusqu'au début du XVIIe s. au sens général d'«action de s'aliter» (1447). ◆ Le nom d'agent est d'abord apparu au féminin **ACCOUCHEUSE** (1671), le masculin **ACCOUCHEUR** étant attesté peu après (1677). ◆ Le participe passé a été adjectivé et substantivé au féminin, dans **ACCOUCHÉE** n. f. (1321).

DÉCOUCHER v., apparu à la forme pronominale *soi descoucier* (v. 1200), a signifié «se lever» et s'est employé dans la construction *découcher de qqn* «dormir dans un autre lit que qqn» (1559), avant de devenir intransitif au sens de «dormir hors de chez soi», et aussi *découcher de quelque part* (1694).

COUCI-COUÇA loc. adv. est, sous la forme retenue par l'usage moderne (1848), la déformation, sous l'influence de *comme ci comme ça,* de la forme traditionnelle *couci-couci* (1649), francisation de *cosi-cosi* (1619) aujourd'hui vieillie. La locution est empruntée à l'italien *così così* «à peu près» (déb. XVIe s., Machiavel), redoublement de *così* «ainsi, comme cela» qui est issu du latin vulgaire *eccum sic* (→ ainsi).

♦ La locution apparaît d'abord chargée d'une signification érotique *(faire cosi-cosi).* Elle la perd pour exprimer (XVIIe s.) l'idée d'approximation, équivalant à *à peu près, ni bien ni mal.*

COUCOU n. m. et interj. (1660), d'abord écrit *couquou* (1538), modification par assimilation de *cucu* (v. 1100) puis *coqu* (1557), *cocou* (1667), est issu du latin *cuculus,* mot expressif d'après le cri de l'oiseau. Le grec *kokkux* (→ coccyx), le vieux slave *kukavica,* le sanskrit *kóka-*, *kokiláḥ,* l'irlandais *cuach* sont de même type; les formes romanes, dont le français, ont corrigé l'évolution phonétique en restaurant le second *c* et en assimilant les deux voyelles : ainsi, *coucou* a éliminé dans ce sens la variante *cocu* (XIIe-XVIIe s.). Le latin *cuculus* était aussi employé comme terme injurieux pour un amant adultère (d'après l'habitude de l'oiseau de pondre ses œufs dans un autre nid) et pour un amoureux transi. Il servait aussi à désigner une plante.

♦ Le premier sens est passé à *cocu**, tandis que *coucou*, repris comme nom d'oiseau, est également devenu le nom de la primevère sauvage (1666; 1557, *coquu*) et du narcisse des bois (1845), ces fleurs commençant à fleurir à l'époque où le coucou commence à chanter. ◇ *Coucou* désigne aussi, au XIXe s., par ellipse de *pendule à coucou*, une horloge dont la sonnerie est remplacée par un oiseau de bois imitant le cri du coucou (1832). ◇ Vers 1800, on a nommé *coucou* une petite voiture publique qui conduisait les voyageurs dans les environs de Paris, soit pour sa couleur jaune (rappelant celle des primevères dites *coucous*), soit pour son bruit saccadé évoquant un oiseau cognant à l'arbre. ◇ Par extension, cette appellation est passée à divers véhicules en mauvais état, avion (1914) et petit train (1916). ➜ Par analogie avec le cri de l'oiseau, *coucou* est employé comme onomatopée (1660) pour le cri des enfants jouant à cache-cache et, de là, pour le cri manifestant une présence inattendue (1887).

► Sur *coucou* est formé le verbe rare **COUCOUER** v. tr. ou **COUCOULER** (1838) «imiter le cri du coucou» (le latin avait déjà *cuculare*).

COUDE n. m., d'abord *cute* (v. 1121), *cote* (1165-1170), puis *code* (XIIIe s.) et enfin *coude* (1387-1391), est issu du latin *cubitus* «pliure du bras», d'où «courbure, inflexion» et «mesure de longueur». Les Anciens établissaient un rapport avec *cubare* (→ couver), mais il peut s'agir d'une étymologie «populaire». La forme grecque parallèle *kubiton* est sicilienne et soit empruntée au latin, soit de la même origine peut-être sud-italique.

♦ Le mot, d'abord attesté dans le sens métonymique de «longueur d'un coude», réservé depuis le XVIe s. au dérivé *coudée*, désigne (v. 1165, *cote*), l'articulation du bras et de l'avant-bras. Dès le moyen français, il a fourni plusieurs locutions dans lesquelles se côtoient sens propre et sens figuré : ***jusqu'au coude*** (XIVe s., au sens propre), ***jouer des coudes*** et ***coude à coude*** (av. 1755). ◇ Par métonymie (av. 1660), il désigne la partie du vêtement qui recouvre le coude (par la même figure que *col, poignet*). Par analogie de forme, il est employé techniquement (1611) à propos de la partie d'un outil qui forme un angle saillant, et plus généralement (1690) de tout angle obtus que fait un chemin, etc. Il désigne en particulier (1694) un bout du tuyau métallique permettant de changer la direction d'une conduite *(coude de conduite)*.

► **COUDÉE** n. f., d'abord *cotee* (1165-1170), puis *codee* (v. 1250), *couldée* (1530) et enfin *coudée*, a supplanté l'ancien français *cute* désignant la mesure de longueur en usage chez les Anciens, représentant environ 50 cm. Par métonymie, il a pris le sens d'«espace nécessaire pour remuer les coudes» dans la locution ***avoir les coudées franches***, attestée au figuré (1580) puis aussi au propre (1611).

COUDER v. tr., d'abord *colder* (1493) puis *couder* (1601), réalise l'idée de «plier, courber en forme de coude», à l'origine à propos d'une opération de viticulture. Il est surtout d'usage technique (1680, comme terme de tailleur pour «faire le coude d'une manche»), de même que ses dérivés **COUDAGE** n. m. et **COUDURE** n. f.

COUDOYER v. tr. (1595), «pousser du coude», s'est affaibli au sens de «toucher (qqn) du coude, être auprès de lui» (v. 1663) et a développé (1786) le sens figuré de «côtoyer, fréquenter» (*cotoyer* restant toutefois plus usité); il a produit **COUDOIEMENT** n. m. (1832).

Par préfixation, *coude* a produit **S'ACCOUDER** v. pr. (déb. XIIIe s.) et **ACCOUDER** v. tr. (dès la fin du XIIe s., comme participe passé, *accoudé*) «s'appuyer sur le coude» (→ accoter). Le verbe s'emploie aussi, comme *accoudement*, dans une spécialisation militaire (1845). ➜ Le dérivé **ACCOUDOIR** n. m. (XIVe s.), d'abord employé comme terme d'architecture, a influencé, sous sa forme ancienne *acouldouer*, le dérivé d'*accoter, accotoir* pour son sens d'«appui» (1560). ◇ Il est concurrencé par le composé récent **APPUI-COUDE** n. m. ➜ *Accouder* a aussi pour dérivé **ACCOUDEMENT** n. m. (1412), d'abord au sens de «lieu où s'accouder» puis avec un sens, aujourd'hui vieilli, «action de s'appuyer sur le coude» (1611), spécialisé en termes militaires pour désigner la position au coude à coude des fantassins en rangs (1837).

◈ voir CUBITUS.

COUDRE v. tr. est issu, sous la forme *coldre* (v. 1160), puis *coudre*, d'un latin populaire °*cosere*, réfection du classique *consuere* «coudre ensemble», de *cum* (→ co-) et *suere* «coudre» (→ suture), d'après l'emploi de °*coso* pour *consuo* à la première personne du présent.

♦ Le verbe, qui signifie «assembler au moyen d'un fil passé dans une aiguille», est entré dans les expressions ***bouche cousue*** (fin XVe s., d'après *coudre* au sens abstrait de «lier») et ***cousu de fil blanc*** (1677), restées usuelles. La périphrase ***machine à coudre*** (1857), d'abord dénommée en anglais, est demeurée la seule désignation de l'objet. Le sens figuré de «assembler, joindre sans art» (1661, à propos des éléments d'une pièce de théâtre), a donné quelques emplois techniques en reliure, pêche et chirurgie.

► Le participe passé **COUSU** est adjectivé et substantivé familièrement au féminin (*cousue* et surtout ***une toute cousue***) pour désigner la cigarette manufacturée (et non roulée à la main). ➜ Son radical a servi à former deux dérivés. **COUSEUR, EUSE** n. et adj. (av. 1300, *couseres*) «personne qui coud», est dit spécialement au féminin de l'ouvrière qui coud les cahiers des livres dans les ateliers de brochure (1803) ou de la machine (1863). ➜ **COUSETTE** n. f. (av. 1878) a désigné familièrement une jeune ouvrière de la couture et se dit encore quelquefois d'un petit étui à couture (1926).

Par préfixation, *coudre* a produit **RECOUDRE** v. tr. (XIIe s.) et **DÉCOUDRE** v. tr. (1175) «défaire ce qui est cousu». Ce verbe est usité spécialement en vénerie (1678) au sens de «déchirer le ventre d'un chien par une blessure en long»; depuis le XVIIe s. (1637), il est employé en construction intransitive (*découdre* et surtout ***en découdre***) avec la valeur figurée de «se battre, en venir aux mains». ◆ Le participe passé **DÉCOUSU, UE** (XIIIe s.) a pris (1577) le sens figuré de «qui est sans suite, sans logique». ◇ Il a produit **DÉCOUSURE** n. f. (1611) «partie décousue d'une étoffe» et, spécialement en vénerie, «blessure faite par le cerf à un chien».

◈ voir ACCOUTRER, COUTURE, SUTURE.

COUDRIER n. m., d'abord *couldrier* (1503), puis *coudrier* (1555), est dérivé de l'ancien mot de même sens *coldre* (v. 1100), *codre* (1160-1170) puis *coudre* (v. 1179). Celui-ci, qualifié de «vieux» par les dictionnaires à partir du XIXe s., est issu du latin de la Gaule °*colurus*, transformation du latin classique *corylus* (graphie hellénisante pour *corulus*) sous l'influence du gaulois °*collo*, de °*coslo*, forme empruntée, correspondant à celle du latin.

♦ Le mot, qui désigne un arbre dont la variété cultivée est le noisetier, s'est seulement maintenu dans les dialectes septentrionaux de la France (où il est concurrencé par *noisetier* ou par d'autres dérivés) et dans quelques patois du nord de l'Italie et rhétoromans. D'autres parlers utilisent un représentant du latin *abellana* «noisette cultivée», promu par le développement de cette culture.

▸ Les dérivés de *coudre*, **COUDRAIE** n. f., d'abord *coldraie* (1186), et son synonyme **COUDRETTE** n. f., d'abord écrit *coudrete* (XIIIe s.), sont aujourd'hui peu usités ou dialectaux.

COUENNE n. f., d'abord *cöane* (1210) puis *coenne* (v. 1223), est issu, par évolution phonétique, du latin populaire °*cutinna*, altération de °*cutina*, dérivé du latin classique *cutis* «peau» (→ cutané). La transformation de la terminaison *-ina* en *-inna* est probablement due à l'influence du suffixe gaulois *-inna*. °*Cutina* est représenté par le piémontais *cuna*, le catalan *cotna*, tandis que °*cutinna* vit en gallo-roman et dans le toscan *cotenna*.

♦ Le mot, repris au sens de «peau» (d'abord en parlant de celle d'un crocodile), s'est spécialisé pour «peau de porc raclée, utilisée en cuisine» (1271). Au XIXe s., il a développé quelques emplois analogiques en médecine (1803) et en argot (1808) où il renvoie à la peau humaine dans des locutions péjoratives : ***gratter la couenne, grosse couenne*** (cf. *peau, lard*). Il renoue ainsi indirectement avec le sens médiéval et péjoratif de «peau (d'une femme)» (v. 1223).

▸ En est dérivé l'adjectif **COUENNEUX, EUSE**, d'abord *coeneux* (1611), «qui ressemble à la couenne», spécialement en médecine (1833) «couvert d'une membrane» ou «caractérisé par une membrane» *(angine couenneuse)*.

① **COUETTE** n. f., d'abord *keuete* (XIIIe s.) puis *queuëtte* (1611), est le diminutif de l'ancien français *coue* (→ queue).

♦ Signifiant proprement «petite queue», le mot s'est surtout répandu à partir du XIXe s., au sens de «mèche de cheveux», en particulier dans différents dialectes (Normandie). Quoique familier, il semble la seule désignation d'un type de coiffure de fillettes et jeunes filles où une barrette retient une petite queue de cheveux.

② **COUETTE** n. f., d'abord *coute* (1154-1173) et *coilte* (1160-1170), est issu du latin *culcita* «matelas, coussin», qui a subi un double traitement phonétique aboutissant, selon les régions, à *coute* ou *coite*. Le mot latin, également passé dans l'italien *coltrice* et l'espagnol *colcedra*, est peut-être apparenté au sanskrit *kūrcaḥ* «balle, ballon».

♦ Le mot a désigné un lit de plumes recouvert d'un tissu précieux, un édredon piqué. Sorti d'usage en ce sens (ou dialectal) à partir de l'époque classique, il a conservé des sens techniques dérivés en mécanique (1676) et en marine (1694) avant d'être repris au XXe s. pour désigner un mode de couchage : un édredon recouvert d'une housse qui remplace à la fois le drap de dessus et les couvertures. Ce sens s'est répandu avec le succès récent de la chose, inspiré par les habitudes des pays à climat froid.

▸ L'ancienne forme *coute* a donné le dérivé **COUTIL** n. m. (1202, *keutil*), désignant un tissu, et le composé **COURTEPOINTE** n. f. (XIIe s.) issu, par croisement avec l'adjectif *courte*, de *coite-pointe* ou *coute-pointe* «couverture piquée» (*pointe* étant le participe passé de *poindre**); on a dit aussi *contrepointe* au XVIe s. (d'où, à la même époque, *contrepointer*); ces altérations en *courte-* et *contre-* rendent compte de la petite taille des points de couture et du fait qu'ils piquent deux points opposés de la couverture.

COUFFIN n. m. est emprunté (1478) à l'ancien provençal *coffin* (v. 1225, *couffin* en provençal moderne), lui-même issu du latin impérial *cophinus* «corbeille, panier», emprunt du grec de même sens *cophynos* (→ coffre). Dès 1220, on relève *coffin* «panier», directement emprunté au latin mais abandonné dès le XVIIIe s. sauf dans certains dialectes; il a été emprunté par l'anglais *coffin* (XIVe s.), spécialisé depuis le XVIe s. au sens moderne de «cercueil». Dans certaines régions, *coffin* désignait naguère un étui pour la pierre à aiguiser du faucheur (enregistré, 1869), en concurrence avec *queux* (du latin *cotem*). On rencontre aussi régionalement *couffe* (v. 1665; 1633, *cufe*) «grand cabas», emprunté au provençal *couffo* (XVe s.), lui-même emprunté au bas latin *cophinus* par l'intermédiaire de l'arabe *qŭffă*.

♦ Ce mot, originaire du pourtour méditerranéen et de Provence, désigne un panier souple en osier, un cabas, et s'est répandu en français central au sens spécialisé de «panier du même type aménagé en petit lit de bébé».

▸ Le composé **PATIN COUFFIN** évoque, dans l'usage des Français d'Algérie, sous la domination française, le bavardage (cf. *patati, patata*).

COUGUAR n. m. est emprunté (av. 1788, Buffon) au tupi *suasuarana* désignant un grand chat sauvage. Le mot a été introduit en français par l'intermédiaire de formes altérées, véhiculées par les récits de voyage au Brésil : portugais *suçuarana*

(1587), *cuguacuarana* par perte de la cédille et confusion en *s* et *c* (1643). Buffon, qui écrit à la fois *couguar, cougar* et *couguard*, explique le nom français du félin «par contraction de son nom brésilien *cuguacuara(h)* que l'on prononce *cougouacouara*».

♦ Le mot désigne un félin d'Amérique au pelage roux sans taches. Il est synonyme de *puma*.

COUILLE n. f., d'abord *coille* (v. 1178, *Renart*), est issu d'un latin populaire °*colea* qui serait, soit le féminin du classique *coleus*, soit le pluriel pris comme féminin d'une forme neutre °*coleum*. Le mot latin est sans étymologie claire, bien qu'un rapprochement avec *culleus* «sac de cuir, outre» ait été envisagé ; il s'agit en tout cas d'un mot populaire d'usage trivial, le terme usuel étant *testiculus* (→ testicule).

♦ Le mot français, d'usage trivial et courant, compte plusieurs emplois en locutions figurées où il est parfois remplacé de manière euphémistique par un pronom ; dès 1594, il est employé injurieusement à l'adresse d'une personne lâche puis, dans l'usage moderne, dans ***couille molle*** (1847), d'après ***avoir des couilles*** «avoir du courage». ◇ À partir de la locution ***partir en couille*** «ne pas aboutir», il est employé argotiquement au sens d'«erreur, échec, ennui sérieux».

▶ Son dérivé **COUILLARD** adj. et n. m. (XIIe s.) qualifie populairement certains mâles d'animaux (le bélier notamment) qui ont de gros testicules. Par analogie de forme, il a été substantivé (v. 1400) avec divers sens techniques (1643, en marine ; 1866, en typographie).

COUILLON n. m. (déb. XIIe s., *coillons*) est hérité du bas latin °*coleonem*, accusatif de °*coleo*, forme altérée de *coleus*. Le mot signifie proprement «testicule», mais n'est usité qu'avec le sens figuré qu'il a pris au XVIe s. «sot, imbécile, niais» (1560), probablement d'après l'italien *coglione*, attesté au sens figuré de «homme sot, balourd» avant 1550, aussi sous les formes *coion* (1560), *coyon* (1592), transcription de l'emprunt oral à l'italien. ◆ Ses dérivés **COUILLONNADE** n. f. (1592, *coyonade*) «acte de couard», puis (1791) «chose de peu» et (1856) «acte stupide», ainsi que **COUILLONNER** v. tr. (1564), surtout «duper, tromper» (1887), sont concurrencés par des formes *coïonner, coïonnade* (ou *coyon-*), encore répertoriées au XIXe siècle. *Couillonnade* est paradoxalement voisin par le sens de *connerie*.

COUINER v. intr., enregistré en 1867 dans un dictionnaire d'argot, est un terme dialectal (Ouest, Centre), formé sur la forme *couin* ou *coin* que l'on a dans *coin-coin* (1748), onomatopée relativement arbitraire pour évoquer le cri du porc (1858, Sand) et celui du canard.

♦ Le mot se dit d'un animal (lièvre, lapin, porc, souris) qui pousse des cris aigus et brefs. Il s'est répandu dans la langue familière au sens de «pleurer», «grincer», en parlant des humains.

▶ De *couiner* sont issus **COUINEMENT** n. m. (av. 1866, d'un animal ; 1929, d'une chose). ◇ Dans le domaine technique, on a baptisé **COUINEUR** n. m. (v. 1917) un appareil d'entraînement aux manipulations télégraphiques, ce nom fonctionnant aussi comme substantif d'agent de *couiner* et comme adjectif.

COULEMELLE n. f. est la francisation, d'abord en *columelle* (fin XVIe s.) puis *coulemelle* (v. 1600), du latin scientifique *columella* (1560). Ce dernier est emprunté au latin *columella* «petite colonne», diminutif de *columna* (→ colonne), en raison de la forme longue et renflée à la base du pied du champignon. Le type *coulemelle* fait supposer un autre diminutif °*columnella*. À côté de lui, on rencontre de nombreuses variantes comme *coulmotte, coulemotte, coulmelle, couamelle* et, avec une sonore, *gomelle, golmotte*.

♦ Le mot et ses variantes désignent un champignon comestible à chapeau ovoïde, pied grêle et renflé en bulbe à la base, muni d'un anneau mobile.

✳ **COULER** v. est issu (v. 1120) du latin *colare* «passer, filtrer, épurer», dérivé de *colum* «tamis, filtre, passoire». Ce mot est un terme technique de la langue rustique, sans étymologie claire, souvent joint à *quallus* qui désigne un objet de même nature et de même forme.

♦ Apparu avec le sens transitif du verbe latin «filtrer (un liquide)» et, au figuré, «faire passer (de l'argent)», *couler* s'emploie aussi dès l'ancien français (1176) pour «verser un liquide, un métal fondu (plomb, notamment) dans qqch.», emploi technique en métallurgie *(couler le cuivre, l'étain)* enregistré au XVIIe s. (1680). ◇ Dès le XIIe s., un emploi intransitif correspond à «se déplacer naturellement», en parlant d'un liquide. ◇ Le pronominal *se couler* s'emploie au figuré pour «se glisser» en parlant d'une personne (1153-1176) ; à la même époque, le transitif signifie aussi «insérer, faire passer dans» (1176), valeur où l'on relève aussi l'intransitif au sens de «s'insérer, entrer dans» (1178-1180). Par analogie, le sens de «se déplacer (d'un liquide)» s'applique au temps qui passe (v. 1460), avant de reculer au profit de *s'écouler*, et à des objets pulvérulents (sable) ou pâteux. En arboriculture, il s'applique aux végétaux, arbres fruitiers ou vignes, qui avortent à la floraison (cf. *coulure*). ◆ En parlant d'un navire ou d'un objet flottant, et aussi d'un être vivant, *couler* a pris en moyen français (fin XVIe s.) la valeur spéciale de «s'enfoncer dans l'eau», qui deviendra l'une des plus usuelles du verbe et donnera lieu à métaphore, à «aller à la ruine, se perdre» ; ce sens est assumé à son tour par la construction transitive pour «faire s'enfoncer dans l'eau (un navire)» (XVIIe s.) et métaphoriquement «ruiner (qqn) dans l'estime d'autrui» (1738). ◆ À la valeur temporelle, «passer (du temps)», correspond un emploi transitif (fin XVe s.) pour «faire passer (un moment, un temps donné)», par exemple dans *couler des jours heureux ;* dans ce sens, l'expression familière ***se la couler douce*** succède à *se la mener douce* (1835).

▶ Le participe présent **COULANT, ANTE** adj. signifie (XIIe s.) «qui glisse» et se spécialise (1571) dans ***nœud coulant***, d'où la substantivation (*un coulant*, 1689) pour «élément qui glisse le long d'un lien, d'une corde». La valeur correspondant au sens propre du verbe, «qui coule facilement», a donné lieu aux sens figurés «facile» (choses) et «d'humeur accommodante» (personnes). ➜ Le participe passé **COULÉ, ÉE** est substantivé depuis le XIIIe s. et réservé à divers emplois techniques (peinture, danse, escrime, natation). ◇ Son féminin **COULÉE** n. f. (1611) est le terme général pour «action de couler, résultat de cette action», notamment dans *coulée de lave.* Il est employé plus particulièrement avec un sens technique (1754) et, en vénerie, désigne le sentier par lequel le cerf gagne son réduit. ➜ ① **COULOIR** n. m., relevé très tôt sous la forme *coledoir* (v. 1100), désigne un objet ou un conduit pour l'écoulement d'un liquide : faisselle, tamis pour filtrer le lait autrefois, canal d'excrétion en anatomie (1762). Il demeure rare, du fait de la fréquence de son homonyme (ci-dessous). ➜ Le féminin **COULOIRE** n. f., attesté lui aussi dans les *Gloses* de Raschi sous la forme *coledoire* (v. 1100), assume les mêmes emplois courants ou techniques (métallurgie).

L'adjectif masculin **COULIS** (v. 1170) «qui glisse» a décliné au XVIe s. pour se maintenir seulement dans ***vent coulis*** (1552) et en emploi substantivé au masculin (1393 ; XIIe s., selon Bloch et Wartburg, *couleïs*), surtout en art culinaire, où il désigne une préparation liquide de fruit ou de légume.

Son féminin **COULISSE** n. f. a été substantivé en parlant d'une porte qui glisse (1289, *coulice*) et, de là, a pris divers sens techniques dont le plus répandu, «partie du théâtre placée derrière ou à côté de la scène» (1718), est une métonymie du sens de «pièce de décoration qu'on fait avancer ou reculer lors des changements de scènes» (1694). Déjà détaché du verbe, le mot est alors complètement démotivé. Il est devenu courant, surtout au pluriel, comme désignation métaphorique du théâtre (1825) et au sens figuré d'«aspect dissimulé ou marginal d'un être, d'une collectivité» au cours du XIXe siècle. ➜ À son tour, il a produit **COULISSER** v. (1671) qui a pris ses sens modernes de «garnir de coulisses» vers 1890 et de «glisser le long d'une coulisse», plus courant, vers 1908. ◇ De celui-ci a été tiré **COULISSAGE** n. m. (1951). ➜ *Coulisse* est également à l'origine du terme de Bourse péjoratif **COULISSIER** n. m. (1824) et du diminutif **COULISSEAU** n. m. (XVe-XVIe s.).

COULURE n. f. (1331 ; XIIIe s., *coleüre*) désigne le mouvement d'un liquide qui s'écoule et, depuis 1846, la traînée d'une matière qui a coulé ; il compte quelques sens plus techniques, et en horticulture correspond au sens de *couler* «avorter».

COULAGE n. m. (fin XVIe s.), «action de fondre et couler un métal», a aussi et surtout (1837) le sens familier de «gaspillage» et de «petits larcins domestiques.»

Doublet morphologique du nom du conduit, un autre dérivé de *couler,* ② **COULOIR** n. m. désigne un passage où l'on peut «se couler, se glisser». Il est d'abord employé (1704) dans le contexte d'un navire puis (1755) étendu à une maison. Par analogie de forme et de fonction, il a pris quelques emplois spécialisés (météorologie, géologie, sport), recoupant parfois ceux de son synonyme *corridor.* Le mot a quasiment éliminé ses homonymes ① *couloir* et *couloire ;* il est, comme *coulisse,* complètement détaché du verbe dans la conscience des locuteurs.

Le déverbal **COULE** n. f., le plus récent dérivé (1864), est d'usage populaire dans la locution ***à la coule*** qui signifie «au courant, habile» et aussi «indulgent, de caractère facile». L'argot l'emploie pour l'ensemble des petits larcins des domestiques d'une maison (1866), sens éliminé par l'emploi de *coulage.*

Couler a aussi servi à former des verbes préfixés.

ÉCOULER v. (v. 1160) est apparu à la forme pronominale *s'écouler* avec le sens resté courant de «couler hors de», en parlant d'un liquide puis aussi, par métaphore, de la foule (1557), de marchandises (XIXe s.). Il réalise la valeur de «couler jusqu'à l'épuisement» (1550) en parlant d'un liquide, sens disparu au profit du pronominal *s'écouler,* devenu usuel comme le transitif, *écouler qqch.,* à propos de marchandises (1829). ➜ En est dérivé **ÉCOULEMENT** n. m. (1539), lui aussi appliqué spécialement à des marchandises (1832).

DÉCOULER v. intr., relevé une première fois au sens de «disparaître» (1080) puis pour «couler peu à peu» (1534), a disparu avec ces valeurs. ◇ Il s'est fixé avec le sens figuré de «s'ensuivre par voie de conséquence» (1690) en contexte abstrait. ➜ **RECOULER** v. intr. tardif (1803), réalise la valeur itérative de «couler de nouveau» et n'est pas très courant.

◈ voir PERCOLATEUR.

COULEUR n. f. est issu (v. 1050) du latin *color,* mot qui se rattache au groupe de *celare* «cacher» (→ celer), selon l'idée que la couleur est ce qui recouvre et cache la surface d'une chose. *Color* désignait aussi le teint de la peau et, en rhétorique, la caractéristique d'un style, d'après l'idée de caractère distinctif immédiat d'une chose ; il était pris également au sens péjoratif de «raison spécieuse, aspect feint», d'après l'idée que la couleur dissimule la nudité, la vérité de la chose.

♦ *Couleur* a d'abord les sens généraux de «teinte» et «teint», la locution ***de couleur*** pouvant exprimer une idée de «teinte» ou de «coloration de la peau» en parlant de qqn de race non blanche (1791 ; *gens de couleur* 1779). ◇ Au pluriel, *couleurs* a reçu quelques acceptions particulières en fonction de la symbolique sociale des couleurs, en parlant d'un vêtement (1393 ; notamment en liturgie, 1732), des cartes à jouer (1694), du drapeau national, au pluriel (*les couleurs ; les trois couleurs,* spécialement «drapeau français»). Par métonymie, il désigne le pigment qui colore (v. 1268), spécialement en peinture. ◇ Dans le même domaine, mais au sens initial, l'expression ***couleur locale*** est à l'origine un terme de métier désignant (1699) la couleur particulière de chaque zone du tableau correspondant à chaque élément représenté. Comme *clair-obscur* et *contraste,* cette notion est employée surtout en parlant de détails caractéristiques et «pittoresques», de sorte que, dès la fin du XVIIIe s., puis grâce aux préromantiques, elle désigne toute description ou représentation évocatrice des caractéristiques d'une époque, d'un pays. *Couleur* y est alors compris au sens figuré d'«aspect attrayant, curieux, typique», et étend ses emplois hors du domaine artistique. Ce sens (XIIIe s.), qui correspond à «apparence trompeuse», est resté usuel jusqu'au XVIIe s. et s'est maintenu dans l'usage littéraire avec la locution ***sous couleur de*** «sous prétexte de». ◇ Le sens, lui aussi pris au latin, d'«aspect caractéristique» ou même «genre», conservé longtemps dans l'expression ***de toutes les couleurs,*** qui n'est plus comprise, s'était spécialisé en rhétorique puis en politique dans ***couleur politique*** (1794), mais tous les emplois postérieurs à la langue classique ne sont plus qu'une métaphore du sens premier de «teinte», donnant l'acception d'«aspect variable».

◈ voir COLORIS (et COLORATURE, COLORIER), COLORER, COULEUVRE.

COULEUVRE n. f., d'abord *culovre* (v. 1121, *Bestiaire* de Ph. de Thaon), est issu du latin populaire °*colobra,* altération du latin classique *colubra* «couleuvre femelle», féminin de *coluber* «couleuvre» et «serpent», en général. Les formes romanes remontent toutes à la forme féminine, plus ancienne et attestée plus souvent. Le latin est peut-être emprunté au grec *khélubros* «serpent ou tortue», dérivé de *khélus* «tortue». Ce mot est à rapprocher du slave °*želū-;* l'absence d'autres correspondants pouvant s'expliquer par un tabou linguistique portant sur un animal souvent considéré comme maléfique.

♦ Dans les parlers gallo-romans, *couleuvre* est concurrencé par *serpent* (au féminin) dans la région poitevine, le Centre et la Suisse, et par le féminin *ser* ou *serp* dans les parlers méridionaux. L'expression figurée ***faire avaler des couleuvres à qqn*** (1667, Bussy-Rabutin, *Lettres* à Mme de Sévigné) «infliger des désagréments, des mensonges», continue l'ancien emploi figuré du mot comme insulte pour une personne perfide (1174-1200); il s'agirait d'un emploi où *couleuvre* symbolise ce qui est tortueux (XVIe s.) d'après la réputation diabolique des serpents, emploi probablement croisé avec le sens figuré de *couleur** «fausse apparence» (courant du XVe au XVIIe s.). Par la suite (XVIIIe s.), l'expression a été comprise comme la métaphore de «manger des serpents».

► De *couleuvre* sont issus **COULEUVREAU** n. m., nom du petit de l'animal (1572), et, par analogie de forme, d'une plante grimpante, **COULEUVRÉE** n. f. (1539), ainsi que **COULEUVRINE** n. f. (fin XIVe s., *coulouvrine*), nom d'un ancien canon au tube long et effilé, l'analogie de forme ne suffisant pas à expliquer cette valeur probablement liée à la symbolique des serpents et dragons cracheurs de feu.

◈ voir COBRA.

COULISSE → COULER

COULOIR → COULER

COULOMB n. m. est l'emploi comme nom commun (1881) du nom du physicien français *Coulomb* (1736-1806) qui posa les bases théoriques et expérimentales du magnétisme et de l'électrostatique.

♦ Le mot désigne une unité de quantité d'électricité : celle qui est transportée en une seconde par un courant d'un ampère.

► **COULOMBIEN, IENNE** adj. (1956 dans les dictionnaires) qualifie une attraction, une répulsion, des champs, forces, interactions de type électrostatique, magnétique, gravitationnel, inversement proportionnels au carré de la distance (loi vérifiée par Coulomb en 1785). L'anglais atteste *coulombian* dès 1923.

COULPE n. f., aboutissement (v. 1460) de *colpe* (v. 881), *culpe* (1080), est issu du latin *culpa* «faute», probablement d'abord «état de faute», spécialement «négligence» dans le vocabulaire juridique. De même que *causa* (→ cause, chose) et *multa* «amende», le mot n'a pas d'étymologie établie. Il a conservé une graphie et une prononciation savantes sous l'influence du latin d'Église : dans le *Confiteor,* le prêtre prononce à haute voix les paroles *mea culpa, mea culpa, mea maxima culpa* en se frappant la poitrine. Une forme populaire, *coupe,* ne s'est maintenue au sens général de «faute» que jusqu'au XVIIe s. (encore en 1665), alors que *coupable** a gardé sa forme francisée en raison de sa fréquence dans l'usage courant.

♦ Le mot demeure un terme de théologie désignant la faute, le péché et, par métonymie, l'aveu du péché, le signe par lequel on se reconnaît pécheur. Il n'est employé que dans quelques locutions inspirées du *Confiteor,* comme ***battre sa coulpe*** (v. 1130), ***dire sa coulpe, faire sa coulpe,*** archaïques. L'expression latine ***mea culpa*** (1560, *faire son mea culpa*) s'est mieux répandue dans l'usage moderne.

◈ voir COUPABLE, DISCULPER, INCULPER.

✳ **COUP** n. m., aboutissement (1268) de *colp* (v. 881), *cop* et *col,* est issu du bas latin *colpus,* l'une des formes populaires (avec *colopus*) de la forme écrite *colaphus* «taloche, coup de poing». Ce dernier est la transcription savante du grec de même sens *kolaphos,* mot populaire d'origine obscure dans lequel on a proposé de voir le dérivé de *kolaptein* «entailler, piqueter» avec une aspiration expressive peut-être influencée par *krotaphos* «tempe (emplacement du coup mortel)». *Kolaptein,* qui s'applique aux coups de bec, est rapproché du lituanien *kalù, kalti* «forger, marteler» et, en grec même, de *kelios* «pic vert» (→ clématite).

♦ Le mot est apparu avec son sens usuel de «mouvement par lequel un corps en heurte un autre» et a aussi celui de «choc qui divise, sépare» (d'où *couper**). Il est souvent qualifié dans des syntagmes du type ***coup de,*** au propre et au figuré. Il s'applique spécialement aux diverses façons de toucher l'adversaire dans les exercices de combat et notamment en escrime où des syntagmes, du type ***coup fourré,*** ont pris une valeur métaphorique (1585). De même, l'expression moderne ***coup bas,*** courante au sens figuré d'«attaque déloyale», vient du vocabulaire de la boxe où elle désigne le coup porté au-dessous de la ceinture (1927). ◇ Par métonymie, *coup* désigne aussi l'effet produit par le heurt au propre et au figuré (v. 1250), ainsi dans ***coup au cœur*** (1606) «blessure morale». ◆ D'après le même

sémantisme de base, qui met en œuvre les notions de «mouvement rapide» et de «choc qui en résulte», *coup* a reçu de nombreuses valeurs concrètes et abstraites, auxquelles correspondent chaque fois de nombreuses locutions. ◇ Depuis le XIVe s., il désigne la décharge d'une arme à feu, sens réalisé dans l'expression figurée ***coup double***, issue du vocabulaire de la chasse au sens de «coup qui abat deux pièces de gibier». ◇ Par métaphore de ce sens, il a pris familièrement le sens de «rapport sexuel (expéditif)», surtout du point de vue du mâle ***(tirer un coup)***. ◇ Plus généralement, il se dit d'une action brusque, soudaine, violente, en parlant d'un élément ou du temps (1200, ***coup de tonnerre***), dans des syntagmes comme ***coup de soleil, de foudre***, etc. également utilisés avec une valeur figurée. ◇ Pris abstraitement, il désigne un événement subit, heureux ou, plus souvent, malheureux (v. 1190) dans des locutions (1538, ***coup du sort***) appartenant quelquefois à l'usage familier ***(en prendre un coup)***.
Une seconde série de sens exprime l'idée d'un «mouvement (allant du geste à l'acte)», sans impliquer nécessairement l'idée d'un choc. Elle a fourni son contingent de syntagmes nominaux figés, dont ***coup de chapeau*** (1634) et ***coup de main**** avec une valeur figurée. ◇ *Coup* désigne aussi (XIIIe s., *coup [de dés]*) un acte effectué selon les règles d'un jeu, d'un sport, en dehors des exercices de combat (ci-dessus), dans des emplois parfois plus ou moins démotivés, comme c'est le cas pour ***à coup sûr*** (lexicalisé en locution adverbiale), ***attraper le coup*** (1841) ou ***valoir le coup*** «valoir la peine, l'effort». ◇ Il s'applique également à une action due à une force extérieure, dans ***coup de chance, coup d'essai*** (1532), ***coup de théâtre*** (1743). Très souvent, il désigne particulièrement une action ou suite d'actions nuisibles, notamment dans un contexte politique, une manœuvre violente ***(coup d'État)***. ◆ Enfin, avec une acception très restreinte, *coup* signifie couramment «quantité de liquide que l'on boit en une fois» (v. 1375) ; il entre alors dans des expressions, du type *boire, payer un coup, un petit coup, un coup de rouge*, etc. ◇ À partir de cette idée confusément temporelle de «fois», qui émerge dès le XIIIe s., il a produit de nombreuses locutions adverbiales ***d'un seul coup*** (v. 1320), ***tout à coup*** (v. 1450), ***après coup*** (v. 1470, *après le coup*). ◇ Voir, après la série de *couper*, les composés de *coup* et, à l'ordre alphabétique *beaucoup**.

▶ Le dérivé **COUPER** v. tr. (XIe s., *colper*), dont le développement sémantique est riche, est surtout remarquable par l'écart dont il témoigne par rapport au nom. Ce dernier correspond au sémantisme du choc, du heurt, alors que le verbe, dès l'origine, évoque la division ou l'entaille avec un instrument tranchant. Son succès vient de ce que le français avait besoin d'un verbe usuel de ce sens, le latin *secare* (→ section) s'étant spécialisé dès l'époque latine (→ scier). ◆ À partir de l'idée de «diviser, morceler», *couper* a développé plusieurs valeurs concrètes qui vont de «blesser en entamant la peau», d'où *se couper*, à «séparer en plusieurs parties», «récolter, cueillir en sectionnant» *(couper des fleurs)*, sens dont procède la locution ***couper l'herbe sous le pied*** (1611). ◇ Malgré la fréquence de syntagmes où *coup* a pour complément un instrument tranchant *(couteau, sabre, épée)*, *couper* est rapidement démotivé de *coup* et ne transmet plus que l'idée de trancher, avec de nombreuses spécialisations. Une des plus anciennes concerne la chirurgie (déb. XIIe s.), un sens plus spécial étant «châtrer» (1678), d'autres la taille des cheveux et diverses tailles techniques. Absolument, le verbe signifie «être tranchant» (1539). ◆ Les extensions concernent l'intersection, l'interruption, la traversée (absolt *couper à travers champs*), le fait de supprimer, d'enlever, comme transitif *(couper un texte)* et intransitif *(couper dans un texte)*. ◇ Avec un nom signifiant «voie, chemin, passage», *couper* correspond à «arrêter, interrompre», d'où la locution figurée ***couper les ponts*** (v. 1300, *couper le pont*) et, avec un complément exprimant une idée financière, «supprimer» *(couper les vivres, les fonds...)*. ◇ *Couper à* (qqch.) correspond à «éviter, ne pas subir» (1861) ; *couper dans*, à «croire, en étant dupe». ***Couper court à qqch.***, dès le moyen français, s'emploie pour «mettre un terme, de manière tranchée» (v. 1460). ◆ En contexte concret, le verbe a pris par extension diverses valeurs liées à un domaine précis : *couper*, «donner à (une balle) un effet qui la ralentit et en modifie la trajectoire», s'emploie au jeu de paume (1637) puis en tennis (1903). Le sens de «diviser (un jeu de cartes)» apparaît au début du XVIIe s. (1606) ; celui de «mélanger (un liquide)» semble plus récent (antérieur au début du XIXe s., où est attesté le dérivé *coupage*). ◆ Outre ses valeurs concrètes, le pronominal *se couper* correspond au figuré à «se contredire» (1567) avec l'image de l'interruption de la logique d'un récit par un élément incompatible.
Couper a de nombreux dérivés et composés. Le dérivé le plus ancien semble être **COUPON** n. m. (v. 1223), employé couramment au sens de «ce qui reste d'une pièce d'étoffe qui a été débitée» (1466). Il ne semble pas être spontanément rattaché au verbe *couper*. ◇ Depuis 1718, le mot désigne spécialement en finance le feuillet détaché d'un titre et, dans divers domaines, la carte correspondant à l'acquittement d'un droit (1911, *coupon-réponse*). En français de Belgique, il était utilisé jusqu'à récemment pour désigner le billet de chemin de fer.
COUPEUR, EUSE, nom d'agent, apparaît dès le XIIIe s. (*coupeeur*, v. 1230) mais n'est plus employé en français moderne que dans des syntagmes spéciaux (*coupeur de bourse*, à côté de *coupe-bourse, coupeur de têtes*, etc.) et avec des valeurs professionnelles, la plus connue étant «personne qui coupe les étoffes, les cuirs, etc., en confection» (1845).
Le déverbal ② **COUPE** n. f. (1283) compte de nombreux emplois lexicalisés issus de son sens courant d'«action d'abattre les arbres dans la forêt», de ***coupe sombre*** et ***coupe claire*** (aujourd'hui mal compris) à ***coupe réglée*** (1690). Il est employé spécialement en prosodie (1549), en couture (1640) et en coiffure (1822). ◇ Par métonymie, il désigne ce qui a été coupé, notamment la représentation graphique d'un objet que l'on suppose coupé par un

plan (1732), sens en rapport avec la vogue des coupes des bâtiments en montrant l'intérieur, à la suite du roman de Lesage, *Le Diable boiteux* (1707). ◇ La spécialisation au jeu de cartes (1660), qui correspond au sens équivalent du verbe, est à l'origine de la locution ***être sous la coupe de qqn*** (1690), proprement «être le premier à jouer après celui qui a coupé le paquet», qui a pris son sens figuré moderne au siècle suivant (av. 1755), et n'est plus comprise aujourd'hui. ➔ *Couper* a produit deux autres noms d'action. L'un, **COUPAGE** n. m. (1364, «action de couper»), s'est spécialisé dans l'usage moderne (1836) au sens de «mélange de liquides (vins) pour en atténuer ou en augmenter la force». ◇ L'autre, **COUPEMENT** n. m. (v. 1350) est réservé au sens technique d'«action de couper à la scie».

COUPURE n. f., d'abord *copeure* (v. 1279), *coupeure* (1393), a plusieurs sens se rattachant à l'idée d'«action de couper à l'aide d'un instrument tranchant» et de «résultat de cette action», au propre (en parlant d'une blessure, d'une ouverture géologique) et au figuré, en parlant d'une séparation nette et brutale. ◇ Par abstraction, *coupure* désigne (v. 1580) la suppression d'une partie (dans un texte, une œuvre) et, par métonymie, un passage supprimé dans une œuvre (1834). Une autre métonymie, moins prévisible, l'emploie pour «billet de banque d'une valeur relativement faible, correspondant à une fraction de la somme de référence» (1792).

Couper a également produit les deux noms d'instruments **COUPERET** n. m. (XVIe s.) et **COUPOIR** n. m. (1690), ce dernier plus technique. ➔ Deux noms d'usage spécialisé viennent par substantivation du participe passé *coupé* : **COUPÉ** n. m. (1661), d'abord «pas de danse» (d'après *couper* pris comme terme de danse), a servi à désigner un carrosse à deux places, par ellipse de *carrosse coupé* (v. 1660). À partir de là, il s'est dit d'un compartiment de chemin de fer à une banquette, emploi disparu, et (1906) d'une voiture à deux portes ressemblant à une voiture de sport, sens aujourd'hui usuel. ◇ Le féminin **COUPÉE** n. f. (1783), apparu au sens d'«ouverture dans la muraille d'un navire», est également employé au sens de «lieu où l'on a coupé les arbres».

La famille de *couper* s'enrichit depuis le moyen français de nombreux composé en **COUPE-**, d'abord avec le sens concret du verbe, «trancher», puis avec l'une ou l'autre de ses valeurs extensives ou figurées. ➔ **COUPE-CHOUX** n. m. apparaît (mil. XIVe s.) dans *frère coupechou* «moine travaillant au potager»; il sera repris (1831) pour désigner un sabre court et familièrement (XXe s.) un rasoir à lame. ➔ **COUPE-GORGE** n.m., attesté au XIIIe s. comme nom de lieu (v. 1210, *cope-gorge*), concernant un passage fréquenté par des malfaiteurs, a désigné (XIIIe s.) un coutelas, mais c'est le sens de «lieu dangereux» (XIIIe s.) qui a prévalu. ◇ Une formation voisine **COUPE-TÊTE** n. m. (*copeteste*, déb. XIVe s.; forme moderne, 1660), «bourreau», a disparu de l'usage. ➔ **COUPE-JARRET** n. m. (1587, *-jaret*) s'est spécialisé pour désigner un bandit, un assassin, puis une personne cruelle; il est archaïque. ◇ Dans un registre voisin, **COUPE-BOURSE** n. m. (XIVe s., *copeborse*) «voleur», pourtant bien motivé, est lui aussi sorti d'usage. ➔ Les composés plus récents désignent des instruments qui coupent : **COUPE-RACINES** n. m. (1832) est technique. **COUPE-PAPIER** n. m. (1842) est demeuré usuel, alors que **COUPE-LÉGUMES** n. m. (1845) est rare; **COUPE-CIGARE** n. m. (1869) est encore en usage. **COUPE-ONGLES** n. m., **COUPE-PAILLE** n. m., **COUPE-PÂTE** n. m. — celui-ci pour un instrument de boulanger —, plus techniques, ne semblent pas en usage avant le XXe siècle. ➔ D'autres composés des XIXe et XXe s. utilisent des valeurs extensives du verbe. **COUPE-VENT** n. m. désigne (1893, en sports) un dispositif pour réduire la résistance de l'air. ◇ Ailleurs, *couper* est pris au figuré, par exemple dans **COUPE-FILE** n. m. (1869) «carte officielle de priorité», **COUPE-FEU** n. m. (1861) «espace, obstacle pour empêcher un incendie de se propager», ou encore **COUPE-FAIM** n. m. Avec le sens de *couper* «interrompre (le courant électrique)» ont été formés **COUPE-CIRCUIT** n. m. (1890), **COUPE-BATTERIE** n. m. (XXe s.). ➔ Sur un modèle différent, par un redoublement évoquant le «français colonial», on a formé **COUPE-COUPE** n. m. (1895) «sabre pour couper la végétation, machette».

Couper a produit un dérivé verbal avec le familier **COUPAILLER** v. tr. (1870). Il a aussi donné naissance à des verbes préfixés qui ont leurs dérivés propres.

DÉCOUPER v. tr. (1150, *descolper*), «couper en morceaux» et (1268) «couper en suivant un tracé», a pris au pronominal *se découper* le sens de «(se) détacher sur un fond» (1803); depuis 1917, il est utilisé comme terme de cinéma, d'après *découpage*. ➔ Son dérivé **DÉCOUPAGE** n. m. (1497, *decoppaige*) est rarement attesté avant 1838; il désigne par métonymie une figure découpée (1868) ou destinée à l'être et, spécialement (1917), la division d'un scénario de cinéma en scènes numérotées. ➔ Dès l'ancien français, le verbe est doté d'un nom d'agent, **DÉCOUPEUR, EUSE** n. (XIIe s.; selon Bloch et Wartburg, 1268) «ouvrier qui découpe» (*découpeuse*, au féminin depuis 1754), et d'un nom d'action, surtout affecté à la désignation du résultat, **DÉCOUPURE** n. f. (1379, *décopure*).

RECOUPER v. tr. (1549; v. 1150, «réduire»), proprement «couper de nouveau» et «retrancher, enlever en coupant» est, de même que *couper*, employé comme terme de jeu (1690, absolt) et techniquement au sens de «mélanger un vin par un coupage» (1832). Son sens figuré courant de «coïncider en confirmant» est récent (XXe s.). Le dérivé **RECOUPEMENT** n. m. (v. 1190, «action de retrancher un membre») est employé techniquement en construction (1676). Depuis 1873, il exprime également le fait de se recouper, en parlant de lignes, de tracés et, de là, au figuré, la rencontre de renseignements coïncidants, de sources différentes (1923). ➔ Le déverbal **RECOUPE** n. f. (1225, «morceau coupé») a développé de nombreux sens techniques encore usités : «morceau qui tombe lorsqu'on taille une matière» (1379), «farine grossière qu'on tire du son remis au moulin» (XVIe s. ; *recoppe*, 1398), «seconde coupe de foin» (1832) et «eau-de-vie issue d'un mélange d'alcool et d'eau» (1869).

ENTRECOUPER v. tr. (v. 1175), d'abord employé à la forme pronominale *s'entrecouper* «se couper mutuellement», a pris ses sens actuels de «interrompre par intermittence» (1240-1280) et, ultérieurement, «entrecroiser» (1622; 1674 à la forme pronominale). ➛ **ENTRECOUPEMENT** n. m., employé par Ronsard (1564) avec le sens d'«arrangement de choses entrecoupées», a aussi une valeur active (1864) mais est peu employé.

SURCOUPER v. tr., terme de jeu de cartes (1730), a pour déverbal **SURCOUPE** n. f. (1875).

À ce très important groupe de *couper* s'ajoutent les composés de *coup,* tels **CONTRE-COUP** n. m. (1561) au propre et (1665) au figuré «événement contraire en retour»; **COUP-DE-POING** n. m. (1783) désignant une arme; **À-COUP** n. m. (1835) «secousse», au concret et à l'abstrait.

◈ voir BEAUCOUP.

COUPABLE n. et adj., d'abord *corpable* (1172), est hérité du latin chrétien *culpabilis* «qui a commis une faute», dérivé de *culpa* «faute» (→ coulpe).

♦ Le mot, d'usage courant à la différence de *coulpe,* qualifie celui qui a commis une faute aux yeux de la loi et, par métonymie, une action condamnable (1667, Molière, *Tartuffe*). Il est également employé comme substantif, quelquefois avec la valeur affaiblie de «responsable» (par plaisanterie).

▸ **COUPABLEMENT** adv., d'abord *corpablement* (1573), relève d'un usage plus soutenu. ➛ **CULPABILITÉ** n. f., dérivé tardivement (1791) du radical du bas latin *culpabilis,* exprime à la fois l'état de celui qui est coupable et le caractère de ce qui est coupable (1863). ◇ Il a reçu des acceptions spéciales dans le vocabulaire de la psychologie et de la psychanalyse *(complexe de culpabilité)* où il a produit **CULPABILISER** v. tr. (1946), **CULPABILISATION** n. f. (1968) et **DÉCULPABILISER** v. tr. (v. 1968), **DÉCULPABILISATION** n. f. (1966).

① **COUPE** n. f. est issu, d'abord sous la forme *cupe* (v. 1155), du latin *cuppa,* variante de *cupa* «tonne, barrique» (→ cuve) qui a pris le sens de «coupe» à basse époque. Le latin, rapproché à titre d'hypothèse du sanskrit *kūpaḥ* «trou, puits» et du grec *kupê* «verre à boire», est à l'origine de l'allemand *Kufe* et de l'anglais *cup.*

♦ Le mot s'applique à un verre à boire plus large que profond, reposant sur un pied et, par analogie, à d'autres types de récipients. Il est employé métaphoriquement (1564, *coupe de* + nom abstrait), entrant aussi dans plusieurs locutions ***(la coupe est pleine, il y a loin de la coupe aux lèvres)*** restées vivantes, bien que *verre* soit devenu le mot usuel pour désigner le récipient à boire. ◇ Sa spécialisation en sport, pour un trophée consistant en une coupe de métal précieux (1872), est un emprunt sémantique à l'anglais *cup,* terme de sport connu dès le XVIIe siècle. En procède un emploi métonymique désignant la compétition elle-même : la *Coupe Davis* (1900; calque de l'anglais *cup*), surtout dans les sports d'équipe de ballon : la *Coupe de France* de football (1917), *la Coupe des coupes, la Coupe du monde,* etc.

▸ **COUPEAU** n. m., diminutif masculin d'abord attesté sous la forme *coupel, cupel* (1174), a désigné le sommet d'une colline, par analogie avec la forme d'une coupe renversée. Ses sens techniques «éclat de bois», «tronçon de bois», archaïques, le rattachent à *copeau** et à *couper**. ➛ **COUPELLE** n. f., diminutif féminin de *coupe* (1431), «petite coupe», s'est spécialisé à propos du creuset utilisé pour isoler l'or, l'argent contenus dans un alliage (XVe s.). ◇ Il a produit à son tour **COUPELLER** v. tr. (1621) d'où **COUPELLATION** n. f. (1771) dans ce domaine. Le composé **SOUCOUPE** n. f. (1666; *soute couppe,* 1615; *sous-couppe,* 1640) est l'adaptation de *soute-coupe* (1640), lui-même emprunté à l'italien *sotto-coppa,* de *sotto* (→ sous) et *coppa* (→ coupe). ◇ Après avoir désigné un bassin plat, une large coupe à pied où l'on servait verres et carafes, le mot désigne (1762) une petite assiette sur laquelle on place aujourd'hui les tasses (d'où le synonyme mieux motivé, en français de Belgique, qu'est *sous-tasse*). ◇ Le syntagme ***soucoupe volante*** (1947) est un calque de l'anglais *flying saucer.* ◇ Très courant au début des années 1950, il a donné lieu à la création de dérivés : **SOUCOUPISTE** n. (av. 1972), **SOUCOUPISER** v. tr. (1952). Depuis, il semble détrôné par le sigle *O.V.N.I.* Sur ce modèle a été formé ***soucoupe plongeante*** (1974), demeuré rare.

◈ voir COUPOLE, CUPULE, CUVE.

② **COUPE** → COUP

COUPER → COUP

COUPEROSE n. f. est d'origine obscure, peut-être adapté (v. 1280) du latin médiéval *cuperosum* (v. 1215), *cuprosa, cuperosa* (av. 1250) attesté dans le domaine anglais et, par les variantes *coporosa, cupurosa,* dans le domaine germanique. Le mot latin est soit composé du radical de *cuprum* (→ cuivre) et de *rosa* (→ rose), la buée du cuivre en fusion évoquant les couleurs de certaines roses, soit, moins probablement, issu par altération d'après *rosa* de *coprosa* (dans *coprosa aqua*), féminin d'un adjectif dérivé de *cuprum.* L'existence du grec *khalkanthon* «fleur de cuivre», d'où «couperose», fait pencher en faveur de la première hypothèse, ce mot ayant pu servir de modèle au latin. Les rapports du français avec les correspondants germaniques sont difficiles à établir : le moyen néerlandais *coperrose* (1577, *coperose*) semble être un emprunt au moyen français, mais le moyen français de type *coperost* n. m. (XIVe-XVIe s.) ne peut qu'être emprunté au moyen néerlandais *copperrost.* Le vieil anglais *coperose* (v. 1440), de même que l'espagnol *caparrosa* (1495) et l'italien *copparrosa* (XVIe s.), sont probablement empruntés au français.

♦ Ce terme de chimie ancienne, associé à un adjectif de couleur *(couperose blanche, bleue, verte),* désignait différents sulfates, respectivement de zinc, de cuivre, de fer. ◇ Par analogie d'apparence, le mot s'est spécialisé en médecine (1530) pour une affection cutanée d'origine circulatoire caractérisée par des taches rougeâtres.

▸ Le mot a servi à former **COUPEROSÉ, ÉE** adj. (1546; XVe s., d'après Bloch et Wartburg), courant pour désigner par extension un teint présentant des zones rouges, évoquant souvent l'excès de boisson, et **COUPEROSER** v. tr. (1585), plus rare.

✱ **COUPLE** n. m. et f., d'abord *cuple* (1146-1170), est issu du latin *copula* n. f. «lien, chaîne», «groupe de deux personnes unies par l'amitié ou l'amour» et, à époque impériale, «groupe de deux choses» (→ copule).

♦ En français, *couple* est surtout usité au masculin, désignant couramment la réunion d'un homme et d'une femme et, par extension, un groupe de deux personnes ou de deux entités (v. 1150), ultérieurement la réunion du mâle et de la femelle chez les animaux (1789). ◇ Au XVIIe s., avec l'idée de «paire», il est entré dans le vocabulaire technique de la marine pour désigner (1643) chacun des éléments de la charpente d'un navire qui va de la quille aux barrots du pont, produisant le composé **MAÎTRE-COUPLE** n. m. (1765) et la locution ***à couple*** «bord à bord» (de deux navires). ◇ Au XIXe s., *couple* s'est spécialisé en mécanique pour «ensemble de deux forces égales et de sens contraire» (1827; 1905, *couple moteur*). Il est entré dans le vocabulaire de l'algèbre (1903). ➜ Le féminin *une couple* s'est maintenu au sens concret, spécialisé en vénerie, de «lien servant à attacher deux animaux» (v. 1170). Quelques parlers et dialectes conservent le sens d'«ensemble de deux choses, de deux animaux de même espèce réunis accidentellement» (v. 1230), sens concurrencé puis supplanté par le mot *paire*.

▸ **COUPLET** n. m. (fin XIIIe s.) est dérivé de l'ancien français *couple*, de même sens (1218-1243, *couble*), mot que l'on a rapproché de l'ancien espagnol *copla* «suite de vers de même rime» (av. 1140) et de l'ancien provençal *cobla* «chanson, couplet» (apr. 1150). D'abord employé au sens de «groupe de deux vers de même rime», *couplet* a pris son sens moderne de «strophe de ballade, de chanson» (v. 1360), et s'est spécialisé au théâtre avec le sens de «réplique, fragment formant un ensemble» (1501). ◇ L'ancienne forme féminine *couplete*, qui désignait, comme *couplet*, deux vers qui riment (v. 1360), a produit **COUPLETER** v. tr., une première fois «assembler en couplets» (v. 1360), repris pour «écrire des couplets contre qqn» (1712), et **COUPLETIER** n. m. (1778) «chansonnier, vaudevilliste».

COUPLER v. tr. est issu (v. 1173, *cupler*) du dérivé latin *copulare* «lier ensemble, attacher» (à l'origine de l'emprunt savant *copuler*). Le verbe réalise à la fois le sens général d'«unir deux à deux» et, en vénerie (1655), une valeur spéciale, «attacher deux animaux avec une couple». Il a reçu quelques acceptions spécialisées en turf (1877) et aussi en blanchisserie où *coupler le linge* signifie «l'attacher en le cousant pour le donner à blanchir». ➜ En sont dérivés deux substantifs : **COUPLAGE** n. m. (1754), «partie d'un train de bois» puis généralement «action de coupler» et terme d'électricité (1904) pour «associer (en couple) deux circuits», d'où **DÉCOUPLAGE** n. m. «élimination d'un couplage parasite entre deux émissions radio» (v. 1950), et **COUPLEMENT** n. m. (1860) «réunion d'éléments producteurs ou utilisateurs de courant» et «action d'amarrer deux bateaux bord à bord». ➜ **COUPLEUR** n. m. (1890) est un mot technique, spécialement utilisé en informatique (av. 1974). ➜ Le participe passé **COUPLÉ** a été substantivé en sport hippique (1949), moins courant que *tiercé*.

Par préfixation, *coupler* a produit **ACCOUPLER** v. tr. (1165), spécialement depuis le XVIe s. au pronominal *s'accoupler* «copuler, du mâle et de la femelle». ➜ Ce verbe a pour dérivé **ACCOUPLEMENT** n. m. qui apparaît (1270) au sens astrologique de «conjonction d'astres», puis au sens général «fait de réunir» (1538) et «mariage» (XVIIe s.), valeur où apparaît un contenu sexuel, lequel prédomine dans l'usage moderne pour «conjonction du mâle et de la femelle», parfois «union sexuelle» (dès le XVe s.) avec des connotations péjoratives. ◇ Les autres dérivés sont rares : **ACCOUPLAGE** n. m. (1580), «action de s'accoupler avec», s'est restreint au sens technique de «fait de faire fonctionner ensemble des mécanismes» (1839). **ACCOUPLE** n. f. (déb. XIVe s.) a désigné le lien utilisé en vénerie. ➜ Sur *accoupler* a été formée la série antonymique **DÉSACCOUPLER** v. tr. (déb. XIIIe s.), et **DÉSACCOUPLEMENT** n. m. (1636), rare sinon en mécanique (1951).

L'autre préfixé verbal de *coupler*, l'antonyme **DÉCOUPLER** v. tr. (v. 1160), est un terme de vénerie, lié au sens spécial de *couple* n. f., et qui signifie «détacher les chiens pour qu'ils courent après la bête», parfois au figuré, «lancer à la poursuite de qqn». ➜ Son participe passé adjectivé **DÉCOUPLÉ, ÉE** s'est répandu avec le sens figuré de «qui a de l'aisance dans les mouvements», glissant de là vers le sens moderne (1690) de «qui a un corps souple, agile», surtout dans *bien découplé*. ➜ Le déverbal **DÉCOUPLE** n. f. (1561) est exclusivement un terme de chasse, concurrencé par l'usage de l'infinitif substantivé, *le* **DÉCOUPLER** n. m.

COUPLET → COUPLE

COUPOLE n. f. est emprunté (1666) à l'italien *cupola*, terme d'architecture (1348-1363) lui-même emprunté, avec changement de sens, au bas latin *cupula* «petite cuve, tonnelet», diminutif de *cupa* (→ coupe), à l'origine de *cupule*.

♦ Le mot désigne une voûte hémisphérique ou ovoïde en forme de coupe renversée et, par métonymie, l'institution abritée par un édifice à coupole, essentiellement l'Institut de France à Paris et, en particulier, l'Académie française (d'où *entrer à la Coupole* : «être élu académicien»). Par analogie de forme, le mot s'emploie pour les observatoires astronomiques et le dôme de canons de marine (ou *tourelle*).

▸ Un terme technique anglais, altération probable de *cupola* ou de *coupole*, est revenu au français sous la forme **CUBILOT** n. m. (1841); il s'agit de *cupilo* (1716), forme dialectale de Sheffield de *cupola*, de *cupola furnace* «fourneau en forme de coupole», en métallurgie.

COUPON → COUPER

COUR n. f., qui succède (v. 1352) à la forme *cort*, *curt* (v. 980), est issu du bas latin *curtis* (VIe s.) qui possède déjà en germe tous les sens du français : «cour de ferme» et aussi «enclos, maison et jardin, tenure», «exploitation agricole» (XIIIe s.), «résidence royale» et «assemblée *(curia)* d'un prince, surtout dans sa fonction de tribunal» (1000). *Curtis* est lui-même dérivé du latin classique *cohors, cohortis* «enclos», spécialisé dans le domaine militaire (→ cohorte), entre autres pour désigner l'état-major d'un général, les conseillers d'un gouverneur de province. *Cour* a probablement pris sa graphie moderne sous l'influence du latin médiéval *curia* attesté avec des sens analogues, tandis que l'ancienne graphie *court* (XIIIe s.) [empruntée par l'anglais, → ② court] s'est maintenue dans *courtois** et dans les noms de localités remontant à d'anciens domaines de nobles francs (Nord, Est, par ex. *Harcourt*).

♦ Le premier sens est rural : c'est celui d'«espace découvert entouré de murs, de bâtiments» réalisé dans ***cour de ferme,*** par opposition à **BASSE-COUR** (XIIIe s.), expression réservée à l'espace où l'on élève des volailles, d'où par métonymie «ensemble des volailles d'un élevage», dans **ARRIÈRE-COUR** (1586) et **AVANT-COUR** (1564). ➛ Par analogie, le nom de *cour* a été donné à une impasse entourée de murs et d'habitations à Paris ***(Cour des Fermes, Cour du Commerce);*** de là, l'appellation ***cour des Miracles*** donnée avant 1616 au quartier des truands parce que les infirmités des mendiants y disparaissaient comme par miracle. ◇ En Belgique, *cour* désigne par métonymie et spécialement les toilettes, celles-ci étant souvent situées en fond de cour. ➛ Quant aux sens de «ferme d'exploitation féodale» (XIIIe s.) et de «territoire d'un prince», ils ne se sont maintenus qu'en histoire médiévale, mais ils sont liés à une acception importante de *cour,* «lieu de résidence du roi et de son entourage», «entourage du souverain», attestée dès les premiers textes (v. 980). En france, la *cour* du roi capétien prolonge la *cohorte* du général ou gouverneur romain, mais alors, l'entourage royal est indifférencié, sans distinction entre les fonctions politiques concernant les intérêts du royaume et les fonctions domestiques attenant à la personne royale. La cour se compose du connétable, du sénéchal, du chancelier, du chambrier et du bouteiller, et, spécialement, la ***cour pleinière*** (XIIe s.) désigne l'ensemble des vassaux convoqués par le roi. ◇ Peu à peu, s'est effectuée une spécialisation des fonctions. Les premières à conquérir leur autonomie furent les fonctions juridiques (XIIe s.) : *la cour le roi* («du roi») fut la première forme de parlement et le nom de *cour* est resté attaché aux tribunaux supérieurs (***cour de cassation, d'appel,*** etc.). Par métonymie, le mot désigne (XIIIe s.) l'ensemble des magistrats qui rendent la justice dans un tribunal; cette acception donne lieu à de nombreux noms d'institutions, dont, au début du XIXe s., ***cour des comptes*** (1830), le corps administratif chargé du contrôle de la comptabilité publique. ◇ Parallèlement, dès le XIIe s., l'entourage des rois capétiens et de leurs grands vassaux, d'abord assez rude, s'affine et devient plus mondain. C'est alors que commence à poindre l'idéal de distinction qui se développe par exemple à la cour de Champagne et s'exprime dans l'évolution sémantique de *courtois** et *courtoisie.* La Cour, désormais inséparable de la majesté royale, prend un grand éclat sous François Ier et l'accompagne de château en château. Elle est devenue un entourage mondain (où les femmes jouent un grand rôle), largement pourvu de charges honorifiques. Sous Louis XIV, à Versailles, son importance s'accuse encore de sorte qu'elle devient le centre de la vie du royaume : la langue diplomatique parle de *la cour de France, d'Angleterre...* pour désigner le gouvernement du pays, tant cet entourage mondain semble tout entraîner dans son orbite. En France, la *Cour* s'identifie alors à un lieu, Versailles, et s'oppose à la *ville* depuis Louis XIV jusqu'à Louis XVI. Il s'y développe le bon usage et le jargon des courtisans : ils visent à ***être bien en cour*** et pour cela, ***font leur cour*** au roi (1539) ; il est important de ***savoir la cour*** «les manières en usage à la Cour». ◇ L'expression a disparu avec la monarchie, mais on continue d'employer ***faire la cour*** dans le vocabulaire amoureux (1651) et ***cour d'admirateurs*** (d'après le sens de «cercle de personnes empressées autour de qqn», 1690).

▶ Le diminutif de *cour,* **COURETTE** n. f. «petite cour intérieure», est attesté depuis 1797. ➛ Les composés *basse-cour, arrière-* et *avant-cour* ont été signalés plus haut.

◈ voir CORTÈGE, ② COURT, COURTILIÈRE, ① COURTINE, COURTISAN, COURTOIS et aussi HORTI-, HORTENSIA, JARDIN, ORTOLAN.

COURAGE → CŒUR

COURBACH → CRAVACHE

COURBE adj. et n. f. est la réfection (1699) de l'ancien adjectif *corbe* (XIIIe s.), antérieurement *corb, curb* (apr. 1170) au masculin. Celui-ci est issu d'un latin populaire °*curbus,* altération du mot classique *curvus* «courbe, recourbé» qui se rattache, avec élargissement en °*-wo,* à la racine indoeuropéenne °*kor-* «courbe» (→ couronne).

♦ Le mot qualifie ce dont la forme, la direction ne comportent aucun élément droit ou plan, couramment et spécialement en géométrie. Il est employé comme substantif *(une courbe)* depuis la fin du XVIIe s. avec son sens moderne, après une attestation au XIIe s. pour «branche tordue» et une autre vers 1250 pour «morceau de jante». De ses spécialisations en géométrie (1699) et en mathématiques lui vient le sens particulier de «ligne représentant la loi, l'évolution d'un phénomène» *(courbe de température),* parfois pris dans une acception métaphorique *(courbe des sentiments).* Il compte aussi quelques emplois techniques en marine.

▶ **COURBER** v. est issu (v. 1170) du latin populaire °*curbare,* altération du classique *curvare* «rendre courbe» (→ l'emprunt incurver), de *curvus* (→ courbe). Le verbe, lorsqu'il est employé à propos d'une partie du corps, signifie «pencher, incliner» et, dans quelques emplois particuliers, exprime la soumission ***(courber la tête),*** l'assujettissement ***(courber qqn).*** L'usage de la construction intransitive au sens de «devenir courbe» et, abstraitement,

«se soumettre», est plus littéraire, sauf dans la locution ***courber sous le poids de.*** Cet emploi est concurrencé par la forme pronominale *se courber* (autrefois également : «s'incliner pour saluer»). ◇ L'argot collégien suisse l'emploie pour «ne pas aller en classe, à un cours», là où le Français dit *sécher* et le Belge *brosser.* ➜ *Courber* a produit des dérivés d'usage restreint, voire technique : **COURBET** n. m. (1390) «grande serpe à couper les branches», **COURBEMENT** n. m. (1478), ultérieurement **COURBAGE** n. m. (1863), plus couramment **COURBURE** n. f. (XVe s.) «forme, disposition de ce qui est courbe ou courbé» et **COURBETTE** n. f. (1558). Ce dernier est à l'origine un terme de manège, employé par analogie en parlant d'un geste humain exprimant la déférence (av. 1585). Par extension, il a pris, surtout au pluriel, le sens péjoratif de «marque servile et obséquieuse de déférence» (1623, Sorel). ◇ Son dérivé **COURBETTER** v. intr. (apr. 1500) n'est qu'un terme de manège.
Le préfixé verbal **RECOURBER** v. tr., d'abord *recorber* (v. 1155), est moins souvent employé avec une valeur itérative qu'avec la valeur déterminée de «courber à l'extrémité», également sous la forme pronominale *se recourber* (v. 1560). Ses propres dérivés **RECOURBEMENT** n. m. (XVe s.) et **RECOURBURE** n. f. (1875 ; 1600, *recourbeure*) sont rares.

◈ voir CURVILIGNE (art. LIGNE), INCURVÉ.

COURGE n. f., aboutissement (v. 1350) de *cohourge* (XIVe s.), est une forme dialectale (surtout Ouest) issue d'un latin tardif *°cucurbica,* altération du latin classique *cucurbita* «courge, gourde». Ce mot présente le même redoublement syllabique que les mots de sens voisin *cucutia, cucumis* «concombre» et *cicirbita.* La forme classique a donné *coorde, cohourde* (1246), forme conservée dans de nombreux patois. En outre, elle a échangé son suffixe contre d'autres suffixes diminutifs comme *-ula* (d'où l'ancien provençal *cogorla,* l'ancien français *courle,* le lorrain *cohole,* etc.) [→ aussi gourde]. ◇ Quant à **COUGOURDE** n. f. (1673), forme moderne de *coucourde* (1273), aujourd'hui usité dans le sud-est de la France, il est issu de l'ancien provençal *cogorda,* de *cucurbita.* Dans les parlers septentrionaux, le terme dominant est *citrouille.*

♦ *Courge,* nom de plante, est couramment employé pour désigner le fruit de certaines variétés, utilisé comme légume. Il est parfois employé avec le sens péjoratif d'«imbécile» par référence, dit-on, au vide interne du fruit.

▸ Il a produit le terme régional **COURGERON** n. m. (1852) «petite courge», en usage en Suisse romande, et **COURGETTE** n. f. (1929, d'abord en Bourgogne) «fruit d'une variété de courge consommée jeune», rapidement devenu usuel, cet état du légume étant plus courant en cuisine que la courge elle-même.
CUCURBITACÉES n. f. pl. a été formé savamment, d'abord comme adjectif (1721), sur le radical du latin *cucurbita* comme terme de classification botanique.

COURIR v. tr. et intr., aboutissement de *curir* (1080), qui provient, par changement de conjugaison, de *curre* (v. 1050), est issu du latin *currere* «se mouvoir rapidement à toutes jambes», employé à propos des hommes, des animaux et, par extension, des inanimés. Ce verbe se rattache à un ancien groupe italo-celtique et germanique relatif aux chars (→ char, car) et aux chevaux (en anglais *horse,* de la même série) dont l'importance était essentielle dans le monde indoeuropéen. La forme initiale *courre,* issue par évolution phonétique, a été éliminée par *courir* (cf. le même phénomène avec *quérir*), mais s'est maintenu dans le syntagme figé ***chasse à courre*** (ci-dessous).

♦ *Courir,* intransitif au sens propre, réalise, en fonction du contexte, des valeur spécifiques, telle «se hâter» (v. 1265) ou «courir dans une compétition» (1559) ; il entre dans la construction où il est suivi de l'infinitif (1160) pour «aller vite dans un but précis» *(courir faire qqch.).* En parlant de choses, il signifie «passer d'un lieu à l'autre, se répandre» (v. 1225), parfois «couler vite», et surtout au figuré «se diffuser» à propos d'une rumeur, et «se dérouler, suivre son cours» en parlant du temps ***(par les temps qui courent).*** ◇ Il est employé au sens d'«être compté à partir d'une certaine date», en parlant d'une somme d'argent due, et «s'étendre, se prolonger vers» sur un plan spatial (1690). ➜ Plusieurs emplois transitifs se sont répandus à partir du XIIIe s., tel «poursuivre (qqn) à la course», d'abord dans le domaine de la chasse (v. 1225), d'où le dicton ***on ne court pas deux lièvres à la fois.*** Par extension, le verbe exprime le fait de poursuivre qqn (1434-1438), sens aujourd'hui archaïque mais prolongé métaphoriquement dans le langage populaire moderne (1901) pour «importuner» : ***tu commences à me courir.*** ◇ L'autre extension métaphorique, «rechercher ardemment» (1585), en particulier dans le domaine de la galanterie (1690), connaît une grande vitalité, en concurrence avec *courser** (*courir les femmes,* etc.) ; dans ce sens, on emploie absolument *courir.* ◇ Certaines locutions, telles que ***courir un risque, un danger,*** réalisent l'idée de «s'exposer à» (av. 1558). Suivi d'un nom de lieu, *courir* signifie «parcourir fréquemment» ***(courir les rues),*** au propre et au figuré (1547).

▸ **COURU, UE** p. p. adj. ne reprend que certains sens transitifs du verbe. Il signifie «recherché (par qqn, qqch.)», la locution ***c'est couru (d'avance)*** [1901] faisant allusion soit au chasseur qui poursuit sa proie, soit à une course de chevaux. ➜ Le participe présent adjectivé ① **COURANT** (déb. XVe s., 1413), d'abord *curant* (1080) «qui court», figure dans de nombreux syntagmes lexicalisés tels ***chien courant*** (1270), ***écriture courante*** (1752), ***main courante*** (av. 1873) et ***eau courante.*** ◇ Transposé sur le plan temporel, il signifie aussi «qui a cours au moment où l'on parle» (1623), dans ***année courante*** et ***affaires courantes*** (1772) «affaires à traiter normalement, de manière régulière». ◇ À partir du XVIIe s., l'adjectif prend la valeur de «normal, habituel et fréquent» ; il s'applique à l'usage de la langue *(mot courant)* et à une réalité économique et commerciale (1669) : on parle ainsi de *prix courant, compte courant,* etc. ➜ *Courant* a produit l'adverbe **COURAMMENT** (fin XIIe s., *curranment*) et deux noms : **COURANTE** n. f., attesté en 1515 au sens de «danse ancienne» (dès le début du XIVe s., il signifie «diarrhée» mais il s'agit peut-être d'une erreur de lecture pour *courance,* attesté en ce sens du XIIe au XVIe s.), et ② **COURANT** n. m. (1210), développé à partir du sens particulier de *courir :* «couler» (d'un liquide). Ce nom désigne essentiellement le mouvement d'un cours d'eau, le déplacement des eaux dans les océans (comme *stream* en anglais), puis celui de l'air (1749, ***courant d'air***) et de l'électricité (1788, Buffon *courant électrique* ; *courant continu* 1829), devenant alors un quasi-synonyme usuel pour *électricité (mettre, couper le courant).* ◇ Le XVIIe s. a développé des valeurs figurées, désignant par *courant* le mouvement des passions, des sentiments (v. 1655) et celui qui entraîne l'opinion (1653). Le sens de «course du temps» (1690) a seulement été conservé dans la locution ***dans le courant du (mois).*** Depuis 1832 (Hugo), le mot désigne par métaphore littéraire un mouvement de foule. ◇ La locution très usuelle ***au courant*** «informé» (1780) fait référence à ceux des emplois de *courant* qui impliquent une idée de «familiarité», de «connaissance habituelle». ◇ *Courant* a produit le composé **CONTRE-COURANT** n. m. (1783), au figuré dans la locution ***à contre-courant*** (1852), et quelques termes scientifiques récents (**COURANTOLOGIE** n. f. 1974, **COURANTOMÉTRIE** n. f. 1972) se référant à l'étude des courants marins.

L'ancien infinitif de *courir,* **COURRE**, s'est maintenu dans le langage de la vénerie au sens de «poursuivre une bête» (1225) et surtout dans l'expression courante ***chasse à courre.***

Courir a produit aussi **COUREUR, EUSE** n. (1160), notamment utilisé en sport (1559), avec au XXe s. des syntagmes et spécialisations liés à ceux de *course** (*coureur de fond,* etc.). ◇ Une autre valeur correspond au sens galant du verbe, péjoratif tant au masculin qu'au féminin. ➡ Par suffixation péjorative, il a produit **COURAILLER** v. tr. (1732) et de là, dans un contexte galant, **COURAILLEUR, EUSE** n. (1860; 1845, «enfant qui court partout») et **COURAILLERIE** n. f. (1892). ➡ Par composition, il a produit **AVANT-COUREUR** n. (XIVe s.) et adj. (1682).

ACCOURIR v. tr. (v. 1050) vient du latin *accurere,* proprement «courir vers», de *ad* et *curere.* Le verbe a conservé la valeur du composé latin en *ad* «aller vite vers un but», «venir en courant, en allant vite», d'où au figuré, d'une chose, «arriver rapidement» (au XVIe s., chez Baïf).

PARCOURIR v. tr. (XVe s. ; v. 1155, *parcorre*) est l'adaptation du latin *percurrere* «traverser l'espace dans toute son étendue»; depuis 1675, il est employé avec un nom de chose mobile pour sujet au figuré. Dès le XVIe s., il est employé à propos du regard, au sens de «lire en diagonale» (Montaigne) d'où (1669) «regarder rapidement». ➡ **PARCOURS** n. m. (1268), issu du bas latin *percursus* et francisé d'après *cours**, est à l'origine un terme de droit féodal désignant la convention entre habitants de seigneuries, qui leur permet de résider sur l'une ou l'autre sans perdre leur franchise. Juridiquement, le mot désigne, entre le XVe s. et le 9 juillet 1789 (date de son abolition), le droit permettant de faire paître le bétail sur la vaine pâture de la commune voisine et réciproquement. ◇ Le sens moderne courant «chemin, trajet», lié à *parcourir,* est seulement attesté depuis 1865, avec des spécialisations en sport et dans un contexte militaire.

◈ voir CONCOURIR, CONCURRENT, CORRIDA, CORRIDOR, CORSAIRE, COURRIER, COURS, COURSE, COURSIVE, COURTIER, CURSIF, CURSUS, CURULE, DISCOURIR, ENCOURIR, EXCURSION, OCCURRENT, PRÉCURSEUR, RECOURIR, RÉCURRENT, SECOURIR, SUCCURSALE.

COURLIS n. m. est la réfection (XVIe s.) de *corlieu* (XIIIe s.) — les dictionnaires répertorient encore *courlieu* — et de *corlys* (1555). Ces formes, d'origine obscure, sont en général considérées comme une création expressive d'après le cri de l'oiseau, et l'on cite à l'appui de cette thèse la variété des formes régionales (*corlu, corleru* en picard, *courreli* en provençal, etc.). Mais la nature expressive du mot n'exclut pas une origine plus précise, au moins pour la première syllabe, peut-être apparentée au latin *cornix* (→ corbeau, corneille).

♦ Le mot désigne un oiseau aquatique migrateur, échassier de taille moyenne au long bec arqué.

COURONNE n. f., aboutissement (v. 1340) de *corona* (v. 980), *curune* (1080), *corone* (1080), est issu du latin *corona* «ornement, parure pour la tête», qui possède à la fois des emplois analogiques et des significations symboliques : «récompense en reconnaissance d'un mérite», «ornement symbolisant le pouvoir». Le mot latin est probablement emprunté au grec *korônê* «corneille» qui, par analogie avec la forme du bec de l'oiseau, aurait désigné un objet recourbé et spécialement une couronne, avec l'influence sémantique de *stephanos* «couronne». *Korônê,* encore en grec moderne au sens de «corneille», appartient à une série de formes expressives dont le latin *cornix* (→ corneille).

♦ Le mot est apparu en français pour désigner l'insigne du pouvoir royal, développant, de là, plusieurs acceptions métonymiques : il se dit du domaine royal (v. 1275 ; dès 1190 en latin médiéval), du pouvoir royal (av. 1250 ; 1119 en latin médiéval) et, dans quelques locutions, de l'État gouverné par un roi (1676). Le sens initial est à l'origine du nom d'une monnaie (v. 1340), d'un papier *in folio* (1680). *Couronne* a aussi repris très tôt les autres sens latins de «récompense accordée en vertu d'un mérite» (1175 ; dès 1140, pour ***couronne de martyre***) et, sans valeur symbolique, de «cercle (de feuillages) pour orner la tête» (v. 1185). ◇ Par analogie d'aspect, il désigne aussi la tonsure des gens d'Église (1080) et tout objet circulaire. Toujours par analogie, et peut-être d'après le latin, il se dit en astronomie de l'atmosphère lumineuse qui entoure le soleil (1690), plus tard dans *couronne solaire* (1858). En médecine vétérinaire, il se rapporte à la partie osseuse entre le pied et le paturon du cheval (1600) et, en médecine dentaire, à la reconstitution artificielle du haut de la dent (1846), d'après le sens de «partie supérieure (de la dent)» (1728).

▶ **COURONNER** v. tr., d'abord attesté au participe passé sous la forme ancienne *coronat* (v. 980) puis *corunet* (v. 1120), est probablement dérivé de *couronne* d'après le latin *coronare.* Celui-ci signifie «mettre une couronne sur (qqch. ou qqn) pour orner», «entourer (qqch., qqn)» et a reçu en latin impérial le sens de «mettre une couronne à (qqn) en signe de victoire» et, de là, le sens de «récompenser», repris par les auteurs chrétiens. En bas latin, le mot a signifié également «mettre une couronne en signe de pouvoir» et à époque médiévale, «tonsurer» (893 ; déjà au participe passé comme nom masculin, en 407). ◇ À partir du sens propre de «ceindre (qqn) d'une couronne», *couronner* a développé plusieurs emplois abstraits à connotation méliorative, spécialement «sacrer (un souverain)» (1155), «décerner une récompense» (1680). Le sens abstrait, «achever, parfaire» (XVIe s.), est parfois pris ironiquement ***(pour couronner le tout)***. ➜ *Couronner* a lui-même produit **COURONNEMENT** n. m. (v. 1165, *coronement*), employé depuis 1559 au sens figuré («ce qui parfait») et les antonymes **DÉCOURONNER** v. tr. (av. 1175, adj. ; 1190, *descoroner*) et **DÉCOURONNEMENT** n. m. (1636 ; repris en 1863). Plusieurs mots du même groupe et de sens spécialisé sont empruntés aux dérivés latins de *corona*. ➜ **CORONAIRE** adj. (1562), représentant du latin *coronarius* «en forme de couronne», est surtout employé dans le vocabulaire médical, notamment en parlant d'artères et veines du cœur, aussi substantivé au féminin. ◇ Il a produit **CORONARIEN, IENNE** adj. (1897) et **CORONARITE** n. f. «lésion des artères coronaires du cœur». ➜ **CORONAL, ALE, AUX** adj. (1314), emprunté au latin *coronalis* «se rapportant à une couronne», compte surtout des emplois scientifiques (en anatomie, 1314 ; en astronomie, 1874). ➜ **CORONELLE** n. f. (XIVe s.) désigne un serpent du genre de la couleuvre et **CORONILLE** n. f. (1752), d'abord *coronilla* en latin botanique (1694), emprunt à l'espagnol *coronilla* «petite couronne» (diminutif de *corona*, de même origine que *couronne*) désigne une plante aux fleurs disposées en cercle (1490).

◈ voir COROLLAIRE, COROLLE.

COURRE → COURIR

COURRIER

COURRIER n. m., d'abord *corier* et *courier* (déb. XIVe s.), puis *courrier* (1464), est emprunté à l'italien *corriere* (XIIIe s. ; 1162, *currerius* en latin médiéval) «porteur de messages», dérivé de *correre* (→ courir). Le mot désignait au XIIIe s. des porteurs de messages entre l'Italie et les foires de Champagne.

♦ *Courrier* désigne d'abord une personne servant de messager (au XVIIe s., on relève aussi *courière* «celle qui porte une nouvelle»), notamment le porteur de lettres en malle-poste *(l'affaire du courrier de Lyon)*, un valet de pied puis le moyen de transport qui convoie les dépêches : il s'applique alors à une malle-poste puis à d'autres véhicules, notamment des avions (**COURT-COURRIER**, 1965 ; **MOYEN-COURRIER**, v. 1950) ; *long-courrier* est plus ancien (→ long). Par métonymie, le nom recouvre l'ensemble des lettres, dépêches et journaux ainsi transportés (1770). Dès 1636, il a servi à baptiser certains journaux, puis à l'intérieur du journal, désigne une chronique transmettant des nouvelles de théâtre, mode, sport et une tribune ouverte aux lecteurs *(courrier des lecteurs ; courrier du cœur)*.

▸ En ce sens, il a produit le dérivé **COURRIÉRISTE** n. (1857) «journaliste qui fait un courrier».

COURROIE

COURROIE n. f., réfection suffixale (v. 1268) de *curreie* (1080), est issu du latin *corrigia* «lacet de soulier» puis «lanière», «fouet». Le mot pourrait appartenir au vocabulaire italo-celtique, si l'on en juge par l'irlandais *conriug* «j'attache ensemble», et être, vu son sens technique, emprunté au gaulois.

♦ Le mot désigne une bande d'une matière souple et résistante et s'emploie quelquefois au figuré pour «attache». L'expression technique ***courroie de transmission*** (1845) est parfois investie, par métaphore, du sens de «ce qui transmet, met en contact des personnes, des choses».

COURROUCER

COURROUCER v. tr., d'abord *corocier* (1050), puis *correcier* (1165-1176), enfin *courroucer* d'après *courroux*, est issu du bas latin °*corruptiare*, dérivé du supin de *corrumpere* «détruire, altérer» (→ corrompre).

♦ L'ancien français utilisait le mot à la fois avec le sens physique d'«endommager, maltraiter» et avec le sens moral plus courant de «aigrir, irriter vivement», le sentiment d'irritation étant considéré en quelque sorte comme une altération de l'âme (en latin *animus corruptus*). Seul le sens moral s'est maintenu mais, concurrencé par *irriter*, le mot a décliné au XVIIe s., époque où Vaugelas (1647) ne le tolère plus qu'en emplois métaphoriques (en parlant de la mer). ◇ Aujourd'hui, son usage, de même que celui du participe passé adjectivé **COURROUCÉ, ÉE**, relève du style littéraire.

▸ **COURROUX** n. m., d'abord *corropt* (v. 980) et *corroz* (1165-1176), ce dernier étant probablement le déverbal de l'ancienne forme *corrocier*, est quasiment sorti de l'usage courant au XVIe s., tout comme *ire*, au profit de *colère* ; cependant, il est encore employé au XVIIe s. et ultérieurement comme terme du vocabulaire noble (tragédie, poésie lyrique), notamment à propos de la colère des éléments. Les autres mots du même groupe (plusieurs doublets adverbiaux, substantifs et adjectifs témoignant de la vitalité de la famille en ancien français) sont sortis de l'usage normal au XVIe ou au début du XVIIe siècle.

COURS

COURS n. m. est issu (1080) du latin *cursus* «action de courir, voyage, notamment en mer ; déplacement des étoiles, d'un fleuve, cours de la vie» et, poétiquement, «évolution d'un sentiment», de *currere* (→ courir).

♦ *Cours* exprime une idée de mouvement, de déplacement. Il désigne d'abord l'action de courir, en parlant d'une personne, d'un cheval, sens qui correspond à celui du verbe *courir*, qui est passé au dérivé *course* et vivant dans *coursier*. De son application au domaine de la navigation (v. 1120), est restée l'expression ***voyage au long cours*** (1690). ◇ L'emploi spécial en parlant du mouvement des astres (v. 1170) a lui aussi vieilli, mais a pu favoriser l'apparition du sens temporel «suite, évolution dans le temps» (v. 1170). Ce sens, autrefois réalisé dans le domaine du sentiment (1457), vit lui-même surtout en locutions ***(suivre son cours, au cours de).*** ◇ Plus usuel, l'emploi du mot à propos de l'écoulement continu de l'eau (av. 1200), correspondant à *couler,* à *courir (eau courante),* a inspiré par analogie le sens littéraire d'«écoulement du sang, des larmes» (1670), relativement courant dans la locution ***donner libre cours à*** (1640, *donner cours à sa joie*), employée à propos des larmes puis, abstraitement, d'une émotion. Dans toutes ces acceptions, *cours* continue le latin *cursus,* sans que l'on puisse préciser s'il s'agit de réemprunts ou d'une évolution sémantique interne au français. ➜ Dès l'ancien français, le mot est entré dans le vocabulaire du commerce, se référant à la circulation des valeurs, des marchandises (v. 1370). Par métonymie, il désigne aussi le taux auquel se négocient celles-ci (1602), sens auquel se rattache la locution figurée ***avoir cours*** (1671), ***n'avoir plus cours*** avec une transposition pour «être en usage». ➜ Sa spécialisation dans le domaine des études (1331) procède de l'idée temporelle de «développement dans le temps». Riche en extensions métonymiques, elle a donné les valeurs de «ouvrage reproduisant des leçons» (1606), «leçon dispensée» (1694), «degré des études suivies» (1887, *cours élémentaire* puis *cours moyen,* etc.) et «établissement d'enseignement spécialisé» *(cours de danse)* ou, en France, «établissement d'enseignement privé». ➜ Le sens de «longue et large avenue», purement spatial, peut être daté de 1616, date de l'établissement, par Marie de Médicis, d'une allée appelée plus tard *Cours-la-Reine* à Paris. Il subit certainement l'influence de l'italien *corso.* ➜ **CORSO** n. m. a lui-même été repris tel quel en français avec le même sens (1807), et étendu à un défilé de chars lors d'une fête (1846), par exemple dans *corso fleuri.*

▶ ① **COURSIER** n. m. est la substantivation (v. 1285) du masculin de l'ancien adjectif *corsier, iere* (v. 1165) «apte à la course», lui-même dérivé de *cors, cours* au sens ancien d'«allure rapide (spécialement d'un cheval)». L'adjectif est sorti de l'usage au XVIe s., tandis que le substantif s'est maintenu dans le style noble pour désigner le cheval de bataille ou de tournoi médiéval (alors en concurrence avec *palefroi*). ➜ **COURSIÈRE** n. f. est lui-même issu par ellipse (1286-1290) de *voie corsiere* (1180-1190) «voie fréquentée». Le mot s'applique à un chemin de traverse à flanc de colline ; il est d'usage régional (poitevin, franco-provençal).

CURSUS n. m. est un emprunt tardif et savant (1868) au latin *cursus* avec deux spécialisations : la première, reprise au latin médiéval (XIIe s.) correspond à «prose rythmique de la littérature byzantine et des bulles pontificales» ; la seconde, beaucoup plus répandue (1968), est une extension dans le domaine des études supérieures, d'après l'anglais *cursus,* de l'emploi des termes d'histoire romaine *cursus honorum* (1900), désignant la suite des diverses magistratures que devaient exercer les hommes politiques romains. *Cursus* correspond à «cours des études».

◈ voir COURIR, COURSE, COURSIVE, CURSEUR, CURSIF.

COURSE n. f., d'abord *corse* (v. 1205), puis *course* (1553), est le féminin de *cours** avec un développement autonome favorisé par l'italien *corsa* (XIVe s.).

♦ Le mot désigne d'abord l'action de courir, l'accent étant mis sur l'idée de «vitesse», sens avec lequel il a supplanté le masculin *cours,* au propre et au figuré (au XXe s., par exemple dans *course aux armements*). Ce sens, que l'on a dans la locution *au pas de course* (1835), est particulièrement réalisé dans le vocabulaire du sport avec la valeur de «compétition» où courent des concurrents, humains ou animaux (1538), seul ou dans ***course de chevaux*** (1771, généralement au pluriel) et ***course de taureaux*** (1847) qui correspond à l'hispanisme *corrida**. Le contexte des *courses* (de chevaux) s'est développé au XIXe s. (cf. *sport, turf*) et est devenu l'un des plus importants pour ce mot. Cet emploi s'est étendu aux véhicules *(course d'automobiles, de motos...).* ➜ Dès le XIIIe s., *course* exprime aussi une idée de «déplacement» : il est d'abord employé en contexte militaire (1213, *corse*) et désigne en particulier une expédition maritime dans un but de pillage (1568), en correspondance avec *corsaire* :* les règles du droit international du XVIIe s. l'appliquent à l'activité de navires armés avec l'autorisation plus ou moins explicite des gouvernements pour combattre le commerce naval d'un pays ennemi *(guerre de course).* Cette activité historique recouvre un état de fait méditerranéen, spécifique de la Renaissance et du XVIe s. (cf. *piraterie*), dirigé en premier lieu contre l'Empire espagnol. La course atteint son apogée entre 1577 et 1713-1720 (après le traité d'Utrecht) pour devenir ensuite une arme de guerre et disparaître au XIXe s. (→ corsaire). ➜ Par extension au domaine courant, le mot concerne le fait de parcourir un espace (1606) en parlant d'une personne, puis d'un véhicule (1813, d'un fiacre). En Suisse, il désigne particulièrement un voyage, une excursion à caractère organisé et un trajet ; appliqué aux déplacements d'une personne, il est entré dans la locution ***faire les courses*** «se rendre à son travail lorsqu'on habite une agglomération différente», comprise autrement en français de France. ➜ Avec l'idée de «promenade» (1678), le mot désigne spécialement une excursion d'alpiniste (1775). Depuis 1690, il s'applique aussi à un déplacement dans un but précis, spécialement, au pluriel *courses,* aux allées et venues d'un commissionnaire (***garçon de courses,*** d'où *coursier,* ci-dessous). Il est courant dans le sens de «déplacement pour certains achats», notamment dans ***faire les courses, ses courses*** (cf. *commission*) et, par métonymie, désigne les achats que l'on rapporte chez soi. ➜ Dans le style littéraire (1553) ou dans quelques emplois techniques (1676, à propos d'un organe mécanique), il exprime l'idée d'un «mouvement plus ou moins rapide». Enfin, il empiète quelquefois sur les emplois à valeur temporelle de *cours.*

▶ Le dérivé **COURSER** v. tr. (XVe s.), après avoir signifié «mettre (un cheval) au galop», sens conservé dans les patois du centre-ouest et de l'ouest de la France, a été repris pour «poursuivre en courant» (1843), comblant une lacune créée par le vieillissement de *courir** (transitif) dans ce sens. Cet emploi est vivant, mais senti comme familier ou populaire. Il exprime spécialement l'idée de poursuivre une femme de ses assiduités (1871). ◆ ② **COURSIER, IÈRE** n. (fin XIXe s.), «employé chargé d'effectuer diverses courses, notamment des livraisons», renoue à plusieurs siècles d'écart avec l'ancien français *cursier* «messager» (v. 1180), évincé par *courrier**.

◈ voir COURIR, COURS, COURSIVE, CURSEUR, CURSIF.

COURSIVE n. f., d'abord écrit *courcive* (1687), est probablement la transformation, sur le modèle des adjectifs en *-if, -ive,* de l'ancien *coursie* n. f. (1495), terme de marine désignant le passage ménagé d'un bout à l'autre d'une galère entre les bancs des forçats. Le mot est emprunté, de même que l'ancien provençal *corsia* (XVe s.), à l'italien *corsia,* terme de marine (XVIe s.), attesté dès 1401 sous la forme *cursia* dans le dialecte de Ferrare, et employé aussi à propos du courant d'un fleuve (XVe s.). Ce mot italien, adjectif féminin substantivé, est issu du latin médiéval *cursivus* (féminin *cursiva*) «courant, rapide» (→ cursif).

♦ Le mot a supplanté *coursie* au même sens et il est resté usuel en marine. Boiste, en 1829, enregistre aussi un emploi pour le passage entre les soutes.

◈ ① **COURT, COURTE** adj., aboutissement (XIIIe s.) de *curt* (1080) puis *cort* (1155), continue le latin *curtus* «écourté, tronqué» d'où «châtré, circoncis», issu de la même racine indoeuropéenne °*ker-* ou °*sker-,* «couper, séparer», que *corium* (→ cuir), *caro* (→ chair) et *scortum* (→ écorce).

♦ Tandis qu'en latin, le mot usuel pour exprimer la notion de petitesse dans l'espace et le temps était *brevis* (→ bref), c'est *court* qui est devenu en français le terme le plus usuel (par opposition à *long*). Employé concrètement à propos de la longueur faible d'un objet (1080), *court* a progressivement cessé de s'employer en parlant d'une personne au profit de *petit,* sinon stylistiquement, spécialement ou avec un complément (*court sur pattes,* etc.). ◇ Au XVIe s., il a développé la valeur abstraite d'«insuffisant» dans ***courte vue*** et ***avoir la vue courte*** «être myope» (1532), surtout au pluriel *des vues courtes* «des conceptions bornées» (1690). ◇ Il partage avec *bref* le sens temporel de «qui a peu de durée», à la fois au propre (v. 1155), sens devenu très usuel, au figuré (*mémoire courte,* 1532), et s'applique particulièrement à un énoncé, par exemple dans ***faire court*** (1450), ***être court.*** La locution ***à court terme*** (fin XIIe s., *a cort terme*) réalise plus exactement l'ancienne valeur de «qui est rapproché dans le temps». D'autres emplois insistent sur l'idée de rapidité ***(les plus courts moyens)*** ou de fréquence rapide ***(souffle court, ondes courtes).*** ◆ Dès le XIIe s., le mot, à la faveur de son caractère usuel et monosyllabique, a développé des emplois adverbiaux correspondant aux sens de l'adjectif. **COURT** adv. s'emploie dans *tenir qqn de court* (1205) «le surveiller», puis en moyen français dans les locutions ***couper court à*** (XVe s.), ***rester court*** (1578), ***être à court*** (1556) et ***pris de court*** (1660). ***Tourner court*** s'est dit à l'origine d'une voiture tournant dans un très petit espace avant de prendre le sens figuré de «en s'arrêtant brusquement». ◆ L'emploi substantivé de *court* (av. 1266), elliptique *(le court),* se fait toujours par opposition à l'emploi analogue de *long.*

▶ Sur *court* ont été formés l'adverbe **COURTEMENT** (XIIe s.), aujourd'hui peu usité, et **COURTAUD, AUDE** adj. (1439) qui a signifié «écourté de la queue» (d'un animal) d'après *court* au même sens (XIIIe s.), et qui a produit **COURTAUDER** v. tr. (1718). Le sens usuel de *courtaud* est «d'une taille courte et un peu épaisse» (1656). L'appellation ***courtaud de boutique,*** adressée à une personne aux façons rustres, sortie d'usage au XIXe s., est à l'origine (1585) le nom donné au commis de magasin, peut-être par allusion à l'habit court des gens du peuple par opposition au vêtement long des gens de condition.
Court a fourni le premier élément de nombreux adjectifs et noms composés (→ bouillon, circuit, courrier, échelle, jus, vêtu); il a produit trois préfixés verbaux exprimant la notion de «rendre court». ◆ **ÉCOURTER** v. tr. (XIIe s., *escurter*) s'applique surtout à un entretien, aux paroles, à un texte. ◆ La série **ACCOURCIR** v. tr. (1162, *acourcir*) avec ses dérivés **ACCOURCISSEMENT** n. m. (1503) et **ACCOURCIE** n. f. (1842), tend à être supplantée par celle du préfixé en *re-.* ◇ Ce dernier est **RACCOURCIR** v. tr. (1237), «rendre plus court» et intransitivement (1835) «devenir plus court». ◇ Il a produit trois noms : **RACCOURCISSEMENT** n. m. (1551; 1529, «abrégé»), **RACCOURS** n. m. (1723), d'emploi technique, et **RACCOURCI** n. m. (1400), plus ancien et plus courant, dont le sens d'«abrégé» s'est conservé dans la locution ***en raccourci*** (1631) mais qui a développé à l'époque classique le sens de «ce qui est exprimé de façon abrégée et vigoureuse» (1690), et a été employé comme terme de peinture en se référant à la perspective (1651). Le sens usuel de *raccourci* «chemin plus court» est apparu le dernier (1837).

◈ voir CIRCUIT (COURT-CIRCUIT).

② **COURT** n. m. est emprunté (1887) à l'anglais *court* (v. 1175), spécialisé pour «terrain de jeu de paume» (1519), lui-même emprunté à l'ancien français *court, cort* (→ cour).

♦ Le mot est passé en français assez tardivement par rapport au reste du vocabulaire du tennis, mais la diffusion de ce sport se situe bien entre les deux guerres. Ni l'adaptation en *cour* (1894), ni l'équivalent *champ* n'ont eu de succès.

◈ voir COUR.

COURTEPOINTE → ② COUETTE

COURTIER, IÈRE n. est la réfection (1538) de *courretier* (1220, selon Wartburg), *corretier* (1241), *curratier* (v. 1240; encore en 1634), aussi altéré en *coletier* (v. 1250). Le mot est probablement dérivé de l'ancien verbe *corre, courre* (→ courir) avec le suffixe *-ier* élargi en *-etier;* le suffixe *-atier* (→ puisatier), surtout fréquent en occitan (ancien provençal *corratier*) se retrouve dans le picard *corratier* et dans plusieurs formes dialectales désignant un coureur de jupons.

♦ Le mot désigne la personne chargée de mettre en relation vendeurs et acheteurs moyennant une rémunération, pour des opérations de bourse ou de commerce et, par extension, celle qui joue l'intermédiaire dans une affaire, l'entremetteur (1740), très péjoratif dans *courtier de chair humaine* «négrier». Historiquement, c'est par l'expression ***honnête courtier*** que Bismarck définit le rôle que voulait jouer l'Allemagne au congrès de Berlin après la guerre russo-turque (1878). ◆ Au sens propre, le mot avait reculé devant divers synonymes, parmi lesquels *voyageur de commerce*. Lorsque celui-ci est passé de mode après 1950, *courtier* a retrouvé une nouvelle vitalité, en concurrence avec *représentant*.

▶ Du radical de *courtier* est dérivé **COURTAGE** n. m. (1358; 1248, *courratage*) «profession de courtier» et, par métonymie, «rémunération en pourcentage du courtier». Le sens dominant est aujourd'hui «vente directe, par démarchage». Spécialement, le *courtage matrimonial* désignait la profession des courtiers de mariage, chargés de mettre en relation des personnes désirant se marier; il a été éliminé par *agence matrimoniale*. Le premier emploi est aujourd'hui courant, en partie à cause de l'absence de substantif abstrait correspondant à *représentant*.

COURTILIÈRE n. f., d'abord *courteliere* (1547), puis *courtilliere* (v. 1600) et *courtilière* (1762), est une dénomination d'insecte issue par figure de l'ancien français *courtillier* (fin XIIIe s., *curtiller*) «jardinier», au féminin *courtilliere* (1493). Ce mot est dérivé de *courtil* (v. 1170, *curtil*) «jardin potager», terme évincé de l'usage courant par *jardin (potager)* au XVIIIe s. mais encore vivant régionalement. Il est issu du bas latin °*cohortile*, dérivé de *cohors* (→ cour) dont l'existence est appuyée par le latin médiéval *cortile, curtile* «enclos comprenant maison et jardin, jardin» (747). On notera que le féminin de *courtil, courtille*, a été un toponyme fameux (1511, *la Courtille*) recouvrant un faubourg parisien comprenant à l'origine des vignes et des potagers. Ce faubourg, riche en guinguettes et cabarets, a été très en vogue au XVIIIe s. et surtout vers 1830; la *descente de la Courtille*, défilé des masques à travers le faubourg du Temple le lendemain de mardi gras, était un spectacle très prisé (la dernière eut lieu en 1838).

♦ Le mot désigne un grand insecte roussâtre à élytres courts et longues antennes, également appelé *taupe-grillon*, causant d'importants dégâts dans les jardins.

◈ ① **COURTINE** n. f. est issu (v. 980) du bas latin *cortina* «rideau», dérivé du latin *cohors* réduit à *cors* «cour» (→ cour). Il s'agit d'un calque sémantique du grec *aulaia* «tapis», «tenture», dérivé de *aulê* «cour», et que la langue classique s'était contentée de transcrire par *aulaeum, aulaea*. *Cortina* est passé dans l'italien *cortina* «rideau, courtine», l'allemand *Gardine* «rideau».

♦ Le mot est apparu en français dans un contexte liturgique à propos du voile du temple de Jérusalem; il a pris couramment le sens de «rideau disposé autour des anciens lits d'apparat» et, de là, s'est étendu à la tenture masquant un élément d'un espace intérieur. Depuis le XIXe s., son usage en ce sens relève du style littéraire qui le plie au même emploi métaphorique que *rideau (courtine de verdure)*. Il est plus répandu comme terme de fortification (1572) employé par analogie pour un mur rectiligne compris entre deux bastions, peut-être d'après l'ancien provençal (XIVe s.).

L'homonyme argotique ② **COURTINE**, «courses de chevaux», est un dérivé irrégulier de *course*, pour lequel l'influence de ① *courtine*, mot noble, est moins vraisemblable que celle de *(la) Courtille*, nom de quartier populaire de Paris, opposé (dans l'espace et socialement) à *Longchamp*, où se tiennent de célèbres courses, opposition également lexicale fondée sur les syllabes *court-long*. Cependant, le souvenir du défilé populaire de la Courtille (→ courtilière) a pu jouer un rôle second.

COURTISAN n. et adj. m., d'abord *courtisien* (apr. 1350), puis *courtisan* (1472), est un emprunt adapté à l'italien *cortigiano* (déb. XIVe s.) «qui appartient à la cour d'un pape, d'un prince» (à propos du pape Benoît XII), substantivé (1348-1353) à propos de la personne attachée à cette cour. Lui-même est dérivé de *corte*, correspondant de *cour**.

♦ On peut supposer que l'introduction du mot en français s'est effectuée à la cour des papes d'Avignon où *cortezan* est attesté dès 1350. Ce premier emploi est associé à la cour du pape Clément V. Par extension, *courtisan* a pris le sens figuré et péjoratif de «personne qui flatte» (1560). ◇ Son emploi adjectif (av. 1555) correspond aux deux acceptions du nom.

▶ Le développement sémantique qu'a eu dès l'origine le féminin **COURTISANE** (1547; 1500, *courtisienne*) empêche de le considérer simplement comme le féminin de *courtisan* : il est emprunté à l'italien *cortigiana*, féminin de *cortigiano* attesté depuis 1529 au sens de «dame de la cour» et depuis 1536 au sens particulier de «femme galante de haut vol». Tout en désignant (rarement) une femme ayant les manières de la cour, vivant à la cour (1537), *courtisane* s'entend surtout au sens de «femme galante» (1553); historiquement, il fait référence à une femme qui, en vertu de son éducation et de ses dons artistiques, jouait un grand rôle dans la vie de certains hommes de haut rang de l'Antiquité. ◆ *Courtisan* a servi à former **COURTISANERIE** n. f. (1560, *courtisannerie*), «conduite de courtisan», lequel est quasiment sorti d'usage après avoir supplanté l'italianisme de même sens *courtisanie* (1538). ◆ **COURTISANESQUE** adj. est aussi un emprunt (1578) à l'italien *cortigianesco* (1536), souvent employé par péjoration, et tend lui aussi à disparaître.

◈ voir COURTISER, COURTOIS.

COURTISER v. tr. est emprunté (1557) à l'italien *corteggiare* «faire partie de la cour d'un personnage important» (XIVe s.), «faire sa cour à qqn de puissant» (apr. 1450) et, spécialement, «faire sa cour à une femme» (déb. XVIe s.), lui-même dérivé de *corte*, comme *cortigiano*, qui a donné *courtisan* (→ cour). Cette hypothèse est préférable à celle qui voit dans *courtiser* la réfection, sous l'influence de *courtisan**, de l'ancien français *courtoyer* «fréquenter une cour», car ce dernier ne semble pas attesté après le début du XVIe siècle.

♦ *Courtiser* a repris à l'italien les sens de «faire sa cour à un puissant» (1557) et, spécialement, «faire sa cour à une femme» (1560). Quelques expressions figurées d'usage littéraire, comme *courtiser les Muses* «s'adonner à la poésie», ou *courtiser la gloire,* ne sont plus utilisées que par plaisanterie. En Belgique, le verbe s'emploie absolument au sens d'«être fiancé».

◈ voir COURTISAN.

COURTOIS, OISE adj., réfection, d'après *court* (→ cour), de *curteis* (1080), *corteis* (v. 1130), est dérivé de l'ancien français *curt, cort* puis *court* désignant le lieu où résident le souverain et son entourage, aujourd'hui *cour.*

♦ De tous les adjectifs se référant à l'idée de «politesse», *courtois* est le plus ancien. Le moyen âge l'entend dans deux acceptions : l'une sociale, exprimant ce qui concerne la cour et ses usages, l'autre morale, désignant la qualité propre d'un individu digne du raffinement de la cour. Ces significations sont liées à l'émergence, au XIIe s., d'un style de vie s'opposant à l'idéal guerrier féodal et lié à l'affinement des mœurs et de la sensibilité. Un idéal social s'élabore alors, qui se réalise dans ce qu'on appellera beaucoup plus tard ***l'amour courtois*** (expression de G. Paris, 1880, qui néglige les différences existant entre la tradition des cours du Nord et de celles du Midi) et s'exprime dans la *poésie courtoise* des troubadours (*le trobar,* cf. *troubadour*) et des poèmes narratifs. Vers la fin du XIIIe s., la société courtoise s'effrite avec cette littérature, mais son imagerie et son langage continuent jusqu'au XVe s. d'imprégner tous les genres littéraires. Le mot, après une éclipse à la fin du XVIIe s., recouvre sa vitalité dans le vocabulaire de la politesse, avec une idée de raffinement, ceci dans l'usage soutenu.

▸ Le nom tiré de l'adjectif, **COURTOISIE** n. f. (1155, *curteisie*), a suivi la même évolution sémantique, exprimant au XIIe s. un art de vivre et une élégance morale. ◇ En ancien français, le concept est d'ailleurs scindé en deux termes constamment associés : *courtoisie* qui en exprime les aspects intérieurs, et *mesure** qui en exprime les aspects extérieurs. Comme *courtois, courtoisie,* d'après le témoignage des grammairiens classiques (Bouhours), semble avoir subi une éclipse à la fin du XVIIe s., se maintenant comme un mot secondaire par rapport à *politesse,* et exprimant l'idée d'une politesse plus traditionnelle, plus raffinée (quelquefois, avec une nuance péjorative, une politesse conventionnelle : *par pure courtoisie*). ➛ *Courtois* a produit **COURTOISEMENT** adv. (1080, *curteisement*). ➛ L'antonyme **DISCOURTOIS, OISE** adj., réfection (1555) de *descourtois* (1410), moins usité, est emprunté à l'italien *discortese,* et adapté d'après *courtois.* À la mode au XVIe s., il a vieilli au XVIIe s. («il était autrefois de grand usage», Furetière, 1690) et a été repris dans le registre littéraire. ➛ **DISCOURTOISIE** n. f., d'abord *descourtoisie* dans une traduction de Boccace (1414), est emprunté à l'italien *discortesia* (XVe s.), auquel il doit sa forme moderne (1554). Comme l'adjectif, il ne vit plus que dans l'usage littéraire.

COUSCOUS n. m. est emprunté (1505) à l'arabe d'Afrique du Nord *kuskus* ou *kuskusū,* mot qui désigne à la fois la graine de blé dur étuvée, la semoule qu'on en tire et, par métonymie, un plat dont la base est constituée par cette semoule. Une origine berbère est possible ou un rattachement au verbe arabe *kaskasa* «moudre, écraser». Le mot, introduit en français sous les formes *couchou* et *coscosso* (1534), a imposé sa graphie actuelle, apparue dès le XVIIe s. (1649), assez récemment face aux variantes *couscoussous* (1845), *kouskoussou* et aux graphies *kousskouss* (1912) et *couscouss* (encore chez Sartre, 1944).

♦ Le plat de semoule accompagné de légumes et de viande, typique du Maghreb, varie selon les régions. Le plus connu, au mouton ou au poulet, s'est répandu en France surtout après 1945-1950, avec la vague d'immigration maghrébine. ◇ De là, par métonymie, le sens familier de «restaurant maghrébin où l'on sert notamment du couscous».

▸ Le nom dérivé d'ustensile, **COUSCOUSSIER** n. m., date du XXe siècle.

① **COUSIN** n. m., d'abord *cusin* (1080), puis *cosin* (v. 1150), est issu du latin *consobrinus,* composé de *cum* «avec» (→ co-) et de *sobrinus,* l'adjectif correspondant à *soror* (→ sœur) : «de sœur». D'abord réservé au cousin germain du côté maternel, *consobrinus* s'est appliqué à tout cousin germain. Il est passé en français par l'intermédiaire d'une forme abrégée °*co(n)sinus,* probablement employée dans le langage enfantin.

♦ Contrairement au latin, le mot ne se borne pas au cousin germain, pour lequel on précise ***cousin germain*** (v. 1150) [→ germain]. Comme d'autres termes de parenté, il a servi à exprimer une relation ou une affinité psychologique (1226) : historiquement, ***mon cousin*** (1690) est l'appellation donnée par le roi de France à des princes de sang, cardinaux, pairs, maréchaux de France, grands d'Espagne, etc., d'où probablement l'expression figurée et ironique ***le roi n'est pas son cousin*** «il se croit aussi important que le roi» (XVIIe s.). ◇ L'emploi traditionnel et familier au sens d'«ami, compère» est quasiment sorti de l'usage en français d'Europe ; en revanche, il est vivant en français d'Afrique où il s'applique à d'autres relations familiales, et parfois à des amis.

▸ Le féminin **COUSINE** n. f. (XIIe s.) représente le féminin latin *consobrina* abrégé en °*co(n)sina.* ➛ De *cousin* sont issus **COUSINAGE** n. m., d'abord *cusinage* (v. 1120), anciennement «ensemble de familles, de gens», puis strictement «lien de parenté entre cousins» (v. 1150), avec l'extension analogique de «lien d'analogie», et **COUSINER** v. (1605), employé transitivement au sens d'«appeler qqn son cousin» puis aussi intransitivement pour «agir familièrement avec qqn».

② **COUSIN** n. m. (1551) est d'origine discutée : peut-être dérivé d'un représentant °*couç* du latin *culex, -icis* «cousin, moucheron», issu d'un celtique °*kuli* également à l'origine de l'irlandais *cuil* «moucheron». On a aussi proposé d'y voir le représentant du latin populaire °*culicinus,* diminutif de *culex.* La graphie *cusin,* relevée en 1577, témoigne de l'influence de *puce* (du latin *pulex,* avec le même suffixe).

♦ Le mot désigne le moustique dans quelques régions de France, *moustique* étant aujourd'hui le terme généralisé et plus courant.

▸ Ce nom d'insecte a produit **COUSINIÈRE** n. f. (1723), ancien synonyme de *moustiquaire.*

COUSSIN n. m. est l'aboutissement, par les formes *cuisin* (av. 1150), *coissin* (v. 1160), *cousin* (v. 1178), du bas latin *coxinus,* dérivé du latin impérial *coxa* «hanche» (→ cuisse), la première fonction du coussin étant de garnir les sièges. La finale est peut-être due à l'influence de *pulvinus* «coussin, oreiller», mot d'origine inconnue.

♦ Ce terme courant d'ameublement a développé plusieurs sens spéciaux par analogie de destination, en médecine, marine, dentellerie et en mécanique avec ***coussin d'air.*** Il est utilisé en sciences naturelles dans la locution ***en coussin*** décrivant ce qui rappelle le caractère souple et ventru d'un coussin.

▸ Le diminutif **COUSSINET** n. m. (v. 1285) désigne proprement un petit coussin et a lui aussi quelques emplois spécialisés, en architecture (1676, «partie remplie d'un chapiteau ionique»), mécanique (1863), et surtout en anatomie où il désigne un petit bourrelet (de chair). ◆ **COUSSINIÈRE** n. f. (v. 1550, *couissinière,* de la variante *couissin, coissin*) est utilisé dans le domaine occitan pour désigner l'étoffe recouvrant un coussin.

COUTEAU n. m., d'abord *coltel* (v. 1130) puis *couteau* (1316), est issu du latin *cultellus,* diminutif de *culter,* désignant toutes sortes d'objets tranchants (rasoir, couteau, coutre de la charrue). Tandis que *culter, cultri* a donné au français le terme technique **COUTRE** n. m. (1220; 1150, *cultre*) désignant la partie tranchante du soc de la charrue, son diminutif a été introduit au sens général de «couteau» (italien *coltello,* espagnol *cuchillo*). *Culter* semble venir d'une racine indoeuropéenne °*kel-* alternant avec °*skel-* que l'on a dans le grec *skalis* «houe», le vieil islandais *skalm* «couteau»; cette racine serait peut-être la même que celle de *caro* (→ chair).

♦ Introduit avec son sens usuel, le mot est entré dans la locution figurée ***être à couteaux tirés avec qqn*** (1680; 1586, sous une forme un peu différente) et dans quelques proverbes aujourd'hui tombés en désuétude. L'un d'eux faisait référence au couteau à pain d'une famille, transmis de génération en génération, et dont on changeait alternativement la lame et le manche ***(le couteau de Jeannot).*** Il a donné une phraséologie descriptive comprenant *couteau de poche* (1680), *de table* (1680), *de cuisine* (1690). Depuis le XVIIe s., par analogie de fonction, il désigne un outil métallique tranchant dans divers domaines techniques (agriculture, médecine vétérinaire). ◆ Par analogie de forme, il désigne un mollusque bivalve à coquille allongée (1611) et, depuis le XIXe s., l'arête du prisme triangulaire qui porte le fléau d'une balance (1863).

▸ Dès le XIIe s., *coltel, coutel* a produit **COUTELER** v. (1160) «frapper avec un couteau» et «couper au couteau», spécialisé en mégisserie (1407) et peu répandu (cependant, il est employé par Chateaubriand). ◆ **COUTELIER, IÈRE** n. (v. 1170), «personne qui fait ou vend des couteaux», a pour féminin **COUTELIÈRE** n. f. (XIIIe s.), ancien nom de l'étui où l'on range les couteaux. ◆ **COUTELLERIE** n. f. (v. 1268) désigne l'industrie, la technique de la fabrication des couteaux, ciseaux et rasoirs, et, par métonymie (1611), le lieu de fabrication et de vente de cette industrie. ◆ **COUTELAS** n. m. (1560), «grand poignard», est issu par changement de suffixe du moyen français *coutelasse* n. f. (1410; XIVe s., *coutelesse*), lui-même dérivé de l'ancien français *coutel* «grand couteau de combat»; cette hypothèse semble préférable à celle d'un emprunt à l'italien *coltellaccio* qui n'a pris le sens de «poignard» qu'au XVIIIe siècle. Le radical de *couteau* est à l'origine d'un autre nom d'arme, aujourd'hui disparu, **COUTILLE** n. f. (1351), «épée large et tranchante fixée à une hampe» (d'où *coutilier,* v. 1450, «soldat armé d'une coutille»). ◆ Ultérieurement, *couteau* a fourni le premier ou le second élément de **COUTEAU-SCIE** n. m., d'abord *couteau à scie* (1723) pour une scie à main servant à scier les pierres tendres, et de **PORTE-COUTEAU** n. m. (1869).

COÛTER v. tr. et intr., d'abord *coster* (v. 1165), continue le latin *constare* «se tenir ferme, fixé» (→ constat), «être composé, consister en» (→ consister) et, avec un ablatif instrumental de prix, «être mis en vente moyennant un prix, valoir» au propre et au figuré.

♦ *Coûter* a repris à la fois un sens propre, «entraîner des dépenses» (1172), et le sens figuré de «causer une peine, un effort à qqn» (1165), réalisé dans la locution ***coûte que coûte*** (1802, *coûte qu'il coûte*). Si Littré considère *coûter* comme un verbe toujours intransitif dont le participe passé reste invariable, l'usage moderne, établi au XVIIe s., tend à en faire un verbe transitif aux sens figurés et à accorder dans ce cas le participe passé. Bien que l'Académie ait ratifié cet usage dans la huitième édition de son dictionnaire, on relève des cas d'accord pour le verbe transitif non figuré et de non-accord pour le verbe transitif figuré.

▸ Le déverbal **COÛT** n. m., d'abord *cust* (v. 1155), désigne le prix de revient d'une chose (*coût de fabrication,* etc.) et, au figuré, la conséquence désagréable d'une erreur, d'une action. ◆ **COÛTEUX, EUSE** adj. (v. 1185) réalise dès les premiers emplois une double valeur propre «qui coûte cher», et figurée. ◇ Il a pour dérivé **COÛTEUSEMENT** adv. (1769). ◆ **COÛTANT, ANTE** p. pr., autrefois adjectivé au sens de «dispendieux» (XIIIe s.) et au sens figuré de «pénible» (XIIIe s.), ne fonctionne plus que dans l'expression *prix coûtant* (1679). ◆ Le composé récent **SURCOÛT** n. m. (1978) est un terme d'économie.

COUTIL → ② COUETTE

COUTRE → COUTEAU

COUTUME

COUTUME n. f., d'abord *custume* (1080) et *costume* (v. 1135), puis *coustume* (xve s.), est issu du latin *consuetudo* (accusatif *consuetudinem*) «habitude», «genre, manière d'agir propre à un peuple». Ce nom est formé sur le supin de *consuescere,* composé d'aspect déterminé en *cum* (→ co-) du verbe plus rare *suescere* «habituer», lequel appartient à un groupe de mots issus de la racine indoeuropéenne °*swe-*, °*se-* marquant l'appartenance de l'individu à un groupe (→ désuétude, mansuétude, sœur, soi, et les mots d'origine grecque éthique, ethnique). Par ailleurs, une spécialisation de l'idée d'«habitude» a produit *costume**.

♦ *Coutume,* apparu au sens général de «manière d'agir habituelle», subit depuis le xvie s. la concurrence d'*habitude,* mais se maintient comme semi-synonyme moins courant, notamment dans des locutions : ***avoir coutume*** (v. 1170), ***de coutume*** (1467). ◇ Dès le xiie s., il désigne plus spécialement une manière d'agir fixée par l'usage et recouvre aussi la manière d'agir à laquelle une collectivité se conforme, et, dans une acception juridique, les habitudes collectives transmises de génération en génération, alors en concurrence avec *mœurs.*

▸ Son importance dans la pensée juridique médiévale (surtout au Nord de la France, le Sud étant pays de droit écrit romain) se mesure à l'ampleur de son groupe de dérivés en ancien et moyen français, avec les synonymes *costumance* n. f. et *costumée* n. f., le verbe *costumer* «accoutumer», «payer la redevance appelée *costume*», *costumerie* «lieu où l'on payait l'impôt», *costumel* et *costumable,* enfin *custumier* (ci-dessous *coutumier*). ➛ Le seul dérivé qui s'est maintenu, si l'on excepte la variante démotivée *costume*,* est apparu avec la nécessité de fixer la coutume par écrit : il s'agit de l'adjectif **COUTUMIER, IÈRE** (v. 1160, *custumier*) «qui a l'habitude de», spécialisé juridiquement dans *droit coutumier* et substantivé au masculin (1394) au sens de «recueil des règles de coutume».
Par préfixation, *coutume* a produit **ACCOUTUMER** v. tr. (1170 ; d'abord *acostumer,* 1160, «s'habituer à qqch.») dont le participe passé **ACCOUTUMÉ, ÉE** adj., «habituel», a été substantivé au féminin dans la locution ***à l'accoutumée*** «à l'ordinaire», avec un dérivé **ACCOUTUMANCE** n. f. (1160, *acostomance*) qui désigne encore le fait de s'accoutumer, de s'habituer à des conditions d'existence, tant en parlant des humains que des animaux ou même des plantes. *Accoutumance* s'est spécialisé à propos de l'habitude et de l'attachement à un produit chimique, tabac, drogue. ➛ Avec un préfixe négatif ont été formés les antonymes **DÉSACCOUTUMER** v. tr. (fin xiie s.) et **DÉSACCOUTUMANCE** n. f. (v. 1265), spécialisés comme *accoutumance* à propos du tabac, des drogues. ◇ **INACCOUTUMÉ, ÉE** adj. (1380, *inacoustumé*), rare jusqu'au xviie s. est redevenu assez courant pour «inhabituel». ➛ Le préfixe *re-* exprimant l'itération a servi à former **RACCOUTUMER** v. tr. (1538), refait en **RÉACCOUTUMER** v. tr. (v. 1600) «accoutumer de nouveau».

◈ voir COSTUME.

COUTURE

COUTURE n. f., d'abord *custurae* (v. 980), puis *costure* (v. 1150) et *cousture* (fin xve s.), est issu d'un latin populaire °*co(n)sutura,* formé sur le supin *consutum* de *consuere* (→ coudre), de la même façon qu'on a formé *sutura* (→ suture) sur le verbe simple *suere.*

♦ Le mot désigne une suite de points assemblant une étoffe, sens réalisé dans les locutions figurées ***sous toutes les coutures*** et ***battre à plate couture*** (xve s.), laquelle fait probablement allusion au fait que le tailleur devait autrefois aplatir les coutures neuves en les battant avec une latte. ◇ Dès l'ancien français, *couture* sert également de nom d'action à *coudre* (v. 1150) et s'applique spécialement à l'art de coudre (1690). ◇ Par métonymie, après s'être appliqué à un atelier de couturière (1680), il désigne la profession de couturier, entrant dans le composé ***haute couture.*** ◇ Très tôt (1155), il a développé un emploi analogique en marine, où il désigne la jointure de deux bordages d'un navire qu'on remplit d'étoupe goudronnée. ◇ Familièrement, il se dit d'une cicatrice (av. 1243), sens concurrencé par *balafre* et qui a vieilli, mais qui survit par le dérivé *couturé* (ci-dessous). ◇ En architecture, on appelle aussi *couture* le pli fait sur le rebord de deux tables de métal et par lequel on les assemble (1676).

▸ **COUTURIÈRE** n. f., d'abord *costurere* (v. 1150) et *cousturière* (v. 1200), désigne d'abord une femme qui fait de la couture, professionnellement ou non, et, en français moderne, une ouvrière de la couture, avant de désigner spécialement la femme qui dirige une maison de couture (dep. 1837). Son emploi au théâtre (xxe s.) est issu par ellipse de ***répétition des couturières*** «répétition pendant laquelle les couturières font les dernières retouches aux costumes». ➛ Le masculin correspondant, **COUTURIER** n. m. (v. 1213 ; dès 1115, en latin médiéval *costurarius*), «homme dont le métier est de coudre», a connu une grande expansion au xixe s. en parlant de la personne (d'abord un homme) qui crée des modèles (1863), seul ou dans le syntagme ***grand couturier*** (1874), en relation avec *haute couture.* ➛ **COUTURER** v. tr., autrefois «coudre» (xve s.), a été repris avec son sens moderne d'après **COUTURÉ, ÉE** adj. (1787) «balafré de cicatrices». ➛ Vers 1955, on a formé **COUTUREUSE** n. f., nom spécifique pour l'ouvrière qui monte certains travaux ou objets par des coutures, hors de la technique appelée *couture.*

◈ voir ACCOUTRER.

COUVENT

COUVENT n. m., d'abord *convent* (v. 1120), forme attestée jusqu'en 1718, puis *cuvenz* (1155), *cuvent* (1160-1174) et *couvent,* est emprunté avec adaptation au latin *conventus* «assemblée, réunion», dérivé de *convenire* (→ convenir, convention). À l'époque chrétienne, *conventus* s'est spécialisé pour «assemblée de moines, congrégation» d'où le sens de «cloître» qui s'est répandu à partir du nord de la France, le sud conservant *monasterium* (→ monastère).

♦ Le sens de «réunion, compagnie», repris au latin classique, a disparu au XVIe siècle. Le sens religieux de «lieu où vivent les membres d'une communauté religieuse» (1155) l'a éliminé, aussitôt étendu par métonymie à l'ensemble des religieux qui y vivent (v. 1165). ◇ Ce n'est qu'après 1718 que la graphie actuelle a définitivement évincé *convent,* passé à l'anglais *convent* (XIIIe s.) et réemprunté par le français **CONVENT** n. m. au sens d'«assemblée générale des francs-maçons» (1886). ◇ Après avoir désigné (XVIIIe s.) un lieu de retraite des femmes du monde tenu par des religieuses, *couvent* désigne particulièrement (1863, Littré) un pensionnat de jeunes filles tenu par des religieuses. Il est parfois employé au sens figuré de «lieu contraignant et austère».

▸ Le dérivé **COUVENTINE** n. f., «religieuse vivant au couvent» et «élève d'un pensionnat religieux», est attesté depuis la fin du XIXe siècle.
L'adjectif **CONVENTUEL, UELLE,** d'abord *conventual* (1249), est emprunté, avec maintien étymologique du vocalisme *-on-*, au latin médiéval *conventualis* (1188) «propre aux règles d'une communauté religieuse».

◈ voir CONVENTICULE.

COUVER v. tr. et intr. continue (v. 1121) le latin *cubare* «être couché, alité» dont les formes — on ne sait pourquoi — ont remplacé les formes verbales de la racine °*legh-*, qui s'est en revanche maintenue dans les formes nominales (→ lit).

♦ En français, tandis que le sens de «s'étendre» a été attribué au représentant de *collocare* (→ coucher), *couver* s'est spécialisé au sens de «rester posé sur les œufs pour les faire éclore», d'après un sens tardif de *cubare* qui a supplanté son composé *incubare* (→ incubation, incube). Cette spécialisation agricole rappelle celle de *traire* (d'abord «tirer»). ◇ Par extension, le verbe réalise l'idée figurée de «protéger, entourer de soins attentifs» (v. 1175, en parlant de la louve pour ses louveteaux) à laquelle se rattache aussi la locution métaphorique ***couver des yeux*** (1649, Descartes). ➛ Dès le XIIe s., *couver* est aussi employé au sens intransitif d'«être caché de façon à éclore le moment venu», avec une insistance sur la dissimulation, s'appliquant notamment au feu sous la cendre (1175) ou bien sur la manifestation à venir (en parlant d'une maladie, v. 1350).

▸ Le participe passé féminin **COUVÉE** est substantivé (v. 1100, *covede)* comme nom d'action et employé par métonymie pour l'ensemble des œufs couvés en même temps. Il lui arrive de s'appliquer par métaphore à des enfants appartenant à la même famille (apr. 1250), de nos jours plutôt ironiquement. ➛ **COUVI** adj. m., d'abord *couveis* (fin XIIe s.) et *couvis* (fin XVe s.), qualifie un œuf gâté parce que couvé ou conservé trop longtemps. ➛ **COUVAIN** n. m. (av. 1350, *couvin)* est réservé spécialement à l'ensemble des œufs et des larves d'insectes vivant en société (abeilles, notamment). ➛ Par substitution de suffixe, a été formé **COUVADE** n. f. (1539, *faire la couvade* «rester inactif»), sorti de l'usage après 1636 et repris vers 1873 comme terme d'ethnologie en relation avec la coutume qui donne à l'homme une participation symbolique à l'accouchement. ➛ **COUVAISON** n. f. (1542), dérivé français à rapprocher pour la forme du latin *cubatio* «fait d'être couché», signifie «action de couver» et est employé concurremment avec *couvée,* avec une valeur plus active. ➛ **COUVEUSE** (1542 d'après Wartburg; ou 1600), d'abord employé en parlant d'une poule, comme nom et adjectif *(poule couveuse),* s'est employé en parlant d'une femme, au sens figuré de *couver.* ◇ Comme nom féminin, il est devenu (1838) un nom d'appareil, en particulier (1890) celui d'un appareil utilisé en pédiatrie pour les enfants nés avant terme (aussi *couveuse artificielle, incubateur*). De là *être élevé en couveuse.* ➛ Le mot a supplanté son synonyme **COUVOIR** n. m. (1564) «endroit où l'on fait couver les poules» et (1842) «appareil pour l'incubation artificielle».

◈ voir CONCUBIN, INCOMBER, INCUBER, SUCCOMBER, SUCCUBE.

COUVERCLE n. m. est issu (v. 1160) du latin impérial de même sens *cooperculum,* dérivé de *cooperire* «couvrir de tous les côtés» (→ couvrir; opercule).

♦ Le mot, introduit pour «dispositif amovible servant à recouvrir, à fermer un contenant», a reçu des sens analogiques spécialisés en anatomie *(couvercle du larynx)* et en mécanique. La langue populaire l'utilise encore parfois comme dénomination métaphorique du crâne et du chapeau (1764), mais ces valeurs figurées ont vieilli, alors que le mot demeure très courant dans son emploi premier, avec diverses spécialisations usuelles et techniques.

✳ **COUVRIR** v. tr., d'abord *covrir* (v. 980), est issu du latin *cooperire* «couvrir entièrement» au propre et au figuré, composé d'aspect déterminé en *cum* (→ co-) qui a remplacé le verbe simple *operire* (→ opercule, ouvrir), dans ce sens.

♦ Dès l'ancien français, l'idée essentielle de «revêtir par superposition» reçoit diverses applications en fonction du but poursuivi : cacher, orner, protéger, etc. Dès les premiers textes, *couvrir* exprime l'action de cacher une chose en en mettant une autre dessus, l'objet pouvant être concret ou abstrait (1172), comme dans l'expression ***à mots couverts*** (1176, *par moz coverz*). ◇ Le succès de ce verbe dans le domaine psychologique a été tel que la langue classique l'a utilisé comme un synonyme de «dissimuler (des idées, des sentiments)». Ultérieurement, il se dit d'un bruit qui en masque un autre de moindre intensité (1835). ➛ Dès le XIe s. est apparue la nuance d'«être répandu en abondance sur (qqch.)» (v. 1050), qui ajoute l'idée d'étendue à celle de superposition, et a suscité plusieurs extensions : *couvrir* se rapporte en particulier à un ciel qui s'obscurcit de nuages (aussi au pronominal, *se couvrir,* 2e moitié du XIIIe s.) et, au figuré, au fait de répandre des paroles, éloges ou injures sur qqn (1657). ◇ Sans cette idée d'abondance, le verbe exprime aussi le fait de disposer qqch. sur, et, en intransitif, d'être disposé sur (v. 1050); cette valeur, concurrencée par *recouvrir,* subsiste surtout dans le participe passé substantivé *couvert* (ci-dessous). ◇ Plus couramment, *couvrir* indique le fait de revêtir un espace, une ouverture d'un couvercle (1172), d'une couverture (toit, etc.). Il se dit spécialement à propos de deux animaux qui s'accouplent, le mâle montant sur la femelle (1372). ◇ Une valeur temporelle correspond à «se dérouler sur un certain intervalle de temps», tandis qu'une autre valeur, spatiale, se réalise dans l'expression ***couvrir du chemin*** (1921). ➜ Dès l'ancien français, le but poursuivi peut être la protection, *couvrir* signifiant alors «protéger», en particulier d'une personne dans son être physique, le verbe se rapprochant sémantiquement de *revêtir, vêtir* et, à la forme pronominale, de *se vêtir* (v. 1230), ou encore dans son être moral (v. 1475). Du sens physique procède un emploi spécial dans un contexte militaire; du sens moral une spécialisation en administration, en finance (1793). ◇ Le sens récent, en journalisme, d'«assurer le récit, le commentaire de (un événement)» est emprunté à l'anglais *to cover*.

▸ Le participe passé **COUVERT, ERTE**, outre ses emplois adjectivés avec tous les sens du verbe, est substantivé dans le **COUVERT** n. m. (XIIe s.), d'abord au sens de «retraite, logement», sorti d'usage. Toujours avec l'idée de «ce qui couvre», le mot a pris le sens de «toit» au XVIe s., réalisé dans la locution ***donner le vivre et le couvert***, encore usuelle mais souvent mal interprétée. Il désigne aussi l'abri que donne le feuillage d'un arbre (1285) et, par métonymie, les arbres qui donnent de l'ombre. ◇ D'autres sens se limitent à des emplois en locutions prépositionnelles : ***sous le couvert de*** (1669), «sous le nom de qqn», et ***à couvert de*** (adverbialement ***à couvert***) «sous la protection de». ➜ Depuis le XVIe s., *couvert* désigne couramment et collectivement ce dont on couvre la table pour manger (nappe, ustensiles). Il désigne plus spécialement les ustensiles à l'usage de chaque convive (1616) [par ex. *ajouter un couvert*] et, surtout, l'ensemble constitué par le couteau, la fourchette et la cuillère, selon l'évolution des manières de table au cours du XVIIe s., sous l'influence de l'Italie au début du siècle. ➜ Le féminin **COUVERTE** (XIIe s.) désignait anciennement une couverture de lit, notamment la couverture en laine à l'usage des soldats; il a été utilisé en ce sens dans la locution familière *passer à la couverte*, «faire danser sur la couverture», et compte un sens technique «émail revêtant la faïence, la porcelaine».

COUVERTURE n. f. (v. 1120) a pu subir l'influence du bas latin *coopertura* «ce qui recouvre, voile», employé au propre et au figuré. Il désigne ce qui sert à couvrir, en particulier la pièce de tissu que l'on étend sur un lit (v. 1180) — sens dominant en français moderne — et aussi le toit d'une maison (v. 1160-1170) dans le langage du bâtiment. Il s'applique aussi à ce qui recouvre un livre (1386) et s'emploie avec différentes acceptions en anatomie, horticulture et ornithologie. ➜ Dès le XIIe s., il reprend les sens figurés de *couvrir*, désignant une feinte, une dissimulation (1160-1170). ◇ Ce sens psychologique a disparu après l'époque classique, mais une autre valeur figurée est apparue au XIXe s., dans le domaine financier, à propos d'une somme destinée à garantir, à protéger (1835). ➜ *Couvrir* a produit quelques dérivés de sens technique ou spécialisé avec **COUVREUR** n. m. (déb. XIIIe s.) «celui qui fait et répare les toitures» et **COUVRANT, ANTE** adj. (1901), dit d'une peinture qui recouvre sans aucune transparence.

Sous la forme **COUVRE-** le verbe a fourni le premier élément d'un certain nombre de substantifs composés (→ chef, feu, lit, pied). ➜ Par préfixation, il a produit **RECOUVRIR** v. tr. (XIIe s.; 1130, *recovrir*) qui a rarement le sens itératif de «couvrir de nouveau» mais correspond à la valeur déterminée qu'assumait le latin *cooperire* par rapport à *operire*. Il signifie surtout «couvrir entièrement» (v. 1155) «cacher, masquer» (XIIIe s.) et au figuré «contenir, renfermer» (XXe s.). ◇ Son dérivé **RECOUVREMENT** n. m. (1627), rarement utilisé avec le sens général, est surtout un terme d'usage technique, appliqué à des éléments dont la fonction est de recouvrir (fin XVIIIe-déb. XIXe s.). ◇ **RECOUVRABLE** adj. (1546) est assez usuel, mais le nom d'action **RECOUVRAGE** n. m. (1877) est peu usité.

◈ voir APÉRITIF, APERTURE, COUVERCLE, COVER-GIRL, DÉCOUVRIR, OPERCULE, OUVRIR.

COVER-GIRL n. f. est emprunté (1946) à l'américain *cover girl* «jeune fille qui pose pour les photos des magazines, en particulier en couverture». L'expression anglaise est formée de *cover* «couverture» (XIVe s.), du verbe *to cover*, lui-même emprunté (XIIIe s.) à une ancienne forme de *couvrir**, et de *girl* «fille» (→ girl).

♦ Le mot a pénétré en français avec les autres emprunts de la photo et du journalisme; il a gardé le sens du mot américain, les équivalents proposés *(mannequin, modèle)* ne proposant pas une bonne équivalence.

▸ L'équivalent masculin **COVER-BOY** n. m. (1950, écrit «*cover boy*») n'a pas eu la même diffusion.

COW-BOY n. m. est emprunté (1839) à l'anglais *cowboy* (déb. XVIIIe s.) «vacher, bouvier», qui a pris aux États-Unis le sens de «gardien de troupeaux de bovins élevés sur un vaste territoire» (attesté 1866). Le mot est formé de *cow* «vache» (v. 800, *cuu*), lequel appartient, par l'intermédiaire d'un type germanique commun °*kouz*, °*kōz*, au même groupe indoeuropéen que le latin *bos* (→ bœuf) et le grec *bous* (→ boulimie, bucolique), et de *boy* «garçon» (→ boy).

♦ Le mot fait toujours référence au personnage essentiel de la légende de l'Ouest américain, monté à cheval, vêtu d'un costume typique, et armé pour lutter à la fois contre les Indiens et contre ses pareils. Il a été diffusé avec les récits populaires d'aventures à la fin du XIXe s., puis avec le cinéma (westerns).

COXAL → CUISSE

COYOTE n. m., d'abord *coyoté* par faute d'impression (1869), est emprunté à l'espagnol d'Amérique du Sud *coyote* (1532), lui-même emprunté au nahuatl (langue indienne d'Amérique centrale) *coyotl*.

♦ Le mot désigne un canidé sauvage d'Amérique du Nord, notable par ses mœurs de prédateur nocturne. Il a parfois un sens figuré péjoratif, «individu fourbe et malfaisant», par une métaphore commune à celle de *hyène, chacal.*

CRABE n. m. (v. 1119) est, comme *homard,* un terme apporté par les pêcheurs de la mer du Nord. Ses premières attestations en Normandie (*crabe* en jersiais au féminin, *grappe* à Bayeux au féminin) et dans le Nord (*crape* en wallon, *crabo, crape* en picard) font supposer un emprunt par deux voies différentes : le normand l'aurait pris à l'ancien norrois *krabbi,* nom masculin, et le wallon-picard au moyen néerlandais *crabbe,* nom féminin, ceci expliquant l'hésitation de genre, encore au XVIIe s. (*la crabe,* 1690). Le mot, avec toutes ses variantes, appartient à un groupe germanique (→ écrevisse) dont certains représentants désignent un crochet, des serres, des animaux qui serrent : le crustacé aurait été nommé d'après ses pinces.

♦ Comme nom de crustacé, *crabe* a supplanté *cancer,* d'ailleurs plutôt réservé à l'écrevisse, et aussi *chancre; carabe,* représentant du nom latin du crabe, s'étant spécialisé en entomologie. Par allusion au comportement des crabes entre eux, le mot entre dans la locution figurée ***panier de crabes. Marcher en crabe*** s'emploie fréquemment pour «sur le côté, obliquement». ◇ Comme *chancre* et *cancer,* mais secondairement, *crabe* s'est spécialisé en pathologie (1806) pour le chancre de la plante du pied. ◇ En relation avec les locutions métaphoriques, il désigne une personne âgée ridicule *(un vieux crabe).*

▸ En est dérivé **CRABIER** n. m. (1690), «animal se nourrissant de crabes», nom d'un héron et d'un phoque des mers australes.

CRAC interj. onomat. (1492), d'origine onomatopéique, doit être bien antérieur à son apparition dans un texte écrit.

♦ Dans ce contexte écrit, le mot est d'abord attesté à propos du cri d'un faucon malade (en 1690, Furetière répertorie le nom *crac* comme terme de fauconnerie pour une maladie du faucon). Il a commencé à prendre ses valeurs modernes au XVIe s., d'abord comme interjection exprimant la soudaineté, la promptitude (1536), puis comme nom désignant le bruit d'une chose qui se rompt (1611), et comme interjection imitant le bruit d'une chose qui craque.

◈ voir CRACHER, CRAQUER, CRIC-CRAC; par l'anglais, CRACK, CRACKER; par le néerlandais, CRAQUELIN.

◈ **CRACHER** v. intr. et tr., d'abord *crachier* (v. 1125), est issu d'un latin populaire °*craccare,* dérivé d'un radical onomatopéique *krakk-* qui est représenté à la fois dans le domaine roman et dans le domaine germanique (→ crac, craquer).

♦ *Cracher,* construit intransitivement (1178), signifie «rejeter des mucosités, de la salive par la bouche» et compte des emplois littéraires ou familiers exprimant l'idée péjorative de «mépriser» dans *cracher sur* (cf. *conspuer*). Par analogie, il se dit d'une chose qui émet des projections et, au figuré, réalise la valeur familière de «payer» (1536), notamment dans ***cracher au bassinet,*** emploi métaphorique d'une locution médicale (XVe s.). En construction transitive (XIIe s.), il possède les mêmes valeurs propre et figurée, et signifie «dire avec mépris» (apr. 1450), «payer» (1805) et, par analogie, «jeter comme en crachant» (XVIe s.).

▸ Le sens particulier et moderne de son participe passé **CRACHÉ**, adjectivé dans ***tout craché*** «ressemblant» (XVe s.), s'explique probablement par un ancien symbolisme assimilant l'acte de cracher et l'acte de génération.
Cracher a produit plusieurs noms. **CRACHAT** n. m. (v. 1260) au sens concret de «mucosité crachée», employé par dérision depuis la Révolution pour «décoration» (1789). ◇ **CRACHEMENT** n. m. (XIIIe s.), employé au sens analogique de «projection» (1859) et **CRACHEUR, EUSE** adj. et n. (1538) ainsi que le nom d'ustensile **CRACHOIR** n. m. (1546). ◆ **CRACHIN** n. m. (1880), mot dialectal de l'Ouest, probablement bien antérieur aux attestations écrites, se dit d'une petite pluie serrée ; on en a tiré le verbe impersonnel **CRACHINER** (1908). ◆ **CRACHIS** n. m. (1929) se range derrière *cracher* «projeter», désignant un groupe de petits points ajoutés à certaines parties d'une lithographie par éclaboussure.
Par suffixation, *cracher* a produit le diminutif **CRACHOTER** v. tr. (1660; 1578, *cracheter*) dont sont tirés **CRACHOTEMENT** n. m. (1694) et **CRACHOTANT, ANTE** adj. (XXe s.), ces deux derniers n'étant guère employés qu'avec la valeur de «bruit interrompu et désagréable», prise par le verbe *crachoter,* et appliqués notamment aux parasites sonores de la radio. ◆ Un autre dérivé péjoratif **CRACHOUILLER** v. tr. (1924), d'usage dialectal et familier, a produit **CRACHOUILLIS** n. m. (1954) qui répond au béarnais *crachoutis.*
RECRACHER v. tr. (XVe s.) exprime régulièrement l'idée de «cracher à nouveau» et celle de «cracher ce qu'on a mis dans la bouche».

① **CRACK** n. m. est emprunté (1854) à l'anglais *crack* «ce qui est digne d'éloge, exceptionnel», d'abord employé à propos d'un cheval (1637) puis d'un joueur. Lui-même est le déverbal de *to crack up* «faire l'éloge de qqn, le vanter», *to crack* signifiant proprement «faire du bruit en cassant, en craquant» (→ craquer), d'où spécialement au figuré «se vanter».

♦ Le mot a été introduit en français avec le vocabulaire du turf et s'est étendu (1886) à une personne qui réussit particulièrement bien dans un domaine sportif et autre (cf. *as*). Ce dernier sens est le plus courant mais tend à vieillir, alors que le mot est toujours vivant en turf.

② **CRACK** n. m. est emprunté (1986) à l'anglo-américain *crack* «coup de fouet, excitation, impulsion», dérivé de l'adj. *crack* «fameux, extraordinaire» ou du verbe *to crack* «écraser, casser».

▸ Le mot, comme son étymon, désigne une drogue, dérivé fumable de la cocaïne, très concentré et très toxique *(fumer du crack).*

CRACKER n. m. est emprunté (entre 1812 et 1846, selon Wartburg) au mot américain *cracker* «petit biscuit salé mince et croustillant» (1739), de *to crack* «craquer, croustiller» (→ craquer).

♦ Le mot, emprunt occasionnel d'abord réservé à des biscuits américains salés qui se mangent avec l'apéritif ou le fromage, s'est employé par snobisme publicitaire sans entrer dans l'usage courant; au Canada, où le mot et la chose sont courants, on tente de lui substituer *craquelin**, mot employé en français d'Europe pour des pâtisseries sucrées sans aucun rapport avec les crackers.

CRACKING n. m. → **CRAQUAGE** (sous *craquer*).

CRACRA, CRADO, etc. → **CRASSEUX** (sous *crasse*).

CRAIE n. f. est issu, par les formes *creide* (XIe s.), puis *croie* (1175), *crée* (déb. XIVe s.) et *craie*, du latin *creta* désignant la craie et diverses argiles blanches (précisées par un adjectif), également à l'origine de l'allemand *Kreide*. L'origine de *creta* est inconnue.

♦ *Craie*, «roche calcaire tendre, poreuse», donne lieu à des emplois comparatifs (exploitant la couleur ou la consistance) et à quelques emplois métonymiques concernant le sol formé par cette roche, le matériau de construction qu'on en tire et le calcaire blanc utilisé en peinture pour les esquisses (sous forme de bâton, dans les sanguines, dans *craie rouge*, 1538) ainsi que pour écrire, notamment dans le contexte de l'école, sur une ardoise ou un tableau noir. Un ancien emploi figuré comme symbole de la pureté est propre à l'ancien français. ◇ L'argot et la langue populaire l'utilisaient par métonymie (fin XIXe s.), de même qu'*ardoise*, comme synonyme d'«addition», au restaurant.

▸ **CRAYEUX, EUSE** adj., d'abord *creouse* (au féminin), qualifie ce qui est constitué de craie ou (1823) en a l'aspect. ◆ **CRAYÈRE** n. f., d'abord *croière* (1379) puis *crayère* (1408), a désigné un lieu où il y a de la craie et une cave à champagne creusée dans la craie.

CRAYON n. m., d'abord *creon* (1528), dérivé le plus usuel, procède de *craie* au sens métonymique de «bâtonnet pour tracer, écrire». L'ancien français avait déjà le diminutif *croion* (1309) «petite craie» et *crayon* est sans doute une spécialisation de sens de ce dernier, avec une évolution technique quant à sa nature (de la craie au graphite), mais en gardant — comme *plume* — sa valeur fonctionnelle. ◇ *Crayon* est aujourd'hui complètement démotivé par rapport à *craie* et subit la concurrence de noms d'instruments toujours plus nombreux, *porte-mine, marqueur, pointe Bic*, etc. D'où l'apparition du syntagme ***crayon à papier***, qui semble récent (v. 1980?), pour repréciser l'objet formé d'une mine enrobée dans un bâtonnet. ◇ Le mot a développé le sens analogique de «bâtonnet de matière médicamenteuse» (1833). ◇ Dès le XVIe s. apparaissent les sens métonymiques d'«esquisse, dessin» (1554) et, abstraitement (1580), «style, manière d'une description». Les valeurs classiques de «description orale de personnes ou de choses» (1615) et «ébauche, projet d'une œuvre» (1615) sont aujourd'hui vieillies. ◆ De *crayon* sont issus deux noms composés d'instruments : **TAILLE-CRAYON** n. m. (1838) et **PORTE-CRAYON** n. m. (1609), ainsi que le verbe **CRAYONNER** v. tr. (1584) «dessiner» et (1826) «faire des traits de crayon, griffonner sur» parfois, dans le style littéraire, «ébaucher, décrire à grands traits». ◇ Quelques dérivés suffixés du verbe sont apparus au XVIIIe s. : **CRAYONNAGE** n. m. (1790) et **CRAYONNEUR** n. m. (1743) «personne qui dessine grossièrement» (cf. *barbouilleur*).

À la même époque, on a formé le terme scientifique **CRÉTACÉ, ÉE** adj. (1735) d'après le latin *cretaceus* «de la nature de la craie», dérivé de *creta*. Celui-ci s'applique à la période géologique de la fin du secondaire au cours de laquelle se sont formés les terrains à craie ; il est aussi substantivé; il a produit le composé **MÉSOCRÉTACÉ, ÉE** adj. et n. m. (XXe s.) avec l'élément *méso-* (du grec *mesos* «au milieu»).

CRAINDRE v. tr. est la réfection précoce en *crendre* (1080), puis *craindre* (1530) d'après les verbes en *-aindre*, du plus ancien *criembre* (1050; fin Xe s. par son participe présent *crément*). Ce verbe est issu du latin *tremere* «trembler» (→ trembler), et de là «trembler de peur», «redouter», qui a dû être altéré en °*cremere* en latin de Gaule par croisement avec un mot gaulois contenant le radical °*crit-* (postulé par l'irlandais *crith* «frisson»). Dans d'autres langues romanes, *tremere* a conservé le sens de «trembler» (italien *tremare*), tandis que l'idée de «craindre» est exprimée par un représentant du latin *timere* : italien *temere*, espagnol *temer* (→ timoré).

♦ *Craindre*, moins usuel que la locution *avoir peur*, mais plus courant que *redouter*, est d'abord employé absolument, puis aussi suivi de *que* et subjonctif avec *ne* discordantiel (v. 1050) ou du subjonctif seul (1120-1150) ou enfin, dans un style plus soutenu, de *de* et l'infinitif (v. 1175). Dans un contexte religieux, il est investi d'une valeur sacrée proche de «respecter humblement» (v. 1120). ◇ D'autres emplois, au contraire, affaiblissent son sens en «être sensible à l'action de, ne pas supporter» (1580). Dès le XVIe s., une locution du type ***ne pas craindre sa peine*** «ne pas ménager sa peine» (v. 1530) fait litote, de manière symétrique à *ne pas avoir peur de* «aimer, accepter». Cette fonction se retrouve dans l'expression ***ça craint***, de la langue parlée moderne, «c'est dangereux, pénible», voire «ridicule» (d'où *craignos*, ci-dessous).

▸ **CRAINTE** n. f. est la réfection (1280) de *crieme* (v. 1120) et reprend les valeurs du verbe, «frayeur» et, en contexte religieux, «respect sacré» (v. 1180). Ce mot entre dans la locution conjonctive ***de crainte que*** (1579) et dans les locutions prépositionnelles ***par crainte de, de crainte de***. ◇ Comme *craindre* et l'adjectif récent (1967) **CRAIGNOS** du langage parlé (suffixe populaire *-os, s* prononcé), il connaît depuis peu une extension de vitalité comme mot hyperbolique dans le langage des jeunes *(c'est la crainte, j'ai la crainte)*. ◆ *Crainte* a pour dérivé **CRAINTIF, IVE** adj. (1393), d'abord *craintis* (1372), qui s'applique couramment aux personnes, aux animaux, au caractère, etc., d'où **CRAINTIVEMENT** adv. (XVe s.).

CRAMER → **CRÉMATION**

CRAMIQUE n. m. est emprunté (1831) au flamand *kraammik,* lequel se rattache au moyen néerlandais *cramicke, cremicke,* d'origine discutée. Il n'est pas exclu que le mot néerlandais soit lui-même emprunté à l'ancien français attesté sous la forme latine *cremmicha* (1218 à Nivelles) et par *cramiche* (1380 en Champagne). Ce mot, composé de *crème** et de *miche*,* désignait un poids, une mesure, un objet pris comme référence, sens antérieur mais probablement issu par métonymie de celui de «pain pesant un certain poids» (1380), «pain blanc» (1389).

♦ Le mot, attesté pour la première fois en wallon, désigne un pain brioché aux raisins de Corinthe, consommé en Belgique. Il est demeuré usuel en français de Belgique.

CRAMOISI, IE adj. et n., d'abord *cremosi* (1298) puis *cramoisi* (1315), est emprunté, probablement par l'intermédiaire de l'espagnol *carmesi* ou de l'italien *chermisi, cremisi* (déb. XIVe s., adj.), à l'arabe *qirmizī* «de la couleur de la cochenille», dérivé de *qirmiz* «cochenille» (→ carmin; kermès). Le vocalisme moderne s'expliquerait par le passage, fréquent dès l'ancien français, de *è* ouvert à */wa/* au contact d'une labiale précédente (cf. *armoire*). La forme *cramoisin,* relevée en moyen français, est due à une contamination par le suffixe *-in* (du latin *-inus*).

♦ *Cramoisi,* «rouge foncé», est substantivé pour désigner un tissu de cette couleur, et plus généralement (1547) la couleur rouge foncé (du teint congestionné, de la peau). L'usage ancien le rapportait parfois à l'éclat, au sens de «brillant, éclatant», plutôt qu'à la couleur (qui recouvre d'ailleurs des nuances de rouge, de brun et de violet) : Rabelais parle ainsi de velours *bleu cramoisi.* L'adjectif réalisait alors le sens figuré de «magnifique» (l'étoffe cramoisie étant symbole de pouvoir) et la locution adverbiale ***en cramoisi*** signifiait «de façon parfaite, au plus haut point» ; ces valeurs et emplois ont disparu au XVIe siècle.

▸ **CRAMOISIR** v. (v. 1550, rare av. 1869), «devenir ou rendre cramoisi», est employé dans le style littéraire ou par plaisanterie.

CRAMPE n. f., d'abord *cranpe* (v. 1100) puis *crampe* (v. 1250), est issu du francique *°krampa,* nom féminin reconstruit à partir du moyen néerlandais *crampe* (aujourd'hui *cramp*) et du moyen bas allemand *krampe* (aujourd'hui allemand *Krampf*) de même sens. L'ancien emploi de *crampe* comme adjectif (dans *goutte crampe;* 1223, *mains crampes*) est lui-même issu du francique *°kramp* «courbé», déduit de l'ancien haut allemand *kramph* «recourbé» et de l'ancien norrois *krappr* «étroit, grêle».

♦ Le mot désigne une contraction musculaire et, par extension, toute douleur de type spasmodique. Ultérieurement, il a pris en argot le sens d'«érection» (1747, *crampe d'amour;* au XXe s., ***tirer sa crampe***). Par ailleurs, il a eu le sens figuré et familier de «personne ennuyeuse, importune», sorti d'usage.

▸ Les seuls dérivés directs de *crampe* sont les désignations argotiques de l'érection, **CRAMPETTE** n. f. et **CRAMPÉE** n. f. (1936, Céline), ce dernier moins usuel.

CRAMPON n. m. est issu (1268) du francique *°kramp* (ci-dessus) et peut-être d'un substantif masculin *°krampo,* «crochet», postulé d'après l'anglo-saxon *krampo* et l'ancien haut allemand *krampfo.* ◆ Il désigne un crochet servant à attacher, sens où il a éliminé *crampe,* et spécialement ce qui sert à fixer un fer à cheval (1611), un dispositif adapté à une semelle de chaussure (1906 ; dès 1772 dans le vocabulaire de l'alpinisme). Par analogie, il sert à désigner, en botanique, une racine adventive de fixation (1835). Son sens figuré et familier, «personne importune et tenace» (1858), redouble celui de *crampe* auquel il a survécu dans ce sens. ◆ Il a produit **CRAMPONNER** v. tr. (1428), d'usage technique et figuré, surtout à la forme pronominale *se cramponner* (1616-1620) «se tenir, s'accrocher avec force», également employé depuis 1950 en alpinisme, en construction intransitive. ◇ En sont issus **CRAMPONNEMENT** n. m. (1873) et le terme d'alpinisme **CRAMPONNAGE** n. m. (v. 1950) qui correspond aussi au sens figuré de *crampon.* ◆ **CRAMPONNET** n. m. (1611) est spécialisé en serrurerie pour la pièce de fer dans laquelle s'engage un verrou.

◈ voir AGRAFER, CRAPAUD.

CRAMPON → CRAMPE

CRAN n. m., d'abord *crens* (v. 1100), *cren* (XIIIe s.) puis *cran* (fin XIIIe s.), est le déverbal de l'ancien verbe technique *créner* (XIe s.) «entailler», attesté dans les dialectes lorrain, picard et conservé en français au sens spécial d'«évider la partie d'une lettre qui déborde le corps» (1754) en imprimerie. Celui-ci est issu d'un verbe latin populaire *°crinare* représenté par différentes formes romanes du nord de l'Italie et de l'Espagne et en Allemagne du Sud ; ce *°crinare* semble d'origine gauloise, comme permet de le postuler l'ancien irlandais *ar-a-chrinim* «disparaître, se casser en tombant» ; il se rattacherait à un radical du type *°kr̥nô* «briser, séparer». L'étymon latin *crena,* mal assuré, ne peut être retenu.

♦ Le mot, qui signifie, «entaille, encoche», est surtout d'usage technique et correspond à deux destinations : arrêter, accrocher une chose (une arme, une ceinture) et marquer un repère ***(cran de mire).*** ◇ Par allusion à l'entaille délimitant les dents d'une pièce dentelée (1672), il est entré, avec le sens figuré de «degré», dans les expressions *baisser d'un cran* (1672), *monter d'un cran* (1676). ◆ D'après des emplois où il exprime l'aptitude à un état de tension (tel *serrer d'un cran*), il a pris le sens figuré et familier de «haut degré d'endurance, d'énergie» (1900, ***avoir du cran***), dont le sens a évolué vers «courage, audace» ; l'expression ***être à cran*** (1880), par une autre métaphore, correspond à «irrité, prêt à se mettre en colère», quelquefois avec la valeur de «haut degré d'énervement» *(mettre qqn à cran).* ◆ Par analogie, il désigne ce qui forme comme une entaille, notamment en géologie et en coiffure.

◇ L'argot des casernes, peut-être d'après un jeu de mot sur ***cran d'arrêt***, l'utilise au sens de «retenue» (1879), sens où il a vieilli.

▸ Le mot a peu de dérivés. Il a cependant produit le verbe transitif **CRANER** (1845) supplanté par **CRANTER** (1908), formé avec une consonne d'appui. Celui-ci, attesté au sens de «punir», a également pris le sens technique de «pratiquer des crans» (1929), anciennement attribué à *créner*. ◇ On en a tiré **CRANTAGE** n. m. (1939).

L'ancienne forme de *cran, cren* subsiste dans le dérivé diminutif **CRÉNEAU** n. m., d'abord *kernels* (1155) et *crenel* (1154-1173) d'où, au cas régime pluriel, *creneaus* (1154-1173) et, au singulier, *créneau* (av. 1585). ◇ Le mot désigne une entaille pratiquée au sommet d'un mur, d'un parapet dans un but défensif, d'où, par extension, une ouverture pratiquée dans un mur ou une tranchée et servant à tirer à couvert sur l'assaillant (cf. *meurtrière*); de là la locution figurée moderne ***monter au créneau***, fréquente en politique. ◇ Par analogie de forme sont apparus quelques sens techniques modernes, où *cran* réalise l'idée d'une protubérance ou d'une dépression entre deux saillies. Au XXe s., il a pris le sens figuré d'«espace entre deux lieux occupés», *faire un créneau* se disant d'un conducteur qui gare sa voiture entre deux autres. Il signifie aussi abstraitement «temps disponible». Le vocabulaire de la publicité (et, à sa suite, le langage à la mode) s'en est récemment emparé au sens de «place à prendre sur un marché». ◆ *Créneau (crénel)* a produit anciennement **CRÉNELER** v. tr. (v. 1160), d'où **CRÉNELURE** n. f. (XIVe s.) «découpure en forme de créneau» et **CRÉNELAGE** n. m. (1723), à propos d'une pièce de monnaie.

① **CRÂNE** n. m., réfection (1370, *crane*) de *cran* (1314), est emprunté au latin médiéval *cranium*, du grec *kranion* «boîte cranienne» et parfois «tête» en parlant des animaux (le mot latin de même sens *calvaria* ayant donné *calvaire*). *Kranion* est lui-même dérivé d'une forme *°kranon* (attestée comme second élément de mots composés) issue de *kratos* «force» qui se retrouve dans l'élément *-crate* (→ démocrate) et se rattache à une série de mots indoeuropéens désignant la force, l'intelligence, la volonté.

♦ *Crâne* (écrit ainsi depuis 1740), «squelette de la tête», désigne aussi la tête, en particulier son sommet. Par métonymie (1679), il se dit du cerveau comme siège de l'intelligence, dans des locutions du type ***bourrage de crâne***, recoupant ainsi certains emplois figurés de *tête*, mais avec une connotation différente. ◆ ② *Crâne*, nom (1757) et adjectif (1784) d'usage familier pour «hardi», est probablement une spécialisation ultérieurement démotivée du sens propre, à cause de la manière d'avancer le front qu'ont les personnes qui vont de l'avant (on relève de la même façon l'espagnol *calavera*, du latin *calvaria*, «crâne» et «écervelé, mauvaise tête»). Le mot tend à vieillir au sens de «audacieux, brave», de même qu'avec la nuance péjorative de «fanfaron».

▸ De l'adjectif sont dérivés **CRÂNEMENT** adv. (1833) «courageusement», aujourd'hui vieilli, et, anciennement en intensif, «tout à fait, entièrement», **CRÂNER** v. intr. (1845) toujours péjoratif de même que son dérivé **CRÂNEUR, EUSE** adj. et n. (1862), qui est resté en usage plus longtemps que *crâne, crânerie* et même *crâner*. ◇ **CRÂNERIE** n. f. (1784), mot de la même série, mais non péjoratif, est quasiment sorti de l'usage.

Au XIXe s., sont apparus le terme d'anatomie **CRÂNIEN, IENNE** adj. (1824) et les termes scientifiques composés sur l'élément **CRANIO-** tiré du grec *kranion*; on notera que ceux-ci (tel *craniographie, craniométrie*, XXe s.) s'écrivent sans accent circonflexe.

② **CRÂNE** → ① CRÂNE

CRAPAHUTER → CRAPAUD

CRAPAUD n. m., réfection suffixale de *crapot* (1185), *crapaut* (fin XIIe s.), est issu d'un germanique *°krappa* «crochet» (→ agrafer, crampe, crampon), le développement du sens faisant allusion aux pattes du crapaud. L'ancien français a eu *grape, crape* (XIe s.) «rafle, grappe de raisin» et (1213) «grapin, crampon» (→ grapin, grappe). L'hypothèse concurrente d'une dérivation du moyen français *crape* «écaille, pellicule, crasse» (1393) fait difficulté d'un point de vue chronologique.

♦ Ce nom de batracien a pris de nombreux emplois métaphoriques exploitant les caractères négatifs appliqués à l'animal : ainsi, il sert à désigner (1541) un homme laid physiquement ou moralement. Historiquement, on a donné par dénigrement l'appellation *crapauds du marais* aux Conventionnels qui se plaçaient dans la partie la moins élevée de la salle et votaient généralement en faveur du gouvernement. ***Crapaud de mer*** se rapporte à un poisson difforme (1611). ◇ Le mot a connu également quelques extensions analogiques servant à désigner en artillerie un mortier (1400), puis un affût de mortier plat (1829) et, couramment, une sorte de fauteuil (1790), puis un défaut dans une pierre précieuse (1845). Au XIXe s., on appelait également *crapaud* la petite bourse de soie dans laquelle les hommes enfermaient leurs cheveux sur la nuque.

▸ ① **CRAPAUDINE** n. f. (1235) désigne une pierre précieuse que l'on croyait provenir de la tête du crapaud et qui est en réalité la dent pétrifiée d'un squale. ◆ **CRAPAUDIÈRE** n. f. (1394, *grapaudere*), «lieu où pullulent les crapauds», est employé par métaphore (1841) et, par extension, au sens de «lieu humide et sale» (1743). ◆ ② **CRAPAUDINE** n. f. a été reformé (1393) avec divers sens techniques (technologie, gastronomie, mécanique, serrurerie) par analogie avec la forme ramassée ou l'attitude du crapaud. ◆ Le radical de *crapaud* a servi à former **CRAPOUSSIN** n. m. (1752) «petit crapaud» et «homme trapu», «homme de peu de valeur», ainsi que **CRAPOUILLOT** n. m., dérivé de *crapaud* en artillerie (av. 1794), spécialisé dans l'argot militaire pour désigner un petit mortier de tranchée utilisé sous la Première Guerre mondiale et, par métonymie, le projectile lancé par ce mortier. Ce mot a servi de nom à une célèbre revue satirique. ◇ Il a produit à son tour **CRAPOUILLER** (1915) ou **CRAPOUILLOTER** v. tr. (1916) : «bombarder par cra-

pouillot», et leurs dérivés en *-eur* n. m. (1915) et en *-age* (1919), série formée dans l'argot des poilus et qui ne s'est pas maintenue après 1918.
Le verbe **CRAPAHUTER** v. intr., apparu dans l'argot militaire au sens de «progresser par sauts et reptations en terrain difficile» (1939, Saint-Cyr), se rattache à *crapaud* déformé par jeu en **CRAPAHUT** (avec diérèse) «trapèze» (1898) et (1939) «marche en terrain difficile». Ce procédé de formation a été actif dans l'argot des grandes écoles (*trou* prononcé *troü*, etc.).

CRAPOUILLOT → CRAPAUD

CRAPULE n. f. est emprunté (v. 1360) au latin *crapula* «excès de vin», peut-être emprunté au grec *kraipalê* «abus de boisson» et «mal de tête qui en résulte». Ce terme, qui subsiste en grec moderne, est un mot populaire d'origine obscure : il se peut que le latin et le grec soient des emprunts indépendants à une langue non indoeuropéenne et désignent originellement la résine que l'on met dans le vin. L'hypothèse qui rattache *kraipalê* à *kara, kra-* «tête» (→ chère) — la boisson entraînant des maux de tête — ne semble pas fondée.

♦ Le mot est passé du sens d'«ivrognerie» à celui, plus général, de «débauche habituelle et excessive» (1754) et, de là par métonymie, s'est appliqué familièrement à ceux qui vivent dans cette débauche (1798). ◇ Ces valeurs ont disparu ; le passage au sens moderne d'«individu malhonnête» (1866 ; peut-être 1850) s'est fait par glissement du collectif à l'individuel, l'accent étant mis sur la bassesse morale. Le mot, comme plusieurs noms du même type (cf. *bandit, coquin, fripouille,* etc.), est employé par antiphrase affective, par exemple à propos d'un enfant turbulent.

▸ **CRAPULEUX, EUSE** adj., peut-être formé (1495) d'après le bas latin *crapulosus,* a été employé comme nom pour la personne qui se complaît à boire et à manger avec excès. L'emploi adjectif (1578, *vie crapuleuse*) a suivi l'évolution de *crapule,* prenant au XIXe s. la valeur moderne d'«empreint de bassesse morale, de malhonnêteté sordide» (*crime crapuleux,* opposé par exemple à *passionnel*). ◇ **CRAPULEUSEMENT** adv. (1782) en est dérivé. ➜ **CRAPULER** v. intr. (1519), passé de l'idée de «boire à l'excès» à «vivre dans la débauche» (1771), est tombé dans l'oubli. ➜ **CRAPULERIE** n. f. (1854), apparu ultérieurement avec son sens moderne, s'est maintenu. ➜ En ajoutant à *crapule* le suffixe *-os,* repris à certains noms de cigares espagnols (*cigarillos*), on a formé **CRAPULOS** n. m. (1873), terme ironique de la fin du XIXe s. désignant un cigare bon marché.

CRAQUELIN n. m. est emprunté (1265) au moyen néerlandais *crakelinc* (néerlandais *crakeling*) de même sens, dérivé de *craken* «craquer» (→ craquer) en raison du bruit sec que fait le gâteau sous la dent (cf. *cracker* en anglais, *croquant* en français).

♦ Ce nom de gâteau sec est originaire du nord de la France (d'abord attesté à Douai).

▸ Le nom de métier **CRAQUELINIER** n. m. (av. 1902) demeure technique. ➜ Le dérivé féminin **CRAQUELINE** n. f. désigne un bonbon enrobé de chocolat craquant (marque déposée par le confiseur Lalonde à Nancy en 1936).

CRAQUER v. intr. est dérivé (1544) de l'onomatopée *crac**, représentée également dans des formes verbales de langues germaniques (allemand *krachen,* anglais *to crack*). Le mot latin de même sens *crepare* a donné *crever** avec une autre spécialisation, et, sous sa forme fréquentative, *crépiter**.

♦ Le verbe, apparu en parlant du bruit que fait l'oiseau avec son bec, exprime plus généralement l'émission d'un bruit sec (1546). À partir de la construction factitive *faire craquer,* on passe à la construction transitive avec la valeur de «faire se rompre avec un bruit» (1908), plus rarement «frotter avec un bruit» dans *craquer une allumette* (1908). ◇ Par extension, le mot signifie «se défaire, se briser» (1662) sans impliquer nécessairement l'idée d'un bruit sec ; il est employé par hyperbole dans l'expression usuelle ***plein à craquer*** «bondé». ◇ En emploi figuré (1718), il exprime l'idée d'être ébranlé, menacer ruine, en particulier en référence à une réalité socio-économique, d'après l'anglais *to crack,* attesté depuis le XVIIe s. en ce sens. ➜ *Craquer* s'applique à une personne qui défaille nerveusement, moralement (1847) et parfois, dans l'usage familier contemporain (v. 1970), qui cède brusquement à un désir, à un besoin. ➜ Le sens technique de «raffiner un produit pétrolier» (1931) est emprunté à l'anglais *to crack* (1868). ◇ Son dérivé *craquage* (ci-dessous) peut remplacer l'anglicisme *cracking.*

▸ Dès le XVIe s., *craquer* a produit **CRAQUEMENT** n. m. (1553), spécialisé pour «bruit sec de ce qui craque», le diminutif **CRAQUETER** v. intr. (1538), employé notamment en parlant du cri de certains oiseaux (grue, cigogne) tout comme *craquer,* avec ses dérivés **CRAQUETTEMENT** n. m. (1568) et **CRAQUETANT, ANTE** adj. (XVIe s.). ➜ **CRAQÛRE** n. f. (1883) est rare. ➜ **CRAQUERIE** n. f. (1694), et **CRAQUE** n. f. (1802), qui expriment familièrement une idée de mensonge, de hâblerie, sont probablement dérivés d'un ancien sens de *craquer* «mentir» (1718), par allusion au bruit que font certains oiseaux (cf. le même développement sémantique dans l'anglais *to crack* → crack). Cette valeur a vieilli, et seul *craque* est encore en usage, encore que désuet. ◇ Elle a aussi produit le nom d'agent **CRAQUEUR, EUSE** (1720). ➜ Du sens de *craquer* «céder brusquement à un désir, vient **CRAQUANT, ANTE** adj. (1966), synonyme intensif de «irrésistible (par son charme)».
Avec un autre suffixe, *craquer* a produit la série **CRAQUELER** v. tr. (1761, au participe passé ; attesté tardivement à l'actif, 1863), **CRAQUELURE** n. f. (1857), **CRAQUELAGE** n. m. (1863) et **CRAQUELLEMENT** n. m. (1882) ; elle est à rapprocher de l'anglais *to crackle,* antérieur à son attestation, tardive, en 1867 en parlant de la glaçure d'une porcelaine.
CRAQUAGE n. m. (1921) a été formé d'après l'anglais *cracking,* gérondif substantivé lui-même

passé en français; **CRACKING** n. m. (1922), désignant un procédé de raffinage du pétrole par distillation «fractionnée».

CRASSE n. f. est le féminin substantivé (XVe s.; dès 1327, selon Bloch et Wartburg) de l'ancien adjectif *cras* (→ gras), lui-même issu (1176-1187) du latin *crassus,* mot d'origine expressive signifiant «épais, gras, grossier» et s'opposant à la fois à *liquidus* (→ liquide), *tenuis* (→ ténu) et *macer* (→ maigre).

♦ L'adjectif **CRAS, CRASSE** «épais, dense, gras» s'est maintenu jusqu'au XVIIe s., surtout employé au féminin (notamment, en médecine *humeurs crasses*). Il ne subsiste que dans quelques emplois lexicalisés, avec le sens figuré d'«ignoble, inadmissible» et dans ***ignorance (bêtise) crasse*** calque du latin chrétien *crassa rusticitas* où il signifie «épais». ➛ Le nom féminin **CRASSE** désigne originellement la partie la plus grossière de qqch. *(crasse de son)* et, de nos jours par spécialisation, une couche de saleté. Ses emplois figurés, «condition basse et misérable», «avarice sordide» (1666), sont sortis de l'usage, de même que l'emploi qu'en a fait le XVIIe s. à propos de l'impolitesse, de l'incivilité des gens de Collège, c'est-à-dire de l'Université. ➛ Particularisé avec un article indéfini *(une, des),* il désigne techniquement les scories d'un métal en fusion (1611). ◇ L'emploi de *une crasse* pour désigner une chose sale, ou encore l'écume (à rapprocher des noms dialectaux *crachée, crachis* «écume des confitures»), est régional. ◇ Le langage familier, renouant par delà plusieurs siècles avec les anciens sens figurés, l'emploie au sens figuré d'«indélicatesse» (1826), notamment dans ***faire des crasses à qqn*** (1853).

► Le dérivé **CRASSEUX, EUSE** adj. (1500; XIIIe s., comme nom) exprime essentiellement l'idée de «sale», ses sens figurés correspondant à ceux de *crasse* étant sortis de l'usage, sauf dans un contexte moral péjoratif, où il peut remplacer l'ancien adjectif *cras, crasse.* ➛ Au XXe s., une série de diminutifs familiers expressifs ont été formés sur la première syllabe de *crasseux :* **CRACRA, CRADO** (1935), d'où **CRADE** (1978), **CRADINGUE** (1953), et **CRASPEC** (1946), où *-pec* peut représenter *pet,* la graphie *craspect* (Queneau) manifestant l'influence de *aspect* («aspect crasseux»?). ➛ Les dérivés de *crasse* les plus anciens, **CRASSITUDE** et **CRASSIDITÉ** n. f., qui exprimaient une notion d'«épaisseur», ont disparu. ➛ Les dérivés encore usités sont apparus ultérieurement, d'après le sens moderne du mot : il s'agit de **CRASSERIE** n. f. (1807), synonyme rare de *crasse* au figuré, employé chez certains auteurs de la fin du XIXe s. aux sens de «avarice sordide», «bassesse morale», et du terme technique **CRASSIER** n. m. (1754) «amas de saletés provenant d'une usine métallurgique», toujours en usage.
Le verbe **CRASSER** v. (1832) est resté rare, à la différence des préfixés formés sur le nom. ➛ **DÉCRASSER** v. tr. (1476) signifie «nettoyer de sa crasse», d'où au figuré (1680) «débarrasser (qqn) de son ignorance» et au XVIIe s. «de sa basse condition» (1690; sens disparu). ◇ *Décrasser* a produit **DÉCRASSAGE** n. m. (v. 1900), lequel a remplacé **DÉCRASSEMENT** n. m. (fin XVIIIe s.) et **DÉCRASSOIR** n. m. (1861) «peigne; brosse». ➛ **ENCRASSER** v. tr. signifie d'abord (1580) «couvrir de crasse», puis au figuré «rendre grossier, vulgaire» (1740), d'après *crasse* et *décrasser :* cette valeur a disparu. Le verbe s'emploie surtout aujourd'hui concrètement et par extension pour «couvrir d'un dépôt (qui empêche un bon fonctionnement)», aussi au pronominal et participe passé adjectivé *(moteur encrassé).* C'est dans ce dernier sens que sont employés **ENCRASSEMENT** n. m. (1860), **ENCRASSAGE** n. m. (1906) et l'antonyme préfixé **DÉSENCRASSER** v. tr., qui semble récent.

-CRATE, -CRATIE → **DÉMOCRATE**

CRATÈRE n. m. est emprunté (av. 1502) au latin *crater,* transcription littéraire (à côté de la forme orale et populaire *crateria*) du grec *kratêr* «grand vase où l'on mélange le vin et l'eau (et où l'on puise avec des coupes)» et, par analogie, «cratère creusé dans le roc», «bassin de volcan». *Kratêr* (cf. le grec moderne *krasi* «vin») est dérivé de *kerannunai* «verser», à rattacher à une racine indoeuropéenne *°ker-* ou *°kr-* suivie d'un appui vocalique.

♦ Le mot, introduit en antiquités gréco-romaines, prend dès le XVIe s. sa valeur moderne d'«orifice d'un volcan» (1570). Par d'autres analogies de forme, il est employé pour désigner les dépressions observées à la surface de la Lune ou causées par l'explosion d'une bombe. Par d'autres analogies, il a acquis des emplois spéciaux en verrerie (1832, à propos de l'ouverture pratiquée à la partie supérieure de l'orifice d'un fourneau), en médecine et en électricité.

► Il n'a pas produit de dérivés, sinon l'adjectif didactique **CRATÉRIFORME** adj. (1846) «en forme de coupe». ◇ **CRATERELLE** n. f. (1846) est l'adaptation du latin botanique *craterella,* littéralement «petit cratère», par allusion à la forme de ce champignon comestible.

◈ voir **IDIOSYNCRASIE.**

CRAVACHE n. f. est emprunté (1790) à l'allemand *Karbatsche* de même sens (d'abord *Carabatschste,* 1615), lui-même emprunté au polonais *kar(a)bacz* ou au russe *karbač (karbatch)* et ceux-ci, à leur tour, au turc *qïrbāč* «fouet de cuir».

♦ Le mot désigne une badine de cavalier et s'emploie quelquefois par métonymie pour désigner le cavalier lui-même (1924, ***une fine cravache***) et, par métaphore, pour l'autorité brutale ***(mener à la cravache).***

► Son dérivé **CRAVACHER** v. tr. (1834) reçoit, lorsqu'il est employé absolument, le sens de «travailler d'arrache-pied» (1927), d'usage familier.
Le mot turc est lui-même à l'origine, par l'intermédiaire de l'arabe *kurbāǧ,* de **COURBACHE** n. f. (1848; 1838, *courbag*) et, au masculin, **COURBACH** (1854), dénomination spécifique d'un fouet à lanière de cuir dont une partie s'enroule autour du poignet, utilisé en Orient et en Afrique comme instrument de répression. Ce mot est technique et vieilli.

CRAVATE n. f. est dérivé (av. 1648) du même radical que *croate :* c'est le nom commun issu de *Cravate,* nom ethnique attesté depuis 1573 comme adjectif et depuis 1660 comme nom, sous la forme *crabate*, supplantée depuis par la forme parallèle *croate*. *Cravate* est une adaptation, soit du slave *hrvat*, soit de l'allemand dialectal *krawat*, tandis que *croate* (1648) est emprunté à l'allemand *kroate*.

♦ Le mot a été introduit dans un contexte militaire pour désigner un soldat (croate à l'origine) de la cavalerie légère, les cavaliers croates ayant constitué un régiment de mercenaires dès le règne de Louis XIII (d'où, sous Louis XIV, le *Royal-Cravate*, 1666). ◇ Par deux extensions différentes, il a servi à désigner un cheval robuste du type qu'utilisaient ces cavaliers (1678) et, d'autre part, a reçu vers 1650 le sens, devenu usuel, de «bande d'étoffe portée autour du cou» (telle que les cavaliers croates en portaient). Mais cet objet de parure masculine a beaucoup évolué. La cravate a remplacé le rabat vers 1670; on la tournait deux fois autour du cou et on en laissait pendre les extrémités ornées de dentelles. Après la bataille de Steinkerque (1692) où les officiers du maréchal de Luxembourg, dit-on, n'eurent pas le temps de nouer leur cravate, la mode fut de la porter «à la Steinkerque». La cravate devint plus discrète au XVIIIe s. et au-delà, prenant vers 1907 sa forme actuelle, après l'intermède révolutionnaire qui mit à la mode les cravates volumineuses, et à côté de variantes aujourd'hui archaïques, comme la *cravate Lavallière*. On dit parfois *cravate papillon* pour *nœud papillon**. ◆ Plusieurs emplois argotiques et familiers réalisent l'idée de «pièce ou main autour du cou»; le mot (1877) désigne un coup en lutte par lequel on essaie de faire subir une torsion au menton de son adversaire. ◆ Par métonymie, *cravate* entre dans la dénomination d'oiseaux remarquables par le plumage coloré de leur cou (cf. *col, cou*).

▸ Le dérivé **CRAVATER** v. tr. (1823), «mettre une cravate à qqn», a lui aussi reçu divers sens analogiques, spécialisés (sport, 1877), argotiques ou familiers («attaquer [qqn]», «tromper, abuser [qqn]», «voler»). ◆ Le nom du fabricant de cravates, **CRAVATIER** n. m. attesté depuis 1866, est rare.

CRAWL n. m. est emprunté (1905) à l'anglais *crawl*, primitivement *crawl-stroke* (1903), proprement «mouvement par reptation». *Crawl* représente le verbe *to crawl* «ramper» (v. 1300), mot rare en moyen anglais et apparemment limité au nord de l'Angleterre, d'origine nordique. Une comparaison s'impose avec le danois et le norvégien *kravle* de même sens, le suédois *krafla* «avancer à tâtons, ramper».

♦ C'est un jeune nageur du nom de Cavill qui rapporta d'Australie la nage elle-même, d'origine polynésienne, et la créa pour la compétition, avec le nom anglais.

▸ Le français a tiré **CRAWLER** v. intr. (1931) et, à partir de celui-ci, **CRAWLEUR, EUSE** n. (1931) qui correspond à l'anglais *crawler* (1912, dans ce sens).

CRAYON → CRAIE

CRÉANCE n. f. est dérivé (v. 1050) du radical *cre-* des anciennes formes dites «fortes» de *croire* (notamment le participe présent *créant*) ou bien du latin tardif *credentia* (→ crédence).

♦ Le mot, qui s'employait à propos de la foi religieuse et (1160) de la confiance accordée à qqn, a été supplanté à la fois par *croyance* (au XVIIe s.) et par *confiance*. Il se maintient en vénerie en parlant de la confiance que l'on accorde à un chien de chasse (1573), dit lui-même *créancé* (ci-dessous). ◇ Il est surtout vivant dans le syntagme ***lettre de créance*** (fin XIIIe s.) «lettre accréditant celui qui la remet», à propos d'un diplomate puis (1611) dans un contexte commercial; le mot s'est en effet maintenu comme terme de droit et de finance, désignant l'argent prêté à qqn (v. 1175; puis 1611), le droit que l'on possède d'exiger le paiement d'une dette. ◇ Par extension, il s'applique au figuré au sentiment de reconnaissance attendu de qqn à qui l'on a rendu service.

▸ **CRÉANCIER, IÈRE** n. et adj. (v. 1170), qui signifie proprement «celui à qui l'on doit de l'argent», est employé au figuré (1791) et quelquefois adjectivement (1920-1921, Barrès). ◇ Le verbe **CRÉANCER** v. tr. (XIIIe s.), «donner en gage», est sorti de l'usage, se maintenant seulement, surtout par son participe **CRÉANCÉ, ÉE** (1810) en vénerie, pour «développer et confirmer les meilleures qualités d'un chien».

◈ voir CRÉDENCE.

CRÉCELLE n. f., d'abord *cresselle* (av. 1350), est d'origine obscure : un étymon latin tardif °*crepicella*, dérivé de *crepitacillum*, de *crepitaculum* «crécelle, sistre» lui-même dérivé de *crepitare* (→ crépiter), fait difficulté d'un point de vue morphologique. L'hypothèse d'une dérivation d'un radical onomatopéique °*krek-* n'est pas à exclure.

♦ À l'origine, la crécelle, moulinet de bois qui produit un crépitement, est un objet religieux : les Romains en donnaient aux enfants à des fins conjuratoires (symbolisme commun aux jouets produisant du bruit, tels les *crepundia* et les *crotala*) et la liturgie catholique en utilise pour remplacer les cloches pendant les trois derniers jours de la semaine sainte. L'instrument était aussi l'attribut traditionnel des lépreux et des forains, avant de se voir banalisé en jouet d'enfant. L'expansion s'est faite vers l'idée de «bruit désagréable», dans des locutions comme ***voix de crécelle*** et des emplois figurés à propos d'une personne bavarde et criarde (av. 1866) et, en argot militaire, de la mitrailleuse (av. 1919).

◈ voir CRÉCERELLE.

CRÉCERELLE n. f., d'abord *cresserele, crecerelle* puis *crécerelle* (1560), est, à côté de la variante *crestervelle* (v. 1223), dérivé de *crécelle** par élargissement de suffixe, le cri de l'oiseau rappelant le bruit de la crécelle. On relève en moyen français des interférences entre les sens des deux mots : *crécerelle* au sens de «crécelle» en 1560 et *crécelle* au sens de «crécerelle» à la fin du XIVe siècle.

♦ Le mot désigne un petit rapace diurne.

▸ **CRÉCERELLETTE** n. f. (1838), diminutif de *crécerelle*, désigne un petit rapace qui se distingue de la crécerelle par une taille plus faible et un habitat plus méridional.

CRÈCHE n. f. est issu (v. 1120) du francique °*krippia* (germanique °*kribjon*) que l'on déduit à partir de l'allemand de même sens *Krippe* «crèche». Le mot relève d'un groupe germanique (anglais *crib*, néerlandais *krib, kribbe*) apparenté à celui du moyen haut allemand *krēbe* «panier».

♦ *Crèche* désigne originellement une mangeoire pour les bestiaux, sens avec lequel il est concurrencé par *auge* et *mangeoire* (dans les parlers septentrionaux) ; il s'est spécialisé (v. 1223) pour désigner la mangeoire dans laquelle le Christ fut déposé à sa naissance dans l'étable de Bethléem, selon la tradition de Noël (en ce sens, généralement avec une majuscule). Ultérieurement (1803, Chateaubriand), il s'est mis à désigner, par métonymie, la représentation en trois dimensions que l'on fait de la Sainte Crèche dans les églises, entre Noël et l'Épiphanie. Par extension, certains auteurs (Chateaubriand, Proust) l'utilisent au sens de «berceau», avec une intention poétique. ◇ Par analogie avec le lieu de naissance du Christ, il a pris le sens d'«asile de nouveau-nés» (v. 1785, S. Mercier) puis (1887) d'«établissement où l'on met les enfants de moins de trois ans pour la journée». ◇ D'après un autre sens analogique, «couche garnie d'une paillasse» (1793), il a pris le sens de «gîte misérable» (1905), d'usage familier, aujourd'hui vieilli.

▸ Ce dernier sens a produit le verbe familier **CRÉCHER** v. intr. (1921), «habiter, loger», qui, lui, est demeuré usuel et n'est plus péjoratif.

CRÉDENCE n. f. (1519), d'abord *credance* (v. 1474), est emprunté à l'italien *credenza* (apr. 1250) proprement «croyance» et «confiance». Lui-même est emprunté, comme le moyen français de même sens *crédence* (1360, remplacé par *créance**), au latin médiéval *credentia*, dérivé du latin *credere* (→ croire). Dès le XIVe s., l'italien *credenza* s'est spécialisé dans la locution *fare la credenza* «faire l'essai (des mets, des boissons, avant de les servir à table) pour s'assurer qu'il n'y a aucun poison» (v. 1336).

♦ Le mot, introduit dans la locution *faire crédance*, calquée de l'italien, a désigné le fait de goûter les aliments avant de les servir. Le développement métonymique vers le sens de «récipient servant à faire les essais du service de bouche» (1519) puis «meuble sur lequel on place la vaisselle» (v. 1575), est probablement repris à l'italien, qui l'a avant 1543. C'est Henri III qui a importé le meuble italien servant à faire les essais et qui, de simple table, était devenu un buffet surmonté d'étagères, proche du dressoir, une sorte de coffre sur pieds. ◇ Par analogie, le mot désigne d'autres types de meubles et, dans la liturgie catholique (1671), une tablette placée près de l'autel pour déposer les objets de la messe.

▸ Le dérivé **CRÉDENCIER** n. m., d'abord *credentier* (1552), a désigné la personne chargée de goûter les mets et les boissons à la table des princes, puis le préposé à la distribution des vivres dans un établissement religieux (1835).

◈ voir **CRÉANCE**.

CRÉDIBLE adj. est emprunté (v. 1425) au latin *credibilis* «qui peut être cru», de *credere* (→ croire).

♦ Le mot, usité jusqu'au XVIIe s., semble ensuite être tombé en désuétude. Il n'a été repris que récemment, sous l'influence de l'anglais *credible*, qui vient du même mot latin. Il est souvent employé en contexte restrictif ou négatif *(à peine crédible, pas crédible...)*.

▸ **CRÉDIBILITÉ** n. f. (1651) est soit dérivé de *crédible*, soit emprunté au latin médiéval *credibilitas* (1252). Comme *crédible*, il doit son regain, au milieu du XXe s., à l'anglais, d'abord à propos de la certitude que fait éprouver une puissance à une autre qu'une menace sera exécutée, dans le contexte de la guerre froide, puis au sens général de «qualité de ce qui est croyable, possible ou vraisemblable». Comme *crédible*, le mot est courant dans les affaires, la politique.

CRÉDIBILISER v. tr. (att. 1984), surtout employé au part. passé, a pour contraire **DÉCRÉDIBILISER** v. tr. (1980) ; ces mots sont usuels dans l'usage journalistique, par ex. en politique.

INCRÉDIBILITÉ n. f. (1520) est emprunté au latin *incredibilitas*, formé sur l'adjectif *incredibilis* ; le mot est didactique. ➛ L'adjectif **INCRÉDIBLE** est peu usité ; on lui préfère l'euphémisme *peu crédible* et, aussi, *incroyable*.

CRÉDIT n. m., attesté vers la fin du XVe s., n'est probablement pas un emprunt direct au latin *creditum*, formé sur le supin de *credere* (→ croire), avec le sens limité de «dette, emprunt». Il serait plutôt emprunté à l'italien *credito*, lui-même issu du latin (XIVe s.), et signifiant «dette, emprunt», «confiance» (Dante) et (XVe s.) «influence, considération».

♦ Le mot se trouve chez Commynes avec ce dernier sens, aujourd'hui limité à quelques emplois *(avoir du crédit, jouir d'un certain crédit)* où l'accent est mis depuis le XVIe s. sur la confiance inspirée par la personne (1539). ◇ Il s'est surtout spécialisé en parlant de la confiance dans la solvabilité de qqn (1481), sens qui émerge dans les coutumiers au début du XVIe siècle. Cette acception est réalisée dans les locutions ***à crédit*** (v. 1508) et ***(lettre) de crédit*** (1563) [cf. *créance*]. La langue classique a employé *à crédit* avec des valeurs figurées, «en pure perte», «gratuitement», ruinant ironiquement l'idée de «confiance» ; elles ne se sont pas implantées. ◇ Le mot a continué à se développer en finance, désignant l'opération par laquelle une personne met une somme d'argent à la disposition d'une autre, et, par métonymie (1819) cette somme elle-même ainsi que l'établissement de crédit (1852, date de création du *Crédit Foncier*). Depuis 1845, *crédits*, au pluriel, désigne particulièrement les sommes allouées par un budget pour un usage déterminé. Son usage en comptabilité (qui l'oppose à *débit*) est attesté depuis 1675. ◇ On notera l'emploi du mot au Canada pour une unité de valeur dans l'enseignement universitaire, calque de l'anglo-américain de même sens *credit*.

▶ Le dénominatif **CRÉDITER** v. tr. (1671) est utilisé en comptabilité au sens de «rendre (qqn) créancier d'une somme portée au crédit de son compte» (par opposition à *débiter*) et au sens moral de «reconnaître, accorder à (qqn)», dans la construction d'usage soutenu *créditer qqn de qqch.*

ACCRÉDITER v. tr. est emprunté (1553) à l'espagnol *acreditar,* de *credito* issu, comme le français *crédit,* du latin *creditum.* Le verbe signifie «donner du crédit, de la confiance à (qqn)», sens sorti d'usage, puis «donner l'autorité nécessaire», sens développé en droit international. Il s'emploie aussi depuis le milieu du XVIIe s. (1671) pour «rendre croyable, plausible (qqch.)». ◇ L'emploi en contexte financier est relativement moins courant, mais a donné naissance aux dérivés **ACCRÉDITEUR** n. m. (1846), **ACCRÉDITIF, IVE** adj. rare, substantivé (n. m.) pour «lettre d'ouverture de crédit» et «pièce qui accrédite un journaliste». ◇ Du sens en droit international viennent **ACCRÉDITATION** n. f. (1853) et **ACCRÉDITANT, ANTE** n., qui s'oppose à **ACCRÉDITAIRE** n.

DISCRÉDITER v. tr. est formé (1572) sur *dis-* et *crédit;* il a été précédé par le moyen français *désaccréditer* (1553), emprunt tôt sorti d'usage à l'espagnol *desacreditar* (XVe s.), préfixé antonyme de *acreditar,* emprunté sous la forme *accréditer* (ci-dessus). Une variante *décréditer* v. tr. (1572) est elle aussi sortie d'usage. ◇ *Discréditer* signifie «faire diminuer ou disparaître la valeur, le crédit de (qqch.)», puis au XVIIe s. «porter atteinte au crédit, à la réputation de (qqn)». Ce sens, très vivant, est aussi réalisé au pronominal (1750) et au participe passé **DISCRÉDITÉ, ÉE** adj. ➝ Le déverbal **DISCRÉDIT** n. m. (1719) s'emploie pour «perte du crédit (pour une valeur monétaire et financière)» puis, plus couramment, «perte de réputation» et «mauvaise réputation» *(tomber en discrédit).*

CREDO

CREDO n. m. est l'emprunt (v. 1190) du latin *credo* «je crois», première personne de l'indicatif présent de *credere* (→ croire), employé à l'époque chrétienne comme premier mot du symbole des Apôtres et (VIIIe s.) au sens de «foi, croyance».

♦ Le mot a été introduit dans sa spécialisation religieuse de «symbole des Apôtres contenant les articles fondamentaux de la foi catholique». Il a eu la même extension figurée que l'expression équivalente *profession de foi* vers le sens laïc de «principes sur lesquels on fonde une opinion», en philosophie (1771, *credo philosophique*) et en politique (1794). ◇ Son emploi comme terme de finances, constaté en moyen français et jusqu'au XVIIe s. dans les locutions familières *faire credo* (1611 *qui fait credo, charge son dos*), *payer d'un credo* «prendre à crédit» (1660, «vulgaire») a été évincé par *crédit.*

CRÉDULE

CRÉDULE adj. est emprunté (1393) au latin *credulus* «qui croit trop facilement», de *credere* (→ croire).

♦ Le mot a conservé le sens de l'étymon latin.

▶ On en a tiré **CRÉDULEMENT** adv. (1544), d'usage rare. ➝ Le nom correspondant, **CRÉDULITÉ** n. f., d'abord *creduliteit* (fin XIIe s.), d'après le génitif latin *crudelitatis,* est emprunté au dérivé latin *credulitas* «fait, état de celui qui croit trop facilement». De même que le mot latin, il est en outre employé dans le style littéraire avec la valeur ponctuelle de «ce qui exprime cette trop grande facilité à croire» *(une, des crédulités).*

Les antonymes **INCRÉDULE** adj. (XIVe s.) et **INCRÉDULITÉ** n. f. (1328; dès le Xe s., sous la forme *encredulitet*) sont empruntés aux mots latins *incredulus* et *incredulitas.* D'abord employés dans un contexte religieux, ils ont pris par extension une valeur générale.

CRÉER

CRÉER v. tr., d'abord *crier* (v. 1119), puis *creer* (v. 1155), est emprunté au latin *creare.* Celui-ci est à l'origine un terme de la langue rustique, issu de la même racine que *crescere* (→ croître), qui signifie «faire pousser, faire grandir, produire». Il est ensuite passé dans l'usage courant au sens de «faire naître» (au propre et au figuré), avec des spécialisations juridique («nommer») et religieuse («tirer du néant», pour traduire le grec *ktizein*).

♦ Le mot a été introduit avec une valeur religieuse, «tirer du néant, le sujet désignant Dieu», et dans certains emplois assimilant l'acte de création poétique à l'acte du démiurge. ◇ Il s'est rapidement répandu en parlant de la personne qui donne l'existence à un être (1130-1140), et s'est spécialisé au sens juridique de «nommer, instituer (qqn) dans une fonction» (v. 1350). Par extension, il recouvre l'idée de «susciter, fonder, établir» (1611) dans le domaine des institutions et, dans un contexte technique, «être l'inventeur de» (1690). ◇ Une spécialisation fréquente est *créer un rôle* (1776) «interpréter pour la première fois», et *créer un spectacle* (1811) «monter pour la première fois».

▶ En dehors de **CRÉÉ, ÉE** adj., assez usuel comme son antonyme *incréé* (ci-dessous), et de **RECRÉER** v. tr. (1457) «créer de nouveau» puis «reconstituer (ce qui était détruit)», «réinventer», la dérivation française n'a formé que des mots rares, tels que **CRÉABLE** adj. (1845) et **CRÉEUR** n. m. (1893), doublet «populaire» mais quasi inusité de *créateur.*

En revanche, les dérivés latins ont donné en français des emprunts usuels. ➝ **CRÉATURE** n. f. est emprunté (v. 1050) au latin chrétien *creatura,* d'abord «acte de la création» puis, par métonymie, «ce qui est créé, spécialement l'homme». Le mot est employé dans un contexte religieux à propos de l'être humain (v. 1050) considéré en particulier dans son opposition au Créateur (v. 1135). Il s'applique aussi à un être non humain considéré comme analogue à l'homme, généralement diabolique ou étrange *(la créature de Frankenstein)* et, de manière plus neutre, aux animaux. ◇ Au XVIe s., il s'est en quelque sorte laïcisé, prenant le sens péjoratif de «personne qui doit sa situation à qqn et se fait son agent», sens vieilli sous la concurrence de *protégé* (plus neutre). ◇ Le sens particulier, également péjoratif, de «femme dont on parle sans considération» (av. 1696), a lui aussi vieilli, mais *créature* continue de s'appliquer à une femme (avec un adjectif), aussi en emploi laudatif *(une créature de rêve).*

CRÉATEUR, TRICE n. et adj., d'abord *creatur* (v. 1119), est emprunté au dérivé latin classique *creator* «celui qui crée», appliqué à Dieu en latin chrétien. Apparu en ce sens, il a pris relativement tard le sens artistique d'«auteur d'une chose nouvelle» (1761), adjectivé dans ***génie créateur*** (1762).

CRÉATION n. f. est emprunté (v. 1220) au dérivé latin *creatio,* très rare, qui prend à basse époque le sens de «procréation» et devient usuel en latin chrétien au sens actif puis métonymique de «créature». ➛ D'abord employé en parlant de la création divine *(création du monde),* il s'est laïcisé au sens d'«action d'établir une chose pour la première fois» au XIVe s. et, à la fin du XVIIIe s., a développé les valeurs métonymiques «ensemble des êtres et choses créés» et «chose créée» (1790). ◇ Puis, après *créateur,* il est passé en art au sens d'«action de créer» et «œuvre créée» (1801), particulièrement dans le domaine poétique (1810) au sein du débat qui l'oppose à *imitation,* et dans le domaine théâtral (1843, d'un rôle interprété pour la première fois). ◇ Il a lui-même produit les termes didactiques **CRÉATIONNISME** n. m. (av. 1890) et **CRÉATIONNISTE** adj. (1869), relatifs à la doctrine qui admet la création de l'univers par Dieu *ex nihilo,* ce dernier aussi substantivé. ➛ Son radical a servi récemment à la formation de **CRÉATIQUE** n. f. (1973), formé avec le suffixe d'*informatique, télématique,* etc., appliqué à l'ensemble des techniques de stimulation de la créativité. Bien que cette activité vienne des États-Unis, il ne semble pas que le mot soit un anglicisme; il a produit le nom d'agent **CRÉATICIEN, IENNE** après 1980.

CRÉATIF, IVE adj. (XVe s.) est l'adaptation du latin médiéval *creativus* (apr. 1300), dérivé du supin *creatum* de *creare.* Il réalise d'abord le sens de «qui produit qqch.» dans le domaine médical. ◇ Avec sa valeur moderne, où il qualifie ce qui présente une tendance notable à la création imaginative, il semble avoir été recréé vers 1860 sous l'influence de l'anglais *creative* et de l'italien *creativo.* Bien que les puristes l'accusent de doubler inutilement *créateur,* le mot s'est diffusé sous l'action des sociologues et psychologues, qui ont besoin d'un terme spécifique se démarquant du terme courant. Il a été récemment substantivé au masculin pour désigner les responsables de l'invention dans le domaine de la publicité, des arts audiovisuels. ➛ Son dérivé **CRÉATIVITÉ** n. f. (1946) se ressent probablement de l'influence de l'anglo-américain *creativity.* Ce sont les socio-psychologues qui l'ont introduit dans leur vocabulaire, relayés plus tard par les linguistes (notamment avec la traduction des travaux de Noam Chomsky).

INCRÉÉ, ÉE adj. et n. m. (1458), l'antonyme de *créé,* participe passé adjectivé de *créer,* est un terme d'usage didactique en religion, qui traduit le latin ecclésiastique *increatus.* Aussi substantivé (1769, n. m.), il s'emploie (XXe s.) quelquefois en contexte non religieux *(une œuvre encore incréée).*

◈ voir CRÉOLE, PROCRÉER, RÉCRÉER. Voir aussi RECRÉER (ci-dessus).

CRÉMAILLÈRE

CRÉMAILLÈRE n. f., réfection du XVIe s. (1549) de *carmeillière* [sic] (XIIIe s.), puis *cramailliere* (1445), est dérivé, avec suffixe *-ière,* de l'ancien français *craimail* (v. 1220, sous la forme latine *cremalia* au pluriel), terme demeuré en usage dans les dialectes de l'Est. Ce mot est issu du bas latin *cramaculus, cremaculus,* altération d'un °*cremasculus* qui est à l'origine des formes bourguignonne, franco-provençale et provençale du type *comacle* (*cumascle,* 1157, dans le Vaucluse). Le latin est adapté du grec tardif *kremastêr,* proprement «qui suspend», nom de certains muscles (voir ci-dessous) et d'une perche où l'on accroche des grappes», de *kremannunai* «suspendre», verbe d'origine inconnue.

♦ Avec son sens hérité, «tige dentée où l'on suspend la marmite», *crémaillère* est entré dans la locution métonymique ***pendre la crémaillère*** «célébrer par une fête l'installation dans un nouveau logement» (*in* Académie, 1694). ◇ Le mot a reçu, par analogie de forme ou de fonction, quelques sens techniques, désignant notamment une pièce munie de crans pour faire bouger une partie mobile (1680), par exemple dans la locution ***à crémaillère*** (*cric, pupitre* puis *chemin de fer,* etc.).

▸ **CRÉMASTER** n. m. a été directement emprunté (1546) au grec en anatomie, pour désigner le muscle suspenseur du testicule.

CRÉMATION

CRÉMATION n. f. est emprunté (XIIIe s.) au latin impérial *crematio* «action de brûler», du supin de *cremare* «brûler» et, en particulier, «incinérer les morts», pratique qui semble avoir été introduite en Italie par les envahisseurs qui y ont apporté le latin et l'osco-ombrien. Le verbe latin est peut-être issu, par un élargissement en *-em-,* d'une racine indoeuropéenne attestée par le vieil islandais *hyrr* «feu», le gotique *hauri* «charbon», le lituanien *kuriù, kùrti* «faire du feu» et à laquelle se rattacherait aussi *carbo* (→ charbon).

♦ *Crémation,* rare en parlant d'une chose qui se consume, reste, comme le latin, réservé à l'incinération des morts (avec rites religieux ou non); peu employé en ancien français, il est repris au XIXe s. (1823).

▸ Ce regain de vitalité au XIXe s. se marque par la formation de **CRÉMATOIRE** adj. (1879, *four crématoire*), dérivé savamment du radical du latin *crematum,* supin de *cremare.* Le syntagme ***four crématoire*** évoquant presque toujours, depuis la Seconde Guerre mondiale, les camps d'extermination nazis, on a recours pour les emplois rituels au terme savant **CREMATORIUM** 1882, didactique et affectivement neutre. ➛ Les substantifs **CRÉMATEUR** (1885) et **CRÉMATISTE** (1960), quasi synonymes, sont d'usage rare et didactique.

Par ailleurs, le latin *cremare* est à l'origine du verbe rare **CRÉMER** (v. 1200) «incinérer» et, par voie populaire, du verbe dialectal **CRAMER** v. tr. «brûler légèrement» (Centre), passé au XXe s. dans le langage familier ou argotique au sens de «brûler».

CRÈME

CRÈME n. f., d'abord noté *craime* (v. 1190) puis *cresme* (1261), est issu du bas latin *crama* (VIe s.) mot d'origine gauloise, croisé de bonne heure avec le terme ecclésiastique *chrisma,* d'origine grecque, passé dans *chrême** «huile consacrée». *Crama* a supplanté la désignation usuelle latine pour la crème du lait, *cremor (lacti),* littéralement «bouillie (du lait)», peut-être apparenté à *cremare* (→ crémation).

♦ Le mot est apparu en français avec ce sens, réalisé ultérieurement dans le syntagme ***café crème*** (1898), contraction de *café à la crème* (1822), même si celui-ci est souvent en fait un café au lait. Par extension, le mot a pris le sens figuré de «partie la meilleure d'une chose» (v. 1580) et plusieurs valeurs analogiques reposant sur une ressemblance de consistance. ***C'est la crème des hommes*** correspond à «le meilleur des hommes». ◇ Ces analogies sont nombreuses dans le domaine alimentaire où *crème* désigne une liqueur crémeuse (1760), un entremets de lait et d'œufs (v. 1802), un potage velouté lié, alors souvent dans des syntagmes *(crème à, de...)* et aussi une liqueur sucrée et crémeuse (1823). En cosmétique et pharmacie, le mot désigne un type de préparation crémeuse (1818). ➜ On en a tiré un adjectif de couleur (1882). ➜ Sous l'influence de l'anglais *ice cream*, ***crème glacée*** se dit, notamment au Québec, pour *glace* au sens alimentaire.

▸ Nombre de dérivés en dehors de **CRÉMEUX, EUSE** adj. (1572) se rapportent au moins partiellement au traitement du lait (pour la fabrication du beurre, du fromage). ◇ Tel est le cas de **CRÉMER** v. (1580) au sens intransitif de «se couvrir de crème» (en parlant du lait), parfois employé transitivement pour «donner une couleur crème», de **CRÉMOIR** n. m. (1885), nom d'ustensile, et de **CRÉMIER, IÈRE** n. (1762), nom du commerçant qui vend des produits laitiers (surtout beurre et fromages) ainsi que des œufs. ➜ Le radical de ce dernier a servi à former **CRÉMERIE** n. f. (1845) «commerce de produits laitiers», parfois (1866) «local où l'on fait crémer le lait», qui a aussi désigné (1867) un petit restaurant bon marché (lequel servait originellement des produits laitiers). C'est probablement à ce sens que fait allusion l'expression figurée ***changer de crémerie*** «aller voir ailleurs».

Le préfixé **ÉCRÉMER** v. tr., d'abord *escramer* (XVe s.), exprime l'idée de «retirer la crème du lait», d'où au figuré «dépouiller des meilleurs éléments» (1690); il est employé techniquement (1765) en parlant du métal en fusion ou du verre. ➜ Son dérivé **ÉCRÉMAGE** n. m. est apparu (v. 1765) comme terme technique avant d'être utilisé aussi en parlant du lait (1838) et d'acquérir un sens figuré, «prélèvement des meilleurs éléments d'un groupe humain» (1867). ➜ Le nom d'ustensile **ÉCRÉMOIR** n. m., anciennement *escramoire* n. f., a étendu son emploi du domaine de la crémerie à d'autres domaines techniques (1802, pour l'écrémage du verre en fusion).

◈ voir CRAMIQUE.

CRÉMONE n. f., mot attesté sous la Révolution (1790), est identique au nom de la ville italienne, mais pourrait être lié au radical de *crémaillère*.

♦ Le terme désigne une tige mobile servant à fermer les fenêtres, au moyen d'une poignée mobile autour d'un axe.

CRÉNEAU → CRAN

CRÉOLE n. et adj., d'abord attesté sous les formes hispanisantes *crollo* (1598), *criollo* (1643), puis francisé en *créole* (1670), est emprunté à l'espagnol *criollo* (1590), lui-même emprunté au portugais *crioulo*, seulement attesté en 1632 au sens de «métis noir né au Brésil» mais dont le sens originel a dû être celui de «serviteur élevé dans la maison de son maître» (XVIIe s.). Ce mot est dérivé, avec un suffixe mal éclairci, de *cria*, dérivé régressif de *criar* «élever» (espagnol *criar*), issu du latin *creare* (→ créer).

♦ Le mot, d'abord appliqué à un Espagnol de race blanche né aux colonies, désigne une personne de race blanche née aux Îles (1670), mais à l'île Maurice s'applique au contraire à une personne de couleur. L'expression *langue créole* (1688), repris au XIXe s., est probablement un emprunt direct au portugais, à en juger par la localisation de la première attestation relative au créole portugais alors parlé au Sénégal. Les créoles n'ont cependant été reconnus comme de véritables langues qu'à une date récente : jusqu'à la fin du XIXe s., ils étaient considérés comme une simple altération du français, de l'anglais, du néerlandais, du portugais ou de l'espagnol (ce qui n'est vrai que de leurs lexiques). V. Hugo, dans *Bug Jargal* (1826), parle de *jargon* et de *patois créole*. En linguistique, les *études créoles* datent du XXe siècle. Il en résulte que les créoles sont de véritables langues et non pas des sabirs, puisqu'elles sont transmises en tant que langues maternelles à structure stable. Leur apparition est liée à l'esclavage, réunissant des locuteurs de nombreuses langues africaines (les esclaves) et ceux d'une langue européenne, d'ailleurs souvent dialectalisée : d'où l'élaboration d'un idiome de communication, à syntaxe originale, marquée par des traits communs aux langues africaines, et au lexique en majeure partie emprunté à la langue européenne concernée. En français *créole*, sans précision, désigne un créole français; celui-ci, langue nationale aux Seychelles, à Maurice ou en Haïti, est la langue maternelle de la grande majorité des Antillais.

▸ En sont dérivés **CRÉOLISER** v. tr. (1838, au pronominal) et deux termes didactiques récents, **CRÉOLISTE** n. et adj. (v. 1950) et **CRÉOLOPHONE** adj. et n. (v. 1960).

① **CRÊPE** n. m. est le masculin substantivé (1285, au pluriel) de l'ancien adjectif *cresp, crespe* «ondulé, frisé» dont le féminin a donné *crêpe**. Cet adjectif est issu du latin *crispus*, appliqué à la chevelure puis à tout objet dont le dessin rappelle une chevelure frisée (→ crêper). Le mot latin est issu avec métathèse d'un type °*krispsos* qui se retrouve seulement en celtique, dans le gallois *crych* «frisé» et le nom propre gaulois *Cryxos*, à rapprocher du nom propre latin *Crispus*. Il est à l'origine de l'anglais *crisp* «bouclé» puis «croustillant».

♦ Apparu au sens métonymique ancien d'«ornement pour la tête» (au pluriel), le mot désigne un tissu de laine ou de soie plus ou moins ondulé dont il existe plusieurs sortes (1827, *crêpe de Chine*). Dès le XVIe s., on relève une preuve de l'utilisation de ce tissu comme signe de deuil (av. 1549, *crêpe noir*), symbolisme qui donne lieu à des emplois métonymiques et (en poésie) métaphoriques. ➜ Par analogie, le mot désigne (1929) un latex de caoutchouc à l'aspect gaufré servant à faire des semelles de chaussures.

▶ À la différence des dérivés de *crêpe* n. f., les mots du même groupe s'écrivent avec un accent aigu. ➜ **CRÉPINE** n. f. (1245) est dérivé de l'adjectif *cresp*, comme terme de passementerie, puis (1383) de boucherie et, en parlant d'un filtre métallique placé à l'extrémité d'un tuyau d'aspiration (1866). ➜ Il a produit le diminutif **CRÉPINETTE** n. f. (v. 1269, «petit ornement de crêpe») qui s'est maintenu comme terme culinaire pour une petite saucisse enveloppée dans une crépine (1740) et comme nom régional de la plante dit aussi *renouée* (1597).

CRÉPON n. m. (1409) est dérivé de l'ancien adjectif au sens ancien de «crépi (d'un mur)», puis (1552) de «boucle de cheveux». Il doit le sens courant d'«étoffe frisée comme le crêpe» (1660) au nom de tissu *crêpe*.

Cresp survit partiellement dans **CRÉPU, UE** adj. (1175), en parlant de la chevelure, notamment de celle des Noirs, et, par analogie, en botanique.

◈ voir ② CRÊPE, CRÊPER, CRÉPIR, CRISPER.

② **CRÊPE** n. f., d'abord *crispe* (v. 1285) puis *crepe* (1380), est le féminin substantivé de l'ancien adjectif *cresp, crespe* «frisé, ondulé» (dont le masculin a donné ① *crêpe**), par allusion à l'aspect que prend la crêpe en cuisant.

♦ Le mot désigne une mince couche de pâte cuite à la poêle ou sur une plaque de fonte, traditionnellement associée à la Chandeleur et très populaire, notamment en Bretagne, d'où le syntagme *crêpes bretonnes*. Le mot entre dans plusieurs locutions comparatives d'usage familier, par référence au mode de cuisson des crêpes ***(aplatir, retourner, laisser tomber comme une crêpe)***, au propre et au figuré.

▶ En sont dérivés **CRÊPIER, IÈRE** n. (1863) «marchand de crêpes» et (XXe s.) «appareil à plaques pour faire des crêpes», et **CRÊPERIE** n. f. (1929), dont le sens s'est étendu à «restaurant à référence bretonne servant notamment des crêpes».

CRÊPER v., sans doute antérieur à son attestation connue (1523), si l'on en juge par son dérivé *crespeure* (v. 1377), est probablement dérivé de l'ancien adjectif *cresp, crespe* «ondulé, frisé» (→ ① et ② crêpe). En effet, il paraît trop tardif pour continuer le latin *crispare* (→ crisper).

♦ Essentiellement employé en parlant des cheveux, en construction transitive et intransitive, le verbe entre dans la locution figurée (XIXe s.) ***se crêper le chignon*** «se quereller» (pour des femmes). ◇ Il a reçu une valeur technique, «apprêter une étoffe en tordant fortement ses fils pour lui donner un aspect grenu» en rapport avec le nom d'étoffe *crêpe*.

▶ **CRÊPELER** v. tr. (1513), surtout pronominal (1530), exprime le fait de couvrir d'ondulations légères et serrées. ➜ Il a donné **CRÊPELÉ, ÉE** (dès 1513), **CRÊPELURE** n. f. (XVIe s.) et **CRÊPELAGE** n. m. (1877), tous relatifs à la chevelure (cf. *crépu*). ➜ **CRÊPAGE** n. m. (1729) se partage entre un emploi technique en draperie et un emploi courant en coiffure d'où *crêpage de chignon* au figuré (1877) de *crêper le chignon*. ➜ **DÉCRÊPER** v. tr. (1842), d'où **DÉCRÊPAGE** n. m. (1960) et **DÉCRÊPELER** v. tr. (1930) s'appliquent à la coiffure.

CRÉPINE → **CRÊPE**

CRÉPIR v. tr., d'abord *crespir* (v. 1170), est dérivé de l'ancien adjectif *cresp-, crespe* «frisé, ondulé» (→ ① et ② crêpe).

♦ Le sens de «friser les cheveux» a été abandonné à *crêper*. Le mot s'est spécialisé en peausserie pour «se froncer, devenir grenu» (v. 1170), transitivement «rendre grenu», et surtout en maçonnerie (1528) «enduire (un mur) d'une couche de mortier sans la lisser».

▶ Son participe passé **CRÉPI, IE** a été adjectivé, puis substantivé au masculin (1528) en maçonnerie ; sa forme initiale *crespis* fait supposer un dérivé latin en *-icium* du radical de *crispus* d'où un °*crespeiz* réduit à *crespis* et assimilé ensuite au participe passé de *crépir*. ➜ Le verbe a produit deux noms d'action **CRÉPISSURE** n. f. (XIVe s.), rare, et **CRÉPISSAGE** n. m. (1611) ainsi qu'un nom d'instrument, **CRÉPISSOIR** n. m. (1869).

Par préfixation, *crépir* a donné **RECRÉPIR** v. tr. (1549), d'où **RECRÉPISSAGE** n. m. (1832) et **DÉCRÉPIR** v. tr. (1857). Ce dernier, rare en emploi concret, est employé par métaphore au sens de «provoquer la déchéance physique de (qqn)» (1879), par attraction de *décrépit*. ◇ Il a pour dérivé **DÉCRÉPISSAGE** n. m. (1857) et l'adjectif **DÉCRÉPI, IE** issu du participe passé. Celui-ci, utilisé en maçonnerie, tend à être confondu avec *décrépit* (→ décrépit, d'où décrépitude) à la faveur de l'homonymie, et par figure sémantique, de l'idée du mur qui a perdu son crépi et qui évoque l'usure, la vieillesse, correspond à l'idée de «vieux, usé».

CRÉPITER v. intr. est emprunté (1820 ; virtuel au XVIe s., où *crépitant* est attesté) au latin *crepitare*, forme fréquentative de *crepare* «rendre un bruit sec, craquer», lui-même éliminé en ce sens par *craquer*, à l'origine de *crever**.

♦ Le mot signifie «faire entendre une succession de bruits secs».

▶ **CRÉPITANT, ANTE** adj., tiré du participe présent et attesté au XVIe s. (1502, *flamme crépitante*), est sorti d'usage et repris au début du XIXe s. avec le verbe. ◇ Ce dernier a servi à former le substantif d'action **CRÉPITEMENT** n. m. (1866), qui est venu concurrencer tardivement **CRÉPITATION** n. f. (1564), emprunt au dérivé bas latin *crepitatio* «bruit sec» à propos du bruit que l'on éprouve à la palpation de certains troubles osseux. Les deux noms sont en concurrence au sens général et au sens médical, mais *crépitement* reste perçu comme le terme général. ➜ Le préfixé **DÉCRÉPITER** v. (av. 1660) est employé transitivement en chimie au sens particulier de «calciner (du sel) jusqu'à ce qu'il ne crépite plus sous l'action du feu». En emploi intransitif, il signifie «pétiller» (1742) et devient synonyme de *crépiter*. ◇ Son dérivé **DÉCRÉPITATION** n. f. (1641) est utilisé avec les deux sens.

◈ voir DÉCRÉPIT.

CRÉPON → ① CRÊPE

CRÉPU → ① CRÊPE

CRÉPUSCULE n. m. est emprunté (apr. 1250) au latin *crepusculum* dérivé, sur le modèle de *diluculum* «petit jour», de l'adjectif rare et archaïque *creper* «obscur» et «incertain, douteux», lui-même substantivé au neutre au sens de «moment où le jour tombe». L'origine en est obscure (Varron la dit sabine).

♦ Le mot, après une attestation isolée où il désigne le début du jour, est repris au XVIe s. (v. 1586) avec son sens usuel de «pénombre suivant le coucher du soleil». Il continue toutefois à se dire aussi du moment qui précède le lever du soleil, dans l'usage littéraire *(le crépuscule du matin).* Dans la seconde moitié du XVIIIe s. (1778), il a pris le sens figuré de «déclin» (de la vie) développé au XIXe s., notamment dans les idéologies du déclin de la civilisation.

▸ **CRÉPUSCULAIRE** adj. (1754; 1705, selon Bloch et Wartburg) qualifie ce qui a rapport au crépuscule et, au figuré, ce qui est obscur, trouble (av. 1847, Ballanche, *histoire crépusculaire,* emploi disparu).

CRESCENDO adv. et n. m. est emprunté (1775, Beaumarchais) à l'italien *crescendo,* proprement «en croissant, en augmentant», gérondif de *crescere* (→ croître) utilisé comme terme de musique depuis le XVIIe siècle.

♦ Le mot a été introduit simultanément comme terme musical et avec le sens figuré d'«augmentation progressive», sens présent dans la tirade de la calomnie du *Barbier de Séville.*

▸ Son antonyme **DECRESCENDO** adv. et n. m. (XVIIIe s.) est lui aussi emprunté à l'italien *decrescendo,* gérondif de *decrescere* (→ décroître); son usage est strictement musical, tout comme celui de son synonyme *diminuendo* «en diminuant» (→ diminuer).

CRESSON n. m., d'abord altéré par métathèse en *kerson* (v. 1170), est issu d'un francique de même sens °*kresso,* postulé d'après l'allemand *Kresse* (*crissinus* dans le latin des Gloses, IXe s.). Le mot est apparenté à l'anglais *cress* et au néerlandais *kers,* dont la racine serait celle d'un verbe germanique signifiant «ramper, grimper».

♦ Le mot, qui désigne une plante des lieux humides dont on consomme les feuilles en salade, a reçu en argot, puis dans la langue familière, le sens figuré de «chevelure» ***(n'avoir plus de cresson sur le caillou)***; il doit probablement son sens argotique de «crâneur, arrogant» (v. 1895), aujourd'hui disparu, à une déformation de *crosson* «qui cherche des crosses», c'est-à-dire «qui cherche querelle» (1881), de *crosse.*

▸ En sont dérivés **CRESSONNIÈRE** n. f. (1274) «lieu baigné où l'on cultive le cresson de fontaine» et **CRESSONNETTE** n. f. (fin XIXe s.), nom courant de la cardamine.

CRÉSUS n. m. est issu (1543) du nom propre *Croesus,* transcription latine du grec *Kroisos,* nom d'un roi de Lydie (VIe s. av. J.-C.) célèbre pour ses immenses richesses : la tradition, depuis Hérodote, le confronte au sage athénien Solon qui lui annonce, peu avant sa chute devant les troupes perses, que son bonheur ne durera pas. Cette allusion à l'instabilité de la fortune était encore perçue à l'époque classique. Le mot était déjà pris comme nom commun en latin et en grec.

♦ On appelle un homme riche *un crésus* dès le XVe s., emploi aujourd'hui archaïque ou ironique, mais l'usage moderne en locution ***(être riche comme Crésus)*** est seulement attesté depuis 1690.

CRÉTACÉ → CRAIE

CRÊTE n. f. est issu (v. 1160) du latin *crista,* désignant une crête d'oiseau puis, par analogie, l'aigrette d'un casque, la dentelure d'une feuille, la crête d'un mont, etc. L'origine de *crista* est douteuse, mais il semble apparenté à *crinis* (→ crin).

♦ Comme le latin, le mot a eu un développement de type analogique : apparu aux sens de «saillie (d'une construction)» (v. 1160) et «crête (d'un gallinacé)» (1180), il s'étend au XIIIe s. à la ligne de faîte d'un mont et à l'ornement d'un casque. Ultérieurement, il est appliqué au sommet d'une vague (1784), sens auquel se rapporte son emploi abstrait à propos d'une valeur maximale (schématisée par une crête sur un graphique) en électricité, météorologie, etc.

▸ *Crête* a produit **CRÊTÉ, ÉE** adj. (v. 1170, *cresté*), **CRÊTER** v. tr. (v. 1175) «garnir de crêtes» et, à la forme pronominale, «hérisser sa crête» (d'un gallinacé et, au figuré, d'une personne en colère). ◆ Ce verbe a produit **ACCRÊTÉ, ÉE** adj. «surmonté d'une crête», parfois «fier, hautain», par l'intermédiaire de l'ancien *s'accrester* «lever la crête en signe d'orgueil» (du coq). ◆ Le diminutif de *crête,* **CRÊTELLE** n. f. (1786) dénomme une graminée fourragère. ◆ *Crête* est entré dans la dénomination métaphorique **CRÊTE-DE-COQ** n. f. (1539, *creste au coq*) donnée à plusieurs plantes à feuilles dentelées (l'idée de «dentelure» a fait déformer *crête* en *krep* d'après *crêpe,* dans plusieurs parlers du Centre). Depuis 1834, ce composé est appliqué en médecine à des excroissances d'origine vénérienne.

CRÉTIN, INE n. et adj. (1750) est un terme originaire des régions alpines de Suisse romande (1660, à Vaud) où existait à l'état endémique un syndrome d'hypothyroïdie (crétinisme) parmi des populations carencées en iode. Ce mot régional est issu du latin *christianus* (→ chrétien) avec un traitement de la finale caractéristique du franco-provençal (*-ianu* donnant *-in*). L'évolution sémantique s'explique par euphémisme, le mot ayant dû être employé par commisération au sens d'«innocent» et par référence au caractère sacré et protecteur des simples d'esprit (cf. le *fada* provençal).

♦ En français, le mot est d'abord associé au Valais suisse, comme en témoigne l'article *crétins* de l'*Encyclopédie* (1754), qui rapporte que les populations du Valais regardent les crétins comme des anges tutélaires des familles. Il est devenu usuel au sens péjoratif de «personne stupide» (1835), par l'intermédiaire de l'usage moqueur des expressions ***crétin des Alpes, crétin du Valais,*** comme nom et comme adjectif. Dans l'argot scolaire du XIXe s., il s'est dit par mépris d'un élève travailleur.

► En sont issus **CRÉTINISME** n. m. (1784) dans une acception médicale et (1844) avec son sens courant (à comparer à *idiot-idiotie*), ainsi que **CRÉTINISER** v. tr. (1834), à sa suite **CRÉTINISATION** n. f. (1864), et **CRÉTINISANT, ANTE** adj. (1870), ainsi que **CRÉTINERIE** n. f. (1860), tous d'usage courant.

CRETONNE n. f. (1723), altération de *courtonne* (1727) «forte toile de coton, de lin ou de chanvre», est d'origine obscure : *Courtonne* peut être le nom de la manufacture de toiles d'Alençon ou le toponyme représenté dans la région du Calvados *(Courtonne-la-Mendrac, Courtonne-la-Ville)*, lieux où existaient des filatures de chanvre, près des tissages de cretonne d'Alençon. L'hypothèse d'une dérivation de *Creton*, nom d'une commune de l'Eure dont les toiles auraient été renommées est fragile, car elle repose sur un seul texte du XVIe s., alors que les archives de l'Eure ne gardent trace d'aucun document sur l'existence d'industries textiles. L'hypothèse d'une dérivation du nom d'un fabricant, nommé *P. Creton*, est douteuse.

♦ Le mot désigne une toile de coton.

◈ **CREUSET** n. m. est la réfection (1754), d'après *creux**, de *croiset* (1514), mot issu, par substitution de suffixe, de l'ancien français *croisuel*, d'abord *croisol* (v. 1100). Ce dernier, au sens propre «lampe», viendrait d'un gallo-roman °*croseolus*, peut-être de même origine que *creux* (d'après la forme de l'ancienne lampe à huile), ou encore très anciennement issu d'un francique °*krok* (→ croc), la lampe se suspendant à un crochet. On a aussi émis l'hypothèse d'une dérivation d'un °*cruciolum*, hypothétiquement dérivé de *crux, crucis* (→ croix), au sens de «lampe à deux mèches croisées». Le latin médiéval *crucibulum* n'est qu'une mauvaise latinisation des formes romanes d'après *turibulum*.

♦ Le mot, désignant un récipient destiné à faire fondre ou à calciner certaines substances, s'est spécialisé en parlant de matières minérales. La valeur étymologique de «lampe» s'est conservée dans les parlers du Sud-Est. ◇ Par extension, le mot désigne (1754) la partie inférieure d'un haut fourneau où se rassemble le métal fondu. Le sens figuré de «lieu où diverses choses se mêlent» (1674, par image ; puis 1732) renvoie au fait que, dans un creuset, des matières différentes sont fondues en une seule, ou encore sont éprouvées, éventuellement purifiées.

◈ **CREUX, EUSE** n., adj. et adv. (v. 1221) est d'origine incertaine. L'extension du mot en galloroman (ancien provençal *cros*) et dans les parlers rhéto-romans et de l'Italie septentrionale, rend probable un hypothétique °*crosus*, d'origine celtique, qui aurait supplanté le latin *cavus* «creux» (→ cave).

♦ Le mot, nom puis (v. 1180) adjectif, exprime généralement une idée de «vide interne». Par extension, l'adjectif signifie parfois «vidé de substance» (v. 1474), au propre et au figuré : si *songer creux* (XVe s.) ne s'est maintenu que dans le composé *songe-creux* (→ songer) et si *viande creuse* (1611) est sorti de l'usage, plusieurs syntagmes réalisent encore une idée figurée de «nullité», commune à *vide* et *vain*, tel ***tête creuse*** (1611). ◇ Pour sa part, **CREUX** n. m. désigne le vide moral, intellectuel (av. 1697). Avec un nom indiquant une durée *(jour, heure, mois)*, l'adjectif réalise, également de manière péjorative, une idée de «faible activité». ◇ Dès le XIIe s., il exprime également une idée de «courbe concave» et qualifie notamment un lieu et un visage creusé par la maigreur (une fois v. 1278 ; puis av. 1613), emploi qu'il partage avec l'adjectif *cave*. ◇ Le substantif s'emploie aussi avec un nom d'organe introduit par *de : le creux de la main* (1559), *de l'estomac* (1611). Il s'est spécialisé en marine (1690) à propos de la profondeur entre deux lames.

► Son dérivé **CREUSER** v. tr. (1172, par le participe passé adjectivé *crosé*) a aussi une valeur métaphorique dans ***creuser l'estomac*** (1869) «donner de l'appétit», et possède en propre le sens abstrait d'«approfondir, analyser en profondeur» (1685). ◆ Il a produit deux noms d'action : le plus ancien, **CREUSAGE** n. m. (v. 1287) «profondeur de fondation», est peu usité avec le sens général d'«action de creuser» (1611) : il est concurrencé par **CREUSEMENT** n. m. (1863, en ce sens ; 1754, comme terme de gravure), qui a produit **SURCREUSEMENT** en géologie (1909). ◆ *Creuser* est aussi à l'origine de **CREUSURE** n. f. (1547), au sens rare de «cavité peu profonde», et des termes techniques **CREUSEUR** n. m. (XIVe s.) et **CREUSOIR** n. m. (1785 ; 1725, *crosoir*) qui possède une variante régionale avec **CROSIOUX** n. m. (1597).

◈ voir CREUSET.

CREVASSE n. f., d'abord *cravace* (v. 1120), est issu du bas latin de même sens *crepacia, crevacia*, dérivé de *crepare* (→ crever).

♦ Apparu au pluriel dans un contexte évoquant l'eau se déversant du ciel, avec le sens de «fente, fissure», le mot désigne couramment une cassure étroite et profonde dans la glace (par ellipse de *crevasse glaciaire*). Il s'est spécialisé également en médecine (1575, Paré) à propos de fissures cutanées dues au froid, à l'âge et aux travaux pénibles.

► En est dérivé **CREVASSER** v. tr., d'abord *cravacier* (v. 1300) et *crevaçier* (v. 1360) «creuser de fentes», lequel a donné **CREVASSEMENT** n. m. (1893).

CREVER v. est issu (v. 980) du latin *crepare*, lequel appartient à un groupe de mots expressifs formés sur la cellule phonique *kr-* (→ corneille), représentée dans plusieurs langues : grec *krazein* «crier», sanskrit *króç-ati* «il crie», vieux slave *kričati* «crier». *Crepare* se dit de tout ce qui se fend ou éclate bruyamment et notamment du bois, des étoffes, des portes. Par extension, l'usage familier latin l'employait au sens de «se plaindre bruyamment», sens pris par *quiritare* (→ crier). À basse époque, il est employé populairement en parlant ◈

d'êtres vivants au sens de «mourir», l'idée de «bruit» passant alors au second plan. Cette idée-ci a entièrement disparu en français, mais est passée dans le représentant de la forme fréquentative de *crepare, crépiter**.

♦ *Crever* réalise, dès l'origine et comme en latin, les idées de «fendre» et de «mourir». En construction intransitive, il signifie en effet (1130-1140) «mourir» (d'un animal, d'un humain). Contrairement à l'usage moderne, où il est marqué comme très familier, l'usage ancien du mot en parlant d'un être humain implique seulement une idée de «mort violente» : s'il commence à être familier au XVIIe s., il figure encore dans le langage poétique classique, alors qu'il est aujourd'hui péjoratif et agressif. ◇ Dès le XIIe s., *crever* signifie aussi «éclater» (v. 1155), sens que lui dispute *se crever* jusqu'au XIXe siècle. Jusqu'au XVIIe s., *crever* se dit particulièrement de l'aube au sens de «poindre». Quelquefois, il signifie plutôt «être sur le point d'éclater (par trop-plein)» mais nombre de ces emplois, comme dans ***crever de rire*** (av. 1630, ***crever d'en rire***) sont interprétés spontanément aujourd'hui au sens familier de «mourir». ◆ En construction transitive (v. 980), le verbe signifie à la fois «faire éclater», «tuer» (1160-1170), sens passé dans l'usage populaire, puis également «gaver» (1554), aussi *se crever*, sorti d'usage. La locution très usuelle ***cela crève les yeux*** «c'est évident» est attestée depuis le XVIIe siècle. ◇ L'usage de la forme pronominale *se crever* au sens de «se fatiguer» (1680) ne semble relever d'un usage familier que depuis la fin du XIXe siècle. ◇ Vers 1870 est apparue la locution familière ***crever la dalle*** «mourir de faim», peu après le composé **CRÈVE-LA-FAIM** n. m. (1870), issu de l'expression *crever de faim* «avoir extrêmement faim».

▸ Le participe passé adjectivé **CREVÉ, ÉE,** aujourd'hui courant au sens concret et, en parlant des personnes, pour «très fatigué», familier, a été substantivé au masculin comme terme d'habillement, les manches ***à crevés*** étant particulièrement en vogue sous François Ier; par métonymie *un crevé* a pris les sens plaisants de «gros homme» *(gros crevé)* et de «jeune homme malingre efféminé, à la vie dissipée» (*petit crevé,* 1667; devenu usuel au XIXe s.) [→ crevette]. ◆ Le participe présent **CREVANT, ANTE** adjectivé, est relevé pour la première fois chez Zola, qui l'a observé dans l'usage populaire, avec les sens, toujours vivants, de «qui fait mourir de fatigue» (1873) et aussi «qui fait mourir de rire» (1880). ◆ Le XIXe s. a également vu apparaître l'adjectif familier **CREVARD, ARDE** (1860) «moribond, en mauvaise santé» et, parfois, «qui a toujours faim», ainsi que **CREVABLE** adj. (1840) dont l'antonyme **INCREVABLE** adj., plus usité, est le synonyme familier d'*infatigable.* ◆ De *crever* sont dérivés plusieurs substantifs, dont les populaires **CREVAILLE** n. f. (1564) «ripaille», **CREVÉE** n. f. (1867), employé en Suisse au sens de «bavure, maladresse», et le déverbal **CRÈVE** n. f. (1902), notamment dans ***attraper la crève*** (un mauvais rhume, une grippe...). ◆ Un dérivé plus ancien, **CREVURE** n. f. (v. 1120, *creveure*), est passé du sens de «crevasse» (→ crevasse) au sens familier de «personne méprisable, ordure», surtout usité en langue rurale. ◆ *Crever* a aussi produit des noms plus neutres affectivement : **CREVAISON** n. f. (XIIIe s.), employé spécialement en parlant d'un pneu — comme le verbe *crever* lui-même — ceci depuis 1906, et **CREVAGE** n. m. (1883).

L'élément verbal *crève* a fourni le premier terme de composés aujourd'hui archaïsants : **CRÈVE-CŒUR** n. m. (XIIe s., *crievecuer*) et les dénominations techniques **CRÈVE-TONNEAU** n. m. (1647), nom d'un appareil inventé par Pascal pour vérifier la loi de la pression d'un liquide sur les parois de son contenant, et **CRÈVE-VESSIE** n. m. (1783), appareil vérifiant la pression atmosphérique.

◈ voir CRÉCELLE, CRÉCERELLE, CRÉPITER, CREVASSE, DÉCRÉPIT.

CREVETTE n. f. (1532) est la forme normanno-picarde de *chevrette* (→ chèvre), d'ailleurs attestée au sens de «crevette» chez Rabelais (1552), la crevette faisant de petits sauts comme la chèvre en liberté (cf. pour la même évolution *bouquet,* à *bouc*).

♦ Le mot désigne un petit crustacé marin ou d'eau douce ; l'argot l'a appliqué à une jeune femme galante de luxe (d'où *la môme Crevette,* personnage de Feydeau dans *La Dame de chez Maxim's,* 1899) mais il s'agit alors, au moins à l'origine, du féminin parodique de *crevé* «jeune homme malingre, efféminé, qui mène une vie dissipée» (→ crever). Par la suite, le mot a été senti comme une métaphore zoomorphique et marine, celles-ci étant fréquentes pour la femme (cf. *morue, langouste, langoustine*).

▸ *Crevette* a produit **CREVETTINE** n. f. (1845), nom de la crevette d'eau douce, et deux mots techniques ayant trait à la pêche aux crevettes : **CREVETTIER** n. m. (1877) et **CREVETTIÈRE** n. f. (1863).

CRI → CRIER

CRIBLE n. m. est issu (XIIIe s.) du bas latin *criblum* (Ve s.), forme dissimilée du latin classique *cribrum* «tamis». Celui-ci appartient à un important groupe de mots issus de la racine indoeuropéenne °*krei-* «séparer, cribler» représentée en grec, italique, celtique et germanique (→ critère, critiquer).

♦ Le mot, signifiant «tamis», a pris de bonne heure (fin XIIIe s.) une valeur figurée dans la locution ***passer au crible*** «examiner avec soin pour distinguer le vrai du faux, le bon du mauvais». Cependant, l'usage de comparaisons du type ***être percé comme un crible,*** fréquent en langue classique, s'est aujourd'hui perdu.

▸ **CRIBLER** v. tr. (v. 1225) est issu du bas latin *criblare* (Ve s.), forme dissimilée du latin impérial *cribrare* «passer au tamis», dérivé de *cribrum.* Il est apparu en français au participe passé **CRIBLÉ** avec le sens figuré de «transpercé, accablé d'une quantité de maux», avant d'être attesté au sens propre de «passer au tamis» (fin XIIIe s.). Il est construit avec *de* au sens analogique de «percer de trous» et de «couvrir, parsemer (de taches, etc.)». ◆ En sont issus **CRIBLURE** n. f. (1439), «ensemble des résidus restant dans le crible après le criblage», **CRIBLEUR** n. m. (1556; 1493, *crieulleur*) et le nom d'action **CRIBLAGE** n. m. (1573). ◇ Le participe présent **CRIBLANT** a été adjectivé beaucoup plus tard (1892).

L'ancien emploi argotique de *cribler,* au sens d'«aboyer, crier» (1790), est probablement une altération de *crier** et il est responsable de **CRIBLEMENT** n. m. (1821) «cri, aboiement» en argot ancien.

CRIC n. m. est emprunté (1447) au moyen haut allemand *kriec* (XIVe s.) «engin destiné à pointer et à tourner les grosses machines de guerre ou soulever des charges».

♦ Le mot a été introduit comme terme d'art militaire *(cric d'arbalète).* Il y a peut-être eu ultérieurement un rapprochement avec l'onomatopée *cric* (→ cric-crac) censée représenter le bruit fait par le crochet du cric s'engageant dans les dents de la crémaillère. De nos jours, le mot est un terme de mécanique, fréquent dans le contexte de la réparation et de l'entretien des automobiles.

CRIC-CRAC interj., n. m. inv. est une formation onomatopéique (1520, selon Bloch et Wartburg; ou 1552) dans laquelle *cric* peut être considéré comme une variante par dissimilation de *crac**.

♦ Cette onomatopée exprime le bruit sec d'une clef tournant dans la serrure d'où, par suite, tout mouvement rapide et précis. On rencontre une variante *cric-croc,* qui s'est employée en choquant les verres avec le sens d'«à votre santé!».

CRICKET n. m. est emprunté (1728) à l'anglais *cricket* (1598), nom d'un sport de plein air qui se pratique sur terrain plat avec des battes en bois et des guichets *(wickets)* qu'il s'agit de renverser. Ce jeu populaire a été codifié en 1774. L'origine du mot est obscure : il semble être apparenté au français *criquet* «bâton servant de but au jeu de boules» (attesté par Godefroy qui cite un texte de 1478), et ce dernier au flamand *krick(e)* «bâton».

♦ Le mot a pénétré en français pour désigner le sport britannique. Ce sport ne s'est jamais implanté en France; il est à l'origine du base-ball américain.

CRIER v. est issu (v. 980) d'un latin populaire °*critare,* réduction du latin classique de même sens *quiritare,* «crier au secours, protester à grands cris». L'étymologie proposée par Varron selon laquelle ce mot serait dérivé de *quiris* (surtout au pluriel *quirites*) «citoyen», mot d'origine obscure, et aurait d'abord signifié «convoquer les citoyens», ne semble inspirée que par la similitude formelle entre les deux mots. *Quiritare* repose en fait sur une onomatopée, comme tend à le confirmer le sens de son doublet *quirritare* «crier, du sanglier, du verrat», onomatopée qui semble être aussi à la base du néerlandais *krijten,* de l'espagnol *gritár,* et de l'italien *gritare* (avec maintien du *t* à des fins expressives).

♦ Le mot est employé pour «dire (qqch.) d'une voix retentissante», «pousser des cris perçants», en parlant d'un être humain (v. 1050), d'un animal (v. 1121), et «faire entendre une plainte, une protestation» (fin XIIe s.). ◇ Dès le XIIe s., il est également employé pour «annoncer, clamer publiquement» (v. 1180), sens qui a eu une grande importance dans la vie politique et commerciale (v. 1268) et dont certains dérivés gardent trace (ci-dessous *criée, crieur...*).

▸ Le déverbal **CRI** n. m. (v. 975, *criz*) correspond à tous les emplois du verbe, s'appliquant aussi bien à la voix humaine qu'à celle d'un animal (v. 1120), notamment aux oiseaux dont le cri spécifique n'a pas de nom ou porte un nom peu courant. ◇ Il a désigné spécialement l'action du crieur public (1200) et l'annonce d'un marchand des halles (XIIIe s.), puis de divers marchands ***(les cris de Paris),*** valeur dont il ne reste guère que la locution figurée ***(du) dernier cri*** (1892) «à la mode la plus récente». ◇ L'ancien sens abstrait, «opinion publique, réprobation générale» (v. 1170), est vieilli ou marqué comme littéraire (*le cri public* étant évincé par *l'opinion publique*). Le sens figuré de «mouvement de la conscience» s'est lui aussi limité à un usage littéraire, si l'on excepte le syntagme courant ***le cri du cœur.***

Le nom, issu du participe passé féminin, **CRIÉE** n. f. (v. 1165), a perdu la valeur générale d'«ensemble de cris», mais reste usité au sens d'«annonce publique de marchandises à vendre» (v. 1461), donnant son nom au local où cette vente s'effectue, et servant à désigner la vente aux enchères. ◆ **CRIEUR** (XIIe s.), après avoir désigné celui qui faisait les annonces publiques ***(crieur public),*** se dit encore de celui qui annonce les prix dans les ventes à la criée (depuis 1723); le mot, aussi au féminin **CRIEUSE**, désigne en général également une personne qui crie. ◆ **CRIERIE** n. f. (v. 1180), «action de crier sans cesse», était aussi employé comme synonyme de *criée,* et **CRIAGE** n. m. (fin XIIe s.) désignait l'office du crieur. ◆ **CRIARD, ARDE** adj., d'abord *criart* (1495), est employé péjorativement à propos d'un cri, d'une voix désagréable et, au figuré, de ce qui choque l'oreille ou la vue par sa discordance. En ce sens, il a donné les expressions spécialisées *dettes criardes* «réclamées avec insistance par les fournisseurs» (1690) et *soie criarde* (1831), en parlant d'un tissu qui crisse (*toile criarde* avait auparavant été abrégé en *criarde* n. f., désignant un jupon en toile gommée crissante). ◇ *Crier* a produit le verbe dépréciatif **CRIAILLER** (1555) et ses dérivés **CRIAILLERIE** n. f. (1580), **CRIAILLEUR** n. m. et **CRIAILLEMENT** n. m. (1611). ◆ Le participe présent **CRIANT** a lui aussi fourni un adjectif, réalisant l'idée de «qui fait pousser les hauts cris» (1677) et, par extension, «choquant» (XIXe s.).

Le préfixé **S'ÉCRIER** v. pron. (Xe s.) signifie «pousser subitement de grands cris (de douleur, colère, etc.)», puis surtout «dire d'une voix émue et forte». ◆ **DÉCRIER** v. tr. (XIIIe s.), a d'abord signifié «notifier par cri public la dépréciation ou la suppression d'une monnaie» et, par extension, «publier, crier» (apr. 1350), sens qui sort d'usage à l'époque classique. Le verbe a pris son sens moderne de «discréditer» au XVe s. (av. 1475) en parlant de qqn, et au XVIe s. (av. 1538) en parlant d'une chose. ◇ Son déverbal **DÉCRI** n. m. (fin XVe s.), «action de décrier, de discréditer», est archaïque ou littéraire. ◆ *Écrier* a aussi produit **SE RÉCRIER**

(v. 1160) dont le sens initial, «pousser un cri de guerre», s'est affaibli à l'époque classique en «pousser une exclamation sous le coup d'une émotion forte» (1663), notamment pour protester (1672). Le lien sémantique avec *cri* demeure dans la spécialisation du mot en vénerie pour «redoubler d'aboiements en retrouvant la trace de l'animal poursuivi» (1834). ➜ Le déverbal **RÉCRI** n. m. est tardif (1832), littéraire ou technique (attesté en 1938 en vénerie.)

CRIME n. m., d'abord *crimne* (v. 1165), est emprunté au latin *crimen, -inis.* Celui-ci appartient au même groupe que *cernere* (→ cerner) et *cribrum* (→ crible) et il a dû signifier à l'origine «ce qui sert à trier, à décider», puis «décision» mais, en passant dans la langue juridique, il s'est spécialisé au sens de «décision judiciaire». Par métonymie, il s'est appliqué à l'acte sur quoi se fonde cette décision, le grief, l'inculpation, souvent avec une valeur péjorative due au contexte pénal. L'accusation se confondant avec l'acte délictueux lui-même (*scelus* en latin), *crime* a fini par désigner dès l'époque classique l'action coupable, perdant ainsi tout rapport avec *cernere.*

♦ Le mot est apparu en français avec le sens large de «manquement grave à la morale, à la loi», avant d'être attesté avec son sens juridique plus restreint (1283). L'usage commun l'utilise couramment au sens de «meurtre, assassinat» et en fait un emploi hyperbolique (dans ***c'est un crime de***) en parlant d'une faute inexcusable. La notion juridique de *crime contre l'humanité* est récente, mais l'expression est déjà en 1905 dans un discours d'Anatole France.

▸ **CRIMINEL, ELLE** adj. et n. est emprunté (v. 1080) au bas latin *criminalis* «criminel, par opposition à civil, en droit», spécialement «blâmable» dans les textes chrétiens, *criminatia peccata* désignant les péchés mortels. Le mot a été introduit dans la double acception, morale (en parlant d'une personne et, par métonymie, d'un acte, d'une chose) et juridique (1174-1178). ◇ Il est substantivé (1549) pour caractériser une personne accusée puis fortement coupable (1602) et, au masculin, en parlant de la juridiction criminelle (1648, *au criminel*). ➜ De *criminel* ont été dérivés **CRIMINELLEMENT** adv. (XIIIe s.), moins fréquent que **CRIMINALITÉ** n. f. (1539). ◇ Plus techniques, et issus d'expressions juridiques comme *droit, procédure criminelle,* sont **CRIMINALISTE** n. et adj. (1660) et le dérivé de celui-ci **CRIMINALISTIQUE** n. f. (1907), ainsi que **CRIMINALISER** v. tr. dont le sens juridique (1694) a évincé l'ancien sens d'«accuser» (1584) passé à *incriminer*.* ➜ **CRIMINOLOGIE** n. f. (1888) et ses dérivés **CRIMINOLOGIQUE** adj. (1893) et **CRIMINOLOGISTE** n. (1933), **CRIMINOLOGUE** n. (1957) sont formés savamment du radical de *crimen, -inis* et des éléments *-logie, -logique, -logue*.*

◈ voir DISCRIMINER, INCRIMINER, RÉCRIMINER.

CRIN n. m. est issu (v. 1050, au pluriel) du latin *crinis,* mot qui aurait désigné à l'origine une coiffure féminine spéciale en forme de tresses, comme en témoigne l'expression *crines capere* «prendre les tresses», utilisée en parlant d'une fille qui se marie. Par extension, surtout au pluriel *crines,* il a désigné toute espèce de longue chevelure et, de là, tout objet y ressemblant (comme la queue d'une comète). À basse époque, il aurait pris le sens de «poil long et rude», auparavant réservé à *seta* (→ soie). Le seul rapport étymologique fondé paraît être avec le latin *crista* (→ crête), induisant à l'origine une forme °*cris-ni-s.*

♦ Le mot a été employé au pluriel pour les cheveux et au singulier pour la chevelure, sens qui s'est maintenu jusqu'au XVIIe s., se prêtant même à des emplois poétiques *(crin d'Apollon)* et imagés (en parlant du feuillage); cependant, en 1690, Furetière note qu'il ne s'applique à la chevelure humaine que par mépris, avec des connotations de rudesse, de grossièreté. ◇ Dès lors, le sens déjà ancien (v. 1160) de «poil d'un animal» (d'un cheval en particulier), est devenu dominant. Il a fourni la locution figurée ***à tous crins*** (1840) «complet, ardent» et «à toute épreuve», par allusion à un cheval auquel on a laissé tous ses crins (cf. *à trois poils*). L'idée de «rudesse» transposée sur le plan figuré, motive la locution ***être comme des crins, un crin*** «revêche, de mauvaise humeur». D'après l'usage de la soie animale dans la fabrication de certains instruments, le mot désigne (1680) un poil animal utilisé pour garnir des instruments *(crin d'archet, de balai, de pinceau),* remplacé parfois par un *crin végétal* ou *synthétique.*

▸ De *crin* sont dérivés **CRINIÈRE** n. f. (1556) «ensemble des crins qui garnissent le cou d'un animal», presque toujours d'un équidé ou d'un lion, parfois en langue littéraire (1579) «chevelure», et deux mots techniques : **CRINIER** n. m. (1680) «ouvrier travaillant le crin» et **CRINELLE** n. f. (XXe s.) «bas de ligne en acier» à la pêche. ➜ **CRIN-CRIN** n. m. (1661), utilisé pour désigner un mauvais violon (1750), est probablement le redoublement expressif de *crin* (et une allusion aux crins de l'archet), le jouet d'enfant qu'il désigne à l'origine étant constitué d'un cylindre de carton attaché par un crin à un bâton autour duquel il tournait en faisant du bruit. Cependant, la variante du nom de jouet, *cri-cri,* fait aussi supposer une origine onomatopéique, ce jouet imitant le cri du grillon, puis une motivation secondaire par *crin.*

◈ voir CRINOLINE.

CRINOLINE n. f. est emprunté (1829) à l'italien *crinolino* n. m., composé de *crino* (→ crin) et de *lino* (→ lin), pour désigne une étoffe de crin et de lin et, par métonymie, un jupon bouffant fait de cette étoffe.

♦ Le mot, introduit en français comme nom d'étoffe, a pris le genre féminin d'autres noms de tissus en partie à cause de sa finale *(popeline, mousseline).* Par métonymie, il désigne (1848) un jupon bouffant servant à faire gonfler la jupe et l'armature légère qui le soutenait, dispositif à la mode, notamment sous le Second Empire, et qui succède aux paniers, vertugadins... Par analogie, il s'est spécialisé en marine (XXe s.) pour l'affût des pièces d'artillerie légère, la forme évasée de la sellette évoquant vaguement celle d'une crinoline.

CRIQUE n. f. fait partie des termes désignant un accident de la configuration côtière, que le français s'est appropriés par emprunt, le latin étant indigent en ce domaine (cf. *anse, baie, calanque, golfe*). Il est originaire de Normandie, ce qui appuie l'hypothèse d'un emprunt (1336) à l'ancien nordique *kriki* «creux, cavité, anse, crique» auquel correspondent l'islandais *kriki,* le norvégien *krikie* «angle» et le moyen anglais *crike, creke* «anse, crique» (d'où *creek* en anglais).

♦ Le mot désigne un enfoncement du rivage en forme de petite baie.

CRIQUET n. m., d'abord *criket* (v. 1120), est issu de l'onomatopée *krikk* imitant le bruit strident fait par le grillon (d'où l'onomatopée *cri-cri,* 1559).

♦ Le mot désigne un insecte voisin de la sauterelle ; dans l'usage courant il se confond avec *grillon, sauterelle,* alors que dans la terminologie scientifique il s'applique seulement aux Acridiens, tel le *criquet pèlerin,* migrateur, vorace, de grande taille, appelé à tort sauterelle (*nuages de sauterelles,* etc.). ◇ *Criquet* a reçu quelques sens analogiques pour la plupart sortis d'usage. Il a désigné (1650) un petit cheval et (1828-1829) un homme malingre, deux sens à mettre en rapport, de façon obscure, avec le norvégien et le danois *krikke, krik* «cheval malingre». ◇ Par extension de la notion de «maigreur» à celle de «faiblesse» et de «nullité», il a désigné aussi un mauvais petit vin (1863).

CRISE n. f., d'abord noté *crisim* (XIVe s.), est emprunté au latin impérial *crisis* (accusatif *crisin,* d'où français *crisin*) au sens de «phase décisive d'une maladie». Le mot latin est emprunté au grec *krisis* «décision, jugement», dérivé de *krinein* «juger» (→ crible, critère), dans sa spécialisation médicale.

♦ *Crise* est donc à l'origine un terme médical, qui développera, par extension au domaine psychologique, le sens d'«accès avec manifestations violentes» (av. 1685, *crises de passions ;* 1825, ***crise de nerfs***). Par transposition au domaine moral (1690), il se dit d'un moment critique, en parlant d'une intrigue, d'un procès *(être dans la crise).* ◇ De là, l'accent étant mis sur l'idée de trouble, de déséquilibre profond (1762), il se spécialise dans deux acceptions : une acception individuelle, à forte résonance psychologique *(crise de l'adolescence)* et une acception collective, sociale et économique : en ce sens, on parle depuis le début du XIXe s. de *crise politique* (1814), de *crise financière* (1823) et de *crise commerciale* (1837). Comme ces syntagmes, le concept peut être daté du XIXe s. : en effet, les difficultés de l'Ancien Régime n'étaient pas interprétées en termes de crises, ce type de problèmes aigus et cycliques se développant surtout après 1850 dans le cadre d'une économie industrielle capitaliste, notamment à partir de la crise de 1873. Le mécanisme en est illustré dans son paroxysme par celle de 1929, parfois désigné absolument par *la crise.* Depuis 1945, le vocabulaire économique tend à parler de *récession,* terme correspondant au remplacement du type de crise du système industriel par des paliers dans une courbe d'expansion ralentie ou localement descendante, mais non menacée dans son ensemble. ◇ Cependant, *crise* continue d'être employé couramment, notamment au sens abstrait plus général de «malaise» *(crise des valeurs, de la civilisation).* Parallèlement, l'accent est parfois mis sur l'idée d'enthousiasme subit, généralement passager *(crise religieuse, crise d'ascétisme).*

▶ Le mot n'a pas de dérivés en dehors du diminutif **CRISETTE** n. f. (v. 1946) aux sens économique et social de *crise,* et qui a eu une vogue passagère.

CRISPER v. tr. est emprunté (1560) au latin *crispare* «rider (de l'eau)» et «friser (de la chevelure)», dérivé de *crispus* «ondulé» (→ ① et ② crêpe).

♦ Le verbe s'est progressivement détaché des sens de «onduler» (1560) et «contracter en ridant» (av. 1650), hérités du latin. Depuis 1798, il signifie concrètement «contracter (une partie du corps, mains, traits du visage)», notamment en emploi pronominal. ◇ Par transposition au plan psychologique, il a pris (1853) le sens d'«agacer, causer une vive impatience à qqn», après avoir été relevé en 1819 au sens de «vexer, tourmenter».

▶ *Crisper* a produit **CRISPATION** n. f. (1743) dont l'usage au sens concret relève surtout du langage médical (1743, spécialement ; 1762, en général) et qui est usuel avec un sens psychologique (1835), ainsi que l'adjectif **CRISPANT, ANTE** (1845). L'antonyme **DÉCRISPER** v. tr. (1790, répandu au XXe s. : attesté 1926) est utilisé dans le domaine de la psychosociologie humaine et, au figuré, dans le domaine des rapports sociaux. ◆ Le nom qui lui correspond dans les deux sens, **DÉCRISPATION** n. f. (1946), a connu une certaine fortune dans le langage politique.

CRISSER v. intr. est d'abord attesté de manière incertaine par un composé *soi regricier* «se rebiffer» (XIIIe s.), avant d'être lui-même employé sous les formes *crichier* (1288, en picard), *crikier, criquer* et enfin *crisser* (1549). Malgré sa date relativement tardive, il est probablement issu du francique °*kriskjan* postulé par le moyen néerlandais *crîscen* «pousser un cri strident», *crijsscen* «grincer des dents», et par le moyen bas allemand *krischen, krisken.* °*Kriskjan* est lui-même un élargissement de °*krisan* qui, avec un suffixe roman, a donné l'ancien français *crisner* (fin XIIIe s.) «grincer» (→ grincer, grincher).

♦ Le verbe exprime l'idée d'un bruit aigu produit par le frottement (d'objets durs et lisses) ; son ancien emploi au sens de «grincer des dents» (1578) a été concurrencé et absorbé par *grincer.*

▶ En sont dérivés **CRISSANT, ANTE,** adjectivation du participe présent, et **CRISSEMENT** n. m. (1567).

CRISTAL, AUX n. m. est emprunté (1080) au latin *crystallos, crystallus* «cristal de roche» et, par métonymie, «objet en cristal», adaptation du grec *krustallos,* conservé en grec moderne, proprement «morceau de glace», d'où «cristal de roche». *Krustallos* est dérivé de *kruos* «froid qui glace», mot dont la racine se retrouve dans le latin *crusta* (→ croûte) et dans certains verbes germaniques.

♦ *Cristal* a repris les sens du latin et, depuis le XIVe s., désigne aussi une variété de verre au plomb, remarquable par sa limpidité *(cristal de Bohême)*. Il donne lieu à des emplois métaphoriques et figurés se référant à ses qualités de transparence et de sonorité. Par métonymie, *les cristaux* désignent les objets en cristal. ◆ Les minéralogistes ont appelé *cristaux* les substances minérales limitées par des formes polyédriques plus ou moins parfaites (1690), définition qu'ils ont ensuite élargie en fondant l'hypothèse que cette forme était la conséquence d'un arrangement régulier périodique de la matière dans les solides. Le concept moderne de cristal se dégage au XVIIIe, puis au XIXe siècle. L'étude des cristaux s'est considérablement développée à cette époque et a été approfondie vers 1912 par la découverte du pouvoir de diffraction des rayons X par les cristaux ainsi que par celle des *cristaux liquides* (1913, *cristal liquide*) popularisé par ses applications vers 1970. Cette valeur scientifique est représentée par de nombreux dérivés et composés (ci-dessous). ◇ Le mot, toujours au pluriel, désigne aussi le carbonate de sodium cristallisé utilisé pour le nettoyage (1889-1901).

▶ Deux dérivés sont relatifs à la fabrication des objets en cristal : **CRISTALLIER** n. m. (v. 1260), nom d'ouvrier recréé vers 1820 au sens de «collection de cristaux», et **CRISTALLERIE** n. f. (1745). ◆ Le dénominatif **CRISTALLISER** v. tr. (v. 1620; 1784, à la forme pronominale) a suivi son dérivé **CRISTALLISATION** n. f. (1620; «ensemble de cristaux» 1741), dans l'emploi figuré qui en est fait depuis Stendhal (1822, *De l'amour*) au sens de «réunion d'éléments pour former un sentiment». ◇ Par ailleurs, tant en science qu'au figuré, *cristalliser* s'emploie aussi comme intransitif pour «passer à l'état de cristaux» et «s'organiser, se définir». ◇ Le verbe a pour dérivés **CRISTALLISABLE** adj. (1836), **CRISTALLISANT, ANTE** adj. (1842; 1823 comme nom en chimie), **CRISTALLISOIR** n. m., nom d'un récipient plat, en chimie (1845) et **CRISTALLISATEUR** n. m. (1931), quelquefois employé en ce sens (1936). ◆ Les autres dérivés sont d'usage essentiellement concret et technique : son antonyme **DÉCRISTALLISER** v. tr. est attesté depuis 1856 et a produit **DÉCRISTALLISATION** n. f. (1893). ◇ Avec un préfixe itératif, **RECRISTALLISER** v. tr. est attesté depuis 1906.

L'adjectif **CRISTALLIN, INE** (XIIIe s.) est emprunté au latin impérial *crystallinus* «qui a l'aspect du cristal»; ses emplois correspondent à ceux du nom, évoquant notamment la transparence et un son clair comme celui que rend le cristal *(voix cristalline)*. ◇ Il a été substantivé au sens de «milieu transparent de l'œil» (1680), entraînant la formation de **CRISTALLINIEN, IENNE** adj. (1855) et de **CRISTALLINITÉ** n. f. (1863).

Cristal est entré dans le composé **CRISTALLIFÈRE** adj. (1842) «qui produit des cristaux, est riche en cristaux (d'une roche, d'un minéral)» et dans plusieurs termes didactiques de chimie, minéralogie, physique et anatomie, sous la forme *cristallo-*. ◇ Les premiers attestés sont **CRISTALLOÏDE** adj. (1541), «semblable à un cristal», substantivé au féminin en anatomie (1707) «membrane enveloppant le cristallin» et au masculin en chimie (1906), et **CRISTALLOMANCIE** n. f., «divination par les cristaux» (1721). ◇ La plupart, liés au développement de la connaissance des structures cristallines, sont formés après 1750 : **CRISTALLOGRAPHIE** n. f. (1772), d'où **CRISTALLOGRAPHE** (1863) et **CRISTALLOGRAPHIQUE** adj. (1846); **CRISTALLOMÉTRIE** n. f. (1842); **CRISTALLOGÉNIE** n. f. (1846) d'où **CRISTALLOGÉNIQUE** adj. (1864); **CRISTALLOPHYLLIEN, IENNE** adj. (1863), du grec *phullon* «feuille», qualifiant une roche cristalline feuilletée, puis (1905) tous les terrains transformés par métamorphisme général. **CRISTALLOGÈNE** adj. (1918) et **CRISTALLOGENÈSE, CRISTALLOCHIMIE** n. f. (mil. XXe s.) et **CRISTALLOCHIMIQUE** adj. sont plus récents. ◇ **CRISTALLITE** n. f. est emprunté à l'allemand *Kristallite* (Vogelsang, 1875) et désigne un élément minéral cristallisé de très petite taille.

CRITÈRE ou **CRITERIUM, CRITÉRIUM** n. m., d'abord *criterium* (1643) francisé en *critère* (1781), est emprunté au latin scolastique *criterium* attesté au Ve s. au sens de «jugement». C'est un emprunt au grec *kritêrion* «capacité de juger», «tribunal» et «jugement», de *kritêr* «juge», l'un des nombreux dérivés de *krinein* «séparer, trier, trancher, décider» et «faire passer en jugement». Ce verbe (demeuré dans le grec moderne au sens de «juger, estimer») repose sur la racine indoeuropéenne *krei-* «séparer, cribler» (→ crise, critique, hypocrite).

♦ *Critère* ou, dans ses emplois didactiques, également *critérium*, est d'abord un terme de la langue philosophique désignant le caractère, le principe permettant de porter un jugement, de distinguer une chose. En ce sens, si la forme *critère* est la plus fréquente, *critérium* reste usité (on relève la forme *critérion* chez Guizot en 1828). ◇ En revanche, *critère* est la forme de loin la plus répandue au sens courant de «ce qui sert de base à un jugement d'appréciation» (1781), avec divers emplois particuliers, au singulier et au pluriel, en économie, mathématiques, sociologie et médecine. ◆ La forme latine *criterium* a été reprise comme terme de sport au XIXe s., en hippisme (1859) à propos d'une course entre chevaux de même âge, servant à désigner le meilleur dans chaque catégorie (par opposition à *omnium*), et plus généralement (1876) pour une épreuve servant à classer et éliminer les concurrents.

▶ Du latin *criterium* est dérivé au XXe s. **CRITÉRIOLOGIE** n. f. (av. 1920), terme didactique pour la science des critères de la connaissance, dont est tiré **CRITÉRIOLOGIQUE** adj. (1914).

① **CRITIQUE** adj. est emprunté (1372, *cretique*) au latin tardif *criticus*, souvent employé en contexte médical, associé à *dies* «jour». Lui-même est un emprunt au grec *kritikos* «capable de juger, de décider» et tardivement, dans la langue médicale, «décisif, critique» (en parlant d'une phase de maladie). *Kritikos* est dérivé de *krinein* «juger» (→ crise, critère).

♦ Introduit dans la langue médicale pour qualifier ce qui est marqué par une crise, le mot ne s'est répandu qu'au XVIIIe s. (1762) dans l'usage courant au sens de «qui décide du sort de qqn ou de qqch., amène un changement». ◇ Il a été repris spécialement en physique (1888) en parlant d'un seuil au-delà duquel se produit un changement, puis en physique nucléaire, dans *masse critique*.

▶ Le dénominatif **CRITIQUER** v. intr. (1546), «arriver à sa phase finale» en parlant d'une maladie, n'est plus guère enregistré après 1611, éliminé par son homonyme dérivé de ② *critique*. ◆ **CRITICITÉ** n. f. est un terme didactique récent (v. 1965) se référant à l'état d'un milieu ou d'un système critique (spécialement en physique nucléaire).

② **CRITIQUE** n. et adj. est emprunté (1580) au latin *criticus*, seulement attesté — sans doute par le fait du hasard — comme substantif masculin. Le mot est lui-même un emprunt au grec *kritikos* «apte à juger», spécialement «qui juge les ouvrages de l'esprit», repris avec une spécialisation médicale par un doublet antérieur ① *critique**, et dérivé de *krinein* «juger» (→ crise, critère).

♦ En français, l'acte mental que désigne le mot est à l'origine d'essence esthétique, et non morale, comme celui de la censure. Le mot apparaît comme nom féminin *(la critique)* à propos de l'art de juger les ouvrages de l'esprit et, par métonymie, du jugement porté sur ces œuvres. ◇ Il connaît une grande expansion à l'époque classique, étendu, surtout au masculin, à la personne qui pratique l'art de juger des ouvrages littéraires (1674) et de juger en général (1635). ◇ Il est adjectivé, qualifiant ce qui est apte à porter un jugement intellectuel (1667, *esprit critique*), ce qui examine la valeur logique d'une assertion, l'authenticité d'un texte *(édition critique)*. Parallèlement, nom et adjectif développent leur valeur péjorative courante de «(attitude) qui trouve à redire à tout» (fin XVIIe s.), laquelle tend à s'assimiler plus d'un des sens didactiques du mot. ◆ Le nom féminin se spécialise en philosophie pour désigner (d'après l'allemand) la partie de la philosophie qui traite le problème, devenu classique depuis la *Critique de la raison pure* (1781) de Kant, de la valeur de la connaissance et, en particulier, de la valeur de la raison. ◆ Un sens métonymique du nom féminin, pour «ensemble des personnes qui font métier de juger des œuvres d'art», est attesté depuis 1810 (Chateaubriand).

▶ Le dénominatif **CRITIQUER** v. tr. (1611) a éliminé l'ancien *critiquer* dérivé de l'adjectif ① *critique** d'usage médical. Apparu au sens de «porter un jugement», il a repris les différents sens réalisés par le nom, dont celui d'«analyser les ouvrages littéraires» (1674). Avec une valeur négative présente avant le XVIIe s. «analyser les défauts de», il a produit les familiers **CRITIQUEUR, EUSE** n. (1589; rare avant le XIXe s.), **CRITICAILLER** v. tr. (av. 1908), péjoratif et méprisant, et le terme plus neutre **CRITIQUABLE** adj. (1787). ◆ Au XIXe s., est apparu le terme didactique **CRITICITÉ** n. f. (1827) qui a pris son sens philosophique (1838) pour traduire l'allemand *Kritizismus*, défini par Kant comme l'examen critique des fondements rationnels de la connaissance. On en a tiré **CRITICISTE** adj. (1838). ◆ Toujours au XIXe s., sont apparus le dérivé de l'adjectif **CRITIQUEMENT** adv. (1863) et les préfixés **ACRITIQUE** adj. (1842), «qui n'a pas été analysé de façon critique», et **AUTOCRITIQUE** n. f. (1866, *auto-critique*). Ce dernier, d'abord utilisé en psychologie et en psychiatrie, a été repris vers 1930 dans le langage politique (Maurice Thorez) pour traduire le russe de même sens et de même formation *samokritika* (→ samizdat). ◇ Son dérivé **S'AUTOCRITIQUER** v. pron. (v. 1950) est d'usage familier. ◆ **HYPERCRITIQUE** adj. est de loin le préfixé le plus ancien : il est attesté depuis 1638 comme nom masculin et depuis 1789 comme adjectif.

CROASSER v., graphie moderne de *croescer* (XVe s.), *croacer* (1567) et *crouasser* (av. 1573), est dérivé de l'onomatopée *kro-* exprimant le cri du corbeau (noté en français *croa-croa*). Le latin *crocire*, le grec *krôzein*, le slave *krakati* de même sens reposent sur le même type d'onomatopée.

♦ Le verbe concerne le cri du corbeau et de la corneille et, par extension, d'autres oiseaux; une confusion le fait parfois employer en parlant de la grenouille (par exemple chez La Fontaine) au lieu de *coasser*. Par analogie, il s'applique à ce qui produit des sons discordants, instrument ou voix humaine (alors avec une connotation péjorative de «bavardage malveillant», liée à la représentation négative du corbeau).

▶ Il a pour dérivés **CROASSEMENT** n. m. (1549), **CROASSEUR, EUSE** adj. et n. (1611) et, tiré du participe présent, l'adjectif **CROASSANT, ANTE** (1836).

✳ ① **CROC** n. m. est issu (v. 1120) d'un francique °*krok* «crochet», correspondant à l'ancien norrois *krókr* (suédois *krok*, danois *krog*). Le mot francique a passé deux fois en roman pendant la longue période de bilinguisme des temps mérovingiens; la première romanisation s'est produite assez tôt pour faire supprimer le *k*; il en est resté **ENCROUÉ, É** adj. (1376), terme de sylviculture dérivé de l'ancien français *encrouer* «fixer, attacher à» (v. 1155), employé à propos d'un arbre qui s'est embarrassé en tombant dans les branches d'un autre arbre. Dans un contexte technique, la romanisation a eu lieu plus tard, ce qui explique la conservation du *c* final dans le latin médiéval *croccus* (XIe s.) comme en roman, puis en français.

♦ Le mot désigne un fer recourbé et pointu pour attraper ou retenir qqch. *(croc de boucherie)* et une perche terminée par un tel crochet, spécialement dans des domaines techniques (marine, agriculture, architecture). Le sens analogique de «dent pointue (de certains animaux)» (av. 1673) est usuel dans la locution ***montrer les crocs*** en parlant d'un chien et, au figuré, d'une personne menaçante. ◇ Une locution figurée d'origine argotique, ***avoir les crocs***, signifie «avoir faim» : *croc* s'y substitue à *dent*. ◇ Une autre analogie de forme sous-tend le sens de «moustache recourbée de chaque côté de la bouche» (*moustaches en croc*, elliptiquement *crocs*, XVIIe s.).

▶ Le dérivé **CROCHU, UE** adj. (v. 1160), «recourbé en forme de croc, de crochet», a supplanté l'ancien adjectif *croche* (1520, *nez croche*), tiré du substantif *croche,* excepté au Canada où ce mot a aussi par extension le sens de «tordu». ◇ L'expression figurée ***atomes crochus*** fait référence à Démocrite qui décrit des atomes pouvant s'accrocher les uns aux autres et former des corps et s'emploie au figuré pour *affinités.* ◆ Le diminutif **CROCHET** n. m., d'abord *crokés* (fin XIIe s., au pluriel), proprement «petit croc», empiète sur certains sens de *croc :* il désigne un instrument de fer recourbé pour saisir ou suspendre qqch. et s'applique aussi aux dents recourbées de certains animaux avec une répartition nette dans l'usage, par rapport à *croc.* Didactique en parlant de dents aiguës *(crochets du serpent),* il est courant en parlant de dents recourbées, voire familier à propos des dents humaines d'où, par métonymie, ***avoir les crochets*** «avoir faim», comme *avoir les dents, les crocs.* ◇ L'un de ses nombreux sens techniques (au singulier ou au pluriel) a inspiré la locution figurée ***vivre aux crochets de qqn*** (1694, *vivre sur les crochets de*). ◆ Le sens que *crochet* a pris en couture (1835) s'est imposé comme l'un des plus courants *(faire du crochet).* ◆ Par analogie de forme, le mot désigne un signe typographique (1741), une accolade (1690), puis une sorte de parenthèse anguleuse et, sur un plan spatial, décrit un brusque changement de direction (av. 1778, *faire le crochet*), idée qui lui a valu deux emplois spéciaux en sport : au football et au rugby, il se dit d'une feinte consistant en un brusque changement de direction de la part du joueur qui détient le ballon (1901). En boxe, il désigne un coup de poing lancé de l'extérieur vers l'intérieur (1907). ◆ De *crochet* est dérivé **CROCHETER** v. tr. (1457), «faire agir grâce à un crochet» *(crocheter une serrure),* qui à son tour a produit les dérivés **CROCHETAGE** n. m. (1803) et **CROCHETABLE** adj. (1845), postérieur à **INCROCHETABLE** adj. (1808). ◇ ① **CROCHETEUR** n. m. (1440), «voleur avec effraction», montre que le verbe, dans ce sens, est plus ancien que son attestation connue. ◇ Il a pour homonyme un dérivé de *crochet* ② **CROCHETEUR** n. m., ancien nom d'agent (1533) appliqué à celui qui portait les fardeaux avec des crochets, d'où les fameux *crocheteurs du Port-au-Foin,* dont Malherbe fait les témoins d'un usage spontané et sain de la langue. Pourtant, à ce portefaix s'attachait une réputation d'homme grossier dont témoigne la locution ***jurer comme un crocheteur.***

CROCHER v. tr., d'abord *crochier* (1180-1190), a décliné au sens général de «saisir avec un crochet, suspendre avec un crochet», absorbé par le composé *accrocher* (ci-dessous), mais s'est maintenu en marine pour «passer le croc d'une poulie à l'endroit où il doit agir» et, intransitivement, dans *crocher dans la toile* «saisir la toile d'une voile avec les mains recourbées pour la ferler».

① **CROCHE** n. f. (fin XIIIe s.), féminin de *croc,* désigne un objet ayant pour fonction de saisir, mais ne s'emploie que dans le langage technique (pêche, forge). ◆ Il ne se confond pas avec le terme de musique ② **CROCHE** n. f. (1680), probablement issu par réduction du syntagme °*note croche* où *croche* est adjectif, comme l'induit un emploi antérieur de *crochue* (1611), féminin substantivé de l'adjectif *crochu,* au même sens. ◆ Le syntagme *croc de la jambe* (1554) s'est lexicalisé en **CROC-EN-JAMBE** n. m. (1611) par l'intermédiaire des formes *croc ingambe* (1577), *croche en jambe* (1584); il est employé au propre et au figuré, avec une idée de «tour déloyal» dès 1575. ◆ L'élément verbal *croche* est entré lui-même dans deux substantifs familiers synonymes du précédent : **CROCHE-PIED** n. m. (1835) et **CROCHE-PATTE** n. m. (XXe s.), synonymes familiers de *croc-en-jambe.*

ACCROCHER v. tr., d'abord *acrocer* (v. 1165) formé de *a-, croc, croche* et désinence verbale, signifie d'abord «retenir par une pointe», sens concret qui s'est perpétué avec la valeur active de «suspendre à un crochet», le sujet étant un nom de personne (XVIe s., Ronsard). Il s'est spécialisé en marine (XIVe s.) pour «aborder un navire avec le grappin». ◇ Il s'emploie au figuré pour «arrêter comme en fixant» (1549), au XVIe s. en parlant d'un procès, sens sorti d'usage après le XVIIe s. alors que l'antonyme *décrocher* conserve l'idée de «dégager, ne plus immobiliser». ◇ En revanche, l'emploi d'*accrocher* pour «arrêter par un choc», le complément désignant un véhicule ou une de ses parties (1660), est demeuré usuel. Le verbe pronominal *s'accrocher* s'emploie au concret pour «se retenir avec les mains» (1680) et aussi à l'abstrait (1684) pour «se retenir, se maintenir dans une situation», souvent péjorativement. ◆ Le dérivé le plus ancien, **ACCROCHEMENT** n. m. (XIIIe s.), d'abord attesté au figuré, «fait d'empiéter sur les droits de qqn», puis concrètement pour «action d'accrocher» (1544), a vieilli. ◆ Le déverbal **ACCROC** n. m. (1530) a d'abord eu le sens métonymique de «crochet» et le sens figuré de «ce qui retient, arrête, fixe» (fin XVIe s.), tous deux disparus. La valeur actuelle la plus usuelle, «déchirure faite par ce qui accroche», semble s'être dégagée à l'époque classique (1680) tout comme le sens figuré de «ce qui retarde, empêche» (1690), spécialement «infraction» (1763). ◆ Le déverbal féminin **ACCROCHE** n. f. (XVIe s.) a lui aussi correspondu à «ce qui accroche, petit crochet», réalisant au figuré le sens de «difficulté, retard» (1690); il a été repris au XXe s. en publicité pour ce qui retient, accroche l'attention. ◆ **ACCROCHAGE** n. m., «action d'accrocher ou de s'accrocher», semble disparaître au XVIIe s. Il est repris vers le milieu du XVIIIe s. en technique minière, puis au XIXe s. dans diverses techniques; là, comme en emploi général, il se substitue à *accrochement,* se spécialisant pour un bref engagement militaire, une dispute et, en publicité (XXe s.), ce qui sert à accrocher, à attirer l'attention, concurrencé par *accroche.* ◆ **ACCROCHEUR, EUSE** n. désigne d'abord au figuré la personne qui retarde, arrête un procès (1635); il est repris au XXe s. en sport à propos d'une personne combative (1922), alors aussi adjectivé, et, plus généralement, de ce qui attire l'attention. ◆ Le composé **ACCROCHE-CŒUR** n. m. (1837, Vidocq) est d'abord argotique et désigne un favori en croc, puis une boucle de cheveux aguichante (1863, Gautier). ◆ Le préfixé verbal d'*accrocher,* **RACCROCHER** v. tr., est d'abord attesté au pronominal (1310) pour «se rallier» puis comme transitif pour «rendre crochu» (1539). L'usage moderne date du XVIIe s. tant avec un sens itératif, «accrocher de nouveau» (1675), qu'avec le sens abstrait de «ressaisir, rattraper», d'abord «regagner un avantage perdu» (1662). Le sens d'«arrêter (qqn) pour le retenir» (1798) pourrait procéder de l'emploi pronominal pour «se cramponner» (1765) d'où vient au figuré celui de «prendre comme suprême point d'appui» (1835). ◇ Une spécialisation du sens concret pour «terminer une communication téléphonique» (1894, *Almanach Hachette*) vient du fait que l'on reposait l'écouteur sur un crochet qui, en s'abaissant, interrompait la ligne. De «pendre à un crochet (un vêtement, un accessoire)», on est passé à l'idée d'«abandonner», par exemple dans *raccrocher les gants* «s'arrêter de boxer»; de là probablement l'emploi absolu de *raccrocher* pour «abandonner une activité». ➛ La dérivation est assez riche. **RACCROC** n. m. (1374), déverbal a vu son sens de «renouvellement d'une fête, d'un repas de noce», propre au moyen français et connu encore régionalement, céder la place à l'idée de «coup heureux» (1798), spécialement au billard. ◇ **RACCROCHEUR, EUSE** n. et adj. (1772), «personne qui raccroche ou se raccroche», est lui-même spécialisé au billard (1842). **RACCROCHAGE** n. m. (1845) et **RACCROCHEMENT** n. m. (1931) se répartissent des emplois du verbe.

DÉCROCHER v. tr., d'abord *descrochier* (v. 1200), exprime l'idée de «détacher (ce qui est accroché)» et, intransitivement, de «se détacher et tomber» (XIIIe s.). Au XIXe s., le verbe a développé deux sens figurés divergents : «obtenir après un effort» (1869), cohérent avec la locution figurée ***décrocher la timbale*** (1879), et «abandonner, laisser tomber» (av. 1869). Tous deux sont d'usage familier, le second étant aussi employé techniquement dans un contexte militaire et, avec un nom de chose pour sujet, en aéronautique et en électricité, avec l'idée d'une rupture de fonctionnement. ➛ Le verbe a plusieurs dérivés. **DÉCROCHEMENT** n. m. (1635), «action de décrocher», est très vivant au sens métonymique de «position de ce qui est décroché, comme détaché», en architecture (1884), en marine et dans l'exploitation minière. ➛ **DÉCROCHAGE** n. m., apparu en architecture (1872), empiète sur certains emplois du précédent, mais correspond, avec la valeur plus active du suffixe *-age*, aux emplois figurés (1884) et techniques du verbe. ➛ **DÉCROCHEUR, EUSE** n. (1873) est appliqué à la personne qui décroche (au propre et au figuré) spécialement, en technique de l'alpinisme, à un appareil utilisé pour les descentes en rappel. ➛ Le composé **DÉCROCHEZ-MOI-ÇA** n. m. inv., ancien terme populaire, a désigné un fripier (1842) puis, par métonymie, un vêtement d'occasion (1847, un chapeau pour femme; 1877, tout vêtement) et la boutique du fripier.

◈ voir ANICROCHE, ESCROC, RECROQUEVILLER; peut-être CROQUANT, CROQUET.

② **CROC** interj. représente l'onomatopée exprimant le bruit que font certaines choses dures quand on les brise sous la dent (→ crac, cric, croquer). Son attestation écrite (1694) est sans grande pertinence, s'agissant d'un emploi certainement ancien dans l'usage oral.

CROCHE → CROC

CROCODILE n. m. est emprunté (v. 1131) au latin *crocodilus* dont on possède des attestations sous les formes altérées *cocodrillus*, (d'où l'espagnol *cocodrillo*), *corcodillus*, *crocodrillus*. Le mot latin est emprunté, par voie orale et populaire, au grec *krokodilos* qui désigne des lézards de toutes tailles. On peut suivre l'étymologie proposée par Hérodote selon laquelle *krokodilos* était le nom donné par les Ioniens aux lézards qui se trouvaient dans les clôtures de pierre, et qui fut appliqué par analogie aux crocodiles d'Égypte. Il serait alors composé de *krokê* «galet» et de *drilos* «ver» (avec dissimilation du second *r*) et signifierait proprement «ver de galet». *Krokê* a été rapproché du sanskrit *śárkarā-* «galet, gravier»; *drilos*, peu attesté seul, sinon au sens de «verge» dans un épigramme, est d'origine inconnue. ◇ La forme moderne *crocodile* (v. 1538), précédée par *crocodelle* (1517), a supplanté assez tard l'ancienne forme *cocodrille*, usuelle jusqu'au XVIe s., conservée parfois dans la langue populaire.

♦ Le mot, nom d'un reptile de grande taille vivant dans l'eau et sur terre, a fourni l'expression ***larmes de crocodile*** «larmes feintes» (1562), par allusion à une légende connue dès le moyen âge, selon laquelle le crocodile pleurait après avoir dévoré un être humain. Dans l'usage courant, il désigne tous les crocodiliens, alligator, caïman, etc.; en zoologie, il en est distingué. ◇ Il est employé par métaphore en parlant d'une personne cruelle et coriace et désigne spécialement, dans le jargon sportif, un sportif ayant de remarquables qualités de ténacité, capable de gêner en fin d'épreuve les concurrents les plus brillants. ◇ Par métonymie, il désigne (1897) la peau de crocodile traitée, utilisée en peausserie, sens où il est familièrement abrégé en **CROCO** (XXe s. : attesté 1933). ◇ Par analogie de forme, *crocodile* sert à désigner la pièce horizontale que l'on place sur la voie ferrée pour actionner un signal au passage d'une locomotive (1881).

▸ La dérivation consiste en quelques termes de classification zoologique : **CROCODILIENS** n. m. pl. (1817; 1575, comme adj.), **CROCODILIDÉS** et **CROCODILINÉS** n. m. pl. ➛ L'adjectif rare **CROCODILESQUE** (1886) qualifie au figuré un être à la conduite digne d'un crocodile (soit, au XIXe s., un usurier).

CROCUS n. m. est emprunté (1372) au latin *crocus* «safran», emprunté au grec de même sens *krokos* qui a produit plusieurs dérivés exprimant une notion de «couleur jaune». Ce mot est à rapprocher des noms sémitiques du safran : l'akkadien *kurkanû*, l'hébreu *karkōm*, le sanskrit *kuṅkuma* (→ curcuma).

♦ *Crocus*, en français, désigne une fleur dont une des espèces est le safran.

CROIRE v. intr. et tr., d'abord *credre* (v. 980), devenu *creire* (1080) puis *croire* (v. 1050), est issu du latin *credere,* ancien terme de la langue religieuse, d'origine indoeuropéenne, conservé seulement en indo-iranien (védique *çráddadhāti,* juxtaposé de *çrát*) et en italo-celtique (vieil irlandais *cretim* et gallois *credaf* «je crois»). Tout comme *fides* (→ foi), *credere* a pris très tôt des emplois généralement profanes, par suite de la domination de plus en plus grande de la culture matérielle méditerranéenne sur la culture indoeuropéenne d'origine orientale. Ainsi, il a signifié «mettre sa confiance en qqn, en qqch.», «confier qqch. à qqn» d'où, concrètement, «prêter» (→ crédit) et «croire qqn, qqch.». L'introduction du christianisme est venue rendre au verbe un rôle religieux, *credo* «je crois» étant affecté à traduire le grec *pisteuô* et *fides* le grec *pistis;* de sorte qu'en pleine période romane, *fides* s'est remis à servir de substantif verbal à *credere* qui n'avait aucun dérivé pour remplir ce rôle. Devant cette situation de déséquilibre et suivant un procédé courant en latin, on a forgé *credentia* qui est représenté dans tout le domaine roman et n'a pas donné moins de trois mots en français (*créance**, *crédence** et *croyance**), tandis que *foi* conservait son sens religieux. Grâce au christianisme, les résultats de la contamination de deux groupes subsistent jusqu'à présent.

♦ Le verbe est apparu au sens religieux d'«avoir foi», l'expression la plus ancienne, *croire en Dieu* (v. 980), évinçant *croire à Dieu* (fin XIIe s.), une différence sémantique entre les deux prépositions se manifestant ensuite : *en* impliquant une croyance spirituelle et morale et *à* une croyance intellectuelle. Cette différence est également pertinente pour les emplois plus généraux de *croire à* (l'innocence de qqn, par exemple) attestés au XVIIe siècle. *Croire à* implique parfois une croyance naïve ***(croire au Père Noël).*** ◇ Dès son apparition en français, le verbe a aussi le sens non religieux d'«admettre (qqch.) pour vrai», «ajouter foi aux paroles de (qqn)». En ce sens, la construction transitive (1080) s'est généralisée aux dépens de l'ancienne construction *croire à qqn* (encore en 1787). ◇ L'ancienne construction renforcée ***en croire qqn*** (XIe s.) y ajoute la nuance d'«apporter une adhésion totale, mais personnelle» ; elle a fourni les locutions usuelles ***en croire ses yeux, ses oreilles*** (v. 1120), utilisées surtout en phrase négative. Par extension, *croire* signifie «penser, être d'avis que» (v. 1160), sens déjà connu du latin qui employait *credo* en incise. ◇ Il s'emploie spécialement dans *croire qqn* + attribut (1625 ; une fois en 1211) et *croire qqn quelque part, dans une situation* «penser qu'il est» (1600). ◇ La forme pronominale *se croire* «se considérer comme» a souvent une valeur péjorative : «se considérer à tort comme» (d'où absolument *se croire* dans le registre familier). ◇ Dès l'ancien français (1080), *croire* réalise l'idée d'avoir confiance en qqn, en construction transitive (XIIe s.) et en construction intransitive (1180), avant de s'étendre à l'idée d'«avoir confiance en l'efficacité, au pouvoir de (qqn, qqch.)» (av. 1662, *croire aux astrologues, aux médecins*).

▶ Le participe présent, anciennement *creanz* (v. 1120), a été substantivé au sens religieux de «celui qui a la foi» et adjectivé (fin XIIe s.) avec la même valeur. Il n'a pris la forme actuelle **CROYANT, ANTE** que tardivement, une première fois en 1546 puis à partir du XVIIIe siècle. ➜ **CROYABLE** adj. a évolué de *creable* (v. 1120), *credable* (v. 1120) en *croyable* (v. 1370) d'après le nouveau radical verbal *(il croy-ait);* il a progressivement cédé son ancien sens actif de «qui a la foi, qui croit facilement» à *croyant* et à *crédule,* gardant lui-même le sens passif de «qui peut être cru» (v. 1120), en parlant d'une chose, d'une personne (v. 1175).
CROYANCE n. f., d'abord *creance* (v. 1050) puis *croiance* (v. 1370), n'est pas dérivé de *croire* mais issu d'un bas latin °*credentia,* dont l'existence est assurée par sa diffusion dans les langues romanes. La forme à radical *croy-* n'a pas éliminé totalement le type en *cré-* réservé à un usage technique et juridique (→ créance). *Croyance* exprime le fait de croire, à la fois dans sa spécialisation religieuse et (v. 1174) dans sa généralité, avec une extension métonymique pour «objet de la croyance» qui le rapproche de *foi* et d'*opinion.* Il a éliminé l'infinitif substantivé **CROIRE** n. m. (1690).
Croyable, croyant et *croyance* ont reçu des antonymes préfixés en *in-*. ◇ Le plus ancien est **INCROYABLE** adj., d'abord *increable* (XIVe s.) puis *incroyable* (1513). Proprement «qui ne peut être cru», il a pris par extension son sens courant de «peu commun, peu ordinaire» au XVIe siècle. À la fin du XVIIIe s., d'après une spécialisation en «étrange, ridicule» (1780), il a été substantivé à propos des jeunes gens qui affichaient une recherche extravagante dans leur mise et dans leur langage — ils ne prononçaient pas les *r* — sous le Directoire (1795) [cf. *merveilleuse*]. ◇ Il a produit **INCROYABLEMENT** adv. (fin XVe s.), souvent utilisé au sens expressif dérivé d'«excessivement». ➜ **INCROYANT, ANTE** adj. (1783, après *non-croyant*), aussi substantivé, et **INCROYANCE** n. f. (1836, Chateaubriand) sont plus tardifs et moins usuels. ➜ *Incroyant* est d'ailleurs concurrencé par **MÉCRÉANT, ANTE** adj., d'abord *mescreant* (1080), seule forme en usage de l'ancien verbe **MÉCROIRE** v. (XIIe s., *mescroire*) «être incroyant», encore utilisé au XVIIe s. au sens de «refuser de croire qqn». *Mécréant,* devenu rare au sens de «qui ne professe pas la foi considérée comme vraie», a pris dans l'usage plaisant la valeur de «qui n'a foi en rien» (→ impie), surtout comme substantif pour «irréligieux, sans croyance religieuse».

◈ voir **ACCROIRE, CRÉANCE, RECRU** et les emprunts **CRÉDENCE, CRÉDIBLE, CRÉDIT, CRÉDO, CRÉDULE.**

CROISADE n. f., qui appartient à la famille de *croix,* est apparu au XVe s. (v. 1460) pour désigner la guerre sainte contre les Infidèles, dont les participants portaient une croix d'étoffe cousue sur leur habit. En ce sens, le mot est postérieur à la réalité historique des croisades : il remplace, avec un suffixe qu'il doit peut-être à l'ancien provençal *crozata* ou à l'ancien espagnol *cruzada,* les noms plus anciens, le masculin *croisement* (av. 1195), les féminins *croiserie* (av. 1272) *croisière* et *croisée* (1390), dérivés de *croix**, *se croiser* et *croisé* étant attestés dès le XIIe siècle.

♦ Tous ces mots, d'ailleurs postérieurs eux aussi aux premières «croisades», avaient une trop grande polysémie (→ croix) pour ne pas nécessiter la formation d'un terme spécifique. L'idée même de croisade, c'est-à-dire d'une expédition militaire organisée par l'Église pour la délivrance de la Terre sainte, est ancienne : dès le IXe s., des prescriptions ecclésiastiques sanctifient le combat contre les infidèles pour la défense des chrétiens opprimés. Cette idée se précise au XIe s., notamment sous le pontificat d'Urbain II qui prêche la première expédition à Clermont, en 1095. Huit expéditions de ce type se succédèrent entre 1096 et 1291, les deux dernières étant dirigées par Saint Louis. Du côté musulman, l'occupation d'une des villes saintes de l'islam alimenta le développement de la doctrine de la guerre sainte *(al-jihad)*. Par analogie, le mot *croisade* désigne une expédition militaire organisée par les chrétiens contre les hérétiques *(la croisade contre les Albigeois)* et — parfois ironiquement — une lutte armée sous-tendue par un conflit idéologique religieux. Par extension, il est employé au figuré (1778) en parlant d'une campagne visant à soulever l'opinion en vue d'un résultat d'intérêt commun (cf. *campagne*).

CROISER, CROISIÈRE → CROIX

CROISSANT n. m. (v. 1180) s'est, par ses sens modernes, détaché de *croître** dont il est le participe présent substantivé.

♦ À l'origine, le mot désigne le temps qui s'écoule entre la nouvelle lune et la pleine lune (par opposition à *décroissant*, n. m.), sens aujourd'hui disparu. Dès le XIIIe s. (1223), il désigne l'aspect que prend la partie visible de la Lune, au début et à la fin de son développement, substituant l'idée d'un aspect formel défini à celle d'un processus en cours. À partir de là, il a développé quelques sens analogiques (v. 1260), désignant en particulier l'emblème de l'Empire turc (1674) et de la religion musulmane (le *Croissant rouge* correspondant à la *Croix-Rouge* des pays chrétiens). ◆ Son usage en pâtisserie est récent (attesté 1863) : *croissant* traduit alors l'allemand *Hornchen*, de *Horn* «corne» (du groupe indoeuropéen de *corne**), nom donné à des pâtisseries faites à Vienne après la victoire sur les Turcs en 1683. D'abord pâtisserie viennoise, le croissant est devenu rapidement typique du petit déjeuner français. ◆ Par analogie, le mot désigne aussi un objet ou un espace qui, par sa forme, rappelle le croissant de lune, dans les domaines de l'horticulture, de la géographie, de l'optique, etc. Quelquefois, il indique un groupe de maisons disposées en demi-lune, traduisant l'anglais *crescent* de même sens; rare en français, il fournit au Canada le terme normalisé.

▶ **CROISSANTERIE** n. f. est un dérivé formé récemment (1980), dans la série prolifique des noms de commerce en *-erie*, pour un magasin proposant une restauration rapide à base de croissants.

✳ **CROÎTRE** v. intr., d'abord *creistre* (1080), *crestre* (XIIe s.) — les formes en *craître* subsistent jusqu'au XVIIIe s. —, puis *croistre* (XIIe s.), est issu du latin *crescere* «pousser (des plantes)», «grandir, s'accroître» et «arriver à l'existence, naître». Ce mot est à rapprocher de l'arménien *serem* «j'engendre», *sermn* «semence», du lituanien *šeriù, šérti* «nourrir» et du grec *ekoresa* «j'ai rassasié». Le verbe transitif correspondant est *creare* (→ créer).

♦ *Croître*, appliqué à des êtres organisés, au sens de «grandir progressivement jusqu'à son terme», a décliné sous la concurrence de *pousser* et de *grandir*, plus courants (sinon en locutions : ***ne faire que croître et embellir***). Il s'est mieux maintenu appliqué à une chose qui devient plus grande, plus intense, plus nombreuse, dans l'expression biblique ***croissez et multipliez-vous***, à un groupe humain. L'usage transitif du verbe, anciennement toléré, a disparu au profit d'*accroître**.

▶ Le déverbal **CROÎT** n. m., d'abord *croiz* (v. 1160-1174), a vu au XVIe s. son sens général, «accroissement de biens», se restreindre dans le domaine juridique agricole à l'accroissement d'un troupeau par les naissances annuelles (1385). ◆ Le nom d'action de sens général est **CROISSANCE** n. f. (v. 1190), issu du radical du participe présent *croissant* (→ croissant) par imitation du latin *crescentia* «accroissement», très rarement attesté. Le mot a suivi l'évolution du verbe, appliqué à des êtres vivants (emploi où il reste usuel) et, par extension, à tout accroissement progressif *(croissance économique)*.

Le participe passé de *croître*, *crû* est à l'origine d'un nom masculin et d'un nom féminin. ◆ **CRU** n. m. (1307, *creu*) est apparu avec son sens de «terroir, en parlant de la vigne, du vin» *(vin de grand cru)*. L'usage ancien l'employait plus largement à propos de ce qui croît dans une région et, par métonymie, de la terre elle-même. En ce sens, il a produit la locution ***de son cru*** (1573), proprement «de sa production, de son jardin», restée usuelle au sens figuré : «de son invention personnelle». ◆ Le féminin **CRUE** (XIIIe s., *creue*) est apparu avec son sens aujourd'hui courant, «élévation du niveau d'un cours d'eau». Les sens ultérieurs, «enchères» (1325), «croissance de qqn ou de qqch.» (1651) sont sortis d'usage même si, dans le langage juridique, on désigne encore parfois par *crue* la somme en sus de la prisée que payait un acheteur lors d'une vente aux enchères (1440).

Par préfixation, *croître* a produit **DÉCROÎTRE** v. intr. (v. 1119, transitif), aujourd'hui intransitif au sens de «diminuer progressivement», dont est tiré **DÉCROÎT** n. m. (1174), d'abord synonyme de *décadence* puis spécialisé en astronomie pour la diminution de la partie visible de la Lune (1583), et en droit agraire à propos de la diminution du bétail donné par bail à cheptel (1664). ◆ En sont aussi issus **DÉCROISSANT, ANTE** adj. (1276), **DÉCROISSANCE** n. f. (v. 1265), spécialisé (mil. XXe s.) en économie et en physique atomique, **DÉCROISSEMENT** n. m. (v. 1210) et **DÉCRUE** n. f. (XVIe s.; repris au XIXe s.), qui s'oppose à *crue* pour «baisse de niveau des eaux». ◆ L'ancien verbe **SURCROÎTRE**, «croître au-delà de la mesure ordinaire» (1327; *succrestre* v. 1175) s'est employé jusqu'au XVIIIe s. Il s'est maintenu par le déverbal **SURCROÎT** n. m. (1580, d'abord *sorcrois*, au XIIIe s.. : après 1275) «ce qui apporte un accroissement, s'ajoute», resté courant dans les locutions adverbiales ***de surcroît***

(1409) et ***par surcroît*** (1672). On appelait aussi *œuvres de surcroît* (1710) des œuvres chrétiennes non obligatoires. ➜ Le composé **RECROÎTRE** v. intr. (XIIe s.) «se remettre à croître» et «redevenir plus grand, plus fort, plus nombreux» a produit **RECRÛ** n. m. (1669), substantivation de participe passé, terme de sylviculture, et, d'après son sens particulier d'«ajouter à une armée», **RECRUE** n. f. (1550). Ce mot a perdu les sens classiques d'«accroissement», «supplément» (1501) et «nouvelle levée de soldats en complément d'une troupe» pour être appliqué, par métonymie, à une nouvelle personne qui s'ajoute à un groupe (v. 1720), spécialement à un soldat venant d'être incorporé (1808). ◇ Il est à l'origine de **RECRUTER** v. tr. (1691) «compléter une armée en levant des troupes», critiqué par Racine, et qui a pris la valeur d'«engager» (1835), et dont on a tiré **RECRUTEUR** n. m. (1771), souvent péjoratif — en apposition, *sergent recruteur* —, et **RECRUTEMENT** n. m. (1790), utilisé depuis 1893 dans le domaine du travail.

◈ voir ACCROÎTRE, CONCERNER, CONCRET, CROISSANT, EXCROISSANCE.

◈ **CROIX** n. f. est issu (v. 980) du latin *crux, crucis* désignant plusieurs sortes d'instruments de supplice : le pal, la potence, la croix. L'usage de ce dernier supplice apparaît à Rome à l'époque des guerres puniques (d'où l'hypothèse d'une origine punique du mot). Tertullien le fait remonter à l'histoire de Regulus, le consul fait prisonnier et mis à mort à Carthage, où cet usage était fréquent. La croix était réservée aux esclaves, puis à ceux, malfaiteurs et voleurs, qui n'avaient pas le titre de citoyens romains. Dès Plaute, *crux* devient courant en latin et entre dans des locutions proverbiales; il prend le sens abstrait de «torture morale» et, par métonymie, désigne le tourmenteur. ◇ La langue de l'Église l'utilise particulièrement pour désigner la croix du Christ, puis la représentation de la croix, qui devient le symbole de la mortification chrétienne et du chrétien lui-même. Le culte de la croix apparaît chez les premiers fidèles, mais ils ne la figurent pas sur leurs monuments avant le Ve s. (sinon sous les formes cryptées du *T*, de l'X ou de l'ancre).

♦ Le mot apparaît dans les récits de la Passion du Christ, désignant un instrument de torture fait de deux poteaux perpendiculaires et, spécialement (avec une majuscule), celui sur lequel le Christ a été crucifié. De là plusieurs sens religieux et mystiques à valeur symbolique et les locutions ***signe de croix*** (XIIIe s.), ***porter sa croix*** (1541, Calvin) et *faire la croix sur le dos* «dire adieu, renoncer» (1579). ◇ Par métaphore, il exprime l'idée d'un tourment moral (1564), cette dernière disparue. ◇ Un grand nombre de valeurs particulières s'ordonnent au sens métonymique de «représentation de la croix» (Xe s.), tant dans le contexte religieux (v. 980) que dans une symbolisation propre à plusieurs ordres de chevalerie, divers ordres de dignité (1680, *croix de Malte;* 1836, *croix de la Légion d'honneur*) et associations (1864, *Croix-Rouge;* pris comme insigne de la neutralité des services d'aide médicale depuis la Convention de Genève). ➜ Le mot désigne aussi simplement une marque formée de deux traits croisés (v. 1160, dans la locution ***en croix***), sens réalisé notamment à propos d'une représentation graphique (v. 1395) et dans les locutions courantes ***faire une croix*** (pour se rappeler qqch.) et ***faire une croix sur*** (1851) «renoncer définitivement à». L'ancienne forme de *pile ou face* était *pile ou croix,* parce qu'une face de la pièce de monnaie portait une croix. Outre la forme caractéristique de la croix chrétienne, le mot, qualifié, sert à désigner des formes voisines (*croix de Saint-André, de Lorraine; croix gammée,* etc.).

▸ Le dérivé **CROISER** v., d'abord *cruisier* (1080) «disposer en croix», s'est spécialisé à l'époque des croisades (longtemps avant l'apparition de ce mot, → croisade) au sens pronominal de «s'engager pour la croisade en revêtant un vêtement portant la croix» (1174). ◇ Sur le plan spatial, le verbe exprime le fait de rencontrer qqn allant en sens contraire (v. 1360, *se croiser*), sens transposé au figuré pour «suivre une direction opposée» (1620). Intransitivement, il est passé dans le vocabulaire de la marine, en parlant d'un navire qui va et vient dans des parages déterminés pour y surveiller la navigation (1671). ◇ Ultérieurement, il a reçu des acceptions techniques concrètes (1835, *croiser le fer avec qqn,* en escrime) et abstraites, en biologie génétique et d'abord en zootechnie (av. 1782). *Croiser les bras, les jambes* est usuel, *se croiser les bras* ayant pris la valeur figurée de «ne rien faire». ➜ Son participe passé **CROISÉ, ÉE,** adjectivé par exemple dans *mots croisés,* a été substantivé dès le XIIe s. en parlant de celui qui part en croisade (→ croisade). ➜ La dérivation du verbe est abondante dès l'ancien français : **CROISEMENT** n. m. (1195), supplanté par *croisade* dans son ancien sens historique, «fait de se croiser», désigne le fait de disposer en croix (1539) et l'action de croiser, avec des acceptions spécialisées en génétique (1809), escrime, musique et linguistique. Par métonymie, le mot désigne couramment le lieu où deux ou plusieurs voies (routes, rues) se croisent. ➜ **CROISERIE** n. f. (fin XIIe s.), lui aussi apparu au sens de «croisade», s'est limité au sens technique d'«ouvrage de vannerie en brins d'osier entrecroisés» (1754); régionalement, il désigne aussi la croisée des chemins. ➜ **CROISETTE** n. f. (v. 1170), tombé en désuétude, n'a gardé son ancien sens de «petite croix» que dans le nom d'une célèbre avenue de Cannes. Il a désigné un croisement de routes (encore dans des lieux-dits) et a reçu quelques sens techniques en héraldique (1254), marine, escrime, botanique. ➜ **CROISILLÉ, ÉE** adj. (v. 1170) est dérivé de *croix,* par l'intermédiaire de l'ancien français *croisille* (av. XIIIe s.) qui a donné également **CROISILLON** n. m. (1375). Ce mot, qui désigne un élément qui en croise un autre dans le sens de la longueur, est courant en construction à propos de l'élément d'une fenêtre (1567). ➜ **CROISIÈRE** n. f. (1285), lui aussi d'abord attesté aux sens de «croisade» et (1344) de «rencontre de deux choses qui se croisent», s'est spécialisé comme terme maritime à partir du XVIIe s., pour le parage où les vaisseaux vont croiser (1678). ◇ Son sens courant aujourd'hui, «voyage d'étude ou d'agrément sur un paquebot ou navire de plaisance» (d'où ***vitesse de croisière,*** au propre et au figuré), n'est attesté que depuis 1924 ; il est à peu près démotivé par rapport à *croix* et même au verbe *croiser.* ➜ **CROISÉE** n. f. (1348), «endroit où plusieurs choses se coupent», est employé spécialement en architecture (1390, en parlant du carré du transept) et, plus couramment, dans l'expression ***croisée des chemins*** (au propre et au figuré). ◇ Après avoir servi à désigner concrètement le montant de métal ou de bois qui divisait l'ouverture d'une fenêtre (1508), il a pris son sens moderne de «châssis vitré qui ferme une fenêtre» (1690), acception qui tend à reculer au profit de *fenêtre,* sauf dans des usages régionaux. ➜ **CROISURE** n. f. (1423) est passé du sens général d'«endroit où se coupent deux lignes» (conservé en héraldique) à l'acception technique de «tissure d'une étoffe croisée» et, littérairement, «action de croiser des rimes». ➜ Enfin, **CROISEUR** n. m., dérivé de l'acception maritime de *croiser* (1690), désigne un navire de guerre rapide destiné à surveiller les routes maritimes.

De *croiser* sont dérivés les préfixés verbaux **DÉCROISER** v. tr., d'abord *descroisier* (1221) «cesser d'être croisé», repris (1548) pour «faire cesser d'être en croix» *(décroiser les bras, les jambes).* ◇ Il a pour dérivé **DÉCROISEMENT** n. m. (1836), mot technique. ➜ **ENTRECROISER** v. tr. (v. 1320), «croiser ensemble à plusieurs reprises», aussi pronominal, est plus courant, de même que son dérivé **ENTRECROISEMENT** n. m. (v. 1600), nom d'action et, par métonymie, de forme. ➜ **RECROISER** v. tr., d'abord (1445) «remettre en forme de croix», s'oppose ensuite (1545) à *décroiser* et signifie «croiser de nouveau».

◈ voir CROISADE, CROSS, CRUCI-, CRUCIAL, CRUCIFIER.

CROONER n. m. est emprunté (1946) à l'anglo-américain *crooner* (1930) désignant un chanteur populaire qui susurre des romances dans un micro qu'il tient près de lui. Ce mot est dérivé de *to croon* «murmurer», spécialisé à propos de cette technique vocale, lui-même issu d'un verbe anglais d'usage dialectal signifiant d'abord «mugir, gronder» (*croyne* et *crune* au nord de l'Angleterre et en Écosse). Des rapprochements avec le moyen bas allemand et le moyen néerlandais *krōnen* (néerlandais *kreunen*), voire avec l'ancien haut allemand *chrōnnan, chrōnan,* «papoter, babiller», font supposer une formation de type expressif.

♦ Le mot, d'abord employé à propos de chanteurs américains, tels Bing Crosby et Frank Sinatra, a été acclimaté à d'autres chanteurs, par exemple Jean Sablon.

◈ **CROQUANT, ANTE** n. (1603) est d'origine controversée : certains le rattachent au provençal *croucant* «paysan» (av. 1650) issu du verbe *crouca* «arracher» (de *croc** «croc») parce que les paysans pauvres, révoltés pillaient et rançonnaient. Une autre hypothèse le rattache à *croquer** pris dans un sens figuré, soit d'après les destructions commises par les paysans, soit, au contraire, selon Mézeray, parce que les paysans appelaient *croquant* le seigneur «qui les croquait» et que celui-ci leur aurait retourné le nom par dérision.

♦ D'abord appliqué péjorativement à un paysan, le mot se réfère spécialement (1608) aux paysans du Sud-Ouest qui, poussés par la misère, avaient pris les armes en 1594, sous Henri IV. On les appela à l'époque *tard-avisés* (parce que les guerres civiles s'apaisaient alors) et *croquants,* surnom que d'Aubigné interprète comme un nom issu de *Crocq,* ville de la Creuse où le mouvement aurait pris naissance (cependant, le nom est plus ancien). La révolte des croquants, qui éclata à nouveau en 1624 et fut écrasée une seconde fois, fut une insurrection contre la fiscalité royale et pour la défense de privilèges provinciaux contre la centralisation parisienne, plus qu'une véritable lutte sociale ; elle ne menaça guère la monarchie. Par extension, le mot fut employé avec des connotations péjoratives et rejoint les nombreux mots insultants à l'égard de la paysannerie à commencer par *vilain* et *rustre.* Ce n'est que beaucoup plus tard que le croquant fut réhabilité dans la légende folklorique, avec le roman d'Eugène Le Roy, *Jacquou le Croquant* (1899). Le mot, demeuré historique ou régional, a connu un regain de succès avec une chanson de Brassens.

CROQUER v. est formé (fin XIIIe s., *crokier*) sur un radical onomatopéique *krokk-* exprimant un bruit sec (→ crac, cric, croc).

♦ Le sens de «frapper», vivant jusqu'au XVIe s., est sorti de l'usage ainsi que celui de «craquer» (1392), aujourd'hui restreint aux aliments qui *croquent* sous la dent. ◇ Au XVe s., le verbe a développé le sens transitif de «broyer sous la dent avec un bruit sec» (parfois absolument *croquer dans une pomme*). Par métonymie, il a pris celui de «manger entièrement», aujourd'hui disparu, sauf avec la valeur figurée de «consommer entièrement, dilapider» (de l'argent). ➜ Par l'intermédiaire du sens de «connaître superficiellement qqch.» (1611), il a reçu la valeur imprévisible de «prendre un dessin sur le vif» (1676) — cf. le dérivé *croquis* — d'où, par extension, «esquisser un ouvrage» (1680), «décrire en notant l'essentiel». C'est probablement là l'origine de l'expression ***jolie, belle à croquer*** (1798), à entendre comme «jolie au point de donner envie de prendre un croquis», cependant, une surmotivation par le sens figuré de «manger à belles dents», chargé d'une valeur érotique (*morceau à croquer,* 1739), est très vraisemblable.

▸ Les dérivés de *croquer* se partagent entre une majorité de termes exprimant un bruit (domaine culinaire) et deux termes de dessin. **CROQUEUR, EUSE** n. est le seul à réaliser les deux sens : apparu dans l'ancienne expression *crocqueur de pies* (1548) «gros buveur», il désigne depuis le XVIIe s. celui qui mange beaucoup (au propre et au figuré), puis l'artiste qui *croque* un dessin. Il est entré, avec les valeurs du verbe, dans les syntagmes ***croqueur de dot*** (1861) et ***croqueuse de diamants*** (1952). ➜ ① **CROQUET** n. m. (1642), **CROQUANTE** n. f. (1716), **CROQUETTE** n. f. (1740) et **CROQUANT** n. m. (1829) désignent des préparations culinaires. *Croquette* est demeuré usuel, tant en pâtisserie et confiserie qu'en cuisine, pour des préparations hachées et salées. *Croquant* s'est limité à la biscuiterie, remotivé par le sens de «qui croque sous la dent». ◆ Le déverbal **CROQUE** n. f. (v. 1950), tardif, se rapporte familièrement à l'action de manger et à la nourriture. ◆ Les termes de dessin sont **CROQUIS** n. m. (1752) et plus rarement **CROQUADE** n. f. (1842), le terme le plus ancien, quasiment démotivé, étant resté le plus usuel et ayant donné des dérivés argotiques (*crobar* pour *croquebar*). ◆ Le déverbal **CROQUE** n'est en usage que dans la locution ***à la croque au sel*** (1718) «cru et salé».

Croquer a servi à formé plusieurs composés qui procèdent, plus ou moins clairement, de sens particuliers de *croquer*. **CROQUE-NOTE** ou **CROQUENOTE** n. m. (1767), «musicien pauvre souvent dépourvu de talent», vient de *croquer la note* «la sauter, l'escamoter». ◆ **CROQUE-MORT** n. m. (1788), «employé des pompes funèbres», réalise le sens figuré de «faire disparaître (le mort)». ◆ **CROQUE-MITAINE** n. m. (1820) est d'origine obscure : il pourrait s'agir d'une composition comparable à celle de *grippeminaud* où *mitaine* désignerait le chat, compagnon du diable, à qui l'on enjoindrait de manger les enfants. Ph. A. Becker rapproche le second terme de *mitaine* «gifle, injure», attesté en moyen français. Le syntagme impératif *croque-mitaine,* «reçois cette injure», aurait été lexicalisé et utilisé pour son expressivité. Une autre hypothèse propose de voir en *mitaine* l'adaptation du néerlandais *meitjen,* correspondant à l'allemand *Mädchen* «jeune fille», mais ces étymologies ingénieuses se heurtent à l'attestation assez récente du composé. ◆ **CROQUENOT** n. m. (1866), dénomination familière d'un gros soulier, viendrait peut-être de *croquer* «craquer», par référence au bruit, à la marche; cependant son mode de formation demeure obscur.

Dans le domaine de la pâtisserie et de la cuisine, trois composés sont attestés. **CROQUEMBOUCHE** n. m. (1845, écrit *croqu'en-bouche* en 1808), puis *croque-en-bouche* (1818), désigne une pâtisserie croquante, puis une pièce montée faite de choux à la crème glacés au sucre et croquants. ◆ **CROQUE-MONSIEUR** n. m. (attesté 1918 chez Proust) nomme un entremets chaud fait de pain de mie grillé au jambon et au fromage, devenu courant dans la restauration rapide des cafés (avec les pizzas, etc.) et appelé familièrement **CROQUE** n. m. (d'abord dans l'argot des cafés). ◆ **CROQUE-MADAME** n. m., variante analogique désignant un mets analogue garni d'un œuf, est relativement peu usuel.

◈ voir **CROQUIGNOLE**; peut-être **CROQUANT**.

② **CROQUET** n. m. est emprunté (1866) à l'anglais *croquet* (v. 1855) dans sa spécialisation en sport, lequel est emprunté soit à une forme normanno-picarde de *crochet* (→ croc), soit — plus probablement — au moyen français *croquet* «coup sec», dérivé de *croquer** au sens de «frapper». À la différence d'un autre nom de jeu, *cricket,* lui aussi d'origine anglaise, *croquet* est complètement francisé : le *t* final ne se prononce pas. Cependant, il s'est parfois écrit *crocket* au XIXe siècle.

♦ Le croquet fut véritablement lancé en Angleterre en 1867; il s'effaça devant les débuts du tennis. Le jeu, qui se joue avec des maillets et des boules qui doivent suivre un chemin, passer sous des arceaux, etc., eut un certain succès en France à la fin du XIXe s. et jusque vers 1930, mais n'y est plus guère joué que dans les familles. Le mot désigne aussi par métonymie le matériel nécessaire à ce jeu, le terrain.

▸ La vogue dont le croquet fut l'objet au XIXe s. nous a valu le verbe **CROQUER** v. intr. (1869) «jouer au croquet», francisation de l'anglais *to croquet,* qui est aujourd'hui sorti d'usage.

CROQUIGNOLE n. f. connu depuis le XVe s., est d'origine incertaine : on a allégué une dérivation de *croquer** au sens de «frapper» (→ croquet) mais la finale reste obscure. P. Guiraud propose d'y voir un doublet diminutif et expressif de *croque* en *-ign-* (variante de *-in-*) et *-ole.*

♦ Le mot est synonyme de *chiquenaude.* ◇ D'après *croquer** «broyer sous la dent», il a également désigné un petit gâteau sec et croquant (1562, *croquignolles savoureuses*).

▸ En sont dérivés **CROQUIGNOL, OLE** adj. (1936) «bizarre et ridicule», précédé par le nom propre comique *Croquignol,* qui évoque plutôt le geste de dérision *(croquignole),* rendu célèbre par *les Pieds-Nickelés* de Forton; et le dérivé **CROQUIGNOLET, ETTE** adj. (1939), précédé par *croquignolet* n. m. nom de pâtisserie (1869), alors dérivé de *croquignole* n. f. et qui correspond à «mignon, attendrissant et ridicule». Ces adjectifs connotent la dérision et l'ironie, valeurs fréquentes pour le suffixe argotique *-ole* (cf. *tartignole*).

CROSNE n. m. est le nom commun tiré (1890) de *Crosne,* nom d'une localité de l'Essonne (alors Seine-et-Oise) où cette plante potagère au rhizome comestible, originaire du Japon, fut acclimatée pour la première fois.

CROSS ou **CROSS-COUNTRY** n. m. est — pour *cross* — l'abréviation (1892) de *cross-country* (1880), lui-même emprunt abrégé à l'anglais *cross-country running,* proprement «course *(running)* à travers *(cross)* la campagne *(country)*». Cette expression date, semble-t-il, du XIXe s.; l'anglais *cross* est la forme issue par aphérèse (v. 1400-1440), et aujourd'hui rare, de *across* «à travers» (XVIe s.), à l'origine «en forme de croix» comme l'indique l'ancienne forme *a creoix* (XIIIe s.), ultérieurement acclimatée d'après les formations en *a-* et le substantif *cross* «croix», du latin *crux* (→ croix). C'est l'adaptation de l'ancien français *a-croix,* remplacé par *en croix**.

♦ *Cross-country* est toujours adjectif en anglais et la substantivation est française ainsi que l'abréviation en *cross,* forme aujourd'hui la plus courante. Le sport est venu d'Angleterre, dans une tradition de jeu de poursuite dans la campagne (cf. la *course au clocher* du début du XIXe s.).

▸ *Cross* a permis de former en français **CYCLO*-CROSS** n. m. (1919), «course de vélos sur parcours accidenté hors des routes», et **MOTO-CROSS** n.m., **SIDE-CROSS** n. m., (1981). ◆ Le dérivé **CROSS-**

MAN n. m. (1981) [*crossmen* au pluriel] est formé avec l'élément *man* «homme» d'autres noms d'agent, mais n'existe pas non plus en anglais.

① **CROSSE** n. f. est issu (1080), de même que ses correspondants italien et espagnol, du germanique °*krukja* «bâton à l'extrémité recourbée», que l'on peut déduire de l'ancien haut allemand *krucka* (allemand *Krücke*), de l'ancien saxon *krukka* et du moyen néerlandais *crucke*.

♦ Le mot désigne le bâton pastoral que portent les évêques et les abbés comme insigne de leur pouvoir spirituel et disciplinaire, bâton dont le bout est recourbé en volute. Par analogie, il a désigné un bâton aidant à marcher qui se pose sous l'aisselle (v. 1160) jusqu'à ce que *béquille* l'évince en ce sens. ◇ Il est utilisé comme terme de jeu dès le moyen français (1381), désignant le bâton servant à pousser la pierre ou la balle, et de là, le jeu lui-même. ◇ Le sens métonymique, «partie recourbée (d'un objet fabriqué)» (1616-1620), est réalisé dans plusieurs emplois et notamment en parlant d'une arme à feu; le changement de forme de cette dernière (de recourbé en droit) n'a pas fait abandonner le mot, qui désigne la partie de l'arme à feu individuelle permettant de la saisir ou de coucher en joue. Le mot s'applique aussi à la partie recourbée d'un objet naturel en anatomie (*crosse de l'aorte*, av. 1752) et en botanique (*crosse de fougère*).

► En sont dérivés **CROSSÉ, ÉE** (XIIIe s.) qui correspond au sens religieux du nom (*abbé crossé et mitré*), ① **CROSSER** v. tr. (1270, *crochier;* fin XIIIe s., *crocier*), apparu au sens de «pousser la balle avec une crosse» (aujourd'hui rare), puis «frapper, malmener (avec une crosse)» et au figuré «critiquer, mépriser» (1740), et **CROSSETTE** n. f. (1551; XVe s., *crochette* en picard), employé en architecture et en agriculture.
Le terme familier ② **CROSSES** n. f. pl. (1881), utilisé dans la locution ***chercher des crosses à qqn*** «lui chercher querelle», est probablement le déverbal d'un autre ② **CROSSER** v. intr. (1790) «se plaindre» et, dialectalement, «glousser», issu du latin *glocire* (→ glousser) avec influence de *crosser* «battre à coups de crosse», le mot étant aujourd'hui rattaché à ① *crosse* par étymologie populaire.

◈ voir CRESSON.

CROSSER v. tr. → ① CROSSE

② **CROSSES** n. f. pl. → ① CROSSE

CROTALE n. m. est emprunté (1596) au latin *crotalum*, lui-même transcription du grec *krotalon* (surtout au pluriel *krotala*) «castagnettes, crécelle». Ce dernier est dérivé de *krotos* «coup qui résonne» (des mains qui applaudissent, des pieds des danseurs et des chevaux, etc.), auquel répond *krotein*, verbe plus ancien et plus fréquent signifiant «heurter, faire résonner», «frapper un objet qui résonne». Ce dernier est issu d'une racine indoeuropéenne représentée en germanique dans le verbe anglo-saxon *hrindan, hrand*, le vieux norrois *hrinda, hratt* «frapper».

♦ Le mot a été introduit comme terme d'antiquités grecque et romaine, désignant (au pluriel) un instrument à percussion utilisé dans le culte de Cybèle et pour accompagner la danse. Furetière (2e édition, 1701) le définit comme «tambour de basque». Actuellement, il s'emploie pour désigner un instrument à percussion chez certaines peuplades d'Afrique et, plus couramment, au singulier (1804 en latin scientifique) comme dénomination d'un serpent venimeux qui porte au bout de la queue des cônes creux produisant un bruit de crécelle (d'où sa dénomination courante de *serpent à sonnettes*). ◇ Son sens particulier de «chef de salle» dans l'argot de Polytechnique (1882) vient probablement de celui de *serpent** au même sens, lequel est une déformation probable de *sergent**.

◈ voir CROULER.

CROTTE n. f., d'abord *crote* (fin XIIe s.), est probablement issu d'un francique °*krotta* que l'on peut supposer d'après le rhénan *krotz* «brique mal moulée», «épaisse motte de terre», «fruit rabougri», le sens originel étant celui d'«excrément globuleux, fiente de lapin, de chèvre». L'hypothèse d'un emprunt au moyen néerlandais *krotte* «boue déposée sur les vêtements» (1559) est moins satisfaisante pour une raison chronologique et parce que ce sens semble lui-même emprunté au français.

♦ Le mot, d'abord attesté dans *crottes de chèvre*, désigne les fientes globuleuses de certains animaux et, par extension, les excréments solides des animaux. Il fournit un synonyme familier d'*excrément*, en parlant des fèces de l'homme. De là lui viennent ses emplois en interjection (de dépit, d'impatience) et, avec une valeur dépréciative, de «chose sans valeur». ◇ Par antiphrase, il est employé (1898) comme terme affectueux, de même que la dénomination ***crotte en chocolat*** (v. 1900). ➜ Son sens second, ancien, «boue des chemins» (v. 1278, au pluriel) est vieilli, même dans les locutions figurées du type ***être dans la crotte*** «vivre dans la misère».

► Le dénominatif **CROTTER** v. (XIIe s.) se partage entre le sens transitif de «couvrir de boue», aujourd'hui archaïque, aussi au pronominal, et le sens intransitif «faire une crotte». ◇ Le participe passé adjectivé **CROTTÉ, ÉE** (v. 1170) est plus vivant que le verbe au sens de «couvert de boue» (surtout régional de nos jours); par métaphore, il est employé au sens de «pauvre» (*un jupon crotté* «une miséreuse», Zola). ➜ L'antonyme **DÉCROTTER** v. tr. (v. 1225), «nettoyer qqch. ou qqn en enlevant la saleté», se rapporte entièrement au sens ancien de *crotte* «boue»; il s'applique surtout aux chaussures et compte quelques emplois analogiques figurés, comme «débarrasser (qqn) de sa rusticité» (1680). ◇ Il a produit **DÉCROTTEUR, EUSE** adj. et n. (1534) qui a perdu le sens figuré ancien de «personne qui dit rapidement», **DÉCROTTOIR** n. m. (XVIe s., *descrotouer*), nom d'ustensile passé du sens de «brosse» à celui de «lame de fer fixée aux portes pour décrotter les chaussures», et **DÉCROTTAGE** n. m. (1789). ➜ L'adjectif **INDÉCROTTABLE** adj. (1611) est rare au sens concret, «que l'on ne peut nettoyer», mais c'est le seul mot du groupe à s'être répandu dans l'usage courant avec le sens figuré, «qu'on ne peut débarrasser de ses manières gros-

sières», puis «de ses habitudes invétérées» (av. 1654).
Le dérivé de *crotte,* **CROTTIN** n. m. (v. 1346), nom donné aux excréments de certains animaux (mouton, cheval, âne) formés d'un amas de parcelles arrondies, a donné son nom à un fromage de chèvre sec sous forme de petit cylindre aplati, surtout en désignation spécifique *(crottin de Chavignol).*

CROULER v. intr., d'abord *croller* (v. 980), est probablement issu d'un latin populaire °*crotalare* «secouer», dérivé du latin impérial *crotalum* (→ crotale). Une hypothèse moins probable le fait remonter à un latin populaire °*corrotulare* proprement «faire rouler», dérivé de *rota* (→ roue) par l'intermédiaire de °*corrotare,* largement attesté dans les parlers rhéto-romans et de l'Italie septentrionale au sens de «tomber en ruine».

♦ Le sens primitif, «secouer, ébranler, trembler, vaciller» (transitif et intransitif), semble confirmer l'hypothèse étymologique de °*crotalare.* ◇ Il a totalement disparu en dehors de l'emploi du participe présent **CROULANT, ANTE,** qualifiant une personne âgée (1155-1160), aujourd'hui irrespectueux et familier (substantivé par les adolescents en parlant de leurs parents, v. 1944). Il survit également dans un emploi transitif technique en vénerie (1754) en parlant du chien qui agite la queue de peur. ◆ Une spécialisation de ce sens correspond à «lancer» (1080, *crouler un javelot*), lui aussi propre à l'ancien français. ◆ L'usage moderne se limite au sens de «tomber en ruines, s'affaisser» (1177-1180) et à son extension figurée «être surchargé de, accablé par» (1831, en parlant d'applaudissements).

▸ **CROULEMENT** n. m., d'abord *crollement* (v. 1120), a cédé la place à *écroulement.* ◆ Dans le cas de **CROULIER, IÈRE** (v. 1200, *crollière*), la suffixation en *-ier, -ière* d'un radical verbal fait difficulté, mais elle peut être due à des synonymes, tel *mareschiere,* **CROULIÈRE** désignant à l'origine un sol sablonneux et mouvant ; de nos jours, il est uniquement employé comme adjectif au sens de «marécageux, mouvant».
Crouler a produit le composé **S'ÉCROULER** v. pron. (1690 ; d'abord XIIIe s., comme verbe transitif), sémantiquement très voisin. Son premier emploi, avec un sujet désignant une entité abstraite et le sens de «subir une destruction brutale», date de la Révolution (1790). ◇ Depuis 1880, avec un nom de personne pour sujet, il signifie «se laisser tomber lourdement» (dès 1842, au figuré). La construction *s'écrouler de (peine, rire)* redouble *crouler de,* «être accablé de». ◆ Ce verbe a produit **ÉCROULEMENT** n. m. (1587 ; 1561, *ecrollement* «action d'ébranler»), beaucoup plus usuel que **CROULEMENT** et plus apte que lui à exprimer le sens abstrait de «destruction complète et soudaine» (av. 1742).
CROULE n. f., certainement antérieur à son attestation dans les dictionnaires (1863) et qui désigne l'appel amoureux des bécasses à la tombée du jour, au printemps (utilisé dans ***chasse à la croule***), est le déverbal d'un autre verbe ② **CROULER.** Celui-ci, attesté une fois en 1555 au sens de «roucouler» et repris fin XIXe s. au sens de «crier, de la bécasse au moment des amours», est l'altération de l'allemand *grillen* «crier» sous l'influence de ① *crouler.*

◈ voir GROUILLER.

✻ **CROUPE** n. f., d'abord *crupe* (1080), est issu d'un francique °*kruppa,* que l'on peut déduire de l'ancien bas allemand *kropf,* de l'anglo-saxon *cropp,* du moyen néerlandais *crop,* de l'ancien norrois *kroppr* «jabot, panse, bosse».

♦ Le mot désigne la partie postérieure de certains animaux (en particulier les chevaux) et a développé très tôt (v. 1174) le sens ironique de «derrière humain rebondi» avec des connotations érotiques, particulièrement à propos d'une femme (1690), dans la mesure où elle est plus souvent que l'homme considérée comme objet de désir. ◇ Par analogie, il désigne la partie supérieure d'une élévation de terrain (apr. 1350), sens assez usuel, et techniquement un pan de charpente triangulaire qui constitue l'une des petites faces d'un comble et, en architecture, la partie supérieure et arrondie du chevet d'une église.

▸ Les dérivés sont nombreux. ◇ **CROUPIÈRE** n. f. (v. 1165, *crupiere*) désigne techniquement la longe de crin qui passe sur la croupe d'une monture et parfois, par métonymie, la partie de la croupe sur laquelle passe la longe. Il entre dans la locution ***tailler des croupières à qqn*** (1616) «l'attaquer rudement» par référence à celui qui met en fuite l'ennemi et, le poursuivant par derrière, coupe la croupière de son cheval. Il a été repris en marine où il désigne le cordage servant à amarrer l'arrière du bateau à un quai ou à un navire voisin, sens qu'il partage avec le terme spécifique **CROUPIAT** n. m. (1845 ; 1382, *groupiail ;* 1694, *croupias*).
CROUPIR v. intr., d'abord à la forme pronominale, a eu le sens de «se mettre assis, les fesses sur les talons» (v. 1178) ; celui-ci a disparu, remplacé par *s'accroupir* (ci-dessous) et a laissé place au sens moderne (XVIIe s.) à partir d'emplois tels que *croupir longtemps dans un endroit* (1549), comportant une connotation d'«état pénible». Dès 1545, son participe passé a été appliqué à un liquide stagnant qui se corrompt. ◆ Du verbe sont issus **CROUPISSANT, ANTE** adj., le terme d'agriculture **CROUPISSOIR** n. m. (1835) «fossé où l'on fait pourrir des herbes pour en obtenir de l'engrais». ◆ **CROUPISSEMENT** n. m. (1610) et **CROUPISSURE** n. f. (1886) «liquide croupi» sont rares et d'usage soutenu.
Le sens physique de *croupir* s'est maintenu dans le préfixé verbal. **S'ACCROUPIR** v. pron. (fin XIIe s.), proprement «s'asseoir sur la croupe» (d'un animal) et «s'asseoir le derrière sur les talons» (1384), valeur qui a contribué au changement de sens de *croupir.* ◆ En est issu **ACCROUPISSEMENT** n. m. (1555).
CROUPON n. m., d'abord *crepon* (1180-1190) «croupe d'un animal», est sorti de l'usage avant d'être repris en peausserie comme nom de la partie la plus épaisse et la plus ferme d'une peau tirée de la croupe d'un animal (1723). ◆ **À CROUPETONS** loc. adv., d'abord au singulier (1180-1190), a peut-être subi l'influence de *à bouchetons* et désigne la position décrite par le verbe *croupir* en ancien français, puis par *s'accroupir* en français moderne.

Un autre dérivé de *croupe,* **CROUPION** n. m. est apparu au XVe s. (v. 1460) avec le sens familier de «partie postérieure du bassin humain» avant de prendre son sens courant de «saillie postérieure du corps des oiseaux» (v. 1538). Il traduit spécialement (1838) l'anglais *rump* dans *Rump Parliament* (1659), surnom donné par les adversaires de Cromwell au "Long Parliament" convoqué par Charles Ier en 1640, dissout par Cromwell en 1653 et convoqué à deux reprises. Par extension, il s'est dit d'un organisme politique qui n'est plus que le résidu d'un autre qui était réellement représentatif. ◇ Son dérivé **CROUPIONNER** v. intr. (1858) signifie «lever la croupe pour ruer» (d'un cheval) et s'applique par analogie à un être humain qui remue le derrière en marchant. ➜ **CROUPADE** n. f. (1642), également *grouppade* au XVIIe s. sous l'influence de l'italien *gruppata,* appartient au langage de l'équitation, désignant un saut que le cheval fait en troussant les jambes de derrière.

CROUPIER n. m. (1657), après l'ancien français *croupier* (v. 1225) «sédentaire, qui demeure assis», est apparu comme adjectif dans *cavalier croupier* «qui monte en croupe derrière qqn». ◇ Avec cette idée de «personne assise derrière», il a pris au XVIIe s. (1690) le sens figuré de «personne qui, à certains jeux, est associée à un autre joueur et se tient derrière lui», avant de s'appliquer à la personne qui dirige les jeux dans une maison de jeux (v. 1797), sens toujours usuel. ◇ Parallèlement, dans le domaine des affaires (1690), il a désigné d'abord un associé secret dans un traité, puis un tiers pris en sous-ordre par un associé pour partager risques et profits, et qui se dissimule derrière cet associé.

◈ voir GROUPE.

CROUPIR → CROUPE

CROUSTADE n. f. est probablement emprunté (1712) à l'italien comme plusieurs termes de cuisine *(caviar, céleri, cervelas).* L'italien *crostata* (v. 1250), dérivé de *crosta* (→ croûte), constitue en effet une hypothèse préférable à l'emprunt au languedocien *croustado* «tourte» attesté seulement depuis 1756.

♦ Le mot, apparu dans *pâté de croustade,* est utilisé seul (1735) à propos d'une croûte en pâte garnie de préparations diverses.

CROUSTILLER v. intr. est emprunté (1612) au provençal *croustilha,* mot de même sens dérivé de *crousta* (→ croûte).

♦ Le sens premier, «manger une croûte de pain», s'est prolongé par extension dans l'emploi familier pour «boire et manger de petites croûtes après le repas pour être plus longtemps à table» (1690), puis dans le sens argotique de «manger», éliminé par *croûter* (→ croûte). ◇ L'accent étant mis sur le bruit d'une croûte qui se brise, le verbe a pris le sens de «craquer légèrement sous la dent» (sans résister autant que ce qui *croque*) et par extension «produire de petits craquements». ➜ Le sens figuré, «être grivois, léger» (XVIIIe s.), correspondant à celui de *croustillant,* est archaïque.

► Son premier dérivé, le déverbal **CROUSTILLE** n. f. (1680) est d'usage rare et familier avec ses sens de «petite croûte» et de «collation»; au Canada, il sert à désigner les lamelles de pommes de terre frites, pour éviter l'anglicisme *chips.* ◇ Son diminutif **CROUSTILLON** n. m. (1852) «petite croûte de pain» est peu usité et désigne un beignet en Belgique. ➜ Le participe présent **CROUSTILLANT, ANTE** adj. (v. 1751) a été adjectivé avec le sens figuré d'«amusant, piquant, grivois», puis le sens concret de «craquant sous la dent» (1832). ➜ Quant à l'adjectif de sens figuré **CROUSTILLEUX, EUSE,** attesté par les dictionnaires du XVIIe s. au sens large de «qui fait rire, bouffon» et parfois «extravagant, ridicule, impertinent», il ne s'est maintenu qu'en tombant sous l'influence sémantique de *croustillant* «grivois».

CROÛTE n. f., d'abord *croste* (v. 1100), est issu du latin *crusta* «revêtement rugueux et durci», «revêtement appliqué sur une surface plane», en particulier «plaque de métal rapportée sur un objet et formant un bas-relief» par opposition à *emblema* «haut-relief» (→ emblème). *Crusta* a été rapproché d'un groupe de mots incluant le grec *kruos* «froid, glacial», le vieil islandais *hriósa* «frissonner» et le letton *krevé* «croûte» (d'un glacier).

♦ Le mot, apparu en parlant d'une croûte de sang, est devenu un terme de médecine (1314) et, par extension de l'idée de «revêtement durci», désigne la partie superficielle durcie qui s'attache à qqch. (1690), spécialement en géologie (1855, *croûte terrestre*). ◇ Son emploi figuré, au sens de «couche superficielle» (v. 1230) dans des syntagmes du type *croûte de culture, d'ignorance,* a décliné au profit de *vernis* ou de *couche, croûte* ayant acquis des connotations trop péjoratives. ◇ En revanche, d'autres sens figurés familiers se sont maintenus : «mauvaise peinture» (1757; 1730, «tableau faux»), par référence à une couche de peinture grossièrement appliquée sur la toile, et «personne bornée et routinière» (1844), par allusion, comme *croûton,* à une vieille croûte inutilisable, considérée comme un déchet. ◇ En ce sens, *croûte* a commencé à être employé comme adjectif dans le jargon des artistes du XIXe s. au sens de «désuet et ridicule» (le comble étant, rappelle Balzac dans *Les Paysans,* en 1850, d'être taxé de *croûte-au-pot,* du nom d'un potage avec des croûtes de pain) cf. *tarte.* ➜ Employé dès le XIIe s. à propos de la partie extérieure du pain durcie par la cuisson, des restes de pain dur, *croûte* a fait fortune dans le domaine culinaire, où il n'est pas péjoratif. ◇ Par métonymie, le mot s'applique à un repas sommaire dans l'expression ***casser la croûte*** (1878), en concurrence avec *casser la graine;* plus généralement, il recouvre une idée de «nourriture, subsistance» dans ***gagner sa croûte*** (1900). ◇ Toujours dans le domaine culinaire dès le XIIe s. (v. 1165), il désigne la pâte enveloppant une préparation de viande, ensuite opposé à *pâté,* lorsque ce mot désigne non plus l'ensemble mais ce qui est entouré de pâte (*pâté en croûte* est un pléonasme étymologique), et en général toute pâte cuite qui entoure une préparation culinaire (1611) ***(en croûte)*** (→ croustade). Par métonymie, il se rapporte à diverses préparations comportant soit des croûtes de pain, soit une pâte cuite; par analogie, il s'applique aussi à la partie superficielle du fromage (que l'on ne mange généralement pas).

▸ Le dénominatif **CROÛTER** v. tr., d'abord *croster* (v. 1100), a signifié «s'encroûter» en parlant du pain, puis «couvrir d'une croûte» (av. 1593). Il n'est guère vivant qu'avec le sens argotique (1879) puis familier de «manger un morceau». ◆ On en a tiré au XXe s. le terme d'agriculture **CROÛTAGE** n. m. «dessèchement de la couche superficielle du sol».
Le diminutif **CROÛTELETTE** n. f. (v. 1280), formé en médecine à propos d'une petite croûte sur la peau, désigne aussi (1611) une croûte de pain; il est quasiment inusité. ◆ **CROÛTEUX, EUSE** adj. (XIVe s.) qualifie ce qui forme une couche durcie ou qui est recouvert d'une couche durcie. ◆ **CROÛTON** n. m., après une attestation obscure (av. 1596), a été repris (1669) avec son sens usuel d'«extrémité de pain», s'appliquant aussi à un petit morceau de pain frit ou grillé. ◇ Le mot partage avec *croûte* le sens figuré familier de «personne bornée, arriérée» (1838) et celui de «peintre qui ne peint que des croûtes» (1808), d'où **CROÛTONNER** v. tr. (1853) «peindre comme un croûton». ◆ La nourriture reçoit avec **CROUSTANCE** n. f. (XXe s., avec le suffixe de *bouffetance*) un nom argotique. *Croûtonner,* à côté de *croustiller* puis de *croûter,* s'est employé (1887) pour «manger des croûtons» puis «mal manger».
Croûte a aussi donné des composés verbaux préfixés. ◆ **ÉCROÛTER** v. tr. (XIIe s., *escrouter*), proprement «dégarnir de sa croûte», signifie techniquement «labourer une terre superficiellement» (1845). ◆ **ENCROÛTER** v. tr. (1538) est attesté depuis 1782 avec son sens figuré familier d'«enfermer comme sous une croûte qui interdit toute vie» (surtout *s'encroûter,* adjectivement *encroûté, ée*). ◇ Il a produit **ENCROÛTEMENT** n. m. (1546), au propre et (1848) au figuré, et l'antonyme **DÉSENCROÛTER** v. tr. (1845), surtout utilisé avec le sens technique de «débarrasser un tuyau de ses incrustations».

◈ voir CASSE-CROÛTE (art. CASSER) et CROUSTADE, CROUSTILLER, CRUSTACÉ, INCRUSTER.

CROWN-GLASS n. m. invar. est un emprunt scientifique (1764) à l'anglais *crown glass* «verre *[glass]* de couronne *[crown]*», attesté en 1706 (*Oxford dict.*).

♦ Le mot désigne en optique un verre très transparent servant à faire des lentilles.

CROYABLE, CROYANCE, CROYANT → CROIRE

① **CRU, CRUE** adj. est issu (1165-1170) du latin *crudus,* adjectif dérivé de *cruor.* Ce nom provient d'une racine indoeuropéenne exprimant les notions de «chair crue» et de «sang répandu», représentée dans le sanskrit *kravyam* «chair crue», le grec *kreas, kreatos* «chair saignante» (→ pancréas). En latin, ce sens étant celui de *caro* (→ chair), *cruor* s'est spécialisé au sens de «sang répandu», différencié de *sanguis* que les bons auteurs réservent au sang qui se trouve dans le corps. *Crudus* exprime donc l'état «saignant» et l'action «qui fait couler le sang»; il a pris la valeur figurée de «qui aime le sang, la violence» (→ cruel) tandis que, sur le sens de «saignant», s'est greffé celui de «non soumis à l'action du feu», à propos de la nourriture (par opposition à *coctus* «cuit»), d'où «non digéré, non digestible», «non mûr» et, au figuré, «vigoureux».

♦ L'adjectif français qualifie ce qui n'a pas subi de cuisson. Par analogie, il se rapporte à une matière première (cuir, soie) non préparée (1268); en ce sens, il est aujourd'hui couramment concurrencé par *brut* (cuir) et par son composé *écru* (soie). Depuis 1765, il qualifie spécialement une eau trop chargée en sels pour permettre de dissoudre le savon et de cuire les légumes. ◇ Le sens second, «humide et froid» (v. 1360), s'est maintenu dans les parlers de l'est et du nord de la France, en Belgique, au Canada et en Suisse (où il qualifie aussi un lieu, un local). Ailleurs, il est stylistique. ◇ Par l'intermédiaire de l'idée d'«absence de préparation, d'atténuation», *cru* s'emploie au figuré pour «exprimé sans détours, sans ménagement» (1460). D'abord employé avec une connotation de «franchise», il a peu à peu glissé vers la valeur péjorative de «contraire aux bienséances, indécent» (1819). ◇ Dans le domaine des sensations visuelles, il signifie particulièrement (av. 1754) «criard, discordant». ◇ Il est entré en moyen français (XIVe s.) dans la locution adverbiale ***à cru,*** reprise au XVIIe s. dans l'expression ***monter à cru*** (1660) qui exprime l'idée d'un contact direct avec la peau de l'animal, l'absence de selle. ◆ L'emploi substantivé *le cru* assume le sens général de «ce qui est cru» (*Le Cru et le Cuit,* ouvrage de C. Lévi-Strauss) et spécialement, en céramique, le sens concret de «produit séché non cuit».

▸ **CRÛMENT** adv. (1559, *cruement*) réalise surtout des sens figurés de l'adjectif dans le domaine de l'expression et (1832) des sensations visuelles.
ÉCRU, UE adj. et n., d'abord (1245) dans un emploi substantivé désignant un vêtement de toile non traitée, est dérivé de *cru* avec le préfixe *é-* à valeur intensive; son sens de «à l'état naturel, qui n'a subi aucune préparation» (1260) s'est spécialisé techniquement en parlant d'un textile, d'un cuir, d'une pâte à papier. ◇ En référence à la toile, à la soie écrue, il est employé comme adjectif de couleur.
CRUDITÉ n. f. est emprunté (1398) au dérivé latin *cruditas* «indigestion» et, au figuré, «rancœur, amertume», employé au pluriel pour des aliments non cuits, non digérés. L'idée de «non maturité» (1577) a été éliminé au profit d'«état de ce qui n'est pas cuit» (1596), dont procède, par métonymie, le sens courant du pluriel *crudités* «aliments, légumes consommés crus» (1834). ◇ Transposé au figuré, le mot s'applique à la brutalité des couleurs (1754) et à la violence non atténuée de l'expression (av. 1799, *crudité des injures*), domaine dans lequel un emploi métonymique, pour «discours brusque et désobligeant», est attesté dès le XVIIe s. (1690).
CRUOR n. m., emprunt savant au latin *cruor* (voir ci-dessus), apparaît au XVIIIe s. en anatomie (1765) pour désigner la partie coagulable du sang, par opposition à *sérum**.

◈ voir CRUEL, ÉCROUIR, RECRUDESCENCE.

② **CRU** → CROÎTRE

CRUAUTÉ → **CRUEL**

CRUCHE n. f. est issu (1178) d'un francique °*krûkka* (restitué par l'anglo-saxon *crocca* et l'islandais *krukka*) qui est lui-même une variante de °*krucka* (moyen haut allemand *krûche*, moyen néerlandais *crûke*), forme dont procède l'ancien français *cruie* (v. 1230).

♦ Le mot désigne un récipient à anse et, en Suisse, une bouillotte. Par métonymie, il se réfère au contenu d'une cruche, empiétant sur le sens spécifique de **CRUCHÉE** n. f. (v. 1220) aujourd'hui quasiment sorti de l'usage. ◇ Par un développement métaphorique analogue à celui de *pot, casserole, cruche* s'applique comme nom (1633) et comme adjectif à une personne ignare et niaise.

▸ En est dérivé **CRUCHON** n. m. (av. 1300) «petite cruche», spécialement «bouteille de grès remplie d'eau bouillante pour chauffer un lit» et, par métaphore, sur le modèle de *cruche*, «idiot, bêta». ◇ Ce mot a supplanté **CRUCHETTE** n. f. (v. 1450).

CRUCI- est un élément repris au latin *crux, -ucis* (→ croix) entrant dans la formation de mots savants.

▸ **CRUCIFÈRE** adj. (1690) est emprunté au latin *crucifer* «qui porte la croix» (de *crux* et de *ferre* «porter»). Il signifie «qui présente une croix» et, spécialement en botanique (1762), «qui porte une fleur en forme de croix». ➝ De là, on a appelé successivement *crucifères* (1762), *cruciférinées* (XIXe s.) et **CRUCIFÉRACÉES** (XXe s.) les plantes ayant une fleur de cette forme. ➝ **CRUCIFORME** adj., «en forme de croix» (1754), a existé au XVIIe s. avec le sens de *crucifère* (1694). ➝ Le composé le plus récent, bien qu'il soit didactique, est le plus courant : **CRUCIVERBISTE** n. (1955) «amateur, auteur de mots* croisés», s'est mieux répandu que le dérivé *mot-croisiste*.

CRUCIAL, ALE, AUX adj. est dérivé (1561) du radical du latin *crux, -ucis* (→ croix), avec le suffixe *-al*.

♦ Le mot a été introduit en médecine pour qualifier un muscle en forme de croix, sens qui a reculé au profit de *cruciforme*. Il a été réemprunté (1911), avec son sens moderne de «décisif, capital», à l'anglais *crucial* : celui-ci, repris au français (1760), a en effet développé le sens abstrait de «décisif, permettant de trancher entre deux hypothèses», dans l'expression *crucial instance* (1830). Celle-ci est calquée sur l'expression latine *instantia crucis* «l'épreuve, l'expérience de la croix», créée en 1620 par le philosophe F. Bacon pour désigner une expérience permettant d'écarter une des deux explications également plausibles d'un phénomène, par référence aux croix disposées aux bifurcations des routes qui figurent ces hypothèses. Newton emploie l'expression *experimentum crucis* avec la même valeur.

CRUCIFIER v. tr., d'abord sous la forme d'impératif latin *crucifige* dans une Passion du Xe s., est emprunté, avec attraction des verbes en *-fier* (latin *-ficare*), au latin chrétien *crucifigere* «mettre en croix (le Christ, les martyrs)» et, au figuré, «tourmenter, mortifier». Ce verbe, déjà connu du latin impérial pour «faire subir le supplice de la croix», est dérivé de *crux* (→ croix).

♦ *Crucifier* a éliminé l'ancien *cruciier* «tourmenter» (v. 1175) du latin *cruciare* «mettre en croix», sorti de l'usage après 1660. Il signifie «faire mourir par le supplice de la croix» et a développé le sens figuré (v. 1278) de «faire souffrir intensément», dans un contexte généralement religieux. On rencontre quelques emplois littéraires au sens de «disposer en croix» dans lesquels demeure une forte connotation de «souffrance infligée ou subie».

▸ *Crucifier* a produit des ajdectifs tirés de ses participes présent et passé, et aussi **CRUCIFIEMENT** n. m. (v. 1250), qui a supplanté le doublet *crucïement* (XIIe s.) encore attesté au XVIe siècle.

CRUCIFIX n. m., d'abord *crocefis* (1170), *crecefis* (fin XIIe s.) et *crucefit* (1223), est emprunté au latin *crucifixus*, participe passé de *crucifigere*, de *crux* et *figere* (→ ① ficher), substantivé en latin médiéval (877) au sens de «Jésus-Christ». Le mot a désigné, avec une majuscule, Jésus-Christ, le crucifié. Il n'a gardé que le sens métonymique de «croix représentant Jésus-Christ crucifié» (fin XIIe s.). L'argot a créé le syntagme ***crucifix à ressort*** (1866) pour désigner plaisamment un poignard ou un pistolet. ➝ **CRUCIFIXION** n. f. a été emprunté (av. 1550) au latin chrétien *crucifixio* «crucifiement du Christ» et, plus souvent, «mortification», formé sur le supin de *crucifigere*. À la différence du mot latin, *crucifixion* est usuel au sens propre, moins répandu au figuré (déb. XVIIe s.).

◈ voir **CRUCI-**, **CRUCIAL**.

CRUE → **CROÎTRE**

CRUEL, ELLE adj. est issu (v. 980) du latin *crudelis* «qui fait couler le sang, se plaît dans le sang, impitoyable», dérivé de *crudus* (→ cru) qu'il a supplanté en ce sens. La forme française, à la différence de l'italien *crudele* par exemple, est refaite sur le latin ou représente un type populaire °*crudalis* appuyé par la forme ancienne *crual* (1200) et l'ancien provençal *crual*.

♦ L'adjectif qualifie une personne, un animal et, par métonymie, une action, un sentiment (v. 1150). Le vocabulaire amoureux médiéval et classique est responsable de son affadissement en «insensible à l'amour qu'on lui porte», également réalisé en emploi substantivé *(faire la cruelle)*. Cet usage a vieilli au XIXe s. puis a disparu.

▸ **CRUELLEMENT** adv. (v. 1150), «de manière cruelle» puis «de manière pénible, qui fait souffrir», est quelquefois employé au sens d'«extrêmement» (tout comme *terriblement, atrocement, douloureusement*).

CRUAUTÉ n. f., d'abord *cruiauté* (v. 1150), puis *cruëlté* (v. 1150) et *crüalté* (1220-1225) d'après *cruel*, est issu du latin *crudelitas* «dureté, cruauté». La forme française, anormale, s'explique par l'attraction de mots tels *loyauté, féauté* ou par une forme populaire °*crudalitas* (parallèlement à *cruel* qui remonte à une forme °*crudalis*). On rencontre aussi l'emprunt *crudelité* au XVe et au XVIe s. où il est parfois employé par plaisanterie à la place de *crudité,* auquel il se rattache étymologiquement. ◆ Tout en conservant son sens fort originel, *cruauté* s'est affaibli au sens moral de «goût pris à tourmenter» et «indifférence», notamment dans le langage amoureux classique. Au XVIIe s., il est quelquefois utilisé par métonymie au sens de «chose odieuse, fâcheuse, peu honnête» *(une, des cruautés).*

CRUOR → ① CRU

CRUSTACÉ, ÉE adj. et n. m. est emprunté (1713) au latin des naturalistes *crustaceus* (1476), mot créé par Théodore Gaza à partir de *crusta* (→ croûte) dans sa version latine d'Aristote *De Animalibus libri, latine, interprete Th. Gaza.* Il traduit le grec *malakostrakos* «à coquille molle».

♦ Le mot désigne un animal de la classe des Arthropodes porteur de deux paires d'antennes et d'une paire de mandibules. Il est employé couramment à propos des animaux comestibles de cette classe, surtout les homards, langoustes, langoustines. ◇ L'adjectif se borne à quelques emplois didactiques en botanique et en médecine, réalisant l'idée de «qui présente une croûte dure».

CRYO-, élément de mots didactiques, est emprunté au grec *kruos* «froid» (→ cristal). Il fonctionne depuis le début du XIXe s.. *(cryolithe* n. f., 1808).

♦ Parmi les composés usuels en science, on peut citer **CRYOGÈNE** adj. (1903), de *gène,* d'où **CRYOGÉNIQUE** adj. (av. 1970); **CRYOLUMINESCENCE** n. f. (1905), de *luminescence* (→ lumineux); **CRYOSCOPIE** n. f. (av. 1888) d'où **CRYOSCOPIQUE** adj. (1903), concernant les lois de congélation des solutions étendues; **CRYOTHÉRAPIE** n. f. (1907).

CRYPTE n. f., d'abord écrit *cripte* (apr. 1350), est emprunté au latin *crypta* «caveau souterrain», «grotte», lui-même emprunté au grec de même sens *kruptê* (→ grotte), de *kruptein* «cacher», terme indoeuropéen à rapprocher du vieux slave *kryjo, kryti* et du baltique *kraúti* «entasser».

♦ Le mot désigne un caveau souterrain construit sous une église et servant généralement de sépulture, d'où par extension tout caveau souterrain. ◇ Par analogie, il s'emploie en anatomie à propos d'une cavité irrégulière à la surface d'un organe et en entomologie (1845) pour dénommer un insecte vivant caché dans les œufs d'autres insectes.

▶ **CRYPTIQUE** adj. est emprunté (1576) au latin *crypticus,* adaptation du grec *kruptikos* «propre à dissimuler». Apparu comme nom au sens de «procédé de dissimulation» (propre à cette attestation), il a été repris au XIXe s., employé en entomologie (1820, comme nom) et couramment à propos de ce qui vit dans les grottes (1852) puis, dans un registre soutenu, de ce qui est occulte, caché, emploi rare ou didactique.

Le grec *kruptos* «caché» a fourni l'élément **CRYPT, CRYPTO-** qui entre dans la composition de nombreux termes didactiques. Il fut très employé au XIXe s. pour former des termes de botanique, d'entomologie, de zoologie. **CRYPTOGAME** adj. et n. est formé (1771) de *crypto-* et de l'élément *-game.* ◇ Le mot s'applique, d'abord en latin scientifique, aux plantes dont les organes de fructification sont peu apparents; il s'oppose à *phanérogames* → phanéro-. Comme nom, il désigne (1843, Brongniart) l'un des deux embranchements du règne végétal. Linné employait *cryptogamia* (1735), d'où *cryptogamie,* 1771. ◇ **CRYPTOGAMIQUE** adj. (1811) s'est spécialisé pour «causé par des champignons», d'où **ANTICRYPTOGAMIQUE** adj. (1896, *Année scient.*) syn. de *antifongique.* ◇ L'élément *crypto-* tend à prendre une grande extension dans le domaine idéologique et notamment politique, où il a retrouvé un emploi tombé en désuétude depuis le XVIe s. *(crypto-calvinisme),* ceci en rapport avec la multiplication des étiquettes idéologiques et à la complexité croissante du jeu politique *(crypto-communiste,* 1949; *cryptocapitalisme,* v. 1960). Dans le domaine des sciences humaines et de la psychologie notamment, il entre dans la composition de plusieurs néologismes servant à désigner, soit des sciences nouvelles portant sur des réalités encore obscures, soit des dispositions psychiques qui ne se manifestent pas ouvertement *(crypto-émotif,* 1946). Les dérivés de *crypte* sont apparus au XXe s., tant le substantif d'action **CRYPTAGE** n. m., par l'intermédiaire d'un verbe **CRYPTER** v. tr. *(crypté,* 1951) que, surtout, la série **DÉCRYPTER** v. tr. (1929), **DÉCRYPTAGE** n. m. (1964) et **DÉCRYPTEMENT** n. m. (1929), fortement concurrencés par les mots issus de *code* *(décoder,* etc.).

CUBE n. m. est emprunté (XIIIe s.) au latin *cubus* «dé à jouer», «cube», «mesure» et «nombre cubique». Lui-même est emprunté au grec *kubos* dont le premier sens est celui de «dé» et qui, par analogie, désigne toutes sortes d'objets cubiques (gâteaux, morceaux de bois, de pierre, de poisson salé). L'origine du mot serait lydienne car, selon Hérodote, les Lydiens, entre autres jeux, auraient inventé le dé.

♦ *Cube* est apparu en français comme adjectif en arithmétique *(nombres cubes)* et est attesté depuis 1377 comme nom avec son sens géométrique, puis courant (dans *jeu de cubes*). ◇ Par métonymie, il a pris le sens de «volume évalué», surtout réalisé par l'adjectif *cube,* noté [3] par opposition à *carré,* employé en mécanique, en parlant de la cylindrée d'un moteur. ◇ L'argot scolaire l'emploie (1878) à propos d'un élève qui redouble la deuxième année préparatoire aux grandes écoles cf. *carré.*

▶ Le dénominatif **CUBER** v. (1549) signifie «élever à la troisième puissance», puis également (1754) «évaluer un volume» et possède quelques sens particuliers correspondant à ceux de *cube;* il a produit **CUBAGE** n. m. (1783) «action de cuber» et concrètement (1845) «quantité d'unités cubiques renfermées dans un volume donné». ◆ **CUBIQUE** adj. (v. 1360) est emprunté au latin *cubicus,* lui-même adapté du grec *kubikos* «en forme de cube», terme d'arithmétique et d'algèbre. Il est employé en géométrie et en mathématiques (av. 1382, *nombre cubique;* 1538, *racine cubique*). ◆ Au XXe s. est apparu le terme d'art **CUBISME** n. m. (1908); Matisse le premier parla de *petits cubes* à propos d'une œuvre que Braque soumit en 1908 au jury du Salon d'automne, et le critique L. Vauxcelles (inventeur du terme *fauvisme**) employa le premier le mot *cube* dans un article du 14 novembre 1908 sur l'exposition de Braque. Le 25 mai 1909, il qualifia les œuvres de Braque, exposées au Salon des indépendants, de «bizarrement cubiques». Le *cubisme* fait référence à une école de peinture florissante entre 1907 (la première œuvre «cubiste» étant *Les Demoiselles d'Avignon,* de Picasso en 1907) ou 1914 (car les principes étaient alors tous posés) et 1925. Elle s'attachait (à travers les œuvres de Braque, Picasso, Gris) à représenter les objets décomposés en éléments géométriques rappelant des cubes, sans restituer leur perspective. ◇ De *cubisme,* on a tiré **CUBISTE** n. et adj. (1910, en ce sens) dérivé déjà employé (1871) en archéologie (cf. *demi-cubiste* chez Jarry, 1894).

◈ voir RUBIK'S CUBE.

CUBILOT → COUPOLE

CUBITUS

CUBITUS n. m. est un emprunt savant (1541) au latin *cubitus* «coude», «os du coude», mot ayant donné *coude** par voie populaire.

♦ Le mot a été repris dans sa spécialisation anatomique pour désigner le plus gros et le plus interne des deux os de l'avant-bras, dont l'extrémité supérieure constitue la saillie du coude.

► Au XVIe s. également, on a emprunté **CUBITAL, ALE, AUX** adj. (1503) au dérivé latin impérial *cubitalis* «haut d'une coudée» pour servir d'adjectif à la fois à *coude* et à *cubitus.* ➝ L'élément savant **CUBITO-** sert, avec une certaine vitalité, à constituer des substantifs et des adjectifs dans le domaine de l'anatomie (homme, vertébrés); sa fécondité est due au grand nombre des muscles reliés au cubitus qui permettent les mouvements de l'avant-bras, de la main et des doigts (*cubito-digital, cubito-palmaire, cubito-carpien, cubito-phalangettien, cubito-radial,* etc.).

CUCURBITACÉES → COURGE

CUEILLIR

CUEILLIR v. tr. est issu (v. 980) du latin *colligere* (→ colliger), composé ancien de *legere* «cueillir» (→ lire) en *cum* (→ co-), dont les éléments n'ont plus été compris, proprement «réunir, rassembler» (d'où de nombreux sens non conservés dans les langues romanes). L'infinitif *cueillir* doit son radical aux formes accentuées telles que *cueille;* sa terminaison vient d'une réfection analogique très ancienne (d'après le parfait *coilli*).

♦ Les sens généraux de «prendre, emporter qqn», «recueillir, accueillir» (1080) et «percevoir, collecter» (XIIe s.) sont sortis de l'usage au profit du sens plus restreint de «récolter» (1150) en parlant de végétaux et, par extension, d'autres choses (les coquillages). Celui-ci n'a pas toujours supplanté son concurrent, le type *ramasser* (surtout dans les parlers méridionaux, le Centre, l'Ouest). ◇ Par métaphore, *cueillir* a repris le sens général de «prendre, ramasser» dans la langue littéraire et, avec une idée de surprise, le sens familier de «prendre aisément (qqn)» (1878), dans *cueillir un voleur* et *cueillir un adversaire* (en boxe, 1904). ◇ Il a reçu quelques emplois techniques analogiques en marine (1845, pour «plier un cordage en rond ou en ellipse») et en parlant d'un textile ou du plâtre.

► En face de l'emprunt *cueillette* (ci-dessous), les noms dérivés de *cueillir* se bornent à un usage restreint. ➝ **CUEILLAISON** n. f., réfection de *quieuçon* (1260), *ceulison* (XVe s.), dont les premières attestations remontent peut-être au latin *collectio* (→ collection), est rare et marqué comme littéraire. ➝ **CUEILLAGE** n. m. (1343, *quellage*) se maintient uniquement par ses usages spéciaux en verrerie et en bonneterie. ➝ Le déverbal régressif **CUEILLE** n. f., d'abord *cueil* n. m. (XVe s.), se maintient dans l'usage régional ou argotique avec le sens figuré d'«arrestation, rafle». ➝ Le nom d'agent **CUEILLEUR, EUSE** (1272), anciennement «percepteur», désigne la personne qui cueille les fruits, les fleurs (1303), l'expression *cueilleur de pommes* (1532) ayant désigné une personne mal accoutrée. Depuis le XXe s., l'anthropologie l'applique à celui qui récolte les végétaux sans les cultiver (voir *cueillette,* ci-dessous). ➝ **CUEILLOIR** n. m. (1322) désigne l'instrument pour cueillir les fruits dans les hautes branches (on dit aussi *cueille-fruits,* XIXe s.) et la corbeille de la cueillette.

CUEILLETTE n. f., d'abord *cueilloite* (v. 1205), puis *cueillette* par changement de suffixe, est issu du latin *collecta* (→ collecte) «quote-part, perception d'argent, collecte» et, en latin médiéval, «récolte» (1257). Le mot a désigné l'impôt avant de céder ce sens à *collecte.* Dès le XIIIe s., il désigne la récolte et, par métonymie, les fleurs et fruits cueillis. ◇ Par extension, il est employé à propos du ramassage de différents objets trouvés çà et là, rejoignant ainsi *collecte : faire la cueillette* se disait pour «faire la quête». Cependant, ce sens a été réservé depuis à *collecte.* ◇ Les ethnologues appliquent *cueillette* de façon didactique à l'action de ramasser les produits végétaux comestibles chez les groupes humains qui ignorent l'agriculture (désignés comme *cueilleurs*).

◈ voir ACCUEILLIR, COLLECTE, COLLIGER, RÉCOLTE, RECUEILLIR.

CUILLER, CUILLÈRE

CUILLER, CUILLÈRE n. f., successivement écrit *culier* (v. 1100), *coller* (v. 1150), *cuillier* (1160-1174) et, au féminin, *cuillere* (1329), est issu du latin impérial *cochlearium* «ustensile creux à manche». Ce mot est dérivé de *cochlear* «mesure pour les liquides», dérivé de *cochlea* «escargot», «coquille d'escargot» (→ ① cosse), emprunté au grec *kokhlias,* de *kokhlê* «coquillage» (→ conque, coquille). L'évolution de sens s'explique soit par la forme de la cuiller, évoquant une coquille, soit par sa fonction d'instrument servant à manger des escargots (dont les Romains étaient friands). ◇ Le genre féminin du mot en français est peut-être dû au latin médiéval *cochlearis.* Quant à la forme du mot, *cuiller,* a supplanté *cuillier* (encore attesté au XVIIIe s.) et la forme fautive *cueillère* (de *cueillir*), mais est en passe d'être supplanté par *cuillère.*

♦ En dehors de son sens courant, où il entre dans des syntagmes usuels désignant des types de cuiller (*cuiller à soupe, cuiller à café* ou *petite cuiller*), le mot a pris diverses acceptions techniques par analogie de forme, désignant une gouge (1704), un appât métallique en pêche (1866). ◇ L'argot l'emploie au sens de «main» (1878), essentiellement dans ***se serrer la cuillère.*** L'expression familière ***faire qqch. en trois coups de cuiller à pot,*** demeure assez mystérieuse, se référant peut-être au sens spécialisé de *cuiller* «sabre court recourbé» (comme une cuiller?), *cuiller à pot* pouvant n'être qu'un renforcement.

▸ De *cuiller* sont dérivés **CUILLERON** n. m. (1352, *culleron*), «partie creuse d'une cuiller», par analogie «sorte d'écaille ou de lame cornée se trouvant sur le corps de certains insectes diptères», et **CUILLERÉE** n. f. (1393), usuel pour «contenu alimentaire d'une cuiller».

CUIR n. m., d'abord *quir* (v. 1080) puis *cuir* (v. 1160), est issu du latin *corium* «peau de l'animal (robe, cuir)», «peau de l'homme» et «enveloppe, peau des arbres et des fruits», également employé à propos de la surface qui recouvre un liquide, d'une couche de sable. Le mot se rattache à une racine indoeuropéenne *°(s)ker-* «couper», «séparer», «partager», la peau étant ce que l'on peut détacher du reste (→ chair, écorce, etc.).

♦ En ancien français, *cuir* désigne aussi bien la peau de l'homme (1080) que celle de l'animal (v. 1160); sous la concurrence de *peau,* il a décliné après le XVIIe s. en parlant de la peau humaine, exception faite de quelques emplois plaisants et de ***cuir chevelu*** (1800); en parlant de celle d'un animal, il s'est spécialisé, par métonymie, au sens de «peau séparée de la chair, tannée et préparée» (1170). ◇ D'après ce sens, il est parfois utilisé par métonymie *(un cuir)* à propos d'un vêtement de cuir et, par analogie, désigne diverses matières (déterminé dans *cuir de laine, des Vosges*). ◆ Le sens figuré, «faute de langage consistant à lier les mots de façon incorrecte» (1783), paraît entièrement démotivé : il se comprend peut-être par l'expression antérieure *écorcher un mot* (déjà chez Rabelais) et il est en relation métaphorique avec *velours.*

▸ **CURÉE** n. f., d'abord *curiée* (v. 1160), est un terme de vénerie qui désigne la portion de la bête que l'on abandonne aux chiens (généralement étendue sur le cuir de la bête dépouillée) et, par extension, le fait ou le moment de donner cette curée. Par transposition au figuré, il se rapporte à une ruée sur qqch., à une dispute âpre et violente autour d'un butin, d'une place laissée disponible, sens relativement ancien (1582) et diffusé par le roman de Zola, *La Curée* (1871). Le mot est aujourd'hui complètement démotivé. ◆ **CUIROT** n. m. (1518) a désigné un morceau de cuir, puis s'est spécialisé en «peau de mouton séchée et délainée».

◈ voir CORIACE, CUIRASSE, EXCORIER, ROND (ROND-DE-CUIR).

CUIRASSE n. f., d'abord *cuirace* (1266) puis *cuirasse* (1417), est probablement emprunté, avec influence de *cuir** sur l'initiale, à l'ancien provençal *coirassa* (v. 1200) plutôt qu'à l'italien *corazza* (fin XIIIe s.) ou à l'ancien aragonais *cuyraça* (1362), qui semblent plus tardifs. Tous ces mots romans sont issus du latin tardif *coriacea* (sous-entendu *vestis*), «vêtements de cuir», d'un emploi substantivé de l'adjectif dérivé de *corium* (→ cuir).

♦ Le mot désigne la pièce de l'armure protégeant le dos et la poitrine (à l'origine en cuir), l'expression figurée encore usuelle ***le défaut de la cuirasse*** «le point faible» (1718) se référant proprement à l'intervalle entre le bord de la cuirasse et les autres pièces qui s'y joignent. L'évolution des techniques défensives dans le domaine français a détourné le mot de son origine et il a rapidement évoqué le métal, non plus le cuir. ◇ Par analogie de forme, il a servi à désigner un ancien corsage de femme descendant jusqu'aux hanches et, par analogie de fonction, s'applique au revêtement métallique protégeant un char de combat, un navire (1863).

▸ **CUIRASSIER** n. m., d'abord *cuirachier* (1577) a désigné à l'origine un soldat muni d'une cuirasse, puis un soldat servant dans une unité de grosse cavalerie et, par figure, un régiment blindé. ◆ **CUIRASSER** v. tr. (1638), «revêtir une cuirasse», a développé, surtout en emploi pronominal, le sens figuré de «se fortifier» (1803). ◇ Il a produit **CUIRASSEMENT** n. m. (1876), assez rare, et **CUIRASSÉ** n. m. (1867), nom tiré du participe passé qui désigne un ancien navire de guerre fortement blindé et armé d'artillerie lourde, disparu dans les années 1960 (mais le mot est encore connu, notamment par le nom de navires célèbres, tel *le cuirassé Potemkine*).

CUIRE v., d'abord sous l'ancienne forme *coist,* troisième personne pronominale du parfait (v. 881), est hérité du bas latin *°cocere,* altération du verbe classique *coquere.* Ce mot signifie à la fois «soumettre un objet à la chaleur pour en modifier la substance» mais aussi «brûler, fondre», «digérer» et, au figuré, «méditer mûrement» et «tourmenter». Il appartient à une racine indoeuropéenne *°pek^w-* «cuire» et «mûrir», représentée dans le grec *pessein* (→ peptique) le sanskrit *pácāmi,* le vieux slave *pekǫ* «je cuis». Les dialectes celtiques et italiques ont une forme *°k^{w}ek^w-* où le *p* initial est devenu *k^w* par assimilation.

♦ Le premier sens de *cuire* est celui de «brûler» en parlant du corps humain soumis au supplice du feu, sens sorti de l'usage avant 1600, tout comme celui de «griller, flétrir (des végétaux) sous l'action des intempéries» (v. 1278). ◇ Plusieurs autres valeurs figurées, qui donnaient au mot des sens trop variés, ont également décliné au cours du XVIIe s. ou au XVIIIe s., dont celles d'«élaborer par la digestion», «mettre sa confiance en qqn» *(mettre cuire sur),* «réfléchir à», «comprendre, apprécier» et «préparer (par la pensée)». ◇ Le sens de «soumettre à l'action du feu» (1155, *char [chair] quite;* → charcutier), utilisé en parlant d'un aliment ou d'une substance non alimentaire, est devenu progressivement le sens dominant, au propre et au figuré, dans les locutions ***être dur à cuire*** (1611), d'où au XIXe s. ***un dur à cuire,*** et ***cuire dans son jus*** (1866, argotiquement). ◇ Par extension, le mot exprime l'idée de «brûler, faire mal» en parlant d'une plaie (1180-1190) et, au figuré, de «tourmenter, faire du mal» (v. 1170), en particulier dans l'expression impersonnelle ***en***

cuire à qqn (1660; dès le XIVe s., sous une forme légèrement différente).

▶ Le participe présent **CUISANT, ANTE** est adjectivé (XIIe s.) au propre et au figuré. Son sens particulier, «qui sert à cuire» (1324) et la valeur «qui cuit facilement» (1690), se sont maintenus dans quelques patois. ◆ La valeur figurée morale est réalisée par le participe passé **CUIT, CUITE** dans ***être cuit*** (XVIe s.) qui a d'abord signifié «être ruiné» avant de prendre le sens moderne d'«être vaincu» (1675) et spécialement «être ivre» (1606). Mais toutes ces valeurs tendent à être interprétées comme des emplois figurés du sens culinaire. Beaucoup de locutions encore usuelles au XVIIe s. sont sorties de l'usage mais on rencontre encore ***avoir son pain cuit*** «avoir ce qu'il faut pour vivre aisément». ◆ Le féminin **CUITE** a été substantivé (1268, *cuite du levain*) au sens très particulier de «fournée de pain correspondant à une quantité donnée de levain». ◇ Sous l'influence de l'expression *être cuit* «ivre», il a pris son sens familier d'«ivresse» (1864), peut-être à rapprocher de l'expression argotique équivalente *chauffer son four* «boire». ◇ Il a entraîné **SE CUITER** v. pron. (1869) «se soûler» et **SE DÉCUITER** (XXe s.). ◆ L'antonyme de *cuit*, **INCUIT, INCUITE** adj. (XVIe s., également *encuit*) «mal cuit, non cuit», a été repris fin XVIIIe s. (1798) et substantivé au XIXe s. pour désigner la partie mal cuite d'une viande (1867); le mot est archaïque, sauf au sens technique de «partie inerte d'une chaux, d'un ciment insuffisamment chauffé» (1841). ◆ **CUISEUR** n. m. a désigné (1270) l'ouvrier qui dirige le feu d'un four et désigne aujourd'hui (1917) un appareil de cuisson d'aliments, d'où le composé **AUTOCUISEUR** n. m. (v. 1917). ◆ **CUISAGE** n. m. (XIVe s.) s'est spécialisé techniquement à propos de la réduction du bois en charbon, laissant l'emprunt *cuisson* (ci-dessous) assumer le sens général.

Par préfixation, *cuire* a donné **RECUIRE** v. tr. (v. 1130) «cuire de nouveau», employé également dans le domaine technique dès le XIIe s. (pour un métal). ◇ Celui-ci a produit à son tour **RECUISSON** n. f. (1611), d'après *cuisson*, de nos jours employé à propos d'une opération de verrerie artisanale (1869), et **RECUIT** n. m. (1676), appliqué aujourd'hui à une opération technique en métallurgie (1890). ◆ **SURCUIRE** v. tr. (1876; 1868 *surcuit*, au p.p.) réalise l'idée d'une cuisson excessive, appelée **SURCUISSON** n. f. (1868). ◆ **PRÉCUIRE** v. tr. (1972) et **PRÉCUIT, CUITE** adj., concernent une cuisson préalable à la vente (de légumes ou d'aliments). De là **PRÉCUISSON** n. f.

CUISSON n. f. continue (1256) le latin *coctio* «action de cuire», «aliment cuit», également «digestion», dérivé du supin de *coquere*. Son initiale a été adaptée sous l'influence de *cuire*. ◆ Le sens de «démangeaison, sensation de brûlure vive» est premier par rapport au sens aujourd'hui dominant d'«action de cuire, de chauffer» (XVe s.).

◈ voir BISCUIT, CONCOCTER, CUISINE, CUISTRE, PRÉCOCE, QUEUX et les emprunts BISCOTTE, CAKE, COCAGNE, ② COQ, QUICHE.

◈ **CUISINE** n. f. est issu (1155) du bas latin °*cocina*, altération du mot classique *coquina* «lieu où l'on cuisine» et «art du cuisinier», dérivé de *coquere* (→ cuire).

♦ Le mot a repris les sens latins et, par métonymie, désigne aussi les mets cuisinés (1170). Ultérieurement, au XVIIIe s., il s'est étendu par métonymie au personnel travaillant aux cuisines (1740). ◇ Le mot, du XIIe s. à nos jours, désigne des lieux spécialement affectés à la préparation des aliments, dans des contextes variés, d'abord surtout dans des collectivités et de vastes résidences, du monastère au château, puis dans les maisons privées, avec une distinction bourgeoise (cuisine, office, salle à manger) inconnue des classes sociales rurales et prolétariennes (au XIXe s.). Une valeur spéciale au XXe s. concerne l'équipement de cette pièce *(cuisine équipée, meubles de cuisine)*. ◇ *Cuisine* a reçu le sens figuré, souvent péjoratif, de «manière de préparer, en littérature, en politique» (av. 1778). ◇ Au sens d'«art culinaire», il s'entend spécialement (XVIIIe s.) de la préparation des aliments consommés immédiatement, à l'exclusion de la pâtisserie, des confiseries et conserves. ◇ L'expression ***latin de cuisine*** «mauvais latin» est à mettre en rapport avec l'évolution de sens de *cuistre**.

▶ Le dérivé **CUISINER** v. tr. (XIIIe s.) a pris lui aussi le sens figuré de «chercher par tous les moyens à obtenir de qqn des renseignements» (1881). ◆ Un autre dérivé de *cuisine*, **CUISINIER, IÈRE** n., d'abord *quisinier* (v. 1200), a évincé le plus ancien *queux** de l'usage courant. ◇ Son féminin (1299) est doublé par le nom d'appareil **CUISINIÈRE** n. f. (1771) qui a désigné une rôtissoire avant de se dire d'un appareil à diverses surfaces chauffantes pour cuire les aliments (1892), d'où *cuisinière à bois, à charbon, à gaz, électrique*, désignant des appareils très différents. ◆ *Cuisine* a été déformé en **CUISTANCE** (1912), dans l'argot militaire (peut-être d'après *béquetance*), qui désigne le lieu où l'on fait à manger; il est passé dans le langage familier au sens de «préparation des mets». ◇ On en a tiré **CUISTOT** n. m. (1894), «cuisinier (surtout dans une communauté)», et **CUISTANCIER** (1915), qui s'est moins bien imposé. ◆ **CUISINETTE** n. f. (1936, repris 1973) est recommandé officiellement en remplacement de l'anglicisme *kitchenette*. Il est employé en Suisse (où l'anglicisme n'a pas cours) à propos d'une petite cuisine équipée (1950).

CUISSE n. f., d'abord *quisse* (1080), est issu du latin impérial *coxa* «os de la hanche, hanche», qui a dû désigner à l'origine une articulation en général car les mots correspondants, dans d'autres langues, s'appliquent à des articulations diverses (irlandais *coss* «pied», sanskrit *kákṣaḥ, kakṣā* «aisselle», etc.). *Coxa* a pris le sens de «cuisse», éliminant le latin classique de même sens *femur* lequel souffrait d'une ressemblance déplaisante (→ fémur), cependant que la notion de «hanche» a été exprimée par un terme emprunté au germanique (cf. *hanche*). ◈

♦ Le mot, employé principalement en parlant de l'être humain, se dit aussi de l'animal et spécialement d'une volaille cuisinée (par opposition à *aile*). Tout comme *fesse* et *cul*, mais moins souvent que ces derniers, il est employé avec des connotations érotiques, en parlant d'une femme (ci-dessous *cuissage*). Il donne lieu à des locutions comme ***être (se croire) sorti de la cuisse de Jupiter*** «être exceptionnel».

▸ Dans un autre registre, *cuisse* a produit les termes techniques de boucherie **CUISSOT** n. m. (v. 1200), réservé aux gros gibiers et employé par extension pour désigner les cuisses d'un animal, et **CUISSEAU** n. m. (1651), d'abord dit d'un chevreuil puis réservé au veau (1725). Ce dernier, sous la forme *quissel* (1240-1260), existait en ancien français comme dénomination d'une partie de l'armure couvrant la cuisse. ◆ À partir du sens métonymique de *cuisse*, «partie du vêtement recouvrant la cuisse», ont été dérivés plusieurs termes d'habillement. **CUISSETTES** n. m. pl. (XXe s.) est un terme de Suisse romande qui désigne des culottes courtes de sport sans poche ni braguette (à la différence de *short*). ◇ **CUISSARDES** n. f. pl. (av. 1922), d'abord adjectif dans *guêtre cuissarde* (1894), désigne des bottes qui montent haut sur les cuisses. ◆ Les termes plus anciens **CUISSIÈRE** n. f. (1280) et **CUISSARD** n. m. (1571) se sont reconvertis : du vocabulaire de l'armurerie, ils sont passés dans celui de l'habillement sportif, *cuissard* désignant la garniture protégeant la cuisse du hockeyeur sur glace (1930) et *cuissière* celle de l'escrimeur (1906). ◆ **CUISSAGE** n. m. (1577), surtout employé dans l'expression ***droit de cuissage*** (1756), désigne le droit féodal selon lequel les seigneurs pouvaient mettre une jambe nue dans le lit de la mariée d'un de leurs serfs ou vassaux le jour de ses noces, voire (et c'est le sens courant de l'expression) passer la première nuit avec elle. Ce droit, qui pouvait être racheté à prix d'argent, s'est changé en impôt sur le mariage avant de disparaître (cf. *jambage*). Cependant, l'expression est encore employée, adaptée à un contexte moderne (relations phallocratiques patron-employée, dénoncées par les féministes).

Cuisse a fourni deux désignations métaphoriques en botanique : **CUISSE-DE-NYMPHE** n. f. (XVIIIe s.), par analogie de teinte et allusion à la peinture du temps de Boucher, d'une variété de rose blanche teintée de rose, mot également utilisé comme adjectif de couleur invariable, parfois renforcé en *cuisse de nymphe émue*, et **CUISSE-MADAME** n. f. (1611, *cuissedame*), par analogie de forme, «variété de poire de forme allongée, de couleur jaune». ◆ Le composé **ÉCUISSER** v. tr., employé en ancien français au sens de «couper les cuisses» (v. 1179, *escuissier*), s'est spécialisé en sylviculture (1571) pour «faire éclater le tronc d'un arbre», d'après l'emploi de *cuisse* au sens de «branche, fourchon», attesté vers 1400.

Pour combler la carence d'un adjectif didactique relatif à la hanche, on a formé **COXAL, ALE, AUX** adj. (1811) sur le latin *coxa* «hanche». ◇ Le mot a suscité une série scientifique en *cox-* avec **COXALGIE** n. f. (1823), **COXITE** n. f. (1956) et **COXARTHROSE** n. f. (1956).

◈ voir COUSSIN.

CUISTRE

CUISTRE n. et adj. apparu à l'époque classique (1622), est, avec une intéressante évolution sémantique, l'ancien cas sujet *coistre, quistre* (1174) correspondant à l'ancien cas régime *coistron, quistron* «marmiton, valet de cuisine» (dès 1140, en latin médiéval *quistrun*), lui-même issu du bas latin °*coquistro*, dérivé de *coquere* (→ cuire) et peut-être à identifier avec le latin des gloses *cocistro* «goûteur des mets». Le *cui-* de la forme actuelle s'explique par l'influence phonétique de mots du même groupe *cuire, cuisine*, etc., et le maintien du *s* répond à un souci d'expressivité.

♦ Le mot s'est appliqué au valet, au subalterne dans un collège, puis (1640) à l'écolier qui porte le manteau et le bonnet (mais pas la robe longue), et au cuisinier des étudiants. ◇ C'est vers 1670 qu'il a commencé à désigner un homme pédant, ridicule et vaniteux de son savoir, également en emploi adjectivé. Un emploi secondaire, à propos d'un homme manquant de savoir-vivre, ou compensant sa pauvreté par sa prétention, est propre à la langue classique mais a continué à s'employer ensuite.

▸ **CUISTRERIE** n. f., dérivé tardif (1844), désigne le pédantisme dans ce qu'il a de ridicule et, par métonymie, un ou des propos de cuistre (av. 1857).

CUIVRE

CUIVRE n. m. est issu (v. 1120) du latin *cyprum, cuprum* «cuivre», mot emprunté au grec *kupros*, nom de l'île de Chypre (d'étymologie inconnue), d'abord employé dans le syntagme *aes cyprium* «cuivre de Chypre», avant de remplacer le nom latin du cuivre *aes* (→ airain). La terminaison *-um* est probablement analogique d'autres noms de métaux (*aurum* «or», *ferrum* «fer», *argentum* «argent»). ◇ Les formes de l'anglo-normand *queivre, quivre* (1155), ainsi que *coivre*, sont généralement ramenées à des variantes du latin impérial *cyprium, cupreum*, mais l'évolution phonétique est obscure. La forme régulière, issue du latin impérial *cuprum*, est *keuvre* (1288), encore en usage en picard, wallon, franco-provençal et occitan. Le *i* pourrait s'expliquer par une confusion avec l'ancien français *cuivre* «carquois».

♦ Le mot, nom d'un métal de couleur rouge-brun, a reçu des valeurs métaphoriques (mettant l'accent sur la couleur, la sonorité) et des sens métonymiques : il désigne, depuis le XIXe s., un ensemble d'ustensiles de cuisine ou d'objets d'ornement (1823) et, en musique (1832), l'ensemble des instruments à vent en cuivre employés dans un orchestre. *Cuivre* désigne également (1845), en gravure, la planche de cuivre gravée et, par métonymie, la gravure elle-même. ◇ Il fournit un adjectif de couleur (1818), en concurrence avec *cuivré*.

▸ **CUIVREUX, EUSE** adj., d'abord *cuyvreux* (1571) proprement «qui contient du cuivre», qualifie aussi ce qui a la couleur (1740) et la sonorité (1838) du métal. ◆ **CUIVRER** v. tr. (1723) est employé en technique et réalise le sens figuré de «donner à (une chose) les caractéristiques du cuivre», avec une notation de couleur, de sonorité et, au figuré, d'ivresse (1838, Barbey). ◇ Son participe passé **CUIVRÉ, ÉE** adj. est en passe de supplanter *cuivreux* dans sa valeur visuelle (1740) se spécialisant pour qualifier une teinte rougeâtre, et sonore (1848). ◇ Les dérivés de *cuivrer*, **CUIVRAGE** n. m. (1777) et **CUIVRERIE** n. f. (1877), sont d'usage seulement technique.

L'élément savant **CUPR-** *(cupri-, cupro-)* a servi à former un certain nombre de termes de minéralogie, chimie et métallurgie, ainsi que les adjectifs didactiques **CUPRIFÈRE** (1834) et **CUPRIQUE** (1845), dont les correspondants anglais sont attestés avant 1800 (*cupriferous*, 1784; *cupric*, 1799).

✳ **CUL** n. m. est issu (v. 1179, *Renart*) du latin *culus* «derrière humain», mot populaire relevé dans les graffiti satiriques et les priapées, et conservé dans toutes les langues romanes. Il a été rapproché de l'irlandais *cúl* «dos», du slave *kyla* et de l'ancien haut allemand *hōla* «hernie», mais ces derniers sont éloignés par le sens; il n'est pas impossible qu'il soit apparenté à *cunnus* (→ con).

♦ L'usage de *cul* au sens concret de «derrière» est marqué comme vulgaire ou tabou à partir de la seconde moitié du XVIIe s.; la plupart des emplois neutres (locutions et dérivés) attestent encore aujourd'hui le caractère relativement tardif des interdits. ◇ *Cul* est très productif en locutions familières, entre autres *avoir le cul pesant* (XIIIe s.) «être un lourdaud», ***faire le cul de plomb*** (1640) «être toujours assis», ***avoir le feu au cul*** (1536, dans son sens érotique), ***baiser le cul à qqn*** (1694), ***péter plus haut que son cul*** (1656), etc. ◇ Le syntagme ***faux cul***, appliqué par péjoration à une personne hypocrite, désignait à l'origine une tournure portée par les femmes. Les emplois de *cul* au sens métonymique de «personne» sont d'ailleurs nombreux et ne présentent pas tous le même degré de vulgarité. À côté de *cul* «homme bête et grossier» (1872), on rencontre les composés **CUL-TERREUX** n. m. familièrement «paysan», **CUL-DE-PLOMB** n. m. «personne sédentaire»; plus neutre, **CUL-DE-JATTE** (1604) dans lequel *cul* a d'abord le sens de «fond d'un objet». ➛ Plusieurs emplois de *cul* sont directement sexuels, se référant à la sodomie («anus», comme dans ***l'avoir dans le cul***) mais aussi aux fesses en tant qu'objet sexuel et au sexe de la femme; ce dernier sens, encore plus marqué que les précédents, étant devenu usuel, d'abord dans le milieu de la prostitution. ➛ Parallèlement, *cul* désigne familièrement (1250) le fond de certains objets. Il fournit alors une désignation usuelle dans **CUL-DE-SAC** n. m. (1307) «rue sans issue», au figuré «situation sans issue» (XVIIIe s.), **CUL-DE-FOUR** n. m. (1555; *au cul du four*, déb. XVe s.), et **CUL-DE-LAMPE** n. m. (1448, avec un sens ancien) spécialisé en architecture (1657) et en typographie. ◇ *Cul* a fourni le premier ou le second terme d'autres noms composés (généralement écrits avec un trait d'union dès lors que le composé n'a plus le sens de la somme de ses composants); on peut citer **CUL-BLANC** n. m. et **PAILLE-EN-CUL**, noms de sortes d'oiseaux, et aussi **SOUS-CUL** n. m. (1890) «petit tapis sur lequel on s'assoit», **BRONZE-CUL** n. m. (v. 1970) «action de se bronzer en s'exposant nu au soleil».

▸ *Cul* a produit plusieurs dérivés techniques comme **CULASSE** n. f. (1538) «extrémité postérieure d'une arme à feu», **CULÉE** n. f. (1355) utilisé en architecture et en marine (1694) ainsi qu'aux sens de «partie d'une peau tannée prise sur l'arrière-train de l'animal», et «souche». ➛ S'y ajoutent **CULER** v. intr. (1687; 1482, «frapper, pousser au cul») utilisé en marine au sens d'«aller en arrière» (→ reculer) et son dérivé **CULEMENT** n. m. (XIXe s.). ◇ **CULERON** n. m. (1611) désigne la partie de la croupière sur laquelle repose la queue d'un cheval harnaché. ◇ **CULIÈRE** n. f. (1260), est le féminin substantivé de l'adjectif **CULIER, IÈRE** (XIIIe s.) [cf. *boyau culier*, par exemple chez Rabelais], également en parlant d'un cheval et substantivé au féminin pour une sangle fixée à la croupe afin d'empêcher le harnais de glisser.

CULOT n. m. (1292) et son féminin *culotte* ont une grande vitalité : *culot*, apparu avec le sens technique de «fond, partie inférieure d'un objet», s'est étendu, par métonymie, à ce qui reste au fond, le résidu (XVIIe s.) et à l'endroit d'une pipe où se forme ce résidu. Toujours au XVIIe s., il a reçu le sens figuré de «dernier», en particulier «dernier-né» (1606) et «dernier reçu dans une compagnie» (1611). ◇ Par métaphore, il a développé (1879) le sens familier courant d'«assurance excessive, effronterie», soit parce que celui qui a «du culot» ne perd pas facilement l'équilibre, étant fermement assuré sur sa base (par une évolution du type de celle d'*aplomb*), soit par allusion à *culot de pipe* : le fait d'être aguerri, endurci, aurait quelque analogie avec le fait, pour une pipe, d'être culotté. ➛ *Culot* a produit **CULOTTÉ, ÉE** adj. (1792; repris fin XIXe s.) et le verbe ② **CULOTTER** v. tr. (1823), d'abord technique puis (1838, pronominal) de sens figuré pour «rendre audacieux, expert». ◇ De ce sens procèdent **CULOTTAGE** n. m. (1841), **CULOTTEUR** n. m. (1845) «grand fumeur de pipes» et ② **DÉCULOTTER** v. tr. (1850) en parlant d'une pipe.

Quant au féminin **CULOTTE**, dont l'origine est encore moins sentie que celle de *culot* par la majorité des locuteurs, il a d'abord désigné un vêtement de dessus (de même que *chausses* et *braie*, plus anciens). L'opposition entre *culotte*, vêtement serré sous les genoux, et *pantalon** est active au XVIIIe s., mais s'atténue au XIXe s. et disparaît au XXe siècle. *Culotte* s'est maintenu uniquement à propos de types de vêtement particulier (*culottes bouffantes, culottes courtes* — opposé à *pantalon long* —, *culotte de cheval, jupe-culotte*) et dans des expressions où, par opposition à *jupe*, il figure l'emblème de l'homme (***porter la culotte***, 1798). ➛ L'appellation **SANS-CULOTTE** (1790) est un reliquat du sens ancien, par allusion au fait que les hommes du peuple portaient le pantalon, la culotte serrée étant l'apanage des nobles. Elle a été rapidement démotivée, devenue synonyme de *révolutionnaire* et de *patriote*, comme le montre le féminin *une sans-culotte* (1794, Restif). ➛ *Culotte* est resté usuel comme terme d'habillement mais s'applique soit aux culottes des jeunes garçons, soit à un sous-vêtement féminin (1903), soit encore à un sous-vêtement de petit enfant *(couche*-culotte)*. ◇ Par analogie et par métonymie, il est utilisé en boucherie (1708) comme désignation d'une partie de la cuisse de l'animal et, au XIXe s., a reçu quelques acceptions techniques (mécanique, mines, travaux publics). ◇ Le sens moins clair de «perte importante au jeu» (1838) est probablement à mettre en rapport avec *culot* «partie basse de qqch.» pris avec l'idée d'«infériorité», par exemple dans *être culot* «être inférieur à son adversaire, au billard». ◇ Celui d'«action de s'enivrer, état d'ivresse» (v. 1820) se rattache à *se culotter* «se colorer comme le culot d'une pipe» d'où «se soûler»; il dépend donc en fait de *culot* et non de *culotte*. ➜ Comme *culot, culotte* a produit un verbe ① **CULOTTER** v. tr. (1792), proprement «vêtir d'une culotte», et son antonyme ① **DÉCULOTTER** v. tr. (1739, *se déculotter*) qui a reçu de nombreux sens figurés, dont ceux de «faire avouer» et «révéler publiquement» (1894). ◇ Ce dernier sens vit dans les dérivés **DÉCULOTTAGE** n. m. (1890) au propre et (1895) au figuré, et **DÉCULOTTÉE** n. f. (1906) «défaite cuisante». ➜ *Culotte* a également fourni le nom de celui qui confectionne des culottes et des pantalons : **CULOTTIER** n. m. (1790).

La majorité des préfixés verbaux dérivés de *cul* sont démotivés et devenus autonomes (→ acculer, basculer, bousculer, éculer, reculer). ➜ Seul **ENCULER** v. tr. (1734, Piron) est senti spontanément, avec son sens érotique et même au figuré, comme un mot du même groupe. Il a produit **ENCULAGE** n. m. (1936), **ENCULEUR** n. m. (1790), et **ENCULÉ, ÉE** adj. (v. 1850) qui désigne au masculin un homosexuel passif et est adressé injurieusement à un homme (sans préjuger de ses mœurs sexuelles) et même à une femme. ◇ Outre sa valeur érotique, la série a un emploi métaphorique assez courant, par exemple dans *enculage de mouches* «minutie excessive dans la critique de détails» (cf. *pinaillage, pinailler*).

◈ voir **ACCULER, BASCULER, BOUSCULER, CULBUTER, ÉCULER, RECULER, TAPE-CUL** (art. **TAPER**).

CULBUTER v., d'abord *cullebuter* (1534) intransitif, est le composé tautologique de *culer* (1482, «pousser au cul, par derrière») [→ cul] et de *buter**. On notera que le moyen français connaît *cullebute* au sens de «pénis» (XVe s.), composé très clair de *buter* et *culler* (en emploi transitif) ou de *cul*, qui éclaire le premier emploi rabelaisien.

♦ Le verbe apparaît chez Rabelais dans un emploi érotique. Le sens usuel de «tomber, faire tomber à la renverse» a donné lui-même le sens spécial érotique de «renverser (une femme) pour la posséder charnellement». ◇ Par la même transposition figurée que *renverser*, le mot exprime aussi le fait de venir à bout, violemment, de qqch. (1601).

▶ Le déverbal **CULBUTE** n. f. apparaît dès le XVe s. sous la forme du surnom *Cullebute* (1479), ironiquement donné à un moine d'après le nom argotique du membre viril. Il se répand au XVIe s. avec son sens usuel de «mouvement de cabriole, chute brusque» et le sens figuré (1680) correspondant. ➜ **CULBUTEUR** n. m. (1599) s'applique en particulier à un acrobate, à celui qui culbute les femmes (1610, *culbuteur de commères*) et, au féminin, à une femme facile (1852). ◇ Il est usuel comme désignation d'un appareil mécanique servant à renverser un objet (1876), sens spécialisé pour désigner une pièce du moteur à explosion agissant sur les soupapes. ➜ **CULBUTIS** n. m., d'abord *culebutis* (1644), apparu dans le style burlesque, fournit un doublet à *culbute* de sens moins dynamique. ➜ Le participe présent **CULBUTANT** est substantivé techniquement (1845) et repris en argot comme désignation du pantalon (1872), remotivé d'après *cul, culotte*. ➜ **CULBUTAGE** n. m. (1853) et **CULBUTEMENT** n. m. (1884) sont surtout employés en aéronautique. ➜ **CULBUTÉ, ÉE**, lui-même, participe passé adjectivé (v. 1950), s'emploie à propos d'un moteur à explosion dont les soupapes sont commandées par des culbuteurs.

CULINAIRE adj. est emprunté (1546, Rabelais) au latin *culinarius* «qui a rapport à la cuisine», dérivé de *culina* «cuisine», synonyme de *coquina* (→ cuisine) et également apparenté à *coquere* (→ cuire). Le mot aurait été déformé sous l'influence de *culus* (→ cul), les latrines étant souvent attenantes à la cuisine à Rome, et *culina* est attesté pour «latrines». Il s'agirait donc à l'origine d'un terme dérisoire et péjoratif.

♦ Le mot, ayant complètement perdu ses connotations latines, qualifie ce qui a trait à la cuisine.

▶ Les dérivés **CULINAIREMENT** adv. (1825) et **CULINARITÉ** n. f. (XIXe s.) sont peu usités, surtout le second.

CULMEN → **CULMINER**

CULMINER v. intr. est emprunté (1751; dès 1708, pour *culminant*) au bas latin *culminare* «mettre le comble à, couronner», dérivé du latin classique *culmen, culminis* «faîte, sommet de qqch.», forme plus récente de *columen* (→ colonne). Le français a d'ailleurs emprunté le type latin **CULMEN** n. m. (1891) comme terme didactique au sens figuré de «comble» et au sens concret de «sommet» en géographie.

♦ Le verbe a été introduit en astronomie, en parlant d'un astre qui passe par le point de sa trajectoire le plus élevé au-dessus de l'horizon. Il s'est répandu en géographie à propos d'un sommet atteignant son point le plus élevé (1832) et, dans l'usage courant, avec le sens figuré d'«atteindre son maximum» (1845).

▶ **CULMINANT**, surtout courant dans le syntagme ***point culminant***, a suivi la même évolution, de l'astronomie (1708), au sens figuré (1823) et à la géographie (1832). ➜ Outre *culmen*, le français dispose de trois noms spécialisés et rares : **CULMINATION** n. f. (1610, au figuré), emprunté au dérivé latin *culminatio* et surtout utilisé comme terme d'astronomie (1752); **CULMINAISON** n. f. (1910) de sens figuré et d'usage littéraire, enfin **CULMINANCE** n. f. (1946).

CULOT, CULOTTE → **CUL**

CULPABILITÉ → **COUPABLE**

CULTE n. m. est emprunté (1532, selon Bloch et Wartburg; ou 1570) au latin *cultus*, proprement «action de cultiver, de soigner», mais beaucoup plus employé au sens moral d'«éducation, civilisation» d'où «manière d'être, de se vêtir», également en religion «hommage rendu à un dieu». Le mot est dérivé de *colere* «habiter» et «cultiver» (→ -cole, colo-).

♦ *Culte* est passé en français avec sa spécialisation religieuse, «hommage rendu à Dieu ou à un saint». Par métonymie, il désigne l'ensemble des pratiques par lesquelles l'homme honore son Dieu (1835), liberté rendue effective après la loi du 9 décembre 1905 sur la séparation des Églises et de l'État *(liberté des cultes)*. Plus spécialement, le mot s'applique au service religieux protestant (1897 en Suisse) et, plus généralement, à la religion, à la confession. ◇ L'extension figurée de «vénération, admiration» (av. 1690) est très vivante, comme en témoignent les syntagmes du type ***culte de la personnalité*** (1909) et l'emploi récent en apposition avec une valeur adjective *(film culte)*.

▸ **CULTUEL, ELLE** adj. (1872, traduction de l'anglais) et son dérivé **CULTUELLEMENT** adv. (1957) sont d'usage didactique (anthropologie, droit).

◈ voir CULTIVER, CULTURE, INCULTE.

CULTIVER v. tr. est la réfection savante (v. 1119), d'après le latin *cultus,* de l'ancien français *coutiver* (1155) «vénérer une divinité» et «cultiver la terre», alternance de sens dont témoigne encore l'ancien français *culture* et *couture.* Ce verbe est issu d'un type °*cultivus,* formé à basse époque d'après *vacivus* «inculte» sur *cultus,* participe passé de *colere* qui a, entre autres sens, ceux de «cultiver la terre» et d'«honorer» (→ -cole). Le latin médiéval *cultivare* (1284) est une latinisation de l'ancien français *coutiver.*

♦ Le verbe exprime l'action de traiter le sol en vue d'une production agricole. Ultérieurement, d'après certains sens de *culture**, il a reçu les sens d'«élever (certains végétaux ou animaux) dans un milieu favorisant leur croissance» (1869) et, en biologie, de «faire vivre et proliférer (des organismes) dans un milieu nutritif approprié» (1880). ◇ Le sens figuré de «former en éduquant, en instruisant», déjà connu du latin, s'est développé au XVIe s. (1538). En procède, dans un registre plus soutenu, celui de «consacrer du temps à, développer par l'exercice» (1543) d'où, plus couramment, «entretenir (une amitié)» (1666).

▸ Les dérivés se sont diffusés relativement tard. **CULTIVABLE** adj. (1308), qui a évincé *coutivable* (1284), a seulement été repris à partir du XVIIIe siècle. ◆ Il en va de même d'**INCULTIVÉ, ÉE** adj., attesté du XIVe s. au XVIe s. et repris au XVIIIe s., tandis qu'**INCULTIVABLE** adj. apparaît ultérieurement (1776). ◆ Quant à **CULTIVATEUR, TRICE** n. (1360), qui remplace l'ancien *coutiveor* (av. 1150, *cultivedur*), il est rare avant le XVIIe s. et Furetière (1690) le qualifie encore de «suspect». Il désigne couramment, lui aussi dans la seconde moitié du XVIIIe s., une personne qui exploite une terre et (1796) une machine pour le labour superficiel, ainsi qu'une griffe à petits socs munie d'un long manche. Il tend souvent à remplacer *paysan* dans l'usage moderne, l'activité économique l'emportant sur le caractère rural.

CULTURE n. f., réfection savante (XIVe s.), d'après le latin, de *colture* (1150), est emprunté au latin *cultura* dont l'évolution régulière avait donné l'ancien français *couture,* comme *cultos* avait donné naissance aux deux verbes *coutiver* et *cultiver**. Les Latins disposaient de trois noms plus ou moins synonymes, formés sur le supin *cultum* de *colere* «habiter; cultiver» (→ -cole, cultiver) et «vénérer» (→ culte); le plus rare, *cultio* «action de cultiver, de vénérer», n'a rien donné en français, à la différence de *cultura* «action de cultiver la terre» et au figuré «action d'éduquer l'esprit, de vénérer», et de *cultus,* surtout utilisé dans un sens moral et dans la langue religieuse.

♦ C'est ainsi que *culture* et *culte**, dont les sens interféraient à l'origine, se sont progressivement différenciés. Le premier sens de *colture* (1150) est celui de «champ labouré, terre cultivée et ensemencée», utilisé particulièrement en droit coutumier et attesté jusqu'en 1611. Il s'est conservé dans quelques parlers septentrionaux et en Normandie, où il fournit le nom propre de terres et de champs et le nom de famille *Couture, Lacouture.* Le sens moral d'«action de révérer» (1420) n'est pas attesté au-delà du XVIe s., où il devient l'exclusivité de *culte.* ◇ Les sens modernes du mot sont apparus assez tard, au XVIe s. : *culture* désigne alors l'action de cultiver la terre (on dit alors aussi *culturement*) et, par métonymie, la terre cultivée (surtout au pluriel), retrouvant le sens archaïque. Par extension, le mot recouvre l'action de faire pousser un végétal et, ultérieurement (1845), l'élevage de certains animaux fixés, puis (1878) l'action de faire croître certains micro-organismes en milieu approprié. ◆ C'est également au XVIe s. que *culture* a repris au latin le sens moral de «développement des facultés intellectuelles par des exercices appropriés» (1549) avec lequel il est employé absolument vers la fin du XVIIe s. (1691). À la fin du XVIIIe s., la traduction du terme allemand *Kultur,* chez Kant, introduit le sens de «civilisation envisagée dans ses caractères intellectuels» qui va entrer en concurrence avec *civilisation,* encore très marqué par son sens actif originel, «action de civiliser», qui implique une hiérarchie. Bien que déjà acclimaté par Mme de Staël en 1810, ce sens de *culture* ne se répand qu'au XXe s. (son origine allemande étant encore perçue au début du siècle). Au XXe s., sous l'influence conjuguée de l'allemand et de l'anglais *culture* dans l'usage qu'en font des ethnologues américains comme Malinowski, *culture* reçoit sa définition ethnologique et anthropologique d'«ensemble des formes acquises de comportement dans les sociétés humaines» (v. 1923, M. Mauss), en partie par opposition à la notion normative et hiérarchique de «civilisation». Ces emplois sont contemporains du sens moderne d'*anthropologie.* Ils donnent lieu à des syntagmes comme *le choc des cultures,* etc. Par ailleurs, sous l'influence du dérivé *culturel, la culture* est opposée à *la nature.* ◇ Enfin, ***culture physique,*** attesté une première fois en 1808, s'est répandu après 1911, avec une valeur voisine de *gymnastique* (voir ci-dessous *culturiste*).

▶ La totalité des dérivés et composés de *culture* date du XIXᵉ et du XXᵉ s., si l'on excepte l'antonyme **INCULTURE** n. f., d'abord attesté au sens psychologique de «négligence» (1783) puis au sens concret (1783), avant de sortir à peu près d'usage et d'être repris (1860) avec la valeur d'«absence de culture intellectuelle». ◆ Au XIXᵉ s. sont apparus les dérivés se rapportant au sens concret du mot, comme **CULTURAL, ALE, AUX** adj. (1846) «relatif à la culture de la terre» et, par extension, «aux cultures microbiennes» (1926), ainsi que la majorité des composés en **-CULTURE** et **-CULTEUR/-TRICE**, tels *apiculture* n. f. et *apiculteur, trice* n. (1845), **HORTICULTURE** et **HORTICULTEUR, TRICE** (1826), *arboriculture* et *arboriculteur* (→ Arborescent), **VITICULTURE** (1845) et **VITICULTEUR** (1872), **PUÉRICULTURE** (1865) et **PUÉRICULTEUR, TRICE** (1932), **MONOCULTURE** (1842) et **POLYCULTURE** (1908), ou encore **MOTOCULTEUR** n. m. (1913) «petit tracteur pour la culture» (→ agriculture).
Tous les dérivés du sens intellectuel de *culture* datent du XXᵉ s., après la diffusion de ce sens vers 1900. ◆ **CULTUREL, ELLE** adj., d'abord attesté en 1907 au sens particulier de «relatif à la culture religieuse», a pris son sens général vers 1927. Sous l'influence de l'anglais *cultural*, il a reçu (v. 1950) la valeur spécialisée de «relatif aux formes acquises de comportement», en ethnologie, avec une opposition entre *culturel* (sociologique) et *naturel* (biologique, inné) dans le domaine humain. Depuis les années 1970, l'adjectif a pris de nouvelles connotations institutionnelles *(affaires culturelles)*. ◇ À son tour, il a produit **CULTURELLEMENT** adv. (1926), les termes de psychologie et sociologie **CULTURALISME** n. m., **CULTURALISTE** n. (v. 1950, emprunts à l'anglais pour désigner une école sociologique) et les composés **INTERCULTUREL, ELLE** adj., **TRANSCULTUREL, ELLE** adj.
On doit aux ethnologues les termes didactiques **ACCULTURATION** n. f. (1911; 1880, comme mot anglais), d'où **ACCULTURÉ, ÉE** adj. et n. «intégré à une culture», et **DÉCULTURATION** n. f. (v. 1963), **DÉCULTURÉ, ÉE** adj. et n. (v. 1950). ◇ Toute la série, et aussi **CULTURALISER** v. tr. et **CULTURALISATION** n. f. (v. 1968), porte la marque de l'anthropologie de langue anglaise.
CULTURISME n. m. (v. 1950) et **CULTURISTE** n. (1910; repris v. 1950) se rapportent à l'expression *culture physique* (ci-dessus). Ils se sont spécialisés pour évoquer une forme de développement de la musculature, donnant lieu à une esthétique du corps très artificielle et à des concours.

CUMIN n. m., d'abord *comin* (av. 1188) — encore au XVIIᵉ s. —, puis *cummin* (XIIIᵉ s.) et *cumin*, est issu du latin *cuminum*. Lui-même est l'adaptation du grec *kuminon*, nom d'une plante ombellifère originaire d'Orient, d'origine sémitique (hébreu *kammôn*, akkadien *kamūnu[m]*).

♦ Le mot désigne la plante et, par métonymie, sa graine aromatique, plus rarement une boisson alcoolisée à base de cumin.

▶ Les chimistes en ont dérivé l'adjectif **CUMINIQUE** (1876).

CUMULER v. tr. est emprunté (v. 1355) au latin *cumulare* «assembler, amasser», dont l'évolution phonétique a donné *combler**.

♦ Jusqu'au XVIᵉ s., le mot a signifié «entasser», sens réservé depuis à son composé *accumuler**. À partir du XVIIᵉ s., *cumuler* a pris ses sens modernes en se spécialisant dans l'usage juridique (av. 1690) et dans l'usage administratif (1784). ◇ Par extension, il est employé couramment au figuré, «réunir en une seule personne des caractères» et «réunir plusieurs choses qui produisent un effet», spécialement en informatique.

▶ De *cumuler* sont dérivés **CUMULATION** n. f., mot rare du langage juridique et administratif (1792, *cumulation des fonctions*) où il subit la concurrence de **CUMUL** n. m. (1692), généralisé au XIXᵉ s. et usuel en commerce, comptabilité et en politique *(cumul des mandats)*. ◇ **CUMULATIF, IVE** adj. (1690) et **CUMULATIVEMENT** adv. (1549) sont didactiques. ◇ **CUMULABLE** adj. (v. 1950) se rapporte surtout aux emplois administratifs de *cumuler* et financiers de *cumul*. ◇ **CUMULARD** n. m. est formé (1821) avec le suffixe péjoratif *-ard* pour critiquer ceux qui cumulent de manière plus ou moins scandaleuse plusieurs emplois bien rétribués.
Au XIXᵉ s., le français a emprunté au latin le substantif **CUMULUS** n. m. «amas, tas» (→ comble) comme terme de météorologie (1830) pour désigner un gros nuage de forme et de nature caractéristiques. ◇ Par composition, le mot a servi à former d'autres noms masculins de nuages tels **ALTOCUMULUS** (1889), **CUMULONIMBUS** (1891) et **CUMULOSTRATUS** (1830), **STRATOCUMULUS** (1894). ◇ Dans la première moitié du XXᵉ s., *cumulus* a été réemprunté pour désigner un réservoir d'eau chaude, parce qu'il accumule l'eau.

CUMULUS → CUMULER

CUNÉIFORME adj. est dérivé savamment (1561), après le latin moderne *cuneiformis* (1559, dans un texte français), du radical du latin *cuneus* «coin» (→ coin) avec l'élément suffixal *-forme**.

♦ D'usage didactique, le mot est employé dans la description d'éléments naturels en anatomie (d'un os, au XVIᵉ s.), en botanique (1778) et en minéralogie. ◇ Il qualifie spécialement une forme d'écriture créée par la civilisation suméro-akkadienne et dont les caractères sont en forme de coin ou, plus exactement, de clou. Bien que ce système d'écriture ait servi à noter des langues très diverses dans toute l'Asie antérieure, on a employé improprement au XIXᵉ s. l'expression *langue cunéiforme* pour désigner le sumérien. ◇ Le mot est substantivé au masculin par ellipse de *(caractère) cunéiforme*.

CUPIDE adj. est emprunté (1371) au latin *cupidus* «désireux, avide de», dérivé de *cupere* «désirer, avoir envie de», souvent en parlant d'un désir violent et sensuel. Ce mot est d'origine incertaine bien qu'on ait proposé un rapprochement avec le sanskrit *kúpyati* «il bouillonne» et le vieux slave *kupitŭ* «il bout». L'image serait la même que dans *ardere* «brûler» (→ ardeur).

♦ *Cupide* a progressivement perdu son sens latin après le XVIIᵉ s. pour se limiter au sens actuel péjoratif : «avide de richesses, d'argent» (xve-xvie s.), généralement sans complément. L'ancienne construction *(cupide de)* a quasiment disparu.

► **CUPIDEMENT** adv. (1583) en est dérivé. ◆ Le nom correspondant, **CUPIDITÉ** n. f. (1398), emprunté au dérivé latin *cupiditas* «désir violent, passion», a subi la même restriction de sens.

◈ voir CUPIDON.

CUPIDON n. m., d'abord *Cupido* en ancien français (1229-1236) puis *cupidon* (av. 1611), est emprunté au latin *Cupido,* nom du dieu de l'amour, du désir (→ cupide), fils de Vénus, représenté sous les traits d'un enfant avec un carquois et des flèches.

♦ Le mot s'applique à une représentation artistique du dieu ; il a eu quelques emplois figurés plus ou moins vieillis : au xviiie s., il a servi à désigner un homosexuel, un giton ; quelquefois encore, il désigne un enfant ou un jeune adolescent d'une grande beauté et (1803), par ironie, un bellâtre. ◆ Dans l'argot du xixe s., il a servi à désigner le chiffonnier, à la fois par jeu sur *cupide,* par antiphrase et par allusion au dieu de l'amour qui perce les cœurs, comme le chiffonnier perce les vieux vêtements qu'il ramasse avec son crochet.

CUPULE n. f. est emprunté (1611) au bas latin *cupula* «petit tonneau de bois» (→ coupole), diminutif de *cupa* «barrique, grand vase» (→ coupe, cuve).

♦ Employé par les botanistes, *cupule* désigne aussi, par analogie, un objet en forme de coupe, spécialement en médecine et en physique.

► Au xixe s., ont été formés **CUPULAIRE** adj. et les composés **CUPULIFÈRE** adj. (1823) et **CUPULIFÉRACÉES** n. f. pl. (1836), termes de botanique.

CURABLE adj. est emprunté (1340) au latin impérial *curabilis* «qui peut être guéri», au propre et au figuré, de *curare* «soigner, guérir» (→ curer).

♦ *Curable* a conservé le sens du mot latin.

► Son antonyme **INCURABLE** adj. (1314), emprunté au bas latin *incurabilis* «inguérissable», est plus courant : il s'applique à des maladies et, par métonymie, à des personnes (1538), en particulier dans *l'hospice des incurables,* construit à Paris en 1634. Depuis le xive s., il est pris au figuré en parlant d'un défaut, d'un sentiment ou d'une personne, avec un sens voisin d'*incorrigible.* ◆ **CURABILITÉ** n. f. (1814) et **INCURABILITÉ** n. f. (1707) sont d'usage didactique.

CURAÇAO n. m. est attesté pour la première fois en 1797 dans un livre de confiserie sous la forme francisée et altérée *cuirasseau* ou *cuirasso,* avant de prendre sa forme actuelle (1805). Il vient du nom portugais d'une île des Antilles qui produit cette sorte d'orange amère qui tombe avant maturité.

♦ Le sens d'«orange amère de Curaçao» a été supplanté par les extensions métonymiques de «zeste de ce fruit» et, plus encore, de «liqueur à base de ce zeste», seul vivant en français contemporain.

CURARE n. m. est un emprunt (1758) à l'espagnol d'Amérique *curare,* lui-même d'un mot amérindien (tupi-guarani, peut-être caraïbe) *kurary,* dont le radical vient des verbes *ur* «venir» et *ar* «tomber», interprétable (selon *Oxford Dictionary*) comme «là où il vient, on tombe».

♦ Le mot désigne une substance toxique paralysante, dont on sait aujourd'hui qu'elle contient de l'ammonium et agit sur la plaque motrice des muscles. Connue pour son utilisation par certains Indiens d'Amérique tropicale, qui s'en servent pour empoisonner leurs flèches, le curare est devenu un objet scientifique au milieu du xixe siècle. Emprunt rare de voyageurs, le mot s'est diffusé quand la substance a été étudiée par les chimistes (Pelouze) et les physiologistes (Cl. Bernard, 1845).

► Il a pour dérivé **CURARINE** n. f. (1834), nom de l'alcaloïde du curare, **CURARISER** v. tr. (mil. xixe s.) d'où **CURARISATION** n. f. (1875) et **CURARISÉ, ÉE** adj. (1903).

CURATIF, IVE adj. est emprunté (1314) au latin médiéval *curativus* (v. 1200) «qui a la propriété de guérir», formé sur le supin *curatum,* de *curare* «soigner» (→ curer, qui s'est détaché de ce sens).

♦ Le mot qualifie ce qui a pour objet ou pour propriété de guérir et, au figuré, de remédier à un mal.

► Le nom correspondant **CURATION** n. f. (xiiie s., *curasion*), emprunté au latin *curatio* «traitement d'une maladie» (dérivé de *curare*), également au figuré à basse époque, a subi la concurrence de *cure.* Le sens juridique de *curare* a suscité deux emprunts à des dérivés. ◆ **CURATEUR, TRICE** n. est un emprunt juridique (xiiie s.) au latin tardif *curator,* du supin de *curare.* Il désigne la personne qui prend en charge l'assistance à un mineur émancipé, à un aliéné, la surveillance de la succession du père décédé, par rapport à la future mère veuve ***(curateur au ventre).*** ◆ **CURATELLE** n. f. est emprunté en droit (1426) au latin médiéval *curatella,* dérivé de *curatio* «action de prendre soin de qqch. ou de qqn», d'après *tutela* (→ tutelle). Le mot désigne la charge de curateur et spécialement le régime d'administration des biens du mineur émancipé et la protection des malades mentaux quant à leurs actes juridiques.

CURCUMA n. m. est emprunté (1559), de même que l'espagnol *cúrcuma* (1555), à l'arabe *kŭrkŭm* «safran» (cf. *safran*).

♦ Le mot désigne une plante dont le rhizome, également appelé *safran des Indes,* est utilisé comme colorant jaune et comme aromate.

► Le dérivé **CURCUMINE** n. f. est employé en chimie pour désigner la matière colorante jaune extraite de la racine de la plante.

◈ voir CROCUS.

CURE n. f. est issu (1050) du latin *cura,* mot d'origine non établie, qui signifie généralement «soin, souci», «charge, direction» dans la langue administrative, «soin, traitement» dans la langue médicale et, dans l'usage général, «souci amoureux, objet aimé».

♦ Le sens général et ancien de «soin, souci» ne subsiste que dans la locution ***n'avoir cure de*** (1050). Le sens amoureux, vivant jusqu'au XVIe s., a disparu. ◇ *Cure* s'est essentiellement limité au sens médical de «soin, traitement» (XIIIe s.), acquérant au XIXe s. la spécialisation de «traitement en station thermale» (1863). En procède l'expression figurée *une cure de ...*, pour «usage abondant que l'on fait d'une chose». ◆ Parallèlement, dès 1130, à partir du sens pris en latin ecclésiastique médiéval, le mot désigne la direction spirituelle (spécialement, d'une paroisse) et, par métonymie, la paroisse où s'exerce cette charge (v. 1220) et le presbytère (1496).

▶ Dans cette dernière acception, *cure* tombe ainsi dans la sphère sémantique de **CURÉ** n. m. (1259), issu du latin ecclésiastique *curatus* «qui a la charge des âmes» (XIe s. ; très rare au moyen âge), dérivé de *curare* «prendre soin de» (→ curer). ◇ *Curé*, proprement «celui qui est chargé d'une cure, d'une paroisse», sert à désigner, par extension, tout ecclésiastique, tout prêtre (1845) dans des emplois familiers, souvent à connotation anticléricale. ◆ Le même esprit anticlérical a inspiré la formation des dérivés péjoratifs **CURAILLE** n. f. (XXe s.) «ensemble des prêtres et, par extension, des catholiques pratiquants», **CURAILLON** n. m. (XXe s.) «jeune curé» et son synonyme **CURETON** n. m. (1916 ; déjà en 1798, dans l'argot des détenus pour le détenu chargé de lire le bénédicité).

◈ voir CURATIF, CURER, CURIEUX, INCURIE, MANUCURE, PROCURER, SÉCURITÉ, SINÉCURE, SÛR et ses dérivés.

CURÉE → CUIR

CURER v. tr. est emprunté (1080) au latin *curare*, dérivé verbal de *cura* (→ cure). Le verbe, signifiant «prendre soin de», «avoir souci de», a développé dans plusieurs langues romanes le sens de «nettoyer» par l'intermédiaire d'expressions comme *curare corpus* «soigner son corps».

♦ En français, à la différence de l'italien *curare* «soigner» et de l'espagnol *curar* «guérir», cette valeur étymologique de «soigner» (1160), «guérir» (1220), s'est perdue (elle reste réalisée dans les emprunts aux dérivés latins *curable**, *curatif**), l'idée de «soin» étant exprimée par *soigner* et *guérir*. ◇ *Curer* exprime donc la notion de nettoyer (une cavité, un conduit) en raclant, en grattant, appliquée notamment aux fonds recouverts d'eau, aux instruments culinaires, aux cavités du corps.

▶ Avec cette valeur, *curer* s'est entouré d'un important groupe de dérivés. **CURANDIER** n. m., une fois en 1292, repris en 1780, procède du sens spécialisé ancien de «blanchir» (XIIIe s.) : il a désigné jusqu'au XXe s. l'ouvrier travaillant au blanchiment des toiles. ◆ **CURAGE** n. m. (1328) sert de substantif d'action à *curer* tandis que **CURURE** n. f., formé à la même époque sous la forme *cureure* (1348), désigne le dépôt retiré des fossés, canaux et mares lors de leur curage. ◆ **CURETTE** n. f. (1415) est un nom d'outil spécialisé en chirurgie, mines et agriculture. ◆ **CURE-OREILLE(S)** n. m. (1416) et **CURE-DENTS** n. m. (1416) désignent des ustensiles d'hygiène. Ultérieurement, on formera **CURE-PIPE(S)** n. m., **CURE-ONGLES** n. m. (1893) selon le même principe. ◆ *Curer* a aussi produit trois verbes : le suffixé **CURETER** v. tr. et son dérivé **CURETAGE** n. m. (fin XIXe s.) sont employés en médecine et chirurgie, en obstétrique.
Par préfixation sont formés un terme régional, **ÉCURER** v. tr. (v. 1223, *escurer*) «curer complètement», qui reste vivant avec une acception technique, et **RÉCURER** v. tr. (XVIe s. ; XIIIe s., *rescurer soi* «faire toilette»), employé techniquement en agriculture (XVIe s.) et, couramment, au sens de «nettoyer en raclant» (1762). ◇ Son dérivé **RÉCURAGE** n. m. (1768 ; 1509, *rescurage*) est relativement fréquent dans l'usage domestique.

◈ voir CURABLE, CURATIF, CURE, INCURIE, PROCURER.

① **CURIE** n. f. a été emprunté (1538) au latin *curia*. Ce mot d'origine obscure, sans rapport avec *cura* (→ cure), désigne une division du peuple romain à la fois politique et religieuse ; les historiens anciens en attribuaient l'institution à Romulus et elle serait peut-être d'origine étrusque. Par métonymie, ce mot s'appliquait également à l'endroit où se réunissait le Sénat et à cette assemblée elle-même.

♦ Le mot, repris comme terme d'antiquités romaines, s'est appliqué pendant la Révolution aux institutions françaises, désignant le Sénat, une assemblée (1828), le lieu où elle se réunit (1828). Sous l'influence de l'italien *curia* (apr. 1250), lui-même emprunté au latin ecclésiastique *curia* (XIe s.), il s'est spécialisé à propos de l'ensemble des administrations dont se sert le pape pour gouverner (1845).

▶ L'adjectif correspondant, **CURIAL, ALE, AUX** a été emprunté (v. 1225) au dérivé latin *curialis* «celui qui appartient à une curie», adjectivé à basse époque au sens de «relatif à cette curie», dit également d'une personne de la cour. Le mot a désigné et qualifié jusqu'au XVIIe s. le courtisan, ce qui est relatif à la cour. Sa spécialisation dans l'administration ecclésiastique pour ce qui est relatif à la paroisse ou au curé, attestée une fois en 1208, ne s'est répandue qu'au XVIIe s., sous l'influence de *cure* et de *curé*.

② **CURIE** n. m. est le nom qui fut donné au Congrès de radiologie de Bruxelles, en 1910, à une unité d'émanation de radium, en l'honneur de Pierre (1859-1906) et de Marie (1867-1934) *Curie*, qui ont découvert le radium.

♦ Le mot désigne une unité de radioactivité, qui a été remplacée en 1975 par le *becquerel* (1 curie = $3{,}7 \times 10^{10}$ becquerels).

▶ En ont été dérivés **MICROCURIE** n. m. (1950) et **MILLICURIE** n. m. (1956). ◆ **CURIETHÉRAPIE** n. f. (1920) concerne l'emploi thérapeutique du radium et d'autres éléments radioactifs. ◆ **CURIUM** n. m. (1945), latinisation scientifique du patronyme *Curie*, d'après *uranium*, *plutonium*, *radium*, etc., se dit d'un élément radioactif artificiel découvert en 1944 dans les produits de transformation de l'uranium.

CURIEUX, EUSE adj. et n., d'abord *curius* (v. 1120), est emprunté au latin *curiosus*, dérivé, par l'intermédiaire d'une forme populaire °*curius*, de *cura* «soin, souci» (→ cure) qui n'aurait pu directement former qu'un °*curosus. Curiosus,* étymologiquement «qui prend soin, s'inquiète de», a développé par la suite le sens péjoratif de «désireux de savoir, indiscret», si bien qu'en latin impérial il est substantivé pour désigner un espion.

♦ Jusqu'au XVIIe s., le sens de l'adjectif est en rapport avec celui de *cura* en latin ; il qualifie la personne qui s'occupe avec soin de qqch., qui s'en soucie, s'en occupe, d'où une expression classique comme *avec un soin curieux.* L'adjectif est alors synonyme de *soigneux, scrupuleux.* ◇ Cependant, dès le XVIe s. (1538), il caractérise la personne soucieuse de voir, de savoir, soit sous l'influence du latin, soit par une évolution parallèle ; de là l'ambiguïté, au XVIe s., d'une expression comme *curieux de savoir.* Conjointement à *curiosité**, il revêt en ce sens une valeur morale négative, sur laquelle insistent les moralistes du XVIIe siècle. Tant comme adjectif que comme nom (1594), il est sémantiquement proche d'*indiscret* et suppose une motivation d'intérêt personnel ou d'orgueil. Le sens particulier de «qui rassemble, recherche des objets rares ou précieux» (1606 ; 1662, comme nom), aujourd'hui vieilli dans son emploi adjectival, souffre au XVIIe s. de la même désapprobation. ◇ Ce n'est qu'au cours du XVIIIe s. que *curieux* se dote d'une valeur méliorative (recherche désintéressée, par exemple dans *les chercheurs et les curieux,* emploi désuet) ; dans l'usage moderne, les deux valeurs coexistent. ◇ Pour exprimer la valeur passive de «digne d'intérêt, original, étrange» (1559), l'usage a recours à l'antéposition de l'épithète *(un curieux personnage),* afin d'éviter l'ambiguïté, sauf dans ***bête curieuse*** (1755).

► *Curieux* a produit **CURIEUSEMENT** adv., d'abord *curiusement* au sens latin de «soigneusement» puis (1559) au sens moderne de *curieux,* lequel s'est surtout répandu avec le sens de «bizarrement» (XVIIIe s.) correspondant au sens passif de l'adjectif.
CURIOSITÉ n. f., d'abord *curioseté* (1190) refait d'après le latin, est emprunté au latin *curiositas,* de *curiosus* «soin», «désir de connaître» et, par métonymie à l'époque chrétienne, «ce qui pique la curiosité». Bien avant l'adjectif, *curiosité* est passé du sens premier de «souci, préoccupation exagérée» (vivant jusqu'à la fin du XVIIe s.) à celui de «tendance à connaître des choses nouvelles» (XIIIe s., *curiositeiz*). Il reçoit alors (v. 1268) une valeur péjorative, accentuée au XVIIe s. où les moralistes lui accolent fréquemment l'épithète *vaine.* ◇ Ce n'est qu'au XVIIIe s. que la curiosité redevient digne d'éloge en fonction de la grandeur de son objet. Le résultat de cette évolution est l'ambivalence du mot dans l'usage moderne. La valeur particulière de «goût, passion des choses rares et précieuses» (1559) s'est moins bien maintenue que dans *curieux.* ◇ Quant au sens concret de «chose curieuse», spécialement «objet recherché par les curieux» (XVe s.), s'il décline aujourd'hui, il a connu une grande vogue aux XVIIIe-XIXe s., parallèlement à l'engouement pour les bibelots et les nouveautés *(cabinets de curiosités).*
CURIOSA n. f. pl. (probablement XIXe s.) a été fait comme un neutre pluriel latin pour désigner les livres libertins prisés par les bibliophiles «curieux». L'anglicisme **CURIOS** n. m. pl. (1926) est l'abréviation de l'anglais *curiosity* correspondant à *curiosité.*
INCURIEUX, EUSE adj. est un emprunt (fin XVe s.) au préfixé latin *incuriosus* «sans souci», «indifférent» et «négligé». Il a suivi la même évolution que *curieux,* acquérant son sens moderne vers 1580, mais ne s'est pas imposé dans l'usage courant.
➛ **INCURIOSITÉ** n. f. (1496) est emprunté au latin *incuriositas,* d'après *curiosité,* avec le sens de «manque de soin, insouciance, négligence».

CURRY → CARI

CURSEUR n. m. est la réfection savante de *courseur* (1372), emprunté au latin *cursor* «coureur», formé sur le supin *cursum* de *currere* (→ courir, cursif), et qui avait pris un sens technique en latin médiéval (v. 1270).

♦ De même que le latin, *curseur* a d'abord désigné un coureur, un messager, sens sorti d'usage dans la deuxième moitié du XVIe siècle. ◇ Il s'est spécialisé en technique au XVIe s. à propos d'une pièce mobile adaptée à un instrument gradué (1562), puis en astronomie (1776) pour le fil mobile mesurant le diamètre apparent d'un astre.

CURSIF, IVE adj., réfection de *coursif* (1532), est emprunté au latin médiéval *cursivus* (v. 1450) qui qualifie une écriture tracée à main courante. Le mot est formé sur le supin *cursum* de *currere* (→ courir, curseur).

♦ L'adjectif qualifie une écriture courante et rapide (*lettres coursives,* chez Rabelais) ; il est substantivé au féminin (1797) pour ce type d'écriture. Il a parfois dans la langue littéraire le sens figuré de «rapide, souvent superficiel» (av. 1867).

► En est issu **CURSIVEMENT** adv., attesté une fois au XVIe s. au sens de «en toute hâte», repris au XIXe s. avec les sens de «de façon hâtive» et «en écriture cursive» (1866).

CURSUS n. m. est l'emprunt d'un mot latin médiéval signifiant «cours» (XIIe s.), dérivé de *currere* (→ courir).

♦ Il s'est employé en rhétorique (1868) pour «prose rythmée». Utilisé en histoire antique (*cursus honorum,* 1900), en médecine pour «cours d'étude», il s'est généralisé (v. 1970) à l'ensemble des études, surtout universitaires.

CURULE adj. est emprunté (XIVe s., *selle curule*) au latin *curulis,* adjectif de *currus* «char (de triomphe)», de *currere* → courir.

♦ Terme d'antiquité, il s'applique au siège d'ivoire qui était réservé aux premiers magistrats romains (dignes du triomphe) et à ces magistrats eux-mêmes.

CURVILIGNE → LIGNE

CUTANÉ, ÉE adj. est une formation savante (1546) tirée, d'après les composés bas latins *intercutaneus* et *subcutaneus,* du nom latin de la peau, *cutis,* évincé par *peau. Cutis,* mot ancien de la langue populaire, assez rare sauf chez les écrivains techniques, appartient à une racine indoeuropéenne °*(s)keut-*, °*(s)kut-* «peau», représentée en grec par *skutos* «peau travaillée» et *kutos* «enveloppe» et «cavité» (qui a fourni au français l'élément *cyto**-, *-cyte*, «cellule»), par des mots germaniques. Sa valeur initiale doit être «enveloppe extérieure (d'un fruit, de la terre)», le sens de «cuir que l'on découpe» étant réservé à *corium* (→ cuir).

♦ Le mot qualifie ce qui a rapport à la peau, est situé au niveau de la peau ou est formé de peau, spécialement en anatomie et médecine.

▸ Outre *cutané* et **SOUS-CUTANÉ, ÉE** adj. (1753), le radical de *cutis* a servi à former les terme didactiques **CUTICOLE** adj. (XXe s.) et **CUTINE** n. f. (1878). ➛ Son diminutif *cuticula* «petite peau» a été emprunté antérieurement sous la forme **CUTICULE** n. f. (1532) «petite membrane très mince». ➛ Un autre composé formé sur *cuti-* est **CUTIRÉACTION** n. f. (1907), désignant une vaccination préventive par incision superficielle de la peau, qualifiée selon la réaction de *positive* ou *négative*, d'où l'abréviation familière **CUTI** n. f. (1946) devenue usuelle et entrant dans la locution figurée ***virer sa cuti*** «acquérir une nouvelle attitude ; accepter de nouvelles habitudes, par l'expérience».

◈ voir COUENNE.

CUVE n. f. est issu du latin *cupa* «grand récipient en bois ; tonneau, souvent en sapin, pour conserver des liquides et parfois des grains». Ce mot latin, dont une variante géminée *cuppa* est à l'origine de *coupe**, a été rapproché hypothétiquement du sanskrit *kūpaḥ* «trou, puits» et du grec *kupellon* «verre à boire».

♦ Le mot désigne un grand récipient en bois fabriqué comme un tonneau mais de forme ronde ou ovale. Du XIIe au XVIIe s. (le bois étant remplacé au XVe s. par du cuivre), la cuve servait à prendre le bain, avant d'être remplacée par la *sabotière*, puis la *baignoire*. Dans la liturgie catholique ancienne, elle servait au baptême par immersion. ◇ *Cuve* reste d'usage courant dans le domaine de la fabrication et la conservation du vin. ◇ Par analogie, le mot désigne de grands récipients remplissant une fonction particulière (en photographie, gravure, chimie, etc.).

▸ Le dérivé **CUVELER** v. tr. (v. 1100), après avoir exprimé le fait de blanchir du linge (dans une cuve ?), s'est spécialisé en mines (1758) au sens de «revêtir les parois d'un puits de mine de planches, de solives», produisant **CUVELAGE** n. m. (1756) et **CUVELLEMENT** n. m. (1776). ➛ **CUVEAU** n. m. (XIIe s., *cuvel*) est, de même que sa variante **CUVELLE**, en usage dans le Nord de la France et en Belgique.

L'autre diminutif, **CUVETTE** n. f. (v. 1200) possède, en plus de son sens courant «récipient pour l'eau des ablutions» (1630), puis «partie d'un dispositif hygiénique recevant l'eau», de nombreux emplois spécialisés ; par analogie de forme, il se dit par exemple de la plaque de métal qui couvre en arrière le mouvement de certaines montres (1784), d'un petit récipient où plonge la partie inférieure du tube d'un baromètre et, par métonymie, à cette partie inférieure (1835), de la partie concave d'un élément de l'espace géographique (1906). ➛ *Cuve* a servi à former un autre nom de récipient, **CUVIER** n. m. (v. 1200), limité à un usage régional au sens de «cuve pour la lessive», ou à une acception technique. ➛ Avec le suffixe *-ée*, introduisant une idée de «contenance», on a formé **CUVÉE** n. f. (v. 1220) qui, dans la construction *de ...cuvée*, donne une information de qualité concernant d'abord le vin, puis figurément divers produits. ➛ Le dénominatif **CUVER** v. tr. (1373) possède, à côté d'un sens intransitif technique en viticulture, le sens transitif plus courant de «dissiper son ivresse» *(cuver son vin)*, au figuré «se calmer». ◇ À son tour, il a produit quelques dérivés dont le substantif d'action **CUVAGE** n. m. (XIIIe s., *cuvaige*), spécialisé en viticulture et attesté avant le verbe. Les autres dérivés suffixés, **CUVAISON** n. f. (1843) et **CUVEUR** n. m. (1867) sont apparus bien après les préfixés verbaux **ENCUVER** v. tr. (v. 1400) et **DÉCUVER** v. tr. (1611, *descuver*, ce dernier ne se répandant qu'après 1800.

◈ voir COUPE, COUPOLE, CUPULE.

CYAN-, CYANO- est un élément tiré du grec *kuanos* qui désigne un émail de couleur bleu foncé. C'est un mot d'emprunt à rapprocher sans doute du hittite *kuwanna* «azurite».

▸ *Cyan-* s'est d'abord manifesté en minéralogie avec **CYANITE** n. f. (1792) emprunté à l'allemand, en médecine avec **CYANOSE** n. f. (1814), désignant une maladie où le teint bleuit, et qui a donné **CYANOSER** v. tr. (1854), surtout au participe passé **CYANOSÉ, ÉE** adj. et n. (1835), et **CYANOTIQUE** adj. (1863). ➛ **CYANURE** n. m. (1815) désigne un sel toxique, plus tard identifié comme provenant de l'acide *cyanhydrique*, d'où **CYANURÉ, ÉE** adj. (1846). ➛ **CYANOGÈNE** n. m., gaz formé d'azote et de carbone, a été ainsi dénommé par Gay-Lussac (1815).

CYANHYDRIQUE adj. (1840), de *-hydrique*, a remplacé *prussique* dans *acide cyanhydrique*.

En botanique ont été formés **CYANOPHYCÉES** n. f. pl. (1885), de *phukos* «algue», nom savant des algues bleues, d'où **CYANOPHYTIQUE** adj. (XXe siècle).

CYBERNÉTIQUE n. f. est emprunté (1834) au grec *kubernêtikê* «art de gouverner», substantivation du féminin de l'adjectif *kubernêtikos*, dérivé de *kubernan* «piloter, diriger» (→ gouverner).

♦ Le mot a été repris par Ampère au sens étymologique d'«étude des moyens de gouvernement», mais celui-ci ne s'est pas répandu. Il est réapparu au milieu du XXe s. pour désigner l'étude des processus de contrôle et de communication chez l'être vivant et la machine (décembre 1948), par emprunt à l'anglais *cybernetics ;* ce mot, de même origine que le français, venait d'être proposé (1948) par le mathématicien américain N. Wiener (1894-1964). Sans être vieilli, le mot, comme nom féminin et comme adjectif, semble être sorti de mode au bénéfice d'autres innovations techniques de nature «informatique».

▸ *Cybernétique* a pour dérivé **CYBERNÉTICIEN, IENNE** n. (1953).

♦ D'après l'anglo-américain, **CYBER-** est devenu (1993-94) un élément de mots composés à la mode, avec l'idée d'automatisme informatique, de robotique. ◇ Il s'applique surtout par calque de l'anglo-américain, mais aussi avec des formations spécifiques au français. Les composés anglo-américains s'appliquèrent d'abord aux automatismes : *cyborg,* de *cyber-* et *org*(anism), signifie «organisme électronique humanoïde». Puis ils se spécialisent dans le domaine de la «toile» (*le web*; Internet). Ex. **CYBERESPACE** n. m., calque de *cyberspace*; **CYBERNAUTE** n. empr. à l'américain, de *cyber-* et (astro)*naute,* pour «personne qui se déplace ["surfe"] dans le cyberespace». **CYBERCAFÉ** n. m., «café où des ordinateurs sont connectés au réseau Internet», est un composé français. La liste des composés est ouverte.

CYCLAMEN n. m., d'abord écrit *ciclamen* (XVe s.; encore en 1798) puis *cyclamen* (1579), est emprunté au latin impérial de même sens *cyclaminos,* transcription du grec tardif *kuklaminos.* Celui-ci est dérivé de *kuklos* «roue, cercle» (→ cycle) d'après la forme des bulbes de la racine de la plante.

♦ Ce nom de plante ornementale est employé par métonymie pour une couleur rose-mauve, fréquente dans les fleurs du cyclamen (1894, comme adjectif; 1924, comme nom).

① **CYCLE** n. m., avec ② *cycle* — ci-dessous — recouvre deux mots introduits en français à plusieurs siècles d'intervalle (XVIe et XIXe s.), le premier par emprunt au bas latin *cyclus,* le second par emprunt à l'anglais *cycle.* Ces deux mots remontent au grec *kuklos* «roue, cercle», employé par extension pour des formes rondes telles que remparts, assemblées, joues, orbite... *Kuklos* représente une racine indoeuropéenne *°kwel-* «tourner en rond», bien représentée en latin (→ quenouille) et en grec et conservée par le nom de la roue dans plusieurs langues (le sanskrit *cakrá-,* l'anglais *wheel,* par l'anglo-saxon *hwēol*).

♦ *Cycle* a d'abord été introduit (1534) en astronomie par emprunt au bas latin *cyclus* «cercle», lui-même spécialisé en médecine et en astronomie. Il désigne la période dont le terme correspond au retour de certains phénomènes astronomiques : *cycle du soleil,* puis *cycle solaire, lunaire* (1690) (cf. *Révolution*). Par analogie, il se rapporte à une succession de phénomènes présentant un caractère de périodicité dans le temps (plus rarement dans l'espace), sens qui a connu divers développements en science, spécialement en thermodynamique (1872), en économie, en biologie, en géologie, etc. Sans conserver l'idée d'une identité entre l'état initial et l'état final, il s'est appliqué aux divisions d'années d'étude dans l'enseignement secondaire et supérieur français (1902), d'où *premier, second, troisième cycle.* ◇ L'ancienne valeur concrète de «cercle» (1564), disparue au XVIIe s., a resurgi dans la spécialisation en botanique, pour la portion de spirale décrite par les points d'intersection des feuilles alternés sur une tige (1865, *cycle folial* ou *foliaire*). Cette valeur de «cercle» est réalisée sur un plan abstrait à propos d'un ensemble complet d'œuvres centrées sur un même thème ou un même personnage (1798), notamment dans des syntagmes tels que *cycle épique, cycle de cantates.*

▸ **CYCLIQUE** adj. (1583) a été emprunté au latin *cyclicus* «du cycle épique» et «périodique (d'une maladie)» pour traduire par *cyclique escrivain* l'expression d'Horace *cyclicus scriptor* «poète épique racontant les légendes des temps héroïques». De là, il est entré dans *poème, poète cyclique* (1752). À la suite de *cycle,* l'adjectif est passé dans les vocabulaires didactiques, en astronomie (1679), chimie (1918), mathématiques, etc. ➛ Il a produit les antonymes **ACYCLIQUE** adj. (1933), en chimie, et **ANTICYCLIQUE** adj. (1958). ➛ Au XXe s., il a fourni l'élément ② **CYCLO-** entrant dans la formation de composés savants en chimie où il indique que la molécule forme une chaîne saturée. ◇ Cet élément est présent dans des composés usuels en chimie et en pharmacologie, comme **CYCLOHEXANE** n. m. (1905), de *hexane,* et **CYCLOHEXÈNE** n. m. (1903), **CYCLANE** n. m. (1946 dans les dictionnaires généraux) pour «hydrocarbure cyclique saturé», **CYCLAMATE** n. m. (1957), terme plus courant désignant un édulcorant de synthèse, **CYCLOSPORINE** n. f., etc.

RECYCLER v. tr. (1960) et **RECYCLAGE** n. m. (1960) ont d'abord été employés au sens d'«orienter vers un nouveau cycle d'étude», avant de s'étendre à toute carrière professionnelle et de se spécialiser en technique dans la fabrication (papier, verre). Le papier *recyclé* est à la mode depuis les années 1980. ➛ **CYCLITE** n. f. (1865), terme de médecine pour l'inflammation du corps ciliaire de l'œil, est directement formé sur le radical du grec *kuklos* pris au sens concret de «cercle».

② **CYCLE** n. m. «véhicule à deux ou trois roues» (1887), est un emprunt à l'anglais *cycle,* abréviation familière (1881) des mots *bicycle, tricycle* et de même origine que le français ① *cycle.* ◇ Le mot, de sens général, a vieilli par rapport aux termes spécifiques, souvent des composés, et n'a guère d'usage en dehors de la langue administrative. ◇ Il est moins usité que ses dérivés et composés, si l'on excepte **CYCLER** v. intr. (1892) «pédaler, aller à vélo» qui n'est plus utilisé, mais dont il reste le dérivé **CYCLABLE** adj. (1893), qui a éliminé *véloçable* (1870), pour qualifier une voie, une piste. ➛ De *cycle* sont issus **CYCLISME** n. m. (1886) et **CYCLISTE** (1883, n.; 1902, adj.), très courant en l'absence de dérivés vivants de *vélo* et de *bicyclette, bicycliste* étant rare, et utilisé aussi en apposition *(coureur cycliste),* ainsi qu'un grand nombre de mots dont *cycle* est le premier ou le second élément : **BICYCLE** n. m. (1869, anglicisme), **TRICYCLE** n. m. (1834), plus vivant, **CYCLO-CROSS** n. m. (1927), **CYCLORAMEUR** n. m. (1936), **CYCLOMOTEUR** n. m. (1939) d'où **CYCLOMOTORISTE** n., **CYCLO-POUSSE** n. m. (1966), en concurrence avec *vélo-pousse,* **CYCLO-TOURISME** n. m. et **CYCLOTOURISTE** (1893; 1890, avec un trait d'union). ➛ À côté de deux ou trois anglicismes, aujourd'hui sortis

d'usage, le français a emprunté à l'anglais **CYCLECAR** n. m. (1914; 1913, *cyclecar*) «voiturette à pédales», formé sur le mot *car* «voiture» (→ car).
Outre *cyclisme* et *cycliste*, deux diminutifs se dégagent par leur fréquence de la série des dérivés et composés de ② *cycle*. ➛ **BICYCLETTE** n. f. est le diminutif (1880) de *bicycle*, ce dernier, nommé en anglais en 1868 (*the French bicycle*), désignant un véhicule inventé en 1855 et nommé d'après *tricycle*. Le bicycle était un vélocipède à roues inégales, dont le perfectionnement, et notamment la propulsion par pédales, a correspondu à un allègement, d'où probablement le diminutif. Ce dernier, avec le succès de l'appareil (attesté dans les années 1880 par l'apparition des mots *cycliste* et *cyclisme*), a dû correspondre à des connotations sympathiques, le mot prenant une valeur affective (cf. *la petite reine*, surnom de l'appareil). Le mot est devenu moins courant à cause de la concurrence de *vélo* et de l'apparition de synonymes familiers comme *bécane* (1890, dans ce sens), et le dérivé populaire *biclo* (1907), devenu **BICLOU** n. m. (1951) par attraction de *clou*. ◇ Un dérivé de *bicycle*, **BICYCLISTE** n. (1869) est tombé dans l'attraction de *bicyclette* avant de vieillir au profit de *cycliste*, les autres types de cycles étant périmés (à part la moto). ➛ Parallèlement à *bicycle-bicyclette*, et un peu plus tard, la famille de *cycle* s'est enrichie de *motocycle*-motocyclette*, qui ont vieilli au profit de *moto*.

◈ voir ① CYCLO-, CYCLONE, CYCLOPE, ENCYCLOPÉDIE.

① **CYCLO-** est un élément préfixal tiré du grec *kuklos* «roue, cercle» (→ cycle) pour former, au XIXe et XXe s., des mots exprimant l'idée de «cercle» et, plus rarement, de «cycle».

▸ Il a servi à former le terme de géométrie **CYCLOÏDE** n. f. (1638), le terme de zoologie **CYCLOSTOME** n. m. avec le grec *stoma* «bouche», pour un mollusque dont la coquille présente une ouverture arrondie (1801). ➛ **CYCLOTHYMIE** n. f. a été formé en allemand (1882) sur le grec *thumos* «état d'esprit», désignant l'âme, le cœur en tant que principe de la vie et siège des passions, notamment de la colère, d'où le grec moderne *thumos* «colère». Il est souvent rapproché du sanskrit *dhūmá*, du latin *fumus* (→ fumée), du vieux slave *dymŭ* «fumée», mais ces rapprochements sont très éloignés pour le sens. Le rapport avec le verbe grec *thuein* «s'élancer avec fureur» et, par là, avec la racine indoeuropéenne °*dhū* semble plus vraisemblable. ◇ *Cyclothymie* tend, comme le dérivé **CYCLOTHYMIQUE** adj. (1907), à prendre dans une langue non technique la valeur de «qui a une humeur très instable».
CYCLOTRON n. m. (v. 1930), formé avec le suffixe d'*électron**, désigne un accélérateur circulaire *(cycl-)* de particules lourdes. cf. aussi ② *cyclo-*, dérivé de *cyclique* et de *cycle*. ◇ De là **SYNCHROCYCLOTRON** n. m. (1950), contracté en **SYNCHROTRON** n. m. (1949) «cyclotron synchronisé» (le second d'après l'anglais *synchrotron*, 1945).

CYCLONE n. m. est emprunté (1860) de l'anglais *cyclone*, introduit par H. Piddington pour désigner indistinctement des perturbations atmosphériques dans lesquelles le vent a un mouvement circulaire (dans un ouvrage de 1848). Le mot a été formé par cet auteur sur le grec *kuklos* «cercle, mouvement circulaire» (→ cycle). Il a été adopté par plusieurs langues.

♦ *Cyclone*, terme de météorologie, est employé couramment à propos de tempêtes violentes donnant une impression de tourbillon. Par métaphore, il exprime un phénomène de violence historique, politique ou économique. ◇ Par analogie, il désigne un appareil à pièces mobiles qui entraîne violemment dans un fluide des déchets, particules, etc.

▸ Avec son premier sens, *cyclone* a produit **CYCLONAL, ALE, AUX** adj. (1863) et **CYCLONIQUE** adj. (1875), ainsi que **CYCLONOMIE** n. f., **CYCLONOMIQUE** adj. (1863) et **CYCLOGENÈSE** n. f. (1950). ➛ **ANTICYCLONE** n. m. (1870) désigne une zone de hautes pressions, ne retenant dans *cyclone* que l'aspect de la pression et non les effets violents. ◇ Il a pour dérivé **ANTICYCLONIQUE** adj. (1897) qui semble plus courant que **ANTICYCLONAL, AUX** adj.
Le sens technique d'«appareil» pris par *cyclone* a produit **CYCLONAGE** n. m. (1973), «séparation d'éléments par la force centrifuge».

CYCLOPE n. m., d'abord écrit *ciclope* (1372) puis *cyclope* (fin XVe s.), est emprunté au latin *Cyclops*, transcription du grec *Kuklôps* qui, au singulier, désigne Polyphème (dans l'*Odyssée* d'Homère), et au pluriel, les géants n'ayant qu'un œil rond au milieu du front. Le mot est interprété très probablement comme «celui qui a un œil *(ôps)* rond *(kuklos)*», alors que logiquement c'est le fait de l'œil unique qui importe; *ôps* «œil» (→ myope).

♦ Le mot a été repris comme terme de mythologie grecque (l'ancien français avait déjà *cyclopien*, v. 1190). Par extension, il a désigné un borgne (1732) et, en zoologie, un petit crustacé dont les yeux sont si rapprochés qu'il semble n'en avoir qu'un (1801). ◇ L'accent étant mis sur une autre caractéristique du géant mythique, forgeron, il est parfois employé, comme *titan*, à propos d'une personne qui forge un travail considérable, sens induit par celui de l'adjectif *cyclopéen* (ci-dessous).

▸ Le dérivé **CYCLOPÉEN, ENNE** adj. (1808) se partage entre des emplois didactiques (mythologie, archéologie) et littéraires (1823, Hugo), alors avec une valeur figurée de «colossal, immense».

CYGNE n. m. est la réfection en *cigne* (v. 1250) puis *cygne* (1546), d'après le latin classique, de la forme antérieure *cisne* (1170), *cine*. Celle-ci est issue du bas latin *cicinus*, forme attestée dans la Loi salique et chez Oribase et passée dans les langues romanes, issue du latin classique *cycnus* ou *cygnus*, *cignus*. Ce mot latin, d'usage savant et poétique, est emprunté au grec *kuknos* et a remplacé le nom latin usuel de l'oiseau, *olor*. Le mot grec, que l'on peut rapprocher du sanskrit *śócati* «luire» et *śuk-rá* «clair, lumineux, blanc», signifierait proprement «le blanc». ◈

♦ Le mot, qui entre dans des syntagmes (comme *cygne noir*, la plupart étant blancs), se prête à quelques emplois figurés par allusion aux qualités symboliques attribuées à l'oiseau (pureté, grâce); il est entré dans l'expression ***le chant du cygne*** (1546), d'où au figuré *chanter le chant du cygne* (1640), d'après la tradition selon laquelle le cygne exhale un chant d'une douceur admirable avant de mourir. Cette tradition soutient le sens métaphorique de «poète» (1630), le *cygne de Mantoue* désignant Virgile. ◇ Les syntagmes techniques ***col de cygne*** et ***bec de cygne*** désignent des instruments, en référence à la forme du cou et du bec de l'oiseau. ◇ En terme de modes, *du cygne* a désigné (dep. 1806) la peau avec son duvet.

▶ Les adjectifs synonymes **CYCNOÏDE** (1866) et **CYCNIFORME** (1913) sont formés savamment sur le radical latin de *cycnus.*

CYLINDRE n. m., d'abord *chilindre* (v. 1380), refait en *cylindre* (1606), est emprunté au latin *cylindrus,* lui-même emprunté au grec *kulindros* par la langue scientifique, comme terme de géométrie, et par la langue rustique pour désigner un rouleau. *Kulindros* est dérivé de *kulindein* «rouler», qui se rattache à la racine indoeuropéenne *°kwel-* «tourner en rond», bien représentée en latin (→ quenouille) et en grec dans *kuklos* (→ cycle) et *polos* (→ pivot, pôle).

♦ Le mot a été introduit en géométrie comme nom d'un solide engendré par une droite qui se déplace parallèlement à un axe. Par référence à un autre emploi du mot grec ou par figure, il désigne un rouleau permettant de soumettre certains corps à une pression uniforme, en agriculture (1549), un rouleau utilisé dans un mécanisme à mouvement régulier (1801), spécialement en musique (1814), en horlogerie. ◇ D'après la forme et l'utilisation du volume intérieur, il désigne un corps creux servant de contenant, spécialement en mécanique l'enveloppe de métal dans laquelle se meut le piston d'une machine à vapeur, puis d'un moteur à explosion (v. 1900); de là, son emploi métonymique, au masculin (1903) puis au féminin (1914) pour désigner une automobile d'après le nombre de ses cylindres *(une quatre, une six cylindres);* d'où *cylindrée* (ci-dessous).

▶ **CYLINDRIQUE** adj. (1596) qualifie ce qui est en forme de cylindre, cependant que **CYLINDROÏDE** adj. et n. m., avec un sens voisin, désigne un solide approchant du cylindre (1709) et qualifie, dans le langage didactique, ce qui présente cette forme (av. 1814, en médecine). ◆ **CYLINDRER** v. tr. (1772), employé techniquement en blanchisserie et en tannerie pour «passer qqch. sous un cylindre», réalise aussi l'idée de «mettre sous forme de cylindre» (1829). ◇ Il a produit **CYLINDRAGE** n. m. (1765), **CYLINDREUR** n. m. (1817) et **CYLINDRÉ, ÉE** adj., lequel a développé de manière inattendue le sens figuré familier de «loufoque» (v. 1960). ◆ **CYLINDRÉE** n. f. a été dérivé directement (1886) de *cylindre* pour désigner le volume aspiré par la course du piston dans un cylindre de pompe ou de moteur à explosion. Il dispute à *cylindre* le sens métonymique d'«automobile» (1945, *grosse cylindrée*), d'usage familier.

CYMBALE n. f. est emprunté (1154-1173, *cimbale*) au latin *cymbalum,* surtout utilisé au pluriel *cymbala.* Lui-même est emprunté au grec *kumbalon* «instrument à percussion», dérivé, avec le même suffixe que *krotalon* (→ crotale), de *kumbê* «coupe, vase», rapproché du sanskrit *kumbhá* «pot» et de l'avestique *xumba-* de même sens, par analogie de forme; mais *kumbê* n'est pas avec certitude un mot indoeuropéen.

♦ Le mot, qui a éliminé l'ancienne forme francisée *cymbles* (v. 1120) et l'ancien masculin *cymbals* (XIIe s.), a d'abord désigné, au pluriel, une sorte de tympanon, instrument à cordes frappées. Ce sens ayant été assumé par la suite par *clavicembalum* (→ clavecin), *cymbale* a désigné un instrument à percussion (v. 1278). ◇ Ce sens a donné un emploi figuré aujourd'hui disparu, évoquant un bruit vain et sonore (1695) et, au singulier, par référence à Paul, I Cor, 15.1, un individu vain, futile (1830). ◇ Le singulier se rapporte aussi, concrètement, à des tuyaux d'orgue de la famille des jeux de mutations composées (1680) lorsqu'il ne désigne pas un des disques des cymbales à percussion (1863).

▶ La dérivation consiste dans les mots peu répandus **CYMBALETTE** n. f. (XVIe s., repris au XXe s.), **CYMBALIER** n. m. (1671) ou **CYMBALISTE** n. m. (1845) et **CYMBALER** v. intr. (1838). ◆ Le nom d'instrument folklorique **CYMBALUM, CZIMBALUM** n. m. (1887) est un emprunt au hongrois *czimbalom,* lui-même issu du latin *cymbalum* par l'intermédiaire d'une langue romane (peut-être l'italien *cembalo*).

CYNÉGÉTIQUE adj. et n. f. est emprunté (1750) au grec *kunêgetikos* «qui concerne la chasse avec une meute ou la chasse en général», de *kunêgetein* «chasser (avec une meute)», lequel est composé de *kuôn, kunos* «chien» (→ cynique) et de *agein* «mener» (→ agonie).

♦ Le mot, enregistré par l'abbé Prévost dans son *Manuel lexique,* qualifie ce qui concerne la chasse (spécialement la chasse avec meute). Contrairement à *chasse,* il est d'usage didactique, employé substantivement pour l'ensemble des connaissances concernant l'art de la chasse (au chien courant).

CYNIQUE adj. et n. est emprunté (1375, écrit *cinique*) au latin *cynicus,* lequel est la transcription du grec *kunikos,* proprement «qui concerne le chien», appliqué par figure aux philosophes de l'École d'Antisthène et de Diogène parce qu'ils affichaient une attitude d'indépendance intellectuelle et morale. *Kunikos* est dérivé de *kuôn, kunos* «chien», employé comme injure à l'égard d'une femme effrontée, impudente et, parfois, pour désigner un gardien. Ce mot appartient au même groupe indoeuropéen que le latin *canis* (→ chien), le sanskrit *śu-vā́,* le lituanien *šuõ.*

♦ Le mot a été introduit en histoire de la philosophie comme adjectif *(philosophes cyniques)* et comme nom. Il a développé spontanément son sens courant d'«effronté, sans principe» (1674, Boileau dans un emploi archaïque en poésie : *rimes cy-*

niques), par analogie avec les caractéristiques du comportement des philosophes cyniques. ◇ Le sens de «relatif au chien» (1552), rare et didactique, est surtout réalisé dans l'expression médicale *spasme cynique* (1752), calquée sur le latin *cynicus spasmus* (→ spasme), lui-même calqué sur le grec *kunikos spasmos* en parlant d'un mouvement convulsif des joues et des lèvres.

▶ **CYNIQUEMENT** adv., attesté une fois en 1537, a été répandu à partir de 1844 dans son acception figurée courante. ◆ **CYNISME** n. m. est emprunté (v. 1750) au bas latin *cynismus* «doctrine philosophique de l'école cynique», emprunt au grec *kunismos*. Le mot est introduit à la fois dans son acception psychologique courante (v. 1750, *traits de cynisme*) et comme terme d'histoire de la philosophie (1775, Condillac).

CYNOR(R)HODON n. m. est emprunté (1690) au grec *kunorhodon*, composé de *kuôn, kuonis* «chien» (→ cynique) et de *rodon* «rose» (→ rhododendron), la plante ainsi dénommée étant traditionnellement réputée soigner les morsures de chien.

♦ Le mot, synonyme de *rosier sauvage* et *églantier*, est surtout employé par métonymie comme nom du fruit de cet arbrisseau, utilisé dans la confection de tisanes, pilules et confitures.

CYPRÈS n. m., d'abord écrit *ciprès* (v. 1170), est emprunté au latin *cupressus, cypressus*. Les lois de la phonétique semblent exclure un emprunt direct de ce mot au grec correspondant *kuparissos*, qui aurait pu passer en latin par un intermédiaire étrusque. Les deux mots, grec et latin, ont probablement été empruntés indépendamment à une même langue méditerranéenne : Pline indique que l'arbre viendrait de Tarente où il aurait été importé d'Asie.

♦ Le mot désigne un conifère résineux. Son emploi est quelquefois lié à l'évocation de la mort et du deuil (fin XVIe s.) selon une tradition qui remonte à l'Antiquité (les Grecs et les Romains l'associaient au culte de Pluton, dieu des enfers).

▶ Le radical de *cyprès* a servi à former le terme rare **CYPRIÈRE** n. f. (1744) «bois planté de cyprès». ◆ Au XIXe s., les botanistes ont emprunté le nom latin **CUPRESSUS** n. m. (1802) comme désignation scientifique de l'arbre et ont formé **CUPRESSINÉES** n. f. pl. (1856) sur le radical du latin *cupressinus* «de cyprès», adjectif dérivé de *cupressus*.

CYPRIN n. m. est l'adaptation (1783) du latin scientifique *cyprinus* (1735), terme de classification zoologique pour un genre de poissons établi par Linné, lui-même emprunté au latin *cyprinus* «espèce de carpe». Le mot latin est calqué du grec *kuprinos*, mot qui pourrait être apparenté (par allusion à la couleur du poisson) à *kupros* «henné», mot probablement sémitique (hébreu *koper*). Chantraine, qui fait ce rapprochement, n'évoque pas le nom de l'île de Chypre, *Kupros*, qui a donné *cuivre*.

♦ Le mot est le nom donné à un genre de poissons d'eau douce ayant pour type la carpe, *cyprin doré* désignant le poisson rouge.

▶ Le terme de classification zoologique **CYPRINIDÉS** n. m. pl. est apparu un peu plus tard, élaboré en deux temps, *cyprinides* (1825) cédant la place à *cyprinidés* (1866).

CYRILLIQUE adj. est dérivé (1832) du nom francisé *Cyrille*, nom du saint appelé en latin *Cyrillus*, emprunt au grec *Kyrillos*, évangélisateur des Slaves avec saint Méthode au IXe s.

♦ La tradition attribue à ces deux personnages l'invention de l'alphabet bulgare et russe. L'adjectif qualifie l'alphabet propre aux langues slaves de l'Est et du Sud (bulgare, russe, ukrainien, biélorusse, serbe). Il semble dater du début du XIXe s. et est enregistré dans le complément de l'Académie (1838-42).

CYST-, CYSTO-, CYSTI- et **-CYSTE** sont les différentes formes que revêt l'élément tiré du grec *kustis* «vessie (organe et sac)», «poche gonflée», dérivé d'un verbe signifiant «souffler», à rapprocher du sanskrit *śvas-iti*.

♦ Les éléments entrent dans la formation de termes scientifiques, notamment en botanique, médecine et zoologie, surtout à partir du XIXe siècle. Le plus courant d'entre eux est probablement **CYSTITE** n. f. (1806), terme de pathologie, d'abord formé en latin médical (1795, *cystitis*) «inflammation aiguë et chronique de la vessie».

CYTISE n. m., d'abord *cythison* (1516), *cytison* (1557) d'après le grec, puis *citise* (1563) et *cytise* (1611) d'après le latin, est emprunté au latin *cytisus*, transcription du grec *kutisos*. Ce dernier désigne d'abord la luzerne en arbre puis également notre cytise; la première de ces plantes étant originaire d'Afrique, il pourrait s'agir d'un emprunt.

♦ Le mot désigne un arbrisseau vivace au bois très dur, très apprécié des chèvres comme nourriture, et cultivé pour la beauté et le parfum de ses fleurs.

▶ **CYTISÈNE** ou **CYTISINE** n. f. (1842) en a été dérivé en chimie avec le suffixe *-ène*, pour un alcaloïde toxique tiré des graines de plusieurs espèces de cytises.

CYTO-, -CYTE est l'élément tiré du grec *kutos* «cavité», désignant le creux d'un bouclier, d'une jarre, du corps humain, de la cale d'un navire. Le sens originel pourrait être celui d'«enveloppe» si l'on accepte le rapprochement avec le latin *cutis* «peau» (→ cutané), l'ancien haut allemand *hut*, allemand *Haut*.

♦ L'élément, avec le sens de «cavité, cellule», entre dans la formation de termes de biologie concernant la cellule — aux sens biologique et moderne de ce mot — et est très productif à partir de 1850.

▶ Quelques mots, aujourd'hui sortis d'usage, sont antérieurs, tels **CYTOBLASTE** n. m. (1855), ancien nom du noyau, et **CYTOGÉNÉTIQUE** adj. (1855) «relatif à la formation de la cellule».

CYTOLOGIE n. f. (1890, P. Larousse; mais antérieur) correspond à la généralisation de la théorie cellulaire; il a pour dérivés **CYTOLOGIQUE** adj.

(1898), d'où **CYTOLOGIQUEMENT** adv. (1922), **CYTOLOGUE** n. (dès 1860, Cl. Bernard) et **CYTOLOGISTE** n. (1897).
CYTOPLASME n. m. (1878) désigne la substance (*protoplasme* → plasma) de la cellule, à l'exclusion du noyau; il a évincé *sarcode* (Dujardin, 1835) et a pour dérivé **CYTOPLASMIQUE** adj. (fin XIXe s.). ◆ Au début du XXe s. sont attestés **CYTODIAGNOSTIC** n. m. (1900), **CYTOLYSE** n. f. (1905) de *-lyse**, **CYTOTOXINE** n. f. (1909) d'où **CYTOTOXIQUE** adj. (1904) avec *toxine**, *toxique**. ◇ **CYTOSINE** n. f. (1903) est le nom de l'un des composants des acides du noyau.
Récemment apparaissent **CYTOBIOLOGIE** n. f. (1970), **CYTOPHYSIOLOGIE** n. f., **CYTOCHROME** n. m., **CYTOGÉNÉTIQUE** n. f. (v. 1950, au sens moderne de *génétique**), **CYTOPATHOLOGIE** n. f., etc.
L'élément *-cyte*, parallèlement productif dans les domaines de l'histologie et de l'hématologie, apparaît dans deux mots d'usage courant : *leucocyte** et *lymphocyte**.

D

DA interj., d'abord attestée sous la forme *diva* (du début du XIIe s. à v. 1356), cette ancienne interjection est composée des impératifs de *dire** et *aller** : *dis* et *va*. À la suite de son emploi interjectif, *diva* s'est altéré en *dia* (XIVe s.), puis en *dea* (1396), *da* (1606).

♦ D'abord employés seuls, *dea* puis *da* ont servi à renforcer l'affirmation (1396, *oïl dea;* 1606, *ouy da*) [→ oui] et la négation. L'usage du mot a décliné, mais certains patois l'utilisent comme exclamation, isolément et généralement en fin de phrase, pour renforcer une affirmation.

DAB(E) n. m., d'abord *dabo* (1579) puis *dabe* (1725), est d'origine obscure. On a évoqué (Oudin, 1642) un emprunt au latin *dabo* «je donnerai», première personne du futur de l'indicatif de *dare* «donner» (→ donner), mais le développement sémantique n'est pas clair : Esnault l'accepte pour le sens de «souffre-douleur, dupe» (Vosges, Nord), mais le refuse pour celui de «maître». Il préfère évoquer une parenté avec *dâbre, dabier* «paysan», usité en Vendée, Anjou et dans le Maine. Le mot a pu être emprunté à l'italien (Larivey, qui l'atteste le premier, est italianisant) qui a *dabo* au XVIe s. comme terme de jeu.

♦ Le sens de «maître, patron» et celui de «roi» (XVIIIe s.), spécialement «roi de cartes» (1835), ont disparu au profit de celui de «père» (1725). Le mot a aussi été employé pour «amant, entreteneur» (1878) par décalque de l'emploi de *papa*. ◇ Le pluriel *dabes* s'applique aux deux parents, père et mère (1889), le singulier s'entendant aussi, au féminin, de la mère (1883); cet emploi est archaïque.

► Des formations suffixées plus ou moins synonymes sont apparues, l'une au XVIIe s., **DABUCHE** n. m. (1630) anciennement «roi» puis «père» (1848) et «grand-père», (1876) dénommant aussi, au féminin, la mère (1835), les autres au XIXe s. : **DABIER** n. m. (1847), **DABMUCHE** n. m. (1878), **GRAND-DABE** n. m. (1847), «grand-père», et des substantifs féminins **DABICHE** (1899), **DABONNE** (1847), **DABESSE** (1836). Toute cette série argotique est archaïque.

D'ABORD → ABORD

D'ACCORD → ACCORD

DACTYL(O)- élément préfixal, est tiré du grec *daktulos* «doigt», qui est aussi le nom d'une mesure de longueur (la plus petite en Grèce) et sert à désigner différents objets présentant une analogie avec le doigt (→ datte). Les autres langues indoeuropéennes possèdent des formes qui ressemblent à *daktulos* sans s'en rapprocher directement, comme le gotique *tekan* «toucher», le vieil islandais *taka* «prendre» (cf. l'anglais *to take*), le latin *digitus* (→ doigt).

♦ En français, *dactyl(o)-* entre dans la composition de noms et d'adjectifs didactiques dont certains sont devenus courants. Il y indique une analogie avec le doigt, dans des termes de zoologie *(dactylopodite, dactylozoïde)*, et l'utilisation des doigts, spécialement pour créer un langage.

► C'est le cas de **DACTYLOGRAPHE** n., composé avec l'élément *-graphe** (1832) pour désigner un clavier destiné à transmettre au moyen du toucher les signes de la parole dans la communication avec les sourds-muets aveugles. Le sens moderne (1900) de «personne chargée d'écrire des textes à la machine à écrire» est devenu usuel; il est couramment abrégé en *dactylo* (1923), surtout au féminin. ◆ Par changement de suffixe, le mot a produit **DACTYLOGRAPHIE** n. f. (1832) qui a suivi une évolution parallèle, prenant le sens d'«action d'écrire à la machine» (1900), et donnant à son tour **DACTYLOGRAPHIQUE** adj. (1832), attesté avec son sens moderne depuis 1900, et, au second sens, **DACTYLOGRAPHIER** v. tr. (1912).
Le mot grec est également représenté sous la forme du second élément **-DACTYLE, -DACTYLIE** dans un certain nombre de mots savants (le premier élément indiquant le nombre ou une particularité des doigts). ◆ Quant à **DACTYLE** n. m., il est emprunté, altéré en *daptille* (v. 1370), puis restitué en *dactyle* (1611), au latin *dactylus*, lui-même emprunté au grec *daktulos* comme terme de mé-

trique (par allusion aux trois phalanges du doigt) et comme terme de botanique (par allusion à l'aspect de la plante). Introduit en versification, le mot s'est spécialisé ultérieurement en botanique (1803). ➛ L'adjectif **DACTYLIQUE**, d'abord *daptilique* (1466) puis *dactylique* (1581), est emprunté au latin *dactylicus*, lui-même calqué sur le grec tardif *daktulikos*.

DADA n. m. est une formation onomatopéique du langage enfantin désignant le cheval (1508). Il a servi à traduire (1776, traduction de *Tristram Shandy* de L. Sterne) l'anglais *hobby-horse* «manie, sujet favori». Ce dernier, désignation du cheval aubin, a été appliqué par métonymie à un cheval de bois (XVIe s.) et, par l'intermédiaire de la valeur affective de «jouet favori», a pris le sens figuré de «passe-temps favori» (1676). Le calque *dada* s'est mieux répandu que les emprunts ultérieurs *hobby* (début XIXe s.) et *hobby-horse* (1815).

♦ Le mot désigne le cheval chez les enfants et, au figuré, une manie (1776), employé seul ou en locutions ***(enfourcher son, un dada)***, accompagné d'autres termes figurés du même champ sémantique. ➛ *Dada* est devenu au début du XXe s. le nom d'un mouvement artistique créé en 1916 (14 juillet, Tristan Tzara, *Le Manifeste de M. Antipyrine*), protestant par la dérision et l'irrationalité contre l'absurdité universelle. *Dada* a été choisi comme un terme volontairement dépourvu de sens, illustrant la volonté du mouvement de se libérer des idées reçues. Le mot avait été trouvé au moyen d'un coupe-papier glissé au hasard dans les pages d'un dictionnaire *Larousse* par T. Tzara et Huelsenbeck, le 8 février 1916, à Zurich, au café *Terrasse*. Il est employé comme adjectif et comme nom.

▸ Le terme artistique a produit **DADAÏSME** n. m. (attesté en 1917 chez Courteline) et **DADAÏSTE** n. et adj. (1918, Tzara).

DADAIS n. m. est formé (1642) à partir du radical onomatopéique *dad-* exprimant l'étonnement. Les patois possèdent de nombreux mots de sens analogue (cf. aussi *dadée* «enfantillage, babiole», XVIe s.).

♦ Le mot désigne familièrement un jeune homme niais et gauche, souvent dans *un grand dadais*.

DAGUE n. f. (1229) est d'origine obscure. L'hypothèse d'un emprunt à un latin tardif °*daca*, féminin substantivé tiré de *daca spatha* «épée dace», par l'intermédiaire de l'italien ou du provençal *daga*, se heurte au fait que ni l'italien ni le provençal ne sont attestés avant le XIVe siècle. D'autre part, l'expression *daca spatha* (ou *daca ensis*) n'est pas attestée en latin. L'ancienneté du mot sur le territoire anglais (1200, *dagger*; XIIIe s., latin médiéval *daca* chez le grammairien anglais J. de Garlande) conduirait à chercher un étymon celtique, que l'on ne peut toutefois identifier avec certitude.

♦ Le mot désigne un poignard ou une épée courte en usage au moyen âge et jusqu'au XVIIIe siècle. Par analogie (forme, fonction), il désigne en zoologie (surtout au pluriel) le premier bois qui pousse sur la tête du cerf ou du daim (av. 1573).

▸ Le dérivé **DAGUER** v. s'est d'abord dit en vénerie (1572) d'un cerf ou d'un daim dont les bois commencent à pousser; il est encore employé avec le sens de «s'accoupler» (du daim, du cerf). L'autre sens, «frapper à coups de dague», également attesté dès la fin du XVIe s. (1581, au pronominal), n'est plus guère employé qu'en termes de chasse. En Suisse, le mot est employé au sens intransitif figuré de «pester, enrager». ➛ **DAGUET** n. m., diminutif de *dague* (1655), désigne en vénerie le jeune cerf qui pousse son premier bois (antérieurement dénommé *dagard*, XVIe s.). ➛ **DAGUETTE** n. f. «petite dague» (1886, Moréas) est une rareté littéraire.

DAGUERRÉOTYPE n. m., attesté pour la première fois en 1839 dans le *Rapport de M. Arago sur le Daguerréotype*, et dans le *Journal* de Michelet sous la forme *daguerrotype*, est composé du nom de *Daguerre* (1787-1851) et de l'élément suffixal *-type**.

♦ Daguerre est, avec Niepce de Saint-Victor, l'inventeur de ce procédé de reproduction : en 1838, ils obtinrent une matérialisation indélébile de l'image latente qui se forme au dos d'une chambre noire; l'année suivante, Daguerre lance l'invention sous le nom de *daguerréotype*. Le procédé consiste à placer dans une chambre noire une plaque argentée, polie et traitée par des vapeurs d'iode. Elle est ensuite exposée à la lumière pendant quelques minutes. L'image latente invisible se révèle en positif quand on l'attaque par des vapeurs de mercure; un lavage à l'eau chaude salée arrête le développement et rend l'image définitive. Le portrait assura le triomphe du daguerréotype. Malgré son éclat et son extrême finesse, il fut rapidement abandonné au profit de la photographie*, car il présentait l'inconvénient d'être unique et de ne pouvoir être reproduit facilement. Le mot concerne aujourd'hui l'histoire de la photographie.

▸ Les dérivés **DAGUERRÉOTYPER** v. tr. (1839) et **DAGUERRÉOTYPIE** n. f. (1847, Balzac) ont décliné avec l'usage du procédé.

DAHLIA n. m., terme de botanique, est dérivé (1804), avec la finale *-ia*, du nom du botaniste suédois Andréa *Dahl* (1751-1789) qui apporta cette plante du Mexique en Europe à la fin du XVIIIe siècle.

DAIGNER v. tr., d'abord *degnier* (v. 881) et *deignier*, est issu du latin tardif *dignare*, lequel provient par changement de conjugaison du latin classique *dignari* «juger digne» puis, suivi d'un infinitif, «vouloir bien», chez les poètes puis en latin chrétien. Il est dérivé de *dignus* (→ digne).

♦ Le verbe, introduit avec le sens de «vouloir bien, consentir à», est, dès les premières attestations, construit avec un infinitif. D'usage soutenu ou ironique, il est souvent en tournure négative.

▸ Le préfixé **DÉDAIGNER** v. tr., d'abord attesté sous la forme du participe présent *desdeinanz* (av. 1150) avec le sens ancien de «qui s'indigne», a reçu sa valeur moderne «repousser, mépriser» (1165-1176), s'opposant à *daigner*, en particulier dans la construction plus tardive *dédaigner de* et infinitif, «refuser de», avec une idée de mépris (1579). ◆ Alors que le verbe simple n'a pas de dérivés, *dédaigner* a produit le déverbal **DÉDAIN** n. m. (v. 1155, *desdein*) qui signifie d'abord «attitude méprisable», éliminé au profit du sens actif de «mépris» (1172). ◆ **DÉDAIGNEUX, EUSE** adj. (1165-1170, *desdeignos*), de sens actif, a donné **DÉDAIGNEUSEMENT** adv. (1220, *desdaigneusement*). ◆ **DÉDAIGNABLE** adj., après avoir eu le sens actif, «qui témoigne du mépris» (av. 1270), a reçu comme la plupart des adjectifs en *-able* le sens passif «qui mérite le dédain» (1588, Montaigne); il est demeuré rare.

DAIM n. m., d'abord *dain* (v. 1170) et *deyme* (1320-1350), est issu du bas latin *damus* (ou *dammus*) de même sens, type masculin en *-us* créé pour remplacer l'ancien mot classique *dama (damma)*, surtout de genre masculin (féminin chez Horace). Le mot est d'origine étrangère, peut-être celtique (irlandais *dam allaid* «cerf», de *dam* «bœuf»), un rapport avec *domare* «dompter» (→ dompter) étant écarté, faute d'une relation de sens.

♦ En français comme en latin, *daim* est le nom d'un cervidé. Le mot désigne couramment, par analogie avec la peau traitée de l'animal, un cuir souple dit aussi veau retourné, ou «suédé» (exemple *veste en daim, de daim*). Son emploi figuré, en parlant d'un homme élégant, vaniteux et crédule, d'un homme stupide du beau monde, est propre au XIXe siècle.

► Le féminin **DAINE** (d'abord *deyme* v.1320) et le nom du petit de l'animal, **DANEAU** n. m. (1700) sont peu usités; pour le second, on emploie *faon*.

DAIS n. m., qui l'a emporté (XVIe s.) sur ses multiples variantes antérieures *deis* (1165-1170), *dois* (av. 1350), *ders* (1525), est issu, par évolution phonétique, du latin *discus* «disque, plateau, cymbale» (→ disque).

♦ Du sens de «plateau où l'on disposait les mets», le mot est passé en français avec le sens de «table d'honneur dressée sur une estrade», en usage du XIIe au XVIe siècle. Une évolution analogue est constatée dans l'italien *desco* «table, établi», l'ancien provençal *desc* «table» (à l'origine de l'anglais *desk* «bureau») et dans l'allemand *Tisch* «table» ou, par une autre métonymie, l'anglais *dish* «plat», ces deux derniers étant empruntés au latin. Par l'intermédiaire de l'idée de «table surmontée d'une tenture», on est ensuite passé au sens de «plafond, toit» (av. 1350) d'où, avec une spécialisation honorifique, le sens moderne de «baldaquin» (1525). Celui-ci a donné quelques extensions analogiques, notamment dans des expressions.

DAL ou **DALLE** n. m., d'abord *dail* (1829), est d'origine obscure : un rattachement à *dalle** n'est guère concevable du point de vue sémantique. Esnault écarte aussi les homonymes (*à dal* «à gauche» dans le Nord) et propose de remonter à *ne dire que daye dan daye, que la chanson de daye dandaye* (Scarron, 1644), onomatopée équivalente à *lonlaire*, en y joignant éventuellement *dailler* «muser, dire des blagues» (lorrain, vieilli).

♦ Le mot, d'abord argotique, s'est répandu dans l'usage familier, dans ***n'entraver que dalle*** (1829, *je n'entrave que le dail*) «ne rien comprendre» et ***que dalle*** «rien du tout» (1884). Le seul emploi vivant demeure *que dalle*, souvent avec les verbes argotiques signifiant «comprendre» (*piger*, etc.).

DALAÏ-LAMA → ① LAMA

DALLE n. f. est un mot d'origine normande, d'abord attesté en Normandie (1331), probablement emprunté (peut-être comme terme de marine si l'on en juge par le dérivé *dalot*) à l'ancien nordique *daela* «rigole pour l'écoulement des eaux à bord d'un navire». Le sens premier aurait pu être celui de «pierre légèrement creusée, servant d'égout». C'est un mot technique qui a surtout circulé comme terme de marine (anglais *dale*, espagnol *dala* «tuyau d'écoulement pour la pompe d'un navire»).

♦ Le premier sens attesté, «évier», est sorti d'usage au XVIIe s. mais s'est maintenu en Normandie. Par analogie, *dalle* a pris en moyen français son sens argotique puis familier de «gosier, gorge» (XVe s., apr. 1450) dans des locutions comme ***se rincer la dalle*** «boire». ◆ Le sens moderne de «pierre plate pour paver», indirectement attesté par *daller* (1319), est attesté depuis 1676. Le mot, d'abord appliqué aux pierres plates servant à paver le toit d'un édifice et d'où l'eau s'écoule par les gargouilles et les gouttières, désigne une plaque de pierre ou de matière dure utilisée pour le pavage, et spécialement la pierre tombale fermant une sépulture. Par analogie de forme, *dalle* s'est dit d'une tranche mince de poisson (XVIIe s.). Cf. *darne*.

► Le dérivé (dénominatif) **DALLER** v. tr., après une première attestation en 1319, n'est employé de manière usuelle que depuis 1800. ◆ Il a produit **DALLAGE** n. m. (1835) «recouvrement de dalles» et «action de daller» (1838).
Avec son ancien sens normand, *dalle* a donné dès le XIVe s. le terme de marine **DALOT** n. m. (1382, à Rouen) désignant l'ouverture pratiquée dans le bordage pour l'écoulement des eaux embarquées. Le mot a conservé au Canada certains emplois d'origine normande, notamment «évier» et «linge entortillé protégeant un doigt malade»; comme *dalle*, il y signifie «gosier».

DALTONISME n. m. est un mot créé avant 1841 (date où l'on relève le mot en anglais, emprunté en français) par le professeur Pierre Prévost de Genève, qui l'a tiré (probablement d'après l'adjectif *daltonien*) du nom du célèbre chimiste et physicien anglais J. *Dalton* (1766-1844). Ce dernier décrivit ce trouble de la perception des couleurs, dont il était lui-même atteint, dans une communication à la Société littéraire et philosophique de Manchester (1794).

♦ Le mot désigne une affection de la vue caractérisée par l'incapacité à distinguer certaines couleurs.

▶ **DALTONIEN, IENNE** adj. et n. est lui aussi dérivé (1827, P. Prévost) du patronyme *Dalton*.

✱ **DAM** n. m. est emprunté très anciennement (842, *damno*) au latin *damnum* «dommage, préjudice», «perte» et «dépense», souvent associé à *sumptus* «dépense, frais» (→ somptueux), *jactura* «perte, dommage» et *detrimentum* (→ détriment). *Damnum* était spécialement employé dans un contexte juridique pour désigner les dommages et intérêts payés pour une perte matérielle et, par extension, l'amende (le mot propre étant *multa*) ou la peine (à côté de *poena*). Quoi qu'on ait dit, aucun rapport n'est senti en latin entre *damnum* et *dare* «donner» (→ donner) et l'expression *damnum dare* «causer un dommage» ne réalise pas une «figure étymologique». *Damnum* est peut-être un ancien terme de la langue religieuse, à rapprocher de *daps, dapis* n. f. (pluriel : *dapes*) «sacrifice», «repas rituel qui suit le sacrifice». Ces deux mots latins ont été rapprochés de l'arménien *tawn* «fête», du vieil islandais *tafn* «bête destinée au sacrifice», suggérant l'existence d'une famille indoeuropéenne.

♦ En français, *dam*, avec son sens de «dommage, préjudice de qqn», s'est effacé à partir du XVIe s. pour ne plus s'employer que dans l'expression *à mon (ton, son, leur) dam* (1450, *à nostre dam*) elle-même disparue, le dernier usage subsistant étant aujourd'hui ***au grand dam** (de qqn)*. ◇ Le mot a eu le sens spécial de «châtiment éternel qui prive les réprouvés de la vue de Dieu», dans le vocabulaire théologique (1579) [→ damner].

▶ *Dam* a été progressivement remplacé par son dérivé **DOMMAGE** n. m. dont la forme primitive *damage* (1080) a été modifiée en *domage* (v. 1160), *dommage*, probablement sous l'influence de l'ancien français *dongier* (→ danger). La forme première est conservée par l'anglais *damage* qui l'a empruntée au français. Le mot, complètement démotivé, d'usage juridique et courant, est particulièrement employé dans la locution ***c'est dommage que*** (1160, *ce est domage que*) et dans l'expression juridique ***dommages et intérêts*** (1690). ◆ Il a produit **DOMMAGEABLE** adj. (1349), antérieurement *damageable* (1309), ainsi que deux verbes préfixés. **ENDOMMAGER** v. tr. (1165, *endamagier*) signifie «faire subir des dommages, des dégâts à (qqch.)». ◇ Il a donné à son tour **ENDOMMAGÉ, ÉE** adj. et **ENDOMMAGEMENT** n. m. (XIIIe s.), nom d'action rare depuis le XVIe s., mais encore répertorié par les dictionnaires généraux. ◆ **DÉDOMMAGER** v. tr. (1262) se partage entre un emploi juridique et le sens figuré usuel de «donner en compensation» (1665), tout comme son dérivé **DÉDOMMAGEMENT** n. m. (1309, *desdamagement*), dont la diffusion dans l'usage courant est attestée à partir de 1723.

DAMAS n. m. (1380), d'abord *damasque* (1352), est tiré du nom de la ville de *Damas*, en Syrie, une des plus importantes villes commerciales au moyen âge.

♦ Le mot a été emprunté pour désigner une étoffe monochrome ornée de dessins satinés en relief sur fond mat, formés par le tissage. Ultérieurement, il a servi à désigner quelques autres produits importés originairement de la ville de Damas, notamment une sorte de prune dont le plant provient de Damas, nommée *prune de Damas* (XVe s.), puis elliptiquement *damas* (1545) [le bas latin avait *damascena* en ce sens]. Au XVIIIe s., il est passé en métallurgie, à propos d'un métal utilisé pour les lames de sabre (d'où le sens métonymique de «sabre», 1732), obtenu par un alliage de fer et d'acier dont les teintes diverses dessinent des motifs variés (1762, *acier de Damas;* 1783, *damas*).

▶ En est dérivé **DAMASSÉ, ÉE** adj. (1386), employé en tissage, également en emploi substantivé (1646), et en métallurgie (1783) où il concurrence *damasquiné* (→ damasquin). ◆ L'infinitif **DAMASSER**, inusité, a permis la production de **DAMASSURE** n. f. (1556) «ouvrage de linge damassé» et «dessin figurant sur la toile damassée». ◆ **DAMASCÈNE** adj. (in P. Larousse 1870), emprunté au bas latin, qualifie ce qui est relatif à la ville de Damas, *damasquin** étant sorti d'usage en ce sens.

DAMASQUIN, INE adj. et n. est emprunté (1405-1406) à l'italien *damaschino* «étoffe tissée à la manière de celles de Damas» (XVe s.), également, en emploi adjectif «de Damas» *(drappo dammaschino)*, dérivé de *Damasco*, nom italien de *Damas* (→ damas).

♦ Le mot désigne une étoffe tissée à la manière de celles qui étaient fabriquées à Damas (au masculin puis surtout au féminin); il a qualifié (1445) ce qui est relatif à Damas, emploi disparu au profit de *damasquiné*.

▶ Le dénominatif **DAMASQUINER** v. tr., d'abord **DAMASQUINÉ, ÉE** adj. (1537), et ses dérivés **DAMASQUINEUR** n. m. (1558), **DAMASQUINERIE** n. f. (1571), rare, **DAMASQUINAGE** n. m. (1611) et **DAMASQUINURE** n. f. (1611), se rapportent à l'incrustation à froid de petits filets (d'or, d'argent, de cuivre) formant décor dans un autre métal.

① **DAME** interj., attesté pour la première fois en 1665 (Molière, *Dom Juan*, III, 1), mais certainement antérieur, comme le juron *tredame*, attesté en 1690, est issu, par abréviation, de *par nostre dame* ou de *damedieu*, «Seigneur Dieu», invocation médiévale fréquente devenue juron. L'expression existe en latin ecclésiastique sous la forme *domine deus*, de *dominus* «maître», de *domus* «maison» (→ dôme) et *deus* (→ dieu).

♦ Le mot n'est plus compris et rattaché aujourd'hui à ② *dame*;* il s'employait encore couramment au XIXe s., en milieu rural, notamment dans ***dame oui !, dame non !***

② **DAME** n. f., d'abord *dama* (v. 1050), est issu du latin *domina*, contracté en *domna* (Ier s. apr. J.-C.), «maîtresse de maison, épouse», «amie», «maîtresse», «souveraine». Le mot est le féminin de *dominus* (→ dom, domino), dérivé de *domus* «maison» (→ dôme).

♦ Le mot est d'abord l'appellation d'une femme de haut rang, par opposition à *demoiselle* qui désigne la femme d'un bourgeois, au moyen âge et encore

DAME : la « dominante »

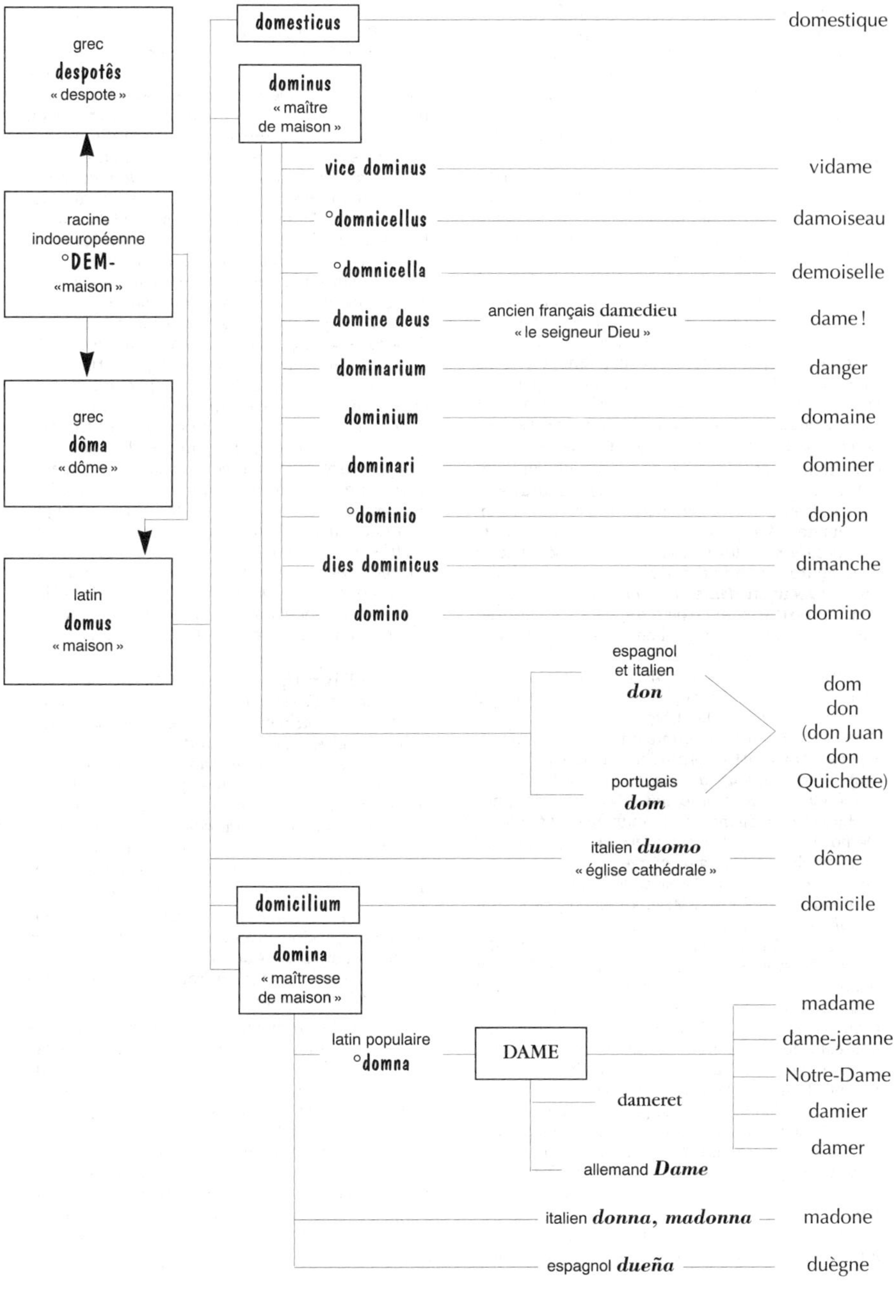

au XVIIe siècle. Il s'agit là d'un développement de sens d'origine féodale, parallèle à celui de *dominus, domnus* qui, sur le territoire gallo-roman, a pris à l'époque des Mérovingiens et des Carolingiens, le sens de «seigneur, maître d'un fief». En ancien français, *dame* s'applique à l'épouse (v. 1175) et, spécialement, dans le langage courtois, à la femme aimée (fin XIIe s.), emploi dont témoigne une expression comme ***la dame de ses pensées.*** ◇ Par extension, le mot commence dès le XIIIe s. à désigner une personne du sexe féminin n'appartenant pas à la noblesse, mais cet usage ne se développe qu'au XVIe s., toujours avec une nuance de courtoisie par rapport à *femme.* ◇ Depuis l'ancien français et d'après le latin, *dame* entre spécialement dans l'appellation de la vierge, **NOTRE-DAME** (v. 1220), et a servi à former des titres pour des abstractions féminisées (XIIIe s., *damme Théologie*). ➛ Au XVIe s., il est entré dans le vocabulaire du jeu (1508, *jeu des dames*) par référence à l'idée de «reine» aux échecs et aux cartes, et, en ce qui concerne le jeu appelé spécifiquement ***jeu de dames,*** puis ***les dames (jouer aux dames),*** par allusion au fait que le pion qui a traversé tout le damier peut se déplacer d'un nombre illimité de cases diagonalement, comme la «reine» aux échecs.

▶ De *dame* sont dérivés deux termes de jeu : l'un, **DAMER** v. tr., est relevé une fois (apr. 1250) avec le sens ancien de «proclamer dame, souveraine» en parlant de la Vierge, puis reformé (1552) à partir de (jeu de) *dames,* développant dès cette époque le sens figuré de «prendre l'avantage sur», souvent dans la locution ***damer le pion à*** (1688). ➛ Le second, **DAMIER** n. m., existe depuis 1529 pour désigner le plateau sur lequel on pousse les pions au jeu de dames et au jeu d'échecs. Par analogie avec la surface de ce plateau divisée en carrés de couleurs alternées, il a reçu des acceptions spéciales en architecture, textile, urbanisme.

Avec son sens propre, *dame* a donné le diminutif péjoratif **DAMERET** n. m., d'abord attesté dans un emploi adjectif sorti de l'usage (av. 1502, *œillades damerettes*), puis comme nom (1508) pour désigner un homme d'élégance et de manières efféminées. De nos jours, le mot n'est guère employé que par allusion plaisante au moyen âge.

Le composé **DAME-JEANNE** n. f. (1701), d'abord écrit *dame-jane* (1694, Corneille) «bonbonne», vient de *jane* «bouteille, récipient pour les liquides», attesté en 1586 et répertorié par Cotgrave en 1611. C'est un emploi plaisant du prénom féminin *Jeanne,* par allusion à la forme rebondie de cette bouteille. Le procédé est fréquent : *Christine* est employé en Normandie pour désigner une grande bouteille de grès pour l'eau-de-vie, et *Jacqueline* dans le nord de la France pour désigner une cruche de grès à long ventre (1640). Il s'agit probablement d'un terme forgé par les marins du sud de la France, car l'on rencontre *damajano* en provençal, *damajana* en catalan et *damigiana* en italien. Le mot a circulé : anglais *demijohn,* arabe *damǧāna* (mot récent et lui aussi emprunté d'une langue européenne).

MADAME n. f. (v. 1175), au pluriel **MESDAMES**, est formé sur *dame* avec soudure de l'adjectif possessif, comme *monsieur* sur *sieur,* et comme *mademoiselle.* ◇ Cet appellatif a suivi les emplois de *dame* (ci-dessus), s'appliquant d'abord aux femmes des très hautes classes de la société, notamment aux souveraines, aux filles de la maison royale (*Madame Royale* était le titre porté par la fille aînée du roi). Au XVIIe s., c'est aussi le titre de la femme de *Monsieur,* le frère du roi. ◇ En français classique, *madame* s'applique aux femmes nobles titrées et *mademoiselle* aux nobles non titrées. Cependant, depuis le XVe s., *madame* se dit aussi de femmes non titrées et même — probablement plus tard — de bourgeoises mariées (on a dit : *Madame bourgeoise* [Furetière]) et de certaines religieuses. ◇ C'est au XVIIe s. que l'appellatif s'étend donc à des femmes mariées de la classe moyenne, l'application sociale augmentant progressivement, au XVIIIe s. et surtout au XIXe s., selon les mêmes critères qui se sont appliqués à l'usage de *monsieur.* Cependant, alors que l'opposition «mariée-non mariée» devient essentielle pour *madame-mademoiselle,* l'idée hiérarchique ne disparaît pas. Ainsi *madame,* depuis le XVIIe s. (1668), s'applique à la maîtresse de maison par rapport aux domestiques *(Madame est servie).* ◇ Le mot sert de titre, employé avant le nom patronymique du mari *(Madame Bovary)* et, récemment, avant le nom même de la femme, ou encore avant un nom de fonction, qui peut être au masculin en français contemporain *(Madame le Maire),* sauf au Québec. Le nom est très usuel en appellatif, seul *(oui, Madame),* ou qualifié *(chère Madame).* Il s'emploie familièrement pour *dame (jouer à la Madame).* ◇ Une contraction populaire (1756, Vadé) est *mame, maame,* aujourd'hui archaïque ou comique.

DAMNER v. tr. est emprunté dès le Xe s. (v. 980) au latin ecclésiastique *damnare* «réprouver, condamner» (en parlant de Dieu), servant à traduire le grec chrétien *anathematizein* (→ anathème). C'est une spécialisation de sens du latin classique *damnare,* terme juridique signifiant «frapper d'une amende», plus généralement «réprouver, condamner à un châtiment», passé dans l'usage courant au sens de «blâmer, critiquer» et, à basse époque, au sens de «fermer (une porte)». Il est dérivé de *damnum* «dommage, préjudice» (→ dam).

♦ Le mot, repris dans sa spécialisation théologique, est employé transitivement et (1172-1174) à la forme pronominale *se damner.* La spécialisation juridique, reprise en ancien français (v. 1050), a été réservée à *condamner.*

▶ **DAMNÉ, ÉE,** rapidement adjectivé, est la substantivation du participe passé *damné* pour désigner la personne qui est condamnée aux peines de l'enfer (1160). Par extension, l'adjectif désigne et qualifie la personne qui est l'objet de la plus violente réprobation (1465), spécialement en juron (*damné* + nom), et toute chose que l'on réprouve : en français contemporain, cet emploi semble influencé par l'anglais *damned* (de même origine) emprunté plaisamment (mil. XXe s.) comme interjection de dépit, d'abord dans des bandes dessinées.

Le dérivé **DAMNATEUR** n. m., à date relativement récente (1840), a supplanté *damneur,* seulement attesté par le dictionnaire de Guérin (1892) avec la mention «vieux mot». ◆ **DAMNATION** n. f. (1172-1174, *dampnatïun*) est emprunté au latin chrétien *damnatio, -onis* «condamnation prononcée par Dieu après la mort», spécialisation du sens juridique classique de «condamnation». Comme *damner,* le mot reste limité à son sens religieux (le sens juridique étant réservé à *condamnation**), même si quelques dictionnaires du XIXe et du XXe s. répertorient un ancien sens de *damnations* «proscriptions, interdictions, amendes prononcées par les ouvriers soit contre l'un d'entre eux, soit contre les chefs d'atelier ou les entrepreneurs». ◆ **DAMNABLE** adj., antérieurement *dampnable* (1180-1190), est emprunté au latin chrétien *damnabilis* «condamnable, répréhensible, odieux, mortel (en parlant du péché)», dérivé tardif de *damnare.*

DAMOISEAU n. m., d'abord *dameisel* (v. 1135), est issu d'un latin populaire °*domnicellus,* diminutif de *dominus* «maître de maison» (→ dom, domino).

♦ Le sens de ce diminutif s'est développé à l'époque de la féodalité, et le mot français, au moyen âge, désigne un jeune gentilhomme qui n'est pas encore chevalier. En moyen français (XIVe-XVe s.), il désigne spécialement le jeune noble accompagnant le châtelain ou la châtelaine à la chasse, à la promenade, et faisant office de messager. Par ironie, il s'est appliqué à un jeune homme empressé et galant (1563-1564, Ronsard) et s'est dit d'un jeune homme qui affecte de la recherche dans ses vêtements et qui témoigne d'une galanterie efféminée.

▸ Le féminin correspondant **DAMOISELLE** n. f. (fin IXe s., *dameisele*), forme archaïque de *demoiselle*,* a d'abord désigné une fille de noble condition, épouse de damoiseau. En entrant dans l'usage commun, le mot n'a cependant pas acquis les connotations péjoratives de *damoiseau,* et s'est dit d'une femme, même sans titre de noblesse. Il était encore employé en droit au XIXe s. pour *demoiselle (ladite damoiselle).*

DAN n. m. est l'emprunt (1944) du japonais *dan* qui désigne un degré de qualification, supérieur aux ceintures, délivré à ceux qui atteignent un haut niveau dans la pratique d'un art martial, judo ou aïkido. Le mot est à peu près contemporain en anglais (1941).

♦ *Dan* a été repris avec le vocabulaire des arts martiaux, dans *premier, deuxième, troisième... dan.*

DANAÏDE n. f. est emprunté (1546) au latin impérial *Danaïdes,* pluriel qui transcrit le grec *Danaides* «filles de Danaos». Selon la légende, les cinquante filles de ce roi, pour avoir tué durant leur nuit de noces leurs maris sur ordre de leur père, reçurent aux Enfers un châtiment qui consistait à remplir éternellement d'eau un tonneau percé.

♦ Le mot a été introduit en français par allusion à ce mythe, dans l'expression *bussart* («tonneau») *des Danaïdes* (1546), aujourd'hui ***tonneau des Danaïdes*** (1840), pris comme symbole de la condition humaine. Ultérieurement, il est passé dans l'usage technique comme nom d'une roue hydraulique (1857).

DANCING n. m. est l'abréviation française (1920) de mots anglais attestés depuis le XIXe s., *dancing-house, dancing-room, dancing-hall* «maison, salle, hall de danse», et de l'américain *dance-hall* (1846). Ceux-ci sont formés de *to dance* «danser», emprunté au français *danser*.* L'anglais *dancing,* gérondif substantivé, ne signifie que «danse».

♦ La vogue des établissements nommés *dancings* en français se situe entre les deux guerres, surtout dans les années 30; elle instaure l'émancipation d'une certaine bourgeoisie qui ne se contente plus des réceptions et des bals privés, et celle de ses enfants qui sortent sans être accompagnés par les parents. Institution urbaine, le dancing fut un endroit chic, à la mode, comme son nom anglais l'indique; cependant, le mot a vieilli et a perdu son prestige, donnant lieu à des emplois plaisants, prononcé *dansinge.* En français du Canada, *dancing* (faux anglicisme incongru en anglais) est inconnu en ce sens.

DANDIN n. m. est issu (1526-1532) du radical onomatopéique *dand-* évoquant un mouvement de balancement : on relève *dandin* en 1390 au sens de «clochette», et l'anglais a *to dandle* «dorloter» (→ dinguer).

♦ Le mot désignait un homme d'apparence niaise, décrit par Furetière (1690) comme «un grand sot qui n'a point de contenance ferme, qui a des mouvements de pieds et de mains déshonnêtes». Cet emploi a disparu mais *Dandin* demeure dans l'histoire littéraire avec des noms propres, comme *Perrin Dandin,* type du juge ridicule inventé par Rabelais (1546, *Tiers-Livre*) et *George Dandin ou le Mari confondu,* titre d'une comédie de Molière (1668).

▸ Il est à l'origine du dérivé usuel **DANDINER** v. tr. (1550), d'abord employé intransitivement puis surtout à la forme pronominale *se dandiner* (av. 1694). Ce verbe signifie aujourd'hui «se balancer maladroitement ou de manière embarrassée lorsqu'on est debout» et a perdu une partie de ses connotations négatives. ◆ Son participe présent **DANDINANT, ANTE** est adjectivé pour qualifier une démarche (av. 1750). ◆ Du verbe sont dérivés **DANDINEMENT** n. m. (1585) et **DANDINETTE** n. f., vieux terme d'argot désignant une correction (1866), une «danse», puis spécialisé comme terme de pêche (1900) à propos d'un appât en forme de poisson, par allusion au mouvement constant de l'hameçon. ◆ On rencontre également **DANDINE** n. f., surtout au pluriel, avec le sens argotique de «coups» (1881), **DANDINEUR, EUSE** n. et adj., rare, et **DANDELINER** v., peut-être influencé par *dodeliner*.*

DANDY n. m. est emprunté, sous la forme *daindy* (1813-1814, Mme de Staël) puis *dandy* (1817, Lady Morgan) à l'anglais *dandy* (1780), mot qui semble venir de l'écossais, peut-être de *Dandy,* diminutif de *Andrew,* correspondant au prénom français *André*. Ce mot désignait, dans la région frontalière entre l'Angleterre et l'Écosse, les jeunes gens qui fréquentaient l'église ou la foire annuelle dans un vêtement excentrique. Vers 1813-1819, il fut adopté à Londres à propos d'élégants dont le type fut George-Beau Brummel (1778-1844), réputé pour ses aphorismes qui eurent force de loi («pour être bien mis, il ne faut pas être remarqué», etc.).

♦ Le mot est passé en français avec la vague d'anglomanie qui déferla vers les années 1820-1830. Les plus notables des dandys parisiens furent Alfred d'Orsay, Roger de Beauvoir et Lord Seymour. Le personnage du dandy domine toute l'histoire du romantisme français et occupe une place de choix dans les grandes œuvres de l'époque (en témoignent de Marsay et Rastignac, personnages de *La Comédie humaine* de Balzac). Le soin apporté à l'aspect physique et à la mise, de même que le souci d'être «reconnu» en société caractérisent d'ailleurs l'attitude d'un bon nombre d'écrivains romantiques (Stendhal, Eugène Sue, voire Baudelaire). Dans les années 1830, le phénomène Jeune-France fait du dandysme la base même de sa démarche esthétique de refus, de détachement (comme l'humour) et de révolte. Le mot inaugure, avec *fashionable* (1804), une série de termes anglais relatifs à la mode (*fashion**, 1830; *snob**, 1857; *select**, 1869; *smart**, 1898). En insistant sur les connotations éthiques et spirituelles de *dandy*, dans le sillage de Baudelaire, puis de Villiers de l'Isle-Adam, on est passé à certaines valeurs qui excluent même l'idée d'élégance; le concept correspond à *dandysme* (ci-dessous). Cependant, *dandy* désigne couramment un élégant, un raffiné, en parlant de toute époque et notamment de l'époque moderne; il connote souvent une élégance de style britannique, et parfois des caractères empruntés au type de personnage de la tradition littéraire française. S'il s'insère dans le paradigme des termes désignant l'élégant, il n'a guère de synonyme, à l'exception de *lion* et de *fashionable*, plus marqués historiquement. Lui-même est devenu un terme historique ou du moins très stylistique. Le mot ne s'emploie pas au féminin (Augier utilise en 1858 l'expression *dandy femelle*).

▸ Il a produit **DANDYESQUE** adj. (1892) et **DANDYFIER** v. tr., aujourd'hui disparus. ◆ **DANDYSME** n. m. est attesté pour la première fois en 1830 dans le *Journal des Débats* à propos de Byron et dans le *Traité de la vie élégante* de Balzac. C'est un emprunt à l'anglais *dandyism* (1819) qui, depuis Baudelaire («le dandysme confine au spiritualisme et au stoïcisme») et Barbey d'Aurevilly, s'applique davantage à une attitude esthétique et morale qu'à l'élégance matérielle. *Dandy* et *dandysme* restent vivants comme termes historiques.

◈ voir DUNDEE.

◈ **DANGER** n. m., d'abord *dangier* (1160), est issu du bas latin °*dominarium*, puis °*domnarium* «pouvoir», dérivé de *dominus* «maître, seigneur» (→ dom, domino). Le mot aurait été employé en Gaule du Nord pour *dominium* «propriété, droit de propriété» d'où «domination, puissance» et «droit», de même origine. Le vocalisme initial du français est peut-être dû à l'influence de *dam**, l'ancien français attestant aussi la forme étymologique *dongier*.

♦ Le mot a d'abord eu le sens de «domination, empire», la locution *estre en dangier d'aucun* signifiant «être au pouvoir de qqn, à sa merci». ◆ Le sens moderne de «péril» (1340) s'est probablement dégagé de la locution ***en danger de***, qui serait passée de «au pouvoir de» à «en craignant l'action de». Ce sens a éliminé les autres, dont il reste quelques traces dans les patois, au XVIe siècle.

▸ *Danger* a donné **DANGEREUX, EUSE** adj. (déb. XIIIe s.), le latin médiéval attestant *Dangerosa*, surnom d'une femme, en 1060. Le sens du mot dans les premières attestations n'est pas clair («faible»?, «qui agit inconsidérément»?); du sens de «difficile», il est passé au sens moderne de «périlleux», probablement en même temps que *danger* (XIVe s.). ◆ En sont dérivés **DANGEREUSEMENT** adv. (1538), avec son sens actuel, et **DANGEROSITÉ** n. f. (1963), terme didactique d'abord employé en psychologie, puis en général pour «caractère dangereux».

DANOIS n. m. est la spécialisation, attestée dans les travaux de Buffon (1750), de l'adjectif et substantif ethnique *danois, oise* (1080, *Oger li Daneis*). Ce mot est issu du francique °*Danisk-*, à l'origine de l'ancien nordique *Dansk* et adapté au latin médiéval sous la forme *danensis*. *Danisk-* repose sur *Dani-*, lui-même rendu par le latin médiéval *Dani, -orum* «les Danois», qui a donné le danois *Dane* et, en composition, le toponyme *Danemark* dont le second élément représente *mark* (→ marche). L'anglais a à la fois *Danish* (adaptation de l'ancien français) et *Dane* comme nom ethnique et comme traduction (1774, Goldsmith) du terme de zoologie choisi par Buffon. L'étymologie de *Dani* est controversée, l'hypothèse la plus répandue avançant «peuple de la forêt».

♦ Le mot désigne un grand chien d'une race dont l'origine danoise est sujette à caution, au poil ras, aux oreilles courtes et représentée par deux variétés.

DANS prép. est issu, sous la forme *denz* (v. 1112), du bas latin *deintus* «au dedans, en dedans», de *de* (→ de) et *intus* «de l'intérieur» puis simplement «à l'intérieur», dérivé de *in* (→ en). ◈

♦ *Dans* est d'abord employé adverbialement au sens de «à l'intérieur», avant de céder cet emploi à son composé *dedans* (ci-dessous). Depuis 1170, on le trouve employé comme préposition, exprimant une idée de lieu, de temps (XIIIe s.), ainsi qu'une disposition physique et morale (1667). Rare avant le XVIe s., il s'est progressivement imposé au détriment de *dedans* et de *en*, d'usage incommode en raison de ses formes contractes.

▸ **DEDANS** adv., d'abord *dedenz* (v. 1050), formé avec *de**, a donc seulement conservé son usage adverbial, perdant son usage prépositionnel (1080), par exemple *dedans la chambre*, encore usuel au XVIIe s. et d'ailleurs condamné par Vaugelas (1647). Il est substantivé depuis 1530 (*le dedens*), symétriquement à l'antonyme *dehors*.

⊛ ✱ **DANSER** v., attesté depuis le XIIe s. (v. 1170), et qui désigne, par opposition aux représentants de *ballare* (→ bal), des formes de danse élégantes ou solennelles, est propre à la langue d'oïl. De la France du Nord, il s'est répandu dans les langues voisines (italien *danzare*, espagnol *danzar*, anglais *to dance*) ; dans les langues méridionales, il a gardé un certain caractère littéraire. En raison de ces particularités, une origine germanique est probable, et on a supposé un étymon francique °*dintjan* (aboutissant en gallo-roman à °*dintjare*), déduit du néerlandais *deinzen* «s'éloigner, reculer» et «se remuer», du frison *dintje* «trembler légèrement», de l'islandais *dynta* «s'agiter» ; cependant, l'hypothèse se heurte au *-a-* de l'ensemble des formes françaises. Un autre mot francique, °*dansôn*, déduit de l'ancien haut allemand *dansôn* «tirer», présente des difficultés sémantiques (il faut alors supposer que la danse était une sorte de ronde où les danseurs tournaient en s'entraînant) et ne peut expliquer, même à travers un gallo-roman °*dantsare*, l'ancien français *dancier*. Levant la difficulté formelle, V. Günther a proposé, à partir de l'ancien haut allemand *dansôn* (variante de l'ancien haut allemand *dinsan* «tirer, étendre»), la formation précoce, vers le VIIIe s., d'un doublet °*dansjan*.

♦ Quoi qu'il en soit, *danser* en français signifie dès le XIIe s. «exécuter une suite réglée de pas suivant un rythme musical». Il est également employé à propos d'une chose au sens de «faire une série de mouvements rythmés» (1200-1220) avec de nombreux contextes sociaux différents, selon les époques (→ ci-dessous danse). ◇ Plusieurs extensions, familières, mettent en avant l'idée de violence physique. Le sens argotique de «puer» fait probablement allusion au mouvement du fromage coulant (1827) ou à un emploi régional de *danser* «remuer le fumier» (Vosges), donc à une image rurale.

► **DANSE** n. f., son déverbal, désigne le mouvement rythmique du corps humain (1172-1175) et, dès 1223, est aussi employé au figuré (par exemple ***entrer dans la danse, en danse*** «en action»). Par métonymie, il désigne une pièce musicale composée pour la danse *(une danse)*. Le mot, dans son sens premier et principal, a des connotations très différentes selon les contextes : d'une part, chorégraphie (*danse classique*, entraînant le vocabulaire propre de la chorégraphie), danses propres à chaque civilisation (antiques et modernes, européennes et exotiques, «orientales», etc.), danse professionnelle moderne liée au spectacle (music-hall, etc.) ; d'autre part, «activité sociale réunissant hommes et femmes pour danser», avec une évolution historique considérable, des *danseries* du XVIe et du XVIIe s. aux bals, sauteries, surprise-parties et aux lieux publics consacrés à la danse *(dancings*)*. ◇ Le vocabulaire de la danse est très riche, puisqu'il comprend celui de la chorégraphie et du ballet, avec de nombreux termes techniques, celui de la danse-spectacle populaire et, depuis le début du XVIIIe s., celui de la «danse de salon», précédée au XVIIe s. par les bals de la haute société et la vogue des *maîtres à danser* (Molière). Au XIXe s., tous ces genres prospèrent et s'organisent ; les noms de danse, anciennes et traditionnelles, populaires et savantes, s'enrichissent d'emprunts, depuis *polka**, *mazurka** (polonais), *valse** (allemand), jusqu'aux genres populaires *(cancan*...)* et aux importations exotiques, américaines ou autres, du début du XXe s. *(tango*, samba*, cake-walk*, charleston*)* puis au foisonnement contemporain. ◇ Enfin, la découverte et la redécouverte assez récentes de la variété historique et culturelle, des fondements anthropologiques de la danse, liée à l'idée de rythme, de mime et à la musique, ont encore amplifié ce grand domaine lexical, alors même que le sens fondamental de *danse, danser* n'a pas changé.

De *danser* sont également dérivés les adjectifs tirés des participes **DANSÉ, ÉE** et **DANSANT, ANTE** (fin XVIIe s.) «qui danse», puis (XVIIIe s.) «apte à faire danser ; rythmé», le nom d'agent *danseur* (ci-dessous), le diminutif **DANSOT(T)ER** v. intr. (1648, Scarron), et quelques mots vieillis ou rares : **DANSERIE** n. f. (av. 1506, Molinet) et **DANSEMENT** n. m. (1885), variante expressive de *danse*. ◇ **DANSABLE** adj. (1845), d'une musique, est plus courant. ◇ Parmi ces dérivés, **DANSEUR** n. m. et **DANSEUSE** n. f. sont les plus usuels ; ils ont suivi l'évolution des contextes de *danse*. Le mot concerne à la fois les professionnels de la danse classique (avec les syntagmes ***danseur, euse étoile, premier danseur***, etc.), de la danse folklorique, du music-hall. Des activités spéciales sont désignées par des expressions : ***danseur mondain*** (vieilli), ***danseur de corde*** (au figuré «personne très adroite»). Le mot concerne aussi la danse mondaine ; *son, sa danseuse* étant en concurrence avec *cavalier, ière*. Enfin, au féminin, *danseuse* se dit d'une maîtresse coûteuse et figurément d'une opération de prestige coûteuse. ⟡ ***En danseuse*** qualifie (1919) une façon de pédaler debout à bicyclette.

CONTREDANSE n. f. est l'altération (1626), d'après *contre* et *danse*, de l'anglais *country dance*, où *country* signifie «campagne» (→ contrée) et *dance* est de même origine que danse. ◇ Le mot désigne une danse collective, d'abord campagnarde puis mondaine, qui s'exécute par couples (en général quatre), avec des figures voisines de celles du quadrille. ◇ Par jeu de mots, *contredanse* s'emploie (1901) pour *contravention*.

◈ voir DANCING.

DANTESQUE adj. est tiré, au moyen du suffixe *-esque* (1830, Lamartine), de *Dante*, nom du plus célèbre écrivain italien (1265-1321), auteur de *La Divina Commedia (La Divine Comédie)*, œuvre qui narre l'itinéraire fictif du poète dans l'outre-tombe en trois étapes qui correspondent aux trois parties du livre (enfer, purgatoire et paradis).

♦ Le mot possède une valeur caractérisante assez courante, «sombre, grandiose, vertigineux», en référence à la tonalité de l'œuvre de Dante. Il s'emploie aussi avec une valeur déterminative neutre, en histoire et en critique littéraire (1834).

DARABOUK n. m. ou **DARBOUKA** n. f. est emprunté (1830) à l'arabe *darbukka, darabukka* désignant un tambour. Le mot, après une tentative de francisation en *darabouque*, a été rendu par *daraboukah* (1840), *tarbouka* (1853), *darabouk* (1854), tandis que la forme algérienne a été adaptée conjointement en *derbouka* (1847).

♦ Introduit à l'époque de la vogue des voyages en Orient, le mot désigne un instrument de musique en poterie dont le fond, de peau tendue, constitue la surface de percussion.

① **DARD** n. m. est issu (1080) du francique °*daroth* «arme de jet» que l'on peut déduire de l'anglo-saxon *darod,* de l'ancien haut allemand *tart* et de l'ancien nordique *darradr.* Au IXe s., le latin médiéval atteste *dardus* «arme de jet». Le mot est passé dans les langues méridionales : italien, espagnol *dardo.*

♦ Le sens d'«arme de jet» a vieilli avec l'abandon de cette arme, sauf dans son extension figurée (1165-1176). Le mot s'est maintenu comme dénomination d'objets fabriqués ou naturels qui fendent ou déchirent : par exemple la langue des serpents, selon une ancienne croyance, l'aiguillon piquant de certains animaux (1668, d'un hérisson, La Fontaine) et, par une métaphore banale, le sexe masculin. Par ailleurs, le mot a servi à former des locutions comparatives où il joue le même rôle que *flèche* (***comme un dard,*** «très vite» [→ dare-dare]). ◆ En revanche, l'homonyme ② **DARD** n. m., nom d'un poisson d'eau douce du genre chevesne (1555), est l'altération, sous l'influence de *dard,* d'un autre mot ancien français, *dars* (1197), lui-même emprunté au latin médiéval *darsus,* probablement d'origine celtique.

▸ ① *Dard* a donné **DARDER** v. tr. (XVe s.), d'abord «lancer une arme de jet», puis, en relation avec *dard,* «diriger en ligne droite (des rayons du soleil)» [1553] et «frapper en piquant» (par allusion au sens poétique de *dard* «langue des serpents»). Le sens figuré de «s'élancer» a vieilli. ◆ Le participe présent adjectivé **DARDANT, ANTE** a été substantivé en argot pour désigner le soleil (1901) et, au figuré, l'amour (1828-1829). ◆ Le nom d'action **DARDEMENT** n. m. (1891) est très rare.

voir **DARE-DARE.**

DARE-DARE loc. adv., attesté depuis 1640, est d'étymologie obscure, peut-être formé par redoublement expressif de *dare,* élément verbal tiré du verbe dialectal *(se) darer* «s'élancer», variante de *darder** pris au sens de «s'élancer» (XVIe s.) ***[courir, filer comme un dard].***

♦ La locution s'emploie familièrement au sens de «très vite, sans délai».

DARNE n. f. est emprunté (1216-1218) au breton *darn* «pièce, fragment».

♦ Le mot désigne une tranche de gros poisson taillée à cru (*darne de saumon* dès la première attestation).

DARSE n. f. est emprunté (déb. XVe s.), avec chute de la finale, au génois *darsena.* Celui-ci, attesté depuis 1147 en latin médiéval de Gênes, est lui-même emprunté à l'arabe *dār aṣ-ṣinā'a* «maison de fabrication» (qui a donné par Venise *arsenal**).

♦ Le mot est un terme de marine dénommant un bassin abrité à l'intérieur d'un port, où l'on peut effectuer en sécurité la réparation ou l'armement des petits bâtiments. De la Méditerranée, il a gagné d'autres mers.

▸ Quant à **DARSINE** n. f. «petit port pour radouber les vaisseaux», attesté depuis 1690, il est aussi emprunté au génois, mais compris comme un diminutif de *darse.*

DARTRE n. f., d'abord *dertre* (XIIIe s.) puis *dartre* (1478), est issu du bas latin de Gaule *derbita* (souvent au pluriel *derbitae, -arum*), également représenté dans les dialectes de l'Italie septentrionale, en rhéto-roman, en provençal et en catalan. *Derbita,* apparu dans les gloses (le latin classique disait *impetigo*), remonte peut-être au celtique avec *-b-* pour *-v-* (cf. gallois *tarwyden,* anglais *teter* de même sens). Il proviendrait d'un thème indoeuropéen °*derw-*, °*drw-*, peut-être élargissement de °*der-* (représenté dans le groupe indoeuropéen par le grec *derein* «gratter»).

♦ Le mot désigne une maladie de la peau se manifestant par des rougeurs et des démangeaisons.

▸ De *dartre* est dérivé **DARTREUX, EUSE** adj., d'abord attesté sous la forme *dertreux* (fin XIVe-déb. XVe s.). ◆ Certains dictionnaires enregistrent **DARTRIER** n. m. pour un arbre dont la graine est utilisée contre les dartres (1845). ◆ **DARTROSE** n. f. «maladie cryptogamique de la pomme de terre» est attesté en 1901.

DARWINISME n. m. est tiré, avec le suffixe *-isme* (1867), du nom du naturaliste anglais Charles *Darwin* (1809-1882), auteur d'une théorie selon laquelle la sélection naturelle est le facteur essentiel de la transformation des espèces vivantes. Bien que la première attestation connue constitue une traduction de l'italien, le mot a probablement suivi l'anglais *darwinism* (1864).

♦ Le mot se rapporte à l'ensemble des théories de Darwin.

▸ D'autres dérivés, **DARWINIEN, IENNE** adj. et n. (1869), **DARWINISTE** adj. et n. (1870), ont été formés à l'époque de la diffusion de la pensée de Darwin et du débat sur ses théories. ◆ **NÉO-DARWINISME** n. m. et **NÉO-DARWINIEN, IENNE** adj. et n. ne sont attestés qu'autour de 1900 (1898 pour *néo-darwinisme*).

DATCHA n. f. est l'emprunt (1843, *datscha*) du russe *datcha* «maison de campagne», antérieurement «lopin de terre» et «petite propriété terrienne», sens eux-mêmes issus de celui de «terre concédée par un prince». Ce développement est une spécialisation du sens général de «ce qui est donné, don», avec lequel *datcha* est dérivé de *dat'* «donner», mot reposant sur la racine indoeuropéenne °*dō-*, °*də-* «donner» (→ donner).

♦ Le mot, attesté en français chez le marquis de Custine qui le donne comme le nom russe pour *villa,* s'emploie exclusivement dans un contexte russe et soviétique à propos d'une maison de campagne.

DATATION ET ATTESTATION

Ces deux termes — auxquels il faudrait ajouter, pour être complet, celui de *localisation* — ressortissent à la philologie, discipline indispensable à l'étude historique de la langue et du lexique. En linguistique, ils s'appliquent, entre autres, au domaine de la lexicographie, de la lexicologie et, par ricochet, à celui de l'étymologie. Il s'agit de procédés d'investigation sur des textes anciens ou modernes, écrits ou oraux, littéraires ou non; ils ont pour but de fournir la date d'apparition d'un mot dans la langue (datation) et son usage dans un contexte précis (attestation). Datation et attestation sont en quelque sorte le certificat d'authenticité d'un mot; elles constituent deux des pierres angulaires de l'édifice étymologique dans la perspective de l'«histoire du mot» et fonctionnent comme garde-fous par rapport aux hypothèses étymologiques. En effet, à la question «d'où vient tel mot?», à laquelle répond l'«étymologie-origine», s'ajoutent celles-ci : «depuis quand cette forme, ce sens, cet emploi sont-ils entrés dans la langue?» et «dans quels contextes apparaissent-ils?» que pose l'«étymologie-histoire du mot». Les datations corroborées par des attestations pourvues de leur source permettent au lexicologue d'insérer le mot dans une chronologie précise qui incite parfois à remettre en cause l'étymologie reçue, en particulier pour les emprunts. Plus le chercheur réunit de témoignages référencés d'un mot sous ses différentes variantes graphiques et ses divers sens, plus l'histoire du mot sera fine... et contrôlable.

Le besoin de dater et d'attester un mot répond au souci qu'eurent les lexicographes de la deuxième moitié du XIXe s. d'«étudier [la langue] à ses différentes phases, [de] la suivre dans ses mouvements plus ou moins brusques, dans ses transformations plus ou moins heureuses» et de demander à chaque mot «son origine, l'époque de son introduction dans la langue, le rôle qu'il y a joué avant celui dont il est maintenant en possession, les combinaisons dans lesquelles il est entré» (L. Dochez, *Nouveau Dictionnaire de la langue française*, Paris, 1860, *Avertissement* 1). Dochez est le premier lexicographe français à faire figurer dans un dictionnaire de langue quelques attestations littéraires accompagnées de leur source et du siècle où elles apparaissent. Littré, dans son *Dictionnaire de la langue française* publié de 1863 à 1872, systématise cette intention; il fait suivre la partie descriptive d'une partie historique distincte : «sous la rubrique *historique*, je cite beaucoup de textes qui, rangés par ordre chronologique, montrent l'ordre des changements du langage», écrit-il dans sa *Préface* (1863), et il ajoute dans la préface du *Supplément* paru en 1877 : «fixer l'âge des mots a été un de mes soins dans mon dictionnaire». Trente ans s'écouleront avant que Littré trouve des émules. Pendant ce temps, la recherche étymologique tendra vers l'histoire du mot tandis que, parallèlement, les recherches philologiques se développeront. Le *Dictionnaire de l'ancienne langue française et de tous ses dialectes*, publié par F. Godefroy de 1881 à 1902, apportera une masse impressionnante d'attestations et de datations anciennes puisées non seulement dans des textes littéraires mais encore dans des textes d'archives. En outre, une revue telle que *Romania* (depuis 1872) ouvre ses pages aux étymologistes tel A. Thomas et aux philologues et lexicologues comme A. Delboulle. Ce dernier publie en 1880 à Paris un ouvrage portant le titre de *Matériaux pour servir à l'historique du français*, puis, à partir de 1894, une série d'articles intitulés «Notes lexicologiques» dans la *Revue d'histoire littéraire*. Les recherches philologiques concernant les datations sont également accueillies par la *Revue de philologie française* dès 1889.

C'est dans ce climat que naît le projet du *Dictionnaire général de la langue française (D. G.)* de Hatzfeld, Darmesteter et Thomas. Publié de 1890 à 1900, cet ouvrage marque un tournant décisif dans l'histoire de la lexicographie française. La principale innovation réside dans la place accordée à l'étymologie. Celle-ci, articulation principale de la description, occupe, grâce à la participation du spécialiste en la matière qu'est A. Thomas et du logicien qu'est Hatzfeld, une place centrale. Traitée en tête d'article, elle est discutée, si nécessaire. Autre innovation d'importance dans cette rubrique : le *D. G.* tente de dater précisément chaque mot à l'aide des dépouillements effectués notamment par Godefroy et Delboulle. Les datations sont accompagnées dans la plupart des cas de l'attestation dûment référencée. Cette structure générale (entrée, étymologie et diachronie puis synchronie) sera reprise par tous les grands dictionnaires de langue à vocation historique (excepté aujourd'hui le *Trésor de la langue française [T. L. F.]*). La structure de la partie étymologique et historique subira un autre sort. Une atteinte lui sera portée paradoxalement par le *Dictionnaire étymologique* qu'O. Bloch publie en 1932 avec la collaboration de Walther von Wartburg, auteur du *Französisches Etymologisches Wörterbuch*. Si ces deux auteurs sont tout à fait conscients de l'importance des datations pour l'histoire des mots, ils ont choisi, pour des raisons éditoriales, de ne donner que des renseignements minimaux : une date, sans référence, sauf parfois le nom de l'auteur. Ces références philologiques seront dès lors explicitées seulement dans les ouvrages spécialisés destinés aux linguistes. Le *Dictionnaire étymologique* d'A. Dauzat (1938) reprendra le procédé de Bloch et Wartburg. Désormais, de grands dictionnaires, tributaires de ces dictionnaires spécialisés, se limiteront à ne fournir, dans la plupart des cas, qu'une simple date, renvoyant implicitement aux ouvrages spécialisés et surtout au F. e. w. de von Wartburg. Le *Trésor de la langue française,* que sa taille même réserve à un public restreint et qui se veut avant tout philologique, respecte la règle des références complètes, alors que le présent dictionnaire, comme le *Grand Robert de la langue française,* se range dans le sillage de Bloch et Wartburg.

Les nouvelles orientations en étymologie, axées sur l'aspect à la fois sémantique et formel du lexique, concrétisées au niveau lexicographique par le *Dictionnaire Général,* ont déclenché une série d'études sur le lexique d'un auteur, d'une époque, etc. C'est grâce à ces études que l'on a découvert l'importance que revêtait la datation. D'où une demande croissante, de la part des lexicologues, d'une vaste documentation portant sur le plus grand nombre possible de textes. Les repères chronologiques posés à partir du *Dictionnaire général* incitent dans un même temps les chercheurs à améliorer ou à rectifier les datations données par leurs prédécesseurs. Des listes de nouvelles datations accompagnées d'attestations sont proposées par A. Dauzat ou R. Arveiller dans des revues comme *Le Français moderne* (depuis 1930) ou les *Cahiers de lexicologie.* Ces travaux épars dans diverses revues sont regroupés à partir de 1959 dans une publication savante que dirige B. Quémada, les *Matériaux pour l'histoire du vocabulaire français,* qui porte comme sous-titre : *Datations et documents lexicographiques (D. D. L.)* et bénéficiera par la suite des contributions de nombreux amateurs et de quelques spécialistes.

La date d'apparition d'un mot est de première importance pour l'histoire des unités de lexique. Mais, si cette date d'apparition donne la possibilité d'étudier les différentes strates de formation du lexique, la *date de disparition,* celle de la dernière attestation après laquelle on n'observe plus une forme ou un sens, présente elle aussi un grand intérêt : elle permet de mettre à jour les changements qui s'opèrent à l'intérieur d'une famille de mots, l'attraction d'un mot par une autre famille, la substitution d'un terme à un autre, etc. Mais cette disparition est souvent inobservable et toujours relative, par le phénomène de l'archaïsme. Ce qui retient particulièrement l'attention et devient le véritable enjeu des recherches, c'est bien la **première** date ou la **première** attestation : la «chasse à la première date», déclenchée par le *Dictionnaire général,* est devenue de toute évidence un sport lexicographique. Certains chercheurs vont jusqu'à oublier la finalité de leurs dépouillements : la remise en cause de l'origine d'un mot, de la voie de l'emprunt ou de l'histoire de ce mot. Une première attestation n'est en effet intéressante que dans cette perspective car elle n'a, sauf dans les terminologies scientifiques, techniques, etc., pas de valeur intrinsèque.

Après avoir retracé l'arrière-plan historique de la recherche, nous allons à présent nous placer du côté de l'utilisateur du dictionnaire face à une simple datation. Comment doit-il l'interpréter? Que doit-il savoir?

1. *Une première date est dans la majorité des cas provisoire et aléatoire.* Les textes et même les dictionnaires sont loin d'avoir tous été exploités et dépouillés. On peut donc souvent antédater un mot ou un emploi. Seuls certains éléments des terminologies scientifique et technique peuvent être datés précisément grâce aux renseignements fournis par le créateur ou par les premiers utilisateurs.

2. *Une date peut correspondre, soit à une attestation lexicographique, soit à une attestation textuelle.*

Les sources les plus courantes des attestations, après le XVIe s., sont encore et provisoirement les dictionnaires. Ils constituent en effet le corpus le plus accessible. Il faut toutefois bien avoir présent à l'esprit que le dictionnaire donne une représentation en différé de la langue. Si le dictionnaire a l'avantage d'entériner et d'officialiser l'usage d'un mot, il est certain que celui-ci est apparu antérieurement dans un texte ou du moins qu'il était normalement en usage avant d'être enregistré par le dictionnaire. Il n'est pas rare, au rebours, de constater qu'un mot figurant encore dans un dictionnaire n'est plus ou n'est que très peu attesté dans les textes depuis cinquante ou cent ans, sans que ce statut d'archaïsme soit précisé. D'où l'intérêt, d'une part, de posséder de nombreuses attestations textuelles qui permettent de contrôler la vitalité d'un mot et, d'autre part, de connaître les sources des dictionnaires. Cette connaissance des sources s'est particulièrement développée depuis 1960 environ. Elle aboutit à mettre en évidence, par exemple, qu'un mot disparu comme *prurir* v. intr. «démanger», attesté de 1611 (dictionnaire de Cotgrave) à 1660 (dictionnaire d'Oudin), remonte à une seule attestation textuelle : 1578, *Erreurs populaires* de L. Joubert, source de Cotgrave. Nous avons donc, en fait, une seule attestation textuelle et une seule date : 1578, Joubert. C'est ce qu'on appelle une **attestation isolée** ou un *hapax,* c'est-à-dire un mot qui n'apparaît qu'une fois dans un corpus donné, en l'occurrence celui de la littérature médicale de la fin du XVIe siècle. Ce verbe a donc au XVIIe s. une vie purement lexicographique, fictive. Un mot peut néanmoins être repris ultérieurement, comme par exemple *arnoglosse* f. «plantain». Attesté isolément au XIVe s., encore une fois au XVe s. puis en 1611 (Cotgrave), il est à nouveau attesté au masculin de 1822 à 1866; on parle alors de **réattestation.** Il s'agit là de formes rares, spéciales, disparues et qui n'ont pas leur place dans un recueil général comme le présent ouvrage.

3. *Datations provenant de textes littéraires médiévaux.*

Prenons l'exemple d'une date souvent citée : 1080, *La Chanson de Roland.* Que représente exactement cette date? En fait, celle de la composition probable de l'œuvre, les manuscrits existants étant plus tardifs. Le premier manuscrit que l'on connaisse de ce texte célèbre est le manuscrit d'Oxford qui date du 2e quart du XIIe siècle. Ce qui est attesté en 1080, c'est le sens du mot, le contexte étant établi grâce aux différents manuscrits. La forme graphique de 1080, quant à elle, ne nous est pas conservée : elle n'est pas attestée, mais restituée. Le verbe *blêmir,* par exemple, est attesté depuis 1080 sous la forme *blesmir,* au sens de «meurtrir». Cette information doit être lue ainsi : 1080 «meurtrir»; 2e quart du XIIe s. (date effective du manuscrit) écrit *blesmie,* dans le contexte suivant : «La gent de France iert [était] blecee et blesmie.» Il en va de même pour nombre de textes du moyen âge légués par une tradition manuscrite qui n'est que rarement contemporaine de la composition de l'œuvre.

4. *Datations provenant des premiers textes français.*

Le premier texte en «français» date de 842; il s'agit des *Serments de Strasbourg.* Aux IXe, Xe et XIe s., nous ne possédons que quatre ou cinq témoignages écrits. Il est clair, dans ces conditions, qu'aucun mot ne peut être attesté avant 842, et fort peu avant la fin du XIe s., puisque nous ne connaissons pas de textes antérieurs. Ceci ne signifie nullement que le mot n'existait pas avant cette date et qu'il n'est entré en «vulgaire roman» (futur français) qu'en 842 ou en 1080. Un mot s'inscrit dans un long continuum qui mène par exemple du latin classique au latin vulgaire, du latin vulgaire au roman, du roman à l'ancien français. La formule consacrée «entré (ou apparu) dans la langue en 1080» est donc trompeuse.

Pour conclure, il convient d'insister sur le fait suivant : une simple date, sans attestation ni localisation ni référence, si elle est à première vue invérifiable ou incontrôlable, n'a pas été créée *ex nihilo.* Elle provient d'ouvrages ou de publications spécialisées, tels ceux que nous avons cités plus haut et auxquels le lecteur curieux pourra se reporter. Elle correspond à une source précise, une liste des sources les plus fréquentes étant disponible à la fin de cet ouvrage.

M.-J. Brochard

DATE n. f. est emprunté (1281) au latin médiéval *data* (*data littera, data charta* «lettre donnée» étant les mots de la formule indiquant la date à laquelle un acte avait été rédigé). *Data* y est le féminin du participe passé adjectivé *datus,* de *dare* (→ donner), qui a par ailleurs donné l'anglais *data* «donnée».

♦ Le mot est passé en français avec son sens actuel, entrant dans diverses locutions (accompagnant une préposition, un verbe : ***prendre date, faire date,*** etc.).

► Son dérivé **DATER** v. est d'abord attesté par le participe passé substantivé *daté* (1367), puis signifie transitivement «mettre la date sur». Il se construit aussi intransitivement avec la préposition *de* avec le sens de «s'être produit (à cette date)», spécialement dans la locution ***à dater de*** (1772). En emploi absolu, le verbe exprime, plutôt que l'idée de «marquer une date importante», celle d'«être démodé» (1863). Le verbe a donné quelques dérivés récents. ➛ **DATABLE** adj. (1929; déb. XIXe s. d'après Dauzat). ➛ **DATEUR, EUSE** n. m. et adj. (1929), d'où le composé **HORODATEUR,** formé comme adjectif (1927) pour «qui imprime l'heure et la date sur un document», aussi nom de l'appareil, **HORODATRICE** n. f. (1974) désignant un autre appareil, utilisé dans les courses automobiles. ➛ **DATATION** n. f. (fin XIXe s.), utilisé en linguistique pour «assignation d'une date d'apparition à un fait de langue» (voir l'encadré : *Datation et attestation*), et en chronologie *(datation au carbone 14).* ➛ **DATAGE** n. m. (1962) «action de dater», est peu usité.

Par préfixation en *anti-**, on a formé **ANTIDATE** n. f., d'abord «date mise à la place d'une autre» (1413), qui a pris son sens actuel sous l'influence du préfixe *ante-* «avant». ➛ Le verbe correspondant, **ANTIDATER** v. tr. (1462), est quelquefois employé au sens figuré de «rajeunir» (1850, Balzac). ➛ *Antidate* et *antidater* ont entraîné la création des antonymes **POSTDATE** n. f. (1740) et **POSTDATER** v. tr. (1752); tous les quatre sont d'un usage administratif.

DATIF n. m. est emprunté (fin XIVe s.; XIIIe s. selon certains dictionnaires) au latin impérial des grammairiens *dativus casus,* d'où par abréviation *dativus,* de *dare* (→ donner), le datif étant proprement le cas marquant l'attribution, la destination (celui à qui on donne).

♦ Le mot a été repris en grammaire.

► Parallèlement, l'usage juridique a emprunté au latin impérial *dativus* «donné», son adjectif **DATIF, IVE** (1437) «attribué par décision de justice ou par testament, non par la loi». Ce dernier est sorti d'usage.

◈ voir DATION.

DATION n. f. est un emprunt ancien (1272) au latin *datio,* nom d'action dérivé du supin de *dare* «donner» (→ datif).

♦ Le mot ne s'employait plus en français moderne que dans quelques syntagmes juridiques *(dation de tuteur, de mandat..., dation en paiement)* et parfois, didactiquement, pour «action de donner». Une loi de 1968 lui a donné, grâce à A. Malraux, une valeur nouvelle : la *dation en paiement,* ou *dation,* correspond à la faculté d'acquitter certains impôts en donnant à l'État des œuvres d'art; de là *œuvre en dation* et, par métonymie, le sens d'«œuvres d'art transmises en dation» (*la dation Picasso* de 1979).

DATTE n. f., d'abord écrit *date* (v. 1180), est emprunté à l'ancien provençal *datil* (apr. 1288) plutôt qu'à l'italien *dattero* (av. 1342) pour des raisons de convenance phonétique; cependant, la graphie italienne a pu influencer l'orthographe *datte* (1575) qui l'a emporté. L'ancien provençal et l'italien sont tous les deux issus du latin *dactylus* désignant le fruit, lui-même emprunté au grec *daktulos* «doigt» (→ dactylo-) qui a aussi le sens emprunté, en raison de la forme allongée de ce fruit, comparé à un doigt (cf. *digitale*). L'intermédiaire d'une langue romane est nécessaire pour expliquer la forme française. Le lien étymologique de *datte* à *dactylus* était senti au XVIIe s. et Furetière écrivait que l'«on devroit escrire dacte».

♦ Le mot, terme de botanique, est quelquefois employé avec une valeur figurée négative (comme *noix, guigne, prune*), notamment dans la locution ***c'est comme des dattes!*** (1866, Courteline) «c'est impossible!», sortie d'usage, et dans la formule de refus ***des dattes!***

▸ On a formé dessus le nom d'arbre **DATTIER** n. m., d'abord *datier* (1236) puis *dattier* (1611).

✳ **DAUBE** n. f., terme culinaire, est emprunté, sous la forme *dobe* (1571), à l'italien *dobba* «marinade» (1549), également *adobbo* (1570) d'où le français *adobbe* relevé à la fin du XVIe s. (av. 1598). Le mot italien, fréquent jusqu'au XVIIIe s. et conservé en sicilien, est lui-même emprunté, en raison de la grande influence qu'eut au XVIe s. la cuisine catalane sur celle de l'Italie du Sud, au catalan *adob* de même sens. Celui-ci est le déverbal de *adobar* «mariner» (1494), et d'abord «apprêter un aliment, préparer un plat» (XIIIe s.). Le sens général d'«apprêter, préparer» provient d'un sémantisme initial féodal et noble, et *adobar* signifiait «armer un chevalier», sens avec lequel il était emprunté, comme l'espagnol *adobar,* au français *adouber**, lui-même d'origine germanique (francique °*dubjan*). La famille du mot, venant d'Allemagne, a traversé la France, s'est répandue en Lombardie, puis dans toute la péninsule italienne, et, par ailleurs, en Catalogne, puis est revenue en France méridionale, et a gagné Paris. En français, les deux attestations du mot au XVIe s. sont probablement, vu leur localisation géographique, des emprunts éphémères à l'espagnol *adobo,* attesté au sens de «marinade» depuis le XVe siècle.

♦ Le mot désigne une marinade puis un mode de cuisson de certaines viandes mijotées à l'étouffée dans une marinade richement aromatisée (*gigotz à la dobe,* 1571). Par métonymie, il désigne la viande ainsi préparée (1640), en général du bœuf, d'où l'expression ***bœuf en daube,*** usuelle depuis le XIXe siècle.

▸ Le mot a donné ② **DAUBER** v. tr. (1743) «accommoder une daube» (à ne pas confondre avec l'homonyme ① *dauber**), et **DAUBIÈRE** n. f. (1829) «marmite allongée particulièrement destinée à la cuisson des viandes en daube».

◈ voir ADOUBER.

① **DAUBER** v. (v. 1507) est d'origine obscure. Une extension de sens de l'ancien français *dauber* «crépir, badigeonner» (1180) ne pose pas de problème sémantique mais il est difficile de remonter du verbe au latin *dealbare* «blanchir, crépir», de *de-* et *albus* «blanc» (→ aube) : il est anormal que le *de-* soit resté si longtemps distingué du verbe, même s'il n'a pas suivi l'évolution régulière en *di-* et *j-*. L'hypothèse d'une forme régionale d'*adouber** (→ aussi daube), dans laquelle la voyelle *-o-* de l'ancien français se serait conservée, n'est plus retenue par Wartburg à cause des difficultés phonétiques qu'elle soulève.

♦ Ce verbe, qui signifie «frapper» (1507) et plus précisément, selon Furetière (1690), «battre sur le dos à coups de poings comme font les petites gens et les écoliers», ne s'est conservé littérairement qu'avec le sens figuré de «maltraiter (qqn) en paroles» (1661).

▸ Le mot a produit **DAUBEUR, EUSE** adj. et n. (1671, La Fontaine) «celui qui a l'habitude de se moquer d'autrui», rarement employé pour désigner l'aide du forgeron employé à battre le fer, ce qui correspond au sens initial de *dauber.* Les deux valeurs sont sorties d'usage.

② **DAUBER** → DAUBE

① **DAUPHIN** n. m., d'abord *daufin* (v. 1150), est issu du latin populaire °*dalphinus* (710), altération du latin classique de même sens *delphinus.* Ce dernier est emprunté au grec *delphis, delphinos* «dauphin», qui s'est dit aussi de motifs décoratifs et d'une masse de fer que l'on jetait sur les navires pour les couler. L'importance du terme est suggérée par l'épithète d'Apollon *(Delphinios)* qui le définit par un jeu étymologique à la fois comme le dieu du dauphin (protecteur des marins) et comme le dieu de Delphes *(Delphoi).* Le mot, qui présente un suffixe assez rare, est apparenté à *delphax, -akos* «truie, porc» : l'animal, longtemps considéré (avec les autres cétacés) comme un poisson, serait nommé, à cause de sa forme, le «goret» de la mer. *Delphax* est lui-même un nom d'animal à suffixe *-ax* de caractère populaire, supposé tiré de *delphus* «matrice» (*delphax* ne s'appliquant en effet qu'à la jeune truie adulte) que l'on rapproche de termes indo-iraniens.

② **DAUPHIN** n. m., d'abord *Dalfin* (1245) et *dalphin,* est le cognomen des seigneurs du Dauphiné

(1110-1140) et d'Auvergne (1167), devenu nom patronymique, puis titre (1281 en Auvergne, 1282 en Dauphiné, ce nom de lieu venant du nom de personne). Il fut attribué au fils aîné du roi de France après la cession du Dauphiné à la France en 1349. Le mot est issu du prénom bas latin *Dalphinus* (ve s.), *Delphinus* (ive s.), qui fut porté par un évêque de Bordeaux dès la fin du ive siècle. L'apparition du dauphin (→ ① *dauphin*) sur les écus des comtes de Vienne et d'Auvergne est due à un jeu homonymique sur leur nom et ne correspond pas à une origine.

♦ Le mot a servi de titre au seigneur du Dauphiné, puis au fils aîné des rois de France, d'abord dans l'expression *Dalphin de Viennois* (1360), puis absolument (1410, *doffin;* 1420, *dauphin*). Par extension, il est employé au figuré à propos du fils unique de la maison, chez les bourgeois, ou de celui de la personne dont on a grand soin (1690). De nos jours, c'est ainsi qu'on nomme le successeur présumé d'un personnage important en politique, dans les affaires (1941).

▸ Le féminin **DAUPHINE** n. f. a été créé (1297, *daufine*) pour désigner la femme du dauphin, sens vivant jusqu'en 1690. Depuis le xve s., il s'applique à la femme du dauphin de France. C'est de cette valeur du mot que provient l'appellation culinaire ***pommes dauphines*** (1692) [cf. *à la royale,* etc.]. ➛ Le sens de «riche étoffe de soie à semis de fleurs» a peut-être la même origine, alors que celui de «droguet de laine ou de soie» (1718) pourrait venir de *Dauphiné :* d'après Trévoux (1752), c'est un ouvrier dauphinois qui aurait inventé cette étoffe à Reims.

DAURADE ou **DORADE** n. f., d'abord *dorade* (v. 1525), est emprunté, sous cette forme par l'intermédiaire d'un texte italien, à l'espagnol *dorada* (1490), lui-même issu, avec influence de *dorar* «dorer», du latin impérial *aurata* qui désigne le poisson. *Aurata* est le féminin substantivé de l'adjectif *auratus* «doré», de *aurum* (→ or), le poisson devant son nom au croissant doré qui orne sa tête au niveau des yeux. La forme *daurade* (1550) est empruntée à l'ancien provençal *daurada,* reformation, d'après *daurar* «dorer», de *aurada* (attesté par le provençal moderne *aurado*), du latin *aurata.* Les deux graphies ont survécu.

DAVANTAGE → AVANT

DAVIER n. m., d'abord *davyet* (1516) puis *davier* (1549), est issu, par substitution de suffixe et probablement sous l'influence d'un autre nom d'instrument, peut-être *levier**, de *daviet,* ancien nom d'un instrument de menuiserie (1384). Ce dernier est le diminutif de *david,* employé avec le même sens (1363) et lui-même probablement issu du nom propre *David,* les noms d'outils étant souvent formés à l'aide d'anthroponymes (l'argot des coquillards atteste la forme populaire de même origine *roi David,* 1455, pour la pince à crocheter les serrures).

♦ Le mot est d'abord employé en marine à propos du rouleau en bois ou en métal, mobile autour d'un axe et qui sert à filer les chaînes et les câbles en mouillant l'ancre. ◇ Il sert à désigner d'autres instruments en tonnellerie, forge, menuiserie, et spécialement, en chirurgie dentaire, l'instrument en forme de tenaille courbée utilisée pour arracher les dents (1549); c'est là son sens le plus usuel.

DAZIBAO n. m. est l'emprunt (v. 1970) d'un mot chinois signifiant littéralement «journal en gros caractères». Ce mot est formé des caractères signifiant «grand», «mot» (ou «caractère») et «journal», et désigne un journal mural écrit au pinceau et affiché dans les lieux publics. Son emploi est lié à la révolution culturelle chinoise : Mao, en 1966, aurait eu la formule «mon premier dazibao pour lancer la révolution culturelle».

♦ *Dazibao* se réfère à la réalité politique chinoise; les mouvements maoïstes français, suivant l'exemple chinois, en ont élargi l'usage à leur pratique politique.

DE prép. et art. partitif est issu (842) de la particule invariable latine *de,* usitée surtout comme préposition et comme préverbe. *De* se retrouve en celtique (irlandais *di,* gallois *di-*), mais ne se retrouve que là. En tant que préposition, *de* marque en latin l'origine, l'éloignement, la séparation, avec une idée accessoire de «mouvement de haut en bas» (comme le grec *kata* [→ cararacte, catastrophe...]), nuance bien conservée par certains composés (→ descendre). Il sert aussi à marquer l'extraction, une partie prise dans un tout et, dans cette valeur partitive, a tendu à se substituer de bonne heure au génitif. Du sens initial «en partant de», la préposition a signifié «à la suite de» (marquant un rapport, une relation de cause) et, abstraitement, «d'après, conformément à» ou «au sujet de». Après l'époque classique, la construction prépositionnelle a progressé aux dépens du génitif partitif (annonçant l'emploi de l'article partitif et de l'article indéfini en ancien français) et du génitif de possession. La construction latine avec *de* alterne alors avec la construction sans préposition, annonçant la syntaxe de l'ancien français où cohabitent le tour prépositionnel et le cas régime en fonction du génitif. De même, le tour prépositionnel, de bonne heure en concurrence avec le qualificatif pour exprimer la matière, la substance, se substitue de plus en plus à lui pour marquer la provenance. L'emploi particulier de *de* introduisant un complément de propos serait, d'après Moignet, à l'origine des emplois de l'ancien français *de* et infinitif sujet, infinitif substantivé, ou infinitif de narration. En latin parlé, *de* a tendu de plus en plus à se substituer à *ab* et *ex,* présentant sur eux l'avantage d'une forme plus pleine commençant par une consonne; par ailleurs, il a fini par les supplanter dans les langues romanes. D'autre part, *de* a servi à renforcer un grand nombre de particules, adverbes, prépositions, usage qui s'est beaucoup développé dans le latin populaire (→ demain, dans). Il sert de préverbe dans un grand nombre de composés verbaux (→ ses valeurs à l'article consacré à dé-).

♦ En français, l'usage du mot est fixé avant la fin du xiie siècle. Il est à l'origine de l'article partitif (apr. 950) contracté en **DU** avec l'article *le* *(de + le > del > deu > du)* et en **DES** avec l'article *les* *(de + les > dels > des)*, ainsi qu'à l'origine de l'article indéfini **DES.** Il est réduit à *d'* devant une voyelle depuis les premiers textes (842). Contrairement à l'usage ancien, la grammaire moderne proscrit l'emploi haplologique (en construction où il avait double emploi) et l'emploi de deux *de* consécutifs, sauf dans le cas où la préposition se présente sous la forme abrégée *d'*. ◇ En ce qui concerne particulièrement l'usage du partitif, alors que la langue moderne ne permet pas son omission, l'usage ancien l'autorisait (*mangier pain* étant possible à côté de *mangier du pain*) : il nous en reste des traces dans des locutions proverbiales et des syntagmes figés *(tirer profit)*. L'ancienne langue tolérait également l'emploi elliptique de *de* partitif sans l'article défini *(mangier de pain)* : c'était là un héritage du latin tardif *(de pane edere)* qui, sorti de l'usage à la fin du moyen âge, s'est conservé dans plusieurs dialectes et en provençal moderne (on le rencontre quelquefois dans la bouche de Provençaux parlant français).

① **DÉ** n. m., terme de jeu (av. 1150), est d'origine obscure. L'étymon le plus souvent proposé est un participe passé neutre substantivé de *dare* «donner» (→ donner) par l'intermédiaire de syntagmes comme °*tesseram, calculum dare,* proprement «donner le dé, le pion» (→ calcul, tessère). *Dare* est bien attesté au sens de «jouer» mais toute preuve de cette étymologie manque.

♦ *Dé,* terme de jeu, est entré dans quelques locutions figurées se rapportant à l'idée de «hasard, sort, chance» telles ***coup de dé, les dés en sont jetés*** (adaptation, au XVIe s., de l'expression latine *alea jacta est,* prononcée par César qui venait de franchir le Rubicon). Certaines d'entre elles, en usage au XVIIe s., ont vieilli comme *tenir le dé* pour «se rendre maître de la conversation», *rompre le dé* pour «interrompre qqn», *quitter le dé* pour «quitter la partie», *flatter le dé* pour «détourner la discussion» ; ***les dés sont pipés*** (truqués) s'emploie encore. ◇ Par analogie de forme, *dé* est employé en architecture (1680) à propos d'un cube de pierre que l'on met sous les pieds d'une statue. Le sens de «pièce cubique» donne lieu à quelques emplois techniques et en cuisine (*dés de lard,* etc., sens attesté en 1806).

② **DÉ** n. m., d'abord sous la forme *deel* (v. 1200) puis, sous l'influence de ① *dé** (1260, *dez* au pluriel), est issu du bas latin *digitale,* proprement «ce qui couvre le doigt», neutre substantivé de l'adjectif *digitalis* «du doigt, de la grosseur du doigt» (→ digital), dérivé de *digitus* (→ doigt). Une forme *deau,* attestée au XIVe s. (écrite *deaul*), a des correspondants dans les parlers de l'Ouest et de l'Est, rarement dans le Centre.

♦ Le mot désigne le petit étui qui protège le doigt qui pousse l'aiguille. Par analogie de forme, *dé à coudre* s'emploie familièrement pour un petit verre à boire.

① **DÉ-** préf., l'un des plus productifs de la langue française, indiquant qu'une action s'effectue en sens inverse ou est annulée, est issu de la particule latine *dis-* (*di-* devant certaines consonnes). Celle-ci marque la séparation, l'écartement, la direction en sens opposé et, par suite, le contraire, la négation ; elle s'oppose à *com- (concors/discors),* de *cum* (→ co-). Cette particule se retrouve en ombrien et peut-être dans le vieil haut allemand *zir-* (allemand moderne *zer-*,) élargissement de *zi-, ze-,* ainsi que dans l'albanais *ts-* ; le grec *dia-* (→ dia-) semble aussi apparenté, soit que l'on tienne *-a* pour une addition à *di-*, soit que *dia* repose sur °*disa.* En bas latin, *di-* a été souvent confondu avec *de-*, préverbe issu de la préposition *de* (→ de) marquant un mouvement de haut en bas, une action faite sur un objet, l'achèvement, mais aussi l'éloignement, la privation, la négation.

REM. Les préfixés en *dé-* qui sont clairement formés n'ont pas été renvoyés. On se reportera au radical (ex. *débarbouiller* à *barbouiller, déboucher* à *boucher,* etc.).

② **DÉ-.** Premier élément de mots reprenant — en général par emprunt à un composé latin — le préfixe latin *de-* servant à former des verbes et présent dans leurs dérivés. Son sémantisme est voisin de celui de *dis-*, qui a produit le préfixe français ① *dé-*. Il exprime soit l'intensité, soit au contraire la privation. → déambuler, déblatérer, décadence, décanter, décapiter, décorner, décevoir, déclamer, déclarer, décliner, déclive, décrire, défection, défendre, défense, déférer, déficit, définir, déflecteur, défunt, dégénérer, déglutir, ① dégrader, dégressif, déguster, délecter, déléguer, délibérer, déliquescent, délivrer, demander, demeurer, démontrer, dénigrer, dénommer, dénuder, ① dépendre, dépérir, déplorer, déporter, déprécier, déprédation, déprimer, dépurer, députer, déréliction, dérision, ① dériver, déroger, descendre, désert, désigner, désinence, désirer, destiner, destituer, détenir, déterger, détériorer, déterminer, détester, détoner, dévaster, devenir, dévier, deviser, devoir, dévolu, dévorer, dévot.

♦ En français, ce préfixe revêt d'abord la forme *des-* (*desraisonnable,* 1370-1372). Il a fonctionné très tôt par substitution d'un préfixe de sens opposé comme *a-* (latin *ad-*) : *dériver* venant de *arriver, détacher* de *attacher.* Dans la formation des mots plus récents, il n'exprime plus le sens d'«éloignement» (ce qui est déjà le cas dans des emprunts tels que *déclarer* et dans des mots latins conservés tels que *défendre,* où il n'a pas de sens analysable).

DEALER n. m. est l'abréviation (1975) de l'anglais *drug dealer* «trafiquant de drogue», composé de *drug,* lui-même emprunté au français *drogue** (→ drugstore), et de *dealer* «celui qui distribue» (v. 1000), dans sa spécialisation commerciale pour «trafiquant» (1611). *Dealer* est dérivé de *to deal* «partager, distribuer», verbe reposant (comme ses correspondants germaniques) sur la racine d'un substantif dont le sens est «part, portion», d'où vient l'anglais *dole,* anciennement «part», puis «destin, lot de chacun».

♦ Le mot désigne un vendeur de drogue, en général un drogué qui revend de la drogue pour subvenir à ses besoins.

DÉAMBULER v. intr. est emprunté (1477-1483) au latin *deambulare* «se promener», formé de *de-* et *ambulare* «se promener» (→ aller, ambulant).

♦ En français, *déambuler* est rare avant le XIXe s. (1836) et a pris une valeur familière. *Se déambuler* (1885) est familier.

▸ Le verbe français a produit deux dérivés rares : **DÉAMBULAGE** n. m. (1932) et **DÉAMBULEMENT** n. m. (déb. XXe s.). ◆ **DÉAMBULATION** n. f. est emprunté (1492) au dérivé latin *deambulatio* «promenade».
Quant à **DÉAMBULATOIRE** n. m. et adj., il a été emprunté comme terme d'architecture (1530) au bas latin *deambulatorium*, terme d'archéologie chrétienne désignant le pourtour d'une église et souvent le cloître, attesté aux VIIIe-IXe s., et dérivé de *deambulare*. D'abord défini comme «promenoir», il s'est spécialisé en architecture religieuse (1851-1852). Dès le XVIe s., il avait été emprunté comme adjectif (1571, *gallerie déambulatoire*) à l'adjectif bas latin *deambulatorius* «où l'on peut se promener». Certains emplois du XVIIe s., au sens juridique de «qui n'a pas de siège fixe» (1611) et au sens moral de «qui se déplace», correspondent à *ambulatoire*;* ils sont sortis d'usage.

DÉBALLER → ② BALLE

① et ② **DÉBANDER** → ① et ② BANDE

DÉBARCADÈRE → BARQUE

DÉBARDEUR → BARD

DÉBARRASSER v. tr., attesté depuis 1584, précédé par la forme de participe passé *debaracee* (1544, *debaracee de mon enfantement*), est issu par contraction de *desembarasser* (1535). Ce dernier est emprunté à l'espagnol *desembarazar* «enlever, retirer ce qui encombre» (1495), dérivé avec le préfixe correspondant au français *dé-**, de *embarazar* (→ embarrasser).

♦ Le verbe correspond à «délivrer (qqn) de ce qui l'incommode», le pronominal *se débarrasser de* (1584) s'employant pour «se libérer d'une gêne». Il signifie également «dégager (un lieu) de ce qui l'encombre» (av. 1655), par exemple dans la locution familière ***débarrasser le plancher*** «partir» (1843). Son emploi absolu est elliptique pour *débarrasser la table* «enlever le couvert».

▸ Le déverbal **DÉBARRAS** n. m., enregistré tardivement par le *Dictionnaire de l'Académie* (1798) comme nom d'action, a pris par métonymie un sens local, «endroit où l'on met les objets hors d'usage ou encombrants» (1810).

DÉBATTRE v. est le dérivé (v. 1050) en *dé-** (valeur intensive) de *battre**, à peu près démotivé aujourd'hui.

♦ Le verbe a longtemps gardé le sens de «battre fortement» (encore relevé en 1627 en parlant du lait). Il s'est détaché de *battre* en prenant le sens figuré de «discuter vivement», construit indirectement avec préposition : *débattre de qqch.* (1172-1175) et directement (1283), emploi sorti d'usage. ◇ Cependant, le rapport à *battre* reste un peu plus sensible avec le pronominal *se débattre* (1175), au moral «se tourmenter» et au physique «lutter en faisant tous ses efforts pour se délivrer».

▸ Le déverbal **DÉBAT** n. m. (XIIIe s.) ne reprend que le sens de «discuter», désignant une controverse, une querelle, et, surtout au pluriel, des délibérations et discussions, d'abord à propos d'un procès (1283). À partir de 1627, il est employé dans le vocabulaire parlementaire pour désigner la délibération, au singulier, puis au pluriel (1704). En ce sens, il correspond à l'anglais *debate* (du verbe *to debate*, emprunt au français), employé au singulier ou au pluriel pour désigner les délibérations officielles dans une institution publique, et notamment au Parlement (1500). ◆ **DÉBATTEMENT** n. m. a été formé à deux reprises, une fois pour désigner le fait de se débattre (XVIe s.) et, au XXe s. avec un sens technique, «amplitude de mouvement d'un élément suspendu, porte, trappe...» (1929). ◇ L'ancien français employait *débattement* avec le sens intensif de «fort battement (d'yeux, d'ailes)». ◆ **DÉBATTEUR, EUSE** n. (1896 au masc.), d'emploi rare, est concurrencé par l'anglicisme **DEBATER**.

DÉBAUCHER v. tr., d'abord *desbauchier* (1195), est dérivé avec *des- (dé-)* de l'ancien français *bauc, bauch* «poutre», issu du même étymon francique que *balcon**. *Débaucher* signifierait donc «dégrossir (du bois) pour en faire des poutres» (cf. *ébaucher*) d'où «fendre, séparer», sens qui fonderaient celui d'«écarter, détourner de». À cette hypothèse, qui oblige à reconstituer des sens non attestés, P. Guiraud préfère une dérivation de *bauche* «maison», d'abord «mortier de paille et de terre, mélange boueux» (→ bauge), mais son hypothèse pose d'autres problèmes.

♦ L'ancien français connaît seulement le verbe au sens de «disperser, éparpiller (des gens)», *se desbaucher* équivalant à *se disperser* (1300). C'est seulement au XVe s. que, par spécialisation, *débaucher* prend le sens moral de «détourner (qqn) de ses devoirs, entraîner à l'inconduite», d'où «jeter dans le vice» (1538). Par une autre spécialisation, dans le monde du travail, il prend au XVe s. la valeur de «détourner (qqn) de son travail, de ses obligations» (1469) au propre et au figuré (1687), s'opposant alors à *embaucher**. Depuis 1812, d'abord dans l'argot des typographes, il signifie spécialement «renvoyer (un ouvrier) faute de travail».

▸ Son participe passé **DÉBAUCHÉ, ÉE** est adjectivé (1549, *desbauché*) puis substantivé en parlant d'une personne qui s'adonne sans retenue aux plaisirs de la sexualité. ◆ **DÉBAUCHE** n. f., déverbal (1499) de *débaucher*, correspond partiellement au verbe avec la même valeur que *débauché*, «pratique excessive et jugée condamnable des plaisirs sensuels», aujourd'hui surtout dans ***lieu de débauche.*** ◇ Par exagération, avec un glissement de la notion d'excès moralement condamnable à celle d'entorse aux principes bourgeois d'économie, il se dit d'un excès dans les plaisirs de la table (1690). Par métaphore (comme *orgie*), il s'applique aussi à l'usage déréglé et excessif d'une chose, souvent sans jugement péjoratif (av. 1872, ***débauche de couleurs,*** Gautier). ◆ **DÉBAUCHEUR** n. m., créé au XVIe s. chez les écrivains religieux (av. 1544) comme Calvin (1562), est sorti d'usage. ◆ Quant au moderne **DÉBAUCHAGE** n. m. (1900), il répond au besoin de former un nom d'action qui corresponde au sens de *débaucher* «faire perdre son travail», non assumé par *débauche.* Ainsi, des deux valeurs du verbe, *débauché* et *débauche* assument la première, *débauchage* la seconde, économique.

DÉBÈQUETER, DÉBECTER → BEC

DÉBILE adj. et n. est emprunté (v. 1265) au latin *debilis* «faible, infirme, estropié», en parlant du corps ou de l'une de ses parties. Tite-Live le joint à d'autres adjectifs exprimant l'infirmité, tels *claudus* (→ claudication), *mancus* (→ manchot). Il s'agit d'un composé dont le second terme, à *b-* initial caractéristique des mots populaires, est à rapprocher du sanskrit *bálam* «force», *bátiyān* «plus fort», et du vieux slave *bolii* «plus grand» (russe moderne *bolche,* cf. *bolchevik*). Le mot n'existe pas en védique ; il est de ceux que le sanskrit a pu prendre à des parlers autres que ceux sur lesquels repose le védique.

♦ *Débile* a supplanté la forme populaire *deible, deble* (1180, dans *endieble*) ; il a conservé le sens latin mais, au cours du XIXe s., a subi un rétrécissement de sens pour désigner presque exclusivement une déficience intellectuelle. Sa définition moderne en termes cliniques est attestée depuis le début du XXe siècle. ◇ Plus récemment (v. 1960), il s'est largement répandu dans la langue parlée, avec un sens voisin de *imbécile, crétin, idiot,* s'appliquant aux choses (*un film débile,* etc.) comme aux personnes, avec une valeur proche de *nul,* autre adjectif à la mode, et opposé à *génial.*

▶ La plupart des dictionnaires attestent l'adverbe **DÉBILEMENT** «mollement, d'une manière débile» (fin XVe s.), pourtant très rare dans la langue moderne (une seule attestation dans le corpus du *T. L. F.,* chez Laforgue, 1887). ◆ Au début du XIVe s., sont apparus **DÉBILITATION** n. f. (1304), emprunté au latin *debilitatio,* **DÉBILITÉ** n. f. (1308), emprunt au latin *debilitas* «faiblesse, infirmité» et récemment «idiotie, crétinisme ; nullité» ; enfin **DÉBILITER** v. tr. (1308), autre emprunt au latin *debilitare* «estropier, réduire à l'impuissance», tous dérivés de *debilis.* ◇ À la différence du couple *débile-débilité, débiliter,* son participe adjectivé **DÉBILITANT, ANTE** et *débilitation* sont restés proches du sens latin.

◈ ① **DÉBINER** v. tr., d'usage familier (1790), est d'origine obscure. Le moyen français atteste *rebineur* «qui se rétracte» en 1571, mais le rapport n'est pas établi. Wartburg voit dans *débiner* un composé de *biner** issu de °*binare,* en supposant le même type de développement sémantique que dans le cas de *bêcher* «dire du mal de qqn». P. Guiraud part lui aussi de *dé-* et *biner* mais prend *biner* au sens régional de «s'accoupler», rattaché au latin *bis* «deux (fois)», et attesté dans *abiner* «accoupler» et *rebiner* «faire s'accoupler une seconde fois». L'idée première est pour lui celle de se séparer, de se désolidariser d'un complice en parlant.

♦ *Débiner* est d'abord employé avec le sens intransitif de «passer aux aveux, cesser de se défendre», disparu de nos jours. L'usage moderne réalise uniquement le sens transitif de «dénigrer (qqn)» (1821) et par extension «délivrer le secret de qqch.» (1867), par exemple dans la locution *débiner le truc,* ce dernier emploi ayant vieilli, puis disparu.

▶ En sont issus **DÉBINAGE** n. m. (1836), d'abord en usage parmi les voleurs pour «aveu», repris pour «dénigrement», et **DÉBINEUR, EUSE** n. et adj. (1875). ◆ Les rapports existant entre *débiner* et l'homonyme de construction pronominale **SE DÉBINER** (v. 1850) «prendre la fuite», sont incertains. En se référant à *se biner* (1771), on peut rattacher le pronominal à un ancien français *s'en binner* «s'en aller secrètement» (XIIIe s., *bignier*), d'origine inconnue. P. Guiraud ne sépare pas *se débiner* de *débiner* puisqu'il postule un sens initial «désaccoupler» d'où «séparer». ◆ En l'état actuel des connaissances, les relations qu'il entretient avec un autre verbe ② **DÉBINER** v. intr. «être dans la misère» (1808) et son déverbal **DÉBINE** n. f. (1808) «misère», toujours vivants dans l'usage familier, sont aussi peu clairs.

② **DÉBIT** n. m. est emprunté (1675) au latin *debitum* «dette», participe passé neutre substantivé de *debere* (→ devoir) dont le pluriel *debita* a donné *dette**.

♦ À la différence du mot latin, également employé avec le sens figuré d'«obligation», *débit* est exclusivement un terme de comptabilité, le sens figuré étant réservé à *dette.*

▶ Son dénominatif ② **DÉBITER** v. tr., «porter au débit d'un compte», est employé depuis 1723. Comme l'homonyme dérivé de ① *débiter* (→ ci-dessus) signifie «vente», toute vente correspondant à un dû pour l'acheteur, le mot est aujourd'hui senti comme appartenant à cette famille étymologiquement différente.
① **DÉBITEUR, TRICE** adj. et n. est emprunté (1238) au latin *debitor* «celui qui a contracté une dette» (au propre et au figuré), dérivé de *debere* (→ devoir). Le mot, emprunté avec le sens propre, s'est imposé aux dépens de l'ancien français *detor,* de formation populaire, attesté de la première moitié du XIIe s. à la fin du XIIIe siècle. Il a développé le sens figuré de «personne redevable de qqch.» et s'emploie comme adjectif. Ce n'est qu'au XVIIe s. qu'un autre emprunt au latin (→ ② débit) élargira le lexique de ce domaine de la dette.

① **DÉBITER** v. tr. est dérivé (1330-1332) de *bitte** «billot de bois sur lequel on enroule les câbles», au moyen du préfixe *dé-* et de la désinence verbale *-er.*

♦ *Débiter* signifie «découper le bois en pièces» (étymologiquement pour faire des billots ou bittes) d'où, par extension, «détailler (une matière) en vue de sa vente, de son utilisation» (1556). Il s'est spécialisé dans le commerce, signifiant «vendre au détail» (1464) et, un siècle et demi plus tard (av. 1615) au figuré, «raconter, détailler en récitant» : loin d'avoir la valeur péjorative actuelle, il était alors accompagné d'un adverbe de qualité avec le sens de «dire (bien ou mal) ce qu'on raconte, réciter (agréablement ou pas)»; ainsi, Furetière enregistre la locution ***débiter des nouvelles*** «les apprendre, les publier». Au cours du XIXe s., le verbe a pris le sens de «produire d'une manière continue», spécialement en parlant d'un fluide (1838).

▸ Son déverbal ① **DÉBIT** n. m. (1565) a dès les premiers textes le sens de «vente au détail», désignant plus particulièrement l'écoulement plus ou moins rapide d'une marchandise vendue au détail (1666). Par métonymie, il désigne plus couramment un établissement où l'on vend au détail (1822), surtout dans ***débit de boissons, de tabac...*** En relation avec *débiter,* il se dit pour «action d'exposer, de raconter qqch.» (av. 1615), de nos jours soit péjoratif, soit pour caractériser la rapidité de l'élocution. Le sens propre, «action de découper le bois en grumes», n'est enregistré qu'au XVIIIe s. (Trévoux, 1771); au cours du XIXe s., parallèlement au verbe, ce substantif a pris le sens de «quantité produite par unité de temps» (1838). ◆ ② **DÉBITEUR, EUSE** n., créé avec le sens de «commerçant qui vend au détail» (1611), qui a disparu, s'est surtout employé au sens figuré de «celui qui raconte des nouvelles» (1690) avec une nuance péjorative. La concurrence de ① *débiteur* a contribué à son vieillissement. ◆ **DÉBITAGE** n. m. (1611), lui aussi formé pour désigner la vente au détail, a laissé ce sens à *débit,* se réservant celui d'«action de découper en pièces» (1794). ◆ Le participe présent **DÉBITANT, ANTE** est substantivé (1730) pour désigner le tenancier d'un *débit* de tabac ou de boissons. ◆ **DÉBITABLE** adj. est employé (1861) pour qualifier une matière qui peut être débitée (souvent dans le vocabulaire de la description scientifique).

② DÉBITEUR → ① DÉBITER

DÉBLAI → BLÉ

DÉBLATÉRER v. intr. est emprunté tardivement (1798) au latin *deblaterare* «dire en bavardant, à tort et à travers», composé de *de-* et *blaterare* «babiller, bavarder», dit du cri du chameau (→ blatérer), d'un oiseau.

♦ Construit avec un complément prépositionnel ou employé absolument, *déblatérer,* qui signifie familièrement «parler avec violence et abondance contre qqn ou qqch.», est quelquefois employé avec un complément d'objet interne direct.

DÉBLAYER → BLÉ

DÉBLOQUER → BLOC

DÉBOIRE → BOIRE

DÉBONNAIRE adj., d'abord réfection graphique (v. 1176, *debonaire*) de *deboneres* (v. 1170), résulte de la soudure de *de bon aire* (1080), *aire** étant pris au sens d'«origine, souche».

♦ Le mot qualifie à l'origine celui qui est de bonne souche, noble, sens aujourd'hui éteint. Comme *noble,* il s'est orienté vers une valeur psychologique, glissant vers le sens de «bon, bienveillant» (1176, associé à *dolz,* ancienne forme de *doux*), peut-être déjà par une interprétation en *de bon air.* Par affaiblissement, il qualifie plus particulièrement une personne accommodante, facile à vivre, quelquefois avec la nuance péjorative de «sot», «faible» (1643). Cette évolution s'explique par le vieillissement de *aire* et la confusion possible avec *air** «apparence».

▸ L'adjectif a produit **DÉBONNAIRETÉ** n. f., d'abord *débonereté* (v. 1170), qui a perdu son sens propre de «noblesse» au profit du sens psychologique dérivé de «bonté» (1249), quelquefois péjorativement (1580, associé à *mollesse*). ◆ **DÉBONNAIREMENT** adv., attesté depuis v. 1176, est rare.

DÉBORDER → BORD

DÉBOULER → BOULE

DEBOUT → BOUT

DÉBOUTER → BOUTER

DÉBRAILLER v. tr. est dérivé (1508-1518) au moyen du préfixe *dé-** et de la désinence *-er* des verbes du premier groupe, de l'ancien français *braiel* (écrit *brail* au XIVe s. dans Godefroy) «ceinture». *Braiel,* dérivé de *braie*,* signifie proprement «ceinture retenant les braies».

♦ Le verbe est surtout employé au participe passé, et ce dès les premières attestations, **DÉBRAILLÉ, ÉE** adj. qualifiant une personne dont la ceinture retenant les braies est dénouée d'où, par extension, un vêtement retroussé ou en désordre. Au XIXe s., le verbe a développé le sens figuré de «faire perdre toute réserve à (qqn)» et *se débrailler* celui de «se laisser aller», mais le participe passé adjectivé (1837) et substantivé (1854) continue à être plus usuel.

▸ On a formé sur *débrailler* le nom correspondant **DÉBRAILLEMENT** n. m. (1828-1829, Vidocq) et sa variante **DÉBRAILLAGE** n. m. (1932, Céline).

DÉBRAYER → EMBRAYER

DÉBRIDER → BRIDE

DÉBRIS → BRISER

DÉBROUILLER → BROUILLER

DÉBUSQUER → BÛCHE

DÉBUTER → BUT

DÉCA- est un élément préfixal tiré du grec *deka* «dix», premier terme de nombreux composés, qui repose, comme le latin *decem* (→ dix), le sanskrit *dasa,* etc., sur une racine indoeuropéenne °*dekm̥.*

♦ *Déca-* sert à construire des noms et des adjectifs appartenant au vocabulaire scientifique et indiquant la multiplication par dix d'un élément ou d'une unité de base.

► Il entre notamment dans la formation des noms du système métrique comme **DÉCALITRE** n. m. (1795), **DÉCAMÈTRE** n. m. (1795).

DÉCADE n. f. est emprunté (XIVe s.) au bas latin *decas, -adis* et *decada, -ae* «dizaine, nombre dix, espace de dix ans» et «partie d'un ouvrage divisé en dix», emprunté au grec *dekas, -ados* «groupe de dix, dizaine», dérivé de *deka*. Le mot est passé en français avec le sens de «partie d'un ouvrage divisé en dix». Son sens temporel de «période de dix ans, ou dix mois», enregistré par Cotgrave en 1611, semble inusité avant 1851 et fait concurrence à *décennie**. Le mot est surtout connu depuis l'introduction du calendrier républicain de 1793 où il désignait une période de dix jours (1793, adoption des dispositions générales du projet de Romme, Fabre, David et Chénier). Les puristes, qui opposent *décennie* «dix ans» et *décade* «dix jours», oublient ou ignorent que le *-de* de *décade* ne représente pas *dies* «jour»; leur condamnation de *décade* «période de dix ans» vient surtout du fait que cet emploi est considéré comme un anglicisme, l'anglais *decade* ayant conservé la valeur étymologique. L'introduction du calendrier révolutionnaire fut aussi celle du dérivé **DÉCADI** n. m. «dixième et dernier jour de la décade, jour chômé» (1793), dans lequel *di* représente bien le latin *dies* «jour» (d'après *lundi, mardi*, etc.).

DÉCALOGUE n. m. est emprunté (v. 1450) au latin chrétien *decalogus*, calque du grec chrétien *dekalogos*, formé de *deka* «dix» et *logos* «parole» (→ -logie, logo-). On désigne ainsi les «dix paroles» qui, selon la Bible (Deutéronome 5, 22), ont été adressées directement par Dieu à l'assemblée de son peuple sur l'Horeb; l'expression se trouve également dans l'Exode (34, 28), comme base de l'alliance du Sinaï (l'écriture en étant attribuée Moïse ou, selon une autre tradition, à Dieu lui-même). Le mot recouvre un ensemble de dix prescriptions morales (quatre commandements sur Dieu et six sur le prochain) qui furent peut-être, à l'origine, une condition d'entrée au sanctuaire. Déposé dans l'arche d'alliance au Temple de Salomon, ces préceptes furent la base morale de la législation d'Israël; ils sont toujours celle de la morale juive et de la morale chrétienne. ◆ Comme l'expression *les dix commandements*, le mot s'emploie quelquefois par extension pour un ensemble de lois ou de règles de comportement.

DÉCAPODE adj. a été formé en zoologie (1804) et signifie «qui a dix pattes, cinq paires de pattes». Substantivé, le mot sert à désigner un sous-ordre de mollusques céphalopodes à huit bras et deux tentacules, et un ordre de crustacés comprenant les crabes, crevettes, langoustes, homards, écrevisses, etc.

DEÇÀ → ÇÀ

DÉCADE → DÉCA-

DÉCADENCE n. f. est probablement emprunté (1413) au latin médiéval *decadentia*, pluriel neutre devenu singulier féminin du participe présent de *decadere*, lequel a donné *déchoir**.

♦ Le mot, d'abord employé au sens concret, «état d'une construction qui se dégrade», s'est restreint au sens figuré usuel d'«acheminement vers le déclin, la ruine» (v. 1460). L'idée de décadence, solidaire d'une réflexion sur l'histoire, a longtemps été hantée par le déclin et la chute de l'Empire romain d'Occident. La notion de déclin de la civilisation n'était pas étrangère à la pensée antique, grecque (Hésiode, Platon) et romaine (Lucrèce, Salluste, Cicéron) qui en formula les principes interprétatifs dès le Bas-Empire. La pensée chrétienne lui apporta une explication d'ordre religieux, parvenue à maturité au XVIe siècle. C'est à l'époque où se diffusent les idées de renaissance et de réformation, mais où tout changement a une tonalité négative, que se répand l'idée de décadence (exprimée diversement par le mot latin *decadentia* mais aussi par *declinatio, inclinatio, lapsus, vacillatio, eversio, conversio, perversio, subversio*). ◇ Deux siècles plus tard, dans la seconde moitié du XVIIIe s., l'analyse du déclin de Rome est ajustée aux événements contemporains (Gibbon, Guizot, Montesquieu, Herder); la méditation sur les restes des civilisations perdues (*Les Ruines* de Volney) deviendra un thème romantique.

► **DÉCADENT, ENTE** adj. et n., formé (1516) à partir de *décadence*, n'est pas attesté entre 1584 et 1834 (*Dictionnaire de Boiste*, en référence à Brantôme). ◇ Le mot, appliqué à un mouvement littéraire de la fin du XIXe s. (av. 1872, Gautier), est souvent employé par Gautier, Flaubert et Goncourt dans le sens de «raffinement littéraire». Pour la première fois, la décadence est assumée, car elle a pour effet d'alléger l'esprit et de lui rendre en quelque sorte la liberté par rapport aux conventions sociales dans la recherche du nouveau, du rare, de l'étrange et de l'artificiel. L'imaginaire décadent marque les œuvres de Baudelaire, Poe, de Quincey, Flaubert, Gautier comme celles de E. Bourges, J. Peladan, Huysmans. ◆ Le mot de **DÉCADISME** n. m. est forgé par Verlaine (1896) qui emploie également **DÉCADISTE** n. (1887) à la place de *décadent*; cependant, depuis P. Bourget (1890), *décadisme* est concurrencé par **DÉCADENTISME** n. m. qui l'a supplanté.

DÉCALCIFIER → CALCIUM

DÉCALCOMANIE, DÉCALQUER → CALQUER

DÉCALER → CALE

DÉCALOGUE → DÉCA-

DÉCAMPER → CAMP

DÉCAN n. m. est emprunté (1732) au bas latin *decanus*, dérivé de *decem* (→ dix) sur le modèle de *primanus*, etc., peut-être sous l'influence du grec *deka* (→ déca-). Le mot latin désigne à la fois le chef d'un groupe de dix hommes, puis des dignitaires civils, militaires et religieux (→ décanat, doyen), et aussi, en astrologie, l'étoile qui préside à dix degrés du zodiaque.

♦ Le mot a été introduit comme terme d'histoire ancienne, mais n'a conservé que sa spécialisation en astrologie (1796), désignant chacune des trois divisions du signe correspondant à un arc zodiacal de dix degrés.

DÉCANAT n. m. est emprunté (1650) au latin médiéval *decanatus* «charge de doyen» (1190) et, par métonymie, «circonscription où s'exerce l'autorité spirituelle d'un doyen de chrétienté» (1209). Celui-ci est dérivé du bas latin *decanus,* qui a donné *doyen** en français (→ aussi décan).

♦ *Décanat* désigne la dignité de doyen d'un corps constitué et, par métonymie, le temps que dure cette fonction.

► L'adjectif correspondant à *doyen,* **DÉCANAL, ALE, AUX,** est dérivé (1476) du radical de *decanus* avec le suffixe *-al.*

DÉCANILLER v. intr., mot populaire, est d'origine incertaine et controversée, probablement emprunté (1798) au lyonnais *se décanilli.* Ce dernier est composé du préfixe *dé-* et de *canilles* «jambes» (avec une intention comique), dérivé diminutif de *cannes,* pluriel de *canne**, employé dans l'argot franco-provençal au sens de «jambes». Toutefois, les régionalismes *déquenailler, décanailler* «s'en aller, quitter la place», et *se deichonilla* qui se dit d'un chien et d'une chienne accouplés contraints de se déprendre, suggèrent le rattachement de ce «mot bas» (Brunot) à *canis* (→ chien). Enfin, P. Guiraud propose une base *°canille* tirée de *nille* «niche», avec le préfixe *ca-* indiquant un creux ; mais il ne se fonde que sur l'existence du verbe *niller* «nicher» issu du latin *°nidiculare* (→ nicher).

♦ Le verbe, aussi pronominal, signifie «s'en aller malgré soi, sans demander son reste, se sauver».

DÉCANTER v. tr. est emprunté (1701), selon l'hypothèse la plus communément admise — notamment par Wartburg —, au latin des alchimistes *decantare,* composé du préfixe *de-* et de *cantus, canthus* «bec de cruche, goulet» qui a donné *chant** en français.

♦ Le mot, qui exprime proprement le fait de séparer un liquide des matières qu'il contient en suspension et qui se déposent au fond d'un récipient, s'est répandu au sens figuré de «mettre de l'ordre, dégager les éléments essentiels» (également à la forme pronominale).

► Ses dérivés **DÉCANTAGE** n. m. (1838) et **DÉCANTEUR, EUSE** n. m. et adj. (1877), qui ont suivi la même évolution, sont rares. ◆ **DÉCANTATION** n. f. est emprunté (1680), toujours selon Wartburg, au latin des alchimistes *decantatio,* dérivé de *decantare.*

DÉCAPER → CAPE

DÉCAPITER v. tr. est emprunté (déb. XIVe s.) au bas latin *decapitare* «enlever la tête de», et par extension au moyen âge, «enlever l'extrémité de (qqch.)», formé sur *caput* «tête» (→ chef) au moyen de la particule privative *de-* et du suffixe verbal *-are.*

♦ Le verbe, employé dès les premières attestations au sens propre de «couper la tête de (qqn)», a développé au XVIIe s. (av. 1630) un sens figuré, «enlever ce qui est capital». Par extension, il signifie «enlever l'extrémité de (qqch.)» (1809).

► **DÉCAPITATION** n. f., d'abord *decapitacion,* est emprunté (fin XIVe s.) au dérivé bas latin *decapitatio, -onis.* L'évolution du mot est la même mais le sens figuré est rare.

DÉCAPOTER → CAPE

DÉCARCASSER → CARCASSE

DÉCASYLLABE → SYLLABE

DÉCATHLON → PENTATHLON

DÉCATIR → CATIR

DÉCÉDER v. intr. est emprunté (XIVe s.) au latin *decedere,* de *de-* et *cedere* «s'en aller» (→ céder), proprement «s'éloigner, partir, quitter», spécialement dans l'expression *de vita decedere* «sortir de la vie», «mourir».

♦ Le mot français est usité dans le langage administratif et juridique pour «mourir».

► Le nom correspondant, **DÉCÈS** n. m., est emprunté antérieurement (1050) au latin *decessus* «départ», «action de se retirer, de s'en aller», spécialement «mort», dérivé de *decedere.* ◆ *Décès,* lui aussi d'usage administratif et juridique, a donné le préfixé **PRÉDÉCÈS** n. m. (1690), de même que *décéder* entre dans **PRÉDÉCÉDER** v. intr. (XVIe s.), surtout employé au participe passé substantivé, notamment dans les questions d'héritage.

◇ voir **PRÉDÉCESSEUR.**

DÉCELER → CELER

DÉCEMBRE n. m. est emprunté (v. 1119) au latin classique *december,* (sous-entendu *mensis*) dérivé de *decem* (→ dix), ce mois était le dixième dans le calendrier romain qui commençait l'année en mars.

♦ Le mot, aujourd'hui démotivé, désigne le douzième mois de l'année.

► Le dérivé **DÉCEMBRAL, ALE, AUX** adj. (1896, Verlaine) est extrêmement rare. ◆ *Décembre* a donné en outre deux termes d'histoire : **DÉCEMBRISEUR** n. m. pour un membre de la société du dix *décembre,* fondée par les amis du prince Louis-Napoléon Bonaparte en 1848 pour le soutenir dans sa politique, et **DÉCEMBRISTE** adj. et n. (1907) «membre de la conspiration organisée à Saint-Pétersbourg au début du règne de Nicolas Ier». ◇ Ce dernier a pour variante un dérivé du russe *d'ekabr'* «décembre», de même origine : **DÉCABRISTE** adj. et n. (1907).

DÉCENNAL, ALE, AUX adj. est emprunté (v. 1550) au bas latin *decennalis* «qui dure dix ans» et «qui revient tous les dix ans», substantivé au neutre pluriel *decennalia* désignant des fêtes ayant lieu tous les dix ans. *Decennalis* est dérivé de l'adjectif *decennis,* formé de *decem* (→ dix) et de *annus* (→ an).

♦ *Décennal,* comme le latin, signifie à la fois «qui dure dix ans» et «qui a lieu tous les dix ans» (1762, *fêtes décennales*).

▸ Par changement de suffixe, on a formé **DÉCENNIE** n. f. (1890) «période de dix ans», concurrent direct de *décade**; les deux mots sont usités aujourd'hui avec deux valeurs différentes.

DÉCENT, ENTE adj., d'abord *descent* (1450), est emprunté au latin classique *decens,* employé au sens moral de «convenable, séant, bienséant» et au sens physique de «bien fait, bien proportionné, harmonieux». *Decens* est le participe présent de *decere,* surtout employé en construction impersonnelle (à la troisième personne *decet* «il convient»). Ce verbe latin est à rattacher à une racine indoeuropéenne exprimant l'idée de «se conformer, s'adapter à» que l'on retrouve dans le grec *dekhesthai* «recevoir, accepter» et dans le védique *dā́ṣṭi* «il rend hommage».

♦ À la différence de certains dérivés de *decere* passés en français, où ils se sont limités au sens concret (→ décorer), *décent,* comme un autre mot du groupe de *decere, digne**, a été emprunté avec son sens moral, spécialisé soit sur le plan de la bienséance sexuelle, soit de l'acceptabilité selon les normes sociales.

▸ En est dérivé **DÉCEMMENT** adv. (1523). ◆ Le nom correspondant, **DÉCENCE** n. f., est emprunté (XIVe s., *descence*) avec son sens actuel au latin *decentia* «convenance», dérivé de *decens.* Les trois mots, adjectif, nom et adverbe, se sont spécialisés en français moderne, à propos d'une attitude réservée, «correcte», sur le plan sexuel et sentimental, la valeur plus générale de «bienséance» tendant à vieillir. Enfin, seuls *décent* et *décemment* correspondent à *correct, correctement* pour désigner ce qui est d'une qualité acceptable.

INDÉCENT, ENTE adj. a été emprunté à la fin du XIVe s. au latin impérial *indecens,* formé de *in-* (→ ① in-) et de *decens. Indécent* a d'abord signifié «qui est contraire aux bienséances» et «qui ne convient pas» (XVIIe s.), deux acceptions sorties d'usage. À partir du XVIIe s., l'adjectif s'applique en particulier à ce qui choque la réserve requise en matière sexuelle (1618); par exagération, il s'emploie (XXe s.) pour ce ou celui qui choque par sa démesure (cf. *insolent*). ◇ Le dérivé **INDÉCEMMENT** adv. (1595, Montaigne) qui remplace *indécentement* (1537) a suivi la même évolution vers le sens moderne, relevé en 1829. ◆ **INDÉCENCE** n. f., emprunt au latin impérial *indecentia,* dérivé de *indecens,* désigne une action contraire à la bienséance (1568) et, en particulier, contraire à la pudeur (1666, Molière), sens devenu dominant.

◈ voir DÉCORER, DÉCORUM.

DÉCERNER v. tr. est issu (v. 1247) du latin *decernere* «décider de», «juger, régler», «voter» et «décider par décret». Ce verbe est composé de *de-* (→ ② de-) et *cernere,* concrètement «passer au crible, trier» d'où «distinguer (par les sens, l'esprit)» et, par affaiblissement, «voir» et «choisir entre différentes solutions, différents projets». *Cernere,* dont deux composés sont passés en français (→ discerner), appartient à une racine indoeuropéenne *°krei-* «séparer», représentée en grec, italique, celtique et germanique, mais inconnue de l'indoeuropéen oriental, et indiquant l'idée de «cribler» (→ cribler). Malgré les apparences, *concerner* aurait une autre origine. Par ailleurs, *cernere* a pour participe passé *certatus* et *certus* en dérive.

♦ *Décerner* a eu en ancien français le sens de «déclarer, faire savoir», avant de prendre sa valeur moderne, «attribuer par décret» (1548), d'abord en contexte juridique. Par extension, le verbe est employé couramment pour «attribuer solennellement à», d'où «distribuer, donner à chacun».

▸ La plupart des dictionnaires généraux enregistrent un dérivé **DÉCERNEMENT** n. m. (1870), qui n'est pas répandu dans l'usage.

◈ voir CERTAIN, DÉCRET, DISCERNER.

DÉCEVOIR v. tr. est issu (v. 1121) du latin tardif *decipēre* (second *e* long), altération du latin classique *decipĕre* (avec second *e* bref) «attraper, tromper, causer une déconvenue», de *de-* et *capere* «attraper, saisir» (→ captif, chasser), employé particulièrement au sens figuré de «séduire, abuser». Le traitement du *-c-,* conservé comme s'il était à l'initiale, s'explique par la persistance du sentiment de la composition, en relation avec *recipere* (→ recevoir), *concipere* (→ concevoir). Le mot, strictement gallo-roman, correspond à l'ancien provençal *decebre.*

♦ Le verbe a eu longtemps le sens de «tromper», encore usuel au XVIIe s., et Furetière le glose «tromper adroitement» (1690). Le sens moderne (v. 1360, au participe passé *déçu* «qui éprouve une déconvenue») ne s'est pas imposé immédiatement si l'on en juge par la glose de *déçu (deceu)* dans Furetière, «trompé».

▸ Le participe présent **DÉCEVANT, ANTE** est adjectivé (XIIe s.), tout comme le participe passé (cidessus). ◆ Le dérivé **DÉCEVABLE** adj. «sujet à n'être pas suivi d'effet» est qualifié de «peu usité» par le *Dictionnaire de l'Académie* (1835 et 1878); il est en effet inusité. ◆ Un autre dérivé, **DÉCEVANCE** n. f. «action de tromper», employé par Huysmans comme archaïsme, a été supplanté par *déception.*

DÉCEPTION n. f. est emprunté (1160-1174) au bas latin *deceptio* «action de tromper, d'être trompé», «illusion», «séduction» et «imposture», formé sur le supin *deceptum* de *decipere.* Le mot français, longtemps employé avec le sens hérité du latin, «tromperie», a suivi l'évolution de *décevoir* vers le sens de «déconvenue, désillusion» (av. 1863); malgré la différence formelle, il est senti comme un dérivé de *décevoir.*

DÉCHAÎNER → CHAÎNE

DÉCHARNÉ → CHAIR

DÉCHAUSSER → CHAUSSE

DÈCHE n. f., mot argotique (1835) passé dans l'usage populaire, est d'origine incertaine. Il s'apparente probablement au groupe de *déchoir**, *déchéance*, qu'il peut abréger (*déch'* ou *dèche*), mais peut aussi être d'origine dialectale et méridionale : soit du provençal *deco, decho* «tare», de l'ancien provençal *deca* ou *decha* (XIIe s.), déverbal de *decazer, dechazer* (XIIe s.) «tomber» et «déchoir», soit de l'angevin *dèche* «tare congénitale» qui vient lui-même du provençal.

♦ Le mot, d'abord argotique puis familier, est employé au jeu à propos d'une perte ; par extension, il exprime l'idée de «dénuement matériel» (1846, d'abord dans l'argot des détenus), surtout dans ***être dans la dèche*** «privé d'argent» (cf. *mouise, panade, purée*...).

DÉCHÉANCE, DÉCHET → DÉCHOIR

DÉCHIFFRER → CHIFFRE

DÉCHIQUETER v. tr., d'abord attesté (v. 1338) par son participe passé *deschiqueté*, puis à l'actif, est issu de l'ancien adjectif *eschiqueté*. Ce dernier, attesté dès 1180 sous la forme archaïque *eskiekeré*, devenue *eschequeté* (1234), signifie «divisé en carrés de diverses couleurs», spécialement en héraldique (1189). Il est lui-même dérivé d'une forme ancienne de *échiquier* (→ échec) avec la désinence *-é*.

♦ Le développement sémantique se suit aisément : **DÉCHIQUETÉ, ÉE** adj. a signifié «orné de dessins de diverses couleurs, bariolé» ; à l'idée d'une division en couleurs s'est ajoutée celle d'une division du matériau, l'adjectif signifiant alors «découpé» (1348). ◇ C'est cette idée qui a pris le dessus et, vers 1500, le verbe signifie «découper à des fins ornementales». Le sens usuel moderne de «mettre en morceaux», qui suppose la destruction de l'objet concerné, est attesté depuis 1530. Dans ce sens, la paronymie avec *déchirer* a certainement joué un rôle déterminant. ◇ Pour *déchiqueté*, le sens archaïque de «découpé sur les bords», sans idée de déchirure, se retrouve dans certains emplois, tel *une côte déchiquetée* (Jules Verne, 1868).

▸ Outre *déchiqueté*, adj. (ci-dessus), le verbe a donné quelques dérivés à partir du XIVe siècle. **DÉCHIQUETEUR, EUSE** n., employé anciennement au figuré (1529, jusqu'en 1605), est de nouveau attesté à partir de 1752 (selon le *Dictionnaire de Boiste* en 1803). Il a fourni le nom d'une machine, d'abord au masculin (1894), de nos jours, plus souvent au féminin (1956). ◆ **DÉCHIQUETURE** n. f., que l'on rencontre en 1534 chez Rabelais avec le sens ancien de «découpure faite dans un tissu pour orner», et également employé au XVIe s. au sens psychologique d'«indécision», a mis longtemps à s'imposer : il se rencontre de nouveau au sens de «déchirure», en 1636 puis en 1837 chez G. Sand. ◆ Le nom d'action correspondant à *déchiqueter*, **DÉCHIQUETAGE** n. m., serait attesté dès le XIVe s. d'après Dauzat ; il est également employé au figuré (av. 1876, Sand). ◆ P. Guiraud conteste la thèse qui voit en l'ancien verbe *chiqueter* un dérivé régressif de *déchiqueter*. Selon lui, *chiqueter* serait issu d'un croisement entre *eschaqueté*, dérivé du dialectal *eschac*, et le dialectal *chique** «morceau».

DÉCHIRER v. tr. est dérivé (déb. XIIe s.), avec substitution du préfixe *dé-** à *es-*, de l'ancien français *escirer* «diviser, mettre en morceaux» (encore dans les dialectes de l'Est). Ce verbe est issu d'un francique °*skęrian* «séparer, diviser», que l'on peut déduire de l'ancien haut allemand *biskerian* «priver, séparer, frustrer», préfixé de °*skerian*. La proposition d'un étymon francique °*skîran* «râcler, gratter», qui se rattache à un groupe de mots germaniques reposant sur la notion d'«uni, lisse», fait difficulté d'un point de vue sémantique.

♦ Le mot signifie «diviser, mettre en morceaux en tirant, scinder». Dès le XIIe s., il a pris le sens figuré de «détruire, anéantir» (v. 1150), spécialement «attaquer (qqn) par des paroles blessantes» (1280). Il exprime également depuis l'ancien français une notion de douleur affective, morale, dans des locutions du type *li cuers me descire* (v. 1275).

▸ Outre ses participes adjectivés **DÉCHIRÉ, ÉE** adj. et **DÉCHIRANT, ANTE** adj. — ce dernier relativement autonome au sens de «qui évoque une souffrance intense», *des cris déchirants —, déchirer* a produit quelques dérivés usuels, dont deux dès l'ancien français. ◆ **DÉCHIREMENT** n. m. est employé une première fois (fin XIIe-déb. XIIIe s.) avec le sens figuré d'«anéantissement», avant d'être repris au sens physique d'«action de mettre en pièces» (fin XIVe s.). Les sens figurés modernes de «désordre, trouble» (av. 1475) et «peine morale, douleur» (1673) se sont développés en langue classique et moderne. ◆ **DÉCHIRURE** n. f., de sens propre et figuré, date du XIIIe s. (v. 1250) ; il a pris par métonymie le sens concret d'«ouverture» en parlant d'un accident naturel (dans un paysage, un ciel). ◆ **DÉCHIREUR** n. m. remonte à l'époque classique (1660) ; il s'est spécialisé pour désigner celui qui achète ou démonte le bois de vieux bateaux (1754), d'après un emploi technique du verbe dans ***déchirer un bateau*** «le mettre hors d'usage».

DÉCHOIR v. est issu par évolution phonétique (1080) du bas latin *decadere* «tomber», altération du classique *decidere* «tomber», au figuré «être en décadence» (→ décadence), «essuyer un échec», formé de *de* et de *cadere* «tomber» (→ cadence, choir). *Decidere*, emprunté sous la forme *décider*, vient de *caedere*, d'une autre famille ; mais l'adjectif didactique *décidu, ue* (1611), en botanique, se rattache à *decidere*.

♦ En français, le verbe a perdu de bonne heure le sens propre de «tomber» ainsi que le sens figuré, «diminuer en intensité, faiblir» (1080). Il a seulement conservé le sens moral, «tomber dans un état inférieur à celui où l'on était», lui aussi attesté dès les premiers textes, et ultérieurement spécialisé en théologie, pour «perdre l'état de grâce» (1656). D'autres sens figurés particuliers, hérités du latin (1080), tels «avoir le dessous», «succomber», sont sortis de l'usage. En langue classique, *déchoir* s'est dit également d'un malade qui décline et, en navigation, d'un navire qui sort de sa route.

▶ Le verbe a pour dérivé **DÉCHÉANCE** n. f., d'abord *decaance* (1174) «fait de déchoir moralement», qui a développé deux sens particuliers de caractère juridique : «privation d'un droit, destitution» (1636) et «privation d'une fonction», relevé pour la première fois dans le *Discours sur le jugement de Louis XVI* de Robespierre (1792).

DÉCHET n. m., d'abord *dechié* (1270-1280), est le déverbal de *déchoir* formé sur les formes fortes de l'indicatif présent. Par substitution de suffixe, il a pris la forme *déchiet* (1328-1342) réduite à *déchet.* D'abord attesté dans la locution ***aler en dechié,*** le mot a pris au XIVe s. son sens actuel de «quantité perdue dans l'emploi d'un produit» (1328-1342). Il sert quelquefois à désigner péjorativement une personne dégénérée (1808). ◇ Le dérivé récent **DÉCHETTERIE** n. f. est surtout d'usage administratif.

◈ voir DÈCHE.

DÉCI-, élément préfixal, a été tiré arbitrairement du latin *decimus* «dixième» (→ décime) pour l'opposer à *déca-** dans les noms de mesure lors de l'établissement du système métrique.

♦ Il sert à former des noms savants où il indique la division par dix d'une unité de mesure, par exemple dans **DÉCILITRE** n. m. (1795), **DÉCIMÈTRE** n. m. (1795). ➜ **DÉCIBEL** n. m. est probablement emprunté (avril 1932) à l'anglo-américain *decibel* (1881) composé de *deci-* (→ déci-) et de *bel* «unité de mesure acoustique», terme proposé par les Américains en l'honneur du physicien écossais A. Graham *Bell* (1847-1922), inventeur du téléphone. ◇ Le dérivé **DÉCIBÉLITÉ** n. f., «intensité en décibels», est une création plaisante de R. Queneau (1959), fondée sur l'emploi de l'unité pour mesurer les sons intenses et gênants.

DÉCIDER v. tr. est emprunté (1403) au latin *decidere,* composé de *de* et *caedere* «couper» (→ césure), proprement «trancher», employé au sens figuré de «trancher moralement», souvent dans la langue juridique «régler un différend».

♦ Le verbe est d'abord employé dans la construction *décider de* «se prononcer sur une chose par une décision, un jugement», revêtue ultérieurement de la valeur figurée «être la cause déterminante de (qqch.)», en parlant d'un événement (av. 1704). Au XVIe s., il développe son sens juridique «régler un différend par un jugement», en construction transitive directe (1546), transitive indirecte (1580) et pronominale (1595, Montaigne), *se décider* devenant ensuite usuel pour «trancher après avoir hésité». Les autres sens remontent à la fin du XVIIIe s. : Mme de Staël utilise la construction *décider que,* emploie le verbe au sens transitif pour «amener (qqn) à faire qqch.» et dans la construction *se décider pour* «opter pour (une chose, une personne)» (1786).

▶ C'est également au XVIIIe s., mais plus tôt, que le participe passé **DÉCIDÉ, ÉE** est adjectivé (1725) pour qualifier un être résolu, une chose tranchée, et qu'il donne **DÉCIDÉMENT** adv. (1762) «d'une manière décidée». Ce sens est aujourd'hui supplanté par le sens de «en définitive» (1807).

◈ voir DÉCISION (et, sous cette entrée, DÉCISIF, DÉCISOIRE, INDÉCIS, INDÉCISION).

DÉCIMAL, ALE, AUX adj. a été formé à deux reprises : il a d'abord été emprunté (fin XIIIe s.) au latin médiéval *decimalis* (960) «qui possède le droit de lever la dîme», dérivé de *decima* (→ ② décime). Dans un deuxième temps, il a été dérivé savamment (1520) du latin *decimus* «dixième» (→ ① décime), de *decem* (→ dix).

♦ Le sens de «soumis à la dîme», lié à la féodalité, est sorti d'usage. Une autre acception, «qui concerne un sur dix» (1520), latinisme introduit par le traducteur de Suétone, ne s'est pas maintenue. *Décimal* est resté courant comme terme du système numérique avec le sens de «qui procède par dix, a pour base le nombre dix» (1680), substantivé pour désigner une fraction décimale (1798) et spécialement le chiffre qui entre dans une fraction décimale. C'est également sous la Révolution que le système décimal entre en vigueur, avec son vocabulaire propre (formé sur *mètre, gramme,* etc. avec des préfixes multiplicateurs et diviseurs) qui éliminera au cours du XIXe s. la plupart des anciens termes de mesure. Lié au système métrique, le système décimal s'est répandu dans le monde, avec des résistances, notamment de la part des pays anglo-saxons. Ces derniers l'acceptent progressivement, dans la seconde moitié du XXe siècle.

▶ Cette évolution a contribué à l'emploi des dérivés **DÉCIMALISER** v. tr. (1907) et **DÉCIMALISATION** n. f. (1897), repris v. 1960 sous l'influence des mots anglais correspondants *(to decimalize, decimalization).* Un autre dérivé, **DÉCIMALITÉ** n. f. (1877), est didactique.

① **DÉCIME** n. m. est emprunté (1611) au latin *decimus* «dixième», au figuré «gros, considérable», substantivé au masculin au sens de «dixième livre», «dixième jour» (respectivement par ellipse de *liber* et de *dies*) et dérivé de *decem* (→ dix).

♦ Le mot est enregistré par Cotgrave (1611) au sens de «dixième partie»; il est employé pour «dixième partie d'un franc» dans la loi du 18 germinal de l'an II (1795). Le sens de «dixième ajouté au principe de certains impôts» remonte lui aussi à la Révolution, qui instaure par décrets un décime sur les spectacles (1796) et un décime de guerre (1799).

▶ Quant à ② **DÉCIME** n. f., il s'agit d'un emprunt (déb. XIVe s.) au latin *decima* (sous-entendu *pars* «partie»), féminin substantivé de *decimus* employé pour désigner la dixième partie, spécialement un impôt d'un dixième et, en latin médiéval, le dixième des revenus des produits agraires versé par les fidèles à l'Église (volontairement, puis comme dîme obligatoire). ➜ En français, *la décime* correspond à cet impôt avant de céder la place à *dîme**, de même origine; le mot s'est ensuite spécialisé pour désigner l'impôt levé par le roi sur les revenus du clergé, équivalant au dixième des revenus d'une année (1511).

◈ voir DÉCIMAL, DÉCIMER, DÎME.

DÉCIMER v. tr. est emprunté (1559) au latin *decimare* «punir de mort une personne sur dix désignée par le sort», châtiment surtout infligé aux soldats d'une troupe qui avait failli à son devoir. Le verbe est dérivé de *decimus* (→ ① décime).

♦ Le mot est passé en français avec l'acception du mot latin, le sens figuré courant de «faire périr un certain nombre de personnes, exterminer» n'apparaissant qu'au XIXe s. (1830).

▶ Le nom correspondant, **DÉCIMATION** n. f., a été emprunté avec le sens ancien de «dîme» (1209) au dérivé bas latin *decimatio* qui signifiait à la fois «action de punir une personne sur dix» et «dîme». Au XVIe s., par réemprunt au latin, il désigne une peine militaire consistant à tuer une personne sur dix (av. 1505), d'après l'évolution de sens de *décimer*.

DÉCISION n. f. a été emprunté (1314) au latin *decisio,* nom fait sur le supin de *decidere* et désignant l'action de trancher une question, la solution, l'arrangement, la transaction.

♦ D'abord employé dans un contexte juridique, le mot s'est répandu au XVIIe s., prenant la valeur psychologique de «qualité d'une personne qui n'hésite pas» (1676), laquelle a dû devenir usuelle plus tard (elle est absente de Furetière, 1690), puis le sens courant de «parti que l'on prend, acte volontaire» (1791).

▶ *Décision* a pour dérivé **DÉCISIONNAIRE** adj. (XVIIIe s.) «qui tranche rapidement et d'autorité», et le néologisme **DÉCISIONNEL, ELLE** adj. (1958), créé au sens de «qui ressortit à la décision». ➜ **DÉCISIF, IVE** adj. est emprunté (1413) au latin médiéval *decisivus* (1291) «qui tranche, qui apporte une solution», formé sur *decisum,* supin de *decidere* (→ décider). L'adjectif, introduit dans le langage juridique, a suivi le développement sémantique du verbe *décider* et de *décision,* prenant au XVIIe s. le sens de «prompt à se décider, à prendre une décision» (de qqn) [av. 1679] et sa valeur moderne «qui dénote de l'autorité» (d'une abstraction) [1689]. ➜ Un autre adjectif, **DÉCISOIRE**, est emprunté (1380) au latin médiéval tardif *decisorius* «résolu, décisif» (1311), formé sur le supin de *decidere.* Employé au sens juridique de «qui détermine la décision d'un procès», *décisoire* est devenu au XXe s. un terme de logique (1945) et de méthodologie, signifiant «qui est posé par une libre décision de l'esprit», «qui apporte une décision définitive». ➜ Ces adjectifs ont servi à former les adverbes **DÉCISIVEMENT** (XVIe s.) et **DÉCISOIREMENT** (quasiment synonymes l'un de l'autre).

INDÉCIS, ISE adj. est emprunté (1467) au latin médiéval *indecisus* «non tranché, non résolu» (VIe s.), comme terme juridique *(cause... pendant indécise).* Par extension, il qualifie et désigne couramment une personne qui ne prend pas de décision (1747). ➜ D'après *décision,* il a produit **INDÉCISION** n. f. (1611) qui correspond à l'état de ce qui est non tranché et au caractère psychologique d'une personne (av. 1742).

DÉCLAMER v. tr. est emprunté (1542) au latin *declamare,* de *de* (→ ② de) et *clamare* (→ clamer), verbe à la fois transitif pour «exposer qqch. dans un exercice préparatoire, dans une déclamation», et intransitif pour «s'exercer à la parole» (quelquefois par péjoration «invectiver, criailler»).

♦ Le verbe est également employé transitivement pour «exposer (qqch.) en marquant le sens par les intonations», et intransitivement pour «s'exprimer avec emphase», ou encore «parler avec véhémence» *(déclamer contre, sur qqn, qqch.).*

▶ Les mots du même groupe ont été empruntés au latin. **DÉCLAMATION** n. f. (1375) est emprunté à *declamatio* «exercice de la parole» (*Declamationes* de Quintilien), en particulier «thème, sujet pour cet exercice oratoire» et «discours banal», du supin de *declamare.* Le mot désigne un exercice oratoire, en particulier en référence à l'éloquence romaine (1404, à propos de Sénèque). Par extension, il est employé avec le sens, souvent péjoratif, de «discours emphatique» (1669, Racine). ➜ **DÉCLAMATOIRE** adj. est emprunté (1549) au dérivé latin *declamatorius* «qui se rapporte à la déclamation, à l'exercice de la parole». ➜ **DÉCLAMATEUR, TRICE** n. est un emprunt (1519) à *declamator* «celui qui s'exerce à la parole», tous deux formés sur le supin de *declamare. Déclamatoire* et *déclamateur* ont développé au XVIIe s. une valeur péjorative commune à tous les mots du groupe.

DÉCLARER v. tr. est emprunté (v. 1250) au latin *declarare,* formé de *de-* (→ ② *dé-*) et de *clarare* «clarifier», dérivé de *clarus* (→ clair). *Declarare* signifie «montrer, faire voir clairement», puis, sur le plan du langage, «proclamer, nommer», «exprimer, signifier des sentiments, des émotions» et «traduire un fait».

♦ Le mot a signifié jusqu'au XVIe s. «éclaircir, expliquer» (v. 1350), d'après le moyen français *desclairier* (1170), issu d'un latin tardif °*disclariare,* lui aussi dérivé de *clarus* «clair», au sens de «rendre clair, lumineux». *Desclairier* disparaît vers le XVe s. devant *éclairer,* après avoir donné naissance à *déclairer,* forme hybride, fréquente au XVIe s. et encore vivante dans les patois, tant au sens ancien («éclaircir») qu'à celui de «faire connaître par la parole», repris à *déclarer. Déclarer* est cependant attesté dès les premiers textes avec la valeur de «faire connaître ouvertement», en particulier dans le domaine des sentiments. La forme pronominale *se déclarer* «se montrer ouvertement comme tel» (1606) a reçu deux valeurs particulières au XVIIe s. : «faire l'aveu formel de son amour» (1661, Corneille) dans un contexte amoureux, et «commencer à se manifester clairement» (1676) en parlant d'une maladie. À partir du XVIe s., le mot s'emploie pour «signifier l'existence d'un fait, d'un état» (1580, *déclarer qqn roturier*), toujours en référence à des règles religieuses, juridiques, administratives, etc., par exemple dans l'expression ***déclarer la guerre*** (1668). La construction avec un sujet inanimé (concret ou abstrait) au sens de «révéler» (1540) est aujourd'hui sentie comme archaïque ou littéraire. ➜ Le participe passé **DÉCLARÉ, ÉE** adj. (1559) signifie «avéré comme tel».

▶ Le seul dérivé est le terme juridique **DÉCLARATOIRE** adj. (1483), demeuré rare.

DÉCLARATION n. f. (1290) représente le latin classique *declaratio* «action de montrer, manifestation», à basse époque «explication», dérivé du supin de *declarare.* Le mot français correspond à l'action de déclarer, concrètement à l'écrit par lequel on fait publiquement connaître qqch. et, en particulier (1600), à l'aveu de sentiments amoureux. Par métonymie, il désigne l'énumération détaillée de ce que l'on déclare (1680, ***déclaration des biens***). En relation avec le second sens de *déclarer,* il exprime l'action de faire connaître officiellement l'existence d'un fait (1690, dans ***déclaration de guerre,*** d'après l'emploi correspondant du verbe). ◆ **DÉCLARATIF, IVE** adj., mot didactique emprunté (XVe s.) au dérivé bas latin *declarativus* «qui montre, qui manifeste clairement», a dès les premiers textes le sens philosophique de «qui développe, qui explique». Il a reçu des sens techniques, en droit et en grammaire (av. 1892) où il s'applique aux verbes qui énoncent une simple communication.

DÉCLASSER → CLASSE

DÉCLENCHER → CLENCHE

DÉCLIC → CLIQUE

DÉCLINER v. est emprunté (1080) au latin *declinare,* verbe transitif et absolu, signifiant «détourner, éloigner, écarter» et «s'éloigner, s'écarter» avec une idée accessoire de chute (d'où «tomber»), «dévier» ainsi que «parer, éviter», spécialement en grammaire «dériver, conjuguer, donner les flexions d'un mot». Le mot est composé de *de* et *clinare,* verbe essentiellement attesté en composition (→ incliner) et appartenant à une racine indoeuropéenne °*klei-* «incliner, pencher» (→ cliver).

♦ Dès ses premières attestations, le verbe s'applique au soir qui tombe, et (1119) à l'astre qui décroît à l'horizon. Par figure, il signifie «perdre des forces, pencher vers sa fin» (1200) en parlant d'une personne, puis également d'une entité abstraite. À partir d'un sens repris au latin, «s'écarter de» (v. 1120), il a pris la valeur transitive de «refuser» (av. 1350), d'usage courant et juridique dans l'expression ***décliner une juridiction*** (1397) «la rejeter pour s'en remettre à une autre». ◇ Dès les premiers textes, *décliner* est aussi un verbe de parole, probablement avec le sens ancien de «dire, réciter, composer, raconter» (1080) puis, plus techniquement, «énoncer, exposer» (1223), sens aujourd'hui restreint à des locutions comme ***décliner son identité,*** et, en grammaire (1236), «énoncer les formes variables des éléments d'un syntagme nominal selon leur fonction grammaticale (dans une langue à flexion)».

▸ Le déverbal **DÉCLIN** n. m. (1080) exprime, en relation avec le premier sens du verbe, le fait de décroître (en parlant d'un astre) et, au figuré, une perte de vitalité.

DÉCLINAISON n. f. est l'adaptation semi-populaire (1236) du latin *declinatio* dont les sens correspondent à ceux de *declinare.* ◇ Le mot, employé en grammaire pour «ensemble des flexions d'un nom», puis en astronomie (1583) et en métrologie à propos de la variation de l'aiguille aimantée (1690), se limite à des usages didactiques, exceptionnellement concurrencé par le type savant *déclination.* ◆ **DÉCLINATOIRE** n. m. (1380) est apparu en droit à propos des refus, de l'acte de procédure par lequel une partie décline la compétence d'un tribunal. L'emploi adjectif (av. 1502) correspond au même sens, «qui refuse». ◆ **DÉCLINABLE** adj. (XIVe s.) et son antonyme **INDÉCLINABLE** adj. (1380) sont empruntés au bas latin *declinabilis* et *indeclinabilis,* tous deux spécialisés en grammaire.

◈ voir DÉCLIVE, INCLINER.

DÉCLIVE adj. et n., d'abord *declifs* au masculin pluriel (1492) et, à même date, *déclive* pour les deux genres, est emprunté au latin *declivis* «en pente», au figuré «sur son déclin». Le mot est le dérivé préfixé de *clivus* «pente», souvent «montée», et au figuré «difficulté», lequel se rattache comme °*clinus* «pente» et *clinare* (→ les composés décliner, incliner) à la racine indoeuropéenne °*klei-* «incliner, pencher» (→ cliver).

♦ Le mot qualifie ce qui est incliné, en pente et, par extension, en position basse, spécialement en médecine. Il est substantivé au féminin pour désigner une pente et au masculin pour désigner un des lobules du cervelet.

▸ **DÉCLIVITÉ** n. f. (1487), emprunté au dérivé latin *declivitas* «pente», est plus courant que l'adjectif.

◈ voir CLIVER.

DÉCOCHER → ① COCHE

DÉCOCTION n. f. est emprunté (1256) au bas latin médical *decoctio* «action de faire bouillir», «préparation obtenue par cette opération», et au figuré «déconfiture, banqueroute». Le mot est formé sur le supin *decoctum* de *decoquere* «faire cuire entièrement», de *de* marquant l'achèvement et *coquere* (→ cuire).

♦ Le mot, introduit en pharmacie, a conservé le sens du latin et a pris quelques valeurs généralement péjoratives, désignant un mélange liquide peu attirant, au figuré un assemblage sans génie et, en argot militaire, ce qui tombe sur quelqu'un.

DÉCOLLATION n. f. est emprunté (1227) au bas latin *decollatio,* terme juridique dérivé de *decollare* «ôter du cou» puis spécialement «décapiter». Ce verbe est formé sur *collum* (→ cou) au moyen de la particule *de* indiquant la séparation (→ de) et de la désinence *-are* des verbes de la première conjugaison.

♦ Le mot, introduit dans un contexte hagiographique *(la décolation saint Jehan),* a décliné sous la concurrence de *décapitation.* Il se maintient dans ce contexte, et spécialement en référence à la section du cou d'un fœtus mort, pratiquée *in utero* pour faciliter son extraction.

▸ Le verbe latin a été emprunté sous la forme ② **DÉCOLLER** v. tr. (v. 980), encore employé en terme de pêche pour «trancher la tête de la morue avant le salage».

① DÉCOLLER → COLLE

DÉCOLLETER → COL

DÉCOMBRE n. m. est le déverbal (1404) de l'ancien verbe *décombrer* (av. 1150) «débarrasser de ce qui gêne ; décharger», formé par changement de préfixe sur *encombrer**.

♦ Le mot a eu le sens actif d'«action d'enlever ce qui encombre» puis s'est fixé, par métonymie, au sens de «débris d'un édifice écroulé» (1572), presque uniquement au pluriel, avec des emplois métaphoriques.

DÉCONCERTER → CONCERT

DÉCONFIRE → CONFIRE

DÉCONTENANCER → CONTENANCE

DÉCONVENUE → CONVENIR

DÉCORER v. tr. est emprunté (v. 1350) au latin *decorare* «orner, parer» et au figuré «honorer, rehausser», dérivé de *decus, -oris* «ce qui sied», en particulier «ornement, parure» et, au figuré, «gloire». *Decus,* synonyme de *decor, -oris,* se rattache comme lui à *decere* (→ décent).

♦ Le mot a pénétré en français avec le sens figuré d'«honorer», sorti de l'usage au XVIe s., mais dont l'idée est conservée par le sens spécial de «remettre une décoration à (qqn)», postérieur (1795) au sens correspondant de *décoration* (ci-dessous). À partir du XIVe s., il correspond à «embellir, orner, parer», le sujet étant soit un animé (v. 1370), soit un inanimé (1563).

► Le mot a produit en moyen français des dérivés qui, pour la plupart, correspondent à l'ancien sens, comportant l'idée de «gloire». Ainsi, **DÉCORATION** n. f. (1393) a eu le sens figuré de «gloire, honneur» jusqu'au XVe s., avant de se restreindre concrètement à «insigne honorifique» (1740). Il a reçu d'un emprunt au latin *decoratio* «ornement», sa valeur active moderne «action de décorer» (1463) et le sens métonymique «ensemble de ce qui décore» (1549). Au théâtre (1674), il a été éliminé par *décor.* ◆ L'autre substantif, **DÉCOR** n. m., écrit *décore* (1536) jusqu'au XVIIe s., a d'abord été emprunté au latin *decus* (accusatif *decorem*) avec le sens abstrait de «ce qui convient, bienséance», en usage jusqu'au XVIIIe siècle. Il doit à *décorer* son sens moderne, «ce qui sert à orner» (1603), rare avant la fin du XVIIIe s. (1788). Il se répand au XIXe s., recevant la valeur spéciale d'«art de décorer» (1831, Balzac), et devenant un terme de théâtre (1826, *décore*), désignant le fond décoré de la scène, d'un objet. De ce sens procède, au figuré, celui d'«apparence trompeuse» (1857). Appliqué à un ensemble naturel, en parlant du paysage (1842), il a donné la locution familière ***rentrer dans le décor*** «sortir de la route par accident» (1918-1919, dans *Vélo-Sport*). Sans aucune idée ornementale, il désigne également le milieu, le cadre dans lequel vit un être (1857, Flaubert). ◆ Le nom d'agent **DÉCORATEUR, TRICE** est attesté une première fois avec le sens ancien de «personne qui honore, qui célèbre» (1572) d'après la valeur initiale de *décorer;* il a été repris au XVIIe s. comme nom de métier au théâtre (av. 1634), avant de s'étendre à toute personne qui fait des travaux de décoration (1812). ◆ **DÉCORATIF, IVE** adj., attesté dès ses premiers emplois (1478) avec son sens moderne, «qui sert à décorer, qui décore bien», est rare avant le XIXe s. (1836). Il s'applique aux objets, aux abstractions (style, etc.) et sert à former le syntagme ***arts décoratifs*** qui, après la grande exposition d'*arts décoratifs* (autrement appelés *arts appliqués, arts industriels*) en 1925, a fourni au singulier, sous la forme abrégée ***Art déco,*** la dénomination du style dominant dans les années 1920-1930. Par analogie, il qualifie ironiquement une personne de grande prestance (1890), son comportement. ◇ En est dérivé **DÉCORATIVEMENT** adv. (1874). ◆ C'est au XIXe s. que l'on relève les premiers emplois de **DÉCORÉ, ÉE**, participe passé de *décorer,* pour qualifier (1812) et désigner (1832) une personne qui porte une décoration.

◈ voir DÉCORUM.

DÉCORTIQUER v. tr. est un emprunt tardif (1826) au latin impérial *decorticare* «enlever l'écorce, écorcer», formé de *de* (→ de) et de *cortex* «écorce» (→ écorcher).

♦ *Décortiquer* a développé tous ses sens au XIXe s., de «dépouiller (une tige, une racine) de son écorce» à «ôter la carapace de (un crustacé)» (1898) et, par analogie, «analyser minutieusement, scruter» (1893).

► En sont dérivés **DÉCORTIQUÉ, ÉE** adj., tiré du participe passé (1845), **DÉCORTICAGE** n. m. (1870) et le nom de machine **DÉCORTIQUEUR** n. m. (1870).
Un autre nom d'action, **DÉCORTICATION** n. f., emprunté antérieurement (1747) au latin impérial *decorticatio* «action de dépouiller (un végétal) de son enveloppe», réalise le sens du latin et s'applique spécialement, en physiologie, à l'ablation du cortex cérébral (sur un animal) (1858).

DÉCORUM n. m. est emprunté (1587) au latin *decorum* «ce qui convient, convenance, bienséances», neutre substantivé de l'adjectif *decorus* «qui convient» et «orné, paré». Ce mot est dérivé de *decor* «ce qui convient, ce qui est séant» et «parure, ornement, charme» (→ décorer), du groupe de *decere* «convenir» (→ décent).

♦ Le mot recouvre l'ensemble des règles de bienséance et Furetière signale son emploi dans la locution ***garder le décorum*** (écrit *decorum*) «observer toutes les lois de la bienséance». Au XIXe s., tout en se spécialisant en «étiquette, protocole, apparat officiel» (1889), il a développé, probablement sous l'influence du groupe de *décor, décorer,* le sens de «ce qui orne, pare» (1835). Il prend alors la valeur péjorative de «luxe ostentatoire».

DÉCOUPER → COUP

DÉCOURAGER → CŒUR

DÉCOURS n. m. est emprunté (v. 1120) au latin *decursus* «action de descendre à la course», «descente rapide» et «chute», dérivé de *decurrere* «descendre en courant», «se précipiter», verbe formé de *de-* et *currere* (→ courir).

♦ Le premier sens du mot en français, «cours, écoulement des eaux», est sorti de l'usage au XVIIe siècle. Quant au sens général abstrait de «déclin» (1174), il ne s'est conservé qu'en astronomie, appliqué à la période entre la pleine et la nouvelle lune (v. 1180), et en médecine, à propos de la période de déclin d'une maladie (1694).

DÉCOUVRIR v. tr. est issu (v. 1120, *descouvrir*) du bas latin *discooperire* «mettre à découvert», composé de *dis-* (→ dé-) et de *cooperire* qui a donné *couvrir**. Du verbe latin sont également issus l'italien *scoprire* (avec changement de suffixe), l'espagnol *descubrir* et l'ancien provençal *descobrir*.

♦ Dès les premiers textes, *découvrir* a le sens abstrait de «révéler, montrer» dans un contexte religieux, puis plus général (av. 1588, *descouvrant ses cartes*). De ce sens procèdent, à partir du XVIe s., des extensions pour «apercevoir depuis un lieu» (1564), «faire connaître le premier (une chose ignorée)» (1580, Montaigne) et (1614) «parvenir à connaître (une chose cachée, ignorée)». ◇ Dès le XIIe s., *descouvrir* est aussi employé avec le sens physique de «dégarnir de ce qui couvre, protège», *se découvrir* correspondant spécialement à «se dévêtir» (1230) et plus précisément à «ôter son chapeau devant qqn» (1564); le pronominal est aussi employé, par analogie et d'après un sens correspondant de *couvrir*, en parlant du ciel qui se dégage (1690). ◇ Un emploi intransitif (fin XVIIe s.) pour «cesser d'être recouvert par l'eau» fait pendant à l'expression transitive *la mer découvre le rivage* (1688).

► Le participe passé a donné deux substantifs. ◆ **DÉCOUVERT** n. m., d'abord dans la locution adverbiale toujours vivante ***à découvert*** (1150), a servi à désigner les champs et les hautes futaies (apr. 1250); le mot est réservé de nos jours au sens spécial de «déficit financier» (1817). ◆ **DÉCOUVERTE** n. f. est attesté depuis 1209 dans la locution ***à la découverte*** *(descoverte)* dont le sens figuré, «franchement, ouvertement», a totalement disparu (la locution s'étant convertie en «en vue d'explorer»). ◇ En relation avec le verbe, *découverte* a pris le sens d'«action de trouver ce qui était ignoré ou caché» (1595), d'abord dans le contexte des grands voyages d'exploration de la Renaissance appelés plus tard *les grandes découvertes*. La spécialisation scientifique semble dater du XIXe siècle ; elle s'est relativement détachée du verbe, et correspond à «établissement d'une vérité par la science». ◇ Par métonymie, le même mot désigne au théâtre un élément de décor en trompe-l'œil (1870). ◆ Le nom d'agent formé sur le verbe, **DÉCOUVREUR, EUSE** n. (av. 1250), a vieilli au sens premier d'«éclaireur» pour s'appliquer plus banalement à celui qui découvre qqch. (av. 1544). Le mot désigne spécifiquement celui qui trouve, identifie un être, une chose jusque-là dissimulés ou inconnus, alors que l'*inventeur* tire de son esprit, à partir de données existantes, l'idée d'une technique, d'un procédé neuf. Cependant, dans l'usage courant, *inventeur* tend à se substituer à *découvreur*.

DÉCRÉPIT, ITE adj., d'abord *descrepie* (v. 1192), est emprunté au latin *decrepitus*, mot familier employé pour qualifier le vieillard et la vieillesse. Il est formé de *de* et *crepitus*, de *crepare* «craquer, claquer, pétiller» (→ crépiter), lequel s'est dit également des humains, à basse époque, par un changement de sens mal expliqué. Bréal suppose que la vieillesse décrépite était comparée à un mur qui se lézarde ou à un arbre qui se fend. Cependant, *de-* marque ordinairement la cessation, le manque (→ de), à moins qu'il ne suggère l'achèvement et que *decrepitus* ne signifie littéralement «qui achève de se fendre». C'était en tout cas une expression imagée familière dont le sens apparaît dès les premiers exemples. En français, par étymologie seconde, l'adjectif est rapproché de *décrépir*, antonyme de *crépir*.

♦ Le mot qualifie et, substantivé (1370), désigne une personne atteinte par la déchéance physique. Par extension, il caractérise également ce qui prend l'apparence de la décrépitude (1580, Montaigne) et, par analogie, une chose concrète qui menace ruine (1832, Hugo).

► Son dérivé **DÉCRÉPITUDE** n. f. (v. 1387), formé avec le suffixe *-itude* (avec haplologie de *-it-*), est employé au propre (1564) et au figuré (1836, à propos de la décadence de l'Empire byzantin).

DECRESCENDO adv. et n. m. est l'emprunt, comme substantif (1837) et comme adverbe (1838), de l'italien *decrescendo*, attesté comme terme de musique depuis le XVIIe s. pour indiquer une diminution de l'intensité des sons. Il s'agit du gérondif de *decrescere*, verbe de même origine et de même sens que le français *décroître* (→ croître).

♦ Le mot, repris dans sa spécialisation musicale, est invariable dans les dictionnaires et dans l'usage, contrairement à *crescendo* qui semble plus intégré.

DÉCRET n. m. est emprunté (1172-1174) au latin juridique *decretum* «décision émanant du pouvoir», également employé en philosophie au sens de «principe, précepte» pour traduire le grec *dogma* (→ dogme). Ce mot a été employé en latin chrétien comme terme de droit canon et en latin médiéval (752) pour «diplôme royal». C'est le participe passé neutre substantivé de *decernere* (→ décerner).

♦ Introduit dans la langue juridique, le mot désigne d'abord une décision émanant de l'autorité ecclésiastique et, en droit laïc, une décision émanant du pouvoir (1193-1197); ce sens est repris avec une valeur technique en droit constitutionnel, depuis 1789, alors lié à la séparation constitutionnelle des pouvoirs, le décret provenant de l'exécutif, alors que la loi émane du législatif (cf. ci-dessous *décret-loi*). ◇ Par extension, le mot se rapporte à une situation imposée, considérée comme une décision émanant d'une puissance supérieure (Dieu, le destin, la nature).

► Son dérivé **DÉCRÉTER** v. tr., d'abord employé au sens de «créer, fonder par décret» (1382), signifie ensuite, en droit, «décider par décret» (1450) et «ordonner par décret» (1458). ◇ Par extension, il s'est répandu avec le sens de «décider avec autorité»

(1468), de nouveau attesté en 1533 et repris depuis 1791, d'abord à propos de Dieu, par référence aux valeurs anciennes de *décret,* puis généralement, évoquant souvent une autorité arbitraire.
Deux termes de droit canon ont été formés au moyen âge : l'un, **DÉCRÉTALE** n. f., d'abord *discretales* (1250), est emprunté au latin chrétien *decretale* qui désigne la lettre pontificale contenant communication d'une règle ou d'une décision relatives à la doctrine chrétienne ou au droit ecclésiastique, neutre substantivé de l'adjectif bas latin juridique *decretalis* «ordonné par décret», de *decretum.* ◆ Le second, **DÉCRÉTALISTE** n. m., est dérivé de *décrétale* (XVe s.); il entre en concurrence avec un mot plus ancien, **DÉCRÉTISTE** n. m., formé (v. 1220) sur *décret* pour désigner un spécialiste de droit canon. En français contemporain, *décret* au sens constitutionnel entre dans le composé **DÉCRET-LOI** n. m. (1917), terme juridique désignant un acte ayant force de loi et qui est pris par le pouvoir exécutif.

DÉCRIRE v. tr. est emprunté (v. 1119), avec adaptation d'après *écrire**, au latin *describere,* formé de la particule *de* et de *scribere* (→ écrire). Ce verbe présente une palette de sens plus large que le mot français : il signifie «copier, transcrire», «dessiner, tracer», «exposer, raconter, dépeindre», ainsi que «délimiter, déterminer». En latin médiéval, il est employé spécialement au sens de «recenser, dénombrer» et d'«imposer (une ville), faire la répartition du cens».

♦ Le mot est spécialisé dès les premiers textes au sens de «représenter par écrit ou oralement», avec lequel il développera diverses nuances. Le sens physique de «tracer une ligne courbe» est attesté depuis 1559.

▸ **DESCRIPTION** n. f. est emprunté (v. 1165), pour servir de substantif d'action à *décrire,* au latin *descriptio* «action de décrire», concrètement «reproduction, copie, dessin, tracé de plan», également «délimitation, détermination, définition», du supin de *describere.* ◇ Le français a restreint l'emploi du mot à l'action de décrire verbalement, oralement ou à l'écrit, et, par métonymie, à un développement littéraire représentant l'aspect des choses et des êtres. Le langage juridique l'a repris pour «inventaire de biens meubles ou immeubles» (1690). ◆ On a formé tardivement **DESCRIPTIBLE** adj. (1870) sur le radical de *description,* probablement d'après le préfixé **INDESCRIPTIBLE** adj., lui-même introduit en 1789 comme néologisme et plus usuel, notamment avec la valeur intensive de «dont le degré dépasse l'expression» (1873). ◆ **INDESCRIPTIBLEMENT** adv. (1840) et **INDESCRIPTIBILITÉ** n. f. (1970) sont beaucoup plus rares.
DESCRIPTIF, IVE adj. est emprunté (1464) au latin *descriptivus* «qui sert à la description», du supin de *describere.* L'adjectif, après une occurrence isolée au XVe s., a été repris et diffusé à la fin du XVIIIe s., qualifiant ce qui a pour objet de décrire verbalement, spécialement en littérature, domaine où il est substantivé avec une valeur neutre de «genre descriptif» (1828) et où il s'applique aussi à un écrivain (1802, *poète descriptif;* 1854, *un descriptif*). ◇ Le mot s'est spécialisé en géométrie (1799) pour une représentation plane de l'espace, renouant avec un des emplois du mot latin; il est aussi passé dans la terminologie des sciences (1801, *anatomie descriptive*) et dans celle des travaux publics (1852, *devis descriptif,* d'où *un descriptif*).
DESCRIPTEUR n. m., emprunt (1464) au bas latin *descriptor* «qui décrit, qui dépeint», a été employé jusqu'au XVIe s. au sens de «personne qui décrit», également en apposition avec une valeur adjective (1530). Il a été repris au milieu du XVIIIe s. à propos de la littérature (1758), mais s'est surtout répandu au XXe s. dans sa spécialisation en informatique et en documentation, comme synonyme de *mot-clé* (1964).

DÉCROCHER → CROC

DÉCRUE → CROÎTRE

DÉCRYPTER → CRYPTE

DÉCUPLE adj. et n. m. est emprunté (1484) au latin *decuplus,* «qui égale dix fois une quantité donnée», adjectif dérivé de *decem* (→ dix).

♦ Le mot qualifie et, plus couramment, désigne (XVIe s.) ce qui est dix fois égal à qqch.; il est pris avec une valeur approximative plus ou moins abstraite dans la locution ***rendre qqch. au décuple*** (XVIe s.) en concurrence avec *au centuple* (plus courant).

▸ Son dérivé **DÉCUPLER** v. (1584) est employé au sens transitif de «rendre dix fois plus grand», et intransitivement pour «devenir dix fois plus grand». Au cours du XIXe s., il a développé dans ces deux types de construction le sens figuré d'«accroître considérablement» (1808) et «s'accroître» (1846). ◆ Le verbe a pour dérivé **DÉCUPLEMENT** n. m. (av. 1837), rare.

DÉDAIGNER → DAIGNER

DÉDALE n. m. est l'emploi comme nom commun (1543) du nom propre *Dédale* (av. 1260, *Dedalu*), emprunté par l'intermédiaire du latin *Daedalus* au grec *Daidalos.* Ce dernier est le nom d'un Athénien appartenant à la famille royale et représentant dans la mythologie le type de l'artiste universel, tour à tour architecte, sculpteur et inventeur de moyens mécaniques (inventeur des premières statues et du labyrinthe). Ce nom, qui présente un redoublement avec dissimilation de *dal-,* se rattache au verbe *daidallein* «façonner avec art», d'usage poétique. Le groupe appartient peut-être à une racine que l'on a pensé retrouver dans quelques langues indoeuropéennes, dont le latin *dolare* «tailler, façonner le bois», peut-être le sanskrit *dár-darī-ti* «fendre». Mais ce pourrait être aussi un terme méditerranéen, ce qu'appuierait dans une faible mesure le rapport de *Daidalos* avec le labyrinthe.

♦ Le mot, sous la forme latinisante *dedalus* (1543), puis francisé en *dédale,* désigne un labyrinthe, par allusion au labyrinthe de Crète construit par Dédale à la demande du roi Minos qui y enferma le Minotaure. Par extension, le mot est employé en parlant d'un ensemble formant un circuit compliqué d'éléments dans lesquels on risque de se perdre, au propre et au figuré (1585, *le dédale des tourments*).

▶ Son dérivé **DÉDALÉEN, ÉENNE** adj. est attesté chez cet amateur de mythes qu'est Victor Hugo (1832); il est d'usage très littéraire.

DEDANS → DANS

DÉDICACE n. f., d'abord altéré en *dicaze* (fin XIIe s.), puis écrit *dedicasse* (1273-1280), est emprunté au latin *dedicatio* «consécration, inauguration d'un temple, d'un théâtre», puis en latin chrétien «consécration d'une église» et «fait de dédier un livre à qqn». *Dedicatio* est le nom d'action correspondant à *dedicare* qui a donné *dédier**.

♦ Le mot désigne la consécration d'une église, d'un oratoire et, par métonymie, la fête annuelle commémorant cette consécration (1273-1280). Par extension, il concerne la consécration d'un édifice quelconque. Il s'est en outre spécialisé dans le domaine artistique pour l'action consistant à dédier une œuvre à qqn (1613). Ce sens est devenu le plus courant, se disant aussi de l'envoi manuscrit fait par l'auteur, l'usage bibliophilique distinguant les deux mots.

▶ Le dérivé **DÉDICACER** v. tr. est attesté une première fois au XVe s. (av. 1449) dans un contexte religieux; il a été repris (1819) avec le sens de «pourvoir une œuvre d'une dédicace» et, par extension, «offrir une œuvre avec une dédicace manuscrite».

DÉDICATOIRE adj., dérivé savamment (1542) du radical du supin *dedicatum* du verbe *dedicare* avec le suffixe *-oire* pour servir d'adjectif à *dédicace** dont il a suivi le développement sémantique. ◆ Ultérieurement, a été formé **DÉDICATAIRE** n. (1890, Verlaine) sur le radical du supin latin, avec le suffixe *-aire*, pour la personne à qui est dédié un ouvrage.

DUCASSE n. f., attesté en moyen français (1391), est une forme dialectale (Nord de la France) de l'ancien français *dicasse* (fin XIIe s.), réduction de *dédicace* au sens religieux (ci-dessus). Le mot est demeuré d'usage régional (Hainaut, Belgique, Nord de la France) pour «fête patronale», «fête publique» — équivalent non marqué : *kermesse* — et, en français de Belgique, «réjouissances inhabituelles».

DÉDIER v. tr. est un semi-emprunt (v. 1130) au latin *dedicare*, verbe de parole signifiant «déclarer, révéler», spécialisé au sens de «consacrer (un temple, un lieu)», et au figuré «faire hommage de (un texte, un livre) à qqn». Ce verbe latin est composé de *de-* (→ de) et de *dicare* (→ dire). Dans le passage du latin au français, le *-c-* est tombé par analogie avec les verbes en *-ficare* (→ édifier).

♦ *Dédier* a suivi le développement sémantique de *dédicace**, qui lui sert de nom d'action, et signifie «consacrer (une église)», puis «faire hommage de (une œuvre) à qqn».

DÉDIRE → DIRE

DÉDUIRE v. tr. est emprunté (v. 1050) avec francisation, d'après *conduire** et l'ancien français *duire*, au latin *deducere*, proprement «emmener», d'où au figuré «retrancher, soustraire» et «détourner de». Ce verbe est composé de la particule *de* exprimant la séparation (→ dé-) et de *ducere* «mener» qui a donné l'ancien français *duire* (→ conduire).

♦ Le mot a eu en ancien français le sens de «mener, conduire» (pronominalement *se déduire* «s'éloigner») et surtout, au figuré, celui de «divertir, distraire», comme pronominal (1172) et comme transitif. Au XIVe s., il a repris au latin le sens abstrait de «retrancher une somme» (1363), aujourd'hui courant. Au XVIe s., alors qu'on le trouve au sens d'«énumérer, exposer en détail, discourir sur qqch.» (av. 1544), il a pris sa valeur moderne en logique (av. 1560), d'après *déduction* (ci-dessous).

▶ Son participe passé **DÉDUIT** a été substantivé (v. 1160) pour désigner le divertissement, se spécialisant à propos du divertissement amoureux, notamment l'amour physique. Le mot, archaïque depuis le XVIIe s., est encore enregistré par les éditions du *Dictionnaire de l'Académie* en 1694, puis de 1798 à 1878; ce n'est plus qu'une allusion médiévale.

DÉDUCTION n. f. est emprunté (1355) au latin *deductio*, nom formé sur le supin *deductum* de *deducere*. *Deductio* désigne le fait d'emmener, spécialement le fait d'emmener l'épouse au domicile conjugal. Au figuré, il exprime l'idée de retranchement et, dans l'usage scolastique du moyen âge (v. 1300), désigne un raisonnement par lequel on fait sortir d'une supposition admise comme une vérité la conséquence logique qu'elle contient implicitement. Le mot français désigne un retranchement, une soustraction (dans *en deduction de la somme*, 1355); il est également employé comme terme de logique (1370, Oresme). Son développement sémantique a été parallèle à celui de *déduire* (ci-dessus). ◆ Le radical du supin latin *deductum* a servi à former les adjectifs **DÉDUCTIF, IVE** (1842), employé notamment en logique *(raisonnement déductif)*, et **DÉDUCTIBLE** (1931), qui ont donné les adverbes correspondants **DÉDUCTIVEMENT** (1832) et **DÉDUCTIBLEMENT** (rare), ainsi que le nom **DÉDUCTIBILITÉ** n. f. (1943, Sartre).

DÉESSE → DIEU

DÉFAITE (et **DÉFAIRE**) → FAIRE

DÉFALQUER v. tr., d'abord *deffalquer* (1384), est emprunté au latin médiéval *defalcare* «déduire d'une somme» (1288), plutôt qu'à l'italien *diffalcare* qui n'a ce sens que depuis 1494, et qui signifie d'abord (1351-1374) «diminuer». *Defalcare* est probablement formé de *de-* (→ ② dé-) et °*falcare* (→ faucher).

♦ Repris au sens du latin médiéval, *défalquer* s'emploie toujours ainsi, les extensions figurées étant littéraires et rares.

▶ Le nom correspondant, **DÉFALCATION** n. f., est emprunté semble-t-il avant le verbe (1307) au dérivé latin médiéval *defalcatio* (1287). ◇ Il a évincé le dérivé **DÉFALQUEMENT** n. m.

DÉFAUT n. m. est probablement issu (v. 1165) de l'ancien français *défaute* n. f. (déb. XIIe s.)

«manque, faute», dérivé de *défaillir* (→ faillir) d'après *faute**.

♦ Moins fréquent que *défaute* en ancien et moyen français, *défaut* l'a supplanté par la suite parce qu'il se distinguait mieux de *faute*. Il a d'abord le sens de «pénurie, manque» à partir duquel se développent ses principales nuances, au XVIe et au XVIIe s. : *défaut* est employé dans un contexte juridique pour l'action de ne pas comparaître devant un juge (1540), entrant dans les locutions ***condamner par défaut*** (1573) et ***être en défaut*** (1668 au figuré). Il s'est spécialisé en vénerie à propos de la perte de la voie par les chiens (1561). ◇ Au XVIe s. encore, apparaît la locution *au défaut de* (1579), aujourd'hui vieillie au profit de ***à défaut de.*** ◇ À partir du sens métonymique d'«endroit où se termine, où manque qqch.», il a pris la valeur d'«endroit le plus faible» (1652), de nos jours presque exclusivement dans la locution figurée ***le défaut de la cuirasse.*** ◆ Un autre groupe de sens, lui aussi dégagé au XVIe et au XVIIe s., se rapporte non plus à l'idée de manque, mais à celle d'imperfection : le mot, qui déjà en moyen français indiquait la partie imparfaite d'un objet (1357), s'applique à une imperfection physique (1561), à celle d'une œuvre d'art (1585), et enfin à une imperfection morale, sens d'abord relevé chez Corneille (1651-1652) et devenu très usuel; il s'oppose alors aussi nettement à *faute* que *(ne pas) être* s'oppose à *(ne pas) faire, faute* concernant une action ou son résultat, alors que *défaut* s'applique à une tendance, à un trait de caractère.

DÉFECTIF, IVE adj. est emprunté (1314) au bas latin *defectivus* «défectueux», employé en grammaire, formé sur le supin *defectum* de *deficere* «faire défaut» (→ défection, défectueux, déficit).

♦ Le sens initial, «qui présente des défauts», est sorti d'usage, au profit de *défectueux, défectif* se spécialisant dans des emplois didactiques, en linguistique (1680, voire 1629 selon Bloch et Wartburg), par exemple dans *verbe défectif,* et en musique.

DÉFECTION n. f. est emprunté (v. 1170, *defectiun*) au latin *defectio* «désertion (d'un parti)», «éclipse (d'un astre)», «cessation, disparition, épuisement», «faiblesse» et en grammaire «ellipse». Ce mot est formé sur le supin *defectum,* de *deficere* qui possède les sens correspondants (→ défectif, défectueux, déficient, déficit).

♦ Le mot a pénétré en français avec le sens aujourd'hui disparu de «défaillance, défaut». La valeur moderne, «action d'abandonner ce à quoi on était lié (parti, opinion, cause)», est enregistrée en 1680. Par extension, *défection* se dit du fait de ne pas se trouver là où l'on est attendu (av. 1850, d'après Larousse 1959). ◇ Le sens particulier correspondant à «éclipse», enregistré par la plupart des dictionnaires généraux des XIXe et XXe s., est aujourd'hui abandonné.

► De *défection* est dérivé **DÉFECTIONNAIRE** adj. (1843), «qui fait défection», vieilli ou historique.

◈ voir DÉFECTIF, DÉFECTUEUX, DÉFICIENT, DÉFICIT.

DÉFECTUEUX, EUSE adj. est emprunté (1336) au latin médiéval *defectuosus* (seulement attesté en 1393) «qui présente des imperfections», formé sur le supin *defectum* de *deficere* «faire défaut» (→ défectif, défection, déficient, déficit).

♦ Le mot, d'usage courant, est employé spécialement en parlant d'actes juridiques (1690) et de faits de langue, d'expression. Avec sa valeur générale, il qualifie surtout des systèmes matériels, appareils ou instruments.

► Il a produit **DÉFECTUEUSEMENT** adv. (XVe s.). ◆ **DÉFECTUOSITÉ** n. f., d'abord écrit avec deux *f* (1486), est probablement emprunté au latin scolastique supposé °*defectuositas,* formé sur *defectuosis ;* il a évincé la forme parallèle *défectueusité* (av. 1494), faite sur *défectueux* avec le suffixe *-ité.*

DÉFENDRE v. tr. est issu (v. 980) du latin *defendere* «repousser, écarter l'ennemi» d'où «protéger», employé dans le langage de la Bible pour traduire le grec *ekdikein* «venger, punir» et, à basse époque, aux sens de «revendiquer un droit», «interdire», en contexte juridique et seulement dans l'aire gallo-romaine. Ce verbe est formé de *de-* (→ ② de) et d'un simple °*fendere* dont le sens devait être originellement «frapper, heurter» et qui ne s'est conservé que par ses composés (→ offense). Le présent *-fendo,* sur lequel est bâti tout le groupe des formes latines, est le substitut d'un ancien radical athématique conservé en indo-iranien (védique *hánti* «il frappe») et en hittite. À ce groupe se rattachent aussi le grec *theinein,* le slave *ženǫ* «je chasse, je poursuis», l'irlandais *gonim* «je blesse, je frappe».

♦ Dès les premières attestations, le verbe exprime l'idée de «protéger contre», d'abord à la forme pronominale et transitivement (dans un contexte militaire, 1080, *Chanson de Roland*). Par suite, il s'emploie aussi à propos des effets nuisibles d'une chose (1180-1185, pronominalement). Le sens de *se défendre de,* «nier verbalement ce dont on est accusé» (v. 1150), s'applique spécialement à un contexte juridique (1559, transitivement). Par extension, *se défendre* s'est dit ultérieurement avec un nom de chose pour sujet et correspond à «être valable, justifié» (1843), familièrement dans *ça se défend.* Avec un nom de personne pour sujet (argot des prostituées, 1920), il signifie familièrement «se débrouiller habilement dans qqch.». ◇ L'autre sens du verbe, «interdire», est également connu dès l'ancien français en construction transitive (1080) et (1180-1185) pronominale.

► Outre l'adjectif tiré du participe passé **DÉFENDU, UE** «protégé» et «interdit», *défendre* a donné l'adjectif **DÉFENDABLE** (fin XIIIe-déb. XIVe s.), d'abord employé dans un contexte militaire et, par suite, avec toutes les valeurs correspondantes du verbe. ◆ L'antonyme **INDÉFENDABLE** adj. (1663), formé par préfixation, a supplanté les formes plus anciennes *indéfensable* et *indéfensible* (XVIe s.), faites sur le radical de *défense.* ◆ De la même façon, **DÉFENDEUR** n. (av. 1150), fait sur *défendre,* subit la concurrence de *défenseur* (→ défense); il lui a cédé le sens général (non attesté après 1611), se réservant le sens juridique de «celui qui se défend en justice, contre lequel est intentée une action judiciaire» (v. 1200). Dans cet emploi, le féminin est **DÉFENDERESSE.**

◈ voir **DÉFENSE.**

DÉFENSE n. f. est emprunté (v. 1150) au bas latin de même sens *defensa,* participe passé féminin substantivé de *defendere* (→ défendre).

♦ Le mot a été introduit en droit pour désigner l'action de se défendre en justice, par métonymie les moyens employés pour défendre sa cause (1249) et ultérieurement, par une autre métonymie, concrète, l'accusé et ses avocats (1851), symétriquement à *accusation.* Avant la fin du XIIe s., il exprime le fait de se défendre d'un sentiment (1176), l'action de se défendre dans un contexte militaire (1177-1178), sens qui lui vaut aujourd'hui d'être un quasi-euphémisme pour *guerre* (dans *Ministère de la Défense*), et, par métonymie, ce qui sert à se défendre (1176, des créneaux). ◇ Dès la même époque, il est employé pour «injonction de ne pas faire qqch.» d'après un autre sens du verbe (1177), une acception à peine antérieure, «objection», (1165-1170), étant sortie d'usage.
Parmi ses nombreux emplois métonymiques, il faut mentionner celui qui a servi à nommer la longue dent saillante de certains mammifères, et notamment de l'éléphant (1585, Paré), valeur concrète et autonome qui en fait un véritable homonyme.

▸ Dans le cas particulier d'une interdiction faite au concessionnaire d'une forêt d'y pratiquer des coupes, de l'interdiction du droit de parcours ou de pacage, on emploie encore quelquefois le vieux mot **DÉFENS** ou **DÉFENDS** n. m. Celui-ci, qui a en ancien français le sens général de «défense, interdiction» (1119), s'est spécialisé au début du XIIIe s.; c'est un emprunt au latin *defensum,* participe passé neutre substantivé de *defendere,* employé en latin médiéval au sens de «terrain clôturé» (1023).
SELF-DÉFENSE n. f., cité comme mot anglais (1869), puis emprunté en français (1873), désigne un procédé de combat défensif sans armes, notamment au cours d'un entraînement utilisant les arts martiaux, les sports de combat. ◇ Il est alors en concurrence avec **AUTO-DÉFENSE** n. f. (1836).
DÉFENSIF, IVE adj. et n. est emprunté (XIVe s.) au latin médiéval *defensivus* «propre à la défense» (1270), formé sur le supin *defensum* de *defendere.* Le moyen français a employé le masculin pour désigner en médecine un dispositif protecteur d'une partie du corps. Ce sens, sorti d'usage après 1598, est repris dans l'édition de 1732 du Dictionnaire de Trévoux. ◇ *Défensif* est employé comme adjectif avec le sens latin depuis 1444, et substantivé au féminin pour désigner une attitude qui s'organise en vue de la riposte (1587, ***se mettre sur la défensive***); cette expression qualifie aussi, par extension (1805), l'attitude d'une personne qui manque d'ardeur à soutenir une cause, qui se tient sur la réserve. ➝ En est dérivé **DÉFENSIVEMENT** adv. (1834) qui s'oppose à *offensivement.*
DÉFENSEUR n. m. est emprunté (1213) au dérivé latin *defensor* «celui qui repousse le danger» et concrètement «moyen de défense». Le mot a mis longtemps à s'imposer en raison de la présence concurrente de *défendeur* (→ défendre) utilisé du XIIe au XVIe siècle. Il est employé spécialement en parlant de la personne qui soutient une cause, une idée (1588, Montaigne) et, en droit, de l'avocat qui assure la défense d'un accusé devant la justice (1817).

DÉFÉQUER v. est emprunté (1583) au latin *defaecare,* employé à l'époque classique au sens abstrait de «purifier, clarifier», puis en latin impérial au sens concret de «purifier un liquide». Ce verbe est dérivé au moyen de la particule *de-* (→ ② dé-) de *faex, faecis* «lie de vin, d'huile», par suite «dépôt, résidu, tartre» et, au figuré, «lie, rebut», mot dont le pluriel a donné *fèces**.

♦ Le verbe a d'abord été employé avec le sens transitif de «clarifier», réservé de nos jours à des emplois spéciaux et rares en chimie. L'usage moderne est attesté tardivement, d'abord par le sens transitif figuré de «rejeter» (comme on rejette les matières fécales) dans l'expression ***déféquer qqn*** (1886) qu'affectionne Léon Bloy, l'emploi intransitif du verbe au sens d'«expulser les matières fécales» n'apparaissant qu'en 1910 dans un ouvrage de parasitologie; ces deux emplois sont postérieurs au sens correspondant de *défécation* (ci-dessous).

▸ Le radical latin a servi à former **DÉFÉCATEUR** adj. et n. m., attesté depuis 1877 comme nom en chimie et depuis 1946 comme adjectif en physiologie. ➝ Le participe présent **DÉFÉQUANT** est substantivé au masculin pour désigner la substance destinée à déféquer un liquide (1922, en sucrerie). ➝ Le nom correspondant, **DÉFÉCATION** n. f., a suivi la même évolution que le verbe: emprunté comme terme de chimie, sous la forme *defaecation* (de l'huile) [1660], au dérivé bas latin *defaecatio* «action de nettoyer, de purifier», il désigne aujourd'hui l'expulsion des matières fécales (1814).

DÉFÉRER v., d'abord *deferrier* (1282), est emprunté au latin *deferre* «porter de haut en bas», au figuré «présenter, accorder» et en particulier «dénoncer, porter plainte en justice». *Deferre* est composé de *de* (→ ② dé-) et *ferre* «porter» (→ -fère).

♦ L'ancienne construction *deferrier de qqch. à qqn,* «s'en remettre à qqn pour qqch.», n'est plus en usage. Le verbe a développé ses sens modernes au XVIe et au XVIIe s.; construit transitivement, c'est un terme de droit signifiant «attribuer (une cause) à une juridiction» (1541); ses sens extensifs, «dénoncer à une autorité» (1559) et «conférer un honneur à» (1541), ne se sont pas maintenus. ◇ C'est cependant cette même idée d'honneur, de dignité, qui est réalisée dans l'emploi intransitif de *déférer à* (1559) «avoir du respect, des égards envers».

▸ Le participe présent *déférant, ante* a été adjectivé au sens de «qui montre du respect à l'égard de» en parlant d'une personne (1694), et, par métonymie, de son comportement (av. 1715). Ce mot l'a cédé à ② **DÉFÉRENT, ENTE** adj. (1690), influencé par la forme de ① **DÉFÉRENT, ENTE** adj., lui-même emprunté en anatomie (1520), à propos du canal reliant l'épididyme à l'urètre postérieur, au latin *deferens* «qui porte de haut en bas», participe présent de *deferre.* ➝ Le nom correspondant, **DÉFÉRENCE** n. f. (XIVe s., selon Bloch et Wartburg), est le dérivé savant du latin *deferens* avec le suffixe *-ence*. Attesté isolément au sens d'«action de déférer, d'attribuer», il est repris (1628) au sens moderne d'«égards, respect envers qqn» pour correspondre à *déférent (déférant)*.

DÉFERLER v. est composé (1616) de *dé-**, indiquant le renversement de l'action, et *ferler* v. tr., terme technique de marine pour «relever (une voile) pli par pli et la fixer sur la vergue» (1553). Ce verbe, d'origine problématique, se rattache peut-être au latin *ferula* «baguette» (→ férule), par l'intermédiaire d'un ancien français hypothétique *°ferle*, la voile se pliant le long de la vergue. L'existence de ce *°ferle* est postulée également par le terme technique *ferlet* n. m. (1723), désignant un instrument de bois en forme de T.

♦ Le verbe, qui signifie proprement «déployer les voiles», a connu une expansion bien plus grande que celle du simple *ferler*. Intransitivement, il se dit d'une vague qui se brise en écumant (1773); au XIXᵉ s., il a reçu le sens figuré de «surgir, faire irruption rapidement» en parlant des passions, etc. (1859), et de «se répandre en grande quantité» (1866, de la lumière).

▸ Le dérivé **DÉFERLAGE** n. m. (XVIIIᵉ s.) procède du sens maritime technique, tandis que **DÉFERLEMENT** n. m. (1883) réalise l'idée de ce qui se répand avec abondance, en parlant du flot qui déferle et, au figuré, d'un objet concret ou abstrait. ◇ Le féminin du participe passé adjectivé, **DÉFERLANTE**, est quelquefois substantivé pour une grande lame déferlant en plein océan (mil. XXᵉ s.).

DÉFI, DÉFIER → FIER

DÉFICIENT, ENTE adj., d'abord *déficiens* (1290), est emprunté au latin *deficiens* «manquant», participe présent de *deficere* «manquer» (→ déficit).

♦ Le mot, partiellement synonyme de *déficitaire** et, dans certains contextes, de *défectueux**, est employé spécialement en médecine, biologie et psychologie; il y est substantivé pour désigner une personne présentant une insuffisance mentale, motrice ou sensorielle.

▸ Par substitution de suffixe, on a formé tardivement **DÉFICIENCE** n. f. (av. 1908, Bergson), peut-être d'après le bas latin *deficientia*.

DÉFICIT n. m. est l'emprunt tel quel (1560) du latin *deficit*, proprement «il manque», troisième personne du présent de l'indicatif de *deficere* «manquer», «abandonner», «faire défaut». Ce verbe, composé de *de* (→ dé-) et *facere* (→ faire), est à l'origine de *déficient, défectif, défection* et *défectueux*.

♦ Le mot a désigné un objet manquant dans un inventaire, sens sorti de l'usage. Avec une vocation plus abstraite, il s'est spécialisé en finances (1771) et en économie. Il est passé, avec un sens très voisin de *déficience*, en médecine, psychologie et en climatologie.

▸ Son dérivé **DÉFICITAIRE** adj. (1909) est surtout un terme de finances et d'économie.

① **DÉFILER** → FIL

② **DÉFILER, DÉFILÉ** → FILER

✳ **DÉFINIR** v. tr. est emprunté (fin XIIᵉ s.) au latin *definire* «déterminer», «fixer», «délimiter», spécialement en parlant du sens d'un mot. C'est un composé de *de-* (aboutissement du procès) [→ ② de] et de *finire* (→ finir). En ancien français, *définir* a rencontré l'ancien verbe *défınir* (1080), formé sur *finir** avec le préfixe *de-* exprimant le renforcement et signifiant «mener à bonne fin, achever», et spécialement «mourir». En moyen français, on relève la variante *diffinir*, issue de *diffinire*, variante du verbe latin, et encore utilisée au XVIIᵉ siècle.

♦ Employé dès les premiers textes au sens de «faire connaître ce qu'est une chose, la préciser», le verbe a pris par extension celui de «déterminer exactement, fixer» (1481), spécialement en théologie «fixer un point de dogme» (1561, Calvin).

▸ En français même, *définir* a produit quelques dérivés, sans compter l'adjectif tiré de son participe passé **DÉFINI, IE** employé dans quelques domaines spécialisés comme la linguistique *(passé défini)*, la chimie, les mathématiques. ➝ Au XVIIIᵉ s., il a donné **DÉFINISSEUR** n. m. (1771, Voltaire), synonyme plus général de *définiteur*, et **DÉFINISSABLE** adj. (1740; déb. XVIIIᵉ s., selon Wartburg). ➝ Le nom correspondant, **DÉFINITION** n. f., d'abord écrit *definicion* (v. 1160), est emprunté au dérivé latin *definitio* «action de déterminer, de fixer» (spécialement pour le sens d'un mot). Emprunté avec l'idée de «détermination des limites (d'une chose, d'un concept)», il a acquis des emplois spécialisés en logique, en théologie (1561, Calvin), en sciences (mathématiques, sciences exactes), en linguistique et, plus récemment, en technique (1936, selon *Larousse de la langue française*). ➝ Il correspond à des notions différentes, selon que l'expression crée ou impose un concept (sciences, philosophie...) ou bien qu'elle correspond à une synonymie didactique (les dictionnaires). ◇ En technique, *définition* s'applique aux caractéristiques numériques d'un procédé plus ou moins fin, précis; c'est notamment le cas en télévision, avec *haute définition*. ➝ Le dérivé **DÉFINITIONNEL, ELLE** adj. (1906) est didactique.
Autre emprunt savant, **DÉFINITIF, IVE** adj. (XIIIᵉ s.) représente le latin *definitivus*, dérivé de *definire* avec le sens de «relatif à la définition» à l'époque classique, et employé à basse époque pour «fixé, décisif». *Définitif* l'a emporté sur la variante *diffinitif*, attestée jusqu'au XVIᵉ s.; employé dès les premières attestations avec son sens moderne, il est entré dans la locution adverbiale ***en définitive*** (1474). Le moyen français employait *definitive* n. f. comme synonyme de «conclusion», sens attesté entre 1450 et 1600. De nos jours, le masculin est quelquefois substantivé avec la valeur neutre de «ce qui est définitif» (1802). ➝ De l'adjectif est tiré **DÉFINITIVEMENT** adv. (1558), «de manière définitive, pour toujours», qui a pris au Canada, sous l'influence de l'adverbe anglo-américain *definitely*, de même origine, le sens de «certainement, à coup sûr».
Enfin, dans la série des emprunts au latin, il faut mentionner **DÉFINITEUR** n. m., emprunté sous la

forme *diffinitour* (1347) au latin médiéval *definitor* appliqué à celui qui détermine les articles de la foi et au religieux choisi dans certains ordres pour assister le général ou le provincial (XIIe s.). *Definitor*, en latin impérial «celui qui définit» et en bas latin «celui qui prescrit», est dérivé de *definitum*, supin de *definire*.

INDÉFINI, IE adj. et n., de *in-* négatif et *défini*, est attesté pour la première fois (av. 1375) dans la traduction de *La Cité de Dieu* et calque le latin *indefinitus*, de *in-* privatif et *definitus*. ◆ Cet adjectif inaugure une série de préfixés en *-in-* faits sur les mots du groupe de *définir* : **INDÉFINIMENT** adv. (1531), spécialement employé avec son sens grammatical, **INDÉFINITÉ** n. f. (1823), qui a vieilli, **S'INDÉFINISER** v. pron. (fin XIXe s.), et **INDÉFINITUDE** n. f., terme de philosophie (v. 1950) dont le sens a d'abord été assumé par *indéfinité*. ◆ Sur *définissable*, a été formé **INDÉFINISSABLE** adj. (1731, Voltaire). ◆ Les préfixés itératifs en *re-*, **REDÉFINIR** v. tr. (1798) et, récemment, **REDÉFINITION** n. f. (v. 1960), s'emploient plutôt pour «réorganiser, réorganisation» que comme itératifs de *définir*.

DÉFLAGRATION n. f. est emprunté (1691) au latin *deflagratio* «combustion», dérivé de *deflagrare* «être détruit par le feu» et «cesser de brûler», «s'éteindre». Ce nom est formé de *de* indiquant l'accomplissement du procès et de *flagrare* «flamber, être en flammes, être enflammé», au propre et au figuré (→ fragrance).

♦ Le mot, employé dans un traité de pathologie au sens de «combustion», est peu attesté avant 1721 et le développement de la chimie. Son sens figuré, «éclatement, manifestation intense», apparaît pendant la Révolution (av. 1791, Mirabeau).

► Le verbe correspondant, **DÉFLAGRER** v. intr., a été emprunté ultérieurement (1870) au latin *deflagrare*, ou formé d'après *déflagration*, modelant ses sens sur ceux du nom.

DÉFLATION n. f. a été formé par substitution de préfixe (aussi attestée en 1909) sur *inflation**, comme terme d'économie. On a évoqué l'anglais *deflation* sans pouvoir conclure à un emprunt, le mot anglais étant attesté en 1891 au sens de «dégonflement», en 1893 comme terme de géologie, mais seulement en 1920 en économie.

♦ Le mot se rapporte au freinage ou à la résorption totale de l'inflation par des mesures économiques et financières visant à la réduction de la circulation monétaire. Par analogie, il s'emploie dans le domaine littéraire et artistique à propos d'une diminution de la production (1936). ◆ Sa spécialisation (aussi attestée en 1909) pour désigner l'érosion éolienne qui enlève des sols les matériaux légers et meubles, est un emprunt indépendant à l'allemand *Deflation* (1891, J. Walther), lequel est également passé en anglais.

► Le dérivé **DÉFLATIONNISTE** n. et adj. (1938), quelquefois concurrencé par *désinflationniste* ou *anti-inflationniste*, s'oppose à *inflationniste* en économie.

DÉFLECTEUR, TRICE adj. et n. m. est dérivé tardivement (1890, *Larousse du XIXe s.*, 2e suppl.) du radical du latin *deflectere*, composé de *de* (→ dé-) et *flectere* (→ fléchir), «abaisser en ployant, courber», également employé au figuré, «détourner», et construit intransitivement au sens de «se détourner, s'écarter» (au propre et au figuré).

♦ Le mot se limite à quelques emplois techniques (mécanique, physique atomique, électronique, marine); l'un d'eux est devenu usuel pour désigner, dans une automobile, une petite vitre latérale orientable.

► Antérieurement, le français a emprunté **DÉFLEXION** n. f. (écrit *déflection* au XVIe s.) au bas latin *deflexio* «écart, déclinaison», dérivé de *deflectere*. Employé au XVIe s. à propos d'un mouvement tournant, le mot a été repris (1755) comme terme de physique, puis est également passé dans les langages techniques de l'obstétrique, de la psychologie et de la psychanalyse, où il exprime une déviation.

Deflectere a lui-même donné, par voie d'emprunt et adaptation d'après *fléchir*, **DÉFLÉCHIR** v. tr. (av. 1778), antérieurement *disflechier* (XIIIe s.) «détourner de», d'usage didactique.

DÉFLORER v. tr., d'abord *desflorer* (v. 1225), est dérivé de *fleur** au moyen du préfixe *dé-** (anciennement *des-*) impliquant «séparation» et de la désinence verbale *-er*. La forme *déflorer*, pour *défleurer*, est due à l'influence du bas latin *deflorare*, lui-même dérivé de *flos, floris* (→ fleur), «prendre la fleur», «flétrir».

♦ Le verbe a signifié proprement «dépouiller de ses fleurs» avant de prendre une valeur métaphorique d'après un emploi de *fleur*, «faire perdre à (une jeune fille) sa virginité» (XIIIe s.), au figuré «faire perdre sa fraîcheur primitive, sa pureté» *(déflorer un sujet)*.

► On note cependant quelques emplois du participe passé adjectivé **DÉFLORÉ, ÉE** au sens propre de «qui a perdu ses fleurs (en parlant d'une plante)». ◆ Le nom correspondant est **DÉFLORATION** n. f., emprunté (1314) au dérivé latin *defloratio* avec le sens d'«action de faire perdre sa virginité à une fille». ◆ Ce mot ne doit pas être confondu avec **DÉFLORAISON** n. f. (1771), formé sur *dé-* et *floraison**, ni avec son synonyme **DÉFLEURAISON** n. f. (1744), dérivé de *défleurir* (→ fleurir) «fait de perdre ses fleurs (d'une plante)». Toutefois, on connaît quelques emplois de *défloraison* au sens de «fait de perdre sa virginité» (1808).

DÉFONCER → FOND

DÉFORMER v. tr., d'abord *desformer* (1220-1226), est emprunté au latin *deformare* «défigurer, enlaidir, altérer», de *de-*, préfixe marquant le manque ou la cessation (→ dé-), et de *formare* «arranger, organiser» (→ former).

♦ Le verbe signifie «modifier en l'altérant, la forme de (qqch.), l'aspect de (qqn)». Ce n'est qu'au XIXe s. qu'il commence à s'employer figurément pour «altérer une faculté, une fonction» (av. 1850) et plus tard encore qu'il correspond à «altérer un fait, une parole, une idée en les dénaturant» (XXe s.). Le pronominal (*soi desformer,* 1er quart du XIIIe s.) est usuel avec un sujet désignant une chose.

▸ La dérivation se réduit à **DÉFORMABLE** adj. (1877) et à l'adjectivation des participes **DÉFORMÉ, ÉE** et **DÉFORMANT, ANTE** (1904, *rhumatisme chronique déformant*). ◆ De *déformable* vient **DÉFORMABILITÉ** n. f. (1887) et **INDÉFORMABLE** adj. (1867), d'où **INDÉFORMABILITÉ** n. f. (1908).
DÉFORMATION n. f. est emprunté (1374) au dérivé latin *deformatio,* «action de défigurer, dégradation», du supin de *deformare.* Le mot, qui concerne d'abord une altération de la forme, s'est employé jusqu'au XVIIe s. (1611), puis a été repris à partir de 1788. En relation avec le sens figuré du verbe, il exprime (1890) une altération de la réalité de la pensée, d'une faculté. ◆ Son radical a servi à faire **DÉFORMATEUR, TRICE** adj. (1885), quelquefois substantivé (1897).

DÉFOULER v. tr. et pron. a été formé (1080) sur *fouler** au moyen du préfixe *dé-* avec une idée d'«achèvement».

♦ Le sens de «fouler aux pieds, maltraiter» est totalement sorti d'usage après 1611, sauf attestation avec la mention «vieux» dans quelques dictionnaires des XVIIIe et XIXe siècles. Le mot a été repris (1950) comme terme de psychanalyse signifiant «libérer une tendance habituellement refoulée», pour servir d'antonyme à *refouler**. Il s'est bien répandu dans l'usage courant, surtout à la forme pronominale *se défouler.*

▸ **DÉFOULEMENT** n. m. a connu la même histoire : formé en moyen français avec le sens figuré ancien d'«oppression» (1413), il a été repris comme terme psychanalytique (1946, Mounier), par opposition à *refoulement,* et s'est répandu dans l'usage.

DÉFRAYER → ② FRAIS

DÉFRICHER → FRICHE

DÉFROQUE, DÉFROQUER → FROC

DÉFUNT, UNTE adj. et n. est emprunté (1243) au latin *defunctus* (sous-entendu *de vita*) «qui s'est acquitté (de la vie)», c'est-à-dire «mort». *Defunctus* est le participe passé de *defungi* «s'acquitter tout à fait», formé de *de-* indiquant l'achèvement du procès et du verbe *fungi* «s'acquitter de», «accomplir». Ce verbe procède d'une racine indoeuropéenne représentée (avec des sens divergents) par le védique *bhurikté* «il jouit de» et par des mots iraniens se rapportant à l'idée de «délivrer, délier, sauver». En latin, l'idée de «mort», déjà dans Cicéron, est également réalisée par le simple *functus* et par un autre composé, *effunctus;* on l'exprimait également par le temps de l'«infectum» et, plus tard, par *defunctorius, defunctio.*

♦ Le mot, employé comme adjectif et (av. 1350) comme substantif, est un euphémisme et un mot administratif pour *mort.*

▸ Il a donné **DÉFUNTER** v. intr. (1739) «mourir, trépasser», usité dans le nord de la France, et dans des régions comme l'Anjou, la Suisse romande et la Provence. Comme on le voit à la variante *défuncter* (1852), la formation du mot a été influencée par le latin *defunctus;* l'ancien français avait déjà *defunctee* «défunte» (1261).

DÉGAGER v. tr., anciennement *desguagier* (1174-1176), est dérivé de *gage** avec le préfixe *dé-* et la désinence verbale *-er.*

♦ Le sens propre, «retirer ce qui était en gage», est aujourd'hui vieilli ou technique mais permet de comprendre divers sens figurés comme «donner congé, libérer» (1180-1220) et «tirer d'une position embarrassante» (1585), surtout au pronominal. ◇ L'interprétation littérale de l'idée de «libérer» est à l'origine du sens concret de «dépouiller, débarrasser de ce qui couvre» (apr. 1250) et d'une spécialisation pour «donner de l'aisance (en parlant d'un vêtement)» (1718). Au XIXe s., le verbe est passé dans le langage de la chimie pour «libérer (une émanation)» et en algèbre dans ***dégager une inconnue*** (1835) «déterminer la quantité inconnue dans une équation». Ces deux emplois ont engendré au XIXe s. des emplois métaphoriques et figurés.

▸ Le dérivé **DÉGAGEMENT** n. m. (v. 1330), attesté au XIVe s. avec un sens mal éclairci : peut-être «manquement à un engagement», «action de prendre gage», a eu la même évolution que le verbe. ◇ Le sens littéral d'«action de retirer ce qui est en gage» (1465) est devenu technique. Depuis le XVIIe s., il exprime l'action de libérer qqn (1636). ◇ Par métonymie du sens d'«action de libérer (un espace)» (1680), *un dégagement* désigne en particulier un petit réduit «dégagé et détaché de tout» (Richelet, 1680). ◇ L'emploi du mot comme nom d'action correspondant au pronominal est attesté en 1835. ◆ Le participe passé **DÉGAGÉ, ÉE** a été adjectivé, notamment pour exprimer l'idée d'«aisance» (1669, *air dégagé, taille dégagée*).

◈ voir **ENGAGER.**

DÉGAINER → GAINE

DÉGÂT n. m., d'abord *degast* (v. 1207), est le déverbal resté vivant de l'ancien français *deguaster* «ravager» (1080), dérivé de *gâter** d'après le latin classique *devastare* (qui a donné *dévaster**).

♦ Après une attestation au singulier dans un sens incertain, le mot apparaît au pluriel (1321) avec le sens concret et spécial de «partie de forêt où les arbres ont été abattus». Le sens moderne, «ravage, dévastation, pillage» (v. 1360, Froissart), s'emploie dans le contexte de la guerre, avec la locution *faire dégast* «ravager» (1538). ◇ Au XVIe s. apparaissent le sens de «souillure», spécialement de «pollution nocturne», ainsi que la valeur atténuée de «dilapidation». Le mot a effectivement exprimé, dans la langue classique, une consommation excessive, faite sans ordre ni économie (encore *in* Académie, 1878), sens aujourd'hui disparu. Souvent employé au singulier (du XVIIe au XIXe s.), il s'est longtemps identifié aux dévastations de la guerre (voir Furetière). ◇ En français moderne, il n'est guère usuel qu'au pluriel, avec des spécialisations et des locutions (***limiter les dégâts, bonjour les dégâts,*** slogan antialcoolique), le singulier restant possible dans un usage très littéraire.

DÉGÉNÉRER v. intr. est emprunté (1361) au latin *degenerare*, de *de* et *generare* (→ générer) «perdre les qualités de sa race *(genus)*, s'abâtardir», «s'abaisser à», et transitivement «altérer, ruiner».

♦ Le mot est passé en français avec le sens étymologique, recevant ensuite la valeur figurée d'«avoir moins de valeur, de mérite que ceux dont on est issu» (1458, dans *dégénérer de*). Par extension, il se construit avec la préposition *en* avec le sens de «changer de bien en mal», d'abord dans un contexte médical (fin XVIe s., *se dégénérer*), puis en général (1663, Molière). ◇ Le participe passé a produit l'adj. **DÉGÉNÉRÉ, ÉE,** d'abord attesté pour «qui a perdu les qualités de sa race» (1753), puis «qui est atteint d'anomalies congénitales», d'où *un, une dégénéré(e)* (1891), quasi synonyme de *débile, idiot*. Il s'emploie au figuré, en sciences, pour «qui a perdu ses caractères premiers».

▸ Le nom correspondant, **DÉGÉNÉRATION** n. f., qui avait été emprunté (1508-1517) au bas latin *degeneratio*, est devenu rare, sauf dans un emploi spécial en pathologie. ◆ Il a reculé devant **DÉGÉNÉRESCENCE** n. f. (1796, Condorcet), fait sur le radical de *dégénérer* avec le suffixe *-escence*, sur le modèle de *efflorescence, effervescence*... ◆ En prenant modèle sur les adjectifs en *-ent* correspondant à de tels noms, on a formé par la suite **DÉGÉNÉRESCENT, ENTE** adj., attesté en 1834 dans un dictionnaire de sciences naturelles. ◆ Le vocabulaire scientifique a aussi formé **DÉGÉNÉRATIF, IVE** adj. sur le radical de *dégénérer* (1872, Cl. Bernard).

◈ voir l'antonyme RÉGÉNÉRER.

DÉGINGANDÉ, ÉE adj. est l'altération (av. 1596), probablement sous l'influence du moyen français *giguer* «folâtrer» (→ guinguette), du participe passé de l'ancien verbe *dehingander* «disloquer» (1552, Rabelais). Ce dernier, d'origine obscure, peut se rattacher au moyen néerlandais *henge* «gond» (allemand *Hängen*, moyen haut allemand *hengen*), d'un groupe germanique signifiant «pendre» (anglais *to hang* «pendre» et *hinge* «gond») relevant d'une racine indoeuropéenne que l'on retrouve dans le sanskrit *çaṅkate* «il hésite» et le latin *cunctari* «temporiser, s'attarder». On a aussi évoqué un emprunt au moyen haut allemand *hingeln* «boiter».

♦ Le mot aurait pénétré en français par la région bilingue du Nord, passant de l'idée de «sortir de ses gonds» (*dé-* impliquant séparation, éloignement) à celle de «disloquer». *Dégingandé* qualifie d'abord un objet, un véhicule disloqué et, par analogie, une personne (1690), de nos jours avec l'idée physique de grandeur et de maigreur, celle de dislocation n'étant plus sentie. Par extension, il signifie au figuré «qui manque de tenue, se laisse aller» (1670). ◆ Le verbe **SE DÉGINGANDER** (v. 1800) dépend aujourd'hui de ce participe passé adjectivé.

▸ En sont issus les noms synonymes **DÉGINGANDAGE** n. m. (1887) et **DÉGINGANDEMENT** n. m. (1867), l'un et l'autre peu employés.

DÉGLINGUER v. tr., attesté depuis 1880, est d'origine obscure : on y a vu une variante du terme de marine *déclinquer* «détacher des bordages (ou *clins*) du corps d'un bâtiment» (1792), lequel est dérivé de *clinc*, ancienne forme de *clin**. On a aussi évoqué une dérivation des formes issues de l'allemand *klingen* «sonner, retentir», mot reposant sur une onomatopée largement répandue dans les langues germaniques et en français même (→ clinquant, cliquer) telles que les formes dialectales *glinguer* «sonner, résonner», *glingue* «chose sans valeur».

♦ D'abord argotique, le mot s'est répandu dans l'usage familier pour «détériorer (qqch.) par dislocation».

▸ Il a produit **DÉGLINGUEMENT** n. m. (1910), **DÉGLINGUAGE** n. m. et **DÉGLINGUABLE** adj. (1936, Céline). ◇ Le déverbal **DÉGLINGUE** n. f. au figuré «délabrement psychologique», est à la mode dans un usage très familier (v. 1960-70).

DÉGLUTIR v. tr. est emprunté (v. 1120) au bas latin *deglut(t)ire* «avaler, engloutir», de *de-* indiquant l'achèvement du procès et *glut(t)ire* «avaler», dérivé de *glut(t)us* «gosier» (→ engloutir, glouton).

♦ Le verbe, qui a conservé le sens du latin, «avaler», est surtout d'usage didactique (en physiologie, 1832).

▸ Le nom correspondant **DÉGLUTITION** n. f. a été formé savamment en médecine (1561) sur *deglutire* au moyen du suffixe *-tion*.

DÉGOBILLER → GOBER

DÉGOISER → GOSIER

DÉGORGER → GORGE

DÉGOTER v., enregistré en 1694, est d'origine obscure : le rattachement à *gal, gau* «caillou» (→ galet), proposé par Ménage, fait difficulté d'un point de vue phonétique. Il faut peut-être rapprocher *dégoter* de l'angevin *got* «trou pour la balle, dans un jeu», mais c'est alors l'origine de ce nom qui fait problème. Selon P. Guiraud, l'élément *-got-* désignerait un lieu d'où l'on fait sortir qqch., de sorte que l'hypothèse la plus vraisemblable serait, pour lui, un rattachement à l'ancien français *cote* «cabane», «niche», «étable à cochons» dans les dialectes normands. *Cote* désignerait au jeu le «trou» ou le «rond» dessiné sur le sol ; l'adoucissement du *k-* initial en *g-* ne pose pas de problème, du fait de sa position intervocalique.

♦ Ménage, d'après un auteur normand du XVIIe s., interprète ce verbe, employé dans un jeu d'enfants, comme «pousser la balle d'un lieu appelé *gal*», ce mot désignant une des pierres plantées ou posées à une distance déterminée. Selon cet étymologiste, «dans notre province d'Anjou, quand celui qui la pousse est sur le point de la pousser, il crie aux autres joueurs : *Dégot s'en va*». *Le jeu de la gôt*, consistant à pousser une balle ou une pierre vers un trou, est encore pratiqué dans le Perche. Du langage des enfants, *dégoter* est passé dans l'usage familier pour «déplacer» (1740), et spécialement «chasser d'un poste» (1757). De là, d'après l'idée de «trouver un poste en supplantant qqn», il a pris son sens moderne de «dénicher, trouver» (1846), argotique puis familier. Il s'emploie intransitivement pour «être remarquable, avoir belle tournure» (c'est-à-dire «éliminer les autres»).

DÉGOULINER v. intr. est dérivé (1757), avec le suffixe *-iner,* de *dégouler* «s'épancher», ancien verbe attesté une première fois au XIIIe s. sous la forme *sei desgoler* «se glisser», et dérivé de *goule* (→ gueule).

♦ Le mot est employé familièrement à propos d'un liquide ou d'une substance visqueuse qui s'écoule.

▸ En sont issus **DÉGOULINEMENT** n. m. (1884), nom d'action, et **DÉGOULINADE** n. f. (attesté 1938), assez courant pour «trace de ce qui a dégouliné».

DÉGOURDIR → GOURD

DÉGOÛTER → GOÛT

DÉGOUTTER → GOUTTE

① **DÉGRADER** v. tr. est issu (1174) du latin chrétien *degradare,* proprement «faire descendre du grade», et spécialement «destituer (un prêtre, un évêque)», de *de-* et *gradus* (→ grade).

♦ Le mot est passé en français avec cette acception, étendue par la suite au domaine militaire (v. 1570). Il exprime également l'idée morale d'humiliation, d'abaissement (av. 1342), de même que ses participes adjectivés ① **DÉGRADÉ, ÉE** et **DÉGRADANT, ANTE** (1769). Par extension, il est employé couramment (v. 1593) au sens concret de «détériorer».

▸ Le nom correspondant, ① **DÉGRADATION** n. f., est emprunté (1486) au bas latin *degradatio* «destitution d'un prêtre, d'un évêque», de *degradare.* Il a suivi le même développement que *dégrader,* passant du domaine religieux au domaine militaire (v. 1570, *dégradation d'armes*), prenant aussi la valeur morale d'avilissement (1539) et, par extension, celle de «détérioration» (1690). Il est passé au XIXe s. dans le langage des physiciens avec l'idée de «diminution, perte», appliquée à l'énergie (1883, *dégradation de l'énergie*).
Le préfixe scientifique *bio-* a servi ultérieurement à faire les composés **BIODÉGRADABLE** adj. (1966), plus courant que **BIODÉGRADATION** n. f. (1966) et **BIODÉGRADABILITÉ** n. f. (v. 1970). *Biodégradable* est usuel dans le contexte du respect de l'environnement.

◈ voir DEGRÉ.

② **DÉGRADER** v. tr. est emprunté (1651, traduction d'un traité de Léonard de Vinci) à l'italien *digradare* «diminuer graduellement l'intensité d'une couleur, d'une lumière». Ce terme de peinture est dérivé (déb. XVe s.) de *grado* «degré» (correspondant au français *grade**) avec le préfixe *di-* (latin *dis-* ; → dis-).

♦ Le mot exprime le fait de diminuer insensiblement l'intensité d'un coloris. En photographie, il signifie «atténuer sur les bords la teinte sombre du fond».

▸ Le participe passé ② **DÉGRADÉ, ÉE** adj. (1669) est substantivé à propos de l'affaiblissement d'une couleur, d'une lumière (1890). Il est employé spécialement en photographie, comme adjectif (1879, *fond dégradé*) et comme nom masculin (1884). ◆ ② **DÉGRADATION** n. f. (1669) est emprunté à l'italien *digradazione,* en peinture (fin XVIIe s.). Le sens figuré de «modification progressive» (1749-1751), assimilé à un emploi de l'homonyme *dégradation* (→ ① dégrader) n'a pas vécu.

DEGRÉ n. m. a été formé assez tardivement (v. 1050) à partir du latin *gradus* (→ grade) et du préfixe *dé-**, peut-être d'après *degradare* (→ ① dégrader). Cette forme préfixée, qui était répandue dans le centre de la France, s'est imposée aux dépens du mot simple, *gré,* répandu de la Wallonie jusqu'en franco-provençal, probablement en raison de la rencontre phonétique de ce dernier avec l'homonyme *gré* (*bon gré,* etc.) issu de *gratus. Gradus* avait en latin classique le sens concret de «pas, marche (d'un escalier)» et, abstraitement, celui de «hiérarchie, rang dans la magistrature, dans la considération, dans l'échelle des sons»; en bas latin, il prend des valeurs spéciales, concernant l'astronomie, la parenté, la grammaire et, en latin médiéval, un grade dans l'université. Ces valeurs sont quasiment toutes passées en français, l'emprunt postérieur de *grade* se limitant à une acception spécialisée.

▸ Concrètement, le mot a d'abord désigné un escalier et dès le XIe s. (1080) une marche, sens devenu dominant, *les degrés* pouvant encore se dire d'un escalier (1080), avant de subir la forte concurrence de *marche* et de se réserver essentiellement à des sens figurés. ◆ Dès l'ancien français, il désigne un niveau dans l'échelle sociale ou professionnelle, dans les honneurs (1120), un niveau de parenté (1220), un niveau de compétence ou de connaissance (1379). ◇ La même notion, dans le vocabulaire de l'enseignement, correspond comme *gradus* en latin médiéval au grade, au diplôme (entre 1496 et 1507) et, dans celui du droit, à la place d'un tribunal dans la hiérarchie des juridictions (1549). Au XVIIIe s., il commence à se dire du rang de noblesse (1771) et, également dans l'enseignement, du niveau d'instruction : Condorcet, dans son *Organisation de l'instruction publique* (1792), distingue cinq *degrés.* ◆ Le mot a acquis quelques valeurs spécialisées dans diverses disciplines scientifiques, géométrie astronomique comme en latin (1265), géographie (1557), métrologie (1624), et il désigne aussi la division d'un thermomètre ou d'un baromètre (1685, Furetière), un niveau de concentration d'alcool (1814). Il sert également à mesurer, en musique, la hauteur des sons (1694). ◆ Dans un autre groupe d'emplois remontant au moyen français, *degré* réalise l'idée abstraite d'un état dans une évolution, notamment en parlant de sentiments, de qualités (1580, Montaigne). Il est employé spécialement en algèbre, avec l'idée d'une succession et d'une complexité croissante (1691) et, ultérieurement, en médecine où il désigne la phase d'une maladie (1800) et, plus spécialement, la gravité d'une brûlure (1823), surtout dans ***au premier, deuxième... degré.*** ◇ La valeur récente de «niveau d'interprétation» s'incarne dans ***le second (troisième...) degré,*** manière de juger avec distance en détournant les intentions premières, à la manière du kitsch.

DÉGRESSIF, IVE adj. est un dérivé tardif (1903) et savant, sur le modèle de *agressif, progressif,* du latin *degressus.* Celui-ci est le participe passé de *degredi* «descendre de, s'éloigner d'un lieu élevé», de *de* indiquant un mouvement de haut en bas et *gradi* «marcher, s'avancer», verbe qui appartient à la base *grad-* de *gradus* (→ grade) et qui apparaît surtout en composition (→ agression, congrès, digression, progrès, régression, transgression).

♦ L'adjectif qualifie ce qui va en diminuant ; il est didactique.

▸ Sur le radical de *dégressif* ont été formés **DÉGRESSION** n. f. (1910), spécialisé dans un contexte fiscal (1929), et **DÉGRESSIVITÉ** n. f. (1941), s'opposant l'un à *progression,* le second à *progressivité.*

DÉGRINGOLER v., d'abord *desgringueler* (1595), puis *dégringoler* (1662), se rattache au moyen néerlandais *crinkelen* «friser, boucler (de cheveux)», mot qui fait partie d'une famille germanique occidentale *krink (krank, krunk)* ayant le sens général de «tourner» : le moyen bas allemand a *krink, kringe* «cercle, anneau», *kringel* «cercle», le néerlandais *kring* «cercle», l'anglais la forme diminutive *cringle* «anneau de corde». Dans le passage au français, il y a eu adjonction du préfixe *dé-* indiquant le point de départ de l'action. Cependant, P. Guiraud, se fondant sur le fait que *dégringoler* est le contraire de *grimper,* propose de le rattacher à un type °*grimpicare* ou °*grimicare* en postulant °*gringue* «chose qui s'agrippe» et en se référant à l'existence de *gringuenaude* «petite chose accrochée».

♦ Le mot évoque une chute par bonds successifs, ce qui dégringole tournant plusieurs fois sur soi-même, contrairement à ce qui tombe en chute libre. Le moyen français *gringoler* (1583, *gringoller*) est probablement le dérivé régressif de *dégringoler* (malgré l'attestation un peu antérieure).

▸ Sur le radical de *dégringoler* est formé **DÉGRINGOLADE** n. f. (1804) de sens propre et, dès les premiers emplois, figuré ; on rencontre quelques attestations du participe passé féminin substantivé **DÉGRINGOLÉE** n. f. (1870, Larousse) «chute, dégringolade».

DÉGROSSIR → **GROS**

DÉGUENILLÉ → **GUENILLE**

DÉGUERPIR v. est le préfixé (v. 1120) en *dé-* de l'ancien français *guerpir* «renoncer à la possession de (qqch.)» (1050), également sous la forme *gurpir* «abandonner (qqn, qqch.)» (v. 980). Ce verbe, sorti d'usage au début du XIVe s., est emprunté au francique °*werpjan* «jeter, lancer», reconstitué d'après l'ancien haut allemand *werfan,* l'allemand *werfen,* de même sens. Le néerlandais *werpen,* l'anglais *to warp* «gauchir» et, au figuré, «pervertir», sont apparentés. La forme en *-u-,* qui se retrouve en ancien provençal et en franco-provençal, vient probablement du burgonde ou du gotique °*waurpjan.*

♦ *Déguerpir,* d'abord transitif, a eu le sens d'«abandonner» ; il était employé dans l'ancien droit, comme *guerpir,* pour «abandonner (une possession)» (1507, *deswerpir*), aussi en emploi absolu (av. 1617). L'usage moderne l'emploie intransitivement au sens dérivé d'«abandonner un lieu en se sauvant (par crainte)» (1599).

▸ **DÉGUERPISSEMENT** n. m., d'abord *dégarpissement* (1308), appartenait au langage juridique ; il ne s'emploie guère au sens moderne du verbe.

DÉGUEULER, DÉGUEULASSE → **GUEULE**

DÉGUISER → **GUISE**

DÉGUSTER v. tr., attesté en 1802, est emprunté vers la fin du XVIIIe s. (cf. ci-dessous *dégustateur* et *dégustation*) au latin *degustare.* Celui-ci, formé de *de-* réalisant une idée d'«accomplissement» et de *gustare* (→ goûter), signifie «goûter» au propre et au figuré, et par extension «atteindre légèrement, effleurer».

♦ Le verbe signifie proprement «goûter attentivement pour savourer» ; il est employé par métaphore pour «apprécier pleinement» et signifie, par antiphrase populaire, «subir une chose désagréable» (1916).

▸ Il a produit **DÉGUSTATEUR, TRICE** adj. et n. (1793), aujourd'hui spécialisé comme nom et synonyme rare de l'adjectif **DÉGUSTATIF, IVE** adj. (1946), lui aussi peu usuel. ◆ Quant à **DÉGUSTATION** n. f., il a été emprunté à date plus ancienne (1519) au bas latin *degustatio,* dérivé de *degustare.* Le mot est resté rare avant la seconde moitié du XVIIIe s. (1762), époque où il a provoqué la création de *déguster, dégustateur,* les trois mots étant courants et spécialisés en gastronomie, en œnologie.

DÉHISCENT, ENTE adj. est emprunté comme terme de botanique (1798) au latin *dehiscens* «qui s'ouvre, s'entrouvre, se fendille», participe présent de *dehiscere* «s'ouvrir, s'entrouvrir, se fendre», formé avec *de* indiquant la séparation, et *hiscere* «s'ouvrir», lui-même dérivé de *hiare* «s'ouvrir, se fendre» (→ hiatus).

♦ Le mot, utilisé en botanique, a été repris en entomologie. Il s'est répandu dans l'usage didactique et littéraire pour qualifier un objet qui peut s'ouvrir.

▸ Par substitution de suffixe, on a formé **DÉHISCENCE** n. f. (1798), d'usage didactique (botanique, entomologie) et aussi littéraire au sens de «séparation» (en parlant de sentiments, de réalités humaines plus que d'objets concrets). ➛Les deux mots s'opposent à **INDÉHISCENT, ENTE** adj. (1799) et à **INDÉHISCENCE** n. f. (1799), qui ne sont employés qu'en botanique.

DEHORS adv. et loc. prép. est issu, sous l'ancienne forme *defors* (v. 980) du bas latin *deforis,* adverbe, «de l'extérieur» puis aussi «à l'extérieur», formé de la préposition *de* et de l'adverbe *foris* «dehors» qui a donné le français *fors**. En français, le passage à la forme *dehors* (fin XIIe-déb. XIIIe s.) s'est fait en deux temps : par suite de la disparition normale du *-f-* en position intervocalique qui a abouti à un type *deors,* puis par dégagement d'un *-h-* dans l'exclamation emphatique, phénomène qui s'est généralisé. L'Est et le franco-provençal ont *defors,* le Midi *defors, deforas.*

♦ Jusqu'au XVIIe s., *dehors* a été employé à la fois comme adverbe et comme préposition de lieu (1080) [comme *dedans*], avant d'être réservé à un emploi adverbial, tout en entrant dans la formation de locutions prépositionnelles ***(en dehors de).*** Il a également servi à former plusieurs locutions adverbiales, dont *là-dehors* (vivant en langue classique) qui ne s'est pas maintenue, contrairement à la locution symétrique formée avec *dedans.* ◇ Le mot est substantivé dans la locution adverbiale ***au dehors*** (1268, *au defors*) puis dans l'emploi du pluriel (XVIe s., *les dehors*) pour désigner l'apparence extérieure, et au XVIIe s. la façade, les communs, le jardin d'une maison, et spécialement des «fortifications extérieures».

DÉICIDE n. et adj. est emprunté (1585) au latin chrétien *deicida* «meurtrier de Dieu», de *deus* (→ dieu) et *caedere* «tuer» (→ césure).

♦ En passant en français, le mot a pris le sens de «meurtre de Dieu» d'après *homicide;* celui de «meurtrier de Dieu» a été repris par figure étymologique (av. 1704).

DÉICTIQUE adj. et n. m. est un emprunt (1908) au grec *deiktikos* «propre à démontrer, démonstratif», en logique et en grammaire, dérivé de *deiknunai* «montrer», verbe dont le dérivé préfixé *apodeixis* «exposé» a donné ② *police**. *Deiknunai* repose sur une racine indoeuropéenne qui conserve dans un certain nombre de ses représentants, grecs et latins, un caractère solennel, juridique ou sacré (→ bénir, dire, juger, prêche, venger, etc.).

♦ Le mot s'emploie en linguistique à propos d'un élément de l'énoncé qui sert à désigner avec précision ou insistance et, par extension, qui renvoie à la situation spatio-temporelle du locuteur ou au locuteur lui-même.

DÉIFIER v. tr. est emprunté (déb. XIVe s.) au latin chrétien *deificare,* composé de *deus* (→ dieu) et de la forme fréquentative de *facere* (→ faire), «rendre divin, élever au rang de dieu».

♦ Le mot est d'abord attesté par son participe passé féminin adjectivé *déifiée,* employé comme synonyme de *divine.* L'usage du verbe, pour «honorer comme un dieu», n'est attesté que depuis 1595 (Montaigne). Le verbe a pris dans l'usage soutenu la valeur affaiblie de «vénérer, placer très haut», au figuré.

▸ Le nom correspondant, **DÉIFICATION** n. f., est emprunté (1375) au dérivé latin chrétien *deificatio.* ➛Son radical a servi à former **DÉIFICATEUR, TRICE** n. (1884) mot rare, aussi adjectif.

DÉISTE adj. et n. est dérivé savamment (1564) du radical du latin *deus* (→ dieu), de même que **DÉISME** n. m. attesté chez Pascal en 1662.

♦ Les deux mots, répandus au XVIIe et au XVIIIe s. renvoient à une croyance en Dieu qui reste volontairement imprécise, par refus, soit de l'enseignement des Églises, soit des prétentions de la métaphysique, et notamment à ce que le XVIIIe s. appelait «religion naturelle» (par opposition à «religion positive»). Si la philosophie, après Kant, établit une différence entre *déisme* et *théisme* (→ théo-), leurs emplois respectifs sont variables et n'excluent pas la synonymie.

DÉITÉ n. f., d'abord *déïtet* (v. 1119), est emprunté au latin chrétien *deitas* «divinité», «nature divine», dérivé de *deus* (→ dieu).

♦ Rare au sens de «caractère divin», *déité* se dit d'une divinité mythologique. Par extension, l'usage littéraire l'applique de manière hyperbolique, à une divinité, une personne ou une chose divinisée (notamment une femme aimée).

DÉJÀ adv. résulte de l'agglutination, d'abord dans l'expression *en desja* (1465) de l'ancienne locution adverbiale *des ja* (v. 1278). Celle-ci est formée de *dès** et de l'ancien français *ja,* conservé également dans *jadis**, *jamais**, indiquant un moment du présent ou du passé. *Ja* est issu du latin *jam* qui signifie à la fois «dès maintenant», «dans un instant» et «il y a un instant».

♦ *Des ja, déjà* est employé au sens de «dès à présent», puis «dès ce moment-là (dans le passé)» (1465), «auparavant, à un moment donné du passé» (av. 1549). ◇ Dans la langue familière, il sert à renforcer une constatation, marquant un degré relatif et signifiant qu'un résultat partiel est acquis dès le moment considéré (1604); il marque aussi, en fin de phrase interrogative (1834), le fait qu'une information appelée était connue mais oubliée, par exemple *comment s'appelle-t-il, déjà ?* ➛ Il est substantivé dans des locutions du type ***le déjà-dit, le déjà-vu*** (1908) et entre dans la locution figée ***d'ores et déjà*** (→ or).

DÉJECTION n. f. est emprunté (fin XIIe s.) au latin *dejectio,* nom correspondant à *dejicere* (→ déjeter), pris au sens abstrait de «dégradation» et «abattement moral, lâcheté», notamment chez les stoïciens et chez les auteurs chrétiens; il est également employé depuis Celse en médecine, au sens concret d'«action d'évacuer, selles».

♦ Le mot a été introduit avec le sens moral de «dépravation, abjection», sorti d'usage au cours du XVIe s. (l'anglais *dejection* a uniquement le sens moral d'«abattement, découragement»). Par emprunt au latin médical, il a reçu son sens physiologique (1538) «évacuation des selles», et par métonymie, au pluriel, «selles», resté didactique et relativement usuel. Par analogie, il est passé dans le langage de la géographie (1886, *cône de déjection*) et de la géologie.

DÉJETER v. tr. est composé (1050) de *dé-** et *jeter**; le bas latin possédait *dejectare* «renverser», fréquentatif de *dejicere*, composé de *de* et *jacere* (→ jeter). Le verbe latin signifiait proprement «jeter à bas, précipiter d'en haut», «renverser, abattre»; il était employé avec des sens spéciaux en médecine (d'où *dejectio* → déjection) et en navigation avec l'idée d'«écarter de sa route»; il avait aussi plusieurs sens figurés : «abaisser», «détourner», «rejeter», «repousser».

♦ En ancien français, *déjeter* signifiait «jeter à terre» et, au figuré, «repousser, rejeter» (1080), sens sortis d'usage au cours du XVIe siècle. Le verbe passant de l'idée de rejet à celle de déviation, de déformation, ces emplois ont été éliminés par un sens technique, «écarter de sa position naturelle en faisant subir une déviation» en parlant du marbre (1553) puis (1660) du bois. Par extension, *déjeter* exprime le fait de déformer le corps humain (1819), surtout au pronominal.

▸ La dérivation se limite au participe passé adjectivé **DÉJETÉ, ÉE**, d'un usage moins technique que le verbe, et assez courant pour qualifier le corps humain, et à **DÉJETTEMENT** n. m. substantif rare attesté au XXe siècle.

◈ voir DÉJECTION.

DÉJEUNER v. intr., d'abord à l'ancienne forme pronominale *sei desgeüner* (1155), est probablement issu du bas latin *disjejunare*, seulement attesté au XIe s., devenu ensuite *disjunare*, qui signifie littéralement «rompre le jeûne», de *dis-* (→ dis-) et *jejunare* (→ jeûner). L'anglais *breakfast* de *to break one's fast* (XIVe s.) «rompre le jeûne» réalise la même idée. *Déjeuner* est seulement gallo-roman, l'ancien provençal a *disnar* pour «faire le repas du matin».

♦ *Déjeuner* signifie en ancien français «s'alimenter, manger», puis «manger pour la première fois de la journée». Au moyen âge, le verbe présentait en outre aux formes non accentuées le radical *disn-* (avec un *-i-* mal éclairci) d'où est issu au XIIe s. un second verbe, *disner* (→ dîner), qui avait le même sens. ◆ Quand, par suite de changements dans les habitudes, le premier des deux repas principaux quotidiens a été reculé, la langue a réservé *déjeuner* pour le petit repas fait au lever et *dîner* pour le repas fait au milieu du jour : on trouve ainsi dans le Donat provençal *disnar* traduit par le latin *prandium* «repas au milieu du jour». Ce repas avait lieu ordinairement vers dix heures au XVIe s., puis entre onze heures et midi au XVIIe s., cet usage restant assez stable jusqu'à la Restauration. Vers la fin du XIIe s., le verbe est substantivé pour désigner le repas. ◇ Depuis le milieu du XIXe s., *déjeuner* et *dîner*, comme verbes et comme noms, ont subi un nouveau changement de sens, d'abord à Paris : *déjeuner* a été attribué au repas du milieu du jour (le petit repas du début de la journée se disant alors *petit déjeuner*) et *dîner* au repas du soir; depuis 1850 environ, le repas appelé *déjeuner* se prend vers midi et, après 1950 et au moins dans les villes, vers 13 heures (cf. aussi l'évolution solidaire de *souper* que *dîner* tend à remplacer en français urbain de France). Aujourd'hui, dans les dialectes gallo-romans, *déjeuner* désigne encore presque partout le premier repas du matin et *dîner* le repas du midi (sauf en lorrain où ce repas est désigné par *déjeuner*, comme en français central). L'usage canadien est conforme au français classique et aux usages dialectaux; il en va de même pour la Belgique.

▸ Le principal dérivé du verbe est sa substantivation. **DÉJEUNER** n. m., d'abord *desjuner* (fin XIIe s.), a suivi l'évolution du verbe. Il a pris par métonymie le sens de «vaisselle du déjeuner» (1728) et celui de «nourriture servie à ce repas». Il entre dans des syntagmes et locutions : *déjeuner d'affaires, déjeuner sur l'herbe*, etc., en composition *déjeuner-débat, déjeuner-conférence* (v. 1940), et, au figuré, dans ***déjeuner de soleil*** «étoffe dont la couleur est vite “mangée” par le soleil» (XIXe s.) et «chose qui dure peu». ◆ Le syntagme **PETIT-DÉJEUNER** (*in* Larousse, 1866) qui s'oppose initialement à *déjeuner à la fourchette* (1846) ou à *second déjeuner, grand déjeuner*, sortis d'usage, a pris la place de *déjeuner* au sens ancien de «repas du matin», quand *déjeuner* a remplacé *dîner* pour «repas de midi» (voir ci-dessus). ◇ Devenu un mot autonome, récemment abrégé (att. 1975) en **PETIT-DÉJ'** n. m., *petit déjeuner* désigne la collation matinale traditionnelle en France, les habitudes culturelles rendant nécessaire un adjectif ethnique pour les autres types de collation du matin. Ainsi, *petit déjeuner anglais* peut désigner le *breakfast**. Le syntagme *petit déjeuner continental*, calque de l'anglais britannique *continental breakfast*, répandu partout dans le monde et perdant alors sa valeur originelle («petit déjeuner du “continent”, opposé aux Îles britanniques») s'est répandu par l'hôtellerie. ◇ De ce nom a été tiré le verbe **PETIT DÉJEUNER** (attesté mil. XXe s.) pour lever l'ambiguïté de *déjeuner*, verbe.

Du verbe vient aussi **DÉJEUNEUR, EUSE** n. (1825 au masc.) «personne qui déjeune», mot rare, et **DÉJEUNATOIRE** adj. (1914 chez Valéry), probablement créé à l'imitation de *dînatoire*.

DÉJOUER → JOUER

DELÀ → LÀ

DÉLABRER v. tr., attesté depuis 1533 (Charles de Bovelles), est d'origine obscure : selon l'hypothèse la plus convaincante, ce verbe serait dérivé de l'ancien français *label, lambel* «ruban» (→ lambeau), probablement issu du francique *°labba, °lappa*. *Label* aurait donné *délabré* par préfixation en *dé-* en passant par une forme intermédiaire *°délabelé*, devenue par dissimilation *délabré*. Une seconde hypothèse, moins probable, rattache le mot au latin *dolabra* «houe», dérivé de *dolare* (→ dolent, doloire) qui aurait donné en Suisse *délabra* «partager», puis *délabrer* en français. Bovelles signale *deslavrer* et atteste le verbe chez les «Belgae».

♦ *Délabrer* qui signifie proprement «mettre en mauvais état, réduire à l'état de ruine», est également employé au sens figuré, surtout au participe passé, **DÉLABRÉ, ÉE** adj. qualifiant une personne, un organe en mauvais état physiologique, et la santé même. Le sens étymologique de «déchirer, mettre en lambeaux», enregistré par le *Dictionnaire de l'Académie,* de 1798 à 1878, semble fictif.

▸ Le dérivé **DÉLABREMENT** n. m. (1718) est quelquefois doublé dans l'usage régional par le déverbal **DÉLABRE** «ruine», employé dans la locution ***en délabre(s).*** *Délabrement,* comme *délabré,* est courant à propos des édifices.

DÉLAI n. m., attesté pour la première fois au XIIe s. (v. 1165-1170) dans la locution ***sans délai,*** est le déverbal de l'ancien français *delaier* (v. 1130) «différer», dont une forme altérée par croisement avec *dilation*, dilatoire*,* est *dilayer* (XVe s.), encore en usage dans le Berry. L'origine de ce verbe est obscure : l'hypothèse la plus couramment invoquée consiste à y voir un composé de *dé-** et de l'ancien français *laiier,* infinitif qui serait issu de *laiss(i)er** d'après les formes conjuguées *lais, lait, lairrai* [laisserai], etc. formées d'après la conjugaison de *faire*;* elle soulève cependant de sérieuses difficultés morphologiques et géographiques. On a également proposé une origine germanique en posant le francique °*laibjan* répondant à °*bilaibjan* «faire rester», avec romanisation du préfixe *bi-* en *dé-*. Quant aux rapports entre *delaier, dilayer* et le verbe moderne *délayer*,* ils ne peuvent expliquer la forme moderne de ce dernier.

♦ Le mot exprime l'idée d'un laps de temps autorisé pour réaliser qqch., la notion d'autorisation procédant des emplois juridiques. La locution ***sans délai*** attestée dès les premiers emplois du mot signifie «immédiatement», contenant en germe le sens extensif de *délai* «retard, ajournement». Par ailleurs, le mot a divers emplois techniques, non seulement en droit, mais dans tous les domaines de la vie sociale et économique (finances, etc.) et s'emploie dans des groupes de mots usuels : *délai de grâce, délai de livraison,* etc.

DÉLAISSER, DÉLASSER → **LAISSER, LASSER**

DÉLATEUR, TRICE n. est emprunté (v. 1460) au latin impérial *delator* «dénonciateur, accusateur», employé par les auteurs chrétiens au sens moins restrictif de «personne qui propose, qui rapporte» (Moïse est appelé *delator legis*). *Delator* est le nom d'agent fait sur le supin *delatum* de *deferre* pris avec le sens de «dénoncer, porter plainte» (→ déférer).

♦ Passé en français dans le contexte de la chronique historique, au sens de «celui qui rapporte des faits», d'ailleurs peu attesté, le mot a été repris avec la valeur moderne péjorative de «dénonciateur» (1538).

▸ Le nom correspondant, **DÉLATION** n. f., est emprunté (1549) au latin *delatio* avec son sens actuel. Il rencontre l'homonyme *délation,* créé pour servir de nom à *déférer* à partir du supin *delatum* (1863) mais demeuré très rare.

DÉLAYER v. tr. (fin XIIIe s.), d'origine incertaine, paraît être le même mot que l'italien *dileguare* et l'ancien provençal *deslegar,* de même sens, verbes que l'on rattache au latin *deliquare* «clarifier, transvaser», formé de *de-*, et *liquare* «rendre liquide, filtrer». *Liquare* appartient au groupe de *liqui* «s'écouler», auquel appartient *liquor* (→ liqueur). Pour expliquer les formes du français et de l'ancien provençal, on postule une altération °*delicare* en latin populaire de Gaule, peut-être sous l'influence de *delicatus* qui a donné *délicat**. Le développement anormal en *delayer,* au lieu de *deleyer, deloyer,* s'est peut-être produit pour éviter la rencontre de ces formes avec *desleier, desloier,* formes anciennes de *délier;* cependant, il a causé ensuite un rapprochement avec l'ancien *délayer* «retarder» (→ délai).

♦ *Délayer* s'emploie au sens propre et au figuré (1766), alors avec une nuance péjorative pour «exprimer (la pensée) en beaucoup de mots, en longues phrases inutiles», d'où le participe passé adjectivé **DÉLAYÉ, ÉE.**

▸ Le plus ancien de ses dérivés **DÉLAIEMENT** n. m. (1549), enregistré par Cotgrave (1611) et repris au XVIIIe s., est demeuré rare. ◆ Les autres, **DÉLAYAGE** n. m. (1832) et **DÉLAYURE** n. f. (1838), datent du XIXe s., le premier étant assez courant au figuré.

DELCO n. m. est l'emploi comme nom commun, en français (1931) sans doute après l'anglais *delco,* acronyme de Dayton Engineering Laboratories Company, fabricant du dispositif. Le mot est une marque déposée.

♦ *Delco* désigne un système d'allumage pour les moteurs à explosion, et la bobine d'induction de ce système.

DELEATUR n. m. inv. est l'emprunt tel quel (1797) du latin *deleatur,* littéralement «qu'il soit biffé, effacé», troisième personne du subjonctif présent de *delere* «biffer, effacer» et «détruire, raser». Le verbe repose sur °*de-olere,* formation parallèle de *abolere* (°*ab-olere)* et se rattacherait donc au groupe de *alere* «nourrir, faire grandir» (→ adolescent, adulte, aliment, altitude, haut, prolétaire).

♦ Le mot désigne un signe typographique indiquant, sur une épreuve soumise à la correction, ce qui doit être supprimé.

▸ On rencontre exceptionnellement **DÉLÉATURER** v. tr. par exemple chez Gide (1914).

◈ voir **INDÉLÉBILE.**

DÉLECTER v. tr. est emprunté (déb. XIVe s., *se délecter*) au latin *delectare* «attirer, charmer, faire plaisir à», souvent à la voix passive «se réjouir, être charmé». Ce verbe qui a produit l'italien *dilettare* (→ dilettante), est le fréquentatif de *delicere* «attirer, amadouer», lui-même formé de *de-* et *lacere* «attirer, faire tomber dans un piège», de *lax* «appât, ruse, séduction». Ce mot, seulement attesté par les gloses, appartient à un groupe de mots expressifs populaires, d'origine inconnue. *Laqueus* (→ lacs, lacet) en fait peut-être partie.

♦ Le verbe est d'abord employé à la forme pronominale, *se deleter,* puis *se délecter* (1377). Son usage transitif au sens de «charmer, réjouir» (1365), est rare et propre au style littéraire.

▸ **DÉLECTATION** n. f. est emprunté (v. 1120, *delectatium*) au dérivé latin *delectatio* «plaisir, amusement». Il est spécialement employé en théologie, à propos de l'attrait incitant la volonté à agir, en particulier dans l'expression ***délectation morose,*** calque du latin *delectatio morosa,* à propos de la complaisance avec laquelle on s'attarde à la représentation imaginaire d'une faute (mais le sens moderne de *morose* rend l'expression peu compréhensible aujourd'hui). ◆ **DÉLECTABLE** adj. est emprunté (1160-1174) au latin *delectabilis* «qui plaît, qui charme, agréable», autre dérivé de *delectare;* en est dérivé **DÉLECTABLEMENT** adv. (v. 1370). ◇ Ces mots ont remplacé d'anciennes formes issues par dérivation du latin : le verbe *délitier* (av. 1150-XVe s.), et ses dérivés *délitacion* (XIIIe s.) n. f. et *délitable* adj. (XIIe s.).

◈ voir **ALLÉCHER, DÉLICAT, DÉLICE, DILETTANTE.**

DÉLÉGUER

DÉLÉGUER v. tr. est emprunté (1395) au latin *delegare* «confier, s'en remettre à», «transmettre une créance, une dette», «attribuer» et «renvoyer à», formé de *de-* et de *legare* «attribuer à qqn l'exercice d'une charge», «envoyer en mission», de *lex* (→ loi ; légal).

♦ En français, le mot a gardé les sens latins en les infléchissant vers une valeur plus administrative ou abstraite.

▸ Ses participes sont substantivés : **DÉLÉGUÉ, ÉE** n. (v. 1534) est devenu usuel, en relation avec *délégation.* ◇ **DÉLÉGANT, ANTE** n. (1846) est technique ou administratif. ◇ Il en va de même pour **DÉLÉGATAIRE** n. (1605), formé sur *déléguer* d'après *légataire** pour désigner en droit la personne à qui on délègue qqch. (rare av. 1831). ◆ Le nom correspondant, **DÉLÉGATION** n. f., est emprunté (XIIIe s.) au latin de même sens *delegatio. Délégué* et *délégation,* usuels, entrent dans de nombreuses désignations institutionnelles, le premier ayant désigné (XIXe s.) un député. Ces désignations administratives sont sujettes à de fréquentes modifications, la terminologie du droit civil où *délégation* désigne (attesté XVIIe s.) une opération de transfert d'obligations (d'un *délégataire* à un *délégué*) étant plus stable. ◆ Le préfixe *sub-** a servi à former **SUBDÉLÉGUER** v. tr. (XIVe s.) et **SUBDÉLÉGATION** n. f. (1550).

DÉLÉTÈRE

DÉLÉTÈRE adj. est emprunté (1370) au grec *dêlêtêrios* «nuisible, qui empoisonne, qui attaque», terme technique construit sur le modèle de son antonyme *sôtêrios* «qui sauve, secourable» et dérivé de *dêleisthai* «blesser, endommager, nuire à». Ce dernier verbe est d'origine inconnue, l'hypothèse posant son appartenance à une racine indoeuropéenne °*del-* «fendre, déchirer» (représentée dans le latin *dolare* «dégrossir, façonner», → dédale, doloire) n'étant pas appuyée.

♦ Le mot, introduit en médecine comme synonyme didactique de *nuisible,* qualifie surtout un nom désignant un gaz, une émanation *(miasmes délétères).* Le style littéraire ou soutenu l'emploie au sens figuré de «qui cause la corruption», dans le domaine moral ou intellectuel.

DÉLIBÉRER

DÉLIBÉRER v. tr. est emprunté (XIIIe s.) au latin *deliberare* «faire une pesée dans sa pensée, réfléchir mûrement» et «prendre une décision». Le verbe est composé de *de-* et soit de *libra* «balance» (→ livre), soit de *liber* (→ libre) : si les Anciens penchaient pour *libra,* certains linguistes modernes ont allégué le fait que le composé attendu avec *libra* serait °*delibrare* (comme il existe un simple *librare*) et non *deliberare* (→ aussi délivrer).

♦ Le verbe correspond d'abord, d'après le latin, à «mûrir longuement une décision» et, construit avec *de,* à «aboutir à une décision, décider de qqch.» (1406), sens courant jusqu'au XVIIe s. puis recherché et enfin archaïque. ◆ En français moderne, l'accent est mis sur le caractère collectif et fait prévaloir l'idée de débat, de discussion, par exemple dans le contexte d'une assemblée. Cette acception a bénéficié de l'emploi de *délibératif* et *délibération* en droit.

▸ **DÉLIBÉRÉ, ÉE,** participe passé adjectivé, devenu courant dans des syntagmes comme ***de propos délibéré,*** a donné **DÉLIBÉRÉMENT** adv. (1381). Le verbe a aussi produit l'adjectif **DÉLIBÉRATEUR, TRICE** «qui autorise à délibérer» (1826). ◆ **DÉLIBÉRATION** n. f., d'abord *deliberacion* (1280), est emprunté au latin *deliberatio* «consultation, examen», lui-même dérivé de *deliberatum,* supin de *deliberare.* D'abord employé au sens d'«action de réfléchir, de délibérer», il a pris l'acception métonymique de «décision émanant d'un examen» (1549). Il signifie quelquefois «résolution, détermination montrée par une personne», depuis la même époque (1534). Comme pour le verbe, l'accent est mis ensuite sur le caractère de discussion collective. ◆ **DÉLIBÉRATIF, IVE** adj. est emprunté (1372) au dérivé latin *deliberativus,* terme de rhétorique se rapportant au genre de discours dans lequel on considère divers aspects d'une question en vue de faire adopter une résolution. Le français l'emploie en général, et techniquement en droit (1576, ***voix délibérative***), en rhétorique et en linguistique.

DÉLICAT, ATE

DÉLICAT, ATE adj. est emprunté (v. 1454) au latin *delicatus* «attrayant, délicieux, élégant», «de goût difficile», spécialement employé pour qualifier et désigner un jeune homme efféminé. Le mot, d'étymologie douteuse, a subi l'influence de *deliciae* (→ délices).

♦ L'emprunt a éliminé une forme populaire ancienne *delgié, deugié, dougié* «fin, mince, svelte» (→ délié), «faible, infirme», qui a vécu jusqu'au XVIe s. et subsiste encore dans le patois de l'Ouest (de même : ancien provençal *delgat,* espagnol *delgado* «fin, mince, ingénieux»). D'autre part, il a été concurrencé en moyen français par l'adjectif *délicatif,* dit en particulier des mets, mais a laissé subsister une forme francisée *délié**. *Délicat* qualifie d'abord physiquement un être de constitution frêle. Dès le XVe s., il qualifie également ce qui se distingue par une finesse propre à flatter les sens, et, par métonymie, se dit d'un aliment de saveur fine (1492). Avant la fin du XVIe s., divers emplois, souvent repris au latin, se développent. L'adjectif qualifie celui ou ce qui est gracieux, élégant (av. 1539), un ouvrage d'une grande finesse d'exécution (av. 1544), sur le plan psychologique, une personne sensible aux moindres impressions (1549), douée d'une grande sensibilité (1567) et aussi exigeante (1592, Montaigne) ou même susceptible, sens usuel au XVIIe s., puis archaïque. Transposé dans le domaine intellectuel, il se dit d'une chose difficile à apprécier ou à exécuter en raison de sa grande subtilité (av. 1592, Montaigne). Le champ sémantique est celui de la finesse, de la subtilité.

▶ De *délicat* est dérivé **DÉLICATEMENT** adv. (av. 1454) «d'une manière agréable, raffinée», puis aussi «légèrement, avec précaution» (1509) et «avec tact» (av. 1630).

DÉLICATESSE n. f. (1548) a probablement été fait sur le modèle de l'italien *delicatezza* (av. 1350) auquel il a repris la valeur de «qualité de ce qui est agréable aux sens». Puis se sont développés le sens de «propriété de ce qui est difficile à comprendre» et le sens classique, aujourd'hui disparu, de «scrupule, susceptibilité ombrageuse» (1663). ◆ Le germanisme **DELIKATESSEN** n. f. pl. a été précédé par le calque *délicatesses* (1920, chez G. Leroux) pour désigner des produits alimentaires de luxe et la boutique qui les vend. D'abord dans le contexte allemand, le mot s'applique, aussi abrégé en **DELI**, aux États-Unis; *deli* est en fait un emprunt à l'anglo-américain où *delicatessen* est attesté dès 1889.

À la fin du XVIIIe s., *délicat* a produit **INDÉLICAT, ATE** adj. d'abord employé avec l'idée de «grossièreté» (av. 1773). Ce mot a probablement été fait sur le modèle de l'anglais *indelicate,* attesté depuis 1742 (Richardson). Ultérieurement, il est devenu un synonyme atténué pour «malhonnête» (1879). ◆ En sont tirés **INDÉLICATEMENT** adv. (1823) et **INDÉLICATESSE** n. f., enregistré dans un *Vocabulaire de nouveaux privatifs* en 1794. Comme de nombreux noms de qualités, *indélicatesse* est devenu un nom «comptable» *(une, des indélicatesses),* s'appliquant spécialement à un acte répréhensible (1842) et à une escroquerie (1847, Balzac), par un léger euphémisme.

DÉLICE n. m. est emprunté (1120) au latin *deliciae, -arum* n. f. pl. (rare au sing., pour lequel le latin a le neutre *delicium*) et qui signifie proprement «séduction, perversion», d'où «jouissances, agrément» et, particulièrement, «objet d'affection, d'amour». *Delicium* vient de *delicere* «attirer, amadouer», formé de *de-* et d'un verbe simple *lacere* (*-licere* en composition), uniquement attesté par les glossateurs, de même que le nom racine *lax* «appât, tromperie, ruse» dont d'autres composés ont laissé des traces (→ allécher, délecter, dilettante).

♦ Introduit comme féminin pluriel, le mot s'emploie aussi au singulier dès 1175. Cependant, l'usage du XVIe s. était de le considérer comme masculin au singulier avant que ne se fixe au XVIIe s. l'usage généralisé du masculin qui souffre encore des flottements. Surtout employé au pluriel, *délices,* en langue classique, il est devenu plus fréquent au singulier, le pluriel étant senti comme littéraire, au sens de «plaisir extrême».

▶ **DÉLICIEUX, EUSE** adj. est emprunté à la même époque que *délice,* sous l'ancienne forme *delicius* (v. 1121), au dérivé bas latin *deliciosus,* employé en parlant d'une chose douce, agréable et d'une personne voluptueuse. ◆ Son féminin d'alors, *deliciouse* (XIIIe s.), a servi à former *deliciousement* adv. (av. 1250) devenu **DÉLICIEUSEMENT.**

◈ voir DÉLICAT.

DÉLICTUEUX → DÉLIT

① **DÉLIÉ, ÉE** adj., d'abord attesté par l'ancien féminin pluriel *deliëtes* (v. 1121), est la francisation du latin *delicatus* (→ délicat) sur le modèle des mots où *-ié* correspond au groupe phonétique *-icatu.* Le maintien du mot à côté de *délicat* est dû au fait qu'il a été compris comme étant le participe passé adjectivé du verbe *délier** (Montaigne l'orthographie *deslié*).

♦ Le mot qualifie ce qui est mince, svelte, avec une valeur plus matérielle que *délicat.* Transposé au sens figuré de «fin, habile, pénétrant» (1585), il met l'accent sur l'acuité intellectuelle, *délicat* évoquant davantage une intelligence sensible et élégante. ◆ Le masculin a été ultérieurement substantivé en calligraphie pour désigner la partie fine d'une lettre (1706), par opposition à *plein* n. m.

② **DÉLIER, DÉLIÉ** → LIER

DÉLINQUANT, ANTE adj. et n. est le participe présent adjectivé et substantivé (1375) de l'ancien verbe *délinquer* v. intr. (attesté 1379) «commettre un délit». Ce verbe considéré par l'Académie en 1694 comme «un terme de pratique qui n'a guère d'usage qu'au prétérit», ne se rencontre plus que par archaïsme (Chateaubriand). Il est emprunté au latin *delinquere,* forme préfixée en *de-* d'un simple *linquere* «laisser, abandonner» (→ relique) de moindre vitalité. *Delinquere,* moins fréquent que *deficere* (→ déficit) au sens absolu de «manquer, faire défaut», s'employait surtout pour «manquer à un devoir», d'où «commettre une faute», en contexte juridique.

♦ Le mot, qui a supplanté *délinqueur,* dérivé de *délinquer* en moyen français, qualifie et désigne la personne qui a commis un ou des délits et, par extension, une faute quelconque, voire un crime.

▶ **DÉLINQUANCE** n. f., dérivé tardif (1926) de *délinquant,* est devenu usuel dans le contexte du droit pénal, notamment dans les syntagmes *grande, petite délinquance.*

◈ voir DÉLIT.

DÉLIQUESCENT, ENTE adj., attesté en 1773 mais antérieur (cf. *déliquescence*), est emprunté au latin *deliquescens*, participe présent du verbe classique *deliquescere* «se fondre, se liquéfier», composé de *de-* et de *liquescere* «devenir liquide, limpide». Ce dernier est le dérivé inchoatif de *liquere* «être liquide», du groupe de *liqui* «s'écouler» (→ liqueur, liquide).

♦ Introduit en français avec le sens concret de «qui passe à l'état liquide en absorbant l'humidité de l'air», *déliquescent* est surtout courant avec un sens figuré, «qui tombe en décadence», relevé chez Flaubert (1874). Cette évolution vers une valeur péjorative témoigne de l'influence de *(se) liquéfier* avec la valeur figurée de «perdre sa consistance, se défaire».

▸ **DÉLIQUESCENCE** n. f. (1757), d'abord employé dans un contexte scientifique en chimie, est lui aussi plus usuel au figuré (1877, Flaubert).

DÉLIRE n. m., d'abord *deslere* (1478), puis *deslire, délire* (1537), est emprunté au latin impérial *delirium* «transport au cerveau». Celui-ci est fait sur *delirus* «extravagant», dérivé de *delirare* pris avec le sens figuré de «perdre la raison, extravaguer». *Delirare* signifie proprement «sortir du sillon»; il est composé de *de-* et de *lirare* «labourer en billons», également employé au figuré. Ce verbe est dérivé de *lira* «billon», terme d'agriculture en usage dans les campagnes, et d'origine indoeuropéenne, à rapprocher du vieux prussien *lýso*, du lituanien *lýsia* «planche du jardin», de l'ancien haut allemand *wagan-leisa* «sillon (tracé par une voiture)», du gotique *laists* «trace de pas» auquel correspond le verbe *laistjan* «suivre à la trace».

♦ Le mot, introduit en français par les médecins, est devenu courant avec le sens vague d'«égarement de l'esprit». À partir du XIXe s., le délire est défini comme objet d'étude scientifique. Probablement d'après la valorisation poétique de la fureur (→ fureur), *délire* recouvre aussi l'acception de «rêve», «exaltation de l'imagination» (av. 1709).

▸ Le verbe correspondant, **DÉLIRER** v. intr., emprunté (1525) au latin *delirare*, a lui aussi pris un sens extensif, «être en proie à une émotion qui trouble l'esprit» (1772). ◆ Son participe présent **DÉLIRANT, ANTE** est employé comme adjectif (1789) et, depuis 1870, comme nom pour désigner en psychiatrie une personne en proie au délire. La langue courante contemporaine en fait un intensif, d'après *fou, dingue...* ◆ Le terme médical **DELIRIUM TREMENS** n. m. (1824), proprement «délire tremblant», a été introduit dans la terminologie scientifique par le médecin anglais T. Sutton en 1813 dans son ouvrage *Tracts on Delirium Tremens;* le mot est didactique, mais assez connu, à propos d'un délire aigu alcoolique.

DÉLIT n. m. est emprunté (1330-1332) au latin *delictum* «faute», substantivation du neutre du participe passé *delictus* de *delinquere* (→ délinquant).

♦ Introduit au sens général de «faute», *délit* semble peu employé avant le XVIIe s.; Furetière, qui enregistre (1690) son acception juridique, signale qu'en termes d'eaux et forêts, on appelait *arbres de délit* «ceux qui ont été coupés clandestinement ou contre les ordonnances et règlements, qui sont sujets à confiscation ou à amende». L'expression juridique ***corps du délit*** (1835) traduit littéralement le latin *corpus delicti*. Avec le Code pénal, la définition juridique du mot a été précisée par rapport à *crime* et à *contravention*, termes ayant dans la langue courante des valeurs différentes.

▸ **DÉLICTUEUX, EUSE** adj., attesté chez Littré (1863), a été dérivé savamment du radical du latin *delictum* avec le suffixe *-ueux*, sur le modèle d'adjectifs comme *difficultueux*. ◇ On rencontre chez Durkheim **DÉLICTUOSITÉ** n. f. «qualité de délit» (1893).

◈ voir DÉLINQUANT.

DÉLITER → LIT

DÉLIVRER v. tr., attesté indirectement au XIe s. par l'adjectif dérivé régressif *delivre* «libéré de» (1050), est issu du latin chrétien *deliberare* «mettre en liberté», élargissement en *de-* du verbe simple *liberare* (→ libérer, livrer).

♦ *Délivrer* a le sens de «libérer» dès ses premières attestations (av. 1150). Par analogie, il se dit (XIIe s.) de l'acte d'accoucher, envisagé passivement (déb. XIIe s., *estre delivrée*) et activement (1172-1184) avant de recouvrir techniquement, en chirurgie, l'idée d'«extraire l'arrière-faix» (1752), d'après son déverbal *délivre* (→ ci-dessous). ◆ Une autre acception, «remettre après certaines formalités», apparaît dès le XIIe s. (v. 1130). On a évoqué une référence possible aux formalités accompagnant la remise de captifs libérés, mais l'influence formelle et sémantique de *livrer* pourrait être déterminante.

▸ Le nom correspondant, **DÉLIVRANCE** n. f. (déb. XIIe s.), possède dès le XIIe s. les sens de «maternité, accouchement» et, en général, de «libération», au propre (1170) et au figuré (fin XIIe-déb. XIIIe s.). Comme le verbe, il désigne aussi l'acte de remettre qqch. après l'accomplissement de formalités (fin XIIIe s.). ◆ Le déverbal **DÉLIVRE** n. m. a été formé ultérieurement sur *délivrer* au sens d'«accoucher» (ci-dessus), pour désigner l'ensemble des annexes du fœtus expulsés dans la dernière phase de l'accouchement, d'abord comme mot féminin (1606) puis comme masculin (1694). ◆ Le nom d'agent **DÉLIVREUR** n. m. (v. 1120) n'a eu longtemps que le sens de «libérateur» avant de prendre aussi, d'après l'autre sens du verbe, celui de «personne chargée de remettre, de distribuer qqch.» (1734); il est quasiment sorti d'usage.

DELTA n. m., d'abord *deltha* (v. 1250, *deltha* ; repris XIXe s.), est emprunté au grec *delta*, nom de la quatrième lettre de l'alphabet, équivalent de *d*, employé métaphoriquement à cause de la forme triangulaire de sa majuscule (Δ) : les Grecs l'employaient pour désigner la région des bouches du Nil.

♦ Les clercs qui ont introduit le mot l'ont d'abord appliqué à l'embouchure du Nil : «Et s'adreça viers Nillum, et vint droit viers une ille qui estoit en cel flun c'om apieloit deltha pour çou que li illes est fais à la maniere d'une letre qui a non deltha en grigois». Inusité, semble-t-il, avant le XIXe s., *delta* est un terme de géographie usuel pour la zone constituée par les alluvions apportées par les branches d'un fleuve à son embouchure.

▸ Au XVIe s., a été emprunté l'adjectif **DELTOÏDE** (1530) au dérivé grec *deltoeidès* «en forme de delta», désignant et qualifiant un muscle; le mot est relativement usuel. ◆ Ultérieurement, ont été formés avec *delta* quelques dérivés savants (**DELTAÏQUE** adj., 1851; **DELTACISME** n. m., 1933) et des composés comme **DELTA-CORTISONE** n. f. (1959). ◆ Le seul courant est **DELTAPLANE** n. m. (1974), formé sur le modèle d'*aéroplane** et *aquaplane**, de *aile delta*, marque déposée.

DÉLUGE n. m. est l'adaptation (v. 1120) du latin *diluvium* «inondation, débordement», appliqué spécialement par les auteurs chrétiens à l'inondation du monde rapportée dans la *Genèse* (7, 11 à 8, 14), dérivé de *diluere* (→ diluer).

♦ Introduit dans son acception biblique, le mot, qui a supplanté la forme empruntée *diluive* (1120), désigne plus généralement une pluie très abondante, torrentielle. Par extension, avec un complément de détermination (1640, *déluge de feux*), il exprime la surabondance, au propre et au figuré. Par une hyperbole analogue à celle de *cataracte* ou *grandes eaux*, il concerne en particulier des larmes abondantes.

◈ voir DILUVIEN.

DÉLURÉ, ÉE adj., relativement tardif dans l'usage écrit (1790), est probablement une forme dialectale (notamment en Picardie, Lorraine, Normandie, Centre) de *déleurré*, proprement «qui ne se laisse plus prendre au leurre». Celui-ci est le participe passé adjectivé du verbe *déleurrer* «détromper» (attesté seulement en 1787), dérivé de *leurrer** (dialectalement *lurrer*) avec le préfixe *dé-**.

♦ L'adjectif qualifie une personne à l'esprit éveillé, libre de tous préjugés, quelquefois avec la valeur légèrement péjorative d'«effronté», mais avec l'idée positive d'habileté et de vivacité.

◈ voir LEURRE.

DÉMAGOGUE adj. est emprunté (1371) au grec *dêmagôgos* «(celui) qui conduit le peuple», appliqué le plus souvent, à partir de la guerre du Péloponnèse, avec un sens défavorable aux chefs du parti démocratique parce qu'ils cherchaient à obtenir les faveurs du peuple par la flatterie. Le premier élément de *dêmagôgos* est *dêmos* dont le sens originel est «portion de territoire», d'une racine °*da-* «partager», représentée dans le grec *daiesthai* de même sens, et que l'on retrouve dans l'irlandais *dam* «troupe, suite». Par métonymie, il s'est appliqué aux habitants du territoire et spécialement aux gens du peuple, puis au peuple en tant qu'entité politique. *Dêmos* a donné un grand nombre de composés dont certains sont passés en français (→ démiurge, démocratie, endémie, épidémie). Le second élément de *dêmagôgos* est *-agôgos* «qui conduit, guide», de *agein* «conduire, guider», représenté en français dans plusieurs mots savants (→ agonie, pédagogue, synagogue; antagoniste, protagoniste, le suffixe -agogue).

♦ *Démagogue*, en ancien français, n'est attesté que dans les traductions ou les commentaires en français d'Oresme. Il est repris avec son sens péjoratif à partir de 1688 (Bossuet) et se répand dans l'usage courant à la fin du XVIIIe s., comme élément négatif dans la rhétorique révolutionnaire.

▸ C'est à la même époque, pendant la Révolution, que sont apparus **DÉMAGOGIE** n. f. (1791) et **DÉMAGOGIQUE** adj. (1791), respectivement empruntés aux dérivés grecs *dêmagôgia* «art de mener le peuple particulièrement en captant sa faveur» et *dêmagôgikos* «à la manière d'un démagogue, avec démagogie». *Démagogue* et *démagogique* sont abrégés en **DÉMAGO** n. et adj. (av. 1972 comme nom).

DEMAIN adv. et n. m. est issu (1080) de l'expression latine de basse époque *de mane* signifiant littéralement «au matin», et d'abord attestée dans la Vulgate au sens de «tôt le matin». La locution est un renforcement par *de* de *mane* «le matin», neutre indéclinable pris comme féminin à basse époque qui s'employait aussi adverbialement pour «au matin, le matin». Il s'agit du neutre de l'adjectif *manis*, doublet de *manus, -a, -um* «bon» adjectif archaïque, substantivé dans *Manes*, nom des dieux Manes (→ mânes), ici appliqué à l'expression du temps. La même spécialisation se retrouve dans les expressions françaises *de «bonne» heure, de «bon» matin*. L'usage de désigner le jour suivant par le nom du matin est fréquent, comme en témoigne l'allemand *Morgen*, l'espagnol *mañana* «demain» et «matinée». *De mane* est passé dans les parlers gallo-romans avec le sens de «demain» (ancien provençal *deman*, italien *domani*). Pour désigner la première partie de la journée, il a été remplacé comme nom par *matuta, matutinus*, qui a donné *matin**; quant au latin *cras* «demain», il n'a guère laissé de traces, à part le mot *procrastination* et l'ancien espagnol *cras*.

♦ *Demain* est employé comme adverbe et (1080) comme nom, pour indiquer le jour qui suit celui où le locuteur parle. Par extension, il exprime un avenir proche, en opposition à un emploi symétrique d'*aujourd'hui*, parfois avec une valeur ironique (*c'est pour demain ?*).

▸ *Demain* entre en composition dans ***après-demain*** (1690, av. 1215 en loc.) et dans **LENDEMAIN** n. m., d'abord écrit *landemain* (1292), issu de l'agglutination de l'article *l'* de *l'endemain* «le jour suivant» (1140), formé avec *endemain*, ancien composé de la préposition *en** et de *demain*. Le mot désigne le jour à venir et, par extension de sens, le temps à venir (av. 1544), un temps futur et proche (1690). L'expression moderne ***les lendemains qui chantent*** «l'avenir radieux révolutionnaire», reprend une formule de Gabriel Péri dans la lettre d'adieu qu'il écrivit à sa femme avant d'être fusillé par les Allemands en 1941 (*je vais tout à l'heure préparer les lendemains qui chantent*). ◆ *Lendemain* sert à former **SURLENDEMAIN** n. m. (1715) formé avec la préposition *sur* pour désigner le lendemain du lendemain.

APRÈS-DEMAIN adv., lexicalisation attestée au XVIe s. (1531) de l'expression *après demain* (v. 1215), signifie «le jour qui suit le lendemain».

DEMANDER v. tr. est issu (v. 980) du latin impérial *demandare* «charger qqn de (qqch.)» d'où «exiger, ordonner» et, à basse époque «faire venir». Ce verbe a eu probablement aussi le sens de «faire savoir ce que l'on souhaite», attesté plus tard dans la plupart des langues romanes (italien *domandare,* espagnol, ancien provençal *demandar*). Lui-même est dérivé à l'aide du préverbe *de-* du latin *mandare* «donner en mission, confier» (→ mander). Il a éliminé, au sens de «demander pour savoir», le latin *interrogare* (→ interroger) sauf dans le roumain *întreba* et l'ancien français *enterver* (d'où l'argot *entraver*). Au sens de «demander pour obtenir», il a supplanté le latin *petere* (→ pétition).

♦ *Demander,* transitif, signifie «exprimer le désir de, émettre la volonté d'avoir»; il est employé absolument avec l'idée de «solliciter (pour obtenir)» (1172-1174). Dès les premiers textes, il correspond particulièrement à «s'enquérir de savoir (suivi d'une question)», mais c'est seulement vers 1500 qu'il est employé pronominalement au sens de «se poser la question de savoir» *(se demander si...).* ◇ Dès l'ancien français, le verbe reprend au latin le sens d'«exiger, ordonner de faire» (fin XIIe s.) et il se construit avec un sujet inanimé abstrait au sens de «nécessiter, rendre indispensable» (fin XIIIe s.) comme dans *la situation demande...* (cf. requérir). ◇ Dans la locution ***ne demander que*** (1547), il exprime l'idée de «souhaiter vivement sans l'exprimer ouvertement». La locution familière ***je vous le demande,*** exprimant la surprise, est plus tardive (1812).

▸ Le déverbal **DEMANDE** n. f. (1170) sert de substantif d'action et, par métonymie (fin XIIIe s.), désigne la chose demandée. D'après un sens du verbe, *demande* possède l'acception restreinte de «question» (1285), moins usuelle dans l'usage moderne que *question.* Le mot a reçu des valeurs spéciales en droit (1283) et, depuis le XVIIIe s. (attesté 1778), en économie, où il s'oppose à *offre;* ce dernier sens, relevé dans une traduction des *Recherches sur la nature et les causes de la richesse des nations,* de Adam Smith, est emprunté au terme anglais correspondant, *demand,* employé en ce sens spécial chez le fondateur de l'économie moderne (1776). ◆ Le radical de *demander* a servi à former **DEMANDEUR** n. (1200), mot ayant un féminin en *-euse* et un autre en *-eresse,* ce dernier réservé à «celle qui introduit une demande en justice». ◆ *Demander* a produit deux adjectifs, **DEMANDABLE** adj. (1870) et, sous l'influence de l'anglais *demanding* «qui exige beaucoup», **DEMANDANT, ANTE** (XXe s.). ◆ Le préfixé verbal **REDEMANDER** v. tr. (v. 1175) d'abord «demander d'autre part», a reçu la valeur itérative de «demander une seconde fois» (v. 1283).

DÉMANGER → MANGER

DÉMANTELER → MANTEAU

DÉMANTIBULER → MANDIBULE

DÉMARCHE, DÉMARCHER → ① MARCHER

DÉMARRER → AMARRER

DÉMÉNAGER → MÉNAGE

DÉMENER (SE) → MENER

DÉMENT, ENTE adj. et n., d'abord *desment* (v. 1490), est emprunté au latin *demens* «privé de raison, fou, insensé», formé de *de-* privatif et de *mens* «esprit, intelligence» (→ mental). *Demens* existait à côté de *amens* (*a-* privatif + *mens*), dont il recoupait l'emploi, malgré la distinction opérée par les grammairiens selon laquelle *demens* impliquait une diminution des facultés de l'esprit et *amens* une perte totale.

♦ Le mot est rare avant le XIXe s. où il est repris (1832) après *démence* (ci-dessous) et répandu à la suite des travaux des psychiatres (Pinel, ultérieurement Esquirol, Georget et Morel). Par exagération, l'adjectif est employé familièrement avec le sens d'«extrême, excessif» (1883) pour qualifier un objet. Comme d'autres termes relatifs à la folie (cf. *fou, délirant, dingue*), il fait partie des intensifs à la mode.

▸ **DÉMENCE** n. f. est emprunté (1381) au dérivé latin *dementia,* synonyme de *amentia* «folie, extravagance». Comme l'adjectif, il est rare du XVe au XVIIe s., mais à la différence de *dément,* commence vers 1700 d'être employé couramment au sens étendu de «conduite extravagante, déraisonnable» (1704, Trévoux). Il s'est répandu avec l'adjectif au cours du XIXe s., prenant en psychiatrie un sens assez flottant, partiellement synonyme de *folie,* puis une valeur spéciale, d'abord dans l'expression ***démence sénile.*** *Démence* et *dément* ont aujourd'hui en psychiatrie cette valeur spéciale, dont le sémantisme est aux antipodes de celui des emplois courants. ◆ Un dérivé assez récent, **DÉMENTIEL, IELLE** adj., d'abord «propre à la démence» (1883), est passé en psychiatrie, comme *démence,* et, par exagération, a développé le sens d'«absurde, excessif» (1966) en relation avec l'emploi intensif de *dément* et de ses synonymes.

DÉMENTIR → ① MENTIR

DÉMETTRE → METTRE

DEMEURER v. intr. est emprunté (1050) au latin populaire °*demorare,* altération du latin classique *demorari* «tarder, s'arrêter», transitivement «retarder, retenir». Le sens de «rester, séjourner» a dû se développer à basse époque (passant dans l'italien *dimorare,* l'ancien provençal *demorar,* ainsi que les autres sens). *Demorari* est le composé en *de-* du verbe simple *morari,* de même sens, qu'il a tendu à remplacer, lui-même dérivé de *mora* «retard» (→ moratoire). En ancien français, *demorer* (1050), *demurer* (1080) s'est fixé sous la forme actuelle *demeurer* (1176-1184) par analogie avec les formes accentuées sur le radical.

♦ Le sens de «tarder», attesté dès les premiers textes, s'est effacé au XVIe s. derrière celui de «rester un certain temps là où on se trouve» (1080), spécialement «résider en un lieu» (av. 1200).

▸ Le participe présent **DEMEURANT** (XIIe s., *demorant*) a été substantivé au masculin avec le sens ancien de «ce qui subsiste» (1349) : il en reste la locution adverbiale ***au demeurant*** (v. 1464) employée depuis Commynes pour «au reste». ◆ Le participe passé **DEMEURÉ, ÉE**, a été tardivement adjectivé et substantivé (1919), appliqué à un être humain qui en est resté à un stade inférieur de développement mental.

Le déverbal **DEMEURE** n. f. est attesté une première fois sous la forme *demure (de tens)* [1119] au sens isolé de «laps de temps». L'ancien sens de «retard» (1176-81) est encore actif dans la locution proverbiale ***il y a péril en la demeure*** «il y a danger à rester dans la même situation, à attendre» (1690), où *demeure* est aujourd'hui compris avec le sens moderne usuel de «lieu de séjour, maison» (v. 1225), devenu le seul emploi vivant (dans l'usage soutenu ou régional) du substantif employé librement (*une demeure, sa demeure,* etc.). La locution juridique ***mettre en demeure*** (1835, *Académie*), «mettre dans une situation où l'on est responsable de son retard», est elle aussi devenue inanalysable, mais est restée vivante, surtout dans l'usage juridique et administratif.

◈ voir **MORATOIRE, RÉMORA.**

DEMI, IE adj., n., adv. et préfixe, est issu (1080) du latin tardif *dimedius* attesté dans des gloses, réfection d'après *medius* (→ médius, médium), mot dont le dérivé *medianus* a donné *moyen**, du latin classique *dimidius* «coupé par la moitié», de *dis-* exprimant une idée de «séparation» (→ dé-) et *medius.*

♦ *Demi* est d'abord employé comme adjectif placé devant le nom qu'il qualifie, s'accordant en genre avec lui jusqu'au XIVe s. (on ne relève en ancien français qu'une attestation de *demi* invariable) ; ensuite *demi* est plus fréquent au masculin singulier mais il est encore quelquefois accordé ; c'est Vaugelas, appuyé par Thomas Corneille et l'Académie, qui a posé la règle de son invariabilité comme élément de composition. Cependant, on relève encore de nombreux cas d'accord au XVIIIe siècle. La vitalité de *demi-* ne s'est pas démentie depuis l'ancien français, avec *demi-aune* (1176-1181), *demi-heure* (XIIe s.), *demi-dieu, demi-jour* (XIIIe s.), *demi-cercle, demi-frère, demi-journée* (XIVe s.). Les composés sont plus nombreux à partir du XVIIe siècle. L'adjectif est également placé après le nom qu'il qualifie et auquel il est relié par *et* (v. 1119). Il est employé adverbialement devant un participe, un adjectif au sens de «à moitié» (1181-1191) et dans la locution adverbiale ***à demi*** (*a demy,* av. 1465). ◆ On le rencontre substantivé au féminin *demie* pour exprimer la moitié d'un objet de genre féminin (1174-1176). Cependant, alors que dans ce cas, le segment *demie* reste toujours dans la dépendance d'un nom, il en va autrement du masculin substantivé (1611), dont ni le sens ni le genre ne sont conditionnés par un nom antécédant et qui peut ainsi se lexicaliser (produire un substantif nouveau). ◆ Ainsi, **DEMI** n. m. désigne spécialement un grand verre à bière contenant approximativement un demi-litre (1895), puis environ 30 cl (plus grand que le *bock,* mot tombé en désuétude), ainsi qu'un joueur occupant une position intermédiaire dans une équipe entre les avants et les arrières (1900). En composition, *demi-* entre dans des substantifs usuels, tels *demi-bouteille*, demi-cercle*, demi-deuil*, demi-douzaine*, demi-lune*,* etc.

DÉMISSION n. f. est emprunté (1338) au latin *demissio* seulement employé au sens physique d'«abaissement, affaissement», et dérivé du supin *demissum* de *demittere* «laisser tomber», de *de-* marquant le mouvement de haut en bas et de *mittere* «envoyer» (→ mettre). *Démission* a subi l'influence sémantique de *démettre,* au pronominal *se démettre* «renoncer» (→ mettre).

♦ Le mot désigne l'action de renoncer à ses fonctions, à une charge ou à une dignité officielle. Par métonymie, il se rapporte à l'acte écrit ou oral par lequel on signifie sa volonté de se démettre *(lettre de démission).* ◇ Par figure, il s'applique à l'attitude d'une personne ou d'une collectivité qui se révèle incapable de remplir sa mission (1618-1620).

▸ *Démission* a produit ses dérivés au XVIIIe s. : **DÉMISSIONNAIRE** adj. et n. (av. 1752) et **DÉMISSIONNER** v. intr. (1793), verbe d'époque révolutionnaire devenu usuel.

DÉMIURGE n. m. est emprunté (1803, Boiste) au grec *dêmiourgos* «artisan, spécialiste» (chez Homère) [d'où le latin classique philosophique *demiurgus*], proprement «qui travaille pour le public», de *dêmios* «commun, public», tiré de *dêmos* «peuple» (→ démagogue, démocratie) et de *ergon* «travail» (→ énergie). *Dêmiourgos,* qui s'applique chez Homère à une multitude de métiers, a de nombreux sens en grec classique : il se dit de médecins, d'artistes, désigne des magistrats et des fonctionnaires dans le monde dorien. Ce n'est que chez Platon et les philosophes qu'il prend le sens de «créateur».

♦ En français, le mot est relevé une première fois chez Rabelais sous la forme *Demiourgon,* proprement «le Travailleur», pour désigner le Diable (1546). Il n'est plus attesté avant 1791, où il réapparaît sous la forme *dêmi-ourgos* «créateur de l'univers», et ne se fixe qu'au début du XIXe s. où, après un hellénisme désignant le souverain d'une cité grecque (1803), il est appliqué à un créateur puissant.

▸ En sont issus **DÉMIURGIQUE** adj. relevé pour la première fois chez Chateaubriand (1831) et **DÉMIURGIE** n. f. (1951, Malraux), d'usage didactique.

DÉMOCRATIE n. f. est emprunté (1370) au grec *dêmokratia,* par l'intermédiaire des traductions latines d'Aristote (bas latin *democratia*). *Dêmokratia* est formé de *dêmos* «territoire» (de *daiesthai* «partager», «déchirer»), puis «peuple» (→ démagogie) et de *kratein* «commander» (→ crate, en composition dans aristocrate, etc.).

♦ Le mot désigne un système de gouvernement antique, celui des cités grecques. Sous la Révolution (1791), il est appliqué, en relation d'opposition avec *aristocratie* à la politique contemporaine, sens devenu dominant, avec de nombreuses nuances, depuis le début du XIXe siècle. Au XXe s. les notions et les termes se multiplient : après *démocratie directe, parlementaire, libérale, présidentielle...* apparaît notamment *démocratie populaire,* désignant un système contesté, puis discrédité avec l'échec des régimes communistes européens. Par métonymie, le mot désigne un pays vivant sous ce régime. Par ailleurs, il entre dans le nom des partis s'inspirant de ses principes (1901, *démocratie chrétienne*).

▸ **DÉMOCRATE** adj. et n. a été formé comme terme d'antiquités (1550) sur *démocratie* d'après le grec *dêmokratês;* rare avant la fin du XVIIIe s., il se répand pendant la Révolution, reformé sur le modèle d'*aristocrate* et en relation avec *démocratie.* Son emploi spécial dans le contexte de la politique américaine, pour désigner un membre de l'un des deux grands partis (1866) et ce parti (1870) est un emprunt sémantique à l'anglo-américain *democrat* de même sens (1839), terme s'appliquant d'abord à l'ancien parti démocratique républicain (*Democratic-Republican Party,* 1768). ◆ *Démocrate* entre dans **DÉMOCRATE-CHRÉTIEN, IENNE** adj. et n. (1901), le syntagme étant attesté pour la première fois dans le titre d'une revue de Gérando (1848).
Le radical de *démocratie* a servi à former **DÉMOCRATISER** v. tr. (av. 1392) d'après le grec tardif *dêmokratizein* «être partisan de la démocratie». Le mot, d'abord glosé chez Oresme «estre en démocratie», a pris dès le XVIe s. (1568) sa valeur moderne, «rendre démocratique», s'agissant de l'Antiquité, pour s'appliquer, comme *démocratie* et *démocratique,* à la vie politique contemporaine, depuis la Révolution (1792 ; *se démocratiser* 1793, C. Desmoulin). ◆ À l'époque révolutionnaire sont apparus le dérivé **DÉMOCRATISATION** n. f. (1797) et le terme de doctrine **DÉMOCRATISME** n. m. noté pour la première fois chez Babeuf (1794) et qui est tombé en désuétude. ◆ **DÉMOCRATIQUE** adj., (v. 1370, Oresme), est emprunté au dérivé grec *dêmokratikos* «qui concerne la démocratie». Il s'applique lui aussi d'abord exclusivement à l'Antiquité, puis au XVIIIe s. et chez les philosophes (par exemple Rousseau, *Discours sur l'inégalité*) à la vie contemporaine, emploi diffusé pendant la Révolution. Devenu courant en politique, notamment depuis que la démocratie est une revendication quasi générale (y compris de partis et d'idéologies fort peu démocratiques), l'adjectif sert de qualificatif trop dévalué, pour un grand nombre de partis et de formations. ◇ L'adjectif a pour dérivé **DÉMOCRATIQUEMENT** adv. (1568), d'abord employé en référence à la politique grecque. ◆ Certains des mots du groupe ont reçu un antonyme en *anti-* : **ANTIDÉMOCRATIQUE** adj. (1794), **ANTIDÉMOCRATE** n. (1845) puis **ANTIDÉMOCRATISME** n. m. (1902), ces trois dates, même en tenant compte de l'insuffisance des attestations, renvoyant à des périodes de luttes politiques.

DÉMOGRAPHIE n. f. est composé (1855) des éléments d'origine grecque *démo-* «peuple» (→ démocratie) et *-graphie*.*

♦ Le mot qui apparaît dans le titre de A. Guillard, *Éléments de statistique humaine ou démographie comparée,* désigne la science dont l'objet est l'étude statistique des collectivités humaines.

▸ **DÉMOGRAPHE** n. «scientifique spécialiste de démographie» et **DÉMOGRAPHIQUE** adj. «relatif à cette science, à l'évolution quantitative des populations» sont attestés tous deux en 1861.

DEMOISELLE n. f., attesté dès 881 *(Eulalie),* est issu du latin tardif °*domnicella,* contraction de °*dominicella,* diminutif du latin classique *domina* (→ dame). Il s'agit d'un terme uniquement gallo-roman, à côté de la forme plus contractée que représentent l'ancien provençal *donsela* (→ donzelle), l'italien *donzella* et l'espagnol *doncella.* En ancien français, le mot est écrit *domnizelle* puis *damisele* (1080) avant de prendre sa forme actuelle.

♦ Jusqu'à la fin du XVIIIe s., le mot a désigné une jeune fille noble ou une femme mariée de la petite noblesse (*une femme demoiselle,* écrit Molière dans *G. Dandin*), s'étendant à une femme de la bourgeoisie. Supplanté progressivement par *dame* et *madame* («aujourd'hui», note Furetière, «une femme d'avocat préfère se faire appeler madame»), il prend son sens moderne de «femme non mariée» (1690), d'abord réservé aux femmes d'une certaine distinction («pourvu qu'elles ne soient pas de la lie du peuple ou nées d'artisans», ibid., 1690), tout en se disant ironiquement et en mauvaise part des femmes de mauvaise vie. ◇ À l'époque classique il s'applique également à une fille qui est au service d'une dame *(demoiselle suivante),* à une fille attachée à la personne d'une souveraine puis, par analogie, à une fille attachée à une mariée (***demoiselle d'honneur,*** XIXe s.). ◇ Au XIXe s., *demoiselle* commence d'être appliqué à une femme (mariée ou pas) attachée à un établissement (1825, *demoiselle de boutique*), spécialement dans le syntagme, aujourd'hui très daté, ***demoiselle du téléphone*** (1905).
À partir du XVIIe s., le mot a développé quelques sens techniques, désignant un outil du paveur (1630) et, anciennement, un ustensile servant à réchauffer le lit (1690). Il est employé régionalement pour désigner une bouteille de vin (1870), comme *fillette.* ◆ Par analogie d'aspect général, il sert à désigner une grue, dite *demoiselle de Numidie* (1680) et la libellule (1680).
MADEMOISELLE n. f., formé avec le possessif (comme *madame,* → dame), apparaît au XVe siècle C'est d'abord un titre donné à des femmes de haute condition, par exemple la fille aînée des frères ou des oncles du roi *(la grande Mademoiselle).* Depuis le XVIe s. (1564), il s'applique à des femmes nobles non titrées (alors que *madame* se disait déjà des bourgeoises), puis à des bourgeoises. L'opposition entre *mademoiselle* appliqué aux filles (non mariées) et *madame* date du XVIIe s. ; elle est devenue dominante. ◇ Une contraction populaire est *mamzelle* (1680).

◈ voir DAMOISELLE (art. DAMOISEAU).

DÉMOLIR v. tr., attesté depuis 1458, peut-être dès 1383 par un ancien participe présent *démo-*

liant, est emprunté au latin *demoliri* «mettre à bas, faire descendre», au figuré «détruire, renverser» et «éloigner, rejeter». Ce verbe est formé de la préposition *de* et de *moliri,* dérivé de *moles* «masse» (→ môle), qui signifie «faire effort pour remuer (un objet lourd et encombrant)», d'où «faire effort, peiner en vue de qqch., exécuter avec peine» et, par affaiblissement de sens, «exécuter, préparer» (un acte qui demande un effort ou non).

♦ *Démolir* a d'emblée le sens de «défaire une construction pièce par pièce» et, dès le XVe s., s'emploie aussi au figuré. Au cours du XIXe s., se sont développés à la fois la valeur abstraite de «ruiner» (1826) et, dans l'usage familier, celles de «terrasser, mettre hors de combat» (1801) et «tuer» (1833, Mérimée).

▸ De *démolir* est dérivé **DÉMOLISSEUR, EUSE** n. et adj. (1547), formé sur le radical du participe présent, rare avant 1770 (Voltaire). ◆ **DÉMOLITION** n. f. est emprunté (XIVe s.) au latin *demolitio* «action de mettre à bas», au figuré «ruine, destruction», de *demolitum,* supin de *demoliri.* Repris au sens ancien de «défaite, déroute», le mot a rapidement rejoint le verbe au sens moderne d'«action de démolir, destruction» (1367). Par métonymie, le pluriel désigne les matériaux provenant de bâtiments démolis (1676). ◆ *Démolition* est quelquefois concurrencé par un nom d'action plus récent, **DÉMOLISSAGE** n. m. fait (1882) sur le radical du participe présent.

DÉMON n. m., d'abord sous la forme *demoygne* (déb. XIVe s.), puis *daemon* (XVIe s.) et *démon,* est emprunté au latin impérial *daemon* «esprit, génie», surtout fréquent dans la langue de l'Église où il a pris le sens spécial d'«esprit infernal, mauvais ange, diable» et aussi «idole». Saint Augustin crée ainsi *daemonicola* et saint Jérôme *daemonarius.* Le mot latin, emprunté au grec *daimôn, -onos,* est déjà employé par Varron au Ier s. avant J.-C., mais n'est latinisé que depuis Apulée au IIe s. après J.-C. *Daimôn* désigne une puissance divine, que souvent on ne peut ou on ne veut nommer, d'où le double sens de «destin» (heureux ou malheureux) et de «divinité». Le *daimôn* n'est pas l'objet d'un culte dans la religion grecque. Le terme a aussi le sens de «génie attaché à chaque homme ou à une cité», d'où son emploi à propos de Socrate, qui sera repris en français (ci-dessous). Enfin, il s'emploie en mauvaise part, fournissant au vocabulaire chrétien le mot désignant l'esprit malin. Il s'agit d'un dérivé de *daiesthai* «diviser, partager» qui appartient à une racine indoeuropéenne °*da-* «partager» et qui a pour dérivé *dêmos* (→ démagogue) : étymologiquement, *daimôn* désigne donc la puissance qui attribue, donne en partage. Des parallèles sont établis avec le vieux perse *baga-,* le vieux slave *bogŭ* «dieu» (russe *bog*) à côté de l'avestique *baga-* «part, destin» et du sanskrit *bhāgā-* «part, destin, maître».

♦ En français, le mot désigne une divinité, une idole, spécialement dans la tradition chrétienne, l'ange déchu et, par analogie, un être qui incarne le mal (1663). L'expression ***démon de midi*** traduit le latin de la Vulgate *daemonius meridianus,* d'ailleurs rendu en ancien français par *diable méridien* (cf. *méridien*). La répartition des emplois de *démon* et *diable* est plus sociologique que sémantique, le second étant familier et populaire. Le XVIe s. a fait de *démon* un terme de mythologie, Rabelais employant le syntagme *bons Daemons* pour désigner les êtres intermédiaires entre les dieux et les hommes (1546) et *Daemon de Socrate* (1552) pour le génie inspirateur de Socrate, par emprunt au grec. Depuis 1652, le mot désigne aussi le génie présidant aux destinées d'une collectivité, puis d'un individu. ◇ Son sens figuré de «personnification d'un défaut» (1694, ***le démon du jeu***) se situe à l'intersection du sens mythologique et du sens chrétien.

▸ **DÉMONIAQUE** n. (1230) et adj. (1275) est emprunté au latin chrétien *daemoniacus,* lui-même repris au dérivé grec tardif *daimonikos* «possédé d'un dieu», et spécialement, dans le grec d'Église, «possédé du malin». ◆ Le XIIIe s. a aussi produit le terme de théologie **DÉMONIAL, ALE, AUX** adj. (1279), **DÉMONIALITÉ** n. f. (1876) étant la traduction du latin théologique *daemonialitas* «commerce charnel avec le démon», attesté (av. 1682) chez un bénédictin espagnol. ◆ On rencontre ensuite **DÉMONIQUE** adj. (1422) peut-être fait sous l'influence du grec *daimonikos* «possédé d'un dieu», puis **DÉMONOMANIE** n. f. (1580), dont le sens moderne est attesté en 1625, **DÉMONOLOGIE** n. f. (1600, d'Aubigné) et **DÉMONOGRAPHE** n. (1625). ◇ La seconde vague de dérivés, annoncée par **DÉMONISME** n. m. (av. 1784), a lieu au XIXe s. avec **DÉMONE** n. f. (déb. XIXe s.) peu usité, **DÉMONOGRAPHIE** n. f. (1829), **DÉMONOLOGUE** n. (1832), **DÉMONOLÂTRE** adj. et n. et **DÉMONOLÂTRIE** n. f. (1838), **DÉMONICOLE** adj. (1846), **DÉMONOMANE** n. et adj. (1863) et **DÉMONOPATHIE** n. f. (1898), terme de psychiatrie.

DÉMONTER → MONTER

DÉMONTRER v. tr., d'abord sous la forme conjuguée *demonstrat* (v. 980), puis *demustrer* (v. 1175), est issu du latin *demonstrare,* de *de* et *monstrare* (→ montrer) «montrer, faire voir, indiquer, désigner» et abstraitement «exposer, décrire».

♦ Le verbe a longtemps eu le sens de «montrer, indiquer» (→ démonstratif). La valeur abstraite, intellectuelle «donner des preuves de (qqch.)» apparaît dès l'ancien français (v. 1175) et s'est surtout répandue à partir du XVe s., éliminant le sens concret et demeurant usuelle.

▸ *Démontrer* a produit **DÉMONTRABLE** adj. (v. 1273) sur lequel on a fait **DÉMONTRABILITÉ** n. f. (1863) et les antonymes **INDÉMONTRABLE** adj. (une fois en 1582, repris 1722) et **INDÉMONTRABILITÉ** n. f., mots didactiques. ◇ Le participe passé adjectivé **DÉMONTRÉ, ÉE** a lui aussi donné un antonyme préfixé en *in-,* **INDÉMONTRÉ, ÉE** (1846).

DÉMONSTRATION n. f. est un emprunt savant (v. 1225) au dérivé latin *demonstratio* «action de montrer, description», employé spécialement en rhétorique pour le genre démonstratif, et en droit au sens d'«expression claire d'une volonté». *Dé-*

monstration, qui a remplacé l'ancien français *demostraison* (v. 1120), correspond aux valeurs du verbe et prend avec lui une valeur très précise en mathématiques et en logique, supposant des prémisses affectées d'une valeur de vérité, et un raisonnement déductif strict aboutissant à établir la vérité d'une proposition. ◇ Surtout au pluriel, *démonstrations* pour «manifestations des sentiments» correspond à une valeur de *démonstratif.*

DÉMONSTRATIF, IVE adj. est emprunté (v. 1370) au latin *demonstrativus* «qui sert à montrer», employé spécialement en rhétorique, dérivé du supin de *demonstrare.* L'adjectif est d'abord employé dans le domaine de la pensée pour «qui établit d'une manière évidente»; il assume également le sens aujourd'hui vieilli de «qui sert à montrer» (1393), d'abord dans l'expression *le doit* [doigt] *démonstratif* (1393) «l'index». Ce sens, devenu archaïque, ne se maintient que dans le domaine de la terminologie grammaticale (1541, Calvin) et dans celui de la rhétorique (1690). ◇ Depuis 1789, le mot qualifie une personne qui manifeste ouvertement ses sentiments. ➡ Il est à l'origine de **DÉMONSTRATIVEMENT** adv. (1282) et de **DÉMONSTRATIVITÉ** n. f. (1946) appliqué à une personne. ➡ **DÉMONSTRATEUR, TRICE** n. et adj. est un emprunt savant (1606) au latin *demonstrator* «celui qui montre, qui démontre», autre dérivé du supin de *demonstrare,* déjà à l'origine de l'ancien français *demostrëor* ou *demonstrëor* (fin XIIIe s.). Le mot désigne la personne qui démontre, notamment celle qui présente et vend un article en expliquant son usage. Il a eu le sens spécial, aujourd'hui sorti d'usage, de «personne qui fait des expériences scientifiques sous les yeux d'une assistance» (1752).

DÉMORALISER → MORAL

DÉMORDRE → MORDRE

DÉNATURER → NATURE

DÉNÉGATION → DÉNIER

DENGUE n. f. est emprunté (1829) par l'intermédiaire de l'anglais *dengue* (*Charleston Courier,* 15 juillet 1828) au swahili *dinga, denga* «attaque subite semblable à une crampe». Le mot est passé d'Afrique orientale (Zanzibar) aux Indes Occidentales puis en Amérique. Le mot de Zanzibar, *denga,* a été mis en rapport avec le mot espagnol *dengue* «manières affectées» (d'origine onomatopéique) en raison de la démarche raide de ceux qui sont atteints par cette maladie. L'espagnol connaît à son tour le sens de «maladie tropicale», par emprunt, depuis 1901.

♦ Le mot désigne une maladie infectieuse des régions tropicales.

DÉNICHER → NID

✱ **DENIER** n. m., anciennement *dener* (v. 980), forme à l'origine de *denrée* (ci-dessous), puis *denier* (v. 1175), est issu du latin *denarius* «pièce d'argent valant dix as» et, à l'époque du Bas-Empire, «petite monnaie de cuivre». Le mot est la substantivation de l'adjectif *denarius* «qui contient le nombre dix» dérivé de *deni* «dix par dix», distributif correspondant à *decem* (→ dix).

♦ En français, le mot désigne une monnaie romaine avant de s'appliquer aussi à une monnaie française (1080) et, jusqu'au XIXe s., à des monnaies de valeurs diverses, même en argent et en or. De là l'emploi du pluriel *deniers* au sens de «somme d'argent indéterminée» (1168). Dans des locutions comme *li deniers Saint Piere* (1175) et *le denier Dieu* (1283), aujourd'hui ... *de saint Pierre, de Dieu,* il désigne une somme versée volontairement comme obole ou contribution. Ainsi, *le denier Dieu* désignait une contribution qui se versait sur tous les marchés et engagements, puis *le denier à Dieu* (1648) s'appliquait aux arrhes versées pour un marché, une location. Les expressions *denier de la veuve* (1689) et surtout ***denier du culte*** (1906) sont postérieures; seule la dernière est restée en usage. ◇ Dès l'ancien français, *denier* a développé des emplois techniques désignant une mesure de poids (1256) d'où, beaucoup plus tard en technique, une mesure du poids des fils de soie (1870). En finances, il a désigné (1349) le taux d'intérêt d'une somme.

▶ Son unique dérivé ne lui est plus spontanément rattaché. **DENRÉE** n. f., d'abord écrit *danree* (v. 1260), résulte de la contraction de l'ancien français *denerée* (v. 1160) dérivé de la forme archaïque *dener* au moyen du suffixe *-ée.* ◇ Le mot, à partir de son sens propre, «valeur d'un denier», a pris par métonymie le sens général de «marchandise» (1260), aujourd'hui vieilli, et spécialement, de «produit comestible servant à l'alimentation» (surtout au pluriel). Dans l'usage classique, il évoquait surtout, péjorativement, un rebut, une mauvaise marchandise, par exemple dans une expression figurée mentionnée par Furetière: *être payé en denrées.* Le singulier assume parfois, inversement, une idée figurée de «valeur», dans des locutions archaïques comme *c'est chère denrée* puis *c'est denrée rare.* Aujourd'hui, le mot, sauf dans ***denrées alimentaires*** usuel, appartient surtout à l'usage économique, commercial et administratif.

DÉNAIRE adj. est emprunté (1505) au latin *denarius,* la finale étant francisée; il est rare et didactique pour «qui a pour base le nombre dix».

DÉNIER v. tr., attesté en 1160, est soit composé en français de *dé-** et *nier*,* soit emprunté, avec adaptation, au latin *denegare* «nier fortement, dire que non», «refuser», formé de la particule *de* intensive et de *negare* (→ nier).

♦ Le verbe français a eu un développement parallèle à celui de *nier,* sa composition ayant toujours été sentie. Le sens général, «refuser d'admettre, démentir» (1160), est aujourd'hui moins courant que celui de «refuser qqch. à qqn», attesté à la même époque, et resté en usage.

▶ Le déverbal **DÉNI** n. m. (v. 1250) signifie d'abord «action de dénier», sens aujourd'hui littéraire et rare. Il entre dans l'expression juridique ***déni de justice*** (1667), désignant le refus d'un juge de remplir un acte de sa fonction malgré deux réquisitions successives. Le sens courant du syntagme, «refus de rendre justice à qqn, d'être juste envers lui», est attesté depuis 1823. *Déni* est récemment passé dans le vocabulaire de la psychanalyse (1967, Laplanche et Pontalis) pour traduire l'allemand *Verleugnung*, par lequel Freud désigne le refus de reconnaître une réalité dont la perception est traumatisante pour le sujet (cf. ci-dessous *dénégation*). ➜ Alors qu'il n'existe pas d'adjectif en *-able* formé sur *dénier*, on a formé le composé **INDÉNIABLE** adj. (1789, *Mirabeau peint par lui-même*) dont le sens logique, «impossible à nier», reste théorique. Ce mot s'employant pour «certain, assuré, évident». ◇ On en a dérivé l'adverbe **INDÉNIABLEMENT** (1874, Mallarmé).

DÉNÉGATION n. f. est emprunté (v. 1390) au latin chrétien *denegatio* «reniement», formé sur le supin *denegatum* de *denegare*. Introduit en droit pour désigner le refus d'admettre une affirmation de l'adversaire au cours d'une instance, le mot, senti comme un préfixé de *négation*, est passé dans l'usage courant à la fin du XVIIIe s. comme nom d'action du verbe *dénier*, «action de dénier, son résultat» (1796, Restif). Récemment, mais avant *déni* (ci-dessus), il est passé en psychanalyse pour le refus de connaître comme sien un désir jusque-là refoulé, mais exprimé sur le mode du refus. ◇ Du radical de *dénégation* est issu **DÉNÉGATOIRE** adj. (1846), d'usage juridique. ➜ Le nom d'agent **DÉNÉGATEUR, TRICE**, également employé comme adjectif, est emprunté (1787) au latin *denegator* «qui dénie» autre dérivé du supin de *denegare*.

DÉNIGRER v. tr. est emprunté (1330-1332) au latin *denigrare*, employé en latin impérial au sens propre de «noircir, teindre en noir» et à basse époque au figuré, dans l'expression *denigrare famam* «noircir la réputation (de qqn)». *Denigrare* est composé de *de* intensif et de *nigrare*, lui-même dérivé de *niger* (→ noir).

♦ Le verbe, d'abord attesté au participe passé *denigrees*, a eu le sens propre de «noircies (en parlant de cordes)». L'usage moderne a seulement conservé le sens figuré bas latin de «dire du mal de qqn» (1358) et le verbe, considéré comme «bas» par Furetière (1690), semble être rentré en grâce au XVIIIe s., restant usuel en français moderne.

▸ *Dénigrer* a produit l'adjectif **DÉNIGRANT, ANTE** (1747), à partir de son participe présent, et le dérivé **DÉNIGREUR, EUSE** adj. et n. (1773). ➜ Le nom d'action correspondant a d'abord été **DÉNIGRATION** n. f. emprunté au dérivé bas latin *denigratio* «action de teindre en noir»; ce mot, apparu en médecine (1314) en parlant d'un processus gangréneux, a pris (1399) le sens figuré du verbe. ➜ Il a été concurrencé, puis évincé par **DÉNIGREMENT** n. m. (1527), formé directement sur le verbe français.

DÉNOMMER v. tr., d'abord écrit *denonmer* (1170), est emprunté, avec adaptation d'après *nommer*, au latin impérial *denominare* «nommer, donner un nom», de *de-* et *nominare* (→ nommer).

♦ Le verbe a d'abord été employé avec le sens de «désigner, fixer (un jour)», avant de se fixer au sens actuel, «attribuer un nom à» (v. 1250). Son participe passé est substantivé et employé en langage administratif et dans l'usage familier (*le dénommé Paul*).

▸ La dérivation directe se limite à l'adjectif rare **DÉNOMMABLE**. ➜ Le nom correspondant, **DÉNOMINATION** n. f., emprunté (1375) au bas latin *denominatio* «désignation», assume surtout le sens métonymique de «nom attribué». Il a inspiré la création du verbe rare **DÉNOMINER** v. tr. employé par Valéry (1891). ➜ **DÉNOMINATIF, IVE** adj. et n. a été emprunté (1464) par les grammairiens au bas latin *denominativus* «dérivé», formé sur le supin de *denominare* ; il qualifie ou désigne tout mot qui tire son origine d'un nom (1838). ➜ C'est aux mathématiciens que revient l'emprunt de **DÉNOMINATEUR** n. m. (1484, *dénominateur commun*) au bas latin *denominator*, «celui qui nomme», spécialisé en arithmétique (XVe s.) parce que ce terme «dénomme», détermine les unités considérées. L'expression est passée dans l'usage courant (aussi : *commun dénominateur*).

DÉNONCER v. tr., d'abord *denuntier* (1174) puis *denoncier* (1260), est, soit emprunté, soit issu du latin *denuntiare* «faire savoir, notifier, annoncer, déclarer», formé de *de* intensif et de *nuntiare* «apprendre» (→ nonce). L'italien *dinunziare*, l'espagnol *denunciar* laissent penser qu'il peut s'agir d'un verbe hérité.

♦ Le sens neutre d'«annoncer» est aujourd'hui sorti de l'usage, sauf dans un contexte officiel et juridique. Dès le XIIIe s., le mot est spécialisé au sens péjoratif de «signaler comme coupable (un acte, une personne)» (1260). Un emploi littéraire du verbe, avec un nom de chose pour sujet, s'ordonne au premier sens de «faire connaître», avec la valeur dépréciative du second.

▸ **DÉNONCIATION** n. f. est emprunté (1268) au dérivé latin *denunciatio* «annonce, déclaration». Du XIIIe au XVIe s., il a gardé ce sens, conservé par le langage juridique, mais, dès les premiers textes, il signifie «accusation, plainte», d'abord dans un contexte juridique, puis général et cette valeur est restée vivante. ➜ **DÉNONCIATEUR, TRICE** n. et adj., emprunté (1328) au dérivé bas latin *denuntiator*, proprement «celui qui annonce», a remplacé l'ancien français *denunceer* (1265), *denunceor (dénonceur)*, en usage jusqu'à la fin du XVe siècle.

DÉNOTER v. tr. est emprunté (v. 1160) au latin *denotare* «faire connaître», de *de-* et *notare* (→ noter).

♦ D'abord attesté au sens ancien de «remarquer», le mot a pris la valeur de «désigner, dénoncer» (1350). Il s'est spécialisé en logique (1375) où, par opposition à *connoter*, il désigne le fait de renvoyer à l'extension d'un terme. Cette opposition a été reprise au XIXe s. (d'abord en anglais, J. Stuart Mill) puis au XXe s. par les linguistes contemporains (v. 1960).

▸ Le nom correspondant, **DÉNOTATION** n. f., est emprunté (v. 1420) au dérivé latin impérial *denotatio* «indication». Il a suivi une évolution parallèle à celle du verbe. ➜ On rencontre dans les textes des linguistes contemporains (1972, *in* Ducrot-Todorov) l'adjectif **DÉNOTATIF, IVE** qualifiant ce qui a rapport à la dénotation (dans son opposition à *connotatif*).

DÉNOUEMENT, DÉNOUER → NOUER

DENRÉE → DENIER

DENSE adj. est emprunté (1390) au latin *densus* «épais, serré, touffu» (par opposition à *rarus*, → rare), employé dans la langue poétique avec un ablatif au sens de «couvert de». Ce mot, ainsi que le verbe *densare* (→ condenser), est peu représenté dans les langues romanes où il a subi la concurrence de *spissus*, qui a donné *épais**; il est à rapprocher, dans les autres langues indoeuropéennes, du hittite *daššuš* «fort, dru», et peut-être du grec *dasus* et de son dérivé *dasos* «fourré, taillis», tous deux restés en grec moderne, avec les sens respectifs de «velu» et «bois, taillis».

♦ L'adjectif qualifie concrètement ce qui est «épais, compact». Il s'est spécialisé en physique pour décrire une chose dont la masse est considérable par rapport au volume (1671). Au XIXe s. (1855), *dense* s'emploie en parlant d'une réalité humaine, d'un ouvrage de l'esprit bref et plein (1855).

▸ Les dérivés apparus au XIXe s., sont **DENSÉMENT** adv. (1872) et **DENSIFIER** v. tr., employé depuis 1896 (au participe passé) dans un contexte médical et qui compte plusieurs emplois techniques, notamment en démographie (1969), de même que son dérivé **DENSIFICATION** n. f. (1937). ◆ Sous la forme *densi-*, *dense* est entré dans la formation des termes de physique **DENSIMÈTRE** n. m. (1865, peut-être emprunté à l'anglais *densimeter*, av. 1863), **DENSIMÉTRIE** n. f. (1877) et **DENSIMÉTRIQUE** adj. (1877).
Le nom correspondant, **DENSITÉ** n. f., d'abord *dempsité* (1390), est emprunté au latin *densitas* «épaisseur», de *densus*. Le mot a suivi le même développement que l'adjectif, prenant à partir du début du XVIIIe s. des acceptions spécialisées en physique, «rapport masse-volume» (1703) [*densité de la vapeur* 1827, *densité des gaz* 1833], en électricité (1890) et en électronique.

◊ ✱ **DENT** n. f. est issu (1080) du latin *dens, dentis* n. m., peut-être employé aussi au féminin, qui désigne l'organe de la manducation chez l'homme ou l'animal; par extension, *dens* s'est employé à propos d'objets de forme ou d'usage comparables : dent du peigne, de la charrue, du râteau, de la fourche, de l'ancre, etc. et au figuré. Le mot appartient à une vaste série indoeuropéenne, représentée par le sanskrit *dán*, le vieil allemand *zand*, le gallois *dant*, etc.; la forme grecque *odous, odontos* (→ -odonte) indique un rapport avec le groupe du latin *edere* «manger» (→ comestible, comédon) dont elle serait le participe; on dégage une racine °*ed*-ou (Benveniste) °*denk*-, dont le sens serait «mordre», «mâcher».

♦ Le mot, d'abord attesté à propos des humains, puis des autres mammifères, désigne l'un des organes de la bouche, durs et calcaires, (longtemps assimilés à des os), implantés sur le bord des maxillaires, et servant à broyer la nourriture. Comme la plupart des noms d'organe, il entre dans une abondante phraséologie, concrète et figurée, et, en tant que générique, suscite une terminologie importante (nom de dents spécifiques : *dents canines, incisives, maschalieres, molares, in* Cotgrave, 1660; noms de positions, de parties : *racine, couronne, collet*...). Sur le plan concret certaines expressions sont anciennes, telle ***dent de lait*** (1330-1332), d'autres, mal datées, doivent l'être : ***dent de sagesse*** (aussi *dents de sens* au XVIIe s. *in* Cotgrave), ***avoir de belles dents, les dents blanches, mal aux dents... Se frotter*** (XVIIe s.), ***se laver les dents*** correspondent aux progrès de l'hygiène; *arracher une dent, arracheur de dents* (au figuré au début du XVIe s.), aux débuts de la chirurgie dentaire. ◆ S'agissant toujours de dents humaines, la phraséologie reflète une série de valeurs concrètes et symboliques attachées au mot : fonction nutritive dans ***à belles dents***, qui s'oppose à ***du bout des dents*** «sans appétit» (la locution est d'abord attestée dans un autre contexte : ***rire du bout des dents*** [1330-1332]), ***avoir qqch. à se mettre sous la dent*** «à manger» et, dans doute récemment, l'argotique ***avoir la dent*** «avoir faim». Le rôle des dents dans l'articulation de la parole est en cause pour ***dire entre ses dents*** (1150), ***ne pas desserrer les dents*** «ne pas parler». *Dent* évoque aussi des attitudes physiques à signification psychologique : ***serrer les dents*** (1548, *de rage*), ***grincer des dents, claquer des dents*** (de froid, peur, fièvre...). ◇ D'autres locutions, imprévisibles, remontent à des images où les dents animales sont assimilées à l'homme (idée d'arme, de menace, etc.) par exemple dans ***montrer la dent*** (1340) puis ***montrer les dents*** «menacer», ***œil pour œil, dent pour dent,*** proverbe biblique. ***Armé jusqu'aux dents*** (v. 1550), au-delà de l'allusion à la position de la bouche (cf. *de pied en cap*) utilise aussi le symbolisme de la menace et de l'arme. ***Sur les dents*** (attesté 1611) «épuisé, harassé», fait probablement allusion au cheval dont les dents appuient sur le mors, de même que ***prendre le mors aux dents*** «s'emballer». ◇ ***Avoir les dents longues*** «être ambitieux», mêle les connotations humaines (1548, «avoir grand faim») et animales; l'expression a pris sa valeur morale vers la fin du XIXe s. (Duneton). ◆ Sur le plan concret, les dents d'animaux, dans des syntagmes du type *dent de*..., désignent des objets techniques : **DENT-DE-CHIEN** (1690) «ciseau de sculpteur», **DENT-DE-RAT** (1754) «dentelure en passementerie», (cf. ci-dessous *dent-de-loup*); des plantes (cf. *dent-de-lion*), des minéraux, tel **DENT-DE-CHEVAL** (1864) «variété de topaze», etc.
Employé seul, dès l'ancien français, *dent* comme le latin *dens* sert à désigner un objet, un élément pointu faisant partie d'un ensemble : les *dents du peigne* (1177-1179), *d'un râteau, d'une fourchette, d'une scie* d'où la locution ***en dents de scie,*** concrète et abstraite. Spécialement (1786), le mot désigne un sommet aigu de montagne. ◆ Enfin, une autre analogie lui donne la valeur de «découpure pointue», d'abord saillante, ce sémantisme étant à

le français DENT et ses dérivés

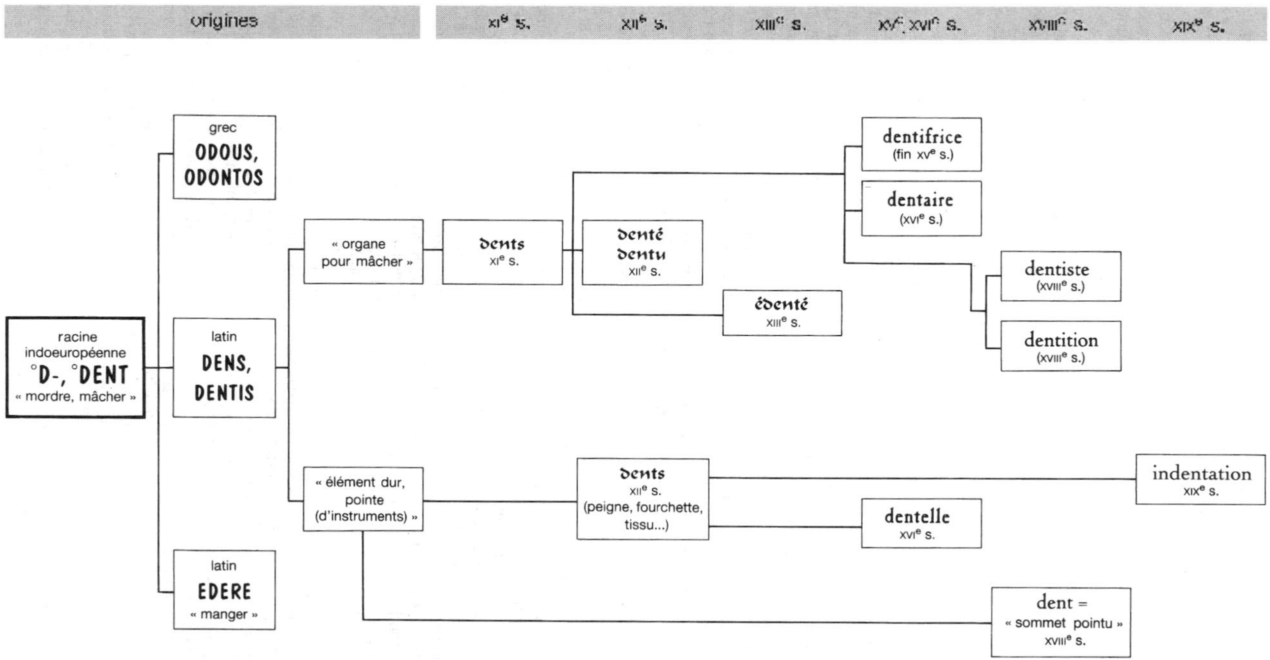

l'origine de nombreux dérivés (*dentelle, dentelé, indentation,* voir ci-dessous).

▸ Le mot a produit un grand nombre de dérivés, tant d'usage courant que didactique. Dès l'ancien français, on relève **DENTÉ, ÉE** adj. (v. 1120) au propre et au figuré (v. 1250), toujours vivant surtout dans le second cas *(roue dentée),* alors que **DENTU, UE** adj. (v. 1179) ainsi que **DENTÉE** n. f. (fin XIIe s.) sont sortis d'usage. *Dentée* a d'abord désigné un coup sur les dents puis, dans le langage de la vénerie, la quantité de nourriture qu'un animal saisit d'un coup de dent. ◆ Le moyen français voit la création de **DENTURE** n. f. (1276) qui prendra un sens technique (1752), et de *dentelle* n. f. (ci-dessous).

DENTELLE n. f., avec son sens étymologique de «petite dent» (*dentele,* av. 1388), se détache de son origine lorsqu'il s'applique (1549) à un ouvrage de fils, activité qui devient rapidement un art, puis une industrie. ◇ Ce sens apparu au XVIe s. vient d'Italie avec la chose désignée. Le même mot correspond à la fois à l'activité et à l'objet de parure fabriqué ; il entre dans de nombreux syntagmes et prend une grande importance dans l'histoire du vêtement, aux XVIIe et XVIIIe s. laissant la locution ironique ***guerre en dentelles,*** attestée plus tard. Au XIXe s., la dentelle, objet de parure, est réservée aux femmes ; sa fabrication devient mécanique dans la seconde moitié du siècle. Au figuré, le mot symbolise la délicatesse ***(il ne fait pas dans la dentelle,*** «il est direct, brutal...»)et, concrètement, évoque une surface découpée, ajourée. ◆ *Dentelle* entraîne la création de **DENTELLIER, IÈRE** n. (1647), puis adj. (1864) et de **DENTELLERIE** n. f. (av. 1870) «activité, art de la dentelle». ◇ Son ancienne valeur diminutive *(-elle)* s'est transmise à son propre diminutif **DENTELET** n. m. (1611), qui a pris le sens technique de «petit cube de pierre dans lequel on taille des denticules» (1690). ◆ *Dentelle,* sous sa forme ancienne *dentele* «petite dent», a aussi donné **DENTELURE** n. f. (1467). ◆ **DENTELER** v. tr. (1584), qui semble postérieur à **DENTELÉ, ÉE** adj. (1545), est dérivé de *dentele* au sens initial (ci-dessus). Le verbe correspond à «découper en forme de petites dents, en angles», l'adjectif, plus courant, à «qui présente des indentations» ; il s'est spécialisé en anatomie (*muscle dentelé ;* d'où n. m. *le grand, le petit dentelé*).

Au XVIe s., on commence à employer le dérivé **DENTAL, ALE, AUX** adj. (1534), ainsi que **DENTINE** n. f. (1586) repris depuis 1855 et répandu au début du XXe s. et **DENTIER** n. m. (1574), qui signifie à l'origine «rangée de dents» et «mâchoire» (av. 1589). Au sens moderne «ensemble de dents artificielles» (1624), s'est adjoint un sens technique qui fait de *dentier* le synonyme de *denture* n. f. (1857). ◆ Toujours au XVIe s. **DENT-DE-LION** n. f. (1596) calque le latin médiéval *dens leonis* par allusion aux feuilles dentées du pissenlit et emprunté par l'anglais *(dan de lion).* ◆ Un peu plus tardif, **DENT-DE-LOUP** n. f. (1676) est un terme de décoration qui possède plusieurs sens concrets (technique, cuisine).

DENTISTE n. (1735) a concurrencé et évincé l'appellation *barbier-chirurgien.* Avec l'évolution des techniques médicales, le mot s'applique depuis le XIXe s. à un praticien diplômé, autorisé à soigner les dents et à pratiquer des interventions chirurgicales sur les dents, les gencives, ainsi que des soins stomatologiques. Le mot s'emploie en apposition dans *chirurgien dentiste* (France) et *médecin dentiste* (Suisse). ◇ Du statut de barbier-chirurgien, voire d'arracheur de dents, la profession est passée à celle de médecin ou chirurgien spécialisé (début XIXe s.), avant que l'idée d'un diplôme spécialisé ne se fasse jour (projet de loi de 1847). ◆ Le mot a pour dérivé **DENTISTERIE** n. f. (1889).

Les dérivés **DENTIFÈRE** adj. (1846), **DENTIMÈTRE** n. m. (XXe s.) ainsi que plusieurs composés en *dento-* (XXe s.) sont didactiques.

Dent a engendré également quelques préfixés : le plus ancien est **ENDENTER** v. tr. (av. 1134) «pourvoir de dents», spécialisé en blason (v. 1234) et en marine (fin XVIIIe s.), et qui a pour dérivé **ENDENTEMENT** n. m. (1792) ; les deux mots sont didactiques et rares. ◆ **ÉDENTER** v. tr., lui aussi ancien (v. 1200 comme intransitif), est plus courant. Le participe passé du verbe a fourni le nom d'un ordre de mammifères sans dents (1829). ◆ La série de **INDENTATION** n. f. (1861) et **INDENTÉ, ÉE** adj. (XXe s.), est d'usage didactique, mais *indentation* s'est diffusé pour décrire une forme dentelée en creux. ◆ *Dent* entre encore dans **SURDENT** n. f. (v. 1560) «dent en plus», spécialisé en médecine vétérinaire du cheval (1678), qui existait déjà en ancien français sous la forme *sordent* (v. 1160) au sens figuré d'«outrage».

① **DENTAIRE** adj. est emprunté (1541), pour servir d'adjectif à *dent**,* au dérivé latin *dentarius* «qui concerne les dents». ◆ Le terme de botanique ② **DENTAIRE** n. f. est emprunté (1572) au latin *dentaria* «jusquiame», cette plante étant utilisée contre les maux de dents.

DENTIFRICE n. m. et adj. est emprunté dès le moyen français (1495) au latin impérial *dentifricium,* formé de *dens, dentis* et de *fricare* «frotter» (→ friction). Avant le XIXe s., le mot relève du vocabulaire médical : on le rencontre chez Paré en 1575, et Furetière le taxe de «terme de médecine» dans un article où il énumère les substances sèches et humides avec lesquelles on se frotte les dents. ◇ Devenu courant, il est aussi employé comme adjectif depuis 1864 *(pâte dentifrice).*

DENTITION n. f. est un emprunt plus tardif (1754) au dérivé latin impérial *dentitio* «forme des dents, pousse des dents». Enregistré dans l'*Encyclopédie* au sens de «poussée des dents», il ne prend le sens concret d'«ensemble et disposition des dents», concurrençant *denture**, qu'au milieu du XIXe s. (1864). Ce dernier emploi, aujourd'hui courant, a longtemps été considéré comme fautif (Littré).

REDENT n. m. (1611) désigne en architecture un ornement découpé, denté, caractéristique du style gothique. ◇ **REDAN** n. m. est l'altération (1677) de *redent.* Il s'emploie à propos d'un ouvrage de fortification saillant, puis (1743) d'un ressaut vertical, d'une saillie et enfin en technique (mil. XXe s.) d'un décrochement vertical de la coque d'un canot, d'un hydravion.

◈ voir BRÈCHE (BRÈCHE-DENT), TRIDENT.

DENTELLE → DENT

DÉNUDER v. tr. est emprunté (av. 1150) au latin *denudare* «mettre à nu, découvrir» et au figuré «dévoiler, révéler», formé de *de* (→ de) et de *nudare* «déshabiller», lui-même de *nudus* (→ nu).

♦ Après une première attestation au sens de «mettre à nu», le mot semble inusité : on préfère à cette forme savante le verbe *dénuer**. *Dénuder* est repris fin XVIIIe s., dans un contexte médical, au sens de «dépouiller (une chose) de ce qui la recouvre» (1790). ◇ Il se répand au XIXe s., surtout usité à la forme pronominale, au propre «se mettre à nu» (1844) et au figuré (1832, Hugo à propos de l'architecture). Son emploi familier, pour «se dégarnir» (1858) en parlant d'un crâne, est vieilli.

▸ À chaque valeur du verbe correspond un emploi du participe passé adjectivé **DÉNUDÉ, ÉE**, généralement plus courant. ◆ Le nom correspondant **DÉNUDATION** n. f. est emprunté (1374) au dérivé bas latin *denudatio*. Alors que *dénudé, dénuder* ne semblent pas en usage dans la langue classique, *dénudation* y est attesté. ◇ Surtout réservé à des emplois techniques (médecine, arboriculture), ce substantif est concurrencé par le dérivé moderne de *dénuder*, **DÉNUDEMENT** n. m. (1916), surtout d'usage littéraire.

◈ voir **DÉNUER.**

◈ **DÉNUER** v. tr. est issu (av. 1150) du latin *denudare* (→ dénuder) altéré en *disnudare* au IXe s. par changement de préfixe, d'où le type *desnuer*, fréquent en ancien français.

♦ Le mot a surtout le sens propre de «mettre à nu» jusqu'au XVIe s. et encore dans l'édition de 1660 de Cotgrave. Le sens figuré «priver de tout bien, démunir» (1194-1197) s'est répandu, surtout réalisé par le passif *être dénué de* et le participe passé adjectivé **DÉNUÉ, ÉE** (1370).

▸ Le dérivé **DÉNUEMENT** n. m., anciennement *desnuement* (1374), a perdu son sens premier de «mise à nu» pour le sens figuré actuel (XVe s.) «privation totale». Il correspond spécialement à l'état d'une personne ou d'un groupe qui est dépourvu du nécessaire (av. 1704).

DÉODORANT → **ODORANT**

DÉONTOLOGIE n. f., mot didactique, est attesté pour la première fois en 1825 dans *l'Essai sur la nomenclature et la classification des principales branches d'Art et Science*, ouvrage traduit du philosophe utilitariste anglais Jeremy Bentham. Il est emprunté à l'anglais *deontology*, formé du grec *to deon* «ce qu'il convient de faire», de *deîn* «lier, attacher» au propre et au figuré (→ diadème), et de *logos* «le discours, la doctrine» (→ logie). Le premier emploi du mot en anglais est relevé chez J. Bentham («Ethics has received the more expressive name of Deontology»).

♦ Le mot se rapporte à la théorie des devoirs ; par métonymie, il désigne plus couramment l'ensemble des règles morales qui régissent l'exercice d'une profession, par exemple la médecine.

▸ Le quasi-synonyme **DÉONTOLOGISME** n. m., employé en 1874 par P. Janet, dérivé du radical de *déontologie*, est répertorié par plusieurs dictionnaires de la fin du XIXe s. (*Littré, Guérin* 1892, *Larousse du XIXe s., Suppl.* 1878), mais a vieilli. ◆ **DÉONTOLOGIQUE** adj. (1834, traduction de J. Bentham) et **DÉONTOLOGISTE** n. ou **DÉONTOLOGUE** n. (respectivement 1823 et 1834, eux aussi dans des traductions de Bentham) sont empruntés à l'anglais, mais considérés comme des dérivés français de *déontologie*. Tous les mots de la série se sont spécialisés surtout en médecine.

DÉPANNER → **PANNE**

DÉPAREILLER → **PAREIL**

DÉPARTEMENT → **DÉPARTIR**

✳ **DÉPARTIR** v. est formé (1050) de *dé-** et de *partir** au sens ancien de «séparer, partager» sens qu'il n'a plus que dans *avoir maille à partir*.

♦ L'usage du verbe s'est progressivement restreint, notamment en construction directe : son sens de «partager, diviser» est sorti d'usage au profit de *répartir**, celui de «séparer (une chose d'une autre)» (1080) n'a laissé de trace que dans le langage de la vénerie à propos d'un chien qui se sépare de la harde. Celui de «se séparer d'un lieu», «s'en aller» ne survit que dans le déverbal ② *départ* (ci-dessous). Le sens de «partager» (1177) ne vit plus que dans le syntagme juridique ***départir des causes*** aux temps composés et au participe passé. *Départir* est relativement plus courant à la forme pronominale *se départir de* (peu après 1350) «renoncer à».

▸ Parmi les dérivés, certains ont subi la même restriction d'emploi que le verbe. ◆ **DÉPARTIE** n. f. «partage» (1050) et «séparation» (1080) a disparu, ainsi que **DÉPARTITEUR** n. m. (1870), d'usage juridique, dénommant un juriste habilité à compléter un tribunal lorsqu'il est impossible de dégager une majorité. ◆ D'autres se sont maintenus partiellement comme ① **DÉPART** n. m. (v. 1222) «séparation», qui ne subsiste que dans la locution ***faire le départ entre...*** (1819) servant de substantif d'action de *départager*. D'autres enfin sont restés vivants en se détachant du sens de base de *départir*.
C'est le cas de ② **DÉPART** n. m. (1213) «action de partir», déverbal de *départir* au sens ancien de «se séparer d'un lieu, s'en aller», et qui est devenu le nom d'action correspondant à *partir** créant une anomalie morpho-sémantique due en partie au monosyllabisme et aux autres valeurs de *part, partage*. Le mot est entré dans quelques locutions usuelles comme ***être sur le départ*** (1680, *sur son départ*), ***point de départ*** (1796), etc. Par métonymie, il désigne le lieu d'où l'on part (1890). Il s'est spécialisé en sports, dans les deux acceptions. Par abstraction, il se rapporte spécialement, dans un contexte professionnel, au fait de quitter un emploi, une fonction (1793). Il exprime aussi le sens temporel de «commencement» (1854) réalisé dans la locution ***au départ.***
Départ n'est plus senti comme lié à *départir* ; il en va de même pour l'autre dérivé important du verbe, **DÉPARTEMENT** n. m. (déb. XIIe s. «parties dispersées»), qui lui a longtemps tenu lieu de nom

d'action au sens d'«action de partager» (1180), encore au début du XVIIe siècle. ◇ Le mot, appliqué par métonymie aux choses partagées (spécialement la terre, fin XIVe s.), a pris d'une part le sens abstrait de «partie de l'administration attribuée à un ministre, attributions reçues *en partage*» (1680) et, d'autre part, le sens concret plus courant de «division administrative» (1765), acquérant sa valeur terminologique actuelle sous la Révolution (1790). Il semble devoir à l'anglais *department* son emploi plus récent pour «unité administrative responsable d'un certain type de documents dans une bibliothèque» et de «section d'activités pour un grand magasin, une entreprise». ➜ Il a lui-même produit **DÉPARTEMENTAL, AUX** adj. (1790) «qui se rapporte à l'unité administrative du département», lequel a donné **DÉPARTEMENTALISER** v. tr. (v. 1950) sur le modèle d'*étatiser, nationaliser*, et, attesté avant le verbe, **DÉPARTEMENTALISATION** n. f. (1930).

DÉPASSER v. tr. est dérivé (v. 1160) de *passer* (→ passer) avec le préfixe ① *de-** exprimant l'intensité.

♦ D'abord envisagé comme un verbe de mouvement concret, d'après l'ancien sens de *passer* «marcher», *dépasser* signifie «aller plus loin que» et, de la fin du XIIe au XVe s., «passer par-dessus, fouler aux pieds». L'évolution sémantique a privilégié l'idée d'«aller au-delà», éliminant le sens de «reculer» (XIVe s.), qui exploitait *de-* avec sa valeur d'éloignement. ◇ Dès l'ancien français, *dépasser* réalise un sens moral et figuré, «aller au-delà de ce qui est établi, transgresser» (XIIIe-XIVe s.), sens demeuré vivant, et rejoint par la locution métaphorique *dépasser les bornes* (1803). ◇ Le sens temporel «aller au-delà d'un point dans le temps, d'un délai» date lui aussi du moyen français (1316). ◇ Le XVIIe s. atteste l'emploi du mot en marine à propos d'un vaisseau qui va, involontairement, au-delà d'un lieu, d'un point d'ancrage (1691). ◇ Avec un autre sens de *passer, dépasser* s'est dit en marine pour «faire sortir (un cordage) de ce dans quoi il était passé». ◇ Cette dernière spécialisation (*dépasser un mât*, 1771 ; *dépasser un câble*, 1838) est le seul vestige de l'usage du verbe pour «enlever un objet de l'endroit où il était passé», encore vivant au XIXe s. ◇ Avec la valeur abstraite correspondant à «excéder en importance» (1794), *dépasser* se rapproche d'un autre préfixé de *passer, surpasser*. Au XIXe s., la vitalité des valeurs métaphoriques confère au verbe la valeur de «s'étendre au-delà de (qq chose) avoir des dimensions supérieures», absolument (1822) et transitivement (1825, *dépasser qqn de toute la tête*), également au concret «sortir d'un alignement» (1830, *pas un cheveu ne dépassait l'autre*). ◇ Le verbe passif, *être dépassé*, se colore d'une valeur péjorative «être démodé, en retard» dans *être dépassé par les événements* (1848, Chateaubriand ; de nos jours familièrement). ◇ Le pronominal *se dépasser* rejoint *se surpasser* dans sa valeur généralement laudative : «aller au-delà de ses propres limites» (1864).

► La dérivation, tardive, consiste en **DÉPASSEMENT** n. m. (1865), d'abord attesté en finance, puis dans ses valeurs concrètes (1894, *voie de dépassement*) et morale (1910), et **INDÉPASSABLE** adj. (1864 ; 1866, Bloy). ◇ **DÉPASSANT, ANTE** adjectif tiré (1886) du participe présent, est substantivé en couture (1922) à propos de l'ornement d'étoffe qui dépasse de la partie du vêtement à laquelle il est fixé.

DÉPATOUILLER → PATOUILLER

DÉPAYSER → PAYS

DÉPECER v. tr. est composé (1080) de *pièce** avec traitement atone de la voyelle, du préfixe privatif *dé-** et de la désinence verbale *-er*.

♦ En ancien français, le verbe signifie «mettre en pièces» en parlant de divers objets, par exemple une lance dans la *Chanson de Roland ;* l'usage moderne l'emploie essentiellement à propos du corps humain ou animal (1200), d'une viande (1595). *Dépecer* a acquis le sens figuré de «morceler» en parlant d'un territoire (1606) [cf. *démembrer*] s'appliquant par extension à un objet de langage que l'on analyse minutieusement (et malignement) [fin XVIIIe s., Voltaire]. Depuis 1812, par une spécialisation technique, il est employé en peausserie.

► En sont issus **DÉPÈCEMENT** n. m. (1160), aujourd'hui surtout au figuré *(dépècement d'un pays, d'un État)*, le nom d'outil **DÉPEÇOIR** n. m. (1753) désignant un couteau utilisé dans la fabrication des chandelles, et **DÉPEÇAGE** n. m. (1842), qui, au sens concret, s'est substitué à *dépècement*, en particulier à propos d'un animal chassé et tué.
Le rapport de ce groupe à son étymon *pièce* n'étant pas suffisamment senti, on a formé sur *pièce* un autre composé, **DÉPIÉCER** v. tr. (1155) «mettre en pièces» et au figuré «annuler, faire cesser» (v. 1175). ➜ Le verbe a donné **DÉPIÉÇAGE** n. m. «démembrement d'un fief», repris au XIXe s. (1842), et **DÉPIÈCEMENT** n. m. Ces formes sont restées rares par rapport à *dépecer, dépeçage*.

DÉPÊCHER v. est formé (v. 1225) comme antonyme d'*empêcher**, par substitution du préfixe *dé-** au préfixe *em-*.

♦ Le lien étymologique du mot à *empêcher* est resté sensible dans son emploi pour «délivrer, mettre en liberté, affranchir», vivant du XIIIe au XVIe s. et, au pronominal, *se dépêcher* «se délivrer» (v. 1225). Ce lien s'est progressivement distendu à mesure que l'idée de «se débarrasser de qqch. ou de qqn au plus vite» a acquis son autonomie au XVIe s., mettant l'accent sur la rapidité d'accomplissement. ◇ *Dépêcher qqn* a pris familièrement le sens d'«expédier dans l'autre monde» (v. 1462), le sujet désignant un meurtrier, puis, par hyperbole, un mauvais médecin dont les patients trépassent (v. 1490). *Dépêcher qqch.*, symétriquement, s'est employé pour «en finir rapidement avec elle» (v. 1490). ◇ L'emploi transitif du verbe s'est teinté de familiarité, impliquant souvent la négligence *(dépêcher ses prières, ses devoirs)*, alors que l'emploi correspondant au pronominal *se dépêcher* (v. 1490) est devenu très courant avec la valeur neutre de «se hâter». ➜ De l'idée de diligence est sortie la notion d'un mouvement à partir de soi, d'où les sens usuels, «envoyer (qqn)» (fin XVe s. en parlant de messagers, d'ambassadeurs) et «envoyer (un message, un courrier)» (1681).

▶ C'est à ces derniers sens que se rattache le déverbal **DÉPÊCHE** n. f., attesté dès ses premiers emplois (1464) avec le sens concret de «lettre», d'abord à propos d'une lettre patente, puis d'un courrier quelconque (fin XVe s.), avant de se spécialiser à propos d'une lettre concernant les affaires publiques (1671) et d'une communication officielle transmise par voie rapide (1690). De là, *dépêche télégraphique* (1800) et, en journalisme, *dépêche de presse, d'agence.* ➜ Les tentatives pour faire de *dépêche* le substantif d'action de *dépêcher* dans ses différents sens ont définitivement échoué après le XVIIe siècle. ➜ **DÉPÊCHEUR, EUSE** n. (1534) «celui qui expédie une besogne en toute hâte» est sorti d'usage, malgré sa reprise au XIXe s. (1838); **DÉPÊCHEMENT** n. m., vivant en ancien français (1232) et repris au XIXe s. par Chateaubriand (1848) pour «action d'envoyer qqch. ou qqn», est rare et littéraire.

DÉPENAILLÉ, ÉE adj. est issu (1546, Rabelais) du croisement du moyen français *pennallye, penaille* «tas de vêtements, de loques» (XVe s.), lui-même de l'ancien français *pane, panne*, penne* «étoffe, chiffon de soie», avec l'ancien français *despaner* «déchirer» (XIIe s.), lui-même dérivé du même *pane.*

♦ Le mot qualifie un objet en lambeaux, et, par métonymie (1611), une personne en haillons ou, par affaiblissement, à la mise très négligée (1798).

✳ ① **DÉPENDRE** v. tr. ind. est emprunté (1154-1173) au latin impérial *dependere* «être suspendu à», au figuré «être rattaché à», «être sous l'influence, l'autorité». Lui-même est composé de *de-* et de *pendere* (→ pendre).

♦ L'ancien français a employé le mot là où l'usage moderne utilise *pendre,* notamment dans l'expression figurée *(il) depent a l'ueil* «c'est imminent», ainsi qu'au sens concret «être pendu à» (1177). ◇ À la fin du XIIIe s., *dépendre* commence à exprimer l'idée abstraite d'une solidarité de faits, signifiant dès lors (v. 1278) «pouvoir se réaliser sous l'action ou l'intervention de (qqn)». Les autres acceptions se sont développées aux XVe et XVIe s. : «relever de» (1549, d'un fief), «procéder, découler de» (1490), «être à la merci de (pour une chose)» (av. 1544) et «être sous l'autorité, la dépendance de (qqn)» (1580, Montaigne). L'idée de causalité abstraite a dû se dégager de celle de pouvoir contraignant, comme pour le concept de *loi;* cette valeur intellectuelle semble apparaître en moyen français (cf. ci-dessous *dépendance*). Le verbe exprime également l'idée d'une relation entre choses qui les rend nécessaires les unes aux autres (1370, Oresme) spécialement celle d'une sujétion politique, d'une subordination à une personne, à un État (1636).

▶ Sur le participe présent adjectivé ont été formés l'adverbe rare **DÉPENDAMMENT** (1671) et un substantif. ➜ **DÉPENDANCE** n. f. (1361) est d'abord employé avec le sens métonymique de «ce qui dépend (souvent accessoirement) d'un tout», spécialement en droit (1361), notamment au sujet d'une propriété dans un domaine (1474), d'une contrée sous l'autorité d'une autre; dans ce type d'emploi, il est souvent au pluriel (1676) avec l'idée d'annexe, de construction secondaire. ◇ **DÉPENDANT, ANTE** adj. (1355) qualifie à la fois les choses, sur le plan logique, et les personnes, avec un sens psychologique et une spécialisation, influencée par l'anglais, concernant l'asservissement à la drogue, le même sens existant pour *dépendance.*

L'adjectif, l'adverbe et le nom ont suscité des antonymes en *in-* devenus usuels. **INDÉPENDANT, ANTE** adj. (1584), «qui ne dépend pas», a développé au XVIIe s. le sens psychologique de «qui aime sa liberté» (d'une personne). L'adjectif se construit surtout avec la préposition *de* (1636), au sens de «qui ne varie pas en fonction de». ◇ Son emploi comme terme de mode (1826, Balzac) qualifiant un chapeau analogue à celui des soldats de la guerre d'Indépendance américaine a disparu, comme bien d'autres en ce domaine. ◇ Depuis le milieu du XXe s., *indépendant* qualifie spécialement un logement, un local auquel on accède sans passer par un autre. Substantivé (au singulier et au pluriel), le mot sert à dénommer les membres d'une secte religieuse anglaise du XVIIe s. (1669) et, en politique, ceux de partis ou groupes conservateurs (1791), entrant ainsi dans l'appellation *Républicain indépendant* (1872). ➜ Sa dérivation consiste dans les termes politiques **INDÉPENDANTISME** n. m. (1682), récemment **INDÉPENDANTISTE** adj. et n. pour désigner les partisans de l'indépendance d'une région (1968). Ces dérivés correspondent aux valeurs politiques de *dépendre.* ➜ Quant aux valeurs logiques, intellectuelles, elles se réalisent dans l'adverbe **INDÉPENDAMMENT** (1630) avec lequel on a formé la locution prépositionnelle ***indépendamment de*** (1675), au figuré (XVIIIe s.) «de surcroît, en plus de». ➜ **INDÉPENDANCE** n. f. (1610) désigne l'absence de dépendance et, par métonymie, un pouvoir indépendant (1663). Le mot, employé spécialement, s'est dit au jeu de cartes (av. 1850 chez Balzac) pour le fait de réaliser plusieurs levées au boston. Cette spécialisation ayant disparu, le mot a vu ses emplois politiques se développer au XIXe s., lesquels étaient déjà importants au XVIIIe s., avec le mouvement d'émancipation des colonies anglaises d'Amérique, bientôt nommé *guerre d'indépendance,* puis avec la Révolution francaise. Au XIXe et surtout au XXe s., il recouvre les mouvements d'affranchissement par rapport aux empires (les révolutions du milieu du XIXe s. en Europe) puis par rapport à un colonisateur. Au milieu du XXe s., le mot est lié à *décolonisation,* puis s'applique à des minorités, en relation avec *autonomie (mouvements pour l'indépendance),* d'où les dérivés de *indépendant, indépendantisme,* réapparus à cette époque, et *indépendantiste* alors créé (cf. ci-dessus).

INTERDÉPENDANCE n. f., formé sur *inter-* et *dépendance,* est d'abord (1867, Littré) un mot scientifique désignant la dépendance réciproque de deux phénomènes ou concrètement de deux États. ◇ **INTERDÉPENDANT, ANTE** adj. (1916, F. de Saussure) lui correspond.

② **DÉPENDRE** → PENDRE

DÉPENS n. m. pl., d'abord *despens* (1170) forme encore usitée au XVIIe s., est issu du latin *dispensum*, participe passé neutre substantivé de *dispendere*. Ce verbe, formé de *dis-* (→ dis-) et *pendere* «peser» (→ pendre), signifie en latin classique «peser en distribuant», et en latin impérial «distribuer». L'emploi de son dérivé *dispendium* au sens de «frais, dépense» semblerait indiquer qu'il a connu également le sens de «dépenser». Le verbe a été influencé par l'ancien français *dispendre, dépendre* v. tr. (av. 1150) «dispenser, répandre» et «dépenser» (1150), évincé par *dépenser*.

♦ *Dépens* a vieilli au profit de *dépense* avec le sens de «ce que l'on dépense»; cependant, il est encore employé dans le langage juridique pour désigner les frais occasionnés par la partie qui succombe (1260, *despens et domages*, expression qui sera employée dans le *code civil*). ◇ Le mot est demeuré usuel dans la locution prépositionnelle ***aux dépens de*** (1306), qui a perdu son sens propre, «aux frais de» (encore au XVIIe s.), pour le sens figuré «au détriment de», attesté depuis Montaigne (1580); la langue classique l'employait avec un infinitif au sens de «en supportant le dommage de» (1673, Mme de Sévigné).

◈ voir DÉPENSE.

DÉPENSE n. f. est issu du latin *dispensa*, participe passé féminin substantivé de *dispendere* (→ dépens). Il est attesté en 1176, mais probablement antérieur, *dépensier* se rencontrant dès 1130.

♦ Le mot désigne l'action d'utiliser de l'argent et, par métonymie, la somme donnée, les frais, sens avec lequel il a concurrencé et supplanté *dépens**. Il correspond par extension à l'emploi, l'utilisation d'une chose (1693, du temps) d'où par métonymie, la quantité de matière, d'énergie utilisée (1851, Cournot). ➛ Une autre métonymie lui a valu le sens spatial de «lieu où l'on conserve les provisions, cave» (1180) affecté en particulier au lieu où, dans un château, on recevait et on distribuait les objets en nature, où l'on payait les fournisseurs; ce sens est archaïque ou historique.

▸ Le dérivé **DÉPENSER** v. tr. (v. 1225) a suivi un développement parallèle à celui du nom. Il signifie «utiliser, user de biens» et en particulier «user de l'argent pour avoir, pour acheter»; au début du XVIIe s., il s'emploie aussi pour «employer avec prodigalité» (1613), d'abord en parlant du temps, puis au XIXe s. de l'activité (à la forme pronominale, *se dépenser*, 1832 chez Balzac), de l'énergie (1836). En ce sens, il est aussi employé avec un nom d'inanimé *(appareil, machine)* pour sujet (1907). ➛ **DÉPENSIER, IÈRE** adj. et n. (1130), malgré le léger hiatus chronologique, est dérivé de *dépense*. À la même époque, on relève la forme latine *dispensarius* (1130) dans le domaine anglais avec le sens de «récipient pour les aumônes». En ancien français, le mot désigne celui ou celle (1324) qui administre la dépense dans une maison, en particulier qui pourvoit à la table (dit *maistre despensier*). Il se rencontre encore pour la personne qui a la charge des dépenses dans une communauté. ◇ De nos jours, il désigne (1468-1492) et comme adjectif qualifie (1559) une personne qui dépense beaucoup ou qui aime dépenser, en opposition à *économe*.

◈ voir DISPENDIEUX, DISPENSAIRE, DISPENSER.

DÉPERDITION n. f. est dérivé (1314) sur le modèle de *perdition**, de l'ancien verbe *déperdre*, attesté du XIIe au XVIe s. et emprunté au latin *deperdere*, de *de-* et *perdere* (→ perdre).

♦ D'abord employé dans un contexte médical *(déperdition de substance)*, le mot est passé en chimie (1797, *déperdition d'humidité*) et, par extension, a pris le sens de «gaspillage». Mais la valeur concrète reste dominante, en sciences et en technique.

DÉPÉRIR v. intr. est emprunté (v. 1120) au latin *deperire* «s'abîmer, se perdre, mourir» et, transitivement, «aimer éperdument». Il s'agit du composé avec *de-* intensif de *perire* qui a donné *périr**.

♦ Le mot est employé en parlant d'une chose qui disparaît, va à la ruine, bien longtemps avant de se dire d'un être vivant qui perd peu à peu ses forces (1687).

▸ Il a produit **DÉPÉRISSEMENT** n. m. (déb. XVIe s.), mot didactique de sens propre et figuré, et **DÉPÉRISSANT, ANTE** adj. tiré (av. 1832, Baudrillart dans Larousse, 1870) de son participe présent.

DÉPERSONNALISER → PERSONNEL

DÉPÊTRER v. tr. est formé (déb. XIVe s.) de ① *dé-* et du radical du bas latin *pastoria* «entrave pour les bestiaux», qui a servi à former *empêtrer**.

♦ Il s'emploie d'abord pour «dégager» (un animal, ses pieds) d'une entrave, puis au figuré pour «dégager» au concret et à l'abstrait. Technique et rural à l'origine, il est devenu familier. Le pronominal ***se dépêtrer*** (1538) signifie «se tirer d'une situation embarrassante», «se débarrasser de qqn».

◈ voir EMPÊTRER, PÂTURE.

DÉPEUPLER → PEUPLE

DÉPIAUTER v. tr., d'abord relevé en picard (1834) puis dans l'argot des prisons (1846), est dérivé de *piau*, forme dialectale pour *peau**, au moyen du préfixe privatif *dé-**, avec un *-t-* épenthétique, et de la terminaison verbale en *-er*.

♦ Employé pour «dépouiller de sa peau» en parlant d'un animal, le verbe concurrencé en ancien français par *despeler* (v. 1225-1250), puis par *dépecer*, formé sur *pièce*, compte quelques emplois analogiques ayant trait à l'homme et quelques sens argotiques anciens : «priver (qqn de qqch.)» (1846) et «fouiller à fond (un endroit)».

Son radical a servi à former **DÉPIAUTAGE** n. m. (1867, *dépiotage*, Goncourt), quelquefois concurrencé par **DÉPIAUTEMENT** n. m.

DÉPILER v. tr., d'abord *despiler* (1538), est emprunté au latin *depilare* «plumer, dépouiller», puis «épiler» à basse époque, de *de* privatif et *pilus* (→ poil).

♦ En français, le verbe est distinct de *épiler** qui implique le fait d'ôter volontairement les poils.

▸ Le radical du supin de *depilare, depilatum* a servi à former **DÉPILATION** n. f. (1370) et **DÉPILATOIRE** adj. (1390), ce dernier étant quelquefois concurrencé par les adjectifs **DÉPILATIF, IVE** (1721) et **DÉPILANT, ANTE** (1870), ainsi que par les dérivés de *épiler*.

◈ voir **ÉPILER**.

DÉPISTER → **PISTE**

DÉPIT n. m. est issu, sous la forme *despit* (1140), du latin *despectus* «action de regarder de haut en bas», d'où «fait de mépriser» et «paroles méprisantes». *Despectus* est le participe passé substantivé du verbe *despicere* «mépriser», formé de *de* et de *specere, spicere* «regarder» (→ spectacle).

♦ En ancien français, le mot exprime comme en latin une idée de mépris (*avoir en despit* «mépriser»); il est alors au centre d'un important groupe de mots exprimant le mépris, l'arrogance, l'insolence, également l'insulte, la honte et l'humiliation. Si l'usage moderne n'a retenu que le sens de «chagrin mêlé de colère», d'ailleurs attesté dès le XIIe s. (1160-1174), il reste une trace du sens de «mépris» dans la locution prépositionnelle usuelle ***en dépit de*** (1174, *el despit le rei*), à rapprocher de *au mépris de*, qui ne correspond plus qu'à «sans tenir compte de, malgré». L'évolution sémantique du mot s'explique par référence aux sentiments de la personne méprisée.

▸ *Dépit* a produit **DÉPITEUX, EUSE** adj. (1212) qui a perdu son sens premier de «digne d'être méprisé», propre à l'ancien français ainsi que le sens actif de «méprisant, arrogant» (1319-1340) attesté jusqu'au début du XVIIe siècle. Cet adjectif est sorti d'usage, même avec le sens plus récent de «qui éprouve du dépit» (1450), et ce dès le XVIIe s. (Furetière signale qu'il «ne se dit gueres que des petits enfans»). ◆ Il a été supplanté par **DÉPITÉ, ÉE**, participe passé adjectivé de **DÉPITER** v. tr. dénominatif (1200) de *dépit* dont l'évolution a accompagné celle du nom : d'abord employé avec le sens de «mépriser», sorti d'usage au cours du XVIe s., il exprime le fait d'irriter, et, à la voix passive (1310-1340) et à la forme pronominale (1450), le fait d'être irrité.

DÉPLACER → **PLACE**

DÉPLAIRE → **PLAIRE**

DÉPLÉTION n. f. est l'emprunt en médecine (1743) du latin *depletio* «action de désemplir», dérivé du supin de *deplere* «désemplir, vider, épuiser», spécialement en médecine «saigner», composé de *de-* (→ dé-) et *plere* «emplir» (→ plein).

♦ Le mot désigne la diminution du volume des liquides, en particulier du sang, contenu dans l'ensemble du corps ou accumulé dans un organe.

DÉPLORER v. tr. est emprunté (av. 1150) au latin *deplorare* «pleurer, gémir, se lamenter» d'où «renoncer à, désespérer de», formé de *de* intensif et de *plorare* (→ pleurer).

♦ Le verbe a signifié «pleurer sur qqn» jusqu'au XVIIe s., ce sens s'effaçant au profit d'une valeur plus abstraite et psychologique, «regretter» (1200).

▸ Aux XVIe et XVIIe s., le participe passé adjectivé **DÉPLORÉ, ÉE** a souvent le sens de «sans remède, désespéré» d'après le latin *deploratus*. De *déplorer* est dérivé **DÉPLORABLE** adj. (fin XVe s.) «digne de pitié» qui a développé ultérieurement le sens péjoratif de «très médiocre ou mauvais» (1803) et s'est détaché sémantiquement du verbe. ◇ Il a produit **DÉPLORABLEMENT** adv. (1610). ◆ **DÉPLORATION** n. f. est emprunté (1496-1499) au latin impérial *deploratio* «plainte lamentatoire», formé sur le supin de *deplorare*. ◇ Le mot, pourtant bien attesté dans la littérature moderne avec le sens de fait de manifester des sentiments de douleur, de compassion, n'apparaît pas dans plusieurs dictionnaires généraux, les autres le considérant comme vieux ou peu usité (excepté Guérin, 1892); il est en fait didactique ou littéraire.

DÉPLOYER → **PLOYER, PLIER**

DÉPONENT, ENTE adj. et n. est emprunté (XIIIe s.) au bas latin grammatical *deponens* «verbe qui a la forme passive et le sens actif», participe présent substantivé de *deponere* «déposer, mettre de côté» (→ déposer), parce que le verbe déponent «quitte» le sens passif.

♦ Le mot, repris en grammaire, n'a eu aucune extension de sens.

① **DÉPORT** → **DÉPORTER**

② **DÉPORT** → **REPORTER**

DÉPORTER v. tr. est issu (v. 1150) du latin *deportare*, composé de *de-* et *portare* (→ porter) qui signifie «emporter, transporter», «ramener avec soi, remporter» et «exiler qqn de son pays». En latin tardif, le mot a dû avoir également le sens de «distraire», car un tel sens se retrouve dans l'italien *diportarsi*, l'espagnol *deportarse* (formes pronominales) et l'ancien provençal *deportar*. L'anc. français *desporter* a donné *desport*, qui a fourni par l'anglais *sport*.*

♦ Le premier sens, réalisé par le pronominal, est «s'amuser, se divertir». D'autre part, *se déporter* signifie «se conduire» et «s'abstenir, se désister, renoncer» (1180). Tous ces sens, usuels jusqu'au XVIe s. et encore répertoriés dans les dictionnaires du XIXe s., ont disparu de l'usage dès le XVIIe s., l'acception «se désister» se maintenant plus longtemps dans l'usage juridique. ◆ Le sens moderne, «exiler en guise de châtiment», est employé depuis la seconde moitié du XIIIe s.; cependant, il est rare avant 1791, lorsque cette peine (ci-dessous *déportation*) a été établie pour toute la France. Depuis la Seconde Guerre mondiale, dans un contexte contemporain, il est surtout compris comme «interner dans un camp de concentration» (v. 1942); cf. ci-dessous *déporté*. ◇ Dans un contexte neutre, il se dit aussi pour «dévier (un véhicule) de sa route» (déb. XXe s.).

▸ Les sens anciens et modernes du verbe se retrouvent dans trois substantifs dérivés : le plus ancien est **DÉPORTEMENT** n. m. (1260), d'abord attesté au sens général de «conduite», et spécialisé (1636), le plus souvent au pluriel, avec son sens moderne

«écart de conduite, dérèglement», d'usage littéraire.
Le second, **DÉPORTATION** n. f., est emprunté (1508-1517) au dérivé latin *deportatio* «charroi, transport» et à basse époque «exil (par condamnation)». Le développement du mot français a été parallèle à celui de *déporter :* d'abord employé au sens général de «bannissement», il a développé son sens juridique moderne (1797, *déportation en Guyane*), lui-même tombé en désuétude depuis que cette peine a été remplacée par la détention criminelle (v. 1960). ◇ Depuis la Seconde Guerre mondiale, il est courant à propos de l'internement dans un camp de concentration à l'étranger (v. 1942) en référence aux camps nazis et en relation avec **DÉPORTÉ, ÉE,** le participe passé de *déporter,* surtout substantivé (v. 1940) en parlant d'une personne internée dans un camp de concentration nazi.
Déporter a aussi produit ① **DÉPORT** n. m. (déb. XIIIe s.), terme de droit ancien (en locution *droit de déport,* 1508) qui est passé dans des langages techniques, récemment dans celui des télécommunications (1973). ➜ Un premier déverbal *déport* n. m. avait été créé avec le sens juridique de «démission qu'un arbitre donne de ses fonctions» (XIIe s.); il est encore répertorié par la plupart des dictionnaires des XIXe et XXe siècles.

① **DÉPOSER** v. tr. est emprunté (v. 1120), avec francisation d'après *poser**, au latin *deponere* «mettre à terre», «mettre en dépôt», au figuré «laisser, abandonner, quitter» d'où, sous la décadence, «destituer, révoquer (qqn)». Ce verbe est composé de *de* et de *ponere* (→ poser).

♦ En français, c'est le sens figuré de «faire déchoir (qqn)» qui est premier; *déposer* est ensuite employé, par un développement propre au français, comme verbe de parole (1393, *déposer que*) dans un contexte juridique. C'est seulement à partir du XVIe s. (1534) qu'il est attesté avec le sens concret de «mettre, entreposer quelque part» dont procèdent des emplois juridiques. Avec une valeur différente, le verbe a pris une acception financière *(déposer son argent à la banque),* en relation avec *dépôt.* L'expression ***déposer son bilan*** (1798), qui correspond à une des opérations de la faillite, est aussi usuelle que ***dépôt de bilan.*** ◇ Par influence de *dépôt,* il est employé à propos d'un liquide qui laisse des matières solides en suspension au fond d'un contenant (1798, *Académie*) comme pronominal et intransitif.

▸ Le participe présent **DÉPOSANT, ANTE** est substantivé aux deux genres (1392) pour désigner la personne qui fait une déposition en justice, et une personne qui fait un dépôt (1636), notamment un dépôt bancaire. ➜ Par ailleurs, le préfixé **REDÉPOSER** v. tr. (1901) est relativement courant.
DÉPOSITION n. f. est emprunté avec son acception juridique (1192) au dérivé bas latin *depositio* «action de déposer», «fait de témoigner en justice» et «destitution». Le mot français, outre son sens d'emprunt, a développé d'autres valeurs en relation avec celles de *déposer :* il désigne ainsi la destitution d'une personne (1467) et, dans un contexte religieux ou en histoire de l'art, la descente de croix du Christ (1836, Montalembert). Furetière signale son emploi classique, dans le langage religieux, pour l'enterrement d'un défunt. ➜ **DÉPOSITAIRE** n. a été emprunté (1414) au latin juridique *depositarius* «personne à qui l'on confie un dépôt», formé sur le supin de *deponere.* Introduit en droit, le mot a pris, par extension, son sens courant de «personne qui vend les marchandises que lui a confiées un déposant» (par opposition à *déposant*). Il est employé dans un style soutenu avec l'acception figurée de «personne investie d'une mission de confiance, à qui l'on confie un secret».
DÉPÔT n. m., d'abord *despot* (1323), est emprunté au latin juridique *depositum* «consignation», formé sur le supin *(depositum)* de *deponere.* Le mot est lui aussi un emprunt juridique, entrant dans de nombreuses expressions dont les plus anciennes traduisent souvent des expressions latines (***avoir en dépôt,*** av. 1325, traduisant *in depositum habere*) et dont les plus récentes sont ***dépôt légal*** et ***dépôt de bilan*** (fin XVIIIe s.). Dès le XIVe s., il fournit un nom d'action au verbe *déposer,* désignant généralement l'action de déposer un objet, et spécialement, de le mettre dans un lieu sûr. Par métonymie, le mot se dit de l'objet déposé (1370) et du lieu public où l'on dépose les choses (1690), ce dernier sens lui valant divers emplois déterminés (armée, transports). ◇ *Dépôt* s'emploie aussi pour «lieu d'enfermement provisoire» (1814). ➜ Depuis la fin du XVIIe s., il désigne concrètement un amas qui se dépose au fond d'un espace creux, spécialement en géologie, en physique, en médecine (av. 1696), la spécialisation à propos des particules en suspension qui tombent au fond d'un liquide suscitant une valeur spéciale pour *déposer.*

② **DÉPOSER** → **POSER**

DÉPOTOIR → **POT**

DÉPOUILLER v. tr., d'abord *despoillier* (v. 1135), est hérité du latin *despoliare,* composé de *de-* et *spoliare* (→ spolier). Le composé, «piller, spolier», a dû prendre à l'époque impériale le sens de «priver de ses vêtements», car celui-ci se retrouve dans la plupart de ses représentants romans.

♦ Le mot dans ses premières attestations conserve le sens latin de «dénuder, priver de ses vêtements». Par extension, en gardant l'idée fondamentale d'«ôter ce qui couvre», il est passé à d'autres types de compléments (peau d'un serpent qui mue, 1265; végétal, papillon qui sort de sa chrysalide). L'idée étymologique de «piller» est réactivée avec une idée de violence dans le sens d'«enlever à (qqn) ce qu'il a pour se l'approprier» (v. 1225); les deux sens se croisent dans un emploi populaire récent pour «obliger qqn sous la menace à se défaire d'un vêtement; voler». Un emploi figuré pour «enlever» (v. 1580) s'est dégagé, et, au siècle suivant, pour «analyser, examiner minutieusement en vue d'un certain usage» (1690). ◇ Ce verbe a été repris techniquement pour «ôter la peau d'un animal mis à mort» (1611), évolution qu'il doit en partie à un rattachement spontané à *peau* (→ dépiauter); il est alors quasi synonyme de *dépecer.*

▸ Son dérivé le plus ancien est le déverbal **DÉPOUILLE** n. f., d'abord *despueille* (av. 1150) puis *despuille* (1170). Le mot est d'abord employé au pluriel pour désigner le butin, ce dont on a dépouillé l'ennemi et, par extension, tout ce dont on s'empare aux dépens d'autrui. Le sens particulier de «vêtement dont on s'est dévêtu» (1170) a disparu. Celui de «récolte», d'abord attesté dans un document juridique (1283), est archaïque. ◇ À partir du XVIe s., *dépouille* désigne spécialement un cadavre (1550), peut-être en relation avec le sens technique (vénerie, art culinaire) de «peau enlevée à un animal» (1573). ◇ L'expression ***système des dépouilles*** est un calque de l'anglo-américain *spoil system,* pratique américaine consistant à se partager les principaux postes administratifs à la suite d'une victoire électorale. ◇ Enfin, comme déverbal récent de *dépouiller,* le nom s'applique (v. 1970-75) au vol de vêtements par la menace. ◆ **DÉPOUILLEMENT** n. m. (fin XIIe s., *despoillement*) a désigné l'«action de se dépouiller (de ses vêtements)». De nos jours, il correspond à l'action de retrancher, d'abandonner, spécialement dans une optique de renoncement spirituel depuis saint François de Sales (1628), mais aussi, concrètement, à l'action d'ôter la peau d'un animal. Il s'applique aussi (1723), d'après la valeur correspondante du verbe, à l'examen (d'un document, d'un inventaire, et spécialement d'un scrutin). ◆ Au XXe s., il a été doublé, pour ses sens techniques à propos d'un animal, de l'écorce, par **DÉPOUILLAGE** n. m. (1921). ◆ Le nom d'agent **DÉPOUILLEUR, EUSE,** attesté depuis le XIVe s. dans l'ancien syntagme *despoulleur des gens* «voleur», est rare ou spécialisé.

DÉPRAVER v. tr. est emprunté (1213) au latin *depravare* «tordre, contourner, rendre difforme», au figuré «gâter, corrompre». Ce mot est composé de *de* et de l'adjectif *pravus* «tors, de travers» (surtout des parties du corps), au figuré «perverti, mauvais» opposé à *rectus* «droit». L'étymologie de *pravus* est difficile à préciser, mais il est tentant de le rapprocher du sens de *per-* dans *perire* (→ périr), *perperus* «de travers» (du grec *perperos* «léger, frivole»), qui est ancien. Le suffixe serait le même que dans *curvus* (→ courbe) et *torvus* (→ torve). La difficulté réside dans la forme *pra-*, sans correspondant dans les langues congénères.

♦ Le sens physique de «tordre» est propre à l'ancien français. Seul le sens figuré de «rendre mauvais, corrompre» (1213) s'est répandu, surtout réalisé dans un contexte moral (1580, Montaigne) avec un complément désignant une valeur intellectuelle ou esthétique (XVIe s.), un comportement sexuel.

▸ Le participe passé **DÉPRAVÉ, ÉE** semble plus courant, adjectivé au sens de «corrompu moralement» et, surtout, dans l'usage moderne, d'«anormal, pervers (d'un goût, d'un penchant)». ◆ Le participe présent **DÉPRAVANT, ANTE** est lui aussi adjectivé (av. 1836 chez A. Carrel selon Littré), mais il est rare.
Le français a emprunté **DÉPRAVATION** n. f. (1532) au latin classique *depravatio* de sens propre et figuré, et **DÉPRAVATEUR, TRICE** adj. et n. (1551) au bas latin *depravator* «corrupteur». Au XVIe s., les deux mots ont été spécialement employés à propos de l'écriture (chez Calvin) et de l'orthographe ; ils n'ont plus qu'une valeur morale.

DÉPRÉCATION n. f. est emprunté (av. 1150) au latin *deprecatio* «action de détourner par des prières», de *de-* et *precari* «prier, supplier» (→ prier).

♦ Le mot désigne une prière instante pour obtenir le pardon et détourner le châtiment. Sa paronymie avec *imprécation**, beaucoup plus courant, fait qu'il n'est guère compris.

▸ L'adjectif correspondant revêt la double forme de **DÉPRÉCATIF, IVE** (1370), emprunté au dérivé bas latin *deprecativus* «propre à fléchir par la prière», «qui sert à prier», et de **DÉPRÉCATOIRE** (1458), emprunté au latin chrétien *deprecatorius* «suppliant».

DÉPRÉCIER, v. tr., attesté tardivement (1762, *Académie* mais au moins antérieur à 1705 ; cf. *dépréciateur*) est emprunté au bas latin *depretiare* «diminuer la valeur d'une chose» (cf. dépriser à priser), de *de-* (→ de-) et *pretium* (→ prix). La graphie présente un *-c-* par analogie avec *apprécier**.

♦ Le mot est rare ou d'usage économique au sens propre ; il est surtout usuel avec le sens figuré de «porter un jugement défavorable sur (qqn, qqch.)». L'emploi pronominal (1864, Littré) correspond à l'un et l'autre sens.

▸ *Déprécier* a servi à former **DÉPRÉCIATION** n. f. (1771), **DÉPRÉCIATEUR, TRICE** adj. (1705) et **DÉPRÉCIATIF, IVE** adj. (1830), ce dernier vieilli dans son acception économique et employé spécialement comme synonyme de *péjoratif* en linguistique.

DÉPRÉDATION n. f. est emprunté (1308) au bas latin *depraedatio* «pillage, dépouillement», dérivé de *depraedari* «piller, dépouiller». Ce verbe, que l'ancien français a emprunté sous la forme *dépréder* v. tr. (XIVe s.), est formé de *de* et de *praedare* «piller», dérivé de *praeda* «butin» (→ proie).

♦ Le mot désigne un acte de pillage accompagné de dégâts causés au bien d'autrui. Par extension, il s'applique à un acte malhonnête commis dans l'administration de la fortune d'autrui. Depuis le XVIIIe s., il se dit également d'une exploitation qui ne se soucie pas d'assurer le remplacement de ce qui est détruit.

▸ Le français a aussi emprunté **DÉPRÉDATIF, IVE** adj. (1270) au bas latin °*depraedativus* ou au thème du participe passé de *depraedari,* et **DÉPRÉDATEUR, TRICE** adj. et n. (XVe s. ; XIVe s. selon le *Dictionnaire général*) au dérivé bas latin *depraedator* «celui qui ravage, qui pille». Cette série est d'usage didactique.

DÉPRIMER v. tr. est emprunté (1314) au latin *deprimere* «presser de haut en bas», de *de-* et *premere* (→ presser), d'où «abaisser, enfoncer» et au figuré «rabaisser».

♦ Le mot a été introduit en anatomie avec le sens physique d'«enfoncer, affaisser». Il est plus courant avec le sens figuré d'«abattre, affaiblir» (1380), avec lequel il a supplanté l'ancien type populaire *depriendre* (1170) «abaisser, humilier». La valeur actuelle du verbe est psychophysiologique.

▸ Cette valeur est partagée par ses participes adjectivés **DÉPRIMANT, ANTE** (1787 au féminin), devenu usuel au XXe s. pour qualifier ce qui cause un abattement moral et **DÉPRIMÉ, ÉE**. Ce dernier, attesté en psychologie après *dépression* (ci-dessous) pour qualifier une personne en état d'abattement et d'asthénie (1883), est substantivé pour désigner la personne en état de dépression (1897). ◆ Le déverbal récent **DÉPRIME** n. f. (1973) est l'équivalent familier de *dépression*.

DÉPRESSION n. f. est emprunté (1314) au latin impérial *depressio* «abaissement», formé sur le radical du supin de *deprimere*. Introduit par les chirurgiens, le mot (qui semble rare avant le XIXe s.) réalise d'abord le sens concret de «creux dans une surface», repris ultérieurement en géologie (1864). Divers développements figurés ont donné naissance à une acception psychologique (1867, chez Baudelaire) devenue courante en relation avec *déprimé*. En météorologie (1877), le mot, désignant une zone de basse pression*, s'oppose normalement à *anticyclone* (voir cyclone). ◇ Par emprunt à l'anglais, il a pris le sens économique de «crise caractérisée par le fléchissement de la consommation, la chute des cours» (mil. XXe s.), euphémisme pour *crise*.

▸ Le radical de *dépression* a servi à former **DÉPRESSIF, IVE** adj. (v. 1460), d'abord «qui anéantit» (chez Chastellain, en relation avec *dépression* «oppression»). Rare avant le milieu du XIXe s., il a pris son sens psychologique usuel «qui affaiblit» (1856) et le sens didactique de «relatif, propre à une dépression». ◆ On a aussi formé sur le radical du latin *depressus* «abaissé», le nom d'agent **DÉPRESSEUR** n. m. relevé en 1491 dans l'expression *depresseur des orgueilleux*, c'est-à-dire «oppresseur». Ce mot, rare avant la seconde moitié du XIXe s., a été repris en physiologie dans le syntagme *nerf-dépresseur* (1879), entrant en composition dans **IMMUNODÉPRESSEUR** adj. et n. (1967). ◇ Il sert également à désigner, en psychopathologie, une substance qui déprime, s'opposant à **ANTIDÉPRESSEUR** n. m. (v. 1957). Cette valeur physiologique de l'adjectif et des composés est un emprunt sémantique à l'anglais *to depress, depression*.

DE PROFUNDIS n. m. est l'emprunt (fin XIIe-déb. XIIIe s.) du latin ecclésiastique *de profundis (clamavi ad te Domine)*, proprement «des profondeurs (je crie vers toi Seigneur)». Il s'agit des premiers mots du psaume 129 en usage dans l'office des défunts.

♦ Le mot désigne par métonymie le psaume 129 et, par extension, une expression verbale de deuil, de tristesse à la mort de qqn.

DÉPUCELER → PUCELLE

DEPUIS prép. et adv. est composé (XIIe s.) de *de** et *puis**.

♦ Le mot, employé comme préposition, marque le point de départ dans le temps, à propos d'une période en cours, écoulée ou à venir. Il s'est employé jusqu'à l'époque classique pour indiquer un moment passé (et non la durée) avant de céder cet emploi à la locution *il y a*. Par analogie, il marque aussi le point de départ dans l'espace (v. 1360), seul ou en relation avec *jusque* qui marque l'aboutissement. Il indique également le point de départ d'une série par rapport à un rang, un ordre (v. 1360), notamment par rapport à un ordre de valeurs et à un ordre de prix. ◆ Employé adverbialement (v. 1131), il réalise uniquement une valeur temporelle : «à partir de ce moment-là jusqu'à maintenant», le moyen français et la langue classique faisant usage de *du depuis* (v. 1410) pour «depuis ce temps-là». ◆ *Depuis que*, locution conjonctive à valeur temporelle (fin XIIe s.), signifie «à partir de»; ce sens a évincé ceux de «après que» (1389) et, avec une nuance logique, «dès lors que» (1373).

DÉPURER v. tr. est emprunté (1226) au bas latin *depurare* «rendre pur», de *de-* et *purare* «purifier», de *purus* (→ pur). On trouve également à basse époque l'homonyme *depurare* «nettoyer par la suppuration», formé avec l'élément *-purare* présent dans *suppurare* (→ suppurer), de *pus, puris* (→ pus). La proximité sémantique a occasionné des confusions.

♦ Le mot a d'abord été employé pour «s'égoutter» (XIIIe-XVIe s.), avant de signifier «rendre pur (un corps)». Il est pratiquement sorti de l'usage sous la concurrence des verbes plus usuels *purifier** et *épurer**.

▸ Son radical a servi à former **DÉPURATION** n. f. (v. 1278) puis, à la fin du XVIIIe s., **DÉPURATIF, IVE** adj. et n. m. (1792), utilisé en pharmacie, et **DÉPURATEUR** n. m. (1793).

DÉPUTER v. tr. est emprunté (v. 1265) au bas latin *deputare* «évaluer, estimer», et aussi «imputer à, assigner à» sous la décadence. Il s'agit là d'un développement figuré du latin classique *deputare* «tailler, élaguer (les arbres)», l'un des nombreux composés de *putare* (voir l'origine à *putatif**), avec par exemple *amputer, compter, imputer, réputer, supputer, putatif,* qui, à partir de son sens général de «nettoyer, purifier», avait développé les mêmes acceptions techniques et figurées.

♦ Le mot a pénétré en français avec le sens d'«assigner», en usage jusqu'au XVIe siècle. L'usage moderne a seulement retenu l'idée de «déléguer» (1328), et en particulier d'«élire (qqn) pour représenter dans une assemblée délibérante», sens relevé depuis Montesquieu (1748, *Esprit des lois*) et dû à l'influence de *député*.

▸ **DÉPUTÉ** n. m., d'abord orthographié *depputé* (XIVe s.), est emprunté au bas latin *deputatus*, participe passé de *deputare*, substantivé au sens de «délégué». Dès ses premiers emplois, le mot désigne celui qui est chargé d'une mission. L'apparition du système parlementaire (d'abord en Angleterre) lui donne au XVIIIe s. son acception usuelle de «personne élue pour participer aux délibérations d'une assemblée» (1748, Montesquieu). ◇ Le féminin **DÉPUTÉE**, peu usité, a servi à désigner la femme d'un député ; son usage en parlant d'une élue tend à se renforcer, faisant l'objet d'une décision officielle au Québec. Le rôle que *député* (et *députer*) recouvre dans les institutions françaises remonte à la Révolution. ➝ Il en va de même pour **DÉPUTATION** n. f., formé (1433) sur le radical de *députer* d'après le bas latin *deputatio* «délégation de la capacité d'agir» (fin VIe-déb. VIIe s.), dès le Ve s. «assignation». ◇ Le mot a désigné collectivement un groupe de personnes envoyées en mission (1433), avant, semble-t-il, d'être employé au sens actif d'«envoi de personnes en mission» (av. 1650) et de désigner la fonction de délégué à une assemblée. ◇ Déjà utilisé en droit constitutionnel, le mot a reçu sous la Révolution (1789, *Le Moniteur*) l'acception déjà réalisée par *député* et *députer*.

DÉRACINER → RACINE

DÉRAILLER → RAIL

DÉRAISON et DÉR. → RAISON

DÉRANGER → RANG

DÉRAPER v. intr. est emprunté (1687) au provençal *derapa, derraba* «arracher, déraciner», forme moderne de l'ancien provençal *derrabar* (1390), *darrabar* (1402) composé de *rapar* «saisir, enlever» d'origine germanique (anglais *to rap*, allemand *raffen* → râper) d'où est aussi issu l'italien *arrappare* «arracher».

♦ Introduit en marine, le mot se dit d'abord de l'ancre qui quitte prise, puis du navire qui arrache sa dernière ancre mouillée (1859). Il est quelquefois employé par métaphore (1870), et continue de s'employer au Canada avec les sens de «s'enfuir» et, transitivement, de «déchirer». ◇ L'idée de «quitter en cessant d'adhérer», transposée à d'autres véhicules que les navires, a donné le sens moderne, «glisser involontairement par suite d'un défaut d'adhérence au sol» (1886), diffusé par l'automobile, et spécialisé en ski (1949) et en aéronautique. Le sens figuré et familier qui en procède, «quitter le comportement prévu, échapper à un contrôle», est récent (v. 1965).

▸ **DÉRAPAGE** n. m. (1832), s'est lui aussi employé d'abord en marine, avant de se dire d'un véhicule terrestre (1894), notamment d'une automobile, puis de se spécialiser dans les domaines de l'aéronautique (1922) et du ski (1939). Il est employé au figuré à propos d'un écart psychologique (1926) ou de comportement. ➝ **ANTIDÉRAPANT, ANTE** adj. formé (1894) de *anti-** et du participe présent adjectivé *dérapant*, qualifie et désigne *(un antidérapant)* ce qui empêche de déraper, en particulier un type de semelle.

DÉRATER → ① RATE

DERBY n. m. est un emprunt (1829) à l'anglais *Derby*, nom de la grande course de chevaux annuelle d'Epsom, du nom du douzième comte de *Derby* qui l'organisa en 1780.

♦ Le mot a pénétré en français dans le *Journal des haras*, à l'époque (1820-1830) d'une première vague d'emprunts de termes de *sport* (mot qui s'applique alors aux courses de chevaux) à l'anglais. Par extension, *derby* se dit d'une course semblable se tenant en France à Chantilly (1870). Le sens de «rencontre sportive entre deux villes voisines (surtout au football)» (1927) vient d'une extension de sens du mot anglais *derby* (1914). L'acception métonymique en cordonnerie, «chaussure basse», est elle-même reprise de l'anglais (1901).

DERCH, DERGE → DERRIÈRE

DERECHEF → CHEF

DÉRÉLICTION n. f. est emprunté (v. 1525) au latin *derelictio* «abandon» (Cicéron), dérivé du supin *derelictum* de *derelinquere* «abandonner complètement, délaisser». Ce verbe est un composé intensif en *de-* de *relinquere* «abandonner, laisser en arrière» (→ relique).

♦ Le mot français, introduit au sens général d'«abandon», est surtout employé, dans un langage religieux ou littéraire, pour désigner un état de solitude morale, un «abandon de Dieu» (1606, saint François de Sales).

DÉRIDER → RIDER

DÉRISION n. f. est emprunté (1262) au latin impérial *derisio* «moquerie, raillerie», formé sur *derisum*, supin de *deridere* «se moquer, bafouer». Ce verbe, qui est à l'origine de l'ancien français *derire* «se moquer», est formé de *de-* et de *ridere* (→ rire).

♦ Le mot est passé en français avec le même sens, notamment dans les locutions ***par dérision*** (1262), ou encore ***tourner en dérision*** (1657, Bossuet). Par métonymie, il s'applique à un objet insignifiant, méprisable (1806).

▸ L'adjectif correspondant, **DÉRISOIRE**, est emprunté (v. 1327) au dérivé bas latin *derisorius* «illusoire». Il qualifie proprement ce qui est dit ou fait par dérision ; sens aujourd'hui senti comme archaïque. La valeur extensive, «trop insignifiant pour être pris en considération» (1791 chez Robespierre), est demeurée vivante. ◇ En est issu **DÉRISOIREMENT** adv. (1460).

① **DÉRIVER** v. tr. est emprunté (1190) au latin *derivare*, de *de-* et *rivus* «ruisseau» (→ ru). *Derivare* signifie proprement «détourner un cours d'eau de son lit», d'où au figuré «détourner à son profit» et spécialement en grammaire «former un mot à partir d'un autre».

♦ *Dériver* est d'abord employé avec le sens figuré de «prendre son origine dans, provenir de», spécialement en grammaire, par réemprunt, «provenir d'un autre mot» (1223). Dès 1200, il est attesté au sens concret de «détourner (un cours d'eau) de son lit naturel», sens ayant inspiré quelques emplois métaphoriques, tels «détourner (la suspicion sur qqn)» (1559), et «détourner (qqn) de la voie choisie».

▸ Le participe passé **DÉRIVÉ, ÉE** est substantivé au masculin (fin XVIIIe s.) en linguistique, pour désigner un mot obtenu par adjonction d'un élément (souvent un suffixe) à une base, le féminin **DÉRIVÉE** l'étant en mathématiques (1870) par ellipse de *fonction dérivée.* ◆ Le radical de *dériver* a servi à former le terme de mathématiques ① **DÉRIVABLE** adj. (1904) pour qualifier un type de fonction et le nom correspondant **DÉRIVABILITÉ** n. f.

① **DÉRIVATION** n. f. est emprunté (1314) au dérivé latin *derivatio* «action de détourner les eaux», spécialement employé en grammaire à l'époque impériale. Le mot est d'abord relevé en médecine puis en grammaire (1559) avant de réaliser le sens propre d'«opération consistant à dévier les eaux» (1690) par exemple dans *canal de dérivation.* ◆ **DÉRIVATIF, IVE** adj. et n. m. a été emprunté (XVe s.) par les grammairiens au bas latin *derivativus* «qui dérive; dérivé». Sorti d'usage dans son emploi grammatical (XVe s.) et médical (1503), sous la concurrence du participe substantivé *dérivé,* il est surtout employé comme nom avec le sens figuré de «ce qui permet de détourner l'esprit de ses préoccupations» (1810).

② DÉRIVER → RIVE

③ DÉRIVER

v. intr., sous les formes *deriver* (1529), *driver* (1601) par réemprunt, puis *dériver* (1616-1620), est emprunté, avec attraction de ① *dériver,* à l'anglais *to drive* «être poussé par le vent, le courant, un agent naturel» (XIIIe s.), lui-même emprunté par le gascon *driuar* dès 1406. Le verbe anglais, également transitif pour «pousser devant soi, conduire», appartient à une racine germanique °*drib̄an;* il a des correspondants dans le vieux frison *drīva,* l'ancien saxon *drīban* (néerlandais *drijven*), l'ancien haut allemand *trīban* (allemand *treiben*). Il est curieux de noter les emprunts mutuels entre l'anglais et le français au XVIe s. : l'anglais a emprunté au français le sens transitif de *to drive* «détourner de son cours», lui-même altération de *to derive,* emprunt au français ① *dériver.*

♦ Le mot exprime le fait, pour un navire, de s'écarter de sa direction en déviant, sens qui s'est acclimaté par rapprochement de ② *dériver* «quitter la rive» (XIIIe s.), lui-même de *rive* et conçu comme l'antonyme d'*arriver**. Par extension, il est employé dans différents contextes, également au sens figuré de «se laisser aller, s'abandonner à un mouvement spontané et passif», sens renforcé par l'emploi correspondant de *dérive.*

▸ Le déverbal **DÉRIVE** n. f. est d'abord attesté sous la forme anglicisante *drive* dans la locution *à la drive* (1628), et comme terme de marine (1671). Cet emprunt est ensuite senti comme français, de même que le verbe, et rattaché implicitement à *rive.* Au XXe s., il se dit aussi d'un avion (XXe s.) et, au figuré, recouvre un mouvement incontrôlé et passif, emploi à la mode dans les milieux intellectuels (v. 1970). ◇ Il est entré dans le syntagme ***dérive des continents*** (XXe s.) pour traduire l'allemand *drift,* employé par le météorologiste allemand Alfred Wegener (entre 1912 et 1930, date de sa mort). ◇ Par métonymie, le mot désigne (1860) un aileron vertical sous la coque d'un voilier, destiné à l'empêcher de dériver (cf. ci-dessous *dériveur*). ◆ ② **DÉRIVATION** n. f. a été formé comme terme de marine (1690) pour désigner l'action de dériver sous la poussée du vent, d'un élément. Appliqué par extension au fait de s'écarter de sa trajectoire, il s'emploie spécialement en balistique (1870). ◇ En électricité, il se dit de la communication entre deux points d'un circuit au moyen d'un second conducteur (1837 dans *fil, point de dérivation*). ◆ **DÉRIVEUR** n. m., employé seulement en marine, désigne une voile qui sert en cas de mauvais temps (1864) ainsi qu'un voilier à fond plat muni d'une dérive (1896), sens popularisé (milieu XXe s.) par la plaisance. Il se dit aussi d'un bateau utilisé pour la pêche à la dérive (1914). Ce dernier sens est plutôt réservé à l'anglicisme **DRIFTER** n. m. (recensé dans Quillet, 1946). ◇ Le sens figuré de «personne qui est à la dérive» s'est peu répandu. ◆ On rencontre des emplois du participe présent adjectivé **DÉRIVANT, ANTE** pour qualifier un filet de pêche à la dérive et de ② **DÉRIVABLE** adj. en balistique.

DERME

n. m. est emprunté (1611) au grec *derma* «peau», mot usité pendant toute l'histoire du grec, peut-être dès le mycénien. Il a dû se dire d'abord de la peau dépouillée d'un animal, de boucliers faits en peau, de peaux préparées pour faire des sacs, etc., et s'emploie, dès Homère, à propos de la peau humaine en général; il désigne ensuite, par analogie, la peau des fruits. *Derma* est l'un des nombreux noms verbaux exprimant la notion de peau, dépouille, cuir, dérivés de *derein* «écorcher, dépouiller». Ce verbe a des correspondants dans plusieurs langues indoeuropéennes, le gotique *dis-, ga-tairan* «déchirer, détruire» (cf. allemand *[ver]-zehren*), le lituanien *derù* «dépouiller», le vieux slave *derǫ,* le sanskrit *dár-ti. Derma* lui-même pourrait être rapproché d'un autre mot sanskrit *dar-mán-* «destructeur».

♦ Le mot, introduit en anatomie, est resté un mot savant pour désigner la couche profonde de la peau (*épiderme* étant plus courant).

▸ En sont dérivés les adjectifs **DERMIQUE** (1837), aussi en composition dans quelques termes savants *(intradermique, mélanodermique)* et **DERMOÏDE**, d'usage didactique en anatomie (1801) et en pathologie (1861). ◇ **-DERME**, sous la forme d'un second élément, représente le grec *derma* dans un certain nombre de composés savants, principalement dans les domaines de l'anthropologie, de la technique, de l'anatomie (→ épiderme), de la zoologie (→ pachyderme) et de l'embryologie.

Le mot grec a aussi fourni l'élément préfixal **DERMA-**, **DERMO-** et **DERMATO-**, productif dans la composition de noms et d'adjectifs savants, notamment en médecine. ◆ Les plus courants sont les noms de spécialité **DERMATOLOGIE** n. f. (1832), d'où **DERMATOLOGUE** n. (1838) ou **DERMATOLOGISTE** n. (1845), souvent abrégés en **DERMATO** n. (att. 1965), ainsi que l'adjectif **DERMATOLOGIQUE** (1845) qui a évincé le plus ancien *dermologique* (1832). ◆ On peut également citer les noms de maladie **DERMATITE** n. f. (1823) ou **DERMITE** (1838), et **DERMATOSE** n. f. (1832), ce dernier créé par le médecin français J.-L. Alibert (1766-1837) dans son *Traité complet des maladies de la peau.* ◆ Toujours en pathologie, **DERMOGRAPHISME**

n. m. (1928) est probablement un emprunt à l'anglais *dermographism* (1896), le mot ayant eu pour précédent *dermographie* n. f. (1764).

DERNIER, IÈRE adj. et n. est la forme contractée (1559) de l'ancien et moyen français *derrenier* (1210-1220), dérivé par analogie avec *premier** de l'ancien français *derrain* (av. 1150). Ce mot, encore employé au début du XVIe s., signifiait «qui vient après tous les autres» ; il a été substantivé au sens de «reste», en particulier à propos du dernier moment, jour de la mort, et s'employait dans les locutions ***à la derraine*** «à qui aura la dernière», ***au derrain*** «à la fin, finalement». *Derrain* est issu d'un latin tardif °*deretranus*, dérivé en *-anus* de *deretro* «derrière» (→ derrière), également passé dans l'ancien provençal *darreiran, derairan*, et dans l'italien *deretano*. *Dernier* l'a emporté dans les parlers gallo-romans, *derrain* ayant survécu longtemps dans le Nord-Est et l'extrême Ouest; un autre type, *derrier* (pour °*dererier*), attesté en ancien français et en ancien provençal, est encore connu au sud d'une ligne allant de la Loire au sud de la Wallonie.

♦ Le mot est employé par référence à l'espace pour qualifier ce qui se situe après d'autres éléments, dans l'ancienne locution *au derrenier* que remplace ***en dernier (lieu)***. Dès le XIIIe s., *derrenier* est employé avec l'idée de «rang», désignant l'élément qui vient après les autres dans une énumération (1225-1230), prenant par exagération le sens d'«extrême» (1559) et, péjorativement, de «pire» (1568), réalisé dans l'expression ***le dernier des derniers*** (1768). Avant la fin du XIIIe s., l'adjectif est aussi employé en référence au temps (v. 1278) avec le sens d'«après lequel il n'y en aura plus d'autre». Il entre avec cette valeur dans des syntagmes comme ***dernières paroles*** (déb. XIVe s., *darrenieres paroles*), ***dernière volonté*** (1461, *derreniere voulenté* chez Villon). ◇ Depuis le XVe s., il s'applique en particulier à ce qui est le plus proche du moment présent, dans ***ces derniers ans*** (1560-1561), puis dans le composé **DERNIER-NÉ, DERNIÈRE-NÉE** n. (1691) ou dans ***petit dernier*** qui succède à *dernier* employé seul (1615). ➛ *Dernier* a, dans quelques emplois, un abrègement d'abord argotique, **DER**, substantivé (1920) dans ***la der des ders***, «la guerre supposée être la dernière» (*le der [des ders]* se dit aussi du dernier verre). L'abrègement *der* en emploi adjectif pour «dernier» est, selon Esnault, plus ancien (1835).

▸ *Dernier* fournit aussi le second terme de **AVANT-DERNIER, ÈRE** adj. et n. (1740), équivalent usuel de *pénultième*. ➛ Il a produit l'adverbe **DERNIÈREMENT** (1294), vieilli avec le sens d'«en dernier lieu», et réservé dans l'usage au sens temporel de «ces derniers temps».

DÉROBER v. tr., écrit *desrober* jusqu'au XVIe s., est dérivé (1160-1170) au moyen du préfixe *dé-* de l'ancien verbe *rober* «piller (un pays, une ville)» (1130), «dépouiller», emprunté par l'anglais dans le verbe *to rob* (XIIIe s). Le verbe français est emprunté au germanique occidental de même sens °*raubân* (gotique *bi-raubôn*, allemand *rauben*) [→ robe, rubato].

♦ Le mot signifie «dépouiller, piller», jusqu'au XVIIe s. avec un nom de personne pour complément puis seulement avec un nom d'objet (1360-1370). La plupart des extensions de sens datent des XVIe et XVIIe s. : par exemple, «prendre par surprise avec adresse» (1549), spécialement dans un contexte galant (*dérober un baiser*, 1669). La forme pronominale *se dérober* est employée comme terme de manège à propos d'un cheval qui se retire sous son cavalier (1534, Rabelais); par extension, elle se rapporte aux genoux qui fléchissent (1677, Racine), au sol qui semble manquer sous les pas. Avec un nom de personne pour sujet, *se dérober* signifie «s'échapper à, se soustraire à qqch.» (1538). L'usage de la construction transitive avec le sens symétrique d'«éloigner, séparer (qqn de qqn)» (1636, Corneille) est propre à l'usage classique. Enfin, l'idée de «soustraire au regard» (1549) est surtout réalisée dans le participe passé adjectivé *dérobé, ée*. ◇ L'expression ***dérober sa marche***, issue de la terminologie militaire (1712), est bientôt passée dans l'usage familier au sens d'«aller d'un côté après avoir fait croire que l'on allait ailleurs» (1718), également au figuré (1740).

▸ **DÉROBEMENT** n. m. (1190) «action de piller, larcin» est sorti de l'usage courant pour se spécialiser techniquement en taille de la pierre (1642). Comme *dérobade*, il assume la valeur figurée correspondant au verbe. ➛ Le participe passé **DÉROBÉ, ÉE** a été adjectivé, appliqué autrefois à un enfant adultérin (1549). De nos jours, il qualifie surtout un espace dissimulé aux regards, un passage, un escalier caché (1603). Il s'emploie, substantivé au féminin dans la locution adverbiale ***à la dérobée*** (1549). ➛ Cette dernière est synonyme de ***à la dérobade***, formée à la même époque avec **DÉROBADE** n. f. (1549), dérivé de *dérober*. Il s'agit d'une attestation isolée, le mot étant repris au XIXe s. (1863), spécialement en équitation (1880), puis au figuré (1905) pour le fait de se dérober, le refus d'agir, de prendre parti.

DÉROGER v. tr. ind., d'abord *desroguer* (1370) jusqu'au XVIe s., est emprunté au latin *derogare*, composé de *de* (→ ② de) et de *rogare* «demander» (→ rogation). *Derogare* est employé juridiquement pour «abroger une ou plusieurs lois, manquer aux prescriptions d'une loi»; par suite, il a pris le sens figuré d'«ôter, retrancher» et s'est employé à la forme pronominale pour «s'abaisser à» (Cicéron).

♦ Le mot a été introduit (chez Oresme) avec son sens juridique et a pris le sens figuré de «manquer à, porter atteinte à» (fin XVe-déb. XVIe s.), par rapport à l'honneur ou l'autorité. Employé absolument, il correspond à «porter atteinte à la noblesse» (1535) en particulier par l'exercice d'une activité jugée incompatible avec celle-ci.

▸ L'ancien français a emprunté deux autres mots au latin : **DÉROGATION** n. f., d'abord *derogacion* (XIIe-XIIIe s.), représente le latin juridique *derogatio* «action de contrevenir aux prescriptions d'une loi». ➛ **DÉROGATOIRE** adj. est aussi un emprunt (1341), au bas latin juridique *derogatorius*, pour servir d'adjectif à *dérogation*. ➛ Un peu plus tard on a formé, sur le participe présent de *déroger*, **DÉRO-**

GEANCE n. f. (1460), qui n'a pas réussi à concurrencer *dérogation* et s'est spécialisé pour «action de déroger à la noblesse» (1666). Le débat sur la *dérogeance* correspond aux tentatives pour faire entrer la noblesse dans le circuit économique, comme l'ordonnance de 1629 qui lui ouvre le commerce maritime.

DÉROUILLER → ROUILLE

DÉROULER → ROULER

① **DÉROUTER** → ROUTE

② **DÉROUTER, DÉROUTE** → ② ROUTIER

DERRICK n. m. est emprunté (1861) à l'anglais *derrick* (1727) dans sa spécialisation américaine de «bâti en bois supportant le trépan servant à forer les puits de pétrole». En anglais, le mot signifiait «bourreau affecté à une potence» (XVIIe s., glosé *hanger* «celui qui pend»), d'après le nom d'un bourreau de Tyburn en 1600. Par le sens métonymique de «potence», il est devenu synonyme de «grue, pylône», emploi à l'origine de sa spécialisation aux États-Unis. Les premiers derricks ont été construits aux États-Unis, avec la découverte des gisements de pétrole dans le Kentucky en 1830 (cf. histoire de *naphte* et de *pétrole*).

♦ En français, le mot a conservé le sens du terme américain.

DERRIÈRE prép., adv. et n. m. est issu (1080) du bas latin *deretro,* forme soudée de *de retro,* formé avec la particule *de* marquant le point de départ et *retro* adverbe employé comme préposition à basse époque et quelquefois comme nom pour «en arrière, derrière» (→ rétro-). *Deretro* a supplanté le latin classique *post* qui n'a survécu que comme adverbe de temps et a donné au français un élément savant (→ post-).

♦ Le mot, d'abord écrit *derere* puis *derière* et enfin *derrière* sous l'influence de *derrain* (→ dernier), a supplanté la forme simple empruntée *retro* ou la forme populaire *rière,* usuelles jusqu'au XVe siècle. Aujourd'hui, outre le type *derrière,* de nombreux parlers gallo-romans ont des formes dont la syllabe finale est tombée, l'ancien français ayant lui-même *derrier, deriers* (v. 1278). *Derrière,* en emploi prépositionnel, signifie d'abord «en arrière de, au dos de»; il n'a développé qu'à l'époque classique le sens figuré de «à l'abri» (1625) et, au XIXe s., la nuance temporelle d'«après» (Hugo, 1823, «*derrière la mort*», encore métaphorique). ◆ L'emploi adverbial remonte aux premières attestations (1080), tandis que la locution adverbiale ***par derrière*** apparaît au XIIe s. (1174-1187); elle est écrite *par-derrière* dans la huitième édition du dictionnaire de l'Académie contrairement à l'usage enregistré par Littré; elle signifie «par l'arrière» et, au figuré, «de façon sournoise» (v. 1278). ◆ La substantivation de *derrière* (v. 1230) s'est faite dans un contexte militaire, le pluriel *les derrières* désignant, depuis le XVIIIe s., la zone de terrain ou le corps de troupe en arrière d'une armée (1734) avant de subir la concurrence de *arrières,* qui l'a éliminé. Le nom correspond couramment à la partie arrière d'une maison (1539) et, au pluriel (av. 1714), d'un bâtiment, mais ces emplois sont rendus difficiles par la diffusion d'un autre sens. ◇ En effet, depuis 1230, *le derrière* s'emploie aussi en parlant du postérieur d'un animal et, familièrement, de l'homme; de par sa généralité, il fournit un euphémisme usuel par rapport à *cul* avec de nombreux emplois en locutions (souvent, avec variante plus grossière, avec *cul : coup de pied au derrière,* etc.).

▸ *Derrière,* abrégé en *der* et suffixé en argot avec l'élément *jo* a donné DERJO, d'où DERGE et DERCH n. m. (1906), synonyme très familier de cul. Au figuré, ***faux derche*** (1910), comme *faux cul* signifie «hypocrite».

DERVICHE n. m. est emprunté (1542) au persan *darwīš,* adj. et n., «pauvre». Le mot, passé en turc *(derviş),* a pénétré en français au XVIe s. sous la forme *deruiz* par l'intermédiaire de l'italien *dervis* (déb. XVIe s., Machiavel). Ce type, encore en usage au milieu du XVIIe s., a été remplacé par *deruich* (1622), *deruiche* (1653), puis *derviche,* directement emprunté au mot turc.

♦ Le mot, d'abord employé en référence à la Turquie, désigne un religieux musulman faisant partie d'une confrérie. Le syntagme ***derviche tourneur*** a été acclimaté par les voyageurs (1851, Nerval). Certains emplois métaphoriques mettent l'accent, non sans péjoration, sur des comportements exaltés, par allusion aux exercices des derviches permettant d'atteindre la transe (1908, Barrès).

▸ Le féminin DERVICHESSE n. f. est à peu près inusité. Barrès a aussi introduit le sens de DERVICHERIE n. f. «couvent de derviches» (1908), le mot existant depuis 1850 (Flaubert) au sens de «rites, pratiques des derviches».

DÈS prép. est probablement issu (v. 980) du latin tardif *de ex,* juxtaposition à des fins intensives des deux prépositions *de* (→ de) et *ex* (→ ex-) marquant le point de départ dans le temps. L'existence de *de ex* écarte l'hypothèse de *de ipso,* formé avec l'ablatif de *ipse* «même», qui, de plus, explique moins bien les formes romanes (ancien provençal *des* et espagnol *desde*).

♦ Le mot indique un point de départ dans le temps et, moins souvent, dans un lieu (1080). L'usage ancien et classique l'employait là où l'usage moderne lui préfère *depuis.* Il a servi à former des locutions : les plus anciennes ***dès que*** (v. 980) et ***dès lors que*** (v. 1150) sont encore usuelles, mais la première a perdu son sens premier «depuis que», et a vieilli dans son emploi causal, lui aussi très ancien (1160-1174); seule la valeur correspondant à «aussitôt que», d'ailleurs plus ancienne (début XIIe s.), est restée vivante. ◇ En revanche, les locutions apparues du XIVe au XVIIe s. sont toutes sorties d'usage : *dès là* (1309), de sens d'abord spatial «à partir de là», avait pris une valeur consécutive (1659); on le rencontre encore chez certains écrivains archaïsants avec la valeur temporelle «dès que» et la valeur temporelle-causale «puisque». *Dès aussitôt que* (1409) a été senti comme redondant par rapport à *dès que* ou à *aussitôt que; dès longtemps*, que l'on rencontre chez Racine (1669), a décliné au profit de *depuis longtemps*.

▸ **DÉSORMAIS** adv. résulte de la soudure de la locution antérieurement attestée ***des ore mais*** (1130-1140), formée de *dès**, *ore* «maintenant» et *mais** «plus». Le vieillissement de *ore* et de *mais* dans son sens primitif *n'en pouvoir mais* fait que le mot, toujours usuel, n'est plus analysé. Il a supplanté les anciens adverbes *huimais, maishui* «dès maintenant» et *maisouan* «dès aujourd'hui», mais non *dorénavant*.

DÉSABUSER → ABUS

DÉSALTÉRER → ALTÉRER

DÉSAPPOINTER → ① POINT

DÉSARROI → ARROI

DÉSASTRE n. m. est un emprunt du XVIe s. (1537) à l'italien *disastro* (av. 1450) «événement funeste, malheur d'une grande ampleur». Ce mot est dérivé de *astro* (→ français astre) au moyen du préfixe péjoratif *dis-* adapté en *dés-* en français (→ dé-); il signifie proprement «mauvais astre» (*disastrato* en astrologie qualifiant celui qui est né sous une mauvaise étoile, cf. en français *malotru*). L'ancien provençal a de même *dezastrat, dezastre*, mais l'origine italienne du mot français est appuyée par la date d'apparition et la nature des premiers textes.

♦ Le mot, introduit en parlant d'un événement funeste d'une grande ampleur, a pris par atténuation le sens de «gros échec», donnant lieu au même type d'emploi que *catastrophe*.

▸ L'adjectif correspondant, **DÉSASTREUX, EUSE**, est emprunté (1557) à l'italien *disastroso*, dérivé de *disastro*. Le mot était employé au XVIe s. et dans l'usage classique pour qualifier la personne qui subit ou (1571) cause un désastre. Seul le sens actif a été retenu, surtout en parlant d'une chose. ◇ Il a pour dérivé **DÉSASTREUSEMENT** adv. (1583-1590, Brantôme).

DESCENDRE v. est emprunté (v. 980) au latin *descendere* «aller vers le bas, venir d'en haut», également au figuré «s'engager dans», «tirer son origine de» et «pénétrer dans, se rapprocher de». Ce verbe est formé avec *de*, exprimant concrètement un mouvement vers le bas, et *scandere* «monter, gravir» (→ scander).

♦ Le verbe exprime comme en latin le mouvement de haut en bas, au propre et au figuré, intransitivement et transitivement. Dès ses premières attestations, il est employé à propos d'un être animé au sens de «quitter un endroit élevé» et signifie plus généralement «aller vers le bas» (1080). Il se dit spécialement d'un cavalier qui met pied à terre (1080) et, par extension, du voyageur qui s'arrête devant une maison pour y faire étape (v. 1375), sens étendu à tout type de déplacement. Évoquant une irruption plus ou moins violente, il a pris le sens de «pénétrer en force dans un lieu» (1559, dans le cadre d'une attaque de navire), sens développé par *descente*. ➜ Dès le XIIe s., *descendre* est employé au figuré avec le sens d'«être issu de» (1165-1173) en relation avec *descendant* et *descendance*. ◇ Ses autres sens figurés sont postérieurs au XVIe s. : on le rencontre à partir du XVIIe s. (1665, Corneille) avec le sens dépréciatif de «déchoir, passer dans un rang inférieur». Depuis 1754, il a sa spécialisation musicale de «passer de l'aigu au grave». ◇ Enfin, il se dit spatialement de l'action d'aller vers le sud, dans une région représentée en bas sur la plupart des cartes (1823). ◇ Son usage transitif remonte lui aussi au XIIe s.; il signifie alors «faire descendre (qqn) de cheval», sens caduc. Appliqué à une personne, l'idée devient «abattre, faire tomber» (1830) dans l'usage familier, et aussi «tuer» (1830) avec une idée supplémentaire de violence. Cette acception est plus fortement motivée s'agissant d'un avion qu'on abat. L'évolution est très comparable pour l'intransitif avec un nom d'objet pour sujet : «aller vers le bas» (1080) puis, par extension, «s'étendre de haut en bas» (1671) et «être en pente» (1690). Les extensions les plus récentes se sont modelées sur *baisser* : «baisser de niveau (de la marée)» (1796), «baisser, en parlant des prix» (1838).

▸ Le participe présent **DESCENDANT, ANTE** adj. est substantivé aux deux genres (1260) pour désigner une personne considérée par rapport à celle dont elle est issue et, par extension, une personne liée à une autre par un lien de nature spirituelle. ➜ *Descendant* a servi à former **DESCENDANCE** n. f. (1283), à la fois au sens collectif «ensemble des descendants» et au sens actif de «filiation».

Sur le modèle des noms en *-ente* correspondant à certains verbes en *-endre (pente, rente, vente...)*, *descendre* a produit **DESCENTE** n. f. (1304), dont le sens juridique de «succession» est sorti d'usage au profit du sens physique «fait d'aller de haut en bas» (1372-1382), réservé à des acceptions concrètes, en médecine (1585), en termes de guerre, pour l'action de faire irruption (1559), et en marine, pour l'action de débarquer d'un navire (1574, ***faire descente***). ◇ *Descente* a aussi des emplois plus généraux : «mettre pied à bas d'un cheval» (1690), «porter qqch. de haut en bas» (1690 dans ***descente de croix***). ◇ Par métonymie, le mot indique l'endroit par lequel on descend, la pente (1594) et, techniquement, le tuyau d'écoulement des eaux (1676). Le syntagme lexicalisé ***descente de lit*** sert à nommer un petit tapis sur lequel on pose les pieds, au bas du lit (1837). ➜ **DESCENSION** n. f. (1857), mot didactique et rare, est formé sur l'antonyme *ascension*, de même que l'adjectif **DESCENSIONNEL, ELLE** (1874) et le nom d'agent **DESCENSEUR** n. m. (1876), tous deux d'usage didactique ou technique, alors que *ascensionnel* et surtout *ascenseur* sont usuels.

♦ Au sens concret, notamment en ski, *descendre* a pour dérivé **DESCENDEUR, EUSE** n. (1959).

Descendre a produit un préfixé verbal **REDESCENDRE** v. (v. 1220) en construction intransitive et (1869, Littré) transitive. ◇ **REDESCENTE** n. f. (1796) en est dérivé, d'après *descente*.

DESCRIPTION → DÉCRIRE

DÉSEMPARER v. tr. est le composé aujourd'hui démotivé, attesté au XIVe s. (1364), de l'ancien français *emparer* au sens de «fortifier» (→ emparer).

♦ Le verbe apparaît au sens de «démolir, démanteler (→ manteau) une forteresse», spécialisé en marine (1497) où il reste en usage. Un figuré (1418) pour «abandonner (un lieu)» s'est employé jusqu'au XIXe s. ◇ Le seul emploi vivant et courant est l'expression ***sans désemparer*** (1792) «sans quitter la place ; sans s'interrompre». ◇ Le participe passé **DÉSEMPARÉ, ÉE** adj. s'emploie en marine pour «qui ne peut plus manœuvrer par suite d'avaries» et en parlant des personnes, au figuré, pour «déconcerté, décontenancé», emploi attesté au XXe siècle.

DÉSERT, ERTE adj. est emprunté (1080) au latin *desertus* «abandonné», d'où «inculte», participe passé adjectivé de *deserere,* verbe de la langue militaire au sens de «déserter» et par extension «se séparer de», au figuré «négliger, manquer à». *Deserere* est l'antonyme en *de* de *serere* «attacher en file, en enfilade», «tresser, lier ensemble, attacher» et «engager», opposé aussi à *conserere* (→ série, sermon, et les composés assertion, insérer...).

♦ Le mot qualifie d'abord un endroit inculte, vidé de ses habitants. En ancien français, il se disait également d'une personne ruinée, dépouillée ou abandonnée et, dans la langue juridique, d'un acte vain, sans effet. Son sémantisme s'est restreint aux lieux.

► **DÉSERTER** v. tr. (1080) est emprunté au bas latin *desertare,* verbe formé sur le participe passé qui a évincé le type *deserere,* «abandonner, négliger qqn», «abandonner un lieu, rendre inculte, dévaster» (déb. IXe s.). Le verbe français a signifié «dévaster, rendre un lieu inhabité»; depuis la fin du XIIIe s., il a son sens moderne «abandonner, délaisser (qqch., un lieu)» et se dit dans un contexte militaire pour «abandonner son armée» (1680), d'où au figuré «délaisser (une cause)». ◆ Formé sur le radical du verbe, **DÉSERTEUR** n. m. (1243) a d'abord le sens général de «celui qui abandonne»; le sens spécial moderne, «celui qui quitte son armée», est apparu en même temps que le sens correspondant du verbe (1680). Le féminin, rare, est double : **DÉSERTRICE** comme nom et **DÉSERTEUSE** comme adjectif.

DÉSERTION n. f. est emprunté (v. 1361, Oresme, selon Bloch et Wartburg) au latin juridique *desertio* «abandon, manquement», dérivé du radical du supin *(desertum)* de *deserere.* Le développement du mot a été parallèle à celui de *déserter**, dont il est devenu le substantif d'action, se spécialisant (1680) dans sa valeur militaire et servant à désigner l'action de déserter, considérée comme un crime en temps de guerre.

DÉSERT n. m. est emprunté à même époque que l'adjectif (1080) au latin impérial *desertum* «endroit vide, solitude» (surtout au pluriel *deserta* en langue classique), neutre substantivé de l'adjectif *desertus* (voir ci-dessus). En français, le mot, apparaît avec un sens indécis dans le syntagme *les deserz e les tertres (Roland)* puis avec la valeur plus précise de «zone aride et inhabitée» (1135) encore précisée en géographie au cours du XIXe siècle. Souvent employé au moyen âge dans le contexte religieux de la retraite des ermites et cénobites, il acquiert bientôt des sens métaphoriques (v. 1278, *ce mondain désert*), fréquents dans la rhétorique religieuse où le *désert* s'oppose au *monde.* Sans connotation religieuse, il se dit d'un endroit vide, où l'on ne rencontre personne de façon temporaire ou occasionnelle (1618 avec l'idée de «retraite solitaire»). Par abstraction, il exprime (1788), l'absence, le manque (souvent suivi d'un complément de détermination). ◇ La valeur moderne, en géographie, liée à l'absence de végétation, s'établit au XIXe siècle. ◆ Son dérivé **DÉSERTIQUE** adj. (1877, Littré, *Suppl.*), «relatif au désert», a trait à sa valeur géographique précise *(zones désertiques).* ◆ L'autre dérivé, **DÉSERTIFICATION** n. f., est attesté depuis 1960 (une variante synonymique, **DÉSERTISATION,** attestée dans les dictionnaires en 1973, semble peu usitée).

DÉSESPÉRER, DÉSESPOIR → ESPÉRER

DÉSHABILLER → ② BILLE

DESIDERATA → DÉSIRER

DESIGN n. m. est un emprunt (1959) à l'anglais *design,* d'abord «plan d'un ouvrage d'art» (XVIIe s.), employé aux États-Unis avec le sens de «conception décorative étendue aux objets utilitaires». L'origine du mot anglais est le français *dessein** (→ dessiner) qui signifiait à la fois «dessin» et «but» jusqu'au XVIIe siècle.

♦ Le mot, riche de la double motivation «dessein» et «dessin», implique d'une part le propre de l'objet industriel où tout se décide au moment du projet (par opposition à l'objet ancien fait à la main, dont le projet se différenciait en cours d'exécution); d'autre part, il précise que, dans ce projet, le créateur ne doit se préoccuper que de la disposition et de la forme des organes dans l'espace (par opposition à l'ingénieur qui prend en charge les fonctionnements). *Design* marque ainsi un avantage conceptuel sur l'allemand *Gestaltung* qui marque seulement le «dessin» et sur l'italien *progettazione* qui marque seulement le «dessein» ou projet. La conception du design est née vers 1925, à la fois en Allemagne (W. Gropius et le Bauhaus), aux États-Unis (Frank Lloyd Wright) et en France (Le Corbusier). *Design,* ou *industrial design,* s'est imposé partout, quitte à se latiniser (italien *disegno industriale,* espagnol *designio industrial*). En France même, le mot ne s'est répandu que vers 1965 (selon Gilbert) mais avec une grande force de diffusion et malgré les difficultés phonétiques; une francisation en *dessin* ou *designe* n'a pas eu de succès.

► ① **DESIGNER** n. (1969) a pénétré en français en même temps que *design.* Le mot signifie proprement «dessinateur» en anglais, et a développé aux États-Unis le sens spécial de «personne qui crée les formes nouvelles du design». ◆ Dernier-né de la série en français, le verbe ② **DESIGNER** v. tr. (1971), «concevoir selon le design», est emprunté à l'anglais *to design* «dessiner, faire le plan d'un ouvrage d'art», spécialisé dans le domaine du design aux États-Unis. Difficile à prononcer, il semble réservé à l'usage écrit.

◈ voir DESSINER.

DÉSIGNER v. tr. est emprunté (1377) au latin *designare* «marquer d'un signe» et «représenter, dessiner» (→ dessiner), d'où «signaler à l'attention, indiquer» et «choisir, nommer à une fonction». Ce verbe est le composé en *de-* de *signare* «marquer d'un signe», de *signum* (→ signe, signer).

♦ *Désigner* correspond d'abord à «déterminer par un ou plusieurs traits distinctifs»; et en particulier, depuis la fin du XVIIe s. (La Bruyère) à «signaler à l'attention de», le sujet étant un trait caractéristique. Le sens de «signifier, être le symbole de» est employé à partir du XVIe s. (1539, Rabelais). Celui de «nommer qqn à une fonction» est enregistré par Furetière en 1690.

▸ Le nom correspondant, **DÉSIGNATION** n. f., est emprunté, lui aussi au XIVe s., sous la forme *desinacion* (1355), au dérivé latin *designatio* «forme, figure, indication» et «action de nommer qqn pour une charge». Le développement des sens s'est modelé sur celui du verbe, le sens de «nomination à une fonction» (1690) correspondant à l'époque de sa diffusion dans l'usage. ◇ En sémantique, il s'oppose à *signification*, et concerne l'acte par lequel un signe (souvent un signe du langage, un mot, une expression) est affecté à une classe d'objets ou à un objet unique : la désignation relie un signe et un référent (une «chose»).

DÉSINENCE n. f. a été dérivé savamment (1548; dès le XIVe s. d'après Bloch et Wartburg) du radical du latin *desinens*, participe présent de *desinere*. Ce verbe signifie proprement «laisser là», d'où au figuré «mettre un terme, cesser», spécialement en rhétorique «finir, se terminer (pour un mot)». Il est composé de *de* et de *sinere* «placer, laisser» (→ site, situer).

♦ Le mot a été formé par les grammairiens d'après le latin des rhétoriciens à propos de l'élément variable, à la fin d'un mot, qui marque chacune des formes verbales ou nominales.

▸ **DÉSINENTIEL, ELLE** adj. a été formé ultérieurement (1803) par la terminologie grammaticale.

DÉSINVOLTE adj. est emprunté dans la première moitié du XVIIIe s. (1740-1755, *Mémoires* de Saint-Simon) à l'italien *disinvolto* (1618), et lui-même emprunté à l'espagnol *desenvuelto* (1495 sous la forme *desembuelto*). Celui-ci est le participe passé adjectivé de *desenvolver*, proprement «développer, désenvelopper» d'où, sur le plan psychologique, «être dégagé dans ses manières». Ce verbe, comparable à *développer**, est un préfixé de *volver*, lequel représente le latin *volvere* «faire rouler, dérouler» présent en français par de nombreux dérivés (→ dévolu, évoluer, révolution, etc.).

♦ Avant l'attestation francisée du mot, on rencontre chez Mme de Sévigné (1677) la forme espagnole avec le commentaire suivant : «les Espagnols appellent cela *desembuelto*, ce mot me plaît». Le mot qualifie la personne qui est très dégagée dans ses mouvements, et, plus souvent avec une valeur psychologique péjorative, qui est d'une liberté inconvenante.

▸ **DÉSINVOLTURE** n. f. est l'adaptation (1794) de l'italien *disinvoltura* (av. 1508), emprunt à l'espagnol *desenvoltura*, dérivé (1492) de *desenvuelto* (ou *desembuelto*). Avant que n'apparaisse la forme francisée, on rencontre à deux reprises le mot sous des formes étrangères : en 1619 la forme espagnole *desenvoltura* dans une traduction des *Essais* de Bacon et la forme italienne *disinvoltura* dans *La Nouvelle Héloïse* de Rousseau (1761). Stendhal a encore recours à la forme italienne, en 1830, ce qui suggère que le mot n'était pas encore très répandu en français. La valeur péjorative l'emporte sur la valeur neutre, plus littéraire.

DÉSIRER v. tr. est issu par réduction phonétique (1050) du latin *desiderare*, composé en *de* (à valeur privative) de *sidus, -eris* «astre» (→ sidéral, sidéré), sans doute sur le modèle de *considerare* (→ considérer). Le verbe latin signifie littéralement «cesser de contempler (l'étoile, l'astre)», d'où moralement «constater l'absence de», avec une forte idée de regret.

♦ L'idée première de «regretter l'absence» a tendu à s'effacer derrière l'idée positive et prospective de «chercher à obtenir, souhaiter», déjà usuelle en latin et qui correspond au sémantisme astral (cf. *demander la lune*, etc.). C'est ce sens qui est passé en français, spécialisé pour «aspirer aux faveurs d'une femme» dans un contexte galant, ce type de contexte étant plus nettement différencié pour *désir*.

▸ Dès 1050, on rencontre deux adjectifs dérivés de *désirer*, peut-être sur le modèle des adjectifs latins *desirabilis* (classique) et *desirosus* (tardif).

DÉSIRABLE (d'abord *desirrables*) a eu en ancien français le sens actif de «qui désire», avant de le céder à *désireux* et de se réserver le sens passif de «qui est objet de désir» (av. 1150). ◇ Il a pour dérivé **DÉSIRABILITÉ** n. f. (1883) d'usage didactique. ➛ L'antonyme en *in-*, **INDÉSIRABLE** adj. (1801) est substantivé au XXe s. à propos d'une personne peu recommandable, d'abord sous la forme *undesirable* (1905) qui témoigne de son emprunt à l'anglais *undesirable* adj. et n. (XVIIe s.) de *desirable*, lui-même emprunté au français. ➛ **DÉSIREUX, EUSE** adj., de sens actif, apparaît lui aussi au XIe s. (*desirreuse* au féminin, 1050).

Le déverbal **DÉSIR** (v. 1160) désigne l'aspiration, le souhait (en général et en particulier); il s'est spécialisé pour désigner l'appétence sexuelle, la libido consciente, tant en emploi absolu *(le désir)* que spécifié *(un, des désirs)*; cette spécialisation, difficile à dater, était déjà usuelle en français classique. ◇ Un peu plus tard, a été formé le nom d'agent **DÉSIREUR** n. m. (1350) peu usité.

DESIDERATA n. m. pl. est l'emprunt (1710 en philosophie) d'un mot latin, participe passé neutre *(desideratum)*, employé au pluriel *(desiderata)* et substantivé, de *desiderare* «regretter l'absence de» (voir ci-dessus). Le mot, surtout employé au pluriel, est quasiment synonyme de *désirs, vœux,* mais n'est vivant que dans le langage de l'administration, des affaires.

DÉSISTER (SE) v. pron. est emprunté (XIVe-XVe s.) au latin *desistere* «s'abstenir de, renoncer à» et aussi «cesser», composé en *de-* de *sistere* v. tr. et intr. «s'arrêter» et «arrêter, mettre un terme», spécialisé dans la langue juridique pour «faire comparaître» et «comparaître devant un tribunal, se présenter». Ce verbe est le dérivé à redoublement, d'aspect déterminé, de *stare* «être debout, immobile» (cf. les formes participiales, de *être, étant, été,* ainsi que *état*), représenté en français par de nombreux composés en *-sister* (*consister,* etc.).

♦ Le verbe est d'abord construit indirectement *(désister de)* au sens de «renoncer à qqch.». À la fin du XVIIe s., seul subsiste le pronominal *se désister* pour réaliser ce même sens «renoncer à, abandonner», aujourd'hui sorti d'usage. ◇ De nos jours, il est employé dans un contexte juridique pour «renoncer à une procédure, une action engagée» (1420), et, par extension, dans le contexte d'une candidature électorale, «renoncer à se présenter à une élection».

► **DÉSISTEMENT** n. m. a été formé (av. 1547) dans la langue juridique sur le radical du verbe, avec le suffixe *-ment.*

DÉSODORISER → ODORAT

DÉSŒUVRÉ, ÉE adj. est formé (1692) de *dés- (dé-), œuvre** et suffixe, mais s'est détaché par le sens de *œuvre,* dont les emplois ont changé.

♦ Le mot signifie «qui n'a pas de travail obligé, d'activité précise prévue». Il est parfois substantivé (XVIIIe s.).

► Le dérivé **DÉSŒUVREMENT** n. m. (1748) dénomme l'état matériel et psychique d'une personne désœuvrée. ◆ Un verbe **DÉSŒUVRER** v. tr. (1693) a été tiré de l'adjectif — à moins qu'une antédatation ne fasse de ce dernier son participe passé — pour «enlever son travail, ses activités à (qqn)». Il est archaïque.

DÉSOLER v. tr. est emprunté (fin XIIe s.) au latin *desolare* «dépeupler, ravager» et, à basse époque, «déserter, abandonner, priver de» (surtout au participe passé), par opposition à *consolare* (→ consoler). Ce verbe est le composé intensif en *de-* de *solare* «dépeupler», proprement «laisser seul», de *solus* (→ seul).

♦ D'abord proche des sens du mot latin, *désoler* était employé au participe passé pour «déserté» et à l'actif pour «ravager, dépeupler» (1350). Il a pris au XIVe s. sa valeur morale actuelle de «plonger dans une affliction extrême» (1360-1370), souvent affaiblie, depuis 1672, en «contrarier, ennuyer», notamment dans l'usage poli, au participe passé *(je suis désolé; navré, désolé).*

► Le participe présent **DÉSOLANT, ANTE** est adjectivé pour qualifier ce qui afflige et, par exagération, ce qui contrarie, est insupportable (d'une personne, 1765). Huysmans est l'un des rares auteurs à employer son dérivé **DÉSOLAMMENT** adv.

Le nom correspondant, **DÉSOLATION** n. f., est emprunté à la même époque que le verbe (fin XIIe s.) au dérivé bas latin *desolatio* «destruction, dévastation». Introduit avec le sens d'«action de dépeupler, de ravager», il a suivi un développement analogue à celui du verbe vers le sens moral d'«affliction» (1330). Cependant, la valeur atténuée de «contrariété» a disparu. ◆ **DÉSOLATEUR, TRICE** adj. a été emprunté plus tard (1512) au bas latin *desolator* «ravageur, qui sème la désolation»; il est essentiellement employé avec une valeur morale, dans un usage très littéraire.

DÉSOPILER v. tr. est dérivé, au moyen du préfixe *dé-** (1495, *déopiler*) puis *des-* (1542), de l'ancien terme médical *opiler* «boucher, obstruer» (1414). Celui-ci est emprunté au latin *oppilare,* de même sens, proprement «recouvrir de poils», composé de *ob* «devant» (→ objet) et de *pilare* «couvrir de poils», dérivé de *pilus* (→ poil).

♦ *Désopiler,* terme médical signifiant «déboucher, désobstruer (un organe)», s'est rapidement fixé dans l'expression ***se désopiler la rate*** (1546, *desoppiler la ratelle* chez Rabelais) «dégorger la rate». La rate étant traditionnellement tenue pour l'organe de régulation des humeurs noires, l'expression a pris le sens figuré de «chasser la bile, la mélancolie», d'où «faire rire» (1690), servant de variante à *épanouir la rate* (1652) et à *dilater la rate.* L'usage du verbe seul, au sens figuré de «faire disparaître» a disparu; au sens d'«égayer», il est peu répandu.

► Ni *désopilatif, ive* adj. (1540) ni *désopilation* n. f. (1606), termes de médecine, ne se sont maintenus. ◆ **DÉSOPILEMENT** n. m. (1828-1829), au figuré, reste rare. ◆ Le seul dérivé vivant est le participe présent adjectivé **DÉSOPILANT, ANTE** adj. (1842), quasi-synonyme d'*hilarant* et assez usuel. Son emploi substantivé, antérieurement (1658) dans la langue médicale, a disparu.

DÉSORDONNÉ, DÉSORDONNER → ORDONNER

DÉSORDRE → ORDRE

DÉSORMAIS → DÈS

DESPOTE n. m., d'abord *despos* (v. 1275), est emprunté au grec *despotês* «maître de la maison, chef de la famille», mot qui désigne en politique celui qui gouverne avec une autorité absolue et qui s'est dit particulièrement des souverains orientaux. Le terme résulte de °*dems-potês,* vieux mot juxtaposé indoeuropéen (cf. le sanskrit *dámpati*). Il est formé d'un premier élément représentant la racine °*dem-* «maison» (latin *domus* → dame) et d'un second élément qui correspond au thème indoeuropéen °*poti-* «chef d'un groupe social», bien représenté en latin (→ pouvoir et son groupe).

♦ Le moyen français connaît le mot comme titre porté par des seigneurs de l'Empire byzantin (1305) et l'emploie comme adjectif avec le sens de «qui fait preuve d'autorité, d'arbitraire» (v. 1275), usage peu attesté avant la fin du XVIIIe s. (1773). Le substantif se répand au XVIIe s. pour désigner comme en grec, un souverain d'Orient (1611); au XVIIIe s., il reçoit une définition générale et critique de «souverain autoritaire et arbitraire» (1748, Montesquieu) tout en entrant dans le syntagme ***despote éclairé*** (XVIIIe s.) qui annule la péjoration. Par extension, il caractérise une personne qui exerce un pouvoir tyrannique (1831, Balzac).

▸ *Despote* a produit **DESPOTISME** n. m. (1698), répandu au XVIIIe s. avec un sens extensif, «autorité qui s'exerce de façon tyrannique» et, surtout avec sa définition politique de «pouvoir absolu et arbitraire d'un souverain» (1714). Par métonymie, il désigne en particulier un gouvernement despotique (1721, Montesquieu). ◆ **DESPOTISER** v. tr., rare et péjoratif, est attesté depuis 1776 (D'Holbach). ◆ **DESPOTIQUE** adj. est emprunté (v. 1370, Oresme) au dérivé grec *despotikos* «du maître» et par suite «qui exerce un pouvoir absolu sur, enclin à un pouvoir absolu». Introduit avec sa valeur politique, il a développé, par extension, le sens figuré (1674) de «tyrannique»; plus encore que *despote,* il est connoté péjorativement. ◇ En est dérivé **DESPOTIQUEMENT** adv. (av. 1382, Oresme). ◇ Toute la série a été fort employée sous la Révolution, comme quasi synonyme de *tyran, tyrannie, tyrannique, tyranniser.*

DESQUAMER → SQUAME

DESSAISIR → SAISIR

DESSÉCHER → SEC

DESSEIN → DESSINER

DESSERT, DESSERTE, DESSERVIR → SERVIR

DESSICCATIF, IVE adj. et n. m. est emprunté (1314) au bas latin *desiccativus* «propre à dessécher», dérivé du supin *(desiccatum)* de *desiccare* «dessécher», de *de* (→ de) et *siccare* (→ sécher).

♦ Le mot a été introduit en médecine, qualifiant en particulier une eau, un onguent ayant la propriété de dessécher une plaie (Paré). Il est passé en peinture à propos d'une huile que l'on emploie avec les couleurs pour les faire sécher plus rapidement (1694). Il est substantivé au masculin pour désigner une substance ayant la propriété de dessécher (1754).

▸ Le nom correspondant, **DESSICCATION** n. f., est emprunté au XIVe s. *(dessicacion)* au dérivé bas latin *desiccatio* «action de dessécher». Le mot, repris lui aussi par les médecins, sert ensuite de synonyme technique à *dessèchement* en chimie, agriculture, industrie agro-alimentaire; Rousseau l'emploie en herboristerie. ◆ **DESSICCATEUR** n. m. (1838) désigne le bâtiment dans lequel on fait sécher les draps puis, plus généralement, un appareil servant à la dessiccation (1907).

DESSILLER → CIL

DESSINER v. tr. est la réfection, au XVIIe s., d'un emprunt plus ancien, *désigner* (1529), à l'italien *disegnare,* proprement «tracer les contours de (qqch.)» (XIIIe s.), au figuré «former le plan, le projet de» (XIVe s.). Ce verbe est emprunté au latin *designare* (→ ① désigner) avec son sens propre de «représenter concrètement». En français, le mot a subi plusieurs transformations : la première forme attestée est *désigner,* qui représente une altération (comme *dessigner,* 1556) de *desseigner* (attesté 1552 mais antérieur; voir ci-dessous *dessein*), adaptation de l'italien sur le modèle d'*enseigner**. *Desseigner* et *dessigner,* encore répertoriés par les dictionnaires de Trévoux (jusqu'en 1771), sont sortis d'usage au profit de *dessiner* (1664) : cette forme est due, d'une part à sa réfection d'après *dessin* sur le modèle de couples nom-verbe en *in/-iner (chagrin/-iner, voisin/-iner),* d'autre part au changement de prononciation du groupe *-gn-* en *-n-* : en effet, au XVIIe s., *digne, signe, cygne* riment souvent avec des mots en *-ine,* et Littré donne encore à *signet* la prononciation *sinet.*

♦ Le verbe signifie «tracer les contours de». Durant tout le XVIe s., il a aussi le sens figuré, repris à l'italien, de «former le projet de», uniquement conservé dans *dessein* (ci-dessous). D'autres emplois métaphoriques ou figurés du premier sens ont suivi. Le double sémantisme ancien du verbe se retrouve à l'origine dans ses deux déverbaux, *dessin* et *dessein* (→ aussi design). Le pronominal *se dessiner* a une valeur figurée «prendre tournure», «devenir plus net».

▸ **DESSEIN** n. m., attesté dès le XVe s. sous la forme *desseing* (il faut écarter une attestation de 1265, provenant d'une copie du XVIIIe s. au «style rajeuni») a été formé sur l'ancienne forme *desseigner.* Il a été, plus que *dessin,* usuel jusqu'à la fin du XVIIIe s. aux deux sens de «projet» et de «représentation graphique», ne conservant ensuite que le premier, employé surtout au pluriel et dans un registre soutenu. ◇ La locution ***à dessein*** sert d'adverbe, *à dessein de* (attesté XVIIe s.) de préposition. Littré recommandait *à ce dessein* pour remplacer *dans ce but.* ◆ **DESSIN,** quant à lui, est tiré (1549, *desing*) de *des (s)signer* avec influence de l'italien *disegno* «représentation graphique» (1444). Il ne s'est pas imposé immédiatement et est encore condamné par Richelet en 1680 : «Quelques modernes écrivent le mot de dessein terme de peinture sans e apprès les deux s, mais on ne les doit pas imiter en cela». *Dessin* n'est admis par l'Académie que dans l'édition libérale de son dictionnaire, en 1798. La séparation sémantique stable des deux termes date de la fin du XVIIIe siècle. *Dessin* devient alors un mot clé des arts de la représentation, désignant non seulement une œuvre graphique, mais l'art du trait, y compris en peinture (opposé à *couleur*). ◇ Au XXe s., il est entré dans le syntagme ***dessin(s) animé(s)*** (1916) désignant l'œuvre de cinéma d'animation, image par image. ◇ Le sens général entraîne plusieurs locutions, dont ***faire un dessin à qqn*** (1951) «montrer clairement», dans quelques contextes (*je ne vais pas te faire un dessin,* etc.).

Du radical du verbe est tiré le nom d'agent **DESSINATEUR, TRICE** n. (1667), probablement sous l'influence de l'italien *disegnatore* dérivé de *disegnare* attesté depuis le XIIIe siècle. ◆ **REDESSINER** v. tr. est attesté depuis 1762.

◈ voir **DESIGN**.

① et ② DESSOLER → SOLE

DESSOUS → SOUS

DESSUS prép. et adv., d'abord *desuz, desus* (1119) puis *dessus* (1165), est issu du latin *desursum*, composé de *de* et *sursum* «en haut, vers le haut», mot formé de *sub* (→ sub) et *versum* (→ vers). *Desursum*, littéralement «du haut», est en usage dans la langue vulgaire à l'époque impériale où Quintilien le signale comme «barbarisme»; à l'époque chrétienne, il est attesté dans la langue littéraire comme préposition et adverbe, la plupart du temps sous la forme altérée *desusum*. Comme *desubtus* (→ dessous, art. sous), il a dû être formé sur le modèle de la locution plus ancienne *desuper* (de *super*) et il est entré en concurrence avec elle (d'où, en ancien français, les formes parallèles *desus* et *desor, desur*), avant de l'emporter.

♦ Dès les premiers textes, le mot est employé adverbialement dans la locution ***là-dessus*** *(la desus)*, d'abord avec le sens figuré de «sur ce sujet», et au sens propre (1220) de «sur cela». Les autres emplois adverbiaux sont attestés avant la fin du XIIe s., à la fois absolument au sens de «dans une position plus élevée» (1155), «par dessus» (1170), et en composition dans les locutions ***par-dessus*** (1176), ***en dessus*** (1195), cette dernière n'étant plus retrouvée avant 1660. C'est également en ancien français que *dessus* a développé ses emplois prépositionnels, d'abord seul (1150), avant de le céder à *sur* (de *super*) au XVIIe s., et en composition dans les locutions prépositionnelles ***par-dessus qqch.*** (1150, *par desus*) [→ pardessus], ***de dessus*** (1165, *dedessus*).

▸ **DESSUS** est substantivé dès le XIIe s., dans la locution usuelle ***avoir le dessus*** (1155) «l'avantage». Il a produit la série des locutions adverbiales et prépositionnelles ***au-dessus***, avec un sens figuré (1155) et spatial (XIIIe s.), ***au-dessus de***, de sens spatial (1375), indiquant aussi un ordre de grandeur (1568). ◇ Parallèlement à *dessous*, il sert à désigner la partie supérieure d'un objet, d'abord dans l'expression archaïque *ce dessus dessoubs* (1342) [→ dessous] et aussi seul (1393). ◆ Le substantif a développé quelques sens particuliers en musique (1458), où *le, un dessus* désigne la partie vocale ou instrumentale la plus aiguë dans un ensemble, et en architecture, où il désigne un objet placé au-dessus d'un autre (1653, *dessus-de-porte*), ainsi que l'étage supérieur (1694). ◆ Il a servi à former les désignations composées **DESSUS-DE-LIT** n. m. (1870) et **DESSUS-DE-PLAT** n. m. (XXe s.).

◈ voir **PARDESSUS**.

DESTINER v. tr., est emprunté (1155) au latin *destinare* «fixer, assujettir, attacher», au figuré «décider, affecter à», en particulier «fixer son dévolu sur» d'où «acquérir» et absolument «se proposer fermement». Ce verbe est le composé en *de-* de °*stanare*, forme à suffixe nasal correspondant à *stare* «être (debout, immobile)» (→ être, station), uniquement attestée en composition (→ obstiner).

♦ Tous les sens du mot sont fixés avant la fin du XIIe s.; certains sont sortis d'usage à la fin du moyen âge, tels «annoncer» (1155) et «souhaiter». Depuis 1170, le verbe signifie «réserver tel ou tel sort à (qqn)», et aussi «fixer comme devant être à qqn ou comme devant être employé à qqch.» (1160). L'usage du pronominal *se destiner* «se fixer pour but, pour tâche de», est attesté depuis 1168-1190 *(soi destiner)*.

▸ Les principaux mots de la famille existent en français dès le XIIe s., qu'ils soient empruntés au latin ou dérivés en français. Les sens les plus proches du latin se sont souvent effacés à la fin du moyen âge : ainsi, **DESTINÉE** n. f., participe passé féminin de *destiner*, a été substantivé (v. 1130) avec son sens de «sort», soit comme puissance abstraite (cf. *destin*), soit comme situation individuelle réglée par le destin, concept ultérieurement affaibli en «existence humaine» (1640, Corneille). Il n'a pas gardé l'ancien sens, correspondant au latin *destinare* «décider», «résolution, énergie». ◆ Le déverbal **DESTIN** n. m. a lui aussi eu le sens de «détermination» (1165). Il l'a perdu avec d'autres valeurs propres à l'ancien français, comme «chose décidée», par métonymie du premier sens «manière d'être, commandement», et n'a conservé que le sens de «sort» (1170) faisant de lui un quasi-synonyme de *destinée* et de *fatalité, sort*. ◇ Selon les points de vue, le mot concerne une puissance réglant le cours des événements (cf. latin *fas*, et *fatal, fatalité*), l'ensemble des événements, qu'ils soient considérés comme décidés d'avance ou non, la puissance alors évoquée étant la chance, le hasard et enfin, en français moderne, le cours de la vie humaine considéré comme pouvant être modifié, n'excluant dès lors plus l'idée de liberté (*décider de son destin*, etc.), les premiers emplois restant actifs. ◆ Quant à **DESTINATION** n. f., emprunté (fin XIIe s.) au dérivé du latin impérial *destinatio* «fixation, détermination», il a au contraire cédé son sens premier de «choix prédestiné de Dieu» à *prédestination** et partiellement à *destin, destinée*, se maintenant aux sens d'«emploi auquel une chose est destinée» (1690) et, sur un plan spatial, «lieu où l'on doit se rendre» (1770). ◆ De *destination* procède par changement de suffixe **DESTINATAIRE** n. (1829) «personne à qui une chose (lettre, envoi...) est destinée». ◆ Plus tard a été formé sur *destin* le didactique **DESTINAL, ALE, AUX** adj. relevé chez Baudelaire (1867) au sens de «qui caractérise le destin, s'y rapporte». ◆ Plus près de nous, Malraux a forgé **ANTI-DESTIN** n. m. (1951) qui fait référence aux sens premiers de *destin*. ◆ Quant à **DESTINATEUR, TRICE** n. (milieu XXe s.), il comble une lacune pour décrire, dans l'échange de messages, la source; il s'oppose à *destinataire*, sur lequel il est formé, mais n'est pas entré dans l'usage courant, où l'on emploie *expéditeur*.

DESTITUER v. tr. est emprunté (1322) au latin *destituere* «placer debout à part, isolément», au figuré «abandonner (qqn)», «mettre à part, supprimer» et «décevoir, tromper». Ce verbe est formé de *de* et *statuere* «établir, poser» (→ statuer).

♦ Le mot s'est d'abord employé pour «déprécier (des monnaies)» et au sens psychologique de «priver (qqn) d'un soutien, d'une ressource» (1322), usuel jusqu'au XVIIe siècle. Il a aussi eu le sens latin de «révoquer, supprimer (un office)» (1350) avant de prendre sa valeur moderne, «démettre (qqn) d'une charge, d'une fonction» (1482, peut-être antérieur, cf. *destitution*), innovation propre au français.

▸ En est issu **DESTITUABLE** adj. (1560). ◆ **DESTITUTION** n. f. a été emprunté (1316) au latin *destitutio* «abandon», également «manque de parole, trahison (d'un débiteur)», de *destitutum,* supin de *destituere.* Le mot a son sens moderne en relation avec *destituer* (attesté plus tard) depuis 1418.

DESTRIER n. m., d'abord *destrer* (1080), est dérivé de l'ancien français *destre* «main droite», substantivation de *destre* «droit» (→ dextre). Le développement sémantique vient de ce que l'écuyer, tout en tenant de la main gauche son cheval ou une bête de somme, devait mener de la main droite le destrier du chevalier, quand ce dernier ne le montait pas pour combattre.

♦ Le mot désigne le cheval de bataille, par opposition au *palefroi,* cheval de parade. Il est encore connu comme terme d'histoire ou dans l'évocation du moyen âge féodal.

DESTROYER n. m. est emprunté (1893, *Rev. générale des sciences*) à l'anglais *destroyer,* proprement «destructeur» (XIXe s.), nom d'agent dérivé de *to destroy* «détruire», lui-même emprunté à l'ancien français *destruire* (→ détruire). *Destroyer* est spécialement l'abréviation (1894) de *torpedo-boat destroyer* (1893) «torpilleur destructeur» (également *torpedo-boat catcher*). À l'origine, ce fut le nom propre donné à un torpilleur américain (1882) qui se serait donc appelé «*le Destructeur*», avant de caractériser certains torpilleurs, puis de leur servir de nom générique.

♦ Le mot est aussitôt passé en français où sa prononciation est demi-francisée; son équivalent *contre-torpilleur* n'a été créé que plus tard (cf. *torpiller*).

Par ailleurs, l'anglais *to destroy* donne lieu à un emprunt récent d'adjectif, **DESTROY** (1982), caractérisant une attitude destructrice plus ou moins liée au mouvement punk (*le look destroy,* etc.), puis une apparence évoquant la destruction.

DESTRUCTEUR, DESTRUCTION → DÉTRUIRE

DÉSUÉTUDE n. f. est emprunté (1596) au latin *desuetudo* «perte d'une habitude, désaccoutumance», employé à basse époque au sens d'«état d'abandon où se trouve une chose». C'est un dérivé de *desuetus,* participe passé de *desuescere* «perdre l'habitude de», de *de-* et *suescere* «s'accoutumer à»; ce verbe est dérivé du groupe du réfléchi *sui* qui indique ce qui est propre à un individu, à un groupe d'hommes (→ suicide).

♦ Le mot, repris avec le sens du bas latin et rare avant le XVIIIe s. (1762), compte quelques emplois spécialisés en droit; il est employé également dans le domaine de l'expression langagière. Un sens isolé, «fait pour qqn de ne plus connaître les usages de la société, méconnaissance des habitudes sociales», employé par Balzac *(Illusions perdues),* peut être interprété comme un latinisme. ◇ Quelques emplois récents en sciences le rapportent au non-fonctionnement d'un organe et, en industrie, à la méthode en vertu de laquelle les producteurs fabriquent des articles de moins en moins durables.

▸ **DÉSUET, ÈTE** adj. a été repris tardivement (1891, Huysmans), d'après *désuétude,* au latin *desuetus.* C'est un synonyme assez littéraire mais répandu de «vieilli, suranné».

DÉSUNION → UNIR

① **DÉTACHER** v. tr., d'abord *destachier* (1165), a été formé avec le préfixe *dés- (dé-*)* pour servir d'antonyme à *attacher*.* À la même époque, on relève également le type *désatachier* au sens de «dégager de ce qui attachait» (1165).

♦ *Détacher* reprend cette acception dès ses premières attestations. Au XVIIe s., il a reçu diverses valeurs figurées, dont le sens moral de «dégager d'attaches affectives» (1640), réalisé notamment à la forme pronominale et au participe passé. Au sens de «séparer (un élément) d'un ensemble» (1616-1620), il est passé dans le langage militaire pour «envoyer au loin (des personnes) pour une activité» (av. 1696) puis «affecter provisoirement», aussi dans l'administration. Dans un contexte artistique, puis général, *détacher* signifie aussi «faire ressortir les contours d'un objet, faire apparaître sur un fond» (1676, Félibien), souvent au pronominal. *Se détacher* s'est aussi spécialisé en sports à propos d'un sportif qui, allant au plus vite, se dégage du peloton (1858).

▸ Le participe passé **DÉTACHÉ, ÉE** est adjectivé, surtout au sens moral du verbe, pour «dégagé des passions, des sentiments» (1640, *d'un œil si détaché,* Corneille). ◆ Le dérivé **DÉTACHEMENT** n. m., d'abord *destachement* (1606) «action de séparer une chose d'une autre», «état de ce qui se détache», a pris au XVIIe s. d'après la nouvelle acception du verbe, un sens figuré psychologique (1651-1652, Corneille) et est devenu un terme militaire (av. 1679) avec une métonymie pour «groupe détaché d'une troupe», puis (XXe s.) comme nom d'action et de situation pour «fait d'être détaché» (de militaires, de fonctionnaires). ◆ Un autre nom d'action, ① **DÉTACHAGE** n. m. a été formé plus récemment (XXe s.); gêné par l'homonymie avec le dérivé de détacher «enlever les taches» (→ tache), il est resté très technique. ◇ Le radical de *détacher* a permis de former l'adjectif **DÉTACHABLE** (1845) et son antonyme **INDÉTACHABLE** (déb. XXe s., proposé en 1845 par Richard de Radonvilliers), eux aussi compromis par les dérivés de *détacher,* de *tache.*

② **DÉTACHER** → TACHE

DÉTAIL, DÉTAILLER → TAILLER

DÉTALER → ÉTAL

DÉTECTEUR n. m. est emprunté (1870) à l'anglais *detector,* employé depuis 1541 pour désigner une personne puis (1833) un appareil, lui-même dérivé de *to detect* (voir ci-dessous, *détecter,* plus tardif en français).

♦ Le mot a été introduit en parlant d'une serrure de sécurité et aussi d'une personne qui découvre qqch. de caché. De nos jours, il s'applique (1890) à un appareil chargé de déceler la présence d'un corps ou d'un phénomène caché.

▸ **DÉTECTER** v. tr. est la francisation (1929, dans les dictionnaires) de l'anglais *to detect,* du latin *detectus* formé à partir du participe passé de *detegere* «découvrir». Ce verbe est formé de *de* (→ de) et *tegere* «couvrir», «recouvrir», «cacher», dont le dérivé *tectum* a donné *toit**. Le verbe anglais signifie «découvrir», au propre (XVe s.) comme au figuré (1591); il a pris au XVIIIe s. le sens particulier de «déceler l'existence de», qui est le seul à être passé en français. ◆ Le mot s'est bien implanté, soutenu par l'existence plus ancienne de *détecteur** et de *détective.* Les autres emprunts à l'anglais ont permis la constitution d'une famille complète, *détecteur* et *détection* étant dès lors sentis comme dérivés du verbe, tandis que *détecter* produisait effectivement **DÉTECTABLE** adj. et **INDÉTECTABLE** adj. (v. 1950).

DÉTECTION n. f. est emprunté à la même époque que *détecter* (1929, dans les dictionnaires) à l'anglais *detection* (XVe s.), de *to detect* (ci-dessus). Le mot anglais a désigné (1619) le fait de découvrir ce qui est dissimulé, voilé, par exemple une tricherie, un crime, une erreur, de légers symptômes d'une maladie, des traces d'une substance, des causes cachées, etc. ◆ *Détection,* francisé entre les deux guerres, s'emploie surtout à propos d'un objet matériel, d'un symptôme sensible. Il sert de nom d'action à *détecter.*

DÉTECTIVE n. m. est emprunté (1867) à l'anglais *detective* n. (attesté 1856 mais déb. XIXe s.), substantivation de l'adjectif *detective* «qui détecte», de *to detect* (→ détecter, art. détecteur).

♦ Le mot a pénétré en français sous une forme à demi francisée, *détectif* (Gaboriau), qui a rapidement disparu. Il s'est surtout répandu au début du XXe s. avec la traduction des romans policiers anglais (Conan Doyle écrit sa série des *Sherlock Holmes* de 1887 à 1905), puis des films d'enquête policière. Il s'est bien acclimaté, soutenu par la série des anglicismes *détecteur*, détection*, détecter** mais tend à vieillir, au profit de synonymes, tel *privé* n. m. Cependant sa morphologie ne convient pas au système français, où l'on attendrait, avec un autre suffixe, °*détectiste,* °*détectier* ou *détecteur.* Le roman policier est quelquefois désigné au moyen de l'anglicisme *detective story.*

DÉTELER → ATTELER

DÉTENDRE v. tr. est formé (déb. XIIe s.) de ① *dé-* et du verbe *tendre*.*

♦ Il a une valeur concrète correspondant à celle de *tendre (détendre un arc)* et une valeur psychologique qui semble propre au français moderne, «faire cesser un état de tension chez (qqn)», avec des emplois pronominaux et un participe passé adjectivé, **DÉTENDU, UE,** attesté dans la seconde moitié du XIXe s. ◇ Un autre sens de *détendre* (1501)) est «détacher (une tenture)». Il est archaïque.

▸ **DÉTENTE** n. f., déverbal de *détendre,* signifie «relâchement (de ce qui était tendu)», avec une spécialisation en physiologie, courante en sports (depuis 1906). ◇ Par métonymie, le nom désigne la pièce d'une arme à feu qui, en se détendant, fait partir le coup. De là l'expression figurée ***dur, dure à la détente*** (1826) «qui ne laisse pas partir l'argent ; avare, mesquin(e)». ◇ Une autre spécialisation concerne l'expansion d'un gaz qui était sous pression. ◇ D'après *se détendre, détente* s'applique au figuré au relâchement d'une tension, à l'absence ou à l'arrêt de la tension due au travail, aux activités obligées *(un moment de détente)* et, employé absolument (après 1945), à la diminution de la tension internationale.

DÉTENIR v. tr. est emprunté (1160-1174) au latin *detinere* proprement «tenir éloigné», d'où «retenir, arrêter, empêcher» et «tenir occupé». *Detinere* est composé de *de-* et *tenere* (→ tenir). La forme française a été adaptée d'après *tenir.*

♦ Le mot, qui signifie d'abord «s'emparer de», prend avant la fin du XIIe s. le sens de «retenir, garder», en parlant de qqn (1176) ou de qqch. (1176-1181). Il se rapporte spécialement (1306) au fait de garder prisonnier.

▸ Son participe passé, **DÉTENU, UE,** est adjectivé (1529) puis substantivé en parlant de toute personne retenue dans un lieu, en particulier d'un prisonnier (1826).

DÉTENTEUR, TRICE adj. et n. est emprunté sous la forme *detamptor* (1320) au bas latin juridique *detentor* (dans le *Codex Justinianus*) fait sur le supin *(detentum)* de *detinere.* Le français emploie surtout le mot en contexte juridique, de même que le composé **CODÉTENTEUR, TRICE** adj. et n. (XVIe s.). ◆ **DÉTENTION** n. f. est lui aussi emprunté avec la graphie *detencion* (1287) au bas latin juridique *detentio* «action de détenir, séjour», formé sur le supin de *detinere.* Le mot, rare avant le XVIe s., désigne l'action de détenir une chose (spécialement dans une acception juridique) et, en rapport avec *détenir* et *détenu,* l'action de retenir qqn en captivité.

DÉTERGER v. tr. est emprunté comme terme de médecine (1538) au latin *detergere* «nettoyer en enlevant, en essuyant», d'où au figuré «chasser, dépenser». Ce verbe est le composé en *de-* de *tergere* «essuyer», «frotter, fourbir, nettoyer», lequel relève d'une racine ancienne, mais n'a aucun correspondant connu dans les autres langues indoeuropéennes.

♦ Introduit en médecine pour «nettoyer (une plaie, un organe)», le mot a acquis au XXe s. le sens technique de «nettoyer», correspondant à l'usage de *détergent* et de *détersif.*

▸ **DÉTERGENT, ENTE** adj. et n. m. est issu, comme l'indique la forme *détergeant* en 1549, du participe présent de *déterger* pour qualifier et désigner un médicament propre à nettoyer une plaie. Au XXe s., le mot s'applique à un produit qui nettoie en séparant les impuretés, des huiles «détergentes» ayant été introduites en France à la Libération par les armées américaines. ◆ **DÉTERSIF, IVE** n. m. et adj., formé (1539) par les médecins sur le radical du participe passé latin *detersus* (de *detergere*) a eu la même évolution. ◆ On a formé un nom d'action correspondant à *déterger,* **DÉTERSION** n. f. (1560), par emprunt au latin médical *detersio,* dérivé du supin *(detersum)* de *detergere.*

DÉTÉRIORER v. tr. est emprunté (1411) au bas latin *deteriorare* «abîmer, gâter», issu du latin *deterior* «pire, inférieur», comparatif de l'adjectif inusité *deter* (le superlatif étant *deterrimus*), lequel comprend l'élément *de.*

♦ Le verbe a gardé le sens du mot latin, au propre et (XVIIIe s.) au figuré : Rousseau l'emploie (*La Nouvelle Héloïse,* 1767) dans le syntagme *détériorer une âme* qui semblerait aujourd'hui une métaphore inélégante, le mot ayant pris une connotation concrète et technique, et s'appliquant figurément surtout à une situation sociale, politique.

▶ Le nom correspondant, **DÉTÉRIORATION** n. f., emprunté (XVe s.) au dérivé bas latin *deterioratio* «action d'abîmer», est rare avant le XVIIIe siècle.

DÉTERMINER v. tr. est emprunté (1119) au latin *determinare* «marquer des limites, borner, limiter», au figuré «arrêter, régler, fixer» (cf. *définir*) et spécialement «tracer, dessiner». C'est le composé, avec *de-* à valeur intensive, de *terminare* (→ terminer).

♦ Le mot a été repris avec le sens de «délimiter, fixer» d'abord avec une nuance temporelle. D'usage courant, il est employé aussi en logique (v. 1370, Oresme) et en droit, ainsi qu'en grammaire pour «préciser la valeur, le sens d'un mot» (attesté 1864). En moyen français, l'accent étant mis sur la volonté en tant que principe de décision, il a pris le sens psychologique de «décider», surtout dans *se déterminer* (1381), en emploi absolu, et quelquefois, avec une infinitive introduite par *de* (1450), plus fréquemment par *à.* Symétriquement, la construction transitive assume le sens de «faire prendre une décision à (qqn)» (1665).

▶ Le participe passé adjectivé **DÉTERMINÉ, ÉE,** à sens passif et actif *(une personne déterminée),* correspond au verbe dans tous ses emplois, notamment au sens psychologique. ◇ Il a servi à former l'adverbe **DÉTERMINÉMENT** (1324, *determineement*), vieilli après le XVIIe s. mais encore employé par certains auteurs. ◆ Le participe présent **DÉTERMINANT, ANTE** est lui aussi adjectivé (av. 1662) et substantivé dans certains usages spécialisés : grammaire (1847), mathématiques (1864), biologie.

Le radical du verbe a servi à former **DÉTERMINATIF, IVE** adj. (fin XIVe s.), spécialisé en grammaire (fin XVIIe s.), où il est substantivé (1835), et employé dans un sens synonyme de *déterminant.* ◆ L'adjectif verbal **DÉTERMINABLE** (fin XVIIIe s.) correspond au sens passif de «qui peut être fixé». ◆ **DÉTERMINATION** n. f. est emprunté par les philosophes médiévaux (v. 1361, Oresme) au dérivé latin *determinatio* «fixation d'une limite, fin». Le mot a subi ensuite l'influence sémantique du verbe, développant les mêmes emplois spécialisés (par exemple en grammaire, 1789) et désignant le fait de prendre une décision (1541), d'où, par métonymie, la décision prise (1802).

Au XIXe s., le groupe s'est enrichi par l'emprunt de termes didactiques. **DÉTERMINISME** n. m. (1827) et **DÉTERMINISTE** adj. et n. (1811) sont pris à l'allemand : le premier est l'adaptation de *Determinismus* (1790), dérivé du verbe *determinieren,* lui-même emprunté au latin *determinare;* le second de *Determinist* (1788).

Déterminer et ses dérivés ont reçu, par emprunt au latin ou par préfixation en français, un antonyme en *in-* : le premier attesté est **INDÉTERMINÉ, ÉE** adj. (v. 1361, Oresme), formé sur *déterminé* ou emprunté au bas latin *indeterminatus* «infini». Essentiellement appliqué à un inanimé, cet adjectif qualifie quelquefois une personne indécise (v. 1670). Il a donné un adverbe en *-ment* (1816) d'usage didactique ou rare, et, par élargissement de désinence, le verbe pronominal **S'INDÉTERMINER** (1893), attesté pour la première fois chez Durkheim. ◆ Le moyen français connaît aussi **INDÉTERMINABLE** adj. (1470, repris XVIIIe s.), emprunté au bas latin *indeterminabilis* «à quoi on ne peut assigner de limites», antonyme de *determinabilis.* ◆ **INDÉTERMINATION** n. f. a été formé ensuite sur *détermination* (av. 1600) en parlant de l'état d'une personne qui hésite; d'après les valeurs de *déterminer* et *détermination,* il a pris un autre sens, «caractère de ce qui n'est pas défini précisément» (fin XVIIIe s.). ◆ Enfin, *déterminisme* et *déterministe* ont été pourvus d'antonymes : **INDÉTERMINISME** n. m. et **INDÉTERMINISTE** adj. et n. dans la seconde moitié du XIXe s. (respectivement 1865 et 1873).

Le français a aussi emprunté **PRÉDÉTERMINER** v. tr. (1530) au latin ecclésiastique *praedeterminare,* de *prae-* et *determinare* «fixer d'avance». ◆ Le verbe a entraîné la formation de **PRÉDÉTERMINATION** n. f. (1636) employé lui aussi en philosophie et en théologie. ◆ **PRÉDÉTERMINISME** n. m. représente quant à lui un emprunt postérieur (déb. XXe s.) à l'allemand *Praedeterminism,* employé en philosophie par Kant; il n'est guère usité. ◆ **SURDÉTERMINÉ, ÉE** adj. (1926) est calqué de l'allemand (Freud, 1900), après **SURDÉTERMINATION** n. f. (1906), traduction de *Überdeterminierung* (Freud, 1895). Ces mots s'appliquent au phénomène psychologique de détermination par plusieurs facteurs qui s'additionnent. Ces termes se sont élargis à la psychologie et **SURDÉTERMINER** v. tr. (1946) les a rejoints.

Les préfixés en *auto-,* **AUTODÉTERMINER** v. tr. (1965) et surtout pron. et **AUTODÉTERMINATION** n. f. (1907) sont de vocation essentiellement politique, liés à la notion d'autonomie ou d'indépendance obtenues démocratiquement.

DÉTERRER → TERRE

DÉTESTER v. tr. est emprunté (1461, Villon) au latin *detestari,* employé dans la langue religieuse au sens de «détourner en prenant les dieux à témoin, avec des imprécations», et dans la langue juridique «renoncer solennellement devant témoins». Le mot est composé de *de* et *testari* «prendre à témoin» (→ tester); il s'oppose doublement à *obtestari* et *attestari* (→ attester), mots synonymes.

♦ Comme d'autres verbes exprimant un sentiment fort, *détester* a vu sa valeur primitive «maudire, exécrer» (jusqu'au XVIIe s.) affaiblie et laïcisée (v. 1550) en «ne pas aimer». De là, par litote, *ne pas détester* «aimer bien».

▶ **DÉTESTATION** n. f., emprunté (XVe s.) au latin *detestatio* «malédiction, exécration» (du supin de *detestare*), a suivi une évolution analogue. Contrairement au verbe, il est vieux ou littéraire. ➜ **DÉTESTABLE** adj., emprunté (1308) au dérivé latin *detestabilis,* est en revanche usuel. De valeur très forte («haïssable») jusqu'au XVIIIe s., il s'est lui aussi affaibli en «très désagréable» (1663), puis en «très mauvais dans son genre» (*un film détestable,* etc.), le sens fort initial n'étant plus en usage. ◇ Il a pour dérivé **DÉTESTABLEMENT** adv. (1393).

DÉTIRER → TIRER

DÉTONER v. intr., d'abord écrit *détonner,* est emprunté (XVIIe s.) au latin *detonare* «tonner fortement», composé intensif en *de-* de *tonare* (→ tonner).

♦ Le mot est donné par Richelet (1680, *détonner,* avec le sens de «produire un bruit soudain par une brusque détente de gaz», d'où «émettre un bruit violent qui rappelle celui du tonnerre». ◇ Le participe présent du verbe **DÉTONANT, ANTE** a été adjectivé (1729), notamment dans l'expression ***mélange détonant*** (1860) «mélange de gaz susceptible de s'enflammer», aussi employée par métaphore. ◇ Il a pour préfixé **ANTIDÉTONANT, ANTE** adj. (1927).

▶ **DÉTONATION** n. f. est dérivé sur le radical du verbe avec le suffixe *-(a)tion* (1690; 1676 selon Bloch et Wartburg) pour désigner le «bruit de ce qui détone». ➜ **DÉTONEMENT** n. m. (1611), fait sur le verbe au moyen du suffixe *-(e)ment,* est sorti d'usage. ➜ Plus tard, a été formé **DÉTONATEUR** n. m. (1874) pour le dispositif qui permet à un explosif de détoner; le mot est aussi employé avec le sens figuré de «déclencheur» (v. 1966). L'orthographe des mots du groupe a été sujette à variations, en raison de celle de *tonner* et du verbe dérivé de ① *ton, détonner* (on rencontre *détonnement* chez Baudelaire).

DÉTOURNER v. tr., d'abord *desturner* (1080), est dérivé de *tourner** avec le préfixe *dé-**. Sans être complètement démotivé, le verbe est assez autonome par rapport à *tourner.*

♦ Le verbe réalise l'idée d'«écarter de la voie suivie ou à suivre» dans tous ses emplois. Au plus près du sens physique, il signifie «écarter (qqn) de son chemin, de qqch.» (1080), par brachylogie dans l'expression *détourner un coup* «l'empêcher d'atteindre son but» (v. 1190). Il correspond également à «modifier le tracé (d'une voie fluviale ou terrestre)» (XIVe s.), sens dont procède, à plusieurs siècles d'intervalle, *détourner un avion* (v. 1970). ➜ Figurément, il correspond à «dissuader qqn de suivre son dessein ou ce qui est sa voie» en lui prodiguant de bons conseils (v. 1160) ou, plus souvent et péjorativement, de mauvais avis (1538, *détourner qqn de son devoir;* 1580, *de son travail*). Abstraitement, l'idée d'un changement du cours des choses débouche sur *détourner le sens* (d'un mot, d'un texte) [v. 1550] et *détourner une conversation* (1671). ➜ L'accent est mis sur le fait de tourner dans une autre direction afin d'éviter qqch. ou qqn, avec le nom d'une partie du corps pour complément (1538), le plus souvent dans *détourner la tête* ou *les yeux,* mais aussi *l'oreille* (1550) ou *l'esprit* pour chasser de mauvaises pensées (1671). ➜ Au figuré, le mot fait intervenir une notion de culpabilité dans *détourner les soupçons,* expression enregistrée en 1835, mais dont le sens est déjà assumé par *détourner* en 1784 chez Beaumarchais. Cette notion plus ou moins latente et péjorative est réalisée explicitement dans l'usage juridique du mot pour «s'approprier frauduleusement en interceptant (des fonds, des papiers)» (1383) et «soustraire un mineur à ceux qui en ont la garde» (1864, *détourner un mineur*). ➜ Le pronominal *se détourner* réalise à la fois l'idée physique de «changer de direction» (v. 1290), voire «s'enfuir pour esquiver» (1283), et sa transposition morale en «changer de dessein» (XVIe s.). Le geste physique peut être l'indice d'une émotion que l'on veut cacher (1611) ou d'une aversion que l'on ne peut cacher.

▶ Le participe passé **DÉTOURNÉ, ÉE** est adjectivé avec les mêmes sens que le verbe, superposant emplois concret et figuré dans une expression comme *voie détournée* (fin XVIIIe s., Mme de Sévigné) qui connote souvent péjorativement un moyen indirect, retors et secret.

DÉTOUR n. m. d'abord *destor* (v. 1165) a désigné un lieu écarté, une cachette, *en détour* équivalant à «en cachette» (début XIIIe s.), avant de se rapporter à l'endroit où un chemin, une rivière change de direction (1552) et à un chemin qui éloigne du chemin direct (1552), le pluriel **DÉTOURS** exprimant l'idée de «voie sinueuse et difficile à suivre» (1538). ➜ Dès l'ancien français, il s'emploie au figuré pour un prétexte, un faux-fuyant (XIIIe s.), le pluriel s'appliquant à une expression indirecte et dissimulée (1553) ou aux replis secrets du cœur (1690); l'expression *être* ***sans détour*** exprime au contraire franchise et loyauté (1835).

DÉTOURNEMENT n. m. (1150-1200) a signifié «empêchement» jusqu'à l'époque classique, et a désigné un endroit retiré (XIIIe s.) en ancien français. Il s'est établi comme substantif d'action pour un changement de direction (1422), prenant au XVIe s. les sens d'«action de tourner la tête d'un autre côté» (1560), «action de changer le tracé d'une rivière, d'une route» (1538) et, juridiquement, «action de détourner de l'argent à son profit» (1549, sens rare avant le XVIIIe s.). Il a ainsi supplanté *détour* dans d'anciens emplois synonymes et, au XIXe s., est entré dans l'expression ***détournement de mineur*** (1836).

DÉTRACTION n. f., d'abord *detractiun* (v. 1119), est emprunté au latin *detractio* «action de retrancher, suppression» qui désigne la saignée *(detractio sanguinis)* à l'époque impériale, et au figuré, à basse époque, la médisance. Le mot est formé sur le supin *(detractum)* de *detrahere* «tirer à bas, retrancher», au figuré «ravaler, rabaisser», de *de* et *trahere* «tirer, traîner» (→ traire).

♦ Le sens d'emprunt, «action de rabaisser qqn, médisance», tend à vieillir, bien qu'il soit soutenu par la vitalité de *détracteur*. Le sens médical de «saignée», calqué du latin (*détraction de sang*, 1520), est sorti d'usage dès le XVIIe siècle. Certains dictionnaires, tels Littré et Guérin, donnent également la variante *détractation* probablement influencée par *tractation**.

▸ **DÉTRACTEUR, TRICE** n. est emprunté (XIVe s.) au latin *detractor* «celui qui déprécie, qui rabaisse», formé sur le supin de *detrahere* prisavec son sens figuré. Le mot a supplanté *detraiëor* (fin XIIe s.), son doublet de formation populaire ; il est plus courant que *détraction*. ◆ Sur le radical de *détracteur*, on a fait **DÉTRACTER** v. tr. (1372 selon Bloch et Wartburg, 1474 selon *F. e. w.*) qui a remplacé l'ancien français *detrahere* «chercher à rabaisser de façon souvent injuste les mérites, la valeur de (qqn)» ; ce verbe est très peu employé.

DÉTRAQUER v. tr. est dérivé (1464) du moyen français *trac* «piste, trace, chemin» (→ traquer) avec le préfixe *dé-** et la désinence verbale *-er*.

♦ Le mot signifie littéralement «détourner de sa piste» et, de fait, le pronominal *se détraquer* s'est employé au XVe s. pour «se séparer en suivant chacun un chemin différent» (1464). L'idée de «chemin, marche» étant interprétée avec la valeur figurée de «fonctionnement», le verbe a pris son sens moderne de «déranger dans sa marche» (1564) et surtout au pronominal et au participe passé **DÉTRAQUÉ, ÉE** adj., en particulier à propos d'un organe (1578, *estomach détraqué*), d'une machine, d'un esprit (1601, *âmes turbulentes et détraquées*). ◇ Le sens propre de *détraquer*, maintenu dans l'acception spécialisée, en manège, de «faire perdre à un cheval ses bonnes allures» (1719, Richelet), est compris comme un figuré du sens moderne.

▸ Le verbe a été doté du nom d'action **DÉTRAQUEMENT** n. m. (v. 1600), d'abord employé au sens particulier de «fait de n'avoir pas un train de vie réglé», puis avec son sens moderne. ◆ On rencontre un synonyme plus rare, **DÉTRAQUAGE** n. m., chez Goncourt (1870), et le déverbal **DÉTRAQUE** n. f., répandu dans le parler genevois avec le sens de «désordre, laisser-aller, désorganisation».

① **DÉTREMPER** v. tr., d'abord relevé sous la forme du participe passé féminin *destempree* (1155) est issu du latin impérial *distemperare* «mélanger, délayer», de *dis-* (→ di-) et *temperare* dont les sens expriment une idée de juste mesure, de combinaison harmonieuse (→ tempérer). La forme moderne prise par le mot en français est due à l'influence de *tremper**, représentant, avec le doublet savant *tempérer**, du latin *temperare*.

♦ Le verbe signifie «amollir en imprégnant de liquide ou d'humidité» ; il est spécialement employé en cuisine et en peinture.

▸ C'est aussi comme terme de peinture que l'on emploie aujourd'hui le déverbal **DÉTREMPE** n. f., d'abord attesté sous la forme *destempre* au sens ancien de «breuvage, infusion» (1231). Dès 1304 il est employé dans la locution *faire destrempe as* [aux] *couleurs ;* par métonymie, il désigne une œuvre exécutée avec une solution de peinture détrempée (1636). On dit aussi *peinture a tempera*, par un emprunt technique à l'italien. ◆ L'action de détremper est désignée par **DÉTREMPAGE** n. m. (v. 1375), peu attesté avant 1869 et demeuré rare.

② **DÉTREMPER** → TREMPER

DÉTRESSE n. f., d'abord écrit *destrece* (1160), puis *destresse* (déb. XIVe s.) est issu du latin populaire °*districtia* «chose étroite, étroitesse», dérivé de *districtus* (→ détroit, district). Ce dernier est le participe passé adjectivé de *distringere* «serrer», formé de *dis-* (→ dé-) et de *stringere* (→ étreindre). L'anglais *distress* (XIIIe s.) est repris au français.

♦ Le mot s'est maintenu avec le sens moral de «situation désespérée, angoisse», attesté dès les premiers textes, et qui s'est imposé au détriment d'autres acceptions en usage en ancien français : concrètement «étroitesse», en particulier «lieu resserré (défilé, prison)» et, sur le plan moral, «désir pressant», «rigueur», «contrainte», «force», «puissance, pouvoir». Le sens juridique de «juridiction, saisie, dépendance» a lui aussi disparu. ◇ Le mot désigne surtout, en français moderne, un sentiment pénible d'abandon, de solitude morale et d'angoisse avec des spécialisations en psychologie et en psychiatrie et, concrètement, une situation matérielle difficile, le manque total de moyens matériels, ajoutant à *misère* un élément psychique. ◇ Il s'est spécialisé à propos de la situation périlleuse d'un navire, plus tard d'un avion, surtout dans ***en détresse, de détresse*** (*signal*, etc.). Ce substantif n'a produit aucun dérivé. Cf. le développement sémantique de *angoisse*.

DÉTRIMENT n. m., d'abord *detriement* (1236), est emprunté au latin *detrimentum* «action d'enlever en frottant», «usure (faite par une lime)» et au figuré «perte, dommage» et «désastre, défaite». Ce mot est issu du supin *(detrimentum)* de *deterere* «user par le frottement» et au figuré «affaiblir, user», composé en *de-* de *terere* «frotter», «user», «broyer». Ce verbe contient la racine indoeuropéenne °*ter-* indiquant l'action d'user en frottant par un mouvement circulaire, et représentée dans un important groupe de mots en latin (→ trier), en grec (→ tourner), en germanique (→ drille) et en celtique (→ tarière, taraud).

♦ Le mot est passé en français avec le sens figuré de «dommage, préjudice grave» ; l'usage moderne en restreint quasiment l'emploi à la locution prépositionnelle ***au détriment de*** (XVe s.), précédée de *en détriment de* (1383). L'usage ancien employait également le mot au pluriel avec le sens concret de «débris», aujourd'hui réservé à *détritus**.

◈ voir TRITURER.

DÉTRITUS n. m. est l'emprunt assez tardif (1753, selon Bloch et Wartburg) du latin *detritus* «usé, broyé», participe passé de *deterere* «user par le frottement» (→ détriment).

♦ D'abord employé dans le domaine de la géologie où il a vieilli, le mot est passé dans d'autres sciences (océanographie, biologie) où il a remplacé *détriment.* Par extension, il a pris, surtout au pluriel, le sens de «matériaux réduits à l'état de petits fragments» (v. 1850), d'où l'acception courante de «petits débris; ordures», développant ensuite des emplois métaphoriques et figurés toujours péjoratifs (mais moins que pour *ordure*). L'évolution de sens dans l'emploi ménager usuel témoigne de l'attraction possible de *dé*bris (pour l'initiale), et de *détruit.*

▸ Le radical a servi à former l'adjectif didactique **DÉTRITIQUE** (1834) et le composé **DÉTRITIVORE** adj. et n. m. (→ -vore), employés en géologie et en océanographie. ➛ Les termes didactiques et vieillis **DÉTRITER** v. tr. (1785) «écraser sous la meule», **DÉTRITION** n. f. (1838) et **DÉTRITAGE** n. m. (v. 1850) sont formés à partir du latin *detritus,* et correspondent aux premiers emplois de *détriment* et *détritus.*

DÉTROIT n. m. est issu d'abord sous la forme *destreit* (1080) du latin *districtus* «empêché, enchaîné», et au figuré «partagé, hésitant». Cette forme, qui a donné aussi *détresse**, et par emprunt *district**, est l'adjectivation du participe passé de *distringere* «maintenir écarté ou étendu», «maintenir à l'écart», «retenir, empêcher», composé en *dis-* (→ dé-) de *stringere* «serrer, lier» (→ étreindre).

♦ Le mot, d'abord adjectif, a qualifié un passage étroit, resserré *(les destreiz passages);* il ne s'est maintenu que dans son emploi substantivé, dès les premiers textes, désignant un passage étroit *(les destreiz).* Il garde ce sens jusqu'au XVIIe s., époque où le sens moderne de «bras de mer resserré» (1534 chez Rabelais) s'impose. ◇ Le sens figuré de «moment critique» a vieilli. ◇ Par analogie, du sens concret ancien, «passage étroit», le mot est passé en anatomie (1833), en parlant du rétrécissement de la cavité pelvienne.

DÉTRÔNER → TRÔNE

DÉTROUSSER → TROUSSER

DÉTRUIRE v. tr. est issu (v. 1050, *destruire*) d'un latin populaire °*destrugere,* réfection du latin classique *destruere* sur le parfait *destruxi,* le participe passé *destructus* et le supin *destructum.* Le verbe latin, antonyme en *de-* de *struere* «bâtir» (→ structure), signifie proprement «démolir une construction», d'où «abattre, anéantir (ce qui était établi)».

♦ De même, en français, *détruire* a d'abord une valeur concrète et, très vite, le sens figuré de «faire disparaître, anéantir» (1080). Il est employé particulièrement avec les nuances de «supprimer, tuer (un être vivant)» (1135), «défaire entièrement (ce qui était établi, organisé)» (1172-1174) et, moralement, «discréditer (qqn) dans l'esprit d'autrui» (XIIIe s.). Parallèlement, le pronominal *se détruire* (d'abord *soi destruire*) exprime le fait de se nuire à soi-même (fin XIIIe s.); ultérieurement, il a pris le sens réciproque de «se combattre, s'annuler l'un l'autre» (1648, Corneille) ainsi que le sens de «se suicider» (1784, Bernardin de Saint-Pierre).

▸ Le sens réfléchi de *détruire* est renforcé par le composé **S'AUTODÉTRUIRE** v. pron. (v. 1950), formé d'après *autodestruction* (ci-dessous) et le sens réciproque par **S'ENTRE-DÉTRUIRE** (1559).
DESTRUCTION n. f. d'abord *destructiun* (v. 1121) est emprunté au latin impérial *destructio* «démolition, ruine». Il correspond au sens propre et au sens figuré du verbe comme substantif d'action, avec la valeur métonymique attendue : «résultat de cette action; chose détruite». ◇ *Destruction* a pour composé préfixé **AUTODESTRUCTION** n. f. (d'abord écrit *auto-destruction,* 1895). ➛ **DESTRUCTIF, IVE** adj. (1372), représentant du latin tardif *destructivus,* qualifie ce qui a la propriété de détruire; il empiète en partie sur l'aire d'emplois de **DESTRUCTEUR, TRICE** adj., d'abord *destruicteur* (apr. 1250), lui-même repris au bas latin *destructor.* Mais *destructeur, trice* s'emploie aussi comme nom. ➛ **DESTRUCTIBLE** adj., formé ultérieurement avec le sens passif de «qui peut être détruit» (1764), a été précédé d'un latin savant, *destructibilis,* fait sur le radical du supin latin *destructum.* ➛ Il est postérieur à l'antonyme **INDESTRUCTIBLE** adj. (v. 1685-1716, Leibniz), lui-même emprunté au bas latin *indestructibilis,* de *in-* et *destructibilis.* Cette forme préfixée, comme c'est souvent le cas, est plus usitée que la forme simple, au propre et (v. 1750) au figuré. ◇ Elle a produit **INDESTRUCTIBILITÉ** n. f. (1737) et **INDESTRUCTIBLEMENT** adv. (1855). ➛ De son côté, *destructible* a pour dérivé rare **DESTRUCTIBILITÉ** n. f. (1739).

◈ voir DESTROYER.

DETTE n. f., d'abord *dete* (1160), est issu du latin *debita,* neutre pluriel de *debitum,* pris en langue populaire comme féminin singulier. *Debitum* «ce qui est dû», est le participe passé neutre substantivé de *debere* (→ devoir).

♦ *Dette* a évincé l'ancien masculin *det,* qui représente *debitum* et qui a donné lieu à l'emploi masculin *un dette,* attesté jusqu'à la fin du XVIe siècle. Les parlers méridionaux conservent encore le genre masculin : ancien provençal *deude, deute.* Le mot est employé au propre et au figuré, de même que *dû.*

▸ Le mot a produit le préfixé **ENDETTER** v. tr. et pron. (1180-1190), dont le participe passé est adjectivé, et qui a servi à former **ENDETTEMENT** n. m. (1611, *endebtement*). Ce dernier semble moins usité que le verbe avec son sens général, se réservant surtout l'acception spécialisée de «total des emprunts contractés par l'État, les collectivités publiques et entreprises nationalisées» (Littré).

◇ De là **SURENDETTÉ, ÉE** adj. et **SURENDETTEMENT** n. m. (1985), préfixés suscités par les difficultés économiques et financières.

DEUIL n. m., d'abord *dol* (v. 980) puis *doel, duel* (XIIe s.), est issu du bas latin *dolus* «douleur» (→ dol). Le passage de la forme initiale *dol* à la forme moderne (1658) s'est fait en deux temps : *dol* a cédé la place à *duel*, attesté jusqu'au XVIe s., et c'est le pluriel de celui-ci, *dueus*, qui a servi à faire la forme moderne sur le modèle de *œil-yeux* (on trouve aussi *dœil*). On a aussi écrit *dueil* (1450) jusqu'au XVIIe s. (1611). Cette hypothèse est préférable à celle qui rattache *deuil* directement au bas latin *dolium* «chagrin» (attesté en latin classique en composition, dans la forme *cordolium*) qui ne rendrait pas compte des formes de l'ancien français.

♦ De fait, le premier sens du mot est «affliction», valeur sortie d'usage avant le début du XVIIIe s., mais qui est à l'origine du sens encore vivant «impression de tristesse profonde, aspect lugubre» (v. 1742) propre au style littéraire. Par spécialisation de l'objet de l'affliction, le mot a pris dès l'ancien français son sens moderne de «chagrin causé par la mort (d'une personne)» (1050), dont procèdent plusieurs sens secondaires. ◇ Par métonymie, il désigne collectivement les signes extérieurs de l'affliction liée à la mort (1050) et, en particulier, le vêtement, signe codifié en cette circonstance (v. 1170, *guarnemenz de dol*). Il concerne la perte de l'être cher elle-même (XVe s.) et le temps pendant lequel doivent apparaître certains signes convenus du deuil (1549, *achever son dueil*). Autre emploi métonymique, le sens de «cortège funèbre» (1606) vit surtout dans l'expression *mener, conduire le deuil*. La locution figurée ***faire son deuil de qqch.*** (1823) «y renoncer» est familière. Enfin le mot est devenu un terme de psychanalyse ***(le travail du deuil)*** par traduction de l'allemand *trauer* (*Trauer und Melancholie,* Freud, 1915).

▸ *Deuil* est entré dans la formation de **DEMI-DEUIL** n. m. (1758), employé comme terme culinaire en parlant d'une côtelette de veau, s'applique depuis 1909 à la poularde. ➞ Il a produit **DEUILLEUR, EUSE** n. attesté en 1936 comme terme d'anthropologie à propos d'une personne ayant pour tâche de pleurer et de chanter lors des funérailles, chez certains peuples. ◇ Le féminin *deuilleuse* désigne également une ouvrière qui réalise les bordures de deuil sur les enveloppes (*deuilleuse à la main* s'opposant alors à *deuilliste* [XXe s.], nom réservé à la machine).
Le verbe préfixé **ENDEUILLER** v. tr. et pron. est attesté depuis 1887 (J. Laforgue). ➞ Son dérivé **ENDEUILLEMENT** n. m. a pris (1896, Goncourt) le sens figuré d'«assombrissement».

DEUTÉRO- élément préfixal, est tiré du grec *deuteros* «deuxième», lui-même employé comme premier élément d'une quinzaine de composés tardifs sous la forme *deutero-*. *Deuteros,* qui est sans rapport avec *duo* (→ deux), est une forme de comparatif en *-teros* constituée sur le thème de *deisthai* (*deuesthai* dans divers dialectes) «manquer de, être inférieur», mot indoeuropéen de la même famille que le sanskrit *dosa-* «manque»; le sens propre de *deuteros* est donc «(celui des deux) qui se trouve en arrière, inférieur», d'où «second».

♦ En français, *deutéro-* ou *deuto-* sert à former des mots savants, principalement dans les domaines de la chimie et de la médecine (mais aussi en théologie et en linguistique), désignant le second élément, la seconde phase d'une série, ou indiquant qu'un deuxième élément ou une deuxième phase se rencontre dans un corps ou dans un phénomène. Il est encore productif, bien que concurrencé quelquefois par *di-*, bi-**.

▸ **DEUTÉRONOME** n. m., d'abord *deutronome* (v. 1275) puis *deuteronome* (1547), est emprunté au latin ecclésiastique *deuteronomium,* lui-même emprunté au grec des Septante *Deuteronomion;* c'est le nom du cinquième livre du Pentateuque, formé de *deutero-* «deuxième» et de *nomos* «loi» (→ -nome, -nomie dans économe, économie) : en effet, selon l'interprétation donnée (XVII-18), ce livre contient les secondes lois édictées par Moïse. ➞ À la fin du XIXe s. sont apparus les dérivés didactiques **DEUTÉRONOMIQUE** adj. (1891) et **DEUTÉRONOMISTE** adj. et n. m. (1889).

DEUX adj. et n. inv., d'abord *duos* (v. 980) puis *deus* (XIIe s.), est issu du latin *duos,* accusatif masculin pluriel de *duo* «deux» (→ duo) qui contient une racine indoeuropéenne de même sens représentée également en grec dans *duo* «deux» (→ dyade) et dans le préfixe *di-* «deux fois» (par exemple → dilemme). L'ancien français a en outre possédé un cas sujet *dui, doi* issu d'un latin populaire °*dui,* et un féminin *does,* issu du latin *duas,* accusatif féminin pluriel, attesté dans des textes de l'est de la France.

♦ Dès les premières attestations, le mot est employé comme adjectif cardinal; de même que plusieurs autres numéraux, il se prête à divers emplois stylistiques pour exprimer un petit nombre (v. 1200), une différence (v. 1245) ou une multiplicité. Son emploi comme adjectif ordinal est attesté depuis la seconde moitié du XVIIe s. (1694). ◇ Il est substantivé pour désigner le nombre (1270) dans une locution exprimant l'idée de «rapidité», *de deux en trois,* équivalant au moderne ***en moins de deux*** et il entre dans quelques autres locutions dont ***certain comme deux et deux font quatre*** (1690). Il désigne plus particulièrement le nombre deux inscrit sur un élément de jeu (1690, *double deux* au trictrac) et le chiffre qui représente le nombre. Depuis la fin du XVIIe s., il est également employé avec la valeur d'un ordinal, au sens de «deuxième».

▸ Le mot montre une certaine productivité dans la formation de composés auxquels il fournit le premier élément : ce sont les locutions musicales ***à deux-quatre*** (1736), ***à deux-seize*** (XIXe s.), ***à deux-deux*** (XIXe s.) et ***à deux-huit*** (XIXe s.) et une série de noms composés. ◇ Le plus ancien d'entre eux est le ***deux points*** grammatical (1572), les autres datant des XIXe-XXe siècles. ◇ Ce sont d'abord des termes de marine : **DEUX-PONTS** n. m. et adj. (1864) et **DEUX-MÂTS** n. m. (1864), puis le terme de musique **DEUX-TEMPS** n. m. et adj. (1870) repris pour qualifier (1908) un type de moteur. ◆ Au XXe s. sont apparus **DEUX-PIÈCES** n. m. (1925) terme d'habillement, spécialement appliqué à un maillot de bain (1947), repris par le vocabulaire du logement pour «appartement de deux pièces» (1957, *deux pièces*). ◆ **DEUX-CHEVAUX** n. f. (v. 1950) se dit du modèle d'automobile populaire lancé par Citroën en 1949. ◆ **DEUX-ROUES** n. m. (v. 1960) recouvre l'ensemble des bicyclettes, motocycles (cf. le mode de formation de *bicycle*). ◆ Comme second élément, il a donné **ENTRE DEUX** ou **ENTRE-DEUX** n. m. attesté de bonne heure comme nom d'un coup d'épée par le milieu (v. 1160). Le mot s'est spécialisé pour un espace entre deux choses, un intervalle (1314) d'abord en anatomie et en couture (1394), également en ameublement (1542) et, ultérieurement en sports. ◇ La transposition temporelle se réalise en particulier dans **ENTRE-DEUX-GUERRES** n. m. ou f. (1915, Daudet). Un emploi abstrait d'*entre-deux*, pour «état intermédiaire entre deux extrêmes» (1921) est demeuré rare. ◆ De *deux* est dérivé **DEUXIÈME** adj. num. ord. d'abord noté *deuxiesme* (1306) et *deusime* (1319-1340), substantivé depuis Richelet (1680, 1665 d'après *Larousse de la Langue française*). Un ***deuxième classe*** se dit à propos d'un soldat (1946). ◇ *Deuxième* et son dérivé **DEUXIÈMEMENT** adv. (1740) subissent la concurrence de *second**, *secondement*. ◇ *Deuxièmement* a pour synonyme familier **DEUXIO** (1862) ou **DEUZIO** (1959), formé sur *deux* d'après *tertio*.

DÉVALER → VAL

DÉVALISER → VALISE

DÉVALUER v. tr. est formé (1928) d'après *évaluer**, avec le préfixe *dé-*, peut-être d'après l'anglais *to devaluate*, attesté en 1898 à côté de *to devalue* (1918) et dont la spécialisation économique est indirectement attestée en 1914 par un emploi du substantif *devaluation*.

♦ Le verbe désigne le fait de diminuer par un acte gouvernemental la valeur de la monnaie d'un pays. Il a été entraîné par *valeur* et *évaluer* vers le sens figuré de «faire perdre de sa valeur à qqch.» (en 1948 dans les dictionnaires).

▸ **DÉVALUATION** n. f. a été formé (1928) d'après *évaluation**, avec le suffixe *dé-**, peut-être d'après l'anglais *devaluation* (1914); il est employé en économie et avec la valeur figurée de «perte de crédit, de valeur» (1944-1948).

DEVANCER → DEVANT

DEVANT adv., prép. et n. m. résulte de la soudure (v. 980) de la locution antérieure *de avant* (Xe s.), formée de *de** et *avant**. Le mot s'est d'abord écrit *davant* mais a pris très tôt sa forme en *de-*, peut-être sous l'influence de *dessous* (→ sous), *dessus**.

♦ Le mot s'est d'abord employé comme adverbe, avec un sens temporel aujourd'hui réservé à *auparavant** (autre composé de *avant*); il demeure toutefois des traces de cet emploi dans les dialectes ainsi que dans la locution proverbiale ***être, rester Gros Jean comme devant*** (1678, La Fontaine). En revanche, l'emploi adverbial à valeur spatiale, également ancien (1050), est resté vivant pour «en précédant dans l'espace», «en avant» (XIIe s.), y compris dans la locution ***par devant*** (1176). ◆ Employé comme préposition (v. 980), *devant* signifie d'abord «du même côté que le visage d'une personne, le côté visible d'une chose» (encore en 1552). Le sens d'«en avant, en face de» (v. 1050) est également réalisé dans les locutions *de devant* et *par devant* (1177-1181). ◇ Le mot s'emploie parfois avec une nuance temporelle (temps spatialisé) notamment dans la locution conjonctive *devant que* «avant que». Celle-ci s'est employée jusqu'au XVIIIe s. suivie du subjonctif (1181-1190) et depuis le XVe (v. 1460) jusqu'au XVIIe s. suivie de l'infinitif; l'emploi de ***avant que de*** suivi de l'infinitif (Montaigne, 1580) a également décliné. ◇ Par extension, *devant* exprime aussi l'idée de «en présence de qqn» (déb. XIIe s.), notamment dans la locution *par devant* (1174), cantonné dans un type d'emploi juridique ou administratif. ◆ Le mot est substantivé (fin XIe s.) sous la forme *debant* puis *devant* (1125) et désigne en ancien français le giron. Aux XIIe et XIIIe s., il entre dans la locution adverbiale ***au-devant*** (1130) puis dans la locution prépositionnelle ***au-devant de*** (1280). Ce n'est qu'à partir du XVIe s. (1530) que *le devant* désigne la partie antérieure d'un animal, plus rarement d'une personne (par opposition à *derrière*) avec le sens spécial (XVe s.) de «parties sexuelles», et d'une chose, en particulier de la façade d'une maison (1671). Par extension, il se dit d'un objet destiné à être placé devant un autre (1642, ***devant de cheminée***). Il est entré dans la locution figurée ***prendre les devants***, qui appartient proprement au langage de la vénerie (au figuré 1660, Retz) et s'emploie aujourd'hui au figuré. D'autres locutions, *avoir, emporter le devant* «surpasser» (XVIe s., Pasquier), ont disparu.

▸ Les dérivés datent de l'ancien français. **DEVANCER** v. tr. (1160-1170) doit probablement sa désinence à l'influence de *avancer**; il a évincé l'ancien type *devancir* (av. 1150) propre à l'ouest de la France et qui était employé au sens d'«arriver, agir avant (qqn)», «l'emporter par sa valeur», ainsi que *adevancier* «prendre les devants», attesté du XIIe (1176-1184) au début du XVIIe s. (1636). *Devancer* a perdu son premier sens intransitif, «se rendre quelque part» (emploi isolé), pour se réserver à l'usage transitif (*devancer son âge*, v. 1200). Il a aussi perdu après le XIVe s. le sens religieux de «prévenir, faire bénéficier (qqn) de bienfaits». ◇ Seuls demeurent le sens de «prendre de l'avance sur», au propre (1288) et au figuré (1540) et la valeur temporelle «se produire avant» (av. 1573) spécialement dans le contexte de la conscription (1870, *devancer l'appel*). ◆ Le radical du verbe a servi à former **DEVANCEMENT** n. m. (fin XIIe s.; v. 1330 selon Wartburg), d'abord *davancement*, avec le sens figuré «action de venir au devant de»; cet emploi semble isolé, de même que le sens de «progrès» relevé en 1554. Le mot semble avoir eu du mal à s'imposer avec le sens propre d'«action de devancer», relevé au XIVe s. puis en 1556, et glosé comme sorti de l'usage en

1771 *(Dictionnaire de Trévoux)*. Il n'est guère vivant qu'avec un sens temporel, spécialement dans le syntagme ***devancement d'appel*** (av. 1870) à l'armée. ◆ L'autre dérivé du verbe, **DEVANCIER, IÈRE** n. est lui aussi rare : d'abord relevé comme adjectif (1243) au sens de «précédent», sorti d'usage au début du XVIIe s., il est repris avec une nuance très voisine en 1800, mais est archaïque au XXe s. (rare apr. 1929). L'usage moderne connaît surtout *devancier* comme nom (1257) pour «celui ou celle qui a précédé qqn dans une fonction».

Devant a aussi produit deux noms : le plus vivant des deux est **DEVANTURE** n. f. employé depuis 1423 après une première attestation au XIIIe siècle. Le mot a longtemps servi à désigner une façade (sens encore répertorié par le *Larousse* de 1929), mais ne se dit plus aujourd'hui, en architecture, que du revêtement (boiserie, vitrage) d'une façade (1811) et, par métonymie, d'un étalage de marchandises exposées à la vitrine d'un magasin (1859). Le pluriel *devantures,* devenu technique, est employé spécialement (1694) comme terme de maçonnerie, à propos du raccord de plâtre qui unit le pied d'une cheminée au toit. Comme *devant,* le mot compte quelques emplois techniques pour désigner un objet à placer devant un autre. ◆ Le second nom d'objet formé sur *devant,* **DEVANTEAU** ou **DEVANTIER** n. m. (1380) est aujourd'hui d'usage régional pour désigner un tablier : le moyen français et le XVIe s. ont d'abord eu la forme *devantel* (1330), éteinte au profit de *devanteau* (1508). *Devantier* est attesté depuis la fin du XIVe s. ; signalé comme «hors d'usage» par Richelet (1680), il s'est maintenu dans les parlers de l'Est et du Centre (tandis que *devanteau* se rencontre surtout dans ceux de l'Ouest et du Centre-Ouest), de même que *devantière* n. f. (dep. Montaigne).

CI-DEVANT, formé sur *ci* (→ ① ci), et *devant,* signifiait «précédemment». ◆ À la différence de *ci-dessus, ci-dessous,* etc., le mot a connu à partir de 1789 et pendant la Révolution un emploi spécial pour *ci-devant noble,* un, une ci-devant équivalant alors à *aristocrate* et souvant à *suspect.* ◇ Le mot s'emploie encore plaisamment en épithète antéposée.

DÉVASTER v. tr. a été emprunté à diverses époques, pour la première fois (v. 980) sous la forme *devastar,* au latin *devastare* «détruire, ravager (en particulier en faisant le vide)». Ce verbe est composé de *de* et de *vastare* «rendre désert, dépeupler», «ravager, désoler, ruiner», dérivé de *vastus* avec son sens premier de «vide, désert» (→ vaste).

♦ Le verbe est attesté avec son sens concret fin Xe s., puis en 1499, avant d'être réemprunté au XVIIIe s. (1718) sous l'influence de *dévastation* (ci-dessous) et de se répandre dans l'usage. Il a pris ultérieurement le sens abstrait moral, «apporter la destruction dans un domaine» (1802, chez Chateaubriand en parlant des passions).

▶ Les autres mots du groupe ont également eu du mal à s'implanter en français : **DÉVASTATION** n. f., emprunté au dérivé bas latin *devastatio,* est relevé isolément au XIVe s., puis en 1502, mais il est rare avant 1690. ◆ **DÉVASTATEUR, TRICE** n. et adj., emprunté au bas latin *devastator* «celui qui ravage», du supin de *devastare,* est attesté en 1581 pour désigner celui qui ravage un pays mais il est rare avant 1755, où il réapparaît comme dérivé de *dévaster.* L'adjectif, attesté une première fois en 1604, est lui aussi repris au XVIIIe siècle. Comme le verbe et le nom, *dévastateur* a pris un sens figuré, comme adjectif (1799) et comme nom (1856, Hugo).

DÉVELOPPER v. tr. est formé (v. 1170, *desvoleper*) du préfixe *des-* (→ dé-) et de l'ancien *voloper* «envelopper», issu du bas latin *faluppa* «balle de blé», mot d'origine obscure avec influence du latin *volvere* «tourner» (→ volute) et celle de *envelopper** auquel *développer* sert d'antonyme.

♦ Le verbe a d'abord le sens spatial de «sortir (qqn, qqch.) de ce qui l'enveloppe» et «étendre (ce qui était roulé sur soi-même)» (fin XIIe s.). Ces sens ont perdu en vitalité, si l'on excepte quelques acceptions spéciales : géométrie (1694), cyclisme (1892) au sens de «parcourir une certaine distance» (en relation avec le sens spécial correspondant de *développement*) et, plus couramment, en photographie (1865, *faire développer l'image*). Le mot, en dehors de l'emploi pronominal (v. 1662) où sens spatial et sens temporel s'équilibrent, est plus courant avec un sens temporel : il exprime d'abord le sens d'«exposer en détail» sur le plan du langage (XIVe s., repris 1671) puis «faire croître, faire prendre de l'extension à» (1787), cette valeur étant antérieure pour *se développer* (Pascal).

▶ Le participe présent *développant* est substantivé au féminin, **DÉVELOPPANTE** n. f. (1675) pour désigner en géométrie une courbe en relation définie avec une autre courbe dite **DÉVELOPPÉE** n. f., ce mot étant le féminin substantivé (1675) du participe passé. ◆ Le masculin, **DÉVELOPPÉ** n. m. (fin XIXe s.), a reçu deux spécialisations en chorégraphie (1883, Huysmans) et en sports (1894). ◆ Le dérivé le plus usuel est **DÉVELOPPEMENT** n. m. (fin XIVe s., *desvelopemens*) d'abord «action de dérouler, de déplier ce qui est enveloppé sur soi-même». Le mot est rare avant le XVIIe s., où il commence à s'employer en géométrie (1694) et en architecture. Il répond aux autres emplois spécialisés du verbe en cyclisme (1886) où il correspond à la distance parcourue en un tour de roue, celle-ci caractérisant l'effet du système de transmission, et en photographie (1890). ◇ Comme le verbe, il réalise aussi une valeur temporelle, «action d'évoluer, de s'épanouir» (1754), spécialement «action d'exposer un sujet en détail» et, par métonymie, «développement détaillé» à propos d'un sujet (1789), d'un thème musical (1862). ◇ Par contamination de l'anglais *development* «mise au point», il a pris (v. 1960) le sens spécial de «suite des événements manifestant une tendance», plus précisément «mise au point (d'un produit), mise en valeur (d'une zone)», valeurs critiquées comme anglicismes. ◇ **DÉVELOPPEUR, EUSE** n., d'abord littéraire et abstrait (*développeur d'idées,* 1895 Goncourt), s'est spécialisé en photographie (déb. XXe s.), puis en informatique, pour désigner la personne qui écrit (et en général conçoit) des logiciels, des systèmes.

Développer et *développement*, pris avec une idée d'amélioration, de modernisation, entrent dans les composés **SOUS-DÉVELOPPÉ, ÉE** adj. (1951) et **SOUS-DÉVELOPPEMENT** n. m. (1952). Ce dernier, euphémisme politique pour «pauvre» en parlant d'un pays, d'une zone géographique, a pris des connotations péjoratives et tend à être remplacé par le nouvel euphémisme ***en voie de développement*** ou ***en développement*** (forme utilisée par l'O. N. U.). Ces composés correspondent à l'anglais *underdeveloped* et *underdevelopment*. ➛ **SURDÉVELOPPEMENT** n. m. (1904) est un terme technique, comme **SURDÉVELOPPÉ, ÉE** adj. (attesté 1967). ➛ Les dérivés morphologiques **DÉVELOPPABLE** adj. (1799), son antonyme **INDÉVELOPPABLE** adj. (1873), le terme de photographie **DÉVELOPPATEUR** n. m. (1899), sont tous d'emploi technique.

◈ voir **DÉSINVOLTE**.

DEVENIR v. intr. est un emprunt ancien (v. 980) au latin *devenire*, de *de* et *venire* (→ venir), proprement «venir de, arriver à» d'où au figuré «aboutir à, recourir à» et, à basse époque, «être engagé dans un processus qui aboutit à un changement d'état».

♦ *Devenir*, emprunté dans ce dernier sens, ne s'est employé à la forme impersonnelle *il devient* qu'en français classique (mil. XVIIIe s., Prévost). La locution ***devenir à rien*** (1549) «se réduire à rien», vivante à l'époque classique, est sortie d'usage. ➛ Le sens de «venir ou revenir de quelque part» (1282, de nouveau en 1807), vivant au Canada, dans le Centre et l'Ouest, est dû à l'influence de *venir** plutôt qu'à celle du mot latin.

▸ L'emploi nominal de l'infinitif, *le devenir*, est attesté depuis 1839 (Michelet). ➛ De tous les composés préfixés attestés en ancien français (*mesdevenir* «arriver malheur», *adevenir* «arriver», *endevenir* «devenir»), seul **REDEVENIR** v. tr. «devenir de nouveau» (XIIe s.) s'est maintenu.

DÉVERGONDER → **VERGOGNE**

DEVERS prép., aujourd'hui archaïque, est formé (1080) de *de** et de *vers**, ou bien, comme le pense Th. Sävborg, issu de l'ancien français *avers** «en comparaison de, à côté de» par substitution de préfixe.

♦ En ancien et en moyen français, le mot a indiqué la provenance («de la région de...»). Son emploi au sens de «vers, en direction de» (1080) était déjà vieilli au XVIIe s. (cf. Vaugelas), la locution *par devers* (1175) dans le même sens, n'étant plus attestée au-delà de 1534. Une autre valeur de *devers*, sans idée de mouvement, «vers (cet endroit)» (1080), a également vieilli. ◇ Un troisième sens, «chez, du côté de» (1080), «auprès de» (1175), est lui aussi sorti d'usage, mais la locution *par devers* au sens correspondant s'est maintenue pour «en possession de» (1280), surtout au figuré (***par devers lui*** «sans exprimer») et, en emploi juridique, «par devant, en présence de» (1283). L'emploi temporel de *devers* «environ à telle époque» (1334) est lui aussi sorti d'usage. On rencontre des exemples de tous ces emplois chez des auteurs archaïsants, tel Péguy.

DÉVIDER → **VIDE**

DÉVIER v. tr. est emprunté (v. 1370) au bas latin *deviare*, formé de *de* marquant l'éloignement (→ ② de), *via* (→ voie) et d'une désinence verbale; ce verbe signifie proprement «s'écarter du droit chemin», d'où au figuré «ne pas suivre son cours normal» et, transitivement, «détourner».

♦ Attesté pour la première fois avec le sens figuré intransitif de «s'écarter d'un principe, d'une règle», le verbe a été repris à la fin du XVIIIe s., à la fois en emploi transitif «détourner du droit chemin» (av. 1787) et intransitif, propre et figuré (1792, Marat).

▸ Ses différents sens sont partagés par les participes adjectivés **DÉVIÉ, ÉE** et **DÉVIANT, ANTE**, notamment dans le domaine scientifique (av. 1845, *fluides déviés;* 1909, *force déviante*). *Déviant*, substantivé (v. 1960), désigne une personne qui s'écarte d'une norme psychosociale. ➛ *Déviant* a pour dérivé **DÉVIANCE** n. f. (av. 1968) dans le même contexte.

Le nom d'action **DÉVIATION** n. f. est emprunté sous la forme *deviacion* (déb. XIVe s.) au dérivé bas latin *deviatio* «action de s'écarter de l'orthodoxie» (déb. Ve s.), employé à l'époque médiévale. Le mot, d'abord attesté jusqu'en 1461 au sens figuré pour «erreur, action de s'écarter d'une règle, d'un principe», a été repris au XVIIIe s. avec son sens propre dans une série de domaines spécialisés, en astronomie (1704) et physique (1752), développant une valeur figurée qui retrouve certaines valeurs du moyen français, pendant la période révolutionnaire (1798, Académie). ◇ Au cours du XIXe s., il est passé dans le vocabulaire de la médecine à propos de la position anormale d'un organe (1829) et dans celui des travaux publics (1874, *Journal officiel*), acception devenue courante dans le contexte des itinéraires routiers. ➛ De *déviation* sont dérivés les deux termes politiques **DÉVIATIONNISME** n. m. (1952) et **DÉVIATIONNISTE** adj. et n. (attesté 1957), le concept de «déviationnisme» ayant lui-même été introduit un peu après celui d'«opportunisme» dans la critique de la théorie de Bernstein par Kautsky, à l'époque où la théorie du centralisme démocratique dans les partis communistes se trouva infléchie par Staline (v. 1930). ➛ **DÉVIATEUR, TRICE** adj. et n. a été dérivé du radical de *dévier* sous la forme *desviateur* (1542), à l'exemple du latin médiéval *deviator* «celui qui dévie» (XIIIe s.). Comme pour les autres mots du groupe, il s'agit d'une attestation isolée, le mot étant repris au XIXe s. comme adjectif (*Comptes rendus de l'Académie des sciences*, 1861). Il est substantivé depuis 1904 pour désigner un dispositif (mil. XXe s. comme terme d'aéronautique).

DEVIN, DEVINERESSE n. est issu (v. 1119) du latin *divinus* de même sens, également «diseur de bonne aventure», devenu par dissimilation *devinus* à basse époque. Le mot latin est la substantivation de l'adjectif *divinus* qui a donné *divin**. Il est passé en français sous la forme *divin* (au féminin *divineresse*, 1155) refaite en *devin* sous l'influence du latin tardif °*devinus*.

♦ En ancien français , le mot a désigné un théologien, sens sorti de l'usage vers la fin du XIIIe s. au bénéfice du sens actuel de «personne pratiquant la divination» (1160). Le féminin *devineresse* est, à l'origine, celui de *devineur** : supplanté par la forme *devineuse, devineresse* est devenu le féminin de *devin,* évinçant l'ancien féminin *devine.* L'attribution des sens de *devin, devineresse,* d'une part, et de *devineur, -euse,* d'autre part, a connu une période de flottement. *Devin* ne s'applique plus aujourd'hui qu'aux personnes qui s'adonnent aux sciences occultes ou aux pratiques de l'Antiquité, ainsi qu'aux civilisations où la divination religieuse est normale (Afrique, Océanie, Asie...) [cf. *mage, prophète*], et *devineur,* d'ailleurs archaïque, aux personnes qui devinent (au sens courant du terme), sous l'influence du sens usuel de *deviner**. Par référence à la vénération inspirée par les devins, le nom de *devin* a été donné au boa constrictor (1803, Boiste), vénéré par certaines tribus.

◈ voir DEVINER, DIVIN.

DEVINER v. tr. est issu (1155) du latin *divinare,* devenu °*devinare* à basse époque, et qui signifie «présager, prévoir» et spécialement «prophétiser». Ce verbe est dérivé de *divinus,* qui a donné *divin** et, sous la forme tardive °*devinus, devin**. L'ancien français a eu en outre les formes préfixées *adeviner* et *endeviner* (ancien provençal *endevinar*), encore usitées dans d'assez nombreux dialectes, de même que l'italien a eu *indovinare* (d'où *indovino* «devin») et l'espagnol *adivinar.*

♦ *Deviner* est d'abord attesté au sens de «découvrir par la conjecture, l'intuition» et spécialement «découvrir par des moyens surnaturels, prédire» (XIIe s.). Cependant, il a eu au moyen âge d'autres valeurs liées à la notion de «parole du dieu», que cette parole enseigne, révèle ou égare ; ainsi, il avait la valeur d'«enseigner, raconter», «signifier», «souhaiter» et aussi de «tromper, induire en erreur». D'abord construit avec un nom de chose pour complément, le verbe s'emploie aussi depuis l'époque classique avec un complément désignant un être humain *(deviner qqn),* emploi attesté pour la première fois chez Pascal. C'est aussi depuis le XVIIe s. qu'il réalise le sens figuré de «pressentir, entrevoir, prendre conscience de (qqch.)».

▸ En ancien français, le verbe a seulement produit **DEVINEUR, EUSE** n., d'abord *devinere* (1165) et *devineour* en parlant d'une personne qui pratique la divination (sens réservé à *devin**) et qui devine par l'intuition (fin XIIe s.). Ce dernier sens, le seul vivant, s'est répandu au XIXe s. (in *Académie,* 1835). ➝ Aucun des autres mots du groupe employés au moyen âge ne s'est maintenu, à l'exception relative de **DEVINAILLE** n. f. (av. 1150) qui a perdu ses sens anciens, «énigme» et «prédiction», et a été repris au XIXe s. pour désigner l'action de deviner (1838) et, concrètement, une petite énigme (1870), sens passé à *devinette* (ci-dessous). *Devinaille* est aujourd'hui senti comme dialectal. ➝ Au XIXe s., *deviner* a produit **DEVINABLE** adj. (1846), précédé par **INDEVINABLE** adj. (XVIIIe s.), antérieurement *indivinable* (1588, Montaigne). ➝ **DEVINETTE** n. f. (1864) était un mot répandu dans les dialectes normands, picards et de l'est de la France (1834, *dévinete ;* à Besançon, *devinotte*) ; son suffixe plus vivant l'a fait préférer à *devinaille* (ci-dessus) à propos d'une petite énigme, présentée par une formule.

DÉVISAGER → VISAGE

DEVISER v. intr. est issu (1119) d'un bas latin °*devisare,* forme altérée par dissimilation de °*divisare,* lui-même fait sur le supin *divisum* du verbe classique *devidere* «partager, répartir» (→ diviser).

♦ Plusieurs sens médiévaux ont disparu au XVIe s., comme celui de «diviser», abandonné au profit de *diviser,* et ceux de «ranger, ordonner, organiser» (1155), «construire, établir un plan» (1223-1226). Le sens actuel (v. 1168) «discourir», procède de l'idée d'organiser un discours et, sauf dans quelques emplois déterminés par un adverbe *(deviser gaiement),* relève d'un style littéraire.

▸ Le participe présent **DEVISANT** est quelquefois adjectivé, une première fois en 1536, de nouveau à partir de 1860 (Goncourt).

Dès le XIIe s., le verbe a produit deux déverbaux. Le féminin **DEVISE** n. f. (1150-1170) a d'abord eu le sens de «division», correspondant à celui du verbe (jusqu'au déb. XVe s.). Une spécialisation ancienne en a fait un terme de blason (1160), appliqué à une marque distinctive, un emblème. ◇ Le sens moderne est apparu par transfert métonymique de l'emblème à la sentence qui l'accompagnait (av. 1560), le mot désignant aussi l'ensemble composé par l'emblème et la sentence (1610). *Devise* est passé dans l'usage courant au XVIIe s., s'appliquant à toute formule exprimant une règle de vie, un sentiment (1668, La Fontaine). ➝ Le sens financier est apparu le dernier (1842) probablement par emprunt à l'allemand *Devise,* employé en ce sens vers 1830 : il vient, par métonymie, de ce que l'on imprimait des devises sur des formulaires de change. Ce sens s'est détaché des autres, eux-mêmes sentis comme indépendants par rapport au verbe.

Le masculin **DEVIS** n. m. (1150) a eu des sens anciens parallèles à ceux du verbe : «souhait, volonté», encore au XVIe s., et «propos, discours» (1406), jusqu'au XVIIe s. : il est qualifié de «bas et vieux» par Richelet en 1680, mais survit en littérature pour évoquer des œuvres anciennes (tels les *Joyeux Devis* de Bonaventure des Périers). ➝ Le seul sens moderne, «description d'une construction à exécuter» (1450), se rattache à celui de «description, disposition testamentaire» (1210-1220) qui a disparu.

DÉVISSER → VIS

DÉVOIEMENT → VOIE

DÉVOILER → ① VOILE

✳ **DEVOIR** v. tr., d'abord attesté sous l'ancienne forme conjuguée *dift* «il doit» (842), puis sous la forme *deveir* (XIe s.), est issu du latin *debere,* composé de *de* (→ ② de) et *habere* (→ avoir). *Debere* signifie proprement «avoir (qqch.) en le tenant de qqn», le complément désignant de l'argent ou tout autre objet. Par extension, il s'emploie aussi avec un infinitif complément pour marquer l'obligation de faire une chose (cf. *avoir à...*, pour le sens).

♦ Tous les sens du verbe latin se retrouvent en français, l'idée d'«obligation, nécessité» (842), ses affaiblissements au futur (v. 1050) marquant la probabilité, le souhait ou l'intention (1080), ainsi que l'idée d'«être redevable de qqch. à qqn» (av. 1188). Le mot a aussi eu au moyen âge les sens de «réclamer, exiger», «mériter», et s'est employé à l'époque classique dans des locutions aujourd'hui sorties d'usage (*devoir à qqn* : «lui être redevable moralement», *en devoir à* : «être inférieur à»).

▸ L'infinitif substantivé **DEVOIR** n. m. (1275) exprime uniquement la valeur d'«obligation morale». Il est employé au pluriel avec le sens particulier de «marques de respect, hommages» (1636, Corneille), emploi aujourd'hui senti comme solennel ***(présenter ses devoirs)*** ou archaïque. ◇ Parmi plusieurs spécialisations, comme «obligation financière» (sens disparu, cf. *dette*), *devoir* a pris au XVIIIe s. le sens d'«exercice scolaire imposé» (1740 dans le dict. de Trévoux) avec des syntagmes assez récents, tel *devoirs de vacances*. ◇ Il semblerait qu'un emploi métonymique au sens de «code d'obligation», dans la langue juridique, soit à l'origine de la spécialisation en «association d'ouvriers unis par les liens du compagnonnage» depuis le 6 avril 1804, date de la création d'un compagnonnage de charpentiers. On comparera celle-ci avec le latin médiéval *deverium* «juridiction commune à un groupe d'artisans ou de compagnons». ◆ Le dérivé **DEVOIRANT** n. m. «ouvrier membre de l'association du Devoir» (1864, Littré), a été déformé en ② **DÉVORANT** (1833, Balzac, *Histoire des treize*) par attraction paronymique ; on peut en trouver la raison dans les banquets qui réunissaient les *devoirants* ou dans l'âpreté avec laquelle ils défendaient le quasi-monopole de l'emploi pour leurs membres.

Le participe passé de *devoir*, **DÛ, DUE** est adjectivé (XIVe s.) et substantivé (1668) avec un sens propre et figuré très voisin de *dette**. ◆ Il a produit **DÛMENT** adv. (1331, *deüement*), et les antonymes **INDU, UE** adj. (v. 1360) et n. (1867), et **INDÛMENT** adv. (1309).

Le groupe de *devoir* s'est en outre enrichi de la série préfixée en *re-* de **REDEVOIR** v. tr. (v. 1130), de sens propre et figuré (1723). ◆ Ce verbe a entraîné la formation de **REDEVANCE** n. f. (1239), mot de sens concret pour «somme due par échéances régulières» et «taxe due en contrepartie de l'utilisation d'un service public» (v. 1268). Récemment, ce mot désigne aussi ce qui est dû par le bénéficiaire d'une compagnie pétrolière (v. 1970), servant d'équivalent français à l'anglicisme *royalties*. ◇ **REDEVANCIER, IÈRE** n. (1573), désignait la personne devant payer une redevance. ◆ De *redevoir* vient aussi **REDEVABLE** adj., «débiteur» (1200), surtout vivant au sens figuré (fin XIIe s.) dans la construction ***être redevable (à qqn) de qqch.*** «bénéficier d'un avantage grâce à (qqn)».

DÉVOLU, UE adj. et n. m. est emprunté (XIVe s.) au latin *devolutus*, participe passé de *devolvere*, de *de* et *volvere* (→ volute) proprement «rouler de haut en bas», d'où «entraîner en roulant, précipiter», et, au figuré, «entraîner» ; il a pris à basse époque le sens de «échoir», en droit.

♦ Le mot est introduit dans la terminologie juridique comme adjectif, «conféré par droit», et comme nom (1549). Le *dévolu* n. m. a désigné l'attribution d'un bénéfice religieux vacant par absence des qualités ou des titres du possesseur ; le mot a une grande importance dans le contexte des revendications des biens de l'Église. Par extension, il est passé dans l'usage courant, qualifiant ce qui est attribué, réservé (1559), et s'employant dans la locution ***jeter un, son dévolu sur...*** «arrêter son choix sur» (1698), extension du sens juridique technique «faire signifier un dévolu» (av. 1654).

▸ Les autres mots du même groupe d'un usage strictement juridique, sont **DÉVOLUTIF, IVE** adj. (XVIe s.), **DÉVOLUTAIRE** n. m. (1564), qui a désigné celui qui obtenait un bénéfice vacant par le dévolu, et **DÉVOLUTION** n. f., emprunté comme terme de droit canon (1385) au latin médiéval *devolutio* «droit dévolu» (1343), également spécialisé en droit canon, mot formé sur le supin de *devolvere*.

② **DÉVORANT** → DEVOIR

DÉVORER v. tr., d'abord *devurer* (v. 1121), est emprunté au latin *devorare* «avaler, engloutir», au figuré «absorber» et «avaler sans goûter». Ce verbe est le composé intensif en *de* de *vorare* «manger avidement, engloutir» (→ vorace), au figuré «se livrer avec passion à...».

♦ Le mot a été repris avec son sens propre (d'abord en parlant d'un animal) ; en ancien français, il a eu également les sens de «mettre en pièces, lacérer» et, au figuré, «maudire». Employé par extension pour «anéantir, engloutir» (av. 1150), il a reçu à l'époque classique les valeurs figurées psychologiques d'«absorber» (1662) et «tourmenter».

▸ Le participe présent ① **DÉVORANT, ANTE** (1685), adjectivé dès le XIVe s. avec son sens concret (v. 1340), s'est appliqué plus tard, par métonymie, à la faim, à l'appétit (v. 1765) et, depuis la fin du XVIIe s., s'emploie avec les sens figurés de «qui détruit» et «qui inquiète».

Dévorer a produit **DÉVORABLE** adj. (v. 1250), employé avec le sens actif de «dévoreur» avant de prendre son sens actuel (1822), et **DÉVOREUR, EUSE** adj. et n., d'abord *dévoureur* (1280), de sens propre et figuré (1690 chez Mme de Sévigné). ◆ Ce dernier mot subit la concurrence de **DÉVORATEUR, TRICE** adj. et n., emprunté sous la forme *devorator* (déb. XIVe s.) au dérivé bas latin *devorator* «celui qui dévore». ◆ Le nom d'action correspondant au verbe est généralement **DÉVORATION** n. f. emprunté (1393) au bas latin *devoratio*, mais on rencontre également **DÉVOREMENT** n. m., tiré du verbe français.

La préposition *entre** a servi à former **S'ENTREDÉVORER** (v. 1460), pronominal de sens réciproque.

DÉVOT, DÉVOTE adj. et n. est emprunté (fin XIIe s.) au latin *devotus*, participe passé de *devovere* «vouer, consacrer, dédier», de *de* et *vovere*

(→ vouer, à vœu). *Devotus,* «dévoué, consacré», a pris spécialement en latin ecclésiastique le sens de «dévoué à Dieu, religieux».

♦ La spécialisation religieuse, introduite avec le mot, a supplanté progressivement le sens général de «dévoué», en usage jusqu'au XVIe s. avec des nuances particulières comme «intime», «servant, amoureux», dans le langage galant. Au XVIe s., les traducteurs des textes antiques ont employé spécialement le féminin *dévote* pour rendre l'idée de prêtresse (d'Apollon, Diane, etc.). Une valeur péjorative s'est attachée au mot à partir du XVIIe s., surtout depuis le *Tartuffe* (1664) de Molière, en relation avec celle de ***faux dévot*** (1664, cité par Furetière).

▸ *Dévot* a produit **DÉVOTEMENT** adv. (v. 1138) dont la valeur générale, «avec dévouement», s'est effacée pour celle d'«avec piété». ◆ Le nom correspondant, **DÉVOTION** n. f. est emprunté (1130-1140) au latin *devotio* «dévouement, attachement», spécialisé en bas latin ecclésiastique au sens de «zèle religieux», et formé sur le supin *(devotum)* de *devovere.* Le mot est passé en français avec son sens religieux, développant par extension celui de «fidélité, dévouement», «ardeur», resté vivant dans l'expression ***être à la dévotion de qqn*** «à sa complète disposition», avec une idée d'admiration. ◇ *Dévotion* a servi à former l'adjectif didactique **DÉVOTIONNEL, ELLE** (1956). ◆ Un autre adjectif, **DÉVOTIEUX, EUSE,** dérivé (*devocieux,* v. 1327) du radical de *dévotion,* a vieilli au sens de «pieux», mais continue de se dire (souvent ironiquement) d'une pratique, d'un sentiment empreint d'une ferveur intense. ◇ Son dérivé **DÉVOTIEUSEMENT** adv. (XIVe-XVe s.) a suivi le même développement.
Au cours du XVe s. sont apparus les préfixés en *in-*. ◆ **INDÉVOT** adj. (et n. 1694) est emprunté (1420) au latin ecclésiastique *indevotus* «irréligieux» (de *in-* et *devotus*) qui était employé à basse époque avec le sens de «qui contrevient à la loi». ◇ Il a produit **INDÉVOTEMENT** adv. (1470), relevé antérieurement sous une variante *indeuwetement* (1392). ◆ **INDÉVOTION** n. f. est emprunté (1479) au latin ecclésiastique *indevotio* «irréligion», par spécialisation de son sens bas latin de «manque de respect, mépris», de *in-* et *devotio.* Les trois composés sont archaïques.

DÉVOUER → VŒU

DÉVOYÉ, DÉVOYER → VOIE

DEXTRE adj. et n. f. est emprunté (v. 1370) au latin *dextra,* féminin de *dexter* «droit» par opposition à *sinister* «gauche» (→ sinistre, cf. italien *sinistro*). Dans la langue augurale où il s'est appliqué à un présage arrivant du côté droit, *dexter* a pris le sens caractérisant de «favorable» : en effet, selon une croyance très répandue, la droite était associée à un sort heureux et le côté gauche à un sort malheureux (cf. le développement sémantique de *sinistre*). *Dexter* a aussi pris le sens d'«adroit, habile», l'accent étant cette fois mis sur le fait de savoir se servir de la main droite (cf. le développement de *gauche* et l'association *droit-adroit*). *Dexter* s'analyse comme la combinaison d'une racine indoeuropéenne °*deks-* «droit, normal» (grec *dexios,* sanskrit *dákṣiṇaḥ,* lituanien *dẽšinas,* irlandais *dess*), et de l'élément *-ter* indiquant le côté (→ antre, détériorer, extérieur, intérieur, sinistre).

♦ L'emprunt savant a évincé la forme populaire ancienne *destre* adj. et n. f. (1080). À son tour, il a subi la concurrence très forte de *droit* adj., de *adroit* adj. et du nom *droite.*

▸ Le groupe de *dextre* reste représenté en français moderne par le dérivé **DEXTREMENT** adv. (1534) encore employé plaisamment au sens d'«habilement», ainsi que par l'adjectif didactique *ambidextre**. ◆ Les termes **DEXTRAL, ALE, AUX** adj. (1886), **DEXTROSITÉ** n. f. (1870, Verne) remplacé par **DEXTRALITÉ** n. f. (1959), lui-même emprunté à l'anglais *dextrality* (attesté dep. 1646), sont didactiques.
En outre, la langue du blason possède **ADEXTRÉ, ÉE** adj. «accompagné à droite (pour l'écuyer)» dérivé de l'ancien verbe *adestrer* (1080), *adextrer* «conduire en donnant la main droite» (→ destrier). ◆ Un adjectif **ADEXTRE** (v. 1250) «habile, adroit», fait sur *dextre* avec le préfixe *a-*, se rencontre encore chez quelques auteurs archaïsants.
Enfin, l'élément *dextro-* entre dans la composition de quelques termes savants tels **DEXTRINE** n. f. (1833), **DEXTROSE** n. f. (1878), **DEXTROGYRE** adj. (1865), opposé à *lévogyre.*
DEXTÉRITÉ n. f. est l'adaptation (1504) du latin *dexteritas* «adresse, habileté», «qualité d'être propice, favorable», dérivé de *dexter* (→ dextre). Le mot, relativement courant, sert de nom de qualité à *dextre* avec son sens figuré.
DEXTRORSUM adj. invar. et adv. est emprunté (1828) à un composé latin de *dexter* et signifie «qui va de gauche à droite, dans le sens des aiguilles d'une montre». Il s'oppose à *senestrorsum.*

◈ voir aussi **DESTRIER.**

DEY n. m. est emprunté (1616) au turc *dāi* «oncle maternel», mot que les Ottomans semblent avoir utilisé comme titre honorifique décerné aux marins qui se sont illustrés en combattant en Méditerranée. Par la suite, ce titre a désigné un officier de la milice des Janissaires de Tunis et d'Alger. En 1590, une révolte de la milice amena l'un deux à la tête de la province de Tunis, gouvernement qui se maintint jusqu'en 1659. La fonction existait encore au XXe s., mais son titulaire ne tenait plus qu'une place réduite dans la hiérarchie ; depuis 1705, les beys gouvernaient la Tunisie.

♦ Le mot désigne le chef de la «régence» d'Alger jusqu'en 1830, et, au XVIIe s., les souverains de Tunisie (ci-dessus).

DIA interj., depuis 1561 dans la série interjective *houoih, hau dia,* est vraisemblablement de nature onomatopéique, et s'oppose à *hue**, cri du charretier lorsqu'il veut faire aller son cheval à droite.

♦ Le mot représente le cri du charretier lorsqu'il veut diriger son cheval à gauche. Il est entré en combinaison avec *hue* dans quelques locutions familières de sens figuré : dès 1585, l'expression *qui te mèneront à dy ay et hori ho,* puis ***n'entendre ni à***

hue ni à dia (XVIIe s.) «n'entendre pas raison». L'usage moderne emploie ***tirer à hue et à dia,*** locution plus récente (1835, *Académie*) pour «agir de manière contradictoire».

DIA-, préfixe signifiant «à travers», est emprunté au grec *dia-,* qui entre dans des mots courants dont plusieurs ont été empruntés (→ voir à l'ordre alphabétique diable, diadème, diagnostique, diagonal, diagramme, dialecte, dialectique, dialogue, dialyse, diamètre, diaphane, diaphragme, diarrhée, diaspora, diastase, diatribe). Le sens originel de *dia-* est «en divisant», d'où «en traversant». L'élément est apparenté à un morphème indoeuropéen °*dis-*, °*dwis-* que l'on retrouve dans le latin *dis. Dia-* pourrait être issu d'un °*dis-a,* peut-être par analogie avec *meta-* et *para-* (Pokorny, Chantraine).
Par rapport au latin *trans-*, *dia-* est d'une productivité limitée dans quelques domaines scientifiques. Le plus usuel est *diapositive**.
DIACHRONIE n. f. est une création de F. de Saussure (attesté en 1908 dans les cahiers de ses étudiants), formée de *dia-* et de *-chronie* d'après *synchronie**. ◆ Le mot s'est diffusé en linguistique avec la pensée de Saussure (surtout après 1945) pour «évolution des phénomènes linguistiques dans le temps»; puis il s'est étendu à l'ensemble des sciences, pour «évolution temporelle» (opposée à un état théorique instantané) ◆ **DIACHRONIQUE** adj. (1907-1908 Saussure) a subi la même évolution, ainsi que le dérivé **DIACHRONIQUEMENT** adv., attesté en 1958 chez Lévi-Strauss.

DIABÈTE n. m. est emprunté (1520) au bas latin *diabetes* lui-même emprunté au grec *diabêtês.* Ce mot signifie proprement «qui traverse» et a plusieurs sens techniques (compas, fil à plomb, siphon), avant de désigner tardivement le diabète. Il est dérivé de *diabainein* «passer à travers», de *dia* (→ dia-) et *bainein* «marcher», qui contient la racine indoeuropéenne °g^{w}*en-*, représentée dans le latin *venire* (→ venir).

♦ La maladie a tiré son nom des abondantes émissions d'urine qui la caractérisent.

▸ Sur *diabète* a été fait **DIABÉTIQUE** adj. et n. (1577), rare avant le XVIIIe siècle. ◆ Le XXe s. a formé les composés didactiques **DIABÉTOGÈNE** adj. (1938), **DIABÉTOLOGUE** n. et **DIABÉTOLOGIE** n. f. (1963, dans les dictionnaires) ainsi que **DIABÉTOMÈTRE** n. m. (XXe s.).

✳ **DIABLE** n. m. est un emprunt très ancien (881) au latin chrétien *diabolus* «démon», lui-même pris au grec ecclésiastique *diabolos* de même sens. Le mot existait déjà en grec classique comme adjectif signifiant «qui désunit, qui inspire la haine ou l'envie», substantivé au sens de «calomniateur, homme médisant»; il est dérivé du verbe *diaballein* «jeter entre, insérer», employé ensuite péjorativement, d'où au figuré «désunir, séparer», «accuser, calomnier» et «tromper». *Diaballein* est composé de *dia* (→ dia-) «à travers» et de *ballein* «jeter», «mettre» (→ bal).

♦ Le mot est passé en français sous la forme *diaule* refaite en *diable* (fin Xe s.), avec le sens de «démon»; plus familier que *démon,* il possède un registre plus riche et varié. Il a dès le XIe s. (1080) des emplois figurés, dont la valeur négative a parfois été atténuée (voir *le Bon Petit Diable* de la comtesse de Ségur) ou neutralisée, voire retournée au moyen d'un adjectif (***pauvre diable,*** 1611). ◇ Dès l'ancien français, il fournit une interjection (v. 1150, *porquoi deable ?*) et entre dans la formation de nombreuses locutions métaphoriques telles ***avoir le diable au corps*** (v. 1250), qui évoque la possession, ***tirer le diable par la queue*** (1694), et de locutions fonctionnelles comme ***au diable*** «dans un lieu inaccessible», ***en diable*** (1665), ***du diable,*** intensifs, ou ***à la diable*** (1735 à propos d'une coiffure). ◇ Si l'ancien emploi adjectif (1220-1225), encore vivant à l'époque classique (La Fontaine), a disparu, sauf au sens de «turbulent» (d'un enfant), le mot remplit encore une fonction adjective dans la locution ***diable de*** suivi d'un nom (déb. XIIIe s.). ◆ À partir du XVIe s. il sert à désigner des animaux à l'aspect noir ou hideux (1552, *diable de mer*) et des objets, par des analogies assez obscures : «levier» et «petit chariot à deux roues».

▸ Le féminin **DIABLESSE** n. f., d'abord *diablaise* (1245), correspond à *diable* au propre et au figuré : appliqué autrefois à une femme méchante et rusée, il semble désormais évoquer une femme très active, espiègle, malicieuse (XXe s.). ◆ L'idée de «petit diable» est rendue à la fois par **DIABLETEAU** ou **DIABLOTEAU** n. m. (1474) et, surtout, **DIABLOTIN** n. m. (av. 1544), dérivés par suffixation du moyen français *diablot* (1350, *dyavlos*), diminutif de *diable. Diablotin,* souvent appliqué, sans péjoration, à une personne, à un enfant, a donné son nom à diverses choses au caractère piquant ou surprenant : par ex. la confiserie appelée plus tard *papillote* (1825, Brillat-Savarin) et une sorte d'entremets (1751).
DIABLERIE n. f. (1230) qui a évincé *dïablie* (XIIe s.), désigne d'abord toute action inspirée par le diable *(une diablerie),* puis l'ensemble des attributs du diable *(la diablerie).* Il se dit spécialement, en littérature, d'une pièce faisant intervenir le diable et, dans les *Passions,* d'un intermède comique où les diables se livraient à une agitation effrénée (1534, Rabelais).
Diable a aussi servi à former **DIABLEMENT** adv. (XVIe s., *deablement*), avec une valeur d'intensif. ◆ Par déformation, il a donné **DIANTRE** n. m. (1524) qui a disparu au sens de «diable» et s'est maintenu plus longtemps dans son emploi interjectif (1534, Rabelais, ***que diantre !***). ◇ Son dérivé **DIANTREMENT** adv. (fin XVIIe s.), a été utilisé comme intensif dans un style familier au XVIIIe siècle. ◆ Le dérivé le plus récent est **DIABOLO** n. m. (1906), nom d'un jeu à la mode au début du siècle, formé sur l'expression *jeu du diable* (1835) avec *-o,* peut-être sous l'influence de l'italien *diavolo.* La spécialisation du mot comme nom d'une boisson (av. 1920) mobilise une image moins évidente, peut-être liée au pétillement et à la couleur verte du diabolo menthe.
Le dérivé verbal **ENDIABLER,** d'abord au participe passé *endiablé, ée* (1460-1470) au sens de «possédé du diable», signifie «faire entrer le diable en (qqn), dans (une maison)» (1579), puis intransitivement

«enrager, être furieux» (1752). ➛ Le participe passé adjectivé **ENDIABLÉ, ÉE,** plus courant, assume les sens correspondants de «méchant, mauvais» (XVe s.), «acharné, empressé» (1655) et, par affaiblissement, de «vif, impétueux» (1843) en particulier à propos du rythme d'une musique.

DIABOLIQUE adj. est emprunté (v. 1180) au bas latin ecclésiastique *diabolicus* «du diable», lui-même emprunté au grec *diabolikos* «calomniateur» et spécialement «démoniaque», de *diabolos* (voir ci-dessus *diable*). *Diabolique* signifie d'abord «inspiré par le diable»; il qualifie ce qui se rapporte au diable et, par extension, ce qui l'évoque. Substantivé, il caractérise une personne ayant la perversité du diable, notamment depuis Barbey d'Aurevilly et son recueil de nouvelles *Les Diaboliques,* paru en 1874. ◇ Toutes les valeurs du mot sont assumées par son dérivé **DIABOLIQUEMENT** adv. (fin XIVe s.). ➛ Son autre dérivé **DIABOLISME** n. m. (1886) est réservé au caractère diabolique (de qqn, qqch.) et au culte du diable. ➛ **DIABOLICISME** n. m. (1823, Stendhal), mot rare, semble emprunté à l'anglais *diabolicism,* qui existe depuis le XVIIe siècle. ➛ **DIABOLISER** v. tr. «transformer en diable» (XVIe s. au p. p.) a été repris récemment pour «présenter sous un jour négatif, diabolique».

DIACHRONIE, DIACHRONIQUE → DIA-

DIACOUSTIQUE → ACOUSTIQUE

DIACRE n. m. est la réfection (1561) de l'ancien français *diacne* ou *diacene* (v. 1170; jusqu'à la fin du XIVe s.), dont le type correspond à l'italien *diacono,* à l'ancien provençal *diague,* à l'anglais *deacon.* Le mot est emprunté au bas latin *diaconus* désignant le fidèle chargé de la distribution des aumônes. Celui-ci est emprunté au grec *diakonos* «serviteur», spécialement «serviteur d'un temple» dans l'épigraphie hellénistique, d'où le sens de «diacre» en grec d'Église, que le mot conserve en grec moderne. Il peut représenter un nom d'agent tiré d'un thème verbal °*ken, dia-* (→ dia-) correspondant à «de tous côtés» ou à «complètement».

♦ Ce terme de religion figure d'abord dans les traductions de l'Ancien Testament, pour désigner le serviteur dans les synagogues juives; il désigne spécialement (fin XIIe s.) un ordre dans la hiérarchie catholique. Au XVIe s., *diacre* désigne le laïc qui distribuait les aumônes dans l'Église primitive (Calvin, 1561). Par analogie, il est employé dans l'Église protestante à propos du laïc qui assure bénévolement des fonctions dans le culte, les œuvres de charité (1877, Littré, *Suppl.*).

▸ Le féminin **DIACONESSE** n. f. est emprunté, sous la forme primitive *dyaconisse* (XIVe s.), au bas latin *diaconissa,* du grec ecclésiastique *diakonissa* «femme qui sert», spécialement dans l'Église. En français, le mot est d'abord un terme d'histoire religieuse qui se réfère à l'Église primitive; depuis 1842, il est employé dans le contexte de l'Église protestante à propos d'une religieuse qui se consacre à des activités caritatives. ➛ **DIACONAT** n. m. est emprunté (1577; dès 1495 selon Bloch et Wartburg) au latin chrétien *diaconatus,* formé comme nom de fonction sur *diaconus.* ➛ La série se complète avec l'adjectif **DIACONAL, ALE, AUX** emprunté (1495) au dérivé latin chrétien *diaconalis.*

Le français a forgé ou repris au latin quelques composés désignant des degrés dans la hiérarchie ecclésiastique : **ARCHIDIACRE** n. m. (1532), réfection de *arcediacne* (1174), **ARCHIDIACONAT** n. m. (1558) et **ARCHIDIACONÉ** n. m. (1174, sous la forme *arcediachené*) sont des emprunts au latin. ➛ **SOUS-DIACRE** n. m. (v. 1225; v. 1190, sous la forme *subdiacne*) et **SOUS-DIACONAT** n. m. (1668 écrit *soudiaconat;* 1610 *subdiaconat*) sont formées sur le modèle du latin ecclésiastique *subdiaconus, subdiaconatus.*

DIADÈME n. m. est emprunté (XIIIe s.; 1180 selon Bloch et Wartburg) au latin *diadema* lequel est emprunté au grec *diadêma* «bandeau qui entourait la tiare des rois de Perse» et, par extension, «bandeau, couronne royale». Ce mot est formé de *dia-* (→ dia-) et de *-dêma* (de *deîn* «lier»), qui trouve des correspondants dans les langues indoeuropéennes, notamment le sanskrit *dắman* «lien» (→ déontologie).

♦ Le mot désigne d'abord le bandeau porté comme signe de la royauté, d'où, par métonymie, la royauté elle-même (av. 1505). Un emploi métaphorique (1489) met l'accent sur l'idée de gloire, de supériorité. Par extension, il désigne une coiffure (XVe s.) d'où, à partir du XIXe s., une parure féminine en forme de couronne (1830, Balzac). Il est quelquefois employé en apposition, comme dans *épeire diadème* (1864), allusion à la triple croix que l'on voit sur le corps de cette araignée.

▸ *Diadème* a servi à former **DIADÉMER** v. tr. (1845), littéraire et rare, dont le participe passé **DIADÉMÉ, ÉE** est adjectivé (1863) au sens d'«orné d'un diadème»; le moyen français possédait déjà *diadesmé* adj. (1521), fait sur le modèle du latin impérial *diadematus.*

DIAGNOSTIQUE adj. est emprunté (1584) au grec tardif *diagnôstikôs,* «capable de discerner», spécialisé comme terme de médecine, et dérivé du verbe *diagignôskein* «discerner, reconnaître», composé de *dia-* (→ dia-) et de *gignôskein* «apprendre à connaître» et, à l'aoriste, «connaître, comprendre» (→ gnose), mot ayant des correspondants dans d'autres langues du groupe indoeuropéen, tels le latin *noscere* (→ connaître) et le vieux slave *znajǫ, znati* «reconnaître».

♦ Introduit dans sa spécialisation médicale comme adjectif *(signes diagnostiques)* et comme nom (1669), le mot a partiellement subi la concurrence de son dérivé *diagnostic* (→ ci-dessous), plus usuel pour l'art d'identifier une maladie d'après ses symptômes.

▸ **DIAGNOSTIC** n. m. (1732) l'a emporté sur l'emploi substantivé du féminin *la diagnostique* en médecine. Par extension, il indique une conclusion prospective résultant de l'examen approfondi d'une situation critique (1899); ce sens s'est bien implanté en économie, psychologie, informatique. Le sens particulier de «symptôme», avec lequel il avait évincé *le diagnostique,* a vieilli. ◆ Le XIXe s. a vu la formation de **DIAGNOSTIQUER** v. tr. (1832) «prévoir par diagnostic», avec ses dérivés **DIAGNOSTIQUEUR, EUSE** n. (1870), **DIAGNOSTIQUABLE** ou **DIAGNOSTICABLE** adj. (1880-1884) et de **DIAGNOSTICIEN** n. m. (1886), dont le féminin en *-ienne* semble récent. ◆ Le XXe s. voit l'apparition de composés en *-diagnostic* précisant la technique de l'établissement du diagnostic : *électrodiagnostic, cytodiagnostic, sérodiagnostic, radiodiagnostic.*

DIAGONAL, ALE, AUX adj., d'abord écrit *dyagonal* (v. 1275), est emprunté au latin impérial *diagonalis,* terme de géométrie qualifiant ce qui va d'un angle à l'angle opposé. Ce mot est dérivé de *diagonus,* emprunté au grec *diagônios* de même sens, de *dia-* (→ dia-) et *gônia* «angle» (→ -gone).

♦ Repris en géométrie, le mot est employé par extension au sens d'«oblique, transversal».

▶ **DIAGONALEMENT** adv., d'abord écrit *dyagonellement* (1503), correspond aux deux types d'emploi de l'adjectif. ◆ **DIAGONALE** n. f. (1546), issu par ellipse de *ligne diagonale,* est devenu usuel et entre dans l'expression ***lire en diagonale,*** avec la valeur temporelle de «rapidement».

DIAGRAMME n. m. est emprunté (1584) au latin *diagramma,* attesté à l'époque impériale au sens d'«échelle des tons» en musique et à basse époque au sens étendu de «tracé, dessin». Il est emprunté au grec *diagramma* désignant toute chose décrite en détail par le dessin ou l'écriture : dessin, figure de géométrie, tablature de musicien, tardivement, tracé d'une carte de géographie, etc. *Diagramma* est le déverbal de *diagraphein,* de *dia* (→ dia-) et *graphein* «écrire» (→ graphe, graphie).

♦ Introduit en musique à propos d'un tableau représentant tous les sons d'un système (modal ou tonal), le mot est rare avant le XVIIIe s. (1767, *Dictionnaire de musique* de J.-J. Rousseau). Repris, il s'applique à toute représentation graphique, en sciences, en économie, en concurrence avec *graphique.*

DIALECTE n. m. est emprunté (1550) au latin impérial *dialectus* «langage particulier d'un pays, modification de la langue générale», lui-même emprunté au grec *dialektos* «discussion, conversation» et «langage», particulièrement «langage propre à un pays» d'où «dialecte» en grec tardif. Ce mot est dérivé de *dialegein* (→ dialectique, dialogue).

♦ Le mot est relevé pour le première fois dans le *Suravertissement au lecteur* des *Odes* de Ronsard, parlant du *naïf dialecte de Vandomois.* On le trouve au féminin jusqu'au XVIIIe siècle. Du sens initial assez vague, on passe au XIXe s., puis au XXe s. à une notion de la sociolinguistique où *dialecte* désigne toute forme géographique distinguable prise par une langue (patois, notamment) à condition qu'elle corresponde à un système fonctionnel autonome (par opposition aux formes régionales d'une langue : français de Provence, du Québec, etc. ; espagnol d'Amérique latine...). Dans l'usage courant, le mot correspond erronément à «système linguistique qui n'a pas droit au nom de langue», mais il n'a pas les connotations, souvent péjoratives, de *patois*.*

▶ La date tardive des dérivés correspond à la constitution du dialecte en objet d'étude : dans l'ordre d'apparition, **DIALECTAL, ALE, AUX** adj. (1870) qui a produit **DIALECTALEMENT** adv. (1908). ◆ **DIALECTOLOGIE** n. f. (1881, date de la création de la chaire de dialectologie à l'École pratique des hautes études, occupée d'abord par J. Gilliéron) désigne une discipline linguistique essentielle, qui s'attache à décrire les dialectes et patois. ◇ Le mot a pour dérivé **DIALECTOLOGIQUE** adj. (1882) et **DIALECTOLOGUE** n. (av. 1898). ◆ **DIALECTALISME** n. m. et **DIALECTALISER** v. tr. (v. 1950) sont plus rares et tout aussi didactiques.

DIALECTIQUE n. f. et adj., d'abord écrit *dyalectique* (v. 1150) est emprunté au latin *dialectica* «art de raisonner avec méthode». Celui-ci est emprunté au grec *dialektikê* (sous-entendu *tekhnê*) proprement «discussion par voie de dialogue, art de la discussion» dérivé de *dialegein* «parler, discourir, raisonner» (→ dialecte, dialogue), formé de *dia-* (→ dia-) et de *legein,* correspondant au latin *legere* (→ élire, lire).

♦ En français où il désigne l'art de raisonner en général, le mot a pris diverses acceptions en fonction des différents systèmes philosophiques qui ont employé, dans diverses langues, notamment le grec ancien et l'allemand, un équivalent du terme (Platon, Aristote, Kant, Hegel, Marx et Engels...). ◇ Alors que chez les Anciens (Platon, notamment) ce que l'on nomme *dialectique* correspond à la rhétorique du dialogue et à ses effets, chez Kant et surtout chez Hegel, la notion concerne la genèse du réel par intégration (synthèse) d'une thèse et de son opposé (antithèse). Ce réel de nature spirituelle est «remis sur ses pieds», c'est-à-dire considéré comme matériel chez Marx et Engels, créateurs du ***matérialisme dialectique,*** l'adjectif s'opposant alors à *mécaniste.* Par référence au sens hégéliano-marxiste, dans les sciences humaines, le nom recouvre toute méthode d'investigation qui repose sur le principe d'antinomie et de dépassement de l'antinomie. ◆ L'adjectif a été emprunté beaucoup plus tard (1802, Bonald) au latin classique *dialecticus* de même sens, lui-même emprunté au grec *dialektikos,* de *dialegein.* Il a qualifié ce qui appartient à l'art du raisonnement avant de modeler son évolution sur celle du nom.

▶ Les dérivés **DIALECTIQUEMENT** adv. (1549), **DIALECTICIEN, IENNE** n. (v. 1175, *dialeticien*) et adj. (1580) ont suivi l'évolution de sens de *dialectique,* s'appliquant d'abord à la dialectique ancienne, puis (XXe s.) à la dialectique marxiste. ◆ Plus récent, **DIALECTISER** v. tr. (1949, au p. p. 1938, aussi pronominal) qui a donné **DIALECTISATION** n. f. (1967), réfection de *dialectication* (1962, formé sur *dialectique*), fait référence à la notion dégagée par Hegel et Marx.

DIALOGUE n. m., d'abord *dialoge* (v. 1200), est emprunté au latin *dialogus* «entretien philoso-

DIALECTE ET PATOIS

Linguistiquement parlant, un dialecte est une forme d'une langue possédant un système lexical, syntaxique et phonétique propre et qui est utilisée dans un environnement plus restreint que la langue. Contrairement à la langue par rapport à laquelle il s'est développé, le dialecte n'a pas acquis le statut culturel, institutionnel et social qu'a cette langue. On distingue généralement *dialecte* de *patois* et cette distinction n'est pas d'ordre linguistique mais social. A. Dauzat définit ainsi les deux termes : «les *dialectes* sont les variétés d'un type linguistique qui s'est morcelé sur un vaste territoire [...]. Est *patois* tout idiome, langue ou dialecte, socialement déchu, en tant qu'il n'est plus parlé par l'élite intellectuelle, et, subsidiairement, en tant qu'il n'a plus de littérature» (*Les Patois,* Paris, 1946, p. 30).

Dialectes gallo-romans.

Les dialectes gallo-romans, concernant trois États modernes, la France, la Belgique et la Suisse, sont répartis en trois grands groupes : les dialectes d'oïl (nord de la Loire), franco-provençaux (Sud-Est) et d'oc (sud de la Loire). Ces trois groupes sont formés de sous-dialectes : le wallon (Belgique), le picard, le normand, le gallo (Bretagne), le manceau, l'angevin, le poitevin, le saintongeais, le tourangeau, le percheron, l'orléanais, le berrichon, le bourbonnais, le bourguignon, le champenois, le lorrain, le franc-comtois sont les principaux dialectes d'oïl. Les dialectes franco-provençaux sont ceux du Doubs, du Jura, de la Suisse romande, du Val d'Aoste, du Val Soana, le savoyard, le lyonnais, le dauphinois franco-provençal. Quant aux dialectes d'oc, on distingue le dauphinois occitan, le vaudois du Piémont, de la Calabre et d'Allemagne, le provençal, le languedocien, le rouergat, l'auvergnat, le limousin, le périgourdin et le gascon (→ oc [langue d'oc]).

Le morcellement de cette entité ethno-linguistique qu'était le gallo-roman s'amorce, selon certains auteurs (W. von Wartburg), dès le Vᵉ s., après les grandes invasions germaniques ; c'est la thèse du superstrat. Pour ces auteurs, cette scission entre Nord (domaine d'oïl) et Midi (domaine d'oc) est due à l'influence des peuplades franques qui s'implantèrent fortement au nord de la Loire. Pour d'autres (A. Brun), cette bi-partition s'expliquerait par des différences ethniques anciennes : le Nord aurait été fortement celtisé (on y parlait presque exclusivement gaulois jusqu'à la conquête romaine) alors que le Midi aurait maintenu l'élément préceltique (pré- et protohistorique) ; c'est la thèse du substrat. Pour d'autres encore «la bi-partition linguistique de la France romane commence avec la romanisation» (B. Müller). Quelles qu'en soient les causes, on constatera que ces deux blocs présentent des évolutions phonétiques différentes. La plus nette est le traitement des voyelles toniques en position libre : diphtongaison au nord de la Loire (*a* → *ae,* puis *e*) ; pas de diphtongaison au sud (*a* → *a*). D'autre part, la majeure partie du domaine d'oïl (excepté une partie de la Normandie et de la Picardie) connaît l'aboutissement de *K* devant *a* à *ch,* en passant par *tch ;* le Midi garde *c.* Au cours du moyen âge, une troisième entité se forme au sud-est du territoire d'oïl : le domaine franco-provençal qui, comme son nom l'indique, présente certains traits phonétiques des dialectes d'oïl et des dialectes d'oc.

À l'intérieur du domaine français proprement dit (domaine d'oïl), Wallonie, Picardie, Normandie, Bourgogne, Champagne, Lorraine et la région de l'Ouest ont développé des traits dialectaux (phonétiques, lexicaux ou syntaxiques) qui les différencient et qui se marquent dans les textes d'ancien français. Ces différenciations sont nées de la nature même du régime féodal, des frontières naturelles, politiques ou diocésaines. Deux régions produisent une littérature très importante déjà à partir du XIᵉ s. : la Normandie et la Picardie. Mais ces dialectes présentent néanmoins des particularités trop fortes par rapport à certaines régions riches et actives, où le dialecte est moins marqué (Ouest, Bourgogne, Champagne, Île-de-France). Et c'est donc celui de l'Île-de-France, centre géographique puis politique, qui représente la juste mesure et le centre d'attraction. Les auteurs picards, wallons, normands, etc., s'efforcent ainsi, dès la deuxième moitié du XIIᵉ s., d'éliminer de leurs œuvres les particularismes dialectaux, pour atteindre à une *koinè* (communauté) littéraire. À

phique à la manière des dialogues de Platon», emprunt au grec *dialogos* «entretien, discussion», terme d'abord employé par les philosophes (Aristote, Platon) et dérivé de *dialegein* «discuter» (→ dialecte, dialectique).

♦ Passé en français avec le sens usuel, «entretien entre deux ou plusieurs personnes», le mot est rare avant la fin du XVIᵉ siècle. Il a reçu des spécialisations techniques en philosophie, en littérature (*Dialogues des morts,* etc.). Il s'emploie spécialement pour l'échange verbal des personnages de théâtre (XVIIIᵉ s., in *Encyclopédie,* 1754), cette acception se dégageant du sens littéraire plus général, puis de cinéma, radio, télévision. ◇ Au XXᵉ s., il a développé le sens de «discussion, négociation», dans le vocabulaire politique et syndical (***dialogue social ;*** absolument ***pratiquer le dialogue,*** mil. XXᵉ s.).

côté de ces productions esthétiques, des actes juridiques, des inventaires, etc. sont rédigés en «langue vulgaire» et les différents dialectes sont parlés. Du XIVe au XVIe s., la prééminence de la région parisienne en matière de langage s'affirme : le français est parlé par l'élite de la population, les auteurs écrivent en français ; à partir du XVe s., les *scriptae* (habitudes graphiques des scribes) régionales disparaissent : dès lors, idiome national et langue écrite se confondent. À partir du XVIe s. — du XVIIe s., selon certains —, l'usage du français s'introduit dans les campagnes. Malgré quelques productions dialectales écrites pour un public local, le dialecte n'est plus que parlé ; c'est donc à la fois le maintien des dialectes mais aussi l'essor des patois, ces derniers restant confinés en milieu rural.

Les dialectes français du XVIe au XXe siècle.

Le regain d'intérêt pour les dialectes, le recours aux mots du terroir à des fins stylistiques, qui marquent la vie littéraire de la Renaissance, font pièce à la véritable répression linguistique que l'État impose dès le XVe siècle. Cette attitude officielle hostile aux dialectes et aux patois se poursuit et se renforce jusqu'à la Révolution, où ils sont perçus comme un obstacle à la propagande révolutionnaire, et sont combattus (enquête et rapports de l'abbé Grégoire).

Cependant, dès l'époque de l'humanisme on avait commencé de les étudier : c'est la naissance de la *dialectologie.* Bien que le XVIIe et le XVIIIe s. voient quelques publications éparses (glossaires explicatifs des coutumes de France), ce n'est qu'avec le romantisme que la curiosité pour les dialectes battra son plein ; ils représentent «la langue du père, la langue du pays, la langue de la patrie» (Ch. Nodier, *Notions de linguistique,* Bruxelles, 1834, p. 220). Aux glossaires régionaux, composés par de savants amateurs, viennent s'ajouter des ouvrages où l'on applique à l'étude des dialectes des méthodes scientifiques issues de la linguistique moderne. Cette évolution est couronnée par l'œuvre d'Edmont et Gilliéron qui publient de 1903 à 1910 l'*Atlas linguistique de la France (A. L. F.).* Les deux auteurs vont «sur le terrain» — à la différence de leurs prédécesseurs qui enquêtent par correspondance —, ils enquêtent en 639 points et notent les réponses à leurs questions en écriture phonétique sur 1920 cartes consacrées à des notions. Edmont et Gilliéron nous offrent ainsi «un instantané de l'état linguistique de la France autour de 1900» (Wartburg, Keller, Geuljans, *Bibliographie des dictionnaires patois galloromans,* 1969, p. 50). Cette œuvre a été reprise et complétée depuis 1956 par les *Nouveaux Atlas linguistiques de la France,* dont la plupart sont aussi des atlas ethnographiques. À la différence de l'*A. L. F.,* ils couvrent l'ensemble de la France par régions, et le réseau des points d'enquête y est beaucoup plus serré. Les dialectes et patois disparaissant aujourd'hui, les dialectologues se consacrent alors volontiers à l'étude des régionalismes ou du français régional, qui, pour certains, sont ce qui reste du dialecte quand celui-ci a disparu.

L'importance de l'étude des dialectes se fait particulièrement sentir au niveau lexical. Si l'action du français sur les dialectes a conduit à leur extinction, ils ont en revanche contribué par leurs divers apports à la création du français, et ce dès le moyen âge, puis ils ont continué de l'enrichir. Leur étude a permis de rectifier l'image que se faisaient les romanistes du siècle dernier, selon lesquels la langue nationale provenait directement du «francien», dialecte de l'Île-de-France. Enfin, l'influence des dialectes, en tant que substrats et sources d'emprunts, sur les variétés régionales du français d'aujourd'hui, leur assure une survie indirecte.

M.-J. Brochard

BIBLIOGRAPHIE

J. CHAURAND *Introduction à la dialectologie française,* Paris, Bordas, Études, 1972.

A. DAUZAT, *Les Patois : évolution, classification, étude,* Paris, 1927.

P. GUIRAUD, *Patois et dialectes français,* Paris, Que sais-je ?, no 1283, 1971.

S. POP, *La Dialectologie : aperçu historique et méthodes d'enquêtes linguistiques.* 1re partie : *Dialectologie romane,* Louvain-Gembloux, 1950.

W. von WARTBURG, *La Fragmentation linguistique de la Romania,* Paris, 1967. — *Évolution et structure de la langue française,* Berne, 1962.

W. von WARTBURG, H.-E. KELLER, R. GEULJANS, *Bibliographie des dictionnaires patois galloromans,* Genève, Publications romanes et françaises CIII, 1969.

▸ Le dérivé **DIALOGUER** v. intr. (1717) «écrire sous forme de dialogue» et, couramment, «converser avec qqn» (1763), a remplacé *dialogiser* v. intr. formé au XVIe s. et encore employé au XVIIIe s. comme terme didactique. Le verbe et son participe passé s'appliquent à la mise en dialogues pour le théâtre (XVIIIe s., Voltaire), le cinéma, la télévision. ◆ Le radical du verbe a servi à former **DIALOGUEUR, EUSE** n. (1783) qui désigne l'interlocuteur dans un dialogue au théâtre, et (1824) l'auteur d'un dialogue littéraire. ◆ Avec ce dernier sens, il a été éliminé par **DIALOGUISTE** n. formé (1898) sur *dialogue,* employé au théâtre (1898), puis au cinéma (1934). ◆ L'adjectif didactique **DIALOGIQUE** a été emprunté (1512) au grec *dialogikos,* lui-même de *dialogos.* Tombé dans l'oubli, ce mot a retrouvé une nouvelle vitalité en linguistique, à la suite des travaux du sémioticien soviétique M. Bakhtine (traduits en français à partir de 1970) qui ont également relancé **DIALOGISME** n. m.

◈ voir MONOLOGUE.

DIALYSE n. f. recouvre deux emprunts distincts, du XVIIIe et du XIXe s., au grec *dialusis* «dissolution, séparation», également «cessation, fin», composé de *dia* (→ dia-) et de *lusis* «action de délier», base de nombreux suffixés (→ analyse).

♦ Le mot a été repris directement au grec en grammaire (1750) où il a été évincé par *diérèse*. Il a été repris en médecine, à la fois pour un état pathologique de langueur et d'épuisement (1811) et pour une solution de continuité aisément repérable par la vue et le toucher (1823). ◆ Il a été réintroduit et largement diffusé en chimie (1863) par un emprunt, d'abord écrit par erreur *dyalise*, à l'anglais *dialysis*. Ce dernier signifie «méthode de séparation et de purification de deux substances en dissolution» (1861), le mot étant très antérieur en rhétorique (1586), en grammaire (1727-1751) et en médecine (1811); il est lui-même emprunté au grec *dialusis*. *Dialyse* a acquis ensuite de nouvelles spécialisations techniques, à propos de méthodes de séparation et d'épuration en brasserie, en laiterie, et en thérapeutique pour une méthode d'épuration extra-rénale (XXe s.).

► Il a produit **DIALYSER** v. (1864) peut-être d'après le verbe anglais *to dialyse* (1861), employé transitivement et intransitivement en chimie et dont s'est dégagé un emploi métaphorique pour «clarifier, purifier» (1914). ◆ Du verbe ont été tirés immédiatement **DIALYSEUR** n. m. (1864), nom d'appareil, peut-être fait à l'exemple de l'anglais *dialyser* (1861), puis des adjectifs issus des participes *dialysé* et *dialysant*.

DIAMANT n. m. est issu (fin XIIe s.) du bas latin *diamas, antis*, type attesté dans des tablettes d'exécration (M. Niedermann), altération probable par métathèse de °*adimas, antis* (qui a donné *aimant**, aussi *adamantin*) sous l'influence des mots grecs en *dia-* (→ dia-).

♦ Le mot désigne un cristal de carbone pur, la plus pure et la plus coûteuse des pierres précieuses. Par métonymie, il s'applique à un instrument de vitrier au bout duquel est enchâssée une pointe de diamant (1676, par ellipse de *pointe de diamant* [1549]). Des emplois métaphoriques font référence à la pureté et à l'éclat de la pierre.

► Le dérivé **DIAMANTIN, INE** adj. (v. 1540) «qui a l'éclat, la dureté du diamant», est un mot littéraire comme son synonyme *adamantin**. ◆ **DIAMANTAIRE** n. m., enregistré par Richelet (1680), concerne la personne qui taille des diamants, et d'abord (1482) celle qui fait le commerce des diamants. ◆ **DIAMANTÉ, ÉE** adj. (1782) «orné de diamants» et «qui a l'éclat du diamant» (1830), a favorisé la création de **DIAMANTER** v. tr. (1801), mot littéraire pour «faire briller comme un diamant». ◆ Littré est le premier lexicographe à enregistrer **DIAMANTIFÈRE** adj. (1856), mot didactique en *-fère** qualifiant une roche, un minerai.

DIAMÈTRE n. m. est emprunté (v. 1275) au latin impérial *diametros*, également *diametrus* «corde d'un cercle passant par le centre». Ce mot est emprunté au grec *diametros* «diagonale» et par extension «diamètre», de *dia* (→ dia-) et *metron* (→ mètre).

♦ Le mot a été introduit en géométrie, à propos du cercle, puis de la sphère (au XVIIe s., par exemple chez Furetière). Par extension, il s'est répandu avec une valeur approximative, exprimant la largeur d'une chose plus ou moins circulaire ou sphérique.

► L'adjectif correspondant, **DIAMÉTRAL, ALE, AUX** a été emprunté vers la même époque que *diamètre* (1282, *dyametral*) au dérivé bas latin *diametralis*. Employé strictement pour qualifier la ligne qui passe par le diamètre, il est chez Oresme (1377) avec le sens isolé de «diagonal» par figure étymologique. ◇ Son sens figuré (1846, Proudhon) vient de celui qu'a développé dès le XVIe s. (1585) le dérivé **DIAMÉTRALEMENT** adv. (1380-1390), rare au sens propre et usuel pour «de manière absolue, totale», notamment dans ***diamétralement opposé.***

DIAMIDOPHÉNOL → PHÉNOL

DIAMORPHINE → MORPHINE

DIANE n. f. est emprunté (1555, Ronsard) à l'italien *diana* «roulement de tambour servant à réveiller la troupe» (attesté seulement en 1561). Ce sens procède par métonymie de celui de «première heure du jour» (également «étoile qui apparaît le matin») avec lequel le mot italien est emprunté au latin *Diana*, nom de Diane, déesse nocturne, proprement «la lumineuse». *Diana* est probablement dérivé de *dies* «jour» (→ diurne, jour), peut-être par un intermédiaire °*divius*. L'espagnol *diana* n'est pas attesté avant 1605.

♦ Le mot désigne une batterie de tambour et, par extension, une sonnerie de clairon, exécutée à la pointe du jour pour réveiller les soldats, les marins. Il vieillit.

DIANTRE → DIABLE

DIAPASON n. m., d'abord *dijapason* (v. 1150), est emprunté au bas latin *diapason* «octave». Lui-même est emprunté au grec *diapasôn*, formé de la locution *(ê) dia pasôn* (sous-entendu *khordôn sumphonia*) «échelle de toutes les notes» d'où «octave». *Pasôn* y est le génitif féminin pluriel de *pas, pantos* «tout» (→ pan-).

♦ Le mot a été repris à propos de l'étendue de sons qu'une voix peut parcourir, de la note la plus grave à la plus aiguë. Il est rare jusqu'au XVIIe s., époque à laquelle il commence à désigner, par référence à un élément de l'échelle des sons, la hauteur relative d'un son dans une échelle sonore (1690), spécialement le son de fréquence donnée servant de *la*, d'où, par métonymie, l'instrument qui donne le *la* (1803, Boiste). Son emploi figuré (1691) évoque une disposition en harmonie avec celle des circonstances ou d'une autre personne.

► Le dérivé **DIAPASONNER** v. tr. (1870), «mettre au diapason», est rare.

DIAPHANE adj. est emprunté (v. 1377, *dyaphane*) au grec *diaphanês*, proprement «que l'on discerne, distinct» (*dia* pris au sens de «en séparant») et «transparent, limpide» (*dia* au sens d'«à travers»), également «qui brille d'un vif éclat». Le mot est dérivé du verbe *diaphainein*, composé de *dia-* (→ dia-) et de *phainein* «montrer, mettre en lumière» et, intransitivement, «devenir visible» et «montrer, apparaître» (→ phase).

♦ Le mot, introduit en physique pour qualifier un corps laissant passer les rayons lumineux, s'est progressivement différencié de *transparent*, qualifiant ce qui laisse filtrer les rayons lumineux sans être transparent (cf. *translucide*). À ce titre, il est surtout fréquent dans un style littéraire, avec des connotations de délicatesse et de légèreté. Par extension, il qualifie une chair, un teint auxquels l'extrême maigreur ou la finesse donne une sorte de semi-transparence (av. 1709).

▶ **DIAPHANÉITÉ** n. f. (1552), d'abord *diaphanité* (1507-1511), a suivi la même évolution, ancien terme de physique synonyme de *transparence*, passé dans l'usage en dénotant l'état de ce qui est presque translucide, surtout dans des contextes littéraires (1862). ◆ Le verbe **DIAPHANÉISER** v. tr., d'abord *diaphaniser* (1857), appartient plus nettement encore à un style littéraire. En revanche, l'élément scientifique *diaphano-* (**DIAPHANOSCOPIE** n. f. 1908, **DIAPHANOSCOPE** n. m. 1908) redonne au groupe une certaine vitalité dans l'usage didactique.

DIAPHRAGME n. m. est emprunté (1314) au bas latin *diaphragma*, lui-même pris au grec *diaphragma* «séparation, cloison», employé en médecine en parlant du muscle qui sépare la poitrine de l'abdomen. Le mot est dérivé de *diaphrattein* «séparer par une cloison», de *dia* «en séparant» (→ dia-) et *phrattein* «enclore, barricader», verbe dérivé de *phrassein* «fermer au moyen d'une barrière», mot d'origine inconnue.

♦ Introduit en médecine pour le muscle séparant le thorax de l'abdomen, le mot est passé (1690) dans le vocabulaire de l'optique, au sens que lui rapporte Furetière : «espèces de planchers qui traversent les tuyaux des grandes lunettes et qui sont percez par le milieu». ◇ Au milieu du XIXe s., il est passé en photographie (1857) se répandant avec cette technique *(ouverture, fermeture de diaphragme)*. ◇ De l'idée de «membrane séparatrice» procèdent quelques autres spécialisations, en électro-acoustique (1878), en mécanique et en médecine (nom d'un système de contraception mécanique). Il est quelquefois employé en apposition avec une valeur d'adjectif en architecture et en anatomie.

▶ En sont dérivés **DIAPHRAGMATIQUE** adj. (1560), en anatomie, et le verbe **DIAPHRAGMER** v. tr. (1877), terme d'optique et de photographie, dont est dérivé **DIAPHRAGMATION** n. f. (attesté 1960).

DIAPOSITIVE n. f. est issu par ellipse (1892) des syntagmes *cliché diapositif, plaque diapositive* dans lesquels le mot est un adjectif formé savamment avec le préfixe *dia-** sur *positif**. L'italien *diapositiva* est attesté en 1892 et provient du français *(D. E. L. I.)*.

♦ Le mot est usuel pour désigner une épreuve «diapositive», destinée à être vue par transparence ou projetée, quelquefois abrégé familièrement en **DIAPO** (av. 1950, selon D. D. L.). Le féminin a évincé le masculin *diapositif*, répertorié par de rares dictionnaires (v. 1960-1965).

▶ Répandu dans les années 1950, *diapositive* a produit **DIAPORAMA** n. m. (v. 1965) avec le suffixe *-rama**, et **DIATHÈQUE** n. f. (1971) ou **DIAPOTHÈQUE** n. f., avec l'élément *-thèque**.

DIAPRER v. tr., d'abord écrit *dyasprer* (1274), est dérivé de l'ancien français *diaspre* n. m. «drap de soie à ramages, fleurs ou arabesques» (1160), emprunté au latin médiéval *diasprum* (XIe s.). Ce dernier, employé avec le même sens et pour désigner une sorte de pierre (XIVe s.), est une forme altérée du latin classique *jaspis* (→ jaspe), le *j-* initial latin étant souvent écrit *di-* dans les textes latins du moyen âge (italien *diaspro*, espagnol *diaspero*). Une autre étymologie proposée est le grec *dia* (→ dia) et *áspros* «blanc».

♦ Le mot, «parer de couleurs variées», est d'usage littéraire, surtout avec son sens figuré d'«orner, embellir brillamment».

▶ Le participe passé adjectivé **DIAPRÉ, ÉE** est plus courant, dans les deux acceptions correspondantes. ◆ **DIAPRURE** n. f. (1360, *diapreure*) est encore vivant dans le style littéraire.

DIARRHÉE n. f., réfection savante (1568) de la forme altérée *diarrie* (1372), est emprunté au bas latin *diarrhaea* «flux du ventre». Ce mot est emprunté au grec *diarroia*, lui-même dérivé, par l'intermédiaire d'une forme °*diarrhoos*, du verbe *diarrein* «couler de côté et d'autre», «se répandre», «couler à travers, suinter», de *dia-* (→ dia-) et *rhein* «s'écouler» (→ -rrhée), mot appartenant à une importante famille indoeuropéenne.

♦ Le mot, signifiant «flux du ventre», est d'usage médical et courant (alors concurrencé par *colique*). Il est parfois employé au figuré et péjorativement en parlant d'un écoulement abondant *(diarrhée verbale)*.

▶ **DIARRHÉIQUE** adj., emprunt au dérivé grec *diarroikos* «atteint de diarrhée», est attesté une première fois chez Paré (1568, *flux diarrhéïque*), et a été repris à partir de 1835 (on rencontre la forme isolée **DIARROÏQUE** en 1827).

DIARTHROSE → **ARTHROSE**

DIASPORA n. f. est un emprunt récent (1908) au grec *diaspora* «dispersion», employé dans les Septante à propos de la situation des communautés juives installées hors de Palestine et de ces communautés elles-mêmes. Le mot est dérivé de *diaspeirein* «disséminer», de *dia-* (→ dia-) et *speirein* «semer» (→ spore).

♦ Le mot a trait à la situation des Juifs exilés à travers le monde à la suite des persécutions de l'Antiquité et, par métonymie, désigne l'ensemble de ces communautés. Par extension (1949), il concerne l'état de dispersion d'une ethnie avec le même emploi métonymique *(la diaspora arménienne).*

DIASTASE n. f., emprunt savant (1752) au grec *diastasis* «séparation», de *diistanai* «établir de côté et d'autre» d'où «séparer», de *dia* (→ dia-) et *histanai* «placer debout, placer dans une balance» et «se tenir debout». Ce verbe, forme à redoublement issue de °*sista-* «mettre debout», appartient à la même famille indoeuropéenne que le latin «stare» (→ état). Comme lui, il a produit de nombreux préfixés verbaux.

♦ Le sens d'emprunt, «luxation, écartement permanent de deux surfaces articulaires», a été abandonné pour *luxation* ou pour le réemprunt récent *diastasis* (v. 1950). Les chimistes ont repris le terme (1833) pour désigner la substance découverte par Payen et Persoz en 1833 dans les tissus vivants, d'après sa capacité à provoquer la dégradation des sucres et composés albuminiques. Le mot est en général remplacé par *enzyme**.

▸ Le dérivé **DIASTASIQUE** adj. (1859; également *diastatique,* 1897) a été remplacé par *enzymatique.*

DIASTOLE n. f. est emprunté (v. 1370) au grec *diastolê,* de *diastellein* «séparer», de *dia-* (→ dia-) et *stellein* «préparer, envoyer» (→ apôtre, épître, systole).

♦ D'abord employé pour «diérèse», le mot a été repris en physiologie (1541), désignant la dilatation du cœur qui alterne avec la systole*.

▸ Le dérivé **DIASTOLIQUE** adj. (1546, Rabelais) s'emploie dans *souffle, bruit diastolique.*

DIATRIBE n. f. est emprunté (1558) au bas latin *diatriba* «entretien, discussion» et, par métonymie, «école, académie, secte». Ce mot est emprunté au grec *diatribê,* proprement «usure par le frottement», développé d'après la double idée d'usure et d'usage en «passe-temps» et en «étude, travail sérieux». Ce mot est dérivé du verbe *diatribein,* de *dia-* (→ dia-) et *tribein* «frotter, user», qui se dit des vêtements que l'on use, d'un chemin fréquenté, du temps que l'on passe, etc. En partant de la forme ancienne du radical *trib-,* on a proposé un rapprochement avec le groupe latin de *detrimentum* (→ détriment).

♦ Le mot, d'abord attesté dans un contexte de sens incertain «discussion d'école», a désigné une dissertation critique sur un ouvrage, un point de doctrine (1638) avant de correspondre à une critique violente, injurieuse (1764, Voltaire).

DICHOTOMIE n. f. est emprunté (1750) au grec *dikhotomia* «division en deux parties égales», composé de *dikho-,* élément correspondant à l'adverbe *dikha* «en deux», lui-même dérivé de *dis* «deux fois» qui correspond au latin *bis* (→ bis), et de *-tomia* «division, section» (→ -tomie).

♦ Le mot s'emploie concrètement en astronomie à propos de la phase de la lune où seule la moitié du disque est visible, puis aussi en botanique à propos d'une ramification par bifurcation (1803). Ces valeurs ayant disparu, le mot a été repris abstraitement en parlant d'une méthode de division et de subdivision binaire (1887), recouvrant spécialement en logique la division d'un concept en deux autres concepts contraires. Il est usuel dans l'usage soutenu.

▸ Le dérivé **DICHOTOMIQUE** adj. (1832), dont on a tiré un adverbe rare, **DICHOTOMIQUEMENT** (1928-1929), a les mêmes emplois. ◆ **DICHOTOMISER** v. tr. (1837) constitue l'équivalent rare de *diviser en deux.* ◇ **DICHOTOME** adj. est l'emprunt (1753) du bas latin *dichotomos,* calqué du grec *dikhotomos* «coupé en deux», spécialement employé à propos de la lune dont le disque n'est qu'à moitié visible. Repris dans cette acception en astronomie, le mot est rapidement passé en botanique (1789) pour qualifier une tige, une racine qui se subdivise par bifurcation.

DICIBLE → DIRE

DICOTYLÉDONE → COTYLÉDON

DICTATEUR, TRICE n. est emprunté, sous la forme *dictator* (1213), puis *dictateur* (av. 1380), au latin *dictator* qui désignait le magistrat unique investi de tous les pouvoirs dans certaines circonstances graves, sous la République. Ce mot est formé sur *dictum,* supin de *dictare* (→ dicter).

♦ Le mot a été repris comme terme d'histoire romaine. Par extension, il a désigné toute personne exerçant une autorité absolue (1599, ironiquement; puis au XVIIIe s., av. 1755). Ce sens figuré tend aujourd'hui à être senti comme une extension du sens politique moderne de «personne qui, s'étant emparée du pouvoir, l'exerce sans contrôle», apparu pendant la Révolution (1790, Marat). Le féminin est rare (att. 1927).

▸ Le radical du nom a servi à former l'adjectif **DICTATORIAL, ALE, AUX,** lui aussi apparu à la fin du XVIIIe s. (1790, Mirabeau; 1777 selon Bloch et Wartburg) sur le modèle *sénateur/sénatorial.* ◇ Celui-ci a produit **DICTATORIALEMENT** adv. (1869, Gambetta). ◆ **DICTATURE** n. f. est emprunté comme terme d'antiquités romaines (1286-1290) au latin classique *dictatura,* de *dictator.* Parallèlement à *dictateur,* le mot a développé un sens figuré (av. 1654) et, pendant la Révolution, son sens politique usuel (1789). ◇ L'expression marxiste ***dictature du prolétariat*** (principe abandonné par les partis communistes) avait suscité ***dictateur du prolétariat*** (att. en 1917).

DICTER v. tr. est emprunté (av. 1483) au latin *dictare,* fréquentatif de *dicere* (→ dire), proprement, «dire en répétant» d'où «faire écrire», «ordonner, prescrire» et «avoir l'habitude de dire».

♦ L'emprunt a remplacé le type populaire hérité *ditier* (1174-1176) «rédiger, composer (une lettre)» et «prescrire, ordonner» (1200). Introduit au sens de «rédiger» (au participe passé *lettre dictée*), il a reçu ceux de «prononcer à voix haute» (1606), spécialement pour «lire à voix haute pour qu'on écrive, note» *(dicter qqch. à qqn)*.

▶ Le participe passé féminin **DICTÉE** n. f., substantivé au XVIIe s., est commenté par Richelet comme «terme d'écolier, de philosophie et d'autres qui écrivent les écrits d'un maître» (1680). Il est entré dans la locution ***sous la dictée*** (1752) de sens propre et figuré. Diffusé par l'enseignement obligatoire, *dictée* est aujourd'hui lié à l'enseignement de l'orthographe, voire aux exercices de difficultés orthographiques dont les Français sont si friands (la célèbre *dictée de Mérimée* et ses suites). ◇ Le préfixé **AUTODICTÉE** n. f. (av. 1978) reste très spécialisé. ◆ Les autres dérivés, **DICTABLE** adj. et **DICTEUR** n. m. (1899), sont peu usités. ◆ *Dicter* a servi à former le composé **DICTAPHONE** n. m. (v. 1930) avec l'élément *-phone**, nom de marque déposée qui s'est répandu vers 1940 avec l'appareil qu'il désigne.

DICTION n. f. est emprunté (1176-1184) au latin *dictio* «action de dire», employé par métonymie, sous l'Empire, aux sens de «propos» et «mode d'expression». *Dictio* est dérivé du supin *(dictum)* de *dicere* (→ dire).

♦ *Diction* a d'abord désigné la manière de dire quant au choix des vocables et à l'agencement des mots dans l'expression. L'usage moderne, en déplaçant l'accent sur la qualité de l'articulation, de la prononciation orale des mots (1549, Du Bellay), l'a partiellement substitué à *déclamation* au théâtre.

▶ **DICTIONNAIRE** n. m. est emprunté (1501) au latin médiéval *dictionarium* (v. 1220, *dictionarius*), dérivé du radical de *dictio* au moyen du suffixe *-arium*. Le mot, partiellement synonyme de *vocabulaire* (latin *vocabularium*), a d'abord été appliqué à un ouvrage bilingue ou multilingue, à côté de *thesaurus*, puis *thrésor*, réservé aux dictionnaires unilingues ou quasi unilingues, comme le *Thresor de la langue françoyse* de Nicot (1606). En France, le premier grand dictionnaire est celui de Robert Estienne, français-latin (1538). Par métaphore, le mot est employé à propos d'une personne aux connaissances étendues (1762). ◆ Il est familièrement abrégé en **DICO** n. m. (1885, dans l'argot des lycéens de Brest) avec le suffixe argotique *-o*. ◆ On en a tiré **DICTIONNARISTE** n. (1694) pour désigner un auteur de dictionnaires, à côté de *lexicographe* (on le trouve chez Nodier); certains auteurs le font revivre pour désigner l'auteur de dictionnaires à côté du spécialiste qui les analyse. ◆ De même, l'adjectif **DICTIONNAIRIQUE** (B. Quemada, v. 1965) se distingue de *lexicographique*.

DICTON n. m. est emprunté (1477, Bloch et Wartburg) au latin *dictum* «mot, sentence», neutre substantivé de *dictus*, participe passé de *dicere* (→ dire) avec francisation de la finale.

♦ Le mot a été synonyme de «sentence» dans un contexte juridique. Il se dit seulement, de nos jours, d'une sentence populaire, passée en proverbe dans une région donnée (1501). Les sens de «mot notable tenant lieu d'emblème ou de devise (dans des tableaux, des inscriptions)» et «raillerie, mot plaisant» relèvent d'un usage classique.

DIDACTIQUE adj. et n. est emprunté (1554) au grec tardif *didaktikos* «propre à instruire», «relatif à l'enseignement», de *didaktos*, adjectif verbal de *didaskein* «enseigner, faire savoir». On pose pour ce verbe un ancien thème °*dns-* qui fournit un rapprochement avec *dênea* «plans, desseins (bons ou mauvais)», hypothèse plus vraisemblable, selon Chantraine, qu'un thème, indoeuropéen lui aussi, °*dok-* qui permettrait d'évoquer le latin *docere* (→ docteur).

♦ Le mot a gardé les valeurs du grec; par ellipse de *genre didactique* (1554), il est substantivé au masculin, puis au féminin, pour désigner le genre rhétorique destiné à instruire, puis l'ensemble des techniques d'enseignement (→ pédagogie). Il s'est spécialisé en psychanalyse pour l'analyse imposée au futur analyste *(l'analyse didactique* d'où *la didactique)*.

▶ *Didactique* a produit **DIDACTIQUEMENT** adv. (1754), **DIDACTISME** n. m. (1823) d'abord «genre didactique», puis (Baudelaire, v. 1860) «style, manière didactique» (souvent péjorativement), et **DIDACTICIEN, IENNE** n. (1870). ◆ Sur *logiciel*, on a formé (1979) le mot-valise **DIDACTICIEL** n. m. «logiciel à fonction didactique, pédagogique».

◈ voir AUTODIDACTE.

DIÉRÈSE n. f. a été emprunté (1529), en même temps que son antonyme *synérèse**, au latin des grammairiens *diaeresis*, lui-même calqué du grec *diairesis* «séparation, division», spécialisé en phonétique et en prosodie. Ce mot est dérivé de *diairein* «séparer», composé de *dia* (→ dia-) et de *hairein* «prendre, saisir, choisir» (→ hérétique).

♦ Le mot a été repris en prosodie pour désigner la prononciation en deux syllabes des deux voyelles successives d'un même mot. ◆ Au XIXe s., selon une évolution à rapprocher de celle de *dialyse*, il s'est spécialisé en biologie et en médecine à propos de l'opération visant à séparer des parties dont le rapprochement ou la continuité sont nuisibles.

◈ voir APHÉRÈSE.

DIÈSE n. m. est emprunté (1556) au latin *diesis* «quart de ton (en musique ancienne)» et, à basse époque, «demi-ton (dans le système de Pythagore)». Lui-même est emprunté au grec *diesis* «action de séparer» et en musique «intervalle, demi-ton», dérivé de *diienai* «laisser passer». Ce verbe est formé sur *hienai* «lancer», verbe contenant la racine indoeuropéenne °*ye-* «jeter» (qui par le latin se retrouve dans *jeter**).

♦ *Dièse*, d'abord de genre féminin, est probablement devenu masculin sous l'influence de *bémol* et *bécarre*. On le trouve également sous la forme latinisante *diesis* (1704) et avec la graphie *dièze*, relativement fréquente chez les auteurs des XIXe et XXe s. (Céline, Goncourt, Flaubert, Gide, Mauriac, Proust). Il désigne un signe musical indiquant qu'il faut hausser d'un demi-ton une note ou l'ensemble des notes d'un morceau, et, par métonymie, une note haussée d'un demi-ton. En référence au système musical grec, il exprime le plus petit intervalle.

▸ Il a servi à former **DIÉSÉ, ÉE** adj. (v. 1710, *notes diésées*) et **DIÉSER** v. tr. «marquer une note d'un dièse».

DIESEL n. m. est tiré (1913) du nom de l'ingénieur allemand R. *Diesel* (1858-1913), inventeur d'un moteur thermique caractérisé par un allumage par compression et une alimentation par injection.

♦ Le mot désigne le type de moteur à explosion inventé par Diesel, et, par métonymie, un véhicule muni de ce moteur (1943); on appelle *diesel-électrique* n. m. (attesté 1961) une locomotive électrique alimentée par ce type de moteur.

▸ Le dérivé **DIÉSÉLISER** v. tr. a été créé (v. 1950) pour former une équivalence à *électrifier*. Il a pour dérivé **DIÉSÉLISATION** n. f. (1957). ◂ De *diesel* vient aussi **DIÉSÉLISTE** n. m. (1966) «mécanicien spécialiste des diesels».

① **DIÈTE** n. f. est emprunté (1256) au bas latin *diaeta* «régime, abstinence alimentaire» et aussi «corps de logis, pièce, appartement», emprunté au grec *diaita*, qui a les deux acceptions. C'est le dérivé de *diaitasthai* «suivre tel ou tel régime», au sens large «vivre de telle ou telle façon». Ce verbe appartient à un groupe de mots au développement complexe, car ils se sont appliqués à des notions et à des techniques diverses. Leur origine est discutée, et Chantraine choisit l'hypothèse d'une formation avec le préverbe *dia-* (→ dia-) et *aitan, -aitasthai* «répartir», appliqué d'une part à la nourriture, à la manière de vivre, et de l'autre à l'arbitrage. C'est ainsi que *diaita* désigne d'une part un mode de vie et, au sens restreint, un régime alimentaire ainsi que le lieu où l'on vit, le séjour, la salle de séjour, le logement et, d'autre part, en politique, l'arbitrage.

♦ Le sens large de «manière de vivre» s'est spécialisé en médecine (1575), restreint au régime alimentaire prescrit à titre hygiénique, prophylactique ou thérapeutique. L'usage courant, qui réserve ***régime*** à ce sens, l'emploie comme un quasi-synonyme de *jeûne*.

▸ Récemment, *diète* est entré en composition dans **DIÉTOTOXIQUE** adj. (v. 1950) qui qualifie une substance alimentaire pouvant devenir toxique dans certains troubles du métabolisme.

DIÉTÉTIQUE adj. et n. est emprunté (1549) au latin impérial *diaeteticus* adj. «relatif à un régime alimentaire», substantivé au féminin *diaetetica* n. f. «ensemble des règles à suivre pour un régime équilibré». Les mots latins calquent le grec *diaitêtikos* adj., substantivé au féminin *diaitêtikê* «la diététique», dérivé de *diaitan* «soumettre à un régime». Repris comme adjectif, le mot est également substantivé au féminin (1575). ◂ En sont dérivés tardivement **DIÉTÉTICIEN, IENNE** n. attesté depuis 1891, et répandu au XXe s., ainsi que **DIÉTÉTISTE** n., appliqué au médecin qui préconise de traiter les malades uniquement par des moyens diététiques (1966), et parfois confondu avec *diététicien;* c'est au Québec le terme normalisé pour un spécialiste de la nutrition titulaire d'un diplôme universitaire.

② **DIÈTE** n. f., terme politique, est emprunté sous la forme *diette* (1509), puis *diète* (1512), au latin médiéval *dieta* «journée de travail, journée de marche» (déb. XIIe s.), dérivé de *dies* «jour» (→ diurne) pour traduire l'allemand *Tag* «jour» et, par extension, «session» (dans *Landstag, Reichstag**).

♦ Le mot, d'abord appliqué à une réunion politique tenue à Cambrai, concerne essentiellement les assemblées politiques des pays germaniques (Allemagne) puis également de pays de l'est de l'Europe.

DIEU n. m., d'abord *Deo* et *Deus* (842) puis *Deu* et *Dieu* (XIe-XIIe s.), est issu du latin *Deus*, aboutissement phonétique d'un °*deiuos* contracté en °*deios*, puis *deus*, forme dotée d'une déclinaison normalisée et d'un féminin *dea* (en remplacement de *diva*, → diva). *Deus* contient une racine indoeuropéenne °*dei-* «briller» qui, élargie en °*deiwo-* et en °*dyew-* a servi à désigner le ciel lumineux considéré comme divinité et les êtres célestes par opposition aux hommes, terrestres de nature. C'est la plus ancienne dénomination indoeuropéenne de la divinité, liée à la notion de lumière et on la retrouve en grec dans le nom de *Zeus* (génitif *Dios*) et dans *dios* «brillant». La même racine a servi d'autre part à désigner la lumière du jour et le jour (→ diurne, jour).

♦ Attesté dans le tout premier texte français, le mot désigne (avec majuscule) la divinité du monothéisme chrétien et aussi à partir du XIIe s., une divinité du polythéisme. Il a donné lieu à divers emplois interjectifs (1080) et à d'innombrables formules de jurement (→ aussi corbleu, morbleu, parbleu, dans lesquels le vocable *dieu* est altéré par euphémisme). Il est entré dans un grand nombre de locutions par lesquelles le locuteur fait intervenir Dieu ou souhaite son intervention. L'une d'elles, ***Dieu merci***, interprétée aujourd'hui comme «remerciement en soit fait à Dieu», vient de l'ancienne formule *par la merci Dieu* (XIVe s.) «par la grâce de Dieu» (cf. *merci*).

▸ **ADIEU** interj. et n. m. provient d'une formule de recommandation à Dieu et apparaît dès le XIIe s. *(adeu)* comme formule de séparation et, régionalement, comme formule de rencontre (équivalant à *bonjour*, lui-même employé régionalement comme adieu). *Sans adieu* s'est employé au XIXe s. pour «à bientôt». ***Dire adieu***, qui suppose déjà la substantivation, doit avoir précédé l'emploi du mot comme nom (*dist le gracieux adieu...*, 1458), entièrement lexicalisé au XVIe s. (*les adieux, faire ses adieux*, etc.), aussi dans ***d'adieu*** *(discours, dîner, visite d'adieu)*. L'emploi substantif existe aussi au figuré, pour «départ, séparation définitive» *(l'adieu au bonheur, à la vie)*. La distinction entre *adieu* et *au revoir* s'instaure au début du XIXe s.; auparavant, on pouvait dire *adieu, jusqu'au revoir* (XVIIe s.). ◂ ***À dieu vat***, formule employée en marine (1684) est formée de *à*, *Dieu* et de l'impératif de *aller*. Ancien souhait de bonne navigation, l'expression s'est employée pour

DIEU
Les dieux et les jours

- racine indoeuropéenne **°DEI-** « briller »
  - **°DEIWO-** « les êtres, la lumière célestes »
    - latin **deivos** « lumineux (du ciel, de la divinité) »
      - latin **deus** « dieu » — DIEU
        - latin chrétien **Te Deum laudamus...** — te deum
        - féminin **dea** — déesse
        - latin ecclésiastique **deitas** — déité
        - **deificare** — déifier
        - **deicida** — déicide
        - déisme
      - latin **divus**
        - féminin **diva**
          - italien ***diva*** — diva
          - dive (dive bouteille, Rabelais)
        - **divinus** — devin
          - divin, dér.
        - **divinare** — deviner, dér.
        - **divinitas** — divinité
        - **divinatio** — divination
        - **diana** — italien ***diana*** — diane

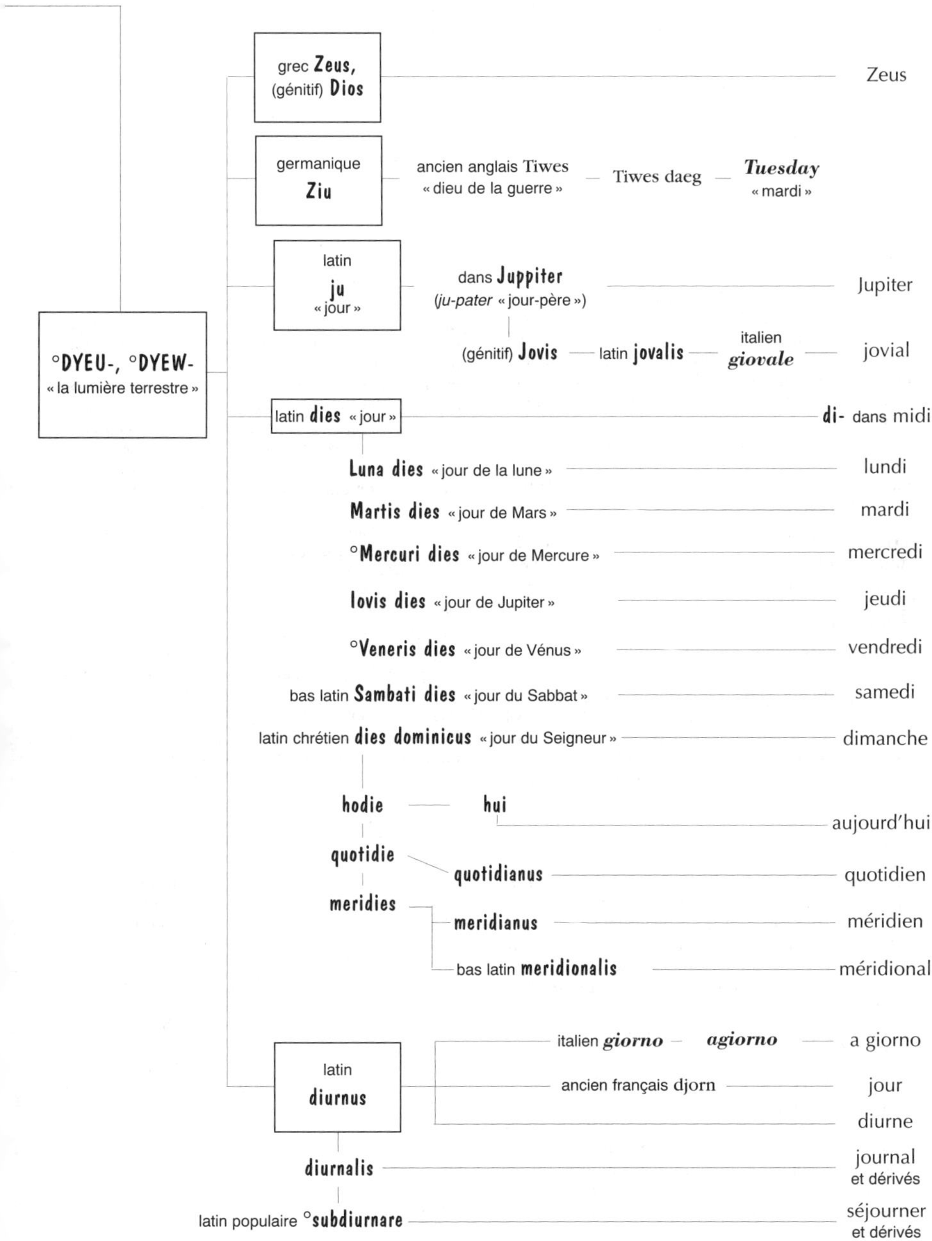
°DYEU-, °DYEW-
« la lumière terrestre »
grec Zeus, (génitif) Dios
Zeus
germanique Ziu
ancien anglais Tiwes « dieu de la guerre »
Tiwes daeg
Tuesday « mardi »
latin ju « jour »
dans Juppiter (ju-pater « jour-père »)
Jupiter
(génitif) Jovis
latin jovalis
italien giovale
jovial
latin dies « jour »
di- dans midi
Luna dies « jour de la lune »
lundi
Martis dies « jour de Mars »
mardi
°Mercuri dies « jour de Mercure »
mercredi
Iovis dies « jour de Jupiter »
jeudi
°Veneris dies « jour de Vénus »
vendredi
bas latin Sambati dies « jour du Sabbat »
samedi
latin chrétien dies dominicus « jour du Seigneur »
dimanche
hodie
hui
aujourd'hui
quotidie
quotidianus
quotidien
meridies
meridianus
méridien
bas latin meridionalis
méridional
latin diurnus
italien giorno
agiorno
a giorno
ancien français djorn
jour
diurne
diurnalis
journal et dérivés
latin populaire °subdiurnare
séjourner et dérivés

«virez de bord» (remplacée par *envoyez!*); elle est devenue au XIXe s., synonyme de «à la grâce de Dieu!», d'abord (milieu XIXe s.) en contexte marin, puis général. ◆ La dénomination familière *bon Dieu*, qui est attestée chez Rabelais, a donné un emploi interjectif, parfois renforcé *(bon dieu de...)* et est à l'origine des dérivés péjoratifs **BONDIEUSERIE** n. f. (1861), notamment appliqué aux objets de piété, **BONDIEUSARD** adj. et n. (1865) et **BONDIEUSER** v. intr. (1872). Apparus dans la seconde moitié du XIXe s. et dans un contexte anticlérical, ces mots se rencontrent chez les écrivains (Goncourt) et les artistes; Courbet se sert de *bondieusard* pour désigner un peintre traitant de sujets religieux. ◆ *Dieu* entre dans le composé **DEMI-DIEU** n. m. (XIIIe s.) calqué sur le latin *semideus* de *semi* et *deus*, lui-même traduisant le grec *hêmitheos* (→ hémi-, théo-). ◆ **SANS-DIEU** n. m. est formé récemment (1927), à propos de la Russie bolchevique et athée.

DÉESSE n. f., d'abord *duesces, diesce* (v. 1155) puis *déesse* (v. 1160), est dérivé savamment du latin *dea*, féminin de *deus*, avec le suffixe *-esse*. Nom donné à une divinité féminine, le mot correspond, symétriquement au masculin, à la personnification d'un être divin féminin (1671) et, au figuré, à une femme remarquable de beauté et de majesté (v. 1330).

◈ voir **PARDI**, les formes savantes : **DÉICIDE**, **DÉIFIER**, **DÉISME**, **DÉISTE**, **DÉITÉ**, ainsi que les mots de la famille de *divus* : **DEVIN**, **DEVINER**, **DIVE**, **DIVIN**, **DIVINATOIRE**, **DIVINISATION**, **DIVINISER**, **DIVINITÉ**.

DIFFAMER v. tr. est emprunté (v. 1160) au latin impérial *diffamare* «divulguer» et en mauvaise part «répandre le mauvais bruit que» (avec infinitive). Ce verbe est composé de *dis-* (→ dé-) et *fama* «rumeur, bruit» (→ fameux, infâme).

♦ Le mot, repris avec la spécialisation du verbe latin, n'a pas reçu d'extension.

► Son participe passé adjectivé, **DIFFAMÉ, ÉE**, connaît un sens spécial en héraldique (attesté 1690) qualifiant les armes privées de certaines pièces honorables et les animaux représentés sans queue, dérivé d'un ancien sens concret de *diffamer* «salir» et «défigurer» (XVIe-XVIIIe s.).

Les autres mots du groupe sont apparus en moyen français : **DIFFAMATION** n. f. a été emprunté (1320) au dérivé bas latin *diffamatio* «action de divulguer, de répandre» (saint Augustin). Le mot a subi l'influence sémantique de *diffamer*, évinçant le type antérieur *difame* (XIIIe s.), déverbal de *diffamer*. ◆ **DIFFAMATOIRE** adj. (1380) et **DIFFAMATEUR, TRICE** adj. (v. 1450) et n. (1495) ont été faits sur le radical du latin *diffamatum*, supin de *diffamare*. ◆ Le premier est quelquefois concurrencé par le participe présent adjectivé du verbe, **DIFFAMANT, ANTE** (1690).

✱ **DIFFÉRENCE** n. f., d'abord *diferance* (v. 1160), est emprunté au latin *differentia* «caractère qui distingue une chose d'une autre» employé au pluriel *differentiae* pour désigner des objets distincts, des espèces d'un genre. Ce mot est issu de *differre*, composé de *dis-* (→ dé-) et de *ferre* «porter» (→ -fère), proprement «porter en sens divers» d'où «disperser» et par suite «remettre (dans le temps)», au passif «être tourmenté, tiraillé» et enfin «être distinct».

♦ Le mot désigne le caractère par lequel une chose se distingue d'une autre et, spécialement en logique, l'attribut essentiel qui distingue une espèce d'une autre (1680). Au XVIIe s., il désigne concrètement un écart, d'abord en géométrie (1611) puis également en économie et au jeu. Dans la seconde moitié du XXe s., le philosophe J. Derrida écrit et propose la graphie *différance* d'après le participe présent de *différer* (ci-dessous), pour désigner le dynamisme, l'action séparatrice qui crée l'écart, «la production de différences». Le concept de *dissémination* propre à J. Derrida est étymologiquement proche.

► L'adjectif didactique **DIFFÉRENTIEL, ELLE** (1732) est emprunté au bas latin *differentialis;* le moyen français avait *differential* (XVIe s.) au sens de «relatif à un différend». Le mot a été introduit en mathématiques dans le syntagme ***calcul différentiel*** (1732, peut-être déjà en 1696 chez le marquis de L'Hôpital dans son *Analyse des infiniment petits pour l'intelligence des lignes courbes*). Ultérieurement, l'adjectif a été employé en droit fiscal (1849), en psychologie (1851) et en technique (1860). ◆ Il est substantivé dans ce dernier domaine (1895) par ellipse pour ***engrenage différentiel*** à propos de ce type d'engrenage qui réunit les deux moitiés d'essieu d'un véhicule en transmettant un mouvement composé. ◆ Une **DIFFÉRENTIELLE** n. f. s'emploie en mathématiques et concerne l'accroissement d'une fonction par un accroissement infiniment petit de la variable. ◆ Le verbe **DIFFÉRER** est emprunté une première fois (fin XIIIe s.) au latin *differre* avec le sens transitif de «remettre à plus tard». Contrairement à l'usage moderne, la langue classique admettait aussi un nom de personne pour complément et construisait également le verbe avec la préposition *de* ou *à*, usage aujourd'hui archaïque. ◆ Son participe passé, **DIFFÉRÉ, ÉE**, adjectivé (XVe s.) et substantivé, s'emploie dans la locution ***en différé*** (v. 1945) à propos d'une émission. Le verbe a été emprunté aussi au latin, avec une valeur intransitive pour «être distinct» (1314); depuis 1791 (Volney), il s'emploie aussi, avec un nom de personne pour sujet, au sens d'«avoir un avis différent».

DIFFÉRENT, ENTE adj. est emprunté (v. 1360) au latin *differens*, participe présent de *differre*. D'abord employé comme nom *(un, le différent)* au sens de «différence», il n'a plus qu'un rôle d'adjectif (1393), spécialement la valeur d'un adjectif indéfini devant un nom pluriel (1669) : *différentes personnes pensent que* «certaines». Une variante graphique, *différens* (1640), puis **DIFFÉREND** n. m. (1680) désigne un désaccord entre personnes. ◇ *Différent* a produit **DIFFÉREMMENT** adv. (XIVe s.). ◆ Avant la fin du XIVe s., le français a emprunté **DIFFÉRENCIER** v. tr. «envisager comme différent, distinguer» au latin scolastique *differentiare* (1360), dérivé de *differentia*. ◆ Ce verbe est rare avant le XVIIe s., époque où son participe passé **DIFFÉRENCIÉ, ÉE** est adjectivé (1611). ◇ Le sens mathématique de «calculer la différentielle de» (1754, *Encyclopédie*) est généralement assumé par la variante **DIFFÉRENTIER**, laquelle a produit le terme didactique **DIFFÉRENTIATION** n. f. (1839) employé en mathématiques à côté du nom d'action général **DIFFÉRENCIATION** n. f. (1808) «action de différencier». ◆ Au XXe s., le radical de celui-ci a permis de former **DIFFÉRENCIATEUR, TRICE** adj. (1916, Saussure) et le quasi-synonyme **DIFFÉRENCIATIF, IVE** adj. (v. 1953). ◆ Le préfixe privatif *in-* a servi à former la série antonymique **INDIFFÉRENCIÉ** adj. (1843, Proudhon), **INDIFFÉRENCIATION** n. f. (1843, Proudhon) et **INDIFFÉRENCIER** v. tr., plus rare (v. 1950).

INDIFFÉRENT, ENTE adj. est emprunté (v. 1300) au latin *indifferens,* préfixé en *in-*, employé en philosophie pour ce qui n'est ni bon ni mauvais, substantivé en grammaire pour une syllabe ni longue ni brève, et, chez Suétone, pour une personne qui ne se préoccupe pas de qqch. ◆ Le mot, d'abord répertorié dans un glossaire roman pour «sans distinction», s'est répandu au XVIe s., après un emploi isolé au XVe s. au sens d'«indécis». Il qualifie alors une conduite morale qui ne penche ni vers le bien ni vers le mal (1529), une chose n'ayant aucune raison pour incliner qqn à en faire le choix (v. 1580). La quasi-totalité des sens est attestée avant la fin du XVIIe s., de la valeur didactique de «qui ne se porte pas d'un côté plus que d'un autre» (1641, Descartes) à l'ensemble des sens psychologiques et affectifs, spécialement dans le domaine des sentiments amoureux (1643) et en religion (1694), comme adjectif et comme nom. ◆ *Indifférent* a produit **INDIFFÉREMMENT** adv. (1314) «sans faire de différence» et (1520) «avec indifférence», puis le terme de doctrine **INDIFFÉRENTISME** n. m. (1750), d'où **INDIFFÉRENTISTE** adj. et n., dans le domaine religieux ou politique. ◆ Le verbe **INDIFFÉRER** (1891) d'abord «familier» signifie «être indifférent (à qqn)». ◆ Le nom correspondant **INDIFFÉRENCE** n. f., emprunté (1372) au bas latin *indifferentia* avec le sens de ce dernier, «état physique qui ne présente rien de particulier», a développé ses acceptions modernes au XVIIe s. en relation avec *indifférent.* En matière religieuse, il s'est répandu au XIXe s., notamment à la suite de l'ouvrage retentissant de Lamennais, *Essai sur l'indifférence en matière de religion* (1817).

DIFFÉREND, DIFFÉRER → DIFFÉRENCE

DIFFICILE adj. est emprunté (1330 in *F. e. w.*) au latin *difficilis* «malaisé, pénible» et, à propos d'une personne, «peu traitable, morose», adjectif formé avec le préfixe privatif *dis-* (→ dé-) comme antonyme de *facilis* (→ facile).

♦ Le mot qualifie d'abord une chose malaisée, un lieu incommode ou d'accès malaisé (av. 1380). Ultérieurement, il qualifie une personne qu'on a peine à contenter et à fréquenter (1587, *faire le difficile*).

▶ Le dérivé **DIFFICILEMENT** adv. (1455) réalise seulement l'idée de «malaisément». ◆ Le substantif **DIFFICULTÉ** n. f. est emprunté (1239) au dérivé latin *difficultas* «obstacle, embarras» et «caractère insupportable». Le français, qui ne lui a repris que le premier type d'emplois, exprime une idée d'opposition (dans la locution ***se rendre sans difficulté***) et surtout le caractère de ce qui est malaisé. *La difficulté de...* se dit de ce qui est difficile dans qqch. (1611), et *une, des difficultés* d'une chose difficile ou problématique. ◆ À son tour, le nom a produit **DIFFICULTUEUX, EUSE** adj. (1584) sur le modèle de *volupté-voluptueux, majesté-majestueux.* Cet adjectif se rencontre plus souvent pour qualifier une chose qu'une personne (1690), comme une sorte de forme marquée de *difficile,* le signifié étant motivé par la relative complexité du signifiant. ◇ De même, le dérivé **DIFFICULTUEUSEMENT** adv. (1823) remplit un rôle d'intensif par rapport à *difficilement.*

DIFFORME adj. est emprunté (1495, XIIIe s. selon Bloch et Wartburg) au latin médiéval *difformis* (1267), altération par changement de préfixe du latin classique *deformis* «laid, informe». Ce dernier est formé avec le préfixe privatif *de-* et le suffixe *-is* sur *forma* (→ forme).

♦ Le mot s'applique surtout aux réalités humaines caractérisées par l'irrégularité de leurs formes ou de leurs proportions ; il est plus fort et plus péjoratif que *déformé.*

▶ **DIFFORMER** v. tr. (1316-1328), aujourd'hui à peu près inusité, a été emprunté au latin médiéval *difformare* (XIVe s.), issu par substitution de suffixe du classique *deformare* (→ déformer). Rare au sens de «défigurer en rendant difforme», le mot s'est spécialisé aux XVIIe et XVIIIe s. pour «dénaturer une monnaie» (1690, Furetière précisant qu'il ne se dit guère qu'«en termes de palais»). ◆ Le nom d'état correspondant, **DIFFORMITÉ** n. f., est emprunté (XIVe s.) au latin médiéval *difformitas* (1250), altération du classique *deformitas,* dérivé de *deformis* et emprunté en moyen français sous la forme *deffourmiteit* (XIVe s.). Il s'emploie surtout à propos du corps humain.

DIFFRACTION n. f. est un dérivé savant (1666, *Journal des savants*), sur le modèle de *réfraction,* du supin *diffractum* du latin classique *diffringere* «briser, mettre en pièces». Celui-ci est formé de *dis-* exprimant la dispersion (→ dé-) et de *frangere* «briser» (→ fraction).

♦ Le mot français, d'usage technique, désigne un phénomène optique de déviation des rayons lumineux au contact du bord d'un corps opaque.

▶ Ultérieurement, les physiciens ont emprunté **DIFFRINGENT, ENTE** adj. (1738) au participe présent *(diffringens)* de *diffringere.* ◇ En outre, ils ont dérivé de *diffraction* **DIFFRACTER** v. tr. (1838), sur le modèle de *réfracter,* et **DIFFRACTIF, IVE** adj. (1846). ◆ Au XXe s., **DIFFRACTOMÈTRE** n. m. (v. 1950), formé à l'aide de l'élément *-mètre**, désigne l'appareil mesurant la diffraction.

DIFFUS, USE adj. est emprunté (1314) au latin *diffusus,* participe passé de *diffundere* «étendre en versant, répandre», au figuré «porter au loin», «dilater, épanouir». Le verbe est le composé en *dis-* (→ dé-) de *fundere* (→ fondre).

♦ L'adjectif, repris avec le sens figuré de «disséminé», a reçu le sens physique de «répandu»

(v. 1575, Paré, à propos de la chaleur dans le corps), avant de s'appliquer aussi à un objet abstrait (la pensée, le langage) et à une personne qui délaye trop sa pensée (1680).

▶ L'adverbe dérivé **DIFFUSÉMENT** (1371, Oresme) est peu employé. ◆ En revanche **DIFFUSER** v. tr. (déb. XVe s.), d'abord peu usité, a pris au XIXe s. de nouvelles acceptions en relation avec les spécialisations nouvelles du dérivé *diffusion* et des préfixes en *radio-*. Employé en chimie pour «provoquer la diffusion de (qqch.)» (1861), il s'emploie dans le cadre de la technique des ondes sonores (1933), et de la distribution dans le public d'un ouvrage de librairie (1947). Plus généralement, il correspond à «propager une nouvelle» (XXe s.). ◆ Ses dérivés ont été formés au XIXe s., à l'exception de **DIFFUSIF, IVE** adj. (déb. XVIe s.), d'usage didactique, qui a cependant donné **DIFFUSIVITÉ** n. f. bien plus tard (v. 1950). ◆ On rencontre ainsi **DIFFUSEUR** n. m. (1890) pour un appareil, et spécialement (1921) pour un élément du carburateur, ainsi qu'un organe qui diffuse dans le public l'information et, spécialement, une entreprise de diffusion des livres, **DIFFUSIBLE** adj. (attesté 1834) et le dérivé de ce dernier, **DIFFUSIBILITÉ** n. f., dès 1787.
Le nom d'action **DIFFUSION** n. f. a été emprunté (1587) au latin *diffusio* «action de répandre», du supin *(diffusum)* de *diffundere*. D'abord employé pour «action de répandre» (à propos de la bonté de Dieu envers les créatures), il a suivi ou accompagné l'évolution du verbe avec des acceptions nouvelles au XIXe s. (physique) et au XXe s., notamment pour les émissions de radio et de télévision et le commerce des livres, la *diffusion* devenant une branche de l'édition. ◆ Le mot entre en composition dans *radiodiffusion* (→ radio) et *télédiffusion* (→ télé). ◆ Le préverbe *re-* a servi à former **REDIFFUSER** v. tr. (v. 1965) et **REDIFFUSION** n. f. (v. 1965), surtout employés pour les retransmissions radiophoniques ou télévisées.

✷ **DIGÉRER** v. tr. est emprunté (av. 1288) au latin *digerere*, composé de *dis-* (→ dé-) et de *gerere* (→ gérer), proprement «porter de côté et d'autre». De là, on est passé à l'idée de «répandre» et, avec une notion de classement, de «distribuer» ; le verbe s'est spécialisé dans le langage médical pour «répartir les aliments dans l'organisme», entrant en concurrence avec *concoquere* (→ concoction).

♦ *Digérer* s'emploie dès l'ancien français avec la spécialisation «assimiler les aliments ingérés», son sens le plus courant. Par métaphore du sens médical, il a pris les valeurs abstraites d'«assimiler mentalement» et «supporter (qqch.), se résigner à» (tous deux dep. 1468) et familièrement, «croire» (1664, Molière). Le sens de «classer, mettre en ordre» (1527) a disparu au XVIIe siècle.

▶ Les dérivés du français sont peu nombreux : le préfixé **INDIGÉRÉ, ÉE** adj. (1380), antonyme de **DIGÉRÉ, ÉE** (participe passé adjectivé), est peu usité, de même que **DIGÉRABLE** adj. (1843, après une première attestation en 1516) qui a lui-même produit le terme didactique **DIGÉRABILITÉ** n. f. (XXe s.).
Les autres mots du groupe sont empruntés au latin ou formés sur le supin *digestum* de *digerere*. ◆ **DIGESTE** adj., emprunté (déb. XIIIe s.) au participe passé latin *digestus*, a longtemps eu le sens résultatif de «qui a été digéré» (1515) ; son sens moderne, «facile à digérer», tardif (1880, Flaubert), s'est développé sous l'influence de l'antonyme. ◆ Ce dernier, **INDIGESTE** adj., emprunté (1314) au latin avec le sens de «mal digéré», a reçu dès le XVIe s. le sens moderne de «difficile à digérer» (1505). ◆ **DIGESTION** n. f. est emprunté (v. 1278) au latin *digestio* «classement, arrangement» et, dans la langue médicale, «répartition de la nourriture dans le corps», du supin de *digerere*. La première attestation en français présente le sens de «transformation», dans un contexte alchimique, mais le mot est bientôt employé (1282) avec son sens médical courant, qui correspond à *digérer*. Ses acceptions figurées (1399-1402, 1867) sont moins répandues que celles du verbe. ◆ L'antonyme **INDIGESTION** n. f., emprunté (XIIIe s.) au latin *indigestio*, a développé la valeur figurée de «fait d'avoir qqch. en excès et d'en être dégoûté». ◆ Autre emprunt du XIIIe s., **DIGESTIF, IVE** adj. représente (1262-1268) le latin impérial *digestivus* «relatif à la digestion», formé sur le supin de *digerere*. De façon symétrique à *apéritif*, le mot a été substantivé (par ellipse pour *alcool digestif*), en parlant d'un alcool favorisant la digestion (fin XVIe s.). ◆ **DIGESTIBLE** adj., emprunté une première fois (1314) au dérivé latin *digestibilis* avec son sens de «facile à digérer», a été repris au XVIIIe siècle. ◇ Avec son antonyme **INDIGESTIBLE** adj. (1380), représentant du latin *indigestibilis*, il subit la double concurrence de *digeste-indigeste* et de *digérable*. ◇ *Digestible* a servi à former **DIGESTIBILITÉ** n. f., noté pour la première fois en 1805 chez Cuvier et concurrencé par *digérabilité*.
À l'écart du groupe, le terme de droit romain **DIGESTE** n. m., «recueil de lois romaines», est emprunté (v. 1230) au latin *digesta*. Celui-ci, participe passé neutre pluriel substantivé de *digerere*, désignait toute espèce d'œuvre distribuée en chapitres, spécialement en parlant de la compilation des grands traités des jurisconsultes romains effectuée par ordre de l'empereur Justinien, qui donna force de loi à ce recueil. Le mot français s'est également dit d'un livre, d'un recueil ordonné.
DIGEST n. m. est un emprunt (1930) à l'anglais *digest* n., emprunt parallèle au français *digeste* (latin *digesta*) d'abord employé (XIVe s.) pour désigner le recueil de lois de Justinien puis pour tout recueil de matières classées méthodiquement et résumées (1555). Comme en latin, c'est l'idée d'une répartition, d'une classification destinée à l'assimilation qui est ici exprimée, et non pas le sens physiologique dominant dans *digérer*. *Digest* apparaît comme citation d'un terme américain dans *New York* de Paul Morand. Il s'est répandu en France (1949) avec la diffusion massive de *Sélection du Reader's Digest*, traduction d'un périodique américain à grand tirage, qui provoqua souvent en Europe l'irritation des intellectuels, tant à cause de sa formule, où des textes célèbres étaient condensés, que de son contenu idéologique. Le mot *digest*, l'un des symboles du franglais, a gardé de ce

contexte une valeur péjorative. Son remplacement par *condensé* (1976, *Journal officiel*) n'est pas usuel, mais le mot semble en recul.

① **DIGITAL, ALE, AUX** adj. et n. est emprunté (1732) au latin impérial *digitalis* «de la grosseur d'un doigt», dérivé de *digitus* qui a donné en français *doigt**.

♦ Le mot signifie «relatif au doigt», plus rarement «qui a la grosseur du doigt». Ce sens est didactique.

► Le latin *digitus* a suscité en français de nombreux mots scientifiques : dérivés savants comme **DIGITÉ, ÉE** adj. (1771), **DIGITATION** n. f. (1754) «forme en doigts écartés» ; composés comme **DIGITIFORME** adj. (1842), **DIGITIGRADE** adj. (1805), etc., dont se dégage un élément de formation *digit(i)-*.

En tant que terme de numération, ② **DIGITAL** adj. est un autre mot, emprunt récent (v. 1960) à l'anglo-américain *digital* «qui opère sur des données discrètes, numériques et non pas continues», sens attesté depuis 1938 et répandu vers 1945. Le mot vient de *digit,* ancien terme anglais d'arithmétique (1398) désignant d'abord les nombres inférieurs à dix (soit les nombres que l'on peut compter sur les doigts, du latin *digitus*), puis employé comme attribut (*digite number,* 1613). ◇ Le mot, spécialisé aux États-Unis en parlant des machines à compter (1921), s'est répandu avec l'informatique. L'anglais possédait déjà *digital,* emprunt au français et au latin, qui s'était employé comme nom au sens de *digit* au XVe s., mais qui n'était plus employé que comme adjectif, au sens de «relatif au doigt» (1656).

L'emprunt de *digital,* terme de numérotation, a entraîné celui de **DIGIT** n. m. (1968) et surtout celui de **DIGITALISER** v. tr. (1970), pris au dérivé anglais *to digitalize* (1962). ◆ En revanche, ① **DIGITALISATION** n. f. (v. 1970) est une création française : les dictionnaires anglais connaissent seulement *digitalization* «administration de digitaline». Le *Journal officiel* a prescrit (12 janvier 1974) *numérique* pour remplacer *digital,* mais reste muet quant aux remplaçants possibles de *digitaliser.* On relève aussi **DIGITISER** v. tr. (v. 1979).

DIGITALE n. f., terme de botanique, est emprunté (1545) au latin médiéval botanique *digitale.* La plante doit son nom à la forme de la corolle tubuleuse de ses fleurs qui évoque un doigt de gant ou un dé à coudre. Par métonymie, le mot désigne le produit très toxique qu'on extrait de la plante, utilisé en pharmacie. ◆ Il a produit **DIGITALINE** n. f. (1827), dénomination, en pharmacie, du principe actif initialement extrait (un glucoside) de la digitale pourprée. ◆ La médecine connaît ② **DIGITALISATION** n. f. (XXe s.), emprunt à l'anglais *digitalization,* de *to digitalize,* de *digitaline.*

DIGNE adj. est un emprunt ancien (1050) au latin classique *dignus* «qui convient à», «qui mérite qqch. (en bonne ou mauvaise part)» et «méritant». Cet adjectif est issu, par un intermédiaire supposé °*decnos,* de l'impersonnel *decet* «il convient» (→ décent).

♦ *Digne* s'emploie suivi d'un complément en *de* au sens de «qui mérite», et absolument au sens de «qui mérite l'estime» (1240). Il exprime aussi (1560-1561) une notion d'accord, de conformité (avec qqch., qqn). La valeur morale «estimable, respectable», encore vivante au XIXe s., a été progressivement évincée par le sens de «grave, réservé, d'apparence respectable» (1807, Mme de Staël), de nos jours fréquemment ironique.

► De *digne* sont dérivés **DIGNEMENT** adv. (1180), avec la même évolution que l'adjectif, et **DIGNIFIER** v. tr. (fin XIIIe-déb. XIVe s.), ce dernier pouvant aussi être emprunté au bas latin *dignificare,* de *dignus* et *-ficare* (→ faire). ◆ Ce verbe, rare, a produit ses dérivés au XXe siècle : **DIGNIFIANT, ANTE** adj. (1921) et **DIGNIFICATION** n. f. (1930).

DIGNITÉ n. f. (v. 1155) est emprunté au dérivé latin *dignitas* «fait de mériter, mérite», également employé pour désigner les qualités qui font qu'on est digne (estime, considération, prestige), et, avec un glissement vers l'apparence, l'honorabilité, la beauté majestueuse. L'emprunt a supplanté l'ancien type populaire *deintié* remontant à l'accusatif latin *dignitatem* «bien», «seigneurie, puissance», en particulier «morceau d'honneur, de choix, friandise». Ce mot est encore mentionné par certains dictionnaires du XIXe s. (Littré) sous la forme du pluriel *daintiers* (dès 1080) avec changement de suffixe, comme terme de vénerie désignant les testicules du cerf. ◆ *Dignité* désigne aussi la charge qui donne à qqn un rang éminent et (v. 1155) la grandeur, la situation éminente d'une chose. Plus généralement, il correspond à la valeur intrinsèque d'une chose (1265) ou d'une personne (v. 1370). Par métonymie quant à l'apparence, au comportement, il correspond à «fierté, manières hautaines» (1690). ◆ Son dérivé **DIGNITAIRE** n. (1718) désigne une personne revêtue d'une prérogative forçant le respect et lui conférant un rang élevé dans la société.

INDIGNE adj. (v. 1200) est emprunté au latin *indignus* «qui ne mérite pas», «qu'on ne mérite pas», «qui ne convient pas». Le mot s'est dit en bonne part d'une chose bonne qu'on ne mérite pas et, dans l'usage classique, d'une personne qui ne mérite pas son sort, fût-il fâcheux (1636, Corneille). L'usage moderne, qui s'est répandu à partir du XVIe s. (après un emploi isolé pour «absurde» au XVe s.), l'entend en mauvaise part d'une personne qui ne mérite pas une bonne chose (1458), d'une personne ou d'une chose qui n'est pas en rapport de convenance (1588, *bêtises indignes d'un enfant*), et, absolument, d'une chose infamante (av. 1589), ou d'une personne méprisable (1665). La substantivation du mot (1688) concerne spécialement, en droit, la personne exclue d'une succession par la loi (1732). ◆ **INDIGNEMENT** adv. (v. 1200) est dérivé d'*indigne.* ◆ **INDIGNATION** n. f. (v. 1120), emprunté au latin *indignatio,* lui a repris son sens moderne. ◆ **INDIGNITÉ** n. f. (XIIIe s.), repris du latin *indignitas,* a également pénétré en français avec son sens actuel en parlant du caractère indigne d'une chose et (1402) d'une personne ; par métonymie, *une* ou *des indignités* se rapporte (1530) à une action indigne, quelquefois en emploi exclamatif. ◆ **INDIGNER** v. tr. est emprunté (v. 1330) au latin *indignari* «s'indigner», lequel était passé par voie populaire dans l'ancien français *soi endeignier* (1130-1140). Il est surtout usuel à la forme pronominale et à la voie passive, le sens transitif étant répertorié relativement tard (1611).

DIGRESSION n. f. est emprunté (1174-1176) au latin *digressio* proprement «action de s'éloigner», spécialisé abstraitement comme terme de rhétorique pour désigner le fait de s'écarter de son sujet. Le mot est dérivé du supin *(digressum)* de *digredi* «s'éloigner du sujet», de *dis-* (→ dé-) et *gradi* «marcher, s'avancer» qui a fourni par ses composés plusieurs mots français (*progrès, progression, régression,* etc.).

♦ Le mot correspond à un développement qui s'écarte du sujet. Ultérieurement, il s'est spécialisé en astronomie (1752) à propos de l'écart angulaire d'un astre par rapport à un système de référence.

▸ Le radical *digress-* a servi de base à **DIGRESSER** v. intr., rare, et **DIGRESSIF, IVE** adj., formés d'après *progresser, progressif,* et tous deux enregistrés dans le dictionnaire de l'Académie en 1838.

DIGUE n. f., d'abord sous la forme *diic* (1293), puis *dike* (1373), est emprunté au moyen néerlandais *dijc* (*dijk* en néerlandais moderne), mot qui se rattache à la racine du latin *figere* «ficher, enfoncer, planter» (→ fixe).

♦ D'abord masculin, puis (1373) féminin, le mot désigne une longue construction destinée à faire obstacle aux eaux; ses extensions se limitent à quelques emplois analogiques et au sens figuré de «ce qui empêche, retient» (1637).

▸ Le verbe correspondant, **DIGUER** v. tr., a été emprunté sous l'ancienne forme *dikier* (1285) au moyen néerlandais *diken, dijcken,* dérivé de *dijc.* Rare avant le XIXe s. (1836), il s'est écrit successivement *dicquier* (1436), *dieguer* (1460) et enfin *diguer* (1470) au XVe siècle. ⟡ Sa rareté vient de la concurrence du préfixé **ENDIGUER** v. tr. (1827) employé au propre et au figuré «retenir, empêcher de se répandre» (av. 1870). Ce dernier a donné **ENDIGUEMENT** n. m. (1827), également employé au figuré (1901). ⟡ Le diminutif **DIGUETTE** n. f. est attesté au XXe siècle.

DIKTAT, DICTAT n. m. est un emprunt moderne (1932) à l'allemand *Diktat* (XVIIIe s.), littéralement «chose dictée», lui-même dérivé du radical du latin *dictare* (→ dicter).

♦ Le mot a été emprunté comme terme de politique internationale pour désigner un traité imposé à une nation par une autre, en référence au traité de paix de 1919 appelé *diktat* par la partie allemande. Par extension, il se dit familièrement d'une chose imposée par la force (1936), notamment dans le contexte international de la montée du nazisme.

DILACÉRER → LACÉRER

DILAPIDER v. tr. est emprunté (1223) au latin *dilapidare* «cribler de pierres (ou comme à coups de pierres)» et «jeter de côté et d'autre comme des pierres», d'où «dissiper, gaspiller». Ce mot est formé de *dis-* (→ dé-) exprimant la dispersion, et de *lapidare* «attaquer à coups de pierres» (→ lapider).

♦ Laissant le sens propre au verbe simple *lapider**, le français n'emploie *dilapider* qu'avec le sens figuré de «gaspiller».

▸ Au XVe s., apparaît le nom d'action **DILAPIDATION** n. f. (1465), rare avant le XVIIIe s. (1762), emprunt au bas latin *dilapidatio,* et, formé sur le radical du verbe français, **DILAPIDATEUR, TRICE** adj. et n. (1433).

DILATER v. tr. est emprunté (1377) au latin *dilatare* «élargir, étendre» au figuré «développer», pronominalement «s'enfler». Ce verbe est formé de *dis-* (→ dé-) et de *latus* «large» (→ lé).

♦ Le mot a été introduit par les clercs (Oresme) à la fois avec son sens propre — en emploi pronominal à valeur passive *les corps se dilatent* — et son sens figuré.

▸ Son participe présent **DILATANT, ANTE** est substantivé (1754, *Encyclopédie*) en chirurgie. ⟡ Les autres dérivés de *dilater* sont apparus à partir du XVIe s. : **DILATABLE** adj. (XVIe s.) et **DILATABILITÉ** n. f. (1731), mots de physique *(la dilatabilité des gaz),* **DILATATEUR, TRICE** adj. (1611), terme d'anatomie *(muscles dilatateurs)* substantivé en chirurgie comme nom d'instrument au même sens que *dilatant,* **DILATEMENT** n. m. (1895, Huysmans), d'usage rare, et **DILATANCE** n. f. (v. 1970), employé en sismologie. ⟡ **DILATATION** n. f. a été emprunté par les médecins (1314) au bas latin *dilatatio* «largeur, espace, extension» et «exultation», dérivé de sens propre et figuré de *dilatum,* supin de *dilatare.* Le mot a développé d'autres spécialisations en physique (2e moitié du XVIIIe s., Buffon), en physiologie et en médecine. Il compte également des emplois métaphoriques ou figurés (v. 1355).

DILATOIRE adj. est emprunté (1283) au bas latin juridique *dilatorius* «qui tend à différer», formé sur *dilatum,* supin de *differre* pris avec son sens de «retarder» (→ différer).

♦ Le mot est d'abord employé dans son acception juridique (dans ***exceptions dilatoires*** chez Ph. de Beaumanoir, *Coutumes du Beauvaisis*). Il s'est répandu à propos d'un moyen visant à gagner du temps ***(procédé, moyen dilatoire),*** subissant probablement l'influence de *délai**.

▸ Le nom correspondant **DILATION** n. f. (1283), emprunté au latin *dilatio,* s'est employé jusqu'au XVIIe s. (Pascal) avec le sens de «retard, remise». Il a été repris en phonétique (v. 1930) à propos d'un phénomène d'assimilation à distance, comme l'harmonisation vocalique.

DILECTION n. f. est emprunté (v. 1170) au latin chrétien *dilectio* «amour», dérivé de *diligere* «choisir» (→ diligent), d'où «aimer, affectionner».

♦ Le mot désigne l'amour spirituel que l'on porte à l'être choisi ou préféré. Il est demeuré rare.

▸ En revanche, son composé **PRÉDILECTION** n. f., formé avec *pré-** (v. 1460) au sens de «préférence pour qqn, qqch.», est devenu courant. Il est employé avec une valeur particulière *(une/des prédilections)* [XIXe s.] et dans la locution relativement usuelle ***de prédilection*** (XVIe s.). ◆ Son dérivé **PRÉDILECTIONNER** v. tr. (1774), «préférer ouvertement», est littéraire et rare (on en relève des emplois chez Gide).

DILEMME n. m. est emprunté (1555) au bas latin *dilemma,* lui-même pris au grec tardif *dilêmma* «argument par lequel on pose une alternative entre deux arguments contraires». Ce mot est composé de *di-* «deux», élément correspondant à *duo,* numéral répondant au latin *duo* (→ deux), et de *lêmma, -atos* «ce que l'on prend», soit, en logique, une des prémisses d'un syllogisme, généralement la majeure. *Lêmma* est apparenté à *lambanein* «prendre» qui repose sur une racine indoeuropéenne attestée par l'existence du sanskrit *labhate* «saisir» (→ catalepsie, épileptique, prolepse, syllabe).

♦ Ce terme de logique s'est répandu à propos d'une alternative à des termes également insatisfaisants (1662, Pascal). Il est devenu courant pour «choix difficile entre deux possibilités» (v. 1940).

► Son dérivé **DILEMMATIQUE** adj. (1842) est strictement didactique.

DILETTANTE n. est un emprunt (1740) à l'italien *dilettante,* attesté comme adjectif dès 1427 au sens de «celui qui trouve plaisir à qqch.» spécialement «amateur d'art». C'est le participe présent substantivé de *dilettare,* correspondant au français *délecter*.*

♦ Le mot a pénétré en français avec un sens restreint, «amateur de musique italienne», parfois élargi à «amateur de musique», puis à «amateur d'art, en général» (une fois en 1760 chez Voltaire, de nouveau en 1837 chez Barbey). L'usage moderne l'emploie surtout à propos d'une personne qui exerce une activité comme un passe-temps, quelquefois avec la même nuance péjorative qu'*amateur* ***(travailler en dilettante).*** Plus rarement, il s'applique péjorativement à un esthète qui vit au gré de sa fantaisie.

► Le dérivé **DILETTANTISME** n. m. (1821) a suivi une évolution analogue, du sens de «passion pour la musique italienne» au sens moderne «attitude du dilettante» (1838, Barbey). Plus encore que *dilettante,* il occupe une place voisine de celle de *dandysme* dans la terminologie des attitudes sociales. ◆ Par substitution de suffixe, a été formé **DILETTANTISTE** adj. et n. (1860, Baudelaire), souvent péjoratif, aujourd'hui passé d'usage.

DILIGENT, ENTE adj. est emprunté (apr. 1250) au latin *diligens* «qui dénote un soin empressé, attentif, scrupuleux». Ce mot est le participe présent adjectivé de *diligere,* formé de *dis-* (→ dé-) et *legere* (→ lire) et signifiant proprement «prendre de côté et d'autre, choisir» d'où «estimer, aimer, honorer, par un sentiment fondé sur le choix et la réflexion» (→ dilection).

♦ L'adjectif qualifie la personne qui met toute l'application nécessaire à exécuter une tache et, par métonymie (1678, *soins diligents*), ce qui témoigne d'une grande application d'exécution. L'accent est quelquefois mis sur l'idée de rapidité à accomplir un travail.

► Il a pour dérivé **DILIGEMMENT** adv., attesté sous plusieurs autres formes au moyen âge, comme *diligentement* (1200) formé sur le féminin, *dilyguanment* (v. 1250) ou *diligenment* (v. 1278) Il répond à un double sémantisme : «avec zèle» et «avec promptitude» (v. 1375). ◆ L'autre dérivé de *diligent,* **DILIGENTER** v. tr. (1413-1469), s'est d'abord construit avec la préposition *de* introduisant une infinitive pour «presser qqn de faire qqch.». Il est également pronominal depuis le XVIe s. (av. 1549). Dans les deux emplois, il ne s'est maintenu que dans le style administratif et juridique surtout comme transitif direct ***(diligenter une action).***
Le nom d'état correspondant, ① **DILIGENCE** n. f., est emprunté (fin XIIe-déb. XIIIe s.) au dérivé latin *diligentia* «soin scrupuleux». D'abord synonyme de «soin, minutie», il a développé parallèlement aux mots du même groupe, le sens de «hâte, empressement» (1489-1491) et il est passé dans le langage de la procédure pour y désigner une poursuite, une requête (1690), et dans l'expression ***à la diligence de*** «à la requête de» (1804, Code civil).
Son emploi spécialisé dans ***carrosse de diligence*** (déb. XVIIe s.) «carrosse rapide», est à l'origine du sens de «voiture hippomobile assurant un service régulier de transport de voyageurs» (1680), qui correspond à un mot senti comme différent, ② **DILIGENCE.** Employé pour décrire les transports du XVIIe au XIXe s., le mot connaît un regain de vitalité avec les récits de l'Ouest américain, où ce moyen de transport en commun s'est employé assez tard et a été souvent évoqué au cinéma : *l'attaque de la diligence* est l'un des thèmes populaires des westerns. Le même mot a désigné au XIXe s. une voiture sur les chemins de fer (1830-1870 environ), mais cette acception a disparu.

DILUER v. tr. est emprunté (XVe s.) au latin *diluere* «détremper, désagréger», «dissoudre» et, au figuré, «dissiper, éclaircir, débrouiller», verbe formé de *dis-* (→ dé-) et *luere* «laver, baigner», surtout attesté en composition et appartenant au groupe de *lavare* (→ laver).

♦ Emprunté une première fois au XVe s., il a été réemprunté (1824) au sens de «délayer une substance dans un liquide». Il prend aussi celui d'«étendre d'eau un liquide» (1834) et une acception figurée : «amoindrir, diminuer» (1885).

► Son participe présent **DILUANT, ANTE** est substantivé (1924) pour un produit qui a la propriété de diluer. ◆ Le nom d'action correspondant, **DILUTION** n. f., a été dérivé (1833) du radical de *diluer* avec le suffixe *-tion,* plutôt qu'emprunté au dérivé bas latin *dilutio* qui signifie seulement «action de laver» et au figuré «de se justifier». *Dilution* s'est d'abord employé en médecine homéopathique, à propos de l'opération assurant la dispersion croissante d'une substance dans un solvant, puis (1836) avec l'acception générale correspondant au verbe.

DILUVIEN, IENNE adj. est une formation savante (1781, 1764 selon Bloch et Wartburg) sur le radical du latin *diluvium* qui a donné *déluge**, pour servir d'adjectif à ce dernier.

♦ Le mot est à la fois d'usage didactique et littéraire au sens temporel de «très ancien», et courant pour qualifier une pluie torrentielle.

▸ En outre, il a été employé comme synonyme de **DILUVIAL, ALE, AUX**, autre adjectif formé (1826, Hugo) sur le latin *diluvium* et employé par les géologues pour servir d'adjectif à **DILUVIUM** n. m. (attesté 1834), mot d'emprunt désignant l'ensemble des dépôts alluviaux du quaternaire, jadis attribués au déluge. Le mot latin a été adopté par l'Anglais W. Buckland (1819) et francisé en *diluvion* (1846), forme qui n'a pas vécu. ➛ *Diluvien* est entré dans la composition d'**ANTÉDILUVIEN, IENNE** adj. (1750), mot probablement emprunté à l'anglais *antediluvian* (1646), proprement «antérieur au déluge», surtout répandu avec la valeur vague de «très ancien», en concurrence avec *préhistorique*.

DIMANCHE n. m., d'abord *dïenenche* (1131), puis *dymanche* (déb. XIVe s.), est issu du latin chrétien *dies dominicus*, proprement «jour du Seigneur», devenu °*didominicu* puis, par dissimilation consonantique, °*diominicu*. L'expression, constituée de *dies* (→ diurne, jour) et de *dominicus* «du maître, du seigneur», dérivé de *dominus* «maître», s'est substituée à *dies solis*, «jour du soleil», que la Gaule romaine a communiqué aux langues voisines : breton *disul*, anglais *sunday*, allemand *Sonntag*. Le type *dimanche* a aussi évincé l'ancien français *dïemeine*, formé sur l'adjectif ancien français *demaine* (du latin *dominicus*) : «seigneurial, principal, propre» (v. 1119 : «diemeine, le Jurn Jesu demaine [le jour du seigneur Jésus]»).

♦ Le mot est entré dans quelques syntagmes du type ***habits du dimanche*** (1690) avec une valeur de «jour de fête, de repos», quelquefois péjorativement, dans *peintre du dimanche* «amateur, peu expérimenté».

▸ Le préfixé verbal **ENDIMANCHER** v. tr. (1572) «revêtir les habits du dimanche» se dit par extension pour «parer un lieu comme pour un dimanche» (1831). ◇ Le participe passé **ENDIMANCHÉ, ÉE** est adjectivé (1611), souvent avec la nuance péjorative liée au jugement social porté sur les classes modestes qui, le dimanche, s'efforcent de s'habiller bourgeoisement, avec quelque gaucherie (1818, Stendhal). ◇ Nom d'action et d'état correspondant, **ENDIMANCHEMENT** n. m. (1843), est rare.

◈ voir **DOMINICAL**.

DÎME n. f., d'abord *disme* (v. 1135) et *diesme* (1160-1174), est issu du latin *decima* (sous-entendu *pars*), «la dixième partie», «le dixième», mot qui a donné *décime** par voie d'emprunt.

♦ L'ancien français connaît déjà l'adjectif *disme* «dixième» (1080, jusqu'au XIVe s.). Le substantif, d'abord masculin, puis (1160-1174) féminin, a désigné en général la dixième partie d'une chose. Il s'est rapidement spécialisé en droit médiéval à propos de la dixième partie des récoltes versées à l'Église ou au seigneur (1174-1176). ➛ Depuis le XVe s. (1450), c'est aussi un terme biblique, s'appliquant au dixième de la récolte qui, chez les Juifs, était offert à Dieu ou donné aux lévites, l'impôt moderne acquérant ainsi un fondement antique. Après abolition de la *dîme* en 1789, le mot est entré dans la locution figurée ***lever la, une dîme sur...*** (1836) «faire un prélèvement non permis».

▸ *Dîme* a produit en ancien français le verbe **DÎMER** v. tr. (XIIe s., *dismer*) «lever la dîme» et le nom d'agent **DÎMEUR** n. m., d'abord *desmëor* (1174-1178) puis *dismeur* (1345), dénomination de la personne préposée à la collecte de la *dîme*. Ces mots sont aujourd'hui des termes d'histoire, le sens figuré de *dîmer*, «prélever», étant sorti d'usage.

DIMENSION n. f. est emprunté (1372) au latin *dimensio* «action de mesurer» et à basse époque «grandeur mesurable», mot formé sur le supin *dimensum* de *dimetiri* «mesurer en tous sens», au figuré «calculer», de *dis-* (→ dé-) et *metiri* «mesurer», «juger, estimer» (→ mesure).

♦ Le mot désigne la grandeur mesurable d'un corps dans toutes les directions ou selon une direction par rapport aux autres grandeurs significatives. Il n'a pris qu'au XIXe s. son sens figuré d'«ampleur, importance» (1835); cependant, dès 1614, on relève certains emplois métaphoriques et le XVIIIe s. employait *prendre les dimensions de qqn* pour le fait de le juger d'après ses attitudes, son comportement. De nos jours, ***prendre les dimensions d'une chose*** correspond à un sens abstrait récent (1951), «aspect significatif» (*les dimensions du problème*).

▸ Le mot a produit ses dérivés aux XIXe et XXe s. : **DIMENSIONNEL, ELLE** adj. (1875) est didactique et technique; il a entraîné **UNIDIMENSIONNEL, ELLE** adj. (v. 1968, Marcuse), **BIDIMENSIONNEL, ELLE** adj. (déb. XXe s.), **TRIDIMENSIONNEL, ELLE** adj. (1953) et les noms didactiques correspondants, sur le modèle de **DIMENSIONNALITÉ** n. f. (v. 1960). ➛ **DIMENSIONNER** v. tr. est employé depuis 1927 dans un usage technique, de même que son dérivé **DIMENSIONNEMENT** n. m. (1948) : tous deux sont critiqués par les puristes qui recommandent de remplacer le verbe par *proportionner*. ➛ Deux composés en *sur-**, **SURDIMENSION** n. f. et **SURDIMENSIONNER** v. tr., ont été formés récemment (v. 1980), attestant la vitalité de *dimensionner*, courant au participe passé.

DIMINUER v. est emprunté (1308) au latin *diminuere*, altération par substitution de préfixe (*dis-* → dé- pour *de-*) de *deminuere*. Celui-ci signifie «enlever, retrancher», «amoindrir, affaiblir» et, grammaticalement, «former un diminutif»; c'est un composé en *de-* de *minuere* «rendre plus petit», «amoindrir, réduire», de *minus* (→ moins).

♦ Le verbe a d'abord le sens transitif de «rendre moindre, réduire en quantité», spécialement en musique (1732) et en marine à propos des voiles (1797). Depuis la fin du XVe s. (1489-1491), il a également le sens figuré de «rendre moins fort, affaiblir», d'où moralement «déprécier, humilier» (1842). Il s'emploie intransitivement (1588) avec les sens correspondants.

▸ Son participe présent **DIMINUANT, ANTE** se prête à quelques rares emplois adjectivés (attestés au XXe s.).
Le nom d'action **DIMINUTION** n. f. est emprunté (1260-1265) au latin *diminutio,* lui-même altération de *deminutio* «action de rendre moindre, d'affaiblir», du supin de *deminuere.* Comme le verbe, le nom est employé au propre et (av. 1640) au figuré. ◆ **DIMINUTIF, IVE** adj. est un emprunt postérieur (XVe s.) au bas latin *diminutivus,* terme grammatical forgé sur le supin de *diminuere.* Le sens de «qui manque de qqch., est amoindri par retranchement» a disparu, partiellement remplacé par le participe passé adjectivé *diminué* (v. 1370). Dans la langue classique, *diminutif* s'est employé pour «qui représente en petit» (1595), aussi comme substantif (1637), là où le français moderne utilise *miniature, réduction.* Le mot s'est aussi spécialisé en grammaire (1579) comme n. et adj. *(suffixe diminutif)* trouvant là son emploi le plus vivant.
DIMINUENDO adv. et n. m., terme de musique, est l'emprunt (1821) de l'italien *diminuendo,* proprement «en diminuant», gérondif de *diminuire* lui-même issu du latin *diminuere.* Le mot, antonyme de *crescendo,* n'est attesté en italien même qu'en 1830, mais il existait en allemand dès 1774; il a pu être pris à l'allemand ou formé à partir de *crescendo.*

DINANDIER n. m., réfection (1576) de *dignandier* (XIIIe-XIVe s.), *dynandier,* est dérivé du nom de la ville de *Dinant,* située sur la Meuse, en Belgique, et qui était renommée pour la fabrication d'ustensiles de cuivre : Ph. de Commynes la décrit dans ses *Mémoires* (1489-1491) comme une «ville très forte de sa grandeur et très riche à cause d'une marchandise qu'ils faisoient de ces ouvraiges de cuyvre qu'on appelle dynanderie». Le mot doit son suffixe à divers noms de métiers comme *lavandier*, taillandier*.*

♦ Le mot dénomme le fabricant et marchand d'ustensiles de cuivre jaune. Il a vieilli.

▸ **DINANDERIE** n. f. (1387) est soit dérivé de *dinandier,* soit formé sur le nom de la ville.

DINAR n. m. est emprunté (1697) à l'arabe *dīnār,* mot désignant une monnaie d'or et venant lui-même du latin *denarius* (→ denier), probablement par l'intermédiaire du grec tardif *dênarion.*

♦ Apparu en histoire pour désigner une monnaie d'or frappée à la fin du VIIe s. par les califes arabes, le mot désigne aujourd'hui l'unité monétaire de divers pays arabes (Irak, Jordanie, Algérie, Tunisie) et de la Yougoslavie.

DINDE n. f. est issu (1600) des syntagmes antérieurement attestés *poulle d'Inde* (1542 dans *Gargantua*), *coq, poulle, poullet d'Inde,* également relevés chez Rabelais (1552) pour le dindon, la dinde et le dindonneau. Ces dénominations existaient déjà au moyen âge (1380, *poulle d'Ynde*), mais elles servaient à désigner la pintade (on relève aussi dans ce sens *geline d'Inde,* 1385; *coq d'Inde,* 1465 et *poule dainde,* 1508). Le syntagme calque le latin médiéval *gallina de India* (XIIIe s.) dans lequel *India* désignait l'Abyssinie, où la pintade vivait à l'état sauvage. Le changement de sens a eu lieu après que les Espagnols aient conquis le Mexique (premier quart XVIe s.) et qu'ils y aient découvert le dindon, importé peu après en Europe (en France v. 1532). L'italien a *gallo* et *gallina d'India,* l'allemand *indianischer Hahn,* l'anglais *cock* et *hen of India.*

♦ *Dinde,* qui désigne la femelle de l'oiseau nommé *dindon* (ci-dessous), est appliqué familièrement à une femme sotte et prétentieuse (1752).

▸ Le mot a servi à former le masculin **DINDON** n. m., d'abord écrit *d'Indon* et désignant le petit de l'animal chez O. de Serres (1605), lequel employait pour le dindon adulte le mot *d'Indart.* ◇ Par la suite, *dindon* est réservé à l'oiseau adulte (1668), tandis que le dérivé **DINDONNEAU** n. m. (1651) s'applique au petit. ◇ Parallèlement à *dinde, dindon* se dit au figuré d'un homme vaniteux et niais (1793), notamment dans la locution proverbiale ***être le dindon de la farce*** qui se rapporte au sémantisme de la duperie (cf. *dupe, pigeon...*); ce sens a été popularisé par la pièce de Feydeau intitulée *Le Dindon* (1896). ◆ De *dindon* sont dérivés **DINDONNIER, IÈRE** n. (av. 1660), «gardeur, euse de dindons», et adj. (1678, *la dindonnière gent,* La Fontaine), également au figuré (1897) et **DINDONNER** v. (1828), mot familier pour «duper facilement», aujourd'hui vieilli.

DÎNER v. intr. est issu, sous la forme *disner* (v. 1131), du bas latin *disjejunare* «rompre le jeûne», devenu par haplologie (réduction de deux syllabes *-je, ju-* à une) *disjunare;* le même verbe latin a donné *déjeuner*, dîner* correspondant aux formes en *disn-* non accentuées sur le radical : on relève *disnare* en latin médiéval au IXe siècle.

♦ Les deux verbes signifient d'abord «prendre le premier repas de la journée, le matin». Avec la modification des mœurs, le premier des deux principaux repas s'est pris en milieu de journée, celui du matin devenant une simple collation, et *dîner* s'est dit pour «prendre le repas de midi» (1532). Le verbe *dîner* a commencé à s'appliquer au repas du soir (av. 1747), usage répandu au cours du XIXe s. au détriment du verbe *souper,* lui-même réservé à un repas pris tardivement.

▸ L'infinitif substantivé **DÎNER** n. m. (av. 1150) a suivi la même évolution, de «premier repas de la journée» à «repas de midi», puis au sens actuel de «repas du soir» (1814), remplaçant dès lors *souper.* Cette évolution n'a pas eu lieu dans toute la francophonie; ainsi, au Québec, *dîner,* verbe et nom, s'applique au repas du milieu de la journée. ◆ Par métonymie, *dîner* sert aussi à désigner les mets qui composent ce repas (v. 1170) et le temps où il a lieu. Le nom a servi à former les composés **AVANT-DÎNER** n. m. (1836, antérieurement «fin de matinée» en 1502), **APRÈS-DÎNER** n. m. (1362), dont la valeur a suivi celle de *dîner,* ainsi que le diminutif **DÎNETTE** n. f. (XVIIe s.; XVIe s. selon Bloch et Wartburg) lequel désigne un repas léger dans un usage familier et un petit repas d'enfants simulant un repas d'adultes (1839). Par métonymie de ce dernier sens, le mot sert à désigner un petit service de vaisselle servant de jouet (1852). ◆ Le verbe lui-même a produit **DÎNÉE** n. f. (XIIe s.), substantivation de son participe passé féminin, pour désigner le temps du *dîner,* mot employé dans la langue classique pour désigner les frais de nourriture des chevaux et des personnes durant un voyage et l'auberge où l'on s'arrêtait manger (1689, Mme de Sévigné). ◆ Sont ensuite apparus **DÎNATOIRE** adj. (XVIe s.), mot familier surtout vivant dans ***déjeuner dînatoire*** «tenant lieu de dîner» et **DÎNEUR, EUSE** adj. et n. (1609). ◆ Enfin, la langue populaire a produit le déverbal **DÎNE** n. f. (1905, à la suite de *la dînée,* 1844) au sens de «repas». Ce mot ne semble plus employé.

◈ voir MIDINETTE.

DINGHY n. m., d'abord *dingui* (1836), puis *dinghi* (1870) et *dinghy* (1870), est emprunté à l'anglais *dinghy, dingey,* attesté sous la forme *dinga* en 1794 et *dingy* en 1810. L'anglais l'a emprunté à l'hindi *dingi* «petit bateau».

♦ Introduit par les voyageurs, le mot désigne un petit bateau plat à arrière pointu, en usage au Bengale. Il a été acclimaté pour dénommer un petit bateau de plaisance à moteur hors-bord et (1950) un canot pneumatique de sauvetage.

① **DINGO** n. m. est emprunté (1789) à l'anglais *dingo,* lui-même emprunté à une langue d'Australie.

♦ Le mot est relevé dans une traduction de W. Tench (1789) qui cite le mot comme aborigène, et de nouveau chez Dumont d'Urville (1834-1835). Il désigne un chien sauvage d'Australie.

DINGUER v. intr. est dérivé (1540) du radical onomatopéique *din-, ding-* exprimant le balancement d'une cloche. Celui-ci est probablement la forme dissimilée de *dind-,* variante de *dand-* qu'on retrouve avec *dandiner**.

♦ La forme *dinguer* est relevée une première fois en 1540 avec un sens mal élucidé («vaguer»?). Il est repris et répandu au XIXe s. dans l'usage populaire avec le sens de «tomber, s'effondrer» et dans la locution factitive ***envoyer dinguer*** (1833) «repousser violemment».

▸ *Dinguer* entre dans la formation du composé tautologique **VALDINGUER** v. intr. (1894) dont le premier élément représente *valser**. De *valdinguer* est issu le déverbal **VALDINGUE** n. m. (v. 1940), équivalent argotique de *valise,* fait sous l'influence de ce dernier et de l'équivalence sémantique ***faire sa valise*** «partir».
Quant à **DINGUE** adj. et n., attesté depuis 1916 chez Barbusse, il s'agit probablement du dérivé régressif de *dinguer :* on a proposé une évolution sémantique menant de l'idée d'«aller de-ci, de-là» à celle de «divaguer, être fou» ou encore, selon P. Guiraud, un développement à partir de l'idée originelle de «sonner les cloches» (cf. développement analogue de *timbré, piqué, sonné*). Un rapport avec *dengue** n. f., emprunt au swahili *denga* par l'anglais, désignant une forme fébrile de paludisme, n'est pas à exclure, *dengue* «paludisme» étant attesté en 1890. *Dingue* est passé dans le langage à la mode (v. 1970-1980) avec la valeur purement intensive d'*extraordinaire, fabuleux.* En parlant des personnes, il continue à signifier «fou, cinglé», et a pour dérivé **DINGUERIE** n. f. (1960).
② **DINGO** adj. et n., attesté en 1907 sous la forme suffixée *dingot,* est généralement considéré comme un dérivé de *dingue* mais son apparente antériorité pose problème. ◆ Plus récemment, *dingue* a donné **DINGUERIE** n. f. (attesté chez A. Sarrazin, 1966) employé à propos d'un caractère, d'une action dingue.

DINOSAURE n. m. est l'adaptation (1845) du latin scientifique *dinosaurus,* forgé par le paléontologue anglais R. Owen (1840-1841). Le mot signifie proprement «reptile terrible»; il est formé à partir des mots grecs *deinos* «qui inspire la crainte», mot du groupe de *deidein* «redouter», d'une racine indoeuropéenne °*dwei-* «craindre», qui pourrait être issue du thème signifiant «deux», exprimant la division, le doute (→ deux), et *sauros* «lézard» (→ saurien).

♦ *Dinosaure,* comme le nom de l'ordre, **DINOSAURIENS** n. m. pl., emprunté également (1841) à l'anglais *dinosaurian,* ne désigne aucune famille zoologique déterminée; il s'applique aux plus grands spécimens de ces reptiles disparus (brontosaure, diplodocus) qui ont frappé l'imagination.

▸ L'élément *dino-* entre dans la formation de **DINOTHÉRIUM** n. m. (1837), mot du latin scientifique (1829, Kamp) dont le second élément représente *thêrion* «bête sauvage» et «gibier», pris comme substitut de *thêr* «bête de proie, bête sauvage», au centre d'un groupe de mots relatifs à la chasse. *Thêr* est un nom-racine indoeuropéen de la forme °*ghwēr-,* à rapprocher du lituanien oriental *žvéres* (pluriel) et du latin *ferus* (→ féroce).

DIOCÈSE n. m. est emprunté (1180, *dyocheze*) au latin médiéval *diocesis,* latin *dioecesis* «circonscription administrative de l'Empire romain» après la grande réforme administrative de Dioclétien (en 284), employé en latin chrétien à propos d'une circonscription ecclésiastique confiée à un évêque. Le mot est emprunté au grec *dioikêsis,* proprement «gouvernement d'une maison» d'où «administration, gouvernement», et tardivement «province», dérivé avec *di-* de *oikêsis,* lequel est dérivé de *oikein* «habiter, administrer, gouverner», à rattacher à *oikos* «maison» (→ œcuménique).

♦ Le mot est passé en français comme terme de droit canon, surtout féminin jusqu'au XVIe siècle. Il est employé au XVIIe s. comme terme d'histoire romaine au féminin (1678) puis au masculin (1680). Le sens général de «lieu où l'on administre qqch.» (1549) ne s'est pas maintenu.

▸ L'adjectif correspondant, **DIOCÉSAIN, AINE** (1265), est l'emprunt rancisé du latin chrétien *diocesanus* adj., relevé comme nom au Xe s., dérivé de *diocesis.* ◆ Le *diocèse* d'un archevêque a reçu le nom de **ARCHIDIOCÈSE** n. m. (1869) avec *archi-**, l'adjectif correspondant **ARCHIDIOCÉSAIN** étant attesté dès 1771.

DIODE → CATHODE

DIONYSIEN, IENNE ou **DIONYSIAQUE** adj. est, dans le premier cas, dérivé (1732) du nom du dieu grec *Dionysos* avec le suffixe *-ien,* dans le second, emprunté (1762 comme n. f. pl., *les Dionysiaques*) au grec *Dionusiakos* «de Dionysos; relatif aux fêtes données en son honneur», dérivé de *Dionusos.* Ce dieu (Bacchus en latin) est dans la mythologie grecque un dieu récent (le dernier à entrer dans l'Olympe) et importé, peut-être de Thrace; il était fils de Zeus et de Sémélé, déesse thrace de la terre. L'étymologie du mot ne s'explique que si l'on admet cette origine : le premier élément *(dio[s]-)* serait le génitif du nom du ciel en thrace, le second, que l'on retrouve dans *Nusa,* nom du lieu où ce dieu est censé avoir grandi, est obscur, peut-être à interpréter comme le nom thrace du fils; ainsi Dionysos pourrait signifier «fils du ciel».

♦ *Dionysien* qualifie ce qui est relatif à Dionysos, en particulier dans *fêtes dionysiennes,* concurrencé par *Dionysiaques* n. f. pl. (1762). Les deux mots, mais surtout *dionysiaque,* ont pris la valeur de «propre à l'inspiration, à l'enthousiasme» (par opposition à *apollinien*), surtout répandue sous l'influence de la pensée de Nietzsche (*Naissance de la tragédie,* 1872).

▸ **DIONYSIES** n. f. pl. (1732), emprunté au grec *Dionusia,* concurrence *Dionysiaques.*

DIOPTRIQUE n. f. et adj., relevé pour la première fois chez Descartes dans une lettre de 1634, est emprunté au grec tardif *dioptrikê* (sous-entendu *tekhnê*) «art de mesurer les distances». Le mot est dérivé de *dioptra* «ce qui sert à examiner à travers à distance», notamment «sonde chirurgicale» et «quart de cercle pour mesurer les hauteurs ou les distances», mot formé de *dia-* (→ dia-) et *opesthai,* infinitif futur de *oran* «voir» d'où *dioran* «voir à travers». Ce verbe appartient à la même racine indoeuropéenne que l'ancien haut allemand *wara* «attention», le latin *vereri* «éprouver une crainte religieuse pour» (→ révérer, vergogne), qui manifestent l'extension du sens de «voir» à l'idée de «surveillance, protection, attention».

♦ Le mot, nom de la partie de l'optique traitant des phénomènes de réfraction lumineuse (titre d'un ouvrage de Descartes, 1637), est également employé comme adjectif.

▸ Il a produit le terme de physique **DIOPTRIE** n. f. (av. 1846) «unité de convergence ou de divergence d'un système optique». ◆ Dès le XVIe s., le français a emprunté **DIOPTRE** n. (1541) au grec *dioptra,* en lui donnant les sens de *speculum* (en médecine) et de «niveau» (1547). Le mot a été repris comme dénomination d'un instrument en forme de quart de cercle servant à l'observation (au féminin) et (1921), au masculin, d'une surface optique séparant deux milieux de réfringence inégale.

DIORAMA → PANORAMA

DIORITE n. f. est formé (1819), à l'aide du suffixe *-ite** des noms de pierres, sur le radical du grec *diorizein* «séparer par des limites, distinguer», formé de *dis-, di-* (→ dia-) et de *horizein* «séparer, déterminer, définir» (→ horizon), dénominatif de *horos* «limite, borne». Cette dénomination a été proposée par le minéralogiste et géologue français A. Brongniart (1770-1843), en référence au fait que la roche est composée de parties distinctes.

♦ Le mot désigne une roche éruptive formée de cristaux blancs (feldspath) et sombres (amphibole).

DIPHTÉRIE n. f., d'abord *diphtérite* (1817), est un mot créé par le médecin français P. Bretonneau (1771-1862) à partir du grec *diphthera* «membrane, peau apprêtée» d'où «tout objet en peau», en raison de l'apparition de fausses membranes sur les muqueuses, caractéristiques de cette maladie. Le mot grec, conservé en grec moderne au sens de «parchemin», la maladie étant nommée *diphtheritis,* viendrait de *dephein* «frotter, assouplir», aussi spécialisé pour «masturber», mot sans étymologie sûre. Le mot a changé son suffixe *-ite* (indiquant en fait une maladie inflammatoire affectant une partie du corps, comme dans *bronchite, laryngite* et provenant des mots en *-itis* du latin moderne) pour le suffixe *-ie* (1855).

♦ Le mot désigne une grave maladie microbienne caractérisée par l'apparition de fausses membranes sur les muqueuses et par des phénomènes d'intoxication.

▸ *Diphtérie* a produit **DIPHTÉRIQUE** n. (1835) et adj. (1837) qui a éliminé son ancien synonyme *diphtéritique,* formé sur *diphtérite.*

DIPHTONGUE n. f. est emprunté, sous la forme adaptée *ditonge* (v. 1223), plus tard refaite d'après le latin (1548, *diphtonge*), au latin impérial *diphtongos.* Ce mot est le calque du grec *diphthongos* «son double», formé sur *phtongos* «bruit, son» et «voix». Le mot se rattache à *phthengesthai* «faire entendre un son, parler», verbe sans étymologie claire.

♦ Le mot désigne une voyelle considérée comme la fusion de deux éléments vocaliques perçus comme différents.

▸ De *diphtongue* dérive **DIPHTONGUER** v. tr. (1550), rare avant 1864 (Littré); lui-même a produit **DIPHTONGAISON** n. f. (1864).

DIPLODOCUS n. m., attesté à la fin du XIXe s. (1890, dans le 2e *Suppl.* au *Grand Larousse*), est composé du grec *diplous* «double» qui correspond au latin *duplex* (→ duplicité) et de *dokos* «poutre, solive». Le terme, d'usage technique, exprime que la poutre «reçoit, supporte, s'adapte» (d'où son genre féminin), et est dérivé de *dekhomai* «recevoir, accueillir, accepter». Ce verbe appartient à une racine exprimant l'idée de «se conformer», représentée en latin dans *decere* (→ décent).

♦ Ce terme de paléontologie dénomme un reptile dinosaurien caractérisé par les os doubles de ses vertèbres. Par la même métaphore que *dinosaure,* il est parfois appliqué à une personne.

DIPLOMATIQUE n. f. et adj. est emprunté (1708) au latin scientifique moderne *diplomaticus,* employé en 1681 dans le titre de l'ouvrage de Mabillon, *De re diplomatica*. Le mot est dérivé du latin classique *diploma* pris avec le sens de «charte, pièce officielle» (→ diplôme).

♦ Le nom désigne la science qui a pour objet l'étude des documents officiels; il a été adjectivé (1726) avec le sens correspondant, «relatif aux diplômes qui règlent les rapports internationaux», prenant avant la fin du XVIIIe s. la valeur élargie de relatif aux relations internationales (1777). De ce sens procède un emploi métaphorique (1807) consacré par l'usage en sens figuré pour «habile, adroit» (d'un air, de manières) (1822) en relation avec *diplomate* (ci-dessous). ➛ L'adjectif, avec quelques noms, s'emploie pour «simulé, feint» (*absence diplomatique*, 1864 Ampère), surtout dans ***maladie diplomatique*** (dep. 1918, *in* Bernet-Rézeau).

▸ Les dérivés sont tous apparus à la fin du XVIIIe s. : **DIPLOMATIQUEMENT** adv. est attesté depuis 1788 et depuis 1837 (Balzac) avec le sens figuré, correspondant à celui de *diplomatique*, «avec adresse». ➛ Sur le modèle de *aristocratique/aristocratie*, on a formé **DIPLOMATIE** n. f. (1790), attesté dès les premiers textes avec son sens figuré, à côté du sens propre de «science et pratique des relations politiques entre États»; par métonymie, le mot désigne la carrière diplomatique (1791) et l'ensemble des diplomates. ➛ De même, sur le modèle *aristocratique/aristocrate*, on a formé **DIPLOMATE** adj. et n. (1789), d'abord attesté avec le sens figuré de «habile dans les relations» à côté du sens propre, «chargé d'une mission diplomatique auprès d'un gouvernement étranger» (1792). Le mot est substantivé (1792), comme titre d'un journal historique, politique et littéraire. ➛ Par une valorisation fréquente selon laquelle un aliment, un plat, reçoit le nom d'un destinataire prestigieux (cf. vol-au-vent *financière*, pâté *impérial*, etc.), *diplomate* n. m. dénomme un entremets froid servi avec une sauce aux fruits (1922, Proust).

DIPLÔME n. m., d'abord *diplomat* (1617), est emprunté au latin impérial *diploma* «pièce officielle authentique», «sauf-conduit», «brevet», mot emprunté au grec *diplôma, -atos*, proprement «objet double», d'où, notamment dans le langage administratif, «tablette ou papier plié en deux». Le mot est dérivé de *diploun* «répéter, doubler», de *diplous* (→ diplodocus).

♦ Le mot a désigné un décret; il a ensuite pris son sens de «charte, pièce officielle» (1721), d'usage didactique en histoire, correspondant au latin moderne *diplomaticus* (→ diplomatique), avant de prendre le sens aujourd'hui courant de «pièce officielle conférant un titre, un grade» (1810). De ce dernier procèdent les sens métonymiques «examen, concours (pour obtenir un diplôme)», «document attestant le succès et le titre correspondant».

▸ *Diplôme*, avec son sens courant, a produit **DIPLÔMÉ, ÉE** adj. et n. (1841) et **DIPLÔMER** v. tr. (1878).

◈ voir DIPLOMATIQUE.

① **DIPTÈRE** adj. et n. est emprunté (1765) au latin moderne des zoologistes *diptera*, emprunt au grec *dipteros* «à deux ailes», mot appliqué à des insectes, de *dis-* «deux fois» et *pteron* «aile» (→ ptéro-).

♦ Le mot désigne un ordre d'insectes munis (ou ayant été munis) d'ailes, comprenant les moustiques, les mouches, les puces (sans ailes), tous portant des pièces buccales servant à piquer, sucer. L'emploi adjectivé, pour «à deux ailes», est rare. Un autre emprunt au grec *dipteros*, dans lequel *pteron* «aile» est pris au figuré, est ② **DIPTÈRE** adj., qualifiant un temple à double rangée de colonnes autour du naos (1567; variante *diptérique*, 1547, sortie d'usage).

DIPTYQUE n. m. est emprunté (v. 1800) au bas latin *diptycha, -orum* mot neutre pluriel désignant les tablettes doubles repliables où étaient gravés les noms et portraits des magistrats romains et celles où, dans la liturgie chrétienne, on écrivait les noms des martyrs, des évêques et des personnes dont on faisait mémoire aux offices. Le latin est lui-même emprunté au grec *diptukha* «tablette repliable», substantivation du neutre pluriel de l'adjectif *diptukhos* «plié en deux». Celui-ci est composé de *dis* «deux fois» (numéral correspondant au latin *bis*, → bis) et de *ptussein* «replier», mot d'origine inconnue dont la famille a fourni des termes techniques en médecine, en armement, dont on retiendra surtout ceux concernant les tablettes, puis les manuscrits.

♦ Le mot a pénétré en français comme terme d'antiquités, s'appliquant ensuite à un tableau formé de deux volets repliables (1838) et, au figuré, à une œuvre littéraire en deux parties.

◈ voir POLYPTYQUE, TRIPTYQUE.

DIRE v. tr. est issu (v. 980) du latin *dicere*, verbe qui contient la racine indoeuropéenne °*deik-*, °*dik-* «montrer». À la différence des représentants de cette racine dans les autres langues, le mot s'est spécialisé en Italie, avec le latin (l'osque et l'ombrien), dans le sens de «montrer, faire connaître par la parole, exprimer». Parallèlement, le grec *dikhê* «justice» et les formes germaniques (vieil anglais *teon* «accuser») montrent que la racine a servi à désigner des actes sociaux de caractère juridique. Comme *orare* (→ orateur), *dicere* est un verbe de caractère solennel et technique : il s'employait en religion et en droit et c'était le terme par lequel on désignait les magistrats (→ juge). En passant dans la langue commune, il a perdu ce caractère solennel pour signifier simplement «indiquer, raconter, conter, émettre les sons d'une langue».

♦ En français, *dire* a tous les sens du latin dès le XIe siècle. Avec sa valeur principale d'«exprimer au moyen du langage, oral ou écrit», *dire* se construit avec le style indirect et (v. 980) en style direct. Dès les premiers textes, il correspond à «confirmer, affirmer, soutenir», «exposer, conter», «appeler, nommer», «réciter», renouant parfois avec le caractère solennel juridico-religieux du verbe latin, par exemple dans le *il dit* biblique et dans l'expression *dire la messe* (v. 1050). Plus généralement, *dire* équivaut à «parler» (v. 1175) mais l'idée de parole disparaît dans certains emplois courants au profit de «suggérer, exprimer» (v. 1223, *vouloir dire;*

v. 1274 dans une expression qui annonce la locution moderne ***si le cœur vous en dit,*** et dans ***dire à qqn*** «être attrayant, plaire», 1559). ◆ L'emploi particulier de l'impératif *dis* pour interpeller qqn à qui on demande de dire qqch. apparaît dès le xᵉ s., bien avant l'emploi du mot comme simple interpellation (1606) exclamative (aujourd'hui ***dis donc!;*** → oui-da). L'ancien français employait *dire* au sens absolu de «raconter» (av. 1250) et pour «ajouter, discuter le nombre» (v. 1050). Le XVIᵉ et le XVIIᵉ s. ont complété le champ sémantique du mot avec l'emploi pronominal : «se prétendre, se faire passer pour» (1532) et les sens d'«avoir une opinion» (1636), spécialement «blâmer» dans ***trouver à dire,*** ensuite supplanté par *trouver à redire.*

▶ Dès le XIIᵉ s., le participe passé **DIT** est substantivé au masculin (v. 1160) au sens collectif de «paroles». Ce sens est sorti d'usage, mais le mot reste employé par les historiens de la littérature pour désigner un genre littéraire médiéval, pièce de vers ou chanson traitant d'un sujet familier ou d'actualité (1170) ; on disait dans le même sens *ditié* ou *dittié. Dit* est également employé en droit à propos de la pièce affirmant certains faits relatifs à la cause (1668). Adjectivé, **DIT, DITE** correspond à «nommé, indiqué» (1219), puis «appelé, surnommé» (1690) ; au premier de ces deux sens correspondent la locution usuelle ***à l'heure dite*** (1668) et l'emploi du mot substantivé et soudé à l'article défini *(ledit, ladite).* ◆ L'infinitif **DIRE** est lui-même substantivé (1223), anciennement avec le sens de «parole», conservé dans un nombre restreint d'emplois ***(au dire de...),*** puis au sens juridique de «déclaration» (1606).

Dire n'a guère produit de dérivés (→ diction, dictionnaire, dicton, et autres représentants savants du latin), si l'on excepte **DISEUR, EUSE** n., attesté en 1233, et, dès 1200, par son composé *maldisseor;* encore le mot, disparu au sens classique de «hâbleur, phraseur», ne s'emploie-t-il que dans quelques locutions ***(diseur de bonne aventure)*** ou dans certains usages marqués stylistiquement et souvent littéraires.

DICIBLE adj. est un emprunt (déb. XVIᵉ s.) au latin chrétien *dicibilis,* de *dicere.* Le mot, qui signifie «qu'on peut dire, exprimer», est tombé dans l'oubli et a été repris, d'après *indicible,* au XIXᵉ siècle. ◆ **INDICIBLE** adj. est emprunté (1452) au latin médiéval *indicibilis,* composé de *dicibilis* (ci-dessus) ; il a supplanté *indisible,* composé français de *dire :* le mot, pour «qu'on ne peut exprimer», a été substantivé *(l'indicible,* v. 1530 Marot) et a pour dérivé **INDICIBLEMENT** adv. (1528).

En revanche, *dire* a produit plusieurs préfixés : le préfixe *re-* a servi à former **REDIRE** v. tr. (v. 1130), de sens itératif, spécialement employé au sens de «rapporter» (1559). Employé dans la locution ***trouver à redire*** (XIIIᵉ s.), aujourd'hui courante en emploi négatif, il exprime l'idée de «critiquer», et s'est imposé aux dépens de la locution formée avec *dire, trouver à dire* (1611). Le sens de «raconter» (1728) est devenu archaïque. ◆ Le participe passé a été substantivé en **REDITE** n. f. (fin XIVᵉ s.) «action de répéter», sens vieilli au profit de la valeur métonymique de «parole répétée». Ce mot a éliminé *redit,* participe passé masculin substantivé (fin XVIIᵉ s.) qui faisait pendant en moyen français à *dit,* au sens de «répétition de ce que l'on a déjà dit» (XVᵉ s.). ◇ Le mot classique **REDISEUR, EUSE** n. «calomniateur, rapporteur, médisant» (1689) est sorti de l'usage.

Le préverbe *dé-** a servi à faire **DÉDIRE** v. tr. (v. 1150), d'abord employé absolument au sens de «refuser, nier», puis transitivement (1155) pour «contredire», *se dédire* (1176-1181) signifiant «se rétracter». ◆ Son participe passé substantivé **DÉDIT** n. m. (1165) désigne l'action de se dédire et, par métonymie, l'amende encourue par la rupture d'un accord (av. 1350). ◆ Du participe passé adjectivé *dit* a été tiré **SUSDIT, ITE** adj. et n. «cité, nommé avant, au-dessus» (1219, *susdict*). ◇ Du participe présent proviennent aussi **SOI-DISANT, ANTE** adj. (v. 1435), **BIEN-DISANT, ANTE** adj. (XIIIᵉ s.) et **MIEUX-DISANT** n. m. (1560). Le langage juridique, avec *le moins disant* et *le plus disant* «le moins, le plus offrant», garde une trace de l'ancien sens de *dire* «offrir», encore usuel au XVIIᵉ siècle. La reprise de l'un de ses composés *(le mieux-disant culturel)* est comprise au sens le plus usuel de *dire.*

◈ voir C'EST-À-DIRE, CONTREDIRE, MAUDIRE, MÉDIRE, MÉDISANCE, ON-DIT, PRÉDIRE, QU'EN-DIRA-T-ON (art. ON) ; peut-être DISETTE.

DIRECT, DIRECTE adj. est emprunté (XIIIᵉ s.) au latin *directus,* participe passé de *dirigere* (→ diriger), adjectivé au sens propre de «en ligne droite, à angle droit», au figuré «sans détour, franc».

♦ Le mot, repris avec sa valeur concrète, a reçu (1450), le sens abstrait d'«immédiat, sans intermédiaire», d'abord attesté dans des emplois juridiques, comme l'expression de droit féodal ***en directe*** (par ellipse de *seigneurie*) et dans ***action directe*** (1481), expression reprise récemment dans le contexte du terrorisme. Il est aussi employé en généalogie (1501, *ligne directe*) avant de se répandre dans l'usage courant (1581), souvent avec la valeur psychologique de «franc», à propos des personnes. Il prend ultérieurement d'autres emplois spéciaux en astronomie (1680), en finance ***(contribution directe,*** 1790 et ***impôts directs,*** 1829). ◆ Au XXᵉ s., il est substantivé comme terme de boxe pour «coup direct» dans *un direct* (1904). En radiotélévision, il entre dans l'expression ***en direct*** (1938), qualifiant une émission diffusée immédiatement (opposé à *différé*).

▶ Le dérivé, **DIRECTEMENT** adv., est employé (XIVᵉ s. ?, puis 1414) dans un sens spatial ainsi qu'avec la valeur temporelle d'«immédiatement» (1559).

L'antonyme de *direct,* **INDIRECT, ECTE** adj., est emprunté (1364) au latin *indirectus,* fait sur *directus* avec le préfixe *in-. Indirect* signifie d'abord «allusif, détourné», le sens concret n'étant enregistré qu'à partir de 1611. Dans plusieurs domaines, le mot qualifie ce qui comporte un ou plusieurs intermédiaires (1531), spécialement en grammaire, en droit et en finance, où il s'oppose à *direct.* ◇ Il a produit **INDIRECTEMENT** adv. (1419).

Le nom correspondant à *direct,* **DIRECTION** n. f., est emprunté (v. 1327) au dérivé latin *directio* «ligne droite» et, à basse époque, «action de diriger vers un but». Le mot est passé en français avec le sens d'«action de diriger, de conduire» et, au figuré, «directive, instruction» (1611), «fonction d'un directeur de conscience» (av. 1704). ◆ Depuis le XVIIIe s. apparaissent plusieurs sens métonymiques : «bureau de ceux qui dirigent» (1752), «service qui dirige» (1771), «ensemble des directeurs» (1864). ◆ Depuis le XVIIe s., *direction* est employé en astronomie, en physique (1680), en mécanique (1690). Sa valeur courante, «orientation», n'est attestée qu'au milieu du XVIIIe s. au sens concret (1757) et métaphorique (1770). Au début du XXe s., le mot est devenu un terme de mécanique automobile, se rapportant à l'ensemble des mécanismes qui permettent de guider les roues (1907). ◆ C'est en technique et en sciences qu'il a produit son unique dérivé, **DIRECTIONNEL, ELLE** adj. (1951), lequel entre en composition dans **UNIDIRECTIONNEL, ELLE** adj. (XXe s.).

L'adjectif **DIRECTIF, IVE,** attesté depuis 1444, est dérivé du latin *directum,* supin de *dirigere,* avec le suffixe *-if* (le latin médiéval atteste *directivus* «qui dirige» en 1260 et *directivum* «principe directeur» attesté en 1414). *Directif* signifie «qui imprime une direction»; il a pris récemment un sens technique «particulièrement efficace dans une certaine direction et à son voisinage» (1961). Sa spécialisation en psychologie (v. 1968) traduit l'anglo-américain *directive* (1938, Lewin et Lippitt) y compris dans *non directif* (1960). ◆ Ses dérivés sont **DIRECTIVITÉ** n. f. (1953) et le terme didactique péjoratif **DIRECTIVISME** n. m. (XXe s.). ◆ *Directif* a été substantivé au féminin en **DIRECTIVE** n. f. (1890), à moins que ce mot ne soit l'adaptation de l'allemand *Direktive* (XIXe s.), correspondant au français *directif.* Apparu dans la langue militaire, il s'est répandu au XXe s. (surtout au pluriel) pour l'ensemble des indications à suivre, la marche à suivre (v. 1974).

DIRECTEUR, TRICE adj. et n. est emprunté (1444) au bas latin *director* «celui qui guide», dérivé en *-tor* de *directum,* supin de *dirigere.* Le mot a été introduit avec le même sens, spécialement en parlant du confesseur (v. 1654), dit aussi ***directeur de conscience.*** En 1795, il désigne chacun des cinq membres du Directoire (ci-dessous). L'évolution de l'économie lui a conféré une valeur institutionnelle de titre, dans la hiérarchie des entreprises, d'où *directeur général, commercial, financier,* etc. et *président-directeur général* (→ président). L'emploi adjectivé de *directeur* (1808) compte plusieurs emplois spécialisés en artillerie et en géométrie. ◆ Le préfixé **SOUS-DIRECTEUR, TRICE** n. (1780) a également reçu la valeur d'un titre dans les entreprises. ◆ Le radical latin de *directeur* a servi à former **DIRECTORAT** n. m. (1666) «fonction de directeur», mot concurrencé par **DIRECTORIAT** n. m. (1832, Balzac) probablement formé d'après *directorial* pour la durée de la fonction. Le radical de *directeur* a aussi permis de faire **DIRECTORIAL, ALE, AUX** adj. (1803; dans Balzac, 1839) d'abord *directoral* (1685) d'après le latin *director.*

DIRECTOIRE n. m., formé (XVe s.) sur le supin latin *directum,* a servi anciennement à désigner la ligne directrice (1546 et jusqu'au début du XVIIe s., 1611) et, en liturgie, le livret indiquant les offices de chaque jour (1721). Au XVIIIe s., le mot s'est appliqué à un conseil ou tribunal élu chargé d'une direction administrative (1762), avant de désigner le gouvernement de la France du 27 octobre 1795 au 9 novembre 1799, dans lequel le pouvoir exécutif était confié à cinq «directeurs». Cet emploi avait été précédé de plusieurs expressions nommant des institutions révolutionnaires : *directoire de département, de district,* etc. (1789). Le mot est passé dans le vocabulaire des arts décoratifs (ameublement) en parlant du style décoratif caractéristique de cette période. ◆ En droit commercial, il désigne l'organe collégial chargé de la gestion de certaines sociétés anonymes.

DIRIGER

DIRIGER v. tr. est emprunté (1382) au latin *dirigere* «mettre en ligne, aligner», d'où «donner une direction déterminée, faire aller» et, au figuré, «régler, ordonner, disposer». Ce verbe est formé de *dis-* (→ dé-), avec amuisement du *s* devant sonore, et de *regere* «mener, guider» (→ régir).

♦ *Diriger* signifie «faire aller dans un certain sens» au propre et, dès la première attestation, au figuré. Par extension, il correspond aussi à «conduire selon certaines règles» (1495) et, avec une idée de responsabilité, d'animation, à «exercer une action, une influence sur» (1690).

▸ Son participe passé **DIRIGÉ, ÉE,** adjectivé, a servi à former les composés modernes **AUTODIRIGÉ, ÉE** adj. (1951), **SURDIRIGÉ, ÉE** adj. (1970). ◆ Le participe présent adjectivé, **DIRIGEANT, ANTE** (1835), est substantivé à propos d'une personne qui dirige (1881 chez J. Vallès), surtout au pluriel et sans la valeur institutionnelle de *directeur**, qui implique un titre.

De *diriger* est aussi dérivé l'adjectif **DIRIGEABLE** (1789, 1787 d'après Dauzat), contemporain d'un certain type d'aérostat qu'il désigne, en emploi substantivé (1882 mais antérieur). ◆ Au XXe s., les dérivés **DIRIGISME** n. m. (v. 1930) et **DIRIGISTE** adj. et n. (1930 selon Larousse) sont des termes d'économie concernant les théories préconisant l'intervention de l'État dans la libre entreprise.

◈ voir DIRECT.

DIS, DITE → DIRE

DIS-

DIS-, élément formant, est emprunté au latin *dis-*, particule initiale utilisée pour exprimer la séparation, l'écartement, la direction en sens opposé et, par suite, la négation, le contraire (elle s'oppose à *con-*). *Dis-* servait aussi simplement à renforcer le sens du verbe simple, correspondant alors au grec *dia-* (→ dia-), auquel il semble apparenté.

♦ En français, l'élément *dis-* est vivant surtout devant *-k-, -p-, -s-, -t-,* dans des emprunts au latin (→ discontinuer, disconvenir, disculper, disjoindre, disparate, disparité, disposer, dissonance, distendre, distordre, etc.), à l'italien, ou dans des réfections d'après l'italien (→ discrédit, disgrâce) ou l'anglais (→ disqualifier). *Dis-* a eu une certaine productivité en moyen français, mais la plupart des formations ont été refaites par substitution de *dé-** à *di-* *(discoloration/décoloration, disgréger/désagréger).* Les formations authentiquement françaises sont donc rares : *disharmonie, disparaître, disproportion, dissentiment.*

◈ voir DÉ-.

DISCAL → DISQUE

DISCERNER v. tr. est emprunté (XIIIe s.) au latin *discernere* «séparer», au figuré «distinguer, reconnaître», formé de *dis-* (→ dé-) et de *cernere* (→ décerner; certain, certes).

♦ *Discerner* a d'abord été employé pour «séparer», en particulier dans ***discerner le bien du mal*** (déb. XVIe s.). Ce sens s'est éteint au profit du sens actuel, «distinguer, percevoir», attesté dès 1310.

▸ Le dérivé, **DISCERNEMENT** n. m. (1532), s'est lui aussi détourné de son sens premier, «action de séparer, de mettre à part», pour désigner l'opération par laquelle on distingue intellectuellement deux ou plusieurs objets de pensée (1611, *discernement du vray et du faux*), et la disposition à juger clairement et sainement les choses, sens demeuré courant. Le verbe a donné deux adjectifs : **DISCERNABLE**, attesté dès le XVIe s. mais rare avant 1729, et **DISCERNANT, ANTE** (XIXe s.), rare. ◆ *Discernable* a produit l'antonyme **INDISCERNABLE** adj. (1582), proprement «qui ne peut être discerné», et surtout «dont on ne peut rendre compte précisément» (déb. XIXe s.). Le mot, substantivé au masculin comme terme de philosophie (XVIIIe s.), fait référence à la pensée de Leibniz d'après laquelle deux êtres réels ne sont jamais parfaitement semblables. ◇ Son dérivé **INDISCERNABILITÉ** n. f. est didactique et rare (1737, Voltaire).

◈ voir DÉCERNER, DISCRIMINER.

DISCIPLE n., d'abord *deciple* (1130-1140), est un emprunt adapté (semi-savant) au latin *discipulus* «élève» (par opposition à *magister*), employé en latin chrétien à propos de chacun des douze apôtres. *Discipulus* est lui-même à rattacher, comme le pensaient déjà les Anciens, à *discere* «apprendre» (distingué de *docere* «faire apprendre» → docte), hypothèse préférable à celle qui rattache *discipulus* à *discipere* (mot à peine attesté). La déformation énigmatique présentée par *discipulus* serait à rapprocher du redoublement du mot grec *didaskein* «enseigner» (→ didactique) qui en est venu à faire partie intégrante du radical.

♦ Le mot apparaît, dans un contexte religieux, comme la dénomination de celui qui a suivi Jésus et son enseignement (d'abord de Jean Baptiste). Plus largement, il est appliqué à toute personne qui suit les préceptes, l'enseignement de qqn (v. 1175) dans le domaine intellectuel, spirituel ou artistique. Par une nouvelle extension de sens, il se rapporte à la personne qui adhère à la doctrine ou à la manière d'être d'un maître, d'une école (cf. *élève*), quelquefois avec une nuance dépréciative impliquant un manque d'originalité.

▸ **CONDISCIPLE** n. est emprunté (1570) au latin *condiscipulus* «compagnon d'étude», de *cum* «avec» (→ co-) et *discipulus.*

◈ voir DISCIPLINE.

DISCIPLINE n. f. est emprunté (1080) au latin *disciplina*, dérivé de *discipulus* (→ disciple) qui signifie «action d'apprendre, de s'instruire», et par suite «enseignement, doctrine, méthode», «éducation» et «formation militaire»; enfin par extension, le mot désigne les principes, les règles de vie.

♦ L'ancien sens de «massacre, carnage, ravage, calamité», propre à l'ancien français, est à comprendre comme une extension de l'idée de «châtiment», sens attesté au XIIe s. (v. 1170), spécialement appliqué à la mortification corporelle d'un clerc (1174) et donnant lieu, par métonymie, au sens concret d'«instrument servant à la flagellation» (av. 1549), d'usage religieux. Cependant, dès la première moitié du XIIe s., le mot est également employé avec les acceptions modernes de «règle de vie, de conduite» (v. 1120) et «éducation, enseignement». Par métonymie, *une discipline* désigne une matière enseignée, une branche de la connaissance (1370).

▸ Son dénominatif **DISCIPLINER** v. tr. (1174-1176), formé sur le modèle du latin chrétien *disciplinare* «enseigner, former», a d'abord le sens de «châtier, mortifier corporellement» qui correspond à l'ancien emploi de *discipline,* et, dès la fin du XIIe s., le sens de «maîtriser». À partir du XIVe s. apparaissent deux acceptions nouvelles, «donner le sens de l'ordre, du devoir à (qqn)» et «éduquer». ◇ On en a tiré **DISCIPLINABLE** adj. (fin XIIIe s.).
Avant l'apparition d'autres dérivés de *discipline,* on note les antonymes en *in-* : **INDISCIPLINÉ, ÉE** adj. (v. 1361), formé sur *discipliné* ou emprunté au bas latin *indisciplinatus* «sans instruction, sans retenue»; **INDISCIPLINE** n. f., fait par préfixation sur le français (1501) ou emprunté au bas latin *indisciplina* «manque d'instruction» et peu attesté avant le XVIIIe siècle. Quant à **INDISCIPLINABLE** adj. (1530), formé sur *disciplinable,* il semble vieilli.
Discipline a aussi donné **DISCIPLINAIRE** adj., relevé une fois en 1611 et repris depuis 1803. ◇ Il entre, enfin, dans le composé préfixé **AUTODISCIPLINE** n. f. (1919).

DISCO- → DISQUE

DISCOBOLE n. m. est emprunté (1555) au latin *discobolus, discobolos,* calque du grec *diskobolos* «lanceur de disque», lui-même composé de *diskos* (→ disque) et d'un dérivé de *ballein* «jeter» (→ bal).

♦ Le mot a été repris comme terme d'antiquité à propos de l'athlète spécialisé dans le lancer du disque; par métonymie, il désigne la représentation plastique de celui-ci. Son usage pour l'athlète moderne (1819) est limité par la concurrence de la locution usuelle ***lanceur de disque.***

DISCONTINUER → CONTINUER

DISCONVENIR → CONVENIR

DISCORD adj. m. est issu (v. 1225) du latin *discors, -cordis,* de *dis-* et de *cor* (→ cœur) «qui est en désaccord (de personnes, de choses)». L'ancienne forme *discort* a été refaite en *discors* (1304), puis *discord,* d'après le latin.

♦ Le mot a quasiment cessé d'être employé au XVIe s. et a été repris fin XVIIIe s. (Volney). Son sens de «qui manque d'unité, d'accord» relève du style littéraire ou, techniquement, musical (1823, Lamartine).

DISCORDE n. f. est emprunté (1155) au latin *discordia* «désaccord, désunion» au figuré «agitation», employé comme nom propre pour désigner la déesse personnifiant la désunion (*Eris* en grec). Le mot est issu de *discors* pour servir d'antonyme à *concordia* (→ concorde). ◆ *Discorde*, beaucoup plus vivant que l'adjectif, évoque un manque d'accord, un désaccord (avec une force que n'a pas *désaccord*). Il entre dans la locution ***pomme de discorde*** (1680, La Fontaine), calque du latin *malum Discordiae*, allusion mythologique à la pomme jetée par la Discorde aux noces de Thétis et de Pélée, et que Pâris remit à Vénus, suscitant la colère de Junon et de Minerve.

▶ **DISCORDER** v. intr., d'abord *descorder* (1120) puis *discorder* (XIIIe s.), est emprunté au latin *discordare* «être en désaccord, être différent», dérivé de *discors*. Le sens transitif de «mettre le désaccord, diviser» est sorti d'usage après le XVIe siècle. Le verbe, rare au sens d'«être en désaccord, manquer de coordination» (1200), se maintient en musique pour «être en dissonance» (1223), servant d'antonyme à *accorder**.

Son déverbal **DISCORD** n. m., forme refaite du plus ancien *descort* (v. 1170) «désaccord, brouille», est considéré comme vieilli dès le XVIIe s. (1680) mais il se rencontre encore dans un style très littéraire, quelquefois avec une acception musicale synonyme de *discordance*. ◆ Les deux mots les plus vivants de la famille sont **DISCORDANT, ANTE** adj. (XIIe s.), réfection de l'ancien *descordant*, participe présent de *descorder/discorder*, et **DISCORDANCE** n. f., réfection de l'ancien *descordance* (v. 1165). Tous deux expriment l'idée d'un manque d'unité, d'accord, et sont employés spécialement en musique. Au XIXe s., ces deux mots sont passés dans le langage des géologues pour qualifier et désigner (1864) un terrain stratifié ne présentant pas de couches en successions parallèles et régulières.

DISCOUNT n. m. est emprunté (1962, *l'Express*) à l'anglais *discount* (1690), lui-même emprunté au français *décompte** et employé au sens de «rabais, réduction».

♦ Ce terme s'est répandu en France dans le commerce à propos des supermarchés de type américain; il désigne une réduction sur le prix de vente des marchandises. On rencontre le composé *discount-house*, pour un magasin qui vend à des prix inférieurs au prix courant. Les deux mots sont critiqués par les puristes.

▶ On rencontre quelquefois dans le vocabulaire commercial l'anglicisme **DISCOUNTER** n. m. (1960) emprunt de l'anglais *discounter* «boutique ou commerçant qui fait de gros rabais», de *to discount*, et le verbe surtout oral **DISCOUNTER** v. tr.

DISCOURIR v. intr., réfection (1559) de *descourir* (XIIIe-XIVe s.), est l'adaptation d'après *courir**, de l'ancien français *descorre, discorre* «parcourir, marcher çà et là» (fin XIIe s.). Comme on le voit, le mot n'est pas lié originellement au langage : le mot latin auquel il est emprunté, *discurrere*, de *dis-* et *currere* (→ courir) signifie proprement «courir de différents côtés, se répandre»; ce n'est qu'à basse époque qu'il a pris le sens de «parler».

♦ Le sens physique de «parcourir» s'est progressivement éteint au profit du composé *parcourir**. Le sens de «converser, parler» (XIIIe-XIVe s.) s'est limité à «parler sur un sujet donné» (1559) et fréquemment avec la valeur péjorative de «parler longuement, de façon lassante», déjà connue de la langue classique (1690).

▶ Le dérivé **DISCOUREUR, EUSE** n. (av. 1549) a échangé son sens premier de «excellent, brillant causeur» contre la nuance moderne de «phraseur».

DISCOURS n. m. est l'emprunt (1503), influencé par *cours**, du latin *discursus* qui a signifié «action de parcourir en tous sens» avant de prendre, à la fin de la latinité *(Codex Theodosianus)*, la valeur de «conversation, entretien», par une métaphore portant sur le chemin hasardeux de l'échange verbal. En français, le substantif, parallèlement à *discourir*, s'est détaché du sens physique d'«action de parcourir», assumé par *parcours**, pour désigner un entretien, un récit et un exposé suivi (écrit ou oral) spécialisé dans quelques domaines, parmi lesquels la politique. Dans ce contexte, on parle par exemple de *discours programme* (1919, dans une trad. de Trotsky). ◇ Au XVIIe s., conformément à la théorie classique du langage logique, il a pris le sens d'«expression verbale de la pensée» (av. 1613); on analyse alors les *parties du discours* (1637). À la même époque, il a désigné un raisonnement, un examen attentif et s'est également appliqué à la conversation, sens aujourd'hui disparus. ◇ Au début du XXe s., la linguistique moderne propose une définition élargie des discours comme résultat d'un procès d'énonciation par lequel le sujet parlant actualise la *langue* en *parole*, au sens saussurien de ces termes. Dans les sciences humaines, le discours, avec la prééminence du modèle linguistique, devient un objet de science et de critique (sociologie, psychanalyse). On a forgé le terme de **MÉTADISCOURS** n. m. au moyen de l'élément *méta-**, et d'après *métalangue* (→ langue).

DISCURSIF, IVE adj., réfection de *discoursif* (1551, *mouvement discoursif*), est dérivé du radical du latin *discursum*. Il qualifie une personne, une activité intellectuelle ou spirituelle qui s'abandonne au gré de l'inspiration, à l'agitation. Rattaché au sens moderne de *discours* (1576, *jugement discursif*), il est emprunté au latin scolastique *discursivus* (1290), de *discursus*. ◆ C'est en ce sens, en logique et en linguistique, qu'on en a tiré **DISCURSIVEMENT** adv. (1870) et **DISCURSIVITÉ** n. f. (1966, Foucault, *Les Mots et les Choses*).

DISCOURTOIS → COURTOIS

DISCRÉDITER → CRÉDIT

① **DISCRET, ÈTE** adj. est emprunté (v. 1165) au latin *discretus*, participe passé adjectivé de *discernere* (→ discerner) «divisé, séparé, interrompu», puis, à basse époque, «apte à juger, prudent, juste».

♦ Le sens psychologique repris au latin, «sage, prudent» est sorti d'usage avant le XVIe s. mais, l'accent demeurant sur l'idée de «prudence», l'adjectif a développé ses sens modernes «qui sait garder les secrets» (déb. XIVe s.), «retenu» (fin XVe-déb. XVIe s.). ◆ Un nouvel adjectif ② **DISCRET, ÈTE** s'est constitué avec l'emprunt (déb. XIVe s.) du latin classique *discretus* «différent», puis «discontinu, séparé», en mathématiques (1484). La même idée de «discontinu» est réalisée en médecine (1834) où le mot qualifie une lésion aux éléments séparés, puis en linguistique (déb. XXe s.) et dans d'autres domaines.

▶ Les deux adjectifs ont produit des dérivés : le premier a donné **DISCRÈTEMENT** adv. (v. 1160), «avec sagesse, discernement», puis «avec réserve», et le terme de religion **DISCRÉTOIRE** n. m. (1620) [formé d'après des noms en *-oire* comme *consistoire*] ; le second a donné récemment les termes de mathématiques **DISCRÉTISER** v. tr. (v. 1980), **DISCRÉTISATION** n. f. (v. 1980).
Le nom correspondant, **DISCRÉTION** n. f., a été emprunté (v. 1165) au dérivé bas latin *discretio* «division, séparation», d'où «action de discerner, raison, prudence». Parallèlement à l'adjectif, ce nom a exprimé d'abord une notion de prudence, de discernement qui s'est maintenue dans la locution ***à la discrétion de*** (1435) «à la libre appréciation de», réduction de la forme antérieure *s'en mettre en la discreption de...* (1391). Cette notion se maintient aussi dans la locution adverbiale courante ***à discrétion*** (1536) «comme on le veut, autant qu'on le veut». ◇ Les sens modernes du nom ne sont attestés qu'à partir du XVIIe s., plus tard pour l'adjectif : le mot désigne la retenue, la sagesse (1667) ainsi que la qualité d'une personne qui sait garder un secret (1674). ◆ Son dérivé **DISCRÉTIONNAIRE** adj. (attesté 1807 mais antérieur) est un terme de droit appliqué à ce qui est laissé à la libre décision de qqn. ◇ **DISCRÉTIONNAIREMENT** adv., est attesté lors d'une séance de la Convention nationale (1794). ◇ **DISCRÉTIONNEL, ELLE** adj. (1823), formé par changement de suffixe, est rare.
Une série d'antonymes préfixés en *in-* a été empruntée au latin. **INDISCRET, ÈTE** adj. et n. est emprunté avec le sens ancien d'«inopportun, intempestif» (1380), au latin *indiscretus* «incapable de discerner», de *in-* à valeur privative et *discretus*. Le mot a pris ses valeurs modernes vers la fin du XVe s., se disant d'une personne qui manque de réserve (1488) et, activement, qui révèle ce qui devrait rester caché (1534). ◇ L'adjectif a produit l'adverbe correspondant **INDISCRÈTEMENT** (1370) qui a pris son sens moderne au XVIe siècle. ◆ **INDISCRÉTION** n. f. est emprunté (v. 1200) au sens ancien de «manque de sagesse» au dérivé bas latin *indiscretio* «manque de discernement, de sagesse». Comme l'adjectif, il a développé ses sens modernes au XVIe siècle.

DISCRIMINER v. tr. est un emprunt tardif (1876) au latin *discriminare* «séparer, diviser» et «distinguer», dérivé de *discrimen* «ce qui sépare», d'où «ligne de partage, de démarcation», au figuré «différence, distinction» et sur un plan temporel «moment où il s'agit de prendre une décision». *Discrimen* est dérivé du supin *(discretum)* de *discernere* (→ discerner).

♦ Ce sont les mathématiciens qui ont introduit le mot en français, d'abord sous la forme du participe présent *discriminant,* peut-être d'après l'anglais *discriminant,* attesté dès 1852. Le verbe signifie «faire la distinction entre» ; il revêt, dans l'usage commun, la même valeur négative que *discrimination.*

▶ Le nom correspondant, **DISCRIMINATION** n. f., est emprunté (1870) au dérivé latin *discriminatio* «séparation», terme de grammaire et de rhétorique, probablement sous l'influence de l'anglais *discrimination,* attesté dès 1646. Didactique ou littéraire au sens neutre d'«action de distinguer», il est plus courant quand il désigne le fait de séparer un groupe social des autres en le traitant plus mal *(discrimination raciale).* ◇ Le préfixé antonyme **NON-DISCRIMINATION** n. f. est attesté en 1955. ◆ Son radical a servi à former les adjectifs **DISCRIMINATIF, IVE** (av. 1945), sur le modèle de l'anglais *discriminative* (1638), et **DISCRIMINATOIRE** (v. 1950), ce dernier répandu avec une valeur péjorative comme *discrimination.*

DISCULPER v. tr. est la réfection (1674, 1615 d'après Bloch et Wartburg) du moyen français *discoulper* (1535), employé jusque vers le milieu du XVIIe s. et dérivé de *colpe, coulpe** avec le préfixe *dé(s)-** (latin *dis-*) et la désinence verbale *-er.* Le passage au type moderne s'est fait par conformation étymologique au latin classique *culpa* et au latin médiéval *disculpare* (XIe s.), qui avait donné une forme populaire *descouper* (1167, *soi descouper*), éliminée notamment pour son homonymie avec le préfixé de *couper.* Contrairement à ce que suggère le dictionnaire de Trévoux (1732), la réfection savante semble avoir eu lieu avant que Mazarin ait pu l'introduire par emprunt à l'italien *discolpare* (Dante).

♦ Le verbe est employé transitivement et à la forme pronominale ; d'abord d'usage juridique puis également courant, il exprime l'idée d'«innocenter».

▶ Il a produit **DISCULPATION** n. f. (1798), nom d'action qui a été précédé par le déverbal *disculpe* (XVIe s.).

DISCUTER v. est emprunté (1318) au latin *discutere* proprement «faire tomber en secouant, fracasser, détacher» puis «lézarder, dissiper» et au figuré «écarter, rendre vain», «fouiller, débrouiller» ; le sens d'«examiner», pris dans la langue ecclésiastique, a servi à traduire le grec *exetazein* «examiner, inspecter». *Discutere* est dérivé de *dis-* et de *quatere* «secouer» (→ casser).

♦ Le mot, passé en français avec la valeur figurée d'«examiner le pour et le contre d'une chose», s'est employé pour «contester» (*discuter si...,* Calvin), puis «manifester une opinion différente, contester» (Sieyès, 1789) avec une nuance polémique. Par extension, il est employé intransitivement au sens neutre de «parler avec d'autres en échangeant des idées» (1819).

▸ Le verbe a produit quelques dérivés rares, comme **DISCUTEUR, EUSE** n. et adj. (av. 1490) et familiers comme **DISCUTAILLER** v. intr. (1881) et ses dérivés **DISCUTAILLEUR, EUSE** adj. (v. 1850), **DISCUTAILLERIE** n. f. (déb. XXe s.). ➛ Le dérivé courant, **DISCUTABLE** adj. (1791), «qu'on peut mettre en doute, en discussion» puis «de valeur, de qualité... incertaine» (cf. *douteux*), a entraîné la formation, pendant la période révolutionnaire, de **INDISCUTÉ, ÉE** adj. (1794). ◇ Ce dernier est moins fréquent que **INDISCUTABLE** adj. apparu au sens logique de «qui s'impose par son évidence» (1832), avant de prendre la valeur objective de «vrai, authentique» (1879). ◇ De là **INDISCUTABLEMENT** adv. (1876).

Le nom d'action correspondant à *discuter* est bien antérieur : il s'agit de **DISCUSSION** n. f., emprunté (v. 1200) au latin *discussio* «secousse», ayant suivi le même type d'évolution que le verbe latin. Le mot, qui signifie «examen attentif, contradictoire», a reçu une spécialisation juridique (1549) à propos de la recherche des biens d'un débiteur. Parallèlement à *discuter*, ce substantif a développé au cours du XVIIIe s. ses autres valeurs : «contestation» (1752), «échange d'arguments, de vues» (1792, dans un contexte scientifique). ➛ On rencontre quelquefois **DISCUSSIF, IVE** adj. (1549), formé sur le radical du supin latin *discussum*, en médecine au sens de «qui dissipe, résoud un engorgement», puis au sens moderne de «relatif à la discussion» (1877). ➛ Le composé à valeur itérative **REDISCUTER** v. tr. est attesté en 1875.

DISERT, ERTE adj. est emprunté (attesté 1321 mais antérieur) au latin *disertus*, terme de la langue écrite qui signifie d'abord «clair, intelligible», et s'est appliqué à une personne qui a une belle élocution et une grande facilité de parole (chez Cicéron). Le mot, inséparable de *disertim*, *diserte* adv. «clairement, explicitement», est rattaché par les Latins à *disserere* «enchaîner des raisonnements, des idées à la file», «raisonner» (→ disserter), mais la voyelle brève de *disertus* fait problème. C'est pourquoi il faut peut-être envisager une formation en *dis-* et *artus* «habileté, technique» (→ art), avec le sens originel de «disposé ou qui dispose avec habileté» ou «qui divise bien». Le *-r-* de *artus* a pu empêcher la sonorisation de l'*-s-*.

♦ Le mot qualifie, dans un style littéraire, une personne qui s'exprime facilement, avec élégance.

▸ Il a produit l'adverbe **DISERTEMENT** (v. 1282), d'usage rare.

◈ **DISETTE** n. f., d'abord sous les formes *disiete*, *disete* (v. 1200) et *disgete* (1250), est d'origine incertaine. On a évoqué l'hypothèse d'une formation sur *dire**, d'après les expressions formées à partir de *à dire* «manquant» (v. 1050), comme *trouver à dire* «regretter l'absence de»; mais la forme d'ancien français *disgete* reste alors inexpliquée. On a aussi évoqué un emprunt, à l'époque des croisades, au grec byzantin *disektos* «bissextile» : celui-ci serait la transcription (avec substitution du préfixe *di-* «double» au latin *bi-*) du latin *bissextus*, et serait substantivé au féminin avec le sens d'«année mauvaise». Cette hypothèse permettrait en outre d'expliquer la présence du terme en ancien génois (*dexeta*). D'autres hypothèses laissent trop de difficultés phonétiques ou sémantiques inexpliquées, telles celles d'une formation à partir du latin *desecta* n. f., substantivation du participe passé de *desecare* «séparer en coupant», ou *disjecta*, substantivation du participe passé féminin de *disjicere* «jeter çà et là», «disperser», d'où «détruire» de *dis-* et *jacere* (→ jeter), ou encore *decepta* n. f. du participe passé de *decipere* «surprendre, tromper» (→ décevoir). L'hypothèse d'une origine bretonne est encore moins probable.

♦ Le mot désigne un manque de ce qui est nécessaire à la vie, spécialement un manque de vivres.

▸ Il a produit l'adjectif **DISETTEUX, EUSE** «qui manque du nécessaire» (1213), aujourd'hui sorti d'usage.

DISGRÂCE → GRÂCE

DISJOINDRE v. tr. est la réfection (1361) de *desjoindre* (déb. XIIe s.), de *des-* (*dé-*) et *joindre* d'après le latin *disjungere*, de *dis-* et *jungere* → joindre.

♦ Le verbe signifie «écarter, séparer (des parties jointes)» et abstraitement «séparer». Le participe passé est adjectivé, au concret et à l'abstrait.

▸ **DISJONCTIF, IVE** adj. est l'emprunt, d'abord sous la forme adaptée *desjointive* (av. 1270) puis sous la forme savante *disjonctif* (XIVe s.), du latin *disjunctivus* «qui marque une distinction, une séparation», en logique et, à basse époque, en grammaire. Le mot est dérivé du supin de *disjungere*.

Introduit par les grammairiens en parlant d'une particule qui unit les expressions et sépare les idées, en emploi substantif (*une disjonctive*) et (XIVe s.) adjectif, il est passé en logique (av. 1559) pour désigner et, plus souvent, qualifier (1690) un jugement ou une proposition qui exprime une alternative. ➛ **DISJONCTION** n. f. est l'emprunt (av. 1300), indépendant du précédent, du latin *disjunctio* «séparation», employé spécialement en grammaire et, au moyen âge, en médecine (v. 1250), dérivé du supin de *disjungere*. ◇ Le mot constitue le substantif d'action de *disjoindre* en emploi concret et abstrait; il s'est spécialisé en pathologie à propos de la désunion de deux parties qui doivent normalement se toucher (v. 1565). Furetière l'enregistre comme terme de droit (1690) pour la séparation de deux instances ou causes juridiques.

DISJONCTEUR n. m., le plus récent des mots de cette série, a été formé (1883; 1882 comme adj.) sur le radical du supin latin *disjunctum* avec le suffixe *-eur*. Ce terme d'électricité désigne un interrupteur automatique de courant électrique, fonctionnant lors d'une variation anormale de l'intensité ou de la tension. ➛ Par substitution de suffixe, on en a dérivé **DISJONCTER** v. intr. (v. 1950), verbe familier relatif à une interruption de courant et, au figuré, à une perte de contact avec le réel.

DISLOQUER v. tr. est emprunté (1546) au latin médiéval médical *dislocare* «déboîter» (v. 1250), formé de *dis-*, préfixe marquant la division (→ dis-) et de *locare* «placer, établir» (→ louer). Le mot a supplanté son doublet populaire *desloer, desloyer* «luxer», plus ancien (1168-1191) et répertorié jusqu'en 1611.

♦ Le verbe a été repris dans sa spécialisation médicale. Dès le XVIe s., il est employé figurément pour «rompre l'unité d'un ensemble en dispersant ses éléments» (1580, Montaigne). Ultérieurement, il réalise la même idée sur un plan concret (1842), en mettant accessoirement l'accent sur la notion de désordre ou de violence qui accompagne l'action. Son emploi pronominal (1831) correspond à ces différents emplois.

▸ **DISLOCATION** n. f., emprunté (1314) au latin médiéval médical *dislocatio* «luxation» (v. 1250), «cassure» (v. 1361), a suivi la même évolution que le verbe : sa spécialisation en chirurgie a cependant reculé sous la concurrence de *luxation*. ◆ Le sens plus général de «séparation des diverses parties d'un tout», d'abord réalisé au figuré (1576, Montaigne) puis aussi concrètement, aboutit à la spécialisation du terme en géologie (1851) à propos d'une rupture des couches de stratification par faille ou décrochement.

DISPARAÎTRE v. intr. est dérivé (1509) de *paraître** avec le préfixe *dis-** d'après le bas latin *disparere* «cesser d'être visible», qui avait donné l'ancien français *disparoir* (1170).

♦ *Disparaître* a d'abord été employé à la forme pronominale avant de se construire intransitivement. Il signifie «ne plus être visible», avec différentes valeurs selon le contexte et l'interprétation de cet état. Il se dit aussi de personnes au sens de «cesser d'être présent» (1689) et par euphémisme, de «cesser d'exister» (1688). Avec un nom de chose pour sujet, il signifie «s'anéantir, se dissiper» (1676) et, concrètement «être dérobé, égaré» (1710).

▸ Le dérivé **DISPARITION** n. f. (1559) semble inusité avant 1611 où est attesté *disparution* d'après *disparu ;* il est repris à partir de 1725, puis développe au XIXe s. d'autres nuances correspondant à celles du verbe : fait de ne plus exister (1848), anéantissement d'un objet (1823) et dissipation d'une chose abstraite (1880).

DISPARATE adj. et n. f. est emprunté tardivement (1741, 1655 selon Robert) au latin *disparatus* «différent», substantivé en *disparatum* n. m. en rhétorique pour désigner une proposition contradictoire. Le mot est issu du participe passé de *disparare* «séparer, diviser» puis «diversifier», de *dis-* et *parare* «mettre de pair», de *par, paris* (→ pair).

♦ L'adjectif correspond à «discordant, hétérogène» ; il est substantivé au féminin pour désigner un contraste choquant (1791, Volney), probablement en raison de l'influence de *une disparate* «acte extravagant, extravagance» (1639), mot emprunté à l'espagnol *disparate* et employé aux XVIIe et XVIIIe siècles. On rencontre souvent *un disparate,* au masculin, forme normale de la substantivation de l'adjectif. Balzac écrivait à son imprimeur : «Votre prote a laissé disparate féminin, il est masculin» (1838).

▸ Plus récemment, le latin *disparatus* a servi à former le terme de physiologie **DISPARATION** n. f. (v. 1950) «différence des deux images d'un objet formées par deux rétines» (on dit plus rarement *disparité**).

DISPARITÉ n. f. est formé (1282) pour servir d'antonyme à *parité**, sur le latin *dispar, disparis* «inégal», de *dis-* (→ dé-) et *par, paris* (→ pair).

♦ Le mot exprime une absence d'égalité et, couramment, une absence d'harmonie. Il est senti comme un synonyme plus usuel de *disparate** n. f.

DISPATCHER n. m. est emprunté (1915) à l'anglais *dispatcher,* attesté depuis le XVIe s. au sens de «messager», employé aux États-Unis dans le cadre de nombreux métiers (centralisation, organisation, répartition, etc.). Le mot est dérivé de *to dispatch* «expédier, organiser rapidement», verbe qui vient du latin *dispacciare* et se trouve par conséquent apparenté au français *dépêcher** (formé sur *empêcher*) et à l'italien *dispacciare.*

♦ En français, le mot désigne celui qui lance et arrête des opérations, des machines. Il est quelquefois adapté en *dispatcheur* (1979); les puristes recommandent de le remplacer par ***régulateur***.

▸ Le mot est inséparable d'un autre anglicisme, **DISPATCHING** n. m., emprunté (1921) au participe présent de *to dispatch. Dispatching* a pénétré en français avec le vocabulaire américain de l'organisation des entreprises après la guerre (à peu près en même temps que *planning*). ◇ Il a servi à former **DISPATCHER** v. tr. correspondant à l'anglais *to dispatch.*

DISPENDIEUX, IEUSE adj. est emprunté (1495) au latin impérial *dispendiosus* «dommageable, préjudiciable», dérivé du latin *dispendium* «dépense, frais» et «dommage», de *dispendere* (→ dispenser).

♦ Le mot semble quasi inusité avant le début du XVIIIe s. (*campagne dispendieuse,* 1709), qualifiant ce qui entraîne de grandes dépenses, et par extension ce qui coûte cher. Cet emploi, courant au Canada, est familier et critiqué par les puristes.

▸ Le dérivé **DISPENDIEUSEMENT** adv. (1843) est rare.

DISPENSAIRE n. m. est emprunté (1745) à l'anglais *dispensary* (1699), formé sur le radical du participe passé latin *dispensus,* de *dispendere* «attribuer, distribuer» (→ dispenser) avec le suffixe *-ary.* Le moyen français *dispensaire* «ouvrage traitant de la préparation des remèdes» (1573), lui-même emprunté au français par l'anglais (1710), est dérivé de *dispenser.*

♦ Le mot anglais, qui signifie proprement «lieu où l'on dispense (des soins)», a pénétré en français à propos de l'institution anglaise (chez l'abbé Leblanc) puis dans un contexte français (1803).

DISPENSER v. tr. est emprunté (1283) au latin *dispensare* «partager, distribuer (de l'argent)», «administrer, gouverner» et, en latin impérial, «régler, employer». Ce verbe est formé sur le supin *(dispensum)* de *dispendere* «distribuer», de *dis-* (→ dé-, dis-) et *pendere* «peser» (→ prendre).

♦ *Dispenser* signifie d'abord, en emploi absolu, «épargner une obligation». Au XVIe s. apparaissent *dispenser de* et infinitif (1544) et *dispenser de qqch.* (1559). L'emploi du verbe dans la formule de politesse *dispensez-moi de* est attesté à partir de 1644. Le sens d'«autoriser (qqn) à faire une chose normalement interdite» (1526, *dispenser qqn à...;* 1541, *se dispenser de*), sujet à confusions, ne s'est pas maintenu. ➙ Le verbe a également repris au latin, l'idée de «distribuer, répartir» d'abord en parlant d'un objet abstrait (temps, vie) [av. 1340]; l'usage moderne n'a conservé cette acception qu'en parlant de puissances supérieures, telles Dieu (1541, Calvin).

▸ Le participe passé **DISPENSÉ, ÉE,** adjectivé, correspond au double sens de «distribué» et «exempté»; ce dernier surtout dans un contexte militaire (1899) où il a été substantivé ***(le peloton des dispensés).***
Les mots les plus anciens de cette famille ont été empruntés au latin avant le XIIIe s. : il s'agit de **DISPENSATEUR, TRICE** n. *(despensatur,* 1174), qui représente le dérivé latin *dispensator* «administrateur, intendant», appliqué à l'époque chrétienne à celui qui dispense les choses divines; le mot français a conservé la valeur religieuse ou solennelle du latin chrétien. ➙ **DISPENSATION** n. f., emprunté (v. 1200) au dérivé latin *dispensatio* «administration, gestion», à l'époque impériale «répartition, distribution», est devenu archaïque et littéraire. De ses sens anciens, «répartition» (v. 1225), «autorisation» (1243), «administration» (XVe s.), il n'a gardé que celui de «répartition, distribution».
Le déverbal relativement tardif de *dispenser,* **DISPENSE** n. f. (1447), s'est spécialisé dès les premières attestations au sens d'«autorisation spéciale», dans un contexte ecclésiastique, puis aussi juridique et courant. Par métonymie, il désigne (1836) la pièce établissant cette autorisation.
L'adjectif correspondant dérivé du verbe, **DISPENSABLE** (XIVe s.), reste limité à un usage juridique, contrairement à son antonyme préfixé en *in-*. ➙ **INDISPENSABLE** adj. (1585) a d'abord eu le sens strict de «dont on ne peut être dispensé par l'Église» et la valeur littérale de «dont on ne peut se dispenser» (v. 1650). Il est passé dans l'usage courant avec le sens dérivé de «qui est très nécessaire, essentiel» (XVIIIe s.), parfois substantivé avec une valeur de neutre. ◇ Il a produit **INDISPENSABLEMENT** adv. (v. 1600) et **INDISPENSABILITÉ** n. f. (1641).

◈ voir DÉPENS, DÉPENSE, DISPENSAIRE.

DISPERSER v. tr. représente (v. 1450) le latin *dispergere* «répandre çà et là», «éparpiller», quelquefois «éclabousser, parsemer», de *dis-* et *spargere* «éparpiller, disperser» (→ asperger). Il est soit dérivé du participe passé *dispersus,* soit une réfection, d'après le moyen français *dispers* (apr. 1450), emprunté au latin *dispersus,* du moyen français *disperger* «répandre», attesté plus tard (1482), lui-même emprunté au latin *dispergere.*

♦ *Disperser* signifie (1450) «répandre, envoyer en divers endroits»; il n'a pas conservé le sens de «traverser en courant, parcourir», vivant au XVIe siècle. Avec un complément désignant des personnes, il réalise la valeur de «mettre en fuite» (1647, Corneille) au propre et au figuré. Le participe passé (1651-1652, Corneille) et la forme pronominale assument le sens figuré de «s'appliquer à trop d'objets différents».

▸ Son unique dérivé **DISPERSEMENT** n. m., tardif (1874), est moins courant que le nom d'action **DISPERSION** n. f., emprunté antérieurement (1265) au latin *dispersio,* dérivé à basse époque du supin de *dispergere.* Le mot, d'abord écrit *dispertion,* est rare avant le XVIIIe s., où il prend le sens propre d'«action de disperser» (1731) et se trouve dans des emplois techniques (1754, à propos de la lumière). Son emploi figuré remonte au XIXe s. (1846, Michelet : *dispersion de l'esprit*). ➙ Après 1850, le groupe de *disperser* s'est enrichi de quelques créations techniques et scientifiques. Sur le radical du supin latin *dispersum* ont été formés **DISPERSIF, IVE** adj. (1777 Encycl.) et le terme de chimie **DISPERSOÏDE** adj. (1922). ➙ On a emprunté à l'anglais *dispersal* (de *to disperse* «disperser») le terme technique **DISPERSAL** n. m. (1959), pour l'aire de stationnement des avions sur une base aérienne. ➙ Enfin, le participe présent de *disperser,* **DISPERSANT, ANTE,** a été substantivé au masculin (v. 1960) pour un réactif qui disperse les particules d'un matériau.

DISPONIBLE adj. est emprunté (v. 1500, XIVe s. en droit) au latin médiéval *disponibilis,* adjectif correspondant à *disponere* (→ disposer).

♦ *Disponible,* proprement «dont on peut disposer», est rare avant le XIXe s., époque où il se répand, qualifiant aussi une personne libre de se consacrer à une activité (1864) et, sur le plan moral, une personne dont l'esprit est libre de tout engagement (1897).

▸ Son dérivé **DISPONIBILITÉ** n. f., attesté une fois en 1492, est repris lui aussi au XIXe s. avec des emplois spéciaux en finances (1864, au pl.) et dans le langage administratif (1864). Comme *disponible,* il se dit de l'état moral d'une personne que rien ne contraint (1928). ➙ Des antonymes en *in-* ont été formés dans la seconde moitié du XVIIIe s. : **INDISPONIBLE** adj. (1752) et **INDISPONIBILITÉ** n. f. (1789); ils ne sont pas très courants (on préfère employer l'adjectif *disponible* au négatif) en dehors de leur usage didactique (administratif, militaire).

✳ **DISPOSER** v. est emprunté (v. 1200), avec influence de *poser*,* au latin *disponere* de *dis-* et *ponere* (→ poser) «placer en séparant distinctement» et, par suite «arranger, ordonner, régler».

♦ Le mot a été introduit avec le sens de «mettre en ordre (des choses, des gens)» notamment dans un contexte théologique, puis a pris le sens psychologique de «préparer (qqn), mettre dans un certain état d'esprit» (1370-1380). Au XIIIe s., il a commencé à s'employer également avec la préposition *de,* d'abord avec le sens de «décider, décréter» (1236), puis d'«utiliser (une chose) à sa convenance» (1298). *Se disposer à* «se préparer» est attesté depuis 1393 tant avec la préposition *de,* pour «s'apprêter à», qu'avec un nom de chose pour sujet, pour «s'organiser». Le verbe s'emploie aussi absolument pour «être libre de s'en aller», dans des formules de congédiement *(vous pouvez disposer).*

▶ Le participe passé **DISPOSÉ, ÉE**, adjectivé avec les sens correspondants, exprime spécialement, avec l'adverbe *bien* ou *mal,* l'idée de «bien ou mal portant» (1365), sens disparu, puis au XVIIe s. «bien ou mal intentionné» (1690). ◇ La valeur physiologique est aujourd'hui surtout réservée au préfixé **INDISPOSÉ, ÉE** adj., formé avec *in-* privatif, attesté depuis 1407 au sens de «mal disposé», puis spécialisé comme terme médical pour «incommodé» (v. 1460). Bouhours n'acceptait plus, au XVIIe s., que cet emploi du mot. Depuis 1675, l'adjectif est également employé au sens moral de «importuné par». ➛ Un élargissement de suffixe a produit **S'INDISPOSER** v. pron. (1662) «se mettre dans de mauvaises dispositions», devenu **INDISPOSER** v. tr. (v. 1700). Le verbe partage avec l'adjectif le sens d'«altérer légèrement la santé de» (1828). Comme lui, il s'emploie par euphémisme à propos d'une femme qui a ses règles. ➛ Le préfixe *pré-* a servi à former **PRÉDISPOSÉ, ÉE** adj. (XVe s.) et, par élargissement de suffixe, **PRÉDISPOSER** v. tr. (fin XVIIIe s.) «disposer qqn, qqch. à l'avance».

DISPOSITION n. f. est emprunté (v. 1200) au latin classique *dispositio* «arrangement, agencement» (spécialement en rhétorique) et, en termes juridiques «règlement, administration», du supin de *disponere.* Ce substantif verbal de *disposer,* s'est d'abord employé dans le contexte religieux de la ***divine disposition,*** puis dans un contexte général (déb. XIIIe s.). Il correspond à «manière d'être disposé», en parlant de l'état habituel du corps (déb. XIVe s.), sens qui correspond à l'emploi ancien de *disposé* et à *indisposé,* et qui est sorti d'usage à la différence de l'acception psychologique, «humeur, état d'esprit» (1393) : on dit notamment ***être en disposition de*** (ou ***dans les dispositions de,*** av. 1679) «dans un état d'esprit favorable à». Il en découle l'idée de «goût, aptitude à qqch.» (1680). En revanche, l'acception antérieure, «faculté de disposer de qqch.» (1393), spécialement dans un contexte juridique (par métonymie «clause», 1417-1418), correspond à l'expression courante ***à ... disposition*** (1850). ➛ Parallèlement au verbe, *disposition* a produit deux formes préfixées. **INDISPOSITION** n. f., apparu dans l'ancienne expression *indisposicion du Temps* «mauvais temps» (1417-1435), désigne aujourd'hui, en relation avec *indisposé* (ci-dessus), une légère altération de la santé (1451), spécialement l'époque des règles des femmes (1829, Balzac). Il est aussi employé avec le sens moral d'«aversion envers» (av. 1679). ➛ **PRÉDISPOSITION** n. f. (fin XVIIIe s.) désigne une disposition naturelle pour un type d'activité et s'entend aussi de l'état d'un sujet qui le rend apte à contracter certaines maladies (1818).

DISPOSITIF n. m. est dérivé (av. 1615) du radical du latin *dispositum,* supin de *disponere.* Le mot existait antérieurement comme adjectif avec le sens de «qui prépare» (1314) et «qui est arrêté, réglé». Le nom est d'abord un terme de droit désignant l'énoncé final d'un jugement qui contient la décision du tribunal ; il est passé dans le langage militaire pour désigner l'ensemble de moyens disposés conformément à un plan (1797, *dispositif de défense*). Son sens courant «manière dont sont disposés les organes d'un appareil» (v. 1860) a entraîné le sens figuré d'«agencement». À la différence de *disposition,* il est relativement indépendant du verbe *disposer.*

DISPOS, OSE adj. est l'adaptation (1465), sous l'influence de *disposer**, de l'italien *disposto* «qui est en bon état physique (d'une personne)» (1304-1308). Celui-ci est le participe passé adjectivé du verbe *disporre* «arranger», issu du latin *disponere* (→ disposer). La construction ancienne ***dispos de*** «disposé à», a été remplacée par ***dispos à,*** rare et littéraire. Le mot est relativement courant dans l'expression ***frais et dispos.***

DISPUTER v. est emprunté (v. 1170) au latin *disputare* «mettre au net après examen et discussion», d'où «examiner une question point par point» et «raisonner, discuter, disserter». Ce verbe est formé de *dis-* et de *putare* «nettoyer», d'où «mettre au net», souvent au figuré «penser, estimer» (→ putatif).

♦ Le sens de «discuter, débattre» sans être sorti de l'usage, est aujourd'hui littéraire ou archaïque. Au XVIIe s., l'accent a été porté sur l'idée de rivalité (1637) mais ce sens de «rivaliser» est aujourd'hui vieilli, sauf dans l'expression ***le disputer à*** «être comparable à» (1670). Le sens moderne usuel est «lutter pour la possession d'une chose» (1609), spécialement en sports (1855), également au pronominal (1667). La construction transitive *disputer qqn* au sens de «quereller» (av. 1755, Saint-Simon) est aujourd'hui régionale ou très familière. Dans ce sens, *se disputer* est l'emploi le plus usuel du verbe.

▶ **DISPUTATION** n. f., emprunté sous la forme *desputeison* (v. 1175) au dérivé latin *disputatio* «examen, discussion», a servi à désigner un débat très animé, spécialement (1541) une discussion publique sur un sujet de théologie. ◇ Un autre dérivé ancien de *disputer,* **DISPUTEUR, EUSE** adj. et n. (fin XIIe s.), d'abord noté *desputurs,* a lui aussi vieilli. ➛ Moins ancien, le déverbal **DISPUTE** n. f. (1474) a peu à peu perdu son sens premier de «dissension, débat» au profit de «discussion» et «querelle» (1665, Molière), ce dernier sens étant de loin le plus vivant. ➛ *Disputer* a aussi produit **DISPUTABLE** adj. (1546) et son antonyme **INDISPUTABLE** adj. (1652) peut-être emprunté au bas latin *indisputabilis,* deux mots rares qui souffrent de la concurrence de *discutable-indiscutable.* ➛ Il a également donné **DISPUTAILLER** v. intr. (av. 1596) d'où **DISPUTAILLEUR, EUSE** adj. et n. (1829) et **DISPUTAILLERIE** n. f. (1717), eux-mêmes beaucoup plus rares que *discutailler* et ses dérivés. ➛ C'est seulement en 1830 que l'on relève le premier emploi de **DISPUTANT, ANTE**, participe présent adjectivé et substantivé de *disputer* au sens de «(personne) qui discute avec d'autres dans un débat», devenu archaïque.

DISQUALIFIER v. tr. est emprunté (1784) à l'anglais *to disqualify* (1718) «priver des qualifications nécessaires à un but, une entreprise», composé de *dis-* et de *(to) qualify* «qualifier», lui-même du moyen français *qualifier**.

♦ Le mot a pénétré en français comme terme de turf pour «exclure (un cheval qui ne répond pas aux conditions exigées par le règlement)». Il s'est répandu vers le milieu du XIXᵉ s., prenant le sens figuré de «rendre impropre à, frapper de discrédit» (1837), concurrençant et éliminant le verbe *déqualifier* v. tr. (1846, Bescherelle) formé en français au sens général et répertorié par les dictionnaires jusqu'au début du XXᵉ siècle.

▶ Dans le même temps, le français a emprunté **DISQUALIFICATION** n. f. (1784) au dérivé anglais *disqualification* (1711-1714) avec les sens correspondant au verbe.

DISQUE n. m. est emprunté (XVIᵉ s.) au latin *discus* «palet» qui a donné *dais**, emprunt au grec *diskos* auquel correspondent des mots germaniques (ancien haut allemand *disc*, allemand *Tisch*, etc.) et celtiques (irlandais *diosc*, *tesc*). Le grec *diskos* représente °*dikshos*, dérivé de *dikein* «lancer, jeter», parfois «atteindre», verbe d'origine incertaine, mais en rapport avec *deiknumein* «montrer» d'un radical indoeuropéen °*deik-*, °*dik-* représenté par le latin *dicere* (→ dire) ; cf. le sanskrit *diśáti* «je montre».

♦ Le mot a été introduit avec l'ancien sens métonymique de «lanceur de disque dans l'antiquité» (1555), réservé depuis à *discobole*. Il a gardé celui de «palet circulaire», remis à l'honneur au XXᵉ s. dans une discipline athlétique moderne, et développé de nombreux sens analogiques en référence à la forme circulaire et plate du palet antique. Ainsi, *disque* désigne la surface visible d'un astre (1680) et tout objet de forme circulaire et plate (1680, d'une lentille optique). Dans la seconde moitié du XVIIIᵉ s., il est passé dans le vocabulaire de la botanique (1765, Lavoisier) puis, au XIXᵉ s., de l'anatomie (1805), notamment dans *disque intervertébral* (1852). *Disque* désigne aussi un signal de forme circulaire, en chemin de fer (1865). ◆ Son sens aujourd'hui courant de «mince plaque circulaire utilisée pour l'enregistrement et la reproduction des sons» est issu par ellipse (1900) de *disque de phonographe*, et succède à *rouleau* et *cylindre*. Il a peut-être subi l'influence de l'anglais *disc*, devenu par la suite (*phonograph* ou *gramophone*) *record*, mais qui est attesté dans cet emploi depuis 1888 *(disc)*, puis 1907 *(disk)*. L'évolution des techniques a produit (v. 1955) *disque 33 tours* (et *78 tours*, à l'origine non spécifié, puisqu'il était le seul à fonctionner) dit à l'origine *disque longue durée*, puis *disque compact* (v. 1982), calque de l'anglais *compact disc* (lui-même fréquent en français y compris sous ses initiales *CD*), le disque traditionnel étant appelé *disque noir*. ◇ Les locutions figurées ***changer de disque, jouer toujours le même disque***, etc. proviennent de ce sens. ◇ Le *disque* devenant un support des informations gérées par ordinateur, le mot n'est plus seulement employé dans le contexte des enregistrements sonores mais en informatique, d'où *disque magnétique* (en concurrence avec *bande magnétique*), *disque souple* (cf. ci-dessous *disquette*). Par ailleurs, *disque vidéo* et surtout *vidéo-disque* (1973), désignent un support d'images de télévision. ◆ Dans le domaine de l'automobile, on emploie l'expression ***disque de stationnement*** depuis 1957. ◇ En technique, le mot entre dans plusieurs syntagmes, dont ***disque d'embrayage.***

▶ Le mot a produit ses dérivés à partir du sens usuel (reproduction sonore) au XXᵉ s. : **DISQUER** v. tr. (début XXᵉ s.) «enregistrer un disque» est sorti d'usage. ◆ **DISQUAIRE** n. (1949) «marchand de disques» s'est maintenu. ◆ **TOURNE-DISQUE** n. m. (v. 1950) est déjà désuet avec l'évolution de la technique. ◆ Sous la forme de l'élément **DISCO-**, *disque* a servi à former **DISCOPHILE** n. (1929) et **DISCOPHILIE** n. f. (v. 1950) pour «amateur, collectionneur de disques» et «amour des disques de musique», **DISCOTHÈQUE** n. f. (1928), d'où **DISCOTHÉCAIRE** n. (1951) sur le modèle de *bibliothèque/bibliothécaire*, **DISCOGRAPHIE** n. f. (1963) et **DISCOGRAPHIQUE** adj. (1957) sur celui de *bibliographie, -graphique*. ◆ *Discographie* est devenu usuel avec le développement de l'industrie du disque. L'américanisme **DISC-JOCKEY** n. (1954) désigne un présentateur de disques à la radio ou un animateur dans une boîte de nuit. ◆ **DISCO** n. m. et adj. est un autre emprunt (1976) à l'anglais des États-Unis *disco*, mot tiré de *discothèque*, lui-même repris du français. Tous ces termes se rapportent au sens usuel de *disque*. ◆ **DISQUETTE** n. f. (v. 1975) concerne le disque souple support d'informations et est très usuel. ◆ Il faut y ajouter quelques termes de médecine, tels **DISCAL, ALE, AUX** adj. (1950) et **DISCOPATHIE** n. f. (1959) se rattachant au sens de «disque intervertébral».

DISCOÏDE adj., utilisé dans la description en sciences naturelles, est dérivé (1764) du grec *diskos* ou de *disque** au moyen du suffixe *-oïde*. ◇ En est dérivé **DISCOÏDAL, ALE, AUX** adj. (1834), d'abord terme d'entomologie.

◈ voir DAIS.

DISSÉMINER v. tr. est emprunté (1503) au latin *disseminare* «propager, répandre» (au propre et au figuré), de *dis-* (→ dé-) et *seminare* «semer, produire», au figuré «propager, répandre» (→ semer).

♦ Le verbe signifie proprement «semer en éparpillant» et, par extension, «répandre, disperser».

▶ **DISSÉMINATION** n. f. est emprunté (1674) au dérivé bas latin *disseminatio* «action de répandre». ◆ **DISSÉMINATEUR, TRICE** adj. et n. a été emprunté (1486, comme nom) au bas latin *disseminator* «propagateur», formé comme *disseminatio* sur le supin de *disseminare*.

DISSENSION n. f. est emprunté (1160-1174) au latin *dissensio* «divergence de sentiments, d'opinions», «désaccord, discorde, division (politique)» et, au figuré «opposition», mot formé sur *dissentum*, supin de *dissentire* «être en désaccord». Ce verbe est formé de *dis-* (→ dé-) et *sentire* (→ sentir).

♦ Le mot, qui désigne une division profonde et violente de sentiments, d'intérêts, de convictions, est voisin de *dissentiment,* formé plus tard en français ; il est resté remarquablement stable dans l'usage.

▸ **DISSENTIMENT** n. m. (1580), d'abord *dissentement* (1350), est dérivé du moyen français *dissentir* (attesté seulement au milieu du XVe s.) «être en désaccord», avec le suffixe *-ement,* refait en *-iment* d'après *sentiment*.* *Dissentir* représentait le latin *dissentire.* Le mot, dans son sens fort (par exemple dans le domaine politique), est synonyme de *dissension ;* il est plus courant dans un contexte psychologique, où il a moins de force.

DISSÉQUER v. tr. est emprunté (1549) au latin *dissecare* «dépecer, découper», de *dis-* et *secare* «couper, découper» (→ scier, section).

♦ Le mot a été introduit avec son sens actuel (***disséquer une charogne*** *[un cadavre],* 1578). Le sens figuré, «analyser minutieusement et méthodiquement», est apparu au XVIIIe s. (1771).

▸ En sont dérivés **DISSÉQUEUR** n. m. (1718) et **DISSÉCABLE** adj. (1805), mots rares. ◆ Le nom d'action correspondant, **DISSECTION** n. f., est l'emprunt (1538, J. Canappe) du latin impérial *dissectio* «taille, coupe» fait sur le supin de *dissecare.* Le mot a développé des emplois métaphoriques (av. 1648, *dissection de l'âme*) et figurés. ◆ Son radical ou celui du supin latin *dissectum* a servi à former **DISSECTEUR, TRICE** n. (1556, Le Blanc), synonyme plus courant de *disséqueur,* que Littré considérait comme péjoratif.

DISSERTER v. intr. est emprunté (1722, Saint-Simon) au latin impérial *dissertare,* employé transitivement au sens de «discuter, exposer, traiter (en paroles)». Ce verbe est le fréquentatif de *disserere* «enchaîner à la file des idées», d'où «exposer» et «discuter, raisonner sur», de *dis-* et *serere* «entrelacer, tresser», d'où au figuré «joindre, enchaîner, unir» (→ série).

♦ Le mot français, qui garde le sens du verbe latin, est intransitif. Par extension, il revêt la même valeur péjorative que *discourir,* connotant le pédantisme et l'ennui.

▸ *Disserter* a produit **DISSERTATEUR, TRICE** adj. et n. (1722), vieilli avec son sens d'«auteur de dissertations», et **DISSERTANT, ANTE,** adjectivation (1836) du participe présent. ◆ **DISSERTATION** n. f. est emprunté (1645) au latin impérial *dissertatio* «traité, étude», de *dissertatum,* supin de *dissertare.* Il désigne d'abord un développement portant sur un point de doctrine ou une question savante et s'est spécialisé dans l'enseignement. Il est abrégé en **DISSERT'** n. f. (1931). ◆ Son radical a servi à former des adjectifs didactiques et rares, **DISSERTATIF, IVE** (1819), **DISSERTATOIRE** (1869-1896, Verlaine).

DISSIDENT, ENTE adj. et n. est emprunté (1539) au latin *dissidens,* participe présent de *dissidere* «être séparé, éloigné», d'où «ne pas s'entendre, être en désaccord», composé en *dis-* de *sedere* «être assis» et «séjourner», «se tenir» (→ seoir).

♦ Le mot a été introduit en médecine, domaine où l'on parlait des *parties dissidentes et desjointes* (av. 1560) en prenant ces deux adjectifs dans un sens voisin. Il s'est ensuite appliqué à qqn qui professe une autre religion que la religion officielle (1752, en Pologne) avant de désigner également (milieu XXe s.) les opposants à l'idéologie dominante d'un pays (surtout appliqué à l'U. R. S. S. et aux démocraties populaires).

▸ Le nom correspondant, **DISSIDENCE** n. f., est emprunté (1585, XVe s. selon Bloch et Wartburg) au latin impérial *dissidentia* «opposition, désaccord», dérivé en *-tia* du participe présent latin. Il s'est répandu à partir de 1787.

DISSIMILER → ASSIMILER

DISSIMULER v. tr. est emprunté (fin XIIIe s.) au latin *dissimulare* «cacher» «tenir à l'écart» et «retenir occupé» de *dis-* et *simulare* (→ simuler).

♦ *Dissimuler* s'emploie d'abord absolument au sens de «tenir ses intentions secrètes» puis également et surtout transitivement (1350). *Se dissimuler* n'est attesté qu'au XIXe s. (1864).

▸ Le participe passé **DISSIMULÉ, ÉE** est adjectivé pour caractériser une personne cachottière, fourbe (1580, Montaigne). Le verbe a aussi produit **DISSIMULABLE** adj. (1536), les autres mots du groupe étant empruntés au latin. ◆ **DISSIMULATION** n. f. a été emprunté le premier (1190) au dérivé latin *dissimulatio* «feinte, action de cacher». ◆ **DISSIMULATEUR, TRICE** adj. et n. est un emprunt (1481) au latin *dissimulator* «celui qui cache», formé comme *dissimulatio* sur le supin de *dissimulare.*

DISSIPER v. tr. est emprunté (1170) au latin *dissipare* «répandre çà et là, disperser», spécialement en médecine «résoudre», également «mettre en pièces, détruire», et au figuré «répandre (un bruit)». Ce verbe est formé de *dis-* et d'un verbe *supare* «jeter», seulement attesté dans la glose de Festus et, sous la forme *-sipare* ou *-sipere,* dans des composés rares *(insipere, obsipare),* seul *dissipare* étant usuel. La voyelle radicale de ce *supare* est mal établie : si c'est *-u-,* on en rapprochera le lituanien *supù, sùpti* «bercer», si c'est *-i-,* le sanskrit *kṣipati* «il jette» ; mais de toute façon, le mot n'appartient pas à une série indoeuropéenne bien établie.

♦ Le mot est d'abord attesté sous la forme de participe passé *dissipées* «anéanties, disparues», mais le verbe n'a que la valeur atténuée de «faire cesser en dispersant». Il exprime en particulier l'idée de «gaspiller, dépenser sans compter» (1350). À l'époque classique, où il était courant là où nous employons *dissoudre (dissiper une assemblée)* et *disperser (dissiper des gens),* il a développé le sens figuré de «distraire, récréer», surtout au participe passé (1651-1656). ◆ De cette idée, on est passé à celle de «rendre (rendu) inattentif», d'où est sorti le sens figuré moderne de «détourner (détourné) de la discipline» *(un élève dissipé).*

▸ Le verbe n'a produit que le dérivé récent et didactique **DISSIPATIF, IVE** adj. (v. 1965). ◆ **DISSIPATION** n. f. est emprunté (1419) au latin *dissipatio* «dispersion», «anéantissement», «gaspillage», dérivé du supin de *dissipare*. Le mot d'abord attesté au sens d'«anéantissement, destruction», a suivi le développement sémantique du verbe, signifiant «action de dépenser sans compter» (av. 1654) «relâchement de la contrainte, de l'application» (1675). ➛ L'autre emprunt, **DISSIPATEUR, TRICE** adj. et n. (1516), représente le dérivé latin *dissipator* «destructeur» (de sens figuré), et a évincé le moyen français *dissipeor* (XIVe-XVIe s.), dérivé de *dissiper*, ne se maintenant qu'avec le sens de «dépensier, prodigue» (1606, *dissipateur de biens*).

DISSOCIER v. tr., attesté depuis 1579 (une première fois en 1495, selon Bloch et Wartburg), est emprunté au latin classique *dissociare* «séparer, désunir», dérivé en *dis-* de *sociare* «unir, associer», lui-même dérivé de *socius* «qui va avec, qui accompagne» (→ social).

♦ Le verbe, qui signifie «séparer des éléments associés», au propre (spécialement en chimie) et au figuré, est rare avant le XIXe siècle.

▸ Son participe passé **DISSOCIÉ, ÉE** est adjectivé (1611). ➛ Le radical du verbe a servi à former **DISSOCIATION** n. f. attesté une première fois au XVe s. au sens de «rupture d'un engagement», avant d'être employé comme substantif verbal de *dissocier* (av. 1593). Le mot a pris une valeur spécialisée en psychanalyse, «rupture de l'unité psychique», qui a suscité le dérivé **DISSOCIATIF, IVE** adj. (1955), d'usage didactique. ➛ **DISSOCIABLE** adj. (1864), **DISSOCIABILITÉ** n. f. (1870) sont des créations didactiques sur lesquelles ont été fait les antonymes **INDISSOCIABLE** adj. (1892), **INDISSOCIABLEMENT** adv. (1950). ➛ Le suffixe d'agent *-teur* a servi à former **DISSOCIATEUR, TRICE** adj. «qui dissocie», d'abord employé en 1921 par Élie Faure en histoire de l'art *(dissociateur néo-impressionniste)*.

DISSOLU, UE adj. est emprunté (fin XIIe s.) au latin *dissolutus* «détaché, insouciant», «mou, indolent» et «relâché, dépravé», participe passé adjectivé de *dissolvere* (→ dissoudre) pris avec ses valeurs figurées.

♦ Emprunté au sens moral du latin *(dissolue vie)* qu'il a conservé, l'adjectif a eu, à l'époque classique, le sens de «rompu, désuni», en parlant d'un lien (mariage, amitié, société).

▸ Son seul dérivé, **DISSOLUMENT** adv., d'abord *dessoluement* (1265), est presque sorti d'usage.

◈ voir DISSOLUTION.

DISSOLUTION n. f., d'abord *disolucion* (XIIe s.), est emprunté au latin classique *dissolutio* «séparation des parties, dislocation», au figuré «ruine, anéantissement». Le mot est en outre employé spécialement en rhétorique au sens de «réfutation», en grammaire comme dénomination d'une absence de coordination, et en médecine pour désigner le relâchement (de l'estomac) et un état de fatigue. C'est le nom d'action formé sur le supin *(dissolutum)* de *dissolvere* (→ dissoudre).

♦ Le mot a été introduit en français avec le sens de «désagrégation, anéantissement», puis la valeur morale de «dépravation, dérèglement des mœurs» (1225-1230) qui correspond à *dissolu*. Ces sens sont archaïques, le mot désignant surtout la décomposition par la séparation des éléments constituants (1314), en physique et dans un contexte juridique. ➛ Sa valeur la plus courante, en chimie, en fait le substantif verbal de *dissoudre* (1636), employé par métonymie à propos d'un liquide contenant un corps dissous, avec des emplois spéciaux par exemple pour la solution sursaturée de caoutchouc utilisée pour réparer les pneumatiques et les chambres à air.

DISSONER v. intr. est emprunté (v. 1355) au latin impérial *dissonare* «rendre des sons discordants», au figuré «différer», de *dis-*, préfixe marquant la séparation, la différence, et *sonare* (→ ② son).

♦ Le verbe a gardé le sens du latin, au propre et au figuré. Il est employé en musique en parlant de notes dont l'assemblage provoque une rupture d'harmonie et, littérairement, comme un synonyme recherché pour *détonner*, à propos d'un élément qui trouble une harmonie.

▸ **DISSONANT, ANTE** adj. du participe présent (v. 1450), est relativement usuel, d'abord au figuré, puis aussi en parlant de sons et de notes de musique (av. 1778). ◇ Il est substantivé *(un dissonant)* en caractérologie pour un type de caractère replié sur soi par rupture permanente avec le milieu (XXe s.). ➛ **DISSONANCE** n. f. emprunté (1380) au bas latin *dissonantia* «disharmonie» et «désaccord», en a repris successivement le sens propre et (v. 1450) le sens figuré. Le langage musical en a fait (v. 1750) l'antonyme de *consonance* et la terminologie musicale l'a défini absolument : les intervalles et les accords sont des *dissonances* lorsqu'ils nécessitent une préparation et une résolution (cf. le quatuor dit «*des dissonances*» de Beethoven). On parle aussi de *dissonance* pour une rupture d'harmonie entre couleurs (1870).

DISSOUDRE v. tr. est emprunté (fin XIIe s.) au latin *dissolvere* «séparer, désunir», «payer, s'acquitter de», dans la langue médicale «résoudre, faire disparaître», d'où «guérir» et, au figuré, «détruire, anéantir». Ce verbe est composé de *dis-* (→ dé-) et de *solvere* (→ solvant).

♦ Le verbe, qui doit sa finale à l'influence de *absoudre**, est d'abord employé avec le sens figuré d'«anéantir, détruire» et celui de «mettre fin à une association» (v. 1278), propre au langage juridique. Son emploi en chimie (et alchimie) pour «disperser les particules (d'un solide, puis d'un gaz) dans un liquide» est attesté depuis 1516.

▸ Le participe présent, **DISSOLVANT, ANTE**, est adjectivé et substantivé (1673) pour un liquide susceptible de *dissoudre* (spécialement au XXe s. le vernis à ongles). Depuis 1886, le mot qualifie abstraitement ce qui détruit les croyances, les principes. ➛ Un adjectif correspond au verbe par l'emprunt de **DISSOLUBLE** (1370-1372) au latin *dissolubilis* «séparable, divisible», de *dissolvere*. ➛ Cet adjectif a entraîné la formation de **DISSOLUBILITÉ** n. f.

(1641), mot didactique, et l'emprunt des antonymes **INDISSOLUBLE** adj. (1495 mais antérieur), **INDISSOLUBILITÉ** n. f. (1609) aux préfixés latins *indissolubilis* et *indissolubilitas.* À la différence de *dissoluble, indissoluble* a produit un adverbe en *-ment,* attesté dès 1471. Tous ces mots, fortement concurrencés par *soluble*-insoluble** dans leur sens concret, sont surtout employés dans un sens figuré (politique, droit). ➜ Le représentant du latin *dissolutivus,* **DISSOLUTIF, IVE** adj. (1372) «qui dissout» (en pharmacie, en chimie) a décliné au bénéfice de *dissolvant* et de *solvant.*

DISSUADER v. tr. est emprunté (v. 1355) au latin *dissuadere* «parler pour détourner (qqn) de faire qqch.», formé de *dis-* et de *suadere* «conseiller», seulement représenté en français par ses composés (→ persuader). *Suadere,* qui appartient à la même famille que *suavis* (→ suave) se rattache à une racine indoeuropéenne que l'on retrouve dans le grec *andanein* «plaire, être agréable» et dans le védique *svādati.*

♦ Le verbe français a conservé le sens du latin.

▶ Le nom d'action correspondant, **DISSUASION** n. f., est emprunté à la même époque (v. 1355) au latin *dissuasio* «action de parler contre, de détourner», dérivé de *dissuasum,* supin de *dissuadere.* Le mot, repris avec le sens du latin, a pris une acception spéciale dans le domaine militaire (v. 1960) pour traduire l'anglais *deterrence,* dit du potentiel militaire dont l'existence doit suffire à dissuader l'ennemi de toute agression. ➜ L'adjectif correspondant, **DISSUASIF, IVE,** est dérivé (1521) du radical du latin *dissuasum,* supin de *dissuadere;* il est rare avant le XXe s., où il développe notamment un emploi militaire, lié à celui de *dissuasion* et correspondant à l'anglais *deterrent.*

DISTANT, ANTE adj. est emprunté (1370) au latin *distans,* participe présent de *distare* «être éloigné (dans l'espace, le temps)», «être différent», mot formé de *dis-* (→ dis-) et *stare* «se tenir, être debout» (→ station).

♦ Le mot recouvre surtout une notion spatiale; depuis 1829, il qualifie aussi moralement une personne qui garde ses distances, décourage la familiarité. Ce dernier sens est probablement dû à l'anglais *distant,* qui le présente depuis 1709.

▶ Le nom correspondant, **DISTANCE** n. f., est emprunté avant l'adjectif (v. 1175) au dérivé latin *distantia* «éloignement», au figuré «différence». Le mot est d'abord attesté au sens ancien de «désaccord» propre à l'Ouest (et que l'on retrouve en anglais). Depuis 1223, il recouvre la notion d'écart, d'intervalle dans l'espace, au propre et, dès les premiers textes, au figuré, à propos du degré de séparation entre deux personnes. Il est entré ultérieurement dans des locutions comme ***à quelque distance de*** (1762), et ***prendre sa distance*** (1877), aujourd'hui ***ses distances*** (1882), au figuré «repousser la familiarité», sous l'influence de ***garder ses distances*** (1844, *sa distance,* Balzac). Il réalise aussi l'idée d'«écart», sur un plan temporel (1450) et sur un plan social. ➜ Il a produit ① **DISTANCÉ, ÉE** adj. (1366) avec le sens étroit de «placé à une distance qui permet d'apercevoir» puis, par changement de désinence, ① **DISTANCER** v. tr. (av. 1602, *se distancer* «s'écarter»). ➜ Ces deux attestations sont isolées, le verbe moderne étant emprunté au XIXe s. à l'anglais *to distance,* terme de sport attesté depuis 1674. Le participe passé adjectivé ② **DISTANCÉ, ÉE** «dépassé» s'est d'abord employé (XIXe s.) dans le contexte d'une course. Le verbe ② **DISTANCER** est chez Balzac (1844). ➜ Au XXe s., le besoin s'est fait sentir d'un verbe qui exprime l'idée de mettre une distance entre soi et les autres : c'est **SE DISTANCIER** v. tr. (1957) qui correspond à **DISTANCIATION** n. f., terme de théâtre introduit (1959) par référence à la pratique du «théâtre épique» brechtien pour traduire l'allemand *Verfremdungs (Effekt)* employé par Brecht.

DISTENDRE v. tr. est emprunté (1478), avec influence de *tendre*,* au latin *distendere* «étendre, déployer», «tendre, gonfler, remplir», spécialement «torturer, tourmenter», de *dis-* (→ dis-) et *tendere* (→ tendre).

♦ Le verbe est d'abord attesté à la forme pronominale, puis chez A. Paré, avant d'être repris au XVIIIe s. (1721, Trévoux).

▶ On a emprunté **DISTENSION** n. f. (1377) au dérivé latin impérial *distentio,* devenu *distensio* à basse époque, «extension», «contraction des muscles», «gonflement». Le mot désigne l'augmentation de volume d'un corps soumis à une forte tension et le relâchement d'un lien qui s'est allongé, d'où, abstraitement, le relâchement d'un lien.

DISTILLER v. tr. est emprunté (XIIIe s.) au latin impérial *distillare* «tomber goutte à goutte», employé au moyen âge au sens transitif de «produire, secréter goutte à goutte (un liquide)». Il est composé de *dis-* et de *stillare* «tomber goutte à goutte» et, transitivement, «faire couler goutte à goutte», de *stilla* «goutte». Ce mot, que les grammairiens romains essayaient de différencier de *gutta* (→ goutte) en l'appliquant à la goutte d'huile ou de vinaigre, non à la goutte de pluie, est d'origine douteuse. Le rapport, fait par Festus, de *stilla* avec *stiria* «goutte gelée» n'est pas établi. *Stiria* est de la même famille que le vieil islandais *stria* «se raidir», d'une racine °*stei-*. On est tenté de voir en *stilla* une forme expressive du grec *stilê* «goutte d'eau», mot que Chantraine, s'appuyant sur le sens de «court moment», interprète autrement.

♦ Le verbe, introduit avec le sens de «faire tomber goutte à goutte», correspond ensuite à «filtrer, décanter» (1314) et, en chimie, à «séparer par la chaleur les constituants d'un mélange, d'une substance» (1516). Depuis le milieu du XVIe s., il est également employé au sens figuré de «tirer l'essence de» (1564-1566, Ronsard).

▶ Il a produit **DISTILLATEUR** n. m. (1580), antérieurement *destillateur* (1555), **DISTILLATOIRE** adj. (1516 comme n.), et ultérieurement **DISTILLERIE** n. f. (1784), peut-être d'après l'anglais *distillery* (1759) comme tendrait à le faire penser le contexte irlandais de la première attestation. ➜ Le nom d'action correspondant, **DISTILLATION** n. f., est un emprunt plus ancien (1372) au latin médiéval *distillatio* (1267), dérivé de *distillatum,* supin de *distillare.* Ce terme de chimie, devenu usuel avec les techniques de production des liqueurs et alcools, puis des produits dérivés d'hydrocarbures, avait pris au XVIIe s. (1677) une valeur figurée. ➛ Depuis 1694, il se dit par métonymie de la chose distillée, en concurrence avec le terme didactique de chimie **DISTILLAT** n. m. (1908).

◈ voir INSTILLER.

✳ DISTINGUER

DISTINGUER v. tr. est emprunté (1310) au latin *distingere* (ou *distinguere*) «séparer, diviser» et, au figuré, «différencier», «nuancer, diversifier» et, avec une nuance temporelle, «séparer par une pause». Ce verbe est formé de *dis-* (→ dé-) impliquant une séparation et d'un second élément °*stingere* à infixe nasal, tiré de °*stigare,* forme attestée en composition dans *instigare* (→ instigation) «piquer contre». Le type contient une racine indoeuropéenne °*stig-* «piquer», également représentée en grec (→ stigmate) et dans les langues germaniques (→ étiquette, stick, tiquet).

♦ Le sens propre de «séparer par une piqûre, par une marque enfoncée», s'il n'est pas réalisé en français, est latent dans le sens de «reconnaître par un trait, une marque, une différence» et, avec un nom de chose pour sujet, «permettre de reconnaître par quelque trait» (v. 1370), la même évolution étant observable pour *déterminer* et pour *définir.* Depuis 1580 (Palissy), *distinguer* signifie également «percevoir d'une manière distincte par l'un des cinq sens», puis abstraitement, «par l'esprit». Il s'emploie aussi, depuis le XVIIe s., pour «élever par un trait remarquable au-dessus du commun» en parlant des personnes (1666), puis des choses (1670). Tous ces sens sont également réalisés par le pronominal et le participe passé adjectivé.

▸ **DISTINGUÉ, ÉE** adj. exprime couramment l'idée de «remarquable, éminent» et, à propos d'une personne, «qui a du mérite, de la noblesse». ➛ Le radical verbal *distingu-* a servi à former **DISTINGUABLE** adj. attesté une première fois au XVIIe s. et repris dans la seconde moitié du XIXe s. après que Richard de Radonvilliers ait proposé *distingable* (1845).

Le nom d'action correspondant, **DISTINCTION** n. f. (1170, *destinctiuns*), est emprunté au latin *distinctio* «fait de séparer, de différencier», «séparation» et «honneur», dérivé du supin de *distinguere.* Le mot exprime l'état de ce qui est différencié, distingué et, en relation avec *distinguer,* le fait de reconnaître pour autre. Il est aussi employé pour désigner l'action de séparer, dans une assertion que l'on discute, ce que l'on admet de ce que l'on n'admet pas, souvent au pluriel avec la nuance péjorative de «subtilités, finesses» (1585). ➛ Il est alors synonyme de **DISTINGUO** n. m. emprunt (1578) au latin scolastique *distinguo,* première personne du présent de l'indicatif de *distinguere* («je distingue»). ➛ Au XVIIe s., *distinction* a pris dans un contexte social la nuance de «supériorité plaçant au-dessus du commun» (1670), avec un emploi métonymique, *une, des distinctions* «marque(s) d'honneur, d'estime» (1687), ainsi que le sens courant de «délicatesse de manières, élégance» (1831), répandu au XIXe siècle.

Par ailleurs, le français a emprunté **DISTINCT, INCTE** adj. (fin XIIIe-déb. XIVe s.) au latin *distinctus,* participe passé de *distinguere.* Le mot, d'abord noté *destincte* et *distincte* (au masculin), signifie «séparé, différent» et, (1690) «qui se laisse percevoir par l'un des cinq sens», n'empiétant pas sur le sens du participe passé adjectivé de *distinguer.* ◇ On en a tiré **DISTINCTEMENT** adv. (1282) et **DISTINCTIF, IVE** adj. (1314, *distinctis*). ➛ Un antonyme préfixé, **INDISTINCT, INCTE** adj., a été emprunté (sans doute avant la première attestation, 1549), au latin *indistinctus* «non différencié, peu clair, confus», de *distinctus.* Symétriquement à *distinct,* il qualifie ce qui n'est pas séparé clairement et ce que les sens ont du mal à percevoir (XVIIe s.). ◇ Il a entraîné la création de **INDISTINCTEMENT** adv. (1496) et de **INDISTINCTION** n. f. (1752), didactique ou littéraire. ➛ Par la suite, Richard de Radonvilliers ayant proposé **INDISTINGABLE** adj. (1845), on trouve aussi **INDISTINGUABLE** adj. (1851) qui répond à *distinguable.*

DISTIQUE

DISTIQUE n. m., d'abord *distichon* (1510), puis *distique* (1546), est emprunté au grec *distikhon,* dérivé de *distikhos* «disposé sur deux rangs» et «qui a deux vers», de *di-* «deux» (→ dilemme) et de *stikhos* «rangée, ligne» et, en poésie, «vers» (→ hémistiche).

♦ Ce terme de versification antique, puis moderne, ne doit pas être confondu avec **DISTIQUE** adj., terme de botanique (1778, Lamarck) emprunté lui aussi au grec *distikhos* «à deux rangées».

DISTORDRE

DISTORDRE v. tr. est emprunté (1575), adapté d'après *tordre,* du latin *distorquere* «tourner de côté et d'autre», de *dis-* (→ dé-) et *torquere* (→ tordre), d'où à la forme pronominale «grimacer, se défigurer» et, au figuré, «torturer, tourmenter».

♦ Le mot exprime l'idée de «déformer par une torsion». Rare en parlant des traits du visage (on lui préfère dans ce contexte *tordre*), il est employé techniquement d'après *distorsion* (mil. XXe s.) pour «donner une reproduction (visuelle, sonore) déformée».

▸ L'adjectif correspondant **DISTORS, ORSE,** emprunté tardivement (1838) au bas latin *distorsus,* participe passé de *distorquere,* n'est pratiquement plus usité pour qualifier ce qui est de travers. ➛ Il en va autrement de **DISTORSION** n. f. emprunté (1538) au dérivé latin *distortio,* altéré à basse époque en *distorsio,* «action de tordre, déformation». Introduit en français avec le sens de «torsion d'un corps, d'un membre», le mot a pris ses sens actuels au XXe s. : il sert à désigner une déformation (optique, sonore, visuelle) [1948] et s'emploie au figuré avec le sens de «déséquilibre entre facteurs suscitant une tension» (v. 1960). Il désigne plus particulièrement un déséquilibre en économie.

DISTRAIRE

DISTRAIRE v. tr. est emprunté (1377) avec attraction de *traire** au latin *distrahere,* proprement «tirer en divers sens» d'où «séparer, détacher de» de *dis-* (→ dé-) et *trahere* (→ traire).

♦ *Distraire* a d'abord le sens de «tirer en divers sens» avec lequel il a concurrencé l'ancien français *détraire* (XIIe s.) avant de sortir lui-même d'usage. L'idée de «séparer, détacher (d'un tout)» est encore réalisée dans des emplois particuliers, à propos d'une somme et, juridiquement, de biens. À partir du XVe s., la forme pronominale *se distraire* est employée au sens de «se détourner de, s'écarter de» et spécialement «se détourner d'une chose pénible» (1549), si bien qu'on est passé au sens transitif de «détourner l'esprit (de qqn) de l'objet auquel il s'applique» (1558, du Bellay). Ultérieurement, la notion de «plaisir» supplante celle de «diversion» dans le sens courant de «faire passer le temps agréablement à (qqn)» (XVIIIe s.) et la forme pronominale prend son sens usuel de «se détendre» (1807); cf. l'évolution analogue de *divertir.*

► Le participe passé **DISTRAIT, AITE** est adjectivé pour «absorbé par autre chose» (1661), et «ordinairement absorbé par autre chose que ce qu'on lui dit ou ce qu'il fait» (1670, Racine parlant d'*yeux distraits*). Il est substantivé avec les sens correspondants; on en a tiré **DISTRAITEMENT** adv. (1846). ◇ Quant au participe présent adjectivé de *distraire,* **DISTRAYANT, ANTE** (1539), il signifie «qui amuse, détend». ➜ L'usage didactique lui préfère l'adjectif **DISTRACTIF, IVE** dérivé savamment (XXe s.) du radical du supin latin. ➜ Quant au nom d'action correspondant à *distraire,* **DISTRACTION** n. f., il est emprunté (1316) au latin *distractio* «déchirement, séparation», du supin de *distringere.* Passé en français avec le sens du mot latin, il n'a pris ses valeurs modernes qu'au XVIIe s., exprimant à la fois le manque d'attention (1650) et le délassement (1653); cf. *divertissement.* De là, par métonymie, il se réfère à une occupation qui détend. Un sens particulier, «écart de conduite dans le domaine sentimental» (déb. XIXe s.), est sorti d'usage.

DISTRIBUER v. tr., d'abord *destribueir* (1248), la forme actuelle étant attestée depuis 1362, est emprunté au latin *distribuere* «répartir, partager, former en répartissant». Ce verbe est formé de *dis-* (→ dé-) et de *tribuere,* dénominatif de *tribus* (→ tribu) qui signifie d'abord «répartir (l'impôt) entre les tribus» (→ tribut), d'où «accorder, concéder», «attribuer», «affecter» et «répartir».

♦ *Distribuer* signifie «donner une chose à plusieurs personnes prises séparément» et, en particulier, «donner à plusieurs personnes au hasard» (1668) ainsi que «répartir en divers endroits» (1687, *se distribuer*). Au XVIe et au XVIIe s., il a pris les sens de «répartir d'une certaine façon» (v. 1550) et de «disposer, aménager» (1693). Ultérieurement, il s'est spécialisé pour «assurer la répartition des rôles (dans une pièce, un film)» (1890), ce sens étant certainement bien antérieur, le participe passé étant employé dans ce contexte dès le début du XVIIIe s. (1706, ***rôle bien, mal distribué***).

► En sont dérivés **DISTRIBUABLE** adj. (1589) et l'adjectif juridique **DISTRIBUTAIRE** (v. 1850). ➜ Les autres mots du même groupe sont empruntés au latin au XIVe s. : **DISTRIBUTION** n. f. représente (1306) le latin *distributio* «division, répartition», dérivé du supin *(distributum)* de *distribuere.* Le mot, d'abord attesté au sens ancien de «contribution», sert de nom d'action au verbe (1350) et acquiert quelques sens particuliers à partir du XVIe s. : en architecture «agencement, disposition» (1547), en médecine puis en général «disposition en plusieurs lieux» (1561). Chez les naturalistes du XVIIIe s., il désigne le fait de classer selon un certain ordre (1749); d'après *distribuer,* il prend, dans le domaine du théâtre, puis également du cinéma, le sens de «répartition des rôles» (1890); enfin au XXe s., il passe dans le vocabulaire des linguistes pour traduire (v. 1960) l'anglais *distribution* «ensemble des environnements caractérisant un élément linguistique dans l'énoncé». ◇ De même, **DISTRIBUTIONNEL, ELLE** adj., **DISTRIBUTIONNALISME** n. m. et **DISTRIBUTIONNALISTE** n. et adj. sont des calques de l'anglo-américain *distributional, distributionalism, distributionalist* (attestés à partir des années 1930). ➜ **DISTRIBUTEUR, TRICE** adj. et n. est emprunté (1372) au latin *distributor,* nom d'agent fait sur le supin de *distribuere;* le mot désigne et qualifie une personne, un objet, une machine qui distribue. ➜ Enfin, **DISTRIBUTIF, IVE** adj. est emprunté (1350) au bas latin *distributivus,* employé spécialement en grammaire. Le mot signifie en français «qui distribue», spécialement en droit, en arithmétique et en grammaire (1694). ◇ Il a produit **DISTRIBUTIVEMENT** adv. (1551) et **DISTRIBUTIVITÉ** n. f. (1948), employés en mathématiques et en logique.
La série est doublée de préfixés en *re-* à valeur itérative : **REDISTRIBUER** v. tr. (1690), **REDISTRIBUTION** n. f. (1690), **REDISTRIBUTEUR, TRICE** n. et adj. (XXe s.), plus techniques.

DISTRICT n. m., attesté depuis 1480 (1421, selon Bloch et Wartburg), est emprunté au bas latin *districtus* «banlieue, territoire», dérivé du supin *districtum* de *distringere* (→ détroit).

♦ Cette forme empruntée a éliminé la forme populaire *destroit,* qui signifiait «étendue d'une juridiction» (1235) (→ détroit). En ce sens, *district* a cessé d'être employé après 1798 (Académie); il n'a pas conservé non plus le sens figuré correspondant, «ce dont on a l'administration» (1696). ➜ Seul s'est maintenu le sens dérivé de «petite division territoriale homogène» (1611), repris et répandu à partir de 1780; par un décret du 12 novembre 1789, le mot est devenu un terme administratif, relatif à une subdivision de département correspondant à peu près aux arrondissements actuels. De nos jours, on appelle ***district urbain*** (1959) un groupement administratif de communes formant une même agglomération.

DITHYRAMBE n. m. est emprunté (1552, Rabelais) au latin *dithyrambus* «poème en l'honneur de Bacchus», emprunté au grec *dithurambos* «chant choral en l'honneur de Dionysos», mot d'origine obscure, peut-être emprunté, rapproché d'autres termes de musique ou de chant, eux aussi d'origine incertaine, tels que *triambos, iambos* (→ iambe).

♦ Le mot, repris avec son sens antique, désigne dans la littérature moderne un poème lyrique enthousiaste ; par extension, il se dit d'un éloge vibrant, parfois emphatique.

▸ Il est moins répandu dans ce sens que **DITHYRAMBIQUE** adj., emprunté par les écrivains de la Renaissance (1553, Ronsard) au latin *dithyrambicus,* lequel est emprunté au dérivé grec *dithurambikos.* ◇ En français, le mot a produit un dérivé littéraire et rare, **DITHYRAMBISME** n. m. (1888).

DIURÉTIQUE adj. et n. m. est emprunté au bas latin médical *diureticus,* emprunt au grec tardif *diourêtikos* «qui fait uriner», de *diourein,* de *di(a)-* et *ourein* «uriner». Ce verbe, pour lequel on pose un itératif °*ϝorsein* répondant au sanskrit *varṣati* «pleuvoir», serait à l'origine un euphémisme.

♦ Le mot est substantivé pour désigner une substance qui augmente l'excrétion d'urine.

▸ Au même groupe se rattache **DIURÈSE** n. f., emprunté (1750) au latin médical *diuresis,* lui-même emprunté au grec *diourêsis* «excrétion d'urine», de *diourein.* Le mot français concerne l'excrétion urinaire considérée du point de vue de son volume ou de sa nature.

DIURNE adj. est emprunté (1425) au latin *diurnus* «de jour» (par opposition à *nocturnus* → nocturne) et «de chaque jour, quotidien». L'adjectif est issu, par une forme intermédiaire °*diusnus,* de *dies* (→ jour).

♦ Le mot a d'abord le sens didactique de «qui s'accomplit en vingt-quatre heures» réalisé en astronomie, puis la valeur usuelle de «qui a lieu pendant le jour» (par opposition à *nocturne*). L'adjectif semble avoir été rare jusqu'au XVIIIe siècle.

▸ On relève, dans l'usage didactique, l'adjectif **DIURNAL, ALE, AUX** (1525), emprunté au bas latin *diurnalis* de *diurnus,* et qui a repris le sens de «de chaque jour, journalier» que *diurne* n'a pas assumé, spécialement dans l'expression ***actes diurnaux*** (1864, Littré), employée par les historiens de l'Antiquité pour désigner une sorte de journal officiel institué par César. *Diurnal* est substantivé (1671) comme terme de liturgie pour désigner le livre de prières renfermant l'office du jour.

DIVA n. f. est un emprunt, attesté pour la première fois en 1831 (et chez Gautier, 1832), à l'italien *diva* «cantatrice» (XIXe s.), proprement «déesse» (1317-1321, Dante). Ce nom est emprunté au latin classique *diva* (→ déesse à *dieu*).

♦ *Diva,* par extension, a été employé (v. 1920) pour désigner une grande et célèbre vedette féminine du cinéma (on a aussi employé le masculin *divo,* en ce sens).

▸ Un diminutif aujourd'hui vieilli, **DIVETTE** n. f. (1890), emprunté au diminutif italien *divetta,* a servi à désigner une chanteuse en renom de café-concert, d'opérette ; le rapport à *diva* est le même que celui de *starlette* à *star.*

DIVAGUER v. intr. est emprunté (1534) au bas latin *divagari* «errer çà et là, flotter», verbe formé de *dis-* (→ dé-) et de *vagari* «aller çà et là, errer», également employé au figuré (→ vaguer).

♦ Le verbe signifie «errer en s'éloignant» et, figurément, «s'écarter de son sujet en parlant» (1554). Il a perdu le sens concret, «errer çà et là», usuel en langue classique, mais on parle encore d'une rivière ou d'un chemin qui *divague.* L'emploi du pronominal pour «se laisser aller à la rêverie» appartient à l'usage classique.

▸ De *divaguer* est dérivé **DIVAGATION** n. f. (1577) qui a connu le même développement. ➛ Deux autres dérivés sont apparus au XIXe s. : le participe présent adjectivé **DIVAGANT, ANTE** (1845) et **DIVAGATEUR, TRICE** n. et adj. (1842), d'usage restreint, désignant une personne qui divague.

DIVAN n. m. est emprunté (1519 puis 1559), peut-être par l'italien *divano* (1503) au turc *divān* qui possède à la fois le sens de «conseil politique» et de «salle de conseil, garnie de coussins». C'est en turc un emprunt au persan *dīwān* (dérivé de *dibir* «écrivain, scribe»), mot qui désigne un registre, une liste — sens emprunté par l'arabe au VIIe s., pour «liste de contrôle d'une armée», «registre» puis «bureau, administration qui établit ces listes», sens emprunté par le turc. Par ailleurs, le persan *dīwān* s'employait pour «recueil de poèmes», emploi passé directement en français (voir ci-dessous).

♦ Le mot a été employé une première fois en français par un auteur italien au sens métonymique de «jour d'audience par le Grand Turc [le Sultan]», puis repris (1555, G. Postel) pour «salle de conseil du Sultan» et «conseil». Cette valeur politique s'étend au XVIIIe s. (1759, Voltaire) à «gouvernement turc». Par ailleurs, probablement par réemprunt au turc, le mot s'applique plus généralement à une salle de réception en Orient (v. 1660 dans un ouvrage sur la Perse). ◇ À partir de la valeur de «salle garnie de coussins», le mot s'applique au XVIIIe s. (1742) à un siège long, confortable, sans bras, sur lequel on peut s'étendre. Ce sens deviendra rapidement le plus usuel. ◇ *Divan* s'est dit au XIXe s. (1832) d'un café* de style oriental (au départ), sens disparu avant la fin du siècle (en 1872, Gautier en parle à l'imparfait). ◇ Par ailleurs, la valeur littéraire de «recueil poétique», reprise au persan, dans des titres d'œuvres (1697) est demeuré didactique et rare ; cet emploi est notamment repris à l'allemand à propos d'une œuvre de Goethe.

DIVERGER v. intr. est un emprunt tardif (1785 ; 1720 selon Bloch et Wartburg) au bas latin *divergere* «pencher, incliner», formé avec *dis-* (→ dé-) sur *vergere* «être tourné vers, incliner, pencher», verbe existant en langue classique mais peu usuel. La langue parlée employait plutôt des composés de *-clinare : inclinare, declinare* ou le dérivé de *pendere,* °*pendicare,* formes continuées dans les langues romanes par des formes comme *incliner, décliner, pencher. Vergere* lui-même est représenté par ses composés (→ converger). On a proposé sans assurance de le rapprocher du sanskrit *vṛnákti* «il plie, il incline».

♦ En 1785, Rousseau emploie *diverger* en musique, au sens de «s'écarter le plus l'un de l'autre». Le verbe, qui fonctionne comme l'antonyme de *converger,* est employé dans plusieurs domaines techniques, dont la physique (1788), où son emploi dépend de celui de *divergence* et *divergent* (ci-dessous). Il a développé un sens figuré, «être en désaccord» (1830, Lamartine, *Harmonies*).

▶ Les deux autres mots du groupe ont été empruntés au latin dès le XVIIe siècle. ◆ **DIVERGENT, ENTE** adj. a été emprunté en physique (1626) au latin *divergens,* participe présent de *divergere* employé en latin scientifique moderne en 1611 par Kepler (*radii divergentes* «rayons divergents»). Par la suite, le mot est passé dans d'autres domaines scientifiques, notamment la botanique (1778). Il a pris le sens figuré de «qui ne s'accorde pas, va en sens contraire» (1823). ◆ **DIVERGENCE** n. f. est lui aussi un terme de physique classique (1671) emprunté au latin scientifique *divergentia,* employé par Kepler en 1611 et fait sur le participe latin *divergens.* Le mot a suivi le même développement que *divergent,* entrant dans les vocabulaires de la botanique, des mathématiques et, ultérieurement, de la physique nucléaire (1959). Il a pris le sens figuré d'«opposition de points de vue» au début du XIXe s. (1801). Les deux mots sont associés à leurs contraires *convergent* et *convergence.*

DIVERS, ERSE adj. est emprunté (v. 1119) au latin *diversus,* participe passé adjectivé de *divertere* (→ divertir). *Diversus,* à partir de son sens propre, «qui va dans des directions opposées», a développé d'autres valeurs : «opposé, éloigné, contraire», «hésitant» et en bas latin «plusieurs» (au pluriel). En outre, il a dû prendre en latin populaire le sens de «méchant», car celui-ci est très bien attesté en ancien et moyen français où *divers* signifie «cruel», «mauvais», «sauvage». Les formes gallo-romanes issues de *diversus* ont également eu le sens fort de «singulier, bizarre», conservé dans certains dialectes : Guernesey («extraordinaire»), Haute-Normandie («capricieux, fantasque»), Dijon («remuant, tapageur»), Morvan (*divarse* «étourdi, capricieux, folâtre, d'humeur difficile»), Saintonge (*divar* «réjouissant par la bizarrerie»).

♦ Le français moderne n'a retenu que les sens du latin classique : «différent» (1119) et «changeant, inconstant» (v. 1278) ; au XVIIe s., le mot était encore courant avec le sens de «contraire, opposé». ◇ Il entre aujourd'hui dans le syntagme lexicalisé ***faits divers*** (1838) qui vient de la presse et désigne des faits de la vie quotidienne, souvent de nature criminelle. ◆ Placé avant le nom, il est employé au pluriel comme adjectif indéfini au sens de «plusieurs, différents».

▶ En est dérivé **DIVERSEMENT** adv. (v. 1119) qui, de la même façon que *divers,* n'a gardé que le sens de «différemment», perdant ses sens anciens de «bizarrement», «méchamment», «extraordinairement, beaucoup» (dialectal).

DIVERSITÉ n. f. est emprunté (v. 1165) au latin *diversitas* «divergence, contradiction» et «variété, différence», dérivé de *diversus.* En ancien français, le mot a non seulement les sens du latin mais *une, des diversité (s)* a aussi la valeur métonymique de «chose diverse». En relation avec *divers,* il a exprimé une notion de bizarrerie, de méchanceté, jusqu'à la fin du moyen âge. La notion de «divergence, opposition» s'est maintenue plus longtemps mais elle est sentie aujourd'hui comme vieille, l'unique sens courant étant «variété».

DIVERSIFIER v. tr., d'abord *diversefier* (v. 1256), est emprunté au latin médiéval *diversificare,* de *diversus* et *-ficare* pour *facere* (→ faire), plutôt que dérivé en français de *divers** avec le suffixe *-ifier.* Comme tout le groupe, le verbe a exprimé en ancien français la notion de «tourmenter», tandis que *se diversifier* signifiait «se diviser», concurrençant l'ancien verbe *diverser,* dérivé de *divers,* «varier, changer» (en construction transitive ou pronominale), «se diviser», dont le participe présent *diversant* avait le sens de «repoussant». *Diversifier* a seulement conservé l'idée de «rendre divers», «différencier». ◆ Son radical a servi à former **DIVERSIFICATION** n. f. (1286-1290), employé avec le sens de «différence» jusqu'au XVIe s., avant que ne l'emporte le sens moderne «action de diversifier» (1365), rare entre le XVIe s. et la seconde moitié du XIXe s. (Littré), aujourd'hui usuel en économie. ◆ Au XXe s., *diversifier* a donné **DIVERSIFIANT, ANTE** adj., tiré de son participe présent (1916), et **DIVERSIFICATEUR, TRICE** adj., synonyme didactique du précédent.

DIVERSION n. f. est emprunté (1314) au bas latin *diversio* «action de détourner», spécialement «digression», nom d'action fait sur le supin *(diversum)* de *divertere* (→ divertir).

♦ Le mot a été introduit par les médecins avec le sens concret d'«action de détourner». Son usage moderne date du XVIe s., lorsqu'il passe dans le langage de la stratégie militaire (1587, ***faire diversion***) et prend son sens figuré de «distraction, détournement» (1588, Montaigne), avec ou sans connotation péjorative.

DIVERTIR v. tr. est emprunté (1370-1380) au bas latin *divertere* «se détourner, se séparer de, être différent», de *dis-* (→ dé-) et *vertere* «tourner» et, intransitivement, «se tourner, se diriger», «changer» (→ verser).

♦ Le verbe a connu le même type de développement que *distraire :* il a d'abord réalisé le sens de «détourner (qqn) de qqch.», encore usuel en langue classique, et au figuré celui de «dissiper». Par extension, il a été employé dans le domaine de la pensée pour «amener (qqn) à d'autres idées (sans nuance particulière de gaieté)» (1608). ◇ Ce sens a décliné au profit de *distraire,* le mot ne conservant que le sens d'«amuser, distraire en récréant» (1633, *se divertir*).

▶ Le participe présent adjectivé **DIVERTISSANT, ANTE** (1637) est propre au style soutenu ou comporte une nuance ironique. ◆ Le nom produit par *divertir* est **DIVERTISSEMENT** n. m. (1494), d'abord employé au sens propre «action de détourner (qqch., de l'argent) au profit de qqn». Il a pris ensuite une valeur psychologique, «action de détourner de ce qui occupe» (1580), rendue célèbre par Pascal dans un contexte de philosophie morale, puis, dans un second temps, le sens moderne «action de se distraire, de s'amuser» (1633) et, par métonymie, «moyen de se distraire» *(un divertissement).* ◆ Il désigne spécialement une suite de courtes pièces instrumentales destinées à être exécutées en plein air, au cours d'un repas, en vogue au XVIIIe s. (1790). ◇ En ce sens, il est concurrencé par l'italianisme **DIVERTIMENTO** n. m. (1951).

◈ voir DIVERS, DIVERSION, DIVORCE.

DIVIDENDE n. m. est emprunté (1555) au bas latin *dividendus* «nombre à diviser par un autre», substantivation de l'adjectif verbal *dividendus* «qui doit être divisé» de *dividere* (→ diviser).

♦ Le mot, introduit en arithmétique, est passé dans le langage des finances, d'abord sous la forme *dividente* (1735) puis *dividende* (1742); il désigne alors, au pluriel, la quote-part des bénéfices réalisés par une entreprise qui est attribuée à chaque associé lors de la répartition.

DIVIN, INE adj. et n. m. est emprunté (1050) au latin *divinus* «de dieu, des dieux», «qui devine, prophétique» (→ devin) et «merveilleux, excellent», dérivé de *divus* «dieu», forme supplantée, avec son féminin *diva* (→ diva), par *deus, dea*, et réservée à la désignation des personnages divinisés, notamment les empereurs.

♦ L'adjectif qualifie ce qui est propre à Dieu (dans un contexte chrétien), puis également, aux dieux. Son sens extensif, «beau, excellent, parfait», est relevé pour la première fois chez Ronsard qui, dans ses *Amours* (1552), qualifie Du Bellay de *divin.* C'est aussi chez le poète des *Amours* que le *divin* est attesté pour la première fois comme nom. Le féminin *divine* sert quelquefois à désigner une femme d'une beauté exceptionnelle (ce fut le surnom donné à Greta Garbo).

▸ De *divin* sont dérivés **DIVINEMENT** adv. (1327), «par l'action de Dieu» et «merveilleusement» (1540), ainsi que **DIVINISER** v. tr. (1581) «mettre au rang des dieux, de Dieu», également, par une extension hyperbolique, «exalter» (av. 1660) ◆ Le nom d'action correspondant, **DIVINISATION** n. f., est attesté pour la première fois en 1719 dans une traduction du latin (Plaute).

DIVE adj., synonyme littéraire de *divin,* est emprunté (1291) au latin *divus* «divin», mot supplanté par *divinus,* qui a donné *divin.* Le mot est d'abord attesté dans le composé *diviadrien* «du divin Adrien» et dans *dive Adrien* (1357); une attestation de 1200 pourrait provenir d'une erreur de lecture pour *dine,* ancienne forme de *digne.* L'adjectif est encore connu pour l'usage qu'en a fait Rabelais dans ***la dive bouteille*** (1546).

DIVINITÉ n. f. est emprunté (1119) au latin *divinitas* «nature divine, être divin», employé parallèlement à *divinus* (→ divin) dont il est dérivé, au sens hyperbolique d'«excellence»; le mot s'est spécialisé en latin chrétien au sens de «Dieu». *Divinité* a d'abord le sens de «théologie», puis désigne l'essence, la nature divine (XIIIe s.) et l'être divin, Dieu (1501). Au XVIe s., par extension, il se dit d'une femme très belle (1560) et, plus généralement (Corneille, 1642), de toute chose ou personne adorée.

◈ voir DEVINER, DIVINATION.

DIVINATION n. f. est emprunté (1206) au latin *divinatio* «art de deviner, de prédire», employé dans un contexte judiciaire pour désigner un débat en vue de déterminer qui sera l'accusateur. *Divinatio* est le nom d'action formé sur le supin de *divinare* «présager, prévoir» (→ deviner). En ancien et moyen français, il y a eu une certaine concurrence entre les formes influencées par *deviner*, devinoison* (1206) et surtout *devination* (1214-1585, encore en 1768) et les formes en *di-*, *divination* (XIIIe s.), *divignacion* (déb. XVe s.).

♦ Le mot exprime l'action de découvrir les choses cachées par des moyens occultes et, par extension, l'action de deviner, de connaître instinctivement (av. 1770).

▸ Son radical a servi à former **DIVINATOIRE** adj. (1390) «relatif à l'art, à la pratique de la divination». ◆ **DIVINATEUR, TRICE** adj. et n. est un emprunt (1450) au bas latin *divinator* n. «devin», de *divinatum,* supin de *divinare.* Le mot a été éclipsé par *devin*;* il a subsisté comme adjectif avec le sens de «qui devine, pressent ce qui doit arriver» (1806).

DIVISER v. tr. est la réfection (1377) de l'ancien français *deviser** d'après l'étymon latin de celui-ci, *dividere* «partager, répartir».

♦ Le mot est rare avant le XVIe s., lorsqu'a lieu la répartition définitive des sens de *deviser* et *diviser, diviser* gardant le sens de «séparer un ensemble en plusieurs unités». À la fin du moyen âge (v. 1500), il a pris le sens figuré de «brouiller, semer la discorde», avec un emploi absolu, par exemple dans ***diviser pour régner.*** Certains emplois *(diviser qqn de soi, se diviser de),* usuels en langue classique, ont disparu au profit de *séparer.* Le pronominal *se diviser à* «se partager entre» appartient lui aussi à la langue classique. Les emplois spéciaux, par exemple en arithmétique, sont liés à ceux de *division* (ci-dessous).

▸ À côté du participe passé adjectivé **DIVISÉ, ÉE,** qui assume les sens correspondant à ceux du verbe, existe toujours la forme **DIVIS, ISE** adj. et n. m., d'abord *devis* (Xe s.), issu du latin *divisus,* participe passé de *dividere. Divis* a été employé jusqu'au XVIe s. avec le sens de «divisé» et le sens figuré de «désuni»; il a été repris au XIXe s. comme terme de droit, par opposition à **INDIVIS, ISE** adj. (1332). Ce dernier, emprunté au latin juridique *indivisus,* signifie d'abord en général «non partagé», se spécialisant en droit de la propriété au XVIe s. (1562). ◇ Dès 1278, *divis* est substantivé au masculin à propos du partage d'un bien entre plusieurs propriétaires, là encore sous la forme *devis* refaite en *dyvis* (1374), *divis* (→ devis).

DIVISEUR n. m. et adj. est emprunté (v. 1175) au latin *divisor* «celui qui partage, répartit, sépare», nom d'agent fait sur le supin *(divisum)* de *dividere.* Le mot a désigné celui qui règle, ordonne, sens sorti d'usage avant le XVIe s., puis celui qui opère un partage, une séparation, qui établit un bornage (av. 1270). En mathématiques, il désigne le nombre par lequel on en divise un autre, appelé *dividende** (XVe s.). ◇ Ultérieurement, il a pris, en relation avec le sens figuré de *diviser* et de *division,* le sens de

«personne qui sème la discorde» (1794). Enfin, il est employé techniquement (av. 1974) pour un dispositif qui déplace une pièce en cours d'usinage afin de la faire traiter par diverses unités de travail.
DIVISIBLE adj. est emprunté (1335) au dérivé bas latin *divisibilis*. ◆ Il a entraîné la création de **DIVISIBILITÉ** n. f. (fin XIVe s.), tandis que son antonyme préfixé **INDIVISIBLE** adj. a été emprunté (1314) au latin *indivisibilis* et a entraîné **INDIVISIBLEMENT** adv. (1470) et **INDIVISIBILITÉ** n. f. (v. 1380).
Le nom d'action **DIVISION** n. f. a été emprunté (v. 1119) au latin *divisio* «partage, séparation, répartition, distribution», dérivé du supin de *dividere*. De sens général, le mot se spécialise en arithmétique (v. 1275) et en droit (1283, *division... des biens*). ◇ Son emploi dans ***division du travail*** remonte à la traduction des œuvres de l'économiste anglais Adam Smith (*Recherches sur la nature et les causes de la richesse des nations*, 1778), mais l'expression ne s'est répandue qu'au XXe s. avec le taylorisme. ◆ Parallèlement, le mot désigne depuis la première moitié du XIIe s. ce qui divise (par exemple le tiret ou trait d'union, appelé en typographie *petite div.*) et, par métonymie, la partie divisée d'un tout. Dans le domaine militaire (1690), il dénomme une grande unité dans une armée, avant de s'appliquer dans l'administration et récemment dans les entreprises. ◇ Le sens figuré correspondant à celui du verbe, «dissension», est attesté depuis 1436. ◆ *Division* a produit quelques dérivés et composés : l'adjectif **DIVISIONNAIRE** adj. (1793), spécialisé en administration militaire et policière *(commissaire divisionnaire)*, les termes de technique picturale **DIVISIONNISME** n. m. (1919) et **DIVISIONNISTE** adj. et n. (1908). ◆ L'antonyme **INDIVISION** n. f. (XVe s.) est surtout employé en droit *(être, rester dans l'indivision)* et le terme militaire **ENDIVISIONNER** v. tr. (1871), antérieur à 1850 si l'on en juge par le dérivé **ENDIVISIONNEMENT** n. m. (1838), semble sorti d'usage. ◆ Avec le préfixe *sub-*, on a formé la série **SUBDIVISER** v. tr. (1377 ; antérieurement *sous-diviser*, 1314). **SUBDIVISION** n. f. (1314) est emprunté au latin *subdivisio* et **SUBDIVISIBLE** adj. (1877) est dérivé de *subdiviser*. Les deux premiers sont usuels, notamment en parlant d'un texte, d'un programme, d'une classification.

DIVORCE n. m. est emprunté (1320) au latin *divortium* «séparation» et spécialement «séparation des époux», dérivé de *divortere*, variante de *divertere* (→ divertir).

♦ Le mot est attesté isolément avec un sens douteux («délai, atermoiement»?) puis (1395) avec sa valeur moderne de «rupture légale du mariage civil», dans un contexte antique. L'emploi dans un contexte moderne est fonction des institutions : interdit par l'Église catholique mais autorisé par les protestants (XVIe s.), le divorce, en France, est légal de 1790 à 1815, puis de nouveau interdit. Il ne redevient légal qu'en 1884. Mais le mot lui-même s'était diffusé dès le XVIIIe s., prenant par extension le sens figuré de «rupture, dissension».

▸ Le dérivé **DIVORCER** v. intr. (1395) est d'abord attesté par le participe passé, dans *mariage divorcé*, sorti d'usage, le participe adjectivé puis substantivé ne s'appliquant plus qu'aux personnes, puis en construction intransitive (1434). La forme pronominale *se divorcer de*, vivante au XVIe et au XVIIe s., n'est plus usitée. Le moyen français avait un adjectif *divorce* (déb. XIVe s.) «séparé», issu du latin *divorsus*, participe passé de *divortere*. ◆ Le terme didactique **DIVORTIALITÉ** n. f. (v. 1950) est formé sur le radical du latin *divortium* d'après *nuptialité**, *mortalité**.

DIVULGUER v. tr. est emprunté (v. 1355) au latin *divulgare* «rendre public» et, avec une proposition infinitive complément, «répandre le bruit que». Ce mot est formé de *dis-* et *vulgare* «répandre dans le public, propager», «offrir à tout le monde» et en particulier «prostituer», dérivé de *vulgus* «commun» (→ vulgaire, vulgate).

♦ Le mot, repris avec le sens de «faire connaître, répandre», n'a pas eu d'extension.

▸ **DIVULGATION** n. f. (1510) est emprunté au latin *divulgatio* «action de répandre, révéler» et **DIVULGATEUR, TRICE** n. et adj. (1552) au latin *divulgator* «celui qui propage», deux dérivés tardifs de *divulgare*.

DIX adj. et n. inv., d'abord *dis* et *diz*, est issu (v. 1050) du latin *decem* «dix», qui contient la racine indoeuropéenne °*dekm̥* servant à exprimer la notion de «dizaine», et représentée dans le grec *deka* (→ déca-) et ses composés (→ dodéca-).

♦ *Dix*, adjectif numéral cardinal, a développé un sens indéterminé existant déjà en latin, et exprimant une petite quantité (1771, *en dix lignes*) ou un grand nombre de fois, selon le contexte. À partir du XVIe s., le mot est également employé comme ordinal. Il est substantivé dès le XIIe s. pour désigner le nombre dix, emploi réalisé dans des expressions comme *dix pour cent* (1585) et dans le vocabulaire des jeux de cartes, des dominos et dés (1680) : ***un dix de cœur, un double dix...***

▸ *Dix*, en composition, forme les noms des adjectifs numéraux de la fin de la première dizaine : **DIX-SEPT** adj. et n. (XVIe s.), contraction de *dis e set* (XIIe s.), **DIX-HUIT** adj. et n. (XVIe s.), contraction de *dis e uit* (XIIe s.), et **DIX-NEUF** adj. et n., contraction de *dis e neuf* (XIIe s.). ◆ **DIX-HEURES** n. inv. est employé en Belgique par métonymie pour désigner la pause du milieu de la matinée. ◆ Le dérivé ordinal **DIXIÈME** adj. et n., d'abord *diseme, disime* (XIIe s.), a supplanté dans ses emplois généraux le plus ancien *disme* (1080), représentant du latin *decimus* (→ dîme). *Dixième* a lui-même produit **DIXIÈMEMENT** adv. (1503). ◆ Parallèlement, les composés de *dix* produisaient les ordinaux **DIX-SEPTIÈME** adj. et n. (XIIe s. sous la forme *dis e setime*), **DIX-HUITIÈME** adj. et n. (v. 1170, *dis e uitme*) et **DIX-NEUVIÈME** adj. et n. (XIIe s., *dis e nuef, dis e novain*), les adverbes en *-ment* correspondants étant attestés au XVIe siècle.
Dès l'ancien français, *dix* a donné **DIZAIN** n. m., d'abord *dezen* (fin Xe s.), signifiant «dixième» jusqu'au XVe siècle. Le sens moderne de «strophe ou poème de dix vers» remonte au XVe s. ; l'acception «ensemble de dix grains de chapelet» (1561) est

sorti d'usage au profit du féminin. ➜ **DIZAINE** n. f. (1360-1370) sert à désigner un groupe de dix unités, en particulier la succession de dix grains d'un chapelet (1690) et, par métonymie, l'ensemble des dix prières récitées en comptant les grains. Son dérivé, **DIZENIER** ou **DIZAINIER** n. m. (XIVe s.) désignait le chef d'une dizaine d'hommes dans la garde bourgeoise. ➜ Autre dérivé de *dix*, **DIZEAU** n. m. est le nom donné régionalement à un groupe de dix gerbes dressées et appuyées les unes contre les autres (1539).

DJELLABA n. f. est emprunté, sous des formes variées, *jilleba* (1743, dans une traduction de l'anglais), *gélabia* (1832), *dgilabab* (1836), *djellâba* (1844), enfin *djellaba* (1849) et *djellabah*, au mot arabe du Maroc *ǧallāba, ǧallābiyya* (XIIIe s.) d'où *gelibîa* en moyen français (1505). Le mot arabe désignerait à l'origine (Dozy) soit un vêtement porté par les *ǧallāb*, marchands d'esclaves, soit le vêtement des esclaves.

♦ Le mot désigne une longue robe à manches et capuchon portée par les hommes et les femmes au Maroc.

DJIHAD n. f. est un emprunt (1870 ; écrit *djehad*, 1846) à l'arabe *djihad (ǧihād)*, signifiant «effort suprême» et appliqué à la guerre sainte.

♦ Le mot, diffusé en français dans les années 1980, avec les mouvements intégristes, désigne la guerre sainte pour défendre et propager l'islam.

◈ voir MOUDJAHIDDIN.

DJINN n. m., d'abord *dgin* (1666), *djen* (1671) puis *djinn* (1674), est emprunté à l'arabe *ǧinn* «démons», pluriel collectif de *ǧinni*.

♦ Le mot désigne, dans le Coran et les légendes musulmanes, un être intelligent, généralement malfaisant, qui peut apparaître sous différentes formes. Il a été popularisé par le célèbre poème de Victor Hugo, *les Djinns* (1829, *Les Orientales*, XXVIII).

DO n. m. est emprunté (1768, Rousseau) à l'italien *do*, attesté depuis 1536 (l'Arétin) et inventé pour remplacer *ut**, moins facile à énoncer en solfiant. Le mot n'a donc pas été inventé par G. B. *Doni* (mort en 1650) d'après la première syllabe de son nom, origine évoquée à tort.

♦ Si *do* a remplacé *ut* pour désigner la note, on emploie aussi bien *ut* que *do* pour désigner la tonalité ; dans certaines expressions, *ut* est seul employé.

DOCILE adj. est emprunté (1495) au latin *docilis* (→ docte) «qui apprend aisément, disposé à s'instruire», par extension «souple, que l'on manie facilement» (voix, cheveux). Le mot est dérivé de *docere* «instruire».

♦ L'adjectif s'est progressivement éloigné du sens propre, «disposé à se laisser instruire» (conservé par l'anglais *docile*) pour signifier «obéissant», dès lors souvent employé absolument. Comme le mot latin, il qualifie des choses concrètes que l'on peut manipuler aisément.

▸ Le seul dérivé est **DOCILEMENT** adv. (1642). ➜ Le nom correspondant, **DOCILITÉ** n. f., est emprunté (1282, *dosilité*) au dérivé latin *docilitas* «aptitude, facilité à apprendre», «bonté, douceur». Le mot a suivi le même développement sémantique que l'adjectif. **INDOCILE** adj. est emprunté (1509) au latin *indocilis* «qu'on ne peut instruire, inculte, ignorant». Antérieurement, le moyen français a eu isolément *indocible* «indocile» (v. 1380), emprunt au bas latin *indocibilis*, adjectif verbal signifiant «peu susceptible d'instruction». Le sens propre, «à qui l'on ne peut rien apprendre», est sorti d'usage. ◇ Le glissement vers le sens moderne de «rebelle, récalcitrant», qualifiant un inanimé concret (1580), abstrait (av. 1660), une personne (1687), a dû être favorisé par l'application du mot aux barbares : *peuple indocile* «inassimilable, inéducable» pour traduire le latin *genus indocile* de Virgile. ➜ L'adverbe **INDOCILEMENT** (1867) n'a qu'une faible vitalité. ➜ **INDOCILITÉ** n. f., emprunté (1615) au latin *indocilitas*, s'est aligné sur l'adjectif.

◈ voir DOCTE, DOCTEUR, DOCTRINE, DOCUMENT.

DOCIMOLOGIE n. f., terme proposé par le psychologue français H. Piéron pour désigner la science et la pratique du contrôle des connaissances que, selon ses dires, il a commencé d'explorer en juin 1922, est composé savamment de *docimo-* et *-logie**. Le premier élément représente le grec *dokimê* «épreuve, caractère éprouvé», dérivé de *dokein* «attendre, penser, admettre» et, par un point de vue inverse, «sembler, être admis». Le verbe grec contient une racine indoeuropéenne que l'on retrouve dans le latin *docere* «apprendre» (→ docte) et *decet* «il convient» (→ décent), exprimant la notion d'adaptation, de conformité.

♦ Ce terme de pédagogie s'est d'abord répandu au Québec (v. 1945), puis en France (1960).

DOCK n. m. est probablement emprunté (1671) à l'anglais *dock* (XIVe s.) «creux dans lequel repose un navire à marée basse», «bassin artificiel pour le chargement et le déchargement des navires» (XVe s.) et «ensemble des bassins, des quais et des entrepôts dans un port» (1703), emprunt au moyen néerlandais *docke* (néerlandais *dok*). L'origine du mot est obscure, peut-être scandinave. On a aussi évoqué le latin médiéval *doga* «canal», le grec *dokhê* «récipient». Un emprunt direct du français au moyen néerlandais est moins probable.

♦ Le mot désigne un vaste bassin entouré de quais, dans lequel entrent les bateaux pour déposer leur cargaison ou opérer leur chargement ; il est souvent au pluriel. Par extension, il se dit d'une cale de construction pour les navires (1863) et, généralement au pluriel, des magasins en bordure du dock où sont entreposées les marchandises débarquées (1836).

▸ À la fin du XIXe s., **DOCKER** n. m. (1890) a été emprunté à l'anglais *docker*, lui-même dérivé de *dock*. Le mot désigne une personne qui habite près des docks (1762) mais ne se répand qu'au XIXe s. (v. 1850) au sens de «débardeur».

DOCTE adj. est emprunté (1509) au latin *doctus*, participe passé passif de *docere* «faire apprendre», verbe passif qui se rattache, comme *discere* «apprendre» (→ disciple) et *decet* «il convient» (→ décent), à une racine indoeuropéenne exprimant la notion d'adaptation, de conformité à ce qui convient, également représentée en grec (→ didactique, docimologie, dogme). *Doctus* est adjectivé au sens de «qui a appris, qui sait», d'où «instruit, savant, habile», et substantivé au pluriel *docti* en parlant de savants, de critiques, de poètes.

♦ Le type emprunté *docte* a supplanté l'ancienne forme populaire *duit* «expérimenté, habile» (1155), employée jusqu'au XVIIe siècle. Ce dernier est le participe passé de l'ancien verbe *duire* «instruire» (1160), issu du latin *docere*. *Docte* exprime l'idée de «savant, instruit», souvent avec une connotation ironique ou plaisante, tout comme le superlatif **DOCTISSIME** adj., emprunté (XVIe s.) au latin *doctissimus*, superlatif de *doctus*, et sorti d'usage. ◇ *Les doctes*, substantivé au pluriel (1553) pour désigner les savants, est aujourd'hui ironique.

▸ Le dérivé **DOCTEMENT** adv. (1547) a pris la même connotation.

◈ voir DOCILE, DOCTEUR, DOCTRINE, DOCUMENT.

DOCTEUR n. m. est emprunté, sous la forme *doctor* (v. 1150) adaptée ensuite en *docteur* (1350), au latin *doctor*, nom d'agent formé sur le supin de *docere* «enseigner» (→ docte). *Doctor* désigne proprement le maître, celui qui enseigne; dans les textes chrétiens, il a pris les sens de «docteur de la loi, prêtre qui enseigne la religion» et de «médecin».

♦ Le mot a été introduit en français pour désigner un savant, un érudit, et spécialement en religion (1174-1176) un théologien enseignant les vérités du christianisme. Il est passé dans le vocabulaire des titres universitaires dès le moyen âge (1350). Son application au titulaire d'un diplôme de médecine (fin XVe s.) l'a fait glisser vers le sens aujourd'hui dominant de «médecin» (1775), répandu au XIXe siècle. Il est devenu plus usuel que *médecin*, notamment en appellatif, parfois abrégé familièrement en **DOC** (v. 1950) sous l'influence de l'anglo-américain *doc* (abrégeant *doctor*).

▸ Son unique dérivé est le féminin **DOCTORESSE**, fait sur le radical du latin *doctor* (XVe s.). Le mot a d'abord servi à désigner, d'après le sens ancien de *docteur*, une femme savante. Il a ensuite fourni la dénomination de la femme d'un docteur (1773, Diderot) avant de se dire d'une femme médecin (1855). Ce féminin est peu employé en français actuel, peut-être parce que le suffixe *-esse* paraît ironique ou péjoratif (il ne s'emploie pas en appellatif et reste rare associé à un nom propre). ◇ Une variante **DOCTRICE**, attestée en 1695 dans une traduction de l'italien, est rarement attestée au XIXe s. (Balzac, Mérimée). La forme irrégulière *docteure* est employée au Québec par souci de féminisation (comme *professeure*, etc.).
L'adjectif correspondant **DOCTORAL, ALE, AUX** représente par voie d'emprunt (1380) le dérivé bas latin *doctoralis* «relatif au docteur»; en dehors de ses emplois didactiques, le mot est surtout usuel avec la valeur péjorative de «grave, solennel, pontifiant» (1595, Montaigne) en concurrence, avant le XVIIIe s., avec le mot apparenté *doctrinaire**. ◇ En est dérivé **DOCTORALEMENT** adv. (1603). ➜ **DOCTORAT** n. m. est emprunté (1575) au latin médiéval *doctoratus* (1311), dérivé de *doctor*, avec son sens de «diplôme universitaire», qui ne s'est pas spécialisé à l'image de *docteur* pour les professions de santé (*doctorat ès lettres, ès sciences*, etc., sont aussi courants que *doctorat en médecine*).

◈ voir DOCILE, DOCTE, DOCTRINE, DOCUMENT.

DOCTRINE n. f. est emprunté (v. 1165) au latin *doctrina*, mot désignant l'enseignement, la formation théorique (par opposition à *natura* «la nature» et *usus* «la pratique»), l'éducation, et par métonymie la technique, la méthode; en latin chrétien, il se spécialise en «enseignement religieux». Le mot appartient au groupe de *docere* «enseigner» (→ docile, docte, docteur, document).

♦ Le mot a désigné l'enseignement et, par une double métonymie, la chose que l'on apprend à qqn et l'ensemble des connaissances acquises (v. 1175). Ce sens, encore vivant au XVIIe s., a disparu au profit d'«ensemble de notions proposées comme fondement d'une religion, d'un système philosophique» (1190). Il s'applique spécialement à *doctrine chrétienne* (1680), nom donné à la congrégation chargée de catéchiser le peuple. Depuis 1840, *doctrine* est employé spécialement en droit à propos de l'ensemble des travaux destinés à exposer le droit (par opposition à *loi, législation* et à *jurisprudence*).

▸ Le mot a produit trois dérivés : le dénominatif **DOCTRINER** v. tr. (1131) a généralement été supplanté par **ENDOCTRINER** v. tr., formé avec le préfixe *en-* et un suffixe verbal (1165), «pourvoir (qqn) d'une doctrine, d'un ensemble de croyances», verbe qui a pris une valeur péjorative, comme son dérivé **ENDOCTRINEMENT** n. m. (v. 1170). ➜ **DOCTRINAIRE** adj. et n. (XVe-XVIe s.) a d'abord été employé avec le sens réservé depuis à *doctrinal*. Il a été substantivé (1652) pour désigner les Pères de la doctrine chrétienne; plus généralement, il est appliqué en politique à un homme strictement attaché à ses opinions, comme nom (av. 1787) et comme adjectif (1836). Sous la Restauration, il concernait en particulier (1816) un homme politique dont les idées semi-libérales et semi-conservatrices relevaient d'un système de doctrines, appelé **DOCTRINARISME** n. m. (v. 1830). ➜ L'autre adjectif, **DOCTRINAL, ALE, AUX**, emprunté (fin XIIe s.) au dérivé bas latin *doctrinalis*, est surtout compris comme «qui se rapporte à une doctrine», mais sert également d'adjectif à *docteur**, en concurrence avec *docte* et *doctoral*. ◇ En sont issus **DOCTRINALEMENT** adv. (1495), vivant jusqu'à la fin du XVIe s., puis repris (1840), mais didactique et rare, et **DOCTRINALISME** n. m. (XXe s.) exprimant péjorativement l'idée d'un parti pris doctrinal étroit, en concurrence avec *doctrinarisme* (ci-dessus).

DOCUMENT n. m. est emprunté (1214) au latin *documentum* «exemple, modèle, leçon, enseignement, démonstration», et, suivi d'un génitif, «échantillon, modèle de...». Ce nom est dérivé du verbe *docere* «faire apprendre, enseigner» (→ docte; docile, docteur, doctrine).

♦ En français, le seul sens du mot jusqu'au XVIIe s. a été «ce qui sert à instruire, enseignement, leçon». Le sens moderne, «écrit servant de preuve ou de renseignement», paraît être issu de l'emploi du mot comme terme juridique dans *titres et documents* (1690). *Document,* avec ce sens, n'a atteint son autonomie qu'au XIXe s., appuyé par ses dérivés. Il est abrégé familièrement en *doc* (1977) ou *docu* (1977).

▶ Le premier dérivé attesté est le dénominatif **DOCUMENTER** v. tr. (1755) avec le sens ancien correspondant à *document,* «instruire, enseigner»; c'est dans la seconde moitié du XIXe s. que le mot a pris ses acceptions modernes de «fournir des documents à (qqn, un organisme)» (1878) et «appuyer (une thèse) par des documents» (1876). ➜ Ce verbe a produit **DOCUMENTATION** n. f. (1870) «action de réunir des documents» et, par métonymie, «ensemble de documents», valeur devenue très usuelle. *Documentation,* dans les années 1930, est devenu le mot-centre d'une activité de recherche et de traitement des documents, organisée à cette époque; il désigne lui-même cette activité liée à la bibliothéconomie, à l'archivistique, à la statistique, à l'analyse des données, aujourd'hui informatisée, ainsi que les organismes qui la pratiquent *(la Documentation française).* ➜ Les autres mots de la famille datent de la fin du XIXe et du XXe siècle. **DOCUMENTAIRE** adj., dérivé de *document,* est devenu spécialement un terme de commerce (av. 1877) dans les expressions ***crédit, traite documentaire.*** Il est entré dans le domaine du cinéma dans ***scène documentaire*** (1906), puis ***film documentaire,*** substantivé en **DOCUMENTAIRE** n. m. (1915), pour désigner un film sans fiction, généralement de moyen ou de court métrage, abrégé familièrement en *docu* (1967) ou *docucu* (de *cucul* «ridicule»), ces films n'ayant pas dans le grand public une très haute réputation. ◇ *Documentaire* a produit les dérivés didactiques **DOCUMENTARISTE** n. (v. 1935) «auteur de documentaires» et **DOCUMENTARISME** n. m. (1949). ➜ Enfin, *document,* dans le contexte défini à cette époque par *documentation* (ci-dessus) et *documentaire* (dans *analyse documentaire*), a servi à former **DOCUMENTALISTE** n. (v. 1932) qui a concurrencé et supplanté, pour désigner la personne qui exerce la profession dite *documentation,* les termes *documentiste* (recommandé en 1939 par l'Office de la langue française), *documentateur* et *documenteur* (Paul Otlet, Jean Gérard). Le terme a été adopté en français, en anglais (*documentalist,* 1939) et en allemand par le congrès de la Documentation universelle de 1937.

DODÉCA- est l'élément formant tiré du grec *dôdeka* ou *duodeka* «douze», formé de *duo* «deux», correspondant au latin *duo* (→ deux, douze), et de *deka* (→ déca-, dix).

♦ L'élément entre dans la composition de termes didactiques, indiquant la multiplication par douze de ce qui est désigné par le second élément.

▶ Les premiers composés datent du XVIe s. : **DODÉCASYLLABE** n. m. (1555) [cf. *syllabe*], **DODÉCAÈDRE** n. m. (1557). L'élément est devenu plus productif dans la seconde moitié du XVIIIe s. : **DODÉCAGONAL, ALE, AUX** adj. (1787), **DODÉCAGYNE** adj. (1798), ancien terme de botanique, **DODÉCANDRE** adj. (1798). ➜ Au XXe s., cet élément a servi à former la série **DODÉCAPHONIQUE** adj. (1947), **DODÉCAPHONISME** n. m. (1948) et **DODÉCAPHONISTE** n. et adj. (v. 1950) en musique, par référence à la série (d'où musique *sérielle*) de *douze* sons organisant la musique post-tonale et l'atonalité.

DODELINER v. est l'allongement expressif (1532, Rabelais) du verbe *dodiner* (apr. 1350) «balancer», formé sur un radical onomatopéique *dod-* exprimant le balancement, parfois le gonflement (→ dodo, dodu, dondon), avec le suffixe *-iner. Dodiner* signifiait «balancer», «bercer, choyer» (1489) et a continué, en dehors d'emplois littéraires plus ou moins archaïques (Verlaine, Chateaubriand), à avoir un usage technique, en horlogerie, à propos du mouvement d'un balancier.

♦ Le verbe, de nos jours surtout intransitif, employé avec la préposition *de* et le nom d'une partie du corps, exprime l'idée de «balancer doucement».

▶ **DODELINEMENT** n. m. (1552) est peu usuel. Le groupe de *dodiner* est plus important que celui de son concurrent. ➜ Le déverbal **DODINE** n. f. (1377) s'est spécialisé en cuisine pour une sauce au blanc demandant à être constamment tournée. Par métonymie, il désigne une préparation de canard. ➜ **DODINAGE** n. m. (1775) est encore employé en agriculture à propos du mouvement longitudinal d'un blutoir, et **DODINEMENT** n. m. (1923) en horlogerie, à propos du mouvement du balancier.

DODO interj. et n. m., mot du langage enfantin, est formé (av. 1465) sur le radical onomatopéique *dod-* exprimant le balancement (→ dodeliner) ou le gonflement (→ dodu, dondon), ici le balancement pour bercer un enfant. Il y a sans doute eu influence de l'initiale *dormir**, à l'impératif dans les berceuses (*dors, dors...;* cf. *dodo, l'enfant do* [dors]...).

♦ Le mot est attesté pour la première fois chez Charles d'Orléans dans ***faire dodo*** «dormir», toujours en usage. Il est employé (surtout en interjection) comme invitation à dormir (1611) et quelquefois par métonymie pour désigner le lit (1725) *(se mettre au dodo),* le sommeil *(un gros dodo).* Il est entré dans la locution contestataire ***métro, boulot, dodo*** (répandue en 1968) dénonçant les contraintes de la vie urbaine des travailleurs. Cette locution est issue par sélection de la suite rimée *métro boulot bistro mégots dodo zéro,* dans un poème de Pierre Béarn, *Synthèse,* paru en 1951 dans le recueil *Couleurs d'usine.*

DODU, UE adj., apparu vers 1470 (sens obscur), est bien attesté à la fin du XVIe s. (1596). D'origine incertaine, il est probablement issu du radical onomatopéique *dod-* exprimant le balancement et la rondeur, la corpulence (→ dondon). On évoque aussi le passage par la notion de «bercer» (→ dodo), d'où celle de «dorloter, choyer», et enfin «engraisser». Cependant, l'absence de verbe correspondant rend cette explication précaire, sauf si l'on comprend comme verbale la première attestation de la forme : *et Miquelette me dodue* (v. 1470). Les contextes de *dodu,* usuels pour qualifier la chair d'un volatile, semblent pourtant l'autoriser, si les applications au corps humain ne sont pas antérieures.

♦ Le mot qualifie ce qui est gras et bien en chair (en parlant d'un animal, d'une personne). Par extension, il est employé à propos d'une chose rebondie ou présentant une certaine consistance.

DOGE n. m., d'abord *dogé* (1552), forme rendant la prononciation italienne, puis *doge* (1626), est emprunté au vénitien *doge,* désignant le magistrat suprême de la République de Venise (XIIIe s.), puis celle de Gênes (1339). Le mot est le correspondant dialectal de l'italien *duce* «chef» (→ duce à duc), du latin *dux, ducis* qui a donné le français *duc**.

♦ Le mot est un terme d'histoire vénitienne.

▶ Le féminin **DOGARESSE** n. f. est emprunté (1691) au féminin vénitien *dogaressa* (av. 1389), lui-même emprunté au bas latin *ducatrix,* attesté au sens de «conductrice» chez Apulée et correspondant à l'italien *duca.*

DOGME n. m. est emprunté (1570) au latin *dogma* «doctrine, thèse», spécialement en latin chrétien «croyance orthodoxe, croyance catholique», lui-même emprunté au grec *dogma* «ce qui paraît bon» (avec une idée de convenance, de conformité, d'adaptation), d'où «opinion» et en particulier «doctrine philosophique», «décision, décret, arrêt». *Dogma* est dérivé de *dokein* «sembler, paraître» et spécialement «paraître bon», et, avec un changement de point de vue, «croire bon, juger, penser, décider». Le mot contient la racine indoeuropéenne que l'on retrouve dans le latin *docere* «apprendre» (→ docte) et *decet* «il convient» (→ décent), et qui exprime la notion d'adaptation, de conformité, de convenance.

♦ *Dogme* désigne un point de doctrine établi ou regardé comme une vérité et, employé absolument, l'ensemble des dogmes (de la religion catholique) : *le dogme.* D'usage didactique (religion, philosophie), il est employé par extension avec une valeur péjorative pour «opinion imposée comme une vérité indiscutable».

▶ **DOGMATISER** v. a été emprunté dès le moyen âge (1293) au latin ecclésiastique *dogmatizare,* dérivé de *dogma.* ◇ Il s'est intégré à partir du XVIe s. à la série formée par *dogmatique, dogme,* et a pour dérivé **DOGMATISEUR** n. m. (1586), péjoratif pour une personne qui prétend établir des dogmes, aujourd'hui vieilli. ➛ **DOGMATIQUE** adj. et n. est emprunté (1537) au latin *dogmaticus,* transcription du dérivé grec tardif *dogmatikos.* Introduit par la langue didactique, cet adjectif qualifie ce qui est relatif aux dogmes, spécialement (av. 1662) dans le domaine religieux et philosophique ; dès le XVIIe s., il prend la valeur péjorative de «qui affirme avec autorité» (av. 1654) et s'emploie, substantivé, à propos du style dogmatique en rhétorique (1694) et des philosophes qui s'en tiennent à des dogmes (1662). *La dogmatique* a désigné l'ensemble des doctrines d'un système de pensée (1833). ◇ Dès le XVIe s., il a produit **DOGMATIQUEMENT** adv. (1539). ➛ La langue religieuse a emprunté les termes de doctrine **DOGMATISME** n. m. (1588) et **DOGMATISTE** n. m. (1558) au latin chrétien *dogmatismus* et *dogmatistes* (ce dernier transcrivant le grec *dogmatistês*).

DOGUE n. m. est emprunté (1392) à l'anglais *dog,* d'abord *docga* (Xe s.) puis *dogge* «chien», mot qui semble avoir désigné à l'origine une race particulière de chiens d'Angleterre, le terme générique ancien étant *hund, hound,* aujourd'hui spécialisé, et dont l'origine est inconnue.

♦ *Dogue* apparaît sous sa forme francisée actuelle chez Eustache Deschamps dans l'expression injurieuse *franche (French) dogue* «chien de Français», prêtée à un Anglais ; on le retrouve dans ce contexte en 1406 dans un document de Rouen. La valeur actuelle apparaît sous la forme *dougue* (1480-1481) à propos d'une race de chien de chasse et de garde, d'où le sens figuré de «personne hargneuse et irascible» (1536), aujourd'hui vieilli sauf dans la locution ***être d'une humeur de dogue*** (1806). ➛ Par analogie, ***dogue d'armure*** a servi (1678) à désigner, en marine, le trou dans le bordé de pavois, qui présentait souvent à son orifice extérieur le masque d'un chien aboyant.

▶ *Dogue* a produit deux dérivés aujourd'hui archaïques : **DOGUIN** n. m. (1694), d'abord *dogguin* (1611) «jeune dogue», et **DOGUER** v. intr. ou pron. (1680), employé à propos des animaux qui se battent en se donnant des coups de tête.

◈ voir BOULEDOGUE.

DOIGT n. m. est issu (1080) par évolution phonétique du latin populaire *°ditus,* forme contractée du latin classique *digitus* «doigt de la main, du pied (de l'homme et de certains animaux)» et «mesure de longueur égale à la largeur d'un doigt», employé dans de nombreuses expressions figurées et proverbiales (notamment, à époque chrétienne, l'expression biblique *digitus Dei* «le doigt de Dieu»). *Digitus* s'est dit également des branches secondaires des arbres et a désigné plus tard une plante (aussi nommée *caput canis* «tête de chien»). Le mot doit être une forme populaire sur laquelle il est difficile de faire des hypothèses (il n'y a pas de nom indoeuropéen commun du doigt) : on propose en général d'y voir le dérivé d'une forme *°deig-* alternant avec *°deik-* et d'en rapprocher le groupe de *dicere* (→ dire), le doigt étant ce par quoi on montre, on désigne (→ index).

♦ En français, le mot est d'abord attesté sous la forme *deie,* pluriel de genre indéterminé issu du pluriel neutre du latin populaire *°dita,* à valeur collective. Il a eu ensuite la forme *dei* (v. 1120), devenue *doi* (XIIIe s.), prenant sa forme actuelle avec un *g* non prononcé au XVIe s., par réfection étymologique sur le latin. ➛ Comme le mot latin, *doit, doigt* désigne le doigt de l'homme, celui de certains animaux, l'orteil (1174-1180), aussi sous la forme usuelle ***doigt de pied,*** et la mesure de longueur équivalant à la largeur d'un doigt (1080). Il entre dans de nombreuses expressions, tels ***montrer du***

doigt (*demustrer al dei,* v. 1120), ***être à deux doigts de*** «tout près» (1552), ***compter sur ses doigts*** (av. 1570), ***savoir sur le bout des doigts*** «très bien» (1665) et, plus récent, ***au doigt et à l'œil*** «par une surveillance étroite» (1819). ◇ *Doigt* se dit aussi (dep. 1605) de la partie d'un gant qui protège un doigt.

▶ Au moyen âge, il a produit un nom d'objet concret, **DOIGTIER** n. m. (1392, *doitiers*) qui s'est d'abord dit d'un cylindre sur lequel on enfile des bagues pour les ranger, puis d'un fourreau de protection qui recouvre le doigt (après 1450). ◆ Ultérieurement, *doigt* a donné le dénominatif **DOIGTER** v. tr. (1752; 1726 selon Bloch et Wartburg), employé en musique pour «exécuter (un morceau) en plaçant bien les doigts», et pour «indiquer sur (une partition) le doigt dont on se sert» (1864). ◆ Le participe passé de ce verbe, **DOIGTÉ**, a été substantivé (1798), reprenant à l'ancien infinitif substantivé, le *doigter* (1755), l'acception technique de «choix et jeu des doigts dans l'exécution d'un morceau», en musique. Il signifie par figure «adresse manuelle» (1870), puis aussi «tact, habileté dans le comportement» (1907).

◈ voir **DATTE, DÉ** et **-DACTYLE, DACTYLO-, DIGITAL.**

DOL n. m. est emprunté (1248) au latin *dolus* «ruse, tromperie», mot qui a pu être objectif à l'origine, mais que la langue commune emploie toujours avec une nuance de blâme. *Dolus* est à rattacher au grec *dolos* et pourrait lui être emprunté, ayant pu pénétrer à Rome par un intermédiaire du sud de la péninsule italique, de même que *machina* (→ machine) ou *poena* (→ peine). *Dolus* et *dolos* ont souvent été rapprochés, sans certitude, de mots germaniques comme le vieil islandais *tal* «compte, discours» et *tāl* «ruse, tromperie».

♦ Repris en droit, le mot est un quasi-synonyme de *fraude* en droit civil et concerne, en droit pénal, l'intention de commettre un acte interdit. Son extension au sens de «ruse, tromperie» est sortie d'usage au XVIIe s. et ne se rencontre que chez quelques écrivains (Balzac, Huysmans).

▶ La langue juridique a formé **DOLOSIF, IVE** adj. sur le latin *dolosus* «rusé, fourbe, trompeur», et en a tiré **DOLOSIVEMENT** adv. (1626).

DOLÉANCE n. f., sous son ancienne forme *douliance* (XIIIe s. selon Bloch et Wartburg; 1321-1327 in *T. L. F.*), est dérivé, avec le suffixe *-ance,* de l'ancien français *douloir* (Xe s.) «souffrir», du latin *dolere* (→ deuil, douleur). Ce participe est attesté sous les formes *doliants* (Xe s.), *doillanz, deuillant* (1170), l'*l* mouillée étant due aux formes du subjonctif *dueille, doille* (remontant au latin *doleam*). L'*-é-* de la forme actuelle, *doléance* (1429), est d'origine obscure : *douliance* a pu être refait en °*douloyance,* d'après le verbe *douloyer* (XVIe s.), puis en *doléance* sur le modèle de *croyance/créance.* Quant à l'*-o-* de la première syllabe, à côté de *douleur*, douloir,* il résulte d'une prononciation qui se retrouve aussi dans *soleil.*

♦ Le mot, d'abord solidaire de *deuil* et de *douleur,* a exprimé une idée de tristesse jusqu'au XVIIe siècle. Par métonymie, il a désigné une plainte, une lamentation (1373). De là, il s'est spécialisé, généralement au pluriel *doléances* (1429), au sens de «plainte pour réclamer au sujet d'un grief» et, dans le contexte politique, de «réclamations présentées au roi et consignées dans les cahiers des États» sous l'Ancien Régime (1690).

◈ voir **CONDOLÉANCE, DOLENT.**

DOLENT, ENTE adj., d'abord *doliants* (av. 950), puis *dolente* au féminin (1050), est soit un emprunt très ancien au latin *dolens,* participe présent de *dolere* adjectivé au sens de «qui fait souffrir», soit (Bloch et Wartburg) issu d'une forme °*dolentus,* réfection de *dolens* dans le latin populaire de la Gaule septentrionale. *Dolere,* employé intransitivement pour «éprouver de la douleur» (au physique comme au moral) et transitivement au sens de «s'affliger de, déplorer», est parfois rapproché, sans certitude, de *dolare* (→ doloire), et signifierait originellement «recevoir des coups, être battu».

♦ Le mot, usuel en ancien et moyen français avec les sens de «triste, affligé» et «qui souffre», appartient aujourd'hui à l'usage littéraire. Il est plus courant pour qualifier la personne qui exprime plaintivement une souffrance, parfois avec la valeur péjorative de «geignard».

▶ Les dérivés adverbiaux **DOLENTEMENT** (déb. XIIIe s., *dolantement*), fait sur le féminin analogique *dolente,* et **DOLEMMENT,** formé (1599) sur *dolent,* sont archaïques et littéraires, de même que *se* **DOLENTER** v. pron. (1819) et **DOLENCE** n. f. (av. 1589, *dolance*), repris sous sa forme actuelle par Huysmans (1891).

INDOLENT, ENTE adj. a été emprunté beaucoup plus tard (av. 1636) au bas latin *indolens* «qui ne souffre pas». En moins d'un siècle, il a perdu le sens initial, «insensible à la douleur», sauf en médecine, en concurrence avec *indolore.* Il a dérivé vers le sens actuel de «qui évite de se donner de la peine, nonchalant», apparu vers le milieu du XVIIe s. (av. 1660), évoquant lenteur, mollesse et inactivité. ◇ Cette acception s'est répandue au XVIIIe s., produisant à son tour **INDOLEMMENT** adv. (av. 1742). ◆ **INDOLENCE** n. f., repris antérieurement (XIVe s.) au latin *indolentia* «absence de douleur», a connu une évolution analogue. Le moyen français l'a employé dans un sens douteux, peut-être «nature, constitution physique» par confusion avec un autre mot latin, paronyme de *indolentia.* Le sens d'«insensibilité», au physique (1557) et au moral (av. 1593), l'a cédé au cours du XVIIe s. à l'idée de «nonchalance» (av. 1660).

DOLLAR n. m. est l'emprunt (1776) du mot anglo-américain *dollar* désignant l'unité monétaire des États-Unis vers 1750 (le congrès décida d'adopter une monnaie à système décimal en 1785). *Dollar* existait antérieurement en anglais, d'abord sous les formes *daller, doller* (XVIe s.) «thaler». Il est issu du bas allemand *daler* (1553), correspondant à l'allemand *taler, thaler* «monnaie d'argent» (frappée en 1519) (→ thaler). Le mot sert ensuite à désigner l'unité monétaire de divers pays, dont l'unité monétaire canadienne, (1853), appelée familièrement *piastre* au Québec.

♦ Le mot, sans qualification, désigne le dollar des États-Unis, à côté de *dollar canadien* (1853), *dollar de Hong-Kong*, etc. Dans son contexte le plus courant en français de France, il connote le «billet vert», l'argent aux États-Unis.

▸ L'impérialisme de la monnaie américaine a suscité les composés **EURODOLLAR** n. m., emprunt à l'anglais (1962, *euro-dollar*), **PÉTRODOLLAR** n. m. (1974; aussi *pétro-dollar*), etc.

◈ voir **THALER.**

DOLMAN n. m. est emprunté (1763) au turc *dolama* «manteau de parade rouge, porté par les janissaires», probablement par l'intermédiaire de l'allemand *Dolman* (1500) et du hongrois *dolmany*.

♦ Le mot, introduit avec le sens de «robe de dessous des Arméniens» (emploi isolé chez Rousseau), désigne (1812) la veste à brandebourgs portée autrefois par les hussards et les chasseurs à cheval. Par analogie, il se dit d'un vêtement masculin ou féminin de même type. Le mot turc *dolama* avait déjà fait l'objet d'un emprunt direct (1519) avec le sens de «longue robe ouverte, en usage en Turquie». *Dolman*, employé par les écrivains romantiques (Hugo, Chateaubriand) pendant la vogue de l'orientalisme, a vieilli, sauf en histoire de l'habillement militaire.

DOLMEN n. m. est probablement la transcription inexacte, sous la forme *dolmin* (1796, La Tour d'Auvergne) du cornique (gaélique de Cornouailles) *tolmen* (1754), cette erreur étant reprise par les autres archéologues français. L'hypothèse invitant à y voir une formation directe à partir des deux mots bretons *taol, tol* «table» (du latin *tabula*, → table) et *mean, men* «pierre» (du latin *moenia* «muraille»), est moins convaincante : la composition normale en breton aurait dû donner *taolvean, tolven*. Le français a gardé *dolmin* jusqu'en 1810 (Chateaubriand); la forme *dolmen* (1805) l'a remplacé depuis.

♦ Le mot désigne un monument mégalithique constitué par une dalle de pierre reposant sur des piliers. Il est souvent associé à *menhir*.

▸ En est dérivé l'adjectif didactique **DOLMÉNIQUE** (1876), peut-être d'après l'anglais *dolmenic* (1822).

◈ **DOLOIRE** n. f. est issu sous la forme *doleoire* (v. 1150) du latin tardif *dolatura* (VIIIe s.), *dolatoria* «hache» (IXe s.), formé sur le supin *dolatum* de *dolare* «dégrossir à la hache, façonner, équarrir (le bois puis la pierre)». Comme cette hache s'utilisait par coups répétés, le verbe a pris les sens de «battre (qqn)» et de «forniquer». La racine du mot se retrouve dans plusieurs langues indoeuropéennes, dans le grec *daidalos* «travaillé avec art» (→ dédale), le vieux russe *dolĭ* «part», le celtique (irlandais) et le sanskrit (*dalam* «part, morceau», *dálati* «il éclate»).

♦ Le mot désigne une hache de charpentier, (1481) un outil de tonnelier et (1818) de maçon et, en héraldique, une hache d'armes sans manche (fin XIVe s.). Par figure, il s'applique à un type de bandage rappelant l'obliquité du tranchant de la doloire (1680) et une forme de feuille dite ***en doloire*** (1778, Lamarck).

▸ Le verbe latin *dolare* a donné par emprunt le verbe technique **DOLER** v. tr. (v. 1170). ◆ **DOLABRE** n. f. (1503) est emprunté au latin *dolabra* «outil à tête double, hache et pic», autre dérivé de *dolare*.

DOLOMIE, DOLOMITE n. f., terme de minéralogie, a été créé par H. B. de Saussure sous la forme *dolomie* (1792) à partir du nom du naturaliste français Déodat de *Dolomieu* (1750-1801) qui découvrit cette roche. Au moyen du suffixe *-ite*, on a formé *dolomite* (1838, Académie.).

♦ Les deux mots interfèrent : *dolomie* s'applique à la fois au minéral et à la roche. *Dolomite*, qui désigne le carbonate soluble de calcium et de magnésium entrant dans la composition de ces roches calcaires, désigne, au pluriel, le massif italien des Alpes, formé de dolomite.

▸ *Dolomite* a produit **DOLOMITIQUE** adj. (1834) et **DOLOMITISATION** n. f. (XXe s.), peut-être par l'intermédiaire du verbe rare *se* **DOLOMITISER.** ◆ Du nom géographique *les Dolomites*, on a tiré **DOLOMITISME** n. m. (v. 1960), nom d'une technique d'alpinisme pratiquée dans ce massif.

DOM n. m., d'abord *don* (1527), est emprunté à l'italien *don*, anciennement *dom* (XIIIe-XIVe s.), titre donné à certains ecclésiastiques, forme abrégée tirée du latin *dominus* «maître de maison», dérivé de *domus* «maison» (→ dôme), et employé spécialement dans la langue de l'Église pour traduire le grec *kurios* «le Seigneur» (→ kyrie). *Dom*, titre de noblesse portugais, est emprunté ultérieurement au portugais *dom* (994), de même origine que l'italien et que l'espagnol *don* (→ domino; donjon, don Juan, don Quichotte).

♦ Le mot, écrit *dom* depuis le début du XVIIe s., est employé comme titre des membres de certains ordres religieux (chartreux, bénédictins). Le titre espagnol (→ don Juan) s'est aussi écrit *dom* au XVIIe s. par latinisation (cf. le *dom Juan* de Molière). Il traduit aussi (1800) le titre portugais donné aux nobles.

DOMAINE n. m. est probablement un emprunt adapté (av. 1150) au bas latin *dominium* «pouvoir, autorité», juridiquement «droit de propriété, propriété», également «festin, repas». Ce mot est dérivé soit de *dominus* «maître» (→ dom), soit de *dominari* (→ dominer). Une autre hypothèse, moins probable, en fait le dérivé de l'ancien français *demaine* adj. «qui appartient en propre» (1080, *demenie*), lui-même issu du latin *dominicus* «relatif au maître» (→ dimanche).

♦ Le mot a d'abord la forme *demeine*, attestée jusqu'en 1636 à côté de *domaine* (1175), *donmaine* (1294) et *demaine* (1364); seule la seconde forme s'est maintenue. Dans les premiers textes, il est employé avec l'acception juridique de «biens, terres dont on a la propriété», d'où couramment «terre possédée». Il est entré dans l'expression ***do-***

maine du royaume (1364), qui désignait sous les Capétiens les possessions familiales du roi de France et, après Philippe Auguste, l'ensemble des provinces où le roi se substituait aux grands vassaux. On a aussi parlé de ***domaine du roi*** (1539), de ***domaine de la Couronne*** (1606). ◇ Le terme (1803), pris elliptiquement pour ***domaine de l'État,*** désigne ensuite les biens nationaux, divisés en ***domaine public*** (1832) et en ***domaine privé.*** La locution ***tomber dans le domaine public*** (1835) se dit d'œuvres littéraires qui ne font plus l'objet de droits d'auteur, et, par extension, d'une chose qui appartient à tous. ➜ À côté de ce développement juridique, *domaine* a pris le sens figuré de «ce qui appartient (à qqn, qqch.)» (1670), avec des acceptions spécialisées (en mathématiques, linguistique). ➜ Les sens anciens, repris au latin, de «propriété, droit de propriété» (v. 1155) et «pouvoir, autorité» (v. 1175), ce dernier encore usuel en langue classique, sont sortis d'usage.

▸ *Domaine* n'a produit aucun dérivé si l'on excepte **DOMANIAIRE** adj. employé par Hugo dans *Les Misérables* (1865). ➜ L'adjectif **DOMANIAL, ALE, AUX** est emprunté (XVIe s.) au latin médiéval *domanialis* «qui appartient au seigneur» (1387), fait sur le bas latin *dominium.* L'adjectif s'emploie surtout avec la valeur juridique de *domaine* (*forêt domaniale* «du domaine de l'État»). ◇ La langue juridique a forgé **DOMANIALITÉ** n. f. (1819) et **DOMANIALISER** v. tr. (XXe s.).

① **DÔME** n. m. est emprunté (*dosme,* 1600) à l'ancien provençal *doma* «toit en coupole», dont l'existence paraît établie bien que l'unique attestation soit peu claire ; on relève notamment *Dome* (1227) en latin médiéval. *Doma* est lui-même emprunté, peut-être par l'intermédiaire du bas latin *doma, -atis* «toit en terrasse», au grec *dôma, -atos* «maison» (correspondant au latin *domus,* → ② dôme) qui a désigné tardivement un toit ou une terrasse, sens que le mot conserve en grec moderne.

♦ Le mot, repris avec le sens de «coupole», a développé de nombreux emplois fondés sur une analogie de forme avec une coupole (spécialement en anatomie, vulcanologie, technique, marine).

② **DÔME** n. m. est emprunté au début du XVIe s. (*domme,* 1502) à l'italien *duomo* «église cathédrale» (XIIIe s.), mot probablement issu du latin médiéval *domus episcopi* (*domus episcoporum* en 766 désigne la cathédrale de Lucques), de *domus* «maison» et *episcopus* (→ évêque). *Dôme* est ainsi le représentant le plus direct en français de *domus* (éclipsé par *mansio, -onis* → maison), terme usuel qui contient une racine indoeuropéenne °*dem-* «maison», également représentée en grec (→ despote, ① dôme).

♦ Le mot désigne l'église principale d'une ville, en Italie et en Allemagne.

DOMESTIQUE adj. et n. est emprunté (v. 1393) au latin *domesticus* «de la maison, de la famille», «familier», d'où «qui est de la patrie, du pays», dérivé de *domus* «maison» (→ ② dôme). Le type emprunté a supplanté l'ancienne forme *domesche* (v. 1220) «apprivoisé, cultivé», issue par évolution phonétique du même *domesticus.*

♦ D'abord employé comme adjectif dans l'expression *serviteurs domestiques* «de la maison», le mot avait dans l'usage ancien et classique un champ d'emploi plus large que de nos jours — où il s'oppose à *sauvage* à propos des animaux* —, qualifiant aussi un végétal, une chose de la maison ou concernant la vie privée d'un pays, d'un peuple. Certains de ces emplois sont revenus en français par l'anglais *domestic* qui a gardé ces valeurs : «intérieur» et «national» (*vols «domestiques» et internationaux*). ➜ Depuis le XVIe s., *domestique* est substantivé, désignant d'abord le familier, l'ami intime (1520) et la personne attachée à la maison de qqn dans des fonctions importantes (intendant, etc.). L'usage moderne en a restreint l'emploi au serviteur employé pour le service, l'entretien de la maison ; dans cet emploi même, le mot a disparu de tout usage officiel, au bénéfice d'*employé de maison.* Seuls les emplois figurés et métaphoriques restent vivants, à propos de la personne qui est soumise à une personne, à un groupe, à un dogme (1541, *les domestiques de la foi,* Calvin). ◇ Cette évolution a entraîné la disparition du sens collectif d'«ensemble des gens vivant dans la maison» (av. 1594), et en «ensemble des domestiques d'une maison» (1732), remplacé par *domesticité.*

▸ De *domestique* sont dérivés **DOMESTIQUEMENT** adv. (1534) «en qualité de domestique», mot peu usité, et **DOMESTIQUER** v. tr. (XVe s.). Celui-ci, qui s'emploie pour «rendre (un animal, une espèce animale) domestique» et, au figuré, «assujettir», «maîtriser», a entraîné à son tour la formation de **DOMESTICABLE** adj. (1860) et de **DOMESTICATION** n. f. (1832). ➜ **DOMESTICITÉ** n. f. est emprunté (1583) au dérivé latin *domesticitas* «relations, vie commune». Il a perdu son sens initial, «fait de vivre sous le même toit, familiarité», pour s'appliquer d'une part à l'état d'un animal domestique (1612), de l'autre à celui d'un serviteur (1690). L'acception métonymique d'«ensemble des domestiques» (1792) est la plus vivante, et a éliminé *le domestique* (fin XVIe s.-déb. XIXe s.).

DOMICILE n. m. est emprunté (1326) au latin *domicilium* «habitation, demeure» au propre et au figuré, de *domus* «maison» (→ ② dôme).

♦ Le mot français conserve le sens du latin à la fois dans l'usage juridique et courant (il entre dans divers syntagmes). L'expression administrative ***sans domicile fixe*** est entrée dans l'usage courant, concurrençant *sans-abri* (→ abri), *sans-logis* (à *logis,* → loge) et dans une certaine mesure, *clochard.* ◇ Sous la forme du sigle **S.D.F.** n. m. et f. (1983), l'expression est devenue un symbole de l'exclusion sociale et de pauvreté extrême, l'image sociale étant autre que celle du clochard.

▸ **DOMICILIER** v. tr. (1521) s'est spécialisé au sens juridique de «fixer, assigner un domicile à qqn», perdant le sens courant de «loger» (1556) qu'il avait aussi au XVIe siècle. ◇ Il a produit tardivement **DOMICILIATION** n. f. (1906), lequel a servi à former le terme de droit financier **DOMICILIATAIRE** adj.

(1900). ◆ **DOMICILIAIRE** adj. (1604), lui aussi juridique, a évincé l'ancien adjectif *domicilier*, synonyme partiel de *domestique*, employé aussi au sens d'«intrinsèque» au XVIe siècle.

DOMINER v. tr. est un emprunt très ancien (v. 980) au latin *dominari* «être maître, commander, régner» (au propre et au figuré), de *dominus* «maître» (→ dom).

♦ Le verbe français exprime la même idée que le latin, d'abord en construction transitive avec le sens figuré de «maîtriser, surmonter». À partir du milieu du XVIe s., il se construit aussi intransitivement, avec les prépositions *dans, sur*, exprimant l'idée de «régner» et, par extension, de «prévaloir», «être le plus apparent». Le sens physique spatial, «être plus haut (que les objets environnants)» (1680), est aujourd'hui réservé à la construction transitive.

▸ En français, *dominer* a produit quelques dérivés : son participe présent **DOMINANT, ANTE** a été adjectivé (v. 1282) avec les divers sens correspondant au verbe, mais il a vieilli pour «qui exerce un ascendant psychique sur (qqn)». Il assume quelques emplois spéciaux en droit féodal, en météorologie et en génétique (alors opposé à *récessif*). ◆ Son féminin **DOMINANTE** est substantivé (1732), spécialement comme terme de musique, et pour désigner l'élément dominant d'un ensemble (notamment en parlant d'une couleur, d'une discipline). ◇ Il a produit les préfixés **SOUS-DOMINANTE** n. f. (1737) et **SUS-DOMINANTE** n. f. (1812). ◆ Le nom formé sur le radical de *dominant*, **DOMINANCE** n. f., est d'abord attesté (1467) avec le sens restreint de «fief», aujourd'hui sorti d'usage; rare avant le XVIIIe s. et supplanté par *prédominance* et *domination* avec son sens général, il s'est maintenu en sciences (spécialement en génétique). ◆ *Dominer* a aussi produit l'adjectif verbal **DOMINABLE** (1568, alors comme nom). ◆ Surtout, il a servi à former les préfixés **PRÉDOMINER** v. intr. (XVe s.), **PRÉDOMINANT, ANTE** adj. (dès v. 1370), **PRÉDOMINANCE** n. f. (1595), qui expriment la notion de «fait d'être dominant, prépondérant».
Le nom d'action correspondant, **DOMINATION** n. f., est emprunté (v. 1120) au latin *dominatio* «fait de commander, souveraineté», spécialement employé en latin chrétien au pluriel pour désigner un ordre d'anges, lui-même fait sur le supin de *dominari*. Introduit comme nom d'action correspondant au verbe (au propre et au figuré), le mot est répertorié chez Furetière (1690) dans son acception théologique, «être angélique d'un ordre supérieur aux archanges et aux "trônes"». ◆ Le français a aussi emprunté **DOMINATEUR, TRICE** adj. et n. (1380) au latin *dominator*, nom d'agent formé sur le radical du supin de *dominare*.

DOMINICAIN, AINE n. est dérivé (1546, *dominican*) du radical du nom latin *Dominicus* «Dominique», ce saint étant le fondateur de l'ordre des Frères Prêcheurs en 1215 à Toulouse, avec le suffixe *-ain*.

♦ Le mot désigne un religieux de cet ordre mendiant destiné à la prédication. Il s'emploie adjectivement pour qualifier ce qui s'y rapporte (1690).

DOMINICAL, ALE, AUX adj. est emprunté, d'abord sous la forme *dominicaul* (1417), au bas latin *dominicalis*, dérivé de *dominicus* (→ dimanche).

♦ L'adjectif qualifie ce qui est relatif au Seigneur et, spécialement, qui se rapporte au dimanche, jour du Seigneur (1493). On a employé le féminin substantivé pour désigner le sermon prêché le dimanche en dehors des périodes d'Avent et de Carême.

DOMINION n. m. est un emprunt (1869) à l'anglais britannique *dominion*, mot ancien signifiant «domination, puissance», et emprunté au latin *dominium* (→ domaine). Ce mot a été appliqué par le Parlement britannique au Canada en 1867.

♦ Le mot désigne comme en anglais chacun des États, aujourd'hui indépendant, constituant le *Commonwealth* (ou *Union*) britannique. Leur lien constitutionnel avec la Grande-Bretagne est uniquement la Couronne, le roi ou la reine d'Angleterre étant le souverain de chaque dominion.

DOMINO n. m., attesté depuis 1401, est d'origine incertaine. Apparu au sens de «camail noir à capuchon porté par les prêtres en hiver», il paraît représenter le latin *domino*, ablatif de *dominus* «maître, seigneur» (→ dom), extrait d'une formule de prière telle que *benedicamus domino* «bénissons le Seigneur», qui a pu être prononcée en revêtant ce camail. Cette hypothèse n'est pas établie de manière certaine.

♦ Le sens de «camail noir des prêtres» est sorti d'usage. Le mot, par extension, a désigné un costume de bal masqué consistant en une robe flottante à capuchon (1665). Les autres sens s'expliquent moins bien : celui de «papier peint imprimé de diverses couleurs» (1514), dont les figures étaient appelées *figures de domino, domino*, pourrait être d'origine italienne. ◆ La spécialisation au jeu (1771), pour désigner les pièces noires et blanches marquées de points et le jeu qui s'en sert, s'explique mieux : elle se référerait au sens de «capuchon noir des moines» en raison du fond de bois noir des parallélépipèdes. ◇ Le sens politique moderne de «zone menacée de subir par contagion la situation politique des zones environnantes», surtout dans ***théorie des dominos*** (1967), est un anglicisme. Il découle de l'idée du domino entraîné par la chute des autres dominos avec lesquels il est rangé verticalement. ◇ Le sens technique de «dispositif de raccordement électrique» et le sens argotique ancien de «dent» sont fondés sur une analogie de forme avec la pièce du jeu.

▸ Le sens ancien de *domino*, «papier peint imprimé», a laissé le dérivé **DOMINOTIER, IÈRE** n. (1540), mot technique désignant l'artisan qui travaille le papier et le carton pour en faire des plats de reliure et des boîtes, qui peint et imprime des feuilles décoratives, des images et des cartes à jouer. ◇ Le mot et son dérivé **DOMINOTERIE** n. f. (1640) concernent une activité que les édits de la fin du XVIe s. associaient à la tapisserie; elle s'estdéveloppée au XVIIIe s., et s'est éteinte au XIXe s. avec l'avènement de l'ère industrielle. Les mots sont alors tombés dans l'attraction du terme de jeu.

DOMMAGE → DAM

DOMPTER v. tr. est issu, sous les formes *danter* (v. 1155), *donter* (1160), du latin *domitare*, forme fréquentative de *domare* «apprivoiser», «soumettre» (au propre en parlant d'un animal sauvage, au figuré d'une personne). Ce verbe est issu d'une racine °*demə-*, °*domə-*, *dimā-* «dompter, soumettre par contrainte», bien connue dans diverses langues indoeuropéennes : elle est représentée dans les langues celtiques et germaniques, le grec *damazein*, le sanskrit *dāntạ́h* «dompté», *damita* «celui qui apprivoise», le hittite *damašzi* «il fait violence», etc. É. Benveniste a montré qu'il ne fallait pas chercher à rapprocher le groupe de *domare* de celui de *domus* «maison» (→ dôme). En français, le mot a pris la forme graphique *dompter* (XIVe s.), soit sous l'influence de *compter**, soit d'après les formes *dampnare, temptare*, variantes de *damnare* «damner», *tentare* «tenter». On relève encore *domter* dans l'édition de 1718 du dictionnaire de l'Académie. La prononciation *donter* est donc étymologique, et le *p* est parasitaire : on devrait écrire *donter* ou *domter*.

♦ Dès l'ancien français, le mot est employé au propre et au figuré, dans un contexte moral, spécialement dans la rhétorique du langage amoureux. Sa spécialisation en politique pour «subjuguer, se rendre maître de (un peuple)», usuelle en langue classique, est sortie d'usage.

▸ **DOMPTABLE** adj. (XIIe s.) est rare par rapport à son antonyme préfixé en *in-*, **INDOMPTABLE** adj. (1420), qui a lui-même produit **INDOMPTABLEMENT** adv. et **INDOMPTABILITÉ** n. f., tous deux rares. ◆ **DOMPTEUR** adj. et n. a d'abord été écrit *donterre* (XIIIe s.), *donteur* (d'où le féminin *donteuse*, av. 1599), avant de se fixer sous sa forme actuelle (1544). Le mot a d'abord désigné celui ou celle qui soumet à son pouvoir (d'autres pays, un peuple) avant de prendre le sens moderne de «personne qui dompte des animaux», vers le milieu du XIXe siècle. ◆ L'ancien nom d'action, **DOMPTEMENT** n. m. (XVIe s.), a disparu au bénéfice DE **DOMPTAGE** n. m. (1860). ◆ Le participe passé adjectivé de *dompter*, **DOMPTÉ, ÉE**, a donné le préfixé **INDOMPTÉ, ÉE** adj. (1525), littéraire mais relativement fréquent.

◈ voir DOMPTE-VENIN*.

① **DON** n. m. est issu (v. 980) du latin *donum* «action de donner» et par métonymie «présent, offrande», dérivé de *dare* (→ date, datif, dation).

♦ Dès sa première attestation, le mot, employé dans la locution usuelle ***faire don***, désigne l'action d'abandonner gratuitement qqch. à qqn. Par métonymie, il s'applique à ce qui est donné (1080), d'abord concrètement, puis abstraitement (1130) à ce qui est échu, en mal ou, plus souvent, dans la perspective heureuse d'un bienfait (1370-1372). ◆ Ultérieurement, il a pris le sens de «disposition innée» (XVIe s., *don de prophétie*), spécialement dans le contexte religieux et dans celui des contes de fées ; il correspond alors pour le sens à *doué** (du latin *dotare*, étymologiquement lié à *dare*). ◆ *Don* fonctionne en général comme un déverbal de *donner*.

▸ Il entre dans **SURDON** n. m. (1866), terme de commerce.

◈ voir DONATAIRE (et DONATEUR).

② **DON** → DOM, DON JUAN, DON QUICHOTTE

DONATAIRE n., d'abord *donnataire* (1501), est dérivé savamment du radical du latin *donatum*, supin de *donare* «faire donation de» (→ donner), avec le suffixe *-aire*, indiquant celui à qui profite l'action. Certains posent un intermédiaire bas latin *donatarius*, fait sur *donatum*.

♦ Le mot, d'usage juridique, s'oppose à *donateur* (ci-dessous). Il en est cependant synonyme dans le domaine de l'art religieux, par référence au fait que celui qui donne reçoit en échange la protection divine.

▸ Le mot a un préfixé, **CODONATAIRE** n. (1762).

DONATEUR, TRICE n., d'abord écrit avec deux *-n-* (1320), est emprunté au latin impérial *donator* de même sens, nom d'agent fait sur le supin de *donare*. Il est quelquefois employé comme adjectif en apposition. ◆ **DONATION** n. f. (1264 ; 1235 selon Bloch et Wartburg) est emprunté à un autre dérivé latin *donatio* «action de donner, don», qui a développé à basse époque le sens juridique de «contrat par lequel on cède un bien en faveur de qqn». *Donation* a supplanté l'ancien français *donnaison* (1264), issu de *donatio* avec traitement semi-populaire du suffixe, sur le verbe *donner* ; il appartient lui aussi au langage juridique.

DONC conj., d'abord *dunc* (980) puis *donc* et *donques* (jusqu'au XVIIe s.), est d'origine discutée. L'hypothèse qui en fait le représentant du latin *donique*, forme élargie de *donec* «jusqu'au moment où», puis «tant que, aussi longtemps que», est peu probable. On s'accorde plutôt à y voir le représentant du latin *dum* (synonyme de *donec*), particule temporelle marquant la simultanéité de deux actions qui se déroulent. *Dum*, avec ou sans valeur déterminante, s'emploie souvent, dans le second cas, comme enclitique, joint comme particule de renforcement à des adverbes ou à des mots exclamatifs, des impératifs. Le français fait un usage analogue de *donc* dans *donne-le lui donc !* etc. *Dum*, dans lequel la notion de durée est essentielle, serait peut-être à rattacher à la racine qui indique la durée dans *durare* (→ durer). La forme *donc* remonterait dans ce cas, soit à *dum-que*, soit au latin *dunc*, forme de *dum* influencée par *tum, tunc* «alors», et attestée à basse époque avec le sens de «pendant que».

♦ Le mot a eu le sens temporel de «alors», souvent glosé par le latin *tunc*, et sorti d'usage ; dès 1175, il sert à exprimer une conséquence, une conclusion ; il est aussi (1172-1175) employé comme particule de renforcement (comme *dum* en latin), notamment avec un impératif, un adverbe ou un nom employé en exclamatif.

▸ Son ancienne forme renforcée **ADONC**, *adonques* (v. 1170) «alors, puis» est sortie d'usage au

XVIIe s., où elle est réservée au style burlesque ou archaïsant.

DONDON n. f. est dérivé (1579) de la racine onomatopéique *dond-* exprimant le balancement et le gonflement (→ dandiner, dodeliner, dodu), avec le suffixe *-on.* Le redoublement expressif de la voyelle est probablement dû à l'influence de *dondaine,* mot désignant une machine de guerre grosse et courte, pour lancer des traits et des pierres : la première attestation mentionne *domdaine* dans le voisinage de *dondon.* En outre, *dondon, dondaine* sont employés en liaison comme onomatopées dans les refrains de chansons (1564, Rabelais). L'ancien français attestait déjà *triquedondela* dans un refrain (→ aussi faridondaine). Rabelais emploie également *dondon* (1564) pour imiter un bruit de cloches, là où nous employons *ding, dong.*

♦ Le mot, enregistré en 1579 dans un ouvrage sur la langue signalant l'expression ***grosse dondon,*** encore usuelle aujourd'hui, désigne familièrement et péjorativement une femme qui a beaucoup d'embonpoint.

DONJON n. m. est issu (v. 1160) par évolution phonétique d'un latin tardif °*dominionem,* accusatif de °*dominio* n. m. attesté au XIe s. au sens de «tour maîtresse» sous les formes *domnionus,* donnant *donjo, dangio,* etc. Ce nom est probablement dérivé de *dominus* «maître», «seigneur» (→ dom), hypothèse bien préférable à celle qui interprète la forme latine au sens de «maison du seigneur», et à celle qui y voit un dérivé du francique °*dungjo* «lieu où travaillent des femmes», lequel ne convient guère pour le sens.

♦ *Donjon,* «tour maîtresse d'un château fort», désigne spécialement cette tour dans son office de prison. Il donne lieu au sens figuré de «lieu protégé dans lequel on effectue une retraite volontaire». Par analogie, il a servi à désigner un petit belvédère situé sur le comble d'une maison (1676, Félibien) et se dit techniquement de la chambre principale d'un terrier.

▸ Le mot a pour dérivés **DONJONNÉ, ÉE** adj. (déb. XVIIe s.), terme de blason, et **DONJONNIER** n. m. «gardien du donjon», mot employé par Las Cases (1823) et d'usage rarissime.

DON JUAN n. m. est tiré (1814) du nom propre *Don Juan,* héros de théâtre d'origine espagnole, qui apparaît sous le nom de *don Juan Tenorio* dans *El burlador* (le trompeur) *de Sevilla* (1630), pièce de Tirso de Molina. Ce nom est devenu le type du séducteur, introduit dans le théâtre français par Dorimond en 1659 *(Le Festin de pierre ou le Fils criminel)* et popularisé par Molière en 1665 *(Dom Juan ou Le Festin de pierre).*

♦ L'hésitation portant sur la graphie *dom* ou *don* dépend de la référence faite, dans le premier cas au titre *Dom** et, dans le second, au titre des nobles d'Espagne écrit *Don* (v. 1501). Cependant, le choix de *dom* est propre au XVIIe s. : on écrit *le Dom Juan* de Molière, mais *le Don Juan* de Mozart (italien *Don Giovanni*). Ce n'est qu'au début du XIXe s., notamment depuis Stendhal, qu'on emploie, *don Juan* sans référence au modèle littéraire, pour «séducteur, homme à femmes».

▸ *Don Juan* a entraîné au XIXe s. la formation de quelques dérivés : **DONJUANERIE** n. f., **DONJUANISER** v. tr. (ou *don juaniser*) [1837, Balzac], vieillis, et, encore en usage, **DONJUANESQUE** adj. (1841, *don juanesque,* Nerval), **DONJUANISME** ou **DON JUANISME** n. m. (1864, Sainte-Beuve).

◈ voir aussi DON QUICHOTTE.

DONNER v., l'un des premiers mots attestés en «vulgaire roman» dans les *Serments de Strasbourg* (842), est issu du latin *donare* «faire don», également avec les valeurs figurées de «sacrifier», «tenir quitte de», «gratifier de». Il s'agit du dénominatif de *donum* (→ don), lui-même dérivé de *dare,* entré en concurrence à basse époque, du fait de la régularité et de la plénitude de ses formes, avec le verbe classique *dare* «faire don», de la même famille, qui contient la racine indoeuropéenne °*dō-*, °*də-* de même sens. Cette racine existe dans le sanskrit *dádāmi* «je donne», le grec ancien *didomai,* le slave (→ datcha) ; elle a disparu en germanique et en celtique. Par ailleurs, *dare* a donné *dos, dotis* (→ dot) d'où *dotare* (→ doter et douer). *Dare* n'a laissé que quelques traces en gallo-roman, mais se retrouve dans l'italien *dare* (à côté de *donare*), l'espagnol *dar* (à côté de *donar*). En revanche, en gallo-roman, *donner* a subi la concurrence de *bailler**, qu'il a éliminé.

♦ Entré de bonne heure en français au sens d'«attribuer, conférer (le pouvoir, la puissance)», *donner* a développé la plupart de ses valeurs usuelles avant le XIIIe siècle. L'idée d'«attribuer» est réalisée à propos d'un nom dès 1080, mais seulement depuis la première moitié du XVIe s. en parlant d'une qualité, d'un caractère. Le sens de «faire don» (2e moitié du Xe s.) est spécialement réalisé dans la locution ***donner l'aumône*** (1050) et, absolument, dans le contexte de la charité chrétienne (1160-1174). ◆ *Donner* compte bientôt les valeurs de «remettre, mettre à la disposition de» (v. 980), «procurer, accorder» (1050), «communiquer un conseil (1050), un congé (1080), sa foi, une promesse (1080)». ◆ Glissant vers l'idée d'«indiquer, informer» (v. 1250), il en est arrivé à prendre, avec un complément désignant une personne, le sens argotique de «dénoncer, indiquer à la police» (1828). ◇ Selon les compléments qu'il introduit, il correspond aussi bien à «faire sentir, appliquer (un baiser)» (v. 980) qu'à «asséner (des coups)» (1080) ; selon le contexte, il signifie «faire que», comme dans ***donner à entendre*** (v. 1278) et, s'éloignant de l'idée essentielle de «don», il induit l'idée d'un rapport monnayé, recevant de nouvelles acceptions, comme «acheter» (1050), «évaluer à» (1130), «rapporter, faire gagner» (1160-1170). ◆ Dans les rapports humains, il est synonyme de «mettre à la disposition de» (1130-1140, ***donner*** [une fille] ***en mariage***), sens réalisé par la forme pronominale *se donner* avec toute une palette de nuances. ◆ Le verbe exprime aussi l'idée de «faire, participer à» (1080, dans l'expression *donner bataille,* remplacée par *livrer bataille*) et, à pro-

DONNER et les mots du don

dare « jouer », « donner »

- bas latin **datum** 1er s. « pion de jeu » — (?) — dé XVIIe s.
  - breton dis
  - anglais *dice*
- latin impérial **dativus** casus — datif XIIIe s. « cas marquant l'attribution »
- **data** — latin médiéval **data littera** « lettre donnée (tel jour) » — date XIIIe s. — anglais *data*
  - antidate XIVe s.
    - postdate XVIIIe s.
  - dater XIVe s.
    - antidater XVe s.
      - postdater XVIIIe s.
    - datable XXe s.
      - datation XIXe s.
      - datage XXe s.
      - dateur XXe s.
      - horodateur XXe s.
      - horodatrice XXe s.
- **datio** — dation XIIIe s.
- **dos, dotis** « bien apporté par une femme en se mariant » — dot XIIIe s.
  - latin médiéval **dotarium** « droit d'usufruit de l'épouse survivante sur les biens de son mari » — douaire XIIe s. — douairière XIVe s.
  - latin impérial **dotare**
    - douer XIIe s.
    - doter XIIe s.
  - latin médiéval **dotatio** — dotation XIVe s.
  - **dotalis** — dotal XVIe s. — dotalité XXe s.

donum « action de donner », « présent », « offrande »
- don Xe s. — surdon XIXe s.

donare « faire don », « sacrifier », « gratifier de »
- DONNER IXe s. — redonner XIIe s.
  - donne XVIIIe s.
    - maldonne XIXe s.
  - donneur XIIe s.
    - donnée XIIIe s.
    - donnant XVIIIe s.
    - donnable XXe s.

donatio
- donation XIIIe s.

donator
- donateur XVIe s.
  - donataire XVIe s.
  - codonataire XVIIIe s.

latin populaire °**addonare**
- s'adonner XIIe s.

latin tardif **perdonare**
- ancien français perdonner « faire grâce » Xe s. — pardonner « tenir une offense comme non avenue » XIe s.
  - pardonnable XIIe s.
    - impardonnable XIVe s.
  - pardon XIIe s.
    - pardonnant XIXe s.
    - pardonneur XXe s.
    - pardonnement

pos d'un spectacle, «exécuter» (déb. XVIe s., ***faire donner des aubades***); dans le domaine des sentiments, il correspond à «provoquer, engendrer» (1160) et à «exprimer, manifester» (1170).

▸ Les dérivés français coexistent avec des emprunts au latin (→ don, donateur). ◆ Le nom d'agent **DONNEUR, EUSE** n. (av. 1150), «celui qui donne», a développé l'acception spéciale de «dénonciateur» en argot moderne (1901). ◆ Le participe passé féminin substantivé **DONNÉE** (1200) a d'abord eu le sens ancien d'«aumône, distribution» et s'est limité à quelques sens spécialisés, en mathématiques (1755), statistiques, psychologie, informatique (où il traduit l'anglais *data*, autre dérivé du latin *dare, datum*), désignant par extension l'élément fondamental servant de point de départ (à un raisonnement, un développement). ◆ Quant au déverbal **DONNE** n. f. (1718), il est resté cantonné dès sa création au sens d'«action de donner les cartes aux joueurs» et par métonymie «ensemble des cartes distribuées». ◆ On lui oppose le préfixé **MALDONNE** n. f. (1827) qui a développé par métaphore le sens d'«erreur de partage» (1903, dans ***il y a eu maldonne***, puis v. 1920). ◆ Relativement tard, *donner* a produit des adjectifs tirés de ses participes, **DONNÉ, ÉE**, au fig. «bon marché» (1780, *c'est donné*), et **DONNANT, ANTE** (déb. XVIIIe s.), ce dernier entrant, sous sa forme participiale, dans l'expression ***donnant donnant*** (1864), et **DONNABLE** adj. (1908). ◆ *Donner* a produit quelques composés verbaux : *s'adonner**, *pardonner** ont acquis leur autonomie mais **S'ENTRE-DONNER** v. pron. (1823), aujourd'hui vieilli, et **REDONNER** v. (v. 1130 au sens figuré ancien de «faire du bien à») sont restés très proches du sens fondamental de *donner* «faire don» (au propre et au figuré).

◈ voir ADONNER (S').

DON QUICHOTTE n. m. est l'emploi comme nom commun (mais semble-t-il toujours avec majuscule) [1631] du nom propre du héros du roman de Cervantes, *Don Quijote* (ou *Quixote*) *de la Mancha* (1605), dont la première traduction par César Oudin parut en France en 1614. L'adaptation du nom espagnol a donné lieu successivement aux formes *Dom Quichot* (1631), *Dom Quichote* (1727) et enfin *Don Quichotte* (Saint-Simon). Le roman de Cervantes a aussi fourni au français le mot *dulcinée**.

♦ Le mot se rapporte à une personne généreuse qui agit sans espoir de succès et est dépourvue de réalisme.

▸ Les dérivés **DONQUICHOTISME** n. m. (1787) puis **DONQUICHOTTISME** et **DONQUICHOTTESQUE** ou *don quichottesque* adj. (1887, J. Laforgue) attestent la lexicalisation du mot.

◈ voir aussi DOM, DON JUAN.

◈ **DONT** pron. relatif est issu (v. 980) du latin populaire *de unde*, proprement «d'où», renforcement, au moyen de la préposition *de* (→ de), du relatif-interrogatif de lieu *unde* «à l'endroit d'où», «d'où ?». Ce mot, dès l'époque classique, a joué le rôle du pronom relatif équivalant à *a, ex, de* employé avec *quo, qua, quibus*, emploi qui s'est étendu à basse époque et qui annonce le rôle de *dont* en français. Étymologiquement, *unde* a dû s'écrire primitivement *cunde*, se rattachant à une série d'adverbes et d'adjectifs où le °*kw-* initial de la base indoeuropéenne des relatifs, interrogatifs, indéfinis (*que, qui, quoi, quand, quel*..., en français), a disparu devant *-u-* (→ jusque, neutre, où).

♦ En français, l'usage moderne de *dont* n'est pas encore fixé à l'époque classique : ce pronom y était à peu près confondu (y compris dans la prononciation) avec *d'où;* cet emploi, condamné par Vaugelas, Malherbe et les grammairiens en général, était cependant en usage chez les meilleurs écrivains du XVIIe s.; il continue de l'être assez fréquemment chez les modernes avec les verbes appelant la préposition *de*. ◇ *Dont* s'employait comme complément de moyen, de manière, de cause avec des verbes qui commandaient autrefois la préposition *de*, là où l'usage moderne emploie *à l'aide duquel, avec lequel, à cause duquel, par lequel*. La préposition relative qu'il introduisait pouvait aussi exprimer la conséquence en soulignant le caractère causal de la préposition antécédente, là où nous employons *à cause de quoi, à la suite de quoi*. ◇ Par ailleurs, *dont* était couramment repris par *en* dans la proposition relative, usage qui passerait aujourd'hui pour fautif. Enfin, il pouvait avoir comme antécédent une proposition entière, un indéfini, un neutre sans être précédé par *ce*.

DONZELLE n. f. est issu (1160) du latin populaire °*domnicella*, de °*dominicella* (→ demoiselle). ◈

♦ Le mot a d'abord eu le sens neutre de «jeune fille, demoiselle», jusqu'au XVIIe siècle. Puis il a pris une nuance péjorative (1643, Scarron), désignant une jeune fille ou une femme prétentieuse et ridicule, puis une fille ou femme de mœurs légères. ◆ Par analogie, il a désigné au XVIIIe s. (*Académie*, 1798) un poisson de mer aux couleurs très variées, par une métaphore qui fait penser à celle de *maquereau*.

DOPER v. tr. est la francisation (1903) de l'anglo-américain *to dope* «droguer», «stimuler», dérivé argotique de *dope* n. (1889) «drogue, narcotique» et d'abord «enduit», du néerlandais *doop* «sauce». Celui-ci est dérivé de *dooper* «tremper», correspondant à l'anglais *to dip* et remontant à la même racine germanique que l'adjectif signifiant «profond» (néerlandais *diep*, anglais *deep*).

♦ Le mot s'est spécialisé en français dans le langage de la compétition sportive; il a reçu un sens technique (1943), «renforcer l'action de (un produit)» par réemprunt à l'anglais, et un sens figuré (1953).

▸ Les dérivés, le participe présent adjectivé et substantivé **DOPANT, ANTE** (1952) et le nom d'action **DOPAGE** n. m. (1921), sont concurrencés par les anglicismes **DOPE** n. f. (1943), de l'américain *dope*, qui coïncide avec le déverbal virtuel de *doper*, et **DOPING** n. m. (1900), emprunt à l'américain *doping*, participe présent substantivé de *to dope*. Ceux-ci sont critiqués, dans la mesure où existent des dérivés français de même sens. ◆ Le français a toutefois formé le composé **ANTIDOPING** n. m. et adj. (qui n'existe pas en anglais) sur *doping*

(v. 1960); on a parlé de *loi antidoping* pour un texte du 1er juin 1965 sur la répression des stimulants utilisés lors des compétitions sportives.

DOPTÈRE → -PTÈRE, PTÉRO-

DORADE → DAURADE

DORÉNAVANT adv., d'abord *d'or en avant* (v. 1170) est formé de *or, ore* (→ ① OR), *en** et *avant**.

♦ L'adverbe a conservé sa valeur étymologique de «depuis [*de*] le moment présent [*or*] vers [*en*] l'avenir [*avant*]». Écrit *dorénavant*, le mot semble rare au XVIIe s. (Richelet). ◇ *À partir de dorénavant* est une formule comique et gendarmesque.

DORER v. tr. est issu (1080) du bas latin *deaurare* «revêtir d'or», intensif en *de*, de *aurare*, de même sens, lui-même de *aurum* (→ or).

♦ Le verbe, de sens propre et figuré, a servi à former la locution familière ***dorer la pilule à qqn***, qui fait allusion à l'ancienne pratique pharmaceutique consistant à revêtir les pilules d'or.

▸ Le participe passé **DORÉ, ÉE** est adjectivé (1080) dans les emplois correspondant à ceux du verbe, mais l'usage actuel lui donne surtout le sens de «couvert d'une substance imitant l'or»; l'expression ***jeunesse dorée***, qui exprime l'idée de richesse, s'est dite à l'origine de la jeunesse de la riche bourgeoisie qui, après Thermidor, participa à la réaction contre la Terreur. ◆ *Doré* est substantivé (v. 1300) à propos d'un poisson osseux à écailles mordorées des mers d'Europe. ◇ En français du Canada, **DORÉE** n. f. désigne un autre poisson, d'eau douce, à chair estimée (1806; d'abord ***poisson doré***, 1634). ◆ Les expressions ***cresson doré, saxifrage doré*** ont donné naissance à un dérivé, **DORINE** n. f. (1786), désignant cette plante, peut-être d'après le prénom féminin *Dorine*.
Dorer a produit plusieurs dérivés. **DORURE** n. f., d'abord *doreure* (v. 1167), qui désigne la couche d'or que l'on fait se déposer sur ce qui est doré, est aussi un nom d'action (1771) concurrent de *dorage*. ◆ **DOREUR, EUSE** n. (v. 1292) est un nom de métier; **DOROIR** n. m. (1680), un nom technique d'instrument utilisé en pâtisserie; **DORAGE** n. m. (1752), le nom d'action, plus rare que *dorure*.
En moyen français sont apparus les composés **DÉDORER** v. tr. (1300; 1418 au participe passé, in *T. L. F.*), de sens propre et figuré (1558), et **REDORER** v. tr. (1322), lui aussi employé au figuré (XIXe s.), notamment dans l'expression ***redorer son blason***. ◇ **SURDORÉ, ÉE** p.p. adj. (1361) et **SURDORURE** n. f. (1611) concernent une double application d'or.

DORIQUE adj. et n. m., est un emprunt de la Renaissance (v. 1538) au grec *dorikos*, en partie par le latin *doricus*, pris au grec *Dorikos* et dér. de *Doris* «la Doride».

♦ Le mot signifie «relatif à la Doride», région du sud-ouest de l'Asie Mineure antique. Il s'est spécialisé pour désigner le plus ancien des trois ordres de l'architecture grecque, à colonnes cannelées sans bases (avant l'ionique et le corinthien).

▸ **DORIEN, IENNE** adj. et n. (att. 1550 chez Ronsard) est dérivé du grec *Doris*, et signifie «relatif à la Doride», qualifiant un dialecte du grec ancien et s'appliquant à un mode du plain-chant (alors souvent substantivé : *le dorien*).

DORIS n. m. est emprunté (1874) à l'anglo-américain *dory* n. (1709) «petite embarcation avec laquelle le pêcheur de Terre-Neuve quitte le bateau pour aller pêcher». Celui-ci est soit issu du nom d'un poisson, *dory* n. (1440), altération du français *doré** n., soit emprunté à une langue indienne, le miskito, où *dóri, dúri* signifie «pirogue».

♦ Le mot est attesté pour la première fois en français dans la *Revue des Deux Mondes* sous la forme *dori;* il a pris sa forme actuelle probablement à la suite d'une confusion avec le nom d'un mollusque, *doris* (1778), tiré de *Dôris*, nom de la mère des Néréides en grec, fille de l'Océan et de Thétis, ou encore d'une confusion entre le pluriel et le singulier.

▸ Le français a forgé le dérivé **DORISSIER** n. m. (1919) «pêcheur de morue sur doris».

DORLOTER v. tr. est le dénominatif (XIIIe s.) de l'ancien français *dorelot* ou *dorenlot, dorlot*, qui paraît être un emploi plaisant de l'ancien refrain *dorelo* (également *dorenlot, deureuleu, doreleu, derelo*), formation expressive; le *do-* de *dodo** peut aussi être évoqué. *Dorelot* désignait une grosse boucle de cheveux relevée sur le front (des hommes); il se disait plus généralement d'un ornement et, en termes de passementerie, d'un ruban, d'une frange. Par ailleurs, il avait aussi développé par métonymie le sens figuré de «mignon, favori, chéri». Tous ces sens sont restés vivants jusqu'au XVIe s., puis *dorelot*, ses dérivés *dorelotier* et *doreloterie* (relatifs au métier de la passementerie) sont sortis d'usage, certains dialectes conservant *dourelot* pour un petit bonnet d'enfant souvent garni d'or ou d'argent (Franche-Comté).

♦ Seul le verbe s'est maintenu, perdant son sens propre de «friser les cheveux» et gardant une valeur figurée, «entourer de soins, choyer», déjà attestée au XIIIe siècle.

▸ Il a produit **DORLOTEUR, EUSE** adj. et n. (1611), **DORLOTEMENT** n. m. (1675) et **DORLOTERIE** n. f. (1892). Une nouvelle famille, sémantiquement distincte de l'ancienne, s'étant constituée, l'étymologie populaire tend à rapprocher *dorloter* de *dormir**, comme en témoigne *dorlotine* n. f. «sorte de dormeuse» (1858), aujourd'hui archaïque.

DORMIR v. intr. est issu (1080) du latin *dormire* de même sens, dérivé d'une racine °*der-* qui n'est attestée, dans diverses langues indoeuropéennes, que sous des formes élargies : elle survit, par exemple, dans le vieux slave *drěmljó* «je sommeille», dans le grec *darthanein* «dormir», le védique *dráti* «il dort», le sanskrit classique *drayate*. Une autre racine indoeuropéenne de sens voisin °*swap-* survit en latin dans *somnus* «sommeil» (→ somme) et *sopire* «assoupir» (→ assoupir).

♦ *Dormir* signifie proprement «reposer dans le sommeil»; il a développé le sens figuré de «rester inactif» (1409) et, en parlant de la nature, «rester immobile» (1559, Ronsard) et aussi de l'eau (cf. ci-dessous *dormant*). ◇ Il a inspiré de nombreux proverbes et locutions comme ***dormir debout, qui dort dîne,*** répertoriés en 1690 par Furetière. Un bon lot d'expressions comparatives, telle ***dormir comme un loir,*** sont aussi enregistrées par Furetière. La locution ***ne dormir que d'un œil*** peut être considérée comme une expansion de l'ancienne locution *ne dormir de l'ueil.*

▶ Le participe présent **DORMANT, ANTE** a été adjectivé dès le XIIe s. au figuré (***eau dormante,*** 1112). *Dormant* est employé dans un contexte technique pour qualifier (1366) un objet qui ne bouge pas, en particulier, en marine, la partie fixe d'un cordage (1678). Dans ce type d'emploi, il peut être substantivé (1690). Il est plus rare pour qualifier un être qui dort (XVIIe s.), sauf dans certains contextes *(la légende des Sept Dormants).* ➜ Son emploi spécial en botanique, à propos d'un végétal qui ferme ses feuilles, ses pétales la nuit, a entraîné la création du nom correspondant, **DORMANCE** n. f. (XXe s.) qui existait déjà au XVe s. au sens général d'«action de dormir», lui-même sorti d'usage. ➜ *Dormir* a produit un autre adjectif avec **DORMEUR, EUSE** (1250), également substantivé pour désigner la personne qui dort beaucoup ou qui aime dormir. ◇ Le féminin **DORMEUSE** est substantivé, spécialement comme terme d'ameublement (1845) et employé au pluriel (1871) pour des boucles d'oreilles qui se fixent à l'oreille par un écrou. ➜ *Dormir* a aussi produit quelques dérivés rares ou désuets, tels **DORMOIR** n. m. (1875) «endroit où repose le bétail», **DORMETTE** n. f. (1892) «petit somme» et les diminutifs **DORMAILLER, DORMASSER, DORMICHONNER** v. intr. ➜ En revanche, il n'a donné aucun nom d'action (le latin ayant déjà recours à *somnus,* → somme).

DORMITION n. f. est emprunté sous la forme adaptée *dormison* (1450) refaite d'après le latin *dormitio* «faculté de dormir», spécialement «mort de la Vierge» (av. 634). En français, le mot est réservé au sens théologique (1752), conservant seulement l'acception de «sommeil, inertie», d'usage littéraire. ➜ Le vieux terme médical **DORMITIF, IVE** adj., dérivé savant (1544) du supin latin *dormitum,* dont Molière fait un usage ironique dans ***la vertu dormitive,*** s'emploie quelquefois au sens figuré ironique de «qui endort, soporifique».

◈ voir DORTOIR, ENDORMIR.

DORSAL, ALE, AUX

DORSAL, ALE, AUX adj., attesté depuis 1314, est soit dérivé du radical du latin *dorsum* (→ dos) avec le suffixe *-al,* soit emprunté au latin médiéval *dorsalis,* réfection du classique *dorsualis,* lui-même de *dorsum.*

♦ Le mot sert d'adjectif à *dos,* tant dans le langage anatomique que dans l'usage courant. Depuis Paré, il accompagne spécialement *muscle* (1550) et *épine* (1575) et se dit du dos de la main ou du pied (v. 1560). Au XXe s., il s'est spécialisé en géologie (1929). Il est substantivé au masculin en archéologie (1870), au féminin en géographie («chaîne de montagnes») et dans le domaine technique.

▶ Son dérivé **DORSALEMENT** adv. (XXe s.) est employé en anatomie. Un certain nombre de composés scientifiques en **DORSO-** ont été créés dans les vocabulaires de la médecine, de l'anatomie (XXe s.) et de la phonétique, où il concerne, comme l'adjectif *dorsal,* le dos de la langue (*dorso-palatal, dorso-vélaire,* adj., XXe s.).

DORTOIR

DORTOIR n. m. est issu (fin XIIe s.) du latin chrétien *dormitorium* «salle commune comportant plusieurs lits dans une collectivité», déjà employé en latin impérial avec le sens de «chambre à coucher». C'est un dérivé du radical du supin *(dormitum)* de *dormire* (→ dormir).

♦ Le mot est passé en français avec le sens qu'il avait en latin chrétien ; récemment, il a pris le sens péjoratif de «localité dont la plupart des habitants ne sont chez eux que pour la nuit» (v. 1955), souvent dans *cité, ville, banlieue dortoir.*

DORYPHORE

DORYPHORE n. m. est emprunté (1752) au bas latin *doryphorus* «soldat portant une lance», emprunt au grec *doruphoros,* proprement «porte-lance», composé de *-phoros* «qui porte» (→ -phore) et *doru* «pique, lance». Ce mot, employé d'abord en poésie où il signifie «arbre, bois» puis «bois d'une pique» et, par métonymie, «pique», garde ce dernier sens en grec classique et tardif. Il correspond parfaitement au sanskrit *dā́ru,* à l'avestique *dāuru,* au hittite *taru-* «bois», qui contiennent la même racine indoeuropéenne.

♦ Le mot a été emprunté en antiquités romaines. ➜ Sa spécialisation en entomologie (1817, Cuvier) est l'adaptation du latin scientifique moderne *doryphora,* du grec *doruphoros,* parce que selon Cuvier, «l'arrière-sternum (de l'insecte) s'avance en forme de corne» (explication qui concerne d'autres espèces que celles qui s'attaquent aux feuilles de pommes de terre). ➜ Pendant l'occupation de la France, le mot a servi familièrement à désigner les soldats allemands (1940-1945), en raison de leur nombre et du fait qu'ils étaient considérés comme des parasites. C'est la même raison qui le fait employer quelquefois pour désigner les touristes, du point de vue des autochtones.

✳ DOS

✳ **DOS** n. m. est issu (1080) du latin populaire *dossum,* altération du latin *dorsum* (on relève également *dorsus, dossus,* et *dossennus* «le bossu, le gros dos» pour Polichinelle, personnage des Atellanes). *Dorsum,* qui désigne le dos (horizontal), l'échine et surtout la croupe des animaux, est un mot populaire employé par les esclaves dans Plaute et qui a supplanté le mot normal, *tergus.* Par analogie, il s'applique (comme le grec *nôtos*) à tout objet affectant la forme d'un dos horizontal et présentant une surface légèrement convexe. On ne lui connaît pas de meilleure étymologie que celle qui le rattache à *deorsum,* de *de* (→ de) et *vorsum,* variante de *versum* (→ vers) «en bas, vers le bas», le dos étant la partie du corps qui penche vers le bas. Le type *dossum* n'est dominant que dans la partie septentrionale des patois gallo-romans ; ceux du Midi (jusqu'au Berry) emploient *reins* et, surtout jusqu'au Poitou, *échine,* comme presque toute l'Italie.

♦ Le mot désigne la partie postérieure du corps (humain) et, comme en latin, la face supérieure du corps des animaux. Il a servi à former de nombreuses locutions dont ***tourner le dos*** (v. 1155), ***avoir qqn à dos, avoir bon dos*** (1680), plus familièrement ***en avoir plein le dos*** (1809) qui continue *en avoir dans le dos* (XVIe s.), où *dos* semble être un euphémisme pour *cul.* ➝ Par analogie, il se dit de ce qui, par sa forme, sa destination, offre une ressemblance avec un dos, produisant des syntagmes comme ***dos de la cuiller*** (1393), **DOS-À-DOS** n. m. (1859) ou **DOS D'ÂNE** n. m. (v. 1360) «bombement d'une route» (→ âne).

▸ Les noms dérivés désignent des objets concrets se rapportant au dos (de l'homme, d'un objet). Le plus ancien, **DOSSIÈRE** n. f. (1260), est un terme de bourrellerie qui s'est également dit du dos d'une cuirasse (sens attesté au XIXe s.). ➝ **DOSSIER** n. m. apparaît d'abord dans le syntagme ***dossier de lit*** (1352) avant d'être employé absolument pour désigner la partie de certains sièges où l'on appuie le dos (1611). En dehors de quelques sens techniques spécialisés, *dossier* désigne aussi, en référence au dos d'un livre, un ensemble de pièces relatives à une affaire et placées dans une chemise (1586), avec les emplois métonymiques afférents. ➝ **DOSSERET** n. m. (1377), diminutif de *dossier,* a désigné le dossier d'un dais puis, en architecture, le pilastre saillant servant de support à un arc ou de jambage à une ouverture (1690). Depuis le XVIIIe s. (1762), il a aussi le sens technique de «pièce de fer renforçant le dos d'une scie». ➝ Dernier dérivé de *dos* en moyen français, le féminin **DOSSE** (1400) est réservé à des sens techniques et se dit de la face bombée des osselets au jeu (1864, Littré). ➝ Quant à **DOSSARD** n. m., il est beaucoup plus récent (1904) et s'est spécialisé en sports.

Dos a aussi donné un certain nombre de composés, que ce soit des noms désignant des objets concrets, comme **GRATTE-DOS** n. m. (1872), **LAVE-DOS** n. m. (1902) ou, en architecture, **INTRADOS** n. m. (1676) et son antonyme **EXTRADOS,** ou des verbes au développement sémantique plus complexe (ci-dessous).

Ainsi, **ADOSSER** v. tr. (v. 1050) était employé en ancien français au sens figuré de «tourner le dos», d'où «renier, rejeter», sens sortis d'usage avant le XVIe siècle. Depuis la fin du XIe s., il signifie concrètement «appuyer son dos», pronominalement «s'appuyer» (v. 1160) en parlant d'une personne et, par analogie, d'un bâtiment (fin XIIe s.). ➝ Son participe passé **ADOSSÉ, ÉE** est adjectivé avec le sens de «mis dos à dos» en héraldique (1611); il se dit en dessin de deux têtes mises sur une même ligne en sens opposé (1762). ➝ Le déverbal **ADOS** n. m., apparu (déb. XIIe s.) avec une valeur figurée «appui moral», sortie d'usage en moyen français, a été repris comme terme d'horticulture (1697) en parlant de la terre élevée en «dos» (en talus) le long d'un mur, afin d'y semer pendant l'hiver et le printemps des semis ou plantations précoces. Par extension, il désigne la terre élevée entre les lignes d'un champ labouré. ➝ Le nom d'action correspondant à *adosser,* **ADOSSEMENT** n. m., constate l'état d'une construction adossée (1432) et désigne le fait de l'adosser; il est employé techniquement en agriculture (1694) et en médecine (1872).

L'autre composé verbal de *dos,* **ENDOSSER** v. tr. (av. 1150) «mettre sur son dos» et spécialement, «mettre (un vêtement maintenu par des manches)», a développé rapidement un sens figuré, d'abord à la forme pronominale (1246), pour «s'engager», puis transitive, pour «prendre la responsabilité de» (déb. XIVe s.). Il a suivi un développement particulier, correspondant à «écrire au dos d'un document» (1570) dans le domaine du commerce (1600). ➝ Certains de ces sens sont repris par ses dérivés : le plus ancien, **ENDOSSEMENT** n. m. (XIVe s.), désigne l'action d'écrire au dos d'un document, spécialement dans un contexte commercial (1611). Il est également employé comme terme de reliure (1810), en concurrence avec **ENDOSSURE** n. f. (1845) qui a perdu ses multiples sens antérieurs (1260). ➝ **ENDOSSEUR** n. m. (1664) désigne celui qui endosse un effet, et accessoirement qui accepte une responsabilité (1864), et, symétriquement, **ENDOSSATAIRE** n. m. (1935) celui qui bénéficie de l'effet endossé. ➝ Le déverbal **ENDOS** n. m. (1583) appartient au même domaine sémantique, désignant la mention portée au dos d'un effet. ➝ En revanche, le déverbal féminin **ENDOSSE** n. f., après avoir désigné un vêtement (1450; jusqu'au XVIe s.), correspond au sens vestimentaire du verbe; il a pris le sens figuré de «responsabilité (d'une chose)» (1482) et, en argot, celui de «dos» (v. 1470) qui aboutit beaucoup plus tard, au pluriel, à «reins, épaules» (XIXe s.); ***avoir qqch. sur les endosses*** s'emploie aussi au figuré, comme ***sur le dos.*** Le mot a vieilli. ➝ Le nom d'action, **ENDOSSAGE** n. m. (1870), concerne l'action d'endosser un vêtement et tient lieu de synonyme à *endossement* et à *endossure,* en reliure.

DOSE n. f. est emprunté par les médecins (v. 1370) au latin médiéval *dosis* (1252) qui a donné une forme française *doise* (XIIIe s.). Le mot latin est lui-même emprunté au grec *dosis,* proprement «action de donner», par métonymie «ce que l'on donne», spécialisé tardivement en droit et en médecine au sens de «portion, mesure administrée en une fois». Le mot est le nom d'action correspondant à *didonai* «donner», qui contient une racine °*dō-*, °*də-* représentée dans presque toutes les langues indoeuropéennes, notamment dans le latin *dare* (→ don, donner).

♦ *Dose,* introduit en thérapeutique, est entré dans le langage courant pour exprimer l'idée d'une «petite quantité», abstraitement (1671, La Fontaine, *quelque petite dose d'amour*) et concrètement (XVIIIe s.). *Forcer la dose* se dit au figuré pour «exagérer, aller trop loin».

▸ **DOSER** v. tr., dérivé de *dose* au XVIe s. (1558), est d'abord employé dans un contexte médical au sens de «mesurer la quantité d'un médicament à administrer». Depuis le XIXe s. (1825), il signifie plus largement «mesurer la proportion des différents ingrédients d'un mélange» (d'abord en cuisine); il répond au sens figuré du nom, à propos d'une réalité concrète (1884) ou abstraite (1903). ➝ Le verbe a produit **DOSEUR, EUSE** n. (1909), nom de l'ouvrier qui introduit dans les bouteilles de vins de Champagne la quantité de sucre nécessaire, aujourd'hui nom d'instrument (1949), **DOSABLE** adj. (1819-1884), son antonyme **INDOSABLE** adj. (XXe s.) et **DOSAGE** n. m. (1812), qui a lui-même donné **SURDOSAGE** n. m. (1956). ➜ On note, au XXe s., les composés **DOSIMÈTRE** n. m. (1925; antérieurement en médecine, 1890), nom d'un appareil utilisé en physique, de *dosi-* (du grec *dosis*) et *-mètre**, et **DOSOLOGIE** n. f. ➜ **SURDOSE** n. f., composé récent (1984) de *dose*, adapte l'anglicisme *overdose**.

◈ voir OVERDOSE.

DOSSIER → DOS

DOT n. f. est emprunté (XIIIe s.) au latin juridique *dos, dotis* «bien apporté par une femme en se mariant», également employé au figuré et, dans la basse latinité, en parlant des qualités, des mérites de qqch. ou de qqn, mot dérivé de la racine de *dare* (→ donner).

♦ Le mot apparaît avec le sens juridique de «bien qu'apporte une femme en se mariant». Rare jusqu'au XVIe s., il semble s'être implanté dans certains parlers régionaux; Bonaventure des Périers écrivait : «ce mot de *dot,* lequel disent en certains endroit du royaume et principalement en lyonnois, pour *douaire*». Il semble que le *-t-* final n'était pas prononcé et qu'il a dû l'être d'après l'orthographe, d'après *doter** et pour éviter les homonymies (*dos*, etc.). *Dot* a été masculin jusqu'au XVIIe s. (comme en provençal), probablement d'après *douaire*, le latin *dos* étant féminin. ◇ L'ensemble de ses emplois est marqué, et fait référence à des usages en voie de disparition ou appartenant au passé (le *sans dot!* de Molière). ◇ Seuls son emploi à propos d'autres cultures que celles d'Europe (notamment l'Afrique) et au sens juridique large de «biens donnés par un tiers dans le contrat de mariage» correspondent à des réalités contemporaines et courantes.

▸ **DOTER** v. tr. est emprunté (1180-1190) au latin impérial *dotare* qui a donné *douer** par évolution phonétique et qui est dérivé de *dotatus*, lui-même de *dos* «dot». Le mot est rare avant le XVIe s.; on employait surtout *douer.* ➜ Il signifie «pourvoir de certains avantages», concrètement et au figuré (1245). Aux XVe et XVIe s., il a développé les sens juridiques de «pourvoir de biens» (XVe s.), «assigner un revenu à une collectivité, un service» (1479), reprenant aussi à *douer* le sens de «pourvoir d'une dot» (1522). **DOTATION** n. f. est emprunté (1325), pour servir de nom d'action au verbe, au latin médiéval *dotatio* (1203), fait sur le supin de *dotare*. Le mot désigne d'abord un fonds assigné à un établissement, à un service, puis les biens, les revenus attribués aux membres d'une famille souveraine, à un chef d'État (1824). ➜ **DOTAL, ALE, AUX** adj., emprunté (1459, selon Bloch et Wartburg; 1551, selon *T. L. F.*) au latin *dotalis*, de *dos* (→ dot), s'est d'emblée spécialisé au sens de «relatif à la dot». En ce sens, il est entré dans la locution juridique ***régime dotal*** (régime supprimé par la loi du 13 juillet 1965). ➜ Son dérivé **DOTALITÉ** n. f. (1908), d'usage juridique, n'est plus guère employé.

◈ voir DOUAIRE, DOUER.

DOUAIRE n. m., d'abord *doaire* (v. 1160), est adapté du latin médiéval *dotarium* (av. 1040) «droit d'usufruit de l'épouse survivante sur les biens de son mari», dérivé de *dos* (→ dot). La forme moderne est due à l'influence de *douer**, mot apparenté pris au sens de «gratifier d'un douaire».

♦ Le mot, d'usage juridique, a développé dans le style littéraire la valeur de «pension».

▸ En est dérivé **DOUAIRIÈRE** n. et adj. f. (1368) qui qualifie et désigne juridiquement une veuve jouissant d'un douaire et, par extension, dans l'usage courant, une femme âgée et riche de l'aristocratie ou de la haute bourgeoisie. Dans cet emploi, il est démotivé.

DOUANE n. f. est emprunté, d'abord sous la forme *dohanne* (1281) puis *doana* et *doane* (1441), à l'ancien italien *doana, dovana* (italien moderne *dogana*), attesté dès la fin du XIIe s. en latin médiéval de Sicile pour désigner l'édifice où sont perçus les droits d'entrée et de sortie des marchandises, puis (1264) au sens d'«administration de ces biens». Lui-même est emprunté à l'arabe *dīwān* «registre, salle de réunion», puis «bureau de douane», qui vient du persan *dīwān* (→ divan).

♦ Le mot désigne à la fois l'édifice où sont perçus les droits d'entrée et de sortie des marchandises, le service administratif surveillant ces opérations (1372) et ces droits eux-mêmes (1421).

▸ Le mot a plusieurs dérivés, dont ① **DOUANIER** n., d'abord écrit *dohanier* (1281) puis *douannier* (1545), parfois employé (abusivement) pour désigner des fonctionnaires de l'octroi, faute d'un terme spécifique : c'est le cas, à la fin du XIXe s., du *douanier* Rousseau, le peintre Henri Rousseau étant en fait employé d'octroi à Paris. ➜ **DOUANER** v. tr. (1675) «marquer (les marchandises présentées à la douane) du plomb de l'administration», est sorti d'usage. ➜ ② **DOUANIER, IÈRE** adj. (1850) qualifie ce qui est relatif aux douanes; il est d'usage fréquent (*tarif douanier*, etc.). ➜ **DÉDOUANER** v. tr. (d'abord intr., 1835) est le seul mot du groupe qui, tout en étant usité au sens propre de «dégager de la douane en payant les droits», a développé un sens figuré (1946), celui de «relever (qqn) du discrédit dans lequel il était tombé», également à la forme pronominale *se dédouaner* (1941) et surtout au passif et au participe passé. ◇ Il a produit **DÉDOUANEMENT** n. m. ou **DÉDOUANAGE** n. m. (1900), de sens propre et figuré.

DOUBLE adj., adv. et n., d'abord *dobpla* (fin Xe s., au féminin), puis *duble* (XIe s.) et *doble*, est issu du latin *duplus* «deux fois aussi grand, aussi considérable», substantivé au neutre *duplum* «deux fois autant», l'ablatif *duplo* remplissant une fonction adverbiale. *Duplus*, dont la plupart des sens se retrouve dans *duplex* (→ duplex), est dérivé de *duo* (→ deux).

♦ L'adjectif, attesté le premier, compte, outre son sens propre, un sens figuré qualifiant une personne qui fait preuve de duplicité (1210). Il s'applique également à une chose ayant deux aspects dont un seul est révélé, ceci sans valeur péjorative (1657-

1662, Pascal). Il réalise une valeur stylistique d'intensité, d'augmentatif (fin XVIe s.), notamment dans quelques syntagmes lexicalisés, tels ***double-bière*** (1551), devenu ***bière double***, ou ***café double***. On notera la vitalité de *double* en tant qu'élément formateur, non dans le langage scientifique où il est supplanté par des préfixés savants (→ ambi-, amphi-, bi-, di-, diplo-), mais dans l'usage courant et dans celui des techniques à grande diffusion (→ croche, décimètre, fond, rideau, etc.). ◇ Dans certaines techniques récentes, des locutions ou mots composés sont des calques de l'anglais. C'est le cas de ***double-aveugle*** (v. 1965), calque de l'anglais *double-blind test, double-blind procedure* en médecine, et de ***double précision*** (anglais *double precision*) en informatique. ➜ *Double* est substantivé (v. 1150) pour désigner une quantité qui en vaut deux fois une autre, notamment dans les locutions adverbiales ***au double*** (1170) et, plus couramment de nos jours, ***en double*** (1461). Lui-même tend à assumer une fonction adverbiale (v. 1960). Concrètement, *un double* désigne une ancienne monnaie (1340) [→ doublon], l'épaisseur formée par les deux parties repliées d'une chose (v. 1375), et au XXe s., une partie de tennis entre deux équipes de deux joueurs (1929). L'accent est mis, avec *le, un double de...*, sur l'idée de «chose semblable à une autre» (1406) et surtout de «personne semblable à une autre» d'abord au théâtre (1771), là où l'usage moderne emploie *doublure**, et spécialement en occultisme (1832, Balzac). ➜ **DOUBLE** n. f. (XVe s.) n'a que des sens spéciaux : «panse des ruminants» (→ gras-double) et «deuxième ration de vin» en marine (1883), sens d'ailleurs quasiment sorti d'usage.

▶ Outre **DOUBLEMENT** adv. (v. 1185), *double* a produit un assez grand nombre de noms qui assument généralement des sens concrets, souvent techniques. ➜ ① **DOUBLON** n. m., d'abord écrit *dublun* (fin XIe s.), a eu le sens de «gras-double»; il est passé dans le vocabulaire des typographes (1690) et de la métallurgie (1757) et a pour homonyme un emprunt à l'espagnol (→ ② doublon). ➜ Au XIIe s. apparaissent **DOUBLIER** n. m. (v. 1180) «nappe pliée en deux», aujourd'hui employé avec un sens technique en agriculture (1864), et **DOUBLET** n. m. (1180-1190) dont les nombreux sens techniques et scientifiques sont pour la plupart modernes. En linguistique, un mot dérivé par évolution phonétique et un mot emprunté du même étymon (par exemple *douer* et *doter*) sont appelés *doublets*. ➜ **DOUBLEAU** n. m. (1260, *doubliou*) apparaît aussi en ancien français; il s'est spécialisé en architecture *(arc doubleau)*. ➜ **DOUBLETTE** n. f. possède des sens techniques, en musique (1610), en menuiserie (1868) et désigne une équipe de deux joueurs de boules. ➜ L'adjectif **DOUBLETÉ, ÉE** (1765) qualifie une étoffe ornée de fleurs à deux couleurs. ➜ Le terme d'argot ancien **DOUBLARD** n. m. (1881) a désigné différents gradés en raison de leurs galons doubles. Le même mot désigne la seconde femme d'un souteneur (1828) dans l'argot du milieu.

◈ voir DOUBLER.

◈ **DOUBLER** v. est issu (1080) du bas latin *duplare* «rendre double», de *duplus* (→ double).

♦ Le premier sens du verbe est «garnir d'une doublure», en parlant d'un vêtement et, ultérieurement, en orfèvrerie (1517), valeur qui sera reprise par *doublé* n. m. (ci-dessous). ➜ Depuis le XIIe s., le mot signifie aussi «mettre en double, plier» (1135) et surtout «multiplier par deux» (1165-1170), sens auquel correspond l'intransitif «devenir double» (1165-1176) et auquel se rattachent plusieurs emplois spéciaux au billard (1690), en typographie, en musique. ➜ Un ancien sens transitif indéterminé, correspondant à «augmenter» (apr. 1150), est sorti d'usage, partiellement remplacé par le composé *redoubler* (ci-dessous). ➜ À partir de 1529, *doubler* est employé en navigation, à propos d'un bateau qui franchit un cap (une île), mais c'est seulement au XIXe s. que cette acception se répand en parlant d'un véhicule qui en dépasse un autre sur la même voie, d'abord en navigation (1845) puis en conduite automobile (1900); dans ce dernier contexte, par extension de complément, on dit aussi *doubler qqn* (1860). ➜ Au XVIIIe s., le mot a pris, dans le domaine du spectacle, le sens de «remplacer (l'acteur en titre)», dans *doubler un rôle* (1718) et *doubler qqn* (1743), en relation avec le dérivé *doublure* (ci-dessous). Au XXe s., il est passé dans le langage du cinéma (1929) pour «remplacer (la bande sonore originale) par une bande dans une autre langue», en concurrence avec *post-synchroniser*, d'usage plus technique.

▶ Le participe passé adjectivé **DOUBLÉ, ÉE**, entre autres sens, assume notamment cette dernière acception de *doubler* (1938 en termes de cinéma : *film doublé*). ➜ Depuis le XIXe s., il avait le sens figuré «accompagné (de)» (1843, Balzac); on trouve aussi chez Balzac (1847) l'emploi du type *un menteur doublé d'un filou* «qui est aussi». ◇ **DOUBLÉ** a été substantivé au masculin, spécialement en orfèvrerie, pour un bijou en métal ordinaire recouvert d'une mince plaque de métal précieux (1755). Cf. *doré, argenté*, etc. ◇ Désignant un fait répété deux fois, l'adjectif est employé spécialement en sports (1900, en manège) et en chasse (1900). ➜ *Doubler* a produit deux noms d'action aux champs sémantiques bien distincts. **DOUBLEMENT** n. m. (1268) exprime l'action de multiplier par deux et d'ajouter une chose à une autre. Pour «action de dépasser un véhicule» (1900), il est rare; on dit plutôt *dépassement*. ➜ **DOUBLAGE** n. m. (1405) désigne l'action de garnir un vêtement d'une doublure, puis également, dans d'autres domaines techniques, l'action d'associer une chose à une autre pour l'embellir, la renforcer (en marine, 1678). Depuis 1919, c'est le mot couramment employé au cinéma à côté de *post-synchronisation*. ➜ De *doubler* sont aussi dérivés le nom d'agent ① **DOUBLEUR, EUSE** (XIIIe s.), d'usage technique, et **DOUBLURE** n. f. (1376) qui correspond au sens le plus ancien de *doubler* : il désigne un objet servant à en doubler un autre; dans le domaine du théâtre, puis du cinéma, d'après un sens ultérieur de *doubler*, il s'applique à un acteur qui en remplace un autre (1808). ➜ On relève en Belgique, d'après *doubler* au sens de «suivre une classe une seconde fois» (en France, ce sens, [1765], a vieilli au bénéfice de *redoubler*), **DOU-**

BLANT, ANTE n. et ② **DOUBLEUR, EUSE** n. «élève redoublant».
Doubler est entré dans deux séries de préfixés verbaux. ➜ **REDOUBLER** v. (déb. XIIIe s.) exprime à la fois l'idée de «rendre double à nouveau» et une idée intensive de «renouveler en augmentant», d'abord en construction intransitive (v. 1220) puis transitive directe (v. 1462) et indirecte *(redoubler de...)* [1728]. ◇ Un emploi spécial usuel est *redoubler une classe* (1856 dans Sainte-Beuve), d'où **REDOUBLANT, ANTE**, adj. et n. (1875). ➜ Le dérivé **REDOUBLEMENT** n. m. (XIVe s.; repris 1539) exprime l'action de rendre double (spécialement en linguistique, 1869) avec des emplois spéciaux en escrime (1859, mais *redoubler* a le sens correspondant dep. 1670), et en rugby (1905). ➜ Le participe passé **REDOUBLÉ** est adjectivé dès l'ancien français (XIIe s.), entrant avec un sens intensif dans la locution ***à coups redoublés*** (1691).
L'antonyme **DÉDOUBLER** v. tr., d'abord *desdoubler* (1429), a entraîné **DÉDOUBLEMENT** n. m. (av. 1755) «action de dédoubler, son résultat», spécialement en sciences occultes et en psychologie (1870), et **DÉDOUBLAGE** n. m. (1845), réservé à l'usage technique.

① **DOUBLON** → DOUBLE

② **DOUBLON** n. m. est emprunté (1534) à l'espagnol *doblón* (1497), nom de monnaie dérivé de *doble*, correspondant de même sens et de même origine que le français *double**.

♦ Le mot, homonyme d'un dérivé de *double**, désigne une ancienne monnaie d'or espagnole frappée depuis 1497.

DOUCHE n. f. est emprunté (v. 1580) à l'italien *doccia*, prononcé *dotcha*, «jet d'eau dirigé sur le corps à des fins hygiéniques ou thérapeutiques» (1499), déverbal de *docciare* «couler en jet» (av. 1350). Ce verbe est lui-même dérivé de *doccia* «conduit, tuyau» (XIIIe s.), peut-être dérivé de *doccione* «conduit» (XIVe s.), lui-même emprunté au latin impérial *ductio, -onis* «conduite» (*ductio aquae* «conduite d'eau»), de *ducere* (→ conduire), la finale *-one* ayant été en italien confondue avec le suffixe augmentatif.

♦ Le mot est d'abord cité par Montaigne dans son *Journal de voyage* (1580) sous la forme italienne *doccia;* puis il est adapté en *doulche* (1584). Montaigne l'emploie à propos des conduits acheminant l'eau chaude dans l'établissement thermal de La Villa et le glose par «certein esgout» et (au pluriel *doccie*, dans les *Essais*) «certaines gouttières». ◇ Cependant, il l'applique déjà au jet d'eau dirigé sur le corps par traitement thérapeutique, le distinguant de *bain*. Le mot, souvent *douge* au XVIIe s., se rapporte d'abord à un contexte thermal, la douche simplement hygiénique n'étant dénommée qu'au XIXe siècle. ◇ Alors, le mot prend aussi la valeur figurée de «traitement violent» (1870), tout en s'appliquant par analogie à une averse de liquide, par métaphore (1829), puis familièrement au figuré (1870). ◇ Enfin le mot s'emploie pour «salle de douche» *(chambre avec douche)*, en concurrence avec *cabinet de toilette* et *salle de bain*, et pour «appareil à douche». Pour *douche écossaise*, voir *écossais*.

▶ Le dénominatif **DOUCHER** v. tr. (1640) est quelquefois employé familièrement avec le sens figuré d'«essuyer une réprimande» (1900). ➜ On en a tiré **DOUCHEUR, EUSE** n., attesté une première fois en 1687 et repris à partir de 1838. ➜ Le composé **BAINS-DOUCHES** n. m. pl. désigne un établissement public.

DOUDOU n. f. est formé en français des Antilles et en créole (1929 en français de France) du redoublement affectueux de *doux**.

♦ Le mot sert d'appellation tendre pour une femme, aux Antilles.

DOUDOUNE n. f. recouvre deux mots familiers d'introduction récente, probablement formés par redoublement enfantin de *doux** (→ doudou). Esnault, cependant, préfère interpréter le pluriel *doudounes* «seins» (v. 1930) comme une apocope redoublée de *bedoune* «vache», mot régional de la Creuse (1935), en passant par le sens de «mamelles». L'hypothèse semble inutilement compliquée.

♦ Le pluriel désigne les seins, dans la langue familière. Au singulier, le mot a été reformé pour dénommer (1969) une veste en duvet, usage répandu dans le langage du prêt-à-porter et de la mode des vêtements de sports d'hiver.

DOUELLE → DOUVE

DOUER v. tr., d'abord *doer*, est issu par voie orale (fin XIIe s.) du latin *dotare*, proprement «former une dot» (également employé par métaphore), de *dos, dotis* (→ dot).

♦ Le mot a eu jusqu'au XVIIe s. (encore en 1662 chez Molière) le sens de «pourvoir d'un douaire» qu'il partageait avec le préfixé *endouer* et qu'il a perdu au profit de *doter**, son doublet de formation savante. Il a gardé celui de «faire don (d'un bien, d'une qualité)» (v. 1210).

▶ Le sens moderne est surtout courant dans son participe passé adjectivé **DOUÉ, ÉE** (1262), surtout employé au sens de «qui a une disposition innée, un don». ➜ Il a servi à former le composé **SURDOUÉ, ÉE** adj. (1932 chez Léon Daudet, répandu à partir de 1969), aussi substantivé (v. 1980), d'usage familier et plaisant (surtout d'un enfant, d'un élève).

① **DOUILLE** n. f., d'abord *doelle* (v. 1225) et *doile* (v. 1250), puis *douille* (v. 1393), est d'origine incertaine. On admet généralement qu'il est dérivé du francique °*dulja* «partie creuse d'un outil destiné à recevoir une tige», mot reconstitué par l'ancien et le moyen haut allemand *tulli, tülle*, désignant la partie où est ajustée la pointe d'une flèche, d'un épieu, et l'allemand *Tülle* «bec, tuyau d'écoulement d'un récipient». La même racine germanique se retrouve dans l'anglais *dell* «trou profond, vallon», le néerlandais *del*. P. Guiraud, contestant cette hypothèse, propose l'étymon latin *dolium* «cuve pour le transport du moût», qui a donné le régional *douil* n. m. (attesté tardivement en 1858) et qui serait à rapprocher de l'irlandais *delb* «forme» et du moyen haut allemand *zel* «pièce de bois cylindrique, billot».

♦ Le mot désigne la partie creuse d'un outil servant à adapter le manche. Par analogie de forme, après avoir désigné une enveloppe de traversin (XVIIIe-XIXe s.), il acquiert quelques sens techniques réalisant l'idée de «tube», désignant le tuyau placé sur le côté d'un appareil de distillation (1845), l'étui métallique contenant la charge explosive d'une cartouche (1864) et, en électricité, le tube cylindrique où se fixe le culot d'une lampe (1912).

▸ Le rattachement à *douille* de deux mots populaires soulève quelque difficulté : ② **DOUILLES** n. f. pl. «cheveux» (1821), expliqué par certains comme un emploi métaphorique de *douille* par une allusion à la forme des boucles de cheveux, est plutôt le dérivé progressif de *douillet*, mot d'argot pour «cheveu» (1747), substantivation de l'adjectif *douillet**. ◆ ③ **DOUILLE** n. f. «argent» (1827) est plus obscur; une dérivation par aphérèse de *guindouilles*, argotique pour «vous» (v. 1813), ne résout pas le problème étymologique. ◆ Son dérivé **DOUILLER** v. tr. «payer, casquer» (1858) est encore en usage.

DOUILLET, ETTE adj., d'abord *doillet* (déb. XIVe s.) et *duillet* (1327), est dérivé avec le suffixe diminutif *-et* de l'adjectif ancien français *doille*, issu par évolution phonétique (1230) du latin *ductilis* «malléable», qui a donné *ductile** par emprunt. *Doille* a été employé jusqu'au début du XVIe s. au sens physique de «mou» et au sens moral de «tendre».

♦ *Douillet* a perdu son sens premier, «mou», pour qualifier de manière positive une chose moelleuse (1327). Il ne se dit plus guère d'une peau, d'une chair tendre et délicate (1555). ◆ Il est en revanche péjoratif lorsqu'il qualifie psychologiquement une personne exagérément sensible aux petites douleurs physiques (1611), trop attachée au confort et au raffinement.

▸ En sont dérivés **DOUILLETTEMENT** adv. (XIVe s.), puis beaucoup plus tard, **DOUILLETTE** n. f. (1791), féminin substantivé qui désigne un vêtement chaud ouaté, et **DOUILLETTERIE** n. f. (1908) «caractère d'une personne douillette», d'usage rare. ◆ Le mot régional **DOUILLON** ou **DOILLON** n. m. (1856), nom d'un fruit cuit dans une pâte, est dérivé de l'ancien adjectif *doille* «mou», soit que la forme existe bien avant le XIXe s., soit que *doille* ait eu un usage régional en français moderne. On a aussi évoqué une motivation par ① *douille**, la pâte étant considérée comme la partie extérieure d'une douille par rapport au fruit.

DOULEUR n. f., d'abord *dolur* (1050), est issu du latin *dolorem*, accusatif de *dolor*, *-oris* «souffrance physique ou morale», spécialement en rhétorique «émotion, faculté de pathétique». Le nom est issu du verbe *dolere* «souffrir» (→ dolent) qui a donné l'ancien verbe *se douloir* (Xe s.) dont on trouve des emplois archaïsants jusqu'à la fin du XIXe s. (Moréas).

♦ Le mot est passé en français avec son sens physique et moral ; il a fourni en moyen français un adverbe exprimant l'intensité ; son sémantisme a peu varié, mais les connotations, ainsi que le rapport à *souffrance* et à *peine*, ont évolué de l'époque classique à l'époque romantique. Il a donné de nombreux syntagmes et quelques expressions, par exemple (XXe s.) ***comprendre sa douleur*** «avoir une expérience très désagréable».

▸ Le mot a donné les composés **SOUFFRE-DOULEUR** n. m. (1607) «victime de mauvais traitements, de tracasseries systématiques (de la part de qqn, d'un groupe)» et **ANTI-DOULEUR** adj. (1952, *Science et Avenir*).

ENDOLORIR v. tr. (1762) est la réfection d'après le latin *dolor* du moyen français *endoulourir* (1503), de *en-* et *doulour*, forme ancienne. Le mot, de sens physique, puis quelquefois moral (1862), est surtout vivant par ses temps composés et sa voix passive ; il a entraîné **ENDOLORISSEMENT** n. m. (1833), littéraire et rare.

DOULOUREUX, EUSE adj. est issu (1050) du bas latin *dolorosus*, adjectif correspondant à *dolor*. D'abord attesté sous les formes *dolerus*, *dulurus* (1080), *deloirous*, etc., le mot a suivi le développement de *douleur*. L'ancien français l'employait également comme synonyme de «misérable, malheureux», acception sortie d'usage. Il est substantivé au féminin, *la douloureuse* désignant familièrement l'addition, la note (1830). ◆ Il a produit **DOULOUREUSEMENT** adv. (1170, *dolorosement*).

DOULOIR → **DEUIL, DOLÉANCE, DOULEUR**

✱ **DOUTER** v. tr. est issu par évolution phonétique (1080) du latin *dubitare* «hésiter entre deux choses, être indécis», dérivé de *dubius* «hésitant, indécis» et, pour une chose, «incertain», dérivé de *duo* (→ deux).

♦ En ancien français, le verbe a exprimé d'abord l'idée de «craindre», transitivement (1080), à la forme pronominale et en emploi absolu. Ce sens, attesté aussi au participe passé adjectivé *douté* «craint», et encore dominant au XVIe s., est sorti d'usage au bénéfice de *redouter**, mais s'est longtemps conservé dans les dialectes du Centre. ◆ *Douter* s'est fixé avec son sens actuel, «être dans l'incertitude au sujet de qqch.» (1130-1140), avec ou sans complément introduit par *de*. Depuis le début du XIVe s., la forme pronominale *se douter de* signifie «soupçonner, deviner», valeur qui avait favorisé, au XVIe s., le sens de «penser, supposer sans certitude», sorti d'usage. L'emploi absolu du mot est attesté pour la première fois en 1580 chez Montaigne.

▸ Le déverbal **DOUTE** n. m. a suivi le même développement, perdant son sens initial de «crainte, peur» (1050), très fréquent au moyen âge, pour désigner l'hésitation, l'incertitude (v. 1155), quelquefois avec une nuance de soupçon ou de manque de confiance (fin XVe s.). ◆ Il a produit la locution adverbiale ***sans doute*** «certainement» (XIIIe s.), «je vous l'accorde» (v. 1464) et seulement depuis le XVIIe s. (1665) «probablement». ◆ En relation avec *douter*, il est spécialement employé dans un contexte philosophique (1637, Descartes) et religieux. ◆ C'est de *doute* que vient l'adjectif **DOUTEUX, EUSE,** d'abord *dutus* (av. 1150) avec le double sens de «redoutable, de nature à effrayer» et de «craintif, peureux» (encore vivant au XVIIe s.). Comme *douter* et *doute,* il a pris la valeur d'«incertain, ambigu» (1155), sans garder l'acception de «scrupuleux» (XVIe s.) s'appliquant ultérieurement à une personne suspecte, dont les qualités morales peuvent être mises en doute (av. 1704), ainsi que ses actes. ➛ L'adverbe **DOUTEUSEMENT** (v. 1170, *dotosement*) signifie «d'une manière douteuse» et, quelquefois, dans le style littéraire, «en formulant des doutes». ➛ *Douter* a aussi produit **DOUTEUR, EUSE** adj. et n. (XIIIe s.), d'usage littéraire, aujourd'hui employé en psychiatrie pour désigner une personne atteinte de ce qu'on appelait anciennement ***folie du doute*** «doute perpétuel».

REDOUTER v. tr. (v. 1050), intensif en *re-* de *douter* au sens ancien de «craindre», a éliminé *douter* dans ce sens, d'abord réalisé par l'ancien pronominal *se redouter* puis transitivement (v. 1130). ➛ Les anciens noms dérivés **REDOUTÉE** et **REDOUTANCE** n. f. ayant disparu, il n'a produit aucun substantif. ➛ Son dérivé **REDOUTABLE** adj. (fin XIIe s.), usuel, qualifie ce qui est à redouter et, par extension, qui est propre à inspirer la crainte (av. 1673). La langue parlée tend à en faire un usage hyperbolique pour «pénible, ennuyeux, mauvais».

◈ voir DUBITATIF, INDUBITABLE.

◈ ① **DOUVE** n. f., d'abord *dove* (v. 1180) puis *douve* (v. 1200), est issu, comme l'ancien français *doue,* du bas latin *doga* «récipient, vase ou mesure pour les liquides», lui-même emprunté au grec *dokhê* «récipient, réservoir». Ce mot signifie proprement «action de recevoir» et vient de *dekhesthai* «recevoir», apparenté au latin *decet* (→ décent). Par deux types de développements métonymiques, il a pris les sens de «festin, réception» et, concrètement, «récipient».

♦ Le mot désigne d'abord dans *dove de fossé,* puis en emploi isolé, un fossé destiné à être rempli d'eau et entourant un château. Depuis 1900 *(Nouveau Larousse illustré),* les dictionnaires l'enregistrent à propos du fossé plein d'eau précédé d'une barrière qui constitue un obstacle, dans les courses de chevaux. ➛ Par métonymie et passage de l'idée de «contenant» à celle d'«élément de contenant», le mot avait pris dès l'ancien français le sens de «planche servant à la fabrication des tonneaux» (v. 1200), à comparer au sens de «paroi d'un fossé».

▸ Le sens de «planche d'un baril», senti comme indépendant du premier, a donné le terme technique **DOUVAIN** n. m. (1491) «bois propre à faire des douves», et le diminutif **DOUVELLE** n. f. (1690), précédé par *douelle.*

DOUELLE n. f., dérivé plus ancien (1296) de l'ancien français *doue* (pour *douve*), a vieilli, mais reste connu en technique.

◈ ② **DOUVE** n. f., d'abord *dolve* (fin XIe s.) et *dauve* (1379), au sens de «ver», est issu du bas latin *dolva.* C'est probablement un mot d'origine gauloise, relevé au Ve s. chez Eucherius, évêque de Lyon.

♦ Le mot désigne comme son étymon une sorte de ver qui se trouve dans le foie du mouton. Par métonymie, il désigne une renoncule des marécages (1379), cette plante passant autrefois pour engendrer ce ver.

DOUX, DOUCE adj., adv. et n., d'abord *dulz* ◈ (1080), est issu du latin *dulcis* qualifiant des choses à la saveur agréable, non amère, et, au figuré, des choses et des êtres suaves, agréables. Le mot se rattacherait au grec *glukus* de même sens (→ glucose) qui remonterait à une forme antérieure °*dlukus.*

♦ Dès les premiers textes, le mot possède tout l'éventail de ses emplois comme adjectif, à l'exception du sens technique de «ductile, malléable» (1690) en parlant d'un métal, et de figurés, tel *prix doux* (1808) «modéré». ◇ L'adverbe, attesté depuis 1531, entre dans les locutions ***filer doux*** (1603) et ***tout doux*** (milieu XVIe s.), qui se disait familièrement dans la langue classique pour inviter au calme, là où nous disons aujourd'hui *doucement.* ➛ Le féminin a servi ultérieurement à former ***en douce*** (1884), locution adverbiale familière, «en se cachant, sans se faire remarquer». ➛ Substantivé (1669), *doux* prend une valeur de neutre *(le doux et l'amer)* et désigne (1864) une personne d'humeur douce, le mot servant quelquefois d'appellatif affectueux *(ma douce).*

▸ Les dérivés remontent au radical de la forme féminine *douce,* anciennement *dulce, doulce.* ➛ L'adverbe **DOUCEMENT,** d'abord *dulcement* (v. 980) refait ensuite d'après *doux,* a les différentes valeurs de l'adjectif, mais surtout celles qui concernent l'intensité sonore *(jouer, parler doucement,* au figuré *doucement les basses!)* et la valeur morale, «avec douceur». ➛ Au XIIe s., on relève *dulçur* (1119), puis *dolçor* (1170) et enfin **DOUCEUR** (1642) : le mot est la réfection, d'après *douce,* du bas latin *dulcor* «saveur douce» (→ édulcorer), de *dulcis. Douceur,* au singulier, exprime la qualité de ce qui est doux ; il est employé absolument au pluriel *(des douceurs)* pour désigner des aliments doux au goût (v. 1200), puis, de façon plus restrictive, des friandises, cet usage étant aujourd'hui marqué comme plaisant. Il a servi à former la locution adverbiale ***en douceur*** (1642) qui fournit dans certains emplois une variante familière à *doucement.* ➛ Le radical de *douceur* a produit **DOUCEREUX, EUSE** adj. (1225-1230) qui a fonctionné comme synonyme de *doux* jusqu'au XVIe siècle. Au XVIIe s., le mot a développé une valeur particulière : «d'une douceur fade, peu agréable» (nuance contredite par la glose de Furetière : «doux et piquant», en parlant d'un vin), et qualifie (1648) une personne à la douceur affectée ; dans ce sens, il est aussi substantivé (1665), par exemple dans *faire le doucereux.* La nuance moderne, plus péjorative encore, en est issue. ➛ L'adverbe correspondant, **DOUCEREUSEMENT** (1291-1328), a suivi la même évolution, sans être aussi courant.

De son côté, *doux* a produit deux autres adjectifs : le diminutif **DOUCET, ETTE** adj. (av. 1203), dont le féminin substantivé fournit le nom courant de la mâche (1680), et le péjoratif **DOUCEÂTRE** adj. (1539, *doulcastre*). Le premier a donné **DOUCET-**

TEMENT adv. (1230), d'usage familier et plus courant que *doucet.* ◆ À ces adjectifs s'ajoutent les composés **DOUX-AMER** adj. (v. 1550), cf. *amer,* et **AIGRE-DOUX** adj. (1541), cf. *aigre.* ◆ *Doux* a aussi donné des noms techniques, **DOUCIN** n. m. (1680), «variété de pommier à fruits doux» et en Bourgogne, «manque de saveur du vin» déjà en 1611 comme nom régional de l'oursin (peut-être par antiphrase), **DOUCINE** n. f. (1520-1537) qui désigne une moulure en contrecourbe et le rabot servant à la faire, et **DOUÇAIN** n. m. (XXe s.) de *eau douce* «maladie de l'huître en milieu trop peu salé». ◇ Le dénominatif **DOUCIR** v. tr. (1694), est limité au sens technique de «polir» dans le domaine de la verrerie, de même que ses dérivés **DOUCI** n. m. (1765), **DOUCISSEUR** n. m. (1765) et **DOUCISSAGE** n. m. (1870).

L'idée générale de «rendre doux» est réalisée par le composé usuel **ADOUCIR** v. tr. (apr. 1170) «atténuer (un mets) au goût» puis «rendre doux», au propre et au figuré. En ancien et moyen français, le verbe a signifié également, au figuré «se réconcilier» (de deux peuples) et «se corriger» (en parlant d'un défaut). Le participe **ADOUCI, IE** adj. s'est dit d'un goût paraissant agréable (non amer) [XIIIe s.]. ◆ À partir du XVIIe s., *adoucir* a développé de nombreuses acceptions techniques, dans les beaux-arts (peinture, 1622; musique, 1627-1704), l'industrie (1690), la médecine (1698) et l'architecture (1845). ◆ En sont dérivés le participe présent **ADOUCISSANT, ANTE** adj. et n. m., ainsi que les noms d'action **ADOUCISSEMENT** n. m. (déb. XVe s., d'abord au figuré) et **ADOUCISSAGE** n. m. (1723), ce dernier réservé à l'opération technique consistant à adoucir. ◆ **ADOUCISSEUR** n. m., attesté début XVIe s. au sens figuré ancien d'«amadoueur», a été repris en technique (1838) pour désigner l'ouvrier chargé d'adoucir. ◆ Le préfixé, **RADOUCIR** v. tr. (v. 1175), est surtout employé dans le domaine moral et en parlant du temps (XIIIe s.), fréquemment à la forme pronominale. Ce verbe a pour dérivé **RADOUCISSEMENT** n. m. (1657), qui a cessé de s'employer moralement pour un caractère et est réservé au temps.

On parle aussi de **REDOUX** n. m. (également *radoux*), déverbal régional (Alpes, Jura) répandu au XXe s. (1930) pour «adoucissement rapide de la température (entraînant dégel et fonte de la neige)».

◈ voir **DOUDOU, DOUDOUNE, DULCIFIER.**

DOUZE

DOUZE adj. et n. inv., d'abord *duze* (1080), est issu du latin populaire °*dodeci,* contraction du latin classique *duodecim* «douze», formé de *duo* (→ deux) et de *decem* (→ dix) à l'exemple du grec *dôdeka* (→ dodéca-).

♦ Le mot, adjectif numéral cardinal, est aussi employé comme ordinal (1690).

▸ Il entre dans **IN-DOUZE** (1666, Furetière *in* Bloch et Wartburg) adv. inv., terme technique pour un livre dont les feuilles sont pliées en douze feuillets. ◆ Il a produit **DOUZIÈME** adv. et n., d'abord *dudzime* (fin XIe s.), qui a lui-même entraîné **DOUZIÈMEMENT** adv. (1690), ainsi que les noms **DOUZAINE** n. f. (fin XIIe s.), **DEMI-DOUZAINE** n. f. (1456), et **DOUZAIN** n. m. (1480, *dozain*), spécialisé pour «poème de douze vers». ◇ *Douzaine* et *demi-douzaine,* entrés dans le vocabulaire commercial pour compter certains objets (œufs, huîtres...) achetés ou consommés par 12 ou par 6, donnent lieu à des expressions ***(treize à la douzaine).*** *Douzaine* a des emplois extensifs («quantité moyenne proche de 12»), en concurrence avec *dizaine.*

DOYEN, ENNE

DOYEN, ENNE n. est issu par évolution phonétique en *deien* (1174-1176) puis *doïen* (1349) et *doyen* (1576) du bas latin *decanus* n., dérivé de *decem* (→ dix) pour désigner le sous-officier commandant dix soldats. En latin chrétien, le mot a désigné le «dizenier», chargé de dix personnes dans un monastère; en latin médiéval, il s'est appliqué au maître d'un groupe d'artisans domaniaux (1047-1053), perdant l'idée étymologique de «dix», puis à la personne dirigeant une gilde (1080) et, l'accent passant à la notion de «supérieur par l'ancienneté», au plus ancien des évêques (1261).

♦ Le mot est d'abord un titre de dignité ecclésiastique (on a dit aussi *décan**, *dizenier*). Au moyen âge, *doyen* a désigné, comme le latin *decanus,* le chef élu d'un corps de métiers (1349), puis s'est spécialisé dans le domaine de l'université à propos de celui qui administre et dirige une faculté (1636, *doien des langues en une Université*). ◇ C'est au XVIIe s. qu'il a développé les acceptions dans lesquelles l'accent porte sur la supériorité en ancienneté et en âge, désignant par exemple le membre le plus ancien d'un corps par ordre de réception (1680), le membre le plus âgé (1636), d'abord dans l'administration (où l'on précise parfois ***doyen d'âge*** pour éviter l'ambiguïté), puis en général au sein d'une communauté (av. 1660). Il s'est quelquefois employé par métaphore, dans le style littéraire, en parlant d'une chose vieille et vénérable (notamment un arbre).

▸ Le mot a produit **DOYENNÉ** n. m. (1277), terme de l'administration ecclésiastique, qui est entré dans l'expression ***poire du doyenné*** (1640) «variété de poire très fondante», et **DOYENNETÉ** n. f. (1839) «qualité de doyen d'âge», terme rare.

DRACHME

DRACHME n. f. est emprunté sous la forme *dragme* (1245) au latin *drachma,* lui-même emprunté au grec *drakhmê* qui désigne une «unité de poids d'environ 3,5 g» et par extension une monnaie. Le mot se rattache directement à la famille de *drassesthai* «saisir dans la main, empoigner», issu d'un thème °*derk-* ou °*dergh-,* sans étymologie claire (on a cependant rapproché l'arménien *trç-ak* «fagot» et le moyen irlandais *dremm* «troupe», mais les rapports sémantiques sont très hypothétiques). *Drakhmê* existe encore en grec moderne où il est un terme didactique.

♦ Le mot français a été introduit pour désigner une unité de poids; depuis 1435, il sert également à désigner l'unité monétaire grecque.

DRACONIEN, IENNE

DRACONIEN, IENNE adj., relevé en 1796 dans *Le Néologiste français,* est dérivé avec le suffixe *-ien,* du nom propre *Dracon,* grec *Drakôn,* législateur d'Athènes (fin VIIe s. av. J.-C.), célèbre pour la sévérité du code pénal qu'il institua dans cette cité (→ dragon), mais qui fut la première tentative pour remplacer la vengeance privée par une justice d'État.

♦ Le mot, qui a remplacé *draconique* (XVIe s.), s'emploie au sens de «relatif à Dracon» dans la langue didactique, et, couramment, pour «excessivement sévère». Il est homonyme d'un adjectif didactique correspondant à *dragon* (→ dragon).

① **DRAGÉE** n. f., d'abord *dragiee* (v. 1200), est d'origine incertaine : l'hypothèse généralement admise le fait remonter au latin impérial *tragemata* «dessert», lui-même emprunté au grec *tragêma, -atos* (généralement au pluriel) «friandise que l'on croque», du verbe *trôgein* «croquer, ronger (animaux, hommes)». Ce mot, conservé en grec moderne pour «manger», appartient à une racine indoeuropéenne que l'on retrouve dans l'arménien *aracem* «paître». Bloch et Wartburg mentionnent l'italien *treggea*, l'espagnol *gragea*, l'ancien provençal *tragea, dragea*, mais les relations de ces mots avec le français *dragée* sont obscures. P. Guiraud considère le nom de la confiserie comme un emploi figuré de ② *dragée** «mélange de grains pour les bestiaux» qui, pense-t-il, aurait désigné un mélange de petits fruits couverts de sucre (avelines, amandes, pistaches).

♦ Le mot, nom d'une confiserie faite d'une amande enrobée de sucre, est entré dans quelques locutions dont ***tenir la dragée haute à qqn*** (1773, Diderot) «lui faire payer cher ce qu'il demande», rattachée par les uns au sens de «friandise», mais par d'autres à ② *dragée* «fourrage». Il semblerait toutefois que l'image de la friandise tenue hors de portée convienne mieux. Par extension, le mot désigne, en pharmacie, une pilule recouverte de sucre, de gomme (1776) et, par analogie de forme, dans le vocabulaire de la chasse, le petit plomb (1552). ◇ L'argot en fait un synonyme de *balle* «projectile d'arme à feu» (1792). ◇ L'appellation *dragées de Tivoli* (1775) désigne un calcite aux concrétions en forme de grains.

▸ *Dragée* a produit un nom d'objet concret, **DRAGEOIR** n. m., d'abord *drajouer* (XIIe s.), aujourd'hui vieilli avec l'objet qu'il désigne : une coupe où l'on mettait des dragées, des friandises, des épices (cf. le titre de Huysmans, *Le Drageoir aux épices*), et une petite boîte pour porter des dragées sur soi. ◇ Il a aussi produit le terme de confiserie **DRAGÉIFIER** v. tr. (1850) auquel correspond le nom d'action **DRAGÉIFICATION** n. f. (1870).

② **DRAGÉE** n. f., terme d'agriculture, est issu sous la forme *dravie* (v. 1200) puis *dragie* (fin XIIIe s.) d'un latin populaire °*dravocata*, de *dravoca* «ivraie», mot probablement d'origine gauloise qui a donné **DRAVIÈRE** n. f. (1318), son synonyme régional.

♦ Le mot désigne un mélange de graines que l'on fait pousser en fourrage. Selon P. Guiraud, une spécialisation analogique serait à l'origine de ① *dragée*. Pour d'autres, ***tenir la dragée haute à qqn*** concerne ce mot et non ① *dragée*.

DRAGEON n. m., terme d'arboriculture, est probablement issu (1548) du francique °*draijbo* «pousse, rejeton», postulé par l'ancien haut allemand *trîban*, le gotique *draijban* et l'allemand *treiben* «pousser, mener». La même racine se retrouve en anglais *to drive* «conduire», en néerlandais *drijuen*.

♦ Le mot, d'abord employé en parlant d'un œillet d'artichaut et d'un bourgeon, d'une tige poussant sur un arbre, a pris le sens de «rejeton qui naît de la racine d'un arbre» (1694).

▸ Il a produit **DRAGEONNER** v. (1636) «pousser des drageons», auquel correspond le nom d'action **DRAGEONNEMENT** n. m. (1872, Littré); on rencontre aussi *drageonnage*, plus ancien (XVIe s.).

DRAGON n. m., attesté dans la *Chanson de Roland* (1080) sous la graphie *dragun*, est emprunté au latin *draco*, qui désigne un animal fabuleux (souvent gardien de trésor) et, par analogie, un poisson de mer inconnu, un récipient tortueux servant à faire chauffer l'eau et un vieux cep de vigne, toujours avec l'idée d'une forme tortueuse. À basse époque, s'y ajoutent le sens d'«enseigne de cohorte» (à l'image d'un dragon) et, en latin chrétien, celui de «diable, démon». *Draco* est emprunté, tant avec son sens propre qu'avec divers sens analogiques, au grec *drakôn*, proprement «dragon», également employé à Athènes comme nom propre (→ draconien; cf. le roumain *dracul* dans *Dracula*), et apparenté au verbe *derkesthai* (aoriste *edrakon*) «regarder», avec une idée de regard fixe ou perçant. Ce verbe repose sur une racine indoeuropéenne °*derk-* «briller», que l'on retrouve dans le sanskrit *darśatá* «visible», le vieil irlandais, le vieil haut allemand *zoraht* «clair», et même l'albanais *dritë* «lumière».

♦ Le mot est passé en français avec le sens initial et dominant d'«animal fabuleux» avec un emploi spécial en héraldique (1176-1181) et le sens de «symbole du démon» dans l'iconographie chrétienne (1130-1140). Les emplois figurés datent du XVIIe s. et couvrent les nuances de «gardien vigilant et farouche» (1662), «personne vive et acariâtre» (1672) aussi au féminin **DRAGONNE.** ➛ Les sens analogiques sont nombreux dès l'ancien français où le syntagme ***dragon volant*** désignait un phénomène se produisant dans l'atmosphère (1275-1280) puis un grain soudain et violent soufflant sur la mer (1686). De cette expression vient probablement le sens classique de «chagrin, souci qui tourmente» (1672, encore chez Chateaubriand) analogue aux *blue devils* anglais. ➛ Au XVIIe s. *dragon*, d'après le latin *Draco*, désigne une constellation (attesté 1690). Le mot se dit aussi d'une maladie des yeux des chevaux. Il est passé dans le vocabulaire de la zoologie, s'appliquant à un serpent (1800, Boiste) puis (1803) à un lézard volant. ➛ Parallèlement, et dès ses premières attestations, *dragon* a désigné comme en latin *draco* un étendard (1080) jusqu'au XVIe s., avant de s'appliquer à un soldat de cavalerie (1590) et, de nos jours, au soldat d'une unité motorisée, puis blindée. C'est de ce sens militaire que vient l'expression ***à la dragonne,*** équivalent de *à la hussarde*.

▸ En dehors de **DRAGONNÉ, ÉE** adj. (1647) «en forme de dragon» (spécialement en héraldique), les dérivés prolongent les sens analogiques du mot. ➛ **DRAGONNEAU** n. m. (déb. XIIIe s.) est un ancien diminutif spécialisé en médecine et en médecine vétérinaire, ainsi que la variante moderne **DRAGONNET** n. m. (1808), terme d'ichtyologie. ➛ Les autres dérivés se rapportent à *dragon* «soldat de cavalerie» : le terme historique **DRAGONNADE** n. f. (1708), par lequel on désigne les violences exercées par les dragons que l'on envoyait persécuter les protestants, vient probablement de *dragon* par l'intermédiaire de l'expression ***à la dragonne.*** ◇ Ce type d'action avait entraîné la formation d'un verbe **DRAGONNER** v. tr. (1668), sorti d'usage en dehors de son contexte historique. ➛ Enfin, *dragon* a donné **DRAGONNE** n. f. passé de son sens premier de «batterie de tambour» (1771) au sens actuel de «cordon garnissant la poignée d'un sabre» (1800) ; ce dérivé avait été antidaté par confusion avec *dragonne* «femme acariâtre», attesté au XVIIe s., par exemple chez Molière. ➛ *Dragon* entre dans la formation d'un nom d'arbre, **SANG-DRAGON** n. m. (XIIIe-XIVe s.) également dit **DRAGONNIER** n. m. (XVe s., antérieurement «porte-drapeau», XIIe s.).

◈ voir DRAKKAR, ESTRAGON.

① **DRAGUE** n. f. est emprunté (1300-1301) au moyen anglais *dragge* (XIVe s.), devenu *drag* en anglais, terme désignant un filet de pêche et un gros cordage (fin XVe s.). Ce mot se rattache à l'ancien nordique *draga* «tirer» (à l'origine du verbe anglais *to draw*) et à son substantif verbal *drag,* désignant un madrier sous la quille d'un bateau et l'isthme où l'on doit tirer un bateau (l'islandais a *drag :* «action de tirer, de traîner»).

♦ En France, l'emprunt est d'abord relevé en latin médiéval sous la forme *dragge,* à propos du filet servant à la pêche à la traîne, ainsi que dans des textes anglo-normands (1381-1382). Il se répand en français sous une forme francisée (*drègue,* 1388), comme terme de pêche et avec le sens qui s'est maintenu : «machine pour enlever le sable, la vase du lit d'un cours d'eau» (1556). ◇ Le mot désigne aussi le câble ou le grappin que l'on promène au fond de l'eau pour en tirer les objets immergés (1701, «gros cordage utilisé pour chercher une ancre»).

▶ **DRAGUER** v. tr., dénominatif de *drague,* est d'abord relevé sous la forme *dragger* dans un texte anglo-normand (1425) avec le sens de «pêcher (des huîtres) à l'aide d'une drague». Il semble rare avant le XVIIe s. (1634, «curer à l'aide d'une drague, repêcher à la drague»). ➛ Fin XIXe s., il a commencé à s'employer au figuré, d'abord pour «parcourir un lieu à la recherche d'un butin» (1885, Laforgue). Le sens courant de «déambuler à la recherche d'une aventure facile» est récent (v. 1950). ➛ Tous les dérivés du verbe ont suivi son évolution : **DRAGUEUR, EUSE** adj. et n. qualifie (1529) et désigne par ellipse du nom (1664) un navire de pêche muni d'une drague, un navire qui drague un fond (1829) et aussi l'ouvrier qui accomplit le même travail (1800). Après un emploi métaphorique lié à *draguer* «errer à la recherche d'un butin» (*Journal* de Jules Renard, 1892), il est employé au sens figuré familier d'«homme ou femme qui cherche l'aventure» vers 1961 ***(dragueur professionnel).*** ➛ Le féminin **DRAGUEUSE** désigne spécialement une machine complexe servant à draguer un fond (av. 1948). ➛ Le nom d'action **DRAGAGE** n. f. correspond d'abord au sens technique du verbe (1765) puis également à son sens figuré d'usage familier (1968). ➛ Il faut y ajouter le déverbal ② **DRAGUE** n. f., qui n'est attesté qu'au sens métaphorique récent de «recherche d'aventures érotiques» (1961, comme *dragueur*).

DRAIN n. m. est emprunté (1849) à l'anglais *drain* (1552), tiré de *to drain* «assécher», verbe issu, de même que *dry* «sec», d'un ancien germanique °*draug-* «sec». Le mot anglais désigne un conduit souterrain destiné à faire écouler l'eau des sols humides et, dans un tout autre domaine, un tube percé de trous utilisé en chirurgie pour favoriser un écoulement (1834).

♦ Le mot est passé en français avec le premier sens de «conduit» (1849) et avec le second en chirurgie (1859 ?, sans référence). Sa prononciation a été aussitôt francisée.

▶ La dénasalisation de l'anglais réapparaît dans le dérivé **DRAINER** v. tr. (1848) employé en agriculture et en chirurgie (1855) et, par suite, au sens figuré de «faire affluer en attirant à soi» (1865). ➛ Le verbe, plus courant que *drain,* surtout au figuré (*drainer des capitaux,* etc.) a produit les dérivés **DRAINAGE** n. m. (1848), qui correspond aux trois sens du verbe, **DRAINEUR, EUSE** adj. et n. m. (1850) et **DRAINEUSE** n. f. (1861) qui désigne exclusivement l'appareil de drainage du sol.

DRAKKAR n. m. est emprunté (1840) au suédois *drakar,* pluriel de *drake* «dragon» et, par métonymie, «navire (dont la proue était ornée d'un dragon)». Le mot remonte à l'ancien nordique *dreki,* probablement d'origine latino-grecque (→ dragon). Le français a fait du pluriel suédois le singulier français (pluriel *drakkars*), la forme *drake,* attestée en 1870, ne s'étant pas imposée.

♦ Le mot désigne, en histoire, un navire utilisé par les Vikings au moyen âge.

DRAME n. m. est la francisation (1657, d'Aubignac) du bas latin *drama* «action théâtrale», emprunté au grec *drama, -atos* «action» (souvent chargée de conséquences), spécialisé au théâtre où il désigne l'action scénique, la pièce, et plus particulièrement la tragédie. Par extension, *drama* se disait d'un coup de théâtre, d'un événement tragique. C'est le nom d'action correspondant à *dran* «faire, agir» (→ drastique), souvent avec la spécification de la responsabilité prise plutôt que celle de la réalisation d'un acte ; il est également employé pour parler de l'accomplissement de rites. On le rapproche hypothétiquement de formes baltiques (lituanien *darau, darytî* «faire», lette *darît*), sans parvenir à établir une famille indoeuropéenne.

♦ Le mot, relevé dans un traité de l'abbé d'Aubignac, *Pratique du théâtre,* comme francisation du mot grec, est absent des dictionnaires du XVIIe s. ; il est appliqué, de manière isolée, à une pièce de théâtre représentée dans les collèges de jésuites et portant cette mention (1696). L'expansion du mot au XVIIIe s. coïncide avec la naissance d'un nouveau genre théâtral. Il sert momentanément de terme générique pour tous les ouvrages composés pour le théâtre (1750, abbé Prévost). Sa définition s'élabore dans la seconde moitié du XVIIIe s., dans les œuvres de Diderot, Beaumarchais, Sedaine, Mercier. Il désigne alors (1761) la tragédie bourgeoise, genre hybride né du souci de renouveler les traditions classiques par plus de réalisme, sous la double influence du théâtre étranger et de la bourgeoisie montante. Au XIXe s., il reçoit sa définition romantique, en 1830 avec la bataille d'*Hernani,* dès 1827 dans la *Préface de Cromwell,* pièce de Hugo. Il se définit alors comme un théâtre d'action complexe, lyrique, substituant les sujets modernes aux sujets antiques, épris de couleur locale, mêlant les genres. Depuis 1787, *drame* est employé au sens figuré de «suite d'événements tragiques, terribles». C'est le titre d'un ouvrage de Restif de la Bretonne : *Le Drame de la vie* (1793). Le style journalistique l'a répandu au sens de «catastrophe causée par un crime, un accident».

▶ En sont dérivés les termes de théâtre **DRAMATISTE** n. m. (1771), disparu, et **DRAMATISME** n. m. (1776), repris dans un sens plus général ainsi que **DRAMATISER** v. tr. (1801) donné comme néologisme par Mercier, à propos de Shakespeare, mais probablement antérieur si l'on en juge par l'attestation du syntagme *les dramatisants modernes,* en 1773. ➛ Du verbe sont dérivés à leur tour **DRAMATISATION** n. f. (1889) et les antonymes préfixés **DÉDRAMATISER** v. tr. (1965), **DÉDRAMATISATION** n. f. (v. 1965), devenus usuels dans un contexte psychologique.

Deux autres mots du groupe sont des emprunts. ➛ **DRAMATIQUE** adj. est emprunté (1370-1371) au bas latin *dramaticus* «qui concerne le théâtre», lui-même pris au grec *dramatikos,* dérivé de *drama.* Le mot qualifie ce qui se rapporte au théâtre, mais il semble rare jusqu'au milieu du XVIIe siècle. Furetière, qui ignore le mot *drame,* le qualifie de «terme poétique» et reprend les sens substantivés de «genre poétique» (*la dramatique,* 1636), éliminé par le masculin à valeur de neutre (1688). Le nom s'applique aussi aux auteurs qui s'occupent de théâtre (1680). Au XIXe s., d'après la définition moderne du drame (ci-dessus), l'adjectif prend le sens de «susceptible d'intéresser vivement le spectateur au théâtre» (v. 1835) et de «grave, dangereux, pénible», s'agissant d'événements réels (1839, Boiste). ➛ Le féminin substantivé **DRAMATIQUE** n. f., appliqué à un récit adapté aux moyens de la télévision, tend à être évincé par la création de *téléfilm,* qui témoigne d'un passage de la référence théâtrale à la référence cinématographique. ➛ *Dramatique* a donné **DRAMATIQUEMENT** adv. (1777) chez lequel le sens strictement théâtral est aujourd'hui supplanté par le sens courant, l'adverbe signifiant «d'une manière pénible, triste», ce qui le rapproche de *tragiquement.*

DRAMATURGE n. m. est un emprunt de la seconde moitié du XVIIIe s. (1773) au grec tardif *dramatourgos* «auteur dramatique», de *drama, -atos* et *-ergos* (de *ergon* «action, œuvre»). Le sens d'«auteur de pièces de théâtre», d'abord seulement «auteur de drames» tend, depuis une trentaine d'années, à se doubler d'une nouvelle valeur, celle de «conseiller littéraire et historique du metteur en scène, chargé de préparer l'analyse historique du texte et les moyens concrets de la réalisation technique» (dans le sillage de Brecht). ➛ Le nom correspondant, **DRAMATURGIE** n. f., est soit dérivé du précédent, soit emprunté au grec *dramatourgia* «composition ou représentation d'une pièce de théâtre», dérivé de *dramatourgos;* il est attesté pour la première fois en 1668 chez Chapelain, traduisant l'italien *dramaturgia* de L. Allacius, «catalogue d'ouvrages dramatiques», emploi qui reste isolé. Le mot est repris à partir de 1775, en relation avec *dramaturge.* ➛ En est issu **DRAMATURGIQUE** adj. (1777).

◈ voir **MÉLODRAME, PSYCHODRAME** et aussi **DRASTIQUE.**

✳ **DRAP** n. m. est issu (1050) du bas latin *drappus* «chiffon, morceau d'étoffe», peut-être d'origine gauloise (le gaulois a les noms propres *Drappus, Drappo, Draponus*).

♦ Le mot est passé en français avec le sens général d'«étoffe» et c'est par spécialisation de fonction qu'il a pris son sens usuel, «pièce de toile garnissant le lit» (v. 1175), évinçant de cet emploi *linceul.* Le sens métonymique d'«habit (en drap)» (XIIe s.) est sorti d'usage; il avait fourni l'expression *être des draps de qqn* «être au service de qqn de puissant». Dans son acception courante, *drap* entre dans la locution ironique ***être dans de beaux draps*** (et ses variantes) [XIXe s.] qui pourrait être un avatar de *être couché en blancs draps* (fin XVIe s.), puis *mettre qqn en beaux draps blancs* (XVIIe s.) «le prendre comme cible de sa médisance». Ses emplois déterminés sont souvent régionaux ou vieillis (*drap de poche* «mouchoir»), à l'exception de *drap de bain* «serviette de bain».

▶ En dehors du nom de métier **DRAPIER, IÈRE** (1244) également adj. *(l'industrie drapière)* et de ses dérivés **DRAPERIE** n. f. (1254) «fabrication du drap», et **DRAPIÈRE** n. f. (1811), substantivation du féminin de l'adjectif, les dérivés de *drap* ont connu une évolution sémantique qui les a éloignés du sens usuel de «pièce de toile».

Le diminutif **DRAPEAU** n. m., réfection de *drapel* (1119) sur le pluriel *drapiaus* (XIIIe s.), a désigné un morceau de tissu, un chiffon (et au pluriel des langes), sens resté en usage jusqu'au XVIIIe s. (le dictionnaire de Trévoux le dit «vieilli» en 1752). ➛ Le sens moderne (1578) est une spécialisation due à l'italien *drapello,* de même formation que *drapeau,* mais attesté au sens de «bannière» dès le XIVe s. (av. 1388). H. Estienne, qui enregistre ce sens (1578), signale qu'il commence à remplacer *enseigne.* Son usage s'est ensuite généralisé et le mot a pris des valeurs symboliques et figurées, comme «signe de ralliement» (1784) et «personne symbolisant une cause» (1870). Dans la phraséologie, il symbolise aussi l'armée, le service armé ***(sous les drapeaux).*** Il est quelquefois employé en apposition (v. 1966) pour signaler le caractère prestigieux d'un objet. ➛ Il a donné en ancien français le diminutif **DRA-**

PELET n. m. (v. 1120). Celui-ci s'est aligné sur le sens moderne de *drapeau*, désignant un petit drapeau (1611, repris 1832); il a disparu sauf archaïsme (Montherlant) au sens technique (v. 1960) de «partie d'un revêtement de sol repliée et fixée au soubassement». ➛ Céline emploie (1932) un adjectif ironique **DRAPEAUTIQUE.**

PORTE-DRAPEAU n. m. (1578) désigne celui qui est chargé de porter le drapeau d'un régiment (cf. *porte-enseigne*, à *enseigne* et *porte-étendard* à *étendard*). Il s'applique au figuré (att. XIXe s.; 1866 dans Zola) à la personne qui est reconnue comme chef d'un mouvement.

DRAPERIE n. f., après avoir désigné un tissu ou un vêtement de drap (jusqu'au XVIe s.), se réfère à un vêtement ample formant de grands plis dans le domaine de la peinture (1622) et de la sculpture, et enfin dans l'usage courant (1677). ➛ Le dénominatif **DRAPER** v. tr. (1225) a perdu la valeur de «fabriquer le drap» au début du XVIIe s., et a alors signifié «habiller de vêtements amples formant des plis harmonieux» (1622) en art, puis dans l'usage courant. Au XIXe s., *se draper* s'emploie pour «se mettre en valeur d'une façon théâtrale» (1838, Hugo). ➛ Le participe passé **DRAPÉ, ÉE** est adjectivé (1464) avec un sens technique: «préparé comme un drap»; il signifie plus couramment «garni d'un drap» (au propre et au figuré). Substantivé (1901), *un drapé* désigne l'ensemble des plis formés par l'étoffe d'un vêtement. ➛ Le nom d'action correspondant au verbe est, soit **DRAPEMENT** n. m. (1876), soit **DRAPAGE** n. m. (1890).

◈ voir **SPARADRAP.**

DRASTIQUE

DRASTIQUE adj. est un emprunt médical assez tardif (1741) au grec *drastikos* «actif, énergique», spécialisé en médecine, dérivé du participe passé *drastós* de *dran* «faire», «agir» (→ drame).

♦ Introduit en médecine au sens de «qui purge énergiquement», *drastique* a pris, sous l'influence de l'anglais *drastic* (1808), lui-même emprunté au grec, le sens figuré familier de «draconien, énergique» (1875), bien que la première attestation française en ce sens soit donnée comme un germanisme.

▸ Le dérivé **DRASTIQUEMENT** adv. (v. 1950) est calqué sur l'anglais.

DRAVIDIEN, IENNE

DRAVIDIEN, IENNE adj. (1865) est emprunté à l'anglais *dravidian* (1856), lui-même tiré du nom sanskrit *Dravidah* désignant les provinces du sud de l'Inde. La forme *dravidique* (1856) peut avoir été formée indépendamment.

♦ Le mot a remplacé *malabare* pour qualifier ce qui est relatif aux populations du sud de l'Inde, et notamment leurs langues non indoeuropéennes (tamoul, télugu, malayalam, etc.).

DRÈCHE

◈ **DRÈCHE** n. f., attesté en 1250 mais au moins aussi ancien que le dérivé *draschier* (1160-1174), est d'origine obscure. On le suppose issu d'un type °*drasca*, probablement d'origine celtique comme plusieurs mots du vocabulaire de la brasserie (cf. *cervoise, brai*), en s'appuyant sur les formes latines médiévales *drasca, drachia* (1276), *drascum* (1194). P. Guiraud l'apparente à *rache, raiche*, mot issu du latin populaire °*rasicare* qui désigne toutes sortes de détritus que l'on «racle»: boue, lie, rebut, etc. La forme primitive du mot, *drashe* (mais on a aussi *draque*, 1410, *drache*, 1600), serait alors un doublet de *rasche* et représenterait une forme °*derasicare*, du latin classique *deradere* «enlever en raclant» (→ raser). La forme actuelle *drèche* (avec accent grave) serait attestée en 1478 selon Bloch et Wartburg (1688, in *T. L. F.*). On trouve aussi *drêche*.

♦ Ce terme technique de brasserie désigne le résidu d'orge cuite après la cuisson de la bière. On l'a étendu aux résidus des distillations des pommes, des grains.

DRELIN

DRELIN interj. et n. m., attesté depuis 1673 (Molière), antérieurement sous la forme *dre lin din din* (1630, en parlant d'un luth) est d'origine onomatopéique, imitant un bruit métallique répété, comme celui d'une sonnette (cf. *drlo drlo*, 1605).

♦ Depuis le XXe s., *drelin* est fortement concurrencé par *dring* (redoublé en *dring, dring*) ou par ses variantes *drin, drinn*.

▸ Le mot a inspiré plusieurs dérivés rares, tel le verbe **DRELINER** v. intr. (1879, Huysmans, altéré en *derliner*).

DRESSER

✱ **DRESSER** v. tr., d'abord *drecer* (v. 1050) et *drecier*, est issu d'un latin populaire °*directiare*, dérivé de *directus* (→ direct, droit) auquel remontent également l'italien *d(i)rizzare* et l'espagnol archaïque *derezar* «acheminer». ◈

♦ Le sens physique de «tenir, maintenir droit ou rendre droit» est réalisé dès les premières attestations avec l'idée de verticalité, à la fois en emploi transitif et (1080) au pronominal. L'expression usuelle ***dresser l'oreille*** revêt, dès le XIIe s., lorsqu'elle est appliquée à une personne, la valeur figurée de «prêter attention» (1179), par allusion à l'attitude de l'animal aux aguets. Le sens particulier de «relever», usuel jusqu'au XVIIe s. (d'où aussi «ramasser la terre»), est sorti d'usage, partiellement relayé par *redresser* (ci-dessous). ➛ La verticalité exprimant quelquefois l'agressivité physique et l'opposition morale, le mot a reçu dès l'ancien français le sens figuré d'«opposer», également au pronominal (1172-1174) dans *se dresser contre* «s'opposer». Jusqu'au XVIIe s., le sens physique de «tenir droit» est compatible avec la notion d'horizontalité, en particulier dans le contexte d'un déplacement dans l'espace: *dresser* couvrait un champ d'emplois qui est aujourd'hui celui de *diriger, se diriger* et on trouve encore *dresser ses pas* chez La Fontaine. Cette valeur d'horizontalité s'est maintenue dans des emplois techniques apparus dès le XIIe s. (1169), par exemple en repassage, menuiserie, horticulture où *dresser* est voisin d'«aplanir, rendre plat». ➛ L'accent étant mis, par extension, sur l'idée de «préparer, disposer comme il convient en vue d'un certain usage» (v. 1200), le verbe a acquis les valeurs de «disposer, arranger», le disputant jusqu'au XVIIe s. à certains emplois de *disposer, préparer*. La langue moderne n'en a gardé que ***dresser***

le couvert, la table (v. 1200, *le mangier... drechier*) et le sens particulier de «préparer (un document écrit) en respectant certaines formes», restriction dans un contexte administratif *(dresser procès-verbal)* du sens plus large de «rédiger, composer». Elle n'a pas conservé, en revanche, un sens particulier, «arranger à des fins ornementales, habiller», bien vivant dans l'évolution parallèle de l'anglais *to dress* (emprunté au français). ➛ Avec un nom d'animé pour complément, *dresser* est passé au XVIe s. au sens de «conformer d'une certaine façon», soit «dompter (un animal)» [v. 1550] et «éduquer, former (un homme)» [v. 1580]. Ce sens, qui réalise l'idée de la locution ***faire aller droit,*** a vieilli à propos des humains, sauf avec la valeur ironique ou familière de «faire céder, plier à sa volonté» (XXe s.). ➛ Une autre acception, «émettre des paroles en direction de qqn», attestée en moyen français, a disparu au profit du préfixé verbal *adresser**, qui n'est plus senti comme apparenté.

▶ Les dérivés ont vieilli ou concernent des valeurs spéciales du verbe. ➛ **DRESSEMENT** n. m., apparu dans l'expression *verge de dressement* (v. 1120), calquée sur le latin *virga directionis,* a exprimé le sens de «direction, ordre», avant de le céder à *direction**. De nos jours, le sens physique, «action de lever verticalement», est inusité, et le sens abstrait, «action de rédiger», propre au domaine administratif (29 juin 1874, *Journal officiel*) est rare. ➛ **DRESSOIR** n. m., précédé par la forme *dreçor* (1285), *dressorium* en latin médiéval (1289), désigne un meuble destiné à exposer de la vaisselle, les assiettes étant dressées contre la paroi, et, dans divers domaines techniques, un instrument servant à aplanir (horticulture, orfèvrerie). ➛ **DRESSEUR, EUSE** n. (1536) a désigné une personne qui critique, avant de céder ce sens au composé *redresseur,* et de s'appliquer à celui qui dresse des animaux (fin XVIe s.) et, en technique, à l'ouvrier ouvrant les peaux destinées à faire des gants (1864). Le féminin *dresseuse* (XXe s.) dénomme une machine utilisée dans l'industrie du contre-plaqué pour dresser les rives d'une feuille de placage. ➛ **DRESSAGE** n. m., nom d'action formé tardivement (1791), désigne l'opération consistant à donner une forme plate à un objet, sens technique. Le mot n'est usuel qu'à propos du domptage d'un animal et de l'éducation rigide d'une personne (1862). Il est aussi rare que *dressement* au sens concret d'«action de dresser, d'ériger un objet» (1847). ➛ L'usage du participe présent substantivé **DRESSANT** n. m. est régional (Belgique) et technique, pour désigner la partie la plus proche de la verticale dans les couches plissées des terrains houillés.
Dès l'ancien français, *dresser* a produit **REDRESSER** v. tr. (XIe s., *redrecier*), qui exprime l'idée de «rendre droit, remettre droit», et qui a pris au XXe s. en aéronautique la valeur de «hausser le nez d'un avion» (1920). ◇ Le sens figuré, «rectifier (une chose imparfaite, une faute)» [v. 1280] est déjà réalisé dans le contexte du droit féodal. La forme pronominale *se redresser* est appliquée à une personne pour «se remettre droit» (1080) avec des emplois métaphoriques, et pour «se tenir très droit» (1674). ➛ Le mot a produit les mêmes dérivés que *dresser,* mais la concurrence entre **REDRESSEMENT** n. m. (v. 1155, *redrecement*) et **REDRESSAGE** n. m. (1171) joue cette fois au bénéfice du premier. *Redressement* exprime l'action de remettre droit, au figuré (1935) en parlant d'un pays appauvri, mais aussi l'action de corriger, spécialement en droit fiscal, en économie (1932), en parlant d'un tort (XIXe s.) et dans ***maison de redressement.*** ➛ Le déverbal **REDRESSE** n. f. est un terme de marine ancienne (1869), encore employé avec un sens technique en bourrellerie (XXe s.). Il a fourni la locution adjective ***à la redresse*** (1875) qui qualifiait une personne dégourdie avant de prendre le sens de «dur, qui impose le respect» (1920), argotique puis familier. ➛ **REDRESSEUR, EUSE** n. m. et adj. (1556) «celui qui redresse» est surtout employé dans l'expression ***redresseur de torts*** (1690) appliquée à l'origine au chevalier qui prenait la défense des opprimés, puis de nos jours, souvent ironiquement, à celui qui s'érige en justicier. Quelques emplois techniques correspondent à ceux du verbe, spécialement en électricité (XXe s.).

◈ voir ADRESSER.

DREYFUSISME n. m. (1897) est tiré du nom du capitaine *Dreyfus,* dont le procès et la condamnation injuste clivèrent l'opinion française en deux : les partisans de l'armée, nationalistes et conservateurs, de tendance antisémite, et les partisans de Dreyfus et d'une justice humaniste.

♦ Le mot désigne l'attitude des partisans de Dreyfus.

▶ **DREYFUSISTE** n. et adj. (1897) et **DREYFUSARD, ARDE** n. et adj. péjoratif (1898) désigne ces partisans, conduits par Zola, et auxquels s'opposaient les **ANTIDREYFUSISTES** (attesté en 1899 comme nom) ou **ANTIDREYFUSARDS**, tenants de l'**ANTIDREYFUSISME** n. m.

DRIBBLER v. intr. est la francisation (1895) de l'anglais *to dribble* «faire couler» et «goutter, dégouliner» (XVIe s.), passé au figuré dans le langage du football (1863) [*to dribble the ball* puis *to dribble,* fin XIXe s.]. Le verbe anglais est dérivé de *to drib,* variante de *to drip* «laisser s'égoutter», mot d'origine scandinave (moyen danois *drippe*).

♦ Le mot se rapporte à une technique consistant à conduire le ballon de rugby, de football, par petits coups de pied successifs. Il est passé en basket-ball (1931) et en handball (1963) pour une technique analogue, mais à la main.

▶ **DRIBBLEUR, EUSE** n. est emprunté (1895) à l'anglais *dribbler* (1835) avec francisation par le suffixe et **DRIBBLING** n. m. (1893) ou **DRIBBLE** n. m. (1913) aux mots anglais correspondants.

DRILLE n. m., mot du jargon des soldats (1628) est d'origine obscure : il se rattache peut-être à l'ancien français *drille* «chiffon, guenille» ou au moyen français *soudrille,* croisement de *soudard** et de ce mot avec, dans les deux cas, l'idée d'un soldat vêtu de guenilles. L'ancien français *drille* semble lui-même issu d'un verbe °*druiller* qui remonterait à l'ancien allemand *durlichen* «déchirer», ou encore à l'ancien verbe *driller* «courir çà et là», emprunté au moyen néerlandais *drillen.* P. Guiraud évoque une forme hypothétique °*deriller*, de *rille*, issu du latin *regula* (→ règle); le *drille* serait alors un «déréglé», vagabond et pillard; mais la thèse est plus ingénieuse que vraisemblable.

♦ Le mot désigne à l'origine un soldat vagabond, sens qu'il a jusqu'au XVIIIe s. (av. 1755, Saint-Simon). Il est passé dans l'usage familier avec le sens de «joyeux compagnon, bon vivant», courant dans l'expression ***joyeux drille,*** précédée par *bon drille* (1680). Il comporte quelquefois en langue classique la nuance plus ou moins péjorative de «libertin, débauché» *(un vieux drille).* Seul *joyeux drille,* quasi synonyme de *joyeux luron,* est encore vivant.

DRINK n. m. est l'emprunt (1874) de l'anglais *drink* «boisson» (v. 950), spécialement «boisson alcoolisée» (1042), dérivé de *to drink* «boire», lequel remonte à la même racine germanique que le néerlandais *drinken* et l'allemand *trinken* (→ trinquer). L'ancien français avait déjà le mot *drinc* «boisson» (XIIe-XVIe s.), repris à l'anglais puis réemprunté au néerlandais, ainsi que le verbe *dringuer,* mais ces deux mots n'ont pas survécu au XVIe s.; *drink* constitue un emprunt nouveau.

♦ Le mot a été emprunté au sens de «boisson alcoolisée» dans un contexte anglais (1874 et 1875, *Revue des Deux Mondes*) mais il ne s'est diffusé qu'au XXe s. (v. 1920) en référence au mode de vie américain (cf. *cocktail*). Son emploi est d'abord limité aux mondains fréquentant les bars à la mode.

▸ L'expression **LONG DRINK** n. m. (1895) est empruntée à l'américain *long drink,* «boisson longue» (de l'anglais *long,* probablement apparenté au français *long**), par opposition à *short drink* «boisson courte», pour désigner au XXe s. un alcool que l'on boit allongé d'eau.

DRISSE n. f. est un emprunt (1639) à l'italien *drizza,* déverbal de *drizzare,* de même origine que *dresser,* spécialt. (1606) «hisser (une voile)».

♦ Le mot désigne en marine le cordage qui sert à hisser une voile, un pavillon.

✻ ① **DROGUE** n. f., d'abord *drocque* (1462), *drogue* étant attesté indirectement (XIVe s.) par son dérivé ① *droguerie,* est d'origine discutée. Parmi de nombreuses hypothèses, les plus probables le font remonter soit au moyen néerlandais *droge vate* «tonneaux secs», *droge* étant substantivé avec le sens métonymique de «produits séchés» (le contenu du tonneau), soit à l'arabe *ḏurāwa* «balle de blé». Cette proposition fait problème du point de vue phonétique et sémantique; c'est pourquoi P. Guiraud voit dans *drogue* une forme méridionale du latin *derogare* «ôter, diminuer la valeur de» (→ déroger).

♦ Le mot désigne un ingrédient servant à la teinture, aux préparations chimiques et pharmaceutiques, puis également un produit pharmaceutique, un remède traditionnel (1568), souvent avec une connotation péjorative appuyée par *droguer.* Par suite s'est développé le sens de «chose mauvaise à absorber» et, plus généralement, de «chose ou personne dont on fait peu de cas» (1668), ce dernier sens ayant disparu. Le sens aujourd'hui usuel de «stupéfiant» (1913, Colette) s'est étendu à divers tranquillisants et excitants. Bien qu'il se soit imposé comme le sens dominant de *drogue,* avec un emploi métonymique pour l'usage des stupéfiants, ce sens n'est pas également réalisé par ses dérivés, en raison de sa date d'apparition tardive.

▸ ① **DROGUERIE** n. f. a été formé sur *drogue* avec le sens collectif d'«épices, pharmacopée» (1386-1387), en usage jusqu'au XIXe s. (1878, *Académie*). Par une extension liée aux rapports entre types de commerces, il a pris au XIXe s. son sens moderne de «fabrication, commerce de produits d'herboristerie, d'hygiène, de toilette, d'entretien et de ménage» (1835), s'étendant, par métonymie, à la boutique vendant ces produits de toilette, d'entretien (1835); l'anglais *drug* a évolué de manière analogue (→ drugstore). ◆ D'autres dérivés de *drogue* se sont éteints tels **DROGUEUR** n. m. (1462) «médecin qui fait prendre des drogues» et **DROGUIER** n. m. (1439) «boîte, armoire à substances médicamenteuses». ◆ Quant à **DROGUET** n. m. (1505), nom d'étoffe dérivé de *drogue* pris soit au sens d'«objet sans valeur» (mais il y a décalage chronologique) ou de *drogue* au sens d'«ingrédient de teinture», il a perdu son ancien sens dépréciatif et se dit par extension d'une étoffe brochée ornée d'un dessin produit par un fil de chaîne supplémentaire (1690). Son dérivé, **DROGUETIER** n. m. (1718), est sorti d'usage.

DROGUISTE n. (1549), qui désignait le marchand de drogues pharmaceutiques, a désigné de la même manière un marchand faisant le commerce des produits biologiques vendus en gros aux pharmaciens (1792) et, au XIXe s., la personne tenant une *droguerie.*

DROGUER v. tr. (1554), qui a d'abord signifié «frelater (du vin)» et «administrer des médicaments à (un malade)» [1611], de nos jours avec la nuance de «faire prendre une quantité excessive de médicaments», a surtout aujourd'hui le sens d'«administrer des stupéfiants» (1903, Colette). ◆ Le participe passé, **DROGUÉ, ÉE** adj. et n., sert à qualifier (1930) et à désigner (1934) la personne qui fait usage de stupéfiants.

L'ancien terme technique ② **DROGUERIE** n. f. (1611) «séchage du hareng», est emprunté au néerlandais *droogerej,* de *drog* «sec»; il réalise peut-être la valeur étymologique de *drogue.* On parlait de *harengs de drogue* (1723) pour les harengs séchés et mis en caque.

② **DROGUE** n. f. (1628), mot argotique ancien pour le maraudage, est d'origine incertaine. ◇ Ni ce mot, ni ③ **DROGUE** n. f., terme de jeu désignant une petite fourche de bois que le perdant devait garder sur le nez, à un jeu de cartes pratiqué par les matelots et les soldats, ne se rattachent aisément à cette famille, bien que diverses hypothèses aient été proposées. Il pourrait s'agir d'homonymes.

DROGUET → DROGUE

◈ ① **DROIT, DROITE** adj., adv. et n. est issu (1050, *dreit*) du latin *directus* «sans courbure, direct» ou «à angle droit» d'où, au figuré «sans détour, direct, juste» (→ direct, direction). *Directus* est dérivé de *derigere,* confondu généralement avec *dirigere* (bien qu'il y ait eu deux verbes à l'origine), lequel est dérivé de *regere* (→ régir, roi).

♦ Le mot a gardé en français les deux valeurs du latin, y compris les sens figurés de «juste, exact, vrai» (sortis d'usage), puis de «juste, honnête, loyal» (1080) et «qui suit un raisonnement correct, ne s'écarte pas de la raison et du bon sens» (1130-1140), toujours vivants. ➛ Dès 1080, *droit* qualifie concrètement ce qui est sans déviation de bout en bout, sans courbure, impliquant, lorsqu'il qualifie une personne, une idée accessoire de verticalité. ◇ Il qualifie spécialement une voie dont la direction est constante, qui va à un point par le plus court chemin (1150, *dreite veie*). Dans plusieurs emplois, il est quasiment synonyme de *vertical,* notamment en parlant de vêtements *(jupe droite),* à propos d'un piano (1828) par opposition au piano dit *à queue,* dont les cordes sont horizontales. En géométrie, le syntagme *angle droit* reprend l'un des sens du latin : «à 90 degrés». ➛ Dès les premières attestations, *droit* est aussi employé adverbialement (1050) pour «directement, sans détour» (au propre et au figuré). La locution adverbiale ***au droit*** (1354-1376) «sur le parcours, au bon endroit», où l'adjectif est substantivé, est sortie d'usage. ➛ Le nom féminin **DROITE** (1738) en géométrie, est une ellipse pour *ligne droite;* d'où **DEMI-DROITE** n. f. (1922).

▸ **DROITEMENT** adv. (1050), «directement» et «franchement», a été quasiment évincé par l'emploi adverbial de *droit.* ➛ **DROITURE** n. f. (1130-1140), a exprimé en ancien français ce qui est légal ou juste (en concurrence avec *droit**), et désigné concrètement la direction en droite ligne, dans l'ancienne locution adverbiale *à droiture* «directement» (1170), encore en usage au XVIIe s., et à laquelle a succédé *en droiture,* que l'on rencontre encore au XIXe s., voire au XXe siècle. ◇ L'usage moderne du mot s'est établi au XVIIe s. avec le sens psychologique de «qualité d'une personne loyale» (1680). Un autre sens, «rigueur intellectuelle» (1662, Pascal), a vieilli.

◈ voir **ADRET, ADROIT,** ② et ③ **DROIT, ENDROIT, MALADROIT.**

◈ ② **DROIT, DROITE** adj. et n., à valeur spatiale, est l'emploi spécialisé (XVe s.) de l'adjectif ① *droit* «juste, régulier, bon», au sens spatial de l'ancien français *destre* (→ dextre) qu'il a supplanté au XVIe s., de même que *senestre* a été éliminé par *gauche.* Le rapport entre les deux côtés, lié à la symétrie du corps (et sans doute du cerveau), est plus ou moins hiérarchisé selon les cultures. Les langues indoeuropéennes connaissent un «bon» côté, le droit, et un «mauvais» côté, le gauche.

♦ *Droit* «du côté opposé au côté gauche» a conservé ce sens comme adjectif. Il a été substantivé au féminin dans la locution adverbiale ***à droite*** (XVIe s.), qui a supplanté ***à droit*** (1532), et dans des emplois où *droite* désigne le côté droit (1559, en parlant de l'aile d'une armée), en particulier celui d'une voie (d'où *à droite, tenir sa droite*), la main droite (1637, de Dieu). ➛ *Droite* s'est spécialisé en politique pendant la Révolution, parce que les députés conservateurs siégeaient à la droite du président (1791). En ce sens, le mot a d'abord été employé avec une détermination (*les députés de la droite de l'Assemblée,* 1793), puis absolument avec des connotations différentes selon les époques, produisant des syntagmes *(droite classique, modérée, libérale),* des composés comme **EXTRÊME DROITE** n. f., **EURODROITE** n. f. (1979) et des dérivés (ci-dessous). ➛ Le masculin substantivé *droit* entre en concurrence avec *droite* en sports, désignant le poing droit à la boxe (1898) par exemple dans *un direct du droit,* et, par métonymie, le coup porté par ce poing; mais on dit plutôt au féminin, *une droite foudroyante.*

▸ L'adjectif *droit* a produit **DROITIER, IÈRE** adj. et n. (XVIe s.) pour désigner la personne qui se sert mieux de sa main droite que de sa main gauche (opposé à *gaucher*) et, parfois, celle qui se situe politiquement à droite (1877, dans Renan). La prédominance fonctionnelle de la main droite a reçu tardivement le nom de **DROITERIE** n. f. (1922), d'usage didactique. ➛ En politique, le substantif *droite* a produit **DROITISME** n. m. (1910) et **DROITISTE** n. et adj. (1966), plus rares que *gauchisme* et *gauchiste.*

③ **DROIT** n. m. est issu très anciennement (842, *dreit*) du bas latin *directum,* substantivation de l'adjectif *directus* au neutre (→ direct, ① droit), attesté au VIe s. au sens général de «justice, application de la loi» puis au VIIIe s., au sens de «règles, ensemble des lois». Le syntagme *verbum directum* (VIe s.), où *directum* est adjectif, désignait la parole juste, les principes d'équité, la justice. ◈

♦ Le nom est d'abord employé absolument (au singulier) pour désigner ce qui est moral et juste, l'ensemble des principes moraux de justice devant régir les relations entre hommes. Il désigne collectivement l'ensemble des lois et coutumes d'un peuple (1155), tel règlement ou principe particulier (déb. XIIIe s.), et la connaissance, la science des lois (fin XIIIe s.); de là *droit privé, public; droit civil, commercial, maritime; droit administratif, constitutionnel; droit pénal,* etc. qui désignent autant de disciplines et leur objet. ➛ Dès 1080, il est également employé couramment, au singulier comme au pluriel à propos de ce qui est permis ou exigible selon les principes d'une morale ou selon la législation. Dans ce sens, il entre dans la locution usuelle ***avoir droit en*** (1080), puis ***à,*** «pouvoir exiger», et dans ***être dans son droit,*** le ***bon droit*** désignant le fait d'avoir pour soi la justice, l'équité. ➛ Au sens «comptable» *(un, des droits),* le mot entre dans de nombreux syntagmes, dont les ***droits de l'homme*** (1774) et la locution courante ***avoir le droit de...*** qui s'ajoute à ***avoir droit à...*** avec une autre nuance. ➛ Par métonymie, il désigne une redevance perçue (par l'administration, une personne privée) en échange d'un droit (1160), spécialement un salaire pour qqch. (v. 1455) ou une taxe, un impôt. ➛ Par extension, il se dit, au pluriel, ou en locutions, de ce qui donne une influence, une autorité morale considérée comme légitime.

▸ Le mot n'a pas produit de dérivés et il est isolé par rapport à la famille du latin *jus : juridique, justice, juger*, etc. ◆ Seuls les composés **PASSE-DROIT** n. m. (1546) et **AYANT-DROIT** n. m. (1835) peuvent être signalés. Le premier seul est d'usage courant.

DRÔLE n. m., d'abord *drolle* (fin XVe s., d'après une édition de 1670) et *draule* (1549), est probablement emprunté au moyen néerlandais *drolle, drol* «lutin, petit bonhomme», d'où au figuré «bon vivant, joyeux compagnon». L'étymologie de ce mot est inconnue, un rapprochement avec le nom scandinave du lutin *(troll)* fait difficulté.

♦ Le mot a désigné un bon vivant et, avec une valeur péjorative, un débauché (XVIe s.), une personne rouée dont il faut se méfier (1652, Scarron), une personne méprisable (1718) ; tous ces sens ont vieilli. ◆ Le sens d'«enfant» s'est développé au XVIIIe s. dans le midi de la France et s'y est maintenu, souvent avec le souvenir de la péjoration initiale (***mauvais drôle*** «garnement») ; cet emploi est très vivant en français régional (Centre, Sud-Ouest) et, parlant chez les auteurs méridionaux (dep. 1739) par exemple chez A. Daudet dans son *Petit Chose* ou chez Mauriac. ◆ Le nom est adjectivé au XVIIe s. (1636) et **DRÔLE** adj. qualifie d'abord une personne qui amuse, fait rire, puis une situation, un objet (1670). ◇ En attribut, il exprime aussi l'idée de «bizarrerie», ou dans la construction *un drôle de* (+ nom) [1664], glissement de sens que connaît aussi son synonyme anglais *funny*. Plus familièrement, la construction *drôle de* exprime (1842-1843, Sue) une idée intensive et équivaut à *fort, rude, sacré*. ◇ L'emploi substantivé de l'adjectif à valeur de neutre, *le drôle*, reprend seulement l'idée de «comique, cocasse» (1842, Balzac) et demeure rare.

▸ Le mot a produit plusieurs dérivés à partir du XVIe siècle. ◆ **DRÔLERIE** n. f. (1540, *drollerie*, emploi isolé au sens collectif d'«ensemble des débauchés») est employé avec le sens d'«action, propos plaisant» (1570) et, seulement au XIXe s. (av. 1850, Balzac) à propos du côté plaisant (d'une personne, d'une situation). Le sens de «chose sans importance» avec lequel Montaigne l'employait (1595) est sorti d'usage ou régional. ◆ **DROLATIQUE** adj. (1565, Rabelais), quasiment éteint après 1611, a été repris par Balzac dans ses *Contes drolatiques* (1832), pastiche du moyen français. L'adverbe correspondant, **DROLATIQUEMENT** (1590), a été repris en 1845. ◆ Le féminin **DRÔLESSE** n. f. (av. 1592, *drollesses*) a vieilli avec son sens péjoratif de «femme dévergondée», mais se rencontre dans le sud et l'ouest de la France pour désigner, sans connotation péjorative, une petite fille ; cet usage correspond à celui de *drôle* n. m. (ci-dessus). ◆ *Drôle* a aussi donné **DRÔLEMENT** adv. (1625) dont le sens propre, «d'une façon comique», est devenu rare au bénéfice d'autres valeurs apparues au XIXe s. en relation avec l'évolution de *drôle* «singulièrement» (1845) et «extrêmement» (Balzac 1837, répandu apr. 1945). ◆ Les autres dérivés de *drôle* sont d'un emploi restreint, familier et régional, tels **DRÔLET, ETTE** adj. (1625, comme nom au sens de «jeune garçon») employé comme adjectif depuis 1741, et **DRÔLICHON, ONNE** n. (1860) et adj. (1863), antérieurement nom propre d'un personnage des *Plaideurs* de J. Racine (1668).

DROMADAIRE n. m. est emprunté (v. 1121) au latin *dromedarius* (IVe s.), dérivé du latin classique *dromas, -adis* de même sens. Ce dernier est emprunté au grec *dromas, -ados*, sous-entendu *kamêlos* «(chameau) qui court» (→ -drome).

♦ Le mot, nom d'un animal proche du chameau, possédant une seule bosse et commun en Afrique, est quelquefois employé au figuré en parlant d'une personne laide, pénible ; cet emploi reste stylistique et n'a rien de comparable avec l'extension figurée de *chameau*. Terme de zoologie — et alors opposé à *chameau* —, il est concurrencé dans l'usage général par *chameau*, qui s'applique indifféremment aux deux espèces.

-DROME suff. est l'élément suffixal tiré du grec *dromos* «action de courir» d'où «course» et, par métonymie, «emplacement pour courir». Ce mot, toujours attesté en grec moderne, est dérivé de *dramein* qui sert à compléter la conjugaison de *trekhein* «courir». Il se rattache à une racine indoeuropéenne °*der-*, également représentée dans le sanskrit *drávati, drámati*.

▸ *-drome* entre en composition de substantifs masculins avec le sens d'«emplacement pour courir». Les dates d'apparition reflètent l'évolution des domaines de course : **HIPPODROME**, ancien emprunt (1190, *ypodrome*) au latin *hippodromus*, du grec *hippodromos* (→ hippique) a été repris au grec au XVIe s. (1534) à propos d'une réalité antique et s'est diffusé avec le turf, au XIXe s. ; **AUTODROME** (1896) a vieilli, (→ automobile), mais **VÉLODROME** (1894) reste usuel ; **CYNODROME** est plus récent (v. 1938). ◆ *-drome* a la valeur étendue de «piste où un mobile se déplace», dans **AÉRODROME** (1896) et dans **BOULODROME** (1903). ◆ On note exceptionnellement l'emploi autonome de **DROME** n. m. au sens de «piste, avenue (originellement réservée à la course)», sens normalement assumé par **DROMOS** n. m. (1811, Chateaubriand), emprunt direct au grec.

◈ voir DROMADAIRE.

DROSSE n. f. est emprunté (1636), par croisement avec *drisse* (1639) «cordage», à l'italien *trozza* «cordage de la vergue d'artimon» (1607). Ce mot est originaire de Gênes, ville où l'on relève le latin médiéval *trocia* en 1268, ou de Venise (*troca*, 1365). Ces formes seraient issues, avec métaphorisation, du latin *tradux* «sarment», de *traducere* «faire passer à travers» (→ traduire) parce que l'on fait passer les sarments d'un arbre à l'autre. Cependant, l'ancienneté de l'anglais *truss* «drosse» (1296) pourrait faire difficulté si l'on admet qu'il a la même origine.

♦ Le mot est un terme de marine, d'abord appliqué à une brague de canon (sens «vieux» depuis l'édition de 1838 de l'Académie) puis à un cordage utilisé dans la manœuvre des voiles (1680) ; en ce sens, il entretient un rapport certain avec *drosser**. De nos jours, *drosse* se dit du système de transmission commandant la barre du gouvernail (1773).

DROSSER v. tr., terme de marine (1777, 1634 selon Bloch et Wartburg), est d'origine incertaine : il s'agit probablement d'un emprunt au néerlandais *drossen* «détourner un navire de sa route». Cette hypothèse est préférable à celle qui y voit un dérivé de *drosse** n. f., ce dernier n'étant attesté pour «cordage» qu'en 1680, une comparaison entre le mouvement du cordage utilisé pour la manœuvre des voiles et le changement de cap pouvant lier le substantif au verbe. Si, malgré la difficulté chronologique, cette hypothèse se vérifiait, le néerlandais serait emprunté au français.

♦ Le verbe a conservé le sens de l'étymon.

▶ **DROSSAGE** n. m. «action de drosser» s'applique à un bateau et, par analogie, à un avion.

DRU, DRUE adj. et adv. est issu (1080) d'un gaulois °*druto* «fort, vigoureux», postulé par le gallois *drud* «hardi», attesté dans les parlers de l'Italie septentionale.

♦ Le sens propre de *dru,* appliqué à l'herbe dès les premiers emplois, n'est donc pas «qui a des pousses nombreuses et serrées», mais simplement «vigoureux». Ceci explique que jusqu'au XVIe s. l'adjectif ait également eu les sens de «vert, vif, gaillard» (v. 1175), «fort, dodu, bien nourri», «plein» et même «populeux», et qu'il ait servi à qualifier l'ami, l'amant fidèle, le favori (comme l'ancien provençal *drut* «amant, ami»). Jusqu'à l'époque classique, il s'est appliqué à une personne décidée, pleine d'entrain. ◇ Il est employé adverbialement (v. 1275) au sens de «vigoureusement», «vivement, beaucoup et vite».

▶ Son dérivé **DRÛMENT** ou **DRUEMENT** adv. (1200) «largement, avec opulence» est vieilli ou d'usage très littéraire.

DRUGSTORE n. m. est emprunté (1925, *drug-store*) à l'anglo-américain *drugstore* (1810), de l'anglais *drug* «médicament» et «drogue», lui-même emprunté au français *drogue**, et de *store* «magasin». Ce dernier est emprunté, avec aphérèse, à l'ancien français *estor* «équipage, approvisionnement», déverbal d'*estorer,* représentant du latin *instaurare* (→ instaurer).

♦ Le mot a été introduit à propos d'une réalité nord-américaine, souvent traduit par *pharmacie,* terme inexact (sauf au Québec) puisque le drugstore nord-américain propose des produits d'hygiène, d'alimentation, des cigarettes, des journaux, de même que la droguerie française vend aussi des clous et des balais. ◇ Par extension, *drugstore* a servi à désigner une réalité française très différente de son modèle américain : créé sous le signe du luxe par une agence de publicité, en 1958 sur les Champs-Élysées à Paris, le *drugstore* français regroupe la vente de produits de luxe, un restaurant, un bar, parfois un cinéma.

▶ Les quelques dérivés **DRUGSTORIEN, IENNE** adj., **DRUGSTORISTE** n. se rapportent uniquement au dernier sens.

DRUIDE n. m. est emprunté (1213) au latin *druida* «prêtre gaulois», mot d'origine gauloise (l'irlandais a *drui* «sorcier»). Il est parfois rattaché, d'après un passage de Pline, au grec *drus* «chêne» (→ dryade) en raison des pratiques religieuses de ces prêtres. Plus vraisemblablement, il est issu du celtique °*druvids* «très savant», de *dru-,* préfixe intensif, et de °*suvids* «sage».

♦ Le mot désigne un membre de la caste sacerdotale des Celtes de Gaule, de Grande-Bretagne et d'Irlande anciennes.

▶ Le féminin **DRUIDESSE** n. f., fait sur *druide,* est attesté depuis 1727 (Dom Martin, *Religion des Gaulois*). ◆ C'est dans le même ouvrage qu'est relevée la première attestation de **DRUIDISME** n. m. peut-être d'après l'anglais *druidism* (1715). ◆ **DRUIDIQUE** adj. est attesté peu après (1773 selon Bloch et Wartburg; 1812, Boiste). La période à laquelle sont apparus ces dérivés correspond à l'engouement pour la mythologie celtique en France.

DRUPE n. f. est emprunté en botanique (1796) au latin impérial *drupa* «olive qui commence à brunir». Ce mot est apparenté au grec *drupêpa,* accusatif de *drupeps,* doublet de *drupepês* «qui mûrit sur l'arbre», en parlant d'olives noires; le grec possède lui-même une forme *druppa,* peut-être reprise au latin (Athénée a dit formellement que *druppas,* accusatif pluriel, était un terme «romain»).

♦ Ce terme didactique désigne un fruit charnu, indéhiscent, renfermant un seul noyau (cerise, abricot, etc.).

DRYADE n. f. est emprunté (v. 1278, *driade*) au latin *dryas, -adis* (généralement au pluriel *dryades*) «divinité féminine protectrice des arbres et des forêts». ◇ Le mot latin est lui-même emprunté au grec *druas, -ados,* dérivé de *drus* «arbre», en particulier : «chêne», la vie de ces nymphes étant liée à celle d'un chêne. *Drus* repose sur un thème °*dru-,* nom de l'arbre qui répond, avec un autre vocalisme, à *doru* (→ doryphore); hors du grec, on évoque l'indo-iranien *dāru-,* le vieux slave *drěvo* «arbre», le gotique *triu* «arbre» qui correspondraient à une famille indoeuropéenne. Le même thème s'observe avec le sens de «ferme, solide, sûr», car on part généralement du nom du bois pour en tirer la notion de «solidité».

♦ *Dryade,* emprunté en mythologie, a fait l'objet d'un second emprunt, en botanique (1786), au latin botanique *dryadae* pl. (1735, Linné) puis *dryas* (1740), de même origine. Il désigne un petit arbrisseau à fleurs blanches, de la famille des Rosacées.

▶ **HAMADRYADE** n. f., synonyme de *dryade* dans son acception mythologique, est emprunté (XVe s.) au grec *hamadruas* (pluriel *hamadruades*), de *hama* «ensemble, en compagnie de», mot de formation obscure, et *druas,* littéralement «dryade qui fait corps avec un chêne».

DU → DE ◇ **DÛ** → DEVOIR

DUALITÉ n. f. est emprunté (1377, Oresme) au bas latin *dualitas, -atis* (déb. VIe s.) «caractère de ce qui est double», du latin *dualis* «de deux» (→ ② duel).

♦ Le mot, dont on n'observe une seconde attestation qu'en 1585, est rare avant le XIXe s. où il est repris (1838). Il a des emplois spéciaux (XXe s.) en mathématiques où il a suscité la création de l'adjectif **DUAL, ALE, AUX,** «lié par une relation de correspondance réciproque», francisation de *dualis,* et en linguistique.

▸ **DUALISME** n. m. est emprunté (1697, Bayle) au latin moderne *dualismus,* dérivé savant du latin *dualis.* C'est un terme de philosophie désignant un système de croyance ou de pensée qui pose la coexistence de deux principes premiers opposés. Par extension, il se dit du caractère de ce qui comporte deux éléments opposés et complémentaires; quelquefois, par affaiblissement, il interfère avec *dualité**. ◆ **DUALISTE,** l'adjectif correspondant (1702 ou 1838, le *T. L. F.* ne retenant pas la première date, mais attesté fin XVIIe s. en philosophie comme nom masculin) a produit un adjectif **DUALISTIQUE** (1838), employé spécifiquement en philosophie et dans l'histoire des sciences, en parlant de la théorie chimique de Lavoisier pour qui tout composé était binaire.

DUBITATIF, IVE adj. est emprunté (1314; XIIIe s. selon Bloch et Wartburg) au bas latin *dubitativus* «douteux» et «qui exprime le doute» (en grammaire), de *dubitatum,* supin de *dubitare* (→ douter).

♦ *Dubitatif,* à la fois d'usage didactique et courant, conserve le sens du latin; sa spécialisation en grammaire (1732) a néanmoins vieilli.

▸ Le mot a produit **DUBITATIVEMENT** adv. (1769). ◆ **DUBITATION** n. f., emprunté (1223) au dérivé latin *dubitatio,* fait sur le supin de *dubitare,* désigne la figure de rhétorique consistant à feindre une hésitation. ◆ Quant à **DUBITABLE** adj. (fin XIXe s.), emprunt tardif au latin *dubitabilis* «douteux», «qui doute», autre dérivé du supin de *dubitare,* il ne s'est pas imposé, à la différence de son antonyme *indubitable**.

DUC n. m. est emprunté (1080) au latin *dux, ducis,* dérivé de *ducere* «mener» (→ conduire), et qui signifie «conducteur, guide» (quelquefois «berger marchant à la tête du troupeau»), d'où «chef, général». À basse époque, le mot s'est dit du gouverneur d'une province de l'Empire puis, chez les Mérovingiens (667), du délégué du roi pour les affaires militaires et la justice dans une circonscription formée de plusieurs comtés.

♦ *Duc,* lorsqu'il réfère au haut moyen âge, désigne le chef d'une armée, d'une tribu; puis (1210) celui qui a le gouvernement, la seigneurie d'un territoire nommé *duché* et relevant directement du roi ou de l'empereur. Après l'abandon des institutions féodales, le mot désigne dans la hiérarchie nobiliaire celui qui porte le titre le plus élevé après celui de prince. Le sens de «doge» (XVIe s.) a été abandonné au profit de l'italianisme *doge** introduit à la même époque. ◆ Ce nom a été donné à un oiseau nocturne (1165), probablement à cause de ses aigrettes comparées à une couronne ducale. Cet emploi est surtout vivant dans le syntagme ***grand duc*** (aussi ***petit, moyen duc***). ◆ Au XIXe s., le mot a servi à désigner une luxueuse voiture à cheval (1877, Littré).

▸ *Duc* a produit **DUCAL, ALE, AUX** adj., d'abord *duchal* (v. 1270, Arveiller), qui a quelquefois servi aussi d'adjectif à *doge**. ◆ Le féminin **DUCHESSE** n. f. (1320) est la réfection du plus ancien *duchoise* (1160-1174), peut-être formé d'après le latin médiéval *ducatissa* (également *ducissa* 1190, *duxissa* 1320). Plus que *duc,* le mot a reçu une valeur figurée pour «femme affectant de grands airs» (1870) et quelques sens concrets en ameublement (1742), en habillement; il s'applique aussi à une variété de poire (1864) en apposition ***poire duchesse.*** ◆ *Duc* et *duchesse* entrent dans les composés **GRAND-DUC** n. m. (1694) et **GRANDE-DUCHESSE** n. f. (1843), **ARCHIDUC** n. m. (1486) et **ARCHIDUCHESSE** n. f. (1504), dans la hiérarchie nobiliaire.

DUCHÉ n. m., attesté en 1210 au féminin *(la duchiet),* est un dérivé de *duc,* désignant la seigneurie à laquelle est attaché le titre ducal. Le féminin a été condamné par Vaugelas. À l'expression *duc et pair* correspond *duché-pairie* n. m. ◇ À *grand-duc* et *grande-duchesse* correspond **GRAND-DUCHÉ** n. m. (sans doute ancien, repris 1909).

◈ voir DUCAT, DUCE.

DUCASSE → DÉDICACE

DUCAT n. m., d'abord écrit *duca* (XIVe s.), puis *ducat* (1395), est emprunté à l'italien *ducato* (av. 1347), précédé par le latin médiéval *ducatus* (1181), proprement «monnaie ducale, frappée à l'effigie d'un duc», de *duca,* correspondant au français *duc**. Le mot italien se rapporte d'abord, selon certains, à une monnaie créée par le gouverneur italien Longinus, devenu duc de Ravenne après s'être révolté contre l'empereur Justin. Puis, il concerne une monnaie d'argent du XIIe s. avant de dénommer la monnaie émise par le doge ou duc (→ doge) de Venise au XIIIe siècle.

♦ Le mot désigne une monnaie adoptée par plusieurs pays européens avec une valeur variable, aujourd'hui disparue. Il est adjectivé (1864), remplaçant le complément de détermination *de ducat* (1690, *or de ducat*).

DUCE n. m. est l'emprunt (1922) de l'italien *duce* «guide, chef» (fin XIIIe s.), spécialement «dictateur» (1801), issu du latin *dux, ducis,* mot ayant donné le nom de duc, en italien (→ doge, ducat) et en français (→ duc). La désignation de *duce* a été donnée à Mussolini dès le temps de la «marche sur Rome» (1922); elle se rattache à un type de meneur d'hommes qui, du *condottiere* de la Renaissance, proprement «conducteur» (→ condottiere) à Garibaldi, avait une forte résonance dans la psychologie politique des Italiens. Après 1925, le terme sort de l'usage des seuls militants fascistes pour être utilisé dans les manifestations publiques; il n'entre que plus tard dans la titulature officielle où il continue à se référer à la direction du parti : «chef du gouvernement et *duce* du fascisme»; dans l'usage général, il s'étend à l'ensemble de la nation et de l'État. Ce titre sera repris par les autres dictateurs du XXe s., traduit *Führer* en Allemagne (Hitler), *caudillo* en Espagne (Franco), *conducator* en Roumanie (Ceauşescu).

♦ En français, *duce* ne se réfère qu'au titre de Mussolini, chef de l'Italie fasciste (1922-1945).

DUCTILE adj. est emprunté (1282) au latin impérial *ductilis* «que l'on peut conduire», d'où «malléable, plastique», du radical du supin *(ductum)* de *ducere* «conduire» (→ conduire).

♦ *Ductile,* doublet savant de l'ancien français *doille, douille* (→ douillet), qualifie concrètement, en style didactique, une matière qui peut être étirée sans se rompre ; plus rarement, il est employé au figuré à propos d'un être malléable, influençable (1542), d'une chose changeante.

▸ Son dérivé **DUCTILITÉ** n. f. (1671), quelquefois concurrencé par *ductibilité,* désigne la propriété d'un corps, et, par métaphore, d'un style, d'un être ductile.

DUÈGNE n. f. est emprunté au XVIIe s. (av. 1646, *Dueña* ; 1632 écrit *douegna*) à l'espagnol *dueña* «dame» (1063), spécialement «dame de compagnie» (1140), issu du latin *domina* «maîtresse de maison», qui a donné *dame**.

♦ Le mot a pénétré en français sous sa forme espagnole (avec majuscule), francisée en *Doëgne* (1643) puis en *duègne* (1655, Scarron). Il désigne une femme d'âge mûr chargée de veiller sur la conduite d'une jeune personne en Espagne ou en référence à la tradition espagnole. Par extension, d'après la réputation attachée aux duègnes (appelées par Scarron : «animaux rigides et fascheux, aussi redoutéz pour le moins que des belles-mères»), il est employé, dans un style littéraire, à propos d'une vieille femme acariâtre et gênante. Cette connotation a disparu.

① **DUEL** n. m., d'abord *duelle* (1556), puis *duel* (av. 1573), est emprunté au latin *duellum,* forme ancienne de *bellum* «guerre, combat» (→ belliqueux), employée comme archaïsme par certains écrivains classiques. Le mot a développé en bas latin le sens de «combat singulier» pour dénommer une coutume introduite par les Germains, probablement d'après *duo* (→ deux), par étymologie populaire.

♦ *Duel* a pris en français sa spécialisation moderne au cours du XVIe s., et son histoire correspond à l'évolution de cette coutume, avec divers syntagmes (***duel à mort, au premier sang; se battre en duel,*** etc.). En histoire, le mot s'applique aux institutions de combat singulier antérieures au XVIe s., notamment aux règlements judiciaires censés représenter le jugement de Dieu et dont la réparation d'une offense par les armes, sens précis de *duel,* est issue. Le mot a aussi des valeurs figurées.

▸ **DUELLISTE** n. est emprunté (1623) à l'italien *duellista* «celui qui se bat en combat singulier» (XVe s.), dérivé de *duello* «duel». On trouvait chez Brantôme, auteur des *Duels célèbres* et d'un *Discours sur les duels, duelliant,* adaptation de l'italien *duellante,* participe présent de *duellare* «se battre en duel». Toujours chez Brantôme, on relève des attestations (apr. 1578) de *duelliste* adj. et n. «relatif au duel» et «spécialiste en duel», formé sur *duel* avec le suffixe *-iste.*

② **DUEL** n. m. est emprunté (1570 ; 1539 selon *G. L. L. F.*) au latin impérial *dualis* «de deux» (→ dualisme), substantivé en grammaire pour le nombre employé dans certaines langues, dont le grec, pour indiquer que deux personnes, deux choses sont en cause.

♦ Le mot a été introduit par les hellénistes de la Renaissance.

▸ Le latin *dualis* a été emprunté ultérieurement, donnant **DUEL, ELLE** adj. (1827) en grammaire et parfois, dans le style didactique, au sens plus général de «qui repose sur un principe de dualité» (→ dual).

DUFFEL (ou **DUFFLE**)**-COAT** n. m. est emprunté (1952) à l'anglais *duffel coat,* plus couramment *duffle coat* (1919), nom d'un caban des marins anglais. C'est un composé de *coat* «manteau», emprunté au français *cotte** (→ aussi redingote) et *duffel* «drap moletonné», de *Duffel,* ville des Flandres près d'Anvers (XVIIe s.). Très tôt, *duffel* a été assimilé au modèle courant des mots anglais en *-le* (type *bottle* «bouteille») et a pris la forme *duffle* qui semble s'être imposée.

♦ Le mot est attesté en 1952 dans une publicité, mais le vêtement était connu des jeunes immédiatement après la guerre (v. 1945) ; sa vogue a reculé, pour être reprise périodiquement depuis.

DULCIFIER v. tr. est emprunté (1620) au bas latin *dulcifiare* «rendre doux», de *dulcis* (→ doux) et *-ficare, facere* (→ faire).

♦ Le mot a pénétré comme terme de chimie ; il n'est plus guère employé qu'au sens technique de «raffiner une première fois (du plomb)» (XIXe s.) et, rarement, au sens figuré pour «apaiser, adoucir» (1652, Scarron).

▸ Il a donné **DULCIFICATION** n. f. (1651), **DULCIFIÉ, ÉE** adj. et **DULCIFIANT, ANTE** adj., tous deux issus de ses participes. Tout le groupe est senti comme vieilli, y compris en métallurgie.

DULCINÉE n. f. est l'emploi comme nom commun (1718) du nom propre *Dulcinée du Toboso* (en espagnol *Dulcinea del Toboso*), nom donné par don Quichotte à la dame de ses pensées dans le roman de Cervantes, et dont le héros se fait une image très idéalisée. Le mot, est formé sur le représentant espagnol du latin *dulcis* (→ doux). *Toboso* est le nom d'un bourg de Nouvelle-Castille.

♦ Le mot, écrit avec une majuscule lorsqu'il fait allusion au *Don Quichotte* de Cervantes, désigne plaisamment une femme inspirant une passion romanesque.

DULIE n. f. est un emprunt (1372) au latin chrétien *dulia,* lui-même pris au grec *douleia* «servitude», de *doulos* «esclave», mot probablement emprunté (peut-être lydien), non indoeuropéen.

♦ Il désigne en théologie les honneurs rendus aux anges et aux saints, dans l'expression ***culte de dulie,*** et s'oppose à *latrie**.

DUMPING n. m. est un emprunt (v. 1900, M. Mény, titre d'une thèse) à l'anglais *dumping* (1883), substantif verbal de *to dump* «décharger», spécialement, en économie, «exporter ou mettre sur le marché une grande quantité à bas prix» (1868). Ce verbe est peut-être d'origine nordique, à comparer au danois *dumpe,* norvégien *dumpa,* suédois dialectal *dompa* «tomber brutalement».

♦ Le mot a été repris dans sa spécialisation économique, sans la valeur péjorative qu'il a en anglais de «chose dont on se débarrasse».

▸ L'adjectif **ANTIDUMPING,** «contre le dumping», existe en français depuis 1958 au moins (loi du 20 décembre 1958); c'est probablement un emprunt à l'américain *antidumping* (Webster, 1934).

DUNDEE n. m. est l'altération (1901) de *dandy* (1877), emprunté à l'anglais *dandy* (1858), nom d'un petit voilier «élégant comme un dandy» (→ dandy). L'altération s'est faite d'après le nom d'un port d'Écosse, *Dundee,* lieu possible de la construction de ces bateaux.

DUNE n. f. est emprunté (v. 1195) à l'ancien néerlandais *dûna* (moyen néerlandais *dûne,* néerlandais *duin*) qui viendrait du gaulois °*duno* «haueur» (ancien irlandais *dún,* gallois *din*) que l'on retrouve en toponymie française (*Lugdunum* «Lyon», *Augustodunum* «Autun», etc.).

♦ Le mot désigne une petite colline de sable.

▸ Le diminutif **DUNETTE** n. f. (1550) semble avoir d'abord servi à désigner une levée de terre fortifiée. Il est aussi attesté (1564) avec le sens propre de «petite dune», encore vivant en 1636. ◆ L'usage moderne l'emploie comme terme de marine pour la superstructure à l'arrière d'un navire (1634), et spécialement sa partie supérieure formant pont. Dans ce sens, il n'est plus senti comme lié à *dune.* ◆ **DUNAL, ALE, AUX** adj. (1959) «qui forme une dune» est un terme technique de géographie.

DUO n. m. est emprunté (1547) à l'italien *duo* (XIVe s.) «deux» (*due* en italien moderne), en musique (XVIe s.), de même origine que *deux**.

♦ En français, le mot est d'abord employé au figuré, en référence à un sens musical «air pour deux voix»; «fait de chanter à deux» *(en duo)* qui n'est attesté que plus tard (av. 1630).

▸ **DUETTO** n. m. (1817, Stendhal) est emprunté à l'italien *duetto,* diminutif attesté au début du XVIIIe s. de *duo,* pris dans son sens musical. ◆ Son synonyme, **DUETTINO** n. m., autre emprunt à l'italien, se trouve également chez Stendhal (1830). Ces deux mots sont techniques et rares. ◆ Depuis 1913, la série est complétée par **DUETTISTE** n., emprunt à l'italien *duettisto* (féminin *duettista,* av. 1916), de *duetto,* qui a aussi des emplois figurés et s'applique plus souvent aux deux membres d'un duo comique qu'à la musique.

DUODÉCIMAL, ALE, AUX adj., attesté à partir de 1801 dans un *Traité de minéralogie,* est dérivé du radical du latin *duodecimus* «douzième», de *duodecim* (→ douze) d'après *décimal**. Dès 1727, le mot est employé dans le titre de l'ouvrage anglais de J. Jordaine, *Duodecimal Arithmetick and Mensuration Improved.*

♦ Le mot qualifie un système de numération à base douze.

▸ L'adverbe **DUODECIMO** (1846), fait sur le latin *duodecimus,* pour remplacer *douzièmement,* n'a pas eu de succès. ◆ Il en va de même pour **DUODÉCENNAL, ALE, AUX** adj. «de douze ans» (1861, in *Littré, Suppl.*) formé sur le bas latin *duodecennis,* de *duodecim* et *annus* (→ année).

DUODÉNUM n. m. est emprunté (1478) au latin médiéval médical *duodenum* (1210), abréviation de *duodenum digitorum* (génitif pluriel), proprement «de douze doigts». Il est formé de *duodeni* «chacun douze» de *duodecim* (→ douze) et *digitus* (→ doigt), cet organe étant décrit par les médecins comme ayant une longueur de douze travers de doigt.

♦ *Duodénum* a évincé la forme traduite ancienne *dozenaire* (1314) pour désigner la première section de l'intestin grêle.

▸ Il a pour dérivés **DUODÉNAL, ALE, AUX** adj. (1767) et **DUODÉNITE** n. f. (1825, Broussais) «inflammation du duodénum».

DUPE n. f. et adj., d'abord *duppe* (1426), est un emploi plaisant, d'abord dans le jargon (argot) puis dans l'usage familier, de *dupe* «huppe» (XVIe s.; depuis le XVe s. au sens de «plumage de huppe»), par allusion à la stupidité prêtée à cet oiseau (cf. *pigeon*). *Dupe* est formé de *huppe**, mot onomatopéique, avec un *d-* également expressif, à moins qu'il ne s'agisse (P. Guiraud) du déverbal d'un °*déhupper* «enlever la huppe» (symbole de prestige) comme on plume : le *dupé* est celui qui a été «plumé».

♦ *Dupe,* d'abord dans l'argot des tricheurs et des soudards, est passé dans la langue littéraire ou soutenue sauf dans quelques locutions plus usuelles ***(marché de dupes, être dupe...).*** Depuis 1656 (Pascal), on le rencontre également comme adjectif attribut *(être dupe).*

▸ Son dénominatif courant **DUPER** v. tr. (av. 1489, *dupé*) est rare avant 1632. Comme *dupe,* ce verbe est d'usage soutenu. ◆ Il a produit **DUPERIE** n. f. (1690, *dupperie*), d'usage littéraire, et **DUPEUR, EUSE** n. (1669) qui ne s'emploie plus guère.

DUPLEX adj. et n. m. est un emprunt moderne (1883) au latin *duplex* «double», «partagé en deux», au figuré «fourbe, rusé», synonyme de *duplus* (→ double) et formé de *duo* (→ deux) et *plicare* (→ plier).

♦ Le mot a été introduit pour désigner un système de transmission télégraphique; il s'applique aujourd'hui aux télécommunications. Il a d'autres emplois spécialisés, en métallurgie, biologie, médecine et un sens courant, «appartement sur deux étages» (v. 1954), emprunté à l'anglo-américain (1922 en ce sens).

▸ Son dérivé **DUPLEXER** v. tr. (1939), les dérivés de celui-ci, **DUPLEXAGE** n. m. (v. 1950) et **DUPLEXEUR** n. m. (v. 1950) sont des termes de communication.

◈ voir DUPLICITÉ, TRIPLEX pour la finale.

DUPLICATA n. m. est emprunté (1511) au latin médiéval *duplicata* (sous-entendu *littera*) «copie» (1482), «lettre redoublée», terme que l'on inscrivait au bas des actes faits en double. C'est le participe passé féminin substantivé du latin *duplicare,* dérivé de *duplex* (→ duplex) : «doubler, accroître, augmenter» et en latin médiéval (1275) «copier en double».

♦ Le mot, passé en français avec le sens de «double d'une pièce, d'un acte», est surtout d'usage administratif.

▸ Il a produit **DUPLICATER** v. tr. (mil. XXe s.), qui a entraîné **DUPLICATAGE** n. m. (v. 1950).

DUPLICATION n. f. est emprunté à date plus ancienne (XIIIe s.) au latin impérial *duplicatio* «action de doubler, redoubler», nom d'action fait sur le supin de *duplicare.* D'abord employé au sens de «réplique (de la défense) au tribunal», le mot a désigné ensuite (1564, Paré) le doublement, spécialement en biologie, dans l'industrie du disque et en télécommunication (où il est synonyme de *duplexage**). ◆ Son radical a servi à former **DUPLICATIF, IVE** adj. (1955) «qui double».

Le groupe est complété par **DUPLICATEUR** n. m. emprunt (1834 en électricité) au dérivé latin *duplicator* «qui double» et par **DUPLICATURE** n. f. (1906), terme de biologie, fait sur le latin *duplicatus* avec le suffixe *-ure,* et qui désigne une membrane repliée sur elle-même.

DUPLICITÉ n. f. est emprunté (v. 1278) au bas latin *duplicitas* «état de ce qui est double» et moralement «fait d'être ambigu, fourbe», dérivé de *duplex* (→ duplex).

♦ Le mot est passé en français avec le sens moral péjoratif de «fourberie». Sa valeur de «fait d'être double» et de «double nature» (1572) a vieilli au bénéfice de *dualité.*

▸ On rencontre au XXe s. le dérivé régressif **DUPLICE** adj. tant au sens de «double» qu'avec celui de «fourbe» (notamment chez Simone de Beauvoir) ; il peut être considéré comme un emprunt adapté au latin *duplex.*

DUR, DURE adj. est issu (v. 980) du latin *durus* «qui résiste au toucher» (par opposition à *dulcis,* → doux), au figuré «âpre, pénible» (d'une chose) et «insensible de cœur, intraitable» (de qqn). L'étymologie du mot latin n'est pas établie : on a invoqué la dissimilation d'une forme initiale °*druros,* qui permettrait de rapprocher le sanskrit *dāruṇāḥ* «rude, fort», l'irlandais *dron* «solide», le lituanien *drútas* «fort, solide» et le grec *drus* «arbre» (→ druide, dryade). Cependant, le manque d'exemples de cette dissimilation rend l'hypothèse fragile.

♦ *Dur* a les mêmes sens que le latin, à commencer par la valeur abstraite, «pénible physiquement et moralement» (d'une chose) et par le sens concret (1176-1181 en parlant de la terre). Il est appliqué au figuré à une personne (1050) avec des nuances allant d'«insensible» à «stoïque» (XVe s.), «qui perçoit mal» (XVIe s.) comme dans *être **dur d'oreille,*** et «brutal, sans concession» (1775). Une acception très vivante est celle de «difficile», très fréquente négativement *(c'est pas dur).* ◆ Récemment, la valeur «pénible» est exploitée (v. 1980) dans la répétition à la mode *dur dur* «la chose est désagréable», souvent ironique. ◆ L'emploi adverbial (XIIe s. pour renforcer *trempé,* appliqué à un heaume) correspond à «fortement, avec intensité» (1273, dans *taper dur*), *croire **dur comme fer*** (1877).

Enfin, l'adjectif est substantivé (1350) pour désigner ce qui est dur puis une personne dure, valeur réalisée particulièrement dans la locution ***un dur à cuire*** (1829) et reprise au début du XXe s. en argot (1910) pour désigner un homme réputé fort, résistant et agressif ***c'est un dur,*** d'où (1944) ***un dur de dur.*** ◆ Parmi différents emplois argotiques, *dur* n. m. a servi à désigner les fers du détenu (au pluriel, 1800), le bagne (1800), le sol et, encore de nos jours, le train (1886). ◆ Le féminin **DURE** (v. 1460), appliqué au sol et à une couche dure *(coucher sur la dure)* a donné la locution ***à la dure*** (av. 1850). Le pluriel *dures* s'applique en locution, à des épreuves pénibles ***(en voir de dures).*** L'ensemble de ces emplois est du registre familier.

▸ **DUREMENT** adv. (1080) correspond à toutes les valeurs de l'adjectif, «d'une manière pénible, violente», «avec énergie» (XIIe s.), «sans indulgence» (fin XIIe s.), puis aussi, concrètement «d'une façon dure au toucher» (1690), plus rarement «avec austérité» (av. 1848).

DURCIR v. (v. 1180) exprime le fait de devenir dur, concrètement, et transitivement, de rendre dur, au propre (1690) et au figuré (1835). Le pronominal *se durcir* se rencontre depuis Montaigne (1580) avec la valeur morale et correspond également au sens concret (1690). Le verbe a produit plusieurs dérivés, **DURCISSEMENT** n. m. (1753), **DURCISSEUR, EUSE** adj. (1864) et un préfixé. ◆ **ENDURCIR** v. tr. (déb. XIIe s.) est surtout employé avec un complément désignant une personne, au sens de «rendre résistant» et, moralement, de «rendre insensible», notamment à la forme pronominale *s'endurcir* (1636). Le sens physique est rare, tant en construction transitive (1690) qu'au pronominal (XVIIIe s.). ◇ Ce verbe a produit le nom d'action correspondant, **ENDURCISSEMENT** n. m. (1495), lui aussi rare au sens physique, attesté tard (1864), *durcir* et *durcissement* étant plus normaux en emploi concret, et l'adjectif **ENDURCI, IE.**

DURETÉ n. f., d'abord *durté* (v. 1200), graphie fréquente jusqu'au XVIe s., désigne (d'abord au pluriel avec une valeur concrète) le caractère de ce qui est difficile à supporter, physiquement et moralement, et (XIIIe s.) le manque de cœur. Le sens concret apparaît plus tard, avec les acceptions de «manque de mollesse» (XVIe s.), «propriété d'un corps dur» (1580). À la même époque, *dureté* désigne aussi le caractère de ce qui affecte violemment les sens (fin XVIe s.). Il concerne spécialement le début de surdité dans ***dureté d'oreille*** (1690). ◇ Il n'a gardé ni le sens de «durillon» (1314), ni les valeurs abstraites de «défaut de poli du style» et de «fermeté d'âme» (Corneille), vivantes à l'époque classique.

DURILLON n. m. (XIIIe s.) «durcissement de la peau» a aussi désigné la partie ligneuse du fenouil (1398). ◆ Le dérivé moderne **DURAILLE** adj. reprend à *dur* les valeurs de «difficile» (1907) et,

concrètement, «résistant, sans moelleux», dans la langue familière.
DURE-MÈRE n. f. est le calque (1314) du latin médiéval *dura mater* (v. 1210), proprement «mère dure», symétriquement à *pie-mère* n. f. (1314), calque de *pia mater* (v. 1210) «mère pieuse», termes d'anatomie imagés dénommant des membranes enveloppant le cerveau. L'origine de ces dénominations est un calque de l'arabe *al'umm al-galīḏah* et *al'umm al raqīqah,* ces membranes étant considérées comme les sources de toutes les autres. ◆ *Dure* dans *dure-mère,* a servi, beaucoup plus tard à former **DURAL, ALE, AUX** adj. (1959), peut-être d'après l'anglais *dural* (1888). Cet adjectif se retrouve en composition dans **ÉPIDURAL, ALE, AUX** adj. (1912), autre emprunt à l'anglais (*epidural,* 1893), **EXTRADURAL, ALE, AUX** adj. (1959) et **PÉRIDURAL, ALE, AUX** adj. (1960), substantivé au féminin, terme courant en obstétrique. Ces adjectifs, formés avec les éléments savants *épi-**, *extra-** et *péri-** sont des termes de localisation anatomique employés spécialement en médecine (anesthésie).

◈ voir DURIT(E).

DURALUMIN

DURALUMIN n. m. est un nom déposé, formé (1909) du nom de la ville allemande de *Düren* et de *aluminium.*

♦ Le mot désigne un alliage léger d'aluminium, de cuivre, manganèse et magnésium. ◇ Il a pour abréviation **DURAL** n. m.

DURER

◈ **DURER** v. intr. est issu (v. 1050) du latin *durare* «avoir une durée», «endurer», qui semble appartenir à la racine *du-* que l'on retrouve dans *dudum* «naguère, autrefois» et *dum* (→ donc). Cependant, la parenté entre les concepts de durée et de chose pénible à supporter (cf. *endurer*), l'emploi fréquent de *durare* par opposition à des verbes indiquant la liquéfaction et la putréfaction, ont dû favoriser la confusion avec un autre *durare* «durcir, endurcir», dérivé verbal de *durus* (→ dur).

♦ *Durer,* «avoir un certain développement dans le temps» et «résister aux atteintes du temps», a eu d'autres valeurs jusqu'à l'époque classique. Il se construisait aussi avec un sujet désignant un être animé pour «vivre, se maintenir en vie» (XIIe s.), «demeurer en place» (fin XIIe s.) et «tenir, résister à» (v. 1196), absolument et avec un complément prépositionnel *(durer à).* Certains de ces emplois sont encore vivants régionalement *(ne pas durer en place).*

▸ Le participe présent **DURANT,** à partir d'emplois comme verbe d'une proposition participiale, généralement placé après le mot auquel il se rapporte *(un an durant),* a été ressenti comme préposition dès lors qu'il lui était antéposé *(durant un an),* par calque (1260) de la construction latine avec ablatif absolu dans la langue juridique. Il a été employé comme locution conjonctive dans ***durant que*** «pendant que», celle-ci étant, aujourd'hui, très littéraire. ◆ Le nom correspondant à *durer,* **DURÉE** n. f. (1135) désigne une fraction du temps par rapport à une série d'événements, un processus qui y prennent place. Il a donné l'ancienne locution adverbiale ***de durée*** «qui dure», usuelle en langue classique. Depuis 1870, il est spécialement employé en musique. **DURABLE** adj. est emprunté (1050) au latin impérial *durabilis* «qui dure», dérivé de *durare.* Il qualifie des réalités qui subsistent pendant longtemps, sont peu sujettes à changer ou à disparaître. ◆ Il a donné l'adverbe de manière correspondant au verbe, **DURABLEMENT** (v. 1160), ainsi que **DURABILITÉ** n. f. (fin XIIIe s.) d'usage didactique.

◈ voir ENDURER, PERDURER.

DURILLON → DUR

DURION ou DURIAN

DURION ou **DURIAN** n. m., nom d'un arbre, est emprunté (1588) au malais par l'intermédiaire de l'espagnol et du portugais. Le mot est d'abord relevé dans une traduction de l'espagnol, puis (1602) dans la traduction d'une adaptation latine de textes espagnols et portugais. Parvenu en français par voie savante (la forme moderne est influencée par le latin), le mot a connu une certaine vulgarisation au XVIIe s. (Furetière n'a pas d'article *durion,* mais mentionne le mot à *betel,* en raison de la contrariété existant entre les deux choses).

♦ Le terme désigne un arbre de l'archipel indien et, par métonymie, son fruit comestible. Il est à peu près sorti d'usage.

DURIT ou DURITE

DURIT ou **DURITE** n. f. est l'emploi comme nom commun (1917 *durit* dans un dict. français-anglais de termes militaires [D. D. L.]), d'une marque déposée, très probablement tirée — principalement ou par calembour, s'il s'agissait d'un nom propre — de *dur.*

♦ Le mot désigne une conduite en caoutchouc traité (durci) pour les raccords de canalisations, dans les moteurs à explosion.

DUVET

DUVET n. m. est une réfection inexpliquée (2e moitié du XIIIe s., av. 1278) du moyen français *dumet* attesté seulement au XVe s. mais qui correspond au latin médiéval *duma* (1250). *Dumet* est le diminutif en *-et* de *dum, dun,* formes attestées vers le milieu du XIIIe et jusqu'au début du XIVe siècle. Le type *dun* a été emprunté, à l'occasion du commerce du duvet, à l'ancien nordique *dunn* «petites plumes des oisillons» (norvégien, suédois, danois *dun,* anglais *down,* allemand *Daune*); *dum* est probablement une altération de ce *dun* d'après *plume**.

♦ Le mot, rare ou spécial, est passé dans l'usage courant pour désigner les petites plumes des jeunes oiseaux (1803, Chateaubriand). Par analogie, il désigne (1680) le poil très fin qui annonce la barbe sur le visage des adolescents. Il est aussi employé en botanique (1700) ainsi qu'en zoologie à propos de quadrupèdes (1760, Buffon). ◇ Par métonymie (1745), il désigne dans certaines régions un édredon (Suisse, Savoie, Lorraine, Belgique) et, récemment, en français général, un sac de couchage (1934), ces objets étant souvent garnis de duvet.

▸ *Duvet* a produit deux adjectifs dont les sens interfèrent en partie. ◆ **DUVETEUX, EUSE** adj. (1573) «recouvert de duvet» est rare avant 1690; il qualifie aussi (1864) ce qui est de la nature du duvet.

➜ **DUVETÉ, ÉE** adj. (1611), lui aussi rare avant le XVIIIe s., qualifie ce qui est couvert de duvet et en forme de duvet (1770).

Ultérieurement, *duvet* a donné **DUVETER** v. tr. (1875) «garnir de duvet», correspondant à *duveté*, et **DUVETINE** n. f. (1921) pour un tissu également appelé *veloutine*.

◈ voir ÉDREDON.

DUXELLES

DUXELLES n. f. est dérivé de *à la d'Uxelle* (1755).

♦ Le mot désigne en cuisine un hachis de champignons de Paris, d'oignons et d'échalotes étuvés au beurre et servant de farce. L'expression ***à la duxelles*** désigne l'apprêt comportant une duxelles.

DYADE

DYADE n. f. est emprunté (1546) au bas latin *dyas, dyadis* «le nombre deux», calque du grec *duas, duados* «dualité», dérivé de *duo* «deux», correspondant exactement au latin *duo* (→ deux).

♦ Le mot apparaît une première fois chez Rabelais sous la forme du nominatif latin *dyas*, au sens du latin. Il est réintroduit au XIXe s. sous la forme actuelle, en philosophie (1838), où il s'applique à la réunion de deux principes qui se complètent, surtout pour traduire le mot grec dans son emploi philosophique (Platon, Aristote). En versification, il désigne un groupe harmonique de deux voyelles (1932). En biologie, *dyade* s'applique à un ensemble de deux chromosomes accouplés lors de la première mitose, et en informatique, à un groupe de deux nombres. Il fournit quelquefois un synonyme recherché de *couple, paire*, à propos de deux auteurs travaillant ensemble (1928).

▸ L'adjectif correspondant **DYADIQUE** a été emprunté (1870) au dérivé grec *duadikos* «qui se rapporte au nombre deux».

✱ DYNAMIQUE

✱ **DYNAMIQUE** adj. et n. f. est emprunté (1692) au grec *dunamikos* «puissant, efficace», dérivé tardif de *dunamis* «force» (au sens le plus général). *Dunamis* est employé avec de nombreux sens particuliers en médecine, mathématiques, et à propos de la signification d'un mot, de l'efficacité d'un remède ou de la valeur d'une monnaie. Ce nom se rattache à *dunasthai* «être capable de», en particulier «signifier» et «valoir», verbe que des étymologistes ont essayé de rapprocher du groupe de *dêros* «de longue durée», sans réussir à établir un lien sémantique satisfaisant.

♦ L'adjectif est relevé pour la première fois en mécanique, dans le *Traité de la science dynamique* de Leibniz ; il s'oppose à *statique*. Au milieu du XIXe s., il qualifie la *sociologie* (mot nouveau) qui étudie la vie en mouvement, le devenir, le progrès (1852, A. Comte). ➜ C'est seulement au XXe s. (attesté 1934) qu'il est employé en parlant des personnes, au sens figuré de «plein de vie, d'entrain, d'activité» ; on note quelques emplois métaphoriques dans ce contexte dès le XIXe s., mais la référence au modèle mécanique y est encore sensible. ➜ Le mot est substantivé au féminin pour désigner une partie de la mécanique (1752) ; il passe au XIXe s. en sociologie (A. Comte), puis en psychologie sous l'influence des théories de Kurt Lewin (v. 1940 en anglais). Au XXe s., par l'intermédiaire du sens figuré, «ensemble des forces en interaction et en opposition» dans le vocabulaire scientifique (géologie, démographie), il s'est répandu à propos de forces orientées vers un progrès (v. 1965) notamment en politique.

▸ *Dynamique* a produit **DYNAMIQUEMENT** adv. (1826), employé en mécanique, récemment (1961) au sens figuré «avec énergie», et **DYNAMICIEN, IENNE** n. (1968), nom donné au spécialiste de l'étude des relations psycho-sociales et de leurs effets. ➜ Il a aussi servi à former une série de composés délimitant les différentes branches du domaine : **ÉLECTRODYNAMIQUE** adj. et n. f. (1823), **THERMODYNAMIQUE** (1862), emprunté à l'anglais *thermodynamics* (v. 1850), **ISODYNAMIQUE** (1837), **MAGNÉTODYNAMIQUE** (v. 1950).

Le nom correspondant, **DYNAMISME** n. m. (1834), a été formé sur le grec *dunamis* «force» avec le suffixe *-isme*. D'abord employé en philosophie en parlant de la doctrine leibnizienne, il s'est largement diffusé avec le sens psychologique de «qualité d'une personne dynamique» (1932). Il avait produit **DYNAMISTE** n. et adj. (1834), qui s'est dit en philosophie d'un partisan du dynamisme. ➜ **DYNAMISER** v. tr., d'abord à la forme pronominale *se dynamiser* (1872), est probablement un emprunt à l'anglais *to dynamize* (1855), du grec *dunamis* «force», plutôt qu'un dérivé français de *dynamique*. En dehors de son acception technique en homéopathie (1891), le verbe est employé en économie et en politique, puis couramment, en relation avec le sens pris par *dynamique* et *dynamisme*, pour «communiquer de l'énergie à» (1949, répandu v. 1968). ➜ **DYNAMISATION** n. f., emprunté plus récemment (v. 1955) à l'anglais *dynamization*, employé dans le domaine de l'homéopathie depuis 1855, est passé en français dans ce contexte, prenant ensuite (v. 1960) son sens courant, «action de dynamiser».

DYNAMITE n. f. est emprunté (1868) à l'anglais *dynamite*, mot forgé sur le grec *dunamis* «force» par l'ingénieur-chimiste A. B. Nobel (1833-1896) qui déposa son brevet en 1867 en Angleterre, en 1868 aux États-Unis. Le mot, qui désigne une substance explosive, se dit familièrement au figuré de qqn, de qqch. qui semble avoir un pouvoir explosif. Dans l'argot des cyclistes, il est synonyme de «dopage» (v. 1929). ➜ Il entre dans **DYNAMITE-GOMME** n. f. (1890, Larousse, 2e *Suppl.*) désignant une espèce de dynamite à consistance caoutchouteuse et a produit quelques dérivés dans le dernier tiers du XIXe siècle. ➜ **DYNAMITER** v. tr., d'abord observé à la forme du participe passé **DYNAMITÉ, ÉE** (1890), elle-même précédée par *dynamitisé* (1882), est employé au propre comme au figuré (v. 1966). ◇ Ce verbe a entraîné **DYNAMITEUR, EUSE** n. (1871, *J. O.*), qui se dit surtout d'un auteur d'attentats à la dynamite (1882), et **DYNAMITAGE** n. m. (1917) qui a également pris le sens figuré du verbe (v. 1970). ➜ *Dynamite* a aussi donné **DYNAMITERIE** n. f. (1875) et **DYNAMITIER** n. m. (XXe s.).

DYNAM-, DYNAMO- est l'élément préfixal tiré du grec *dunamis* «force», employé dans la formation de mots savants (physique, technique, électricité, physiologie) et productif à partir de l'extrême fin du XVIIIe siècle. ◆ Le premier composé de *-mètre** est **DYNAMOMÈTRE** n. m. (1798) «instrument de mesure de l'intensité des forces», qui a entraîné **DYNAMOMÉTRIQUE** adj. (1814) et **DYNAMOMÉTRIE** n. f. (1839, Boiste). ◆ Les principales créations du XIXe s. sont **DYNAMOGÈNE** adj. (v. 1848) et **DYNAMOGÉNIE** n. f. (1888, antérieurement *dynamogénésie* 1843), tous deux en physiologie, **DYNAMOGRAPHE** adj. (1870). ◆ **DYNAMO-ÉLECTRIQUE** adj. (1867) est emprunté à l'allemand (voir ci-dessous). Cet adjectif, employé dans le syntagme *machine dynamo-électrique*, a été abrégé en **DYNAMO** n. f., d'abord masculin (1881), sous l'influence de l'anglais *dynamo electric-machine* (1875, brevet déposé par Clark), abrégé par la suite en *dynamo-machine* (1878) puis en *dynamo* (1882). L'appareil ainsi dénommé avait été mis au point en Allemagne par Werner Siemens (1816-1892) qui a proposé son appellation dans une communication faite en janvier 1867 à l'Académie de Berlin (on relève l'allemand *dynamoelectrisches Prinzip* en 1866).

Dynamo a servi à former le composé technique **DYNAMOPHARE** n. m. ou f. et le mot-valise **DYNAMOTEUR** (pour **dynamo-moteur*) n. m. au XXe s., à propos de petits dispositifs électriques fonctionnant comme dynamo. ◆ Le grec *dunamis* fournit aussi l'élément suffixal *-dynamie*, qui sert à former quelques mots savants tels **ADYNAMIE** n. f. (1782), d'où dérive **ADYNAMIQUE** adj. (1803).

DYNE n. f. est tiré (1881) du grec *dunamis* pour servir de nom à l'(ancienne) unité de mesure de force du système C. G. S.

DYNASTIE n. f., d'abord *dinascie* (1495), refait d'après le grec en *dynastie* (1508-1517), est emprunté au grec *dunasteia* «puissance, souveraineté», mot relatif à un pouvoir plus ou moins arbitraire, par opposition à *isonomia* «démocratie» et à *politeia* «gouvernement des citoyens par eux-mêmes, république ou démocratie», et distinct de *oligarkhia* (→ oligarchie). *Dunasteia* est dérivé de *dunastês* «celui qui a le pouvoir d'agir», notamment en parlant du pouvoir politique, employé à propos de Zeus, des chefs d'une cité, et parfois pour «prince, roi». Lui-même est le nom d'agent (avec *s* non étymologique) correspondant à *dunasthai* «avoir en soi la capacité, être capable de» (→ dynamique), verbe d'un groupe important exprimant la notion du pouvoir sans contrainte.

♦ Le mot, rare avant 1767, désigne une suite de souverains appartenant à la même famille. Par analogie, il s'applique (1862) à une suite de personnes de la même famille occupant les mêmes fonctions, les mêmes activités lorsqu'elles sont importantes (ou ironiquement). Par extension, il recouvre parfois le sens de «famille spirituelle».

▸ Il a produit **DYNASTIQUE** adj. (1834). ◆ **DYNASTE** n. m. est emprunté (av. 1520) au grec *dunastês* comme terme de l'histoire antique, à propos d'un souverain dirigeant un petit pays ou gouvernant sous la protection d'une grande puissance. Il s'est dit péjorativement d'un petit souverain absolu.

DYS- est le préfixe tiré du grec *dus-*, qui exprime l'idée de mal, ou de manque et finalement une notion privative. Il s'oppose à *eu-* qui exprime la perfection, l'achèvement (→ euphorie), et sert à renforcer le sens d'un terme défavorable ou à détruire celui d'une notion favorable. Il fonctionne ainsi en alternance avec la particule privative *a-* ou *an-* (→ a-). Durant toute l'histoire du grec ancien, ce préfixe a tenu une grande place, servant à former plus de mille mots dans tous les genres littéraires. C'est un élément de composition très ancien, également productif en indo-iranien (sanskrit *duṣ-*, *dur-*), en germanique (vieil haut allemand *zur-*), en celtique (vieil irlandais *du-*, *do-*), en arménien.

▸ En dehors des emprunts au grec comme *dysenterie**, *dyspepsie**, *dys-*, quelquefois écrit *dis-* (comme dans *dissymétrie*), a servi à faire un grand nombre de composés aux XIXe et XXe siècles. Son domaine d'emploi est cependant limité à la pathologie médicale («mauvais fonctionnement», «mauvais état») si l'on excepte quelques mots plus généraux comme *dysharmonie, dysfonctionnement* (voir les simples).

DYSLEXIE n. f. est composé (1907) de cet élément et de *lexie* n. f. qui représente le grec *lexis* «parole, élocution, mot» (→ lexique). L'anglais *dyslexia*, attesté depuis 1886-1888, a pu servir de modèle. ◆ Sur le radical du mot, on a formé **DYSLEXIQUE** adj. (attesté 1959), aussi substantivé en parlant d'une personne atteinte de dyslexie.

DYSGRAPHIE n. f. d'abord «défaut de conformation d'un organe» (1878) désigne aujourd'hui (dep. 1902) un trouble de l'écriture, en général ; **DYSORTHOGRAPHIE** n. f. (v. 1968) concerne les défauts d'acquisition des règles de l'orthographe dans une langue.

DYSPHORIE n. f. (1811) est un emprunt au grec *dusphoria* «angoisse», de *dusphoros* «difficile à supporter» et désigne un état de malaise contraire à l'*euphorie*. ◇ Le dérivé **DYSPHORIQUE** adj. est relativement usuel.

DYSENTERIE n. f. est la réfection graphique par l'étymologie (v. 1560) de *dissenterie* (1372), antérieurement *dissintere* (XIIIe s.), emprunté au latin *dysenteria*, lui-même repris du grec *dusenteria* «maladie des intestins». Le mot recouvrait la plupart des affections des intestins. Celse le premier isola un état morbide distinct sous le nom latin de *tormina* «tranchées, coliques», de la famille de *tarquere* (→ tordre). *Dusenteria* est formé de *dus-* (→ dys-) et *entera*, pluriel neutre, «entrailles, intestins, boyaux», qui contient la préposition-préverbe *en* «dans» attestée dans diverses langues indoeuropéennes (latin *in*, vieil irlandais *in*, gotique *in*, vieux prussien *en*). Nom ancien des entrailles, le grec *entera* est en relation avec l'arménien *ənder-kᶜ* pl., le vieil islandais *iđrar*, mais il s'agit de l'emploi particulier d'un adjectif de sens plus général signifiant «intérieur» et qui se retrouve dans le sanskrit *ántara-* comme dans le latin *interior* (→ intérieur).

♦ Le mot désigne, d'abord d'après la médecine latine, puis plus précisément, une maladie infectieuse et contagieuse caractérisée par des diarrhées violentes avec pus, sang et mucus. Il est souvent pris pour *dysenterie amibienne*, maladie épidémique des pays chauds.

▸ Il a pour dérivé **DYSENTÉRIQUE** adj. (fin XIVe s.), d'usage rare.

DYSLEXIE → DYS-

DYSPEPSIE n. f. est emprunté (1550, *dispepsie*) au latin *dyspepsia*, lui-même repris au grec *duspepsia* «indigestion». Ce mot est dérivé de *duspeptos* «difficile à digérer», de *dus-* (→ dys-) et *peptos* «cuit, digéré» (→ peptique) de *pessein* «mûrir, cuire», verbe à rattacher à la même racine indoeuropéenne que le verbe latin de même sens *coquere* (→ cuire).

♦ Le mot se rapporte à un trouble fonctionnel de la digestion.

▸ L'adjectif correspondant hésite entre **DYSPEPSIQUE** adj. (1845) et **DISPEPTIQUE** adj. (1845), selon que le radical de base est celui du français *dyspepsie* ou celui du grec *duspeptos*.

DYTIQUE n. m. est emprunté (1764) au grec *dutikos* «qui aime à plonger», substantivé pour désigner un genre d'insecte aquatique (Dioscoride). Le mot est dérivé de *duein* «s'enfoncer, plonger» et, par suite, «entrer dans», verbe rapproché du thème védique isolé *upā-du-* «vêtir». Linné a créé le latin scientifique *dysticus* (1735), transcription altérée du grec, pour dénommer un genre de coléoptère.

♦ Le mot désigne un gros insecte aplati qui vit dans l'eau douce et dévore le frai, les alevins.

E

◆ ✳ **EAU** n. f. représente l'aboutissement sous la forme *egua* (xe s., *Alexis*) puis *ewe* (1080, *Roland*) du latin *aqua* «eau (comme élément)» opposé à *unda* «eau en mouvement» (→ onde). *Aqua* a son correspondant exact en germanique (gotique, *ahwa*) et en celtique dans des noms de lieux. L'évolution phonétique explique les différentes formes ; dans *aqua* le groupe *qu* [kw], après sonorisation à la fin du IVe s., s'affaiblit peu à peu jusqu'à devenir [w] ; le *a* initial se diphtongue en [a] qui se réduit ensuite à *è* [ɛ] ; la forme *ewe* connaît ensuite deux traitements : dans l'Ouest, le *w* passe à *v*, d'où *eve, aive ;* ailleurs le *w* se vocalise et l'on aboutit à *eaue* puis *eau.*

♦ *Eau* désigne d'abord le liquide naturel, incolore, inodore et transparent ; de ce sens viennent de très nombreux emplois particuliers : «pluie» (XIIIe s.) et *eau de pluie ; eau de (la) mer,* etc. L'expression ***eau vive*** (XVIe s.) désigne une eau non souillée qui s'écoule rapidement ; opposée à ***eau morte,*** d'origine biblique, cette expression a ajouté au sens d'«eau courante» les connotations positives liées à l'idée de «vie» ; de même *vive eau* «grande marée» s'oppose à *morte-eau* (1484) «marée faible». ◇ *Les eaux* (seulement au pluriel) se dit des masses d'eau qui séjournent *(la faune des eaux)* ou des eaux qui se déplacent ; *d'eau* entre dans de nombreux syntagmes pour désigner une eau courante (*eau* «courant d'eau», XIIe s. ; *eau courante,* 1080 ; *cours d'eau, chute d'eau*) ou non *(pièce d'eau).* ◇ Le ***fil de l'eau*** (XIIe s.) désigne le courant. ➛ Par ailleurs, au pluriel depuis le XVIIe s. (1694 ; 1611, *l'eau*), *les eaux* désigne le liquide amniotique qui entoure le fœtus.

Parmi les valeurs spéciales acquises par *les eaux,* au pluriel, dans le contexte des utilisations et aménagements des eaux par l'homme, on peut signaler celle des «eaux jaillissantes», attestée au XVIIe s. (1690, Furetière), d'où *grandes eaux* (*in* Bescherelle, 1845), *grandes eaux* signifiant au XVIIe s. «inondation» (Sévigné) et «source d'eau minérale à vertu curative ou thérapeutique». ◇ De ce dernier sens vient par métonymie la valeur de «lieu où l'on va se traiter par l'eau» (1622), activité dénommée *prendre les eaux,* d'où aussi le syntagme *ville d'eau,* en concurrence avec *station thermale.* ◇ Une autre métonymie concerne les eaux dans la nature, objet de surveillance et d'exploitation économique. ◇ ***Eaux et forêts*** (XVe s.) désigne à la fois la juridiction des bois, de la chasse et de la pêche et (1835) les forêts, rivières, lacs et étangs concernés. Cette désignation a été abandonnée par l'administration française en 1979. ◇ L'eau comme milieu est évoquée dans *poule d'eau* (1530), *rat d'eau* (1907) et des expressions analogues. ◇ Dans un tout autre contexte, *eau* s'applique au liquide ayant servi à nettoyer, à laver et devant être évacué ; les syntagmes les plus courants sont ***eau de vaisselle*** (1878), au figuré «mauvais bouillon» (1901), *eaux résiduaires* (1877), *eaux usées* (XXe s.). ◇ Dans le contexte des récipients et de l'étanchéité, on peut signaler *pot à eau* et des expressions comme ***tenir l'eau*** «ne pas fuir» (1674) ou ***voie d'eau*** (1678) «ouverture dans la carène d'un bateau».

Le mot entre dans de nombreux syntagmes où est indiqué le mode d'utilisation de l'eau ou encore ses caractéristiques utiles. Dans le contexte de la boisson, on relève *eau de boisson,* didactique, et, plus courant, *eau potable. Buveur d'eau* a eu des valeurs figurées plutôt péjoratives, *ne pas gagner l'eau qu'on boit* a signifié «être fort paresseux» (XVIIe s.). Une locution restée courante est ***mettre de l'eau dans son vin*** «couper le vin d'eau» (cf. *baptiser*), au figuré «réduire ses exigences», l'idée de «modération» dominant dans les emplois antérieurs, sortis d'usage : «compromettre le succès de qqch.» (1531), «modérer ses passions» (1636), «calmer sa colère» (1656). ◇ Toujours dans le contexte de la boisson, ***eau minérale,*** syntagme ancien (→ minéral), s'est répandu au XIXe et surtout au XXe s., avec le discrédit de l'*eau du robinet* «eau courante distribuée par les villes», souvent désinfectée, chlorée, javellisée ; l'*eau minérale* est mise en bouteilles sous forme gazeuse ou non, et les syntagmes ***eau gazeuse*** et ***eau plate*** s'opposent. *Bouteille d'eau (minérale)* donne par métonymie *une eau.*

Des syntagmes déterminés correspondent aussi à des liquides contenant une autre substance, solution, distillats, etc., comme l'*eau régale* (1680). Ainsi *eau rose* (XVe s.), puis ***eau de rose*** (XVIe s.) succédant à *eve rose, ieaue rose,* d'où au figuré *(personne)* ***à l'eau de rose*** (1759) «molle, sans énergie», employé aujourd'hui (v. 1900) en parlant d'une œuvre. Autre extrait distillé, l'*eau d'orange* (1636), ou *de fleur d'orange* (1680), aujourd'hui *de fleur d'oranger* (1846). L'*eau de senteur* (1636) a précédé le produit devenu en français le type même de distillat odorant, l'***eau de Cologne*** (1765), inventée en 1709 (Grimm) et ainsi dénommée en français (*Köllner wasser,* 1803, vient du français).

Parmi les produits thérapeutiques, il faut signaler l'*eau de goudron* (1743) traduisant l'anglais *tar warter,* liquide considéré au XVIIIe s. comme un remède (cf. l'œuvre du philosophe Berkeley qui lui est consacrée). ***Eau de Javel*** (1830; → Javel) et anciennement *eau de chlore* correspondent à des liquides nettoyants. L'*eau de chaux* (1694) avait un usage thérapeutique, comme *eau ferrée* (1611). ***Eau de Seltz*** (1771) est à l'origine le nom d'une eau minérale, l'*eau de Selse* ou de *Selters* (localité allemande). ◇ *Eau* entre aussi dans des usages symboliques, liés à l'idée de purification : *eau baptismale, eau bénite,* dans la liturgie catholique, d'où la locution plaisante ***eau bénite de cave*** «vin» (XVIe s.), encore en usage au milieu du XVIIe s., et la locution ancienne ***eau bénite de cour*** «fausse promesse» (1656), l'eau bénite à l'église étant aussi abondamment utilisée que les promesses à la cour (cf. *benoît* pour la même évolution).

De très nombreux syntagmes correspondent à des usages de l'eau liés à l'économie humaine : *eau courante, moulin à eau* (*à l'eau,* 1530), *château d'eau, compteur à eau* et par métonymie *relever l'eau* «les compteurs à eau», *radiateur à eau, peinture à l'eau* (opposé à *à huile;* cf. *aquarelle*).

Eau, toujours avec le sens de liquide naturel, est un élément d'expressions figurées : *battre l'eau avec un bâton* (ou *dans un mortier*) «travailler inutilement», en usage au XVIe (Calvin) et au XVIIe s., a été remplacé par *(donner) un coup d'épée dans l'eau* «un acte inutile» (1718); ***troubler l'eau*** (v. 1560) signifiait «causer de la division»; ***pêcher en eau trouble*** «tirer avantage d'une situation troublée» (1606) est emprunté à une locution grecque qui se retrouve dans plusieurs langues; ***être heureux comme un poisson dans l'eau*** (1640). ***Clair comme de l'eau de roche*** signifie «limpide, peu coloré», puis «évident» (en parlant de choses abstraites), mais *eau de roche* «eau de source», où *roche* conserve le sens ancien de «caverne, cave», ne s'emploie plus seul aujourd'hui.

L'eau en tant que boisson inspire, outre ***noyer son vin d'eau*** (1694) et ***mettre de l'eau dans son vin, se noyer dans un verre d'eau*** (1787), avec les variantes ***dans un bol (une goutte) d'eau*** «se perdre dans des difficultés infimes»; on dit aussi (1718) ***se noyer dans un plat d'eau,*** où *plat* désigne une surface d'eau peu profonde.

Eau désignant une masse de liquide dans la nature (rivière, lac, mer, etc.) s'emploie spécialement pour désigner le niveau auquel monte cette masse d'eau *(hautes, basses eaux). Eau plate* (1525) a signifié «eau peu profonde». Dans cette acception, le mot entre aussi dans des locutions. ***Nager entre deux eaux*** «manœuvrer entre deux partis» (*nager entre deux yawes,* v. 1370), comme ***nager dans les eaux de qqn*** (1874), fait appel à l'ancien sens de *nager* «naviguer», avec l'idée d'une habile manœuvre. D'une manière générale, la phraséologie exploite les valeurs liées à divers contextes, tant réalistes (rapport de l'homme aux masses d'eau : nage, danger de noyade, navigation, etc.) que symboliques (écoulement irréversible, profondeur, calme ou agitation...); ces valeurs sont liées aux sémantismes de mots comme *cours d'eau, fleuve, rivière, lac, mer, océan...* ◇ ***Eau marine*** (1562), locution vieillie, signifie au figuré «couleur verte de la mer» (cf. *aiguemarine*). En particulier, le thème de la navigation suscite une opposition entre la mer d'une part, les rivières et les lacs de l'autre, sous la forme ***eau de mer, eau douce, marin d'eau douce*** acquérant (déb. XIXe s.) une connotation péjorative ou dérisoire peut-être suscitée par *médecin d'eau douce* (v. 1550) «médecin médiocre qui utilise des remèdes inefficaces». ***Il n'est pire eau que l'eau qui dort*** est probablement antérieur à la formulation *il n'y a point d'eau plus dangereuse que celle qui dort,* attestée en 1531. ***C'est le feu et l'eau*** (1685) qualifie deux choses opposées. ***Porter de l'eau à la mer*** (1531, *en la mer*) ou ***à la rivière*** (1690) «ajouter une chose là où il n'y en a que trop», a vieilli, ainsi que ***une goutte d'eau dans la mer*** (1690) «un apport inutile». *Gens delà l'eau* «crédules, naïfs» (1580) est sorti d'usage; l'expression désignait les étrangers frais débarqués, et l'eau est ici la frontière naturelle par excellence.

Il coulera (passera) de l'eau sous le pont ou ***sous les ponts*** est attesté au début du XVIIe s. et représente l'irréversibilité du temps (aussi ***laisser passer l'eau sous les ponts,*** 1718). ***Laisser courir l'eau*** «laisser les choses évoluer sans s'en soucier» (1685) est sorti d'usage aujourd'hui (on dit *laisser courir*). ***Se jeter à l'eau*** «se décider brusquement» s'oppose à ***tâter l'eau*** «hésiter»; ***tomber à l'eau*** (on a dit *dans l'eau*) «échouer» se dit en parlant d'une entreprise, comme ***être à l'eau.*** Cependant, ***être dans les mêmes eaux*** se dit de choses qui ont la même valeur. Enfin, ***remonter, revenir sur l'eau*** correspond à «être à nouveau dans une bonne situation» (cf. *faire surface*); *revenir sur l'eau* s'est employé (XIXe s.) au sens d'«être de nouveau évoqué».

Par analogie, *eau* s'emploie surtout dans des expressions, depuis le XIIe s. (1185, *eaue;* 1490, *eau*), en parlant d'une sécrétion liquide du corps humain : le mot peut correspondre à *sueur :* ***être (tout) en eau*** (1538), ***suer sang et eau*** (1588); à «larmes» (XIIIe s.) d'où ***fondre en eau*** (1685, d'abord *se fondre en eau,* 1636 Corneille, *Le Cid*); à «urine» (1560) : ***faire, lâcher de l'eau,*** du XVIe au XIXe s., et ***faire de l'eau claire*** «échouer» (1690). Dans *il n'y a que de l'eau claire* (1752) la fonction excrémentielle représente par métonymie l'activité humaine. *Eau* s'emploie aussi pour «sérosité» et pour «salive» (***avoir l'eau à la bouche*** «saliver à l'avance»; et ***mettre, faire venir l'eau à la bouche***). Le mot désigne aussi (1546, Rabelais) le suc des fruits et des plantes. ◇ Au figuré, par allusion à la transparence du liquide pur, il signifiait «transparence et brillant

les noms de l'EAU

- latin **AQUA** «eau comme élément»
  - eau
    - eau-forte
    - eau-de-vie
  - italien
    - *acqua*
    - *acquarella* — aquarelle
    - *acquatincta* — aquatinte
    - *acquafortista* — aquafortiste
  - LATIN
    - **aquaticus** — aquatique
    - **aquarium**
      - évier
      - aquarium
    - **aquosus** — aqueux
    - **aquaductus** — aqueduc
    - **aquatio** — italien *guazzio* — gouache

INDOEUROPÉEN

- latin **UNDA** «eau qui coule»
  - onde
    - ondée
    - ondoyer
    - ondin
  - bas latin **undulare** — ondulation
    - ↳ onduler, ondulatoire...
  - **inundare** — inonder et dérivés
  - **redundare**
    - ↳ **redundantia** — redondance
  - **abundare** — abonder et dérivés
- slave **VODA** — russe *vodka* — vodka
- gaélique **VISGE BEATHA** — anglais
  - *whiskybae*
  - *whisky* — whisky
- gotique **WATO**
  - anglais *water*
    - water-closet, w.c.
    - water-polo
  - flamand *waterzootje* — waterzooï

- grec **HUDÔR, HUDATOS**
  - hydr-
    - hydravion
    - hydrate
    - hydrater...
  - hydro-
    - hydrogène
    - hydrocarbure
    - hydrophile...
  - -hydre — anhydre
  - hydrique — chlorhydrique...
  - **hudra** — latin **hydra** — hydre
  - **hudraulis**
    - ↳ **hudraulikos** — latin **hydraulicus** — hydraulique

des pierres précieuses» (1611), d'où *de la plus belle eau.*

En comparaison, *eau* peut qualifier une couleur claire, transparente, dans la *couleur d'eau* donnée au fer poli (1653), syntagme sorti d'usage, et dans l'expression moderne *vert d'eau* «vert clair» (1798). Revenant à la substance, dont la nature chimique (H_2O) est établie avec la chimie moderne (fin XVIIIe s.), *eau* donne lieu aux syntagmes *eau chimiquement pure* ou *eau distillée,* distinguée du corps naturel contenant diverses substances et notamment des sels minéraux (*eau minérale,* cf. ci-dessus, est plus ancien et d'usage courant, non technique). Toujours en chimie, *eau lourde* (1938) désigne un composé analogue à l'eau mais formé avec de l'hydrogène lourd, deutérium (D_2O) ou tritium.

▶ *Eau* donne enfin lieu à de véritables composés:

EAU-DE-VIE n. f. représente un calque (XIVe s. selon Wartburg) du latin des alchimistes *aqua vitae* (v. 1320); les alchimistes, distillant le vin et ayant abouti à l'alcool, avaient cru trouver l'élixir de longue vie qu'ils recherchaient; on trouve avec le même sens (1307; usuel au XVIe s.) *eau ardente* (auquel correspond l'espagnol *aguardiente*); *brandevin* (1640), emprunté au néerlandais *brandewijn* (cf. allemand *Brandwein*) lors de la guerre des Flandres, ne s'est pas imposé. *Eau-de-vie* désigne aujourd'hui un produit alcoolique provenant de la distillation du jus fermenté des fruits ou des substances alimentaires. On trouve aussi *eau cordiale* (XVIe s., Paré), *eau céleste* (v. 1600, Olivier de Serres) «eau-de-vie à la cannelle».

EAU-FORTE n. f. est composé (1543; aussi *eau fort* au XVIe s.) de *eau* et de *fort,* adj., et désigne l'acide nitrique étendu d'eau, utilisé par les graveurs pour attaquer le cuivre; par métonymie, *eau-forte* se dit (1808) du procédé utilisant l'eau-forte et de la gravure ainsi obtenue. ◆ D'où le dérivé **EAU-FORTIER** n. m. (1867).

EAUX-MÈRES n. f. pl. (1872; 1795 au singulier; de *mère*) désigne le résidu d'une solution. *Eau mère* (1755) a signifié «eau saline sursaturée» et **EAUX-VANNES** n. f. pl. (1906; 1868 au singulier; de *vanne*), la partie liquide d'un bassin de vidange, l'*eau d'égout.*

◈ voir **AQUA-, AQUI.**

ÉBAHIR

ÉBAHIR v. tr. apparaît (v. 1120) sous la forme *esbahir* (intr.). Le verbe a été formé par préfixation en *es- (é-),* à partir de l'ancien français *baer* «être ouvert», ancienne forme de *bayer* (→ bayer); la conjugaison en *-ir* s'explique par l'influence de l'ancien français *baïf,* adj., «étonné, ébahi» (→ baliveau).

♦ *Ébahir* «frapper d'un grand étonnement» s'emploie surtout au passif *(être ébahi de, par qqch.)* et, plus couramment, comme participe passé adjectif, notamment avec les sens familiers d'«abasourdi» (XIIe s.), «éberlué» d'où *un ébahi,* n., peu usité. ◇ En emploi pronominal (v. 1170), le verbe apparaît en construction prépositionnelle, *s'ébahir de qqch.* puis *s'ébahir de, devant, sur qqch.*

▶ Du radical de l'imparfait du verbe dérive **ÉBAHISSEMENT** n. m. (v. 1200), «stupeur, saisissement», «étonnement extrême», qui s'est employé jusqu'au XIXe s. dans l'expression *tenir, mettre (qqn) en ébahissement.*

ÉBARBER → BARBE

ÉBATTRE (S')

ÉBATTRE (S') v. pron., dérivé préfixé de *battre*,* est d'abord attesté (v. 1130, *esbattre*) en emploi intransitif, au sens de «se distraire». Le verbe s'emploie ensuite (XIIe s., pronom.) au sens de «se donner du mouvement pour se divertir», puis de «prendre des ébats amoureux (avec qqn)», sens où il a vieilli. Il se dit, par extension dans un domaine abstrait, pour «se divertir».

▶ Le déverbal **ÉBAT** n. m. apparaît (1280) au sens d'«amusement»; il s'utilise ensuite (XVe s.), généralement au pluriel, au sens de «jeux d'un être qui s'ébat» *(prendre ses ébats)* et, spécialement, dans *ébats amoureux* «activités érotiques», plus courant que le verbe; rare au singulier, c'est un terme de chasse signifiant «promenade des chiens». ◆ **ÉBATTEMENT** n. m. (XIIIe s.) du radical de *ébattre,* archaïque ou d'emploi très littéraire, équivaut à *ébat;* il s'est employé au figuré pour «émoi, agitation» (1851-1862, Sainte-Beuve).

ÉBAUBIR

ÉBAUBIR v. tr. est issu (v. 1223), par changement de préfixe, de l'ancien français *abaubir* (fin XIIe s.) «étonner» et proprement «rendre bègue», formé à partir de l'ancien adjectif *baup* (v. 1180), *baube* (1245), du latin *balbus* «bègue» (comme l'italien *balbo,* l'ancien provençal *balp*). *Balbus,* terme expressif, a des correspondants dans d'autres langues indoeuropéennes, comme le sanskrit *barbaraḥ* (→ balbutier).

♦ *Ébaubir* s'emploie familièrement comme verbe transitif avec le sens de «rendre (qqn) ébaubi; surprendre», en emploi pronominal (réfléchi) «s'étonner vivement (de qqch.)» (XVIe s.). Le verbe, d'abord familier, est aujourd'hui d'usage littéraire.

▶ Le participe passé de l'ancien français *abaudir* et le verbe *ébaubir* sont à l'origine de l'adjectif **ÉBAUBI, IE** (XIIIe s., *esbaubi*) qui semble être sorti d'usage et avoir été repris au XVIIe s. (par Molière, Mme de Sévigné). Ce mot conserve l'idée de «bègue» contenue dans le latin *balbus. Ébaubi* «frappé de surprise au point de bégayer» et spécialement «frappé d'une stupeur admirative» était d'emploi familier dans la langue classique; il est aujourd'hui régional ou littéraire. ◆ **ÉBAUBISSEMENT** n. m. (XIIIe s., *es-*) est rare.

ÉBAUCHER

ÉBAUCHER v. tr. est un dérivé préfixé de l'ancien français *balc, bauch* «poutre» (→ bau) et s'est croisé avec l'ancien *esboschier* «tailler la vigne» (attesté XIVe s.), du francique *°bosk* «bois» (→ bois).

♦ Le verbe apparaît d'abord en Picardie, sous la forme *esboquier* (1369) et signifie «émonder, ébrancher» et, plus généralement, «dégrossir», la matière qu'on traite étant le bois des poutres. La forme se modifie *(esbochier)* et ce sens s'étend dès le XIVe s. (1380, «donner la première forme à [un ouvrage]»). La graphie actuelle date du XVIe s. (*esbaucher,* 1549). Par extension, le verbe a le sens de «commencer (un geste, un mouvement, etc.) sans l'exécuter jusqu'au bout» (fin XVe s.), «commencer à faire apparaître».

▸ **ÉBAUCHAGE** n. m., terme technique (1508-1509, *esbauchage*), désigne l'acte d'ébaucher. ◆ **ÉBAUCHE** n. f. (1619, *esbauche*) a suivi la même évolution sémantique que le verbe; en dérive **ÉBAUCHON** n. m. (1932), terme technique. ◆ **ÉBAUCHOIR** n. m. (1676, *esbauchoir*) désignant un outil et **ÉBAUCHEUR, EUSE** n., nom d'agent (1795), sont des termes techniques.

ÉBAUDIR

ÉBAUDIR v. tr., d'abord (1080) *s'esbaldir,* v. pron. puis v. tr. (v. 1130), est dérivé par préfixation de l'ancien adjectif français *bald, balt, baud* (1080) «joyeux» (→ baudet), en usage jusqu'au XVIe siècle.

♦ *Esbaudir, ébaudir* «mettre en allégresse», déjà archaïque dans la langue classique, n'est plus en usage si ce n'est à la forme pronominale (aussi *s'esbaudir*) comme archaïsme littéraire, avec le sens de «s'égayer, se réjouir».

▸ Du verbe dérive **ÉBAUDISSEMENT** n. m. (v. 1200, *esbaudissement;* 1762, forme moderne), «fait de s'ébaudir», qui ne subsiste également que comme archaïsme littéraire.

ÉBÈNE

ÉBÈNE n. f., d'abord sous la forme *ebaine* (peu apr. 1250) puis *ébène* au m. (1542), est un emprunt au latin impérial *ebenus* f. «ébénier, bois de l'ébénier» (d'où en français, v. 1130, *ebenus* «bois de l'ébénier»); le mot latin vient lui-même du grec *ebenos,* emprunté à l'égyptien *hbnj* qui est peut-être d'origine nubienne.

♦ *Ébène* désigne d'abord, comme en latin, le bois de l'ébénier caractérisé par sa couleur noire et sa dureté puis, par extension, le bois d'autres arbres exotiques aux qualités comparables (dans *ébène verte, jaune; fausse ébène,* etc.). ◇ Par analogie de couleur avec le bois, *noir comme de l'ébène* est employé en parlant notamment du teint, des cheveux (1794, *cheveux d'ébène*). ◇ Au XVIIIe s., dans la langue des négriers, ***bois d'ébène*** (attesté en 1833 mais antérieur) était le nom donné aux esclaves noirs, assimilés à une marchandise.

▸ À partir d'*ébène* ont été formés quelques dérivés. **ÉBÉNISTE** n. (1676) désigne une personne spécialisée dans le travail des bois de qualité, à l'origine l'ébène (1680), puis les autres bois précieux (1690), à caractère plus décoratif qu'utilitaire, par opposition à *menuisier,* et avec une spécialisation dans la fabrication des meubles. Par extension, le mot se dit (1885) d'un artisan ou commerçant qui vend des meubles de luxe. ◇ En dérive **ÉBÉNISTERIE** n. f. (1732) «branche spécialisée de la menuiserie» et, par métonymie (1798), «meubles fabriqués par les ébénistes». ◆ **ÉBÉNIER** n. m., nom de l'arbre qui fournit l'ébène (1690), a désigné le cytise, arbrisseau appelé ensuite *faux ébénier* (1771). ◆ **ÉBÉNACÉES** n. f. pl. (1804, suffixe *-acé(es)*) désigne en botanique une famille de plantes tropicales dont l'ébénier est le type. L'adjectif *ébénacé, ée* (1846, Bescherelle), «qui ressemble à l'ébène, à la couleur de l'ébène», est sorti d'usage.

◈ voir ÉBONITE.

ÉBERLUER → BERLUE

ÉBLOUIR

ÉBLOUIR v. tr. est issu sous les formes *s'esbleuir* (v. 1165) et *esbloer,* du bas latin °*exblaudire,* lui-même d'un verbe francique dérivé du radical °*blaup* «faible» (cf. ancien haut allemand *blôdi* «faible», au physique et au moral; allemand *blöde* «faible» [des yeux]; et aussi l'ancien provençal *emblauzit* «ébahi»).

♦ *Éblouir,* introduit comme v. pron. au sens concret d'«être ébloui» qui a disparu, signifie ensuite (1181-1190, *esbloir*) «troubler (la vue) par un éclat insoutenable». Au figuré, le verbe prend le sens (1552, Ronsard) de «frapper d'admiration» la vue ou l'esprit (cf. *briller, étinceler*), d'où vient le sens (1559) de «séduire en trompant», aujourd'hui vieilli, comme celui de «duper par un éclat trompeur», courant au XVIIe s.; puis l'idée d'«éclat» l'emporte sur celle de «tromperie». *Éblouir* s'emploie péjorativement, par extension du premier sens figuré, au sens de «frapper vivement (l'esprit)» (1690).

▸ **ÉBLOUISSANT, ANTE** adj., participe présent du verbe (1470, *esblouyssant*), signifie «qui éblouit» (en parlant d'une lumière) et aussi au figuré : «qui impressionne» (par sa beauté) [1663], «qui trompe en séduisant» (XVIIe s.), sorti d'usage, puis «d'une beauté merveilleuse». ◆ **ÉBLOUISSEMENT** n. m. est d'abord attesté (milieu XVe s., *esblouissement*) au sens figuré d'«état de l'esprit ébloui»; le nom s'emploie à partir du XVIe s. pour désigner un trouble de la vue provoqué par une cause interne ou externe, souvent accompagné de vertiges (1539) d'où *avoir un éblouissement,* et l'état de la vue frappée par une lumière trop vive (av. 1549).

ÉBONITE

ÉBONITE n. f. est un emprunt (1862) à l'anglais *ebonite* (1861), dérivé de *ebony* «ébène» (→ ébène).

♦ Le mot désigne une matière plastique obtenue par la vulcanisation du caoutchouc, comparée à l'ébène par sa couleur et sa consistance.

▸ En dérive le terme technique **ÉBONITAGE** n. m. (1973) «recouvrement (d'un matériau, d'un objet) par une couche d'ébonite».

ÉBORGNER → BORGNE

ÉBOUEUR → BOUE

ÉBOULER

ÉBOULER v. tr. et intr. apparaît sous les formes *esboëler* (tr.) «éventrer, arracher les entrailles» (1130), *esboueler* (1283), *s'esbouler* (pron., 1559). C'est un dérivé par préfixation en *es- (é-)* de l'ancien français *boel, boiel* (→ boyau, écrabouiller), mais la forme moderne est sentie comme venant de *boule.*

♦ Du sens ancien d'«éventrer», attesté au début du XIIe s., est issu celui de «faire tomber (une construction) par affaissement ou désagrégation» (1283, v. tr.), aujourd'hui très peu usité. ◆ *Ébouler,* v. intr. (1653), est plus usuel; mais seul *s'ébouler,* v. pron. (1559), s'emploie couramment avec le sens de «tomber en s'affaissant»; un sens figuré «s'effondrer» apparaît au XXe siècle. Les emplois modernes sont sémantiquement influencés par *boule* et ses dérivés.

▸ Le dérivé **ÉBOULEMENT** n. m. (1547), suffixe *-ment,* s'emploie au propre et au figuré et se dit par métonymie (1796) d'un amas de matériaux éboulés. ◆ Le mot est synonyme, dans cette acception, d'**ÉBOULIS** n. m. (1680) formé avec le suffixe *-is,* qui signifie aussi «chute de pierres qui s'éboulent» et désigne, en géographie, des débris rocheux formant un talus incliné. ◆ **ÉBOULEUX, EUSE** adj. (1795), suffixe *-eux,* «qui s'éboule facilement», est un terme technique (géologie) ou régional.

ÉBOURGEONNER → BOURGEON

ÉBOURIFFÉ, ÉE adj., attesté en 1671 (Mme de Sévigné), se rattache probablement au bas latin *burra* «bourre*», comme le provençal *esbourrifa, esbourrifla, esburifia* «ébouriffé, dérangé, éparpillé» (cf. aussi *esbourrassa, esbourrisat* «échevelé, houspillé, battu»). Le point de départ de cette série est peut-être le provençal *esbourrassa* «traîner par les cheveux, houspiller», altéré en *esbourrifla* d'après *rifla* «râcler, se froncer».

♦ L'adjectif signifie «dont les cheveux sont en désordre», d'où l'emploi figuré (1762) pour «agité, troublé», en parlant de personnes.

▸ Le dérivé **ÉBOURIFFER** v. tr. est attesté au sens figuré de «surprendre, au point de choquer» en 1778, le sens propre de «relever (en désordre) les cheveux» n'étant repéré qu'en 1842; en dérive l'adjectif **ÉBOURIFFANT, ANTE,** d'emploi familier, seulement au sens figuré (1837 dans Balzac) de «surprenant», puis de «remarquable, extraordinaire», aujourd'hui légèrement vieilli. ◆ **ÉBOURIFFURE** n. f. (1863 au figuré; 1869 au sens propre) se dit de l'état d'une chevelure ébouriffée. ◆ **ÉBOURIFFAGE** n. m. (XIXe s., Goncourt), au sens d'«état de ce qui est ébouriffé», a aussi pour équivalents **ÉBOURIFFADE** n. f. (mil. XIXe s., Barbey d'Aurevilly) et **ÉBOURIFFEMENT** n. m. (1886, Goncourt). ◆ **ÉBOURIFFOIR** n. m. (1898), terme technique, désigne un pinceau à usage des peintres en bâtiment.

ÉBOURRER → BOURRE

ÉBOUTER → BOUT

ÉBRANCHER → BRANCHE

ÉBRANLER → BRANLER

◈ **ÉBRASER** v. tr., mot d'origine obscure attesté en 1636, représente peut-être une variante de ② *embraser,* v. tr. (1568) à condition que ce dernier ait eu le sens non attesté de «produire un embrasement par l'ouverture où le canon est pointé», puis celui d'«élargir». Dans ce cas, la racine serait la même que pour *embrasure,* c'est-à-dire *braise**, et *ébraser* aurait évincé *embraser* (à cause de l'homonymie de ce dernier) et signifie «élargir l'encadrement d'une baie en ligne biaise».

▸ En dérivent **ÉBRASEMENT** n. m. (1694) qui a remplacé *embrasement* (1403) et **ÉBRASURE** n. f. (1878) [cf. *embrasure*].

ÉBRÉCHER → BRÈCHE

ÉBRIÉTÉ n. f. est un emprunt savant (v. 1330) au latin *ebrietas* «ivresse», de *ebrius* «ivre*», dont il a conservé le sens. Le mot, qui s'emploie aussi par métaphore avec le sens de «vive exaltation», n'était guère en usage avant le XIXe siècle.

▸ L'adjectif **ÉBRIEUX, EUSE,** emprunt savant (1865) au latin *ebriosus* «ivre» (de *ebrius*), s'est dit autrefois, en termes de médecine, de ce qui caractérise l'ébriété. ◆ Ces deux mots restent isolés par rapport à la série neutre de *ivre, ivresse* et à la série familière de *soûl; ébriété* est didactique et littéraire, *ébrieux* didactique et vieilli.

ÉBROUER (S') v. pron., d'abord attesté comme verbe intransitif (1564, *esbrouer*), puis sous la forme pronominale en 1690 (Furetière), est peut-être un préfixé de *brouer,* mot dialectal normand signifiant «émettre de l'écume (en parlant des chevaux)» (→ brouet), issu de °*brodare,* dérivé du latin populaire °*brodum,* lui-même emprunté au germanique °*brod* «sauce, bouillon» (cf. anglais *broth*). Le mot a pu par ailleurs subir l'influence d'un néerlandais *broeyen* «nettoyer à l'eau chaude» qui a abouti à *esbroer* (1250) ou *esbrouer* (1390), terme technique maintenant archaïque pour «passer (des laines) dans l'eau avant la teinture». Selon d'autres hypothèses, *ébrouer (s')* serait issu d'un francique °*sprôwan* «jaillir», d'où l'ancien français *esproer* «s'ébrouer» (XIIIe s.).

♦ Apparu tard dans le XVIIe s., *s'ébrouer* a d'abord le sens de «souffler bruyamment (en parlant d'un cheval)»; le verbe s'applique ensuite à d'autres animaux et à l'homme (av. 1755) et prend par ailleurs le sens analogique de «s'agiter, se secouer» (fin XVIIe s.), spécialement pour se nettoyer, l'idée dominante étant celle de «secouer (la tête, le corps)».

▸ Le dérivé **ÉBROUEMENT** n. m. (1611, *esbrouement* «éternuement de certains animaux») se dit de l'expiration bruyante du cheval (1755), de personnes (1879), d'oiseaux (1888). Par analogie, le mot désigne un bruit comparable à un ébrouement et s'emploie au figuré pour «excitation».

ÉBRUITER → BRUIT

ÉBULLITION n. f. est emprunté (1314) au bas latin *ebullitio* «jaillissement par ébullition», du supin de *ebullire* «sortir en bouillonnant», composé de *ex-* «hors de» et de *bullire* (→ bouillir).

♦ Le mot sert de substantif au verbe *bouillir* et désigne l'état d'un liquide soumis à l'action de la chaleur, dans lequel se forment des bulles de vapeur qui crèvent à la surface. En physique il concerne le phénomène qui accompagne le passage à l'état gazeux d'un liquide (par exemple dans *point d'ébullition*). Il s'emploie au figuré (1540) pour «agitation», surtout dans *en ébullition* au sens d'«émotion vive et passagère» (1663). ◇ Dans l'emploi analogique pour «éruption de pustules» (1690), le mot n'est plus en usage.

ÉBURNE n. f. est un emprunt savant (1801, Lamarck) au latin scientifique *eburna* (1801), formé sur le radical de l'adjectif latin *eburnus* «d'ivoire», dérivé de *ebur, -oris* «ivoire», mot que l'on rapproche de l'égyptien *āb, ābu,* sans que l'on connaisse ni l'origine de ce mot, ni la voie par où il a pu passer en latin.

♦ *Éburne* est le nom donné, en zoologie, à un genre de mollusques.

▶ Sur le radical du latin *eburneus* ont été dérivés les adjectifs didactiques **ÉBURNÉ, ÉE** (1520) et **ÉBURNÉEN, ÉENNE** qui apparaît en moyen français sous la forme *éburnin* (1509), *éburnéen* étant attesté en 1845. Ces adjectifs signifiant «qui a la couleur ou la consistance de l'ivoire» sont d'un emploi littéraire. *Éburné* qualifie aussi, en médecine, un os qui a pris l'aspect et la consistance de l'ivoire (1864).

ÉCACHER → CACHER

ÉCAILLE n. f. est issu (v. 1200, *escailhe*) du francique °*skalja,* qu'on retrouve dans les langues germaniques (gotique *skalja* «écaille», moyen néerlandais *schelle* «écaille, coquillage», «carapace de tortue», néerlandais *schil* et moyen bas allemand *schelle,* anglais *shell* «coquillage», allemand *Schale*). Dans les dialectes normand et picard, *écaille* désigne encore toutes sortes de coquilles; la forme *échaille* (Est) s'emploie aux sens de «brou» (XIIIe s.), «glume», etc.

♦ *Écaille* désigne d'abord chacune des petites plaques qui recouvrent la peau de certains poissons, reptiles ou les pattes de certains oiseaux (v. 1200, en parlant d'un dragon; v. 1256, *escaille,* pour un poisson). ◇ C'est l'idée de «lamelle» ou par extension d'«enveloppe qui recouvre» que l'on retrouve par analogie dans les divers emplois du mot. *Écaille* s'est employé ensuite (v. 1270, isolément, puis XVe s.) pour désigner les plaques qui se forment sur la peau dans certaines maladies, par ailleurs au XIVe s. pour «coquille d'œuf» (1314). ➜ Par métonymie, c'est le nom donné (1416) à la matière que l'on tire de la carapace des grandes tortues de mer; au sens devenu archaïque de «carapace de tortue» *(une écaille),* il est attesté en 1539. *Les écailles* «valves de coquillage» (1474) est sorti d'usage; l'expression *manger l'huître et laisser l'écaille* «prendre tout le profit d'une affaire» (cf. La Fontaine, *L'Huître et les Plaideurs,* I, 21) témoigne de ce sens. ◇ *Écaille de noix* est aujourd'hui vieux ou d'emploi régional; le mot a été remplacé par *coquille* (d'abord *coque*). Au début du XVIIe s. (1606) *écaille* désigne aussi chacune des lames de métal dont se composaient certaines armures (*écaille* pour «armure» était attesté depuis 1230), et une parcelle qui se détache d'une chose qui s'exfolie (1611; 1636, *écaille de marbre*), d'où la locution ***les écailles lui tombent des yeux*** «il voit enfin la vérité» (fin XVIIe s.), allusion à saint Paul recouvrant la vue. ◇ Le mot se dit ensuite (1676, Félibien) d'un motif en forme d'écaille de poisson (en architecture, puis en tapisserie, etc.). Enfin, *écaille* est employé au XVIIIe s. en zoologie (1716, à propos des papillons) et en botanique (1762, *les écailles d'un bourgeon*).

▶ ① **ÉCAILLER** v. tr. s'emploie d'abord (déb. XIIIe s., *escaillier*) pour «dépouiller (un poisson, etc.) de ses écailles»; on dit aussi *écailler une huître* (1690). Il a signifié «ôter la coquille d'un œuf» (1226) et s'emploie au sens de «faire tomber en écailles» (1496, puis 1690, pron.). ◇ Le sens de «recouvrir d'ornements en forme d'écaille» (1838) est technique et rare. ➜ **ÉCAILLÉ, ÉE** adj. est sorti d'usage dans son premier sens de «couvert d'écailles» (v. 1256, *escalié,* attestation isolée, puis 1544); l'adjectif s'emploie ensuite, aujourd'hui couramment, pour «qui s'écaille» (1611, *écaillé,* attesté isolément, repris en 1755). ➜ Le dérivé **ÉCAILLAGE** n. m. a été un terme de salines (1755); il désigne ensuite le fait de s'écailler (1803), comme **ÉCAILLEMENT** n. m. (1611), puis l'action d'ouvrir les huîtres (1823) et d'écailler le poisson (1845).

② **ÉCAILLER, ÈRE** n. désigne une personne qui ouvre des huîtres (1303, *escailiere;* 1326, *esquaillier*); le mot, comme n. f. (1870, *écaillière*), se dit aussi d'un instrument servant à ouvrir les huîtres. ➜ **ÉCAILLEUR, EUSE** n., vieilli au sens de «personne qui ouvre des huîtres» (1611), désigne aujourd'hui (1690; 1808, n. f.) qqn qui vend des huîtres au détail. Employé comme n. m., *écailleur* se dit d'un instrument pour écailler le poisson. Ces deux noms sont plus usuels que le verbe *écailler* et *écaillage* dans le domaine du commerce des huîtres.

ÉCAILLEUX, EUSE adj. signifie d'abord «qui a des écailles» (v. 1290, *escailleus,* attestation isolée, puis 1565); l'adjectif s'emploie ensuite au sens de «susceptible de se détacher par écailles» (1690). ➜ **ÉCAILLURE** n. f. s'emploie (1539, *escaillure*) pour désigner une pellicule détachée d'une surface, puis comme terme de zoologie (1605, attestation isolée; repris en 1870).

ÉCALE n. f. est issu (1174-1176, *escale*) du francique °*skala,* très probablement par l'intermédiaire d'une forme °*scalla* qui expliquerait le maintien du *-a-* (cf. ancien haut allemand *scala* «coquillage», allemand *Schale* «coquillage», «coquille d'œuf, gousse de pois»; (→ écaille).

♦ *Écale* est introduit avec le sens de «valve de coquillage», disparu aujourd'hui. Le mot s'emploie aussi au XIIe s. au sens de «coquille d'œuf» (v. 1180, *eschale;* puis v. 1280 et repris en 1690). Il a été éliminé par *coque, coquille* et *écaille.* Seul un autre sens (qu'a connu *écaille*) survit; c'est celui de «brou de noix» attesté d'abord isolément (1361, puis 1578, *escalle*), repris au XVIIe s. (1690); le sens de «gousse» (des pois, des fèves, des haricots) est devenu archaïque (1690; cf. *cosse*).

▶ En dérivent **ÉCALER** v. tr. (1531, *esqualer;* 1838, *s'écaler*) et le terme technique **ÉCALURE** n. f. (1840).

ÉCARLATE n. f. et adj. vient (1168) du latin médiéval *scarlata* «drap écarlate de (différentes) couleurs éclatantes» (1100), nom d'origine orientale attesté sous différentes formes : on trouve en arabe *siqlạt* «étoffe de soie brodée d'or» et en persan *saqirlāt, saqallāt* «étoffe d'écarlate», *sağulạt* ou *siğalạt* «jasmin», ces mots persans étant d'origine arabe. Le mot arabe a été lui-même emprunté, par l'intermédiaire du grec médiéval *sigillatos* (IXe s.), au bas latin *sigillatus* «(en parlant d'une étoffe) orné de figurines» (IVe s.), déjà en latin classique avec le sens de «orné de dessins, de figurines»; *sigillatus,* dérivé de *sigillum* «figurine», «empreinte d'un cachet», est de la famille de *signum* «marque», «sceau», «image peinte» (→ seing, signe). On connaît, chez les Romains comme chez les Arabes, l'usage qui consistait à orner un tissu de «sigilla». Le sens du bas latin *sigillatus* a évolué vers celui de «tissu au fond de couleur bleue» lorsque le mot est passé dans le monde arabe oriental. Dans l'Occident arabe, puis chrétien, on a désigné ensuite par *écarlate* une étoffe riche de n'importe quelle couleur (sens attesté en 1168 chez Chrétien de Troyes) puis, du fait de l'utilisation de la teinture à base de cochenille, produite notamment à Almeria, en Espagne, au XIIe s., le mot a désigné tout tissu rouge, d'où le sens actuel.

♦ *Écarlate* n. f. désigne en français une couleur d'un rouge vif (1172-1174). L'emploi plus étymologique au sens d'«étoffe d'un rouge vif» est attesté en 1636. ◇ *Écarlate* adj. qualifiant ce qui est de cette couleur apparaît au XVIIIe s. (*rouge écarlate,* 1770; puis *velours, fleurs écarlates*); l'adjectif constitue ensuite un intensif pour *rouge,* signifiant notamment «rouge (de honte, de confusion)». Il s'emploie parfois aussi comme intensif de *rouge,* pour qualifier une idéologie révolutionnaire (1862, Hugo, *des opinions écarlates*).

ÉCARQUILLER v. tr. représente une altération, par assimilation consonantique, de *équartiller :* on trouve encore *ecartiller,* en 1594, dans la *Satyre Ménippée.* Ce verbe est dérivé de *quart* (→ quart) comme *écarter, écarteler.*

♦ *Écarquiller* (1530, *escarquillez*) s'emploie couramment aujourd'hui dans *écarquiller les yeux,* «les ouvrir démesurément»; au sens général (1594) d'«écarter» *(écarquiller les jambes, les doigts),* il est sorti d'usage.

▶ Le dérivé **ÉCARQUILLEMENT** n. m. est attesté en 1572 *(escarquillement).*

ÉCARTELER v. tr. représente une altération (v. 1165) de l'ancien français *esquarterer* «fendre par quartiers» (1175), écrit auparavant *enquarterer* (1130), dérivé de *quartier* (→ écarter, quartier).

♦ Le verbe signifie proprement «partager en quatre», d'où le premier sens de «mettre en pièces» (v. 1165) et l'emploi en héraldique (v. 1280) au sens de «partager l'écu en quatre quartiers». ◇ Le verbe est attesté en 1422 en parlant d'un condamné, au sens de «déchirer en quatre» en faisant tirer les membres par quatre chevaux. ◇ Par figure, *écarteler* s'emploie surtout au passif et au participe passé pour «tirailler, partager» (attesté 1883).

▶ **ÉCARTÈLEMENT** n. m. s'emploie comme le verbe au propre (1565) et au figuré (1866, Amiel). ◆ **ÉCARTELURE** n. f., à l'origine «division de qqch. par quartiers» (1352), s'est spécialisé en héraldique (1690).

① **ÉCARTER** v. représente probablement un emprunt (fin XIIIe s., *escarter*) à un latin °*exquartare* «partager en quatre», composé de *ex-* à valeur intensive et du latin classique *quartus* «quatrième» (→ quatre), comme l'italien *squartare.* Cependant, selon P. Guiraud, le verbe pourrait être un emprunt à un gallo-roman °*excoartare* «desserrer, désunir», dérivé du latin classique *coartare* «serrer, presser, réunir», composé à partir de *artare* «serrer».

♦ *Écarter* a le sens général de «séparer», le verbe étant introduit (XIIIe s.) avec le sens concret de «s'éloigner (de qqn)»; il signifie ensuite (v. 1450 au pronominal, 1604 comme verbe transitif) «éloigner (qqn, qqch.) d'un lieu». Au XVIe s., il s'emploie (1573) pour «mettre (plusieurs choses) à une certaine distance les unes des autres»; au figuré il signifie «détourner (qqn) de la bonne voie» (apr. 1550) et *s'écarter* (1585) «se détourner d'une direction, d'un sujet, faire des digressions», d'où *s'écarter de la raison* (1647). ◇ *Écarter* se dit ensuite au figuré (1672) pour «éloigner (de qqn)», par exemple un danger, et «mettre de côté (une chose abstraite)» (1690). ◇ Au Canada, par extension du sens «mettre à l'écart», le verbe signifie aussi «égarer».

▶ Le déverbal ① **ÉCART** n. m. se trouve, comme le verbe, dans des contextes concrets et abstraits. Attesté (v. 1200) au sens disparu d'«entaille, incision», le nom se dit (1274) de la distance qui sépare des choses; par métonymie, *écart* s'emploie pour «lieu écarté» (1247), régionalement ou dans la langue administrative (cf. *hameau, lieu-dit*). La locution ***à l'écart*** (1450) «dans un lieu écarté», «à une certaine distance» (d'un groupe) s'emploie aussi au figuré dans ***tenir qqn à l'écart*** «ne pas le tenir au courant», comme la locution prépositive ***à l'écart de.*** *Écart* se dit de l'action de s'écarter d'une position et au XVIIe s. (1655), au figuré, de l'action de s'écarter d'une règle morale, intellectuelle, etc., d'où spécialement le sens de «digression», aujourd'hui vieilli (1688, Mme de Sévigné). ◇ Dans un contexte concret, *écart* est utilisé dans le vocabulaire de la danse (***grand écart,*** 1680); on dit aussi en gymnastique *sortir à l'écart.* Le mot désigne aussi (1903) le mouvement par lequel on évite le taureau dans une corrida (on emploie aussi *écarter* en ce sens), d'où **ÉCARTEUR** n. m. «homme qui provoque le taureau et l'évite en faisant un écart» (1864). ◆ *Écart* s'emploie au figuré (1841) pour désigner la différence entre deux grandeurs, deux valeurs. *Écarteur,* n. m., désigne également (1877) un instrument de chirurgie (servant à écarter les lèvres d'une plaie, etc.). ◆ **ÉCARTEMENT** n. m., attesté isolément en 1284, puis en 1491, signifie «action d'écarter» et (1557) «espace qui sépare».

② **ÉCARTER** v. tr. est un dérivé (av. 1611), à l'aide du préfixe *é-* à valeur privative (latin *ex-*), de *carte*,* peut-être sous l'influence de l'italien *scartare* (XVIe s., de *carta* «carte à jouer»). Non analysé, il a été rapidement compris comme un emploi spécialisé de ① écarter.

♦ *Écarter* signifie «rejeter de son jeu (une ou plusieurs cartes, remplacées à la donne suivante)».

▶ En dérivent le nom d'action ② **ÉCART** n. m. (av. 1611), par métonymie «cartes écartées du jeu» (1606), et **ÉCARTÉ** n. m. nom d'un jeu de cartes (1611).

ECCE HOMO n. m. inv. représente deux mots latins qui signifient «voici l'homme», paroles prononcées par Ponce Pilate en présentant le Christ couronné d'épines au peuple juif (*Évangile selon saint Jean*, XIX, 4-6). La formule est reprise en français (1690, n. m.) pour désigner une représentation plastique de Jésus-Christ portant la couronne d'épines. Au figuré (1835) elle s'est employée avec le sens d'«homme pâle et amaigri». À la fin du XIXe s. *ecce homo* s'emploie dans son sens étymologique, ou celui de «me voici», avec des connotations dues à l'origine religieuse de l'expression (cf. *Ecce Homo,* œuvre de Nietzsche, 1908).

ECCÉITÉ n. f. est un emprunt (1599) au latin scolastique *ecceitas* (du latin classique *ecce* «voici»).

♦ Il a conservé le sens du latin, «principe qui fait qu'une essence est rendue individuelle». Mot d'emploi didactique, *eccéité* a été repris (1945) en philosophie pour traduire l'allemand *Dasein* (employé par Heidegger) au sens de «caractère de ce qui se trouve concrètement et particulièrement situé dans l'espace» ; mais les spécialistes utilisent plutôt *dasein* en français.

ECCHYMOSE n. f. est un emprunt savant (1540, *Echymosis ;* 1561, *ecchymose,* A. Paré) au grec *enkhumôsis,* proprement «tache produite par le sang extravasé», composé de *en* «dans» et *khumos* «liquide, suc», de *khein* «verser». *Khein* se rattache à une importante racine indoeuropéenne °*ghew-* «faire couler», que l'on retrouve dans le latin *fundere* (→ fondre).

▸ À partir d'*ecchymose,* qui a conservé son sens étymologique, ont été dérivés : **ECCHYMOSER** v. tr. (1856), d'emploi rare, plus courant au participe adjectif (1833), et le terme de médecine. ◆ **ECCHYMOTIQUE** adj. (1858) formé sur le modèle de *hématose-hématique* et signifiant «relatif à l'ecchymose».

◈ voir **ENCHYMOSE.**

ECCLÉSIASTIQUE adj. et n. m. est un emprunt (1284, n. m.) au latin chrétien *ecclesiasticus,* n. et adj., pris au grec *ekklêsiastikos* «relatif à l'assemblée du peuple». Cet adjectif est dérivé de *ekklêsia* «assemblée du peuple», puis «assemblée des fidèles» et «lieu où se tient cette assemblée». *Ekklêsia,* dérivé de *kalein* «appeler», est à rattacher à une racine indoeuropéenne que l'on retrouve par exemple dans le latin *calare* et *clamare* «appeler» (→ clamer), *clarus* (→ clair), et dans les langues germaniques (anglais *to call*).

♦ *Ecclésiastique* (1284, n. m., avec une majuscule) désigne d'abord un des livres sapientiaux de l'Ancien Testament. Le mot est ensuite attesté comme adjectif (1324) pour qualifier ce qui concerne le clergé chrétien et spécialement catholique, puis est employé comme substantif (1507-1508) pour «membre du clergé».

▸ L'adverbe dérivé **ECCLÉSIASTIQUEMENT** (1422) est rare.

ECCLÉSIASTE n. m., terme didactique emprunté (XIIe s.) au grec *ekklêsiastês* «prédicateur», est la dénomination de l'auteur d'un des livres sapientiaux et, par métonymie, du livre lui-même. ◆ **ECCLÉSIAL, ALE, AUX** adj. est emprunté au latin médiéval *ecclesialis* «relatif à une église», dérivé du latin classique *ecclesia.* Attesté une première fois en 1174-1176, puis au début du XVIe s., il est repris en 1838 appliqué à ce qui concerne l'Église en tant que communauté.

ECCLÉSIA n. f. (1954), repris du grec après *ecclésie* n. f. (1831), est un terme d'histoire pour désigner l'assemblée du peuple dans les cités grecques et notamment à Athènes.

◈ voir **ÉGLISE.**

ÉCERVELÉ, ÉE → **CERVEAU**

ÉCHAFAUD n. m. apparaît (v. 1170) sous les formes *eschaafauz, eschalfaut ;* on relève d'autres graphies jusqu'au XIVe s. (1357, *eschafaud*). Le mot est une altération, d'après *échelle* ou *échasse,* de l'ancien français *chafaud,* n. m., «échafaudage» (v. 1160) encore attesté dans quelques dialectes. *Chafaud* est issu par évolution phonétique d'un latin populaire °*catafalicum* (cf. italien *catafalco ;* → catafalque) composé du préfixe d'origine grecque *kata-* indiquant un mouvement de haut en bas, et du latin *fala* «tour de défense en bois» (mot étrusque), sur le modèle de *catasta* «estrade où l'on expose les esclaves à vendre» (emprunt au grec *katastasis*).

♦ Le mot a d'abord désigné une construction provisoire, plate-forme ou échafaudage (v. 1170) permettant l'édification de bâtiments (→ échafaudage, ci-dessous), ainsi qu'une estrade à l'usage d'un prédicateur (v. 1170, *eschalfaut*), des gradins pour les spectateurs (fin XIIIe s., *escaffaus*) et spécialement l'estrade où jouent des comédiens (1319, *eschaiffaut*) ; ces emplois sont sortis d'usage. ◇ Au XIVe s., le mot désigne notamment une plate-forme en charpente destinée à l'exposition et à l'exécution des condamnés (1357), sens le plus courant aujourd'hui. Par métonymie, le mot se dit pour «peine de mort par décapitation», après l'invention de cet appareil de supplice, «par la guillotine» (sens attesté seulement vers le milieu du XIXe s., av. 1870).

▸ **ÉCHAFAUDER** v. intr. et tr. (v. 1260, *eschaufauder*) conserve son sens initial de «dresser un échafaudage» (intr.). L'emploi transitif (XVe s.) est devenu courant au sens étendu de «superposer (des objets) de manière instable ou en élevant une construction complexe», d'où le sens figuré, «réunir et superposer (de nombreux éléments)» et, plus couramment, «former des combinaisons hâtives et fragiles» (1464, *eschaffaulder* «projeter», *Maistre Pathelin*). ◆ Le verbe a fourni plusieurs dérivés ; **ÉCHAFAUDEUR, EUSE** n. (1292, *eschaufaudeeurs*), d'abord attesté pour désigner un constructeur d'échafaudage, puis celui qui établit un échafaud pour faire sécher les morues (1859), sens disparus ; le mot est repris au XXe s. dans l'emploi figuré, peu usité, de «personne qui échafaude (une théorie, etc.)». ◆ **ÉCHAFAUDEMENT** n. m., attesté une première fois en 1384 comme synonyme d'*échafaudage,* semble repris au début du XXe s. (1914, Gide) dans un emploi figuré et littéraire. ◆ **ÉCHAFAUDAGE**

n. m. (1517, *eschafaudaige*), autre dérivé du verbe qui est devenu rare au sens d'«action de dresser des échafauds», se dit couramment de la construction elle-même. ◇ Le sens figuré «assemblage de faits, d'arguments» semble apparaître au milieu du XVIIIe s. longtemps après le sens correspondant du verbe, et le sens analogique d'«amas» avant 1791.

ÉCHALAS n. m. inv., attesté en 1215 sous la forme *eschalaz*, représente une altération, très probablement d'après *échelle*, de l'ancien français *escharat* (1158, *hescaraz*) issu d'une forme °*charas* attestée par le dérivé *charasson* «échalas» dans les dialectes du Centre. °*Charas* est lui-même issu du latin populaire °*caracium*, altération du bas latin *carratium* «échalas», transposition du grec *kharax* «pieu, échalas», de *kharassein* «entailler», «aiguiser», mot d'origine incertaine (v. 300, *charax*). *Échalas* a supplanté le terme plus ancien et répandu dans les parlers gallo-romans qui était *paisseau*, du latin populaire °*paxellus*, altération du latin classique *paxillus*.

♦ Le mot désigne d'abord un pieu en bois qui, enfoncé dans le sol, sert à soutenir une plante, un arbuste ou un cep de vigne. Par comparaison, il est ensuite employé au figuré pour désigner une personne grande et maigre (1690).

▸ Le dérivé **ÉCHALASSER** v. tr. (1396, *eschalacier*) signifie en agriculture «garnir d'échalas», d'où les termes de viticulture **ÉCHALASSEMENT** n. m. (1552) ou **ÉCHALASSAGE** n. m. (1845), qui tend à le remplacer.

ÉCHALIER n. m. est issu (v. 1180, *eschalier*) du bas latin *scalarium*, dérivé de l'adjectif *scalaris* «d'escalier» et est un doublet de *escalier**.

♦ *Échalier*, qui a eu le sens d'«échelle» (v. 1180), désigne (1530, *eschallier*) une échelle rudimentaire pour franchir une haie; par analogie de forme, le mot se dit ensuite (v. 1534) d'une clôture faite de branches entrelacées ou d'une clôture mobile fermant un champ. Le mot est surtout utilisé dans les régions, comme le Centre, où les limites des propriétés sont marquées par des haies.

ÉCHALOTE n. f. est issu (*eschalote*, v. 1500) par substitution de suffixe de l'ancien français *échalogne* (fin XIe s.) qui a plusieurs variantes : *eschaloines* (v. 1140), *escaluigne* (XIIIe s.), *escalone* ou *eschalogne*. L'ancien français représente une altération du latin classique *ascalonia (caepa)* «(oignon) d'Ascalon» (nom d'une ville de Palestine), absolument, *ascalonia*, d'où le latin médiéval *scalongia* (fin XIIIe s.). La graphie du nom de cette plante potagère a varié; au XIXe s., on a écrit le mot avec un ou deux *t*; l'usage moderne est plutôt de ne retenir qu'un seul *t*.

▸ Le dérivé **ÉCHALOTÉ, ÉE** adj. est attesté une première fois chez Rabelais (1552) puis chez Huysmans (1903).

ÉCHANCRER, ÉCHANCRURE
→ CHANCRE

ÉCHANGER v. tr. est dérivé (1160-1174, *eschangier*) de *changer* (→ changer) par préfixation.

♦ Le verbe a dès l'origine le sens général de «céder (qqch.) moyennant contrepartie», d'où (avec un sujet au pluriel) «se faire des communications réciproques» (1787; *échanger des lettres*) et des expressions comme *échanger des coups;* le verbe s'utilise spécialement dans plusieurs domaines : *échanger des pièces* (aux échecs), *échanger des devises.* Au figuré, il s'emploie (1830, Balzac) avec un complément désignant des signes, des abstractions (*échanger des sourires, des injures*, etc.).

▸ Le déverbal **ÉCHANGE** n. m. est attesté (1080, *escange*) au sens d'«opération par laquelle on échange (des biens, des personnes considérées comme des biens)», spécialement en droit (v. 1283) à propos de biens; de là viennent les locutions ***en échange*** (loc. adv.), ***en échange de*** (loc. prép.; déb. XIIIe s.) et des emplois spéciaux, aux échecs *(faire un échange)*, en économie (1748), ***monnaie d'échange*** s'employant aussi au figuré pour «moyen de remplacement». ◇ Par analogie, le mot désigne (1704) une communication réciproque (de renseignements, de documents, etc.), d'où au figuré *échange de politesses, échange de vues, échange de coups.* ◇ Au XIXe s. *échange* se spécialise en physiologie (1865) au sens de «passage dans les deux sens et circulation de substances entre la cellule et le milieu extérieur» *(échanges respiratoires).* ◇ Au XXe s., par extension du premier sens, *les échanges* désigne les relations entre États se traduisant par des prestations réciproques dans un domaine déterminé *(échanges culturels, artistiques).* En sport, le mot signifie (1937) «fait d'échanger des coups, des balles». ➝ Le dérivé **ÉCHANGISTE** n. et adj. (1776) désigne en droit et en économie la personne qui est partie dans un échange, nommée aussi **COÉCHANGISTE** n. (de *co-*) ou *copermutant*, n. m. (1552; de *permutant*). ◇ Le mot (apr. 1960) se dit aussi de couples qui échangent chacun un partenaire amoureux, d'où **ÉCHANGISME** n. m. (apr. 1960). ◇ La loc. adv. **EN CONTRE-ÉCHANGE** (1461, *en contre eschange;* 1557, *en contr'échange*) est d'emploi littéraire. ➝ **LIBRE-ÉCHANGE** n. m. a été composé (v. 1840) avec *libre*, d'après l'anglais *free-trade* (1606), de *free* «libre» et *trade* «commerce», qui a pris vers 1823 sa valeur économique précise; l'anglais employait auparavant *freedom of trade* (1776, Adam Smith) «liberté du commerce», et les économistes français du XVIIIe s. *le libre cours des échanges* (1784, Necker); *free-trade* fut parfois utilisé en français (1845); *libre-échange*, terme d'économie, désigne le système dans lequel les échanges commerciaux sont libres. ◇ De là les dérivés **LIBRE-ÉCHANGISME** n. m. (mil. XIXe s.) et **LIBRE-ÉCHANGISTE** n. m. et adj. (1845).
Un autre dérivé du verbe, **ÉCHANGEABLE** adj., est attesté à la fin du XVIe s., son contraire **INÉCHANGEABLE** adj. au XIXe s. (1845).
ÉCHANGEUR, EUSE n. apparaît d'abord (1292, *eschangeor*) comme terme de droit au sens de «celui qui a fait un échange», disparu au bénéfice d'*échangiste.* Au masculin le mot s'emploie (1862) pour désigner un appareil destiné à réchauffer (ou à refroidir) un fluide, au moyen d'un autre fluide circulant à une température différente *(échangeur de cha-*

leur, de température). ◇ Échangeur a pris vers 1960 le sens particulier de «raccordement sans croisement à niveau de plusieurs voies routières» et, par extension (1970), «de plusieurs voies ferrées».

ÉCHANSON n. m. est issu (fin XIIe s., *eschanson*) du francique °*skankjo*, attesté sous la forme *scancio* dans la *loi salique* et, au VIIIe s., écrit *scantio* dans les *Gloses de Reichenau* (cf. aussi l'ancien haut allemand *scencho;* l'allemand *Schenk*).

♦ *Échanson*, aujourd'hui terme d'histoire, désignait au moyen âge un officier chargé de verser à boire à un roi, à un seigneur. Par extension (1797), le mot se dit familièrement d'une personne qui sert à boire (aussi féminin dans cette acception).

▸ En dérive **ÉCHANSONNERIE** n. f. (av. 1278, *eschançonerie*), d'abord «lieu du palais où l'on distribuait le vin», puis (1718) «corps des échansons».

ÉCHANTILLON n. m. est issu (1260) d'un type *eschandillon* (2e moitié du XIIIe s., *escandelon*), dérivé d'une forme °*eschandil* correspondant à *escandil* «mesure de capacité» en ancien provençal, attestée par le verbe *eschandiller* «vérifier les mesures des marchands», dans la région de Lyon. Cette famille de mots vient d'un latin populaire °*scandiculum*, variante d'une forme °*scandaculum* «échelle», d'où «jauge, mesure», dérivée de *scandere* «monter, gravir» (→ scander) de la même famille que *scala* (→ échelle). Le latin médiéval connaît *scandilia* «échelons» et *scandilium* «mesure de capacité» (cf. aussi les formes apparentées, ancien provençal *escandalh*, italien *scandaglio, scandiglio*).

♦ *Échantillon* a d'abord eu le sens (1260) d'«étalon» (de mesures, de poids, de monnaies), aujourd'hui disparu comme les emplois extensifs pour «matrice avec laquelle on étalonne» (XVe s.), et «essai, épreuve» (XVe s.). ◇ Par extension, le mot prend (1407) le sens moderne de «petite quantité d'une marchandise, que l'on montre pour faire connaître la qualité de l'ensemble». C'est cette idée de «partie d'un ensemble» que l'on retrouve ensuite dans les diverses acceptions. Par analogie, *échantillon* désigne (1579) une partie (d'un travail, de qqch.) qui donne une idée de l'ensemble; il équivaut à «spécimen remarquable» et spécialement (1611) «individu représentatif» (d'un groupe, etc.), puis, au figuré (av. 1622), se dit pour «aperçu» *(un échantillon de son style).* Au XXe s. le mot s'emploie en statistique au sens de «fraction d'une population destinée à être étudiée par sondage».

▸ Le composé **SOUS-ÉCHANTILLON** n. m. (v. 1970; de *sous-*), terme didactique, s'emploie aussi en statistique.

Le dérivé ancien **ÉCHANTILLONNER** v. tr. a d'abord (1452) le sens de «comparer (une mesure, etc.) avec l'étalon» (cf. *étalonner*) puis, par une évolution sémantique parallèle à celle du nom, signifie (1524) «enlever un morceau de qqch.» et spécialement comme terme de commerce «prélever des échantillons» (1723), employé au XXe s. en statistique. ◆ En dérivent **ÉCHANTILLONNAGE** n. m. (1452, «droit perçu pour l'étalonnage des mesures»; 1864, «action d'échantillonner»; sens statistique, attesté en 1946, puis terme de commerce), et **ÉCHANTILLONNEUR, EUSE** n. (1904).

◈ voir ÉCHELLE.

✱ **ÉCHAPPER** v. est issu (1080, *escaper*, intr.) du latin populaire °*excappare*, proprement «sortir de la chape», d'où «laisser seulement son manteau aux mains des poursuivants». Ce verbe est dérivé du bas latin *cappa* «sorte de coiffure», «manteau, chape» par préfixation en *ex-* (→ chape). Dès le XIIe s. le verbe s'écrit *eschaper* (v. 1130) et la graphie moderne est relevée à partir du XVIe s. (1559).

♦ *Échapper* s'emploie comme en latin au sens de «s'enfuir (d'un lieu)» (XVe s., pron.); aujourd'hui «se soustraire à (qqn, qqch.)» (1080), en emploi transitif (XIIe s.) encore à l'époque classique; le verbe signifie en particulier (fin XIIe s.) «se maintenir hors d'atteinte de ce qui est considéré comme menaçant», d'où au figuré *échapper à qqn* «cesser de subir son influence». *Échapper de* «sortir d'(un état dangereux)» a été remplacé par *échapper à; s'échapper de qqn* «le quitter» (v. 1130) est archaïque. ◇ Le verbe s'utilise en parlant d'une chose (v. 1140, intr.) au sens de «cesser d'être tenu» *(un objet qui échappe des mains, laisser échapper un cri),* par figure à propos de ce qui n'est plus soumis au contrôle de qqn (XVIe s.), et *s'échapper pour* «sortir brusquement» (1667); au sens de «laisser partir, laisser tomber (involontairement)» (1273), *échapper* n'est plus aujourd'hui que d'usage régional, en particulier au Canada. Au sens de «mourir» (v. 1200), le verbe est d'emploi archaïque. ◇ Depuis le XVIe s. (1559), on passe au sens de «faire défaut, après avoir été su» en parlant d'un mot, d'un nom *(ce nom m'échappe),* d'où *s'échapper* «disparaître, s'évanouir» en parlant d'une idée, d'un sentiment (1835). ◇ Le verbe s'emploie aussi en parlant de choses, pour «être en dehors de» et pour «n'être pas compris, contrôlé, remarqué» (1580; *ce détail m'a échappé*), parfois avec l'auxiliaire *être* jusqu'au XIIIe siècle. La locution ***l'échapper belle*** (1640) signifiait «manquer une balle qui était belle, c'est-à-dire rattrapable»; aujourd'hui elle équivaut à «échapper de justesse à un danger». ◇ *S'échapper* s'employait à l'époque classique (1641) au sens figuré de «s'emporter». Le pronominal s'emploie absolument (1880) en sport pour «faire une échappée».

▸ La famille du verbe est abondante. ◆ Le dérivé **ÉCHAPPEMENT** n. m. est sorti d'usage au sens de «moyen d'échapper, issue» (v. 1175). Le mot est rare avant le XVIIIe s., où il est repris (1752) comme terme technique d'horlogerie; il est utilisé ensuite (1845) comme terme de mécanique (par exemple dans *soupape d'échappement* et *pot d'échappement*, 1894).

ÉCHAPPATOIRE n.f. est rare avant le XVIIIe s. (1465, *eschapatoire*); il se dit d'un moyen détourné par lequel on cherche à échapper d'une situation difficile (cf. *faux-fuyant, fuite*) et par extension d'un moyen de s'échapper.

Le participe passé du verbe a produit **ÉCHAPPÉ, ÉE** n. (XIIe s., adj.), disparu dans l'emploi moral pour «libertin» (1677) et vieilli au sens de «personne fugitive» (1709, *échappé des galères;*

(cf. *évadé*)); *échappé*, n. m., désigne un pas de danse.

ÉCHAPPÉE n. f. (1490, *eschappee;* 1475 dans un texte de Suisse romande) a disparu de l'usage au sens d'«action de s'échapper» et au figuré pour «écart de conduite» (fin XVe s.). Le mot a pris le sens figuré (1666-1667) de «bref moment, intervalle», d'emploi littéraire. Concrètement, il désigne un espace qui laisse voir qqch., (1629, *échappée de vue*), d'où *échappée de lumière*, en peinture, et un espace ménagé pour un passage (1704), en architecture, dans *échappée d'un escalier*. En sport et couramment (1865), c'est le nom d'une action menée par un ou plusieurs coureurs qui lâchent le peloton.

ÉCHAPPADE n. f., terme de gravure (1755), a été repris en emploi littéraire (1856, Goncourt) pour «action de s'échapper, évasion».

Le verbe préfixé **RÉCHAPPER**, attesté sous les formes du Nord *rescaper* (fin XIIe s.), *reschapper* (v. 1200), a pris sa graphie moderne au XVIIe siècle. Le verbe (intr.) signifie «échapper à un péril pressant». Au sens transitif (depuis le XIIIe s.) de «tirer (qqn) d'un danger», il est sorti d'usage, et a été remplacé par *rescaper* (ci-dessous). ➜ **RESCAPÉ, ÉE** adj. et n. vient de la forme picarde *rescaper* (*reschappez* attesté en 1588, ayant vieilli); le mot s'est répandu à partir de 1906 : les journalistes l'avaient entendu sur les lieux de la catastrophe minière de Courrières (Hainaut) et employé dans leurs comptes rendus pour la presse parisienne, d'où il est passé en français général. Son origine dialectale n'est plus ressentie. L'adjectif, qui signifie «qui a échappé à un accident, à un sinistre», a été substantivé (1913). ➜ **RESCAPER** v. tr. (1933) «sauver d'un danger» est moins usité.

ÉCHARDE n. f. apparaît sous la forme *escherde* (v. 1165) qui, propre à l'ouest de la France, s'est maintenue jusqu'au XIVe s.; dès le XIIIe s., on a aussi des formes en *a-* (v. 1223, *escharde;* 1388, *eschardre*). Le mot est issu du francique °*skarda* «éclat» (de bois), attesté par l'allemand *Scharte* «brèche», «entaille», peut-être avec un croisement (P. Guiraud) avec un gallo-roman °*excarpitare* (cf. ancien français *escart* «brèche», *escarder* «ébrécher»).

♦ D'abord attesté avec le sens d'«écaille (de poisson, de serpent)», aussi sous la forme isolée *esjarde* (av. 1105), le mot apparaît au XIIe s. dans son sens moderne de «petit fragment (bois, épine, etc.) qui entre accidentellement dans la peau», mais n'est pas réattesté dans cette acception avant 1530.

ÉCHARPE n. f., attesté au XIIe s. (v. 1135, *escharpe*), surtout au XIIIe-XIVe s. sous la forme *escherpe* (1283), est rattaché au francique °*skirpa*, °*skirpja* «panier de jonc», lui-même issu du latin *scirpus* «jonc», le latin médiéval ayant *scrippa* «sacoche de pèlerin» (754-755); dès le latin classique, on a *scirpea* «panier», dérivé de *scirpus*, mot sans origine connue. P. Guiraud rapproche *écharpe* «bourse» du mot *escarcelle* et propose pour *écharpe* «bande de tissu» (obtenue en déchirant un morceau d'étoffe) l'étymon latin °*excarpere* «mettre en morceaux», les deux emplois ayant pu se croiser : «bande d'étoffe pour porter une bourse», «bourse portée en écharpe» (→ ② écharper).

♦ *Écharpe* a désigné comme en latin médiéval une sacoche de pèlerin (v. 1135); on relève ensuite *en écharpe* (1283, *en escherpe*, puis v. 1330 *en escharpe*) «en bandoulière», parce que la sacoche était ainsi portée; l'expression s'est employée au figuré avec la valeur de «de travers» dans *avoir l'esprit en écharpe* «être un peu fou» (XVIIe s.). ◇ De là, *écharpe* s'est dit (1306, *escherpe*) d'une large bande d'étoffe que les chevaliers portaient obliquement d'une épaule à la hanche opposée; elle servait, par la couleur, à marquer l'appartenance à une armée, à un parti, etc., d'où la locution ancienne *changer d'écharpe* «changer de parti». La coutume d'accorder une valeur symbolique à cet ornement survit dans l'emploi de l'écharpe comme insigne, par exemple, des députés, des maires. ◇ Elle était aussi, sans valeur symbolique, utilisée pour étancher le sang d'une blessure : au XVIe s., *écharpe* est employé comme terme de médecine (1549), au sens de «bandage servant à soutenir l'avant-bras», d'où la locution ***en écharpe;*** mais la locution ***tenir ses bras en écharpe*** «être paresseux» (XVIIe s.) ne s'emploie plus. La métaphore romantique du *cœur en écharpe* (Chateaubriand) est un emploi littéraire. ◇ Par analogie de forme, le mot désigne (1567) un cordage pour monter des matériaux. ◇ Le sens aujourd'hui courant de «bande de tissu portée autour du cou» (1666) engendre celui de «pièce de tissu de forme quelconque portée de la même manière» (cf. *foulard*). La locution adverbiale ***en écharpe,*** ancienne au sens de «en bandoulière», s'emploie (1690) au sens d'«obliquement, de côté»; de là l'usage du mot en menuiserie (1755) pour «pièce de bois placée diagonalement (pour consolider)», en ameublement (1864) et l'expression *prendre en écharpe*.

▸ Le dérivé ① **ÉCHARPER** v. tr. (XVe s., *escharper*, attestation isolée) est rare au sens de «ceindre une écharpe»; *escharpé* (1516) a aussi signifié «ceint d'une écharpe», sens inusité, repris au XIXe siècle. Terme technique, le verbe signifie «entourer (un fardeau) d'une pièce en diagonale, dite écharpe» (1676, Félibien).

① **ÉCHARPER** → ÉCHARPE

② **ÉCHARPER** v. tr. représente (1669) une variante du verbe *escharpir* (XVIe s.), dérivé par préfixation en *é-*, *es-* à valeur intensive de l'ancien français *charpir* «déchirer» (v. 1265, Rutebeuf); → charpie. On trouve aussi *décharpir* «déchiqueter (des personnes)», (v. 1290) puis (XVIe s.) «déchirer (un tissu)».

♦ *Écharper* s'emploie d'abord au sens de «blesser avec un instrument tranchant». Par extension, le verbe signifie (av. 1755) «mettre en pièces, massacrer» (cf. *mettre en charpie*) et, plus tard (1864), pour «tailler maladroitement». Il s'emploie comme terme technique pour «diviser les brins d'(un textile)» (1765).

▸ Le dérivé **ÉCHARPAGE** n. m. (attesté en 1870) est un terme technique. ➜ **ÉCHARPILLER** v. tr., familier et vieilli au sens de «mettre en pièces (qqn)» (av. 1468, *escarpiller*, attestation isolée; repris en 1845), est employé comme terme technique, au sens d'*écharper*.

ÉCHASSE n. f. est issu, sous la forme *eschace* (1181-1190), du francique °*skakkja*, d'un verbe germanique °*skakan* «courir vite», d'où vient aussi l'anglais *to shake* «secouer».

♦ *Échasse* signifie d'abord «béquille, jambe de bois», encore au XVe s.; il prend par extension au XIIIe s. *(eschesse)* le sens de «long bâton muni d'un étrier sur lequel on pose le pied, utilisé pour se déplacer dans les terrains difficiles». Écrit *échasse* (XVIe s.), le mot s'emploie au figuré dans les locutions archaïques ***monter, être monté, perché,*** etc. ***sur des échasses*** «se vouloir plus grand que l'on est», «être guindé» (1665), puis ***être monté sur des échasses*** «avoir de longues jambes» (1718; 1861, employé seul). ➛ Par analogie, le mot est employé en zoologie pour désigner (1768) un oiseau des marais à hautes pattes fines.

▸ Le dérivé **ÉCHASSIER, IÈRE** est attesté (v. 1150) pour «qui a une jambe de bois». Substantivé, le mot suit l'évolution sémantique d'*échasse :* il désigne qqn qui marche sur des échasses (1606), puis est employé en zoologie (1799, n.; 1845, adj., *oiseau échassier*) et au sens de «personne qui a de longues jambes» (1866).

① **ÉCHAUDER** v. tr. est issu (fin XIe s., *eschalder*, puis fin XIIe s., *eschauder*) du bas latin *excaldare* «baigner dans l'eau chaude», «échauder», composé de *ex-* intensif et de *caldare* «faire chauffer», dérivé du classique *calidus, caldus* «chaud» (→ chaud).

♦ Le verbe français conserve le sens du bas latin et s'emploie en particulier en cuisine. *Échauder* est d'usage régional au sens de «brûler (qqn, la peau, etc.) avec un liquide chaud», mais d'emploi général au figuré : ***se faire échauder, être échaudé*** «éprouver un dommage, une déception». Dans le domaine agricole, *échauder* signifie «dessécher», «griller» (1723), en parlant de la chaleur, du soleil.

▸ L'adj. **ÉCHAUDÉ, ÉE** s'emploie avec des acceptions spéciales parallèles à celles du verbe : *blé échaudé* «grillé par la chaleur» (fin XVIIIe s.), *avoir les mains échaudées.* Le mot est substantivé d'abord pour désigner un petit gâteau (1260, n. m.); la locution *crier comme un échaudé* est vieillie, mais le proverbe ***chat échaudé craint l'eau froide*** est toujours bien vivant (XIIIe s., sous une autre forme). ➛ **ÉCHAUDURE** n. f. (XIIe s.) se dit d'une brûlure occasionnée par un liquide très chaud. ➛ **ÉCHAUDOIR** n. m. (1380, «vase à chauffer») est un terme technique qui désigne le lieu ou la cuve où l'on échaude des bêtes de boucherie (1523), de la laine (1690). ➛ ① **ÉCHAUDAGE** n. m., «action de passer à l'eau chaude» (1864), est un terme d'agriculture, désignant l'accident qui frappe les céréales, les vignes échaudées; il est plus courant que **ÉCHAUDEMENT** n. m. (1845) déjà formé au XVIe s. (1564) au sens de «brûlure».

② **ÉCHAUDER** → CHAUX

ÉCHAUFFER v. tr. est issu, d'abord (fin XIe s.) sous la forme *eschalfer* puis *eschaufer* (v. 1175), du latin populaire °*excalefare,* altération du latin impérial *excalfacere* «chauffer, échauffer», composé de *ex-,* intensif, de *calere* «être chaud» dérivé de *calidus, caldus* (→ chaud) et de *facere* «faire*». La forme moderne est influencée par *chauffer.*

♦ *Échauffer* s'emploie d'abord au sens d'«enflammer, irriter» (fin XIe s., en parlant de l'œil), puis de «rendre chaud» (1121-1134, pron.). Par métaphore du sens médical il signifie (v. 1175) «donner de l'animation, de la force (à l'esprit, etc.)», acception d'emploi soutenu aujourd'hui, plus courant en emploi pronominal (XIIIe s.; *s'échauffer en parlant*) ou dans la locution ***échauffer la bile, le sang.*** ◇ *S'échauffer,* au sens de «faire quelques exercices pour échauffer ses muscles», est attesté dès 1423.

▸ Les deux participes sont adjectivés. **ÉCHAUFFANT, ANTE** adj. (v. 1128) s'emploie pour «qui augmente la chaleur» et en médecine «qui provoque l'irritation, l'inflammation», aussi substantivé; cet emploi est archaïque. ➛ **ÉCHAUFFÉ, ÉE** adj. s'est employé dans tous les sens du verbe. Il a vieilli, même au figuré pour «passionné, animé».
Le dérivé **ÉCHAUFFEMENT** n. m. est d'abord relevé (v. 1200) au sens figuré d'«animation, excitation», aujourd'hui d'emploi littéraire. Le nom se dit (1423) de l'action d'échauffer le corps par des mouvements appropriés; il est sorti d'usage comme terme médical (1690) pour «provoquer l'irritation, l'inflammation» et est seulement d'emploi technique au sens général d'«action d'échauffer, de s'échauffer» (*échauffement d'un essieu, des pneus,* etc.). ➛ **ÉCHAUFFURE** n. f., vieilli en médecine (v. 1256, *eschauffeure* «inflammation cutanée»), s'emploie encore comme terme technique (1870).

ÉCHAUFFOURÉE n. f. apparaît au milieu du XIVe s. *(eschauffourée);* on considère traditionnellement le mot comme issu du croisement de *fourrer* avec *chaufour* (→ four), par référence à l'activité du chaufournier qui pousse la bourrée, le bois dans l'âtre, l'éparpille et en remet, sans interruption. Selon P. Guiraud, qui estime ce sémantisme trop artificiel, le mot serait composé de *eschauffe* (déverbal de l'ancien français *eschauffer;* cf. l'ancien français *une eschaufée* «accès de fièvre») et de *fourrée* (cf. *coup fourré*), avec l'idée de «coup entrepris dans la fièvre et qui tourne mal, faute d'en avoir prévu les dangers cachés».

♦ *Échauffourée,* d'abord attesté au sens de «mauvaise rencontre», désigne par la suite une entreprise téméraire (1677) et un emportement de colère (1694); tous ces emplois sont sortis d'usage. ◇ Le sens moderne de «bagarre» (1797) a été accompagné par celui de «petit combat isolé» (1752), aujourd'hui vieilli.

ÉCHAUGUETTE n. f., qui adapte (XVIe s.), avec le suffixe *-ette,* les formes anciennes *escalguaite* (1080) puis *escalgaite* (v. 1130) *eschaugaite* (v. 1175) avec une variante *escarguaite* (1369), est issu du francique °*skarwahta* «action de monter la garde», «groupe de sentinelles», composé de °*skâra* «troupe» et de °*wahta* «garde» (cf. moyen haut allemand *scharwahte*; allemand *Scharwache*).

♦ Le mot a désigné en ancien français un ensemble de sentinelles (1080) et une sentinelle (v. 1130) d'où l'action de monter la garde (v. 1175). Cette valeur rend compte de locutions comme ***faire l'échauguette*** «être aux aguets» (1659), sortie d'usage. ➛ Par métonymie *escarguaite* (1369) puis *eschauguette* (v. 1490) désigne une guérite placée aux angles des châteaux forts destinée à abriter la sentinelle et prend le sens de «ruse, piège» (1542) vivant à l'époque classique. ◇ Par extension, le mot s'est dit par la suite d'une petite tourelle ornementale, placée à l'angle d'un bâtiment.

ÉCHÉANCE → ÉCHOIR

ÉCHEC n. m. représente (1080, *eschecs*) une altération de *eschac* dont le pluriel *eschas* est attesté vers 1165 (cf. le latin médiéval *scacus* «pièce du jeu d'échecs», XIe s.). Le mot désignait à l'origine l'interjection d'un des deux joueurs, avertissant que le roi de l'adversaire est menacé. Il est emprunté, par l'intermédiaire de l'arabe, au persan *šāh mat* «le roi est mort» (→ mat); le *-c* final est peut-être dû à un croisement avec l'ancien français *eschec* «butin» (1080), issu du francique °*skak*. Pour P. Guiraud, le cheminement du mot de la Perse à l'Occident n'est pas prouvé et l'étymon serait plutôt ce francique °*skak* «butin, prise», le but du jeu étant de s'emparer des pièces de l'adversaire jusqu'à la prise finale du roi; l'ancien français *eschec, eschac* «butin, prise de guerre» et le terme du jeu seraient donc le même mot, et l'interjection *échec (au roi, à la reine)* signifierait «en prise» comme *échec et mat* «pris et détruit, mort» (→ mat).

♦ *Échecs* désigne au pluriel le jeu puis, par métonymie (1174-1180), l'ensemble des pièces du jeu. *Échec* au singulier désigne (v. 1170) la situation du roi ou de la reine menacés de prise, d'où l'adjectif *être échec* «avoir son roi en échec» (fin XVIIe s.). La langue classique utilisait plusieurs locutions tirées du jeu d'échecs, comme ***donner échec et mat à qqn*** (1606), ***faire échec et mat*** (XVIIe s.) «vaincre». ◇ Mais le sens figuré étendu de *échec* est ancien. Depuis le début du XIIIe s., il signifie (v. 1223) «embarras, obstacle, difficulté». Ce sens courant a donné les locutions ***faire échec à (qqn, qqch.), en échec*** «dans une situation difficile» et aussi «revers éprouvé dans une entreprise», «fait d'échouer». ◇ En français moderne, *échec* joue le rôle de substantif verbal de *échouer* et n'est pas senti comme étant le même mot que celui qui désigne le jeu.

► **ÉCHIQUIER** n. m. (v. 1160, *eschaquier*), dérivé de *eschac, échec(s)*, se dit d'une surface formée de carrés égaux contigus, aux couleurs alternées, analogue au tableau de 64 cases sur lequel on joue aux échecs; en ce sens le mot est attesté vers 1176 *(eschaquier)*. De là, *en échiquier* pour parler d'objets disposés en une série de carrés dont les lignes se croisent comme sur un échiquier. ➛ Le mot s'est employé par métonymie (1170, *eschekier*) au sens de «trésor royal» parce que les banquiers au moyen âge avaient l'habitude d'utiliser des tapis quadrillés pour faire leurs comptes; on trouve ce sens en latin médiéval, *scaccarium*, en Normandie (1140) et en Angleterre (1118). D'où l'anglais *exchequer* (v. 1190). Cependant pour P. Guiraud, la fonction de l'*eschequier* (ce mot désignant aussi la Cour de justice) était de «mettre en échec», c'est-à-dire dans l'obligation de «rendre compte» et de «rendre des comptes»; il serait apparenté à l'anglais *to check* «mettre en échec» et «vérifier», et à l'ancien lorrain *exchaquer* «taxer (les amendes)». *Échiquier* désigne ensuite en normand (1280) la Cour souveraine de justice, en Normandie, érigée en Parlement en 1499. En 1654, le mot réemprunté à l'anglais se dit de l'administration financière centrale, en parlant de l'Angleterre. ◇ *Échiquier*, par allusion à la partie qui se joue sur l'échiquier, s'emploie enfin au figuré (1806-1807) au sens de «terrain où se joue une partie serrée, où s'opposent plusieurs intérêts».

ÉCHIQUETÉ, ÉE adj., d'abord au sens de «divisé en carrés de différentes couleurs», est devenu (v. 1234) un terme de blason; c'est l'altération de *eschequiré* (1189), lui-même de *eskierkeré* (v. 1180).

ÉCHIQUÉEN, ÉENNE adj. (XXe s.) signifie «relatif aux échecs»; il est dérivé du radical de *échiquier*.

ÉCHELLE n. f. représente l'aboutissement (v. 1150, *eschale*) de l'évolution du latin *scala*, surtout utilisé au pluriel *scalae* «marches d'escalier» «échelle(s)». C'est un dérivé de *scandere* «monter, gravir» (→ scander) qui se rattache à la racine indoeuropéenne °*skand-* «monter».

♦ *Échelle* désigne d'abord, comme en latin, un dispositif transportable composé de deux montants réunis par des barreaux servant de marches. *Échelle de potence* était encore au XVIIe s. le nom de l'escalier de l'échafaud ou du pilori, d'où par métonymie *échelle* «potence» et la locution disparue *sentir l'échelle* «être digne d'une punition exemplaire» (1668) analogue à *de sac et de corde*. Par analogie on parle ensuite d'une *échelle de corde* (1636), d'une *échelle double* (1680), puis d'un dispositif ressemblant à une échelle, mais à un seul montant dit aussi *échelier* (ci-dessous). ◇ Dans le langage maritime, on emploie encore *échelle* pour un escalier fixe ou mobile. ◇ Au XVIIe s., le mot entre dans la locution ***après cela*** (***après lui***, etc.) ***on peut (il faut) tirer l'échelle*** (1657) «on ne peut rien faire (imaginer, etc.) de mieux, de plus», qu'on explique par: «on peut enlever l'échelle, il est inutile de monter faire le travail» ou par «il a enlevé l'échelle, personne ne pourra monter après lui». ◇ La locution ***faire la courte échelle (à qqn)***, «aider à franchir un obstacle, en formant un échelon avec les mains jointes», est attestée en 1835; *court* évoque une échelle petite, expédiente, rapide à trouver; la locution s'emploie aussi par métaphore (XIXe s.), d'où ***courte échelle*** «aide» (XIXe s.). ***Monter à l'échelle*** (milieu XIXe s.) s'est dit pour «se mettre en colère pour peu de chose» et signifie aujourd'hui «se laisser prendre à une plaisanterie», un peu comme *être mené en bateau*. ➛ Depuis le XVIIe s., *échelle* désigne aussi une place de commerce, une escale (1654) proprement «un lieu où l'on pose une échelle pour débarquer» (→ escale), d'où la locution disparue ***faire échelle*** «faire escale».

Le mot prend également le sens (1685) de «ligne graduée des cartes marines», indiquant le rapport des dimensions figurées avec les distances réelles, d'où par extension le sens de «rapport entre une dimension et sa représentation (sur une carte, dans les arts graphiques)». *Échelle* désigne aussi (1751) une série de divisions sur un instrument de mesure. De ces emplois viennent les locutions ***à grande (à petite) échelle*** (d'une carte) et, au figuré, ***faire qqch. à grande échelle*** «en grand» ***à l'échelle (de)*** «selon un ordre de grandeur» (XIXe s.) avec une valeur proche de celle de «niveau». ◇ Par figure *échelle* se dit (1690) d'une série continue ou progressive; de ce sens abstrait sont issus plusieurs emplois : *échelle des conditions* (1794), remplacé ensuite par *échelle sociale* (1821), d'où *être en haut (en bas) de l'échelle (sociale), échelle des êtres* (1764), *échelle des sons,* en musique (1755), *échelle des couleurs,* en peinture, *échelle des salaires, échelle mobile* (1870), en économie.

▸ Le substantif a quatre dérivés directs. ◆ **ÉCHELER** v. tr. (1274, *escheller*), «monter par degrés, grimper», est archaïque ou régional. ◇ Son dérivé **ÉCHEL(L)AGE** n. m. (1509), terme juridique, se dit du droit de poser une échelle sur la propriété d'autrui pour réparer un mur, etc. ◆ **ÉCHELETTE** n. f. «petite échelle» (1316) désigne aussi (1555) un oiseau passereau grimpeur. Avec une valeur figurée qui s'explique par celles d'*échelle,* c'est également un terme de comptabilité (1755). ◆ **ÉCHELON** n. m. (fin XIe s., *eschelon*), du radical de *échelle,* désigne la traverse d'une échelle (cf. *barreau*). Le mot a plusieurs emplois figurés : «ce par quoi on monte (descend) d'un rang à un autre» (1319, *eschelon d'humilité*), «chacun des degrés d'une série», d'où spécialement «position à l'intérieur d'un même grade». La locution ***dernier échelon*** signifie «le plus élevé» ou «le plus bas». *Échelon,* terme militaire (1823), signifie «élément d'une troupe fractionnée en profondeur». ◇ Ce nom a pour dérivé **ÉCHELONNER** v. tr. (*eschelonner,* fin XIVe s.), repris comme terme militaire (1823) au sens de «disposer de distance en distance» (des troupes). *S'échelonner* signifie aussi «être distribué dans le temps» (1842); de ce sens dérive **ÉCHELONNEMENT** n. m. (1851). ◆ Enfin *échelier* v. tr. (1685) désigne un dispositif muni d'échelons fixés alternativement sur une pièce centrale. ◇ De là **RÉÉCHELONNER** v. tr., moins courant que **RÉÉCHELONNEMENT** n. m. (1980), par ex. dans *le rééchelonnement de la dette.*

◈ voir ASCENDANT, ÉCHALIER, ÉCHANTILLON, ESCALE, ESCALIER, SCANDALE, SCANDER.

ÉCHENILLER → CHENILLE

◈ **ÉCHEVEAU** n. m., d'abord attesté (v. 1165) au pluriel *(escheviauz),* puis au singulier au début du XIVe s. *(eschevel),* puis sous la forme *escheveau* au XVe s. (Villon), est d'origine incertaine. Le mot est peut-être issu du latin *scabellum* «escabeau*», qui aurait désigné un dévidoir en forme d'escabeau en X, puis par métonymie l'écheveau qu'on y disposait; on trouve en effet l'ancien provençal *escanh,* n. m., «banc, escabeau», et le féminin *escanha* «dévidoir», issus du latin populaire °*scamnium* pour le classique *scamnum* «escabeau». De même le provençal *escavel, escabel* signifie à la fois «écheveau» et «escabeau» comme le picard *esca(i)gne.*

♦ *Écheveau* désigne un assemblage de fils repliés en plusieurs tours, d'où spécialement autrefois un assemblage de crins formant le ressort de certaines armes balistiques; ensuite, *écheveau* se dit pour «assemblage plus ou moins emmêlé». ◇ Au figuré (1611) le mot signifie «état embrouillé, complication» et «déroulement temporel continu», valeur sortie d'usage, sauf peut-être dans la locution ***dévider l'écheveau, son écheveau*** «parler sans arrêt».

▸ **ÉCHEVETTE** n. f. (1407, du radical d'*écheveau*), «petit écheveau», est d'emploi régional ou technique.

ÉCHEVELÉ, ÉE → CHEVEU

ÉCHEVIN n. m., réfection (XVIe s.) de la forme *eskievin* (v. 1165), est issu du francique °*skapin* «juge» (cf. ancien haut allemand *scaffin* et allemand *Schöffe*), attesté en latin médiéval sous la forme *scabinos* (accusatif pluriel dans la *loi des Longobards*). En pénétrant dans les langues méridionales, le mot a donné en ancien provençal *escavin, esclavin,* en italien *schiavini.* P. Guiraud suggère aussi un rapprochement avec l'ancien français *eschever* «achever», probablement dérivé de *chevir* «venir à bout d'une affaire difficile» (XIIe s.) et «transiger, s'accorder avec qqn à propos d'un différend» (cf. dans les dialectes, le sens de «gouverner, faire obéir»). ◈

♦ *Échevin,* de nos jours terme d'histoire, désignait au moyen âge l'assesseur du tribunal comtal, puis un magistrat municipal. ◇ Le mot reste en usage en français de Belgique en parlant d'un magistrat adjoint au bourgmestre (1701 aux Pays-Bas). Au Canada, il est parfois employé pour «conseiller municipal».

▸ En dérivent : **ÉCHEVINAGE** n. m. «corps des échevins d'une ville» (1219) puis «fonction d'échevin» (XIIIe s.), «territoire administré par des échevins» (1281). ◆ **ÉCHEVINAL, ALE, AUX** adj. (XVIe s., *eschevinal*) employé surtout au masculin singulier est toujours en usage en Belgique. ◆ **ÉCHEVINAT** n. m. (1789 «commune administrée par des échevins») se dit en Belgique de la charge d'échevin. ◇ Tous ces mots concernant l'histoire européenne s'emploient en parlant des Pays-Bas et certains sont d'usage administratif moderne en français de Belgique.

ÉCHIDNÉ n. m. représente un emprunt (1806) au latin scientifique *echidna* (1797-1798, Cuvier), en latin *echidna* «vipère femelle, serpent», transcription du grec de même sens *ekhidna,* diminutif plus courant que *ekhis,* à rapprocher du sanskrit *áhi-* «serpent».

♦ Le mot désigne un mammifère australien, ressemblant au hérisson, épineux, et au pluriel le genre auquel il appartient. Le nom vient de la comparaison des crochets de la vipère avec les piquants de cet animal.

◈ ✳ ① **ÉCHINE** n. f. est issu (1080, *eschine*) du francique °*skina* «baguette de bois», d'où «aiguille, os long», restitué d'après l'ancien haut allemand *scina* «os de la jambe», d'où l'allemand *Schienbein* et *Schiene* «baguette», «rail»).

♦ Le mot désigne en français, dès le XIe s., la colonne vertébrale de l'homme et de certains animaux; il était plus courant qu'aujourd'hui dans la langue classique et s'emploie surtout (mil. XVIe s.) pour parler d'une partie de la longe du porc. Mais le sémantisme de l'aiguille n'était pas éteint, puisqu'on trouve *échine* en ce sens chez Rabelais (1546). ◇ C'est à partir du XVIIe s. que *échine* «épine dorsale» apparaît dans des locutions figurées et familières qui sont sorties d'usage ou archaïques : ***ajuster l'échine*** «donner des coups de bâton» (1669, Molière), ***frotter, caresser, rompre l'échine*** (1678). L'idée de servilité apparaît dans des locutions modernes comme ***courber, plier l'échine*** «se soumettre», ***(avoir) l'échine souple, basse*** (1845).

▸ Le dérivé **ÉCHINER** v. tr. (v. 1225, *eschiner*) signifie d'abord «mettre à mal, éreinter» mais est très peu employé en ce sens avant le XVIe siècle. De là vient le sens figuré de «critiquer vivement» (1775, Beaumarchais), aujourd'hui archaïque. À la même époque (1785) apparaît l'emploi pronominal figuré du verbe pour «se donner beaucoup de peine» *(s'échiner au travail)*. ➛ La forme **ÉCHIGNER** v. tr., altération de *échiner*, s'est employée (1660) au sens propre de «briser l'échine (à qqn), mettre à mal» et au figuré (1852) : «critiquer vivement»; qualifiée de populaire depuis 1771 (Trévoux), elle n'est plus en usage.

ÉCHINÉE n. f. (v. 1131), en ancien français «dos, reins (d'un cheval)», désigne (1398) en termes de cuisine un morceau du dos d'un porc, différent de l'échine.

② **ÉCHINE** n. f. est un emprunt (1567) au latin *echinus*, lui-même au grec *ekhinos* «hérisson, oursin», mot qui s'emploie au figuré dans divers vocabulaires techniques, notamment en architecture.

♦ Avec cette dernière valeur, *échine* désigne une moulure saillante placée sous l'abaque du chapiteau dorique.

ÉCHINODERMES n. m. pl. est un mot savant adapté (1792) par le naturaliste Bruguières du latin scientifique *echinodermata* (1734), composé du grec *ekhinos* «hérisson, oursin» et de *derma* (→ derme).

♦ Le mot désigne (au pluriel) l'embranchement du règne animal correspondant aux oursins, et au singulier un animal de cet embranchement.

ÉCHO n. m. est un emprunt (1279; 1225-1230, *equo*, isolément) au latin *echo* «son répercuté», lui-même au grec *êkhô* «bruit», «bruit répercuté» et «rumeur populaire», sans correspondant exact dans d'autres langues indoeuropéennes.

♦ *Écho*, nom mythologique (1225-1230), est employé (1279) avec le sens de «son renvoyé par une surface qui le répercute» d'où «son répercuté» *(entendre un écho)* et la locution ***en écho*** «en répétant». Au XVIIe s., le mot se dit, au figuré, d'une personne qui répète qqch. (1661), d'où les locutions ***faire écho à, se faire l'écho de***. ◇ Par analogie, *écho* désigne en poésie (1680) la reprise d'un mot, pour donner une impression de réponse, de correspondance, et en musique (1690) l'effet obtenu par la répétition d'une note. ◇ Puis le mot prend le sens (1690) de «lieu où se produit l'écho» et par métaphore (1687) celui de «reproduction, imitation». De là vient l'emploi pour «ce qui est répété (par qqn)» (mil. XVIIIe s.) puis au XIXe s., dans le domaine du journalisme, pour «nouvelles» (1860, *les échos d'un journal*). ◇ *Écho* est enfin employé, par extension de l'idée de résonance ou de correspondance, avec le sens d'«accueil, réactions favorables, sympathiques» (1833) notamment dans *être, demeurer sans écho, trouver un écho, ne pas rester sans écho*. Au XXe s., il s'emploie par analogie comme terme technique au sens de «réémission d'un signal vers l'émetteur».

▸ De son emploi comme terme de versification dérive l'adjectif **ÉCHOÏQUE** (1864), d'emploi didactique, et de l'acception journalistique vient **ÉCHOTIER** n. m. (1866) «rédacteur des échos dans un journal».

ÉCHOLALIE n. f. (1885; de l'allemand [1853] où le mot est formé avec le grec *lalia* «bavardage, babil»), terme de psychiatrie, désigne la répétition automatique par un locuteur des paroles prononcées par son interlocuteur. ◇ Il a pour dérivé **ÉCHOLALIQUE** adj. (1890).

ÉCHO- est aussi un élément qui sert à composer des substantifs tels **ÉCHOMÈTRE** n. m. (1701), désignant aujourd'hui l'utilisation d'échos sonores. ➛ **ÉCHOGRAPHIE** n. f. (1906; de *-graphie*), d'abord «impossibilité pour un sujet de comprendre le sens d'un test qu'il peut copier normalement», a été reformé (av. 1971) pour désigner une méthode d'exploration médicale utilisant la réflexion des ultrasons. De là **ÉCHOGRAPHIQUE** adj. (av. 1970), **ÉCHOGRAPHISTE** n., **ÉCHOGRAPHE** n. m. (1978; de *-graphe*) appareil utilisé en échographie, et **ÉCHOGRAMME** n. m. (1978).

◈ voir ÉCHOSONDEUR (à SONDE).

✳ **ÉCHOIR** v. intr. et défectif est l'aboutissement (v. 1135) du latin populaire °*excadere*, réfection du latin classique *excidere* «tomber, sortir de» et «arriver, se produire», d'après *cadere* «tomber» (→ choir); le sens de «tomber» a disparu dans les langues romanes (cf. italien *scadere* et ancien provençal *escazer*, «échoir» et «déchoir», ancien espagnol *escaecer* «déchoir»). Devenu défectif, le verbe *échoir* ne se conjugue plus qu'à la troisième personne du singulier et du pluriel, à l'infinitif et aux temps composés. ◈

♦ *Échoir* signifie d'abord «être dévolu (à qqn)» (v. 1135), à l'impersonnel *il échoit* (1160-1174); en droit, la formule *si le cas y échoit, y échet* (ou *s'il y échet*) «s'il y a lieu» est sortie d'usage. Le verbe prend ensuite (1670) le sens d'«arriver à son terme fixé» (en parlant d'un règlement).

▸ Le dérivé **ÉCHÉANCE** n. f. (v. 1220, *escheance*) vient du participe présent du verbe et signifie «succession, héritage» (c'est-à-dire ce qui échoit) jusqu'à la fin du moyen âge. ◇ À partir du XVIIe s. *échéance* désigne la date à laquelle l'exécution d'un paiement est exigible (déb. XVIIe s.), par extension la date à laquelle expire un délai, d'où les locutions ***à courte, à longue échéance*** «dans un délai court, long» employées aussi au figuré (***à longue échéance*** «lointain», ***à brève échéance*** «proche», «rapidement»). Par extension et spécialisation, *échéance* désigne l'ensemble des effets dont l'échéance tombe à une date donnée. Le mot s'emploie au figuré (1678) au sens de «date à laquelle une chose doit arriver» en particulier dans *échéance politique*. ◆ Le dérivé **ÉCHÉANCIER** n. m. est attesté en ancien français (v. 1283, *esquancier*) au sens d'«héritier». Le mot a été reformé sur *échéance* au XIXe s. pour désigner le registre des effets à payer ou à recevoir, inscrits à la date de leur échéance (1863).

ÉCHÉANT, ANTE adj. est attesté en 1843 (la forme verbale est très antérieure); terme de droit signifiant «qui arrive à échéance», le mot entre dans la locution adverbiale ***le cas échéant*** (1843) signifiant «si l'occasion se présente» (cf. *éventuellement*), devenue usuelle. ◆ **ÉCHUTE** n. f. (1611, *escheute*), ancien participe passé du verbe, est aujourd'hui un terme d'histoire du droit; le mot désignait le droit du seigneur à succéder à ses mainmortables dans certains cas.

① **ÉCHOPPE** n. f. est un emprunt adapté (v. 1230, *escope;* 1285, *eschope*) au néerlandais *schoppe* «petite boutique en appentis et adossée à un mur» d'un germanique désignant une étable, une baraque et qui a fourni l'allemand *Schuppen,* l'anglais *shop;* le mot est d'abord attesté dans le nord de la France; une influence de l'anglais *shop* «magasin» y est probable.

♦ Le mot garde en français le sens de l'étymon; régionalement (à Bordeaux), le mot désigne, par analogie, une petite maison ne comportant qu'un rez-de-chaussée.

② **ÉCHOPPE** n. f., sous les formes *eschalpre, eschaulbre* (1366), *escoppre* (1418) puis *eschope* (1579), est issu du latin *scalprum* «burin, ciseau», de la famille du verbe *scalpere* «gratter», «tailler», «sculpter» (→ scalpel, sculpter) comme l'ancien provençal *escalpre,* l'espagnol *escoplo.*

♦ Le mot est apparu en français avec le sens du latin, puis désigne précisément (1579) un outil à pointe taillée en biseau, utilisé par les graveurs, les ciseleurs, etc. (cf. *burin*) et une pointe d'acier pour graver à l'eau-forte.

▶ En dérive **ÉCHOPPER** v. tr., terme technique; d'abord *eschopper* (1re moitié du XVe s.) il signifie «érafler d'un coup de lance», puis *eschoppeler* (1615) avant *eschopper* (1676) «graver, tailler ou effacer avec une échoppe».

ÉCHOUER v., attesté en 1559, est d'origine incertaine. On a proposé de le rattacher à *échoir,* d'après les anciennes prononciations de *échouer* (en -o), mais l'hypothèse implique un changement systématique et rapide des conjugaisons et des sens qui n'est pas habituel. On y a vu aussi une altération des formes normandes *escouer, écouer* (ancien français *escoudre, escourre* «secouer»), ce qui supposerait une réfection littéraire de *escouer* en *échouer,* assez difficile à admettre. On a enfin rapproché le mot de *choyer* et de sa variante, en ancien wallon, *chouer,* du bas latin *exsuccare* «faire sécher» (P. Guiraud); mais cela suppose un traitement phonétique particulier à une région qui n'a jamais fourni de termes de marine.

♦ *Échouer,* d'abord employé en parlant d'une embarcation, signifie «toucher le fond par accident et ne plus naviguer» (1559, au participe passé; 1573, intr., à l'infinitif); en ce sens le pronominal *s'échouer* est devenu plus courant (1669). Le verbe s'emploie transitivement (1596) au sens de «pousser (une embarcation) jusqu'à la côte». Par analogie, *échouer* signifie, en parlant d'un animal marin, d'une chose, «être poussé sur la côte» (1835). ◆ D'abord dans des métaphores comme *échouer sur un écueil, près du port,* le verbe (1660) s'emploie au figuré pour «ne pas réussir» et, en parlant de personnes, «s'arrêter (en un lieu) par lassitude» (attesté 1886, Zola).

▶ Les dérivés **ÉCHOUEMENT** n. m. (1626) et **ÉCHOUAGE** n. m. (1674) sont demeurés des termes de marine, et leur emploi figuré est assez rare.

ÉCIMER → CIME

ÉCLABOUSSER v. tr., attesté indirectement en 1528 d'après le dérivé *éclaboussure,* apparaît sous la forme verbale d'abord en picard (1564, *esclabocher*) et s'écrit *esclabousser* à l'époque classique (1660). Il représente une variante expressive de l'ancien français *esclaboter* (1225-1230, *esclabouter*) encore attesté au XVIIe s. (*esclabotter,* 1660). On donne traditionnellement ce verbe comme formé d'un radical onomatopéique *klapp-, klabb-* et de *bouter.* Selon P. Guiraud, qui évoque souvent ce type de formation, *éclabouter, éclabousser* sont des composés tautologiques de *bousser* «pousser (hors de)», synonyme de *bouter,* et d'*éclater;* d'où le sens global de «rejeter (un liquide) sous forme d'éclats».

♦ *Éclabousser* a le sens propre de «faire rejaillir sur (qqn, qqch.) un liquide salissant» et se dit au figuré (déb. XXe s.) pour «salir moralement» et «humilier par un étalage de luxe ou d'avantages».

▶ Le dérivé **ÉCLABOUSSURE** n. f. (1528, *esclabousseüre*) est employé au pluriel pour désigner un liquide salissant qui rejaillit sur qqn, qqch., d'où l'emploi métaphorique et littéraire *des éclaboussures de lumière, de couleur.* Comme le verbe, il s'emploie au figuré pour «tache (à la réputation)» (1831), «coup indirectement reçu» (aux abords d'une mêlée) [1853] et «conséquence d'un événement fâcheux» (1893). ◆ **ÉCLABOUSSEMENT** n. m. (1835), rare au sens concret d'«action d'éclabousser», s'emploie au sens de «jaillissement», ainsi qu'au figuré.

ÉCLAIRCIR v. tr. est issu (v. 1130, *esclarcir*), avec la variante *esclaircir* (v. 1230) d'après *clair,* du latin populaire °*exclaricire,* réfection de °*exclaricare,* intensif du latin impérial *claricare* «éclairer vivement», lui-même dérivé de *clarus* (→ clair, éclairer).

♦ *Éclaircir* a le sens général de «rendre clair ou plus clair»; spécialement, dans les premiers emplois, il signifie «briller» en parlant du jour, «resplendir» (du soleil); d'où (v. 1165) *resclarcir* «rendre brillant». *Éclaircir* s'emploie ensuite à propos de choses abstraites, aux sens de «projeter de la lumière sur qqch.» (v. 1200), «mettre en lumière (qqch.)» (1210-1230), puis de «rendre plus compréhensible» (1283). Par extension, dans l'ordre concret, *éclaircir* se dit pour «rendre moins dense, moins nombreux», en parlant des rangs d'une armée (XIVe s.), des arbres (1580), etc. *Éclaircir qqn* «l'informer» (XVIIe s.) a vieilli, *s'éclaircir avec qqn* «s'expliquer» est sorti d'usage; ces valeurs survivent dans *éclaircissement.*

▶ **ÉCLAIRCISSEMENT** n. m., formé sur le radical du participe présent, est d'abord attesté au figuré (XIIIe s.) pour «lumière, clarté», spécialement au sens d'«explication d'une chose obscure» (1312), d'où «renseignement, note explicative», la locution ***sans (un mot d') éclaircissement*** «sans explication» et l'emploi spécial pour «explication tendant à une mise au point» (*exiger des éclaircissements,* etc.). ◇ Dans le domaine concret, *éclaircissement* a le sens général d'«action de rendre plus clair» (1690, *éclaircissement de la vue*) et des emplois parallèles à ceux du verbe *éclaircir.*

ÉCLAIRCIE n. f., participe passé substantivé au féminin, s'est employé d'abord au sens d'«aurore» (déb. XVIe s., *esclarcye du jour*). Il désigne ensuite (1694) un endroit clair qui apparaît dans un ciel couvert, d'où par extension le sens de «brève interruption du temps pluvieux (coïncidant avec cette apparition)» (XIXe s.) et, au figuré, «brève amélioration» (XIXe s.). Au sens d'«espace dégarni d'arbres» (1829; on rencontre auparavant *éclairci* n. m. : 1817, *éclairci d'un bois,* Stendhal), le mot est d'emploi rare, le mot usuel de même racine étant *clairière,* plus employé comme terme technique au sens d'«action d'éclaircir» (en sylviculture, en horticulture), d'où le dérivé **ÉCLAIRCISSAGE** n. m. (1835; du radical du participe présent).

✱ **ÉCLAIRER** v. est issu d'abord au participe passé (Xe s., *esclaire*) puis, (v. 1200), à l'actif, d'un latin populaire °*exclarare,* composé de *ex-* et du verbe classique *clarare,* dérivé de *clarus* (→ clair), qui se rattache à la même racine indoeuropéenne que le latin *clamare* (→ clamer) ou le grec *ecclesia* (→ ecclésiastique, église).

♦ *Éclairer* a le sens concret de «répandre de la lumière» sur qqn (v. 1200) ou qqch. (XIIIe s., *éclairer une pièce*). Il s'emploie très tôt au figuré (v. 1230) au sens de «rendre clair, compréhensible», «expliquer», d'où «mettre (qqn) en état de comprendre» (1580). Avec cette valeur, le participe passé **ÉCLAIRÉ, ÉE** est adjectivé au sens (1667) d'«avisé, expérimenté» *(un homme éclairé)* et dans *le despotisme éclairé,* désignant l'idéal politique de certains philosophes au XVIIIe siècle. ➛ *Éclairer* a pris (XVIe s.) la valeur de «payer», spécialement dans l'argot des jeux (1771, *éclairer le tapis*); dans le théâtre poissard du XVIIIe s. il signifie «corrompre». Cette acception viendrait de l'éclat de la pièce d'or ou d'argent, qui «éclaire» le tapis des joueurs. ◇ Puis, le verbe a eu le sens euphémistique d'«incendier» dans le contexte révolutionnaire (1790); il s'emploie aussi dans le domaine militaire (1834) au sens figuré de «surveiller, observer», c'est-à-dire «donner des lumières sur qqch.» (XVIe s.), dans *éclairer la marche d'une troupe* «la protéger en envoyant en avant des "éclaireurs" (ci-dessous)». Par analogie, *éclairer* signifie «illuminer», en parlant du visage. ➛ L'emploi impersonnel pour «faire des éclairs» (mil. XVIe s.) est aujourd'hui régional, à la différence de *tonner.*

▶ *Éclairer* a de nombreux dérivés. ➛ ① **ÉCLAIR** n. m., déverbal d'*éclairer,* est attesté (v. 1121) au sens de «clarté, lumière»; il s'emploie spécialement (fin XIIe s.) pour désigner la lumière intense et brève provoquée par une décharge électrique dans l'atmosphère pendant un orage (*éclair* en ce sens a remplacé l'ancien *espart*); de ce sens viennent des locutions ou expressions figurées, où est conservée l'idée de «rapidité extrême» : ***prompt, rapide comme l'éclair, avec la rapidité de l'éclair, comme un éclair, passer comme un éclair, en un éclair;*** il s'emploie aussi en apposition, dès 1867, dans *l'homme-éclair* chez V. Hugo, couramment dans ***guerre éclair*** (1890) et ***fermeture Éclair*** (1928, nom déposé). ◇ Par extension le mot se dit d'une lumière vive et de courte durée (mil. XIVe s.), d'où par hyperbole, en parlant des yeux, du regard, ***lancer (jeter) des éclairs*** «étinceler», selon le thème du regard meurtrier lié à la foudre (cf. *foudroyer du regard*). *Éclair* s'emploie au figuré (1604, rare avant le XIXe s.) au sens de «bref moment» (*éclair de génie* «inspiration soudaine»). ➛ ② **ÉCLAIR** n. m. (attesté 1856) désigne un petit gâteau fourré d'une crème cuite; l'explication invoquée, du fait que ce gâteau peut se manger vite, ne convainc pas. ➛ **ÉCLAIREMENT** n. m. (1re moitié XIIe s., *esclairement*) signifie d'abord «explication, éclaircissement»; cet emploi est rare aujourd'hui. Au sens de «clarté du jour qui se lève» (1225-1230) le mot n'est plus employé après le moyen âge. *Éclairement* est repris au XIXe s. au sens concret d'«action, fait d'éclairer» (1861, Goncourt), d'usage littéraire, et est employé comme terme scientifique en physique, en botanique. ➛ **ÉCLAIRE** n. f., aujourd'hui d'usage régional, est employé comme synonyme de *chélidoine* (1re moitié du XIIIe s.; aussi *grande éclaire*) et de *ficaire* (aussi *petite éclaire*), ces plantes ayant la réputation d'améliorer la vue. Le mot a désigné les ouvertures d'un soupirail (1325), une lucarne (1490), par référence au fait qu'ils éclairent un lieu (cf. les sens de *jour*).

ÉCLAIREUR, EUSE n. s'est d'abord dit (XIIIe s., *esclerieres*) de ce qui éclaire l'intelligence d'un lecteur. Le mot prend au XVIe s. le sens de «surveillant» (de *éclairer* «surveiller, observer», XVIe s.), d'où (1792, n. m.) celui de «soldat qui précède la marche d'une unité, pour reconnaître le terrain»; il se dit ensuite d'un navire, d'un avion. ◇ Par extension, hors d'un contexte militaire, *éclaireur* désigne une personne qui marche en avant, au propre et au figuré (XXe s.) et dans la locution ***être, marcher en éclaireur.*** ➛ Le nom se dit aussi (1911, n. m. et f.), par calque de l'anglais *scout* (→ scout), d'un membre d'une association de scoutisme, protestante ou israélite, les *scouts* étant en France catholiques.

ÉCLAIRANT, ANTE adj. (1560; du participe présent d'*éclairer*) s'emploie au propre, pour «qui a la propriété d'éclairer», et surtout au figuré signifiant alors «qui a la propriété d'expliquer» (fin XIXe s.).

ÉCLAIRAGE n. m., attesté en 1798, signifie «action d'éclairer», «résultat de cette action», au propre, spécialement en peinture (*éclairage d'un tableau* «manière dont la scène représentée est éclairée»), et au figuré *(sous [dans] cet éclairage; question d'éclairage).* Le sens concret s'est développé au XIXe s. avec la pratique de l'*éclairage électrique* (attesté 1865; → électrique), donnant naissance à des syntagmes comme *éclairage d'ambiance* (1934), *éclairage indirect, éclairage de scène...* ➛ Il a pour dérivé les termes techniques **ÉCLAIRAGISME** n. m. (1934) et **ÉCLAIRAGISTE** n. m. (1929), respectivement «technique» et «technicien des éclairages».

ÉCLANCHE n. f. apparaît à la fin du XIIe s. (v. 1190, *esclanche*) et s'est écrit *esclence* (XIIIe s.), *esclange* (1548, Rabelais). Le mot est issu du francique °*slink* «gauche» (cf. ancien haut allemand *slinc*, moyen néerlandais *slinc*, de même sens, et *slinke* «main gauche») qui a donné en ancien picard *eslenc* «gauche» (XIIe s.).

♦ *Éclanche* est d'abord adjectif féminin (v. 1190, *main esclanche*) et signifie «gauche»; au XIIIe s., il s'est substantivé et désigne le bras et l'épaule gauches. ➛ L'adjectif *gauche* s'étant substitué à *esclanche* ou *esclence*, le mot a désigné à partir du XVIe s., en termes de boucherie, l'épaule de mouton détachée du corps de l'animal, sans distinction quant au côté (1552; 1548, *esclange*); il est sorti d'usage dans tous les autres emplois, et *éclanche* seul étant obscur, on dit surtout *éclanche de mouton*.

✳ **ÉCLATER** v., d'abord sous la forme *esclater* (v. 1150, emploi isolé «se séparer de», puis 1176-1181), est habituellement donné comme issu du francique °*slaitan* «fendre, briser», restitué par l'ancien haut allemand *sleizan* «déchirer» (cf. allemand *schleißen* dans le dérivé *verschleißen* «user [des vêtements]»); la conservation du *t* serait due au maintien côte à côte pendant longtemps de la forme germanique et de la forme romanisée. Cependant, P. Guiraud propose pour l'étymon un latin populaire °*exclaccitare*, dérivé de la racine onomatopéique *clacc-* «coup» et «bruit qui l'accompagne», hypothèse qui s'appuie sur les formes dialectales, *s'éclaquer de rire, éclaquer* «s'entrouvrir, crever».

♦ En emploi transitif au sens de «casser, faire voler en éclats» (1176-1181), *éclater* est sorti d'usage; le verbe s'emploie ensuite comme intransitif (1552, *s'esclater;* 1564, *esclater*) pour «se rompre avec violence, généralement avec bruit, en projetant des fragments» et «se déchirer» en parlant d'un vêtement, acception qui a disparu. De là, par métaphore, le bruit étant assimilé à une destruction physique, *s'esclater de rire* (1552, Rabelais), sorti d'usage comme le verbe employé seul en ce sens, à la différence d'***éclater de rire*** (1640), toujours usuel. ◇ *Éclater* signifie ensuite (1564) «avoir de l'éclat» et, avec un sujet nom de personne, «briller». ◇ Au XVIIe s., le verbe s'emploie par analogie au sens de «se manifester brutalement» (1640), d'où en emploi absolu (1643) «s'emporter bruyamment» et (1643, mais peut-être très antérieur; cf. ci-dessous *éclatant*) «paraître avec évidence, se distinguer» *(sa mauvaise foi éclate).* Le sens général de «faire entendre un bruit violent et soudain» n'est attesté qu'en 1671.

Au XXe s., par analogie avec l'idée de «dispersion» contenue dans le premier sens, *éclater* s'emploie pour «se diviser», dans un domaine concret (apr. 1960; *l'autoroute éclate en trois branches*) et à propos d'un groupe humain (apr. 1965; *le parti a éclaté*). ◇ C'est l'idée de «violence» qui entre dans l'emploi (v. 1968) de *s'éclater* «s'exprimer sans contrainte, dans le plaisir» (dans l'expression *s'éclater comme une bête*). D'*éclater* «se distinguer» vient le sens figuré (v. 1970) d'«accéder soudain à la célébrité» d'où, en parlant de choses, «prendre brusquement de l'importance». ◇ Dans plusieurs emplois concrets et figurés, le verbe est en concurrence avec *exploser*.

▸ **ÉCLAT** n. m., déverbal d'*éclater*, désigne d'abord (v. 1165, *esclat*) un fragment d'un corps qui éclate, d'où l'expression ***voler en éclats*** «éclater». Dans la seconde moitié du XVe s., *éclat* se dit du bruit violent et soudain de ce qui éclate, emploi disparu aujourd'hui (cf. *éclatant*). De ce sens viennent des emplois où l'idée de «manifestation soudaine et vive» (1616) est dominante : ***éclat de voix*** (1643), d'où *éclat de colère, de joie*, etc., ***éclat de rire*** (XVIIe s.; ***rire aux éclats*** est attesté au XVIIIe s.) et «grand retentissement, scandale» (1645, Corneille), par exemple dans ***faire un éclat.*** L'idée de «violence qui frappe la vue» est attestée au XVIe s. (1564) avec le sens d'«intensité d'une lumière vive, brillante»; de là vient «lumière reflétée par un corps brillant». ◇ Puis *éclat* se dit (1604) de ce qui est brillant, magnifique (*avec éclat* «brillamment»), spécialement «renommée éclatante» sens devenu archaïque ou littéraire, sauf dans la locution ***coup d'éclat.*** Par extension, *éclat* signifie (1643) «vivacité et fraîcheur» en parlant d'une couleur, d'où *avoir de l'éclat, perdre son éclat,* en parlant d'une personne. ➛ Le composé **PARE-ÉCLATS** n. m. inv. (1907; de *parer* «éviter») désigne un abri destiné à protéger des éclats (d'obus, de bombe).

ÉCLATANT, ANTE adj., du participe présent du verbe, est attesté isolément (v. 1330, *esclatant*) au sens de «qui s'emporte» correspondant à un emploi classique du verbe, non attesté avant le XVIIe siècle. Au XVe s. (1436), il signifie «cassant, fragile», puis au figuré (v. 1480) «brillant, remarquable», d'où l'emploi pour «qui s'impose» *(vérité éclatante).* L'adjectif s'applique par la suite à ce qui fait un grand bruit (1538), puis dans un emploi parallèle au verbe à ce qui brille avec éclat (1578).

ÉCLATEMENT n. m., attesté en 1553 *(esclatement)* au sens d'«action d'éclater», est d'emploi rare avant le XIXe s. (1907, *éclatement d'un pneu*). Le mot se dit au figuré (1941) de la fragmentation en plusieurs éléments (d'un groupe humain, d'un ensemble).

Du verbe *éclater* dérivent aussi les termes techniques **ÉCLATAGE** n. m. (1922) et **ÉCLATEUR** n. m. (1922).

ÉCLECTIQUE adj. est un emprunt savant (1732; 1651 d'après Bloch et Wartburg) au grec tardif *eklektikos* «apte à choisir», «qui choisit», dérivé de *eklegein* «choisir», formé par préfixation de *legein* «rassembler» et «dire» (→ lire).

♦ *Éclectique* se rapporte d'abord à la philosophie ancienne, les éclectiques étant le nom donné aux philosophes qui empruntaient des éléments de leur doctrine à différentes écoles, notamment à l'épicurisme et au stoïcisme; le mot est appliqué à la philosophie moderne par V. Cousin (*Cours* de 1818). Par extension (1832), il qualifie une personne qui n'a pas de goût exclusif (aussi substantif dans cet emploi, 1846).

▸ En dérive **ÉCLECTISME** n. m. dont l'évolution sémantique est analogue : «doctrine des éclectiques dans l'Antiquité» (1755); puis 1817, en parlant de la philosophie moderne et 1831 pour le sens étendu. ◆ L'adverbe **ÉCLECTIQUEMENT** (1838) est d'emploi didactique ou littéraire.

ÉCLIPSE n. f. est emprunté (v. 1150, *eclypse*) au latin impérial *eclipsis* «occultation passagère (d'un astre)», lui-même au grec *ekleipsis* «abandon, défection», d'où «éclipse», de *ek* «hors de» et *leipein* «laisser, abandonner» (→ ellipse), que l'on retrouve, sous des formes variées, dans plusieurs langues indoeuropéennes dont le latin (→ délinquant, délit, déréliction, reliquat).

♦ *Éclipse* est introduit comme terme d'astronomie, avec le sens du latin; le mot s'emploie dès le XIIIe s. au figuré (v. 1223) pour désigner une période où quelque chose disparaît, n'agit plus, d'où la locution adjectivée ***à éclipses*** «qui se manifeste par accès», et par extension le sens de «disparition momentanée (d'une personne)» (XIVe s.).

▸ Le dérivé **ÉCLIPSER** v. tr. s'emploie en astronomie (v. 1250) et couramment au figuré (1269-1278, s'*eclipser* «être éclipsé», sorti d'usage) au sens de «reléguer au second plan (qqn)» (1761, tr.) et en emploi pronominal «s'en aller à la dérobée» (v. 1560), familier, et «ne plus paraître aux yeux du monde».
ÉCLIPTIQUE adj. et n. m. est un emprunt (2e moitié du XIIIe s., *ecliptike*) au latin impérial *eclipticus* «sujet aux éclipses» et «de l'écliptique», du grec *ekleiptikos*. Le mot est sorti d'usage dans l'emploi adjectif ancien de «relatif aux éclipses». ◇ Rare en moyen français, il semble avoir été repris comme nom (XVIIe s., n. f.; du grec *ekleiptikos kuklos*, les éclipses se produisant près des points où ce cercle coupe l'orbite de la Lune); il désigne alors le grand cercle d'intersection du plan de l'orbite terrestre avec la sphère céleste. De là vient le nouvel emploi de l'adjectif (1870) au sens de «relatif à l'écliptique». À la différence de *éclipse*, usuel, *écliptique* est un terme scientifique.

ÉCLISSER v. tr. est issu (1080, *esclicer*) du francique °*slitan* «fendre» (cf. ancien haut allemand *slîzzan*, même sens), probablement apparenté à °*slaitan* qui a donné *éclater**.

♦ Le verbe s'est d'abord employé comme intransitif, au sens de «se fendre en éclats». Il devient verbe transitif en chirurgie (1552, *ecclisser*) et signifie «maintenir (un membre) par des éclisses», puis s'emploie comme terme technique au sens de «fixer par des éclisses» (1870).

▸ Le déverbal **ÉCLISSE** n. f. (1080, *esclice;* v. 1170, *esclisse*) se dit d'abord d'un éclat de bois, puis de toute matière dure : en ce sens le dérivé **ÉCLIS** n. m. (1740) est rare. C'est l'idée de «plaque mince de bois» qui est conservée dans les emplois ultérieurs. ◇ *Éclisse* désigne aussi (1539) une claie d'osier, faite d'éclisses, sur laquelle on égoutte le fromage, d'abord dans *panier d'éclisses* «moule à fromages» (1380). ◇ En chirurgie (1549), il désigne une plaque de bois qu'on applique le long d'un membre fracturé, sens devenu le plus courant. ◇ Au XVIIe s., le mot s'emploie en lutherie (1611) et en boissellerie (1680). Par analogie, *éclisse* désigne ensuite (1863) une pièce d'acier reliant les rails les uns aux autres. ◆ **ÉCLISSAGE** n. m. est un dérivé technique du verbe (1870) et **ÉCLISSEUSE** n. f. (XXe s.) un terme de vannerie.

ÉCLOPER v. tr. représente (v. 1179), au participe passé *esclopez* un peu avant (v. 1176), un dérivé préfixé de l'ancien français *cloper* «boiter», de l'adjectif *clop* «boiteux», issu du bas latin *cloppus*, d'origine onomatopéique (→ clopin-clopant, clopiner).

♦ Le verbe, signifiant «rendre boiteux» et, par extension, «estropier», est devenu rare de nos jours.

▸ En revanche **ÉCLOPÉ, ÉE** adj. et n. «qui marche péniblement» et, au figuré dans un usage littéraire, «qui est détérioré» est demeuré usuel. *Éclopé* s'emploie comme nom au propre («soldat» et par extension «personne légèrement blessé[e]») et au figuré (mil. XIXe s.) au sens de «personne qui a subi des épreuves pénibles».

ÉCLORE v. intr. est issu (v. 1170 au p. p., *esclos*) d'un latin populaire °*exclaudere*, réfection, d'après *claudere* «fermer» (→ clore), du latin classique *excludere* «faire sortir» (→ exclure) et «faire éclore des œufs». Le verbe, qui s'est aussi employé transitivement jusqu'au XVIe s., n'est guère utilisé aujourd'hui qu'à l'infinitif, au présent et au participe passé.

♦ *Éclore*, d'abord attesté au sens général de «faire sortir» (v. 1170), reprend le sens latin de «sortir de l'œuf» (déb. XIIIe s., *esclos;* v. 1393, *esclore*), d'où en parlant d'un œuf, «s'ouvrir». Plus encore que le verbe *enclore* par rapport à *inclure*, *éclore* s'est séparé de son doublet *exclure*, surtout lorsqu'il s'est employé comme intransitif, d'abord à propos du jour qui naît, puis des animaux ovipares. ◇ C'est l'idée de «sortir» qui est conservée dans le sens figuré (1240-1280) de «paraître, naître», aujourd'hui d'emploi littéraire, puis dans celui de «s'ouvrir» en parlant d'une fleur (1552), beaucoup plus courant.

▸ **ÉCLOSION** n. f. est dérivé tardivement du participe passé *éclos;* le mot s'emploie au propre (1747) et au figuré (1830) au sens d'«apparition», le complément désignant alors une chose abstraite *(l'éclosion d'une œuvre)*. ◆ **ÉCLOSERIE** n. f., formé sur le participe passé (XXe s.), est un terme technique de pisciculture.

ÉCLUSE n. f. est issu (XIe s., *escluse*) du bas latin *exclusa (aqua)* «(eau) séparée» (par un barrage), participe passé féminin du latin classique *excludere* «séparer, fermer le passage à qqch.» (→ exclure).

♦ *Écluse* conserve le sens primitif d'«ouvrage destiné à retenir ou à lâcher l'eau selon les besoins». Le mot entre dans la locution figurée ***lâcher (ouvrir) les écluses*** (XIXe s.) «pleurer abondamment» et «uriner»; dans les deux cas, l'idée commune est celle d'un flot longtemps retenu qui s'échappe brusquement. Par analogie de fonction, *écluse* s'emploie dans divers domaines techniques (*écluse à air*, XIXe s.).

▸ Le dérivé **ÉCLUSER** v. tr. signifie (XIe s., *escluser*) «barrer par une écluse»; il s'est employé au figuré (1176-1184) et au sens de «vider (qqch.) de son eau» (1347, *escluser un fossé*). Au XIXe s., *écluser* s'emploie (1838) pour «faire passer (un bateau) par une écluse», d'où le sens figuré de «faire passer (des personnes) comme par une écluse»; comme le nom, par analogie de fonction, *écluser* est un terme technique (XIXe s. en fonderie). ◇ *Écluser* s'est employé en argot au sens d'«uriner» (1866), acception disparue. En revanche l'emploi familier pour «boire» (1936, *en écluser un* «vider un verre») reste courant. ◆ Les dérivés d'*écluser* sont des termes techniques : **ÉCLUSAGE** n. m. (1410, *esclusage*) et **ÉCLUSEMENT** n. m. (1877) «action d'écluser», **ÉCLUSÉE** n. f. «quantité d'eau contenue dans une écluse» (1627) et «train de bois flotté qui passe pendant la durée d'ouverture d'une écluse» (1715). Ce dernier mot était apparu dès 1545, dans une traduction du *Décaméron* de Boccace, dans l'expression *moudre à éclusées* «faire l'amour avec fougue» traduisant l'italien *macinare a raccolta*.
ÉCLUSIER, IÈRE n. et adj. désigne (v. 1470, n.) la personne chargée de la manœuvre d'une écluse; le mot s'emploie comme adjectif technique (1838) pour «qui a rapport à une écluse».

ECMNÉSIE → AMNÉSIE

ÉCO- est un élément tiré du grec *oikos* «maison, habitat», mot très important du groupe indoeuropéen, à rapprocher du latin *vicus* «bourg», «quartier» (→ vicaire, voisin), ou du sanskrit *vis-pati-* «clan». Ces mots s'appliquaient à l'origine, dans les langues indoeuropéennes, à des clans regroupant plusieurs familles. *Éco-* entre dans la formation de substantifs avec le sens de «maison, choses domestiques», ou, plus souvent, avec celui de «milieu naturel, habitat», d'après *écologie**.

▸ Avec le premier sens, on relève le terme de psychiatrie **ÉCOPHOBIE** n. f. (milieu XXe s.), qui désigne l'aversion pathologique pour tout ce qui a trait à la vie domestique.
Éco-, dans l'autre sens, sert à composer des termes didactiques, la plupart récents. ◆ **ÉCOMORPHOSE** n. f. (1922) de *-morphose*, du grec *morphôsis* (cf. *métamorphose*) désigne la réalisation particulière d'un génotype, en tant que déterminée par le milieu. ◆ **ÉCOTROPE** adj. (mil. XXe s.; de *-trope*) se dit d'un virus capable de réinfecter les cellules de l'organisme qui l'a reçu (opposé à *xénotrope*). ◆ **ÉCOGRAMME** n. m. (v. 1970), de *-gramme*, «représentation graphique de l'évolution des paramètres de l'environnement».
D'autres composés sont mentionnés à l'autre élément.

◇ voir ÉCOLOGIE, ÉCONOMIE, VILLE.

ÉCOBUER v. tr. est une altération (1718) d'un terme dialectal de l'Ouest, entré en français central sous la forme *terre gobuée* (1519), d'où par préfixation *égobuer* (1539). C'est un dérivé de *gobuis* «terre pelée où l'on met le feu», du saintongeais *gobe* «motte de terre», qui se rattache probablement au gaulois °*gobbo* «gueule, bouche» (→ gober).

♦ Le verbe signifie, en agriculture, «peler (la terre) en brûlant ensuite la végétation pour fertiliser le sol avec les cendres».

▸ En dérivent des termes techniques anciens : **ÉCOBUE** n. f. «herbes et racines brûlées» (1753, au pluriel) et «houe pour détacher les mottes de terre» (1767); **ÉCOBUEUR, EUSE** n. (1760, au masculin) et **ÉCOBUAGE** n. m. (1797; parfois encore *égobuage* au XIXe s.).

ÉCŒURÉ, ÉE ; ÉCŒURER → CŒUR

ÉCOINÇON → COIN

ÉCOLÂTRE n. m. est un emprunt (XIIIe s., *scolaistre*), adapté d'après *école* (1304, *escolastre*), au latin médiéval *scholaster* «clerc attaché à l'école d'une église cathédrale» (v. 1182), altération sous l'influence de *magister* «maître» de *scholastique* (1098), de même sens (→ scolastique).

♦ Le mot désignait jusqu'à la Renaissance l'ecclésiastique qui dirigeait l'école attachée à l'église cathédrale puis, encore dans la langue classique, un ecclésiastique inspecteur des écoles d'un diocèse (1355). Dans ces deux sens, c'est aujourd'hui un terme technique d'histoire. ◇ Le mot a pris (1865, Goncourt), dans un emploi littéraire et avec une valeur péjorative, le sens d'«enseignant».

▸ On trouve avec la même valeur péjorative le dérivé **ÉCOLÂTRERIE** n. f. chez Verlaine.

✳ **ÉCOLE** n. f. est emprunté (v. 1050, *escole*) au latin classique *schola*, lui-même pris au grec *skholê* dont il garde les emplois, désignant aussi le lieu où l'on enseigne et signifiant en bas latin «corporation, compagnie». Le grec *skholê* exprime d'abord l'idée de loisir (rendu en latin par *ludus*), puis celle d'activité intellectuelle faite à loisir : c'est le cas, par exemple, des discussions scientifiques chez Platon, opposées aux jeux. Il prend ensuite, en grec tardif et hellénistique, le sens d'«étude, école philosophique». En latin, *ludus* «école élémentaire» a été remplacé par *schola*, et n'a pas laissé de trace dans ce sens dans les langues romanes. Malgré le *é-* du français, la forme de *escole* manifeste le caractère écrit de l'emprunt.

♦ *École* désigne en premier lieu un établissement où l'on donne un enseignement à plusieurs personnes ; à partir de ce sens se développent des emplois particuliers. Par métonymie, *école* se dit de l'ensemble des élèves (1835), du personnel, et dès le XIIe s. (v. 1180) du local lui-même, d'où au XIXe s. l'expression *les bancs de l'école* pour «l'école» et la locution familière ***user ses fonds de culotte sur les bancs de l'école*** «faire ses études». ◇ Le mot, qualifié, désigne des établissements où l'on donne un enseignement non spécialisé : *l'école primaire* ou absolument *l'école* (*école communale** est sorti d'usage), *école primaire supérieure* (au XIXe et au début du XXe s.), *école normale primaire*, remplacé par *école normale d'instituteurs (institutrices)*, terme abandonné en France en 1991, *école centrale* (1792) remplacé par *lycée, école secondaire* jusqu'aux réformes qui répartissent l'enseignement secondaire en lycées et collèges (en France). Toujours qualifié, le mot désigne des établissements où sont enseignées des matières particulières *école de danse, de dessin*, etc., *école de chimie, de commerce*, etc. et où vont une catégorie d'élèves. *Grande école* ou *École* désigne une école de l'enseignement supérieur, surtout au pluriel *(les grandes écoles)*. Cet emploi entre dans des désignations spécifiques, comme, en France, *École normale* supérieure* (pour celle de la rue d'Ulm, à Paris, on trouve aussi absolument *l'École*), *École centrale**, *École polytechnique**, etc. Les syntagmes ont changé avec les organisations successives de l'enseignement, et diffèrent selon les pays : France, Belgique, Suisse, Canada (Québec, Nouveau-Brunswick), Afrique. S'opposent fréquemment les *écoles chrétiennes* (d'où les *Frères des écoles chrétiennes*), les *écoles libres* et l'*école d'État*. Les pays d'islam connaissent l'*école coranique*.

De l'emploi général viennent plusieurs locutions : ***envoyer, renvoyer qqn à l'école*** (XVIe s.) «lui reprocher son ignorance» ; l'expression a été utilisée au jeu de trictrac, aujourd'hui disparu, où elle évoquait la victoire remportée sur un adversaire maladroit ; on disait aussi à ce jeu *faire une école* «oublier de marquer» (ce qui méritait qu'on soit renvoyé à l'école) [1669], d'où le sens de *faire une école* «faire une faute» (v. 1825) et *école* pris au sens de «faute grave» (XIXe s.). ◇ *Mot d'école*, «discours sans rapport avec la réalité concrète», est sorti d'usage ; ***sentir l'école***, «avoir des manières pédantes» (1690) et, en parlant de choses, «hors de la vie active», est vieilli aujourd'hui. ◇ Pour *faire l'école buissonnière*, voir buisson.

École se dit aussi au figuré depuis le XIIe s. au sens de «ce qui est propre à instruire, à former» (v. 1172), dans un emploi maintenant littéraire, sauf dans ***l'école de*** «l'expérience de» *(l'école de la vie)* et dans les locutions ***à l'école de*** «par enseignement de» et ***être à bonne école*** (v. 1240) qui remplace *estre en bone école*, 1146-1174). ◇ Par métonymie, le mot s'est dit de toutes les connaissances acquises à l'école (v. 1170) et spécialement pour «érudition» (1225-1250). ➡ C'est également au XIIe s. (1146-1174) que par extension *école* désigne un groupe (d'artistes, etc.) qui se réclament des mêmes maîtres, puis d'une même doctrine *(l'école classique, romantique)* et spécialement signifie «groupe de peintres liés par des influences communes» *(l'école flamande)*. ◇ De ces acceptions vient ***faire école*** «faire autorité» (1835), ***être de la vieille école*** «avoir une formation fondée sur des principes vieillis» et, par extension, le sens d'«esprits communs à certains artistes, certains savants». ◇ À partir du XVIIe s., *l'école* désigne en particulier (1636) l'enseignement et la philosophie scolastiques, inspirés d'Aristote et des Pères de l'Église. Le mot entre ensuite (1755) dans le vocabulaire de l'équitation au sens d'«exercice», d'où ***haute école*** «exercice de la voltige en équitation» et, par extension, «tout exercice acrobatique», notamment aérien.

► Le dérivé **ÉCOLAGE** n. m. (1330-1349, *escolage* «instruction») est toujours vivant en Suisse pour «frais de scolarité» (1424) ; il continue le latin médiéval *scholagium* «redevance pour instruction» (1301), mais n'est plus employé en France.

ÉCOLIER, IÈRE n. et adj. est la réfection par changement de suffixe (1206, *escoier*) de *escoler* (attesté XIIIe s.), issu du bas latin *scholaris* «d'école», dérivé du latin classique *schola*. ➡ Au moyen âge, le nom désigne toute personne qui fréquente une école et, spécialement, un étudiant d'université ; parallèlement il s'est employé pour «homme qui enseigne» (XIIIe s., jusqu'au XVIIe s.). ◇ *Écolier*, comme adjectif, s'applique à ce qui est propre à l'école (apr. 1350) et à ce qui évoque l'école (fin XIVe s.) ; dans ces deux emplois, l'adjectif est remplacé par *scolaire*. ◇ Le nom s'emploie ensuite pour parler d'une personne qui apprend une profession (1262) et au figuré pour «personne de peu d'expérience, débutant» (1461, *escolliere*). Le sens premier est ambigu dès le XVIIe s., où celui d'«enfant qui fréquente l'école» devient plus fréquent du fait de l'emploi d'autres mots (cf. *étudiant*). À partir du XIXe s., *écolier* se dit de l'enfant qui fréquente l'école primaire ou les petites classes du collège, par opposition à *collégien* et *lycéen*. Le mot tend aujourd'hui à être remplacé par *élève*, parce qu'il connote une image traditionnelle qui s'est construite avec l'enseignement public, de la fin du XIXe s. aux années 1940. ◇ *Écolier* entre dans la locution ***le chemin des écoliers*** (1690) «le chemin le plus long» (comme celui que prennent les écoliers peu pressés d'arriver), avec une valeur voisine de *école buissonnière*.

◈ voir AUTO-ÉCOLE (à AUTOMOBILE) ; ÉCOLÂTRE, SCOLAIRE, SCOLASTIQUE.

ÉCOLOGIE n. f. représente un emprunt (1874) à l'allemand *Ökologie*, terme formé par le zoologiste et biologiste E. H. Haeckel (1834-1919) en 1866. Le mot est composé à partir du grec *oikos* «maison, habitat» (→ éco-), et de *logos* «discours» (→ -logie), d'après *économie* ; en français il a pu être emprunté par l'intermédiaire de l'anglais *oecology* (1873), un exemple isolé de *ecology* ayant été relevé avant Haeckel (1852, Thoreau).

♦ *Écologie*, jusqu'en 1968-1970, est resté un terme didactique désignant la science qui étudie les milieux où vivent les êtres vivants ; ensuite, par une métonymie habituelle pour les mots en *-logie* et pour de nombreux noms de disciplines scientifiques, le mot se dit des réalités étudiées par l'écologie *(l'écologie d'une zone)*. ◇ Puis il a pris par analogie (v. 1968) le sens courant de «doctrine visant à une meilleure adaptation de l'homme à son environnement», et de «courant politique défendant cette doctrine».

▸ Le dérivé **ÉCOLOGIQUE** adj. (av. 1900) a suivi la même évolution que le nom; il reste un terme didactique jusque vers 1970 où il se diffuse de même que **ÉCOLOGIQUEMENT** adv. (1969). ◆ **ÉCOLOGISTE** adj. et n. signifie «spécialiste de l'écologie» (1964) comme **ÉCOLOGUE** n. (v. 1979), moins courant, mais qui remédie à l'ambiguïté de *écologiste,* ce dernier désignant surtout dans l'usage courant une personne défendant des thèses inspirées de l'écologie; en ce sens, on dit aussi **ÉCOLO** adj. et n. (v. 1970, par apocope). ◆ La doctrine et l'action des écologistes sont désignées par **ÉCOLOGISME** n. m. (v. 1975) qui n'est pas usuel (→ aussi vert).

À partir d'*écologie* ont été composés plusieurs termes didactiques : **AUTOÉCOLOGIE** n. f. (déb. XXe s.) désigne la partie de l'écologie qui étudie les relations entre l'individu, l'espèce et le milieu; le terme s'oppose à **SYNÉCOLOGIE** n. f. (mil. XXe s.; de *syn-*). ◆ **PHYTOÉCOLOGIE** n. f. (v. 1960; 1932, *phytœcologie;* de *phyto*) désigne l'étude du milieu dans ses rapports avec la végétation.

ÉCONDUIRE v. tr. représente une altération (v. 1485) sous l'influence de *conduire,* de l'ancien français *escondire* «s'excuser» (v. 1050, au pronominal), «refuser, repousser» (v. 1170, v. tr.) issu du bas latin *(se) excondicere* (873) «réfuter une accusation» et «s'excuser» (av. 882). Ce verbe est composé de *ex-* et du latin classique *condicere* «conclure un arrangement», de *dicere* (→ dire).

♦ *Éconduire* signifie «se débarrasser de (une personne)» et, par extension, «congédier». Au sens technique de «conduire au-dehors», en parlant de l'eau (1876), le verbe est sorti d'usage.

✳ **ÉCONOME** n. et adj., réfection (1546) de *aconome* (1337), représente un emprunt au bas latin *oeconomus* «administrateur (des biens d'une église, d'un monastère)», emprunt au grec *oikonomos* «qui administre une maison, un patrimoine», composé de *oikos* «maison» (→ éco-) et *-nomos* de *nomos* «règle, usage, loi», qui se rattache à une importante racine indoeuropéenne °*nem-,* °*nom-* composé de *oikos* «maison» et *nomos* «administration». *Oikos,* mot indoeuropéen, apparenté au sanskrit *vis-,* au persan, a pour valeur initiale «clan» (→ œcuménique).

♦ Le nom est introduit en français pour désigner l'administrateur des dépenses d'un couvent. Par extension il a pris le sens général d'«administrateur des dépenses d'une maison, de biens» (1611, à propos des revenus d'un bénéfice d'une charge ecclésiastique) et «intendant (d'une grande maison)». Ces valeurs ont disparu et le mot ne s'emploie plus aujourd'hui qu'en parlant d'une communauté religieuse, d'un hôpital ou d'un établissement d'enseignement. ◆ L'adjectif, d'emploi courant (1690), signifie «qui dépense avec modération» et s'emploie au figuré (1810, Mme de Staël, *économe du temps*). ◆ Le composé **SOUS-ÉCONOME** n. signifie «adjoint d'un économe» (1872).

▸ **ÉCONOMAT** n. m. désigne (1553) la fonction d'économe d'où, par métonymie, le service chargé de cette fonction et (1835) le lieu où elle s'exerce (cf. *intendance*); en droit ancien, le mot se disait de la régie d'un bien ecclésiastique vacant, exercée au nom du roi. *Économat* désigne aussi (XIXe s.) un magasin de vente, créé par un employeur à l'usage de ses salariés, où les marchandises sont remises en échange de bons délivrés à l'employé en paiement de son salaire. Le mot a été employé pour désigner les magasins d'une chaîne commerciale, par allusion à la notion d'économie. (Voir le tableau ÉCONOMIE, p. 656-657)

ÉCONOMIE n. f. est emprunté, d'abord sous la forme *yconomie* (1370-1372) puis *économie* (1546), au grec *oikonomos,* puis au latin *oeconomia* «organisation, disposition» (dans une œuvre littéraire), lui-même du grec. ◆ *Économie* a désigné dans son premier emploi l'art de bien administrer une maison puis la bonne gestion des biens d'autrui. ◇ Ces valeurs ont été peu à peu éliminées avec le développement du sens pris au XVIe s. de «gestion où l'on évite toute dépense inutile» et, par métonymie, «ce que l'on épargne». Cette acception, illustrée par la locution proverbiale ***il n'y a pas de petites économies,*** la locution ***faire l'économie de*** «éviter, se dispenser de», reste très vivante aujourd'hui (***faire des économies, économies d'énergie,*** etc.). Du sens d'«épargne», on est passé au XIXe s. (1829), par métonymie, à celui de «somme d'argent économisée», au pluriel, d'où l'argot **ÉCONOCROQUES** n. f. pl. (1913) de *économie,* et *croque* «sou».

◇ Au début du XVIIe s. apparaît ***économie politique*** (1615, Montchrestien), puis au XIXe s. *économie publique* (1838) «art d'administrer les richesses de l'État», le premier prenant au XVIIIe s. la valeur de «science des phénomènes concernant la production, la distribution et la consommation des biens»; *économie politique* a été abrégé en *écopo* (1950) en argot scolaire mais a vieilli, le sens de *politique* ayant évolué : on dit en français contemporain *économie,* ou *sciences économiques.* ◆ Au XVIIe s., le sens latin «organisation de divers éléments (d'un ensemble)» est repris; il est didactique, comme celui de «relation entre des parties».

Les principaux dérivés de *économie* sont formés au XVIIIe siècle. ◆ **ÉCONOMISER** v. tr. (1718, *oeconomiser,* forme moderne, 1740) a signifié d'abord «gérer sagement». Lié à l'évolution sémantique du nom, le verbe signifie ensuite «dépenser avec mesure» (1759), attesté auparavant au figuré (1747), d'où «épargner» (1835); de ce sens dérive le terme technique **ÉCONOMISEUR** adj. m. et n. m. (1890; *dispositif économiseur*). ◆ **ÉCONOMISTE** n. a désigné au pluriel (1767) les écrivains français du XVIIIe s., auteurs de théories économiques (cf. *physiocrates*). Le sens moderne de «spécialiste d'économie politique» est attesté en 1802. ◇ Le mot désigne aussi (XXe s.) un partisan de l'**ÉCONOMISME** n. m.; ce mot, qui fut synonyme (1775) d'*économie politique,* se dit de nos jours (XXe s.) de la doctrine qui tend à donner à l'économique la priorité sur le politique.

ÉCONOMÉTRIE n. f. (1948 dans les dictionnaires généraux; de *-métrie*) désigne le traitement mathématique de données quantitatives concernant les

ÉCONOMIE

1 - De la gestion familiale (le «ménage») à l'économie des États

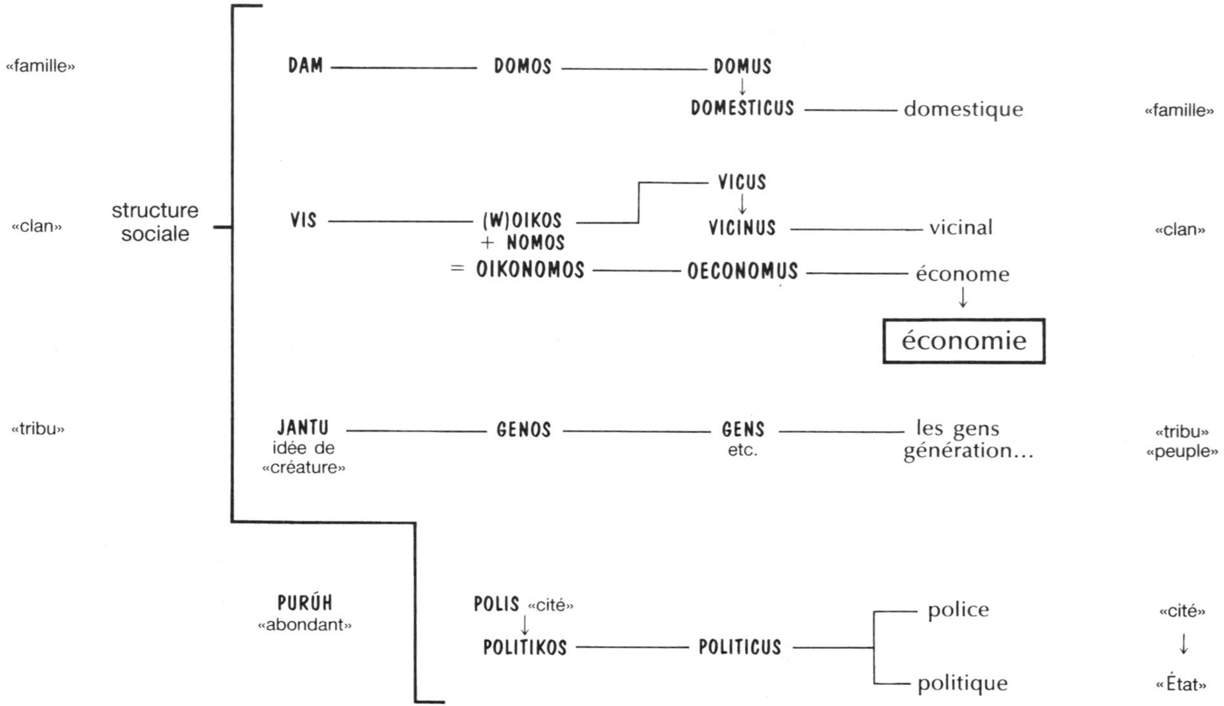

2. Formes et sens du mot en français

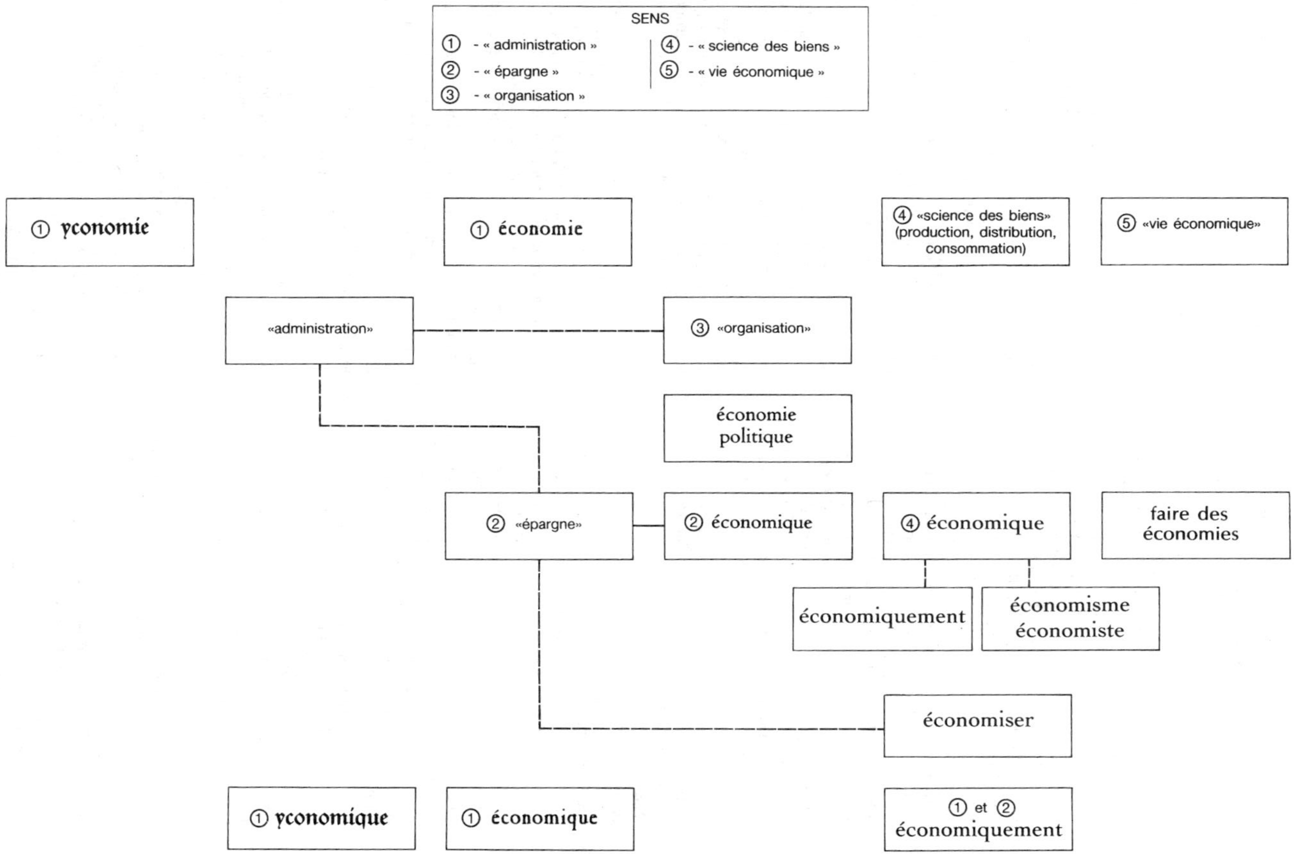

phénomènes économiques; c'est l'un des développements de la statistique. ➜ En dérivent des termes didactiques : **ÉCONOMÈTRE** n. (1952), synonyme d'**ÉCONOMÉTRICIEN, IENNE** n. (1955), lui-même dérivé de l'adjectif **ÉCONOMÉTRIQUE** (1952).

ÉCONOMIQUE adj. et n. s'est substitué (XVIe s.) aux formes anciennes *iconomike* (v. 1265, n. f.), *yconomique* (1370-1372) et s'est aussi écrit *oeconomique* jusqu'au XVIIIe s.; c'est un emprunt au latin *oeconomicus* «qui est relatif à l'administration d'une maison» (grec *oikonomikos*). ➜ Le nom désigne d'abord ce qui concerne la gestion familiale, opposé à *éthique* et à *politique*, puis plus largement l'économie politique, la science économique; en ce sens, l'adjectif est archaïque (1370-1372). ◇ Lié à *économie* «épargne», l'adjectif a pris le sens courant «qui réduit les frais, épargne la dépense» (1690, Furetière); en relation avec *économie politique*, il s'applique à ce qui concerne la production et la distribution des richesses (1767), aussi comme substantif (1927, n. m.). ➜ Le dérivé **ÉCONOMIQUEMENT** adv. a ces deux valeurs : «avec épargne» (1690) et «relativement à la vie économique» (av. 1770). ➜ Les composés **MACRO-** et **MICROÉCONOMIQUE** adj. (1948) s'appliquent à deux dimensions de l'analyse économique. ➜ **ÉCONOMICITÉ** n. f. (1949) est un terme didactique. ➜ L'importance prise par les phénomènes économiques dans les sociétés modernes a suscité la formation d'adjectifs composés avec *économique* comme premier élément, sous la forme **ÉCONOMICO-** : *économico-juridique* (1908), *économico-financier* (1932), *économico-social* (1936), *économico-politique* (1960), *économico-culturel* (1972), etc.

ÉCOPE n. f. est issu (XIIIe s., *escope*) du francique °*skopa* «pelle de bois pour vider l'eau (dans une embarcation)», restitué par le moyen néerlandais *schoepe*, le moyen bas allemand *schôpe*, de même sens. On relève les variantes dialectales *escoupe*, *écoupe* et *escope*, cette dernière encore attestée.

♦ *Écope* conserve le sens de l'étymon. Par analogie de forme, le mot a désigné une coupe de bois servant à écrémer le lait (attesté 1864); le mot s'emploie au XXe s. pour désigner la pièce d'alimentation d'un broyeur.

▶ Le dérivé **ÉCOPER** v. tr. est attesté en 1837 au sens de «vider (une embarcation) avec une écope». Par analogie, le verbe s'est employé familièrement pour «boire» (1867) mais ce sens n'a pas vécu (cf. *écluser*). ➜ Selon la même métaphore que pour *trinquer* (le coup doit être «absorbé»), *écoper* a pris le sens toujours vivant d'«être atteint, puni» et de «recevoir des coups» (1867, en emploi absolu; 1879, tr., «recevoir un coup», Huysmans), d'où *écoper de* (1880) «être condamné» (à une peine de prison). ➜ Du verbe dérive **ÉCOPAGE** n. m., terme de marine (XXe s.).

ÉCORCE n. f. représente l'aboutissement (1176) du latin impérial *scortea* «manteau de peau», féminin substantivé de l'adjectif classique *scorteus* «de cuir, de peau». Ce mot dérive de *scortum* «peau, cuir», qui se rattache à une racine indoeuropéenne °*sker* ou °*ker* comme le latin *corium* (→ cuir).

♦ Le mot apparaît avec le sens d'«enveloppe des troncs, des branches d'arbres» qui correspond au latin *cortex* (→ écorcher); la locution figurée ***il ne faut pas juger de l'arbre par l'écorce*** s'est longtemps employée. Par extension, le mot désigne (XIIIe s.) l'enveloppe coriace de certains fruits (sens aberrant en botanique). ◇ Par analogie *écorce terrestre* se dit (XIIIe s.) de la partie superficielle du globe (cf. *croûte*); *écorce cérébrale* a été remplacé par *cortex*. ◇ Au sens figuré d'«apparence» (1265), *écorce* est archaïque ou d'emploi littéraire.

▶ Le dérivé **ÉCORCER** v. tr. «dépouiller de son écorce» et «décortiquer» est attesté au XIIe s. (*escorcier*; 1568 *escorcer*). ➜ Du verbe dérivent des termes techniques : **ÉCORCEMENT** n. m. (1538, *escorcement*) ou **ÉCORÇAGE** n. m. (1799), **ÉCORCEUR** n. m. (1893) et **ÉCORCEUSE** n. f. (mil. XXe s.).

ÉCORCHER v. tr. est issu (1155) du bas latin *excorticare* «écorcer», composé de *ex-* et du latin classique *cortex, corticis* «écorce», qui se rattache à une racine indoeuropéenne °*(s)ker-* «couper», «séparer, partager».

♦ *Écorcher* apparaît avec le sens de «dépouiller de sa peau» une personne (1155), puis un animal (1160-1174). Les locutions ***il crie comme si on l'écorchait*** «très fort», ***il crie avant qu'on l'écorche*** «sans raison» ont vieilli, mais sont encore comprises. Par affaiblissement de sens, le verbe signifie (1205-1250, pron., puis v. 1230) «blesser en entamant superficiellement la peau», sens assez usuel au pronominal. ◇ Au figuré, le verbe s'emploie aux sens de «faire mal moralement» (1193-1197) et de «causer une sensation désagréable» (1280). ◇ *Écorcher* prend au XVIe s. le sens de «déformer, prononcer de travers» (1532, Rabelais), toujours vivant *(écorcher un mot)*, et de «détériorer (une chose) en entamant la surface» (1598). ***Écorcher les oreilles*** (1665) signifie «offenser l'ouïe»; par métaphore, le verbe prend le sens (1673, Molière) de «demander un prix excessif» *(écorcher les clients)*.

▶ **ÉCORCHÉ, ÉE** adj. et n. a suivi l'évolution sémantique du verbe; en outre, le nom masculin désigne spécialement (1796) une statue d'homme ou d'animal représenté dépouillé de sa peau et d'après laquelle on dessine des études; par analogie, le mot se dit (XXe s.) du dessin d'une machine dépourvue de son enveloppe extérieure et de schémas analogues.

ÉCORCHEUR, EUSE n. et adj. désigne d'abord (1re moitié du XIIIe s.) celui qui écorche les bêtes pour la boucherie (le mot est inusité au féminin). ◇ Au figuré, le mot signifie (XIVe s.) «celui qui pressure, vole» et désigne spécialement (1441) les brigands qui rançonnèrent les paysans pendant la guerre de Cent Ans. Comme adjectif, au sens figuré de «qui choque l'oreille, le goût esthétique», le mot est rare. ➜ **ÉCORCHURE** n. f. (XIIIe s., *escorcheüre*) se dit couramment d'une déchirure légère de la peau. ➜ **ÉCORCHERIE** n. f., mot technique ancien de boucherie, est attesté avant 1320. ➜ **ÉCORCHEMENT** n. m., à la fin du XIIIe siècle. La loc. adv. composée **À (L') ÉCORCHE-CUL** (1552, Rabelais), signifiant «en glissant sur le derrière», est familière et vieillie.

ÉCORNER, ÉCORNIFLER → CORNE

ÉCOSSAIS, AISE n. et adj. est dérivé (1re moitié XIVe s., *escochois*) du nom propre *Écosse ;* en ancien français, on emploie *escot* (1160-1174), du bas latin *Scoti* «habitants de la Calédonie» (*scotus,* adj., Ve s.).

♦ Le mot désigne et qualifie une personne originaire de l'Écosse et *l'écossais,* n. m., se dit du dialecte anglais parlé en Écosse (1864, n. m.), la langue celtique de l'Écosse recevant en général une autre désignation. ◇ Spécialement l'*École écossaise* se dit (XVIIIe s.) d'une école philosophique fondée en Écosse à cette époque. ◇ *Tissu écossais* (1814), ou *écossais,* n. m. (1855), désigne un tissu de fils de laine disposés par bandes de couleurs différentes et se croisant à angle droit (dep. 1800), ce tissu était autrefois distinctif des clans en Écosse. ◇ ***Douche écossaise*** (1864) se dit d'une douche alternée d'eau chaude et froide et, au figuré, d'un traitement très contrasté (agréable, désagréable, etc.). ◇ Le *rite écossais* (1875) est une des subdivisions de la franc-maçonnerie française (dénommée aussi *écossisme*).

◈ voir aussi SCOTCH.

ÉCOSSER → COSSE

◈ ① **ÉCOT** n. m. est relevé chez Chrétien de Troyes (1176, *escoz*), mais son dérivé *escouter* pour *escoter*) «payer sa part» le précède ; le mot est issu du francique °*skot* «impôt», restitué par l'ancien bas allemand *scot,* le moyen néerlandais *schot,* l'ancien haut allemand *scaz.*

♦ *Écot* apparaît avec le sens de «contribution» (1176, *escoz*) et «montant d'une note à régler» (XIIe s.) ; remplacé par *addition,* le mot ne s'emploie plus que dans *payer son écot* (XIIIe s.). Il est relevé ensuite (1er quart XIIIe s., *escot*) au sens de «quote-part pour un repas». ◇ *Écot* s'est dit par métonymie en ancien français (1216) pour «repas, festin» et «assemblée de convives» (1281) ; ces valeurs ont disparu depuis l'époque classique où l'on relève encore *être de l'écot* «faire partie d'une société» (1630) ainsi que *écot* «assemblée» (1690, Furetière).

◈ ② **ÉCOT** n. m. est issu (v. 1200) du francique °*skot* «pousse, rejet», restitué par le moyen néerlandais *schot* et l'ancien haut allemand *scoz* de même sens.

♦ *Écot* désigne d'abord un tronc d'arbre ou un rameau imparfaitement élagué, puis entre dans le vocabulaire de l'héraldique : «arbre ou branche sans rameaux» (1479).

▸ Le verbe dérivé **ÉCOTER** «fixer un bâton» (1288), «ébrancher», a disparu mais son participe passé adjectivé **ÉCOTÉ, ÉE,** «privé de rameaux», demeure comme terme de blason (1671). ➛ Le composé **ÉCOPERCHE** n. f., de *perche,* a désigné une perche (1470 ; 1315, formes isolées, *escouberge, escoberge*). Ce mot technique s'est spécialisé comme nom d'une grande pièce de bois verticale qui, munie d'une poulie, sert à élever des matériaux de construction (1676), ou qui maintient les boulins dans un échafaudage (1755).

ÉCOUANE → ÉGOÏNE

ÉCOULER → COULER

① **ÉCOUTE** → ÉCOUTER

② **ÉCOUTE** → ÉCOUTILLE

ÉCOUTER v. tr. est issu (fin IXe s.), d'abord sous la forme *eskolter,* puis *escolter* (Xe s.), *escouter* (XIIe s.), avec substitution de *es-*, puis *é-* à *as-*, du bas latin *ascultare* (IIe s.), altération du latin classique *auscultare* (→ ausculter) «écouter avec attention» et «ajouter foi, obéir», de la même famille que *auris* (→ oreille). ◈

♦ *Écouter* est d'abord attesté aux sens d'«accueillir favorablement (ce que dit qqn)», «prêter l'oreille à qqch.» et «prêter son attention à (des paroles, des bruits)» ; dans ce sens, le verbe est employé aussi absolument *(savoir écouter).* Il prend par extension la valeur de «prêter une attention plus ou moins bienveillante à (qqn, des propos)», d'où l'emploi du pronominal *s'écouter* «écouter sa propre voix» (1558) par exemple dans *s'écouter parler,* et la locution ***n'écouter que soi-même.*** *Écouter* entre dans plusieurs locutions : ***écouter de toutes ses oreilles (de ses deux oreilles), n'écouter que d'une oreille, écouter aux portes*** au figuré «être indiscret», ***écouter d'où vient le vent*** «se conformer aux idées en vogue». ◇ Du premier sens du verbe viennent par extension : «obéir spontanément à (qqn)» et «se laisser aller à un sentiment, une passion, etc.» (fin XIIe s.), par exemple dans ***écouter sa colère*** (littéraire) et dans la locution courante ***n'écouter que son devoir*** (*son courage,* etc.). ➛ L'emploi pronominal *s'écouter* correspond à «suivre son inspiration» (1628) et «prêter une trop grande attention à sa personne» (XVIIe s.).

▸ Les dérivés du verbe sont assez nombreux.

① **ÉCOUTE** n. f., déverbal, a d'abord désigné une personne qui écoute, spécialement un guetteur ou un espion (déb. XIIe s.), d'où au XVIIe s. *sœur écoute* (1680) pour désigner une religieuse qui accompagne au parloir une autre personne. ◇ Le mot prend en moyen français (1401) le sens de «lieu où l'on peut écouter, poste de guet», emploi sorti d'usage ; avec cette valeur *les écoutes* (1690) a désigné les tribunes secrètes, dans un collège, un couvent. De ce sens archaïque vient la locution ***aux écoutes (de)*** «dans une situation où l'on peut entendre» (*être aux écoutes* «attentif, vigilant»). ◇ Au sens d'«action d'écouter» (1411), le nom reste rare en emploi général ; il survit surtout dans des emplois spéciaux. *Écoute,* terme militaire, désigne (1826) un poste enterré pour espionner l'ennemi, et l'emploi moderne, «détection par le son de l'activité ennemie», est attesté en 1864 (par exemple dans *poste d'écoute,* puis XXe s. *écoute sous-marine, écoutes électroniques*) ; *écoute* se dit aussi pour l'action d'écouter une émission radiophonique (1914-1915), d'où *être à l'écoute, prendre l'écoute* et l'expression *ne quittez pas l'écoute,* abandonnée avec l'évolution des techniques radiophoniques. Le mot s'emploie (XXe s.) pour l'action d'écouter à l'insu des personnes qui communiquent *(table d'écoute, écoutes téléphoniques).* ◇ Il désigne le fait d'être écouté par qqn (d'où la locution figurée ***avoir***

l'écoute de qqn «avoir son appui»). ◇ Au XXe s. le sens général a été repris pour «le fait de prêter attention aux sons et de leur attribuer une valeur, un sens». ➜ **ÉCOUTES** n. f. pl. a désigné en argot les oreilles (1632, *escoules*; puis 1725, *escoutes*); c'est aujourd'hui seulement un terme de vénerie (1864, «oreilles du sanglier»).

ÉCOUTEUR, EUSE n. est vieilli au premier sens de «personne qui écoute» (v. 1175, *escoteor*). Le mot désigne aujourd'hui (1919), au masculin, un appareil récepteur d'un signal acoustique, qu'on applique à l'oreille (spécialement en parlant du téléphone, et opposé à *microphone*).

ÉCOUTANT, ANTE adj. et n. est sorti d'usage au sens de «personne qui écoute» (1389, n., *abscoultant;* cf. *auditeur*). Il est aujourd'hui rare comme adjectif. Un emploi classique (1690) et plaisant était *avocat écoutant* «qui n'a pas de client et écoute les autres plaider».

ÉCOUTEUX, EUSE adj., variante de *écouteur*, est un terme de manège (1690, *cheval écouteux* «qui se laisse distraire par ce qu'il entend»). ➜ **ÉCOUTOIR** n. m. (1812) «cornet acoustique» est sorti d'usage. ➜ **ÉCOUTABLE** adj. est assez rare (1866; 1845 au figuré) sauf dans des contextes négatifs, où il concurrence le préfixé **INÉCOUTABLE** (1842 au figuré).

Le composé **ÉCOUTE-S'IL-PLEUT** n. m. inv. (de *écouter* à l'impératif, *si* et *il pleut*) a désigné (XVIe s.) un moulin qui manque d'eau, puis au figuré une promesse illusoire (1718) et un homme faible, peureux (1835) parce qu'il semble à l'écoute du moindre bruit; ce nom est tombé en désuétude dans tous ses emplois, sauf en toponymie.

ÉCOUTILLE n. f. est un emprunt (1538, *escoutille*) à l'espagnol *escotilla* «ouverture pratiquée dans le pont d'un navire et permettant l'accès aux étages inférieurs» (1431-1450); le mot espagnol est un dérivé du verbe *escotar* «faire une encolure» (attesté en 1607, mais le dérivé *escotadura* «trappe de théâtre» est relevé au XVe s.), peut-être emprunté à l'ancien nordique *skaut* «bord d'un vêtement», «angle inférieur de la voile» d'où «cordage fixé à cet angle». ➜ ② **ÉCOUTE** n. f. (1165) terme de marine qui en est issu a ce sens de «cordage».

♦ *Écoutille* désigne d'abord le panneau qui recouvre la trappe ouverte dans le pont, puis l'ouverture elle-même (1552, Rabelais).

▸ En dérive **ÉCOUTILLON** n. m. (1552) «petite écoutille».

ÉCOUVILLON n. m., réfection (1456, Villon, *escouvillon*) de la forme *escoveillon* (fin XIIe s.), est dérivé de l'ancien français *escouve* «balai», en judéo-français *escove* (XIe s.), issu du latin *scopa* «balai» (surtout usité au pluriel), de la même famille de *scabellum* «escabeau*».

♦ *Écouvillon* a d'abord été un terme de boulangerie désignant un balai composé d'un long bâton auquel était fixé un chiffon, utilisé pour nettoyer le four; il se disait aussi du chiffon lui-même et s'est employé par métonymie au sens de «brandon» (1368). ◇ C'est l'idée de «nettoyage» qui est conservée dans les emplois ultérieurs du mot : au début du XVIIe s. (1611), il désigne un chiffon pour nettoyer les plats, ensuite une brosse montée sur un manche et utilisée pour nettoyer l'âme des armes à feu (1659). Par analogie, le mot s'emploie (1826) en médecine pour désigner une brosse servant à nettoyer une cavité profonde; il s'utilise ensuite dans d'autres domaines.

▸ Le dérivé **ÉCOUVILLONNER** v. tr. est un terme technique : *écouvillonner une arme à feu* (1611), *un four* (1680), et s'emploie en médecine (1922); en dérivent **ÉCOUVILLONNEMENT** n. m. (1835) et **ÉCOUVILLONNAGE** n. m. (1870).

ÉCOUVETTE n. f. (XIVe s., *escouvette, escovette*) «petit balai», autre dérivé de *escouve, escove*, est un terme technique ancien.

ÉCRABOUILLER v. tr., d'abord sous la forme *escarbouiller* (1535, Rabelais) puis *escrabouiller* (1578, Ronsard), représente probablement un croisement de *écraser** et de l'ancien français *esboillier* «éventrer, étriper» (XIIe s.; → ébouler) dérivé de *boiel* (→ boyau).

♦ Ce verbe familier signifie «réduire en bouillie» et, au figuré (déb. XXe s.), «détruire».

▸ En dérivent **ÉCRABOUILLEMENT** n. m. (1871, Goncourt), **ÉCRABOUILLAGE** n. m. (1885, Vallès), **ÉCRABOUILLEUR, EUSE** n. (1939) et **ÉCRABOUILLABLE** adj. (attesté en 1951, Céline).

ÉCRAN n. m. est un emprunt adapté (dernier quart XIIIe s., *escren*) au moyen néerlandais *scherm* «paravent, écran», avec métathèse du *e* et du *r*. *Scherm* provient d'un mot francique mal déterminé; l'anglais *screen* «écran» et l'allemand *Schranke* «barrière» lui sont apparentés.

♦ *Écran* désigne d'abord un panneau servant à protéger qqn de la chaleur d'un foyer. Par extension, le mot se dit ensuite (1538) d'un objet qui dissimule ou qui protège (cf. *paravent*, et *pare-*) d'où spécialement ***écran de fumée***, destiné à masquer les opérations de troupes, l'expression figurée *servir d'écran à qqn* (1808) et les locutions ***en écran, faire écran*** (1866, Amiel). ◇ Du premier sens viennent des emplois techniques, où *écran* désigne tout panneau arrêtant un rayonnement : «châssis tendu de toile pour voiler un excès de lumière», utilisé par les peintres (1857), «filtre» en photographie et «blindage protégeant des radiations» (2e moitié XXe s.), *écran thermique*, en parlant d'un réacteur nucléaire (cf. *bouclier*). ➜ *Écran*, par analogie d'aspect, prend le sens de «surface faisant arrêt», en optique (1859) pour désigner la surface sur laquelle se reproduit l'image d'un objet *(écran de chambre noire)*; ce sens s'est largement diffusé lorsqu'il s'est appliqué à la surface blanche sur laquelle sont projetées les images (1895 pour le cinéma). Par métonymie *l'écran* se dit pour «l'art cinématographique» (1917), d'où *porter (un roman) à l'écran* «en faire un film» (1921), *crever l'écran* (en parlant d'un acteur) «faire un effet remarquable». ◇ *Écran (fluorescent)* désigne à tort la surface fluorescente sur laquelle se forme l'image dans les tubes cathodiques (*écran d'un récepteur de télévision, d'une console d'ordinateur*, etc.). Par métonymie, *le petit écran* (v. 1958) désigne la télévision, par opposition au *grand écran* du cinéma.

▸ Le dérivé **ÉCRANIQUE** adj., signifiant «de l'écran», «du cinéma», est un terme didactique peu diffusé (1947, Souriau) ; **ÉCRANESQUE** (1923) a été utilisé avec le même sens.

ÉCRASER v. tr. est un emprunt (1560) au moyen anglais *to crasen* «briser, écraser» (v. 1440) avec adjonction du préfixe *é-*, *es-* (du latin *ex-*, intensif). Le verbe anglais, qui a abouti à *to craze* «broyer», vient probablement de l'ancien scandinave.

♦ *Écraser* entre en français avec le sens d'«aplatir et déformer (un corps)». Le verbe signifie par extension (1680) «tuer ou chercher à tuer» (un être vivant) et *écraser qqn* se dit (déb. XVIIIe s.) d'un véhicule qui renverse et blesse ou tue qqn. *S'écraser* «s'aplatir en tombant» et «se tuer en s'écrasant» est attesté au XVIIe s. (1659, Corneille). ◇ De ce sens viennent des emplois figurés, «réduire totalement (un ennemi)», «dominer nettement» (1690, Furetière, *écraser un adversaire*) et «accabler sous l'action d'une force irrésistible» (XIXe s.), surtout courant au participe passé et au passif *(être écrasé de travail)*. Par extension du sens de «réduire (qqn)», *écraser* s'emploie au sens d'«humilier» (XIXe s.) et de «dominer par sa masse» (déb. XIXe s.), en parlant d'une chose. ◇ Des emplois spéciaux correspondant au sens initial et concret : *écraser le raisin, du poivre, écraser une cigarette* et, par exagération, *écraser le pied de qqn. Écraser une larme* «l'essuyer» s'emploie au figuré pour «faire semblant d'avoir de la peine». La locution figurée ***écraser qqch. dans l'œuf*** (XXe s.) signifie «anéantir au stade de la préparation». ◇ *En écraser* (1908) s'emploie familièrement au sens de «dormir» ; l'image sous-jacente est attestée : *écraser de la paille, des punaises,* mais la métaphore s'explique aussi par *écrasé de fatigue.* ◇ *Écraser* s'emploie aussi familièrement (v. 1950) pour «renoncer (à poser une question, à protester, etc.)», c'est-à-dire supprimer ce que l'on s'apprêtait à formuler. Cette acception est surtout vivante au pronominal : *s'écraser* «se taire», et à l'impératif : *écrase !* «n'insiste pas !».

▸ Le participe passé **ÉCRASÉ, ÉE** devient adj. et n. au sens d'«aplati, broyé sous l'effet d'un choc violent» (v. 1570). Il se dit pour «court et ramassé» (1629, *nez écrasé*) [cf. *épaté*], d'où à l'époque classique «petit» en parlant d'une personne (fin XVIIe s.), puis *édifice écrasé* (1811), et en typographie *lettre écrasée.* ◇ Comme le verbe, il s'emploie spécialement (fin XIXe s., adj. et n.) pour «qui a été renversé par une voiture, un train, etc.» et dans la locution (XXe s.) ***la rubrique des chiens écrasés*** ou ***les chiens écrasés*** «les faits divers», dans un journal. ◇ Au figuré, *écrasé* signifie «abattu moralement» comme adjectif (apr. 1750 ; rare comme nom, 1809, Stendhal). ◆ **ÉCRASEUR, EUSE** est rare dans l'emploi adjectif (1571, *escrazeur*) ; comme nom, il désigne une personne qui écrase (1611), anciennement un mauvais cocher, un conducteur maladroit. ◇ *Écraseur,* n. m., est aussi un terme de chirurgie désignant un instrument (1857). ◆ **ÉCRASEMENT** n. m. «action d'écraser» (1611) se dit au figuré pour le fait de succomber (av. 1719) au sens de «destruction complète (d'un adversaire)» (1871) et pour l'action de comprimer en réduisant les écarts (XXe s. ; *écrasement de la hiérarchie ;* le verbe a aussi cette acception). ◆ **ÉCRASANT, ANTE** adj. s'emploie au propre (XVIIIe s.) et dans plusieurs sens figurés (1771, «pénible à supporter»), comme le verbe ; au sens de «qui tue en écrasant», l'adjectif est tombé en désuétude. ◆ **ÉCRASURE** n. f. est un terme technique (1870). ◆ **ÉCRASIS** n. m. (1883, Huysmans) est inusité.
Le composé **ÉCRASE-MERDE** n. m. «grosse chaussure» semble avoir été formé par Jarry (1896, écrit *écrase-merdre* par plaisanterie) ; il est devenu assez usuel dans un usage familier.

◈ voir ÉCRABOUILLER.

ÉCRÉMER → CRÈME

ÉCRÊTER → CRÊTE

ÉCREVISSE n. f. est issu, sous la forme *escreveice* (1248), puis *escrevise* (v. 1265) du francique *°krebitja* (cf. ancien haut allemand *krebiz,* allemand *Krebs*).

♦ Le mot français désigne comme son étymon un crustacé d'eau douce à la chair appréciée ; il entre dans les locutions ***rouge comme une écrevisse*** «très rouge» (1690), comme les écrevisses après la cuisson (cf. *homard*), ***aller, avancer comme une écrevisse*** «à reculons», par allusion à la nage à reculons du crustacé (on a employé aussi ***aller à pas d'écrevisse,*** 1611). ◇ La locution argotique ***écrevisse cuite,*** «cardinal», a été employée à Paris à la fin du XVIIIe siècle. ◇ ***Éplucher des écrevisses*** «perdre son temps à des niaiseries» était en usage aux XVIIe et XVIIIe siècles. ◆ Par analogie avec la forme de la queue de l'écrevisse, *écrevisse* se dit (1380) d'une ancienne armure, faite de lames horizontales et articulées ; par analogie avec les pinces, le mot désigne (1842) une sorte de grande tenaille, utilisée dans les forges.

ÉCRIER (S') → CRIER

ÉCRIN n. m. est issu (2e moitié du XIe s., *escrin*) du latin *scrinium* «coffret, cassette», terme technique d'origine incertaine.

♦ *Écrin* garde le sens de l'étymon, désignant spécialement un coffret où l'on garde des objets précieux (1504, *escrain*) puis, par métonymie, le contenu d'un écrin (1694). Le mot s'est employé (v. 1190) jusqu'au XVe s. pour «archives» (conservées dans un coffre).

ÉCRIRE v. tr. est issu (v. 1050, *escrire*) du latin *scribere* «tracer des caractères», «composer (une œuvre)», qui s'apparente à des termes indoeuropéens signifiant «gratter, inciser», ce qui rappelle l'origine matérielle de la plupart des écritures, gravées sur pierre ou incisées.

♦ Le verbe apparaît au sens général de «tracer (pour dessiner, peindre)», «mettre par écrit», valeur qui donne lieu à divers usages. Il est employé in-

ÉCRIRE
L'écriture comme incision

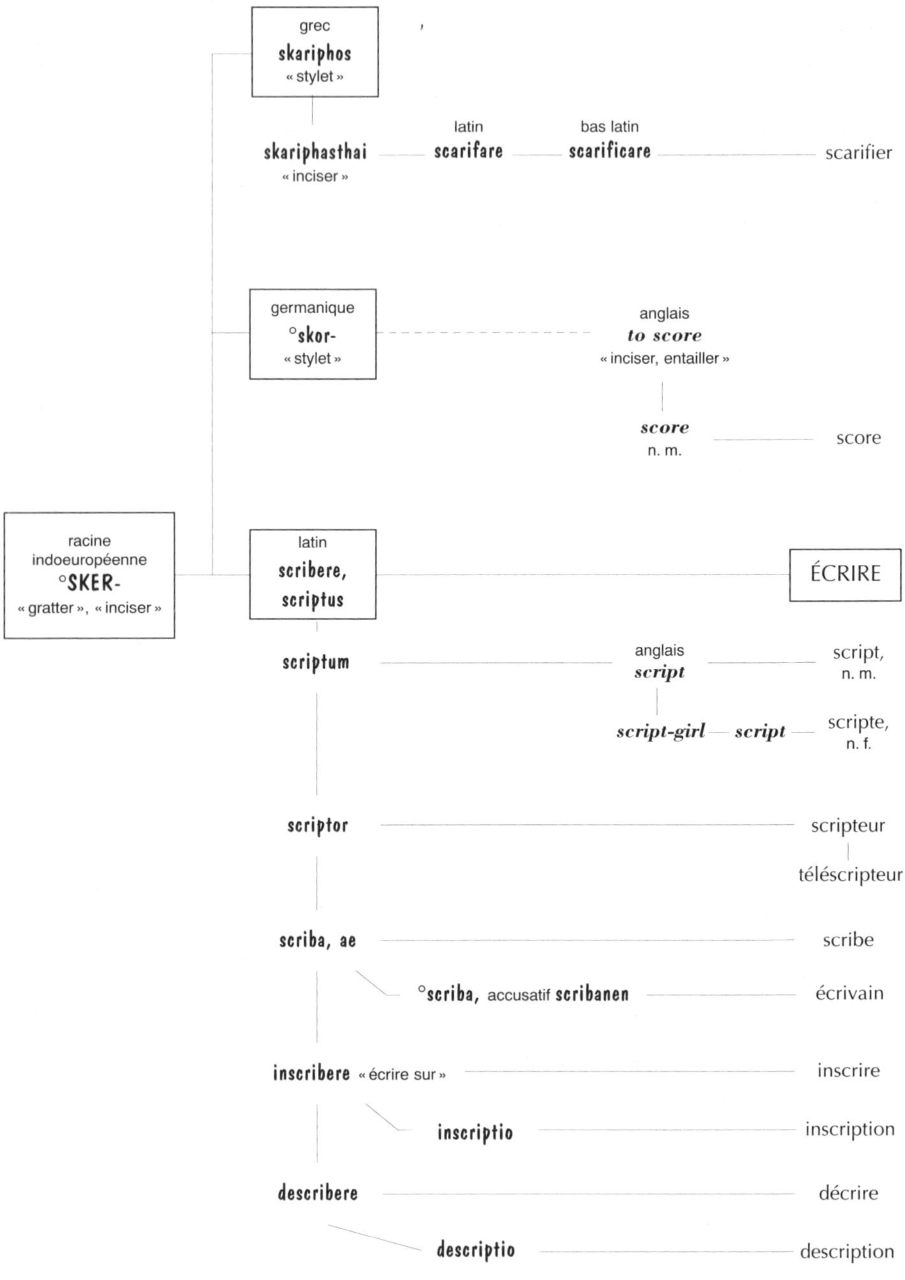

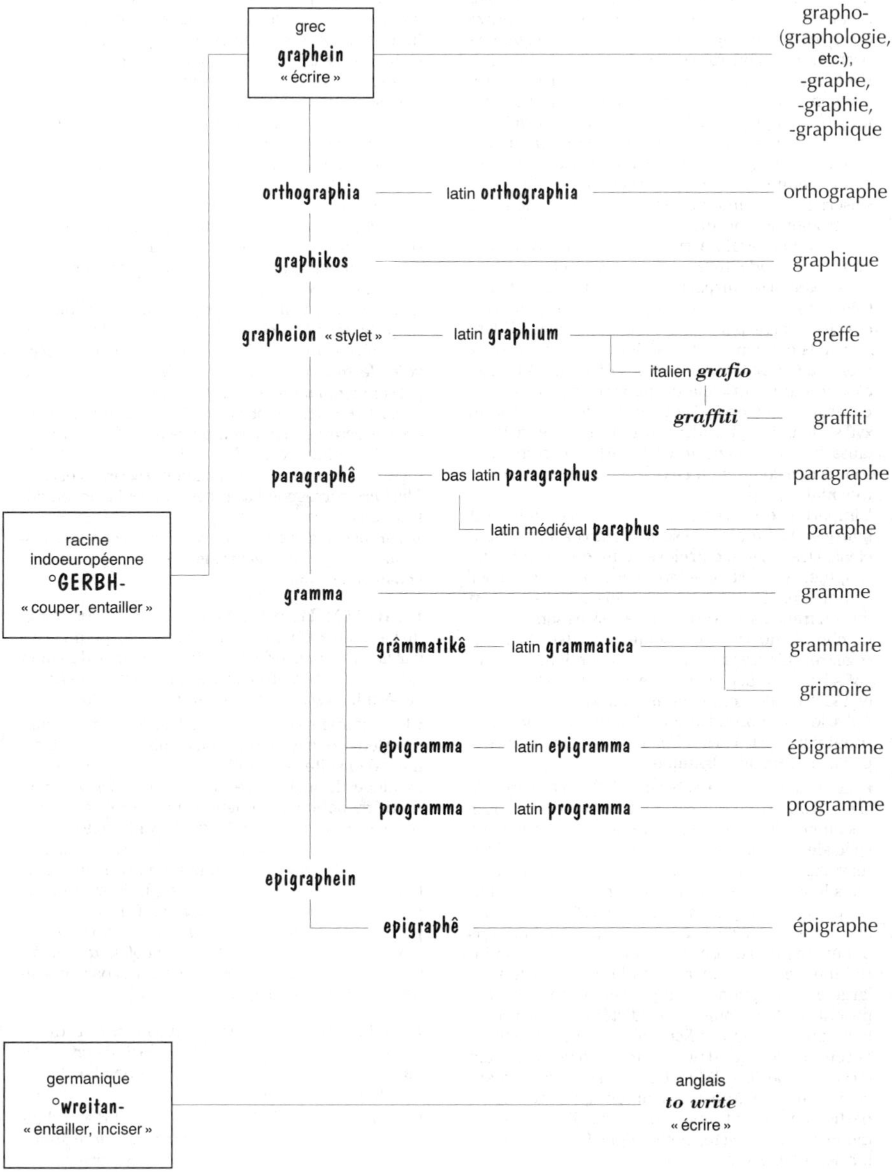
racine indoeuropéenne
°GERBH-
« couper, entailler »
grec
graphein
« écrire »
grapho- (graphologie, etc.), -graphe, -graphie, -graphique
orthographia
latin orthographia
orthographe
graphikos
graphique
grapheion « stylet »
latin graphium
greffe
italien grafio
graffiti
graffiti
paragraphê
bas latin paragraphus
paragraphe
latin médiéval paraphus
paraphe
gramma
gramme
grâmmatikê
latin grammatica
grammaire
grimoire
epigramma
latin epigramma
épigramme
programma
latin programma
programme
epigraphein
epigraphê
épigraphe
germanique
°wreitan-
« entailler, inciser »
anglais
to write
« écrire »

transitivement pour «rédiger une lettre» (apr. 1250), et dans *écrire à qqn* (v. 1560). ◇ Il signifie ensuite «inscrire d'une manière durable» (1268) et, par extension, «tracer une inscription» (1395), puis «exprimer (qqch.) par l'écriture» (v. 1370), aussi absolument (1549); de là *écrire de qqch.* (v. 1250), *écrire qqch.* «écrire au sujet de» (v. 1650) et *écrire que* «exposer dans un ouvrage». *S'écrire* a signifié «s'intituler (d'un ouvrage)» (fin XIVe s.) et au XVIe s. «écrire son nom». Au XVIe s. le verbe prend un sens métonymique : «employer telles lettres pour écrire (un mot)». ◇ L'Académie relève au XIXe s. le sens analogique de «composer en musique» (1835); au XXe s., *écrire* s'emploie avec une valeur extensive pour «inscrire (des informations) dans une mémoire électronique» (apr. 1960).
La valeur générale a suscité plusieurs locutions : ***écrire sur l'onde*** (1672) «oublier qqch.» et «travailler sans résultat» a disparu; ***ce qui est écrit est écrit*** (1694) «ce qui est convenu par écrit ne peut être changé», correspond aux paroles de Ponce Pilate aux Juifs qui voulaient modifier l'inscription sur la croix du Christ (*Évangile selon saint Jean*, XIX, 19); ***c'est (c'était) écrit*** «cela devait arriver», (XIXe s.), auparavant ***il est écrit*** «Dieu l'a décidé» apparaît au XVIe s. dans les premières traductions de la Bible (aussi *cela était écrit au Ciel*, 1694). Par comparaison, ***écrire comme un chat*** (XVIIIe s.) signifie «écrire très mal».
L'importance de l'écriture dans la civilisation est marquée par toute une série d'emplois figurés anciens. Dès le XIIe s. on relève *écrire a mal (a bonté)* «imputer à» (v. 1175), *écrire qqn a rei* «le désigner comme roi» (v. 1190); ces emplois ont disparu en moyen français. Le verbe a eu aussi les sens de «dénombrer», «décrire», «présenter» (v. 1190), d'où «enregistrer» (fin XIVe s.), sens qui se maintient jusqu'au XIXe siècle. ◇ *Écrire qqn* a signifié «l'enrôler» (v. 1350) et «le commander» (fin XIVe s.). Enfin au XVIe s. le verbe prend le sens d'«enseigner (une doctrine) par écrit» (1549). Ces emplois ont disparu à partir du français classique.

► Le participe passé substantivé **ÉCRIT** n. m. désigne d'abord ce qui est écrit (v. 1155) : mémoire, document, lettre (cf. 1626, *une écrite* «une lettre»), spécialement la tradition écrite et, autrefois, l'Écriture sainte (→ écriture). Avec cette valeur il entre dans la locution adverbiale ***en écrit*** (v. 1119), beaucoup plus rare que ***par écrit*** (fin XIIIe s.), d'où *coucher par écrit* (1538). ◇ *Écrit* s'est spécialisé au sens d'«ouvrage de l'esprit» (v. 1190), aussi usité au pluriel (fin XVIe s.). ◇ Par ailleurs le mot a eu le sens large d'«inscription» et au pluriel «affiche» et «manuscrit» (v. 1501), puis «notes dictées» (1690) jusqu'à la fin du XIXe siècle. ◇ *Écrit* désigne aussi (1900) les épreuves écrites d'un examen, d'un concours (*l'écrit et l'oral*). ◇ Le mot s'était spécialisé en ancien et moyen français pour désigner des écrits particuliers ayant une valeur juridique : «testament» (v. 1200), «acte, convention» (v. 1240), «ordre formel» (déb. XIVe s.).
ÉCRITEAU n. m. a désigné (mil. XIVe s.) un petit écrit. Le mot se dit ensuite (v. 1375, *escriptel;* 1391, *escriptiau*) d'une surface (de papier, bois, toile, etc.) portant une information en grosses lettres destinée au public. Il a désigné un écusson, un cartouche (1409), puis comme terme commercial une étiquette (1538). Ils'est employé spécialement (XVIIIe s.) pour désigner une inscription indiquant le motif d'une condamnation, et qui accompagnait le condamné. La locution figurée et familière (mil. XIXe s.) *mettre un écriteau à une femme* «afficher ses relations intimes avec elle» est sortie d'usage. ◆ Le participe présent **ÉCRIVANT** est anciennement devenu adjectif, d'abord au sens (v. 1120) de «qui s'exprime par écrit», il signifie ensuite «qui fait écrire» (1839, Stendhal), «qui écrit facilement des lettres» (XIXe s.). Le nom a désigné un scribe (v. 1180) puis un écrivain (XVIe s.); rare dans cet emploi, le mot est repris par Moréas (1896); il est aujourd'hui d'usage didactique et signifie «personne qui écrit» (déb. XXe s.), spécialement «personne qui écrit sans préoccupation littéraire», opposé alors à *écrivain*.
ÉCRIVEUR, EUSE n., comme *écrivant*, équivalait à «copiste, scribe» (déb. XIVe s.) et à «écrivain» (XVIe s.); il est dérivé du radical du verbe *écrire*, d'après *écrivain;* le mot, d'emploi rare, désigne ensuite une personne qui aime écrire (apr. 1650, adj. ; 1787, n.).
RÉCRIRE v. tr. est formé (v. 1263, *rescrire*) de *re-*, et *escrire, écrire,* souvent remplacé par **RÉÉCRIRE** au XXe s. Il signifie «écrire de nouveau», puis (1754) «rédiger de nouveau». La locution ***récrire, réécrire l'histoire*** correspond à «raconter à sa façon, en déformant».

◈ voir DÉCRIRE, ÉCRITOIRE, ÉCRITURE, ÉCRIVAIN, INSCRIRE, MANUSCRIT, PRESCRIRE, PROSCRIRE, SCRIBE, SCRIPT, SOUSCRIRE.

ÉCRITOIRE n. f. est issu (1174-1176, *escritorie*) du bas latin *scriptorium* «stylet en métal pour écrire sur la cire», puis (IXe s.) «cabinet d'étude», du supin du verbe *scribere* «tracer des caractères» (→ écrire). La graphie *escritoire* apparaît au XIIIe siècle.

♦ Le mot apparaît en français avec le sens de «cabinet d'étude», c'est-à-dire «pièce où l'on écrit»; il est attesté ensuite (1re moitié du XIIIe s.) au sens métonymique de «coffret de nécessaire à écrire», d'où «petit meuble qui contient le nécessaire à écrire» (XIIIe s.) et «pupitre, table de travail» (1391; 1572, *table écritoire*); *écritoire* a été employé abusivement (1616) pour *encrier* (qui n'en est qu'une partie). ◇ On relève jusqu'au XVIIe s. plusieurs emplois métaphoriques : *porter l'écritoire* (1381) s'est dit pour «être influent», *écritoire* pour «homme de lettres» (fin XVIe s.) et *gens* (ou *nobles*) *d'écritoire* (v. 1640) désignait la noblesse de robe, par opposition à la noblesse d'épée.

ÉCRITURE n. f. est issu (v. 1050, *escriture*) du latin *scriptura* «écriture», «écrit», «art d'écrire» et dans la langue de l'Église «Les Livres Saints», dérivé du supin de «scribere» (→ écrire).

♦ C'est le sens du latin chrétien qui est d'abord attesté en français : *L'Écriture,* puis *L'Écriture sainte* (1560), *les Saintes Écritures* (XVIIe s.), *les Écritures* désignant les Livres Saints. *Écriture* se dit ensuite de la tradition écrite (déb. XIIe s.), puis (1121-1134, *escripture*) de ce qui est écrit, des livres manuscrits. ◇ Plus largement, le mot s'emploie pour «inscription» (v. 1155) et se spécialise au sens de «document» (v. 1223), d'où «sauf-conduit» (XVIe s.); il a désigné par métonymie le passage d'un livre (v. 1330). Le sens actuel de «système de représentation de la parole et de la pensée par des signes» est relevé dans la première moitié du XIIe s., d'où l'emploi (1311) pour «type de caractères adoptés par un système d'écriture» *(l'écriture grecque, romaine)* et, par extension (1538), pour «ensemble de caractères manuscrits particuliers à un style d'écriture donnée» *(écriture cursive)*. ➛ Au XVe s., *écriture*, en relation avec le verbe *écrire*, prend le sens (1465) de «fait, action de créer par le langage, art d'écrire». Le mot devient ensuite un terme de droit (1549) au sens de «ce qui, étant écrit selon certaines normes, a valeur probatoire», d'où *faux en écriture privée, publique* et (n. f. pl.) *écritures* «actes de procédure nécessaires à la soutenance d'un procès»; de là viennent des locutions anciennes : *accorder les écritures* «concilier des choses apparemment contradictoires» (1549; jusqu'au XIXe s.), allusion aux pièces d'un procès et sans doute aussi aux divergences entre les Évangiles; *entendre les écritures* «être habile aux affaires» (XVIIe s.), locution disparue, qualifiée de «basse» en 1718 (dictionnaire de l'Académie). ◇ Au pluriel, le mot désigne (1723) l'ensemble des comptes, de la correspondance d'une entreprise, d'où *commis, employé aux écritures* (1835), *jeu d'écritures, tenir les écritures*. ◇ Par analogie, *écriture* désigne à partir du XIXe s. (1837, *écriture des sons*) tout système de représentation graphique. ➛ Au XXe s., le mot acquiert d'autres acceptions. La locution ***écriture automatique*** (1920) désigne l'une des techniques du surréalisme, consistant à noter par écrit «un monologue de débit aussi rapide que possible» (André Breton), pour traduire la «pensée parlée». ◇ Employé pour «manière d'écrire» et presque synonyme de «style» au XIXe s., le mot se dit (1953, R. Barthes) de la pratique de l'écrivain quant à l'usage social de la forme qu'il utilise, au-delà de la langue; *écriture* devient quasi-synonyme de *langage littéraire* et s'oppose dans cet emploi à *style*. Par ailleurs, lié à l'idée de «style», le mot prend le sens de «manière dont une œuvre graphique est réalisée par son auteur». ◇ *Écriture* s'emploie aussi pour toute création artistique qui utilise des signes spatiaux ou temporels (*écriture filmique, chorégraphique*, etc.).

RÉÉCRITURE n. f., *de re-* et *écriture*, qui correspond à *réécrire*, est attesté chez les Goncourt (1892). Le mot sert à remplacer l'anglicisme *rewriting** et s'emploie en linguistique (*règles de réécriture*). La variante *récriture* est rare.

◈ voir ÉCRIRE, ÉCRITOIRE, ÉCRIVAIN.

ÉCRIVAIN

ÉCRIVAIN n. m. est issu (v. 1120, *escrivein*) d'un latin populaire °*scribanem*, accusatif refait du latin classique *scriba* «greffier, scribe» (→ scribe), dérivé de *scribere* «écrire» (→ écrire).

♦ *Écrivain* reprend d'abord du latin le sens de «scribe, copiste» aujourd'hui archaïque, sauf dans la locution ***écrivain public*** «personne qui écrit des lettres, etc., pour ceux qui ne savent pas écrire» (1835) et dans des emplois spéciaux, en histoire : «agent comptable», sur les vaisseaux de l'État (1337; 1628, *l'écrivain d'un vaisseau*), *écrivain juré* «copiste» au moyen âge; *écrivain apostolique* «secrétaire à la chancellerie du pape» (1838). ➛ Le mot désigne ensuite en particulier celui qui est le scribe de sa propre production (av. 1255), puis une personne qui compose des ouvrages littéraires (v. 1269-1278) et seulement au XVIIIe s. un auteur qui se distingue par les qualités de son style (1787). *Écrivain* a longtemps été sans féminin d'où la mise en apposition, *une femme écrivain; une écrivaine*, relevé dès le XIVe s. (*escripvaine;* 1639, *écrivaine*), a été repris à partir du XIXe s. le plus souvent par plaisanterie. ◇ *Écrivain* désigne en entomologie (1863) un parasite de la vigne, parce qu'il ronge les feuilles en formant des découpures qui ressemblent à des caractères écrits.

▸ Deux verbes d'emploi péjoratif dérivent de ce nom. ➛ **ÉCRIVAILLER** v. intr. (1611) signifie «composer rapidement des ouvrages sans valeur»; en dérivent **ÉCRIVAILLEUR, EUSE** n. (1580, Montaigne) ou **ÉCRIVAILLON** n. m. (1885, Maupassant). ➛ **ÉCRIVASSER** v. intr. a le même sens (v. 1800) et a donné **ÉCRIVASSIER, IÈRE** n. et adj. (1745) et **ÉCRIVASSERIE** n. f. (1842). ➛ On relève quelques néologismes d'auteurs, construits sur le radical d'*écrivain : écrivard* n. m. (1893, Verlaine), *écriveux* n. m. (1910, J. Renard), *écriveron* n. m. (1947, R. Queneau).

◈ voir ÉCRIRE, ÉCRITURE.

① ÉCROU

① **ÉCROU** n. m. est attesté d'abord comme nom féminin sous les formes *escroe* (1168-1175) et *escroue* (fin XIIe s.); au masculin, *escrou* apparaît en 1611. Le mot est issu du francique °*skrôda* «lambeau, morceau coupé» (cf. moyen néerlandais *schrode*).

♦ *Écrou* a désigné dans son premier emploi une bande de parchemin, d'où (1611, *écroue*) *écroues de la maison du roi* «états de dépense», rare après le XVIIIe s., maintenant terme d'histoire. ➛ Il se dit ensuite (1499, *escroue*, f., 1611; *escrou*, m.) pour «registre de prisonniers»; de cet emploi, disparu (aujourd'hui, *registre d'écrou*, 1564), vient en droit le sens (XVIIe s.) d'«acte constatant qu'un individu a été remis à un directeur de prison»; le mot s'emploie dans les locutions ***ordre d'écrou*** «ordre d'incarcération» et ***levée d'écrou*** «élargissement d'un prisonnier», locution la plus courante.

▸ **ÉCROUER** v. tr. s'est d'abord employé au sens de «mettre en pièces (qqch.)» (XIIIe s., *escroer*). ◇ Terme de droit (1642) pour «inscrire sur le registre d'écrou», le verbe s'emploie par extension au sens d'«emprisonner» (1823).

② ÉCROU

② **ÉCROU** n. m. sous la forme *escroe*, n. f., à la fin du XIIIe s., est rare jusqu'au XVIe s. : on relève *acrous* isolément (1409-1410) puis on trouve *escroue* (n. f., 1542), encore *écroue* en 1752; la forme *écrou*, n. m., est attestée en 1567. Le mot est issu du latin *scrofa* «truie» (→ écrouelles), qui a sans doute pris en bas latin, par une métaphore sur la vulve de la truie (cf. *porcelaine*), le sens d'«écrou».

♦ Le mot désigne une pièce de métal, de bois, etc., percée d'un trou fileté dans lequel s'engage une vis.

► Le composé **CONTRE-ÉCROU** n. m., terme technique, est attesté en 1870.

ÉCROUELLES n. f. pl. est issu (v. 1245, *escroiele*) du latin populaire °*scrofellae* (pl.), du bas latin *scrofulae* (→ scrofule) dérivé du classique *scrofa* «truie», probablement parce que les tumeurs ganglionnaires sont fréquentes chez le porc.

♦ Le mot désignait l'adénopathie cervicale chronique d'origine tuberculeuse et un abcès du cou provenant de cette maladie ; la locution ***herbe aux écrouelles*** est archaïque (cf. *scrofulaire*). L'un des pouvoirs symboliques attribués au roi de France, sacré et oint, était son pouvoir de guérir les écrouelles en les touchant.

► **ÉCROUELLEUX, EUSE** adj. (1575, *escrouelleux*) est un terme de médecine ancienne.

◈ voir ② ÉCROU.

ÉCROUIR v. tr., réfection (1704) de *escrouir* (1676), est probablement dérivé par préfixation *é-*, *es-* de *crou*, forme wallone de *cru* «qui n'a pas subi de préparation, brut» (→ cru).

♦ Le verbe signifie en métallurgie «traiter (un métal) en le travaillant à une température inférieure à sa température de recuit».

► Il a fourni le nom d'action **ÉCROUISSAGE** n. m. (1797), plus usité que **ÉCROUISSEMENT** n. m. (1690).

ÉCROULER (S') → CROULER

ÉCROÛTER → CROÛTE

ÉCRU, UE → CRU

ECTO -, élément tiré du grec *ektos* «au-dehors», de *ex* (→ ex-), sert à former des mots savants.

► **ECTODERME** n. m. a été formé (1855) comme contraire de *endoderme* (→ derme) ; le mot désigne en biologie (1901) le feuillet externe du troisième stade de développement de l'embryon. ◇ L'usage scientifique moderne préfère le synonyme **ECTOBLASTE** n. m. (attesté 1905 ; *ectoblast*, 1864 en anglais). ◆ **ECTOPARASITE** n. m. et adj. (1878 ; 1861 en anglais ; de *parasite*), terme de biologie, signifie «parasite externe». ◆ **ECTOPLASME** n. m. (1890) désigne en biologie la couche superficielle de la cellule animale (opposé à *endoplasme*). ◇ Le mot a pris en occultisme et dans l'usage courant le sens d'«émanation visible du corps d'un médium» (1922 dans les dictionnaires ; *ectoplasm*, 1901 en anglais), d'où par extension celui de «personne (ou chose) sans consistance» (cf. *zombie*). ◇ En dérive **ECTOPLASMIQUE** adj. (1903).

ECTOTROPHIQUE adj., qui s'oppose en botanique à *endotrophique*, de *-trophique*, est un emprunt à l'allemand *ectotrophisch* (A. B. Frank, 1890).

① **ÉCU** n. m. est issu (1080, *escut*) du latin *scutum* «bouclier (d'abord ovale)» qui correspond au grec *skutos* «peau travaillée», «cuir», mot dont l'origine n'est pas claire. La graphie moderne est relevée au XVIIe s. chez Malherbe.

♦ Le mot a d'abord en français le sens latin de «bouclier», d'où les emplois anciens pour «homme d'armes» (v. 1150), «protecteur» (v. 1170 ; encore au XVIe s.) et les expressions ***porter écu*** «combattre» (v. 1140), ***rendre son écu*** «s'avouer vaincu» (XIIIe s.). Par extension, en termes de blason (1254), *écu* désigne, comme le latin médiéval, un champ en forme de bouclier, où sont représentées les pièces des armoiries, puis par métonymie les armoiries mêmes (XIVe s.). ◇ Le mot a désigné (v. 1340) une ancienne monnaie qui portait à l'origine l'écu de France sur une face (1641, *écu blanc* ou *petit écu* «pièce d'argent de trois livres», auparavant l'écu était d'or). ◇ *Écu* entrait dans de très nombreuses locutions sorties d'usage comme la monnaie que le mot désignait, par exemple : *le reste de mon (notre) écu* «ce qui arrive de désagréable après une série d'ennuis» (en usage du XVIIe au XIXe s.) ; *n'avoir pas un écu vaillant* «être démuni d'argent» (cf. *sou*), d'abord *il n'a pas vaillant un quart d'écu* «il n'a pas un quart d'écu qui vaille» (1680) ; *avoir des écus moisis* «être riche et avare» (1690) ; *cela ne lui fait non plus de peur qu'un écu à un avocat* «il n'en a aucune frayeur» (1690), à cause de la réputation d'avidité des avocats ; *remuer les écus à la pelle* (fin XVIIe s., *avoir des écus à remuer à la pelle*) «être très riche» ; *mettre écu sur écu* «thésauriser» (déb. XIXe s.). ◆ *Écu* se dit ensuite (1794) d'un papier de petit format, ainsi nommé parce qu'il portait un écu (monnaie) en filigrane.

► Un dérivé démotivé d'*écu* en *-on*, avec *-ss-* comme consonne d'appui, est **ÉCUSSON** n. m. (v. 1274, *escuchon ;* 1538, *escusson ;* 1760, *écusson*) qui désigne d'abord un écu armorial. ◇ Par analogie de forme, le mot s'emploie ensuite dans divers domaines : en arboriculture (1538) pour désigner un fragment d'écorce portant un œil ou un bourgeon (cf. *greffe*) ; en serrurerie (1660) où il se dit d'une plaque métallique protégeant l'ouverture d'une serrure. Il désigne également (XVIIe s.) une plaque blasonnée décorative ou servant d'enseigne et, en zoologie (1760), la pièce dorsale du thorax de certains insectes. ◇ Par extension, *écusson* se dit en marine (1732) de la pièce de la poupe qui porte le nom du navire, parfois un emblème, et s'emploie en architecture pour désigner un cartouche décoratif. Le mot désigne aussi (attesté déb. XXe s.) un petit morceau d'étoffe, cousu sur le col d'un uniforme pour indiquer l'arme et l'unité d'un soldat. ◆ Le dérivé **ÉCUSSONNER** v. tr. (1297, au participe passé, *escucené ;* 1600, *escussonner*) s'emploie au sens d'«orner d'un écusson» (1297 ; 1846 à l'infinitif) et en arboriculture (1600). ◇ De ce sens dérivent les termes techniques **ÉCUSSONNOIR** n. m. (1721) et **ÉCUSSONNAGE** n. m. (1870).

◈ voir ÉCUYER.

② **ÉCU** ou **E. C. U.** n. m. est le sigle de l'expression anglaise *European Currency Unit* «unité monétaire européenne» (1978).

♦ Le sigle est utilisé en français grâce à l'homonymie avec ① *écu*. Il tend à s'écrire *écu* et à prendre la marque du pluriel. Le remplacement de *écu* par *euro* en 1996 fait du premier une monnaie de compte.

ÉCUBIER n. m. est l'altération (1601-1603, *escubbier*) de *escumier* (1553), attesté plus tôt en ancien normand (1382-1384) sous les formes *esquenbieu, esquembieu.* Le mot est d'origine inconnue; la forme *escumier* représente peut-être une adaptation du portugais *escouvem* (1552; portugais moderne *escovém*) dont l'origine, comme celle du catalan *escobenc* et de l'espagnol *escobén,* est ignorée.

♦ Terme de marine, *écubier* désigne chacune des ouvertures ménagées à l'avant d'un navire pour le passage des câbles ou des chaînes.

ÉCUEIL n. m., d'abord *escueil* (1538), la graphie moderne étant attestée en 1604, est un emprunt à l'ancien provençal *escueyll* (déb. XIVe s. au propre et au figuré), issu comme l'italien *scoglio* et le catalan *escull,* d'un latin populaire °*scoclu,* altération du latin classique *scopulus* «écueil», lui-même emprunté au grec *skopelos* «hauteur, lieu pour guetter» et «écueil», qui se rattache à une racine indoeuropéenne °*skep-,* °*skop-* «regarder» (→ évêque, périscope, sceptique). L'écueil est ainsi nommé en grec, soit parce qu'un promontoire rocheux est un endroit d'où on guette, soit parce qu'il «guette» le navigateur. On relève la forme *scoigle* (v. 1550), adaptation isolée de l'italien, dans une traduction.

♦ *Écueil* désigne (1538) un rocher et, par extension, un banc de sable à fleur d'eau ou caché, contre lequel un navire risque de se briser; le mot signifie ensuite (1604) figurément «obstacle dangereux».

ÉCUELLE n. f. représente l'aboutissement (v. 1119, *escüele*) du latin populaire °*scutella* (*u* long), forme altérée, sous l'influence de *scutum* «bouclier» (→ écu) en raison de l'analogie de forme entre les deux objets, du latin classique *scutella* (*u* bref) «petite coupe» (cf. italien *scodella*).

♦ *Écuelle* désigne d'abord une assiette creuse, évasée et sans rebord, destinée à contenir des aliments liquides, d'usage courant au moyen âge, y compris à la table des grands, et l'on a longtemps dit *les écuelles* pour «la vaisselle» (1694). Aujourd'hui, avec la diffusion de mots comme *assiette,* le mot a une connotation rurale ou péjorative et s'emploie souvent en parlant d'un récipient pour nourrir un animal. *Écuelle* se dit par métonymie du contenu du récipient (1671) par préférence à *écuellée* (ci-dessous). ◇ Le mot est entré dans quelques locutions sorties d'usage : *mettre (jeter) tout par écuelles,* du XVIe au XIXe s.; *il a bien plu dans son écuelle* «il a fait un gros héritage» (XVIIIe s.); *manger à la même écuelle* «avoir des projets communs» (1821). ➜ Par analogie de forme, *écuelle* est aussi un terme technique d'architecture et du vocabulaire maritime (1691, *écuelle de cabestan*). En botanique, *écuelle d'eau* est le nom donné à une plante amphibie (1671).

▸ D'*écuelle* dérivent : **ÉCUELLÉE** n. f. (XIIIe s., *escuëlee*) «contenu d'une écuelle», d'emploi rare, et **ÉCUELLIER** n. m. autrefois «marchand d'écuelles» (1260, *escuellier*), qui ne s'emploie plus qu'en histoire du mobilier, pour désigner un meuble où l'on rangeait la vaisselle ordinaire.

ÉCULER v. tr., d'abord *esculer* (1564), est l'un des composés verbaux formés sur *cul** qui ont été fortement démotivés par l'usage (→ acculer, basculer, bousculer, culbuter, reculer).

♦ Le verbe, qui exploite la valeur figurée de *cul* «partie postérieure d'une chose», signifie «déformer (une chaussure) en affaissant le talon». Il a rapidement supplanté *acculer,* attesté au même sens et à la même époque (1532).

▸ Le participe passé *éculé, ée,* adjectivé avec le sens correspondant en parlant d'une chaussure (1690), a acquis la valeur figurée de «usé, dévalué par l'usage» (1859) sans équivalent chez le verbe *(une plaisanterie éculée.)*

✳ **ÉCUME** n. f. est issu (fin XIe s., Raschi; v. 1130, *escume*), par l'intermédiaire d'un latin populaire °*scuma,* d'une forme hypothétique du germanique occidental °*skum* «savon liquide», sans doute par croisement avec le latin classique *spuma* «écume, mousse, bave», attesté en latin impérial au sens de «savon». Ce produit circulait probablement par les mercenaires germains des armées de Rome.

♦ Le mot est attesté, dès les gloses bibliques du rabbi Raschi (mort en 1105), au sens de «mousse blanchâtre qui se forme sur un liquide agité ou en fermentation» (dans la Bible, livre d'Osée, «*l'écume à la surface des eaux*»). C'est sans doute par analogie d'aspect que le mot s'applique (v. 1288) aux impuretés à la surface d'un liquide en fusion. Il se dit aussi (déb. XIIe s.) de la bave mousseuse d'animaux ou d'humains, connotant alors la colère ou la maladie et donnant lieu à l'expression ***avoir l'écume aux lèvres, à la bouche.*** ◇ Par ressemblance de couleur et de légèreté, *écume* désigne (1546) la magnésite. Par analogie, *écume (de mer)* se dit des plantes laissées sur le sable par la marée (1690). ◇ Au figuré, *écume (d'une société, d'un peuple)* s'est dit péjorativement (1770) des gens qui en constituent la partie la plus vile (cf. *lie, rebut* opposé à *crème, gratin*); cet emploi a vieilli. ➜ Du sens d'*écume* «magnésite» (ci-dessus), on passe (1802) à celui de «magnésite (naturelle ou artificielle) utilisée pour fabriquer des pipes» (elliptiquement *pipe en écume, d'écume,* ou *en écume de mer*).

▸ Le dérivé **ÉCUMER** v. apparaît en emploi intransitif (v. 1135, *escumer*) au sens de «baver (en parlant d'animaux, de personnes)», puis (v. 1165) de «se couvrir d'écume», d'où (v. 1230) «être au dernier degré de l'exaspération» (*écumer de rage;* cf. *enrager*). Le verbe s'emploie transitivement (v. 1200) au sens de «débarrasser de l'écume, des impuretés», d'où *écumer une marmite, le pot;* au figuré ***écumer le pot, la marmite de qqn*** signifiait «vivre à ses dépens» (on a préféré la métaphore moins culinaire du *pique-assiette*). ➜ Par figure, *écumer* (1460, *escumer,* Villon) signifie aussi «piller», en raflant tout ce qui est intéressant, d'où la locution ***écumer les mers*** (attesté 1606, mais antérieur → écumeur) «y exercer la piraterie» et, en emploi littéraire, ***écumer les grands chemins*** (fin XIXe s.).

ÉCUMEUR, EUSE n. s'emploie dès l'origine au figuré : *escumeur (de mer)* se dit (1351) pour «pirate», d'où par extension pour «pillard». *Écumeur littéraire* «plagiaire» (1834) ne s'emploie plus. ◇ Au sens de «personne qui enlève l'écume» (1864), le mot n'est plus utilisé.

ÉCUMOIRE n. f. est attesté d'abord au masculin (1333, *escumoir;* puis 1372, *escumoire* n. f.) ; le mot est inusité avant 1611 ; il désigne un ustensile de cuisine qui sert à écumer, d'où la locution (XIXe s.) ***comme une écumoire, en écumoire*** «criblé de trous» et, familier, ***avoir une mémoire comme une écumoire*** (cf. *passoire*). ➜ **ÉCUMEUX, EUSE** adj. «qui écume», «qui évoque l'écume», attesté au début du XIVe s., est vivant mais assez littéraire.

ÉCUREUIL n. m. apparaît sous différentes formes avant de se fixer dans sa graphie actuelle ; on a notamment, au XIIe s., *escuriuel, escuriax (escuriaux,* 1176-1181), puis *escural* (av. 1250), *escurel* (v. 1355), *escuiroil* (v. 1358) et aussi *escureul, escuireul, escuriel,* et deux formes régionales encore attestées : *écureux* (Canada), *esquirol* (Sud-Ouest). Le mot est issu du latin populaire °*scuriolus,* diminutif et altération par dissimilation, du latin impérial *sciurus* «écureuil» ; le mot latin est emprunté au grec *skiouros,* de *skia* «ombre» mot d'origine indoeuropéenne et *oura* «queue», littéralement «qui fait de l'ombre avec sa queue».

♦ Le nom de ce petit mammifère rongeur a été donné beaucoup plus tard à plusieurs poissons (1791) et à un papillon de nuit (1838). ◇ L'*écureuil volant* (dit aussi *polatouche*) désigne (1755) un animal de la même famille, muni d'une membrane parachute qui lui permet de franchir certaines distances en vol plané. ◇ Par comparaison avec l'animal, le mot entre dans des expressions, en parlant de personnes : *agile, vif comme un écureuil* (1835). Il s'est dit, par référence à l'écureuil en cage, d'un ouvrier puis d'un forçat qui faisait tourner une roue actionnant une machine (1878) ; pour la même raison, il désigne en sports (1897) un cycliste qui tourne en rond sur une piste de vélodrome. ◇ Par allusion aux provisions de graines que l'animal fait pour l'hiver, l'écureuil symbolise l'épargne ; en France, il représente la Caisse d'épargne.

ÉCURIE → ÉCUYER

ÉCUSSON → ÉCU

✳ **ÉCUYER, ÈRE** n. est issu (1080, *escuier*) du bas latin *scutarius* «soldat de la garde impériale qui portait un bouclier» puis, en latin médiéval, «écuyer» (1080), dérivé de *scutum* (→ écu). Le mot s'écrit *escuyer* à partir du XVIe s. (1549) ; *écuyer* est relevé en 1701.

♦ En français, le mot équivaut en ancien français à «valet» (1080), puis spécialement (XIIe s.) signifie «gentilhomme qui porte l'écu d'un chevalier et le sert». Au début du XIIIe s., *écuyer* désigne un jeune noble qui n'a pas encore été nommé chevalier, d'où son usage comme titre porté par les gentilshommes des derniers rangs. Par extension, c'est le nom donné à un officier (du roi, d'un prince) qui a une fonction particulière : *écuyer de cuisine* «maître cuisinier» (v. 1393), ***écuyer tranchant*** «qui découpe la viande» (1429), ***écuyer de bouche*** «qui sert à la table du roi» (1680), etc. (l'échanson, par exemple, est souvent un *écuyer*). *Écuyer* s'est également dit (1265) de l'intendant des écuries d'un prince ; spécialement *le Grand Écuyer* ou *Grand Écuyer de France* appelé aussi *Monsieur le Grand,* commandait la grande écurie du roi (1549), ce qui constituait la première charge de la couronne. ◇ Au XVIIe s., le mot prend le sens de «personne qui sait monter à cheval» et, spécialement (1636), de «professeur d'équitation». ➜ *Écuyère,* qui s'employait au XVIe s. *(escuyere)* au sens de «femme qui s'occupe du service d'une maison», est attesté pour «cavalière» en 1690 ; *écuyère* désigne ensuite (1832, Balzac) une femme qui fait des exercices d'équitation dans un cirque.

Par analogie de fonction (idée d'«aide», de «suite»), *écuyer* n. m. s'emploie dans divers domaines : en vénerie «jeune cerf qui en suit un plus vieux» (fin XIIe s.) ; «faux bourgeon qui croît au pied d'un cep de vigne» (1564) ; «main courante soutenue par des supports le long du mur d'un escalier» (1752).

▶ **ÉCURIE** n. f. est la forme réduite du dérivé *esqüierrie* (v. 1200) et désigne d'abord l'ensemble des écuyers et des pages puis (1532) la fonction d'écuyer. Par extension, parce que les chevaux des grandes maisons étaient à la charge des écuyers, le mot (1285, *escurierie*) signifie «service des chevaux, dans une maison princière». Tous ces emplois ont aujourd'hui disparu, sauf en histoire. ➜ Par métonymie, *écurie* prend le sens d'«ensemble de chevaux» (1512, *escuyrie*), l'emploi moderne pour «bâtiment où sont logés les chevaux» étant attesté à la fin du XVIe s. (1583). De ce sens viennent plusieurs locutions : *faire une écurie de ses chausses* (1640) signifiait par allusion à la saleté, aux souillures des écuries, «avoir une maladie vénérienne» en parlant d'un homme ; la locution est sortie d'usage, comme *fermer l'écurie quand les chevaux sont dehors* (1718) «prendre des précautions quand il est trop tard». ***Sentir l'écurie*** se dit encore au figuré pour «avoir un regain d'énergie quand on approche de la fin d'un trajet, d'un travail, etc.» ; ***les écuries d'Augias*** désigne un lieu très sale, par allusion à la fable grecque du cycle d'Hèraklès ; dans la fable, Hèraklès nettoie des étables, non des écuries ; le mot *écurie* a sans doute été préféré à cause du rapprochement avec *curer* «nettoyer». On relève encore (1864) ***se croire dans une écurie, entrer quelque part comme dans une écurie*** «comme dans un lieu public» (cf. *comme dans un moulin*). ◇ Par extension, *écurie* entre dans le vocabulaire hippique (1834, *écurie de course* ou *écurie*) pour désigner des chevaux appartenant à un même propriétaire, puis par analogie (1898) des cyclistes courant dans la même équipe (sens vieilli), un ensemble de voitures, etc. courant pour une même marque ; enfin par plaisanterie, des candidats d'un éditeur dans la course aux prix littéraires. ◇ Par extension, le mot s'emploie régionalement (Suisse) pour «étable» (cf. *étable*).

ECZÉMA n. m. est un emprunt savant (1747) au latin médiéval *eczema,* lui-même emprunté au grec médical *ekzema* «éruption cutanée» dérivé de *ekzein,* de *ek* «hors de» et *zein* «bouillir», «bouillonner», mot reposant sur une racine indoeuropéenne °*yes-* que l'on retrouve dans le sanskrit *yasatí* et l'ancien haut allemand *jesan* «bouillonner».

♦ C'est un mot du vocabulaire médical qui désigne aussi une affection cutanée caractérisée par des rougeurs, un érythème suintant, des démangeaisons. *Eczéma* entre dans l'usage général et s'emploie par métaphore, en parlant de ce qui fait souffrir ou enlaidit comme une maladie de peau (*un eczéma moral,* Saint-Exupéry).

▸ En dérivent les termes de médecine **ECZÉMATEUX, EUSE** adj. (1838), suffixe *-eux,* et **ECZÉMATISER (S')** v. pron. (XXe s.) d'où **ECZÉMATISATION** n. f. (1901). ➛ Le composé **ECZÉMATOGÈNE** adj. (XXe s.; de *-gène*) désigne en médecine une substance qui peut provoquer l'eczéma. Tous ces dérivés possèdent un *t* de liaison (cf. *comateux*).

EDELWEISS n. m. inv. est un emprunt (1861) à l'allemand *Edelweiss* (depuis 1785 en Autriche), composé de *edel* «noble» et de *weiss* «blanc»; le mot allemand a été importé de Suisse alémanique.

♦ Cette plante en forme d'étoile, recouverte d'un duvet blanc, et qui pousse sur les hauts sommets, est aussi appelée «immortelle des neiges» ou «pied-de-lion».

ÉDEN n. m. est un emprunt (v. 1235 comme toponyme biblique) à l'hébreu biblique *'ēden,* nom du lieu du paradis terrestre. Par confusion avec le nom commun hébreu *'adānîm* «délices» (forme plurielle de *'ēden*), le mot fut traduit par «volupté» ou «délices» en grec ou en latin (*Genèse,* 2, 15), d'où les expressions *paradis de délices* ou *jardin de délices* dans les traductions de ces passages en ancien et moyen français.

♦ La traduction stricte de **JARDIN D'ÉDEN** pour désigner le paradis terrestre n'est apparue qu'au XVIe s. avec les traducteurs de la Réforme qui recouraient au texte hébreu (1547, *Eden* «paradis terrestre»; 1553, *jardin d'Eden*). ◇ Aujourd'hui, généralement employé avec l'article défini, *Éden* est un terme didactique, *un éden, des édens* s'employant littérairement pour «lieu de délices» (1794, Chénier).

▸ De *Éden* dérivent des termes littéraires. ➛ **ÉDÉNISME** n. m. (1843, Proudhon) se dit de l'état de bonheur qui aurait constitué la première période de l'humanité, précédant l'état sauvage. ➛ **ÉDÉNIEN, IENNE** adj. (XIXe s., 1838, selon Bloch et Wartburg) a été supplanté par son synonyme **ÉDÉNIQUE** adj. (1865, Proudhon) «qui évoque l'Éden», plus courant pour qualifier ce qui est très agréable et dont dérive **ÉDÉNIQUEMENT** adv. (1887). ➛ **ÉDÉNISER** v. tr. «transformer en Éden» (1866) et son dérivé **ÉDÉNISATION** n. f. (1862) semblent avoir été créés par Victor Hugo.

ÉDICTER → ÉDIT

ÉDICULE n. m. est un emprunt savant et récent (milieu XIXe s.) au latin *aedicula* «petite maison», «édifice», diminutif de *aedes* à l'origine «foyer», «lieu où l'on fait le feu», en latin classique «temple, maison», de la même famille que *aestas* (→ été). Le mot se rattache à une racine indoeuropéenne °*aidh-* «brûler». Le genre masculin d'*édicule* s'explique par l'influence d'*édifice* et des mots masculins en *-cule.*

♦ *Édicule,* d'abord attesté (1863, Flaubert) au sens du latin *aedicula,* est peu employé aujourd'hui pour désigner un petit édifice à caractère religieux (chapelle, petit temple). Il se dit surtout (attesté 1876) d'un petit édifice servant d'abri sur la voie publique, et en particulier (déb. XXe s.) d'un urinoir ou *vespasienne.*

◈ voir ÉDIFIER.

ÉDIFICE n. m. est emprunté (v. 1120) au latin *aedificium* «bâtiment», de *aedificare* (→ édifier).

♦ Le mot désigne un bâtiment important puis, au figuré (1669), un ensemble vaste et organisé (*édifice social,* etc.) et, par analogie (1692), un assemblage résultant d'un arrangement (*édifice de cheveux*).

ÉDIFIER v. tr. est emprunté (v. 1120) au latin classique *aedificare* «construire», qui a pris en latin chrétien le sens moral de «faire grandir dans la foi»; le verbe latin est composé de *aedes* «maison» (à l'origine «foyer», «hutte avec le feu au milieu» → édicule) et *facere* «faire*»; *aedes* appartient à la famille d'une racine indoeuropéenne °*aidh-* «brûler» (→ estival, été, éther).

♦ *Édifier* reprend le sens latin de «construire» (v. 1120) au propre et au figuré. ◇ Depuis la fin du XIIe s., le verbe se dit comme en latin chrétien pour «porter à la vertu». Il signifie ensuite (apr. 1550) «mettre (qqn) à même d'apprécier» (cf. *instruire*); il est souvent péjoratif ou ironique à partir du XIXe siècle.

▸ Le dérivé **ÉDIFIANT, ANTE** adj., «qui porte à la vertu» (fin XIIe s.), du participe présent, s'emploie aussi ironiquement (1713; *un témoignage édifiant*). ➛ **ÉDIFICATION** n. f. est emprunté au latin classique *aedificatio* «action de bâtir, construction» (du supin de *aedificare*), qui prend un sens moral en latin chrétien. ◇ Comme *édifier,* le mot a conservé les valeurs du latin; il est introduit (v. 1200) avec le sens moral et désigne (v. 1380) l'action d'édifier (ensuite au figuré : *l'édification d'une science*). ➛ **ÉDIFICATEUR, TRICE** n. et adj. est emprunté (av. 1517) au dérivé latin classique *aedificator* «qui bâtit». ➛ Le préfixé **RÉÉDIFIER** v. tr. est d'usage littéraire au propre (v. 1225, *redefier*) et au figuré (1796), comme son dérivé **RÉÉDIFICATION** n. f. (v. 1295).

◈ voir ÉDIFICE, ÉDILE.

ÉDILE n. m. est un emprunt (1213) au latin classique *aedilis* qui désignait à l'origine la personne qui s'occupait des édifices sacrés et privés, puis à Rome un magistrat municipal; c'est un dérivé de *aedes* «maison», «temple» (→ édifier).

♦ *Édile,* d'abord terme d'histoire romaine (1213), est appliqué au XVIIIe s. aux institutions modernes pour désigner, par analogie de fonction (1754), le magistrat municipal d'une grande ville (cf. *maire*).

▸ Du dérivé latin classique *aedilitas* «charge d'édile», on a emprunté (XVe s.) **ÉDILITÉ** n. f., d'abord appliqué à l'histoire romaine, puis employé (1838) pour désigner la magistrature municipale. Peu usité dans son sens moderne, c'est un terme didactique ou administratif, comme son dérivé **ÉDILITAIRE** adj. (1875).

ÉDIT n. m. est emprunté (XIVe s., *esdit*) au latin *edictum*, supin de *edicere* «proclamer», «ordonner», de *ex-* et *dicere* (→ dire).

♦ Le mot désigne, en parlant de l'Antiquité romaine, un règlement, une ordonnance émanant d'un empereur ou d'un magistrat (édile, prêteur, consul, etc.) puis un acte législatif émanant d'un souverain et statuant sur une matière spéciale (*Édit de Moulins*, 1566; *Édit de Nantes*, 1598). Par extension, le mot a désigné toute ordonnance rendue par un souverain.

▸ Au XVIIIe s. a été formé le composé **CONTRE-ÉDIT** n. m. «édit qui s'oppose à un autre».

ÉDICTER v. tr. (1619) est un dérivé savant du supin *edictum*, pour servir de verbe à *édit*; il a remplacé le dérivé *éditer* (1399), éliminé par la diffusion de *édition*, au XVIe s., puis de l'homonyme *éditer*.

✳ **ÉDITER** v. tr. a été formé à la fin du XVIIIe s. sur l'adjectif *édité* (1784, Restif), tiré du participe passé latin *editus*, de *edere* «produire, mettre au jour»; l'adjectif *edit* «publié», de même origine, étant attesté vers 1310. *Edere* se rattache probablement au verbe *dare* «donner*», de la famille d'une racine indoeuropéenne °*do-* «donner», «transmettre la possession de».

♦ Le verbe, d'après le sens d'*édité, inédit, édition* et *éditeur*, tous antérieurs (voir ci-dessous) signifie «publier et faire circuler (un texte reproduit)». Puis *éditer* signifie didactiquement «préparer, établir et présenter (un texte) pour la publication» (fin XIXe s.); dans cet emploi, qui correspond à la première valeur d'*édition*, le sens d'*éditer* est proche de celui du verbe anglais *to edit* «préparer matériellement un texte pour la publication», de même origine, le sens français d'*éditer* correspondant en anglais à *to publish*. ◇ *Éditer* est entré (apr. 1960) dans le vocabulaire de l'informatique avec le sens emprunté à l'anglais *to edit*, de «préparer (des informations) pour le traitement».

▸ À partir d'*éditer* a été dérivé **ÉDITABLE** adj. (XIXe s.) et son contraire préfixé **INÉDITABLE** adj. (1875). ➛ *Éditer* a servi à former par préfixation **RÉÉDITER** v. tr. (1845), employé au propre et au figuré, et **COÉDITER** v. tr. (XXe s.), auxquels correspondent des préfixés d'*édition* (ci-dessous).

ÉDITION n. f., attesté dès le deuxième tiers du XVIe s., est emprunté au latin impérial *editio* «production» et spécialement «établissement de texte», de *editum* participe passé neutre de *edere* (cf. ci-dessus). ➛ Le mot désigne d'abord l'action d'établir un texte afin de le faire paraître et de le reproduire. Ce sens, devenu didactique, correspond à un emploi tardif d'*éditer*, parallèle à l'anglais *to edit*. ◇ C'est par extension que *édition* désigne au XVIIe s. (1679) le fait de reproduire un texte, préalablement établi, par un procédé technique; cette valeur correspond à la diffusion généralisée de l'imprimerie. ➛ Par métonymie, le mot désigne (1690) l'ensemble des exemplaires d'un texte reproduits sur un même modèle (cf. *tirage*), puis un exemplaire d'une telle série (une *édition originale* désigne un exemplaire de l'*édition originale*); cette acception est courante dans la presse (*cinquième, dernière édition* d'un journal). Plusieurs syntagmes se rattachent à ce sens : *première, nouvelle édition*, etc. ◇ Au figuré, la *nouvelle édition* de qqch. se dit pour «la reprise, la répétition». ◇ Employé absolument, le mot désigne l'ensemble des activités techniques et économiques concernant la reproduction et la diffusion des textes imprimés, notamment celle des livres (cf. *le livre*), puis par extension, celle des journaux et d'autres produits analogues. ➛ Enfin *édition*, en informatique (apr. 1960) est un calque de l'anglais *edition*, de *to edit* au sens latin; le mot désigne la matérialisation des informations traitées par l'ordinateur, sur écran ou sur imprimante.

Sur *édition* ont été formés par préfixation **RÉÉDITION** n. f. d'abord «édition nouvelle» (1725), puis «ouvrage réédité» (1788) et employé familièrement au figuré (XXe s.) pour «répétition», et **COÉDITION** n. f. (mil. XXe s.). ➛ **ÉDITIONNER** v. tr. (1773, repris v. 1950), signifie «marquer d'une mention de tirage les exemplaires d'une édition».

ÉDITEUR, TRICE n., attesté en 1732, est formellement un emprunt au latin impérial *editor* «celui qui produit» et «auteur, fondateur», de *editum*. Mais le sens est celui de *édition*, attesté depuis le XVIe s. et *éditeur* pourrait en être le dérivé. Le mot s'emploie d'abord au sens aujourd'hui didactique de «personne qui fait paraître un texte après l'avoir établi». ◇ Depuis la fin du XVIIIe s. (attesté 1775, Voltaire), en accord avec le second sens d'*édition* et celui du verbe nouveau *éditer*, *éditeur* désigne la personne qui assure la publication et la mise en vente d'ouvrages imprimés, d'où plus tard, par analogie, *éditeur de musique, de photographies*, etc. ◇ Au XIXe s. le mot a pris spécialement le sens de «directeur politique (d'une publication périodique)» (cf. *éditorialiste*). Au sens de «personne qui prépare un texte pour l'impression», le mot est aujourd'hui un anglicisme (XXe s., de *editor*, de même origine); on emploie en français *préparateur de copie* ou *réviseur*; cependant cet emploi correspond au sens originel d'*édition* (voir ci-dessus). ◇ *Éditeur* a également pris en informatique (apr. 1960) le sens anglais dérivé de «programme qui permet la composition de textes sur ordinateur». ➛ Au sens le plus courant, *éditeur* a pour composé **COÉDITEUR, TRICE** n. (mil. XXe s.).

INÉDIT, ITE adj. et n. m. est un emprunt savant (1729, Montesquieu) au latin *ineditus* «qui n'a pas été publié», de *in-* et *editus*. L'adjectif est introduit avec le sens du latin; **UN INÉDIT** n. m. «une œuvre inédite» apparaît au début du XIXe siècle. Par extension, *inédit* signifie «qui n'est pas connu» (déb. XIXe s.; n. m., 1862, Hugo) et par métonymie (milieu XIXe s.) «dont les œuvres n'ont pas été éditées» *(un auteur inédit)*. ◇ Un sens extensif «nouveau», s'est diffusé, notamment en publicité.

◈ voir ÉDITORIAL.

ÉDITORIAL, ALE, AUX adj. et n. m. est un emprunt (n. m., 1852, Baudelaire) à l'adjectif anglais *editorial* (1744), devenu substantif aux États-Unis (1830) et dérivé de *editor* «directeur de journal, rédacteur en chef», du latin impérial *editor* (→ éditeur, à éditer).

♦ Le nom désigne un article qui émane de la direction d'un journal et qui définit ou reflète une orientation générale; l'adjectif (1856) a vieilli au sens de «qui émane de la direction d'un journal»; il s'emploie encore au sens de «qui a rapport à l'édition» (XXe s.), se rattachant alors à *éditeur.* Le mot, séparé d'*éditer, édition,* ne s'est répandu qu'au XXe siècle. Il est couramment abrégé en **ÉDITO** n. m. (1939).

▶ **ÉDITORIALISTE** n., «personne qui écrit l'éditorial», est attesté en 1934.

ÉDREDON n. m. est un emprunt (1700) au danois *ederduun,* composé de *eder* (→ eider) et de *duun* «duvet».

♦ Le mot s'est introduit en français avec le sens de l'étymon «duvet fourni par l'eider»; par métonymie, il a désigné (1830, Balzac) un couvre-pied fait avec le duvet de l'eider, puis par extension avec un duvet quelconque ou une matière synthétique. ◇ Par métaphore, le mot s'emploie (1832, Hugo) pour «coussin, matelas» *(un édredon de neige)* et, dans un contexte abstrait, au sens de «ce qui protège» (apr. 1950). *Édredon* a été utilisé dans des locutions argotiques maintenant sorties d'usage, avec la valeur de *lit : faire l'édredon* «dévaliser le client», en parlant d'une prostituée (1878), et *voleuse à l'édredon* (1887), de même sens.

ÉDULCORER v. tr. représente un emprunt (1690) au latin médiéval *edulcorare* «adoucir», issu du croisement du bas latin *dulcorare* «adoucir» avec le latin impérial *edulcare,* le premier dérivé de *dulcor* «saveur douce» (de *dulcis*), le second préfixé du latin classique *dulcis* (→ doux).

♦ *Édulcorer* est d'abord attesté comme terme de chimie, avec le sens de «rendre doux» (par des lotions d'eau froide); il se dit en pharmacie (1704) pour «adoucir (un médicament) par addition d'une substance sucrée». ◇ Par la suite, le mot s'emploie au figuré et couramment (1872, Goncourt) avec le sens d'«atténuer, affaiblir», en parlant de l'expression de la pensée.

▶ Du verbe dérivent **ÉDULCORATION** n. f. (1620, en chimie, aujourd'hui didactique; av. 1868, au figuré) et **ÉDULCORANT, ANTE** adj. (v. 1900) terme pharmaceutique devenu usuel comme nom masculin, avec la disparition progressive de la saccharine, désignée sous ce nom.

ÉDUQUER v. tr. représente un emprunt (1385, au participe passé) au latin classique *educare* «élever, instruire», de *ducere* «tirer à soi», d'où «conduire, mener» (→ conduire, déduire, introduire), verbe dérivé de *dux, ducis* «chef» (→ duc).

♦ *Éduquer,* qui s'est substitué à *nourrir,* reste rare avant le XVIIIe s. (1746) et mal reçu jusqu'au XIXe s.; Littré (1864) note que le verbe «qui est correct, et qui répond à *éducation,* n'obtient point, malgré cela, droit de bourgeoisie»; le *Dictionnaire général* (v. 1900) le qualifie encore de «populaire»; aujourd'hui *éduquer* semble au contraire plus recherché et moins courant que *élever.* ◆ *Éduquer* signifie «diriger la formation de qqn par l'instruction et la pédagogie»; le verbe a vieilli avec un complément renvoyant à un collectif *(éduquer le peuple)*; il s'emploie par extension en parlant d'un animal (XIXe s.; cf. *dresser*). Le verbe prend au XVIIIe s. le sens de «développer une faculté particulière par un entraînement» (apr. 1750; *éduquer son courage, son oreille*) puis il se spécialise : «apprendre à qqn les usages de la société» (déb. XIXe s.), «former le caractère», avec un sujet nom de chose (fin XIXe s.). ◇ Le participe adjectivé, dans *personne bien (mal) éduquée* (1763), est aujourd'hui surtout d'emploi régional.

▶ Le préfixé **INÉDUQUÉ, ÉE** adj. (XXe s.) est didactique. ◆ Le dérivé **ÉDUCABLE** adj. (1831) a produit le terme didactique **ÉDUCABILITÉ** n. f. (1855, G. Sand) et l'adjectif **INÉDUCABLE** (1908).

L'adjectif dérivé **ÉDUCATIF, IVE,** tiré du radical du verbe, est attesté à la fin du XVe s. (1488) à propos d'animaux *(étang éducatif)* et au XIXe s. (1866, Amiel) au sens moderne de «qui a l'éducation pour but», d'où en sports *mouvements éducatifs* (1934, n. m., *l'éducatif*). Lié à *éducation,* il est aujourd'hui plus vivant que *éduquer.*

Le préfixé **RÉÉDUQUER** v. tr. «refaire l'éducation (d'une fonction lésée)» (1907) s'emploie aussi avec une valeur morale (1916), comme **RÉÉDUCATION** n. f. (1900) et **RÉÉDUCATEUR, TRICE** n. (1946).

ÉDUCATION n. f. est emprunté (1527; 1495 d'après Bloch et Wartburg) au latin *educatio* «action d'élever (des animaux, des plantes)» et «éducation, instruction, formation de l'esprit», de *educatum,* supin de *educare.* ◆ Le mot désigne comme en latin la mise en œuvre des moyens propres à former et à développer un être humain, d'où l'emploi dans des syntagmes comme *éducation nationale* (XVIIIe s.), *ministère de l'Éducation* (avec une majuscule; anciennement *de l'Éducation nationale*) qui a remplacé la formule *Instruction publique.* On trouve aussi *éducation professionnelle, éducation surveillée* (1819), *éducation permanente* (1958). *Éducation physique* au sens moderne, voisin de celui de *gymnastique,* est assez récent, mais le syntagme existait dès la fin du XVIIIe s. (cf. 1794, Mme de Staël, *éducation physique et morale*). ◇ Par métonymie (1679), *éducation (l'éducation)* signifie «connaissance et pratique des usages de la société», par exemple dans *avoir de l'éducation, être sans éducation.* ◇ Par analogie et conformément à une valeur en latin, le mot désigne l'art d'élever des animaux (1763, à propos des vers à soie). ◇ Au XIXe s., il s'emploie au sens d'«initiation, apprentissage» (*L'Éducation sentimentale,* Flaubert, 1869); à la même époque *éducation* se dit par analogie du développement méthodique donné à un organe, à une faculté *(éducation de la mémoire).* ◆ De *éducation* est tiré **ÉDUCATIONNEL, ELLE** adj. (1873), terme didactique.

ÉDUCATEUR, TRICE n. et adj. est emprunté (1527, n. m.) au dérivé latin classique *educator* «éducateur, formateur». ◇ Il signifie d'abord «personne qui s'occupe de l'éducation» et reste rare avant 1836. Il s'emploie comme adjectif (1805, *organes éducateurs*) pour «relatif à l'éducation», puis «qui contribue à l'éducation» (1866, Michelet). Le nom (v. 1960) désigne spécialement une personne qui, ayant reçu une formation spécifique, est chargée de l'éducation de certains groupes de jeunes *(éducateur spécialisé)*.

ÉFENDI ou **EFFENDI** n. m. est un emprunt (1624) au turc *efendi* «maître, seigneur» (titre de dignité), lui-même du grec moderne *afendis* «maître» (fin XVIe s.). Le mot vient du grec ancien *authentês* «qui agit de sa propre autorité, maître absolu» (cf. *authentique*).

♦ *Éfendi*, titre réservé aux dignitaires civils ou religieux turcs, a pris en turc la valeur affaiblie du français *monsieur*. En français, le mot s'écrit plus couramment avec deux *f*.

EFFACER v. tr. est dérivé (v. 1120, *esfacer*) de *face* (→ face) par préfixation.

♦ Le verbe a d'abord une valeur abstraite, «faire disparaître de la pensée sans laisser de trace» (v. 1120, à propos d'un nom ; XVIIe s., dans *s'effacer*, pronom.) puis «empêcher de paraître par sa propre existence» (1re moitié du XIIIe s.). ◇ Il prend le sens concret (v. 1223) de «faire disparaître (ce qui était écrit, marqué)», par extension «faire disparaître en raturant, en corrigeant», d'où par métaphore *effacer un pays de la carte*. ◇ Au XVIIe s., *effacer* prend le sens de «se tenir de côté ou de retrait», de façon à présenter le moins de surface possible (1670, en escrime ; 1721, au pronominal) ; de là des emplois figurés pour *s'effacer :* «laisser à qqn la première place» (1740), «éviter de se faire remarquer» (fin XVIIIe s.). ◇ *Effacer* s'emploie par métaphore populaire aux sens (1867) d'«avaler» *(effacer un plat)*, de «tuer» *(effacer qqn)* et (v. 1914-1918) de «recevoir un coup, un projectile».

► L'adjectif **EFFACÉ, ÉE**, «qui a disparu, est oublié» (XIIe s.), «qui a perdu son éclat» (XVIe s.), s'applique spécialement à ce qui paraît en retrait (XVIIe s., *épaules effacées*) et, en ce sens, s'emploie au figuré qualifiant une personne qui reste dans l'ombre (apr. 1750 ; v. 1850, *caractère effacé*). ➜ Plusieurs dérivés sont formés sur le verbe. **EFFACEMENT** n. m. (XIIIe s. *esfacement*) a le sens général d'«action d'effacer», d'où au figuré celui de «suppression» *(l'effacement d'une impression)* et (1839) «attitude effacée». ➜ **EFFAÇURE** n. f., rare au sens propre (1238, *effaceure*), a pris la valeur figurée (1800) de «ce qui est effacé». ➜ **EFFACEUR, EUSE** n. et adj. (XIVe s., *effaicer*) est rare, sauf en technique. ➜ **EFFAÇABLE** adj., «qui peut être effacé» (1549, *effassable*), s'emploie couramment dans *ruban effaçable* (de machine à écrire) ; sur l'adjectif a été formé **INEFFAÇABLE** adj. «qui ne peut être effacé», au figuré (1523) et au propre (1564). ➜ **EFFAÇAGE** n. m. est attesté en 1866.

◈ **EFFARÉ, ÉE** adj. apparaît (v. 1200, J. Bodel) sous la forme *efferes*, puis au XIIIe s., écrit *effaree*. L'origine du mot est obscure ; il s'agit peut-être d'un doublet picard avec métathèse du *r*, d'*esfreer*, *esfraer* (→ effrayer) au participe passé. Selon d'autres hypothèses, le mot serait dérivé du latin *ferus* «sauvage» (→ fier) ou emprunté au latin *efferatus*, participe passé de *efferare* «rendre farouche», «donner un air farouche», lui-même dérivé de *ferus*. Le *e* du radical attesté vers 1200 par *efferes* serait devenu *a* devant *r* sous l'influence de *farouche*.

♦ *Effaré*, d'abord appliqué à une personne qui ressent un effroi mêlé de stupeur (v. 1200) et qualifiant aussi le comportement (XIVe s.), a donné naissance à **EFFARER** v. tr. au sens général de «troubler, stupéfier» (1611, *effarer* «frapper de terreur»). Mais ce verbe est resté rare et littéraire. En termes de blason, *effaré* se dit pour «cabré» (1690 ; *cheval effaré, licorne effarée*).

► Le dérivé **EFFAREMENT** n. m. (av. 1790), rare au sens d'«action d'effarer», se dit de l'état d'une personne ou d'un animal effaré ; il s'est imposé face à son équivalent **EFFARADE** n. f. (av. 1848, Chateaubriand) sorti d'usage. ➜ **EFFARANT, ANTE** adj., participe présent de *effarer*, d'emploi littéraire au sens de «qui effare» (1899), se dit couramment (dep. 1891, Huysmans) par exagération pour «inouï, incroyable».

EFFAROUCHER → FAROUCHE

EFFECTEUR, TRICE adj. et n. m. est un dérivé savant (1791) avec le suffixe *-eur*, du radical du latin impérial *effectus* «exécution, réalisation», de *effectum* (→ effet), supin de *efficere* «faire entièrement», de *ex-* et *facere* (→ faire).

♦ L'adjectif a d'abord le sens philosophique d'«efficient, qui agit» (1791, Volney, *cause effectrice*). Dans un autre sens, le mot est emprunté (1945) à l'anglais *effector* (1906 dans ce sens) de *to effect* «effectuer» (cf. *effectuer*, de même origine) ; il se dit, en physiologie, des organes d'où partent les réponses aux stimulations reçues par des organes récepteurs et, en biochimie, d'une substance capable d'activer ou d'inhiber l'activité.

EFFECTIF, IVE adj. et n. m. est un emprunt savant (1464 ; XIVe s. d'après Bloch et Wartburg) au latin *effectivus* «qui produit», d'où «pratique» à l'époque impériale et «qui exprime un effet» en bas latin. L'adjectif latin dérive de *effectum*, supin de *efficere* (→ effet).

♦ D'abord adjectif, *effectif* s'applique (1464) à ce qui se traduit par des actes réels en théologie dans *amour effectif* «amour de Dieu qui se traduit par des actes» ; le mot s'emploie ensuite (1641) pour «réel», d'où l'ancien usage dans *homme effectif* «qui ne promet rien qu'il ne tienne» (1690). ➜ C'est l'emploi de l'adjectif au XVIIe s. pour qualifier des soldats réellement présents qui a suscité le substantif **EFFECTIF** n. m. pour désigner (1792) le nombre de combattants réels dans une unité et, par extension (1810), le nombre réglementaire des hommes qui constituent une formation (*les effectifs* «les troupes», du point de vue de leur importance numérique). Par analogie (1819), *effectif* désigne un nombre de personnes composant un groupe défini. ◇ **SUREFFECTIF** n. m. (v. 1980) désigne un effectif trop important.

► **EFFECTIVEMENT** adv., dérivé de l'adjectif, est d'usage didactique au sens (1495) de «en réalité»; il s'emploie, couramment aujourd'hui (1797) pour confirmer ou renforcer une affirmation.

EFFECTUER v. tr. est un emprunt (1545), d'abord sous la forme *affectuer* (XVe s.), au latin médiéval *effectuare* (1344) «produire» et absolument «avoir de l'action», dérivé du latin impérial *effectus* «exécution, réalisation» (→ effet).

♦ Le mot conserve d'abord le sens du latin médiéval, puis prend (1588) celui de «mettre à effet, à exécution». *Effectuer,* à partir du XIXe s. (1818, dans un contexte militaire) a le sens de «mener à bien, exécuter (une opération complexe ou délicate)»; ce sens, seul en usage aujourd'hui, s'est étendu largement à des emplois non didactiques au XXe s. *(effectuer un trajet, un paiement).*

► Les dérivés **EFFECTUATION** n. f. (1545) et **EFFECTUALITÉ** n. f. (fin XIXe s.) sont restés très didactiques.

EFFÉMINÉ, ÉE adj. est un emprunt savant (v. 1170, *effeminez*) au participe passé du latin classique *effeminare* «féminiser, amollir, efféminer», de *ex-* et *femina* «femme» (→ femme).

♦ L'adjectif signifie «qui a les caractères physiques et moraux que l'on prête traditionnellement à la femme»; il s'applique à un homme dont l'allure, les manières, etc., font penser à une femme; les emplois ont toujours été péjoratifs (1699, *vie lâche et efféminée,* Fénelon) d'où l'emploi comme nom masculin *(c'est un efféminé).* ◇ *Efféminé* se dit aussi par analogie et péjorativement en parlant de choses, avec le sens de «mou, sans énergie» *(un art, une littérature efféminé(e)).*

► Le verbe **EFFÉMINER** v. tr. (XIIe s.) est rare. Du radical du verbe dérivent **EFFÉMINATION** n. f. (1503) terme peu usité, et **EFFÉMINEMENT** n. m. (av. 1593).

EFFERVESCENCE n. f. est un dérivé savant du XVIIe s. (attesté 1689) du latin classique *effervescens,* participe présent de *effervescere* «bouillonner» au propre et au figuré; ce verbe est dérivé par préfixation en *ex-* à valeur intensive de *fervescere,* inchoatif de *fervere* «bouillir», qui repose sur une racine indoeuropéenne °*bher-* «bouillonnement» (→ ferment, ferveur). Mme de Sévigné, chez qui le mot est d'abord relevé, en attribue à tort la formation à Descartes.

♦ Terme ancien de médecine *(effervescence d'humeur), effervescence* désigne aujourd'hui (1690) le bouillonnement d'un liquide produit par un dégagement de bulles et, par figure assez couramment (1772, Rousseau), une agitation vive mais passagère.

► L'adjectif **EFFERVESCENT, ENTE** est un emprunt (1777) au participe présent latin et s'emploie, comme le nom, au propre et au figuré.

EFFET n. m. est un emprunt d'abord écrit *aifait* (1272) puis *effect* par latinisme (XIIIe s.) et enfin *effet* (1430), au latin impérial *effectus* «exécution, réalisation», «vertu, force» et «résultat», de *effectum,* supin du latin classique *efficere,* composé de *ex-* et de *facere* (→ faire).

♦ *Effet* a d'abord au XIIIe s. le sens d'«événement produit par une cause» et celui d'«impression produite (sur qqn)» (1272, *faire aifait*). Au début du XIVe s., le mot désigne aussi ce que qqn possède sous une forme effective, spécialement les biens, le linge, les vêtements (1310, *effaicts de maisons*); le mot devient ensuite (1671) un terme de finances (***effet de commerce*** ou *effet*). *Effet* reprend ensuite le sens latin de «réalisation»; les locutions *en venir à l'effet* (XVIIe s.), *homme d'effet* «qui agit» (XVIIe s.), *homme de peu d'effet* sont devenues archaïques; en revanche ***demeurer sans effet*** et ***prendre effet*** «devenir effectif» continuent de s'employer, de même que des locutions adverbiales : ***en effet,*** d'abord (1536) au sens de «réellement», puis (1690) pour confirmer ce qui est dit, pour servir de liaison; ***à (pour) cet effet*** «dans cette intention» (1690), et la locution prépositive ***à l'effet de*** «dans le but de» (1690), de style juridique. ◇ Du sens d'«impression» viennent ***faire peu d'effet*** (av. 1430), ***faire de l'effet*** «produire une impression vive» (*faire effet* en ce sens est sorti d'usage), ***faire (un) bon, (un) mauvais effet, faire l'effet de,*** etc. ◇ Dans le domaine esthétique, *effet* se dit (1660) de l'impression recherchée *(produire un effet),* d'où ensuite *effets de lumière* (1821), dans un tableau, puis ***effets spéciaux*** destinés à produire une illusion au cinéma (1912), à la télévision. ◇ Au pluriel, le mot s'emploie au sens d'«attitude affectée pour produire des effets» (1834, *effets de cils, effets de voix*), d'où les locutions ***réussir, avoir (manquer) son effet, ses effets, couper ses effets à qqn.*** ◇ Du sens de «résultat» sont issus plusieurs emplois spéciaux : en équitation (1690, Furetière), *effet* désigne l'action de la main, de la jambe qui sert à conduire le cheval *(effets de rênes);* au billard (XIXe s.; 1868, J. Verne in *T. L. F.*), *mettre de l'effet, effet (de queue);* en particulier, *effet* se dit d'un phénomène acoustique, électrique apparaissant dans certaines conditions. Le mot s'emploie aussi en biologie (*effets génétiques;* cf. *somatique*).

◈ voir EFFECTEUR, EFFECTIF, EFFECTUER, ② EFFICACE.

EFFEUILLER → FEUILLE

① **EFFICACE** n. f. est un emprunt (v. 1161) au latin impérial *efficacia,* dérivé de *efficax.* Il correspond au latin classique *efficacitas* (cf. *efficacité*) et désigne la vertu active de qqch., spécialement en théologie, celle de Dieu et de sa parole (1541, Calvin). Le mot s'est surtout employé en religion dans la langue classique; il demeure vivant, à côté d'*efficacité,* dans un usage didactique ou littéraire.

② **EFFICACE** adj. est emprunté (XIVe s.) au latin classique *efficax, -acis* «qui produit l'effet attendu», «dont les actes atteignent leur but», dérivé de *efficere* (→ effet). L'adjectif reprend d'abord le premier sens du latin (XIVe s.), spécialement en théologie où *grâce efficace* (1656, Pascal) s'oppose à *grâce suffisante,* puis le second (1834).

► **EFFICACEMENT** adv. est attesté en 1309.

L'adjectif préfixé **INEFFICACE** est emprunté au latin *inefficax* «sans effet utile», «qui ne produit pas (qqch.)»; il signifie «qui n'est pas efficace», s'appliquant à des choses (v. 1380, sous la forme latine *inefficax;* 1611, francisé) et à des personnes (1896). ➛ En dérivent **INEFFICACITÉ** n. f. (1694), d'après *efficacité,* et **INEFFICACEMENT** adj. (1778).

EFFICACITÉ n. f. est un emprunt au dérivé latin classique *efficacitas* «force, vertu». Le nom, attesté isolément à la fin du XVe s. (1495) en théologie pour «caractère d'un sacrement efficace» (cf. ① *efficace* n. f.), est repris en 1675. Il s'emploie couramment à partir du XIXe s. en parlant d'une personne (1861) et d'une chose *(efficacité d'un traitement).*

EFFICIENT, ENTE adj. est un emprunt (1290, *cause efficiens*) au latin classique *efficiens, -ientis* «qui produit un effet», également terme de philosophie *(efficiens causa),* participe présent adjectivé de *efficere* «achever, produire», lui-même dérivé préfixé en *ex-* de *facere* (→ faire).

♦ *Efficient,* dans le domaine philosophique, conserve le sens du latin (*cause efficiente,* opposé à *cause finale*). Par anglicisme, le mot a repris (1948) le sens de l'anglais *efficient* (XIVe s., en philosophie), lui-même emprunté au français et correspondant à «efficace», ceci dans un usage prétentieux et critiqué.

▸ Le composé **INEFFICIENT, ENTE** adj. (1918), signifiant «sans effet», reste d'usage didactique. ➛ **COEFFICIENT** n. m. (1750) de *co-* «avec», terme scientifique, désigne un nombre qui multiplie la valeur d'une quantité algébrique (cf. *facteur*). D'abord d'usage strictement scientifique, le mot a pris des valeurs métaphoriques vers le milieu du XIXe s. (Hugo, P. Leroux in *P. Larousse*), puis le sens courant de «facteur, pourcentage» et au figuré se dit du facteur constitutif d'un phénomène (attesté 1883, Renan). Au sens mathématique, le mot s'est spécialisé dans divers domaines, il s'emploie couramment pour «valeur relative d'une épreuve d'examen» (attesté début XXe s.).

EFFICIENCE n. f. représente une adaptation (1893) de l'anglais *efficiency* «fait d'être une cause efficiente» (1593), puis «efficacité» (1633), emprunté au latin classique *efficientia* «faculté de produire un effet». Le mot latin, dérivé du terme philosophique *efficiens,* avait donné en ancien français *effisance* «fait de se produire» (attesté isolément v. 1200). *Efficience* est d'abord utilisé en philosophie au sens de «capacité de produire un effet». Le mot, repris par anglicisme, devient ensuite (1923) un doublet d'*efficacité.*

EFFIGIE n. f. est emprunté (v. 1468) au latin *effigies* «représentation, image», «statue», dérivé de *effingere* «représenter», de *ex-* et *fingere* «modeler de l'argile», «reproduire», «imaginer, inventer», qui a donné *feindre**. *Fingere* comme *figura* (→ figure) et *fictio* (→ fiction) remonte à une racine indoeuropéenne °*dheig'h* (védique *déhmi* «cimenter»), *dh* donnant *f* ou *d;* cette filiation est réalisée dans le vocabulaire de la poterie et de l'architecture dans de nombreuses langues indoeuropéennes (par exemple, l'arménien *dizanim, dēz* «tas», le gotique *daigs* «argile»).

♦ *Effigie* est d'abord attesté (v. 1468) aux sens aujourd'hui disparus d'«aspect, stature» et de «forme, image (d'une chose)». Le mot s'emploie (1510) dans son sens étymologique de représentation (d'une personne) et en droit ancien (1611) «tableau ou mannequin d'un condamné par contumace», d'où *mettre en effigie* (XVIIe s.) «brûler la représentation d'un condamné par contumace», remplacé par *brûler, pendre en effigie.* ◇ En numismatique, *l'effigie* (1669) est la représentation du visage d'une personne sur une médaille, et au figuré (1701) la représentation sous forme humaine d'une abstraction ou d'une entité.

▸ Le dérivé **EFFIGIER** v. tr. (1549, «représenter en effigie») s'est dit (1676) en droit pénal pour «exécuter en effigie».

EFFILER, EFFILOCHER → **FIL, FILER**

EFFLANQUÉ → **FLANC**

EFFLEURER → **FLEUR**

EFFLORESCENCE n. f. est un mot de formation savante (v. 1562) tiré avec le suffixe *-ence,* du latin classique *efflorescere* «fleurir» et au figuré «s'épanouir», en bas latin «proliférer, se répandre» (en parlant de la lèpre); *efflorescere* est l'inchoatif de *florere* «fleurir», dérivé de *flos, floris* (→ fleur).

♦ Le mot est d'abord utilisé au sens de «surface, croûte», en parlant de l'épiderme, c'est-à-dire de ce qui «affleure». ◇ Repris au XVIIIe s., *efflorescence* désigne (1751) une couche de sel et s'emploie comme terme de chimie en même temps que *efflorescent* (1755, «transformation de certains sels qui deviennent superficiellement pulvérulents»), de médecine (1755, «lésion élémentaire de la peau») et de botanique (1784, «floraison»). ◇ Le nom, dans un emploi figuré (1834), équivaut littérairement à «commencement, naissance (de qqch.)».

▸ **EFFLORESCENT, ENTE** adj. est un emprunt savant au latin *efflorescens,* participe présent de *efflorescere,* d'abord employé en chimie (1755, «couvert de sels en efflorescence»); il se dit poétiquement au figuré (1832, Hugo) pour «qui s'épanouit». Il a été repris comme terme de botanique (1845 «qui est en pleine floraison»).

◈ voir **FLORAL.**

EFFLUENT, ENTE adj. et n. m. représente un emprunt savant (av. 1475, adj.) au latin *effluens,* participe présent de *effluere* v. intr., «s'écouler, couler de» et tr., «laisser couler», formé de *ex-* et *fluere* «couler» (→ effluve, fleuve, fluide).

♦ L'adjectif, avec le sens de «qui s'écoule d'une source», a disparu. Il a été repris comme terme didactique dans cet emploi. *Effluent* s'emploie comme nom masculin (1942, «bras d'un fleuve») pour désigner en géographie un cours d'eau issu d'un lac ou d'un glacier et plus couramment (1961) l'ensemble des eaux à évacuer d'une ville *(effluent urbain)*; il désigne aussi (1957, *effluents radioactifs*) des matériaux (liquides ou gaz) résiduels dégagés par l'énergie nucléaire.

▶ **EFFLUENCE** n. f. (1747), dérivé de l'adjectif ou emprunté au dérivé bas latin *effluentia* «écoulement, épanchement», signifie dans l'usage littéraire «émanation» et a été synonyme d'*effluve*, dans l'emploi spécialisé *effluences électriques*.
Au latin *effluere* a été emprunté **EFFLUER** v. tr., attesté une première fois au sens de «découler» (1404, C. de Pisan; intr.), repris en 1895 (Huysmans) avec celui de «produire, laisser s'écouler» dans un emploi littéraire et rare.

◈ voir **AFFLUER, CONFLUER, INFLUER.**

EFFLUVE n. m. représente un emprunt (1755, d'Alembert) au latin *effluvium* «endroit où un lac se décharge», «écoulement», dérivé de *effluere* «s'écouler, couler de» (intr.) et «laisser couler» (tr.); → effluent. Le mot est d'abord introduit sous la forme latine (1750, abbé Prévost) avant d'être francisé, par emprunt au latin scientifique d'Angleterre (XVIIe s.) où le mot désignait des émanations magnétiques, électriques ou odorantes. Une autre forme francisée, *effluvion* (1824, Joubert), a été rapidement éliminée.

♦ *Effluve*, et surtout *effluves*, «émanations se dégageant des corps organisés, des matières organiques, de certaines substances», appartient plutôt au registre écrit ou soutenu de la langue. À partir du XIXe s., il s'applique spécialement à des domaines techniques (1834, *effluve magnétique*; 1884, *effluve électrique*; 1904, *effluve radioactif*). ◇ Le mot se dit au figuré (déb. XIXe s.) d'une émanation, d'une influence d'ordre moral, psychique. En raison de sa terminaison, le mot est fréquemment employé au féminin.

▶ **EFFLUVER (S')** v. pron. est récent et très didactique; il signifie (1945) «émettre des effluves» et (1965) en médecine «émettre des effluves électriques». ➛ **EFFLUVATION** n. f. (1908) «traitement par des effluves d'électricité statique», équivalent du composé **EFFLUVIOTHÉRAPIE** n. f. (mil. XXe s.), est antérieur au verbe dont il pourrait être dérivé.

EFFONDRER v. tr. est issu (v. 1150, *esfondrer*) du latin populaire °*exfunderare* «défoncer», de *ex-* et du classique *fundus* «fond» de toute espèce (→ fond).

♦ Le verbe conserve le sens du latin (v. 1150) puis est utilisé comme terme de cuisine (1379) au sens de «vider (un animal)». L'emploi pronominal courant, au sens de «s'écrouler» est attesté au XVIIe s. (1690). Au début du XVIIIe s. (1704), *effondrer* signifie en agriculture «remuer profondément (la terre)». Au figuré, le verbe prend au milieu du XIXe s. (1846, Balzac) le sens de «décourager, abattre» plus courant aujourd'hui au pronominal (1856, à propos de choses, «disparaître»; 1862, à propos de personnes), spécialement dans le domaine financier (1886, «subir une baisse»), puis en sports (1901) pour «avoir une défaillance soudaine, lors d'un effort». *S'effondrer* se dit ensuite (1915) pour «tomber mort ou blessé».

▶ Le dérivé **EFFONDREMENT** n. m. est d'abord apparu (av. 1562) comme terme d'agriculture; le mot est repris au XIXe s. dans diverses acceptions parallèles à celles du verbe : «fait de s'effondrer» (1848; 1862, en géologie), «chute brutale, disparition» (av. 1862, en parlant de choses), «abattement» (1864, en parlant de personnes), «baisse importante (d'une monnaie, d'un cours)» (1891, Zola).

EFFORCER, EFFORT → **FORCE**

EFFRACTION n. f., attesté une première fois au XVe s. (1404) et repris au XVIe s. (Amyot), est un dérivé savant au moyen du suffixe *-ion* du latin classique *effractus*, participe passé passif de *effringere* «rompre, briser, ouvrir par effraction» (cf. bas latin juridique *effractura* «effraction»), de *ex-* (→ ① ex-) et *frangere* «briser, rompre». Ce verbe se rattache à une racine indoeuropéenne °*bhreg-* «briser»; → enfreindre; fraction.

♦ *Effraction* désigne en droit, et aujourd'hui couramment, un bris de clôture fait en vue de pénétrer dans une propriété publique ou privée *(vol avec effraction)*. Il se dit au figuré pour «violation d'un domaine réservé (mental, religieux, artistique...)», notamment dans les expressions *par effraction, sans effraction*.

▶ En dérive le terme de droit **EFFRACTIONNAIRE** adj. (1828) «coupable d'effraction».

◈ voir **DIFFRACTION, INFRACTION.**

EFFRAIE n. f., attesté en 1370 sous la forme *effraigne*, puis *effraye* (1553), est un mot de formation obscure. Il s'agit peut-être de l'altération d'*orfraie* (→ orfraie) [oiseau rapace nocturne, nommé scientifiquement *pygargue*], sous l'influence d'*effrayer*, ou de l'altération, sous la même influence, de *fresaie* (autre nom de l'effraie, du XVIe au XIXe s.).

♦ Le mot désigne un oiseau voisin de la chouette, au plumage clair.

EFFRANGER → **FRANGE**

✱ **EFFRAYER** v. tr., d'abord sous la forme *esfreder* (fin Xe s.) puis *esfreer* (1080), *esfreier* (v. 1155), *effroyer* (déb. XIVe s.), est issu du latin populaire °*exfridare* «faire sortir de la paix, de la tranquillité», verbe formé du préfixe privatif *ex-* et du francique °*fridu* «paix» (cf. ancien haut allemand *fridu* et allemand *Friede*, de même sens). En latin médiéval du domaine anglo-saxon, on trouve *exfrediare* «troubler» (v. 1155). Les formes *esfreier, effroyer, effrayer* sont refaites à partir d'*esfrei, effroi*.

♦ Le verbe a eu (fin Xe s.) le sens étymologique de «troubler», propre à l'ancien français; par extension, il signifie ensuite «frapper de frayeur» (v. 1155) d'où, par exagération, «provoquer de l'inquiétude» (fin XIIe s.) et «mettre en défiance (qqn), choquer» (cf. *effaroucher*).

▶ **EFFRAYANT, ANTE** adj. (1539) a suivi la même évolution que le verbe et s'emploie familièrement comme intensif (1764, *un prix effrayant*); l'adverbe **EFFRAYAMMENT** qui en dérive (1636, *effroiement*; repris en 1860, Goncourt) est rare. ➛ **EFFROI** n. m.

(v. 1140, *esfrei, effrei,* puis v. 1210, *esfroi*) signifie «grande frayeur», puis par extension «ce qui provoque de l'effroi (à qqn)» (1553); par exagération, le mot se dit pour «appréhension» dans des locutions comme ***avec effroi, à son grand effroi.*** Le mot, assez courant, reste cependant d'usage soutenu (par rapport à *peur*). ◆ En dérive l'adjectif courant **EFFROYABLE** (XVe-XVIe s.) qui, dès l'époque classique (1647), se disait pour «énorme», aujourd'hui en emploi familier; le sens premier, qui en fait un doublet plus fort de *effrayant,* est d'usage soutenu. ◆ Le dérivé **EFFROYABLEMENT** adv. s'emploie aussi au sens fort (1551) et familièrement pour «excessivement» (1659); il est lié à l'idée de «désagrément» alors que les auteurs classiques l'employaient couramment comme simple intensif.

◈ voir BEFFROI.

EFFRÉNÉ, ÉE adj. est un emprunt savant (v. 1200) au latin *effrenatus* «débridé, délivré du frein», participe passé de *effrenare,* de *ex-* intensif et *frenare* «mettre un frein, un mors» et au figuré «contenir, modérer» (→ frein).

♦ Le mot signifie couramment en emploi figuré «qui est sans retenue» (cf. *débridé,* qui correspond à la même image).

▸ L'adverbe dérivé **EFFRÉNÉMENT** (XVe s.) est sorti d'usage.

EFFRITER v. tr., d'abord attesté sporadiquement au sens de «dépenser» (*esfriter,* XIIIe et XIVe s.), ne prend la forme actuelle qu'en 1611. Ce verbe représente une altération d'*effruiter,* dérivé de *fruit* (→ fruit), qui, du sens initial de «dépouiller de ses fruits» (encore employé régionalement) au moyen âge, est passé à celui de «rendre le sol stérile, épuiser une terre, par le retour des mêmes cultures», d'où le participe passé *esfruitiee* (1213).

♦ *Effriter* n'est plus en usage dans ce dernier emploi; le sens moderne de «rendre friable, réduire en poussière» (1801, d'après Bloch et Wartburg) est probablement dû à l'influence de *friable,* dans des emplois tels que *terre effritée.* Le verbe est plus courant à la forme pronominale (1852).

▸ Le dérivé **EFFRITEMENT** n. m. est attesté en 1846 au sens agricole aujourd'hui disparu d'«épuisement d'une terre» et en 1879 dans son emploi moderne; il se dit au propre de la désagrégation d'une roche, du bois et au figuré d'une dégradation progressive (déb. XXe s., *effritement des cours de la Bourse*).

EFFRONTÉ → **FRONT**

EFFUSION n. f. est emprunté (av. 1150) au latin classique *effusio* «action de répandre» et «débordement, transport de joie», dérivé du supin *(effusum)* de *effundere,* de *ex-* et *fundere* «répandre» (→ fondre), verbe qu'on rattache à une racine indoeuropéenne °*ghew-* «faire couler».

♦ Le mot s'est d'abord dit, comme en latin, de l'action de répandre (un liquide), d'où (av. 1150), *effusion de ewes* «d'eaux»; dans cette acception, *effusion* n'apparaît plus aujourd'hui que dans ***effusion de sang*** (1282, en médecine ancienne, *effusion du sanc*) «fait de verser le sang, de blesser ou de tuer». ◇ Le sens figuré, attesté en latin, apparaît au XVIIe s. dans le langage religieux (1648, *effusion de grâces*); plus largement, *effusion* désigne la manifestation sincère d'un sentiment (1671, *effusion de cœur*). Aujourd'hui, cet emploi est plutôt littéraire; le mot s'emploie plus couramment dans des locutions telles que ***parler, remercier avec effusion.***

▸ Le dérivé **EFFUSIONNISTE** adj. (XXe s.) «qui a rapport à l'effusion (érotique)» est d'emploi littéraire et rare. ◆ **EFFUSER** v. tr., attesté une première fois au XVe s. et repris en 1898 (Huysmans), est dérivé du latin *effusum,* supin de *effundere.* Dans un emploi littéraire, il signifie «faire jaillir au dehors».

ÉGAILLER (S') v. pron. et tr. apparaît sous les formes *esguaillied* (1155, tr.), *esgailler* (1474) et sous la forme actuelle en 1829. C'est un mot des dialectes de l'Ouest, particulièrement usité en Vendée où il se disait en parlant de la manœuvre des insurgés qui fuyaient la bataille rangée, pendant la chouannerie. Il est probablement issu du latin populaire °*aegualiare* «rendre égal» d'où «répandre de façon égale», du latin classique *aequalis* (→ égal). P. Guiraud suggère un rapprochement avec des dérivés anciens de *gai* de sens voisin : *soi esgayer* «se disperser», «s'en aller au hasard»; *s'égayer* «se déployer à l'aise»; *se desgayer* «s'égarer»; cette hypothèse est sémantiquement beaucoup plus satisfaisante.

♦ D'abord transitif, *égailler* s'est dit pour «niveler» et signifie «disperser, éparpiller» (1474, en parlant de la terre; repris au XXe s.); l'emploi pronominal est attesté chez Balzac (*Les Chouans,* 1829).

▸ Le dérivé **ÉGAILLEMENT** n. m. (1870, Erckmann-Chatrian) «dispersement, éparpillement» n'est pas d'un usage courant.

✳ **ÉGAL, ALE, AUX** adj. sous la forme *igal* (v. 1150), puis *egal* (v. 1160), représente une réfection des formes populaires phonétiquement évoluées *uel, oel, evel* (v. 1119), d'après le latin *aequalis* (dont ces formes sont issues); *aequalis* «égal (par l'âge, la grandeur, etc.)», «régulier», «uni», est dérivé de *aequus* «uni, plan, horizontal» (→ équi-).

♦ *Igal* puis *égal* est attesté au milieu du XIIe s. au sens de «qui est de même valeur, de même qualité», et (v. 1155) en parlant de personnes «qui est sur le même rang»; il sert d'adjectif d'évaluation avant de devenir un thème idéologique, avec l'idée que les hommes sont ou doivent être *égaux entre eux, égaux devant la loi,* développé avec celui d'égalité (ci-dessous) au XVIIIe siècle. De là le nom *un égal, une égale.* ◇ *Égal* s'emploie aussi en parlant de choses non mesurables (v. 1160, *égale peine*), de quantités et de dimensions (v. 1165). ◇ *Égal* s'applique par analogie à des personnes ou des choses dont on compare les différentes parties (v. 1165) d'où, dans l'ordre temporel, le sens de «qui ne varie pas» (1580, Montaigne), la locution ***à l'égal de*** «autant que» (1595, *a l'esgal de*) et l'emploi au figuré (XVIIe s., *style égal*). Au XVIIe s. *égal* comme nom sert à former la locution archaïque ***traîter d'égal avec qqn***, remplacée par ***d'égal à égal***, puis (1641) dans ***l'égal de, son égal (n'avoir point son égal, d'égal), sans égal.*** ◇ L'adjectif, au XVIIe s., est employé au sens de «sans préférence, impartial» (1641), en parlant de l'attitude d'une personne envers des choses ou d'autres personnes ; par extension, *égal* signifie «indifférent». *Égal* au milieu du siècle (1651) est attesté au sens de «qui a les mêmes qualités qu'autrefois», d'où la locution ***(être) égal à (soi) lui-même.*** Du sens d'«indifférent» est issu celui (1663) de «qui est objet d'indifférence» ; ***la chose est égale*** «cela importe peu», est aujourd'hui remplacé par ***être égal à qqn, lui être égal,*** d'où ***c'est égal*** «quoi qu'il en soit» (1779), ***ça m'est égal*** (1814). *Être égal à (qqn)* forme aujourd'hui un verbe complexe.

▶ **ÉGALEMENT** adv. signifie (v. 1150, *egalment*) «au même degré, au même titre» et «en outre», «de même» (1797), couramment à partir du XIXe siècle. ➜ Quant aux dérivés verbaux, il s'est effectué une répartition des emplois entre *égaler* et *égaliser.*

ÉGALER v. tr. est d'abord attesté, comme pronominal, au sens de «se rendre égal à» (v. 1225, *soi egailler a qqn,* puis v. 1260, *soi ygailler*). Le verbe s'emploie ensuite transitivement (1470) pour «rendre égal des choses entre elles, les répartir avec équité», sens sorti d'usage, comme (fin XVe s.) «rendre égal, uni» (cf. *égaliser*). Par extension, ***égaler qqn à qqn d'autre*** signifie (1558) «le mettre au même niveau» ; au XVIIe s. *égaler qqn, qqch.* (1643), c'est lui être égal en valeur, en mérite, etc. et *égaler deux personnes, deux choses,* c'est les considérer comme étant au même niveau de qualité, etc. (1651). ◇ Par extension, le verbe signifie (1824) «élever (qqn, qqch.) au même degré qu'un autre» (en sports, *égaler un record*). ➜ Du verbe dérivent l'adjectif **ÉGALABLE** (XVIe s. ; au sens de «égal» au XIIIe s.), moins courant que son antonyme **INÉGALABLE** adj. (1842, dans Richard de Radonvilliers, puis 1891 chez Huysmans) qui s'applique par extension à ce qui est excellent, remarquable. ➜ Le dérivé **ÉGALEMENT** n. m. «action d'égaler» (1509) est devenu au XVIe s. un terme de droit, signifiant «égalisation des parts de cohéritiers, compte tenu des avances d'hoirie» (1520).

ÉGALISER v. tr. est d'abord attesté, comme verbe transitif, au sens de «traîter qqn de la même manière qu'un autre» (1440-1475) ; comme pronominal, il apparaît au milieu du XVe siècle. À la fin du XVIIIe s., *égaliser* s'emploie (1789) au sens figuré de «mettre sur un pied d'égalité» (des personnes) ; au XIXe s., le verbe prend le sens d'«ôter toute aspérité», au figuré (1834, Sainte-Beuve) puis au propre (1850, Flaubert, *égaliser le sol*). Dans la langue du sport *égaliser le score* (en marquant un point) ou, absolument, *égaliser*, est relevé en 1900. ➜ Sur *égaliser* ont été dérivés **ÉGALISATION** n. f. (av. 1593), **ÉGALISEUR, EUSE** (1792) «partisan de l'égalitarisme», repris comme terme technique au XXe s., comme nom masculin et féminin et **ÉGALISABLE** adj. (XXe s.). ➜ **ÉGALISATEUR, TRICE** est formé (1870) sur le radical d'*égalisation.*

Le préfixé **INÉGAL, ALE, AUX** adj. représente une réfection d'après *égal* du moyen français *inequal* (1370), emprunt savant au latin classique *inaequalis* «inégal, raboteux», «dissemblable» et «inconsistant». L'adjectif a d'abord le sens général de «qui n'est pas égal à un autre», «qui ne sont pas égaux», en parlant de choses ou de personnes (1370), d'objets dont la mesure n'est pas la même (1560), ou dont les éléments ou les participants ne sont pas égaux (1578, Ronsard, *combat inégal*). ◇ Au XVIe s. *inégal,* à propos d'un objet unique, signifie «dont les caractères ne sont pas toujours et partout les mêmes» : l'adjectif s'emploie pour des choses concrètes, des surfaces (1558, *inegual*), un processus (1552), une personne (1559, *caractère inégal*), puis au XVIIe s. se dit d'une œuvre, d'une personne, etc., à propos de la qualité (1609, M. Régnier). ➜ L'adverbe **INÉGALEMENT** est attesté en 1484 ; **INÉGALISER** v. tr. (1875) reste d'emploi didactique.

INÉGALÉ, ÉE adj. (1842 dans Richard de Radonvilliers, comme proposition néologique, puis 1861) se dit de ce qui n'a pas de rival (cf. ci-dessus *inégalable*).

◈ voir ÉGALITÉ.

ÉGALITÉ n. f., formé (1re moitié XVe s.) d'après *égal,* a remplacé les formes anciennes du type *oelté* (1re moitié XIIe s.) issues du latin *aequalitas* (de *aequalis ;* → égal) et du type *equalité* (v. 1200, et encore au XVIe s.), *igauté, égauté* (v. 1280), calques savants du latin.

♦ *Égalité* reprend le sens du latin, d'abord dans l'expression *en l'égalité de* «au niveau de» puis (1503) en emploi libre *(esgalité).* Le mot s'emploie par extension pour désigner le fait, pour les humains, d'avoir les mêmes droits, d'être de conditions égales (1647) ; on parle au XVIIIe s. (1744) de *l'égalité, loi de nature* et la notion est souvent évoquée à côté de celle de liberté, avant et pendant la Révolution. Par ailleurs, le mot entre dans le vocabulaire des mathématiques (1687 ; cf. 1549, *proportion d'Equalité*). C'est également au XVIIe s. que *égalité* désigne la qualité de ce qui est constant, régulier (1639), d'où le sens de «développement régulier» (1690, *égalité du style*). ◇ *Égalité* s'est employé par métonymie pendant la Révolution française (1789) pour remplacer, dans les jeux de cartes, le nom de *valet ;* cette appellation n'a pas survécu à la période. ◇ Au sens de «qualité d'un terrain uni» (1835), le mot est rare.

▶ Sur le radical d'*égalité* a été formé **ÉGALITAIRE** adj. (1836, *systèmes égalitaires*) «qui vise à l'égalité absolue en matière politique ou sociale», d'où **ÉGALITAIREMENT** adv. (1870). ➜ À partir du radical d'*égalitaire* a été dérivé **ÉGALITARISME** n. m. (1863), d'où **ÉGALITARISTE** adj. et n. (1927).

INÉGALITÉ n. f. représente (1621) une réfection, d'après *égalité,* de l'ancien et moyen français *inéqualité* (v. 1290), emprunt savant au latin classique *inaequalitas* qui signifie non seulement «inégalité» mais aussi «diversité, variété», «inconstance» et «anomalie (grammaticale)», de *inaequalis.* Le mot s'emploie d'abord (v. 1290) au sens de «fait, pour des choses ou des personnes, de ne pas être égales», «caractère inégal» ; de là vient l'emploi à propos de l'irrégularité d'un rythme, d'un mouvement, par exemple en physiologie (1660, *inégalité du pouls*) et en astronomie (1691, *inégalité dans la marche des* *astres*). Il signifie ensuite (1509) «caractère de ce qui n'est pas uni» *(l'inégalité d'un chemin)*, surtout au pluriel *(des inégalités de terrain)*, et en particulier (1530) «caractère de ce qui est inconstant, changeant» *(inégalité de raison)*; de cette acception sortie d'usage viennent des emplois figurés : *inégalité de l'humeur* (déb. XVIIe s.), *inégalité d'un style* (1690). C'est aussi au XVIe s. que le mot est employé en mathématiques (1549). ◆ Sur le radical, a été formé d'après *égalitaire* **INÉGALITAIRE** adj. (1876), qui se dit spécialement (1974) de ce qui crée ou perpétue des inégalités sociales.

ÉGARD n. m. représente (v. 1140, *esgart*) le déverbal de l'ancien verbe *esguarder* (v. 1050) «veiller sur, avoir soin de», dérivé de *garder* (→ garder).

♦ *Égard* a d'abord signifié «avis, opinion» (v. 1140, *al mien esgart*), sens qu'il conserve jusqu'au XVIIe s. dans des locutions : ***avoir, faire esgard*** «surveiller, examiner», ***prendre égard*** «remarquer». ◇ Puis il se dit pour «considération», «décision» (***par égard*** «en considération de») [v. 1165]. De ce sens disparu vient par extension (1422) celui de «sollicitude, action de considérer avec une particulière attention (qqch., qqn)», surtout employé aujourd'hui avec le verbe *avoir* ou dans des locutions, avec un sens atténué marquant une simple relation : ***eu égard à*** (1549), ***à cet égard*** (1606), ***à l'égard de*** (XVIIe s.), ***à tous (les) égards*** (1740). ◇ Le sens fort, représenté dans d'autres locutions : ***par (pour) égard à*** (1760 ; v. 1225, *par esgard de*), ***sans égard pour...*** (1720 ; v. 1541, *sans esgard de*), demeure dans l'emploi du mot, surtout au pluriel, pour «marques de considération, d'estime» *(avoir des égards pour qqn, manquer d'égards)*.

ÉGARER v. tr. est issu d'abord comme intransitif (v. 1120, *esgarer*) mais dès le XIe s. (v. 1050) comme adjectif féminin *esguarethe* «qui a l'esprit troublé», du germanique °*warôn* «faire attention à» (cf. allemand *wahren* «garder, conserver»).

♦ Le verbe est d'abord attesté au sens de «troubler (l'esprit)» ; il signifie ensuite concrètement (v. 1120, intr.) «perdre le bon chemin» (aujourd'hui *s'égarer*, fin XIVe s.), d'où «mettre (qqn) hors du bon chemin» au propre (v. 1175) et au figuré (1580) «écarter (qqn) du bien, de la vérité, etc.». En ancien et en moyen français il a le sens de «priver de» (v. 1200, *esgaré de*). *Égarer* s'emploie ensuite (1397-1398) pour «mettre (qqch.) à une place qu'on oublie, perdre momentanément» et *s'égarer* signifie par figure «s'écarter du bon sens» (av. 1613).

▶ Le dérivé **ÉGAREMENT** n. m. s'est employé au sens propre : «action, fait de s'égarer» (v. 1175, *esgarement*, attestation isolée, puis 1587) ou «action de perdre qqch.» (1600). ◇ Employé au figuré, le mot désigne aujourd'hui l'action de s'écarter de la norme, de ce qui est défini par la morale, la raison ; il s'emploie spécialement, le plus souvent au pluriel, au sens de «dérèglement de la conduite, des mœurs».

ÉGÉRIE n. f. est un emprunt (1842) au latin *Egeria*, mot sans doute étrusque : c'est le nom d'une nymphe que Numa Pompilius, roi légendaire de Rome, prétendait consulter avant d'établir des lois pour les Romains.

♦ *Égérie* se dit, en termes littéraires, d'une femme qui passe pour la conseillère, l'inspiratrice d'un homme politique, d'un écrivain, d'un artiste. Au figuré (1862, Vigny), le mot s'emploie par plaisanterie en parlant d'une chose personnifiée en tant que source d'inspiration.

ÉGIDE n. f. est un emprunt (1512) au latin *Aegis, Aegidis* «bouclier de Jupiter, de Pallas Athéna», d'où «défense, protection», lui-même du grec *aigis* proprement «peau de chèvre» et «bouclier fait avec la peau de la chèvre Amalthée», de *aix, aigos* «chèvre».

♦ *Égide*, terme de mythologie, désigne le bouclier de Zeus, qui était recouvert de la peau de la chèvre Amalthée, sur lequel était posée la tête de Méduse ; ce bouclier avait été confié par le dieu à Pallas Athéna (Minerve) ; en français, comme en latin, le mot a spécialement désigné le bouclier de Pallas. Le sens figuré de «protection, sauvegarde» (1569) est d'usage littéraire ou didactique. Seule l'expression ***sous l'égide de*** (1801) est d'emploi plus courant, pour «sous la protection notoire de», mais *égide* n'y est en général plus compris.

ÉGLANTIER n. m., attesté sous la forme *eglenter* n. m. en 1080, est un dérivé avec le suffixe *-ier* (sur le modèle d'autres noms d'arbres dérivés de noms de fruits) de l'ancien français *aiglent*. Ce dernier est issu du latin populaire °*aquilentum*, altération de °*aculentum* «muni d'épines» (cf. *piscilentus* «poissonneux», *spinulentus* «épineux») ; cette forme provient du latin classique *aculeatus* «qui a des aiguillons, des piquants», de *aculeus* «aiguillon», dérivé de *acus* «aiguille». Ce nom est rattaché à une racine indoeuropéenne °*ak-* exprimant l'idée de «pointe», comme *acer* (→ âcre), *acerbus* (→ acerbe).

♦ *Églantier* est le nom donné à un rosier sauvage. Dans l'iconographie chrétienne, *l'églantier mystique* est représenté aux pieds de la Vierge.

▶ **ÉGLANTINE** n. f. (1560, *englantine* ; 1600, *esglantine*) représente le féminin substantivé de l'adjectif *aiglentin*, dérivé de *aiglent*. Le mot, qui désigne la fleur de l'églantier, est attesté spécialement en 1560 à propos de l'églantine d'or décernée au Jeux Floraux de Toulouse. Par métonymie, *églantine*, adjectif invariable qualifie une couleur (rose pâle). En termes d'histoire politique, *les églantines rouges* ont désigné les socialistes et communistes qui portaient (v. 1900-1910) cette fleur à la boutonnière ; d'où le dérivé **ÉGLANTINARDS** employé par Barrès (1917-1918) et sorti d'usage.

ÉGLEFIN ou **AIGLEFIN** n. m. apparaît sous diverses formes : *egreffin* (v. 1300), *esclefin* (1er tiers du XIVe s.), *eglefin* en 1554. Le mot est emprunté au moyen néerlandais *schelvisch* «poisson proche de la morue» (qui donne v. 1340 le français *esclevis* et l'allemand *Schellfisch*) avec altération de la finale sous l'influence de *fin*, la graphie *aiglefin* (1555) étant influencée par *aigle* ; la variante *aigrefin* (XIVe s.) est une altération d'après *aigre* (→ aigrefin).

ÉGLISE n. f. est issu (v. 1050) du latin populaire *eclesia*, altération du latin chrétien *ecclesia*, emprunt au grec *ekklesia*, désignant l'assemblée des citoyens, et, dans le Nouveau Testament, celle des fidèles. Le grec *ekklesia* remonte à une racine indoeuropéenne signifiant «appeler» (→ ecclésiastique). En latin médiéval, *eclesia*, *ecclesia* désigne aussi, par métonymie, le lieu où les fidèles s'assemblent, le temple ; cette valeur concrète s'est imposée.

♦ Le mot apparaît au sens concret, désignant l'édifice consacré au culte catholique. L'ancien français connaît plusieurs variantes, *glise* (XIe-XIIe s.), *egleise* (Franche-Comté), etc. ◇ Dès le XIIe s., *sainte eglise* (1135), *la sainte mère eglise* (v. 1175) se dit de l'ensemble des chrétiens et de l'autorité qui les dirige. Un emploi spécial concerne l'Assemblée des premiers chrétiens, dite *église primitive* ou *primitive église*. À partir du XVIe s., le mot s'applique à une catégorie plus précise de chrétiens, dans des syntagmes comme *eclise romaine* (1546, Rabelais), *église gallicane* (XVIIe s.) ; cette acception a pris de l'importance avec la Réforme *(églises réformées, anglicane, baptiste...)*. *Gens d'église* (1549), puis *homme d'église* se dit des membres du clergé, *Église* désignant le clergé en tant qu'État, au XVIIIe siècle. Un emploi figuré pour «groupe de personnes ayant même croyance, même doctrine» apparaît au XIXe s. (1862, Goncourt).

▸ La dérivation est faible, le latin chrétien *ecclesia* ayant fourni par emprunt plusieurs dérivés (*ecclésiastique*, etc.). Le diminutif *églisete*, *églisette* n. f. est attesté en ancien français. ◇ **ÉGLISIER** n. m. s'est dit d'un dévot (fin XVIIIe s., Beaumarchais), mais cet emploi stylistique et péjoratif n'a pas vécu.

ÉGLOGUE n. f. est une altération (1375) de *eclogue* (XIIe s.), emprunt au latin classique *ecloga* «choix, recueil», d'où «pièce de vers» en bas latin, «petit poème pastoral». Le mot est emprunté au grec *eklogê* «choix» puis «pièce choisie, extrait d'un auteur», du verbe *eklegein* «choisir», de *legein* «rassembler» et «dire» apparenté au latin *legere* (→ lire). Les familles de *legere* et de *legein* ont donné de nombreux mots en français (→ cueillir, élire, légende, lexique, etc.). ◇ La forme étymologique *éclogue* est encore en usage au XVIIIe siècle.

♦ *Églogue* désigne comme en bas latin un poème pastoral qui met en scène des bergers (cf. *bucolique, idylle, pastorale*), puis le genre littéraire qui comprend de tels poèmes. Par analogie (XIXe s.), le mot se dit du genre de vie qui rappelle l'atmosphère des églogues et d'une œuvre (musicale, picturale) dont les thèmes sont ceux de l'églogue. ◇ Au sens du latin classique, «recueil de poèmes choisis» (1842), le mot est tombé en désuétude.

EGO n. m. est un mot latin, nominatif du pronom personnel de la 1re personne en emploi atone, et qui a un correspondant exact dans le grec *ego*. Il a été introduit en philosophie (1886) comme calque de l'allemand *das Ich (denke)* «le je (pense)», employé par Kant ; *ego* est attesté en anglais et en allemand à la fin du XVIIIe siècle.

♦ En français comme dans ces langues, *ego* désigne, d'abord dans la philosophie kantienne, l'unité transcendantale du moi (cf. *je, moi*). Au XXe s., le mot est entré dans le vocabulaire de la psychanalyse (cf. *moi*). En ethnologie, il désigne l'individu retenu comme point de référence pour la description d'un système de parenté.

◈ voir ÉGOCENTRIQUE, ÉGOÏSTE, ÉGOTISME.

ÉGOCENTRIQUE adj. est composé (1880-1884) du latin *ego* (→ ego) et de *centre* (→ centre), d'après *anthropocentrique*.

♦ L'adjectif s'applique à une personne «centrée» sur elle-même et spécialement, en psychologie, au langage de l'enfant qui ne se réfère pas explicitement à autrui. En ethnologie, on parle de *groupe égocentrique* «formé autour d'un individu vivant».

▸ L'adjectif a été substantivé (déb. XXe s.) et a fourni **ÉGOCENTRISME** n. m. (1918), d'où **ÉGOCENTRISTE** adj. et n. (1923, Du Bos) et **ÉGOCENTRIQUEMENT** adv. (av. 1940).

ÉGOÏNE n. f. représente (1676, *egohine* ; 1831, *égoïne*) une altération d'après *ego*, l'instrument désigné se manipulant sans l'aide d'autrui, de *escohine* n. f. (1344), issu du latin populaire °*scofina*, forme dialectale, osco-ombrienne, du classique *scobina* «lime, rape», dérivé de *scabere* «gratter, raboter». Ce verbe se rattache à la même racine indoeuropéenne que le gotique *skaban* «gratter» ou le grec *skaptein* «creuser». *Escohine* a désigné une lime et une rape comme l'italien *scuffina* et l'espagnol *escofina*.

♦ *Égoïne* a pris le sens de «petite scie à main maniée par une seule personne». Par ailleurs, *escohine* s'est altéré en *escuene* (1676), *escouene* (1690), qui ont disparu.

▸ **ÉCOUANE** n. f. (1755), autre altération du mot, s'est spécialisé pour désigner une «grande lime plate», puis un «rabot d'armurier».

ÉGOÏSTE adj. et n. est un dérivé savant (1721) du latin *ego* «moi» (→ ego).

♦ Le mot, d'abord substantif, se dit d'une personne qui fait preuve d'un intérêt exclusif ou excessif pour elle-même ; il est adjectivé en 1793 et est entré au XIXe s. dans l'usage courant, s'opposant à *altruiste*.

▸ **ÉGOÏSME** n. m. autre dérivé du latin *ego*, désigne (1743) la disposition à trop parler de soi, à rapporter tout à soi, emploi devenu d'usage littéraire, puis (1789) l'attachement excessif à soi-même, qui fait que l'on subordonne l'intérêt d'autrui au sien propre, valeur courante du mot aujourd'hui. ◇ L'emploi du mot en philosophie *(égoïsme métaphysique)* est tombé en désuétude (cf. *solipsisme*) ; mais *égoïsme* est utilisé en psychanalyse (déb. XXe s.), au sens d'«intérêt porté par le moi à lui-même». ◆ **ÉGOÏSTEMENT** adv. est attesté en 1785 ; il est devenu usuel, à la différence du verbe intransitif *égoïser* «parler trop de soi» (1835). **ÉGO-ALTRUISME** n. m. est formé (1922, *égo-altruiste*) de *égo(ïsme)* et *altruisme*, d'après l'anglais *ego-altruistic* (1855), et désigne, en philosophie, l'égoïsme qui se réalise dans l'altruisme.

ÉGOTISME n. m. est un emprunt (1726, attestation isolée, repris au début du XIXe s., 1823, Stendhal) à l'anglais *egotism*, mot créé par Addison en 1714 pour traduire le français *égoïsme* (→ égoïsme), au sens de «disposition à parler trop de soi».

♦ C'est avec ce sens qu'il entre en français; il devient ensuite un équivalent littéraire d'*égocentrisme*. Le mot s'est diffusé grâce à Stendhal *(Souvenirs d'égotisme)*. ◇ En philosophie, *égotisme* désigne (1832, G. Sand), sans valeur péjorative, un mode de connaissance où le moi constitue la référence essentielle.

▸ **ÉGOTISTE** adj. et n. est également un emprunt (1714, hapax, puis 1825) à l'anglais : *egotist* traduisait (1714, Addison) le français *égoïste*. L'adjectif rare **ÉGOTIQUE** a été formé à la fin du XIXe s. à partir du radical d'*égotisme*.

◈ voir **EGO**.

ÉGOUT, ÉGOUTTER, ÉGOUTTOIR → ① **GOUTTE**

ÉGRATIGNER v. tr. représente (XIIIe s., *esgratigner*) une altération de *esgratiner* (1155) «écorcher en déchirant superficiellement la peau», dérivé de *gratiner* (1175-1180), diminutif de *gratter* (→ gratter); *gratigner* est encore attesté en 1530.

♦ *Égratigner* garde le sens de *esgratiner;* il s'emploie par analogie comme terme technique, en couture (1552), en gravure (1762) et en agriculture (1832), et au sens de «dégrader légèrement (qqch.)». ◇ Au figuré, *égratigner* signifie «blesser légèrement par un mot piquant» (1588).

▸ Du verbe dérivent : **ÉGRATIGNURE** n. f., employé au propre (XIIIe s., *esgratineure*) et au figuré (1844), et les formes plus rares **ÉGRATIGNEMENT** n. m. (1532, *esgratinement*), **ÉGRATIGNEUR, EUSE** adj. et n. (1558, *esgratigneur*) et **ÉGRATIGNOIR** n. m. (1755), mot technique ancien.

ÉGRENER → **GRAIN**

◈ **ÉGRILLARD, ARDE** n. et adj., d'abord sous la forme *esgrillard* (1573), est probablement dérivé du verbe dialectal *égriller* «glisser» (Normandie), altération de l'ancien français *escriller* de même sens; on le rapproche de l'ancien scandinave °*skridla* «glisser sur la neige avec des raquettes», restitué d'après le suédois dialectal *skrilla*.

♦ Le mot est d'abord attesté avec le sens de «malfaiteur qui guette les passants» que l'on explique par les mouvements vifs du voleur apparaissant et disparaissant de façon inattendue. À partir du XVIIe s., *égrillard* comme nom désigne une personne alerte, vive ou d'une conduite libre (1640), d'où plus tard un homme adroit, éveillé (1808). Comme adjectif, le mot a signifié «rusé» (1704). Seul l'emploi adjectif (1656, *air égrillard*) au sens d'«un peu libre avec une tendance à la gauloiserie», qualifiant aussi une personne (1668), est encore en usage aujourd'hui.

▸ Le dérivé **ÉGRILLARDISE** n. f. (1867), ou **ÉGRILLARDERIE** n. f., n'est pas d'usage courant.

ÉGROTANT, ANTE adj. est un emprunt (av. 1300, *egrotans*, puis XVIe s., emplois isolés) au latin classique *aegrotans* «malade», participe présent de *aegrotare* «être malade», de *aegrotus* «malade». C'est un dérivé de *aeger, aegra*, adjectif d'origine inconnue, apparenté seulement au tokharien, dans le domaine indoeuropéen.

♦ *Égrotant* est introduit avec le sens du latin; cet emploi a disparu. Il est repris au XIXe s. (1834) et s'applique, dans l'usage littéraire, à une personne qui est dans un état maladif permanent.

ÉGYPTIEN, IENNE adj. et n. est dérivé en français (XIIIe s., n. m. pl.) de *Égypte*, nom de pays, emprunté au latin *Aegyptus* repris au grec *Aiguptos*.

♦ *Égyptien* «de l'Égypte» s'appliquait aussi à une personne membre de tribus nomades, en général des tziganes, qu'on croyait originaires d'Égypte (XVIe s.; cf. *gipsy*). ◇ **ÉGYPTIENNE** n. f. a désigné (attesté XIXe s.) une étoffe de soie à rayures, à la mode dans la seconde moitié du XVIIIe s. et se dit (depuis 1835) d'un caractère d'imprimerie dont les empattements acérés évoquent l'écriture égyptienne. ◇ L'*égyptien* n. m. est aussi le nom de la langue des anciens Égyptiens (1854) et de l'arabe parlé aujourd'hui en Égypte, surtout nommé *arabe égyptien*.

▸ **ÉGYPTO-** est le premier élément de termes didactiques comme *égypto-araméen* (1890), *égypto-israélien, égypto-lybien*, etc. ◂ **ÉGYPTOLOGUE** n. est formé en 1827 (de *-logue*) et **ÉGYPTOLOGIE** n. f. au milieu du XIXe s. (de *-logie*); ces deux mots, comme le dérivé du premier, **ÉGYPTOLOGIQUE** adj. (1851), concernent l'archéologie de l'Égypte antique.

EH interj. (1050, *e* XIVe s., *eh*) sert à interpeller, à attirer l'attention ou à renforcer le mot qu'il précède *(eh oui!)*. Redoublé (apr. 1650, *eh! eh!*), il indique un sous-entendu. *Eh bien* (XVIIe s.) marque l'émotion du locuteur, ou introduit une digression, une information, etc., par rapport à un contexte donné.

ÉHONTÉ → **HONTE**

EIDER n. m. est d'abord un emprunt (v. 1200, *edre*, isolément) à l'ancien nordique *aedr* «duvet». Terme de zoologie en français à partir de 1755, *eider* est un emprunt, par l'intermédiaire du latin scientifique (1655), à l'islandais *aedur* «oiseau» et, spécialement, «genre de grand canard»; la forme initiale du mot est *aedhr*.

♦ Le mot désigne un canard des pays du Nord, recherché pour son duvet (cf. *édredon*).

◈ voir **ÉDREDON**.

ÉIDÉTIQUE adj. et n. est un emprunt (1925) à l'allemand *eidetisch*, adjectif, et *Eidetik*, substantif, mots créés par le philosophe Husserl en 1913 et repris par le psychologue Jaensch (1920). Ils sont formés d'après le grec tardif *eidêtikos* «qui concerne la connaissance, la représentation», de *eidos* «aspect extérieur, forme» (→ ① -ide, idée).

♦ Le mot s'applique à une image d'une netteté hallucinatoire (1925); en phénoménologie, l'adjectif signifie (1936) «qui concerne les essences, abstraction faite de l'existence».

▶ En dérive le terme didactique **ÉIDÉTISME** n. m. (1952), employé en psychologie.

ÉJACULER v. tr. est un emprunt savant (XVIe s., attestation isolée) au latin *ejaculari* «lancer avec force», composé de *ex-* et de *jaculari* «lancer», dérivé de *jaculum* «arme de jet, javelot», lui-même dérivé de *jacere* «lancer» (→ jaculatoire, jeter), qui se rattache à une racine indoeuropéenne °*ye-* exprimant l'idée de projection dans l'espace.

♦ Le verbe, au XVIe s., avait conservé le sens du latin. Repris au XIXe s. (1835) par référence à *éjaculation* et *éjaculatoire*, employés depuis longtemps (XVIe-XVIIe s.) en physiologie, il se spécialise au sens physiologique de «projeter hors de soi avec force» (un liquide secrété par l'organisme) et, en emploi absolu courant, d'«émettre le sperme» (1850 chez Flaubert). Dans un usage littéraire, le verbe s'est employé parfois au figuré pour «exprimer avec force (des propos)» (1872, Flaubert).

▶ **ÉJACULATION** n. f., rarement usité au sens général d'«action d'éjaculer» (1552, Rabelais), désigne couramment (1611) l'émission du sperme. Au sens figuré repris au latin (cf. oraisons *jaculatoires*) de «prières brèves, dites avec ferveur» (1611), le mot est sorti d'usage. ◆ **ÉJACULATEUR, TRICE** adj. est attesté en 1580 (Montaigne) et signifie alors «qui a vertu de lancer, d'émettre» *(vertu éjaculatrice)*, calque de Pline (*Histoire naturelle*, IX, 20). L'adjectif d'après *éjaculation* est ensuite un terme de physiologie (1732), comme **ÉJACULATOIRE** (XVIe s., n. m., Paré, puis 1611, adj.).

ÉJECTER v. tr. est attesté une première fois en 1492; jusqu'au début du XVIIe s., les formes *ejecter, esjetter* apparaissent avec plusieurs sens; le mot actuel est repris fin XIXe s. (1890, *Suppl. Larousse XIXe s.*) postérieurement à *éjection* et *éjecteur*. Il est emprunté au latin impérial *ejectare* «jeter hors», de *ex-* intensif et *jactare*, fréquentatif de *jacere* «jeter» qui est à rattacher à une racine indoeuropéenne °*ye-* «jeter».

♦ *Éjecter*, qui a conservé le sens du mot latin, s'emploie aussi à la forme réfléchie, et se dit familièrement pour «expulser, renvoyer», valeur qui retrouve celle du latin (voir ci-dessous *éjection*).

▶ **ÉJECTIF, IVE** adj., attesté une fois en 1649 *(faculté éjective)*, est repris au début du XXe s. comme terme de géologie (v. 1917), de psychologie (1946) et de phonétique (1950; substantivé au féminin : *une éjective*). ◆ **ÉJECTEUR** n. m. (1874) se dit d'un appareil ou d'un dispositif servant à éjecter (un objet, un fluide); *siège éjecteur* est un calque de l'anglo-américain *ejector seat* (1945). ◆ **ÉJECTABLE** adj. (1948 dans un dict. Larousse) s'emploie en parlant d'un siège, d'une cabine.

ÉJECTION n. f. est un emprunt (2e tiers du XIVe s.) au latin classique *ejectio* «action de jeter dehors», «expulsion», de *ejectum*, supin de *ejicere* (de *ex-* et *jacere*). Il a conservé le sens latin d'«expulsion (d'une personne)»; il a vieilli pour désigner l'évacuation des excréments (1610). L'idée générale de «projeter dehors» s'est réalisée à travers plusieurs emplois techniques (déb. XXe s., *éjection d'une douille*; 1951, en phonétique).

ÉLABORER v. tr., d'abord au participe passé (*elabouré*, 1534, Rabelais), à l'infinitif *élaborer* avant 1650 (*élabourer* encore au XVIIIe s.), représente un emprunt au latin *elaborare* «travailler avec soin», «perfectionner», dérivé par préfixation de *laborare* «être à la peine, travailler», de *labor* «travail» (→ labeur).

♦ Le verbe signifie d'abord «façonner par un long travail», spécialement en physiologie (cf. *assimiler*). Par extension, *élaborer* s'emploie au sens de «préparer par un lent travail de l'esprit» (1690, *élaborer un projet*), sens attesté antérieurement pour le pronominal (av. 1650).

▶ Le dérivé **ÉLABORATEUR, TRICE** adj. et n. «qui élabore», attesté en 1864, est rare.

ÉLABORATION n. f., emprunt au dérivé latin *elaboratio* «travail, application», s'emploie d'abord en physiologie (1478, *elleboration*; 1503, *ellaboration*) puis dans un contexte abstrait (1845), spécialement en psychologie. En psychanalyse *élaboration psychique* traduit l'allemand *psychische Verarbeitung* et *élaboration secondaire* traduit *sekundäre Bearbeitung*.

ÉLAGUER v. tr. apparaît au XIVe s. sous les formes *alaguer* (1373), au participe passé *alaguees* (fin XIVe s.), puis *eslaguees* (XVe s.); le verbe est altéré en *eslaver* (1425) puis *eslaguer* se fixe en 1535. Il s'agit d'un mot probablement dérivé, à l'aide d'un préfixe *a-*, remplacé par *e(s)-*, de l'ancien nordique *laga* «arranger, mettre en ordre».

♦ Le verbe signifie «dépouiller (un arbre, un arbuste) de ses branches superflues». Il s'emploie au figuré (XVIIIe s.) avec le sens de «débarrasser (un discours, un article) des détails, des développements inutiles».

▶ **ÉLAGUEMENT** n. m. (1722, Saint-Simon), qui n'est attesté que dans son sens figuré *(élaguement d'un texte)*, n'est pas d'usage courant. ◆ **ÉLAGAGE** n. m. (1755) «action d'élaguer», désigne aussi par métonymie les branches coupées en élaguant et s'emploie au figuré (XIXe s.) comme équivalent d'*élaguement*. ◆ **ÉLAGUEUR, EUSE** n. (1756, Mirabeau) désigne un ouvrier spécialisé dans l'élagage et, au masculin (1845), un instrument servant à élaguer.

① **ÉLAN, ÉLANCER** → LANCER

② **ÉLAN** n. m. apparaît sous la forme *hele* à la fin du XIIIe s., puis sous des graphies variées : *hellent* (1414), *eslams* (pluriel, 1519), *ellend* (1564), *ellan* en 1609. La forme la plus ancienne est sans doute empruntée directement aux langues baltiques (cf. lituanien *élnis*), les formes suivantes le sont par l'intermédiaire du haut allemand *elen, elend*.

♦ Le mot français, comme l'étymon, désigne un grand cerf des pays du Nord. On appelle l'orignal *élan du Canada*.

ÉLASTIQUE adj. et n. est emprunté (1674) au latin scientifique *elasticus* (1651, Pecquet), lui-même du grec *elastos*, variante tardive de *elatos* «étiré, ductile», adjectif verbal de *elaunein* «pousser en avant», mot sans étymologie établie.

♦ *Élastique* est d'abord employé (1674) comme adjectif pour qualifier, en physique, un corps qui peut reprendre sa forme initiale après déformation et, par extension (1864), ce qui est constitué d'une telle matière (en anatomie, *fibres élastiques*). *Élastique*, avec le sens de «souple», se dit en parlant d'une démarche, d'un pas (1857). ◇ L'emploi substantivé est attesté en 1783 (*elastiq ;* 1836, *élastique*), avec le sens de «matière élastique et particulièrement en caoutchouc ; fil, ruban de caoutchouc» ; dans cette acception, *élastique* a pour synonyme familier avec le suffixe argotique *-oche (cinoche) élastoche* n. m. (attesté en 1951, Montherlant). ◇ De ce sens vient la locution familière ***il les lâche avec un élastique*** «il ne donne son argent qu'avec regret». ➛ L'emploi figuré de l'adjectif apparaît au début du XIXe s. (1814, Bernardin de Saint-Pierre, *réflexion élastique* «souple, flexible»); en termes militaires, ***défense élastique*** se dit d'un système consistant en replis successifs. ◇ Enfin *courbe élastique* ou *une élastique* n. f. (1865) est d'emploi didactique (géométrie).

▸ **INÉLASTIQUE** adj. (1741, Voltaire) est un terme didactique (physique), comme son dérivé **INÉLASTICITÉ** n. f. (1899). ➛ **ÉLASTIQUEMENT** adv. (1860) est relativement courant.

ÉLASTINE n. f. est un emprunt (1901) à l'anglais *elastine* (1875), de *elastic,* de même origine que *élastique.* C'est un terme de chimie et de biologie désignant une protéine constitutive des fibres élastiques de l'organisme. On trouve aussi *élasticine* (1855).

ÉLASTICITÉ n. f. est un emprunt quasi contemporain d'*élastique* (1687) au latin scientifique moderne *elasticitas,* dérivé de *elasticus* (→ élastique). ➛ Il se dit d'abord à la fin du XVIIe s., en termes de physique, de la propriété qu'ont certains corps de reprendre (au moins partiellement) leur forme ou leur volume primitifs après qu'a cessé la force qui s'exerçait sur eux. Cet emploi s'est étendu dans la langue courante (1798, *l'élasticité de la peau*), et à l'idée de souplesse, d'aisance (en parlant de l'allure, des mouvements). ◇ Le sens figuré d'«aptitude à réagir vivement, à se redresser» est employé par Voltaire dès 1767. *Élasticité* a aussi le sens figuré (1832) de «flexibilité», «souplesse», en parlant du caractère d'une personne, d'institutions (*élasticité d'une loi, d'un règlement ;* et spécialement *élasticité d'un budget*).

ÉLASTO-, premier élément tiré d'*élastique,* sert à former quelques termes didactiques, comme **ÉLASTOBLASTE** n. m. (1930), de *-blaste* «cellule-mère», en biologie, ou **ÉLASTOMÈRE** n. m. (1953) formé d'après poly*mère,* en chimie.

ÉLATIF n. m. est un mot créé savamment (1933) à partir du latin *elatus* «élevé, relevé» (en parlant du ton, du style), participe passé passif de *effere* «porter hors de» et «élever, soulever», dérivé préfixé de *ferre* (→ -fère).

♦ *Élatif* désigne dans les langues finno-ougriennes (finnois, hongrois, etc.), le cas qui exprime le mouvement de l'intérieur vers l'extérieur. Le mot s'emploie ensuite (1951), d'après le second sens du verbe latin, pour désigner un procédé grammatical qui exprime la qualité à un degré intensif.

ELDORADO n. m., d'abord sous la forme *Dorado* (1579), puis *eldorado* (1640), est un emprunt à l'expression espagnole *el (país) dorado* «le pays de l'or» proprement «doré» ; *dorado* est le participe passé de *dorar,* du latin impérial *deaurare* comme l'italien *dorare* et le français *dorer**.

♦ *Eldorado* est le nom donné à la contrée imaginaire que les Espagnols situaient, au XVIe s., en Amérique du Sud, entre l'Orénoque et l'Amazone ; cette contrée fabuleuse, que l'on disait abonder en or et en pierres précieuses, aurait été découverte par Orellana, lieutenant de Pizarre. La légende de l'Eldorado fut popularisée, en France, par Voltaire qui en fit le séjour de Candide (1759). Le mot se dit ensuite au figuré (1835) d'un pays, d'un lieu d'abondance et de délices (cf. *pays de cocagne*).

ÉLECTEUR, TRICE n. est emprunté (v. 1350 ; XIIIe s. *eslictor*) au bas latin *elector* «celui qui choisit», formé sur *electum,* supin de *eligere* (→ élire).

♦ Le mot a d'abord désigné la personne (prince, évêque) qui, dans le Saint Empire germanique, participait par voie de suffrage au choix de l'Empereur *(l'Électeur de Bavière, l'Électrice de Saxe) ;* ainsi *le Grand Électeur* fut le nom donné à Frédéric Guillaume, créateur de l'État prussien. Dans cet emploi le mot, souvent écrit avec une majuscule, est aujourd'hui un terme d'histoire ; au féminin, il pouvait désigner la femme d'un électeur de l'Empire. ➛ C'est à la fin du XVIIIe s., avec la Révolution française, qu'apparaît l'emploi moderne d'*électeur* «personne qui participe aux élections politiques ou administratives» (1790, n. m.); le terme d'*électrice,* témoin d'un long combat politique pour obtenir l'égalité des droits de la femme, n'est attesté qu'à la fin du XIXe s. (v. 1890).

▸ **ÉLECTORAL, ALE, AUX** adj., formé savamment à partir du radical du latin *elector,* s'est d'abord appliqué (1571) à ce qui était relatif à l'Électeur du Saint Empire ; avec la Révolution française (1792), *électoral* qualifie ce qui est relatif à des électeurs *(corps électoral ; liste électorale),* et au droit d'élire, aux élections *(droit électoral, réforme électorale, campagne électorale).* ➛ De l'adjectif dérivent **ÉLECTORALEMENT** adv. (av. 1850) peu usité, et les termes de politique **ÉLECTORALISME** n. m. (1921) «tendance d'un parti à subordonner sa politique à la recherche de succès électoraux» et **ÉLECTORALISTE** n. et adj. (milieu XXe s.). ➛ Le préfixé **PRÉ-ÉLECTORAL, ALE, AUX**, adj., est attesté en 1951.

ÉLECTORAT n. m. (1601) est formé lui aussi sur le radical du latin *elector* avec le suffixe *-at ;* le latin médiéval a connu *electoratus* «dignité d'un électeur impérial» (1414). *Électorat* s'est dit (1611) de la dignité d'Électeur dans l'ancien Empire allemand, attesté plus tôt (1601) pour parler du territoire relevant de l'autorité d'un Électeur (l'*Électorat de*

Hanovre, par exemple). ◆ À la fin du XVIIIe s., le mot désigne la qualité d'électeur, l'usage du droit d'électeur ; il est dans ce sens d'un emploi administratif ou didactique. *Électorat* désigne couramment (1847) l'ensemble des électeurs ou un sous-groupe de cet ensemble.

ÉLECTIF, IVE adj. est emprunté (1370) au bas latin *electivus* «qui choisit», formé sur *electum*, supin de *eligere* (→ élire).

♦ Le mot s'est d'abord employé (1370, Oresme) avec le sens du latin *electivus*. Le sens moderne de «qui est nommé par voie de suffrages» est attesté en 1404 *(chef électif)*. Comme pour *électeur* et *élection*, le contexte est alors celui de la désignation d'un souverain par quelques *électeurs**; on parle de *roi électif* et aussi de *couronne, royauté élective* «qui peut être conférée par élection». ◆ Le sens moderne de «qui implique des élections», postérieur à la Révolution française, est demeuré didactique (*système électif*, etc.). ◆ L'adjectif est employé dans la seconde moitié du XVIIIe s. dans *attractions* et *affinités électives*, calque du latin moderne *de attractionibus electivis*, employé par le naturalise suédois Tohern Olof Bergmann (mort en 1784) et traduit en allemand par *Walhverwandschaften* (1785), répandu par le dictionnaire de physique de F. Gehler et surtout par Goethe, qui en fait le titre d'un roman et commente ce choix en 1809. Le livre, traduit dès 1810 en français, assure le passage au sens métaphorique «attirance profonde et réciproque» (entre deux personnes, deux communautés). Sont attestés aussi, en physiologie, *sensibilité élective* et, en médecine, *trouble électif*.

▸ **ÉLECTIVEMENT** adv., attesté isolément au XVIe s. (1515, 1568), à nouveau en 1797, s'emploie aussi (v. 1960) comme terme de chimie et de biologie. ◆ **ÉLECTIVITÉ** n. f. (1808 «qualité de ce qui est électif» ; 1877 en biologie) est un terme didactique.

ÉLECTION n. f. est un emprunt (v. 1135, *eslection*) au latin classique *electio* «choix», de *electum*, supin de *eligere* (→ élire).

♦ D'abord introduit avec le sens du mot latin, usuel jusqu'au XVIIe s. et aujourd'hui sorti d'usage, *élection* se dit (1155, *electium*) du choix, de la désignation d'une personne pour une fonction, par voie de suffrages. Le contexte est alors le choix d'un souverain par un petit nombre de princes, de grands, comme dans le Saint Empire germanique (→ électeur). ◇ Du sens étymologique «choix» en général vient la locution adjective ***d'élection***, notamment employée avec une valeur religieuse : *vase d'élection* «créature choisie par Dieu pour l'accomplissement de ses desseins» calque le latin ecclésiastique *vas electionis*; *peuple d'élection* «le peuple élu», c'est-à-dire les juifs ; ***signe d'élection***. Cette locution s'utilise spécialement dans le vocabulaire scientifique et médical (*lieu* ou *point d'élection*; *médicament d'élection*). ◆ En droit ancien (1469, *eslection*), le mot désignait une subdivision administrée par des élus, sous l'Ancien Régime : *les Pays d'élection*, par opposition aux «pays d'État», étaient des circonscriptions financières ne possédant pas d'État (assemblée) provincial et directement imposées à la taille, et par extension une juridiction (XVIIIe s.). En termes de droit (1804), ***élection de domicile*** se dit du choix d'un domicile légal en vue d'un acte juridique déterminé. ◆ L'emploi du mot dans le domaine politique à partir de la Révolution française et selon des concepts variables de régime en régime, au cours du XIXe et du XXe s., a donné lieu à de nombreux syntagmes : *élections administratives, départementales, municipales*, récemment *élections européennes* (d'où par ellipse n. f. pl. *les européennes*). En emploi absolu *les élections* désigne le plus souvent les *élections législatives*.

▸ À partir d'*élection* a été composé (1784) **RÉÉLECTION** n. f. «action de réélire, fait d'être réélu».

✱ **ÉLECTRIQUE** adj. est un emprunt (1678 ; 1660 selon Bloch et Wartburg) au latin scientifique moderne *electricus*, introduit par W. Gilbert (*De Magneto*, 1600) pour désigner les propriétés attractives de l'ambre. Le mot est forgé sur le latin *electrum* n. m. «ambre», pris au grec *êlektron* «alliage d'or avec de l'argent» et «ambre», dérivé de *êlektôr* «brillant», mot d'étymologie obscure. Le français de la Renaissance connaissait le mot *électron* (av. 1530) précédé par *electres* (v. 1200) et devenu **ÉLECTRUM** n. m. (1549), pris au latin *electrum* et au grec *êlektron* pour désigner l'alliage d'or et d'argent ayant la couleur de l'ambre jaune. Cependant, c'est une propriété de l'ambre remarquée depuis l'Antiquité qui fit la fortune du mot dans les langues modernes. Ce corps naturel, frotté, attire en effet à lui les corps légers et cette propriété n'a été mise en rapport avec d'autres phénomènes physiques, comme le *magnétisme**, qu'à l'époque moderne, qui a étendu d'autre part la propriété *électrique* (attractive) à d'autres corps que l'ambre. Cet élargissement est attesté dans l'expression *corps électriques* (1678), calqué de l'anglais *electrick bodies* (1646), et plus encore dans *attraction électrique* (1720, Costes traduisant Newton).

♦ L'adjectif signifie d'abord «qui peut recevoir ou communiquer le "fluide", appelé plus tard *électricité*» (l'anglais connaît ce sens dès 1646 : *electrick* et *electricall*), puis «relatif à l'électricité» (cet emploi apparaît aussi en anglais, chez Newton en 1675). C'est au XVIIIe s. et surtout à partir du début du XIXe s. qu'on observe les syntagmes devenus usuels : l'anglais a ainsi *electrical machine* (1746), *electric fire* (1747, Franklin), *electric pile* (1803, invention de Volta v. 1800) ; toutes ces associations ainsi que bien d'autres sont passées dans diverses langues, dont le français. *Courant* électrique* est attesté en 1806. *Lumière électrique* (1864) procède aussi de l'anglais *electric light* (1843 ; déjà de rares attestations au XVIIIe s.). *Éclairage électrique* se trouve dans un rapport de E. Becquerel, dès 1856 ; *lampe électrique* apparaît entre 1850 et 1880 (Du Moncel, *l'Éclairage électrique*) bien que l'invention soit de 1845 (Draper) avec des développements rapides.

Les syntagmes formés avec cet adjectif se sont multipliés. Ainsi on trouve *bougie électrique* avant 1880 (id., *l'Éclairage électrique*), *brûleur électrique* (1879, Jamin) et, à la fin du siècle, *suspension, lustre, applique électrique* et aussi *traction, tramway, locomotive électrique* (Almanach Hachette 1894), *voi-*

ture électrique (id., 1896), *installation électrique* (d'une maison, dite *maison électrique*, ibid.). *Ampoule électrique* apparaît à la même époque (1898, P. Adam).

▶ **ÉLECTRICITÉ** n. f. n'est attesté en français qu'en 1720 dans la traduction de Newton par Costes, l'anglais connaissant le mot *electricity* depuis 1646 (sir Thomas Browne). Il s'agit donc d'un anglicisme, le latin moderne *electricitas*, dérivé de *electricus*, étant postérieur. La première valeur de ces mots est «propriété attractive de l'ambre (du verre, etc.)»; le sens moderne «caractère commun aux phénomènes qualifiés *électriques*» apparaît au XVIIe s. quand Newton distingue les phénomènes d'attraction par *gravité, magnétisme* et *électricité*. On emploie ensuite *électricité positive* (1752), *négative*, d'après Franklin, *électricité résineuse, vitrée* (1833). Le concept est souvent identifié à la notion de «fluide» (1755, Franklin). ◇ D'autre part, le même mot désigne (1734, en anglais) la partie de la physique qui étudie les phénomènes électriques (incluant ou non, selon les théories, le magnétisme). L'emploi spécialisé usuel «lumière électrique» *(allumer, éteindre l'électricité)* et la valeur métonymique «appareillage électrique» semblent assez récents (v. 1930?).

Du radical d'*électrique* viennent de très nombreux mots. ◆ **ÉLECTRICIEN, IENNE** n. désigne d'abord (1752) le physicien spécialiste du domaine; là encore, l'anglais *electrician* est antérieur (1751, Franklin). ◇ La valeur moderne dépend des applications industrielles et domestiques du domaine; elle apparaît dans la seconde moitié du XIXe s. (1861) et concerne un ouvrier, un technicien capable de monter, de réparer des installations électriques. Le féminin *électricienne* semble récent. ◆ Le verbe transitif **ÉLECTRISER** apparaît d'abord au participe passé (1731, *tube électrisé*) et en emploi absolu (1749); il signifie «communiquer à un corps des propriétés électriques»; le complément peut désigner une personne (mil. XVIIIe s.), d'où le sens figuré (1772) «produire une impression exaltante sur (qqn)», plus courant que les valeurs correspondantes d'*électrique* et *électricité*. ◇ Le verbe a des dérivés : **ÉLECTRISATION** n. f. (1738), **ÉLECTRISABLE** adj. (1746), **ÉLECTRISEUR, EUSE** n., employé (1749) à propos d'un médecin, les deux premiers étant souvent pris au figuré. ◆ Un autre verbe, **ÉLECTRIFIER** (probablement v. 1900; cf. le dérivé *électrification*), apparaît dans le domaine technique, alors que l'anglais *to electrify* (1747, Franklin) signifiait «charger d'électricité»; le sens moderne «équiper avec l'énergie électrique» est relevé vers 1900 dans le domaine des usines, du chemin de fer; c'est la valeur que prend le dérivé **ÉLECTRIFICATION** n. f. en 1907, le mot signifiant précédemment (1873) «électrisation». On sait l'usage qu'en fit (en russe) Lénine *(les soviets et l'électrification)*, soulignant la valeur symbolique de ce domaine.

Électrique a directement produit l'adverbe **ÉLECTRIQUEMENT** (1832), d'abord au figuré et en physique, puis (fin XIXe s.) en technique.

L'élément **ÉLECTRO-** sert à former depuis le milieu du XVIIIe s. des composés qui ont la même structure sémantique qu'un substantif avec l'épithète *électrique*, au sens moderne de «relatif à l'électricité», sens bien établi au milieu du XVIIIe siècle. ◆ Les premiers composés de ce type sont **ÉLECTROMÈTRE** n. m. (1746, puis 1749, d'Arcy; inventé en 1748 par Le Roy et d'Arcy) et **ÉLECTROSCOPE** n. m. (1753, Nollet) «instrument permettant de mesurer une charge électrique et d'en apprécier la nature», en dépendance des notions d'*électricité positive* et *négative* (d'abord *résineuse* et *vitrée*); les dérivés **ÉLECTROSCOPIE** n. f. et **ÉLECTROSCOPIQUE** adj. sont attestés postérieurement (1843 et 1846). ◆ On voit encore apparaître au XVIIIe s. **ÉLECTROMAGNÉTISME** n. m. et **ÉLECTROMAGNÉTIQUE** adj. (1781) désignant ou qualifiant à la fois un objet d'étude et la science qui le traite. ◆ **ÉLECTROPHORE** n. m. vient (1783) du latin scientifique *electrophorus* créé par Volta vers 1776. ◆ Le début du XIXe s. voit l'apparition de composés concernant la théorie, comme **ÉLECTRONÉGATIF, IVE** adj. (1813, anglais *electronegative;* Henry, 1810) et **ÉLECTROPOSITIF, IVE** adj. (1834), **ÉLECTROSTATIQUE** adj. (av. 1827, Ampère) et **ÉLECTRODYNAMIQUE** adj. (1823, Ampère), **ÉLECTROCHIMIE** n. f. (1826, Becquerel) précédé par **ÉLECTROCHIMIQUE** adj. (1813, Avogadro). ◆ **ÉLECTROMOTEUR, TRICE** adj. apparaît dès 1801 (Volta) au sens de «qui développe de l'électricité» par un moyen mécanique (Volta avait construit l'appareil ainsi qualifié en 1799), l'adjectif prendra plus tard des valeurs plus précises, en théorie (force *électromotrice*, d'où **CONTRE-ÉLECTROMOTRICE** adj. (1841); cf. anglais *electromotive force*, 1833) et en technique. ◆ **ÉLECTROGÈNE** adj. apparaît avec le sens général «qui produit de l'électricité» (1834); il s'est spécialisé en technique dans *groupe électrogène* (1894).

ÉLECTRODE n. f. (1836) est emprunté au mot anglais *electrode* forgé par Faraday (1834) avec l'élément final d'*anode* et de *cathode*, du grec *hodos* «chemin» (→ méthode); l'application physiologique et médicale date de la fin du siècle (1890); voir ci-dessous.

Le même Faraday crée (1834) le verbe *to electrolyse*, et le substantif *electrolysis*, passés en français, d'où **ÉLECTROLYSE** n. f. (1856) qui succède à *électrolysation* (1837), et **ÉLECTROLYSER** v. tr. (1838). Comme **ÉLECTROLYTE** n. m. (1838; en anglais 1834, Faraday) et **ÉLECTROLYTIQUE** adj. (1836), ces mots viennent du grec *lutos*, adjectif verbal de *luein* «décomposer, dissoudre».

Au milieu du siècle, la terminologie témoigne du développement des théories électriques dans les sciences, avec **ÉLECTROBIOLOGIE** n. f. (1845), **ÉLECTROPHYSIOLOGIE** n. f. (1852; cf. *électromusculaire*, 1842) et leurs applications, notamment techniques, industrielles, mais aussi médicales. ◇ C'est le cas pour **ÉLECTROTYPIE** n. f. (1842), où apparaît pour la première fois l'élément *-typie*, **ÉLECTROMÉTALLURGIE** n. f. (1843), qui semble emprunté à l'anglais *electro-metallurgy* (1840); plus tard **ÉLECTROTECHNIQUE** adj. (1882). ◇ L'**ÉLECTRO-AIMANT** est désigné à la même époque (1832). ◇ En médecine, on emploie **ÉLECTROTHÉRAPIE** n. f. (1857).

Parmi les effets de l'électricité, certains sont dangereux pour l'organisme ; ces propriétés utilisées par la justice américaine dans une intention aussi «humanitaire» que la guillotine, ont fourni *to electrocute*, d'*electro-* et *execute* «exécuter» (1889) et *electrocution*, d'*execution* (1890), d'où en français **ÉLECTROCUTER** v. tr. (1891) et **ÉLECTROCUTION** n. f. (1890), rapidement étendus aux effets physiologiques dangereux de l'électricité, hors du contexte pénal américain de la *chaise électrique (electric chair)*, la première électrocution pénale ayant eu lieu en 1889.

La productivité d'*électro-* reste intense au XXe s. : noms et adjectifs de sciences et de domaines ; **ÉLECTROLUMINESCENCE** n. f. (attesté 1930) est probablement emprunté à l'anglais (1900), formé sur *electrical luminescence* (1896) ; **ÉLECTRO-OPTIQUE** n. f. (1881 ; adj. v. 1930 ; cf. anglais *electro-optic*, 1879), **ÉLECTRO-ACOUSTIQUE** adj. (1904), mot appliqué spécialement après 1940 à l'enregistrement des sons, domaine où **ÉLECTROPHONE** n. m., mot créé (1890) pour désigner un récepteur téléphonique, s'applique à un appareil de reproduction de sons enregistrés (1929) avant d'être vieilli par l'apparition d'autres désignations (*chaîne haute fidélité*, etc.). ◇ **ÉLECTROSIDÉRURGIE** n. f. (1907) est une autre formation technique. ➜ Un domaine particulier des applications de l'électricité est la médecine : après *électrothérapie* (ci-dessus) et **ÉLECTROTHERMIE** n. f. (1870 ; le mot passera en physique au XXe s.), on trouve **ÉLECTROCARDIOGRAMME** n. m. (1916 ; d'abord *-cardiagramme*, 1903), emprunté à l'allemand *Elektrocardiogramm* créé par W. Einthoven en 1894 qui a pour dérivés **ÉLECTROCARDIOGRAHIE** n. f. (1912) ; **ÉLECTROCARDIOGRAPHIQUE** adj. (1919) ; **ÉLECTROCARDIOGRAPHE** n. m. (1930). On relève aussi **ÉLECTROMYOGRAMME** n. m. (cf. anglais *electromyogram*, 1917), **ÉLECTROCOAGULATION** n. f. (1922), **ÉLECTRO-ENCÉPHALOGRAMME** n. m. (1929 ; créé en allemand par H. Berger la même année), **ÉLECTROENCÉPHALOGRAPHIE** n. f. (1929), **ÉLECTROCHOC** n. m. (1938, *électro-choc*), puis **ÉLECTRORADIOLOGIE** n. f. (1945), **ÉLECTRONARCOSE** n. f. (anglais *electronarcosis*, 1949). ➜ D'autres domaines de la vie quotidienne sont investis par l'électricité : **ÉLECTROMÉNAGER, ÈRE** adj. (1934) est devenu courant, aussi comme nom masculin (1965) et a produit **ÉLECTROMÉNAGISTE** n. (1958). ➜ La production d'électricité par la fission nucléaire a engendré l'adj. et n. m. **ÉLECTRONUCLÉAIRE** (1962).

L'une des formations tirées du grec *êlektron* a connu une fortune particulière ; c'est **ÉLECTRON** n. m. emprunté au grec (1808) pour désigner une hypothétique matière électrique, alors qu'on cherchait la cause des phénomènes groupés sous le nom d'*électricité*. En 1891, le physicien anglais G. J. Stoney reprenait cette forme, probablement d'après *electric* et *-on* de *cation, anion* (→ ion) pour désigner une charge électrique élémentaire, concept provisoire (1894 en français). C'est Larmor vers 1902 qui donne à ce mot anglais sa valeur moderne de «particule électrique élémentaire». On a parlé ensuite d'*électron positif* (v. 1932 ; anglais *positive* et *negative electron*, 1902), mais la terminologie actuelle préfère parler de *positon*, réservant à *électron* la valeur de particule légère négative. ◇ On parle au figuré (dep. les années 1980) d'***électron libre***, syntagme emprunté à la physique, pour «personne qui agit de manière indépendante de toute institution». ➜ La théorie des particules électriques légères (opposées aux nucléons du noyau de l'atome : neutrons et protons) est nommée en 1902 *electronic theory* par J. A. Fleming, d'où par emprunt **ÉLECTRONIQUE** adj. (1903). ◇ Ce n'est que plus tard que **ÉLECTRONIQUE** n. f. (attesté 1922 en français, cf. anglais *electronics*, 1910) désigne l'étude des phénomènes mettant en jeu des électrons à l'état libre. ◇ L'importance du domaine suscite un nouveau sens pour l'adjectif qui signifie alors «relatif aux techniques utilisant les électrons libres» avec des syntagmes presque aussi nombreux que pour *électrique : instrument* (*electronic Musical Instrument*, 1930 en anglais), *microscope, tube, calculateur électronique* puis *jeu, monnaie électronique ;* par extension, *électronique* prend la valeur de «qui se fait par l'électronique» *(musique, annuaire électronique)*. Le mot est devenu un des symboles de la technoscience contemporaine, notamment après 1945, lorsque la technique électronique put s'appliquer au transfert d'information (→ informatique). ◇ Il est donc normal qu'il ait produit des dérivés comme **ÉLECTRONIQUEMENT** adv. (1936), **ÉLECTRONICIEN, IENNE** n. (1955, *Larousse mensuel*), **ÉLECTRONISATION** n. f. (1964) «équipement par l'électronique» et des syntagmes à l'image de l'anglais *electronic brain* (1945), *computer* (1946), *cerveau électronique, calculateur électronique*, etc.

◈ voir HYDRO-.

ÉLECTRUM → ÉLECTRIQUE

ÉLECTUAIRE n. m., attesté sous cette forme vers 1300, s'est substitué aux variantes *leituaire, lettuaire*, usuelles en ancien français. C'est un emprunt au latin impérial *electuarium*, peut-être altération, sous l'influence de *electus* «choisi» participe passé passif de *eligere* (→ élire), du grec *ekleikton* «électuaire». Ce dernier est l'adjectif verbal substantivé de *ekleikhein* «lécher» et «avaler (un remède mou, une pâte)», de *ek* et *leikhein*, à rattacher à une racine indoeuropéenne °*leigh-* «lécher».

♦ *Électuaire*, terme didactique aujourd'hui vieilli, désigne une préparation pharmaceutique de consistance molle, composée de poudres incorporées à du miel, à un sirop.

ÉLÉGANT, ANTE adj. est un emprunt ancien (1150, mais rare avant le XVe s.) au latin *elegans, -antis* «qui sait choisir» et «distingué, de bon goût», «pur (style)», ancien participe présent devenu adjectif. Cette forme laisse supposer qu'a dû exister, à côté de *legere* «cueillir, choisir, rassembler» d'où «lire» (→ lire), un intensif et duratif °*legare*.

♦ Le mot, qui a conservé les principaux emplois du latin, qualifie d'abord une chose (œuvre d'art, monument, etc.) de bon goût, puis par extension (av. 1486) un style, un parler (d'où par extension, *auteur élégant*). Par référence initiale à la notion de choix, *élégant* s'applique au domaine intellectuel (par exemple dans *solution, démonstration élégante*). À partir du XVIIIe s., l'adjectif s'est employé en parlant de personnes, de la qualité ou du goût dans le choix de la mise et, par extension, de la distinction d'un comportement. ◇ De là vient l'emploi de *un élégant, une élégante* comme substantif (1771) pour désigner une personne élégante ou qui affecte de l'être. Cet emploi fut usuel à différentes époques, jusqu'au XXe s. avec des connotations variables et des terminologies spécifiques (cf. *mode* et aussi *incroyable, muscadin, dandy, fashion, lion,* jusqu'à *minet,* etc.). Aujourd'hui *élégant,* nom masculin, a généralement une connotation péjorative et est moins usité que le substantif féminin.

▸ De l'adjectif dérivent **ÉLÉGAMMENT** adv. (1359-1377), usuel, et **ÉLÉGANTISER** v. tr. (1840) «rendre élégant», terme rare comme **ÉLÉGANTIFIER** v. tr. (1862, Goncourt).

INÉLÉGANT, ANTE adj. dérive par préfixation d'*élégant* ou est emprunté (av. 1520) au latin *inelegans* «sans distinction, sans goût, sans finesse», «grossier», «désagréable». ➛ L'adjectif signifie «dépourvu d'élégance», d'abord en parlant de la manière d'écrire, puis d'une personne; il s'applique ensuite (1830, Stendhal) à un comportement inconvenant, ou indélicat moralement. ➛ Il a fourni **INÉLÉGANCE** n. f. (1525), rare avant le XVIIIe s., qui s'emploie aussi dans le domaine moral (1845), et **INÉLÉGAMMENT** adv. (1546), plus rare et littéraire.

ÉLÉGANCE n. f. a été emprunté (fin XIVe, puis fin XVe s.) au latin *elegantia* «goût, délicatesse, distinction», dérivé de *elegans.* ➛ Le mot a suivi la même évolution sémantique que *élégant.* À la fin du XVe s., le terme est appliqué au domaine de l'expression (1495, *élégance de langage*). Il est attesté, dès cette époque, avec la valeur de «courtoisie, qualité de distinction dans les manières», développé au XVIIIe s., en parlant notamment de l'habillement d'une personne et, par extension, d'une assemblée (cf. aussi la locution ***être l'arbitre des élégances***). En parlant du style, *élégance* (1690, surtout au pluriel) se dit de tournures recommandées pour leur distinction; mais ce pluriel, dans *des élégances inutiles* et en emploi non qualifié, a souvent une valeur péjorative. ◇ Le mot s'utilise de façon méliorative au singulier au sens de «bon goût», dans l'ordre moral ou intellectuel.

ÉLÉGIE n. f. est un emprunt (1500) au latin *elegia* «élégie», lui-même pris au grec *elegeia,* de *elegos* «chant de deuil». Les Anciens rattachaient *elegos* à un verbe *elegein* qu'ils analysaient en *e e legein* «dire hé! ou hélas», de *legein* «dire» (→ lire), mais c'est une étymologie a posteriori. Le mot est plus vraisemblablement un emprunt à l'Asie Mineure, peut-être à la Phrygie.

♦ *Élégie* est le nom donné à un poème grec ou latin composé de distiques dont la tonalité est mélancolique. Par extension, le mot s'emploie à propos d'une œuvre littéraire moderne dont le thème est la plainte (av. 1850). *Élégie,* au pluriel, s'est dit au figuré pour «plaintes, lamentations» (XVIIIe s.). En musique, il correspond à un morceau en mineur (1854).

▸ **ÉLÉGIAQUE** adj. est un emprunt savant (1480) au bas latin *elegiacus,* du grec *elegeiakos,* de *elegeia.* C'est un terme littéraire qui qualifie ce qui est relatif à l'élégie d'où *un élégiaque* n. m. «un poète élégiaque». Comme *élégie,* l'adjectif s'emploie au figuré (attesté 1862; *accents élégiaques*).

ÉLÉMENT n. m. est un emprunt très ancien (881, *Sainte Eulalie*) au latin *elementum,* surtout employé au pluriel pour désigner les principes, les connaissances élémentaires, et notamment les lettres de l'alphabet; ce mot n'a pas d'origine connue.

♦ *Élément* s'est employé d'abord au sens de «principe constitutif de l'être, âme», puis en conservant l'idée de «fondement», le mot s'est appliqué (1119) à la substance de l'univers, *les quatre éléments* (terre, eau, air et feu), d'après le modèle gréco-latin, étant considérés comme les principes constitutifs de tous les corps de l'univers. ◇ Depuis le début du XIIIe s., *élément* se dit de chacune des choses dont la combinaison forme une autre chose. Cet emploi et celui de «connaissances fondamentales» sont amalgamés dans le sens du pluriel, *les éléments* «premiers principes sur lesquels on fonde une science, des connaissances» (v. 1200), puis par métonymie, au pluriel (XVIIIe s.) «livre qui expose les premiers principes (d'une science, d'une discipline)». ◇ Du sens de «substance de l'univers» vient *les éléments* pour désigner l'ensemble des forces naturelles (1450). Par extension, *élément* désigne (1588, Montaigne) le milieu naturel dans lequel vit un organisme, puis spécialement (XVIIe s.) l'entourage habituel, d'où la locution ***être dans son élément*** «être à l'aise» (dans la situation qui est la plus familière). ◇ Du sens de «partie (d'un tout)» sont issus de nombreux emplois dans des domaines spécialisés : physique (1758), technique, mathématiques, musique, médecine et, au XXe s., psychanalyse, électronique, informatique. ◇ *Élément* s'emploie également (1860), au singulier et au pluriel, pour désigner une personne appartenant à un groupe *(un bon, un mauvais élément),* ou au singulier l'ensemble des individus appartenant à un groupe *(l'élément masculin),* spécialement en termes militaires (XXe s.) au sens de «formation appartenant à un ensemble». ◇ Du sens ancien de «substance de l'univers», donc de substance considérée comme indécomposable, vient l'emploi d'*élément* en chimie où le mot désigne la substance théorique entrant dans la composition d'un corps simple, alors que *corps simple* s'emploie plutôt pour désigner la substance effective qu'on peut isoler par l'analyse. Le passage au concept moderne s'est fait après la constitution de la chimie moderne, en relation avec le renouvellement de l'idée d'atome (milieu XIXe s.).

▸ Le dérivés sont rares : **ÉLÉMENTAL, ALE, AUX** ou **ALS** adj. (1562; repris en 1928) signifie «qui participe de la nature des éléments, des forces naturelles»; comme nom masculin pluriel (1891, *les élémentals*), le mot désigne, dans la tradition occultiste, les Esprits qui habitent les quatre éléments et peuvent exercer une influence sur l'homme. ◆ Le verbe **ÉLÉMENTER** «simplifier de façon à donner les principes, les éléments» (XVIIIe s.) n'est plus en usage.

Élément est à l'origine de composés. ◆ **RADIOÉLÉMENT** n. m., qui apparaît avant 1914 chez Marie Curie, semble avoir été précédé par l'anglais *radio-element* (1903), il désigne un élément radioactif naturel ou artificiel (→ radioactif). ◆ **OLIGOÉLÉMENT** ou **OLIGO-ÉLÉMENT** n. m. (1937, Gabriel Bertrand; de *oligo-*) désigne un élément chimique présent en très faible quantité dans l'organisme et généralement indispensable au métabolisme. ◆ **BIOÉLÉMENT** n. m. (1961; de *bio-*) «élément chimique entrant dans la constitution de la matière vivante» est un terme de biochimie.

◈ voir ÉLÉMENTAIRE.

ÉLÉMENTAIRE adj. est un emprunt francisé (1380-1390) au latin impérial *elementarius* «de l'alphabet», puis en bas latin «relatif aux principes, aux rudiments (de la grammaire)» et «relatif aux éléments de l'univers», dérivé de *elementum* (→ élément).

♦ En français, *élémentaire* qualifie d'abord, à la fin du XIVe s., ce qui constitue un des quatre éléments de l'univers. En ce sens le mot est sorti de l'usage général; il est conservé dans l'usage littéraire pour «qui participe des forces primordiales» *(le chaos élémentaire)*. Il a pris en chimie le sens de «qui se rapporte à un élément» (*analyse élémentaire;* 1764 «qui se rapporte à un corps simple»). En physique *particules élémentaires* est usuel pour désigner les particules constitutives des différents atomes.

Élémentaire a repris au début du XVIIe s. (1611) le sens latin de «qui relève des principes de base, des rudiments». L'adjectif s'applique spécialement au domaine de l'enseignement : *le livre élémentaire,* au XVIIIe s., est celui qui contient les bases (1738); on trouve ensuite *classe élémentaire, classe de* ***mathématiques élémentaires,*** abrégé familièrement en ***math élem.*** (1890); au XIXe s. on disait aussi *faire ses élémentaires* «être dans la classe de mathématiques élémentaires». Aujourd'hui en France, le *cours élémentaire* est une division du cursus situé après le *cours préparatoire.* ◇ Par analogie on conserve l'idée de «fondement» et *élémentaire* s'applique à ce qui a un caractère essentiel, qui se rattache aux notions premières *(loi élémentaire);* par glissement, c'est l'idée de «simplicité» qui est retenue le plus couramment aujourd'hui et l'adjectif s'emploie (apr. 1850) pour «très simple, facile», d'où la locution familière ***c'est élémentaire.***

▸ **ÉLÉMENTAIREMENT** adv., attesté en 1587, est demeuré rare ou didactique.

ÉLÉPHANT n. m. apparaît sous la forme *elefant* au début du XIIe s. (1121) mais la variante *olifant* domine en ancien français, jusqu'au XVe siècle. C'est un emprunt au latin *elephantus* «éléphant», puis «ivoire» et aussi «éléphantiasis» (→ éléphantiasis). Le mot latin vient du grec *elephas, elephantos,* dont il a repris les différents sens; on a longtemps pensé que le mot grec était emprunté à l'égyptien, comme le latin *ebur, eboris* «ivoire» (→ ivoire), qui fut employé concurremment avec *elephantus,* l'ivoire ayant été connu à Rome avant l'éléphant; mais l'origine du mot, qui remonte au IIe millénaire avant J.-C., est plutôt à rechercher en Asie mineure, alors centre florissant de l'ivoirerie.

♦ En français, *olifant* a eu aussi les sens de «ivoire» et de «cor d'ivoire» (par référence au cor de Roland). Mais *olifant* et *éléphant,* forme qui l'emporte aux XVe-XVIe s., désignent surtout le grand pachyderme, sous ses deux variétés, africaine et asiatique. Sa taille, ses oreilles et la bizarrerie majeure de la trompe en ont fait un animal symbolique, utilisé allégoriquement et dont le nom mobilise un certain nombre de contenus métaphoriques. ◇ En outre, par extension et allusion à la taille, au corps massif, le nom de ce mammifère est donné (1560) à un phoque à trompe (*éléphant de mer* ou *éléphant marin*). ◇ Par comparaison et référence à certaines particularités de l'animal, le mot est employé en parlant des humains, dans de nombreuses locutions : ***être gros comme un éléphant*** (d'où par métaphore, 1825, *c'est un éléphant*); ***un éléphant dans un magasin de porcelaine*** (1849) «un lourdaud qui intervient dans une affaire délicate»; (avoir) ***une mémoire d'éléphant*** (très fidèle), ***une peau d'éléphant*** «rugueuse, insensible». ◇ Spécialement *pantalon à l'éléphant* (1889) puis *pantalon à pattes d'éléphant* (1905, Hector France) désigne un pantalon à bas élargi (abrégé en *pattes d'éph*). Enfin dans l'argot des marins, *éléphant* signifie «navigateur débutant». ◇ Récemment (v. 1990), le mot s'emploie en politique à propos des personnalités dominantes (et pesantes) d'un parti.

▸ **ÉLÉPHANTIN, INE** adj., emprunté (1256) au dérivé latin classique *elephantinus,* signifie «qui ressemble à l'éléphant» et par extension (1837) «digne de l'éléphant». Il a signifié aussi (1864) «fait d'ivoire» (cf. *chryséléphantin* «d'or et d'ivoire»; → chryso-).

Éléphant a aussi des dérivés : **ÉLÉPHANTEAU** n. m. (XVIe s.) désigne un jeune éléphant; **ÉLÉPHANTE** n. f. (1856) n'est employé que lorsque la prise en considération du sexe est essentielle. ◆ **ÉLÉPHANTESQUE** adj. (1890) se dit d'une taille, d'un poids (d'une personne, d'une chose) comparables à ceux d'un éléphant; il existe une variante rare **ÉLÉPHANTIQUE** (XVe s., n.; 1506-1516, adj.).

ÉLÉPHANTIASIS n. f. (parfois n. m.) est un emprunt savant (1538) au latin *elephantiasis,* mot grec signifiant «lèpre tuberculeuse», du verbe *elephantian,* de *elephas, elephantos* (voir ci-dessus). ◆ Le mot désigne une affection (en particulier dans les pays tropicaux) caractérisée par un épaississement du derme, comparable alors à une peau d'éléphant, et une augmentation considérable de volume d'un membre ou d'une partie du corps, causée par un œdème. ◆ En dérive le terme de médecine **ÉLÉPHANTIASIQUE** adj. (1808) employé aussi comme substantif.

✳ **ÉLEVER** v. tr. est un dérivé (v. 1120) préfixé en *-é,* de *lever**, plus ou moins mêlé à un emprunt au latin *elevare,* composé de *levare. Elevare* signifie «soulever», et au figuré «alléger (la douleur)», «affaiblir» ou même «rabaisser».

♦ Le verbe signifie d'abord «mettre, porter (qqch.) plus haut»; à partir de ce sens général se développent plusieurs emplois analogiques : *élever un mur* et en géométrie *élever une perpendiculaire,* ou figurés : *élever qqn au pouvoir, élever le prix d'une marchandise, élever l'esprit de qqn.* ◇ Dans le domaine des sons, on dit *élever la voix* «parler plus fort» et au figuré «parler avec autorité». ➔ Spécialement, *élever* s'emploie au sens d'«amener (un être vivant) à son plein développement physique, intellectuel ou moral». La genèse de cette acception est complexe, même si elle est sentie comme une figure par rapport au sens de «mettre plus haut», c'est-à-dire, «faire grandir». Le sens apparaîtrait en 1270 selon Wartburg, mais l'exemple allégué est ambigu : avant le XVIIe s., *élever qqn* est plus souvent senti comme une métaphore de «mettre dans une situation supérieure» que comme relevant de l'idée de «faire croître». En outre *élever un enfant* signifie à la fois le «nourrir» et le «soigner» (1530); la valeur «éduquer» apparaît plus tard (1607), toujours selon Wartburg. *Élever des arbres, des animaux* semble antérieur (1499), le premier de ces emplois évoquant nettement l'idée de «faire monter». En outre, l'apparition assez tardive de dérivés, dans la langue classique *(élève)* et moderne *(élevage),* rend plus difficile la compréhension des valeurs du verbe en moyen français. Le sens humain semble s'être répandu plus tôt, donnant par exemple les syntagmes ***bien*** et ***mal élevé,*** usuels à propos des enfants et pour caractériser un comportement résultant de l'éducation. Après le XVIIe s., le verbe est en concurrence avec *éduquer,* plus qu'avec *nourrir* et *soigner.* Lorsque le complément désigne un animal, *élever* correspond à «entretenir de manière à obtenir un résultat économique», sémantisme développé par le dérivé *élevage* (ci-dessous).

La double valeur du verbe, qui donne naissance à partir de la langue classique à deux homonymes, permet de répartir les dérivés en deux séries indépendantes.

▶ Du sens physique d'*élever,* avec ses métaphores, provient **ÉLÈVEMENT** n. m. «action d'élever, de lever» (v. 1120), qui s'est employé au figuré pour «extase» (fin XIIe s.). ➔ Il a été supplanté par **ÉLÉVATION** n. f. (1290), emprunt au bas latin *elevatio* «action d'élever», employé d'abord comme terme de liturgie *(élévation de l'hostie)* puis au sens (1314) d'«action de lever, état de ce qui élève». ◇ Sorti d'usage pour «hauteur, altitude», le mot s'est conservé en astronomie et au sens de «terrain élevé», surtout dans : *une élévation de terrain* (cf. *éminence, hauteur*). *Élévation* s'emploie ensuite (1549) au figuré dans *élévation de la voix.* ◇ Au XVIIe s., le mot se dit au figuré pour «caractère élevé de l'esprit» (1665) et pour «action d'élever, de s'élever à un rang supérieur» (1666), mais est sorti d'usage au sens de «rang auquel qqn est élevé». ➔ **ÉLÉVATEUR, TRICE** adj. et n., emprunt au bas latin *elevator* «ce qui élève, soutient», du supin de *elevare,* s'est employé (1583-1590, *eslevateur*) au sens de «celui qui pousse à la révolte». Le mot a été repris au XIXe s. pour désigner un appareil destiné à élever un corps (1801, *élévateur dentaire*), puis en anatomie (1811) en parlant de certains muscles. Il s'emploie spécialement (1871) par calque de l'anglais des États-Unis *elevator* (de même origine) pour désigner un silo à grains qui permet le chargement ou le déchargement rapide des céréales. Dans *chariot élévateur,* il est adjectif. ➔ **ÉLÉVATOIRE** est un dérivé savant de *elevare,* introduit comme nom masculin (1501) pour désigner un instrument de chirurgie. En tant qu'adjectif, il qualifie aujourd'hui (1860) ce qui sert à élever. ➔ De cette série obtenue à partir du latin, se détachent le dérivé français **ÉLEVEUR, EUSE** n. d'abord *esleverre* (v. 1120) «personne qui élève, relève», éliminé par l'homonymie (voir plus loin *éleveur,* au sens moderne), et **ÉLEVURE** n. f. «relief» (1297), qui a désigné une petite saillie sur la peau (XIVe s.).

Le composé **SURÉLEVER** v. tr. s'emploie au sens concret (v. 1120, *sureslever,* puis 1483 au pronominal) et dans un contexte abstrait (1870); son dérivé **SURÉLÉVATION** n. f. (1846) est aussi usité au figuré (1859); on emploie également **SURÉLÈVEMENT** n. m. (1904) au sens propre. ◇ **SURÉLEVÉ, ÉE** adj., d'abord attesté au figuré (déb. XVIIe s.), se dit d'un édifice qui a été relevé ou augmenté de hauteur (1845).

Quant à *élever* au sens d'«amener (un être vivant) à son plein développement», il se subdivise en deux valeurs réalisées par des dérivés relativement récents. ➔ Le déverbal ① **ÉLÈVE** n. f. (1615) s'applique d'abord à l'action d'«élever», de faire pousser des plantes, puis (1770) d'élever des animaux. Il sera éliminé par un autre dérivé du verbe, *élevage.* ➔ **ÉLEVEUR, EUSE** n., qui existait au sens courant de «personne qui met plus haut» (cf. ci-dessus) a été reformé (1611) pour désigner une personne qui élève des animaux ou des plantes. Au XIXe s., le mot est entré en dépendance sémantique d'*élevage.* Il a perdu tout rapport avec l'éducation et avec le fait d'élever un enfant, rapport que manifeste **ÉLEVEUSE** n. f. «nourrice» (1883). Ce féminin a pris (déb. XXe s.) la valeur technique de «couveuse». ◇ Quant à *éleveur,* comme *élever* et *élevage,* il s'applique à la personne qui surveille le vieillissement des vins (*négociant éleveur, viticulteur éleveur,* XXe s.). ➔ **ÉLEVAGE** n. m. est un dérivé tardif (1836) qui désigne l'action d'élever un animal; il a rapidement remplacé ① *élève* nom féminin et a pris la valeur large d'«ensemble des techniques qui permettent d'élever les animaux domestiques et utiles, notamment le bétail». Le mot a une grande importance conceptuelle, dans la mesure où il correspond à un stade de l'évolution anthropologique, succédant à la chasse, à la pêche, à la cueillette; son attestation tardive correspond au vieillissement de *paturage,* de même que *culture* s'est substitué à *labourage.*

Enfin *élever* avec pour complément un nom humain a produit un dérivé isolé mais très usuel, ② **ÉLÈVE** n., qui s'explique par le besoin à l'époque classique (1653) de fournir un équivalent français de l'italien *allievo,* mot de la Renaissance (fin XVe s.) désignant celui qui est «élevé» par un maître. ➔ *Élève* désigne d'abord une personne instruite dans un art par un maître (cf. *disciple*), puis (1690) un enfant qui reçoit l'enseignement d'un établissement scolaire. Dans cet emploi, il est en concurrence partielle avec *écolier* et avec *étudiant.* ◇ Par analogie, ou par une nouvelle dérivation d'*élever,* le mot s'est employé (1801) en parlant d'un animal et d'une plante.

ELFE n. m. apparaît une première fois sous la forme *elve* en 1561 dans la traduction d'un ouvrage du suédois Olaus le Grand publié en 1555 (une deuxième fois en 1595), puis en 1605 sous la forme actuelle. C'est un emprunt par l'intermédiaire d'une forme latinisée, à l'ancien suédois *älf,* de l'ancien scandinave *alfr,* auquel correspond l'anglo-saxon *aelf,* d'où l'anglais *elf.* C'est par ce dernier que le mot a été réintroduit en France au début du XVIIe siècle.

♦ *Elfe,* qui semble inusité entre 1605 et 1822 (alors écrit *elf*), est le nom donné dans les mythologies scandinaves à un génie qui symbolise les forces de l'air, du feu; aujourd'hui, le rattachement aux mythes scandinaves n'est plus essentiel et le mot s'emploie dans divers contextes (souvent par influence de l'anglais).

ÉLIDER v. tr. est un emprunt savant (1548) au latin *elidere* «pousser dehors, expulser», «écraser», puis au figuré «supprimer des lettres dans la composition d'un mot». C'est un composé de *ex-* et de *laedere* «frapper, blesser», «faire injure à», mot sans étymologie connue.

♦ *Élider,* terme didactique, signifie en prosodie «supprimer dans la prononciation et le compte des syllabes la voyelle finale de (un mot) devant la voyelle initiale du mot suivant» et, en grammaire, «remplacer dans la prononciation et l'écriture la voyelle supprimée par une apostrophe».

▶ **ÉLISION** n. f. est emprunté (1548) au latin *elisio,* terme de grammaire, de *elisum,* supin de *elidere;* c'est le substantif du verbe *élider.*

◈ voir COLLISION, LÈSE, LÉSER.

ÉLIGIBLE adj. représente un emprunt (1444; cf. *eslisible,* 1371, Oresme) au bas latin *eligibilis* «digne d'être choisi», de *eligere* (→ élire).

♦ Le mot reprend d'abord le sens du latin, puis se dit (1611) d'une personne qui peut être élue et s'applique spécialement, à partir de la Révolution, à un député potentiel (aussi, n. : *les éligibles*).

▶ En dérive **ÉLIGIBILITÉ** n. f. (1721, Trévoux) d'abord mot de droit canon; le latin médiéval *eligibilitas* (v. 1344) correspond à un autre sens : «caractère de ce que l'on peut désirer». ◆ Le composé **INÉLIGIBLE** adj. (de *in-* privatif; d'après le latin médiéval *ineligibilis*) est relevé avant 1723 et prend son sens politique moderne pendant la Révolution. ◇ Le dérivé didactique **INÉLIGIBILITÉ** n. f., attesté isolément en 1519, a été repris en 1791, dans le contexte politique nouvellement créé; on a dit aussi (1789) *non-éligibilité.*

ÉLIMER → LIME

ÉLIMINER v. tr., attesté une première fois en 1495, a été repris par les mathématiciens au XVIIIe siècle. C'est un emprunt au latin *eliminare* «faire sortir, mettre dehors», de *ex-* et *limen, liminis* «seuil» (→ liminaire).

♦ *Éliminer* s'emploie d'abord au sens d'«écarter (qqn)»; c'est l'idée de «faire disparaître» qu'on retrouve dans les emplois ultérieurs. Repris au XVIIIe s. (1726), le verbe est alors considéré comme un néologisme inutile (*Dictionnaire* de Trévoux, *Encyclopédie*); il est remis en honneur en algèbre (1777) un peu après *élimination* au sens de «faire disparaître (une ou plusieurs inconnues) d'un groupe d'équations, de manière à obtenir une équation à une seule inconnue». ◇ Le verbe passe ensuite dans la langue courante, et signifie «écarter (qqn) du nombre des personnes sélectionnées dans un concours», spécialement (1861) dans une compétition sportive (en particulier au passif et au participe passé). ◇ *Éliminer* est aussi employé en physiologie (1864), avec un sens proche du latin *eliminare,* pour «faire disparaître en faisant sortir (les toxines, les déchets de l'organisme)» et, spécialement, «transpirer». ◇ L'idée initiale de «disparition» appliquée aux choses et aux personnes s'accompagne ensuite par extension de celle de «suppression de l'existence» et le verbe équivaut ainsi à «tuer» *(éliminer un adversaire).*

▶ **ÉLIMINATION** n. f., d'abord attesté (1765) comme terme d'algèbre, se répand au XIXe s. en parlant de l'action d'écarter (qqn, qqch.) (1842, Sainte-Beuve) et, spécialement, d'éliminer (dans un concours, une compétition), plus récemment de supprimer l'existence (aussi employé par euphémisme). En physiologie, le mot est attesté en 1844. ◆ **ÉLIMINATOIRE** adj. et n. f., d'abord terme de physiologie (1836, adj.) s'emploie aujourd'hui (dep. 1875, *Journal Officiel*) pour ce qui sert à écarter un candidat dans le domaine de l'enseignement *(note éliminatoire),* puis dans le domaine du sport (1886). D'où *une éliminatoire,* nom féminin, par ellipse d'*épreuve éliminatoire* et *les éliminatoires* (1905) «épreuves qui visent à sélectionner les meilleurs candidats». ◆ **ÉLIMINATEUR, TRICE** adj. et n., tiré du radical d'*élimination,* (1856, Lachâtre) «qui élimine, sert à éliminer» est employé en particulier en physiologie. **ÉLIMINABLE** adj., dérivé du verbe (1964), se dit de ce qui peut être éliminé.

ÉLINGUE n. f., réfection (1322, *eslingue*) de *eslinge* (fin du XIIe s.), est en général considéré comme issu du francique °*slinga* «fronde», restitué par l'ancien haut allemand *slinga,* le moyen haut allemand *slinge,* encore au XVIIe s. (cf. allemand *Schlinge* et anglais *sling*). ◈

♦ Le mot, d'abord employé avec le sens de «fronde», aurait évolué, par analogie de forme, vers le sens maritime (1322) de «cordage dont on entoure les fardeaux pour les soulever». Cette évolution paraît douteuse à P. Guiraud, qui préfère évoquer un gallo-roman hypothétique °*exlinica,* de *ex-, linum* (→ ligne) et suffixe.

▶ **ÉLINGUER** v. tr., autrefois «lancer avec une fronde» (v. 1310), signifie en marine (1771) «entourer (un fardeau) d'une élingue pour le soulever».

◈ voir RALINGUE.

ÉLIRE v. tr. est issu (1080, *eslire*) du latin populaire °*exlegere*, réfection d'après *legere* du latin classique *eligere* «choisir», formé de *ex-* et *legere* «cueillir, choisir, rassembler» d'où «lire» (→ lire).

♦ Le mot est d'abord employé avec le sens étymologique de «choisir», ceci jusqu'au XVIIe s., où il est jugé vieilli dans l'usage général par le Père Bouhours. Il réapparaît au XXe s. dans la langue littéraire. Ce sens étymologique s'est pourtant conservé dans le vocabulaire religieux (v. 1200, au participe passé *elis*), le sujet désignant Dieu, parallèlement à l'emploi spécial d'*élection : vase d'élection*, etc., et en droit (par exemple *élire domicile*). ➛ Dès le XIIe s. apparaît le sens de «nommer (qqn) à une fonction, à une dignité, par voie de suffrage» (v. 1207, *eslire*), cependant peu employé avant le XVIe siècle. Ce sens s'applique d'abord aux contextes politiques de l'Ancien Régime et aux réalités historiques de l'élection des souverains par quelques princes (→ électeur, électif, élection) avant de s'appliquer, comme *élection, électeur* et ses dérivés, aux réalités nouvelles du suffrage populaire, après 1789-1790.

▸ **ÉLU, UE** adj. et n. apparaît sous la forme *esleü* (1176, Chrétien de Troyes) qui s'est substituée à l'ancienne forme du participe passé *eslit* (→ élite) et s'est imposée surtout à partir du XVIe siècle. Au sens étymologique de «choisi», le mot est réservé aujourd'hui à un emploi littéraire ou ironique, par exemple comme nom : *l'heureux élu, l'élu de son cœur*, en parlant d'une personne choisie par le sentiment. Il demeure vivant comme le verbe *élire* et comme *élection* dans le vocabulaire religieux : *le peuple élu* désigne le peuple juif; on relève aussi *les élus de Dieu* et par analogie *la race élue*. ➛ *Élu* se dit couramment d'une personne qui a reçu un mandat, un titre, par voie de suffrage (1690, adj.; XIXe s. *un, une élu(e)*, n.). *Élu* est alors mis en rapport avec *électeur*.
À partir du verbe a été dérivé **ÉLISANT, ANTE** adj. et n. (1373; du participe présent d'*élire*), aujourd'hui sorti d'usage; comme adjectif, il équivalait à *électeur;* comme nom, en termes de religion, le mot désignait un membre du clergé qui avait le droit de vote pour l'élection des évêques; *une élisante* désignait une religieuse du Calvaire qui a le droit de vote au chapitre général. ➛ Le composé **RÉÉLIRE** v. tr. (v. 1175, *reslire* «choisir») est attesté au sens moderne d'«élire de nouveau» une première fois en 1570, puis est repris en 1789, en même temps que les autres mots de la famille (cf. *réélection* à *élection*).

◈ voir ÉLECTEUR, ÉLECTIF, ÉLECTION, ÉLIGIBLE, ÉLITE.

ÉLITE n. f. est attesté une première fois (1176, Chrétien de Troyes) dans l'expression *a vostre eslite* «à votre choix», puis à la fin du XIVe s. comme substantif. Le mot résulte de la substantivation du féminin de *eslit* (du XIIe au XVIe s.), ancien participe passé d'*élire* (→ élire).

♦ *Élite* se dit (fin XIVe s.; C. de Pisan) de ce qu'il y a de meilleur; il ne s'emploie plus en français moderne en parlant de choses, mais seulement à propos de personnes considérées comme les meilleures dans un groupe, une communauté; le mot, déjà en français classique (XVIIe s.) est qualifié, *(élite d'une nation, l'élite ouvrière, intellectuelle)*, ou non *(l'élite)*. À l'époque classique, *élite* n'avait pas la valeur abstraite évaluative qu'il a en français actuel. ***D'élite,*** locution adjective (1844), signifie «distingué, éminent, supérieur» *(tireur d'élite; sujet d'élite)*. *Les élites* (1928) désigne les personnes qui occupent le premier rang, dans tous les domaines. ◇ Régionalement (Suisse), *élite* dans le vocabulaire militaire désigne la troupe constituée des hommes âgés de vingt à trente-deux ans.

▸ À partir d'*élite* ont été formés **ÉLITAIRE** adj. (milieu XXe s.) «qui appartient à une élite» et **ÉLITISME** n. m. (v. 1967), d'abord d'emploi didactique ou littéraire, d'où **ÉLITISTE** adj. et n. (v. 1968), les deux mots étant devenus usuels pour évoquer la tendance à maintenir et développer les hiérarchies socio-intellectuelles.

ÉLIXIR n. m. est un mot emprunté (1269-1278) aussi sous la forme *eslissir* (XIIIe s.) à l'arabe *'ăl-'īksīr* qui signifiait «pierre philosophale» (déb. Xe s.) chez les alchimistes arabes et «médicament», par l'intermédiaire du latin médiéval *elixir* (1144), *exir* (fin XIIe s.), *elexis* ou *elexir* (v. 1254). Le mot arabe (où *al* est l'article) est lui-même emprunté au grec tardif *xêrion* «médicament de poudre sèche», neutre substantivé de *xêros* «sec», dont l'origine n'est pas connue.

♦ *Élixir,* d'abord attesté en français comme terme d'alchimie, au sens de «pierre philosophale», a désigné la substance la plus pure extraite de certains corps. Le sens moderne de «préparation pharmaceutique composé d'un sirop ou de glycérine dissous dans de l'alcool» est attesté en 1676 (écrit *elixyr*), puis 1685. ◇ Par extension, le mot se dit d'une liqueur digestive (notamment à base de plantes macérées dans de l'alcool) [1690], et d'une drogue censée posséder des vertus magiques *(élixir de longue vie, élixir d'amour)*. Cette acception semble s'être diffusée à l'époque romantique.

ELLE pron. pers. f., sous la forme *ele* au IXe s. (v. 881), représente l'aboutissement du démonstratif latin *illa* «celle-là», féminin de *ille*, qui pourrait se rattacher à une base indoeuropéenne °Voyelle + *l*, indiquant l'objet éloigné (cf. *alius* «autre», *olim* «autrefois», *ultra* «au-delà»).

♦ *Elle*, employé comme sujet, a suivi le développement du masculin *il**; comme complément, au singulier, il s'est substitué (apr. 1250) à l'ancien pronom *lei, li* (issu du latin populaire °*illaei*). Le pronom, employé absolument avec une majuscule, désigne la femme aimée, l'éternel féminin (cf. *Elle et Lui*, roman de G. Sand). ➛ Pour *elle-même* (au pl., *elles-mêmes*), forme renforcée : → même.

ELLÉBORE n. m. est un emprunt savant (v. 1215-1245, *elebore*) au latin *elleborus* ou *helleborus*, lui-même du grec *helleboros*, mot d'origine obscure, peut-être tiré de *hellos* «cerf» et *bora* «nourriture», mais la valeur de «nourriture de cerf» n'est pas corroborée.

♦ *Ellébore* (*hellébore* dans le vocabulaire de la botanique) désigne une plante médicinale ayant des propriétés purgatives et vermifuges et que l'on croyait, déjà chez les Grecs, propre à guérir la folie. Cette réputation explique la locution figurée ***avoir besoin (de quelques grains) d'ellébore*** «être fou», en usage à l'époque classique (La Fontaine, Molière, etc.).

① **ELLIPSE** n. f. est un emprunt (1573) au latin impérial *ellipsis,* lui-même emprunté au grec *elleipsis,* proprement «manque», «omission d'un mot», dérivé de *elleipein.* Ce verbe est composé de *en* «dans» et de *leipein* «laisser, négliger» (→ éclipse) à rattacher à une racine indoeuropéenne *°leik^w-* «laisser».

♦ Déjà terme de grammaire en grec, *ellipse* désigne la figure de rhétorique consistant en l'omission d'un ou de plusieurs mots dans un énoncé dont le sens reste clair. Par extension, le mot s'applique à l'art de sous-entendre, dans un discours, un raisonnement. Par analogie, *ellipse* s'emploie à propos d'autres formes d'expression à contenu narratif (par exemple le cinéma).

▸ ① **ELLIPTIQUE** adj., emprunté (1655) au grec tardif *elleiptikos,* dérivé de *elleipsis,* recouvre les mêmes emplois que le substantif. ◆ En dérivent **ELLIPTIQUEMENT** adv. (1737) et le terme didactique ① **ELLIPTICITÉ** n. f. (1864).

② **ELLIPSE** n. f. est un emprunt (1625) au latin scientifique *ellipsis* (cf. anglais *ellipsis,* 1570), créé par Kepler à partir du grec *elleipsis* (Apollonius de Perga, *Coniques*) au sens métaphorique de «manque» (→ ① ellipse), l'ellipse étant un cercle imparfait.

♦ Le mot désigne en géométrie, puis dans l'usage courant, une courbe plane fermée déterminée par l'intersection d'un cône droit et d'un plan qui n'est pas perpendiculaire à son axe (s'il est perpendiculaire, c'est un cercle). Les orbites planétaires étant elliptiques, le mot est essentiel en astronomie du système solaire.

▸ À partir d'*ellipse* ont été formés des termes didactiques : **ELLIPSOÏDE** n. m. (1705) et adj. (1845), d'où **ELLIPSOÏDAL, ALE, AUX** adj. (1845) et **ELLIPSOÏDIQUE** adj. (1964). ◆ **ELLIPSOGRAPHE** n. m. (1817; de *-graphe*) désigne un instrument permettant d'effectuer le tracé continu d'une ellipse dont on connaît les axes (aussi *compas elliptique*).
② **ELLIPTIQUE** adj., emprunté au latin scientifique *ellipticus,* transcription du grec tardif *elleiptikos* «qui omet», de *elleipsis,* qualifie en géométrie ce qui a la forme d'une ellipse. ◆ En dérive (1755) le terme de géométrie ② **ELLIPTICITÉ** n. f.

ÉLOCUTION n. f. est un emprunt (1399-1402, *elocucion*) au latin *elocutio* «action, manière de parler», de *elocutum,* supin de *eloqui* (→ éloquent), composé de *ex-* et *loqui* «parler», dont l'origine n'est pas connue.

♦ *Élocution* désigne la manière de choisir ou d'arranger les mots pour exprimer sa pensée, spécialement la partie de la rhétorique qui traite du choix et de l'arrangement des mots puis, à partir du XIXe s., la manière d'articuler les sons en parlant (av. 1850).

▸ **ÉLOCUTOIRE** adj., dérivé savant d'*élocution* (1893), est demeuré rare.

◈ voir COLLOQUE, ÉLOQUENT, INTERLOQUER, LOCUTEUR, LOCUTION, LOQUACE, VENTRILOQUE (à VENTRE).

ÉLOGE n. m. est un emprunt savant assez tardif (fin XVIe-déb. XVIIe s., *elogue;* 1605, *eloge*) au latin classique *elogium* «épitaphe», «courte formule», «clause d'un testament», lui-même emprunté au grec *elegeion* «distique élégiaque» (→ élégie), avec attraction de *logos* et de *eloqui; elogium,* par rapprochement avec le grec *eulogia* «belles paroles, beau langage», d'où «éloge», a gardé ce dernier sens en bas latin, parfois sous la forme *eulogium,* d'où en français classique *euloge* (1611).

♦ *Éloge* désigne d'abord un discours qui célèbre qqn ou qqch. *(éloge funèbre, éloge académique).* ◇ Il s'emploie ensuite dans un sens plus général (1656, *rapporter avec éloge,* Pascal) pour «jugement favorable exprimé au sujet de qqn (plus rarement de qqch.)», d'où les locutions ***faire l'éloge de qqn, ne pas tarir d'éloges*** «être très élogieux» (la métaphore assimile les paroles agréables à un flot). ◆ En grec ecclésiastique, *eulogia* avait pris le sens de «bénédiction», à l'origine du latin chrétien *eulogia* «bénédiction» et «(chose, pain) bénit(e)» ; le français, par emprunt, a utilisé **EULOGIE** n. f. (1584) pour désigner dans la liturgie catholique le pain offert par les fidèles au début de la messe.

▸ Les dérivés français d'*éloge* sont, en littérature, l'éloge ayant été un genre en honneur au XVIIIe s., **ÉLOGISTE** n. m. (1740) et dans l'usage courant, **ÉLOGIEUX, EUSE** adj. (1836) qui se dit des paroles, des personnes, d'où l'adverbe **ÉLOGIEUSEMENT** (1876).

ÉLOIGNER v. tr. est un dérivé ancien (v. 1050, *soi esluiner*) par préfixation en *e-,* de *loin* (→ loin).

♦ Il s'emploie d'abord avec le sens de «mettre loin ou plus loin», «faire aller à une certaine distance», puis (fin XIIe s.) au figuré, avec celui d'«écarter, détourner (qqn)». Par analogie, *éloigner* est ensuite utilisé avec une valeur temporelle (1267) pour «reculer dans le temps, différer» et «séparer par un intervalle de temps». ◇ De la valeur spatiale du verbe vient par analogie le sens de «tenir (qqn) à l'écart (d'un projet, de la vie publique, etc.)» et le sens étendu de «faire paraître lointain» (av. 1870).

▸ **S'ÉLOIGNER** v. pron., recouvre les mêmes emplois que le verbe transitif, ainsi que **ÉLOIGNÉ, ÉE** p. p. adj. (déb. XIIIe s.) qui se dit spécialement de ce qui se situe loin de l'origine d'une filiation *(des parents éloignés),* d'un enchaînement logique *(causes, conséquences éloignées)* et, par extension, de ce qui n'est rattaché que par des liens indirects, imprécis *(ressemblance éloignée).* L'idée de distance conduit enfin à celle de divergence (1580, *être éloigné de [faire qqch.]*).
Le dérivé **ÉLOIGNEMENT** n. m. (sous la forme *esluinement,* 1155) recouvre les mêmes emplois que le verbe. Le mot s'est d'abord dit en parlant d'une distance spatiale, d'où les locutions ***dans l'éloignement*** «dans le lointain», ***avec (un certain) éloignement*** «avec recul», et par analogie d'une distance

temporelle (1650). ◇ L'emploi figuré «fait de se tenir à l'écart» est attesté beaucoup plus tardivement (1585) que l'emploi correspondant du verbe ; le mot désigne alors l'antipathie que l'on éprouve à l'égard de qqn ou de qqch. (1681) ; il est littéraire.

◈ voir **LOIN**.

① **ÉLONGATION** n. f. est un emprunt (1360) au bas latin *elongatio* «éloignement», de *elongare* «allonger», composé de *ex-* et de l'adjectif classique *longus* «long» (→ loin, long).

♦ *Élongation*, terme didactique, est d'abord attesté en astronomie pour désigner la distance angulaire d'un astre au Soleil, mesurée depuis la Terre. Le mot est ensuite utilisé en mécanique et en physique *(l'élongation d'un pendule)*.

② **ÉLONGATION** → **LONG**

ÉLOQUENT adj. est un emprunt (XIIIe s.) au latin classique *eloquens, -entis* «qui parle bien», participe présent de *eloqui* «exprimer», de *ex-* intensif, et *loqui* (→ loquace) «parler», d'origine incertaine ; *loqui*, après avoir éliminé *fari* (→ fable), a été remplacé par *parabolare* (→ parler).

♦ *Éloquent* est introduit avec le sens du latin ; par extension, l'adjectif s'applique à la parole, au discours (1690 ; *ton éloquent*), et par ailleurs signifie (1639) «expressif» (sans discours), et par analogie «qui est probant, qui convainc» (1672, *un témoignage éloquent*).

► Le dérivé **ÉLOQUEMMENT** adv. est attesté au XIVe siècle. ◆ **ÉLOQUENCE** n. f., emprunt au dérivé latin classique *eloquentia* «facilité d'expression», «art de la parole», s'emploie (1130-1140) d'abord, comme en latin, au sens de «manière de s'exprimer avec aisance, capacité à émouvoir, à persuader par le discours». ◇ Par spécialisation, il désigne (XVIIe s.) un genre littéraire qui comprend le sermon, l'éloge, le discours, etc. ; le mot est sorti d'usage au sens de «littérature en prose». ◇ Par extension, *éloquence* désigne (mil. XVIIe s.) la qualité de ce qui peut persuader le cœur ou l'esprit et le caractère de ce qui est expressif sans parole (XVIIe s.), d'où, par analogie, le caractère probant de ce qui n'a pas besoin de discours.

◈ voir **ÉLOCUTION**.

ÉLUCIDER v. tr. est un emprunt savant (attesté 1480, *T. L. F.*, mais antérieur cf. *élucidation*) au bas latin *elucidare* «éclairer» et «rendre clair, expliquer», formé de *ex-* intensif et de *lucidus* «lumineux» (→ lucide), dérivé du latin classique *lucere* «briller». *Lucere* appartient à un important groupe de mots issus de la racine indoeuropéenne °*leuk-* «être lumineux», «éclairer» (→ luciole, lumière, lune).

♦ Le verbe signifie, comme en latin, «rendre clair (une pensée ou son expression)» et, par extension, «rendre compréhensible, tirer au clair (un état de chose)» *(élucider une énigme, un mystère)*.

► Il a fourni le nom d'action **ÉLUCIDATION** n. f. (fin XIVe s., J. Goulain *in* Godefroy).

ÉLUCUBRATION n. f. est une réfection tardive (1750) de *lucubration* (1594), emprunt savant avec aphérèse au bas latin *elucubratio* «travail fait de nuit», du supin du latin classique *elucubrare* «travailler en veillant» d'où «travailler avec soin à». Ce verbe est un préfixé en *ex-* de *lucubrare* «travailler à la lueur de la lampe», lui-même dérivé probable de *lucubrum* «petite lumière», mot qui se rattache à une racine indoeuropéenne °*leuk-* «être lumineux», comme *lux, lucis* «lumière» (→ lucide, luire).

♦ Le mot est d'abord employé (1594) avec sa valeur étymologique, désignant un ouvrage (de l'esprit) fait en veillant, d'où un ouvrage composé à la suite d'un travail prolongé. ◆ À cette acception aujourd'hui disparue, la valeur étymologique du mot étant perdue, s'est substitué le sens péjoratif (1835) d'«œuvre ou théorie laborieusement édifiée, obscure ou peu sensée» ; il est surtout employé au pluriel. La nature expressive du mot a certainement joué, ainsi que des paronymies lointaines (*calembredaine, emberlificoter*, par exemple).

► Le verbe transitif **ÉLUCUBRER** est emprunté au XIXe s. (1832, Hugo) au latin classique *elucubrare ;* seul l'emploi péjoratif est en usage aujourd'hui. ◆ En dérive **ÉLUCUBRATEUR, TRICE** n. (1839), peu usité.

ÉLUDER v. tr. est un emprunt (1426) au latin classique *eludere* «jouer», «se jouer de» et «esquiver», composé de *ex-* et *ludere* «jouer», dérivé de *ludus* «jeu» ; → ludique.

♦ Le mot s'est employé avec le sens de «tromper (qqn)» et signifie à partir du XVIIe s., époque où il se construit avec un infinitif, «éviter (un problème, une difficulté) avec adresse, par un artifice» (1671). En emploi absolu, *éluder* est synonyme d'*esquiver.*

► L'adjectif dérivé **ÉLUDABLE** (1845, Richard de Radonvilliers ; 1846, Bescherelle) est d'emploi rare.

ÉLUSION n. f., emprunt (1332) au bas latin *elusio* «tromperie», du supin de *eludere*, se dit du fait d'éluder ; il est d'un emploi rare. ◆ **ÉLUSIF, IVE** adj. est formé (1798) sur *elusus*, supin du latin classique *eludere*, ou emprunté à l'anglais *elusive* (dep. 1719) «fuyant, insaisissable». Adjectif didactique ou littéraire, il signifie «qui élude, esquive», «changeant».

◈ voir **ALLUSION, ILLUSION ; PRÉLUDE**.

ÉLYSÉE n. m. et adj., attesté en 1372 *(champs elisies)*, est un emprunt savant au bas latin *elysei campi*, altération du latin classique *elysii campi*, traduction du grec *êlusion pedion* «plaine élyséenne» désignant le séjour des bienheureux après la mort. Plusieurs hypothèses ont été émises sur l'origine de *êlusion*. D'après Frisk, c'est un terme préhellénique ; les Anciens pensaient à un rapprochement avec *eluthein*, aoriste de *erkhesthai* «aller», l'expression *êlusion pedion* signifiant alors «le lieu où l'on va». Mais *Êlusion* est plus vraisemblablement, selon Chantraine, une création secondaire de *Enêlusion* «frappé par la foudre», que l'on aurait faussement interprété comme «(celui qui se trouve) dans *(en)* l'Élysée».

♦ Jusqu'à la fin du XVIe s., *champs Élysées* est employé exclusivement comme terme de mythologie en parlant de la région des enfers où séjournaient les héros et les hommes vertueux après leur mort (1512, *champ Élysée;* 1553, *chams Élysés;* aussi *champs élyséens*); on dit aussi *Élysée* (déb. XVIe s.), emprunt au latin classique *Elyseum* (grec *Êlusion*). ◇ Au XVIIIe s., *Champs-Élysées* (attesté en 1771) désigne la large avenue reliant à Paris la place Royale, qui deviendra la Concorde, à celle de l'Étoile. ◇ Par extension du sens étymologique, *élysée* désigne un lieu où il fait bon séjourner (1794); au XIXe s. le mot sera utilisé pour désigner des lieux publics (café, etc.). ◇ Enfin, au XIXe s. (1864), le mot désigne spécialement le Palais servant de siège à la présidence de la République, situé à Paris près des Champs-Élysées, d'où, par métonymie, les services du président de la République (1884, Péladan).

▶ Du nom propre *Élysée(s)* dérive l'adjectif **ÉLYSÉEN, ENNE** (1512, *champs Élisiens,* encore sous cette forme au XVIIe s.) qui qualifie, en termes de mythologie, ce qui est relatif à l'Élysée, puis (milieu XIXe s.) ce qui concerne le palais de l'Élysée, enfin la présidence de la République.

ÉLYTRE n. m. est un emprunt savant (1762) au latin scientifique *elytra* (1634), lui-même du grec *elutron* «enveloppe, étui», d'où «étui des ailes des insectes», dérivé de *eluein* «rouler», «s'envelopper dans», verbe à rattacher à la racine indoeuropéenne °*wel-* «rouler», que l'on retrouve dans le latin *volvere,* à l'origine de nombreux mots français (*évoluer, révolution,* etc.).

♦ *Élytre* est le nom donné à l'aile antérieure dure et cornée qui recouvre l'aile postérieure de certains insectes à la façon d'un étui. Le mot est parfois employé au féminin.

▶ L'adjectif dérivé **ÉLYTRAL, ALE, AUX** (1893) est un terme technique de zoologie.

ELZÉVIR n. m. apparaît à la fin du XVIIe s. (selon Wartburg) puis en 1808 comme nom commun, tiré de *Elzévir* ou *Elzevier,* nom propre d'une célèbre famille d'imprimeurs hollandais actifs de la fin du XVIe au XVIIIe siècle.

♦ C'est un terme d'emploi technique ou didactique qui a d'abord désigné un livre imprimé en Hollande par les Elzevier ou par leurs imitateurs, entre la fin du XVIe et le début du XVIIIe s., puis, par métonymie (1883), un caractère typographique. Le mot, d'abord appliqué aux caractères employés par les Elzévir, s'applique aujourd'hui à une famille de caractères non gothiques, à empattement triangulaire, évoquant les styles anciens (il s'oppose à *égyptienne* et à *classique*). Les *elzévirs de transitions* se rapprochent des « classiques. »

▶ Le dérivé **ELZÉVIRIEN, IENNE** adj. (1820) est d'emploi didactique.

ÉMACIÉ, ÉE adj., attesté au XVIe s. (1560), et rare avant le XVIIIe s., est un emprunt au latin *emaciatus,* participe passé passif du latin impérial *emaciare* «rendre maigre, épuiser», formé de *ex-* et du classique *macies* «maigreur», de *macer* «maigre» (→ maigre).

♦ *Émacié,* au sens de «qui est très amaigri», est un mot littéraire devenu rare *(un corps émacié);* il se dit plus couramment à propos d'un visage aminci à l'extrême par l'amaigrissement *(visage émacié).*

▶ Le dérivé **ÉMACIATION** n. f. (1564) «amaigrissement, maigreur extrême» est d'usage littéraire, moins rare que **ÉMACIEMENT** n. m. (1867, Goncourt). ➜ Le verbe **ÉMACIER**, rare en emploi transitif (1870), a été formé sur *émacié* ou emprunté au verbe latin *emaciare;* le pronominal *s'émacier* est attesté en 1891.

ÉMAIL, AUX n. m., d'abord *esmal* (v. 1140) puis *email* (1158-1179 dans un document latin), apparaît aussi sous la forme *esmail* (1260) issue par substitution de suffixe du pluriel *esmauz.* Le mot représente l'aboutissement du francique °*smalt,* de même sens, restitué par l'ancien haut allemand *smelzan* «fondre», d'où l'allemand *Schmelz* «émail», de la famille de *schmelzen* «fondre» (cf. anglais *to melt*). Le francique se rattache à une racine indoeuropéenne signifiant «fondre». Cependant P. Guiraud évoque le latin *maltha* «espèce de bitume» d'où il suppose un °*esmalt,* substantif verbal d'un verbe roman hypothétique °*exmalthare.*

♦ *Émail* désigne dès les premiers textes un vernis obtenu par vitrification destiné à recouvrir le métal, la céramique, la faïence, la porcelaine et qui, après avoir été porté à une certaine température et fondu, se solidifie et conserve des couleurs inaltérables. ◇ Par métonymie, c'est le nom d'un ouvrage d'orfèvrerie fait dans cette matière (surtout au pluriel; v. 1430, *aimeaulx*). *Émail* a désigné (1352) un écusson émaillé aux armes du roi ou d'une ville et s'est dit pour «faïence, porcelaine» (XVIe s.). ◇ Le mot subsiste comme terme de blason (1681), employé au pluriel, pour désigner certaines couleurs de l'écu (azur, pourpre, sinople, etc.). Par figure, *émail* s'est dit poétiquement (déb. XVIIe s.) du coloris éclatant des fleurs. ➜ Par analogie, on appelle *émail* (1699) la substance très dure qui recouvre l'ivoire de la couronne dentaire.

▶ Le dérivé **ÉMAILLER** v. tr. (1275-1280, *esmaillier*) s'emploie au sens propre pour «recouvrir d'émail», au figuré «orner, embellir de points de couleur vive», sens aujourd'hui vieilli. ◇ Il a en outre pris une valeur abstraite (mil. XVIe s.) au sens de «semer (un ouvrage) d'ornements divers», d'où, par antiphrase et ironie (cf. *perle*), *émailler un devoir de fautes* (av. 1870). ➜ Le verbe a fourni plusieurs dérivés techniques : **ÉMAILLEUR, EUSE** n. (XIIIe s., *esmailleur*) «personne qui fabrique des émaux»; **ÉMAILLURE** n. f. (1328, *esmaillure* «revêtement d'émail») a signifié «action de garnir d'émail» (1611), «art d'appliquer l'émail» (1718) et désigne aujourd'hui le produit du travail d'émailleur. ➜ **ÉMAILLERIE** n. f. (1417, *esmaillerie* «objet émaillé»), se dit depuis le XVIIe s. (1622 et repris en 1852) de l'art de fabriquer des émaux et du lieu où l'on émaille. ➜ **ÉMAILLAGE** n. m. (1870) signifie «action d'émailler» et «couche d'émail». ➜ Le composé **CONTRE-ÉMAIL** n. m. est relevé au XVIIIe s. (1755; de *contre*).

ÉMANCIPER v. tr. est un emprunt (v. 1320) au latin classique juridique *emancipare* «libérer de l'autorité paternelle», formé de *ex-* et *mancipare* «vendre». Ce verbe vient de *mancipium* «droit de propriété, propriété», composé de *manus* «main» (→ main) et *capere* «prendre» qui se rattache à une racine indoeuropéenne °*kap-* et à des mots signifiant «saisir, posséder» (→ capturer, chasser).

♦ Le verbe conserve le sens juridique du latin, puis se dit par extension (1580) pour «libérer (qqn) d'un état de dépendance» (cf. *affranchir*). ◇ Comme le verbe transitif, *s'émanciper* signifie «s'affranchir d'une sujétion, d'une tâche» (1585) puis à l'époque classique s'emploie absolument (1667) au sens de «prendre trop de licence dans sa conduite», le plus souvent péjorativement et avec *de, à* au sens de «se laisser aller» (1668).

▶ Le participe passé **ÉMANCIPÉ, ÉE** adj. a les mêmes valeurs. ◆ **ÉMANCIPATION** n. f. est emprunté (1312) au latin juridique *emancipatio*, du supin de *emancipare*. ◆ D'abord terme juridique, il a eu la même évolution que le verbe, désignant couramment (1796) l'action de se dégager d'une autorité, d'une domination (1808, *émancipation des esclaves*), etc. Comme le verbe et son participe passé, il s'est appliqué au XIXe s. aux femmes cherchant à obtenir une liberté égale à celle de l'homme. ◆ **ÉMANCIPATEUR, TRICE** n. et adj., dérivé d'*émanciper* (1836), reste d'emploi littéraire pour désigner une personne ou un principe qui provoque l'émancipation intellectuelle ou morale.

ÉMANER v. intr. est un emprunt (1456) au latin classique *emanare* «couler de, provenir de», de *ex-* et *manare* «couler, se répandre», verbe d'origine obscure.

♦ *Émaner*, rare jusqu'au XVIIe s., s'emploie au sens général de «provenir d'une source physique» et par analogie dans le domaine théologique au sens de «procéder» *(le Verbe émane de Dieu)*. ◇ Par extension, *émaner* signifie «provenir comme de sa source naturelle» (1495, de tourbillons); le verbe a pris (1834, Balzac) le sens de «provenir comme par rayonnement».

▶ **ÉMANATION** n. f., emprunt (1579) au latin chrétien *emanatio* (du supin de *emanare*) «action de procéder de qqn, de qqch.», en conserve le sens en théologie. Par extension (1611), le mot désigne tout ce qui sort de qqn ou de qqch. ◇ Au XVIIIe s., *émanation* signifie en sciences (1755) «émission ou exhalaison de particules impalpables, de corpuscules qui se détachent de certains corps», emploi vieilli puis repris en physique dans un autre contexte conceptuel (1900), se disant de gaz radioactifs, aussi nommés **ÉMANON** n. m. (1964), mot formé du radical d'*émanation* et du suffixe *-on* (de *électron*, etc.)

ÉMARGER v. tr., attesté en 1611 au participe passé, est dérivé par préfixation en *é-* du substantif *marge* (→ marge).

♦ Il s'est d'abord employé avec les sens de «noter dans la marge» (1611) puis, spécialement, «écrire, signer en marge d'un compte» (1721, infinitif), termes d'administration; par métonymie, *émarger* s'emploie (1837) au sens de «toucher le traitement affecté à un emploi». Au début du XIXe s., le verbe prend le sens technique (1805) de «diminuer la marge de (une feuille, un livre)».

▶ Le dérivé **ÉMARGEMENT** n. m. (1721) recouvre les mêmes emplois que le verbe; il désigne spécialement (1842) le paiement d'un traitement. ◆ **ÉMARGINATION** n. f. «note en marge d'un document» est une formation savante sur le latin *margina*, attestée chez Hugo (1832, *Notre-Dame de Paris*).

ÉMASCULER v. tr., attesté en 1375 et repris en 1707, est un emprunt au latin impérial *emasculare* «châtrer», de *ex-* privatif et *masculus* (→ mâle), diminutif de *mas, maris* «mâle» qui n'a pas de correspondant hors du latin.

♦ *Émasculer* a conservé le sens du latin et se dit au figuré (av. 1865 au participe passé) pour «enlever sa force à (qqn, en principe un homme), rendre efféminé».

▶ Le dérivé **ÉMASCULATION** n. f., terme didactique, est attesté en 1755 au sens propre et au XIXe s. (1870) au figuré.

◈ voir MASCULIN.

EMBÂCLE → BÂCLER

EMBALLER → ② BALLE

EMBARCADÈRE n. m. est un emprunt (1689) à l'espagnol *embarcadero* (1604), dérivé du verbe *embarcar*, de *barca*, de même origine que *barque**.

♦ Le mot désigne un lieu spécialement aménagé, dans un port, sur une rivière, pour l'embarquement et le débarquement (cf. *débarcadère*) des passagers et des marchandises. ◇ *Embarcadère* s'est dit par analogie (v.1845) jusqu'à la fin du XIXe s. d'une gare de chemin de fer; il a été remplacé par *quai;* le mot est encore parfois utilisé pour désigner la partie où embarquent voyageurs et marchandises.

EMBARCATION n. f. est un emprunt (1771) à l'espagnol *embarcación* «petit bateau» (1493), mot connu en France dès le XVIIe s. (1633, *embarcacion*, cité par Voiture), dérivé de *embarcar* qui correspond au français *embarquer* et est dérivé de *barca* (→ barque).

♦ Le mot désigne un bateau de petite dimension et, spécialement, un petit bateau embarqué à bord d'un navire et utilisé pour les navettes à terre ou le sauvetage.

EMBARDÉE n. f. est attesté en 1694 (Th. Corneille) comme participe passé substantivé du verbe **EMBARDER**, emprunt (1687) au verbe provençal *embarda*, proprement «embourber» et employé par extension en parlant d'un navire qui subit un brusque mouvement de rotation sur lui-même sous l'effet d'un courant ou d'un vent violent. *Embarder* est dérivé de *bard* «boue» (en ancien provençal *bart*, milieu XIIIe s.), que l'on rattache à une forme °*barritum*, dérivée du latin populaire °*barrum* «boue», d'origine pré-latine.

♦ Le verbe, aujourd'hui vieilli, s'est dit (1687) en termes de marine (tr.) de la manœuvre destinée à remettre sur la bonne voie un navire qui a dévié de sa trajectoire, et (intr.) en parlant d'un navire qui s'écarte de sa route. ➜ *Embardée,* d'abord employé (1694) comme terme de marine, désigne aujourd'hui couramment par extension (1833) l'écart brusque d'un véhicule.

EMBARGO n. m. est un emprunt (1626) à l'espagnol *embargo* (depuis 1020 au sens d'«empêchement, obstacle»), déverbal de *embargar* «embarrasser, empêcher»; ce dernier est issu du latin populaire °*imbarricare,* propre aux domaines hispanique et occitan, dérivé de °*barra* (→ barre).

♦ *Embargo,* surtout employé avec les verbes *mettre, lever,* est d'abord attesté dans *lever l'embargo* (1626) avec le sens de «mesure destinée à empêcher la libre circulation de marchandises». Au début du XVIIIe s., c'est un terme de droit maritime *(mettre un embargo),* désignant l'interdiction faite par un gouvernement à des navires étrangers de quitter le port où ils ont mouillé (1723). ◇ Le mot désigne ensuite (av. 1825) une mesure qui tend à empêcher la circulation de qqch. et s'emploie également au figuré pour «ce qui empêche l'exercice de qqch.» (1865, Flaubert); ces emplois sont littéraires et rares.

EMBARQUER → BARQUE

EMBARRASSER v. tr. est un mot emprunté (1570-1571, *embarasser;* probablement antérieur, cf. ci-dessous *embarras*) à l'espagnol castillan *embarazar* (v. 1460) «causer de la gêne (à qqn)», lui-même pris au léonais et au galicien-portugais *embaraçar* dérivé de *baraço* «courroie, corde», d'origine incertaine. L'italien *imbarazzare* a la même origine. Le verbe français est probablement apparu en Wallonie, occupée au XVIe s. par les Espagnols.

♦ *Embarrasser,* qui a d'abord le sens de l'étymon, s'emploie ensuite (1580) comme pronominal, au sens de «se troubler, perdre le pouvoir de se mouvoir», qui a vieilli. ◇ Par extension, *embarrasser* signifie «gêner (qqn) en troublant ses idées» et concrètement «gêner (un passage) par un obstacle» (fin XVIe s.), puis (1665) au figuré «encombrer (qqn) de sa présence» en parlant d'une personne et *s'embarrasser* (1663) «prendre souci, se préoccuper». ◇ Le verbe est vieilli au sens classique (1690) de «gêner par un obstacle», d'où vient l'emploi moderne de «priver (qqn) de sa liberté de mouvement» (1690).

▸ **EMBARRAS** n. m., déverbal d'*embarrasser,* s'est d'abord employé (1552, au pluriel) en français de la Flandre espagnole au sens d'«obstacles qui entravent la circulation», puis au figuré (1561, *embaras*) pour «situation difficile». ◇ Par extension, *embarras* désigne un obstacle qui s'oppose à l'action (1668), d'où la cause d'un désagrément (1685) et spécialement la gêne résultant d'une situation difficile (1690, *embarras d'argent*). Par analogie, il se dit d'un encombrement des voies digestives. ◇ Au figuré, *embarras* n'est plus que d'usage littéraire au sens de «confusion résultant d'affaires difficiles à débrouiller» (1677); cependant, cette idée de «complication» se retrouve dans la locution courante ***faire de l'embarras, des embarras*** «chercher à se faire remarquer, faire des manières». ◇ Le nom a pris (1660, Corneille) la valeur d'«incertitude de l'esprit devant une décision à prendre», dans quelques expressions comme *avoir de l'embarras, n'avoir que* ***l'embarras du choix,*** et désigne l'état d'une personne gauche (1680). ➜ L'adjectif **EMBARRASSÉ, ÉE** «dans l'embarras» (1580) a suivi l'évolution du verbe. ➜ **EMBARRASSANT, ANTE** adj. (1606, *embarassant*) s'emploie au propre et au figuré («qui trouble»).

◈ voir **DÉBARRASSER.**

EMBASTILLER → BASTIDE

EMBATTRE → BATTRE

EMBAUCHER v., attesté au XVIe s. (1564), a été formé, par substitution de préfixe, comme antonyme de *débaucher** au sens de «détourner de son travail».

♦ Le mot est employé dès le XVIe s. (tr.) avec le sens d'«engager (un ouvrier) en vue d'un travail» (l'emploi absolu *on embauche* est plus tardif). Par extension, *embaucher* a été employé (1797) pour «enrôler (des hommes) dans l'armée de métier», d'où «attirer dans son armée (les soldats de l'ennemi)» (XIXe s.). ◇ C'est au XIXe s. que le verbe a pris le sens courant d'«entraîner (qqn) dans une activité» (1895, L. Bloy), «attirer (qqn) dans un parti, un groupement».

▸ **EMBAUCHE** n. f., déverbal d'*embaucher,* est attesté en 1660 mais demeure rare avant le XXe s., avec le sens d'«action d'embaucher»; il se dit de la possibilité de travail *(offre d'embauche, bureau d'embauche)* et appartient au champ sémantique du travail salarié, comme *chômage, emploi,* etc. ➜ **EMBAUCHEUR, EUSE** n. (1680) «celui qui embauche» n'a pas conservé les emplois dérivés des sens étendus d'*embaucher.* ➜ **EMBAUCHAGE** n. m. (1752) «action d'embaucher» (aussi terme de droit), se dit par extension de l'action d'entraîner (qqn) dans une activité, d'enrôler dans un parti. ◇ On rencontre dans cet emploi **EMBAUCHEMENT** n. m. (1792), aujourd'hui sorti d'usage. ➜ Le préfixé **RÉEMBAUCHER** v. tr. (1904) a donné **RÉEMBAUCHAGE** n. m. (1928) ou **RÉEMBAUCHE** n. f. (attesté 1964).

◈ voir **DÉBAUCHER.**

EMBAUMER v. tr., réfection (v. 1270) de *enbasmer* (1160-1170), est un mot dérivé, par préfixation *en-,* de *basme, baume* (→ baume).

♦ *Embaumer* se dit d'abord (fin XIIe s.) de l'action de conserver un cadavre au moyen de substances balsamiques; il est ensuite employé par extension (v. 1270) pour «imprégner (qqch.) d'une odeur suave, parfumer», notamment au participe passé *(air, brise embaumé[e]).* ◇ De la première acception, vient le sens figuré (av. 1778) «préserver de l'oubli, rendre immuable», aujourd'hui d'emploi littéraire. Par extension du second emploi, *embaumer* se dit, absolument, pour «exhaler, répandre une odeur agréable» (1841), d'où, familièrement, avec une valeur négative, *ça n'embaume pas* (*la rose*, etc.) «ça sent mauvais». ◇ Par métaphore, le mot s'est employé familièrement (1842) avec le sens de «prodiguer (à qqn) des flatteries exagérées» (cf. *encenser*); cet emploi a disparu.

▸ **EMBAUMEUR, EUSE** n. (1556) «personne chargée d'embaumer les morts», a désigné aussi au figuré (1865) une personne qui prodigue les flatteries. ◆ **EMBAUMEMENT** n. m. (1575), réfection de l'ancien français *enbassement* (fin XIIIe s.), *enbalsement* (XIVe s.), «action d'embaumer un cadavre» et par métaphore «fait de rendre immuable» (1862, Hugo), se dit aussi (1834) du fait d'être odorant. ◆ **EMBAUMANT, ANTE** adj. (1800; du participe présent d'*embaumer*) est d'un emploi didactique en parlant de ce qui a des propriétés balsamiques, et littéraire pour qualifier ce qui répand une odeur suave.

EMBERLIFICOTER v. tr. est attesté à la fin du XVIIIe s. (1790) après toute une série de formes : *embarelicotter* (1711) «rendre amoureux», *embarelificorelicoter* (1744), *embarlificoté* (1783). C'est une altération d'*emberlucoquer* qui a lui-même de nombreuses variantes (XIVe s. *embirelicoquier*, *embrelicoquer*, *emberloquer*, etc.), avec infixation de *-(if)ique*, sous l'influence probable de mots comme *mirifique*, *horrifique*, et suffixe *-oter*. *Emberlucoquer* est issu d'un radical expressif *bir-* ou *pir-* qui contient l'idée d'un mouvement circulaire (cf. *pirouette*); cette base *pir-/bir-* se rattache peut-être au grec *peirein* «transpercer» (grec moderne *peiros* «cheville», «pivot»). Le substantif *coque* est pris au sens de «chose dans valeur» attesté par exemple dans *byrelicoquille* (XIIIe s.) «chose de peu de valeur». Selon P. Guiraud, *emberlificoter* serait formé d'un radical *berl-* (cf. *berloque*, *breloque*, l'ancien français *berele* «menu objet») et d'une combinaison des suffixes *-ique* et *-oque*.

♦ Peu courant au sens familier de «gêner (qqn) dans ses mouvements», le verbe s'emploie usuellement au figuré pour «entortiller, embrouiller (qqn) pour le tromper» (déb. XXe s.). Il se dit au propre (1824) comme au figuré en emploi pronominal.

▸ En dérivent **EMBERLIFICOTÉ, ÉE** adj. «embarrassé, confus» et **ENBERLIFICOTEUR, EUSE** n. (1867) «personne qui gêne, empêtre» et «personne qui trompe habilement».

EMBÊTER → **BÊTE**

EMBLAVER v. tr., attesté en 1242 au participe passé (1573 à l'infinitif), est un dérivé ancien de *blef* c'est-à-dire *blé**, formé avec le préfixe *em-* (*en-*) et le développement d'une consonne de transition *v* (cf. v. 1202, la forme étymologique *emblaer*, *embleer*).

♦ C'est un terme d'agriculture qui signifie «ensemencer (une terre) en blé» et se dit absolument pour «semer les céréales».

▸ Du verbe dérivent des termes d'agriculture : **EMBLAVURE** n. f., d'abord «récolte», écrit *emblaüre* (XIIIe s.), *emblaveure* (1509), désigne une terre ensemencée en blé (1762), auparavant sous la forme *embleüre* (fin XIVe s.). ◆ **EMBLAVEMENT** n. m., autrefois «récolte de blé» (1613), signifie «action d'emblaver» (1878) et par métonymie «terre emblavée» (1932). ◆ Dans ce sens, le mot remplace l'ancien **EMBLAVE** n. f. (1755, pl.; 1838, sing.). ◆ Enfin **EMBLAVAGE** n. m., attesté une première fois au XVIIIe s. et repris en 1845, se dit de l'action d'emblaver.

EMBLÉE (D') loc. adv. succède (av. 1453) aux locutions anciennes *an emblét* (v. 1121), *en emblee* (v. 1165) «clandestinement, en cachette». *Emblée* est le participe passé substantivé de l'ancien français *embler*, verbe transitif (v. 980), issu du latin classique *involare*, proprement «voler dans» d'où «se précipiter sur, se saisir de», de *in* et *volare* (→ voler). Le verbe, qui a conservé le sens de «voler, dérober» (v. 980), est considéré comme vieux au XVIIe s. (Richelet, 1680).

♦ La locution adverviale *d'emblée* signifie d'abord «par surprise (en parlant de la prise d'une ville)», puis par extension «immédiatement» (XVe s.) et enfin «du premier coup, tout de suite».

EMBLÈME n. m. est un emprunt savant (1560) au latin *emblema* «ornement en placage sur des vases», lui-même du grec *emblêma* «ornement appliqué», dérivé de *emballein* «jeter dans», de *ballein* «jeter». La famille de *ballein* est à l'origine de nombreux mots français (→ bolide, diable, hyperbole, parabole, symbole) et se trouve probablement en rapport avec le latin *ballare* (→ bal).

♦ Le mot désigne d'abord la représentation d'une figure à valeur symbolique, généralement accompagnée d'une devise, puis un être ou objet concret qui symbolise une chose abstraite (1760, Voltaire) et enfin un attribut, une figure, destinés à les représenter (1801-1818).

▸ **EMBLÉMATIQUE** adj., didactique, emprunté (1564) au dérivé bas latin *emblematicus* «plaqué», suit l'évolution sémantique d'*emblème*. Mot didactique à la mode, il se dit pour «qui a valeur de symbole». ◇ Il a pour dérivé **EMBLÉMATIQUEMENT** adv. (1847).

◈ voir **PROBLÈME**.

EMBOBELINER v. tr., d'origine dialectale (Ouest, Centre), est attesté au XVIe s. (1587, *emboubelinez*), dérivé (avec le préfixe *en-*) de l'ancien français *bobelin* «chaussure grossière» (1375-1380), lui-même de l'onomatopée *bob-* que l'on retrouve dans *bobine**.

♦ Le mot apparaît d'abord, au XVIe s., au sens d'«emmitouflé, harnaché»; le sens d'«envelopper de vêtements», attesté dans de nombreux dialectes, est sorti d'usage. Conjointement, apparaît l'emploi figuré et familier de «duper, enjôler, séduire (qqn par des paroles)» (1594) qui reste seul en usage (cf. *emballer*).

▸ Du verbe dérivent deux mots peu usités, **EMBOBELINAGE** n. m. (fin XIXe s., Daudet) et **EMBOBELINEUR, EUSE** adj. et n. (déb. XXe s.).
Du même *embobeliner* est issue, au début du XIXe s., la forme altérée, d'après *bobine*, **EMBOBINER**

v. tr., d'abord (1813) au sens d'«enjôler, tromper par des paroles captieuses» puis au sens concret d'«envelopper de vêtements ou de linge» (1881, Maupassant). Quand il signifie «enrouler autour d'une bobine, former en bobine» (1876), le mot est dérivé de *bobine**. ◆ Du verbe *embobiner* dérive **EMBOBINAGE** n. m., employé au figuré (1945, Cendrars) et au propre *(l'embobinage d'un film)*. ◆ Le composé **REMBOBINER** v. tr. (XXe s.) se dit en parlant d'un fil ou d'un film; il a pour dérivé **REMBOBINAGE** n. m. (XXe s.), employé comme terme de cinéma (v. 1923).

EMBOIRE v. tr. est issu (v. 1165) du latin classique *imbibere* «se pénétrer de, s'imprégner de», de *in-* intensif, et *bibere* «boire» (→ boire, imbiber).

♦ Le verbe a conservé le sens d'«imprégner» (v. 1165 au figuré, «enivrer»), aujourd'hui spécialement en peinture (1676, Félibien), à la forme pronominale en parlant d'un tableau dont les couleurs deviennent ternes parce que la toile a bu l'huile.

▶ **EMBU, UE** adj., d'abord attesté au sens d'«enivré» (v. 1170), signifie «imbibé (d'un liquide)» (v. 1280, *enbu*) dans quelques contextes *(yeux embus de larmes;* en marine, *voile embue,* «alourdie par l'eau»). ◆ C'est aussi un terme de peinture (1676), substantivé dans un **EMBU** n. m. (1838).

◈ voir FOURBU, IMBU.

◈ **EMBOISER** v. tr. est un composé (1680) de l'ancien français *boisier* «tromper par de petites flatteries, des promesses» (XIIe s.), issu du francique *°bausjan* «dire des sottises, dénaturer» (cf. ancien haut allemand *bôsôn,* de même sens).

♦ *Emboiser,* «tromper», s'est utilisé jusqu'à la fin du XIXe siècle.

EMBOLIE n. f. est un dérivé savant (1845-1856) à partir du grec *embolê* «action de jeter dans, sur», d'où «attaque, choc», dérivé de *emballein* «jeter dans», de *em-* (pour *en* «dans») et *ballein* «jeter» (→ emblème).

♦ Le mot désigne l'oblitération brusque d'un vaisseau par un corps étranger ou un caillot entraîné par le sang.

▶ Le dérivé **EMBOLIQUE** adj. (1864) est un terme de médecine comme **EMBOLUS** n. m. (1857) ou **EMBOLE** n. m. (1870), emprunt savant au latin impérial *embolus* «piston d'une pompe» (du grec *embolos* «éperon»), qui désigne tout corps étranger pouvant provoquer une embolie.

◈ voir EMBOLISME.

EMBOLISME n. m. est un emprunt (1119) au bas latin *embolismus* «intercalation», du grec *embolimos* «(jour) intercalaire», dérivé de *embolê* «action de jeter dans» (→ embolie).

♦ Le mot désigne, en parlant de l'Antiquité, l'intercalation d'un mois lunaire, certaines années, destinée à faire concorder les années solaires et lunaires.

▶ **EMBOLISMIQUE** adj. est attesté au XVe siècle.

EMBONPOINT n. m. est issu (1528) du syntagme *en bon point* «en bonne condition, situation» (1164), et spécialement «en bonne santé» (fin XIIIe s.).

♦ Le mot a désigné l'état d'une personne en bonne santé jusqu'au XVIIIe s.; dès le XVIe s., il se dit aussi (v. 1540) de l'état d'un corps bien en chair, un peu gras, sens courant aujourd'hui, l'étymologie du mot n'étant plus sentie; → point.

① **EMBOUCHER, EMBOUCHURE** → BOUCHE

② **EMBOUCHER** v. tr. est une altération (attesté 1890, mais antérieur), sous l'influence de *bouche**, de *embaucher* «mettre à l'engrais», verbe dialectal formé par préfixation *en-* de l'ancien français *bauc, bauch* «poutre», devenu *bau,* probablement parce que le bétail destiné à l'abattoir était installé d'une façon particulière.

♦ *Emboucher* signifie «mettre (un animal) dans un pré pour l'engraisser».

▶ Il a fourni des dérivés techniques, **EMBOUCHE** n. f. «prairie» (1837) et «engraissement du bétail dans les prés», dont la variante *embauche* (1875) est régionale, et **EMBOUCHEUR** n. m. (1920, *embaucheur*).

EMBOURBER → BOURBE

EMBOURGEOISER → BOURG

EMBOUT, EMBOUTIR → BOUT
◇ **EMBOUTEILLER** → BOUTEILLE

EMBRASER, EMBRASURE → BRAISE

EMBRAYER v. tr. représente probablement un dérivé (1858) de *braie* (→ braie) au sens de «pièce de bois mobile dans un moulin à vent, qui sert à soulager les meules»; le verbe *rembrayer* «serrer la braie» existe au XVIIIe s. (1783).

♦ Le verbe s'emploie d'abord en mécanique au sens de «mettre en communication (une pièce mobile) avec l'arbre moteur». Il signifie ensuite (1927, intr.) «prendre ou reprendre le travail», «commencer une action» d'où «commencer à discourir» et, par extension (v. 1948, *embrayer sur*), «mener à une action efficace» (on a la même image dans la locution de sens contraire *tourner à vide*).

▶ Les dérivés **EMBRAYAGE** n. m. (1856) et **EMBRAYEUR** n. m. (1878) sont des termes de mécanique. ◇ *Embrayeur* est introduit vers 1960 dans le vocabulaire de la linguistique, traduisant (mal) l'anglais *shifter* (Jakobson) qui correspond à «changement de vitesse», pour désigner une classe de mots dont le sens varie avec la situation de communication. ◆ Le composé préfixé en *dé-, désembrayer* (1838), a été éliminé par **DÉBRAYER** v. tr., formé par substitution de préfixe (1865). Ce dernier s'emploie au figuré (v. intr., 1937) pour «arrêter le travail». ◆ Le dérivé **DÉBRAYAGE** n. m. s'emploie au propre (1860) et au figuré (1952).

EMBRIGADER → BRIGADE

EMBRINGUER v. tr., mot familier récent (d'abord *s'embringuer,* 1915), est peut-être composé de *em-* et de *bringue* ou *brigue* «morceau» (→ bringue); on relève depuis le XVe s. plusieurs formes proches et de sens compatible, comme *imbrinqué* (XVe s.) «chargé», *embriquer, embriguer* (1586) «charger», *embriguer* (XVIe s.) «embarrasser», *imbringuer* (1754) «charger» et *imbringue* adj. (1838) «embarrassé, caché», mais leurs rapports avec le verbe moderne *embringuer* restent obscurs.

♦ Le mot s'emploie au sens d'«engager (qqn) de telle sorte qu'il soit embarrassé» *(se laisser embringuer); être embringué* signifie (1922) «être embarrassé par ce qu'on porte sur soi, avec soi».

EMBROCATION n. f. est un emprunt (1377, *embrocacion*) au latin médiéval *embrocatio* (av. 1250) dérivé du bas latin *embrocha* «enveloppe humide», du grec tardif *embrokhê* «lotion», dérivé de *embrekhein* «mouiller, tremper», verbe d'origine obscure.

♦ *Embrocation,* terme de médecine, désigne l'action de verser sur une partie malade une préparation huileuse et calmante et, par extension (1690), le liquide lui-même (cf. *liniment*). Dans ce sens, le mot s'est diffusé au XXe s. grâce au sport.

▶ Il a pour synonyme familier l'aphérèse **EMBROC** n. f., usuelle dans les années 1930.

EMBROUILLER → BROUILLER
◇ **EMBROUSSAILLER** → BROUSSAILLE
◇ **EMBRUMER** → BRUME

EMBRUN n. m. est emprunté une première fois au XVIe s. (déb. XVIe s., *anbrun*) et repris au XIXe s. (1828) au provençal *embrun,* déverbal de *embruma* «bruiner», de formation analogue à *embrumer*.*

♦ Le mot, surtout employé au pluriel *(les embruns),* désigne une poussière d'eau formée par l'eau de la mer emportée dans la direction du vent (cf. *bruine*).

EMBRYON n. m. est un emprunt (1370-1372, Oresme, *embrions*) au grec *embruon,* proprement «ce qui croît à l'intérieur de», qui se dit de jeunes animaux (l'agneau qui vient de naître) et désigne, chez les médecins, l'embryon. Le mot, conservé en grec moderne, est un dérivé de *bruein* «se gonfler, croître», sans étymologie établie. En français, le mot s'est écrit *embrion* jusqu'au XIXe s., époque où le *y* s'impose.

♦ *Embryon* désigne d'abord l'œuf des animaux vivipares. Au figuré, le mot se dit de ce qui commence à paraître mais n'est pas achevé (1654). ◇ Il s'est employé au sens figuré (1690, Furetière) d'«homme insignifiant» (cf. *avorton*). ◇ Par analogie, *embryon* est utilisé en botanique pour désigner l'ensemble des cellules issues de l'œuf (1808). Le concept moderne d'embryon se dégage au milieu du XIXe s. en même temps que celui d'embryologie.

▶ Le dérivé **EMBRYONNAIRE** adj. s'emploie au propre (1834) et au figuré (1855).

EMBRYOLOGIE n. f. est formé de l'élément *embryo-,* tiré d'*embruon,* et de *-logie;* le mot est attesté en 1762 au sens de «traité sur l'embryon humain», d'où «étude de l'embryon humain et de son développement» en tant qu'élément des études médicales. ◇ Il désigne aujourd'hui la science de l'ontogenèse des organismes animaux; le concept moderne d'embryologie, comme celui d'embryon, se dégage au milieu du XIXe s. (cf. l'emploi par Darwin de *embryology* en anglais, dès 1851). Il est primordial en biologie générale, à côté de celui de génétique. ◆ Les dérivés **EMBRYOLOGIQUE** adj. (1832) et **EMBRYOLOGISTE** n. (1846) et aussi **EMBRYOLOGUE** (1846), ont pris la valeur moderne d'*embryologie.*

L'élément *embryo-* entre dans la formation de termes didactiques, par exemple **EMBRYOTOMIE** n. f. (1732), réfection d'*embruotomie* (1707), de *-tomie*,* **EMBRYOME** n. m. (attesté 1929) «tumeur qui résulte d'une malformation congénitale» et, plus récemment, **EMBRYOPATHIE** n. f. (v. 1960), de *-pathie*,* «maladie qui atteint l'embryon».

EMBÛCHE → BÛCHE

EMBUSQUER v. tr. représente (XVe s.) une réfection de l'ancien français *embuschier* (→ embûche) d'après l'italien *imboscare* «se cacher» (XIIIe s.) et «tendre une embuscade» (XIVe s.), dérivé de *bosco* «bois», de même origine que *bois*.*

♦ Le verbe conserve le sens de «poster dans un lieu pour surprendre l'ennemi». *S'embusquer* reprend au XVIIIe s. le sens de «se cacher» (1620) et signifie spécialement en argot militaire «se planquer» (1855), emploi largement répandu pendant la Première Guerre mondiale, de même que le participe passé substantivé **EMBUSQUÉ, ÉE** (1883).

▶ De cet emploi vient aussi **EMBUSQUAGE** n. m. (av. 1918) pour l'action et le fait de s'embusquer.

EMBUSCADE n. f. est emprunté (1476-1477) avec des variantes *imboscade, emboscade* au XVIe s., à l'italien *imboscata* (XIVe s.), participe passé substantivé de *imboscare.* ◆ Le nom désigne la manœuvre par laquelle on dissimule une troupe pour surprendre l'ennemi et, par métonymie, le lieu de la manœuvre, la troupe en embuscade (1636). ◇ Par figure (XXe s.), *embuscade* équivaut à *embûche.* ◆ Le dérivé **S'EMBUSCADER,** utilisé par Barrès (1888), est resté un mot d'auteur.

-ÈME, second élément de mots savants, tiré de *phonème* (→ phonème), est utilisé en linguistique et en sémiotique.

♦ Il sert à former des noms masculins désignant une unité minimale distinctive, dans le domaine exprimé par la base nominale. Cet élément est productif dans la terminologie sémiotique (cf. *dansème, mythème, pictème,* etc.).

ÉMÉCHÉ, ÉMÉCHER → MÈCHE

ÉMENDER v. tr. est un emprunt (v. 1200) au latin *emendare* «corriger, réformer», de *ex-* privatif et *mendum* «défaut physique», mot sans origine connue (→ amender, mendiant).

♦ *Émender* s'est employé en ancien français au sens d'«améliorer»; au XVIe s., il signifie par spécialisation (1547) «corriger un texte», sens disparu aujourd'hui.

◇ Il s'est conservé comme terme de droit (1554) pour «réformer un jugement».

▸ **ÉMENDATION** n. f., emprunt (XIIIe s.) au latin *emendatio* «action de corriger», de *emendatum,* supin de *emendare,* est un terme didactique. D'abord avec le sens étymologique dans le domaine moral, il désigne la correction faite à un texte (1549), spécialement la modification intentionnelle de l'orthographe d'un nom savant, en histoire naturelle.

ÉMERAUDE n. et adj. est un emprunt francisé (1121-1124, *esmaragde*), adapté en *esmeraude* (1176-1181) et écrit *émeraude* au XVIIe s., au latin *smaragdus,* du grec *smaragdos* «émeraude», d'origine orientale et à rattacher, probablement, à une racine sémitique signifiant «briller»; on trouve l'italien *smeraldo,* l'espagnol *esmeralda,* à côté de l'anglais *smaragd* et de l'allemand *Smaragd.*

♦ Le mot, comme nom féminin, désigne d'abord une pierre précieuse; cette pierre est généralement de couleur verte, d'où (milieu XVIIIe s.) le sens de «couleur verte de l'émeraude», aussi adjectivé. ◇ Repris comme nom masculin, *émeraude* désigne (XIXe s.) un oiseau paradisier (Nouvelle-Guinée) dont la gorge est verte.

▸ Le nom de couleur a suscité deux dérivés, **ÉMERAUDINE** n. f. (1762) «insecte du genre cétoine, de couleur verte», et **ÉMERALDINE** n. f. (1872) «matière colorante bleu-vert».

ÉMERGER v. intr. est un emprunt (1495) au latin classique *emergere* «sortir de, s'élever, se montrer», de *ex-,* et *mergere* «plonger, s'enfoncer» au physique et au moral; ce verbe est rattaché à une racine indoeuropéenne °*mezg-,* corroborée par des formes sanskrites et baltes.

♦ Le verbe, rare avant le XIXe s., s'est d'abord utilisé au figuré au sens de «se manifester, apparaître plus clairement», puis au sens propre (1826, Chateaubriand).

▸ Le dérivé **ÉMERGEMENT** n. m. (1855) est rare, le substantif du verbe étant *émergence* (ci-dessous). ➛ **ÉMERGENT, ENTE** adj. est emprunté au latin classique *emergens, -entis,* participe présent de *emergere;* employé d'abord en droit (1476, *emergeant*) au sens disparu de «qui dépend», il s'utilise dans *année émergente* (1508-1517) «à partir de laquelle on compte les années d'une ère». L'adjectif, employé en physique au sens de «qui sort d'un milieu après l'avoir traversé» (*rayons émergents,* en optique), est emprunté (1720) à l'anglais *emergent* (1676, Newton), de même origine. Le mot s'utilise rarement au sens concret (XIXe s.) de «qui émerge» *(île émergente).* ◇ Abstraitement, c'est aussi un terme de philosophie (XXe s.). ➛ Le dérivé **ÉMERGENCE** n. f. a d'abord été employé en droit (1498, «dépendance»). ◇ Comme terme de physique (1720), il est emprunté à l'anglais (*emergence,* 1704, Newton en optique). Il est ensuite employé en anatomie (1846, *émergence d'un nerf*), en géologie *(émergence d'une source),* en philosophie et en biologie (*théorie de l'émergence,* de G. H. Lewes, 1874). ◇ Au figuré, *émergence* signifie (apr. 1950) «apparition soudaine, dans une suite d'événements, d'idées»; ce sens procède de l'emploi du verbe en philosophie.

◈ voir **ÉMERSION, IMMERGER, SUBMERGER.**

ÉMERI n. m. qui succède au XVIIe s. aux formes *esmerill* (v. 1200), *esmery* (1440), *emeril* (XVIe-XVIIe s.) est probablement emprunté, comme l'italien *smeriglio,* le latin médiéval d'Italie *smeriglum* (1283) et le catalan *esmerill* (déb. XVe s.), au grec byzantin *smerilion.* Ce dernier est le diminutif de *smeri,* du grec classique *smuris* «émeri», d'origine obscure. On rapproche traditionnellement ce mot d'une racine germanique et celtique °*smeru-* «moelle», «graisse», hypothèse qui, d'après Chantraine, n'est satisfaisante ni pour la forme ni pour le sens.

♦ *Émeri* désigne comme son étymon une variété granulaire très dure du corindon; le mot est utilisé couramment (1866) dans *papier* ou *toile (d')émeri.* ◇ *Émeri* entre dans la locution ***bouché à l'émeri,*** employée à propos d'un flacon (1818), dont le bouchon, poli à l'émeri, s'adapte parfaitement au goulot (cf. *hermétique*); de cette expression technique vient le sens figuré et familier (1897) de «particulièrement fermé, borné» (cf. *bouché*).

▸ **ÉMERISER** v. tr. est un terme technique (1868) d'où dérivent **ÉMERISAGE** n. m. (milieu XXe s.) et **ÉMERISEUSE** n. f. (mil. XXe s.).

ÉMERILLON n. m. est un dérivé suffixé en *-on* (v. 1165, *esmerillon*) de l'ancien français *esmeril,* qu'on suppose issu du francique °*smiril* (cf. ancien haut allemand *smiril*).

♦ Le mot désigne (v. 1165) un oiseau rapace diurne, qu'on dressait autrefois pour la chasse. ➛ Au début du XVIe s., *émerillon* est attesté au sens de «petite pièce d'artillerie»; ensuite le mot est employé dans divers sens techniques, dont celui (1680) de «croc ou anneau rivé par une petite tige dans une bague, de façon à pouvoir tourner librement».

▸ À l'emploi ancien en fauconnerie se rattache le dérivé **ÉMERILLONNÉ, ÉE** adj. (v. 1479) d'emploi littéraire, qui s'applique à un regard vif, par analogie avec le regard perçant de l'oiseau. ➛ **S'ÉMERILLONNER** v. pron. «prendre une humeur gaie» (1718), de l'adjectif, est sorti d'usage. ➛ Le sens technique d'*émerillon* a produit **ÉMERILLONNER** v. tr. (XXe s.).

ÉMÉRITE adj. relevé une première fois au XIVe s. (1355) et repris vers 1762, est un emprunt au latin *emeritus,* qui qualifiait un soldat ayant fait son temps. *Emeritus* est le participe passé de *emereri* «achever le service militaire», formé de *ex-* et *mereri* «recevoir comme prix», «gagner» (→ mérite).

♦ *Émérite* s'est dit d'une soldat qui avait accompli son temps, en parlant de l'Antiquité, et d'une personne qui, ayant exercé son emploi, jouissait des honneurs de son titre. Le mot subsiste en ce sens en Belgique *(professeur, magistrat émérite),* valeur reprise récemment en français de France. ◇ Au figuré, *émérite* s'est employé (1830, Balzac) à propos de qqn qui a une longue habitude de qqch.; il s'applique encore (depuis la fin du XIXe s.) à une personne qui a acquis par une longue pratique une grande compétence dans un domaine.

► Le dérivé **ÉMÉRITAT** n. m. (1824) s'emploie couramment en français de Belgique pour le statut de professeur, de magistrat émérite.

ÉMERSION n. f. est un emprunt savant (1671, Pomey), peut-être sous l'influence de l'anglais *emersion* (1633), au bas latin *emersio* «action d'émerger», du latin classique *emersum*, supin de *emergere* (→ émerger).

♦ *Émersion* est d'abord un terme d'astronomie désignant la brusque réapparition d'un astre qui s'était éclipsé. ◇ Ensuite le mot reprend le sens étymologique d'«action d'un corps qui émerge d'un milieu» (1752; ce sens existe en anglais depuis 1667). ◇ Le contraire *immersion* est plus courant.

ÉMERVEILLER → MERVEILLE

ÉMÉTIQUE adj. et n. m. est un emprunt savant (1575, Paré) au bas latin *emeticus*, lui-même du grec *emetikos*, dérivé du verbe *emein* «vomir», mot d'origine indoeuropéenne à rapprocher du latin *vomere* (→ vomir).

♦ Le mot s'emploie comme nom masculin (1575) et comme adjectif (1667, *vin émétique*), désignant ce qui provoque le vomissement. Il est d'emploi didactique.

► **ÉMÉTISER** v. tr. (1760) est formé sur le radical de *émétique*. ◇ Ce verbe a pour dérivé **ÉMÉTISANT, ANTE** adj. (1835) devenu archaïque. ◆ **ÉMÉTINE** n. f. (1817), nom d'un alcaloïde extrait de l'ipéca, s'emploie en chimie et en médecine.

ÉMETTRE v. tr. est un emprunt (1477) au latin *emittere* «lancer hors de, produire», composé de *ex-* et de *mittere* «envoyer», qui n'a pas d'étymologie connue. Le verbe est modifié graphiquement d'après *mettre**, verbe lui-même issu de *mittere*.

♦ *Émettre*, qui est postérieur à *émission*, a été un terme de droit (1477, attestation isolée, puis 1732) signifiant «interjeter»; il est donné comme vieilli à la fin du XIXe siècle. ◇ Le verbe signifie depuis la seconde moitié du XVIIIe s., au moins depuis la Révolution, «mettre en circulation» (une monnaie, un titre, etc.) (1790), «faire sortir de soi (un son)» (1798, *émettre son opinion, un appel*). ◇ Il s'emploie ensuite (1800) avec le sens, proche de l'étymon, de «produire en envoyant hors de soi», spécialement, dans le domaine des télécommunications (1933, *émettre un signal*) et de la physique, alors en relation avec *émission, émetteur*.

► Le dérivé **ÉMETTEUR, TRICE** n. et adj. s'est d'abord employé comme terme bancaire (1792, *émetteur de billets*). Il s'utilise aujourd'hui dans divers domaines, par exemple en physique (XXe s.) et surtout en télécommunications (1910, *poste émetteur d'ondes*, puis *poste émetteur, station émettrice*). ◇ Le masculin est aussi substantivé. ◇ Dans la théorie de la communication, l'*émetteur* est celui qui émet un message par rapport à celui qui le reçoit, désigné par *récepteur*. ◆ Le préfixé **RÉÉMETTRE** v. tr. est un terme de physique (attesté 1964). ◆ **RÉÉMETTEUR** n. m., terme technique d'usage courant, désigne (v. 1960) un émetteur qui transmet les programmes de télévision diffusés par un émetteur principal.

◈ voir **ÉMISSAIRE, ÉMISSION.**

ÉMEU ou **ÉMOU** n. m. apparaît sous la forme *Eeme* (1598) puis sous la graphie moderne en 1605.

♦ Ce mot des îles Moluques désigne un oiseau coureur de grande taille.

ÉMEUTE n. f., relevé sous la forme *esmote* au XIIe s., est formé sur l'ancien participe passé *esmeu* du verbe *émouvoir* (→ émouvoir), d'après *meute* «soulèvement, expédition» (→ meute). La finale du mot a varié : la forme *esmuette* est attestée en 1326 et on trouve aussi *émute* jusqu'au XVIIe siècle.

♦ *Émeute* a d'abord eu le sens de «mouvement, éclatement (d'une guerre)», d'où spécialement (1326) «soulèvement populaire», en concurrence pour ce sens avec *émotion* à l'époque classique. ◇ *Émeute* s'est employé au sens psychologique d'*émoi* qui l'a supplanté; la locution ***faire émeute*** «émouvoir à l'extrême» se rattachait à ce sens. ◇ Seule la valeur de «soulèvement populaire», avec une idée de violence et sans celle de contenu politique (à la différence de *révolution* et même de *révolte*, voire d'*insurrection*) est restée vivante.

► Le dérivé **ÉMEUTIER, IÈRE** n. et adj. est relevé en 1834.

-ÉMIE, élément suffixal, est tiré du suffixe grec *-aimia*, de *haima* «sang». Le mot, qui subsiste en grec moderne, n'a pas d'étymologie établie.

♦ *-Émie* entre dans la composition de mots savants indiquant la présence, normale ou anormale, de la substance désignée par le premier terme.

◈ voir **HÉMA-, HÉMORRAGIE, HÉMORROÏDE.**

ÉMIETTER → MIE

ÉMIGRER v. intr. est un emprunt (v. 1780) au latin *emigrare* «changer de demeure», de *ex-* et *migrare* (→ migrer) qui se rattache à une racine indoeuropéenne °*mei-* «changer, échanger», que l'on retrouve dans les mots latins *mutare* (→ muer), *munus* (→ commun) ainsi que dans le grec *ameibein* (→ amibe).

♦ *Émigrer* est introduit en français avec le sens de «quitter son pays pour aller s'établir dans un autre»; le verbe s'emploie notamment à partir de 1791 pour parler des personnes qui, fuyant la Révolution, quittent la France. Au XXe s., les contextes sociaux de l'émigration se sont modifiés (cf. ci-dessous *émigré*). Par analogie, *émigrer* s'utilise (1827) à propos de certaines espèces animales, puis, au XXe s., au figuré.

► Le participe présent substantivé **ÉMIGRANT, ANTE**, relevé en 1770, ne s'emploie plus en zoologie, remplacé par *migrateur;* sous la Révolution, il était en concurrence avec le participe passé **ÉMIGRÉ** (1791, n.; 1798, adj.) qui l'emporta. En 1825, une indemnité fut votée pour dédommager ceux qui se réfugièrent hors de France entre 1791 et 1802 *(le milliard des émigrés). Émigrant* est aujourd'hui plus neutre que *émigré* (cf. *réfugié*) et s'emploie normalement pour ceux qui partent de leur pays, *émigré* étant réservé à ceux qui sont établis hors de chez eux, en concurrence avec *immigré*. ➛ **ÉMIGRATION** n. f. est un emprunt, antérieur au verbe (1752), au latin classique *emigratio* (du supin de *emigrare*). Au sens général d'«action d'émigrer», il a suivi l'évolution d'*émigrer* et *émigré*. Il s'emploie aussi en zoologie (1778).

◈ voir IMMIGRER, MIGRER.

ÉMINENT, ENTE adj. est un emprunt (1216) au latin *eminens*, participe présent de *eminere* «être saillant», «être en relief», «dominer», formé de *ex-* et de *minere* «s'élever, surplomber». *Minere* se rattache à une racine indoeuropéenne °*men-* «être saillant» que l'on retrouve dans *mons* (→ mont, monter).

♦ *Éminent*, sorti d'usage, au sens concret et initial d'«élevé», encore usité à l'époque classique, ne s'emploie plus qu'au figuré. Le mot s'applique couramment à ce qui est au-dessus du niveau commun, qualité (1559) ou personne (1611). ◇ Chez Descartes (1647), par opposition à *formel* et *objectif*, il prend le sens scolastique de «fondamental, essentiel».

▸ Le dérivé **ÉMINEMMENT** adv. s'emploie pour «à un degré supérieur» (1587) et est un terme de la philosophie cartésienne (1647). ➛ Le préfixé **SURÉMINENT, ENTE** adj. (1628) a remplacé **SUPERÉMINENT** (XIVe s.). ◇ **SURÉMINENCE** n. f. (1609) signifiait «situation très élevée», avant de s'appliquer (1875) à un caractère très éminent.

ÉMINENCE n. f., emprunt (1314) au dérivé latin *eminentia*, a le sens général de «qualité de ce qui est éminent». Contrairement à l'adjectif, le nom garde un sens concret, désignant (1314) en anatomie une protubérance et, dans l'usage courant, une élévation de terrain (1690). ◇ Au XVIe s., il a pris le sens figuré de «qualité supérieure» (1546, Rabelais) et de «supériorité sociale» (1570, Montaigne), sortis d'usage comme la locution adverbiale ***par (en) éminence***. ➛ *Éminence* s'est spécialisé au XVIIe s. (attesté 1690) comme titre d'honneur donné aux cardinaux (avec un É majuscule), d'où son emploi pour désigner une personne qui porte ce titre; *eminentia* existait déjà comme titre dans le Bas-Empire. *Éminence grise*, surnom donné au père Joseph de Tremblay, conseiller du cardinal de Richelieu, a pris le sens (1752) de «conseiller qui manœuvre dans l'ombre». ➛ **ÉMINENTISSIME** adj. reprend l'italien *eminentissimo* (XVe s.), superlatif de *eminente*, du latin *eminentissimus*, superlatif de *eminens* et titre honorifique dans le Bas-Empire. ◇ L'adjectif s'emploie en parlant d'un cardinal (1680) et du Grand Maître de l'ordre de Malte (1798).

◈ voir IMMINENT, PRÉÉMINENT, PROÉMINENT.

ÉMIR n. m. est un emprunt ancien (XIIIe s.) à l'arabe *'āmir* «prince, commandant» qui a par ailleurs donné *amiral**.

♦ *Émir* est d'abord usité au sens de «chef de province», en parlant du monde musulman; rare jusqu'au XVIe s., le mot s'emploie alors (1575) comme titre des descendants de Mahomet, en particulier pour désigner le chef du monde musulman au début de l'hégire. ◇ *Émir* s'emploie ensuite (XIXe s.) au sens de «prince, chef militaire», spécialement «chef d'un territoire»; le mot s'est spécialisé au XXe s. pour désigner le chef d'un État musulman (cf. ci-dessous *émirat*).

▸ **ÉMIRAT** n. m. (dep. 1938) désigne un État musulman gouverné par un émir. Plusieurs émirats du Golfe arabique se sont unis *(Émirats arabes unis)*.

◈ voir AMIRAL.

① **ÉMISSAIRE** n. m. est un emprunt (1519) au latin classique *emissarius* «envoyé, espion», de *emissum*, du supin de *emittere* (→ émettre).

♦ Le mot désigne comme en latin un agent chargé d'une mission secrète. ➛ Au sens technique de «canal d'évacuation», *émissaire* représente un autre emprunt (1611) au latin classique *emissarium* «déversoir» de même origine que *emissarius*, qui a pris en latin impérial un sens figuré en anatomie. Le mot conserve en français le sens technique du latin et entre dans le vocabulaire de l'anatomie au XIXe s. (n. m., 1814; 1870, *veine émissaire*).

▸ ② **ÉMISSAIRE** adj. m. est la traduction (1690) du latin de la Vulgate *(caper) emissarius*, traduction du grec *apopompaios* «qui écarte (les fléaux)», interprétation d'un mot hébreu signifiant «destiné à Azazel» qui se dit du bouc envoyé dans le désert le jour du Kippour (*Lévitique*, 16, 8).

◈ voir BOUC (BOUC ÉMISSAIRE), ÉMISSION.

ÉMISSION n. f. est un emprunt (déb. XIVe s., *Ovide moralisé*) au latin *emissio*, «action de lâcher, de lancer», dérivé du supin *emissum* de *emittere* (→ émettre).

♦ Le mot, introduit avant le verbe *émettre*, désigne concrètement la projection d'un liquide, par exemple d'un liquide organique; il s'emploie depuis le moyen français (XVe s.) à propos des sons de la voix. C'est au XVIIe s. qu'il commence à désigner en physique les rayons visibles (*in* Furetière, 1690) puis généralement un rayonnement (1720 d'après l'anglais *emission* employé par Newton, 1704). D'Alembert le définit comme l'action «par laquelle un corps lance hors de lui des corpuscules». ➛ Vers la fin du XVIIIe s. le mot s'applique à la mise en circulation de papier monnaie (1789), cet emploi se généralisant aux XIXe et XXe s. en banque, en finances *(émission de chèques, d'actions...)* et aussi à propos des timbres-poste. ➛ De l'usage en optique et en physique, à propos de rayonnement, vient l'emploi du mot dans divers contextes (chaleur, gaz, etc.), dont celui de la radiophonie (1917) avec *émission d'ondes, des ondes hertziennes* (*Larousse mensuel*, mars 1917). Cet emploi, d'abord technique, se généralise vers 1920 (1928, Malraux in *T. L. F.*). ◇ Par métonymie, on est passé de l'«action d'émettre» au contenu de ce qui est émis, c'est-à-dire à un programme (attesté 1936, Camus). De la radio, le mot est passé à la télévision, avec de nombreuses expressions (*émission en direct, en différé*, etc.).

▸ **ÉMISSIF, IVE** adj. est un dérivé savant de *emissum*, supin de *emittere*. Il signifie d'abord (1834) «qui a la faculté d'émettre (de la chaleur, de la lumière...)», puis «relatif à l'émission (d'ondes, de rayonnement)», notamment dans *pouvoir émissif* (1903). ➜ De là **ÉMISSIVITÉ** n. f. (1905) qui caractérise le rapport entre le pouvoir émissif d'un corps incandescent et celui d'un «corps noir» analogue.

EMMAGASINER → MAGASIN ◇ **EMMAILLOTER** → MAILLOT ◇ **EMMANCHER** → ② MANCHE ◇ **EMMÊLER** → MÊLER

EMMÉNAGER → MÉNAGE

EMMÉNAGOGUE adj. est un composé savant (1738) du grec *emmêna* «menstrues», pluriel neutre substantivé de l'adjectif *emmênos* «qui revient tous les mois», de *mên* «mois» (→ menstrues) et de *agôgos* «qui conduit, qui amène». *Agôgos* vient de *agein*, correspondant au latin *agere* qui a donné *agir**.

♦ Le mot s'applique en médecine à ce qui provoque ou facilite le flux menstruel.

EMMENER → MENER

EMMENTHAL n. m. est un emprunt (1880) à l'allemand *Emmenthaler,* nom propre de la vallée *(-thal)* de l'*Emme,* rivière de Suisse.

♦ Le mot désigne un fromage à pâte cuite analogue au gruyère, ce dernier mot servant erronément à le désigner, en français de France.

EMMERDER → MERDE

EMMITOUFLER → MITAINE

ÉMOI n. m. représente le déverbal (v. 1175, *esmai;* fin XIIIe s., *esmoi*) de l'ancien français *esmaier* «inquiéter, effrayer», issu du bas latin °*exmagare* «priver qqn de ses forces», de *ex-* privatif et de °*magare,* verbe hypothétique d'origine germanique auquel se rattache l'anglais *may* (cf. gotique et ancien haut allemand *magen* «avoir le pouvoir, la force»); on relève dans les langues romanes l'italien *smagare* «décourager», le portugais *esmagar* «écraser», l'ancien provençal *esmagar, esmaiar* «(se) troubler». P. Guiraud reprend l'hypothèse de Meyer-Lübke qui rattache *exmagare* à *magus* «sorcier» (→ mage), le verbe signifiant proprement «faire sortir de soi en jetant un sort»; cette formation permet d'expliquer les variantes *amaier, emmayer,* l'espagnol *amagar* «menacer».

♦ *Émoi* désigne un trouble provoqué par la crainte ou l'inquiétude. Le mot, très employé au XVIe s., tombe en désuétude à l'époque classique et est qualifié de «vieux mot» au début du XVIIIe siècle. Il est repris au XIXe s. par les romantiques et les symbolistes (1835), avec les sens de «trouble agréable, d'ordre sentimental ou esthétique», «trouble provoqué par une émotion vive», mais reste littéraire. Les expressions *en émoi, avec émoi* concernent cet emploi.

ÉMOLLIENT, ENTE adj. est un emprunt savant (1549) au latin *emolliens,* participe présent de *emollire* «amollir», employé notamment dans la langue médicale, et dérivé de *mollis* «mou, tendre» puis «souple, sans rudesse» (→ mou).

♦ *Émollient* se dit en médecine de ce qui amollit, relâche les tissus enflammés (aussi n. m., «remède calmant, adoucissant», 1755) et s'emploie au figuré (1835) pour «doux, doucereux». ➜ Une forme **ÉMOLLIÉ, ÉE** adj., «ramolli», est attestée chez Proust.

ÉMOLUMENT n. m. est un emprunt savant (fin XIIIe s., Jean de Meun) au latin classique *emolumentum* «somme payée au meunier pour moudre le grain» d'où «gain», dérivé de *emolere* (plus rare et attesté tardivement). Le verbe est formé de *ex-* intensif et de *molere* «moudre (le grain)» (→ moudre; émoulu).

♦ Le sens étymologique de «bénéfice, profit» est aujourd'hui sorti d'usage, mais c'est cette valeur qui subsiste dans les emplois postérieurs. En droit moderne, le mot désigne l'actif que recueille un héritier, un légataire universel ou un époux commun en biens (1804). ◇ *Émolument* s'emploie au pluriel avec le sens de «revenu casuel d'une charge» (en particulier d'officier ministériel) [1690] et, par extension, avec celui de «salaire, rémunération» (1843, Balzac), spécialement en parlant des fonctionnaires.

ÉMONDER v. tr. est emprunté (fin XIIe s., *esmonder*) au latin impérial *emundare* «nettoyer, purifier», mot de la langue rustique, de *ex-* et *mundare* «nettoyer», dérivé de l'adjectif *mundus* «propre» d'où «soigné, coquet», dont l'origine est obscure (→ monde, monder).

♦ *Émonder* est d'abord attesté avec le sens étymologique de «purifier, nettoyer» (en ancien provençal *esmondar*) qu'il conserve jusqu'au début du XVIIe siècle. Cependant, dès le début du XIIIe s., apparaît le sens moderne, «enlever les petites branches (d'un arbre)» (v. 1230) et par extension «soigner (une plante) en ôtant certains éléments». Par analogie, *émonder* s'emploie dans des domaines spéciaux : «nettoyer et trier (des grains)», «tailler (une pierre)» et spécialement, en cuisine, «retirer l'enveloppe (d'un aliment)». ◇ Depuis le début du XIXe s. (1832), il s'emploie au figuré avec le sens de «débarrasser du superflu» (cf. *élaguer*).

▸ À partir d'*émonder* ont été formés des termes d'arboriculture. ➜ **ÉMONDE** n. f., déverbal d'*émonder,* est attesté en 1214 en latin médiéval *(esmunda),* puis sous la forme *esmonde* (1557); le mot désigne les branches coupées (1557; n. f. pl.), plus tard l'enlèvement des branches mortes ou inutiles (1870), et par métonymie un arbre dont on ne conserve qu'un bouquet à la cime (1890). ➜ **ÉMONDEMENT** n. m. (1538) «action d'émonder» est rare. ➜ **ÉMONDEUR, EUSE** n. (1542, *esmondeur*), «personne qui émonde», signifie au figuré «personne qui épure un texte» (1857, Sainte-Beuve). ➜ **ÉMONDAGE** n. m., attesté une première fois en 1572 et repris en 1829, synonyme d'*émonde* et d'*émondement,* s'emploie aussi au figuré (XIXe s.). ➜ **ÉMONDOIR** n. m. (1873, suffixe *-oir*) désigne un outil ser-

vant à émonder.
◈ voir IMMONDE.

ÉMOTIF, ÉMOTION → ÉMOUVOIR

ÉMOUCHET → MOUCHE

ÉMOULU, UE adj. vient (v. 1120, *esmulu*) du participe passé du verbe **ÉMOUDRE** (tr.) qui est attesté sous les formes *esmoldre* (1160-1174), *esmoudre* (XIIIe s.) puis sous la forme actuelle en 1636. *Émoudre* représente l'aboutissement du latin populaire °*exmolere* «aiguiser sur une meule», réfection du latin impérial *emolere* «moudre entièrement», de *ex-* et *molere* (→ émolument, moudre) ; il a conservé son sens étymologique d'«aiguiser sur une meule» mais est d'un emploi rare.

♦ *Émoulu* s'est employé, jusqu'au XVIIe s., avec le sens technique de «qui est aiguisé à la meule» (en parlant d'une lame), sorti d'usage, mais conservé dans la locution ***se battre à fer émoulu,*** d'emploi littéraire. ◇ Le mot s'emploie couramment au figuré, dans la locution ***être frais, fraîche émoulu(e) de*** «être récemment sorti de» (1548).

▸ Du verbe *émoudre* dérivent des termes techniques et peu usités : **ÉMOULEUR, EUSE** n. (1313), formé par suffixation *(-eur)* sur le participe passé du verbe, «artisan qui aiguise les instruments tranchants», et le nom d'action **ÉMOULAGE** n. m. (1611, *esmoulage*).
◈ voir RÉMOULEUR.

① **ÉMOUSSER** v. tr. est un dérivé (1575) de l'adjectif *mousse* «qui n'est pas aigu, tranchant», peut-être issu du latin populaire °*muttius,* de même radical que *mutilus* «tronqué» (→ mutiler).

♦ *Émousser* est d'abord relevé au figuré pour «rendre moins vif, moins incisif», puis (av. 1593) «rendre moins coupant, moins aigu».

▸ Le dérivé **ÉMOUSSEMENT** n. m. (1641) s'emploie aussi au figuré (1851), comme le participe passé adjectivé *émoussé (une sensibilité émoussée).*
Quant à ① **MOUSSE** adj., réfection (v. 1534) de *mosse* (XVe s.), il est toujours vivant, mais technique, au sens de «qui n'est pas pointu ou tranchant», et ne s'emploie guère qu'avec quelques substantifs, comme *ciseau, pointe, lame,* en concurrence avec *émoussé.*

② **ÉMOUSSER** → ② MOUSSE

ÉMOUSTILLER v. tr. est l'altération (1743) de *amoustiller,* d'abord attesté au participe passé *amoustillé* (1534, Rabelais ; 1611, *amoustiller*), dérivé de *moustille* «moût, vin nouveau» (attesté en 1573), lui-même dérivé de *moust* (→ moût).

♦ Le verbe est d'abord passif, dans *être émoustillé* (1534, *être amoustillé*) «avoir subi l'influence des propriétés du vin nouveau», «être excité». ◇ Au XVIIIe s., *émoustiller* prend le sens (1743) de «mettre de bonne humeur, exciter à la gaieté» et par extension «mettre en excitation» (1839, Stendhal, *émoustiller la jalousie*).

▸ Le dérivé **ÉMOUSTILLANT, ANTE** adj. (1842, Sainte-Beuve), tiré du participe présent de *émoustiller,* s'emploie au propre (en parlant d'un vin) et au figuré.

✳ **ÉMOUVOIR** v. tr. apparaît sous les formes *esmoveir* (1080), *esmouvoir* (XIIIe s.), puis sous la forme actuelle au XVIe siècle. Le mot représente l'aboutissement du latin populaire °*exmovere,* réfection du latin classique *emovere* «remuer, ébranler», composé de *ex-* et *movere* «mettre en mouvement» (→ mouvoir).

♦ Le verbe est d'abord attesté (1080) avec le sens étymologique de «mettre en mouvement», qui ne subsiste que dans un emploi très littéraire. ◇ Le sens figuré et aujourd'hui courant de «troubler, porter à certains sentiments» apparaît dès le XIIe s. (v. 1170). De la valeur initiale d'*émouvoir* sont issus des sens tombés en désuétude : «faire naître, susciter (une querelle, un débat)» (1196), «faire sortir du calme, pousser au soulèvement» (XIIIe s.) et, en français classique, «agiter, troubler» (en parlant des fonctions organiques) [1673]. Au figuré, *émouvoir* se dit spécialement *(émouvoir les sens)* pour «éveiller l'érotisme» et, en parlant d'une émotion vécue sur le plan affectif, «toucher, plaire» *(émouvoir qqn),* d'où la locution ***émouvoir les pierres*** «toucher ce qui est réputé insensible».

▸ Le participe passé **ÉMU, UE** adj. (XIIe s.) s'emploie surtout au sens psychologique du verbe, et entre dans la locution ***cuisse de nymphe émue*** «d'une couleur rose tendre». ➛ **ÉMOUVANT, ANTE** adj. (fin XVIe s.) signifie d'abord «qui meut, déclenche une action» et ne prend son sens moderne, «qui fait naître l'émotion», qu'au XIXe s. (1834) ; il est formé sur le participe présent du verbe.

▸ **ÉMOTION** n. f. a été dérivé (av. 1475) d'*émouvoir,* d'après l'ancien et moyen français *motion* «mouvement» (v. 1223), emprunté au latin *motio* «mouvement» et «trouble, frisson (de fièvre)», lui-même dérivé de *movere* (→ motion). D'abord usité avec le sens de «trouble moral», *émotion* s'emploie ensuite au sens de «mouvement», d'où spécialement (1512) celui de «trouble, sédition», valeur courante à l'époque classique, en particulier pour désigner un commencement de sédition (1690, Furetière) ; à l'époque classique, le mot s'est dit d'un état de malaise physique (1580) et du trouble suscité par l'amour (1645). *Émotion* ne s'emploie plus aujourd'hui que pour désigner une sensation, agréable ou désagréable, considérée du point de vue affectif (1641). ➛ Le dérivé **ÉMOTIONNER** v. tr. (1823) se dit familièrement pour «toucher par une émotion», surtout au pronominal. Le verbe peut être antérieur, car l'adjectif **ÉMOTIONNÉ, ÉE** est attesté en Normandie dès le XIVe s. (1350, Du Pineau). ➛ En dérivent **ÉMOTIONNABLE** adj. (1870), d'emploi rare, et **ÉMOTIONNANT, ANTE** adj. (1890), d'emploi familier. ➛ Le verbe, comme ses dérivés, a été condamné dès la fin du XIXe s. par les puristes qui y voient un doublet inutile d'*émouvoir.* ➛ **ÉMOTIONNEL, ELLE** adj. (1870, Taine ; suffixe *-el*), «relatif à l'émotion», est un terme de psychologie.
ÉMOTIF, IVE adj. est formé récemment (1877, Littré) par suffixation en *-if* sur le radical du latin *emo-*

tum, supin de *emovere* (→ émouvoir); *emotive* est attesté en anglais dès 1735 et a pu servir de modèle pour le français. L'adjectif est didactique pour qualifier ce qui est relatif à l'émotion, aux émotions *(choc, trouble émotif)*; puis il s'emploie couramment (1898) en parlant de personnes qui réagissent vivement aux émotions, d'où l'emploi substantivé : *un émotif, une émotive,* notamment dans le vocabulaire de la psychologie. ➜ Le composé **HYPERÉMOTIF, IVE** adj. et n. (de *hyper-*), attesté en 1933 mais antérieur, est synonyme d'*hypersensible.* ➜ De l'adjectif dérive par suffixation **ÉMOTIVITÉ** n. f. (1877), probablement d'après l'anglais *emotivity* (1854); il désigne couramment la capacité à ressentir des émotions et spécialement, en psychologie, un des éléments essentiels du caractère (opposé à l'*activité*), d'où **HYPERÉMOTIVITÉ** n. f. (1926).

EMPAILLER → PAILLE

EMPALER → PAL

EMPAN n. m. représente (1532, Rabelais) une altération, par substitution de la première syllabe prise pour un préfixe, de l'ancien français *espan* (v. 1150; v. 1200, au féminin, *espane*). Ce mot est issu du francique °*spanna,* désignant l'espace compris entre le bout du pouce et celui du petit doigt d'une main largement ouverte; la forme °*spanna,* de la famille du francique °*spannjan* «étendre, tirer», est attestée par l'ancien haut allemand *spanna,* l'allemand *Spanne* (de la famille du verbe *spannen* «étendre, tirer»). Selon P. Guiraud, *empan* serait issu d'une forme latine °*expannus,* °*impannus* «étendue (de la main)», du latin classique *pannus* «étendue» (→ pan), à la suite d'un croisement possible avec l'ancien *espanir* (→ épanouir).

♦ *Empan,* qui désigne, comme le mot francique, une mesure de longueur, n'est aujourd'hui qu'un mot d'emploi littéraire ou technique. Il s'est dit par extension (1829), dans le langage des brodeurs et des passementiers, de l'intervalle compris entre l'extrémité des deux bras lorsqu'ils sont écartés. ◇ Par métaphore, *empan* se dit pour «ampleur» ou «envergure» (fin XIXe s., Huysmans). Par analogie, *empan de mémoire* (XXe s.) signifie en psychologie «nombre maximal d'éléments constituant une série qui peut être mémorisée en une seule fois».

EMPARER (S') v. pron. est un emprunt (1323, *enparer* tr.) à l'ancien provençal *emparar* «protéger, défendre», attesté depuis 1183 au sens de «réclamer, prendre possession» et, auparavant (mil. XIe s.), sous les formes *antparar, amparar.* Ce verbe vient du latin populaire °*imparare,* de °*anteparare,* calque du latin classique *prae-munire,* proprement «faire des préparatifs par devant» (pour se défendre), d'où «construire des fortifications en avant d'un lieu (pour le protéger)». *Ante* signifiait en latin classique «devant», «auparavant» (→ anté-) et *parare* «préparer» (→ parer), mot apparenté à *pars* (→ part) et *parere* (→ parent).

♦ *Emparer* est un des termes importants de la société féodale. «Fortifier un lieu et le défendre est, par là même, revendiquer et s'assurer la propriété de la terre et le contrôle des habitants : fortifier, protéger et saisir constituent une seule et même opération» (P. Guiraud). D'abord attesté au sens de «fortifier, protéger (un lieu)» (de 1323 au XVIe s.), il prend par extension le sens de «réclamer (la possession d'un lieu)», «occuper (un lieu)», du XVe (1470 *amparer,*) jusqu'au XVIIe siècle. De là l'emploi pronominal de *s'emparer de,* au début du XVIe s., «se rendre maître de qqch.» (1514), sur le modèle de *saisir, se saisir de.* ◇ Au XVIIe s. apparaît le sens figuré : «exercer une domination entière sur (un esprit, une personne)» (av. 1672). Par extension, *s'emparer* se dit pour «se saisir de (qqch.) en vue d'une utilisation», au propre et au figuré *(s'emparer d'une occasion).*

▶ Le dérivé **EMPAREMENT** n. m. (1611), «action de s'emparer (de qqch., de qqn)», est devenu rare.

◈ voir **DÉSEMPARER, REMPART.**

EMPÂTER → PÂTE

EMPATHIE n. f., attesté au XXe s., est composé, d'après *sympathie,* de *em- (en-)* «dedans» et *-pathie,* du grec *pathos* «ce qu'on éprouve» (→ patho-). Cette formation semble s'être effectuée en anglais, où *empathy* est attesté dès 1904, pour traduire l'allemand *Einfühlung,* mot employé par T. Lipps, créateur du concept en psychologie (1903).

♦ C'est un terme didactique de philosophie et de psychologie, qui désigne la capacité de s'identifier à autrui, de ressentir ce qu'il ressent.

▶ En dérive **EMPATHIQUE** adj. (XXe s.), probablement de l'anglais *empathic,* attesté en 1909 (Titchener).

EMPAUMER v. tr. est dérivé (av. 1475, *enpaulmer*) par préfixation, de *paume* (→ paume).

♦ Au XVe s. (av. 1475), le verbe *enpaulmer* est attesté avec le sens de «tenir dans sa main (une lance)». Il réapparaît au début du XVIIe s. comme terme de jeux (1611, *empalmer, empaulmer*) et désigne le geste de recevoir (une balle) dans la paume de la main et de la relancer, d'où l'expression figurée sortie d'usage *empaumer la balle,* qui correspond à *saisir l'occasion au vol,* et l'expression familière *empaumer qqn* «le conquérir, le séduire» (1659) puis «voler, tromper» (1839, Stendhal). ◇ Le mot s'emploie spécialement en vénerie (1661) dans *empaumer la voie, la piste* «trouver la piste du gibier et la suivre», en parlant des chiens. ◇ L'expression figurée *empaumer une affaire* «prendre habilement une affaire et la mener adroitement» (1694) est sortie d'usage, ainsi que l'expression argotique *c'est empaumé!* «c'est chose faite» (cf. *c'est dans la poche*).

▶ **EMPAUMURE** n. f., terme technique de vénerie, est formé par préfixation (1578) sur *paumure* (XIVe s.), dérivé de *paume.* ◇ Le mot désigne par analogie la partie des bois du cerf qui s'élargit comme la paume de la main et porte les andouillers. À la fin du XVIIe s., par une nouvelle dérivation sur *empaumer,* il est employé pour désigner la partie du gant qui recouvre la paume de la main (1680).

EMPÊCHER v. tr. est issu (v. 1120, *empeschier*), comme sa variante *ampagier* (XIIIe s.), du bas latin *impedicare* «prendre au piège, entraver», dérivé de *pedica* «piège pour prendre les animaux par la patte» (→ piège), lui-même dérivé de *pes, pedis* (→ pied).

♦ Le verbe a d'abord eu le sens repris du latin de «mettre (qqn) dans l'impossibilité d'agir, entraver» et *s'empêcher* (v. 1160-1174) «s'empêtrer, s'entraver», acception qu'il conserve jusqu'au XVIIe siècle. Il signifie parallèlement «mettre obstacle à ce qu'une chose ait lieu» (1297), toujours en usage, alors que l'expression *empêcher le chemin* «barrer la route» (XIVe s.) a disparu. ◇ Au XIIIe s. apparaît l'emploi aujourd'hui courant du verbe suivi d'un infinitif : *empêcher (qqn) de* (faire qqch.) puis, au début du XVIe s., *empêcher que* (1534), ordinairement suivi de *ne* et du subjonctif. De là les locutions ***il n'empêche que, n'empêche que*** et familièrement ***n'empêche.*** ◇ *Empêcher qqn* a signifié «le gêner moralement» (1415) et «l'occuper» (1538). ◇ La forme pronominale *s'empêcher* réapparaît à la fin du XVIe s. (1580, *s'empêcher de*) avec le sens de «s'abstenir, se dispenser de», qui a fait place à celui de «se retenir de».

▶ **EMPÊCHÉ, ÉE** adj. a eu des emplois variés, liés à l'idée d'entrave. L'adjectif a signifié «accablé» (1283), encore au XVIIe s., et *être empêché de* «embarrassé» (XIVe s.) s'est maintenu jusqu'au XIXe siècle. *Empêché à* «occupé à» (1498) a disparu, mais l'adjectif s'applique couramment à une personne retenue par ses occupations (1530). L'emploi substantivé dans *un empêché* (1539) et *faire l'empêché* (1549) est sorti d'usage. ◇ À l'époque classique, on a dit *femme empêchée* «enceinte» (1640), et *être empêché de sa personne* a signifié «être impotent» (1611) puis «être maladroit» (1672).
Le dérivé **EMPÊCHEMENT** n. m. (1174-1176) a dès le XIIe s. le sens aujourd'hui courant de «ce qui fait obstacle, entrave», d'où l'emploi du mot en droit, par exemple dans *empêchement de mariage* (1430) et spécialement pour désigner ce qui empêche d'être présent, disponible (1530). ◆ Le substantif **EMPÊCHEUR, EUSE** (1275, *empescheor*), usuel au moyen âge et disparu au XVIIe s., est repris au XIXe s. dans la locution ***empêcheur de danser en rond*** «trouble-fête» (1867 ; v. 1860, *empêcheur de danse en rond*), peut-être emprunté à un pamphlet de P. L. Courier, (1822).

◈ voir DÉPÊCHER.

EMPEIGNE n. f., d'abord attesté sous les formes *enpeigne* (XIe s., en judéo-français), *empigne, empeine* (XIIIe s.) et sous la forme moderne au XVe s., est un dérivé préfixé *(em-, en-)* de *peigne*, de l'ancien français *peigne, piegne* «métatarse», par analogie de forme (→ peigne).

♦ Le mot désigne le dessus d'une chaussure, du cou-de-pied jusqu'à la pointe. ◇ Depuis la fin du XIXe s., il est employé dans la locution ***gueule (face) d'empeigne,*** terme d'injure («visage laid et ridicule» et par extension «individu désagréable»); la valeur péjorative vient sans doute de *peigne* «partie du pied», appuyée par divers emplois régionaux d'*empeigne* («morceau de cuir», «peau d'animal», etc.).

EMPEREUR n. m. apparaît sous les formes *emperedre* (cas sujet), *empereür* (cas régime) [v. 1050], puis sous la forme actuelle en 1080 *(Roland)*. Le mot est issu du latin *imperatorem*, accusatif de *imperator* «chef», «chef d'armée», «empereur», de *imperatum*, supin de *imperare* «commander en maître, ordonner». Ce verbe est le préfixé en *in-* de *parare* «préparer, apprêter» (→ parer), et «procurer», de la même famille que le latin *parere* (→ parent) et *pars* (→ part). ◆ *Imperator* a été emprunté en moyen français sous la forme *imperateur* «souverain», «empereur» (v. 1470) et «chef d'armée», dans l'Antiquité (v. 1501).

♦ Les principales acceptions du mot apparaissent entre le milieu du XIe et le milieu du XIIe s. ; *empereur* désigne en particulier (v. 1050) Honorius, chef de l'Empire d'Occident, puis Charlemagne, chef du Saint Empire romain germanique (1080), nommé légendairement *l'empereur à la barbe fleurie*. Le sens général de «chef souverain de certains États» est attesté vers 1138, mais le mot est surtout employé (v. 1150) avec le sens spécial de «chef suprême dans l'empire romain», le titre d'*imperator* étant donné depuis Auguste au détenteur du pouvoir suprême (cf. *César*). ◇ Le mot a aussi désigné un chef d'armée (v. 1160), spécialement en parlant de l'Antiquité (fin XVIe s.). ◇ Par analogie, *empereur* a désigné à l'époque classique (1643) le titre donné, dans certains établissements scolaires, à un élève qui avait la première place en classe (*empereur d'Orient, empereur d'Occident,* 1690, Furetière). ◇ C'est aussi le nom donné à certains animaux : le grand poisson dit aussi *espadon* (1552, Rabelais ; *emperador,* 1560, en ancien provençal) ; régionalement, un papillon diurne ; par une variante sémantique, l'oiseau dit couramment *roitelet.* La forme archaïque du féminin de *empereur, emperière,* est signalée (Bescherelle, 1845 ; Larousse, XIXe s.), puis reprise par quelques auteurs au XXe s. (Claudel, 1925) ; elle a été remplacée par *impératrice.* ◇ On a donné le nom d'*empereur,* sans doute pour des raisons commerciales, à un poisson comestible des grands fonds marins, pêché et commercialisé depuis la diffusion des chaluts pélagiques (1996 dans le *Larousse gastronomique*).

◈ voir EMPIRE, IMPÉRATRICE, IMPÉRIAL.

EMPESER v. tr. est dérivé (fin XIe s., *enpeser*) de l'ancien français *empoise* (1260), issu du latin *impensa* «dépense, frais» puis «ustensiles, matériaux (obtenus moyennant finance)», d'où «ingrédients pour qqch.» et spécialement «mortier» en bas latin ; l'influence de *poix* (latin *pix, pixis*) est très probable pour *empoise,* plus tard remplacé par *empois* (ci-dessous). ◇ Le substantif latin *impensa* est lui-même issu de *impendere* «dépenser, débourser», de *in-* et *pendere,* d'abord «laisser pendre (les plateaux d'une balance)», d'où «peser», «apprécier» et «payer» (→ pendre), de la même famille que *pensare* (→ penser, peser).

♦ Le verbe a conservé son sens étymologique, «apprêter (du linge) avec de l'empois» (cf. *amidonner*).

À la fin du XVIIe s., il se dit spécialement en termes de marine dans *empeser les voiles* «les mouiller afin d'en resserrer le tissu des fils» (1691).

▸ Le participe passé **EMPESÉ, ÉE** adj. (fin XIe s.) s'emploie au sens propre *(col empesé)* et au figuré (av. 1704, *esprit empesé*), spécialement en parlant d'une personne d'une gravité affectée (av. 1715). ➛ **EMPOIS** n. m. a été dérivé (XIIIe s.; 1454, selon *T. L. F.*) d'*empeser* d'après les formes fortes du verbe (ancien présent, *j'empoise*). ➛ Au XVIIe s., *empeser* a produit le terme technique **EMPESEUR, EUSE** n. (1616) «personne qui empèse le linge» et **EMPESAGE** n. m. (1650, *anpezages*) «action d'empeser» et au figuré (XVIIIe s.), dans un emploi littéraire, «manières empesées».

EMPESTER → PESTE

EMPÊTRER v. tr. représente l'aboutissement (v. 1175, *empaistrier*) du latin populaire °*impastoirare* «mettre une entrave», dérivé de *(chorda) pastoria* «(corde) qui retient le cheval broutant» (643), d'où viennent l'italien *pastoia* «entrave», *impastoiare* «entraver», l'ancien provençal *empastrar* «barrer». *Pastoria* est dérivé du latin classique *pastus* «pâturage», lui-même de *pascere* (→ paître). En ancien et moyen français existait d'autre part un verbe *empasturer* (v. 1200) formé d'après *pasture*.

♦ *Empêtrer* apparaît d'abord, à la fin du XIIe s., dans un emploi figuré avec le sens encore vivant de «mettre (qqn) dans l'embarras». ◇ Au XIVe s., le verbe est pris au sens latin, «mettre des entraves à (un animal), attacher» (1316-1328), emploi aujourd'hui régional. ◇ De là vient le sens moderne, «engager (les pieds, les jambes) dans qqch. qui embarrasse» (mil. XVIe s.), courant au pronominal *s'empêtrer dans,* au propre (av. 1559) et au figuré (1580).

▸ Le dérivé **EMPÊTREMENT** n. m. (1242, repris au XIXe s.) est d'emploi rare au propre comme au figuré.

EMPHASE n. f. est un emprunt savant (1543) au latin *emphasis,* lui-même du grec *emphasis* «apparence» et, en grec tardif comme terme de rhétorique, «expression forte», issu de *phainein* «faire briller», «faire voir». *Phainein* se rattache à une importante racine indoeuropéenne signifiant à la fois «éclairer, briller», et «parler, expliquer» (→ fable, phatique, phéno-, phénomène).

♦ *Emphase* est d'abord employé, comme son étymon, pour désigner une figure de rhétorique. À cet emploi, aujourd'hui sorti d'usage (cf. *hyperbole*), s'est substitué le sens moderne et péjoratif (1588), «emploi abusif ou déplacé du ton déclamatoire» *(parler avec emphase)*. Le mot est employé, par analogie, en parlant d'autres modes d'expression (peinture, musique, etc.). ◇ Par extension, *emphase* se dit ensuite (av. 1741) d'une solennité exagérée. ◇ Le mot a été repris au XXe s. en linguistique, avec la valeur du grec, pour désigner un accent particulier porté sur un constituant de la phrase.

▸ **EMPHATIQUE** adj. (1579), emprunt au dérivé grec *emphatikos,* a suivi la même évolution sémantique que le substantif; il s'emploie en rhétorique (1579, «expressif») puis signifie (av. 1747) «qui prend une expression affectée»; il s'emploie aussi en linguistique, notamment à propos de l'arabe, et en phonétique (1933). ➛ Il a pour dérivés **EMPHATIQUEMENT** adv. (1596) et **EMPHATISER** v. tr. (milieu XXe s.), du radical d'*emphatique,* rare et d'usage littéraire comme verbe intransitif et repris comme terme de linguistique (verbe transitif).

EMPHYSÈME n. m. est un emprunt savant (1628, *emphysema*) au grec médical *emphusêma* «gonflement», de *phusan* «gonfler», de *phusa* «soufflet, souffle, vent», qui se rattache, comme le latin *pustula* (→ pustule), à une racine expressive indoeuropéenne °*p(h)u-s-* «souffler».

♦ Le mot, attesté sous sa forme moderne au milieu du XVIIe s. (1658), désigne un gonflement produit par une infiltration gazeuse dans le tissu cellulaire *(emphysème pulmonaire, intestinal)*.

▸ En dérive le terme médical **EMPHYSÉMATEUX, EUSE** adj. (1755) et n. (1852).

EMPIÉTER → PIED

EMPIFFRER → PIFFRE

EMPIRE n. m., d'abord *empirie* (v. 1050) et *emperie* (v. 1120), sous la forme actuelle en 1135, est emprunté au latin *imperium* «pouvoir souverain» (du père sur ses enfants, du maître sur ses esclaves) et «pouvoir suprême, empire», dérivé de *imperare* «commander en maître» (→ empereur).

♦ *Empire* est d'abord attesté (v. 1050) avec les sens d'«État soumis à l'autorité d'un empereur» *(Empire romain)* et «autorité d'un empereur». ◇ Depuis la première moitié du XIIe s., *empire* signifie par extension «pouvoir, autorité (de qqn sur qqch.)» (v. 1120), et spécialement «autorité souveraine (d'un chef d'État)». Le mot signifiait aussi (XIIe s.) «force militaire; armée» et «réunion des vassaux». ◇ À la fin du XVIe s., *empire* se dit de tout État ou groupe d'États relevant d'un gouvernement central (v. 1593). ◇ Par métonymie (1668) le mot signifie «lieu où s'exerce une domination» *(l'empire des morts* «les enfers»; *l'empire de Neptune* «la mer»), sens aujourd'hui d'emploi littéraire. À partir du XVIIe s., *empire* se dit d'un État puissant et dominateur et, par métonymie, désigne son territoire, d'où la locution ***pour un empire*** (XVIIe s.; *je n'en voudrais pas pour un empire*); il s'emploie aussi au figuré pour «domination exercée (par une chose)» *(sous l'empire de la boisson)*. ➛ Au sens propre et politique, *empire* comme *impérial* et surtout *impérialisme,* s'applique à l'ensemble des possessions coloniales et constitue un mot-clé de la politique internationale depuis le XVIIIe et surtout le XIXe s. *(l'Empire britannique; austro-hongrois, turc; l'Empire français)*; son importance décroît avec les décolonisations du XXe s., sauf dans des emplois extensifs *(L'Empire éclaté,* à propos de l'U. R. S. S., titre de H. Carrère d'Encausse).

◈ voir EMPEREUR, IMPÉRIAL, IMPÉRIALISME (à IMPÉRIAL).

EMPIRER → PIRE

EMPIRIQUE adj. est un emprunt savant (1314), par l'intermédiaire du latin *empiricus,* nom, «médecin empirique», au grec *empeirikos* «qui se dirige d'après l'expérience» (*oi empeirikoi* «les médecins empiriques»). C'est un dérivé de *empeiros* «expérimenté», de la famille de *peira* «tentative, expérience», «essai», d'une racine indoeuropéenne °*per-* «aller de l'avant, pénétrer dans». Celle-ci a fourni de nombreux mots, dont le latin *periculum* (→ péril), *experientia* (→ expérience), *expertus* (→ expert), *portus* (→ port).

♦ *Empirique* s'est d'abord employé en parlant d'une pratique médicale qui s'appuyait principalement sur l'expérience; le mot devient péjoratif en ce sens au XVIIe s., du fait que cette pratique se réduisait le plus souvent à une expérience personnelle informulable. ◇ Par extension, *empirique* qualifie aujourd'hui ce qui reste au niveau de l'expérience commune et n'a rien de rationnel. Le mot, en philosophie (1799-1800 dans une trad. de l'allemand), se dit de ce qui résulte de l'expérience, et *connaissance empirique* s'oppose à *connaissance rationnelle* ou à *connaissance expérimentale.*

▸ Le dérivé **EMPIRIQUEMENT** adv. est attesté en 1593. ➛ **EMPIRICITÉ** n. f., dérivé au début du XXe s., est réservé au vocabulaire philosophique.

EMPIRISME n. m. est dérivé (1732) du radical du grec *empeiria* «expérience» (par opposition à «théorie») et est d'abord employé en médecine. Son évolution est parallèle à celle de l'adjectif: il désigne ensuite (1782) une méthode qui ne s'appuie que sur l'expérience, puis s'utilise en philosophie (attesté en 1829). ➛ Il a pour dérivé **EMPIRISTE** adj. et n. (av. 1842). ➛ **EMPIRIE** n. f., attesté isolément en 1585 *(empyrie)* au sens d'*empirisme,* a été repris comme terme philosophique en 1866 (Amiel) pour «réalité empirique» (emploi isolé); repris au XXe s., ce mot d'emploi rare est un emprunt au grec *empeiria* «expérience».

EMPIRIOCRITICISME n. m. est un terme de philosophie, composé (1897) de *empirio-,* formé sur *empirique,* et *criticisme,* sur le modèle de l'allemand *empiriokritizismus* (Avenarius, 1894); le mot désigne une théorie de la fin du XIXe s., issue de la philosophie kantienne, qui critique la valeur objective de la science, restreint la connaissance à une critique de l'expérience, et, en relation avec le positivisme comtien, rejette la dualité spiritualiste du corps et de l'esprit (Avenarius, E. Mach).

EMPLACEMENT → PLACE

EMPLÂTRE n. m. est un emprunt savant (v. 1165, *emplastre*) au latin *emplastrum,* lui-même du grec *emplastron,* dérivé de *emplassein* «modeler, enduire», de *plassein* «modeler» (→ plasma, plastique).

♦ *Emplâtre* désigne en médecine (v. 1165) un onguent qui se ramollit légèrement à la chaleur, ce qui le fait adhérer à la partie du corps sur laquelle on l'applique. Le mot s'emploie au figuré (1176-1181) pour «remède», par exemple dans la locution ***un emplâtre sur une jambe de bois.*** ◇ Au XVIIe s., sans doute sous l'influence d'*empêtrer, emplâtre* se dit (1690) d'une personne incapable d'agir, sans vigueur. ◇ Au XIXe s., le mot prend familièrement la valeur figurée de «gifle, coup violent» (1852) dans des expressions comme *mettre, coller un emplâtre (sur la figure de qqn);* il subit alors l'influence de *plâtre* (cf. *mettre une plâtrée, battre comme plâtre*). ◇ Par analogie avec le remède, *emplâtre* entre dans le vocabulaire technique (1932), désignant une pièce collée sur l'enveloppe d'un pneu pour réparer une déchirure.

▸ **EMPLÂTRER** v. tr., «recouvrir d'un emplâtre», est attesté vers 1260 en médecine; il est repris au XIXe s. au sens figuré et familier d'«encombrer, embarrasser» (1823), de «heurter avec violence» (1870) et, au XXe s., de «voler» et «recevoir un objet volé» (1876, «cacher un objet volé pour le reprendre par la suite»).

EMPLETTE n. f. vient par substitution de suffixe (v. 1610) de l'ancien français *emploite* (1er quart du XIIIe s.), issu d'un latin populaire °*implicta* «usage, application», altération de *implicita,* forme neutre pluriel du participe passé *implicitus* de *implicare,* proprement «plier dans» (→ employer, impliquer).

♦ *Emplette* s'est d'abord employé avec la valeur étymologique d'«usage, emploi»; le sens d'«achat» (déb. XVe s., d'un marchand; 1636, pour l'armée) provient sans doute du fait qu'il faut faire usage d'argent pour se procurer de nouvelles marchandises; la locution figurée ***faire une mauvaise emplette*** «se tromper en engageant qqn» est vieillie. ◇ Par métonymie, le plus souvent au pluriel, *emplette* désigne (1610) l'objet acheté.

EMPLIR v. tr. est issu (v. 1140) du latin populaire °*implire,* altération du latin classique *implere* «rendre plein», de l'ancien verbe *plere* «emplir» qui se rattache à une racine indoeuropéenne °*pele-,* °*ple-* «être plein», d'où, par le latin, l'adjectif *plein**.

♦ Le verbe français est vieilli ou littéraire au sens premier de «rendre plein», où il est remplacé couramment par *remplir* (1270, *emplir sa panse* «manger»), y compris dans son emploi figuré (1176), «accomplir, effectuer». ◇ *Emplir* a eu le sens intransitif (1er quart du XIIIe s.) de «prendre eau» en parlant d'un navire. ◇ Le verbe s'est spécialisé au sens de «rendre (une femelle) pleine» (1538), d'usage régional, et de «rendre enceinte» (fin XVIe s.), valeur disparue en langue classique. ◇ Il signifie ensuite (1580, Montaigne) «occuper complètement (un espace)», mais il est aussi concurrencé en ce sens par *remplir.* ◇ *S'emplir* «devenir plein», au propre et au figuré, est attesté en 1680.

▸ Le dérivé **EMPLISSAGE** n. m. (1596), vieilli pour «action d'emplir», subsiste comme terme technique (1816), comme **EMPLISSEUR, EUSE** n. (1606).

REMPLIR v. tr. (v. 1130 au p. p.), préfixé en *re-,* élimine peu à peu *emplir* dans ses différents emplois, au propre et au figuré: «accomplir, exécuter» et «rendre plein» (fin XIIe s.), «inspirer un sentiment à (qqn)» (XIIIe s.), «être en grand nombre dans un lieu» (1465), «occuper un laps de temps» (1549), etc. Sorti d'usage pour «emplir à nouveau» (1596), *remplir* s'emploie spécialement dans certains domaines techniques (*remplir de la dentelle,* 1680; *un canevas,*

1751). Il signifie de plus «exercer, réaliser» *(remplir une fonction, une formalité).* ➛ Le dérivé **REMPLISSAGE** n. m. est d'abord attesté comme terme technique (1508), désignant le blocage d'un mur, opération aussi nommée *remplage* (1467). Cet ancien dérivé (1372) signifiait «surcharge» et «action de remplir» (1409), sens disparus. ➛ *Remplissage* s'emploie à partir du XVIe s. pour désigner l'opération qui consiste à remplir un récipient (1538) et ce qui allonge un texte sans rien ajouter d'important (1588). Le mot est utilisé comme terme technique de dentellerie. ◇ Il est alors synonyme de **REMPLI** n. m. (1870), participe passé substantivé. ◇ *Remplissage* est aussi un terme de musique (1718). ➛ **REMPLISSEUR, EUSE** n. et adj. (1680) est employé dans divers domaines techniques.

Le verbe composé **DÉSEMPLIR** (v. 1180), formé avec *dés-* (→ ① dé-), est rare en emploi transitif au sens de «vider en partie»; le verbe s'utilise surtout comme intransitif, à la forme négative (v. 1190), *ne pas désemplir* signifiant «être constamment plein».

◈ voir COMPLET, REPLET.

EMPLOYER

EMPLOYER v. tr. est issu (1080) du latin *implicare*, proprement «plier dans», d'où «entortiller, emmêler» et au figuré «s'engager dans», «mettre, placer» (→ emplette, impliquer). *Implicare* est, comme *explicare* (→ expliquer, exploit), un composé de *plicare* (→ plier, ployer), de la famille de *plectere* «entrelacer» (→ complexe).

♦ *Employer* a d'abord eu le sens de «placer, faire usage de» (des coups, une arme, dès la *Chanson de Roland*). De cette valeur découlent des emplois élargis : *employer son temps* (v. 1220), *employer de l'argent* (1456), *employer un mot* (1671). Le verbe signifie aussi «utiliser comme matériau», «utiliser en vue d'un but» (1412). ◇ Avec un nom de personne pour complément, il se spécialise au sens d'«avoir recours aux services de (qqn)» (fin XIVe s., *employer qqn*), d'où *s'employer pour qqn* «user de son crédit en faveur de qqn» (1538) et, à partir du XVIIe s., *employer qqn* «le faire travailler pour son compte» (1636). Le pronominal *s'employer à* est repris en sports (1880) pour «se donner dans un effort soutenu», et s'emploie en général pour «travailler à». ◇ Par ailleurs *employer* a voulu dire «confier (à qqn) la couronne, un pays» (XIIIe s.) ou «une charge» (1440-1475), emploi disparu en français classique, de même que *s'employer* «se marier» (XIIIe s.).

▸ **EMPLOI** n. m., déverbal d'*employer*, désigne d'abord l'action, le fait d'user de qqch. (v. 1275, attestation isolée, puis 1538, *employ*), d'où des usages élargis correspondant à ceux d'*employer* (1835, *emploi d'un mot*). Le mot donne lieu à des locutions et expressions comme ***emploi du temps*** (1870), ***mode d'emploi, double emploi,*** terme de comptabilité (1690, «somme inscrite deux fois») utilisé couramment au figuré dans *faire double emploi* «comporter une répétition inutile» (1835). ➛ Au début du XVIIe s., *emploi* signifie en général «ce à quoi une personne est employée», sens sorti d'usage, le mot désignant dès 1636 ce à quoi s'applique l'activité rétribuée d'une personne, spécialement en parlant du personnel de l'État (1660), valeur devenue dominante au XVIIIe et surtout aux XIXe et XXe s. *(trouver un emploi).* En relation avec le domaine du travail salarié, le mot se croise avec l'emprunt à l'anglais, en économie (XXe s.) : voir ci-dessous. ➛ À partir du XVIIIe s. *emploi* s'utilise spécialement (1775) pour «genre de rôle dont est chargé un acteur», d'où la locution figurée (1878) ***avoir le physique (la tête, la gueule) de l'emploi*** «avoir bien l'air de ce qu'on fait». ➛ Au XXe s., *emploi* traduit l'anglais *employment* (dérivé de *to employ*) pour désigner en économie la somme de travail humain effectivement utilisée et rémunérée, puis les possibilités de travail offertes à la main-d'œuvre *(le marché du travail)*; le mot s'oppose alors à *chômage.* ➛ À partir du sens de «fonction, charge» et de la valeur économique ont été composés les termes d'économie passés dans le langage courant : **SOUS-EMPLOI** n. m. (1942; de *sous-*), d'où **SOUS-EMPLOYER** v. tr. (1962 au p. p.), **PLEIN-EMPLOI** n. m. (1949), formé d'après l'anglais *full employment*, et **SUREMPLOI** n. m. (1960), beaucoup plus rare. ◇ **SANS-EMPLOI** n., pour «chômeur» est plus rare que *sans-travail.*

EMPLOYEUR, EUSE n. a désigné (1304) celui qui emploie son argent à qqch., puis (1618) l'utilisateur d'une monnaie. ➛ Ce sens a disparu, le mot se disant depuis la fin du XVIIIe s. (1794, d'après Bloch et Wartburg) d'une personne qui a un ou plusieurs salariés à son service (cf. *patron*), probablement d'après l'anglais *employer*, attesté en ce sens depuis 1742; le féminin est rare. ➛ **EMPLOYABLE** adj. est attesté à la fin du XVIe s., l'antonyme **INEMPLOYABLE** adj. en 1932 (1845, dans Richard de Radonvilliers). ➛ **EMPLOYÉ, ÉE** n. (1723) désigne un salarié du commerce ou de l'industrie, dont le travail est plutôt intellectuel que matériel (opposé à *ouvrier*); l'appellation ***employé(e) de maison*** a remplacé *domestique.* ➛ **INEMPLOYÉ, ÉE** adj., formé (1794) de ① *in-* et du participe passé d'*employer*, se dit surtout au figuré, pour «qui n'est pas utilisé».

REMPLOYER v. tr. (1320) «employer de nouveau» est moins courant dans l'usage général que **RÉEMPLOYER**; de même le déverbal **REMPLOI** n. m. (1577) tend à être remplacé dans les emplois non spécialisés par **RÉEMPLOI** (1938).

◈ voir EMPLETTE.

EMPOCHER → POCHE

EMPOIGNER → POING

EMPORIUM

EMPORIUM n. m. est un mot du latin classique introduit en français au XVIIIe s. (1755) et signifiant «marché, entrepôt». Il est pris au grec *emporion*, de même sens, qui se rattache à une racine indoeuropéenne °*per-* «aller de l'avant, pénétrer dans» (→ expérience, péril, port).

♦ D'emploi didactique, il désigne en parlant de l'Antiquité un comptoir commercial établi à l'étranger. Par extension, il se dit (déb. XXe s.) d'un lieu d'échanges commerciaux importants.

EMPORTER

EMPORTER v. tr. est un dérivé (Xe s., *enporter*; XIIIe s., *em-* moderne) de *porter* (→ porter), par préfixation avec *en-* (du latin *inde* «de ce lieu»).

♦ Le verbe s'emploie d'abord au sens de «porter d'un lieu à un autre, prendre avec soi»; avec diverses locutions, dont ***vous ne l'emporterez pas en (au) paradis*** (1787), ***que le diable l'emporte! (t'emporte,*** etc.*)*, formule d'exécration répandue à l'époque classique, et les expressions récentes (XXe s.) *plat à emporter* (opposé à *à consommer sur place*), *vente à emporter* (opposé à *à livrer*). ◆ Au XIIIe s., le verbe signifie par extension (v. 1260) «obtenir, gagner», emploi sorti d'usage et remplacé par *remporter*. ◇ *Emporter* s'emploie ensuite (1310) pour «enlever avec violence», d'où au figuré, en parlant d'un plat, *emporter la bouche* et la locution ***emporter le morceau*** «railler cruellement», puis «agir avec violence» (1878), par attraction avec la locution ancienne *emporter la pièce* (déb. XVIIe s.) «l'emporter dans une discussion»; cette locution signifie aujourd'hui (1888) «réussir, avoir gain de cause». ◇ ***L'emporter*** «avoir le dessus, être supérieur» est attesté en 1350. ◇ Le verbe signifie ensuite (1500) «s'emparer de (qqch.) par la force», puis «entraîner avec force», au propre et au figuré. ◇ Au sens d'«avoir comme conséquence» (1541), courant à l'époque classique, *emporter* a vieilli. ◆ Au XVIIe s., il a le sens de «transporter, exciter» : c'est de cet emploi que vient **S'EMPORTER** (1632), en parlant d'une personne qui s'abandonne au désespoir, est dominée par l'orgueil, etc.; le verbe a aujourd'hui le sens plus restreint de «se laisser aller à des mouvements de colère» (1640).

▸ Son participe passé a fourni **EMPORTÉ, ÉE** adj. et n. (1633) qui signifie spécialement «violent, coléreux» (d'une personne, du ton, etc.). ◆ **EMPORTEMENT** n. m. a signifié «fait d'être emporté» (fin XIIIe s.); c'est à l'époque classique qu'il prend le sens de «transport, élan», en particulier (1636) de «violent mouvement de colère», seul courant de nos jours. ◆ **EMPORT** n. m. a signifié «influence exercée par qqn» (fin XIIIe s.). Terme de droit (1507) pour «action d'emporter ce qui appartient à autrui», il est très rare au sens de «fait de prendre l'avantage (sur qqch.)» (1863). ◇ *Emport* est devenu un terme technique (v. 1950) dans *capacité d'emport* «charge susceptible d'être emportée par un avion».
Le composé **EMPORTE-PIÈCE** n. m. inv. désigne d'abord un cautère (1611) puis un outil tranchant pour enlever d'un seul coup une pièce (1690). Il s'est employé par métaphore (1704) pour «propos mordant» et «personne à l'esprit mordant», sens conservé dans la locution ***à l'emporte pièce*** «incisif» (1865, Hugo).
Le préfixé **REMPORTER** v. tr. (1461) signifie «emporter ce qu'on avait apporté», puis (1538) «gagner, vaincre»; il n'est employé aujourd'hui qu'avec une idée de compétition.

EMPOTÉ, ÉE adj. est un dérivé tardif (1862, E. About), probablement d'origine dialectale de *em- (en-)* et de *(main) pote* «(main) gauche» (v. 1198), emploi adjectivé de l'ancien français *poe, pote* «patte» (déb. XIIe s.), la main gauche étant par sa maladresse relative comparée à une patte. Le mot vient d'un latin populaire °*pautta* «patte», issu d'une racine pré-celtique.

♦ *Empoté,* d'usage familier, signifie «maladroit», physiquement et moralement.

EMPREINDRE v. tr. est issu (1213) d'un latin populaire °*impremere,* altération du latin classique *imprimere* «appuyer sur», «faire prendre une empreinte» (→ imprimer).

♦ *Empreindre* conserve le sens du latin, «marquer (une forme, un dessin) par pression sur une surface»; il s'emploie au figuré dans un contexte littéraire (apr. 1250).

▸ Le participe passé substantivé **EMPREINTE** n. f. (v. 1200) est courant au sens général de «marque laissée par un corps qu'on presse sur une surface». Le mot, employé au figuré (1605) pour «marque profonde, durable», est courant au sens propre dans *empreinte digitale* (1905) ou *empreinte.*

EMPRESSÉ, S'EMPRESSER → **PRESSER**

EMPRISE n. f. représente (1175) le participe passé substantivé au féminin de l'ancien verbe *emprendre* «entreprendre» (1080), issu du latin populaire °*imprendere,* dérivé du latin classique *prehendere, prendere* (→ prendre).

♦ *Emprise* a d'abord signifié «belle action, prouesse (chevaleresque)», jusqu'au XVIe siècle. ◇ Le mot est repris au XIXe s. et, par croisement avec *empire, empreinte,* il prend alors le sens de «domination intellectuelle ou morale» (1863, Th. Gautier). Comme terme de droit administratif, il désigne (1868) une mainmise de l'Administration sur une propriété privée *(emprise de terrain).*

EMPRUNTER v. tr. est issu (1125-1150) du latin populaire °*imprumutuare,* altération de °*impromutuare* formé à partir du latin classique juridique *promutuari,* de *promutuum* «avance d'argent». Ce substantif est composé de *pro-* «à l'avance» et *mutuum* «argent emprunté à rendre sans intérêt», neutre substantivé de *mutuus* «qui se fait par voie d'échange», «réciproque» (→ mutuel), lequel se rattache à une racine indoeuropéenne °*mei-* «changer, échanger» (→ migrer).

♦ *Emprunter* a eu parfois en ancien français le sens de «prêter», moins courant dès le XIIe s. (v. 1150) que «recevoir à titre de prêt», puis éliminé. ◇ Le verbe a développé une série de valeurs extensives ou figurées; employé en ancien français pour «recevoir des coups» (XIIIe s.), il signifie (déb. XIIIe s.) «utiliser, recourir à (une aide étrangère)», sens devenu d'emploi littéraire, comme celui de «revêtir (une apparence étrangère)» (1538). ◇ *Emprunter* reste courant au sens de «prendre ailleurs et faire sien» (fin XVIe s.), valeur spécialisée dans *emprunter un mot* (cf. ci-dessous *emprunt*). *Emprunter* s'emploie aussi familièrement (1850) pour «voler», par euphémisme.

▸ Le participe passé **EMPRUNTÉ, ÉE** adj. s'applique (v. 1200) à une personne gauche, embarrassée. Il s'est employé pour «déguisé, travesti» (apr. 1250) et «artificiel» (1578), d'où à l'époque classique *nom emprunté* «pseudonyme» (1694), remplacé par *d'emprunt* (cf. ci-dessous).
Le déverbal **EMPRUNT** n. m., «action d'emprunter» (v. 1195), a des emplois parallèles à ceux du verbe.

(Suite p. 1230)

L'EMPRUNT

L'emprunt représente l'introduction dans une langue d'un élément significatif (du morphème à l'énoncé codé) d'une autre langue. On parle parfois aussi d'emprunt syntaxique (construction, ordre des mots) et d'emprunt sémantique (ce qui est emprunté est alors un signifié repéré de manière précise par une forme), mais *emprunt,* employé seul, désigne le plus souvent le transfert d'un signe lexical. Ce procédé d'enrichissement du lexique inclut le *calque,* où la relation avec le mot étranger est de traduction (l'anglais *free-mason* devient *franc-maçon; blue stocking, bas-bleu; sky-scraper, gratte-ciel*); il se distingue du *xénisme,* cas où le mot étranger est donné pour tel par celui qui l'utilise et est parfois traduit : qu'un journaliste écrive dans un article *les «tanety (collines) brûlent»* n'implique pas que le mot malgache utilisé est intégré en français. Sous ses divers aspects, variables selon les époques, l'emprunt est fondamentalement différent de l'*héritage :* en français, les mots hérités représentent l'aboutissement par voie orale d'un mot latin ou germanique, parfois selon des processus complexes : *verre* est issu du latin *vitrum* par l'intermédiaire d'une forme *voirre.* La plus grande partie des emprunts du français, faits par voie écrite, provient du latin et ce, dès la constitution de notre langue; ensuite interviennent le grec et plusieurs langues vivantes (→ français). La procédure de l'emprunt suppose que la langue de départ et la langue réceptrice soient en contact; contact écrit, par exemple dans la traduction, ou contact oral, ce qui n'implique pas le bilinguisme de la part des locuteurs. Dans bien des cas, des éléments lexicaux ont été introduits en français avec la chose qu'ils désignaient; suivre la voie de l'emprunt revient du même coup à reconstruire un mouvement commercial (cf. *sucre*) ou à évoquer un point de civilisation (cf. *gothique, sarbacane*).

Cependant, la frontière entre *emprunt* et *mot hérité* n'apparaît pas toujours très clairement dans les premiers textes français.

Au moyen âge coexistent souvent deux mots provenant du même mot latin, l'un introduit par voie orale, l'autre emprunté par les clercs; le mot hérité (*grief, grieve,* déb. XIIe s.) précède logiquement l'emprunt au latin *gravis* (*grave,* déb. XIVe s.), mais les deux formes peuvent aussi bien apparaître à la même époque dans les textes : au début du XIIe s. on rencontre *société,* emprunt, et aussi *soisté, souastié,* forme issue du latin *societas* et qui a disparu. Les deux formes, appelées **doublets,** demeurent parfois dans l'usage mais avec des sens différents (*sacrement* et *serment,* latin *sacramentum*) ou des aires d'emplois distinctes (*fragile* et *frêle,* latin *fragilis,* alors que *fragilité,* emprunté, s'est substitué à *fraileté*). Le mot hérité a pu se maintenir dans les dialectes ou les toponymes, comme *ferté,* apparu à la même époque (XIIe s.) que l'emprunt *fermeté* (latin *firmitas*).

Les processus d'intégration d'un mot étranger sont complexes et très différents selon le moment considéré. Certaines unités sont introduites en français telles quelles, au moins graphiquement : le latin *veto,* l'italien *villa,* l'anglais *dandy, boy, film,* l'allemand *ersatz,* l'espagnol *sierra,* le russe *troïka,* etc.; même dans ce cas, l'emprunt est toujours modifié phonétiquement, et souvent sémantiquement. Ainsi, des traits particuliers à la prononciation de la langue de départ sont effacés et remplacés par ceux de la langue d'arrivée (timbre, articulation); par exemple l'accent porte toujours en français sur la dernière syllabe. En outre, le mot emprunté subit le plus souvent des modifications graphiques en accord avec les structures morphologiques du français : le latin *actio* devient *acciun* au XIIe s., refait ensuite en *action;* le phénomène est ancien, puisque le gallo-roman intégrait des verbes franciques en en modifiant la finale, *-ân* ou *-ôn* devenant *-are,* puis en français *-er :* ainsi, °*wardôn* aboutit à *garder.* La francisation a pendant longtemps altéré fortement la forme d'origine pour les mots venus de pays éloignés, entendus et rapportés par des voyageurs : *sultan* s'est substitué à partir du XVIe s. aux anciennes formes francisées *souldan* (fin XIIe s.), *soldain* (v. 1200), *soudan* (XIIIe s.), toutes empruntées à l'époque des croisades à l'arabe. C'est aussi le cas pour des mots anglais introduits par voie orale : *redingote* (déb. XVIIIe s.), adaptation de *riding-coat,* a connu de nombreuses variantes populaires et dialectales comme *reguingote* ou *arlingote.* Rarement, une phrase entendue est prise pour former un mot nouveau (*was ist das?* donne [un] *vasistas*). Ce phénomène, nommé délocutivité, est plus courant qu'on ne le pense.

Dans les domaines spécialisés, notamment lorsqu'une nouvelle technique se constitue, l'innovation peut être désignée par toute une série de calques avant qu'un terme ne s'impose; c'est le cas de *locomotive* (1826), choisi d'après l'anglais *locomotive (engine),* et qui a été précédé ou concurrencé par d'autres termes calqués : *machine à feu (fire engine), machine à vapeur (steam-engine), cheval de fer (iron-horse), cheval de vapeur (steam-horse), machine locomotrice;* l'adjectif *locomotif, ive* existait depuis le XVIe s. mais sa substantivation était imprévisible. Dans certains cas, l'adaptation ancienne ne laisse pas soupçonner l'origine étrangère : *paquebot* a été pris au XVIIe s. à l'anglais *packet-boat.* Un autre cas d'emprunt discret ou caché, non ressenti comme tel, est celui où le mot-source est conforme à la morphologie de la langue d'arrivée : en français, de nombreux termes de sciences, formés sur le latin ou le grec, proviennent en fait d'une langue étrangère dans laquelle ils ont été formés (anglais, ou allemand en chimie ; italien pour *neutrino*). D'autres emprunts correspondent à des virtualités : *sentimental*, pris à l'anglais, semble français et aurait pu l'être. À l'inverse, de larges pans de vocabulaire sont adoptés tels quels, avec les graphies d'origine, avec les choses importées : le domaine des courses hippiques a repris à l'anglais *turf, handicap, crack, paddock*, etc., au XIXe s., et quasiment tout le vocabulaire du golf au XXe siècle. À côté des emprunts de mots, il faut noter l'importance des emprunts de sens, qui existent depuis l'époque la plus ancienne, au point que l'on peut parler d'emprunts successifs du même mot : *solide*, apparu au XIVe s. en architecture, semble peu employé jusqu'au XVe s. où il est repris avec un autre sens du latin *solidus*. Les échanges entre le français et l'anglais prennent souvent cette forme : *promotion*, emprunt au bas latin, passe en anglais au XVe s. et se spécialise en américain au XXe s. dans le domaine publicitaire, avec une acception que reprend le français. En outre, un mot ancien en français, sans être réemprunté, peut subir l'influence sémantique d'un mot semblable ou même d'un mot différent, mais de sens analogue, dans une langue en contact : *révolution* a évolué en partie à cause des emplois de *revolution* en anglais, de *revolutsia* en russe, etc. ; *artiste* et *art* ont subi peu après 1800 l'influence de l'allemand *Kunstler, Kunst*.

Certaines formes vont et viennent d'une langue à l'autre : le cas est fréquent pour le français et l'anglais. Ce dernier a emprunté à l'ancien français *bougette* son *budget*, revenu en français avec un sens propre à l'anglais. *Tennis, tunnel* sont aussi des réemprunts.

Les mots empruntés, dans bien des cas, suivent des voies complexes ; *sucre*, d'abord *çucre* au XIIe s., est emprunté à l'italien *zucchero* qui le tient de l'arabe *(sukkar)* ; l'arabe l'avait lui-même emprunté à un mot d'origine indienne (en sanskrit *çarkara*). Le sucre, venu de l'Inde, introduit en Grèce au Ier s. de notre ère (grec *sakkharon*) et consommé à Rome (latin *saccharum*, d'où le français *saccharine*, au XIXe s.), fut cultivé par les Arabes en Égypte, puis en Sicile d'où le produit est exporté en Italie avec son nom ; l'allemand *(Zucker)* reprend aussi le mot à l'italien ; l'anglais *(sugar)* et le néerlandais *(suiker)* sont empruntés au français.

Ce dernier exemple permet de poser la question des causes de l'emprunt. Une partie des mots vient évidemment avec la chose qu'ils désignent et le phénomène, aussi ancien que la langue, se poursuit. L'introduction de marchandises, d'espèces végétales, de techniques accroît en même temps le lexique. Les emprunts au germanique, par exemple, s'inscrivent dans des domaines souvent bien définis soit, pour des raisons obscures, un champ sémantique très général (les adjectifs de couleur : *blanc, bleu, fauve*...), soit, pour des raisons historiques claires, des domaines d'activité, tel le vocabulaire de la marine (souvent par l'intermédiaire du néerlandais), de la guerre, ces mots étant introduits par les marins et les soldats. D'une toute autre façon, la formation du vocabulaire juridique s'appuie aux XIIe et XIIIe s. sur l'étude du droit romain et recourt massivement au latin ; à une autre époque, au XVIIIe s., le développement des sciences de la nature et la nécessité taxinomique ont fait puiser dans le fonds grec et latin, y compris pour les éléments de formation (*anti-, épi-, exo-, hyper-, méta-*, etc.) dont certains sont passés dans la langue commune ; ces éléments, on l'a vu, alimentent aussi les terminologies en anglais, allemand, etc., où les termes ainsi créés sont disponibles pour un emprunt en d'autres langues. Le français a ainsi emprunté à l'anglais, à l'allemand pour la chimie et la biologie. Plus largement, quand un pays jouit d'un grand prestige, par le rayonnement de sa culture ou la position dominante de son économie, son lexique sera sollicité ; le français emprunte beaucoup à l'italien au XVIe et encore au XVIIe s. dans les domaines de l'architecture, de la musique, des beaux-arts, de la cuisine ou du vêtement (→ langue **italienne**), puis à l'Espagne (→ langue **espagnole**), plus tard à l'Angleterre pour la politique, les sciences et techniques (par exemple, les chemins de fer) et le sport, aujourd'hui à l'anglo-américain (→ langue **anglaise**). Ce type d'emprunts est dû à un besoin de désignation portant sur des objets nouveaux, qu'ils viennent de la civilisation dont la langue est sollicitée ou d'une autre, ou bien sur des notions scientifiques, des concepts théoriques (emprunts philosophiques à l'allemand de Kant, de Hegel, de l'existentialisme, etc.), ou encore des procédés techniques. Alors la géographie des sources d'emprunt est celle même des sources de savoir ou d'activité technique. Il faut en distinguer fortement les emprunts sans nécessité conceptuelle ou technique, qui proviennent de besoins sociaux d'une autre nature : souci de nouveauté, d'originalité, référence ou allusion à une source culturelle valorisée. C'est le cas des emprunts de mode, de nature culinaire, vestimentaire, ludique, spectaculaire, etc., comme ceux qui portent sur les formes nouvelles de musique populaire. Là aussi, les sources linguistiques sont identiques aux sources d'activité (pour la musique, l'anglais d'Angleterre, celui des États-Unis, celui de la Jamaïque, le portugais du Brésil ont alimenté les autres langues, dont le français). Ces emprunts de mode, dont certains peuvent correspondre à l'importation d'un objet nouveau et donc aussi à un besoin désignatif, peuvent aussi porter sur des locutions, des expressions, alors calquées (*jeter le bébé avec l'eau du bain* ou *ce n'est pas ma tasse de thé,* toutes deux de l'anglais). Si le prestige de la source est la règle en ce domaine, il arrive au contraire que ces emprunts viennent d'une mise en contact de civilisation et participent d'un certain mépris. La colonisation est cause d'emprunts, neutres mais alors familiers ou populaires (*smala, toubib,* de l'arabe), souvent péjoratifs, même s'ils sont neutres ou positifs dans la langue source (*moukère, sidi* de l'arabe; *niakoué* du vietnamien).

À côté des emprunts rationnels (sciences et techniques, par exemple), ces emprunts affectifs, plus souvent valorisés et valorisants qu'ironiques ou méprisants, font partie des enrichissements du lexique, même s'ils sont critiqués et critiquables. Ils correspondent à des besoins irrationnels de la société aussi puissants que les besoins objectifs, et dont certains concernent le rapport au langage lui-même.

D'une manière générale, le phénomène de l'emprunt est l'un des aspects lexicaux de la situation globale des langues et de leur «institution», l'influence réciproque, dont le contact des langues, la traduction, l'adaptation, l'enseignement des langues étrangères. L'autre est le passage insensible, par voie orale, qui produit avec les mots d'une langue (par exemple, le latin populaire oral du haut moyen âge) ceux d'une autre (le «vulgaire roman», puis français). L'emprunt est un phénomène universel qui dépasse le lexique, et qui peut fonctionner oralement ou par écrit. Cependant, pour le français, sa nature est essentiellement lexicale et écrite. Le poids statistique des sources, du latin à l'anglo-américain et les flots d'emprunts du français vers les autres langues (notoirement vers l'anglais, à partir du XIIe s.), est l'un des instruments de mesure de l'importance réciproque des idiomes en coexistence dans le monde.

T. Hordé, C. Tanet

BIBLIOGRAPHIE

L. DEROY, *L'Emprunt linguistique,* Paris, Les Belles Lettres, 1956 (importante bibliographie).

T.-E. HOPE, *Lexical Borrowings in the Romance Languages,* 2 vol., New York University Press, 1971.

[Pour le français] F. BRUNOT, *Histoire de la langue française,* vol. I à X, Paris, A. Colin, 1905-1943.

Fr. MACKENZIE, *Les Relations de l'Angleterre et de la France d'après le vocabulaire,* 2 vol., Paris, Droz, 1939.

◇ Par métonymie il désigne ce qui est emprunté (1338 au plur.), spécialement dans *emprunt d'État* (1755); dès le XVe s. (1421) *emprunt* était le nom d'une taxe qui s'est maintenue jusqu'au XVIIIe s. et l'on relève au XVIe s. *mettre à l'emprunt* «soumettre à un emprunt forcé» (1584). L'*emprunt forcé,* institué pendant la Révolution (1793), succède à l'*emprunt national* (1784). ◇ Le mot désigne en particulier l'action de s'approprier un thème chez un auteur (XVIe s.) et, par métonymie, le thème lui-même. ◇ Il s'emploie en linguistique dans *mot d'emprunt* (1826), d'où *un emprunt,* désignant une forme linguistique (mot, etc.) passée d'une langue à l'autre sans grande modification formelle et donc dans un temps bref. Les emprunts sont souvent désignés par un dérivé en *-isme* du nom d'une langue (*italianisme, anglicisme,* etc.) (voir ci-contre l'article spécial). ◇ La locution adjectivée ***d'emprunt,*** «artificiel», est attestée en 1695 *(nom d'emprunt).* ➛ Sur *emprunter* ont été aussi dérivés **EMPRUNTEUR, EUSE** n. et adj. (v. 1255, *empromptieres*) et **EMPRUNTABLE** adj. (XXe s.). **REMPRUNTER** v. tr. (1549) tend à être remplacé par **RÉEMPRUNTER** v. tr. qui semble récent.

EMPUANTIR → PUER

EMPYRÉE n. m. est un emprunt, d'abord écrit avec un *i* (fin XIVe s., *cieulx empirees*), refait avec un *y* (1611), à l'adjectif du latin chrétien *empyrius,* signifiant «embrasé, de feu» (en parlant des régions supérieures du ciel), lui-même emprunt au grec *empurios* «en feu, de feu», de *pur, puros* «feu» (→ pyro-).

♦ *Empyrée* désigne en mythologie la plus élevée des quatre sphères célestes qui contenait les feux éternels (les astres) et était le séjour des dieux. Le mot se dit au figuré (1544), dans un emploi littéraire, pour «séjour des bienheureux».

ÉMULATION n. f. est un emprunt (déb. XIIIe s.) au latin *aemulatio* «rivalité», de *aemulatum,* supin de *aemulari* «rivaliser», dérivé de *aemulus* «qui cherche à imiter», «rival», mot d'origine obscure.

♦ *Émulation* est introduit avec le sens du latin, aujourd'hui disparu; par affaiblissement, le mot désigne ensuite (1660) le sentiment qui porte à égaler ou à surpasser qqn; il ne s'emploie plus qu'avec une valeur positive. ◇ *Émulation* est devenu un terme d'informatique (v. 1972) avec le sens, repris à l'anglais *emulation* (de même origine), de «simulation d'un ordinateur d'un certain type sur un ordinateur d'un autre type».

▸ **ÉMULATEUR, TRICE** adj. est un emprunt (1495) au dérivé latin *aemulator* «celui qui cherche à imiter»; il est rare.

ÉMULE n., emprunt au latin *aemulus* (v. 1310, *emole*), refait d'après le latin (déb. XIVe s.), a eu le sens de «rival». Le mot désigne une personne qui cherche à égaler ou à surpasser qqn et par extension une personne d'un mérite égal (1694), une personne qui imite quelqu'un. ➛ **ÉMULER** v. tr., d'abord «rivaliser» (1526, intr.), est emprunté au latin *aemulari.* Il a été réintroduit (v. 1972) en informatique, sans doute emprunté à l'anglais *to emulate.*

ÉMULSION n. f. est un dérivé savant (1560) du radical de *emulsum*, supin du latin *emulgere* «traire jusqu'au bout» et par extension «extraire», dérivé de *mulgere* qui a donné en ancien français *moudre*, verbe éliminé par son homonyme et remplacé par *traire**. ◇ Ce verbe se rattache à une racine indoeuropéenne °*melg-* «traire» (d'où en anglais *milk* et en allemand *Milch* «lait»).

♦ *Émulsion*, d'abord terme de pharmacie, désigne une préparation d'apparence laiteuse tenant en suspension une substance huileuse; par extension, le mot s'emploie en photographie (1878; *émulsion photographique*) et en chimie (XIXe s.).

▸ À partir du radical d'*émulsion* ou du radical du latin ont été dérivés des termes didactiques. ◆ **ÉMULSIF, IVE** adj. s'emploie en pharmacie (1755) et en chimie (1901; aussi n. m.). ◇ **ÉMULSIFIANT, ANTE** adj. (1932) dérive de l'adjectif. **ÉMULSINE** n. f. (1837) est un emprunt à l'allemand *Emulsine*. **ÉMULSIONNER** v. tr., d'abord (1690) «additionner (une boisson) d'une émulsion», est ensuite employé pour «mettre à l'état d'émulsion» (1856) et en photographie (fin XIXe s.). ◇ De là **ÉMULSIONNANT, ANTE** adj., aussi substantivé. ◆ **ÉMULSEUR** n. m. désigne (1886) un appareil qui produit des émulsions.

① **EN** prép. est issu (fin IXe s.) par modification de *in* (842), du latin *in* «dans, sur» (spatial et temporel), d'où le sens moral de «en vue de, pour»; *in* appartient à la famille de l'indoeuropéen °*en-* «dans».

♦ En bas latin, la préposition développe des sens et emplois qui sont repris en français entre le IXe et le XIIe siècle. *En* «dans, pendant (un temps)» exprime un mouvement dans le temps (842, *in*), un moment (fin Xe s.). ◇ *En*, préposition de lieu, s'applique au lieu où l'on est, où l'on va (fin IXe s.), avec le sens de «sur» (fin Xe s., *en croix*), et est employé également pour exprimer un lieu abstrait (fin Xe s., *croire en Dieu*; 1080, *se fier en qqn*), spécialement devant un pronom personnel (v. 1170). ◇ *En* s'emploie aussi pour indiquer la position à l'intérieur de limites notionnelles : la forme, l'état (fin IXe s.), la composition (1080), pour introduire un nom qui fait fonction d'attribut de l'objet (1080; *garder en otage*) ou encore pour marquer un changement d'état (v. 1170). ◇ *En*, au sens de «fait de...», est attesté au XVIe s. (1521, *en bois, en terre*); cet emploi pour *de* a été critiqué du XVIe s. jusqu'à nos jours par les puristes. ◇ *En* s'emploie également (1080) pour introduire un participe présent (gérondif), de façon régulière seulement à partir du XVIIIe siècle.
Cette préposition très répandue en ancien français a eu jusqu'à l'époque classique des emplois plus larges qu'aujourd'hui; depuis le XVIe s. elle a souvent été remplacée par *dans*. En ancien français, *en* était utilisé en combinaison avec l'article défini : au singulier *en* + *le* donne *el, ou, on* (*ou, on* se confondent avec *au* et disparaissent au XVIe s.). ◆ Au pluriel *en* + *les* donne **ÈS** (v. 980), condamné par Malherbe, et qui ne s'utilise plus au XVIIe s. que dans l'administration ou dans le style burlesque; la préposition est conservée aujourd'hui dans des expressions : *licence ès lettres* et, en droit, *ès qualités* «à cause d'une fonction particulière». ◆ À l'époque classique, *en* se construisait avec des verbes aujourd'hui suivis de *à* ou d'autres prépositions. On utilisait *en* pour *à* devant les noms de villes, emploi considéré comme vieilli par Ménage (1672) mais admis à la fin du siècle pour les noms commençant par une voyelle. Aujourd'hui, *en Avignon* (justifié par le fait que *Avignon* a désigné aussi le territoire papal), *en Arles* sont des provençalismes ou des tournures affectées. Inversement, *en* a parfois remplacé *à* devant des noms de pays (*en Chine* et non plus *à la Chine*, comme dans la langue classique). *En* s'employait souvent là où nous avons maintenant *dans* (*en sa cour, en l'amour de ta loi*, Racine), *sur* (*Dieu est descendu en terre*, Furetière 1690), *de* (*être en mauvaise humeur*).

② **EN** pron. et adv., d'abord sous les formes *int* (842) et *ent* (Xe s.), écrit *en* à partir de 1080, est issu du latin *inde* qui marque l'origine, le point de départ dans l'espace et le temps : «à partir de là, de ce moment», et s'emploie surtout en bas latin et en latin médiéval pour «de qqch., de qqn».

♦ *En* équivaut (842) à *de cela* pour exprimer différents rapports (provenance, manière, cause, etc.); à la fin du Xe s., le mot est attesté comme adverbe de lieu. Il est employé comme pronom représentatif d'une personne en 1080. ◇ À l'époque classique, *en* peut renvoyer à une idée non exprimée mais qu'on peut tirer du contexte, et remplacer un pronom de la première ou de la deuxième personne.

EN-, écrit *em-* devant *b, m, p*, est un élément issu du préfixe latin *in- (im-)*, de la préposition *in* «dans, sur» (→ ① en).

♦ Il sert à la formation de verbes composés, à partir d'un substantif, pour marquer l'aspect inchoatif, l'entrée dans un état, l'acquisition d'une qualité.

ENAMOURÉ, ENAMOURER
→ ① AMOUR

ÉNARQUE n. est composé (1967) de *E. N. A.*, sigle de *école nationale d'administration*, et de *-arque*, de *monarque*, etc.

♦ Le mot désigne familièrement un ancien élève de l'E. N. A., considéré comme détenteur du pouvoir (cf. *technocrate*).

▸ Il a pour dérivé **ÉNARCHIE** n. f. (1967) d'après *monarchie, synarchie*.

ENCABLURE → CÂBLE

ENCAN n. m. est une réfection (XVIIe s.) du moyen français *enchant* (v. 1389, *a l'enchant*), emprunt adapté du latin médiéval *incantus* (1319), altération du latin classique *in quantum* «pour combien» (→ quantité), peut-être par l'intermédiaire de l'ancien provençal *encan* (XIIIe s.) : cf. le latin médiéval *incantus* vers 1253 à Marseille, et son dérivé *incantare* à Venise (1244).

♦ Le mot a désigné une vente aux enchères; il reste dans la locution adverbiale ***à l'encan (acheter,***

vendre à l'encan), qui s'emploie aussi au figuré au sens de «au plus offrant» (1606).

▸ On trouve le dérivé **ENCANTER** v. tr. «vendre à l'encan» au Canada.

ENCART, ENCARTER → CARTE

ENCASTRER v. tr. est la francisation (1694) d'un emprunt du XVIe s. *incastrer* (1580; v. 1560, au participe passé *incastré*). Ce verbe est pris à l'italien *incastrare* «enchâsser, emboîter» (v. 1340), lui-même emprunt au bas latin *incastrare* «sertir» (le dérivé *incastratura* «tenon» est antérieur), qui dérive du latin classique *castrum* «forteresse», plutôt que de *castrare* «châtrer». L'ancien français a eu un verbe *enchastrer* (XIIIe s.), d'où *enchastre* «tenon» (1397), issu directement du bas latin.

♦ *Encastrer* signifie «insérer (un objet) dans un autre».

▸ Il a pour dérivés **ENCASTREMENT** n. m. (1607) et **ENCASTRABLE** adj. (milieu XXe s.). Le participe passé adjectivé du verbe est plus courant *(baignoire encastrée).*

◈ voir CASTRER, CHÂTRER.

ENCAUSTIQUE n. f. est un emprunt (1515) au latin impérial *encaustica,* emprunt au grec tardif *enkaustikê (tekhnê)* désignant une technique artistique et dérivé du verbe *enkaiein* «faire brûler dans», «peindre à la cire fondue», dérivé de *kaiein* «brûler» (→ caustique, encre).

♦ Le mot, rare jusqu'au XVIIIe s., a désigné un procédé de peinture où l'on employait des couleurs délayées dans de la cire fondue; on parle encore de *peinture* (et de *peindre*) *à l'encaustique;* dans ce sens, le mot s'est aussi employé comme adjectif. À partir du XIXe s., *encaustique* se dit (1835) d'un produit d'entretien composé de cire et d'essence de térébenthine.

▸ Il a pour dérivé **ENCAUSTIQUER** v. tr., courant (1864), et son dérivé **ENCAUSTIQUAGE** n. m. (1907).

ENCEINDRE v. tr. représente une réfection (déb. XIVe s., *ençaint*) de l'ancien français *aceindre* (XIIe s.) composé du préfixe *a-* et de *ceindre**, d'après le latin impérial *incingere* «entourer», qui tendait à remplacer le simple *cingere* (→ ceindre).

♦ *Enceindre,* qui a gardé le sens du latin, est aujourd'hui rare et ne survit que par son participe passé substantivé.

▸ ① **ENCEINTE** n. f. est la réfection de *aceinte* (XIIe s.), participe passé de *aceindre* et désignant (1284) ce qui entoure un espace et en défend l'accès, puis par métonymie (1611) l'espace ainsi fermé. Il s'applique spécialement (1704) à une ligne de fortifications. Par extension, le mot s'est dit pour «domaine» (XVIIe s.) et s'emploie au sens de «salle plus ou moins vaste et fermée» (1835). C'est l'idée d'espace clos que l'on retrouve dans l'expression ***dans l'enceinte de*** «à l'intérieur de» et dans *enceinte (acoustique)* [v. 1960], qui concurrence l'anglicisme *baffle.*

② **ENCEINTE** adj. f. est issu (v. 1165) du latin *incincta* «entourée d'une ceinture», participe passé passif de *incingere* «ceindre, se ceindre» (cf. aussi italien *incinta,* espagnol *encinta* et ancien provençal *encencha*) [→ enceindre].

♦ *Enceinte* s'applique à une femme en état de grossesse; l'ancien français utilisait la forme masculine *(ventre enceint),* que l'on trouve encore parfois au XIXe et au XXe s., au propre ou par métaphore. Cet adjectif est devenu plus usuel dans la mesure où *grosse* a été considéré comme inélégant.

▸ Sur *enceinte* a été dérivé **ENCEINTER** v. tr. (XIIIe s.; v. 1138, intr., «devenir enceinte»), aujourd'hui rare et d'emploi familier en France, à côté d'*engrosser,* mais usuel en français d'Afrique. ◇ *Enceindre,* au sens de «rendre (une femme) enceinte», est attesté chez Aragon.

ENCENS n. m. est un emprunt (v. 1135) au latin chrétien *incensum* «matière brûlée en sacrifice», proprement «ce qui est brûlé», participe passé neutre substantivé du latin classique *incendere* «enflammer» (→ incendier), d'un radical latin *cand-* (→ chandelle).

♦ Le mot désigne en particulier la résine aromatique d'origine orientale brûlée dans les cérémonies religieuses depuis l'Antiquité, premier sens d'*encens.* Le mot est utilisé plus tard par figure dans un emploi littéraire (1626, au pluriel), pour «flatteries, louanges excessives». ◇ *Encens* a été employé (1877), par référence au parfum, comme synonyme de *romarin officinal,* aussi dénommé par le dérivé **ENCENSIER** n. m. (1842), auparavant *incensaire* (1544).

▸ Le dérivé **ENCENSER** v. tr. (1080) s'emploie pour «honorer en brûlant de l'encens» et «parfumer avec de l'encens» (v. 1165) jusqu'au XVIIe s.; l'emploi figuré est d'abord attesté au participe passé (1666). ◇ En construction absolue, *encenser* signifie «agiter l'encensoir». Par analogie, le verbe s'emploie en parlant d'un cheval (1838) pour «secouer le tête de haut en bas».
Ce verbe a lui-même plusieurs dérivés. ◆ **ENCENSEMENT** n. m. s'emploie au propre (1214-1219) et au figuré. ◆ **ENCENSEUR, EUSE** n. est rare au sens propre (XIVe s., *ancenseur*), mais moins employé que *thuriféraire* pour «flatteur» (1690). ◆ **ENCENSOIR** n. m., terme de liturgie (1388), s'est employé par métonymie au sens de «puissance ecclésiastique» (1691), abandonné plus tard pour *le goupillon,* et dans la locution ***mettre la main à l'encensoir*** «s'ingérer dans des fonctions ecclésiastiques» (1690). Le mot entre dans des locutions figurées, lié à *encenser* «flatter» : ***manier, prendre l'encensoir*** (1680) «louanger excessivement» reste en usage, alors que sont archaïques *donner de l'encensoir au travers du visage* (1675), *casser l'encensoir sur le nez de qqn* «louanger exagérément qqn jusqu'à le ridiculiser» (1798); l'expression ***coup d'encensoir*** «flatterie outrée» (1834) est restée très vivante.

ENCÉPHALE n. m. et adj. est un emprunt (1700) au grec *enkephalos (muellos)* «(moelle) qui est dans la tête», d'où «cerveau, cervelle», de *kephalê* «tête» (→ céphal-).

♦ *Encéphale* a d'abord désigné des vers qui prennent naissance dans la tête (1700, adj. et n. m.); comme adjectif, il conserve aussi le sens de l'étymon au XVIIIe s. (1732), puis prend comme nom son sens moderne (1755) : «centres nerveux contenus dans le crâne des vertébrés».

► De ce sens dérivent des termes didactiques. **ENCÉPHALIQUE** adj. (1771) signifie «de l'encéphale». ◆ **ENCÉPHALITE** n. f. (1752), «pierre figurée imitant le cerveau humain», écrit aussi *encéphalithe* (1806) abandonné et remplacé par l'acception médicale «inflammation de l'encéphale» (1803).

ENCÉPHAL-, ENCÉPHALO-, tiré du grec *enkephalos*, est le premier élément de composés didactiques (médecine). Les plus usuels sont **ENCÉPHALOGRAMME** n. m. (1946; certainement antérieur; cf. anglais *encephalogram*, 1928), de *-gramme*, **ENCÉPHALOGRAPHIE** n. f. (1927), de (radio)*graphie*, eux-mêmes concurrencés par leurs composés (1929), **ÉLECTROENCÉPHALOGRAPHIE** n. f. et **ÉLECTROENCÉPHALOGRAMME** n. m. (→ électrique). ◇ **ENCÉPHALOPATHIE** n. f. (1839), nom d'une affection du cerveau différente de l'encéphalite, s'est répandu vers 1995 à l'occasion d'une épizootie d'*encéphalopathie spongiforme bovine* (ESB) appelée couramment *maladie de la vache* folle.*

ENCERCLER → CERCLE

ENCHANTER v. tr. est un emprunt, adapté d'après *chanter* (1121-1134), au latin impérial *incantare* «chanter des formules magiques, ensorceler», de *in-* marquant l'effet, le résultat, et du latin classique *cantare* (→ chanter, incantation).

♦ C'est avec le sens de «soumettre à un pouvoir magique» que le verbe entre en français (cf. *charmer, ensorceler*). Dès la fin du XIIe s. (v. 1190), il se dit pour «soumettre à un charme irrésistible et inexplicable» (cf. *envoûter*). ◆ Ces sens forts, encore très vivants à l'époque classique, sont aujourd'hui beaucoup moins usuels que l'emploi affaibli de «remplir (qqn) d'un vif plaisir» (cf. *ravir*), attesté à partir du XVIIe s. (av. 1648).

► **ENCHANTÉ, ÉE** adj., du participe passé d'*enchanter*, attesté au sens de «sous le charme» (1228) en parlant de personnes, a conservé le sens étymologique de «magique» (av. 1648) et de «frappé par un sortilège» (1661). Il a vieilli appliqué à ce qui produit un effet inexplicable et irrésistible (1669), remplacé par *enchanteur*. ◇ Dans l'usage courant, *enchanté* s'emploie avec une valeur affaiblie dans les formules de politesse.

Les dérivés ont suivi la même évolution sémantique que le verbe. ◆ **ENCHANTEUR, ERESSE** n. et adj., réfection du XIIe s. de *encanteür* (1080), s'emploie au sens fort de «(personne) qui enchante» (v. 1175, n. f.; v. 1165, adj.) dans les fictions ou les croyances populaires. Par extension, le mot s'est dit pour «jongleur» (XIIIe s.) et au figuré pour «trompeur» (v. 1270). On relève à partir du XVIe s. le sens de «(personne) qui séduit beaucoup» (1552, n.; 1578, adj.). ◆ **ENCHANTEMENT** n. m. désigne (1121-1134) une opération magique pour enchanter, d'où la locution (fin XVIIe s.) ***comme par enchantement*** (cf. *comme par magie*). Par extension, il signifie (1559) «charme irrésistible» et désigne (1674) l'état d'une personne enchantée. ◆ Le préfixé **DÉSENCHANTER** v. tr. n'est plus que d'usage littéraire au sens ancien (v. 1201) de «rompre l'enchantement». Le verbe a pris le sens figuré de «guérir d'une passion» (av. 1650) et de «faire revenir (qqn) de ses illusions» (1800; 1804, *désenchanté*, adj.). ◇ En dérivent **DÉSENCHANTEMENT** n. m., sorti d'usage au sens propre (1554), mais vivant au figuré (1799), et **DÉSENCHANTEUR, ERESSE** adj. (1807) et n. (1842), rare.

ENCHÈRE, ENCHÉRIR → CHER

ENCHEVÊTRER v. tr. est issu (1174-1176) du bas latin *incapistrare* «mettre un licou», formé à partir du latin classique *capistrum* «muselière, licou», d'origine incertaine, et qui a donné *chevêtre**.

♦ Le verbe a été introduit avec le sens de l'étymon, aujourd'hui sorti d'usage. C'est un terme technique du bâtiment, il est attesté en moyen français (fin XIVe s.), mais semble inusité et repris (1802) «assembler (des solives) avec un chevêtre». À l'époque classique, il s'est employé pour «attacher fortement» (1649). ◇ Au XVIe s., *enchevêtrer* a pris par analogie le sens aujourd'hui courant d'«engager les unes dans les autres (les différentes parties d'une chose)», d'où par extension celui d'«emmêler», courant au participe passé adjectivé et au pronominal (1541), en particulier pour «s'embrouiller» (XVIIIe s.).

► Le dérivé **ENCHEVÊTREMENT** n. m. est lié à ce sens du verbe (1564) et s'emploie par extension dans un contexte abstrait (av. 1850) à propos du désordre d'éléments nombreux qu'on distingue mal. ◆ **ENCHEVÊTRURE** n. f. est un terme technique (1328).

ENCHIFRENER v. tr. est probablement composé (1275-1280) du préfixe *en-* et d'une altération de *chafrener* ou *chanfrener* «dompter», dérivé de *chanfrein* ou de *chief, chef* «tête» (→ chef) et de *frener* (→ freiner).

♦ Le verbe a été utilisé au participe passé au sens d'«emprisonné» (1275-1280, *d'amors enchifrené*), proprement «pris comme dans un chanfrein». Il signifie ensuite (1611), en parlant d'un rhume, «embarrasser le nez de (qqn)», encore représenté par son participe adjectivé **ENCHIFRENÉ, ÉE** (1611), familier et vieilli.

► Le dérivé **ENCHIFRÈNEMENT** n. m. (1680) est d'emploi rare.

ENCHYMOSE n. f. est un emprunt (1752) au grec *enkhumôsis* «diffusion des sucs à travers le corps», composé de *en* «dans» et *khumos* «liquide, suc» (→ ecchymose).

♦ Ce terme de médecine ancienne désigne un afflux de sang d'origine émotive.

ENCLAVER v. tr. est issu (1283) du latin populaire °*inclavare* «fermer avec une clé», de *in-* marquant l'aboutissement et *clavis* «clé» (→ clé).

♦ *Enclaver* est d'abord attesté (1283) au sens, dominant aujourd'hui d'«enclore (une terre) dans une autre», d'où par extension (1409) «engager (une pièce dans une autre)» et «enclore».

▸ Le participe passé **ENCLAVÉ, ÉE** est adjectivé depuis le début du XIVe s. (1312). ◆ Le déverbal **ENCLAVE** n. f. désigne (1312, *encleve*) un territoire enfermé dans un autre. De là viennent par analogie des usages particuliers : le mot s'emploie (1611) en technologie pour «empiètement», en géologie (av. 1893), en physiologie (déb. XXe s.). *Enclave* se dit aussi, depuis le XIXe s., d'un territoire qui obéit à des lois morales ou sociales différentes de celles de régions alentour. ◆ **ENCLAVEMENT** n. m. a eu le sens de «territoire enclavé» (av. 1453). Le mot désigne ensuite (1549) le fait d'être enclavé et est utilisé en particulier en médecine *(enclavement d'un calcul, de l'utérus).* ◆ **DÉSENCLAVER** v. tr. «faire cesser d'être enclavé», est composé au XIXe s. (1870) et a pris spécialement (1935) le sens de «rompre l'isolement (d'une région, etc.) par l'amélioration des communications routières, téléphoniques, etc.», d'où **DÉSENCLAVEMENT** n. m. (XXe s.).

ENCLENCHER → CLENCHE

ENCLIN, INE adj. est dérivé (1080) de l'ancien verbe *encliner* «saluer (qqn) par une inclinaison profonde» (1080), issu du latin *inclinare* «infléchir» (→ incliner) comme l'italien *inclinare* et l'ancien provençal *inclinar. Inclinare* se rattache à la racine indoeuropéenne °*klei-* «pencher», de même que le grec *klinein* (→ climat, climique, enclitique).

♦ *Enclin* a d'abord signifié «baissé» (1080), sens encore relevé au XVIIIe s. (Trévoux, 1771) mais qualifié alors de «vieux». L'adjectif a signifié en ancien français «soumis, assujetti» (XIIe s.). ◇ Il a pris (fin XIIe s.) le sens de «porté, par un penchant naturel, à «faire qqch.»» (cf. *inclination*), où il est encore usuel. ◆ *Enclin* a été substantivé (XIIe s., n. m.), désignant le fait d'incliner la tête, encore au XVIIIe s. dans le style burlesque, et s'est employé pour «inclination» (1554) à l'époque classique. Ces emplois ont disparu.

ENCLITIQUE adj. et n. est un emprunt (1583, *particule encliticque*) au bas latin *encliticus*, du grec tardif *enklitikos* «penché», dérivé de *enklinein* «incliner» et tardivement, comme terme de grammaire, «changer l'accent aigu en accent grave». C'est un dérivé du verbe *klinein* «incliner», qui se rattache, comme le latin *inclinare* (→ enclin, incliner), à une racine indoeuropéenne °*klei-* «pencher».

♦ Ce terme de grammaire, attesté sous la forme moderne à la fin du XVIIIe s. (1798), se dit d'un mot qui s'appuie sur le mot précédent et s'y intègre du point de vue phonétique. Le genre du nom a varié : masculin dans le dictionnaire de l'Académie en 1798, il y est ensuite féminin (1835), puis à nouveau masculin (1874, 1932).

▸ **ENCLISE** n. f., terme didactique, a été formé (1847) à partir du grec *enklisis* «inclinaison» (de *enklinein*), d'après *enclitique*.

À *enclitique* correspond **PROCLITIQUE** (1812) «mot qui, s'appuyant sur le mot suivant, est dépourvu d'accent tonique».

ENCLORE v. tr. est issu au XIe s. (v. 1050, *[il] enclodet ;* 1121-1134, à l'infinitif) du latin populaire °*includere*, réfection d'après *claudere* (→ clore) du latin classique *includere* «enfermer» (→ inclure).

♦ *Enclore* signifie d'abord «enfermer», dans l'usage littéraire, puis (v. 1170) «entourer d'une clôture» et par extension (1690) «comprendre dans une enceinte» (cf. *enclaver, inclure*).

▸ Le participe passé substantivé **ENCLOS** n. m. désigne un espace de terrain entouré d'une clôture (1283), spécialement un espace enfermant un cimetière, (on parle aujourd'hui d'*enclos paroissial*, en Bretagne) et par extension (2e moitié du XIIIe s.) une enceinte. ◆ **ENCLÔTURE** n. f., usité en ancien français (1re moitié du XIIIe s., *enclostrure*), «action d'enclore (des parcelles de terrain)», est aujourd'hui un terme technique de géographie et d'agriculture. ◆ **ENCLOSURE** n. f. est un emprunt à l'anglais *enclosure* «action d'enclore» (1538), lui-même emprunt au français (1270) où il est dérivé de *enclos*. Le mot a d'abord été utilisé comme terme de course (1804); il désigne aujourd'hui, en parlant de la Grande-Bretagne, une parcelle de terrain enclose.

◈ voir **ÉCLORE**.

ENCLUME n. f. est issu (v. 1160, écrit *anclume*), peut-être sous l'influence de *includere* «enfermer» (→ inclure) qui aurait pris le sens de «fixer la pièce à travailler», du bas latin *incudinem*, altération du latin classique *incudem*, accusatif de *incus, incudis* «enclume». Ce mot vient du verbe *cudere* «forger», «battre (les grains)», «battre le métal», dont on retrouve le radical dans quelques langues indoeuropéennes, comme le vieux slave *kovǫ* «je forge» et le serbe *kùjēm* de même sens.

♦ *Enclume* désigne comme en latin une masse de fer sur laquelle les métaux sont battus. Le mot est employé en anatomie (1611) pour nommer l'un des osselets de l'oreille, parce qu'il est en contact avec le *marteau* (sa forme est celle d'une molaire avec ses racines). Par analogie de fonction, *enclume* se dit (1676) d'un outil ou d'une pièce destinée à recevoir un choc. ◇ Le mot entre dans plusieurs locutions figurées : ***mettre (remettre) sur l'enclume*** «reprendre (un ouvrage intellectuel)» (1718), ***se trouver entre l'enclume et le marteau.***

▸ Les dérivés **ENCLUMEAU** n. m. (fin XIVe s.) ou **ENCLUMOT** (1755) et **ENCLUMETTE** n. f. (1755) sont des termes techniques.

ENCOLURE → COL

ENCOMBRER v. tr. est dérivé (v. 1050) de l'ancien français *combre* «barrage sur une rivière»; *combre* n'est attesté qu'au XVe s. (région de la Loire), mais on relève la forme *combrus* en latin médiéval aux sens d'«abattis d'arbres» (VIe-VIIe s.) et de «barrage» (v. 1020). C'est un mot celtique qui se rattache à un gaulois °*kombero* (cf. irlandais *commar* «rencontre de vallées», cymrique *Kymmer* «rencontre de cours d'eau»).

♦ *Encombrer* signifie «gêner, entraver» (v. 1050, dans le domaine moral) et «occuper à l'excès en gênant» (1080).

▸ **ENCOMBRE** n. m., déverbal d'*encombrer*, a d'abord le sens de «malheur» (v. 1165), puis désigne (fin XIIe s.) un empêchement, un embarras, jusqu'à l'époque classique : il est noté comme vieux et sorti d'usage par Furetière (1690). ◇ Le mot ne subsiste aujourd'hui que dans la locution adverbiale attestée au XVIe s. (av. 1526) ***sans encombre*** «sans ennui». ◆ *Encombrer* a produit aussi **ENCOMBREMENT** n. m. qui a eu comme *encombre* le sens figuré (1172-1174) de «difficulté, embarras»; il signifie à la fin du XIIe s. «amas de choses qui encombrent», d'où spécialement «embouteillage de véhicules» (XVIIIe s.). Il est rare comme substantif d'action (valeur logiquement première) et attesté assez tard (1762) dans ce sens : «action d'encombrer». Le mot est utilisé au figuré à partir du XIXe s. *(l'encombrement d'une profession)* puis (1930) au sens de «volume qui fait qu'un objet encombre plus ou moins». ◆ **SURENCOMBREMENT** n. m. est relevé en 1901 (Jarry) et **SURENCOMBRÉ, ÉE** adj., «très encombré», vers 1970. ◆ **ENCOMBRANT, ANTE** adj. s'emploie au propre (1642), remplaçant *encombreux* (XIIIe s.), et au figuré (av. 1850) pour «importun». ◆ Le préfixé **DÉSENCOMBRER** v. tr. (fin XIIe s.) a remplacé l'ancien *décombrer* (→ décombre); en dérive **DÉSENCOMBREMENT** n. m. (1845).

ENCONTRE prép. et adv. est un emprunt (Xe s., *encontra;* milieu XIIe s. sous la forme moderne) au bas latin *incontra*, adverbe et préposition exprimant le lieu, l'opposition, composé de *in-* et du classique *contra* (→ contre).

♦ *Encontre* s'est employé, en ancien français comme en latin, d'abord comme préposition (Xe s.) au sens de «vers, au-devant de», puis pour «contre» avec une valeur spatiale (1080) et comme adverbe (1080) au sens de «en opposition». Depuis la première moitié du XIIe s., la préposition est utilisée pour marquer l'hostilité (v. 1120; cf. *contre*). Ces deux valeurs opposées ne se sont pas maintenues dans les locutions, seule la notion de «contraire» subsistant. ◆ Le seul emploi moderne est sous la forme ***à l'encontre*** loc. adv. et prép. La locution prépositive ***à l'encontre de*** (XVe s.; d'abord *a l'encontre a*, v. 1165) au sens de «à la rencontre de» est sortie d'usage; elle était, comme l'adverbe et la préposition *encontre*, condamnée par Vaugelas (1647) et considérée comme vieillie par l'Académie en 1694. Elle a pris (1190-1200, *a l'encontre de*) le sens de «à l'opposé de», d'emploi soutenu en français moderne mais vivant, comme la locution adverbiale ***à l'encontre*** (av. 1270) «contre cela».

ENCORBELLEMENT n. m. est composé (1394) de *en-* et de *corbel*, variante ancienne de *corbeau** au sens de «pierre saillante».

♦ Terme d'architecture, *encorbellement* se dit de la position d'une construction en saillie sur un mur et soutenue par des corbeaux *(escalier en encorbellement)*.

▸ Le mot a produit au XIXe s. **ENCORBELLER** v. tr. (1870, au participe passé).

ENCORE adv., d'abord sous la forme *uncor* ou *uncore* (mil. XIe s.), modifiée au XIIe s. en *encor, encore*, est issu du latin populaire °*hinc ad horam* «d'ici jusqu'à l'heure» ou °*hinc hac hora* (→ ① or). La forme initiale *uncore, oncore*, est due à l'influence de *onque* (880), *onc* «jamais» (latin classique *unquam*). La graphie *encor*, interdite en prose par Vaugelas (1647), n'est utilisée aujourd'hui qu'en poésie, le plus souvent pour des raisons métriques.

♦ *Encore* est d'abord attesté comme adverbe de temps, marquant la persistance d'une action, d'un état au moment considéré; puis il est utilisé (1080) pour marquer une idée de répétition (comme *de nouveau*) ou de supplément. Employé avec un comparatif (1165-1170), l'adverbe indique le renchérissement, d'où les locutions *d'encore en encore* «de plus en plus» (1665; sortie d'usage) et ***mais encore ?*** pour demander des précisions complémentaires. ◆ *Encore* s'emploie aussi (fin XIIe s.) devant un verbe au subjonctif pour exprimer une concession, puis dans la locution conjonctive ***encore que*** (1532), très usitée dans la langue classique, aujourd'hui littéraire (cf. *quoique, bien que*). ◇ Le mot, employé comme particule, introduit une restriction (fin XIIIe s.), ***et encore*** corrigeant l'énoncé précédent. ◇ L'emploi comme adverbe de temps pour «jusqu'à présent», «dès à présent» dans une proposition affirmative, était courant à l'époque classique; il est sorti d'usage, de même que la locution ***pour encore*** «pour l'instant» (fin XVIe s.), *encore* ne s'utilisant maintenant qu'en tour négatif (*pas encore*, etc.) pour marquer qu'un événement qui doit se produire ne s'est pas, pour le moment, produit.

① **ENCOURIR** v. tr., réfection (déb. XIVe s.) de l'ancien français *encorre* (v. 1120) sur le modèle de *courre* (→ courir), est issu du latin *incurrere* «courir sur», «se jeter dans» et au figuré «s'exposer à», composé de *currere* par préfixation en *in-* qui marque l'aboutissement d'un mouvement (→ courir).

♦ Le verbe a eu en ancien français un sens concret, conservé du latin (v. 1120), «s'élancer, se ruer sur». Il a signifié ensuite au figuré (1174-1176) «commettre une faute (envers qqn)» puis a repris (fin XIIe-début XIIIe s.) le sens figuré latin de «se mettre dans le cas de subir (qqch. de fâcheux)», emploi littéraire en français moderne.

② **ENCOURIR (S')** v. pron. est composé (XIIe s.) de *en-* et *courir**.

♦ Le verbe signifiait «aller en courant»; employé encore au XIXe s., il est sorti d'usage.

ENCRE n. f., qui succède aux formes médiévales *enca* (mil. XIe s.), puis *ancre* (v. 1130), est issu du bas latin *encaustum* ou *encautum* «encre de pourpre» (réservée à l'empereur), d'où «encre rouge» puis «encre». C'est le neutre substantivé de *encaustus* «peint à l'encaustique», emprunt au grec *enkauston* de même sens, proprement «peinture à l'encaustique». Le mot grec, de la même famille que *en-*

kaustikê (→ encaustique), est à rattacher à *kaiein* «brûler». L'accent grec a été conservé sur le *e* initial et un *r* est apparu; en ancien provençal *(encaust)* et en italien *(inchiostro)*, l'accent est passé sur la seconde syllabe de *encaustum*. ◇ Le latin classique désignait l'encre noire par *atramentum*, qui a donné l'ancien français *airement, arrement, errement*, usité jusqu'au XVIe s.; *tincta*, du participe passé féminin de *tingere* (→ teindre), a abouti à l'espagnol *tinta* (l'allemand *Tinte* vient du latin médiéval).

♦ *Encre* désigne comme son étymon latin un liquide, noir ou coloré, utilisé pour écrire, d'où plusieurs locutions liées à la couleur habituellement noire de l'encre : ***noir comme de l'encre, d'encre*** «très noir», ***se faire un sang d'encre*** «beaucoup de souci», ***c'est la bouteille à l'encre*** «une question obscure, insoluble» . ◇ *Encre* est devenu le symbole de l'écriture, et a pris le sens (1585) de «manière d'écrire» dans des locutions : ***écrire de sa meilleure (bonne) encre, écrire de (la) même encre, faire couler beaucoup (des flots) d'encre.*** *Il n'y a plus d'encre dans le cornet* se dit (1656) d'un homme qui ne pouvait plus faire l'amour, le cornet à encre entraînant les valeurs symboliques de *corne*. ◆ Au XIXe s., par analogie, *encre* désigne (1870) le liquide noir émis par certains céphalopodes (cf. *sépia*).

▸ Du nom dérive **ENCRER** v. tr., d'abord «tacher d'encre» (1530), puis «enduire d'encre» (1765) en typographie. ◆ Le verbe a pour dérivés **ENCRAGE** n. m. (1838) et **ENCREUR** n. m. (1856). ◆ Un autre dérivé d'*encre* est **ENCRIER** n. m. (1380), aussi terme technique d'imprimerie (1864).

ENCYCLIQUE adj. et n. f. est un emprunt savant (1798, *lettre encyclique*) au latin ecclésiastique *(litterae) encyclicae*, dérivé du latin classique *encyclios* «circulaire, total», emprunt au grec *enkuklios* de même sens (→ encyclopédie), composé de *en* «dans» et *kuklos* «cercle» (→ cycle).

♦ *Encyclique* n. f. (1832) désigne une lettre envoyée par le pape à tous les évêques.

ENCYCLOPÉDIE n. f. est un emprunt (1532, Rabelais) au latin savant *encyclopedia* (1508), emprunt au grec *enkuklopaideia*. Le premier élément est une mauvaise lecture d'un manuscrit pour *enkuklios* «instruction circulaire», c'est-à-dire «embrassant le cercle *(kuklos)* des connaissances»; *enkuklios* dérive de *kuklos* «cercle» (→ cycle). Le second élément correspond à *paideia* «éducation», qui vient de *pais, paidos* «enfant» (→ pédiatre).

♦ Au XVIe et au XVIIe s., le mot désigne des manuels et des traités et l'ensemble des connaissances. *Encyclopédie* se dit ensuite d'un ouvrage où l'on traite de connaissances à intention universelle, sens diffusé par le grand projet de Diderot et d'Alembert, à partir de 1750, plus ou moins d'après l'anglais *Cyclopaedia*, titre de l'ouvrage de Chambers qui est à l'origine de l'*Encyclopédie*. Par extension, il s'applique à un ouvrage qui traite de toutes les matières d'un domaine. ◇ *Encyclopédie* s'emploie aussi au figuré (av. 1850) dans *une encyclopédie vivante*.

▸ **ENCYCLOPÉDISTE** n. a désigné (1683) une personne qui possède des connaissances étendues dans tous les domaines, puis (1751) se dit du collaborateur d'une encyclopédie, spécialement, au pluriel, de ceux qui collaborèrent à l'*Encyclopédie* de Diderot et d'Alembert et qui incarnent une attitude intellectuelle, et plus largement idéologique, typique des Lumières (voir aussi *philosophe*). Le mot n'est employé comme adjectif qu'au XIXe s. (1870). ◆ **ENCYCLOPÉDIQUE** adj. signifie «qui recouvre l'ensemble des connaissances» (1565) et «qui concerne l'encyclopédie» (1754); le mot s'emploie (milieu XIXe s.) au figuré. ◆ **ENCYCLOPÉDISME** n. m., terme d'histoire au sens (1801) de «système des encyclopédistes», signifie en général (1864) «tendance à l'accumulation systématique des connaissances».

ENDÉMIE n. f. est un emprunt savant (1495) au grec tardif *endêmon (nosêma)* «(maladie) indigène», d'après *épidémie*; *endêmon* est le neutre de l'adjectif *endêmos*, dérivé de *dêmos* «part de territoire appartenant à une communauté» puis «peuple» (→ démo-).

♦ *Endémie* se dit de la présence habituelle d'une maladie dans une région déterminée.

▸ De là **ENDÉMIQUE** adj. (1586) qui s'emploie aussi au figuré (1808; *à l'état endémique*). ◆ Sur l'adjectif ont été formés les termes didactiques **ENDÉMICITÉ** n. f. (1844), **ENDÉMISME** n. m. (1908) et **ENDÉMIQUEMENT** adv. (1952).

ENDÊVER v. intr. est la réfection (1680) de la forme ancienne *anderver* (1re moitié du XIIe s.), puis au participe passé *endeveis* (fin XIIIe s.), dérivé préfixé de l'ancien français *desver, derver* «devenir fou, enrager» (Xe s., au participe passé), que l'on rattache habituellement à *resver* (→ rêver) sans pouvoir expliquer l'existence des deux formes.

♦ *Endêver*, aujourd'hui d'usage régional, signifie «rager, enrager».

ENDIVE n. f. est un emprunt, d'abord sous la forme *indivie* (déb. XIVe s.) puis *andive* (1413), au latin médiéval *endivia* (av. 1250), lui-même emprunt au grec byzantin *entubion* (IXe s.), *entubin* (Xe s.), prononcé *endivi*. Ce terme aurait été repris du latin impérial *intubus* «chicorée sauvage, endive», peut-être emprunté à une langue sémitique.

♦ Désignant d'abord une espèce de chicorée, *endive* s'emploie couramment (1870, *endive de Bruxelles*) pour désigner la pousse blanche de la chicorée de Bruxelles *(witloof)*.

ENDO- est un élément, tiré du grec *endon* «en dedans» (de *en* «dans»), qui entre dans la composition de nombreux mots savants.

▸ **ENDOGÈNE** adj., terme didactique, a le sens général de «qui provient de l'intérieur, a une cause interne» (1813, en botanique, de Candolle; de *-gène*) et s'emploie en biologie, en géologie (anglais *endogenous*, 1845), en économie. ◆ **ENDOCARDE** n. m., (1841) est formé avec l'élément *-carde* «tunique interne du cœur», d'où **ENDOCARDITE** n. f.

(1836; suffixe *-ite*), «inflammation de l'endocarde», d'abord nommée *cardite interne*. ◆ **ENDOSCOPE** n. m. (1852), terme de médecine formé avec l'élément *-scope*, désigne un instrument servant à examiner certaines parties internes du corps, d'où **ENDOSCOPIE** n. f. (1866). ◆ **ENDOTHÉLIUM** n. m. (1869) est fait sur le modèle de *épithélium*, avec substitution du premier élément, et désigne l'épithélium qui tapisse l'intérieur des vaisseaux et du cœur. ◆ **ENDOMORPHE** adj., terme didactique (→ -morphe), s'emploie en géologie (1893) et en psychologie (v. 1950) où il est repris à l'anglais *endomorph* «qui est caractérisé par des formes rondes et trapues». ◇ **ENDOMORPHISME** n. m. (1893) désigne en géologie le changement de nature d'une roche endogène au contact d'une roche qu'elle traverse; le mot s'emploie aussi en mathématiques (1948) et en psychologie (v. 1950) où il est repris à l'anglais *endomorphism* (1940, Sheldon). ◆ **ENDOGAMIE** n. f., repris (1893) à l'anglais *endogamy* (1865), désigne en sociologie, par opposition à *exogamie*, l'obligation, pour les membres de certaines tribus, de se marier dans leur propre tribu. Le mot s'emploie aussi en biologie. ◇ **ENDOGAME** adj. et n. est aussi emprunté (1893) à l'anglais *endogamous* (1865) et a fourni **ENDOGAMIQUE** adj. (1893). ◆ **ENDOCRINE** adj. f. ou m. (1919) vient de *endo-* et du grec *krinein* «sécréter», terme de biologie; il désigne les glandes à sécrétion interne. Le terme apparaît en français en 1912 (Gottignier, *glandes endocrines*), en italien dès 1909 (*glandole endocrine*, Pendé), *endocrin* en anglais en 1911, mais avec une définition incorrecte. ◇ En dérivent **ENDOCRINIEN, IENNE** adj., usuel pour «relatif aux glandes endocrines» (1922, mais antérieur), **ENDOCRINOLOGIE** n. f. (1915), **ENDOCRINOLOGISTE** n. (1925), la forme **ENDOCRINOLOGUE** n. semblant plus récente.

L'élément *endo-*, souvent opposé à *exo-*, figure dans d'autres composés, tel **ENDOTHERMIQUE** adj. «caractérisé par l'absorption de chaleur» qui semble avoir été créé par M. Berthelot (1879) [→ osmose].

ENDOMMAGER → DAM

ENDORMIR

ENDORMIR v. tr., d'abord attesté au participe passé (1080) puis au pronominal (v. 1135), est issu du latin classique *indormire* «dormir sur», «être négligent» et, en bas latin, «s'engourdir», en parlant d'un membre, formé de *in-* et *dormire* (→ dormir).

♦ *Endormir* «faire dormir (qqn)» prend dès le XIIe s. le sens figuré de «tromper» (v. 1175); *s'endormir*, attesté au sens propre (v. 1135), prend au XIIIe s. (pron.) l'acception de «mourir», aujourd'hui littéraire dans des locutions ***(s'endormir du dernier sommeil, du sommeil de la mort)***, mais le sens argotique d'*endormir* «tuer» (1753) a disparu. ◇ Au XVIe s. *s'endormir* s'emploie (av. 1539) pour «perdre sa force» puis (av. 1577) «s'atténuer» en parlant d'une sensation pénible; cette valeur existe aussi au transitif (1580, *endormir un mal*), au figuré «devenir moins actif, se relâcher» (1680); en médecine *endormir* signifie «provoquer artificiellement le sommeil» (av. 1577, en parlant d'un remède; repris au XIXe s.). ◇ Puis le verbe signifie (1660) «donner envie de dormir à qqn par ennui», à l'époque classique aussi avec *de* (1675, *endormir qqn d'une affaire*).

▶ **ENDORMI, IE** adj. (1080) a désigné au XIIe s. comme n. f. *(andormie)* une potion soporifique (1176), d'où son emploi (1572) pour *jusquiame*, plante narcotique. L'adjectif a repris (v. 1170) le sens latin d'«engourdi» et, dans le premier quart du XIIIe s., de «négligent, lent». Au XIXe s., il s'emploie au figuré (1820, Lamartine) pour «calme, inactif» *(ville endormie)*. ◆ **ENDORMEMENT** n. m. «fait de s'endormir» (v. 1355 isolément, puis 1538) a été repris au XIXe s. (1864, Goncourt); rare au sens propre, de même que **ENDORMISSEMENT** n. m., (1478) il est littéraire au figuré (1889). ◆ Le participe présent **ENDORMANT, ANTE** adj., «qui endort», a pris le sens d'«ennuyeux» (1845). ◆ **ENDORMEUR, EUSE** n., mot d'emploi rare, apparaît une première fois en 1299 avec un sens obscur; le féminin *endormeresse* «femme qui trompe» est attesté vers 1461. Au masculin *endormeur* a pris ce sens figuré de «trompeur» (1680, Richelet, *endormeur de couleuvres*). Un siècle plus tard, le mot est attesté (1782, Mercier) au sens d'«empoisonneur» (cf. ci-dessus *endormir* «tuer»). En revanche, dans le langage polémique des adversaires de la Révolution, il désigne (1791) un partisan du recours à la douceur. ◇ Il prend les sens figurés du verbe au XIXe s. : «personne ennuyeuse» (1801), «personne qui berce les gens d'illusions» (1835). ◆ Le préfixé **RENDORMIR** v. tr. est attesté en 1170; il est surtout fréquent au pronominal.

ENDOSSER → DOS

ENDROIT n. m. représente une substantivation (1121-1134, *endreit*) de l'ancien français *endreit* adv. «justement, exactement» (v. 1050) qui accompagnait souvent un adverbe de lieu ou de temps, et s'employait aussi comme préposition («auprès de», «au moment où»); *endreit* est formé de *en**, préposition, et de *droit* (→ ① droit).

♦ *Endroit* désigne d'abord un lieu déterminé *(l'endroit précis)*, d'où plus tard l'emploi pour «localité» (1798) et dans la locution adverbiale ***par endroits*** «de place en place» (1869). ◇ Par extension, *endroit* désigne la partie localisée de qqch. (av. 1200), spécialement dans le domaine abstrait *(toucher un endroit sensible)* et, par extension (1549), le passage déterminé d'un ouvrage; il prend au XVIIe s. la valeur temporelle de «moment» (1675). ◆ Par ailleurs, le mot se spécialise très tôt pour parler du côté d'une chose destinée à être vu (v. 1170, *androit*), opposé à *envers*. Cette valeur donne lieu à la locution adverbiale ***à l'endroit*** et à l'emploi métaphorique pour «apparence» (av. 1841; *l'endroit du décor*). ◇ Le mot se dit pour «point de vue, aspect particulier» (1176), sens vieilli qui demeure dans la locution prépositive ***à l'endroit de*** *(qqn)* «envers qqn» (av. 1188).

ENDUIRE

ENDUIRE v. tr. est issu au XIIe s. (v. 1175, *anduire*) du latin *inducere* «mener, conduire dans», d'où appliquer un enduit, et par ailleurs «introduire, faire entrer»; le verbe est composé de *in-* et *ducere* «conduire, mener» (→ conduire, déduire, induire), de la famille de *dux* «chef» (→ duc).

♦ Le verbe est d'abord attesté avec un sens technique encore vivant «appliquer un enduit sur». Il s'est employé en fauconnerie (v. 1200) au sens de «digérer, absorber»; cette acception, encore en usage au XVIe s., est relevée par les dictionnaires jusqu'à la fin du XIXe siècle. ◇ *Enduire* a signifié aussi en ancien français «inciter qqn», sens repris par *induire*. ◇ À partir du XVIIe s., le verbe s'emploie avec un sujet désignant la matière qui recouvre une surface (1668).

▶ **ENDUIT** n. m., participe passé substantivé, désigne (v. 1165) une préparation molle que l'on applique sur une surface; il s'emploie spécialement en construction *(enduit au plâtre)*, en peinture *(enduit à l'eau)*, en particulier pour parler du fond d'une fresque (1676), et en photographie *(enduit antihalo)*. ◇ Par analogie d'aspect, le mot désigne en médecine (1805) une sécrétion visqueuse à la surface de certains organes *(enduit fœtal, enduit muqueux)*. ◇ Il a depuis le XIXe s. des emplois métaphoriques littéraires, pour «couche recouvrant qqch.». ◆ **ENDUISEUR, EUSE** adj., d'abord attesté comme substantif (1337) pour «ouvrier qui pose les enduits», a été repris comme adjectif en français moderne (1927, *rouleau enduiseur*). Au XXe s. a été formé aussi le terme technique **ENDUISAGE** n. m. (1927), «action d'enduire (un textile, du cuir) avec certains produits», qui a remplacé *enduisement* n. m. (v. 1560).

ENDURER v. est un emprunt (v. 1050) au latin impérial *indurare* «endurcir son corps, son cœur», extension de sens du latin classique *indurare* «durcir, se durcir», de *in-* et *durare* «durcir», de *durus* (→ dur).

♦ Le verbe est d'abord employé pour «supporter, souffrir» sens repris au latin impérial. Au XIIIe s., il prend le sens de «tolérer (ce qui est désagréable)» (v. 1260) et, en construction absolue, «souffrir avec patience», aujourd'hui vieilli. ◇ Au XIXe s., le verbe est utilisé en marine, comme intransitif, avec le sens analogique de «diminuer l'effort que l'on exerce sur les avirons» (1870).

▶ **ENDURANT, ANTE** adj., formé (fin XIIe s.) sur le participe présent d'*endurer* et appliqué à une personne qui supporte la souffrance, a pris au milieu du XVIe s. le sens aujourd'hui sorti d'usage de «qui a de la patience». ◇ Il est repris au XIXe s. (apr. 1870) pour parler d'une personne qui a de l'endurance (physique et morale) et par extension (XXe s.) d'un mécanisme résistant à l'usure du temps. ◆ Le dérivé **ENDURANCE** n. f. (XIIIe s.) signifie d'abord «patience à endurer», d'usage régional jusqu'à la fin du XIXe siècle. Considéré comme un «mot normand, qui manque en français» (P. Larousse), ou comme «vieilli et dialectal» (Hatzfeld), il est reconnu par Littré (1864) comme méritant de passer dans la langue littéraire. Il est repris (v. 1870) pour «aptitude à résister à la fatigue, à la souffrance». Le mot s'emploie, comme *endurant*, en technique (XXe s.), par exemple dans *essai d'endurance*, et pour désigner une épreuve de moto, dite aussi **ENDURO** n. m. (1970), mot anglais, du radical d'*endurance*, de même origine que le français, d'où **ENDURO** n. f. (1977) «moto pour l'enduro» et **ENDURISTE** n. (1978). ◆ L'adjectif **ENDURABLE** «qu'on peut endurer» est attesté en 1571.

✻ **ÉNERGIE** n. f. est un emprunt (v. 1500) au bas latin *energia* «force, énergie», lui-même du grec *energeia* «force en action», dérivé de *ergon* «travail» de la même famille que *organon* (→ organe, orgue). *Ergon* se rattache à une racine indoeuropéenne °*werg-* «agir», qu'on retrouve dans les langues germaniques (anglais *to work*, allemand *werken*).

♦ Le mot, introduit avec le sens de «pouvoir, efficacité» (d'un agent quelconque), a pris (1680) le sens figuré de «force, vigueur». Par extension, il signifie (1790) «fermeté dans l'action, détermination» et couramment (1829) «vitalité physique». ◆ *Énergie* avait des emplois en physique au début du XVIIIe s., d'après le latin *energia* employé en sciences depuis le début du XVIIe s. et l'italien *energia* qui se trouve chez Galilée. Des emplois plus généraux apparaissent en physique au début du XIXe s., mais le concept moderne d'énergie ne se dégage qu'au milieu du XIXe s., d'abord en anglais (*energy*, 1851); le mot apparaît en français en 1854 dans une traduction de Thomson qui contient les syntagmes *énergie totale, actuelle, potentielle;* on relève ensuite *énergie cinétique* (1870), *rayonnante* (1875), *magnétique* (1890, d'après Hertz, Maxwell); *énergie* désigne alors les caractéristiques que possède un système capable de produire du travail, d'où *énergie physique* «produite industriellement» (1877), *énergie musculaire* (1883) et l'emploi en physiologie (1903) pour «énergie chimique potentielle de l'être vivant».

▶ **ÉNERGIQUE** adj., d'abord au sens de «qui possède une force efficace» (1612, à propos de la matière séminale; 1584, d'après Bloch et Wartburg), s'applique à un être humain (1791) avec le sens de «qui a de l'énergie morale». Par extension, l'adjectif d'après *énergie* signifie (mil. XIXe s.) «qui a de la puissance physique» et (1864) «qui agit avec force», souvent par euphémisme pour des adjectifs plus forts *(une politique énergique)*. ◆ **ÉNERGIQUEMENT** adv. est attesté en 1584.

ÉNERGÉTIQUE adj. et n. f. est emprunté (1755) à l'anglais *energetic* «qui agit efficacement» (1651), puis en sciences «relatif à l'énergie» (XVIIIe s.), lui-même emprunt au grec *energêtikos*, dérivé de *energein* «agir». Le mot se trouve dans l'*Encyclopédie* (1755) au sens aujourd'hui disparu de «qui possède une énergie propre», et il est donné comme n'étant plus en usage par d'Alembert. ◇ *Énergétique* est repris au XIXe s. (1868) à l'anglais *energetics* (1852) comme nom féminin pour désigner le système de mécanique remplaçant la notion de force par celle de l'énergie. ◇ Il est employé ensuite comme adjectif au sens de «relatif à l'énergie, aux grandeurs et unités, liées à l'énergie». ◆ Plusieurs termes didactiques ont été dérivés: **ÉNERGÉTISME** n. m. (1901), d'où **ÉNERGÉTISTE** adj. et n. (1909), **ÉNERGÉTIQUEMENT** adv. (1933) et récemment **ÉNERGÉTICIEN, IENNE** n. (v. 1970).

ÉNERGIDE n. m. est un terme de biologie (1903) emprunté à l'allemand *Energid* (1892, J. Sachs), formé à partir du grec. Le mot désigne une unité biologique formée d'un noyau entouré de cytoplasme. ➛ **ÉNERGISANT, ANTE** adj. et n. est un calque (v. 1970) de l'anglais *energizing*, participe présent de *to energize* (de *energy*), et se dit d'un médicament qui stimule l'activité psychique.

◈ voir **ALLERGIE, CHIRURGIE, DÉMIURGE, ÉNERGUMÈNE.**

ÉNERGUMÈNE n. est un emprunt (1579) au latin ecclésiastique *energumenus (-os)* «possédé du démon», lui-même du grec *energoumenos* «travaillé (par un mauvais esprit)». C'est le participe passé passif de *energein* «agir» et «inspirer», au figuré et en grec ecclésiastique «exercer une influence néfaste», en parlant du démon. *Energein* est dérivé de *ergon* (→ énergie).

♦ Le sens étymologique est tombé en désuétude, sauf en théologie et dans des emplois littéraires; dans la locution ***crier (s'agiter) comme un énergumène,*** le mot est compris au sens analogique apparu au XVIIIe s. (1734) de «personne exaltée qui agit et parle violemment». À cette idée d'exaltation violente s'ajoute (XXe s.) celle de folie dangereuse (cf. *fou furieux*).

✳ **ÉNERVER** v. tr. est un emprunt (1er quart XIIIe s.) au latin *enervare*, proprement «couper les nerfs», d'où «affaiblir, épuiser», de *ex-* et *nervus* «tendon, ligament» (→ nerf).

♦ *Énerver* a d'abord le sens figuré repris du latin (1er quart XIIIe s., *soi esnerver*) de «priver d'énergie, de force»; il est attesté au sens propre de «priver de tendons» (nommés *nerfs*) en 1594 et désigne au XVIIe s. le supplice par lequel on sectionnait les tendons (1694). ➛ Cette valeur sémantique, encore représentée au XIXe s. au figuré, notamment au participe passé adjectif **ÉNERVÉ, ÉE** «sans ressort, sans énergie», a été éliminée par une valeur nouvelle, quasi opposée. Ce sens moderne, «agacer, en provoquant la nervosité», n'est attesté qu'en 1882 après *énervant* et *énervement* (ci-dessous).

▶ Le participe présent **ÉNERVANT, ANTE** adj. est relevé avec cette valeur en 1867, le sens ancien de «qui abat les forces» datant du XVIe s. (1586) et *énervé, ée* avant 1872. ➛ Le dérivé **ÉNERVEMENT** n. m. apparaît (1413) au sens d'«action d'affaiblir (qqch.)»; il est rarement employé avant le XVIIIe s., où il se dit d'une diminution de force (av. 1747) ◇ Le sens moderne est attesté chez Zola (1867), en même temps que *énervant* et un peu avant *énerver*. Toute cette série de mots a suivi l'évolution de *nerveux, nervosité, -é-* ayant une valeur intensive. ➛ Le seul dérivé qui n'ait pas été attiré par ce nouveau sémantisme est **ÉNERVATION** n. f., emprunt avec son sens (1401) au latin médiéval *enervatio* (v. 1125) «épuisement, fatigue», du supin de *enervare*. Le mot désigne le supplice consistant à brûler les tendons (1732, à propos du moyen âge), et s'emploie ensuite en boucherie (1859) et en chirurgie (déb. XXe s.).

✳ **ENFANT** n. m. est la francisation *(en-)* (XIe s.) de l'emprunt très ancien *infans* (fin Xe s.) au latin classique *infans, infantis*, à l'accusatif *infantem*; le mot signifie proprement «qui ne parle pas»; il est formé de *in-*, préfixe négatif, et du participe présent de *fari* «parler», qui se rattache à une importante racine indoeuropéenne signifiant à la fois «éclairer» (→ phéno-, phénomène) et «parler» (→ aphasie, emphase, fable). En latin classique, *infans* a désigné l'enfant en bas âge, puis le jeune enfant; il a remplacé en bas latin *puer, puella* «enfant de 6 à 14-15 ans» et *liberi* «les enfants, par rapport aux parents».

♦ En français, *infans*, puis *enfant* conserve les valeurs du latin. Il est introduit (fin Xe s.) au sens de «garçon ou fille en bas âge», spécialement à la naissance. Jusqu'au XVIe s., il a désigné un jeune homme noble (1080), en particulier servant comme page (XVe s.). Mais très rapidement, le mot, cessant de s'appliquer à l'être humain encore incapable de parler, désigne les garçons et filles jusqu'à l'adolescence (1080); en ce sens, *enfante* (v. 1550) ne s'est pas maintenu, *enfant* s'appliquant aussi à une fille dès le XIIIe siècle. Cette valeur générale, qui s'oppose à *adulte*, domine en français moderne. ◇ Dès le XIIe s., le mot s'applique, par comparaison ou extension, à des personnes dont le comportement, la mentalité, est jugée infantile; cette valeur se réalise surtout dans des expressions, telle *tenir por enfant* (fin XIIe s.) «considérer comme infantile», ***traiter qqn comme un enfant*** et par extension ***faire l'enfant*** (1607 «faire des caprices»), ***c'est, ce n'est pas un jeu d'enfant*** (1690), ***les enfants s'amusent...*** ou ***un grand enfant.*** C'est avec ce sémantisme, sous un aspect positif de gentillesse, qu'a été formé le composé ***bon enfant*** (1560), adjectivé comme *bonhomme* au sens d'«agréable et gentil, doux et tranquille»; son dérivé **BONENFANTISME** n. m. a été à la mode à la fin du XIXe s., mais le féminin *bonne enfant* (1704) a disparu. ◇ Avec l'acception la plus courante, *enfant* sert à former divers syntagmes : ***enfant sauvage*** (XVIIIe s.), qui évoque le thème des rapports entre l'humanité et les conditions de vie quasi animale, étudié aux XVIIIe-XIXe s.; ***enfant terrible,*** qui a pris des valeurs extensives; ***enfant martyr,*** sur le même registre que ***bourreau d'enfant.*** ◇ Un syntagme est quasi lexicalisé : ***enfant de chœur*** (1531) désigne les jeunes desservants de la messe et, au figuré (1846), une personne naïve (sens relayé, sur le mode laïque et avec d'autres connotations, par *boy-scout*). L'argot s'en est emparé avec *enfant de chœur de la messe de minuit* (1611) «voleur», *étouffer un enfant de chœur* (1793) «boire un coup de vin rouge», par allusion à la robe rouge des enfants de chœur, locutions disparues, et *prendre qqn pour un enfant de chœur* (XIXe s.), qui renforce *prendre pour un enfant.* ➛ Un autre sémantisme du mot concerne la naissance et la filiation maternelle : *mourir d'enfant* «en couches» (1328) et *mal d'enfant* «douleurs qui accompagnent l'accouchement» (1552). On trouve dès le XVIe s. ***faire un enfant*** *à une femme* «la rendre enceinte» (1530), le sujet désignant un homme, et *faire un enfant* (1636) «mettre au monde», le sujet désignant la mère. ◇ Dans la même acception où *enfant* désigne un être humain proche de la naissance, ***enfant trouvé*** a donné lieu à un sens métaphorique (1704), «œuvre anonyme». ***Enfant perdu*** a acquis, du XVIe s.

(1543) au début du XVIIIe s. une acception militaire : l'expression désigne un soldat détaché en avant-garde et très exposé, un éclaireur. L'emploi d'*enfant* dans ce contexte peut provenir de l'ancienne locution *enfant de pied* (1471), *enfant à pied* (XVe-XVIe s.) «soldat à pied» (→ fantassin).

La deuxième grande acception du mot est relationnelle ; *enfant,* souvent avec un complément en *de* ou un possessif, désigne sans acception d'âge le fils ou la fille d'une personne, femme ou homme. Cette valeur apparaît dès le XIe s. ; elle ne s'applique que stylistiquement aux animaux, par exemple dans des injures (*enfant de cochon,* etc.) moins courantes que *enfant de salaud* (1888 chez Courteline), *enfant de pute,* etc. L'expression ***enfant de l'amour*** (XVIIIe s.), qui s'applique en particulier à la filiation naturelle, hors mariage, joue sur les deux valeurs du mot. ◇ *Enfant* s'emploie ensuite (XVe s.) par analogie au sens de «personne originaire de (un pays, un milieu)». ◇ Au XVIe s., on trouve par extension *enfant* comme terme d'affection (1532 ; *mon enfant*) ; de là son emploi au pluriel dans une relation hiérarchique paternaliste (1718, *mes enfants*). ➡ C'est aussi au XVIe s. qu'il est pris au sens de «descendant», dans *enfant de...* (1538), auparavant dans le vocabulaire biblique : *les enfants des enfants* «tous les descendants» (XIVe s.). ***Enfant de France*** s'est dit (1606) du fils ou de la fille légitime du roi régnant. ***Enfant de Marie*** désigne une jeune fille vouée à la Vierge Marie et au figuré une personne naïve et chaste. ***Enfant de troupe*** (1835) désigne un fils de militaire (orphelin) élevé dans une école militaire. ◇ C'est au XIVe s. que le mot désigne par analogie un être humain considéré comme rattaché par ses origines à qqch. ou qqn, d'abord dans un contexte religieux avec *enfants d'Israël* (XIVe s.) puis *enfants de Dieu* «les chrétiens» (v. 1560), ensuite «les hommes» (1690). Avec cette valeur extensive il s'employait pour nommer des religieux par rapport au fondateur de l'ordre (1680). ◇ En parlant des choses, *enfant de...* signifie aussi (1640) «effet, résultat», mais cet emploi classique est resté très littéraire.

▶ Les dérivés sont relativement peu nombreux ; beaucoup ont disparu. ➡ **ENFANTELET, ETTE** n. «petit enfant» (XIIIe s.) dérive de *enfantel,* attesté au XIVe s. ; bien qu'il ait été repris au XIXe s., ce n'est plus qu'un archaïsme littéraire comme **ENFANÇON** n. m., usuel au XVIe siècle. ➡ **ENFANTER** v. tr. est plutôt aujourd'hui d'emploi littéraire au sens propre (1130-1140) de «mettre au monde», comme au sens figuré de «produire un résultat, bon ou mauvais» (1226), en particulier un ouvrage de l'esprit (1680). ◇ Le dérivé **ENFANTEMENT** n. m., sorti d'usage au sens propre, (déb. XIIe s.) est encore vivant, mais littéraire au figuré pour «création lente et pénible» (av. 1630).

ENFANTIN, INE adj. «qui se rapporte à l'enfant» (v. 1200) s'emploie par extension (1816) pour qualifier ce qui est d'une grande simplicité et péjorativement ce qui est puéril et, comme adjectif déterminant, pour «formé d'enfants». ◇ L'adverbe dérivé **ENFANTINEMENT** (1611) est d'usage littéraire.

ENFANTILLAGE n. m. est un dérivé (déb. XIIIe s.) de l'ancien français *enfantil* «enfantin» (v. 1200), emprunt au bas latin *infantilis* de même sens (→ infantile). Le mot a signifié «temps de l'enfance» en ancien français ; il a pris le sens (1611) de «manière d'agir qui ne convient qu'à un enfant, puérilité».

FANFAN n. m., formé par redoublement (1525, *fantfant*), s'est employé pour «enfant», aussi en appellatif (1661), et spécialement pour «jeune fille» (XIXe s.) ; le mot ne s'est maintenu que dans le nom *Fanfan la Tulipe* (1819).

Le mot le plus important de la série d'*enfant* est **ENFANCE** n. f., emprunt (v. 1120-1150) au dérivé latin *infantia* «le bas âge» et par extension «les enfants», «la jeunesse». Il désigne d'abord, comme en latin, la première partie de la vie humaine, d'où ***la tendre enfance*** «les débuts de la vie» (1580), puis (v. 1160) la manière d'agir propre à un enfant, spécialement l'état de puérilité (1260), d'où les locutions *(se) tourner en enfance* en ancien français, aujourd'hui ***retomber en enfance*** (1660) et ***retourner en enfance*** (1690), aujourd'hui vieilli. ◇ *Les enfances* a désigné (XIIe s.) les exploits d'un jeune guerrier, valeur qui n'est plus comprise dans les titres des romans chevaleresques, avec la syntaxe ancienne, sans *de, les enfances* X (de X). ➡ Le mot s'emploie au figuré (av. 1613) au sens de «commencement, début», d'où la locution familière ***c'est l'enfance de l'art.*** ➡ Par métonymie et comme en latin, *enfance* équivaut (av. 1650) à «les enfants» *(la protection de l'enfance).* ➡ **ENFANÇON, ONNE** n. (fin XIIe s.), est probablement issu d'un latin populaire °*infantio, -onis,* diminutif de *infans, infantis,* formé d'après *enfant.* Le mot n'est aujourd'hui qu'un archaïsme littéraire ; il a été courant dans la littérature du XVIe siècle.

◈ voir **FANTASSIN, INFANTILE.**

ENFER n. m. est issu (1080), d'abord sous la forme *enfern* (Xe s.), du latin chrétien *infernus* désignant le séjour des damnés. Comme le latin classique *inferna* (pluriel), ce substantif vient de l'adjectif latin classique *infernus* «du bas, d'un lieu inférieur», doublet de *inferus* (cf. *infère*) et mot d'origine dialectale. Le mot latin est représenté dans les langues romanes (italien *inferno,* espagnol *infierno,* etc.), en basque, en celtique (breton *ifern*).

♦ Le mot apparaît dans le vocabulaire chrétien pour désigner le séjour des damnés, où ils subissent leur éternel châtiment ; il a dans ce sens de nombreuses variantes en ancien français (*infer,* v. 1220) et dans les dialectes. Le pluriel *les enfers* est attesté dès le XIIe siècle. C'est le latin classique *infernus,* désignant la demeure souterraine des morts, qui est à l'origine d'*enfer* (*anfer,* v. 1165, Chrétien) en mythologie antique ; à la Renaissance, cet emploi passe au pluriel *les enfers* (1538), le singulier étant réservé au sens chrétien ou à quelques syntagmes, comme *les filles d'enfer,* les Furies. En français classique, le mot s'applique aussi au séjour des morts dans la religion hébraïque (Bible). ◇ *Enfer,* comme *diable,* est un mot-clé du christianisme populaire, avec de nombreux syntagmes, proverbes et une symbolique de la souffrance, du feu, du châtiment qui conserve souvent la valeur originelle *(gouffre, ténèbres de l'enfer).* Le mot s'oppose à *ciel** et, plus techniquement, à *purgatoire.*

Diverses extensions procèdent du sens chrétien du mot, largement dominant, «supplice moral, tourment» (v. 1245) et sur le plan concret «feu violent, incendie» (1752), sens disparu et remplacé par l'expression figurée ***feu d'enfer*** (1802), aussi entendu au sens de «violente décharge d'armes à feu» (1835). ◇ Par métonymie, *enfer* s'est employé au XVIIe s. (1660) pour «les démons, les puissances de l'enfer». ◇ Une idée de violence, d'intensité, séparée de celle de punition ou de supplice, se réalise dans *un jeu d'enfer* (1801) puis *un train d'enfer* «très rapide» (1835). Récemment, ***d'enfer*** a pris la valeur d'un intensif à la mode, équivalant à *terrible (un look d'enfer).*
◇ La notion morale de mal donne lieu à un sens particulier, «maison de débauche» (1836), appliqué alors à l'Angleterre et vite disparu, alors que celui de «partie interdite au public d'une bibliothèque, où se trouvent les ouvrages scandaleux» (1870) a survécu à la disparition de *l'Enfer* de la Bibliothèque nationale et donne au mot un contenu érotique. ◇ Par métaphore, le mot s'applique aussi à une situation douloureuse et insupportable *(l'enfer de, un enfer, c'est l'enfer).*
De la valeur étymologique du mot «lieu inférieur» vient en moyen français le sens technique de «réceptacle au bas d'un moulin» (v. 1375) et, par le provençal, celui de «réceptacle du marc d'olives», d'où on retirait une huile médiocre, dite *huile d'enfer* (1767). Ces emplois n'étant plus compris, l'acception typographique «cassetin où l'on plaçait les caractères hors d'usage» (1845) est plutôt une métaphore du sens dominant («on dit mieux *cassetin du diable*», Bescherelle). ◇ Un autre sens technique d'alchimie ou de chimie, «récipient de verre à fond plat et col effilé» (1690), d'où *enfer de Boyle* (1755, *Encyclopédie*), sorti d'usage, doit faire allusion au feu.

◈ voir INFERNAL.

ENFERMER → FERMER

ENFERRER → FER

ENFEU → ENFOUIR

ENFIÉVRER → FIÈVRE

ENFILER → FIL

ENFIN adv., d'abord écrit en deux mots (1119, *en fin*), est formé de *en** et *fin**.

♦ Dans ses premiers emplois, le mot a une valeur logique; il sert à conclure, à résumer ce qui vient d'être dit. Par extension, il s'utilise depuis la langue classique (1636) pour marquer le terme d'une longue attente, avec une valeur affective de soulagement (cf. *à la fin, finalement*). ◇ *Enfin* introduit aussi le dernier terme d'une énumération et s'emploie avec une valeur affective pour marquer la colère, l'inquiétude, etc. Au XXe s., *enfin* est utilisé pour rectifier, préciser ce qui vient d'être dit, et exclamativement, par exemple, pour exprimer la résignation.

◈ **ENFLAMMER** v. tr. est issu (fin Xe s.) du latin *inflammare,* d'après *flamme;* on trouve la variante *enflamber* en ancien français. Le verbe latin dérive de *flamma* (→ flamme) par préfixation en *in-* marquant l'aboutissement. Il signifie «mettre le feu à» et par extension «exciter (qqn)», «irriter (une plaie)», etc.

♦ *Enflammer* «mettre en flammes», d'où *s'enflammer* «prendre feu» (1690) et «colorer d'une lueur de flamme» (1748), s'emploie comme en latin au figuré au sens de «remplir (qqn) d'ardeur» (v. 1130), surtout au pronominal (1640, *s'enflammer*). À l'époque classique, ce verbe s'employait spécialement pour «animer (qqn) d'une vive passion amoureuse». ◇ Le sens médical «mettre dans un état inflammatoire» date lui aussi du XVIIe s. (1690).

▸ **DÉSENFLAMMER** v. tr. (de *dés-*), attesté à la fin du XVIe s. au sens propre, est aussi employé en médecine (fin XIXe s.). ◂ **RENFLAMMER** v. tr. (de *re-*), relevé en 1549, est demeuré rare.

ENFLER v. est issu (fin Xe s., tr.) du latin classique *inflare* «souffler dans», «gonfler», de *in-* et *flare* «souffler», verbe lié à des mots indoeuropéens dont l'initiale °*bhl-,* d'origine onomatopéique, exprime l'idée générale de souffle, de gonflement. ◈

♦ *Enfler* a d'abord le sens de «faire augmenter de volume», d'où intransitivement «augmenter de volume sous l'effet d'une enflure» (1121-1134). Un emploi figuré aujourd'hui disparu, «enorgueillir» (1160-1174) se trouve aussi au pronominal à l'époque classique (1635). ◇ Avec une valeur concrète, *enfler* a signifié «devenir enceinte» (v. 1330) et, à partir du XVIe s., «faire monter (une rivière)» (1534), sens qui s'est maintenu à l'intransitif (cf. *gonfler, grossir*). Au sens de «gonfler d'air» (1538), il a vieilli. ◇ Les valeurs figurées se développent au XVIe s. où le verbe prend le sens de «grossir, exagérer» (1532), spécialement «emplir de détails inutiles» (1585), d'où plus tard *enfler la dépense, un compte* (1723).

▸ L'adjectif **ENFLÉ, ÉE** a signifié «jaloux» et, lié à l'idée de «vanité», s'emploie dans ***avoir la tête enflée*** (fin XIVe s.). Il s'emploie en particulier, familièrement comme nom masculin (1749), pour «imbécile, niais». ◂ Le dérivé **ENFLURE** n. f. (v. 1150, *enfleüre*) «fait d'être enflé», en parlant (d'une partie) du corps, s'emploie au figuré en parlant du style. L'expression littéraire *enflure du cœur* pour «orgueil», «prétention» (mil. XVIe s.; XIIIe s., *enflour d'orgueil*) est sortie d'usage. ◇ Familièrement, le mot, comme *enflé,* signifie *imbécile.*
DÉSENFLER v. tr. est attesté en 1138. ◂ **RENFLER** est rare au sens de «devenir plus gros» (v. 1160, d'une rivière), où il est en général remplacé par le pronominal *se renfler.* Il a signifié «grossir de nouveau» (1677), sens où on trouve aussi *se renfler* (1680). ◇ Il signifie en français actuel «rendre bombé» (1870). ◇ Le dérivé **RENFLEMENT** n. m. (1549) signifie plutôt «chose renflée» que «action de renfler» (1636).

ENFOIRÉ, ÉE adj. et n. est le participe passé de *enfoirer* «salir, souiller» (1587, isolément au figuré), de *foire* «diarrhée», par préfixation *en-*.

♦ Le mot est repris dans un emploi familier (1905) au sens de «bon à rien, imbécile». Céline (1936) emploie *s'enfoirer avec qqch.* pour *s'emmerder, s'embarrasser.* ◇ L'appellatif, d'abord très injurieux, a aussi des emplois quasi amicaux ; il a été popularisé par le comique Coluche.

ENFOUIR v. tr. est issu, sous la forme *enfodir* (v. 1050) puis *enfouir* (XIIIe s.), du latin populaire °*infodire,* altération du latin classique *infodere* «creuser», de *in-* et *fodere* (→ fouir).

♦ *Enfouir* est d'abord employé au sens de «mettre en terre» (comme *enterrer*). Par figure, il signifie «laisser inutile» en parlant d'un talent, etc. (1614), et par extension (1636) «mettre dans un lieu recouvert et caché», d'où, au XIXe s., «dissimuler (ses pensées)» (1829) et *s'enfouir* «se cacher, se blottir» (1835), sens disparu.

▶ Du verbe dérivent **ENFOUISSEMENT** n. m. (1539) et **ENFOUISSEUR, EUSE** n., qui a d'abord eu le sens de «personne qui enfouit» (1627). Il a été repris au masculin pour désigner un appareil agricole (1870). ◇ L'ancien français employait *enfoueur* «fossoyeur» (déb. XIIe s.).
ENFEU n. m. (1482), déverbal d'*enfouir,* terme d'archéologie, désigne une niche funéraire creusée dans les murs des églises et destinée à recevoir un tombeau. Le mot est aujourd'hui didactique et démotivé.

ENFOURNER → FOUR

ENFREINDRE v. tr., surtout attesté sous la forme *enfraindre* en ancien français (1er quart du XIIe s.), la forme moderne étant dialectale (XIIIe s.), est issu du latin populaire °*infrangere,* réfection du latin classique *infringere* «briser», «abattre, mettre en pièces», au propre et au figuré, de *frangere,* de même sens, qui se rattache à une racine indoeuropéenne °*bhreg-* «briser».

♦ Le verbe français, qui a dès l'origine le sens de «violer (une loi, un engagement)», est demeuré assez didactique ou administratif.

◈ voir FRETIN, INFRACTION, RÉFRACTION, REFRAIN.

ENFUIR (S') → FUIR

ENGAGER v. tr. est formé (v. 1150, *engagier*) de *gage** avec le préfixe *en-* ; on relève en latin médiéval les formations analogues *se ingnadiare* «s'engager (à fournir des preuves)» (811) et *invadiare* «mettre en gage» (1063).

♦ Le verbe français s'emploie d'abord pour «mettre en gage» ; au XVIe s., il prend le sens figuré (1559) de «faire pénétrer dans (qqch. qui ne laisse pas libre)». Les emplois postérieurs viennent de ces deux valeurs ; à la fin du XVIe s. (1580, Montaigne), le verbe commence à s'employer pour «faire entrer dans (une situation qui ne laisse pas libre)» et d'après le sens propre (1595) «donner pour caution (sa parole, son honneur, etc.)» ainsi que «lier par une promesse», en particulier, *engager qqn par le mariage.* ◇ De l'idée d'«introduction» vient l'emploi (fin XVIe s.) pour «commencer, entamer», d'où *engager (qqn)* «tenter de l'amener à une décision» (av. 1630, d'Aubigné). Par extension, le verbe signifie «recruter qqn» (1616-1620, d'Aubigné), aussi au pronominal (1740), puis plus largement au XIXe s. «attacher à son service» (1835). ◇ *Engager* prend au XVIIe s. (1660) le sens de «faire entrer (dans un lieu difficile ou resserré)» ; avec une valeur plus large, il signifie «entrer» (1669, à propos de personnes, de véhicules ; 1671, de choses). ◇ L'idée d'«entrer dans une action» a donné lieu au XXe s. à une spécialisation (v. 1945) : «prendre position sur des problèmes politiques», en relation avec l'emploi spécial du dérivé *engagement* (ci-dessous).

▶ **ENGAGÉ, ÉE** adj. et n. m. a pris des sens particuliers, liés aux deux valeurs du verbe ; le nom désigne (1762) une personne qui a un engagement dans l'armée. L'adjectif s'emploie en architecture (1844, *colonne engagée*), en économie (1846, *capital engagé*) et en marine (1864, *cordage engagé, navire engagé*). Il est repris au XXe s. (v. 1945) pour qualifier une personne mise par son engagement au service d'une cause ; dans cet emploi, *engagé* s'applique aussi à des noms d'activité *(littérature engagée).* ◆ **ENGAGEMENT** n. m. a suivi l'évolution sémantique du verbe, à partir de ses deux valeurs de base. Comme terme de droit (1184-1186), il désigne l'action de mettre (qqch.) en gage, lier par un contrat, puis de se lier par une promesse (1283). Il s'emploie à l'époque classique (depuis 1580) à propos de ce qui pousse à agir d'une certaine façon, aujourd'hui de l'état d'une personne engagée dans une liaison, etc. (1665) ou d'une situation sociale qui implique des obligations (1671). ◇ À la fin du XVIIe s., *engagement* désigne le fait d'entrer dans un passage étroit (1680, Richelet), puis (1798) l'introduction d'une unité militaire dans une bataille et ce combat lui-même. ◇ Le mot, d'après *engagé,* désigne spécialement (v. 1945) l'attitude de l'intellectuel, de l'artiste qui met sa pensée ou son art au service d'une cause. ◇ À partir du sens d'«action de lier (qqn)» dans le domaine politique, vient le composé **NON-ENGAGEMENT** n. m. (1949 ; de *non**) pour désigner une politique de neutralité (cf. *non-alignement*). ◆ Du verbe dérive aussi **ENGAGEANT, EANTE** adj. (1656), d'emploi vieilli quand il s'applique à ce qui engage à faire qqch., aujoud'hui courant pour «qui attire, séduit», en parlant des comportements humains.
Le verbe **RENGAGER** (v. 1450) a le sens général d'«engager de nouveau» ; il s'emploie plus fréquemment que la forme *réengager* (1870) pour «recruter de nouveau» (1875). *Rengager* est la seule forme en emploi intransitif et en concurrence avec *se rengager,* pronominal, pour «reprendre volontairement du service dans l'armée». ◆ Du verbe dérive **RENGAGEMENT** n. m. (1718), ou *réengagement* (1870). ◆ Un autre verbe préfixé, **DÉSENGAGER** v. tr., est attesté en 1462 au participe passé ; son dérivé **DÉSENGAGEMENT** n. m. (1465), d'abord terme de droit, a pris d'autres valeurs distinctes de celles de *dégagement.*

ENGEANCE n. f. est un dérivé (1538) de l'ancien et moyen français *engier* v. tr. «augmenter, accroître (la force)» (v. 1190 ; XVIe s., *enger*), courant sous la forme préfixée *aengier* «remplir, pourvoir» (tr.) et «prospérer, croître» (intr.). ◇ *Engier* pourrait être issu du latin *indicare* «révéler» (→ indiquer) qui aurait pris le sens de «propager», *index, -icis* (dont il dérive) ayant désigné en bas latin l'œuf que l'on plaçait dans un nid pour inciter les poules à pondre. P. Guiraud propose pour l'étymon le latin *ingignere* «faire passer dans, implanter», d'où un fréquentatif °*ingignicare* «faire pulluler», qui serait à l'origine de *enger*. Ce verbe s'utilisait encore dans la langue classique au sens de «fournir (qqn) d'une race d'animaux, de semences» (1564) et au figuré (mil. XVIe s.) «remplir» en parlant de choses désagréables, mais était considéré comme bas et populaire à la fin du XVIIe s. avant de disparaître.

♦ *Engeance* signifie d'abord (1538) «race (d'animaux domestiques)», emploi disparu. ◇ Par analogie, il désigne (1560) un ensemble de gens méprisables.

▸ Le dérivé **ENGEANCER** v. tr. est sorti d'usage; il a eu le sens (1571) de «fournir d'animaux, peupler», puis, d'après le sens moderne d'*engeance*, «embarrasser de gens importuns» (1686).

ENGELURE → GELER

ENGENDRER

ENGENDRER v. tr. est issu (1135) du latin classique *ingenerare* «créer, enfanter», «produire» au propre et au figuré, de *in-* et *generare*, dérivé de *genus, generis* «extraction, race» qui se rattache à une importante famille indoeuropéenne (→ gène, génération, genre).

♦ *Engendrer* apparaît au sens propre de «faire naître un enfant, procréer» (1135); il s'est employé, avec une valeur abstraite, pour «inventer» (déb. XIIIe s.) et se dit à la même époque (1er quart du XIIIe s.) pour «avoir pour effet», d'où vient la locution ***ne pas engendrer la mélancolie*** (1666). ◇ *Engendrer* est ensuite employé de façon didactique avec la valeur de «produire» : au XVIIIe s., le verbe s'emploie en géométrie au sens (1752) de «produire (ou décrire) une figure en se déplaçant» (cf. *génération*). Il traduit (v. 1968) l'anglais *to generate* en linguistique, concurremment avec l'anglicisme *générer*.

▸ **ENGENDREMENT** n. m. «action d'engendrer» (1130-1140) est rare au sens propre. ◆ Un autre dérivé, **ENGENDREUR, EUSE** n. et adj., s'est employé au sens propre de «personne qui engendre» (1165, *engendreur* n. m.; XVe s., *engendresse* n. f.); il est rare au sens figuré par rapport à *générateur*.

◈ voir ENGIN.

ENGIN

ENGIN n. m. est issu (v. 1150) du latin *ingenium* «caractère inné, naturel», «intelligence, talent» et «inspiration, invention habile», qui a pris en bas latin le sens de «ruse»; *ingenium* est formé de *in-* et *genium*, de *genius* (→ génie), mot qui se rattache à une importante famille indoeuropéenne, autour de la notion d'«engendrer, naître» (→ engendrer).

♦ Le sens abstrait de «ruse» (v. 1150), qui correspond au latin, l'emporte jusqu'au XVIIe s., par exemple dans des locutions comme *parler par engin*, «pour tromper» (v. 1225) et *engin vaut mieux que force* (1532, Rabelais). Il subsiste plus tard dans les dialectes; *engin* «intelligence, talent» (XIIe s.) se maintient jusqu'à l'époque classique. Cette valeur a été prise par un mot de la même famille, *ingéniosité*. ◇ Mais *engin* désigne aussi dès le XIIe s. (1155) toute machine de guerre pouvant lancer des projectiles à l'exception des bouches à feu, et par extension (1176-1181) un dispositif destiné à un usage précis, spécialement (XIIIe s.) pour prendre et tuer les animaux. Le mot est employé au XIIIe s. (après 1250) au sens de «machine pour soulever des fardeaux» et depuis le XVe s. désigne un instrument en général (1487). Les emplois postérieurs sont liés aux idées de «force, puissance, grosseur» ou de «faculté à nuire» : *engin* s'emploie pour désigner des machines militaires *(engins blindés)*, des armes (*engins spéciaux*, etc.), des instruments caractérisés par leur taille ou leur caractère dangereux (automobile; au Canada, locomotive); et enfin dans *engin spatial*. ◇ Enfin, comme *outil*, le mot a pris des acceptions familières, «sexe de l'homme» (apr. 1585), de la femme (1606, emploi disparu), puis «individu bizarre, désagréable», etc. Il désigne parfois, comme *truc, machin*, un objet quelconque et se dit péjorativement d'une personne insupportable.

▸ Le dérivé **ENGINISTE** n. (av. 1977) est technique.

ENGINEERING

ENGINEERING n. m. est un emprunt récent (1949) à l'américain *engineering* (1720) «art, science de l'ingénieur», qui sert en anglais à désigner diverses techniques; le mot dérive du verbe *to engineer* (1681), de *engineer* n. «ingénieur», emprunt à l'ancien français *engineor*, refait ensuite en *ingénieur**.

♦ Cet anglicisme, mal assimilé pour des raisons de prononciation, désigne l'étude globale des projets industriels, synthèses d'études particulières conduites par des spécialistes; il tend à être remplacé par *ingénierie* (→ ingénieur).

ENGLOBER → GLOBE

ENGLOUTIR

ENGLOUTIR v. tr., attesté au XIe s. (v. 1050) sous la forme *anglutet* «il engloutit», puis à la fin du XIIe s. (1183-1197), est issu du bas latin *ingluttire*, de *in-* et du latin classique *gluttire* «avaler» (→ déglutir, glouton). Ce verbe dérive de *gluttus* «gosier», qui se rattache à la racine indoeuropéenne °g^{w}*el-*, °g^{w}*er-* signifiant «avaler», probablement onomatopéique.

♦ *Engloutir* entre en français avec le sens de «avaler gloutonnement», d'où l'emploi, sorti d'usage, pour «bourrer (qqn) de nourriture» (1530). ◇ Le verbe se dit ensuite au figuré (v. 1460) pour «faire disparaître brusquement (une chose)» (av. 1781 au pronominal) et en particulier «dépenser rapidement» (1653). cf. *dévorer*.

▸ Les dérivés **ENGLOUTISSEMENT** n. m. (XVe s.) et **ENGLOUTISSEUR, EUSE** adj. et n. (déb. XVIe s.) sont d'emploi rare, surtout le second.

ENGONCER → GOND

ENGORGER → GORGE

ENGOUER

ENGOUER v. est un emprunt à une forme dialectale, vraisemblablement de l'Ouest, qui se rattache comme *joue* à la forme prélatine °*gaba*, °*gava* (→ gaver).

♦ Le verbe a eu (XIVe s., Froissart) le sens de «se gaver (de), avaler»; il s'est employé pour «étouffer en obstruant le gosier»; le pronominal *s'engouer* (1555) se trouve encore en ce sens chez P. Loti. ◆ *S'engouer* a pris le sens élargi de «s'étouffer» puis au figuré de «se prendre d'enthousiasme pour (qqch., qqn)»; ce sens apparaît dans la seconde moitié du XVIIe s. (*être engoué de*, 1672; *s'engouer*, v. 1680) et reste très vivant en français contemporain au passif et au participe passé *engoué*. La métaphore porte sur «se remplir de» (cf. *être plein de*) et non sur l'idée d'étouffement.

▸ Le dérivé **ENGOUEMENT** n. m., aujourd'hui archaïque au sens concret (1694), s'emploie au figuré dès les premières attestations.

ENGOUFFRER → GOUFFRE

ENGOULEVENT → ① GOULE

ENGRAIS → GRAISSE

ENGRAMME n. m. est un emprunt (1907) à l'allemand *Engramm* (1904), formé par le psychologue R. Semon à partir du grec *en* «dans» et *gramma* «caractère, trait» (→ -gramme).

♦ Le mot désigne la trace laissée dans le cerveau par un événement du passé individuel.

① **ENGRAVER** → ② GRAVE

② **ENGRAVER** → GRAVER

ENGRENER, ENGRENAGE → GRAIN

ENGUIRLANDER → GUIRLANDE

ENGROSSER v. tr. est une altération (1130-1140), d'après *gros*, de l'ancien *engroissier* (1155), formé de *en-* et de *groisse* «grosseur», «épaisseur» (1155), issu d'un latin populaire °*grossia*, du bas latin *grossus* (→ gros).

♦ *Engrosser* apparaît comme intransitif et s'est employé en ancien français au sens de «devenir gros», d'abord en parlant d'une femme enceinte (1130-1140), d'où le sens de «devenir enceinte» (v. 1240, *engroissier*). ◇ *Engrosser* s'emploie transitivement au sens de «rendre (une femme) enceinte» (v. 1283), cet emploi étant le plus vivant. ◇ Le verbe n'a pas vécu avec la valeur étymologique générale de «être ou devenir gros» et de «s'enfler» (1155).

ÉNIGME n. f. est un emprunt (1529), d'abord (XIVe s.) sous la forme *enigmat*, au latin classique *aenigma, -atis* emprunté au grec *ainigma* «parole obscure ou équivoque», du verbe *ainissesthai* «dire à mots couverts», de *ainos* «parole, récit», mot d'origine incertaine.
Le mot, masculin au XVIe s. (le mot grec étant neutre), s'emploie à l'un ou à l'autre genre jusqu'à la fin du XVIIe s.; il est féminin chez Furetière (1690) et dans l'Académie (1694).

♦ *Énigme* désigne comme son étymon un énoncé proposant un sens obscur ou ambigu, dont il faut trouver le sens intentionné; par extension le mot se dit (XVIIe s.) d'une chose difficile à comprendre ou impossible à connaître.

▸ **ÉNIGMATIQUE** adj., emprunt au bas latin *aenigmaticus* «d'une manière énigmatique» (de *aenigma*), est rare avant le XVIe s.; on trouve au XIVe s. l'expression *songes œnigmatiques*. Au sens de «qui renferme une énigme» (XVIe s.), l'adjectif est didactique; par extension, il signifie (1864) «difficile à comprendre, à interpréter». Le dérivé **ÉNIGMATIQUEMENT** adv. (1488) est d'emploi rare.

ENIVRER → IVRE

ENJAMBER → JAMBE

ENJEU → JEU

ENJOINDRE v. tr. est un emprunt (1168-1191), francisé d'après *joindre**, au latin *injungere* «infliger, imposer», de *in-* et *jungere* «joindre, lier, assembler» (→ joindre), verbe dérivé de *jugum* «joug*».

♦ *Enjoindre* est introduit avec le sens latin de «prescrire (qqch.)» et a signifié «imposer une amende à (qqn)» (1280). Le verbe est aujourd'hui d'emploi littéraire, et s'emploie surtout dans la construction *enjoindre à (qqn) de*, suivi de l'infinitif.

◈ voir INJONCTION.

ENJÔLER → GEÔLE

ENJOUÉ, ÉE → JEU

ENLACER → LACER

ENLEVER v. tr. est formé (1130-1160, écrit *en lever* en deux mots) de *en*, adverbe, et de *lever**.

♦ Il s'emploie d'abord au sens de «déplacer vers le haut». C'est l'idée de «déplacement» qui explique les valeurs que prend ensuite le verbe : il signifie «ôter, déplacer» (XIIIe s.) et «prendre avec soi, pour soi (qqch.)» (v. 1215). Au XVIe s. (1538), *enlever* s'emploie pour «emmener (qqn) avec soi en séparant de qqn» *(enlever une femme)*, puis (1571) «prendre d'assaut» *(enlever une place)*. ◇ Au XVIIe s., le verbe acquiert plusieurs autres acceptions; il se dit, avec pour sujet la mort ou le nom d'une maladie, pour «emporter à jamais, faire mourir» (1635); il s'emploie au sens d'«emporter» avec un inanimé (1651), d'où la locution familière ***enlevez le bœuf!*** «la chose est prête, vous pouvez l'emporter». Il signifie aussi (1655) «priver de (qqch.)» *(enlever un avantage sur qqn)* avec un complément nom de personne, et aussi «enthousiasmer». Il équivaut (1684) à «obtenir vite et aisément (ce qui fait l'objet d'une compétition)». ◇ Concrètement, il signifie «ôter en supprimant» (1690, *enlever une tache*). ◇ Depuis le XVIIIe s., on relève *enlever* pour «emporter (une marchandise qui se vend facilement)», d'où *s'enlever* «se vendre vite» (1771). *Enlever un cheval* (1789) signifie «le faire partir à toute allure». ◇ L'idée de déplacement vers le haut, quant à elle, rend compte de l'emploi de *s'enlever* pour «s'élever» (1835). Celle de déplacement rapide aboutit à des usages figurés en sports (1855, *enlever la nage* «accélérer la cadence des coups d'aviron»; 1869, *enlever une côte* «l'escalader rapidement») et en musique (1878, *enlever un morceau*), d'abord au participe passé adjectivé : *un morceau enlevé* (1838). ◇ C'est l'idée d'«emporter» qui est exprimée dans *enlever une épreuve* «la gagner» (1890), celle de «retirer» dans *enlever un vêtement* (déb. XXe s.), de «lever vers le haut» dans *enlever un poids* (1903).

▶ Le participe passé **ENLEVÉ, ÉE** adj. (1260) a d'abord eu le sens d'«en relief» en sculpture, comme **ENLEVURE** n. f. (v. 1160, *enleveure*), terme technique. ◆ **ENLÈVEMENT** n. m. désigne d'abord (1531) l'action d'emporter qqch., et équivaut (1551) à «rapt, détournement»; le mot s'emploie également (1596) comme terme militaire. ◆ **ENLEVEUR, EUSE** n. et adj. (1460) est d'emploi rare et **ENLEVAGE** n. m. (1838) est un terme technique.

ENLISER v. tr. est attesté une première fois au XVe s. (1458-1466) et repris à la fin du XVIIIe s., souvent écrit *enlizer*, forme que l'on trouve au XIXe s. dans Hugo et chez Littré. Le verbe est dialectal (Normandie), formé de *en-* et de l'ancien français *lise, lize* «sable mouvant» (XIIe s.), d'origine incertaine. Bloch et Wartburg rattachent ce nom au dialectal *liser* «glisser», forme altérée de *lisser;* P. Guiraud propose d'y voir une forme de *glaise**.

♦ *Enliser* signifie «enfoncer (qqch., qqn) dans un sable mouvant, de la boue, etc.». Depuis la fin du XIXe s., il s'emploie au figuré (1883, Villiers de l'Isle Adam) au sens de «mettre, maintenir dans un état d'impuissance» et souvent au pronominal *s'enliser*, qu'il s'agisse du sens propre ou du figuré.

▶ Le dérivé **ENLISEMENT** n. m. (1862, Hugo) s'emploie aussi au propre et au figuré.

ENLUMINER v. tr. est un emprunt (1080), avec changement de préfixe, au latin classique *illuminare* «rendre lumineux, éclairer», «embellir, orner», préfixé de *lumen, -inis* «lumière» qui se rattache à une racine indoeuropéenne °*leuk-* «être lumineux, éclairer» (→ lumière). L'ancien français a également emprunté le verbe latin sous la forme *illuminer**, et une distribution des sens s'est opérée entre ces doublets.

♦ *Enluminer* a pris les sens d'«orner», «rendre la vue (à qqn)» (1080, *Roland*) et de «rendre lumineux» (v. 1120) Seule la première valeur se développe; *enluminer* au XIIe s. signifie «colorer» (v. 1170) et spécialement «décorer (une estampe, un manuscrit)» (1176-1181), d'où l'emploi figuré *enluminer son style*. Le verbe a aussi signifié «mettre en relief la vertu (de qqn)» (apr. 1250). Au concret, il équivaut à «colorer vivement (les joues, etc.)» (XVe s. isolément, puis 1694). Enfin, *s'enluminer* se disait pour «s'enivrer» (1640).

▶ Le dérivé **ENLUMINEUR, EUSE** n. a désigné (déb. XIIIe s.) une personne qui éclaire, puis, seul emploi conservé (v. 1260), qui enlumine un manuscrit (cf. *miniaturiste*). ◆ **ENLUMINURE** n. f., autre dérivé du verbe (1302, *enlumineure*), désigne l'art d'enluminer. Au XVIIe s. (1648), le mot désigne aussi la coloration brillante du visage et au figuré (1656) le faux éclat du style; ces deux acceptions sont devenues littéraires et archaïques. ◇ *Enluminure*, depuis le XVIIe s. (1676), désigne surtout une lettre peinte, une miniature* qui orne d'anciens manuscrits.

ENNEMI, IE n. et adj. est l'adaptation (1080, *enemi*) de l'ancienne forme *inimi* (v. 880), du latin classique *inimicus*, d'abord «ennemi privé». C'est le contraire de *amicus* (→ ami), distinct de *hostis* «ennemi public» auquel se rattache *hostile**. *Inimicus* signifie ensuite généralement «ennemi» et, en latin chrétien, désigne le démon. L'adjectif est formé de *in-* négatif et de *amicus*, de *amare* (→ aimer); il a été repris dans les langues romanes : italien *nemico*, espagnol *enemigo*, catalan *enemic*, etc.

♦ Dans ses premiers emplois, *ennemi* désigne comme en latin classique une personne qui cherche à nuire à qqn, un «ennemi privé», d'où *ennemi de* «hostile à» (v. 1400; fin XIIe s., *ennemi a*). Le mot prend ensuite au pluriel le sens (1080) de «ceux contre lesquels on est en guerre», plus tard collectivement *l'ennemi* «les ennemis» (1549). Dans ce sens, il s'emploie comme adjectif (1564, *pays ennemi*). ◇ Au moyen âge, *l'Ennemi* désignait comme *inimicus* en latin chrétien le diable (v. 980), ensuite nommé *l'ennemi du genre humain* (1607). Ce sens a produit un emploi adjectif (après 1450) pour «diabolique». Le nom désigne parfois la mort, le temps, qui détruisent l'homme; c'est la valeur du mot dans une locution familière comme ***c'est toujours ça (ou autant) de pris sur l'ennemi.*** ◇ Les premières acceptions se maintiennent mais parallèlement la valeur du mot s'affaiblit dans d'autres emplois; c'est l'idée de contrariété qui est alors retenue : ainsi *ennemi* se dit de ce qui nuit (1538, *ennemi à*) et (1538) d'une chose jugée contraire au bien de qqn, puis de ce qui est incompatible avec qqch. (1690; 1752, *couleurs ennemies*). ◇ Par métaphore, le féminin s'emploie à l'époque classique dans *une belle ennemie*, à propos d'une femme qu'on aime mais qui ne répond pas à cet amour. ◇ Ensuite, avec une valeur forte, on relève *ennemi de l'État* «séditieux» (1694) et, au XXe s., *ennemi public* (attesté en 1901, Zola) «personne hostile à la société et qui, de ce fait, représente un danger pour la communauté», ***ennemi public numéro 1,*** locution traduite de l'américain, équivaut à «le plus dangereux des malfaiteurs».

ENNUYER v. impers. et tr. est issu (1080) du bas latin *inodiare* «être odieux», formé à partir de la locution du latin classique *in odio esse* «être un objet de haine», où *odio* est l'ablatif de *odium* «haine» (→ odieux).

♦ Le verbe, d'abord attesté au participe passé *ennuyez* au sens de «recru de fatigue», a eu comme en latin, le sens fort de «causer des tourments, être insupportable» (v. 1135 en emploi impersonnel), sens dominant jusqu'à l'époque classique, avec *s'ennuyer* «se faire des soucis» (apr. 1530). ◇ La valeur moderne affaiblie, «être importun», apparaît dès le XIIe s. (v. 1135) mais ne l'emporte qu'après le XVIIe s., d'où *il m'ennuie de* (XVe s.) et, *s'ennuyer de qqch.* «trouver qqch. importun» (1538), disparu à l'époque classique. *S'ennuyer* signifie (v. 1175) «éprouver du dégoût pour (qqch., qqn)» et, dans un sens affaibli, «se lasser».

▶ Le déverbal **ENNUI** n. m. a eu une évolution sémantique parallèle à celle du verbe; il s'est dit (v. 1120) jusqu'à l'époque classique pour «tristesse profonde, dégoût», d'où *ennui de vivre* (v. 1330, *ennui de vie*), et (v. 1130-1140) «tourment, grande contrariété». C'est encore le sens dominant dans les tragédies de Racine. ◇ Par affaiblissement, *ennui* désigne aussi depuis l'ancien français une impression de lassitude provoquée par une occupation sans intérêt, par l'inaction (XIIIe s.) et à partir du XVIIe s. le manque de goût aux choses, une mélancolie vague (1658).

ENNUYEUX, EUSE adj., réfection (fin XIIe s.) d'après *ennuyer* (et suffixe *-eux*) d'anciennes formes (v. 1121, *annuus;* v. 1155, *ennuose*), est issu du bas latin *inodiosus* «très désagréable», formé de *in-* intensif et du dérivé classique *odiosus* «désagréable» (→ odieux). ➜ L'adjectif se dit (v. 1121) de ce qui est contrariant, importun, puis (v. 1155) de ce qui procure de l'ennui, lasse l'intérêt. ➜ Il a fourni **ENNUYEUSEMENT** adv., réfection (1273) de *anuieusement* (v. 1200).

ÉNONCER v. tr. est un emprunt du moyen français (1377, *enoncier,* Oresme), repris deux siècles et demi plus tard (1611), au latin *enuntiare* «faire connaître au dehors», d'où «exprimer» dans le vocabulaire de la rhétorique. Ce verbe est formé de *ex-* intensif et de *nuntiare* «faire savoir», dérivé de *nuntius* «messager, envoyé», terme de la langue officielle et religieuse (→ nonce).

♦ *Énoncer* conserve le sens étymologique et correspond à «exprimer en termes nets (ce qu'on a à dire, ce qu'on pense)», d'où *énoncer un problème* (1890). *S'énoncer* «s'exprimer» (1659) est tombé en désuétude (on le trouve encore chez Colette en 1900, *Claudine à l'école*), mais l'emploi pronominal à sens passif pour «être énoncé» (1674) reste courant.

▶ **ÉNONCÉ** n. m. (1675) «action d'énoncer» et aussi «ensemble de formules exprimant qqch.», spécialisé dans *l'énoncé d'un problème* (1870), a pris (mil. XXe s.) un sens technique en linguistique, où il désigne un segment de discours produit par un locuteur, et s'oppose à *énonciation.* ➜ Le dérivé **ÉNONÇABLE** adj. (1845) est didactique.

ÉNONCIATION n. f. est un emprunt (fin XIIIe s.) au latin classique *enuntiatio* (du supin de *enuntiare*) «proposition, énoncé» dont il garde le sens; en linguistique, il se dit (1906) de l'acte de production individuelle d'un énoncé. ➜ **ÉNONCIATIF, IVE** adj., emprunt au dérivé latin impérial *enuntiativus* «qui énonce» (1386; repris en 1542) est un terme didactique; il signifie «qui sert à énoncer» et s'emploie en grammaire (1754). ➜ **ÉNONCIATEUR, TRICE** n. (1840) et adj. (1843) est emprunté au dérivé bas latin *enuntiator* «celui qui énonce» avec le même sens. ➜ Le dérivé du verbe **ÉNONCEUR, EUSE** n. (XXe s.) est rare.

◈ voir ANNONCER.

ÉNORME adj. est un emprunt (1340) au latin impérial *enormis* «irrégulier» et «qui sort des proportions, démesuré», de *ex-* et *norma* «règle» (→ norme).

♦ *Énorme* conserve d'abord le sens du latin «en dehors de la norme». Perdant cette valeur étymologique, il s'emploie ensuite (1547) au sens courant de «dont les dimensions sont considérables». *Énorme* qualifiant une personne, un phénomène humain, équivaut à «remarquable par des caractères extrêmes». Dans cet emploi, Flaubert utilise la graphie fantaisiste *hénaurme* (1856), reprise ensuite par quelques auteurs.

▶ Le dérivé **ÉNORMÉMENT** adv. (v. 1370), «d'une manière énorme», sert de superlatif à *beaucoup.* Il est usuel.

ÉNORMITÉ n. f. est un emprunt au dérivé latin impérial *enormitas* «irrégularité», «grandeur ou grosseur démesurée», qui a pris en latin médiéval le sens de «perversité, outrage» par l'idée de dépassement des règles (v. 950). ➜ Le mot, en emploi isolé (v. 1223, *ennormite*) a désigné un crime énorme. ◇ Repris au XIVe s., *énormité* signifie (v. 1330) «caractère de ce qui est énorme»; l'expression un peu postérieure (2e moitié XIVe s.) *énormité de grandeur,* est sortie d'usage. ◇ La première valeur se retrouve dans l'emploi du mot au sens d'«action, propos jugé énorme» (av. 1850; *commettre une énormité*). Il s'est spécialisé au sens de «parole incongrue ou absurde».

✳ **ENQUÉRIR** v. tr. est une réfection (1335, tr.), d'après *quérir,* de l'ancien français *enquerre* «demander» (v. 1050), issu d'un latin populaire °*inquaerere,* du latin classique *inquirere* «rechercher, interroger» d'où «faire une enquête». Ce verbe est formé de *in-* et *quaerere* «chercher», «demander»; le mot a des correspondants romans : italien *inchiedere,* ancien provençal et catalan *enquerre* (→ quérir). ◇ **ENQUERRE** a subsisté jusqu'au XIXe s. comme verbe et nom masculin; reste aujourd'hui, en héraldique, l'expression *armes à enquerre* (1690), proprement «à vérifier», qui se dit quand des armes présentent une anomalie qui demande explication.

♦ *Enquérir* est sorti d'usage comme verbe transitif au sens d'«interroger (qqn) sur qqch.», vivant jusqu'à l'époque classique; on dit encore, dans la langue juridique, *un témoin enquis.* ***S'enquérir de,*** à la forme pronominale, (1474) signifie couramment «chercher à savoir, en interrogeant».

▶ **ENQUÊTE** n. f. est issu (v. 1170, *enqueste*) du latin populaire °*inquaesita,* participe passé substantivé au féminin de °*inquaerere;* le latin médiéval connaît le terme juridique *inquesta* (1275), l'italien *inchiesta* et l'ancien provençal *enquesta.* ➜ *Enquête* a d'abord le sens général de «recherche pour savoir (qqch.)» et s'est employé pour «question» (1226); il désigne spécialement en droit, dès le XIIIe s. (1237), une investigation par ordre de justice, d'où *enquête de sang* «enquête criminelle» (1320), syntagme disparu, et plus largement une recherche méthodique, qui repose sur des questions, des témoignages. Par métonymie il équivalait à l'époque classique à «témoignages» (1549, au pluriel). Dans la seconde moitié du XIXe s., il se dit (1870) en particulier de l'étude d'une question (sociale, écono-

mique, etc.) par le rassemblement des témoignages des intéressés.
Le dérivé **ENQUÊTER** s'est employé (1200, *enquester*) à la forme transitive jusqu'au XVIe s. avec le sens de «questionner, interroger». L'emploi pronominal *s'enquêter (de)* «s'informer» (1538) a également disparu : le français moderne utilise *s'enquérir* (ci-dessus). Au sens de «faire une enquête», le verbe est relevé au XIVe s. (1371, intr., *inquester*). ➛ **ENQUÊTEUR, EUSE** n. et adj. (v. 1282, *enquesteor*), d'abord terme juridique (n. m.), a désigné un commissaire qui surveille l'administration. L'adjectif s'est appliqué à l'époque classique à qqn qui s'informe de tout (1552). ◇ Le nom a pris son sens moderne d'après *enquête* et *enquêter* depuis la fin du XIXe siècle. ◇ Dans les professions de la publicité, on tend à utiliser un autre féminin **ENQUÊTRICE**.
Le composé **CONTRE-ENQUÊTE** n. f., de *contre**, est attesté en 1649.

ENQUIQUINER v. tr. est probablement une formation expressive (1830) à partir de *quiqui, kiki,* terme familier pour «cou, gorge» (*kique,* 1876), avec préfixation par *en-*.

♦ *Enquiquiner* signifie aujourd'hui «importuner, agacer»; il est attesté au XIXe s. au sens d'«insulter» (1858). La métaphore initiale pourrait être «gaver, remplir la gorge», c'est-à-dire «soûler». Le verbe et ses dérivés, à cause de la démotivation, sont sentis comme des euphémismes pour *emmerder* et ses dérivés.

▸ En dérivent **ENQUIQUINANT, ANTE** adj. (1844, *enkikinant,* Flaubert), **ENQUIQUINEMENT** n. m. (1883) et **ENQUIQUINEUR, EUSE** n. (1940), assez courants dans l'usage familier.

ENRAGER → RAGE

① **ENRAYER** → RAI

ENREGISTRER → REGISTRE

ENROBER v. tr. est formé (v. 1220) de *robe** «vêtement», par préfixation avec *en-*.

♦ Dans son premier emploi le verbe signifiait «vêtir d'une robe, d'un long vêtement»; il a disparu dans ce sens. ◇ Par analogie de fonction, il a été repris au XIXe s. (1858) pour «entourer (un produit) d'une couche protectrice», dans divers domaines, comme la cuisine, pour «recouvrir de pâte à frire», la fabrication des cigares, pour «recouvrir de la feuille de tabac appelée *robe*» (1890); cf. *rober* à *robe.* ◇ Le verbe signifie au figuré (fin XIXe s.) «envelopper (ses propos) de manière à masquer ou à adoucir».

▸ **ENROBAGE** n. m. (1867) s'emploie surtout en pharmacie et en cuisine (1874), ainsi que dans la fabrication des cigares (1907). ➛ **ENROBEMENT** n. m. (1888) a les valeurs plus générales d'«action d'enrober», au concret et à l'abstrait. ➛ Les participes sont adjectivés : **ENROBÉ, ÉE** adj. a pris la valeur figurée d'euphémisme pour «bien enveloppé de graisse» (des personnes); **ENROBANT, ANTE** adj. correspond à *enrobage,* et est substantivé pour «substance servant à enrober un produit» (attesté 1973). ➛ **ENROBEUSE** n. f. (XXe s.) désigne la machine utilisée en confiserie pour recouvrir une substance de chocolat, de caramel. cf. *robeuse,* dans une autre technique.
◈ voir DÉROBER.

ENRÔLER → RÔLE

ENROUER v. tr. est formé (av. 1150) par préfixation de l'ancien français *ro* ou *roi* «rauque, enroué», issu du latin *raucus* (d'où *rauque** par emprunt; cf. ancien provençal *enraucar*).

♦ *Enrouer* signifie «rendre (la voix) moins nette qu'à l'ordinaire» (av. 1150), il est devenu usuel au pronominal *s'enrouer* (1538) et au participe passé, qui peut être adjectivé et plus rarement substantivé.

▸ En dérivent **ENROUEMENT** n. m. (XVe s.) et le préfixé **DÉSENROUER** v. tr., attesté en 1580.

ENSEIGNE n. f. et n. m. est issu (1080), d'abord sous la forme archaïque *ensenna* (v. 980) du latin classique *insignia* «décoration», «parure», pluriel du mot neutre *insigne,* pris comme nom féminin à basse époque. Ce mot dérive de l'adjectif *insignis* «distingué par une marque particulière», «remarquable, singulier», de la famille de *signum* «marque distinctive», «signal» et «enseigne distinguant les divisions d'une armée» (→ signe). *Insignia* et *insignis* ont été ensuite empruntés sous la forme *insigne**, et *signum,* qui a abouti à *seing**, a été repris sous la forme *signe**. Avec des sens proches de ceux du français *enseigne,* l'étymon latin a fourni l'italien *insegna,* l'ancien provençal *ensenha* et l'ancien espagnol *enseña.*

♦ *Enseigne* a d'abord le sens en usage jusqu'au XIXe s. de «marque, indice servant à faire reconnaître qqch.», en particulier «signalement (de qqn)» (1549). ◇ Il s'est employé pour «preuve» (XIIe s.) jusqu'au XVIIIe s.; d'où la locution conjonctive ***à telle (s) enseigne(s) que*** «la preuve en est que» (XVe s.), la locution adverbiale archaïque *à bonne enseigne, à bonnes enseignes* (1382) «à bon titre, avec des garanties», courantes jusqu'au XVIIe s., ***à toutes enseignes que*** (XIIIe s.) *aux enseignes que* (XVe s.) pour «à preuve que», et ***à fausses enseignes*** (1538) «par tromperie». ➛ *Enseigne* désigne dès le XIe s. (1080) un symbole de commandement servant de signe de ralliement. De là, en ancien et moyen français, l'usage du mot comme cri de ralliement (XIIe s.) et ensuite le sens de «drapeau» (fin XVe s.) devenu littéraire. ◇ Le mot se dit par extension (2e moitié du XVe s.) d'un tableau portant une inscription, un emblème, etc., apposé sur un établissement commercial pour le signaler au public; ce sens aujourd'hui courant se retrouve dans la locution proverbiale ***à bon vin il ne faut point d'enseigne*** «un bon produit n'a pas besoin de publicité» (1548), dans ***être logé à la même enseigne que qqn*** (1787) «subir les mêmes inconvénients (que qqn d'autre)» et dans les locutions archaïques *loger, coucher à l'enseigne de la lune, de l'étoile* (XVIe s.), *de la belle étoile* (1690) «coucher dehors» (cf. *étoile*). ➛ Au XVIe s., *enseigne* n. m. désigne (1573) un officier porte-drapeau; puis ***enseigne (de vaisseau)*** se dit (1691) d'un officier de la marine de guerre, emploi toujours vivant.

Le composé **PORTE-ENSEIGNE** n. m. (écrit *porteenseigne* en 1531) est l'équivalent ancien de *porte-drapeau* (→ drap).

◈ voir ENSEIGNER, INSIGNE.

ENSEIGNER v. tr. est issu (1050) du latin populaire °*insignare,* altération du latin *insignire* «indiquer, désigner», dérivé de l'adjectif *insignis,* de *signum* (→ enseigne, signe).

♦ *Enseigner* a d'abord, comme le latin *insignire,* correspondu à «faire connaître par un signe» (1050), valeur qui ne survit que régionalement, remplacée par *renseigner.* ◇ Par extension, le verbe s'est employé (1165-1170) pour «instruire (qqn)», encore au XIXe s. ; il prend ensuite les valeurs d'«apprendre à qqn» (v. 1200) d'où, au XVIIe s., *enseigner que* (1690) et de «transmettre des connaissances à (un élève)» (XVIIe s.). En emploi absolu *enseigner* signifie (fin XVIIIe s.) «être enseignant».

▶ Le dérivé usuel **ENSEIGNEMENT** n. m. a d'abord signifié «précepte, leçon» (1170) et s'est dit ensuite (1413) pour «leçon d'un maître». Lié à *enseigner* «indiquer», *enseignement* a eu d'autres acceptions, par exemple : «avis, conseil» (XIIe s.) jusqu'au XVIe s., «pièce authentique» (1336), «ordre reçu» (1413), «renseignement» (XVIe s.). ◆ Le mot désigne à partir du XVIIIe s. (1771, *enseignement public*) l'action, l'art de transmettre des connaissances, et cette transmission elle-même. Les syntagmes *enseignement primaire, enseignement secondaire, enseignement technique* (1833), etc. relèvent de cet emploi. ◇ Employé seul (1864, *l'enseignement*), le mot désigne l'ensemble des enseignants, leur carrière. ◆ **ENSEIGNANT, ANTE** adj. et n., «qui enseigne» (1762), vient du participe présent du verbe et s'emploie spécialement dans *l'Église enseignante* (1771) «le pape et les évêques», puis dans *le corps enseignant* (1806) «ensemble des professeurs et des instituteurs». ◇ D'où la substantivation : *un, une enseignant(e)* (v. 1865) qui s'est substituée à **ENSEIGNEUR, EUSE** n. (XIIIe s.), devenu rare. Correspondant au premier sens du verbe, *enseigneur* équivalait aussi à *index* «le doigt qui désigne» (1580). ◆ À *enseignant* s'oppose aujourd'hui **ENSEIGNÉ, ÉE** n. (1967) qui a une valeur plus générale que *élève, écolier* ou *étudiant* (cf. *apprenant*). *Enseigné,* adjectif, est attesté dès le XIIe s. pour qualifier un enfant que l'on a éduqué (1555, *malenseigné,* n. m. «malappris»), mais la reprise du mot au XXe s. est indépendante de cet usage ancien. ◆ Un autre dérivé, **ENSEIGNABLE** adj. a signifié (v. 1265) «docile à l'enseignement». L'adjectif est rare pour qualifier une chose susceptible d'être enseignée (1838).

① **ENSEMBLE** adv. est issu (1050) du latin impérial *insimul* «à la fois, en même temps», renforcement du latin classique *simul,* ou du latin populaire °*insemul* (cf. l'italien *insieme,* l'ancien espagnol *ensiemo*), réfection d'après *semul,* forme archaïque de *simul.* Cet adverbe représente l'ancienne forme neutre de *similis* (→ sembler, simuler).

♦ *Ensemble* s'emploie pour «l'un avec l'autre et en même temps» (cf. *simultanément*). ◇ Au sens de «à la fois», l'adverbe devient archaïque à la fin du XVIIIe s. et est remplacé par *tout ensemble* (1552), qui a lui-même vieilli.

▶ ② **ENSEMBLE** n. m., substantivation de l'adverbe, est d'abord attesté dans *un tout-ensemble* (1664) désignant, dans le domaine des arts, l'unité d'une œuvre, tenant à la bonne proportion des éléments. Ce sens s'exprime ensuite par *un ensemble.* De là une locution aujourd'hui archaïque, *être d'ensemble* «être harmonieux». ◇ Par extension (1694), le nom désigne la totalité des éléments d'un tout, d'où *d'ensemble* «général» (1809, Lamarck), ***dans l'ensemble,*** locution adverbiale (1834, Balzac), ***dans son ensemble*** «dans sa totalité» (1842, Hugo). Depuis le XVIIIe s., *ensemble* se dit de l'unité tenant au synchronisme des mouvements, à la collaboration des divers éléments, d'abord en parlant d'un corps de troupe (1755). *Ensemble* désigne ensuite (1803) des personnes, des choses réunies dans un tout *(un ensemble de faits, un ensemble vocal).* ◆ En mathématiques (1890), c'est la traduction de l'allemand *Menge* (1883) au sens de «collection d'éléments (dont le critère d'appartenance à la collection est sans ambiguïté) susceptibles de posséder certaines propriétés», emploi qui donne lieu à de nombreux syntagmes : *théorie des ensembles, ensemble fini, ensemble dénombrable,* etc., tous attestés dans la première moitié du XXe siècle.

De cette valeur terminologique vient le dérivé **ENSEMBLISTE** adj. (milieu XXe s.) surtout dans *mathématiques ensemblistes* et le composé **SOUS-ENSEMBLE** n. m. (mil. XXe s.). ◆ *Ensemble* a pris au XXe s. plusieurs sens particuliers, parmi lesquels : «groupe d'habitations» (1907-1908, Barrès), d'où **GRAND ENSEMBLE** n. m. (v. 1954) et aussi *grand ensemble scolaire* (1968). ◆ Deux autres valeurs spéciales de *ensemble* sont «pièces d'habillement assorties destinées à être portées ensemble» (1924) et «groupe de meubles d'un même style» (1922). ◆ De ce dernier sens vient le dérivé **ENSEMBLIER** n. m. (1920).

ENSEVELIR v. tr. est probablement formé (v. 1120) du préfixe *en-* et de l'ancien verbe *sevelir* ou *sepelir* (v. 1120) «mettre un mort dans un tombeau», issu du latin *sepelire* «enterrer, faire disparaître», au supin *sepultum* (→ sépulture). *Ensevelir* pourrait aussi être issu du latin chrétien *insepelire* composé de *in-* et *sepelire.* Le latin et l'indo-iranien ont des termes juridiques et religieux communs et l'on a rapproché, malgré la différence de sens, *sepelire* du védique *saparyáti* «il honore».

♦ Le verbe français conserve le sens du latin, aujourd'hui concurrencé par *enterrer;* par extension, il signifie (1130-1140) «envelopper (qqn) dans un linceul». Au XIIIe s., *ensevelir* prend par analogie (v. 1265) le sens de «faire disparaître sous un amoncellement», d'où *s'ensevelir sous les décombres d'une ville* «la défendre jusqu'à la mort» (1662), emploi disparu et l'emploi pronominal pour «disparaître volontairement» (1662). Ces sens sont archaïques, à la différence du figuré (v. 1220) «enfouir en cachant» *(ensevelir un secret),* d'où (v. 1640) *s'ensevelir dans le travail, la solitude,* etc.

▶ Le dérivé **ENSEVELISSEMENT** n. m. s'emploie au propre (1130-1140) et au figuré (av. 1896). ◆ Le nom d'agent **ENSEVELISSEUR, EUSE** n. et adj. (fin XIVe s.) est plus rare.

ENSIMER v. tr. est l'altération graphique (1723) de *ensaïmer,* d'abord attesté au participe passé (*ensaïmez* «engraissé») dans la première moitié du XIIe s. (v. 1120), puis sous la forme active *ensaymer* (1300). Ce verbe dérive de l'ancien français *saim* «graisse», issu du latin populaire °*sagimen,* altération du latin classique *sagina* «engraissement» (→ saindoux).

♦ Le verbe est resté d'usage technique et signifie «graisser (les fibres d'un textile) pour faciliter le cardage et la filature».

▸ Les dérivés **ENSIMAGE** n. m. (1669) et **ENSIMEUSE** n. f. (1930) sont aussi d'usage spécialisé.

ENSORCELER → SORCIER

ENSOUPLE n. f. est la réfection (mil. XVIe s.) avec influence de *souple,* de formes anciennes en *b- : ensobles* (fin XIe s.), *essouble* (XIIIe s.). Les formes sont issues du latin médiéval *insubulum* (VIe-VIIe s.) formé de *in-* et du latin impérial *subula* «alène». *Subula* a des correspondants dans d'autres langues indoeuropéennes, par exemple le vieux slave *šilo* et l'ancien haut allemand *siula;* le mot provient d'une forme °*sū- dhl-ā* dont le premier élément est rattaché à une racine °*sū-,* °*syū-,* comme le verbe *suere* (→ coudre).

♦ *Ensouple,* terme de tissage, désigne comme en latin le cylindre d'un métier à tisser sur lequel on monte les fils de chaîne et, par extension, le cylindre sur lequel s'enroule l'étoffe au fur et à mesure qu'elle est tissée. La forme *ensuble,* réfection étymologique (XIVe s.), encore utilisée au XIXe s., est sortie d'usage.

▸ Le seul dérivé est **ENSOUPLEAU** n. m. (1606), terme technique.

ENSUITE adv. est formé (1532) de *suite** avec le préfixe *en-;* on trouve encore *en suite* au XVIIe siècle.

♦ L'adverbe signifie «plus tard, par la suite» (1532) et «derrière, en suivant» (1890); au figuré il s'emploie pour «en second lieu». ◇ La locution prépositive ***ensuite de,*** bannie du «beau langage» par Vaugelas (1647), marquait une succession dans l'espace (1636) ou dans le temps (1652); elle a pris aussi une valeur abstraite «en conséquence de» (XVIIe s.).

ENSUIVRE (S') v. pron. est issu (v. 1175, *ensievre*) du latin populaire °*insequere,* altération du latin classique *insequi* «venir immédiatement après, suivre», la finale ayant été influencée par *suivre. Insequi* est un préfixé en *in-* de *sequi* (→ suivre).

♦ *Ensuivre,* d'abord verbe intransitif, a signifié «suivre, venir après». Le pronominal (1323, *soi ensuivre*) s'est employé dans ce sens, conservé dans la locution familière ***et tout ce qui s'ensuit*** «et tout le reste». ➜ À partir du XIIIe s., *s'ensuivre* équivaut à «découler, résulter», surtout à la forme impersonnelle (v. 1240, *il s'ensuit que*) et dans la locution ***jusqu'à ce que mort s'ensuive.*** ◇ Comme transitif, *ensuivre* a eu plusieurs des valeurs de *suivre;* il s'est employé pour «imiter», «se conformer à» (v. 1190) et «obéir à (une loi)» (fin XIIIe s.), valeur encore donnée comme juridique au XVIIIe s. (Trévoux, 1771). Avec la valeur de «poursuivre, harceler» (1262), il est encore attesté chez Oudin (1660), mais a disparu à la fin du XVIIe siècle.

▸ **ENSUIVANT** adv. (XIIIe s., *ensivant*), tiré du participe présent, signifie «plus tard» et, adjectif, (XVe s.) «suivant»; les deux s'employaient dans la langue classique.

ENTAILLER → TAILLER

ENTAMER v. tr. est issu (1120-1150) du bas latin *intaminare* (IVe s.) «toucher à», proprement «souiller, profaner». Ce verbe est un préfixé en *in-* de °*taminare* «souiller» que l'on retrouve dans le composé classique *contaminare* (→ contaminer); il se rattache à *tangere,* au supin *tactum,* «toucher» (→ entier, intact, tactile), à rapprocher peut-être du gotique *tekan* «toucher».

♦ *Entamer* s'emploie d'abord avec le sens de «toucher (qqch. d'intact), en en retirant une partie» et (v. 1155) «couper (une partie du corps) en incisant» (XIIIe s., en parlant d'une écorce, du cuir, etc.). Avec la première valeur, *entamer une femme* a signifié «la déflorer» (déb. XIVe s.). ◇ Abstraitement, *entamer qqn* s'est dit pour «atteindre (qqn) dans sa réputation» (v. 1190), d'où «affecter» (XIIIe s.; encore au XVIIe s.) et, spécialement, «atteindre dans ses droits» (v. 1460). ◇ L'emploi figuré pour «commencer» *(entamer un discours)* (v. 1245) ou «entreprendre» *(entamer un travail),* est toujours en usage, mais l'expression *entamer le pas* «faire les premiers pas» (1530) a disparu. ◇ L'idée d'action sur un adversaire l'emporte dans l'emploi en contexte militaire (v. 1460) pour «porter atteinte à...» *(entamer le front)* et dans celui de la discussion, où *entamer qqn* correspond à «diminuer ses convictions, les réduire». ◇ Au XVIe s. (1580), le verbe prend par extension le sens de «diminuer (un tout) en retranchant une partie» *(entamer des provisions, une journée),* qui est devenu le plus courant.

▸ Le déverbal **ENTAME** n. f. est attesté isolément (v. 1370) pour «blessure»; repris au XVIIe s. au sens de «premier morceau de qqch.» (1675), le mot est rare jusqu'au XIXe s. où il se substitue à *entamure.* ➜ **ENTAMURE** n. f. a eu lui aussi le sens de «blessure» (1339) et a désigné, d'après le sens étymologique du verbe, la perte de la virginité (XVe s.). ◇ Puis il signifie «ce qui est entamé» (1669, *entameure de pain*); c'est ensuite un terme technique (1694, *entamure de carrière* «premières pierres extraites»).
Les composés, surtout employés au figuré et littéraires, sont plus récents : **INENTAMABLE** adj. «qui ne peut être entamé» (1785, Sade) et **INENTAMÉ, ÉE** adj. (1894) proposé en 1845 par Richard de Radonvilliers.

ENTÉLÉCHIE n. f. est un emprunt (v. 1380, *endelechie*) au bas latin *entelechia* «état de parfait accomplissement de l'être», emprunt au grec d'Aristote *entelekheia* «énergie agissante et efficace» (par opposition à la matière inerte). C'est un dérivé de *entelekhês* «qui a sa fin en soi», de *ekhein* «avoir», *telos* «fin» et *en* «dans».

♦ La forme restituée *entéléchie* (1564) est un terme didactique qui est resté cantonné au domaine de la philosophie antique.

✳ **ENTENDRE** v. tr. est issu (v. 1050) du latin classique *intendere* «tendre vers» (au sens physique et moral), d'où «porter son attention vers», «comprendre» et, par extension «ouïr»; le verbe latin est formé de *in-* et de *tendere* (→ tendre).

♦ Le verbe français reprend les différentes valeurs du latin. Il signifie d'abord (v. 1050) «percevoir par le sens de l'ouïe», mais est peu utilisé en ce sens en ancien français — à cause de la fréquence de *ouïr* —, où il signifie surtout (1080, *entendre à*) «prêter attention à (ce que dit qqn)». De là *entendre qqn* «suivre son enseignement» (v. 1155) et «être occupé à», sens sortis d'usage, comme l'acception «se prêter à (qqch.)». La locution ***ne savoir auquel entendre*** «ne pas savoir à quoi prêter attention» (fin XIVe s.) s'est employée jusqu'au XIXe s. (*ne savoir à qui entendre* au XVIIIe s.). ◇ Le verbe correspond aussi à «avoir l'intention de» depuis le XIIe s. (v. 1121; XVe s., *entendre que;* 1532, *entendre* et infinitif), d'où *comme je l'entends* (1549) et la locution ***comment l'entendez-vous?*** qui signifiait au XVIIe s. «quelles sont vos intentions?» (1668), mais qui se comprend aujourd'hui comme «quel sens donnez-vous à cela?».
Dès la *Chanson de Roland* (1080) est attesté le sens de «percevoir par l'intelligence», dominant jusqu'au XVIIe s.; le verbe entre avec cette valeur dans quelques locutions, employées dans un style recherché à cause du vieillissement de l'acception : ***donner*** (1300), ***laisser*** (1680) ***à entendre*** «faire comprendre sans exprimer clairement»; ***cela s'entend*** (1546, aussi *s'entend*) «cela va sans dire», littéraire; ***ne pas y entendre mal, malice*** (1740) «ne pas comprendre ce qu'il y a de mal (dans ce qu'on a dit)» précédé par *entendre malice* (1685); ***entendre à demi-mot*** (1718); ***entendre la plaisanterie*** (1835) «ne pas s'en offenser» et à l'époque classique aussi *entendre raillerie* (1654) «savoir railler». ◇ Cette valeur est maintenue dans l'emploi pronominal ***s'entendre (avec qqn)*** «se concerter», «agir ensemble», avec une nuance défavorable, par exemple dans *s'entendre comme larrons en foire* (1650), puis positivement : «sympathiser» (1636), «vivre en bonne intelligence» (1802). ➜ *S'entendre à* a signifié «connaître à fond, être habile dans (une activité)» (XIIIe s.), acception qui se maintient dans quelques emplois (XIIIe s.; *s'entendre bien à*); mais les locutions (1640) *s'entendre à qqch. comme à ramer des choux, comme à faire des coffres* «ne pas savoir le faire», sont sorties d'usage. ◇ De *entendre à qqch.*, dans le même sens, ne subsiste que l'emploi négatif ***il n'y entend rien*** (1798), et l'on trouve chez Rabelais *il n'y entend que le haut allemand* «il n'y comprend rien».
Au sens de «percevoir par le sens de l'ouïe», le verbe concurrence *ouïr** à partir du XVIIe s.; il s'y est substitué aujourd'hui. Avec cette acception, devenue après la période classique la plus usuelle, *entendre* est entré dans plusieurs locutions : ***dire qqch. à qui veut l'entendre*** «à tout le monde»; ***en entendre de belles (de bonnes, de dures, de raides)*** «entendre des choses extraordinaires, incroyables, indécentes». ***Qu'est-ce qu'il ne faut pas entendre*** exprime l'indignation, comme la locution proverbiale ***il vaut mieux entendre ça que d'être sourd*** «c'est une chose absurde». ◇ *Entendre* «écouter avec attention» s'est spécialisé dans un contexte juridique (1636; *entendre les témoins*) et équivaut (1636) à «écouter en tant qu'auditeur volontaire», d'où la locution ***à l'entendre*** «si on l'écoute». ◇ Le verbe correspond aussi (1668) dans un contexte religieux à «écouter favorablement une prière» (par exemple *Dieu l'a entendu*) et par ailleurs «apprendre par la rumeur publique», acception disparue : on emploie aujourd'hui en ce sens *entendre dire* (1671), *entendre parler de* (1622).

▸ Le participe passé **ENTENDU, UE** adj. (XIIIe s.) a des emplois liés au sens de «comprendre». *Entendu à* est aujourd'hui sorti d'usage ou régional au sens de «habile à» (XIIIe s.), usité jusqu'au XIXe s. et ne subsistant que dans *un air, un sourire entendu;* de même *faire l'entendu* (1549) «faire l'important, le capable» a vieilli; *homme entendu* «avisé» (XVe s.), *faire de l'entendu* «se prétendre savant» (1625) étaient en usage au XVIIe siècle. *Entendu* équivaut encore à «dont le sens est compris» dans un usage littéraire, et par extension à «convenu, décidé» (1808, *c'est entendu*), emploi très vivant. De là l'emploi elliptique de *Entendu!* «d'accord» (1870, *entendu et compris*). L'adjectif entre avec ce sens dans la locution adverbiale ***bien entendu*** (1671) «assurément», avec l'équivalent familier ***comme de bien entendu.*** ◇ Employé avec un adverbe *(bien, mal) entendu* a signifié (mil. XVIIe s.) «conçu», et par extension «arrangé, composé»; cette valeur subsiste dans un contexte abstrait (1681) au sens de «mis en œuvre, compris» *(intérêt bien [mal] entendu).* ➜ À partir de *entendu* ont été formés deux composés. **MALENTENDU** n. m., attesté en 1558 (1507 comme adjectif «malintentionné»), est formé avec *mal,* adverbe, et *entendu* au sens de «compris»; le mot désigne une divergence d'interprétation entre des personnes qui croyaient s'être bien entendues sur le sens de certains faits ou propos, seul sens retenu par Richelet (1680) et Furetière (1690) bien que *malentendu* désigne alors aussi (1600) le désaccord impliqué par cette divergence; le mot s'emploie en particulier (1894) dans un contexte sentimental. ➜ **INENTENDU, UE** adj. (fin XVIIIe s.) est d'emploi rare (cf. *inouï*).
Le dérivé **ENTENDEMENT** n. m., du radical d'*entendre* «comprendre», a d'abord eu le sens de «intelligence» (déb. XIIe s.), en concurrence en ancien français avec un autre dérivé de *entendre,* ***entendance*** n. f. (v. 1120). Ce sens est toujours en usage dans ***cela passe, dépasse l'entendement;*** mais *perdre l'entendement* «devenir fou» et *homme, femme d'entendement* «intelligent(e)» (v. 1450) sont tombés en désuétude. ◇ Le mot a eu d'autres valeurs : «signification d'un mot» (1119), et «aptitude à comprendre (la musique, etc.)» (XIIe s.), sens qualifié de «précieux» au XIXe siècle. ◇ Il désigne en philosophie (1637, Descartes) la faculté de comprendre. ◇ Régionalement le mot a le sens d'«accord, entente» (XVe s.), d'après *s'entendre* «se mettre d'ac-

cord» (Canada, Berry) et de «volonté», d'après *entendre* «avoir l'intention» (Normandie).

ENTENTE n. f. est issu (1121) du latin populaire °*intendita*, participe passé féminin substantivé, pour *intenta*, de *intendere*. ◆ *Entente* a d'abord eu les sens de «préoccupation, attention» et «projet, intention», encore attestés au XVIIe siècle. Le mot signifie ensuite (v. 1170) «intelligence, compréhension», valeur aujourd'hui vieillie, et par extension (fin XIIIe s.) «interprétation, sens», emploi qui ne subsiste que dans la locution ***à double entente*** (1636). Le sens d'«action de comprendre un mot» (1538) a disparu. ◆ Au XIXe s. (1831, Balzac), *entente* prend le sens de «fait de s'entendre, de s'accorder» et se dit de la situation qui en résulte, d'où spécialement en politique «accord ou collaboration entre États», réalisé dans ***Entente cordiale.*** ◆ Le mot a été parfois employé au sens, attesté en 1896 (Goncourt) d'«action de percevoir par l'ouïe». Le préfixé **MÉSENTENTE** n. f., attesté au XVIe s. *(mesantante)* et formé avec *mes-**, signifiait «malentendu», et se dit aujourd'hui (1848) dans un style soutenu pour «défaut d'entente».

ENTENDEUR n. m., dérivé du verbe, a signifié «celui qui écoute attentivement» (v. 1125, *entendere*) et «celui qui comprend» (av. 1248). Reste la locution ***à bon entendeur, salut !*** (1658, Scarron) «que celui qui comprend bien en fasse son profit», en général formule de menace. ◆ **ENTENDANT, ANTE** n., du participe présent de *entendre* «comprendre», s'est employé (XIIe s.) pour «intelligent». ◇ Lié à *entendre* «ouïr», le nom désigne une personne qui jouit de ses capacités auditives, surtout attesté dans le composé préfixé **MALENTENDANT, ANTE** adj. et n. (v. 1960).

MÉSENTENDRE v. tr., (v. 1138) de *més-**, «comprendre autrement qu'il ne faut», est d'usage littéraire. ◆ **SOUS-ENTENDRE** v. tr. (1303 «surveiller sous une autorité», emploi isolé ; repris 1656), de *sous** et *entendre* «comprendre», signifie «faire comprendre (qqch.) sans le dire», d'où «supposer comme condition». Le verbe s'emploie ensuite (1706) en grammaire pour «ne pas exprimer (ce qui peut être suppléé par le sens)». ◇ Le participe passé, adjectivé en 1657, puis substantivé **SOUS-ENTENDU** n. m. équivaut (v. 1720) à «allusion» (souvent l'allusion est plus ou moins grivoise). ◆ **RÉENTENDRE** v. tr., de *ré-** et *entendre* «ouïr», n'est attesté qu'en 1869.

◈ **ENTER** v. tr. est issu (fin XIe s., Raschi) du latin populaire °*imputare* «greffer», dérivé du bas latin *impotus* «greffe» (forme attestée pour *imputos*), lui-même emprunté au grec *emphuton* «greffe» de *phuton* (→ -phyte). Le mot a dû pénétrer en France par les colonies grecques de la Méditerranée ; en Provence il a été remplacé ensuite par *insertar*, du latin populaire °*insertare*, dérivé du latin classique *inserere* «implanter, greffer» (*insertion** a signifié «greffe», XVe s.). Avec le développement du greffage en France, *enter* est repris dans le Midi ; l'extension de °*imputare* explique l'allemand *impfen*.

♦ *Enter*, concurrencé depuis le XVIe s. par *greffer*, s'emploie aussi au figuré (1er quart XIIIe s.), dans un usage littéraire. Par analogie, il signifie techniquement (1676) «assembler deux pièces de bois bout à bout».

▸ Le déverbal **ENTE** n. f., terme technique, désigne (v. 1140) un arbre greffé (d'où *prune** *d'ente* «pruneau»*) et équivaut à «greffe» (1174-1176). ◆ Le dérivé **ENTURE** n. f. a désigné l'action de greffer (fin XIVe s.) et s'est spécialisé en arboriculture : «fente où l'on place une greffe». Du verbe, il tient divers emplois techniques, en menuiserie (1723) et par analogie en joaillerie (1878).

ENTER-, ENTÉRO-, -ENTÈRE, éléments tirés du grec *entera* «entrailles, intestins» (de *en* «dans»), servent à former des mots savants (médecine, biologie).

▸ Le plus usuel est **ENTÉRITE** n. f. (1801), adaptation du latin moderne *enteritis* (1795) «inflammation de la muqueuse intestinale». ◆ Les dérivés sont **ENTÉRIQUE** adj. (1855) et **ENTÉRITIQUE** adj. (1863), termes médicaux. ◇ Le composé **GASTRO-ENTÉRITE** n. f. (1820 ; de *gastro-*) est relativement courant.

◈ voir **DYSENTERIE**.

ENTÉRINER v. tr. est dérivé (v. 1250) de l'ancien français *enterin*, adjectif, «complet, entier» (XIIe s.), lui-même dérivé de *entier**.

♦ Le premier sens du verbe est «accomplir complètement». En droit, *entériner* prend le sens (1274) de «rendre définitif (un acte) en l'approuvant juridiquement». ◇ Par extension, le verbe signifie dans l'usage courant «admettre, rendre durable» (av. 1695).

▸ Le dérivé **ENTÉRINEMENT** n. m., d'emploi rare, est attesté en 1316 *(enterignement)*.

ENTERRER → TERRE

ENTÊTER → TÊTE

ENTHOUSIASME n. m. est un emprunt savant de la Renaissance (1546) au grec *enthousiasmos* «transport divin», «possession divine», formé sur le verbe *enthousiazein* «être inspiré par la divinité». C'est un dérivé de l'adjectif *enthous*, forme contractée de *entheos* «animé d'un transport divin», composé de *en* «dans» et *theos* «dieu» (→ athée, théologie).

♦ Au XVIe s., le mot est employé avec la valeur de l'étymon, au sens de «délire sacré qui saisit l'interprète de la divinité» *(l'enthousiasme de la Pythie)* ; à la même époque, *enthousiasme* est attesté avec le sens étendu de «transport, exaltation du poète sous l'effet de l'inspiration» (1546, Rabelais), d'où vient un emploi littéraire du mot en parlant de la force qui pousse l'homme à créer. ◆ Au XVIIe s., par une seconde extension de sens (1664, Molière), *enthousiasme* prend la valeur moderne d'«exaltation poussant à agir avec joie» *(élan, mouvement d'enthousiasme)*, d'où le sens d'«admiration passionnée» (1689, Mme de Sévigné). Le mot est employé depuis le XVIIe s. en parlant d'une émotion collective suscitant une excitation joyeuse *(débordement d'enthousiasme)*. *Enthousiasme* a perdu, dans la langue courante, sa force originelle.

► Le dérivé **ENTHOUSIASMER** v. tr., d'abord dans un contexte religieux (XVIe s.), est attesté avec son sens actuel «remplir d'enthousiasme», en 1652. ◇ Du participe présent du verbe dérive **ENTHOUSIASMANT, ANTE** adj. (1845). ➛ **ENTHOUSIASTE** n. a été emprunté (1544) au grec tardif *enthousiastês* (IIe s. après J.-C.), formé sur le radical de *enthousiasmos*. Le mot a suivi la même évolution sémantique que *enthousiasme ;* il a désigné spécialement un membre de sectes anglaises et il est surtout employé comme adjectif (attesté 1786). ◇ Le dérivé **ENTHOUSIASTEMENT** adv. (fin XIXe s.) est rare.

ENTHYMÈME n. m., réfection (1690) d'après le latin de *emptimeme* (XVe s.), est un emprunt savant au latin classique *enthymema,* repris au grec *enthumêma* «ce qu'on a dans l'esprit», devenu terme de rhétorique et désignant un syllogisme fondé sur le probable ; c'est un dérivé de *enthumeisthai* «réfléchir, déduire», composé de *en* «dans» et *thumos* «esprit, cœur».

♦ Le mot a conservé le sens de son étymon et désigne, en logique, une forme abrégée du syllogisme dans laquelle on sous-entend l'une des deux prémisses ou la conclusion (cf. «je pense, donc je suis»).

◈ **ENTICHÉ, ÉE** adj., considéré en français moderne comme le participe passé du verbe *enticher* (surtout *s'enticher de*), apparaît d'abord (XIIe s.) comme une forme adjective, au sens de «pourvu (d'une qualité, d'un défaut)». Cette forme semble produite de *en-* et *teche,* variante de *tache*,* au sens ancien de «qualité, bonne ou mauvaise». Ce serait donc un doublet d'*entaché.* Mais cette forme se serait plus ou moins confondue avec l'ancien verbe *enticier, entichier* «inciter à» (v. 1165) qui proviendrait d'un élément onomatopéique *kiss-,* encore attesté régionalement (*kissi, kîchî* dans l'est de la France, *atticher, akisser* «exciter» en Normandie, etc.) et repris dans l'onomatopée moderne *kss, kiss,* employée pour exciter un chien. Cependant, le rapport des sémantismes n'est pas clair et on peut évoquer pour *entiché,* comme le fait P. Guiraud, une évolution d'*entechié, enteché* de «couvert d'une marque (*teche, tache*)» à «couvert», c'est-à-dire «coiffé» *embéguiné, béguin, coqueluche.*

♦ Mais cet effet de sens paraît relativement récent. En effet, *entiché* s'est employé (1539) avec la valeur étymologique concrète de «marqué par des taches», «qui commence à se gâter», en parlant d'un fruit, sens sorti d'usage, comme la valeur figurée d'*être entiché de* «gâté par, corrompu par (un vice, de mauvaises opinions)» (1539). ➛ Le sens moderne «prévenu en faveur de (qqn ou qqch.)» n'apparaît qu'au XVIIIe s., et le verbe pronominal **S'ENTICHER** *de qqn, de qqch.* «se prendre d'un goût extrême et irraisonné pour» n'est attesté qu'en 1845.

► Le dérivé **ENTICHEMENT** n. m. (1851-1862, Sainte-Beuve) «goût extrême, irraisonné» est rare, tout comme l'emploi transitif du verbe.

◈ **ENTIER, IÈRE** adj. est issu (v. 1130) par évolution phonétique du latin classique *integer* «non touché, non entamé» et au sens moral «sain, raisonnable», «irréprochable». Cet adjectif, qui a donné par emprunt *intègre*,* est composé de *in-* privatif et du verbe *tangere* «toucher», concret et abstrait (→ entamer, intact, tactile), à rapprocher peut-être du gotique *tekan* «toucher», ce qui supposerait un racine indoeuropéenne commune. La forme *entier* au lieu de *entir,* phonétiquement attendue et attestée en ancien picard (XIIe s.), est due à un changement de finale, par analogie avec des adjectifs tels que *premier.*

♦ Le mot est employé dans ses principaux sens dès le XIIe s. ; il se dit d'abord (v. 1130, *jorz entier*) de ce qui est considéré dans sa totalité, dans toute son étendue, de ce qui a toutes ses parties *(le corps entier).* Il signifie (v. 1135) «auquel il ne manque rien», d'où les emplois particuliers comme *cheval entier* «qui n'est pas châtré» (1580) ; substantivé au XIXe s. (1864, *un entier*). L'emploi en mathématiques de *nombre entier* procède de la même acception ; le mot est alors substantivé : *un entier.* ◇ Depuis la fin du XIIe s., l'adjectif est employé (1172, *amors antiere*) avec le sens de «qui n'a subi aucune altération» et «pur, vrai», d'où la locution ***à part entière,*** surtout dans un contexte abstrait. L'adjectif est sorti d'usage en parlant de personnes : *un homme entier* «en bonne santé» (XIIe s.), *une pucelle entière* «intacte» (v. 1435), ou d'actions (*action entière* «pure»). À la même époque (1174-1176), *entier* se dit aussi en parlant d'une personne avec le sens moral de «fidèle, loyal». ◇ Au XVIe s., l'adjectif est substantivé dans la locution ***en son entier*** (1538) qui reprend la notion de totalité, d'intégralité, d'où la locution adverbiale ***en entier*** «entièrement, complètement», toujours en usage. Depuis le début du XVIIe s., *entier* (adjectif) se dit, dans le domaine humain, pour «qui n'admet pas de compromis» (1606).

► Le dérivé **ENTIÈREMENT** adv. (1155) se dit couramment pour «d'une manière entière», «sans restriction». ➛ **ENTIÈRETÉ** n. f. (1536), sorti de l'usage au XVIIe et repris au XXe s., signifie «intégralité, totalité» ; parfois critiqué en France, il est plus courant en français de Belgique, avec une nuance de sens par rapport à *intégralité.*

◈ voir ENTÉRINER.

ENTITÉ n. f. est un emprunt savant (av. 1502) au latin médiéval *entitas, -atis* (1233), dérivé du latin de la scolastique *ens, entis* (participe présent de *esse ;* → être) qui est attesté en latin classique, notamment pour traduire le grec philosophique *to on* «ce qui est».

♦ *Entité* est introduit en philosophie avec le sens de l'étymon ; par extension, il se dit, avec une connotation péjorative, d'un concept abstrait que l'on considère à tort comme un être réel (1840), puis d'un objet concret considéré comme un être doué d'une unité matérielle et d'individualité (déb. XXe s.).

ENTOMO-, premier élément de mots savants, est tiré du grec *entomon* «insecte», neutre substantivé de *entemnein* «tailler dans, entailler», composé de *en-* et *temnein* «couper» qui se rattache à une racine indoeuropéenne °*tem-* «couper» (cf. *tomo-*). À noter que *insecte* reproduit le même sémantisme.

▸ *Entomo-* sert surtout à former des termes de zoologie, notamment **ENTOMOLOGIE** n. f. (1745) «partie de la zoologie qui traite des insectes» et, par métomynie, «ouvrage de référence portant sur les insectes». Le mot semble à peu près contemporain de *zoologie.* ◇ En dérivent **ENTOMOLOGIQUE** adj. (1789) «relatif à l'entomologie» et **ENTOMOLOGISTE** n. (1783) plus courant que **ENTOMOLOGUE** «spécialiste de l'entomologie». ➛ **ENTOMOPHAGE** adj. (1800) se dit, en zoologie, de certains animaux qui se nourrissent d'insectes et s'applique à un insecte dont la larve vit en parasite à l'intérieur du corps d'autres insectes.

① **ENTONNER** → TON

② **ENTONNER, ENTONNOIR** → TONNE

ENTORSE n. f. représente la forme féminine substantivée (1543 au figuré) de *entors, entorse,* adjectif, (v. 1160), participe passé de l'ancien français *entordre* «tordre» (XIIe s.) et formé sur le latin populaire *°intorsus,* participe passé de *°intorquere,* altération (premier *e* bref) du latin classique *intorquere* (*e* long) «tordre», de *in-* et *torquere* (→ tordre).

♦ Le mot est employé dès le XVIe s. avec le sens figuré d'«action de porter atteinte à (qqch.)», «dommage» (1543), d'où «manquement» (1691) ***faire une entorse à la vérité.*** Par ailleurs, *entorse* a signifié par figure «action violente» (1559) et «effort pénible, souffrance» (1566), sens disparus après la période classique. ➛ Le sens propre étymologique de «torsion» (1555) précède le sens médical et usuel de «distension des muscles» (1564, *entorce,* concurremment avec *jambe entorce,* où le mot est adjectif).

ENTORTILLER v. tr., d'abord *entorteiller* (v. 1190), est probablement issu d'un latin populaire *°intortiliare,* dérivé de l'adjectif classique *tortilis* «tortillé, qui s'enroule», formé sur *tortum,* supin de *torquere* «tourner, tordre» (→ tordre; extorquer, rétorquer). Cette hypothèse est fondée sur l'ancienneté du verbe et sur l'existence de l'espagnol *entortijar,* du catalan *entortellar,* du roumain *intortochia,* de l'italien *attortigliare,* avec un autre préfixe. Dans ce cas, *tortiller** serait issu par réduction d'*entortiller.* Selon une autre hypothèse, *entortiller* serait un dérivé de *entort,* participe passé de l'ancien français *entordre* (→ entorse), auquel cas les verbes correspondants se seraient formés indépendamment, dans chacune des langues romanes.

♦ *Entortiller* signifie d'abord «envelopper qqch. que l'on tortille pour serrer ou pour fermer» *(entortiller un bonbon dans du papier),* d'où «envelopper (qqch.) avec qqch. que l'on tortille» (fin XIIe s.) et au pronominal (XIIIe s.) *s'entortiller dans, autour de.* ◇ Au XVIIe s. apparaît l'emploi figuré du mot, en parlant du discours (1680, *entortiller son stile*), ensuite au pronominal (1704). ◇ Depuis le début du XIXe s. (1831), *entortiller* s'emploie au figuré, en parlant de personnes, pour «circonvenir, séduire (qqn) par la ruse», comme *envelopper, embobiner.*

▸ Le dérivé **ENTORTILLEMENT** n. m. (av. 1374) est d'abord attesté dans le domaine abstrait *(entortillement de paroles)* avec le sens de «raisonnement captieux», puis au XVIe s. (1538) au sens propre. ➛ Un autre nom d'action **ENTORTILLAGE** n. m. (1754) a lui aussi le sens figuré de «contorsion (dans l'écriture); manque de simplicité» avant d'être utilisé (1863, Flaubert) pour désigner l'action d'entortiller; il est resté rare dans cet emploi. ➛ Le participe présent **ENTORTILLANT, ANTE** adj. (1874, Barbey d'Aurevilly) «qui entortille» est d'un emploi littéraire et rare.

ENTOUR n. m., réfection (XIIIe s.) de *entorn* (v. 980), puis *entur* (1080), est formé de *en** et de *torn,* puis *tour* «ligne courbe» (→ ③ tour à tourner).

♦ *Entour* est introduit comme adverbe, signifiant en ancien français «tout autour» puis «à peu près» (déb. XIIIe s.). ◇ Le mot est aussi employé comme préposition (1080, *entur*) pour «autour de» jusqu'au XVIIe s. et, en ancien français, pour «auprès de, autour, dans l'intérieur de» (v. 1180, *entor*).
Le nom est relevé isolément (XIIIe s.) au sens de «circuit», qui a disparu, puis s'emploie pour désigner ce qui entoure, plus souvent au pluriel (1343) qu'au singulier (1538) et toujours littéraire aujourd'hui. ◇ De là au XVIe s. le sens de «clôture» (1556) et jusqu'au XVIIIe s. celui de «housse tendue autour des meubles et des lits pour les protéger» (1576). ◇ Toujours au pluriel, *les entours de qqn* équivaut (XIVe s., isolément) à *entourage* (ci-dessous) et *les entours d'une question* (déb. XVIIIe s.) désigne tout ce qui la concerne, d'où la locution ***savoir bien prendre les entours*** «savoir mettre dans ses intérêts ceux qui entourent qqn dont on a besoin» (1740). Ces emplois sont aujourd'hui des archaïsmes littéraires. ◇ Le mot entre dans ***à l'entour de,*** locution prépositive (fin XIVe s.), ***à l'entour,*** locution adverbiale, «dans les environs» (attesté 1424, mais antérieur), toujours usuelles, et ***d'alentour*** «des environs» (1559).

▸ *À l'entour* a fourni les composés **ALENTOUR** adv. (attesté 1395) et **ALENTOURS** n. m. pl. «lieux circumvoisins» (1766), parfois au singulier dans l'usage littéraire, par exemple chez Huysmans. *Alentours* a désigné (1787) les personnes qui sont autour de qqn, acception disparue, mais s'emploie toujours pour parler de ce qui se rapporte à qqch. (v. 1800).
Le dérivé **ENTOURER** v. tr. (1538) «disposer, mettre (qqch.) autour de qqch.» signifie aussi dès le XVIe s. «être autour de» en parlant d'une chose (1553). ◇ Par extension, il s'emploie pour «être habituellement autour de qqn» à propos de personnes (1690), plus tard au pronominal *s'entourer* (1829) et à propos de choses (1862); il a pris le sens figuré de «s'occuper de (qqn), le soutenir par sa présence» (v. 1820). ➛ De là l'emploi absolu d'**ENTOURÉ, ÉE** adj. «qui est recherché, admiré, par de nombreuses personnes». ➛ **ENTOURAGE** n. m., isolément au XVe s. (1461) puis attesté chez Beaumarchais (1776), désigne l'ensemble des personnes qui vivent habituellement autour de qqn; il s'emploie aussi pour ce qui entoure qqch., notamment un ornement (1779).

ENTOURLOUPETTE n. f., attesté en 1931, est un mot populaire créé par préfixation *(en-)* à partir de *tour* au sens d'«action qui suppose de la malice, de la ruse», avec l'influence possible de *tur-*

*lupin, turlupiner**. Selon une autre hypothèse, le mot aurait été formé à partir du terme argotique *enture, entourer* «duper», peut-être d'après *envelopper* «circonvenir».

♦ *Entourloupette* se dit familièrement d'un mauvais tour joué à qqn.

▸ En dérive **ENTOURLOUPER** v. tr. (v. 1950) «faire une entourloupette à (qqn)». ◆ **ENTOURLOUPE** n. f. (1947) est soit l'abrègement d'*entourloupette*, soit un déverbal d'*entourlouper*.

ENTOURNURE n. f., d'abord *entourneure* (1538), est dérivé de l'ancien verbe *entourner* «entourer» (1395) encore usité comme terme de marine, et lui-même dérivé par préfixation de *tourner* (→ tourner).

♦ Le mot a d'abord eu le sens de «ce qui entoure» repris de l'étymon. ◇ Il apparaît dans son emploi moderne au XVIIe s. : «partie du vêtement qui fait le tour du bras à l'emmanchure» (1659). ◇ La locution figurée, courante, ***être gêné dans les (aux) entournures*** «être mal à l'aise, en difficulté» attestée en 1862 (Hugo), est aujourd'hui l'emploi le plus usuel.

ENTOZOAIRE n. m. est un composé savant (1816) formé à partir des mots grecs *entos* «dedans» et *zôon* «être vivant» (→ zoo).

♦ Ce terme de zoologie désigne un animal parasite qui vit à l'intérieur du corps de l'homme ou d'un animal.

ENTRACTE → ACTE

ENTRAILLES n. f. pl. représente l'aboutissement (v. 1120) du bas latin *intralia* (VIIIe s.), issu par substitution de suffixe du latin impérial *interanea* (pluriel neutre), proprement «ce qui est à l'intérieur», d'où «intestins». *Interanea* a produit l'ancien français *entraigne* (XIIe s.), l'espagnol *entrañas* (alors que l'ancien provençal a *intralhas*). L'adjectif *interaneus* «intérieur, intestinal» est dérivé de *inter* «au milieu de» (→ entre ; interne).

♦ En français, le mot a d'abord le sens propre d'«ensemble des organes abdominaux» et le sens figuré de «partie la plus profonde (de l'être)» *(Psautier de Cambridge)*. ◆ Dans la langue classique *entrailles* désigne (1672) les organes de la gestation (cf. *sein*) et par métonymie (1635) les enfants, par rapport à la mère (cf. par allusion à l'Évangile de Luc, ***le fruit des entrailles***, expression reprise dans la prière du «Je vous salue Marie»). ◇ *Déchirer ses entrailles*, locution figurée, s'est dit en parlant d'un peuple pour «être en proie aux discordes civiles». Ces emplois classiques sont sortis d'usage. ◆ Un autre emploi métaphorique (1677) correspond à la partie la plus profonde, intime (de qqch.), comme en latin *(les entrailles de la terre)*. Cet emploi est devenu archaïque, alors que les expressions exprimant l'idée de sensibilité, d'humanité subsistent dans un usage très littéraire : *prendre aux entrailles* «être pathétique» (cf. *prendre aux tripes*), *du fond des entrailles, avoir des entrailles* (1690, *de bonnes entrailles*), *avoir pour qqn des entrailles de mère (de père)* «une sensibilité de mère (de père)», *un homme sans entrailles* «dur, cruel» (sans cœur et sans fécondité sur le plan des sentiments).

ENTRAIN n. m., attesté en 1817 (Stendhal), est peut-être un déverbal d'*entraîner* au sens de «charmer, enthousiasmer» (Mme de Sévigné) ou bien un mot issu, par préfixation *en-*, de *train*, dérivé de *traîner**, d'après la locution ***être en train*** «être dans de bonnes dispositions physiques ou psychiques» (déb. XVIIe s., d'Aubigné).

♦ *Entrain* se dit d'une bonne humeur, d'une vivacité communicatives *(avoir de l'entrain)* puis, par extension, d'actes ou de paroles d'un caractère vif et animé (1864).

✳ **ENTRAÎNER** v. tr. (v. 1155, *en traiiner*) est un dérivé de *traîner** préfixé par *en-*.

♦ Il signifie d'abord «emmener (qqn) à sa suite» et n'a que ce sens jusqu'au XVIe siècle. Il s'emploie alors (1538) avec un sujet de chose pour «emmener (qqch.) de force», d'où en particulier la valeur «attirer vers le bas» (1690) et la spécialisation plus récente en mécanique. ◇ Depuis la même époque (1538), il s'emploie aussi avec un sujet de personne *(entraîner une personne en prison)* ; ce sens a disparu, le verbe ne conservant l'idée de violence qu'à propos d'une pression morale. De là *entraîner* signifie «pousser (une personne) à faire qqch. ou la pousser vers qqch. par un entraînement psychologique ou matériel» (1643), notamment dans *se laisser entraîner* ; cet emploi est demeuré vivant. C'est également à l'époque classique qu'apparaît avec un sujet de chose une valeur abstraite, «avoir pour conséquence nécessaire» (av. 1654). ◆ Avec une valeur concrète spécialisée, le verbe est repris au XIXe s. dans le domaine sportif (1885) où il signifie «précéder (un coureur) avec une moto, etc. pour augmenter ou régulariser son allure». ◇ Au XIXe s., *entraîner* prend par ailleurs le sens de «préparer (un cheval) à des performances, au moyen d'exercices appropriés» (1828) ; cette valeur vient de l'anglais *to train* «dresser (un animal)» (1609), (lui-même emprunté à l'ancien français *traîner**). Le français a construit le vocabulaire du turf par emprunt à l'anglais. Par extension, *entraîner* s'emploie à propos d'un homme ou d'une équipe, d'où *s'entraîner*, verbe pronominal (1872), puis par figure dans d'autres domaines (1865).

▸ **ENTRAÎNEMENT** n. m. a la valeur psychologique du verbe (av. 1714, Fénelon) ; disparu au sens de «mouvement qui entraîne vers le bas» (1724), il désigne en mécanique (XXe s.) la communication d'un mouvement au moyen d'organes solidaires. À côté de son emploi à propos d'un coureur (1895), il a pris des valeurs parallèles à celles du verbe en turf (1828) et par extension (1896).

ENTRAÎNANT, ANTE adj., «qui pousse à agir» (1769), du participe présent, s'emploie en particulier à propos d'une musique au rythme vif. ◆ **ENTRAÎNABLE** adj. (1794) est un équivalent moins courant d'*influençable*.

ENTRAÎNEUR, EUSE n. a des valeurs différentes selon qu'il est employé au masculin ou au féminin. ◇ **ENTRAÎNEUR** n. m. appartient au vocabulaire du turf (1828), plus largement du sport (1884) et, par

ailleurs, *entraîneur de* se dit (1872) pour *meneur*. ◇ Le féminin ne s'employait pas au XIXe s. avec ces valeurs pour des raisons sociologiques; **ENTRAÎNEUSE** n. f. apparaît au XXe s. pour désigner une jeune femme employée dans les dancings ou les bars, pour engager les clients à danser ou à consommer (1932). Cette valeur a exclu ensuite les emplois du masculin; inversement *entraîneur* n'est plus employé avec le sens du féminin, attesté au XIXe s. (1878).
Le préfixé *rentraîner*, verbe transitif (1549), qui avait fourni *rentraînement*, nom masculin (1836), a été remplacé au XXe s. par **RÉENTRAÎNER** v. tr., et son dérivé par **RÉENTRAÎNEMENT** n. m. Les autres dérivés sont plus tardifs, le premier n'étant attesté qu'au début du XVIIIe siècle. ◆ **SURENTRAÎNÉ, ÉE** adj. (1893), **SURENTRAÎNEMENT** n. m. (1887), peut-être inspirés par l'anglais *to overtrain* (1872) sont restés en usage dans la langue sportive.

◈ voir **ENTRAIN**.

ENTRAIT n. m. apparaît (1508) comme la réfection, par l'intermédiaire de *antrait* (1416) de *artref* (1344), *antref* (1404-1405). L'origine de ce mot est discutée; il a pu être composé de l'ancien français *tref* «poutre» (mil. XIIe s.), issu du latin classique *trabs, trabis* de même sens (d'où *trabe*; → travée), et d'un élément initial représentant le préfixe *entre-*, altéré en *an-* (*en-*) ou en *ar-* par haplologie; les formes *entrait, antrait*, pour *entref, antref*, ont pu être influencées par un homonyme *entrait* «emplâtre» (v. 1160). Selon Bloch et Wartburg, le mot représente une forme substantivée du participe passé de l'ancien verbe *entraire* «attirer», du latin *intrahere* de *trahere* (→ traire).

♦ Le mot désigne en charpenterie la poutre horizontale qui sert à maintenir l'écartement d'arbalétriers, dont elle relie la base.

① **ENTRAVER** v. tr., attesté une première fois à la fin du XIIe s., est repris ensuite au XVe s. (v. 1480) Il est formé par préfixation *en-* de l'ancien français *tref* «poutre», issu du latin *trabs, trabis* de même sens (→ travée). Selon une autre hypothèse, le verbe serait un emprunt à l'ancien provençal *entraver*, dérivé de *trau* «poutre, sommier», de même origine.

♦ *Entraver* apparaît d'abord isolément dans un emploi figuré; il est réattesté beaucoup plus tard avec le sens propre de «retenir, attacher (un animal) avec une entrave» (v. 1480), d'où, par extension, *entraver un prisonnier*, et repris au figuré avec le sens de «empêcher de se faire, de se développer» (1580, Montaigne).

▸ **ENTRAVÉ, ÉE,** adjectivé, s'est spécialisé dans deux domaines. De l'idée de «gêne» viennent, à la fin du XIXe s., l'emploi du mot en linguistique (1887, *voyelle entravée* par opposition à *voyelle libre*) et couramment dans *jupe entravée* (1911).
Le déverbal **ENTRAVE** n. f. est attesté une première fois vers 1260 (*entraves*) et repris en 1530. ◇ Il recouvre les mêmes emplois que le verbe: d'abord concrètement (attestation antérieure à celle de verbe, dans ce sens) «lien qu'on met aux jambes de certains animaux pour gêner leur marche», puis au figuré «ce qui retient, gêne, assujettit» (1598).
Le préfixé **DÉSENTRAVER** v. tr. (1615) s'emploie au propre (*désentraver un animal*) et au figuré.

② **ENTRAVER** v. tr. représente une métathèse de la forme *enterver* «interroger» (v. 1165) aboutissement du latin *interrogare* «interroger, questionner»; → interroger. Le passage de *enterver* à *entraver* s'explique par l'influence de ① *entraver*, par allusion métaphorique à «saisir, lier».

♦ Au XIIe s., le verbe est employé avec la valeur de l'étymon (v. 1165) et avec le sens de «comprendre» (1170-1180), seul conservé à partir du milieu du XVe s. dans un emploi argotique. Cet archaïsme revit à partir du XVIIIe s. (*entraver une langue, un mot*) comme mot d'argot, diffusé au XIXe s. et au début du XXe s. (*il entrave que dalle*, etc.).

ENTRE prép. est issu (fin Xe s.) du latin *inter* «entre», proprement «à l'intérieur de deux», employé au sens local («entre, parmi») ou temporel («durant, dans l'espace de») comme préposition et préverbe; *inter* est formé de *in* «dans» (→ en) et de l'élément *-ter-* servant à opposer deux parties que l'on retrouve dans *alter* (→ autre).

♦ En français, *entre* a conservé les sens et les emplois fondamentaux du latin, qui apparaissent entre la fin du Xe et le milieu du XIe s. : la préposition est d'abord employée avec les sens de «dans l'espace intermédiaire de» et «parmi, au milieu de», d'où ***entre autres***; avec cette valeur, la préposition introduit un pronom personnel désignant un groupe (1130-1140; *entre nous*). ◇ Au XIe s., le premier sens se développe et la préposition s'emploie (v. 1050) en parlant de tout état intermédiaire, de nature temporelle (*entre-temps*) et plus généralement au figuré (*entre la vie et la mort; entre les deux*). ◇ Parallèlement, *entre* a pris une valeur nouvelle pour exprimer des rapports de réciprocité dans un ensemble ou parmi différents éléments, puis pour exprimer une comparaison (XVIe s.).

▸ **ENTRE-**, élément issu du latin *inter*, sert à former de nombreux composés: 1° des noms, pour désigner l'espace compris entre deux choses (*entracte*) ou une action mutuelle (*entraide*); 2° des verbes, pour indiquer que l'action est réciproque (*s'entretuer*) ou qu'une action ne se fait qu'à demi (*entrebâiller*); 3° des adjectifs, pour désigner un état partiellement réalisé (*entre-clos*).

◈ voir **INTER-**.

ENTREBÂILLER → **BAÎLLER**

ENTRECHAT n. m. est un emprunt (1609, *entre-chat*) à l'italien (*capriola*) *intrecciata*, proprement «(saut, cf. *cabriole*) entrelacé», participe passé de *intrecciare* «entrelacer, tresser» (av. 1342), dérivé de *treccia* de même origine que *tresse* (→ tresse). La forme *entrechat* est une francisation d'après le verbe *chasser* (cf. les formes *entrechasse* [1611], *entrachas* [1628] et le composé moderne *chassé-*

croisé). La graphie *chat* manifeste l'influence de *chat* dans *saut de chat* ou des syntagmes analogues.

♦ Ce terme de danse désigne un saut pendant lequel les pieds battent rapidement l'un contre l'autre. Couramment, *entrechat* (souvent employé au pluriel) se dit d'un saut léger (cf. *cabriole*).

ENTRECÔTE → CÔTE

ENTREFAITE → FAIRE

ENTREGENT n. m. est composé (1427) de *entre-* (→ entre) et de *gent* (→ gens).

♦ Il s'est d'abord dit de l'art de se conduire au milieu des gens. ◇ Considéré comme vieilli au XVIIe s. (Richelet, 1680), *entregent* revient dans l'usage au XVIIIe s. avec un sens étendu : «habileté à lier d'utiles relations, à obtenir ce que l'on désire» *(avoir de l'entregent, manquer d'entregent)*.

ENTREMETS → METS

ENTREPOSER → POSER

✳ **ENTREPRENDRE** v. tr. est composé (v. 1140) de *entre** et *prendre**.

♦ En ancien français le verbe signifie «attaquer» (v. 1140) et figurément (1174-1176) «interpeller, accuser»; ces emplois sont sortis d'usage comme «atteindre (qqn)» en parlant d'une maladie (XIVe s., jusqu'au XIXe s.); mais *entreprendre qqn* s'emploie encore au sens de «s'attaquer à (qqn) pour le railler» (XVe s.) et l'on utilise *entreprendre (contre)* pour «engager une action hostile» (1647). ◇ L'idée d'action se retrouve dans plusieurs autres emplois. Au XIIe s. le verbe prend le sens (1176-1181) de «commencer (qqch.), se mettre à faire (qqch.)», spécialement à partir du XVIIe s. à propos de rapports marchands (1671); ce sens vient d'une confusion avec l'ancien verbe *emprendre* «commencer, mettre en œuvre» (1080) issu du bas latin °*imprehendere*, de *prehendere* (→ prendre). ◇ Par extension du premier sens, *entreprendre sur* signifie (1396) «s'arroger le droit de juger» et avec un complément abstrait (XVIIe s.) «empiéter sur». ◇ Au XVIe s. le verbe prend la valeur de «conquérir, tenter de séduire», encore en usage (cf. *entreprenant*). ◇ Il se dit ensuite pour «prendre en charge (qqn)» (XVIIe s.), sens disparu aujourd'hui.

▸ **ENTREPRENEUR, EUSE** n. apparaît isolément (1253-1289) sous la forme *entreprendeeur;* on relève ensuite *empreneeur* (v. 1283) et *emprendeur* (fin XIVe s.); la forme moderne est attestée en 1422. ➛ Sous ces diverses formes, le mot désigne une personne qui entreprend qqch., emploi vieilli aujourd'hui; il a pris le sens (1611) de «personne qui se charge de l'exécution d'un travail», spécialement en matière de construction, d'où **SOUS-ENTREPRENEUR** n. m. (1848). ◇ La valeur moderne, «personne qui dirige une entreprise», apparaît (déb. XIXe s.) d'après *entreprise* (ci-dessous); elle prend des connotations plus larges que *chef d'entreprise* au XXe s., notamment dans le contexte de l'idéologie libérale, en économie. Dans tous les emplois, le féminin est rare.

ENTREPRISE n. f. est la substantivation du participe passé féminin d'*entreprendre;* attesté isolément (v. 1230) dans un sens peu clair («défaut?»), le mot prend au XIVe s. ses deux valeurs fondamentales, liées à l'action d'entreprendre : il signifie «opération militaire» (1373), sens sorti d'usage, et «action de mettre en œuvre» (v. 1393). ◇ De la seconde valeur vient (1699) le sens d'«opération de commerce», aujourd'hui disparu; de l'idée d'action est issu (1721) l'emploi vieilli pour «action par laquelle on attaque qqn» et (1721; au pluriel) «tentatives de séduction», encore en usage. ◇ *Entreprise* désigne ensuite (1798) une organisation de production de biens (ou de services) à caractère commercial, d'où des syntagmes comme *chef d'entreprise* (cf. ci-dessus *entrepreneur*), *comité d'entreprise*.

ENTREPRENANT, ANTE adj. (v. 1360), participe présent du verbe, signifie «qui est porté à entreprendre», et spécialement, au masculin (av. 1678) «hardi auprès des femmes».

✳ **ENTRER** v., d'abord *intrer* (2e moitié Xe s.) représente l'aboutissement du latin classique *intrare* «pénétrer à l'intérieur de, entrer dans» au propre et au figuré. Le verbe latin est dérivé de la préposition *intra* «à l'intérieur de, sans dépasser» (opposé à *extra*), de *inter* (→ entre).

♦ *Entrer* s'emploie d'abord avec le sens latin, «pénétrer (dans un lieu), commencer à être (dans un lieu)» avec ou sans complément (1080, dans un contexte abstrait). Cette acception fournit plusieurs locutions : ***entrer en matière*** «commencer à traiter un sujet» (1549), ***entrer dans la danse,*** au propre et au figuré (1690), ***entrer en scène,*** lui aussi au propre (1835) et au figuré pour «intervenir» (1870), ***entrer dans un obstacle*** «le percuter», familièrement, ***entrer dedans,*** au propre et au figuré. ◇ Avec une valeur concrète, *entrer a une femme* a signifié «la pénétrer» (XVIe s.), puis (1564) «l'épouser», sens disparu. ◇ En même temps, le verbe a signifié au figuré «devenir membre (d'un groupe, d'un ensemble)», puis «se mettre (dans une position sociale)», d'où les emplois *entrer en condition* «devenir domestique», *entrer en ménage* «se marier» et *entrer apprenti,* disparus, ***entrer dans le monde*** (1671) vieilli, ***entrer dans la vie,*** etc. ◇ Au XIe s. (1080, intr.), *entrer* correspond aussi à «aborder (une période)», sens représenté dans la construction *entrer en, dans (entrer en convalescence, dans le sommeil)* et dans plusieurs locutions verbales, comme ***entrer en action, en guerre, en rapport;*** il s'emploie en particulier (1118) à propos d'une saison, d'une année. ◇ Spécialement, le verbe signifie (v. 1165) «commencer à éprouver (un sentiment)»; les constructions de l'époque classique *entrer en confusion, en désespoir,* etc. sont sorties d'usage, le verbe s'utilisant aujourd'hui, et depuis le XVIe s., avec un champ lexical plus restreint (*entrer en fureur, en colère,* 1534). ◇ Sans valeur temporelle, *entrer* signifie ensuite «s'engager (dans un sujet)» (v. 1275, *entrer en matière*). Depuis le XIIIe s. (attestation isolée), puis le début du XVIIe s. (1615), le verbe en emploi transitif a le sens de «faire entrer», surtout en parlant d'une marchandise, d'où *un produit entre...* «est importé» (1636). ◇ À partir du XVIIe s., *entrer* prend d'autres acceptions. *Entrer dans* est employé, avec une valeur passive (1605), au sens général de «faire partie de» *(entrer dans un mélange, entrer dans un propos,* ***entrer en compte, en ligne de compte****)*. ◇ Le verbe s'emploie également (1662) pour «donner son adhésion à» *(entrer dans les idées de qqn)*, «comprendre» (1835, *entrer dans les vues de qqn*) et «être pour qqch. dans» (1665; v. 1700, *entrer pour qqch. dans*).

▸ **ENTRANT, ANTE** adj., du participe présent, s'emploie aujourd'hui plus couramment comme nom (1130; 1690, adj.), surtout au pluriel (*les entrants*, opposé à *les sortants*). ◇ Le sens figuré (1608) de «qui s'insinue» *(des matières entrantes)* est propre au français classique.

ENTRÉE n. f. (1119), participe passé substantivé, désigne d'abord l'endroit par où l'on entre, d'où couramment une pièce située à l'entrée d'un édifice (cf. *hall*). ◇ *Entrée* a également le sens général d'«action d'entrer» (1130-1140), d'où *entrée en scène* (1608, d'un acteur) et en musique le sens de «début (d'un passage)» (1768), ainsi que des syntagmes figurés correspondant à des emplois du verbe (1440-1475, *entrée en matière*, etc.). ◇ Le mot désigne par extension le lieu où commence qqch. (1160-1174, *l'entrée d'un bois*). ◇ C'est aussi au XIIe s. qu'il est employé avec une valeur temporelle (v. 1176) pour «commencement (d'une chose)», aujourd'hui d'emploi littéraire, comme la locution adverbiale *d'entrée* (XVe s.), *dès l'entrée* «tout d'abord», remplacée par ***d'entrée de jeu.*** On trouve aussi en ancien et moyen français *à l'entrée de* «au début de» (XIIe s.), *(tout) à l'entrée* «d'emblée» (1538). *Entrée* a désigné spécialement un droit seigneurial dû pour l'achat d'une terre (XIIIe s.), ensuite (1462) le droit sur l'introduction de marchandises, sens devenu archaïque et concurrencé par l'emploi actif du nom dans ***droit d'entrée*** (1636). *Entrée* se dit ensuite de la faculté ou l'acte de faire entrer des marchandises dans un pays. C'est à cette acception que se rattache l'emploi pour «possibilité, droit d'entrer dans un lieu» *(entrée interdite, porte d'entrée)*. À la fin du XVIe s., le mot s'emploie pour le fait d'entrer dans une charge, plus tard (déb. XVIIIe s.) d'être admis dans une école.

À partir du sens temporel, l'expression *entrée de table* (1552) conduit au sens spécial (1632) de «mets qui se sert au début du repas» *(entrée froide, chaude)*; il s'oppose alors à *hors d'œuvre* et à *plat principal*, valeur qu'il a prise en anglais, où il est emprunté au français.

Du sens général, «action d'entrer» et «possibilité d'entrée», vient une série d'emplois métonymiques. *Entrée* a désigné un cortège qui entre dans une ville (1440-1475), d'où le sens de «réception solennelle» (1489), et l'embouchure d'une rivière (1562). ◇ Au pluriel (1538), le mot entre dans la locution ***avoir ses entrées (qq. part, chez qqn)*** «y être reçu». ◇ Au XVIIe s., on relève *entrée de ballet* (1660) «partie du ballet de cour correspondant à un acte d'une pièce de théâtre», emploi qui s'est maintenu, et *les entrées* (1679) pour désigner, sous l'Ancien Régime, le privilège d'entrer dans la chambre du roi (1684, *les grandes entrées, les petites entrées*). ◇ Une spécialisation attestée par un emploi figuré de *payer entrée* dès 1210, est attesté au XVIIIe s., au sens propre d'«accès à un spectacle, une réunion». Par extension, *entrée* désigne le titre qui permet d'entrer. ➜ Du premier sens spatial sont issus divers emplois techniques (*entrée d'air;* au XXe s. *entrée d'un amplificateur*). ➜ Dans la langue contemporaine, *entrée* s'emploie aussi comme terme didactique dans *tableau à double entrée* et pour désigner (v. 1960) chacune des formes répertoriées dans un dictionnaire (cf. *adresse*); dans cet emploi, le mot traduit l'anglais *entry* «action d'enregistrer dans une liste; ce qui est enregistré» (1553).

ENTRANCE n. f., d'abord (XIIIe s.) «lieu par où l'on entre», aujourd'hui d'usage régional, a été un terme juridique (1465, «droit d'entrée»); cette forme serait aujourd'hui sentie à tort comme un anglicisme. ➜ **ENTRURE** n. f. (1785) «profondeur à laquelle s'enfonce le soc d'une charrue» est rare. ➜ **ENTRISME** n. m., terme du vocabulaire politique (1968), désigne le fait de chercher à influencer un groupe en utilisant les personnes qui y entrent.

Le verbe préfixé en *re-* **RENTRER** (déb. XIIe s.) a d'abord le sens général d'«entrer de nouveau», y compris au figuré. Son emploi était plus étendu qu'aujourd'hui dans la langue classique en parlant d'une situation (XVIe s.), spécialement au sens de «retrouver (une situation favorable qu'on avait perdue)», sens encore vivant dans les locutions ***rentrer dans les bonnes grâces de qqn, rentrer en grâce.*** ◇ Par extension, *rentrer* équivaut à «recouvrer» (fin XVIe s., *rentrer dans ses droits*), «récupérer» (1580, *rentrer dans ses frais*); ***rentrer en soi-même*** (fin XVIe s.) signifie «faire retour sur soi-même». ➜ À partir du XVIIe s., *rentrer* s'emploie sans idée de retour ni de répétition; doublant *entrer*, le verbe signifie alors au figuré «être compris, contenu dans» (fin XVIIe s.). Dès la fin du XVIIe s., *rentrer* s'utilise en emploi intensif pour «entrer avec force ou malgré une résistance», en particulier dans des locutions : ***faire rentrer (à qqn) les paroles dans la gorge*** (1690), ***rentrer sous terre*** (1835) qui succède à *faire rentrer en terre*, (1762), puis familièrement avec une idée de violence *(rentrer dedans)*. Puis (1798) apparaît le sens d'«être perçu», en parlant de l'argent. ◇ Depuis le XIXe s., le verbe se dit aussi en parlant de choses (av. 1870) pour «s'emboîter, s'enfoncer». *Rentrer* s'est substitué à *entrer* en emploi transitif, aux sens de «mettre, remettre dans» (1820), d'où spécialement «mettre à l'abri» (1834, *rentrer une récolte*), et, par extension, de «dissimuler» (apr. 1850), auparavant dans des emplois figurés *rentrer sa rage, ses larmes* (v. 1840), etc. Le verbe, malgré les puristes, tend à remplacer dans la langue familière tous les emplois d'*entrer*. ➜ Le dérivé **RENTRÉE** n. f. signifie d'abord (1510) «retraite», puis généralement en parlant d'êtres vivants «retour en un lieu d'où l'on était sorti»; au figuré, on parle de *rentrée en grâce* (1538). ◇ Le mot désigne ensuite (1718) la reprise d'une activité, d'une fonction (1778 à propos des théâtres). En emploi absolu, *la rentrée* (1718) équivaut à *la rentrée des classes*, valeur spécialisée courante. ◇ *Rentrée*, en parlant de choses, correspond aussi à «action de (re)mettre à l'intérieur (ce qui était dehors)», d'où *rentrée d'argent* (1771), notamment pour mettre à l'abri (1798; *rentrée des* *foins*). Le mot a des emplois particuliers en musique, en sports (*rentrée en touche*), etc. En parlant d'un acteur, *rentrée* désigne (1835) le retour à la scène après une interruption. ◆ **RENTRANT, ANTE** adj., du participe présent, est un terme de géométrie (1652; 1806, *courbe rentrante*) et désigne comme nom (1834) un joueur qui prend la place d'un perdant. ◆ **RENTRURE** n. f. (1837) et **RENTRAGE** n. m. (1845) sont des termes techniques.

ENTRESOL n. m. est traditionnellement considéré comme emprunté (1603) d'après *sol* à l'espagnol *entresuelo* (dep. 1490), mot composé de *entre* (→ entre) et *suelo* «plancher», «étage», du latin classique *solum* (→ sol). Mais ce pourrait être aussi un composé de *entre-* et *sole**, signifiant littéralement «partie d'un étage qui se trouve entre les soles».

♦ *Entresol* a d'abord désigné (1603) une petite pièce prise sur la hauteur d'un étage et, spécialement, un appartement qui se trouve entre le rez-de-chaussée et le premier étage (cf. *mezzanine*), d'où le sens étendu (1755), seul en usage aujourd'hui : «étage compris entre le rez-de-chaussée et le premier étage».

▶ L'adjectif dérivé **ENTRESOLÉ, ÉE** (1877, *entresoler* «pratiquer des entre-sols dans les étages hauts de plafond»), «situé à l'entresol», est rare.

ENTRE-TEMPS adv. et n. m., d'abord attesté dans la locution conjonctive *entre-temps que* (2e moitié du XVe s.), représente une altération de l'ancien français *entretant* (1155, adv.), composé de *entre** et de *tant** (cf. aussi les formes *entretantdis, entretantdis que*). *Entretant,* provincialisme qui survit dans les dialectes méridionaux, a été refait, par fausse étymologie, sur *temps*.

♦ L'adverbe signifie «dans cet intervalle de temps». *Entre-temps* a longtemps été employé comme substantif désignant un intervalle de temps entre deux actions, deux faits (aussi *entretemps*) [1607] et un événement imprévu et fâcheux (1690). Il est donné exclusivement comme tel par l'Académie dans son édition de 1878, mais cet emploi était déjà archaïque.

ENTRETENIR v. tr. est composé de *entre** et *tenir**.

♦ Dans son premier emploi (1155), *soi entretenir,* le verbe signifie «se soutenir mutuellement», sens aujourd'hui disparu. À la fin du XIVe s., il est employé au sens de «tenir dans le même état, faire durer», «maintenir»; il a pris ensuite (v. 1450) une acception différente, «fournir ce qui est nécessaire à la dépense de (qqn)», d'où *entretenir une femme* «lui procurer de l'argent moyennant ses faveurs», et au figuré (1538) *entretenir qqn de promesses.* ◇ Au XVe s. également, *entretenir* prend le sens (1456-1467) de «parler avec (qqn)», aujourd'hui remplacé par *entretenir (qqn) de qqch.* et *s'entretenir de qqch. (avec qqn)* (1835). ◇ La valeur concrète «maintenir en bon état, conserver» (1580, au pronominal) procède du sens de «maintenir».

▶ **ENTRETÈNEMENT** n. m. (XVe s.), «action de maintenir en bon état», s'est employé dans la langue classique. ◆ **ENTRETENEUR, EUSE** n., d'abord attesté isolément (XVe s.) au sens de «ce qui entretient», signifie au XVIe s. (1572) «personne qui entretient». Le mot est repris (1800) pour désigner celui qui entretient une femme. Le féminin n'est attesté que vers 1900, mais le moyen français a connu (v. 1481) *entreteneresse* «personne qui aime converser». ◆ Le participe passé **ENTRETENU, UE** est adjectivé aux différents sens du verbe, notamment dans ***femme entretenue.***

ENTRETIEN n. m., attesté isolément (v. 1450) pour «personne avec qui on s'entretient», sens disparu, prend (1481) sa valeur moderne «échange de paroles» et par métonymie, «sujet dont on s'entretient», d'où «œuvre qui se présente sous forme de dialogue» (XVIIe s.) et «conférence entre spécialistes» (XXe s.). ◆ Depuis le XVIe s., d'après le sens alors pris par le verbe, le mot désigne (1578) l'action de maintenir qqch. en état puis, par métonymie les soins, réparations, etc., qu'exige cette action. ◇ Il désigne ensuite (1611) ce qui est nécessaire à l'existence matérielle d'une personne, et le fait de pourvoir à ses besoins.

ENTRETOISE n. f., d'origine discutée (XIIIe s.), est peut-être formé de *entre** et de *toise** au sens de «latte, morceau de bois» (XIIIe s.), mais Bloch et Wartburg le rattachent à l'ancien français *teser* «tendre». Ce verbe, issu d'un latin populaire °*tensare* pour le classique *tendere* (→ tendre), aurait eu un composé °*entreteser* «tendre entre», «mettre à l'écartement» et *entretoise* en serait le déverbal. ◈

♦ Le mot désigne en effet une pièce de bois qui relie dans un écartement fixe les éléments d'un assemblage.

▶ Il a fourni **ENTRETOISER** v. tr. (1399), d'où **ENTRETOISEMENT** n. m. (1873).

ENTREVOIR → VOIR

ENTROPIE n. f. est un emprunt (1869 dans un *Annuaire scientifique*) à l'allemand *Entropie,* terme proposé par le physicien allemand R. J. Clausius en 1850 et emprunté, par analogie avec *énergie,* au grec *entropê.* Ce nom, qui signifie proprement «changement de disposition», «action de rentrer en soi-même», est alors interprété comme «retour en arrière». Il est dérivé de *entrepein,* formé de *en* «dans» et *trepein* «tourner» (→ tropique), d'une racine indoeuropéenne °*trek*w-, °*trok*w- «tordre». En allemand, le mot a d'abord désigné (1865) la quantité d'énergie qui ne peut se transformer en travail.

♦ En thermodynamique, le mot désigne une fonction définissant l'état de désordre d'un système, croissante lorsque celui-ci évolue vers un autre état de désordre accru. ◆ *Entropie* a donné lieu à des emplois métaphoriques, scientifiquement inexacts, par mauvaise interprétation de la notion de désordre.

▶ Il a pour dérivé **ENTROPIQUE** adj. (XXe s.) «relatif à l'entropie». ◆ Le composé **NÉGENTROPIE** n. f. est emprunté à l'anglais *neg-entropie* (1950, L. Brillouin), contraction de *negative entropy;* malgré la formation anormale en français, le mot s'y est immédiatement employé avec les variantes graphiques *néguentropie* et *négentropie* (à prononcer *neg'*).

ENTUBER → TUBE

ÉNUCLÉER v. tr. est un emprunt (1835), d'après *énucléation*, au latin classique *enucleare* «enlever le noyau» d'où au figuré «étudier, examiner qqch. à fond», composé de *ex-* privatif et de *nucleus* «amande de la noix», «noyau», dérivé de *nux, nucis* (→ noix).

♦ Le verbe est d'abord attesté comme terme de chirurgie avec le sens d'«extirper par incision et pression (une tumeur, un organe)». Il s'emploie aussi (1870) avec le sens latin de «priver (un fruit) de son noyau». Le sens figuré (1870) de «résoudre» *(énucléer un problème)* est très rare.

▶ **ÉNUCLÉATION** n. f., très antérieur au verbe, est un dérivé savant (v. 1453) du radical du participe passé du latin *enucleare*, ou un emprunt au latin médiéval *enucleatio* «explication» (1300). ➛ Le mot est en effet d'abord employé au figuré : «action d'expliquer, de rendre clair», sens aujourd'hui disparu. Au début du XVIIe s., il est utilisé en botanique (1611) et par la suite en chirurgie (1824), domaine où il suscite le verbe *énucléer*. En français moderne, le nom correspond à un dérivé morphologique du verbe.

ÉNUMÉRER v. tr., attesté une première fois en 1505 et repris en 1748 (Montesquieu), est un emprunt au latin *enumerare* «compter en entier, dénombrer», composé de *ex-* intensif et de *numerare* «compter», dérivé de *numerus* (→ nombre).

♦ Le verbe a conservé la valeur latine et signifie «énoncer un à un (les éléments d'une classe, d'un ensemble)».

▶ Du radical d'*énumérer* dérivent des mots didactiques. ➛ **ÉNUMÉRATIF, IVE** adj. (1651) «qui énumère», est à peu près synonyme de **ÉNUMÉRATEUR, TRICE** (1688, n.; 1938, adj.). ➛ **ÉNUMÉRABLE** adj. (1908) signifie «qui peut être énuméré».
ÉNUMÉRATION n. f. est un emprunt (1488) au dérivé latin *enumeratio* et se dit de l'action d'énumérer; le mot s'emploie en particulier en rhétorique (1521) pour désigner une figure consistant à énoncer successivement les diverses parties d'un tout, et en logique *(définition par énumération)*. Par métonymie, *énumération* a pris le sens de «liste (d'objets) énumérés».

ÉNURÉSIE n. f. est un dérivé savant (1803, Boiste) du verbe grec *enourein*, proprement «uriner dans», de *en* «dans» et *ourein* «uriner» (→ diurétique), d'après le latin scientifique *enuresis* (1800).

♦ C'est un terme de médecine qui désigne l'émission involontaire et inconsciente d'urine.

▶ En dérive **ÉNURÉTIQUE** adj. et n. (XXe s.; attesté en 1965) ou **ÉNURÉSIQUE**, d'après *énurésie*.

ENVAHIR v. tr. représente l'aboutissement (v. 1080, *envaïr*) du latin populaire °*invadire*, altération du latin classique *invadere* «pénétrer dans», «assaillir, attaquer» (→ évader (s'), invasion), de *in-* et *vadere* «aller, s'avancer», qui a des correspondants germaniques (cf. les formes *vais, va*, de *aller**).

♦ D'abord employé pour «marcher sur, attaquer», le verbe a signifié en ancien français «entreprendre (qqch.)» (XIIe s.), de là *soi envair de (faire qqch.)* «s'engager à» (v. 1350), emploi disparu à la Renaissance. ◇ Il a voulu dire «persécuter» (1440-1475) et prend au XVIe s. le sens moderne de «pénétrer de force dans (un territoire) en vue de l'occuper» (1570), d'où, par analogie (1835), «occuper de manière abusive, gênante», en parlant de choses ou de personnes. ◇ À l'époque classique, *envahir* s'est employé pour «usurper (un bien)» (1614; fin XVIe s., *envahir sur*) ou «une dignité, un pouvoir» (1665), valeur encore relevée au XIXe s., mais archaïque dès le XVIIIe siècle.

▶ Le dérivé **ENVAHISSEMENT** n. m. (v. 1180, *envaissement*), du radical du participe présent, est d'abord attesté au sens d'«attaque» puis dans son emploi moderne (1560). Il a d'autres valeurs en ancien et moyen français : «usurpation (d'une propriété)» (1265) et aussi «blâme violent» (XIVe s.). ◇ Le mot, qui semble avoir été abandonné au XVIIe s. et repris au XVIIIe s. (Buffon), désigne ensuite au figuré (XIXe s.) une intrusion excessive, constituant une atteinte (cf. *invasion*). ➛ **ENVAHISSEUR, EUSE** d'abord nom (1389, *invaisseur* «celui qui attaque») est également repris au XVIIIe s. avec le sens de «personne qui envahit (un territoire)» (1787), d'où l'emploi spécial du mot, par la suite, dans les récits d'anticipation *(les envahisseurs)*. ◇ Le mot a pris en sciences la valeur d'«organisme, substance chimique qui envahit» (XXe s.). ➛ L'adjectif *envahisseur* (1840) s'est substitué à **ENVAHISSANT, ANTE** adj. (v. 1760), du participe présent, qui a vieilli au sens de «qui envahit». ◇ *Envahissant* s'applique couramment (1864) à une personne qui s'introduit sans y être invitée dans l'intimité d'autrui, et à ce qui a tendance à occuper excessivement.

ENVASER → ② VASE

✳ **ENVELOPPER** v. tr. apparaît sous la forme *envolopet* (980; 3e personne singulier du parfait), puis *anveloper* (v. 1175). C'est un dérivé, par préfixation avec *en-**, de l'ancien français *voloper* «envelopper, entourer» (attesté du XIIe au XIVe s.), auquel correspondent l'ancien provençal *volopar (envolopar, desvolopar)* et l'italien *viluppo* «touffe, fagot, embarras». Ce verbe *voloper*, d'origine obscure, représente peut-être un croisement du latin médiéval *faluppa* «copeau, brin de paille» (Xe s.) [cf. l'ancien français *filope* «frange» et les mots modernes *fripe**, *flapi**] et du latin classique *volvere* «faire rouler».

♦ *Envelopper* est d'abord employé (fin Xe s.) avec le sens propre d'«entourer, recouvrir». À partir du XVIIe s., le verbe s'emploie dans le vocabulaire militaire, pour «environner (l'ennemi) de toutes parts» (1636), concurrencé par *encercler*, et usité par extension en parlant de gibier (cf. *attraper*). *Envelopper* est employé aussi, à cette époque, en parlant de ce qui semble recouvrir ou envahir complètement qqch. (fin XVIIe s.), d'où, au pronominal, *s'envelopper dans sa dignité.* ◇ Au début du XIIIe s. apparaît le premier sens figuré, aujourd'hui sorti d'usage, «circonvenir, encercler» (v. 1235), d'où vient plus tard (1680) l'idée de dissimulation, de déguisement, dans *envelopper (qqch.) de (qqch.),* «entourer (de qqch. qui cache)», d'emploi littéraire. ◇ Au XVIe s. (av. 1549), le verbe prend le sens figuré de «comprendre avec d'autres» (*envelopper [qqn] dans;* cf. *impliquer, inclure*). ◇ Du sens concret, spécialisé en commerce, procède la locution familière moderne ***je vous l'enveloppe ?,*** formule de commerçant pour demander si la vente est conclue et utilisée dans des situations analogues.

▶ Le dérivé **ENVELOPPEMENT** n. m. (v. 1214, *envolopement*), est rare avant le XVIIIe siècle. Il s'emploie au propre et au figuré comme le verbe, et se dit en particulier en médecine (1864), pour désigner l'action d'envelopper le corps d'un malade, et en termes militaires (XXe s.), d'un mouvement d'encerclement de l'ennemi.

ENVELOPPE n. f. (1292), déverbal, se dit d'abord de ce qui enveloppe, sens large aujourd'hui d'emploi rare ou technique. ◇ Au XVIIe s., apparaît l'emploi spécial du mot (1632) pour désigner la pochette de papier destinée à contenir du courrier, d'où par la suite, la somme d'argent remise dans une enveloppe, et par extension une «commission illicite» (*donner, recevoir une enveloppe;* cf. *dessous de table, pot-de-vin*). ◇ *Enveloppe* était employé au figuré (1663, Molière) avec le sens de «ce qui cache, recouvre», d'où l'idée d'«apparence extérieure», souvent trompeuse, en parlant d'une personne, de son comportement (fin XVIIe s.). L'usage du mot pour désigner le corps humain, considéré comme l'enveloppe de l'âme, est très littéraire. ◇ À partir du XVIIIe s., *enveloppe* est employé en sciences; concrètement dans le vocabulaire de la botanique (1703), de la zoologie et de l'anatomie, puis abstraitement en géométrie (1807, Monge).

ENVELOPPEUR, EUSE adj. et n. m. est attesté une première fois vers 1330 (*enveloperesse* n. f. «trompeuse, menteuse») puis comme nom masculin en 1686 en parlant d'un écrivain qui traite un sujet de façon voilée; il est repris au XIXe s. avec le sens concret moderne, d'emploi rare, de «celui qui enveloppe». ➡ Le participe **ENVELOPPANT, ANTE** adj. (1771) s'emploie au propre et au figuré, et spécialement en géométrie (1864, *ligne enveloppante;* 1870, *une enveloppante* n. f.). ➡ Le participe passé *enveloppé, ée* a fourni **ENVELOPPÉ** n. m. (XIXe s.), terme de danse «mouvement tournant du corps» et **ENVELOPPÉE** n. f., terme de fortification (1755) puis, comme *enveloppe,* de géométrie (1864), désignant la courbe «enveloppée» par une autre, dite *enveloppante.* ➡ **ENVELOPPAGE** n. m. (1941), rare au sens d'«action d'envelopper», s'emploie pour «emballage».

ENVENIMER → VENIN

ENVERGURE → VERGUE

① **ENVERS** → ① VERS

② **ENVERS** n. m. représente la substantivation (v. 1170) de l'ancien adjectif *envers, enverse* «à la renverse, sur le dos», (fin Xe s.), usité jusqu'au XVIe s. et issu du latin *inversus,* participe passé de *invertere* «retourner, renverser», «donner une autre direction», de *in-* et *vertere* «tourner» (→ vers, verser).

♦ Le mot est d'abord employé pour désigner le côté, normalement invisible, opposé à l'*endroit*,* en particulier en parlant d'une étoffe (1229); ***à deux envers*** (XIIIe s.), qui se dit en parlant d'une étoffe à deux côtés semblables, signifie (XVIIIe s.) figurément «hypocrite». De là procède le sens de «face opposée mais inséparable» (cf. *contrepartie*). ◇ De l'acception première vient la locution adverbiale ***à l'envers*** (v. 1380) «du mauvais côté», qui signifie au XVIe s. (av. 1526) «d'une façon contraire à ce qui devrait être», au figuré «renversé, en désordre» (1538) et «d'une manière inexacte». On retrouve ces acceptions dans plusieurs locutions : ***aller à l'envers*** (1690) «péricliter, échouer», «aller mal», l'idée de désordre l'emportant ensuite, par exemple dans ***avoir (la tête, l'esprit) à l'envers*** (1690), ***se mettre la cervelle à l'envers.*** ◇ L'idée de «mauvais côté» se manifeste dans *à l'envers* «à la renverse» (XVe s.) sens disparu, comme les locutions figurées ***tomber à l'envers*** «se prostituer» (1640) et ***se laisser tomber à l'envers*** «se donner (d'une femme)» (1690). À la fin du XVIe s. (av. 1592), *envers* prend le sens d'«aspect caché (d'une chose)», d'où la locution ***l'envers vaut l'endroit.***

ENVI (À L') loc. adv. et prép. apparaît sous la forme *à tous enviz et toutes restes* (1534, Rabelais) puis *à l'envy* (1543). C'est une locution formée à partir de l'ancien français *envi* «défi au jeu, provocation» (fin XIIe s.), «rivalité» (XVIe s.), déverbal de l'ancien français *envier* «convier, inviter à», d'où «inciter», «provoquer (au jeu)» (v. 1050). Ce verbe *envier* est issu du latin classique *invitare* «inviter, engager», emprunté ensuite sous la forme *inviter*.*

♦ Issue de l'expression *jouer à l'envi (de)* «sur le défi d'un adversaire», la locution signifie (1534) «en enchérissant», d'où «sans retenue». Dans cet emploi adverbial, la locution est aujourd'hui d'usage littéraire et son sens a évolué par influence d'*envie,* l'origine n'étant plus sentie; *à l'envi* correspond plus ou moins à «selon ce que chacun souhaite, désire». Quant à ***à l'envi de...,*** locution prépositive, (1549) «en lutte, en rivalité avec», l'expression est aujourd'hui sortie d'usage.

ENVIE n. f. est une adaptation sous les formes *enveie* (v. 980), *enveia* (Xe s.), puis *envie* (1155), du latin classique *invidia* «malveillance; jalousie; envie», de *invidus* «envieux». Cet adjectif est dérivé de *invidere* «regarder d'un œil malveillant» d'où «vouloir du mal» et «envier», composé de *in-* et *videre* qui a donné *voir*.* Il y a dans *invidere* une allusion à la croyance au mauvais œil dont le caractère indoeuropéen est établi; l'emploi pour «haïr» a été rendu possible par la présence d'autres formes ayant le sens de «voir», comme *specere* (→ spectacle).

♦ Le mot est introduit en français, avec l'un des sens du latin, «hostilité, haine», qu'il n'a pas conservé; on relève à l'époque classique *l'envie de qqch.* (1580) pour désigner le caractère odieux de qqch. et la haine qu'on en éprouve. ➡ À partir du milieu du

XIIe s., le mot est employé dans les deux acceptions principales aujourd'hui en usage : *envie* se dit (v. 1155) d'un sentiment de jalousie haineuse devant les avantages d'autrui, d'où le proverbe ***il vaut mieux faire envie que pitié,*** et signifie à la même date «désir (de qqch.)», d'où les expressions ***passer (contenter) son envie*** «satisfaire un désir» (1666), ***faire passer (ôter) à qqn l'envie d'une chose, faire envie*** «exciter le désir» (1625), ***passer son envie*** (1660). ◇ Depuis la fin du XVe s., *envie (de)* s'emploie en parlant d'un besoin organique, d'où la locution familière ***ça l'a pris comme une envie de pisser*** «très brusquement» et, absolument, *avoir envie* «avoir envie d'uriner». L'expression ***envie de femme grosse (enceinte)*** «désir vif, subit (notamment alimentaire) que l'on attribue aux femmes enceintes» (1606) a donné naissance, au début du XVIIe s., à un sens métonymique d'*envie* pour «tache sur l'épiderme présente à la naissance» (1611), cette tache étant considérée comme la trace d'une «envie» de la mère, à un moment de la grossesse.

▸ **ENVIES** n. f. pl. se dit familièrement (1640) pour désigner les petites peaux qui se forment sur le pourtour des ongles.

Le verbe dérivé **ENVIER** v. tr. (v. 1120-1150) est d'abord employé, au XIIe s., avec le sens d'«éprouver un sentiment de jalousie envers (qqn)». L'idée initiale de haine s'effaçant, c'est l'idée de «désir» qui domine dans les différents emplois : en ancien français (v. 1200) *envier* (qqch.) signifiant «souhaiter, désirer pour soi-même (qqch.)». La tournure *envier* (qqch.) *à* (qqn) [mil. XVIe s.] s'employait pour «ne pas accorder, refuser (qqch.)», surtout en négation ou en interrogation, puis pour «éprouver un sentiment d'envie envers qqch. dont jouit, que possède qqn» (1667). La locution ***n'avoir rien à envier à*** signifie «n'avoir rien à désirer, être comblé» (en parlant d'une personne) et «être de même qualité que, au moins égal à» (en parlant d'une chose). ◆ Du verbe dérive **ENVIABLE** adj. (fin XIVe s.), rare avant le XIXe s., et qui se dit surtout d'une situation, fréquemment en emploi négatif.

ENVIEUX, EUSE adj. et n. (1120-1150, *envïos*) est dérivé d'*envie* d'après le dérivé latin classique *invidiosus* «qui envie, qui jalouse». L'idée de «jalousie», de «cupidité» domine dans les emplois du mot. ◆ En dérive **ENVIEUSEMENT** adv. (XVe s.), d'emploi assez rare.

ENVIRON prép., adv. et n. m. refait au XIIe s. (v. 1155), est composé (fin Xe s., *evirum*) du préfixe *en-** et de l'ancien français *viron* «tour», «rond, cercle», qui n'est attesté que vers 1225 et dérive de *virer**.

♦ Il est d'abord attesté en emploi adverbial (fin Xe s.) avec le sens de «à l'entour», puis comme préposition (1080, *envirun lui*) pour «autour de, dans le voisinage de» qui survit dans un emploi littéraire en parlant du temps (1340), dans des expressions comme *environ cette époque.* ◇ L'adverbe signifie ensuite (1273), «à peu près», sens aujourd'hui courant en parlant du temps, de l'espace, d'une quantité, d'un prix. ◆ L'emploi substantivé du mot apparaît à la fin du XIIIe s. (v. 1280) dans *(tout) à l'environ,* et au pluriel vers 1460, dans *les environs* «les alentours» devenu usuel, tout comme *aux environs de* «du côté de» (1552, en parlant d'un lieu); cet emploi est critiqué dans un emploi temporel.

▸ Le dérivé **ENVIRONNER** v. tr. apparaît au participe passé pour «disposé en cercle» (v. 1165); il est attesté à l'actif (v. 1265) pour «entourer, enclore». Ce sens propre a engendré divers emplois : «se mettre autour de (qqch., qqn)» (XIVe s.), spécialement «assiéger», tombé en désuétude ; «vivre habituellement auprès de (qqn)» (1538 ; 1530 au participe passé) en emploi pronominal ou au passif. ◇ Au XVIe s., le verbe prend le sens figuré d'«entourer» (1538, *être environné de dangers*). ◆ Son dérivé **ENVIRONNEMENT** n. m., d'abord au sens de «circuit, contour» (v. 1265, *environemenz*) puis (1487) d'«action d'environner», tous deux disparus, est didactique pour «environs (de qqch., d'un lieu)». ◆ Un sens étendu, «ensemble des éléments et phénomènes physiques qui environnent un organisme vivant, se trouvent autour de lui», en géographie humaine (1921), est emprunté à l'anglais *environment* (1827). Une valeur plus générale en est issue (répandue v. 1960) : «ensemble des conditions naturelles et culturelles susceptibles d'agir sur les organismes vivants et les activités humaines» (cf. *cadre de vie*); cet emploi appartient aux domaines de l'éthologie et de l'écologie. ◆ Du dernier sens d'*environnement* procèdent, au XXe s., les termes didactiques **ENVIRONNEMENTAL, ALE, AUX** adj. (1972) formé d'après l'anglais *environmental* et **ENVIRONNEMENTALISTE** n. (1972), autre emprunt à l'anglais.

ENVIRONNANT, ANTE adj., (1787, Féraud) du participe présent d'*environner,* se dit pour «qui environne» «qui forme un milieu».

ENVISAGER → VISAGE

ENVOÛTER v. tr. est dérivé (v. 1200) par préfixation de l'ancien français *volt, vout* (v. 1120) «visage», «image» et en particulier «figures de cire représentant une personne à qui on veut nuire par une opération magique» ; malgré le sens initial de *vout, envoûter* n'a jamais interféré avec *envisager,* formé de manière analogue. L'ancien français est issu du latin classique *vultus* «visage, physionomie», d'origine incertaine.

♦ Le verbe a pris d'abord le sens propre de «soumettre (qqn) à une action magique», par l'intermédiaire de ces figurines autrefois nommées *volt, vout,* et, à la fin du XIXe s. par une évolution comparable à celle de *charmer,* «exercer sur (qqn) un attrait, une domination irrésistible».

▸ Le dérivé **ENVOÛTEMENT** n. m. s'emploie comme le verbe, d'abord au sens fort (XIIIe s., *anvoutemanz*) puis au figuré (fin XIXe s.). ◆ **ENVOÛTEUR, EUSE** n. (1847) «personne qui envoûte» et au figuré «charmeur, ensorceleur» est d'emploi littéraire ou didactique. ◆ Le participe présent **ENVOÛTANT, ANTE** adj. (attesté en 1948) s'emploie seulement au figuré.

ENVOYER v. tr., réfection (XIIe s.) de *enveiier* (v. 980), est issu du bas latin *inviare* «parcourir, marcher sur, parvenir», formé de *in-* et de *via* (→ voie).

♦ *Envoyer* a d'abord le sens général de «faire aller»; le verbe ne se construit plus sans complément direct, sauf dans un contexte littéraire. Il entre dans plusieurs locutions, notamment en fonction d'auxiliaire : ***envoyer qqn ad patres*** (1694), à la mort, envoyer qqn balader, bouler, coucher, paître, promener (1640), etc. «s'en débarrasser». ◇ Avec cette valeur générale, il s'est spécialisé au sens de «nommer, faire aller (qqn) dans une assemblée» (1694), d'où un emploi intransitif (2e moitié XVIIe s.) pour «envoyer ou déléguer qqn». ◇ Au XIIe s., *envoyer* prend (v. 1165) le sens de «lancer (un projectile)» (par exemple *envoyer un ballon à qqn*), d'où ensuite «donner avec force» (XVIIIe s.; *envoyer un coup*), et (1172) «faire parvenir (qqch. à qqn)» *(envoyer une lettre)*. De là il signifie (1694) «faire aller jusqu'à». ◇ Il s'est employé en ancien français au sens de «faire venir (qqn)» (v. 1155, comme intransitif) et a été remplacé par *renvoyer* au sens de «congédier (qqn)» (fin XVe s.). ➜ Le pronominal a pris à la fin du XIXe s. (1897) une nouvelle valeur dans plusieurs expressions : ***s'envoyer*** *un verre, un repas, s'envoyer qqn* «posséder charnellement» (la personne étant assimilée à une chose), *s'envoyer tout le travail* (déb. XXe s.) «le faire de mauvais gré». La métaphore est celle de *se faire, se farcir;* elle est probablement d'origine sexuelle (cf. *posséder*).

▶ **ENVOI** n. m. (v. 1165, *envei*), déverbal d'*envoyer*, signifie d'abord «action d'envoyer». ◇ Le mot se spécialise et désigne ensuite (v. 1350, *envoy*), dans une ballade, la dernière strophe qui dédie le poème à qqn, puis une dédicace (fin XIVe s.). Par métonymie de l'emploi général, il se dit (1803) de ce qui a été envoyé. ◇ Le mot s'emploie en sports (1908) dans *coup d'envoi*. ➜ **ENVOYÉ, ÉE** adj. signifie «qui a été envoyé», d'où au figuré (1867) *une réponse, une réplique bien envoyée* «très pertinente»; le mot s'emploie comme nom, *un envoyé* (XVe s., d'abord *fors envoyé* «envoyé dehors», 1290), pour désigner une personne envoyée quelque part pour accomplir une mission, d'où (XXe s.) *envoyé spécial*, notamment terme de journalisme. ➜ **ENVOYEUR, EUSE** n., attesté au XIIIe s. *(envoieur)*, est rare jusqu'au XIXe s.; il s'emploie surtout dans *retour à l'envoyeur*.

RENVOYER v. tr. (v. 1130), préfixé en *re-**, s'emploie, par rapport à *envoyer*, pour indiquer le retour à un état antérieur. Le verbe a pris (XVe s.) en droit le sens d'«adresser (qqn) à un autre destinataire plus approprié», d'où «faire se reporter» (1538; *renvoyer le lecteur aux notes*), puis les locutions figurées ***se renvoyer la balle*** (1787), ***renvoyer dos à dos*** (1845). *Renvoyer* s'est employé pour «rabrouer (qqn)» (1535); il signifie en particulier (1480) «faire partir (qqn), en faisant cesser une fonction», puis (1690) «reporter à une date ultérieure». Par ailleurs il se spécialise au sens de «réverbérer» (1690; *renvoyer la lumière*). ➜ Le déverbal **RENVOI** n. m. (1396, *faire renvoy* «avoir recours») a le sens général d'«action de renvoyer», par exemple en typographie (1611). Il désigne spécialement (av. 1835) l'expulsion de gaz de l'estomac par la bouche et sert d'euphémisme pour *rot*.

ENZYME n. f. ou m. est un emprunt (1878) à l'allemand *Enzym*, mot formé (1876) par le physiologiste allemand W. Kühne, à partir du grec *en* «dans» et *zumê* «levain», lequel semble être en relation, dans d'autres langues indoeuropéennes, avec des mots signifiant «soupe, bouillon», comme le latin *jus* (→ jus).

♦ *Enzyme*, qui s'est substitué à *diastase, ferment, zymase*, désigne en biochimie une substance protéinique qui facilite ou accroît une réaction biochimique. Le mot est employé couramment au masculin, usage critiqué par l'Académie des Sciences (1959), l'Académie de Médecine (1967), l'Académie française (1970).

▶ Le dérivé **ENZYMOLOGIE** n. f. (1890) se dit de l'étude des enzymes, d'où **ENZYMOLOGIQUE** adj. (XXe s.; attesté en 1963) et **ENZYMOLOGISTE** n. (XXe s.). ➜ **ENZYMATIQUE** adj. (1903) s'est substitué à *diastasique* pour qualifier, dans un emploi didactique, ce qui concerne les enzymes.
Enzyme entre comme second élément de composition dans la formation de mots savants (chimie, biologie) tels que **PROENZYME** n. m. (1904), **ANTIENZYME** n. m. (1922), **COENZYME** n. m. ou f. (1922), **APOENZYME** n. f. (1936) et **HOLOENZYME** n. f. (XXe s.).

◈ voir AZYME.

ÉOCÈNE adj. et n. m. est un emprunt (1843, adj.) à l'anglais *eocene*, terme attribué au géologue anglais Lyell et diffusé par lui, probablement dû au philosophe anglais W. Whewell; ce mot est formé à partir du grec *eôs* «aurore» et *kainos* «récent, nouveau» (cf. *miocène, pliocène*, formés de manière analogue).

♦ *Éocène* se dit en géologie de ce qui est relatif à une période de l'ère tertiaire (succédant au Paléocène); il désigne comme nom commun (1901) cette ère.

ÉOLIEN, IENNE adj., attesté une première fois en 1615 et repris en 1794, est dérivé du nom d'Éole, le latin *Aeolus*, lui-même du grec *Aiolos*, dieu de la mythologie grecque qui présidait aux vents, de *aiolos* «vif, rapide», dont l'étymologie est discutée.

♦ L'adjectif signifie «qui est relatif à Éole»; il est employé dans le syntagme *harpe éolienne*, instrument dont l'invention est attribuée au Père Kircher au XVIIe s., pour désigner une table ou boîte sonore sur laquelle sont tendues des cordes que le vent fait vibrer. De là par extension, *sons éoliens* «doux et harmonieux», qui a été en usage dans le vocabulaire poétique. ◇ À la fin du XIXe s., l'adjectif est employé en géologie (1878, *formations éoliennes*) avec le sens de «dû à l'action du vent» et au début du XXe s. pour «qui est actionné par le vent» (1907, *machine éolienne*), d'où *une éolienne*, nom féminin, (XXe s.) et *force, énergie éolienne*.

ÉON n. m. est un emprunt savant (1732) au latin chrétien *aeon, -onis*, lui-même du grec *aiôn, -ônos* «force vitale, vie», d'où «durée d'une vie», «durée» en général et, chez les philosophes, «éternité». Le mot provient d'une racine indoeuropéenne °*ai-w-*, qui exprime la force vitale, la durée (cf. l'allemand

Ewigkeit «éternité»). Le mot fut employé en latin par l'hérésiarque Valentin et par les gnostiques pour désigner des entités abstraites et éternelles, émanations du bon principe (sagesse, raison).

♦ Il est repris en français au XVIIIe s. comme terme de philosophie pour désigner une puissance éternelle, émanant de l'Être suprême et par laquelle s'exerce son action sur le monde. Le mot a aussi le sens, repris du grec (par l'intermédiaire de l'anglais *aeon*), de «durée immense». Il est d'emploi didactique dans les deux acceptions.

ÉPACTE n. f. est un emprunt (1119) au bas latin *epactae* (pl.), lui-même du grec *epaktai (hêmêrai)* «(jours) intercalaires», dérivé de *epagein* «introduire», de *agein* «conduire». Ce mot se rattache comme le latin *agere* (→ agir; action) à une racine indoeuropéenne °*ag-* «pousser devant soi (un troupeau)».

♦ *Épacte,* mot didactique, désigne le nombre de jours à ajouter à l'année lunaire pour qu'elle égale l'année solaire (dans le calendrier julien) et le nombre indiquant l'âge de la lune au 31 décembre de chaque année du calendrier grégorien.

▶ En dérive **ÉPACTAL, ALE, AUX** adj. (1775), didactique.

ÉPAGNEUL, EULE n., d'abord *espaignol* (1354-1376) puis sous la forme francisée *espaigneul* en 1465, par suffixation en *-eul,* semble issu d'un latin populaire °*hispaniolus,* dérivé du latin classique *hispanus* (→ espagnol).

♦ *Épagneul,* nom donné à un chien de chasse originaire d'Espagne, représente simplement pour certains la substantivation de (chien) *espaignol (espagnol).*

ÉPAIS, AISSE adj. apparaît à la fin du XIe s. sous la forme *espes* (1080), encore en usage au XVIIe s., issue, comme l'italien *spesso* et l'espagnol *espeso,* du latin classique *spissus* «épais, dense, compact», d'origine indoeuropéenne. La forme moderne *épais* (XVIIe s.) est due à l'influence d'une variante *espeis, espois* (v. 1200) et le résultat d'une évolution analogue à celle de *roide/raide.* Cette variante provenait d'un croisement de *espes* avec le substantif *espeisse, espoisse* «épaisseur» (XIIe s.), hérité du latin populaire °*spissia,* et avec l'ancien verbe *espeissier, espoissier* «épaissir» (XIIe s.), du latin populaire °*spissiare* «rendre épais».

♦ Le mot est d'abord employé substantivement (1080, *le plus espès*) pour désigner la partie la plus dense, la plus serrée de qqch.; cet emploi est resté courant sous la forme : *au plus épais de* (la forêt, la mêlée, etc.), mais *une espesse* «une foule» (v. 1155) et *un espés* «un fourré» (v. 1225) ne se sont pas maintenus. ◇ Au milieu du XIIe s., apparaît l'adjectif avec le sens de «dense, compact» (v. 1150, *espesse pluie*), souvent par opposition à «clairsemé», d'où l'emploi adverbial dans *semer épais* (1538). Depuis la même époque, le mot se dit en parlant d'un corps à trois dimensions (v. 1160, *mur espais*), puis d'une surface *(trait épais).* Par extension, l'adjectif s'emploie notamment en parlant d'un gaz, d'une vapeur (XVe s.), puis (XVIe s.) d'un liquide qui manque de fluidité *(bouillie épaisse)* et par métonymie d'une *langue épaisse* (cf. *pâteux*). ◆ Au XVIe s., *épais* s'applique à des être vivants et animés dont l'aspect extérieur est massif, grossier (av. 1564; *formes épaisses*), d'où *il n'est pas épais* «il est mince, maigre». Au figuré *un homme épais, il est épais...* se dit d'une personne «qui manque de finesse» (1677).

▶ *Épais* a plusieurs dérivés usuels. ◆ **ÉPAISSEMENT** adv. (v. 1120-1150, *espessement*) signifie «d'une manière épaisse, serrée». ◆ **ÉPAISSIR** v. (v. 1180, intr. *epessir*), avec une variante *spessir* (XIVe s.), signifie d'abord «devenir plus épais, plus dense». Depuis le XVIe s., il s'emploie transitivement (1538, *espessir la chevelure*) et pronominalement «rendre plus compact, plus profond» (1578). Au début du XVIIIe s., en relation avec *épais* figuré, le verbe est employé pour «perdre de sa vivacité», en parlant d'une faculté intellectuelle (1704) et, avant le milieu du XVIIIe s., il se dit au propre, en emploi transitif, pour «augmenter le volume, accroître l'importance de (qqch.)». *S'épaissir,* pronominal, recouvre les mêmes emplois que *épaissir* transitif, mais est plus courant. ◇ **ÉPAISSISSEMENT** n. m. (1538, *espessissement*) dérive du radical du participe présent. ◇ **ÉPAISSISSANT, ANTE** adj. et n. m. (1660), tiré du participe présent, est rare en emploi adjectival; le nom masculin désigne (1890) une substance capable de rendre plus épais un mélange liquide ou pâteux. ◆ **ÉPAISSISSEUR** n. m. (1923) est un terme technique. ◆ Le préfixé **DÉSÉPAISSIR** v. tr. (1572), réfection de *despaissir* (XIVe s.) [→ ① dé-], a le sens de «rendre moins épais».
ÉPAISSEUR n. f. (fin XIVe s., *espesseur*), autre dérivé de *épais,* désigne (1399) l'une des trois dimensions d'un corps par opposition à la longueur et à la largeur, d'où le sens de «couche» (1864) dans *en simple, double épaisseur.* Depuis la fin du XIVe s., le mot se dit aussi de ce qui est serré, dru (en parlant de végétation) et, par extension, de l'état de ce qui est dense, compact (1570-1582). ◇ Au XVIIe s., *épaisseur* s'applique à l'aspect physique de ce qui est massif (1671-1682) et par la suite s'emploie au figuré (1713), comme l'adjectif *épais.* ◆ Il a un dérivé préfixé **SURÉPAISSEUR** n. f. (1783), terme technique qui désigne une épaisseur renforcée.

ÉPANALEPSE n. f. est un emprunt savant (1546, Rabelais) au bas latin *epanalepsis,* terme de grammaire, pris au grec *epanalepsis* «reprise» de *epanalambanein* «reprendre, recommencer». Ce dernier est composé de *epi* «en plus», *ana* «de nouveau» et *lambanein* «prendre, saisir», que l'on rattache à une racine indoeuropéenne °*labh-* de même sens (→ épilepsie).

♦ Le mot est introduit en français au XVIe s. comme terme de rhétorique avec le sens de «reprise, répétition» (d'un mot ou groupe de mots); devenu rare comme la plupart des termes de rhétorique, il désigne au XXe s. en linguistique (1933) la reprise d'un mot ou d'un syntagme déjà énoncé par un pronom, à l'intérieur d'une même proposition.

ÉPANCHER v. tr. est issu par évolution phonétique (v. 1200, *espancier*) du latin populaire

°*expandicare*, dérivé du latin classique *expandere* «étendre» (→ épandre).

♦ Il s'emploie d'abord avec le sens propre de «répandre» (v. 1200) et ne prend qu'au XVIIe s. le sens particulier de «verser abondamment (un liquide)» (1669, Racine), sens qui ne survit aujourd'hui que dans un usage poétique ou au figuré *(épancher ses bienfaits)*. ◇ Il se dit aussi pour «exprimer, communiquer (ses sentiments)» (1669, Racine) surtout dans *épancher son cœur, sa bile* et au pronominal *s'épancher* (1668). *S'épancher* est en revanche devenu rare au sens concret de «couler, se déverser», sauf comme terme de médecine (1832), en parlant d'un liquide organique.

▸ Le dérivé **ÉPANCHEMENT** n. m. est sorti d'usage au sens propre (1605), sauf en médecine (1671); le mot désigne couramment au figuré l'action de confier à qqn ses sentiments, ses pensées (1606). ➡ **ÉPANCHOIR** n. m. (1716) est un terme technique (cf. *déversoir*).

ÉPANDRE v. tr. est un emprunt francisé (1080, *espandre*) au latin *expandere* «étendre, déployer, étaler», au figuré «développer», préfixé par *ex-* de *pandere* «écarter, déployer, étaler» (→ expansion).

♦ Les principaux emplois du verbe sont attestés au milieu du XIIe siècle. Il signifie d'abord (1080) «répandre» et notamment (v. 1190) «verser, répandre (un liquide)», d'où au figuré «prodiguer, verser en abondance»; *s'épandre* (v. 1165) correspond à «s'étendre, se répandre, occuper un certain espace». ◇ À la fin du XIIe s., le verbe prend le sens particulier d'«étendre sur le sol en dispersant» qui s'est seul maintenu, et est usuel dans le vocabulaire agricole *(épandre de l'engrais)*. ◇ En effet, *épandre* est déjà devenu archaïque dans la seconde moitié du XVIIe s. : il est employé par Corneille, mais jamais par Racine; bien que les symbolistes aient tenté de le remettre en usage, il reste d'un emploi très littéraire, étant supplanté, depuis le XVIIe s., par *répandre*.

▸ Le verbe préfixé **RÉPANDRE** v. tr. (XIIe s., *respandre*) de *re-* a donc remplacé *épandre*. Il se dit par ailleurs à partir du XVIIe s., au propre, pour «produire et envoyer hors de soi, autour de soi» (1690 au pronominal; *odeur qui se répand*) et acquiert, à la même époque, les emplois métaphoriques du verbe simple : *répandre des bienfaits* «accorder, donner avec profusion»; *répandre l'épouvante, la joie* «provoquer (une émotion)», «faire régner (un sentiment)»; *répandre une doctrine* «diffuser (dans un milieu, une société)»; *répandre une nouvelle* «faire connaître, rendre public». *Se répandre en* (injures, menaces, etc.) se dit (milieu XVIIe s.) pour «exprimer, extérioriser ses sentiments»; *se répandre* (fin XVIIe s.) signifie «se montrer beaucoup dans la société», d'où (v. 1700) *être répandu dans le monde* «fréquenter le monde». Les dérivés de *épandre* sont issus du sens technique, «étendre en dispersant». ➡ **ÉPANDAGE** n. m. (1769) s'emploie aujourd'hui dans le vocabulaire de l'agriculture (1769, *épandage des fumiers;* 1913, *champ d'épandage*) et en géographie (1958). ➡ **ÉPANDEUR** n. m. (1930) ou **ÉPANDEUSE** n. f. désigne une machine pour l'épandage. ➡ De *répandre* proviennent les synonymes plus techniques **RÉPANDAGE** n. m. (1865), puis **RÉPANDEUR** n. m. (mil. XXe s.) et **RÉPANDEUSE** n. f. *(id.)* noms de machines agricoles.

ÉPANOUIR v. apparaît comme intransitif sous la forme *espannir* vers 1180 (1176-1184 au participe passé adjectivé *espani*), puis *espanoïr* (XIIIe s.) et il est rare avant le XVIe s. (*espanouir,* 1564). Il est issu du francique °*spannjan* «étendre», restitué d'après l'ancien haut allemand *spannan,* le moyen haut allemand *spennen, spannen* de même sens (→ empan). La forme *espanir* ou *espannir,* encore usitée au XVIe s., s'est transformée en *espanouir* sous l'influence probable de *évanouir.* Le francique °*spannjan,* au sens d'«écarter», a aussi donné en ancien français *espanir* «sevrer».

♦ À la fin du XIIe s., le verbe est employé avec le sens propre de «s'ouvrir», en parlant d'une fleur (v. 1180), d'où par analogie «déployer (ses ailes)» (1538). ◇ L'idée initiale d'«ouverture», d'«extension» s'est réalisée dans des emplois figurés ou métaphoriques exprimant la détente, la plénitude, en parlant du corps humain, de sentiments positifs, de qualités. ◇ Par métaphore, *s'épanouir,* verbe pronominal, signifie «se développer librement dans toutes ses possibilités». Cette valeur était réalisée en ancien français par le participe passé adjectivé *espani* (1176-1184) «accompli, avéré» puis (1372-1373) «développé», en parlant d'un sentiment. ◇ Au XVIIe s., *épanouir* prend une nouvelle valeur figurée et se dit pour «détendre en rendant heureux» (1671; 1675, au pronominal).

▸ Le dérivé **ÉPANOUISSEMENT** n. m. (1440-1475, *espannissement*), tiré du radical du participe présent de *épanouir,* s'est d'abord employé au figuré; au début du XVIIe s., il se dit du déploiement de la corolle d'une fleur (1611). Le substantif traduit comme le verbe l'idée de déploiement, de développement, d'où celle de jaillissement, de plénitude. ➡ L'adjectif **ÉPANOUISSANT, ANTE,** attesté seulement en 1920, qualifie ce qui provoque l'épanouissement.

ÉPARGNER v. tr., d'abord *esparigner* (1080) puis *esparnier* (v. 1120), est issu du francique °*sparanjan* «traiter avec indulgence», lui-même formé à partir du germanique °*sparôn* (attesté par l'ancien haut allemand *sparên, sparon* «ne pas tuer», d'où l'allemand *sparen*) sous l'influence d'un autre verbe francique °*waidanjan* (→ gagner).

♦ Le verbe est d'abord attesté en français avec le sens issu de l'étymon : «ne pas tuer, laisser vivre», d'où (v. 1120) «traiter avec ménagement, indulgence» (1690, avec un sujet nom de chose). ◇ Au début du XIIe s. apparaît l'idée de constituer une réserve : le verbe, avec un complément nom de chose, signifie (1121-1134) «consommer, employer avec mesure, de façon à garder une réserve» (cf. *économiser*), sens vieilli, d'où (v. 1200) «conserver, accumuler par l'épargne» *(épargner une somme d'argent),* et en emploi absolu «économiser». ◇ *S'épargner* (v. 1167) s'est dit au figuré pour «se ménager» et ne reste en usage qu'à la forme négative *(ne pas s'épargner)*. Par le suite, le verbe se dit au figuré (1580) pour «employer avec mesure» *(épargner ses forces)*, surtout à la forme négative en français moderne. ◇ Du premier sens est issu *épargner qqch. à qqn* «faire en sorte que qqn ne subisse pas qqch.» (1595); du second sens vient (1690) l'emploi technique (peinture, gravure) pour «laisser intact, sans traitement (le papier dans une aquarelle, certaines parties d'une planche gravée)».

▸ Le déverbal **ÉPARGNE** (1269-1278, *esperne*) est attesté une première fois (1155, *faire esparne*) avec le sens d'«action d'épargner (un vaincu)». ◇ Il s'emploie à partir du XIIIe s. pour «somme épargnée» (1269-1278), sens aujourd'hui vieilli, d'où «gestion permettant de constituer des réserves», en particulier dans le vocabulaire de l'économie (XIXe s.). Au XVe s. *épargne* désignait le Trésor central du royaume (1470), d'où *trésorier de l'épargne*. *Épargne* est un mot-clé de l'économie bourgeoise au XIXe siècle; de cette époque date le syntagme usuel ***Caisse d'épargne.*** ◇ Au figuré (v. 1534) *épargne* se dit pour «action d'utiliser une chose avec modération». ◇ Le mot prend aussi des acceptions techniques: en gravure (1543) *taille d'épargne; poire d'épargne* (1714) ou *Épargne* (1628); *bassin d'épargne* (XXe s.). ➛ **ÉPARGNANT, ANTE** adj. et n. (v. 1361; du participe présent de *épargner*), vieilli comme adjectif, désigne comme nom (1876) une personne qui épargne. ➛ **ÉPARGNEUR, EUSE** n., attesté isolément comme nom au XVIe s. (1556, au figuré) et au XVIIe s. (1614, *espagneur*), repris au XIXe s. (1878), est d'emploi rare. Il est aussi adjectif.

ÉPARPILLER v. tr. apparaît (v. 1120) sous la forme *esparpeillet* et a pour équivalents l'ancien provençal *esparpalhar*, l'italien *sparpagliare* de même sens et l'espagnol *desparpajar* «bavarder sans suite». L'origine du mot est discutée. Il est peut-être issu d'un latin populaire °*disparpaliare* qui aurait pour origine le syntagme *dispare palare* «répartir *(palare)* inégalement *(dispare)*» attesté chez Pétrone, devenu *dispalare* «répandre, disperser». Ce verbe aurait donné °*dispallare* par gémination, et °*disparpallare* par altération expressive de *dis-* en *dispar(e)*, adverbe, d'après l'adjectif *dispar* (→ disparate). *Éparpiller* pourrait aussi avoir pour étymon un latin populaire °*expaleare* (cf. le portugais *espalhar*), d'un croisement de *spargere* «répandre» avec un dérivé de *palea* «paille», avec pour premier sens «disperser comme la paille sur l'aire». Enfin, l'attraction paronymique de *épars, épandre* est assez évidente.

♦ Le verbe attesté a d'abord le sens de «jeter, répandre çà et là des choses au hasard», d'où au XIIIe s. «répartir, disposer, distribuer irrégulièrement» et dès le XIIe s. (v. 1170) *s'éparpiller*, en parlant de personnes. Un premier sens figuré, aujourd'hui sorti d'usage, apparaît à la fin du XVIIe s. (1694, Sévigné) : *éparpiller son argent* «le dépenser de-ci de-là». ◇ Le sens figuré de «diriger (ses forces, ses efforts, son attention) dans diverses directions» apparaît au début du XVIIIe s. (av. 1719) en emploi pronominal; dans ces emplois la paronymie de *parpill-* avec *papill-* dans *papillonner* a pu jouer un rôle.

▸ Le dérivé **ÉPARPILLEMENT** n. m. (v. 1290, *esperpillement;* forme actuelle en 1636) ne semble employé au figuré qu'à la fin du XIXe siècle.

ÉPARS, ARSE adj. représente depuis le XIIe s. (v. 1165, *espars*) le participe passé adjectivé de l'ancien français *espardre* «séparer, disperser, répandre» (1119; usité jusqu'au XVIe s.). Ce verbe est issu du latin *spargere* «répandre», «parsemer», qui se rattache à une racine indoeuropéenne °*spher-* «éparpiller» et «semer».

♦ L'adjectif est employé au XIIe s. avec le sens de «répandu ici et là», qu'il conserve, spécialement usité à propos de cheveux en désordre (v. 1275); il s'est dit à l'époque classique en parlant de personnes, au sens fort de «répartis et dispersés». Le mot, au pluriel, s'applique le plus souvent à des notions concrètes. Au figuré, qualifiant un sujet au singulier (*une odeur éparse; un esprit épars* «qui se disperse»), en parlant de personnes «qui va au hasard» *(un homme épars)*, il est devenu archaïque.

▸ Le dérivé **ÉPARSEMENT** adv. (v. 1190), «de façon éparse», est d'emploi rare ou très littéraire.

ÉPARVIN n. m., réfection assez tardive (XVIIe s.) de *esparvains*, nom masculin pluriel (XIIIe s.), est probablement issu du francique °*sparwun*, accusatif de °*sparo* «passereau».

♦ Il désigne une tumeur osseuse qui atteint le membre postérieur du cheval, soit parce que la démarche de l'animal malade peut rappeler celle de l'oiseau, soit parce que la forme de la tumeur ressemble au corps de l'oiseau (cf. espagnol *pajarilla* «rate», proprement «passereau»).

ÉPATER v. tr., d'abord attesté en Belgique (*spateis* au XIIIe s.), puis sous la forme *espateir* (fin XIIIe s.), est formé par préfixation en *é-* sur *patte**.

♦ Il est d'abord employé, et ceci jusqu'au début du XIXe s., avec des sens issus de l'étymon et qui ne se sont pas maintenus : il a signifié «écraser», et le participe passé *épaté* «aplati par élargissement de la base» (1529), aujourd'hui vieilli sauf dans le syntagme *nez épaté* «court et large» où *épaté* n'est plus verbal, mais adjectif. À la fin du XVIIe s., le verbe s'est employé pour «rompre la patte, le pied» en parlant d'un verre (jusqu'au XIXe s.). *Épater un chien* «lui rompre la patte», qui figure dans le dictionnaire de l'Académie en 1932, semble une réfection étymologique. ◇ Au début du XIXe s., *s'épater*, pronominal, signifie «tomber de tout son long» (comme sur ses quatre pattes) [1808], sens également vieilli. ➛ Peu après apparaît le sens figuré et familier de «faire des esbroufes» (1835, intr.) puis, comme transitif, «étonner» qui utilise le sémantisme de «renverser», «faire tomber à la renverse» (1848), notamment dans la locution ***épater le bourgeois*** «choquer, scandaliser et faire impression» (XIXe s.). Dans ces emplois figurés, qui l'ont emporté sur le sens propre, le mot est devenu désuet.

▸ Du verbe dérivent plusieurs mots. ➛ **ÉPATEMENT** n. m. (1564, *espattement* «surface d'un corps écrasé»), au figuré en 1859. ➛ **ÉPATEUR, EUSE** adj. (1835) «qui cherche à épater» est d'emploi rare. ➛ Le déverbal **ÉPATE** n. f. (1846), surtout dans les locutions verbales ***faire de l'épate, faire des épates*** (1846), ***le faire à l'épate,*** est du même registre que le verbe, à peine familier. ➛ **ÉPATÉ, ÉE** adj. s'applique surtout au nez (voir ci-dessus). ➛ Enfin, **ÉPATANT, ANTE** adj. (1860), du participe présent, a été extrêmement courant. Vieilli au sens de «qui provoque un étonnement admiratif», il s'est dit (1885) de ce qui provoque l'admiration, donne un grand plaisir, emploi marqué comme désuet à partir des années 1950-1960. ➛ En dérive **ÉPATAMMENT** adv. (1866) dont l'emploi est également marqué comme «rétro».

ÉPAULARD n. m., attesté en 1554 en Saintonge, est probablement issu d'un croisement de l'ancien français *espaart,* dont il garde le sens, et de *épaule**. *Espaart,* nom d'un grand cétacé aussi nommé *orque,* est un dérivé de *espee (épée*),* en raison de l'aspect acéré de la nageoire dorsale de l'animal.

ÉPAULE n. f., attesté en ancien français sous les formes *espalle* (1080) et *espalde* (v. 1120), puis *espaule* (v. 1155), est l'aboutissement du latin impérial *spat(h)ula* «battoir, spatule» (→ spatule), d'où «omoplate» (d'animal), dérivé du latin classique *spat(h)a* «épée», lui-même emprunté au grec *spathê* (→ épée).

♦ *Épaule* désigne la partie supérieure du bras, d'où *à l'épaule, aux épaules* «à la hauteur des épaules». Le mot, comme tous les noms usuels des parties du corps, entre dans de nombreuses locutions et expressions. La locution ***hausser les épaules*** «les soulever en signe de doute méprisant» (1611) marque aussi l'impatience et Oudin (1640) l'opposait à *baisser les épaules* «supporter avec patience», qui a disparu; on relève *haulser les épaules a la mode de Lombars* (v. 1500) et *hausser les épaules à l'italienne* (v. 1600), ce qui laisserait penser que ce geste symbolique vient de l'Italie du Nord. ***Faire qqch. par-dessus l'épaule*** signifie «le faire avec négligence» (XIXe s.; 1611, «ne pas faire qqch.»); auparavant (XVIe s.) ***par-dessus l'épaule,*** locution adverbiale, s'employait avec la valeur d'une négation, jusqu'au XVIIIe siècle; il est probable que *par-dessous la jambe* ait modifié le sens de cette expression. ◇ Le sens de «partie supérieure du corps», avec l'idée de force *(coup d'épaule),* explique la multiplication des locutions; la plupart sont sorties d'usage : *pousser le temps avec l'épaule* «faire passer le temps», *prêter l'épaule à qqn* «l'aider» (1580), considérée comme vulgaire au XVIIIe s., remplacée par donner ***un coup d'épaule à qqn*** (cf. *épauler*); jusqu'au XVIIe s., on employait en ce sens *faire épaule, tenir épaule.* Restent en usage, notamment, ***avoir la tête sur les épaules*** «être bien équilibré», ***changer son fusil d'épaule*** «changer d'opinion» (XIXe s.), ***rouler les épaules,*** autrefois *marcher des épaules* (fin XVIIe s.), employé au propre et au figuré pour «faire l'important, se donner des airs de force, d'énergie» (cf. *rouler les mécaniques,* familier); ***faire toucher les épaules*** (à qqn), «le vaincre» en termes de lutte et au figuré. ➛ *Épaule,* comme en latin, désigne la partie du membre antérieur qui se rattache au tronc et, par métonymie, cette partie découpée en boucherie pour la consommation. ◇ Par analogie de position, le mot s'emploie comme terme technique dans divers domaines : en charpenterie (1264), comme terme de fortification (fin XVIe s.), de marine (1678).

▶ Les dérivés demeurés en français moderne sont surtout *épauler* et *épaulette.* ➛ **ÉPAULER** v. tr. a d'abord eu le sens (v. 1200, *espauler*) de «démettre l'épaule de (un animal)». Le verbe s'emploie ensuite comme terme technique (1404) au sens figuré de «soutenir, appuyer» par exemple un mur. C'est cette idée de «soutien» que l'on retrouve dans plusieurs emplois ultérieurs : «aider (qqn) dans sa réussite» (1599), «soutenir par des renforts» (1671) et «protéger par un *épaulement*» (1690) dans le vocabulaire militaire. ◇ *Épauler* signifie aussi (1822) «appuyer (qqch., un fusil) contre l'épaule» et s'emploie comme intransitif, aux haltères (1903), pour «exécuter le mouvement consistant à amener la barre au niveau des épaules, en un seul temps». ➛ Ce mouvement est appelé **ÉPAULÉ** n. m. (déb. XXe s.), du participe passé, et le mouvement en deux temps **ÉPAULÉ-JETÉ** n. m. (1939), de *jeté**. ➛ **ÉPAULEMENT** n. m. désigne (1501) un mur de soutènement; le mot s'emploie en fortifications, désignant un rempart construit pour se défendre du feu de l'ennemi (1671). ◇ Il désigne aussi un escarpement naturel (1837).
Le diminutif **ÉPAULETTE** n. f. a eu le sens (2e moitié du XIIIe s., *espaulette*) de «petite épaule» avant de désigner (1534) la partie de l'armure protégeant l'épaule, puis (1611) une pièce de vêtement couvrant l'épaule. Au XVIIIe s. le mot désigne un ornement militaire fait d'une patte boutonnée sur l'épaule (1773). *Épaulette* s'emploie ensuite pour désigner un ruban qui passe sur l'épaule et sert de bretelle pour soutenir un vêtement féminin (1903-1904), ainsi qu'un rembourrage cousu à l'épaule d'un vêtement (1945). ➛ **ÉPAULIÈRE** n. f. était le nom de la partie d'un vêtement (1228) ou, dans une armure, d'une pièce ronde qui couvrait l'épaule. ➛ **ÉPAULÉE** n. f. a désigné (v. 1382, *espaulee*) une charge de bois (portée sur l'épaule) puis l'effort fait de l'épaule pour pousser (1578), et est employé en boucherie (1690) pour le quartier de devant d'un mouton, dont on a enlevé l'épaule. ➛ Le composé **ÉPAULE-DE-MOUTON** n. f. (1676), de *épaule* «omoplate» et *mouton,* désigne une hache dont le fer a la forme d'une omoplate de mouton.

◇ voir aussi ÉPAULARD, ESPADON, ① ESPALIER.

ÉPAVE n. f. représente la substantivation (1283, *espave*) de l'adjectif *espave* «qui est égaré» (1283), issu du latin *expavidus* «épouvanté» qui s'appliquait aux animaux effrayés, égarés. Cet adjectif latin est formé de *ex-* et de *pavidus* «effrayé», de *pavere* «avoir peur», de la famille de *pavor* (→ épouvanter, peur).

♦ L'adjectif s'appliquait aux animaux égarés ou dont le propriétaire était inconnu; il est aujourd'hui sorti d'usage. ➛ C'est aussi la première valeur du nom, aujourd'hui terme juridique *(droit d'épaves).* ➛ En particulier le mot, d'abord dans *épave de mer* (1581), désigne un débris de navire ou un objet quelconque abandonné à la mer ou rejeté sur le rivage. L'emploi absolu resté courant n'est attesté qu'à la fin du XVIIe s. (1690). ◇ Par figure, le mot se dit de ce qui reste après une destruction (cf. *débris*) et, spécialement (XXe s.), d'un véhicule accidenté considéré comme irrécupérable. ⬥ Enfin, *épave* désigne par extension une personne désemparée, qui ne trouve plus sa place dans la société (1881, Maupassant).

▸ Du sens de «véhicule accidenté» vient **ÉPAVISTE** n. (v. 1970) «personne qui fait le commerce des épaves»; cf. *casseur.*

ÉPEAUTRE n. m. est la réfection (fin XVIe s.) de *espelte* (fin XIe s.) puis *espiaute, espiautre* (1209), formes issues du bas latin *spelta* qui désignait une variété de blé dur. *Spelta* vient d'un mot germanique, restitué d'après l'ancien haut allemand *spelta, spelza.*

♦ Le mot garde en français le sens de l'étymon. Parallèlement on a employé la forme *piautre,* puis *peautre,* pour désigner par métonymie une paillasse (v. 1280), d'où la locution figurée *envoyer au peautre* «congédier brusquement» (v. 1485), sortie d'usage depuis le XIXe siècle.

ÉPÉE n. f., forme graphique (1636) de *espee* (1080), d'abord sous la forme *spede* (v. 880), est issu du latin *spatha, spata* qui avait de nombreuses acceptions techniques liées par l'idée de lame de bois large et plate : «spatule», «battoir», «arme à deux tranchants» ; *spatha* est un emprunt au grec *spathê* de mêmes sens, conservé en grec moderne. On rapproche *spathê* de noms germaniques désignant la bêche (vieux saxon *spado,* allemand *Spaten*).

♦ *Épée* se dit comme en latin d'une arme blanche formée d'une lame à deux tranchants, emmanchée dans une poignée et munie d'une garde. Par métonymie, le mot désigne une personne qui manie bien l'épée (1565, *une bonne, une fine épée*), d'où l'expression *brave comme une épée* (1611), devenue archaïque. Ce sens est analogue à l'emploi argotique récent de *épée* «homme de grande valeur». ◇ Par analogie, *épée* est devenu un terme technique, désignant des objets longs et pointus (*épée de bourrelier,* 1803; *de pêcheur,* 1864).
Dans une civilisation où l'épée était une arme de guerre et le symbole de l'état militaire *(porter l'épée)* et de l'appartenance à la noblesse, le mot s'est employé pour «courage, valeur» (1611) et a désigné le métier des armes (fin XVIe s.); il est entré dans de nombreuses expressions, dont beaucoup sont tombées en désuétude ou sont vieillies. ◇ Cette phraséologie concerne d'abord l'épée comme arme de combat et symbole d'un état dans *épée à toutes mains* (1593) «ce qui sert à toutes sortes d'usages» ; *être aux épées et aux couteaux,* équivalent archaïque (XVe-XVIIIe s.) de *être à couteaux tirés; mettre (qqn) à l'épée, au tranchant de l'épée* «massacrer» (v. 1220; jusqu'au XVIIe s.) ou *mettre au sac et à l'épée* (1537), *au feu et à l'épée* (1552). *Mourir d'une belle épée* s'est employé au figuré (XVIIe et XVIIIe s.) pour «subir des dommages pour une belle cause». ◇ L'épée est en outre le symbole de la force, de la violence, dans *soldat de la courte épée* (XVIe-XVIIIe s.) «voleur», *courte épée* se disant du poignard. ***À la pointe de l'épée*** (XVIIe s.), locution adverbiale, signifiait «de haute lutte»; *se faire blanc de son épée* (1169-XVIIIe s.) «garantir une entreprise en ayant recours à ses qualités, à son courage». ***Jeter son épée dans la balance*** «intervenir militairement dans un conflit» peut encore s'employer par figure, très littéraire, en parlant d'un État ; la locution fait référence à Brennus, chef gaulois vainqueur de Rome qui avait jeté son épée dans la balance pour augmenter le poids de la rançon exigée pour lever le siège de la ville. Trois locutions sont restées vivantes et usuelles : *mettre à qqn **l'épée dans les reins*** (1690) «harceler, menacer», ***un coup d'épée dans l'eau*** (1718) «un acte inutile, sans effet» et ***épée de Damoclès*** «péril imminent et constant»; l'anecdote, rapportée par Horace et Cicéron, n'a abouti à une expression figée qu'au début du XIXe siècle : Denys, tyran de Syracuse, avait invité Damoclès et l'avait traité magnifiquement; mais, pour lui montrer la situation réelle du souverain qu'il était, il avait suspendu audessus de son hôte une épée tenue par un mince support.

▸ *Épée* a fourni deux termes d'escrime, **ÉPÉISME** n. m. (fin XIXe s.) et **ÉPÉISTE** n. (1904). *Épée* fournit aussi quelques composés : **PORTE-ÉPÉE** n. m., qui a désigné un huissier portant l'épée (1552) puis, à l'époque classique, un officier de la maison du roi (1579), enfin (1581) une pièce attachée à la ceinture pour porter l'épée, **CANNE-ÉPÉE** n. f. (1867, *canne à épée*) et **ÉPÉE-BAÏONNETTE** n. f. (1888).

◈ voir **ÉPAULE, ESPADON, ESPALIER.**

ÉPELER v. tr., réfection d'après *appeler* (v. 1145, *espeler*) de *espialre, espelir* (v. 1050, *espelt*), est issu du francique °*spellôn* «expliquer», attesté dans le composé *gotspellôn* «expliquer Dieu», «évangéliser» et qui a abouti au moyen néerlandais *spellen* «expliquer», «épeler», au gotique *spillon* «évangéliser» et à l'anglais *to spell* «épeler». La première forme en *-ir* implique la forme *speljan,* attestée en anglo-saxon.

♦ *Épeler* a eu la valeur d'«expliquer» qui a disparu, puis (v. 1145) de «nommer successivement chacune des lettres qui composent un mot». Par extension, le verbe s'emploie pour «lire lentement, avec difficulté» (XVIIe s.) et «commencer, apprendre à lire» (1784).

▸ Le dérivé **ÉPELLATION** n. f. (1732, d'après *F. e. w.*) est didactique.

ÉPENTHÈSE n. f. est un emprunt (1607) au bas latin *epenthesis,* lui-même emprunté au grec tardif *epenthesis* «intercalation (d'une lettre)» terme de grammaire, dérivé de *epentithenai* «intercaler», de *tithenai* «poser, placer», *epi* «en plus» et *en* «dans». *Tithenai,* qui se rattache à une racine °*dhe-* «poser (qqch. destiné à durer)», appartient à une importante famille de mots dans les langues indoeuropéennes (→ thème, thèse).

♦ Ce terme didactique, aussi employé au masculin au XVIIe s. (1624), désigne l'apparition à l'intérieur d'un mot d'un phonème non étymologique.

▸ Il a un dérivé, **ÉPENTHÉTIQUE** adj. (1782).

ÉPERDU, UE adj. est le participe passé (v. 1130, *esperdu*) de l'ancien français *esperdre* (XIIe s.) «perdre complètement», au figuré *s'esperdre* «se troubler» (v. 1165, *soi esperdre*), dérivé préfixé de *perdre**. *Éperdre*, employé jusqu'au XVIe s., a été repris au pronominal à la fin du XIXe s. (Huysmans) mais est resté très littéraire. La forme usuelle est *éperdu* «qui a l'esprit troublé» (v. 1130); l'adjectif s'applique à un sentiment très violent (v. 1550), d'où *éperdu de* «en proie à» (1580) et l'emploi à l'époque classique pour «fou d'amour» (1672). Il se dit en particulier de ce qui exprime l'affolement, le trouble, par sa vivacité (fin XIXe s., *fuite éperdue*).

▶ **ÉPERDUMENT** adv. est attesté au XVIe s. (v. 1520, *eperduement*); l'adverbe est courant, notamment dans le vocabulaire amoureux, mais son homonyme **ÉPERDUMENT** n. m., «fait de rendre éperdu», introduit par Barbey d'Aurevilly (1838), est demeuré rare et très littéraire.

ÉPERLAN n. m., sous les formes *aspellens* (v. 1300) puis *espellens* (XIVe s.), resuffixé en *esperluz* (1316) et *esperlan* (v. 1380), est un emprunt au moyen néerlandais *spierlinc* (cf. allemand *Spierling*).

♦ Il désigne un poisson marin de petite taille.

ÉPERON n. m., réfection (1428, *esperon*) de *esperun* (1080), est issu du francique °*sporo* qui désignait une pièce de métal, fixée au talon d'un cavalier, terminée par une roue à pointes et servant à aiguillonner un cheval en lui piquant les flancs; °*sporo*, introduit très tôt par les soldats mercenaires (d'où le bas latin *sporo*, IXe s.), a donné l'allemand *Sporn*, l'anglais *spur*, l'italien *sprone*, l'espagnol *espuela* étant issu de la forme gotique °*spora*.

♦ *Éperon* conserve le sens de l'étymon; par métonymie, le mot désigne la stimulation donnée par l'éperon. ◇ Par référence au sens de «pointe», le mot s'emploie ensuite pour désigner la pointe de la proue d'un navire (1428, attestation isolée, puis 1552), la partie proéminente d'une construction (1556-1560), l'ergot du coq (1605), l'avancée d'un relief montagneux (1801), etc. ◇ Jusqu'au XVIIIe s. le mot *éperon* symbolise l'allure rapide (en ancien français la locution *a esperon* signifie «très vite»), d'où des expressions comme *donner un coup d'éperon à* (un endroit) «y aller rapidement» (XVIIe-XVIIIe s.), *chausser les éperons à qqn* «le serrer de près» et ***donner de l'éperon, des éperons*** «accélérer l'allure» encore en usage, mais stylistique. *Gagner ses éperons* «obtenir une situation plus élevée» (XIXe s.) est une allusion romantique aux éperons donnés au nouveau chevalier. ◇ *Éperon* s'emploie (fin XVIe s.) au figuré pour «stimulation» (cf. *aiguillon*). Au sens de «mets excitant l'appétit» (XIXe s.), le mot est sorti d'usage.

▶ Le dérivé **ÉPERONNER** v. tr. s'emploie au propre (1080, *esperoner*) et au figuré (v. 1550) pour «stimuler». En marine (1890-1899) *éperonner un navire* signifie «l'attaquer avec l'éperon», par référence aux combats navals du passé, et «défoncer la coque» à propos de collisions involontaires. ➛ Des termes techniques sont dérivés de *éperon* : **ÉPERONNIER** n. m. (1292, *esperonnier*) «fabricant d'éperons», qui désigne aussi (1771) un faisan dont le mâle porte deux éperons, et **ÉPERONNERIE** n. f. (XVIe s.), archaïque.

ÉPERVIER n. m. est issu (v. 1135, *espervier*), *esparvier* (fin XIe s.), ainsi que les formes par métathèse *esprever* (1080), *esprevier* (1328), du francique °*sparwari* «oiseau rapace diurne de petite taille», restitué d'après l'ancien haut allemand *sparwari* et le moyen néerlandais *sperware* (allemand *Sperber*); on trouve aussi *sparvarius* en bas latin (VIe s.). La variante en *-pr-* par métathèse est indiquée jusqu'en 1740 par le dictionnaire de l'Académie.

♦ *Épervier* a d'abord le sens de l'étymon et, par l'idée de «prise soudaine», désigne (1328) un filet de pêche conique lancé à la main. Peut-être par référence à la position de l'épervier sur le poing du chasseur, le mot a désigné (1676) une palette sur laquelle le maçon posait le plâtre. ➛ Il est utilisé au XXe s. au figuré dans le domaine politique au sens (1966) de «partisan d'une attitude intransigeante», par opposition à *colombe* dans une opposition métaphorique empruntée à l'anglo-américain (cf. *faucon*).

▶ **ÉPERVIÈRE** n. f. (1778) désigne une plante herbacée commune; les anciens supposaient que cette plante fortifiait la vue de l'épervier; on trouve au XVIe s. (1587) *herbe d'espervier* et, déjà avec le même sens, le latin impérial *hieracion*, emprunté au grec *hierakion*, dérivé de *hierax* «faucon». *Chouette épervière* (XXe s.) désigne une chouette dont la forme rappelle celle de l'épervier. Enfin, *épervière*, nom féminin, a été parfois utilisé comme féminin de *épervier* (1886, L. Bloy).

ÉPHÈBE n. m. est un emprunt savant (1544) au latin *ephebus*, du grec *ephêbos* «qui est arrivé à l'âge d'homme» (18 ans à Athènes), moment où le jeune homme devenait citoyen. Le mot est formé à partir de *hêbê* «jeunesse, vigueur», «puberté», que l'on rapproche de mots baltes exprimant la force, sans constituer une famille indoeuropéenne sûre.

♦ *Éphèbe* désigne d'abord, en parlant de l'Antiquité grecque, un jeune garçon arrivé à la puberté. À la fin du XIXe s., il désigne un très beau jeune homme, dans un emploi ironique ou péjoratif; il s'était parfois utilisé (av. 1848, Chateaubriand) au sens de «très jeune fille».

▶ Le dérivé **ÉPHÉBIE** n. f. (1875), terme didactique, s'emploie pour désigner le collège où les jeunes Athéniens recevaient leur éducation physique et militaire. ➛ Sur le modèle de *dyonisies* on a formé **ÉPHÉBIES** n. f. pl. (1838) au sens de «fête familiale célébrée, dans la Grèce ancienne, lorsqu'un garçon arrivait à la puberté».

ÉPHÉMÈRE adj. et n., qui reprend au XVIIe s. les formes anciennes *efimere* (v. 1256) puis *ephimere* (1544), est un emprunt au grec *ephêmeros*, adjectif, «soumis au destin de chaque jour», «qui ne dure qu'un jour» (notamment en parlant de la fièvre) et nom désignant un insecte, mot composé de *epi* «pendant» et de *hêmera* «jour».

♦ *Éphémère* s'emploie au sens de «qui ne dure qu'un jour» en parlant de la fièvre (v. 1256, *fievre efimere*); par extension l'adjectif signifie (1544, *peines ephimeres*) «qui est de courte durée». ◆ Comme en grec, le nom désigne (1690) un insecte qui vit de quelques heures à quelques jours.

▶ Les dérivés **ÉPHÉMÈREMENT** adv. (XXe s.) et **ÉPHÉMÉRITÉ** n. f. (1946; 1870, *éphéméréité*) sont rares.

◈ voir ÉPHÉMÉRIDE.

ÉPHÉMÉRIDE n. f. est un emprunt (1537), par le latin *ephemeris*, au grec tardif *ephêmeris, idos* (sous-entendu *biblos*) «(journal) quotidien», «mémoires historiques ou militaires», composé de *epi* «pendant» et de *hêmera* «jour».

♦ *Éphéméride* est introduit comme nom féminin pluriel au sens de «tables astronomiques, donnant pour chaque jour de l'année la position des astres». ◇ À partir du XVIIIe s., le mot au singulier désigne (1761) un ouvrage groupant les événements qui se sont produits le même jour de l'année à différentes époques. Par extension, il se dit d'un journal dans lequel une personne consigne les faits remarquables de sa vie (1800) et, spécialement en parlant de l'Antiquité, de la relation quotidienne des événements de la vie d'un personnage (1865). ◇ Par extension, *éphéméride* désigne (1928) un calendrier dont on détache chaque jour une feuille.

ÉPI n. m. est issu (v. 1170, *espi*) du latin classique *spicum*, variante de *spica* «pointe» et, par analogie de forme, «épi», «brique oblongue», etc., que l'on peut rapprocher du latin *spina* «épine*», mais qui n'a pas d'autre corrélat connu.

♦ *Épi* désigne comme le latin la partie terminale de la tige de certaines graminées, formées par la réunion des graines autour d'un axe lorsqu'elles sont serrées; le concept botanique, qui correspond à «inflorescence dans laquelle les fleurs sont disposées le long d'un axe allongé», est attesté en 1701. Le mot est ensuite employé pour désigner des objets qui, par la forme ou la disposition, évoquent un épi : un ornement qui décore la crête d'un toit (1451), une mèche de cheveux dont la direction est contraire à celle des autres (1835; 1679 à propos du poil sur le front d'un cheval), la ramification latérale d'une voie de chemin de fer (1930). ◇ *En épi* signifie «selon une disposition oblique» *(stationnement en épi)*.

▶ ① **ÉPIER** v. intr. (v. 1234), d'abord attesté au participe passé (1174-1177), est issu du dérivé latin impérial *spicare* «fournir un épi». Terme rare d'agriculture, *épier* signifie «monter en épi».

ÉPI- est un premier élément tiré du grec *epi*, préverbe et préposition dont les sens sont nombreux : «sur, vers», «pendant, au temps de», «après», «en plus»; ce terme, conservé en grec moderne, est un vieux mot indoeuropéen, attesté en indo-iranien et en arménien.

♦ En français *épi-*, qui indique l'idée de superposition ou de recouvrement, entre dans la composition de mots didactiques, d'emprunt ou de formation savante.

▶ **ÉPIGLOTTE** n. f., terme d'anatomie, est un emprunt (1314) au latin médiéval *epiglottis* (v. 1210), repris au grec et signifiant littéralement «qui est sur la langue», de *glôtta* «langue» (→ glotte, glossaire). ◆ **ÉPICÈNE** adj., terme de grammaire, est un emprunt (1464, *epichene*) au latin classique *epicoenus* «qui désigne le mâle ou la femelle», du grec *epikoinos* «possédé en commun», de *koinos* «commun». ◆ **ÉPITOGE** n. f., terme didactique, est un emprunt (1484) au latin impérial *epitogium* «casaque pour mettre par-dessus la toge», de *toga* (→ toge); le mot, d'abord masculin, est devenu féminin sous l'influence de *toge*. ◆ **ÉPIGASTRE** n. m., terme d'anatomie, est un emprunt (1539) au grec *epigastrios* «qui est au-dessus du ventre», de *gastêr* «ventre, estomac» (→ gastro-); en dérive **ÉPIGASTRIQUE** adj. (1654). ◆ **ÉPIPHYSE** n. f., terme d'anatomie, est emprunté (1541) au grec *epiphusis* «croissance», «excroissance», spécialement «excroissance cartilagineuse à l'extrémité d'un os», de *epiphuein* «croître sur». ◆ **ÉPICYCLE** n. m. est formé (1580; 1377, *epiciele*) du grec *kuklos* «cercle»; en dérivent **ÉPICYCLOÏDE** n. f. (1687), d'où **ÉPICYCLOÏDAL, ALE, AUX** adj. (1741) et **ÉPICYCLIQUE** adj. (1898) d'après *cycloïde* et *cyclique*. ◆ **ÉPIGENÈSE** n. f., terme d'histoire des sciences, est formé (1625) sur *-genèse**, et **ÉPIGÉNIE** n. f., terme de géologie, (1801) sur *-génie**. ◆ **ÉPIPHONÈME** n. m. est un emprunt (1757) au latin impérial *epiphonema*, lui-même emprunté au grec tardif *epiphônêma* «exclamation», «interjection» et «sentence finale, morale». Le mot est dérivé de *epiphônein* «invoquer, crier», de *epi-* et *phônein* «parler». Terme de rhétorique, le mot désigne une exclamation sentencieuse qui termine une fable, un récit. ◆ **ÉPIPHYTE** adj., terme de botanique, est formé (1817) à partir du grec *phuton* «plante». ◆ **ÉPITHÉLIUM** n. m., terme d'anatomie, est un emprunt (1832) au latin scientifique *epithelium* (déb. XVIIIe s.), composé à partir du grec *thêlê* «mamelon», le mot s'étant d'abord appliqué à la «pellicule qui recouvre le mamelon du sein», avant de prendre une valeur générale et terminologique en anatomie.

◈ voir ÉPIDÉMIE, ÉPIDERME, ÉPIGONE, ÉPIGRAMME, ÉPIGRAPHE, ÉPILOGUE, ÉPIPHANIE, ÉPISCOPAL, ÉPITAPHE, ÉPITHALAME, ÉPITHÈTE, ÉPIZOOTIE; et aussi ÉPICENTRE (à CENTRE), ÉPIPHÉNOMÈNE (à PHÉNOMÈNE).

✳ **ÉPICE** n. f. est un emprunt (v. 1140, *espice, espiece*) au latin classique *species* «vue», «aspect, apparence»; dans la langue philosophique, le mot latin a traduit le grec *eidos*, d'où son emploi pour «espèce», qui est à l'origine, en bas latin, du sens de «marchandises classées par espèces», d'où en particulier «épices, drogues» (→ espèce).

♦ C'est le sens de «substance aromatique ou piquante, d'origine végétale» qui apparaît au XIIe s. (v. 1140; v. 1170 au pluriel); de cette valeur viennent ***pain d'épices*** (1530; 1372, *pain d'espessez*) et *quatre-épices* (1723) pour désigner en cuisine un mélange de girofle, muscade, poivre noir, cannelle ou gingembre. ◇ *Épice* a aussi désigné (v. 1175) une drogue médicinale venant d'Orient, *les épices*, dans ce sens, s'employant encore au pluriel à l'époque classique (1690); le mot s'appliquait aussi (1245) à des friandises sucrées, obtenues en faisant confire des fruits avec des aromates. De là vient qu'*épices* s'est dit (av. 1454) de dragées, confitures et en particulier d'un présent qu'on offrait aux juges pendant un procès (XVe s.); le présent fut ensuite considéré comme un droit et *épice* a désigné une taxe payable, pour chaque pièce de procédure, encore à l'époque classique. ◇ Au figuré *une fine épice* (1690) s'est dit d'un homme fin et rusé. Le mot reste pour qualifier ce qui ajoute du piquant à une situation.

▸ Le dérivé **ÉPICER** v. tr. a signifié (XIIIe s.) «faire le commerce des épices» et (mil. XIVe s.) «emmagasiner des épices»; le sens moderne d'«assaisonner avec des épices» est attesté dès le moyen âge au participe passé (v. 1200). *Épicer* a eu le sens de «fixer les frais d'un procès». ◇ Le verbe s'emploie aussi au figuré (1870) comme *pimenter, relever* pour «rendre mordant (un récit)». ◇ Dès le XVIIe s. le participe passé **ÉPICÉ, ÉE** adj. qualifie un prix exagéré (1640) (cf. aujourd'hui *salé*), puis un ton, une personne caustique (1752) et des propos lestes (1835).

ÉPICIER, IÈRE n. a d'abord désigné (1223, au féminin, *espiciere;* 1241, *espicier*) une personne qui faisait le commerce des épices, des drogues, d'où en moyen français l'emploi pour «empoisonneur» (v. 1485), puis (XVIIe et XVIIIe s.) le commerce des cierges, bougies et produits de ménage. ➛ Au XIXe s., en relation avec l'évolution de *épicerie,* le mot se dit d'une personne qui vend des produits alimentaires de consommation courante. ◇ *Épicier* désigne au figuré et péjorativement (1833; 1872, adj.) un homme à l'esprit étroit, dont les idées ne se haussent pas au-dessus du commerce. ➛ **ÉPICERIE** n. f., dérivé de *épicier,* désignait autrefois (1248, *espicerie*) collectivement les épices, puis (1249-1298) le lieu où on les vendait et leur commerce. ◇ De ce sens commercial, et selon l'évolution des habitudes de la profession, viennent les valeurs en français classique, correspondant à *épicier,* puis depuis le début du XIXe s. (1803) le sens moderne. ◇ Le mot désigne aussi (1870) les produits d'alimentation vendus par l'épicier, et notamment les produits qui se conservent.

ÉPICÉA n. m. est une altération (1765) avec la variante *epicia* (1796) de *picea* (1553, *arbre de picea*), emprunt au latin *picea,* littéralement «résineux», dérivé de *pix, picis* (→ poix). *Picea* a par ailleurs abouti à *pesse* (XVIe s., *pece*), qui a désigné l'épicéa puis, par analogie (1784), une plante aquatique.

♦ *Épicéa* désigne un conifère nommé aussi *épinette* (→ épine) au Canada et *sapinette.*

ÉPICURIEN, IENNE adj. et n. est emprunté (1495), après la forme ancienne *epichures,* nom (v. 1260), au bas latin *epicurianus,* du nom du philosophe grec Épicure (IVe-IIIe s. av. J.-C.), dont la doctrine liait le plaisir des sens et la raison. Dès le bas latin, par une interprétation abusive, *epicurianus* équivalait à «jouisseur, débauché».

♦ C'est en ce sens qu'est d'abord attesté le mot (v. 1260; adj. 1704). *Épicurien,* terme de philosophie, désigne (1495) un disciple d'Épicure.

▸ **ÉPICURISME** n. m. est un dérivé savant (1585), aussi refait en *épicuréisme* (1782), du latin *epicurius* «disciple d'Épicure» ou est directement formé sur *Épicure,* pour désigner la doctrine des épicuriens. ◇ Le mot prend au XIXe s. (1801) le sens de «morale qui se propose la recherche du plaisir» (cf. *hédonisme*).

ÉPIDÉMIE n. f., d'abord *ypidime* (v. 1256) puis *epydimie* et *epydemie* (1349), encore *epidimie* au XVIIe s., est un emprunt au latin médiéval *epidemia* ou *epidimia* (1250), terme de médecine, lui-même emprunt au grec *epidêmia.* Ce dernier est dérivé de l'adjectif *epidêmos* «qui séjourne dans un pays», d'où «qui circule dans un pays», composé de *epi* (→ épi-) et de *dêmos* «pays», «peuple» (→ démo-). Les formes en *-di-* s'expliquent par la prononciation de *η (ê)* en grec de basse époque.

♦ Comme en grec et en latin, *épidémie* désigne (v. 1256) l'apparition d'un grand nombre de cas d'une maladie infectieuse et transmissible, puis par extension l'accroissement du nombre de cas de toute autre maladie. Au figuré (1770), il se dit de ce qui touche un grand nombre de personnes et se propage comme une maladie (cf. *contagion*).

▸ Le dérivé **ÉPIDÉMIQUE** adj. s'emploie au propre (1545) et, rarement, au figuré (av. 1778); il a fourni **ÉPIDÉMICITÉ** n. f. (1788) en médecine. ➛ À partir de *épidémie* a été composé le terme didactique **ÉPIDÉMIOLOGIE** n. f. (1855) de *-logie,* d'où **ÉPIDÉMIOLOGIQUE** adj. (1878) et **ÉPIDÉMIOLOGISTE** n. (1896).

ÉPIDERME n. m. est un emprunt savant (1560), d'abord sous la forme latine *epidermis* (1548-1552), au bas latin *epidermis* «couche superficielle de la peau», mot grec composé de *epi* (→ épi-) et de *derma* (→ derme).

♦ Le mot conserve le sens de l'étymon; il s'emploie par extension à propos des coquillages (1752) et des plantes (1771). Par analogie (1770), *épiderme* désigne la couche superficielle qui enveloppe qqch. Le mot s'emploie au figuré pour «apparence». Il entre dans la locution figurée (1864) ***avoir l'épiderme sensible, chatouilleux*** «être susceptible».

▸ Le dérivé **ÉPIDERMIQUE** adj. s'emploie au propre (1823) et au figuré au sens de «superficiel», surtout dans *réaction épidermique.*

D'autres termes procèdent de *épiderme;* en médecine **ÉPIDERMITE** n. f. (1926) et dans le vocabulaire technique (mil. XXe s.), **ÉPIDERMAGE** n. m. et **ÉPIDERMURE** n. f. qui concernent des altérations du cuir, en reliure.

ÉPIDERMO-, élément tiré de *épiderme,* entre dans la composition de quelques termes de médecine comme **ÉPIDERMOPHYTE** n. f. (XXe s.), de *-phyte* «champignon parasite de la couche cornée épidermique», et **ÉPIDERMOMYCOSE** n. f. (mil. XXe s.), de *mycose*,* nom générique d'affections cutanées dues à des champignons.

① **ÉPIER** → ÉPI

② **ÉPIER** v. tr. est issu (1080, *espier*) du francique °*spehôn* «observer» que l'on restitue d'après l'ancien haut allemand *spehôn* (cf. allemand *spähen* «épier»); ce verbe se rattache comme le latin *specere* (→ spectacle) à la racine indoeuropéenne °*spek-* «observer, contempler».

♦ *Épier,* attesté isolément au sens de «trahir», est ensuite relevé au XIIe s. et signifie «observer attentivement, essayer de découvrir qqch.» (v. 1155; cf. *scruter*) et «observer secrètement (qqn, un animal)» (1160-1174). Le verbe s'est employé pour «guetter avec convoitise pour saisir» (v. 1175) et «guetter le bon moment pour faire qqch.» (1276, *espier l'ore* «l'heure»); il s'est dit ensuite pour «explorer (un pays)» (fin XIVe s.).

▸ **ÉPIEUR, EUSE** n. a signifié «espion, guetteur» (1260, attestation isolée, *espieur*), «explorateur» (XIIIe s.), «personne qui tend des embûches» (v. 1350). Il a été repris ou reformé (1840) pour désigner une personne qui épie, emploi demeuré rare.

◈ voir **ESPION.**

ÉPIEU n. m. est la réfection (XIIIe s., *espieu*), sous l'influence de *pieu,* de *inspieth* (Xe s.), *espiet* (1080), puis *espiel* (v. 1160). Le mot est issu du francique °*speot,* restitué d'après l'ancien haut allemand *spioz* et le moyen haut allemand *spiez* (cf. allemand *Spiess*); on trouve en bas latin *speltum* (VIIIe s.) et l'ancien provençal a *espeut* par emprunt.

♦ *Épieu* désigne un long bâton terminé par un fer plat, large et pointu, utilisé comme arme de guerre au moyen âge.

ÉPIGONE n. m. est un emprunt savant (1752) au grec *epigonos* «né après, descendant», formé de *epi* (→ épi-) et de *gonos* «descendant», qui se rattache à la racine indoeuropéenne °*gen(e)-,* °*gne-* (→ genre, gonade). Le mot, au pluriel *(epigonoi),* s'est dit des descendants des sept chefs tués devant Thèbes.

♦ *Épigone* désigne d'abord, en mythologie grecque, chacun des héros de la seconde expédition devant Thèbes qui s'emparèrent de la ville, vengeant ainsi leurs pères morts au cours du premier siège. Par extension (1786), le mot a le sens de «successeur», dans un groupe littéraire, etc.; d'emploi littéraire, il est souvent péjoratif. ◇ Au XXe s., le mot est repris en biologie, au sens de «descendant d'un type animal qui présente des variations par rapport à son espèce».

▸ De ce sens scientifique dérive **ÉPIGONISME** n. m. (XXe s.).

① **ÉPIGRAMME** n. f. est un emprunt (v. 1380) au latin *epigramma* «inscription, épitaphe», d'où «petit poème», du grec *epigramma* de mêmes sens, composé de *epi* (→ épi-) et de *gramma* (→ -gramme).

♦ *Épigramme* reprend (v. 1380) le sens latin d'«inscription (sur un monument)»; il est rare jusqu'au XVIe s., époque où il désigne (1533) une petite pièce poétique, traduite ou imitée du latin; ces sens ont disparu. Le mot se dit plus généralement (1538, Marot) d'un petit poème parfois satirique, puis (1611) d'un petit poème critiquant spirituellement une personne, un défaut. Par métonymie, *épigramme* signifie (1623) «trait satirique». ◇ Le genre de *épigramme* est incertain jusqu'au XIXe siècle : Balzac emploie le mot au masculin et au féminin.

▸ **ÉPIGRAMMATIQUE** adj., emprunt au latin *epigrammaticus* (déb. XVIe s., attestation isolée, puis 1732), est un mot d'emploi littéraire ou didactique, comme **ÉPIGRAMMATISTE** n. (XVIe s.), dérivé de *épigramme.*

② **ÉPIGRAMME** n. f., dans le syntagme *épigramme d'agneau* (1608) pour désigner un plat, viendrait de la confusion faite par un familier du roi : il aurait pris *épigramme* pour un terme désignant le mets servi, au moment où le roi approuvait des épigrammes qu'on lui avait données à lire. Cette anecdote cache peut-être une confusion avec un autre mot.

ÉPIGRAPHE n. f. est un emprunt savant (1694) au grec *epigraphê* «inscription» et «maxime», de *epigraphein* «inscrire», formé de *epi* (→ épi-) et *graphein* «écrire» (→ -graphe).

♦ *Épigraphe* est introduit avec le sens d'«inscription placée sur un monument, pour en indiquer la date, etc.», d'où le sens général de «inscription» (1859). Le mot est aussi employé pour désigner (1752) une courte citation placée en tête d'un ouvrage pour en indiquer l'esprit.

▸ En dérivent les termes didactiques liés au premier sens du nom, **ÉPIGRAPHIE** n. f. (1838) «science des inscriptions», d'où **ÉPIGRAPHISTE** n. (1870), et **ÉPIGRAPHIQUE** adj. (1844), emprunt au dérivé grec *epigraphikos* «relatif aux inscriptions» ou dérivé de *épigraphie.*

ÉPILEPSIE n. f. est la réfection étymologique (1503) d'une forme ancienne *epilence* (v. 1265), empruntée au bas latin *epilêpsia,* lui-même pris au grec médical *epilêpsia* «attaque, arrêt brusque», «épilepsie». C'est un dérivé de *epilêptos* «pris, arrêté», de *epilambanein* «saisir, s'emparer», formé de *epi* (→ épi-) et de *lambanein* «saisir», que l'on rattache à une racine indoeuropéenne °*labh-* de même sens.

♦ *Épilepsie* désigne une maladie nerveuse, caractérisée par des attaques convulsives, des pertes de connaissance.

▸ **ÉPILEPTIQUE** adj. et n. est un emprunt (1504) par réfection d'une ancienne forme semi-savante *pilentic* (milieu XIIIe s.) au bas latin *epilepticus,* grec *epilêptikos* «sujet à l'épilepsie», dérivé de *epilêpsia.* Des composés didactiques, comme **ÉPILEPTIFORME** adj., ont cours.

◈ voir **CATALEPSIE, ÉPANALEPSIE, PROLEPSE, SYLLABE.**

ÉPILER v. tr. est un dérivé savant (1751) du radical du latin *pilus* (qui a donné *poil**) par préfixation en *é-*.

♦ *Épiler* signifie «enlever les poils, les cheveux de (qqn)» et, par analogie, «débarrasser (un animal de ses poils ou de sa laine)» (déb. XXe s.).

▸ Le verbe a plusieurs dérivés. ➛ **ÉPILAGE** n. m., d'abord «action d'épiler» (1863, Goncourt), remplacé par **ÉPILATION** n. f. (1858, en médecine), est devenu un terme technique alors qu'*épilation* est usuel. ◆ **ÉPILATOIRE** adj. et n. m. est attesté en 1771 (cf. *dépilatoire*); le mot est assez courant, à la différence de **ÉPILOIR** n. m., en 1870, et de **ÉPILEUR, EUSE** n. (1838) «personne qui épile»; **ÉPILEUSE** n. f. (XXe s.) désigne une machine à épiler.

ÉPILOGUE n. m. est un emprunt (1339-1348) au latin *epilogus,* du grec *epilogos* «péroraison d'un discours», composé de *epi* (→ épi-) et de *logos* (→ -logue).

♦ Le mot signifie d'abord «conclusion d'une œuvre littéraire», ensuite d'un discours, d'un film, etc. (opposé à *prologue*). En parlant de l'Antiquité, il désigne (fin XVIIe s.) une petite allocution en vers récitée par un acteur à la fin d'une représentation pour demander l'approbation du public. *Épilogue* s'est employé aussi au féminin jusqu'à la fin du XVIIIe siècle. ◇ Le mot s'emploie (déb. XXe s.) au sens figuré de «dénouement» (d'une affaire embrouillée).

▸ Le dérivé **ÉPILOGUER** v. tr. a eu le sens (2e moitié XVe s.) de «récapituler (comme le fait un épilogue)». *Épiloguer sur...* prend ensuite (1678) le sens de «faire de longs commentaires, parfois malveillants, sur (qqch.)». Le verbe s'emploie aussi intransitivement (1672) pour «trouver à redire».

ÉPINARD n. m., sous les formes *espinace, espinarde* (1256), *espinar* (v. 1393) puis *épinart* (1636), est un emprunt, par l'intermédaire du latin médiéval *spinarchia, spinargia* et peut-être de l'ancien provençal *spinarch* (1150), à l'arabe d'Andalousie *'isbināḫ,* arabe oriental *'asfanāḫ, 'isfināḫ* (IXe s.), *'isfanāḫ,* lui-même emprunté au persan *ispanāğ.* On trouve aussi en français les variantes *espinasche* (1528), *espinoch.*

♦ *Épinard* désigne une plante potagère aux feuilles d'un vert soutenu, introduite en Espagne par les Arabes, qui l'utilisaient comme médicament. Sa diffusion correspond à son usage alimentaire comme légume. Le mot s'est employé (1835) dans la locution figurée ***épaulette, frange,*** etc. ***à graines d'épinards*** (par ellipse *épinard*) pour désigner une épaulette d'officier supérieur, dont les fils ressemblent à l'assemblage de ces graines.

◈ ✳ **ÉPINE** n. f. est issu (fin Xe s., *espine*) du latin *spina* «épine», «arbuste, plante épineuse», «piquant d'animaux», «épine dorsale» et, au figuré, «difficulté». Ce mot, peut-être apparenté à *spica* (→ épi), est sans origine connue.

♦ *Épine* reprend d'abord le sens latin d'«arbuste aux branches armées de piquants»; le mot n'est en usage en ce sens que dans des locutions ***épine blanche*** «aubépine» (XVe s.), ***épine noire*** «prunellier» (1530; fin XIIe s., *noire épine*), ***épine luisante*** «argousier» (1864; 1836, «alisier»), etc. et dans *la* ***Sainte épine*** (ou *l'Épine*), relique vénérée comme issue de la couronne du Christ. Le sens de «bâton épineux» est archaïque. ◆ *Épine* est ensuite employé (v. 1175) pour «piquant sur certaines plantes», sens usuel d'où vient par extension (v. 1260) celui de «piquant (de certains fruits)»; par métonymie, le mot désigne une variété de châtaigne (1870) et encore, dans des locutions, certaines espèces de poires (1571, *poire d'espine;* 1654, *espine rose*). ◇ On a aussi donné le nom d'*épine* (XIVe s.) à certains poissons à épines (1845, *épine de Judas,* «vive»); c'est aussi par analogie le nom du piquant de certains animaux (1660). ◆ *Épine* (1314) puis ***épine dorsale*** (v. 1560) se dit comme le latin *spina* de la partie saillante d'un os (cf. *crête*). ◆ Le sens figuré de «difficulté» (av. 1475) également repris au latin, et senti comme figuré du sens de «piquant», est aujourd'hui d'emploi littéraire; en viennent plusieurs locutions: *épine au pied* «sujet d'inquiétude» s'est employé seul (1572); on utilise plutôt ***tirer à qqn une épine du pied*** (XVIe s.; surtout au pronominal, au XVIIe s.); *être sur les épines,* expression courante de l'époque classique (1653), signifiait «être dans une situation difficile». ***Il n'y a pas de roses sans épines*** «de plaisir sans peine» (déb. XXe s.) a été précédé par de nombreuses variantes; la première est *nulle rose sans épine* (1611).

▸ Le mot compte plusieurs dérivés. ◆ **ÉPINER** v. tr. a été employé (v. 1210, *espiner*) aux sens de «piquer» (avec une épine) et (XIIIe s.) «aiguillonner», par figure «tourmenter» (XIIIe s.); le verbe, repris en horticulture (1862), signifie «entourer (un tronc d'arbre) de branches épineuses». ◆ ① **ÉPINETTE** n. f., attesté (XIIIe s.) aux sens de «buisson épineux» et de «petite épine», est repris en 1732 pour désigner une cage en osier, où l'on met une volaille pour l'engraisser, sans doute à partir du sens de *épiner. Épinette* désigne aussi (1864) certaines espèces de résineux, et depuis le XVIIe s. l'épicéa au Canada (1664). ◆ **ÉPINOCHE** n. f. (1re moitié du XIIe s.) est le nom d'un poisson d'eau douce qui porte des épines dorsales et latérales. ◇ Le diminutif **ÉPINOCHETTE** n. f. (1201) désigne un autre poisson. ◆ **ÉPINIÈRE** adj. f., au XVIe s. au sens de «qui porte des épines», signifie ensuite (1660) «relative à l'épine dorsale», seule valeur qui subsiste aujourd'hui dans *moelle épinière.* ◆ **ÉPINIER** n. m. désigne en vénerie un fourré d'épines (1690 au pluriel; 1870 au singulier). Deux autres mots de la famille viennent de dérivés latins. **ÉPINAIE** n. f. (v. 1170, *espinoie;* v. 1260, *espinaie*), «lieu où poussent des plantes épineuses», est issu du latin *spineta* «buisson d'épines» d'après *chênaie.* ◆ **ÉPINEUX, EUSE** adj. et n. (1124-1134, *espinuse*) vient du latin *spinosus* «couvert d'épines», aussi utilisé au figuré. C'est le sens concret du latin qui est d'abord repris, donnant naissance au XXe s. à un nom masculin. ◇ Au sens figuré de «qui produit une sensation piquante» (av. 1328), l'adjectif est devenu rare; il s'emploie, en parlant d'une personne (1458), pour «rebutant, qui soulève sans cesse des difficultés», puis (XVe s.) «qui est plein de difficultés» *(un problème épineux).* Par analogie *épineux* a été utilisé en anatomie (1561, A. Paré). ◆ Enfin, le composé **ÉPINE-VINETTE** n. f. (XVe s., *espinete vinete*) est formé de *épine* au sens d'«arbrisseau» et de *vinette* (v. 1275-1280), mot dérivé de *vin* (à cause de la couleur des baies), et qui désignait un arbuste à baies rouges, nommé aussi *vinettier, vinetier**. Le composé a pris le sens de *vinette.*

◈ voir ② ÉPINETTE, ÉPINGLE; ① PIGNOCHER; SPINAL.

① **ÉPINETTE** → ÉPINE

② **ÉPINETTE** n. f. est très probablement un emprunt francisé (1514), d'abord écrit *espinete* (1496), à l'italien *spineta* (seulement attesté en 1564), diminutif de l'italien *spina* «épine», du latin *spina* (→ épine).

♦ Le mot désigne un instrument de musique ancien, à clavier et à cordes pincées (par un bec de plume comparé à une épine), qui a précédé le clavecin.

ÉPINGLE n. f. est issu (v. 1260, *espingle*) du latin populaire °*spingula*, croisement du latin *spinula* «petite épingle» et «épingle servant à attacher», attesté dans Tacite, diminutif de *spina* (→ épine), et du bas latin *spicula* «piquant», diminutif de *spica* «pointe» (→ épi).

♦ Dans son premier emploi connu, peu clair, *épingle* désigne peut-être l'ardillon d'une boucle de ceinture. Dès la fin du XIIIe s., il se dit (1270-1330) comme en français actuel d'une petite pointe métallique munie d'une tête. Par extension, le mot désigne un objet servant à attacher, à fixer : au XVIe s. *(espingle d'or)* il a le sens de «bijou» (que l'on fixe); d'où *épingle de parure, d'un bijou* et la locution figurée ***monter qqch. en épingle*** (XXe s.) «mettre en relief». ***Épingle à cheveux*** (1833), qui désigne une épingle formée de deux branches reliées en coude, a donné par analogie *virage en épingle à cheveux* (1906). *Épingle à linge* (1864); *épingle de sûreté*, synonyme de *épingle de nourrice* (1907), désignent des attaches spécifiques. ➛ Au pluriel, le mot s'est employé (XIXe s.) dans un usage familier au sens de «gratification pécuniaire, cadeau», l'argent étant donné pour acheter des épingles. ➛ Du sens de «petite pointe» viennent plusieurs locutions figurées. ***Tirer son épingle du jeu*** (XVIe s.) «se retirer à temps d'une affaire qui devient mauvaise» viendrait d'une métaphore portant sur un jeu où il fallait retirer une épingle suivant certaines règles. ***Être tiré à quatre épingles*** (1690, Furetière) «être vêtu avec un soin méticuleux» a pris une valeur péjorative, alors qu'aux XVIIe et XVIIIe s., la locution s'appliquait à qqn vêtu avec art. ***Coup, piqûre d'épingle*** (1797), expression vieillie, signifie «petite offense». ***Ne pas valoir une épingle*** (XVIIe s.) «n'avoir aucune valeur» est également vieilli. ***Chercher une épingle dans une botte de foin*** «qqch. d'introuvable» est attesté en 1870.

▸ Le dérivé **ÉPINGLIER, IÈRE** n. se dit d'abord (v. 1260) d'une personne qui fabrique des épingles, puis (1376, sous la forme *espinguier* n. m.) d'un étui à épingles. Le mot s'emploie ensuite par analogie en musique pour désigner l'endroit où les clés retiennent les cordes d'un instrument. ➛ **ÉPINGLERIE** n. f. (1263, *espinguerie*), reformé au début du XIXe s. (1813), est un terme technique comme **ÉPINGLETTE** n. f. (fin XIVe s., *espinglecte*) «petite épingle», puis *esplinguette* (1611) «tige pour déboucher une arme à feu», sens disparus. ◇ En français québécois, le mot s'applique à un petit ornement piqué sur un vêtement, là où en France on emploie l'anglicisme aberrant *pin's*. ➛ **ÉPINGLER** v. tr. signifie (1594, *espingler*) «fixer avec une épingle», d'où au figuré et dans un usage familier (1889) «arrêter (qqn)» (cf. *agrafer*). ◇ Le participe passé **ÉPINGLÉ, ÉE**, adjectivé, qualifie au figuré une étoffe côtelée (1811), d'où *de l'épinglé* (1907). ◇ Le verbe a pour dérivé **ÉPINGLAGE** n. m. (1876) «action d'épingler», en couture.

ÉPINOCHE → ÉPINE

ÉPIPHANIE n. f. est un emprunt (fin XIIe s., *epifaine, epifanie*), refait au XVIIe s., au latin chrétien *epiphania*, lui-même pris au grec *epiphania*, neutre pluriel substantivé de l'adjectif *epiphanios* «qui apparaît», de la famille de *phainein* «faire briller» (→ phéno-).

♦ Terme du vocabulaire religieux, *épiphanie* désigne (fin XIIe s.) la manifestation de Jésus enfant aux rois mages et la fête de l'Église qui la commémore (dite aussi *Jour des Rois*), d'où par extension une manifestation de Dieu; dans ces usages on écrit le mot avec une majuscule. ◇ Dans un emploi littéraire ou didactique (histoire des religions, etc.), *épiphanie* signifie par retour à l'étymologie «manifestation de ce qui était caché».

ÉPIQUE adj. est un emprunt de la fin du XVIe s. au latin *epicus*, lui-même pris au grec tardif *epikos* «qui concerne l'épopée», dérivé de *epos* (→ épopée). Le mot s'est peu à peu substitué à *héroïque** au XVIIe siècle.

♦ *Épique* s'applique, comme l'étymon, à ce qui est relatif ou propre à l'épopée. Au figuré (1835), le mot se dit de ce qui serait digne de figurer dans une épopée, sens courant aujourd'hui, d'où l'emploi ironique pour «mémorable» (1847).

▸ **ÉPIQUEMENT** adv. (1811) est d'emploi rare.

ÉPISCOPAL, ALE, AUX adj. est un emprunt (1er quart XIIIe s.) au latin chrétien *episcopalis* «concernant l'évêque», de *episcopus*, pris au grec *episkopos* qui a donné *évêque**. Le mot, signifiant «qui surveille», puis «évêque», est composé de *epi* (→ épi-) et d'un dérivé de *skopein* «surveiller», qui se rattache à la racine indoeuropéenne °*skep-*, °*skop-* «regarder» (→ écueil, évêque, sceptique).

♦ *Épiscopal* est rare avant le XVIIIe siècle. Le syntagme *Église épiscopale* (1661) désigne l'Église anglicane, qui a conservé la hiérarchie (par opposition à Église presbytérienne*).

▸ Il a pour dérivé **ÉPISCOPALIEN, IENNE** adj. (1858). On trouve dans le même sens, au début du XVIIe s., *épiscopaux* nom masculin pluriel (1611).

ÉPISCOPAT n. m. est un emprunt (1610) au dérivé latin chrétien *episcopatus* «dignité d'évêque», «corps des évêques». Le mot conserve le sens de «dignité d'évêque» (1610) et désigne à la même date le temps pendant lequel un évêque occupe un siège. Le second sens du latin, «ensemble des évêques», a été repris au XVIIe s. (1662, Bossuet).

ÉPISODE n. m., d'abord *episodie* (XVe s.), forme utilisée jusqu'au début du XVIIe s., puis *épisode* (1637), est un emprunt au grec *epeisodion* «accessoire», qui a, comme terme de rhétorique, le sens de «partie du drame entre deux entrées du chœur» et, plus tard, celui d'«incident, digression, épisode». Le mot grec est dérivé de *epeisodos* «action de s'introduire», composé de *epi* (→ épi-) et de *eisodos* «entrée», lui-même composé de *eis* «vers» et de *hodos* «chemin» et «voie, moyen», mot d'origine indoeuropéenne.

♦ *Épisode* désigne d'abord, au théâtre, une action accessoire rattachée à l'action principale, d'où l'emploi plus tardif dans d'autres domaines, roman, poésie, peinture, cinéma. ◇ Par extension, le mot se dit (av. 1696) d'un fait accessoire qui se rattache plus ou moins à un ensemble. ◇ Il s'emploie aussi avec le sens rhétorique (1660) en parlant du théâtre grec.

► Le dérivé **ÉPISODIQUE** adj. (1633) est d'usage littéraire appliqué à ce qui a les caractères de l'épisode; il s'emploie couramment par extension pour «qui se produit de temps en temps». ◇ Le dérivé **ÉPISODIQUEMENT** adv., attesté en 1826, est relativement courant.

ÉPISSER v. tr. est un emprunt (1516, *espisser*) au moyen néerlandais *splissen*, terme de marine signifiant «entrelacer les torons (de deux cordages) pour les assembler»; la chute du *l* (on devrait avoir *esplisser*) s'expliquerait par un emprunt à une variante °*spissen* (cf. bas allemand *spiessen*, de même sens).

♦ Le verbe a conservé le sens de l'étymon.

► De *épisser* dérivent **ÉPISSURE** n. f. (1677), courant en navigation, et **ÉPISSOIR** n. m. (1678; variante *épissoire* n. f., 1888).

ÉPISTÉMOLOGIE n. f. a été introduit assez récemment (1901) dans la traduction de l'*Essai sur les fondements de la géométrie* de Russell; c'est un emprunt à l'anglais *epistemology*, formé pour traduire l'allemand *Wissenschaftslehre* «théorie de la connaissance», avec le grec *epistêmê* «science, connaissance», dérivé de *epistanai* «savoir», proprement «se tenir au-dessus de» et *-logy* (→ -logie).

♦ Le mot est introduit en français pour désigner l'étude critique des sciences, visant à déterminer leur valeur, leur origine logique et leur portée. Il est donné comme équivalent de *philosophie des sciences* par Meyerson (1907). L'épistémologie se constitue à un moment où ce n'est plus la philosophie qui donne son statut à la science, mais la science qui peut être l'objet de la philosophie. Ce moment correspond à une crise des fondements des mathématiques et de la physique, avec la théorie relativiste. Les contenus de l'épistémologie ont varié au cours du XXe s.; tentant de répondre à la question «qu'est-ce que la science?», l'épistémologie se heurte au problème de l'unité scientifique et à celui de l'unité des formes de la connaissance (y a-t-il rupture ou continuité entre la connaissance commune et la science?). Au sens large, également repris de l'anglais pour désigner (1941) la théorie de la connaissance et de sa validité, l'emploi du mot a été critiqué. Le mot désigne en outre l'étude des processus psychiques de connaissance, notamment dans ***épistémologie génétique*** (Piaget, 1970).

► Les dérivés **ÉPISTÉMOLOGIQUE** adj., attesté avant 1908, **ÉPISTÉMOLOGISTE** n. (1918), concurrencé par **ÉPISTÉMOLOGUE** (1941), sont usuels dans l'usage didactique. ➛ **ÉPISTÉMÉ** n. f., adaptation graphique du mot grec (v. 1965; cf. la variante *épistémie*), d'usage plus didactique encore, désigne l'ensemble des connaissances réglées à une époque; il a été promu avec d'autres hellénismes (*mathêsis*, etc.) par Michel Foucault.

ÉPISTOLAIRE adj. et n. est d'abord un emprunt (1487, n. m.) au latin médiéval ecclésiastique *epistolarium* (v. 1100) «livre d'épîtres», dont il reprend le sens, disparu aujourd'hui (cf. *lectionnaire*). Le mot représente ensuite un emprunt (1542) au bas latin *epistolaris* «relatif à la correspondance» et comme nom «secrétaire impérial», de *epistolarius*, dérivé de *epistola* «lettre missive» (→ épître).

♦ *Épistolaire* signifie «qui a rapport à la correspondance par lettres», d'où, dans le domaine littéraire, *genre épistolaire* (1839) et *roman épistolaire*. ◇ Au sens d'«auteur de lettres» (1622), le mot semble avoir disparu au XVIIIe siècle.

► Le dérivé **ÉPISTOLAIREMENT** adv. (1845, Balzac) est rare.

ÉPISTOLIER, IÈRE n., de même origine que *épistolaire* nom masculin, a aussi désigné (v. 1250) un livre d'épîtres et (1505) celui qui lit l'épître; c'est alors un emprunt au latin médiéval de même sens *epistolarius*. C'est ensuite un dérivé savant (milieu XVIe s.) du latin classique *epistola* ou du français *épistole*, nom féminin, «lettre» (emprunt au XIIIe s. du latin), devenu archaïque. *Épistolier*, mot vieilli au sens d'«écrivain qui pratique le genre épistolaire», s'emploie encore littérairement pour désigner une personne qui écrit beaucoup de lettres, mais il est stylistique et ironique.

ÉPITAPHE n. f. est emprunté (v. 1130, *epitafe*, n. m.) au bas latin *epitaphium* «inscription gravée sur un tombeau» et «support de cette inscription», qui reprend le grec *epitaphios* «relatif au tombeau», «funèbre», employé à propos d'éloges, de jeux, etc.; ce mot est formé de *epi* «sur» (→ épi-) et de *taphos* «tombeau», que l'on rapproche de l'arménien *dab-an* «fosse, sépulture».

♦ En français, *épitaphe* a d'abord repris le premier sens du latin, puis (v. 1530) le second.

ÉPITHALAME n. m. est un emprunt savant (1536) au latin impérial *epithalamion*, mot du grec tardif signifiant «chant nuptial», neutre substantivé de *epithalamios* «nuptial», dérivé de *thalamos* «chambre», mot sans étymologie connue.

♦ Le mot désigne un poème composé à l'occasion d'un mariage; il est devenu didactique et rare avec l'abandon du genre.

ÉPITHÈTE n. f. est un emprunt savant (1517) au latin impérial *epitheton*, mot grec signifiant «chose ajoutée», d'où en grammaire «adjectif», et substantivation de l'adjectif *epithetos*. Ce mot est formé de *epi* «sur» (→ épi-) et de *thetos* «placé», adjectif verbal de *tithenai* «poser, placer», construit sur la base grecque *the-*, de la racine indoeuropéenne °*dhe-*

«placer» que l'on retrouve dans de nombreuses langues indoeuropéennes, notamment dans le latin *facere* (→ faire). *Épithète* est masculin jusqu'au XVIIe siècle.

♦ Le mot désigne (1517) ce qu'on adjoint au nom ou au pronom pour le qualifier. Par extension, *épithète* se dit (XVIe s.) d'une qualification louangeuse ou injurieuse donnée à qqn.

▸ Le dérivé **ÉPITHÉTIQUE** adj. (1864) est d'emploi didactique et rare; il est concurrencé par l'adjectivation (1901) de *épithète*.

ÉPÎTRE n. f. est issu (1174-1176, *epistle*) du latin *epistola, epistula* «lettre missive» et «épître en vers», emprunt au grec *epistolê* «ordre oral ou écrit, message, lettre», composé de *epi* (→ épi-) et d'un dérivé de *stellein* «envoyer». *Epistola* avait aussi donné par emprunt *épistole* (→ épistolaire).

♦ *Épître* a d'abord le sens latin de «lettre missive», en parlant des Anciens *(Épîtres de Cicéron)*. Puis, comme en latin chrétien (fin XIIe s., *aspitle*), il entre dans le vocabulaire religieux pour parler des lettres écrites par les Apôtres et réunies dans le Nouveau Testament *(Épîtres de saint Paul, des Apôtres)*; par extension, dans la liturgie catholique, *épître* désigne une leçon lue à la messe, tirée des épîtres des Apôtres. ◇ Le mot reprend ensuite (1518-1519, Marot) le sens de «lettre en vers», genre littéraire.

ÉPIZOOTIE n. f. est un mot savant (1775, probablement antérieur) composé de *épi-** et à partir du grec *zôotês* «nature animale», de *zôon* «être vivant, animal» (→ zoo-) d'après *épidémie*.

♦ C'est un terme didactique, désignant une épidémie qui frappe les animaux.

▸ Le dérivé **ÉPIZOOTIQUE** adj. est attesté avant le nom (1771); l'anglais *epizootic* est encore antérieur (1748).

ÉPLUCHER v. tr. est la contraction (1508, *esplucher*), d'abord écrite *esplukier* (fin XIIIe s.), de l'ancien verbe *espeluchier* (1194-1197), dérivé par préfixation en *es-* de *peluchier* «nettoyer (la vermine)» en parlant d'animaux (v. 1180, *soi peluchier*). Ce dernier est issu d'un latin populaire °*piluccare* (cf. italien *piluccare* et catalan *pellucar* sous l'influence de *pell* «peau»), réduction d'une forme °*pilucicare*, venant elle-même de °*pilucare* (cf. ancien provençal *pelugar* et *peluche**). Ce mot populaire est dérivé du bas latin *pilare* «épiler» (qui a abouti à *peler**), du latin classique *pilus* (→ poil).

♦ Le verbe signifie d'abord «nettoyer, en enlevant les parties inutiles» (1194-1197, *espeluchier*); dans ce sens, la forme *esplucher* est attestée en 1549; de là vient l'emploi technique (1508) «enlever les bourres, les pailles (d'une étoffe)». ◇ Il s'emploie ensuite figurément (fin XIIIe s., *esplukier*) au sens d'«examiner attentivement avec une intention critique», repris avec la forme moderne avant 1613.

▸ Le dérivé **ÉPLUCHEUR, EUSE** n. s'emploie d'abord au figuré (1555; av. 1553, *éplucheur de sacs* «homme de loi zélé»), puis au propre (1611) une **ÉPLUCHEUSE** n. f. désigne une machine à éplucher (1870). ◆ Du verbe dérivent aussi **ÉPLUCHEMENT** n. m. (v. 1460), **ÉPLUCHURE** n. f. (1680; 1611, *espluchure*) le plus courant, concurrencé par *pluches*, familier, **ÉPLUCHAGE** n. m. (1755; 1864 au figuré), **ÉPLUCHOIR** n. m. (1680). Le composé **ÉPLUCHE-LÉGUME** n. m. (de *légume*) est attesté au XXe siècle. ◆ **ÉPLUCHETTE** n. f. (1862) désigne au Canada la fête au cours de laquelle on épluche les épis de maïs. C'est l'équivalent français de l'anglo-américain *husking*.

ÉPODE n. f. est un emprunt savant (1550, Ronsard) au latin impérial *epodos*, repris au grec *epǭdos*, terme de prosodie désignant la troisième partie d'une ode, et composé de *epi* (→ épi-) et de *ǭdê* «chant» (→ ode).

♦ *Épode* conserve le sens de l'étymon, puis désigne (1552, Rabelais) un couplet lyrique composé de deux vers inégaux et, par extension, un poème composé de distiques de ce genre.

◈ voir **AÈDE**.

ÉPONGE n. f., qui adapte au XIIIe s. *(esponge)* les formes anciennes *espoigne* (v. 1220, en anglo-normand), *espoinge* (1249-1272) et s'écrit *éponge* en 1636, est issu du latin populaire °*sponga*, du latin classique *spongia*, d'où vient *espoigne* (v. 1220). C'est un emprunt au grec *spongia*, dérivé de *spongos*, représentant un mot d'une langue méditerranéenne, °*sp(h)ongo-* que l'on retrouve aussi dans des termes désignant le champignon, comme le latin *fungus* ou l'arménien *sunk*. La forme °*sponga* est peut-être due à un contact tardif avec *spongos*, par le commerce à Marseille des éponges venues des îles grecques.

♦ Le mot désigne d'abord la substance poreuse provenant d'un animal marin et qui a la propriété d'absorber les liquides (XIIIe s., *esponge de mer*), d'où au XIIIe s. le sens de «compresse». ◇ Le second sens, métonymique (1502), concerne l'animal marin dont le squelette fournit la matière déjà appelée *éponge*. ◇ Les propriétés de l'éponge et ses usages expliquent les locutions figurées : ***passer l'éponge sur qqch.*** (1607; 1611, variante *porter l'éponge*), ***boire comme une éponge*** (1651), d'où *une éponge* «un grand buveur» (v. 1840), ***presser l'éponge*** «exploiter (qqn)» (1690). D'autres locutions de la langue classique ont vieilli, comme *vouloir sécher la mer avec une éponge* (1690) ou *éponge à sottises* (1691) «naïf qui croit tout ce qu'on lui dit», encore relevée au milieu du XIXe siècle. ◇ Au XVIIIe s., la métaphore de l'éponge est couramment utilisée en physique comme principe d'explication pseudo-scientifique; Bachelard en a fait patiemment l'analyse. ◇ Par analogie de forme ou de fonction, *éponge* est employé en botanique (1702, *éponge d'églantier*). ◇ ***Tissu éponge*** se dit par analogie d'un tissu absorbant (1877). De là, le syntagme usuel ***serviette éponge***. ◇ Le mot désigne en outre un objet analogue à l'éponge, en quelque matière que ce soit; la rareté des éponges d'origine animale conduit à préciser aujourd'hui *éponge animale, naturelle*. En boxe (1901), par traduction de l'anglais *to throw up the sponge* (employé métaphoriquement dès 1877),

jeter l'éponge signifie «abandonner le combat», d'où «abandonner la lutte».

▸ Le dérivé **ÉPONGER** v. tr., attesté en ancien français au figuré «purifier sa conscience» (v. 1223, *soi espungier*) puis isolément en 1558 *(spongier)*, signifie aujourd'hui et depuis le XVIIIe s. «passer une éponge sur (qqch.)» (1755) et par extension «étancher (un liquide), essuyer» (1762). Le pronominal *s'éponger* n'est attesté qu'en 1859. ◇ Le verbe a signifié par figure (mil. XIXe s.) «absorber, réduire» : aujourd'hui il s'emploie spécialement (v. 1950) dans le domaine économique au sens de «supprimer, absorber (un excédent financier, une dette)». ◇ En argot, *éponger* a pris au XXe s. le sens de «soustraire (de l'argent)» ; par une autre métaphore (XXe s.), il signifie, en parlant d'une prostituée, «faire une passe avec (un client)». ◆ Le nom d'action **ÉPONGEAGE** n. m. (1877) est rare.

◈ voir SPONGIEUX.

ÉPONYME adj. est un emprunt (1751) au grec *epônumos* «attribué comme surnom» ou «qui donne son nom à», composé de *epi* «sur» et de *onoma* «nom» (→ onomatopée, synonyme), qui correspond au latin *nomen* (→ nom).

♦ Terme didactique, *éponyme* signifie comme en grec «qui donne son nom à» *(héros éponyme, magistrat éponyme)*.

▸ Le dérivé **ÉPONYMIE** n. f., attesté en 1870, est très rare.

ÉPOPÉE n. f. est un emprunt, attesté en 1675 par le *Traité du poème épique* de R. Le Bossu, au grec *epopoiia* «composition d'un récit en vers» et «épopée», composé de *epos* «parole» (qui désigne, au pluriel, la poésie épique) et de *poiein* «faire» (→ poème) ; *epos,* comme le latin *vox* (→ voix), se rattache à une racine indoeuropéenne °*wek^w*- «parler».

♦ *Épopée* désigne, comme l'étymon grec, un long poème en vers (ensuite aussi en prose) qui célèbre un héros ou un grand fait, mêlant l'histoire et la légende. ◇ Par extension (1835), le mot se dit d'une suite d'éléments historiques qui s'apparentent aux récits des épopées.

▸ **ÉPOS** n. m., mot grec emprunté, désigne de manière très didactique (milieu XXe s.) un discours poétique de nature narrative et historique, mis ensuite en forme dans l'épopée.

◈ voir ÉPIQUE.

ÉPOQUE n. f. est un emprunt savant d'époque préclassique (1637, *epoche*) au grec *epokhê* «point d'arrêt», «période de temps, ère» et, en astronomie, «arrêt apparent d'un astre à son apogée». C'est un composé de *epi* «sur» (→ épi-) et *okhê* «soutien, appui», de *ekhein* «tenir, avoir», mot d'origine indoeuropéenne.

♦ *Époque* reprend d'abord le sens d'«espace de temps» et désigne spécialement (1678-1680) une période historique marquée par des événements importants. ◇ Le mot se dit également (1678-1680), comme en grec, d'un point fixe et déterminé dans le temps, qui sert de départ à une chronologie, sens qui ne subsiste que dans la locution ***faire époque*** (1762). Cette valeur de «point d'arrêt» a été employée en logique, où *époque* signifiait (XVIIIe s.) «suspension d'un jugement» ; elle se conserve par l'emploi du mot en astronomie (1808) au sens de «lieu moyen (d'une planète) fixé pour un instant déterminé». ◇ Par extension du premier sens, *époque* désigne couramment (fin XVIIIe s.) un moment déterminé de la vie d'une personne ou d'une société. Cette valeur se réalise dans plusieurs emplois : le mot se dit (1829) d'une période caractérisée par un style artistique *(l'époque classique)*. Il est devenu un terme de géologie (XIXe s.) pour «division d'une période géologique» d'abord dans *Les Époques de la nature* chez Buffon (1778), puis en biologie. De la valeur biologique vient un euphémisme familier, devenu archaïque, *les époques* (d'une femme) «les règles» (1835), par exemple dans *avoir ses époques.* ◇ Spécialement, le mot s'emploie dans ***la belle époque*** «les premières années du XXe s.», célèbres pour l'état d'euphorie qui, selon les traditions, les caractérise.

ÉPOUSER v. tr. est issu (v. 1050, *espouser*) du bas latin *sponsare* «promettre en mariage, fiancer», itératif du classique *spondere* «promettre solennellement», vieux mot juridique et religieux qui se rattache à une racine indoeuropéenne °*spend*- «faire une libation, promettre» (→ répondre), que l'on retrouve dans le grec *spendein* et le hittite *šipand*- de mêmes sens.

♦ *Épouser* signifie d'abord «prendre pour époux, pour épouse», d'où plus tard *s'épouser* (1440-1475) et l'emploi absolu (v. 1640) «se marier». *Épouser (qqn)* «unir par le mariage» (v. 1138) ne s'est pas maintenu ; *épouser qqn* «avoir des rapports avec lui» (v. 1155) est devenu un archaïsme. ◇ Par figure, ont été construites les locutions argotiques sorties d'usage : ***épouser la veuve*** «être pendu» (1610), puis «guillotiné» ; ***épouser une prison*** «être emprisonné» (XVIe s.) ; ***épouser la camarde*** «mourir» (1867), faux archaïsme du XIXe siècle. ◇ Par métonymie le verbe prend le sens de «recevoir (qqch.) en épousant qqn» ; on a dit *épouser une dette* au XVIe siècle. ◇ *Épouser* s'emploie par figure (1548) au sens de «s'attacher de propos délibéré à (qqch.)», comme *embrasser,* d'où aujourd'hui par extension (1965) «adopter (une technique, une invention)». Depuis le XIXe s., le verbe est utilisé (1886) pour «s'adapter exactement à (une forme, un mouvement)».

▸ Le participe passé substantivé **ÉPOUSÉ, ÉE,** rare au masculin, s'est d'abord employé au féminin (1130-1140, *espousee*) au sens de «fiancée du Christ» et, laïquement, de «personne qu'on va ou vient d'épouser» ; il est devenu archaïque. Il était entré dans des locutions, ***être parée comme une épousée de village*** «avec mauvais goût» (1690), ***marcher comme une épousée*** (1864 ; aux XVIe et XVIIe s., *marcher en épousée*) «lentement et avec gravité» ; ces expressions sont elles aussi archaïques. ◆ Du verbe dérivent **ÉPOUSEUR** n. m. (XIVe s., *espouseor,* attestation isolée, puis 1665) souvent ironique (Don Juan est pour Sganarelle *l'épouseur du genre humain*) et **ÉPOUSABLE** adj. (*espousable* v. 1520).

ÉPOUSAILLES n. f. pl. est issu (1160-1174, *espusailles*) du latin classique *sponsalia* «fiançailles», dérivé de *sponsus*, participe passé de *spondere*. ➜ Le mot, désignant la célébration d'un mariage, n'est plus employé que par archaïsme ou par plaisanterie.

Enfin, **ÉPOUX, ÉPOUSE** n. est issu d'abord au féminin *espouse* (XIIe s.), après les formes *espus* et *spuse* (v. 1050), du latin classique *sponsus, sponsa* et *sposus, sposa*, participe passé de *spondere* (voir ci-dessus). ➜ Le mot s'emploie d'abord dans le vocabulaire religieux, *époux* (*espoux*, 1487) et *épouse* évoquant l'alliance entre Dieu et le peuple juif, d'où au XVIIe s. des locutions comme ***l'Époux céleste*** (1694), ***l'Époux de l'Église*** (1680) pour désigner Jésus-Christ et ***l'Épouse de Jésus-Christ*** (1680; 1553, *l'Épouse*) pour l'Église. ◇ Il désigne en même temps dans l'usage général, mais moins couramment que *femme* et *mari*, une personne unie à une autre par les liens du mariage (*les époux* «le mari et la femme», après 1650). C'est aujourd'hui un terme de droit ou littéraire, mais *épouse* est d'emploi courant lorsque *femme* est ambigu.

ÉPOUSTOUFLER

ÉPOUSTOUFLER v. tr., attesté en 1867, est un mot d'origine incertaine, relevé d'abord dans les dialectes de l'Ouest sous les formes du type *époustifler;* c'est peut-être un dérivé de l'ancien français *soi espo(u)sser* «perdre haleine» (XIIe s.), issu du latin *pulsare* «pousser violemment» (qui a donné *pousser, pulsation*) avec une finale *-tifler, -toufler* peut-être sous l'influence de *emmitoufler*.

♦ *Époustoufler*, rarement utilisé à l'actif, signifie familièrement «jeter (qqn) dans l'étonnement»; la finale moderne trahit peut-être l'influence de *souffler*.

▸ L'adjectif **ÉPOUSTOUFLANT, ANTE**, du participe présent, est attesté en 1915.

ÉPOUVANTER

ÉPOUVANTER v. tr. est la réfection étymologique (v. 1120, *espouventer*) de *s'espoer* (1080), forme issue du latin populaire °*expaventare* (cf. italien *spaventare*, l'espagnol *aspaventar*) formé à partir de *expavens*, participe présent du latin classique *expavere* «craindre, redouter». Ce verbe vient de *ex-* intensif et de *pavere* «avoir peur, être troublé» (→ peur; épave).

♦ *Épouvanter* signifie d'abord «frapper d'horreur, de terreur». C'est à partir du XVIIe s. que le verbe, par extension, s'emploie au sens de «causer de vives appréhensions», puis de «surprendre fortement» (av. 1613; 1666, au pronominal) [cf. *choquer*]. Le verbe a conservé une valeur très forte, malgré son ancienneté, mais il est assez littéraire.

▸ Il n'en va pas de même pour certains de ses dérivés. **ÉPOUVANTABLE** adj., d'abord «qui cause de l'épouvante» (v. 1120, *espowentable*), signifie par hyperbole (1663) «très mauvais, inquiétant». Puis l'idée superlative subsiste surtout, avec le sens d'«excessif, extrême». ➜ En dérive **ÉPOUVANTABLEMENT** adv. «d'une manière effrayante» (v. 1120) et (1690) «d'une manière excessive».

ÉPOUVANTEMENT n. m. (1611), réfection de *espoentement* (1re moitié XIIe s.) «action d'épouvanter», signifie par métonymie «ce qui provoque l'épouvante»; sorti d'usage, il a eu une valeur intensive par rapport à *épouvante*.

ÉPOUVANTAIL n. m. désigne (1180-1190, *espoëntaus*) un objet placé dans les champs ou les jardins pour effrayer les oiseaux, d'où la locution sortie d'usage, *c'est un épouvantail à chènevière* «une personne moins redoutable qu'elle ne le paraît». ◇ Par figure (1556, Ronsard), le mot signifie «ce qui inspire de vaines ou excessives terreurs». Par analogie, *épouvantail* se dit (XIXe s.) d'une personne habillée ridiculement.

ÉPOUVANTE n. f. (av. 1571, *espavente;* forme moderne, 1592) a suivi la même évolution sémantique que le verbe et est demeuré très fort. On disait à l'époque classique *prendre l'épouvante* (1639) «perdre son sang-froid sous l'effet d'une grande frayeur».

ÉPRENDRE

ÉPRENDRE v. tr. est dérivé (1080, *esprendre*) de *prendre** par préfixation.

♦ *Éprendre* a signifié «commencer à brûler (qqch.)» en parlant du feu. À partir de la première moitié du XIIe s., le participe passé adjectivé **ÉPRIS, ÉPRISE** (v. 1120) puis *s'éprendre* v. pron. ont le sens d'«(être) saisi par (un sentiment, une passion)», aujourd'hui littéraire. Le pronominal reste courant dans la construction (1643) *s'éprendre de (qqn)* «devenir amoureux de», et l'adjectif *épris* s'emploie encore, comme synonyme élégant de *amoureux*.

✳ ÉPROUVER

✳ **ÉPROUVER** v. tr., réfection (XIIIe s., *esprouver*) de *esprover* (1080), est dérivé de *prouver** par préfixation.

♦ Le verbe a d'abord le sens de «mettre à l'épreuve», vieilli aujourd'hui mais vivant avec le participe passé adjectif *(un courage éprouvé)*. ◇ Depuis le XIIe s. il signifie par extension (1155, *esprover*) «vérifier, connaître par une expérience personnelle», aussi dans la construction *esprover que* (v. 1175). En religion, il a une valeur spéciale, «soumettre à la tentation» (XIIIe s.). ◇ Il s'emploie ensuite (1273) pour «ressentir» *(éprouver un désir, de la tendresse) et* (XIIIe s.) «faire subir des épreuves, des souffrances à (qqn)». Éprouver qqn, qqch., avec un adjectif, a signifié à l'époque classique «trouver» (av. 1650). Plus tard, il signifie en parlant de choses (1718) «subir un dommage».

▸ **ÉPREUVE** n. f., d'abord (v. 1175) *esprove*, déverbal de *éprouver*, a dès ses premiers emplois le sens général d'«action d'éprouver (qqch. ou qqn)». Spécialement le mot équivaut à «souffrance, malheur», d'où *l'épreuve* «l'adversité», d'emploi littéraire. ◇ Dans le droit féodal, ***épreuve judiciaire*** désignait celle à laquelle on soumettait des accusés, en faisant appel à l'intervention de Dieu pour désigner le coupable (cf. *ordalie*). ◇ *Épreuve* désigne aussi (v. 1265) ce qui permet de juger la valeur d'une idée, d'une personne, d'où les locutions ***à l'épreuve*** (1587, *vertu à l'épreuve)*, courant dans ***mettre à l'épreuve***, synonyme de *éprouver;* ***à l'épreuve de*** (fin XVIe s.) signifie «qui peut résister à»; ***être à l'épreuve*** «très solide» a disparu, remplacé par ***à toute épreuve*** (fin XVIIe s., *à toutes épreuves* v. 1640). ***Faire l'épreuve de qqch.*** «essayer» a vieilli. ◇ À l'époque classique, *épreuve* équivalait à «témoignage, preuve» (1670). *Épreuve* se dit d'une opération par laquelle on juge les qualités d'une chose (par métonymie «sonde», 1314; cf. *éprouvette*). Le mot s'emploie aujourd'hui dans le vocabulaire technique *(épreuve de résistance)* et scientifique. ◆ Depuis le XVIe s. *épreuve* se dit par métonymie du résultat d'un essai, spécialement pour désigner, en typographie, un texte imprimé tel qu'il sort de la composition et qui doit être corrigé (fin XVIe s.) puis une gravure (1680), une photographie (1857); cette valeur s'étend, au XXe s., au cinéma et à la télévision *(épreuve de tournage)*. ◆ À partir du XIXe s., le sens général d'«action d'éprouver (qqn)» se développe; *épreuve* désigne ce qui permet de juger qqn, de lui conférer une dignité, de le classer (1835, dans la franc-maçonnerie), d'où le sens spécialisé de «compétition sportive» (1831) et l'emploi dans *épreuve d'un examen* (fin XIXe s.). ◆ Sur *épreuve* a été formé **CONTRE-ÉPREUVE** n. f. (1828; *contre-preve*, 1676; de *contre-*).

Le diminutif de la forme ancienne de *épreuve* ou de *éprouver*, **ÉPROUVETTE** n. f., s'est employé (1503, *esprouvette*) au sens de «sonde (utilisée en chirurgie)». Le mot désigne ensuite (1688) un récipient utilisé pour éprouver la qualité d'une matière, sens aujourd'hui technique, d'où spécialement (1803) un récipient en forme de tube employé dans les analyses de laboratoire et, par métonymie (1839), un échantillon d'un matériau fabriqué.

En outre, les deux participes ont servi à former des adjectifs, **ÉPROUVANT, ANTE** «qui fait subir une épreuve pénible» (1831) et **ÉPROUVÉ, ÉE**, d'une personne qui a subi des épreuves (1787) et d'une chose qui a été mise à l'épreuve. ◇ **INÉPROUVÉ, ÉE** adj. (1831), de *in-** et *éprouvé*, signifie «qui n'a pas encore été ressenti, mis à l'épreuve».

ÉPUISER v. tr., sous les formes *expuiser* (v. 1120), *espuchier* (v. 1140) et *espuiser, epuyser* (XVIe s.), est formé par préfixation à partir de *puiser** et de ses formes anciennes, au sens de «prendre de l'eau».

♦ *Épuiser* s'emploie d'abord aux sens de «vider complètement» *(épuiser un bassin)* et «puiser (de l'eau)» (v. 1140), d'où par analogie «consommer entièrement» (v. 1175, *épuiser ses ressources*), «ruiner, appauvrir» (v. 1355; *épuiser un pays*), ainsi que les emplois concrets *épuiser un sol* (1671), *épuiser une mine* (1765). ◇ Abstraitement, le verbe signifie à partir du XVIe s. (1515) «réduire à un affaiblissement complet (qqn; ses forces)» et «user jusqu'au bout» (1552, Du Bellay; *épuiser la patience de qqn*), d'où en parlant d'un sujet, «traiter à fond» (1573). ◆ La forme pronominale *s'épuiser* (v. 1587) s'est d'abord employée à propos d'une source, et, par extension, de la terre, de ses ressources, puis aussi des exemplaires d'un livre, d'une édition (1845). ◇ Depuis le XVIIe s., l'accent étant mis sur la notion d'affaiblissement des forces, *s'épuiser* s'applique à une chose qui s'affaiblit peu à peu (1640) et à une personne qui se fatigue, perd ses moyens intellectuels et physiques (1650, Corneille). ◆ Le participe passé **ÉPUISÉ, ÉE** adj. correspond aux valeurs du pronominal.

▸ Les dérivés sont assez nombreux. ◆ **ÉPUISEMENT** n. m. (XIIIe s., *espuchement;* 1585, *espuisement*) signifie d'abord «action de puiser, de vider»; il désigne au XVIIe s. (1679) une grande faiblesse (physique ou morale) et (1690) l'état de ce qui épuisé. ◆ **ÉPUISABLE** adj. (1352, *expuisable*, attestation isolée, puis 1579, *espuisable*) est rare, contrairement à son antonyme **INÉPUISABLE** adj. (v. 1460), usité couramment au propre (2e moitié du XVIe s.) et au figuré (1766-1777, «bavard», Rousseau). ◇ Ce dernier a pour dérivés **INÉPUISABLEMENT** adv. (1691) et **INÉPUISABILITÉ** n. f. (1940, Sartre), didactique et rare. ◆ **ÉPUISANT, ANTE** adj. (1776) est d'emploi courant au sens de «qui fatigue beaucoup» (c'est un intensif de *fatigant*), rare en parlant de ce qui rend stérile un sol (v. 1830).

ÉPUISETTE n. f. a désigné (1709) un filet pour prendre les oiseaux, auparavant appelé *puisette* (→ puits); le mot se dit ensuite d'un petit filet de pêche (1827) et d'une pelle creuse pour vider l'eau d'une barque (1852); du second sens d'*épuisette* vient un autre verbe *épuiser* (XXe s.) par dérivation régressive, «tirer (un poisson) de l'eau avec une épuisette».

ÉQUANIMITÉ n. f. est un emprunt (1572, Amyot) au latin *aequanimitas* «sentiments bienveillants, égalité d'âme», composé de *aequus* (→ égal, équi- et aussi équateur, équation, équitable) et de *animus* ou *anima* (→ âme).

♦ Le mot, qui conserve le sens du latin, est inusité à l'époque classique, puis est repris au XIXe s. (1819, Boiste, «impartialité») mais reste d'emploi littéraire.

▸ **ÉQUANIME** adj. (fin XVIe s., *aequanime*), emprunté au dérivé bas latin *aequanimus*, signifie «d'humeur égale»; il est tombé en désuétude.

ÉQUARRIR v. tr. est une variante de la fin du XIIe s., attestée par le dérivé *esquarrie* «carré» puis à l'actif (mil. XIIIe s.) de l'ancien français *escarrer* «disloquer» (1288), issu du latin populaire °*exquadrare* «rendre carré» (→ équerre). Ce dernier est un préfixé du latin classique *quadrare* «rendre carré», «équarrir», dérivé de *quadrus*, lui-même de *quattuor* (→ quatre).

♦ Le verbe signifie d'abord (milieu XIIIe s.) «tailler (en carré), mettre en pièces», d'où son emploi dans divers domaines techniques pour «rendre carré» (1538, *esquarrir*, pour la taille des pierres); en particulier il se dit (1755) pour «percer (un métal) avec l'équarrissoir». ◇ *Équarrir* a pris le sens spécial (1780, écrit *écarir*) de «couper en quartiers (un animal mort)». ◇ Au sens figuré de «dégrossir (qqn, qqch.)» (1870), le verbe est sorti d'usage.

▸ En dérivent des termes techniques : **ÉQUARRISSAGE** n. m. (1364) ou, moins courant, **ÉQUARRISSEMENT** n. m. (1328). ◆ **ÉQUARRISSEUR** n. m. (mil. XVIe s.) «tailleur de pierres»; comme *équarrissage*, ce dérivé a pris le sens postérieur du verbe et concerne l'abattage et le dépeçage des animaux, surtout des chevaux. ◆ Un dernier dérivé, désignant un instrument, est **ÉQUARRISSOIR** n. m. (1671).

ÉQUATEUR n. m. est un emprunt (v. 1380) au latin médiéval *aequator* (XIIIe s.), du latin *aequare* «rendre égal», dérivé de *aequus* «égal» (→ égal, équi-). En latin, l'équateur se nomme *circulus aequinoctialis* (→ équinoxe), calque du grec *isêmerinos kuklos* «cercle *(kuklos)* des jours *(hemera)* égaux» *(isos)*.

♦ *Équateur,* d'abord terme d'astronomie, se dit du grand cercle de la sphère céleste *(équateur céleste)*. Le mot désigne aussi le grand cercle de la sphère terrestre, d'où par métonymie l'ensemble des régions traversées par la ligne imaginaire de l'équateur. ◇ Par analogie, s'agissant de corps sphériques, *équateur* s'emploie comme terme de physique (1864), de mathématiques (1870), en embryologie (1897), à propos de l'œuf, puis en biologie, d'une cellule.

▶ **ÉQUATORIAL, ALE AUX** adj. et n. m. est un dérivé savant (2e moitié du XVIIIe s., adj., 1778 chez Buffon) du latin *aequator*. Le mot s'applique à ce qui est relatif à l'équateur et s'emploie par analogie comme *équateur* dans divers domaines. ◇ *Lunette équatoriale* (1784), «mesurant l'ascension droite et la déclinaison d'un astre», fournit l'origine de **ÉQUATORIAL** n. m. (1858) qui désigne en astronomie un appareil analogue au théodolite.

◈ voir ÉQUANIMITÉ, ÉQUATION, ÉQUI-, ÉQUITABLE.

ÉQUATION n. f. est un emprunt ancien (v. 1250, *equaciun*), inusité avant le XVIIe s., au latin classique *aequatio* «égalisation» et, en latin médiéval, «compte, calcul» (XIe s.), de *aequare* «rendre égal», lui-même de *aequus* «égal» (→ égal, équi-).

♦ *Équation* s'emploie comme terme de mathématiques (1637, Descartes) pour désigner une relation conditionnelle existant entre deux quantités et dépendant d'une ou plusieurs variables. Par analogie, le mot se dit pour une formule d'égalité en chimie (XIXe s.), en astronomie. ◇ ***Équation personnelle*** désigne en psychologie (1864) le temps, variable selon les individus, qui sépare l'observation de l'enregistrement d'un phénomène, d'où la façon propre à chaque individu d'observer un fait ; l'expression est entrée récemment dans le jargon à la mode.

▶ **ÉQUATIONNEL, ELLE** adj. (1897) «qui concerne une équation», très didactique, semble plus courant en biologie qu'en mathématiques.

PÉRÉQUATION n. f. est un emprunt (1422) au latin juridique *peraequatio* «répartition égale» (de *per-*) qui a désigné la répartition équitable de l'impôt, de même que **COÉQUATION** n. f. (XVIe s.), emprunt au latin *coequatio,* mot disparu ; *péréquation* est devenu (1611) un terme didactique (droit administratif, économie). Au début du XIXe s., il passe en mathématiques pour «équation parfaite». ◇ Au XXe s., il se spécialise en économie, dans *péréquation des prix* (1920) et *péréquation douanière* (1930). ◆ Son dérivé **PÉRÉQUER** v. tr. «procéder à une péréquation» apparaît avec une loi (29 sept. 1948) instituant un rapport constant entre pensions et traitements d'activité. La variante *péréquater* est mal formée.

◆ **INÉQUATION** n. f. (1804), formé en français de ① in- et de *équation,* désigne en mathématiques une inégalité conditionnelle entre deux quantités.

◈ voir ADÉQUAT ; ÉQUANIMITÉ, ÉQUATEUR, ÉQUI-.

ÉQUERRE n. f. est l'adaptation (XIIIe s.) de *esquire* (1170) puis *esquierre* (v. 1275), aboutissement du latin populaire °*exquadra,* déverbal de °*exquadrare* au sens de «dessiner des angles droits, des carrés» (→ équarrir).

♦ D'abord employé (1170) avec le sens de «carré», le mot désigne, à partir du XIIIe s., un instrument destiné à tracer ou à vérifier des angles droits ; cet emploi, resté courant, a fourni des locutions adverbiales et adjectivées désignant abstraitement le rapport angulaire : ***à l'équerre*** «à angle droit» (v. 1393, *a esquierre*), ***d'équerre*** (1740), de même sens, puis (1835) ***en équerre.*** Depuis le XVIIe s., ***fausse équerre*** désigne (1640) une équerre à branches mobiles permettant de mesurer des angles quelconques. ◇ Par analogie de forme, le mot désigne (1690) une pièce en forme de T ou de L, utilisée pour consolider des assemblages, puis des instruments à fonction analogue (1870, *équerre d'arpenteur*).

▶ Du nom dérive le terme technique **ÉQUERRER** v. tr. (1786), d'où **ÉQUERRAGE** n. m. (1786).

ÉQUESTRE adj. est emprunté (1355) au latin impérial *equester* «de cheval», «de cavalier», du latin classique *equus* «cheval», lequel se rattache à une racine indoeuropéenne °*ekwo-* «cheval», que l'on retrouve dans le grec *hippos* (→ hipp-, hippo-).

♦ D'abord employé dans *batailles équestres* (1355), l'adjectif prend à la fin du XVIIe s. son premier sens usuel : «qui représente une personne à cheval» (1690 ; *figure, statue équestre*). Au milieu du XVIIIe s., il est employé dans le syntagme *ordre équestre* (1762), terme d'histoire qui concerne les chevaliers de l'ancienne Rome (cf. le latin *ordo equestris* «de chevalier») ; *ordre équestre* désigne par analogie, dans certains pays, un ordre de noblesse. ◆ Au XIXe s. apparaît le second sens, devenu usuel (1870), de «relatif à l'équitation» *(exercices équestres, sports équestres)*.

▶ Le terme didactique **ÉQUIN, ÉQUINE** adj., est un emprunt (1609) au latin *equinus* «qui concerne le cheval», dérivé de *equus ; équin,* «relatif au cheval», se dit par analogie en médecine (1857, *pied équin*) d'une variété de pied bot, d'où *un équin* nom masculin.

ÉQUIDÉS n. m. pl. (1834) tiré du radical de *equus,* avec le suffixe *-idé,* désigne en zoologie la famille des mammifères ongulés dont le cheval est le principal représentant.

◈ voir ÉQUITATION.

ÉQUI- est un premier élément tiré du latin *aequi-* qui servait à former de nombreux composés (souvent calques de mots grecs commençant par *iso-*), lui-même de l'adjectif *aequus* «uni, plan, horizontal», «égal» d'où «impartial», et qui s'oppose à *iniquus* «inégal» et «injuste» (→ inique). L'origine de *aequus* n'est pas connue.

♦ *Équi-,* qui a pour valeur «égal, également», entre dans la composition de nombreux mots savants existant déjà, pour la plupart, en latin.

▶ **ÉQUILATÈRE** adj., de *latus, lateris* «côté» (XIIIe s.), a désigné une figure à côtés égaux, sens passé à *équilatéral.* Le mot s'est spécialisé (1755) dans *hyperbole équilatère.* ◆ **ÉQUILATÉRAL, ALE, AUX** adj. (1520) est emprunté au latin *aequilateralis,* de *aequus* et *latus, -eris* «côté» (→ latéral) en géométrie. Il s'est dit aussi par métaphore (1872) au sens de «complètement égal» : *ça m'est équilatéral.* ◆ **ÉQUIANGLE** adj. (1556), emprunt au latin *aequiangulus* (de *aequus* et *angulus* ; → angle), est un terme de géométrie.

ÉQUI- forme en français des termes didactiques, le second élément étant en principe d'origine latine. ◆ **ÉQUIMULTIPLE** adj. (→ multiple) ; **ÉQUIMOLÉCULAIRE** adj. (1895 ; de *moléculaire*), terme de chimie ; **ÉQUIPOSSIBLE** adj. (1941, M. Boll ; de *possible*) ; **ÉQUIPOTENT** adj. m. (1960, Bourbaki) du latin *potens, -entis* «puissant», terme de mathématiques, d'où **ÉQUIPOTENCE** n. f. (1960) ; **ÉQUIATOMIQUE** adj. (1973), formé sur *atomique,* sont tous des termes scientifiques.

◈ voir ÉQUIDISTANT, ÉQUILIBRE, ÉQUINOXE, ÉQUIPOLLENT, ÉQUITÉ, ÉQUIVALENT, ÉQUIVOQUE ; ÉQUANIMITÉ, ÉQUATEUR, ÉQUATION.

ÉQUIDISTANT, ANTE

ÉQUIDISTANT, ANTE adj. est un emprunt (1360, Oresme) au bas latin *aequidistans* «parallèle», composé de *aequi-* (→ équi-) et de *distans,* participe présent de *distare* «être éloigné» (→ distance), préfixé de *stare* (→ ester).

♦ C'est un terme de géométrie, d'emploi didactique, qui signifie «qui est à distance égale ou constante de points déterminés». L'adjectif est cependant d'usage plus courant que son dérivé.

▶ **ÉQUIDISTANCE** n. f. (XIVe s.) est employé spécialement en topographie (1890) au sens de «distance verticale séparant deux niveaux de terrain».

ÉQUILIBRE

ÉQUILIBRE n. m. est un emprunt savant (1611), d'abord sous la forme *equalibre* (1544, M. Scève), au latin impérial *aequilibrium* «exactitude des balances» et «équilibre», composé de *aequus* «égal» (→ égal, équi-) et de *libra* «balance» (→ livre n. f.).

♦ *Équilibre* est introduit avec le sens général d'«égalité, équivalence». C'est de cette valeur que procèdent les différentes acceptions : le mot s'emploie depuis le début du XVIIe s. (1611) pour «égalité de poids», puis comme terme scientifique (1663, Pascal) pour désigner le fait, pour plusieurs forces agissant simultanément sur un système matériel, de ne pas modifier son état de repos ou de mouvement, d'où par métonymie l'état d'un tel système (par ex. dans *équilibre stable* [1811], *instable* [1837]). ◇ Par extension, le mot signifie couramment «attitude stable», avec la locution adverbiale ***en équilibre.*** De là, *tour, exercice* ***d'équilibre*** (1762) et, en physiologie, *sens de l'équilibre.* ◇ *Équilibre* est aussi usité (1674) dans le domaine des arts au sens d'«agencement harmonieux de la composition». ◇ Depuis le début du XVIIIe s., le mot désigne un rapport considéré comme bon entre des choses opposées ; de là *équilibre politique* (1748), *équilibre mental* (av. 1778) *équilibre économique,* etc. ◇ La valeur scientifique est reprise en chimie (1860) et en physique (1910, *équilibre radioactif*).

▶ Le dérivé (dénominal) **ÉQUILIBRER** v. tr. apparaît en 1529 au participe passé adjectivé, au sens concret de «peser également», «compenser» ; il est repris au XVIIIe s. (1744) et n'est courant qu'à partir du XIXe siècle. *S'équilibrer* (1803) a pris le sens abstrait d'«équivaloir», puis *équilibrer* celui de «mettre en équilibre», au propre et au figuré (av. 1865 en économie). ◆ Du verbe dérivent **ÉQUILIBREUR, EUSE** adj. et n. m. «qui maintient en équilibre» (1902, n. m. ; 1801, comme synonyme de *équilibriste,* sens disparu), **ÉQUILIBRATION** n. f. (1845), terme didactique comme **ÉQUILIBRATEUR, TRICE** adj. (1968, de même sens que *équilibreur* adjectif). ◆ **ÉQUILIBRAGE** n. m. (1841) est devenu assez courant en automobile *(équilibrage des roues).* ◆ **ÉQUILIBRANT, ANTE** adj. (1878) s'est spécialisé au sens figuré de «qui procure un équilibre psychologique, mental» (XXe s.).

ÉQUILIBRISTE n. (1764 ; cf. l'anglais *equilibrist,* 1760), autre dérivé du nom, désigne une personne dont le métier est de faire des tours d'équilibre (cf. *acrobate*) et s'emploie au figuré (déb. XXe s.).

Le préfixé **DÉSÉQUILIBRER** v. tr. (1860) de *dés-* (→ ① dé-) signifie «faire cesser l'équilibre de (qqch.)» et, au propre et au figuré, «de qqn». Le sens de «faire perdre son équilibre psychique à (qqn)» est très courant, notamment au participe passé **DÉSÉQUILIBRÉ, ÉE** adjectivé et substantivé. ◇ Du verbe dérivent **DÉSÉQUILIBRATION** n. f. (1898), **DÉSÉQUILIBRANT, ANTE** adj. (XXe s.), spécialisé au sens psychologique. ◆ **DÉSÉQUILIBRAGE** n. m. (1927) correspond à *équilibrage.* ◆ **DÉSÉQUILIBREMENT** n. m. (1886), littéraire et vieilli, était utilisé en particulier par les Goncourt. ◆ **DÉSÉQUILIBRE** n. m. (1883) est un dérivé du verbe ou construit à partir de *équilibre.* Il s'emploie couramment au sens concret et psychologique, alors en relation avec *déséquilibré* et *déséquilibrant.* ◆ **RÉÉQUILIBRER** v. tr. (1946), d'abord attesté au pronominal (1942), a donné **RÉÉQUILIBRAGE** n. m. (1954). ◆ **RÉÉQUILIBRE** n. m. (1936) est peut-être directement formé sur *équilibre.*

ÉQUINOXE

ÉQUINOXE n. m. est un emprunt, d'abord sous la forme *equinoction* (du XIIe au XIVe s.), puis *equinocte* (1210), au latin classique *aequinoctium,* composé de *aequus* «égal» (→ égal, équi-) et de *nox, noctis* «nuit*».

♦ La forme actuelle (attestée 1690) est francisée ; le mot désigne la période de l'année où, le soleil passant par l'équateur, le jour a une durée égale à celle de la nuit, d'un cercle polaire à l'autre, d'où, spécialement, en astronomie *(ligne des équinoxes)* l'intersection des deux plans de l'écliptique et de l'équateur.

▶ **ÉQUINOXIAL, IALE, IAUX** adj. est emprunté au dérivé latin classique *aequinoctialis* «équinoxial». D'abord variante de *équinoction* et *équinoxe, équinoxial* (v. 1290) est un nom masculin. La forme est reprise comme adjectif au XIVe s. (1379) et signifie alors «qui a rapport à l'équinoxe» ; l'adjectif s'emploie par extension en botanique *(fleurs équinoxiales).*

✳ ÉQUIPER

✳ **ÉQUIPER** v. tr. est issu au XIIe s. (1160, *esquiper*), d'abord sous la forme *eschiper* (v. 1120), de ◈

l'anglo-saxon *scipian* «naviguer» (1122, «embarquer») au moins pour les premiers emplois (selon le *F. e. w.*); une autre hypothèse donne pour étymon unique l'ancien nordique *skipa* «arranger, équiper» et peut-être «naviguer» (sens non attesté), mot issu de *skip* «bateau» (cf. l'allemand *Schiff* et l'anglais moderne *ship*).

♦ *Équiper* a eu jusqu'au XVe s. le sens de «venir au rivage, aborder», en parlant d'un bateau (v. 1120) puis de «prendre la mer» (1160, *esquiper*). Dès le XIIe s., le verbe a pris le sens resté moderne de «pourvoir (un navire) de ce qui est nécessaire pour la navigation» (1155, *eschiper*). De cet emploi vient (1555) la valeur extensive de «pourvoir de choses nécessaires à une activité», d'où (1606) *équiper qqch.*, en vue d'une destination particulière *(équiper un local, une région)* et *s'équiper* (1671). *Équiper* a signifié en particulier «pourvoir de vêtements».

▶ **ÉQUIPAGE** n. m., réfection (XVIe s.) de *ecupage* (v. 1455), désigne d'abord l'ensemble des personnes qui assurent la manœuvre et le service sur un navire. Le mot s'emploie à partir du XVIe s., d'après un sens extensif du verbe, pour désigner l'ensemble du matériel nécessaire pour certaines activités, chasse, guerre, etc. (1549), sens qui demeure dans le vocabulaire militaire, notamment dans ***train des équipages*** (ou *les équipages*) et dans le vocabulaire de la vénerie. ◇ Par extension (1580), le mot s'est dit de ce qui est nécessaire pour voyager, s'entretenir honorablement (valets, chevaux, etc.); cet emploi reste dans ***en équipage;*** en viennent plusieurs acceptions disparues : «habit, toilette», d'abord féminin dans ce sens (1594), puis masculin (1611); le mot signifie aussi «ensemble des voitures, chevaux, etc. et du personnel qui s'en occupe» (1690) et «la voiture elle-même» (fin XVIIe s.). Il se dit au figuré pour «état, situation» (1636, *être en mauvais équipage*). *Équipage,* terme technique, désigne (1690) l'ensemble des objets nécessaires à certains travaux. ◇ Au XXe s., par analogie, le mot se dit (v. 1930) du personnel d'un avion (*chef d'équipage,* dans le vocabulaire militaire), d'un engin blindé. ➜ **ÉQUIPE** n. f. s'emploie d'abord au sens d'«équipage» (d'un bateau). Malgré une attestation isolée (*equippe,* 1456), ce sens semble récent (1867, Zola) et il est sorti d'usage au XXe siècle. Au sens de «groupe de bateaux», «chargement de ces bateaux» (1688), il a aussi disparu. ◇ Le mot a désigné en moyen français un groupe de personnes pratiquant un même sport (1469, au jeu de la quintaine); apparemment disparu, il est repris en 1890 à propos de sports, du type des jeux de ballon; de là *sport d'équipe* (attesté 1938). *Équipe* prend au XIXe s. (1864) le sens de «groupe de personnes unies dans une tâche commune», d'où *homme d'équipe, travailler en équipe.* Par extension, le mot se dit (1901) d'un groupe de personnes qui se distraient ensemble (cf. *bande* et ci-dessous *équipée,* qui a pu susciter cette valeur). ➜ Le dérivé **ÉQUIPIER, IÈRE** n. a d'abord signifié (1844, d'un canotier) «homme d'équipe», acception rare, le mot désignant surtout aujourd'hui (1892) un membre d'une équipe sportive, d'où **COÉQUIPIER, IÈRE** n. (1898).

ÉQUIPÉE n. f. s'est d'abord dit (av. 1483, *esquippee*) pour «expédition militaire», où l'on part «équipé», sens disparu auquel s'est substitué (1611, *equippée*) celui d'«action entreprise à la légère» (cf. *aventure*).

ÉQUIPEMENT n. m. a le sens général d'«action d'équiper», et par métonymie «ce qui sert à équiper»; le mot s'emploie d'abord en marine (1671; cf. *armement*) puis dans le domaine militaire (1779). ◇ *Équipement* désigne ensuite ce qui sert à équiper (qqn, un animal) en vue d'une activité déterminée (1804), puis par extension s'utilise en parlant de choses (1893; *plan d'équipement, équipements collectifs*); en dérive **ÉQUIPEMENTIER** n. m. (1978), rare. ➜ **ÉQUIPEUR** n. m. (1803), «homme qui équipe un fusil», est un terme technique. ➜ **ÉQUIPET** n. m. (1829) un terme de marine.

À partir de *équiper* ont été formés plusieurs verbes préfixés. ➜ **DÉSÉQUIPER** v. tr. a d'abord signifié «désarmer (un navire)» (1669); il s'emploie en français moderne (1873) pour «enlever l'équipement de (qqn)». ➜ **RÉÉQUIPER** v. tr., «équiper de nouveau» (v. 1936), a pour dérivé **RÉÉQUIPEMENT** n. m. (1936). ➜ **SURÉQUIPER** v. tr., «équiper au-delà des besoins», est un terme d'économie attesté au milieu du XXe s. (**SURÉQUIPÉ, ÉE** adj., en 1931), dont dérive **SURÉQUIPEMENT** n. m. (mil. XXe s.), contraire de **SOUS-ÉQUIPEMENT** n. m. (v. 1960) auquel correspond **SOUS-ÉQUIPÉ, ÉE** adj. (1959).

ÉQUIPOLLENT, ENTE adj. est un mot emprunté (v. 1223) au bas latin *aequipollens* «équivalent», composé de *aequus* «égal» (→ équi-) et du participe présent de *pollere* «être fort»; cet équivalent noble du verbe courant *posse* (→ pouvoir) a été rapproché de l'irlandais *oll* «grand».

♦ L'adjectif a eu le sens d'«équivalent», d'où l'emploi en logique moderne : (propositions) *équipollentes* «qui ont la même signification», et en mathématiques (1877).

▶ Le dérivé **ÉQUIPOLLER** v. tr. (1310) s'est dit pour «être équivalent à, égaler»; le verbe est sorti d'usage ou est d'emploi très didactique.

ÉQUIPOLLENCE n. f. est emprunté (1275-1280) au dérivé du bas latin *aequipollentia* «équivalence». Le mot est passé en français avec la valeur de l'étymon, aujourd'hui sortie d'usage. Il s'emploie maintenant en logique et en mathématiques (attesté 1877).

ÉQUITATION n. f. est un emprunt savant (1503) au latin impérial *equitatio* «équitation», de *equitare* «aller à cheval», dérivé de *equus* «cheval» (→ équestre).

♦ Le mot désigne l'art de monter à cheval, la technique du cavalier, puis le sport qui consiste à monter à cheval. Il est usuel en français contemporain et correspond à la substantivation de *faire du cheval.*

ÉQUITÉ n. f. est un emprunt savant (1262) au latin *aequitas* «égalité», «équilibre moral», «esprit de justice», dérivé de *aequus* «égal», d'où «impartial» (→ égal, équi-).

♦ Le mot, en français comme en latin, désigne la juste appréciation de ce qui est dû à chacun, selon un principe de justice naturelle, parfois divine, d'où les expressions *équité divine, suprême*. Le mot est parfois employé en opposition à *droit positif*, à *loi*. Par métonymie, *équité* se dit (1921, Valéry) du caractère de ce qui est conforme à l'équité *(équité d'une loi, d'un jugement)*.

▸ **ÉQUITABLE** adj., dérivé (v. 1512) par suffixation en *-able*, se dit d'une personne qui a de l'équité, d'un acte, d'une attitude, etc. (1580) conformes à l'équité *(partage, jugement équitable)*. L'adjectif semble moins littéraire que le nom. ◇ *Équitable* s'applique spécialement, en mathématiques, au domaine des probabilités *(jeu équitable)*. ◆ Le dérivé **ÉQUITABLEMENT** adv. (déb. XVIe s.) est lui aussi d'usage soutenu. ◆ **ÉQUITABILITÉ** n. f. (1951) «caractère équitable d'un jeu» est un terme didactique. ◆ **INÉQUITABLE** adj., formé d'après *inégalitaire*, semble récent.

ÉQUIVALENT, ENTE adj. et n. m. est un emprunt savant (1370-1372, adj.) au bas latin *aequivalens*, participe présent de *aequivalere* «avoir une valeur égale», de *aequus* (→ égal, équi-) et *valere* (voir ci-dessous, à *équivaloir* ; → valeur, valoir).

♦ L'adjectif conserve la valeur de l'étymon ; il signifie, en parlant de choses quantifiables, «dont la qualité a la même valeur» (cf. *égal*), d'où des emplois spéciaux en géométrie, algèbre, cartographie. ◆ Le substantif, d'abord attesté avec le sens spécial d'«impôt (qui tient lieu d'un autre)» (1382), est repris au XVIe s. avec un sens général : «ce qui a la même valeur» (1531, R. Estienne). Au XIXe s., ce substantif acquiert des emplois particuliers : en chimie (1858), emploi aujourd'hui sorti d'usage (cf. *valence*), et en physique (1852, Joule : *équivalent mécanique de la chaleur*). Il désigne spécialement (1864) dans le domaine de la langue, un mot, une expression que l'on peut substituer à un autre mot ou à une autre expression, sans changer l'effet produit par l'énoncé (cf. *synonyme*).

▸ **ÉQUIVALEMMENT** adv., dérivé de l'adjectif (1377, *equivalement*, Oresme), est rare.

ÉQUIVALENCE n. f. a été emprunté (v. 1300) au latin médiéval *aequivalentia* «qualité, valeur égale» (1185), composé de *aequus* et du bas latin *valentia* «vigueur», ou dérivé de *aequivalere*. Il conserve la même valeur en français et s'emploie spécialement, comme *équivalent*, dans le vocabulaire des mathématiques, de la logique. ◇ Il désigne en particulier (1864) l'assimilation d'un titre, d'un diplôme à un autre *(accorder une équivalence à qqn)*.

ÉQUIVALOIR v. tr. ind. est un emprunt savant (1453-1461), traité d'après *valoir*, au bas latin *aequivalere* «égaler, valoir autant», composé de *aequus* et de *valere* «être vigoureux», «avoir de la valeur», «avoir une signification (mots), une valeur (monnaie)», avec l'influence de *valoir**. Le verbe, rare à l'infinitif, conserve le sens de l'étymon ; il s'emploie dans la construction *équivaloir à* pour «être de même valeur quantitative» et «avoir la même valeur que» (cf. *signifier, revenir [à]*).

ÉQUIVOQUE adj. et n. f. est emprunté (v. 1223) au bas latin *aequivocus* «à double sens», composé de *aequus* «égal» (→ égal, équi-) et de *-vocus*, dérivé de *vox, vocis* «voix*», «paroles, mots».

♦ L'adjectif est employé en versification (v. 1223) dans *rimes équivoques* «jeu de mots reposant sur l'homophonie», en usage au moyen âge et à la Renaissance, aujourd'hui d'emploi didactique ; on dit aussi rime *équivoquée*, ou *homonyme*. ◇ *Équivoque* apparaît comme substantif au milieu du XIIIe s., d'abord au masculin, puis au féminin (le genre reste hésitant jusqu'au XVIIe s.), avec le sens de «mauvais jeu de mots» (cf. *calembour*). ◇ À la fin du XIVe s., l'adjectif qualifie par extension des choses diverses qui reçoivent par hasard le même nom ; cette valeur logique a disparu : elle correspond aux notions d'homonymie et de polysémie. ◇ Au XVIIe s., apparaît pour le nom le sens étendu de «caractère de ce qui prête à des interprétations diverses» (1648, Pascal) ; cette valeur s'impose aussi pour l'adjectif (1656, Pascal) ; elle a disparu, remplacée par d'autres mots (*ambigu*, par exemple). ◇ De là, le sens péjoratif et courant (XVIIe s.) de «qui n'inspire pas confiance» (*personne équivoque*, d'où *regards équivoques*) et *une équivoque* (XVIIe s.) «incertitude, manque de clarté qui laisse hésitant».

▸ Le dérivé **ÉQUIVOQUER** v. intr. est tombé en désuétude au sens d'«employer (un mot) pour un autre» (1520, transitif) ; il est encore usité mais littérairement pour «ne pas s'exprimer clairement (pour tromper)». ◆ Il a pour dérivé **ÉQUIVOQUEMENT** adv. (1897, Bloy), rare.

ÉRABLE n. m. est issu (v. 1236, *arable*) du latin médiéval *acerabulus* (attesté dans des gloses des VIIe-VIIIe s.), composé du latin impérial *acer, aceris* «érable» (d'où l'italien *acero*, l'espagnol *arce*) et d'une finale *-abulus* correspondant peut-être à un gaulois °*abulus* ou °*abulos* restitué d'après la partie finale du gallois *(cri)afol* «sorbier des oiseaux». Wartburg, dans le *F. e. w.*, fait l'hypothèse d'un étymon unique : le gaulois °*acar*, correspondant probable du gaulois °*abulus*, aurait été remplacé par *acer* lors de la romanisation. Selon une autre hypothèse, *acerabulus* serait le résultat d'une dissimilation de *acer abor* (pour *arbor*).

♦ *Érable* est le nom donné à un grand arbre des régions tempérées ; *l'érable du Canada* ou *érable à sucre* donne un sucre comestible d'où (1765) *sucre d'érable, sirop d'érable*, syntagmes très usuels en français du Canada, où, par ailleurs, le mot a été employé au féminin.

▸ Le dérivé **ÉRABLIÈRE** n. f. (1804) désigne une plantation d'érables et spécialement, au Québec, une plantation d'érables à sucre.

ÉRADICATION n. f. est un emprunt savant (XIIIe s.) au latin chrétien *eradicatio* «déracinement, destruction, extermination», de *eradicatum*, supin de *eradicare* «déraciner», composé de *ex-* et de *radix, -icis* (→ racine).

♦ D'abord attesté avec l'un des sens latins, «extermination», le mot est repris (v. 1370) comme terme de médecine avec la valeur moderne, «action d'arracher, d'extirper». Il se dit au figuré avec le sens de «suppression totale» (d'une maladie endémique, par exemple).

▸ **ÉRADIQUER** v. tr., d'emploi didactique, a été dérivé (mil. XXe s.) du substantif sur le modèle des verbes en *-iquer*.

ÉRAFLER → ① RAFLE

ÉRAILLER v. tr. représente une altération (v. 1220, *esraaillier*) de l'ancien français *soi esröeillier* «rouler les yeux (en signe de colère)» (1er tiers du XIIIe s.), dérivé de *roeiller* (v. 1130, *roeillier les ueilz*). Cet emploi a dû subir l'influence de *raillier* «aboyer, crier» et «parler en fanfaron» (v. 1200; → railler), dans les expressions *raillier les ex* [yeux] (v. 1260), *ieus raillans* (déb. XIIIe s.). L'ancien verbe *roeiller* est issu du latin populaire °*roticulare*, du latin impérial *rotare* «rouler», «faire tourner», dérivé de *rota* qui a donné *roue**.

♦ Le verbe est d'abord employé avec le sens de l'ancien français *roeillier* (v. 1220, *esraaillier les ielz*), d'où *esraaillié*, participe passé adjectivé, «furieux» (v. 1223). ◆ De ce premier sens disparu, procède à la fin du XVe s. l'emploi spécial du mot en médecine (1493), en parlant d'un œil dont le bord est retourné et qui laisse voir le blanc. ◇ À la fin du XVIIe s., *érailler* prend le sens (1690) de «relâcher les fils d'un tissu» (cf. *effiler*) et par extension, sous l'influence de *rayer*, la valeur moderne, «écorcher superficiellement» (1690). ◇ Par analogie, le verbe se dit ensuite au figuré pour «rendre rauque» en parlant de la voix (1846, *s'érailler*), valeur aujourd'hui dominante.

▸ Le participe passé **ÉRAILLÉ, ÉE** est adjectivé (1893) dans *une voix éraillée*. ◆ **ÉRAILLEMENT** n. m., d'abord terme de médecine (1561), signifie au XIXe s. d'après le verbe «action d'érailler (un tissu, une surface)» (1864) et se dit en parlant de la voix (fin XIXe s.). ◆ **ÉRAILLURE** n. f. (1690) s'emploie pour une étoffe et se dit (1835) pour «éraflure». ◆ **ÉRAILLANT, ANTE** adj. (participe présent de *érailler*), «qui éraille la voix», est d'emploi rare. Céline (1951) l'emploie.

ERBIUM n. m. est une adaptation (1864) du latin scientifique moderne *erbia* (1843), mot formé à partir du nom propre *Ytterby*, ville de Suède où fut découvert un oxyde terreux qui fut dénommé **ERBINE** n. f. (v. 1850).

♦ *Erbium* désigne en chimie (symbole *Er*) un métal du groupe des terres rares dont on ne connaît que l'erbine.

ÈRE n. f. est un emprunt savant écrit *here* (1539) puis *ère* (1678), au bas latin *aera*, d'abord «monnaie», d'où «nombre», puis, en chronologie, «point de départ, époque», dérivé du latin classique *aes, aeris* «cuivre», «bronze» (→ airain), d'où «monnaie».

♦ Le mot est introduit en français (1539) avec un des sens du bas latin, «point de départ d'une chronologie», aujourd'hui didactique. C'est au XVIIe s. qu'apparaît la valeur moderne d'«espace de temps» et, plus précisément, «suite d'années que l'on compte depuis un point fixe» (1678-1680) : *ère chrétienne, musulmane*. De là (av. 1834) l'acception d'«époque qui commence avec un nouvel ordre de choses» *(ère industrielle)*. ◇ Le mot désigne en géologie (déb. XXe s.) la division la plus grande des temps géologiques (*ère primaire, tertiaire*, etc.).

ÉRECTION n. f., réfection étymologique (XVIe s.) de *ereccion* (1465), est un emprunt savant au latin impérial *erectio* «action de dresser», dérivé de *erectum*, supin de *erigere* «dresser, mettre debout» (→ ériger).

♦ Le mot est d'abord employé (1465), avec une valeur figurée et aujourd'hui vieillie, pour «action d'élever à une certaine condition», «fondation». ◇ Il est employé au XVIe s. au sens physiologique aujourd'hui courant (1562, A. Paré) pour caractériser l'augmentation de volume et la capacité de se redresser de certains tissus ou organes (verge, clitoris, mamelon du sein); *érection*, en emploi absolu, concerne la verge, d'où les expressions *avoir une érection, être, entrer en érection*. ◆ Au début du XVIIe s., *érection* est repris avec le sens étymologique d'«action d'élever (un monument)» (1612), aujourd'hui littéraire et assez rare, du fait de la fréquence du sens physiologique.

▸ **ÉRECTEUR, TRICE** adj. est d'abord un emprunt (1544, n. m.) au bas latin *erector* «celui qui érige», du supin de *erigere*, avec le sens de l'étymon, employé au XVIe siècle. Le mot entre ensuite dans le vocabulaire de la physiologie (1701); il est alors dérivé du radical de *érection* et désigne un muscle. ◆ **ÉRECTILE** adj. «susceptible d'érection» est un dérivé savant (1813) du latin classique *erectum* (supin de *erigere*) ou du radical de *érection*; il s'emploie avec un contexte plus général que *érection* (*poils érectiles*, etc.).

◈ voir **ÉRIGER**.

ÉREINTER → REIN

ÉRÉMITIQUE → ERMITE

ÉRÉTHISME n. m. est un emprunt savant (1741) au grec *erethismos* «irritation», au figuré «provocation» et en médecine «stimulation, excitation», dérivé de *erethizein*, lui-même de *erethein* «exciter, irriter», d'origine indoeuropéenne. On trouve les graphies *érétisme* (1852, Nerval), *éréthysme* (1925).

♦ Le mot est introduit en français comme terme de médecine pour désigner l'état d'excitabilité accrue d'un organe *(éréthisme cardiaque)*, d'où le sens figuré, littéraire et rare (1777-1783), d'«exaltation violente d'une passion, tension d'esprit excessive» *(éréthisme de la pensée)*.

① **ERG** n. m. est un emprunt, d'abord (1849) au pluriel *areg* puis au singulier *erg* (1888), à l'arabe *'irq*, au pluriel *a'rāq* «dune mouvante».

♦ Le mot désigne, notamment dans le Sahara, une région couverte de dunes (par opposition à *hamada* «plateau pierreux»). Le pluriel arabe *areg*, qui se trouve par exemple chez Fromentin (1857, *Un Été au Sahara*), correspond à celui de *touareg*; il est le plus souvent remplacé par la forme francisée basée sur le singulier originel : des *ergs*.

② **ERG** n. m., terme international (1874 ; aussi *ergal*), a été formé en anglais (1873), à partir du grec *ergon* «travail, force» (→ énergie), pour désigner l'unité de travail du système C. G. S. (cf. *dyne, joule*).

▸ **ERGO-, ERGIE,** éléments tirés du même mot grec *ergon,* entrent dans la composition de mots savants, notamment en biochimie, psychologie et sociologie. ◆ **ERGOMÈTRE** n. m. (1898), de *-mètre,* est le nom donné à un appareil servant à mesurer le travail fourni par les muscles. ◇ Le terme correspondant **ERGOMÉTRIE** n. f. (attesté v. 1960), de *-métrie,* est employé en médecine ; en dérive **ERGOMÉTRIQUE** adj. (v. 1960). ◆ **ERGOGRAPHE** n. m. (attesté en 1903), de *-graphe,* désigne un appareil servant à mesurer le travail musculaire, inventé par Mosso en 1890. ◇ Il a pour dérivé **ERGOGRAPHIQUE** adj. (1897, l'*Année biologique*).

ERGONOMIE n. f. représente une adaptation (v. 1965) de l'anglais *ergonomics* (1949), composé à partir de *ergon* et de *nomos* «loi, règle», sur le modèle de mots comme *economics.* ◇ Le mot désigne l'étude scientifique des conditions de travail et des relations entre l'homme et la machine ; il est à la mode, ainsi que ses dérivés, notamment en informatique. ◆ Ses dérivés sont **ERGONOMIQUE** adj. (av. 1970) «relatif à l'ergonomie», puis «favorable à de bonnes relations entre l'ordinateur et ses utilisateurs», et **ERGONOME** (1972) ou **ERGONOMISTE** n. (1970) «spécialiste de l'ergonomie».

ERGOL n. m., formé (1973) à partir du grec *ergon,* d'après *propergol,* désigne une substance employée pour fournir de l'énergie (cf. *diergol, propergol*).

ERGATIF n. m. est composé (1928, Troubetzkoy) sur le radical du grec *ergatês* «qui travaille, actif», dérivé de *ergon* «travail» (→ énergie), par suffixation *-if.*

♦ Il désigne, en linguistique, le cas qui exprime l'agent du procès, dans certaines langues flexionnelles.

ERGOT n. m. est la resuffixation (1676) de *ergos,* pluriel attesté au XVe s. (v. 1440) qui succède à *argoz* (v. 1175), usuel jusqu'au XVIe siècle. Son origine est obscure ; il pourrait être issu d'une racine préromane °*arg-* désignant des choses pointues. Selon P. Guiraud, la forme primitive *argoz,* qui fut, semble-t-il, employée en ancien français au sens d'«éperons» (XIIe s.), suggère un dérivé de *harer* «exciter (les chiens) après une proie» (→ haro). On a évoqué *argoz* comme origine possible du mot *argot,* probablement à tort (→ argot). Par ailleurs, l'ancien français atteste une forme *herigote* qui désigne à la fois un ergot et un éperon. Le développement de cette famille serait dû à un croisement avec le latin *argutus* «pointu».

♦ Le mot est d'abord attesté au XIIe s. *(argoz)* avec le sens d'«apophyse cornée située à l'arrière des pattes de certains oiseaux, notamment le coq». La locution figurée ***monter, se dresser sur ses ergots*** succède à *dancer sur les ergos* (v. 1440) et signifie «être combatif et orgueilleux» (XVIIe s.) ; dans la langue classique, elle n'avait pas la valeur ironique qu'elle a prise en français moderne. ◇ Par analogie de forme, *ergot* est employé en arboriculture (1651, *argot*), en agriculture (1676) pour désigner une excroissance parasitaire qui atteint certaines céréales (*ergot de blé, de seigle ;* cf. ci-dessous *ergoté,* divers dérivés). Il s'emploie aussi en technique (1870).

▸ Les dérivés de *ergot* sont, pour la plupart, issus des emplois analogiques du mot en arboriculture et en agriculture. ◆ **ERGOTÉ, ÉE** adj., didactique, signifie «pourvu d'ergots», en parlant d'un oiseau (1549), et qualifie une céréale atteinte d'ergot (1755), le *seigle ergoté* ayant des effets physiologiques hallucinatoires. ◆ ② **ERGOTER** v. tr. (1803, Boiste) est un terme d'arboriculture. ◆ **ERGOTISME** n. m. (1818), terme de médecine, se dit de l'ensemble des accidents provoqués par la consommation du seigle ergoté. ◆ **ERGOTINE** n. f. (1836), terme de chimie et de pharmacie, désigne l'extrait de l'ergot de seigle employé autrefois pour soigner les hémorragies, d'où **ERGOTININE** n. f. (1890).

À partir de *ergot* (de seigle) ont été composés les termes scientifiques **ERGOSTÉRINE** n. f. (1889) de (chole)*stérine,* **ERGOSTÉROL** n. m. (1933) de *stérol,* d'après *ergostérine,* et **ERGOTAMINE** n. f., emprunt à l'allemand (la substance a été découverte en 1918 en Suisse). [1952, *Sciences et Avenir*].

① **ERGOTER** v. intr. est dérivé (1534), d'abord sous la forme *hargoter* (v. 1220), par suffixation en *-oter,* de *ergo* nom masculin (v. 1220) «argument», emprunt savant au latin *ergo,* particule invariable signifiant «donc, en conséquence».

♦ *Ergo,* en français, a été répandu par la scolastique et les discussions dialectiques ; il n'apparaît plus aujourd'hui que par archaïsme plaisant, avec le sens étymologique d'«en conclusion». ◇ *Ergoter* est en revanche usuel ; il signifie «contester, contredire avec des arguments captieux» (cf. *chicaner*).

▸ Du verbe dérivent **ERGOTEUR, EUSE** n. et adj. (1410, *hargoteur ;* 1585 pour la forme moderne), **ERGOTERIE** n. f. (1599) aujourd'hui vieilli et remplacé par **ERGOTAGE** n. m. (av. 1630 ; repris en 1864), un autre dérivé nominal, **ERGOTEMENT** n. m. (1851-1862, Sainte-Beuve) demeurant rare.

② **ERGOTER** → **ERGOT**

-ERIE est un suffixe formateur de substantifs féminins ; le suffixe *-ie* a été ajouté à des noms de personnes en *-ier (chevalier/chevalerie) :* de là le suffixe *-erie.* Dès le XIIe s., il est en concurrence avec *-ie,* qu'il élimine au XVIe siècle.

ÉRIGER v. tr. est un emprunt savant (1466) au latin *erigere* «dresser, mettre debout», «construire», de *ex-* et *regere* «diriger, mener» (→ régir), rattaché à une racine indoeuropéenne °*reg-* «diriger en ligne droite» qu'on retrouve dans *roi, droit, droite.*

♦ Le mot est emprunté avec le sens de «établir, fonder» *(ériger une société),* aujourd'hui archaïque. Le verbe signifie ensuite (1530) «placer (un monument) en station verticale» et, par figure (1555), *ériger (qqn, qqch.) en* «faire passer (qqn, qqch.) à (une condition plus élevée)». Dans ces emplois, le substantif correspondant, de même origine, est *érection*.* ◇ *S'ériger en* s'emploie (1643) pour «s'attribuer le rôle de» *(s'ériger en censeur).* ◇ *Ériger,* comme *érection,* s'emploie spécialement (1679) pour «construire avec solennité» *(ériger un temple).* À la différence de *érection,* dont le sens physiologique a limité les autres emplois, *ériger* et *s'ériger* sont assez vivants dans ces usages.

◈ voir ÉRECTION.

ÉRISTIQUE adj. et n. est un emprunt savant (1765) à l'adjectif grec *eristikos* «qui aime la controverse», d'où le nom féminin *(teknê) eristikê* «art de la controverse» et le substantif *eristikos* «celui qui s'y adonne». *Eristikos* vient de *eris* «querelle, rivalité», mot sans étymologie connue.

♦ *Éristique,* terme d'histoire de la philosophie, conserve les valeurs du grec; il s'emploie aussi comme nom féminin (1864).

ERMITE n. m. est un emprunt (v. 1120) au latin chrétien *eremita* «religieux retiré dans un lieu désert», du grec ecclésiastique *erêmitês* «qui vit dans la solitude», dérivé de *erêmos* «désert», mot sans étymologie établie. La graphie faussement étymologique *hermite* se trouve jusqu'au XIXe siècle.

♦ *Ermite* conserve le sens latin et s'oppose à *cénobite.* Par extension (1690), le mot désigne un religieux appartenant à un ordre où chacun vit dans sa cellule; par analogie, il se dit d'une personne qui vit solitaire, d'où *vivre en ermite, comme un ermite.* ◇ *Ermite* a désigné en argot (1894) un voleur de grands chemins, parce qu'il opère le plus souvent seul.

▸ **ERMITAGE** n. m. (1160-1170), dérivé de *ermite* ou emprunt au latin médiéval *hermitagium* (1130) «habitation d'ermite», s'est écrit couramment avec *h* initial jusqu'au XIXe siècle; il s'emploie au sens latin et désigne par extension (XIIIe s.) un lieu solitaire puis une maison de campagne retirée. Par ailleurs (1835), *ermitage* se dit d'un monastère abritant des ermites. ◆ **ÉRÉMITIQUE** adj. est un emprunt savant (av. 1525) au dérivé bas latin *eremiticus* «d'ermite». L'adjectif, d'emploi didactique, qualifie ce qui est propre à un ermite *(vie érémitique),* opposé à *cénobitique.* ◇ En dérive **ÉRÉMITISME** n. m. (XXe s.) «état d'ermite».

ÉRODER v. tr. est un emprunt savant (1564, A. Paré) au latin *erodere* «ronger, manger, brouter», formé de *ex-* et de *rodere* «ronger», verbe sans origine connue.

♦ *Éroder,* rare avant le XIXe s. puis didactique, signifie «détruire par une action lente» (cf. *ronger*). Il correspond à *érosion* en géologie. ◇ Le verbe a pris figurément le sens (attesté en 1951) de «réduire à rien» *(éroder un argument).*

▸ **ÉROSION** n. f., emprunt savant au latin impérial *erosio* «ulcération», de *erosum,* supin de *erodere,* désigne l'action de ce qui ronge et son résultat, dans un contexte concret en médecine (1541), en chirurgie dentaire (1846). C'est en géologie (XVIIIe s.) que le mot a pris son emploi dominant. De ce fait, les acceptions figurées (1890, Renan), spécialement en économie (XXe s., *érosion monétaire*), sont senties comme dérivées du sens géologique.

ÉROTIQUE adj. est un emprunt savant (mil. XVIe s.) au bas latin *eroticus,* hellénisme pris au grec *erôtikos* «qui concerne l'amour», dérivé de *erôs, erôtos* «amour» et «désir sexuel». L'origine de *erôs,* aussi nom d'un dieu (cf. ci-dessous *éros*), n'est pas connue.

♦ Le mot, d'abord utilisé à propos de l'Antiquité grecque, a pris aussi une valeur moderne en littérature au sens de «qui traite de l'amour» *(ode érotique);* il s'emploie aussi comme nom masculin pour «auteur de poésie érotique» *(les érotiques grecs).* ◇ *Érotique* est vieilli aux sens précis de «relatif à l'amour sexuel» (1794, Chamfort) et d'«aphrodisiaque»; il a pris aujourd'hui les sens dominants de «qui a rapport au plaisir et au désir sexuel», «qui a pour sujet le plaisir sexuel» *(récit, film, érotique).* ◇ *Érotique,* nom féminin (1827), signifie «conception de l'érotisme».

▸ De *érotique* dérivent **ÉROTIQUEMENT** adv. (1796) et **ÉROTISME** n. m. (1794, Restif de la Bretonne), beaucoup plus courant que **ÉROTISER** v. tr. (1889, Huysmans), d'où vient **ÉROTISATION** n. f. (1932). ◇ Le préfixé **AUTOÉROTIQUE** adj. (écrit *auto-érotique,* 1912) est relativement courant, de même que **AUTOÉROTISME** n. m. (*auto-,* 1913). ◆ **ÉROS** n. m. est un emprunt (1838) au grec *Erôs,* nom du dieu de l'Amour dans la mythologie grecque; le mot est employé comme terme de mythologie, puis introduit en psychanalyse (1924) dans la traduction de l'allemand d'un texte de Freud (par S. Jankélévitch) pour désigner le principe d'action dont l'énergie est la *libido,* opposé chez Freud aux pulsions de mort (ou *thanatos*). ◆ **ÉROTOLOGIE** n. f., composé (1882) du grec *erôs, erôtos* «amour» et de *-logie,* est un terme didactique signifiant «étude de l'amour physique, des ouvrages érotiques». ◆ **ÉROGÈNE** adj., du grec *erôs* et de *-gène,* a signifié (1545) «aphrodisiaque». Le mot s'emploie aujourd'hui en psychologie (1881) puis en psychanalyse, en parlant d'une partie du corps, au sens de «susceptible de provoquer une excitation sexuelle» *(zone érogène).* ◆ **ÉROTOGÈNE** adj. (1896, P. Louÿs) a la première acception de *érogène.* ◆ **ÉROTOMANIE** n. f. est un emprunt savant (1741) au grec *erôtomania* «folle passion», de *erôs, erôtos* et *mania,* de *mainesthai* «être fou» (→ manie). Le mot désigne l'obsession caractérisée par des préoccupations d'ordre sexuel. ◇ De cette acception vient **ÉROTOMANE** n. et adj. (1836); la variante *érotomaniaque* (1849) est archaïque.

ERPÉTOLOGIE n. f. est un composé savant (1789) du grec *herpeton* «serpent» (de *herpein* «s'avancer lentement» → herpès) et de *-logie.*

♦ Le mot désigne la partie de la zoologie qui traite des reptiles.

▸ **ERPÉTOLOGIQUE** adj. (1870) et **ERPÉTOLOGISTE** n. (1870) ou **ERPÉTOLOGUE** sont au même niveau didactique que le nom. Par réfection étymologique, ces mots sont parfois écrits avec un *h-* initial.

① **ERRANT, ANTE** adj. représente (v. 1170) le participe présent adjectivé de l'ancien français

① *errer* «voyager» (2e moitié Xe s., *edrer*), «agir, se conduire» (1080, *errer*). Ce verbe est issu du latin médiéval *iterare* «voyager» (fin VIe s.), réfection du bas latin *itinerari* formé sur le radical de *itineris*, génitif du classique *iter* «voyage» (→ ① erre, itinéraire).

♦ Encore attesté au XVIe s. au sens de «gouverner, administrer», ① **ERRER** v. intr. a disparu à cette époque, à cause de l'homonymie avec le verbe issu de *errare* (→ ② errer).

♦ *Errant*, «qui voyage sans cesse», ne s'emploie plus que dans les expressions ***chevalier errant*** (v. 1170) «chevalier qui parcourt le monde pour accomplir des exploits» et *(le)* ***Juif errant*** (1648, Scarron), personnage légendaire, condamné à marcher éternellement après avoir outragé le Christ portant la croix, d'où l'emploi étendu (1690) pour «homme qui n'est jamais à la maison», sorti d'usage. ◇ Sur le modèle de ces expressions, *errant* est parfois employé littérairement pour évoquer des personnages voués à marcher sans cesse : *arabe errant* «nomade» (1834, Lamartine), *écrivain errant* (L. Bloy, 1904).

▶ ① **ERRANCE** n. f., également dérivé de *errer*, est attesté au XIe s. (v. 1180) au sens de «voyage, chemin» (1er quart XIIIe s., *être en errance* «se promener»); le mot a été repris (1856, Barbey d'Aurevilly) d'après *errant*. D'usage littéraire, il s'emploie pour «action d'errer çà et là» et par figure (XXe s.), le plus souvent au pluriel, au sens de «hésitation», sous l'influence de *errer** «se tromper».

◈ voir **ERRATIQUE** (à ② **ERRER**).

ERRATA n. m. inv. est un emprunt savant (1560) au latin classique *errata*, pluriel de *erratum* «faute, erreur», participe passé neutre substantivé de *errare* (→ ② errer).

♦ *Errata* désigne une liste des fautes commises dans l'impression d'un ouvrage, avec leurs corrections. *Erratum* est donné par l'Académie (1798) comme nom masculin singulier quand il n'y a qu'une seule faute à corriger; Littré trouve la forme pédante.

ERRATIQUE → ② **ERRER**

◈ ① **ERRE** n. f. est issu (1re moitié du XIIe s., *eire*) du latin *iter, itineris* «trajet, voyage», «marche», «chemin, route» (→ itinéraire) ou est le déverbal de l'ancien verbe ① errer (→ ① errant). *Iter* se rattache, comme *ire* «aller*», à une racine indoeuropéenne °*ei-*, °*i-* «aller».

♦ *Erre* a d'abord eu le sens latin de «chemin, voie», déjà considéré comme «un peu vieux» par Richelet (1680). Le mot s'emploie dès le XIIe s. (1160-1174) pour «allure, train», sens également tombé en désuétude, y compris dans la locution *aller grand'erre* (1530; 1213, *grant oirre* «à toute vitesse»), ou *aller belle erre* «aller très vite». ➛ *Erres*, au pluriel, désigne par métonymie en vénerie (1354) les traces d'un animal, notamment dans les expressions *erres rompues* «traces effacées», *hautes erres* «traces anciennes» (1636), aussi bien que les traces d'une personne (fin XVIe s.) et s'est dit au figuré pour «manière d'agir, démarche» (XVe s.) et «suite de récits, de propos» (1527). De là *reprendre les erres de* «revenir à» (1527), *poursuivre ses erres* «continuer son discours» (1573). ➛ Au singulier, *erre* se spécialise au XVIIe s. dans le vocabulaire de la marine au sens de «vitesse acquise d'un bâtiment quand il cesse d'être propulsé» (1687), d'où *prendre de l'erre, courir sur son erre*.

② **ERRE** → **ERS**

ERREMENTS n. m. pl. est un dérivé (v. 1167) de l'ancien verbe ① *errer* «voyager», «agir», «se comporter de telle ou telle façon» (→ ① errant).

♦ Le mot s'est d'abord employé au sens de «manière de se comporter»; il n'est plus guère compris qu'avec la valeur péjorative acquise par la confusion avec ② errer et surtout *erreur*, notamment au sens de «manière d'agir blâmable» (fin XVIIe s.). L'usage littéraire connaît encore *suivre les vieux errements* «faire une chose comme on la faisait autrefois». La valeur étymologique de «voyage» a été reprise par l'emploi littéraire pour «action d'aller au hasard» (1892, Goncourt); mais il est demeuré très rare.

① **ERRER** → ① **ERRANT**

② **ERRER** v. intr., attesté (v. 1170) comme ses variantes *erroïer, erroër* au XIIe s., est issu du latin *errare* «aller çà et là, marcher à l'aventure» puis «faire fausse route» d'où au figuré «se tromper». Ce verbe est formé sur un radical °*ers-*, que l'on retrouve dans le gotique *airzeis, airzjan* (cf. allemand *irren* «errer»). ◈

♦ Rare avant le XVIe s., le verbe s'emploie dès le XIIe s. au sens d'«aller de côté et d'autre, sans direction précise» et signifie figurément (1174-1176) «se tromper», sens aujourd'hui conservé dans l'usage littéraire. Il a été influencé par l'ancien verbe *errer* (→ ① errant) au point d'être confondu avec lui et de le remplacer.

▶ ② **ERRANT, ANTE** adj. (XVIe s.) est sorti d'usage au sens de «qui se trompe» (attesté av. 1662, pour le nom; en 1688, pour l'adjectif). L'adjectif est vieilli pour «qui va de côté et d'autre, sans se fixer nulle part» (1582), et ne se dit plus dans *étoiles errantes* «planètes», opposé à *étoiles fixes*. ◇ *Errant* qualifie spécialement ce qui est propre aux personnes nomades (1707). Il reste littéraire dans *âme errante*. ➛ L'ancien français avait aussi ② **ERRANCE** n. f. «incertitude, défiance» (v. 1165), «erreur» (v. 1190), emprunt au latin *errantia* «action de s'égarer», dérivé de *errare*. ◇ *Errant* et *errance* sont sortis d'usage en partie à cause de l'homonymie.

ERRATIQUE adj. est emprunté (v. 1265) au latin *erraticus* «vagabond, errant», dérivé du supin de *errare*. Cet adjectif didactique signifie «qui n'est pas fixe», en parlant des astres à mouvement apparent irrégulier, d'une fièvre (v. 1560); très rare, il a été repris à propos d'une douleur (1835), d'oiseaux (1870); il s'emploie aussi en géologie (déb. XIXe s.) à propos d'une roche déplacée par les anciens glaciers. ◇ Par figure il qualifie (v. 1534) une personne instable, mais seulement dans l'usage littéraire.

◈ voir **ERRATA, ERREUR, ERRONÉ.**

ERREUR n. f. est emprunté (XIIe s.) après resuffixation de *error* (fin Xe s.) au latin *error, erroris,* proprement «action d'errer çà et là» et par figure «incertitude, ignorance», d'où «méprise», «illusion», «faute» et, en latin chrétien, «hérésie». C'est un dérivé de *errare* au sens figuré de «se tromper» (→ ② errer).

♦ *Erreur* a signifié «imposture» (fin Xe s.), avant de désigner l'action de se tromper (v. 1123) ; de ce sens viennent les locutions aujourd'hui usuelles ***faire erreur, par erreur, sauf erreur, il y a erreur, il n'y a pas d'erreur.*** ◇ Le mot se dit dès l'ancien français (v. 1200) d'une action regrettable, maladroite et spécialement d'un écart de conduite (1355, *humaines erreurs*). Du latin chrétien vient (v. 1200) «doctrine, opinion fausse». ◇ *Erreur* est ensuite un terme de droit (1549). Courant dans ***erreur judiciaire,*** il prend dans l'usage général le sens d'«inexactitude, faute» à la fin du XVIe s. (1585, *erreur de calcul*), d'où *par erreur* «en se trompant par ignorance, par étourderie» et des emplois particuliers en physique *(erreur relative, absolue)*. ◇ Au XVIe s., le mot est en conflit homonymique avec un dérivé de ① *errer* «voyager» et *erreur* peut correspondre alors à *errance ;* cet emploi a disparu en français classique. ◇ La fréquence de *erreur,* devenu sémantiquement le substantif correspondant à *se tromper,* a influencé tous les mots issus du latin *errare,* dont la valeur de «voyage» s'est effacée au profit de celle de «fait de se tromper».

▸ **ERRONÉ, ÉE** adj. est un emprunt (v. 1375) au latin chrétien *erroneus* «faux, qui est dans l'erreur», en latin classique «errant, vagabond», dérivé de *erro, -onis* «vagabond», lui-même de *errare.* ◆ En dérive **ERRONÉMENT** adv. (XVIe s.) «par erreur».

◈ voir **ERRATA, ERRONÉ.**

ERS n. m. est un emprunt (1538) à l'ancien provençal *ers* (1150) issu du latin médiéval *ervus, -oris* (VIe s.), altération du latin classique *ervum* «lentille», que l'on peut rapprocher d'un mot germanique attesté par l'ancien haut allemand *araweiz* «pois» ; il pourrait s'agir de termes propres au vocabulaire du Nord-Ouest qui ne trouvent pas d'équivalent en grec.

♦ *Ers,* qui a pour variante rare ② erre, désigne une plante herbacée annuelle, cultivée pour le fourrage, aussi appelée *lentille bâtarde.*

ERSATZ n. m. inv. est un emprunt (1916) à l'allemand *Ersatz* «action de remplacer» et «produit de remplacement».

♦ *Ersatz,* d'abord terme du vocabulaire militaire, désignait des hommes de remplacement, puis le mot s'emploie par extension pour «ce à quoi on a recours, faute de mieux» (1921, Proust écrit avec la majuscule : *Ersatz*). *Ersatz* ne se répand en français qu'au cours des années 1930, pour désigner un produit alimentaire qui en remplace un autre, de qualité supérieure (1935), puis ce qui peut remplacer, sans être de même valeur. Le mot, usuel pendant les restrictions de 1940-1945 et de la période suivante, a vieilli.

ÉRUBESCENT, ENTE adj. est un emprunt (av. 1814, Bernardin de Saint-Pierre) au latin *erubescens* «rougissant», participe présent de *erubescere* «devenir rouge», de *ex-* et *rubescere* «rougir», lui-même de *rubere* «être rouge» dérivé de *ruber* (→ rouge).

♦ *Érubescent,* d'emploi très didactique, signifie «qui devient rouge».

▸ **ÉRUBESCENCE** n. f. est emprunté au dérivé bas latin *erubescentia* pour «action de rougir» (v. 1361), aussi au moral (XVIe s.). Par métonymie, il correspond à «vive rougeur du visage».

◈ voir **RUBÉOLE, RUBICOND.**

ÉRUCTER v. est un emprunt savant (1825) au latin *eructare* «rejeter, vomir», au propre et au figuré, de *ex-* et *ructus* «rot» (→ rot, roter).

♦ *Éructer,* introduit avec le sens latin de «vomir» (1825, transitif), équivaut dans un usage didactique à *roter* considéré comme grossier. ◇ Il s'emploie surtout au figuré, dans un contexte littéraire (2e moitié du XIXe s.) au sens de «manifester, exprimer grossièrement (des idées, des sentiments)».

▸ **ÉRUCTATION** n. f., emprunt ancien (XIIIe s.) au dérivé bas latin *eructatio,* a d'abord le sens latin de «vomissement» puis s'emploie comme dérivé du verbe pour «action d'éructer», aussi (1874) au figuré.

ÉRUDIT, ITE adj. et n. est un emprunt savant (1re moitié du XVe s.) au latin *eruditus* «instruit, savant», participe passé passif du verbe *erudire* «dégrossir, instruire», de *ex-* négatif et *rudis* «inculte, grossier» (→ rude).

♦ *Érudit,* avec le sens de «très savant», est rare avant le XVIIIe s. où il reçoit les valeurs plus précises de *érudition.*

▸ **ÉRUDISANT, ANTE** adj., dérivé savant (mil. XXe s.) de *érudit,* sur le modèle de mots comme *celtisant, arabisant* (désignant des érudits) est rare et didactique.

ÉRUDITION n. f., emprunt au latin *eruditio* «action d'enseigner» et «connaissance, science», dérivé du supin de *erudire,* signifie d'abord (1495) «instruction, savoir», jusqu'au XVIIe s., puis (1618) «savoir approfondi fondé sur des sources historiques, des documents», valeur aujourd'hui dominante et liée au succès de l'humanisme de la Renaissance.

ÉRUPTION n. f., réfection étymologique (1520) de *erupcion* (1355), est un emprunt au latin *eruptio* «irruption», «éruption» et «hémorragie», dérivé de *eruptum,* supin de *erumpere* «faire sortir en brisant», de *ex-* «hors de» et *rumpere* «briser» (→ rompre).

♦ *Éruption* reprend d'abord (1355) le sens latin d'«irruption». C'est l'idée d'émission brusque qui apparaît ensuite dans les différents emplois du mot, en médecine (1520) en parlant de l'apparition de pustules puis (1585) de l'évacuation abondante de sang, de pus, sens encore usité au XIXe s. puis disparu, le mot continuant à s'employer à propos des anomalies de la peau (boutons, etc.). ◆ Ce n'est qu'au XVIIIe s. qu'est introduit le sens aujourd'hui dominant de «jaillissement des matières volcaniques» (1752), d'où (XIXe s.) ***faire éruption*** et ***en éruption***, à propos d'un volcan. ◇ Par figure le mot se dit (XIXe s.) d'une manifestation soudaine et abondante (*éruption de colère*, etc.).

▶ **ÉRUPTIF, IVE** adj. est un dérivé savant du latin *eruptus*, participe passé de *erumpere*; comme *éruption*, il est utilisé en médecine (1793) avant de l'être à propos des éruptions volcaniques (1865) et s'emploie au figuré dans un contexte littéraire.

◈ voir **ABRUPT, IRRUPTION.**

ÉRYSIPÈLE ou ÉRÉSIPÈLE

ÉRYSIPÈLE ou **ÉRÉSIPÈLE** n. m. est un emprunt, d'abord sous la forme *herisipiles* (1300) puis *erysipèle* (1538) avec quelques variantes (*érésipelle*, 1694, Académie), au latin médical *erysipelas*. Lui-même est pris au grec *erusipelas* «inflammation de la peau», composé du vocabulaire médical : le premier terme comporte le radical de *eruthros* «rouge» (→ érythro-), le second, celui de *pelma* «plante des pieds», à rattacher à une racine °*pel* «envelopper» (→ peau). Les deux formes, *érysipèle* et *érésipèle* sont employées concurremment depuis le XVIIe siècle.

♦ Terme médical, *érysipèle* désigne une maladie infectieuse contagieuse, caractérisée par des plaques rouges sur la peau.

▶ **ÉRYSIPÉLATEUX, EUSE** adj. (1538), avec la variante *érésipélateux*, qualifie les troubles liés à l'érysipèle et une personne qui en est atteinte ; dans ce cas, il est aussi substantivé.

ÉRYTHÈME

ÉRYTHÈME n. m. représente un emprunt (1795) à l'anglais *erythema* (1766-1783) plutôt qu'un emprunt direct au grec médical *eruthêma* «rougeur de la peau, rougeur maladive». C'est un mot de la famille de l'adjectif *eruthros* «rouge» (→ érythro-).

♦ Terme médical, *érythème* désigne une affection de la peau, caractérisée par une rougeur superficielle.

▶ **ÉRYTHÉMATEUX, EUSE** adj. (1837) «qui a les caractères de l'érythème» et «atteint d'érythème» est aussi substantivé dans ce dernier sens.

ÉRYTHRO-

ÉRYTHRO-, premier élément, est tiré du grec *eruthros* «rouge» qui se rattache, comme son correspondant latin *ruber*, et comme le sanskrit *rudhiráh*, à une racine indoeuropéenne en *r-d* (→ rouge). Il entre dans la composition de mots savants, parmi lesquels **ÉRYTHRINE** n. f. (1786), suffixe *-ine**, «arbrisseau exotique à fleurs rouges» et nom d'une matière colorante rouge (1870). ◆ **ÉRYTHROSINE** n. f. (1878), formé d'après *éosine*, désigne une matière colorante rouge employée dans l'industrie alimentaire. ◆ **ÉRYTHROCYTE** n. m. (1897), de *-cyte* «cellule», signifie «globule rouge» (du sang). ◆ **ÉRYTHROMYCINE** n. f. (v. 1950), de *-myce* «champignon» et *-ine*, est le nom d'un antibiotique.

◈ voir **ÉRYSIPÈLE, ÉRYTHÈME.**

ESBIGNER (S')

ESBIGNER (S') v. pron. est un emprunt (1754) à l'argot italien *sbignare* «courir» (1619), altération de l'italien *svignare* «fuir en se cachant» (XVIe s.). Ce verbe signifie proprement «s'enfuir de la vigne comme un maraudeur» et vient de *vigna*, de même origine que le français *vigne**; l'italien moderne a *svignarscla* «se sauver».

♦ En argot ancien, le verbe signifiait (1754) «voler». Il s'utilise ensuite familièrement (1799) à la forme pronominale pour «s'enfuir», toujours vivante.

ESBROUFER

ESBROUFER v. tr. est probablement un emprunt (1835, *esbrouffer*) au provençal *esbroufa* «s'ébrouer», en parlant d'un cheval, et «faire de l'embarras», de l'italien *sbruffare* «asperger par la bouche, le nez» (XIVe s.) variante de *bruffare* (1271), dérivé d'un radical onomatopéique *brf-*.

♦ *Esbrouffer*, introduit sous la Restauration avec le sens de «faire des embarras», signifie familièrement «en imposer par des manières fanfaronnes» ; le verbe est moins courant que *faire de l'esbroufe*.

▶ Le dérivé **ESBROUFEUR, EUSE** n. et adj. (1836, *esbrouffeur*) en est le nom d'agent. ◆ **ESBROUFE** n. f. est un emprunt au provençal *esbroufe* «ébrouement», «gestes brusques» et «embarras», déverbal de *esbroufa* «s'ébrouer». *Esbroufe* signifie d'abord «coup de force» (v. 1815 ; *esbrouf*), sens qui passe en argot (1821 ; *grinchir à l'esbrouff*) ; il subsiste dans *vol à l'esbroufe*, où la victime est bousculée par le voleur. ◇ En emploi familier, seul usuel en français actuel, *esbroufe* signifie «air important» (1827) puis «manœuvres d'intimidation, bluff» ; il se dit surtout dans *faire de l'esbroufe* et *obtenir (qqch.) à l'esbroufe*.

ESCABEAU

ESCABEAU n. m. représente l'adaptation (1564) d'un emprunt (1419, *scabel*; puis 1460, *scabeau*) au latin *scabellum* «petit banc», diminutif de *scamnum* «escabeau», qui se rattache à une famille de mots à °*sk-* initial exprimant la notion d'«appuyer» (cf. grec *skêptrôn* «bâton» → sceptre) [→ écheveau].

♦ *Escabeau* «siège de bois peu élevé» a éliminé l'ancien français *eschame*, issu de *scamnum*. Le mot s'emploie aussi par extension (XIXe s.) pour désigner un marchepied à quelques degrés.

▶ **ESCABELLE** n. f., variante (1457) de *scabelle* (1328), est le féminin de *scabel*, *escabeau*. Il s'utilise au second sens de *escabeau* en Belgique, après avoir été usuel en moyen français et en français classique.

✱ ESCADRE

✱ **ESCADRE** n. f. est un emprunt (1461-1466), aussi sous les formes *esquadre*, *scadre* (XVIe s.), à l'italien *squadra* «brigade, équipe» (XVe s.) devenu terme de marine dans la seconde moitié du XVIe siècle. *Squadra* signifie proprement «équerre», d'où «bataillon rangé en carré» (comme l'espagnol *escuadra* «équerre»). Le mot est issu du latin populaire °*exquadra*, comme *équerre**.

♦ *Escadre* désignait autrefois une subdivision d'un corps de troupe (encore dans Furetière, 1690). Le mot s'est spécialisé (1680) comme terme de marine au sens de «groupe de bâtiments de guerre», d'où *chef d'escadre* «contre-amiral» (XVIIIe s.) et par analogie (déb. XXe s.) *escadre aérienne*.

▸ **ESCOUADE** n. f. est une adaptation (1570) de *escoydre* (fin XVe s.), *escoadre* (1506), autre emprunt à l'italien *squadra*, mais le mot n'est utilisé que dans le domaine de l'armée de terre. Il signifie d'abord, comme *escadre*, «subdivision d'un corps de troupe», sens aujourd'hui disparu. ◇ Par extension (1833), *escouade* désigne un petit groupe (d'hommes, d'animaux) et une petite troupe.

ESCADRILLE n. f. a aussi désigné une petite troupe (v. 1570, *squadrille, scouadrille*); c'est un emprunt à l'italien *squadriglia*, de même sens (attesté au XVIIe s., mais évidemment antérieur), diminutif de *squadra*. ➛ Le mot réapparaît à la fin du XVIIIe s. comme terme de marine (1796); il est alors dérivé de *escadre* ou emprunté à l'espagnol *escuadrilla*, diminutif de *escuadra*. *Escadrille* s'emploie couramment (XXe s.) pour désigner un groupe d'avions de combat.

ESCADRON n. m. est un emprunt (dernier quart du XVe s.) à l'italien *squadrone* «troupe armée» (av. 1470), augmentatif de *squadre*. Le mot a désigné autrefois une troupe de combattants à cheval; il se dit aussi pour «groupe important» (1555). *Escadron*, terme militaire, désigne depuis le XIXe s. une subdivision d'un régiment de cavalerie, puis de blindés.

ESCAGASSER v. tr. est un emprunt (1902) au provençal *escagassa* «affaisser, écraser», autrefois «s'accroupir», formé de *es-* (du latin *ex-*) et de *caga* «aller à la selle», en ancien provençal *cagar* (cf. *caguer*), du latin classique *cacare* qui a donné *chier**.

♦ *Escagasser*, d'emploi régional (sud-est de la France), signifie «assommer (qqn)», «démolir (qqch.)», et par figure ou retour à la valeur étymologique «importuner, ennuyer» (cf. *emmerder*).

ESCALADE n. f. est un emprunt (1456) à l'ancien provençal *escalada*, qui n'est attesté qu'au XVIIe s. (1678, *escalado*) mais doit être antérieur. C'est un dérivé de *escalar* «escalader» (XIIIe s.) de *escala* «échelle», de même origine que le français *échelle**.

♦ Dans son premier emploi *escalade* signifiait «assaut d'une position à l'aide d'échelles». Par extension, le mot désigne (1707) l'action de pénétrer indûment dans un lieu clos par les fenêtres, le toit, etc. ◇ Par analogie, *escalade* devient un terme d'alpinisme (1816) pour «ascension, montée». ➛ Au figuré, par emprunt de sens à l'américain *escalation*, attesté depuis le XIXe s. (1838), *escalade* désigne (v. 1964) une stratégie qui consiste à gravir les «échelons» de mesures militaires, diplomatiques, etc., de plus en plus graves. ◇ Par extension *escalade* s'emploie pour «montée brutale» *(escalade des prix)*.

▸ Le dérivé **ESCALADER** v. tr., d'abord «prendre d'assaut» (av. 1610), sens disparu, signifie «franchir la clôture de (un lieu)» (1617). Par extension, le verbe signifie «gravir une hauteur» (1638), d'où son emploi en alpinisme (1804) pour «grimper» et le sens, par exagération (1867), de «monter avec difficulté». ◇ **ESCALADEUR, EUSE** n., attesté en 1844 (Töpffer), est dérivé du verbe. ➛ **ESCALATOR** n. m. est un emprunt (1948) à un mot anglais des États-Unis (1900), mot-valise composé de l'anglais *escalade* «escalade» et de *elevator* «ascenseur»; cet américanisme de grands magasins semble en régression devant *escalier mécanique, escalier roulant*.

Dans le dernier sens, *escalade* a pour antonyme préfixé **DÉSESCALADE** n. f. (v. 1964, après une forme contractée *descalade*, 1926, inusitée) mot qui s'emploie aussi concrètement, en alpinisme.

ESCALE n. f. est un emprunt attesté isolément au XIIIe s., puis au début du XIVe s., à l'italien *scala* «escale», relevé dès 1157 en latin médiéval de Gênes. Cet emploi vient du sens littéral «échelle facilitant le débarquement» (1082, en latin médiéval, Venise). C'est un emprunt au grec byzantin *skala* (Ve s., Constantinople), utilisé dans l'expression *far scala* «faire escale». *Skala* vient du latin classique *scala* (→ échelle; escalier). Le français du XVIe s. a aussi *scale* (1507), qui a disparu.

♦ *Escale* signifie «action de s'arrêter pour se ravitailler, embarquer des passagers, etc.» d'abord dans *faire escale;* par extension, il s'emploie s'agissant de navires (1690; 1557, *escalle* «poste de relais») et au XXe s. par analogie d'avions. Par métonymie, le mot s'applique à un lieu offrant la possibilité de relâcher, d'où la locution ancienne ***les escales du Levant*** (→ échelle). Le mot désigne aussi la durée de l'arrêt. Par analogie, enfin, *escale* équivaut à «étape» (XIXe s.).

▸ Le dérivé **ESCALER** v. tr. (XVIe s.) «escalader», disparu, a été reformé au XIXe s. (1864), puis a été abandonné, l'expression *faire escale* (ou *relâcher*) suffisant à exprimer l'idée.

ESCALIER n. m. est un emprunt par voie écrite (1531, *escallier*) au provençal *escalier* représenté par le latin médiéval *scalerium* (1188), le franco-provençal *eschalier*, l'ancien picard *escaliers* «gradins» (v. 1270), tous issus du bas latin *scalarium* «escalier», substantivation de l'adjectif *scalaris* «appartenant à l'escalier» (on relève chez Vitruve, *scalaria*, pluriel, «escalier», qui ne peut être la source de l'emprunt, *-aria* étant adapté en *-aire* dans les emprunts savants). *Scalaris* dérive du latin classique *scala* qui signifie «escalier» et «échelle» (→ échelle).

♦ En français, le mot a d'abord désigné les escaliers de pierre des constructions de la Renaissance; il s'est étendu et s'est substitué à *degré** au XVIIe s. et à *montée** (du XIVe au XVIIe s.), lequel subsiste encore dans les dialectes du Nord-Est; *escalier* s'est diffusé du Sud au Nord. ◇ Le mot entre dans la locution figurée ***l'esprit de l'escalier (d'escalier)*** «le fait de ne pas pouvoir répliquer sur le champ» (fin XIXe s.), opposé à *l'esprit d'à-propos*. ◇ Qualifié, il désigne des appareils mécaniques à degrés : ***escalier roulant, escalier mécanique*** (→ escalator). ◇ Par analogie de forme, *escalier* se dit (XIXe s.) d'une disposition en forme de marches d'escalier, par exemple dans *faire des escaliers dans les cheveux de qqn*.

◈ voir ESCALE.

ESCALOPE n. f. est en général considéré comme un emprunt (1691) à un dialecte du Nord-

Est, dérivé de l'ancien français *escale* «coquille» (→ écale), avec le suffixe de *enveloppe* : on relève en ancien français *escalophe* «coquille de noix» (v. 1223) et *escalope* «coquille d'escargot» (2e moitié du XIIIe s.) sans qu'on puisse affirmer qu'il s'agisse du même mot.

♦ Les premiers emplois concernent une préparation spécifique du veau (peut-être «roulée en coquille», comme la paupiette) dans *veau à l'escalope* et ce n'est qu'au XVIIIe s. que *une escalope* désigne une tranche mince de viande ou de poisson, préparée de différentes façons (1742). Aujourd'hui le mot est surtout associé à la viande de veau.

► **ESCALOPER** v. tr. est un terme de cuisine (mil. XXe s.).

ESCALOPÉ, ÉE adj. dérive (1848, Flaubert ; 1818, n. m.) de *escalope* «coquille», qui désignait en Bretagne un petit bonnet rond avec de grandes pattes repliées et fixées avec une épingle sur le milieu de la tête. Ce terme régional (Ouest) de mode signifie «replié et fixé par une couture».

ESCAMOTER v. tr. est d'origine incertaine. C'est peut-être un emprunt (1558) à un ancien provençal °*escamotar* ou °*escamoutar* attesté seulement en provençal moderne (1785) et dérivé de *escamar* «effilocher», sans doute antérieurement «écailler» (cf. l'italien *squamare*, l'espagnol et portugais *escamar* avec ce sens). Ce verbe est dérivé de *escama* «écaillé» (XIIIe s.), issu du latin populaire °*scama*, latin classique *squama* «écaille». P. Guiraud, pour étayer cette hypothèse, part du fait que *escamar* a pris le sens de «enlever, faire tomber» diverses substances (bourre, cendre, etc.) ; en outre l'*escamoto* «petit objet manié par l'escamoteur» a pu être à l'origine une boulette d'*escamo*, c'est-à-dire d'un fil provenant d'un tissu effilé. Une autre hypothèse fait de *escamoter* une adaptation du castillan *camodar* (XVe s.) «faire des jeux de mains», probablement issu du latin classique *commutare* «échanger, changer complètement» (→ commuter), de *co-* et *mutare* «changer» (→ muer).

♦ *Escamoter* est d'abord attesté (1558) au sens de «faire disparaître subrepticement (un objet), subtiliser» ; le verbe signifie spécialement (1640) dans le domaine du spectacle «faire disparaître (qqch.) par un tour de main qui échappe à la vue des spectateurs». Il se dit figurément (XIXe s.) pour «éluder habilement, esquiver» puis (2e moitié XIXe s.) «sauter en allant trop vite» *(escamoter un mot, une note)*. ◇ Le verbe a pris (XXe s.) la valeur concrète et technique de «faire replier, rendre invisible», à propos de meubles pliants, du train d'atterrissage d'un avion.

► Le dérivé **ESCAMOTEUR, EUSE** n. «personne qui escamote» apparaît au figuré (1616, *escamoteur de consciences*) ; il est attesté ensuite (1690) au sens de «personne qui dérobe subtilement (qqch.)». ◆ **ESCAMOTE** n. f. (1680) désignait la balle de liège utilisée par les prestidigitateurs dans leurs tours (cf. *muscade*). ◆ **ESCAMOTAGE** n. m. s'emploie aussi au propre (1732), au figuré (1870) et avec une valeur concrète (XXe s.). ◆ **ESCAMOTABLE** adj. «qui peut être escamoté» est attesté en 1926 surtout au sens de «qui peut être replié», en parlant d'un élément mobile *(table, lit)* et d'un train d'atterrissage.

ESCAMPETTE n. f. est un diminutif (1688) du moyen français *escampe* (XVIe s.), déverbal de *escamper*. Ce verbe aujourd'hui d'usage régional dans le sud de la France signifie «s'esquiver, décamper» et est ancien (mil. XIIIe s., *escanper*). Il est emprunté à l'ancien provençal *escampar* (2e moitié du XIIe s.), dérivé de *campo*, du latin classique *campus* (→ camp, champ). Le verbe, écrit *excanper*, a eu le sens de «retirer, cacher (qqch.)» (1298) ; il est alors emprunté à l'italien *scampare*, de même sens et de même origine que le provençal.

♦ *Escampette* «fuite» ne subsiste que dans la locution ***prendre la poudre d'escampette*** (1688) «s'enfuir», toujours en usage.

► **ESCAMPATIVOS** n. m. (1623, *faire un petit escampativos*), ou **ESCAMPATIVE** n. f. (1718), est un mot gascon signifiant «départ précipité», de même origine que l'ancien provençal ; il est encore utilisé au XIXe s. dans le sud de la France (A. Daudet), puis disparaît, au moins dans l'usage central.

ESCAPADE n. f. est un emprunt (1575) à l'espagnol *escapada* «action de s'échapper» (attesté seulement en 1630), participe passé féminin de *escapar*, de même origine que *échapper** ; l'italien *scappata*, qui a été proposé comme origine, ne convient pas pour le sens : il signifiait «erreur» au XVIe siècle.

♦ *Escapade* a eu le sens général d'«action de fuir», sorti d'usage, et s'est spécialisé au figuré pour désigner l'action d'échapper aux obligations de la vie ordinaire et, de là, un comportement de liberté, en général provisoire, associé à un déplacement *(faire une petite escapade)*.

ESCARBILLE n. f. est un emprunt du nord de la France (1667, *escabille*, à Valenciennes, attestation isolée ; 1780, forme moderne) au wallon, déverbal de *èscrabyî* «gratter», emprunt au moyen néerlandais *schrabben, schrabbelen* «gratter, racler» (1576). Ce verbe appartient à une série germanique (allemand *schrappen*, anglais *scrape*, etc.) qui a donné l'ancien français *escraper*, par le néerlandais. La forme la plus ancienne est l'ancien norrois *skrapa*. Des corrélations avec les langues baltes et le russe suggèrent une origine indoeuropéenne commune.

♦ *Escarbille* désigne un fragment de charbon incomplètement brûlé que l'on retrouve dans les cendres.

► Le dérivé **ESCARBILLER** v. tr. (1908) «extraire les escarbilles», d'où **ESCARBILLEUR** n. m. (1922), est un terme technique vieilli.

ESCARBOT n. m. a été construit sous la forme *escharbot* (2e moitié du XIe s. en judéo-français) à partir du latin impérial *scarabaeus* (→ scarabée) à l'aide du suffixe *-ot*, puis sous la forme moderne (1461-1469) sous l'influence de *escargot*.

♦ Le mot, aujourd'hui régional, désigne un insecte coléoptère. La paronymie avec *escargot*, très usuel, a dû gêner son emploi.

ESCARBOUCLE n. f. représente (v. 1150, *escharbocle*) une altération, d'après *boucle*, de l'ancien français *escarbocle, escarbuncle* (1080), dérivé de l'ancien *carbocle, carbuncle* (1080), emprunt au latin *carbunculus* «petit charbon», «escarboucle». Ce dernier est le diminutif de *carbo* «charbon»*, l'éclat du rubis étant comparé à celui du charbon ardent.

♦ *Escarboucle* désignait une variété de grenat rouge ; le mot survit dans l'expression comparative *briller comme des escarboucles.* ◇ De son côté *carboucle* ou *carboncle* s'est employé en médecine à propos de l'anthrax ou charbon.

ESCARCELLE n. f. est un emprunt probable (XIIIe s., *escarcele*) à l'ancien provençal *escarcela* «bourse» (attesté seulement au XIVe s.), dérivé de *escars* «avare» (fin XIIe s.) ou à l'italien *scarsella* «bourse», signifiant littéralement «petite avare» (1215, latin médiéval, Bologne), et diminutif de *scarso* «avare». L'ancien provençal et l'italien sont issus du latin populaire °*excarpsus* «cueilli, extrait», d'où «resserré» et qui a donné l'ancien français *échars*. Il s'agit du participe passé de °*excarpere* qui a donné l'ancien français *escharsier* «épargner». Le verbe, populaire reconstruit, est une altération du latin classique *excerpere* «cueillir, extraire», d'où «mettre à part, de côté» (la récolte étant mise de côté), composé de *ex-* et de *carpere* «cueillir», «déchirer», «choisir» (cf. grec *karpos* «fruit») (→ charpie, écharper).

♦ *Escarcelle* a désigné une grande bourse, qui s'est portée attachée à la ceinture jusqu'au XVIe siècle ; le mot reste vivant dans les locutions ***rentrer, tomber dans l'escarcelle, sortir de l'escarcelle.***

ESCARGOT n. m. est une resuffixation (1549) du moyen français *escargol* (v. 1393), emprunt au provençal *escaragol*, issu d'un type *caragol, caragou* (espagnol *caracol*), modifié sous l'influence des dérivés du latin *scarabeus* (→ escarbot). *Caragol* est issu par métathèse de formes telles que *cagarol, cacalau* qui proviennent peut-être d'un croisement du latin classique *conchylium* «coquillage» (sens général) et du grec *kachlax*, ou d'une base °*cacar* «coquille de l'escargot». P. Guiraud part du latin classique *calyx* «enveloppe des fleurs», «coquille de noix» et «coquille d'escargot», emprunt au grec. À partir du diminutif *caliculus* «petite coupe», se serait formé un °*calaculus*, et par dissimilation du *l*, °*caraculus*, base du provençal *caragol* (et de l'espagnol *caracol*) ; le préfixe *es-* est propre à la plupart des désignatifs de la coquille et la base *caragol* a été l'objet de très nombreuses déformations. Selon P. Guiraud, la forme même de la coquille, par sa complexité et sa bizarrerie, entraîne des modifications phonétiques du nom ; quelle qu'en soit la raison, on relève en effet parmi d'autres formes : *cagarol* (par métathèse), *caracolo, cacarau* (par assourdissement de *g* en *c*), *cacalau* (par changement du *r* en *l*), *caragaulo* (par changement de suffixe).

♦ La consommation des escargots est très ancienne en Languedoc et en Catalogne ; le mot a été introduit en français avec la préparation culinaire et s'est substitué à *limaçon**, *colimaçon.* ◇ Par comparaison avec l'allure très lente de l'animal, on dit ***marcher, aller comme un escargot*** et figurément *c'est un escargot.* De même, on nomme ***opération escargot*** un ralentissement imposé à la circulation automobile par manifestation protestataire (v. 1990). ◇ ***En escargot*** est utilisé en architecture, par analogie avec la forme spiralée de la coquille (cf. *en colimaçon*). ➛ Par référence à l'aspect général de l'animal, le mot a désigné au XIXe s. (1845) un cabriolet bas.

▸ De *escargot* dérivent **ESCARGOTIÈRE** n. f. «lieu où l'on élève les escargots» (1562, *escargoltiere*) et (1948) «plat où l'on place les escargots pour les passer au four». ➛ **ESCARGOTAGE** n. m. (1868) et **ESCARGOTIER** n. m. (1976, *escargottier*) font référence à l'élevage de ces animaux.

ESCARMOUCHE n. f. apparaît à la fin du XIVe s. (v. 1393) après la forme *escharmuches* (v. 1360) ; on trouve aussi *escarmuche* (1369-1377) et les variantes italianisantes *escaramouche, écarmouche* au XVIe siècle. Le mot, selon Bloch et Wartburg, serait issu du croisement de l'ancien français *escremie* «combat» (dérivé de *escremir* «combattre» [1080], lui-même issu du francique °*skirmjan* «protéger» → escrime), avec le radical du verbe *muchier* «cacher» ; la finale *-ouche* serait due à l'influence de *mouche* «espion». De là viendrait l'italien *scaramuccia*, l'espagnol *escaramuza*, l'ancien provençal *escaramussa*, l'allemand *Scharmützel*, l'anglais *skirmish*. P. Guiraud, à la suite de Littré, fait du mot un emprunt à l'italien *scaramuccia* (déb. XIVe s., *schermugio, scaramugi* au pluriel), issu également du francique °*skirmjan* et de *mucciar* «s'enfuir, s'esquiver» correspondant au français *mucher ;* la finale *mouche* correspond à *moucher*, variante de *musser, mucher* «s'esquiver».

♦ *Escarmouche* «petit engagement entre des tirailleurs isolés, des détachements de deux armées» s'emploie aussi au figuré (fin XVIe s.).

▸ **ESCARMOUCHER** v. tr. (v. 1360, *escarmucher ;* fin XIVe s., *escarmucer*) est dérivé de *escarmouche* ou emprunté au dérivé italien *scaramucciare.* ◇ Ce verbe sorti d'usage s'employait aussi au figuré (fin XVIIe s.) et avait donné **ESCARMOUCHEUR** n. m. (XVe s.).

ESCAROLE → SCAROLE

① **ESCARPE** n. f. est un emprunt (1549, Rabelais) à l'italien *scarpa* «talus de rempart» (attesté 1537-1540) correspondant au provençal *escarpa* (1552). Il s'agit sans doute d'une métaphore de *scarpa* «chaussure» (XIIIe s.), issu d'un gotique °*skarpô* «qui se termine en pointe» (cf. allemand *scharf* «pointu, tranchant», *Scharfe* «poutre coupée en biseau») ou d'un gotique °*skrapa* «soutien» (d'où l'allemand *Schroff* «rocher escarpé»).

♦ *Escarpe* désignait un talus de terre ou de maçonnerie dans les techniques anciennes de fortification.

▸ Le verbe dérivé **ESCARPER** (1543) «couper droit de haut en bas (un rocher)» est aujourd'hui rare même au pronominal (1740-1755) contrairement à ses dérivés. ◆ **ESCARPÉ, ÉE** adj. (1582) s'emploie pour «d'un abord difficile» au propre en parlant d'un lieu élevé et au figuré (1749); il est resté usuel. ◆ **ESCARPEMENT** n. m. d'abord (1701) terme de fortifications signifie en général (milieu XVIIIe s.) «versant en pente raide». ◆ Le composé **CONTRESCARPE** n. f. (1546; de *contre-*) désignait la pente du mur extérieur d'un fossé.

② **ESCARPE** n. m. est le déverbal (1800) de l'ancien verbe argotique *escarper* «voler en assassinant», probablement emprunt au provençal *escarpi* «déchirer, mettre en pièces» (→ écharper).

♦ *Escarpe* a été un nom féminin signifiant, en argot, «assassinat» (1800); le mot, au masculin, désigne ensuite (1828-1829) un assassin; il semble sorti d'usage.

ESCARPIN n. m. est un emprunt (1509, *escalpin;* 1534, pour la forme moderne) à l'italien *scarpino,* attesté depuis le XIVe s. et dérivé de *scarpa* «chaussure» (→ ① escarpe). *Scarpa* avait donné *escarpe* «soulier léger» (1556), encore relevé au XVIIe siècle.

♦ Le mot désigne un soulier léger découvert; il apparaît comme symbole de luxe dans la locution proverbiale : *le sabot vaut bien l'escarpin* (1829, Béranger, in *T. L. F.*), aujourd'hui sortie d'usage, comme ***jouer de l'escarpin*** «s'enfuir» (1813). *Escarpin* était aussi le nom d'un brodequin de torture (1694).

ESCARPOLETTE n. f., attesté sous la forme *escarpaulette* en 1605, puis *escarpoulette* (1611) et sous sa forme actuelle en 1667, est d'origine incertaine. Il est peut-être issu d'un emploi métaphorique de *escarpoulette,* attesté au XVIe s. au sens de «muraille de terre surplombant le fossé d'une place forte» (1592), qui pourrait être emprunté à un diminutif du provençal *escarpa* (→ ① escarpe). Ménage a rapproché le mot de l'italien *scarpoletta* «petite écharpe». Selon P. Guiraud, l'hypothèse d'une origine nord-orientale plutôt que méridionale est défendable; selon lui, la finale *-olette, -oulette* pourrait représenter le picard-wallon *holer* «lancer», «pousser», «secouer», l'*escarp-holette* étant alors une «escarpe» que l'on pousse. Ici, Guiraud rejoint l'étymologie supposée par Ménage.

♦ L'*escarpolette* était, dans son principe, une corde (avec ou sans siège) sur laquelle le joueur est «porté en écharpe». Le mot, aujourd'hui vieilli, a été remplacé par *balançoire.* ◇ Repris dans le vocabulaire de l'alpinisme, il désigne (mil. XXe s.) une planche suspendue utilisée pour le franchissement de certains obstacles.

ESCARRE n. f. est un emprunt savant (1314, *escharre* et *escare;* 1495, *escarre*) au bas latin *eschara,* lui-même du grec *eskhara* «foyer, braise» et en particulier «croûte qui se forme sur une brûlure, une plaie». Le mot, conservé en grec moderne, est sans étymologie connue.

♦ *Escarre,* terme de médecine, désigne une nécrose cutanée avec ulcération, résultant du tissu mortifié. La forme étymologique *eschare* est attestée par la plupart des dictionnaires généraux.

▸ Du nom dérivent des termes archaïques de médecine. ◆ **ESCAROTIQUE** ou **ESCHAROTIQUE** adj. et n. m. (1520) correspond au bas latin *escharoticus* emprunté au dérivé grec *eskharôtikos* «propre à faire lever une croûte sur une plaie». ◆ **ESCARRIFIER** v. tr. (1838) s'est dit pour «produire une escarre», d'où **ESCARRIFICATION** n. f. (1838).

ESCHATOLOGIE n. f. est une dérivation savante (1864) à partir du grec *eskhatos* «qui se trouve à l'extrémité, dernier» avec une suffixation en *-logie**. *Eskhatos* est probablement formé de *ex* «à l'extérieur» (→ ex), mais le détail de la dérivation reste inexpliqué.

♦ *Eschatologie* est un terme de théologie, d'emploi didactique, qui désigne l'étude des fins dernières de l'homme et du monde.

▸ En dérive **ESCHATOLOGIQUE** adj. (1864).

ESCHE n. f. est issu (v. 1170) du latin classique *esca* «nourriture» et «appât pour le poisson, amorce» et, en bas latin, «ce qui sert à alimenter le feu». Le mot dérive de *edere* «manger», qui se rattache à une racine indoeuropéenne °*ed-* «mâcher» (→ dent).

♦ *Esche,* parfois écrit *èches, aiche,* est introduit en français (v. 1170) avec le sens de «ce qui sert à allumer ou alimenter le feu», «amadou». C'est au début du XIIIe s. que le mot reprend au latin classique le sens d'«appât, amorce pour la pêche», qu'il a conservé. La variante *laiche* provient de l'agglutination de l'article.

▸ Le dérivé **ESCHER** v. tr. (1317; v. 1175, *aeschier*), terme technique, signifie «munir d'une esche». Il est aussi écrit *écher* ou *aicher.*

◈ voir COMESTIBLE.

ESCIENT n. m. représente une adaptation (1080, *mon escient*) du latin médiéval *meo (tuo, suo) sciente,* en latin classique *me (te, eo) sciente* «moi (toi, lui) le sachant», ablatif absolu composé de l'ablatif de *ego (me)* «moi» (→ ego) et de l'ablatif du participe présent de *scire* «savoir*».

♦ Le mot est passé en français dans des locutions reprises du latin : *mon escient,* d'où *à mon escient, à leur escient* (v. 1175) «en pleine connaissance de ce que je fais, de ce qu'ils font» (cf. *sciemment*) qui ne sont plus en usage. Seul ***à bon escient*** «avec discernement, à raison» (v. 1150) s'est conservé (aussi *de bon escient,* v. 1200); ***à mauvais escient*** est moins courant. ◇ *Escient* entrait dans de très nombreuses locutions et, par ailleurs, s'est employé jusqu'au XVIIe s. au sens de «discernement, sagesse» (v. 1160).

◈ voir SCIENCE.

ESCLAFFER (S') v. pron., attesté une première fois en 1534 chez Rabelais *(s'esclaffoyent de ryre)* et chez Jodelle (1573, *s'esclaffer*), repris au milieu du XIXe s., est un emprunt au provençal *(s')esclafa* «éclater» (depuis le XVe s.). Ce verbe vient de *clafa* «frapper», forme expressive que l'on rattache à l'onomatopée *klapp-, klap-* qui représente le bruit d'un coup, d'un claquement (cf. *clapper, clabauder,* etc.).

♦ Le verbe signifie «rire bruyamment» (cf. *éclater de rire*).

► Le dérivé **ESCLAFFEMENT** n. m. (1892) est rare.

ESCLANDRE n. m. représente un emprunt adapté (v. 1120), d'abord sous la forme *escandele,* du latin chrétien *scandalum* «pierre d'achoppement, piège» et au figuré «ce qui fait tomber dans le mal, le péché» qui, sous une forme moins francisée, a donné *scandale**.

♦ Le mot est d'abord attesté avec des sens, aujourd'hui disparus, proches de ceux de *scandale :* «piège, cause de ruine», puis «bruit, indignation, scandale» (v. 1175), avec la variante *escandle* au XIIe siècle. Il a aussi signifié (XIIe s.) «haine, inimitié», puis au XIVe s. «bruit scandaleux qui circule» (v. 1320), «accident fâcheux» (1353), «dispute, querelle» (1377). Enfin, il se spécialise (v. 1400, *escande*) au sens d'«incident scandaleux», repris ensuite à la fin du XVIIIe s. et toujours vivant. ◇ *Esclandre* a parfois été employé au féminin à l'époque classique (v. 1570) et au XIXe s. (1803, *faire une esclandre*).

ESCLAVE n. est emprunté (v. 1175) au latin médiéval *sclavus* «esclave» (Xe s.), autre forme de *slavus,* qui signifie proprement «slave» (VIIe s.). Le mot, qui a eu la même évolution en grec médiéval, représente probablement une formation régressive à partir d'une forme °*sclavone* «slave», pris pour un accusatif; ce mot est issu du slave primitif °*slověninŭ* «slave». Le passage du sens de «slave» à celui d'«esclave» s'est produit durant le haut moyen âge, période où un grand nombre de Slaves des Balkans furent réduits en esclavage par les Germains et les Byzantins. Le mot s'est largement répandu en Europe, d'où l'italien *schiavo* (vénitien *schiavo*), l'espagnol *esclavo,* l'allemand *Sklave,* l'anglais *slave.* Le latin avait en ce sens *servus* qui a abouti à *serf**.

♦ *Esclave* se dit d'une personne qui n'est pas de condition libre et vit sous la dépendance absolue d'un maître dont elle est la propriété ; le mot a pris des connotations très différentes selon les contextes sociaux (antiquité classique ou orientale, temps modernes depuis la traite des Noirs, cf. ci-dessous *esclavage*). ◇ Par extension, *esclave* désigne, dans le domaine moral (1608), une personne soumise servilement aux volontés de qqn et, dans le domaine social et politique (XVIIIe s.), une personne de condition libre mais soumise à un pouvoir tyrannique, un gouvernement despotique. De là, ***en esclave*** (*faire qqch. en esclave ;* XVIIe s.) et ***(être) esclave de*** (qqch., qqn) [1640], spécialement au XVIIe s. *être esclave de son devoir, avoir une âme d'esclave* (1690). Le mot était largement usité à l'époque classique, dans le langage de la galanterie pour «amant et serviteur (d'une dame)». Par analogie, *esclave* se dit d'une personne qui n'a aucun moment libre (1690, *être esclave*).

► Le dérivé **ESCLAVAGE** n. m. (1599), formé avec le suffixe *-age,* a suivi le même développement sémantique que *esclave.* Rare en emploi libre au sens d'«état, condition d'esclave», il se dit plus couramment en parlant de la condition collective d'esclave (*l'esclavage des Noirs*). ◇ Au sens étendu de *esclave,* il apparaît dans des tournures comme *vivre dans l'esclavage de qqn; l'esclavage de la femme, l'esclavage des passions,* etc. qui ont vieilli. ◇ *Esclavage* s'emploie aussi dans le domaine moral (1643) et dans un contexte politique (1672). ◇ Le sens affaibli de «contrainte, gêne» apparaît au XVIIe s. (attesté 1690). Au XVIIIe s. (1704) le mot a désigné, par référence à la chaîne portée par les esclaves, un collier qui descend en demi-cercle sur la poitrine. ➜ Du nom dérivent **ESCLAVAGISTE** adj. et n. (1861) «partisan de l'esclavage des Noirs» et employé, par analogie, en zoologie (av. 1930, *fourmis esclavagistes*), d'où le contraire **ANTIESCLAVAGISTE** adj. et n. (1864). **ESCLAVAGISME** n. m. (1877) et **ANTIESCLAVAGISME** n. m. sont plus rares. ➜ **ESCLAVAGER** v. tr. (1876) «rendre esclave», qui a remplacé *esclaver* (v. 1550), est d'emploi rare (participe passé adjectivé au XXe s.).

ESCOFFIER v. tr. est probablement une adaptation (1797) du provençal *escofir* ou *escoufir* «vaincre, défaire» (av. 1391), issu d'un latin populaire °*exconficere* «détruire», du latin classique *conficere* «achever», de *con-* (→ co-) et *facere* «faire». On relève en argot ancien *coffier* «tuer» (1725), d'une forme dialectale *coffir,* issue de *conficere.* On a aussi proposé pour étymon l'espagnol *escofiar* ou l'italien *scuffiare* «enlever la coiffe» d'où «décapiter», de même origine que le provençal.

♦ *Escoffier,* mot d'argot, signifie «tuer» (1797) et «voler» (1819).

ESCOGRIFFE n. m., attesté en 1611 (par le dictionnaire de Cotgrave, qui le donne comme orléanais), est d'origine obscure ; il est peut-être composé de *griffe** (cf. *griffer* «ravir, voler» au XVIIe s.) et d'un premier élément, plus obscur, que Littré rattachait à *escroc*,* ce qui n'est guère vraisemblable.

♦ *Escogriffe* qui a eu le sens de «voleur» (d'après *griffer* «voler»), encore au XIXe s., se dit familièrement d'un homme de grande taille et d'allure dégingandée, surtout dans l'expression *un grand escogriffe* (XVIIe s., Molière).

ESCOMPTER v. tr. est un emprunt (1675, Savary) à l'italien *scontare* «décompter» (attesté depuis le XIIIe s.), dérivé de *contare* (→ compter) ou est dérivé de *escompte,* attesté antérieurement.

♦ Le verbe est d'abord employé (1675) comme terme de finance, avec le sens de «payer à qqn la somme qui lui est due avant l'échéance, moyennant une retenue». ◇ Le sens figuré de «compter sur, prévoir» apparaît dans le premier tiers du XVIIIe s. (1732, Lesage : *escompter une visite*), d'où *escompté,* participe passé adjectivé, «espéré». ◇ Au XVIIIe s., l'idée de «dépense» a été reprise avec le sens de «dépenser d'avance» (*escompter un héritage, son avenir ;* cf. *hypothéquer*); cet emploi a disparu.

▸ Le dérivé **ESCOMPTEUR, EUSE** n. est attesté une première fois en 1548 (Rabelais), probablement comme calque de l'italien *scontatore* (première moitié du XIVe s., dérivé de *scontare*) puis repris en 1783 ; il s'emploie comme nom masculin en termes de finance et au figuré (n. m. ou f.). ◆ L'adjectif **ESCOMPTABLE** (1867, Littré ; proposé en 1845 par Richard de Radonvilliers) et son contraire **INESCOMPTABLE** adj. (1845) sont eux aussi des termes financiers.

ESCOMPTE n. m., d'abord *esconte* (1597 ; 1675 pour la forme moderne), est un emprunt à l'italien *sconto* «escompte» (1332), déverbal de *scontare*. ◇ Contrairement au verbe, *escompte* ne concerne que le domaine de la finance, d'abord au sens de «retenue faite sur une somme escomptée» (1597) puis désignant l'opération par laquelle une personne achète ou vend un effet de commerce non échu. ◆ Le préfixé **RÉESCOMPTE** n. m. (1863) est aussi un terme technique de finance, comme son dérivé **RÉESCOMPTER** v. tr. (1867).

ESCOPETTE n. f. est un emprunt (1516, *escoppette*) à l'italien *schiopetto* (déb. XVIe s.), diminutif de *schioppio* «sorte d'arquebuse», d'où *sciope* chez Rabelais. Le mot italien vient du latin médiéval *sclop(p)us* (XIVe s.), en latin impérial *stloppus* «bruit que l'on fait en frappant sur une joue gonflée», d'origine onomatopéique.

♦ *Escopette*, considéré comme terme d'histoire depuis 1680 (Richelet), désignait une arme à feu portative à bouche évasée, voisine du tromblon, utilisée du XVe au XVIIIe s. et, par métonymie, l'homme qui portait cette arme. ◆ Par extension (XIXe s.), le mot est synonyme de «fusil», en emploi littéraire ou par plaisanterie.

ESCORTE n. f. est emprunté au début du XVIe s. à l'italien *scorta* «troupe armée qui accompagne une personne ou un groupe» (XIIIe s.), participe passé féminin substantivé de *scorgere* «guider, accompagner», du latin populaire °*excorrigere* «diriger», préfixé par *ex-* du latin classique *corrigere* «redresser», «réformer» (→ corriger).

♦ Au XVIe s., le mot est employé comme terme militaire (av. 1520) dans *faire escorte* «accompagner une personne ou un groupe pour le protéger» (cf. *garde*), d'où les locutions ***sous escorte, sous bonne escorte*** «sous la protection» et par extension ***faire escorte à qqn*** «l'accompagner». ◇ À la fin du XVIIe s., *escorte* apparaît dans le vocabulaire de la marine et désigne l'ensemble des navires de guerre qui accompagnent une escadre pour la protéger (1690, Furetière). ◆ Toujours au XVIIe s., *escorte* se dit (1665) à propos d'un accompagnement non défensif et souvent avec une idée de parade, d'un cortège qui accompagne une personne pour l'honorer (cf. *suite*) et, par hyperbole, d'une personne (seule) qui en accompagne une autre.

▸ Le dérivé **ESCORTER** v. tr. (1530) se dit pour «accompagner pour défendre ou pour honorer» (1690) et par figure s'emploie avec un nom de chose (1669). ◆ En dérive le terme de marine **ESCORTEUR** n. m. (1935) «petit bâtiment destiné à l'escorte de navires marchands».

ESCRIME n. f. représente un emprunt (1409) à l'ancien italien *scrima* «art de manier l'épée» (attesté au XVe s.), lui-même de l'ancien provençal *escrima*. Le mot français emprunté à l'italien a supplanté l'ancien français, de forme et de sens très proches, *escremie* «combat» (XIIe s. ; encore usuel au début du XVIe s.), déverbal de *escremir* «combattre» (1080), issu du francique °*skirmjan* «défendre, protéger» (allemand *schirmen* «protéger»). C'est au français qu'ont été empruntés l'ancien provençal *escremir, escrimir* «faire des armes», d'où *escrima* (emprunté par l'italien), l'espagnol *esgrimar*.

♦ *Escrime* est d'abord attesté (1409) avec le sens de «combat» (comme *escremie*). Le mot se répand avec la diffusion de l'art de combattre à l'épée, codifié en Italie. Il désigne chez Rabelais (1534) cet art et se dit par figure pour «combat, duel», spécialement en parlant d'une joute d'esprit, de paroles, d'où la locution ancienne *être hors d'escrime* «être à bout d'arguments» (1690). ◇ Le mot a pris d'autres connotations quand le combat à l'épée en guerre ou en duel cède la place à l'exercice, puis au sport (XIXe-XXe s.), avec ses règles, ses championnats et ses spécialisations, épée, fleuret, sabre (généralement nommé *sabre*). *Maître d'escrime* (1606) est moins courant que *maître d'armes*.

▸ À la fin du XVe s. apparaît le dérivé **ESCRIMEUR, EUSE** n. «personne qui fait de l'escrime». ◆ Le verbe **ESCRIMER** est d'abord attesté comme pronominal (1534, *s'escrymer*) au sens figuré de «s'acharner, faire de grands efforts», qu'il a conservé, d'où par exemple *s'escrimer des pieds et des mains pour grimper à un arbre*. ◇ Le sens propre, «faire de l'escrime» (1540, v. intr.), est sorti d'usage ; au figuré, *escrimer* pour «discuter, disputer» (1622) est tombé en désuétude.

ESCROQUER v. tr. est emprunté (1557) à l'italien *scroccare*, littéralement «décrocher», attesté avant 1566 au sens de «manger ou vivre aux dépens d'autrui», et que l'on rattache généralement à *crocco* (→ croc, crochet) ou, selon une autre hypothèse (Wartburg), au radical onomatopéique *krokk-*, dont procède le français *croquer**.

♦ Le verbe s'emploie au XVIe s. dans *escroquer qqn* «soustraire qqch. à qqn par fourberie», et dans *escroquer qqch. (à qqn) ; escroquer qqch. de qqn* est d'emploi rare.

▸ Du verbe dérivent **ESCROQUEUR, EUSE** n. (1558, Du Bellay), aujourd'hui vieilli et remplacé par *escroc*, et **ESCROQUERIE** n. f. (av. 1672, Tallemant des Réaux) *excroquerie*, chez Scarron, 1660) «action d'escroquer», qui se dit spécialement en droit (1810, *délit d'escroquerie*) et s'emploie au figuré. Le mot est usuel.

ESCROC n. m. est emprunté (1634, *escroq* ; 1640, sous la forme actuelle) à l'italien *scrocco* «écornifleur» (depuis le XVIe s.), déverbal de *scroccare*. Il a peut-être le sens de «malfaiteur» dans un texte de 1634 et signifie «écornifleur» en 1640 (Oudin). ◇ L'emploi de la forme féminine est archaïque (fin XVIIe s., Mme de Sévigné, *une escroc* ; 1657, Tallemant des Réaux, *une escroque*).

ESCULAPE n. m. est un emprunt (1690, Boileau) au latin *Aesculapius,* lui-même du grec *Asklêpios,* héros médecin, originaire de Trekka en Thessalie, dont le culte s'est développé dans toute la Grèce. L'étymologie du mot, qui a donné lieu à plusieurs hypothèses, toutes indémontrables, reste inexpliquée.

♦ Le mot est employé par Boileau au figuré pour «médecin» *(«un faux Esculape»)* d'après *disciple d'Esculape;* ce sens est aujourd'hui sorti d'usage ou s'emploie par plaisanterie. ◆ *Esculape* est le nom donné, à partir du milieu du XVIIIe s. (1754; d'abord dans la locution ***serpent d'Esculape,*** 1735), à une couleuvre du centre et du sud de l'Europe.

ESGOURDE n. f., attesté en 1867 et précédé par *esgourne* (1833) et *escouane* (1850), est d'origine obscure. Il pourrait être issu du croisement de *gourde* «courge», par une analogie de forme entre les feuilles de la courge et les oreilles (l'argot *gourde* «tête» est attesté), et de l'argot *escoute* «oreille» (1725), emprunt au provençal *escouto* (→ écoute). On a aussi proposé de rattacher *esgourne* au breton *skouarn* «oreille». Pour P. Guiraud, la variante *escouane* dérive de *couenne* «écorce», d'après *escouenner* «écorcer», les oreilles étant vues comme des «morceaux de couenne», et la forme *esgourne* viendrait d'un gallo-roman °*scortina,* adjectif dérivé du latin classique *scortinus,* alors que *esgourdes* serait issu de *scorta,* pluriel du latin classique *scortum* «peau» (→ écorcher). Enfin, pour P. Guiraud, l'argot *escoute* se rattacherait à *cotte* «peau», du latin populaire et hypothétique °*cutita,* du latin classique *cutis* «peau».

♦ *Esgourde* est un terme d'argot familier pour «oreille», spécialement comme organe de l'ouïe, d'où *ouvrir, fermer ses esgourdes.* Le singulier apparaît généralement dans des expressions figées telles que *débrider l'esgourde* «écouter» (1878, Rigaud), qui ne serait plus compris, *glisser qqch. dans l'esgourde* (1946), *le fond de mon esgourde* (1936, Céline).

► En dérive **ESGOURDER** v. tr. «écouter (qqch.)» (1878) et «entendre» (fin XIXe s.), argotique et vieilli.

ÉSOTÉRIQUE adj. est un emprunt savant (1752, *ezotérique,* Trévoux) au grec *esôterikos* «de l'intérieur, de l'intimité» et «réservé aux seuls adeptes», dérivé de l'adverbe *esô,* variante de *eisô* «à l'intérieur», lui-même de *eis* «dans, vers». Le terme, substantivé, a désigné les partisans de la doctrine de Pythagore.

♦ Le mot est introduit en français au XVIIIe s. comme terme de philosophie, pour qualifier l'enseignement professé au sein de certaines écoles de la Grèce antique, réservé aux seuls initiés *(la doctrine ésotérique de Pythagore, de Platon).* ◇ Par extension, il se dit de connaissances qui se transmettent par tradition orale à des adeptes initiés, d'où, à la fin du XIXe s., le sens non technique d'«obscur, hermétique» (1890), en parlant du langage, de la poésie.

► De l'adjectif dérivent **ÉSOTÉRIQUEMENT** adv. (1840, P. Leroux, in *T. L. F.*), rare, et **ÉSOTÉRISME** n. m., terme didactique ou littéraire dont le développement sémantique est analogue à celui de l'adjectif. Ce nom apparaît dans l'*Histoire critique du gnosticisme* de J. Matter (1828). ◆ **S'ÉSOTÉRISER** v. pron. «demeurer secret», attesté chez Gide (1891), est inusité.

ESPACE n. m. est un emprunt du XIIe s. (1160-1174) au latin *spatium* «champ de course, arène», puis «espace libre, étendue, distance» et aussi «laps de temps, durée». Le mot est d'origine obscure.

♦ *Espace,* indifféremment masculin ou féminin en ancien et en moyen français, s'est introduit avec une valeur temporelle, la plus fréquente avant le XVIe s. *(dans, en l'espace d'un mois).* ◇ *Espace* reprend ensuite (v. 1200, *spaze*) le sens de «surface déterminée, étendue» puis, en ne considérant qu'une seule dimension (1314), celui de «distance, intervalle», d'où la locution ***d'espace en espace*** «de distance en distance» et des emplois spéciaux en imprimerie (1680), où le féminin s'est conservé *(une espace),* puis en musique (1755) et récemment en journalisme *(espace d'annonces). Espace* a eu aussi un sens figuré, «écart, différence». ◇ Le mot se dit ensuite (milieu XVIe s., Du Bellay) pour «étendue des airs» et pour «volume déterminé». ◇ C'est au XVIIe s. qu'il devient un terme scientifique (1647, Descartes) avec la valeur de «milieu dans lequel ont lieu les phénomènes observés», désignant en géométrie le milieu abstrait des phénomènes étudiés (1691). ◇ Par extension du sens «étendue des airs», il est employé pour désigner l'espace céleste (1662, Pascal), acception sortie d'usage au pluriel *(les espaces),* d'où au figuré (XVIIIe s.) *espaces (imaginaires)* «rêve, utopie» et l'expression *se perdre dans les espaces imaginaires* «se créer des idées chimériques» (av. 1778). ◇ Une valeur récente correspond à «moment, cadre» *(un espace de dialogue).* ◇ *Espace* «étendue» est employé dans quelques expressions au XXe siècle : ***espace vital*** (adaptation de l'allemand *Lebensraum,* v. 1938) «territoire revendiqué comme indispensable», *espace aérien* (v. 1960), ***espace vert*** «lieu planté (parc, jardin) dans une ville». Le mot est à la mode pour «lieu aménagé» (pour des manifestations, spectacles, etc.). ◇ Par extension du sens d'«espace céleste», il désigne aussi au XXe s. le milieu extra-terrestre *(la conquête de l'espace).* ◇ En physique, dans la théorie de la relativité, ***espace-temps*** (XXe s.) se dit du milieu à quatre dimensions où quatre variables sont considérées comme nécessaires pour déterminer un phénomène.

► **ESPACER** v. tr. signifie d'abord (1417) «séparer par un intervalle», d'où un emploi en imprimerie (1694) d'après le sens spécial d'*espace.* Le verbe s'emploie ensuite au sens de «disposer sur un espace étendu» (1549, intr.); *s'espacer* a signifié «se disperser (avec des troupes)» (XVIIIe s.) et au figuré «s'étendre (en paroles) sur» (XVIIIe s.), sens disparus. Depuis le XIXe s., *espacer* est aussi utilisé avec une valeur temporelle (1851). ◆ Le dérivé **ESPACEMENT** n. m. (1680) a lui aussi une valeur temporelle et spatiale. ◆ Les composés **DEMI-ESPACE** n. m. (XXe s.) et **SOUS-ESPACE** n. m. (v. 1968) sont em-

ployés en mathématiques.
◈ voir SPACIEUX, SPATIAL, SPATIO-.

ESPADON n. m. est un emprunt francisé (1611) à l'italien *spadone* «grande épée» (av. 1584), dérivé augmentatif de *spada*, lui-même du latin *spatha* (→ épaule, épée).

♦ *Espadon* est introduit en français avec le sens du mot italien, qui n'apparaît aujourd'hui que dans le vocabulaire de l'escrime (*se battre à l'espadon* «se battre au sabre»). ◆ C'est un sens figuré qui a prévalu au XVIIe s., le mot désignant, par analogie de forme (1646, *spadon;* puis *espadon*, 1694), un poisson des mers chaudes dont la mâchoire supérieure se prolonge en forme d'épée.

ESPADRILLE n. f. est issu par métathèse (1793) de la forme *espardille* (1723), emprunt au provençal *espardilos*, dérivé de l'ancien provençal *espart* «sparterie», auquel se rattache l'espagnol *esparteña*, dérivé de *esparto* de même sens. *Espart* représente un emprunt au latin *spartum* «jonc servant à faire des nattes», lui-même au grec *sparton* de même sens. *Sparton* n'a pas d'origine connue.

♦ *Espadrille* est le nom donné à une chaussure de toile, à semelle de corde ou de sparte tressé; sans être un régionalisme, il reste associé à la région pyrénéenne et au sud-ouest de la France.

ESPAGNOL, OLE adj. et n. est sans doute un emprunt (1181-1191, *espaignol*) à l'ancien languedocien *espanol* ou *espainol* (1re moitié XIIe s., comme nom propre), issu d'un latin populaire °*hispaniolus*, dérivé du latin classique *Hispanus*, lui-même de *Hispania* «Espagne». *Spanus*, forme abrégée à basse époque de *Hispanus*, avait abouti en ancien français à *espan* (1080).

♦ *Espagnol*, «qui se rapporte à l'Espagne, à ses habitants», s'emploie dans la locution ***parler (le) français comme une vache espagnole*** (1640, Oudin), ***comme un Basque espagnol;*** la locution a été expliquée par une altération de *vasces* «Gascon, Basque», mais la version avec *comme un Basque espagnol* est postérieure à celle de la *vache;* on peut plutôt se référer à l'emploi intensif de *comme une vache* et aux valeurs négatives qu'a eues l'adjectif *espagnol* au XVIIe s., par exemple dans l'expression *payer à l'espagnole* «en coups et en rodomontades» (1611). ◆ Le nom désigne un habitant de l'Espagne et au masculin la langue romane parlée dans une grande partie de l'Espagne (sa forme dominante étant le castillan) et dans la majorité des pays d'Amérique latine. Voir l'encadré ci-contre.

▸ **ESPAGNOLISER** v. tr., attesté en 1565 au participe passé, est un équivalent vieilli de *hispaniser**. ◆ **ESPAGNOLETTE** n. f. a désigné une danse (1584) puis une sorte de ratine fine (1693); le mot conserve le sens de «ferrure à poignée tournante servant à fermer le châssis d'une fenêtre» (1731), ce dispositif étant sans doute venu d'Espagne.
ESPAGNOLADE n. f. «fanfaronnade» (1611), sens archaïque, se dit à partir du XXe s. d'une œuvre facile présentant l'Espagne selon des vues pittoresques et convenues. ◆ **ESPAGNOLISME** n. m., attesté chez Stendhal (1890, *Vie de H. Brulard*), reste d'emploi littéraire pour parler des traits de caractère spécifiquement espagnols.
◈ voir ÉPAGNEUL.

① **ESPALIER** n. m. (1611), d'abord *espallier* (1572), réfection de *espauliere* (1572), est emprunté à l'italien *spalliera*, d'abord «endroit où l'on appuie ses épaules lorsqu'on s'assied» (1348-1363) puis «espalier» (1572-1575), «soutien, épaulement»; *spalliera* est dérivé de *spalla* au sens figuré d'«appui», de même origine que le français *épaule* (→ épaule).

♦ Le mot a d'abord le sens étymologique de «soutien» (1553) et désigne par ailleurs (1572) un mur garni d'un treillage le long duquel on fait pousser différentes plantes, notamment des arbres fruitiers. Par métonymie (1600), *espalier* désigne une rangée d'arbres fruitiers plantés le long d'un treillage, d'où l'expression *en espalier (culture en espalier);* la locution figurée ***être, rester, se tenir en espalier*** «devant une porte, un mur» est aujourd'hui vieillie. ◇ Par analogie, *espaliers* désigne en sports (1924) un appareil formé d'une échelle fixée à un mur.

▸ Le composé **CONTRE-ESPALIER** n. m. (1651) concerne seulement les arbres fruitiers.
② **ESPALIER** n. m. est emprunté (v. 1560) à l'italien *spalliere* (dérivé de *spalla*) pour désigner le rameur du dernier banc d'une galère. ◆ Le français a aussi emprunté à l'italien *spalla* le terme de marine **ESPALE** n. f. (1622), désignant la plate-forme située entre le dernier rang des rameurs et la poupe, sur une galère; les deux mots sont sortis d'usage.

ESPÈCE n. f. est un emprunt adapté (XIIe s., *espesse;* écrit *espèce* depuis le XIIIe s.) au latin classique *species* «vue, regard», d'où «apparence, aspect, type», «cas particulier» en droit, et «subdivision du genre, catégorie», pour traduire le grec *eidos* dans la langue philosophique; *species* signifie par extension «denrée» en latin impérial (→ épice); en latin chrétien, le mot a pris le sens de «matière d'un sacrement» en parlant du sel du baptême. *Species* est dérivé du v. *specere*, qui se rattache, comme le francique *spehôn* «observer» (→ épier), à une racine indoeuropéenne °*spek-* «contempler, observer» (→ aussi aspect, spectacle).

♦ En français, *espèce* s'est employé d'abord comme terme religieux, signifiant «signe, révélation (de Dieu)» (XIIe s., *vraie espesse*). Le mot désigne ensuite (1269-1278) le genre humain, notamment dans *espèce humaine* (XVIIIe s., sous cette forme), d'abord *humaine espece* (1370), et toute catégorie d'êtres vivants du même genre. Il est relevé au début du XIVe s. (1314) au sens général de «catégorie, sorte», d'emploi didactique aujourd'hui, d'où en philosophie *espèces sensibles, espèces intelligibles* et couramment *de toute espèce* «de toute sorte» (1664). ◆ Le mot s'emploie ensuite (1496; 1577, au pluriel) pour désigner un moyen de paiement et une pièce d'or ou d'argent : *espèce*, comme en latin, s'est dit pour «marchandise», *en espèces* «en marchandises» a été ensuite éliminé par *en espèces* «en argent» (1740, *en espèces sonnantes*), les deux expressions

(Suite p. 1302)

L'ESPAGNOL

Avec plus de trois cents millions de locuteurs natifs, l'espagnol est au premier rang des langues romanes, et au troisième rang des langues les plus parlées dans le monde (derrière le chinois et l'anglais). Malgré son immense diffusion géographique, il conserve une relative homogénéité structurelle, les différences régionales n'étant pas assez importantes pour empêcher l'intercompréhension entre hispanophones. Cette langue au destin planétaire a cependant connu des débuts très humbles, et n'était à l'origine (comme plus au nord le français) qu'un parler roman parmi d'autres, au nord de la péninsule ibérique, issu du latin vulgaire régional.

1. Origines de l'espagnol.

L'espagnol (→ langues romanes*) est le produit de l'évolution deux fois millénaire du latin importé dans la péninsule ibérique, dès la fin du IIIᵉ s. av. J.-C. (débarquement de Scipion l'Africain à Ampurias en ~ 218), par des légionnaires, des colons et des administrateurs romains. La plupart des habitants de la péninsule ibérique assimila rapidement et profondément la langue latine, mais les langues indigènes, progressivement abandonnées, à l'exception du basque, ont laissé leur empreinte dans le latin d'Hispanie.

a. Les substrats cantabrique et celtibère. On appelle *langues de substrat* les idiomes des peuples vaincus qui ont adopté la langue du vainqueur. Les Phéniciens n'ont guère laissé de traces linguistiques de leur passage, à l'exception de quelques toponymes *(Cádiz, Málaga)*; de même pour les Carthaginois, à qui l'on doit *Cartagena, Ibiza,* et surtout *Hispania,* en phénicien «terre de lapins». Les deux substrats les plus importants correspondent aux deux principaux noyaux de peuplement : le substrat cantabrique, au nord-ouest, et le substrat celtibère, qui s'étend sur une plus vaste étendue. On désigne par **«cantabrique»** le groupe de langues parlées il y a plus de deux mille ans dans le nord-ouest de la péninsule ibérique et dont le basque moderne constitue la seule survivance. Plusieurs toponymes des Pyrénées s'y rattacheraient (par exemple *Val d'Aran,* construction tautologique, *aran* signifiant «val» en basque); des noms de personnes aussi répandus que *García* ou *Jimena* seraient également d'origine basque; en outre, la phonétique du castillan présente de nombreux parallèles avec celle du basque (chute du *f-* initial, absence du son [v], mêmes voyelles, opposition entre *r* simple et *r* multiple, etc.); finalement, quelques types lexicaux qui caractérisent l'espagnol sont des emprunts au basque (*izquierda* «gauche», basque *ezker,* qui a remplacé *siniestra,* comme *gauche,* d'origine germanique, a remplacé *senestre* en français; *boina* «béret basque», *pizarra* «ardoise», *chatarra* «ferraille», etc.). ◇ Quant au substrat **celtibère** (*Celtibères* = peuple issu du croisement des envahisseurs celtes et des populations ibères venues du nord de l'Afrique et plus anciennement installées en Hispanie), l'espagnol lui doit aussi plusieurs toponymes : *Coimbra, Segovia, Berdún* et *Verdú* (cf. français *Verdun*), du celte *dunum* «colline, forteresse», *Coruña, Évora, Braga,* ainsi que certaines évolutions phonétiques, communes à toute la Romania occidentale. Les mots que le latin d'Hispanie a empruntés au celte sont les mêmes que dans le reste de la Romania : *camisa, cabaña, carro,* etc. ◇ À côté des substrats cantabrique et celtique, on doit citer l'apport du grec, qui fut particulièrement fécond en Hispanie, transmettant à la variété locale de latin la plupart des hellénismes communs à toute la Romania (*idea, fantasía, filosofía, música, matemática,* etc.); certains d'entre eux ont subi la même évolution phonétique que les formes latines héritées, *apothīca* donnant *bodega* (cf. *boutique*), *symphonĭa zampoña,* etc., signe de leur intégration dans la langue courante. Citons en outre les toponymes *Alicante,* du grec *Lucentum,* et *Ampurias* (de *Emporion*), antérieurs à l'arrivée des Romains.

La romanisation précoce, l'origine des colons, l'influence des substrats et l'isolement relatif de l'Hispanie face à Rome, devaient avoir pour conséquence un éloignement progressif mais marqué de la variété locale de latin face à son modèle central. C'est ainsi qu'au IIᵉ s. après J.-C. le futur empereur Adrien, originaire d'Hispanie, déclencha bien malgré lui les rires des sénateurs en prononçant son premier discours avec un accent provincial très marqué. Aux particularismes phonétiques du latin hispanique s'ajoutaient probablement des particularismes lexicaux, qu'on peut considérer comme des archaïsmes et des néologismes par rapport à l'usage central : *cuyo* «dont», du latin *cuius, hablar* «parler» (du latin populaire *°fabellare), madera* «bois», du latin *materia*), *mesa* «table», du latin *mensa,* etc., sont des exemples d'archaïsmes, maintenus en espagnol mais remplacés par des formes plus tardives dans l'usage central ou en Gaule; en revanche, *apagar* «éteindre», du latin *°appacare, callar* «traire», *mañana* «demain», du latin *°maneana,* etc., exemplifient la force créatrice d'un idiome qui compte aussi sa part d'innovations lexicales.

b. Les apports (superstrats) wisigoth et arabe. Ce qui n'était guère qu'un accent sous l'Empire devait peu à peu devenir un idiome distinct à la faveur des circonstances historiques. La chute de l'Empire romain accéléra la fragmentation du latin en entités régionales distinctes. Les invasions barbares laissèrent elles aussi leur marque dans la langue. Par exemple, le toponyme *Andalousie* dérive, à travers l'arabe, du nom des *Vandales (Wandalus).* Les Wisigoths, chassés de leur royaume d'Aquitaine par les Francs au début du VIe s., s'établirent définitivement en Hispanie, où ils exercèrent malgré leur petit nombre une influence culturelle et politique considérable. Leur influence linguistique fut cependant moindre. L'effet de la langue parlée par les conquérants wisigoths sur la langue des conquis (on parle alors de *superstrat*), en l'espèce sur le latin vulgaire d'Hispanie, fut de loin inférieur à celui du superstrat franc dans le nord de la Gaule. La phonétique et la morphosyntaxe hispanique ne se sont guère ressenties de la présence des Wisigoths; tout au plus leur attribue-t-on le suffixe *-engo* qui correspond au germanique *-ing* (notamment en anglais). L'espagnol connaît un certain nombre d'emprunts au germanique, parfois parallèles à ceux du français : *guerra* (cf. *guerre*), *robar* (cf. *dérober*), *orgullo* (cf. *orgueil*), *guante* (cf. *gant*), d'autres n'ayant pas de correspondant en français moderne, comme *ganso* «oie, jars», de °*gans, falda* «jupe», de °*falda*, etc. Enfin, plusieurs noms de personnes, et des plus courants, sont d'origine wisigothe *(Fernando, Rodrigo, Adolfo)*, ainsi que quelques noms de lieux : *Burgos*, qui correspond à l'élément *-bourg* de *Strasbourg, Godos* (du nom même des *Goths*), etc. On retiendra surtout de cette époque l'état d'isolement face au reste de la Romania qui favorisa dans le latin vulgaire de l'Hispanie le développement spontané des tendances évolutives jadis réprimées par la norme et le besoin d'intercommunication avec le reste du monde latinophone.

L'invasion de la péninsule ibérique par les Musulmans (Arabes, Syriens, Berbères) dès le début du VIIIe s. allait à son tour exercer une influence décisive sur l'histoire de l'espagnol. Il ne faudrait pas croire que Chrétiens et Musulmans vécurent dos à dos pendant les huit siècles de présence arabe dans la péninsule : au contraire, les contacts entre les deux groupes furent nombreux et constants. On appelle *Mozarabes* (d'un mot arabe signifiant «arabisé») les Chrétiens de langue romane qui cohabitaient avec les Musulmans. Leur langue nous est connue grâce à quelques passages composés en proto-roman hispanique, mais transcrits en caractères arabes. Ils empruntèrent de très nombreux types lexicaux à l'arabe, qui furent souvent diffusés jusque dans les territoires restés sous domination chrétienne. À mesure que les Chrétiens, d'abord confinés au nord de la péninsule, reconquirent leurs anciens territoires, ils assimilèrent les Mozarabes et, avec eux, une bonne partie de leur vocabulaire arabisant. On a dénombré plus de quatre mille emprunts lexicaux à l'arabe; certains n'ont pas survécu, alors que d'autres ont essaimé dans plusieurs langues. On peut citer, parmi les plus fréquents, *aduana* (cf. *douane*), *alambique* (cf. *alambic*), *alcachofa, alcoba* (cf. *alcôve*), *algodón* (cf. *coton*), *almacén* (cf. *magasin*), *azafrán* (cf. *safran*), *azar* (cf. *hasard*), d'un mot arabe signifiant «dé à jouer», *azúcar* «sucre», *azulejo, carmesí* (cf. *cramoisi*), *laúd* (cf. *luth*), etc.; on aura remarqué que plusieurs de ces mots ont un élément initial *al-* : il s'agit de l'article arabe. On relève aussi des calques sémantiques : l'espagnol *infante* en vint à acquérir le sens de «fils de noble, fils de roi» par analogie avec l'arabe *walad* qui voulait dire «fils», «enfant», mais aussi «héritier du trône». La toponymie ibérique est riche en éléments d'origine arabe. *Mancha*, de l'arabe *mangă* «haut plateau», *Alcalá*, de *al-qalat* «le château», *Medina*, de l'arabe *madinat* «ville»; *Guadalajara* signifie «fleuve des pierres», et *Guadalquivir* «grand fleuve». *Gibraltar*, dont la conquête en 711 marque le début de la présence musulmane dans la péninsule, est une adaptation de *Djïbr al' Tarik* «mont de Tarik». On reconnaît dans *Benicásim* «fils de Cásim» l'élément sémite *ben* exprimant la filiation. En morphologie, on citera le suffixe formateur de «gentilés» (noms d'habitants) *-í (yemení, marroquí)*, encore productif dans la langue moderne *(bengalí, paquistaní, israelí)*. Mais, contrairement à ce que l'on entend parfois, la phonétique de l'espagnol n'a été en rien influencée par celle de l'arabe. Les emprunts ont été entièrement adaptés à la phonologie des parlers romans ibériques. La fameuse *jota* ([x]), son guttural caractéristique de l'espagnol contemporain, ne vient nullement de l'arabe, mais résulte d'une évolution relativement tardive (XVIIe s.) des sons que l'on écrit *ch* et *j* en français. Les sonorités gutturales de l'arabe tombèrent ou furent adaptées par l'ancien espagnol en *f, g, k* ou *h*, ce dernier disparaissant ensuite de la prononciation, et parfois même de la graphie (arabe *tareha* > espagnol *tarea*).

La présence musulmane en Espagne dura près de huit siècles (de 711, date de la première invasion, à 1492, reddition de Grenade), mais la péninsule ne fut presque jamais entièrement occupée par les Arabes.

C'est dans les régions montagneuses et difficiles d'accès du nord de l'Espagne (Cantabriques, Navarre, Pyrénées), pratiquement toujours restées sous domination chrétienne, que se sont élaborés les dialectes ibériques, qui allaient peu à peu s'étendre à toute la péninsule à mesure que la reconquête *(Reconquista)* progressait vers le sud.

2. Les dialectes ibériques.

On peut identifier six dialectes romans issus du latin vulgaire d'Hispanie : le galicien-portugais, à l'extrême ouest, qui en progressant vers le sud allait donner naissance à la langue portugaise; le catalan, à l'est, apparenté à l'occitan et qui plus tard s'étendrait jusqu'au Levant, ainsi qu'aux îles Baléares et même en Sardaigne; le castillan, au départ limité à la Castille, mais appelé à devenir la langue que nous connaissons sous le nom d'espagnol; l'asturien-léonais, situé entre le galicien-portugais et le castillan, et peu à peu absorbé par ce dernier; le navarro-aragonais, entre le castillan et le catalan, et lui aussi victime de l'expansion castillane; enfin, le dialecte mozarabe, au sud, parlé par les populations chrétiennes vivant en territoire musulman et peu à peu absorbé par la *Reconquista*. Il est notable que le castillan se distingue des autres parlers ibériques par une série de caractéristiques phonétiques qui lui sont propres : le groupe latin *-kt-* passe à *ch* en castillan, mais ailleurs son évolution ne dépassera pas l'étape intermédiaire *it* (latin *noctem* > espagnol *noche* mais portugais *noite*, catalan *nit*); latin *g-* devant *e* ou *i* tombe en castillan mais se maintient ailleurs (latin *genesta* > espagnol *hiniesta*, mais portugais *giesta*, catalan *ginesta*); de même le *f-* initial latin se conserve dans tous les parlers romans ibériques sauf en castillan (latin *filiu* > espagnol *hijo*, mais portugais *filho*, catalan *fill*). C'est ce dialecte à la personnalité marquée qui, pour des raisons géographiques (position centrale), militaires et politiques, s'étendra peu à peu à l'extérieur de ses frontières d'origine, d'abord dans le centre et le sud de la péninsule à la faveur de la *Reconquista;* cette dernière, menée avec succès par la Castille, imposa le castillan à une bonne partie des ex-territoires musulmans. C'est parce que l'espagnol dérive en fait de ce dialecte qu'on l'appelle aussi *castillan*, dénomination historiquement plus précise (cf. *toscan* vs *italien*). Pour des raisons idéologiques, *castillan* est aussi employé par des hispanophones *(castellano)* pour éviter de poser l'équation *espagnol = Espagne*, autant chez les autonomistes de la péninsule (Catalans, Galiciens, etc.) que dans certains milieux latino-américains.

À partir du XIe s., les pèlerins français affluent de plus en plus nombreux sur la route de Saint-Jacques-de-Compostelle, tant et si bien qu'on l'appellera *camino francés*. Les liens avec le reste de l'Europe commencent à se faire plus étroits et les premiers emprunts au français et à l'occitan datent de cette époque : *duque* (de *duc*), *flecha* (de *flèche*), *homenaje* (occitan *homenatge*, cf. français *hommage*), *jamón* (de *jambon*), *jardín*, *manjar* «mets» (de l'occitan *manjar*, cf. français *manger*); *mensaje* (de l'occitan *messatge*, cf. français *message*), *vianda* «nourriture» (de *viande*). Une certaine influence phonétique se fait sentir dans la chute du *-e* final *(part, mont, allend, cort)*, qui ne devait pas s'imposer dans la langue. Finalement, le choix de la graphie *ch* pour transcrire le son *tch-* [tš] (par exemple *chico*) participe aussi de l'influence linguistique française (le *ch* français se prononçait à l'époque plus ou moins comme à l'initiale de *tchèque*).

3. L'espagnol archaïque. Les premiers textes.

Dans le domaine hispano-roman, c'est dans les *Glosas Emilianenses* et les *Glosas Silenses*, l'équivalent des gloses de Reichenau pour le français, que l'on retrouve la plus vieille attestation écrite en Espagne d'une langue qui n'était plus du latin; on la rattache au dialecte navarro-aragonais. Ces gloses, rédigées au Xe ou au début du XIe s., sont des traductions dans la marge, en langue vulgaire, de mots ou de phrases écrits en latin classique et devenus opaques aux locuteurs romans. Une des plus vieilles manifestations écrites du parler vulgaire de la péninsule ibérique illustre le dialecte mozarabe, transcrit en caractères hébreux ou arabes. Il s'agit de quelques vers insérés dans des chansons du XIe et du XIIe s., écrites en arabe (une quarantaine sont parvenues jusqu'à nous) et en hébreu (on en connaît une vingtaine), qui chantent les plaisirs et les chagrins amoureux. On a cru y déceler l'origine des *cantigas* galiciennes et des *villancicos* castillans (petites chansons populaires sous forme de refrains). Le premier texte littéraire castillan qui nous soit parvenu est le célèbre *Cantar de Mio Cid*, chef-d'œuvre de la poésie épique, et véritable point de départ de la littérature espagnole. Rédigé vers la fin du XIIe s., il n'est conservé que dans une copie du XIVe siècle. Cette épopée inspira plusieurs auteurs, dont Guilhem de Castro (*Las Mocedades del Cid*, 1618), source de Corneille (*Le Cid*, 1636). Plusieurs œuvres vont voir le jour à la fin du XIIe et au XIIIe s. : l'*Auto* («acte» religieux) *de los Reyes Magos*, la *Vida de Santa Maria Egipciaca*, le *Libro de la Infancia y Muerte de Jesús*, l'*Apolonio* et le *Libro de Alexandre*. Ces deux derniers sont dus au poète Gonzalo de Berceo, premier représentant du genre *mester de clerecía*, la poésie savante; ce genre fut le premier à introduire en espagnol de nombreux latinismes. Ces textes sont tous marqués par une grande hésitation dans le choix des formes dialectales; la langue littéraire était encore loin de l'unification, mais les traits castillans dominaient déjà.

4. L'espagnol médiéval. Le rôle d'Alphonse X le Sage.

Sous le règne d'Alphonse X le Sage (1252-1284), la langue écrite allait connaître un grand essor, grâce à l'action personnelle de ce roi versé dans les lettres. Il fit de sa cour un véritable chantier intellectuel, qui donna le jour à une imposante production en prose et en vers touchant à plusieurs domaines de l'activité humaine : l'histoire, avec la *Primera Crónica General*, le droit, avec les *Siete Partidas*, les sciences *(Saber de Astronomía, Lapidario, Libro de las Cruzes)*, la littérature (les *Cantigas*, écrites en galicien), etc. Les traductions d'originaux grecs, latins ou arabes comptent pour une bonne part de la production de cette époque. À l'exception des *Cantigas*, l'essentiel de cette production fut rédigé en castillan, encore parsemé de dialectalismes mais pour la première fois soumis à une volonté de correction et de normalisation. Une graphie commune s'imposa, et persista sans trop de changements jusqu'au XVIe siècle. Le castillan obtint le statut de langue officielle dans les documents royaux (plus de deux siècles avant l'ordonnance de Villers-Cotterêts); en même temps, il était devenu un moyen d'expression écrite très estimé par les érudits et les écrivains de l'époque, ce qui favorisa au XIVe s. l'éclosion d'une œuvre féconde et multi-culturelle, dans une Espagne où l'Inquisition n'avait pas encore sévi : on retiendra les noms de l'archiprêtre de Hita, Juan Ruiz, auteur du *Libro de Buen Amor*, du rabin Sem Tob de Carrión, auteur d'un fameux recueil de *Proverbios morales*, et un anonyme *Poema de Yúçuf*, principal représentant de la littérature *aljamiada*, écrite en espagnol mais transcrite en caractères arabes, par des auteurs *mudéjares* (Musulmans restés en Castille après la *Reconquista*).

5. L'espagnol pré-classique.

Au XVe s., la Renaissance atteint l'Espagne. Dans la langue littéraire, les latinismes syntaxiques abondent, mais ils ne s'implanteront pas dans l'usage; en revanche, de nombreux latinismes lexicaux introduits à cette époque vont survivre. Les gallicismes continuent de s'introduire (*dama, paje, galán*, etc.), ainsi que les premiers italianismes, parfois aussi connus du français (*tramontana, piloto, atacar, escaramuza, belleza*, etc.). Peu à peu, les excès latinophiles des débuts font place à une langue moins affectée, et qui n'hésite pas à recourir aux riches possibilités stylistiques de la langue parlée, exemplifiées avec brio dans la *Celestina* (Fernando de Rojas, 1499). Tout au long du XVe s., le castillan raffermit sa domination dans le centre de la péninsule, reléguant définitivement le léonais et l'aragonais au statut de parlers ruraux; son prestige s'étend, malgré les résistances, à la Catalogne et au Portugal, où un auteur bilingue, Gil Vicente, écrira une bonne partie de son œuvre dans la langue des *Reyes Católicos* — les Rois Catholiques, Ferdinand d'Aragon et Isabelle de Castille. Sous leur règne, la langue espagnole se trouve à une époque charnière de son évolution : avec la prise de Grenade en 1492, dernier bastion musulman dans la péninsule, une page est définitivement tournée, et la découverte de l'Amérique la même année par Christophe Colomb ouvre à l'espagnol des horizons jusque-là insoupçonnés. La publication de la *Gramática* de Antonio de Nebrija en 1492, la plus ancienne grammaire qui décrive systématiquement une langue romane moderne, complète sur le plan interne les succès de la langue sur le plan externe. Nebrija publiera par la suite un dictionnaire latin-castillan, castillan-latin qui est à la base de la lexicographie de langue espagnole.

6. L'espagnol du Siècle d'or. Classicisme et baroque.

Le *Siglo de Oro* (Siècle d'or) de la littérature espagnole correspond en fait à une période d'environ un siècle et demi qui s'étend de la fin du XVe au milieu du XVIIe siècle. Le prestige culturel attaché à la langue espagnole y atteint des sommets, et dans toute l'Europe on lit, en version originale ou traduite, les œuvres des auteurs espagnols. Le castillan cesse pour un moment d'emprunter et devient prêteur : de nombreux hispanismes du français datent de cette époque, par exemple *brave, bravoure, désinvolte, grandiose, fanfaron, matamore, hâbler, sieste, guitare, castagnette, adjudant, embargo, camarade, matador*. La colonisation de l'Amérique enrichit la langue d'un grand nombre de vocables nouveaux, qui seront diffusés en Europe par l'entremise de l'espagnol : *patate, caïman, canot, hamac, ouragan, maïs, pirogue, tabac*, etc. Le français ira même jusqu'à emprunter un signe graphique de l'espagnol, la cédille *(ç)*, qui allait être abandonné par la suite dans la graphie castillane.

La littérature connaît d'abord une période classique, puriste dans ses choix stylistiques et attachée au naturel de l'expression (la notion de *buen gusto* «bon goût» naît en Espagne et se répand dans toute l'Europe); viendra ensuite le baroque, qui se démarque du classicisme par son goût de l'ornement et de l'artifice. Parmi les classiques, on retiendra les noms de Juan de Valdés (son *Diálogo de la lengua*, 1535, apologie de la langue vulgaire, est un peu l'équivalent de la *Déffence et illustration de la langue françoise* de Du Bellay), Garcilaso, Guevara, Herrera, Luís de Granada, Luís de León; les mystiques sainte Thérèse d'Avila et saint Jean de la Croix appartiennent aussi à cette époque. C'est à un représentant de l'école baroque espagnole, Miguel de Cervantes, que l'on doit l'un des plus grands chefs-d'œuvre de la littérature mondiale, le celèbre *Don Quichotte de la Manche (El Ingenioso Hidalgo don Quijote de la Mancha)*. Le dramaturge Lope de Vega, le poète «cultiste» Góngora, son ennemi le «conceptiste» Quevedo, le moraliste Gracián, et finalement le grand poète dramatique Calderón de la Barca, sont les plus illustres représentants de cet âge d'or de la littérature espagnole.

Sur le plan linguistique, plusieurs hésitations de l'ancienne langue sont résolues et l'espagnol prend peu à peu la physionomie que nous lui connaissons : *nosotros* et *vosotros* l'emportent sur *nos* et *vos; haber* est restreint à la fonction d'auxiliaire, *tener* devenant seul apte à exprimer la possession, mais *ser* est évincé par *haber* comme auxiliaire du passé composé de certains verbes (*son idos* «ils sont allés»>*han ido*); la répartition des emplois entre *ser* et *estar*, correspondant tous les deux au verbe français *être*, se précise; la tournure impersonnelle avec *se* se répand; le subjonctif futur *(amare)* se fait de plus en plus rare; la valeur de l'ancien indicatif plus-que-parfait synthétique *(amara)* en vient à se confondre avec celle du subjonctif imparfait *(amase)*; l'emploi de la préposition *a* devant un complément représentant une personne s'étend (*Quiero a Fulano* «j'aime un tel»), etc. Le lexique s'enrichit notablement, d'une part grâce aux innombrables latinismes et hellénismes, d'autre part par emprunt aux langues voisines : le français fournit à cette époque *servilleta, frenesí, batallón, bayoneta, piquete,* etc. De nombreux dérivés et des termes techniques sont admis dans la langue littéraire, en contraste avec le purisme qui caractérise le français classique.

7. L'espagnol moderne.

À partir du XVIIIe s., la planification linguistique interne s'organise de façon institutionnelle avec la fondation, en 1713, de la *Real Academia Española (Académie royale espagnole)*. De 1726 à 1739, l'Académie publie un premier dictionnaire, le *Diccionario de Autoridades*, qui cite abondamment les grands auteurs (*autoridad* signifie ici «citation»). Le rôle des dictionnaires de la *Real Academia* (en 1984 paraissait la vingtième édition du *Diccionario de la lengua española*) est beaucoup plus important que celui de leur contrepartie française : ils constituent la référence première de toute la lexicographie espagnole des XVIIIe, XIXe et XXe s., l'Espagne n'ayant jamais connu l'équivalent d'un Richelet ou d'un Littré. L'espagnol doit aussi à la *Real Academia* la publication d'une *Gramática* (1771), sans équivalent de la part de l'Académie française, ainsi qu'une réforme orthographique qui pourrait faire des envieux au nord des Pyrénées : par la publication, en plusieurs étapes, de petits manifestes appelés *Orthographía* (1re éd., 1741), puis finalement *Ortografía* (8e éd., 1815), l'*Academia* a doté l'espagnol d'un système graphique quasi phonologique, d'une admirable économie, et d'une grande simplicité. Seuls quelques toponymes garderont des traces de l'ancien usage, par exemple *México*, dont le *x* prononcé [ks] par les étrangers est en fait une ancienne graphie correspondant maintenant à la *jota*, normalement orthographiée *g* ou *j*.

Au XVIIIe s., le rayonnement espagnol n'est plus ce qu'il était au Siècle d'or et c'est la France qui diffuse ses lumières : la vague de gallicismes atteint alors des sommets (*detalle, favorito, galante, interesante, intriga, modista, coqueta, pantalón, tisú, corsé, hotel, chalet, buró, sofá, avalancha, control,* etc.), compensés par des emprunts réciproques du français (américanismes : *maté, tomate, alpaca, lama;* vocabulaire politique : *libéral, guerrilla, guérrillero, intransigeant;* mots folkloriques : *séguedille, maja, picador, banderille, gitane, patio, boléro,* etc.). L'espagnol ne cessera plus d'intégrer des mots français à son vocabulaire, mais depuis le début du XIXe s. ce sont surtout les emprunts à l'anglais, puis à l'anglo-américain, qui se font les plus nombreux.

8. L'expansion de l'espagnol en Amérique. En 1492, Christophe Colomb atteint les côtes de l'Amérique et en prend possession au nom des Rois Catholiques. Les Antilles seront le premier foyer de diffusion de l'espagnol dans le Nouveau Monde. En 1519, Cortès débarque au Mexique et conquiert rapidement le pays. Quesada fonde Bogotá en 1538; la ville allait devenir, tout comme Mexico, la capitale d'une vice-royauté espagnole. Plus au sud, l'empire Inca est assujetti par Pizarro (1531-1536); le Pérou devient aussi, dès 1534, une vice-royauté. Le Río de la Plata est découvert en 1516, Buenos Aires est fondée en 1536. C'est l'espagnol du Siècle d'or qui est alors implanté outre-Atlantique.

Deux facteurs jouent un rôle prépondérant dans la genèse des variétés américaines d'espagnol : l'origine des colons, et les langues indigènes avec lesquelles l'espagnol s'est trouvé et se trouve encore en contact. Dans la première phase de la colonisation (Antilles), d'importance cruciale pour le devenir de la langue, ce sont en majorité des Andalous, et surtout des Andalouses, qui ont formé la base de l'espagnol colonial. On attribue à cette influence plusieurs phénomènes caractéristiques de l'espagnol américain : le remplacement du *l* mouillé, analogue à celui de l'italien *figlio*, par le son [y] (comme en français); le remplacement du *s* chuintant péninsulaire par un *s* plus sifflant, semblable à celui du français; la chute de ce même *-s* en fin de syllabe, caractéristique du parler des régions côtières; la confusion ou la chute de *-r* et *-l* en fin de syllabe (Antilles); l'articulation douce et aspirée, comme celle du *h* anglais (cf. *hot, high*), de la *jota* [x], plutôt rude en castillan; l'abandon du pronom personnel *vosotros* au profit de *ustedes;* et plusieurs types lexicaux, tels *amarrar* «attacher», *guiso* «ragoût», *limosnero* «mendiant», etc. L'influence des langues indigènes sur la phonétique de l'espagnol américain est beaucoup moins grande que celle de l'andalou; c'est surtout au niveau du vocabulaire que les langues amérindiennes ont laissé leur trace, léguant à l'espagnol d'Amérique, et par lui, en nombre plus réduit, à l'espagnol d'Europe, plusieurs centaines de mots. On distingue, pour les Antilles, un substrat *taíno*, langue aujourd'hui disparue mais qui a donné à l'Europe ses premiers américanismes (*canoa, cacique, maíz, tabaco,* etc.), et un substrat caraïbe (*caimán, canibal, piragua,* etc.). Le *náhuatl,* langue des Aztèques, encore parlée par près d'un million de locuteurs, a fourni des centaines de mots à l'espagnol mexicain (*escuincle* «chien», *guajolote* «dindon», etc.), dont certains jouissent d'une diffusion mondiale *(cacahuete, cacao, chocolate, tomate).* Du *quechua,* langue de l'empire Inca, elle aussi encore très vivante (plus de quatre millions de locuteurs), on connaît *alpaca, guano, cóndor, pampa,* etc. On citera encore l'*araucano* (araucan), avec au Chili *ají* «poivron», *iguana* et le *tupi-guaraní* au Paraguay, avec par exemple *tucán, ñandú* «nandou», *yaguar* «jaguar». Les esclaves africains déportés en Amérique, en particulier dans les Antilles et les régions côtières, ont également transmis leur part de vocables : *banana, guarapo* «boisson faite à base de canne à sucre», *samba, mambo,* etc.

En plus des influences andalouses, amérindiennes et africaines, les variétés américaines d'espagnol ont conservé un certain nombre d'archaïsmes par rapport à l'usage européen, tels *lindo* pour *bonito, hermoso; bravo* pour *irritado, enfadado; liviano* pour *ligero,* compensé par un grand nombre de néologismes sémantiques (*estancia* «ferme», *quebrada* «torrent») et formels (la suffixation, entre autres, est très productive), ce qui n'est pas sans rappeler la situation du latin vulgaire d'Hispanie à l'époque de l'Empire (ci-dessus 1.a.). Finalement, des influences étrangères se font sentir çà et là : l'immigration italienne en Argentine a donné lieu à plusieurs emprunts à l'italien dans le *lunfardo,* l'argot des classes populaires de Buenos Aires ; l'influence des États-Unis au Mexique, en Amérique centrale et dans les Antilles, est aussi à l'origine de nombre d'emprunts (*checar* «vérifier», pris à l'anglais *to check; overol* «salopette», anglais *overall; cloche* «embrayeur», emprunt à l'anglais *clutch*).

Dans la première moitié du XIXe s., la plupart des pays sous domination espagnole deviennent indépendants ; dans la seconde moitié, des Académies de la langue se fondent un peu partout (la première fut l'Académie colombienne, en 1871). Dans chaque pays, en particulier dans les grandes villes, s'instaure une «norme cultivée», légèrement différente d'un pays à l'autre et distincte de l'usage péninsulaire, mais reconnue et employée dans les échanges internationaux. La littérature latino-américaine d'expression espagnole connaît au XXe s. un immense succès, qui en fait l'une des littératures les plus importantes au monde (Miguel Angel Asturias, Nobel 1967 ; Pablo Neruda, Nobel 1971 ; Gabriel García Márquez, Nobel 1982 ; Octavio Paz, Nobel 1990).

9. Statut actuel de la langue espagnole en Espagne et dans le monde.

Depuis la mort de Franco (1975), la doctrine de l'unilinguisme castillan a fait place à la reconnaissance des langues des autonomies. Le **catalan** connaît une renaissance ; on l'enseigne aux côtés du castillan et sa connaissance est exigée pour obtenir un poste dans l'enseignement public. Barcelone, capitale mondiale de l'édition en langue espagnole, publie aussi un nombre grandissant d'ouvrages en catalan, traductions et originaux ; la presse, la radio et la télévision contribuent aussi pour beaucoup à la réhabilitation de cette langue. On peut donc prévoir une influence croissante de l'adstrat catalan dans l'espagnol de Catalogne, de Valence et des Baléares. Voir catalan (encadré). Le **galicien,** parlé

ayant pour point commun de s'opposer à *en nature* «en prestations». ◆ En théologie, *espèce,* par spécialisation du sens d'«apparence» (fin XIVe s.), désigne d'abord au singulier (1545), aujourd'hui au pluriel (av. 1656), le corps et le sang de Jésus-Christ sous les apparences du pain et du vin dans le sacrement de l'eucharistie. ◇ Depuis la fin du XVIe s. *une espèce de* se dit (1587) d'une personne ou d'une chose qu'on ne peut définir précisément ; l'emploi familier *un espèce de,* où l'accord se fait avec le nom masculin qui suit, est attesté dès 1705 ; il est considéré comme fautif, mais courant à l'oral. ◆ *Espèce,* d'après le latin, est employé en droit (1670-1681), d'où ***cas d'espèce*** «cas qui doit être étudié spécialement» et ***en l'espèce,*** locution adverbiale, «dans ce cas particulier». ◆ En sciences naturelles (mil. XVIIIe s.), *espèce* désigne l'ensemble de tous les individus dont les caractères communs les distinguent au sein d'un genre ; le concept d'espèce, lié à la possibilité de reproduction, est essentiel en biologie.

▸ De là le composé didactique **SOUS-ESPÈCE** n. f. (1872) ; 1845 dans un autre sens.

◈ voir SPÉCIFIER, SPÉCIFIQUE.

✱ **ESPÉRER** v. tr. est issu (v. 1050) du latin *sperare* «considérer (qqch.) comme devant se réaliser», de *spes* «attente d'un événement heureux», dont la racine *spe-* a fourni des formes verbales au slave *spěti* «aboutir, réussir», au germanique (cf. le vieil anglais *spówan* «réussir»). L'influence de l'écrit explique le maintien du *s,* qui donne au mot l'apparence d'un emprunt.

♦ Le verbe s'est introduit en français avec le sens du latin, qu'il conserve dans l'usage courant ; il signifie ensuite «attendre, s'attendre à» (v. 1120), encore en usage au XIXe s., et à la même époque «avoir confiance en» (1re moitié XIIe s., *espérer en*) ; en ce sens seule la construction *espérer en qqch.* et l'emploi intransitif restent vivants aujourd'hui. De là vient aussi la locution exclamative ***j'espère !*** «par exemple !», propre au sud de la France.

par près de 90 % de la population en Galice, a été reconnu récemment comme langue romane à part entière par la communauté scientifique; on travaille à le codifier et à le doter d'une norme. Le **basque** se maintient, après avoir perdu beaucoup de terrain pendant les années d'industrialisation, qui ont provoqué une forte immigration interne de travailleurs parlant castillan vers l'*Euskadi,* le Pays basque. Malgré tout, la connaissance de l'espagnol reste générale dans toute l'Espagne, le bilinguisme étant la norme dans les régions citées.
En Europe, la présence de l'espagnol est assurée par un grand nombre de communautés d'immigrants, Espagnols mais aussi Latino-Américains (France, Allemagne, Suisse). De plus, l'espagnol y occupe une bonne place comme langue étrangère dans l'enseignement secondaire et supérieur. On parle encore un peu l'espagnol aux Philippines (2 %), mais il y est en recul devant l'anglais. Les Juifs *sefardim,* expulsés d'Espagne par les Rois Catholiques en 1492, ont répandu en Afrique du Nord et dans les Balkans leur dialecte, appelé *judéo-espagnol,* véritable trésor d'archaïsmes, mais dont la survie est menacée.
En Amérique latine, où il est la langue officielle de tous les États sauf le Brésil, l'espagnol est plus vivant que jamais; il cohabite avec les langues amérindiennes sur de vastes étendues (*guaraní* au Paraguay, co-officiel avec l'espagnol, plus de deux millions de locuteurs; *quechua* dans les Andes, plus de quatre millions de locuteurs; *náhuatl* au Mexique, près d'un million, et autant pour le *maya-quiché,* au Yucatán et au Guatemala, etc.). Aux États-Unis, où l'espagnol est la première langue étrangère dans l'enseignement secondaire, l'immigration massive d'hispanophones depuis quelques décennies (14,6 millions d'hispanophones en 1980) évoque une véritable *Reconquista* de l'espagnol, qui est maintenant parlé par des communautés entières dans les États du sud-ouest américain qui, comme la toponymie nous le rappelle, étaient jadis sous le joug de l'Espagne (en 1980, on dénombrait 4,5 millions d'hispanophones en Californie, et près de 3 millions au Texas, soit environ un quart de la population des États respectifs; la *moitié* des habitants du Nouveau-Mexique, soit environ un demi-million, parle espagnol). Une importante communauté cubaine s'est installée à Miami (deuxième ville cubaine après La Havane) depuis la Révolution; la Floride compterait près d'un million d'hispanophones. Les Portoricains reçurent la nationalité américaine en 1917 : ils émigrèrent en si grand nombre vers New York que celle-ci devint vite la première ville portoricaine au monde. Quant à Los Angeles, elle compte près d'un tiers d'*Hispanics,* et serait en fait la deuxième ville mexicaine, derrière Mexico mais devant Guadalajara. Le statut socio-économique de la plupart des hispanophones aux U. S. A. reste très bas, mais certains d'entre eux ont commencé à investir le monde des affaires et de la politique. À l'heure actuelle, l'espagnol semble être l'une des rares langues mondiales à tenir tête à l'expansion généralisée de l'anglais.

A. Thibault

BIBLIOGRAPHIE

B. DARBORD, B. POTTIER, *La Langue espagnole. Éléments de grammaire historique,* Paris, 1988.

R. LAPESA, *Historia de la lengua española,* Madrid, 1984 (9e éd.).

R. MENÉNDEZ PIDAL, *Orígenes del español,* Madrid, 1972 (7e éd.).

▸ Le dérivé **ESPÉRANCE** n. f., formé avec le suffixe *-ance,* est d'abord attesté (1080) dans la construction *n'aveir esperance de* «ne pas s'attendre à», puis (1re moitié XIIe s.) au sens de «sentiment qui fait entrevoir comme probable la réalisation de ce qu'on désire»; de là viennent l'emploi du mot dans la théologie chrétienne pour désigner l'une des trois vertus théologales, la locution *acte d'espérance* «prière qui exprime cette vertu», et *en espérance, de grande (belle, haute) espérance,* qui ont disparu, et ***contre toute espérance.*** ◇ Le mot désigne aussi le fait d'espérer une chose déterminée et par métonymie (2e moitié XIIe s.) la personne, la chose qui est l'objet de l'espérance, avec un emploi spécialisé au pluriel au sens de «biens qu'on attend d'un héritage», et les locutions ***avoir des espérances*** qui signifie aussi «être enceinte», ***donner des espérances*** «faire des promesses», ***dans l'espérance de..., que...*** ◇ *Espérance* est repris au XXe s. comme terme de statistique *(espérance mathématique),* de démographie *(espérance de vie).*

Le préfixé **DÉSESPÉRANCE** n. f., attesté vers 1160, est inusité aux XVIIe et XVIIIe s. et repris en 1801 (S. Mercier); d'emploi littéraire, plus abstrait et plus négatif que *désespoir,* il se dit de l'état d'une personne qui n'a aucune espérance. ◆ **INESPÉRANCE** n. f., «absence d'espérance», mot rare et littéraire attesté à la fin du XVIe s. (1588; de *in-*), a été repris au XIXe siècle.

ESPOIR n. m., déverbal de *espérer* (1155, *espeir*) d'après les formes fortes de l'indicatif présent, désigne le sentiment qui porte à espérer, d'où par extension une occasion d'espérer, et (v. 1160) le fait d'espérer. Il donne lieu à divers expressions et proverbes. Par métonymie, le mot se dit de l'objet d'un espoir et, spécialement, d'une personne sur laquelle on fonde de grands espoirs (1885, en sports). ◇ Au XVIIe s., *espoir,* moins courant que *espérance,* s'employait plus en poésie qu'en prose et se disait en particulier de l'amour; aujourd'hui les deux mots s'emploient indifféremment. ◆ **DÉSESPOIR** n. m., préfixé en *des-* (① dé-) de *espoir,* signifie d'abord «perte d'un espoir ou de tout espoir» (v. 1165), puis «affliction extrême» (v. 1560 au pluriel, «crise de désespoir»). ◇ Par affaiblissement, le mot désigne (v. 1635) ce qui cause une grande contrariété (1694), ce qui porte au découragement. La locution ***être au désespoir de..., que...*** «être très contrarié», de style soutenu, a été à la mode au XVIIe siècle. La locution adverbiale ***en désespoir de cause,*** expression juridique signifiant «en étant à bout d'arguments», est passée dans la langue courante au début du XIXe s. (1835). ➜ **INESPOIR** n. m. «fait de ne pas ou de ne plus avoir à espérer (qqch.)» (1923) est rare et littéraire.

Un autre dérivé de *espérer,* **ESPÉRABLE** adj. (1580), est d'emploi rare. ◇ Le préfixé **INESPÉRABLE** adj. (1570) appartient à la langue classique. ➜ **ESPÉRANT, ANTE** adj. (XVIIe s.), du participe présent, est d'usage très littéraire. ➜ **INESPÉRÉ, ÉE** adj., qui a signifié «imprévu» (1466, *homicide inespere*), est au contraire usuel lorsqu'il s'applique (1544) à un événement heureux que l'on n'espérait pas, d'où le sens (XVIIe s.) de «ce qui passe toute espérance». ◇ Le dérivé **INESPÉRÉMENT** adv. (XVIe s., *inespereement*) est rare et littéraire.

DÉSESPÉRER v., formé avec le préfixe *dés-*, signifie d'abord (1155; variante *desperer*) «perdre l'espoir», puis «réduire au désespoir» (v. 1175). Par extension du premier sens, *désespérer de qqn, de qqch.* signifie «n'en rien attendre». ◇ **DÉSESPÉRÉ, ÉE** adj. signifie (v. 1170) «plongé dans le désespoir» et s'applique (v. 1206) à ce qui ne laisse aucun espoir; il prend le sens de «dicté par le désespoir», d'où «extrême» (1558) et «qui exprime le désespoir» (1572). Au XVIIe s., par exagération, le mot signifie «irrité, fâché» (1662). ◇ De *désespéré* dérive **DÉSESPÉRÉMENT** adv. (v. 1180, *desespereement;* av. 1549, forme moderne), assez courant. ➜ **DÉSESPÉRANT, ANTE** adj. signifie «qui fait perdre espoir, irrite» (1707) et, par extension, «désagréable». ◇ **DÉSESPÉRAMMENT** adv. (XVIIIe s.) est d'emploi rare. ◇ Cf. ci-dessus *désespérance.*

ESPÈRE n. f. s'emploie (1704) dans la locution ***à l'espère,*** synonyme de *à l'affût* dans le midi de la France et le Lyonnais. Le mot est emprunté à l'ancien provençal *espera* «attente» (XIIIe s.), déverbal de *esperar* «attendre» (Xe s.), de même origine que *espérer;* on relève en ancien français *espere* n. f., dans *male espere* «désespoir» (XIVe s.).

ESPERLUETTE n. f., attesté en 1878 (P. Larousse, *Premier Supplément*) et qui a pour variante *perluette,* est probablement formé à partir du croisement du latin *perna* «jambe», «sorte de coquillage» et de *sphaerula,* dérivé de *sphaera* «boule», «sphère» (→ perle; cf. *perlette, perlosette* «raisin», 1836). L'ancien français avait *espère* «sphère», du latin *sphaera.* La finale *-uette* vient peut-être du latin scientifique *uvula* (→ luette).

♦ *Esperluette,* encore employé en Belgique, désigne le signe typographique (&) représentant le mot «et».

ESPIÈGLE adj. est attesté une première fois au XVIe s. (1529-1530) comme nom propre sous la forme *Ulespiegle;* il a été repris au XVIIe s. sous la forme francisée *espiegle* (1640, n.; 1690, adj.). *Ulespiegle(s)* représente une adaptation du nom de (Till) *Eulenspiegel* (néerlandais *Uilenspiegel*), personnage célèbre par ses petites tromperies ingénieuses, héros d'un roman allemand publié en 1515, répandu dans la région néerlandaise et traduit en français en 1559 sous le titre: *Histoire joyeuse et récréative de Till Ulespiegle.* La forme francisée *espiègle* s'expliquerait par le fait que le *-l-* de *Ulenspiegel* fut pris pour l'article.

♦ *Espiègle* s'applique à une personne vive et malicieuse et à son comportement (1640), d'où par extension (1870) *réponse, réflexion espiègle.*

▸ En dérive **ESPIÈGLERIE** n. f., d'abord «tour espiègle» (1694) puis «caractère espiègle» (1855, G. Sand), emploi plus fréquent.

ESPINGOLE n. f. représente une altération (1358), probablement d'après l'ancien provençal *espingola* (1346), de l'ancien et moyen français *espringale.* Ce dernier, d'abord attesté comme nom de danse (1225-1229), désigne ensuite (1258) une machine de guerre puis une pièce d'artillerie (XVe s.). *Espringale* est dérivé du verbe *espringaller* «danser» (attesté seulement en 1330), résultant peut-être du croisement de *espringuier* ou *espringuer* «sauter» (XIIIe s.) et de *baller* «danser» (→ ballade). Ce verbe remonte à un moyen néerlandais *springen* «sauter», issu du francique °*springan* (cf. allemand *springen* «sauter»); on a proposé aussi pour étymon un moyen néerlandais °*springelen* «sauter, bondir», attesté par le composé *nederspringelen* «dévaler en bondissant (en parlant de l'eau)», et dérivé de *springen.*

♦ *Espingole* a désigné du XIVe au XVIe s. une grosse arbalète sur roues, puis (1671) un gros fusil court à canon évasé analogue au *tromblon.*

ESPION, ONNE n. est dérivé (v. 1200, attestation isolée; repris en 1380) de l'ancien français *espier* (→ épier) par suffixation *(-on).* Le *-s-*, disparu de la prononciation au XIIIe s., a été rétabli au début du XVIe s. lorsque, par les campagnes d'Italie, le mot a été influencé par l'italien *spione* «espion» (XIIIe s.), lui-même dérivé, avec suffixe augmentatif *-one,* de *spia,* déverbal de *spiare* «épier». De l'ancien français *espier* provenait le substantif *espie* (1er quart du XIIe s.), encore attesté sous la forme *épie* aux XVIIe-XVIIIe s., mais supplanté par *espion.*

♦ Ce dernier est d'abord attesté (v. 1200) au sens d'«individu qui se mêle aux ennemis pour les épier», d'où par extension «délateur» (1611) et, spécialement, «personne rétribuée appartenant à une police secrète non officielle» (1616), aussi au féminin. *Espion* et *espionne,* dans le contexte des guerres de 1870, de 1914-1918 et de 1940-1945, avaient acquis des connotations négatives très fortes, mais le mot a évolué par la suite (cf. *espionnage*). ➜ Par analogie, *espion* n. m. désigne (1834) un miroir incliné qui sert à regarder sans être vu.

▸ Le mot s'emploie au XXe s. comme second élément de noms composés, le premier élément désignant un engin utilisé pour observer: **SATELLITE-ESPION** (1966), **NAVIRE-ESPION** (1968), **AVION-ESPION** (1969), etc. Le composé **CONTRE-ESPION** n. est attesté en 1793.

ESPIONNER v. tr. recouvre les mêmes emplois que le substantif (1482, «observer en espion»), de même que son dérivé **ESPIONNAGE** n. m., relevé une fois au XVIe s. (v. 1570, *espionnaige*) puis chez Montesquieu (1755), pour désigner l'activité des espions *(service d'espionnage)*. Le mot, avec les *romans d'espionnage,* évoque un univers de secret et d'aventures qui évolue selon les circonstances historiques. ◇ Le composé **CONTRE-ESPIONNAGE** n. m. (1899) «action d'espionner les espions» est très postérieur à *contre-espion* (ci-dessus) et à **CONTRE-ESPIONNER** (v. 1770), sorti d'usage. ➡ **ESPIONITE** (1919 en argot des «poilus» [Esnault]) ou **ESPIONNITE** (1923) n. f., dérivé suffixé en *-ite,* se dit de la phobie des espions et concerne les périodes de conflit; il a vieilli.

ESPLANADE n. f., attesté au XVe s. (1477-1483), représente une adaptation d'après *plan,* adjectif, de l'italien *spianata* «espace libre devant le glacis d'une fortification» (XIVe s.), participe passé substantivé de *spianare* «aplanir». Le verbe italien est issu du latin *explanare* «étendre, étaler», dérivé de *planus* «plat, uni, égal» (→ plain, plan).

♦ D'abord introduit en français avec la valeur du mot italien, comme terme de fortification et disparu en ce sens, le mot désigne par extension un terrain aménagé devant un édifice, une maison (déb. XVIIe s.; cf. *place*) ou sur une hauteur (1755).

ESPOIR → ESPÉRER

ESPONTON n. m. est un emprunt francisé (1659), d'abord sous la forme *sponton* (1593), à l'italien *spontone* «demi-pique» (XIIIe s.), dérivé de *puntone* «pique», de *punta,* de même origine que *pointe*.*

♦ *Esponton* conserve le sens de l'italien; l'arme a été utilisée du XVIe s. à la Révolution, notamment sur les vaisseaux pour l'abordage. Par analogie de forme, le mot désigne (1864) la partie inférieure d'un barreau de grille, en forme de fuseau. Il semble archaïque.

ESPRIT n. m. succède en ancien français à la forme latine *spiritus, spiritum* (fin Xe s.), et s'écrit d'abord *espirit, esperit* (déb. XIIe s.); la forme moderne (XIVe s.) ne se répand qu'à partir du XVIe siècle. Le mot est un emprunt adapté au latin classique *spiritus* «souffle, air», «respiration», d'où «émanation, odeur», «aspiration», «esprit» en grammaire (équivalence du grec *pneuma;* → neume) Comme le grec *pneuma, spiritus* signifie aussi «souffle divin», «esprit divin», «inspiration», d'où «âme» et «personne»; en latin chrétien, *spiritus* prend les valeurs de «mentalité», «intention», «principe de vie morale», «intelligence», «être immatériel» (esprit, ange, démon, fantôme, *Sanctus Spiritus* «Saint-Esprit») et, par métonymie, «personne qui a bon ou mauvais esprit». *Spiritus* vient du verbe *spirare* «souffler», «respirer», «exhaler une odeur» et, au figuré, «être inspiré», verbe qui n'a pas de correspondant hors du latin. C'est par l'intermédiaire des textes chrétiens que le mot s'est introduit en français; il y reprend, à des époques différentes, une partie des sens de *spiritus.*

♦ *Esprit* est attesté à la fin du Xe s. avec plusieurs acceptions: «principe de la vie incorporelle de l'homme, âme» et «principe de la vie corporelle», d'où la locution ***rendre l'esprit*** «mourir» (1309, *rendre son esprit*) où reste la métaphore du souffle. De là les sens «être immatériel, incorporel» (*spiritum,* en parlant du Saint-Esprit; 1119, *esperiz*), «âme d'un défunt, revenant» (1458, sous la forme actuelle), cette valeur subsistant en particulier dans l'occultisme (1865, *esprit frappeur*). ➡ Au début du XIIe s., *esprit* reprend le sens latin de «souffle, vent, air», qui a disparu, et, dans le vocabulaire biblique, celui de «souffle envoyé par Dieu» *(l'esprit souffle où il veut)* et, plus généralement, de «principe de la vie psychique, conscience». ◇ C'est aussi au XIIe s. (v. 1155) que *esprit* désigne le principe de la vie intellectuelle, l'intelligence, opposé à l'objet de la pensée. De cette valeur procèdent des expressions comme *ouvrage d'esprit* (1877), *de l'esprit* «œuvre littéraire» (vieillie) et, dans un emploi péjoratif, ***vue de l'esprit*** «position qui ne s'appuie pas sur le réel»; de ce sens viennent aussi *dans mon esprit* «selon moi», ***présence d'esprit*** (1671) «aptitude à faire, à dire ce qui est à propos» et des locutions comme ***avoir de l'esprit comme quatre*** (1659), ***jusqu'au bout des doigts,*** etc. «être très intelligent» (*avoir de l'esprit comme un ange,* 1718). ➡ Le mot s'emploie également dès l'ancien français, par extension du sens d'«être immatériel», pour «être imaginaire supposé se manifester sur terre» (v. 1155), en parlant de Dieu, des anges, des démons, d'où *le malin esprit* (1680), *l'esprit malin* (1538) «le démon», où *malin* a le sens latin de «méchant, mauvais» (v. 1170, *le mal esperiz*). ◇ Par analogie, *esprit* désigne ensuite (1370) les corps subtils considérés comme les véhicules de la vie, du sentiment (XVIe s., *esprits vitaux*), sens qui ne demeure qu'avec quelques verbes dans des locutions comme ***perdre, reprendre ses esprits*** (1538). ◇ Par métonymie, *esprit* au sens d'«intelligence» s'emploie (1478) en parlant de personnes *(un esprit pénétrant, médiocre),* spécialement dans des expressions comme *un bon esprit, un petit esprit* et *un bel esprit* (déb. XVIIe s.), d'usage péjoratif depuis la fin du XVIIe s. (dans le même sens, on dit aussi *un esprit* au XVIIe s.).

Esprit fort équivaut d'abord (1601) à «libre penseur», puis se dit (1690) d'une personne qui revendique un jugement indépendant. ◇ *Esprit* acquiert au XVIe s. plusieurs autres acceptions, liées aux emplois antérieurs; le mot signifie (1511) «humeur, caractère», d'où *avoir bon* (1636), *avoir mauvais esprit* et, par métonymie, *un mauvais esprit.* ➡ C'est aussi au XVIe s. que l'on trouve le mot (1547) au sens de «vivacité de l'esprit, finesse», notamment dans *avoir de l'esprit* et dans *trait* (1671), *mot d'esprit;* le proverbe *l'esprit court les rues* a vieilli, alors que *faire de l'esprit* (v. 1750) se dit encore couramment; mais *faiseur d'esprit* (1787) est archaïque. ◇ *Esprit* s'est dit aussi (1547) du sens profond d'un texte. ➡ C'est l'idée de «principe» que l'on retrouve un peu plus tard dans le sens (1585) de «principe d'action, d'intention» *(esprit de contradiction),* qui demeure surtout dans des expressions comme *dans un esprit de justice, sans esprit de retour,* etc., et dans le titre du célèbre ouvrage de Montesquieu, *L'Esprit des lois.*

◇ De cette valeur procède l'emploi du mot pour désigner (1656, Pascal) un ensemble de valeurs, d'idées, etc., propres à un groupe ; avec ce sens, *esprit public* «opinion publique» (v. 1790) est sorti d'usage ; restent dans un emploi péjoratif *esprit de chapelle, de parti,* etc. «mentalité propre à un groupe restreint», et *esprit de corps* (1767), *d'équipe, de famille.* ◆ Par extension du sens de «fond (d'un texte)», le mot s'est employé (1684) pour «choix de textes d'un auteur (destiné à faire connaître l'essentiel de sa pensée)». ◆ L'idée de «finesse» est en œuvre dans l'emploi d'*esprit* (1690) pour «aptitude particulière, don» (*esprit d'analyse ; esprit de géométrie,* opposé à *esprit de finesse,* chez Pascal). L'expression *bon esprit* «aptitude à juger sainement» (XVIIe s.) est archaïque ; ***le bel esprit*** «la culture» (1668) est surtout employé au XVIIe s. (1608, *un bel esprit*) et est donné comme péjoratif au XVIIIe siècle ; ces expressions sont encore comprises lorsqu'elles correspondent à «personne qui a un bon esprit, une grande culture».
Déjà très complexe, le mot a repris au XVIe s. l'une des valeurs de *spiritus* «émanation», *esprit* désignant en alchimie le produit d'une distillation (1575). Cette acception disparaît avec l'apparition de la chimie moderne, mais ***esprit-de-sel*** (1835) «acide chlorhydrique étendu d'eau» subsiste en emploi régional, ainsi que ***esprit-de-vin*** «alcool» (v. 1560) ; dans le même axe sémantique, *éther** au sens chimique traduit le latin moderne *spiritus oethereus* (Frobenius).
Enfin, une reprise à un sens latin correspond en grammaire (1655) au mode d'articulation de l'initiale vocalique en grec ancien *(esprit rude [ʽ], esprit doux [ʼ]).*

◈ voir **ASPIRER, CONSPIRER, RESPIRER, SOUPIRER, SPIRITUEL, TRANSPIRER.**

-ESQUE, élément suffixal joint à un nom pour signifier «à la façon de» *(chevalier/chevaleresque),* est tiré du suffixe italien *-esco,* issu du latin *-iscus,* lui-même d'origine germanique *(-isk).* À partir du XVIe s., de nombreux emprunts à l'italien (ex. *arabesque,* de *arabesco,* 1546) et à l'espagnol (*mauresque, moresque,* de *moresco,* XVIe s.) ont été introduits en français. Le suffixe *-esque* est toujours vivant pour former des adjectifs dérivés de noms propres (*ubuesque,* de *Ubu,* XXe s.).

ESQUICHER v. est un emprunt (1789) au provençal moderne *esquicha* «presser, comprimer», de l'ancien provençal *esquissar* «déchirer» (XIIe s.), «presser» (XVIe s.). Ces verbes procèdent d'une racine onomatopéique *skits* à laquelle a été aussi rattaché *esquisse**.

♦ D'abord attesté intransitivement comme terme de jeu, le verbe a eu le sens de «jouer, à certains jeux de cartes, sa carte la plus faible pour éviter de faire la levée», d'où le figuré «éviter de se prononcer, de prendre position dans un débat» ; ces emplois sont sortis d'usage. ◆ *Esquicher* (tr.) se dit (fin XIXe s.), encore dans le sud-est de la France (Provence, etc.), pour «comprimer, presser, serrer, tasser».

ESQUIF n. m. est emprunté (1497) à l'italien *schifo* «petite embarcation» repéré au XVe s. (av. 1470), le diminutif *schifetto* étant attesté dès le XIVe siècle. Le mot est issu du longobard °*skif,* lui-même du germanique °*skip* «bateau» (→ équiper), restitué par l'ancien haut allemand *skif* (cf. l'allemand *Schiff* et l'anglais *ship*).

♦ *Esquif,* «petite embarcation légère», est aujourd'hui d'emploi littéraire.

◈ voir **SKIFF, SKIPPER.**

ESQUILLE n. f. est un emprunt adapté (1478) au latin *schidia,* le plus souvent au pluriel *schidiae* «copeaux», lui-même du grec *skhiza* «éclat de bois», dérivé de *skhizein* «fendre» (→ schizo-) qui se rattache à une racine indoeuropéenne °*skid-,* °*skeid-* «fendre» (variante expressive °*skheid-*), représentée dans plusieurs langues indoeuropéennes, notamment dans le latin *scindere* (→ scinder).

♦ *Esquille,* introduit au XVe s. comme terme de médecine pour désigner un éclat d'os, se dit par analogie en parlant du bois, de la pierre (1561 ; cf. *éclisse*).

► En dérive **ESQUILLEUX, EUSE** adj. (1478), terme de médecine et didactique *(bois esquilleux).*

ESQUIMAU, AUDE ou **ESKIMO** adj. et n. est un emprunt (1691, *eskimau*) au nom donné à des habitants des terres arctiques de l'Amérique par les Indiens, ces populations s'appelant elles-mêmes *Inuit.*

♦ Écrit *eskimo,* il désigne (1838, n. m.) l'ensemble des langues parlées par les Inuits (dont le nom autochtone est *inuktituk*) formant avec les langues Aleut (des îles Aléoutiennes) la famille *eskimoaleut.*
Esquimau n. m., par référence au froid, se dit (1922 ; marque déposée) d'un bâton de chocolat glacé. Certaines histoires du cinéma assignent cet emploi au succès du film de Robert Flaherty, *Nanouk l'Esquimau (Nanook of the North,* 1922*).* ◇ Le mot a désigné aussi (v. 1930) un vêtement chaud pour enfant, évoquant le costume des Esquimaux.

► Le mot a un dérivé, **ESQUIMAUTAGE** n. m. (1932), qui désigne une acrobatie nautique effectuée sur un kayak.

ESQUINTER v. tr. représente un emprunt (1800) au provençal moderne *esquinta* «déchirer» et «fatiguer» qui continue l'ancien provençal *esquintar* issu d'un latin populaire °*exquintare,* proprement «mettre, couper en cinq», comme *écarteler* correspond à «mettre en quatre». °*Exquintare* est composé de *ex-* et de *quintus* «cinquième», de *quinque* (→ cinq).

♦ D'abord mot de l'argot des voleurs, puis familier, le verbe signifie «démolir, abîmer (qqn, qqch.)» (1800) et a pris le sens de «fatiguer à l'extrême» (1861, pron.). ◇ Par figure, *esquinter* se dit (fin XIXe s.) pour «critiquer violemment», comme *éreinter.*

► Du verbe dérivent **ESQUINTANT, ANTE** adj. tiré du participe présent (1842, in *T. L. F.*), «très fatigant», et **ESQUINTEMENT** n. m. qui s'est d'abord dit pour «effraction» en argot (1836, Vidocq) puis, familièrement, pour «grande fatigue» (1891, Verlaine) et «détérioration».

ESQUIRE n. m. est un emprunt (1669) à l'anglais *esquire* «page, chevalier» (1419), lui-même emprunté à l'ancien français *esquier* (→ écuyer).

♦ En Grande-Bretagne et parfois aux États-Unis, c'est un terme honorifique appliqué aux personnes non titrées d'un certain rang social. Le mot, généralement abrégé en *esq.*, suit le nom de famille sur l'enveloppe des lettres.

ESQUISSE n. f., francisation (1642) de *esquiche* (1567), est un emprunt à l'italien *schizzo* «ébauche, dessin provisoire» (XVe s.), d'abord «tache que fait un liquide qui gicle» (XIVe s.), de *schizzare* «jaillir, gicler». L'origine de ce verbe est obscure ; on a proposé le gotique °*slîtjan* «fendre, faire éclater» (→ éclisse), mais des raisons phonétiques s'y opposent ; *schizzare* pourrait être onomatopéique ou se rattacher au latin populaire °*schediare*, de *schedium* «poème fait sur le champ», emprunt au grec *skhedios* «du moment même, fait à la hâte».

♦ *Esquisse* désigne la première forme d'un dessin et, par analogie, d'une statue, puis (1752) le plan sommaire d'une œuvre littéraire et (XVIIIe s.) une étude donnant une vue générale d'un sujet ; le mot s'emploie aussi au figuré (XIXe s.), comme *ébauche*.

► Le dérivé **ESQUISSER** v. tr. (1651 ; d'abord *esquicher*, 1567) a eu la même évolution sémantique que le nom ; il s'emploie au sens de «faire en esquisse», par analogie (1752) pour «fixer les grands traits d'une œuvre», puis au figuré (XIXe s.).

ESQUIVER v. tr. a été emprunté (v. 1600, A. Hardy) à l'italien *schivare* «éviter, fuir» (fin XIVe s.), dérivé de *schivo* «dédaigneux», ou à l'espagnol *esquivar* «éviter, éluder» (1250, au participe passé), de *esquivo* qui signifie aussi «dédaigneux». L'espagnol est issu d'un germanique °*skiuh* «farouche» et «insolent» (cf. allemand *scheu*, anglais *shy*), qui avait abouti en ancien français à *eschif*, *echif* «rétif, de mauvaise volonté» ; l'italien est probablement un emprunt à un verbe de l'ancien français que continue *esquiver*. Cet ancien verbe, *eschuir* «éviter, fuir» (1080), *eschever* au XVIe s., est issu du francique °*skiuhjan* «craindre» (ancien haut allemand *sciuhen* «craindre» et «éviter», allemand *scheuen* «avoir peur»), de °*skiuh* «crainte».

♦ *Esquiver* signifie, d'abord dans *esquiver de* (v. 1600), «faire échapper à», puis comme intransitif (1613) «s'échapper, se retirer». Dans ce sens, on emploie *s'esquiver* en français moderne. Par extension, le verbe signifie «éviter adroitement», au propre et au figuré (XVIIe s.). Il s'emploie spécialement en sports, comme terme d'escrime (1859), de boxe (1907), de hockey (1931).

► Le déverbal **ESQUIVE** n. f. a d'abord été un terme technique (1765) désignant la terre recouvrant les pains de sucre, pour leur donner une forme. ◇ Il a été repris au propre en sports (1859, escrime ; 1899, boxe ; 1930, basket) et au figuré pour «action d'éviter» ; *vente à l'esquive* (1932) a été éliminé par *vente à la sauvette*.

ESSAI n. m. est issu (v. 1140) du bas latin *exagium* «pesage, poids», «essai», dérivé de *exigere* «expulser» puis «mesurer, régler» (→ exiger), composé de *ex-* et de *agere* «conduire» (→ agir).

♦ *Essai* a le sens général de «tentative, épreuve» (v. 1140). Il désigne spécialement (1168-1191) l'action d'affronter qqch. pour la première fois (d'où ***coup d'essai***) et en particulier (1176) l'opération par laquelle on s'assure des qualités, des propriétés d'une chose. De cette acception vient : *à l'essai* (XIIe s.) «à l'épreuve» puis «aux fins d'essai» (v. 1530, Marot), d'où *prendre qqn à l'essai, vente à l'essai* et, au figuré, *mettre qqch. à l'essai* «éprouver» ou encore ***d'essai, à l'essai*** «qui sert à faire un essai». ◇ *Essai* désigne ensuite (1379) le fait d'essayer le goût, les effets d'un aliment, aujourd'hui à propos des vins, au sens de «dégustation», d'où l'emploi métonymique pour «coupe pour goûter les boissons» (1553). C'est aussi par métonymie que le mot s'est dit (mil. XVIIe s.) pour «échantillon», spécialement en parlant d'une nourriture (au XVIIe s., *manger, boire l'essai*) et au figuré pour «avant-goût». ◇ Depuis le milieu du XVIe s., le mot est attesté pour désigner les premières productions d'une personne qui débute dans un genre ; spécialement *essai* désigne (1580, Montaigne) un ouvrage littéraire en prose, qui traite d'un sujet sans viser à l'exhaustivité. ◇ *Essai* est employé à partir du XIXe s. dans divers domaines aux sens d'«expérience», «tentative» et, en sports, pour chacune des tentatives d'un athlète, dont on retient la meilleure. Au rugby (1892), par traduction de l'anglais *try*, il désigne le droit de tenter de marquer un but, ainsi qu'au basket (1931 ; *essai au panier*). ◇ ***D'essai*** s'emploie dans plusieurs syntagmes, comme *vol d'essai* (1907), *cinéma d'essai* (v. 1950), *ballon d'essai* et *galop d'essai*, terme de courses. ◇ *Les essais*, au pluriel, désignent (1957) l'épreuve préalable d'une course automobile, au cours de laquelle les voitures sont testées.

► **ESSAYER** v. tr., d'abord attesté au participe passé (1080, *essaiet*) au sens d'«expérimenté, éprouvé», est issu d'un latin populaire °*exagiare* «peser» (de *exagium*) ou dérive de *essai*. ◆ Il signifie «mettre à l'essai», «faire l'essai de», dans les différents emplois de *essai*, en particulier «faire l'essai de ses capacités» notamment dans *s'essayer* (1155). ◇ La construction *essayer* et infinitif (v. 1135, *asaiier a*) est sortie d'usage comme *essayer de [qqch.]* (1690). ◇ *Essayer* a pris le sens particulier (1690) de «mettre (un vêtement, etc.) pour voir s'il va». ◆ Le principal dérivé du verbe est **ESSAYEUR, EUSE** n., qui s'est d'abord dit (v. 1250, *essaieres*) d'un homme peu sincère, sens disparu. ◇ Le mot désigne ensuite (1611, n. m.) un fonctionnaire préposé aux essais de l'or et de l'argent, dans un hôtel des monnaies, emploi lui aussi sorti d'usage. ◇ Il prend au XIXe s. le sens courant de «personne qui procède aux essayages de vêtements» (1857, n. f.), puis au XXe s. celui de «personne chargée d'effectuer les essais d'un matériel», en particulier (v. 1969) dans le domaine automobile. ◆ Le nom d'action **ESSAYAGE** n. m. (1828) concerne surtout les vêtements.

ESSAYISTE n., attesté isolément (1821) sous la forme *essaieste*, puis écrit *essayiste* en 1845 (Th. Gautier), est un emprunt à l'anglais *essayist* «auteur d'essais littéraires» (1609), dérivé de *essay* «essai littéraire» (1597), lui-même emprunté au français. ◆ **ESSAYISME** n. m. (1855, Nerval) est emprunté à l'anglais *essayism* (1821) ou dérive du radical de *essayiste*. Le mot est beaucoup plus rare qu'*essayiste*.

ESSAIM n. m. est issu (v. 1175, *essain*) du latin *examen* «vol d'abeilles quittant une ruche pour aller s'établir ailleurs» et «troupe (d'hommes, d'animaux)» (→ examen), dérivé de *exigere* au sens concret d'«emmener hors de, expulser», composé de *ex-* et de *agere* «conduire» (→ essai, exiger).

♦ *Essaim* garde le sens du latin et, par extension, s'emploie en parlant de guêpes et d'autres insectes sociaux (1864); dans l'est de la France, *essaim* a été concurrencé par *jeton* (XIIIe s.), et *essaimer* par *jeter* selon la même métaphore. ◇ Au figuré (v. 1265), le mot désigne un groupe nombreux qui se déplace, puis une grande quantité de choses, abstraites ou concrètes.

▶ Le dérivé **ESSAIMER** v., dès les premiers emplois (1266, *essamer;* forme moderne au XVIIe s.), s'utilise au propre et au figuré. ◆ Le nom d'action dérivé, **ESSAIMAGE** n. m., s'emploie aussi au propre (1823) et au figuré (1927).

ESSART n. m. est issu (1120) du bas latin *exsartum* «défrichement» (attesté sous la forme *exartum*), participe passé d'un verbe non attesté °*exsarire* «défricher», préfixé en *ex-*, du latin classique *sarire* «sarcler»; ce verbe a été concurrencé par le dérivé latin tardif *sarculare* (→ sarcler).

♦ *Essart* désigne une terre déboisée pour être défrichée. Le mot est vieilli ou technique, mais on le trouve dans de nombreux noms de lieux. On a dit aussi *essartis* n. m. (XVIIe s.) et *essart* a été repris au XXe s. au sens de «trou dans lequel logent les crustacés».

▶ Le dérivé **ESSARTER** v. tr. (1172) est un terme d'agriculture, comme le nom d'action **ESSARTAGE** (1783). ◆ **ESSARTEMENT** n. m. (1611), autre dérivé du verbe, a vieilli.

ESSE n. f. vient (v. 1200) du nom de la lettre *S*, d'abord pour désigner un ornement en forme de S, puis divers objets techniques.

♦ Au sens de «cheville de fer placée au bout d'un essieu pour maintenir la roue», le mot est sans doute une altération (1388) de l'ancien français *heuce, euce*, employé jusqu'au début du XVIIe s. et d'origine inconnue. ◆ *Esse* n. m. ou f., aussi écrit *S* (XVIe s.), se dit d'une forme sinueuse, d'un virage (cf. *zig-zag*).

① **-ESSE** élément suffixal servant à former des féminins, vient du latin ecclésiastique *-issa*, emprunté au grec pour former des noms de dignités, comme *abbatissa* «abbesse». ◇ La forme **-ERESSE** vient de l'adjonction du suffixe *-esse* à des emprunts au latin terminés par *-ator* (*peccator* a abouti en ancien français au cas régime *pêcheur* et au cas sujet, disparu, *pecher*, d'où *pécheresse*). *-esse* est concurrencé à partir du XVIe s. par *-euse*, féminin de *-eur*. Aujourd'hui *-esse* est peu utilisé pour créer des féminins; des mots comme *ministresse, poétesse* ne s'imposent pas dans l'usage courant ou, comme *doctoresse*, sont concurrencés par le masculin.

② **-ESSE,** suffixe servant à former des substantifs à partir d'adjectifs pour désigner des qualités abstraites, remonte au latin *-itia*. Ce dernier a abouti phonétiquement à *-eise, -oise*, que l'on trouve dans quelques mots en ancien français; la forme *-esse*, anciennement *-ece*, vient d'une forme supposée °*-icia*. Productif en ancien français, *-esse* est souvent remplacé à partir du XVIe s. par *-té (bellesse / beauté, fermesse / fermeté);* les formations en *-esse* sont ensuite rares (par exemple *robustesse*, 1863).

ESSENCE n. f. est emprunté (v. 1200) au latin *essentia* «nature d'une chose», utilisé en philosophie et dérivé de *esse* «être» (→ ① être).

♦ C'est d'abord comme terme de philosophie que *essence* est employé, désignant ce qui constitue la nature d'un être, et opposé selon la tradition aristotélicienne à *accident*, puis au XXe s. à *existence*. ◇ En même temps, le mot s'emploie couramment pour désigner l'ensemble des caractères constitutifs d'un être, d'une chose, d'où la locution adverbiale ***par essence*** «par sa nature même», et équivalait au XVIe s. à «existence» (v. 1530). *Essence* a pris ensuite le sens de «type idéal (auquel appartient qqn)», d'où des locutions comme ***se croire d'une essence supérieure.***
Par analogie, le mot était utilisé en alchimie pour désigner (1563, B. Palissy) la substance la plus pure que l'on tirait de certains corps; il a pris le sens de «substance odorante volatile extraite de certaines plantes» (1587). ◇ Par spécialisation, le mot est utilisé également (1690) pour «espèce (d'arbre)». ◆ Au sens d'«extrait», *essence* désigne très couramment le produit de la distillation du pétrole (1864), utilisé depuis la fin du XIXe s. comme combustible pour les moteurs à explosion, d'où sa fréquence et de nombreux emplois et syntagmes *(réservoir d'essence, pompe à essence).* ◆ ***Essence d'Orient*** se dit (fin XIXe s.) de la matière nacrée que l'on tire des écailles de l'ablette pour imiter l'orient des perles vraies.

▶ **ESSENTIEL, IELLE** adj. et n. m. est attesté à la fin du XIIIe s. *(proprietez essenciaus)*, mais on relève l'adverbe *essentiellement (essentïalment)* vers 1200. Le mot est emprunté au dérivé bas latin *essentialis* «qui a trait à l'essence» et en conserve le sens (opposé à *accidentel*). ◆ Il signifie par extension «caractéristique, constitutif» (1541), puis (1580) «qui est absolument nécessaire» (opposé à *inutile*) et «qui est le plus important» (opposé à *secondaire*). C'est dans ce sens qu'il est substantivé (1669, Pascal) : *l'essentiel*, entrant plus tard dans l'usage général et courant. ◇ L'adjectif a qualifié (1701) une personne sur qui on peut compter. ◇ Une autre valeur dérive du sens chimique de l'adjectif et le terme de chimie *huile essentielle* «essence végétale» (1864) est d'usage assez courant. ◇ Enfin, le mot, au sens abstrait, s'emploie en médecine (1864) pour qualifier une maladie qui existe sans cause connue, opposé à *symptomatique*. ◆ Le dérivé **ESSENTIELLEMENT** adv. (1541, sous la forme actuelle) s'emploie en philosophie et couramment (déb. XVIIIe s.) pour «avant tout», «au plus haut point». ◆ **INESSENTIEL, ELLE** adj. (1794), «qui n'est pas essentiel», est un mot d'usage littéraire.

ESSENTIAL, ALE, AUX adj. est employé en philosophie (mil. XXe s.) pour éviter l'ambiguïté de *essentiel* «de l'essence», et couramment «très important». ◆ D'autres termes philosophiques ont été dérivés de *essence* ou, savamment, de *essentialis* : **ESSENTIALISME** n. m., terme ancien de médecine (1864), se dit (1942) d'une théorie philosophique pour laquelle l'essence précède l'existence. ◇ De là **ESSENTIALISTE** (XXe s. ; 1864, en médecine). Ces deux mots n'ont pas eu la fortune d'*existentialisme, -iste*. ◆ **ESSENTIALITÉ** n. f., au sens philosophique de «ce qui appartient à l'essence» (cf. *étant*), est un emprunt au latin médiéval *essentialitas* (v. 870). Attesté isolément à la fin du XIVe s. *(essencialité)*, le mot est resté rare, sauf en philosophie. ◇ Il a donné naissance à **INESSENTIALITÉ** n. f. (1943, Sartre). ◇ *Essentialité* a eu aussi le sens (1845 ; dérivé savant du latin *essentialis*) d'«état de ce qui est essentiel, important». ◆ **ESSENTIALISER** v. tr. signifie, dans le vocabulaire philosophique, «donner une essence (à une existence)» (av. 1948, A. Artaud).

ESSIEU n. m. est d'abord une forme dialectale, sans doute picarde (XIIIe s., *aissieu*), refaite sur le pluriel *(aissieus)* de l'ancien français *aissil* (XIIIe s.). *Aissil* est issu du latin populaire °*axile*, dérivé du classique *axis* (→ axe) ; *axis* (qui a abouti à l'espagnol *eje*) a été remplacé en latin, à cause de la confusion avec *assis* qui a donné *ais**, par les dérivés *axalis* (d'où l'italien *sala*), °*axiolum* (d'où l'ancien français *essue*, v. 1140) et °*axellum* qui a abouti au XIIe s. à *aissel* (→ aisselle). *Axis* se rattache à une racine °*aks* «axe» que l'on retrouve dans de nombreuses langues indoeuropéennes (grec *axôn*, sanskrit *ákṣa*, etc.).

♦ *Essieu*, attesté sous cette forme en 1435, désigne la pièce placée transversalement sous un véhicule, dont les extrémités entrent dans les moyeux des roues.

▶ Le composé **ESSIEU-MOTEUR** n. m. (1892) est un terme technique.

ESSORER v. tr. est issu (1174-1177) du latin populaire °*exaurare* «exposer à l'air», de *ex-* «hors de» et du latin classique *aura* «vent, air» ; ce même verbe a produit l'ancien provençal *essaurar*. *Aura* a abouti à l'ancien français *ore* (→ orage).

♦ Dans ses premiers emplois, *essorer* conserve le sens du latin et *s'essorer* signifie (v. 1176) en termes de fauconnerie «s'élancer dans les airs» en parlant de l'oiseau (l'italien *sorare* est un emprunt au français). Dans ce sens, le mot a été repris au XIXe s. (Rimbaud, Gide) à cause de la vitalité de *essor*, mais il reste un archaïsme littéraire. ◆ En outre **ESSORÉ, ÉE** adj. s'emploie en terme de blason dans *oiseau essoré* «en plein vol». ◆ *Essorer* signifie ensuite (1690) «faire sécher (en exposant à l'air)» (encore chez Huysmans) et par extension (1690) «débarrasser par pression (ce qui est mouillé) de l'eau qui s'y trouve». Ce sens, soutenu par les dérivés, est devenu dominant au XIXe siècle. Par figure, *essorer qqn* a le sens d'«épuiser ses ressources, sa vitalité» (fin XIXe s.) et, en argot, «extorquer tout son argent à (qqn)» (XXe s.).

▶ Les dérivés sont **ESSORAGE** n. m. (1859), déjà attesté au XIIe s. en fauconnerie pour «envol (de l'oiseau)», et **ESSOREUSE** n. f. (1857), d'abord d'usage technique, devenu courant au XXe s. avec l'invention et la diffusion des machines à laver le linge.

ESSOR n. m., déverbal de *essorer*, est d'abord attesté (1172-1175) dans *à l'essor* «à l'air libre, au vent» ; cet emploi est sorti d'usage, le mot désignant aujourd'hui l'élan d'un oiseau qui s'envole, surtout dans ***prendre son essor*** ; *prendre l'essor* signifiait à l'époque classique «s'écarter de son sujet» (1665). ◇ *Essor* est utilisé figurément (av. 1188) au sens d'«élan, impulsion», puis par extension pour «développement important» *(l'essor d'une région)*, en particulier dans *en (plein, grand) essor*.

ESSOUFFLER → SOUFFLER

ESSUYER v. tr. représente l'aboutissement (1135) du bas latin *exsucare* «exprimer le suc» (Ve s.), de *ex-* et du latin classique *sucus* «sève, jus», qui a donné lieu par ailleurs à un emprunt savant (→ suc).

♦ *Essuyer* signifie (1135) «sécher (ce qui est mouillé) en frottant avec qqch. qui absorbe l'humidité», d'où par extension «enlever (ce qui mouille qqch.)», puis plus tard «enlever (la poussière)» (1864). La locution ***essuyer les plâtres*** (autrefois, *les murs*) a pris le sens figuré d'«occuper une habitation qui vient d'être achevée» et, par métaphore, «subir le premier les inconvénients d'une situation nouvelle». ◇ Le verbe, par une autre figure, s'emploie aussi avec un complément désignant qqch. de fâcheux et signifie «avoir à supporter», dans un contexte concret (chez d'Aubigné, déb. XVIIe s., en parlant de soldats qui subissent le feu de l'ennemi), puis (XVIIe s.) abstrait.

▶ Du verbe dérivent **ESSUYEUR** n. m. (1472), qui reprend *essuior* (1377) «serviette», et **ESSUYAGE** n. m. (1858).

RESSUYER v. tr. (XVIe s.), d'abord *ressuer* (XIIe s.), est encore d'usage régional au sens général de «faire sécher» ; il s'emploie comme terme technique d'agriculture, ainsi que ses dérivés **RESSUIEMENT** n. m. (1810) et **RESSUYAGE** n. m. (1877). ◆ Le déverbal **RESSUI** n. m. est un terme de vénerie (1561, *ressuy*) désignant le lieu où les bêtes vont se sécher, et au XIXe s. (av. 1870) un terme technique de céramique.

Plusieurs composés ont été formés à partir de la forme verbale *essuie* : après *essuie-mains* (→ main), aux XIXe et XXe s., **ESSUIE-PLUMES** n. m. (1858), **ESSUIE-MEUBLES** n. m. inv. (1887), **ESSUIE-VERRES** n. m. inv. (1909), **ESSUIE-GLACE** n. m. (1914), plus courant (→ glace), **ESSUIE-PIED** n. m. (1948) et enfin **ESSUIE-TOUT** n. m. (1979), qui remplace parfois les noms de marque de papiers d'usage domestique, pour l'essuyage, par ailleurs très employés (*Sopalin* est la plus connue).

EST n. m., comme les noms d'autres points cardinaux, représente un emprunt (v. 1140) au vieil anglais *east* attesté au IXe s. comme adverbe et au XIIe s. comme nom (cf. allemand *Ost, Osten,* néerlandais *oost, oosten*). Ces formes germaniques se rattachent à la racine indoeuropéenne °*es*- «aurore», de genre animé et à valeur religieuse.

♦ *Est,* d'abord attesté sous la forme *le hest* (v. 1138), désigne le point cardinal situé dans la direction du soleil levant (comme *levant, orient*). ◇ Le mot s'emploie spécialement pour désigner, en France, la partie située à l'est du territoire (Alsace, Lorraine); depuis la période où l'U. R. S. S. avait pris le contrôle d'une partie de l'Europe orientale (1945-1990), *les pays, l'Europe de l'Est* et *l'Est* désignaient les pays socialistes situés à l'est de l'Europe et l'U. R. S. S., par opposition à l'*Ouest,* désignant la zone d'influences américaine et britannique. Ces expressions, après 1991, n'auront plus, si elles subsistent, les mêmes connotations politiques.

ESTABLISHMENT n. m. est un emprunt graphique (1965) au mot anglais *establishment* «position, situation» (XVIIe s.) au sens de «groupe des gens en place attachés à l'ordre établi» (1830, aux États-Unis), lui-même du français *establissement,* de *établir**.

♦ C'est avec le sens américain que le mot est utilisé en français, parfois retraduit par *établissement.*

ESTACADE n. f. apparaît d'abord sous les formes *enstacatte* (1566) puis *estaquade* (apr. 1578), qui viendraient d'un emprunt à l'italien *staccata,* forme féminine de *steccato* «enceinte, palissade» (XVIe s.), dérivé de *stecca* «bâton, pieu». Ce dernier est issu du gotique °*stikka* de même sens (cf. allemand *Stecken,* anglais *stick*). Les formes *estacada, estacade* (1585) pourraient être empruntées à l'espagnol *estacada* (1492), dérivé de *estaca* «pieu», issu d'un mot gotique de même famille, °*stakka,* qui avait abouti en ancien français à *estache* (1080), *estaque* «pieu, poteau». °*Stakka* et °*stikka* se rattachent à une racine indoeuropéenne °*stig*- «piquer» que l'on retrouve en grec (→ stigmate).

♦ *Estacade* s'est dit au XVIe s. pour «champ clos» (1566) et par métonymie (fin XVIe s.) pour «duel», sens également présents en italien. Le mot désigne ensuite (1585, attestation isolée; puis 1671) un barrage de pieux, de pilotis, etc. fermant un chenal, un port, puis (1773) une jetée à claire-voie. Par analogie, *estacade* s'est employé (1834) dans le vocabulaire des chemins de fer pour désigner une plateforme en charpente.

ESTAFETTE n. f., sous les formes *staffette* (1596), *estaphette* (1619), la graphie moderne étant attestée en 1666, est un emprunt à l'italien *staffetta* «courrier à cheval» (1515), diminutif de *staffa* «étrier» et par extension «courrier» (dans *andare a staffetta*). Ce mot vient du longobard °*staffa* «trace du pied, pas», d'où «étrier où l'on met le pied» (cf. anglo-saxon *stapas,* ancien haut allemand *staph* «pas»).

♦ *Estafette* a désigné (1596) un courrier chargé de porter une dépêche puis s'est spécialisé au sens de «militaire agent de liaison».
Un autre dérivé de *staffa,* l'italien *staffiere* «laquais armé qui tenait le manteau et les armes de son maître, et lui tenait l'étrier» (XVe s.), a été emprunté avec ce sens, sous les formes *staffier* (1476) puis **ESTAFFIER** (1549) et enfin *estafier* (1552). Il s'emploie encore (XVIIe s.) au sens de «spadassin» et a désigné en argot (1828-1829) un agent de la police secrète; mais il est archaïque ou historique.

ESTAFILADE n. f. est un emprunt (1552, *estaffilade,* Rabelais) à l'italien *staffilata* «coup de fouet, d'étrivière» (1re moitié du XVIe s.), dérivé de *staffile* «courroie de l'étrier», lui-même de *staffa* «étrier» (→ estafette).

♦ Le mot désigne une entaille faite avec une arme tranchante, d'où par analogie (1690) une déchirure, notamment une série de mailles filées (d'un bas).

▶ Le dérivé **ESTAFILADER** v. tr. (1642) est sorti d'usage.

ESTAMINET n. m. est un emprunt (XVIIe s.) au wallon *staminê, èstaminê* (XVIIe s., *staminai*), peut-être dérivé du wallon *stamon* «poteau auquel on attache la vache près de sa mangeoire» (cf. wallon *staminée* «mangeoire»), l'estaminet étant à l'origine une salle avec plusieurs poteaux. Le mot wallon *stamon,* apparenté à l'allemand *Stamm* «tronc», «souche», est issu du germanique °*stamma,* qui se rattache à la racine indoeuropéenne °*sta*- «être debout» que l'on retrouve dans le latin *stare* (→ station).

♦ *Estaminet* désigne d'abord, en parlant de la Flandre, de l'Allemagne, de la Hollande, un cabaret où l'on buvait et où l'on fumait. Rare avant le milieu du XVIIIe s., le mot ne se diffuse en France qu'au début du XIXe siècle. Vers 1083, et jusqu'aux dernières décennies du XIXe s., *estaminet* s'est dit en France, notamment à Paris, d'un café où l'on pouvait fumer la pipe (par opposition au *divan* plus bourgeois, où l'on fumait le cigare et la cigarette). ◇ Le mot désigne aujourd'hui (dep. 1909), dans le nord de la France et en Belgique, un petit café populaire, mais il n'est usuel que régionalement, s'il est connu dans d'autres parties de la France.

ESTAMPER v. tr. est issu (1225) du francique °*stampôn* «fouler, plier» (cf. allemand *stampfen*); le maintien du *s* est dû à l'influence de l'italien *stampa* et de *estampe* (ci-dessous).

♦ *Estamper,* qui s'est employé en ancien et moyen français au sens étymologique de «broyer, écraser», signifie (1392) «marquer d'une impression (une surface, une matière) à l'aide d'une empreinte»; de ce sens viennent plusieurs emplois techniques (1556, *stamper*) : «fabriquer (une statue) en moulant un métal en fusion», puis «imprimer (une marque, une image) sur une surface» (1676, «imprimer»); aux temps de l'esclavage, *estamper un esclave* (1730), c'était le marquer du signe de son propriétaire. Le verbe, par figure des sens de «piétiner» (XIVe s.) et de «rouer de coups», attestés dans des dialectes, s'emploie en argot (1883) puis familièrement pour «soutirer de l'argent (à qqn)» et (1901) «faire payer trop cher», plus courant.

▶ Le nom d'action **ESTAMPAGE** n. m., terme technique (1628), s'emploie aussi familièrement (1891) pour «escroquerie». ➜ **ESTAMPEUR, EUSE** adj. et n., d'abord «ouvrier chargé de broyer la garance» (v. 1300), est un terme technique désignant un outil (1628, n. m.; 1864, adj.), une machine (1907, n. f.) ou un ouvrier (1836). Le mot est aussi usité familièrement au figuré (1888). ➜ **1. ESTAMPE** n. f., déverbal de *estamper*, a signifié «cachet» (v. 1280); c'est ensuite un terme technique (1430) désignant un outil servant à estamper. ➜ Un autre mot, **2. ESTAMPE** n. f. est un emprunt à l'italien *stampa* «figure gravée» (XIVe s.) et «impression (d'un document)» (XVIe s.), de *stampare* «représenter une image», emprunt au français; l'influence de ces formes italiennes explique la présence du *s-* dans les mots français *estamper, estampe*. Le sens d'«impression» (av. 1560, Du Bellay) ne s'est pas imposé et *estampe* désigne (1647) une image imprimée au moyen d'une planche gravée.
ESTAMPILLE n. f. est un emprunt (1740-1755) à l'espagnol *estampilla* «marque attestant l'authenticité d'un produit, d'un document» (1726), dérivé de *estampar*, lui-même probablement emprunté au français *estamper**. *Estampille*, attesté chez Saint-Simon, qui emploie aussi la forme espagnole, conserve le sens de l'espagnol mais désigne aussi par métonymie (XIXe s.) l'instrument avec lequel on fait les estampilles. Le mot se dit figurément (XIXe s.) pour «garantie, caractère d'authenticité». ➜ Le dérivé **ESTAMPILLER** v. tr. s'emploie au propre (1752), avec deux dérivés, **ESTAMPILLAGE** n. m. (1783) et **ESTAMPILLEUSE** n. f. (1907), et au figuré (1847, Balzac).
ÉTAMPE n. f. (1260, *estampe*) est le déverbal de *estamper* «écraser, broyer»; la forme *étampe* n'est attestée qu'en 1694. Ce terme technique apparaît au XIIIe s. avec le sens de «cachet servant à imprimer une marque» puis (1391) de «pièce gravée avec laquelle on frappe une surface métallique pour produire une empreinte». Cette valeur est encore vivante, comme les emplois plus tardifs pour désigner un outil de serrurier (1676) et par extension (1755, *estampe*) un outil servant à estamper (dans divers métiers). **ÉTAMPER** v. s'est spécialisé au XVIIe s. comme terme de maréchal-ferrant (1678). Du verbe dérivent les termes techniques **ÉTAMPURE** n. f., d'abord terme de maréchal-ferrant (1755, *estampure*) puis «évasement d'un trou percé dans une plaque de métal» (1838), ainsi que **ÉTAMPEUR, EUSE** n. (1838) et **ÉTAMPAGE** n. m. (1845).

ESTANCIA n. f. est un emprunt (1838) à l'espagnol d'Amérique latine *estancia* qui désigne une grande exploitation agricole spécialisée dans l'élevage (surtout en Argentine et au Chili). En espagnol castillan, *estancia* (1251) signifie proprement «habitation»; c'est un dérivé de *estar* «être», «se tenir (dans un lieu)», du latin *stare* de même sens (→ ① ester, station).

① **ESTER** v. tr. est issu (1174-1176) du latin juridique médiéval *stare* «soutenir une action en justice», spécialisation du latin classique *stare* «se tenir debout», qui avait abouti en ancien français au verbe *ester* «rester, demeurer» (2e moitié du Xe s.). *Stare* se rattache à la racine indoeuropéenne °*sta-* «être debout», largement représentée, par exemple par le grec *stasis* (→ statique), le germanique *standan* (cf. anglais *to stand*, allemand *stehen*).

♦ Le verbe, usuel en ancien français, s'est employé dans *ester a dreit* [droit] «comparaître devant un tribunal»; ce terme de droit n'est usité aujourd'hui qu'à l'infinitif dans *ester en justice, en jugement* (1384), où il signifie «soutenir une action en justice».
◈ voir ÉTABLE, ÉTABLIR, ÉTAGE, ÉTAT, STABLE, STATION.

② **ESTER** n. m. représente (1857) une contraction de l'allemand *Essigäther* «éther acétique», terme créé (1848) par le chimiste allemand L. Gmelin (1788-1853) et composé de *Essig* «vinaigre» et de *Äther* (→ éther).

♦ Terme chimique qui ne se répand qu'au XXe s., *ester* désigne les corps, autrefois nommés *éthers-sels*, résultant de la réaction d'un acide sur un alcool avec élimination d'eau.

▶ En dérive **ESTÉRIFIER** v. tr. (attesté en 1959 dans les dictionnaires, mais très antérieur; cf. anglais *to esterify*, 1907) qui a remplacé *esthérifier*, d'où **ESTÉRIFICATION** n. f. (attesté XXe s.; cf. anglais *esterification*, 1898). ➜ Le composé **POLYESTER** n. m. (1962), de *poly-*, est un terme de chimie devenu courant avec l'utilisation de cette substance dans l'industrie des plastiques.

ESTHÉTIQUE n. f. et adj. est un emprunt (1753) au latin philosophique *aesthetica* «science du beau», mot créé par le philosophe allemand A. G. Baumgarten (1717-1765) dans *Aesthetica acroamatia* (1750-1758), à partir du grec *aisthêtikos* «qui a la faculté de sentir» et «perceptible, sensible», dérivé du verbe *aisthanesthai* «sentir». Ce verbe est apparenté à *aiein* «entendre, percevoir», mot d'origine indoeuropéenne.

♦ Depuis l'Antiquité, beaucoup de discours et notamment les *Arts poétiques* ont été tenus pour déterminer comment produire une œuvre d'art ou pour en apprécier la valeur en définissant des normes critiques. Ce n'est qu'à partir des années 1750 que l'on cherche à délimiter dans une œuvre ce qui lui est spécifique et singulier pour devenir matière à connaissance. Le projet d'étudier objectivement ce qui est constitutif de l'art a donné lieu, à la fin du XVIIIe s. en Allemagne, époque où le mot *Kunst* influence fortement le français *art**, puis au XIXe s., à de nombreuses constructions théoriques, de Kant *(Esthétique transcendantale)* à Hegel, pour qui l'œuvre représentait l'expression sensible d'une vérité. ➜ Le mot, jugé trop recherché et abstrait, n'a été accepté qu'au XIXe siècle. Il désigne la science du beau, dans la nature et dans l'art, et

l'adjectif qualifie ce qui est relatif au sentiment du beau (1798), par extension ce qui participe de l'art (1811) : il a cette valeur dans les *Curiosités esthétiques* de Baudelaire.
Par ailleurs, *esthétique* avait pris, par retour à l'étymologie, le sens de «science des sensations» (1803, *aesthétique*); cette valeur, qui ne s'est pas maintenue, explique l'emploi de l'adjectif pour qualifier une personne qui a le culte de l'art primitif (1882). ◆ À la fin du XIXe s., *esthétique* s'emploie avec un sens extensif pour désigner (1890) l'appréhension de la beauté, les jugements de valeur sur le beau et la recherche de ce qui est beau. ◇ De là vient son usage aussi bien à propos des moyens mis en œuvre pour maintenir ou améliorer la beauté physique (1930, *esthétique faciale*) que dans la fabrication des biens de consommation (1951, *esthétique industrielle*). ◇ Parallèlement, le mot est devenu un équivalent courant de «beau, harmonieux» (v. 1890) et le nom désigne la beauté (1922) et le goût esthétique d'une personne (v. 1930).

▶ Le dérivé **ESTHÉTIQUEMENT** adv. (1798) a suivi les valeurs de l'adjectif. ◆ **ESTHÉTICIEN, IENNE** n. (1868, Flaubert), dérivé de *esthétique* ou emprunt à l'anglais *aesthetician* (1829), désigne d'abord une personne qui s'occupe de la science du beau. ◇ À côté de cet emploi didactique et d'après le sens correspondant de *esthétique*, le dérivé s'applique (1949), surtout au féminin, à une personne spécialisée dans les soins de beauté. ◆ De *esthétique* procède aussi le préfixé **INESTHÉTIQUE** adj. (1885, P. Bourget; 1880, n. m., Maupassant), antonyme littéraire de *esthétique* qui s'applique en psychologie à ce qui ne joue aucun rôle dans la sensation ou la production de beauté (on dit aussi *anesthétique*) et, dans un usage plus général, pour «qui n'est pas esthétique».
ESTHÈTE adj. est un emprunt savant (1838) au grec *aisthêtês* «celui qui perçoit par les sens», signifiant d'abord «capable de fournir des sensations», sens disparu; le nom est le dérivé régressif (1881) de *esthétique*, probablement sous l'influence de l'anglais *aesthete*. ◇ Il s'est dit d'une personne qui prône le culte de la beauté. ◇ Il s'emploie souvent aujourd'hui de façon péjorative (1888), comme les dérivés **ESTHÉTISER** v. (1870, Goncourt), formé par influence de l'anglais *to aestheticize* (1864), et **ESTHÉTISME** n. m. (1881).
À partir de *esthétique* a été tiré **ESTHÉTICO-**, premier élément employé dans la formation d'adjectifs signifiant «esthétique et...», comme **ESTHÉTICO-MORAL** (1893, Durkheim), **ESTHÉTICO-SOCIAL** (1924, Du Bos), **ESTHÉTICO-HISTORIQUE**, etc.
ESTHÉSIE n. f. est emprunté (1846) par le vocabulaire de la physiologie au grec *aisthêsis* «sensation, perception», pour désigner l'aptitude à percevoir des sensations. ◆ Deux éléments ont été formés à partir du mot grec : l'élément initial **ESTHÉSI-, ESTHÉSIO-** entre dans la composition de termes de physiologie, comme **ESTHÉSIOLOGIE** n. f. (1863), **ESTHÉSIOGÈNE** adj. (1871), **ESTHÉSIOMÈTRE** n. m. (1871; 1865, *aesthésiomètre*); l'élément final **-ESTHÉSIE** apparaît dans *baresthésie, radiesthésie* (→ radio), etc. et des mots directement empruntés au grec comme *anesthésie**.

ESTIMER v. tr. est un emprunt (fin XIIIe s.), d'abord sous la forme *extimer* (v. 1300), au latin *aestimare* «évaluer le prix d'une chose, apprécier», dont l'origine n'est pas connue. *Aestimare* avait abouti en ancien français à *esmer* (v. 1135), confondu avec *aimer* et disparu avant le XVIe s. (cf. l'ancien provençal *esmar*); le déverbal *esme* s'est maintenu plus longtemps dans les dialectes.

♦ *Estimer* signifie d'abord comme en latin «déterminer la valeur de (qqch.)». Par figure (1541), le verbe s'emploie pour «attribuer à (qqch., qqn) une importance approximative» *(estimer qqch. à sa vraie valeur)* et, par extension, à partir du XVIIIe s., pour «calculer approximativement» (1736, *estimer une distance*). ◇ Parallèlement, *estimer* signifie (fin XIIIe s.) «avoir une opinion sur (qqch., qqn)»; le verbe se construit alors avec l'infinitif, puis (v. 1500) avec un adjectif ou avec *que* et avec un nom (1530); dans ce dernier emploi, fréquent dans l'usage classique, *estimer* correspond à *tenir pour,* à *juger. S'estimer,* suivi d'un adjectif (1553), signifie «se considérer comme». ◇ Par extension le verbe s'emploie (v. 1500) pour «avoir une opinion favorable sur (qqn)», aussi *s'estimer* (1538), en usage à l'époque classique, et «faire cas de (qqch.)» *(estimer une qualité)*.

▶ Le déverbal **ESTIME** n. f. a suivi une évolution sémantique parallèle : «détermination du prix de qqch.» (XIIIe s.), emploi vieilli, et, dans le vocabulaire maritime (mil. XVIe s.), «évaluation de la route parcourue», sens toujours vivant, d'où vient la locution adverbiale ***à l'estime*** *(navigation à l'estime)* employée par analogie pour «approximativement». ◇ *Estime* s'est dit (1534) d'une opinion favorable ou non; à l'époque classique, le mot désignait aussi la place que l'on a dans l'estime d'autrui (depuis 1440-1475). ◆ *Estime* se spécialise au XVIe s. (1538) aux sens de «sentiment favorable né de la bonne opinion qu'on a de qqn» et de «sentiment qui attache de la valeur à qqch.», d'où *faire estime de qqn, qqch.* «estimer», archaïque, et *succès d'estime* (1870), toujours en usage. ◆ Un autre dérivé du verbe, **ESTIMABLE** adj., est archaïque au sens concret (XIVe s.) de «qu'on peut évaluer»; l'adjectif s'applique seulement aujourd'hui à ce qui est digne d'estime (XVIe s., av. 1560) et, par affaiblissement de sens, à ce qui a quelque valeur sans être remarquable (XIXe s.). ◆ **INESTIMABLE** adj., qui signifie d'abord (1377) «dont on ne peut faire l'estimation», est aussi utilisé (v. 1380) pour «qu'on ne saurait trop estimer» et aussi (fin XVIe s., Montaigne) «dont la valeur dépasse toute estimation».
ESTIMATION n. f. est un emprunt (1269) au latin *aestimatio,* du supin de *aestimare,* dont il conserve le sens, «évaluation»; le mot, employé (XVIe s.) pour «estime», a fourni le composé *sous-estimation* (ci-dessous). ◆ **ESTIMATIF, IVE** adj. signifie (1314) «qui concerne le jugement», spécialisé ensuite (1743, *devis estimatif*) pour «qui contient une estimation, en est le produit». ◆ **ESTIMATOIRE** adj., de même sens (XIIIe s., isolément; puis 1605), est didactique; ils sont tous deux dérivés savants du su-

pin de *aestimare.* ◆ **ESTIMATEUR** n. m., emprunt (1389) au latin *aestimator* du supin de *aestimare,* est vieilli au sens de «celui qui fait l'estimation d'une chose», moins courant que *expert;* l'ancien français utilisait *estimeur* (1349), dérivé de *estimer.* À partir de *estimer* ont été formés plusieurs verbes par préfixation. **SURESTIMER** v. tr. a d'abord (v. 1600, d'Aubigné) le sens d'«estimer hautement»; repris au XIXe s. (1872), il signifie «apprécier au-delà de sa valeur (qqch., qqn)», d'où **SURESTIMATION** n. f. (1867). ◆ **MÉSESTIMER** v. tr. (1556), de *més-,* est demeuré rare au sens d'«apprécier une chose au-dessous de sa valeur», qu'a pris **SOUS-ESTIMER** v. tr. (1898), contraire de *surestimer,* et qui a pour dérivé **SOUS-ESTIMATION** n. f. (1898). ◆ *Mésestimer* est d'emploi littéraire au sens figuré de «déprécier, méjuger» (av. 1613), comme les dérivés **MÉSESTIME** n. f. (1753) et **MÉSESTIMATION** n. f. (1870).

ESTIVAL, ALE, AUX adj. est un emprunt (1119) au latin impérial *aestivalis* «relatif à l'été», dérivé du latin classique *aestivus* «de l'été», de *aestas, -atis* qui a donné *été**.

♦ *Estival* conserve le sens du latin; il s'applique notamment aux vacances, aux plaisirs de l'été *(stations estivales).*

▸ Du pluriel masculin d'*estival* a été tiré au XXe s. **ESTIVAU** n. m. «alevin d'un été», terme de pisciculture. ◆ ① **ESTIVER** v. intr. est un emprunt au latin classique *aestivare* «passer l'été», dérivé de *aestivus;* attesté avant 1475 comme transitif (1520, *s'estiver*) pris au sens de «faire transhumer» (1521), le verbe signifie «faire passer l'été aux animaux dans des pâturages de montagne»; en emploi intransitif, il est emprunté (1574) au provençal *estivar* de même origine. ◆ ① **ESTIVAGE** n. m. (1856) en dérive ou est repris au provençal *estivage* «transhumance, pacage d'été» (1460, «droit de pacage estival»), dérivé de *estivar.* ◆ **ESTIVATION** n. f., terme de botanique (1819), est un dérivé savant du radical de *estiver.* Il équivaut à *préfloraison* et, en zoologie, désigne (1856) l'engourdissement de certains animaux pendant l'été. ◆ Le participe présent **ESTIVANT, ANTE** a été substantivé (v. 1920) et désigne une personne qui passe une partie de l'été dans une station de villégiature.

◈ voir ÉTÉ.

① **ESTIVER** → ESTIVAL

② **ESTIVER** v. tr., d'abord attesté au participe passé (1611, *estivé*), est un emprunt à l'italien *stivare* «disposer des marchandises dans la cale d'un navire, afin qu'elles tiennent le moins de place possible» (XIVe s.; 1268, en latin médiéval, à Gênes). Ce verbe italien vient du latin classique *stipare* «comprimer, entasser», de source indoeuropéenne, que l'on peut rapprocher du grec *stiphros* «serré» et de *steibein* «fouler» avec des corrélats en arménien et en lituanien, ainsi que de l'anglais *stiff* «raide»; son composé *constipare* a été repris en français (→ constiper).

♦ *Estiver,* terme de marine, conserve le sens de l'italien.

▸ Il a pour dérivés **ESTIVE** n. f. (1611), par exemple dans *charger* puis *mettre en estive,* et ② **ESTIVAGE** n. m. (1787), «action d'estiver».

① **ESTOC** n. m. représente (1176-1181) le déverbal de l'ancien français *estochier* (fin XIIe s.), puis *estoquer* (1er quart du XIIIe s.), emprunt au moyen néerlandais *stoken* «piquer, pousser» qui, comme le moyen bas allemand *stoken* «piquer», procède d'un francique °*stok* «souche, tronc d'arbre» (cf. allemand *Stock* «bâton»), du germanique °*stukkaz* de même sens.

♦ *Estoc,* d'abord dans *(ferir) d'estoc* «(frapper avec) la pointe de l'épée», a signifié «pointe de l'épée» (du XVe au XVIIe s.). Par emprunt de sens à l'ancien provençal *estoc* (v. 1300), il a désigné (1470) une épée longue et droite, d'où *coup d'estoc* et *armes d'estoc* «destinées aux coups de pointe». *Estoc* survit dans la locution ***frapper d'estoc et de taille*** «avec la pointe et le tranchant de l'épée» (1440-1475, *d'estoc et de taillant*); le mot français a été emprunté par l'italien *(stocco)* et l'espagnol *(estoque).* ◇ C'est l'ancien pluriel *estoz* ou *estotz* qui a donné *étau**.
Un second mot ② **ESTOC** n. m. est directement issu (1174-1176) du francique °*stock* «souche» dont il conserve le sens en ancien français. ◇ Il survit en sylviculture, dans ***blanc-estoc*** (1730), *blanc-étoc* (1751) «coupe complète d'une forêt» (auparavant *blanc-être*), surtout dans *couper à blanc-estoc* «à ras du sol» (1741). ◇ Par figure, *estoc* a signifié du XIIIe s. (1283) au XVIIe s. «origine d'une famille», employé dans de nombreuses locutions comme ***de haut estoc*** «de haute naissance» (1482); la locution ***de son estoc*** «de son propre chef» (1660) est elle aussi sortie d'usage.

▸ **ESTOQUER** v. tr. ne s'emploie plus depuis le XVIIe s. au sens de «frapper d'estoc». ◆ Le verbe a été repris en tauromachie (1900) par emprunt à l'espagnol *estoquear* (1494, lui-même de *estoquer*) pour «frapper (un taureau) mortellement d'un coup d'épée» et avec la valeur figurée (1903) d'«achever (un adversaire)».
ESTOCADE n. f. est une adaptation (1547; 1546, *estoquade*) de l'italien *stoccata* «botte portée avec la pointe de l'épée», dérivé de *stocco* «perche», «épée». ◆ Le sens repris de l'italien n'est utilisé qu'en escrime; celui de «grande épée» était en usage aux XVIe et XVIIe s. comme le verbe *estocader* (1584). ◇ Lié à l'idée de «coup imprévu», le mot s'est employé à l'époque classique (av. 1650) pour «demande d'argent que l'on n'est pas disposé à rendre». ◆ *Estocade,* par influence de l'espagnol *estocada* (de *estoquear;* cf. ci-dessus *estoquer*), désigne en tauromachie (1831, Mérimée) un coup porté avec la pointe de l'épée. *Porter l'estocade,* «achever», s'emploie au figuré comme *estoquer.*

◈ voir ÉTAU.

ESTOMAC n. m. est un emprunt d'abord attesté (fin XIe s.) en judéo-français, puis au milieu du XIIIe s. *(estomach)* et au XIVe s. pour la forme moderne, au latin *stomachus,* emprunt au grec *stomakhos* «gorge, gosier». Ce mot d'origine populaire désigne divers orifices et, en grec tardif chez les médecins, l'estomac. Il est dérivé de *stoma* «bouche» à rapprocher de l'avestique *staman-* «gueule» (→ stoma-, stomato-).

♦ Dans son premier emploi, le mot semble signifier comme en grec «orifice». C'est au XIIIe s. un terme anatomique qui désigne l'appareil digestif et ensuite la partie extérieure du corps qui correspond approximativement à l'estomac ; au XVe s., il équivalait à «poitrine» (apr. 1440) et, figurément (1461-1464), à «cœur» comme siège des sentiments, par exemple dans *de parfait estomac* «avec franchise». Les écrivains du XVIe s., sauf Rabelais, médecin, donnaient au mot le sens étendu de «poitrine», «cœur», et, le mot *poitrine* étant jugé vulgaire au XVIIe s., on emploie alors à sa place *estomac.* ◇ Du sens initial, et avec une précision croissante due à la distinction entre estomac, œsophage et duodénum, le mot prend sa valeur actuelle et s'applique aussi aux animaux. ◇ Dans la langue courante, il symbolise l'appétit, l'alimentation humaine et en général les valeurs transmises par *Messer* (maître) *Gaster,* chez Rabelais (→ gastro-). ◇ *Estomac* entre dans des locutions : ***avoir un estomac d'autruche*** (1751) «digérer n'importe quoi», d'après les mœurs alimentaires prêtées à cet oiseau, ***avoir l'estomac dans les talons*** (variante argotique disparue *avoir l'estomac dans les gadins,* 1898), ***avoir un creux à l'estomac*** «avoir faim», plus courant que ***avoir un trou à l'estomac; ça lui est resté sur l'estomac,*** qui équivaut à *il ne l'a pas bien digéré,* ***avoir l'estomac bien accroché*** «ne pas se laisser écœurer». ◆ Par ailleurs, du sens ancien de «poitrine», vient (1460) la valeur figurée de «courage» (cf. *cœur*), d'où en français moderne «aplomb» (1868), sens qui demeure dans les locutions ***avoir de l'estomac, manquer d'estomac, avoir qqn à l'estomac*** «l'intimider», et dans la locution adverbiale ***(faire qqch.) à l'estomac.*** J. Gracq a intitulé un essai critiquant les prix littéraires *La Littérature à l'estomac.*

▶ **ESTOMAQUER** v. tr. est un dérivé de *estomac* ou un emprunt au latin *stomachari* «avoir de la bile» et, au figuré, «s'irriter de qqch.», dérivé de *stomachus. S'estomaquer* v. pron. (1555) «s'irriter, s'affliger», aujourd'hui «s'étonner», est jugé familier par l'Académie (1694). Le sens de «frapper (qqn) à la poitrine» est sorti d'usage. ◆ Le participe passé **ESTOMAQUÉ, ÉE** adj. (1480) signifie «étonné, surpris».

ESTOMPE n. f. représente sans doute un emprunt (1666-1699) au néerlandais *stomp* «bout, chicot», mot qu'auraient employé des peintres néerlandais en France (cf. allemand *stumpf* «émoussé»).

♦ Le mot désigne un rouleau de papier ou de peau, terminé en pointe et utilisé pour étendre le crayon, le pastel sur un dessin. ◇ Par métonymie, il s'est dit d'un dessin fait à l'estompe (1835) ; par analogie, il équivaut à «ombre légère» (1858, Barbey d'Aurevilly).

▶ **ESTOMPER** v. tr., attesté au XVIIe s. (apr. 1666 et chez Félibien, 1676), avec la variante *stomper,* qui a disparu, signifie «ombrer avec l'estompe» puis «rendre moins net». Ce sens figuré apparaît d'abord au participe adjectivé **ESTOMPÉ, ÉE** (XVIIIe s.) puis à la forme active (1836). ◇ *Estomper* signifie aussi (fin XIXe s.) «atténuer» (un souvenir, un sentiment). Dans ce sens, le pronominal *s'estomper* est plus courant. ◆ Du verbe dérive **ESTOMPAGE** n. m., employé au propre (1860) et au figuré (1867).

ESTOUFFADE n. f. est une adaptation (1648-1652, Scarron, *étouffade*) de *estoffade* (1651), emprunt à l'italien *stof(f)ata* «cuisson de certaines viandes dans leur vapeur», participe passé substantivé de *stufare* «cuire à l'étuvée», de *stuffa* «fourneau». Ce dernier est issu d'un latin populaire *°extufa,* déverbal de *°extufare,* formé à partir de *ex-* et du grec *tuphein* «faire fumer, remplir de fumée» (→ étuve).

♦ Le mot, aujourd'hui régional (sud de la France), conserve le sens de l'étymon et, par métonymie, désigne le plat ainsi préparé. Il a été remplacé en français central par *à l'étouffée**.

ESTOURBIR v. tr. est probablement dérivé (av. 1828, peut-être 1815) de la forme alémanique *storb,* du participe passé de l'allemand *sterben* «mourir» (cf. allemand *gestorben* et, en argot français, *schtourbe,* adj., «mort») ; le verbe est encore répandu dans les dialectes en Bourgogne et en Suisse.

♦ *Estourbir* s'est dit pour «tuer» (1835) ; il s'emploie familièrement pour «assommer» et au figuré «étonner fortement» (cf. *estomaquer*).

① **ESTRADE** n. f. est un emprunt (v. 1450) à l'italien *strada* «route, voie» (1317-1321) [→ autostrade à **auto**], du bas latin *strata,* participe passé féminin substantivé du classique *sternere* «étendre, coucher à terre», d'où «paver» (*via strata* «chemin pavé») ; ce verbe se rattache à une racine indoeuropéenne *°ster-* «étendue», représentée dans plusieurs langues, comme le grec *stratos* (→ stratège). *Estrade* s'est substitué à l'ancien français *estree* (1080), issu de *strata.*

♦ Le mot est d'abord attesté dans un contexte militaire, dans la locution *aller à l'estrade* «parcourir les chemins en éclaireur». Le sens (1482) de «chemin, route» a lui aussi disparu, sauf dans des noms de lieux. ◆ Le mot ne subsiste que dans des locutions d'usage littéraire : ***battre l'estrade*** «courir les chemins» (1576), ***batteur d'estrade*** «éclaireur d'une troupe» (1611) et, par extension, «coureur d'aventures» (1611), qui ne sont plus comprises, ② **ESTRADE** (ci-dessous) étant le seul mot connu.

◈ voir **STRATE.**

② **ESTRADE** n. f. est un emprunt (1664) à l'espagnol *estrado* «salle de réception» (1280) puis «partie surélevée d'une salle, où l'on recevait des visites» (1er tiers du XIVe s.). Le mot est issu du latin *stratum* «assise», «pavage», «couverture de lit» et «lit», participe passé neutre substantivé de *sternere* «étendre sur le sol» (→ ① estrade).

♦ *Estrade* désigne en français un plancher surélevé de quelques degrés : dans le premier emploi, il s'agit d'une estrade dressée dans la chambre de la reine mère. Puis le mot désigne un plancher surélevé dans une salle, où se trouvent des personnes qui s'expriment (cf. *tribune*), jouent de la musique, des comédiens, etc.

ESTRAGON n. m. est une altération (1601) qui succède à *estargon* (1564), de *targon* (1539) emprunt au latin médiéval *tarcon, altarcon* (fin XIIe s.), qui correspond au grec médiéval *tarkon* (XIe s.) et au latin des botanistes *tarchon* (1538). Tous ces mots sont eux-mêmes empruntés à l'arabe *ṭarḫūn* (fin IXe s.), probablement du grec classique *drakontion* «serpentaire», «petit dragon», dérivé de *drakôn*, lequel a été emprunté par le latin sous la forme *draco, -onis* pour désigner divers animaux (→ dragon).

♦ *Estragon* désigne une variété d'armoise dont les feuilles sont utilisées comme condiment ; la plante est aussi appelée régionalement *dragonne, herbe dragon, gargon* et *serpentine*, ce qui renforce l'hypothèse étymologique de *draco*.

ESTRAMAÇON n. m. est un emprunt (1565, *en estramasson*) à l'italien *stramazzone* «coup donné avec le tranchant de l'épée» (1541), dérivé de *stramazzare* «renverser violemment», du préfixe *stra-* (du latin *extra-*) et de *mazza* «masse d'armes» (→ masse).

♦ Le mot, à la mode à la fin du XVIe s., s'oppose à *estocade**. *Estramaçon* désigne ensuite (1622) comme en italien (XVIe s.) une longue et lourde épée à deux tranchants, en usage du moyen âge au XVIIIe siècle. C'est aujourd'hui un terme d'histoire.

ESTRAPADE n. f. est très probablement un emprunt (1482) à l'italien *strappata* attesté seulement au XVIe s., participe passé substantivé de *strappare* «arracher» (XIVe s.), issu du gotique °*strappan* «attacher, atteler fortement». Ce mot avait abouti à l'ancien français *estraper* «enlever, emporter» (attesté v. 1250).

♦ *Estrapade*, comme *strappata*, désignait autrefois un supplice en usage dans la marine et dans l'armée, par lequel on laissait tomber plusieurs fois le condamné au bout d'une corde, après l'avoir hissé à un mât. Par analogie, le mot est devenu un terme de gymnastique (1690) tombé en désuétude, et un terme d'équitation : «ensemble de sauts par lesquels le cheval cherche à désarçonner son cavalier» (1690). ◇ Par analogie, le mot désigne en horlogerie (1836) un outil rotatif qui permet la mise en place des ressorts dans les barillets des montres, des pendules. ◇ Le mot se maintient dans la mémoire collective (avec son sens initial) grâce au nom de la *rue de l'Estrapade*, à Paris.

▶ Le dérivé **ESTRAPADER** v. tr., disparu au sens (1680) de «donner l'estrapade à (qqn)», est aussi un terme d'horlogerie (XXe s.).

ESTROPIER v. tr. est un emprunt (1529) à l'italien *stroppiare* «priver de l'usage d'un membre» (XIVe s.), issu par métathèse de *storpiare* (1300-1313). Ce verbe est probablement issu d'un latin populaire °*exturpiare* qui dériverait du classique *turpis* «laid, difforme» (→ turpitude) ou, selon P. Guiraud, d'un latin populaire °*stroppiare*, fréquentatif de °*stroppare* «ligoter», de *stroppus* «courroie, lien». Ce dernier est un emprunt au grec *strophos* «corde», d'où vient *etrope* (1311), terme de marine devenu *estrope* (1690).

♦ *Estropier* est introduit avec le sens de l'italien, qui s'est affaibli. Il correspond ensuite à «blesser les membres» et s'emploie surtout au pronominal. Il signifie au figuré (1585) «altérer le sens, la beauté de». Par analogie, il équivaut à «abîmer, détériorer» (av. 1850, *estropier un objet*), emploi rare.

▶ **ESTROPIÉ, ÉE** s'emploie comme adjectif (1529) et comme nom (1680) avec les sens du verbe, notamment au pronominal, mais il est plus usuel. ◆ **ESTROPIAT** n. m. «homme estropié» (1546, Rabelais) ou **STROPIAT** (1580) est sorti d'usage ou régional. ◆ **ESTROPIEMENT** n. m. (apr. 1550) est demeuré rare.

ESTUAIRE n. m. est un emprunt savant (XVe s. d'après Bloch et Wartburg) au latin *aestuarium* «endroit inondé par la mer à la marée montante», dérivé de *aestus* «chaleur brûlante» et «mouvement des flots», qui se rattache à une racine indoeuropéenne °*aidh-* «brûler» (→ été).

♦ Le sens repris au latin est aujourd'hui archaïque ; le mot est d'ailleurs rare avant le début du XIXe siècle ; il désigne alors par analogie (1838) une embouchure de fleuve formant une sorte de golfe profond et où les marées se font sentir.

▶ **ESTUARIEN, IENNE** adj. (1965), «relatif aux estuaires», est didactique.

◈ voir ÉTIAGE, ÉTIER.

ESTUDIANTIN → ÉTUDE

ESTURGEON n. m. est issu, d'abord sous la forme *sturgeon* (1059, dans un texte en latin médiéval), puis *esturjon* (1197) et enfin *esturgeon* (v. 1398), du francique °*sturjo*, restitué par l'ancien haut allemand *sturio* (cf. l'allemand *Stör*) ; on trouve les formes *sturio, sturgio* en bas latin (IXe s.).

♦ *Esturgeon* désigne un poisson de mer de grande taille qui pond dans les grands fleuves et dont les œufs, traités, forment le caviar.

ET conj., réfection graphique étymologique (XIIe s.) de *e* (842), est issu du latin *et*, conjonction de coordination utilisée pour unir deux mots ou deux phrases, pour exprimer l'opposition, le renforcement ; cette conjonction est fréquente en tête de phrases exclamatives ou interrogatives. *Et* est un mot d'origine indoeuropéenne, à rapprocher du grec *eti* «de plus, encore», du gaulois *etic* «et», du sanskrit *áti* «au-delà», ce qui semble être le sens initial de cette famille de mots.

♦ La conjonction française conserve ces valeurs. *Et* coordonne des éléments de la phrase (842) ou deux propositions (881) ; il se place (v. 980) en tête de phrase exclamative ou interrogative, avec une valeur emphatique et s'ajoute (1080) aux termes d'une énumération pour mettre en évidence un processus. *Et* s'est employé pour «ainsi que» (1276), ceci jusqu'au XVIIe siècle. Il peut relier deux éléments de nature différente. À l'époque classique, *et* peut se placer après un verbe séparant le pronom complément lié à un nom et aussi (1688) se substituer à l'antécédent d'une relative pour éviter de le répéter. ◇ *Et* a servi autrefois, dans les nombres composés, à joindre les unités au mot *dix* (*dix et sept*, remplacé par *dix-sept*) ; il relie aujourd'hui (dep. 1680) les unités aux autres noms de dizaines *(quarante, cinquante... et un)* ou encore *quart* et *demi* au nom de l'heure *(cinq heures et quart, et demie)*. ◇ En mathématiques et en logique, *et* est le symbole représentant l'intersection, le produit logique ; il peut alors être substantivé (la fonction *et*), ce qui se produit aussi en grammaire (un *et* et un *ou*).

-ET, -ETTE, suffixes diminutifs, sont issus du latin *-ittum, -ittam*, dont l'origine discutée est peut-être un thème en *-t-* de noms celtiques ; la terminaison *-ittu, -itta* se trouve sur des inscriptions de l'époque impériale, dans des noms de femmes *(Julitta, Gallitta)*.

♦ En français, ce type de diminutifs apparaît dans *La Chanson de Roland* (1080) ; les formations restent peu nombreuses avant le XVIe s., où les poètes de la Pléiade en créent abondamment, peut-être sous l'influence de l'italien. Le mouvement de formation s'interrompt aux XVIIe et XVIIIe s. pour reprendre à partir du XIXe siècle ; le diminutif, demeuré actif dans d'autres langues, comme l'italien, est alors emprunté par l'anglais, ce qui renforce sa productivité.

ÉTABLE n. f. est issu (v. 1155, *estable*) du latin populaire °*stabula*, pluriel pris pour un féminin singulier, du latin classique *stabulum* «endroit où l'on s'arrête» d'où «étape», «résidence», en particulier «auberge» et, dans la langue rustique, «étable, écurie, bergerie» et «abri». Ce mot représente une des formes nominales de *stare* (→ ① ester, stable) ; on retrouve dans d'autres langues indoeuropéennes ce type de formation se rapportant aux arrêts du troupeau quand il est au repos.

♦ Le mot s'est spécialisé en français ; écrit *étable* depuis le XVIIe s. (1636), il désigne le lieu où on loge les bestiaux, particulièrement les bovidés, alors qu'il s'est longtemps employé pour «écurie». De cet ancien usage venait la locution ***étable à tous chevaux*** «chose à tous usages» et spécialement «fille publique» (XVIIe s.), tombée en désuétude. ◇ *Étable* avait repris en ancien et moyen français des emplois latins : «auberge» (XIIIe s.), «demeure» (XVe s.), «hangar» (v. 1556), disparus au XVIIe siècle.

▸ Le dérivé **ÉTABLER** v. tr. (1080, *establer*), signifiant «loger (un animal) dans une étable», est sorti d'usage sauf régionalement.

ÉTABLIR v. tr., sous la forme *establir* (1080), est issu du latin *stabilire* «consolider, soutenir, affermir», dérivé de *stabilis* «ferme, solide», proprement «propre à la station droite» (qui a abouti à *estable*, refait en *stable**) [→ aussi étable]. Cet adjectif vient de *stare* «se tenir debout», qui se rattache à une racine indoeuropéenne °*sta-* «se tenir». La forme moderne — employée pour simplifier dans la suite de cet article — ne s'impose qu'après 1636.

♦ *Établir* est d'abord attesté au sens de «constituer, disposer d'une manière stable dans un lieu» (1080, dans un contexte militaire), sens encore courant en français moderne. ◇ C'est la valeur de «fonder, fixer» qui est dominante dans les emplois ultérieurs. Dans un contexte abstrait, *établir* signifie «fixer de manière durable» à propos d'une loi, d'une doctrine, etc., auxquelles on avait commencé à donner cours (v. 1155 ; aussi *il est établi que*), ou encore de la paix, de la liberté (v. 1175). ◇ Parallèlement le verbe a le sens de «fixer, indiquer (une date, un jour)» (v. 1155), puis au XIIIe s. (apr. 1250) de «décider». De ces valeurs vient l'emploi pour «donner un commencement à (qqch. qui doit durer)» (XVIIe s.), aussi au pronominal *s'établir* «prendre naissance», et aussi dans *un mot s'établit* «est reçu» (1647) ; mais *s'établir à* (et infinitif), «commencer à», est sorti d'usage. ➜ Par une autre extension, *établir* signifie «fonder sur des arguments solides (ce que l'on pense)», «faire apparaître comme sûr» : *établir un fait* (1690), *établir des principes* (apr. 1750). Enfin, à partir du XIXe s., le verbe s'emploie en comptabilité pour «rédiger» (1842, *établir un devis*).

Établir est usité également dès le XIIe s. (v. 1175) au sens de «placer (qqn) dans une fonction» (cf. *instituer*), puis signifie «mettre à demeure en un lieu (une personne)» (v. 1300), emploi vieilli qu'a remplacé *s'établir* (1627). Le verbe au pronominal se spécialise au sens de «se pourvoir d'un emploi» (1653, *s'établir à son compte*), le transitif (1680) étant sorti d'usage ; *s'établir* «se marier» (attesté 1694) est aujourd'hui régional et *avoir une fille à établir* est aussi marqué.

Avec la valeur concrète de «fonder», *établir* est en usage dès le XIIe s. (v. 1175, *établir une chapelle*) mais ne s'emploie plus que de façon restreinte ; *établir une boutique* (1690), par exemple, est sorti d'usage.

▸ **ÉTABLI** n. m., substantivation du participe passé, est d'abord attesté au féminin *(une establie)* avec divers sens liés au verbe : «règlement, ordonnance» (v. 1155), «troupe, compagnie» (v. 1165) encore en usage au XVIe s., «demeure, résidence» (v. 1180), etc. ◇ Le mot est aussi un terme de droit (v. 1283) au sens de «procureur chargé d'une affaire», emploi propre au moyen français. ➜ Il s'est spécialisé et a désigné une estrade, un bâti (v. 1200) puis un étal de marchand (v. 1460), à côté de *une établie* «boutique» (1260), ensuite un échafaud (1508). ◇ Le mot désigne aujourd'hui la table massive sur laquelle on dispose l'ouvrage dans certains métiers, d'abord en parlant d'un orfèvre (fin XIIIe s.), puis d'un menuisier, d'un serrurier, etc. Par analogie, il s'emploie pour la table des tailleurs (1690).

ÉTABLISSEMENT n. m. signifie d'abord «action d'établir, de fonder» (*est-*, 1155) et par métonymie «institution, fondation» (v. 1190). Le mot désigne ensuite le lieu où qqch., qqn est établi (1606 ; répandu au XIXe s.), puis s'étend à l'ensemble des installations pour le fonctionnement d'une entreprise et, par métonymie, à l'entreprise elle-même (1835). Avec la même valeur il désigne également ce qui est établi pour l'utilité publique (1685, *établissement scolaire*). Le mot s'emploie au pluriel (1698) pour «colonie, comptoir», mais il est sorti d'usage au sens d'«empire» (1723, *l'établissement romain*). ➜ Le mot a vieilli au sens d'«action de pourvoir qqn d'une situation, d'une position sociale» (1635, *établissement d'une fille*) qui correspond à un sens classique du verbe. ◇ *Établissement* prend aussi la valeur (1681) d'«action d'établir (des personnes), de s'établir en un lieu», en particulier dans le domaine militaire, d'où l'emploi en droit pour «domicile». ◇ Toujours à l'époque classique, il acquiert d'autres valeurs extensives du verbe : *l'établissement d'un fait* (apr. 1650), *d'une réputation* (1694). ➛ Avec une valeur métonymique, *établissement* signifie (1966) «les personnes en place», pour traduire l'anglicisme *establishment**.

RÉTABLIR v. tr. (v. 1120, *restablir*), formé avec le préfixe *re-*, a le sens général d'«établir de nouveau», dans les différents emplois de *établir*. Le verbe, écrit *restablir* jusqu'au début du XVIIe s. et *rétablir* (mil. XIIe s.), s'emploie en particulier (v. 1190) au sens de «remettre en bon état», devenu archaïque dans un contexte concret (XVIIe s., *rétablir une terre* «la remettre en valeur») et dans *rétablir le désordre* «y remédier» (1635) qui est dénoncé comme abusif dès le XVIIIe siècle ; il signifie spécialement (1678) «guérir» *(rétablir qqn)*, le pronominal étant plus courant, et s'emploie dans *rétablir un texte* (1690). *Se rétablir* est aussi un terme de gymnastique (1850) pour «reprendre son équilibre, notamment par une traction des bras». ➛ **RÉTABLISSEMENT** n. m. (1261, *restablissement* «restitution» ; forme moderne v. 1360), «action de rétablir», s'emploie spécialement pour «retour à la santé» (1694). ◇ Employé comme terme de gymnastique (1875), et plus courant en ce sens que le verbe, il désigne au figuré (XXe s.) un effort pour retrouver son équilibre. ➛ **PRÉÉTABLIR** v. tr. (1609), «établir d'avance (une chose abstraite)», est rare. ◇ L'adjectif participial **PRÉÉTABLI, IE**, plus courant, s'emploie en particulier, dans *harmonie préétablie*, pour désigner le système philosophique de Leibniz (1716, Fontenelle).

ÉTAGE n. m. est un dérivé (1080, *estage*) de l'ancien français *ester* «se tenir debout» (1080) et «se trouver (dans telle situation)» (→ ① ester).

♦ Dans son premier emploi, le mot a signifié «demeure» (1080), d'où par métonymie «séjour», «temps pendant lequel on sert qqn» (v. 1150), puis l'expression de droit féodal *lige étage* (v. 1283) ou *étage* (1249) «stage obligatoire du vassal à la résidence du seigneur». Il équivaut ensuite à «état, situation, condition» (v. 1135), sens qui reste dans l'expression ***de bas étage*** «de condition médiocre» (1704) et, par extension, «de mauvais goût» ; cette expression n'est plus comprise étymologiquement, mais comme métaphore de la hauteur. ➛ *Étage* prend dès l'ancien français le sens spécial, seul conservé en français moderne, d'«intervalle entre deux planchers d'un édifice» (v. 1155) ; le mot a désigné le plancher d'une maison (1538) et *premier étage* s'est employé pour le *rez-de-chaussée* (XVe s.) avant de désigner l'étage situé au-dessus (ou au-dessus de l'entresol) ; l'emploi ancien s'est conservé au Québec. Par analogie, *étage* s'est dit pour «rayon de bibliothèque» (1418) et «échafaudage» (v. 1450). ◇ Au figuré, le mot désigne chacun des plans d'un ensemble formé de parties superposées, d'où la locution figurée ***menton à double (triple) étage*** «formant deux (trois) bourrelets» (1680) et, en emploi abstrait, *sot, fou*, etc. *à triple étage* «triple fou» (1630), locution archaïque. ◇ Dans ce sens, *étage* a des emplois spéciaux (en géologie, en anatomie, etc.), d'où le composé didactique **SOUS-ÉTAGE** n. m. (1864) qui s'emploie en géologie, et aussi pour «végétation sous futaie».

▸ **ÉTAGER** v. tr. a eu le sens de «demeurer, résider» (mil. XIIIe s., *estagier*, infinitif substantivé). Au XVIe s., le sens de «placer à une certaine hauteur» est attesté isolément (1554) : *étager* ne prend qu'au XVIIe s. son sens moderne, «disposer par rangs superposés» (1680-1689). ➛ En dérive **ÉTAGEMENT** n. m., employé au propre (1864) et au figuré (1883). **ÉTAGÈRE** n. f. est probablement un emprunt à l'ancien provençal *estagiera* (1379), de *estatge*, de même sens qu'*étage* en ancien français. ◇ Le mot est attesté isolément en 1488 (*estagiere* «tablette de bois tenant au mur»), puis au début du XVIe siècle ; il est repris en 1800. Il entre dans la locution familière, d'abord argotique, ***étagère à mégots*** «oreille» (v. 1950), d'après l'habitude de certaines professions manuelles de garder un mégot sur l'oreille.

① **ÉTAI** n. m. apparaît sous la forme *estai* (v. 1080) et est issu de l'ancien saxon *staeg* «gros cordage destiné à soutenir un mât», avec influence de ② étai. ⟨G⟩

♦ *Étai*, terme de marine rare avant le XVIe s., conserve le sens de l'étymon.

② **ÉTAI** n. m. est relevé sous des formes nombreuses, mais dont chacune est attestée isolément, *estai* (v. 1193), *escai* (1266), *estaie* n. f. (1303), *atay* (1398), puis *étaie* n. f. (XVIIe s.), enfin *étai* en 1753 ; *estaie* ou *étaie* est la forme la plus répandue jusqu'au XVIIIe siècle. Le mot est issu du francique °*staka* «soutien», restitué par le moyen néerlandais *stake* «perche», le moyen haut allemand *stak* «perche» et «poteau» (cf. néerlandais *staeye*, allemand *stehen*), d'une base °*stak-* «pieu, piquet». ⟨G⟩

♦ Le mot désigne une pièce de charpente qui sert provisoirement de soutien à une construction. ◇ Il s'emploie parfois au figuré (1266) pour «aide, appui».

▸ Le dérivé **ÉTAYER** v. tr. s'emploie au propre (1213, *estaier*) et au figuré (1580) ; il s'écrit *étayer* au XVIIe s. (1690). ➛ Le nom d'action **ÉTAIEMENT** n. m. (1459, *estaiement ;* 1756, *étayement*) est un terme technique de construction, alors que **ÉTAYAGE** n. m. (1864) s'emploie aussi au figuré, notamment en psychanalyse (XXe s.).

ÉTAIM n. m. est issu (XIIe s., *esteim*) du latin *stamen, -inis*, qui désigne la chaîne du métier à tisser vertical ancien, le fil de quenouille, puis toute espèce de fil (→ étamine). C'est un emprunt au grec *stêmôn* «chaîne de tisserand», qui se rattache à une racine indoeuropéenne °*sta-* «être debout» (→ ① ester, étage, station).

♦ *Étaim*, terme technique, désigne la partie la plus fine de la laine cardée *(filer de l'étaim)* [→ étamine].

ÉTAIN n. m. est issu (v. 1220, *estains*) du latin *stagnum* (variante *stannum*) «plomb argentifère» et en bas latin «étain»; la forme *stagnum*, mieux attestée que *stannum*, n'apparaît pas avant Pline, selon lequel l'étamage serait une invention gauloise; il s'agirait donc d'un emprunt, mais d'origine incertaine, éventuellement gauloise.

♦ *Étain* «métal blanc grisâtre très malléable» désigne par métonymie (XVIe s., *eten*) un ensemble d'objets d'étain, puis un objet d'étain (*un étain*, 1870). Par métaphore, *d'étain* se dit de ce qui a la couleur de l'étain.

▶ **ÉTAMER** v. tr. est dérivé (v. 1245, *s'estamer;* 1260, *estamé*, au participe passé) de *estain, étain* avec substitution de *-am-* à *-ain-* par confusion de la terminaison avec des mots en *-am*, ce qu'attestent des formes dialectales de l'Est et des formes anciennes, et aussi par croisement avec *entamer*. ◇ Le verbe est d'abord attesté (v. 1245) au sens de «recouvrir», en parlant du corps, emploi figuré qu'il n'a pas conservé. ◇ Il signifie aussi «recouvrir (un métal) d'une couche d'étain», valeur qui s'est conservée, et s'emploie notamment en parlant d'un miroir (1690, «mettre le tain à [une glace]»). ➜ En dérivent les termes techniques **ÉTAMEUR** n. m. (1390, *entameur* [d'estain], probablement sous l'influence de *entamer;* attestation isolée; 1723, *estameur*) «celui dont le métier est d'étamer», **ÉTAMURE** n. f. (1508, altéré en *estimure;* 1611, *estameure*) et **ÉTAMAGE** n. m. (1743). ➜ Le composé **RÉTAMER** v. tr. (1870) signifie proprement «étamer de nouveau». Cet emploi est devenu difficile, à cause des sens figurés, d'origine populaire. Le verbe se dit au figuré familièrement pour «enivrer» (1900), acception vieillie, puis «démolir» (1920, «dépouiller au jeu»), ou encore «fatiguer, exténuer», notamment au passif et au participe passé. Cet emploi domine largement aujourd'hui. ◇ Du sens propre dérivent les termes techniques **RÉTAMAGE** n. m. (1870) et **RÉTAMEUR, EUSE** n. (1870), usuel et resté connu malgré le recul de ce type d'artisanat.

◈ voir TAIN.

◈ ✳ **ÉTAL, ÉTALS** ou **ÉTAUX** n. m. est issu (1080, *estal*) du francique °*stal* «position», «demeure» et «étable», reconstitué par le moyen néerlandais *stal* «position» et «table où l'on expose les marchandises dans les marchés publics», l'ancien haut allemand *stal* «position», l'allemand *Stall* «écurie, étable». Le latin médiéval *stallum*, formé d'après le français *estal*, est attesté depuis le XIe s. au sens d'«étal (de marchand)» (→ stalle).

♦ En ancien français, le mot a d'abord eu, comme l'étymon, le sens de «position» notamment dans des locutions militaires (1080, *remeindre en estal* «maintenir une position»). ➜ Depuis le XIIe s., par une spécialisation comparable à celle d'*échafaud, estrade* ou même *étage*, il désigne une table où l'on expose les marchandises dans les marchés publics (v. 1165); cet emploi, tombé en désuétude au XVIIIe s., a été repris après 1850. Au XIIIe s., le mot se spécialise plus encore et désigne (1285, *estaux aux bouchiers*) une table de bois sur laquelle les bouchers débitent la viande et par métonymie une boucherie (1393). La reprise du sens précédent conduit le français contemporain à préférer *étal de boucher* à *étal* seul, dans cet usage. Par analogie, *étal* se dit au XIXe s. d'une table sur laquelle le poisson est découpé, à bord des navires morutiers (1864). ➜ Le pluriel en *-aux*, homonyme de celui d'*étau*, a été remplacé par *des étals*.

▶ ① **ÉTALER** v. tr. apparaît vers 1200 sous la forme *astaler* avec les sens d'«assigner une place, installer», puis «prendre position pour le combat» (XIIIe s.), dérivés du premier emploi de *estal*. Le premier emploi moderne du verbe, correspondant à une valeur déjà ancienne de *étal*, est attesté au XIVe siècle : «exposer des marchandises à vendre», d'où la locution familière ***étaler sa marchandise*** «faire valoir ce qu'on a, ce qu'on fait» (1694). ◇ À la même époque, le verbe prend une valeur abstraite, pour «se montrer avec ostentation» (1376-1377, intr.); cet emploi subsiste avec la valeur péjorative de «montrer avec prétention, impudence», surtout au pronominal (1652); au XVIIe s., on disait *étaler ses charmes, ses attraits*, remplacé par ***faire étalage de***. ◇ *Étaler* signifie ensuite (1550, Ronsard, qui écrit *etaller*) «montrer», «déployer», spécialement «faire parade de (qqch.)» (*étaler ses richesses*) et «faire paraître (sur le théâtre)» (XVIIe s.), sens disparu. Le verbe prend (av. 1650) le sens de «montrer, exposer (ce qui était caché, inconnu)» (cf. *dévoiler*). ◇ Du premier sens spatial d'*étaler* est issu, à la fin du XVIIe s., l'emploi du participe passé en parlant d'une personne allongée avec nonchalance (1690, *étalé*), sens qui s'étend ensuite au pronominal *s'étaler* (1819). Parallèlement, le verbe actif commence à s'employer pour «disposer de façon à faire occuper une grande surface» (1798) : *étaler une carte, des papiers*, etc., d'où la locution ***étaler son jeu, ses cartes*** au propre et au figuré. Au début du XIXe s., le verbe s'emploie pour «étendre sur une grande surface en une couche fine» (1819). ◇ C'est à la même époque que *s'étaler* s'emploie pour «tomber» (1819). ◇ Au XXe s., *étaler* prend une valeur temporelle (1932) pour «répartir» (*étaler des paiements, les vacances*, etc.); cet emploi semble procéder de celui du dérivé *étalement* (ci-dessous).

ÉTALE est d'abord attesté comme adjectif pour caractériser (fin XIIe s.) la bière «reposée»; *cerveise [cervoise] estale* est probablement emprunté au moyen néerlandais *stelle cannebier*. C'est cinq siècles plus tard (1687) qu'on trouve *mer-etalle* «mer qui ne monte ni ne baisse», emploi qui s'est maintenu (aussi *vent étale*, 1773). ◇ Le mot est employé comme substantif au début du XVIIIe s. en parlant de la mer (av. 1707, *l'estale de la mer*). ◇ L'adjectif s'emploie par métaphore et au figuré (XXe s.) pour «calme, immobile, stationnaire». ➜ De cet adjectif dérive, à la fin du XVIIe s., un second verbe ② **ÉTALER**, terme de marine dans plusieurs emplois : 1678, intransitif, *étaler la marée;* 1867, *étaler une voie d'eau*, et intransitif «devenir étale».

ÉTALAGE n. m. apparaît dans le premier tiers du XIIIe s. sous les formes *estalaige* (1225) et *estalage* (1247); il correspond au latin médiéval *stallagium* «droit perçu sur les marchandises étalées» (1182-1183). ◇ D'abord attesté avec ce sens, *étalage* se dit ensuite (1247) de l'action d'étaler des marchandises et désigne par métonymie ces marchandises, le lieu où on les expose, avec par exemple le syntagme ***vol à l'étalage***. ◇ Par métaphore, *étalage* se dit depuis le XVIIe s. (1680) de l'action d'exposer, de déployer aux regards avec ostentation, d'où ***faire (grand) étalage de*** (un savoir, une possession) «montrer avec affectation, faire valoir» (1740). Dans ces emplois, comme dans les suivants, le rapport avec le verbe *étaler* est bien senti, ce qui n'est pas le cas en français contemporain pour le sens commercial du mot. ◇ *Étalage* était utilisé dans la langue classique avec une valeur figurée, dans des contextes concrets (1694, «toilette recherchée»). Toujours en rapport avec *étaler,* le substantif a enfin des emplois spéciaux en métallurgie (1755, au pluriel) et en ostréiculture. ➜ De l'emploi du mot en commerce dérivent **ÉTALAGISTE** n. «marchand qui expose sur la voie publique» (1801), aujourd'hui terme de droit, puis couramment «personne dont le métier est de composer des étalages» (1846), et **ÉTALAGER** v. tr. (1870), rare.

ÉTALEMENT n. m., dérivé de *étaler,* se dit d'abord (1609, au pluriel *estalemens*) du fait d'être exposé à la vue, et de l'action d'exposer à l'étal (1611, *estallement*), emplois disparus et repris par *étalage.* ◇ Le sens moderne, «action d'étaler (dans l'espace)», apparaît au XIXe s. (1864, Littré); le mot prend ensuite une valeur temporelle (1927), devenu usuelle, par exemple dans *l'étalement des vacances.* ➜ **ÉTALEUR, EUSE** n. s'est dit (déb. XVIIe s.) d'un commerçant qui propose sa marchandise dans les lieux publics et, spécialement, d'un bouquiniste (1650). Il s'est spécialisé au XIXe s. dans le domaine du textile (1864, *batteur-étaleur;* 1901, *étaleuse* n. f.).

ÉTALIER n. m., dérivé de *étal,* a d'abord désigné (1252, *estalliere;* dès 1260, *étalier*) un marchand qui tient un étal, au sens général du mot, puis, en particulier (1564, *estallier*), un boucher (en apposition, *garçon étalier,* 1798). Ces emplois sont aujourd'hui vieillis. ◇ Le mot s'emploie aussi (1757) pour désigner un barrage de filets disposés en demi-cercle, d'après le sens ancien d'*étal* «position».

DÉTALER v. intr., dérivé de *étal* par préfixation en *dé-,* a d'abord eu le sens de «retirer de l'étal, de l'étalage» (1553), qui ne s'est pas maintenu. ◇ Peut-être dans le contexte de la vente illégale (cf. l'emploi récent de *à la sauvette*), le verbe a pris rapidement (1583) le sens figuré de «s'en aller au plus vite» (cf. *décamper*), familier et usuel.

◈ ① **ÉTALON** n. m. est issu (v. 1211, *estalon*) du francique °*stallo* «cheval gardé à l'écurie», dérivé de *stall* «écurie» (→ étal et stalle), conservé par l'italien *stalla.* Le francique a pour correspondant le latin *stabulum* (→ étable).

♦ Le mot français désigne (v. 1211) un cheval entier destiné à la reproduction, d'où le sens de «reproducteur mâle» (1538; 1864, *âne étalon*). Il s'emploie par analogie en arboriculture *(arbre-étalon)* et familièrement pour «homme ardent aux plaisirs» (1611).

► Le mot a deux dérivés. ➜ ① **ÉTALONNER** v. tr. (1611; 1606, *estellonner*), «couvrir une femelle» (spécialement, une jument), est un terme technique. ➜ **ÉTALONNIER, IÈRE** adj. et n. «celui qui s'occupe des étalons», attesté isolément au XVIe s. (1567), est repris au XIXe s. pour désigner (1861) un propriétaire d'étalons et seulement au XXe s. (1932) dans son sens originel de «palefrenier qui s'occupe des étalons». Le mot est aussi adjectif (dep. 1870).

② **ÉTALON** n. m. apparaît sous la forme *estalon* ◈ (v. 1180, variante *estelon*), dérivé de l'ancien français *estal* ou *estel* «pieu, poteau» (fin XIIe s.). Ce dernier est issu du francique °*stalo* ou °*stelo,* restitué par le moyen néerlandais *stale* «pieu, poteau», *stele* «manche, tige», le néerlandais *stel.*

♦ Le mot, d'abord attesté avec le sens de «poteau» qu'il n'a pas conservé, désigne au XIVe s. (1340-1341) un baliveau de l'âge de la dernière coupe. Au début du XVIIe s. (1606), il prend le sens technique de «cheville reliant deux pièces de bois enchâssées dans des mortaises» et désigne une pièce de bois posée à terre sur laquelle les charpentiers tracent l'épure d'une charpente (aussi *ételon*). ➜ Au début du XIVe s. apparaît le sens aujourd'hui courant de «modèle légal de mesure; représentation matérielle d'une unité de mesure» (1322). Son origine est incertaine. Cette acception apparaît en latin médiéval (*stalonnus,* 1275; *stalo,* 1282); le moyen néerlandais *stael* «échantillon, modèle» permet de supposer un étymon francique °*stalo* «modèle de mesure», dont les rapports avec °*stalo* «pieu, poteau» ne sont pas éclaircis. P. Guiraud postule l'identité des deux mots : °*stalo* «pieu» aurait pu évoluer vers le sens de «jauge», «bâton gradué», l'*étalon* (de mesure) étant «le modèle à partir duquel on reproduit la mesure», comme l'*étalon* (cheval) est le «reproducteur de la lignée». ◇ *Étalon* «modèle légal de mesure» se dit spécialement (XIXe s.) du métal sur lequel est fondée la valeur d'une unité monétaire (1846, Balzac) : *étalon-or, étalon-argent.* ◇ Au figuré, le mot est un synonyme littéraire de *modèle, archétype* (déb. XXe s.).

► De ce sens, courant, de ② **ÉTALON** dérive ② **ÉTALONNER** v. tr., d'abord «vérifier (une mesure) par comparaison avec un étalon» (1390, *estalonner*) puis par extension «graduer (un instrument) conformément à l'étalon» (1690) : *étalonner un appareil de mesure.* ➜ Du verbe dérivent **ÉTALONNAGE** n. m. (1458, *estalonnage*), **ÉTALONNEMENT** n. m. (1540) et le terme technique **ÉTALONNEUR, EUSE** n. (1636, masculin).

ÉTAMBOT n. m. représente une altération de *estambor* (1573), *estambord* et *étambord* (1643; forme encore attestée au début du XIXe s.), adaptation de l'ancien nordique °*stafnbord* «bord de l'étrave», mot composé de *stafn,* qui a donné *étrave*,* et de *bord* «bord (d'un bateau)».

♦ *Étambot* désigne une pièce de construction qui s'élève à l'arrière du navire et porte le gouvernail, et par analogie, en aviation (XXe s.), l'extrémité du fuselage portant le gouvernail.

① **ÉTAMINE** n. f. est emprunté (1160-1174, *estamine*), par l'intermédiaire d'une forme °*stamina,* au latin médiéval *staminea* «chemise en laine portée par les moines». Il s'agit du féminin substantivé de l'adjectif *stamineus* «garni de fil» (cf. l'italien *stamigna,* l'espagnol *estameña,* l'ancien provençal *estamenha*), dérivé du latin classique *stamen, -inis* (→ étaim).

♦ *Étamine* désigne, à partir du XIIe s., un tissu léger de laine ou de coton qui servait en particulier à la confection d'un vêtement porté par les moines. Aujourd'hui, c'est un terme technique, qui désigne une étoffe légère et souple dont la tissure est très lâche. ◇ Par extension, le mot s'applique (v. 1393) à une étoffe peu serrée dont on se sert pour tamiser, d'où la locution figurée ***passer (qqn, qqch.) à l'étamine, par l'étamine*** «soumettre (qqn, qqch.) à un examen sévère, à une épreuve» (av. 1553); la locution s'est employée du XVIe au XVIIIe s. en parlant de personnes soumises à une épreuve et spécialement atteintes d'une maladie, en particulier de la syphilis (1752, «passer entre les mains des chirurgiens pour une maladie vénérienne»). Cet emploi a disparu et la locution elle-même est archaïque. ◇ Le mot a pris aussi le sens spécial (1765) de «canevas utilisé en tapisserie».

▶ Le dérivé **ÉTAMINIER, IÈRE** n. (1301, *estaminiere* n. f.), repris en 1752, a désigné couramment jusqu'au XIXe s. un fabricant d'étamine (cf. *camelotier*).

② **ÉTAMINE** n. f., emprunt (av. 1690) au latin scientifique *stamina* d'époque impériale, est un pluriel neutre du classique *stamen, -inis* «fil, filament» (→ étaim). Il a été francisé sous l'influence de ① étamine*.

♦ *Étamine* désigne, en botanique, l'organe mâle producteur de pollen chez certaines plantes, formé d'une partie allongée *(filet)* supportant un partie renflée *(anthère)*.

◈ **ÉTANCHER** v. tr., d'abord *estanchier* (v. 1100), est d'origine discutée. Une hypothèse s'appuie sur l'existence d'une famille de mots représentée dans tous les pays romans : italien *stancare* «lasser», espagnol *estancar* «arrêter le cours de l'eau», ancien provençal *estancar* «arrêter, fermer», catalan *tancar*, sarde *tancare* «fermer», et les adjectifs italien *stanco* «las», ancien français *estanc* «desséché, las», ancien provençal *estanc* «épuisé, faible», roumain *sting* «gauche». Cette série supposerait un latin populaire °*stanticare* «arrêter, retenir», dérivé de *stans, stantis*, participe présent de *stare* «se tenir debout, immobile; être stable» (→ ① ester), d'où l'idée d'arrêter, de barrer. Selon une autre hypothèse, les formes préfixées de cette famille pourraient supposer un latin populaire °*extancare*, issu du radical *-tank-* «fermer», peut-être pré-latin, qui procéderait d'un mot indoeuropéen °*tanko* «fixer», apparenté à certaines formes celtiques. P. Guiraud avance pour sa part un roman °*stannicare*, reconstruit d'après la forme *stannum*, variante de *stagnum* «plomb, étain» (→ étain), qui serait un doublet de *stagnare* «rendre solide, consolider»; le sémantisme du plomb pourrait avoir évoqué l'idée de souder ainsi que la valeur métaphorique de lourdeur (physique et morale) (cf. le latin *plombeus* «insensible», «lourd», «stupide» et l'italien *mano stanca* «main de plomb, lourde, maladroite», d'où «main gauche»). Le sens d'«arrêter» et, en particulier, «arrêter l'écoulement d'un liquide» correspondrait au latin *plumbare* «souder avec du plomb».

♦ Le verbe français est d'abord attesté pour «apaiser (la soif) en buvant», avec le syntagme *étancher la soif* (1258). Au milieu du XIIe s., le verbe signifie aussi «arrêter l'écoulement de (liquide)» (v. 1150, du sang) d'où, par métonymie, «supprimer (une ouverture)» (1736, *étancher une voie d'eau* [sur un navire]). ◇ À la même époque, *étancher* est aussi attesté au sens de «s'arrêter de lassitude» (v. 1155) d'où «fatiguer, épuiser» (v. 1170), valeur disparue après le moyen français. Avec la valeur d'«arrêter», le verbe a eu divers emplois : «consoler» (XIIIe s.), «éteindre (un feu)» (v. 1250) jusqu'au XVIe s., «faire cesser (la guerre)» (v. 1530), «mettre un terme à (un discours)» (XVIe s.). ➛ Au XVIIe s., il prend le sens technique de «rendre étanche» (1690, Furetière), dérivé alors de l'adjectif au sens de «sec».

▶ Du verbe dérive le nom d'action **ÉTANCHEMENT** n. m. (fin XIIIe s., *estanchement;* 1538, *estanchement de soif*), aujourd'hui rare; le mot est sorti d'usage au sens de «fait de rendre étanche» (1874). ➛ **ÉTANCHEUR** n. m. (1611, *estancheur*) est dérivé du sens technique de *étancher*, ainsi que **ÉTANCHOIR** n. m. (1763).

ÉTANCHE adj. apparaît sous la forme *estanche*, féminin de l'ancien français *estanc, estanch* (v. 1150, «épuisé»), encore attesté au XVIIIe s., déverbal de *estanchier* au sens de «s'arrêter, cesser». ➛ Il est attesté avec le sens de «tranquille» (v. 1250, *vie estanche*), qu'il n'a pas conservé, et se dit à la même époque de ce qui ne laisse pas passer l'eau (XIIIe s., *estancque*), auparavant dans *plaie estanche* (XIIe s.) «qui ne saigne plus», et surtout, par la suite, en parlant de bateaux (1394). C'est cette valeur qui l'a emporté; dans certains syntagmes, comme *cloison étanche* (1873, au figuré, «séparation stricte»), l'adjectif a pris la valeur figurée de «qui sépare absolument» ou «qui est strictement séparé, isolé». ◇ L'emploi substantivé du mot, *une étanche*, apparaît au XIVe s. (1341), employé spécialement en marine (1694, *à l'étanche* [d'eau]). ➛ **ÉTANCHÉITÉ** n. f. a été dérivé (1865) d'après les dérivés d'adjectifs en *-é* au sens de «caractère de ce qui ne laisse pas passer les liquides».

Enfin **ÉTANG** n. m. (v. 1380, *estang; étang*, v. 1460) provient de *estanc*, issu de *estanchier* «arrêter l'eau», dans le sens littéral d'«étendue d'eau dont les bords arrêtent l'écoulement» (v. 1120). À la différence des autres dérivés du verbe, *étang* est complètement «démotivé» et rien ne trahit son origine. ➛ Le mot désigne une étendue d'eau en terre ferme, moins vaste et moins profonde que le lac.

ÉTANÇON n. m. est probablement dérivé (v. 1195, *estançon*), par suffixation en *-on*, de l'ancien français *estance* «action de se tenir debout», au figuré «situation, relation, rapport» (v. 1175), attesté au XVe s. au sens technique d'«étai». *Estance* est lui-même dérivé du participe présent de *ester* (→ ① ester).

♦ *Étançon*, terme technique, a conservé le sens de «pièce de bois qu'on met pour soutenir un mur» (attesté v. 1195). Au XVIIIe s., le mot est employé par analogie en agriculture (1753, *etanson*) pour désigner une pièce de la charrue et en imprimerie (1794, *étançon d'une presse*); ce sens a disparu.

▶ Le dérivé **ÉTANÇONNER** v. tr. se dit d'abord au propre (v. 1195) pour «soutenir (un mur) avec des étançons», puis au figuré (v. 1223) pour «soutenir par des preuves» (cf. *étayer*). ◆ Du verbe dérive le terme technique **ÉTANÇONNEMENT** n. m. (*estanchonnement,* 1396).

ÉTANCE n. f. (1460, *estance;* XVIIe s., forme moderne), dérivé régressif de *étançon,* a désigné en marine une épontille consistant en une pièce de bois équarrie (→ étai).

ÉTANG → ÉTANCHER

ÉTAPE

ÉTAPE n. f. est l'altération (1396, *estappe*) de l'ancien français *estaple* (1272), emprunt au moyen néerlandais *stapel* «entrepôt où les marchands apportaient leurs marchandises pour les vendre». La forme ancienne s'est conservée dans le nom de ville *Étaples.*

♦ C'est avec ce sens que le mot est d'abord attesté; il a disparu (1489-1491, à propos de Calais) de même que l'acception «ville de commerce» (XVe s.) et des expressions comme *temps des étapes* «époque où se tient la foire» (1423). ◇ Par analogie, le mot s'est employé aussi (1546, Rabelais) au sens de «magasin de vivres destinés à l'armée» et par métonymie pour «approvisionnement» (apr. 1550); au XVIIe s., il désigne (1636) les vivres et les fourrages distribués aux troupes en marche, ravitaillement qu'assuraient les *étapiers* (mot attesté en 1671). *Étape,* avec ce sens, est employé dans la locution militaire *brûler l'étape* (1706, on disait aussi *faire cuire l'étape*) d'où vient ***brûler les étapes*** «poursuivre un rythme rapide» (déb. XXe s.). ◇ De cet emploi vient le sens moderne de «halte temporaire», attesté à la même époque (mil. XVIIIe s.) dans le vocabulaire militaire (Voltaire, 1766) et dans le vocabulaire courant (Rousseau). *Étape* désigne ensuite (1833) la distance entre deux lieux d'arrêt, en particulier en sports (1870; *course par étapes*). ◇ Le mot s'emploie couramment au figuré (seconde moitié du XIXe s.), en parlant d'une évolution, au sens de «point important» et de «période».

ÉTAT

ÉTAT n. m. est un emprunt, d'abord sous la forme *estate* (1213) puis *estat* (v. 1370), au latin classique *status* «action de se tenir» et «position, situation», de *stare* «se tenir debout», qui se rattache à une racine indoeuropéenne °*sta-* «être debout» (→ ① ester, stable). En latin, *status* était souvent associé à *civitas* et à *imperium,* et a pris tardivement le sens de «forme de gouvernement»; dans le vocabulaire juridique du bas latin, le mot est employé au sens de «situation d'une personne»; en latin médiéval, *status* signifie aussi «inventaire» (XIIIe s.) [→ statut]. Toutes ces acceptions du latin, reprises en français, sont liées par l'idée de «manière d'être». *Status* avait abouti en ancien français à *esté* (v. 1180) «hauteur, longueur» et «dignité, rang», également «stature, taille» (XIIIe s., *droit en son esté* «debout»).

♦ *État (estate)* désigne d'abord la manière d'être d'une personne, tant sur le plan physique que moral. Dans ce sens, il s'oppose aujourd'hui à *devenir, évolution* et s'emploie dans de très nombreux groupes lexicalisés et locutions. Ainsi, dans le contexte médical, où le mot employé seul a désigné (v. 1560) le moment d'une maladie où les symptômes sont les plus intenses, emploi disparu, on trouve des associations de mots comme ***état général, être dans un état grave, être en bon (mauvais) état*** (1625); dans l'ordre moral ou intellectuel, on relève ***état d'esprit, état d'âme*** «disposition des sentiments», qui s'utilise péjorativement au pluriel *(avoir des états d'âme),* la pluralité impliquant ici l'instabilité; ***état de conscience*** s'emploie en psychologie; ***état de grâce, état de péché*** (1690) sont des termes de théologie comme ***être en bon état*** «dans l'état de grâce» (XVIIe s.), sorti d'usage. *État,* conçu comme situation psychologique, correspond à une sorte de milieu changeant, et l'on dit ***être dans tel ou tel état*** et notamment ***dans tous ses états*** (1864), avec une idée d'instabilité et d'intensité («très agité»). Cette expression, depuis 1980, est reprise à propos de diverses abstractions, avec contamination d'autres emplois, notamment scientifiques (*la philosophie,* etc. *dans tous ses états*).

Depuis l'ancien français (début du XIIIe s.), *état* désigne la manière d'être d'une chose, notamment dans des expressions comme ***en état*** «dans son état normal» (1380, *tenir les choses en état*), ***en l'état*** «dans l'état antérieur», ***à l'état*** (et adjectif) «sous la forme» et par ailleurs ***état du ciel*** (1690). Dans ce sens, *état* a de nombreux emplois spéciaux en science; on peut signaler *état de fluidité* (1765), *d'ébullition* (1775), *de dilatation, de fusion, de liquéfaction* (1776), puis *état liquide, solide* (1781), *gazeux* (1863); *état cristallin* (1829), *amorphe* (1856); *état élastique* (1803), parmi d'autres syntagmes. ◇ Le mot désigne aussi l'ensemble des caractères d'un objet de pensée *(état des connaissances).* ◆ Depuis le *Roman de la Rose* (1285), le mot s'emploie à propos de la situation sociale et professionnelle d'une personne; ce sens est très vivant à l'époque classique *(choisir un état)* et on emploie encore ***de son état*** suivant un substantif: *il est médecin de son état.* ◇ D'autres emplois ont disparu: «train de maison» (apr. 1350), «métier, profession» (XIVe s.) et par métonymie «gages, appointements» (1373). ◇ Par extension, *état* signifie sous l'Ancien Régime (dep. 1376) «condition politique et sociale», spécialement dans ***les trois états*** «la noblesse, le clergé et les roturiers», ces derniers étant désignés par ***Tiers-État*** (fin XIVe s.) [→ tiers]. Ces emplois relèvent aujourd'hui de l'histoire, comme *les états* (1549), qui se disaient des députés représentant les trois ordres, d'où ***États généraux*** (1606) «assemblée des cours plénières», et ***pays d'États*** «provinces qui, réunies tardivement à la couronne, avaient encore une assemblée des trois états au XVIIIe s.» (par exemple la Bretagne, la Provence). ◇ Le mot, qui s'est employé pour «situation dans la société, position» (fin XIVe s.), d'où ***être au-dessus de son état*** (mil. XIXe s.), a désigné spécialement la condition noble (1440-1475), puis une position élevée (1721), ainsi que la façon de se vêtir propre à une position sociale (XIVe s.); ces acceptions ont disparu.

Par métonymie du sens initial, *état* désigne (1467) un écrit qui contient une situation à un moment donné, d'où *état de pension* (de la maison du roi), et aujourd'hui ***état de frais, état de situation*** (1824),

états de services, *état de lieux*, puis ***état des lieux*** «description, inventaire».
Un sens spécialisé a eu une fortune particulière et constitue une unité lexicale à part entière. *État*, aujourd'hui écrit avec une majuscule, est utilisé depuis la fin du XIVe s. (v. 1500) pour désigner un groupement humain soumis à une même autorité, puis (1549) l'autorité souveraine qui s'exerce sur l'ensemble d'un peuple et d'un territoire. Il entre alors dans de nombreux syntagmes et locutions. ***Affaire d'État*** «qui concerne l'État» (1580) s'emploie au figuré (XVIIe s.) pour «affaire grave». On peut signaler encore ***homme d'État*** (1640) et aujourd'hui ***femme d'État; secrétaire d'État*** (1549, in *F. e. w.*); ***chef d'État, chef de l'État*** (déb. XIXe s.) ont une valeur institutionnelle précise. ◇ ***Coup d'État*** a désigné (1598) une action utile au bien de l'État et se dit aujourd'hui (v. 1800) d'une conquête du pouvoir par des moyens illégaux; ***crime d'État*** (1643) «tentative pour renverser les pouvoirs établis» a aussi le sens figuré (1667) de «faute grave». ***Raison d'état*** «considération d'intérêt public invoquée pour justifier une action illégale» (1609) s'emploie au figuré pour «prétexte justifiant une action». ***Être (former,*** etc.) ***un État dans l'État*** signifie «acquérir une autonomie au sein d'un État». ◇ Le mot s'emploie ensuite plus précisément au sens (1640) de «forme de gouvernement», valeur reprise du latin médiéval ou venant de l'influence de l'italien *stato*, employé en ce sens depuis le XIVe s. (1300-1313, Dante). ◇ Les dérivés directs de *état* (ci-dessous) relèvent de cette valeur du mot.
À partir du XVIe s., on trouve aussi *état* sans majuscule, en droit (1549) à propos de ce qui distingue l'individu dans la société et la famille (nationalité, parenté, etc.); on dit aujourd'hui ÉTAT CIVIL (1756), également pour le service public qui dresse les actes constatant ces faits. ◇ Au XVIIIe s., le mot prend le sens large de «manière d'être des hommes en société», spécialement dans ***état de nature, état naturel*** pour désigner dans plusieurs théories politiques, notamment celles de Diderot, de Rousseau, la situation hypothétique de l'homme avant toute vie sociale. ◆ À côté de ces divers emplois, où *état* désigne une situation de fait sociale, qu'elle soit individuelle ou collective, juridique ou constitutionnelle, le mot a, surtout depuis le XVIe s., des valeurs plus abstraites, souvent réalisées par des locutions. Ainsi ***faire état de,*** employé avec un substantif, a signifié (1554) «agir comme», c'est-à-dire «faire exister une situation»; ce sens a disparu et l'expression a eu à l'époque classique une autre valeur (1540), «se proposer de» *(faire état de venir)*. Du XVIe au XVIIIe s., *faire état d'une somme* signifie «compter sur elle» et *faire état de qqch.* (1554), plus généralement «lui donner de l'importance» (cette valeur a vieilli au profit de *faire cas de*...). Enfin l'ambiguïté de l'expression a été réduite et *faire état de qqch.* signifie aujourd'hui «prendre en considération, évoquer, parler de». ◇ Avec la même valeur pour *état* «situation de fait», l'expression ***en état de*** correspond (fin XVIe s.) à «capable de» et s'oppose à ***hors d'état de*** «incapable» (1643). ◇ La même valeur très large se réalise, à partir du XVIIIe s., dans des locutions comme ***état de cause,*** en droit, «état d'avancement d'une instance judiciaire», ***en tout état de cause*** (XVIIIe s., Rousseau) «dans tous les cas»; ***état de chose(s)*** «circonstance (s)» (v. 1800).
◇ *État* est aussi employé (XIXe s.) comme terme scientifique (physique, chimie) au sens de «manière d'être des corps, résultant de la plus ou moins grande cohésion des cellules» (*état solide, liquide; état pur; état naissant,* 1852). ◇ D'autres spécialisations en font un terme technique (1864, *les états successifs d'une gravure*).

▶ Ce n'est qu'à la fin du XIXe s. qu'apparaissent des dérivés du mot, tous liés à *État* «autorité souveraine». ◆ ÉTATISME n. m. (v. 1880) désigne la doctrine politique qui préconise l'extension du rôle de l'État et correspond à des emplois du type *socialisme d'État* (1890), etc. ◇ De *étatisme* vient ÉTATISTE adj. et n. (1883, Vallès) et le composé ANTIÉTATISME n. m. (1924), après ANTIÉTATISTE adj. et n. (1902, Péguy). ◆ ÉTATISER v. tr. (1905) «transformer en administration d'État», «faire gérer par l'État», s'est imposé devant ÉTATIFIER v. tr. (1916). ◇ Ce verbe a pour dérivé ÉTATISATION n. f. (1926). ◆ ÉTATIQUE adj., attesté en 1903 (Péguy), sert d'adjectif à *étatisme*.
Le composé ÉTAT-MAJOR n. m. (1676, Bloch et Wartburg) vient de *état* «inventaire» et de *major** «principal». Le mot a désigné autrefois la liste des officiers supérieurs d'une armée; il se dit ensuite (1718) de l'ensemble des officiers attachés à un officier général (cf. *quartier général*) et, dans la marine (XVIIIe s.), des officiers d'un navire, par opposition à l'équipage; par métonymie, *état-major* désigne le lieu où se tient l'état-major (1842). En France, *carte d'état-major* (XIXe s.), «carte de France au 1/80 000 établie par les services de l'état-major», se dit par analogie de cartes à petite échelle. ◆ Par analogie, le mot désigne (1845) l'ensemble des collaborateurs immédiats d'un chef et (1864) l'équipe dirigeante d'un groupe.

ÉTAU n. m. apparaît au XVIe s. sous la forme plurielle *estotz* (1515), puis au singulier *estau* (1550). Le mot représente le pluriel de *estoc* (→ ① estoc); les formes *étoc* et *estoc* se rencontrent jusqu'au XVIIIe siècle. Le nom vient du fait que l'étau était le plus souvent monté sur un poteau de métal (cf. l'allemand *Schraubstock*).

♦ Le mot désigne une presse composée de deux tiges de métal ou de bois, terminées par des mâchoires qu'on rapproche pour assujettir l'objet à travailler. L'*étau* est souvent assujetti à l'établi. ◇ Par métaphore, le mot est employé dans les locutions figées : ***être pris, serré comme dans un étau*** «dans une situation dangereuse, dont on ne peut sortir», ***avoir le cœur dans un étau,*** etc.

ET CAETERA ou **ET CETERA** loc. et n. m. inv. est emprunté (1458) au latin médiéval *et cetera* «et les autres choses», formule usuelle dans les textes juridiques médiévaux, composée du latin classique *et* «et» (→ et) et de *cetera*, neutre pluriel de *ceteri* «tous les autres», lui-même pluriel de *ceterus* «qui reste, restant». Ce mot se rattache à un dérivé du thème du démonstratif indoeuropéen °*e-*, °*i-*, d'où viennent également *iterum, idem, is, ipse,* etc. (→ en, même, réitérer, y).

♦ L'expression signifie en général «et le reste»; elle est d'usage plus courant, à l'écrit, sous la forme abrégée *etc.* (1511). ◇ L'emploi substantivé du mot apparaît au XVIe s., avec la locution proverbiale aujourd'hui sortie d'usage : *Dieu nous garde d'un et caetera de notaire.*

ÉTÉ n. m. représente l'aboutissement, d'abord sous la forme *ested* (1080, *Roland*) puis *esté* (v. 1140), du latin *aestatem,* accusatif de *aestas* «été» (n. f.), qui semble issu par haplologie d'une forme °*aestitas* «été», et se rattache à une racine indoeuropéenne °*aidh-* «brûler» (→ édifier, édile, estival, estuaire, éther). Le genre masculin du mot en français est probablement dû à celui des autres noms de saisons.

♦ Le mot désigne usuellement la saison qui, succédant au printemps, précède l'automne. ***L'été de la Saint-Martin*** (1721; 1611, *été Saint-Martin*) désigne une période de beaux jours, en automne; une période analogue s'appelle au Canada ***l'été des Indiens*** ou ***l'été indien.*** ◇ Par analogie, le mot se dit au figuré (XVIe s., isolément; puis XVIIIe s.), dans un usage très littéraire et quelque peu archaïque, de la vie humaine, avec le sens de «période de la maturité» *(l'été de la vie, de l'âge).*

ÉTEINDRE v. tr., sous la forme *esteindre* (1130-1140), représente l'aboutissement du latin populaire °*extingere,* du latin classique *exstinguere* «faire cesser de brûler» et «effacer, faire cesser» (→ extinction), d'origine obscure. *Exstinguere,* non soutenu par un verbe simple, a été supplanté par d'autres mots dès l'époque latine. Ainsi, par euphémisme, on disait *ignem tutare* «calmer, apaiser le feu» (→ tuer).

♦ Les principaux sens, repris du latin, apparaissent au XIIe siècle. Le verbe est d'abord attesté avec une valeur concrète «faire cesser de brûler ou d'éclairer» (1130-1140) puis abstraite «atténuer, faire cesser» (v. 1160), qui s'applique aux sens, aux sentiments *(éteindre le désir, sa flamme).* Dans un emploi littéraire, il s'applique aux couleurs et aux sons (comme *effacer, étouffer*), et enfin à des notions abstraites *(éteindre l'enthousiasme). S'éteindre,* «s'affaiblir, mourir doucement», est attesté en 1165 (Chrétien de Troyes) puis par euphémisme signifie «mourir». ◇ Au figuré, *éteindre* s'emploie pour «faire se terminer les effets», notamment dans *éteindre une dette* (1690).

▸ Le nom d'action **ÉTEIGNEMENT** n. m. (déb. XIIIe s., *estignement*) est peu usité. ◆ **ÉTEIGNEUR, EUSE** n. (d'abord *esteingnour,* v. 1306; repris en 1611, puis en 1834) a désigné une personne chargée d'éteindre les lumières *(éteigneur de réverbères);* il s'emploie aussi au figuré. ◆ **ÉTEINT, EINTE** adj., du participe passé (fin XIIe s.), est d'abord attesté avec une valeur abstraite, s'appliquant à un sentiment qui a perdu sa vivacité, puis à ce qui est sans éclat, fané (v. 1460). Il qualifie aussi ce qui ne brûle plus (XIIIe s.), d'où par analogie *chaux éteinte* (1690), opposé à *chaux vive.* ◇ Enfin, il s'emploie pour parler d'une personne sans force (fin XVIIe s.). ◆ **ÉTEINTE** n. f., d'abord *estainte,* a signifié «fait de s'éteindre (en parlant d'une famille)» (1408), puis s'est dit (1740) de l'état de ce qui s'éteint, cesse d'être entendu *(éteinte de voix;* cf. *extinction);* il est sorti d'usage. ◆ **ÉTEIGNOIR** n. m. (1552) désigne un objet creux en forme de cône dont on se servait pour éteindre les bougies d'où, par comparaison, *en éteignoir* «en forme de cône, pointe en haut» et *éteignoir* «nez» en argot (1802), emploi disparu. ◇ Le mot s'emploie au figuré (XVIIIe s.) à propos de ce qui arrête l'élan de l'esprit, de la gaieté, et *un éteignoir* désigne un rabat-joie (cf. dans le même registre *bonnet de nuit*).

voir EXTINCTION.

ÉTENDARD n. m. est issu (1080, *estendart*) du francique °*standhard* «stable, fixe», «inébranlable» (→ standard), composé de *stand* «action de se tenir debout» et de *hard* «dur, ferme» (cf. l'allemand *hart,* l'anglais *hard,* de même sens); l'étendard d'une armée, au moyen âge, était en effet souvent fiché en terre pendant la bataille, en un lieu où tous les combattants pouvaient le voir. Bloch et Wartburg avancent l'hypothèse d'un étymon de même nature, mais composé de *stand,* impératif du verbe francique °*standan* «être debout», et de l'adverbe °*hardo* «ferme». On a aussi rapproché le mot de *étendre**, du latin *extendere,* de *tendere* (→ tendre).

♦ *Étendard* «signe de reconnaissance et de ralliement» s'emploie d'abord dans le contexte exclusif de la guerre, désignant aussi (v. 1160) par métonymie l'homme qui sert de signe de ralliement; comme enseigne militaire, il sera concurrencé par *drapeau.* Au XVIIe s., le mot s'applique aussi à la marine (1678, *estendart*); il désigne alors le pavillon d'un navire *(étendard des galères).* ◇ C'est dans ses emplois figurés qu'il est en usage aujourd'hui; il se dit (XIIe s.) pour «signe de ralliement», «symbole d'un parti, d'une cause» *(l'étendard de la liberté)* et entre dans les locutions ***lever, arborer, brandir l'étendard de (qqch.)*** «pratiquer ouvertement (qqch.)» (1676), *lever l'étendard de la révolte* «se révolter» (1798).

▸ Le composé **PORTE-ÉTENDARD** n. m. inv. (1680), du verbe *porter,* désignait la personne qui porte l'étendard (cf. *porte-drapeau, porte-enseigne,* à *drap, enseigne*), puis (1718) une pièce de cuir attachée à la selle du cavalier pour soutenir la hampe de l'étendard.

ÉTENDRE v. tr. est issu (déb. XIIe s., *estendre*) du latin *extendere* «étendre, élargir», de *ex-* à valeur intensive et de *tendere* «tendre à», qui se rattache à une racine indoeuropéenne °*ten-* «tendre, étirer» (→ tendre).

♦ *Étendre* a d'abord le sens de «déployer dans sa longueur, dans sa largeur», dans le temps (déb. XIIe s.) et dans l'espace (v. 1165), en parlant d'une partie du corps, d'une chose. Par extension, le verbe signifie (v. 1165) «coucher (qqn) de tout son long» et en particulier «renverser (qqn) à terre». ◇ Il prend ensuite (1283) le sens de «rendre (qqch.) plus long, plus large», «donner plus d'importance (à qqch.)». ◇ De l'idée de «renverser» proviennent des emplois familiers au sens de «tuer» (v. 1165) et aussi au XXe s. d'«éliminer» (1929, *se faire étendre à un examen*).

▶ Le participe passé **ÉTENDU, UE** (XIIe s.) est adjectivé. ➜ Le nom d'action **ÉTENDAGE** n. m. (1756) est un terme technique, comme les dérivés **ÉTENDOIR** n. m. (1687), **ÉTENDEUR, EUSE** n. (1765), d'emploi rare, et **ÉTENDERIE** n. f. (1870).

ÉTENDUE n. f., participe passé féminin substantivé (1404, *estendue*), a éliminé *estente, étente*, employé du XIIe au XVIe s. et issu d'un participe passé féminin °*extendita* du verbe latin. ➜ *Étendue* désigne (1404) la portion d'espace qu'occupe un corps. Le mot s'emploie en philosophie (XVIIe s.) pour désigner le fait d'être situé dans l'espace et d'en occuper une partie, et (XVIIe s.) l'espace visible, occupé par qqch., sens aujourd'hui courant. ◇ *Étendue* s'emploie par analogie (1664) pour «durée» *(l'étendue de la vie)*, et, dans l'ordre abstrait, équivaut (1656) à «ampleur, longueur» *(l'étendue d'un discours, d'un phénomène)*.

◈ voir **IN-EXTENSO**.

ÉTERNEL, ELLE

ÉTERNEL, ELLE adj. et n. m., d'abord *eternal* (v. 1175) puis *éternel* (XIIIe s.), est un emprunt au latin chrétien *aeternalis* «qui est hors du temps, sans commencement ni fin», dérivé du latin classique *aeternus*, lui-même issu de la forme archaïque *aeviternus* «qui dure toute la vie», «éternel» (opposé à *mortalis*). Cet adjectif provient de *aevus* «temps» (→ âge) considéré dans sa durée, opposé d'abord à *tempus* qui se disait d'un aspect ponctuel de la durée.

♦ *Éternel* conserve le sens du latin, notamment dans le vocabulaire religieux et philosophique; par extension, l'adjectif s'applique à ce qui tient à la nature de Dieu (*les choses éternelles*, opposé à *temporelles*). *L'Éternel* désigne Dieu (v. 1530; v. 1460, *Père Éternel*) et ce qui a valeur d'éternité; la locution familière ***devant l'Éternel*** (*pécheur, voyageur*, etc. *devant l'Éternel*) vient de l'expression biblique *Nemrod, grand chasseur devant l'Éternel* (Genèse, 10,9). ◇ Par affaiblissement de sens, *éternel* s'applique couramment (v. 1550) à ce qui semble ne pas évoluer, d'où par exemple la locution ***l'éternel féminin***, et à ce contre quoi le temps ne peut rien (v. 1650, *le salut éternel*). L'adjectif signifie aussi «qui dure très longtemps» (XVIIe s., *douleur éternelle*) ou «ne s'interrompt pas» (1835; v. 1550, au singulier) dans ***neiges éternelles***. La ***ville éternelle*** (1734) désigne Rome. ◇ Par hyperbole, *éternel* signifie «qui ne semble pas devoir finir» (XVe s.; cf. *interminable*) et, en particulier, «ennuyeux par sa longueur» (XVIIe s.); souvent précédé d'un adjectif possessif, l'adjectif s'applique (1707) à ce qui se trouve continuellement associé à qqch., qqn *(avec son éternel parapluie)*.

▶ **ÉTERNELLEMENT** adv., dérivé du féminin (v. 1175, *eternaument*; forme moderne, v. 1265), a suivi la même évolution sémantique que l'adjectif.

ÉTERNITÉ n. f. est emprunté (v. 1175, *eternitez*) au latin classique *aeternitas* «ce qui n'a ni commencement ni fin», dérivé de *aeternus*. ➜ Avec le sens du latin, le mot s'emploie surtout dans un contexte religieux. Il désigne ensuite (1646) une durée illimitée dans l'avenir, une durée ayant un commencement mais pas de fin (1647) et, dans le vocabulaire religieux (1648), la vie future. ◇ Encore au XVIIe s., le mot équivaut à «gloire immortelle» (déb. XVIIe s.) dans un contexte profane et, par hyperbole, signifie «temps fort long», notamment dans les locutions ***de toute éternité*** «depuis toujours» (1671) et ***il y a une éternité*** «très longtemps» (XVIIIe s.).

ÉTERNISER v. tr. est un dérivé savant (1544) du latin classique *aeternus*, signifiant d'abord «rendre éternel» puis (v. 1550) par hyperbole pour «prolonger indéfiniment». ◇ *S'éterniser* se dit pour «durer trop longtemps» (1764) puis «demeurer trop longtemps» (1801).

ÉTERNUER

ÉTERNUER v. intr. est issu, d'abord (XIe s.) sous la forme *esternuder* puis (1176-1181) *esternuer*, du latin impérial *sternutare* «éternuer souvent» (→ sternutation), fréquentatif de *sternuere* «éternuer», mot d'origine expressive qui apparaît sous diverses formes dans les langues indoeuropéennes. ◈

♦ *Éternuer* a conservé le sens du latin. Le verbe sert à former la locution argotique ***éternuer dans le sac, dans le son, dans la sciure*** «être exécuté en ayant la tête tranchée», métaphore horrible, née dans le discours populaire et gouailleur de la Révolution (1793). ◇ Le verbe s'emploie par analogie, comme *tousser*, en parlant de ce qui fait un bruit semblable à un éternuement (par exemple un moteur).

▶ Du verbe dérive le nom d'action **ÉTERNUEMENT** n. m. (dernier tiers du XIIIe s., *esternuement*), beaucoup plus usuel que **ÉTERNUEUR, EUSE** n. (1839) «personne qui éternue fréquemment».

ÉTÉSIEN

ÉTÉSIEN adj. m. est un dérivé savant (1542) du latin *etesiae*, masculin pluriel, du grec *etêsioi*, sous-entendu *anemoi*, proprement «(vents) qui reviennent chaque année», de *etos* «année», mot d'origine indoeuropéenne. Un premier emprunt avait fourni (1531) *vents étésies*.

♦ Cet adjectif didactique qualifie les vents du Nord qui soufflent dans la Méditerranée orientale pendant l'été.

ÉTÊTER → TÊTE

ÉTEUF

ÉTEUF n. m. apparaît au début du XIIIe s. sous les formes *estuef* (1202), *estue, estuet*; il s'écrit ensuite *estueuf* (v. 1380) puis *esteuf* chez Villon (v. 1460). Le mot est peut-être issu du francique °*stôt* «balle»; mais le néerlandais *stoet* n'a pas d'équivalent dans les autres langues germaniques. ◈

♦ *Éteuf* désigne une petite balle dont on se servait pour jouer au jeu de longue paume. Le mot a été employé dans des locutions comme ***renvoyer l'éteuf*** «renvoyer la balle» et, au figuré, «riposter» (1580), et ***courir après son éteuf*** «prendre beaucoup de peine pour recouvrer un bien qui vous échappe» (XVe s.). Le mot, par ailleurs archaïque, désigne par analogie (1907) la boule d'étoupe placée à la pointe d'un fleuret.

◈ **ÉTEULE** n. f. représente (1202, *esteule*) une variante picarde de *estoble* (fin XIe s.) ou *estuble, stuble* (1120), issu du bas latin *stupula*, variante de la forme classique *stipula* «tige des céréales, chaume, paille» (d'où l'ancien provençal *estobla*, l'italien *stoppia*). Ce mot est à rapprocher de termes indoeuropéens signifiant «être raide, compact», comme le verbe *stipare* (→ constiper), le vieux slave *stĭblĭc*, le russe *steblo* «tige de plante».

♦ *Éteule* et ses variantes ont conservé le sens technique du latin et désignent le chaume qui reste sur place après la moisson.

◈ voir **ÉTIOLER.**

ÉTHANE → ÉTHYLE

① **ÉTHER** n. m. est un emprunt ancien (v. 1120, *ethere*) au latin *aether* «air subtil; milieu aérien» puis «ciel», lui-même emprunt au grec *aithêr* «région supérieure de l'air». Le mot est sans doute une création faite par opposition à *aêr* (→ air), à partir du verbe *aithein* «brûler, être en feu». Ce verbe peut être rattaché à une racine indoeuropéenne °*aidh-* exprimant la notion de «brûler», mais avec des applications très diverses (éclat du feu, clarté solaire, [→ été], etc.).

♦ Repris en français avec le sens du grec, *éther* désigne poétiquement l'air le plus pur, les espaces célestes. En philosophie, *éther* s'applique au fluide céleste que l'on pensait baigner la Terre et son atmosphère. ◆ Au XVIIe s., le mot prend en physique (1668) une valeur théorique : il transmet l'hypothèse d'un milieu subtil imprégnant tous les corps et dont les vibrations, sous l'action d'une source lumineuse, seraient responsables des phénomènes optiques. Encore au début du XXe s., le mot s'emploie dans une théorie purement ondulatoire de la lumière, mais avec une valeur métaphorique, la théorie de l'éther correspondant à l'état de la physique aux XVIIe et XVIIIe s., puis au XIXe s. aux hypothèses de la théorie ondulatoire de la lumière; les découvertes d'Einstein rendent après 1905 cette hypothèse inutile.

▸ Dans ce sens, *éther* a des dérivés littéraires. **ÉTHÉRÉEN, ENNE** est d'abord attesté comme substantif pour «habitant de l'éther» (1506) puis comme adjectif (1583, *plaine éthéréenne*); le mot, didactique et littéraire, s'appliquait au monde des sentiments purs (chez Baudelaire, *régions éthéréennes; L'Art romantique,* 1867). ◆ Il est aujourd'hui remplacé par ① **ÉTHÉRÉ, ÉE** adj., emprunt savant (fin XVe s.) au latin *aethereus* (grec *aithêrios*), de *aether;* l'adjectif qualifie d'abord ce qui est de la nature de l'éther (*la voûte éthérée* «le ciel») et au figuré (*voix éthérée,* 1794) ce qui est pur, céleste.

② **ÉTHER** n. m. vient du même étymon que ① *éther.* L'Allemand G. Frobenius emploie dès 1730 l'adjectif latin *aethereus* dans *spiritus aethereus* pour désigner un composé très volatil, un «esprit éthéré». *Éther* est la francisation (1734, Duhamel et Grosse), d'après ① *éther*, de ce terme. Au XIXe s., dans la chimie d'après Lavoisier, le mot désigne tout composé volatil résultant de la combinaison d'acides avec des alcools. Ce sens était apparu au XVIIIe s. (1756). Puis on distingue les *éthers-sels* (appelés plus tard *esters**) et les *éthers-oxydes* qui ont gardé le nom d'*éther.*

La plupart des dérivés du mot dans ce sens ont vieilli. ② **ÉTHÉRÉ, ÉE** adj., dans *liqueur éthérée* (1742), correspond au sens ancien de *éther* (Frobenius); l'adjectif a au XIXe s. le sens de «relatif à un éther». ◆ **ÉTHÉRIFIER** v. tr. (1823), d'où **ÉTHÉRIFICATION** n. f. (attesté plus tôt, 1815), a coexisté avec **ÉTHÉRISER** v. tr. (1838). ◆ Seul un composé, *éthyle**, s'intégrera à la chimie moderne avec ses propres dérivés.

Cependant, *éther* entre dans l'usage commun pour désigner ce que l'on appelait *éther sulfurique* (c'est un *ester*), liquide incolore très volatil à odeur forte, utilisé commercialement comme solvant et surtout en médecine et pharmacie pour ses propriétés antiseptiques, anesthésiques, etc. ◆ Les dérivés de ce sens sont restés vivants, notamment **ÉTHÉROLÉ** n. m. (1831) [suffixes *-ole* et *é*] terme de pharmacie, **ÉTHÉRISER** v. tr. «faire inhaler des vapeurs d'éther» (1850), employé au figuré en 1852 (Nerval), et **ÉTHÉRISATION** n. f. (1855), ces deux mots ayant une autre valeur en chimie ancienne (ci-dessus). ◆ **ÉTHÉRISME** n. m. (1850) désigne l'intoxication par l'éther. ◆ À la fin du XIXe s. ont été formés **ÉTHÉROMANE** adj. et n. (1890, Larousse), de *-mane,* «(personne) qui fait usage de l'éther comme stupéfiant», et **ÉTHÉROMANIE** n. f. (1890) «accoutumance à l'éther».

◈ voir **ÉTHYLE.**

ÉTHIQUE n. f. et adj. est un emprunt savant, d'abord comme substantif (v. 1265), au latin impérial *ethica* «morale» (en tant que partie de la philosophie), lui-même emprunt au grec *êthikon,* neutre substantivé de *êthikos* «qui concerne les mœurs, moral». Comme adjectif (1553), le mot est emprunté au latin *ethicus* «qui concerne les mœurs, moral», également du grec *êthikos.* Le terme grec est un dérivé de *êthos* «manière d'être habituelle, caractère» et «mœurs», mot conservé en grec moderne et qui, comme *ethnique**, se rattache à une racine indoeuropéenne °*swedh-*, °*swe-*, °*se-* indiquant ce qui existe de manière autonome, ce qui a une existence propre (cf. les pronoms *se, sui*... [→ se, soi]).

♦ Le mot est introduit comme terme de philosophie pour désigner la science de la morale et, par métonymie, un ouvrage traitant de cette science (*L'Éthique,* de Spinoza). L'adjectif est l'équivalent didactique et littéraire de *moral.*

◈ voir **ETHNIQUE, ÉTHOLOGIE; BIO- (BIO-ÉTHIQUE).**

✳ **ETHNIQUE** adj. est un emprunt savant (XIIIe s., *etnique,* substantif) au latin chrétien *ethnicus* «païen», «gentil», lui-même emprunt au grec *ethnikos* «de la nation, de la race» et, à l'époque chrétienne, «païen». Le mot a servi à désigner les Gentils, par opposition aux Hébreux. *Ethnikos* est dérivé de *ethnos* «groupe», «nation», «peuple», qui se rattache, comme *éthique**, à la racine indoeuropéenne °*swedh-*, °*swe-*, °*se-* (→ se, soi), indiquant ce qui existe de manière autonome, ce qui a une existence propre.

♦ Le mot, écrit depuis le XVIe s. avec le *th-* étymologique, est employé, du XIIIe au XVIIIe s., avec le sens latin de «païen». ◇ Au milieu du XVIIIe s., reprenant un des emplois du grec comme terme linguistique, l'adjectif se dit de ce qui sert à désigner une population (1752, *mot ethnique*); de là vient le sens du substantif (1864) «dénomination d'un peuple». ◇ Par extension, l'adjectif qualifie (1874) ce qui est relatif à l'ethnie (cf. *racial*); cette dernière acception est aujourd'hui dominante.

▸ L'adjectif a pour dérivé **ETHNIQUEMENT** adv. (1955).

ETHNIE n. f. est un dérivé savant (1896) du grec *ethnos* au sens de «classe d'êtres d'origine et de condition communes»; le mot désigne un ensemble d'individus qui ont en partage un certain nombre de caractères de civilisation, notamment linguistiques; il tend à remplacer certains emplois abusifs de *race*, mais reste didactique.

ETHNO- est un élément entrant dans la composition de termes didactiques, notamment en sciences humaines. Il a servi à former deux noms de science. ➛ **ETHNOLOGIE** n. f. est attesté en 1787 (A. C. Chavannes, Académie de Lausanne) pour désigner l'étude des «divers corps de communautés». Le mot désigne aujourd'hui la science des groupes humains, notamment des groupes sociaux appartenant aux civilisations pré-industrielles; cette valeur se dégage après 1870, avec les travaux, en français, de Durkheim et de M. Mauss. ◇ En dérivent **ETHNOLOGIQUE** adj. (1839), d'où **ETHNOLOGIQUEMENT** adv. (1874), et **ETHNOLOGUE** n. (1870).

ETHNOGRAPHIE n. f., attesté en 1819 dans le dictionnaire de Boiste, est considéré comme rare par les recueils de la première moitié du XIXe siècle. Le mot a d'abord désigné le classement des peuples d'après leurs langues; au cours du XIXe s., surtout après 1870, la répartition entre *ethnographie*, étude descriptive des divers groupes humains, et *ethnologie* (plus ancien) précise le sens des deux mots. Leur contenu, par rapport à *sociologie* et à la valeur récente de *anthropologie**, n'est pas toujours clairement délimité. ➛ En dérivent **ETHNOGRAPHIQUE** adj. (1823) et **ETHNOGRAPHE** n. (1827) qui, antérieurs à *ethnologue* et *ethnologie*, ont évolué après l'apparition de ces derniers.

Le développement des sciences humaines au XXe s. a conduit à étudier le rôle du groupe social dans divers domaines, d'où la composition de termes d'emploi didactique en **ETHNO-**, comme *ethnobiologie, ethnobotanique, ethnolinguistique, ethnomusicologie*, etc. (→ ethnocentrique et ethnocentrisme à **centre**; ethnopsychiatrie à **psych(o)-**). ➛ Enfin, **ETHNOCIDE** n. m., formé (v. 1970) d'après *génocide*, concerne la destruction d'une civilisation propre à un groupe ethnique.

ÉTHOLOGIE n. f. est composé (1611) du grec *êthos* «mœurs» (→ éthique) et de *-logie*. En latin impérial, *ethologia*, emprunté au grec, avait le même sens que *éthopée* n. f., terme de rhétorique, emprunt savant (1671, *ethopeie*) au bas latin *ethopoeia* «portrait, caractère», lui-même du grec *êthopoiia* «description des mœurs ou du caractère», composé de *êthos* et de *poiein* «faire».

♦ *Éthologie* est d'abord attesté avec le sens de «morale; traité sur les mœurs», aujourd'hui remplacé par le terme didactique **ÉTHOGRAPHIE** n. f. (1819) «étude descriptive des mœurs». *Éthologie* a eu, par emprunt à l'anglais *ethology* (1843, Stuart Mill), l'acception de «science des caractères et de leur formation» (cf. *caractérologie*). ◇ Le mot se dit depuis Geoffroy Saint-Hilaire (1849) de la science des comportements des espèces animales dans leur milieu naturel, seul sens aujourd'hui vivant.

▸ **ÉTHOLOGIQUE** adj. (1599) a été repris au XIXe s., avec le sens moderne de *éthologie*, comme **ÉTHOLOGISTE** n. (v. 1950), précédé par **ÉTHOLOGUE** (1829). ◇ *Éthologie* se dit aussi pour **ÉCO-ÉTHOLOGIE** n. f., composé (1970) à partir de *éco(logie)*, après l'expression *écologie éthologique* (1969).

✳ **ÉTHYLE** n. m. est composé (1840) du radical de *éther**, servant à former des noms de produits chimiques, et du suffixe *-yle*, du grec *hulê* «bois», puis «matière», mot d'origine inconnue.

♦ Le mot désigne, en chimie, un radical monovalent formé de carbone et d'hydrogène ($C_2\ H_5$), susceptible d'être isolé et entrant dans de nombreux composés organiques, par exemple l'alcool ordinaire. C'est ce dernier emploi spécial qui a donné naissance aux dérivés d'usage général (ci-dessous).

▸ Par ailleurs, le mot a des dérivés techniques. ① **ÉTHYLIQUE** adj. (1850) signifie «qui contient le radical éthyle», notamment dans *alcool éthylique*. ➛ **ÉTHYLÈNE** n. m. (1867), formé avec le suffixe *-ène* indicatif des carbures d'hydrogène, désigne un gaz incolore composé de carbone et d'hydrogène; d'où **ÉTHYLÉNIQUE** adj. (1859), employé notamment dans *carbures éthyléniques*.

Éthyle entre comme élément de composition dans de nombreux termes de chimie, parmi lesquels: **ÉTHYLAMINE** n. f. (1850; de *amine*), désignant des corps reconnus plus tard comme des dérivés de l'éthane; **ÉTHYLBENZÈNE** n. m. (XXe s.); **ÉTHYLCELLULOSE** n. f. (mil. XXe s.).

Au sens d'«alcool», *éthyle* a servi à former deux dérivés passés dans l'usage général: **ÉTHYLISME** n. m. (1890, Larousse), synonyme plus savant d'*alcoolisme*, et ② **ÉTHYLIQUE** adj. et n. (1890). ➛ Récemment, on a formé **ÉTHYLOMÈTRE** n. m. (1982), proposé pour remplacer *alcootest* ou *alcooltest*.

De *éthyle* au sens chimique provient, par substitution de suffixe, **ÉTHANE** n. m. (1880) désignant un hydrocarbure saturé, gaz très combustible qui fournit l'éthylène et l'acétylène, d'où son importance technique et industrielle. ➛ *Éthane* a servi à former le mot **ÉTHANOL** n. m. (1910) «alcool éthylique», notamment lorsque cet alcool d'origine végétale est utilisé comme carburant.

ÉTIAGE n. m. est un dérivé irrégulier (1783) de **ÉTIER** n. m. (1312, *estier*; 1400, *ester*), mot encore usité dans l'ouest de la France, de l'embouchure de la Loire à la Gascogne, et qui désigne un petit canal reliant la mer à un marais salant (cf. le toponyme *Létier*, Loire-Atlantique, Morbihan). *Étier* est issu du latin *aestuarium* «endroit inondé par la mer à marée montante, lagune» (→ estuaire).

♦ Le niveau de l'eau d'un *étier* étant variable, son dérivé *étiage* signifie «niveau qu'atteint une rivière aux plus basses eaux, à partir duquel on mesure ses crues» (1783); le mot se dit par extension du niveau minimal atteint par un cours d'eau, au moment de la baisse périodique. ◇ Il s'emploie ensuite au figuré (fin XIXe s.) pour «niveau le plus bas».

ÉTINCELLE n. f. apparaît, d'abord sous la forme *estencele* (fin XIe s.), puis *estincele* (v. 1200). Le mot représente l'aboutissement du latin populaire °*stincilla,* issu par métathèse du latin classique *scintilla* «étincelle», mot d'origine expressive (→ scintiller). La forme *estincelle* puis *étincelle,* d'abord localisée en Picardie et dans le nord-est de la France, s'est généralisée.

♦ Du sens propre de «parcelle incandescente» sont issus des emplois métaphoriques, notamment à propos du regard *(jeter des étincelles),* et figurés (XVe s.) en parlant d'une manifestation vive et brève (d'intelligence, de génie). Des locutions comme ***c'est l'étincelle qui a mis le feu aux poudres*** et ***faire des étincelles*** «accomplir un exploit» ne sont employées qu'au figuré. La seconde semble issue des milieux sportifs (1926, chez les cyclistes).

► Le dérivé **ÉTINCELER** v. intr. (1155, *estenceler* «briller») est aujourd'hui rare au sens propre de «jeter des étincelles»; le verbe s'emploie pour «briller» (en parlant du soleil, d'un astre) et «produire un vif éclat» (1530), le plus souvent en parlant des yeux. Il est rare au figuré à propos de choses abstraites (1669). ➛ Du verbe dérivent **ÉTINCELLEMENT** n. m. (1119, *estencelement*) et **ÉTINCELANT, ANTE** adj. (v. 1265), participe présent, dont le sémantisme est analogue à celui du verbe, s'appliquant par exemple au regard (*prunelle estincellante,* 1650). ➛ Enfin **ÉTINCELAGE** n. m. (1908), d'abord écrit *étincellage,* a été formé en chirurgie, pour désigner un procédé de destruction de tissus par un courant électrique puis, en mécanique, un procédé d'abrasion.

ÉTIOLER v. tr. est probablement dérivé (1690, pron.) d'une variante dialectale de *éteule*;* sont attestées *étieuble* en Bourgogne, *équiole* en Champagne, mais pas *étiole.*

♦ Cette origine s'expliquerait par la forme de l'éteule décolorée comme par manque d'air et de lumière, ce qui est le premier sens d'*étiolé* (fin XVIIe s.) en horticulture. ◇ Le verbe, rare à l'actif, en général pronominal, et surtout le participe adjectif **ÉTIOLÉ, ÉE** s'emploient au figuré au début du XIXe s., en parlant d'une personne, avec le sens de «rendre (qqn) chétif, pâle» (1805), puis d'«affaiblir, atrophier» (1830) en parlant de choses abstraites.

► Le dérivé **ÉTIOLEMENT** n. m., d'abord terme de botanique (1754, *ettiolement*), se dit au figuré pour «appauvrissement, déclin» (1836) et «fait de s'affaiblir» (1845), en parlant d'une personne.

ÉTIOLOGIE n. f. est un emprunt savant (1550, *aitiologie*) au grec tardif *aitiologia* «recherche, exposition des causes», mot composé de *aitia* «cause» et de *-logia* (→ logie).

♦ Ce terme didactique s'emploie depuis le XVIe s. en médecine puis en philosophie (1611).

► En dérive **ÉTIOLOGIQUE** adj. (1811).

ÉTIQUE adj. est un emprunt adapté (v. 1256) au bas latin *hecticus* «habituel», et en médecine «atteint de consomption», lui-même pris au grec *hektikos* «habituel», «continu», en parlant de la fièvre. Ce mot dérive de *hektos* «qu'on peut avoir», adjectif verbal de *ekhein* «avoir», mot d'origine indoeuropéenne.

♦ En médecine ancienne, *étique* s'appliquait à un malade atteint de consomption (1538, comme nom), usité dans *fièvre étique* ou *hectique,* avec la graphie étymologique (1548). ➛ Par analogie, le mot, écrit *ethique* (1465) puis *étique* (*volailles etiques,* 1498), signifie «d'une extrême maigreur». C'est le seul usage courant du mot, qui s'emploie parfois au figuré, dans un contexte abstrait, pour «très pauvre, insuffisant» (1580).

► **ÉTISIE** (déb. XVIIIe s.) ou **HECTISIE** (fin XVIe s.) n. f., formé savamment à partir du bas latin *hecticus,* est sorti d'usage au sens de «consomption» et désigne en médecine l'émaciation qui provient d'une maladie chronique; le mot n'est plus employé au sens figuré (1753) d'«état de dépérissement (d'un pays, etc.)».

ÉTIQUETTE n. f. est un dérivé (1387, *estiquette*) d'un verbe d'ancien français, écrit *estechier, estichier* (déb. XIIIe s.), et *estequier* ou *estiquier* (v. 1180) en picard, signifiant «enfoncer, transpercer», «attacher». Le verbe est issu du francique °*stikkjan,* variante de °*stikkan* «percer» (cf. le néerlandais *stikken*), qui serait apparenté au latin *stilus* (→ style), au grec *stizein* «piquer» (→ stigmate).

♦ *Étiquette* a d'abord désigné un poteau fiché en terre et servant de but dans certains jeux. Par extension de la valeur de signe ou parce que certains poteaux portaient une inscription, *étiquette* s'applique (1435) à un petit écriteau indiquant le contenu d'un sac de procès et, aux XVe et XVIe s., à un mémoire contenant la liste des témoins d'un procès. Ce sens juridique est encore relevé en 1802 (aussi *étiquet*); la locution ***juger sur l'étiquette*** «juger d'après les apparences» a d'abord été utilisée en droit sous la forme *juger un procès sur l'étiquette* (1585) et *sur l'étiquette du sac* (1660) «juger sur l'énoncé de la cause et des plaideurs»; *juger un procès sur l'étiquette* «aller vite en besogne» a eu le sens érotique (1640) de «faire l'amour avant toute autre formalité». ➛ Par extension, *étiquette* désigne (1580) un petit morceau de papier fixé à un objet, pour en indiquer la nature, éventuellement le prix, etc. Cette valeur deviendra dominante en français moderne, avec des extensions figurées (ci-dessous).

À la Cour de Philippe le Bon, duc de Bourgogne, le mot concernait un formulaire contenant l'emploi du temps du duc et de sa cour. Le mot et la chose passent des Flandres en Autriche, par le mariage de Marie de Bourgogne avec Maximilien, et ensuite de Vienne à l'Espagne; introduit en français dans ce sens en 1607 à propos de la Cour de

Vienne, il ne se répand qu'à la fin du XVIIe s. (1691); il désigne alors le cérémonial en usage dans une cour et notamment à Versailles, puis auprès d'un chef d'État et, par extension, des formes cérémonieuses entre particuliers (XVIIIe s.), d'où la locution ***être à cheval sur l'étiquette.***
C'est du sens concret, «papier, marque indiquant la nature et le prix d'une marchandise», que dérive un emploi figuré (1870), pour désigner ce qui marque et classe, dans la manière de penser, d'agir *(une étiquette politique)*; de là les expressions vieillies ***servir d'étiquette*** «camoufler» (fin XIXe s.), ***mettre sous l'étiquette de*** «couvrir» (déb. XXe s.). ➜ En argot, employé au pluriel, *étiquettes* s'est dit pour «oreilles» (1906) par référence aux oreilles d'un ballot. ➜ Le mot, au XXe s., entre dans la locution figurée ***la valse des étiquettes*** «la hausse des prix» et, comme terme technique, dans *étiquette de corps* «étiquette principale sur le corps d'une bouteille» (1973).

▶ Le dérivé **ÉTIQUETER** v. tr. s'emploie au propre (1549), à propos des sacs d'un procès puis des étiquettes commerciales; au figuré (XXe s.; attesté 1932), il signifie «caractériser par un nom». ◇ En dérivent le nom d'action **ÉTIQUETAGE** n. m. (1850) et **ÉTIQUETEUR, EUSE** n. (1869).

ÉTIRER v. tr., d'abord *estirer* (1250), est dérivé de *tirer** avec le préfixe *é-* (*es-* jusqu'au XVIIIe s.).

♦ Le verbe a exprimé l'action d'amener qqn vers soi en tirant, puis s'est fixé dans son sens moderne d'«allonger par traction» (1588, Montaigne), développant des acceptions spéciales dans le travail du cuir (1723) et en filature (1864). ◇ La forme pronominale *s'étirer* (1808) s'emploie pour une personne ou un animal qui étend ses membres après le sommeil; elle se dit aussi d'une chose qui se déroule et, sur un plan temporel abstrait, qui se prolonge excessivement dans le temps.

▶ Le déverbal **ÉTIRE** n. f. (1437, *estire*), mot technique, a désigné une machine à hisser, avant de se spécialiser (1606) à propos d'un couteau de corroyeur. ➜ **ÉTIREMENT** n. m.,d'abord *estirement* (1611), sert de nom d'action au sens transitif et au sens pronominal (1879) du verbe. ➜ Il coexiste avec **ÉTIRAGE** n. m. (1812), plus technique, employé spécialement en parlant d'un métal, d'une étoffe (1836), et en filature (1864). ➜ **ÉTIREUR, EUSE** adj. et n. (1812) désigne le cylindre qui traite le fer quand il est devenu malléable par le recuit, et l'ouvrier qui fait l'étirage de l'or et de l'argent (1845). Il est également employé adjectivement (1845). ◇ Le féminin **ÉTIREUSE** désigne une machine servant à étirer (1890). ➜ **ÉTIRABLE** adj. (1863) est peu employé.

ÉTOFFER v. tr. est issu (v. 1190, *estoffer*) du francique °*stopfôn* «mettre, fourrer, enfoncer dans» (cf. l'ancien haut allemand *stopfôn* de même sens), issu d'un ancien °*stoppôn* (cf. le néerlandais *stoppen*); l'italien *stoffa*, l'espagnol et l'ancien provençal *estofa* sont empruntés au français.

♦ *Étoffer*, écrit sans *s* depuis le XIVe s. (1352), est d'abord attesté au sens de «rembourrer (un meuble, un collier)», puis (v. 1223) «fournir ce qui est nécessaire; équiper». Il s'est employé spécialement (1352) pour «garnir de ce qui est nécessaire pour donner de l'ampleur», d'où le sens de «confectionner en employant toute l'étoffe» par influence du dérivé *étoffe*, dont le verbe paraît alors provenir. ◇ De ce sens vient par extension l'emploi moderne (XVIe s.) pour «faire plus abondant, plus riche», en parlant d'un ouvrage, d'une sculpture, etc. et, en termes de cuisine, pour «farcir» (XIXe s.). Par figure, le verbe signifie «donner plus de matière à (qqch.)» *(étoffer un personnage)*. Le pronominal *s'étoffer* est attesté en 1882.

▶ **ÉTOFFÉ, ÉE**, participe passé adjectivé, a qualifié (1356) ce qui était orné ou équipé de qqch.; il signifie (1680) «rendu plus abondant, plus riche» et au XVIIIe s. s'applique à une voix forte et riche. Il a eu le sens (1755) de «qui a des formes amples», en parlant d'un animal, d'une personne. L'adjectif s'emploie aussi au figuré *(un raisonnement étoffé)*.
Le déverbal **ÉTOFFE** n. f. a désigné (1241, *estophe*) toutes sortes de matières servant à rembourrer, garnir, orner... ◇ Par figure, le mot désigne (fin XIVe s., *estoffe*) la matière qui constitue qqch. ou qqn, notamment dans les locutions ***être d'une autre étoffe, de (la) même étoffe*** «avoir des qualités différentes, semblables», ***avoir l'étoffe de*** «avoir les qualités nécessaires» (*il y a en lui l'étoffe de*, 1718), ***avoir (de) l'étoffe*** «avoir des qualités» (XVIIIe s.) et ***manquer d'étoffe***; l'expression *personnage de basse étoffe* «de condition sociale inférieure» est sortie d'usage (1515). ◇ Par extension, *étoffe* équivaut à «matière, sujet» (1624, *l'étoffe d'un livre*). ◇ Le mot n'a pris qu'à la fin du XVIe s. (1599) son sens, aujourd'hui le plus courant, «tissu dont on fait les habits, des garnitures d'ameublement». ◇ Du premier sens viennent d'autres spécialisations techniques pour nommer divers alliages (1723) et, au pluriel (1823), le matériel servant à l'impression.
Le nom d'action **ÉTOFFEMENT** n. m. (déb. XVe s., *estoffement* «action d'orner»; 1856, «action d'étoffer»), dérivé suffixé d'*étoffer*, s'emploie au propre et au figuré; dérivé du verbe, il y est sémantiquement rattaché, à la différence d'*étoffe*.

ÉTOILE n. f., d'abord sous la forme *esteile* (1080), puis *estoille* (1380), est issu du latin populaire °*stela*, comme l'ancien provençal *estela*, du latin classique *stella* (→ stellaire). Ce dernier désigne l'étoile, puis est employé par analogie pour «étoile de mer», «ver luisant», «pupille de l'œil», etc. *Stella*, qui a donné l'italien *stella*, l'espagnol *estrella*, se rattache à la racine indoeuropéenne °*stel-*, que l'on trouve aussi sous la forme °*ster-* (grec *astêr*, latin *aster* [→ astre]).

♦ *Étoile* désigne d'abord (1080) tout astre visible sous la forme d'un point brillant, la nuit, ce sens incluant les planètes (1119), les comètes, les astéroïdes (voir ci-dessous la naissance du sens scientifique moderne). Ainsi l'*étoile* des Rois mages pourrait concerner une comète (selon d'autres, une véritable étoile). Le mot est utilisé ensuite par analogie pour désigner (1380) un objet disposé en rayons, rappelant la forme sous laquelle on a l'habitude (comme pour *stella* en latin) de représenter les étoiles, d'où la locution ***en étoile*** «dans une disposition rayonnante»; ce sens a été repris et exploité en français moderne (ci-dessous). En astrologie, *étoile* se dit (1549) d'un astre en tant qu'il exerce une influence sur la destinée de qqn, ce qui donne lieu à des locutions, ***avoir foi dans son étoile, être né sous une bonne étoile*** (1690), etc. ◇ Au XVIe s., par analogie avec l'éclat des étoiles, le mot s'emploie pour désigner un point brillant, qu'il s'agisse d'un point luisant formé par la graisse d'un bouillon (cf. *œil,* plus courant) ou d'un point lumineux que voit une personne étourdie par un coup, dans la locution sortie d'usage *faire voir les étoiles en plein midi à qqn* (1694) qui, par figure, a signifié (1740) «tromper qqn» (on parle aujourd'hui de *trente-six chandelles*). L'expression ***compter les étoiles*** (1531) symbolise une entreprise inepte; elle est d'origine biblique (Genèse, 15,5), les étoiles du ciel et les grains de sable représentant un nombre incalculable. ◇ Par analogie de forme (selon la convention) et d'après le latin, ***étoile de mer*** (1561) est le nom courant donné à l'*astérie* (de *aster* «astre»). ◇ En typographie, le mot s'emploie (1669) pour remplacer les lettres manquantes d'un mot (cf. *astérisque*) d'où, notamment au XVIIIe s., *Monsieur (Mme)* ***trois étoiles*** pour parler d'une personne dont on ne peut dire le nom (1694). ◇ Au XVIIe s., ***étoile du matin, du soir*** (1694) se dit pour désigner la planète Vénus, auparavant nommée ***étoile du jour*** (1549; 1119, *esteile jurnal*), ***étoile du berger.*** Au figuré, ***coucher à la belle étoile*** (1640) signifie «coucher dehors».

Par analogie de forme, le mot signifie aussi (1690) «rond-point où aboutissent plusieurs allées», puis se dit au XVIIIe s. d'un motif décoratif analogue à la rosace (1754). Par analogie (figuration d'une étoile), *étoile* signifie (1811) «fêlure, déchirure, etc., en forme d'étoile».

L'expression ***étoile filante,*** désignant une météorite (av. 1835, *étoile qui file*), est un témoin tardif de l'emploi préscientifique de *étoile;* les météorites avaient été antérieurement nommées *étoiles erratiques* (1498), *étoiles errantes* (1564), *étoiles volantes* (1636), *étoiles tombantes* (XVIIIe s.). Pourtant, bien avant la découverte de Halley (1718) sur les mouvements propres, on sait que les astres appelés *étoiles,* que l'on subdivisait en *étoiles fixes* (les vraies étoiles) et *étoiles mobiles* (planètes et météorites), constituent une catégorie fictive, hétérogène. L'expression ***étoile fixe*** (1636), périmée à partir de Halley, disparaît au profit de *étoile* employé seul, et le mot correspond peu à peu au concept moderne, qui se dégage complètement avec l'apparition de l'astrophysique: «astre producteur et émetteur d'énergie par une réaction de nature thermonucléaire». L'opposition *étoile-soleil,* évidente pour le sens courant et ancien du mot, est ainsi réduite, le concept d'étoile incluant dès lors le soleil. Dans ce sens, des syntagmes scientifiques *(étoiles bleues, jaunes...)* et des termes spécifiques (*naines, géantes, novae* et *supernovae*...) manifestent l'importance du concept. ◇ Cependant la langue courante et tous les sémantismes dérivés (métaphores, etc.) reposent sur la valeur ancienne du mot «point brillant dans le ciel, la nuit».

Par référence à l'éclat des étoiles, *étoile* se dit (XIXe s.) de personnes dont le talent brille, spécialement (1849) de comédiens, chanteurs, sportifs (fin XIXe s.) de grande réputation; en emploi absolu, *étoile* s'applique surtout aujourd'hui aux danseurs *(danseuse étoile);* en dehors de la danse, on utilise plutôt *vedette* ou *star,* mot anglais signifiant «étoile», pour le cinéma. Ce sens peut avoir été influencé par les expressions *son étoile grandit* ou *pâlit, blanchit* (1842) où *étoile,* avec sa valeur astrologique (ci-dessus), évoque la célébrité.

Aux XIXe et XXe s., *étoile* est employé au sens de «marque ou signe distinctif de forme étoilée», dans diverses expressions comme *étoile des braves, étoile de l'honneur* (1re moitié du XIXe s.) «légion d'honneur», ***étoile de David*** «étoile à six branches, faite de deux triangles superposés», emblème du peuple juif. ◇ ***Étoile rouge*** était l'emblème de l'armée soviétique. ◆ *Étoile,* par référence au sens typographique (ci-dessus) mais avec une idée de valorisation, désigne spécialement (XXe s.) un petit signe servant à classer des hôtels, des restaurants, etc., selon leur confort, la qualité de la cuisine; d'où ***un trois, un quatre étoiles.***

▸ Le dérivé **ÉTOILER** v. tr., d'abord dans *cel estelet* (v. 1120, «ciel étoilé»), est attesté à l'infinitif à la fin du XIIe s. (v. 1180, *esteler*) et sous la forme moderne en 1611 *(estoiler).* Le verbe signifie «parsemer d'étoiles» au propre et au figuré et, par référence à la forme de l'étoile, «fêler en forme d'étoile» (1690, pron.). ◇ **ÉTOILÉ, ÉE** adj. a, outre sa valeur initiale «parsemé d'étoiles», le sens de «formé de plusieurs rayons» (1636, *anis étoilé*). ◆ **ÉTOILEMENT** n. m. «action d'étoiler, de s'étoiler» (1845) désigne aussi (1870) une disposition rayonnante en étoile. La forme avait existé en ancien français (*estellement,* v. 1185, attestation isolée) au sens d'«ensemble des étoiles».

◈ voir STELLAIRE.

ÉTOLE n. f. est un emprunt adapté (v. 1150, *estole*) au latin *stola* «longue robe (pour hommes et femmes)», spécialement «robe des grandes dames romaines», lui-même emprunté au grec *stolê* «habillement, robe», de *stellein* «préparer, vêtir», qui n'a pas de correspondant connu dans d'autres langues indoeuropéennes. *Stola* désigne en latin chrétien (VIIIe s.) un vêtement liturgique.

♦ *Étole,* terme de liturgie, s'applique à une bande longue et étroite, que le prêtre, l'évêque portent suspendue au cou. Par analogie de forme, le mot désigne (1845) une longue écharpe de fourrure *(une étole de vison).*

✳ **ÉTONNER** v. tr. est issu (1080, *estoner*) du latin populaire °*extonare,* altération, par changement de préfixe, du latin classique *adtonare, attonare* «frapper de la foudre, foudroyer», au figuré «frapper de stupeur», de *tonare* (→ tonner).

♦ *Étonner* a signifié d'abord (1080, intr.) «être étourdi (par un coup violent)»; comme transitif, il s'emploie couramment au sens d'«étourdir» du XIIe au XVIe s. et est encore en usage au XVIIe s. (La Fontaine). ◇ Le sens étymologique de «frapper de stupeur» et par extension «terroriser, effrayer», attesté vers 1200, s'emploie toujours à l'époque classique; la lecture et la compréhension des textes du XVIIe s. nous sont rendues difficiles du fait de l'évolution importante du sens. ◇ *Étonner* s'est dit aussi (XVe s.) pour «ébranler», sens conservé dans le vocabulaire technique *(étonner une roche, une voûte),* aussi au participe passé adjectivé (voir ci-dessous). ◇ Le verbe prend au XVIIe s. le sens moderne de «causer de la surprise à (qqn)», mais il reste jusqu'au XVIIIe s. plus fort qu'aujourd'hui, impliquant souvent la stupéfaction. Le sens ne cesse de s'affaiblir au XIXe s., comme pour les dérivés.

▶ **ÉTONNANT, ANTE** adj. a en effet suivi cette évolution sémantique; le sens fort du mot (XVIe s.) a disparu; *étonnant* s'applique, à partir du début du XVIIe s., à ce qui surprend par son caractère extraordinaire; il signifie ensuite par extension (fin XVIIe s.) «qui frappe par un caractère accompli», «qui est original», valeur qu'il a conservée. ◇ Son dérivé **ÉTONNAMMENT** adv. est attesté en 1752. ◆ **ÉTONNÉ, ÉE** adj. a les différentes valeurs du verbe. Il a signifié en français classique «étourdi, hébété» (encore au XVIIIe s.) et aussi «troublé par une vive émotion», prenant au XVIIIe s. le sens moderne de «surpris», aussi substantivé dans *faire l'étonné.* ◆ **ÉTONNEMENT** n. m. n'a conservé le sens d'«ébranlement» (v. 1220, *faire estonement* «provoquer un choc») que dans des emplois techniques, en architecture, en joaillerie, etc. ◇ La valeur psychologique forte «épouvante, effroi» (1478-1480, *estournement*) était encore en usage dans la langue classique, à côté de l'emploi pour «violente émotion, stupéfaction» en usage au XVIIe s. et qui a également disparu. ◇ Le sens moderne de «surprise causée par qqch. d'extraordinaire, d'inattendu» apparaît dès le XVIIe s., comme pour le verbe, mais ne se répand qu'au XVIIIe s., éliminant peu à peu le sens fort. ◆ **ÉTONNURE** n. f. (XVe s., «engourdissement») a été repris comme terme technique désignant (1829) une fêlure dans un diamant, et témoigne du sens concret et étymologique du verbe.

ÉTOUFFER v. représente une altération (1230, *estofer*) de l'ancien français *estoper* «obstruer» (→ étoupe), d'origine latino-grecque, sous l'influence d'un autre verbe, *estofer* «rembourrer» (→ étoffer), mot germanique.

♦ *Étouffer* est d'abord attesté (1230) au sens d'«asphyxier (une personne, un animal)»; de ce sens vient le juron disparu *la peste (le diable) l'étouffe.* Le verbe s'emploie depuis le XVIe s. (1536) avec un nom de personne pour sujet; d'où l'emploi figuré *étouffer son ennemi* «le tuer» (XVe s.). ◇ Le verbe signifie aussi «gêner (qqn) en rendant la respiration difficile» : de cet emploi aujourd'hui vivant vient en particulier *s'étouffer de rire* (1671) et *s'étouffer,* à force de manger, etc. (fin XVIIe s.). ◇ Par analogie, il s'emploie pour «empêcher (une plante) de se développer» (1285) puis «priver (le feu) de l'oxygène nécessaire à sa combustion», «éteindre» (XIVe s.). ◇ L'emploi intransitif pour «respirer avec peine» apparaît au XVIe s. (1559), d'où «avoir trop chaud». ◇ C'est au XVIe s. également que se développent des emplois figurés : «supprimer ou affaiblir (une opinion, un sentiment)» (1564; XIVe s., isolément), «éprouver un sentiment de gêne» (v. 1580), «rendre (un son) moins perceptible» (fin XVIe s., d'Aubigné). C'est encore l'idée de privation que l'on trouve dans *étouffer les semences d'une guerre* (1640), *étouffer une affaire* (1671) «l'empêcher d'éclater, de se développer», emplois disparus. ◇ Le verbe, en termes de cuisine, signifie (1767) «faire cuire en vase clos» (cf. ci-dessous *étouffée* et aussi *estouffade**). ◇ Au XVIIIe s., par métaphore, *étouffer* a pris le sens familier de «faire disparaître» (en buvant, etc.), d'où la locution vieillie (1867) ***étouffer une bouteille*** «la boire en entier» et ***étouffer de l'argent*** (1867). Dans le vocabulaire de la marine, ***étouffer une voile, la toile*** (1838), c'est la serrer contre le mât pour l'empêcher de prendre le vent.

▶ Le nom d'action **ÉTOUFFEMENT** n. m. (v. 1300, *estouffement*) se dit aussi (1562) de la difficulté de respirer et s'emploie au figuré (1864). ◆ **ÉTOUFFOIR** n. m. a désigné (1671) un instrument pour éteindre les cierges. Le mot s'est dit d'un récipient de métal qui sert à étouffer des braises (1680). En musique (1804), il désigne dans un piano une pièce de bois garnie de feutre, qui interrompt la vibration des cordes, étouffant ainsi les sons. ◇ *Étouffoir* s'emploie aussi au figuré aux sens de «milieu non favorable au développement intellectuel» (1804, B. Constant) et de «lieu mal aéré» (1864). ◆ **À L'ÉTOUFFÉE** loc. adv. et adj., attesté en moyen français (*à l'estouffee,* 1393) et repris au XIXe s. (1856), signifie «en vase clos, à la vapeur» (cf. aussi *estouffade*).

Les participes du verbe ont fourni deux adjectifs. ◆ **ÉTOUFFÉ, ÉE** adj. ne s'applique plus à un endroit sans air, où l'on étouffe (1559); il a des emplois parallèles à ceux du verbe et s'applique notamment à des sons (1760). ◆ **ÉTOUFFANT, ANTE** adj., du participe présent, d'abord dans *herbe étouffante* «envahissante» (1583), s'applique (1640) à ce qui fait qu'on étouffe, au propre et au figuré.

ÉTOUFFEUR, EUSE adj. et n. est rare comme adjectif (1722, en parlant du temps). Le mot s'est employé jusqu'au XIXe s., pour désigner les grands serpents, en particulier le boa (1775, n. m.). Il signifie ensuite (1801) «personne qui étouffe (qqn)». ◆ **ÉTOUFFAGE** n. m. est un terme technique (1845) de sériculture et d'apiculture. ◆ **TOUFFEUR** n. f. a été formé (v. 1620) par aphérèse de *étouffeur* «chaleur étouffante» (dans les dialectes de l'Est, où l'on dit aussi *il fait touffe*); ce mot aujourd'hui littéraire est d'origine dialectale.

Le composé **ÉTOUFFE-CHRÉTIEN** n. m. inv. (XXe s.; variante en Sologne, *étouffe-coquin*) désigne familièrement un aliment qui étouffe.

◈ voir ESTOUFFADE.

ÉTOUPE n. f. est issu (1119, *estupe;* puis *estoupe,* XIIe s.) du latin *stuppa,* emprunté au grec *stuppê* (forme courante *stuppeion*) «partie la plus grossière de la filasse», mot d'origine obscure.

♦ *Étoupe* conserve le sens de l'étymon et s'emploie par métaphore (XVIe s.) dans les locutions ***mettre le feu aux étoupes*** «exciter un amour violent, une querelle» et ***avoir les jambes en étoupe, d'étoupe*** «faibles, molles» (vieilli; on dit aujourd'hui *en co-*

ton). Par comparaison, ***cheveux d'étoupe*** se dit de cheveux touffus et emmêlés.

▸ Le dérivé **ÉTOUPILLON** n. m. désignait (1373, *estoupillon*) un bouchon d'étoupe, puis en artillerie (1671-1672) une petite étoupille. ➛ **ÉTOUPILLE** n. f. est probablement une altération (1632, *estoupille*) de *estoupelle* (1584), dérivé de *estoupe*, qui désignait aussi une mèche servant d'amorce, qu'on introduisait dans la lumière d'un canon. ◇ De là **ÉTOUPILLER** v. tr. (1752), sorti d'usage. ➛ **ÉTOUPER** v. tr. est issu (v. 1121-1134, *estuper*) d'un latin populaire °*stupare* «boucher (avec de l'étoupe)», de *stuppa*, ou est dérivé de *étoupe*. ◇ *Étouper* a pour dérivés le nom d'action **ÉTOUPEMENT** n. m., attesté au XVIe s., et **ÉTOUPAGE** n. m. (1567 en picard, *estouppaige* «bonde»), repris au XVIIIe s. (1723, *estouppage*) dans la fabrication des chapeaux de feutre.

ÉTOURDIR v. tr. est probablement issu, sous les formes *esturdir* et *estourdir* (1176), du latin populaire °*exturdire* signifiant, semble-t-il, «agir follement», par allusion à la grive gorgée de raisin. Ce sens est induit du fait qu'on allègue une composition de *ex-* et du latin classique *turdus* «grive»; on retrouve l'image en italien où *tordo* signifie «grive» et «sot» (*stordire* «abasourdir, étourdir»), en espagnol *tener cabeza de tordo* «avoir une tête de grive» et en grec *kôphoteros kikhlês* «plus sot qu'une grive». P. Guiraud, qui conteste cette évolution sémantique, propose pour étymon un gallo-roman hypothétique **extorpidire*, formé sur *torpidus* «engourdi», sur le modèle de *extorpescere* «s'engourdir».

♦ En effet, *étourdir* a d'abord le sens (1176) de «frapper l'esprit d'une sorte d'engourdissement (par vertige, ivresse, choc, etc.)». Le verbe a pris plus tard (XVe s.) le sens d'«importuner, lasser par le bruit, les paroles». Il signifie ensuite (1629) «causer à qqn de la stupeur, de l'étonnement», emploi aujourd'hui disparu. ◇ *S'étourdir* correspond à «être dans une sorte d'ivresse, de griserie», d'où ***s'étourdir de paroles*** (1670). ◇ Avec un complément nom de chose, *étourdir* correspond à (1677) «rendre moins vive une sensation physique» (comme *endormir*) et «rendre moins sensible une souffrance morale» (comme *distraire*).

▸ **ÉTOURDISSANT, ANTE,** participe présent adjectivé, est employé (1615, *estourdissante crierie*) au sens de «qui étourdit par son bruit» puis, au figuré (1670), «qui fait sensation». Cette valeur encore vivante le détache sémantiquement du verbe. ➛ **ÉTOURDISSEMENT** n. m. désigne dans son premier emploi (1213, *estordissement*) une perte momentanée de conscience. Au XVIe s., le mot désigne un état de trouble moral (1553); il signifie ensuite (1685, Bossuet) «action de s'étourdir par une vie de plaisir». Le sens de «griserie, vertige» est attesté vers 1790 (Marmontel).

ÉTOURDI, IE adj. et n. est d'abord attesté (1086) comme nom propre *(Ricard Estordit)* puis comme adjectif, écrit *esturdi* (v. 1200) et *estourdi* au XIIIe siècle. ◇ Il a d'abord le sens propre d'«assommé» puis s'applique au XIVe s. à ce qui est fait sans réflexion, et qualifie (1559) une personne qui agit sans réflexion. ◇ La locution adverbiale ***à l'étourdie*** (fin XIVe s.) équivaut à **ÉTOURDIMENT** adv. (XIVe s., *estordiement*), qui a suivi l'évolution de l'adjectif. ➛ **ÉTOURDERIE** n. f. «acte fait sans attention» (1640) désigne par métonymie (1740) le caractère d'une personne étourdie *(faute d'étourderie)*. Alors que le verbe continue à exprimer l'étonnement, voire la stupeur, *étourdi* et *étourderie* ont acquis un sémantisme original, fondé sur «absence d'attention, de réflexion».

ÉTOURNEAU n. m., qui apparaît en français sous les formes *estornel* (XIe s.), identique en ancien provençal, *esturnel* (1119), puis *esturneau* (v. 1280) et *estourneau* (v. 1398), est issu du bas latin *sturnellus* «petit passereau à plumage moucheté de gris», diminutif du latin classique *sturnus* (d'où l'italien *storno*, à côté de *stornello*). *Sturnus* se retrouve sous des formes variées dans diverses langues indoeuropéennes.

♦ *Étourneau* conserve le sens du latin. ◇ Par référence à l'apparence instable du vol des étourneaux et surtout à cause de la paronymie avec *étourdi*, le mot s'emploie depuis le XVIIe s. (1660) au sens de «personne étourdie»; on a dit antérieurement (XVe s.) *teste d'estornel*.

ÉTRANGE adj. et n. m. est issu (v. 1050, *estrange*) du latin *extraneus* «du dehors, extérieur», «qui n'est pas de la famille, du pays», surtout employé à l'époque impériale. Le mot est dérivé de *extra* «dehors, hors de», de *ex-* exprimant l'idée de sortir (→ ex-).

♦ *Étrange* est d'abord employé au sens latin d'«étranger», encore vivant à l'époque classique et même au XIXe siècle. Cependant, dès la fin du XVIIe s., le mot entrait surtout dans des groupes comme *terres étranges, nations étranges* (Académie, 1694) [cf. ci-dessous *étranger*]. ◇ Par extension, *étrange* signifie (v. 1165) «hors du commun, extraordinaire», sens aujourd'hui archaïque, courant dans la langue classique où l'adjectif équivalait à «épouvantable». ◇ Par affaiblissement, *étrange* prend (1668) le sens moderne de «très différent de ce qu'on a l'habitude de voir»; *l'étrange* n. m. (XIXe s.) désignant spécialement (XXe s.) un genre littéraire dans lequel des éléments étranges sont intégrés au récit. ➛ *Étrange* est devenu un terme de physique nucléaire (1968), dans *particule étrange*, par traduction de l'anglais *strange*, donné arbitrairement pour qualifier le caractère dit *strangeness*.

▸ Le dérivé **ÉTRANGER** v. tr. (v. 1120, *estrangier*) «éloigner», courant jusqu'à l'époque classique, ne s'emploie plus que régionalement. ➛ **ÉTRANGER, ÈRE** adj. et n. est plus tardif (1369). Il s'applique à ce qui est d'un autre pays (par rapport au locuteur), par extension à ce qui n'appartient pas à un groupe familial, social ou à un ensemble (en parlant de choses), puis (fin XVIIe s.) à ce qui n'est pas connu ou n'est pas familier, et aussi à une personne qui se tient à l'écart de qqch., enfin (1690) à une chose qui n'a aucun rapport avec qqch. ◇ *Corps étranger* s'applique en médecine à une chose non naturelle dans l'organisme. ◇ Le nom *(un étranger, une étrangère)* a des emplois parallèles à ceux de l'adjectif; il s'emploie aussi avec une valeur de collectif pour «ennemi» (XVIIe s.) et pour «ensemble des pays étrangers», *à l'étranger* s'opposant ainsi à «dans le pays du locuteur» (*en France,* pour les Français). ➝ **ÉTRANGEMENT** adv. s'est employé au sens d'«extrêmement» (v. 1170, *estrangement*), disparu après l'époque classique. Il signifie couramment (fin XIVe s.) «d'une manière étonnante».

ÉTRANGETÉ n. f., attesté à la fin du XIVe s. *(estrangeté),* est rare avant le XVIIIe siècle ; le mot était condamné au XVIIe s. (Vaugelas). Il signifie «caractère étrange» et par métonymie «action, chose étrange» (1580). ◇ En physique nucléaire, *étrangeté* traduit (1968) l'anglais *strangeness,* qui concerne certaines particules, le mot étant choisi arbitrairement, comme *charm, beauty.*

ÉTRANGLER v. tr. est issu au début du XIIe s. (1121-1134, *estrangler*) du latin *strangulare* «étouffer, étrangler» (→ strangulation), emprunt ancien au grec *strangalan* de même sens, de *strangalê* «cordon, lacet», lui-même de *stranx, strangos* «goutte exprimée par pression, avec effort». Ces mots ont des correspondants exprimant l'idée de tirer, de serrer, dans plusieurs langues indoeuropéennes.

♦ *Étrangler* conserve dans ses premiers emplois le sens latin de «priver de respiration en paralysant» (1121-1134), *s'étrangler* signifiant «suffoquer, étouffer» (1160-1174) ; par figure, *s'étrangler pour faire qqch.* a eu le sens de «s'efforcer» (1170). ◇ À partir du début du XIIIe s., le verbe s'est employé par figure pour «presser, poursuivre», d'où «ruiner» (1319), et «gêner par une contrainte insupportable» (cf. *prendre à la gorge*). Au XVIIe s., par extension de ce dernier sens, *étrangler* s'emploie comme *étouffer* pour «empêcher de s'exprimer, de devenir public» : *étrangler une affaire* (1640), *une assemblée* (v. 1660) ; de là, au XIXe s., *étrangler la presse.* ◇ Par analogie, le verbe signifie «resserrer, en ne donnant pas à une chose la largeur nécessaire» (1690, *étrangler un sac*) ; en ce sens il s'emploie spécialement en marine (*étrangler une voile* «la carguer»).

▸ **ÉTRANGLEMENT** n. m. (1240, *estranglement*) a disparu au sens premier de «maladie qui étouffe, angine» ; le mot est rare comme nom d'action (XVe s., *estranglemans*) sauf aujourd'hui dans le vocabulaire technique du judo *(prises d'étranglement) ;* il est sorti d'usage au sens (XVIIe s.) d'«étouffement». ◇ Il est repris pour désigner en médecine (1688) le fait de se resserrer et plus généralement (1707) l'état de ce qui est rétréci en un point *(goulet d'étranglement).* ◇ Le mot s'emploie aussi au figuré dans *étranglement de la voix* et avec une valeur abstraite (1890). ➝ **ÉTRANGLEUR, EUSE** n. «personne qui étrangle» (mil. XIVe s., *estrangleur*) entre dans la locution ***avoir des mains d'étrangleur.*** Le mot s'emploie au figuré pour désigner une personne sans scrupules. ◇ Dans le vocabulaire technique de l'automobile (1902, n. m.), il désigne un dispositif d'obturation. ➝ **ÉTRANGLÉ, ÉE** adj., du participe passé, s'applique à un lieu resserré (v. 1550), d'où en médecine *hernie étranglée* (1835), et signifie «privé de respiration». ➝ **ÉTRANGLOIR** n. m. est un terme de marine (1838) désignant un cordage destiné à étrangler, carguer les voiles. ➝ **ÉTRANGUILLON** n. m. (XIVe s.), emprunt à l'italien *stranguglione,* de *strangolare* «étrangler», se dit en médecine vétérinaire d'une angine qui attaque le bœuf, le cheval.

ÉTRAPER v. tr. est une altération (1283), sous l'influence de *attraper,* de l'ancien français *esterper, estreper* (v. 1120) «extirper, arracher», issu du latin *exstirpare* «déraciner, arracher» (→ extirper).

♦ Le verbe signifiait en agriculture «couper à ras (ce qui reste de chaume après la moisson)».

▸ Les dérivés **ÉTRAPOIRE** n. f. (1606) et **ÉTRAPE** n. f. (1630) désignaient l'instrument effectuant cette opération.

ÉTRAVE n. f. n'est attesté qu'en 1573 *(estrave),* sans doute à cause de son caractère technique ; venant de l'ancien nordique *stafn* «pièce courbe et saillante qui forme la proue d'un bateau», il doit être antérieur dans les langues emprunteuses, tel le français. On suppose des formes anciennes plus proches de l'étymon, °*estavne,* puis °*estavre* d'où, par anticipation, *estrave ;* d'autres formes attestées, *estable, estauve,* viendraient du même °*estavne* par °*estavle.*

♦ Le mot désigne la pièce courbe, saillante, formant la proue d'un bateau (→ étambot).

① **ÊTRE** v. intr. est issu (842) d'un latin populaire °*essere,* du latin classique *esse,* qui se rattache comme le grec *einai* à une racine indoeuropéenne °*es-,* °*s-* «se trouver», qui ne s'employait pas à l'origine comme copule. Les représentants de *einai* en français sont issus du participe présent *ôn, ontos* (→ onto-). Le passé déterminé, qui ne fournit pas la racine °*es-,* vient d'une autre racine indoeuropéenne °*bhewē-* (variante °*bhū-*), qui a donné par exemple le latin *fui* «je fus», et n'a gardé son sens originel de «croître, pousser» que dans le grec *phuein, phusis* (→ physique). ◇ Le latin *esse,* à la fois verbe d'existence et copule, s'employait dans des locutions impersonnelles et pour marquer la résidence (avec le locatif, ou *in* suivi de l'ablatif), le terme d'un mouvement (avec *in* et l'accusatif), ainsi qu'un rapport d'appartenance, d'origine (avec divers cas). La locution *id est* «c'est-à-dire» introduisait une explication. *Esse* s'utilisait aussi pour opposer la réalité à l'apparence, comme en grec. En latin populaire, *esse* s'employait avec une préposition suivie de l'accusatif pour «aller» (*in funus fui* «j'ai été à un enterrement»). Les participes passé et présent français, *été* et *étant,* ont été empruntés à l'ancien français *ester* (de *stare* «se tenir debout» ; → ① ester) ; l'espagnol et le portugais conservent *estar* (de *stare*) comme verbe expressif et *ser* (de *essere*) comme copule et comme auxiliaire. À l'imparfait, les formes *iere, ere* de l'ancien français (du latin *eram*), qui se confondaient avec les formes du futur, sont abandonnées vers le milieu du XIIIe s. dans l'usage courant ; elles se maintiennent en poésie jusqu'au XIVe s. pour des motifs rythmiques ; la forme *esteie,* puis *étais,* a été refaite sur l'infinitif *estre.* Les formes du futur *ier, er* ont disparu au XIVe siècle ; la forme *serai,* très ancienne, vient de *(es)sere + aio* (présent du verbe *avoir*) et a supplanté *estrai.*

♦ Dès les premières attestations, *être* est employé avec un complément prépositionnel qui marque l'état, la situation du sujet, sa localisation, ou les circonstances qui caractérisent son existence. Depuis la fin du IXe s., le verbe est suivi d'un attribut indiquant une qualité du sujet, souvent sa qualité essentielle (881-882); de cette valeur sont issus de nombreux emplois, comme ***être soi-même*** «être tel qu'on a toujours été» et «s'affirmer», ***être qqch., n'être rien pour (qqn), être comme on est***, etc. Dans la seconde moitié du Xe s., le verbe est attesté pour «exister, être vrai», en parlant d'un sujet animé; ce sens fort est resté vivant en philosophie, par exemple dans la phrase latine de Descartes *Cogito ergo sum*, traduite par *je pense, donc je suis.* ◇ Plusieurs autres emplois sont attestés dès la fin du Xe siècle : *être*, impersonnel, à la 3e personne du singulier, introduit un élément de phrase *(il est..., est-il..., il n'est pas...)* et sert à former des locutions comme ***il n'est que de...*** «il n'y a qu'à...», ***s'il en est*** *(un homme habile s'il en est)*, ***toujours est-il que...*** «de toute façon», encore usuel. ◇ *Être* est employé avec le démonstratif *ce* (*c'est, c'était*, etc.) pour présenter une personne, une chose, pour annoncer ce qui suit en mettant ainsi en relief un élément de la phrase, et dans des syntagmes variés : *si ce n'était* (et par ellipse littéraire *n'était*), *ce que c'est que de*, d'où ***ce que c'est que de nous!*** (familier) et les très courants ***est-ce que?*** formule interrogative et ***n'est-ce pas?***, pour requérir l'adhésion de l'interlocuteur. ◇ À la même époque (fin Xe s.), *être* est attesté comme auxiliaire pour former les temps composés de certains verbes intransitifs et des verbes pronominaux, et la forme passive des verbes transitifs. ◇ On relève au XIIe s. l'emploi de *être à*, suivi d'un infinitif, pour «devoir être» (1119). ◇ Le sens d'«exister, vivre» (1130-1140) est aujourd'hui littéraire, de même que *n'être plus* pour «être mort» (fin XIIe s.). De cet emploi vient la locution proverbiale ***on ne peut pas être et avoir été*** et l'emploi au subjonctif *soit...* pour «supposons». ◇ C'est aussi au XIIe s. qu'est attesté *être à* au sens d'«être en train, être occupé à» (1174-1176). *Être* acquiert avec certaines prépositions des valeurs particulières : *être contre* signifie (v. 1207) «s'opposer à»; *être à* indique la possession (au figuré ***je suis à vous*** «à votre disposition»), *être de* marque la provenance (1690, *être de Paris*) et la participation *(être de la famille; être de l'avis de qqn).* ***En être*** signifie «faire partie de (qqch.)» (déb. XVIIe s.) et, spécialement (XVIIIe s., Rousseau), «être homosexuel»; ***l'être*** *(il l'est*, etc.) est un euphémisme pour «être cocu» (déb. XVIIIe s.). ***Être pour*** (qqch.) signifie «vouloir adhérer à» (1640); *être pour* garde régionalement une valeur de futur proche *(être pour partir); être sans* équivaut à «n'avoir pas» (XVIIe s.).

▸ ② **ÊTRE** n. m., emploi substantif du verbe, a d'abord signifié (v. 1120-1150) «état, situation»; le mot se dit ensuite (mil. XIIIe s.) d'un organisme doué de vie ou supposé tel, d'où spécialement *l'être éternel* (1690), ***l'être suprême*** pour désigner Dieu, notamment dans l'idéologie déiste du XVIIIe s. (cf. la *fête de l'Être suprême*, 1794). ◇ *L'être*, en philosophie (1269-1278), signifie «fait d'être, qualité de ce qui est», valeur qu'on retrouve dans *donner l'être à (qqch., qqn)* «créer», d'usage littéraire. ◇ Par extension, *être* signifie (v. 1361) «nature intime» *(l'être de l'homme)* et (XVIe s.) «manière d'être» et «origine». ◆ Dans l'usage courant (XVIIIe s.), *un être* équivaut à «personne, humain» et *l'être de qqn* «sa personne», avec la locution ***de tout son être*** «de toute sa volonté, avec tous ses sentiments». ***Être de raison*** (XVIIe s.) désigne un objet qui n'existe que dans la pensée, opposé à *réalité*. ◆ Le mot prend dans les sciences abstraites la même valeur que *entité (être mathématique)*.

BIEN-ÊTRE n. m. inv. est composé (1555) de *bien** et du verbe *être* «exister, vivre», pour désigner la sensation agréable née de la satisfaction de besoins physiques, puis (1740) la situation matérielle qui permet de satisfaire les besoins de l'existence. ◆ **MAL-ÊTRE** n. m., de *mal** adv., a eu le sens (1580) d'«état d'une personne qui ne se sent pas bien», remplacé à la fin du XVIIIe s. par *malaise*. Le mot a été repris vers 1970, pour désigner l'état d'une personne qui se trouve mal dans la société. ◆ **NON-ÊTRE** n. m. est formé au XIVe s. (1325) sur le substantif *être*; le mot a été repris dans le contexte de l'existentialisme, avec une valeur distincte de celle de *néant*.

◈ voir **ABSENT, ESSENCE, INTÉRÊT, ① PRÉSENT.**

ÉTRÉCIR v. tr. est issu (1366, *estroicir*) par changement de suffixe de l'ancien français *estrecier* (v. 1170) «presser, enserrer» attesté sous la forme *etritser* dès le XIIe siècle. *Estrecier*, utilisé jusqu'au XVIe s., est issu du latin populaire °*strictiare* (comme l'ancien provençal *estreissar*) qui est dérivé du latin classique *strictus* (→ étroit); L'ancien français a eu aussi *estresse* n. f. «étroitesse», «défilé» (ancien provençal *estreissa*), déverbal de *estrecier* ou d'un latin populaire °*strictia*.

♦ *Étrécir* apparaît avec le sens de «rendre (plus) étroit», aujourd'hui seulement pronominal *(la vallée s'étrécit)* et comme terme technique de manège. *S'étrécir* est également sorti d'usage au sens figuré (1721) de «se réduire, diminuer».

▸ *Étrécir* a été remplacé dans la plupart des emplois par le verbe préfixé **RÉTRÉCIR.** Ce dernier apparaît au XIVe s. sous la forme *restroicir*, attestation isolée, puis en 1539. *Se rétrécir* (1596) prend aussi une valeur figurée (1689).

ÉTRÉCISSEMENT n. m. (1576), dérivé du verbe *étrécir*, a été éliminé par **RÉTRÉCISSEMENT** n. m. (1546, *restrecissement*).

ÉTREINDRE v. tr. est issu (v. 1135, *estreindre*) du latin *stringere* «serrer, resserrer, étreindre», au participe passé *strictum* (→ étroit, strict), mot de la même famille que *strigilis* «racloir» (→ étriller).

♦ *Étreindre* est d'abord attesté au sens de «ligoter (qqn)», et dans *s'étreindre* «se ceindre» (1160-1174). Le verbe s'emploie au figuré pour «oppresser» (v. 1165, *li estreint li cuers*); cette valeur d'«oppresser, contraindre» ne réapparaît qu'au XIXe s. (v. 1860), peut-être sous l'influence d'*étreinte*, figuré. ◇ Le sens aujourd'hui courant d'«entourer avec les membres, en serrant étroitement» est relevé vers 1170; par rapport à *embrasser*, il a plus d'extension (la main peut *étreindre* un poignet) et des connotations plus violentes.

▸ **ÉTREINTE** n. f., qui a signifié dans une attestation isolée «contrainte» (déb. XIIIe s., *estrainte*), vient du participe passé du verbe ; le mot est repris (1508, *estraincte*) au sens d'«action d'étreindre» et «pression exercée par ce qui étreint». De là, par extension, il se dit de la pression exercée sur un groupe par encerclement. ◇ Le mot est employé (déb. XVIIe s.) à l'époque préclassique (Corneille, Mairet) au sens de «lien moral qui unit avec une grande force». ◇ *Étreinte* désigne à partir du XVIIIe s. l'action de serrer dans ses bras (1761, Rousseau), notamment dans *étreinte amoureuse* et absolument *étreinte* (souvent au pluriel), par euphémisme «coït (humain)». ◇ Par figure, *étreinte* se dit (1829) de l'action de ce qui angoisse, emploi archaïque et littéraire.

◈ voir ASTREINDRE, CONTRAINDRE, DÉTROIT, ÉTRÉCIR, RESTREINDRE.

◆ **ÉTRENNE** n. f. est issu (v. 1165, *estreine*) du latin *strena* «pronostic, présage, signe», puis «cadeaux pour servir de bon présage», sans étymologie connue.

♦ *Étrenne*, dans son premier emploi, conserve le sens latin de «cadeau», employé encore au pluriel avec la valeur de «cadeau offert pour une circonstance précise, nouvelle année, fête de Noël, anniversaire», etc. Le mot signifie ensuite par extension (v. 1185) «premier usage qu'on fait d'une chose», sens archaïque comme la locution *avoir l'étrenne d'une femme* «la déflorer» et l'emploi pour désigner (XIIIe s.) la première vente faite par un marchand dans sa journée. ◇ Au XIIIe s., par métonymie du premier sens, *étrenne* désigne la période où l'on fait les étrennes. Dès le premier tiers du XIIIe s., *les étrennes* se dit de la gratification donnée en fin d'année à certains employés, d'où le sens disparu de «pourboire» (1835). Il a été utilisé par métaphore en argot au sens de «coup», emploi attesté dès le XIIe s. (Chrétien de Troyes) et ensuite dans des locutions comme *donner les étrennes à qqn* «lui jouer un vilain tour» (déb. XVIIe s., d'Aubigné).

▸ **ÉTRENNER** v. a eu une évolution parallèle à celle du nom ; signifiant à l'origine (v. 1175, *estrener*) «gratifier d'une étrenne», il se dit à l'époque classique (1530) pour «faire une première vente», en parlant d'un marchand (1640, intr.). ◇ *Étrenner* signifie aussi (v. 1680) «faire usage de (qqch.) pour la première fois» et, au figuré (1678 ; 1587, intr., «frapper»), «être le premier à souffrir de quelque inconvénient (coup, reproche, etc.)».

ÉTRÉSILLON n. m. représente une altération (XVe s., *estresillon*) de *estesillon* (1333) «bâton servant à maintenir ouverte la gueule d'un animal», d'où «bâillon». Le verbe est dérivé de l'ancien français *esteser* «tendre, étendre» (1262), lui-même de *teser* «tendre» (XIIe s.), qui a aussi pour dérivé *tesseiller* «étirer» (1174-1178). *Teser* est issu du latin populaire °*tensare*, dérivé de *tensus*, participe passé du latin classique *tendere* (→ tendre).

♦ *Étrésillon* a eu le sens (XVe s.) de «bâillon» ; au XVIIe s., le mot prend son acception moderne de «pièce de bois qui soutient les parois d'une tranchée» (1676, Félibien), ou «qui étaie un mur» (1690). Le mot est parfois utilisé en marine (1900), comme **TRÉSILLON** n. m. (1773) qui remplace *tésillon* (XVIe s.), dérivé de l'ancien verbe *teser*, et qui signifie «pièce de bois servant de levier, pour serrer deux cordages que l'on veut réunir».

▸ **ÉTRÉSILLONNER** v. tr. (1676) et son dérivé **ÉTRÉSILLONNEMENT** n. m. (1862) sont des termes techniques.

✳ **ÉTRIER** n. m. est probablement issu, d'abord sous la forme *estreu* (1080), du francique °*streup* «boucle, courroie servant d'étrier» ; la finale *-ier* (v. 1135, *estrier*) vient peut-être du pluriel de la variante *estrief, estrif* (attesté au XIIIe s.), c'est-à-dire *estriés* ; les formes *estreu, estrieu* se rencontrent jusqu'au XVIIe siècle. ◈

♦ Le mot désigne dès l'origine un anneau métallique qui soutient le pied du cavalier. ◇ Il s'emploie ensuite par analogie de fonction comme terme technique (1396) en construction pour «pièce de métal coudée» et comme terme d'anatomie (1561) pour désigner le 3e osselet de l'oreille moyenne. ◇ Dans une civilisation où le cheval avait beaucoup d'importance (voyage, guerre), le mot *étrier* est entré dans de nombreuses locutions. *Le vin de l'étrier*, au XVIIe s., se disait du verre qu'on boit avant de partir ; cette locution a été remplacée par ***le coup de l'étrier*** (1835), qui a survécu à la révolution technique. Dans plusieurs autres locutions, la métaphore est analogue à celle des emplois de *marchepied*, de *courte échelle* ; la relation métonymique entre *pied* et *étrier* représente celle qui existe entre l'homme et l'élévation de sa position sociale : ***avoir le pied à l'étrier*** (1685, au propre ; 1762, au figuré), ***mettre le pied à l'étrier, mettre à qqn le pied à l'étrier*** (1798). *Le pied à l'étrier* ou *dans l'étrier* «en hâte» (XVIIe s.), *être ferme sur ses étriers* «être dans une position ferme» (1694) sont sortis d'usage, comme *perdre, vider les étriers* «perdre sa situation» (XVIIIe s.) ; ***à franc étrier*** «à vive allure» (1787) a vieilli. ◇ *Étrier* s'emploie ensuite au sens général de «dispositif qui sert à fixer ou à soutenir le pied» en chirurgie (av. 1718), en médecine, en alpinisme, etc.

▸ Les dérivés, sauf le premier, sont démotivés. **ÉTRIÈRE** n. f. a été un terme de construction (1384, *estriere*) aussi employé comme adjectif, dans *jambe estriere* «pilier à la tête d'un mur mitoyen» (1600 ; 1409, *estriere*). Le mot désigne ensuite (1678) une bande de cuir qui retient les étriers sur le haut de selle.

ÉTRIVIÈRE n. f. (1176-1181, *estriviere*) vient de la forme ancienne *etrieu, etrif* et se dit de la courroie par laquelle l'étrier est suspendu. Le mot a désigné (1541) une courroie de cuir servant à frapper pour punir ; de là *donner des coups d'étrivière, les étrivières*. ◆ **ÉTRIVER** v. intr. «régler la hauteur des étriers» est un terme technique (1773) ; le verbe avait signifié (1606, *estriver*) «mettre les pieds dans les étriers». ◆ **DÉSESTRIVER** v. tr. «faire quitter les étriers (à qqn)» est attesté en ancien français (*desestriver*, fin XIIe s.), de *désétriver* «ôter les pieds des étriers» (1657, Scarron).

ÉTRIVE n. f. (1773), de la variante *estrif*, désigne un amarrage fait sur deux cordages qui se croisent, d'où un second verbe *étriver* (1831).

ÉTRILLER v. tr. est issu (v. 1170, *estriller*) du latin populaire °*strigilare,* dérivé d'un °*strigila* (voir ci-dessous *étrille*), altération du latin classique *strigilis,* qui se rattache à *stringere* «serrer» (→ étrécir, étreindre, étroit).

♦ *Étriller* signifie «nettoyer, gratter avec une étrille». ◇ Le verbe est vieilli dans l'usage figuré pour «battre, malmener»; *(être) étrillé* est plus courant pour «se faire battre à plate couture (dans un jeu)» (1690, pour les jeux d'argent). *Étriller* s'emploie aussi au figuré pour «critiquer violemment» (1609) et, parfois, au sens de «faire payer trop cher» (1759).

▸ Le dérivé **ÉTRILLAGE** n. m., d'abord attesté au sens figuré de «perte d'argent» (1854), est un terme technique (1897, *l'étrillage d'un cheval*).
ÉTRILLE n. f. est issu (v. 1245, *estrille*) du latin populaire °*strigila,* réfection d'après **strigilare* du latin classique *strigilis* «râcloir» ou est le déverbal de *estriller, étriller. Étrille* désigne d'abord, comme en latin, une plaque de fer emmanchée, munie de petites lames dentelées, utilisée pour nettoyer la peau de certains animaux (cheval, mulet, etc.). ◆ Par analogie de forme, le mot est devenu le nom (1769) d'un crabe à pattes postérieures aplaties en palettes.

ÉTRIPER → TRIPE

ÉTRIQUER v. tr., attesté sous la forme participiale *étriqué* (av. 1755) puis à l'infinitif (1760), reprend probablement l'ancien verbe *étriquer* «allonger, étendre» (un objet s'amincit quand on l'étend), attesté en moyen français dans divers emplois : *s'étriquer* «s'élancer, s'étendre» (1583), *étriquer ses pieds* «s'arc-bouter» (1604), puis «lancer», «allonger» (1625-1655). Ce verbe lui-même se trouve antérieurement, sous la forme *estrikier,* au sens d'«étirer (le drap)», et dans *soi estrikier* «allonger le bras pour saisir» (XIIIe s.). C'est un emprunt au moyen néerlandais *strijken* «s'étendre», du francique °*strikan,* d'où le vieil anglais *strîcan* (anglais *to strike*) apparenté au latin *strigilis* (→ étriller).

♦ Le verbe moderne *étriquer* est attesté au figuré (1760, Voltaire) au sens de «développer insuffisamment (un texte)». Il se dit ensuite (1826) pour «priver d'ampleur» en parlant d'un habit et s'utilise comme terme technique (1831) pour «amincir (une pièce de bois)». Il est rare au sens figuré de «rendre mesquin» (2e moitié du XIXe s.).

▸ **ÉTRIQUÉ, ÉE** adj. est beaucoup plus courant que le verbe, au propre (av. 1755) et au figuré (1829). ◆ Le nom d'action **ÉTRIQUEMENT** n. m. (1875) est en revanche rare.

ÉTROIT, OITE adj. est la réfection (XIIIe s.) de formes en *-ei* comme *estreiz* (1080), *estreit* (v. 1155) issues du latin *strictus* «serré», «concis», «sévère, rigoureux» (→ strict), participe passé adjectivé de *stringere* «serrer» (→ étrécir, étreindre, étriller).

♦ L'adjectif, qui s'est d'abord employé (1080) pour «en rangs serrés», s'applique ensuite, comme en latin, à ce qui a peu de largeur et, par figure, signifie (v. 1165) «intime, qui unit de près» *(rapports étroits).* ◇ Par extension, *étroit* se dit (XIIIe s.) de ce qui a peu d'étendue, d'où ***à l'étroit,*** locution adverbiale (1205, *a l'estroit*) et l'emploi figuré, «sans ampleur» (1671, *cercle étroit de relations*) en particulier dans *vie étroite* «sans aisance» (1601). ◇ Il s'utilise aussi (déb. XIIIe s.), opposé à *relâché,* pour «rigoureux, strict» *(un étroit devoir),* et spécialement dans : ***le sens étroit d'un mot*** (1690, opposé à *large*). ◇ L'adjectif s'applique (fin XIIIe s.) à ce qui est borné, manque de générosité *(cœur, esprit étroit).* ◇ Au XIXe s., il est employé (1890) au sens concret de «qui tient serré» *(nœud étroit),* alors opposé à *lâche, desserré.*

▸ Les dérivés ont une évolution sémantique parallèle. ◆ **ÉTROITEMENT** adv. signifie «en tenant très serré» (v. 1135, *estreitement*), «de manière serrée» (v. 1150, *estroitement*), puis au figuré «rigoureusement, strictement» (1176) et «intimement» (XVIIe s.). ◆ **ÉTROITESSE** n. f., attesté isolément au XIIe s. (*estreitece,* qui correspond à *estreit*) au sens d'«angoisse», s'emploie concrètement (av. 1380, *estroitesse*) et à l'abstrait (av. 1784, Diderot); le mot, rare avant la seconde moitié du XVIIIe s., n'a été admis qu'en 1878 par l'Académie. ◆ **ÉTROITURE** n. f., «lieu étroit» (v. 1195, *estroiture*), relevé jusqu'au XVIe s., aussi pour «étroitesse» (1495), est devenu un terme de spéléologie reformé au milieu du XXe s. pour désigner un passage étroit.

ÉTRON n. m. est issu (fin XIIe s., *estront*) du francique °*strunt* «matière fécale consistante et moulée» attesté par le moyen bas allemand *strunt,* le moyen néerlandais *stront.* L'ancien provençal *estron* et l'italien *stronzo* représenteraient, comme le bas latin *strundius* (IXe s.), une forme longobarde. Selon P. Guiraud, la variante *estronc* et le dérivé *estronchon* «petit étron» justifient de dériver de *étron,* de *estronchier* «tronquer» (variante *estronner*), d'un gallo-roman °*extroncitare;* ce sémantisme trouverait confirmation par *constipé,* qui provient du latin *stipes* «tronc», et par l'argot *mousse* «merde» qui, toujours selon Guiraud, représenterait l'adjectif *mousse* «tronqué» (cf. *émoussé*).

♦ *Étron* a conservé le sens de l'étymon; le mot s'est dit au figuré (1867) d'une chose sans valeur, d'une personne méprisable.

▸ **ÉTRONIFORME** adj. est un composé plaisant formé par Flaubert (1865).

ÉTRUSQUE adj. et n., sous la forme *ethrusque* chez Rabelais (1534, adj.), puis écrit *étrusque* vers 1800, est un emprunt au latin *Etruscus* «de l'Étrurie».

♦ *Étrusque* se dit (1534) comme en latin de ce qui est propre à l'Étrurie, région de l'Italie ancienne située entre l'Arno et le Tibre (nommée aussi *Tyrrhénie*). Le mot désigne (1838, n. m.) la langue indoeuropéenne des *Étrusques.* ◇ Au XIXe s., *vase étrusque* (par exemple chez Mérimée) correspond à «vase grec à décor», provenant d'Italie. Longtemps confondu avec l'art grec, l'art étrusque n'a été étudié spécifiquement que vers la fin du XIXe siècle.

▸ Du radical de *étrusque* dérivent les termes didactiques **ÉTRUSCOLOGUE** n. (1877) et **ÉTRUSCOLOGIE** n. f. (XXe s.).

ÉTUDE n. f. apparaît sous la forme *estudie* (v. 1120), puis *estuide* (v. 1150) par métathèse, et *estude* (fin XIIe s.). Le mot est emprunté au pluriel latin classique *studia,* interprété comme nom féminin singulier, de *studium* «attachement, zèle, soin» et «goût pour l'étude», dérivé de *studere* «avoir de l'attachement pour», «s'appliquer à» (→ studieux). Ce verbe se rattache, comme les mots latins *stupere, stupor* (→ stupeur) et *stuprum* (→ stupre), à des termes indoeuropéens exprimant un mouvement, un choc.

♦ *Étude* conserve le sens général du latin, «soin, application, zèle», et désigne en particulier (1174) l'application pour apprendre, l'effort intellectuel pour acquérir des connaissances. C'est le sens qu'a le mot dans les locutions ***avoir de l'étude*** «avoir des connaissances élaborées», sortie d'usage, et ***mettre qqch. à l'étude*** «(faire) étudier qqch. systématiquement». Par métonymie, *les études* (1532) se dit de la série ordonnée de travaux nécessaires à l'instruction. ◆ Le mot désigne ensuite (1216) un cabinet de travail, emploi sorti d'usage (→ studio, par l'italien) mais d'où procède au XVIIe s. la valeur de «bureau d'un notaire, d'un avoué» (1660) et par métonymie (1690) «charge de notaire, d'avoué». ◆ *Étude,* par extension du premier sens (1580, Montaigne), s'emploie pour «examen, observation (de qqch.)». Le nom désigne au XVIIe s. une représentation graphique constituant un exercice, un essai (1645). *Étude* s'emploie ensuite pour «ouvrage littéraire étudiant un sujet» (1784, *Études de la nature,* Bernardin de Saint-Pierre) et désigne au début du XIXe s. un travail préparatoire de recherche (1802, *étude préliminaire*), d'où *mettre à l'étude* «examiner». Par extension de ce sens, *étude* désigne (1833) une composition musicale écrite, en principe, pour servir à exercer l'habileté de l'exécutant. ◆ Par une nouvelle métonymie, *étude* s'emploie aussi pour désigner la salle où travaillent les élèves en dehors des heures de classe (1832, Balzac) et désigne (1865) le temps passé dans l'étude, puis l'ensemble des élèves constituant une étude (*maître d'étude,* fin XIXe s., est sorti d'usage).

▶ **ÉTUDIER** v. tr. dérive (1155, *estudier*) de l'ancienne forme de *étude, estudie.* Le verbe signifie «se livrer à l'étude», «prendre pour objet l'étude», d'où «chercher à acquérir la connaissance de (qqch.)»; *étudier à qqch.* (v. 1200), «y appliquer son esprit», est sorti d'usage. ◇ Par extension, le verbe s'emploie (1588, Montaigne) pour «chercher à comprendre par un examen attentif» *(étudier un artiste),* d'où la locution ***étudier le terrain,*** au figuré «explorer le milieu où l'on doit agir» (1718). Par extension de l'emploi du XVIe s. pour «chercher à comprendre», *étudier* a pris la valeur d'«examiner (qqch.) avant d'agir» (1658, *étudier une affaire;* 1835, *étudier un dossier*), puis de «traiter un sujet»; il équivaut aussi à «rechercher» *(étudier le point faible de qqn).* ◆ Il a signifié (XVIIe s.) «prendre comme objet de ses soins»; ce sens subsiste seulement au participe passé adjectivé **ÉTUDIÉ, ÉE** (1611), opposé à *naturel.* ◆ *Étudier* est sorti d'usage au sens (1629) de «feindre, affecter», lui aussi conservé dans *étudié* adj. «préparé de manière à faire illusion» (1611), opposé à *sincère. S'étudier* «se composer une attitude quand on se sent surveillé» est attesté en 1824.

◆ **ÉTUDIANT, ANTE** n. et adj. (1261, *etudians*), substantivation du participe présent d'*étudier,* est en concurrence avec *escolier* (→ écolier) jusqu'à la fin du XVIIe siècle. Il s'est spécialisé au XVIe s. (1534, Rabelais), par opposition à *écolier,* pour «adolescent qui fait des études supérieures, va à l'université». ◇ En ce sens, le féminin ne s'emploie qu'à partir de la fin du XIXe siècle; attesté dès 1789, rare au XIXe s., *étudiante* désignait d'abord l'amie d'un étudiant, type social familier du romantisme (cf. *grisette*). ◇ Par extension (v. 1970), *étudiant* s'emploie de nos jours aussi pour désigner un lycéen, *écolier* se disant surtout des plus jeunes élèves. ◇ Comme adjectif (1965), le mot a remplacé dans l'usage courant *estudiantin.* ◆ **ESTUDIANTIN, INE** adj. est dérivé (1899) de la forme ancienne d'*étudiant**, peut-être sur le modèle de l'espagnol *estudiantino* (1726), dérivé de *estudiante* «étudiant». Le mot signifie «qui est relatif aux étudiants».

ÉTUI n. m. représente le déverbal (v. 1170, *estui*) de l'ancien français *estuier, estoiier* «conserver, garder» (XIIe s.), peut-être issu d'un latin populaire °*studiare* «donner son soin à qqch.», attesté en latin médiéval au sens de «soigner», «tenir en bon état, conserver», dérivé de *studium* «application, soin» (→ étude). P. Guiraud propose °*extuicare* pour étymon de *estoiier,* et °*extuicum* pour *estoi;* la forme verbale signifierait «protéger en mettant de côté» d'où «enfermer», «cacher», dérivée du latin *tueri* «veiller sur», «protéger», «conserver en bon état». La variante *estuier* proviendrait du croisement de *tueri* avec *tutare* de même sens.

♦ Le mot est d'abord attesté dans le syntagme *garder en estui* «conserver» (v. 1170). ◇ Il a eu en ancien français (XIIe s.) le sens de «prison» («lieu où l'on garde qqn») puis celui d'«objet creux servant de contenant», qui est resté en usage, et (v. 1550) l'acception de «lieu étroit dans lequel on est enfermé», qui a disparu. Il s'est employé dans la locution figurée *un visage à étui* «très laid», c'est-à-dire que l'on devrait cacher dans un étui (1752). ◇ *Étui* s'utilise dans divers domaines au sens de «contenant» : *étui (de cartouche)* (1836), en marine *étui à voiles* (1866), en ethnologie *étui pénien* (XXe s.); par analogie de fonction, il s'emploie en botanique *(étui médullaire)* et en entomologie pour «fourreau qui protège l'aiguillon de certains insectes» (1865); il avait signifié antérieurement «élytre».

ÉTUVE n. f. est issu, au XIe s. (Raschi), puis au XIIe s. (1176), d'un latin populaire °*extupa* «pièce pour bains de vapeur»; on trouve le bas latin *stupa* (VIIIe-IXe s.) avec ce sens. °*Extupa* est posé comme le dérivé d'un verbe °*extupare,* lui-même de °*tupare,* du grec *tuphein* «faire fumer, remplir de fumée» (→ estouffade). Le verbe grec a sans doute pénétré en Gaule par Marseille avant la conquête romaine, d'après le traitement phonétique du *-ph-* devenu *-p-*. Le provençal atteste encore *tuba* «fumer»; l'italien *stufa* «fourneau» vient aussi du grec, par le biais d'un latin populaire plus tardif, où le *-ph-* était passé à *-f-*.

♦ *Étuve* a d'abord désigné une salle pour bains de vapeur, un hammam. Le mot se dit ensuite (XVIe s.)

d'un endroit clos dont on élève la température pour provoquer la sudation puis (1690) d'un lieu où il fait très chaud. ◇ Il s'emploie spécialement (1680), probablement d'après *étuver,* à propos d'un appareil destiné à obtenir une température élevée, pour sécher des bois, des fruits, etc., assouplir un matériau (en marine *étuve à bordages,* 1773) ou pour désinfecter.

▸ **ÉTUVER** v. tr. (v. 1181-1190, *estuver*) signifie d'abord «baigner dans l'eau chaude»; ce sens, lié à la première valeur d'*étuve,* a disparu. ◇ En revanche le verbe a conservé d'autres emplois anciens, comme «faire passer à l'étuve» (1384) et, en cuisine, «cuire à l'étuvée» (1530), d'abord «ébouillanter» (v. 1393, sens douteux). ◆ Le dérivé **ÉTUVEUR** n. m. désignait autrefois (1260, *estuveur*) le propriétaire d'un établissement de bains chauds, d'une «étuve»; *étuveur* ou **ÉTUVEUSE** n. f. (1923) désigne aujourd'hui un appareil à étuver. ◆ **ÉTUVÉE** n. f., d'abord dans la locution adverbiale ***à l'étuvée*** «à la vapeur» (fin XIVe s., *poules farcies a l'estuvee*), se dit par métonymie du plat cuit à l'étuvée. ◆ Les noms d'action **ÉTUVEMENT** n. m. (1538) et **ÉTUVAGE** n. m. (1874) sont archaïques.

ÉTYMOLOGIE

ÉTYMOLOGIE n. f. est attesté vers 1175 dans la traduction du titre latin *Etymologiae,* ouvrage d'Isidore de Séville, puis sous la forme *ethimologie* (1170-1190). Le mot est un emprunt savant au latin classique *etymologia,* emprunté par Varron au grec *etumologia.* Ce terme est formé de *etumos* «vrai», qui, à partir de l'époque hellénistique, se trouve substantivé *(to etumon)* au sens de «l'élément véritable, authentique d'un mot», et de *-logia* «étude, recherche» (→ -logie); la valeur initiale de *etumologia* est donc «la recherche du vrai sens d'un mot».

♦ L'étymologie, fondement de la grammaire et de la rhétorique chez Isidore de Séville, consiste à établir des relations entre un mot donné et d'autres éléments linguistiques; ainsi sont rapprochés le latin *malum* («le mal») de *malum* («la pomme») dans le commentaire du récit édénique; il s'agit alors de connaître, de révéler les relations perçues à travers les mots. Dans les premières attestations en français, le mot reste lié à la rhétorique; au XIIIe s., il équivaut à «art de la connaissance et de l'utilisation des rapports formels et idéels entre les mots»; il est aussi employé dans un contexte philosophique au sens de «vérité d'une chose, incluse dans le mot qui la désigne». Ces valeurs fondatrices reposent sur l'hypothèse exposée par Cratyle dans le célèbre dialogue de Platon, et selon laquelle le mot n'est pas arbitraire, entretenant un rapport ontologique avec l'idée et la chose. Dès le XIIe s., *étymologie* s'utilise aussi par extension dans *per ethymelogie* (1188, *in* Pfister) «en vertu de la forme de son nom» (*par etimologie,* v. 1230); il désigne encore une figure de style (1521). ◆ Le développement de l'étude historique des langues au XVIe s. aboutit à des restrictions sémantiques, et l'on parle fréquemment de *l'étymologie d'un mot* pour désigner la relation, réelle ou irréelle, entre ce mot et un autre (mais Montaigne parle encore de l'*étymologie d'une chose*). C'est entre 1550 et 1650 que l'on passe à un usage technique, l'étymologie ne concernant plus que la relation de succession réelle entre deux mots particuliers, cette relation, au XVIIe s., ressortissant plus de l'analogie que d'un aboutissement évolutif. L'ouvrage de Ménage, *Origines de la langue française,* publié en 1650, est repris en *Dictionnaire étymologique* (1694). C'est l'article *Étymologie* attribué à Turgot, dans l'*Encyclopédie* (1764), qui définit la science moderne de l'étymologie avec son objet et ses méthodes, et propose une terminologie. Cette acception est reprise dans l'édition de 1771 du *Dictionnaire* de Trévoux. Chez Turgot, *étymologie* est aussi employé pour «terme originaire». Cf. ci-dessous *étymon. Étymologie* reste un mot peu fréquent jusqu'à la fin du XVIIIe siècle; on emploie plutôt *dérivation* pour parler de la désignation abstraite et l'on dit *tel mot vient de tel autre.* Au XIXe s., l'usage cultivé ignore l'emploi d'*étymologie* au sens que définit Littré : «doctrine de la filiation des mots au cours du temps» (par exemple *les lois de l'étymologie*); Littré utilise encore *les étymologies* au sens de «l'ensemble des faits recherchés». ***Étymologie populaire,*** terme technique calqué de l'allemand (voir l'encadré page suivante), apparaît au début du XXe s. mais son usage est aujourd'hui en recul. À partir des années 1960 s'opère un glissement de sens et *étymologie,* sous l'influence de Gilliéron puis de W. von Wartburg, se dit aussi pour «histoire (d'un mot, d'un vocabulaire)».

▸ **ÉTYMOLOGIQUE** adj. (v. 1550, *noms étymologiques*) est un emprunt au latin *etymologicus* (Varron) puis au grec *etumologikos.* ◇ L'adjectif qualifie les noms qui révèlent leur véritable sens; on trouve en latin avec la même valeur *nomina etymologica.* L'évolution de l'adjectif est parallèle à celle du nom; *étymologique* signifie à la fin du XVIIe s. (*Dictionnaire étymologique* de Ménage, 1694) «relatif à l'étymologie (en tant que discipline)» et (1870) «conforme à l'étymologie». ◇ En dérive **ÉTYMOLOGIQUEMENT** adv. (1620). ◆ De *étymologie* procèdent plusieurs autres termes didactiques : **ÉTYMOLOGISER** v. intr. (1549), précédé par *ethimologier* (XIIe s.; *ethimologizar,* XIVe s., en ancien provençal) vient du latin médiéval *etymologizare* (v. 1250). ◆ **ÉTYMOLOGISTE** n. (1578) est forgé en français; il élimine *éthimologiseur* (1572), mot péjoratif, et prend les valeurs successives d'*étymologie.* **ÉTYMON** n. m., emprunt savant (1892) au grec *etumon,* désigne la forme d'où procède un mot, soit par évolution, soit par emprunt.

EUCALYPTUS

EUCALYPTUS n. m. est d'abord repris sous la forme *eucalypte* (1796) relatinisée en *eucalyptus* (1815), du latin scientifique *eucalyptus* (1788, Lhéritier), composé du grec *eu-* «bien» et de *kaluptos* «couvert», le limbe du calice restant fermé jusqu'à la floraison. *Kaluptos* est l'adjectif verbal de *kaluptein* «couvrir, envelopper», qui se rattache à une racine indoeuropéenne °*kel* «cacher» (d'où provient le latin *celare;* → celer).

♦ Le mot désigne un arbre originaire d'Australie, à feuilles très odorantes et, par métonymie (XIXe s.), la feuille, utilisée pour ses propriétés médicinales.

(Suite p. 1340)

L'ÉTYMOLOGIE

L'étymologie, telle qu'elle est développée depuis le début du XXe s., est la discipline qui cherche à établir l'origine formelle et sémantique d'une unité lexicale, le plus souvent un mot, mais aussi à en retracer l'histoire dans les rapports qu'il entretient avec les mots de la même famille, avec les mots de forme et de sens voisins et avec la chose qu'il désigne.

Cette nouvelle conception de l'étymologie, qui englobe l'étymologie-origine et l'étymologie-histoire (K. Baldinger, *L'Étymologie,* p. 239), trouve ses fondements dans les acquis de la grammaire historique et comparée ; elle a évolué, de plus, grâce à la sémantique, à la dialectologie et à la géographie linguistique. La linguistique historico-comparative du XIXe s. lui apporte les lois phonétiques qui régissent notamment le français et les langues romanes, par comparaison de ces langues entre elles et avec le latin, dont elles sont issues. Ces travaux aboutirent au *Romanisches Etymologisches Wörterbuch* du romaniste suisse Meyer-Lübke, publié de 1911 à 1920. Ce linguiste classe sous un étymon donné les formes qui en découlent, laissant de côté les problèmes liés à l'évolution du sens. À la même époque, la constitution de la sémantique en tant que discipline amène une curiosité nouvelle pour le contenu, la signification, le concept et pour la relation du mot avec la chose. Dès le début du XXe s., la dialectologie et la géographie linguistique participent, de leur côté, à l'évolution de l'étymologie. L'intérêt se déplace alors sur l'histoire du mot, l'étymologie-origine n'étant plus considérée que comme un point de départ de la recherche étymologique. Les travaux du dialectologue suisse J. Gilliéron, auteur de l'*Atlas linguistique de la France* (1903-1910), marquent un pas décisif dans cette évolution. Il met en garde ses auditeurs contre l'ancienne étymologie : «Ne vous contentez pas de faire l'histoire d'un mot, pareillement à celle que ferait un historien littéraire, qui retracerait la vie d'un homme célèbre en ces termes : Balzac, assis sur les genoux de sa nourrice, était vêtu d'une robe bleue, rayée de rouge. Il écrivit *La Comédie humaine*» (J. Gilliéron, *La Faillite de l'étymologie phonétique,* Neuveville, 1919, p. 133).

En 1922, paraît le premier fascicule du *Französisches Etymologisches Wörterbuch* publié par le romaniste suisse Walther von Wartburg. Ce trésor étymologique du lexique gallo-roman, où le français est considéré parmi tous les dialectes, rédigé en allemand et dédié à Gilliéron et Meyer-Lübke, pose les bases de l'étymologie axée sur l'histoire du mot. Trois orientations nouvelles se dégagent de cette conception étymologique. La première est structurale : quand un élément de la structure change, le système évolue ; cette orientation a été particulièrement suivie par P. Guiraud *(Structures étymologiques).* La seconde est d'ordre philologique : les datations et les premières attestations d'un mot ou d'un sens prennent de l'importance ; une première attestation peut en effet remettre en cause un étymon ou, au contraire, venir consolider une hypothèse étymologique. La dernière, enfin, est d'ordre socio-culturel : en faisant l'histoire d'un mot, on écrit aussi celle de l'homme, celle de la société.

Pour illustrer ces considérations, nous donnerons l'exemple classique du latin *coxa* «hanche», qui a donné le français *cuisse.* L'étymologie-origine se contente de cette affirmation formelle : latin *coxa* → français *cuisse* et de cette constatation sémantique : *coxa* «hanche» → *cuisse* «cuisse». Mais pourquoi le mot latin a-t-il changé de sens? Pourquoi est-on passé, pour la même forme, de «hanche» à «cuisse»? Wartburg donne une réponse : pour désigner la cuisse, le latin classique possède le terme *femur.* L'évolution du bas latin aboutit à une homonymie entre *femur* «cuisse», devenu *femus,* et *fimus* «fumier», devenu lui aussi *femus;* le sujet parlant préfère alors *coxa* pour désigner la cuisse. Cette solution de fortune résout provisoirement l'ambiguïté formelle ; le flou sémantique subsiste, puisque *coxa* désigne à la fois la hanche et la cuisse. La langue adopte, à ce stade, une autre solution pour supprimer l'ambiguïté de *coxa :* elle fait appel au germanique *°hanka,* qui signifie «hanche». Si *coxa* «hanche» a changé de sens, c'est sous l'influence de son entourage, parce que *femur* est devenu homonyme de *fimus :* ceci illustre l'orientation structurale citée plus haut.

Un autre exemple illustrera l'apport de la dialectologie : celui du français *fesser* «donner des coups sur les fesses». Depuis la fin du XVIe s. au moins, *fesser* est mis en rapport avec *fesse(s).* Si l'on considère cependant les formes dialectales, on remarque que certains parlers normands présentent la forme *fessier.* Cette forme en *-ier* ne peut être le résultat d'un dérivé de *fesse,* qui, en normand comme en français, aurait donné *fesser.* Il faut donc, pour le verbe *fessier,* avoir recours à une autre hypothèse. Le latin connaît le verbe *fasciare* «bander, lier, attacher», dérivé de *fascia* «bande». Ce mot a donné en français *faice/fesse* «lien, lien tressé», qui disparaît de l'usage vers le XVIe siècle. N'existe plus alors que *fesse,* d'où la possibilité, pour le sujet parlant, d'y rattacher *fesser. Fesser* est néanmoins formé sur *fesse, faisse* «lien», comme *fouetter* sur *fouet,* et appuyé par l'existence d'un verbe latin *fasciare* et du normand *fessier.*

Le lexique français est composé de mots hérités, de mots dérivés et composés, d'emprunts*

(→ français). L'étymologie scientifique a créé, pour départager ces différents éléments lexicaux, ses propres méthodes de recherche et d'investigation.

Afin de pouvoir proposer une étymologie, le chercheur doit satisfaire à plusieurs préalables : pour mener à bien une recherche étymologique aussi bien historique (évolutive ou diachronique) que descriptive (synchronique), il devrait :

— recueillir le plus grand nombre possible d'attestations du mot qu'il traite, dans le temps et dans l'espace ; plus le corpus est exhaustif, plus il peut suivre pas à pas l'évolution du mot et en retracer finement l'histoire. Ce corpus est composé de sources différentes, de valeur inégale : les textes eux-mêmes, littéraires ou non, les dictionnaires de langue et les dictionnaires spécialisés, les glossaires d'éditions de textes, les monographies et glossaires dialectaux, les atlas linguistiques, etc. Ce premier préalable conduit l'étymologiste à une démarche philologique ;

— revenir à la source, aller vérifier le contexte dans lequel le mot apparaît, établir le sens le plus exactement possible et contrôler la graphie, localiser le texte, contrôler les datations* pour pouvoir respecter la chronologie. Il est, en effet, de première importance de savoir si le mot apparaît pour la première fois dans un texte français copié en Italie (certaines formes, non attestées ailleurs, seront considérées alors comme des emprunts à l'italien) ou, par exemple, par un scribe originaire de Picardie (certaines formes pourront être interprétées comme des picardismes), et de savoir si le passage dans lequel se situe le mot relate une partie de chasse ou décrit une scène d'amour. Ces recherches minutieuses sont nécessaires et leur conclusion peut entraîner un remodelage de l'histoire du mot ;

— savoir interpréter la répartition géographique d'un mot ou d'un groupe de mots dans l'espace roman ;

— avoir une idée précise de l'histoire événementielle, sociale, économique, culturelle du pays dont on étudie la langue et le lexique. C'est surtout en observant ce dernier point que peuvent être évitées des étymologies livresques, proposées par des linguistes trop éloignés des réalités extra-linguistiques ; celui qui sait ce qu'est une Spontex n'ira pas postuler, à la base de l'expression *boire comme une Spontex*, un *Spontex* «nom d'une marque de voitures» ; celui qui connaît l'existence d'un M. Rustin, inventeur de la *rustine*, ne rattachera pas ce mot au radical germanique *rust*.

Pour faire une étymologie scientifique, l'étymologiste doit tenir compte de facteurs aussi bien linguistiques qu'extra-linguistiques :

— facteurs phonétiques : il lui faut évidemment connaître la phonétique historique du français et des dialectes gallo-romans, mais aussi celle des autres langues romanes ;

— morphologiques : il doit voir si le suffixe qu'on croit avoir reconnu est, à l'époque concernée, d'une grande vitalité ou non en cherchant d'autres exemples, si la règle de suffixation est connue ;

— morphosyntaxiques : il faut vérifier que le mode de composition qu'il suppose est attesté par d'autres exemples ;

— sémantiques : bien que l'on ne puisse pas réduire la sémantique à une liste de lois, contrairement à la phonétique, on peut observer néanmoins certaines constantes dans le changement du sens, comme la restriction ou l'extension du sens. L'étude des champs sémantiques (sémasiologie), à l'intérieur comme en dehors du français, permet de cerner les phénomènes qui induisent les changements de sens ;

— il faut encore tenir compte des relations du mot avec la chose (relations onomasiologiques), comme de celles de l'homme avec la langue (pragmatique).

Le langage est en effet une activité humaine essentielle, et le chercheur doit accorder une part importante aux phénomènes d'*étymologie* dite *populaire*, une étymologie non scientifique donc, qui n'opère pas par la conjonction des différents critères et facteurs mentionnés plus haut.

L'expression «étymologie populaire» *(Volksetymologie)*, créée par le linguiste allemand Förster en 1852, est malheureuse et ambiguë. Malheureuse, car elle est associée au mot *peuple* et, de ce fait, au moins au XIXe s., elle a été dépréciée ; ambiguë, car par *peuple* il faut comprendre, en fait, tout locuteur, quelle que soit sa position sociale. Avec cette nouvelle acception, ce concept recouvrira donc aussi bien l'étymologie dite «savante» que l'étymologie proprement «populaire», et s'opposera ainsi à l'étymologie objective, scientifique. Toutes deux, en effet, répondent au même besoin de lutter contre l'arbitraire du signe : l'homme essaie sans cesse d'analyser les mots, d'en chercher la motivation puis, si ceux-ci sont devenus opaques ou obscurs, de les réanalyser, réinterpréter et remotiver. Le processus est, en outre, le même : toutes deux (étymologies savante et populaire) travaillent par simples rapprochements et non, comme le scientifique, par relation contrôlée entre les différents jalons de l'histoire d'un mot. La seule différence qui persiste entre elles réside dans le fait que l'une opérera par rapprochement avec un signe d'un état de langue antérieur (ancien français, par exemple) ou d'une langue antérieure (hébreu, latin, grec, celtique ou germanique, selon les connaissances du savant), alors que l'étymologie dite «populaire» fera le rapprochement avec un signe de la langue qu'il parle, s'il n'en utilise qu'une, ou, s'il est bilingue, de son dialecte et de la langue. *Po-*

pulaire, ou *non scientifique*, ne signifie pas fausse ou incorrecte ; rappelons à ce propos que Ménage, qui peut passer pour un représentant de l'étymologie savante, offre entre 70 et 80 % d'étymologies correctes, vérifiées depuis scientifiquement. Certains mots de la langue sont plus sujets que d'autres à la réanalyse : beaucoup désignent des plantes ou des animaux ou, selon un autre point de vue, sont des mots savants tirés du grec ou du latin, ou des emprunts aux langues étrangères. Tel est le cas, par exemple, de l'ancien français *laudanon* «opium purifié», issu du latin *ladanum*. Ce mot a été senti comme un composé formé de *lau* + *d(e)* + *anon*. Le dernier élément de ce mot ainsi décomposé a été assimilé à un homophone connu du locuteur, *ânon*. On obtient donc une structure X + *de* + nom d'animal. Sur le modèle de composés formés d'un nom d'animal et désignant un médicament, comme *lait de poule* (depuis 1751), par exemple, *lau* a été remplacé par *lait*, monosyllabique comme *lau* ; ce composé est d'autre part appuyé par l'existence du syntagme *lait d'ânesse*. D'où, à Paris, l'émergence de *lait d'ânon*. En Bretagne francophone, la solution choisie est celle d'une réinterprétation de *lau* par *l'eau*, d'où la forme *iau d'ânon*. Il serait trop long d'énumérer ici les nombreux procédés que le locuteur met en œuvre pour interpréter les signes de la langue. L'étymologiste doit, en tout cas, les avoir présents à l'esprit quand il tente de rendre compte d'expressions comme *ami/copain comme cochon* ou *fier comme un pou*, dans lesquelles *cochon* et *pou* ont été réinterprétés.
L'observation de toutes ces procédures d'investigation, la convergence et la conjonction de ces éléments et facteurs, la prise en compte de ces axiomes ont permis de faire de l'étymologie une activité scientifique. Pourtant, si l'étymologiste a à sa disposition un attirail méthodologique, il n'en reste pas moins qu'il lui faut parfois une bonne intuition pour «faire parler» les matériaux qu'il a sous les yeux. C'est à ce niveau que l'étymologie peut être assimilée à un art et non plus à une science : «Ne cherche pas une étymologie, trouve-la ! [...] Il faut qu'une étincelle jaillisse, quelque chose d'intuitif, qui ne peut être acquis mathématiquement» (trad. de Leo Spitzer, 1925). Bon nombre d'étymologies restent de ce fait inconnues ou incertaines.
Disons, pour terminer, que le français occupe en étymologie une place privilégiée parmi les autres langues. En effet, le latin, qui constitue la base du lexique français, est une langue bien connue et exploitée ; le point de départ est donc pratiquement assuré. Le français possède, en outre, un très grand nombre de textes (depuis le IXe s.), littéraires ou non, qui permettent de retracer, jalon par jalon, l'histoire du lexique. Seul point flou, peut-être : le passage du latin classique au roman, par un latin parlé (latin «vulgaire» ou «populaire») très difficile à reconstituer ; ce passage, malgré les recherches dans ce domaine, laisse lui aussi la place à quelques reconstructions hypothétiques.

M.-J. Brochard

BIBLIOGRAPHIE

K. BALDINGER, «L'étymologie hier et aujourd'hui», in *Cahiers de l'association internationale d'études françaises*, 11, 1959, pp. 233-264.

P. GUIRAUD, *L'Étymologie*, Paris, Que sais-je ?, n° 1122, 1964. — *Structures étymologiques du lexique français*, Paris, Larousse, coll. Langue et Langage, 1967.

A. ZAMBONI, *L'Etimologia*, Bologne, 1979.

M. PFISTER, *Einführung in die romanische Etymologie*, Darmstadt, 1980.

▸ **EUCALYPTOL** n. m. (1870 ; suffixe *-ol*) se dit en pharmacie du principe actif extrait de l'essence d'eucalyptus.

EUCARYOTE adj. et n. m. pl. est formé (XXe s.) à partir du grec *eu-* «bien» et de *karuon* «noix» puis «noyau».

♦ Le mot qualifie et désigne un animal vivant dont les cellules possèdent un noyau structuré, par opposition à **PROCARYOTE** adj. et n. m. (1925, É. Chatton), organisme dont le noyau n'est pas séparé du cytoplasme par une frontière individualisée.

EUCHARISTIE n. f. est un emprunt (fin XIIIe s. ; v. 1165, *in* Bloch et Wartburg) au latin chrétien *eucharistia* «action de grâces», «ce qui a été consacré par la prière d'action de grâces» (le vin, le pain), lui-même emprunté au grec *eukharistia* «reconnaissance», «action de grâce», en grec chrétien «sacrifice de l'eucharistie». *Eukharistia* vient de *eukharistos* «agréable», de *eu-* «bien» et *kharizesthai* «chercher à plaire», «accorder une grâce», dérivé de *kharis* «grâce, faveur, gratitude» (→ charisme), qui se rattache, comme le latin *hortari* (→ exhorter), à une racine indoeuropéenne °*gher-* «désirer».

♦ *Eucharistie*, terme de théologie (souvent écrit avec la majuscule), désigne le sacrement essentiel du christianisme qui commémore le sacrifice du Christ. Dans la théologie catholique et orthodoxe, *eucharistie* se dit des espèces (pain et vin) qui contiennent substantiellement le corps, le sang, l'âme et la divinité de Jésus-Christ ; dans la théologie luthérienne, la présence du Christ est réelle mais la substance des espèces demeure, alors que dans la théologie calviniste, la présence du Christ, toujours réelle, est spirituelle.

▸ **EUCHARISTIQUE** adj. (1577) est emprunté au latin chrétien *eucharisticus* «de remerciement» (Ve s.) et «eucharistique» en latin médiéval (seulement attesté en 1552), emprunt au dérivé grec *eukharisti-*

kos, proprement «reconnaissant». ➛ En français, le mot est rapidement ressenti comme un dérivé de *eucharistie* et en prend les valeurs.

EUCLIDIEN, IENNE adj. est dérivé (av. 1745, Desfontaines) de *Euclide*, nom du mathématicien grec du IIIe s. av. J.-C. (grec *Eukleidês*, latin *Euclides*).

♦ L'adjectif, qui signifie «relatif à Euclide», s'emploie couramment dans *géométrie euclidienne*, qui s'oppose aujourd'hui à *géométries non euclidiennes* (1905) reposant sur d'autres postulats (ceux de Lobatchevsky, Riemann); l'adjectif est rare au sens de «partisan de la géométrie d'Euclide».

EUDÉMONISME n. m. est un emprunt (1845) au grec *eudaimonismos* «action de regarder comme heureux», dérivé de *eudaimôn* «heureux» (littéralement «qui a une bonne destinée»), de *eu-* «bien» et *daimôn* «démon, divinité» (→ démon) et en composition «destinée». L'anglais emploie *eudaemonism* dès 1827.

♦ Terme philosophique, *eudémonisme* désigne une doctrine morale (Aristote, Épicure) ayant pour principe que le but de l'action est le bonheur, considéré comme valeur intellectuelle.

► Les dérivés **EUDÉMONISTE** adj. et n. (1890) et **EUDÉMONIQUE** adj. (déb. XXe s.) sont moins usités.

EUDIOMÈTRE n. m. est formé (av. 1775) du grec *eudia* «beau temps» (de *eu* «bien») et *-mètre*.

♦ Ce terme savant désigne un appareil pour l'analyse quantitative des mélanges gazeux et la synthèse de composés.

► Il a pour dérivé **EUDIOMÉTRIE** n. f. (1787) et **EUDIOMÉTRIQUE** adj. (1787).

EUGÉNIQUE n. f. et adj. est un emprunt (1883) à l'anglais *eugenics* (1883, en même temps que *eugenic*, adj.), composé par F. Galton (1822-1911), disciple de Darwin, à partir du grec *eu-* «bien» et *genos* «naissance», «race», qui se rattache à la racine indoeuropéenne °*gen(e)-*, °*gne-* «engendrer» et «naître» (→ engendrer, gène, gens).

♦ Le mot désigne la discipline qui étudie les méthodes susceptibles d'améliorer les caractères propres des populations humaines, et l'adjectif ce qui concerne ou applique cette discipline, fortement critiquée et discréditée.

► De même sens, **EUGÉNIE** n. f. (1930) est vieilli. ➛ **EUGÉNISME** n. m. (1878), dérivé de *eugénique* plutôt qu'emprunt à l'anglais *eugenism* (1887), est didactique, comme **EUGÉNISTE** n. (1935) et adj. (1941), emprunté à l'anglais *eugenist* (n., 1908; adj., 1921); ces termes restent marqués par leur époque et par l'emploi ultérieur relatif à la politique des régimes racistes et dictatoriaux.

EULOGIE n. f. est un emprunt (1584) au latin chrétien *eulogia* «bénédiction» et «pain bénit, objet bénit donné en cadeau», repris au grec *eulogia* «louange, bénédiction», en grec chrétien «eucharistie», «bienfait, aumône», composé de *eu-* «bien» et de *-logia* (→ -logie).

♦ Terme de liturgie catholique, *eulogie* s'est employé au sens de «bénédiction» (1584); il est sorti d'usage plus tard au sens de «pain bénit» (1586 au singulier, ensuite souvent au pluriel) et de «pain destiné à la consécration» (cf. *oblats*).

EUMÉNIDES n. f. pl. est un emprunt (1480) au grec *Eumenides* (sous-entendu *Deai*) «les (déesses) bienveillantes», nom donné par antiphrase aux *Érinyes (Furies)* chargées de pourchasser les méchants sur la terre. Le mot vient de *eumenês* «bienveillant», de *eu-* «bien» et *-menês*, suffixe exprimant la volonté, l'intention, de *menos* «principe de vie, intention, volonté», mot d'origine indoeuropéenne.

♦ Le mot s'emploie en mythologie grecque, au sens de l'étymon.

EUNUQUE n. m. est un emprunt (1274, *eunuche, eunique*) au latin *eunuchus*, lui-même repris au grec *eunoukhos*, proprement «gardien de la couche», de *eunê* «couche» (d'étymologie inconnue) et *ekhein* «avoir, tenir».

♦ *Eunuque* désigne (1274) l'homme châtré qui gardait les femmes dans les harems orientaux; le mot s'est employé ensuite dans un contexte médical. ◇ Dans un emploi péjoratif (1794), il désigne un homme dépourvu des qualités qu'on attribue traditionnellement au sexe masculin, l'énergie morale et physique; Balzac l'emploie (1839) pour «écrivain incapable de créer ("impuissant")».

EUNUCHISME n. m., emprunt savant au grec *eunoukismos* «castration», s'est employé pour «influence des eunuques sous le Bas-Empire» (1838). Il a aussi le sens de «castration» (1845) et d'«état de celui qui est eunuque» (1866). ➛ On trouve en ce sens **EUNUCHAT** n. m. (fin XIXe s.), dérivé savant de *eunuchus*. ➛ **EUNUCHOÏDE** adj. (av. 1870), emprunt au grec *eunukoeidês* «semblable à un eunuque», s'est employé en parlant d'une voix, puis (1925) du corps. À la différence d'*eunuque*, ces mots n'ont plus cours.

EUPHÉMISME n. m. est un emprunt savant (1730, Dumarsais) au bas latin *euphemismus* ou au grec *euphêmismos* «emploi d'un mot favorable» (à la place d'un mot de mauvais augure). Le terme grec est composé de *eu-* «bien» et d'un dérivé de *phêmê* «parole» (de *phanai* «parler»), qui se rattache à une importante racine indoeuropéenne signifiant à la fois «dire» et «briller», de forme probable °*bha-*, °*bhe-*.

♦ *Euphémisme* désigne l'expression atténuée d'une notion, dont l'expression directe serait jugée vulgaire, brutale.

► En dérive **EUPHÉMIQUE** adj. (1834), plus rare, d'où **EUPHÉMIQUEMENT** adv. (1846). L'adjectif est en concurrence avec *euphémistique*.

EUPHONIE n. f. est un emprunt (1300-1315) au bas latin *euphonia* «douceur de prononciation», emprunt au grec *euphônia*, de *euphônos*, de *eu-* «bien» et *phônê* «voix, son, langage» (→ -phone, -phonie).

♦ *Euphonie* s'emploie d'abord au sens d'«harmonie des sons dans le mot, la phrase»; par extension, le mot désigne en musique (1762) une harmonie de sons agréablement combinés.

▸ Le dérivé **EUPHONIQUE** adj. (1756) s'applique au discours et à la musique, comme **EUPHONIQUEMENT** adv. (1845).

EUPHORBE n. f., sous les formes *eufourbe* (v. 1256) et *euforbe* (XIIIe s.), est emprunté au latin impérial *euphorbia (herba),* qui viendrait selon Pline de *Euphorbus,* nom du médecin du roi Juba de Mauritanie (Ier s. apr. J.-C.), prince savant en histoire naturelle.

♦ Le mot désigne une plante dicotylédone renfermant un suc laiteux.

▸ De là le nom de la famille des **EUPHORBIACÉES** n. f. pl. (1807), formé en latin des botanistes.

EUPHORIE n. f. est un emprunt savant (1732) au grec *euphoria* «force pour supporter», dérivé de *euphoros* «qui supporte facilement», «dispos». Cet adjectif est composé de *eu-* «bien» et d'un dérivé de *pherein* «porter» (→ amphore, métaphore), qui se rattache à la racine indoeuropéenne °*bher-* «porter», comme le latin *ferre* (→ différer, offrir, référer).

♦ Le mot est introduit au début du XVIIIe s. comme terme de médecine pour désigner une impression de bien-être général, pouvant aller jusqu'à un état de surexcitation. ◇ Il se dit par extension et couramment (déb. XXe s.) d'un sentiment de bien-être et de joie ; avec une valeur collective, il équivaut à «prospérité» (d'un pays par exemple).

▸ **EUPHORIQUE** adj., attesté en 1922, signifie «qui se caractérise par l'euphorie». Substantivé au masculin, il désigne un remède qui provoque l'euphorie. Une autre valeur de l'adjectif est «qui éprouve de l'euphorie» (1930). De l'adjectif dérive **EUPHORIQUEMENT** adv. (XXe s.). ◆ **EUPHORISER** v. tr. (1926) «rendre euphorique» est un terme de psychophysiologie, comme son participe présent **EUPHORISANT, ANTE** adj. et n. m. (1953), au propre «qui provoque l'euphorie», spécialement en parlant d'un médicament, et alors substantivé, emploi qui remplace celui d'*euphorique.* Au figuré, l'adjectif correspond à «qui incite à l'optimisme». ◇ **EUPHORISATION** n. f., dérivé du verbe (v. 1969), est d'emploi rare.

EUPHUISME n. m. est un emprunt tardif (1820) à l'anglais *euphuism* (1592), de *Euphues,* nom du personnage principal des œuvres de John Lyly, *The Anatomy of the wit (L'Anatomie de l'esprit)* [1578] et *Euphues and his England (Euphues et son Angleterre)* [1580]. Ce nom est un emprunt au grec *euphuês* «bien né», de *eu-* «bien» et de *-phuês,* de *phuein* «faire pousser, faire naître», qui se rattache à une racine indoeuropéenne °*bhewə-,* °*bhu-* «croître» (→ physique) très bien représentée dans les langues indoeuropéennes, par exemple par le latin *futurus* (→ futur).

♦ Le mot qui apparaît en français dans une traduction de Walter Scott, *Le Monastère,* est un terme d'histoire littéraire désignant le style précieux qui fut à la mode en Angleterre sous Elisabeth Ire et qui correspond à ce que fut en Espagne le *gongorisme,* en France la *préciosité.*

▸ **EUPHUISTE** n. (1838), emprunt à l'anglais *euphuist* (1820) ou formation française, désigne un écrivain qui pratique l'euphuisme.

① **-EUR,** suffixe de noms, d'abord *-our* en ancien français, est issu du suffixe latin de noms d'action *-or, -orem ;* il a servi à former des noms féminins désignant une qualité, à partir d'un adjectif. Les substantifs latins en *-or,* qui sont du genre masculin, genre souvent conservé en italien, en espagnol et en portugais, correspondent généralement à des noms féminins en français *(blancheur),* en provençal et en roumain. Au XVIe s., beaucoup de mots retrouvent le genre latin (par exemple *ardeur, honneur, odeur,* etc.) ; en français moderne seuls sont masculins *amour* (forme en *-our* due au provençal), *honneur* et *labeur.*

♦ *-eur,* suffixe très usuel en ancien français, n'est pratiquement plus productif à partir du XVIIIe siècle ; beaucoup de mots formés en ancien et en moyen français ont été éliminés, à cause de la multiplication des synonymes (par exemple *tristour* éliminé par *tristesse*).

② **-EUR, -EUSE** est un suffixe servant à former des noms d'agent ou d'instrument, à partir de bases verbales (ex. *chanteur, planteur*). La forme *-eur* a pour origine les suffixes latins *-orem* (cf. *pasteur,* de *pastorem*), accusatif de *-or, -oris,* et *atorem,* accusatif de *-ator, -atoris ; -ator* a abouti en ancien français à *-ère,* aujourd'hui disparu, *-atorem* à *-eeur,* réduit à *-eur,* qui s'est confondu phonétiquement avec *-eux* par suite de l'amuïssement du *r* final, commencé au XIIe s., généralisé au XIIIe s., et par l'influence des pluriels où *r* tombait régulièrement devant *s.* La forme *-euse* représente un emprunt au suffixe latin *-osus, -osa* (→ -eux, -euse). Lorsque *-eur* s'est confondu avec *-eux,* la forme *-euse* est devenue marque de féminin et a éliminé *-eresse* au moment où le *r* de *-eur* a été prononcé de nouveau. La variante *-ateur (aspirateur, adaptateur)* est de formation demi-savante ; le féminin *-atrice* est issu du latin *-atrix, -atricis,* correspondant à la forme *-ator.* Il existe des variantes en *-isseur* (à partir de verbes en *-ir*), *-isateur, -iseur* (verbes en *-iser*), *-ificateur* (verbes en *-ifier*).

EURÊKA interj., attesté en 1821 (J. de Maistre), est un emprunt au grec *hêurêka* «j'ai trouvé», 1re personne du parfait de l'indicatif du verbe *heuriskein* «trouver» (→ heuristique).

♦ La légende attribue l'exclamation à Archimède lorsqu'il découvrit dans son bain la loi de la pesanteur spécifique des corps ; par allusion à cette anecdote, *eurêka !* s'emploie lorsqu'on trouve subitement la solution d'un problème, une bonne idée.

EUROPÉEN, ÉENNE adj. et n., d'abord attesté comme adjectif (1563, sous la forme *europien ;* puis 1616, forme moderne), est dérivé par suffixation *-éen* de *Europe,* emprunté au latin *Europa* (ou *Europe*), lui-même pris au grec *Eurôpê.* Le nom grec *Eurôpê* vient de *eurus* «large» et *ops* «œil» et signifie «aux grands yeux». Le passage du nom de personne au nom géographique peut provenir du mythe. Fille d'un roi légendaire de Phénicie, *Europe* est enlevée par Zeus, sous la forme d'un taureau blanc, qui la transporte en Crète. ◆ Cependant, on évoque aussi une origine phénicienne, sémantiquement plus satisfaisante, le mot phénicien *ereb* signifiant «soir» et «occident» et pouvant s'opposer à «pays du levant», l'Asie. Il existait en latin classique un adjectif *europaeus* «d'Europe, fille d'Agénor» et aussi «Européen», et en bas latin *europensis*.

♦ *Européen* qualifie ce qui se rapporte ou appartient à l'Europe. On le trouve comme nom depuis le début du XVIIIe s. (1721) et la locution ***à l'européenne*** «à la manière des Européens» est attestée en 1816. Aujourd'hui le mot s'emploie en particulier en parlant des pays d'Europe occidentale et de ceux d'entre eux organisés sur le plan économique et politique (*Communauté européenne,* puis *Union européenne; élections européennes),* d'où l'emploi du nom (mil. XXe s.) pour «partisan d'une Europe unie».

▶ **EUROPÉANISER** v. tr., dérivé du radical de *européen,* signifie «façonner à la civilisation européenne» (1842, *s'européaniser* «prendre des particularités européennes»); il a éliminé *européiser* (1851). Au XXe s., le verbe s'emploie en politique et en économie, pour «envisager (certaines questions) dans une perspective européenne» (v. 1969). ◇ Du verbe dérive **EUROPÉANISATION** n. f. (1906; la variante *européisation* est archaïque). ◆ **EUROPÉANISME** n. m. «caractère européen» (1807), qui a éliminé *européisme* n. m. (1850), se dit en particulier d'une position politique favorable à l'unification de l'Europe (1969). ◆ **EUROPÉENNEMENT** adv. (1833) est rare. ◆ **EUROPÉANITÉ** n. f. (v. 1974) est didactique. ◆ Le composé **PANEUROPÉEN, ÉENNE** adj. (1901; *pan-*) qualifie, en termes politiques, ce qui est relatif à l'unité européenne; d'où **PANEUROPÉANISME** n. m. (1928). ◆ À partir du radical de *européen* ont été composés (mil. XXe s.) **EUROPÉOCENTRIQUE** adj. (de *centrique*) «qui fait référence à l'Europe» et **EUROPÉOCENTRISME** n. m. (variante **EUROPOCENTRISME** n. m., 1974) «fait de considérer (un problème général, mondial) d'un point de vue européen».

EUROVISION n. f. (1954) représente l'abréviation de *[Union] euro[péenne de radio-diffusion et de télé]vision;* le mot désigne l'émission simultanée de programmes télévisés dans plusieurs pays d'Europe.

EUR-, EURO-, préfixe tiré de *Europe, européen,* sert à former des termes marquant un rapport à l'Europe institutionnelle. ◆ Dans le domaine administratif : **EUROCRATE** n. m. (1964; de *-crate,* sur le modèle de *bureaucrate, technocrate*) «fonctionnaire des institutions européennes» est souvent péjoratif. ◆ Les composés sont nombreux dans le domaine financier : **EUROCRÉDIT** n. m. (v. 1965); **EURODEVISE** n. f. (v. 1965); **EURODOLLAR** n. m. (1961; formé en anglais av. 1960); **EUROMARCHÉ** n. m. (1971). ◇ **EURO** n. m. est le nom qui fut choisi internationalement en 1996 pour désigner la monnaie unique de l'Union européenne, auparavant désignée par E.C.U. → ② écu. ◆ Dans le domaine politique : **EUROCOMMUNISME** n. m. (1975), emprunt à l'italien *eurocommunismo,* d'où **EUROCOMMUNISTE** adj. et n. (apr. 1975); **EURODROITE** n. f. (1979; de *droite*). ◆ Dans le domaine militaire, on trouve **EUROMISSILE** n. m. (v. 1979), **EUROSTRATÉGIE** n. f. (v. 1980), d'où **EUROSTRATÉGIQUE** adj. ◆ Les attitudes vis-à-vis de l'Union européenne ont donné lieu à quelques dénominations, tel **EUROSCEPTIQUE** adj. et n. (1992), d'où **EUROSCEPTICISME** n. m.

Avant cette série, un composé avait été emprunté à l'anglais : **EURASIEN, IENNE** n. et adj., emprunt (1865) à l'anglais *eurasian* (1844) composé de *Eur (ope)* et de *Asian* «asiatique», de *Asia* «Asie», désigne une personne née de parents européen et asiatique; le mot est aussi adjectivé (1870, *enfant eurasien*). ◆ **EURASIATIQUE** adj. et n. (1930, adj.) dérive de *Eurasie,* nom du continent formé de l'Europe et de l'Asie réunies; il s'emploie comme équivalent d'*eurasien* en ethnologie (aussi **EURASIATE** n., 1930; de *asiate*) et en géographie. ◆ **EURAFRICAIN, AINE** adj. et n. (att. 1930) a été précédé par ***euro-africain*** (1875).

EURYTHMIE n. f. est un emprunt savant (1547) au latin *eurhythmia, eurythmia* «harmonie dans un ensemble», lui-même pris au grec *eurhuthmia* «mouvement bien rythmé, harmonie» et «délicatesse de main (en parlant d'un chirurgien)», mot composé de *eu-* «bien» et de *rhuthmos* (→ rythme). L'orthographe avec deux *h,* recommandée par Littré, correspond à *rhythme;* la graphie avec un seul *h,* retenue par l'Académie depuis 1762, est la seule usuelle aujourd'hui.

♦ D'abord employé comme terme d'architecture, le mot se dit de l'heureuse harmonie dans la composition et les proportions d'une œuvre plastique. Il désigne en particulier en médecine (1764) la régularité du pouls. Le sens figuré, «équilibre, harmonie» (1907), est rare.

▶ Le dérivé **EURYTHMIQUE** adj. (1838) correspond aux valeurs du nom.

EUSTACHE n. m. est tiré (1782) du prénom d'un coutelier exerçant à Saint-Étienne au XVIIIe s., *Eustache* Dubois.

♦ L'emploi du mot pour désigner un couteau de poche et, spécialement, un couteau à cran d'arrêt, s'est généralisé vers 1820; vulgarisé par Hugo et Richepin, ce terme familier est aujourd'hui sorti d'usage.

EUTHANASIE n. f. est un emprunt (1771) au grec tardif *euthanasia* «mort douce et facile», de *eu-* «bien», et d'un dérivé de *thanatos* «mort», d'une racine indoeuropéenne °*dhw-* à laquelle se rattache un verbe sanskrit signifiant «s'éteindre, disparaître» : l'idée de «mort» serait donc un euphémisme.

♦ D'abord relevé (1771, Trévoux) au sens d'«art de rendre la mort douce», sorti d'usage comme terme de philosophie, le mot a été réemprunté à l'anglais à la fin du XIXe s., avec la traduction par W. Gent d'un livre de William Munk, sous le titre : *Euthanasie ou traitement médical pour procurer une mort facile et sans douleur* (1889). Cet emploi du mot s'est répandu au XXe s. dans la langue courante.

▸ Du nom dérivent **EUTHANASIQUE** adj. (1934) et **EUTHANASISTE** adj. et n. (mil. XXe s.) «partisan de l'euthanasie», mots didactiques et rares.

EUTROPHIE n. f. est un emprunt (1865) au grec *eutrophia* «nourriture substantielle», «bonne constitution, vigueur», de *eutrophos* composé de *eu-* «bien» et de *trephein* «nourrir», à l'origine «faire pousser», qui se rattache à des termes indoeuropéens signifiant «dépôt, sédiment, lie».

♦ Ce terme de physiologie et de biologie désigne un état normal de nutrition et de développement.

▸ En dérive **EUTROPHIQUE** adj. (1905). ➛ **EUTROPHISATION** n. f., formation suffixée récente (v. 1970) à partir du grec *eu-* et *trophê* «nourriture», désigne l'accumulation, à température élevée, de débris organiquesputrescibles dans les eaux stagnantes, provoquant la désoxygénation des eaux profondes.

◈ voir ATROPHIE, LIMITROPHE, HYPERTROPHIE.

EUX pron. pers. 3e pers. m. pl. représente l'aboutissement (v. 980, *eus*), par l'intermédiaire des formes *els*, puis *eus* (par vocalisation du *l*), du latin *illos*, accusatif masculin pluriel du démonstratif *ille* «celui-ci» (→ il).

♦ *Eux*, forme tonique correspondant à *ils*, pluriel de *lui* (→ lui), est d'abord employé comme pronom complément prépositionnel; à partir du XVIe s., il sert de pronom sujet et, en apposition, s'emploie comme forme d'insistance.

-EUX, -EUSE, anciennement *-os, -ous*, puis *-eus*, est un préfixe issu du latin *-osus, -osa*. La forme *-ieux, -ieux* vient du latin *-iosus*.

♦ Il sert à former de nombreux adjectifs à partir de substantifs (par exemple *joie/joyeux; nombre/nombreux*). Les formations en *-eux* sont dès l'origine populaires et savantes; le courant savant poursuit la tradition scolaire du latin; il est très important à la fin du XVIe s. et au début du XVIIe siècle. ➛ À partir du XVIIIe s., le suffixe sert à former des termes de chimie (1787, Lavoisier et Guyton de Morveau).

ÉVACUER v. tr. est un emprunt savant (1314) au latin *evacuare* «vider» formé de *e-* (→ ex-) et de *vacuare* «vider». Ce verbe dérive de *vacuus* «vide, inoccupé», «être vide», «être libre» puis «avoir du temps pour; vaquer à» (→ vaquer), qui se rattache à une famille de mots indoeuropéens à *w-* initial exprimant l'idée de «vide, désert».

♦ Le verbe est d'abord employé comme terme de médecine, avec le sens de «rejeter de l'organisme», aujourd'hui d'emploi courant. ◇ Au XVe s. (v. 1468) il apparaît dans le vocabulaire militaire, d'abord avec le sens spécial de «vider (un pays) des personnes qui l'occupent» puis (1690) de «cesser d'occuper (un pays, un lieu)», alors synonyme partiel de *abandonner, se retirer*. De là (v. 1790) le sens courant et élargi de «quitter (un lieu)». ◇ Au début du XIXe s. *évacuer* s'emploie pour «faire sortir (des personnes) d'un lieu où il est dangereux, interdit de demeurer» (1823). ◇ Enfin, le verbe s'emploie au figuré (v. 1946) avec le sens de «se débarrasser de, faire disparaître» *(évacuer un problème)*, probablement d'après l'anglais *to evacuate* (attesté depuis 1326, en religion).

▸ Le verbe a fourni **ÉVACUANT, ANTE** adj. et n. m. (1752; du participe présent), terme de médecine, et **ÉVACUATEUR, TRICE** adj. et n. m., d'abord employé en parlant d'un organe (1825, Brillat-Savarin) puis avec le sens moderne : «qui sert à l'évacuation des eaux» (1862, adj.; 1876, n.).

ÉVACUATION n. f., emprunté au bas latin *evacuatio* «action de vider», du supin de *evacuare*, a suivi une évolution sémantique parallèle à celle du verbe : d'abord terme de médecine (1314), il s'emploie ensuite dans le domaine militaire (1690) puis, par extension, pour «action de sortir d'un établissement, d'un lieu» (1762, d'Alembert). ➛ **ÉVACUATIF, IVE** adj., emprunté (XIVe s., *médecine évacuative*) au latin médiéval *evacuativus*, du supin de *evacuare*, est un terme de médecine sorti d'usage.

ÉVADER (S') v. pron. est un emprunt savant, d'abord comme intransitif et construit avec *à* (v. 1375), au latin *evadere* «sortir de, s'échapper» et «avoir un terme», de *e-* (→ ex-) et *vadere* «aller, s'avancer» (→ aller) qui se rattache à une racine indoeuropéenne °*wadh-* «venir».

♦ Du XIVe au XVIIe s., le verbe est le plus souvent employé intransitivement au sens d'«échapper à (qqch.)»; l'emploi transitif, plus rare, avec le sens d'«éviter (qqn, qqch.)», est attesté en 1398 et subsiste jusqu'au XVIe siècle. ◇ C'est à la fin du XVe s. (1492) qu'apparaît le premier emploi moderne du verbe à la forme pronominale, avec le sens de «s'échapper (d'un lieu où l'on était retenu, enfermé)». Dans ce sens, le participe passé **ÉVADÉ, ÉE** est adjectivé (XVIIe s.) puis substantivé (au XXe s.). ◇ Par extension, *s'évader de* (un lieu) signifie «quitter furtivement, à la dérobée» (XVIIIe s.) [cf. *s'esquiver, s'éclipser*]; il se dit au figuré (XIXe s.) pour «fuir (une réalité)».

▸ **ÉVASION** n. f. est emprunté, dans la seconde moitié du XIIIe s., au bas latin *evasio* «évasion», «délivrance», dérivé du supin de *evadere*. ➛ Le mot est d'abord employé au sens concret pour «action de s'évader (d'un lieu où l'on était enfermé)» puis au figuré (av. 1328, *evacion*) signifiant alors «échappatoire», valeur encore en usage au XIXe siècle. ◇ *Évasion* désigne au figuré (déb. XXe s.) l'action d'échapper à la réalité, d'où la locution adjectivée ***d'évasion*** *(film d'évasion)*. ◇ Le mot est employé, spécialement, dans le domaine des finances (*évasion des capitaux*, v. 1970) et du commerce (1975, *évasion du pouvoir d'achat*).

Du premier sens figuré, «échappatoire», dérive l'adjectif **ÉVASIF, IVE** (1547) «qui cherche à éluder en restant dans l'imprécision»; cet adjectif, aujourd'hui sémantiquement séparé d'*évader, évasion*, reste pourtant très vivant. ◇ Il a servi à former **ÉVASIVEMENT** adv. (av. 1787).

ÉVALUER v. tr., relevé sous la forme *esvaluer* en 1366, est dérivé, par préfixation en *é-* (→ ex-), de l'ancien français *value* «valeur, prix» (du XIIe au XVIIe s.; → plus-value), participe passé féminin substantivé de *valoir**.

♦ *Évaluer,* qui s'est substitué à la variante *avaluer* (1283; préfixe *a-**), en usage jusqu'au XVIIe s., s'emploie à partir du XIVe s. avec le sens de «déterminer la valeur, le prix de (qqch.)» qu'il a conservé. ◇ Par extension, il signifie «fixer approximativement» (une quantité, une distance, etc.) ou «estimer» (les qualités, les chances d'une personne, fin XVIIIe s.). Il se dit aussi (1870) pour «déterminer (une quantité) par le calcul».

▶ **ÉVALUATION** n. f. (1365, *evaluacion*), dérivé du verbe, signifie «action d'évaluer», d'où le composé **RÉÉVALUATION** n. f. (1929), dont procède **RÉÉVALUER** v. tr. (mil. XXe s.) «évaluer de nouveau». Par métonymie, *évaluation* signifie (1691) «valeur, quantité évaluée». ◇ Le verbe a aussi fourni **ÉVALUABLE** adj. (1790) «qui peut être évalué» et **ÉVALUATEUR, TRICE** adj. et n. (1846, Proudhon). ➜ À partir d'*évaluer* ont été composés deux verbes préfixés, **SOUS-ÉVALUER** tr. (1856) d'où **SOUS-ÉVALUATION** n. f. qui paraît récent (1966), et **SURÉVALUER** v. tr. (1931) d'où **SURÉVALUATION** n. f. (1931).

◈ voir **DÉVALUER; CONVALESCENCE, ÉQUIVALENT, VALIDE.**

ÉVANESCENT, ENTE adj. est une formation savante (1810) d'après *evanescens,* participe présent du latin *evanescere* «disparaître, s'évanouir», dérivé de *vanus* «vide, dégarni» puis «creux, sans substance» (→ vain).

♦ L'adjectif, d'abord attesté comme terme de botanique (1810) et alors peut-être emprunté à l'anglais *evanescent* (1776) ou au latin savant *evanescens,* qualifie le nectaire qui disparaît lorsque le fruit se développe. Il est ensuite repris dans la langue littéraire et s'applique à ce qui n'a qu'une existence éphémère (1838; *image évanescente*), puis à ce qui a une apparence imprécise *(forme évanescente),* qui est indéfinissable, spécialement en parlant de personnes, de leur comportement.

▶ De l'adjectif dérive **ÉVANESCENCE** n. f. (1877), d'emploi littéraire, précédé par l'anglais *evanescence* (1751).

◈ voir **ÉVANOUIR (S').**

ÉVANGILE n. m. est un emprunt du XIIe s. (1174-1176) au latin ecclésiastique *evangelium* «bonne nouvelle», en particulier «bonne nouvelle de la parole du Christ», «récit des actes et des paroles du Christ». Le mot est emprunté au grec *euangelion* «récompense, sacrifice offert pour une bonne nouvelle», puis «bonne nouvelle», notamment au sens chrétien. Le mot vient de *euangelos* «qui apporte une bonne nouvelle», composé de *eu-* «bien» et de *angelos* «messager» (→ ange).

♦ Le mot, qui est employé au féminin jusqu'au XVIIe s., est d'abord relevé (1174-1176, *ewangelies*) avec les sens de «ensemble des livres qui contiennent la doctrine du Christ» et «chacun de ces livres»; absolument *l'Évangile* désigne le recueil des quatre Évangiles canoniques et le Nouveau Testament tout entier. De cet emploi est issue la locution familière: ***parole d'Évangile*** «chose sûre, indiscutable». ◇ Le mot désigne spécialement (v. 1260) le passage des Évangiles qui est lu pendant la messe; de ce sens viennent les locutions aujourd'hui sorties d'usage: *lire l'Évangile, donner l'Évangile à qqn, l'Évangile du jour* «la nouvelle importante du jour» (v. 1690). ◇ Au XVIe s., le mot (avec un *E* majuscule) est attesté chez Calvin avec le sens latin de «doctrine du Christ» (1541) et au sens grec de «bonne nouvelle» (1552, Rabelais), sens sorti d'usage. ◇ À la fin du XVIIIe s., le mot désigne aussi, par analogie et comme *bible, catéchisme,* le document essentiel d'une croyance, d'une doctrine (1792, *un évangile politique*).

▶ **ÉVANGÉLISTE** n. est emprunté (fin XIIe s.) au latin ecclésiastique *evangelista* «celui qui annonce une bonne nouvelle», en particulier «la bonne nouvelle du Christ», et «auteur d'un évangile», lui-même dérivé du grec *euangelistês,* de *euagelion.* ◇ Le mot se dit d'abord de l'auteur d'un des quatre Évangiles canoniques, puis au XVIe s. (le féminin étant alors possible) d'un membre de l'Église réformée, d'un protestant (1560). ◇ Il s'est employé au figuré pour «celui qui diffuse (une œuvre)» (1869, Sainte-Beuve). ➜ Le dérivé **ÉVANGÉLISME** n. m., d'emploi didactique, est d'abord attesté au sens disparu de «nom d'une fête de l'Église grecque» (1740). Il est employé au début du XIXe s. au sens de «morale évangélique» (1803) puis désigne (1850) le caractère de ce qui est conforme à l'Évangile. ◇ Le mot se dit spécialement d'une doctrine et d'une Église protestantes fondées sur l'Évangile; dans ce sens (1883, *L'Évangéliste,* roman de A. Daudet), il est probablement emprunté à l'anglais (*evangelism* «prêche de l'Évangile», 1626; profession de la doctrine «évangélique», 1812).

ÉVANGÉLIQUE adj. est emprunté (1295, *uvangelique*) au latin ecclésiastique *evangelicus* «de l'Évangile», lui-même du dérivé grec *euangelikos,* de même sens. L'adjectif qualifie d'abord ce qui se rapporte à l'Évangile puis, à partir du XVIe s., s'applique à ce qui appartient à la religion réformée (1576, n. m. pl., *les évangéliques* «les protestants»). ➜ Le dérivé **ÉVANGÉLIQUEMENT** adv. (1558) et le composé **ANTIÉVANGÉLIQUE** adj. (1834) sont rares.

ÉVANGÉLISER v. tr. est un emprunt (fin XIIIe s.) au latin ecclésiastique *evangelizare* «porter une bonne nouvelle», en particulier «porter la bonne nouvelle du Christ, annoncer son évangile», lui-même emprunté au grec *euangelizein,* verbe dérivé de *euangelion.* ◇ Le verbe français signifie «prêcher l'Évangile à (une population, une nation)». ➜ En dérivent **ÉVANGÉLISATION** n. f. (1845), précédé par le latin ecclésiastique *evangelizatio* «prédication de l'Évangile», et **ÉVANGÉLISATEUR, TRICE** adj. (1849) qui correspond au latin ecclésiastique *evangelizator* «prédicateur de l'Évangile» et qui est aussi substantivé (1877).

ÉVANGÉLIAIRE n. m. est un emprunt (1362, *euvangeliers;* 1487, *euvangeliaire*) au dérivé latin ecclésiastique *evangeliarium,* sans prototype grec, qui désigne le livre liturgique contenant les passages des Évangiles lus ou chantés à la messe (cf. *Missel*). ◇ En français le mot est un terme de religion ou d'histoire de l'art.

ÉVANOUIR (S') v. pron., qui apparaît au XIIe s. sous la forme *soi esvanir* (v. 1150), a été refait en *esvanoïr* (v. intr., en usage jusqu'au XVIIe s.) probablement sous l'influence du parfait latin *evanuit,* de *evanescere,* répandu par un passage de l'Évangile selon saint Luc : *Et ipse evanuit ex oculis eorum,* «et il (Jésus) disparut de devant leurs yeux» (XXI, 31). L'ancien français *esvanir* est issu du latin populaire °*e(x)vanire,* altération du latin classique *evanescere* «disparaître, se dissiper» (→ évanescent), dérivé de *vanus* (→ vain).

♦ Le verbe est d'abord attesté aux sens aujourd'hui courants de «tomber en syncope» et de «disparaître (sans laisser de traces)» (v. 1160; fin XIIe s., *s'esvanuïr*). De là vient l'emploi figuré également ancien pour «cesser d'exister» (v. 1360).

► Le nom d'action **ÉVANOUISSEMENT** n. m. (XIIIe s., *esvanuïscement*), «perte de connaissance», se dit ensuite du fait de disparaître (1456-1467), aujourd'hui d'emploi littéraire. ◆ **ÉVANOUISSANT, ANTE** adj. (XIXe s.), du participe présent, est rare au propre comme au figuré. ◇ Il s'est employé comme terme de mathématiques dans *quantité évanouissante* «qui tend à devenir nulle».

ÉVAPORER v. tr. est un emprunt savant (1314) au latin impérial *evaporare* «disperser en vapeur», préfixé par *e-* (→ ex-) de *vaporare* «émettre des vapeurs», dérivé de *vapor* (→ vapeur). *Vapor* n'a pas d'étymologie connue.

♦ Le verbe a tout d'abord le sens de «dissiper» la fumée, puis un liquide (1607), spécialement des larmes, dans des emplois transitifs sortis d'usage et remplacés par la forme pronominale. Celle-ci s'est employée au figuré pour «se répandre au-dehors» en parlant d'un sentiment, au sens de «s'exhaler», puis a pris, par extension (XVIIe s.), le sens de «se dissiper, disparaître» *(sentiment qui s'évapore)* et, familièrement, de «disparaître brusquement» en parlant d'une personne (XIXe s.), d'où ***s'évaporer dans la nature*** «disparaître aux regards».

► **ÉVAPORÉ, ÉE** adj. et n., du participe passé, s'emploie au figuré (déb. XVIIe s.) en parlant d'une personne étourdie, légère, qui se dissipe en choses vaines. Cet emploi ne correspond pas à un emploi normal de *s'évaporer,* mais de *se dissiper.*

ÉVAPORATION n. f. est un emprunt savant (v. 1398, *evaporacion*) au latin impérial *evaporatio,* du supin de *evaporare,* dont il a repris le sens concret. Il se dit aussi au figuré pour «disparition, évanouissement». ◆ Le composé **ÉVAPOTRANSPIRATION** n. f. (1974) de *évapo(ration)* et *transpiration* est un terme de météorologie.

ÉVAPORATOIRE adj. (v. 1398, attestation isolée; repris en 1819) est tiré du radical de *évaporation,* comme **ÉVAPORATEUR** n. m. (1868), nom d'instrument toujours usité, et **ÉVAPORATIF, IVE** adj. (1842), sorti d'usage. ◆ *Évaporer* a fourni les termes techniques **ÉVAPORABLE** adj. (1625); **ÉVAPOREUSE** n. f. (XIXe s.) et par composition **ÉVAPORIMÈTRE** ou **ÉVAPOROMÈTRE** n. m. (1950) de *-mètre,* instrument de météorologie, d'où **ÉVAPOROMÉTRIE** n. f. (XXe s.).

ÉVASER v. tr., attesté seulement à la fin du XIVe s. *(esvaser)* mais certainement antérieur (cf. ci-dessous le dérivé *évasement*), est un dérivé de ① **VASE*** par préfixation en *é-**.

♦ *Évaser* signifie «élargir (qqch.) à l'extrémité, à l'orifice» et s'emploie spécialement en horticulture *(évaser un arbre).* L'emploi pronominal (XVe s.), *s'évaser,* ainsi que le participe adjectivé **ÉVASÉ, ÉE**, est courant.

► Le dérivé **ÉVASEMENT** n. m. est attesté vers 1160 *(esvasement);* rare en parlant de l'action d'évaser, il se dit couramment de l'état de ce qui est évasé. ◆ **ÉVASURE** n. f. (1611) «ouverture évasée» est rare.

ÉVASIF, ÉVASION → **ÉVADER**

ÈVE n. f., attesté en 1651 chez Pascal *(une Ève),* vient du nom de la première femme dans la Bible, attesté vers 1135 en ancien français au cas régime *Evain.* Ce nom vient d'un mot hébreu *ḥawwāh,* transcrit *Eva* en grec et *Heva* ou *Eva* en latin, qui se rattacherait, d'après l'interprétation d'un passage de la Genèse (III, 20) où il est défini comme «mère de tous les vivants», au verbe *ḥāyāh* «vivre».

♦ *Ève,* nom propre désignant la première femme, selon l'Écriture, s'emploie dans des locutions comme ***ne connaître (qqn) ni d'Ève ni d'Adam*** «ne pas connaître du tout» et ***fille d'Ève*** «femme» incarnant la tromperie ou la luxure. ◇ De là ***une Ève*** «femme adultère, pécheresse» (1704), sorti d'usage; *fille d'Ève* a signifié aussi «femme curieuse».

ÉVÊCHÉ → **ÉVÊQUE**

ÉVECTION n. f. est un emprunt savant (v. 1361) au latin *evectio* «action de s'élever» et «permission d'utiliser le transport par la poste impériale», nom tiré du supin de *evehere* «transporter, emporter», de *e(x)-* et *vehere* «transporter, porter» (→ véhicule).

♦ Ce mot didactique s'emploie en astronomie pour désigner l'inégalité périodique dans le mouvement de la Lune, due à l'attraction solaire. En histoire romaine, *évection* a été repris (1870) au sens latin, «droit conféré par l'empereur à quelqu'un de réquisitionner des chevaux tout au long de son parcours».

✳ **ÉVEILLER** v. tr. représente l'aboutissement (1080, *esveiller*) du latin populaire °*exvigilare,* réfection du latin classique *evigilare,* «s'éveiller», «veiller», «passer le temps en veillant», de *e(x)-* et *vigilare* «être éveillé», «veiller, être vigilant». Ce verbe est dérivé de l'adjectif *vigil* «dispos, bien éveillé» (→ veille, vigilant, vigile), de *vigere* «être bien vivant», «être éveillé» (→ vigueur), verbe apparenté pour le sens au gotique *wakan* «veiller» (anglais *to wake*) et, pour la forme, au latin *vegere* «animer, donner de la force à» (→ végétation).

♦ *Éveiller* signifie d'abord «tirer du sommeil», surtout dans l'emploi pronominal *s'éveiller,* resté courant; la forme transitive devenue littéraire est remplacée dans la langue courante par *réveiller.* ◇ Depuis le XIIe s., *éveiller* se dit au figuré (1160-

1170, pron.) pour «sortir de l'indifférence, de l'engourdissement»; cet emploi a vieilli. D'autres emplois figurés se sont maintenus, développant l'idée de «faire naître ou apparaître (un sentiment, une idée, etc.)» (1762) avec les locutions ***éveiller un écho, n'éveiller aucun écho,*** et d'une personne ***s'éveiller à*** (un sentiment, etc.) «éprouver pour la première fois» (déb. XIXe s.). ◇ Une autre valeur correspond à «faire se manifester (ce qui était latent)» : *éveiller l'intelligence.*

▶ Le participe passé adjectif **ÉVEILLÉ, ÉE** (XIIe s.) se dit d'une personne pleine de vie, de vivacité et, en particulier, des facultés intellectuelles (XVe s., *un esprit éveillé*) ou des traits de caractère et de leur expression *(avoir l'œil, la mine, l'air éveillé).*

ÉVEIL n. m., déverbal de *éveiller,* est d'abord attesté (1165-1170) dans *estre en esvoil* «être sur ses gardes, en état d'alerte»; cet emploi a disparu mais on emploie encore dans un style littéraire ***donner à qqn l'éveil de qqch.*** «l'avertir, attirer son attention sur» (1762) en parlant d'un objet plutôt intellectuel; cette expression est continuée au début du XIXe s. par ***donner l'éveil*** *(sur, quant à qqch.)* «rendre vigilant, attentif au danger» et «donner l'alarme». L'idée d'«alerte, avertissement» apparaît aussi dans la locution *avoir l'éveil* (sur qqch.) «surveiller», remplacée par ***être (mettre, tenir) en éveil*** «être (rendre) attentif», «être aux aguets» (1843, T. Gautier). ◆ Au sens propre d'«action de sortir du sommeil», *éveil* n'apparaît qu'au XVe siècle; en général remplacé par *réveil,* en ce sens, *éveil* a été repris à la fin du XIXe s., en particulier en parlant de la nature comme mot littéraire, à l'image du verbe *éveiller.* ◇ Au XVIIIe s., *éveil* est employé au figuré avec le sens de «première manifestation (d'une chose)» (av. 1760, Mirabeau) en parlant de facultés, de sentiments, etc. De là vient l'expression récente ***discipline d'éveil*** «discipline destinée à stimuler l'intelligence, l'imagination d'un enfant». ◆ **ÉVEILLEUR, EUSE** adj. et n., dérivé d'*éveiller,* évolue parallèlement à *éveil;* il est attesté isolément vers 1350 dans un emploi figuré, et à nouveau en 1558. ◇ Le mot a été repris au XIXe s. avec le sens de «personne qui éveille (une personnalité, une intelligence)». Il est rare au sens propre de «qui tire (qqn) du sommeil» (1558).

À partir de *éveiller* a été formé par préfixation **RÉVEILLER** v. tr. (v. 1155, *resveillier;* de *re-,* à valeur de renforcement). Ce verbe est devenu plus usuel qu'*éveiller* au sens propre de «tirer du sommeil» et il est extrêmement courant au pronominal *se réveiller* (v. 1265). ◇ Depuis le XIVe s., *réveiller* s'emploie par métaphore ou au figuré pour «tirer du repos, ramener (une personne) à l'activité» (v. 1360); la forme pronominale semble plus récente (1677). ◇ *Réveiller* s'emploie aussi spécialement pour «rappeler (qqn) à la réalité». ◇ Par extension du premier sens, *réveiller* signifie encore (1690) «ramener à la conscience, à la vie» et, par métaphore, «ressusciter». ◇ Au XVIIIe s., il s'emploie en parlant d'odeurs, de bruits, au sens de «rappeler à la mémoire, à l'esprit» (cf. *évoquer*). ◆ Le déverbal ① **RÉVEIL** n. m. (XIIIe s., *resveil;* v. 1534, sous la forme moderne) s'est substitué dans l'usage courant à *éveil* au sens propre. Les locutions apparues au XIXe s., ***sonner le réveil, battre le réveil,*** appartenaient au vocabulaire militaire; ***réveil en fanfare*** s'emploie familièrement au figuré pour «réveil brutal». ◇ *Réveil* s'emploie au figuré depuis la fin du XVIIe siècle. ◆ Un homonyme ② **RÉVEIL** n. m. (1440), ainsi écrit d'après *réveil,* est une abréviation du composé **RÉVEILLE-MATIN** n. m. inv. (1440) de *réveiller* et *matin;* il signifie «ce qui réveille, le matin» et, plus récemment, «pendule munie d'une sonnerie». ◆ *Réveille-matin* désigne également une plante matinale (1538), l'euphorbe.

RÉVEILLON n. m. s'est dit d'abord (1526) d'un repas pris tard dans la nuit, sens pris plus récemment par *souper;* l'idée de «repas tardif» s'est conservée dans l'emploi de «repas de fête que l'on fait la nuit de Noël» (1762, Leroux), étendu (déb. XXe s.) à la nuit du Nouvel An. ◇ Par métonymie, le mot s'emploie en parlant de la fête elle-même. ◇ Au XVIIIe s., *réveillon* s'est employé au figuré, régionalement, pour «gifle» (1752, *ravayon*). ◇ Dans le vocabulaire des arts, il a pris au XVIIIe s. le sens de «touche lumineuse qui "réveille" une toile» (1762, Académie). Ces valeurs ont disparu. ◆ Du nom dérive **RÉVEILLONNER** v. intr. (1355; repris en 1866) «faire un réveillon», dont procède **RÉVEILLONNEUR, EUSE** n. (1869, Daudet).

Un autre dérivé **RÉVEILLEUR, EUSE** n. (1584, *resveilleur*) désignait un garde de nuit qui, dans certaines villes, criait les heures et (1704) un religieux chargé de réveiller les moines pour les offices de nuit, alors seulement au masculin. ◇ Le mot est d'emploi littéraire au sens large (1870) de «personne qui réveille d'autres personnes».

ÉVÉNEMENT ou **ÉVÈNEMENT** n. m. est une formation savante (av. 1461) faite sur le modèle de *avènement** à partir du latin *evenire* «sortir», «avoir un résultat», «se produire». Ce verbe est composé de *e(x)-* et de *venire* (→ venir). Le mot a remplacé *évent,* nom masculin (XVe s.), écrit en moyen français *event* sans accent, emprunt au latin *eventus* «événement», de *eventum,* supin de *evenire* (*event* a été emprunté par l'anglais → ② évent). La graphie *évènement,* conforme à la prononciation normale, a été admise en 1979 par l'Académie.

♦ *Événement* est attesté au XVe s. avec le sens large de «ce qui arrive», issu de l'étymon. Le mot s'est employé (déb. XVIe s.) avec le sens aujourd'hui disparu de «fait auquel vient aboutir une situation», comme *issue, succès* et *révolution,* spécialement en parlant du dénouement d'une pièce de théâtre. Cette valeur classique ne survit que dans certaines expressions *(l'événement a trompé, confirmé son attente),* la locution adverbiale *à tout événement* «à toute éventualité» (XVIIe s.) étant sortie d'usage. ◆ Le mot a été lexicalisé dans son sens général, notamment en parlant d'un fait d'une certaine importance pour l'être humain, de par son caractère exceptionnel, d'où ***heureux événement*** «naissance», *événement historique, politique,* etc., les expressions ***être dépassé (débordé) par les événements, l'événement du jour*** «ce qui s'est passé de plus notable» et, absolument, *l'événement* «les choses significatives qui arrivent». ◇ *Événements,* au pluriel, désigne l'ensemble des faits plus ou moins importants

de l'actualité, d'où par euphémisme *les événements d'Algérie* «la guerre d'Algérie», *les événements de mai 68*, etc. ◇ En termes de statistique, *événement* a le sens d'«éventualité, résultat possible lorsque celui-ci est aléatoire».
Le dérivé **ÉVÉNEMENTIEL, IELLE** adj. et n. m. (1931) est un terme didactique employé en sciences humaines, notamment en histoire, avec le sens de «qui ne fait que décrire les événements». Dans le vocabulaire de la psychologie, le mot qualifie, par opposition à *institutionnel*, ce qui est lié à un événement déterminant *(névrose événementielle)*.

voir ② ÉVENT, ÉVENTUEL.

① ÉVENT, ÉVENTAIL, ÉVENTER → VENT

② ÉVENT n. m. représente un emprunt (1866) à l'anglais *event* (1588) «événement» puis «événement important» (déb. XIXe s.); le mot anglais est emprunté au latin *eventus* (→ événement).

♦ Le mot, introduit en français dans le syntagme *great event*, désigne une grande épreuve sportive (1866, à propos du Derby d'Epsom); il s'est employé à la fin du XIXe s. en parlant de manifestations mondaines.

ÉVENTAIRE n. m., attesté en 1690 (La Quintinie), est d'origine incertaine, peut-être croisement de *inventaire* (1680 dans ce sens) et d'un dérivé de *éventer* pour «présenter à l'air, dehors».

♦ Le mot désignait un plateau d'osier sur lequel les marchands ambulants disposaient leur marchandise — cf. *étal, étalage* —, puis (fin XIXe s.) tout étalage en plein air.

ÉVENTRER → VENTRE

ÉVENTUEL, ELLE adj. est un dérivé savant (1718) du latin *eventus* «événement», dérivé du supin de *evenire* (→ événement).

♦ Le mot est d'abord attesté comme terme de droit; il se disait de traités faits entre souverains, et fondés sur un événement incertain; il qualifie en droit moderne ce qui peut se produire, si certaines conditions se trouvent réalisées *(succession éventuelle)*. ◇ *Éventuel* s'emploie aussi dans le vocabulaire de la philosophie; substantivé, il a désigné en grammaire le conditionnel (*l'éventuel*, n. m., 1845). ◆ L'adjectif s'emploie couramment en parlant d'un événement qui peut ou non se produire, d'abord de ce qui peu ou non produire des effets (1846, Dumas : *spéculations éventuelles*), d'une personne qui peut ou non être, ou faire qqch. (attesté XXe s.).

▶ Le dérivé **ÉVENTUELLEMENT** adv. (1737) a été un terme de droit, puis s'est répandu dans l'usage général pour «de manière éventuelle, possible, voire douteuse» (et non pas, comme l'anglais *eventually*, «de manière certaine»). ◆ **ÉVENTUALITÉ** n. f., relevé en 1793 (Beaumarchais), désigne le caractère de ce qui est éventuel, possible, non certain et, absolument (1865), des circonstances susceptibles de se produire. Le mot entre dans les locutions *à toute(s) éventualité(s)* «à tout hasard» (1853), sortie d'usage, et ***parer (être prêt) à toute(s) éventualité(s)*** «prévoir tous les événements qui peuvent s'opposer à un projet» (1867, Hugo).

ÉVÊQUE n. m. apparaît sous la forme *ebisque* (Xe s.) puis *evesque* (2e moitié du Xe s.); le mot représente la forme raccourcie °*episcu(m)* du latin ecclésiastique *episcopus* (accusatif *episcopum*), emprunté au grec *episkopos* «gardien, surveillant, inspecteur» puis «évêque» (→ épiscopal). Ce mot vient de *episkopein* «inspecter», verbe composé de *epi* «sur» et de *skopein* «observer», qui se rattache à la racine indoeuropéenne °*skep-*, *skop* «regarder» (→ écueil, sceptique, -scope, -scopie).

♦ Le mot désigne d'abord le chef d'un diocèse dans l'Église catholique, puis dans l'Église réformée (1669, Bossuet). Il figure dans plusieurs locutions et proverbes qui témoignent de l'importance du clergé catholique en France, dans la vie quotidienne, jusqu'au XIXe s. (pour des formations analogues, cf. *curé, abbé, moine, chanoine*) : *disputer (se battre) de la chape à l'Évêque; vouloir en remontrer à son évêque* «donner des leçons à mieux informé que soi»; *un évêque des champs* (de la campagne) *qui donne sa bénédiction avec les pieds* «un pendu»; *devenir évêque des champs* «être pendu»; *devenir (se faire) d'évêque meunier* «passer à une condition très inférieure» (v. 1560). Toute cette phraséologie est sortie d'usage. ◇ D'autres locutions se sont maintenues, qui reposent sur une analogie de forme : ***bonnet d'évêque*** «loge du cintre dans un théâtre» et, familièrement, «croupion découpé d'une volaille», ou de couleur : ***pierre d'évêque*** «améthyste»; ***violet d'évêque*** (1844).

▶ **ARCHEVÊQUE** n. m. est issu (1080), d'après *evesque, evêque*, du latin ecclésiastique *archiepiscopus* emprunté au grec *arkhiepiskopos*, composé de *arkhi-*, préfixe indiquant la supériorité (→ archi-) et de *episkopos*. ◇ Le mot désigne l'évêque placé à la tête d'une province ecclésiastique et de plusieurs évêques, ses suffragants. ◆ En dérive **ARCHEVÊCHÉ** n. m. (1138), qui désigne le territoire se trouvant sous la juridiction d'un archevêque, la dignité d'archevêque et le palais archiépiscopal.
ÉVÊCHÉ n. m., d'abord *evesquet* au féminin (2e moitié du Xe s.), puis au masculin *evesqué* (v. 1210), *éveschié* (v. 1265), est dérivé de *evesque* d'après le latin ecclésiastique *episcopatus* «dignité d'évêque; ensemble des évêques» (→ épiscopat). ◆ *Évêché*, qui n'a pas de genre fixe jusqu'au XVIIe s., a d'abord le sens de «territoire soumis à l'autorité d'un évêque» : l'expression ***les Trois-Évêchés*** désigne les principautés ecclésiastiques gouvernées par les évêques de Metz, Toul et Verdun (XVIe-XVIIe s.). ◇ Par métonymie, le mot désigne ensuite (v. 1210) la dignité, la fonction d'évêque et depuis la fin du XVIIe s. la demeure de l'évêque, le palais épiscopal (1680) et (1718) la ville où réside l'évêque.

voir ÉPISCOPAL.

ÉVERSION n. f. est un emprunt savant (av. 1454) au latin *eversio* «renversement, destruction», dérivé de *eversum*, supin de *evertere* «bouleverser, renverser, détruire», formé de *e(x)-* et de *versus*, participe passé de *vertere* «tourner» (→ vers).

♦ Le mot est d'abord attesté avec le sens étymologique de «destruction, renversement», sens devenu archaïque au XVIIe s. (*in* Trévoux, 1704). ◇ Il est repris à la fin du XIXe s., en anatomie et en pathologie, avec le sens de «retournement vers l'extérieur» (1897), en parlant d'une muqueuse, d'un organe.

▶ Du nom dérivent les adjectifs **ÉVERSIF, IVE** (1777), qualifiant ce qui bouleverse, détruit, et **ÉVERSÉ, ÉE** (1922), terme d'anatomie et de pathologie. Ces deux adjectifs sont rares.

ÉVERTUER (S') v. pron., attesté en 1080 dans *La Chanson de Roland*, est dérivé, par préfixation en *é-**, de *vertu** au sens de «courage, activité». Le verbe n'a plus de rapport ressenti avec *vertu*.

♦ Le verbe *(soi esvertuer)* a d'abord le sens de «mettre en jeu tout ce qu'on a de forces», qu'il a conservé couramment dans la construction *s'évertuer à* (XVIIe s.) qui succède à *s'évertuer de* (déb. XVIIe s.) «se donner beaucoup de peine». L'emploi absolu «se démener, se remuer» est devenu archaïque. ◇ Un emploi actif a existé au XVIe siècle : *évertuer ses forces* a signifié «les ramasser» (1559).

ÉVIDENCE n. f. est un emprunt savant (1314) au latin *evidentia*, dérivé de *evidens, -entis* «qui se voit de loin» et «évident», formé de *e-* (→ ex-) et de *videre* (→ voir) ; ces deux termes sont employés dans la langue philosophique à partir de Cicéron.

♦ *Évidence* se dit de ce qui s'impose immédiatement à l'esprit ; le mot est usuel dans les expressions et locutions ***en évidence*** (1580) «qui est présenté de façon à être remarqué immédiatement», ***être en évidence*** «se manifester clairement», ***mettre en évidence*** (1580) «faire apparaître très clairement» (surtout en emploi abstrait), ***se mettre en évidence*** «se montrer, se mettre en avant pour se faire remarquer». Figurément, en parlant de ce qui entraîne l'assentiment de l'esprit, on relève ***c'est l'évidence même*** «cela saute aux yeux», ***c'est une évidence ; se rendre à l'évidence*** «finir par admettre ce qui est incontestable», ***se refuser à l'évidence, nier l'évidence***, etc. La locution adverbiale ***à l'évidence, de toute évidence*** est l'équivalent de «certainement».

▶ **ÉVIDENT, ENTE** adj. (v. 1330, mais antérieur ; cf. *évidemment*), emprunté au latin *evidens, -entis*, se dit de ce qui s'impose clairement à l'esprit. Il apparaît dans les locutions ***il est évident que, c'est évident, c'est une chose évidente***. ➛ De cet adjectif dérive **ÉVIDEMMENT** adv. (XIIIe s.), d'emploi littéraire au sens de «d'une manière évidente, à l'évidence», et très courant (1865) comme adverbe d'affirmation équivalant à «certainement», «(bien) entendu».

ÉVIDER → VIDE

ÉVIER n. m. est issu, d'abord sous la forme *euwier* (1247) qui correspond à *ewe* (→ eau), du latin *aquarium* «réservoir à eau», «abreuvoir», substantivation de l'adjectif *aquarius* «pour l'eau, à eau», souvent employé avec des termes désignant des récipients ou des conduits (comme *vas aquarium* «récipient à eau» ; → aquarium) ; *aquarius* a subi un développement phonétique parallèle à celui de *aqua* (→ eau), dont il dérive.

♦ Le mot est d'abord attesté avec le sens d'«égout pour l'écoulement des eaux usées (dans une cour, etc.)», sens qu'il a conservé en technique. ➛ *Évier* désigne par la suite (1865) un dispositif ménager comportant un trou pour l'écoulement des eaux, sens où il est devenu très courant. Malgré l'introduction de l'eau courante (d'où *robinet d'évier*), le mot se distingue dans la pratique de *lavabo ;* le premier est en rapport avec la cuisine, le second avec la toilette.

ÉVINCER v. tr. est un emprunt savant (1412) au latin impérial *evincere* «triompher de» et en droit «déposséder juridiquement», composé de *e-* (→ ex-) et de *vincere* «vaincre*».

♦ Le verbe est d'abord employé en droit, avec le sens du latin. *Évincer* se dit ensuite par extension pour «chasser (qqn)» (1550, Rabelais ; repris en 1823). ◇ L'emploi pronominal réfléchi (1840) «se retirer, s'exclure soi-même» est sorti d'usage.

▶ Du verbe dérive **ÉVINCEMENT** n. m. (1875) d'emploi plus rare que **ÉVICTION** n. f., emprunt (1283) au bas latin juridique *evictio* «recouvrement d'une chose par jugement», dérivé du supin de *evincere*. *Éviction* est employé, comme le verbe, d'abord dans le vocabulaire juridique puis avec un sens étendu (1861) et en termes administratifs (1893, *éviction scolaire*).

ÉVITER v. tr. est un emprunt (1324) au latin *evitare* «éviter, fuir», de *e-* (→ ex-) et *vitare* «éviter, se garder de, se dérober à», sans étymologie claire, sauf à y voir le fréquentatif de *viere* «courber» et aussi «tresser», verbe apparenté à de nombreuses formes indoeuropéennes.

♦ Le verbe est d'abord relevé avec le sens de «se garder de» en construction indirecte *(éviter à qqch.)*, sens vivant jusqu'au XVIe siècle ; on trouve encore dans le vocabulaire de la marine ***éviter au vent, à la marée*** «changer de direction» (en parlant d'un navire). ➛ *Éviter* est attesté ensuite (1459) avec le sens de «fuir qqch.» ; le verbe se dit par extension (XVIe s.) pour «écarter (ce qui menace)», «se soustraire à (un état, une situation)», «ne pas rencontrer ou fréquenter (qqn)» et, couramment, «ne pas être en contact physique avec (qqn)», «esquiver (un coup)», d'où la construction (1587) *éviter (qqch.) à (qqn)*.

▶ **ÉVITABLE** adj. (fin XIIe s., Marie de France), dérivé du verbe d'après le latin *evitabilis* «qui peut être évité», en conserve le sens. Surtout usité en français contemporain dans un contexte négatif, il est moins courant que son antonyme préfixé. ➛ **INÉVITABLE** (1377), emprunté au latin *inevitabilis* (de *in-* ; → ① in-) est sorti d'usage au sens de «que l'on ne peut éviter (dans l'espace)». Il s'applique à ce qui est inéluctable et s'emploie par plaisanterie (1831) pour «rituel, habituel». ◇ Le dérivé **INÉVITABLEMENT** adv. est attesté en 1493.

ÉVITEMENT n. m., dérivé (1538) du radical de *éviter*, est aujourd'hui littéraire au sens général «action d'éviter». Mais le mot est usuel dans les syntagmes techniques ***gare, voie d'évitement*** «où l'on gare les trains, les wagons» (1836) et, régionalement (Belgique), au sens de «détour, déviation». ◇ Dans le vocabulaire de la biologie ***(réaction) d'évitement*** se dit d'un mouvement de défense des micro-organismes, qui commande leurs évolutions (1906); c'est alors la traduction de l'anglais *avoiding reaction* (Jennings). *Réaction d'évitement* est également employé d'après l'anglais en psychologie, et *relation d'évitement* en ethnologie.

De l'emploi d'*éviter* en marine ont été dérivés: **ÉVITÉE** n. f. (1678), sorti d'usage et remplacé par **ÉVITAGE** n. m. (1772) «mouvement que fait un navire pour ne rien heurter».

✳ **ÉVOLUTION** n. f. est un emprunt savant (1536) au latin *evolutio* «action de dérouler, de parcourir», de *evolutum*, supin de *evolvere* «dérouler», «déployer», au figuré «expliquer», composé de *e-* (→ ex-) et de *volvere* «rouler» (→ volute), qui se rattache à une racine indoeuropéenne °*wel-* «rouler». C'est un préfixé de *evolvere* qui a donné *révolution**.

♦ Le mot est emprunté comme terme militaire avec le sens spatial d'«action de manœuvrer», aussi en marine (1797) d'où, par extension, l'emploi courant au pluriel: «suite de mouvements variés», puis «action de se retourner», spécialement en parlant du changement de cap d'un navire (v. 1850). ➜ *Évolution* prend une valeur temporelle et figurée dans la seconde moitié du XVIIIe s. où il est relevé en sciences naturelles (1762, Ch. Bonnet) avec le sens de «changement, transformation, développement», probablement par influence de l'anglais *evolution* (un exemple isolé de Bossuet, qui juxtapose *évolution* et *révolution*, n'est pas clair). C'est dans ce sens qu'il se répand dans l'usage général, remplaçant en partie *progrès*, notamment à partir d'A. Comte (1822), puis qu'il se spécialise pour traduire (v. 1870) l'anglais *evolution* employé par Lyell en géologie (1832), puis par Darwin (1859); il signifie alors «transformation progressive d'une espèce vivante aboutissant à la constitution d'une autre espèce» et devient un des termes clés de la biologie moderne.

▶ **ÉVOLUER** v. intr., dérivé du radical de *évolution* (1536), est d'abord employé, comme le nom, dans le vocabulaire militaire au sens de «manœuvrer». De là viennent le sens étendu de «se déplacer par une succession de mouvements variés» (XIXe s.) et l'emploi figuré pour «vivre dans un milieu déterminé» (fin XIXe s.). ◇ La valeur spéciale de «se déplacer avec un mouvement de rotation» (1783), correspondant plutôt à *révolution*, est aujourd'hui sortie d'usage. ➜ Le verbe prend au milieu du XIXe s. une valeur temporelle liée à celle d'*évolution* (ci-dessus) [1845, *s'évoluant* «se transformant»] et signifie couramment (1864) «passer par une suite de transformations», spécialement en parlant d'une maladie (déb. XXe s.). ➜ Le participe passé **ÉVOLUÉ, ÉE** adj. (1865), signifiant «qui a subi une évolution», s'emploie notamment (XXe s.) en parlant de pays, de peuples à l'avant-garde de la civilisation technique, du progrès et en parlant d'individus indépendants, cultivés, etc. ➜ Le dérivé savant du radical d'*évolution*, **ÉVOLUTIF, IVE** adj. (av. 1830), est plus courant pour qualifier ce qui est susceptible d'évolution que ce qui est capable de produire un mouvement. ➜ **ÉVOLUTIONNAIRE** adj. (1865) est sorti d'usage comme terme militaire et aujourd'hui vieilli en biologie où il est adapté de l'anglais *evolutionary* (1878). En politique, il a désigné comme nom (1867) un partisan du changement sans rupture (un *réformiste*); le mot a été repris vers 1975 sous l'influence de *révolutionnaire*. ➜ **ÉVOLUTIONNISME** n. m. (1873) est un terme didactique qui s'applique à la doctrine de l'évolution des espèces (cf. *transformisme*) et à une attitude politique (cf. *réformisme*). Seul le premier de ces deux emplois est vivant. ◇ **ÉVOLUTIONNISTE** adj. et n. (1873) s'applique aux mêmes domaines.

À partir d'*évolution* aux sens temporel et scientifique ont été composés les termes de biologie: **MACROÉVOLUTION** n. f., **MICRO-ÉVOLUTION** ou **MICROÉVOLUTION** n. f. (1932, J. Rostand), de *macro-** et de *micro-**.

◈ voir DÉVOLU.

ÉVOQUER v. tr. est un emprunt (XIVe s.) au latin *evocare* «appeler à soi, attirer», spécialisé dans la langue militaire au sens de «appeler des troupes, faire des levées». Ce verbe est formé de *e-* (→ ex-) et de *vocare* «appeler» «invoquer», «inviter», dérivé de *vox, vocis* (→ voix).

♦ *Évoquer*, d'abord employé avec le sens de «faire apparaître par des incantations, ressusciter (les esprits)», apparaît au XVe s. dans le vocabulaire du droit, signifiant «attirer à soi la connaissance d'une cause (en parlant d'une juridiction, d'une instance supérieure)» (1479). ◇ Le mot a été employé au XVIe s. (Rabelais) au sens étymologique de «appeler, faire venir». ◇ Par extension du premier sens, il se dit à partir de la fin du XVIIIe s. pour «rappeler à la mémoire» (1794, Chénier) puis par une seconde extension, au sens de «faire apparaître à l'esprit, par des images, des associations d'idées» (1832), d'où (fin XIXe s.) *évoquer un problème, un sujet*, synonyme de *faire allusion à*.

▶ À partir du radical d'*évoquer* ont été dérivés **ÉVOCABLE** adj. (1690), terme de droit, et **ÉVOCATEUR, TRICE** adj. (1857) qui rappelle le latin *evocator* «celui qui fait appel à», spécialement en latin chrétien «celui qui appelle les âmes (après la mort)». Cet adjectif est issu de l'emploi d'*évoquer* au sens de «faire apparaître (les esprits)» par la magie; il qualifie par extension (apr. 1850) ce qui a un pouvoir d'évocation (un mot, une image, etc.).

ÉVOCATION n. f. est un emprunt savant (début ou milieu XIVe s.) au latin *evocatio* «appel», «appel aux armes», «appel en justice» et «évocation des ombres, des enfers», du supin de *evocare*. ➜ Les principaux emplois du nom sont parallèles à ceux du verbe. *Évocation* est d'abord employé comme terme de droit (déb. XIVe s., *evocastion;* 1348, *evocacion*), puis se dit de l'action d'évoquer les esprits (1680) et d'une remise en mémoire, d'une allusion (1828, Sainte-Beuve).

ÉVOCATOIRE adj., emprunt savant (1395) au bas latin *evocatorius* «qui appelle, qui mande», dérivé du supin de *evocare*, correspond à *évoquer* et à *évocation*. ➜ D'abord terme de droit (1395; *actions évo-*

catoires, 1507), l'adjectif se dit, dans un emploi littéraire ou didactique, de ce qui donne lieu à l'évocation des démons, des ombres (1860, *sorcellerie évocatoire,* Baudelaire).

◈ voir VOIX.

ÉVULSION n. f. est un emprunt savant (1540, sans accent *evulsion ;* 1611, *évulsion*) au latin *evulsio* «action d'arracher», dérivé de *evulsum,* supin de *evellere* «arracher», formé de *e-* (→ ex-) et de *vellere* «arracher» (les poils, la laine, etc.), qui se rattache à une racine indoeuropéenne °*wel-* «arracher» (→ convulsion, révulsion).

♦ *Évulsion* désigne en chirurgie, notamment en chirurgie dentaire, l'action d'arracher, d'extraire.

▸ En dérive **ÉVULSIF, IVE** adj. (XIXe s.) «qui opère l'arrachement».

① **EX-** est un préfixe emprunté au latin *ex-,* préfixe et préposition exprimant l'idée de «sortir» et celles d'«absence», de «privation», comme son correspondant en grec *(ex). Ex-* est présent en français dans de nombreux composés empruntés au latin (par exemple *exclure, exclamer, expulser*) et apparaît dans quelques composés français de formation savante, comme *expatrier, exproprier,* contenant l'idée d'avancement vers l'extérieur ou celle de position en dehors. ◆ Le préfixe latin, souvent réduit à *e-* devant consonne, est aussi à l'origine de la forme populaire *es-* (en ancien français) devenue *é-* au XVIIe siècle : par exemple *effeuiller, ébattre.*

▸ ② **EX-** correspond à une autre valeur du latin *ex-,* qui indique l'idée de «passage d'un état à un autre» et celle d'«achèvement» et entre alors dans la composition de mots désignant une charge qui a cessé d'être exercée, par exemple dans *ex consul* «ancien consul», *ex liberto* «ancien affranchi». ◆ Il est employé en français à partir du XVIIe s. devant un nom joint par un trait d'union désignant l'état ou la fonction antérieurement occupés par une personne. D'abord dans le vocabulaire ecclésiastique, placé devant un nom de charge ou de dignité, le préfixe s'est largement répandu à d'autres domaines *(ex-ministre, ex-député) ;* concurrencé par *ci-devant* à l'époque révolutionnaire, il tend, depuis le milieu du XXe s., à se substituer à l'adjectif *ancien (ex-mari).* ◇ Dans ce sens, **EX** n. m. s'emploie familièrement par ellipse depuis la seconde moitié du XIXe s. (1872 dans Labiche) : *son ex* (conjoint, concubin, amant).

EX ABRUPTO → ABRUPT

EXACERBER v. tr. est un emprunt savant (av. 1380) au latin *exacerbare* «aigrir, irriter, affecter douloureusement» et en bas latin «aggraver». Le verbe est composé de *ex-* (→ ① ex-) et de *acerbus* «aigre» (→ acerbe).

♦ Relevé à la fin du XIVe s. avec le sens étymologique d'«irriter, aigrir (qqn, qqch.)», puis au début du XVIIe s. à la forme pronominale (1611), le verbe est très rare avant le XIXe siècle. Il est alors repris (1868, Gautier) pour «rendre plus aigu, porter à son paroxysme» un mal et, par analogie (fin XIXe s.), un sentiment, une souffrance morale, avec une valeur proche d'*exalter, exaspérer.*

▸ Le nom d'action **EXACERBATION** n. f. (1503) est, comme le verbe, rare avant le XIXe siècle. Il est emprunté au latin impérial *exacerbatio* «action d'irriter», dérivé du supin de *exacerbare.* Le mot est didactique en médecine, et littéraire en parlant du domaine des sentiments.

EXACT, EXACTE adj. est un emprunt savant du milieu du XVIe s. (av. 1542) au latin *exactus* «exactement pesé, précis, exact», participe passé adjectivé de *exigere* (→ agir, exiger). *Exigere,* au cours de son évolution, a pris les sens de «pousser dehors, chasser» et «faire sortir de», puis «exiger (de qqn)», parallèlement à «achever, mener à terme» ; enfin, il a pris le sens technique de «peser», d'où «fixer, déterminer», acception dont procède l'adjectif *exactus.*

♦ *Exact* qualifie d'abord ce qui est accompli minutieusement, en observant les règles prescrites *(exacte supputation),* puis (1652) une personne scrupuleuse, minutieuse dans l'accomplissement de ses devoirs. Ces deux emplois sont devenus archaïques, à la différence du sens spécial «qui respecte l'horaire, ponctuel» (1870), toujours en usage *(être exact au rendez-vous).* ◆ Le sens moderne de «conforme à la vérité» apparaît au milieu du XVIIe s. (Pascal), d'abord en parlant de choses qui reproduisent fidèlement la réalité, un modèle (cf. *conforme*), puis d'une personne véridique et sincère (chez La Bruyère). À partir du XVIIIe s., l'adjectif correspond à «juste», «adéquat» *(raisonnement, terme exact)* et, l'idée de précision devenant essentielle, qualifie ce qui exclut l'approximation, d'où (mil. XVIIIe s.) ***sciences exactes*** «constituées par des propositions quantitativement déterminées, par des mesures exactes».

▸ Le dérivé **EXACTEMENT** adv. (1539), devenu littéraire et archaïque au sens initial, «conformément aux règles, aux usages établis», s'emploie encore couramment pour «conformément à la vérité, à la réalité» (av. 1778) et «avec une grande précision» (1870). ◆ **EXACTITUDE** n. f. est dérivé (1647, Vaugelas) de *exact* par analogie avec des mots où la finale est étymologique (cf. *habitude, solitude*) et l'a emporté dans l'usage sur les formes à peine antérieures *exactesse* (1632) et *exacteté* (1643), proposées par certains auteurs. ◇ Le mot, avec une évolution sémantique parallèle à celle de l'adjectif, a conservé l'idée de ponctualité (1680), de conformité avec la réalité et la vérité (v. 1740), d'égalité de la mesure avec la grandeur mesurée (1756).
Le préfixé **INEXACT, ACTE** adj. est attesté en 1689 (de ① in-) et son dérivé **INEXACTEMENT** adv. en 1761. ◆ **INEXACTITUDE** n. f. est formé sur *exactitude* d'après *inexact* et, semble-t-il, en même temps que lui (1689). Il se dit du manque d'exactitude, aussi (1867) du manque de ponctualité. Par métonymie, *une, des inexactitudes* désigne ce qui est inexact, faux, incorrectement rapporté.

◈ voir EXACTION.

EXACTION n. f. est un emprunt savant (1261) au latin *exactio* «action de faire rentrer (des impôts, de l'argent)» d'où «recouvrement d'impôts», «action d'exiger l'accomplissement d'une tâche» et aussi «bannissement». Ce nom est dérivé de *exactum*, supin de *exigere* (→ exact, exiger).

♦ D'abord relevé avec le sens latin d'«impôt», *exaction* est ensuite employé (1365, Oresme) pour «abus en matière monétaire» (cf. *extorsion*). ◇ Le sens actuel est une extension, généralement employée au pluriel, qui correspond à «mauvais traitements, sévices» (déb. XXe s.).

▶ **EXACTEUR** n. m., réfection (mil. XIVe s.) de *exautor* (1304), est emprunté au latin *exactor* «celui qui exige une créance; collecteur d'impôts», de *exactum*. ◆ Le mot, d'abord employé au sens latin, a suivi l'évolution d'*exaction* et a signifié (v. 1361) «celui qui extorque de l'argent par abus de pouvoir», acception archaïque.

EX ÆQUO ou **EX AEQUO** loc. adv., relevée en 1837 chez Flaubert, est un emprunt au latin *ex aequo* «à égalité», de *ex* «de, hors de» (→ ex-) et *aequo*, ablatif neutre de l'adjectif *aequus* «égal» (→ égal, équi-).

♦ *Ex aequo*, qui signifie «sur le même rang», est un terme du langage scolaire, les distributions de prix étant proclamées autrefois en latin (cf. aussi *accessit*). Le mot, qui s'emploie aussi comme nom invariable *(il y a deux ex aequo)*, a aujourd'hui un domaine d'application plus vaste que l'école.

EXAGÉRER v. tr. est un emprunt (av. 1542) au latin *exaggerare* «entasser (des terres)» et au sens moral «exagérer, grossir», composé de *ex-* et de *aggerare*. Ce verbe, qui signifie «amonceler, accumuler» et au figuré «développer, grossir», est dérivé de *agger* «matériaux apportés ou entassés; amas de terre» d'où «terrasse, remparts, etc.», terme surtout militaire et rural, d'origine obscure. Une variante *arger, -inis* est postulée par l'italien *argine*.

♦ Introduit en français avec les valeurs figurées du latin, le verbe s'est parfois employé, aux XVIe et XVIIe s., avec l'idée de «faire valoir» *(exagérer qqch. à qqn)*, «surestimer» *(exagérer qqn)*, dans des constructions aujourd'hui sorties d'usage. ◇ Depuis les premiers emplois, *exagérer* se dit couramment (av. 1542) pour «présenter (qqch.) en donnant des proportions excessives, plus grandes que la réalité», et pour «grossir, accentuer en dépassant les normes habituelles» (fin XVIIe s., *exagérer un maquillage, une attitude*). Dans ce sens, le pronominal est attesté au XVIIe s. (1656). En emploi absolu, il signifie «en prendre trop à son aise» (déb. XIXe s.), comme *abuser, dépasser les bornes*.

▶ Le participe passé adjectif **EXAGÉRÉ, ÉE** (XVIe s.), usuel dans tous les emplois du verbe, a fourni **EXAGÉRÉMENT** adv. (1805, D. de Tracy).

EXAGÉRATION n. f. est emprunté (1549) au latin classique *exaggeratio*, proprement «accumulation (de terre)» d'où, au figuré, «élévation (d'âme)», en rhétorique «amplification, hyperbole» et en latin chrétien «exagération»; le nom est tiré de *exaggeratum*, supin de *exaggerare*. ◆ Substantif du verbe *exagérer*, ce nom désigne le fait de présenter les choses en leur donnant plus d'importance qu'elles n'en ont réellement; spécialement, il a le sens de «propos exagéré» (déb. XVIIIe s., *une, des exagérations*).

EXAGÉRATEUR, TRICE adj. et n. est emprunté (av. 1654, adj.; le féminin apparaît en 1798) au latin chrétien *exaggerator* «celui qui exagère, amplifie (un bruit)». Il est plus rare que les autres mots de la série.

EXALTER v. tr. est un emprunt (Xe s.) au latin *exaltare* «exhausser, élever» et au figuré «honorer», de *ex-* intensif et *altus* «haut» (→ altitude, haut). Cet ancien participe passé de *alere*, «nourrir, faire grandir», était senti comme un adjectif sémantiquement indépendant.

♦ *Exalter* est d'abord relevé dans un contexte religieux avec le sens de «élever (en mérite, en dignité), glorifier». Il a été employé, au XVIIe s., dans le vocabulaire de l'alchimie et de la chimie pour «accroître l'activité (d'une substance)» (mil. XVIIe s.; 1680, *in* Richelet). L'idée de «rendre plus actif» s'est maintenue dans le vocabulaire de la médecine (1721) en parlant d'un médicament, d'un germe et, dans un emploi aujourd'hui littéraire, celle de «rendre plus fort» en parlant d'un parfum, d'une odeur. ◇ L'idée d'«élévation» se retrouve avec le sens d'«élever à un haut degré d'intensité, de perfection» (1770) puis d'«élever (qqn) au-dessus de l'état ordinaire» (1835).

▶ **EXALTÉ, ÉE** p. p. adj. et n. (1656, *gloire exaltée*) s'emploie aussi, à partir du XVIIIe s., pour qualifier ce qui est devenu très intense, très actif. Au figuré en parlant d'une personne (av. 1778), l'adjectif correspond à *enthousiaste* et a souvent une nuance péjorative, notamment en emploi substantif *(un, une exalté(e))*. ◆ **EXALTATION** n. f. est un emprunt religieux (v. 1265) au latin chrétien *exaltatio* «action d'élever, de dresser», notamment «la Croix, le vendredi saint» *(exaltatio crucis)*, d'où le sens de «glorification»; le nom vient du supin de *exaltare*. ◆ En français, le mot est d'abord relevé dans un emploi religieux, avec le sens propre repris du latin, *exaltation de la sainte Croix;* au figuré, toujours en termes de religion, il se dit en parlant de l'élévation (d'un pape) au trône pontifical. ◇ Rattaché au verbe *exalter* dans son évolution, *exaltation* au début du XVe s. s'emploie dans le domaine moral pour «action d'élever, d'exalter» (1407), emploi aujourd'hui littéraire, comme «fait de devenir très intense; très actif» (déb. XVIe s.). ◇ Le nom s'est employé aussi, comme *exalter*, dans le vocabulaire de l'alchimie (1690). ◇ Il désigne couramment (mil. XVIIIe s.) une grande excitation de l'esprit, spécialement en psychiatrie (1817, Maine de Biran).

EXALTANT, ANTE adj., attesté en 1865 (Littré), vient du participe présent de *exalter* et correspond à *exalté, exaltation* au sens psychologique. ◆ On trouve aussi les dérivés rares et littéraires **EXALTABLE** adj. (1829, Stendhal), **EXALTATIF, IVE** adj. (1895, Verhaeren), **EXALTATEUR** n. m. (1902, Barrès).

EXAMEN n. m. est un emprunt savant (1337-1339) au latin *examen*, issu d'une forme °*ex-ag-smen*, de *ex-* («hors de») et de la racine *ag-*, de *agere* (→ agir); *examen* est lié à un préfixé de *agere*, le latin *exigere*, qui a pris des sens variés au cours de son évolution. Le latin *examen* a eu deux sens : l'un se rattache à *exigere* «pousser (s'élancer) hors de» (→ exiger), et correspond à «essaim» (*essaim** est l'aboutissement de *examen*), l'autre à *exigere* «peser», de *ex-* marquant l'achèvement : «achever une pesée, peser exactement» ; *examen* signifie alors «aiguille de balance» d'où «examen, contrôle».

♦ D'abord en emploi isolé (1337-1339, *derain* [dernier] *examen* «jugement dernier»), le mot est réattesté en 1372 avec le sens général d'«action d'examiner, d'étudier minutieusement», qu'il a conservé. Il est entré dans de nombreux syntagmes et expressions comme ***libre examen*** «capacité de ne recevoir une croyance qu'après examen rationnel», ***examen de conscience*** «examen de sa propre conduite» (du point de vue moral et, spécialement, dans la vie religieuse), syntagme qui semble s'être figé vers la fin du XVIIe s., etc. ➔ À la fin du XVe s. apparaît l'emploi au sens d'«épreuve à laquelle est soumis un candidat» (1485). Avec le développement de l'enseignement au XIXe s., le mot entre dans de nombreux syntagmes *(examen de passage, probatoire, écrit, oral...)* et suscite une terminologie importante. Il est abrégé familièrement sous la forme *exam* (1880) dans l'argot scolaire.

▸ **EXAMINER** v. tr. est un emprunt (v. 1240) au latin *examinare* «peser, examiner», dérivé de *examen*. Le verbe signifie «observer, considérer avec attention» ; il s'est employé pour «penser, réfléchir», mais est sorti d'usage dans ce sens en construction absolue. *Examiner* s'applique, comme le nom, au domaine scolaire, sans que cette valeur soit lexicalisée au même point.
EXAMINATEUR, TRICE n. est emprunté (1307) au bas latin *examinator* «celui qui pèse, qui examine» (cf. 1260, l'ancien français *examineor*) de *examinatum*, supin de *examinare*. ➔ Le sens large de «personne qui considère, observe avec attention» (1307, *examinateur des temoings*) est vieilli ou littéraire. ◇ Le mot a pris au début du XVIIe s. la valeur de «personne qui fait passer un examen à des candidats» (av. 1615) en particulier en parlant d'un examen oral (XIXe s.) ; ce dernier sens est le plus usuel en français contemporain.
Le préfixé **RÉEXAMINER** v. tr. «faire un nouvel examen de (qqch.)» est attesté en 1625. ➔ Son déverbal **RÉEXAMEN** n. m. semble récent (1963, *réexamen d'une question*).

EXANTHÈME n. m., relevé sous la forme *exanthemate* en 1545 (*exanthemes* en 1611), est un emprunt savant, par l'intermédiaire du latin médical *exanthema*, au grec *exanthêma* «efflorescence», «éruption de la peau», dérivé de *anthos* «fleur» (→ anthologie, chrysanthème).

♦ Le mot désigne une rougeur cutanée survenant dans des maladies infectieuses et contagieuses.

▸ En dérivent les termes de médecine **EXANTHÉMATEUX, EUSE** adj. (1758), qui a vieilli et auquel s'est substitué **EXANTHÉMATIQUE** adj. (1765), surtout usité dans *fièvre* et *typhus exanthématique*.

EXARQUE n. m., d'abord sous la forme *exarche* (1511 ; XVIIe s., *exarque*), est un emprunt savant au latin impérial *exarchus* «chef, gouverneur», lui-même emprunté au grec *exarkhos*, de *exarkhein* «prendre l'initiative de». Ce verbe est formé de *ex-* et de *arkhein* «commander», dérivé de *arkhê* «commencement» (→ archaïque) et «commandement» (→ monarque).

♦ Le mot désigne un haut dignitaire de l'empire d'Orient et, spécialement du VIe au VIIIe s., le vice-roi gouvernant la partie de l'Italie qui dépendait encore de l'empire d'Orient. *Exarque* désigne aussi (1690), dans l'Église orthodoxe, le délégué du patriarche ; c'est le titre donné au chef de l'Église nationale bulgare (XXe s.).

▸ **EXARCHAT** n. m. est emprunté (av. 1570, *l'exarchat de Ravenne*) au latin médiéval *exarchatus* «territoire administré par l'exarque» (VIIIe s., *exarchatus Ravennae*) ; c'est aujourd'hui un terme d'histoire d'emploi didactique.

EXASPÉRER v. tr. est un emprunt (fin XIIIe s., au participe présent ; déb. XIVe s., à l'actif) au latin *exasperare*, proprement «rendre rude, rugueux» et au figuré «irriter», «rendre plus intense», dérivé de *asper* «rude, rocailleux» (→ âpre).

♦ *Exaspérer*, courant en moyen français, semble avoir été rare de la fin du XVIe à la fin du XVIIIe siècle ; il n'est mentionné ni dans le dictionnaire de l'Académie (1762, 4e édition) ni dans Trévoux (1771). ◇ Le verbe, redevenu usuel, s'emploie au sens figuré du latin en parlant d'un mal physique ou moral, avec le sens de «rendre plus intense, plus pénible» et, par extension, en parlant d'un sentiment, d'un désir pour «augmenter à l'excès». Le pronominal *s'exaspérer* est attesté vers 1500. ◇ *Exaspérer* est plus courant au sens d'«irriter (qqn) excessivement» (v. 1850).

▸ Le participe présent **EXASPÉRANT, ANTE** adj., relevé en 1291-1295, semble avoir disparu. Il a été repris en 1845 ; il n'est enregistré par Littré qu'en 1877 dans son *Supplément*, avec la valeur de «très irritant», d'où «insupportable». ➔ **EXASPÉRATION** n. f., en 1588 chez Montaigne, est lui aussi rare jusqu'à la fin du XVIIIe siècle ; il est emprunté au dérivé latin impérial *exasperatio* «action de rendre raboteux» et au figuré «irritation». ◇ Le mot désigne un état de violente irritation. Il est plus rare, et d'emploi littéraire, au sens d'«extrême aggravation (d'un mal)» (1849).

EXAUCER v. tr. représente une variante de *exhausser**, préfixé de *hausser** ; le verbe apparaît au sens moderne à la fin du XIIe s. sous la forme *heshalcier* (1174-1176), refaite en *exaucer* au milieu du XVIe siècle.

♦ Il signifie «écouter favorablement (une demande)», d'abord en parlant d'une puissance surnaturelle, ensuite d'un être humain. Ce sens vient peut-être d'une valeur figurée d'*exhausser* «élever (qqn) en dignité (pour la satisfaction de ses vœux)» ou de l'influence du latin *exaudire* «entendre la prière de (qqn)», de *ex-* et *audire* «entendre» (→ ouïr).

▸ Le dérivé **EXAUCEMENT** n. m. (XVIe s., *exaulcement*) est littéraire et rare. ➔ **INEXAUCÉ, ÉE** adj. «qui n'a pas été exaucé» (1832, Balzac) est littéraire.

◇ On trouve **INEXAUÇABLE** adj. chez Huysmans (1891).

EX CATHEDRA loc. adv., relevée en 1677 chez Mme de Sévigné, reprend une locution du latin ecclésiastique, signifiant proprement «du haut de la chaire (d'un évêque, d'un pape)». *Cathedra,* d'où est issu le français *chaire**, a été emprunté au grec *kathedra* «siège, banc, base», de *hedra* «siège» (→ cathédrale). *Ex cathedra* a désigné par extension, dans les textes patristiques, l'enseignement et l'autorité enseignante ; au XVIe s., la locution est devenue l'expression de l'infaillibilité du pape.

♦ En français, la locution s'emploie d'abord au sens de «d'un ton dogmatique, doctoral» ; elle est reprise au latin en théologie (1752, Trévoux).

EXCAVER v. tr. est un emprunt (fin XVe s., au participe passé) au latin *excavare* «creuser», de *ex-* et *cavare* de même sens, dérivé de *cavus* «creux» (→ cave, ① caver).

♦ Rare avant le XVIIIe s. (Trévoux, 1752), ce verbe, didactique ou littéraire, signifie comme en latin «creuser».

▸ Le participe passé **EXCAVÉ, ÉE** adj. s'emploie aussi au figuré pour «cave» *(yeux excavés).*

EXCAVATION n. f. est emprunté (1566) au latin impérial *excavatio* «cavité», du supin de *excavare.* Il désigne un creux dans un terrain (cf. *cavité*) et (1690) l'action de creuser le sol. ◆ **EXCAVATEUR** n. m. est emprunté (1843) à l'anglo-américain *excavator,* dérivé de *to excavate* (1843) de même origine que *excaver.* Le mot désigne une machine destinée à creuser (le sol, une cavité dentaire). ◆ **EXCAVATRICE** n. f. (XXe s.) ne s'emploie qu'en travaux publics.

EXCÉDER v. tr. est emprunté (v. 1370) au latin *excedere,* proprement «sortir de», d'où «dépasser» au figuré, de *ex-* (→ ex-) et *cedere* «aller», «marcher», «s'en aller», sans étymologie claire (→ céder).

♦ Le verbe est d'abord employé pour «aller au-delà de qqch., surpasser» *(excéder qqch.)* d'où, en parlant de facultés humaines, «aller au-delà de certaines limites», et spécialement ***excéder son droit*** (cf. *outrepasser*). ◇ Le verbe s'emploie ensuite, à partir du XVIe s., avec un nom de personne pour complément, avec le sens de «maltraiter», c'est-à-dire aller au-delà de ce qu'on peut supporter (1566), valeur sortie d'usage, mais d'où vient le sens moderne de «fatiguer en irritant» (1669, Racine). C'est en ce sens qu'il est employé, surtout à partir du XVIIIe siècle.

▸ Le participe **EXCÉDANT, ANTE** adj. (XIVe s.) est sorti d'usage au sens propre de «qui dépasse une quantité fixée, qui va au-delà de la limite fixée» (1690), où il est remplacé par *excédentaire.* Le mot fut aussi employé comme substantif (attesté jusqu'en 1878), synonyme d'*excédent.*

EXCÉDENT n. m. (1392), emprunté au latin *excedens, -entis,* participe présent de *excedere,* signifie d'abord «ce qui excède, dépasse» ; le mot, rare avant le XVIIe s. (il est enregistré par l'Académie en 1694), est employé en particulier dans le domaine des finances, de l'économie et dans les locutions ***d'excédent*** «en supplément», et surtout ***en excédent*** «qui constitue ou fournit un excédent». ◆ En dérive **EXCÉDENTAIRE** adj. (1932) (→ excès).

◈ voir **EXCÈS**.

EXCELLENT, ENTE adj. est un emprunt ancien (v. 1170) au latin *excellens, -entis* «éminent, d'une valeur supérieure», participe présent de *excellere* «dépasser, être supérieur», verbe formé de *ex-* et d'un verbe non attesté °*cellere,* dont il ne reste que le participe passé passif *celsus* «élevé», apparenté à *culmen, -inis* «cime» (→ culminer) et *collis* (→ colline).

♦ L'adjectif signifie «qui, dans son genre, atteint une qualité proche de la perfection», d'abord employé au superlatif et au comparatif; il s'applique aux choses et aux personnes. ◇ L'emploi à propos de personnes et d'actions jugées sur le plan moral, où *excellent* signifie «qui a une grande bonté» *(une excellente personne),* tend à vieillir ou à prendre des connotations condescendantes.

▸ Le dérivé **EXCELLEMMENT** adv. apparaît sous la forme *excellentement* (1326) encore en usage au XVIe s., puis *excelenment* (1370-1372) et sous la forme moderne au XVIe s. (1539). ◇ Le mot, littéraire, a vieilli dans son emploi pour modifier un adjectif. ◆ **EXCELLENCE** n. f., emprunt (v. 1170) au dérivé latin *excellentia* «supériorité, excellence», est aujourd'hui d'emploi littéraire au sens premier. ◆ Il s'emploie avec une majuscule, par emprunt à l'italien (fin XIIIe s.), comme titre honorifique donné aux ambassadeurs, aux archevêques, etc., d'où familièrement ***donner de l'Excellence à qqn.*** ◆ Au sens général, la locution adverbiale ***par excellence*** (1524) «d'une manière hautement représentative, caractéristique» s'emploie avec un adjectif ou un nom. Le mot s'emploie aussi dans ***prix d'excellence*** «prix décerné en fin d'année à l'élève qui s'est le plus distingué dans l'ensemble des matières» et, par métonymie, «élève qui a reçu ce prix». ◇ Le mot est entré dans le vocabulaire à la mode vers 1980 pour désigner une appréciation très favorable concernant un service, une institution. ◆ **EXCELLENTISSIME** adj., attesté isolément au début du XIVe s. et repris au XVIe s. (1540), est un emprunt au superlatif italien *eccelentissimo,* titre honorifique attribué aux princes, aux grands seigneurs, etc. (déb. XIVe s.), de *eccelente* «excellent», de même origine que l'adjectif français. Le mot est vieilli et familier pour «très excellent».

EXCELLER v., d'abord transitif, est emprunté au XVIe s. (1544) au verbe latin *excellere* (voir ci-dessus). Devenu intransitif *(exceller dans, en...),* il a gardé le sens de l'étymon latin ; il est moins usuel qu'*excellent.*

PRÉEXCELLENCE n. f. (1839) est très littéraire.

PRÉCELLENT, ENTE adj., appliqué à une personne ou une chose qui est supérieure (v. 1175), est emprunté au latin *praecellens,* participe présent de *praecellere,* dérivé de *excellere.* ◇ Le mot a été repris (v. 1900) comme archaïsme littéraire, pour «excellent». ◆ **PRÉCELLENCE** n. f. est emprunté en moyen français (1420) au dérivé bas latin *praecellentia* «supériorité». ◇ Les deux mots sont des archaïsmes, le second étant encore connu, en partie par l'ouvrage de H. Estienne *De la précellence du langage françois.*

EXCENTRIQUE adj. et n. est un emprunt (1375) au latin médiéval *excentricus* «hors du centre», terme d'astronomie attesté au XIIe s. (v. 1160) du bas latin *eccentros,* lui-même emprunt au grec *ekkentros.* Le mot grec est un terme de mathématiques, formé de *ek-* «hors de» (→ ex-) et de *kentron* «aiguillon» et «point central d'un cercle»; *kentron* a été introduit en latin (Ier s.) sous la forme *centrum* (→ centre).

♦ *Excentrique* s'est introduit en astronomie, en parlant des cercles dont les centres s'écartent d'un point donné : il s'agit des orbes imaginés par les astronomes pour expliquer les mouvements des corps célestes qui ne sont pas toujours à la même distance de la Terre. ◇ L'adjectif est attesté isolément au figuré en 1611 (*ecentrique,* Cotgrave), au sens de «dont la manière d'être est en opposition avec les habitudes reçues»; il est repris en 1803, alors probablement emprunté à l'anglais *eccentric,* adjectif, qui n'est cependant attesté qu'en 1830 en ce sens. ◇ L'adjectif s'emploie au sens propre en botanique (1737, *cercles ligneux excentriques*); il s'applique à ce qui s'écarte du centre, spécialement en géométrie *(courbe excentrique)* et, couramment (1845), dans *quartier excentrique.* ◇ Mais ces emplois sont limités par la fréquence du sens figuré appliqué aux personnes, sens qui est senti au XIXe s. comme un anglicisme et s'applique souvent aux Britanniques et aux Américains, puis s'est complètement francisé.

► **EXCENTRIQUEMENT** adv., attesté dans la première moitié du XVIe s. au sens astronomique, s'emploie aussi au figuré (XIXe s.). ◆ **EXCENTRICITÉ** n. f. est emprunté (1562) au dérivé latin médiéval *excentricitas* (1250; 1267, *eccentricitas*) comme terme d'astronomie. Le nom s'emploie encore au propre comme terme scientifique. ◇ Il est attesté au figuré en 1621, peu après *excentrique,* puis repris dans un contexte anglais (av. 1817, Mme de Staël) et diffusé vers 1830 (1847, au pluriel); l'anglais *excentricity* est attesté en 1657. ◇ *Excentricité* pour «caractère de ce qui est éloigné du centre» est attesté en 1865 *(l'excentricité d'un quartier).*

◈ voir CENTRE.

EXCEPTER v. tr. est un emprunt savant (XIIIe s.) au latin *exceptare* «tirer à soi», «recueillir», fréquentatif de *excipere* «prendre, tirer de», «recevoir, accueillir» (→ exciper).

♦ Le verbe est relevé à l'actif en 1267; il s'emploie avec le sens de «ne pas comprendre dans (un ensemble), ne pas inclure dans (une situation)».

► Le participe passé **EXCEPTÉ, ÉE,** un peu antérieur au verbe (1219), est employé comme préposition au sens de «à la réserve de», d'où la locution conjonctive ***excepté que*** «à cela près» (1695) et aussi «à moins que», avec le subjonctif (1677). Aujourd'hui invariable, la préposition s'est accordée avec le nom jusqu'au XVIe siècle. ◆ **EXCEPTÉ, ÉE** adj. «non compris» est attesté au XIIIe s. en ancien poitevin (v. 1221) et au XVIIe s. en français central.

EXCEPTION n. f. est lui aussi un emprunt savant (1243, *excepcion*) au latin *exceptio* «restriction, réserve» et en droit «clause restrictive», du supin de *excipere.* ◆ Le mot est d'abord relevé comme terme juridique dans l'expression *exceptions de dret et de fet* [de droit et de fait] (1265); le mot a conservé cet emploi et se dit d'un moyen invoqué pour faire écarter une demande judiciaire, sans discuter le principe du droit sur lequel elle repose. ◇ À la fin du XIIIe s., il est attesté au sens général d'«action d'excepter» (1275-1280), d'où les locutions ***à l'exception de*** (1294), ***exception faite de*** qui concurrence *excepté,* ***d'exception*** «en dehors de ce qui est courant», qui s'emploie notamment pour qualifier des mesures étrangères au droit commun. En droit, ***tribunal d'exception*** s'oppose à *tribunal de droit commun.* ◇ De ce sens viennent aussi la locution verbale ***faire exception*** «sortir de la règle générale, de l'habitude» et la locution adverbiale ***par exception*** «contrairement à l'habitude». ◇ Au XIVe s., *exception* s'emploie par métonymie *(une, des exceptions)* au sens de «ce qui est hors de la règle commune» (1322), d'où des locutions proverbiales comme ***il n'y a pas de règle sans exception*** «il n'y a pas de règle absolue». ***L'exception confirme la règle,*** phrase proverbiale, est empruntée à un adage juridique signifiant «l'exception confirme la règle à l'égard des cas qui ne sont pas exceptés». ◇ Le mot se dit aussi d'une personne qui échappe à la règle générale. ◆ Le dérivé **EXCEPTIONNEL, ELLE** adj. s'est dit d'abord (1739, d'Argenson) de ce qui constitue une exception *(mesures exceptionnelles)* puis (1832) de ce qui est hors de l'ordinaire. ◇ En dérive l'adverbe **EXCEPTIONNELLEMENT** (1838), lui aussi usuel.

◈ voir INTERCEPTION, PERCEPTION, PRÉCEPTEUR, RÉCEPTION, SUSCEPTIBLE.

EXCÈS n. m. est un emprunt (fin XIIe s.) au latin *excessus* qui signifie «sortie, départ» à l'époque classique, «digression» en rhétorique puis, en latin chrétien (surtout au pluriel), «écarts, fautes, péchés»; le nom d'action *excessus* est formé sur le supin du verbe *excedere* «sortir de», «dépasser» (→ excéder).

♦ Le mot est d'abord employé, le plus souvent au pluriel, pour désigner un acte qui dépasse la mesure, un dérèglement, notamment dans des groupes nominaux tels que *excès de langage, de conduite, de zèle,* etc. et, en droit, ***excès de pouvoir*** «action dépassant le pouvoir légal». De ce sens vient l'emploi au pluriel pour «abus de la force» (XVe s.), surtout dans ***se livrer, se porter à des excès.*** ◇ Au XIVe s., *excès* désigne aussi ce qui dépasse une quantité, un surplus, un excédent (1370, Oresme). Cette idée de «dépassement de la mesure moyenne» se retrouve dans les locutions adverbiales ***à l'excès, avec excès*** «sans mesure», ***sans excès*** «modérément», et les locutions proverbiales ***l'excès en tout est un défaut, excès de biens ne nuit pas.***

► Le dérivé **EXCESSIF, IVE** adj. (déb. XIVe s.), précédé par le latin médiéval *excessivus* (v. 1254), s'applique à ce qui excède la règle, la mesure convenable, en parlant d'une chose, puis au XVIe s. (1587) d'une personne. ◇ L'emploi du mot au sens de

«très grand» (1839, Balzac) et sans idée d'excès est fréquent et critiqué ; on relève le pléonasme *trop excessif* dès le XVIIe siècle.
De l'adjectif dérive **EXCESSIVEMENT** adv. (1359) dont l'emploi est également critiqué au sens extensif de «très, tout à fait» sans idée d'excès, relevé depuis la début du XVIIIe siècle.

EXCIPER v. intr. est un emprunt (1279, sous la forme *exceper*) au latin *excipere* «prendre de, tirer de», spécialement en droit «excepter, disposer par une clause spéciale». Le verbe est composé de *ex-* «hors de» et de *capere* «prendre», de la même famille que *captare* (→ capter, chasser).

♦ Rare avant le XVIIIe s., le verbe est d'abord attesté en droit avec le sens d'«alléguer une exception», qu'il a conservé ; repris à la fin du XVIIIe s., il signifie alors «se servir (de qqch.) pour sa défense» (1774, Beaumarchais) ; il est demeuré littéraire ou didactique.

▶ **EXCIPIENT** n. m. est un emprunt de la langue scientifique (1747) au latin *excipiens,* de *excipere* «recevoir» (voir ci-dessus *exciper*). ➛ Ce terme de pharmacie désigne une substance qui «reçoit», incorpore les principes actifs d'un médicament. ◇ Le mot a pris au XIXe s. d'autres valeurs techniques.

◈ voir **EXCEPTER.**

EXCISION n. f. est un emprunt savant (1340) au latin *excisio* «entaille, coupure» et «ruine, destruction», nom d'action dérivé de *excidere* «enlever en taillant», «retrancher». Ce verbe est formé de *ex-* et de *caedere* «tailler (les arbres)», puis «couper» et, comme terme militaire, «tailler en pièces», «frapper avec un instrument tranchant», d'où «frapper à mort» (dans le composé *occidere* → occire). *Caedere* semble apparenté au sanskrit *khidáti* «il déchire».

♦ D'abord relevé isolément avec les sens latins, «arrachement, destruction» (1340, puis 1530), le mot est normalement attesté au XVIe s. comme terme de chirurgie pour «ablation» (1549) d'où, spécialement (mil. XIXe s.), «ablation rituelle du prépuce», puis (XXe s.) «ablation rituelle du clitoris (parfois des petites lèvres) de la femme», sens devenu courant avec la dénonciation de cette pratique de mutilation.

▶ **EXCISER** v. tr., dérivé au XVIe s. du radical de *excision* ou du latin *excisum,* supin de *excidere,* recouvre les mêmes emplois que le substantif. ➛ En dérive **EXCISEUR, EUSE** n. (attesté en 1978, M. Perrein) «personne qui pratique l'excision sur la femme».

EXCITER v. tr. est un emprunt ancien, d'abord écrit *esciter* (v. 1180), au latin *excitare* «faire sortir», «appeler hors de» d'où «provoquer», de *ex-* et *citare* (→ citer), usité à l'époque de la République romaine dans la langue juridique et politique aux sens de «convoquer (le sénat)», «citer (en justice)». Le verbe latin est un fréquentatif de *ciere* «mettre en mouvement» d'où «faire venir à soi», «provoquer» ; ces sens sont repris par *citare* qui supplante *ciere* à l'époque impériale. *Ciere* se rattache à une racine indoeuropéenne que l'on retrouve par exemple dans l'arménien *ču* «départ» ou dans le grec *kinein* «mettre en mouvement» (→ cinéma).

♦ En français, le verbe est d'abord relevé, à la fin du XIIe s., avec le sens général de «éveiller, réveiller», en parlant d'une réaction d'ordre physique ou moral. Au début du XIIIe s., il s'emploie pour «pousser, stimuler» (v. 1223) dans le domaine de l'activité psychique, intellectuelle, d'où des emplois particuliers : en parlant du désir sexuel (cf. *allumer*), pour «mettre (qqn) en colère, irriter», pour «donner de l'ardeur, du courage» et, familièrement (souvent à la forme négative), «éveiller un vif intérêt» *(ce travail ne l'excite pas beaucoup).* ◇ La construction *exciter qqn à,* pour «inviter à», «donner le désir ou la volonté de», est sortie d'usage, le verbe signifiant aujourd'hui «pousser (qqn) à». ◇ À la fin du XVIe s., *exciter* prend le sens de «provoquer un mouvement de l'âme» (1587), puis au XVIIe s. «provoquer (une réaction physique ou physiologique)».

▶ Des participes du verbe viennent : **EXCITANT, ANTE** (1613) qui ne s'est largement répandu comme adjectif qu'à partir du milieu du XIXe s., peut-être par influence de l'anglais *exciting* (de *to excite,* de même origine que le verbe français), et **EXCITÉ, ÉE** adj. et n. (1846) ; ces deux mots (surtout le second) s'emploient spécialement à propos du désir sexuel, mais conservent une valeur générale. ◇ *Excitant* est substantivé au masculin (1825) pour désigner une substance qui excite l'organisme ; *excité* l'est aux deux genres pour désigner une personne excitée.
EXCITABLE adj., attesté isolément (XIVe s.) au sens de «propre à réveiller, à exciter» (en parlant de Dieu qui réveille les morts), est emprunté au latin chrétien *excitabilis ;* réapparu au début du XIXe s., l'adjectif s'applique à ce qui peut être excité, en physiologie (1810) et dans l'usage courant (1816). ◇ Son contraire **INEXCITABLE** adj., d'usage didactique, est relevé en 1845. ◇ Le dérivé **EXCITABILITÉ** n. f. est un terme de physiologie (1805 ; cf. l'anglais *excitability,* 1788) puis d'usage courant (1856-1857) ; dans cet emploi aussi l'anglais *excitability* est antérieur (1803). ◇ **INEXCITABILITÉ** n. f. est didactique (1877). ➛ **EXCITATEUR, TRICE** n., emprunté dans la seconde moitié du XIVe s. au dérivé bas latin *excitator* n., «qui excite», est littéraire au sens de l'étymon ; à partir du XVIIIe s., ce mot entre dans le vocabulaire technique (1755, n. m. ; 1889, n. f.). ◇ Il a suscité le composé **AUTO-EXCITATEUR, TRICE** adj. (1881). ➛ **EXCITATIF, IVE** adj., emprunté au XIVe s. au latin médiéval *excitativus* (attesté peu av. 1205), est un terme de médecine, autrefois employé pour *excitant.* ➛ **EXCITATION** n. f., emprunté au bas latin *excitatio* à la fin du XVe s., n'est enregistré par l'Académie qu'en 1762 et reste peu fréquent avant le XIXe siècle. ◇ Le mot désigne d'abord l'action d'exciter, d'où des emplois spéciaux en physiologie, en physique, etc. ; il se dit ensuite généralement (1817) d'un état d'agitation individuelle ou collective.
À l'aide de l'élément *sur-** ont été composés au XIXe s. **SUREXCITATION** n. f. (1822) et **SUREXCITER** v. tr. (1823), qui a fourni **SUREXCITABLE** adj. (1872) et **SUREXCITANT, ANTE** adj. (1866), moins usuels que les deux premiers. *Surexciter* est ap-

paru en physiologie avant d'entrer dans l'usage général. ◇ En revanche le participe passé **SUREXCITÉ, ÉE** est fréquemment adjectivé, en parlant des personnes et de certains animaux.

EXCLAMER (S') v. pron. est un emprunt (1495, tr.) au latin *exclamare* «s'écrier», de *ex-* intensif et de *clamare* «crier» (→ clamer).

♦ Le verbe est introduit en français avec la valeur du latin ; au pronominal (déb. XVIe s.), il ne semble pas avoir été usité avant la fin du XVIIe s., à la différence du transitif *(exclamer de qqch.)*, attesté de la fin du XVe s. jusqu'au XVIIe siècle.

▸ Le supin de *exclamare* a fourni le substantif *exclamatio*, auquel est emprunté au début du XIIIe s. **EXCLAMATION** n. f., d'abord repris au sens étymologique de «cri de joie ou de surprise», puis employé en grammaire pour désigner une interjection ou une phrase réduite qui exprime une émotion (1580). ***Point d'exclamation*** (1798) désigne le signe de ponctuation dont on fait suivre l'exclamation. ➛ De cet emploi grammatical dérive **EXCLAMATIF, IVE** adj. (1747, *point exclamatif*) ; on peut supposer l'existence d'un latin *°exclamativus*, qui serait dérivé de l'adverbe du bas latin *exclamative* «sous forme d'exclamation», du supin de *exclamare*. ◇ Le dérivé **EXCLAMATIVEMENT** adv. (1865) est didactique.

EXCLURE v. tr., réfection (XIVe s.) de la forme évoluée *esclore* (XIIIe s.), est emprunté au latin *excludere* «ne pas laisser entrer», «ne pas admettre», de *ex-* marquant l'exclusion et *claudere* «fermer» (→ clore et éclore), de la même famille que *clavis* (→ clef).

♦ Le verbe est d'abord relevé avec le sens étymologique de «ne pas admettre (qqn, qqch.)» d'où «chasser». ◇ Au XVIe s., il prend le sens de «tenir (qqn) à l'écart de ce à quoi il pourrait avoir droit» (1559), spécialement en droit *(exclure qqn d'une succession)* ; en ce sens, il s'emploie avec un infinitif et signifie au XVIIe s. «empêcher». ◇ *Exclure* prend par la suite une valeur plus abstraite et se dit pour «rejeter (une chose) comme incompatible avec une autre» (1657-1662, Pascal) en parlant d'un sentiment, d'une idée. Par extension, *exclure* signifie «refuser d'envisager», notamment dans les constructions impersonnelles *c'est exclu, il est, il n'est pas exclu (que)*, surtout en emploi négatif.

▸ Le participe passé **EXCLU, UE** adj. (la graphie *exclus, -use* est admise jusqu'au XVIIIe s.) s'emploie spécialement dans le vocabulaire de la logique *(principe du tiers exclu)*.

Deux mots de la même famille ont été empruntés à des dérivés de *exclusum*, supin du verbe latin. ➛ **EXCLUSION** n. f. est pris au latin *exclusio* ; il est relevé dans la première moitié du XIVe s. *(esclusion)*, puis en 1486, mais rarement employé avant le XVIIe s. (1662, «action de tenir qqn à l'écart, de le repousser»). La locution ***à l'exclusion de*** est attestée en 1649. ◇ Dans les années 1990, le mot s'est répandu dans le vocabulaire social. ➛ **EXCLUSIF, IVE** adj. et n. f., emprunt au latin médiéval *exclusivus* «qui exclut» (XIIIe s.), s'applique d'abord à ce qui est exclu (1453, attestation isolée) puis à ce qui exclut (1541). ◇ De là **EXCLUSIVE** n. f. «disposition exclusive» (1541), terme de droit canon, employé ensuite dans ***prononcer, jeter l'exclusive*** «déclarer l'exclusion» (de qqn, d'une idée, etc.) et ***réserver l'exclusive à qqn*** dans un échange commercial. ◇ Au XVIIIe s., l'adjectif qualifie ce qui appartient uniquement à qqn par privilège spécial (1748, Montesquieu, *privilèges exclusifs*) et ce qui n'admet aucun partage (1762, Rousseau, *plaisirs exclusifs*). ◇ De là vient l'emploi en parlant d'une personne, absolue dans ses opinions, ses goûts, ses sentiments (1834, Balzac). ◇ De cet adjectif dérive **EXCLUSIVEMENT** adv. d'abord «en laissant en dehors une partie qui sert de limite» (1419), puis «d'une manière exclusive, uniquement» (av. 1799). ◇ Un autre dérivé d'*exclusif* est **EXCLUSIVITÉ** n. f. (1820) qui a remplacé *exclusiveté* (1812, Boiste, peut-être déjà chez Voltaire). Le mot s'est répandu dans des emplois juridiques et spécialement (1877) pour désigner le droit exclusif de publier un article, de vendre un livre et, par extension (1911), de projeter un film (notamment dans : *en exclusivité*) d'où, par métonymie, *une exclusivité*. ◇ Dans le domaine de la presse, *exclusivité* «information importante donnée en exclusivité» est concurrencé par l'anglais *scoop*. ◇ **EXCLUSIVISME** n. m. (1835, Fourier), synonyme de *sectarisme*, est didactique comme son dérivé **EXCLUSIVISTE** adj. et n. (1870).

EXCOMMUNIER v. tr., qui apparaît dans la première moitié du XIIe s. alors écrit *escumunier* (v. 1120), est emprunté au latin ecclésiastique *excommunicare* «mettre hors de la communauté religieuse», de *ex-* et *communicare* «mettre ou avoir en commun» (→ communiquer), de *communis* (→ commun). Le verbe latin *excommunicare* avait abouti en ancien français à *escomengier* (v. 1170), dont dérivait *escomengement*.

♦ La forme *excommunier*, adaptée du latin d'après *communier*, est d'abord attestée au sens isolé de «profaner, violer» (v. 1120), puis avec le sens moderne de «rejeter de l'Église» (1160-1174). ◇ Le verbe s'emploie par analogie dès le XIIIe s. (1225-1230) pour «exclure, rejeter» (qqn, qqch.).

▸ Le participe passé **EXCOMMUNIÉ, ÉE** adj. (XIIIe s.) s'est employé aussi pour «sacrilège» au XVIe siècle. ➛ **EXCOMMUNICATION** n. f., sous les formes *escomination* (1160), *escomenacïon* (1175) plus proche du radical du verbe, et *escomunication* (v. 1195), est un emprunt au latin ecclésiastique *excommunicatio* «exclusion de la communauté chrétienne», de *excommunicare* ; le nom a suivi la même évolution sémantique que le verbe. ➛ Du radical commun au verbe et au nom dérivent les termes didactiques **EXCOMMUNICATOIRE** adj. (1456) et **EXCOMMUNICATEUR, TRICE** adj. et n. (1910, Brunetière).

Enfin, le mot argotique *scoumoune* ou *chcoumoune* n. f., «malchance», provient du même étymon latin.

EXCORIER v. tr., relevé en 1532 chez Rabelais mais probablement antérieur (cf. son dérivé), est un emprunt au bas latin *excoriare* «enlever le cuir», «écorcher la peau», de *ex-* et du classique *corium* (→ cuir).

♦ Le verbe, d'emploi didactique, a repris le sens étymologique d'«écorcher (la peau) légèrement».

▸ **EXCORIATION** n. f. (1377, *excoriacion*) est emprunté au dérivé latin médiéval *excoriatio*, terme de médecine (v. 1200).

EXCRÉMENT n. m., relevé en 1534 chez Rabelais, est un emprunt savant au latin impérial *excrementum* «déchet», et «excrétion, déjection», dérivé de *excretus*. Cet adjectif est le participe passé du latin impérial *excernere* «passer au tamis» et, dans la langue médicale, «évacuer», de *ex-* et *cernere* «passer au crible» et «distinguer». Ce dernier se rattache à une racine indoeuropéenne *°krē-*, variante de *°krei-* qui exprime l'idée de «cribler»; on la retrouve dans le latin *cribrum* (→ crible), *crimen* (→ crime), *certus* (→ certes), le grec *krisis* (→ crise), etc.

♦ Le mot a d'abord désigné l'ensemble des matières évacuées du corps (matières fécales, urine, mucus nasal, sueur), puis son emploi s'est restreint au sens de «matières fécales». ◇ L'idée de «déchet» explique l'emploi figuré classique pour désigner qqn ou qqch. de vil et méprisable (av. 1628, *excrément de la terre*).

▸ Le dérivé **EXCRÉMENTEUX, EUSE** adj. (1555) est archaïque. ➛ **EXCRÉMENTIEL, ELLE** adj. (1561, *excremenciel*) est didactique.

◈ voir **EXCRÉTION**.

EXCRÉTION n. f. est un emprunt (1534, Rabelais) au bas latin *excretio* «criblure», dérivé de *excretus* participe passé du latin impérial *excernere* (→ excrément).

♦ Ce terme de physiologie désigne d'abord l'action par laquelle les déchets de l'organisme sont rejetés au-dehors puis, par métonymie (1792), les déchets rejetés, reprenant le sens large d'*excréments*, spécialisé pour «matières fécales».

▸ Le radical de *excrétion* a fourni les termes didactiques **EXCRÉTOIRE** adj. (1536), **EXCRÉTEUR, TRICE** adj. (1560) et **EXCRÉTER** v. tr. (1836), usuels en physiologie.
EXCRETA n. m. pl. reprend un mot latin, participe passé neutre de *excernere*, employé en physiologie (1814, Nysten) pour désigner les substances rejetées directement ou indirectement de l'organisme.

EXCROISSANCE n. f. représente une adaptation (1314), sous l'influence de *croissance*, du bas latin *excrescentia*, dérivé de *excrescere* «croître en s'élevant», formé de *ex-* intensif et de *crescere* (→ croître). Des variantes ont été calquées sur le latin : *escressence, excressence* (1314), *excrescence* (XVIIe-XVIIIe s.).

♦ D'abord relevé comme terme de médecine au sens de «petite tumeur superficielle (de la peau)», le mot se dit ensuite par analogie (1770) d'une proéminence qui apparaît à la surface de qqch. Il s'emploie aussi au figuré (XIXe s.) pour «développement extérieur», la paronymie avec *croissance* jouant alors un rôle.

EXCURSION n. f., qui apparaît vers 1500, est un emprunt au latin *excursio* «voyage», «incursion (dans un pays ennemi)», «irruption», dérivé de *excursum*, supin de *excurrere* «sortir en courant» et «s'avancer», «parcourir», de *ex-* et *currere* (→ courir).

♦ *Excursion* signifie d'abord, dans un contexte militaire, «irruption dans un pays ennemi»; encore employé en ce sens au XIXe s., le mot a été supplanté par *incursion*. ➛ Rare jusqu'au XVIIIe s., il est alors repris en mécanique (1741), en astronomie (1771), puis entre dans l'usage courant et désigne (1775) l'action de parcourir une région pour l'explorer, sens qui s'affaiblit au cours du XIXe s. pour correspondre à «longue promenade», «petit voyage». ◇ Le mot est employé au figuré à la même époque avec le sens de «digression» (1798, Académie) qui a vieilli. Avec la valeur de «mouvement d'un élément hors de sa position de repos», *excursion* s'emploie ensuite en physiologie (1840; *excursion diaphragmatique*) et en physique (1851, Cournot).

▸ Les dérivés **EXCURSIONNISTE** n. (1852, T. Gautier) et **EXCURSIONNER** v. intr. (1871, Hugo), ce dernier vieilli, viennent du sens de «longue promenade».

EXCUSER v. tr. a été emprunté dans la première moitié du XIIe s. (v. 1120, *escuser*) au latin *excusare*, proprement «mettre hors de cause», d'où «justifier», «alléguer comme excuse», formé de *ex-* et de *causa* (→ cause, chose).

♦ Le verbe apparaît en français avec le sens de «justifier (qqn, une action) en alléguant une explication, une défense» d'où «décharger (qqn) d'une accusation, en admettant des motifs qui justifient la faute» (v. 1190). *Excuser qqch. à qqn* «l'excuser auprès de lui» s'est dit à l'époque classique (1670). ◇ Le verbe s'est aussi employé (v. 1274) pour «se mettre à l'abri d'une sanction», puis «servir d'excuse» en parlant de choses (1283). ◇ *S'excuser* a signifié «se dispenser, refuser» (XVIe s.), d'où le sens du transitif (1668, Racine) «accepter de qqn les raisons qu'il invoque pour se dispenser de faire qqch.». ***Excusez-moi, vous m'excuserez*** sont des formules de politesse usitées quand on veut contredire qqn ou manifester son regret de causer quelque gêne, etc.; *s'excuser* «présenter ses excuses», attesté en 1690, ne se répand qu'à partir du XIXe siècle. ◇ L'expression familière ***excusez du peu*** (1761) exprime ironiquement l'idée de «beaucoup».

▸ **EXCUSABLE** adj. est emprunté (XIIIe s.) au latin impérial *excusabilis* «qu'on peut excuser», dérivé de *excusare*. ◇ Il a pour dérivé le terme de droit **EXCUSABILITÉ** n. f. (1873). ➛ Le contraire **INEXCUSABLE** adj. est emprunté (1402) au dérivé latin *inexcusabilis*; il est relativement plus courant que le simple. ◇ **INEXCUSABLEMENT** adv. est rare.
EXCUSE n. f. a suivi une évolution sémantique parallèle à celle du verbe dont il provient. Attesté au XIVe s., le mot désigne une raison alléguée pour se défendre d'une accusation, pour expliquer ou atténuer une faute. Il est très usuel au pluriel (1690) dans les locutions ***faire, présenter ses (des) excuses (à qqn), recevoir des excuses (de qqn)***, etc. Si ***faire excuse à qqn*** est sorti d'usage, ***faites excuse*** est vivant dans l'usage populaire, comme ***demander excuse*** (1740) «s'excuser» (sous l'influence de *deman-*

der pardon). ◇ Le mot se dit aussi depuis le milieu du XVIe s. (av. 1549) du motif que l'on invoque pour ne pas faire qqch., spécialement en droit et dans ***mot d'excuse*** (par métonymie, *une excuse*). De ce sens viennent les locutions ***être sans excuse, donner, prendre pour excuse.*** ➜ Au tarot, *l'excuse* désigne la carte imprenable qui permet de ne pas jouer la couleur ou l'atout demandé.

EXEAT n. m. inv. est un emprunt (1622) au latin *exeat* «qu'il sorte», 3e personne du subjonctif présent de *exire* «sortir», de *ex-* et *ire, itum* (qui a fourni le futur de *aller**), rattaché à une racine indoeuropéenne *°ei-, °i-* «aller».

♦ *Exeat* s'est d'abord employé comme formule de droit ecclésiastique pour «autorisation donnée par l'évêque à l'un de ses prêtres d'exercer son ministère dans un autre diocèse». ◇ Le mot s'est employé dans le vocabulaire général (mil. XVIIe s.) pour «permission de sortir», à propos d'un élève, d'un malade dans un hôpital, d'où *donner son exeat à qqn* «le congédier» (1865), sorti d'usage.

EXÉCRER v. tr. est emprunté (1495) au latin *exsecrari* «maudire, charger d'imprécations», de *ex-* «hors de» et *sacer* qui qualifie la personne ou la chose qui ne peut être touchée sans être souillée ou sans souiller, d'où le double sens de «sacré» et «maudit». *Sacer* (→ sacré) s'oppose à *profanus* «qui est devant, c'est-à-dire en dehors du temple», domaine de la vie courante des hommes.

♦ Le verbe est introduit à la fin du XVe s. avec le sens étymologique d'«avoir en horreur, abominer», aujourd'hui littéraire. ◇ Il se dit ensuite, par affaiblissement, pour «ne pas aimer (qqn), avoir de l'antipathie pour (qqn)» (1822, Hugo), également en parlant d'une chose.

▸ Le dérivé **EXÉCRATEUR** n. m. «celui qui exècre (qqn ou qqch.)» (1886, Bloy) est rare. ➜ **EXÉCRATION** n. f. (XIIIe s.) est emprunté au dérivé latin *exsecratio* «serment (accompagné d'imprécations en cas de parjure)» et «malédictions», antonyme de *consecratio* (→ consécration). D'abord attesté avec un sens général : «sentiment d'horreur extrême» (pour ce qui est digne de malédiction), le mot s'emploie au XVIe s. avec le sens étymologique de «malédiction (en cas de faux serment), imprécation» (1559, Amyot), emploi sorti d'usage. ◇ Au XVIIIe s., *exécration* est employé en théologie avec le sens de «retour d'un objet consacré à l'état profane» (1752, Trévoux).

EXÉCRABLE adj., emprunt au dérivé latin impérial *exsecrabilis* «abominable, que l'on doit exécrer», signifie couramment (av. 1380, mais rare avant le XVIIe s.) «extrêmement mauvais». ◇ Dans un emploi aujourd'hui littéraire, il se dit à partir du XVIe s. (1530) de ce que l'on doit avoir en horreur, en aversion. ➜ De l'adjectif dérivent **EXÉCRABLEMENT** adv. (XVe s.) et **EXÉCRABILITÉ** n. f. (XVIe s.), mots littéraires et rares.

EXÉCUTION n. f. est un emprunt du XIIIe s. (1263-1265, *execucion ;* 1283, avec la graphie moderne) au latin classique *exsecutio, -onis* «achèvement, accomplissement», «poursuite judiciaire», dérivé de *exsecutum*, supin de *exsequi* «suivre jusqu'au bout», d'où «accomplir», «achever», «poursuivre en justice». Ce verbe est formé de *ex-* et de *sequi* «suivre» (*sequere* en bas latin ; → suivre).

♦ En français, le nom reste longtemps un terme de droit désignant d'abord la fonction, le mandat d'exécuteur testamentaire, d'où le sens juridique de «mise à fin de jugement, d'un acte» (1283, *metre le testament a execution*). ◇ Il s'emploie ensuite par extension (XIVe s.) pour désigner la saisie et mise en vente des biens d'un débiteur, par décision de justice (*exécution d'un débiteur*) et aussi, en relation avec *exécuter*, dans *metre a secussion* (à exécution) «faire mourir, anéantir» (v. 1330). De là vient l'emploi de *exécution criminelle* (1540) ou *exécution* «mise à mort (d'un condamné)» d'où «mise à mort en dehors de toute procédure légale». ◇ Le sens d'«action d'effectuer (qqch.)», lié au verbe *exécuter* (ci-dessous), passe dans le vocabulaire général au XIVe s., d'où ***mettre à exécution*** et le sens d'«action effective», par opposition à *projet ; homme d'exécution* «d'action» (XVIe s.) encore employé au XIXe s., est sorti d'usage. *Exécution*, senti comme dérivé de *exécuter*, désigne aussi (1680) le fait d'exécuter d'après une règle, un plan et la manière de faire un ouvrage, spécialement en musique (*l'exécution d'une sonate*). ◇ Par figure du sens de «mise à mort», *exécution* se dit (XIXe s.) d'une atteinte malveillante à la considération (de qqn) ; par jeu sur les sens du mot, il désigne enfin l'interprétation exécrable d'une pièce musicale.

▸ Deux mots sont formés à partir du radical de *exécution*. ➜ **EXÉCUTIF, IVE** adj. est attesté au XIVe s. (Oresme) au sens de «relatif à l'exécution des lois, qui exerce le pouvoir de mise en œuvre des lois», mais le mot est rare avant le XVIIIe s. (1764, Rousseau), l'expression ***pouvoir exécutif*** et la substantivation ***l'exécutif***, n. m., datant de la Révolution (1792). Par extension, l'adjectif qualifie un organisme qui exerce le pouvoir exécutif. Dans ces emplois, *exécutif* est opposé à *législatif* et à *judiciaire* depuis la théorie des trois pouvoirs de Montesquieu.

EXÉCUTER v. tr. signifie (1351) «mener à accomplissement» et en droit (v. 1355) «rendre effectives (les dispositions d'un jugement, etc.)». Parallèlement, le verbe s'emploie (1374) au sens de «faire mourir (qqn) conformément à une décision de justice». ◇ Les emplois extensifs pour «réaliser», spécialement «faire (un ouvrage) d'après un plan, un devis» (1690) et figurés sont parallèles à ceux d'*exécution*, ce substantif à partir de la fin du XVIIe s. étant senti comme dérivé du verbe. ➜ De *exécuter* dérivent deux mots. **EXÉCUTABLE** adj., d'abord terme de droit (v. 1435), signifie d'après *exécuter* «qui peut être accompli» (1835). ➜ **EXÉCUTANT, ANTE** n. (XIVe s., E. Deschamps) désigne une personne qui exécute (un ordre, une œuvre, etc.) et, spécialement (1767, Rousseau), «qui exécute sa partie dans un ensemble musical».

À partir de *exécution* ont été formés **INEXÉCUTION** n. f. (av. 1606, puis 1620, d'Aubigné), terme de droit qui est passé quelquefois dans le vocabulaire général, et **NON-EXÉCUTION** n. f. (déb. XIXe s.), resté dans le vocabulaire juridique.

EXÉCUTEUR, TRICE n. et adj. est emprunté (v. 1200) au dérivé latin impérial *exsecutor* «celui qui accomplit», «magistrat chargé de faire exécuter une sentence» et, en latin médiéval (XIIe s.), «exécuteur testamentaire». ➜ Le nom est sorti d'usage au sens initial de «personne qui exécute (un ordre, etc.)»; il est alors remplacé par *exécutant.* ◇ Il désigne ensuite en droit la personne qui accomplit les dernières volontés d'un testateur (1275-1280); *exécuteur d'un testament,* sorti d'usage, a été remplacé par *exécuteur testamentaire.* Le nom, au masculin, d'abord sous la forme *excecuteur de la justice* (1376) puis *exécuteur* (XVIe s.), se dit pour «bourreau». ➜ **EXÉCUTOIRE** adj. et n. m., emprunté au dérivé bas latin *exsecutorius,* dérivé du latin classique *exsecutum,* supin du verbe, est attesté en 1337 comme nom masculin et en 1355 comme adjectif.

EXÉGÈSE

EXÉGÈSE n. f. est un emprunt savant (1705) au grec *exêgêsis* «explication», dérivé de *exêgeisthai* «conduire» et «expliquer», de *ex-* et *hêgeisthai* «marcher devant», «conduire en qualité de chef» (→ hégémonie), verbe qui se rattache à une racine indoeuropéenne °*sāg-* «avoir du flair», comme le latin *sagax* (→ sagace), *praesagium* (→ présage).

♦ *Exégèse* désigne d'abord l'interprétation de la Bible d'où, absolument en ce sens, *l'Exégèse.* ◇ Le mot s'est dit ensuite de l'interprétation d'un texte non religieux puis par extension (XXe s.) a pris le sens de «commentaire, développement détaillé».

▸ Le grec *exêgeisthai* a fourni *exêgêtês* «qui explique (dirige ou interprète les oracles)», auquel est emprunté **EXÉGÈTE** n. m. (1732, Trévoux). ➜ **EXÉGÉTIQUE** adj. (1694) est emprunté à *exêgêtikos* «qui expose en détail», dérivé de *exêgêtês,* peut-être par le bas latin *exegetice, -es,* «art d'expliquer».

EXEMPLE

EXEMPLE n. m. a été emprunté au milieu du XIe s., sous la forme *esample* relatinisée au XIIe s., au latin *exemplum* «objet mis à part, pour servir de modèle», d'où «échantillon», «reproduction, copie» et «modèle, chose exemplaire». *Exemplum* dérive de *eximere,* au supin *exemptum* (→ exempt), «supprimer», «retirer», de la famille de *emere, emptum,* et signifiant à l'origine «prendre», puis en latin classique «prendre contre de l'argent, acheter». *Emere* entre dans de nombreux préfixés, comme *perimere* (→ périmer), *praesumere* (→ présumer); il a des correspondants dans plusieurs langues indoeuropéennes : le vieux slave *ima* «je prends», le gotique *niman* «prendre» (allemand *nehmen*), etc.

♦ *Exemple* est d'abord attesté au sens de «nouvelle, bruit», puis s'emploie (1080) pour désigner un récit qui tire des faits un enseignement moral; ces sens ne se sont pas maintenus. *Exemple* est parfois au féminin en ancien français (1080), peut-être d'après *exampla,* pluriel neutre; le féminin subsiste jusqu'au XIXe s. dans *une exemple d'écriture.* ◇ Dès le début du XIIe s., le nom se dit (v. 1119) d'un fait servant à appuyer une assertion et désigne (v. 1160) une leçon que l'on peut tirer d'une situation, d'où l'emploi pour «récit didactique» (1180, Marie de France). Par extension, *exemple* se dit en parlant d'une personne digne d'être imitée (fin XIIe s.) puis à partir de la fin du XIVe s. s'emploie pour désigner un châtiment considéré comme pouvant servir de leçon (1381) et, par métonymie, la leçon qu'on en tire, puis à propos d'une personne dont le sort malheureux peut donner à réfléchir (1643). Il est maintenant surtout utilisé avec cette acception dans des expressions comme ***faire un exemple, pour l'exemple.*** ◇ Un autre sens de ***pour exemple*** «pour illustrer par un exemple» est relevé chez Montaigne, la locution adverbiale de même sens ***par exemple*** est devenue très courante en français moderne, au XVIIe s. (elle est dans Furetière, 1690). *Par exemple !,* issu (1627) par ironie de *par exemple,* marque familièrement l'étonnement, la surprise; la locution adverbiale est ensuite employée, dans l'usage familier, pour marquer l'opposition. ➜ *Exemple* désigne spécialement (1653) le passage d'un texte, une phrase, etc. que l'on cite à l'appui d'une explication grammaticale, pour illustrer l'emploi d'un mot *(exemple de grammaire).*

▸ **EXEMPLIFIER** v. tr., didactique, est dérivé en 1365 (Oresme) d'après les verbes latins en *-ificare.* Sorti d'usage, le verbe a été repris (mil. XXe s.) dans l'usage didactique, alors par emprunt à l'anglais *to exemplify.* ➜ Le nom d'action **EXEMPLIFICATION** n. f., dérivé du verbe, est attesté au XIVe s. au sens d'«action de donner l'exemple», aujourd'hui pour «action d'illustrer d'exemples» (attesté en 1949). ➜ Plusieurs mots sont empruntés à des dérivés de *exemplum.* ➜ ① **EXEMPLAIRE** adj., emprunt au latin classique *exemplaris* «qui sert de modèle», s'applique (1240-1280) à ce qui peut servir de modèle, spécialement en philosophie (*cause exemplaire* «modèle parfait», du latin médiéval *forma exemplaris,* v. 1200). L'adjectif signifie ensuite (v. 1570) «dont l'exemple doit servir d'avertissement» *(punition exemplaire),* puis «qui peut ou doit servir d'exemple», d'où «remarquable en son genre». ◇ En dérivent **EXEMPLAIREMENT** adv. (fin XVe s.) et **EXEMPLARITÉ** n. f. (1573; v. 1361 in *G. L. L. F.;* cf. le latin médiéval *exemplaritas,* v. 1270).

② **EXEMPLAIRE** n. m., est emprunté au bas latin *exemplarium* «copie exemplaire» et «original, type» (latin classique *exemplar*). ➜ Le nom est attesté (1119, *essemplaire*) au sens de «récit, narration», disparu, puis de «modèle à suivre» (1170), déjà archaïque au milieu du XVIIIe siècle; il est aussi sorti d'usage en philosophie. En général, le mot a été remplacé par *exemple.* ➜ *Exemplaire* désigne ensuite (1216) un écrit, un livre; ce sens disparaît, mais le mot se dit depuis le XVIe s. (1580, Montaigne) de chacun des objets reproduisant un type commun, en parlant de livres, puis de médailles, de photographies, etc. ◇ *Exemplaire* entre ensuite dans le vocabulaire scientifique (1808, Cabanis), se disant de chacun des individus d'une même espèce; par extension, il s'emploie (1870) en parlant de choses ou d'êtres semblables.

EXEMPLATIF, IVE adj., fourni (av. 1925) à partir de *exemplum,* terme administratif en Belgique, signifie «relatif à l'exemple» *(à titre exemplatif),* «qui constitue un exemple». ➜ **EXEMPLIER** n. m., «collection d'exemples», se dit dans un contexte didactique (1990).

EXEMPT, EMPTE adj. et n. m. est un emprunt (1260, *exant,* adj. ; XVᵉ s., *exent*) au latin classique *exemptus,* participe passé passif de *eximere* «supprimer», «retirer», composé de *ex-* (→ ① ex-) et de *emere, emptum,* à l'origine «prendre» puis «prendre contre de l'argent, acheter» en latin classique (→ exemple). On relève au XIIᵉ s. le latin médiéval *exemptus* adjectif «affranchi de l'autorité épiscopale» (1171-1172).

♦ D'abord adjectif, *exempt* (toujours suivi de la préposition *de*) se dit en droit d'une personne qui est affranchie, dispensée d'une charge ou d'un service commun. Au XVIᵉ s., le mot qualifie figurément quelqu'un qui n'est pas sujet à certains défauts ou tendances (v. 1530, Marot), puis s'emploie pour «à l'abri de» (1580, Montaigne) et équivaut à «sans». *Exempt de,* au sens de «qui est affranchi d'un soin inutile» (XVIIᵉ s.), est sorti d'usage. ◆ *Exempt* se substantive au début du XVIIᵉ s., désignant (1617, d'Aubigné, *un ezent de gardes*) un sous-officier de cavalerie exempt du service ordinaire et qui commandait en l'absence du capitaine ou de ses lieutenants, puis un officier de police commandant une escouade de gardes (1665, Molière), sens disparus au XIXᵉ siècle. ◇ Le nom prend au XVIIᵉ s. le sens général de «personne qui est délivrée de certaines charges» (1690, Furetière) et, spécialement, se dit d'un ecclésiastique non soumis à la juridiction ordinaire.

▶ Le dérivé EXEMPTER v. tr. (1320, *essenter*), dont l'évolution sémantique est parallèle à celle d'*exempt,* s'emploie spécialement dans le domaine militaire pour «dispenser (d'un service)» (1848) ; par extension, il se dit (XVIIᵉ s.) dans le style soutenu pour «dispenser, mettre à l'abri».

EXEMPTION n. f., emprunt au latin *exemptio* «action d'ôter», dérivé du supin de *eximere,* est attesté en 1330 avec le sens général et courant de «dispense (d'une charge, d'une obligation)».

◈ voir EXEMPLE, PRÉEMPTION, RÉDEMPTION.

EXEQUATUR n. m. inv. est un mot latin, introduit au XVIIIᵉ s. en droit (1752, Trévoux) et signifiant proprement «qu'il exécute, qu'on exécute», *ex (s)equatur* est la troisième personne du singulier du subjonctif présent du verbe *exsequi,* «poursuivre en justice» (→ exécution).

♦ Le mot désigne une décision par laquelle un tribunal rend exécutoire en France un jugement ou un acte étranger. ◇ *Exequatur* désigne ensuite (1781) en droit international un décret par lequel le gouvernement d'un pays autorise un consul étranger à remplir ses fonctions dans ce pays.

◈ ✳ **EXERCER** v. tr., d'abord sous la forme *essercier* (1121-1134), refaite d'après le latin aux XIIIᵉ-XIVᵉ s., est issu du latin *exercere* «poursuivre, chasser» et «agiter, ne pas laisser en repos» puis, par extension, «mettre à l'épreuve, à la torture» et encore «travailler», et avec un complément de chose «pratiquer, exercer». *Exercere* est formé de *ex-* et de *arcere,* verbe rare au sens de «contenir, maintenir», plus courant pour «écarter» ; en grec l'équivalent de *arcere* est *arkein* «écarter» (→ autarcie).

♦ *Exercer* est d'abord attesté au sens de «pratiquer (une discipline)», sans idée de formation méthodique, emploi courant à l'époque classique, littéraire aujourd'hui. ◇ Au pronominal, le verbe signifie ensuite (XIIIᵉ-XIVᵉ s., *soi exercer*) «se former, s'éduquer par des exercices appropriés» ; l'emploi transitif correspondant apparaît plus tard (XVIᵉ s.). Au XIVᵉ s., il correspond comme transitif à «se consacrer à (une activité professionnelle, une charge)» (1340) d'où l'emploi absolu, en parlant des professions libérales *(cet avocat exerce encore).* Le verbe a aussi, par extension du premier emploi, le sens de «faire agir (ce qui est en sa possession, à sa disposition)» (fin XIVᵉ s.) *[exercer un pouvoir, un droit],* d'où «mettre en usage (un moyen d'action)» (1548). ◇ *Exercer* s'est employé au sens latin (1551) de «mettre à l'épreuve», aujourd'hui archaïque, et par extension pour «tourmenter», sorti d'usage.

▶ EXERCÉ, ÉE adj. «devenu habile à force d'exercices» (1679) a pour contraire INEXERCÉ, ÉE adj. (1794, Pougens).

EXERCICE n. m. est emprunté (déb. XIIIᵉ s.) au dérivé latin *exercitium* «exercice, pratique» ; on trouve aussi en ancien français la forme latinisée *exercite.* ◆ *Exercice* s'emploie d'abord dans *espiriteil exercice,* «exercice spirituel», pour désigner une activité réglée s'exerçant dans le domaine religieux, puis intellectuel (1580) et artistique. ◇ Le mot signifie aussi (fin XIIIᵉ s.) «action ou moyen d'exercer (de s'exercer) pour entretenir ou développer des qualités morales ou physiques». Au XVᵉ s., le nom se dit pour «pratique (de qqch.)» (1424, au féminin ; *exercice d'un pouvoir, d'un droit,* etc.). ◇ Il désigne spécialement (1531) le fait d'exercer une activité d'ordre professionnel, d'où ***en exercice*** «en activité», dans *entrer, être en exercice.* De ces acceptions viennent des emplois plus spécialisés comme ***exercice physique*** ou absolument *l'exercice* (1637, Descartes) ; *l'exercice* se dit aussi de l'entraînement des soldats. ◇ Dans le domaine religieux (1669, Molière), généralement qualifié *(exercices spirituels),* le mot désignait un acte de piété, une prière, etc., destiné à élever l'âme. ◇ Dans le domaine scolaire, on appelle *exercices scolaires* (1865) ou *exercices* les devoirs aux difficultés graduées qui conduisent les élèves à des travaux plus amples d'où, par métonymie, *exercices de calcul* (*de grammaire,* etc.) «livre qui contient ces exercices». Le mot s'emploie aussi en musique (1865) pour désigner des compositions destinées à l'apprentissage d'un instrument. ◆ De la notion d'épreuve, attachée à *exercer* et à *exercice,* vient le sens classique de «peine, tourment» (1685), sorti d'usage. ◆ C'est d'une spécialisation en droit fiscal (1707, Vauban), où *exercice* correspond à «contrôle par des visites régulières» (qui permet à l'agent d'*exercer* son action), que vient le sens de «période entre deux inventaires, deux budgets», en droit commercial (1865).

◈ voir COERCIBLE.

EXERGUE n. m., attesté en 1636, est un emprunt au latin scientifique moderne *exergum,* composé des mots grecs *ex-* «hors de» et *ergon* «action», «travail» (→ énergie).

♦ D'abord employé comme terme de numismatique, *exergue* désigne le petit espace réservé dans une médaille pour recevoir une inscription, une date et, par métonymie, l'inscription elle-même. ◇ Le mot se dit au figuré, surtout dans ***en exergue,*** pour «ce qui présente, explique» (XXe s.); cet emploi est critiqué, certains préférant conserver en ce sens *épigraphe**.

EXFOLIER v. tr. est un emprunt savant (1560, Paré) au bas latin *exfoliare* «effeuiller», de *ex-* et du classique *folium* (→ feuille, folié, folio).

♦ D'abord terme de médecine, *exfolier* se dit d'un os, d'un cartilage dont les parties mortes se détachent par parcelles. ◇ Rare au sens de «dépouiller (de ses feuilles, de ses pétales)», le verbe s'emploie plus couramment au pronominal *s'exfolier* (1690).

▸ Le dérivé **EXFOLIATIF, IVE** adj. (1545) est un terme de médecine. ◆ **EXFOLIATION** n. f., formé à partir de *exfoliatum,* supin de *exfoliare,* est attesté en 1478 en médecine.

EXHALER v. tr. est un emprunt savant (v. 1350, au participe passé *exalé*) au latin *exhalare,* formé de *ex-* et de *halare* «exhaler un souffle, une odeur», moins fréquent que le dérivé et d'étymologie douteuse.

♦ Le verbe s'emploie, en parlant d'une personne, au sens de «laisser échapper de sa bouche (un souffle, un son, etc.)», le participe passé qualifiant d'abord le dernier soupir. *Exhaler son âme* «mourir» semble être le premier emploi du verbe transitif (av. 1613), qui signifie ensuite «dégager de soi, répandre au-dehors (une chose volatile)». La forme pronominale *s'exhaler* est attestée dans ce sens dès le début du XVIe siècle. ◇ Le mot est relevé, à partir du XVIIe s., dans des emplois figurés et littéraires; il se dit ainsi (1643, Corneille) en parlant d'une personne pour «manifester (un sentiment) de façon audible (par des paroles, des pleurs, etc.)», puis en parlant de choses ou de notions abstraites (av. 1848, Chateaubriand; *exhaler une force*). ◇ Il s'emploie par analogie comme terme de physiologie, alors opposé à *inhaler.*

▸ Du radical du verbe est dérivé **EXHALAISON** n. f. (1561), variante francisée de *exhalation* «ce qui s'exhale d'un corps, d'un lieu» (cf. *émanation, effluve*). ◆ **EXHALATION** n. f. est emprunté (1361 Oresme, *exalacion*) au latin *exhalatio* «action d'exhaler» (du supin de *exhalare*) dont il reprend le sens.

◈ voir INHALER.

EXHAUSSER → HAUSSER

EXHAUSTIF, IVE adj. est un emprunt (1818) à l'anglais *exhaustive,* dérivé de *to exhaust* «épuiser», lui-même emprunté au latin *exhaustum,* supin de *exhaurire* «vider en puisant, épuiser» et «accomplir entièrement». Ce verbe est composé de *ex-* intensif et de *haurire* «puiser», d'origine indoeuropéenne. L'anglais *exhaustive* a été créé en 1786 par le philosophe Bentham, au sens de «qui épuise une matière, qui traite à fond un sujet».

♦ Ce sens, repris en français, est d'emploi plus courant que l'acception ultérieure : «qui épuise les ressources de qqn ou de qqch.» (1873). L'origine latine du mot fait que cet emprunt n'est plus senti comme un anglicisme.

▸ *Exhaustif* a fourni **EXHAUSTIVEMENT** adv. (1955) et **EXHAUSTIVITÉ** n. f. (v. 1965), usuels en emploi didactique.

EXHAUSTION n. f. est un emprunt savant (1740; par traduction de l'anglais *exhaustion*) au bas latin *exhaustio* «action d'épuiser», formé sur *exhaustum,* supin de *exhaurire.* ◆ D'abord terme de mathématiques *(méthode d'exhaustion),* le mot s'applique en logique (av. 1778) à une méthode d'analyse qui consiste à épuiser toutes les hypothèses possibles. ◆ Le sens concret «épuisement (d'un gaz, d'un liquide)», attesté en 1858 *(pompe d'exhaustion),* est rare.

EXHIBER v. tr., apparu au XIIIe s. d'après le *F. e. w.* (XIVe s., selon *T. L. F.*), est emprunté au latin *exhibere* «produire au jour, présenter», de *ex-* «hors de» et *habere* «tenir» d'où «posséder» (→ avoir).

♦ Le verbe reprend la valeur générale du latin, «produire, montrer» et, spécialement en droit, «produire un document en justice»; au début du XVIe s., il prend par extension le sens devenu courant de «montrer, exposer à la vue». ◇ *Exhiber* s'emploie par la suite avec une valeur péjorative pour «faire étalage de» (1797, Chateaubriand) au propre et au figuré, également courant. ◇ *S'exhiber* pour «se montrer» (av. 1660, Scarron) n'est employé au sens moderne et péjoratif de «se produire, se montrer en public» qu'au début du XXe siècle.

▸ Le nom d'action **EXHIBITION** n. f. (v. 1200, *exibition*), emprunté au latin impérial *exhibitio* «exhibition, représentation, production», dérivé du supin de *exhibere,* a suivi un développement sémantique parallèle à celui du verbe. ◆ Le sens général «action de montrer, de faire voir (qqch.)» s'est spécialisé pour «action de montrer en public» (1606, *exhibition publique de gladiateurs*), puis d'«exposition», vieilli, (1774, en parlant de peinture; cf. l'anglais *exhibition,* 1761, de même sens) et de «manifestation sportive» (1884), alors probablement par anglicisme. ◆ Du sens figuré et péjoratif d'*exhibition* (1849), qui contient l'idée d'impudeur, dérivent **EXHIBITIONNISTE** n. (1889) et **EXHIBITIONNISME** n. m. (1895; l'anglais *exhibitionism* étant attesté en 1893). Ces termes sont employés en psychiatrie et dans l'usage général (déb. XXe s.).

◈ voir PROHIBER, RÉDHIBITOIRE.

EXHORTER v. tr. est un emprunt ancien (v. 1200) au latin *exhortari* «encourager, exhorter», de *ex-* intensif et *hortari,* proprement «faire vouloir» d'où «encourager», fréquentatif d'un verbe archaïque *horiri* «exciter». Ce verbe, qui se rattache à une racine indoeuropéenne °*gher-* «désirer», a des correspondants dans le germanique *gerôn* «désirer», le grec *khairein* «se réjouir» (→ charisme, eucharistie) et le sanskrit *háryati* «il prend plaisir à». ◆ *Exhorter,* peu usité avant le XVIe s., a remplacé l'ancien français *enorter,* employé jusqu'à cette époque et issu du latin *inhortari*, lui aussi préfixé de *horiri* comme l'ancien provençal *enortar*.

♦ Le verbe *exhorter* a repris la valeur du mot latin ; les constructions *exhorter qqn de* (suivi de l'infinitif), *exhorter que* et subjonctif, courantes aux XVIIe et XVIIIe s., ne se sont pas maintenues à côté de *exhorter (qqn) à*.

▸ **EXHORTATION** n. f., emprunté (v. 1200) au latin *exhortatio*, du supin de *exhortari*, se dit pour «sermon» et pour «action d'exhorter» *(paroles d'exhortation)* dans le vocabulaire religieux. ◇ Il apparaît au sens général de «discours pour exhorter» en 1361. Le nom est, comme le verbe, d'emploi littéraire.

EXHUMER v. tr. est emprunté (av. 1614, Brantôme) au latin médiéval *exhumare* (1290), formé de *ex-* «hors de» et de *humus* «terre» (→ humus), comme contraire du latin classique *inhumare* (→ inhumer).

♦ *Exhumer* s'emploie d'abord au sens propre de «retirer (un cadavre) de la sépulture où il est enseveli». ◇ Par figure, il signifie (v. 1800) «tirer de l'oubli» puis, par analogie concrète (XIXe s.), «retirer (une chose enfouie) du sol, spécialement, par des fouilles». ◇ Un autre sens figuré (1870) correspond à «ranimer, ressusciter» *(exhumer des souvenirs)*.

▸ **EXHUMATION** n. f. semble tiré (1690) du dérivé latin médiéval *exhumatio* (1290) ou est dérivé de *exhumer*, et s'emploie avec les valeurs du verbe.

◈ voir INHUMER, TRANSHUMER.

EXIGER v. tr. a été emprunté (1373, *exigier*; 1357, selon Bloch et Wartburg) au latin *exigere*, proprement «pousser dehors, faire sortir», d'où «exiger, faire payer» ; le verbe latin est formé de *ex-* (→ ex-) et de *agere, actum* (*-igere* en composition) → agir.

♦ *Exiger* apparaît au XIVe s. avec le sens de «percevoir (un impôt)» et, par extension, de «demander impérativement ce qui est dû», acception demeurée usuelle. ◇ Avec un sujet nom de chose, le verbe signifie (1604, Montchrestien) «rendre indispensable, inévitable».

▸ Le verbe a fourni **EXIGIBLE** adj. (1603) «qui peut être exigé», notamment d'un impôt, mot dont dérive **EXIGIBILITÉ** n. f. (1783). ◇ **INEXIGIBLE** adj. (av. 1781) est rare.

EXIGENCE n. f. est un emprunt (1370-1372) au bas latin *exigentia*. ➛ Il désigne d'abord ce qui est commandé par les circonstances ; c'est le seul sens indiqué dans les dictionnaires de l'Académie (1762) et de Trévoux (1771) ; il semble être sorti de l'usage courant au XIXe s., sauf au pluriel *(les exigences de la situation)*. ◇ Le mot équivaut aussi à «besoin, désir» *(exigence de l'esprit)*. ➛ Le nom s'emploie ensuite, au pluriel (1787, Mme de Staël), pour «ce qu'une personne exige d'autrui», spécialement (XIXe s.) «ce qu'on demande, en argent». ◇ Par métonymie, *exigence* se dit (1870) du caractère d'une personne exigeante, *une exigence* désignant ce qui est imposé par une contrainte. ➛ **EXIGEANT, ANTE** adj., tiré du participe présent d'*exiger* (1762), se dit des sentiments, de dispositions correspondant à des exigences, qui demandent beaucoup. ◇ L'adjectif qualifie surtout aujourd'hui (depuis le XVIIIe s. aussi) une personne qui demande beaucoup, est difficile à contenter.

◈ voir EXIGU.

EXIGU, UË adj. est emprunté (1495) au latin *exiguus* «trop strictement pesé» d'où «petit, insuffisant», dérivé de *exigere* «faire sortir», «exiger» et «peser» (→ exiger).

♦ *Exigu*, signifiant «qui est insuffisant», est rare jusqu'au XVIIIe s. et alors employé par plaisanterie. ◇ Vieilli en parlant d'une quantité, l'adjectif s'emploie couramment (1836, Stendhal) à propos d'une dimension et, au figuré, d'une réalité abstraite.

▸ **EXIGUÏTÉ** n. f. (1495) est un emprunt au dérivé latin *exiguitas, -atis* «petitesse, petite quantité, pauvreté» ; le nom, rare avant le début du XIXe s., correspond à l'adjectif.

EXIL n. m., d'abord *exill* (1080), sous la forme moderne au XIIIe s., représente la réfection, d'après le latin *ex(s)ilium*, de l'ancien français *essil, eissil, eisel* (1155), *issil* (formes demi-savantes). Le latin *exsilium* «bannissement», «lieu d'exil» dérive de *exsilire*, proprement «sauter hors de», formé de *ex-* «hors de» et de *salire* «sauter, bondir», correspondant au grec *hallesthai* de même sens.

♦ *Exil* a d'abord signifié «malheur, tourment» puis a pris au XIIe s. (1155) le sens moderne d'«expulsion (de qqn) hors de sa patrie, avec défense d'y rentrer» et de «situation de la personne expulsée». Un emploi spécial concerne l'exil des Hébreux à Babylone. ◇ Au figuré (av. 1662, Pascal), le mot s'applique à l'obligation de séjourner hors d'un lieu, loin d'une personne qu'on regrette. Par métonymie, il signifie «lieu d'exil» (1679, Bossuet).

▸ **EXILER** v. tr. (XIIIe s.), d'abord *exilier* (XIIe s.), dérive de *exil* ou est emprunté au bas latin *exiliare* «bannir». Le verbe, qui par une réfection parallèle à celle d'*exil* remplace les formes *essilier, eissilier* (correspondant à *essil, eissil*, ci-dessus), conserve le sens du latin (1er quart du XIIe s., *eissiled* «banni»). Il a eu en ancien français le sens de «ravager, ruiner» (XIIe s.), qu'on trouve encore au XVIIe siècle. Il s'est employé (1660, Corneille) au sens figuré de «éloigner de qqn, chasser» ; au XVIIe s., il prend aussi par extension le sens d'«éloigner (qqn) d'un lieu et lui interdire d'y revenir» (1669, Molière), spécialement «éloigner (qqn) de la Cour» jusqu'à la fin de l'Ancien Régime. Le pronominal *s'exiler* est attesté à la même époque (1690). ➛ **EXILÉ, ÉE** adj. (*eissiled*, XIIe s., ci-dessus), «banni, en exil», a été substantivé *(un exilé)*. Il s'emploie aussi par extension pour «retiré au loin» et «caché, perdu», ceci dans l'usage littéraire. ➛ **EXILIEN, IENNE** adj., mot didactique récent, se dit de ce qui concerne l'exil du peuple juif à Babylone.

✳ ① **EXISTER** v. intr. a été emprunté (XVe s.) au latin *exsistere* ou *existere* «sortir de», «se manifester, se montrer», formé de *ex-* «hors de» et de *sistere* «être placé», qui se rattache à une racine indoeuropéenne °*sta-* «être debout» comme *stare* (→ ① ester).

♦ *Exister,* «avoir une réalité», semble rare avant le XVIIe siècle. Le verbe s'emploie couramment avec un complément de lieu au sens de «se trouver dans un lieu» (apr. 1550), et équivaut aussi à «se trouver à un moment donné». ◇ Au XVIIIe s. *exister* prend par extension (1760, Voltaire) le sens de «vivre», incluant en général l'idée de conscience et le sens fort d'«avoir de l'importance, de la valeur» (1760; *exister pour qqn*).

▸ *Exister* a fourni le préfixé **COEXISTER** v. intr. «exister en même temps» (1745, F. Brunot), aussi terme de politique d'après *coexistence* (ci-dessous). ◆ **EXISTANT, ANTE** participe présent (attesté au XVIe s.) est adjectivé au XVIIe s. (1690); en viennent deux préfixés : **COEXISTANT, ANTE** adj., de *co-* (1594), et **INEXISTANT, ANTE** adj., de *in-* (1784), qui s'applique familièrement par exagération (v. 1900) à ce qui n'a pas de valeur, ne joue aucun rôle, par exemple dans un débat. ◆ ② **EXISTER** n. m., substantivation du verbe, est un terme de philosophie (XXe s.) signifiant «existence concrète d'un être».

EXISTENCE n. f. est un emprunt (1330) au bas latin *ex(s)istentia,* dérivé de *ex(s)istere.* ◆ Le nom apparaît avec le sens de «fait d'exister», dans un contexte philosophique. Dans l'usage courant, il est rare avant le XIXe siècle. Mais il s'était répandu au XVIIIe s. dans des sens particuliers : il désigne la vie considérée dans sa durée, son contenu (1734, Voltaire), il équivaut à «rang, position sociale», sens disparu, puis à «mode, type de vie» (1795, Mme de Genlis) et se dit du fait d'avoir une réalité pour un observateur (1795, *id.*). ◇ Par métonymie du sens de «vie», *une existence* signifie (1862, Hugo) «un être vivant». ◇ Par extension (av. 1869, Lamartine), *existence* s'emploie à propos d'une institution, d'une situation, pour «durée». ◆ Du nom dérive **EXISTENTIEL, ELLE** adj. et n. (1907, Bergson, *existensiel*), trop récent pour être emprunté au bas latin *existentialis.* ◇ Ce terme philosophique qualifie ce qui est relatif à l'existence en tant que réalité vécue, d'où l'emploi nominal (mil. XXe s.) du mot comme synonyme désuet d'*existentialiste* (ci-dessous). ◇ L'adjectif est aussi un terme de logique (mil. XXe s.), *le quantificateur existentiel,* dont le symbole est ∃, signifiant «il existe». ◆ Sur *existentiel* a été formé **EXISTENTIALISME** n. m.; le mot, attesté en 1925 au sens de «mise en relief de l'importance philosophique qu'a l'existence individuelle», ne s'est répandu que vers 1945 sous l'influence de Jaspers, Mounier et surtout de Sartre; il désigne alors la doctrine philosophique selon laquelle l'existence de l'être humain précède son essence. ◇ Le dérivé **EXISTENTIALISTE** adj. et n. (v. 1940), employé en philosophie, s'est dit par extension des jeunes gens qui, après la Libération, firent de l'existentialisme une mode et, par extension, des lieux qu'ils fréquentaient; cet emploi a vieilli avec cette mode intellectuelle et le mot est devenu un terme d'histoire.

Le préfixé **COEXISTENCE** n. f., de *co-,* désigne (1560) le fait d'exister en même temps. Le mot est employé en politique et couramment (1933) dans ***coexistence pacifique*** «principe de tolérance réciproque de l'existence du groupe adverse de nations»; la locution s'est d'abord utilisée à propos des relations entre Moscou et l'«Occident» (1933), et s'est répandue après 1945, en parlant du maintien du statu quo en ce qui concerne les zones d'influence des États-Unis et de l'Union soviétique, avant 1991; puis elle s'est étendue à d'autres domaines.

INEXISTENCE n. f., de ① in-, «caractère de ce qui n'a pas d'existence» (1609), s'est spécialisé en droit (1738), alors synonyme de *nullité,* et s'emploie familièrement (déb. XXe s.) à propos de ce qui n'a pas d'importance, de valeur, d'après *inexistant* (ci-dessus). ◇ **NON-EXISTENCE** n. f. (1700) appartient au vocabulaire philosophique.

PRÉEXISTER v. intr., attesté à la fin du XIVe s. mais rare avant le XVIIIe s., continue le préfixé du bas latin *praeexistere* «exister antérieurement (à qqch.)», du classique *prae* (→ pré-). ◆ Le verbe a fourni le participe présent **PRÉEXISTANT, ANTE** adj. (XVe s.) et **PRÉEXISTENCE** n. f. (1551), d'où vient **PRÉEXISTENTIEL, ELLE** adj. (1854, Sainte-Beuve); tous ces mots sont littéraires ou didactiques, le dernier est inusité.

EXIT v. et n. m. inv. reprend (1832, Musset) le mot latin *exit,* troisième personne du singulier de l'indicatif présent du verbe *exire* «sortir», formé de *ex-* «hors de» et de *ire, itum* «aller», qui a fourni le futur du verbe *aller*. Ire* se rattache à une racine indoeuropéenne *°ei-, °i-* «aller». Le mot a peut-être été introduit en français par l'intermédiaire de l'anglais, où il est attesté dans des indications scéniques dès le XVIe s., après le latin médiéval (XVe s.).

♦ *Exit* s'emploie comme indication scénique signifiant que tel personnage quitte la scène et par extension, précédant un nom de personne, pour «il, elle s'en va», au figuré, «il, elle disparaît (d'une activité, etc.)». Substantivé au masculin (1944), il correspond à «sortie».

EX-LIBRIS n. m. vient d'une locution latine et s'est introduit en français en 1840 : *ex-libris* «(faisant partie) des livres (de)». Cette locution est formée de *ex-* indiquant la provenance et de l'ablatif pluriel du latin *liber* (→ ② livre).

♦ Terme de bibliophilie, *ex-libris,* substantivé, se dit de l'inscription apposée sur un livre pour en indiquer le propriétaire. Par extension (1881, Goncourt), le mot désigne une vignette artistique collée à l'intérieur d'un livre et portant le nom, les armes, la devise, etc. du bibliophile.

EX NIHILO adv. ou adj., mots latins empruntés à une date inconnue (probablement au XIXe s.), signifient «de rien». En latin, *ex nihilo nihil* «rien n'est produit de rien», littéralement «de rien rien», rappelle un vers du poète Perse, adapté par Lucrèce et résumant la philosophie épicurienne. *Nihilo* est l'ablatif de *nihil* «rien», de *°ne hilum,* littéralement «pas un hile, un germe (de fève)», soit «pas même la plus petite chose possible», d'où «rien» (→ nihiliste).

EXO-, premier élément tiré du grec *exô* «dehors» (de *ex* «hors de»), entre dans la formation de nombreux mots savants.

▸ **EXOPHTALMIE** n. f., dérivé savant (1741) du grec *exophthalmos,* de *ophthalmos* «œil», désigne en médecine une saillie anormale du globe oculaire ; il a pour dérivé **EXOPHTALMIQUE** adj. et n. (1836). ➛ **EXOGÈNE** adj. (1813), de *-gène,* s'applique à ce qui provient de l'extérieur, en particulier en médecine, en biologie, ou à ce qui se produit à l'extérieur, par exemple en géologie. ➛ **EXOGAMIE** n. f. est une adaptation (attestée en 1874) à l'aide de *-gamie* (du grec *gamos* «mariage») de l'anglais *exogamy,* mot composé par l'ethnologue J. F. Mc Lennan, en 1865, sur le modèle de *polygamy,* comme contraire de *endogamy.* En ethnologie, *exogamie* désigne l'obligation pour les membres d'un groupe social de se marier avec une personne extérieure au groupe ; par analogie, le mot est employé (XXe s.) en biologie. ◇ **EXOGAME** adj. est aussi une adaptation (1874) de l'anglais *exogamous* (1865). ◇ **EXOGAMIQUE** adj. dérive du nom (1893). ➛ **EXOCRINE** adj. (1906), du grec *krinein* «sécréter», d'après *endocrine**, se dit en physiologie d'une glande qui déverse son produit de sécrétion à la surface de la peau.
De nombreux composés, tel **EXOBIOLOGIE** n. f., **EXOSQUELETTE** n. m. correspondent à un composé complémentaire en *endo-.*

EXOCET n. m. est un emprunt savant (1558) au latin impérial *exocoetus,* lui-même au grec *exôkoitos,* littéralement «qui sort du lit (de la mer)» ; le mot, formé de *exô* «en dehors» et de *koitê* «lit, couche», désignait en grec un poisson qui venait dormir sur le rivage.

♦ L'*exocet,* appelé couramment *poisson volant,* est le nom d'un poisson des mers chaudes et tempérées, pourvu de nageoires pectorales développées qui lui permettent de sauter hors de l'eau. Le mot a été repris vers 1978 en France (n. m. inv.) pour désigner un missile surface-surface autoguidé.

① **EXODE** n. m., attesté dans le troisième tiers du XIIIe s., est emprunté au latin chrétien *Exodus* désignant un livre de la Bible, et repris au grec *exodos* «action de sortir», employé spécialement à propos de la sortie des Hébreux de l'Égypte. *Exodos* est composé de *exô* «hors de» et de *hodos* «route, voyage» (→ méthode, synode).

♦ Le mot, rare avant le XVIIe s., désigne d'abord, avec un E majuscule, le deuxième livre de la Bible, racontant l'émigration des Hébreux hors d'Égypte. ◇ *Exode,* repris au XIXe s., désigne alors par extension (1854, Hugo) l'émigration en masse d'un peuple ; le mot s'emploie spécialement à propos de la fuite des populations civiles devant l'avance allemande, en mai et juin 1940. ◇ Par extension, ***exode rural*** se dit (v. 1950) du dépeuplement des campagnes au profit des villes. ◇ *Exode* s'emploie aussi par analogie en parlant de choses (mil. XXe s., *exode des capitaux*) et dans *exode des cerveaux* (1963), adaptation de l'anglais *brain drain,* littéralement «drainage des cerveaux».

▸ Un autre mot ② **EXODE** n. m. a été emprunté (av. 1596) au latin *exodium* «fin, terme» et «farce qui termine un spectacle», lui-même repris au grec *exodion* «dénouement (d'une pièce)», substantivation du neutre de *exodios,* «qui concerne la sortie, le départ», dérivé de *exodos.* ➛ *Exode* désigne la dernière partie de la tragédie grecque qui, suivant la sortie du chœur, contenait le dénouement. Le mot s'emploie aussi (av. 1672) pour désigner une courte pièce comique, jouée chez les Romains après la tragédie pour achever le spectacle.

EXON → INTRON

EXONÉRER v. tr., attesté isolément au XVe s. (1450-1520, *exhonerer*), est repris au XVIIe s. (1680, d'après Bloch et Wartburg) ; le mot est emprunté au latin *exonerare* «décharger, dégager d'un fardeau» et «libérer d'une charge fiscale». Ce verbe latin est formé de *ex-* et de *onerare* «charger», dérivé de *onus, oneris* «charge» (→ onéreux).

♦ Le verbe s'est employé au sens de «décharger (un fardeau)» ; il signifie ensuite (1789) «décharger (qqn) d'une obligation financière», d'où spécialement *exonérer un contribuable.* Il signifie aussi «ne pas tenir compte de (qqch.)» (déb. XXe s.) et «dispenser» (XXe s.). *S'exonérer,* employé en médecine pour «faire ses besoins naturels», sens qui procède de *exonération,* et qui est archaïque.

▸ **EXONÉRATION** n. f. est un emprunt au bas latin juridique *exoneratio* «action d'exonérer» et «rabais», du supin de *exonerare.* ➛ Le nom est attesté isolément en 1552, comme terme de physiologie pour «évacuation des matières fécales», sens repris au XIXe s., aujourd'hui archaïque. ◇ Le mot désigne ensuite (1865, Littré) l'action d'exonérer quelqu'un et son résultat ; *exonération militaire* (2e moitié du XIXe s.) s'est dit de la dispense d'accomplir ses obligations militaires, accordée à celui qui versait une somme fixée par l'État. Cet emploi a disparu, le mot n'étant vivant qu'à propos d'impôts, de taxes, de charges.

EXORBITANT, ANTE adj. est un emprunt (1459) au latin *exorbitans,* participe présent du bas latin *exorbitare,* proprement «sortir de la route tracée», «dévier», composé de *ex-* «hors de» (→ ex-) et du latin classique *orbita* «trace d'une roue, ornière» et «course, orbite (de la Lune)» (→ orbite), nom dérivé de *orbis* «rond, cercle» (→ orbe).

♦ Le mot est repris avec la valeur générale du latin au sens de «qui sort de, qui ne relève pas de» (suivi d'un complément), puis est spécialement employé en droit (1560). ◇ Par extension, il s'applique dans l'usage courant à ce qui sort des bornes, dépasse la mesure (1662). *Action exorbitante* «qui blesse les convenances» ne se dit plus.

▸ De l'adjectif dérivent : **EXHORBITAMMENT** adv. (1534, «d'une façon contraire à la morale») et **EXORBITANCE** n. f. (1595, «chose qui blesse les convenances» ; repris au XVIIe s. puis en 1842), sortis d'usage. ➛ **EXORBITER** v. tr., emprunt au dérivé bas latin *exorbitare,* est attesté en moyen français (mil. XVe s.) au sens de «sortir». Il est à nouveau formé (1887, Huysmans) à partir de **EXORBITÉ, ÉE** adj. (1887, *id.*), lui-même composé d'*ex-* et d'*orbite* et employé dans *des yeux exorbités* «qui sortent de l'orbite». Le verbe n'est usité qu'au pronominal, en relation avec l'adjectif, seul usuel.

EXORCISER v. tr. est emprunté (1374) au latin ecclésiastique *exorcizare* «chasser (le démon)», «délivrer du démon», verbe emprunté au grec *exorkizein* «faire prêter serment» et, à l'époque chrétienne, «chasser (un esprit mauvais)». Le verbe grec se rattache à *orkos* «serment», mot d'étymologie obscure.

♦ *Exorciser* conserve les valeurs du latin; il est d'abord attesté au sens de «soustraire (qqch.) à l'action du démon», «purifier» (1374, *exorcizee*). Au XVIe s., il est employé aux sens latins de «chasser (le démon)» (1563, Ronsard) et de «délivrer (qqn) du démon» (1580, J. Bodin). ◇ Par figure, il signifie «chasser, combattre» (1778, Beaumarchais).

▸ Le participe passé **EXORCISÉ, ÉE** est employé comme nom à la fin du XIXe siècle. ◆ Du verbe dérive **EXORCISEUR, EUSE** n. (1575, Paré). ◆ Le nom d'action **EXORCISATION** n. f., rare et littéraire (1374, *exorcizacion*), est emprunté au dérivé latin chrétien *exorcizatio* (VIe s.). ◆ **EXORCISTE** n. est lui aussi un emprunt (v. 1225, *essorciste*) au latin ecclésiastique *exorcista*, lui-même pris au grec *exorkitês*. D'abord nom masculin, exclusivement terme de religion, il s'emploie au XVIIe s. (1672) pour «exorciseur»; il est utilisé au figuré, aux deux genres, à la fin du XIXe s. (1886, L. Bloy). ◇ En dérive **EXORCISTAT** n. m. (mil. XXe s.) «fonction d'exorciste» (terme de religion). ◆ **EXORCISME** n. m. est un emprunt (v. 1250) au latin ecclésiastique *exorcismus* «adjuration», «action de chasser les démons», lui-même du dérivé grec *exorkismos* de même sens. D'abord terme technique de religion, le mot est employé au figuré (1805, D. de Tracy) dans un usage littéraire.

EXORDE n. m. est un emprunt (1488) au latin *exordium* «commencement d'une trame», «principe, origine» et, en rhétorique, «début d'un discours», dérivé de *exordiri* «commencer (une trame)», de *ex-* (→ ex-) et *ordiri* (→ ourdir).

♦ D'abord avec le sens étendu de «commencement», le mot s'emploie spécialement en rhétorique (1521) pour désigner la première partie d'un discours. *Exorde*, pour «commencement d'une affaire, d'une entreprise» (1713), est littéraire et rare.

EXOTÉRIQUE adj. est une forme savante empruntée (1568) au latin *exotericus*, lui-même pris au grec *exôterikos* «extérieur, public», de *exôteros* «plus en dehors, plus éloigné», comparatif dérivé de *exô* «en dehors» (→ exo-).

♦ *Exotérique*, terme didactique surtout employé à partir du XVIIIe s., se dit (par opposition à *ésotérique**, plus courant) de doctrines, notamment philosophiques, enseignées en public, vulgarisées.

▸ Du radical de l'adjectif dérive le terme didactique et rare **EXOTÉRISME** n. m. (1840, P. Leroux).

EXOTIQUE adj. et n. est emprunté (1552, Rabelais) au latin *exoticus*, lui-même pris au grec tardif *exôtikos* «étranger, extérieur», formé de l'élément *exô-* «au-dehors» (→ exo-).

♦ Relevé chez Rabelais *(marchandises exotiques)* comme hellénisme, le mot n'est usuel qu'à partir du XVIIIe siècle; il s'applique à ce qui n'appartient pas à la civilisation de la personne qui parle, à ce qui vient de pays lointains. Il est d'abord employé en parlant de plantes (par opposition à *indigène*), de denrées et, à partir du début du XIXe s., de mœurs, d'art, etc. Le mot est littéraire en emploi nominal pour parler d'une personne, et rare en emploi collectif, au masculin (1860, Goncourt), pour «exotisme». ◇ Par extension, l'adjectif correspond à «bizarre». ◇ Par analogie, *exotique* se dit en physique nucléaire (v. 1980) d'un noyau instable (idée d'«éloignement de la stabilité»).

▸ *Exotique* a fourni le dérivé **EXOTISME** n. m. (1845, Bescherelle) appliqué au goût pour les cultures très différentes de celles de l'Europe, souvent avec une idée de pittoresque superficiel. ◆ **EXOTIQUEMENT** adv. (1875) est rare. ◆ **EXOTOMANIE** n. f., création de J. Lorrain (1898; de *manie*), n'a pas eu de succès.

EXPANSION n. f. est un emprunt (1584) au bas latin *expansio* «extension», dérivé de *expansum*, supin de *expandere* «étendre» (→ épandre).

♦ Le mot est relevé une première fois à la fin du XVIe s. comme terme d'astronomie (1584, *expansion du ciel*). ◇ Il est repris vers la fin du XVIIe s. avec le sens d'«accroissement, développement» (1695) avec des spécialisations au XVIIIe s. en physique (1752, Trévoux), en anatomie, en botanique. Au XIXe s., le mot passe dans l'usage général au sens d'«extension à l'intérieur d'un espace, d'un territoire», attesté en 1870 (*expansion d'un pays; expansion coloniale*, 1885, Ferry). ◇ Le mot a été repris récemment en astronomie dans *expansion de l'univers* et *univers en expansion*. ◆ Par ailleurs, de l'idée d'augmentation de volume ou de surface, on est passé à celle d'augmentation en importance et de diffusion; le mot est employé, en parlant de la communication de sentiments, de pensées, pour «effusion, épanchement» (1801) d'où, par métonymie (au pluriel), «moments d'effusion» (1831, Balzac), puis «diffusion, propagation (des idées)» (av. 1848, Chateaubriand). *Expansion* se dit aussi (XXe s.) dans le domaine économique pour «croissance» et, dans le domaine démographique, équivaut à «accroissement» (de la population).

▸ **EXPANSIF, IVE** adj. est d'abord relevé comme terme de chimie (1721) puis dans son emploi figuré et courant (1761, Rousseau, *âme expansive*); le dérivé **EXPANSIVITÉ** n. f. (1875) se rattache au sens figuré. ◆ **EXPANSIBLE** adj. (1756) est un terme de physique et de chimie comme son dérivé **EXPANSIBILITÉ** n. f. (1756). ◆ **EXPANSÉ, ÉE** adj. (1964), dérivé savant du latin *expansus* «déployé, déplié», est un terme technique, appliqué à des corps de synthèse *(polystyrène expansé)*. ◆ De l'emploi d'*expansion* dans le domaine économique et politique dérivent **EXPANSIONNISTE** n. (1866) et **EXPANSIONNISME** n. m. (1911).

EXPECTATION n. f. est emprunté (av. 1380; probablement v. 1355) au latin *ex(s)pectatio* «attente», dérivé de *ex(s)pectatum*, supin de *ex(s)pectare* «regarder de loin» et, spécialement, «attendre», formé de *ex-* (→ ex-) et de *spectare* «regarder habituellement», «tenir compte de» et «observer, considérer» (→ spectacle). *Spectare,* verbe à valeur fréquentative, correspond à *specere* «apercevoir» et «regarder», relevé chez les auteurs archaïques et remplacé à l'époque classique par des composés (alors aussi sous la forme *spicere*) qui ont ainsi suppléé au manque de composés formés avec *videre* (→ voir). *Specere* se rattache, comme *species* (→ espèce, spécial), à une racine indoeuropéenne °*spek-* «contempler, observer», comme le germanique *spehôn* (→ épier).

♦ *Expectation* est d'abord employé au XIVe s. avec le sens étymologique d'«attente (d'une chose qui peut arriver)», devenu littéraire et rare. Le mot a désigné en médecine (1814, Nysten) l'abstention de tout traitement dans le cas de symptômes imprécis d'une maladie. ◇ Disparu en ce sens, il s'emploie aujourd'hui (mil. XXe s.) en psychologie pour «fait d'attendre (qqch.)», par influence probable de l'anglais *expectation,* emprunt parallèle au latin, demeuré usuel à la différence du mot français.

▸ **EXPECTANT, ANTE** adj. et n. est emprunté (v. 1460) au participe présent latin *expectans;* archaïque comme nom, le mot s'emploie comme adjectif (1826) pour «qui reste dans l'attente».
Du radical de *expectatum* a été tiré le latin médiéval *expectativus* (1389, *gratia expectativa*), auquel est emprunté **EXPECTATIF, IVE** adj. **EXPECTATIVE** n. f. Ce dernier est attesté isolément (1461) en droit canonique, puis le mot réapparaît comme adjectif (1512) dans *grace expectative* «promesse d'un bénéfice». ➛ *Expectative,* nom féminin, s'emploie ensuite au sens général (1552) d'«attente fondée sur des promesses ou des probabilités»; il désigne ensuite une attente prudente (av. 1869, Lamartine) avec la locution ***contre toute expectative.*** ◇ L'adjectif au sens figuré de «que l'on espère» (1870) est sorti d'usage, mais il s'emploie encore dans un contexte politique, à propos d'une attitude attentiste.

◈ voir ASPECT, INSPECTION, PROSPECTUS, RESPECT.

EXPECTORER v. tr., relevé en 1664 au pronominal, mais probablement antérieur (voir ci-dessous *expectoration*), est emprunté au latin *expectorare,* attesté à l'époque archaïque puis à l'époque chrétienne au sens figuré de «chasser de la poitrine, du cœur». Le verbe est composé de *ex-* (→ ex-) et de *pectus, -oris* signifiant proprement «partie velue du corps», d'où «poitrine» (→ pectoral, poitrine) comme siège du cœur, de l'âme et de l'intelligence, et par suite «cœur», «âme». *Pectus,* qui n'a de correspondant que dans les langues celtiques (irlandais *hucht* «poitrine»), se rattache à la famille du verbe *pectere, pexum* «peigner, carder» (→ peigne).

♦ *Expectorare* avait dans le latin de la cour pontificale le sens de «rendre publique une nomination de cardinal faite in petto*», sens repris par Saint-Simon dans ses *Mémoires* et sorti d'usage; de là vient aussi l'emploi d'*expectorer* avec le sens de «communiquer, parler franchement» (1664) qui a lui aussi disparu. ➛ Le verbe s'emploie par la suite comme terme de médecine (1752) au sens resté usuel de «rejeter par la bouche (des sécrétions provenant des voies respiratoires)», d'où **EXPECTORANT, ANTE** adj. et n. (1752). ◇ *Expectorer,* dans un emploi familier et péjoratif, signifie encore «dire (avec colère ou mépris)» (1844), «dire (avec difficulté)» (1885, Maupassant); cet emploi correspond à une métaphore du sens médical et non plus à la valeur ancienne du verbe.

▸ Le dérivé **EXPECTORATION** n. f., attesté en médecine antérieurement au verbe (1611), a une évolution sémantique parallèle.

EXPÉDIENT, ENTE adj. est un emprunt savant (1370-1372, Oresme) au latin *expediens,* participe présent de *expedire,* proprement «dégager des entraves, d'un piège», composé de *ex-* et de *pes, pedis* (→ pied) [c'est par le pied, ou la patte, que l'on entrave les hommes ou les animaux]. Le verbe prend ensuite le sens de «débarrasser», puis de «débrouiller (une affaire compliquée)», «préparer», d'où «développer, expliquer». En emploi absolu, il signifie «se tirer d'affaire», d'où «avoir un résultat favorable» et «être utile».

♦ L'adjectif s'applique à ce qui est utile, opportun. Courant dans la langue classique, il est aujourd'hui littéraire.

▸ **EXPÉDIENT** n. m., substantivation de l'adjectif relevé à la fin du XIVe s. au sens d'«avantage» qui a disparu, a pris au milieu du XVIe s., notamment au pluriel (1673, Molière), le sens de «moyen de se tirer d'embarras». ◇ Il s'emploie ensuite spécialement, au pluriel aussi (1735), pour désigner un moyen extrême de se procurer de l'argent *(vivre d'expédients)* puis, au XIXe s., équivaut à «solution de facilité» (1859, Baudelaire).

◈ voir EXPÉDIER.

✳ **EXPÉDIER** v. tr. est un dérivé (1360) d'*expédient** et ne vient pas directement du verbe *expedire.*

♦ Le verbe est d'abord attesté avec le sens de «travailler à l'exécution, la conclusion de qqch.» *(expedier a...),* d'où l'idée de «rapidité» dans le fait d'accomplir, de traiter (une affaire, une opération). Seule cette idée est impliquée dans les emplois classiques, du XVIIe au XIXe siècle; sauf en termes de droit et d'administration, les emplois modernes ajoutent l'idée de «manque de soin». ◇ *Expédier qqn* a signifié «faire mourir» (fin XVe s.), notamment en parlant d'exécutions (1690), sens qui demeure seulement dans ***expédier ad patres,*** où *expédier* est compris avec le sens de «faire partir». ◇ *Expédier qqch.* signifie «le faire vite pour s'en débarrasser» (1534), en particulier «raconter (qqch.) à la hâte» (1629). À l'époque classique, *expédier qqn* prend aussi les sens de «terminer les affaires de qqn» (1657, Pascal), d'où l'emploi moderne pour «en finir au plus vite avec qqn» (1669, Molière), et de «mettre à mal» (1669, Molière), emploi sorti d'usage. ◇ C'est aussi au XVIIe s. qu'*expédier* prend le sens de «faire partir pour une destination» (1671), comme le provençal *expedir* (1445) et peut-être d'après lui, en parlant d'un messager, d'un ordre, d'où *expédier une marchandise* (1723). ◇ Dans le vocabulaire juridique, le verbe signifie (1690, Furetière) «délivrer une copie d'un acte». ◇ Du sens de «faire partir» vient, assez tard dans le XIXe s., l'emploi familier pour «envoyer (qqn) au loin pour s'en débarrasser» et, en sports, *expédier un adversaire au tapis* (1909).

▶ **EXPÉDITEUR, TRICE** n., d'abord au sens de «personne qui exécute proprement» (XVe s.), sens disparu, est attesté comme terme de commerce en 1730. ➜ **EXPÉDITIF, IVE** adj. est dérivé au XVIe s. (1544) du verbe, d'après *expédition** ou emprunté au dérivé latin médiéval *expeditivus* «convenable, expédient» (1295). ◇ D'abord employé au sens de «rapide, efficace» en parlant de personnes, il se dit par extension (1804) de ce qui permet d'expédier les affaires, la besogne. ◇ Il a pour dérivé **EXPÉDITIVEMENT** adv. (1769). ➜ Le composé **RÉEXPÉDIER** v. tr. (fin XVIIIe s., Mirabeau), de *ré-*, est issu de l'emploi commercial de *expédier;* en dérive **RÉEXPÉDITION** n. f. (fin XVIIIe s.).

EXPÉDITION n. f. est emprunté (déb. XIIIe s.) au latin *expeditio* «préparatifs de guerre, campagne», dérivé de *expeditum,* supin de *expedire* au sens de «préparer, apprêter» (→ expédient). ➜ Le mot, d'abord employé au sens de «préparatifs», désigne (fin XVe s.) l'action d'achever ce qu'on a à faire, d'où en administration ***l'expédition des affaires courantes.*** ◇ *Expédition* reprend ensuite du latin le sens d'«opération militaire exécutée au loin» (1500). Le mot a par la suite le sens étendu et courant de «voyage, équipée» (av. 1696, Mme de Sévigné) surtout en parlant d'un voyage lointain ou d'exploration, puis s'emploie au figuré pour «déplacement qui exige de grands préparatifs» (1771), comme *équipée.* ➜ *Expédition* s'emploie en droit comme *expédier,* depuis le XVIIe s., pour désigner la copie d'un acte (1680). Au XVIIIe s., le mot prend un sens dérivé de la valeur d'*expédier* «faire partir des marchandises», «chose expédiée» (1741) puis spécialement «lettre que l'on envoie», emploi disparu. Il se dit couramment (1780) pour «action de faire partir (qqch.) pour une destination» (cf. *envoi*). ➜ Le dérivé **EXPÉDITIONNAIRE** adj. et n. (1553, *banquier expéditionnaire;* 1781, n.) se dit d'abord d'un employé à l'expédition. Il signifie ensuite «envoyé en expédition militaire» (1829, *armée expéditionnaire*); *corps expéditionnaire* est aujourd'hui l'emploi le plus courant.

EXPÉRIENCE n. f. est un emprunt (v. 1265) au latin *experientia* «épreuve, essai, tentative» et «expérience acquise, pratique», dérivé de *experiri* «faire l'essai de» (→ expert). Le verbe est formé de *ex-* (→ ex-) et de *peritus* «qui a l'expérience de, habile à», participe passé d'un verbe °*periri* non attesté (→ impéritie). °*Periri* est sans doute en rapport avec le grec *peira* «expérience» (→ empirique) et se rattache à l'importante racine indoeuropéenne °*per-* «aller de l'avant, pénétrer dans» (→ péril, pirate, pore, port).

♦ Le mot désigne d'abord le fait d'éprouver (qqch.), considéré comme un enrichissement de la connaissance, puis l'ensemble des acquisitions de l'esprit au contact de la réalité. Il s'emploie spécialement en philosophie (1580, Montaigne; cf. *empirisme, pragmatisme*); par métonymie, il se dit d'un acte qui procure l'expérience de quelque chose et s'emploie comme en latin pour «pratique». ➜ *Expérience* a repris (1314) le sens du latin, désignant le fait de provoquer un phénomène pour l'étudier. En sciences, le concept d'expérience se dégage du XVIIe au XIXe s., alors comparé à celui d'observation; les dérivés *expérimentation, expérimental,* etc. manifestent l'importance croissante du mot après 1830.

▶ **INEXPÉRIENCE** n. f. est dérivé (1452, d'après Bloch et Wartburg) du nom ou emprunté au bas latin *inexperimentia.* Il désigne le manque d'expérience, la naïveté et par métonymie se dit pour «gaucherie». ◇ Lautréamont a employé l'adjectif **INEXPÉRIENT, ENTE** (1869), inusité.

EXPÉRIMENTER v. tr., qui apparaît chez Oresme (1360), est emprunté au bas latin *experimentare* «essayer, expérimenter», dérivé du latin classique *experimentum* «essai, épreuve, expérience», lui-même dérivé de *experiri;* une autre hypothèse en fait un dérivé de l'ancien français *experiment* «expérience» (2e moitié du XIIe s.), emprunt au latin *experimentum* qui a abouti par ailleurs à *esperment* (v. 1119); l'ancien français *espermenter* (v. 1160) était issu de *experimentare* ou dérivé de *esperment.* ➜ Le verbe signifie «pratiquer des opérations destinées à étudier (qqch.)» puis, attesté à la fin du XVIe s., «connaître par expérience personnelle». Le premier sens s'est précisé avec les débuts de l'activité scientifique moderne (XVIIe-XVIIIe s.). ➜ Le dérivé **EXPÉRIMENTATEUR, TRICE** n., attesté isolément à la fin du XIVe s. pour «homme d'expérience», puis en 1543, a été repris au XIXe s. (1832), rattaché cette fois au sens scientifique du verbe, pour désigner une personne qui effectue des expériences scientifiques puis, par extension (1844, G. Sand), une personne qui essaie quelque chose de nouveau. ➜ **EXPÉRIMENTÉ, ÉE** adj. (1453) ne s'emploie qu'en parlant d'une personne ou de ses aptitudes, et le préfixé **INEXPÉRIMENTÉ, ÉE** adj. (1495-1496) s'applique à la fois aux choses, «que l'on n'a pas expérimenté», et aux personnes ignorantes par défaut d'expérience (1520). ➜ Au XIXe s. sont formés le nom d'action **EXPÉRIMENTATION** n. f. (1834), employé spécialement en sciences (1865, Cl. Bernard), et l'adj. **EXPÉRIMENTABLE** (1876, n. m.). ➜ **EXPÉRIMENTAL, ALE, AUX** adj., relevé en 1503, est emprunté au dérivé latin médiéval *experimentalis* (1267), de *experimentum.* ◇ Terme didactique aux sens de «qui repose sur l'expérience» (1865, *méthode expérimentale* chez Cl. Bernard) et «qui emploie l'expérience», l'adjectif s'applique par extension (XXe s.) à ce qui constitue une expérience, d'où la locution ***à titre expérimental.*** ◇ L'adjectif a fourni plusieurs dérivés didactiques, **EXPÉRIMENTALEMENT** adv. (1755, Mirabeau) s'est spécialisé au sens scientifique d'*expérimental* (1865); **EXPÉRIMENTALISME** n. m. et **EXPÉRIMENTALISTE** n., attestés en 1870, ne concernent que ce sens.

EXPERT, ERTE adj. et n. m. est la réfection étymologique (déb. XIVe s.) de *espert* (1252-1262), issu du latin *expertus* «éprouvé, qui a fait ses preuves», participe passé adjectivé de *experiri* «éprouver, faire l'essai». Le verbe est formé de *ex-* (→ ex-) et d'un ancien verbe °*periri* seulement attesté par le participe passé *peritus* «qui a l'expérience de, habile à» (→ expérience).

♦ Le mot est d'abord employé comme adjectif avec le sens d'«alerte, adroit». Depuis le début du XIVe s., il s'applique précisément à une personne qui a acquis par l'expérience une grande habileté ; l'adjectif s'emploie en particulier (av. 1613) avec un nom désignant une partie du corps *(œil expert)*. Le nom, apparu au XVIe s. (1580, Montaigne), est spécialisé en droit (déb. XVIIIe s.), d'où la locution ***à (au) dire d'experts*** «selon les affirmations des spécialistes» (1775, Beaumarchais), sortie d'usage au sens figuré de «sans réserve» (1813, Joubert). ◇ Par extension, le nom désigne un spécialiste qui apprécie la valeur de certains objets d'art et remplace en ce sens *estimateur*. Il entre dans la composition de mots désignant un spécialiste agréé auprès d'une instance, ou un professionnel : *expert(-)juré* (1802, Bonald), *expert-chimiste* (1884, Bourges) puis *chimiste expert*, *expert-comptable* (déb. XXe s.) devenu courant comme désignation professionnelle. ◇ *Expert* s'emploie spécialement en informatique (v. 1970, par emprunt à l'anglais) dans *système expert*.

▸ Le dérivé **EXPERTEMENT** adv., relevé une première fois dans la seconde moitié du XIIIe s. sous la forme *espertement* et repris en 1834 (Boiste), est rare. ◆ **EXPERTISE** n. f. (1611), d'abord *espertise* (XIVe s., «habileté, adresse, expérience») puis *expertice* (1580, Montaigne), a repris des emplois parallèles à ceux du substantif *expert*. Le mot sert d'équivalent français à *know-how*, traduit autrement par *savoir-faire*. ◆ *Expertise* a fourni le dérivé **EXPERTISER** v. tr. (1807) et le composé **CONTRE-EXPERTISE** n. f. (1847). ◆ **INEXPERT, ERTE** adj. littéraire ou didactique, attesté au milieu du XVe s. (1455, «inexpérimenté»), est dérivé de *expert* ou emprunté au latin *inexpertus* «inexpérimenté», de *in-* à valeur négative et *expertus*.

◈ voir EXPÉRIENCE.

EXPIER v. tr. est un emprunt (v. 1272) au latin *expiare* «purifier» (par des expiations) et «réparer (une faute)», formé de *ex-* (→ ex-) et de *piare* «purifier, expier», «apaiser, rendre propice» et «honorer suivant le rite». *Piare* est dérivé de l'adjectif *pius*, mot italique qui a peut-être signifié à l'origine «pur» (en parlant du cœur) ; → pie, pieux.

♦ *Expier* a d'abord relevé le sens de «réparer (une faute, un crime)» demeuré courant dans un style soutenu, et employé en histoire, en sociologie. Le verbe s'emploie spécialement dans la religion chrétienne *(expier ses péchés)*. Par extension (v. 1355), *expier* se dit pour «subir les conséquences pénibles de (qqch.)», souvent avec l'idée d'un sentiment de culpabilité. ◇ En moyen français, le verbe s'est aussi employé avec le sens latin de «purifier (qqn)» (v. 1355), sorti d'usage.

▸ **EXPIATION** n. f. est emprunté, avant le verbe *expier* (v. 1175), au dérivé latin *expiatio*, en latin classique «expiation (des péchés)», qui acquiert en latin chrétien un sémantisme parallèle à celui du verbe. ◆ **EXPIABLE** adj. (v. 1355), dérivé de *expier* ou emprunté au dérivé bas latin *expiabilis* «qui appelle l'expiation», est moins courant que son contraire **INEXPIABLE** adj. (v. 1500), peut-être emprunté au latin *inexpiabilis*. Attesté comme terme d'histoire (1831, Michelet ; *guerre inexpiable*), cet adjectif, rare en emploi général pour «qui ne peut être réparé ni pardonné» *(crime inexpiable)*, a fourni **INEXPIABLEMENT** adv. qui n'est attesté que récemment (1938, La Varende, in *T. L. F.*). ◆ **EXPIATEUR, TRICE** adj. (1554, n. m. et av. 1778, n. f.) est emprunté au dérivé latin chrétien *expiator* «celui qui purifie ; celui qui répare (les fautes)» ; il est sorti d'usage ou très littéraire. ◆ Il a pour équivalent **EXPIATOIRE** adj., emprunté (1562, Rabelais) au latin chrétien *expiatorius*, dérivé de *expiare ;* c'est un mot didactique, sauf dans *chapelle expiatoire*, relativement courant. ◆ **INEXPIÉ, ÉE** adj., composé de *in-* négatif et du participe passé de *expier* (1794, Pougens), est littéraire.

EXPIRER v. est un emprunt (v. 1120) au latin *ex (s)pirare* «laisser échapper en soufflant» et «rendre le dernier soupir», formé de *ex-* (→ ex-) et de *spirare* «souffler», «respirer» (→ respirer), de la même famille que *spiritus* (→ esprit, spirituel).

♦ La première forme *espirer*, qui signifie d'abord «respirer» puis (v. 1176) «exhaler (le dernier soupir)», disparaît au profit d'*expirer*, par suite de la confusion avec *espirer* «souffler, respirer» (déb. XIIe s.), issu du latin *spirare*. De même l'ancien provençal *espirar* a signifié à la fois «respirer» et «expirer». ◆ Le verbe, en emploi intransitif, est attesté (fin XIIe s.) avec le sens courant de «mourir». Au XIVe s. apparaît le sens analogique de «prendre fin (en parlant de ce qui a une durée déterminée)» (1330). ◇ L'acception physiologique d'«expulser (l'air) des poumons» est attestée en 1700.

▸ Du verbe dérivent **EXPIRANT, ANTE** adj. (1667, Racine), littéraire pour «mourant», et **EXPIRATEUR** (1735, adj. ; 1771, n. m.) terme d'anatomie et de physiologie ancien.

EXPIRATION n. f. est emprunté (XVe s., *expiracion*) au latin *ex(s)piratio* «exhalaison», dérivé du supin de *ex(s)pirare*. ◇ D'abord employé au sens physiologique courant, le mot se dit ensuite (1er tiers du XVIe s., *expiration*) du moment où se termine un temps prescrit ou convenu.

EXPIRATOIRE adj. (1852), terme de physiologie, est un dérivé savant du radical d'*expiration*.

EXPLÉTIF, IVE adj. et n. m. est emprunté (XIVe s.) au bas latin grammatical *expletivus*, proprement «qui emplit», formé sur *expletum*, supin du classique *explere* «emplir entièrement, combler». Ce verbe vient de *ex-* intensif (→ ex-) et de *plere* «emplir», verbe archaïque remplacé par ses composés d'aspect déterminé et qui se rattache à une racine indoeuropéenne °*pele-*, °*ple-* «être plein» (→ plein).

♦ *Explétif* reprend en grammaire la valeur de son étymon latin (XIVe s., *conjonction explettive*), appliquée à ce qui n'est pas nécessaire au sens de la phrase.

EXPLICITE adj. est emprunté (1488) au latin *explicitus* «clair», utilisé dans la langue scolastique, participe passé passif adjectivé de *explicare* (→ expliquer).

♦ L'adjectif s'applique, comme en latin, à ce qui est clairement exprimé, spécialement en droit, en linguistique (1870), puis s'emploie en parlant d'une personne qui s'exprime clairement, sans équivoque (1900, Bloy), sens plus courant.

▶ De l'adjectif dérivent **EXPLICITEMENT** adv. (1488) et **EXPLICITER** v. tr. (1840) «rendre explicite», d'où **EXPLICITATION** n. f. (1840, P. Leroux). **EXPLICIT** n. m. représente (1838) la substantivation du mot latin *explicit,* employé dans la formule finale d'écrits du moyen âge et repris de la formule *Explicit liber,* usitée en bas latin. *Explicit* est formé comme présent de *explicare* (au lieu de *explicat*), d'après *incipit**, à partir de *explicuit,* troisième personne du singulier du parfait, ou *explicitus [est]* (participe passé). Le verbe a ici le sens de «terminer, achever» en latin impérial et en bas latin. Ce terme de paléographie indique qu'un ouvrage est terminé.

EXPLIQUER v. tr. est un emprunt savant (XIVe s.) au latin *explicare* «dérouler» et «déployer, développer», au propre et au figuré, préfixé en *ex-* qui indique l'action inverse de celle qu'exprime le verbe simple *plicare.* Ce verbe est un intensif de *plexere* «tresser, enlacer», surtout employé au participe passé *plexus,* au propre comme au figuré, «embrouillé, ambigu» (→ complexe, perplexe, plexus). *Plicare* (→ plier, ployer) apparaît de façon autonome après les composés (→ appliquer).

♦ Dans son premier emploi connu pronominal *(soi expliquer),* assez obscur, le verbe signifie peut-être «se développer». ◇ Il est ensuite attesté (v. 1450) au sens de «faire comprendre (ce qui paraît obscur)», puis (XVIe s.) de «faire comprendre (qqch.) en développant». De là vient l'emploi pronominal *s'expliquer* (1580, Montaigne) pour «être rendu intelligible». ◇ Les emplois du verbe se développent à l'époque classique : *s'expliquer* «faire connaître sa pensée» et «rendre raison (d'un fait, etc.)» sont tous deux attestés en 1651 (Corneille), puis «faire une mise au point sur un malentendu» (1662). Du sens transitif, «rendre clair», vient l'emploi spécial *expliquer du latin* «le traduire» (1668, Molière), acception disparue. Par extension, le verbe signifie «faire connaître la cause de (qqch.)» (1677, Racine), *s'expliquer,* avec un sujet nom de chose, s'employant au XIXe s. (av. 1848, Chateaubriand). ✦ Du sens d'«avoir une discussion», *s'expliquer* avec un sujet nom de personne s'emploie pour «se battre», «s'opposer» (1894). Par extension, il a pris en argot la valeur de «faire face aux difficultés», d'où «vivre de la prostitution» (déb. XXe s.).

▶ Si *expliqué,* participe passé, n'est pas lexicalisé, son contraire préfixé **INEXPLIQUÉ, ÉE** adj. (1792, selon Bloch et Wartburg) s'emploie aussi comme nom masculin collectif *(l'inexpliqué).*
Plusieurs mots sont empruntés à des dérivés de *explicare* ou de son supin. ✦ Le nom d'action **EXPLICATION** n. f., emprunt au latin classique *explicatio* «action de présenter clairement», a eu une évolution sémantique parallèle à celle du verbe. Introduit (1321-1323) avec le sens de «développement destiné à faire comprendre qqch.», il désigne ensuite ce qui donne la raison d'un comportement (1672, Molière) ou d'un fait (1690, Furetière) et, par extension, une discussion où l'on demande à quelqu'un des éclaircissements sur sa conduite, par exemple dans *entrer en explication avec qqn* (1827, Stendhal), sorti d'usage. ✦ **EXPLICATIF, IVE** adj., dérivé du radical d'*explication* (1587), qualifie une chose, notamment un élément de discours, qui explique. ✦ **EXPLICABLE** adj., emprunté au latin impérial *explicabilis* «qu'on peut débrouiller, expliquer», rare en ce sens en français (1554), s'applique (1835, Balzac) à ce dont on peut donner la cause. ✦ L'antonyme **INEXPLICABLE** adj., pris au latin impérial *inexplicabilis,* s'emploie en parlant de choses (1486) et de personnes (1747, Voltaire); il est substantivé en *l'inexplicable* (1814, B. Constant). ◇ Cet adjectif a deux dérivés, **INEXPLICABLEMENT** adv. (1486) et **INEXPLICABILITÉ** n. f. (1786, Mirabeau). ✦ **EXPLICATEUR, TRICE** adj. et n., emprunt au latin classique *explicator* «celui qui explique» (1582, n.), est rare.

◈ voir EMPLOYER, EXPLICITE, EXPLOIT.

✳ **EXPLOIT** n. m. représente la réfection (XIVe s.) avec l'élément préfixé *ex-,* sous l'influence du latin, de l'ancien français *espleit* (1080, Roland), *esplois* (v. 1200) issu par évolution phonétique de *explicitum* au sens d'«action menée à bien» (cf. l'ancien provençal *esplech*). C'est le neutre substantivé de *explicitus,* participe passé passif de *explicare* «dérouler, développer», puis «expliquer» (→ expliquer).

♦ D'abord relevé dans la construction *a espleit* «avec ardeur, avec énergie» (1080), le mot a eu en ancien français le sens latin, «action menée à bien» (XIIe s.), dont ont procédé divers emplois relevés jusqu'au XIVe siècle : «avantage», «profit, rente». ◇ *Exploit,* par une autre extension, a pris (v. 1200) le sens, aujourd'hui littéraire, d'«action d'éclat (accomplie à la guerre)», d'où l'emploi moderne étendu (1674) pour désigner une action remarquable, dépassant les limites ordinaires de l'homme, notamment (XXe s.) dans le domaine du sport. Dès l'époque classique (1653), le mot est usité par ironie pour parler d'une action faite mal à propos. ✦ Au XIVe s., d'après le sens d'*exploiter* «saisir» (ci-dessous), *exploit* passe dans le vocabulaire juridique pour désigner un acte judiciaire signifié par huissier pour saisir, assigner (1353, *exploit de justice;* rare avant 1607).

▶ **EXPLOITER** v. est une réfection (1560) de l'ancien français *espleiter* (1080), *explettier* (v. 1274), *esploittier* (1332), verbe issu du latin populaire °*explicitare* «accomplir», puis «travailler, faire valoir», tiré de *explicitum,* supin de *explicare.* ✦ D'abord attesté (1080) au sens étymologique, «accomplir, exécuter», d'où spécialement «achever le labeur (du jour)» (v. 1140), emplois disparus en français classique, le verbe est relevé dès le XIIIe s. avec son premier sens moderne, «faire valoir (une chose), tirer parti de (qqch.)» (v. 1274) notamment en parlant d'une entreprise agricole, industrielle ou commerciale. ◇ Il se dit ensuite en droit pour «saisir» (1332), repris dans cet emploi comme intransitif (1560) pour «faire un exploit de justice» et aujourd'hui sorti d'usage. Un autre emploi transitif au sens de «faire un exploit, des prouesses» (début XVe s.) a aussi disparu. ◇ À la fin du XVIIIe s., *exploiter* prend une valeur abstraite (v. 1778, Rousseau) «utiliser d'une manière avantageuse, amener à produire les meilleurs résultats» (en parlant d'un talent, d'une idée, etc.), d'où la péjoration contenue dans le sens transitif de «se servir (de qqn) en n'ayant en vue que le profit, sans considération des moyens» (1810) et, spécialement, «abuser des ouvriers» (1840, Proudhon), largement diffusé par les théories marxistes et soutenu par le dérivé *exploitation*.

Exploiter a fourni plusieurs dérivés dont le développement sémantique est parallèle à celui du verbe. ➜ **EXPLOITABLE** adj. (1583) est sorti d'usage en droit (1270, n., *esploitable*) ; il s'applique à quelque chose qui peut être exploité avec profit (1690) et au figuré en parlant de personnes (1832, A. Karr) ; en viennent **EXPLOITABILITÉ** n. f. (1845), terme didactique, et le contraire **INEXPLOITABLE** adj. (1867). ➜ **EXPLOITATION** n. f. est d'abord employé comme terme de droit (1340, *expletation*), sorti d'usage. ◇ Le premier emploi pour désigner l'action de faire valoir une chose est relevé chez Colbert (1662) ; de ce sens découlent les acceptions postérieures. Le nom désigne ensuite (1776) le bien exploité, le lieu où se fait sa mise en valeur. Le développement de l'industrie et, parallèlement, des théories socialistes explique l'emploi figuré de ***exploitation de l'homme par l'homme*** (1829, Saint-Simon), repris dans le vocabulaire marxiste, ainsi que l'acception «action de tirer de qqch. ou de qqn un profit illicite ou excessif» (1832, J. B. Say). ◇ Le mot est également employé au sens d'«utilisation méthodique (de qqch.)» (1837, Balzac ; *exploitation d'une idée*) puis, péjorativement, pour «action d'abuser (de qqch., de qqn) à son profit» (1870, Goncourt, *exploitation de l'honnêteté*). ◇ Il est entré spécialement dans le vocabulaire des transports (1890, Zola ; *exploitation d'une ligne maritime*) et dans celui du cinéma (1910). ◇ *Exploitation* a fourni les composés didactiques : **INEXPLOITATION** n. f. (1876), **SOUS-EXPLOITATION** n. f. (v. 1965) **SUREXPLOITATION** n. f. (1935) qui correspondent à des composés verbaux (ci-dessous). ➜ **EXPLOITEUR, EUSE** n., ancien terme de droit, est d'abord attesté au féminin (1340, *exploiteresse* «celle qui jouit de qqch., usufruitière»), puis au masculin (fin XIVe s., *exploiteur* «celui qui signifie un acte judiciaire»). Le mot a désigné celui qui exploite (une terre, etc.) [1800]. Depuis le XIXe s. (1839), il n'est plus employé que péjorativement pour «personne qui tire profit de qqn ou de qqch. de façon abusive», les valeurs économiques neutres étant assumées par *exploitant*. ➜ Le participe passé **EXPLOITÉ, ÉE**, adjectivé aux divers sens du verbe, s'est spécialisé dans le domaine économique, aussi comme nom, par opposition à *exploiteur* et, dans la première moitié du XIXe s., à *exploitant* (Balzac). ➜ **EXPLOITANT, ANTE** adj. et n. a aussi été un terme de droit (1690, *huissier exploitant*) et a remplacé *exploiteur* dans le domaine de la production. Il s'emploie alors comme nom (1760), puis comme adjectif (1843), son emploi péjoratif étant sorti d'usage (1830, Balzac). Il désigne spécialement le propriétaire d'une salle de cinéma (1912). ➜ **EXPLOITATEUR** n. m. a été employé dans le domaine de la production (1832, J. B. Say) et au figuré (1866, Amiel).

À partir d'*exploiter* ont été formés les préfixés **INEXPLOITÉ, ÉE** adj. (1839, Balzac), **SOUS-EXPLOITER** v. tr. (v. 1965) et **SUREXPLOITER** v. tr. (1918), verbes qui correspondent à des composés d'*exploitation* (ci-dessus).

EXPLORER v. tr. est un emprunt savant (1546, Rabelais) au latin *explorare* «battre le terrain, reconnaître en parcourant» (au propre et au figuré), puis «faire l'essai ou l'épreuve de (qqch.)» par rapprochement avec *experiri* «éprouver, faire l'expérience» (→ expérimenter). *Explorare*, d'origine incertaine, a peut-être été initialement un terme de chasse, se disant des battues où l'on chassait le gibier à force de cris ; ainsi serait-on passé du sens de «faire une battue» à celui de «battre le terrain».

♦ Le verbe signifie au XVIe s. «examiner, rechercher» ; il est peu usité dans la langue classique. À la fin du XVIIIe s., cette valeur est reprise en médecine où *explorer* signifie «examiner (un organe, etc.) à l'aide de procédés spéciaux» (1793). Au XIXe s., la première valeur est précisée avec l'emploi au sens abstrait d'«effectuer des recherches (dans le domaine de la pensée)» (1808, Fourier). ➜ Parallèlement, le verbe prend le sens (1797) de «parcourir (un pays mal connu) en l'étudiant avec soin». ◇ Par extension, *explorer* s'emploie pour «parcourir (un lieu) en observant pour trouver qqch. ou qqn» (1826), «parcourir du regard en cherchant» (1830, Lamartine) et «partir à la découverte (d'un lieu qu'on connaît mal)» (1840, Hugo). ◇ Par analogie, le verbe signifie «examiner (qqch.) en le touchant» (déb. XXe s.) ; il s'emploie par extension dans *explorer le temps* (XXe s.).

▸ Du verbe dérivent : **EXPLORABLE** adj. (1864), peu usité, comme son contraire **INEXPLORABLE** adj. (1867). ➜ Sur le participe passé *exploré* est formé le préfixé **INEXPLORÉ, ÉE** adj. (1825, Brillat-Savarin) de ① in-, qui s'emploie au propre et au figuré.

Plusieurs mots de la famille sont des emprunts à des dérivés du latin *explorare*. ➜ **EXPLORATEUR, TRICE** n. et adj. est emprunté au latin *explorator* «observateur» et, dans la langue militaire, «éclaireur, espion». ◇ Le mot a été employé pour «espion» (v. 1265) et «éclaireur» (XIVe s.). Le sens moderne de «personne qui explore un pays lointain» est attesté depuis 1675. Le mot a des emplois analogues à ceux du verbe, notamment en médecine, comme adjectif (1835) et aussi comme nom (1851). ➜ **EXPLORATION** n. f., emprunté au latin *exploratio* «observation, examen», apparaît dans le premier tiers du XVIe s. pour désigner l'action d'explorer un pays mais est rarement employé en ce sens avant la fin du XVIIIe s. (1797, La Pérouse). ◇ Ses emplois sont parallèles à ceux du verbe ; il est usité notamment en médecine (1764) et au sens d'«examen méthodique» (1830, Fourier). ➜ **EXPLORATOIRE** adj., dérivé savant du radical d'*exploration* (v. 1966), s'emploie en sciences, en médecine notamment.

EXPLOSION n. f. est un emprunt savant (1581) au latin *explosio*, dérivé du supin de *explodere* «chasser en battant des mains, huer» d'où «rejeter, repousser», formé de *ex-* (→ ex-) et de *plaudere* ou *plodere* «battre, frapper l'un contre l'autre, faire claquer» et spécialement «battre des mains» (→ applaudir), mot sans origine connue.

♦ Le mot est d'abord attesté en médecine pour «invasion subite et inattendue de symptômes pathologiques» (1581), sens qu'il a conservé aussi en parlant d'une épidémie. ◇ Il est repris au début du XVIIIe s. avec le sens courant : «action d'éclater avec force» (1701, Furetière), notamment en parlant d'un phénomène physique ou chimique, d'un obus, d'une bombe, etc.; il s'emploie spécialement dans la locution ***moteur à explosion*** (1884). ◇ *Explosion* s'emploie par analogie en phonétique (1767) et au figuré (v. 1770, Rousseau) pour désigner une manifestation soudaine et violente *(explosion de rires, de colère)*, etc., puis une expansion brusque et spectaculaire (déb. XIXe s., *explosion démographique*). ◇ Par métonymie, *explosion* désigne une rupture violente produite par un excès de pression, etc. (1842, Balzac).

▸ **EXPLOSIF, IVE** adj. est relevé en 1691 dans un emploi médical correspondant à celui d'*explosion* où il s'applique à des convulsions. ◇ Au XIXe s., le mot est repris pour qualifier ce qui peut faire explosion (1816), ce qui est relatif à l'explosion. Le mot est employé par analogie en phonétique (1874, adj. et n. f.), alors opposé à *implosive*. ◇ Couramment, *explosif*, nom masculin, désigne un composé défini ou un mélange de corps susceptible d'exploser (1874). ⬥ L'adjectif s'utilise par figure en parlant d'un sentiment, d'une situation, d'un groupe, etc. (1892, L. Bloy). ⬥ Le composé **INEXPLOSIF, IVE** adj. (mil. XXe s.) s'emploie en sciences.

EXPLOSER v. intr., attesté en 1801 (Mercier) au sens propre, mais rare avant 1849, se répand au début du XXe s., notamment au figuré. ⬥ **EXPLOSIBLE** adj. est didactique et technique au sens propre (1848, Chateaubriand), où il est substantivé (1874). Il s'est employé au figuré (fin XIXe s., Daudet). ◇ Il a pour dérivé le terme didactique ou littéraire **EXPLOSIBILITÉ** n. f. (1870). ⬥ Le préfixé **INEXPLOSIBLE** adj. est rare. ⬥ **EXPLOSEUR** n. m. (1867) est un terme technique. ⬥ Le radical de *explosion-exploser* a fourni le composé **EXPLOSIMÈTRE** n. m. (mil. XXe s.), de *-mètre*, terme technique.

◈ voir IMPLOSION.

EXPONENTIEL, ELLE adj. est un dérivé savant (1711) du latin *exponens, -entis*, participe présent de *exponere* (→ exposer).

♦ Ce terme de mathématiques, qui signifie «dont l'exposant est variable ou inconnu», est notamment employé dans les syntagmes *quantité exponentielle* (1711), *calcul, courbe, équation exponentiel(le)* (1752, Trévoux), *fonction exponentielle* et, par ellipse, *une exponentielle*, nom féminin. ◇ Le mot se dit aussi (XXe s.) d'un processus d'accroissement qui se fait rapidement et de manière continue, comme la croissance de la courbe qui représente une fonction exponentielle.

▸ En dérive **EXPONENTIELLEMENT** adv. (1934, M. Curie).

EXPORTER v. tr., réfection (XVIe s.) de la forme ancienne *esporter* (v. 1245), représente un emprunt au latin *exportare* «porter hors de», composé de *ex-* «hors de» et de *portare* «faire passer, transporter, amener au port» (→ porter).

♦ Le sens de la première attestation reste obscur (v. 1245, *soi esporter* «sortir» ?); dans le premier tiers du XVIe s., *exporter* est repris avec le sens du latin, «porter (qqch., qqn) au-dehors». ⬥ C'est au XVIIIe s. que le verbe entre dans le vocabulaire commercial (1756; mais *réexporter* se trouve déjà en 1734, d'après Bloch et Wartburg) sous l'influence de l'anglais *to export* (1665), lui-même emprunté au français. De nombreux termes de commerce construits sur la base *import-* et *export-*, apparus antérieurement en anglais, sont ainsi passés en français entre 1734 et la Révolution française. ◇ Au XIXe s., *exporter* s'emploie aussi au figuré pour «propager, répandre (qqch.) à l'étranger» (1831, Michelet, à propos d'idées).

▸ Des emplois commerciaux du verbe dérivent **EXPORTATEUR, TRICE** n. et adj. (1756, Mirabeau) et **EXPORTABLE** adj. (1768). ⬥ Le composé **RÉEXPORTER** v. tr., de *ré-* itératif, est attesté en 1734.

EXPORTATION n. f., emprunt au latin *exportatio*, du supin de *exportare*, est relevé au XVIe s. avec le sens originel, «action de porter au-dehors». ◇ Le mot est repris en 1734 comme terme de commerce d'après l'anglais *exportation* (1641), d'où par extension *exportation des capitaux* (XXe s.). ◇ Il est employé au figuré (1766, Voltaire) et désigne, par métonymie, ce qui est exporté (1865). ⬥ Le composé **RÉEXPORTATION** n. f. est attesté en 1755.

EXPOSER v. tr. est un emprunt (fin XIIe-déb. XIIIe s.), avec réfection d'après *poser*, au latin *exponere* «mettre à la vue de», «présenter, expliquer» et «mettre à la merci de». Ce verbe est un préfixé en *ex-* de *ponere* «poser, placer», qui a abouti au français *pondre**. *Exponere* a fourni, par évolution phonétique, l'ancien français *espondre* «exposer», «expliquer» (XIIe s.), qui survit jusqu'au XIVe siècle.

♦ *Exposer* s'introduit avec un sens du latin, «dire, présenter en expliquant», se spécialisant ensuite : «faire l'exposition de (un ouvrage dramatique)» et par analogie en musique. ◇ D'autres valeurs étymologiques sont reprises à partir du XIVe siècle; le verbe signifie «disposer de manière à mettre en vue» (1345) en parlant de marchandises, puis en religion (1680, *exposer le saint-sacrement*) et en droit, avec un complément nom de personne (1690, *exposer un criminel*). ◇ Le pronominal *s'exposer*, «se montrer au regard d'autrui», est plus tardif (1870). ◇ Avec une valeur concrète, *exposer un enfant* signifie depuis le XIVe s. (1355) «l'abandonner dans un lieu écarté ou désert». À l'époque classique, *exposer à* prend un sens plus général (1635) : «laisser sous la menace (d'un danger, etc.)». ◇ *Exposer* reprend au XIVe s. un autre sens du latin, «mettre en danger» (1370, Oresme, *exposer sa vie*), également au pronominal (1370, *s'exposer à* qqch.), d'où *s'exposer* «exposer sa vie» (1390). ◇ À partir du XVIIe s., le verbe s'emploie dans la construction *exposer qqn à* (1636; 1640, *exposer qqn*). ◇ *Exposer qqch. à*, «placer dans la direction de», apparaît au XVIe s. au participe passé (1538); il est aujourd'hui usuel dans *bien, mal exposé,* puis à l'actif (1596). ◇ Enfin, comme transitif et comme intransitif, *exposer* s'applique au XIXe s., comme *exposant,* aux *expositions* de nature économique ou artistique.

► Le participe passé **EXPOSÉ, ÉE** adj. s'est spécialisé en photographie (XIXe s.), lié à des préfixés du verbe (ci-dessous). ◇ Le préfixé **INEXPOSÉ, ÉE** adj. (1873) est littéraire. Il est substantivé au XVIIe siècle. ◆ **EXPOSÉ** n. m. désigne (1638, Richelieu) un développement écrit ou oral qui présente des idées, des faits; plus tard (déb. XXe s.), le mot s'emploie pour un bref discours sur un sujet précis, en particulier en pédagogie. ◆ **EXPOSANT, ANTE** n. n'a pas conservé son premier sens juridique (1389) de «personne qui expose ses prétentions dans une requête». ◇ Le mot a été reformé en mathématiques (1620, n. m.) et désigne couramment (1688) une personne qui présente ses produits et, en relation avec le sens pris au XIXe s. par *exposition,* en particulier des œuvres d'art. ◆ Le préfixé **INEXPOSABLE** adj. (1873), proposé auparavant par Radonvilliers (1845), est didactique. ◆ Dans le vocabulaire de la photographie ont été formés (1894) les préfixés **SOUS-EXPOSER** v. tr. et **SUREXPOSER** v. tr. auxquels correspondent, formés sur *exposition,* les noms d'action **SOUS-EXPOSITION** n. f. (attesté 1904) et **SUREXPOSITION** n. f. (1894).

Deux mots sont des emprunts à des dérivés du supin *expositum* de *exponere.* ◆ **EXPOSITION** n. f. reprend (v. 1119, *esposiciun*) le latin *expositio* «explication, présentation» et «abandon (d'un enfant)». ◇ Ce nom d'action s'introduit avec le premier sens du latin, spécialisé ensuite pour parler de la partie initiale d'une œuvre dramatique (1663), puis en musique. ◇ Il suit une évolution sémantique parallèle à celle du verbe : «action de présenter (des marchandises)» (1565), «abandon (d'un enfant)» (1636), «situation (d'un bâtiment)» (1676). S'agissant de produits commerciaux ou d'œuvres d'art, *exposition* s'emploie d'abord en tant que nom d'action («*l'exposition des produits de l'industrie française; on fit, dans cette salle, l'exposition de plusieurs tableaux*» [*Dict. de l'Académie,* 1835]). Dans ces deux contextes, l'emploi de *une exposition,* apparu dans la première moitié du XIXe s., se développe après 1848 dans deux directions : les présentations à objectifs économiques (*exposition nationale, universelle* [1855], *coloniale,* etc., d'où l'abréviation **EXPO** n. f. [fin XIXe s.]), et les présentations d'œuvres d'art, distinctes des musées* et des galeries*, en ce qu'elles sont temporaires (voir aussi *salon*). ◇ Un sens passif, «fait d'être exposé, situation de risque» (1690), est rare. ◇ *Exposition* est aussi un terme de photographie (attesté 1932). ◆ **EXPOSITEUR** n. m., emprunt au bas latin *expositor* «celui qui expose un enfant», mais influencé par *exposer,* équivalait en ancien français (v. 1190) à «commentateur». Il est repris en droit au XVIIIe s. (1704, *expositeur de fausse monnaie*). ◇ Il a été reformé avec le sens latin (1865). Ces acceptions ont disparu et l'emploi au sens de «personne qui expose (des faits, etc.)» (1851) est rare; avec cette valeur Flaubert a utilisé le dérivé verbal *exposeur* (1853).

EXPRÈS, ESSE adj. est un emprunt savant (v. 1275) au latin *expressus* «mis en relief, exprimé clairement», participe passé passif de *exprimere* «faire sortir en pressant» (→ exprimer).

♦ D'abord relevé au sens étymologique de «clair, précis», sorti de l'usage courant mais conservé en droit en parlant d'un ordre, d'une loi, et dans les syntagmes ***(à la) demande, (à la) condition expresse,*** l'adjectif s'est employé au sens de «qui est chargé spécialement de transmettre la pensée, la volonté de qqn» (1664, Mme de Sévigné), emploi archaïque, *un exprès* désignant un messager (av. 1630). ◇ De ce sens est issu l'emploi moderne comme adjectif invariable et nom masculin dans ***lettre, colis exprès*** «remis rapidement au destinataire», et dans *un exprès.*

► **EXPRÈS** adv. de même origine est relevé en 1333 dans la construction disparue *par expres* «de propos délibéré», puis en 1488 dans *tout exprès pour* «dans le dessein de», enfin vers 1560 sous la forme simple. ◇ L'adverbe s'emploie notamment dans la construction *faire exprès* (XVIe s.), d'où *fait exprès* «parfaitement adapté (à une situation)» et *un fait exprès* (1814), *comme un fait exprès* «une chose qui semble voulue».

EXPRESSÉMENT adv., sous les formes *expressement* à la fin du XIIe s. et *espresseement* en 1270 «en termes exprès», a pris au XVIIe s. la valeur de «avec une volonté bien déterminée» (1655).

① **EXPRESS** n. m. est un emprunt (1849) à l'anglais *express,* adj., adv. et n., qui signifie d'abord «exprimé, explicite» (XIVe s.) puis «destiné à un usage particulier, spécial» (XVe s.). Le mot anglais est lui-même emprunté au français *exprès, esse* (→ exprès). L'anglais *express (train)* désignait à l'origine un train «spécial» (dep. 1841) et notamment (v. 1845) un train rapide ne s'arrêtant pas à toutes les stations, d'où l'emploi de l'adjectif, en anglais, pour «rapide, immédiat» (en parlant d'un colis, d'une livraison, etc.).

♦ *Express,* en français, a été emprunté avec le sens de «train rapide» qu'il avait acquis en anglais, comme substantif *(un express)* puis (1856) comme adjectif *(un train express).* ◇ Par analogie, l'adjectif qualifie (XXe s.) d'autres substantifs, avec le sens de «qui assure un déplacement ou un service rapide», par exemple dans *voie express* (au Canada, *route express*), *réseau express,* etc. ◇ Par extension, il s'applique à ce qui s'exécute rapidement (*coiffure express, ressemelage express;* cf. *minute*), à ce qui a été fait à la hâte.

② **EXPRESS** adj. et n. m. inv., relevé en 1950 puis en 1957 (chez M. Butor), est emprunté à l'italien *(caffè) espresso,* qui représente soit la substantivation du participe passé de *exprimere* «extraire en pressant» (→ exprès), soit une transposition du mot *expresso* «train express» (→ ① express).

♦ *Express* s'emploie comme adjectif dans *café express* (fait à la vapeur, à l'aide d'un percolateur) et plus couramment comme nom masculin invariable *(boire un express),* concurremment avec la forme italienne **ESPRESSO** n. m., qui est aussi employée en français par emprunt.

EXPRIMER v. tr., réfection savante (XIVe s.) de formes comme *espriemer* (fin XIIe s.), est un emprunt au latin *exprimere* «faire sortir en pressant» et au figuré «représenter, exprimer»; le verbe est formé de *ex-* (→ ex-) et de *premere* «serrer», «exercer une pression sur» (→ aussi comprimer, déprimer, imprimer...). *Exprimer* a supplanté le doublet *espreindre, épreindre,* aboutissement phonétique du latin, qui avait les mêmes sens en ancien français et s'est longtemps maintenu au sens de «presser».

♦ Le verbe reprend d'abord le sens figuré latin et s'emploie pour «faire connaître par le langage» avec un pronominal *s'exprimer,* courant à partir du XVIe s. (1580, Montaigne), spécialement pour «signifier» (mil. XVIe s.) avec un sujet désignant les formes du langage et «faire connaître par le moyen de l'art» (XVIIe s., au théâtre). ◇ Le sens concret, «faire sortir par pression» (1580, Montaigne), a vieilli, sauf en technique. ◇ L'acception abstraite générale de «rendre sensible (qqch.) en en dégageant le sens» se développe à partir du XVIIe siècle; *exprimer* signifie alors «manifester par le comportement» (1645, Tristan, *exprimer de l'audace*), «servir à noter (une relation, une quantité)» (av. 1662). Il a eu le sens de «définir (une chose, un événement)» (1672, Molière) et de «représenter (qqn)» (1676, Racine), sortis d'usage après l'époque classique.

▸ Le verbe a fourni **EXPRIMABLE** adj. (v. 1600), d'où **INEXPRIMABLE** adj. (1579) «qui ne peut être exprimé», qui prend ensuite (1690) le sens de «au-delà de toute expression» avec pour dérivés **INEXPRIMABLEMENT** adv. (1821) et **INEXPRIMÉ, ÉE** adj. (1836, Balzac).

EXPRESSION n. f. est un emprunt (1314) au latin *expressio* «action de faire sortir en pressant» et au figuré «expression de la pensée», en grammaire, et «description vivante», lui-même dérivé du supin de *exprimere.* ◆ Le mot s'emploie d'abord au sens propre, en médecine. Sorti d'usage dans son emploi général, il est encore employé comme terme technique. ◇ *Expression* désigne ensuite l'action (v. 1360), la manière d'exprimer ou de s'exprimer (1547), dans des emplois parallèles à ceux du verbe, notamment (1656) pour parler d'un tour de la langue écrite ou orale. ◇ Le mot s'emploie spécialement en mathématiques (1674), désignant une formule par laquelle on exprime une valeur. ◇ Il développe, toujours à l'époque classique, d'autres emplois : «fait exprimant un contenu psychologique par l'art» (1669), «ce par quoi qqn ou qqch. se manifeste» (1694, Bossuet). ◆ **INEXPRESSION** n. f., «absence d'expression» (1801), est rare.

Du nom procède **EXPRESSIF, IVE** adj., relevé en 1483 au sens de «signalé», qui s'applique (1680) à ce qui exprime bien (une pensée, etc.), puis à ce qui a beaucoup d'expression (1832, Balzac); en dérivent **EXPRESSIVEMENT** adv. (1825) et **EXPRESSIVITÉ** n. f. (1905), didactique mais courant. ◆ **INEXPRESSIF, IVE** adj., attesté isolément (av. 1406), s'est appliqué à ce que l'on ne peut exprimer; il qualifie depuis le XVIIIe s. ce qui n'est pas expressif (1781) et se dit aussi de ce qui manque d'expression (1849). ◇ Son dérivé **INEXPRESSIVITÉ** n. f. (1919) est littéraire. ◆ **EXPRESSIONNISME** n. m., attesté en 1921, est dérivé du nom ou emprunté à l'allemand *Expressionismus* (1911); l'anglais *expressionism* semble antérieur (1908). Le mot désigne un mouvement artistique qui, au début du XXe s., réunissait des peintres en réaction contre l'impressionnisme*, pour lesquels la valeur de la représentation tenait à l'intensité de l'expression; le mouvement s'est ensuite étendu au cinéma, à la littérature, etc. ◇ **EXPRESSIONNISTE** adj. et n. est attesté en 1904.

EXPROPRIER v. tr., relevé en 1611 au participe passé (avant l'infinitif, 1792), est dérivé, par changement de préfixe, de *approprier* ou composé savamment de *ex-* et du latin *proprius* (→ propre), d'après *approprier*.*

♦ Le verbe signifie «déposséder légalement (qqn) de la propriété d'un bien»; il s'emploie, spécialement, en droit civil (1799), en droit administratif et dans l'usage courant (1835) et, par extension (1890), avec un complément nom de chose *(exproprier des immeubles).* ◇ Le participe passé est substantivé au XIXe s. (1865).

▸ **EXPROPRIATION** n. f. (1789), du radical du verbe, s'emploie en droit et couramment. ◆ **EXPROPRIANT, ANTE** adj. (1935) est le participe présent du verbe; c'est un terme de droit équivalant à **EXPROPRIATEUR, TRICE** adj. et n. (1874), moins courant.

EXPULSER v. tr. est emprunté (1440-1475) au latin *expulsare,* formé de *ex-* (→ ex-) et de *pulsare* «pousser violemment» (→ pousser). Ce fréquentatif de *expellere* «pousser hors de», «faire sortir», est formé sur *pulsum,* supin de *pellere* «pousser», puis «chasser» et dans la langue militaire «repousser, mettre en déroute» (→ pulsion).

♦ Le verbe est d'abord employé avec un des sens du latin, pour «chasser (qqn)»; il entre au XVIe s. dans le vocabulaire de la médecine avec le sens d'«évacuer (qqch.) de l'organisme» (1561, A. Paré). ◇ Au XVIIe s., par extension du premier sens et en conservant l'idée de violence, il signifie «exclure (qqn) d'une assemblée, d'un corps constitué» (1690, Furetière), puis «faire sortir (qqn) avec violence» (1870).

▸ Plusieurs mots ont été empruntés à des dérivés du latin *expellere.* ◆ **EXPULSIF, IVE** adj. (v. 1265), emprunt au bas latin *expulsivus,* est un terme de médecine, comme **EXPULSEUR, EXPULTRICE** adj., emprunt au latin *expulsor* (au masculin, 1470; au féminin, 1561). ◆ En revanche **EXPULSION** n. f. (1309), emprunt au latin *expulsio,* a suivi un développement sémantique parallèle à celui de *expulser* et est aussi courant que lui, surtout au sens d'«exclusion par la force». ◇ Le mot s'applique notamment aux reconduites à la frontière d'étrangers en situation irrégulière. ◆ Le participe passé **EXPULSÉ, ÉE** s'emploie comme adjectif pour «chassé par une expulsion» (1690) et est aussi substantivé (1759, Voltaire).

EXPURGER v. tr. est un emprunt savant (v. 1370) au latin *expurgare* «nettoyer, purger», puis «excuser, justifier», formé de *ex-* (→ ex-) et de *purgare* (→ purger); *expurger* a remplacé la forme populaire *espurgier* «purger, nettoyer» (cf. l'italien *spurgare,* l'ancien provençal *espurgar*), attestée du XIIe au XIVe siècle.

♦ D'abord employé au sens concret latin, «purger», sorti d'usage, le verbe signifie ensuite par figure (1503) «épurer (un livre) en enlevant les passages trop libres ou contraires à la foi», aussi au participe adjectivé, *expurgé* (1839). ◇ Du sens propre d'*expurger* est issu l'emploi spécial en sylviculture, au sens d'«éclaircir une futaie trop touffue» (XIXe s.).

▸ **EXPURGATION** n. f. est attesté isolément (v. 1190, *espurgaciun*) avec le sens du latin *expurgatio* «justification, excuse», auquel il est emprunté. Il s'emploie ensuite en médecine (v. 1370) au sens de «purgation», sorti d'usage, et ne demeure que dans un emploi technique (1865) en sylviculture. ➜ **EXPURGATOIRE** adj. (fin XVIe-déb. XVIIe s., d'Aubigné) est emprunté au latin ecclésiastique *espurgatorius,* dérivé du supin de *expurgare* ou est dérivé de *expurger;* c'est un mot didactique *(index expurgatoire).*

EXQUIS, ISE adj. est une réfection (v. 1223) de l'ancien français *esquis* (XIIIe s.), participe passé adjectivé de l'ancien verbe *esquerre* «rechercher», issu du latin populaire °*exquaerere.* Cette forme est elle-même une réfection du latin classique *exquirere* «rechercher avec soin, enquêter», composé de *ex-* (→ ex-) et de *quaerere* «chercher, rechercher» puis «demander» (→ quérir). La forme *exquis* a été refaite d'après le latin *exquisitus* «recherché, raffiné, élégant», participe passé passif de *exquirere.*

♦ L'adjectif est d'abord employé avec la valeur latine de «qui est remarquable en son genre», aujourd'hui sortie d'usage. *Exquis,* employé dans ce sens jusqu'au XIXe s., pouvait aussi qualifier quelque chose de désagréable : des tourments (Calvin), une torture (d'Aubigné), des supplices (Bossuet), etc.; en médecine *(douleur exquise),* l'adjectif a conservé ce sens de «très intense, extrême». ➜ Dès le XVe s., l'idée d'impression agréable produite sur les sens domine dans l'emploi du mot. *Exquis* signifie «d'une délicatesse recherchée», vers 1450 *(dame exquise),* et depuis le XVIe s. «qui produit une impression agréable par sa délicatesse» (av. 1549, M. de Navarre), en parlant d'un mets, d'un aliment, d'un parfum, etc.; l'adjectif, dès le XIIIe s., pouvait qualifier la nourriture (*viande* [nourriture] *esquise,* v. 1223), mais cet emploi n'était qu'une spécialisation de la valeur ancienne, plus générale. *Exquis* s'emploie aussi pour «précieux» (fin XVIe s.) en parlant d'objets matériels. ◇ L'adjectif s'applique aussi aux qualités du caractère et à leur expression (1859), et équivaut à «d'une compagnie agréable» en parlant d'une personne (1894, J. Renard). Cf. aussi *cadavre* exquis.*

▸ Les dérivés **EXQUISÉMENT** adv. (1507, *exquisement*) et **EXQUISITÉ** n. f. (1855, G. Sand) sont rares et littéraires.

EXSANGUE adj. est un emprunt savant (1549) au latin *exsanguis* «qui n'a pas de sang», «pâle, vide», «sans force», formé de *ex-* (→ ex-) et de *sanguis* (→ sang).

♦ *Exsangue,* qui a repris les différentes valeurs de l'étymon, est didactique au sens de «privé de sang» (1549) et littéraire au sens figuré de «vidé de sa substance» (1580, Montaigne). Il s'emploie à partir du XVIIe s. avec le sens plus courant de «très pâle» (1611).

▸ L'adjectif a fourni les termes de médecine **EXSANGUINATION** n. f. (mil. XXe s.) et **EXSANGUINO-TRANSFUSION** n. f. (attesté 1953) «transfusion où le sang, sorti de l'organisme, est remplacé».

EXSUDER v. est emprunté (1575, Paré) au latin impérial *exsudare* «s'évaporer entièrement», «rendre par suintement», «dégoutter de», composé de *ex-* (→ ex-) et de *sudare* (→ suer).

♦ *Exsuder,* d'abord «sortir par exsudation» en emploi absolu, signifie aussi (1870) «émettre par transpiration, par suintement». Au figuré (1869), pour «émettre, laisser s'exprimer», il est d'emploi littéraire.

▸ Du verbe dérive **EXSUDAT** n. m. (1858; peut-être d'abord formé en allemand), terme de pathologie employé par analogie en botanique (1932); en procède **EXSUDATIF, IVE** adj. (1858). ➜ **EXSUDATION** n. f., emprunté au dérivé bas latin *exsudatio* «dégagement par la transpiration», reprend d'abord ce sens (1755), aujourd'hui sorti d'usage, et est employé ensuite en pathologie (1823).

EXTASE n. f., relevé en 1319 sous la forme *extasie,* est un emprunt au latin ecclésiastique *extasis, ecstasis* «fait d'être hors de soi», d'où «stupeur», «transe», lui-même emprunt au grec *ekstasis* «déplacement» et «égarement de l'esprit, ravissement». Ce nom est dérivé du verbe *existanai* «faire sortir», «mettre hors de soi», formé de *ex-* «hors de» et de *histanai* «placer debout, dresser, fixer», à rattacher à une racine indoeuropéenne °*sta-* «être debout» (→ ① ester, station).

♦ *Extase* est d'abord employé dans le vocabulaire religieux pour désigner l'état particulier d'une personne, transportée hors d'elle-même, en union intime avec la divinité (1319, *ravi en estasie*). ◇ Le mot s'emploie ensuite par analogie et couramment pour «état d'exaltation» (av. 1475), d'où les syntagmes (être) ***en extase, dans l'extase.*** ◇ Par analogie du sens religieux, le mot s'emploie en pathologie et en psychologie (1721, *extase hystérique*).

▸ Du nom dérive, d'après la forme *extasie,* **EXTASIER** v. tr., d'abord usité au participe passé pour «en extase» (1556, *extazé*), est attesté comme verbe actif au début du XVIIe s. (1611). Il est employé aujourd'hui à la forme pronominale *s'extasier* au sens de «manifester son admiration» depuis la fin du XVIe s. (av. 1599, *s'extazer*), aussi au participe passé (1585). ➜ **EXTATIQUE** adj. et n., d'abord *ecstatic* (1546, Rabelais), est emprunté au grec *ekstatikos* «qui égare l'esprit», «qui a l'esprit égaré, qui est hors de soi», dérivé de *ekstasis.* ◇ Signifiant d'abord «qui est ravi en extase» (1546, adj. et n.) puis «qui a le caractère de l'extase» (1588, Montaigne), le mot est d'emploi didactique ou littéraire, comme son dérivé **EXTATIQUEMENT** adv. (1869, Hugo).

EXTEMPORANÉ, ÉE adj. est un emprunt du XVIe s. (1527) au bas latin des gloses *extemporaneus* «improvisé, qui n'est pas médité, qui se fait sans préparation», synonyme du classique *extemporalis.* Ce mot est formé de *ex-* (→ ex-) et du bas latin *temporaneus* «qui se fait à temps», lui-même dérivé de *tempus* (→ temps).

♦ D'abord employé au sens étymologique de «spontané» (1527, *cause extemporanée et non préméditée*), le mot a disparu, sauf en pharmacie (1764), à propos d'un médicament non préparé d'avance (par opposition à *officinal*) et en médecine où l'on parle (mil. XXe s.) d'*analyse extemporanée,* «faite au cours d'une opération».

▸ De l'adjectif dérivent **EXTEMPORANÉMENT** adv. (1846) et **EXTEMPORANÉITÉ** n. f. (1857, Michelet), peu usités.

EXTENSION n. f., réfection savante (1377, Oresme) de la forme *estension* (fin XIIIe, déb. XIVe s.), est un emprunt au bas latin *extensio* «étendue, allongement, croissance», «amplification», formé sur *extensum,* supin de *extendere* (→ étendre), qui appartient à la famille de *tenere* (→ tenir).

♦ Le mot est d'abord employé pour désigner le mouvement par lequel on étend un membre (v. 1300, *estension des membres*), par opposition à *flexion.* ◇ Repris au sens étymologique de «fait de s'étendre, d'occuper de l'espace», «action de s'accroître», il se dit (v. 1560, Paré) du fait de se développer dans le sens de la longueur. ◇ À partir du XVIIe s., *extension,* au figuré, désigne l'action de donner une portée plus générale à quelque chose (1643, en parlant d'un contrat); il s'emploie ensuite, en linguistique, et couramment (1730, Dumarsais), pour «fait d'acquérir un plus grand champ de désignation». ◇ Il passe aussi dans l'usage général pour «accroissement d'importance» (1770), en parlant du commerce, d'une institution (cf. *expansion*). ◇ Il est employé plus précisément en logique (1801, D. de Tracy) et s'oppose alors à *compréhension** ou *intension* (définition par extension),* à propos de la constitution d'une classe d'éléments définis par un caractère commun, valeur en rapport avec la désignation.

▸ **EXTENSIBLE** adj., du radical du nom, attesté isolément au XVe s. et repris en 1611, est encore considéré comme rare dans Trévoux (1732); il s'emploie au propre et au figuré. ◇ Il a pour dérivé le terme didactique **EXTENSIBILITÉ** n. f. (1752, Trévoux) et pour préfixé et antonyme **INEXTENSIBLE** adj. (1777, Buffon), d'où **INEXTENSIBILITÉ** n. f. (1858). ➜ **EXTENSIF, IVE** adj., attesté indirectement au XIVe s. par l'adverbe *extensivement,* est soit dérivé d'*extension,* soit emprunté au dérivé bas latin *extensivus* «capable d'extension» (au figuré), attesté en latin médiéval comme terme médical (v. 1270, *humor extensivus*). ◇ Relevé comme terme de médecine en 1520, *extensif* s'emploie ensuite en logique et en linguistique (1834), en rapport avec *extension,* puis en agriculture (1859) dans *culture extensive* (opposé à *intensive*). ◇ Il a pour dérivés **EXTENSIVEMENT** adv. (XIVe s.) et, en philosophie, **EXTENSIVITÉ** n. f. (XXe s.) et le préfixé **INEXTENSIF, IVE** adj. (1889, Bergson, qui l'emploie aussi comme nom masculin). ➜ **EXTENSEUR** adj. et n. m. est un terme d'anatomie (1654, *muscle extenseur*) et désigne en sports un dispositif élastique pour les exercices musculaires d'extension (1901, n. m.). ➜ **EXTENSOMÈTRE** n. m. est formé savamment (1903) sur le radical d'*extension,* avec *-mètre,* pour désigner en technique un instrument destiné à mesurer les déformations résultant de contraintes mécaniques.

◈ voir **RÉTENTION, TENSION.**

EXTÉNUER v. tr. est un emprunt (1478, au p. p.; 1495, à l'actif) au latin *extenuare* «rendre mince, ténu» et «affaiblir, diminuer», au propre et au figuré, «atténuer»; ce verbe est composé de *ex-* (→ ex-) et de l'adjectif *tenuis* «mince, ténu», d'où «subtil, délicat» et «maigre» (→ ténu).

♦ *Exténuer* est d'abord attesté avec le sens d'«épuiser, réduire les forces de (qqn)», surtout aujourd'hui au passif, au participe passé *(exténué)* et au pronominal (1734). ◇ Au XVIe s., reprenant un des sens de l'étymon, il se dit au figuré pour «amoindrir, réduire beaucoup» (1541) et comme équivalent d'«atténuer», et au propre pour «rendre très maigre» (1552), sens à peu près sortis d'usage.

▸ Le participe présent **EXTÉNUANT, ANTE** adj. (1845) procède du sens moderne du verbe. ➜ **EXTÉNUATION** n. f., réfection savante (v. 1560, Paré) de *extenuacion* (1398), est emprunté au dérivé latin *extenuatio* «action de rendre mince», «atténuation». Le mot est d'emploi littéraire; il s'est dit, en rhétorique, pour «litote».

EXTÉRIEUR, EURE adj. et n. m. représente la resuffixation (1563) de *exterior* (1447), emprunt savant au latin classique *exterior* «plus en dehors», comparatif de l'adjectif *exter* «du dehors», «étranger», formé de *ex-* (→ ex-) et de l'élément *-ter-* «du côté de»; en latin chrétien *exterior* signifie «ce qui est à l'extérieur».

♦ L'adjectif s'emploie d'abord en parlant de ce qui est situé hors de quelque chose, de ce qui existe en dehors d'un individu (1447). Il s'applique depuis le XVIe s. à ce qui ne correspond pas à la nature profonde d'un individu (1541) et à ce qui se voit du dehors, à ce qui se trouve sur le pourtour (1563, Palissy). ◇ Le nom, attesté au XVe s. en parlant d'une chose, désigne surtout une partie en contact direct avec l'espace environnant (1636); par figure, il équivaut à «apparence (d'une personne, d'une chose)» (1669), par exemple dans l'expression ***à l'extérieur*** «en apparence» (1662, Pascal). ◇ L'adjectif s'oppose à *psychologique, moral* (av. 1696, La Bruyère; *formes extérieures*). ◇ Comme nom et adjectif, par extension du sens de «dehors», le mot désigne les pays étrangers comme nom masculin (1849) et comme adjectif qualifie ce qui les concerne (1865; ***commerce extérieur***). ◇ Au XXe s., dans le vocabulaire du cinéma, le nom se dit spécialement (1914) d'une prise de vue hors des studios. ◇ L'adjectif s'emploie au figuré pour «que l'on sent étranger»

(1912, Gide). ◇ *Extérieur* s'applique enfin (xxe s.) à ce qui ne fait pas partie de (qqch.), dans un contexte abstrait.

▸ *Extérieur* a fourni plusieurs dérivés, parfois formés d'après le latin *exterior* : **EXTÉRIEUREMENT** adv. (1501; 1470, *exteriorement*); **EXTÉRIORITÉ** n. f. (1541, Calvin), notamment employé en philosophie. ➛ **EXTÉRIORISER** v. tr. (1866, Amiel), didactique en psychologie, est assez courant au sens de «exprimer, manifester» (des sentiments, etc.) et notamment au pronominal *s'extérioriser* (1878); en dérivent **EXTÉRIORISATION** n. f. (1843) et **EXTÉRIORISABLE** adj. (1938, Valéry).

◈ voir EXTERNE, ① EXTRA-, EXTRÊME.

EXTERMINER v. tr. est un emprunt savant (v. 1120) au latin *exterminare* «chasser des frontières, bannir» qui a pris en latin ecclésiastique le sens de «détruire, dévaster», «faire périr». *Exterminare* est composé de *ex-* (→ ex-) et de *terminare* «borner, finir» (→ terminer).

♦ Le verbe est employé en ancien français avec le sens de «faire disparaître, expulser» repris du latin classique, en parlant d'une religion, d'un défaut, etc., valeur encore courante à l'époque classique. ◇ Le sens moderne, «faire périr jusqu'au dernier», est également relevé au début du xiie siècle. Il s'emploie par plaisanterie (1656, Molière) en parlant d'une seule personne et s'*exterminer* a pris au xixe s. le sens familier de «se fatiguer à l'extrême» (1846, Balzac).

▸ Du verbe dérive **EXTERMINATOIRE** adj. (1794) d'emploi rare. ➛ Aux dérivés du latin *exterminare* ont été empruntés : **EXTERMINATION** n. f., du latin ecclésiastique *exterminatio* «destruction, extermination (de personnes)», d'abord relevé dans l'expression *faire extermination* «s'exiler» (v. 1175), est repris au xvie s. avec le sens du latin chrétien, au propre et au figuré. ➛ **EXTERMINATEUR, TRICE** adj. et n., d'emploi littéraire, est emprunté (déb. xiiie s., *l'angele exterminator*) au latin ecclésiastique *exterminator* «celui qui chasse», notamment en parlant de l'ange du châtiment.

EXTERNE adj., réfection (1541) de la forme *hesterne* (1500), est emprunté au latin *externus* «extérieur», «du dehors», «étranger»; cet adjectif dérive de *exter*, de même sens (la variante *exterus* s'est effacée devant *externus*), formé de *ex-* (→ ex-) et de l'élément *-ter-* «du côté de».

♦ D'abord employé comme équivalent d'«extérieur» en parlant d'un pays, l'adjectif s'applique (1541) à ce qui est situé en dehors, est tourné vers l'extérieur et, par extension, à ce qui appartient au-dehors, vient de l'extérieur; avec cette valeur, il s'emploie dans des domaines spécialisés, par exemple en anatomie (1809) et en mathématiques (1865). ◇ Par ailleurs, le mot est substantivé (1690) pour désigner l'élève d'un collège, non pensionnaire, et par la suite (1835) un étudiant en médecine qui assiste les internes dans le service des hôpitaux.

▸ De ces deux derniers emplois, où il s'oppose à *interne*, dérive **EXTERNAT** n. m. «établissement scolaire» (1829, Boiste) et «fonction d'externe dans les hôpitaux» (1833).

◈ voir EXTÉRIEUR, ① EXTRA-, EXTRÊME.

EXTINCTION n. f. est un emprunt savant (1374) au latin classique *ex(s)tinctio* «fin» et en bas latin «action d'éteindre le feu», formé sur le supin de *ex(s)tinguere* «éteindre» dont une altération populaire a donné *éteindre**.

♦ Le mot est d'abord employé au sens concret (1374, en parlant des cierges) puis au xviie s., au figuré, pour «perte de l'existence, de l'efficacité» (1680), en particulier dans ***extinction de voix*** (1692), et pour désigner la cessation d'un droit (1690, Furetière). *Extinction* a eu aussi le sens de «coma» (1686, Mme de Sévigné), sorti d'usage.

▸ Plusieurs mots ont été empruntés à d'autres dérivés du latin *ex(s)tinguere*. ➛ **EXTINCTEUR, TRICE** adj. et n., emprunté (déb. xviiie s.) au latin classique *ex(s)tinctor*, «celui qui met fin à (qqch.)» et «celui qui éteint le feu». ◇ D'abord attesté au sens figuré de «celui qui éteint, détruit» (av. 1724), disparu, le mot qualifie un appareil qui sert à éteindre le feu (1862) puis est substantivé dans cet emploi (1867). ➛ **EXTINCTIF, IVE** adj. (1839, Boiste), terme de droit, est un dérivé savant de *exstinctum*, supin de *exstinguere*. ➛ **EXTINGUIBLE** adj. (1560, Paré), emprunt au bas latin *ex(s)tinguibilis* «que l'on peut éteindre, anéantir», se dit au propre et au figuré. ◇ Il est beaucoup moins usité que son contraire **INEXTINGUIBLE** adj. (1403), emprunté au bas latin *inextinguibilis* au sens propre «qu'il est impossible d'éteindre», puis au figuré (1534), spécialement (1669) en parlant d'un rire. ◇ *Inextinguible* a fourni l'adverbe littéraire et rare **INEXTINGUIBLEMENT** (1923, Maurois). ◇ À partir de *extinguible* a été composé le terme technique **AUTO-EXTINGUIBLE** adj. (1967). ◇ Toute la famille reste sémantiquement reliée au verbe *éteindre* dont les dérivés, sauf *éteignoir*, sont rares.

EXTIRPER v. tr. est un emprunt savant (v. 1220, *estirper*) au latin *exstirpare* «extirper», composé de *ex-* «hors de» (→ ex-) et de *stirps, stirpis* «racine, souche», sans étymologie connue. *Extirper* a supplanté l'ancien français *esterper*, de formation orale, attesté depuis le xiie s. avec la variante *estreper* «arracher», d'où *estraper* au xiiie s. (cf. le dialectal *étraper*, terme d'agriculture).

♦ Le verbe est relevé dans un emploi figuré au sens de «faire disparaître complètement» (v. 1220, *estirper* [la racine du mal]). Il s'emploie ensuite (1336) concrètement pour «arracher, déraciner (une plante)», puis en médecine pour «enlever radicalement par une opération chirurgicale» (v. 1560, Paré); didactique dans ces emplois, *extirper* est familier au sens figuré de «faire sortir (qqn, qqch.) avec difficulté» à la fin du xixe s. (Huysmans).

▸ Du verbe dérive **EXTIRPABLE** adj. (1870); son contraire **INEXTIRPABLE** adj., didactique ou littéraire (1508), est emprunté au latin impérial *inextirpabilis*, dérivé de *exstirpare*. ➛ Au xve s. ont été empruntés à des dérivés de *exstirpare* deux mots. ◇ **EXTIRPATEUR, TRICE** n., emprunt au latin chrétien *extirpator* «personne qui fait disparaître (une hérésie, etc.)», dont il reprend d'abord le sens. Au XIXe s., le mot désigne un outil agricole (1838, n. m.). ◇ **EXTIRPATION** n. f., emprunt (av. 1453) au latin impérial *extirpatio* «arrachage, déracinement», employé au figuré en latin chrétien, est d'abord employé en ce sens, puis au propre (v. 1560, Paré).

EXTORQUER v. tr. est emprunté (v. 1330) au latin *extorquere* «déboîter, disloquer» et «obtenir par la force, arracher», formé de *ex-* (→ ex-) et de *torquere* «imprimer un mouvement de rotation» (→ tordre). Une forme populaire *estordre* a eu, en ancien français, les sens de «extorquer», «tordre» (cf. l'italien *storcere* «détourner», l'espagnol *estorcer* «tirer d'embarras»).

♦ *Extorquer qqch. à qqn* se dit pour «obtenir (qqch. de qqn) par la force, la menace ou la ruse».

▸ En dérive **EXTORQUEUR, EUSE** n. (1390), littéraire. ◆ **EXTORSION** n. f., emprunté (1290) au bas latin *extorsio* (du supin de *extorquere*), est didactique, surtout juridique.

◈ voir **RÉTORQUER**.

① **EXTRA-** est un élément préfixal emprunté au latin *extra* adverbe et préposition signifiant «dehors», «hors de», qui se rattache à l'adjectif *exter* (variante *exterus*) «du dehors», «étranger», formé sur *ex-* (→ ex-) à l'aide de l'élément *-ter-* «du côté de» (→ extérieur, externe, extrême).

♦ *Extra-* entre aujourd'hui dans la formation de nombreux mots (le plus souvent à partir d'adjectifs). L'utilisation de *extra-* se développe essentiellement à partir du XIXe s., surtout pour former des termes didactiques. Les composés s'écrivent avec trait d'union (surtout devant voyelle ou *h*) ou sans. ◇ Dans l'usage courant, la composition d'adjectifs majoratifs est fortement concurrencée par d'autres préfixes (*super-*, *hyper-*, *méga-*).

② **EXTRA-** → **EXTRAORDINAIRE**

EXTRACTEUR, EXTRACTION → **EXTRAIRE**

EXTRADITION n. f., attesté en 1763 (Voltaire), est formé de *ex-* «hors de» (→ ex-) et du latin *traditio* «action de livrer au-dehors», dérivé de *traditum*, supin de *tradere* «transmettre», «livrer» (→ trahir), qui est lui-même un composé de *dare, datum* (→ donner).

♦ *Extradition* se dit en droit d'une procédure permettant à un État de se faire livrer un individu poursuivi ou condamné, qui se trouve sur le territoire d'un autre État.

▸ Le nom est plus courant que son dérivé **EXTRADER** v. tr. (1777), mais le participe passé **EXTRADÉ, ÉE** adjectivé en droit est assez usuel.

EXTRAIRE v. tr. représente (v. 1360) une réfection de l'ancien français *estraire* «tirer, faire sortir» (XIe s.), sous l'influence de *extraction* et du latin. *Estraire* est issu d'un latin populaire *°extragere*, altération du latin classique *extrahere* «tirer de, retirer de», «prolonger», formé de *ex-* (→ ① ex-) et de *trahere* «tirer» (→ traire).

♦ *Extraire* signifie d'abord «faire sortir (une personne) d'un lieu fermé où elle était retenue»; il prend des valeurs extensives et figurées à partir du XVIe siècle. Il s'emploie en mathématiques (1520), par exemple dans *extraire la racine carrée d'un nombre*, et signifie (v. 1550) «tirer (un passage) d'un livre», et en littérature «dégager (les idées essentielles) d'une œuvre». En chirurgie, il a le sens de «retirer (un corps étranger, un organe malade) par une opération» (v. 1560). Enfin, il signifie (1587) «séparer (une substance) du corps dont elle fait partie». ◇ Ce n'est qu'au XIXe s. qu'est relevé le sens concret de «tirer (une chose d'un lieu) en dégageant ce qui entoure ou enferme» (1865). *S'extraire de*, «sortir à grand-peine d'un lieu étroit» en parlant de personnes, est plus récent (déb. XXe s.).

▸ **EXTRAIT** n. m. (XVe s.), réfection de *estrait* (1312), qui correspond au verbe *estraire*, désigne le résumé de ce qui est contenu dans un acte public; il se dit ensuite de la partie d'un acte copiée littéralement (1668) puis d'un passage que l'on tire d'un livre (1690). De là la spécialisation du pluriel *extraits*, «morceaux choisis d'un auteur» (1762). ◇ Par ailleurs, *extrait* désigne (1531) un produit que l'on retire d'un corps par une opération physique ou chimique, par exemple dans *extrait de viande* (1868). ◆ **EXTRACTION** n. f. est une réfection (1314) de la forme semi-savante *estration* (fin XIIe s.), dérivée de *extractum*, supin de *extrahere*, d'après le bas latin *extractio* «action de retirer, d'enlever». ◇ Le mot a d'abord le sens particulier, «origine d'où une personne tire sa naissance», qui ne se maintient que dans des locutions comme ***de basse, de modeste extraction.*** ◇ Le mot s'emploie ensuite pour «action de retirer ou de séparer». Il se dit (1314) en médecine de l'action de retirer de l'organisme un corps étranger ou nuisible, d'où *extraction d'une dent*; il désigne (1398) l'action de séparer une substance du composé dont elle fait partie; il s'emploie aussi en mathématiques (1484; 1520, *extraction d'une racine*) et dans la langue juridique (v. 1560, *extraction d'un prisonnier*). ◇ Le mot désigne enfin (v. 1560) l'action de sortir une chose du lieu où elle se trouve enfouie et, par analogie, signifie en technique «action de faire sortir d'un milieu (des déchets, etc.)» (XIXe s.).

EXTRACTIBLE adj., formé sur le radical du nom (1877), est didactique. ◆ **EXTRACE** n. f. (XIIe s., aussi *estrace*), dérivé de *estraire* «faire sortir, tirer de» (→ extraire), est encore employé comme archaïsme plaisant au sens d'«origine, extraction» *(être de noble extrace)*. ◆ **EXTRACTEUR** n. m. est un emprunt au latin médiéval *extractor* (v. 1250, dans le domaine anglais), dérivé de *extractum*, supin de *extrahere*. Le mot a eu le sens de «personne qui pratique des extractions» (1532, *extracteur de dîme*; 1579, *extracteur de quintessence*, puis *extracteur de dents*, remplacé par *arracheur*). ◇ Il désigne aujourd'hui un dispositif ou un appareil destiné à l'extraction de quelque chose dans l'industrie (1816), en chirurgie (1839), en armurerie (1886), etc. ◆ **EXTRACTIF, IVE** adj. est dérivé (1555) de *extractum*, comme *extraction*; terme didactique, il signifie «qui sert à extraire», «qui est obtenu par extraction». Il s'est employé spécialement en grammaire (XVIIIe s.) pour désigner l'emploi partitif de *de (particule extractive)*; cette acception est archaïque.

EXTRA-MUROS adv. et adj. est composé des mots latins *extra* (→ ① extra-) et *muros* accusatif pluriel de *murus* (→ mur), signifiant «hors des murs».

♦ Attesté en 1817, il s'emploie au sens de «hors de la ville».

◈ voir INTRA-MUROS.

EXTRANÉITÉ n. f. est un dérivé savant (1619) du latin classique *extraneus* «de l'extérieur, étranger» (→ étrange), sans doute par l'intermédiaire du latin médiéval *extraneitas* (XIIIe s. dans le domaine anglais).

♦ Le mot désigne en droit la qualité d'étranger; par extension, il s'emploie (1913, Valéry) pour «caractère de ce qui est étranger».

EXTRAORDINAIRE adj. et n. m. est un emprunt (v. 1265) au latin *extraordinarius* «inusité, exceptionnel» et «supplémentaire» (en parlant de troupes), composé de *extra* (→ ① extra-) et de *ordinarius* (→ ordinaire), d'après *extra ordinem* «qui sort de l'ordre».

♦ L'adjectif, senti comme composé de *ordinaire,* s'applique d'abord, comme en latin, à ce qui n'est pas selon l'ordre commun, par exemple dans la locution adverbiale ***par extraordinaire*** «par exception» (1865) et, à l'époque classique, ***d'extraordinaire*** «en surplus» (fin XVIe s.). Il s'employait spécialement en droit ancien dans *torture extraordinaire* «renforcée». ◇ Avec cette valeur, le nom a désigné spécialement une dépense imprévue (1480) et, en particulier sous l'Ancien Régime, des fonds destinés à la guerre. ◇ L'adjectif s'emploie par extension au sens de «remarquable en son genre», «très grand» (1587), d'où «qui suscite l'étonnement, la surprise par sa rareté, sa singularité» (1666, Molière). Au XVIIe s., le nom a été aussi employé pour désigner ce qui est en dehors de l'usage commun (1666, Corneille) et ce qui étonne par ce caractère. ◇ L'adjectif s'est affaibli au XIXe s. pour devenir un intensif banal («excellent, très bon»).

▸ **EXTRAORDINAIREMENT** adv. est relevé dès 1313. ◆ **EXTRA** n. m. et adj. inv., formé par abréviation, est relevé en 1732 (Trévoux) au sens de «jour exceptionnel d'audience en période habituelle de fermeture du Palais», par ellipse de *audience d'extra.* ◇ *Un extra* s'emploie ensuite pour «supplément» (1788), spécialement en parlant de ce que l'on consomme; en ce sens, *d'extra* (1838, Töpffer) est sorti d'usage. ◇ L'adjectif s'emploie familièrement (1825) pour «supérieur», en parlant de la qualité d'un produit. ◇ *Extra* désigne ensuite ce que l'on fait d'extraordinaire (1842), mais il est rare dans cet usage; il s'emploie en particulier (1871) pour «service temporaire, à l'occasion d'une réception, etc.» et, par métonymie, pour «personne employée occasionnellement» (1877). ◇ *Extra* au XXe s. s'emploie comme majoratif pour «excellent, très bien»; répandu vers 1970, l'adjectif est dans cet emploi une variante de *super**.

② **EXTRA-**, élément servant de préfixe augmentatif avec le sens de «plus que, tout à fait», entre dans la composition de nombreux mots, spécialement dans le langage commercial (cf. *super-, ultra-* pour des formations analogues) : **EXTRA-FIN, FINE** ou **EXTRAFIN** adj. (1828), *extra-lucide* (→ lucide); **EXTRA-FORT, FORTE** ou **EXTRAFORT** adj. (1870) et n. m. (1922); **EXTRA-DRY** adj. inv. (1878; de l'anglais *dry* «sec»); **EXTRA-RAPIDE** ou **EXTRARAPIDE** adj. (1878), moins courant que *ultra-rapide;* **EXTRALÉGER, ÈRE** adj. (1906); **EXTRACOURT, E** adj. (XXe s.), **EXTRAPLAT, E** adj. (XXe s.).

EXTRAPOLER v. intr. a été formé à la fin du XIXe s. d'après *interpoler**, par substitution de *extra-* (→ ① extra-) à *inter**.

♦ Le verbe s'emploie d'abord en mathématiques, puis (déb. XXe s.) signifie dans la langue courante «appliquer une chose connue à un autre domaine pour en déduire des conséquences».

▸ Le dérivé **EXTRAPOLABLE** adj. (XXe s.) est didactique. ◆ **EXTRAPOLATION** n. f., formé comme le verbe sur le modèle d'*interpolation** (1877), au sens d'«action d'extrapoler», désigne dans l'usage général une déduction hâtive (déb. XXe s.).

EXTRAVAGANT, ANTE adj., réfection (entre 1379 et 1389) de la forme *extravacant* (1374), est un emprunt au latin scolastique *extravagans,* qui qualifiait les constitutions pontificales ne faisant pas partie des décrétales. Le mot est composé de *extra* (→ ① extra-) et de *vagans,* participe présent du latin classique *vagari* «s'écarter de la voie, errer» (→ vaguer).

♦ L'adjectif s'emploie d'abord en droit canon pour «non incorporé dans les textes canoniques», sens aujourd'hui sorti d'usage. ◇ Il qualifie ensuite ce qui est excessif (1379-1389, *despense extravagante*), puis (mil. XVIe s.) signifie «bizarre, excentrique» en parlant de personnes, d'idées, d'actions, etc., et recouvre certains emplois de *fou;* le mot s'est appliqué (1663) à une personne dont la raison est déréglée.

▸ Le dérivé **EXTRAVAGANCE** n. f. a au XIVe s. le sens de «digression» (1560) aujourd'hui disparu; il a suivi la même évolution sémantique que l'adjectif (1595, Montaigne, «excès»). ◆ **EXTRAVAGAMMENT** adv. (1571) est d'usage littéraire. ◆ **EXTRAVAGUER** v. intr., composé (1538) de *extra* et à partir du latin *vagari,* ou formé d'après l'adjectif pris pour un participe présent, a eu le sens de «s'écarter de la voie». ◇ Il s'emploie (av. 1662) pour «penser, parler, agir sans raison» (cf. *divaguer*), sens archaïque; *s'extravaguer,* «s'écarter de son sujet» (fin XVIe s.), est sorti d'usage.

EXTRAVASER (S') v. pron. a été composé (1673) sur le modèle de *transvaser**, de *extra* (→ ① extra-) et du latin *vas* (→ ① vase).

♦ D'emploi didactique, le verbe signifie «se répandre hors de son contenant naturel», en parlant d'un liquide organique (1673). L'emploi transitif

(1803) est moins courant. *S'extravaser* s'emploie aussi par figure au sens de «passer et de se répandre dans» (1838, Lamartine).

▸ Le dérivé **EXTRAVASATION** n. f. (1695) est un terme de médecine ; on relève avec le même sens **EXTRAVASEMENT** n. m. (1867) et **EXTRAVASION** n. f. (1876), variantes rares.

EXTRAVERTI, IE ou **EXTROVERTI, IE** adj. et n. représente un emprunt (1921, dans une traduction de C. G. Jung) à l'allemand *extravertiet*, terme de psychologie signifiant «qui est tourné vers le monde extérieur». Le mot est formé de *extra* (→ ① extra-) et du latin *vertere* «tourner» (→ vers, version) ; on relève dès 1916 en anglais l'adjectif *extraverted* et le nom *extravert*.

♦ L'adjectif conserve le sens de l'allemand ; la forme *extroverti* vient de l'influence de l'antonyme *introverti*.

▸ **EXTRAVERSION** n. f., formé de *extra-* et de *version**, a été un terme de chimie (1747). En psychologie, il a été emprunté (1913 dans un texte en français) à l'allemand *Extraversion* formé par Jung. ◆ On dit aussi **EXTROVERSION**, forme qui s'est employée d'abord en médecine (1814) au sens de «renversement en dehors (d'un organe creux)».

EXTRÊME adj. et n. m. est emprunté (1370-1372, Oresme, adj. et n. m.) à l'adjectif latin *extremus*, superlatif de *exter*, «le plus à l'extérieur», «le dernier», «le pire» (→ extérieur), également attesté comme substantif neutre *(extremum)*.

♦ Dans ses premiers emplois, le mot s'applique, comme en latin, à ce qui est au dernier degré ou à un très haut degré. Comme nom il s'utilise en logique et s'est dit pour «parti violent, extrême», valeur qui ne subsiste que dans *se porter aux extrêmes*. ◇ Par figure, l'adjectif signifie, en parlant de choses (mil. XVIe s.), «qui est le plus éloigné de la moyenne, excessif» ; par extension, il s'applique à ce qui suppose des risques, est caractérisé par des risques. ◆ Il reprend aussi au XVIe s. (1580) le sens latin de «qui termine (un espace, une durée)», aussi substantivé *(un extrême)*, d'où la locution proverbiale ***les extrêmes se touchent***. ◇ Depuis le XVIIe s., il est employé dans la locution adverbiale ***à l'extrême*** «au-delà de ce qui est normal» (1662) et pour «excessif», en parlant de personnes (1686). ◇ Au sens de «qui termine», *extrême* entre dans la désignation géographique *Extrême-Orient*, nom masculin, par opposition à *Proche-Orient* et à *Moyen-Orient*. Il s'emploie aussi, par figure, dans les syntagmes *l'extrême droite* (→ droit), *l'extrême gauche* (→ gauche) «les membres d'une assemblée politique qui siègent à droite, à gauche, et sont les plus éloignés du centre».

▸ **EXTRÊMEMENT** adv., dérivé (1549), s'emploie couramment comme adverbe de manière, mais il est seulement d'usage littéraire comme adverbe de quantité pour «beaucoup». ◆ **EXTRÉMISME** n. m. désigne (1918) la tendance à défendre des opinions extrêmes, en particulier en politique ; le nom semble procéder de **EXTRÉMISTE** adj. (1915) substantivé rapidement (1917). ◆ **EXTRÉMITÉ** n. f. a été emprunté (v. 1265, *estremite*) au dérivé latin classique *extremitas* «partie située le plus à l'extérieur» et, en latin impérial, «situation extrême». ◇ Le nom, employé au propre (v. 1265) et au figuré (1269-1278), a eu une évolution sémantique analogue à celle de *extrême* ; il s'est employé en particulier au sens de «fin de la vie» (1541), acception qui ne s'est maintenue que dans ***à la dernière extrémité***, et est littéraire pour désigner (au pluriel) un excès de violence (1679). ◆ **EXTRÊME-ONCTION** n. f. est un emprunt (1549, *extreme unctio*) au latin ecclésiastique *extrema unctio* (VIIe s.) [→ onction] désignant un sacrement de l'Église, administré sous forme d'onction d'huiles saintes aux fidèles en péril de mort. ◇ De là viennent **EXTRÉMISER** v. tr. «donner l'extrême-onction», d'emploi rare (1842) et, employé par plaisanterie, **EXTRÊME-ONCTIONNER** v. tr. (1889, Goncourt).

⟐ voir ② IN EXTREMIS ; ORIENTAL (EXTRÊME-ORIENTAL).

EXTRINSÈQUE adj. est un emprunt (1314) au latin *extrinsecus* adv. «du dehors», formé de °*extrim*, variante de *extra* «au-dehors», «hors de» et de *secus* adv. et prép. «le long de», «selon», fréquent comme second élément de composition (cf. *intrinsèque**). *Secus* est à rattacher à une racine indoeuropéenne °*sek*ʷ- qui a fourni des formes adverbiales et prépositionnelles, diverses d'une langue à l'autre ; le mot a pour dérivé *sequester* (→ séquestre).

♦ *Extrinsèque*, terme didactique, s'applique à ce qui est extérieur à l'objet que l'on considère (cf. *extérieur*) ; il s'emploie spécialement dans le vocabulaire économique, philosophique (1740, *valeur extrinsèque*) et en anatomie (*muscles, nerfs extrinsèques* ; 1805, Cuvier). Il s'oppose à *intrinsèque**, plus courant.

▸ De l'adjectif dérivent les termes didactiques **EXTRINSÈQUEMENT** adv. (1541) et **EXTRINSÉCISME** n. m. (1907, comme terme de théologie), employé en philosophie.

EXTROSPECTION n. f. est un mot formé, à la fin du XIXe s. (A. Binet), d'après *introspection** par substitution de *extro-*, variante de *extra-**, à *intro-*.

♦ Ce terme de psychologie s'emploie par opposition à *introspection*, plus courant que lui, et se dit de l'observation psychologique objective, d'après les manifestations extérieures (comportement, expression, œuvre, etc.). Il est devenu rare.

▸ On rencontre le dérivé **EXTROPECTIF, IVE** adj. «qui appartient à l'extrospection» (1949, Vuillemin).

EXTRUSION n. f. est une formation savante (1905), par suffixation en *-ion* et d'après *intrusion**, à partir du radical de *extrusum*, supin du latin *extrudere* «pousser dehors, chasser de» ; ce verbe est formé de *ex-* «hors de» (→ ex-) et de *trudere* «pousser», apparenté au gotique *us- riutan* «donner un coup» et au vieux slave *trudŭ* «coup». On relève (fin XIXe-déb. XXe s.) l'emploi de l'anglais *extrusion* (attesté depuis le XVIe s.) dans les mêmes domaines que le mot français.

♦ *Extrusion* est d'abord attesté en géologie (1905) pour désigner une sortie de lave sans projection ni écoulement, formant aiguille ou dôme. ◇ Le mot s'emploie ensuite par analogie comme terme technique, en particulier (1922) pour désigner des procédés de fabrication de pièces (métalliques, en matière plastique) par écoulement.

▸ De cet emploi procède le préfixé **COEXTRUSION** n. f. (v. 1970). ➜ Trois autres termes ont été formés savamment à partir du latin *extrudere* : **EXTRUDAGE** n. m. (1930), synonyme d'*extrusion*, **EXTRUDÉ, ÉE** adj. (v. 1960) et **EXTRUDEUSE** n. f. (v. 1960), équivalent de *boudineuse*.

EXUBÉRANT, ANTE adj. est emprunté (XVe s.) au latin *exuberans, -antis,* participe présent adjectivé de *exuberare* «regorger, abonder», formé de *ex-* intensif et de *uberare* «porter des fruits, être fécond» et «féconder». Le verbe dérive de l'adjectif *uber* «fécond, fertile» (au propre et au figuré) puis «riche, copieux», en parlant du style, du langage. Ce mot s'employait aussi poétiquement pour «mamelle» et a alors des correspondants en sanskrit *(ū́dhar)*, en grec *(outhar)* et en ancien haut allemand *(ūtar)*.

♦ *Exubérant* est d'abord employé avec le sens étymologique de «abondant, très fécond, qui est en excès». ◇ Au propre il s'applique notamment à la nature et, par analogie, aux lignes d'un corps (dans un emploi littéraire); au figuré, il qualifie l'expression et, spécialement, un style, une œuvre d'art. ◇ *Exubérant* s'emploie ensuite par extension (1840, Sainte-Beuve) en parlant d'une personne, de sentiments, au sens de «qui se manifeste beaucoup, expansif».

▸ **EXUBÉRER** v. intr., emprunté (1545) au verbe latin, est rare aux sens propre et figuré de l'adjectif. ➜ **EXUBÉRANCE** n. f., emprunté (1561) au dérivé bas latin *exuberantia* «abondance, débordement, excès», est attesté au XVIe s. avec le sens de «développement excessif (d'une partie du corps, d'un tissu, d'un organe)» (1561, A. Paré) puis au sens du latin, «abondance» (1578). Dans cet emploi, il est repris au XVIIIe s. et ne se répand qu'au XIXe siècle; dès la fin du XVIIIe s. *exubérance* est utilisé par Rousseau pour désigner le trop-plein de vie qui se manifeste dans le comportement, les propos.

EXULTER v. intr. est un emprunt savant (XIVe s.) au latin classique *ex(s)ultare,* signifiant proprement «bondir, sauter», et souvent usité au sens moral de «être transporté (de joie)»; en latin chrétien, ce verbe a été employé transitivement au sens de «célébrer, glorifier». Il est formé de *ex-* (→ ex-) et de *saltare* «sauter, bondir» (→ sauter), itératif intensif de *salire* qu'il a tendu à remplacer (→ exil), d'origine indoeuropéenne.

♦ *Exulter* est introduit comme verbe transitif avec le sens du latin chrétien «glorifier», qui est sorti d'usage, puis (déb. XVIe s.) avec le sens moral du latin classique (1516, intr.), qu'il conserve. On rencontre au XIXe s. quelques attestations de la construction *exulter en,* suivie d'un substantif (1859, Sainte-Beuve) et de *exulter,* employé transitivement avec un sens proche d'*exalter* (1898, Mallarmé).

▸ **EXULTANT, ANTE** adj. (1862, Goncourt), participe présent de *exulter,* est d'emploi littéraire. ➜ **EXULTATION** n. f., emprunté (fin XIIe-déb. XIIIe s.) au latin classique *ex(s)ultatio* «saut», d'où «manifestation de joie, transport», dérivé du supin de *ex(s)ultare,* s'emploie dans le vocabulaire religieux ou littéraire. ➜ **EXULTET** n. m., mot latin signifiant «qu'il exulte» (premier mot de l'hymne de la veillée pascale), est en français (attesté 1870) un terme de la liturgie catholique désignant le chant qui commence l'office du soir du samedi saint (annonçant la joie de la Résurrection).

◈ voir INSULTER, RÉSULTER.

EXUTOIRE n. m. est un dérivé savant (1767) par suffixation en *-oire,* du latin *exutus* «dépouillé», participe passé de *exuere* «dévêtir, dépouiller», au propre et au figuré. Ce verbe, comme son contraire *induere,* est formé à partir d'un verbe archaïque et hypothétique *°-ewo, °-owo,* qui est apparenté au vieux slave *-uti* «mettre sur soi» et à l'arménien *aganim* de même sens.

♦ Le mot a d'abord désigné en médecine ancienne un ulcère artificiel destiné à entretenir une suppuration locale. Depuis le début du XIXe s. (1825) il se dit plus couramment au figuré de ce qui permet de se soulager, de se débarrasser (d'un besoin, d'une envie). ◇ Par analogie, le mot désigne en technique (1870) un dispositif (égout, canal, etc.) servant à évacuer des eaux usées, polluées, et ensuite (attesté 1943, Gide) ce qui sert à écouler un excédent.

EX-VOTO n. m. inv. est un emprunt (attesté en 1643 chez Saint-Amant) au latin ecclésiastique *ex voto,* employé dans la formule *ex voto (suscepto),* parfois abrégée en *e. v. s.* «selon le vœu fait», usuelle sur les inscriptions. *Ex voto* est composé du latin *ex* «à la suite de, selon» et de *voto,* ablatif de *votum* (→ vœu), dérivé de *vovere, votum* «faire un vœu».

♦ Le mot désigne un objet quelconque (tableau, figure, plaque) portant une formule de reconnaissance, placé dans une église en accomplissement d'un vœu ou en signe de reconnaissance.

▸ On relève chez Céline (1936) l'adjectif **EX-VOTIF, IVE,** rare.

EYE-LINER n. m. est un emprunt graphique (1961) à un mot anglo-américain «crayon à maquiller les yeux» (mil. XXe s.), composé de *eye* «œil», d'un mot germanique peut-être apparenté à *oculus* (→ œil), et de *liner* «ce qui sert à tracer des lignes», de *line* (de même origine que *ligne*).

♦ Le mot désigne un fard liquide de couleur sombre, servant à souligner le bord des paupières. Difficilement prononçable par les locuteurs ignorant l'anglais, ce nom est soit commercial, soit snob.

N° de projet 10065688 (5) 65 (Valo 55)
Mars 1999
Imprimé en France par Maury-Eurolivres
45300 Manchecourt